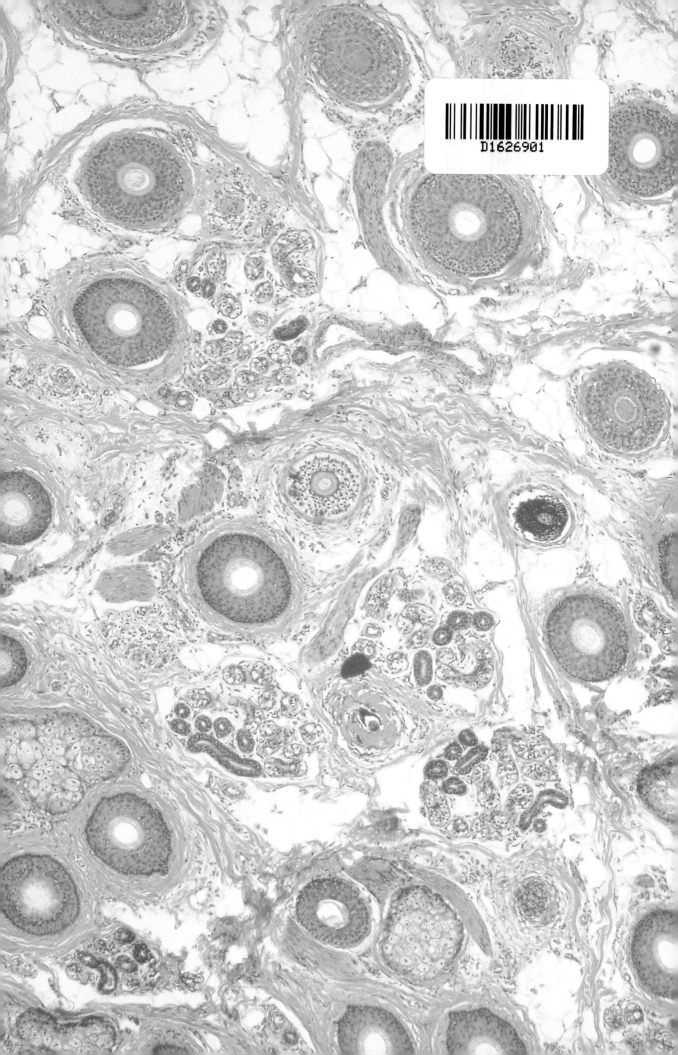

LAROUSSE
MÉDICAL

© **Larousse – Bordas, 1998 pour la présente édition**
© Larousse, 1995 pour l'édition originale

Toute reproduction de cet ouvrage, totale ou partielle, par quelque procédé que ce soit,
sans l'accord préalable de l'éditeur, constitue une contrefaçon passible des sanctions
prévues par les articles 425 et suivants du Code pénal.
Distributeur exclusif au Canada : Messageries ADP, 1751 Richardson, Montréal (Québec)

ISBN 2-03-510800-4

LAROUSSE
MÉDICAL

21 Rue du Montparnasse 75298 Paris cedex 06

Direction éditoriale
Claude Naudin, Nicole Grumbach

Secrétariat de rédaction
Isabelle Esmoingt, Sylvie Ferrando,
Élisabeth Lequeret, Brigitte Nérou,
Marie-Claude Raoux, Marielle Veteau

Direction de la mise à jour :
Docteur Véra Lemaire, rédactrice en chef du *Concours Médical,*
avec la collaboration de la documentation du *Concours Médical*

Correction-révision
Annick Valade,
assistée de
Claude Dhorbais, Françoise Moulard,
Madeleine Soize, Édith Zha

Direction artistique
Frédérique Longuépée,
assistée de
Cécile Declerck, Ulrike Meindl,
Jacqueline Pajouès *(dessin),* Henri-François Serres Cousiné

Iconographie
Anne-Marie Moyse-Jaubert

Informatique éditoriale
Marion Pépin
Jocelyne Rebena

Fabrication
Gérard Weymiens,
assisté de
Marlène Delbeken

Couverture
Gérard Fritsch,
assisté de
Simone Matuszek

AVANT-PROPOS

DEPUIS PLUS D'UN SIÈCLE, la médecine a fait des progrès considérables. Bénéficiant des avancées de la plupart des sciences fondamentales et du prodigieux essor de la recherche, elle a multiplié ses voies d'investigation, perfectionné ses outils de diagnostic et de soin, guéri ce qui, autrefois, était inguérissable. La dernière décennie a vu s'accélérer encore ce développement et s'amplifier ces résultats.

De nouveaux traitements sont découverts et mis en œuvre, de nouvelles techniques de laboratoire permettent des investigations chimiques, biologiques, physiques, qui apportent au praticien une aide à peine imaginable il y a seulement quelques années. De nouvelles spécialités se créent ou connaissent des développements qui élargissent considérablement les frontières de notre savoir : la génétique, l'immunologie, l'imagerie médicale sont du nombre. Parallèlement, les techniques de la chirurgie et de l'anesthésie-réanimation sont de plus en plus précises, de plus en plus fines : désormais, tout, ou presque, paraît possible.

Ces progrès, ou, pour mieux dire, ces bouleversements du savoir médical, Larousse a souhaité les rendre accessibles à la compréhension du plus large public. Le propos n'est pas, et il ne saurait l'être, de se substituer au médecin. Aucun livre n'a jamais aidé à poser un diagnostic, aucun ouvrage n'a jamais su adapter une prescription au cas particulier que représente par définition tout être humain. A fortiori, aucun malade n'a jamais établi avec un livre l'irremplaçable lien de confiance qui s'établit entre la personne qui consulte et le médecin qui la soigne.

En revanche, un livre, en particulier s'il revêt la forme du dictionnaire, peut assumer un rôle d'utile auxiliaire. C'est ce rôle que l'éditeur souhaite voir jouer au nouveau *Larousse médical*. Chaque science, chaque pratique a son vocabulaire spécifique (certains diront son « jargon ») et la médecine plus que toute autre. Mais le médecin n'a pas toujours le temps d'expliquer à ceux qui viennent à lui la réalité complexe de son domaine et les mots qui la désignent. L'éditeur et le directeur médical proposent donc, ici, un ouvrage où plus de 6 000 articles brossent une image fidèle de la médecine moderne : maladies, examens, actes chirurgicaux, médicaments, descriptions anatomiques des organes. Les termes médicaux qui s'y rapportent sont définis dans un style clair, au moyen d'un vocabulaire à la fois exact et explicite, permettant à chacun de comprendre des notions souvent difficiles. À l'appui des articles, une illustration abondante, sous forme à la fois de dessins et de photographies, éclaire le texte. Certains sujets, malheureusement d'actualité, comme la dépression ou la toxicomanie, ou moins dramatiques mais omniprésents, comme la migraine ou le sommeil, ont fait l'objet d'une approche particulière qui ajoute, à l'information strictement médicale, l'analyse de la prise en charge de ces troubles par la société.

Pour réaliser ce livre, il a été fait appel à des spécialistes de renommée internationale, qui ont apporté non seulement leur compétence mais aussi leur dévouement – le même qu'ils mettent à soigner leurs malades ou à mener à bien leurs recherches. Qu'ils trouvent ici les remerciements de l'éditeur pour cette précieuse collaboration.

Peut-être certains lecteurs, outre une consultation ponctuelle, seront-ils poussés par leur curiosité personnelle à lire le dictionnaire au fil des pages. Ils en tireront certainement l'impression d'ensemble que l'on soigne mieux et que l'on guérit plus que naguère. Cette impression correspond à la réalité. La médecine d'aujourd'hui est dépositaire, dans maint domaine, d'immenses espoirs. Puisse le présent ouvrage les transmettre intacts.

L'ÉDITEUR

COMITÉ SCIENTIFIQUE

Professeur Antoine BOURRILLON,
professeur des universités, professeur de pédiatrie, praticien des hôpitaux,
chef du service de pédiatrie générale et urgences médicales pédiatriques,
hôpital Robert-Debré, Paris

Professeur Emmanuel Alain CABANIS,
professeur à la faculté de médecine Pitié-Salpêtrière, université Paris-VI-Pierre-et-Marie-Curie,
chef du service de neuroradiologie et imagerie médicale,
centre hospitalier national d'ophtalmologie des Quinze-Vingts, Paris

Professeur Yves CHAPUIS,
professeur à l'université Paris-V,
chef du service de chirurgie générale et digestive,
hôpital Cochin, Paris

Professeur Boyan CHRISTOFOROV,
médecin des hôpitaux, professeur de médecine interne,
faculté de médecine Cochin-Port-Royal, Paris

Professeur René FRYDMAN,
chef du service de gynécologie-obstétrique,
maternité Antoine-Béclère, Clamart

Professeur Marc GENTILINI,
professeur des maladies infectieuses et tropicales,
chef de service,
hôpital Pitié-Salpêtrière, Paris

Professeur François GUÉRIN,
professeur des universités,
chef du service de cardiologie,
hôpital Cochin, Paris

Professeur Lucien ISRAËL,
professeur de cancérologie,
centre hospitalier universitaire Avicenne, université Paris-XIII, Bobigny

Professeur Jean-Pierre LUTON,
médecin des hôpitaux, professeur à la faculté,
doyen de la faculté de médecine Cochin-Port-Royal, Paris

Docteur Yves MORIN,
médecin des hôpitaux, chef du service de médecine interne,
centre hospitalier national d'ophtalmologie des Quinze-Vingts, Paris

Professeur François VACHON,
médecin des hôpitaux, professeur à l'université Paris-VII,
chef de service, clinique de réanimation des maladies infectieuses,
hôpital Bichat-Claude-Bernard, Paris

Professeur Jean-Pierre WAINSTEN,
professeur associé de médecine générale, policlinique (professeur J.-L. Portos),
hôpital Henri-Mondor, Créteil

Professeur Pierre YOUINOU,
docteur en médecine, docteur en biologie humaine, professeur des universités,
praticien hospitalier, chef du laboratoire d'immunologie,
centre hospitalier régional et universitaire, Brest

Ouvrage réalisé sous la direction du **docteur Yves MORIN,**
médecin des hôpitaux, chef du service de médecine interne
au centre hospitalier national d'ophtalmologie des Quinze-Vingts, PARIS.

Illustration anatomique réalisée sous la direction du **professeur Claude GILLOT.**

AUTEURS

Docteur AMARENCO Gérard, chef de service, service de rééducation fonctionnelle, centre hospitalier Robert-Ballanger, Aulnay-sous-Bois.

Professeur AMOR Bernard, professeur des universités, chef de service, clinique de rhumatologie, hôpital Cochin, Paris.

Professeur AMOUROUX Jacques, chef de service, service d'anatomie et de cytologie pathologiques, hôpital Avicenne, Bobigny.

Docteur BADELON Bernard, médecin-chef, centre de rééducation et de réadaptation fonctionnelles en milieu marin, Granville.

Docteur BARBANEL Claude, chef de service, service de néphrologie et hémodialyse, centre hospitalier, Meaux.

Professeur BARRUCAND Dominique, chef de service, service de médecine interne orienté en alcoologie, hôpital Émile-Roux, Limeil-Brévannes.

BASS Henri-Pierre, psychanalyste, Paris.

BATELLIER Laurence, pharmacien biologiste, service de biologie, centre hospitalier national d'ophtalmologie des Quinze-Vingts, Paris.

Docteur BENDRIEM Bernard, chef du groupe instrumentation, service hospitalier Frédéric-Joliot - C.E.A., Orsay.

Professeur BÉNÉ Marie-Christine, laboratoire d'immunologie, groupe de recherche en immunopathologie, faculté de médecine et centre hospitalier universitaire de Nancy, Vandœuvre-lès-Nancy.

Docteur BERT Pierre, assistant, responsable de l'hôpital de jour, service de gérontologie clinique, groupe hospitalier Broca-La Rochefoucauld, Paris.

BERTHIER Anne-Marie, diététicienne.

Professeur BERTRAND Alain, chef de service, médecine nucléaire, centre hospitalier universitaire Nancy-Brabois, Vandœuvre-lès-Nancy.

Docteur BICHERON Michel, chef du département de mésothérapie de la faculté de médecine de Paris-XIII, président du Collège universitaire international de mésothérapie (C.U.I.M.), Paris.

Professeur BIGNON Jean, professeur des universités, service de pneumologie, hôpital intercommunal de Créteil, Créteil.

Docteur BOCCACCIO Catherine, centre d'hémobiologie-transfusion de Paris-Centre, hôpital Pitié-Salpêtrière, Paris.

Médecin Général BOCQUET Michel, professeur à l'hôpital d'instruction des armées du Val-de-Grâce, ancien chargé de mission près le directeur central du service de santé des armées, consultant, centre hospitalier national d'ophtalmologie des Quinze-Vingts, Paris.

Professeur BONFILS Pierre, service d'O.R.L. et chirurgie cervico-faciale, faculté Necker-Enfants-Malades, université René-Descartes, hôpital Boucicaut, Paris.

Professeur BOUCHARD Claude, PhD, laboratoire des sciences de l'activité physique, université Laval, Ste-Foy, Québec, Canada.

Docteur BOULU Philippe, unité de traitement de la douleur, service de neurologie, hôpital Beaujon, Clichy.

Professeur BOURRILLON Antoine, professeur des universités, professeur de pédiatrie, praticien des hôpitaux, chef du service de pédiatrie générale et urgences médicales pédiatriques, hôpital Robert-Debré, Paris.

Professeur BOUSSER Marie-Germaine, professeur des universités, chef de service, service de neurologie, hôpital Saint-Antoine, Paris.

Professeur BREAU Jean-Luc, professeur des universités, service d'oncologie, hôpital Avicenne, Bobigny.

Docteur BURÉ-ROSSIER Anne, maître de conférences à la faculté Xavier-Bichat, Paris, praticien hospitalier au laboratoire de microbiologie de l'hôpital Rothschild, Paris.

Professeur BUSSIÈRE Françoise, laboratoire de biophysique et traitement de l'image, service de médecine nucléaire, faculté de médecine, centre Antoine-Lacassagne, Nice.

Professeur CABANIS Emmanuel Alain, professeur à la faculté de médecine Pitié-Salpêtrière, université Paris-VI-Pierre-et-Marie-Curie, chef du service de neuroradiologie et imagerie médicale, centre hospitalier national d'ophtalmologie des Quinze-Vingts, Paris.

Professeur CAMPANA Aldo, professeur à la faculté de médecine, université de Genève, médecin chef de service, clinique de stérilité et d'endocrinologie gynécologique, hôpital cantonal universitaire de Genève, Genève, Suisse.

Professeur CASADEVALL Nicole, laboratoire central d'immunohématologie, hôpital Raymond-Poincaré, Garches.

Professeur CASTAING Yves, service de réanimation médicale A, centre hospitalier universitaire, hôpital Pellegrin-Tripode, Bordeaux.

Docteur CAVEZIAN Robert, praticien hospitalier en radiologie et imagerie médicale, adjoint, service de neuroradiologie et imagerie médicale, centre hospitalier national d'ophtalmologie des Quinze-Vingts, Paris.

CHANUSSOT Jean-Claude, kinésithérapeute, chef de service, département de médecine et traumatologie, service de rééducation de l'appareil locomoteur, centre médico-chirurgical des jockeys de Chantilly, Chantilly.

Professeur CHAPUIS Yves, professeur à l'université Paris-V, chef du service de chirurgie générale et digestive, hôpital Cochin, Paris.

Professeur CHASTEL Claude, service de bactériologie-virologie, centre hospitalier régional et universitaire, Brest.

Docteur CHAUVEAU Marie-Émilie, ancien chef de clinique-assistant, service d'endocrinologie, hôpital Cochin, Paris.

Docteur CHIEZE François, chargé de programme sida, directeur de l'O.P.A.L.S., institut santé et développement, Paris.

Docteur CHOUAÏD Christos, service de pneumologie, hôpital Saint-Antoine, Paris.

Professeur CHRISTOFOROV Boyan, médecin des hôpitaux, professeur de médecine interne, faculté de médecine Cochin-Port-Royal, Paris.

Professeur COMET Michel, service de médecine nucléaire, centre hospitalier universitaire de Grenoble, Grenoble.

Professeur CRÉPIN Michel, institut d'oncologie cellulaire et moléculaire humaine, Bobigny.

Docteur DANA Max, chef de service, unité de radiothérapie, centre hospitalier intercommunal de Poissy-Léon-Touhladjian, Poissy.

Docteur DANIEL François, professeur associé au Collège de médecine des hôpitaux de Paris, chef du service de dermato-allergologie et médecine interne, hôpital Saint-Joseph, Paris.

Docteur DATRY Annick, service de parasitologie-mycologie, groupe hospitalier Pitié-Salpêtrière, Paris.

Docteur DEBIN Marie-Laure, service de médecine interne, hôpital Louis-Mourier, Colombes.

Docteur DELAMARE Nathalie, ancien chef de clinique-assistant, département de médecine interne, hôpital Cochin, Paris.

Professeur DELBOY Christian, professeur de thérapeutique, faculté de médecine, Marseille.

Docteur DELBOY Thierry, assistant hospitalo-universitaire, hôpital Sainte-Marguerite, Marseille.

Professeur DELPECH Marc, service de biochimie-génétique, hôpital Cochin, Paris.

Docteur DESPRÉAUX Catherine, service d'ophtalmologie (professeur H. Hamard), centre hospitalier national d'ophtalmologie des Quinze-Vingts, Paris.

Docteur DEVAUX Jean-Yves, maître de conférences des universités, praticien hospitalier, service de médecine nucléaire, hôpital Cochin, Paris.

DEVEAU Annick, centre technique national d'études et de recherches sur les handicaps et les inadaptations, Paris.

Professeur DUFOUR Henri, médecin-chef du service hospitalo-ambulatoire A, département universitaire de psychiatrie adulte, Lausanne, Suisse.

Docteur DUPONT Hervé, service d'anesthésie-réanimation, hôpital Bicêtre, Le Kremlin-Bicêtre.

Professeur EURIN Benoît, département d'anesthésie-réanimation, hôpital Saint-Louis, Paris.

Docteur FEBVRE Michel, praticien hospitalier, service de pneumologie (professeur B. Lebeau), hôpital Saint-Antoine, Paris.

Professeur FENAUX Pierre, service des maladies du sang, centre hospitalier universitaire, Lille.

FIGON Élisabeth, infirmière.

Professeur FORETTE Françoise, professeur des universités, praticien hospitalier, directeur de la Fondation nationale de gérontologie (F.N.G.), chef de service, service de gérontologie, hôpital Broca-La Rochefoucauld, Paris.

Professeur FOUCHARD Jean, service de cardiologie, hôpital Cochin, Paris.

Docteur FOURNET Patrick, service de gynécologie-obstétrique, hôpital du Belvédère, Mont-Saint-Aignan.

FRÉVILLE Christian, pharmacien, pharmacie centrale des hôpitaux, Paris.

Professeur FRIDMAN Wolf Herman, I.N.S.E.R.M. unité 255, laboratoire d'immunologie cellulaire et clinique, institut Curie, Paris.

Professeur FRYDMAN René, chef du service de gynécologie-obstétrique, maternité Antoine-Béclère, Clamart.

Médecin en chef GAILLARD Jean-François, chef du service de médecine nucléaire, hôpital d'instruction des armées du Val-de-Grâce, Paris.

Professeur GARRE Michel, service des maladies infectieuses, centre hospitalier régional et universitaire, Brest.

Professeur GATTEGNO Bernard, chirurgien des hôpitaux, service d'urologie, hôpital Tenon, Paris.

GAUTIER Nadine, infirmière, institut d'enseignement supérieur de cadres hospitaliers, Assistance publique-hôpitaux de Paris, Paris.

Professeur GAY Roger, chef du service de réanimation polyvalente, centre hospitalier universitaire Dupuytren, Limoges.

Professeur GENETET Bernard, professeur d'immunologie, faculté de médecine (Rennes-I), président de l'A.S.S.I.M. (Association des enseignants d'immunologie des universités de langue française), Rennes.

Professeur GENETET Noëlle, laboratoire de microbiologie et d'immunologie pharmaceutique, faculté de pharmacie, université de Rennes-I, et laboratoire d'immunologie cellulaire, centre régional de transfusion sanguine, Rennes.

Professeur GENTILINI Marc, professeur des maladies infectieuses et tropicales, chef de service, hôpital Pitié-Salpêtrière, Paris.

Docteur GEORGE Gisèle, service de psychopathologie de l'enfant et de l'adolescent, hôpital Robert-Debré, Paris.

Professeur GILLOT Claude.

Professeur GUÉRIN François, professeur des universités, chef de service, service de cardiologie, hôpital Cochin, Paris.

Docteur GUILLOT Yves, service d'acupuncture, hôpital Saint-Jacques, Paris.

Professeur GUY-GRAND Bernard, professeur des universités, médecin des hôpitaux, chef du service de médecine et nutrition, Hôtel-Dieu, Paris.

Professeur HAMARD Henry, chef de service, service d'ophtalmologie, centre hospitalier national d'ophtalmologie des Quinze-Vingts, Paris.

Docteur HARTMANN Aline, docteur en chirurgie dentaire, ex-assistante université Paris-VII.

Docteur HERBELET Gilbert, service de médecine nucléaire, centre hospitalier général, Saint-Germain-en-Laye.

Professeur HIRSCH Albert, chef de service, service de pneumologie, hôpital Saint-Louis, Paris.

Docteur IBA-ZIZEN CABANIS Marie-Thérèse, ancien assistant à la faculté de Paris, praticien hospitalier en radiologie et imagerie médicale, chef de service adjoint, service de neuroradiologie et imagerie médicale, centre hospitalier national d'ophtalmologie des Quinze-Vingts, Paris.

Docteur ICHIR Alain, interne, centre chirurgical Marie-Lannelongue, Le Plessis-Robinson.

Professeur INGRAND Jacques, service de médecine nucléaire, hôpital Cochin, Paris.

Professeur ISRAËL Lucien, professeur de cancérologie, centre hospitalier universitaire Avicenne, université Paris-XIII, Bobigny.

Docteur JACOB Laurent, département d'anesthésie-réanimation, hôpital Saint-Louis, Paris.

Doctorant JAMIN Christophe, laboratoire d'immunologie, centre hospitalier régional et universitaire, Brest.

Professeur JONQUET Olivier, service de réanimation médicale, hôpital Guy-de-Chauliac, Montpellier.

Professeur JOUQUAN Jean, service de médecine interne, centre hospitalier régional et universitaire, Brest.

Professeur JOUVET Michel, professeur de médecine expérimentale, université Claude-Bernard, Lyon.

Docteur JUVAIN Yves, médecin généraliste.

Professeur KOPFERSCHMITT Jacques, service de réanimation, hôpital civil, Strasbourg.

Docteur KUJAS Albert, spécialiste en radiologie et imagerie médicale, chef du service de radiologie et imagerie médicale, hôpital des Diaconesses, Paris.

Docteur LABUSSIÈRE Anne-Sophie, praticien hospitalier, service de médecine interne, centre hospitalier général de Bourges, Bourges.

Docteur LAMY Catherine, service de neurologie, centre Raymond-Garcin, centre hospitalier Sainte-Anne, Paris.

Professeur LAPIÈRE Charles, service de dermatologie, centre hospitalier universitaire de Liège, Liège, Belgique.

Docteur LARIVEN Sylvie, chef de clinique-assistant, clinique de réanimation des maladies infectieuses, hôpital Bichat-Claude-Bernard, Paris.

Docteur LAROMIGUIÈRE Muriel, service de biochimie, Hôtel-Dieu, Paris.

Docteur LAZARUS Arnaud, service de cardiologie, centre chirurgical du Val-d'Or, Saint-Cloud.

Professeur LEBEAU Bernard, chef de service, service de pneumologie, hôpital Saint-Antoine, Paris.

Docteur LECENDREUX Michel, unité du sommeil, service de pédo-psychiatrie, hôpital Robert-Debré, Paris.

Professeur LE GALL Jean-Roger, chef de service, service de réanimation médicale, hôpital Saint-Louis, Paris.

Docteur LE HEUZEY Marie-France, service de psychiatrie de l'enfant et de l'adolescent, hôpital Robert-Debré, Paris.

Docteur LELAIDIER Christophe, service de gynécologie-obstétrique, centre hospitalier Courbevoie-La Défense, Courbevoie.

Docteur LELEU Ghislaine, service de réanimation médicale, hôpital Saint-Louis, Paris.

Docteur LE MOËL Gisèle, laboratoire de biochimie A, groupe hospitalier Bichat-Claude-Bernard, Paris.

Docteur LE NESTOUR Élisabeth, ancien chef de clinique, service d'endocrinologie, hôpital Cochin, Paris.

Professeur LIEHN Jean-Claude, chef de service de médecine nucléaire, institut Jean-Godinot, Reims.

Docteur LOISEAU Beatriz, Paris.

Docteur LUMBROSO Jean-Denis, service de médecine nucléaire, institut Gustave-Roussy, Villejuif.

Professeur LUTON Jean-Pierre, médecin des hôpitaux, professeur à la faculté, doyen de la faculté de médecine Cochin-Port-Royal, Paris.

Docteur LUTZLER Louis-Joseph (†), responsable de l'enseignement de l'homéopathie, université Paris-Nord, unité de formation et de recherche Santé-Médecine et biologie humaine, Bobigny.

LUU Claudine, docteur en pharmacie, docteur d'État ès sciences, Montpellier.

Professeur LYDYARD Peter M., département d'immunologie, UCL Medical School, Arthur Stanley House, Londres.

MADIER Monique.

Docteur MANDEL Ely, maître de conférences, faculté d'odontologie, U.F.R. d'odontologie, Paris-VII.

Professeur MARCHANDISE Xavier, service central de médecine nucléaire, hôpital B, Lille.

Docteur MARION Sandrine, I.N.S.E.R.M. unité 283, pavillon Hardy, hôpital Cochin, Paris.

Professeur MASCARO José M., professeur de clinique universitaire, chef de département de dermatologie, Hospital Clinic de Barcelone, Barcelone, Espagne.

Docteur MASSIOU Hélène, neurologue, ancien chef de clinique-assistant des hôpitaux de Paris, Paris.

Docteur MATRON Philippe, attaché, service d'orthopédie A, hôpital Cochin, Paris.

Professeur MAZERON Jean-Jacques, centre des tumeurs, groupe hospitalier Pitié-Salpêtrière, Paris.

Professeur MERCIER Jean-Christophe, service de réanimation pédiatrique, hôpital Robert-Debré, Paris.

Docteur MESSERSCHMITT Paul, chef de l'unité de psychopathologie de l'enfant et de l'adolescent, hôpital Armand-Trousseau, Paris.

Docteur METAHNI M. Kamel, anesthésiste-réanimateur, assistant hospitalo-universitaire, institut de carcinologie Salah Azaïez-Tunis, Tunis.

Docteur MÉTAIS Caroline, service d'anesthésie-réanimation, hôpital Bicêtre, Le Kremlin-Bicêtre.

Professeur MEYER Olivier, professeur des universités, praticien hospitalier, service de rhumatologie, hôpital Bichat, Paris.

Docteur MITZ Vladimir, service d'orthopédie et de chirurgie reconstructive, hôpital Boucicaut, Paris.

MOREAU Claude, docteur ès sciences, ancien directeur de recherche au Centre national de la recherche scientifique, Brest.

Docteur MORIN Yves, médecin des hôpitaux, chef du service de médecine interne, centre hospitalier national d'ophtalmologie des Quinze-Vingts, Paris.

Docteur NATAF Éric, radiologue, Paris.

Docteur NICOLAS Catherine, service d'anesthésie-réanimation, hôpital Bicêtre, Le Kremlin-Bicêtre.

Docteur NITENBERG Gérard, chef de service, service de réanimation, institut Gustave-Roussy, Villejuif.

Docteur NOZAIS Jean-Pierre, maître de conférences des universités, praticien hospitalier, service des maladies infectieuses et tropicales, groupe hospitalier Pitié-Salpêtrière, Paris.

Professeur PELC Isidore, chef du service de psychiatrie et de psychologie médicale, hôpital universitaire Brugmann, directeur du laboratoire de psychologie médicale, alcoologie et toxicomanie, université libre de Bruxelles, Bruxelles, Belgique.

Professeur PENNEC Yvon, chef du service de médecine interne, centre hospitalier régional et universitaire, Brest.

PERSON Yann, président de l'association nationale des ergothérapeutes, Paris.

Docteur PIERRE-MARIE-GRANIER Martine, diplômée de diététique et nutrition, Paris.

Docteur PORCQ Christian, ancien interne des hôpitaux psychiatriques de la Seine, centre médico-psychologique, centre hospitalier général, Saint-Germain-en-Laye.

Docteur PRIEUR Anne-Marie, service de pédiatrie, hôpital Necker-Enfants-Malades, Paris.

Professeur PUISSANT Antoine, chef de service, service de dermatologie, hôpital Saint-Louis, Paris.

Docteur RANOUX Danièle, service de neurologie, centre Raymond-Garcin, centre hospitalier Sainte-Anne, Paris.

Professeur DE RECONDO Jean, chef de service, service de neurologie, centre hospitalier Sainte-Anne, Paris.

Professeur REINBERG Alain, docteur en médecine, docteur ès sciences, directeur de l'unité de chronobiologie de la fondation Adolphe de Rothschild, Paris.

Docteur RICHARD Ruddy, service de physiologie et médecine du sport, service du professeur Rieu, groupe hospitalier Tarnier-Cochin, Paris.

Docteur RIVOLIER Caroline, Paris.

Professeur ROBERT René, service de réanimation, centre hospitalier universitaire de Poitiers, hôpital Jean-Bernard, Poitiers.

Docteur SACHET Paul, médecin nutritionniste, directeur du centre de recherche et d'information nutritionnelles, Paris.

Professeur SAMII Kamran, chef de service, service d'anesthésie-réanimation, hôpital Bicêtre, Le Kremlin-Bicêtre.

Docteur SANCHO-GARNIER Hélène, directeur de l'unité de recherche en épidémiologie des cancers, I.N.S.E.R.M. unité 351, chef du département de biostatistique et d'épidémiologie, institut Gustave-Roussy, Villejuif.

Professeur SCHLEMMER Benoît, service de réanimation médicale, hôpital Saint-Louis, Paris.

Docteur SPATZIERER Olivier, ancien chef de clinique, service de médecine et nutrition, Hôtel-Dieu, attaché des hôpitaux de Paris.

Docteur STCHEPINSKY Philippe, chef de clinique à la faculté, assistant des hôpitaux de Paris, service de chirurgie orthopédique et réparatrice (professeur Kerboull), hôpital Cochin, Paris.

TAGGIASCO Nadine, pharmacien hospitalier, pharmacie centrale des hôpitaux de Paris (AP-HP).

TALAMON Claude, orthophoniste, Paris.

Professeur TALBOT Jean-Noël, chef de service, service de médecine nucléaire, hôpital Tenon, Paris.

TARDAN-MASQUELIER Ysé, vice-présidente de la fédération nationale des enseignants de yoga, Paris.

TAUGOURDEAU Marie-Claire, pharmacien, fondation hôpital Saint-Joseph, Paris.

Docteur THIBIERGE Martin, ancien chef de clinique-assistant des hôpitaux de Paris, praticien hospitalier en radiologie et imagerie médicale, service de neuroradiologie et imagerie médicale, centre hospitalier national d'ophtalmologie des Quinze-Vingts, Paris.

Docteur THUOT Claude, F.R.C.P. (associé au collège royal du Canada), professeur agrégé de médecine, hôpital Saint-Luc, université de Montréal, Montréal, Canada.

TOMATIS Patrick, président du syndicat national des professeurs de yoga, Paris.

Docteur URBAN Thierry, service de pneumologie, hôpital Saint-Antoine, Paris.

Professeur VACHON François, médecin des hôpitaux, professeur à l'université Paris-VII, chef de service, clinique de réanimation des maladies infectieuses, hôpital Bichat-Claude-Bernard, Paris.

Docteur VAN AMERONGEN Patrice, centre médico-psychologique, centre hospitalier général, Saint-Germain-en-Laye.

Professeur VARET Bruno, chef de service, service d'hématologie adulte, hôpital Necker, Paris.

Docteur VARIN Jean, médecin des hôpitaux, cardiologue, service de médecine interne (docteur Morin), centre hospitalier national d'ophtalmologie des Quinze-Vingts, Paris.

Docteur VERDIER Dominique, service de médecine interne, hôpital Cochin, Paris.

Docteur VERDIER Jean-Claude, service de physiologie et médecine du sport, groupe hospitalier Tarnier-Cochin, Paris.

Docteur WAINSTEN Jacqueline, Paris.

Professeur WAINSTEN Jean-Pierre, professeur associé de médecine générale, policlinique (professeur J.-L. Portos), hôpital Henri-Mondor, Créteil.

Professeur YOUINOU Pierre, docteur en médecine, docteur en biologie humaine, professeur des universités, praticien hospitalier, chef du laboratoire d'immunologie, centre hospitalier régional et universitaire, Brest.

Docteur ZUBER Mathieu, service de neurologie, centre Raymond-Garcin, centre hospitalier Sainte-Anne, Paris.

Ont collaboré à l'ouvrage

Jacques BARBAUT, Dr Sylvie DE BONNEVAL, Marie-France BRISELANCE, Jean-Jacques CARRERAS, Thérèse DE CHERISEY, Pierre COËT, Anne-Judith DESCOMBEY, Catherine DUMEU, Sylvie HAUEL, Dr Alain ICHIR, Dr Yves JUVAIN, Elysabeth LAMBERT, Édith LANÇON, Gilles LE JEUNE, Dr Beatriz LOISEAU, Éric LORET, Monique MADIER, Véronique MARTIN, Dr Éric NATAF, Patrick PASQUES, Daniel PÉCHOIN, Anne PESQUE, Dr Martine PIERRE-MARIE-GRANIER, Dr Caroline RIVOLIER, Dr Isabelle SOMMACAL, Monique VARISCOTTE

L'éditeur tient à remercier tout particulièrement l'Organisation mondiale de la santé pour l'aide qu'elle lui a apportée tout au long de l'ouvrage et pour l'autorisation qu'elle lui a donnée de reproduire les cartes suivantes :
– Répartition géographique de la bilharziose (O.M.S., 1991).
– Répartition géographique de la fièvre jaune (Voyage international et santé. Vaccins obligatoires et conseils médicaux, 1993).
– Répartition géographique du paludisme (O.M.S., 1992).

DOSSIERS D'ACTUALITÉ

LE CORPS HUMAIN
page 1140

DESSINS ANATOMIQUES EN COULEURS SUR CALQUE

LE SQUELETTE MASCULIN • LES ORGANES MASCULINS
LE SQUELETTE FÉMININ • LES ORGANES FÉMININS

Abaisse-langue

Instrument jetable (en bois ou en matière plastique) ou stérilisable (en métal) permettant au médecin d'exercer une pression sur la base de la langue afin d'examiner l'intérieur de la bouche et de l'oropharynx (partie moyenne du pharynx).

Abandon

En psychiatrie, état d'un sujet touché par la disparition d'un lien affectif ou matériel auquel se rattachait son existence.

L'abandon peut concerner un lien naturel (parents, enfants) ou librement consenti (époux, amis). Il se manifeste par un désarroi profond, dont la persistance est parfois l'indice de troubles graves chez l'enfant (syndrome d'arriération affective, hospitalisme) et le sujet âgé, qui sont souvent très vulnérables.

Une névrose d'abandon, dont les symptômes sont des troubles caractériels et des tendances anxiodépressives, peut apparaître chez l'adulte jeune ayant vécu un abandon dans son enfance.

Abasie

Incapacité partielle ou totale de marcher, indépendante de tout déficit musculaire et de tout trouble des mécanismes élémentaires de la marche.

L'abasie peut être due à des lésions du cervelet d'origine traumatique, infectieuse, vasculaire ou tumorale, mais aussi à une phobie de la marche observée chez certains malades atteints de troubles de l'équilibre. Elle est généralement associée à une astasie (incapacité de conserver la station debout) : on parle alors d'astasie-abasie.

Abcédation

Évolution locale d'une lésion infectieuse aboutissant à la constitution d'un abcès.

L'abcédation est une réaction naturelle de l'organisme à un agent agressif, le plus souvent d'origine bactérienne ; elle conduit à la formation d'une cavité encombrée de débris cellulaires et tissulaires (constituant le pus). Ces débris sont éliminés vers l'extérieur ou demeurent séparés du tissu sain par une coque protectrice.

Abcès

Collection de pus constituée à partir d'un foyer d'infection local aux dépens des tissus normaux.

Par extension, on nomme également abcès, ou empyème, une collection de pus constituée dans une cavité séreuse (péritoine, plèvre, méninges).

Les abcès peuvent se développer en n'importe quel point de l'organisme.

■ **L'abcès superficiel,** accessible à la vue et au toucher, siège le plus souvent aux doigts (panaris) ou à la marge de l'anus, mais aussi dans le cou, le dos, la région de l'aisselle ou de l'aine.
■ **L'abcès profond** peut siéger au niveau du foie, du rein, du cerveau, du poumon. Sa gravité dépend de sa localisation : un abcès du cerveau, tout comme une tumeur, peut provoquer une hypertension intracrânienne.
■ **L'abcès en bouton de chemise** désigne une collection superficielle de pus reliée à un autre abcès situé dans des tissus plus profonds.

Suivant leur mode de constitution et leur vitesse d'évolution, on distingue les abcès chauds des abcès froids.

Abcès chaud

Il traduit le plus souvent une réaction inflammatoire de l'organisme au développement de certaines bactéries (staphylocoques, streptocoques) ou d'une amibe *(Entamœba histolytica),* qui peut provoquer un abcès dans le foie. La bactérie ou le microorganisme sont véhiculés par la circulation sanguine ou lymphatique et atteignent ainsi un tissu où, se trouvant piégés, ils provoquent l'infection. Un autre mode de pénétration se fait par la peau, en cas de lésion (piqûre, blessure).

SYMPTÔMES ET SIGNES

L'abcès chaud se forme rapidement et s'entoure fréquemment d'une membrane, la coque, qui le délimite ; il présente tous les signes locaux d'une inflammation (rougeur, chaleur, gonflement, douleur), auxquels viennent s'ajouter des signes généraux (fièvre, frissons, insomnie) et, parfois, une adénopathie (gonflement des ganglions lymphatiques). La suppuration entraîne une augmentation de volume des tissus, une douleur pulsatile et, si l'abcès est superficiel, une fluctuation (déplacement du pus à la palpation). L'abcès chaud peut se résorber spontanément, s'enkyster ou se rompre dans les tissus voisins (fistulisation). Dans le poumon, cette rupture déclenche une vomique (brutale expectoration de pus).

TRAITEMENT

Un abcès chaud doit être drainé.
- Lorsqu'il est superficiel, son traitement est chirurgical : incision, évacuation du pus et drainage de la cavité. Avant la formation de l'abcès, la prise d'antibiotiques et l'application de pansements chauds et imprégnés d'alcool suffisent parfois à résorber l'inflammation. Ce traitement peut toutefois se révéler insuffisant, risquant de transformer l'inflammation en abcès chronique ;
- lorsqu'il est profond, l'abcès doit être drainé soit chirurgicalement, soit par ponction sous contrôle radiologique (échographie ou scanner).

Traité correctement, l'abcès chaud guérit rapidement, mais, dans certains cas (germe très virulent, état général précaire, diabète), l'infection s'étend localement (phlegmon diffus), parfois même essaime à distance par décharge des microbes dans le sang (septicémie ou septico-pyohémie).

Abcès froid

L'abcès froid est dû au bacille de Koch, responsable de la tuberculose, ou à certains champignons.

SYMPTÔMES ET SIGNES

L'abcès froid, de constitution lente et qui n'entraîne pas de réaction inflammatoire, évolue vers la fistulisation. Superficiel, il laisse s'échapper un pus granuleux. Profond, il se propage vers l'os et les gaines musculaires. Il se manifeste par une fièvre prolongée et irrégulière, une altération de l'état général et un amaigrissement. L'examen échographique (foie, rein, prostate), radiographique (poumon) ou le scanner (abcès cérébral) permettent de confirmer le diagnostic.

TRAITEMENT

Un abcès froid se traite par antibiotiques, administrés par voie générale. Du fait de sa tendance à la fistulisation, il ne doit pas être incisé dans sa partie déclive, mais ponctionné à distance ou ôté chirurgicalement.
→ VOIR **Cerveau** (abcès du), **Dent** (abcès de la), **Foie** (abcès du).

Abdomen

Cavité située à la partie inférieure du tronc et contenant la majorité des viscères de l'appareil digestif et de l'appareil urinaire. (P.N.A. *abdomen)*

STRUCTURE

Les limites osseuses de l'abdomen sont la colonne vertébrale, de la douzième vertèbre dorsale à la cinquième vertèbre lombaire, la partie inférieure de la cage thoracique et le bassin. L'abdomen lui-même comporte des parois musculaires richement vascularisées de même que le contenu abdominal.
■ **Les parois musculaires** sont disposées sur ce cadre osseux. Sur la paroi supérieure, le

diaphragme sépare l'abdomen du thorax ; sur les parois antérieures et latérales, une sangle musculo-aponévrotique ferme l'abdomen ; sur la paroi postérieure, enfin, se trouvent, de part et d'autre du rachis, des masses musculaires.

■ Le contenu abdominal est enveloppé par un sac conjonctif : le péritoine. La cavité abdominale se divise en deux niveaux. La frontière est constituée par un large méso (membrane graisseuse porte-vaisseaux) et par la partie transversale du côlon, renforcée par une membrane conjonctive et graisseuse, le grand épiploon. L'étage supérieur comprend le foie, les voies biliaires, le pédicule hépatique, le premier duodénum, le pancréas, l'estomac et la rate. L'étage inférieur comprend le gros intestin, l'intestin grêle (jéjunum et iléon) et l'appendice. Une partie du côlon et le rectum se trouvent dans le petit bassin, subdivision de l'étage inférieur limitée par l'arc osseux de la ceinture pelvienne (sacrum et os iliaque). Celui-ci contient aussi chez l'homme la vessie, l'anse sigmoïde et des anses grêles ; chez la femme, la vessie, l'utérus, les trompes et les ovaires.

EXAMENS

La palpation abdominale permet d'examiner le foie, la rate, la vessie, l'utérus, de détecter certaines tumeurs, de percevoir une distension gazeuse (météorisme) ou un épanchement péritonéal (ascite). L'exploration clinique du contenu abdominal peut encore faire appel au toucher rectal, associé au toucher vaginal chez la femme.

Les moyens permettant d'explorer l'abdomen sont, par ordre croissant de complexité : la radiographie simple (abdomen sans préparation), l'échographie, le scanner et l'imagerie par résonance magnétique (I.R.M.). De plus, il est possible d'opacifier par des produits de contraste les viscères creux (estomac, duodénum, côlon, intestin grêle) et les vaisseaux intra-abdominaux.

PATHOLOGIE

La paroi de l'abdomen peut comporter des zones de moindre résistance, à l'origine de hernies : canal inguinal, ombilic, etc. Et l'abdomen lui-même, organes à part, peut être le siège de contusions ou de plaies.

■ Une contusion peut provoquer une lésion plus ou moins importante d'un viscère plein : foie, rate, pancréas, avec un risque d'hémorragie interne pour les deux premiers, de pancréatite pour le dernier. Elle entraîne aussi parfois un arrachement vasculaire, source d'hémorragie, et l'éclatement d'un viscère creux, qui provoque une péritonite. Ces deux lésions peuvent être associées. Des signes d'hémorragie interne ou de péritonite conduisent à intervenir d'urgence.

■ Une plaie peut ne léser que la paroi abdominale, ou bien être pénétrante, voire transfixiante (comporter une entrée et une sortie). Toute plaie pénétrante nécessite des conditions opératoires parfaites. Le traitement repose sur deux principes : correction du choc et du saignement par une réanimation rapide, exploration chirurgicale complète de la cavité abdominale.

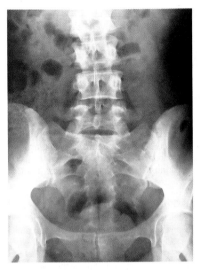

Radiographie de l'abdomen sans préparation. Les os apparaissent en bleu, les muscles et les organes (dont les contours sont indiscernables) forment le fond et l'air intestinal apparaît sous forme de taches noires.

Abdomen sans préparation

Examen radiologique simple de l'abdomen de face.

L'abdomen sans préparation (A.S.P.) fut l'un des premiers examens radiologiques à être pratiqué dès le début du XXe siècle.

INDICATIONS

En raison de sa simplicité et de sa rapidité, cet examen, appelé abdomen sans préparation, est fréquemment utilisé pour rechercher la cause de douleurs abdominales, notamment en urgence, pour décider du recours à une intervention chirurgicale. Il permet de diagnostiquer une occlusion intestinale, une perforation de l'intestin, de déceler la présence de calculs de la vésicule, des voies biliaires ou urinaires. Il apporte également des informations sur le squelette (dernières côtes, sacrum, colonne lombaire, bassin, articulations des hanches), sur les viscères ainsi que sur les muscles de l'abdomen et du petit bassin.

PRÉPARATION ET DÉROULEMENT

L'abdomen sans préparation se déroule sans administration préalable de médicament opacifiant et ne nécessite pas d'être à jeun, ce qui est toutefois préférable. L'examen comporte, si possible, au moins deux clichés pris face à l'abdomen, l'un en position verticale et l'autre en position horizontale. En complément, on peut réaliser un autre cliché de face, le patient étant couché sur le côté ou sur le ventre. En cas de doute sur le diagnostic, l'examen est renouvelé quelques heures après la réalisation des premiers clichés. Avant une opération, on complète habituellement l'examen par un cliché thoracique.

RÉSULTATS

Les informations radiologiques obtenues au moyen d'un abdomen sans préparation

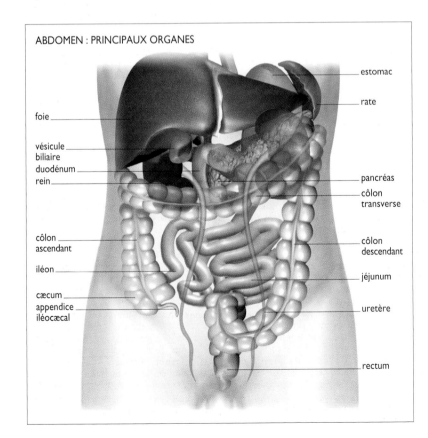

ABDOMEN : PRINCIPAUX ORGANES

- foie
- vésicule biliaire
- duodénum
- rein
- côlon ascendant
- iléon
- cæcum
- appendice iléocæcal

- estomac
- rate
- pancréas
- côlon transverse
- côlon descendant
- jéjunum
- uretère
- rectum

résultent de la différence d'absorption des rayons X par les divers éléments radiographiés : les structures osseuses, qui sont les plus denses, deviennent opaques sur le cliché, tandis que l'air contenu dans les viscères creux (estomac, intestin) y apparaît en noir et que les organes pleins (foie, rate, reins), eux, sont révélés par une densité intermédiaire, comparable à celle de l'eau. Nombreuses sont les affections visibles lors d'un tel examen :
- les calculs biliaires ou urinaires sont les plus souvent opaques ;
- les occlusions intestinales tendent à faire apparaître, sur le cliché pris en position debout, des images comportant un niveau hydroaérique : une partie inférieure sombre de nature liquide, à limite supérieure rectiligne et horizontale, est surmontée d'une bulle claire gazeuse ;
- la perforation d'un viscère creux se reconnaît, toujours sur un cliché pris en position debout, à l'image anormale due à la présence d'une bulle d'air située dans la partie haute de l'abdomen, sous les coupoles du diaphragme, qu'elle semble décoller des viscères sous-jacents (pneumopéritoine : présence anormale d'air à l'intérieur du péritoine).

Abduction

Mouvement qui consiste à écarter un membre ou un segment de membre de l'axe du corps.

Les muscles capables de provoquer l'abduction sont dits abducteurs. Les mouvements d'abduction sont surtout importants en ce qui concerne le pouce et les articulations de l'épaule et de la hanche. Une sollicitation brutale et répétée de ces articulations peut engendrer une tendinite, bien connue des sportifs, en particulier des footballeurs.

Aberration chromosomique

Anomalie du nombre ou de la structure des chromosomes.

Dans de nombreux cas, les aberrations chromosomiques sont congénitales, provenant d'une mauvaise répartition chromosomique (lors de la formation de l'ovule ou du spermatozoïde, ou au cours des premières divisions de l'ovule fécondé) ou d'un arrangement chromosomique anormal de l'un des deux parents, mais elles peuvent aussi être acquises (chromosome Philadelphie dans la leucémie myéloïde chronique par exemple).

DIFFÉRENTS TYPES D'ABERRATION CHROMOSOMIQUE

■ **Les anomalies autosomiques** portent sur les 44 chromosomes dont les informations génétiques n'interviennent pas dans la détermination du sexe. Lorsqu'une des 22 paires d'autosomes comporte un autosome supplémentaire, on parle de trisomie. Le type de trisomie le plus fréquent est la trisomie 21, encore appelée mongolisme, qui touche en moyenne 1 enfant sur 650. Toutes ces anomalies autosomiques provoquent des malformations physiques plus ou moins graves et entraînent presque toujours une arriération mentale. Parfois, bien que le nombre de chromosomes soit normal, une

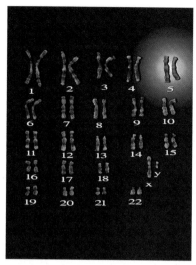

Aberration chromosomique. Les chromosomes sont photographiés, identifiés et rangés par taille décroissante. L'anomalie observée ici sur l'un des chromosomes 5 est à l'origine de la maladie du cri du chat.

partie d'un autosome manque (c'est le cas de la maladie du cri du chat, due à la perte du bras court du chromosome 5) ou un autosome est porteur d'un segment supplémentaire provenant d'un autre autosome.

■ **Les anomalies des chromosomes sexuels** portent sur les 2 chromosomes sexuels (XX chez les femmes, XY chez les hommes). Environ 1 fille sur 2 500 naît avec un seul chromosome sexuel X : c'est le syndrome de Turner. Il en résulte des malformations physiques typiques, un développement sexuel anormal et une stérilité. Toutes les autres anomalies des chromosomes sexuels sont liées à la présence d'un chromosome supplémentaire. Le syndrome de Klinefelter atteint 1 enfant sur 500 de sexe masculin : on observe alors un ou plusieurs chromosomes X supplémentaires. Il en résulte un développement sexuel anormal, une stérilité et, parfois, une arriération mentale. Certaines filles naissent avec un chromosome X et certains garçons avec un chromosome Y surnuméraires. Ces sujets, normaux sur le plan physique, ont parfois des problèmes d'identité sexuelle.

DIAGNOSTIC

Les aberrations chromosomiques sont mises en évidence par l'étude du caryotype (représentation photographique des chromosomes d'une cellule). En cas de grossesse à risques (antécédents familiaux, femme âgée de plus de 38 ans), le médecin propose vers la 15e semaine une analyse chromosomique des cellules du fœtus, prélevées au cours d'une amniocentèse ou d'une biopsie de villosités choriales. En cas de détection d'une anomalie grave, il peut être envisagé de mettre fin à la grossesse. Un généticien évalue alors les risques d'anomalie pour les grossesses ultérieures.

TRAITEMENT

Étant donné la nature des anomalies décelées, qui portent sur toutes les cellules d'un individu, aucune guérison n'est possible. La plupart des anomalies autosomiques ne permettent pas une longue survie. Les traitements hormonaux et chirurgicaux contribuent à corriger certaines anomalies du développement caractéristiques des syndromes de Turner et de Klinefelter.
→ VOIR Conseil génétique, Cri du chat (maladie du), Klinefelter (syndrome de), Trisomie 21, Turner (syndrome de).

Aberration visuelle

Altération de l'image perçue par l'œil due à un défaut du système optique de cet organe.

Les aberrations sont la conséquence de l'un des trois facteurs suivants :
- variation de l'indice de réfraction de la lumière en fonction de la longueur d'onde des rayons lumineux provoquant des éblouissements (aberration chromatique) ;
- trop grand pouvoir réfractif du bord de la lentille convergente (cristallin ou verres correcteurs très convergents) rendant flous les contours de l'image, phénomène aggravé lorsque le diamètre de la pupille est supérieur au diamètre normal ;
- absorption et retransmission des rayons lumineux par le bord de la pupille rendant flous les contours de l'image, phénomène aggravé lorsque le diamètre de la pupille est inférieur au diamètre normal.

Ces altérations de l'image, bénignes, provoquent une légère gêne de la vision et n'ont pas de traitement particulier.

Ablation

Opération consistant à enlever un organe, un ensemble de tissus ou un corps étranger par voie chirurgicale. SYN. *exérèse.*

L'ablation consiste aussi bien en l'extraction d'un corps étranger inclus dans l'organisme par accident (éclat de métal, de verre) ou dans un dessein thérapeutique (prothèse provisoire destinée à permettre la cicatrisation osseuse, par exemple) qu'en l'ablation d'organes (estomac, rate, utérus) ou de tissus. Les termes techniques désignant des ablations se reconnaissent à leur suffixe en « -ectomie » : ainsi la gastrectomie et l'hystérectomie désignent-elles respectivement l'ablation partielle ou totale de l'estomac et de l'utérus.

Abord (voie d')

Voie d'accès chirurgical à un organe ou à une région anatomique donnée.

Chaque type d'intervention chirurgicale se fait par une ou plusieurs voies d'abord électives (verticale, transversale, etc.), qui dépendent du choix du praticien et de la technique envisagée. Une voie d'abord peut être élargie (c'est-à-dire prolongée) vers une seconde région lorsque les circonstances l'imposent : voie d'abord élargie au thorax après ouverture de l'abdomen. L'ablation d'un organe ou une réparation osseuse peuvent nécessiter l'utilisation de deux voies d'abord distinctes.

Abouchement

Dérivation chirurgicale du moignon d'un viscère creux sectionné dans un autre viscère ou sur la peau.

Le terme abouchement est essentiellement employé dans la chirurgie des viscères creux tels que le côlon, l'intestin grêle et l'uretère. On peut ainsi créer un anus artificiel par abouchement (temporaire ou définitif) et suture d'une extrémité du côlon sur la peau, après incision de la paroi abdominale.

Aboulie

Trouble mental caractérisé par l'affaiblissement de la volonté, entraînant une inhibition de l'activité physique et intellectuelle.

L'aboulie est l'un des symptômes de la psychasthénie et de la neurasthénie. On la rencontre aussi dans les états dépressifs et les syndromes subjectifs post-traumatiques et postinfectieux.

Elle ne diminue pas les capacités intellectuelles et physiques du malade, qui a douloureusement conscience de son trouble.
■ **Dans l'aboulie bénigne**, l'acte volontaire reste simplement pénible, avec hésitations, fatigabilité, problèmes de concentration et d'attention.
■ **Dans l'aboulie sévère**, toute initiative est suspendue, réduisant le malade à l'inertie.

Abrasion dentaire

Usure des tissus durs (émail, dentine, cément) de la dent.

L'abrasion dentaire est due à un brossage trop vigoureux ou à des problèmes de contact dentaire qui sont de deux ordres : le bruxisme (grincement de dents) et la malocclusion (mauvaise imbrication entre les dents des maxillaires supérieur et inférieur). Un brossage trop vigoureux, horizontal, ou pratiqué avec une brosse à poils trop durs (poils de sanglier, par exemple) crée une usure au niveau du collet, touchant l'émail, la dentine et le cément. Une sensibilité aux aliments acides, au chaud ou au froid, ou bien au contact de la brosse doit inciter à consulter le dentiste. Lorsqu'elle est progressive et lente, l'usure dentaire est cependant considérée comme un processus normal, caractérisé par un émoussement progressif des surfaces en relief.

Abrikossoff (tumeur d')

Tumeur bénigne rare siégeant sous la peau ou les muqueuses, notamment sur la langue.
SYN. *myoblastome, myome myoblastique, tumeur à cellules granuleuses.*

L'origine de la tumeur d'Abrikossoff est actuellement encore discutée. Recouverte de peau normale, cette tumeur indolore et ferme se présente sous la forme d'un nodule dont la taille peut atteindre celle d'une noisette. Elle doit être enlevée chirurgicalement, mais peut récidiver.

Absence

Interruption passagère de la conscience.

Les absences survenant surtout au cours de la deuxième enfance se caractérisent par une rupture du contact au cours de laquelle l'enfant arrête ses activités, a le regard vide, ne répond plus.

Absorptiométrie

Méthodes physiques de mesure de la perte d'énergie lors de la traversée d'un corps par une onde électromagnétique (lumière, rayons X ou γ) ou corpusculaire (rayons α ou rayons β) ou par une onde sonore. La perte d'énergie lors de la traversée correspond à l'énergie absorbée.

Les applications à la médecine de ces méthodes sont nombreuses, au laboratoire, pour quantifier de nombreux dosages. L'échographie utilise la différence d'absorption des sons par les tissus mous. L'absorption des ultrasons par l'os est à l'étude pour étudier la densité osseuse.

Absorptiométrie biphotonique

Technique permettant de calculer la densité des tissus traversés par deux rayons X d'énergie différente.

En radiographie traditionnelle, il est impossible de calculer avec précision la part qui revient à l'os et aux tissus mous dans l'absorption des rayons X. Dans la technique biphotonique, les deux rayons étant facilement arrêtés, l'un par les tissus mous, l'autre surtout par les tissus calcifiés comme l'os, un logiciel de calcul peut, avec une reproductibilité de 1 % sur le même individu et sur le même appareil, mesurer le contenu minéral osseux de la zone explorée.

INDICATIONS

Cette technique permet de suivre l'évolution du contenu minéral osseux (densité osseuse) dans certaines affections du squelette et les effets des traitements. C'est le dépistage de l'ostéoporose qui a le plus popularisé cette technique.

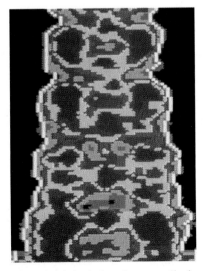

Absorptiométrie de la colonne vertébrale.
L'appareil mesure les densités osseuses de chaque vertèbre : les zones de même densité osseuse sont représentées par une même couleur conventionnelle.

DÉROULEMENT

DÉROULEMENT

Le patient est étendu sur une table. La source de rayons et leur détecteur balayent le rachis, la hanche ou le poignet ou même le corps entier. Toute densité en regard des tissus traversés peut fausser la mesure de la densité osseuse (calcification des vaisseaux, constructions ostéophytiques, produit de contraste, pièce métallique).

AVANTAGES ET INCONVÉNIENTS

L'absorptiométrie est une méthode non agressive et le risque d'irradiation est négligeable.

Absorption

Ensemble des mécanismes par lesquels une substance pénètre naturellement dans l'organisme à travers une muqueuse ou une membrane.

Mécanisme de l'absorption

L'absorption intestinale permet aux différents nutriments de gagner les tissus par voie sanguine. Les macronutriments (glucides, lipides, protéines) et les micronutriments (vitamines, oligo-éléments, sels minéraux) sont des substances chimiquement simples, faciles à absorber.

La digestion, qui consiste en la dégradation des aliments en ces éléments simples, est amorcée dans l'estomac après franchissement de la bouche et de l'œsophage. Elle se poursuit dans l'intestin grêle, qui a un rôle prépondérant dans l'absorption. C'est là que sont absorbés l'eau et les électrolytes, mais aussi les nutriments et les vitamines. Dans l'intestin grêle proximal (jéjunum) sont absorbés les protéines, les lipides et les glucides, mais aussi le calcium, le fer et les vitamines liposolubles ; dans l'intestin grêle distal (iléon) sont absorbés la vitamine B12 et les sels biliaires.

La surface de l'intestin grêle est évaluée à 200 m², en raison des villosités qui la composent. Sa capacité d'absorption quotidienne est considérable : de 6 à 8 litres d'eau et d'aliments. Il reçoit de 7 à 10 litres par 24 heures, comprenant les aliments, mais surtout les sécrétions salivaires, biliaires, gastriques et pancréatiques. Le surplus est absorbé par le côlon.

Les vaisseaux sanguins situés dans la paroi intestinale transportent les nutriments vers le foie, qui commande leur distribution vers les différents organes, selon les besoins. Les substances non digestibles sont évacuées sous forme de liquide et de fibres.

Mesures de l'absorption

La capacité d'absorption intestinale est évaluée par différents tests biologiques dont les principaux sont :
- la stéatorrhée (dosage des graisses dans les selles) ;
- le test au D-xylose, qui étudie la capacité d'absorption du jéjunum ;
- le test de Schilling, qui étudie la capacité d'absorption de l'iléon.

Il est également possible d'évaluer pour chaque nutriment un coefficient d'utilisation digestive (C.U.D.), qui correspond à la quantité absorbée par rapport à la quantité totale ingérée. Le C.U.D. permet d'apprécier la digestibilité des aliments. Celle-ci est par exemple très bonne pour les protéines des fromages, dont le C.U.D. est élevé (entre 97 % et 98 % ainsi que pour les sucres).

Absorption cutanée

Ensemble des mécanismes assurant le passage d'une substance appliquée sur la peau jusqu'aux vaisseaux sanguins du derme, sans lésion traumatique.

La traversée de la couche cornée est l'étape principale de l'absorption cutanée. Elle dépend de plusieurs facteurs : concentration du produit absorbé, taille des molécules de son principe actif, épaisseur et hydratation de la couche cornée. Une peau d'enfant est ainsi plus perméable qu'une peau d'adulte. Certains solvants organiques comme l'acétone ou l'éther, en détruisant le ciment lipidique de la couche cornée, entraînent une augmentation très importante de l'absorption cutanée.

UTILISATION THÉRAPEUTIQUE

L'action d'un produit appliqué sur la peau peut s'exercer à quatre niveaux :
- en surface, au niveau de la couche cornée (produits antiseptiques) ;
- au niveau de l'épiderme (produits antifongiques) ;
- au niveau du derme (produits anti-inflammatoires) ;
- dans la circulation générale (dermo-corticostéroïdes).

Selon l'intensité et le niveau de l'absorption du principe actif, le traitement est donc soit exclusivement dermatologique, soit général.

→ VOIR Peau.

Acalculie

Incapacité de reconnaître ou de former chiffres et symboles arithmétiques et d'effectuer des calculs mathématiques élémentaires (addition, soustraction, multiplication, etc.).

L'acalculie témoigne d'une lésion du cortex cérébral pariétal d'origine traumatique, infectieuse, vasculaire ou tumorale.

Acantholyse

État particulier de dislocation des cellules du corps muqueux de Malpighi (couche moyenne de l'épiderme) caractérisé par la diminution de leur adhérence réciproque aboutissant à la formation de cavités dans l'épiderme.

Trois mécanismes peuvent déclencher une acantholyse : l'atteinte des tonofilaments intracellulaires (sorte de charpente intracellulaire), la destruction des desmosomes (structures accolant deux cellules voisines) ou l'altération de la substance intercellulaire. Selon sa profondeur, l'acantholyse entraîne la formation dans l'épiderme de fissures ou de bulles. Les principales maladies par acantholyse sont les troubles de la kératinisation (maladie de Darier par exemple), le pemphigus vulgaire, le pemphigus érythémateux et le pemphigus végétant.

Le traitement de l'acantholyse varie selon l'affection en cause.

Acanthome

Tumeur bénigne résultant d'un épaississement localisé du corps muqueux de Malpighi (couche moyenne de l'épiderme) sans atteinte des kératinocytes (cellules productrices de kératine).

L'acanthome à cellules claires est une petite tumeur bénigne qui atteint l'adulte entre 40 et 70 ans. Unique, elle siège à la face interne des jambes et se caractérise par la formation d'une croûte tombant périodiquement et se reformant après une période de suintement. Elle doit être ôtée chirurgicalement.

Acanthosis nigricans

Maladie cutanée rare caractérisée par la formation de plaques de peau épaisses et noirâtres, principalement localisées au cou, aux aisselles et aux aines.

Chez le sujet jeune, l'acanthosis nigricans peut traduire une maladie héréditaire. Il s'associe quelquefois à des troubles endocriniens (obésité, diabète, hyperinsulinisme). Chez le sujet plus âgé, il est la plupart du temps dû à un cancer abdominal, le plus souvent de l'estomac, et régresse après le traitement de ce dernier.

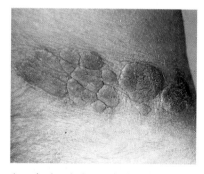

Acanthosis nigricans de la nuque. Il se présente sous la forme de plaques épaisses et rugueuses, d'abord grisâtres, puis noirâtres, caractéristiques sur le cou.

Acarien

Animal de petite taille (quelques millimètres au plus), parasite de l'être humain.

Les acariens, comme les insectes, sont des arthropodes. Ce sont des ectoparasites (vivant sur la peau), en général hématophages (ils se nourrissent du sang de leur hôte). Certains ne provoquent que des désagréments cutanés, comme des démangeaisons : rouget, ou aoûtat, sarcopte de la gale. D'autres, telles les tiques, transmettent des maladies infectieuses : arboviroses (diverses fièvres virales), rickettsioses (fièvres pourprées), fièvre Q, borrélioses (fièvres récurrentes, maladie de Lyme). Par ailleurs, l'inhalation d'acariens morts, contenus dans la poussière domestique, favorise les crises d'asthme chez les sujets prédisposés.

→ VOIR Piqûre.

Accès

Manifestation brusque, souvent violente et de courte durée, d'un phénomène pathologique.

Les accès de fièvre accompagnent de façon variable un certain nombre de maladies à évolution cyclique. Un accès de toux, série de mouvements réflexes expiratoires sans inspiration compensatrice, s'observe notamment dans la coqueluche.

Accès pernicieux

Complication rare, mais grave, du paludisme à *Plasmodium falciparum,* qui se manifeste par des épisodes de fièvre, de frissons et de sueurs.

Accident ischémique transitoire

Accident neurologique localisé de durée inférieure à 24 heures, d'origine ischémique, c'est-à-dire provoqué par une interruption ou une diminution de la circulation sanguine dans un vaisseau cérébral.

CAUSES

Un accident ischémique transitoire (A.I.T.) est le plus souvent consécutif à un thrombus (caillot formé dans une artère), un embole (corps étranger, le plus souvent un caillot, qui, entraîné par la circulation, va obstruer l'artère) ou un rétrécissement artériel favorisé par l'athérosclérose (épaississement du revêtement interne de la paroi artérielle). Passager, un accident ischémique transitoire ne dure le plus souvent que quelques minutes ; il disparaît totalement en moins de 24 heures. Tout accident de plus de 24 heures est qualifié d'accident vasculaire cérébral.

SYMPTÔMES ET DIAGNOSTIC

Les symptômes de l'accident ischémique transitoire sont soudains et très variables : perte de la vue d'un œil, paralysie ou engourdissement d'une moitié du corps, aphasie (troubles du langage), etc. Le diagnostic est essentiellement établi par l'examen clinique du patient. Le scanner cérébral permet d'éliminer tout soupçon de tumeur cérébrale ou d'hématome sous-dural (épanchement de sang sous la dure-mère). L'accident ischémique transitoire peut annoncer un accident vasculaire cérébral. Il faut donc entreprendre un bilan des causes suspectées, en particulier rechercher une athérosclérose par échodoppler des vaisseaux encéphaliques ou par artériographie. On peut également pratiquer un examen cardiovasculaire afin de rechercher une éventuelle maladie du cœur génératrice d'embolies (trouble du rythme, atteinte de la valvule mitrale, thrombus dans une cavité cardiaque).

TRAITEMENT ET PRÉVENTION

Le traitement a pour but de prévenir un accident vasculaire cérébral qui peut survenir dans les 5 ans suivant un accident ischémique transitoire chez un quart à un tiers des sujets : surveillance d'une hypertension artérielle, d'un diabète, d'une hypercholestérolémie et suppression du tabac. L'administration de médicaments anticoagulants ou d'antiagrégants plaquettaires (aspirine) s'est montrée efficace.

Accident vasculaire cérébral

Accident neurologique localisé de durée supérieure à 24 heures, causé par une lésion vasculaire cérébrale.

FRÉQUENCE

Tout en restant la troisième cause de mortalité dans les pays développés, les accidents vasculaires cérébraux (A.V.C.), plus communément appelés congestions cérébrales, ont nettement diminué au cours des 10 à 15 dernières années. Le risque augmente rapidement avec l'âge : 75 % des personnes atteintes ont plus de 65 ans.

DIFFÉRENTS TYPES D'ACCIDENT VASCULAIRE CÉRÉBRAL

■ Les accidents vasculaires cérébraux ischémiques, également appelés infarctus cérébraux ou encore ramollissements cérébraux, représentent 80 % des accidents vasculaires cérébraux. Ils sont le plus souvent consécutifs à un thrombus (caillot qui se forme dans une artère), un embole (corps étranger, le plus souvent un caillot, qui, entraîné par la circulation, va obstruer l'artère), ou un rétrécissement de l'artère favorisé par l'athérosclérose (épaississement du revêtement interne de la paroi artérielle). Cette dernière est la cause principale des accidents vasculaires cérébraux ischémiques (de 50 à 60 % des cas).

■ Les accidents vasculaires cérébraux hémorragiques (20 % des accidents vasculaires cérébraux) sont dus à un épanchement de sang dans le tissu cérébral. Leur cause est généralement l'hypertension artérielle ou, beaucoup plus rarement, des malformations vasculaires (angiome, anévrysme), des troubles de la coagulation ou des complications d'un traitement anticoagulant.

SYMPTÔMES ET DIAGNOSTIC

Les personnes atteintes subissent un déficit neurologique brutal pendant quelques secondes, quelques minutes ou quelques heures. Les symptômes observés (hémiplégie, troubles de la sensibilité, du champ visuel, paralysie d'un ou de plusieurs nerfs crâniens, aphasie [troubles du langage], etc.) peuvent être isolés ou diversement associés selon le siège et l'étendue de l'accident vasculaire cérébral.

Un scanner cérébral est indispensable pour confirmer le diagnostic et préciser la nature ischémique ou hémorragique de l'accident. D'autres examens - analyse de sang, échographie cardiaque, exploration des artères irriguant le cerveau par doppler ou artériographie - permettent d'en déterminer la cause. Une ponction lombaire peut être nécessaire pour déceler une hémorragie méningée associée.

TRAITEMENT ET PRÉVENTION

Le traitement de l'accident vasculaire cérébral, d'efficacité limitée, a surtout pour but d'assurer les fonctions vitales du malade et d'éviter l'extension des lésions cérébrales. Dans certains cas, une intervention de chirurgie vasculaire est nécessaire afin de pratiquer l'ablation d'une malformation vasculaire et de réduire ainsi les risques d'un nouvel accident vasculaire cérébral. Les malades hospitalisés ayant perdu totalement ou partiellement conscience doivent avoir les

Les examens radiologiques sont nécessaires pour confirmer le diagnostic et préciser le siège, le type et l'étendue de la lésion. L'artériographie, radiographie des artères après injection d'un produit opaque, était pratiquée mais le scanner reste l'examen le plus approprié.

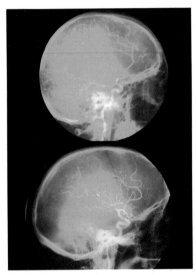

Sur l'artériographie, l'obstruction de l'artère cérébrale moyenne se traduit par une disparition de ses branches, dans la partie centrale du crâne (en bas), par rapport à la normale (en haut).

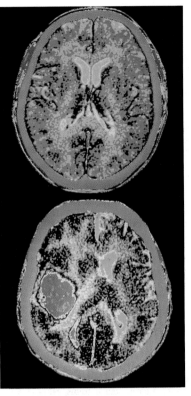

Le scanner du bas montre la zone privée de circulation sanguine comme une tache rouge. Le tissu nerveux apparaît en vert foncé, le liquide céphalorachidien en bleu, l'os en violet à la périphérie.

voies respiratoires dégagées et doivent être nourris, soit par perfusion intraveineuse, soit par sonde nasogastrique.

Après la phase aiguë intervient la phase de récupération. Celle-ci, progressive et plus ou moins complète, est facilitée par la mise en œuvre d'une rééducation destinée à traiter les déficits moteurs ou sensitifs et à faire régresser les troubles de la parole. De nombreux malades qui ont été frappés de paralysie arrivent à remarcher à l'aide d'une rééducation appropriée. Les déficits intellectuels sont, en revanche, souvent irréversibles.

La prévention des récidives est fondée sur la correction des facteurs de risque : traitement d'une hypertension artérielle, d'une hypercholestérolémie, d'un diabète, mais aussi suppression du tabac. Lorsque l'accident vasculaire cérébral a été provoqué par une embolie, le malade peut recevoir un traitement antiagrégant plaquettaire (aspirine) ou anticoagulant. Celui-ci est alors souvent prescrit à vie.

Accommodation

Modification de la courbure du cristallin sous l'influence du muscle ciliaire, qui permet la formation d'images nettes sur la rétine, en vision proche comme en vision éloignée.

Cette « mise au point » de l'œil est automatique : le cristallin s'aplatit en vision éloignée et s'arrondit en vision proche. La vision nette du point le plus éloigné correspond à l'accommodation minimale, celle du point le plus proche correspond à l'accommodation maximale (convergence). L'accommodation diminue à partir d'environ 40 ans en raison de la rigidité progressive du cristallin : c'est la presbytie, qui se traduit par une perte de la netteté en vision rapprochée et peut être corrigée par le port de verres convexes.

Afin de mieux étudier la réfraction chez les enfants, dont le pouvoir d'accommodation est important, une paralysie temporaire de l'accommodation peut être obtenue en instillant dans l'œil des collyres cycloplégiques (qui suppriment l'action du muscle ciliaire). Par ailleurs, le botulisme (intoxication alimentaire due au bacille botulique) peut entraîner une paralysie anormale de l'accommodation.

Accouchement

Ensemble des phénomènes mécaniques et physiologiques aboutissant à l'expulsion du fœtus et de ses annexes hors des voies maternelles.

L'accouchement normal (à terme) a lieu entre la trente-huitième et la quarante-deuxième semaine d'aménorrhée (arrêt des règles). Il est considéré comme prématuré lorsqu'il se produit entre la vingt-huitième et la trente-septième semaine. L'accouchement est spontané lorsqu'il se déclenche tout seul ; provoqué lorsqu'il est consécutif à une intervention extérieure ;

naturel quand seule la physiologie entre en jeu ; artificiel quand il nécessite une intervention médicale. On dit que l'accouchement est eutocique quand il se déroule normalement, dystocique dans le cas contraire.

Parcours du fœtus

Le fœtus accomplit un parcours naturel durant l'accouchement et passe, le plus souvent la tête en premier, à travers le bassin osseux, le vagin et le périnée. Sous l'effet des contractions, le col de l'utérus s'efface, c'est-à-dire se raccourcit, puis se dilate progressivement jusqu'à atteindre un diamètre de 10 centimètres. Le fœtus s'engage dans le bassin osseux, constitué d'os attachés les uns aux autres, qui ne peut se distendre que dans de faibles proportions. Le fœtus doit fléchir la tête, amenant son menton contre sa poitrine afin de pouvoir s'engager.

Le bassin osseux est formé d'un détroit supérieur, d'un détroit moyen et d'un détroit inférieur. Le fœtus prend une position oblique pour franchir le détroit supérieur ; il effectue une rotation lors du passage dans l'excavation pelvienne (détroit moyen) ; il se dégage enfin en franchissant le détroit inférieur sous la symphyse pubienne : l'orifice étant trop étroit pour le fœtus, celui-ci doit, pour en agrandir momentanément le diamètre, repousser le coccyx en arrière au moment du dégagement. Les contractions permettent ensuite le franchissement du plancher périnéal qui bride le vagin, et l'apparition de la tête à la vulve.

Présentation du fœtus

Dans la quasi-totalité des cas, le fœtus se trouve en position longitudinale ; il se présente alors le plus souvent par la tête et parfois par le siège. Il existe aussi une présentation transversale (par l'épaule), beaucoup plus rare.

■ Les présentations par la tête, ou présentations céphaliques, regroupent celles du sommet (flexion de la tête du fœtus), du front (déflexion légère) et de la face (déflexion totale), les deux dernières nécessitant souvent une césarienne. Le visage de l'enfant peut également être tourné vers le pubis de la mère (présentation postérieure) ou vers son sacrum (présentation antérieure).

■ Les présentations par le siège comprennent ce que l'on nomme le siège complet (membres inférieurs repliés) et le siège décomplété (membres inférieurs tendus et relevés devant l'abdomen). L'absence de « culbute physiologique » (renversement du fœtus au cours du dernier trimestre de la grossesse afin de permettre la présentation par la tête) résulte de diverses causes, utérine, ovulaire, pelvienne ou fœtale. Les présentations par le siège nécessitent la réalisation d'un examen radiologique du bassin et d'une confrontation des mesures de ce dernier avec les mensurations de l'enfant pour pouvoir autoriser un accouchement par les voies naturelles.

■ Les présentations transversales sont toujours des cas d'accouchement dystocique ; elles nécessitent une césarienne.

Différentes phases de l'accouchement

L'accouchement normal passe par plusieurs phases cliniques.

PREMIERS SIGNES

Les premiers symptômes sont la perte du bouchon muqueux qui obstrue le col, la perte des eaux et les contractions utérines.

■ La perte du bouchon muqueux se manifeste par l'élimination de glaires sanguinolentes ; elle est due aux premières modifications du col utérin et prouve que le corps se prépare à l'accouchement. Mais ces pertes ont lieu le plus souvent avant le début du travail, voire plusieurs jours avant les premières contractions.

■ La perte des eaux (rupture des membranes entraînant l'écoulement du liquide amniotique) est spontanée, imprévisible et indolore. La perte peut être abondante ou suintante, mais elle détermine de toute façon le départ pour la maternité. En effet, l'enfant n'est plus aussi bien protégé qu'avant, en particulier contre les infections, ce qui impose une surveillance particulière. Le travail peut s'enclencher juste après la rupture de la poche ou se faire attendre un certain nombre d'heures ou de jours.

■ Les contractions utérines, de plus en plus rapprochées, régulières et intenses, donnent l'impression que le ventre se met en « boule ». Elles sont plus ou moins violentes et douloureuses, mais ne s'interrompent plus jusqu'à la naissance du bébé. En règle générale, le rythme des contractions s'accentue progressivement (toutes les 20, 15, 10, 5 minutes), mais il arrive qu'elles se produisent d'emblée toutes les 5 minutes. Lorsque les contractions sont espacées de 10 à 5 minutes, il est temps de partir pour la maternité, mais d'autres facteurs peuvent influer sur le moment du départ : recherche de sécurisation de la mère, risques d'embouteillages routiers, éloignement de la maternité, grossesse gémellaire ou présentation par le siège, premier enfant né très rapidement ou par césarienne, etc.

TRAVAIL

En structure hospitalière, le travail, c'est-à-dire le déroulement de l'accouchement proprement dit, est souvent dirigé par l'équipe médicale. Celle-ci peut décider de la rupture artificielle des membranes, quand la dilatation du col est de 3 à 4 centimètres, pour faciliter l'entrée dans la phase active du travail ; de l'injection de médicaments (ocytocyne) destinés à augmenter l'intensité et la fréquence des contractions utérines ; de l'utilisation d'antispasmodiques afin de diminuer la résistance du col utérin ; enfin, de la pratique de l'analgésie péridurale, qui supprime totalement ou partiellement les douleurs liées aux contractions utérines.

L'accouchement normal se déroule en trois phases : dilatation, expulsion, délivrance. Tout le long de ce travail, le monitorage du cœur fœtal permet de surveiller le rythme cardiaque fœtal (R.C.F.), et les contractions utérines sont enregistrées par tocographie (enregistrement graphique continu des variations des contractions utérines). Une amnioscopie et un prélève-

ment de sang sur la tête du fœtus permettant l'étude du pH fœtal et des lactates peuvent également renseigner sur le bien-être du fœtus en cours de travail.

■ La dilatation est la phase durant laquelle le col utérin se ramollit, s'amincit puis s'efface sous l'effet des contractions. Il se dilate ensuite à chaque contraction jusqu'à une ouverture de 10 centimètres de diamètre environ. Ce stade dure souvent plusieurs heures, surtout pour un premier accouchement. Une fois le col dilaté, le travail d'expulsion commence.

■ L'expulsion est la phase durant laquelle l'enfant apparaît, provoquant chez sa mère le besoin de pousser en contractant les muscles du diaphragme et de l'abdomen ; pour un bon déroulement de l'accouchement, celle-ci doit tenter de ne pousser que lors des contractions. Si la poche des eaux est encore intacte, elle peut être rompue artificiellement ou se rompt spontanément. Le périnée se distend progressivement et la tête de l'enfant apparaît.

Au moment de l'expulsion, une petite intervention (épisiotomie) est de plus en plus couramment pratiquée : il s'agit d'inciser le périnée lorsqu'il est distendu par la tête fœtale, pour prévenir les déchirures complètes du périnée et les surdistensions

---

Les préparations à l'accouchement

Plusieurs méthodes sont proposées aux femmes afin qu'elles vivent la grossesse et l'accouchement de façon active et détendue.

La préparation à l'« accouchement sans douleur » (psychoprophylaxie obstétricale), préparation classique, consiste en un enseignement théorique sur l'anatomie et la physiologie de la grossesse et de l'accouchement et en une série d'exercices physiques (respiration, assouplissement musculaire et relaxation correspondant aux différentes phases de l'accouchement). Des séances de préparation sont souvent proposées dans les dernières semaines de la grossesse en milieu hospitalier ou en clinique.

La sophrologie est une technique de relaxation qui se pratique dans un état de conscience proche de l'hypnose. Elle requiert un entraînement mental quotidien.

La préparation par le yoga utilise certaines postures du yoga ainsi que ses méthodes de respiration et de relaxation.

L'haptonomie emploie le sens du toucher afin d'établir une communication précoce entre les parents et le futur bébé dès le quatrième mois de grossesse. Cette approche développe la notion d'attachement entre les parents et l'enfant.

Les sages-femmes peuvent conseiller et orienter les femmes désireuses de profiter de ces méthodes.

dangereuses (risques de prolapsus génitaux), pour hâter la sortie de la tête ou la protéger. C'est une intervention bénigne et peu douloureuse qui cicatrise très bien.

■ La délivrance est la phase durant laquelle le placenta et les membranes sont décollés et expulsés par de nouvelles contractions, de 15 à 30 minutes après la sortie du bébé. La délivrance peut être facilitée par la perfusion d'un médicament ou par un geste médical. Après la délivrance, les éventuelles déchirures du vagin et les incisions (épisiotomie) sont nettoyées et suturées. Les membranes, le placenta et le cordon sont soigneusement examinés par la sage-femme qui vérifie s'ils sont entiers. S'il y a un doute, une révision utérine est nécessaire : le médecin introduit sa main gantée dans l'utérus et en examine les parois.

Complications de l'accouchement

Malgré les progrès constants de la médecine, certains accouchements s'annoncent difficiles et nécessitent de recourir au forceps, à la ventouse ou à la césarienne.

■ Le forceps, sorte de pince à deux branches en forme de cuillères, est employé par l'obstétricien pour guider le passage de la tête fœtale afin de faciliter sa sortie. Il est placé de part et d'autre de la tête du bébé au niveau des tempes. Il écarte les parois vaginales devant la tête et lui facilite ainsi le passage. Plusieurs circonstances déterminent l'emploi du forceps : la mère est trop fatiguée ou incapable de pousser pour expulser le fœtus – il peut également y avoir une contre-indication aux efforts d'expulsion, telle qu'une maladie du cœur ; la tête du bébé ne progresse pas malgré les efforts de poussée ; une souffrance fœtale est décelée au cours de l'accouchement pour diverses raisons (compression du cordon qui entraîne le ralentissement du rythme cardiaque, par exemple). Le forceps peut aussi être utilisé pour faciliter la sortie de la tête en cas de présentation par le siège.

Certaines conditions doivent être réunies pour l'emploi du forceps en toute sécurité : la poche des eaux doit être rompue ; le col de l'utérus, entièrement dilaté ; la présentation, engagée. L'anesthésiste administre à la mère un analgésique ou complète une anesthésie péridurale ; une épisiotomie préventive est en général effectuée.

■ La ventouse remplace parfois le forceps. Elle est placée sur le sommet du crâne du bébé, à dilatation complète du col. Un vide d'air est créé pour parfaire l'adhérence de la ventouse, et la tête est alors guidée vers l'extérieur.

■ La césarienne est une intervention chirurgicale qui consiste à inciser l'abdomen et l'utérus pour extraire le bébé. De nombreux facteurs maternels et fœtaux déterminent le choix de la césarienne : tantôt elle est programmée dès le début de la grossesse lors de certaines anomalies osseuses ou de certaines fragilités utérines (dues à des césariennes antérieures) ; tantôt elle s'impose lors de présentation par le siège lorsque toutes les conditions favorables ne sont pas

Le baby blues

Après un premier accouchement, la mère peut ressentir une certaine mélancolie, où se succèdent des moments de découragement, de rejet, de lassitude, des envies de pleurer incontrôlables et des moments de grande joie. Cet état d'extrême émotivité est une réalité à laquelle peu de jeunes mères échappent, mais dont l'intensité et la durée sont très variables d'une femme à l'autre.

Le baby blues, également appelé dépression du post-partum, peut s'expliquer par la chute hormonale qui se produit en fin de grossesse, comparable à celle qui affecte l'humeur de certaines femmes avant leurs règles. Mais cette fragilité est également liée au bouleversement que produit l'arrivée d'un petit enfant, à l'inquiétude due à l'impression diffuse de ne pouvoir faire face à son nouveau rôle. L'entourage médical et familial doit soutenir la jeune mère.

réunies ; tantôt elle est décidée au cours de l'accouchement en cas de souffrance fœtale, d'arrêt de la dilatation du col, de mauvaise orientation du bébé (position transversale).

La césarienne est pratiquée sous anesthésie générale ou péridurale (cette dernière permettant à la mère d'assister à la naissance de son enfant). Le chirurgien pratique au niveau des poils pubiens une incision (le plus souvent horizontale et qui deviendra presque invisible) à travers la peau et les différents tissus afin de parvenir à l'utérus. Celui-ci est alors ouvert et le bébé est extrait.

Beaucoup de femmes ayant subi une césarienne peuvent espérer accoucher normalement la fois suivante ; cette décision dépend des facteurs qui ont déterminé la première césarienne.

Traumatismes de l'accouchement

Ce sont les lésions provoquées sur l'enfant par l'accouchement lui-même.

En cas d'accouchement naturel, les traumatismes sont mineurs. L'utilisation des forceps ou de la ventouse provoque des bosses parfois très marquées (céphalhématomes), mais qui disparaissent en quelques jours. Les précautions prises lors d'accouchements d'enfants prématurés, d'accouchements par le siège ou de bébés trop gros permettent d'éviter des traumatismes qui pourraient être plus sérieux. Les lésions cérébrales du fœtus (infirmité motrice cérébrale, arriération mentale, épilepsie) peuvent aussi résulter de l'état de santé de la mère (tabagisme, alcoolisme, etc.).

Suites de couches

La période des suites de couches (post-partum) dure environ 6 semaines après l'accouchement, jusqu'au retour de couches (reprise des règles). En cas d'allaitement, le retour de couches est différé et intervient

après l'arrêt de l'allaitement. Les suites de couches dites précoces recouvrent les premiers jours suivant l'accouchement, que la plupart des femmes passent en milieu médical. Les suites de couches dites tardives correspondent au retour à domicile de la mère et de l'enfant. L'organisme retrouve peu à peu son équilibre antérieur, l'utérus se rétracte (involution utérine) et reprend son volume initial au bout de 2 mois. L'involution utérine s'accompagne dans les premiers jours de douleurs appelées tranchées. L'écoulement vulvaire (lochies), sanglant puis séreux, dure une quinzaine de jours avant de se tarir ; un « petit » retour de couches a parfois lieu vers le douzième jour (écoulement sanglant plus abondant).

Le pouls et la température de l'accouchée sont surveillés, ainsi que ses seins et ses urines. Les soins à apporter à la mère sont particulièrement importants après une épisiotomie ou une césarienne. Les risques de complications spécifiques à cette période justifient une surveillance sérieuse : phlébite (formation d'un caillot veineux), endométrite (lésion inflammatoire du corps de l'utérus) ou complications liées à l'allaitement (abcès du sein, par exemple). Une gymnastique rééducative complète les soins et favorise le retour à l'équilibre corporel antérieur. La reprise d'une activité sexuelle est possible dès la cicatrisation de l'épisiotomie, lorsqu'elle a eu lieu, ou, sinon, dès que la femme le souhaite. Cependant, une contraception est nécessaire après l'accouchement, dans la mesure où une ovulation est possible pendant les suites de couches.

Accouchement prématuré

Accouchement ayant lieu entre la vingt-neuvième et la trente-huitième semaine d'aménorrhée.

Un accouchement prématuré peut survenir spontanément ou être provoqué par décision médicale. Les causes sont multiples et peuvent se conjuguer : rupture de la poche contenant le liquide amniotique, anomalie de l'utérus maternel, hémorragie, infection bactérienne ou virale, multiparité (quand la mère a déjà eu un ou plusieurs enfants), grossesse multiple (jumeaux ou triplés), hydramnios (excès de liquide amniotique). Par ailleurs, un contexte socio-économique défavorable ou des conditions de travail stressantes (fatigue, longs trajets) augmentent le risque d'un accouchement prématuré spontané. La décision médicale d'accouchement prématuré est prise, entre autres, en cas de pathologie grave concernant la mère ou le fœtus, comme une prééclampsie (syndrome associant une hypertension artérielle, un excès de protéines dans les urines et une prise de poids anormale chez la mère) ou un hématome rétroplacentaire pouvant provoquer un décollement du placenta. L'incompatibilité Rhésus entre la mère et le fœtus peut aussi influer sur la décision médicale d'abréger une grossesse. Dans ce cas, l'accouchement prématuré se fait par déclenchement artificiel du travail ou en pratiquant une césarienne.

ACCOUCHEMENT

Dans une phase préparatoire, le col de l'utérus s'efface (il se raccourcit jusqu'à disparaître) et se dilate pour laisser passer l'enfant. Celui-ci se présente en général la tête en bas et le cou très fléchi. On dit que la tête s'engage quand elle entre dans le petit bassin. Elle continue alors à descendre et subit une rotation. Arrivée au niveau du pubis, elle arrête sa rotation, peut se défléchir (l'enfant redresse la tête) et commence à sortir. Lorsqu'elle est dégagée, les épaules apparaissent l'une après l'autre, puis le reste du corps suit sans difficulté. Dans des cas plus rares, ce n'est pas la tête mais le siège (les fesses), ou une épaule, qui se présente d'abord.

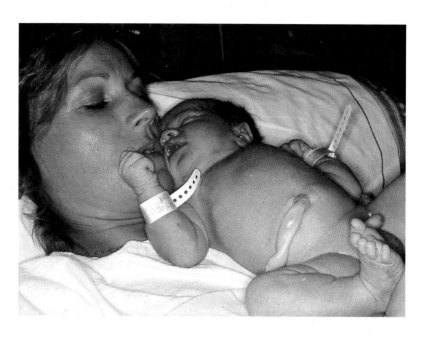

Évolution de l'accouchement : présentation par la tête.

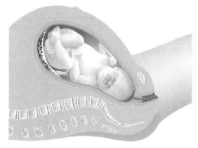

La tête du fœtus s'engage dans le petit bassin en début d'accouchement, ou peu avant. La sage-femme le constate en faisant un toucher vaginal et en palpant l'abdomen de la mère.

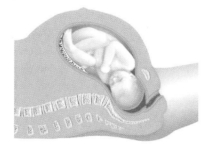

Du fait des contractions intenses de l'utérus, l'expulsion commence : la tête du fœtus descend dans le petit bassin, en même temps qu'elle subit une rotation.

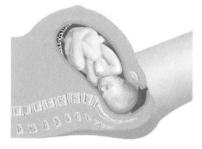

La tête arrête sa rotation quand le visage est tourné vers le bas. La sage-femme indique à la mère quand elle doit pousser. On commence à voir les cheveux de l'enfant.

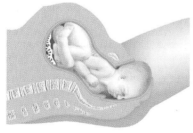

La tête se redresse vers le haut. Une pression douce de la main l'empêche de sortir trop vite. Si le périnée de la mère est trop distendu, on pratique une épisiotomie (incision).

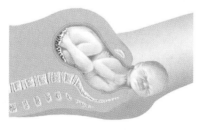

Grâce à une nouvelle rotation, les épaules sont placées verticalement et se dégagent rapidement l'une après l'autre. Le reste du corps de l'enfant sort encore plus facilement.

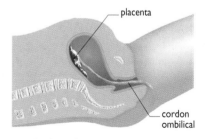

placenta

cordon ombilical

Une fois le cordon sectionné, seuls le placenta et la poche des eaux tapissent l'utérus ; ils se détachent sous l'effet de contractions utérines au moment de la délivrance.

Présentations inhabituelles : l'épaule et le siège.

Dans la présentation par l'épaule, c'est une des épaules qui s'engage, mais le reste du corps ne peut pas suivre. Une telle présentation nécessite le recours à une césarienne.

Dans la présentation par le siège, les jambes sont tantôt pliées en tailleur, tantôt allongées vers le haut. La sortie risque d'être bloquée par les bras ou par la tête.

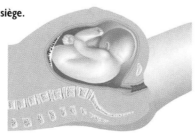

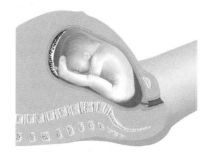

Acétabulum

→ VOIR Cotyle.

Acétone

→ VOIR Corps cétonique.

Acétylcholine

Substance chimique faisant partie des neuro-transmetteurs, c'est-à-dire sécrétée par certains neurones pour transmettre l'influx nerveux vers d'autres cellules.

L'acétylcholine est présente dans le système nerveux autonome (uniquement dans les ganglions et au niveau des terminaisons parasympathiques). Elle intervient dans le contrôle de muscles viscéraux ou de glandes ou des deux, selon les organes (cœur, bronches, vessie, œil, intestin, glandes sudoripares, salivaires, etc.). Par ailleurs, elle commande la contraction des muscles striés squelettiques. Elle est également présente dans l'encéphale, dans les noyaux gris centraux.

Du fait de son inactivation rapide par les cholinestérases, l'acétylcholine n'a pas d'utilisation thérapeutique, mais de nombreux médicaments reproduisent (agonistes) ou empêchent (antagonistes) ses effets.

Acétylcystéine

Médicament destiné à fluidifier les sécrétions bronchiques.

L'acétylcystéine entre notamment dans la composition de différents sirops. C'est un traitement d'appoint, parfois utilisé dans les bronchites quand les sécrétions sont trop épaisses, afin de faciliter l'expectoration. Par ailleurs, l'acétylcystéine, sous forme orale et injectable, est un antidote prescrit pour le traitement des intoxications par le paracétamol.

Achalasie

Trouble de la motricité digestive.

L'achalasie associe une perte des mouvements qui font progresser les aliments dans le tube digestif (péristaltisme) et une incapacité de relaxation coordonnée. Elle est habituellement due à une dégénérescence du système nerveux contenu dans les parois du tube digestif.

On distingue deux types d'achalasie : l'achalasie de l'œsophage et l'achalasie du côlon.

■ L'achalasie de l'œsophage, trouble de la motricité de l'œsophage, débute par une simple difficulté à déglutir et entraîne une stagnation des aliments dans l'œsophage, qui se dilate massivement. Le diagnostic est fait par endoscopie, radiographie et surtout manométrie. Le traitement fait appel à la dilatation du sphincter inférieur de l'œsophage ou à la résection chirurgicale de certains muscles situés à l'entrée de l'estomac.

■ L'achalasie du côlon, trouble de la motricité du côlon, entraîne une très importante constipation avec dilatation intestinale (mégacôlon congénital ou maladie de Hirschsprung). Il est alors nécessaire de réséquer la zone achalasique au cours d'une intervention chirurgicale.

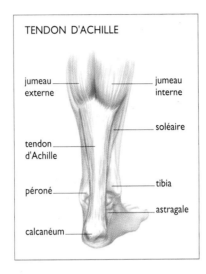

TENDON D'ACHILLE

jumeau externe — jumeau interne — soléaire — tendon d'Achille — péroné — tibia — astragale — calcanéum

Achille (tendon d')

Tendon qui assure l'insertion du muscle triceps sural (puissant muscle du mollet) sur le calcanéum (os du talon). (P.N.A. *tendo calcaneus Achilli*)

Le tendon d'Achille, le plus volumineux tendon de l'organisme, permet la flexion plantaire de la cheville (mise sur la pointe des pieds). Très résistant, il peut supporter une charge de 400 kilos.

PATHOLOGIE

■ **La rupture sous-cutanée** du tendon d'Achille fait suite à un effort violent et provoque un déchirement des tissus. Elle survient chez l'adulte sportif dont le tendon est fragilisé par une dégénérescence des fibres tendineuses. Le sujet ressent une douleur brutale et s'effondre, absolument incapable de marcher ou de courir. Il ne peut plus se mettre sur la pointe des pieds, et une dépression marquée se forme au-dessus du talon.

L'immobilisation de la cheville dans une botte plâtrée est nécessaire pendant environ 2 mois. Le patient peut refaire du sport au bout de 4 à 6 mois. Une réparation chirurgicale peut être envisagée chez le sportif de haut niveau ou en cas de récidive.

■ **La tendinite, la ténosynovite et la bursite,** qui sont, respectivement, l'inflammation du tendon, celle de la gaine du tendon et celle des bourses séreuses (poches conjonctives annexées au tendon, au voisinage de l'articulation), sont dues à un surmenage mécanique du tendon lors d'activités sportives. La marche est alors douloureuse.

Le repos s'impose, associé à la prise d'anti-inflammatoires, à la pratique d'infiltrations et à une rééducation. Une intervention chirurgicale permet en cas de tendinite de réaliser un peignage du tendon (élimination des fibres lésées), afin que celui-ci se renforce plus vite.

Achlorhydrie

Absence d'acide chlorhydrique dans le suc gastrique.

L'insuffisance de la sécrétion d'acide chlorhydrique est généralement la consé-

quence d'une atrophie de la muqueuse gastrique. Plus cette atrophie est marquée, plus ce manque est important. La chute du débit acide est observée dans la quasi-totalité des cas d'atrophie gastrique, aboutissant à l'achlorhydrie vraie en cas d'atrophie définitive, comme dans la maladie de Biermer.

L'achlorhydrie peut également être associée à une insuffisance de sécrétion du facteur intrinsèque (substance sécrétée par le collet des glandes gastriques). Il en résulte alors une anémie provoquée par la mauvaise absorption de la vitamine B12.

L'achlorhydrie ou l'hypochlorhydrie favorisent parfois une pullulation microbienne dans l'estomac, qui peut entraîner une mauvaise absorption intestinale. Le traitement dépend de la cause : traitement de la maladie de Biermer, désinfectants intestinaux en cas de pullulation microbienne.

Acholie

Absence de sécrétion de la bile par le foie.

L'acholie provient d'une insuffisance hépatique grave ou d'une obstruction complète des voies biliaires. Elle s'accompagne d'un ictère. Son traitement dépend de sa cause.

Achondroplasie

Affection du développement osseux entraînant un nanisme.

L'achondroplasie est une affection héréditaire rare, due à une mutation du gène FGFR3 (*Fibroblast Growth Factor Receptor*, récepteur du facteur de croissance fibroblastique), situé sur le chromosome 4. Elle touche environ un individu sur 20 000. Les enfants des achondroplases ont un risque sur deux d'être eux-mêmes affectés. Détectable dès la naissance par examen clinique ou radiographique, l'achondroplasie se caractérise par un trouble de l'ossification et une atteinte des cartilages de croissance (zones de croissance osseuse) : ceux-ci se transforment trop tôt en tissu osseux définitif, interrompant la croissance. Les os longs des membres sont les plus affectés. Les achondroplases, qui mesurent entre 1,20 mètre et 1,30 mètre, ont donc des bras et des jambes courts avec un tronc et une tête de taille normale. L'achondroplasie peut entraîner une étroitesse du canal rachidien et une arthrose précoce. Il n'existe actuellement aucun traitement spécifique de cette affection.

Achromie

→ VOIR Leucodermie.

Achylie

Absence de sécrétion d'acide chlorhydrique et de pepsine par la région supérieure de l'estomac.

L'achylie est une manifestation fréquente des gastrites chroniques. Dans la maladie de Biermer, elle s'associe à un défaut de sécrétion du facteur intrinsèque (substance sécrétée par le collet des glandes gastriques, dont dépend la bonne assimilation de la vitamine B12). Son diagnostic se fait par tubage gastrique après stimulation de l'estomac. L'achylie, qui ne comporte pas de symptômes spécifiques, ne requiert aucun traitement particulier, mais se soigne en même temps que l'affection d'origine.

Acide

Substance chimique caractérisée par son aptitude à libérer dans l'eau des ions hydrogène porteurs d'une charge positive (ions H+, ou protons).

Un acide est dit fort lorsque toutes ses molécules se dissocient au contact de l'eau (acide chlorhydrique, acide sulfurique) et faible quand une partie seulement de ses molécules se dissocie (acide acétique, acide citrique). L'acidité d'une solution est définie par sa concentration en ions H+ ; on la chiffre par le pH (potentiel hydrogène). Une solution est dite acide lorsque son pH est inférieur à 7. Une autre classification des acides repose sur leur formule chimique : on distingue les acides minéraux, formés par un anion (ion chargé négativement, par exemple Cl^- ou SO_4^{2-}) et un ou plusieurs protons, des acides organiques, caractérisés par un groupe carboxyle, comprenant, outre un atome d'hydrogène acide, un atome de carbone et deux d'oxygène (COOH). On classe enfin les acides d'après le nombre d'hydrogènes acides que contient leur formule : HCl, HNO_3, CH_3COOH sont des monoacides, H_2SO_4 un diacide, H_3PO_4 un triacide, etc.

Dans l'organisme, de nombreuses substances, de structure et de rôle divers, sont des acides. C'est le cas de certaines vitamines (acides ascorbique, folique). Les acides aminés (leucine, tryptophane) constituent les protéines, et les acides gras (acide linoléique par exemple), les lipides.
→ VOIR Base.

Acide acétique

Acide organique qui, dans l'organisme, provient notamment de la dégradation de l'acide pyruvique ou de l'acide butyrique.

L'acide acétique entre dans la composition de produits antiseptiques et de solutions tampons (solutions limitant les variations du pH d'un milieu lors de l'addition d'un acide ou d'une base). Il se présente sous la forme d'un liquide incolore, d'odeur suffocante ; c'est lui qui donne son goût particulier au vinaigre.

Acide acétylsalicylique

Médicament analgésique et antipyrétique (actif contre la douleur et la fièvre) de référence. SYN. *aspirine*.

L'acide acétylsalicylique entre, seul ou associé à d'autres principes actifs, dans la composition de nombreuses spécialités pharmaceutiques. Son utilisation thérapeutique dépend de la posologie. À dose faible, c'est un antiagrégant plaquettaire : il empêche les plaquettes sanguines de s'agréger entre elles, ce qui évite la formation de caillots dans les vaisseaux. Aux doses moyennes habituelles, l'acide acétylsalicylique est analgésique et antipyrétique. À forte dose, c'est un anti-inflammatoire, indiqué dans certaines affections rhumatismales.

CONTRE-INDICATIONS
L'acide acétylsalicylique est délicat à prescrire lorsqu'il y a dans les antécédents un ulcère de l'estomac ou de l'asthme. Il est contre-indiqué en fin de grossesse, chez les sujets allergiques aux salicylés (groupe de médicaments auquel il appartient) et chez l'enfant de moins de 12 ans présentant une affection virale. En outre, il existe de nombreuses interactions indésirables avec d'autres substances : les anti-inflammatoires non stéroïdiens et les anticoagulants.

EFFETS SECONDAIRES
Les principaux sont des lésions digestives (gastrite), des troubles hémorragiques (saignements digestifs, hémorragies en fin de grossesse), des thrombopénies (chute du nombre de plaquettes sanguines), des syndromes de Reye (atteinte du foie et de l'encéphale, chez les enfants de moins de 12 ans infectés par un virus). Des intoxications graves peuvent survenir, surtout chez l'enfant : elles se manifestent par des troubles de l'audition, des sueurs, des vomissements, une hypotension artérielle, une somnolence et une acidose (excès d'acides dans l'organisme).

Acide aminé

Acide organique constituant l'unité de structure des protéines. SYN. *aminoacide*.

Chaque molécule d'acide aminé comprend un groupe acide du type carboxylique (COOH), une fonction aminée (NH_2) et une chaîne latérale, qui varie d'un acide aminé à un autre. Ils peuvent exister sous forme libre ou s'enchaîner les uns aux autres, chaque carboxyle d'un acide aminé étant réuni à la fonction aminée du suivant par une liaison dite peptidique pour former des chaînes appelées peptides. Plusieurs centaines de ces peptides peuvent s'enchaîner à leur tour par des liaisons peptidiques pour former une molécule de protéine.

Il suffit de 20 acides aminés pour former toutes les protéines humaines. On les classe en acides aminés essentiels et en acides aminés non essentiels.
■ **Les acides aminés essentiels, ou acides aminés indispensables**, ne peuvent pas être synthétisés par l'organisme (ou le sont trop peu) et doivent être fournis par les aliments (protéines végétales et, surtout, animales). Ils sont 8 (auxquels s'ajoute l'histidine chez le nourrisson) : isoleucine, leucine, lysine, méthionine, phénylalanine, thréonine, tryptophane, valine.
■ **Les acides aminés non essentiels** sont synthétisés par l'organisme à partir des acides aminés essentiels. Ils sont 12 : alanine, arginine, asparagine, acide aspartique, cystéine, glutamine, acide glutamique, glycine, histidine, proline, sérine, tyrosine.

Par ailleurs, plus de 200 acides aminés ne sont pas inclus dans des protéines. Sous leur forme libre, isolée, ils jouent un rôle important dans de nombreuses réactions chimiques cellulaires telles que la synthèse du glucose (acides aminés glucoformateurs),

quand celui-ci n'est pas apporté en quantité suffisante par l'alimentation.
→ VOIR Protéine.

Acide ascorbique

Vitamine hydrosoluble jouant un rôle essentiel dans de nombreux métabolismes. SYN. *vitamine C*.
→ VOIR Vitamine C.

Acide aspartique

Acide aminé non essentiel intervenant dans la synthèse de l'urée et des nucléotides (ces derniers étant notamment les éléments de base des acides nucléiques).

L'acide aspartique est apporté par l'alimentation ou formé à partir de l'acide oxaloacétique.

Acide biliaire

Acide de structure stéroïdienne synthétisé par le foie à partir du cholestérol.

Les principaux acides biliaires sont l'acide cholique et l'acide chénodésoxycholique. Associés à un acide aminé (glycocolle ou taurine) et aux ions sodium ou potassium, ils sont stockés dans la vésicule biliaire. Au cours d'un repas, ils sont excrétés vers l'intestin grêle, où ils émulsionnent les lipides. Dans l'intestin, ils se transforment en partie en acides biliaires secondaires (acide désoxycholique et lithocholique). Les acides biliaires de l'intestin sont absorbés dans le sang. Ils retournent alors au foie, qui peut les excréter à nouveau : c'est le cycle entérohépatique.

UTILISATION THÉRAPEUTIQUE
Deux acides biliaires, l'acide chénodésoxycholique et l'acide ursodésoxycholique, sont utilisés dans le traitement des calculs biliaires de cholestérol. Ils représentent une alternative à la cholécystectomie (ablation chirurgicale de la vésicule) et à la lithotripsie (fragmentation des calculs par une succession d'ondes de choc dans ce cas), mais uniquement quand les calculs sont non calcifiés et de petite taille. Ils sont administrés par voie orale pendant plusieurs mois. L'acide ursodésoxycholique est préféré à l'acide chénodésoxycholique en raison de son risque minime d'effets indésirables intestinaux (diarrhée) et hépatiques (augmentation des transaminases). Il est contre-indiqué en cas de grossesse, de maladie gastro-intestinale ou d'infection biliaire.

Acide borique

Antiseptique à usage externe.

L'acide borique est bactériostatique : il s'oppose à la prolifération des bactéries sans pouvoir les tuer. Il est employé dans de nombreuses préparations, dont l'eau boriquée à 3 %, la vaseline boriquée à 10 %, et certains produits ophtalmologiques. L'acide borique permet de désinfecter la peau et les muqueuses sur de petites surfaces ; il est peu irritant. Les intoxications sont possibles en cas d'application étendue, surtout chez le nouveau-né et le nourrisson : troubles digestifs, chute de la température, atteinte rénale, défaillance circulatoire aiguë.

Acide butyrique

Acide gras, présent dans les aliments, surtout le beurre.

L'acide butyrique participe à la synthèse des autres acides gras, éléments de base des lipides.

Acide chénodésoxycholique

→ VOIR Acide biliaire.

Acide chlorhydrique

Acide sécrété par l'estomac.

L'acide chlorhydrique est sécrété par des cellules spécialisées de la muqueuse de l'estomac et mélangé au suc gastrique. Il est indispensable à l'organisme pour commencer la digestion des protéines. Un excès de sécrétion ou une trop grande fragilité de la muqueuse sont responsables de maladies de l'estomac, du duodénum et de l'œsophage telles que les ulcères.

Acide clavulanique

Substance ajoutée à certains antibiotiques pour améliorer leur efficacité.

L'acide clavulanique inhibe les bêtalactamases, enzymes bactériennes qui détruisent les antibiotiques de la famille des bêtalactamines (pénicillines et céphalosporines). Il rend donc ces bactéries sensibles aux bêtalactamines, permettant d'utiliser celles-ci dans une antibiothérapie.

Acide désoxyribonucléique (A.D.N.)

Acide nucléique, support du contrôle des activités cellulaires et de la transmission des caractères héréditaires.

La molécule d'A.D.N., très allongée, comporte deux brins enroulés l'un autour de l'autre en double hélice. Chacun est constitué par une succession de nucléotides, les désoxyribonucléotides, formés par l'enchaînement d'un acide phosphorique, d'un glucide (désoxyribose) et d'une base purique (adénine ou guanine) ou pyrimidique (cytosine ou thymine). Les deux brins ne sont pas identiques ; chaque base d'un brin est en regard d'une base de l'autre brin selon une règle précise de complémentarité : ainsi, une adénine est toujours en face d'une thymine, et une guanine en face d'une cytosine.

L'A.D.N. est le principal constituant chimique des chromosomes. Sur un des deux brins se trouvent les informations qui permettent à des enzymes de synthétiser les protéines, lesquelles contrôlent les activités cellulaires. Lors de la division cellulaire, des enzymes séparent les deux brins et en synthétisent deux nouveaux en regard des anciens. Deux nouvelles molécules d'A.D.N. se forment ainsi, identiques à l'ancienne, destinées chacune à une cellule fille. Ce phénomène, appelé réplication de l'A.D.N., assure l'identité génétique lors de la multiplication cellulaire.

Acide folique

Vitamine hydrosoluble du groupe B jouant un rôle fondamental dans la formation des cellules de l'organisme. SYN. *vitamine B9*.

Chaque molécule d'A.D.N. forme un filament en hélice, constitué de deux brins qui sont une succession de nucléotides composés d'un sucre, d'un phosphate et d'une base (adénine, guanine, cytosine ou thymine).

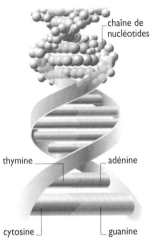

chaîne de nucléotides

thymine — adénine

cytosine — guanine

Dans une molécule d'A.D.N., une adénine est toujours en face d'une thymine, de même qu'une guanine est toujours en face d'une cytosine.

Grâce au microscope « à effet tunnel », qui montre le relief des surfaces moléculaires, on peut voir une image en trois dimensions de la molécule en hélice de l'A.D.N. (en jaune, sur la photographie).

L'acide folique, en intervenant dans la synthèse de l'A.D.N., joue un rôle capital dans la production de nouvelles cellules dans l'organisme. En particulier, il est indispensable à la formation des globules rouges du sang par la moelle osseuse.

SOURCES

L'acide folique est présent dans de nombreux aliments : foie, lait, fromages fermentés, légumes verts (asperges, épinards, choux verts, carottes). Les besoins quotidiens sont élevés : de 100 à 500 microgrammes selon l'âge et l'état physiologique du sujet. Cependant, une alimentation diversifiée en apporte des quantités suffisantes.

CARENCE

Elle peut s'observer en cas d'insuffisance alimentaire, de troubles de l'absorption (dus à des anomalies digestives), de grossesse, de prise de médicaments à activité antifolique. Sa manifestation principale est une variété d'anémie macrocytaire dite mégaloblastique. L'acide folique par voie orale (ou parfois son dérivé, l'acide folinique par voie injectable) est alors proposé comme médicament.

Acide gamma-aminobutyrique

Acide butyrique résultant de la transformation de l'acide glutamique, et présent en grandes quantités dans le cerveau.

L'acide gamma-aminobutyrique (GABA) est un neurotransmetteur contrôlant l'influx nerveux par blocage de la libération d'autres neurotransmetteurs (dopamine, noradrénaline). Certains médicaments (benzodiazépines, antiépileptiques) augmentent son activité.

Acide glutamique

Acide aminé non essentiel jouant un rôle important dans plusieurs métabolismes.

L'acide glutamique est un neurotransmetteur (substance chimique assurant la transmission de l'influx nerveux) de la moelle épinière et du cerveau, où il peut être transformé en acide gamma-aminobutyrique (GABA), un autre neurotransmetteur. Il intervient également dans la synthèse du glucose, de l'urée, du glutathion et de l'acide folique. Enfin, par captation de l'ammoniac, substance toxique provenant essentiellement de la dégradation des acides aminés, il se transforme en glutamine, non toxique.

Acide gras

Acide organique, principal constituant des lipides.

Il existe dans la nature plus de 40 acides gras naturels différents. On les distingue essentiellement en fonction de la longueur de leur chaîne carbonée et de leur degré d'insaturation, c'est-à-dire selon l'existence éventuelle d'une ou de plusieurs doubles liaisons entre deux atomes de carbone voisins. Cela conduit à différencier les acides gras saturés (aucune double liaison) des acides gras insaturés (comprenant une ou plusieurs doubles liaisons). Enfin, les acides gras que l'organisme ne sait pas synthétiser et qui doivent donc obligatoirement être fournis par les aliments sont dits essentiels (acides linoléique, linolénique, arachidonique) et sont insaturés.

Dans l'organisme, les acides gras constituent avec les glucides une source d'énergie primordiale. Ils proviennent de la dégradation des glucides ou des lipides alimentaires. Une alimentation équilibrée doit apporter les deux types d'acides gras. Les produits laitiers et la viande sont souvent riches en acides gras saturés, solides à la température ambiante. Les huiles végétales et le poisson sont plutôt riches en acides gras insaturés, liquides à la température ambiante et facilement oxydables : ils rancissent au contact de l'air.

Acide 5-hydroxy-indol-acétique
Acide dérivé d'une amine, la sérotonine.

La concentration urinaire d'acide 5-hydroxy-indol-acétique augmente dans les tumeurs carcinoïdes qui sécrètent de la sérotonine, dans certains cancers, mais aussi dans d'autres maladies (sprue tropicale non traitée par exemple).

Acide lactique
Acide organique provenant de la dégradation anaérobie du glucose.

La dégradation anaérobie du glucose, processus chimique normal, s'accroît lorsqu'un apport insuffisant d'oxygène ne permet pas le métabolisme complet du glucose, au cours de l'infarctus du myocarde, du collapsus ou d'un exercice musculaire intense par exemple. On attribue à la production massive d'acide lactique qui s'ensuit alors l'apparition de crampes musculaires.

Acide nicotinique
Vitamine hydrosoluble réunie avec son dérivé, la nicotinamide, sous le terme générique de niacine, ou vitamine PP. SYN. *acide nicotique*.
→ VOIR **Vitamine PP.**

Acide nucléique
Substance chimique portant, dans chaque cellule, les instructions héréditaires codées qui permettent le développement de l'organisme.

Il existe deux types d'acides nucléiques : l'acide désoxyribonucléique (A.D.N.) et l'acide ribonucléique (A.R.N.). Dans toutes les cellules végétales et animales, c'est l'A.D.N. qui détient les instructions génétiques codées ; l'A.R.N. contribue à leur transfert et à leur traduction pour organiser la synthèse des protéines.
→ VOIR Acide désoxyribonucléique, Acide ribonucléique, Code génétique.

Acide oxalique
Acide organique d'origine endogène (synthétisé à partir d'un acide aminé, la glycine) ou exogène alimentaire (oseille, épinard, rhubarbe, thé, café).

L'acide oxalique fixe le calcium. En milieu acide, urinaire notamment, il peut cristalliser sous forme de calculs provoquant une lithiase urinaire.

Le taux sanguin d'acide oxalique est normalement faible. Les aliments riches en acide oxalique (oseille et rhubarbe surtout) sont susceptibles de le faire augmenter : ils doivent donc être évités en cas d'oxalose (affection héréditaire due à un trouble du métabolisme de la glycine) ou de lithiase urinaire oxalique. Pur, l'acide oxalique est utilisé dans l'industrie, principalement comme antirouille. C'est un toxique violent.

INTOXICATION

■ **L'intoxication aiguë à l'acide oxalique** se manifeste par des douleurs abdominales et des vomissements. Rapidement, des tremblements et des convulsions apparaissent, précédant une anurie (arrêt de la production d'urine par les reins) qui peut entraîner la mort.

■ **L'intoxication chronique à l'acide oxalique** aboutit à des nécroses cutanées en cas de contact ou à une atteinte rénale en cas d'inhalation prolongée.

Le traitement consiste à éliminer rapidement l'acide oxalique en provoquant une diarrhée ou en pratiquant une évacuation gastrique. On doit donner du calcium au malade pour prévenir la baisse de sa calcémie.

Acide pantothénique
Vitamine hydrosoluble indispensable à la combustion cellulaire des glucides et des lipides. SYN. *vitamine B5*.
→ VOIR **Vitamine B5.**

Acide pyruvique
Acide provenant de la dégradation du glucose.

Lors d'un apport d'oxygène en quantités normales, l'acide pyruvique est transformé en acide acétique, puis en acétylcoenzyme A, qui sert notamment à produire de l'énergie. Lors d'un apport insuffisant d'oxygène (infarctus du myocarde, collapsus, exercice musculaire intense), les réactions précédentes se font plus difficilement, et une plus grande partie de l'acide pyruvique est transformée en acide lactique.

Acide ribonucléique (A.R.N.)
Acide nucléique utilisant l'information héréditaire portée par l'acide désoxyribonucléique (A.D.N.) pour synthétiser les protéines.

La molécule d'A.R.N. a une structure analogue à celle d'un brin d'A.D.N. : elle est constituée par une succession de nucléotides formés eux-mêmes par l'enchaînement d'un acide phosphorique, d'un glucide (le ribose) et d'une base purique (adénine ou guanine) ou pyrimidique (cytosine ou uracile).

Dans le noyau cellulaire, l'information génétique portée par l'A.D.N. est transcrite en A.R.N., puis traduite en une protéine dans le cytoplasme. Ce transfert met en jeu trois variétés d'A.R.N. :

■ **L'A.R.N. messager**, ou A.R.N.-m, est synthétisé au contact de l'A.D.N. grâce à une enzyme, l'A.R.N. polymérase. Cette synthèse est telle qu'à chaque base de l'A.D.N. correspond la base complémentaire dans la chaîne d'A.R.N. (à chaque adénine correspond une uracile, à chaque guanine correspond une cytosine, etc.). La molécule d'A.R.N. ainsi constituée est donc la réplique en contretype du message héréditaire porté par l'A.D.N. Elle se sépare alors de ce dernier pour pénétrer dans le cytoplasme (partie de la cellule qui entoure le noyau).

■ **L'A.R.N. ribosomique**, ou A.R.N.-r, est le principal constituant des ribosomes, petites structures sphériques du cytoplasme qui permettent le déchiffrage du code génétique inscrit dans l'A.R.N. messager.

■ **L'A.R.N. de transfert**, ou A.R.N.-t, a pour rôle le transfert des acides aminés vers les ribosomes fixés sur les A.R.N. messagers, où les chaînes protéiques sont en cours de formation. Il existe une vingtaine de variétés d'A.R.N. de transfert, chacune spécifique d'un acide aminé donné.

Acide sulfurique
→ VOIR Intoxication.

Acide urique
Acide issu de la dégradation des acides nucléiques (A.D.N. et A.R.N.) de l'organisme.

L'acide urique provient surtout de la destruction des bases puriques, constituants des acides nucléiques. Les acides nucléiques du corps en fournissent la plus grande part, mais il peut aussi être produit par la digestion d'aliments riches en acides nucléiques : foie, rognons, ris de veau, et, à moindre degré, poissons et volailles. L'acide urique contenu dans le sang est filtré par les reins, qui l'éliminent par les urines. Chez le sujet sain, les reins font en sorte que l'uricémie (taux sanguin d'acide urique) se maintienne dans les limites acceptables. Parfois cependant, l'élimination rénale d'acide urique est insuffisante ou sa production est excessive (maladies du sang, maladies enzymatiques héréditaires), provoquant une hyperuricémie (taux anormalement élevé d'acide urique dans le sang). Dans ce cas, l'acide urique tend à précipiter en cristaux, ce qui peut déclencher des crises de goutte, une lithiase urinaire, ou les deux à la fois.
→ VOIR Goutte, Hyperuricémie, Lithiase.

Acidifiant urinaire
→ VOIR pH urinaire (modificateur du).

Acidité gastrique
Caractéristique de l'estomac due à la sécrétion, par la muqueuse gastrique, de suc gastrique acide contenant de la pepsine (enzyme dégradant les protéines), de l'acide chlorhydrique (qui tue les bactéries des aliments et favorise l'action de la pepsine) et le facteur intrinsèque (essentiel pour l'absorption de la vitamine B12 dans l'intestin grêle).

La sécrétion gastrique est régulée par des mécanismes nerveux et hormonaux dont les deux agents essentiels sont : les fibres du nerf pneumogastrique, qui agissent surtout sur la sécrétion peptique ; la gastrine, hormone sécrétée par certaines cellules de l'estomac et du duodénum, qui stimule la sécrétion d'acide chlorhydrique.

Les aigreurs ou brûlures d'estomac ne sont souvent qu'une hypersécrétion acide passagère provoquée par certains aliments (graisses cuites, alcool).

Examen de la sécrétion gastrique

L'hypersécrétion chlorhydropeptique constitue une des causes fondamentales de l'ulcère duodénal. C'est pourquoi une exploration gastrique fonctionnelle, comprenant l'étude quantitative de la sécrétion acide, peut être réalisée lors des bilans préopératoires et postopératoires chez les personnes atteintes d'ulcère duodénal. Cette exploration permet de décider du geste opératoire le plus adapté et de contrôler son efficacité après coup. Une analyse de la sécrétion gastrique s'effectue également dans les cas où une tumeur sécrétrice de gastrine est suspectée (syndrome de Zollinger-Ellison), ainsi que dans certaines gastrites chroniques.

→ VOIR Estomac.

Acidobasique (équilibre)

Équilibre entre les quantités de substances acides et basiques de l'organisme.

Dans l'organisme, l'équilibre acidobasique se traduit par la stabilité du pH (mesure de l'acidité ou de l'alcalinité d'une solution, dépendant de sa concentration en ions H^+), très voisin à l'étal normal de 7,4 dans les liquides physiologiques tels que le sang ou la lymphe. Le métabolisme, en dégradant les glucides et les lipides pour produire de l'énergie, consomme de l'oxygène et produit du gaz carbonique, source d'acidité, ainsi que des acides organiques tels que l'acide lactique et l'acide pyruvique. Le maintien de l'équilibre acidobasique dépend de trois mécanismes : les systèmes tampons, la respiration et la fonction rénale. Plusieurs substances naturelles ont un pouvoir tampon : elles sont capables de fixer ou de libérer des ions H^+ dans une solution et de freiner ainsi les variations de son pH lorsqu'on y ajoute un acide ou une base. Quand les systèmes tampons se révèlent insuffisants, deux organes complètent la régulation : le poumon (la fréquence et l'amplitude respiratoires règlent la quantité de gaz carbonique dans l'organisme : ainsi, une respiration rapide accélère son élimination ; inversement, une respiration lente la ralentit, rendant le sang plus acide) et le rein (il élimine des substances acides ou basiques par les urines). La rupture de l'équilibre acidobasique conduit à l'acidose (acidité sanguine excessive) ou à l'alcalose (alcalinité sanguine excessive).

→ VOIR Acidose, Alcalose.

Acidocétose

Forme particulière d'acidose (acidité sanguine excessive) métabolique due à une accumulation de corps cétoniques (acétone et substances chimiques apparentées).

L'acidocétose, qui s'observe au cours du jeûne prolongé et des vomissements acétonémiques (vomissements liés à des troubles digestifs, neurologiques, neurovégétatifs ou survenant sans causes apparentes, accompagnés d'une accumulation de corps cétoniques dans l'organisme), est aussi l'une des complications du diabète sucré : l'insuffisance d'insuline qui caractérise cette maladie empêche le glucose d'entrer dans les cellules ; ne pouvant plus utiliser le glucose comme source d'énergie, la cellule essaie de compenser en transformant les acides gras sanguins, ce qui provoque l'augmentation de la production des corps cétoniques.

L'acidocétose se caractérise par une haleine caractéristique, une perte d'appétit, des nausées, des vomissements et des douleurs abdominales. Dans les formes les plus graves (diabète), le malade est déshydraté ; sa respiration s'accélère pour éliminer du gaz carbonique, source d'acidité.

Le traitement consiste à administrer au malade des substances basiques pour neutraliser les acides, et surtout, en cas de diabète sucré, à lutter contre la cause sous-jacente par des injections d'insuline. En l'absence de traitement, un coma peut survenir.

Acidophile

Se dit d'un composant cellulaire ou tissulaire qui fixe les colorants acides et en particulier l'éosine. SYN. éosinophile.

Les protéines basiques, notamment, ont cette propriété et entraînent sur les coupes histologiques une coloration rose des cytoplasmes des cellules et mettent aussi en évidence certains dépôts anormaux ainsi que des foyers de nécrose (mort tissulaire).

Acidose

Trouble de l'équilibre acidobasique de l'organisme correspondant à une augmentation de la concentration d'acide dans le plasma et les liquides interstitiels (liquides dans lesquels baignent les cellules, à l'exclusion du sang).

Acidose métabolique

Ce trouble de l'équilibre acido-basique de l'organisme peut être provoqué par une production accrue d'acides dans l'organisme ou par une perte de bases (bicarbonate de sodium par exemple). Une acidocétose, forme d'acidose métabolique, survient dans un diabète sucré non maîtrisé et, à un moindre degré, en cas de jeûne. Une acidose métabolique peut également être provoquée par une perte de bicarbonates en cas de diarrhée sévère ou une intoxication par l'aspirine. Mais la cause principale de l'acidose métabolique est l'élimination insuffisante d'acide par les urines : on parle alors d'acidose rénale.

Les acidoses rénales se rencontrent dans deux circonstances principales :

■ Au cours de l'insuffisance rénale aiguë ou chronique, une acidose peut survenir. Son traitement fait appel à des mesures diététiques telles que la restriction en protéines et l'apport de bases (par exemple de bicarbonate de sodium sous forme d'eau de Vichy). Lorsque l'insuffisance rénale est extrême, seule l'hémodialyse (technique d'épuration du sang par filtration à travers une membrane semi-perméable) permet de corriger l'acidose.

■ Au cours de certaines maladies rénales chroniques caractérisées par un trouble fonctionnel des tubules rénaux, il existe un défaut d'élimination des acides ou de conservation des bases à l'origine d'une acidose sanguine. Pour la neutraliser, il est nécessaire de prescrire du bicarbonate de sodium.

Acidose respiratoire

L'acidose respiratoire, ou acidose gazeuse, est un trouble de l'équilibre acido-basique de l'organisme qui se produit lorsque la respiration ne parvient pas à éliminer le gaz carbonique en quantités suffisantes ; l'excès de gaz restant dans le sang s'y dissout en formant de l'acide carbonique, entraînant ainsi une élévation de l'acidité sanguine.

L'acidose respiratoire peut être aiguë, causée par une dépression des centres nerveux respiratoires comme dans les asphyxies (noyade, strangulation), les paralysies respiratoires (poliomyélite, action des curares) ou après la prise de médicaments hypnotiques. Elle peut également être chronique (bronchite chronique, emphysème, cyphoscoliose).

Acidose lactique

Forme particulière d'acidose (acidité sanguine excessive) métabolique due à une accumulation d'acide lactique dans le sang.

L'acidose lactique peut être la conséquence d'une diminution des quantités d'oxygène disponible, comme au cours d'un collapsus (chute de tension) ou d'une insuffisance respiratoire. Elle se rencontre aussi dans d'autres maladies : diabète sucré ; insuffisance rénale ; leucémie ; intoxication médicamenteuse ou alcoolique ; certains déficits enzymatiques congénitaux. L'acidose lactique se manifeste par un état de choc avec hypovolémie (baisse du volume sanguin total circulant). Son diagnostic est confirmé par les examens sanguins (taux de lactate, pH). Son traitement doit être particulièrement intensif (doses importantes de bicarbonate en perfusion intraveineuse) et surtout s'attaquer à la cause de l'acidose.

Acidurie

Présence d'acides en excès dans les urines.

On parle généralement d'acidurie pour désigner une hyperacidurie (élimination urinaire excessive d'acides).

Les principales causes d'acidurie sont l'alcalose métabolique, accompagnée d'une élimination rénale excessive d'ions H^+ et d'une déplétion en chlore ou en potassium, ou encore avec réabsorption rénale excessive de sodium (syndrome de Cushing, syndrome de Bartter).

Acinésie

→ VOIR Akinésie.

Acinus

1. Élément de forme arrondie constitutif des glandes à sécrétion externe dites « en grappes » (glandes salivaires, pancréas exocrine, glandes cutanées sébacées et sudoripares, seins).

On distingue les acini séreux, muqueux purs, séromuqueux ou mixtes, selon la nature des cellules glandulaires qui les composent. Chaque acinus comporte une dizaine de culs-de-sac et un canalicule excréteur. L'élaboration du produit sécrété par les cellules (pancréas, glandes salivaires) ou provenant de leur destruction (glandes sébacées) a lieu dans les culs-de-sac. Les canalicules excréteurs des acini se réunissent deux par deux pour former des canaux excréteurs, réunis eux-mêmes deux par deux pour aboutir au canal glandulaire terminal. 2. Élément pulmonaire situé entre les alvéoles et la microbronchiole qui les dessert.

Acné

Dermatose due à l'inflammation des follicules pilosébacés.

Sa forme la plus fréquente, l'acné juvénile, atteint environ 80 % des adolescents et guérit spontanément vers l'âge de 19 ans dans 90 % des cas, sans laisser de cicatrices. L'acné rosacée, ou rosacée, s'observe surtout chez la femme entre 40 et 50 ans. L'acné néonatale touche le visage du nouveau-né ; elle ne dure que quelques mois. En outre, il existe des formes d'acné très particulières : acné nécrotique (du front), acné chéloïdienne (de la nuque), acné conglobata (vastes abcès suppuratifs avec fistules). Les acnés médicamenteuses sont provoquées par l'ingestion de médicaments (corticostéroïdes, vitamine B12, corticotrophine, barbituriques, bromures, sels de lithium, certains médicaments antituberculeux et immunodépresseurs et, chez la femme, les androgènes et les contraceptifs oraux contenant des dérivés androgéniques) ou par le contact de produits cosmétiques, industriels (huiles minérales, hydrocarbures aromatiques halogénés, chlore industriel) ou en raison d'une exposition accidentelle à des dioxines ; elles se caractérisent par des lésions inflammatoires congestives et suppurées, survenant essentiellement au visage.

Acné juvénile

L'acné juvénile est due à des désordres hormonaux : à la puberté, la sécrétion sébacée, qui dépend des androgènes (hormones sexuelles mâles) et des œstrogènes (hormones sexuelles femelles) produits par la glande surrénale et le testicule ou l'ovaire, augmente de façon importante.

SYMPTÔMES ET SIGNES

Cette accumulation de sébum (substance grasse sécrétée par les glandes sébacées de la peau), à laquelle s'associent une hyperkératose (hypersécrétion de kératine, élaborée en excès par la paroi du follicule) et une prolifération bactérienne, entraîne une inflammation des follicules pilosébacés, occasionnant la formation de comédons tantôt ouverts (points noirs), tantôt fermés (microkystes), de papules, de pustules (papules

Acné

L'acné affecte généralement le haut du dos et le visage. De toutes les lésions qu'elle occasionne, le comédon (point noir) est la plus caractéristique et la plus constamment observée, les autres variant selon les cas : points blancs, papules (petites taches en saillie), pustules, nodules (boules sous la peau).

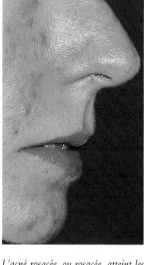

L'acné rosacée, ou rosacée, atteint les joues, de façon symétrique. Sur un fond de rougeur et de vaisseaux dilatés, des papules rouges et des pustules se forment, mais il n'y a pas de comédons.

L'acné juvénile atteint assez souvent le dos. Elle peut prendre des formes sévères, où des pustules et des nodules apparaissent et prédominent sur les points noirs, les points blancs et les papules. Des cicatrices blanches, en creux, parfois définitives, sont la trace d'anciens nodules et pustules, trop manipulés par le patient.

surmontées d'un point blanchâtre suppurant), voire de nodules (grosseurs). Dans les formes les plus graves d'acné, on observe des kystes profonds et purulents, qui parfois se vident à la surface. L'acné survient essentiellement dans les zones de forte concentration en glandes sébacées, essentiellement le visage, le cou, la poitrine et le dos.

Acné rosacée

Les causes de l'acné rosacée sont controversées : certains l'attribuent à une hypochlorhydrie (diminution du taux d'acide chlorhydrique dans le suc gastrique) ; il semble que le café, le thé, les noix, le chocolat, le poivre, l'alcool et les épices jouent un rôle favorisant.

SYMPTÔMES ET SIGNES

L'acné rosacée est caractérisée par des pustules apparaissant sur un fond de rougeur diffuse et de couperose affectant les joues et le nez essentiellement. L'association à un eczéma de la face est fréquente.

→ VOIR Rosacée.

Traitement de l'acné

Il dépend moins du type d'acné en cause que de la sévérité des lésions.

■ **Dans les acnés superficielles**, un traitement local par voie externe suffit. Les soins d'hygiène sont très importants, notamment une toilette au savon doux deux fois par jour. L'application de médicaments actifs sur l'hyperkératose (acide rétinoïque, encore

appelé vitamine A acide), sur la séborrhée (isotrétinoïne locale), sur l'inflammation (peroxyde de benzoyle dosé à 5 ou 10 %) est nécessaire. Elle doit être réalisée selon des règles très précises pour éviter une trop forte irritation. L'exposition au soleil est déconseillée pendant le traitement. L'amélioration apparaît 3 à 4 semaines après le début du traitement. L'antibiothérapie locale (érythromycine, cyclines) donne aussi de bons résultats sur les acnés superficielles. Tous ces produits peuvent déclencher une irritation ou une sécheresse cutanées, parfois la recrudescence des lésions dans les premières semaines. Une crème hydratante appliquée chaque jour y remédie. Les résultats obtenus sont très satisfaisants dans plus de 80 % des cas, à la condition cependant d'une grande assiduité dans les soins pendant au moins 3 ou 4 mois.

■ **Dans les acnés graves** par leur persistance ou par l'importance des lésions, le traitement est général. Il a pour but d'éviter les cicatrices. Les antibiotiques par voie orale (cyclines notamment), utilisés pendant au moins 4 mois pour éviter les rechutes, sont très efficaces. Chez la femme enceinte, on évitera l'antibiothérapie générale.

Les rétinoïdes oraux constituent un progrès thérapeutique considérable en cas d'échec des antibiotiques ou dans les formes très sévères d'acné. Ils diminuent la sécrétion sébacée et éliminent définitivement l'acné en 4 à 6 mois de traitement. Ils imposent une contraception très fiable, car ils sont susceptibles de produire des malformations congénitales. La contraception doit commencer un mois avant le début du traitement, se poursuivre pendant et se prolonger plusieurs mois après l'arrêt de celui-ci.

Chez les femmes, des œstroprogestatifs suffisamment dosés en œstrogènes (les minipilules et les micropilules sont inefficaces sur l'acné), voire des antiandrogènes sont parfois prescrits.

Prévention de l'acné

L'emploi de certains produits cosmétiques comédogènes, l'abus de détergents et les manipulations de comédons ou de boutons doivent être évités, de même que toute exposition exagérée au soleil.

Acorie

Absence congénitale de pupille, en général associée à l'aniridie (absence d'iris). SYN. *acorée*.

Cette anomalie, très rare, ne provoque pas de cécité, mais rend la vision difficile.

Acoumétrie

Mesure clinique de l'audition.

L'acoumétrie permet de diagnostiquer facilement le type de surdité du patient même si, contrairement à l'audiométrie (mesure de l'audition avec l'aide de matériel électronique), ce n'est qu'une appréciation approximative du médecin. Trois techniques sont utilisées.

■ Le médecin chuchote à l'oreille du patient puis parle normalement ou plus fort pour évaluer son degré de surdité en fonction de ses réactions.

■ Le médecin fait entendre au patient le bruit d'une montre à aiguilles pour évaluer sa perception des fréquences aiguës.

■ L'utilisation de diapasons de fréquence différente permet de différencier les surdités de transmission (qui traduisent une atteinte de l'oreille moyenne - tympan, marteau, enclume, trompe d'Eustache - ou de l'oreille externe) des surdités de perception (qui touchent l'oreille interne, la voie auditive ou le cerveau). Les principaux tests pratiqués sont :
- le test de Weber, qui consiste à faire vibrer un diapason grave placé au contact du milieu du front du patient ;
- le test de Rinne, qui consiste à faire vibrer un diapason grave et à le placer à quelques centimètres du pavillon de l'oreille, puis au contact de l'os situé juste derrière ce dernier ;
- le test de Bonnier, qui consiste à faire vibrer un diapason grave et à le placer au contact d'un os du poignet ou de la rotule.

Ces tests permettent de définir le type de surdité et donc d'adapter le traitement ou de prescrire une prothèse auditive. Dans tous les cas, l'acoumétrie doit être complétée par un examen audiométrique.

Acouphène

Perception généralement erronée d'une sensation sonore (bourdonnement, sifflement, grésillement).

Les acouphènes sont un phénomène fréquent : ils affectent près de 15 % de la population adulte. Ils peuvent toucher une oreille ou les deux. Parfois, le patient ne peut préciser le côté atteint et semble percevoir l'acouphène au milieu du crâne.

CAUSES

Toute lésion obstructive de l'oreille externe, toute lésion de l'oreille moyenne ou interne est susceptible d'entraîner des acouphènes : bouchon de cérumen, otite moyenne aiguë, otospongiose, presbyacousie (diminution naturelle de l'audition due à l'âge) ou tumeur du nerf auditif. Si le bruit est audible par un sujet extérieur, synchrone au pouls, il peut avoir une origine vasculaire (anévrysme carotidien, lésion jugulaire ou malformation vasculaire plus complexe).

TRAITEMENT

Le traitement des acouphènes est difficile car aucune méthode n'a jusqu'ici fait preuve d'une constante efficacité.

Acquis

Qui n'existe pas à la naissance et survient au cours de l'existence.

■ Les caractères acquis sont des caractères qui ne figurent pas dans le patrimoine chromosomique de l'individu et qui apparaissent au cours de sa vie ; ils peuvent être d'ordre morphologique, physiologique ou psychophysiologique. Ils témoignent d'un phénomène d'adaptation à des influences extérieures diverses et se manifestent à tout âge, sous l'action du milieu. Ainsi, les agressions microbiennes stimulent la production d'anticorps spécifiques, base de l'immunité acquise, et constituent un mécanisme d'adaptation physiologique.

■ Les maladies acquises sont des maladies dont les causes ne sont pas génétiques. Cependant, certains individus peuvent avoir une vulnérabilité génétique particulière à une maladie acquise.

Acrocéphalie

Malformation congénitale du crâne.

Le crâne de l'acrocéphale est allongé vers le haut, conférant à la tête un aspect « en pain de sucre ». Cette malformation, qui entraîne parfois un retard mental, s'associe dans certains cas à d'autres malformations, comme une syndactylie (accolement des doigts des mains ou des pieds).

Acrocyanose

Trouble circulatoire passager responsable d'une cyanose des extrémités du corps (oreilles, mains, pieds).

Assez rare, l'acrocyanose atteint surtout les jeunes filles pendant et après la puberté.

CAUSE

Cette affection est causée par un spasme des petits vaisseaux cutanés (capillaires et veinules) entraînant un ralentissement local de la circulation du sang. Ce spasme provient vraisemblablement d'anomalies neuro-glandulaires. En effet, l'acrocyanose s'accompagne parfois de perturbations des règles. L'acrocyanose s'observe quelquefois dans le cadre de la maladie de Raynaud.

SYMPTÔMES ET ÉVOLUTION

La cyanose s'accentue avec le froid et l'humidité, qui peuvent même entraîner quelques légères douleurs. Elle s'aggrave également en cas d'émotion. Elle peut déborder les extrémités du corps et atteindre les cuisses ou les avant-bras. Une transpiration et un refroidissement de la peau s'y associent souvent.

L'évolution est habituellement bénigne, l'amélioration survenant spontanément avec le temps. Certaines complications peuvent toutefois s'observer : macération des extrémités (pieds), surinfection cutanée, très rarement gangrène des extrémités.

TRAITEMENT

Le traitement le plus efficace consiste à éviter l'exposition au froid. D'autres mesures ont été proposées pour lutter contre l'atonie de ces petits vaisseaux (vitaminothérapie, phytothérapie), mais leur efficacité est très incertaine. En revanche, les soins locaux (désinfection par des antiseptiques) sont utiles en cas de surinfection. Il n'existe pas de mesure préventive.

Acrodermatite

Dermatose touchant essentiellement la paume des mains et la plante des pieds.

■ L'acrodermatite continue d'Hallopeau est une dermatose chronique caractérisée par un semis de lésions pustuleuses touchant l'extrémité d'un ou de plusieurs doigts et pouvant s'étendre à la main. L'acrodermatite évolue par poussées successives pouvant aboutir à une destruction des ongles, voire des os sous-jacents. Elle est parfois associée à un psoriasis, mais peut aussi évoluer de façon totalement autonome. De nombreux traitements existent, tant locaux (corticostéroïdes locaux, goudrons, rétinoïdes, puvathérapie localisée) que généraux (érythromycine, rétinoïdes), mais leurs résultats sont très aléatoires.

■ L'acrodermatite papuleuse infantile, ou syndrome de Gianotti-Crosti, est une dermatose d'origine virale qui touche essentiellement les enfants de 2 à 6 ans. Elle se caractérise par une éruption de petites papules rouge rosé de 1 ou 2 millimètres de diamètre, non prurigineuses. Cette acrodermatite apparaît d'abord sur les membres, puis sur le tronc et le visage et dure de 15 à 20 jours. Elle doit faire rechercher une atteinte hépatique avec cytolyse (destruction des cellules hépatiques) qui peut être due à différents virus (hépatite A ou B, virus d'Epstein-Barr, etc.). Il n'y a pas de traitement spécifique de l'acrodermatite papuleuse infantile, sauf un traitement des symptômes ou, si elle a été identifiée, de l'affection sous-jacente. Son pronostic est en général favorable, mais des évolutions chroniques existent.

■ L'acrodermatite entéropathique de Danbolt et Closs, ou acrodermatitis enteropathica, est une dermatose héréditaire grave de l'enfant due à un défaut d'absorption du zinc. Les symptômes de la maladie apparaissent en général après le sevrage. La peau devient rouge, squameuse, recouverte de pustules au niveau de la bouche, des yeux, des narines, de la région anogénitale, de la plante des pieds et de la paume des mains. À ces signes cutanés s'ajoutent fréquemment des altérations des ongles ainsi que des troubles intestinaux. Cette acrodermatite entraîne souvent un retard de croissance et une apathie. Un apport oral de sulfate de zinc assure la guérison.

Acrodynie

Maladie vasomotrice des extrémités s'observant chez l'enfant entre 6 mois et 5 ans.

L'acrodynie est due à une intoxication, le plus souvent médicamenteuse, par le mercure. Les mains et les pieds sont tuméfiés, rouges, douloureux. L'enfant est fatigué, il maigrit, se gratte, transpire beaucoup, souffre de paresthésies (sensations de fourmillement) et de tachycardie. Il n'a pas de fièvre. Le dosage de l'élimination urinaire de mercure permet de confirmer le diagnostic. La suppression des traitements en cours à base de mercure (vermifuges, gammaglobulines, pommades mercurielles) assure la guérison de l'acrodynie.

Acrokératose

Dermatose caractérisée par un épaississement de l'épiderme touchant essentiellement la paume des mains et la plante des pieds. SYN. *hyperkératose orthokératosique.*

Trois affections sont décrites sous ce nom.

■ L'acrokératose paranéoplasique de Bazex se caractérise, chez l'adulte, par l'existence de plaques rougeâtres, recouvertes de squames jaunâtres et adhérentes, qui saignent si on les arrache. Celles-ci sont distribuées symétriquement sur les extrémités des doigts, des orteils, sur le nez et les oreilles. Une atteinte des ongles (tantôt épaissis, tantôt amincis et friables) est fréquente. L'acrokératose paranéoplasique de Bazex doit faire rechercher un cancer des voies aériennes supérieures (pharynx, larynx, trachée, fosses nasales) ou digestives, dont le traitement et l'évolution déterminent le pronostic.

■ L'acrokératose verruciforme est une maladie génétique touchant deux fois plus souvent les femmes que les hommes. Elle apparaît très précocement, souvent dès la naissance. Les petites papules rosées ou brunâtres, semblables à des verrues planes, qui la caractérisent sont bénignes et réparties symétriquement sur les paumes des mains. N'entraînant ni gêne ni complication, l'acrokératose verruciforme ne nécessite aucun traitement.

■ L'acrokératoélastoïdose est une dermatose très rare caractérisée par de petites papules translucides, kératosiques, situées sur le bord externe des mains, à la face dorsale des doigts et sur les pieds. Une exposition solaire abusive favorise probablement son apparition, car l'examen de la peau au microscope montre une fragmentation du tissu élastique. Aucun traitement n'est habituellement prescrit.

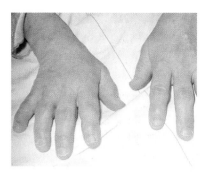

Acromégalie. Les os et les tissus qui les entourent augmentent de volume au fil des années. Les mains s'épaississent et s'élargissent, et les doigts sont boudinés, mais de longueur normale.

Acromégalie

Affection caractérisée par des modifications morphologiques hypertrophiques des mains, des pieds et de la tête, associées à des troubles cardiaques.

L'acromégalie est une maladie rare, non congénitale, affectant environ 40 individus sur 1 million, essentiellement des femmes âgées de 30 à 40 ans. Elle est due à une hypersécrétion de l'hormone de croissance (somathormone) par un adénome (tumeur bénigne) de l'antéhypophyse, lobe antérieur de l'hypophyse. Chez le sujet jeune pouvant encore grandir, ce dérèglement hormonal provoque un gigantisme. Chez l'adulte, la croissance osseuse étant terminée, il entraîne une acromégalie.

SYMPTÔMES ET SIGNES

L'acromégalie se caractérise par une hypertrophie des viscères (cœur, thyroïde), des mains, des pieds, du crâne et du nez, associée à un épaississement des traits, au décollement des oreilles, à un écartement des dents et à une saillie des arcades sourcilières et de la mâchoire. Cette transformation progressive de l'aspect physique entraîne, outre des problèmes d'ordre psychologique, des déformations de la colonne vertébrale (cyphose, scoliose) et des douleurs rhumatismales parfois accompagnées d'arthrose.

À ces manifestations s'ajoutent fréquemment une hypertension artérielle et une hyperglycémie. De plus, la croissance de l'adénome peut comprimer les nerfs optiques, et par là occasionner des troubles de la vue, ou comprimer les parois osseuses de la loge hypophysaire et surtout l'hypophyse elle-même, causant une insuffisance hypophysaire.

TRAITEMENT ET PRONOSTIC

Le traitement de l'acromégalie est neurochirurgical, par ablation de l'adénome, et éventuellement complété par une radiothérapie externe. La prescription de somatostatine ou de substances dopaminergiques permet d'attendre les effets bénéfiques de la radiothérapie. En l'absence de traitement, la dysmorphie (anomalies morphologiques) s'aggrave très progressivement, et l'insuffisance cardiaque conditionne le pronostic.

Acromion

Saillie osseuse de l'omoplate de forme triangulaire par laquelle elle s'articule avec la clavicule. (P.N.A. *acromion*)

L'articulation acromioclaviculaire peut être le siège d'une luxation (déboîtement).

Acromioplastie

Amincissement chirurgical de la face inférieure de l'acromion.

L'acromion est le point d'insertion des divers muscles. Le but de l'acromioplastie, opération généralement pratiquée sous arthroscopie, est d'élargir l'espace qui leur est dévolu afin de soulager leur souffrance (en cas de tendinite notamment) et d'éviter leur rupture.

Acroparesthésie

Sensation d'engourdissement, de picotement ou de fourmillement de l'extrémité des membres.

Les acroparesthésies, fréquentes chez la femme à la ménopause, peuvent être unilatérales ou bilatérales. Ressenties surtout pendant la nuit, elles touchent plus volontiers les mains et les doigts et disparaissent généralement après le lever. Rarement symptomatiques d'une maladie générale, les acroparesthésies sont plus gênantes que graves. Elles peuvent être d'origine vasculaire (compression de l'artère sous-clavière par exemple) ou nerveuse (compression du nerf médian dans le canal carpien).

Le traitement est généralement médical avec prescription de sédatifs ou de vasodilatateurs. Les infiltrations de corticoïdes du canal carpien sont également efficaces. Une intervention chirurgicale de décompression nerveuse dans le canal carpien peut être indiquée.

Acropathie ulcéromutilante

Syndrome touchant les extrémités des membres (mains et, surtout, pieds), caractérisé par des ulcérations indolores de la peau associées à des mutilations osseuses.

Les acropathies ulcéromutilantes sont des complications de nombreuses neuropathies (affections du système nerveux) périphériques sensitives : amylose familiale, lèpre, polynévrite alcoolique ou diabétique. Elles surviennent également lors de certaines neuropathies héréditaires.

TRAITEMENT

Il repose, outre le traitement direct de la cause s'il est possible, sur des mesures préventives : repos, hygiène stricte et soins locaux. Une antibiothérapie permet d'éviter les complications infectieuses. Des amputations successives peuvent être envisagées en cas de surinfection rebelle.

Acropustulose infantile

Maladie bénigne, non infectieuse, du nouveau-né et du nourrisson, caractérisée par un semis de petites pustules survenant sur les paumes et les doigts, la plante des pieds et les orteils, plus rarement dans une autre partie du corps.

Selon la théorie de l'acupuncture, l'énergie circule dans le corps suivant certaines lignes, qui sont appelées méridiens. Il y a 24 méridiens principaux : 12 sur les côtés du corps, 6 devant et 6 derrière. Chaque méridien porte le nom d'une fonction ou d'un organe (sexualité, poumon, rate, etc.), en raison du rapport qu'il entretient avec lui. La stimulation de points précis des méridiens, par piqûre avec des aiguilles, permet de contrôler la circulation de l'énergie dans le corps.

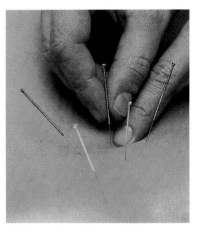

Cette photographie montre la forme typique des aiguilles en acier inoxydable ou en tungstène, ainsi que leur mode d'insertion.

Aiguille : la longueur et le diamètre varient.

« Stylo » muni d'un ressort qui sert à expulser l'aiguille.

Chauffage d'un point avec un cône d'armoise.

Chauffage d'un point avec un bâton d'armoise incandescent (technique des « moxas »).

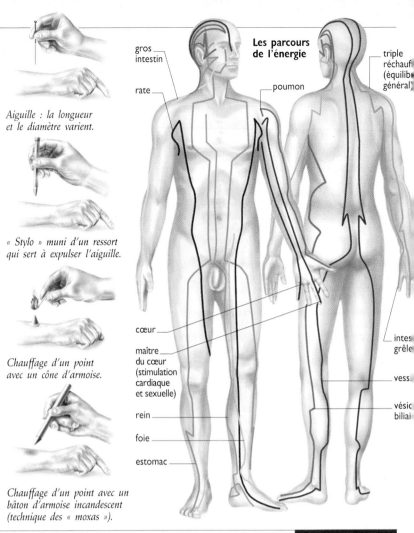

Les parcours de l'énergie

gros intestin

rate

poumon

triple réchauf (équilib général)

cœur

maître du cœur (stimulation cardiaque et sexuelle)

rein

foie

estomac

intes grêle

vess

vésic biliai

L'acropustulose infantile touche essentiellement, et sans raison évidente, les nourrissons masculins noirs. Cette maladie est gênante en raison du prurit qu'elle occasionne et de ses récidives incessantes. La maladie résiste aux traitements locaux (on traite en revanche ses symptômes à l'aide d'antiseptiques et de dermocorticostéroïdes) mais guérit spontanément vers 2 ou 3 ans.

Acte manqué
Acte par lequel un sujet substitue, malgré lui, à un projet ou à une intention qu'il vise délibérément une action ou une conduite totalement imprévues.

Cette notion a été introduite pour la première fois en 1901 par Sigmund Freud dans son essai *Psychopathologie de la vie quotidienne.* L'origine de l'acte manqué, par exemple le lapsus, est un désir refoulé qui fait irruption sous la forme d'une tendance perturbatoire allant à l'encontre de l'intention volontaire du sujet. C'est donc paradoxalement un « acte réussi », puisqu'il est l'expression d'un désir inconscient.

ACTH
→ VOIR Corticotrophine.

Actinomycose
Maladie infectieuse provoquée par les actinomycètes, bactéries anaérobies.

Les actinomycètes vivent normalement dans la cavité buccale de l'être humain.

L'apparition de l'infection est favorisée par une mauvaise hygiène dentaire et un état immunodépressif. L'infection se développe souvent à partir d'un foyer initial (carie dentaire) et se propage dans l'organisme. Les localisations habituelles de l'actinomycose sont la peau, les os, le cerveau, le poumon et la plèvre. Les plus fréquentes, les actinomycoses cervicofaciales, se caractérisent par une tumeur du maxillaire inférieur évoluant vers la fistulisation avec formation de pus granuleux. Les autres formes fréquentes sont thoraciques (atteintes pleuropulmonaires et costales simulant un cancer bronchique ou une tuberculose avec toux et crachats) et digestives.

L'évolution est généralement favorable grâce à une antibiothérapie prolongée de plusieurs mois (pénicilline). Une intervention chirurgicale est parfois nécessaire pour exciser ou drainer la fistule.

Actinoréticulose
Dermatose chronique de l'adulte, causée par une hypersensibilité de la peau à la lumière.

L'actinoréticulose touche surtout l'homme après 50 ans. Elle semble due à l'association d'un terrain familial et personnel allergique à une photosensibilisation. Les lésions, très prurigineuses, prédominent sur les zones exposées à la lumière. De simples plaques eczématiformes rouges et desquamantes, elles se transforment au bout de quelques mois ou années en grosses papules pouvant déborder sur les zones protégées de la lumière et, à terme, s'étendre sur tout le corps.

Le seul traitement est la corticopuvathérapie (traitement associant les corticostéroïdes aux rayons ultraviolets A). Des mesures de protection contre la lumière sont indispensables.

Acupuncture
Branche de la médecine chinoise traditionnelle consistant à piquer avec des aiguilles en des points précis de la surface du corps d'un patient pour soigner différentes maladies ou provoquer un effet analgésique.

HISTORIQUE
Ce sont les Chinois qui découvrirent l'acupuncture entre 4000 et 3000 avant J.-C., élaborant cette technique peut-être à partir de l'observation de rémissions inexplicables chez des blessés par flèches ou des suppliciés par pointes acérées. Sa pratique se répandit en France à partir des années 1930. C'est en effet à cette époque que l'ancien consul de France, Georges Soulié de Morant, après un séjour d'une vingtaine d'années en Chine, en rapporta et traduisit une somme de documents dont un traité complet, *les Grandes Règles de l'acupuncture,* écrit vers 1601 par Yang Ji.

INDICATIONS
Si, en Chine, la médecine occidentale est, elle aussi, actuellement très pratiquée, l'acupuncture est également bien développée

dans les pays occidentaux, le plus souvent en complément d'autres traitements.

Ses indications appartiennent aux mêmes spécialités que celles de la médecine générale : de la rhumatologie à la pneumologie, en passant par la gynécologie (vomissements de la grossesse, dysménorrhées), la gastroentérologie, l'oto-rhino-laryngologie (sinusites, rhinolaryngites, trachéites chroniques) ou certains troubles du comportement (nervosité, trac, angoisses, énurésie, affections consécutives au stress). Elle est particulièrement indiquée en cas d'inflammation, de spasmes et de douleurs (névralgies, migraines, douleurs fantômes des amputés, myalgies, contractures), sauf en cas de lésion organique importante. Les manifestations allergiques (asthme, rhume des foins) sont également un de ses domaines de prédilection. Enfin, en cas d'entorse ou d'accident musculaire banal (élongation), elle permet d'apporter un soulagement au patient.

Largement utilisée en Chine, l'analgésie acupuncturale, faussement appelée anesthésie par acupuncture, n'est utilisée en Occident qu'en obstétrique (accouchement sans douleur) et en stomatologie (soins dentaires), les essais de remplacement de l'anesthésie par l'acupuncture, au cours de véritables interventions chirurgicales, ne donnant pas de résultats suffisants selon les critères occidentaux.

PRINCIPE

Il est démontré que l'acupuncture libère dans le système nerveux central des endorphines (hormones ayant des effets analgésiques). De plus, l'introduction des aiguilles, en stimulant les nerfs périphériques, distrairait l'attention de la douleur originelle.

Selon la médecine traditionnelle chinoise, le ki (influx vital) circule dans le corps le long de 24 méridiens, ou lignes de cheminement, en liaison les uns avec les autres. Le long de chaque méridien se trouvent les points clefs. Ils se divisent en 5 catégories :
- les points de tonification, dont le rôle est de stimuler une fonction organique déficiente ;
- les points de dispersion, dont le rôle est de calmer une fonction organique malade par excès (hyperfonctionnement, hypersécrétion, etc.) ;
- les points sources qui régulent ;
- les points d'alarme, ou points hérault, spontanément douloureux lorsque le méridien sur lequel ils se trouvent est perturbé ;
- les points de passage, par où s'écoule l'énergie vitale lorsqu'elle est en excès dans un organe.

C'est en insérant des aiguilles en ces points précis (787 au total) que l'acupuncteur traite le patient. En fonction de la maladie, il détermine la température de l'aiguille, l'angle d'introduction, le mouvement de bascule ou de vibration au moment de l'insertion de l'aiguille, la rapidité de l'introduction et du retrait ainsi que la durée de la pose. Certains acupuncteurs font même passer un léger courant électrique pour stimuler le déblocage du méridien.

TECHNIQUES

Indépendamment de l'affection en cause, on peut utiliser deux procédures différentes, l'acupuncture répertoriale et l'acupuncture énergétique.

■ L'acupuncture répertoriale prédéfinit, pour chaque affection, un certain nombre de points à stimuler ou à disperser.
■ L'acupuncture énergétique est fondée sur l'étude des pouls. À chaque poignet existent six pouls radiaux : chacun donne des indications sur l'état d'une région particulière du corps, permettant ainsi de connaître les points à tonifier ou à disperser. Un interrogatoire précis recherchant les circonstances d'apparition des troubles, les influences des cycles horaires ou saisonniers, les circonstances individuelles de chaque cas permet également d'évaluer le nombre et la répartition des aiguilles à implanter.

Le malade doit être allongé sur le dos ou sur le ventre. La pénétration des aiguilles est peu douloureuse sur l'ensemble du corps, plus désagréable aux extrémités. Il n'y a, en général, pas lieu d'excéder de 15 à 20 aiguilles à chaque séance. La profondeur d'implantation ne dépasse pas 3 ou 4 millimètres.

Les séances durent de 15 à 30 minutes. Elles sont généralement prescrites par séries de 5 à 10, à raison d'une séance par jour ou tous les deux jours.

Les aiguilles, en tungstène ou en acier inoxydable, sont toutes stérilisées ou à usage unique, jetables. Les aiguilles d'or (stimulantes) et d'argent (dispersantes) ont disparu, mais la pratique des « moxas », bâtons d'armoise dont l'extrémité est chauffée jusqu'à l'incandescence, est encore utilisée parfois.

EFFETS INDÉSIRABLES

Le risque le plus grave de l'acupuncture serait la transmission d'infections, particulièrement du sida et de l'hépatite virale, s'il n'était prévenu par la stérilisation des instruments selon des normes rigoureuses, ou, mieux, par l'emploi d'aiguilles à usage unique. Des blessures ont été décrites ; c'est une des raisons de l'interdiction d'exercice aux non-médecins dans certains pays comme la France. Par ailleurs, l'acupuncture pratiquée sans discernement pourrait faire perdre le bénéfice d'un traitement moderne plus efficace.

Acyclique

1. Se dit d'une maladie qui ne présente pas de cycle mais dont l'évolution est régulière et prévisible.
2. Se dit d'un composé organique dont la formule développée figure une chaîne ouverte, et non un cycle (une chaîne fermée), comme celle des composés cycliques.

Adam (pomme d')

Saillie formée par le cartilage thyroïde du larynx située dans la partie médiane du cou. (P.N.A. *prominentia laryngea*)

La pomme d'Adam protège le larynx. Elle est toujours plus proéminente chez l'homme que chez la femme.

Adamantinome

Tumeur récidivante des maxillaires, généralement bénigne. SYN. *améloblastome, amélome*.

Localisé surtout dans la région des molaires et dans la branche montante du maxillaire inférieur, l'adamantinome détruit le tissu osseux et la gencive, mais n'entraîne pas de métastase. C'est l'ablation chirurgicale qui protège le mieux le malade des récidives.

Certaines tumeurs osseuses siégeant dans le tibia ont une structure microscopique identique ; bien que sans rapport avec les tissus dentaires, elles sont appelées adamantinomes du tibia.

Adams-Stokes (syndrome d')

Accident neurologique dû à une brusque diminution de l'irrigation cérébrale.

Le syndrome d'Adams-Stokes atteint plutôt les hommes âgés de plus de 50 ans. Il a pour origine un ralentissement extrême du rythme cardiaque, par bradycardie ou bloc auriculoventriculaire, responsable d'un arrêt cardiocirculatoire.

SYMPTÔMES ET SIGNES

La syncope spontanée, non liée à l'effort, est caractéristique du syndrome. Le sujet perd brutalement connaissance : il est pâle, inerte, mais respire toujours malgré le ralentissement ou la disparition de son pouls. Il reprend souvent conscience de lui-même après quelques dizaines de secondes. Toutefois, en cas de syncope prolongée, un arrêt respiratoire, des mouvements convulsifs ou une perte des urines sont possibles. Pour éviter l'apparition de lésions cérébrales, il faut alors réanimer le malade en urgence. D'autres signes neurologiques peuvent avoir une signification équivalente à la syncope : impression de brouillard, de voile devant les yeux, sensation de vertige, de perte de connaissance imminente.

Ces accidents se répètent à intervalles variables, rendant un traitement indispensable.

DIAGNOSTIC ET TRAITEMENT

La confirmation de ce trouble de la conduction est obtenue par enregistrement Holter (enregistrement électrocardiographique pendant 24 heures) et par enregistrement du

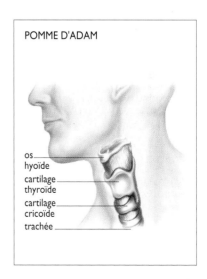

POMME D'ADAM

os
hyoïde
cartilage thyroïde
cartilage cricoïde
trachée

PRINCIPAUX ADDITIFS ALIMENTAIRES AUTORISÉS DANS L'ALIMENTATION

Code	Nom usuel	Utilisation
Colorants : de E 100 à E 199		
E 100 E 101	Curcumine Lactoflavine (1)	Jaune naturel pour beurre, fromages, pâtisseries, confiseries, biscuiterie
E 102	Tartrazine (3)	Jaune synthétique pour pâtisseries, confiseries, poissons séchés et salés
E 120	Cochenille	Rouge naturel pour cidres, apéritifs, fruits confits
E 122	Azorubine (1)	Rouge synthétique pour confiseries, crèmes glacées
E 124	Rouge cochenille A (1)	Rouge synthétique pour pâtisseries, poissons séchés et salés
E 127	Érythrosine	Rouge synthétique pour fruits
E 131	Bleu patenté V (1)	Bleu synthétique pour confiseries
E 132	Indigotine	Bleu synthétique pour potages, pâtisseries, confiseries, biscuiterie
E 140, E 141	Chlorophylle et dérivés (1)	Vert naturel pour légumes verts
E 150	Caramel	Brun pour vins, eaux-de-vie, bières, cidres, confiseries
E 151	Noir brillant	Noir synthétique pour confiseries
E 153	Charbon végétal	Noir pour pâtisseries, confiseries, condiments
E 160	Caroténoïdes	Colorants naturels de nuances diverses pour produits de charcuterie, pâtisseries, confiseries
E 161 E 162 E 163	Xanthophylles Rouge de betterave Anthocyanes	Colorants naturels de nuances diverses pour confitures, confiseries, pâtisseries
E 170 E 171 E 173 E 174 E 175	Carbonate de calcium Bioxyde de titane Aluminium Argent Or (1)	Colorants de surface pour décoration externe de pâtisseries
Conservateurs : de E 200 à E 299		
E 200, E 201 E 202, E 203	Acide sorbique et sels	Conservateurs
E 220 à E 226	Anhydride sulfureux et sels	Cidres, vins, bières, jus de fruits
E 230 E 233	Diphényle (1, 4) Thiabendazole (2, 4)	Conservateurs de surface des agrumes
E 250 E 251 E 252	Nitrite de sodium Nitrate de sodium Nitrate de potassium	Charcuterie
E 260, E 261, E 262, E 263	Acide acétique et sels	Vinaigre, condiments
E 280, E 281, E 282	Acide propionique et sels	Pain industriel emballé
E 290	Anhydride carbonique	Boissons gazeuses

faisceau de His (qui assure la conduction de l'influx nerveux jusqu'aux ventricules), par sonde intracardiaque. Afin d'éviter les syncopes, dont les conséquences peuvent être graves, les malades bénéficient de l'implantation d'un stimulateur cardiaque (pacemaker), qui déclenche les contractions cardiaques en cas d'arrêt de celles-ci.

Adaptation visuelle

Capacité de l'œil à s'adapter aux différents niveaux de luminance (énergie d'une source lumineuse en fonction de son spectre rapporté à sa surface). La vision dans l'obscurité est possible grâce à deux facteurs. D'une part, la pupille se dilate, laissant pénétrer une plus grande quantité de lumière dans l'œil. D'autre part, le pourpre rétinien, encore appelé érythropsine ou rhodopsine, pigment rouge contenu dans les cellules à bâtonnets de la rétine, intervient dans la vision crépusculaire. L'adaptation à l'obscurité nécessite de 20 à 30 minutes environ. La rétine est alors capable de détecter les luminances de plus en plus faibles.

Addis-Hamburger (compte d')

→ VOIR Débit minute des hématies et des leucocytes (mesure du).

Addison (maladie d')

Maladie rare due à une atteinte des glandes corticosurrénales conduisant à un déficit total en aldostérone et en cortisol. SYN. *Insuffisance surrénalienne lente.*

Cette maladie fut décrite en 1855 par un médecin anglais, Thomas Addison, comme l'association d'une anémie, d'une langueur et d'une pigmentation anormale de la peau par atteinte des glandes surrénales.

CAUSES

Autrefois, la maladie était due surtout à la tuberculose. Aujourd'hui, la cause la plus fréquente est la rétraction corticale (involution des corticosurrénales). Celle-ci, qui atteint les deux surrénales, peut survenir isolément, dans le cadre d'un syndrome polyendocrinien auto-immun (les anticorps produits par le système immunitaire attaquant les glandes surrénales) associant thyroïdite lymphocytaire chronique, insuffisance ovarienne, diabète insulinodépendant, ou être liée à un déficit enzymatique du métabolisme des acides gras à longue chaîne.

SYMPTÔMES ET SIGNES

Ils s'installent très progressivement : fatigue physique et psychique, ressentie surtout le soir, pigmentation brunâtre de la peau des plis de flexion, des zones de frottement et des muqueuses, hypotension artérielle, ano-

SUITE

Code	Nom usuel	Utilisation
Antioxydants : de E 300 à E 399		
E 300 à E 302	Acide L-ascorbique et sels	Conserves, boissons gazeuses, emploi général
E 303 E 304 E 306 à E 309 E 311, E 312 E 320, E 321	Acide diacétyl L-ascorbique Acide palmityl L-ascorbique Tocophérols Gallates Butylhydroxyanisol (B.H.A.) Butylhydroxytoluène (B.H.T.)	Produits gras
E 325 E 326 E 327 E 330 à E 333 E 334 à E 337 E 338	Lactate de sodium Lactate de potassium Lactate de calcium Acide citrique et sels Acide tartrique et sels Acide phosphorique	Confiseries, fromages fondus Confiseries, fromages fondus Confiseries, fromages fondus, flans et entremets Boissons gazeuses
E 339 à E 341	Sels d'acide phosphorique	Fromages fondus
Agents de texture (émulsifiants, épaississants) : de E 400 à E 499		
E 400 à E 405 E 406 E 407 E 412 à E 414 E 415	Acide alginique et sels Agar-agar Carraghénates Gomme Gomme xanthane	Crèmes glacées, pâtisseries
E 420 E 440	Sorbitol Pectine	Aliments de régime pauvres en glucides
E 450	Polyphosphates de sodium et de potassium	Salaisons et fromages fondus
E 460 à E 466 E 471 E 472 E 473 E 474	Cellulose et dérivés Mono- et diglycérides d'acides gras Esters acétique, lactique Esters citrique, tartrique, de mono- et diglycérides Sucroesters Sucroglycérides	Produits diététiques, alimentation du bétail Corps gras
E 480	Esters stérols de l'acide lactique et stéarique *(3)*	Pâtisseries, chocolat

(1) Substance interdite au Canada.
(2) Substance classifiée au Canada comme produit chimique agricole et non comme additif alimentaire.
(3) Substance interdite en Suisse.
(4) Substance classifiée en Suisse comme produit chimique agricole et non comme additif alimentaire.

Source : Cahiers de nutrition et de diététique *(R. Derache).*

rexie, tendance à l'hypoglycémie et goût prononcé pour le sel.

DIAGNOSTIC

Il repose sur l'absence d'augmentation du taux de cortisol et d'aldostérone une heure après injection de corticotrophine (ACTH), et sur l'élévation spontanée du taux d'ACTH. Il comporte une recherche d'anticorps antisurrénaliens, un bilan endocrinien (thyroïde, parathyroïde, ovaires) et général (recherche d'une maladie de Biermer, d'un vitiligo) et un scanner de la région surrénalienne.

ÉVOLUTION

Une insuffisance surrénale aiguë peut être déclenchée par une agression infectieuse, psychique ou traumatique, ou par une intervention chirurgicale, et marquée par une déshydratation, des troubles digestifs (douleurs abdominales, vomissements et diarrhée). Elle nécessite un traitement en urgence.

TRAITEMENT

Un traitement d'entretien par voie orale est prescrit à vie : hydrocortisone, 9-alpha-fluodrocortisone et régime normalement salé. Il doit être augmenté transitoirement en cas d'agression ou d'intervention chirurgicale, afin de prévenir une insuffisance surrénale aiguë.

Additif alimentaire

Substance naturelle ou chimique ajoutée dans les aliments dans un dessein scientifique ou technique précis.

La réglementation sur les additifs alimentaires est très stricte dans de nombreux pays, en France notamment où a été adoptée une politique de liste positive : ne sont autorisés que les produits y figurant explicitement et pour un usage précis. Cette conception a été reprise par les instances de la Communauté économique européenne, dont les directives jouent un rôle décisif dans ce domaine, où s'affrontent conceptions scientifiques, arguments passionnels et intérêts financiers. Les additifs sont devenus inévitables dans les préparations alimentaires modernes.

DIFFÉRENTS TYPES D'ADDITIFS ALIMENTAIRES

Il existe 4 grandes familles d'additifs alimentaires, codés de E 100 à E 500 (E signifiant Europe). Les arômes, naturels ou artificiels, ne sont pas considérés comme des additifs et doivent figurer en toutes lettres sur l'étiquette.

■ **Les colorants** (de E 100 à E 199) servent à donner un aspect plus présentable et attirant à l'aliment.

■ **Les conservateurs** (de E 200 à E 299), également appelés agents de conservation, empêchent les fermentations, les putréfactions, le développement des bactéries, des moisissures et des levures.

■ **Les antioxydants** (de E 300 à E 399) s'opposent aux phénomènes d'oxydation qui pourraient altérer les aliments (rancissement des graisses par exemple).

■ **Les agents de texture** (de E 400 à E 499) sont les gélifiants, les émulsifiants, les stabilisateurs et les épaississants. On les ajoute aux aliments pour améliorer et stabiliser leur consistance.

Adduction

Mouvement qui consiste à rapprocher un membre ou un segment de membre de l'axe du corps.

Les muscles provoquant une adduction sont dits adducteurs. Certains sont même désignés par ce terme, par exemple le muscle grand adducteur de la cuisse.

Les mouvements d'adduction sont surtout importants en ce qui concerne le pouce et les articulations de l'épaule et de la hanche. Une sollicitation brutale et répétée de ces articulations peut engendrer une tendinite.

Adénectomie

Ablation, sous anesthésie locale ou générale, d'une glande ou d'un ganglion lymphatique hypertrophié.

Adénine

Base purique constitutive des acides nucléiques (A.D.N., A.R.N.). SYN. *6-aminopurine*.

L'adénine, venant des aliments ou de la dégradation des acides nucléiques, est essentiellement réutilisée pour synthétiser de nouveaux acides nucléiques.

Associée à un glucide, le ribose, l'adénine forme l'adénosine, laquelle compose des nucléotides en se combinant à son tour à 1, 2 ou 3 acides phosphoriques. L'un d'eux, l'adénosine triphosphate (A.T.P.), joue un rôle primordial dans les transports d'énergie ; la cellule le synthétise tout en lui transférant l'énergie fournie par la dégradation des nutriments (glucose par exemple) et l'utilise ensuite selon ses besoins.

Adénite

Inflammation d'un ganglion lymphatique. SYN. *lymphadénite*.

Une adénite est le plus souvent d'origine infectieuse : elle peut être virale (mononucléose infectieuse), parasitaire (toxoplasmose), due à un germe banal ou pyogène (générateur de pus : adénite suppurée avec l'apparition d'adénophlegmons) ou au bacille de Koch (adénite tuberculeuse). Les localisations habituelles de l'adénite sont le cou, l'aisselle, l'aine, mais certaines sont plus profondes, médiastinales ou abdominales, et peuvent comprimer les organes du voisinage.

SYMPTÔMES ET ÉVOLUTION
Une adénite n'entraîne souvent aucun symptôme. En superficie, le ganglion paraît, dans certains cas, hypertrophié et douloureux. Elle se manifeste parfois par des douleurs abdominales et de la fièvre. La maladie la plus caractéristique, l'adénite mésentérique aiguë, fréquemment d'origine virale, se rencontre chez l'enfant, chez qui elle simule une crise d'appendicite.

L'évolution est aiguë ou chronique. Les adénites suppurées et tuberculeuses sont susceptibles, faute d'un traitement approprié, de s'ouvrir à la peau ou dans un organe creux : elles se fistulisent. La fistulisation de l'adénite tuberculeuse du cou causait les classiques « écrouelles », cicatrices irrégulières et disgracieuses.

TRAITEMENT
Le traitement repose sur l'administration d'analgésiques, pour calmer les douleurs, d'antipyrétiques pour faire descendre la fièvre et d'antibiotiques lorsque l'infection est microbienne.

Adénocarcinome

→ VOIR Carcinome.

Adénofibrome

Tumeur bénigne qui se développe sur une glande et est constituée d'une prolifération d'éléments glandulaires (adénome) et de tissu conjonctif fibreux (fibrome).

L'adénofibrome siège surtout dans le sein et parfois dans l'ovaire.

Adénofibrome du sein

Il se caractérise par l'apparition dans la glande mammaire d'un nodule, le plus souvent chez la femme jeune. Il s'agit d'une tumeur limitée, unique, ronde, blanchâtre, de consistance caoutchouteuse, indolore et mobile sous la peau à la palpation. L'adénofibrome est quelquefois nommé adénome (prédominance d'éléments glandulaires) ou fibroadénome (prédominance d'éléments fibreux). Il évolue parfois très rapidement, créant alors une lésion nodulaire importante. L'adénofibrome ne dégénère pas, mais peut récidiver.

La découverte, le plus souvent fortuite, d'un adénofibrome justifie néanmoins un bilan complet clinique, radiographique (mammographie, échographie) et cytologique pour avoir la confirmation de son caractère bénin. Dans certains cas, une simple surveillance et un traitement hormonal sont proposés, mais seule l'ablation chirurgicale permettra un examen anatomopathologique qui confirmera la bénignité.

Adénogramme

Examen cytologique (étude des cellules) et bactériologique (recherche de germes) des ganglions superficiels.

Un adénogramme est prescrit pour préciser l'origine infectieuse, hématologique ou tumorale d'une adénopathie. Un adénogramme normal comprend 95 % de lymphocytes (globules blancs intervenant dans l'immunité cellulaire) et 5 % de lymphoblastes (lymphocytes d'aspect plus jeune) et de plasmocytes (cellules qui produisent les anticorps). Des variations dans ces pourcentages ou la présence d'autres cellules, de nécrose ou de germes orientent vers un diagnostic ou vers le choix d'autres examens complémentaires.

L'adénogramme s'effectue à partir du prélèvement par ponction du tissu ganglionnaire, pratiqué à l'aide d'une aiguille fine. Le produit de la ponction est ensuite étalé sur une lame (frottis) et examiné. L'adénogramme peut permettre d'éviter la biopsie ou d'orienter les investigations.

Adénoïde

Qui ressemble à un ganglion.

Adénoïdes (végétations)

Hypertrophie d'une nappe de tissu lymphoïde de la muqueuse du rhinopharynx (amygdales pharyngées de Luschka), survenant chez l'enfant.

Elle s'accompagne le plus souvent d'une infection de ce tissu lymphoïde.

SYMPTÔMES ET SIGNES
■ **L'hypertrophie des végétations adénoïdes** empêche l'enfant de respirer normalement par le nez. La nuit, il ronfle, a des insomnies, des terreurs nocturnes, voire une énurésie. Sa prononciation est défectueuse, sa voix, nasonnée (caractérisée par une résonance nasale excessive ou insuffisante). Chez le nourrisson, cette gêne peut empêcher la tétée.

■ **L'infection des végétations adénoïdes, ou adénoïdite,** peut prendre deux formes :
– l'adénoïdite aiguë, avec obstruction nasale, fièvre, et souvent otite aiguë ;
– l'adénoïdite chronique, responsable de rhumes fréquents, de poussées de laryngite, de trachéites et de bronchites à répétition, de troubles auriculaires (otites simples ou suppurées), de troubles de l'état général (anorexie, fatigue, amaigrissement, fièvre inexpliquée), digestifs (provoqués par la déglutition de mucosités) ou de troubles du développement de la cage thoracique.

DIAGNOSTIC
L'examen du rhinopharynx permet d'affirmer la présence des végétations adénoïdes et leur caractère infecté ou non.

TRAITEMENT
Les végétations adénoïdes peuvent être opérées (adénoïdectomie) sous anesthésie générale quel que soit l'âge, mais en dehors des crises d'adénoïdite aiguë.

Adénoïdectomie

Ablation chirurgicale des végétations adénoïdes (hypertrophie des amygdales pharyngées de Luschka).

L'adénoïdectomie, couramment appelée opération des végétations, est pratiquée chez un enfant sujet à des otites aiguës à répétition ou présentant une importante surdité de transmission (due à une atteinte de l'oreille moyenne ou externe). Pratiquée sous anesthésie générale de courte durée, elle ne nécessite pas d'hospitalisation et l'enfant peut recommencer à s'alimenter normalement dès le lendemain.

Adénomatose pluri-endocrinienne

Formation d'adénomes (tumeurs bénignes) sur deux ou plusieurs glandes endocrines.

Il existe trois formes d'adénomatose, en fonction des glandes atteintes :
– les glandes parathyroïdes, l'hypophyse, le pancréas endocrine et les glandes corticosurrénales sont le siège des adénomatoses de type I ;

- la glande thyroïde, les glandes parathyroïdes et les glandes médullosurrénales sont le siège des adénomatoses de type IIa ;
- les adénomatoses de type IIb, localisées sur les mêmes glandes que celles des adénomatoses de type IIa, se caractérisent par un aspect longiligne des sujets atteints et la présence de ganglioneuromes (fibres nerveuses des ganglions) muqueux.

Les adénomatoses sont des affections très rares dont la transmission peut être héréditaire.

SYMPTÔMES ET ÉVOLUTION

Ces tumeurs peuvent ne présenter aucun symptôme et être découvertes lors du bilan d'une hypercalcémie ou du dépistage d'une famille atteinte. Toutefois, elles grossissent localement et sécrètent des hormones à des taux élevés.

L'adénome parathyroïdien entraîne alors une hyperparathyroïdie (hypersécrétion de la glande parathyroïde). L'adénome pancréatique provoque un syndrome de Zollinger-Ellison. Plus rares, l'adénome corticosurrénalien peut causer un syndrome de Cushing et l'adénome hypophysaire peut entraîner des troubles de la vision. L'adénome thyroïdien est une prolifération des cellules C de la thyroïde, qui devient souvent cancéreuse. L'adénome médullosurrénalien se transforme en phéochromocytome (tumeur bénigne, responsable d'une hypertension artérielle).

TRAITEMENT

Il consiste en l'ablation des tumeurs.

Adénome

Tumeur bénigne qui se développe sur une glande et qui reproduit sa structure.

Un adénome peut atteindre la plupart des organes (rein, sein, prostate, foie, pancréas), ainsi que les glandes endocrines et certaines muqueuses (côlon, muqueuse utérine).

Adénomes digestifs

Ces tumeurs bénignes touchent un organe de l'appareil digestif.

Les adénomes digestifs peuvent se développer dans l'estomac, l'intestin grêle, le côlon, le rectum, les voies biliaires, le foie, le pancréas. Parmi les adénomes digestifs, celui du côlon et celui du foie sont les plus fréquents.

■ **L'adénome du côlon** est une tumeur bénigne qui touche de 5 à 10 % des personnes de plus de 50 ans. Son apparition est soumise à des facteurs génétiques et à des influences du régime alimentaire (pauvre en fibres). La coloscopie (endoscopie du côlon) permet le dépistage et la destruction des adénomes coliques. Toutefois, le risque de récidive impose une surveillance régulière. La présence d'adénomes en très grand nombre est révélatrice d'une maladie familiale, la polypose rectocolique, dont le gène responsable a été identifié.

■ **L'adénome hépatique** est une tumeur bénigne du foie, plus fréquente chez la femme. Son développement et la survenue de complications sont favorisés par la prise de contraceptifs oraux. Généralement

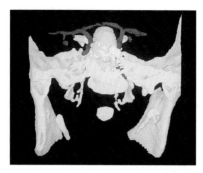

Adénome de l'hypophyse. Au scanner, il apparaît bleu ; les artères rouges, les os jaunes.

asymptomatiques, ces tumeurs entraînent rarement des douleurs et exceptionnellement des hémorragies intrapéritonéales.

Adénomes endocriniens

Ces tumeurs bénignes se développent sur une glande endocrine.

Les adénomes endocriniens peuvent sécréter une hormone (adénomes sécrétants) ou ne pas en sécréter (adénomes non sécrétants).

■ **Les adénomes sécrétants** sont des tumeurs bénignes dont les plus fréquents sont : les adénomes parathyroïdiens, qui entraînent une élévation de la sécrétion de parathormone avec hypercalcémie ; les adénomes thyroïdiens, qui entraînent une hyperthyroïdie ; les adénomes hypophysaires. Ceux-ci peuvent causer, selon leur localisation et leur nature, une stérilité féminine réversible ou une acromégalie (développement anormal des extrémités). Les adénomes des glandes corticosurrénales peuvent sécréter un excès de cortisol (syndrome de Cushing), d'aldostérone (syndrome de Conn) ou d'androgènes. Il existe aussi des adénomes sécrétants pancréatiques.

■ **Les adénomes non sécrétants** sont fréquents sur la thyroïde, sur l'hypophyse et, dans une moindre mesure, sur les glandes corticosurrénales. À l'examen, les glandes apparaissent plus grosses ; cette augmentation de volume peut entraîner des désordres fonctionnels par compression des organes proches.

Diagnostic

Il repose sur la palpation pour les adénomes les plus superficiels ou sur le toucher rectal pour les adénomes digestifs ; l'échographie confirme leur présence ou révèle celle des plus profonds. Le caractère bénin de la tumeur est affirmé par biopsie.

Évolution et traitement

Parfois l'adénome évolue vers une tumeur maligne, l'adénocarcinome. Le risque est d'autant plus grand que la tumeur est volumineuse. Certains adénomes multiples sont fréquemment le point de départ d'un cancer, sur le côlon notamment.

Le traitement consiste en l'ablation, chirurgicale (sur les organes) ou endoscopique (sur les muqueuses). Certaines localisations peuvent entraîner des séquelles après ablation telles qu'une insuffisance hypophysaire ou des troubles de la vue en cas d'adénome hypophysaire volumineux.

Adénome pléiomorphe

Tumeur bénigne des glandes salivaires (en particulier de la parotide) due à une prolifération du tissu glandulaire.

L'adénome pléiomorphe peut évoluer lentement ou, au contraire, grossir très rapidement et comprimer les organes avoisinants. Le traitement est la parotidectomie (ablation chirurgicale de la parotide).

Adénomectomie

Ablation d'un adénome (tumeur bénigne se développant sur une glande).

Une adénomectomie se pratique sur les glandes endocrines (hypophyse, thyroïde, surrénales), la glande mammaire, le pancréas, le foie et les glandes salivaires. La plus fréquente est celle de la prostate, qui nécessite l'ouverture de la vessie - elle tend à être remplacée par une ablation sous endoscopie à travers le canal urétral.

L'adénomectomie, d'ordinaire limitée à l'adénome, peut même être étendue, par nécessité ou sécurité, au tissu sain avoisinant la tumeur : on parle alors d'adénomectomie élargie. Ce dernier type d'intervention concerne plus particulièrement les adénomes thyroïdiens et hépatiques.

→ VOIR Prostate (adénome de la).

Adénomyome

Tumeur bénigne qui se développe dans un tissu contenant des glandes et des fibres musculaires lisses et qui se caractérise par une augmentation du nombre et du volume de ces éléments.

Un adénomyome se développe dans la vésicule biliaire et surtout dans la prostate, où il entraîne une gêne à la miction pouvant conduire à la rétention complète de l'urine, favorisant les infections urinaires. Le traitement consiste en l'ablation de la tumeur.

Adénopathie

Affection des ganglions lymphatiques, d'origine inflammatoire, infectieuse ou tumorale.

Une adénopathie se caractérise par une adénomégalie (augmentation de volume des ganglions). Les adénopathies superficielles (nuque, cou, aisselle, aine) sont accessibles à l'examen clinique. Inflammatoires ou infectieuses, elles sont relativement molles, sensibles et recouvertes d'une peau rouge et chaude ; tumorales, elles sont dures, sans chaleur locale et roulant sous le doigt. Les adénopathies profondes (thorax ou abdomen) sont détectées lors d'examens radiologiques (radiographie du thorax, échographie, scanner, imagerie par résonance magnétique ou lymphographie). Les adénopathies profondes sont abdominales ou médiastinales et peuvent se manifester par des signes de compression d'organes.

ADÉNOPATHIE

Une augmentation de volume inhabituelle des ganglions du cou, de l'aisselle ou de l'aine est en général bénigne. Mais une consultation est toujours nécessaire pour rechercher, par prudence, une tumeur ou une infection éventuelles. Seuls les examens radiologiques permettent de déceler une atteinte d'un ganglion profond.

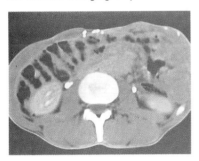

L'examen de l'abdomen par le scanner permet de découvrir et d'étudier des ganglions profonds.

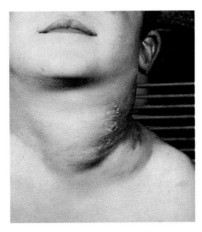

Une augmentation de volume d'un ganglion superficiel du cou se manifeste par une tuméfaction – une grosseur –, toutefois rarement aussi volumineuse que celle-ci. Dans ce type d'adénopathie, l'examen au microscope du contenu du ganglion est indispensable, tant pour établir le diagnostic que pour guider le traitement.

Adénopathie inflammatoire ou infectieuse

Il s'agit d'une affection des ganglions lymphatiques, d'origine inflammatoire ou infectieuse. Une lésion infectée entraîne souvent une augmentation de volume d'un ou de plusieurs ganglions du territoire lymphatique correspondant (adénopathie du creux axillaire pour une plaie d'un doigt). Par ailleurs, de nombreuses maladies infectieuses (mononucléose infectieuse, rubéole, toxoplasmose, tuberculose, etc.) provoquent l'hypertrophie des ganglions, celle-ci pouvant atteindre tout l'organisme.

Adénopathie tumorale

Il s'agit d'une affection des ganglions lymphatiques, d'origine tumorale. Certaines tumeurs comme les cancers peuvent entraîner une adénopathie dans la zone de drainage de l'organe atteint (métastases ganglionnaires à l'aisselle en cas de cancer du sein, ganglions thoraciques médiastinaux pour un cancer bronchopulmonaire). Il existe également des maladies ganglionnaires primitives (lymphomes), regroupant la maladie de Hodgkin et les lymphomes non hodgkiniens. Ceux-ci peuvent être diffus ou ne toucher qu'un petit nombre de ganglions, voire un seul. Pour reconnaître la nature tumorale d'une adénopathie, il est nécessaire de faire un adénogramme (ponction) ou une biopsie-exérèse du ganglion.

Adénophlegmon

Suppuration d'un ganglion inflammatoire.

Le plus souvent, un adénophlegmon résulte de la virulence du germe d'une adénite ou de la fragilité de l'état général du malade (alcoolisme, diabète, etc.).

L'adénophlegmon forme un abcès, superficiel ou profond, circonscrit ou diffus, qui s'étend au voisinage ganglionnaire. Les localisations les plus fréquentes sont le dos, la nuque, les aisselles et l'aine. Certaines formes sont particulièrement graves, notamment au niveau de la nuque. Le traitement repose sur la prise d'antibiotiques.

Adénosine

Acide aminé issu de l'adénine dont les dérivés phosphorés jouent des rôles importants dans la transmission du message hormonal, dans l'agrégation plaquettaire et dans le métabolisme énergétique.

La liaison de l'adénosine à un, deux ou trois atomes de phosphore crée respectivement l'adénosine monophosphate (A.M.P.), dont la forme cyclique (A.M.P.c) est la plus importante, l'adénosine diphosphate (A.D.P.) et l'adénosine triphosphate (A.T.P.).

Adénosine diphosphate

L'adénosine diphosphate fixe l'énergie libérée par les réactions biochimiques de l'organisme pour produire l'adénosine triphosphate. Elle intervient également en favorisant l'agrégation plaquettaire.

Adénosine monophosphate cyclique

Cette substance chimique est produite à partir de l'adénosine triphosphate sous l'influence de l'adénylate cyclase, enzyme activée par une hormone. L'adénosine monophosphate cyclique est appelée « second messager », car elle va déclencher la réponse de la cellule suscitée par l'arrivée du premier messager hormonal.

Les dosages de l'adénosine monophosphate cyclique dans le sang et les urines, effectués par méthode radio-immunologique, sont le reflet de sa concentration cellulaire. Dosée dans les urines, l'adénosine monophosphate cyclique reflète l'activité de la parathormone sur les cellules du tubule rénal. Sa mesure est utilisée pour le diagnostic des hyperparathyroïdies.

Adénosine triphosphate

Cette substance chimique se caractérise par l'instabilité de la liaison de deux de ses trois atomes de phosphore : la rupture de cette liaison libère une énergie importante. Ainsi, l'adénosine triphosphate, après avoir capté l'énergie libérée par la dégradation des glucides, la libère sous l'effet d'enzymes, selon les besoins de l'organisme. La production d'énergie entraîne la transformation de l'adénosine triphosphate en adénosine diphosphate, qui, à son tour, fixe l'énergie de l'organisme pour produire l'adénosine triphosphate. Toute activité consommatrice d'énergie fait donc appel à l'adénosine triphosphate, qu'il s'agisse des contractions musculaires ou des transferts actifs d'ions à travers les membranes cellulaires.

Adénovirose

Maladie infectieuse due à un adénovirus, virus dont le patrimoine génétique est constitué d'une molécule d'A.D.N. (acide désoxyribonucléique).

Les adénoviroses sont des infections contagieuses aiguës, accompagnées de fièvre. Elles peuvent être respiratoires (bronchites), conjonctivales (conjonctivites), pharyngées (pharyngites), cutanées (exanthèmes) ou digestives (gastro-entérites).

Un examen sérologique ou la mise en culture des sécrétions (crachats, etc.) permet d'identifier l'adénovirus en cause.

ADH

→ VOIR Antidiurétique (hormone).

Adhérence

Accolement anormal de deux tissus ou deux organes contigus par un tissu conjonctif.

Les adhérences peuvent être dues à une anomalie congénitale (adhérence du prépuce au gland, dans le phimosis) ou résulter d'une blessure ou d'une brûlure. Les adhérences internes affectent le plus souvent les membranes séreuses qui tapissent les viscères et les cavités thoracique et abdominale ; celles-ci réagissent à une infection ou à des irritations diverses (plaie, rayons X, traumatisme chirurgical) par la formation anarchique d'un tissu conjonctif : ainsi les poumons peuvent-ils présenter une adhérence à la paroi thoracique après une pleurésie, le cœur une adhérence au péricarde après une péricardite.

En cas d'intervention chirurgicale, ces adhérences compliquent l'acte opératoire, surtout quand elles sont très vascularisées ou quand elles servent à véhiculer une circulation veineuse dite « de suppléance » (en cas de cirrhose du foie, de séquelles de phlébite, etc.). Elles peuvent être, en outre, à l'origine de douleurs (adhérence entre l'ovaire ou la trompe utérine et l'appendice), de perforation (adhérence vésiculaire au côlon, responsable d'un iléus biliaire), d'occlusion intestinale (adhérence péritonéale due à une péritonite ou à une intervention chirurgicale). On opère principalement les adhérences entraînant une stérilité (adhérence des trompes utérines due à des séquelles de salpingite) ou une occlusion intestinale. L'adhérence est supprimée soit par ouverture chirurgicale de l'abdomen, soit sans ouverture, par cœliochirurgie (chirurgie pratiquée sous anesthésie générale à l'aide d'un cœlioscope, endoscope servant à examiner les organes du petit bassin).

Adhérence bactérienne

Capacité propre à certaines bactéries de se fixer à la surface des cellules de la peau ou des muqueuses de l'être humain et des animaux.

L'adhérence permet à des bactéries commensales (qui vivent aux dépens d'un hôte sans lui nuire) de se multiplier et de former des colonies, ou à des bactéries pathogènes à développement intracellulaire de pénétrer les cellules de l'hôte. L'adhérence bactérienne constitue alors la première étape de la pénétration de l'organisme. Cette fixation se fait par l'intermédiaire de pili, (appendices bactériens filamenteux).

Des bactéries a priori non pathogènes peuvent également adhérer à la surface d'une prothèse en matériau synthétique et provoquer des infections difficiles à traiter.

Adie (syndrome d')

Affection neurologique caractérisée par une diminution ou une disparition des réflexes ostéotendineux (contraction involontaire d'un muscle provoquée par la percussion de son tendon) et par des troubles pupillaires (pupille tonique).

Le syndrome d'Adie semble témoigner d'une atteinte du système nerveux parasympathique périphérique. Son origine est inconnue dans la majorité des cas. Il a parfois été observé dans le syndrome de Gougerot-Sjögren.

La pupille tonique se caractérise par une mydriase unilatérale (dilatation anormale et persistante) et une absence de réaction aux rayons lumineux qui devraient provoquer sa contraction. En outre, lors du réflexe d'accommodation-convergence, la pupille ne se rétrécit pas, comme c'est le cas normalement. La pupille tonique ne provoque aucun trouble de la vision.

Au cours de l'évolution, la pupille peut se rétrécir de façon définitive. Le syndrome d'Adie est bénin et ne requiert pas de traitement particulier.

Adipocyte

Cellule de l'organisme contenant des lipides.

Les adipocytes, ou cellules adipeuses, se regroupent en lobules et forment ce que l'on appelle communément la graisse. Ils renferment une ou plusieurs gouttelettes lipidiques faites d'un mélange de triglycérides, de graisses neutres, d'acides gras, de phospholipides et de cholestérol.

Les adipocytes jouent un rôle indispensable dans le métabolisme des lipides en assurant leur synthèse (lipogenèse), leur stockage et leur libération dans le sang (lipolyse) en fonction des besoins.

La masse des adipocytes représente de 10 à 15 % du poids corporel chez un homme et un peu plus chez la femme, entre 20 et 25 %. Ces cellules sont localisées en de nombreux points de l'organisme (tissu sous-cutané, replis du péritoine, etc.). Une personne est considérée comme obèse lorsque sa masse adipeuse excède 15 % pour un homme et 25 % pour une femme.

→ VOIR Lipide, Obésité.

Adjuvant

Médicament ou traitement qui renforce ou complète les effets de la médication principale. SYN. *thérapeutique d'appoint*.

C'est le cas par exemple de l'administration d'anti-œstrogènes dans certains cancers du sein.

A.D.N.

→ VOIR Acide désoxyribonucléique.

A.D.N. recombinant

Fragment de matériel génétique (A.D.N.) d'un organisme, introduit artificiellement dans l'A.D.N. d'un autre organisme (le plus souvent une bactérie ou un virus) auquel il va s'intégrer.

L'A.D.N. recombinant peut porter le gène d'une hormone (insuline par exemple). En stimulant la multiplication de la cellule réceptrice, il est possible d'obtenir de grandes quantités de cette hormone. Ainsi, de l'insuline humaine produite par génie génétique est utilisée aujourd'hui dans le traitement du diabète.

Adolescence

Période de l'évolution de l'individu, conduisant de l'enfance à l'âge adulte.

Elle débute à la puberté (vers 11-13 ans chez la fille, 13-15 ans chez le garçon) et s'accompagne d'importantes transformations aux plans biologique, psychologique et social.

Transformations physiques

L'adolescence signe l'accès à la maturité génitale, avec le développement des gonades (glandes reproductrices, ovaires, testicules) et des caractères sexuels secondaires (signes extérieurs de la différence des sexes). La croissance s'accélère, d'abord chez la fille, plus tardivement chez le garçon. La voix mue, la morphologie se transforme selon les sexes.

■ **Chez le garçon**, on note un accroissement du volume testiculaire et de la longueur du pénis, avec la survenue des premières éjaculations. La masse musculaire devient plus importante, les épaules s'élargissent. Plus tardivement, la pilosité de type masculin (visage, torse, membres, aisselles, pubis) commence à s'installer.

■ **Chez la fille**, l'utérus et les ovaires augmentent de volume. Les règles succèdent à la première poussée mammaire, après un intervalle de 2 ans environ. Les formes s'épanouissent (seins, hanches, bassin), avec apparition de la pilosité de type féminin (triangle pubien, aisselles).

Transformations psychologiques

L'adolescence est une période normale de conflits, nécessaire à l'équilibre ultérieur, et dont la complexité ne se prête guère aux discours trop généralisateurs. On peut cependant la considérer comme une évolution dynamique, ayant pour finalité l'autonomie, l'identité et l'adaptation sexuelle. L'adolescent ressent le besoin de sortir de lui-même, d'élargir ses intérêts au-delà du cercle familial. À l'identification aux parents se superpose l'identification au même groupe d'âge, au héros collectif, à la « bande ». Le jeune y forge ses opinions sur la vie, intériorise un code moral, étanche sa soif d'absolu à des sources multiples : passion pour des causes altruistes comme pour la mode, goût de la performance, engagement intellectuel, vocation artistique, adhésion intense à des opinions pouvant concerner aussi bien les grands idéaux que les événements du quotidien. Il est en quête de valeurs, fournies par un aîné d'expérience, professeur, grand-parent, « maître à penser », tout en rejetant les normes qu'il juge périmées.

Ici intervient le classique « conflit des générations ». Si le jeune s'exprime par affirmations ou négations tranchées, sans souci des contradictions, il n'en recherche pas moins le débat. Ce désir de débattre, l'adulte ne doit pas le confondre avec de la provocation. Or, la crise d'adolescence ravive souvent, chez les parents, un écho de leurs difficultés passées. En guise de réponse, l'adulte tend à projeter sur le jeune ses conflits non résolus, tout en oubliant certaines réalités. Il n'est pas si facile de se détacher d'une enfance encore proche pour affronter une société mal déchiffrable, elle-même en proie à des transformations et à des contradictions continuelles, et qui ne donne pas toujours le « bon exemple » qu'elle voudrait imposer. En dépit des apparences, l'adolescent est celui qui a le moins d'indulgence pour lui-même. Face à son corps, à ses capacités de séduction, il peut vivre un sentiment d'insécurité, voire de honte.

Il se trouve en même temps tenaillé par la reviviscence de complexes infantiles (œdipiens, notamment). Le jeune, si enclin à la révolte, a l'inquiétude de la normalité. Il importe de lui assurer que la qualité de l'expérience amoureuse passe avant les moyennes statistiques, d'interprétation si relative.

Il appartient également à l'adulte de ne pas le déstabiliser par de l'ironie ou de la gêne, quant aux problèmes de sa puberté (premières règles, acné, particularités de l'esthétique corporelle). Une masturbation, exutoire souvent culpabilisant, un attachement homosexuel transitoire, qui traduit la recherche idéalisée d'un double, d'un confident, ne doivent jamais être blâmés. En raison du frein apporté à la libération sexuelle par la crainte du sida, de l'effacement des structures familiales, de l'incertitude de l'avenir professionnel, l'adolescent d'aujourd'hui, qui ne bénéficie plus des anciens systèmes de référence, dépend d'autant plus d'une coopération et d'un dialogue sincère avec l'adulte pour aborder des problèmes tels que la contraception (50 % des adolescents ont leur premier rapport sexuel avant l'âge de 17 ans ; de 7 à 10 % des interruptions volontaires de grossesse sont pratiquées sur des mineures), la prévention de la délinquance, de la toxicomanie, du sida, etc. Il a aussi besoin de l'adulte pour parler du bonheur, du sens de la vie. Ainsi les élans du cœur et de l'esprit, si riches durant cet « âge ingrat », auront-ils une chance de ne pas disparaître avec lui.

Troubles de l'adolescence

■ **Les troubles physiques** à dépister en priorité concernent la locomotion (scoliose), les dents (caries, dents de sagesse) et la peau (acné). Les fonctions visuelles et auditives sont à surveiller également. L'examen gynécologique, lorsqu'il se révèle nécessaire, doit être clairement expliqué à la jeune fille. Des troubles du poids et de l'alimentation peuvent être liés à un surmenage, à un manque de sommeil, mais aussi à une infection méconnue (primo-infection tuberculeuse, parasitose).

■ **Les troubles du comportement** sont aussi variés que – généralement – bénins, même s'ils offusquent l'entourage. La « crise d'originalité juvénile » est moins à redouter par ses excès que par son absence. Le repli sur soi, la persistance d'un comportement enfantin, surtout s'ils s'accompagnent d'un fléchissement scolaire et d'une disparition de tout plaisir, devraient autant alerter les parents qu'une trop bruyante « fureur de vivre ». De tels signes précèdent ou accompagnent souvent une dépression, voire une psychose. La toxicomanie, la délinquance, l'anorexie, la boulimie, le suicide, constituent d'autres risques préoccupants. Une sécheresse buccale, le besoin continuel de boire, une rougeur conjonctivale peuvent trahir une consommation de drogue. Une fugue ne doit jamais être ni dramatisée ni banalisée. La consultation médicale ou spécialisée, quoique toujours souhaitable, n'apporte pas de solutions miracles. Dans tous les cas, le pronostic dépend de la qualité et de la solidité des images parentales, qui aident l'adolescent à reprendre conscience de sa propre valeur, à s'aimer lui-même afin de mieux aimer autrui.

Adoption

Création d'un lien de filiation entre deux individus n'ayant pas nécessairement de lien de sang.

L'adoption fait apparaître, tant chez l'adopté que chez l'adoptant, des problèmes psychologiques et moraux qui renvoient non seulement à leur personnalité mais aussi à des fantasmes collectifs liés au mystère des origines : dans toutes les mythologies on retrouve l'histoire d'un héros abandonné puis adopté (Moïse, Œdipe, etc.).

On s'attache aujourd'hui à cerner et à prévenir les difficultés inhérentes à l'adoption : analyse de la condition de l'adoptant, intégration de l'enfant (surtout s'il a plusieurs fois changé de famille d'accueil), cohabitation avec d'éventuels enfants légitimes, révélation à l'enfant de sa condition d'adopté (l'expérience prouvant que le plus tôt est généralement le mieux). Les adoptions les plus réussies ont lieu chez des couples unis et équilibrés, ni trop rigides ni trop permissifs, qui acceptent l'enfant tel qu'il est et non tel qu'il est rêvé.

Adossement

Suture chirurgicale consistant à rapprocher deux organes ou éléments anatomiques pour les accoler sur une assez grande partie de leur surface.

Un adossement est une intervention surtout pratiquée en chirurgie abdominale, par exemple dans le traitement du reflux gastro-œsophagien (phénomène de régurgitation de l'estomac vers l'œsophage) : la partie supérieure de l'estomac est alors adossée à l'œsophage.

A.D.P.

→ VOIR Adénosine.

Adrénaline

Hormone produite par la glande surrénale jouant un rôle primordial dans le fonctionnement du système nerveux sympathique. SYN. *épinéphrine*.

L'adrénaline, qui appartient au groupe des catécholamines, est fabriquée par la région médullaire (centrale) de la glande surrénale, ou médullosurrénale. Sa sécrétion est déclenchée par la partie dite sympathique du système nerveux autonome (végétatif), à la suite d'un stress, d'une émotion, d'un danger. L'adrénaline est un des éléments de la réponse de défense de l'organisme : stimulation de l'appareil cardiovasculaire (accélération du cœur, hypertension, vasoconstriction) ; dilatation des bronches, avec facilitation de la respiration ; augmentation du glucose sanguin, source d'énergie pour les cellules. L'adrénaline agit sur des cellules cibles en se fixant sur deux types de récepteurs, alpha et bêta, qui déclenchent la réaction de la cellule.

UTILISATION THÉRAPEUTIQUE

L'adrénaline, fabriquée synthétiquement depuis 1900, est utilisée en thérapeutique, surtout en injection. Elle a peu d'indications : états de choc (défaillances aiguës de la circulation) ; arrêts cardiaques (en injection intracardiaque) ; certaines allergies ; hémostases locales (arrêts des hémorragies). L'adrénaline peut elle-même provoquer des troubles cardiaques et respiratoires.

Adrénergiques et adrénolytiques

Des substances médicamenteuses agissent sur les mêmes récepteurs que l'adrénaline, soit en les stimulant (adrénergiques, par exemple l'éphédrine), soit en les inhibant et en s'opposant à l'action de l'adrénaline (adrénolytiques, par exemple, les bêtabloquants).

→ VOIR Catécholamine, Sympatholytique, Sympathomimétique.

Adrénergique

→ VOIR Adrénaline.

Adrénolytique

→ VOIR Adrénaline.

Adsorption

Fixation par simple contact d'un gaz ou d'une substance dissoute sur un solide poreux naturel ou artificiel.

Les solides permettant l'adsorption sont appelés « adsorbants » et sont utilisés en médecine pour éliminer les gaz intestinaux ou certains toxiques ingérés. L'alumine, la silice, le charbon de bois sont des adsorbants. Les phénomènes d'adsorption sont également utilisés dans certaines techniques d'analyse (par exemple en toxicologie).

Adventice

Tissu conjonctif formant la tunique externe d'un vaisseau.

L'adventice est constituée de fibres collagènes et élastiques formant un feutrage lâche autour de la partie médiane du vaisseau. Ces fibres sont associées à des cellules adipeuses, à des macrophages (cellules de défense de l'organisme chargées d'absorber des particules étrangères), à des cellules nerveuses *(nervi vasorum)* et à des petits vaisseaux sanguins et lymphatiques *(vasa vasorum)* irriguant la paroi même du vaisseau. L'adventice forme un lien souple entre le vaisseau et les tissus qui l'entourent.

Adynamie

Diminution importante de la mobilité, par faiblesse musculaire.

Une adynamie s'observe essentiellement lors de certaines maladies infectieuses fébriles (fièvre typhoïde, fièvres éruptives) et lors d'affections endocriniennes (hypothyroïdie, maladie d'Addison). L'adynamie, phénomène surtout musculaire, diffère de l'asthénie, qui est un état de faiblesse générale. Toutefois, ces deux symptômes sont souvent liés.

Aérateur transtympanique

Système de drainage placé dans la membrane tympanique mettant en communication l'oreille moyenne et l'oreille externe. SYN. *diabolo, drain transtympanique, yoyo*.

La mise en place d'un aérateur transtympanique, rare chez l'adulte, est fréquente chez l'enfant. Elle est indiquée en cas de surdité de transmission (due à une atteinte de l'oreille moyenne ou externe) importante liée à une otite séreuse ou à des otites moyennes aiguës à répétition. L'aérateur permet la ventilation de l'oreille moyenne et l'élimination de ses sécrétions, donc la récupération auditive. La pose, qui implique une perforation du tympan, se fait à l'aide d'un microscope sous anesthésie générale. L'aérateur est habituellement laissé en place pendant une période allant de 6 mois à 1 an. Sa présence interdit habituellement les baignades. Le risque essentiel des aérateurs transtympaniques est la non-fermeture de la perforation tympanique après la levée du drain, qui peut nécessiter une intervention chirurgicale.

Aérobie

1. Se dit de micro-organismes qui se multiplient en présence d'oxygène.

On distingue les espèces aérobies strictes, dont la principale source d'énergie est la respiration et qui ne se multiplient qu'en présence d'un pourcentage d'oxygène au moins égal à celui de l'air (*Neisseria*,

L'air extérieur traverse l'aérateur jusqu'à l'oreille moyenne, de l'autre côté du tympan, où se trouvent les osselets. La pression dans l'oreille moyenne remonte alors, ce qui améliore les vibrations du tympan, diminue l'irritation de la muqueuse et favorise l'élimination des sécrétions.

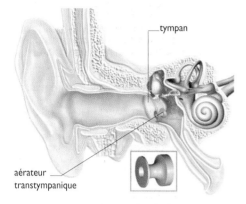

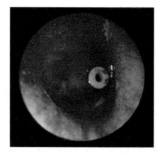

L'aérateur, percé d'un canal central et en forme de yoyo, ressemble à un disque posé sur chaque face du tympan.

L'aérateur est mis en place par le conduit auditif, de sorte que son canal central passe par l'ouverture faite dans le tympan. L'anesthésie générale impose une courte hospitalisation.

Pseudomonas, mycobactéries, champignons) ; les espèces microaérophiles, qui se développent mieux, voire exclusivement, dans une atmosphère dont la proportion d'oxygène est inférieure à celle de l'air *(Campylobacter)* ; enfin, les germes capables de coloniser ou d'infecter l'être humain, le plus souvent aéro-anaérobies facultatifs, qui se multiplient en présence ou en absence d'air et dont l'énergie provient essentiellement de réactions de fermentation.

2. Se dit de l'ensemble des réactions chimiques d'un organisme se produisant en présence d'oxygène.

Le but de ces réactions est la respiration cellulaire, indispensable à l'exercice musculaire prolongé : oxydation des composés carbonés des cellules avec formation de dioxyde de carbone (gaz carbonique).

Au cours d'un exercice musculaire, la mise en route du processus aérobie n'est pas immédiate. Elle fait suite à la phase dite « anaérobie », dans laquelle la dégradation du glucose est incomplète et produit peu d'énergie. Le processus aérobie se déclenche 3 minutes après le début de l'exercice et peut durer tout au long de celui-ci si les cellules sont correctement oxygénées par la respiration. Mais quand l'exercice est très intense, l'organisme doit produire son énergie de façon complémentaire par un processus anaérobie. De l'acide lactique est alors sécrété. Son accumulation dans les muscles est responsable de crampes.

Les exercices « aérobie » sont caractérisés par des efforts réguliers, de longue durée (exercices en endurance, d'intensité modérée : jogging, cyclisme, ski de fond).

Aérobilie

Présence d'air dans les voies biliaires (canal cholédoque ou vésicule biliaire).

L'aérobilie peut avoir deux causes :
– une communication anormale entre le tube digestif et le tractus biliaire, spontanée en cas de fistule, ou encore provoquée par une intervention chirurgicale.

– une infection par des germes producteurs de gaz (cholécystite gangréneuse, angiocholite sévère). Ce cas appelle un traitement antibiotique général associé à un drainage chirurgical ou endoscopique urgent.

Aérocolie

Distension du côlon par un contenu gazeux surabondant.

L'aérocolie entraîne un gonflement de l'abdomen ressenti par le patient. Elle peut être isolée, en cas de troubles fonctionnels intestinaux, ou associée à d'autres phénomènes pathologiques abdominaux : colique hépatique, colique néphrétique, péritonite, etc. Un examen radiologique (abdomen sans préparation) permet de confirmer le diagnostic. Ce trouble, sans gravité en lui-même, ne requiert pas de traitement spécifique.

Aérogastrie

Présence excessive d'air dans l'estomac pouvant entraîner une distension de cet organe.

Chez tout individu, il existe de l'air dans la poche à air gastrique. L'aérogastrie est généralement la conséquence d'une déglutition excessive d'air, mais elle peut également témoigner de l'atteinte d'un organe proche. Sauf exception, l'aérogastrie ne requiert aucun traitement spécifique.

Aérophagie

Déglutition d'air pouvant entraîner une aérogastrie.

L'ingestion d'une certaine quantité d'air est normale. Excessive, elle est souvent due à une grande nervosité qui se manifeste par des mouvements fréquents de déglutition. La dilatation anormale de l'estomac qu'elle peut entraîner (aérogastrie) provoque une sensation de tiraillements abdominaux. À la fin d'un repas, l'excédent d'air est parfois rejeté (éructation).

L'aérophagie n'a pas de traitement spécifique efficace en dehors des traitements appliqués aux troubles névrotiques.

Aérosol

Dispersion en particules très fines d'un liquide, d'une solution ou d'un solide dans un gaz.

TECHNIQUE

En médecine, un aérosol est délivré par un générateur (également appelé aérosol) qui pulvérise un très fin brouillard au moyen d'un gaz comprimé (air, oxygène, etc.). Ces particules sont adsorbées (retenues par simple contact) par les alvéoles pulmonaires lors de la respiration, ce qui permet d'humidifier les voies respiratoires, de traiter les muqueuses (nasales, pharyngées, bronchiques) et de diminuer ainsi la gêne respiratoire. Les générateurs doivent être rincés et nettoyés après chaque emploi. Il est conseillé de les détartrer régulièrement.

INDICATIONS

Les aérosols sont généralement utilisés dans le traitement des maladies respiratoires, le plus souvent pour l'administration d'antibiotiques, de dérivés corticostéroïdes, de dérivés de la théophylline, etc. Les aérosols d'eaux thermales servent dans le traitement de l'asthme. Chez les malades atteints du virus V.I.H., on utilise des aérosols de pentamidine pour la prévention des infections respiratoires à *Pneumocystis*.

Affection

Modification pathologique de l'organisme.

Ce terme est couramment employé comme synonyme de maladie.

Affrontement

Mise en contact chirurgicale des deux lèvres d'une plaie, de deux conduits de même nature (vaisseaux, nerfs, intestins), que l'on fait correspondre (anastomose), ou de deux plans de section osseuse que l'on fixe (ostéosynthèse) afin d'obtenir leur cohésion et leur cicatrisation.

Afibrinogénémie

Absence totale ou diminution très importante du fibrinogène (protéine plasmatique qui joue un rôle actif dans la coagulation) dans le sang.

■ L'afibrinogénémie héréditaire, de transmission autosomique (par les chromosomes non sexuels) récessive (le gène porteur de la maladie doit être transmis par les deux parents pour que celle-ci se développe chez l'enfant), est très rare. Caractérisée par un défaut de synthèse du fibrinogène, elle provoque des hémorragies répétées (qui apparaissent dès la naissance, lors de la chute du cordon ombilical, par exemple), dont les plus graves sont intracrâniennes, des hématomes, plus rarement des hémarthroses (épanchements de sang dans une articulation). À l'examen biologique, on constate un allongement infini du temps de saignement et une absence complète de coagulation. Le traitement corrige les troubles hémorragiques : injections de plasma riche en fibrinogène ou de fibrinogène purifié lors des épisodes hémorragiques. L'espérance de vie est habituellement limitée aux premières décennies.

■ Les formes acquises d'afibrinogénémie sont caractérisées par une diminution du fibrinogène (hypofibrinogénémie). Elles s'observent lors de l'insuffisance hépatique ou lors d'une consommation accélérée du fibrinogène, comme dans la coagulation intravasculaire disséminée, caractérisée par la formation de nombreuses thromboses.

Agalactie

Absence de sécrétion lactée après l'accouchement.

L'agalactie résulte du dysfonctionnement d'une hormone hypophysaire, la prolactine. L'agalactie totale est très rare, mais elle est susceptible de se produire après un choc hémorragique obstétrical. L'insuffisance de sécrétion lactée (hypogalactie) est beaucoup plus fréquente.

Le traitement de l'agalactie par des régimes hypercaloriques ou par une consommation importante de liquides se révèle inopérant.

Agammaglobulinémie

Absence de gammaglobulines (immunoglobulines G, ou IgG, plasmatiques qui jouent un rôle d'anticorps) dans le sang.

Sous ce terme sont aussi regroupées les hypogammaglobulinémies profondes (insuffisance de gammaglobulines).

L'agammaglobulinémie peut être héréditaire ou acquise (associée à une leucémie lymphoïde chronique, à un myélome ou à un syndrome néphrotique). L'agammaglobulinémie congénitale de Bruton atteint seulement les garçons.

L'absence de gammaglobulines favorise la survenue d'infections bactériennes graves et récidivantes. Dans tous les cas, le traitement associe une antibiothérapie à des injections de gammaglobulines purifiées.

Âge

Durée écoulée depuis la naissance.

En médecine, l'âge a une grande importance pour l'établissement du diagnostic et souvent pour le choix du traitement. Cependant, il existe plusieurs critères d'évaluation de l'âge chronologique : maturation physiologique (avant la naissance), mentale (affective et intellectuelle) ou physique (de croissance).

Chez l'enfant, le degré de maturation mentale et physique, très variable, est cependant établi en moyenne par des échelles de développement et de croissance. Chez l'adulte, l'apparence physique est le meilleur témoin de l'âge réel. En revanche, celle du sujet âgé est aujourd'hui inférieure à son âge civil d'une à deux décennies. Post mortem, l'examen de certains organes et le degré d'athérome des vaisseaux (dépôt lipidique sur les parois artérielles) confirment l'âge.

Âge physiologique

Il se mesure avant la naissance. L'âge du fœtus, qui se calcule sur la base de la durée de gestation, est très utile en pédiatrie néonatale pour apprécier la taille du bébé relativement à son âge apparent et prévenir les problèmes liés à un trop faible poids de naissance. L'âge gestationnel se calcule à partir de la date des dernières règles de la mère, d'après la taille de son utérus pendant la grossesse ou, plus précisément encore, grâce à l'échographie.

Âge affectif et intellectuel

Celui de la plupart des enfants correspond à l'acquisition de certaines capacités à un âge donné, évalué par des échelles de développement. Ces échelles sont établies en fonction de l'âge chronologique, selon les résultats des tests de développement dans quatre domaines principaux : parole, vision, audition, motricité.

Âge physique

Il est déterminé par la maturation des différents os du corps vus à la radiographie (âge osseux). L'âge osseux est particulièrement utile en cas d'anomalie de la puberté ou d'insuffisance staturale de l'enfant. L'âge dentaire (éruption des dents de lait, puis des dents définitives) permet également de mesurer la maturation physique.

L'âge adulte (de 18 à 65 ans) se traduit par le plein épanouissement de toutes les facultés. Toutefois, les diminutions fonctionnelles, métaboliques, endocriniennes et l'athérosclérose commencent insensiblement et progressivement dès l'âge adulte.

La vieillesse se divise arbitrairement en troisième âge (de 65 à 80 ans) et quatrième âge (au-delà). Les modifications les plus caractéristiques de la sénescence sont une relative réduction des performances à l'effort et certaines transformations radiologiques (arthrose, décalcification osseuse, calcifications artérielles).

Agénésie

Absence totale ou partielle d'un tissu, d'un organe ou d'une structure dès la vie embryonnaire, due à une cause héréditaire.

Contrairement à l'aplasie (où l'absence d'organe est due à un arrêt de développement pendant la vie intra-utérine), l'agénésie peut s'accompagner d'anomalies d'autres organes issus du même lot de cellules embryonnaires.

■ L'agénésie du corps calleux (substance blanche qui réunit les deux hémisphères cérébraux) peut être totale ou partielle, isolée ou associée à d'autres malformations. Une hypotonie (faiblesse du tonus musculaire), un retard dans la marche et des crises d'épilepsie en sont les principaux symptômes.

■ L'agénésie du cubitus ou du radius nécessite des soins orthopédiques dès la naissance. L'avant-bras est déformé et le poignet est dans une position anormale.

■ L'agénésie du poumon, souvent unilatérale, est rare. Elle s'associe fréquemment à des malformations congénitales cardiovasculaires, gastro-intestinales ou osseuses. L'agénésie pulmonaire bilatérale est incompatible avec une survie prolongée.

■ L'agénésie rénale unilatérale atteint un nouveau-né sur 1 500. Plus rare, l'agénésie rénale bilatérale (ou syndrome de Potter) atteint un nouveau-né sur 4 000. Cette dernière est incompatible avec une survie prolongée.

■ L'agénésie du coccyx, du sacrum et des vertèbres lombaires s'associe le plus souvent à une paralysie des membres inférieurs et à des troubles urinaires.

DIAGNOSTIC

Une agénésie est visible à l'échographie anténatale. Après la naissance, d'autres examens confirment le diagnostic : la radiographie (radiographie thoracique pour l'agénésie pulmonaire, radiographie du membre supérieur pour l'agénésie du cubitus ou du radius), le scanner ou l'imagerie par résonance magnétique (agénésie du corps calleux).

TRAITEMENT

Les agénésies, quelles qu'elles soient, nécessitent une prise en charge en milieu spécialisé.

Agent dépigmentant

Médicament destiné à décolorer de petites pigmentations cutanées.

Les agents dépigmentants, méquinol ou leucodinine B, inhibent la synthèse de mélanine, qui donne à la peau son aspect plus ou moins foncé. Ils sont présentés sous forme de pommade ou de crème. Ils sont indiqués, par exemple, pour les éphélides (taches de rousseur), le chloasma (taches brunes du visage), les pigmentations dues à la sénescence. Les agents dépigmentants sont contre-indiqués chez l'enfant de moins de 12 ans, sur les yeux et les muqueuses. Ils risquent de provoquer une dépigmentation non souhaitée des zones saines.

Agent infectieux

Tout germe susceptible de provoquer une infection (bactérie, champignon ou virus) ou une infestation (parasite).

Agglutination

Réaction spécifique de défense de l'organisme, caractérisée par le rassemblement en petits amas de globules rouges, de bactéries ou d'autres éléments, en présence de l'anticorps correspondant.

L'agglutination provient de la fixation d'un anticorps agglutinant (agglutinine) sur son antigène (agglutinogène), qui se trouve à la surface des éléments agglutinés. Ce phénomène sert en laboratoire à mettre en évidence divers types d'antigènes ou d'anti-

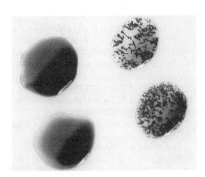

Agglutination. *Elle cause l'aspect granuleux (à droite) des gouttes de sang ; à gauche, le sang est sans agglutination.*

corps. L'hémagglutination, test le plus courant pour déterminer le groupe sanguin d'un individu, repose sur ce principe.

Parmi tous les types d'anticorps synthétisés par un organisme, seuls les anticorps IgM (immunoglobulines de type M) sont naturellement agglutinants. Les autres, qualifiés d'anticorps incomplets, peuvent toutefois participer à des réactions d'agglutination s'ils sont associés à des anticorps IgM. C'est sur cette association que repose le principe du test de Coombs, couramment utilisé pour déterminer le degré d'immunisation d'un sujet contre le facteur Rhésus.

Agglutinine

Anticorps capable de produire l'agglutination d'éléments (cellules, germes, globules rouges, etc.) porteurs de l'antigène contre lequel il est dirigé.

Les agglutinines antibactériennes apparaissent dans le sérum des sujets ayant été en contact avec certaines bactéries. Ce contact peut avoir été spontané, lors d'une infection due au germe causal (fièvre typhoïde), ou provoqué par une vaccination (vaccin TAB, contre la typhoïde).

La mise en évidence d'agglutinines à un taux élevé permet de faire la preuve indirecte de la responsabilité d'un germe dans une infection. La variation de ce taux est un témoin de l'évolution de la maladie.

Agnosie

Incapacité de reconnaître les objets indépendamment de tout déficit sensoriel.

Pour qu'un objet puisse être reconnu, l'information sensorielle le concernant doit être interprétée par le cerveau ; cela suppose la mise en action d'informations mémorisées pour des objets similaires. L'agnosie est due à une lésion des zones cérébrales concernant les fonctions d'interprétation et de mémorisation, d'origine traumatique, infectieuse, vasculaire ou tumorale.

DIFFÉRENTS TYPES D'AGNOSIE

L'agnosie ne concerne en général qu'une fonction : audition, toucher ou vision. Ainsi, un objet pourra être reconnu par la vue et l'audition mais pas par le toucher.

■ L'agnosie auditive est l'incapacité d'identifier les bruits connus, les sons musicaux et le langage parlé, en dépit d'une audition normale.

■ L'agnosie tactile est l'incapacité de reconnaître des objets par le seul contact digital.

■ L'agnosie visuelle est l'incapacité de reconnaître par la vue, alors que le patient n'est pas aveugle, des formes ou des signes familiers : objets, images, couleurs, lettres, chiffres, etc. Quand le patient est incapable d'identifier un visage connu ou sa propre image dans un miroir, on parle de prosopagnosie.

Agoniste

Substance qui se fixe sur les mêmes récepteurs cellulaires qu'une substance de référence et qui produit, au moins en partie, les mêmes effets.

Un agoniste peut être une substance naturelle du corps humain ou un médicament. Les agonistes de la morphine, par exemple, sont prescrits pour leurs propriétés analgésiques. Certains médicaments du système nerveux végétatif sont des agonistes de l'adrénaline (alphastimulants, bêtastimulants) ou de l'acétylcholine (cholinergiques).
→ VOIR **Antagoniste**.

Agrafe

Petite lame de métal utilisée pour suturer les plaies.

Les agrafes sont munies à chaque extrémité de pointes fines que l'on fait pénétrer par pression dans la peau. Une pince spéciale resserre l'ensemble et rapproche les bords de la plaie, facilitant ainsi la cicatrisation. Les agrafes sont retirées au bout de 6 à 8 jours mais, afin d'obtenir une cicatrice plus fine, il est possible de les desserrer ou d'en enlever une sur deux vers le quatrième jour. Elles sont parfois remplacées par des bandelettes hyperadhésives ou des fils.

Agranulocytose

Absence dans le sang de granulocytes neutrophiles (globules blancs intervenant dans la lutte contre les agents infectieux).

Sous ce terme sont habituellement regroupées les neutropénies profondes (insuffisances graves de granulocytes neutrophiles). S'il existe quelques formes constitutionnelles (maladie de Kostmann chez l'enfant), la plupart des agranulocytoses sont d'origine médicamenteuse (amidopyrine, phénylbutazone, antithyroïdiens, phénothiazine) immuno-allergique ou toxique.

SYMPTÔMES ET DIAGNOSTIC

Une agranulocytose se traduit par une fièvre, une angine douloureuse et d'autres manifestations oropharyngées, pouvant évoluer vers de graves pneumopathies. Dans le sang, on constate une disparition pratiquement complète des granulocytes (ou polynucléaires) neutrophiles. Le myélogramme (examen des cellules de la moelle osseuse) révèle l'absence de granulocytes matures, confirme le caractère isolé de l'agranulocytose et écarte un cancer. Le plus souvent, un médicament responsable est retrouvé.

ÉVOLUTION ET TRAITEMENT

L'évolution est généralement favorable, à condition d'interrompre toute prise de médicament suspect. Une antibiothérapie à large spectre doit être mise en œuvre immédiatement, par voie intraveineuse. L'isolement en chambre particulière est souvent nécessaire, compte tenu de la fragilité de ces malades face aux infections.

Le traitement de la maladie de Kostmann, récent, repose sur l'utilisation d'un facteur de régulation de la production des granulocytes neutrophiles, obtenu par génie génétique.

PRÉVENTION

Elle est essentielle : tous les médicaments suspects d'induire des agranulocytoses sont interdits chez les patients ayant déjà présenté un accident de ce type.

Agraphie

Incapacité d'écrire, indépendante de tout trouble moteur.

L'agraphie s'accompagne le plus souvent d'une alexie (perte de la capacité de lecture) et s'intègre fréquemment dans un trouble plus général tel que l'aphasie (trouble du langage).

L'écriture est fondée sur l'organisation complexe d'opérations mentales : sélection des mots, souvenir de l'orthographe de ces mots, formulation et exécution des mouvements nécessaires de la main et, enfin, vérification visuelle que les mots écrits correspondent bien à leur représentation mentale. Ces opérations exigent probablement une connexion entre plusieurs aires cérébrales. L'agraphie peut être due à des lésions de diverses parties de ces aires, d'origine traumatique, infectieuse, vasculaire ou tumorale.

DIFFÉRENTS TYPES D'AGRAPHIE

■ L'agraphie aphasique s'accompagne d'un trouble du langage. Les caractères du graphisme sont en général bien conservés, mais l'utilisation du symbole est perturbée.

■ L'agraphie apraxique est liée à un désordre neurologique de la motricité entravant les gestes élémentaires de l'écriture. C'est alors la répartition spatiale des éléments graphiques qui est perturbée.

Agrégant plaquettaire

Substance susceptible de provoquer dans l'organisme ou dans un tube à essai l'agrégation des plaquettes entre elles.

Sont agrégants plaquettaires l'adénosine diphosphate (A.D.P.), la thrombine, le collagène, la sérotonine.

Agrégation plaquettaire

Phénomène consécutif à l'adhésion des plaquettes entre elles et au collagène (protéine du tissu conjonctif), sous l'effet de l'adénosine diphosphate (A.D.P.) que celles-ci libèrent.

L'agrégation plaquettaire constitue l'étape préalable à la coagulation sanguine lorsqu'un vaisseau est lésé. Elle peut aussi avoir des effets indésirables lorsqu'elle se produit sur une plaque d'athérome : elle favorise alors la constitution d'un thrombus (caillot), qui se détache et obstrue un petit vaisseau irriguant le cerveau, constituant un accident ischémique transitoire.

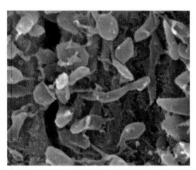

Agrégation plaquettaire. Les plaquettes se déposent sur la paroi des vaisseaux atteints d'une lésion afin de la colmater.

Agressivité

Tendance à s'opposer à autrui ou à l'attaquer, de façon réelle ou fantasmée.

L'agressivité est en rapport étroit avec la satisfaction des besoins vitaux, la maîtrise du milieu et l'affirmation de soi. Les actes agressifs sont ceux qui retiennent le plus l'attention en raison de leur caractère spectaculaire et potentiellement dangereux (crises de fureur), mais l'agressivité peut prendre bien d'autres formes : attitudes (mimiques, regards), paroles (ironie, médisance, menaces, insultes) ou fantasmes.

À l'origine de nombreux troubles mentaux existe une agressivité latente, mal assumée, engendrant angoisse et sentiment de culpabilité. Symptôme de la psychopathie, l'agressivité se rencontre dans diverses maladies psychiatriques : névroses, psychoses, et dans les toxicomanies, l'épilepsie, etc.

La thérapeutique de l'agressivité repose tout d'abord sur le traitement de sa cause, lorsque celle-ci est connue (alcoolisme, maladie psychiatrique, etc.). Elle doit aussi tenter d'aménager les conditions de vie et d'hygiène mentale du patient (actions pédagogiques visant à renforcer, en les valorisant, les attitudes de tolérance, de compréhension). Dans tous les cas, la chimiothérapie se révèle efficace : traitement sédatif par des tranquillisants et des neuroleptiques. Une psychothérapie peut parfois être proposée.

Agueusie

Perte totale ou partielle (on parle alors d'hypogueusie) du goût.

Les sensations gustatives élémentaires sont le salé, le sucré, l'amer et l'acide. Les sensations gustatives plus élaborées font intervenir aussi l'odorat et la sensibilité générale de la bouche. En général, l'agueusie s'associe à une perte de l'odorat (anosmie). Dans ce cas, les sensations élémentaires du goût sont conservées. L'agueusie isolée, sans perte de l'odorat, est beaucoup plus rare.

L'agueusie peut être due à une lésion des papilles gustatives, à l'effet indésirable de médicaments ou à une dégénérescence naturelle des papilles gustatives, liée à l'âge. Elle peut encore résulter de lésions du nerf glossopharyngien, facial ou lingual, de la corde du tympan ou, beaucoup plus rarement, de lésions du système nerveux central - lésions d'origine infectieuse, tumorale, traumatique ou vasculaire. En cas de lésion unilatérale, l'agueusie n'affecte que la moitié de la langue (hémiagueusie). La sensation d'une perte complète de la saveur des aliments (alors que l'odorat est conservé) témoigne le plus souvent d'un trouble psychiatrique, les perturbations prenant alors la forme d'hallucinations gustatives et non d'une véritable perte du goût.

Aigu

1. Vif et pénétrant, en parlant d'une sensation douloureuse.

Une douleur aiguë n'est généralement pas durable, mais peut survenir par accès sur un fond douloureux chronique.

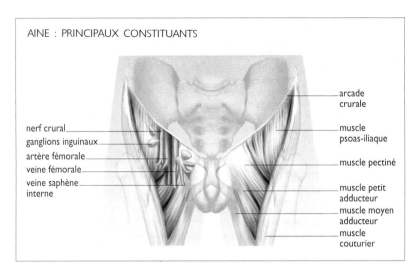

AINE : PRINCIPAUX CONSTITUANTS

nerf crural
ganglions inguinaux
artère fémorale
veine fémorale
veine saphène interne

arcade crurale
muscle psoas-iliaque
muscle pectiné
muscle petit adducteur
muscle moyen adducteur
muscle couturier

2. Qui survient brusquement et évolue vite, en parlant d'une maladie.

Une évolution subaiguë est moins brutale ; une évolution suraiguë est extrêmement rapide et violente.

Aiguille

1. Tige creuse, à la pointe aiguisée, utilisée pour les ponctions et les injections.

■ Les aiguilles à injection servent à injecter un médicament en solution. Elles sont munies d'un embout permettant d'adapter une seringue ou une tubulure de perfusion. Les aiguilles pour injection intradermique sont très fines et très courtes (1,5 centimètre), les aiguilles pour injection hypodermique (sous-cutanée) un peu plus longues (de 2,5 à 3 centimètres) ; les aiguilles pour injection intraveineuse, à biseau court, mesurent de 4,5 à 5 centimètres ; les aiguilles pour injection intramusculaire, à biseau long, mesurent de 7 à 10 centimètres. En acier inoxydable ou en nickel, elles sont stérilisables ou (le plus souvent aujourd'hui) jetables ; dans ce dernier cas, elles sont présentées en sachet individuel et, quelquefois, déjà adaptées sur une seringue.

■ Les aiguilles à ponction sont munies d'un mandrin que l'on retire pour prélever ou laisser s'écouler les liquides. Elles sont de longueur et de diamètre variables, avec un biseau court. Il existe des aiguilles spécifiques selon le type de ponction : aiguille pour prise de sang, ponction lombaire, ponction d'hématome sous-dural, ponction-biopsie du foie ou de la plèvre, etc.

2. Tige pleine, à la pointe aiguisée, utilisée en chirurgie pour suturer les plaies.

Très variées, courbes ou droites, ces aiguilles comportent un chas, pour passer le fil, ou sont déjà serties. Une pince porte-aiguille est nécessaire pour pratiquer les sutures.

3. Tige pleine, à la pointe aiguisée, utilisée en acupuncture.

Longues de 4 à 5 centimètres, flexibles, ces aiguilles, en tungstène ou en acier inoxydable, ont un manche fait d'un enroulement de fil de cuivre ou de laiton.

Aine

Région située de chaque côté du corps, à la jonction de la cuisse et du tronc. (P.N.A. *inguen*)

La partie interne de l'aine, appelée triangle de Scarpa, est limitée, en haut, par l'arcade crurale (ligament tendu entre l'épine iliaque et le pubis), en dehors par le muscle couturier, et en dedans par la saillie des muscles adducteurs.

L'aine constitue une région d'accès aux vaisseaux fémoraux et à la veine saphène interne, atteinte en cas de varices. Un anévrysme de l'artère fémorale y est décelable à la palpation.

PATHOLOGIE

L'aine peut être le siège de tuméfactions dues à des hernies, à une dilatation des vaisseaux ou à un gonflement des ganglions (adénopathie inguinale). L'aine peut, comme l'aisselle, abriter une hydroadénite (infection chronique des glandes sébacées).

AINS

→ VOIR **Anti-inflammatoire**.

Aisselle

Région de passage entre le tronc et le membre supérieur. SYN. *creux axillaire*. (P.N.A. *fossa axillaris*)

L'aisselle comprend tous les tissus de l'espace délimité par l'articulation de l'épaule, l'humérus et la paroi thoracique. En forme de pyramide, elle contient un ensemble de vaisseaux et de nerfs centré sur l'artère axillaire, les branches périphériques de celle-ci, les canaux lymphatiques et les ganglions axillaires. L'artère axillaire vascularise la totalité du bras et donne naissance à de multiples collatérales destinées aux parois du creux axillaire. Parallèle à l'artère vers l'intérieur, la veine axillaire draine tout le sang veineux du bras. L'aisselle est aussi traversée par les troncs nerveux du plexus brachial.

Tous ces éléments vasculonerveux sont entourés par un tissu formé de canaux lymphatiques et de ganglions drainant la lymphe du bras et de la région mammaire.

Des adénopathies axillaires (gonflement des ganglions) peuvent témoigner soit d'un cancer du sein, soit d'une inflammation du membre supérieur (lymphangite), soit encore d'une affection ganglionnaire généralisée. En cas de cancer du sein, l'atteinte ganglionnaire peut faire l'objet d'un curage axillaire. L'aisselle est parfois également le siège d'une hydroadénite (inflammation d'une glande sébacée) et d'une luxation de l'épaule.

Akinésie, ou Acinésie

Trouble caractérisé par une raréfaction des mouvements spontanés du corps et une lenteur des mouvements volontaires, dans leur préparation ou durant leur exécution, indépendantes de toute lésion de la voie motrice principale.

CAUSES

L'akinésie est l'un des principaux symptômes de la maladie de Parkinson. Elle est la conséquence de lésions du système extrapyramidal, plus spécialement des noyaux gris centraux (masses de substance grise situées dans les hémisphères cérébraux).

SYMPTÔMES ET SIGNES

L'akinésie se caractérise par une perte de la spontanéité des mouvements et affecte progressivement l'ensemble des gestes habituellement automatiques. Ceux-ci semblent réclamer un gros effort de préparation, leur réalisation se fait avec retard, lenteur et maladresse et contraint le malade à économiser tous ses mouvements. L'akinésie a des conséquences importantes sur l'attitude des personnes atteintes : leur visage est figé, inexpressif, le clignement des paupières se raréfie (amimie). La parole devient monotone, légèrement étouffée, les intonations disparaissent alors que le débit s'accélère. La marche est faite de petits pas mal contrôlés, parfois précipités, sans souplesse. Le premier pas, le demi-tour, le passage d'une porte semblent particulièrement ardus. L'écriture est généralement perturbée, caractérisée par une diminution de la taille des caractères en fin de ligne (micrographie). Les mouvements alternatifs rapides comme le pianotage deviennent difficiles.

→ VOIR Parkinson (maladie de).

Alanine

Acide aminé non essentiel, glucoformateur.

Présente dans l'alimentation, l'alanine peut aussi être synthétisée par l'organisme, par transformation de l'acide pyruvique sous l'action d'une enzyme, la transaminase. C'est par ailleurs un constituant de l'acide pantothénique, du coenzyme A et de la carnosine.

Albinisme

Affection héréditaire rare caractérisée par une dépigmentation totale ou partielle de la peau, des cheveux et des poils.

La fréquence de l'albinisme est plus importante chez les sujets à peau foncée. Cette affection est due à un défaut du métabolisme de la mélanine et caractérisée par une absence de ce pigment qui protège la peau des radiations solaires. Les cheveux et les poils des albinos sont blancs, leur peau décolorée, leurs yeux roses, avec des iris translucides de couleur gris bleuté. Leur acuité visuelle est moins bonne que la moyenne. Ils sont très sujets aux érythèmes solaires (coups de soleil) et plus fréquemment atteints de cancers cutanés que la normale. Ils doivent donc éviter le rayonnement solaire, porter des lunettes teintées et appliquer sur leur peau une crème solaire à fort indice de protection.

Albinos. Cette anomalie génétique, caractérisée par une absence de pigmentation, peut être transmise même si aucun des deux parents n'est atteint.

Albright (syndrome d')

Syndrome associant une dysplasie fibreuse des os (dégénérescence fibreuse de la moelle osseuse) à des troubles pigmentaires et endocriniens.

Cette maladie rare, qui touche l'enfant entre 3 et 10 ans, provient d'une anomalie du récepteur hormonal. Les lésions osseuses se traduisent par des douleurs et des déformations osseuses, des fractures pathologiques. Des taches cutanées café au lait à bord déchiqueté peuvent apparaître et une puberté précoce peut se manifester. D'autres maladies endocriniennes peuvent s'y associer, comme une hyperthyroïdie.

Le traitement par un inhibiteur de l'aromatase a pour but de faire régresser les signes pubertaires et de préserver la croissance de l'enfant. Le pronostic ultérieur de fertilité est bon.

Albumine

Protéine hydrosoluble synthétisée dans le foie et constituant, avec les globulines, les principales protéines sanguines.

L'albumine représente 55 % de toutes les protéines du plasma sanguin, où son taux (albuminémie) est d'environ 40 grammes par litre. En les fixant à sa surface, elle sert de transporteur à de nombreuses substances plus petites (calcium, hormones, bilirubine, certains médicaments) qui, isolées, passeraient à travers le filtre rénal et seraient éliminées dans les urines. Par ailleurs, l'albumine, en retenant l'eau du plasma, empêche sa diffusion dans les tissus grâce à un phénomène d'osmose. Elle a en outre un certain pouvoir de tampon, qui limite les variations du pH du sang. Elle constitue enfin une réserve d'acides aminés.

Une hypoalbuminémie (baisse du taux d'albumine dans le sang) peut être due à plusieurs facteurs : défaut d'apport alimentaire en protéines, trouble de l'absorption intestinale au cours de certaines maladies digestives, anomalie de la synthèse hépatique comme dans les cirrhoses, perte excessive dans les selles ou surtout dans les urines (albuminurie). Ce dernier cas est dû au passage, normalement minime, de l'albumine mais aussi d'autres protéines plasmatiques à travers le filtre rénal quand le rein est atteint, par exemple, au cours d'une hypertension artérielle ou d'un diabète sucré. On parle alors de protéinurie.

Les hyperalbuminémies (augmentation de l'albumine dans le sang), très rares, sont presque toujours dues à une déshydratation.

Albuminurie

Présence d'une protéine, l'albumine, dans les urines.

L'albuminurie est généralement le signe d'un trouble du mécanisme de filtration du rein. On retrouve une albuminurie au cours de maladies rénales comme les glomérulopathies (maladies atteignant électivement les glomérules, unités de filtration du rein). Elle peut également être symptomatique d'une atteinte rénale liée à l'hypertension ou d'une menace de toxémie gravidique chez la femme enceinte. Ce terme tend à être remplacé par celui de protéinurie (présence de protéines dans les urines), car ce sont bien toutes les protéines (et non l'albumine seulement) qu'on détecte dans les urines au cours des maladies du rein.

Alcalin

→ VOIR Base.

Alcalinisant urinaire

→ VOIR pH urinaire (modificateur du).

Alcalins (syndrome des)

→ VOIR Burnett (syndrome de).

Alcaloïde

Substance azotée d'origine végétale, aux propriétés thérapeutiques ou toxiques.

Les alcaloïdes sont souvent des bases puissantes combinées à des acides, tirées de diverses plantes (belladone, pavot, pervenche, etc.) ou obtenues par synthèse. Il en existe plusieurs milliers, dont la mescaline, l'acide lysergique, la caféine, la strychnine, l'aconitine. Leur toxicité est parfois violente, voire mortelle.

Certains alcaloïdes sont utilisés comme cholinergiques (stimulants du système nerveux parasympathique, comme la pilocarpine), antispasmodiques digestifs (atropine), anticancéreux (vinblastine, vincristine), analgésiques (morphine), antipaludéens (quinine), ou antigoutteux (colchicine).

Alcalose

Trouble de l'équilibre acido-basique de l'organisme correspondant à une diminution de la concentration d'acide dans le plasma et les liquides interstitiels (liquides du secteur extracellulaire, à l'exclusion du secteur vasculaire, où baignent les cellules).

Alcalose métabolique

C'est un trouble de l'équilibre acido-basique dû à un apport excessif d'alcalins (bicarbonate de soude, par exemple) ou à une perte sévère d'acides, par exemple de suc gastrique lors de vomissements importants.

Alcalose respiratoire

L'alcalose respiratoire, également nommée alcalose gazeuse, est un trouble de l'équilibre acido-basique dû à un excès d'élimination pulmonaire de gaz carbonique provoqué par une hyperventilation (respiration rapide et profonde). Elle peut survenir lors d'une crise de panique, de spasmophilie ou, en haute altitude, par manque d'oxygène.

Alcoolémie

Teneur du sang en alcool éthylique.

L'alcoolémie est l'indice le plus précis permettant d'apprécier l'importance d'une ingestion d'alcool. Le prélèvement veineux doit être fait en évitant de désinfecter la peau avec des produits contenant de l'alcool, de l'aldéhyde ou de l'acétone. Il est conservé à 4 °C. Le résultat est exprimé en grammes par litre. Le taux d'alcoolémie reflète approximativement la gravité de l'intoxication alcoolique. On considère qu'au-delà de 0,50 gramme par litre peuvent apparaître des anomalies du comportement. L'ivresse correspond à des valeurs de 1 à 2 grammes ; au-delà de 3 grammes, un coma peut survenir. Cependant, le taux d'alcoolémie varie en fonction de plusieurs facteurs : le degré alcoolique, la quantité ingérée par rapport à l'âge et au poids du sujet, le moment de l'ingestion (à jeun ou au cours d'un repas) et la nature des aliments ingérés en même temps que l'alcool, le sexe et l'état de santé du sujet.

La législation définit une valeur d'alcoolémie à partir de laquelle la conduite des véhicules est interdite. Ce taux varie selon les pays de 0,20 à 0,80 gramme par litre. L'alcoolémie d'un sujet à jeun, une heure après l'absorption d'alcool, peut se calculer selon la formule suivante : quantité d'alcool pur divisée par le poids (en kilogrammes) x A (avec A = 0,6 pour une femme et 0,7 pour un homme). En moyenne, 3 verres de vin rouge ou 2 verres de boisson plus alcoolisée suffisent à élever le taux d'alcoolémie au-delà de 0,50 gramme par litre.

Alcool éthylique

Substance liquide comportant une structure chimique appelée hydroxyle (formée d'un atome d'oxygène et d'un atome d'hydrogène), entrant dans la composition des boissons alcoolisées et utilisée comme antiseptique. SYN. *éthanol*.

L'alcool éthylique des boissons est obtenu par fermentation à partir de fruits ou de céréales (vin, bière, cidre) ou par distillation (eaux-de-vie, liqueurs). Il est absorbé sans subir de modifications par l'estomac et l'intestin grêle, en une heure en moyenne, moins vite s'il est mélangé à d'autres aliments. La quantité d'alcool pur dans un volume peut être calculée en fonction du degré d'alcool indiqué sur la boisson, à partir de la formule suivante : (degré x 0,8 x volume en millilitres) divisé par 100, qui donne la quantité d'alcool en grammes. L'alcool apporte beaucoup d'énergie, 30 kilojoules (7 kilocalories) par gramme d'alcool. Il est rapidement transformable en graisse.

On a constaté que la consommation modérée de boissons alcoolisées est associée à une diminution de fréquence des maladies cardio-vasculaires et de la maladie d'Alzheimer.

EFFETS INDÉSIRABLES

L'action de l'alcool sur le système nerveux en modifie le fonctionnement, sans que le sujet en soit nécessairement conscient : levée des inhibitions psychologiques, conduisant parfois à des comportements dangereux ; relaxation, se poursuivant par une somnolence ; euphorie, confiance en soi pouvant être suivie d'une fatigue et d'une humeur dépressive ; diminution des capacités de concentration et de jugement. Les performances physiques et les réflexes sont altérés à partir d'une alcoolémie (concentration sanguine) de 0,5 gramme par litre. Une consommation excessive d'alcool entraîne une ivresse se traduisant par des vomissements et des troubles respiratoires, parfois compliqués d'un coma dit « éthylique » (alcoolisme aigu), et de nombreuses lésions organiques à long terme (alcoolisme chronique). Dans le cadre d'un coma éthylique (on dit que le sujet est ivre mort), la mort peut survenir par collapsus ou asphyxie.

L'alcool interagit avec de nombreux médicaments : il peut diminuer leurs effets (certains antibiotiques), ou les augmenter (un risque accru de somnolence avec les tranquillisants, les analgésiques, les antitussifs).

UTILISATION THÉRAPEUTIQUE

Sous une forme impropre à la consommation (alcool dénaturé ou modifié, c'est-à-dire avec adjonction d'une substance colorante), l'alcool éthylique s'utilise comme antiseptique contre les bactéries, uniquement sur la peau et en l'absence de plaie. Il est commercialisé avec des degrés de dilution variable : 90, 70 ou 60 % Vol. La forme à 70 % Vol (70 millilitres d'alcool dilués dans 30 millilitres d'eau) assure la meilleure antisepsie. L'alcool éthylique entre aussi dans la composition de nombreux médicaments, comme solvant.

Alcoolisation

1. Imprégnation alcoolique chronique.
2. Technique consistant à infiltrer un nerf ou un ganglion nerveux avec de l'alcool éthylique absolu ou du phénol pour supprimer la douleur dans la zone correspondante ou détruire des tissus pathologiques.

La plus ancienne indication de l'alcoolisation est celle du traitement des douleurs : névralgies violentes et rebelles (notamment celle du nerf trijumeau, dite névralgie faciale) ou cancers viscéraux avancés (en particulier celui du pancréas). À l'alcool absolu on substitue alors le phénol à 5 %. En cas de réussite, le soulagement peut durer plusieurs semaines. L'infiltration peut être renouvelée.

L'alcoolisation est également un traitement palliatif d'utilisation récente des tumeurs malignes du foie de petite taille (5 centimètres de diamètre au plus) : l'alcool entraîne alors une fonte du tissu tumoral. L'injection (de 8 à 10 millilitres d'alcool) se pratique par voie percutanée ou à ventre ouvert, sous contrôle radiologique. Plusieurs séances d'infiltration sont nécessaires si les tumeurs sont nombreuses.

Alcoolisme

Dépendance à l'égard de l'alcool et ensemble des manifestations pathologiques qui en résultent. SYN. *éthylisme*.

Le terme d'alcoolisme désigne donc aussi bien les conséquences pathologiques d'une consommation excessive et prolongée d'alcool (alcoolopathie) que la dépendance à l'alcool (alcoolodépendance).

FRÉQUENCE

L'incidence de l'alcoolisme augmente dans le monde depuis des années. Dans les

CONSOMMATION ANNUELLE D'ALCOOL PAR HABITANT ET PAR PAYS (EN LITRES)

Pays	1988	1989	1990
France	12,6	12,8	12,7
Luxembourg	12	12,5	12,2
R.D.A.	11	11,1	11,8
Espagne	11,1	10,8	10,8
Suisse	11	10,9	10,8
R.F.A.	10,4	10,4	10,6
Belgique	10	9,5	9,9
Danemark	9,7	9,6	9,9
Portugal	9,9	10,4	9,8
Italie	9,9	9,5	8,7
Pays-Bas	8,3	8,2	8,2
Royaume-Uni	7,6	7,6	7,6
Canada	7,7	7,5	–
États-Unis	7,5	7,4	7,5
République d'Irlande	6,7	7,1	7,2
Grèce	5,5	5,5	5,9

Source : World Drink Trends 1992 (International Beverage Alcohol Consumption and Production Trends).

sociétés industrielles, c'est la troisième cause de décès après les affections cardiovasculaires et les cancers.

CAUSES

L'apparition de l'alcoolisme dépend à la fois de facteurs socioculturels et individuels. Depuis l'Antiquité, l'alcool accompagne rites et cérémonies et un ensemble de croyances et d'images (vin « fortifiant », « sain et hygiénique », etc.) conditionne encore les mentalités, sans oublier l'impact des publicités encourageant sa consommation. La facilité avec laquelle on peut se procurer de l'alcool entre aussi en jeu, de même que son acceptation par la société à laquelle appartient l'individu : ainsi l'alcoolisme est-il plus répandu dans certains pays ou au sein de certains groupes sociaux.

La personnalité de l'alcoolique a donné lieu à de nombreuses investigations (psychanalytiques, génétiques, sociologiques) : on en retient parfois une mauvaise identification au père, une mère à la fois tyrannique et surprotectrice, ce qui entraînerait chez le sujet un sentiment d'insécurité, une difficulté à s'affirmer ainsi qu'une agressivité mal maîtrisée.

Chez la femme, l'alcoolisme apparaît souvent dans un contexte de frustration narcissique, d'insatisfaction familiale, de divorce, de situation de repli. Socialement mal toléré, il garde un caractère plus secret et solitaire. Certaines névroses, en particulier phobiques, sont une cause méconnue de l'alcoolisme féminin.

SYMPTÔMES ET SIGNES

Classiquement, l'intoxication alcoolique évolue en trois phases :
– asymptomatique, avec camouflage (dissimulation des bouteilles) et culpabilité ;
– cruciale, avec polarisation sur l'alcool, fléchissement de la volonté, début d'atteinte organique ;
– chronique (au bout de 4 à 6 ans) avec altération grave de l'état général et troubles psychiques associés (dont l'anosognosie, ou méconnaissance de sa maladie par le sujet). À ce stade, l'alcoolique ne peut plus arrêter de boire, même s'il le désire.

Les symptômes de l'alcoolisme sont très variés : modifications de la personnalité (jalousie, colères incontrôlées, irritabilité), promesses répétées d'arrêter de boire, changements dans la façon de boire (passage de la bière aux alcools forts, par exemple), désintérêt face à la nourriture, négligence physique, troubles de la mémoire, etc. Le sujet peut avoir des nausées, vomir, trembler le matin, souffrir de douleurs abdominales, de crampes, d'engourdissements ou de fourmillements. Son pouls peut être irrégulier, son visage rouge avec une dilatation des capillaires, sa démarche instable.

Une brusque privation d'alcool chez un sujet dépendant peut déclencher un delirium tremens (tremblements, hallucinations, convulsions).

PATHOLOGIE

Les personnes consommant habituellement de grandes quantités d'alcool sont exposées à diverses pathologies : sensibilité accrue aux

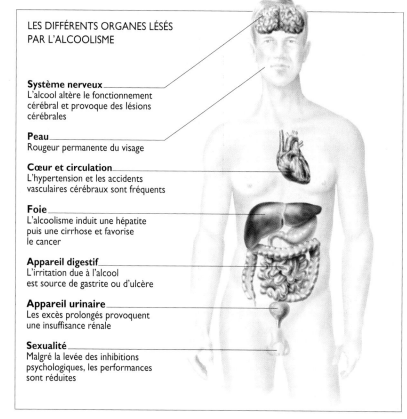

LES DIFFÉRENTS ORGANES LÉSÉS PAR L'ALCOOLISME

Système nerveux
L'alcool altère le fonctionnement cérébral et provoque des lésions cérébrales

Peau
Rougeur permanente du visage

Cœur et circulation
L'hypertension et les accidents vasculaires cérébraux sont fréquents

Foie
L'alcoolisme induit une hépatite puis une cirrhose et favorise le cancer

Appareil digestif
L'irritation due à l'alcool est source de gastrite ou d'ulcère

Appareil urinaire
Les excès prolongés provoquent une insuffisance rénale

Sexualité
Malgré la levée des inhibitions psychologiques, les performances sont réduites

infections bactériennes, cancers de l'oropharynx, de l'œsophage, des bronches, maladies hépatiques (cirrhose, hépatite alcoolique), lésions nerveuses graves (encéphalopathies).

L'alcoolisme entraîne aussi des troubles psychiques. L'alcoolisme chronique conduit au delirium tremens ou à sa forme atténuée, le délire subaigu. Certains délires se rapprochent de la paranoïa à thèmes (jalousie, persécution). La démence, conséquence finale de certains alcoolismes, nécessite le placement en institution.

Chez la femme, l'alcoolisme évolue plus rapidement que chez l'homme, en raison d'une fragilité physiologique accrue.

TRAITEMENT

Il ne peut être entrepris qu'à la demande du sujet alcoolique après l'aveu d'intempérance. Le sevrage est souvent facile. Il implique un soutien énergique (hospitalisation éventuelle), une alimentation équilibrée et une chimiothérapie (tranquillisants, antidépresseurs, neuroleptiques, vitamines).

Plus délicate est la prise en charge au long cours, indispensable en cas de récidives sévères ou trop fréquentes. Elle nécessite un suivi psychologique du sujet, centré sur ses conflits et son avenir : il faut l'aider à restaurer ses capacités relationnelles, à retrouver son autonomie, etc. Les associations d'anciens buveurs apportent souvent une aide précieuse.

Des médicaments peuvent être utilisés pour diminuer l'appétence pour l'alcool. → VOIR **Dossier Alcoolisme.**

Alcotest

Appareil destiné à mesurer la teneur en alcool de l'air expiré par un sujet. (Nom déposé.)

Par extension, on désigne sous ce terme un appareil du même type, quelle que soit sa marque : éthylotest ou éthylomètre. Les éthylotests sont des instruments semi-quantitatifs servant au dépistage de l'état d'ivresse, tandis que les éthylomètres fournissent des données quantitatives. Les éthylotests, diffusés dans le grand public, permettent à chacun de mesurer son imprégnation. Les éthylomètres sont utilisés par les autorités pour l'identification des conducteurs de véhicule en état d'intoxication (un taux limite est fixé par décret dans chaque pays). Ils sont aussi employés par les médecins lorsqu'ils doivent distinguer un état alcoolique d'un trouble ébrieux d'une autre nature (maladie neurologique, hypoglycémie).

Aldolase

Enzyme intervenant dans la glycolyse (dégradation du glucose) et la glycogénolyse (dégradation du glycogène).

Les aldolases existent sous trois formes, chacune prédominant dans un organe : muscle, foie, cerveau. L'aldolasémie (taux d'aldolase dans le sang) diminue naturellement quand l'âge du sujet augmente. Elle s'accroît lors de certaines maladies hépatiques (hépatite, par exemple) et lors des myopathies (dans ce dernier cas, elle est un des éléments du diagnostic).

L'ALCOOLISME

Fléau social encore trop peu combattu, l'alcoolisme est la troisième cause de mortalité dans les pays industrialisés. Sa prévention passe par une information plus efficace et par une meilleure prise de conscience des dangers qu'entraîne la consommation d'alcool.

LES MÉFAITS DE L'ALCOOL

L'alcool éthylique, ou éthanol, couramment appelé alcool, est un liquide incolore, volatil, à la saveur brûlante, obtenu par fermentation de fruits ou de grains (vin, bière), ou par distillation (alcools dits forts, eau-de-vie, whisky). Absorbé par le tube digestif, l'alcool éthylique passe dans le sang, d'où il diffuse dans tout l'organisme. Divers mécanismes (enzymes, radicaux libres) le dégradent alors en acétaldéhyde, puis en acétate. L'ingestion d'alcool modifie le fonctionnement du système nerveux et entraîne une ivresse. À long terme, la consommation régulière d'alcool, qui est un toxique et un irritant, provoque différentes maladies, regroupées sous le terme d'alcoolopathies, qui concernent surtout le foie et le cerveau, mais aussi le pharynx et le larynx (le risque de cancer dans ces deux zones étant accru par une forte consommation d'alcool, surtout associée à celle du tabac). Elle induit, souvent insidieusement, une dépendance : un buveur peut devenir alcoolique sans jamais être ivre, mais simplement en consommant régulièrement une quantité d'alcool dangereuse pour lui. Outre les décès liés aux alcoolopathies, l'alcoolisme est indirectement à l'origine de nombreuses morts, en particulier par accidents de la route.

La dépendance physique

Un consommateur d'alcool devient alcoolique (les médecins parlent plus volontiers d'alcoolodépendance) lorsqu'il a perdu la liberté de s'abstenir de boire et qu'il ne peut cesser de consommer de l'alcool sans souffrir de symptômes caractéristiques (malaise généralisé accompagné de tremblements et de sueurs), appelés syndrome de sevrage. Ce syndrome disparaît dès que le sujet boit de l'alcool ou, sinon, s'aggrave et s'accompagne d'hallucinations pouvant aller jusqu'au délire aigu, associé à une déshydratation : c'est la crise de delirium tremens.

Les mécanismes de cette dépendance physique seraient liés à des perturbations de la membrane des cellules nerveuses et à des modifications des neurotransmetteurs, substances chargées de la transmission de l'information entre ces cellules.

LES MAUX DE L'ALCOOLIQUE

Une alcoolisation importante et régulière entraîne des lésions des différents organes, une augmentation du taux sanguin de graisses et une baisse du taux de glucose, ainsi que des carences nutritionnelles, parce que boire réduit l'appétit et que, si l'alcool apporte sa ration calorique au buveur, il ne lui fournit ni protéines, ni vitamines, ni sels minéraux. Ingérer rapidement une forte quantité d'alcool peut aussi menacer directement la vie en provoquant une insuffisance hépatique aiguë, un coma hypoglycémique ou une acidose métabolique — responsable d'une insuffisance rénale aiguë.

L'atteinte du foie et des organes digestifs

L'alcool provoque dans le foie une accumulation de corps gras, puis une inflammation et enfin des lésions irréversibles des cellules hépatiques : c'est la cirrhose, elle-même source d'œdème des membres inférieurs, d'hémorragie digestive, d'ascite et, finalement, de coma hépatique. La consommation d'alcool peut aussi entraîner une pancréatite, responsable de douleurs abdominales survenant par crises, d'une inflammation de l'œsophage ou de la muqueuse de l'estomac.

Les maladies nerveuses et cérébrales

D'autres affections sont spécifiquement liées à la carence en vitamine B1 : polynévrite des membres inférieurs, névrite rétrobulbaire, avec baisse progressive et bilatérale de l'acuité visuelle, et encéphalopathie de Gayet-Wernicke, qui entraîne une amnésie associée à des fabulations, à des fausses reconnaissances (le malade croit, à tort, reconnaître des personnes en réalité inconnues) et à une désorientation temporelle. Non traitée, cette encéphalopathie devient irréversible : c'est le syndrome de Korsakoff.

Femmes enceintes et alcoolisme

Lorsqu'une femme enceinte boit de l'alcool, surtout pendant les premiers mois de sa grossesse, elle compromet gravement la santé de son futur enfant. L'ingestion régulière d'alcool, même en quantité modérée, suffit parfois pour que le bébé souffre d'un syndrome dit d'alcoolisme fœtal, ou embryofœtopathie alcoolique : trop faible poids à la naissance, malformations, déficience intellectuelle, comportement instable.

POURQUOI ON DEVIENT ALCOOLIQUE

La plupart du temps, les boissons alcoolisées sont d'abord synonymes de convivialité et de plaisir, mais aussi, chez les plus jeunes, symbole d'initiation à l'état adulte. Efficace à faible dose contre l'angoisse et l'inhibition, l'alcool tente les personnes incapables de dominer leur émotivité, sujettes à la dépression, aux phobies, ou simplement timides : c'est l'alcoolisme dit « de compensation ». La pression sociale joue également un rôle incontestable ; à l'alcoolisme « d'entraînement », s'attache toute une symbolique de force et de virilité, notable dans les pays où l'alcool accompagne traditionnellement la plupart des cérémonies.

Un danger insidieux

Petit à petit, sans y prendre garde, certaines personnes augmentent leur consommation, qui devient dangereuse à un stade dépendant autant de la quantité consommée que de leur propre fragilité. Après une période dite de tolérance, caractérisée par la nécessité d'augmenter progressivement les doses pour continuer de ressentir les effets de l'alcool, celui-ci devient nécessaire, d'abord psychiquement — boire devient le seul recours pour s'extérioriser ou simplement se réconforter —, puis physiquement : il est dorénavant synonyme de drogue.

GUÉRIR L'ALCOOLISME

La guérison d'un alcoolique passe nécessairement par une prise de conscience de son état. Or, celle-ci est souvent malaisée, d'autant que le malade a tendance à s'illusionner sur cet état ou à le dissimu-

ler. Chez un adolescent coutumier des fêtes « arrosées », les proches peuvent être alertés par une baisse des résultats scolaires, un désintérêt pour l'école. Mais souvent, les troubles sont peu évidents : certains signes peuvent cependant attirer l'attention — mauvaise mine, disparition de la pureté du blanc de l'œil —, ainsi que la fréquence inhabituelle des petits accidents, un léger tremblement et une irritabilité anormale le matin, ces derniers phénomènes disparaissant après la consommation du premier verre.

Le rôle de l'entourage et de la société

Sans forcément moraliser, informer un buveur des dangers de l'alcool peut le conduire à consulter un médecin et à diminuer sa consommation, alors que, une fois la dépendance installée, le seul remède sera l'abstinence définitive. C'est dire le rôle de l'État, tant d'un point de vue législatif (réglementation de la consommation d'alcool sur les lieux de travail, de la publicité, protection des mineurs) qu'informatif (spots publicitaires diffusés à la télévision, par exemple).

Une désintoxication est possible

Le suivi des alcooliques a considérablement progressé depuis une vingtaine d'années. Le sevrage, en particulier, est devenu plus supportable grâce à l'administration de médicaments anxiolytiques et sédatifs comme les benzodiazépines. L'hospitalisation est réservée aux alcooliques qui ne parviennent pas à se priver d'alcool à domicile mais qui sont suffisamment motivés. Elle dure environ trois semaines, et l'administration d'un tranquillisant évite ou atténue les symptômes du sevrage. Passé ce cap, on peut continuer à prescrire sur une longue période de la vitamine B1 et un médicament d'aide au maintien de l'abstinence. La plus grande difficulté que rencontre l'ancien buveur est la tentation de « replonger » dans l'alcoolisme. C'est ici qu'intervient la psychothérapie, qui vise à accompagner le malade, à le déculpabiliser tout en le responsabilisant. Après sa désintoxication, il est conseillé au patient de continuer à rechercher un soutien auprès de son médecin généraliste, d'une consultation en alcoologie et, si possible, d'un mouvement d'anciens buveurs. Les moyens thérapeutiques sont donc nombreux, et les résultats en voie d'amélioration, même s'ils ne sont jamais absolument acquis.   □

VOIR *Alcoolémie, Alcool éthylique, Alcoolisation, Cirrhose, Delirium tremens, Gayet-Wernicke (encéphalopathie de), Korsakoff (syndrome de) Zoopsie.*

Aldostérone

Hormone stéroïde sécrétée par la glande surrénale, jouant un rôle capital dans le maintien de l'équilibre sodium-potassium de l'organisme et dans la régulation de la tension artérielle.

L'aldostérone est le plus puissant et le plus important des minéralocorticostéroïdes, hormones synthétisées dans le cortex (partie périphérique) de la glande surrénale et actives sur les substances minérales (sodium, potassium par exemple). Elle permet au rein de réabsorber le sodium et, en revanche, favorise l'élimination du potassium.

L'aldostérone agit principalement sur le néphron (unité fonctionnelle du rein), où l'urine se forme à partir du sang. Stimulées par cette hormone, les cellules du tube distal (un segment du néphron) réabsorbent le sodium, qui passe de cette urine primitive dans le sang, et, à l'inverse, rejettent le potassium. Parallèlement, le sodium ainsi retenu dans l'organisme déclenche un phénomène d'osmose, entraînant une rétention d'eau. L'augmentation du volume sanguin qui en résulte fait monter dans certains cas la pression artérielle.

Une perte excessive de sodium et d'eau, par exemple en cas de diarrhée ou de vomissements, engendre une augmentation de la sécrétion d'aldostérone par la surrénale. Réciproquement, des quantités de sodium trop importantes freinent la sécrétion d'aldostérone, ce qui provoque une fuite de sodium dans les urines. Cette régulation fait appel à des substances réunies sous le terme de « système rénine-angiotensine ».

PATHOLOGIE

■ L'hyperaldostéronisme (hypersécrétion d'aldostérone) se caractérise par une hypokaliémie (chute du taux sanguin de potassium). Il est dit secondaire quand la sécrétion d'aldostérone est stimulée de façon excessive en réponse à une baisse du volume sanguin. Il est dit primaire dans les autres cas : il est alors souvent dû à un adénome de Conn (tumeur bénigne de la glande surrénale).

■ L'hypoaldostéronisme (hyposécrétion d'aldostérone) est caractérisé par une perte de sodium et d'eau dans les urines, entraînant une déshydratation chronique et nécessitant un traitement hormonal substitutif permanent. Il s'observe surtout en cas de destruction des glandes surrénales, caractéristique de la maladie d'Addison.

→ VOIR Addison (maladie d'), Conn (syndrome de).

Alexie

Incapacité de comprendre les signes écrits ou imprimés. SYN. *cécité verbale*.

L'alexie est due à une lésion de l'hémisphère cérébral dominant (le gauche pour les droitiers et le droit pour les gauchers). On peut distinguer l'alexie aphasique, où les troubles de la lecture sont les conséquences d'une aphasie (troubles du langage), et l'alexie agnosique, où la lecture est défaillante alors que le sujet parle et écrit normalement. L'alexie peut être littérale (le sujet ne peut lire les lettres, mais peut lire les mots), verbale (le sujet peut lire les lettres mais ne peut lire les mots) ou phrastique (le sujet ne lit pas tous les mots et ne comprend pas le sens de la phrase).

Algie

Douleur localisée, régionale ou viscérale, quelle qu'en soit la cause.

Algie faciale

Douleur de la face.

On distingue deux types principaux d'algie faciale.

■ L'algie vasculaire de la face, due à une anomalie du fonctionnement des vaisseaux, se manifeste par une douleur intense atteignant la moitié du visage, le plus souvent en arrière de l'œil, accompagnée d'une rougeur cutanée, d'un larmoiement et d'un écoulement nasal, du même côté. Son évolution se fait par crises de 30 minutes à quelques heures, pendant une période pouvant aller de 15 jours à plusieurs mois.

■ La névralgie du trijumeau, parfois due à une maladie neurologique (sclérose en plaques) mais le plus souvent sans cause connue, se manifeste par une douleur particulièrement intense, durant 1 ou 2 minutes, localisée d'un seul côté du visage. Elle est déclenchée par l'excitation d'une zone cutanée dite « zone gâchette ». Les crises durent quelques jours, voire quelques semaines.

TRAITEMENT

Le traitement des algies faciales comprend notamment l'utilisation des analgésiques usuels (paracétamol) ou des antidépresseurs (amitriptyline). Dans le cas de la névralgie du trijumeau, si ces analgésiques se révèlent insuffisants, on prescrit des bêtabloquants (propranolol) ou des antiépileptiques (carbamazépine). En cas d'échec, une intervention chirurgicale sur le nerf trijumeau peut être effectuée.

Algodystrophie

Syndrome douloureux d'une main, d'un pied ou de tout un membre, avec troubles vasomoteurs et trophiques, et déminéralisation osseuse prononcée.

Le terme d'algodystrophie englobe, entre autres, l'atrophie de Sudeck-Leriche, l'ostéoporose transitoire, le syndrome épaule-main, la capsulite, etc.

L'algodystrophie résulte vraisemblablement d'une perturbation du fonctionnement des nerfs sympathiques d'un membre. S'installant à la suite d'un traumatisme (fracture, entorse), d'une intervention chirurgicale ou sans cause apparente, elle atteint le plus souvent les membres inférieurs, mais peut toucher le membre supérieur (syndrome épaule-main après un infarctus du myocarde, par exemple).

SYMPTÔMES ET DIAGNOSTIC

Progressivement, une impotence douloureuse de la main, du pied, voire de tout le membre, apparaît. On observe alors une déminéralisation osseuse prononcée et étendue, associée, dans un premier temps, à un gonflement des tissus mous accompagné de chaleur locale, puis, dans un deuxième temps, à un refroidissement et à une rétraction de ces derniers, à l'origine d'une raideur de l'articulation.

Le diagnostic clinique repose sur le caractère très particulier des douleurs et sur les troubles trophiques. Les atteintes osseuses peuvent être très tôt mises en évidence grâce à une scintigraphie, puis à divers procédés d'imagerie (absorptiométrie biphotonique, scanner).

TRAITEMENT ET PRONOSTIC

Le traitement comporte avant tout la mise au repos du segment de membre atteint : l'utilisation d'une canne ou d'une béquille est le plus sûr moyen de supprimer les douleurs dues à une algodystrophie du genou ou du pied. Les symptômes cessent très souvent de façon spontanée au bout de 6 à 18 mois. Mais la calcitonine, les vasodilatateurs et les anesthésies locorégionales par blocage nerveux sympathique sont fréquemment utilisés pour hâter la guérison. Une rééducation peut aider à lutter contre l'ankylose.

Un certain degré de raideur peut persister à titre de séquelle définitive, voire, lorsque l'algodystrophie touche la main, des rétractions fixant les doigts en une griffe irréductible.

Aliénation mentale

Forme extrême de maladie mentale, incompatible avec une vie sociale normale.

Développé par le médecin français Philippe Pinel à la fin du XVIIIe siècle, le concept d'aliénation mentale est à la base de la psychiatrie moderne. En considérant l'aliénation mentale comme une maladie au même titre que les maladies organiques, il a en effet permis à la psychiatrie de prendre sa place parmi les sciences médicales. Aujourd'hui, le terme d'aliénation mentale n'est plus utilisé que dans le langage courant comme synonyme de folie ou de psychose ou dans un contexte juridique.

Aliment

Substance consommée à l'état naturel ou après cuisson, susceptible de fournir les matériaux de croissance, de réparer l'usure des tissus, de subvenir aux besoins énergétiques et de former les substances de réserve de l'organisme. Tous les aliments sont formés d'un petit nombre d'éléments simples, parmi lesquels on distingue les protéines, les glucides, les lipides, l'eau, les sels minéraux et les fibres.

CONSTITUANTS DES ALIMENTS

■ Les protéines sont les éléments de la cellule vivante. C'est l'alimentation qui les fournit à l'organisme. Les protéines d'origine animale sont issues de la viande, du poisson, des œufs, du lait et de ses dérivés (yaourt, fromage). Leur valeur nutritive est grande parce que leur coefficient d'absorption digestive est élevé et qu'elles sont riches en acides aminés essentiels. Les protéines d'origine végétale (céréales, légumes secs) ont un coefficient d'absorption plus faible et sont dépourvues de certains acides aminés essentiels.

■ Les **glucides**, ou hydrates de carbone, sont des substances énergétiques rapidement utilisables par l'organisme. Après la traversée digestive, ils peuvent être directement utilisés, mis en réserve dans le foie sous forme de glycogène ou transformés en lipides dans le tissu adipeux.

■ Les **lipides**, ou graisses, immédiatement utilisables ou stockés dans le tissu adipeux, sont la meilleure source d'énergie. Ils représentent environ 13 % du poids corporel chez l'homme, 20 % chez la femme.

■ L'**eau** permet le transport des éléments nutritifs vers la cellule. Elle représente de 60 à 70 % du poids du corps humain.

■ Les **sels minéraux** (potassium, calcium, magnésium, etc.) sont en suspension dans l'eau. Le calcium est nécessaire au bon état des os et des dents. Seules des doses infimes de zinc et de magnésium sont nécessaires au métabolisme cellulaire. Le chlorure de sodium (sel de table) maintient l'équilibre des fluides corporels. Son excès peut favoriser une hypertension artérielle.

■ Les **fibres** sont formées en grande partie de glucides non digestibles.

L'alimentation doit couvrir les besoins nutritionnels. Pour être équilibrée, elle doit faire appel à plusieurs types d'aliments qui se complètent.

CLASSIFICATION DES ALIMENTS

On classe habituellement les aliments en six groupes, en tenant compte de leurs caractéristiques nutritionnelles : groupe I (lait et produits laitiers) ; groupe II (viande, poisson, œufs) ; groupe III (corps gras : beurre, margarine, crème, huiles) ; groupe IV (céréales et dérivés, pommes de terre, légumes secs) ; groupe V (fruits et légumes) ; groupe VI (sucre et produits sucrés).

■ Les **aliments du groupe I** apportent des protéines animales. Leur apport en lipides et en glucides est variable. Ils sont très riches en calcium, en vitamines (A, B2, B12), mais contiennent peu de fer et pratiquement pas de vitamine C.

■ Les **aliments du groupe II** ont une teneur élevée en protéines. Ils apportent du fer et des vitamines B, voire A pour certains.

■ Les **aliments du groupe III** ne représentent que la fraction visible de l'apport en lipides. Il existe en effet des graisses « invisibles » contenues dans les aliments animaux. Ils sont riches en lipides, vita-

COMPOSITION NUTRITIONNELLE DES ALIMENTS

La composition est indiquée, sauf mention contraire, pour 100 grammes de la partie comestible de l'aliment cru (sauf indication contraire) ou pour une unité (un œuf par exemple), ou pour 100 millilitres de liquide.

	Énergie	Protéines	Lipides	Glucides	Vitamines	Minéraux
Groupe I (lait et produits laitiers)	(en kilocalories*)	(en grammes)	(en grammes)	(en grammes)		
Fromages	310 à 390	20 à 29	25 à 31	–	A, B, E, K	Calcium, phosphore, potassium, sodium.
Lait écrémé	33	3,3	0,2	5		
Lait entier	62	3,2	3,6	5		
Yaourt (un)	61	5,5	1,5	7		
Groupe II (viande, poisson, œufs)						
Bœuf	130 à 250	17 à 20,5	2 à 20,5	–	A, B, D, K	Fer, iode, phosphore, potassium, sodium
Charcuterie	122 à 490	7 à 29	5 à 47	0 à 6		
Cheval	110	21	2,5	1		
Coquillages et crustacés	40 à 100	8 à 20	0,5 à 25	0,5 à 4		
Mouton et agneau	195 à 290	15 à 22,5	12 à 25			
Œuf (un)	80	6,3	5,7	–		
Poissons gras (sardine, saumon, thon)	100 à 300	18 à 23	3 à 23			
Poissons maigres (colin, merlan, morue, truite)	70 à 80	6 à 19	0 à 1			
Porc	112 à 300	16 à 21	3,5 à 26	–		
Volaille	110 à 230	17,5 à 23	2,5 à 18	–		
Groupe III (corps gras)						
Beurre	760	–	82	–	A, D, E	–
Huile	900	–	100	–		
Margarine	760	–	82	1		
Groupe IV (pain et céréales, pommes de terre, légumes secs)						
Biscotte (une)	39	1	0,5	7,5	B, E, K	Fer, magnésium, phosphore, potassium.
Légumes secs (pois, fève, haricot, lentille)	275 à 320	21 à 24	1 à 1,5	45 à 53		
Pain blanc	274	8,4	1	58		
Pâtes alimentaires	355	12,5	–	73,6		
Pommes de terre bouillies	84	1,2	–	19,7		
Riz	378	7		86		
Groupe V (fruits et légumes)						
Fruits frais	20 à 85	0,5 à 1,3	–	5 à 19	A, B, C, E, K	Calcium, cuivre, fer, phosphore, potassium.
Légumes frais	14 à 65	1 à 3	–	2 à 10,5		
Groupe VI (sucre et produits sucrés)						
Chocolat	550	5	30	65		
Miel	307	0,4	–	76		
Sucre	400	–	–	100		

1 kilocalorie = 4,18 kilojoules, unité officielle actuelle d'énergie.

mine A (beurre, crème) et E (margarine, certaines huiles).

■ **Les aliments du groupe IV** sont des aliments énergétiques riches en glucides, contenant de 10 % (céréales) à plus de 20 % (légumes secs) de protéines. Seule la pomme de terre n'en contient que 2 %. Ils contiennent des fibres et des vitamines des groupes B et D.

■ **Les aliments du groupe V** sont riches en eau, en sels minéraux, en vitamines, avec une teneur en glucides variant de 5 à 20 %. Par la cellulose qu'ils contiennent, ils forment un élément de lest facilitant le fonctionnement intestinal. Ils sont presque toujours dépourvus de lipides. La cuisson permet d'augmenter la digestibilité des fruits et des légumes, mais, prolongée, elle peut avoir des effets néfastes en provoquant la destruction des vitamines C et B9 et la disparition d'une partie des sels minéraux.

■ **Les aliments du groupe VI** (sucre, miel, confiture, chocolat, confiseries, sirops, jus de fruits sucrés, etc.) fournissent des glucides rapidement utilisables par l'organisme.

→ VOIR Nutriment, Nutrition.

Aliment allégé

Aliment de valeur calorique réduite.

Les aliments allégés sont des produits dont la teneur en glucides et/ou en lipides a été réduite, de façon à proposer au consommateur des aliments de moindre valeur énergétique et à éviter ainsi une éventuelle prise de poids. Il s'agit essentiellement de produits laitiers, de produits carnés, de plats cuisinés, de corps gras, de sauces d'assaisonnement, d'aliments sucrés et de boissons industrielles ; leur fabrication est très strictement réglementée. Les nutriments (glucides, lipides) supprimés peuvent être remplacés par des produits de synthèse, de sorte que la texture et le goût de l'aliment allégé soient le plus proches possible de ceux de l'aliment habituel. Si, à court terme, la consommation de certains aliments allégés semble limiter ou éviter la prise de poids, leur effet à long terme est mal connu et fait actuellement l'objet de nombreuses études.

Alimentation

Action de s'alimenter.

Par extension, ce terme recouvre tous les processus aboutissant à l'ingestion d'aliments ainsi que l'ensemble des relations entre le sujet et les aliments. En cela, l'alimentation diffère de la nutrition, qui concerne l'ensemble des phénomènes biologiques d'assimilation et de dégradation des aliments qui s'accomplissent dans un organisme, permettant ainsi sa croissance, son maintien et son fonctionnement.

TROUBLES DE L'ALIMENTATION

Le comportement alimentaire mobilise des charges affectives complexes et dépend en partie des premiers rapports avec la mère. Il constitue un vrai « langage » et participe aux échanges et aux liens à l'intérieur d'un même système culturel.

Les troubles de l'alimentation peuvent avoir une cause organique (troubles du métabolisme, anomalie digestive congénitale, etc.) ou résulter d'un stress ou d'un conflit, mais aussi recouvrir un tableau plus grave. L'anorexie peut ainsi être l'indice d'une dépression, d'un état névrotique, voire d'une psychose. Il en va de même pour la boulimie et certaines lubies : goûts et dégoûts excessivement sélectifs, pica (besoin impérieux de manger des substances non comestibles telles que déchets, charbon, terre) ou encore coprophagie (consommation de ses propres matières fécales).

En règle générale, les médicaments ne doivent jamais concurrencer une alimentation équilibrée. Les régimes excessifs, les anorexigènes (substances provoquant une diminution de l'appétit), mais aussi les laxatifs et l'automédication constituent des risques pour la santé.

→ VOIR Nutriment, Nutrition.

Alimentation du nourrisson

Alimentation pendant les premiers mois de la vie, évoluant vers un régime varié.

Durant les premiers mois de la vie de l'enfant, la plupart des besoins nutritionnels sont couverts par l'allaitement, maternel ou artificiel. Dans les deux cas, un apport en vitamine D est indispensable pour éviter le risque de rachitisme.

Les aliments solides doivent être introduits très progressivement à partir du 4e mois, selon le poids de naissance de l'enfant et sa courbe de croissance.

→ VOIR Allaitement.

Alimentation entérale

Alimentation par voie digestive. SYN. *gavage.*

L'alimentation, ou nutrition, entérale est utile pour des malades chez qui les apports alimentaires sont impossibles, insuffisants ou inefficaces par voie orale, mais dont l'intestin reste fonctionnel.

INDICATIONS

Les principales indications sont les situations d'hypercatabolisme : comas prolongés, polytraumatismes, brûlures sévères, septicémies,

suppurations profondes, cancers, et les états de dénutrition liés aux maladies chroniques ou inflammatoires du tube digestif.

TECHNIQUE

L'alimentation entérale est réalisée à l'aide d'une sonde, généralement nasogastrique (introduite par le nez jusqu'à l'estomac), mais qui peut également être introduite par pharyngostomie, gastrostomie ou jéjunostomie (à travers une ouverture pratiquée dans le pharynx, l'estomac ou le jéjunum). L'administration des nutriments, continue ou discontinue, est contrôlée par une pompe à débit réglable, fixe ou portative, éventuellement munie d'un dispositif d'agitation et de réfrigération (nutripompe).

NUTRIMENTS

Les mélanges complets, équilibrés ou non en glucides, en lipides et en protides, sont les plus fréquents. Ils diffèrent surtout par la forme des protéines, plus ou moins prédigérées. Les préparations modulables sont plus rarement utilisées. L'augmentation de débit, progressive, est fonction de l'état intestinal et du lieu de perfusion, mais n'excède pas 2 ou 3 millilitres par minute. L'efficacité de l'apport nutritionnel est évaluée sur des données cliniques (poids, mesure du pli cutané, dont l'épaisseur témoigne de la qualité de l'assimilation des aliments, etc.) et des données biologiques, en particulier le bilan azoté et l'albuminémie.

EFFETS SECONDAIRES

Ils sont rares : pneumopathie de déglutition (fausse-route alimentaire) et intolérance digestive sévère (diarrhée) ; ils ne nécessitent qu'exceptionnellement l'arrêt définitif de l'alimentation entérale.

Alimentation parentérale

Alimentation par voie intraveineuse.

L'alimentation, ou nutrition, parentérale est utile pour des malades chez qui les apports alimentaires sont impossibles, insuffisants ou inefficaces par voie orale ou entérale (par voie digestive). Son efficacité est prouvée ou suggérée en gastroentérologie, en réanimation et en chirurgie lourde.

L'alimentation parentérale peut être complète ou non, exclusive ou non, de durée brève ou prolongée.

DIVERSIFICATION PROGRESSIVE DE L'ALIMENTATION DU NOURRISSON DE 3 ET 4 MOIS

Âge du nourrisson	*Aliments*	*Quantités moyennes*
Début du 3e mois	*Alimentation lactée*	
	Lait 1er âge	5 biberons de 150 ml de lait
	Farine sans gluten	1 ou 2 c. à soupe dans 150 ml de lait, 1 ou 2 fois par jour
	Alimentation semi-diversifiée	
	Jus de fruits	10 à 15 ml (2 ou 3 c. à café par jour)
	Légumes cuits	2 ou 3 c. à café dans 150 ml de lait, 1 fois par jour
Fin du 4e mois	Fruits cuits	2 ou 3 c. à café dans 150 ml de lait, 1 fois par jour

ALIMENTATION DU NOURRISSON DE 5 MOIS À 1 AN (quantités moyennes)

De 5 à 7 mois	*De 7 à 9 mois*	*De 9 mois à 1 an*
Petit déjeuner		
Bouillie fluide sans gluten (150 ml de lait 2ᵉ âge + 2 ou 3 c. à café de farine sans gluten). Jus de fruits, raisin, ananas orange (50 ml). En cas d'intolérance au jus de fruit, ne pas insister : la quantité de vitamine C apportée par les laits artificiels couvre les besoins de l'enfant.	Bouillie épaisse avec gluten (au moins 200 ml de lait 2ᵉ âge + 4 c. à soupe de farine) Jus de fruit (50 ml)	Bouillie épaisse ou lait aromatisé (au moins 250 ml de lait 2ᵉ âge + 5 ou 6 c. à soupe de farine) Biscuits Jus de fruit (100 ml)
Déjeuner		
Lait avec légumes mixés (150 ml de lait 2ᵉ âge + 2 ou 3 c. à café de légumes mixés) Fruits mixés (2 c. à soupe)	Viande, poisson ou bœuf mixés (1 c. à soupe) Purée de légumes (demi-pomme de terre + demi-légume délayés avec un peu de lait 2ᵉ âge) Compote de fruits (2 ou 3 c. à soupe)	Viande, poisson ou bœuf hachés (2 c. à soupe) Purée de légumes (demi-pomme de terre + demi-légume délayés avec un peu de lait 2ᵉ âge + 1 c. à soupe de margarine au tournesol) Petit-suisse légèrement sucré ou équivalent Demi-fruit mûr écrasé
Goûter		
Lait 2ᵉ âge (180 ml)	Lait 2ᵉ âge (au moins 200 ml) Biscuits, yaourt, petit-suisse ou fromage blanc	Lait 2ᵉ âge (200 ml) ou laitage Biscuits
Dîner		
Lait avec légumes mixés (150 ml de lait 2ᵉ âge + 2 ou 3 c. à café de légumes mixés) Fruits mixés (2 c. à soupe)	Lait avec légumes mixés (150 ml de lait 2ᵉ âge + 3 c. à soupe de légumes mixés) Compote de fruits (2 ou 3 c. à soupe)	Purée de légumes (demi-pomme de terre + demi-légume délayés avec un peu de lait 2ᵉ âge + 1 c. à café d'huile de tournesol) Laitage (1 yaourt, 2 petits-suisses, fromage blanc ou fromage râpé) Demi-fruit mûr écrasé

INDICATIONS

Les indications de l'alimentation parentérale de courte durée sont larges : états de dénutrition en périodes pré et postopératoires, cancers (en association avec les traitements curatifs), polytraumatismes, brûlures étendues, etc. Les indications de durée prolongée sont essentiellement gastroentérologiques (maladies de l'intestin grêle). Ce mode d'alimentation permet de suppléer un intestin déficient, absent ou trop court. En outre, il rend possible la mise au repos et la cicatrisation de lésions digestives sévères, en particulier dans les pathologies inflammatoires (maladie de Crohn).

TECHNIQUE

Un cathéter est introduit soit dans une veine périphérique (avant-bras) pour des apports modérés et/ou de courte durée, soit dans une veine profonde (sous-clavière ou jugulaire interne) pour des apports prolongés et/ou importants. Les solutés nutritifs, conditionnés en flacons ou en poches (ces dernières limitant le risque infectieux et permettant l'alimentation parentérale à domicile), sont administrés à l'aide de pompes de perfusion continue, à débit précis et réglable, munies de dispositifs de sécurité.

NUTRIMENTS

Les macronutriments sont des solutés glucidiques, des solutions d'acides aminés et des émulsions lipidiques facilement administrables par voie périphérique. Un apport équilibré en micronutriments, électrolytes, oligoéléments et vitamines est d'importance primordiale dans les cas de dénutrition aiguë et lors des alimentations prolongées pour éviter une carence. L'efficacité de l'apport nutritionnel est évaluée sur des données cliniques (poids, mesure du pli cutané, dont l'épaisseur témoigne de la qualité de l'assimilation des aliments, etc.) et des données biologiques (bilan azoté, albuminémie).

EFFETS SECONDAIRES

Ils sont rares et essentiellement liés à la voie veineuse : pneumothorax (abord sous-clavier), thromboses et surtout septicémies imposant des techniques de pose, de surveillance et d'entretien très rigoureuses. On observe également des complications hépatobiliaires (stéatose, cholestase, lithiase vésiculaire) et métaboliques (hyperglycémie).

Allaitement

Mode d'alimentation du nouveau-né et du nourrisson dans lequel le lait joue un rôle exclusif ou principal.

La période d'allaitement exclusif s'étend habituellement entre la naissance et l'âge de 2 à 4 mois. Pendant cette période, les besoins de l'enfant sont particulièrement élevés en eau, en énergie (protéines, glucides et lipides), en calcium et en phosphore, tous ces éléments étant présents dans le lait.

Allaitement maternel

C'est l'allaitement au sein.

Le lait maternel est l'aliment le mieux équilibré pour le nourrisson (teneur en graisses, éléments minéraux, oligo-éléments et vitamines). Il lui apporte les anticorps indispensables pour lutter contre les infections, notamment les gastroentérites. En outre, alimenter un nourrisson au sein crée un rapport physique et affectif privilégié entre la mère et l'enfant.

Dès les premières heures après l'accouchement, la glande mammaire sécrète un liquide jaunâtre et visqueux, le colostrum, très riche en éléments anti-infectieux. La véritable montée laiteuse est souvent plus tardive. Les seins deviennent souvent durs et douloureux. La première tétée est d'une grande importance, car de son déroulement va dépendre la bonne poursuite de l'allaitement. L'idéal est de mettre le nouveau-né au sein 2 heures après la naissance. Le bébé doit prendre entre les lèvres toute l'aréole du sein. Après 5 minutes de succion, la mère le mettra à l'autre sein. Les tétées suivantes sont généralement fréquentes (environ 7 ou 8 par 24 heures) et durent de 3 à 5 minutes pour chaque sein. Il est recommandé de les espacer peu à peu, surtout la nuit, de façon à ne plus donner que 6 tétées quotidiennes.

HYGIÈNE DE LA MÈRE

Il est bon que la mère se nourrisse d'aliments riches en protéines et en calcium (au moins un litre de lait par jour ou l'équivalent sous forme de produits laitiers divers) et se repose régulièrement. Il lui est conseillé de boire beaucoup, au moins 2 litres par jour, mais d'éviter la consommation de boissons alcoolisées, de café ou de thé. Le tabac peut provoquer des apnées (arrêts respiratoires transitoires) chez le nouveau-né.

Avant chaque tétée, la mère doit se laver les mains au savon et sécher le bout de ses seins pour éviter tout risque de crevasses ou d'infection. Une toilette quotidienne à l'eau et au savon est suffisante. Un soutien-gorge à ouverture frontale facilite la tétée et permet d'éviter la distension du tissu conjonctif de soutien du sein.

SURVEILLANCE

Chez le nourrisson, le rot, à la fin de la tétée, est physiologique et peut s'accompagner du rejet par la bouche d'une petite quantité de lait. On change l'enfant, qui s'endort ensuite naturellement et se manifeste souvent 3 ou 4 heures plus tard pour la tétée suivante.

Ordinairement, il a des selles 4 ou 5 fois par jour, d'aspect jaune d'or et grumeleux. La prise pondérale doit être contrôlée régulièrement. La première semaine, la pesée est quotidienne. Ensuite, une ou deux pesées par semaine suffisent. Le poids du bébé augmente de 25 à 30 grammes par jour jusqu'à 2 mois, puis de 20 grammes par jour jusqu'à 6 mois.

INCIDENTS ET CONTRE-INDICATIONS

Au début de la lactation, l'engorgement des seins, douloureux pour la mère, peut l'empêcher de faire téter convenablement le nourrisson. Il est alors conseillé d'utiliser un tire-lait ou de presser le sein manuellement pour prélever le lait en excédent.

Les crevasses mamelonnaires, très douloureuses, sont assez fréquentes. Leur traitement ne peut être proposé que par le médecin. Elles peuvent être soulagées par l'utilisation d'un mamelon artificiel. Il est également possible de tirer le lait au tire-lait et de le donner dans un biberon. La prévention des crevasses consiste en une hygiène locale rigoureuse et en l'application de crèmes protectrices non parfumées.

Des incidents infectieux comme une lymphangite (inflammation des vaisseaux lymphatiques) ou un abcès du sein, qui provoquent une fièvre et une douleur mammaire, nécessitent un traitement par antibiotiques de la mère et un arrêt momentané de l'allaitement. Par ailleurs, certaines maladies (sida, lymphangite) peuvent être transmises par le lait maternel. Allaiter son enfant et donner son lait à un lactarium est alors déconseillé.

En cours d'allaitement, il arrive qu'il faille envisager un passage rapide à l'allaitement artificiel (à cause d'une insuffisance de lait, par exemple). On administre alors à la mère de la bromocriptine (inhibiteur de la prolactine). Pour éviter de réactiver la sécrétion lactée, il ne faut pas tirer le lait.

Allaitement mixte

Ce mode d'alimentation alterne l'allaitement au sein et au biberon.

Le plus souvent, la sécrétion lactée diminue progressivement. Pour éviter un sevrage trop brutal, la mère peut alors remplacer une tétée par un biberon de lait au milieu de la journée, puis, après 3 ou 4 jours d'adaptation, supprimer une nouvelle tétée. On évitera d'en supprimer deux qui se succèdent et l'on maintiendra de préférence la tétée du matin et, si possible, celle du soir.

Allaitement artificiel

C'est l'allaitement au biberon.

À la naissance, l'arrêt de la lactation peut être obtenu par l'administration de bromocriptine. La mère doit éviter de boire en trop grandes quantités. Elle peut être amenée exceptionnellement à bander sa poitrine avec une large bande Velpeau. Lorsque la mère n'allaite pas, elle utilise du lait diététique spécial, adapté à l'âge du nouveau-né ou du nourrisson, en se conformant aux prescriptions du pédiatre. Le nombre de biberons est fixé en fonction du poids initial de l'enfant. La composition des laits artificiels se rapproche de celle du lait maternel. On les reconstitue en mettant une mesure de poudre pour 30 grammes d'eau (eau de source peu minéralisée ou eau du robinet préalablement bouillie). Les premiers mois, il ne faut rien ajouter au lait, ni sucre ni céréales : les parents doivent prendre garde à ne pas suralimenter l'enfant. Le lait premier âge est relayé au bout de 6 mois par le lait deuxième âge, plus riche en calcium et en fer. Les laits pasteurisés ou stérilisés U.H.T. ne doivent pas être proposés avant l'âge de 1 an.

HYGIÈNE DU MATÉRIEL

Un jeu de biberons et de tétines permet d'avoir toujours à sa disposition un biberon prêt à être réchauffé. La préparation doit obéir à de strictes règles d'hygiène. Il existe deux méthodes : la stérilisation à chaud et la stérilisation à froid. Pour la stérilisation à chaud, on laisse biberons et tétines dans de l'eau en ébullition pendant 15 à 20 minutes ou dans un autocuiseur (ou un stérilisateur) pendant 5 à 10 minutes. Les biberons de la journée peuvent être préparés simultanément puis placés dans le réfrigérateur. Pour la stérilisation à froid, biberons et tétines sont mis à tremper dans une solution antiseptique pendant environ 30 minutes. Très simple, cette méthode demande un rinçage prolongé des biberons et des tétines avant utilisation. Quelle que soit la méthode choisie, chaque biberon est réchauffé avant l'usage soit au bain-marie, soit dans un chauffe-biberon.

SURVEILLANCE

Elle est facile puisque la quantité de lait absorbée par l'enfant est connue des parents. Il faut cependant surveiller son poids et ses selles, car les risques de diarrhée sont plus importants, surtout en été.

INCIDENTS

Les incidents sont principalement dus à une préparation défectueuse des biberons ou à un lait mal adapté : diarrhée, érythème, stagnation du poids, raréfaction des urines, mauvaise digestion, etc. À long terme, certaines protéines contenues dans le lait de vache (en particulier la ß-lactoglobuline et la caséine, qui n'existent pas dans le lait maternel) peuvent entraîner chez l'enfant des réactions allergiques.

→ VOIR Alimentation du nourrisson.

Allantoïde

Une des trois annexes (avec l'amnios et le placenta) enveloppant l'embryon.

D'abord fixée sur l'intestin de l'embryon, cette membrane contribue à former le cordon ombilical et le placenta. Puis l'allantoïde constitue un diverticule de l'intestin embryonnaire qui, au cours de la grossesse, finit par s'étendre dans toute la cavité amniotique. En se soudant à d'autres membranes (mésoderme, trophoblaste), l'allantoïde forme le chorion.

L'allantoïde apparaît durant la troisième semaine de la grossesse. Richement vascularisée, elle participe à la formation des vaisseaux ombilicaux, du sang fœtal et au développement de la vessie. Elle est éliminée à la naissance.

Allèle

Chacun des deux gènes de même fonction occupant un site homologue sur chacun des deux chromosomes d'une paire.

Ainsi, le gène « yeux bleus » et le gène « yeux marron » sont deux gènes allèles. Si les deux gènes allèles sont identiques sur les deux chromosomes, on dit que le sujet est homozygote pour le caractère considéré ; s'ils sont différents, on dit qu'il est hétérozygote.

→ VOIR Chromosome.

Allergène

Substance qui entraîne une réaction allergique chez certains sujets.

Les allergènes font partie du groupe des antigènes, substances qui provoquent une réponse du système immunitaire (sécrétion d'anticorps) chez tous les individus. Un allergène est en général une protéine de l'environnement, mais il peut être formé par l'association de plusieurs substances. Les patients sont souvent polysensibilisés, c'est-à-dire allergiques à plusieurs allergènes. En outre, il existe des allergies croisées : un malade sensible à une substance réagit aussi à des substances de structure voisine.

■ Les pneumallergènes, qui pénètrent l'organisme par voie respiratoire, sont contenus dans les acariens de la poussière domestique, les pollens, les poils, squames et plumes d'animaux, dans les moisissures et les polluants industriels.

■ Les trophallergènes, qui pénètrent par voie digestive, sont présents dans le lait, les œufs, les viandes, les poissons, certains fruits et légumes. Certains aliments sont en fait des pseudoallergènes, c'est-à-dire qu'ils produisent des symptômes simulant l'allergie parce qu'ils sont riches en histamine, substance déclenchant les effets de l'allergie (fromages, boissons fermentées, choucroute, saucisson, conserves), ou parce qu'ils provoquent la libération de celle-ci par les cellules de l'organisme (œufs, crustacés, fraises, tomates, chocolat, poissons, noix, cacahuètes, alcool).

■ D'autres allergènes atteignent l'homme par des voies très variées, la voie sanguine par exemple ; on les trouve dans des médicaments, des venins, des microbes.

UTILISATION DIAGNOSTIQUE

Des préparations contenant des allergènes sont administrées en application cutanée, en injection intradermique (dans l'épaisseur de la peau) ou en aérosol pour tester la sensibilité du sujet. Ces tests font l'objet d'une surveillance étroite en raison du risque de réaction allergique grave.

→ VOIR Anticorps, Antigène, Atopie.

Allergie

Réaction anormale et spécifique de l'organisme au contact d'une substance étrangère (allergène) qui n'entraîne pas de trouble chez la plupart des sujets.

Pour que l'allergie survienne, il est nécessaire qu'un premier contact ait eu lieu entre l'allergène et l'organisme du sujet (sensibilisation).

MÉCANISME

Le rôle du système immunitaire est de reconnaître les antigènes qui se trouvent à la surface des micro-organismes et de produire des anticorps (immunoglobulines) et des globules blancs (lymphocytes) sensibilisés. Ceux-ci entreront en contact avec ces antigènes afin de détruire les micro-organismes. Un processus semblable se produit dans le mécanisme de l'allergie, mais le système immunitaire produit alors des anticorps et des lymphocytes sensibilisés à des substances inoffensives, les allergènes, qui sont identifiées à tort comme des antigènes dangereux.

CAUSES

Les allergies surviennent chez des sujets génétiquement exposés : il est fréquent que des manifestations allergiques aussi diverses que l'asthme, l'eczéma atopique, la rhinite allergique ou l'urticaire touchent plusieurs membres d'une même famille. D'autres facteurs favorisent le développement des réactions allergiques : l'environnement (présence d'un animal), les infections virales et les facteurs émotionnels.

DIFFÉRENTS TYPES D'ALLERGIE

Les réactions inappropriées ou exagérées qui se manifestent dans les allergies sont appelées réactions d'hypersensibilité.

■ L'hypersensibilité de type I, ou hyper-

Un premier contact a sensibilisé l'organisme. Le système immunitaire ayant mis l'allergène en mémoire, un nouveau contact déclenchera une réaction allergique. Des tests cutanés permettent d'évaluer la sensibilité de l'organisme à différents allergènes.

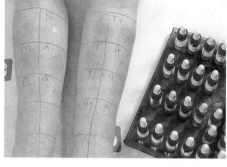

L'origine d'une allergie

Une rougeur locale indique une réaction à l'allergène.

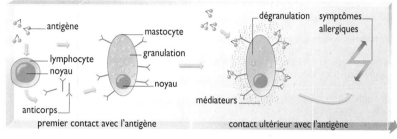

premier contact avec l'antigène — contact ultérieur avec l'antigène

Les anticorps se fixent sur les mastocytes, dont les granulations libèrent l'histamine lors d'un deuxième contact avec les allergènes, ce qui déclenche l'allergie.

sensibilité immédiate, est la plus fréquente. Les allergènes en cause proviennent des pollens (graminées, arbres, herbes), des acariens contenus dans la poussière domestique et les squames d'animaux (infimes particules de peau ou de poil), des moisissures atmosphériques, de certains médicaments et aliments (œufs, lait, crustacés, fruits secs, fraises), du venin d'insectes (abeille, guêpe), de colorants alimentaires (tartrazine). Lorsqu'il y a contact avec l'un de ces allergènes, les anticorps, immunoglobulines E (IgE), élaborés se fixent sur les mastocytes, cellules de la peau et des muqueuses dont les granulations contiennent de l'histamine (substance responsable des symptômes de l'inflammation et qui provoque également la contraction des muscles bronchiques). Lors d'un second contact, l'allergène s'unit aux IgE, ce qui entraîne la dégranulation des mastocytes, c'est-à-dire la libération de l'histamine et, par là, les divers symptômes de l'allergie : éruption, démangeaisons, gonflement, écoulement nasal, obstruction nasale, éternuements, toux spasmodique, conjonctivite, difficulté respiratoire, diarrhée. Il en résulte des manifestations comme l'asthme, le rhume des foins, l'urticaire, l'œdème de Quincke, le choc anaphylactique et de nombreux types d'allergie alimentaire.

■ L'hypersensibilité de type II, moins fréquente, est de nature cytotoxique ; elle fait intervenir les anticorps IgG et IgM. Elle est responsable des réactions transfusionnelles, de l'incompatibilité fœto-maternelle, d'anémies hémolytiques et de certaines intolérances médicamenteuses.

■ L'hypersensibilité de type III fait intervenir les anticorps IgG. Elle est responsable de glomérulonéphrites, du lupus érythémateux disséminé et d'une forme de maladie pulmonaire, l'alvéolite allergique (poumon

de fermier, maladie des éleveurs d'oiseaux), ainsi que du gonflement de la peau lors des rappels de vaccination.

■ L'hypersensibilité de type IV est une réaction cellulaire retardée responsable de dermatoses allergiques consécutives au contact de la peau avec certaines matières (nickel, caoutchouc, détergents, cosmétiques) et de granulomes (tuberculose, sarcoïdose), ainsi que du rejet de greffe tissulaire.

DIAGNOSTIC

Évoqué à partir des antécédents personnels et familiaux du sujet, de ses habitudes de vie, des signes cliniques (eczéma, urticaire, rhinite, asthme, diarrhée, etc.), le diagnostic est étayé par des tests cutanés.

TRAITEMENT

Le meilleur traitement consiste à éviter, dans la mesure du possible, tout contact avec l'allergène en cause. La désensibilisation est utile pour les allergies aux venins d'insectes, aux acariens et à certains pollens : en administrant, sous une surveillance médicale stricte, des doses minimes et très progressivement croissantes d'allergène, on favorise la formation d'anticorps, qui bloqueront par la suite les réactions allergiques. Ce traitement réussit dans environ 2 cas sur 3 mais doit être poursuivi pendant 3 ans au moins. Il peut provoquer des effets indésirables (démangeaisons, œdèmes, éruptions), rarement sérieux (asthme, choc anaphylactique). Les antihistaminiques soulagent les symptômes (démangeaisons dues à une piqûre d'insecte, par exemple).

→ VOIR Toxidermie.

Allergologie

Science qui étudie les manifestations pathologiques (allergies) survenant lors de l'exposition d'un organisme à certaines substances sensibilisantes (allergènes).

Alloesthésie

Trouble de la sensibilité auditive, visuelle ou tactile, caractérisé par la perception d'un stimulus du côté opposé à celui d'où il provient réellement.

Allogreffe

Greffe pratiquée entre deux individus d'une même espèce génétiquement différents. SYN. *allotransplantation, greffe allogénique, homogreffe, homotransplantation.*

L'allogreffe se distingue de l'autogreffe, dans laquelle le greffon est prélevé sur le patient lui-même, et de l'hétérogreffe, effectuée entre deux individus d'espèces différentes. Les greffes pratiquées entre deux vrais jumeaux ne sont pas des allogreffes, puisqu'elles concernent deux individus possédant le même patrimoine génétique. L'allogreffe est utilisée pour transplanter des tissus (peau, cornée, moelle, os, plus rarement vaisseaux et tendons) et pour remplacer un ou plusieurs organes malades (rein, cœur, foie, pancréas, poumons, intestin grêle) ; des allogreffes multiples peuvent ainsi être réalisées : cœur-poumons-foie, foie-rein.

Lors d'une allogreffe, le greffon est prélevé sur une personne venant de mourir ou en état de mort cérébrale ; un rein ou de la moelle osseuse peuvent toutefois être pris sur un donneur vivant.

La principale complication de l'allogreffe est la réaction de rejet du transplant : chaque individu est porteur d'un système d'antigènes, dits antigènes d'histocompatibilité, ou complexe HLA, qui sont des constituants de certaines cellules de l'organisme destinés à reconnaître, à neutraliser et à détruire les tissus qui lui sont étrangers. La réaction de rejet est plus ou moins intense selon la nature des transplants (cornée, os, tendons, vaisseaux sont généralement bien tolérés, à l'inverse de la peau, de la moelle et des organes), l'état immunitaire du receveur et le degré de ressemblance entre les groupes tissulaires du donneur et du receveur. La détermination des groupes HLA des donneurs potentiels et du receveur permet de trouver le meilleur appariement possible. En outre, différents médicaments (corticostéroïdes, azathioprine, ciclosporine, sérum antilymphocytaire, anticorps monoclonaux) ont pour but d'empêcher ou de limiter la réaction de rejet.

Allongement

Intervention chirurgicale consistant à augmenter la longueur d'un tendon ou d'un os.
■ L'allongement d'un tendon se pratique en cas de rétraction tendineuse ou après section avec perte d'un fragment du tendon.
■ L'allongement d'un os se pratique pour corriger une inégalité de longueur entre deux membres, essentiellement les membres inférieurs. On distingue deux techniques :
– dans les allongements extemporanés, l'os est sectionné en biais (ostéotomie) et ses deux extrémités sont ressoudées par fixation d'une plaque, en respectant l'écartement désiré. Cette technique (ostéosynthèse) est réservée à des gains en longueur ne dépassant pas 4 centimètres ;

– dans les allongements progressifs, les deux extrémités de l'os sont régulièrement écartées par un distracteur externe (tiges métalliques externes prenant appui sur des broches implantées dans chaque extrémité osseuse). Le gain obtenu est en moyenne de 1,5 centimètre par jour ; il peut atteindre 10 centimètres au maximum.

Allopathie

Mode habituel de traitement médical qui combat la maladie en utilisant des médicaments qui ont un effet opposé aux phénomènes pathologiques.
→ VOIR Homéopathie.

Allotransplantation

→ VOIR Allogreffe.

Alopécie

Chute totale ou partielle des cheveux ou des poils due à l'âge, à des facteurs génétiques ou faisant suite à une affection locale ou générale. SYN. *psilose.*

L'alopécie peut se rencontrer chez l'homme comme chez la femme.

Alopécies non cicatricielles

Dans les alopécies non cicatricielles, la pousse des cheveux est inhibée sans qu'il y ait lésion du cuir chevelu. Elles peuvent donc, selon leur cause, être réversibles. En fonction de l'étendue de la chute des cheveux, on distingue les alopécies localisées des alopécies diffuses.
■ Les alopécies non cicatricielles localisées sont essentiellement représentées par la pelade et les teignes.
■ Les alopécies non cicatricielles diffuses ont des causes très diverses.

L'alopécie séborrhéique, également appe-

lée alopécie androgénogénétique, ou calvitie commune, est due à un excès d'androgènes (hormones mâles). C'est la plus fréquente des alopécies. Elle commence au niveau des tempes et à la couronne, où les cheveux sont miniaturisés et progressivement remplacés par du duvet. Ce type d'alopécie concerne habituellement les hommes, mais peut également toucher les femmes, au moment de la ménopause ou à la suite du traitement d'un fibrome par des androgènes.

Les alopécies non cicatricielles diffuses peuvent également faire suite à un choc nerveux ou à un stress (avortement, choc psychologique - affectif ou professionnel -, surmenage, intervention chirurgicale, accouchement). De nombreux médicaments (anticoagulants, anticonvulsivants, antithyroïdiens, bêtabloquants, hypocholestérolémiants, rétinoïdes, anticancéreux) sont souvent responsables d'une chute diffuse de cheveux. Le mécanisme de leur action est variable : blocage de la synthèse des follicules pileux ou bien cassure des tiges pilaires. Des maladies infectieuses avec forte fièvre (grippe hyperthermique, infection bronchique, scarlatine), des troubles endocriniens (diabète, hypothyroïdie, hyperthyroïdie) et des maladies métaboliques (anémie, carence ferrique, régime amaigrissant) peuvent entraîner une alopécie transitoire.

Enfin, des agressions mécaniques sont parfois responsables d'alopécie : brossages violents, teintures, permanentes, lavages trop fréquents ou trichotillomanie (tic qui consiste à s'arracher les cheveux et qui s'observe surtout chez les enfants). Il arrive cependant qu'aucune cause ne soit trouvée.

TRAITEMENT
Le traitement de l'alopécie non cicatricielle est celui de l'affection d'origine (diabète, anémie, stress, etc.). La prévention des chutes de cheveux dues à une chimiothérapie anticancéreuse a été proposée, par casque ou réfrigération locale ; malheureusement, ses résultats restent souvent décevants. Les femmes atteintes d'alopécie séborrhéique peuvent suivre une cure hormonale à base d'œstroprogestatifs ou d'antiandrogènes. Dans tous les cas, l'hygiène du cuir chevelu doit être respectée : shampooing doux 1 ou 2 fois par semaine, suppression ou espacement des manipulations chimiques ou mécaniques agressives (permanentes, teintures). Les traitements généraux à base de vitamines du groupe B peuvent aider. L'efficacité du minoxidil, employé localement sous forme de solution (2 applications par jour pendant 6 mois), est transitoirement efficace. À l'arrêt du traitement, les cheveux retombent, mais le traitement peut être renouvelé. Les greffes de cheveux sont le seul traitement efficace de l'alopécie séborrhéique.

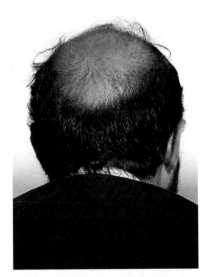

Alopécie séborrhéique ou calvitie commune. Sur les tempes et le haut de la tête, les cheveux deviennent rares, plus fins et plus courts, remplacés par un fin duvet, mais le pourtour du crâne est souvent épargné.

Alopécies cicatricielles

Les alopécies cicatricielles sont caractérisées par une destruction définitive des follicules pileux, souvent d'origine inflammatoire. Le cuir chevelu est alors lisse, brillant. Ces alopécies peuvent être soit congénitales (aplasie du cuir chevelu, kératose pilaire décalvante et atrophiante, etc.), soit acquises, et alors dues à certaines maladies infectieuses (favus, syphilis), auto-immunes (lupus érythémateux, sclérodermie, sarcoïdose) ou métaboliques (amylose), à des dermatoses bulleuses ou à des cancers (épithélioma basocellulaire). Certaines blessures (brûlure, radiodermite) peuvent également provoquer une alopécie cicatricielle.

→ VOIR Calvitie, Pelade, Teigne.

Alpers (maladie d')

Maladie se manifestant chez l'enfant, après une période de développement normal, par une dégénérescence de la substance grise du cerveau et du cervelet (cortex et noyaux gris).

Les causes de la maladie d'Alpers n'ont pas encore été déterminées, mais des études récentes ont permis de détecter chez les sujets atteints un déficit enzymatique mitochondrial.

Cette maladie, rare, parfois familiale, se caractérise par un affaiblissement des fonctions intellectuelles, une hypotonie (relâchement général des muscles) entrecoupée, par intervalles, de brèves secousses musculaires, ainsi que par des troubles de la motricité. À ces symptômes vient également s'ajouter une atteinte du foie pouvant conduire à l'insuffisance hépatique. L'évolution de la maladie est défavorable.

Alpha-1-antitrypsine

Glycoprotéine synthétisée par le foie, en grande partie responsable du pouvoir inhibiteur du sérum sanguin vis-à-vis de certaines enzymes destructrices des protéines, notamment de la trypsine.

La synthèse de l'alpha-1-antitrypsine augmente lors de tout processus inflammatoire. Une baisse de son taux dans le sérum peut favoriser l'apparition d'un emphysème pulmonaire.

Alphabloquant

Substance capable de s'opposer à certains effets de l'adrénaline. SYN. *alpha-adrénolytique*.

Les alphabloquants se fixent sur les récepteurs alpha des cellules de l'organisme et les bloquent, ce qui inhibe l'action de substances naturelles, telle l'adrénaline, en particulier l'effet hypertenseur de celle-ci. Les alphabloquants, avec les bêtabloquants, constituent les adrénolytiques, qui font eux-mêmes partie des sympatholytiques (inhibiteurs du système nerveux sympathique).

Les médicaments alphabloquants, tels que la prasozine et l'urapidil, sont utilisés contre l'hypertension artérielle et administrés par voie orale (ou sont injectables, en cas d'urgence). Ils sont contre-indiqués chez l'enfant de moins de 12 ans et peuvent être responsables d'une baisse exagérée de la tension artérielle, de troubles neurosensoriels (vertiges, bourdonnements d'oreille), de troubles digestifs, d'une réaction allergique ou d'une défaillance cardiaque.

Alpha-fluorohydrocortisone (9)

Médicament destiné à remplacer la sécrétion physiologique d'aldostérone lorsque celle-ci est tarie par une insuffisance surrénalienne (maladie d'Addison) ou une ablation des deux glandes surrénales. SYN. *fluoro-9-alpha-hydrocortisone*.

L'aldostérone intervient dans la volémie (volume sanguin circulant) en répartissant l'eau et le sel entre le sang et les tissus et en adaptant la pression artérielle aux changements de position du corps. Son déficit entraîne une perte excessive de sel et donc d'eau, avec réduction de la volémie et hypotension artérielle.

UTILISATION THÉRAPEUTIQUE

Le traitement par la 9-alpha-fluorohydrocortisone s'administre par voie orale et accompagne généralement un traitement oral par hydrocortisone. Il est parfois aussi prescrit en cas d'hypotension orthostatique (chute de la tension artérielle lors du passage de la position couchée à la position debout).

Alpha-fœto-protéine

Glycoprotéine présente dans le sérum du fœtus et disparaissant 2 semaines environ après la naissance.

Normalement, l'alpha-fœto-protéine (AFP) est synthétisée uniquement pendant la vie fœtale. Elle se retrouve également dans le liquide amniotique et dans le sang maternel à partir du premier trimestre de la grossesse. Le pic de concentration est atteint au bout de 15 à 20 semaines de gestation, les concentrations diminuant ensuite lentement. Des taux sanguin et amniotique supérieurs à la normale peuvent révéler une malformation neurologique du fœtus telle qu'un spina-bifida, une anomalie rénale ou une malformation de l'œsophage. Aussi, lorsque, à une semaine d'intervalle, on observe chez la mère des taux sanguins d'alpha-fœto-protéine élevés, effectue-t-on généralement une échographie, voire une amniocentèse, pour évaluer le taux d'alpha-fœto-protéine dans le liquide amniotique.

Chez l'adulte, l'alpha-fœto-protéine peut réapparaître au cours de certaines maladies, souvent hépatiques (cirrhose, hépatite virale ou alcoolique) et/ou tumorales (cancer du foie, des glandes génitales, du tube digestif, de la vésicule biliaire, du rein).

Alphastimulant

Substance capable de reproduire certains effets de l'adrénaline. SYN. *alpha-adrénergique, alphasympathomimétique*.

Les alphastimulants se fixent sur les récepteurs alpha des cellules de l'organisme et les stimulent, imitant les effets de l'adrénaline, en particulier la vasoconstriction (diminution du diamètre des vaisseaux sanguins capillaires). Les alphastimulants, avec les bêtastimulants, forment les adrénergiques, qui font eux-mêmes partie des sympathomimétiques (stimulants du système nerveux sympathique).

Un seul médicament alphastimulant, la phényléphrine (ou néosynéphrine), est utilisé couramment, en collyre, pour faciliter l'examen ou la chirurgie de l'œil, et par voie orale dans le traitement de certaines hypotensions artérielles.

Alport (syndrome d')

Syndrome associant une maladie rénale (néphropathie) héréditaire, une atteinte auditive et, parfois, des lésions oculaires.

Des travaux récents ont montré que le syndrome d'Alport, décrit pour la première fois en 1927, est dû à une anomalie biochimique du collagène, un des constituants de la membrane des capillaires glomérulaires (les glomérules sont les unités de filtration du rein).

■ **La néphropathie** est le plus souvent découverte chez l'enfant ou l'adulte jeune. Les garçons sont plus souvent touchés que les filles. Le signe révélateur est une hématurie macroscopique (présence de sang dans les urines).

■ **L'atteinte auditive** consiste en une surdité touchant l'oreille interne qui s'aggrave avec la néphropathie. Il existe très fréquemment des lésions oculaires associées, notamment une déformation du cristallin.

TRAITEMENT

Il n'existe aucun traitement spécifique du syndrome d'Alport, qu'il s'agisse de la surdité ou de la néphropathie elle-même. Cette dernière évolue généralement vers une insuffisance rénale chronique, traitée par hémodialyse (épuration du sang par filtration à travers une membrane semi-perméable).

Aluminium

Substance entrant dans la composition de pansements et d'antiacides digestifs.

L'aluminium médicamenteux se présente sous forme de phosphate ou d'hydroxyde, éventuellement associé à d'autres produits tels que le magnésium. Ses propriétés antiacides le font prescrire pour le traitement d'appoint des douleurs de l'estomac et de l'œsophage. Ses effets indésirables sont une constipation et une diminution de l'absorption digestive du phosphore alimentaire ou de certains médicaments.

Aluminose

Maladie respiratoire due à l'inhalation et à la fixation dans le poumon de poussières d'aluminium métallique (bauxite).

L'aluminose est une maladie de la famille des pneumoconioses liée à l'utilisation industrielle de poudres d'aluminium (peinture, fabrication de céramiques ou d'explosifs, etc.) ou à une exposition intensive lors de la transformation de l'alumine en aluminium. Elle n'entraîne généralement pas de fibrose (durcissement et épaississement du tissu pulmonaire). Le seul traitement possible est préventif : ventilation des locaux, port de masques ou de combinaisons, etc.

Alvéole dentaire

Cavité des os maxillaires dans laquelle est enchâssée une dent. (P.N.A. *alveoli dentales*.)

Chaque alvéole dentaire est tapissée par le périoste alvéolodentaire (membrane fibreuse et nutritive), sur lequel s'insèrent les ligaments alvéolodentaires retenant la dent.

Alvéole pulmonaire

Cavité naturelle présente dans le tissu du lobule pulmonaire. (P.N.A. *alveoli pulmonis*.)

Les alvéoles sont groupées par 5 ou 6 pour former un acinus pulmonaire desservi par une microbronchiole. Éléments terminaux des ramifications bronchiques, elles sont le lieu des échanges gazeux du poumon. Leur surface d'échange est d'environ 80 mètres carrés. Ainsi, c'est dans l'alvéole que l'air donne une partie de son oxygène pour transformer le sang veineux rouge sombre en sang artériel rouge vif. Ce phénomène de transformation est appelé hématose. L'air contenu dans l'alvéole s'enrichit alors en gaz carbonique, évacué à l'expiration. Une substance appelée surfactant, qui tapisse la paroi de l'alvéole, facilite l'hématose.

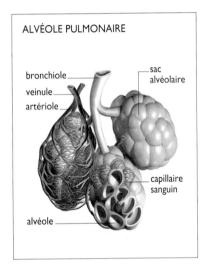

ALVÉOLE PULMONAIRE

bronchiole
veinule
artériole
sac alvéolaire
capillaire sanguin
alvéole

Alvéolectomie

Excision partielle du tissu osseux de l'alvéole dentaire destinée à permettre soit le dégagement et l'extraction d'une racine dentaire (entière ou d'un fragment), soit la régularisation d'une crête alvéolaire avant la pose d'une prothèse.

Alvéolite dentaire

Infection de l'alvéole dentaire. SYN. *périostite alvéolodentaire*.

SYMPTÔMES ET SIGNES

Cette complication peu fréquente survient en général à la suite d'une extraction difficile et souvent sur une dent déjà infectée. Des douleurs lancinantes, résistant aux analgésiques courants, se manifestent pendant une dizaine de jours. L'alvéolite « sèche » apparaît le plus souvent quand, à la suite d'une extraction difficile, le saignement local n'a pas été suivi de formation d'un caillot dans l'alvéole dentaire. Elle se caractérise par une alvéole vide, d'odeur fétide. Une infection peut aussi se développer après une extraction normale, si le caillot formé se détache de l'alvéole ou s'infecte. L'os se nécrose, se fragmente et devient souvent visible.

TRAITEMENT

Un traitement anti-infectieux local s'impose. Des antibiotiques et des anti-inflammatoires seront parfois prescrits. Dans certains cas,

un curetage de l'alvéole ou l'ablation d'un fragment d'os nécrosé sont nécessaires.

Alvéolite pulmonaire

Inflammation des alvéoles pulmonaires.

CAUSES

Suivant leur cause, on distingue plusieurs types d'alvéolite pulmonaire. Une alvéolite d'origine infectieuse – cas le plus fréquent – est appelée pneumopathie bactérienne. Certains allergènes respiratoires (déjections d'oiseaux, moisissures du foin, etc.) sont responsables d'une alvéolite nommée pneumopathie d'hypersensibilité, également appelée alvéolite allergique extrinsèque ou maladie des éleveurs d'oiseaux. L'alvéolite fibrosante est une maladie de cause inconnue, probablement auto-immune, avec intervention possible de facteurs génétiques. L'alvéolite radique, inflammation causée par l'exposition à des radiations, est une complication rare de la radiothérapie des cancers du poumon ou du sein.

SYMPTÔMES ET DIAGNOSTIC

L'alvéolite réduit l'élasticité des poumons pendant les deux temps de la respiration et diminue l'efficacité du transfert des gaz entre les poumons et les vaisseaux qui les irriguent. Elle entraîne le plus souvent des troubles respiratoires (essoufflement à l'effort et toux sèche). Cliniquement, l'alvéolite se traduit par des râles localisés à l'auscultation et une réduction de la capacité respiratoire sans obstruction des bronches. En cas d'alvéolite allergique, une analyse de sang peut être réalisée pour retrouver des anticorps spécifiques d'un allergène.

TRAITEMENT

L'état de certains patients peut s'améliorer par la prise de corticostéroïdes, prescrits jusqu'à normalisation clinique, radiologique et fonctionnelle respiratoire. En cas d'alvéolite allergique, la suppression de l'allergène responsable est indispensable et peut entraîner à elle seule la guérison.

Alzheimer (maladie d')

Affection neurologique chronique, d'évolution progressive, caractérisée par une altération intellectuelle irréversible aboutissant à un état démentiel.

La maladie d'Alzheimer se traduit par une dégénérescence nerveuse d'évolution inéluctable, causée par une diminution du nombre de neurones avec atrophie cérébrale et présence de « plaques séniles ».

HISTORIQUE

En 1906, le neuropathologiste allemand Alois Alzheimer décrivit des altérations anatomiques observées sur le cerveau d'une patiente de 51 ans atteinte de démence, d'hallucinations et de troubles de l'orientation. Depuis, on définit la maladie d'Alzheimer comme une démence présénile (pouvant apparaître avant 65 ans). La communauté scientifique réunit aujourd'hui sous l'appellation « démence de type Alzheimer » la maladie d'Alzheimer stricto sensu et les démences séniles.

FRÉQUENCE

La maladie d'Alzheimer est la plus courante des démences. Sa fréquence globale, après 65 ans, varie entre 1 et 5,8 %. Elle augmente

avec l'âge, atteignant 10 % après 85 ans. Les études épidémiologiques ont montré que les traitements anti-inflammatoires non stéroïdiens, la consommation modérée de boissons alcoolisées, le traitement hormonal substitutif de la ménopause diminuaient la fréquence de la maladie d'Alzheimer. Cette maladie risque de devenir, avec l'augmentation continue de l'espérance de vie, un véritable problème social. Malgré les efforts accomplis pour multiplier les centres d'accueil, ceux-ci sont en nombre insuffisant pour héberger les personnes privées de leur autonomie et qui ne peuvent être soignées par leurs proches.

CAUSES

Elles demeurent inconnues. De nombreuses théories ont été formulées, mais aucune d'entre elles n'est pleinement satisfaisante ou complètement vérifiée.

■ L'hypothèse neurochimique repose sur une diminution des taux d'une enzyme, la choline-acétyl-transférase, dans différentes zones du cerveau (cortex et hippocampe). Ce déficit entraînerait une diminution de l'acétylcholine, un neurotransmetteur (substance chimique assurant la transmission de l'influx nerveux), mais il n'explique pas la dégénérescence nerveuse.

■ L'hypothèse génétique repose sur des études épidémiologiques révélant l'existence d'antécédents familiaux de la maladie chez 15 % des sujets atteints. Dans ces familles, on constate également une augmentation de la probabilité de naissance d'un enfant trisomique 21 (mongolien), sans que l'on ait déterminé les raisons de cette association.

■ L'hypothèse virale est soulevée par analogie avec la maladie de Creutzfeldt-Jakob, une maladie cérébrale rare atteignant les personnes âgées. Toutefois, s'il existe un agent infectieux responsable de la maladie d'Alzheimer, il aurait besoin d'un certain contexte génétique, immunitaire ou toxique pour s'exprimer.

■ L'hypothèse immunologique repose sur la diminution globale du nombre de lymphocytes circulants et la présence accrue d'auto-anticorps. Toutefois, ces perturbations sont fréquentes avec l'âge en dehors de toute démence.

■ L'hypothèse vasculaire et métabolique est étayée par une réduction du débit sanguin cérébral, de l'oxygénation du sang et de sa capacité à capter le glucose. Cependant, ces déficits peuvent être la conséquence et non la cause de la détérioration cérébrale.

■ L'hypothèse toxique repose sur l'augmentation des taux d'aluminium dans le cerveau. Mais des concentrations 5 fois supérieures chez les dialysés ne produisent pas de dégénérescence nerveuse.

■ L'hypothèse des radicaux libres repose sur le fait que le vieillissement est dû, en partie, aux effets destructeurs de ceux-ci. Elle fait actuellement l'objet de nombreuses recherches.

SYMPTÔMES ET SIGNES

Le début de la maladie est généralement discret, marqué par des symptômes banals. Leur expression varie beaucoup d'une per-

Les recherches, qui portent essentiellement sur les causes de la maladie, mettent en œuvre des moyens divers : examens au microscope, imagerie médicale, analyses biochimiques, étude statistique des malades et de leur famille, etc.

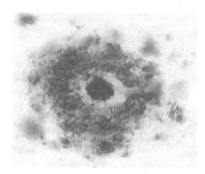

Une biopsie du cerveau est parfois pratiquée après le décès, à des fins de recherche. Cette photographie montre des plaques séniles caractéristiques telles qu'on peut les observer au microscope.

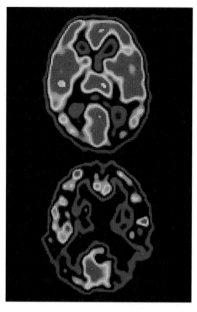

La tomographie par émission de positons représente les niveaux d'activité des neurones. Par rapport à la coupe horizontale d'un cerveau normal (en haut), l'image du bas dénote un ralentissement d'activité.

sonne à l'autre. Leur importance s'aggrave généralement avec le temps.

■ Les troubles de la mémoire constituent le premier symptôme de la maladie. Ils peuvent être isolés et durer plusieurs mois ou plusieurs années. Les malades n'arrivent plus à retrouver le nom d'une personne ou d'un lieu pourtant bien connus. On peut aussi constater des troubles de l'orientation dans le temps et dans l'espace. C'est plus tardivement que les troubles de mémoire touchent les faits anciens (incapacité du malade à évoquer les faits marquants de sa vie), les connaissances acquises lors de la scolarité ou de la vie professionnelle et le bagage culturel.

■ Les troubles du comportement sont, eux aussi, relativement précoces mais peuvent n'être remarqués que tardivement. Une indifférence, une réduction de l'activité sont souvent constatées ; elles représentent une réaction du malade à ses troubles de mémoire, mais témoignent parfois aussi d'un syndrome dépressif. Des troubles du caractère (irritabilité, idées de persécution) peuvent également apparaître.

■ Les troubles du langage (aphasie) passent parfois inaperçus au début : le malade cherche ses mots, utilisant fréquemment périphrases et mots passe-partout. Plus tardivement, l'aphasie ne fait plus de doute : discours peu informatif ou incohérent, inversion ou substitution de syllabes ou de mots. Des troubles sévères de la compréhension du langage s'installent.

■ Les troubles du comportement moteur se manifestent par une difficulté à effectuer des gestes pourtant très quotidiens (s'habiller, tenir une fourchette) alors qu'il n'y a pas de paralysie.

■ Des troubles de la reconnaissance des visages ne permettent plus au patient de reconnaître ses proches, voire de se reconnaître lui-même dans une glace.

Parfois, la maladie débute par un état confusionnel spontané ou déclenché par une prise de médicaments (anticholinergiques en particulier), une maladie ou un choc affectif (disparition d'un proche, déménagement, etc.).

DIAGNOSTIC

C'est souvent à un stade avancé de la maladie d'Alzheimer que les patients consultent pour la première fois leur médecin et que leur entourage commence réellement à s'inquiéter. À l'examen, le médecin détecte d'importants troubles de la mémoire avec, notamment, l'oubli quasi immédiat d'une consigne ou de l'idée que le patient voulait exprimer s'il interrompt sa phrase. Des tests psychologiques font apparaître une diminution des capacités intellectuelles.

En l'absence de marqueur biologique ou radiologique de la maladie d'Alzheimer, le diagnostic repose sur un faisceau d'arguments. Il faut avant tout s'assurer que le patient n'est pas atteint d'une affection donnant des symptômes proches de ceux de la maladie d'Alzheimer : hypothyroïdie, syphilis, anémie de Biermer, déficit en vitamine B12 ou en folates, tumeur cérébrale, hématome sous-dural ou lésions vasculaires cérébrales. Le scanner et l'imagerie par résonance magnétique montrent une atrophie cérébrale. Si celle-ci n'est pas spécifique de la maladie d'Alzheimer (elle s'observe chez nombre de sujets normaux), son aggravation entre deux scanners successifs et sa prédominance dans la zone pariéto-occipitale ont une certaine valeur diagnostique. Mais seule l'étude au microscope d'un fragment de cortex cérébral prélevé chirurgicalement peut apporter une certitude. De telles biopsies ne sont pratiquées que très exceptionnellement.

ÉVOLUTION

L'évolution de la maladie d'Alzheimer est très progressive. Dans la phase la plus avancée, le malade a perdu toute autonomie et doit être assisté dans tous les actes de la vie quotidienne tels que marcher, se lever, manger ou faire sa toilette. Une incontinence totale est souvent inévitable.

TRAITEMENT

Il n'existe actuellement aucun traitement spécifique de la maladie d'Alzheimer, mais on peut toujours envisager des soins palliatifs diminuant l'intensité des symptômes. Certains antidépresseurs peuvent être prescrits pour améliorer l'humeur du malade et diminuer son anxiété, mais il faut surtout éviter d'utiliser les antidépresseurs tricycliques en raison de leurs propriétés anticholinergiques. D'une manière générale, il faut proscrire tout médicament anticholinergique. En fait, l'essentiel du traitement repose sur la prise en charge du malade par ses proches dans un premier temps, si c'est possible, ou par une aide à domicile. Dans tous les cas, l'autonomie du patient et son maintien à domicile doivent être préservés le plus longtemps possible. L'hospitalisation ne doit être envisagée qu'à la phase ultime de la maladie.

Différents médicaments (tacrine, donepezil) qui pallient la carence en acétylcholine peuvent permettre une amélioration des symptômes et ralentir l'évolution de la maladie.

Amalgame dentaire

Matériau utilisé pour obturer les cavités effectuées sur les prémolaires et les molaires cariées.

Les recherches génétiques

Même si la maladie d'Alzheimer relève de causes variées, certaines formes familiales à début précoce (avant 65 ans) semblent avoir pour origine un facteur héréditaire transmis sur le mode autosomique (chromosomes non sexuels) dominant : il suffit que le gène soit transmis par l'un des deux parents pour que la maladie se développe chez l'enfant. Des études génétiques ont en effet établi que les gènes qui codent la protéine bêta-amyloïde, dont la présence – sous forme de dépôts anormalement abondants dans les plaques dégénératives cérébrales – est caractéristique de la maladie, se situent sur les chromosomes 19 et 21. En outre, les travaux réalisés par une équipe de chercheurs français et portant sur l'élaboration de la carte du génome humain (ensemble des gènes portés par les chromosomes de l'espèce) ont permis de localiser, en 1992, un 3e gène sur le chromosome 14. On peut donc imaginer que, dans un avenir plus ou moins proche, l'identification des gènes fautifs permettra une détection précoce de la maladie et ouvrira des voies thérapeutiques.

Le « plombage » utilisé au XIXe siècle, constitué de métal de Darcet riche en plomb, a été remplacé de nos jours par un alliage comprenant essentiellement de la poudre d'argent et, en quantité moindre, de l'étain et du cuivre malaxés avec du mercure lors de l'utilisation. L'amalgame malléable ainsi obtenu est condensé à froid dans la cavité dentaire et acquiert en quelques heures sa dureté finale. Son étroite adaptation aux parois dentaires et ses bonnes propriétés mécaniques le rendent tout indiqué pour la restauration des dents postérieures, soumises à de fortes pressions. L'apparition d'amalgames à haute teneur en cuivre a permis de retarder la corrosion du matériau et d'améliorer sa tenue dans le temps. Ce matériau, auquel on reproche parfois son aspect inesthétique, permet de conserver durablement des dents cariées et soignées. Son inocuité totale, remise en question, n'est étayée par aucune preuve scientifique.

Amaurose

Perte complète, transitoire ou définitive, de la vision, due à une atteinte neurosensorielle de la rétine et des voies optiques.

■ **L'amaurose transitoire**, ou *amaurosis fugax*, est une perte complète de la vision qui provient d'une obstruction temporaire de la circulation sanguine dans les vaisseaux rétiniens de l'œil. Cette obstruction est elle-même provoquée par des emboles (petits amas de cellules sanguines, de calcaire ou de cholestérol) provenant des zones altérées de l'artère carotide interne ou, plus rarement, du cœur. L'amaurose transitoire est une perte brutale et indolore de la vision, en général d'un seul œil, qui peut durer de quelques secondes à quelques minutes. En dehors de la crise, la vision est normale et l'examen du fond d'œil ne révèle aucune anomalie. Toutefois, un tel épisode nécessite toujours une exploration cardiovasculaire (en particulier écho-Doppler cardiaque et vasculaire et Holter électrocardiographique) afin de rechercher la plaque d'athérome carotidienne ou la cardiopathie qui provoque l'embolie. Le traitement fait souvent appel à des anticoagulants ou à des antiagrégants.

■ **L'amaurose congénitale de Leber** est une perte complète de la vision qui provient d'une anomalie rétinienne congénitale. Elle se manifeste par une cécité (ou une très faible acuité visuelle) dès la première année de la vie. Le regard de l'enfant ne se fixe pas et ses yeux sont animés d'un nystagmus (mouvements oscillatoires, courts et saccadés). Le fond d'œil, souvent normal au début, révèle ultérieurement une pigmentation anormale de l'œil, semblable à celle de la rétinopathie pigmentaire, dont l'amaurose de Leber est la variante congénitale. L'électrorétinogramme (enregistrement de la réponse électrique rétinienne à une excitation lumineuse) est plat.

Le sujet peut être atteint en même temps d'une cataracte (opacité du cristallin) ou d'un kératocône (déformation en cône de la cornée). Dans l'amaurose de Leber, la cécité est définitive.

Ambivalence

Tendance à éprouver ou à manifester simultanément deux sentiments opposés à l'égard d'un même objet : amour et haine, joie et tristesse, etc.

L'ambivalence se caractérise par une incapacité du sujet à départager les termes contradictoires d'un conflit devenu trop intense. Cela peut se traduire au plan moteur par une alternance de refus et d'acceptation d'une poignée de main. Cette notion a été introduite en 1910 par le psychiatre suisse Eugen Bleuler à la suite de ses travaux sur la schizophrénie. Ensuite, Sigmund Freud a eu recours à cette notion, dont il n'a cessé de souligner l'importance dans différents registres du fonctionnement psychique, aussi bien pour rendre compte de conflits intrapsychiques que pour caractériser certaines étapes de l'évolution libidinale, voire l'aspect fondamentalement dualiste de la dynamique des pulsions. Aujourd'hui, l'ambivalence est considérée comme un phénomène psychologique fondamental : bien intégrée, elle stimule la capacité à surmonter les conflits, favorisant ainsi l'adaptation et la créativité du sujet.

Amblyopie

Perte partielle ou relative de l'acuité visuelle (permettant la formation sur la rétine d'une image claire et nette, bien focalisée).

On distingue les amblyopies organiques, dues à une lésion du globe oculaire (traumatisme, intoxication ou infection) ou des voies optiques cérébrales, et les amblyopies fonctionnelles, dues à un trouble de la vision binoculaire, sans lésion organique. Dans l'usage courant, le terme d'amblyopie recouvre les amblyopies fonctionnelles.

CAUSES

Les principales causes des amblyopies fonctionnelles sont les suivantes :
- la cataracte (opacité du cristallin), le ptosis (chute de la paupière supérieure) ou toute occlusion oculaire s'étant prolongée sans surveillance ;
- le strabisme ;
- l'anisométropie (inégalité du pouvoir réfractif entre les deux yeux), au cours de laquelle l'œil le plus amétrope (porteur d'une anomalie de la réfraction : myopie, hypermétropie, astigmatisme) devient peu à peu amblyope, laissant l'œil le moins amétrope développer ses capacités visuelles.

DIAGNOSTIC ET TRAITEMENT

L'amblyopie fonctionnelle peut être réversible si elle est diagnostiquée et traitée avant l'âge de 6 ou 7 ans, avant que le réflexe binoculaire (d'équilibre visuel entre les deux yeux) soit •établi. Des dépistages précoces permettent de détecter les amblyopies fonctionnelles dès la petite enfance.

Outre le traitement approprié d'une cataracte ou d'un ptosis, le traitement de l'amblyopie consiste, dans un premier temps, à corriger les amétropies existantes, puis à rééduquer l'œil amblyope. La technique la plus utilisée consiste à cacher l'œil non atteint quelques heures par jour afin de stimuler l'acuité visuelle de l'œil amblyope.

Cette occlusion doit être néanmoins surveillée, car l'œil normal peut devenir lui aussi amblyope à mesure que l'acuité visuelle de l'autre œil se rétablit. En cas de strabisme, on pratique parfois une intervention chirurgicale portant sur les muscles pour remettre l'œil dévié dans le bon axe.

Ambulatoire

Se dit d'un acte chirurgical, d'un traitement, etc., qui autorise la marche et l'ensemble des activités qui lui sont liées.

■ **La chirurgie ambulatoire** comprend l'ensemble des actes chirurgicaux effectués sur un malade hospitalisé pour la durée de l'intervention et retournant chez lui le jour même. On parle aussi de chirurgie de jour.

■ **Un traitement ambulatoire** est un traitement qui ne nécessite ni alitement ni hospitalisation.

Amélie

Malformation congénitale caractérisée par l'absence totale des quatre membres.

Amélogenèse imparfaite

Minéralisation défectueuse de l'émail dentaire, d'origine congénitale.

L'émail prend une coloration brunâtre, tachetée. Sa faible résistance mécanique entraîne souvent l'apparition de caries ou une abrasion trop rapide.

Aménorrhée

Absence de règles.

L'aménorrhée primaire est l'absence d'apparition des règles à l'âge habituel de la puberté (en général vers 13 ans). L'aménorrhée secondaire est la disparition des règles depuis au moins trois mois chez une femme antérieurement réglée (à distinguer de la spanioménorrhée, c'est-à-dire la rareté et l'espacement excessif des menstruations).

Aménorrhée primaire

Très souvent, il s'agit d'un retard pubertaire simple. Plus rarement, les causes peuvent en être une malformation congénitale, une insuffisance ovarienne primitive (syndrome de Turner) ou une maladie hypothalamo-hypophysaire (adénome hypophysaire). Le diagnostic du gynécologue repose sur l'existence ou l'absence des caractères sexuels secondaires, l'examen des organes génitaux et la mesure des gonadotrophines hypophysaires (FSH, LH).

Aménorrhée secondaire

Devant une aménorrhée secondaire, on évoque d'abord une grossesse (aménorrhée gravidique), mais également l'absence de règles après cessation d'une contraception hormonale, qui peut se prolonger quelques mois. Si ce n'est pas le cas, le diagnostic est orienté par des éléments cliniques : variations pondérales, bouffées de chaleur, galactorrhée, signes d'hyperandrogénie (pilosité, acné), céphalées, troubles visuels et autres signes évoquant une maladie endocrinienne. Un test aux progestatifs (hormones qui provoquent la survenue de règles après

10 jours de traitement) permet d'apprécier la sécrétion d'œstrogènes. Le dosage de la prolactine sert à diagnostiquer des causes d'hyperprolactinémie. Lorsque ce premier bilan est négatif, la mesure du taux des gonadotrophines permet de distinguer deux causes : les insuffisances ovariennes et les dysfonctionnements hypothalamo-hypophysaires. Les premières sont rares (ménopause précoce, radiothérapie, chimiothérapie, castration chirurgicale) ; les atteintes hypothalamo-hypophysaires peuvent être fonctionnelles (anorexie mentale), organiques (adénome hypophysaire, insuffisance antéhypophysaire) ou médicamenteuses (utilisation d'antidépresseurs). Enfin, l'aménorrhée est permanente après ménopause ou hystérectomie.

Traitement de l'aménorrhée
Dans la plupart des cas d'aménorrhée, la découverte des causes permet la mise en place d'un traitement, de type chirurgical ou hormonal.
→ voir Gonadotrophine, Œstrogène, Turner (syndrome de).

Amétropie
Anomalie de la réfraction oculaire perturbant la netteté de l'image rétinienne (myopie, hypermétropie, astigmatisme).

L'amétropie est dite sphérique ou axile en cas de myopie ou d'hypermétropie (l'image se forme en avant ou en arrière de la rétine) ; elle est dite cylindrique en cas d'astigmatisme (l'image se forme sur la rétine, mais pas de façon homogène).

Amiante
Minéral composé de silicate de calcium et de silicate de magnésium.

Les propriétés isolantes de l'amiante, thermiques et phoniques, expliquent son utilisation fréquente dans l'industrie. L'inhalation intense et prolongée de poussières d'amiante ou d'asbeste (nom que l'on donne aux fibres légèrement teintées, verdâtres ou grisâtres par suite de la présence d'impuretés, par opposition au terme « amiante », qui désigne les fibres blanches et brillantes) est responsable de l'asbestose, l'une des plus importantes maladies professionnelles pulmonaires. Elle peut également entraîner l'apparition de plaques d'épaississement de la plèvre (membrane qui tapisse le thorax et enveloppe les poumons), de calcifications du diaphragme, d'épanchement pleural, d'un mésothéliome (tumeur de la plèvre), voire d'un cancer bronchique.

Amibiase
Maladie parasitaire due à l'infestation par l'amibe *Entamœba histolytica*.

Les amibes sont des protozoaires de la classe des rhizopodes, constitués d'une seule cellule mobile qui peut s'entourer d'une coque fine et former ainsi une sphère de quelques microns ou dizaines de microns de diamètre : le kyste amibien.

De nombreuses espèces d'amibes vivent dans le gros intestin de l'homme. Seule l'une

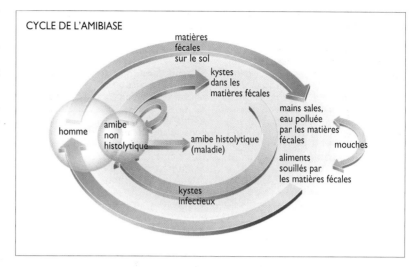

CYCLE DE L'AMIBIASE

d'elles, *Entamœba histolytica*, est susceptible de déclencher une amibiase ; elle seule possède en effet la capacité de traverser la muqueuse de l'intestin et d'en détruire la paroi.

Cette maladie, qui touche environ 10 % de la population mondiale, concerne surtout les régions tropicales les plus pauvres, dénuées de tout-à-l'égout, de latrines, d'eau potable, et où l'emploi des selles humaines comme engrais est une pratique courante. Elle survient aussi chez les voyageurs, sur place ou au retour de pays tropicaux, n'ayant pas suffisamment pu observer les règles d'hygiène alimentaire.

CONTAMINATION
La maladie se contracte par ingestion de kystes amibiens souillant l'eau, les fruits ou les légumes. L'amibe atteint le gros intestin et s'y installe (le plus souvent dans le côlon), d'abord à la surface de la muqueuse : « porteur sain », le sujet ne présente alors aucun symptôme ; cependant, ses matières fécales contiennent des kystes infectieux susceptibles de contaminer d'autres personnes. Dans un deuxième temps, l'amibe s'implante dans l'épaisseur de la paroi du gros intestin : c'est alors que se déclare l'amibiase proprement dite.

SYMPTÔMES ET ÉVOLUTION
L'amibiase se manifeste par une dysenterie (diarrhée douloureuse avec pertes de sang) : on parle alors de dysenterie amibienne. Complications graves et assez fréquentes, l'amibiase hépatique et l'abcès amibien du foie se manifestent par une fièvre, une douleur du foie (qui augmente souvent de volume) et une gêne à la respiration. L'abcès du foie peut se rompre ou comprimer les vaisseaux sanguins et le canal cholédoque. L'amibiase peut également générer un abcès amibien du poumon : le malade souffre alors de douleurs dans le thorax et de fièvre, tousse et respire avec peine ; dans certains cas, il crache un pus brunâtre, plus ou moins sanglant. L'amibiase peut encore, bien plus rarement, entraîner la formation d'abcès du cerveau, du rein ou d'autres organes.

DIAGNOSTIC ET TRAITEMENT
Le parasite est recherché dans les selles par examen au microscope, aisé en cas de dysenterie ; les amibiases hépatiques et pulmonaires sont diagnostiquées par la recherche d'anticorps spécifiques dans le sang. Les abcès sont localisés par échographie ou scanner, l'abcès amibien du foie nécessitant parfois une ponction sous contrôle échographique.

Le traitement de l'amibiase consiste en l'administration d'amœbicides diffusibles (déhydroémétine, métronidazole, etc.), et d'amœbicides de contact (hydroxyquinoléines) pour les porteurs sains. Ce traitement, très efficace, assure la guérison.

PRÉVENTION
Elle consiste en l'observation de règles d'hygiène alimentaire : consommation d'eau minérale en bouteilles capsulées, ou d'eau potable, rinçage des fruits et légumes avec de l'eau bouillie ou chlorée.

Amidon
Substance formée par l'enchaînement d'un grand nombre de molécules de glucose.

L'amidon est la principale réserve glucidique des végétaux ; il est surtout abondant dans les racines (manioc, igname), les tubercules (pomme de terre) et les graines (céréales). Son principal intérêt nutritionnel est d'être un glucide dont la dégradation intestinale est lente, libérant du glucose, principale source d'énergie de l'organisme, à un rythme régulier.

L'action enzymatique de l'amylase salivaire ou pancréatique solubilise l'amidon en amylodextrine, puis en dextrine, et finalement en un diholoside, le maltose, hydrolysé à son tour en glucose par action d'une enzyme, la maltase.
→ voir Glucide.

Amimie
Réduction de la mobilité du visage, indépendante de toute paralysie.

L'amimie, qui s'observe principalement dans la maladie de Parkinson, se caractérise

par une raréfaction et un ralentissement des mimiques habituelles du visage, qui donnent à celui-ci un aspect inexpressif. Les yeux gardent leur mobilité, mais le visage reste figé. Le clignement des paupières est réduit. L'amimie est souvent associée à d'autres troubles de la mobilité (marche, écriture, etc.) s'observant chez les personnes atteintes de maladie de Parkinson.
→ VOIR Parkinson (maladie de).

Aminoacide
→ VOIR Acide aminé.

Aminoacidurie
Présence d'acides aminés libres dans l'urine.

Une faible aminoacidurie est normale. Elle peut augmenter pour un ou plusieurs acides aminés dans différentes pathologies telles que les maladies métaboliques héréditaires, certaines néphropathies et dans certains cas d'insuffisance hépatique : on parle alors d'hyperaminoacidurie.

Aminoside
Médicament antibiotique actif contre certaines bactéries. SYN. *aminoglycoside*.

Au sein de la famille des aminosides sont regroupés plusieurs médicaments : amikacine, dibékacine, gentamicine, kanamycine, néomycine, nétilmicine, sisomicine, streptomycine, tobramycine, etc. Ils sont bactéricides, c'est-à-dire capables de tuer les bactéries en les empêchant de synthétiser leurs protéines. Les aminosides sont efficaces sur de nombreuses espèces bactériennes : staphylocoque, bacille à Gram négatif comme *Escherichia coli* (ou colibacille), etc.

INDICATIONS
Les aminosides sont indiqués dans les infections sévères, notamment urinaires, génitales, cardiaques (endocardites) ; la streptomycine, l'un des premiers antibiotiques actifs sur le bacille de Koch, est prescrite dans certains cas de tuberculose. La plupart des aminosides ne sont pas absorbés par voie orale, mais sont administrés par voie injectable (intramusculaire, intraveineuse) si une action sur un ou plusieurs organes profonds est nécessaire.

Certains aminosides comme la néomycine sont intéressants pour leur action locale, digestive, oropharyngée, cutanée, oculaire.

EFFETS INDÉSIRABLES
Les effets indésirables, outre les réactions allergiques, sont fréquents et parfois graves ; ils concernent le rein (insuffisance rénale) et l'oreille interne (surdité). On diminue les risques de lésions en limitant l'usage de ces produits, en surveillant les fonctions rénale et auditive pendant le traitement, et en évitant les associations avec d'autres médicaments toxiques pour le rein ou l'oreille. L'atteinte rénale est réversible, mais l'atteinte auditive est le plus souvent irréversible.

Amitose
Mode de division cellulaire simplifié.

L'amitose s'effectue par étranglement du cytoplasme et du noyau d'une cellule sans duplication ni répartition chromosomique préalable, contrairement à ce qui se passe dans la mitose. Les deux cellules obtenues sont dissemblables. Processus rare, l'amitose s'observe dans les proliférations cellulaires actives comme le cancer. Elle concerne également les leucocytes : elle est alors considérée comme un signe de vieillissement normal des cellules.

Amnésie
Perte totale ou partielle de la capacité de mémoriser l'information et/ou de se rappeler l'information mise en mémoire.

DIFFÉRENTS TYPES D'AMNÉSIE
Selon leurs symptômes, on distingue 5 types d'amnésie.

■ L'amnésie antérograde, ou amnésie de fixation, se manifeste par l'impossibilité de fixer de nouveaux souvenirs. Le malade ne peut rien mémoriser et oublie tout au fur et à mesure.

■ L'amnésie rétrograde, ou amnésie d'évocation, se caractérise par l'impossibilité de plus en plus prononcée de se rappeler les faits passés. Ceux-ci sont bien enregistrés, mais le malade ne parvient pas à les amener à la conscience au bon moment.

■ L'amnésie rétroantérograde est une combinaison des deux types précédents.

■ L'amnésie lacunaire se caractérise par une impossibilité d'évoquer les faits contemporains d'un traumatisme physique (commotion, électrochoc) ou psychique.

■ L'ictus amnésique est une amnésie transitoire qui peut durer de 1 à 10 heures. Pendant l'épisode, le patient répète sans arrêt les mêmes questions. Il s'agit d'une affection dont on ne connaît pas l'origine, mais qui récidive très rarement.

CAUSES
Une amnésie peut être causée par une lésion des aires cérébrales liées aux fonctions de la mémoire, d'origine vasculaire, tumorale, traumatique (commotion cérébrale), infectieuse (encéphalite), dégénérative (maladie d'Alzheimer), hémorragique (hémorragie sous-arachnoïdienne) ou due à une carence en vitamine B1, observée surtout chez les alcooliques (syndrome de Korsakoff).

Elle peut aussi survenir au cours de maladies psychiatriques, à la suite d'une crise d'épilepsie ou d'un choc. Enfin, nombre de troubles de la mémoire sont liés à la prise de médicaments, en particulier de tranquillisants (benzodiazépines). Utilisés de façon prolongée, ils induisent parfois une amnésie antérograde ou des troubles aigus de la mémoire proches de l'ictus amnésique.

TRAITEMENT
Sa nature dépend de la cause sous-jacente à la perte de mémoire. Le traitement des amnésies d'origine émotionnelle (psychoses, états névropathiques, etc.) est essentiellement psychologique. Il vise à lever les inhibitions et à ramener à la conscience du sujet les souvenirs oubliés, par le jeu de la libre association d'idées. Certains médicaments peuvent stimuler la mémoire dans des cas de dysmnésie (trouble de la mémoire sans amnésie importante), de surmenage scolaire ou professionnel.

Amniocentèse
Prélèvement de liquide amniotique dans l'abdomen maternel à des fins d'analyse.

INDICATIONS
L'amniocentèse est le plus souvent pratiquée entre la seizième et la dix-huitième semaine d'aménorrhée (arrêt des règles), mais elle est également réalisée plus tardivement pour évaluer la gravité d'une incompatibilité sanguine fœtomaternelle. L'amniocentèse peut d'ailleurs avoir lieu à tout moment de la grossesse, notamment en cas d'anomalie décelée à l'échographie.

L'amniocentèse permet d'analyser les cellules fœtales desquamées dans le liquide amniotique et le liquide lui-même, qui peuvent révéler d'éventuelles anomalies fœtales.

■ L'étude des cellules fœtales permet, d'une part, la recherche d'anomalies chromosomiques (syndrome de Turner, trisomie 21) grâce à l'établissement de la carte chromosomique du fœtus (caryotype) et, d'autre part, la recherche de certaines affections héréditaires grâce à l'étude de l'A.D.N. L'amniocentèse est conseillée aux femmes de plus de 38 ans pour dépister une trisomie 21, dans la mesure où le risque pour le nouveau-né augmente avec l'âge de la mère.

■ L'étude du liquide amniotique permet de doser plusieurs éléments dont l'existence en quantité anormale peut traduire certaines pathologies fœtales (spina-bifida [malformation ouverte du tube neural], mucoviscidose, etc.). Son étude permet également de diagnostiquer certaines maladies infectieuses transmissibles de la mère à l'enfant. On peut enfin prévoir le risque de maladie des membranes hyalines (syndrome de détresse respiratoire observé chez les grands prématurés) en étudiant certains des composants de ce liquide.

TECHNIQUE ET DÉROULEMENT
Le prélèvement est effectué, sous anesthésie locale et avec contrôle échographique, à l'aide d'une aiguille enfoncée à travers la paroi abdominale jusque dans l'utérus. La quantité de liquide prélevé varie entre 10 et 40 millilitres. Cette opération permet également l'injection de médicaments dans la cavité amniotique, autorisant ainsi le traitement précoce de l'enfant in utero. L'amniocentèse se pratique en milieu hospitalier ou chez le gynécologue ; elle ne dure que quelques minutes. Un léger repos est conseillé après le prélèvement, ainsi que l'absence d'activité physique intense pendant 1 ou 2 jours.

EFFETS SECONDAIRES
L'amniocentèse ne présente aucun danger pour la mère ; elle entraîne, de façon extrêmement rare (dans moins de 0,5 % des cas), une fausse couche due à une fissuration des membranes ou à une infection provoquées par le prélèvement. Les moindres symptômes de fièvre, de saignement, de pertes vaginales ou de douleurs dans les jours qui suivent l'examen nécessitent une consultation médicale. Le risque traumatique fœtal est nul ; il n'y a pas davantage de risque infectieux si les précautions d'asepsie sont respectées.

Le prélèvement du liquide amniotique, dans lequel baigne le fœtus, permet l'examen des cellules provenant de sa peau et l'étude du caryotype, c'est-à-dire la carte précise de ses chromosomes avec leur nombre et leur aspect.

Une aiguille fine est introduite à travers l'abdomen jusqu'à la paroi utérine avant d'atteindre le liquide amniotique, dans lequel baigne le fœtus.

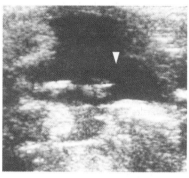

L'aiguille (flèche sur la photo) ne doit toucher ni le placenta ni le fœtus lui-même.

Amnios

Fine membrane tapissant l'intérieur de la cavité où se trouve le fœtus.

L'amnios, qui recouvre également le cordon ombilical et le placenta, est doublé par une autre membrane, le chorion, collée à la muqueuse utérine. L'amnios se remplit de liquide amniotique au cours de la grossesse. L'amnios et le chorion, qui protègent le fœtus, sont évacués avec le placenta après l'accouchement. Ils prennent alors le nom de « caduque ».

Amnioscopie

Examen direct du liquide amniotique et des membranes réalisé en fin de grossesse.

INDICATIONS

L'amnioscopie est pratiquée après 36 semaines d'aménorrhée (arrêt des règles) chez une femme qui présente des contractions utérines et dont l'accouchement semble se déclencher. Elle permet d'examiner la clarté et la couleur du liquide amniotique et, en particulier, de rechercher la présence de méconium (première selle verdâtre du fœtus), témoignant d'une souffrance fœtale. Cet examen peut servir à vérifier l'existence d'une fissuration de la poche des eaux et permet de déclencher prématurément l'accouchement si cela est nécessaire.

TECHNIQUE ET DÉROULEMENT

Le médecin introduit l'amnioscope, tube muni d'un système optique, dans le vagin, puis il le fait progresser à travers le col de l'utérus pour atteindre les membranes de la cavité amniotique.

L'examen se pratique à l'hôpital et dure quelques minutes. Il apporte des informations utiles avant que ne commence l'accouchement.

EFFETS SECONDAIRES

L'amnioscopie, indolore, déclenche parfois des contractions utérines, normales à ce stade de la grossesse. Elle peut occasionner quelques pertes de sang, qui ne présentent aucune gravité.

Amniotique

Relatif à l'amnios.

Bride amniotique

Une bride amniotique est un filament de fibrine ou de tissu conjonctif fibreux, dont la présence dans la cavité amniotique est anormale. Ces brides ne s'observent que dans le cadre de la maladie des brides amniotiques. Elles flottent dans le liquide amniotique ou relient deux points de la cavité amniotique. Elles seraient responsables de malformations des membres du fœtus (amputation des extrémités). Leur diagnostic peut être fait par échographie anténatale.

Embolie amniotique

L'embolie amniotique est un choc obstétrical dû à l'irruption de liquide amniotique dans la circulation sanguine maternelle à la fin de l'accouchement. Le risque est le décès maternel, mais l'embolie amniotique demeure heureusement très rare.

Liquide amniotique

Le liquide amniotique est un liquide clair dans lequel baigne le fœtus à l'intérieur de l'utérus maternel. Il protège l'enfant contre les chocs extérieurs et lui permet d'être maintenu à une température stable dans un milieu aseptique. Le volume de liquide augmente au cours de la grossesse. Transparent, il est formé d'eau dans laquelle on trouve des cellules fœtales (amniocytes). Il provient essentiellement des sécrétions des membranes qui entourent le fœtus, de l'urine fœtale et du liquide d'origine pulmonaire. Le liquide amniotique se renouvelle en permanence : il est avalé par le fœtus puis éliminé au cours de la miction. Enfin, lors de l'accouchement, il s'écoule après la rupture, spontanée ou provoquée, des membranes et lubrifie les voies génitales de la mère afin de faciliter le passage de l'enfant.

Deux examens permettent l'étude du liquide amniotique : l'amniocentèse et l'amnioscopie.

Au terme de la grossesse, le volume de liquide atteint environ 1,5 litre. Son insuffisance (oligoamnios) ou son excès (hydramnios) sont pathologiques, résultant de malformations fœtales ou provoquant certaines d'entre elles. Un hydramnios est constaté notamment chez les femmes enceintes d'enfants diabétiques ou porteurs de malformations digestives, d'anomalies de l'estomac, du duodénum ou de l'intestin grêle. L'examen clinique, qui permet de déceler un excès ou une insuffisance de liquide, doit être complété par une échographie pour rechercher d'éventuelles malformations. En cas de souffrance fœtale, le liquide amniotique verdit, en raison de l'émission prématurée du méconium (première selle verdâtre) par le fœtus. Il faut alors souvent provoquer l'accouchement.

Amœbicide

→ voir Antiamibien.

AMP cyclique

→ voir Adénosine.

Amphétaminique

→ voir Anorexigène.

Ampliation

Augmentation du volume d'une cavité naturelle du corps.

L'ampliation désigne habituellement l'augmentation du volume de la cage thoracique pendant l'inspiration. Elle se mesure à l'aide d'un ampliomètre.

Amplificateur de brillance

Appareil permettant de transformer une image optique en image électronique, utilisé en radioscopie pour augmenter la luminosité et la précision d'une image radiologique. SYN. *amplificateur de luminance.*

L'amplificateur de brillance est l'un des éléments du matériel radiologique utilisé pour retransmettre des images radioscopiques sur un écran de télévision (tables de radiologie télécommandées). Cet élément, fonctionnel depuis les années 1950, permet au radiologue de travailler en lumière tamisée grâce au gain de luminosité ; auparavant, il opérait dans l'obscurité.

Un amplificateur de brillance est moins irradiant qu'un appareil utilisé en radioscopie traditionnelle, car il nécessite une dose plus faible de rayons X, et il produit presque toujours des images de meilleure qualité.

TECHNIQUE

L'amplificateur est un tube électronique encadré de deux écrans. L'écran d'entrée est comparable à un écran de radioscopie conventionnel. Les rayons X induisent une faible luminescence, que l'amplificateur transforme en un flux d'électrons à l'intérieur du tube. Une tension électrique appliquée au tube permet d'accélérer les électrons, qui bombardent ainsi le deuxième écran avec une énergie supplémentaire. Ce deuxième écran transforme le flux d'électrons en lumière visible, avec un gain de luminosité considérable. L'image radioscopique peut désormais être saisie par une caméra vidéo et apparaître sur un écran de télévision.

Une nouvelle génération d'amplificateurs de brillance et de caméras vidéo permet la saisie numérisée des images et offre la possibilité de leur traitement secondaire sur ordinateur.

Amplification génique

1. Technique de biologie moléculaire qui permet de mettre en évidence in vitro des quantités infinitésimales d'A.D.N. SYN. *réaction en chaîne par polymérase.* En anglais, *Polymerase Chain Reaction (PCR).*

L'amplification génique est utilisée aussi bien en recherche que pour le diagnostic de certaines maladies, chaque fois qu'un acide nucléique doit être recherché ou analysé. Ainsi, cette technique est employée pour établir le diagnostic prénatal de maladies héréditaires, par l'étude du gène en cause dans les cellules du fœtus, ou dans le cadre des maladies infectieuses, pour la mise en évidence de germes présents en très faible quantité dans les prélèvements ou de ceux dont la culture est longue ou difficile (*Mycoplasma, Legionella,* mycobactéries).

La technique consiste à reproduire en grandes quantités un fragment d'A.D.N. correspondant à un gène connu, puis à l'identifier grâce à une sonde spécifique capable de reconnaître le gène. Il s'agit d'une technique de pointe encore coûteuse qui devrait rapidement devenir courante dans les années à venir.

2. Duplications successives exceptionnelles d'un gène en un point d'un chromosome.

Les amplifications géniques les plus fréquentes se produisent en réaction à des traitements, par exemple anticancéreux, et sont la cause de leur inefficacité, car elles accélèrent le phénomène de refoulement hors de la cellule de substances toxiques.

Ampullome vatérien

Tumeur maligne qui se développe dans la région de l'ampoule de Vater (point de convergence de la voie biliaire et du canal pancréatique de Wirsung, s'abouchant dans le duodénum).

Un ampullome vatérien provoque une obstruction des canaux biliaire et pancréatique qui se traduit par une poussée de fièvre, un ictère, des douleurs abdominales et un amaigrissement.

De petite taille, l'ampullome vatérien ne peut être diagnostiqué avec certitude que par un examen endoscopique du duodénum.

Un traitement chirurgical est possible dans les formes limitées de l'affection : ablation de la tumeur (ampullectomie), d'une partie du duodénum et du pancréas (duodénopancréatectomie partielle). En cas d'ablation risquée ou impossible à pratiquer, on réalise un court-circuit biliaire et digestif. En l'absence d'extension de la tumeur au pancréas, l'ampullome vatérien offre de bonnes perspectives de guérison.

Amputation

Ablation d'un membre ou d'un segment de membre.

L'amputation s'oppose à la désarticulation, où seuls sont sectionnés les muscles et les ligaments qui maintiennent l'articulation. Le terme d'amputation désigne également l'ablation du rectum et de l'anus quand la continuité digestive n'est pas rétablie et qu'un anus artificiel est créé (colostomie). L'expression « amputation congénitale » est parfois employée pour désigner les anomalies congénitales caractérisées par une absence partielle ou totale de développement des membres.

INDICATIONS

L'amputation chirurgicale s'effectue le plus souvent sur les membres inférieurs. Toutefois, elle se pratique rarement aujourd'hui pour compléter une amputation accidentelle partielle, la réimplantation du membre étant alors généralement tentée. L'amputation chirurgicale est le plus souvent indiquée pour traiter les tumeurs malignes des os ou des parties molles des membres, ou, chez les sujets âgés, pour prévenir la gangrène d'un membre totalement privé de circulation sanguine (artériopathie, thrombose) lorsqu'une opération de revascularisation est impossible ou a échoué. Enfin, on peut amputer certains membres ayant perdu leur motricité et souvent toute sensibilité, lorsque leur présence gêne ou empêche la pose d'une prothèse.

DÉROULEMENT

Lors de l'amputation, les chairs sont sectionnées au-dessous du niveau de la section de l'os, de manière à former un lambeau de recouvrement qui constituera le moignon. Dans les amputations d'urgence pour traumatisme, l'ablation est pratiquée le plus bas possible afin de préserver la plus grande partie possible du membre ; il est parfois nécessaire de réamputer ultérieurement le blessé pour réaliser un moignon facilement appareillable par prothèse. En revanche, lors des amputations pour gangrène artéritique, la section doit être haute et pratiquée en tissu bien vascularisé, la peau n'étant pas cousue pour éviter un surcroît de tension et une nécrose du moignon qui pourraient entraîner un abcès.

RÉÉDUCATION ET APPAREILLAGE

Après une amputation, le sujet peut ressentir des sensations anormales qui prennent parfois la forme de douleurs intenses : c'est l'algohallucinose, ou douleur du membre fantôme, qui correspond à l'interprétation erronée par le cerveau de sensations nerveuses venant du moignon comme si elles provenaient du membre en fait amputé. Les amputations qui conservent le talon, le genou sont mieux tolérées que les amputations de la cuisse. L'amputation des membres inférieurs chez le sujet âgé peut le confiner à un état grabataire ; dans les autres cas, et selon l'état général de l'amputé, une prothèse bien adaptée lui permettra de retrouver une vie sociale normale. Aussi la rééducation du moignon est-elle entreprise immédiatement après l'amputation afin d'obtenir une cicatrisation satisfaisante des tissus et de préparer le membre à l'appareillage. À la gymnastique, au massage et à la physiothérapie s'ajoute l'action du kinésithérapeute, qui « façonne » le moignon pour lui permettre de s'adapter à une prothèse.

Aux membres inférieurs, trois types de prothèse sont utilisés ; on les distingue selon le système de rattachement au moignon : emboîture classique (s'appuyant sur le relief osseux de la racine du membre), emboîture à adhérence (utilisant les contractions musculaires du moignon) ou emboîture de contact (se moulant à la fois sur le relief osseux et sur les parties molles).

Les amputations des membres supérieurs, surtout d'origine accidentelle, sont palliées par des prothèses soit esthétiques et dites « de vie sociale », soit fonctionnelles et dites « de travail », ayant une fonction de crochet ou de pince.

Amygdale

Ensemble de formations lymphoïdes situées sur le pourtour du pharynx. SYN. *tonsille.* (P.N.A. *tonsillæ.*)

Les amygdales présentent une surface irrégulière parsemée de dépressions profondes appelées cryptes amygdaliennes. Les amygdales les plus importantes et les plus volumineuses sont les palatines, situées de part et d'autre de la luette. D'autres amygdales ont une fonction plus accessoire : les amygdales linguales, situées à la base de la langue ; les amygdales pharyngiennes (végétations adénoïdes), à l'arrière-fond des fosses nasales ; les amygdales vélopalatines, sur la face postérieure du voile du palais ; les amygdales tubaires, autour des orifices de la trompe d'Eustache.

Les amygdales contribuent à la défense de l'organisme contre les microbes en formant des globules blancs, en produisant des anticorps et en jouant le rôle d'une barrière à l'entrée des voies aériennes supérieures.

PATHOLOGIE

Des infections aiguës répétées (angines ou amygdalites, otites) finissent par affaiblir les amygdales, qui deviennent elles-mêmes foyer d'infection. Une ablation chirurgicale, amygdalectomie pour les amygdales palatines ou adénoïdectomie pour les végétations adénoïdes, est alors envisagée.

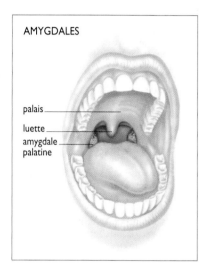

AMYGDALES

palais
luette
amygdale
palatine

Amygdalectomie

Ablation chirurgicale des amygdales.

INDICATIONS

L'amygdalectomie est indiquée en cas d'infection amygdalienne chronique ou à répétition, ou lorsque des amygdales hypertrophiques gênent la respiration.

DÉROULEMENT ET CONVALESCENCE

L'opération se pratique sous anesthésie générale de courte durée. Parfois, dans les 24 heures suivant l'intervention, des saignements de gorge surviennent ; le patient doit alors rester en position allongée, couché sur le côté, pour pouvoir déglutir plus facilement. Les douleurs dans la gorge et dans les oreilles, habituelles, exigent souvent la prise d'un analgésique. Une alimentation liquide et douce (crème glacée, par exemple) est donnée au patient. Des douleurs à la déglutition lors des repas peuvent persister pendant 2 ou 3 semaines environ. La guérison complète est normalement acquise après 2 semaines. Si un saignement se produit plus tard, il est nécessaire de consulter un médecin sans délai.

Amygdalite

Inflammation aiguë ou chronique, d'origine infectieuse, des amygdales palatines ou linguales.

Les amygdalites sont fréquentes chez l'enfant de moins de 9 ans, plus rares chez l'adolescent et l'adulte. Une amygdalite provoque des douleurs du pharynx et des difficultés à déglutir. Les autres signes sont une fièvre, des ganglions palpables au niveau du cou et une mauvaise haleine. À l'examen clinique, la gorge est rouge. Chez l'adulte, l'infection peut se compliquer d'un phlegmon périamygdalien (abcès entre la paroi pharyngée et l'amygdale). Si les symptômes persistent plus de 24 heures ou si un dépôt blanchâtre apparaît sur les amygdales, un médecin doit être consulté sans délai. Toute boisson ou mets glacés apporte un soulagement. L'alimentation sera riche en liquide. Une amygdalite aiguë requiert un traitement antibiotique. Lorsque cela se révèle nécessaire, on procède à une amygdalectomie.

Amylase

Enzyme d'origine salivaire ou pancréatique intervenant dans la dégradation de l'amidon en maltose. SYN. *alpha-amylase.*

L'amylase réalise le début de la digestion de l'amidon, principale réserve glucidique des végétaux, constitué par l'assemblage d'un grand nombre de molécules de glucose : elle le découpe, par un mécanisme d'hydrolyse, en maltose, formé de deux molécules de glucose.

L'augmentation du taux d'amylase dans le sang peut témoigner d'une pancréatite aiguë et se rencontre également dans certains cancers digestifs et dans les oreillons.

Amyloïde (substance)

Substance anormale ayant l'aspect de l'amidon et dont l'accumulation dans les tissus est responsable d'une maladie, l'amylose.

La substance amyloïde, essentiellement glycoprotéique, n'a pas de composition définie : c'est un mélange variable de différents composés comprenant parfois des anticorps, des hormones et une protéine proche de l'albumine.

Amyloïdose

→ VOIR Amylose.

Amylose

Affection caractérisée par l'infiltration dans les tissus d'une matière appelée substance amyloïde. SYN. *amyloïdose, maladie amyloïde.*

Une amylose peut survenir sans raison connue (amylose primitive) ou être une complication d'une autre maladie chronique (amylose secondaire) : tuberculose, dilatation des bronches, ostéomyélite, lèpre, polyarthrite rhumatoïde, cancer, etc. La cause de la production de substance amyloïde et de son dépôt dans les tissus n'est pas connue. Des hypothèses immunologiques ont été soulevées.

La substance amyloïde peut s'accumuler dans n'importe quel tissu (poumon, foie, cœur, rein, tube digestif, système nerveux, peau), les amyloses les plus fréquentes étant l'amylose cardiaque, l'amylose cutanée et l'amylose rénale. L'amylose bronchopulmonaire est plus rare.

Amylose bronchopulmonaire

L'amylose bronchopulmonaire, caractérisée par l'accumulation de substance amyloïde dans le poumon et dans les bronches, est une maladie rare, s'observant à l'âge adulte. Elle se manifeste par des nodules parenchymateux, des lésions trachéobronchiques, des dépôts alvéolaires diffus, voire une atteinte ganglionnaire pleurale. La biopsie des tissus infiltrés confirme le diagnostic.

TRAITEMENT

Il faut avant tout traiter la maladie sousjacente, quand elle existe. Dans ce cas, l'amylose bronchopulmonaire peut arrêter sa progression, voire régresser. Dans les formes localisées, le laser ou la chirurgie donnent de bons résultats.

Amylose cardiaque

L'amylose cardiaque, caractérisée par l'accumulation de substance amyloïde dans le cœur, se traduit par une insuffisance cardiaque parfois associée à une arythmie (troubles du rythme cardiaque) et à des anomalies de la conduction intracardiaque. L'échocardiographie montre un épaississement de toutes les parois du cœur avec un aspect inhabituellement brillant et granité du myocarde, associé à une dilatation des cavités et à une baisse de la contractilité. Les biopsies myocardiques apportent au besoin la preuve histologique de cette localisation de l'amylose.

TRAITEMENT

Le traitement de l'amylose cardiaque, purement symptomatique, vise à contrôler l'insuffisance cardiaque et à éviter les complications thromboemboliques de la maladie. Il est parfois nécessaire d'implanter un stimulateur cardiaque.

Amylose cutanée

L'amylose cutanée, caractérisée par l'accumulation de substance amyloïde sous la peau, peut revêtir différents aspects.

■ Les amyloses cutanées diffuses se caractérisent par l'existence de plaques de papules roses, lisses et fermes, non prurigineuses, associées à des ecchymoses du visage et du cou et, fréquemment, à une macroglossie (grosse langue) et à des signes d'atteintes musculaire, nerveuse et cardiaque. Le diagnostic repose sur la biopsie cutanée. Les amyloïdoses cutanées diffuses doivent faire rechercher une maladie sanguine ou immunitaire sous-jacente.

■ Les amyloses cutanées pures n'ont pas de signes viscéraux. Les principales sont :
– le lichen amyloïde, caractérisé par l'existence de plaques de papules arrondies, rosées, très prurigineuses, situées sur la face antéro-interne des jambes ;
– l'amylose pigmentaire maculeuse, caractérisée par l'existence de plaques brunâtres, souvent prurigineuses (provoquant des démangeaisons), sur le dos ; elle affecte fréquemment des sujets d'origine maghrébine ;
– l'amylose nodulaire, prurigineuse et purpurique (les dépôts amyloïdes infiltrés dans la paroi des vaisseaux cutanés augmentent la fragilité vasculaire et entraînent un pur-

pura), qui touche essentiellement le visage, le tronc et la région anogénitale.

TRAITEMENT

Le traitement des amyloses cutanées pures est le même que celui du prurit (sédatifs, antihistaminiques généraux, corticostéroïdes locaux). En cas d'amylose diffuse, le traitement repose sur celui de la maladie sous-jacente (radiothérapie, chimiothérapie).

Amylose rénale

L'amylose rénale, caractérisée par l'accumulation de substance amyloïde dans le rein, débute par une protéinurie (présence d'une quantité anormalement élevée de protéines dans les urines). Par la suite se développe rapidement un syndrome néphrotique complet avec œdème généralisé, protéinurie massive, hypoprotidémie (importante baisse du taux de protéines dans le sang). Le diagnostic repose sur la biopsie rénale, qui permet de mettre en évidence la présence de substance amyloïde dans les glomérules (unités de filtration du rein).

TRAITEMENT

Dans les formes secondaires, le traitement de la maladie sous-jacente peut stopper, voire faire régresser, le processus. Dans les formes primitives ou associées à un myélome multiple, la maladie évolue de façon irréversible vers l'insuffisance rénale, et un traitement par hémodialyse (épuration du sang par filtration à travers une membrane semi-perméable) devient nécessaire. Une transplantation rénale peut être envisagée, mais, à plus ou moins long terme, l'amylose rénale pourra atteindre le rein greffé.

Amyotrophie

Diminution du volume d'un muscle strié par réduction du nombre des fibres contractiles qui le constituent.

Une amyotrophie est généralement due à une lésion des fibres musculaires (amyotrophie myogène), à une lésion du système nerveux (amyotrophie neurogène) ou à une immobilisation prolongée.

DIFFÉRENTS TYPES D'AMYOTROPHIE

■ L'amyotrophie myogène, qui siège essentiellement à la racine des muscles, est l'un des principaux symptômes cliniques des myopathies (maladies des muscles), de la myopathie de Duchenne, notamment. Son pronostic et son traitement sont donc ceux de la myopathie en cause.

■ L'amyotrophie neurogène est, dans la presque totalité des cas, la conséquence d'une atteinte du nerf moteur qui commande le muscle atteint, confirmée par l'électrodiagnostic. La lésion peut siéger sur la corne antérieure de la moelle épinière, comme en cas de poliomyélite antérieure aiguë, de sclérose latérale amyotrophique ou d'amyotrophie spinale progressive. La lésion peut aussi siéger sur la racine antérieure du nerf moteur. Exceptionnellement, une amyotrophie neurogène peut être due à une atteinte du système nerveux central. Elle siège principalement aux extrémités des membres, s'associe à des crampes, à des contractions musculaires et à une diminution des réflexes.

L'amyotrophie se reconnaît à l'examen clinique par la disparition des saillies musculaires et peut s'apprécier de manière objective par des mensurations des membres. Le diagnostic peut être confirmé par un électromyogramme.

Anabolisant

Médicament favorisant l'anabolisme (construction des tissus à partir des substances nutritives).

Les anabolisants stéroïdiens, ou androgènes anabolisants (méténolone, noréthandrolone, nandrolone), sont les plus prescrits. Ils favorisent la synthèse des protéines, surtout dans les muscles et les os. Ils sont conseillés pour lutter contre les carences en protéines, les ostéoporoses (maladies fragilisant les os). Les sportifs s'en servent illégalement comme dopants, méconnaissant leur toxicité. Les anabolisants sont en général administrés en injections intramusculaires, espacées de une à plusieurs semaines. Ils sont contre-indiqués au cours de maladies de la prostate et du foie. Leurs effets indésirables les plus connus sont de type virilisant chez la femme (augmentation de la pilosité, raucité de la voix, troubles des règles) et l'enfant (acné, séborrhée).

Anabolisme

Ensemble des réactions chimiques aboutissant à la formation des constituants de l'organisme à partir des éléments simples de la digestion.

À l'inverse du catabolisme, qui désigne la dégradation et la formation de déchets, l'anabolisme correspond à la phase de construction et de synthèse du métabolisme.

Certains produits peuvent augmenter un type particulier d'anabolisme. Ainsi, les anabolisants stéroïdiens utilisés illégalement par certains sportifs ont la propriété d'augmenter les synthèses protidiques et donc la masse musculaire.

→ VOIR **Catabolisme, Métabolisme.**

Anaérobie

1. Se dit de micro-organismes qui se développent uniquement en l'absence d'oxygène.

On distingue les espèces anaérobies strictes, pour lesquelles l'oxygène est toxique, et les espèces anaérobies facultatives, qui n'utilisent pas l'oxygène dans leur métabolisme.

La flore endogène anaérobie, qui vit dans les cavités naturelles du corps (bouche, estomac, intestin, etc.), est constituée de micro-organismes tels que *Bacteroides, Prevotella, Fusobacterium, Peptostreptococcus.* Ces micro-organismes peuvent être, occasionnellement, responsables d'infections locales (gangrène) et de septicémies plurimicrobiennes associant anaérobies stricts et aérobies (entérobactéries).

La flore exogène tellurique (bactéries de l'environnement) comprend des bactéries anaérobies strictes sécrétrices de toxines très actives, qui peuvent provoquer des maladies graves (tétanos, botulisme).

2. Se dit de l'ensemble des réactions chimiques d'un organisme se produisant en l'absence d'oxygène.

Ces réactions chimiques se déclenchent au début d'un exercice musculaire. Le processus anaérobie comporte deux phases. La première, dite anaérobie alactique, correspond à l'utilisation d'adénosine triphosphate (A.T.P.) et de phosphocréatine, molécules énergétiques présentes dans les muscles. Cette phase permet la poursuite d'un exercice pendant 30 secondes. Au-delà de cette limite, la seconde phase, dite anaérobie lactique, permet de produire de l'énergie à partir de la dégradation incomplète des glucides stockés dans le foie et les muscles et s'accompagne de la production d'acide lactique, qui provoque à terme des crampes musculaires. Lorsque l'exercice se prolonge, à la phase anaérobie succède la phase dite aérobie, qui permet l'oxygénation cellulaire.

Les exercices anaérobies sont caractérisés par des efforts brefs mais intenses (exercices en résistance : haltérophilie, sprint).

Analeptique

Médicament stimulant l'activité respiratoire ou cardiaque.

Les analeptiques respiratoires, représentés surtout par l'almitrine, sont prescrits par voie orale ou intraveineuse pour combattre les insuffisances respiratoires chroniques (par exemple la bronchite chronique), au besoin en urgence. Différentes substances telles que les cholinergiques (stimulants du système nerveux sympathique) sont parfois appelées analeptiques cardiaques ou circulatoires : elles permettent le traitement des états de choc (insuffisance circulatoire aiguë) et sont proposées également dans certaines hypotensions artérielles.

Analgésie

Abolition de la sensibilité à la douleur, spontanée ou thérapeutique.

■ **Une analgésie spontanée** peut survenir à la suite d'une lésion du système nerveux périphérique (ensemble des nerfs qui relient le système nerveux central au reste du corps).

■ **L'analgésie thérapeutique** consiste à supprimer la sensibilité à la douleur aiguë, qu'elle soit transitoire (suite à un acte chirurgical, par exemple) ou chronique (d'origine cancéreuse, par exemple). Selon le type de douleur et son intensité, les analgésiques employés sont périphériques (aspirine et paracétamol essentiellement) ou centraux (morphine).

L'administration d'analgésiques périphériques tels que les dérivés du paracétamol est le mode d'analgésie le plus courant. L'analgésie s'effectue d'abord par voie intraveineuse afin d'obtenir un effet immédiat. Elle est ensuite relayée par la voie orale sur une durée de 24 à 48 heures.

Le recours à la morphine ou aux produits morphinomimétiques (produits de synthèse reproduisant l'action analgésique de la morphine) est nécessaire en cas de douleur intense. La morphine est habituellement prescrite par voie sous-cutanée, intramusculaire ou intraveineuse. Elle peut aussi être administrée par voie rachidienne ou péridurale afin d'agir directement sur les récepteurs de la corne postérieure de la moelle épinière. La méthode dite « d'analgésie autocontrôlée », qui consiste à donner au patient la possibilité de s'administrer lui-même de la morphine grâce à un cathéter intraveineux à demeure, est de plus en plus utilisée. Le médecin détermine la dose et l'intervalle de temps minimal entre deux prises. Toutes les méthodes utilisant la morphine ou les produits morphinomimétiques nécessitent une surveillance étroite du patient, car elles l'exposent à des complications telles qu'une dépression respiratoire (inhibition d'origine centrale de la commande de la respiration), une rétention aiguë d'urine, un prurit, des vomissements.

À côté de ces moyens pharmacologiques classiques existent d'autres méthodes d'analgésie : la cryothérapie (traitement par le froid), la thermothérapie (traitement par la chaleur), la neurostimulation transcutanée, l'électrothérapie et l'acupuncture.

Analgésique

Médicament destiné à supprimer ou à atténuer la douleur. SYN. *antalgique*.

Les analgésiques sont soit périphériques, agissant à l'endroit de la douleur, soit centraux, agissant sur le système nerveux central (moelle épinière, cerveau). Les analgésiques périphériques, dont certains sont également efficaces contre la fièvre, sont représentés essentiellement par le paracétamol et l'aspirine. Les analgésiques centraux sont en général dérivés de la morphine : la codéine et le dextropropoxyphène sont des morphiniques mineurs ; la morphine, la buprénorphine, la pentazocine et la péthidine sont des morphiniques majeurs.

Les analgésiques sont souvent prescrits en complément du traitement de la cause de la douleur. Ils sont parfois associés à des médicaments plus spécifiques des symptômes (antispasmodiques, anti-inflammatoires, antimigraineux, etc.), qui peuvent même les remplacer avantageusement. En cas de douleur intense et rebelle, les prescriptions se font par ordre croissant de toxicité : paracétamol, puis d'autres analgésiques périphériques, puis morphiniques mineurs et enfin morphiniques majeurs.

L'administration peut être orale, rectale, intramusculaire, intraveineuse ou locale (par cathéter).

EFFETS INDÉSIRABLES

Très nombreux et parfois graves, ils sont particuliers à chaque type de produit et sont favorisés par l'automédication. Les analgésiques centraux doivent faire l'objet d'une prescription médicale.

Anamnèse

Ensemble des renseignements fournis au médecin par le malade ou par son entourage sur l'histoire d'une maladie ou les circonstances qui l'ont précédée.

Anamorphose

Déformation provoquée volontairement sur les clichés radiologiques et destinée à mettre en évidence des éléments habituellement peu visibles.

Anaphylaxie

État d'un être vivant qui, sensibilisé par l'introduction d'un allergène dans son organisme, est susceptible de réagir violemment à l'introduction ultérieure d'une nouvelle dose, même minime, de cet allergène.

L'anaphylaxie repose sur la production d'anticorps de type E (IgE), qui, lors du deuxième contact avec l'allergène, libèrent dans l'organisme des substances telles que l'histamine, qui déclenchent les effets de l'allergie. Tous les symptômes de l'allergie peuvent être observés lors de la réaction anaphylactique (eczéma, asthme, œdème de Quincke) ; le choc anaphylactique, réaction allergique aiguë et parfois mortelle, en constitue la manifestation la plus grave.

Le sujet qui manifeste une telle sensibilité à un allergène doit éviter tout contact avec l'allergène en question ou envisager un traitement de désensibilisation, au cours duquel il sera progressivement habitué à supporter le contact avec l'allergène.

Anaplasie

Perte des caractères morphologiques et fonctionnels des cellules du tissu originel, qui s'observe dans les tumeurs malignes.

Selon son degré de ressemblance avec le tissu où elle a pris naissance, une tumeur est qualifiée de différenciée ou d'indifférenciée : l'anaplasie est le degré ultime de l'indifférenciation.

Toute tumeur peut être anaplasique, au moment où elle apparaît ou au cours de son évolution. Les données actuelles de l'immunohistochimie (technique histologique de marquage des cellules par des réactions immunologiques) permettent cependant de rattacher assez souvent, et de façon fiable, une tumeur anaplasique aux cellules dont elle est issue ou, du moins, à un groupe de tissus précis.

Anarthrie

Incapacité ou difficulté à articuler des sons, indépendante de toute lésion des organes de la phonation et alors que la compréhension du langage oral et écrit est normale.

CAUSES

L'anarthrie est due à une lésion de l'hémisphère cérébral dominant (le gauche chez les droitiers, par exemple) au niveau de la partie inférieure de la troisième circonvolution frontale ou des structures sous-corticales. Celle-ci peut être d'origine traumatique, vasculaire, infectieuse ou tumorale.

SYMPTÔMES ET SIGNES

Un sujet anarthrique est incapable d'articuler correctement des sons. Les troubles sont variables d'un moment à l'autre et peuvent être absents dans le langage automatique (énumération des jours de la semaine, de l'alphabet, etc.). En revanche, l'anarthrie se manifeste systématiquement pendant la lec-

ture à haute voix, la conversation ou quand le sujet répète une phrase. Le volume de sa voix est réduit ; son ton, monocorde. Dans la majorité des cas, l'anarthrie correspond à une forme évolutive d'une aphasie de Broca (aphasie où prédominent les troubles de l'expression). Elle s'accompagne parfois d'une hémiplégie transitoire et presque toujours d'une paralysie faciale, ainsi que d'une difficulté ou d'une impossibilité à réaliser certains gestes bucco-linguo-faciaux tels que siffler, souffler, gonfler les joues ou faire claquer la langue. L'anarthrie ne s'accompagne pas de troubles sensitifs ni de réduction du champ visuel.

Anasarque

Œdème généralisé du tissu cellulaire sous-cutané avec épanchement dans les cavités séreuses (plèvre, péricarde, péritoine).

L'apparition d'une anasarque est due à diverses maladies (insuffisance cardiaque, cirrhose du foie ou insuffisance rénale) et entraîne une prise de poids importante, une fatigue intense et un essoufflement. Le traitement spécifique de l'affection d'origine s'accompagne de prise de diurétiques par voie intraveineuse et parfois de ponctions évacuatrices.

Anasarque fœtoplacentaire

Il s'agit d'une complication grave de la maladie hémolytique du nouveau-né (incompatibilité entre le groupe sanguin Rhésus du fœtus et celui de la mère). Elle atteint le fœtus au cours de son développement et entraîne souvent sa mort in utero.

Anastomose

Abouchement, chirurgical ou spontané, de deux vaisseaux sanguins, de deux viscères creux ou de deux filets nerveux.

Selon sa configuration, l'anastomose est qualifiée de terminoterminale si les deux extrémités d'un conduit sont reliées, de terminolatérale si l'extrémité d'un conduit est reliée à la paroi de l'autre ou de latérolatérale si ce sont les parois des conduits qui sont abouchées.

Anastomoses chirurgicales

Ces abouchements chirurgicaux de deux conduits sont réalisés par suture manuelle ou par agrafage. La suture s'effectue avec du fil résorbable (tube digestif, voies urinaires) ou non résorbable (artères).

ANASTOMOSE VASCULAIRE

Elle résout des défaillances circulatoires lorsque la circulation dans les troncs principaux des vaisseaux est interrompue. L'intervention peut porter sur les artères elles-mêmes ou consister en la pose d'une prothèse interposée entre deux segments vasculaires : anastomose aorto-aortique, aorto-iliaque ou aortofémorale par pontage.

ANASTOMOSE VISCÉRALE

Elle permet soit de rétablir la continuité de l'appareil digestif après ablation de tout ou partie d'un organe, soit de contourner un obstacle sur les voies digestives. En cas d'ablation d'organe, l'anastomose peut être œsogastrique, gastrojéjunale, iléocolique, colocolique (reliant deux segments du côlon), colorectale ou iléorectale.

En cas d'obstacle sur la voie digestive, par exemple si une tumeur obstrue la tête du pancréas, une gastroentérostomie permet de relier l'estomac à l'intestin grêle. La voie biliaire peut également faire l'objet d'une dérivation dans le tube digestif.

Enfin, sur les voies urinaires, les anastomoses sont urétérovésicales ou urétérodigestives (reliant l'uretère à la vessie ou l'uretère à l'intestin).

Anastomoses spontanées

Ces abouchements spontanés de deux conduits sont soit vasculaires, soit nerveux.

ANASTOMOSE VASCULAIRE

C'est une dérivation du circuit sanguin quand un segment vasculaire est inutilisable ou quand un obstacle apparaît sur les voies principales.

■ **L'anastomose portocave**, communication entre un segment de la veine porte et la circulation cave, est la plus fréquente des anastomoses vasculaires spontanées. Consécutive à une hypertension portale, elle consiste en un développement du réseau veineux secondaire qui compense l'insuffisance de débit de la veine porte.

ANASTOMOSE NERVEUSE

Quand un nerf est interrompu, elle permet la restauration totale ou partielle de l'influx nerveux par les rameaux nerveux collatéraux.

Anatomie

Science qui a pour objet l'étude de la forme, de la structure, des rapports et de la fonction des différents éléments constitutifs du corps humain.

L'anatomie repose sur la dissection, pratiquée par Hérophile et par Galien aux IIIe et IIe siècles av. J.-C. Cette science connut un nouvel essor au XVIe siècle avec le médecin hollandais André Vésale, le premier grand anatomiste. Aujourd'hui, l'imagerie médicale permet l'analyse des structures anatomiques sur un être vivant.

■ **L'anatomie analytique** étudie la forme et la constitution des différentes structures ainsi que leurs éventuelles variantes (anomalies de nombre, de forme ou de trajet).

■ **L'anatomie pathologique, ou anatomopathologie**, est l'étude des modifications apportées par la maladie aux différents organes, tissus et cellules.

■ **L'anatomie radiologique** fait appel à la radiographie simple, à laquelle on adjoint d'autres techniques de visualisation (injection ou ingestion de produits de contraste, ingestion de baryte ou de produits hydrosolubles), au scanner ou à l'imagerie par résonance magnétique (I.R.M.).

■ **L'anatomie sectionnelle** étudie la topographie de toutes les structures visibles sur une coupe transversale.

Anatomopathologie

Étude des altérations organiques des tissus et des cellules provoquées par la maladie.
SYN. *anatomie pathologique*.

Ces altérations peuvent être observées à l'œil nu (lésions macroscopiques), au microscope optique (lésions histopathologiques ou cytopathologiques) ou au microscope électronique (lésions ultrastructurales). Elles sont reconnues par comparaison avec les structures normales. L'étude microscopique permet également la mise en évidence dans les cellules ou les tissus de certains composés chimiques (histochimie), d'enzymes (histo-enzymologie) et de constituants antigéniques précis (immunohistochimie).

L'anatomopathologie présente un intérêt majeur pour l'identification des maladies. De nombreuses affections (cancers, par exemple) ne peuvent être reconnues avec précision que par l'examen au microscope d'un fragment de la lésion (histopathologie) ou d'un étalement de cellules isolées (cytopathologie). Cette étude apporte également des informations précieuses sur l'extension des lésions par l'examen des pièces opératoires (organes ou tissus prélevés lors d'une intervention), permettant ainsi de choisir le traitement le plus approprié.

Enfin, l'anatomopathologie, par la pratique de l'autopsie, aide à comprendre l'enchaînement des symptômes et la cause de la mort.

Anatoxine

Substance d'origine microbienne utilisée comme vaccin.

Une anatoxine est une toxine (substance provenant d'une bactérie) qui a été traitée par la chaleur et le formol et a ainsi perdu son pouvoir toxique. Cependant, elle a conservé ses propriétés d'antigène, provoquant la formation de petites quantités d'antitoxine et la production de cellules capables de reconnaître la toxine : le système immunitaire de la personne à qui on l'injecte réagira plus vite et plus intensément au contact de la bactérie. Les vaccins contre le tétanos et contre la diphtérie sont à base d'anatoxines.

Andrew (bactéride d')

Lésion cutanée pustuleuse.

La bactéride d'Andrew est caractérisée par l'apparition de pustules amicrobiennes sur les mains et la plante des pieds. Son existence en tant que maladie autonome est controversée : elle serait une réaction immunitaire cutanée déclenchée par un foyer infectieux à distance, par exemple dentaire ou digestif. Le traitement de ce dernier entraîne la disparition des pustules.

Androgène

Chacune des hormones stéroïdes mâles sécrétées par les testicules, les ovaires et les glandes surrénales.

La testostérone est l'androgène le plus actif, présent à un taux 20 fois plus élevé chez l'homme que chez la femme. Les autres androgènes, la delta-4-androstènedione, la déhydroépiandrostérone (ou D.H.A.) et le sulfate de déhydroépiandrostènedione (ou S.D.H.A.), sont beaucoup moins puissants. Leur sécrétion en excès par les glandes surrénales ou l'ovaire conduit chez la femme à un hirsutisme (développement excessif du système pileux) ou à d'autres manifestations de virilisme. Chez le jeune garçon, la production excessive de ces hormones peut entraîner une puberté précoce.

UTILISATION THÉRAPEUTIQUE

Des androgènes de synthèse sont utilisés dans le traitement des insuffisances de fonctionnement testiculaire, des états de dénutrition sévères, des aplasies médullaires (disparition des cellules de formation du sang dans la moelle épinière), de certains cancers du sein inopérables, etc. On distingue les androgènes de synthèse virilisants des non virilisants. Les premiers sont contre-indiqués chez les hommes atteints d'un cancer de la prostate et chez les femmes en âge de procréer. En effet, ils peuvent entraîner des effets indésirables tels que virilisme et troubles des règles chez la femme, puberté précoce chez l'enfant, œdème, acné chez le fœtus, masculinisation d'un fœtus femelle. Les androgènes de synthèse peuvent être administrés par voie orale, percutanée ou parentérale.

Androgynie

Présence, chez un même individu, de caractères morphologiques masculins et féminins.
→ VOIR Pseudohermaphrodisme.

Andrologie

Étude des éléments anatomiques, biologiques et psychiques qui concourent au bon fonctionnement de l'appareil urogénital masculin.

L'andrologie regroupe plusieurs spécialités nécessaires au diagnostic et au traitement d'un problème de fertilité.

■ **L'aspect urologique** concerne les anomalies constitutionnelles ou acquises de l'appareil urogénital masculin, les maladies des organes génitaux mâles (prostate, vésicules séminales, testicules, épididymes, pénis) et les atteintes de l'appareil excréteur des voies urinaires (reins, uretères, vessie, urètre).

■ **L'aspect endocrinologique** porte sur les anomalies hormonales de la sécrétion testiculaire endocrine, comme la testostérone, et sa dépendance vis-à-vis de l'hypophyse, de l'hypothalamus et des autres hormones que ces glandes produisent.

■ **L'aspect vasculaire** concerne l'évaluation clinique et, si besoin est, par imagerie médicale de la vascularisation de l'appareil urogénital.

■ **L'aspect biochimique et biologique** porte sur les anomalies du sperme, recherchées dans les caractéristiques chimiques de celui-ci (teneur en carnitine, en fructose) et dans les spermatozoïdes (nombre, mobilité, vitalité, formes anormales).

L'ensemble de ces données permet de proposer le traitement chirurgical et/ou médical nécessaire au rétablissement de la fertilité ou du fonctionnement génito-urinaire normal. En outre, un tel bilan est obligatoire avant d'envisager le recours à la procréation médicalement assistée.

Andropause

Diminution de l'activité génitale chez l'homme.

Le terme, créé par analogie avec celui de la ménopause, est critiquable, car il ne correspond pas à une réalité clinique et hormonale équivalente.

Anémie

Diminution du taux d'hémoglobine (pigment des globules rouges assurant le transport de l'oxygène des poumons aux tissus) dans le sang.

Les valeurs normales du taux d'hémoglobine varient avec l'âge et le sexe (on parle d'anémie s'il est inférieur à 13 grammes/décilitre chez l'homme et à 12 grammes/décilitre chez la femme). L'anémie est la cause la plus fréquente de consultation en hématologie.

L'anémie est un symptôme qui peut être expliqué par plus de 200 causes différentes. Cependant, on peut classer les anémies en deux grands types, selon le mécanisme physiologique en cause : l'excès de pertes de sang ou le défaut de production de sang.

Anémies par excès de pertes de sang

Elles peuvent être dues à une hémorragie ou à une hémolyse (destruction des globules rouges à l'intérieur de l'organisme).

ANÉMIES HÉMORRAGIQUES

Ces anémies sont provoquées par des hémorragies aiguës, externes ou surtout internes (essentiellement digestives).

ANÉMIES HÉMOLYTIQUES

On en distingue deux sortes, selon la cause.
■ Les anémies hémolytiques corpusculaires, le plus souvent constitutionnelles, sont dues à une anomalie des globules rouges : anomalie de l'hémoglobine, de la membrane ou des enzymes.
■ Les anémies hémolytiques extracorpusculaires sont dues à une agression extérieure : infection parasitaire (paludisme), auto-immunisation avec des anticorps dirigés contre les antigènes des globules rouges (hémolyse auto-immune), réaction immunologique contre un médicament entraînant la destruction des globules rouges (hémolyse immunoallergique), absorption de substances toxiques, rupture mécanique de globules rouges sur des obstacles tels qu'une prothèse valvulaire cardiaque.

Anémies par défaut de production de sang

Ces anémies sont liées à une anomalie de la fabrication des globules rouges dans la moelle osseuse. En raison de leur apparition progressive, elles sont mieux tolérées que les anémies par excès de pertes de sang. Elles peuvent être dues :
– à un défaut de synthèse de l'hémoglobine, se traduisant par une microcytose (diminution du volume des globules rouges) et pouvant lui-même résulter soit d'un défaut de synthèse de la globine (anémie de Cooley), soit d'un défaut de synthèse de l'hème (molécule de l'hémoglobine) causé par un manque de fer dans l'organisme (anémie ferriprive) ou par une mauvaise

répartition du fer (rencontrée dans tous les phénomènes inflammatoires) ;
– à un défaut de synthèse de l'A.D.N., se traduisant par une macrocytose (augmentation du volume des globules rouges), observé principalement dans les anémies mégaloblastiques causées par une insuffisance de vitamine B12 (maladie de Biermer) ou par un défaut d'acide folique (dû à une malabsorption digestive, à une absorption de substances toxiques, à un déficit d'apport ou à l'alcoolisme) ; une macrocytose peut également relever de la toxicité de certains médicaments (anticancéreux) ou d'une maladie de la moelle osseuse (anémie réfractaire caractérisée par une insuffisance chronique de la formation des globules rouges, qui affecte surtout le sujet âgé) ;
– à un défaut de production d'érythropoïétine (hormone qui régule la formation des globules rouges) en cas d'insuffisance rénale ;
– à un défaut d'autres hormones jouant un rôle dans l'érythropoïèse (processus de formation des globules rouges), hormones thyroïdiennes, hormone de croissance ;
– à un défaut des érythroblastes (cellules de la moelle osseuse qui sont les précurseurs des globules rouges) au cours des aplasies médullaires et des érythroblastopénies ;
– à toutes les proliférations malignes de la moelle osseuse (leucémies aiguës).

Symptômes et signes de l'anémie

Le symptôme le plus visible de l'anémie est la pâleur de la peau (paume des mains) et des muqueuses (muqueuse de la bouche). L'autre symptôme majeur est la fatigue, qui survient à l'effort lorsque l'anémie est modérée, mais également au repos lorsqu'elle est plus sévère. Il peut apparaître chez les sujets âgés des signes d'insuffisance cardiaque, accompagnés d'œdèmes des chevilles et du visage.

À ces signes non spécifiques, communs aux différentes anémies, peuvent s'associer des symptômes propres à certaines anémies. Les anémies hémorragiques se manifestent par une émission de sang rouge (noir lorsqu'il a été digéré) et par une soif importante. Lorsque l'anémie est très sévère, des signes de choc (chute de la tension artérielle) s'y associent. Les anémies hémolytiques s'accompagnent souvent d'une augmentation de volume de la rate (en raison de la destruction importante des globules rouges dans cet organe) et d'un ictère (en raison de l'augmentation du taux de bilirubine, pigment de la bile). Les anémies ferriprives, par carence en vitamine B12 et en acide folique, se caractérisent par une atrophie de la muqueuse linguale.

Diagnostic et traitement de l'anémie

Il est fréquent qu'une anémie soit diagnostiquée sur une simple analyse de la numération formule sanguine, en l'absence de tout signe clinique évident. Cependant, le diagnostic repose sur l'hémogramme (examen cytologique du sang). Il est orienté par le volume globulaire moyen et par le taux de réticulocytes (globules rouges en début de

formation), qui permet de distinguer les défauts de production médullaire des excès de pertes.

Le traitement de l'anémie dépend de sa cause. Ainsi, l'anémie par carence en acide folique se traite par l'apport de cette vitamine par voie orale ; l'anémie par carence en vitamine B12 se traite par injection intramusculaire de vitamine B12, et l'anémie ferriprive est traitée par un apport en fer. Les transfusions sont réservées aux anémies dont la cause n'a pas de traitement.
→ VOIR Biermer (maladie de), Cooley (anémie de), Fanconi (maladie de).

Anémie ferriprive

Diminution du taux d'hémoglobine dans le sang due au manque de fer dans l'organisme.
SYN. *anémie par carence martiale, anémie sidéropénique.*

L'anémie ferriprive est la plus fréquente des anémies. Le manque de fer retentit surtout sur la fabrication de l'hème, molécule de l'hémoglobine, et donc sur la synthèse des globules rouges.

CAUSES

Elles sont très nombreuses et varient selon l'âge et le sexe. Chez le nourrisson, la cause la plus fréquente est l'insuffisance d'apport alimentaire riche en fer. Chez la femme enceinte, la carence en fer est fréquente, surtout lorsque les grossesses sont rapprochées, car le fœtus utilise le fer de sa mère pour fabriquer ses propres globules rouges. Toutefois, c'est chez la femme réglée que la carence en fer est la plus fréquente. En effet, les besoins en fer de la femme (de 2 à 3 milligrammes par jour) sont tout juste couverts par une alimentation normale ; tout accroissement des pertes, si minime soit-il, aboutit à une insuffisance en fer. L'abondance du flux menstruel (avec ou sans cause organique) peut donc être responsable d'une carence en fer. Dans toutes les autres circonstances, la cause la plus fréquente est un saignement digestif, très souvent latent, qui justifie l'exploration complète du tube digestif. La malabsorption du fer, très rare, entre généralement dans le cadre d'une malabsorption globale (maladie cœliaque).

SYMPTÔMES ET SIGNES

Ce sont la pâleur de la peau et des muqueuses ainsi que la fatigue. Certains symptômes particuliers sont liés au retentissement du manque de fer sur différentes zones du corps : ongles fragiles et cassants, cheveux rares et fins, modifications des muqueuses digestives avec une tendance à l'atrophie de la muqueuse de la langue, parfois difficultés à avaler (dysphagie sidéropénique ou syndrome de Plummer-Vinson). On peut parfois constater une anomalie du comportement alimentaire (appelée pica) avec un goût pathologique pour la terre, la craie, le plâtre, la glace et, chez l'enfant et la femme, une augmentation modérée du volume de la rate.

DIAGNOSTIC

Il repose sur l'hémogramme (examen cytologique du sang), qui révèle une microcytose (diminution du volume des globules rouges), souvent accompagnée d'hypochromie (insuffisance de concentration en hémoglobine des globules rouges).

TRAITEMENT

Il repose sur l'apport de fer par voie orale à des doses élevées, car seul 1/10 du fer avalé est absorbé par l'organisme. Un traitement de 3 mois est généralement indiqué. L'apport de fer par voie injectable n'est justifié que dans le traitement des grandes malabsorptions ou dans les intolérances digestives absolues au fer administré par voie orale. Il faut par ailleurs toujours traiter la cause de l'anémie lorsqu'elle est accessible à un traitement spécifique. Un traitement préventif peut être justifié (nourrissons, grossesses répétées).

Anémie infantile

Diminution du taux d'hémoglobine dans le sang du nouveau-né et du nourrisson.

Anémies du nouveau-né

On parle d'anémie dès lors que le taux d'hémoglobine d'un nouveau-né est inférieur à 0,15 gramme/millilitre.

■ **Les anémies hémorragiques** observées à la naissance peuvent provenir d'un passage anormal de sang entre le fœtus et la mère, ou entre fœtus jumeaux, ou de sang fœtal dans le placenta, ou bien d'une hémorragie provoquée par la rupture du cordon. Les anémies hémorragiques révélées après la naissance peuvent être dues à une hémorragie digestive (reflux gastro-œsophagien avec œsophagite), à un céphalhématome ou à une hémorragie intracrânienne (chez les prématurés).

■ **Les anémies hémolytiques** constatées à la naissance sont des anomalies par incompatibilité sanguine fœtomaternelle (incompatibilité Rhésus), actuellement le plus souvent prévenues, ou par incompatibilité de groupe sanguin. Elles sont associées à un ictère.

■ **D'autres anémies** peuvent être liées à des infections (maladies du fœtus ou infections bactériennes) ou à une carence en fer ou en acide folique due à une malnutrition maternelle ou à l'absorption de certains médicaments par la mère.

Anémies du nourrisson

Elles sont d'origine essentiellement ferriprive, provenant beaucoup plus rarement d'une anomalie congénitale de la membrane du globule rouge (sphérocytose héréditaire), de l'hémoglobine (drépanocytose) ou des enzymes (déficit en G-6-PD).

CAUSES

La carence en fer peut provenir :

– d'une réduction du capital ferrique à la naissance (cas de prématurité, le stock de fer du fœtus se constituant essentiellement pendant le dernier tiers de la grossesse ; cas de grossesse gémellaire, le stock transmis par la mère étant à diviser par deux ; cas d'hémorragies fœtomaternelles ou fœtoplacentaires telles qu'un *placenta prævia*) ;

– d'une élévation des besoins (croissance anormalement rapide des nouveau-nés prématurés et hypotrophiques) ;

– d'une insuffisance des apports en fer lors de la nutrition (régime exclusivement lacté prolongé, diarrhée chronique) ;

– d'une perte de sang imposant la recherche d'hémorragies minimes et répétées (malposition cardiotubérositaire avec reflux gastro-œsophagien et œsophagite).

SYMPTÔMES ET SIGNES

La pâleur de la peau et surtout des muqueuses en est le signe majeur. Elle peut être associée à d'autres manifestations témoignant de la carence en fer : troubles digestifs et anorexie, cassure de la courbe de poids, infections à répétition, surtout respiratoires.

Traitement et prévention des anémies infantiles

Les anémies hémorragiques graves peuvent nécessiter des transfusions. Les anémies hémolytiques font l'objet d'une surveillance thérapeutique adaptée à leur cause. Enfin, les infections responsables d'anémie sont traitées selon le germe en cause et les carences en fer et en acide folique par un apport de l'élément carentiel. Il est à noter que, chez le nourrisson, 20 % seulement de la dose de fer ingérée sont absorbés.

Le traitement préventif repose sur la diversification précoce du régime alimentaire de l'enfant (dès l'âge de 4 mois) et sur l'utilisation de laits riches en fer jusqu'à 1 an. L'administration systématique de fer est également proposée chez les enfants à risque (prématurés, hypotrophes, jumeaux) dès l'âge de 2 mois.

Anencéphalie

Absence de crâne et d'encéphale (cerveau, cervelet et tronc cérébral) chez le fœtus ou le nouveau-né.

À la place subsiste une masse de tissus rougeâtre dans laquelle on trouve souvent des restes méningés ou des neurones. La fréquence de l'anencéphalie est de 0,5 pour 1 000 naissances. Cette anomalie peut se détecter dès la 13e semaine de grossesse, par échographie. Si une interruption volontaire de grossesse n'a pu être pratiquée, le nouveau-né, néanmoins pourvu d'une face et d'yeux, a des mouvements lents et stéréotypés de la tête et des membres. Il a parfois des réflexes. Les anencéphales meurent habituellement au bout de quelques jours. Le risque de récurrence est de l'ordre de 3 à 5 % en cas de nouvelle grossesse, ce qui rend indispensable une surveillance étroite de la mère.

Anergie

État d'un organisme qui a perdu la capacité de réagir à un allergène auquel il était sensible auparavant.

L'anergie désigne aussi bien la disparition d'une allergie (désensibilisation vis-à-vis d'un allergène) que la négativation d'une réaction d'hypersensibilité à un vaccin (négativation d'une réaction cutanée à la tuberculine). L'anergie peut être observée au cours de nombreuses circonstances : déficits congénitaux, cancers, diabète, sarcoïdose, insuffisance rénale, malnutrition.

Anesthésie

Suspension plus ou moins complète de la sensibilité générale, ou de la sensibilité d'un organe ou d'une partie du corps.

L'anesthésie peut être spontanée, survenant au cours d'une maladie (notamment lors d'affections neurologiques), ou provoquée par un agent anesthésique.

PRINCIPE

Le principe de l'anesthésie est toujours le même : interruption de la transmission de la douleur en un point ou un autre. La douleur est la conséquence de l'excitation des récepteurs terminaux situés dans la peau ou dans les organes profonds (os, péritoine, cœur) ; ces récepteurs sont prolongés par les fibres nerveuses qui atteignent la moelle en passant par les nerfs périphériques ou sympathiques.

Dans la moelle, une deuxième cellule nerveuse sert d'intermédiaire et permet à la douleur d'atteindre le thalamus, d'où part le troisième neurone, se terminant au cortex cérébral sur la circonvolution pariétale ascendante. Cette circonvolution permet à l'individu de prendre conscience de la douleur élémentaire, de l'analyser et de réagir. L'anesthésie consiste à bloquer la sensibilité en n'importe quel point de son trajet.

Anesthésie générale

Suspension de l'ensemble des sensibilités de l'organisme.

L'anesthésie générale est très largement utilisée lors des interventions chirurgicales. On y recourt également pour certains examens sophistiqués, longs ou douloureux, afin d'améliorer le confort du patient ou d'assurer une qualité technique suffisante. Elle s'obtient grâce à l'utilisation de divers agents anesthésiants administrés par voie respiratoire, digestive ou parentérale (veineuse) qui entraînent une perte complète de la conscience.

Le choix de ces agents dépend de caractéristiques propres au patient (âge, poids, etc.), de ses antécédents médicaux (maladies cardiaques, rénales, hépatiques, etc.) et de la durée prévisible de l'examen ou de l'intervention chirurgicale.

HISTORIQUE

L'anesthésie générale est connue depuis 1540, année où le chirurgien suisse Paracelse utilisa l'éther pour la première fois. L'anesthésie a commencé à se développer au XIXe siècle lorsque fut réalisée la première anesthésie intraveineuse au chloral. Depuis, des progrès fondamentaux ont été réalisés avec l'utilisation, en 1844, du protoxyde d'azote en chirurgie dentaire, avec l'emploi des barbituriques de courte durée d'action en 1927 et, à partir des années 50, avec l'apparition des anesthésiques volatils halogénés (halothane), qui ont permis un renouveau de l'anesthésie par inhalation. S'y ajouta l'utilisation de la ventilation artificielle avec intubation endotrachéale (introduction d'un tube dans la trachée), rendue nécessaire par le recours à la curarisation, responsable d'un relâchement musculaire entravant la respiration spontanée.

ANESTHÉSIE

Au cours d'une intervention chirurgicale, les anesthésistes sont séparés des chirurgiens par un champ stérile en tissu, afin de respecter les règles de l'asepsie sans gêner l'échange d'informations sur l'opération et sur l'état du malade.

Une batterie d'instruments permet de contrôler en permanence la composition des gaz inhalés, d'injecter des médicaments, d'observer l'activité cardiaque sur un écran. Lors d'une anesthésie générale, il y a abolition de la conscience et de la sensibilité ; lors d'une anesthésie locorégionale, la sensibilité est seulement abolie dans une région choisie.

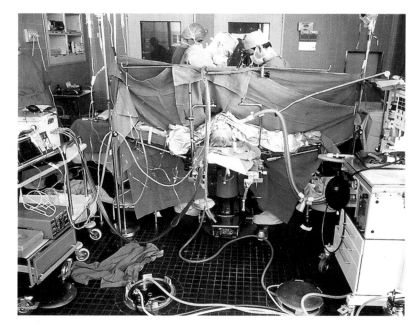

Anesthésie générale

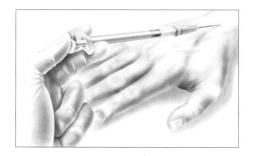
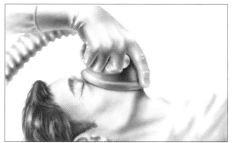

L'endormissement est en général obtenu par une injection de liquide anesthésique dans une veine superficielle.

L'autre méthode utilisée est l'inhalation par un masque d'un gaz anesthésique mélangé à de l'oxygène.

Anesthésie locorégionale

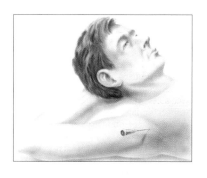

Pour insensibiliser un membre, on injecte l'anesthésique au contact des nerfs qui le commandent : dans l'aisselle, pour le bras.

Pour insensibiliser une région plus petite, on injecte l'anesthésique dans le réseau nerveux ou veineux de la région considérée.

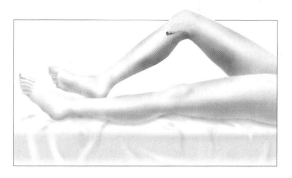

Anesthésie péridurale

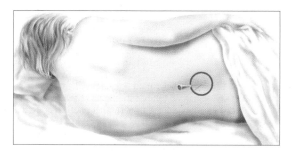

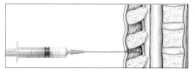

Une anesthésie péridurale pratiquée dans la région lombaire permet d'insensibiliser toute la partie inférieure du corps.

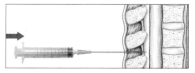

L'aiguille traverse la peau, les muscles, puis le ligament entre deux vertèbres. L'anesthésique est alors injecté entre les vertèbres et les méninges.

PRINCIPE

L'anesthésie générale associe trois types d'action : la narcose (ou perte de conscience, ou sommeil profond), qui est due à l'administration d'un agent anesthésique, soit par inhalation (autrefois d'éther, aujourd'hui de protoxyde d'azote ou d'agents halogénés), soit par voie intraveineuse (barbituriques, kétamine, éthomidate et, plus récemment, diprivan) ; l'analgésie (disparition de la douleur), qui est obtenue grâce aux substances morphinomimétiques telles que la phénopéridine ou le fentanyl ; la curarisation (emploi d'une substance paralysante), qui permet le relâchement musculaire nécessaire au bon déroulement de l'intervention.

DÉROULEMENT

■ **Avant l'opération,** une consultation du médecin anesthésiste avec le patient est essentielle. Elle permet au médecin d'établir un contact psychologique avec le patient (de lever éventuellement les angoisses de celui-ci en lui expliquant le déroulement de l'intervention), de connaître ses antécédents médico-chirurgicaux et familiaux (réactions aux anesthésies déjà subies par le patient ou par des membres de sa famille, traitements en cours, allergies, intoxication alcoolique, etc.), ainsi que d'effectuer un examen clinique complet. S'y ajoutent parfois des examens complémentaires tels que prise de sang avec mesure de l'urée et de la glycémie, recherche de sucre et d'albumine dans les urines, électrocardiogramme et radiographie pulmonaire. La veille au soir, le patient est laissé à jeun pour éviter les vomissements pendant l'intervention. Une ou deux heures avant l'anesthésie, on lui administre souvent un sédatif et un dérivé de la belladone qui permet d'éviter des réactions gênantes (hypersalivation, ralentissement cardiaque ou vomissements).

■ **Pendant l'opération,** l'endormissement (ou induction de l'anesthésie) est réalisé par l'administration d'un agent anesthésique, plus souvent aujourd'hui par injection intraveineuse que par inhalation d'un anesthésique gazeux. L'anesthésie par inhalation consiste à appliquer sur le visage du patient un masque relié à un ballon contenant un mélange gazeux d'oxygène (30 % minimum) et de protoxyde d'azote (70 % maximum) associés à un anesthésique volatil (halothane). L'anesthésie par injection intraveineuse consiste à introduire dans la circulation sanguine un agent hypnotique anesthésique auquel on associe essentiellement un produit curarisant (supprimant l'action des nerfs moteurs sur les muscles) et un produit analgésique de type morphinique lorsqu'il est nécessaire de diminuer la douleur. Le maintien de l'anesthésie intraveineuse s'effectue soit par réinjection périodique d'agents anesthésiques intraveineux, soit par inhalation d'un anesthésique volatil. L'anesthésie générale nécessite une surveillance permanente des fonctions vitales, respiratoires et circulatoires du patient durant toute la durée de l'intervention. Ce suivi s'effectue à plusieurs niveaux. La pose d'un cathéter dans une voie veineuse permet la perfusion de divers produits : sérum glucosé ou salé, soluté de remplissage vasculaire, curarisants, etc. L'anesthésiste contrôle la pression artérielle et pratique si nécessaire une perfusion adaptée. Il surveille la profondeur du sommeil, qui doit rester au stade chirurgical, c'est-à-dire avec respiration régulière et relâchement musculaire.

■ **Après l'opération,** le patient est conduit dans une salle spécialisée dite « salle de réveil ». La surveillance du réveil est très importante car c'est souvent à ce moment que se produisent les accidents anesthésiques (avalement de la langue) ou liés à l'acte opératoire. Le malade n'est ramené dans sa chambre que lorsqu'il a retrouvé un état de conscience normal et des réflexes suffisants. Néanmoins, l'utilisation de certains calmants comme les benzodiazépines provoque souvent une amnésie postopératoire, et le patient, ne se souvenant plus de ce premier réveil, a l'impression de ne s'être réveillé que dans sa chambre. Un délai de quelques heures est nécessaire avant que le patient puisse recommencer à boire puis à manger.

Anesthésie locorégionale

Abolition transitoire de la sensibilité d'une partie du corps pour une intervention chirurgicale, un examen ou un traitement.

L'anesthésie locorégionale consiste à injecter des anesthésiques locaux au voisinage d'un nerf ou de la moelle épinière, afin d'insensibiliser une région donnée de l'organisme. L'état de conscience du patient est conservé. L'anesthésie locorégionale se pratique à tous les niveaux du système nerveux en fonction de la région à anesthésier. Les techniques d'anesthésie médullaire (anesthésie péridurale et rachianesthésie) sont ainsi utilisées pour la région inférieure du corps. Pour l'anesthésie d'un membre, le bras en particulier, on a recours à l'anesthésie des plexus. L'anesthésie tronculaire et l'anesthésie locale intraveineuse permettent d'anesthésier des régions précises du corps.

PRÉPARATION ET DÉROULEMENT

■ **Avant l'intervention,** le médecin anesthésiste évalue l'état cardiaque, vasculaire et respiratoire du patient, qu'il interroge sur ses éventuelles allergies et les traitements qu'il suit, et qu'il informe de la possibilité de corriger une anesthésie locorégionale insuffisante en une anesthésie générale légère. Chez les patients les plus anxieux, l'anesthésie locorégionale doit être précédée de l'administration d'un tranquillisant par voie orale ou par injection.

■ **Pendant l'intervention,** une perfusion intraveineuse est mise en place pour administrer des médicaments anxiolytiques ou destinés à prévenir ou à traiter d'éventuels effets secondaires. La surveillance de la tension artérielle et du rythme cardiaque est indispensable.

INDICATIONS ET CONTRE-INDICATIONS

L'anesthésie locorégionale permet de pratiquer des interventions chirurgicales urgentes sur des malades dont l'état cardiaque ou respiratoire contre-indique l'anesthésie générale, ou sur des accidentés qui ne sont pas à jeun et sont donc inopérables sous anesthésie générale (risque d'inhalation bronchique du contenu gastrique). Elle permet également d'éviter aux sujets âgés les inconvénients d'une anesthésie générale : somnolence, nausées et vomissements, complications cardiaques et respiratoires. Les contre-indications sont essentiellement les troubles de la coagulation, la prise de traitements anticoagulants, les allergies aux produits anesthésiques locaux et une infection au point de ponction ou lorsque son accès est impossible : la présence d'une plaque métallique sur la colonne lombaire peut ainsi empêcher la réalisation d'une anesthésie péridurale.

EFFETS SECONDAIRES

Un anesthésique administré à trop forte dose ou absorbé trop rapidement peut provoquer des réactions plus ou moins graves telles que vertiges, perte de conscience, convulsions, voire arrêt cardiaque transitoire. Les réactions allergiques au produit lui-même sont rares. Dans le cas de l'anesthésie péridurale et de la rachianesthésie, la réduction de l'activité du système nerveux sympathique entraîne parfois une baisse de tension artérielle à laquelle peuvent s'ajouter, en cas d'anesthésie péridurale, une rétention d'urine transitoire, des céphalées et, exceptionnellement, un hématome péridural. Les accidents sont rarissimes : lésions nerveuses le plus souvent mineures et sans séquelles.

Anesthésie péridurale

L'anesthésie péridurale est une anesthésie locorégionale qui se pratique à tous les niveaux de la moelle (cervicale, dorsale, lombaire, sacrée). Elle consiste à injecter un liquide anesthésique dans l'espace péridural, entre les vertèbres et les méninges, pour insensibiliser les nerfs qui desservent le thorax et la partie inférieure du corps. Deux techniques sont pratiquées, soit l'injection d'une dose unique d'un anesthésique à longue durée d'action, soit l'injection d'un anesthésique local, avec pose d'un cathéter dans l'espace péridural afin de continuer à injecter de façon régulière l'anesthésique. Le nombre de nerfs bloqués dépend de la quantité de liquide injectée.

INDICATIONS ET CONTRE-INDICATIONS

L'anesthésie péridurale est recommandée notamment en chirurgie des voies urinaires, en chirurgie gynécologique et pour les opérations des membres inférieurs (orthopédie et chirurgie vasculaire). On l'utilise aussi en obstétrique, pour les accouchements. Elle est à proscrire pour les interventions longues (plus de 4 heures), en cas d'infection de la peau ou d'infection générale, d'hémorragies importantes, de maladies de la moelle et de la colonne vertébrale, de certains troubles cardiaques (troubles de conduction) et de troubles psychiatriques importants.

Rachianesthésie

La rachianesthésie est une anesthésie locorégionale qui consiste à injecter dans le canal rachidien un anesthésique local qui, en se diffusant dans le liquide céphalorachidien, anesthésie la partie inférieure de l'abdomen et les membres inférieurs. L'injection s'effectue dans l'espace compris entre deux des feuillets des méninges (pie-mère et arachnoïde). Le niveau du point de ponction détermine la zone anesthésiée.

INDICATIONS ET CONTRE-INDICATIONS

La rachianesthésie se pratique en urologie, lors d'opérations des membres inférieurs, en gynécologie, en chirurgie digestive « basse » (côlon, anus, appendice) et parfois pour les césariennes. Plus simple et plus rapide que la péridurale, elle ne permet pas, à la différence de celle-ci, de prolonger les effets de l'anesthésie et ne peut être pratiquée pour des interventions chirurgicales durant plus de 2 heures 30. Les contre-indications sont les mêmes que pour l'anesthésie péridurale. En outre, la rachianesthésie est exclue pour des patients souffrant de maladies du cerveau ou de maux de tête fréquents.

Anesthésie des plexus

L'anesthésie des plexus est une anesthésie locorégionale qui consiste à injecter un anesthésique local au niveau de plusieurs troncs nerveux (racines d'un nerf) à leur issue de la colonne vertébrale. L'anesthésie des plexus la plus pratiquée est l'anesthésie du plexus brachial, qui innerve le bras. Dans ce dernier cas, l'injection peut se faire en trois endroits : au cou, au-dessus de la clavicule ou dans le creux de l'aisselle.

INDICATIONS ET CONTRE-INDICATIONS

L'anesthésie du plexus brachial est recommandée pour les opérations de la main, de l'avant-bras, du coude et des 2/3 inférieurs du bras. Les contre-indications sont les mêmes que pour les techniques précédentes, à quoi il faut ajouter les maladies neurologiques touchant le bras, et l'épilepsie. En cas d'insuffisance respiratoire chronique du patient, on évite de le ponctionner dans la région claviculaire.

Anesthésie tronculaire

L'anesthésie tronculaire est une anesthésie locorégionale qui consiste à injecter un anesthésique local au niveau d'un tronc nerveux afin d'insensibiliser le territoire innervé par ce nerf.

INDICATIONS

Cette technique permet d'anesthésier un tronc nerveux précis (nerf médian au coude ou au poignet, nerf tibial postérieur à la cheville, etc.), tout en conservant la sensibilité des autres troncs.

Anesthésie locale intraveineuse

Cette technique anesthésique consiste à poser, après la mise en place d'un cathéter intraveineux sur la main ou le pied, un garrot gonflable. L'enroulement progressif d'une bande de caoutchouc permet de vider le membre de son sang jusqu'au garrot, qui est alors gonflé. Puis on enlève la bande et on injecte l'anesthésique dans le cathéter.

INDICATIONS ET CONTRE-INDICATIONS

L'anesthésie locale intraveineuse est pratiquée chez l'adulte pour les interventions courtes (inférieures à 70 minutes), pour les opérations de l'avant-bras, de la main et du membre inférieur sous le genou. Rapide, sûre et facile, elle est particulièrement recommandée pour les patients souffrant d'insuffisance respiratoire. Certaines lésions cutanées ou trophiques (caractérisant l'état des tissus) peuvent empêcher la mise en place de la bande élastique.

Anesthésique

Médicament entraînant la diminution ou même la suppression de la sensibilité générale ou locale, en interrompant la conduction nerveuse.

Anesthésiques généraux

D'action rapide, ils provoquent une narcose (sommeil profond). Ils sont utilisés dans les anesthésies générales au cours des interventions chirurgicales. Ils s'administrent soit par voie intraveineuse, soit par voie respiratoire.

ANESTHÉSIQUES PAR VOIE INTRAVEINEUSE

Les barbituriques sont les plus employés (méthohexital, thiopental). Leur administration est indiquée pendant l'induction (début de l'anesthésie), puis répétée toutes les 30 minutes. Mais ces anesthésiques peuvent entraîner des troubles respiratoires (arrêt de la respiration, spasme des bronches ou du larynx) ou cardiaques. Le flunitrazépam, l'héminéurine, la kétamine, le midazolam et le propanidide font partie des autres produits utilisés.

ANESTHÉSIQUES PAR VOIE RESPIRATOIRE

Les produits volatils anesthésiques (halothane, isoflurane, méthoxyflurane, enflurane, protoxyde d'azote) sont mélangés à de l'air ou à de l'oxygène. Ils sont administrés à l'aide d'un masque ou par intubation. Les risques principaux sont une hypoxie (insuffisance d'oxygène dans l'organisme) avec le protoxyde d'azote, et une hépatite avec les autres produits.

Anesthésiques locaux

On distingue les anesthésiques de surface et les anesthésiques injectables.

ANESTHÉSIQUES DE SURFACE

La lidocaïne est appliquée localement (sous forme de pulvérisations, de gel, etc.) sur la peau et les muqueuses, lorsqu'on procède à des examens ou à des soins douloureux, dentaires par exemple.

ANESTHÉSIQUES INJECTABLES

La lidocaïne, mais aussi la procaïne ou la bupivacaïne sont injectées localement, souvent par voie sous-cutanée. Ces médicaments servent à l'anesthésie régionale (par exemple pour insensibiliser les membres inférieurs). L'infiltration du produit peut se faire autour d'un tronc nerveux ou d'un plexus (filets nerveux) ; lors d'une péridurale, l'infiltration se fait autour des méninges de la moelle épinière, et lors d'une rachianesthésie, à l'intérieur de ces méninges.

Aneuploïdie

État d'une cellule ou d'un individu dont le lot chromosomique est caractérisé par la présence ou la perte d'un ou de plusieurs chromosomes entiers.

L'aneuploïdie est mise en évidence par l'étude du caryotype (analyse par représentation photographique de l'ensemble des chromosomes d'une cellule).

Anévrysme, ou Anévrisme

Dilatation d'une artère ou de la paroi du cœur.

Anévrysme artériel

Dilatation d'un segment de vaisseau artériel.

Un anévrysme artériel est généralement dû à une atteinte de la paroi vasculaire par l'athérome (dépôt lipidique responsable de l'athérosclérose). Il survient plus rarement dans le cadre d'une maladie inflammatoire (maladie de Horton), d'une maladie d'origine infectieuse ou en raison d'une anomalie congénitale de la paroi artérielle (maladie de Marfan). On distingue les anévrysmes sacciformes (constituant une poche) des anévrysmes fusiformes (simple dilatation).

Un anévrysme artériel n'entraîne pas de symptômes particuliers, sauf en cas de complications. Celles-ci peuvent être multiples : fissuration responsable d'une douleur locale, compression des organes situés à proximité, embolies causées par un caillot tapissant la paroi de l'anévrysme ou rupture de l'anévrysme entraînant une hémorragie souvent mortelle. Le risque de rupture est fonction de sa taille, qui augmente à une vitesse variable.

DIFFÉRENTS TYPES D'ANÉVRYSME ARTÉRIEL

■ L'anévrysme artériel intracrânien, dilatation, à l'intérieur du crâne, d'un segment d'artère, touche environ 2 % de la population. Le risque de rupture, qui constitue toute sa gravité, est la cause principale des hémorragies méningées. On distingue :
- l'anévrysme sacciforme intracrânien, le plus fréquent, causé par une anomalie congénitale de la paroi artérielle, dont la malformation s'accroît ensuite lentement, formant un sac. La rupture du sac anévrysmal se produit souvent chez le sujet jeune, mais peut survenir également à un âge avancé, favorisée dans ce cas par le vieillissement de la paroi, par l'athérosclérose ou l'hypertension artérielle. La proximité de structures nerveuses, d'une importance capitale, le rend très dangereux à cause de la compression et du risque de rupture ;
- l'anévrysme fusiforme intracrânien d'origine athéroscléreuse, dont la gravité dépend de la compression qu'il exerce sur les structures environnantes et qui peut entraîner des lésions ;
- l'anévrysme intracrânien infectieux, provoqué par des lésions de la paroi artérielle à caractère infectieux, dues par exemple à une méningite ;
- l'anévrysme intracrânien traumatique, développé à partir d'une lésion traumatique fragilisant la paroi artérielle.
■ L'anévrysme artériel des membres, dilatation, dans un membre, d'un segment d'artère, peut siéger à la racine des membres (artère sous-clavière, fémorale commune) ou, au contraire, sur les petites artères distales. Il est cause de lourdeurs, d'engourdissements, de crampes des membres.

Un anévrysme peut siéger sur une artère du cerveau ou d'un membre, sur l'aorte, au milieu du thorax ou de l'abdomen. S'il est assez superficiel, on le sent battre en même temps que le cœur, et son volume augmente à chaque contraction et diminue à chaque relaxation du cœur.

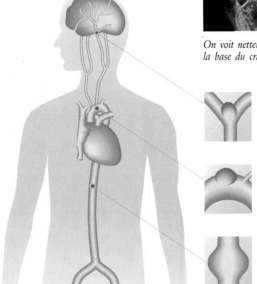

On voit nettement l'anévrysme (rouge foncé) à la base du crâne.

Un anévrysme cérébral se forme souvent à une bifurcation artérielle.

Un anévrysme sacciforme ressemble à un petit sac.

Un anévrysme fusiforme donne à l'artère l'aspect d'un fuseau.

■ **L'anévrysme artériel disséquant** est une poche formée dans l'épaisseur même de la paroi artérielle à la suite d'un clivage de cette paroi. Il siège le plus souvent sur l'aorte descendante. L'anévrysme disséquant s'observe surtout dans les maladies dégénératives des artères comme la médiacalcose (variété de sclérose artérielle).

DIAGNOSTIC
Un anévrysme artériel, lorsqu'il est superficiel, se caractérise par une tuméfaction battante, expansive et indolore. Sinon, le diagnostic repose sur l'échographie, l'artériographie cérébrale (anévrysme sacciforme intracrânien), le scanner ou l'imagerie par résonance magnétique (I.R.M.).

TRAITEMENT ET PRÉVENTION
Lors de formes compliquées d'anévrysme artériel et à partir d'un certain diamètre, compte tenu du risque inéluctable de rupture ou de thrombose (formation d'un caillot), l'intervention chirurgicale est souhaitable chaque fois qu'elle se révèle possible. La prévention suppose une surveillance accrue des facteurs de risque de l'athérosclérose (hypertension artérielle, diabète, hypercholestérolémie) et celle, par échographie à intervalles réguliers, de l'évolution du diamètre d'un anévrysme aortique.

Anévrysme artérioveineux

Fistule faisant communiquer une veine et une artère soit directement, soit par l'intermédiaire d'une poche kystique intercalaire.

Un anévrysme artérioveineux est le plus souvent d'origine traumatique, produit par rupture ou par perforation, mais il arrive qu'il soit congénital. Il convient de distinguer le cas très particulier d'une fistule artérioveineuse volontairement créée au niveau du membre supérieur pour permettre des séances d'hémodialyse, dans l'insuffisance rénale chronique.

SYMPTÔMES ET DIAGNOSTIC
Les troubles qui peuvent amener à consulter sont variables : dilatation des veines, œdème, douleurs. Tous ces symptômes sont unilatéraux et siègent sur un membre ou au cou. La palpation permet de percevoir un frémissement particulier, le *thrill,* continu, se propageant tout le long des vaisseaux mais devenant maximal au niveau de la fistule. Sans intervention thérapeutique, celle-ci entraîne inéluctablement une insuffisance cardiaque.

TRAITEMENT
Le seul traitement possible d'un anévrysme artérioveineux est chirurgical. L'artériographie guidera le choix de l'intervention suivant les caractères anatomiques de la fistule. Lorsque les deux vaisseaux sont simplement accolés (phlébartérie), la suture latérale de l'artère et de la veine est presque toujours possible. Lorsqu'il existe une poche kystique intercalaire, l'intervention est plus complexe, et on s'orientera alors vers l'excision de la poche avec une reconstitution de la voie artérielle par greffe.

Anévrysme cardiaque

Dilatation de la cavité cardiaque survenant dans les premières semaines qui suivent un infarctus du myocarde.

SYMPTÔMES ET DIAGNOSTIC
Un anévrysme cardiaque peut entraîner des troubles du rythme cardiaque (tachycardie ventriculaire), une insuffisance cardiaque ou la formation locale de caillots avec risque d'embolie. Le diagnostic s'établit par échographie cardiaque (échocardiographie) ou angiocardiographie (radiographie des cavités du cœur et des gros vaisseaux).

TRAITEMENT
Le traitement d'un anévrysme cardiaque comporte l'administration de médicaments anticoagulants, antiarythmiques (pour réguler le rythme cardiaque si une arythmie ventriculaire est survenue), diurétiques ou vasodilatateurs. L'intervention chirurgicale, délicate et plutôt rare, consiste en l'ablation de la poche anévrysmale.

Anévrysmorraphie, ou Anévrismorraphie

Technique ancienne visant à rendre son calibre normal à une artère localement déformée par un anévrysme au moyen d'une suture appropriée.

L'anévrysmorraphie est aujourd'hui quasiment abandonnée au profit du remplacement, par une prothèse (tube artificiel) ou un segment veineux, du segment artériel dilaté.

Angéiologie

Étude des vaisseaux de l'appareil circulatoire (artères, veines et vaisseaux lymphatiques). SYN. *angiologie.*

Angéite

Inflammation de la paroi des vaisseaux sanguins. SYN. *vascularite.*

Les angéites font intervenir divers types de processus inflammatoires (immunologiques, auto-immuns, allergiques) pouvant entraîner une sténose (rétrécissement) ou une occlusion du vaisseau atteint. Les tissus irrigués par celui-ci sont alors lésés ou même détruits par l'ischémie (interruption ou diminution de la circulation sanguine).

On distingue les angéites artérielles, caractérisées par une inflammation de la paroi des artères, des angéites cutanées, caractérisées par une inflammation des petits vaisseaux (capillaires, artérioles ou veinules).

Angéites artérielles
Les angéites artérielles, inflammation des parois des artères, peuvent revêtir des aspects très divers.

■ **La thromboangéite oblitérante**, d'origine discutée, est une angéite des membres responsable de douleurs, d'engourdissements et, dans les cas graves, de gangrène.
■ **L'artérite temporale**, ou **maladie de Horton**, d'origine inconnue, survient principalement vers la soixantaine. Caractérisée par une inflammation bilatérale des artères temporales causant des maux de tête et une hypersensibilité du cuir chevelu, elle peut entraîner rapidement la cécité.

■ La **maladie de Takayashu**, ou maladie des femmes sans pouls, est une affection rare d'origine inconnue, peut-être auto-immune. Elle atteint surtout les jeunes femmes et affecte les gros vaisseaux issus de la crosse de l'aorte (carotides et sous-clavières). Elle peut entraîner une claudication intermittente (par atteinte de l'artère fémorale ou iliaque), des syncopes, ou encore une cécité.

■ La **périartérite noueuse** est une maladie auto-immune pouvant affecter les artères de diverses régions du corps, causant des douleurs abdominales, testiculaires ou thoraciques, une gêne respiratoire et parfois l'apparition de tuméfactions molles sous la peau. On rapproche de cette affection l'angéite nécrosante de Churg et Strauss et la granulomatose de Wegener.

Angéites cutanées

Les angéites cutanées, inflammation des parois des vaisseaux cutanés, se traduisent habituellement par un semis de purpura (taches rouges ne s'effaçant pas à la pression) fréquemment localisé sur les membres inférieurs et s'associant parfois à des zones d'ulcérations cutanées. Certaines sont purement cutanées ; d'autres s'associent à des atteintes d'organes internes (muscles, nerfs, viscères).

Traitement des angéites

Le traitement des angéites dépend de leur cause. Il peut faire appel aux anti-inflammatoires (corticostéroïdes), aux immunodépresseurs mais aussi aux méthodes de chirurgie vasculaire.
→ VOIR Horton (maladie de), Périartérite noueuse, Wegener (granulomatose de).

Angine

Maladie inflammatoire aiguë du pharynx.

L'atteinte est rarement généralisée à tout le pharynx (pharyngite) et se limite le plus souvent aux amygdales (amygdalite).

Les angines sont d'origine virale ou parfois bactérienne (infection due à des germes tels que streptocoques, staphylocoques ou *Hæmophilus*). Courante au cours d'un rhume ou d'une grippe, l'angine peut, exceptionnellement, être le signe précurseur d'une autre maladie plus grave (mononucléose infectieuse ou diphtérie).

Angine rouge

L'angine rouge est une inflammation aiguë du pharynx, qui révèle, à l'examen clinique, une muqueuse plus rouge que la normale.

DIFFÉRENTS TYPES D'ANGINE ROUGE

■ L'angine **érythémateuse**, ou angine rouge catarrhale, la plus répandue, survient surtout chez l'enfant de moins de 10 ans. Fièvre, douleurs vives à la déglutition, migraines en sont les symptômes. L'examen du pharynx révèle une rougeur diffuse avec une augmentation de volume plus ou moins importante des amygdales. L'angine érythémateuse peut se compliquer d'un phlegmon périamygdalien (abcès entre la paroi pharyngée et l'amygdale), qui provoque un trismus (contracture des muscles masticateurs) et une dysphagie (difficulté de déglutition).

■ L'angine **des maladies éruptives** est un symptôme majeur de la scarlatine, de la rougeole et, à un moindre degré, de la rubéole.

■ L'angine **streptococcique du rhumatisme articulaire aigu** précède de quelques jours ou semaines les manifestations de ce rhumatisme. Elle se signale par une amygdalite (inflammation des amygdales) avec vomissements et maux de tête. L'étude bactériologique montre la présence de streptocoques hémolytiques du groupe A pouvant entraîner, outre des atteintes articulaires et cardiaques, des complications rénales. Ce risque, autrefois grave, est aujourd'hui prévenu, dans les pays développés, par l'antibiothérapie systématique de ces angines.

TRAITEMENT

Le malade doit se reposer et éviter les refroidissements. L'alimentation doit être légère et les boissons abondantes. Le traitement est, d'une part, local, visant à soulager la douleur et à désinfecter la bouche et le pharynx par des gargarismes, des pulvérisations, et, d'autre part, général, par l'administration d'antibiotiques. Le traitement de référence est la pénicillinothérapie pendant 10 jours, souvent associée à des analgésiques, des anti-inflammatoires, des antipyrétiques et des collutoires. En cas de récidive fréquente, l'amygdalectomie est conseillée.

Angine blanche

L'angine blanche est une inflammation aiguë du pharynx qui révèle, à l'examen clinique, une muqueuse recouverte d'un enduit blanchâtre.

DIFFÉRENTS TYPES D'ANGINE BLANCHE

■ L'angine **érythématopultacée** provoque les mêmes symptômes que l'angine rouge, mais les amygdales sont couvertes d'un enduit blanchâtre ou parfois gris jaunâtre, généralement facile à enlever avec un coton.

■ L'angine **pseudomembraneuse** provoque un enduit plus adhérent (fausse membrane grisâtre), qui peut faire redouter la diphtérie. Aujourd'hui, cette maladie a, grâce à la vaccination antidiphtérique, pratiquement disparu des pays occidentaux. Cependant, toute angine pseudomembraneuse doit faire l'objet d'un prélèvement bactériologique et, au moindre doute, le malade doit recevoir du sérum antidiphtérique pour enrayer l'évolution d'une éventuelle diphtérie. Cette angine blanche est souvent le signe précurseur d'une mononucléose infectieuse.

■ L'angine **vésiculeuse** et l'angine **herpétique** ont pour origine respectivement les virus du zona et de l'herpès. L'oropharynx prend un aspect rouge parsemé de vésicules blanchâtres, éclatées ou non, semblables à de petites ulcérations.

TRAITEMENT

Comme pour les angines rouges, le malade doit se reposer et éviter les refroidissements. Outre une action locale (gargarismes, pulvérisations), le traitement peut comporter des antibiotiques par voie générale. Dans les angines vésiculeuses, néanmoins, les antibiotiques sont sans effet, sauf en cas de surinfection bactérienne. Le plus souvent, l'administration d'analgésiques suffit.

Angine ulcéreuse

L'angine ulcéreuse est une inflammation aiguë du pharynx, qui révèle, à l'examen clinique, une muqueuse pharyngée présentant une ou plusieurs ulcérations.

DIFFÉRENTS TYPES D'ANGINE ULCÉREUSE

■ L'angine **de Vincent** survient surtout chez l'adolescent ou le jeune adulte. La multiplication sur la muqueuse pharyngée de

---

ANGINE

L'angine atteint les amygdales, les piliers du palais (devant et derrière l'amygdale), la luette et l'oropharynx (le « fond de la gorge »).

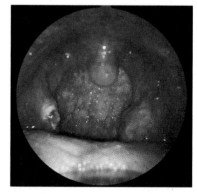

L'angine ulcéreuse est le plus souvent une angine de Vincent. On retrouve la même rougeur diffuse sur la muqueuse que dans une angine rouge banale, mais on remarque aussi un ulcère sur l'amygdale (à gauche), bordé par une fausse membrane, enduit blanc grisâtre plus ou moins épais tapissant la muqueuse.

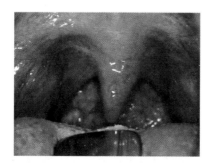

Dans l'angine rouge banale, l'inflammation se manifeste par un gonflement des amygdales et une rougeur diffuse sur la muqueuse.

deux bactéries commensales (vivant aux dépens de l'hôte sans lui nuire), le bacille fusiforme et le spirille, détermine l'angine de Vincent, aisément diagnostiquée par examen microscopique d'un frottis de gorge après coloration des bactéries (coloration de Gram). La douleur, peu intense, s'accentue à la déglutition. Elle touche un seul côté du pharynx : le plus souvent, l'angine de Vincent n'affecte qu'une amygdale, qui est alors recouverte d'ulcérations souples au palper et d'une fausse membrane. Elle peut être due à un mauvais état de la dentition.

■ L'angine de Duguet s'observe au cours de la fièvre typhoïde. Elle se caractérise par une ulcération indolore d'un ou des deux piliers du voile du palais.

■ L'angine des maladies hématologiques s'observe fréquemment en cas de mononucléose infectieuse ou de leucémie. Son diagnostic repose sur les examens sanguins.

■ L'angine de Ludwig se caractérise par une importante déformation du cou, une fièvre élevée et des douleurs vives.

TRAITEMENT

Il repose sur la pénicilline.

→ VOIR Amygdalite, Pharyngite.

Angine de poitrine

→ VOIR Angor.

Angioblastome

Tumeur cérébrale vasculaire, le plus souvent bénigne. SYN. *hémangioblastome*.

FRÉQUENCE

L'angioblastome représente de 1 à 2,5 % de l'ensemble des tumeurs cérébrales. Il peut se rencontrer à tout âge, mais affecte fréquemment le sujet jeune ou d'âge moyen, de sexe masculin.

SYMPTÔMES ET SIGNES

L'angioblastome, souvent volumineux et kystique, est constitué d'un épais réseau de capillaires sanguins et de cellules chargées de graisse. Il est généralement localisé au cervelet, parfois dans la moelle épinière, le tronc cérébral et, plus rarement, dans les hémisphères cérébraux. Maux de tête, vomissements, ataxie (incoordination des mouvements) et nystagmus (mouvements rapides et involontaires des yeux) en constituent les principaux symptômes. L'angioblastome s'associe parfois à une polyglobulie (augmentation anormale du nombre de globules rouges dans le sang). Il est le plus souvent unique. Multiple, il entre dans le cadre de l'angiomatose rétinocérébelleuse, qui associe un angioblastome rétinien, un angioblastome du cervelet et des lésions viscérales (tumeurs, kystes rénaux ou pancréatiques). Cette maladie présente souvent un caractère héréditaire.

TRAITEMENT

L'angioblastome, tumeur de croissance lente, se guérit par ablation chirurgicale. Cependant, des récidives postopératoires, survenant au même endroit ou dans d'autres points du système nerveux central, de même qu'un angioblastome consécutif à une angiomatose rétinocérébelleuse sont d'un pronostic plus sévère.

Angiocardiographie

Examen radiologique qui permet de visualiser les cavités cardiaques.

INDICATIONS

De pratique courante, cet examen apporte des renseignements importants pour l'analyse des cardiopathies congénitales ou acquises. Il permet la mise en évidence d'anomalies des valvules cardiaques (fuite, rétrécissement), des vaisseaux (positionnement anormal, rétrécissement), du muscle cardiaque (dilatation ventriculaire, diminution localisée ou diffuse de la contractilité du ventricule gauche, notamment dans le cas d'un infarctus du myocarde) et de communications anormales entre les différentes cavités (communication interauriculaire, communication interventriculaire).

TECHNIQUE

Un produit de contraste iodé, opaque aux rayons X, est injecté à l'aide d'un fin cathéter introduit dans une veine ou une artère périphérique, jusqu'au cœur. Ce produit va mouler l'intérieur des cavités cardiaques, puis cheminer selon le courant sanguin. Des clichés sont alors réalisés, qui permettent l'analyse de la taille et de la capacité contractile des différentes cavités cardiaques (oreillettes et ventricules droits et gauches) et la visualisation des gros vaisseaux s'abouchant dans le cœur (aorte, artère pulmonaire, veines pulmonaires).

DÉROULEMENT

L'angiocardiographie nécessite une hospitalisation de 24 à 36 heures. Elle se pratique sous anesthésie locale et dure de 30 minutes à 1 h 30. L'état du patient est surveillé par électrocardiogramme tout au long de l'examen.

EFFETS SECONDAIRES

Ils sont rares et généralement bénins : nausées, malaises, hémorragies de faible intensité. L'injection du produit de contraste iodé pouvant provoquer une réaction allergique, le médecin doit s'informer des antécédents allergiques du malade et, au besoin, lui prescrire un traitement antiallergique.

Angiocardiographie isotopique

Examen scintigraphique permettant l'exploration simultanée des deux ventricules cardiaques sans nécessiter l'injection directe du produit dans le cœur.

L'angiocardiographie isotopique réalise l'examen des ventricules : une faible dose de produit radioactif (technétium 99) est injectée dans une veine du bras alors qu'une caméra enregistre la contractilité des cavités cardiaques. Cet examen apporte des renseignements complémentaires, dans la mesure où il peut être pratiqué pendant l'effort.

Angiocholite

Infection bactérienne de la voie biliaire principale et des voies biliaires intrahépatiques (situées à l'intérieur du foie).

CAUSES

L'angiocholite est généralement due à la présence d'un corps étranger dans les voies biliaires. Le plus souvent, il s'agit de la migration d'un calcul vésiculaire dans le canal cholédoque (voie biliaire principale), rarement d'une tumeur et, parfois, d'une infestation par un ver ou une douve.

SYMPTÔMES ET DIAGNOSTIC

L'angiocholite se manifeste par une fièvre à 40 °C avec frissons, parfois associée à des douleurs abdominales et à un ictère. Le diagnostic s'établit par 4 examens :

– une numération sanguine, qui révèle une augmentation des globules blancs, et plus particulièrement des polynucléaires neutrophiles ;

– un examen biologique hépatique, marqué par une augmentation des phosphatases alcalines et de la gammaglutamyl-transpeptidase, ainsi que par une augmentation plus ou moins importante des aminotransférases ;

– des hémocultures, qui se révèlent généralement positives ;

– une échographie, mettant en évidence une dilatation des voies biliaires.

TRAITEMENT

L'angiocholite doit être traitée rapidement par antibiotiques, en raison des risques de septicémie, d'insuffisance rénale et de collapsus cardiovasculaire. Une intervention chirurgicale ou endoscopique, ayant pour but d'éliminer l'obstacle responsable doit être rapidement réalisée après la régression des signes infectieux.

Angiodermite purpurique et pigmentée

Affection cutanée fréquente, caractérisée par une inflammation bilatérale et symétrique de la partie inférieure des jambes. SYN. *dermite ocre des jambes*.

L'angiodermite purpurique et pigmentée est une complication de l'insuffisance veineuse chronique, due à des varices ou à une phlébite. Elle se caractérise par l'apparition progressive de plaques pigmentées, ocre ou brunâtres, plus ou moins étendues. Elle peut se compliquer d'atrophie, de surinfection bactérienne et d'ulcères de la jambe.

Le traitement repose sur l'antisepsie cutanée, jointe à une cure médicale ou chirurgicale de l'insuffisance veineuse.

Angiographie

Examen radiologique qui permet de visualiser la lumière (volume intérieur) d'un vaisseau sanguin (artère ou veine) et de ses branches de division.

INDICATIONS

Une angiographie est utilisée essentiellement pour étudier les vaisseaux du cœur et des poumons, ceux du cerveau et de la moelle épinière (angiographies cérébrale et médullaire) et ceux des membres et des viscères (rein, mésentère). Cet examen sert à dépister des lésions artérielles, notamment des sténoses (rétrécissements) dues à l'athérome (dépôt lipidique sur les parois artérielles), des anévrysmes (dilatations localisées des artères), des occlusions d'un vaisseau par l'athérome ou par un caillot. Il permet également de distinguer une dissection artérielle (clivage des parois) ou la présence d'une malformation artérioveineuse.

ANGIOGRAPHIE

Cet examen permet la visualisation des artères par injection directe d'un produit de contraste opaque aux rayons X. Les images sont enregistrées directement sur des films photographiques sensibles aux rayons X. Pour opacifier une artère, la sonde servant à l'injection est poussée à contre-courant dans le circuit artériel, tandis que, pour opacifier une veine, la sonde est poussée dans le sens du courant dans le circuit veineux. L'angiographie permet de localiser une obstruction par caillot, un rétrécissement par une plaque d'athérome, une dilatation par un anévrysme, une dissection artérielle (clivage de la paroi) ou une malformation vasculaire et, donc, de préciser les caractéristiques opératoires.

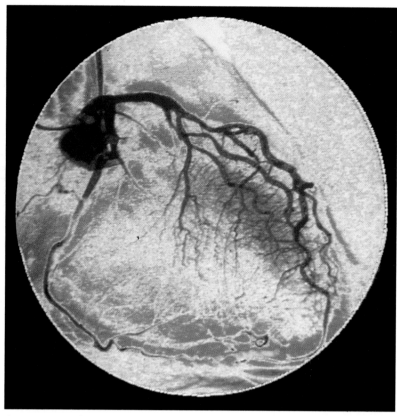

La coronaire gauche, qui naît de l'aorte descendante (à gauche, en noir), et ses branches se situent sur la face antérieure du cœur. La coronaire droite est plus irrégulière.

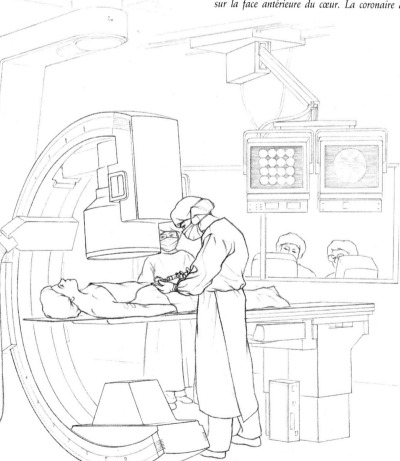

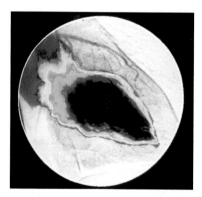

Le ventricule gauche (bleu et jaune) du cœur (orangé) se remplit à la diastole.

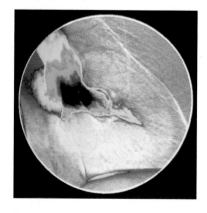

Le ventricule gauche se contracte et se vide au cours de la systole.

Avant une intervention chirurgicale, une angiographie permet d'étudier les rapports anatomiques entre les vaisseaux et la lésion à opérer. Enfin, l'angiographie permet de pratiquer des angioplasties (techniques de dilatation d'un vaisseau), des embolisations (occlusions thérapeutiques d'un vaisseau) et une chimiothérapie in situ (injection par voie intravasculaire de médicaments anticancéreux). Cette technique est dite « radiologie interventionnelle ».

CONTRE-INDICATIONS

La quantité de rayons X reçue au cours de cet examen est faible. Il n'est cependant pas pratiqué chez la femme enceinte. L'injection d'un produit de contraste iodé peut provoquer une réaction allergique caractérisée par des nausées, des vomissements, des éruptions cutanées ou encore une baisse de la tension artérielle. Le médecin s'assure donc que le patient n'a jamais présenté d'allergie (asthme, eczéma, allergie à l'iode). Sinon, il peut prescrire un traitement antiallergique qui doit être suivi durant les jours précédant l'examen.

Pour prévenir tout risque d'hémorragie, la prise d'anticoagulants doit être diminuée ou suspendue provisoirement.

Les personnes qui souffrent d'insuffisance rénale doivent prendre certaines précautions, notamment boire abondamment dans les jours qui précèdent et suivent l'examen. Le médecin prescrit des analyses de taux d'urée et de créatinine.

TECHNIQUE

Le praticien introduit un cathéter (petit tuyau souple) dans un vaisseau à travers la peau (artère carotide du cou, artère humérale au pli du coude, artère fémorale au pli de l'aine, veine des membres). Lorsque la ponction n'est pas directe, il guide ce cathéter jusqu'au vaisseau à examiner en surveillant sa progression sur un écran de contrôle. Il injecte ensuite un produit de contraste iodé opaque aux rayons X et prend des images de son cheminement. Puis le cathéter est retiré et le point de ponction comprimé.

■ L'angiographie classique, ou conventionnelle, est un examen radiologique des vaisseaux sanguins qui consiste à enregistrer le cheminement du produit sur un film radiologique, par clichés espacés ou en série.

■ L'angiographie digitalisée, ou numérisée, est un examen radiologique des vaisseaux sanguins qui repose sur le traitement informatique des images. Elle permet de saisir des images vidéo sur un amplificateur de brillance avec une caméra appropriée, puis d'améliorer ces images en soustrayant certaines informations radiologiques ne concernant pas le vaisseau à étudier (provenant par exemple des structures osseuses).

■ L'angiographie par imagerie par résonance magnétique, ou angio-I.R.M., est une application récente de l'imagerie par résonance magnétique à l'examen des vaisseaux.

PRÉPARATION ET DÉROULEMENT

L'examen nécessite le plus souvent une hospitalisation de 24 à 48 heures. Il se pratique sous anesthésie locale (parfois générale) et dure de quelques minutes à 2 heures. Le point de ponction artérielle doit être surveillé pendant 24 heures.

EFFETS SECONDAIRES

L'injection du produit de contraste provoque une sensation passagère de chaleur. Un petit hématome peut survenir à l'endroit de la ponction, et des réactions allergiques passagères peuvent se produire. Mais les complications cardiaques, hémorragiques ou neurologiques sont très rares.

→ VOIR Angiocardiographie, Aortographie, Artériographie, Coronarographie, Phlébographie, Splénoportographie.

Angiographie oculaire

Examen radiologique permettant d'examiner les vaisseaux du fond d'œil (irriguant la choroïde et la rétine).

INDICATIONS

L'angiographie oculaire est essentielle dans la surveillance du diabète ainsi que pour l'étude de l'iris. Elle peut compléter un examen du fond d'œil en apportant des informations plus précises sur la localisation et l'étendue des lésions observées.

TECHNIQUE

Elle repose sur l'injection d'une petite quantité d'un produit de contraste, le fluorescéinate de sodium, dans une veine périphérique, généralement au pli du coude. Le colorant circule dans le sang jusqu'aux vaisseaux oculaires. Des clichés du fond d'œil sont alors pris par l'intermédiaire de filtres appropriés. L'examen dure environ 15 minutes. Aujourd'hui, de nouvelles techniques permettent l'obtention d'images numérisées sur écran.

Les renseignements apportés sont à la fois d'ordre statique, précisant l'état anatomique de la vascularisation choroïdienne et rétinienne et, indirectement, celui de la choroïde et de la rétine, et d'ordre dynamique, montrant la circulation du colorant dans les différents réseaux vasculaires.

EFFETS SECONDAIRES

Les incidents sont le plus souvent bénins (vomissements, malaise). Les accidents allergiques dus à la fluorescéine, très rares, peuvent être prévenus par un traitement antiallergique. Le flou visuel et l'éblouissement par la lumière des clichés, dus à la dilatation de la pupille par un collyre cycloplégique, peuvent être gênants dans les quelques heures qui suivent l'examen.

Angiokératome

Lésion cutanée se présentant sous la forme d'une petite papule de couleur lie-de-vin recouverte d'un enduit kératosique dur.

On peut distinguer plusieurs variétés d'angiokératome.

■ L'angiokératome circonscrit næviforme, ou maladie nævique, apparaît dès l'enfance.

■ L'angiokératome des doigts s'observe dès l'adolescence, surtout chez les filles ; il s'associe souvent à une acrocyanose (cyanose des extrémités).

■ L'angiokératome du scrotum apparaît chez l'homme de plus de 40 ans et s'associe à des dilatations veineuses des bourses.

■ L'angiokératome tumoral est une forme isolée d'angiokératome du visage, qui se rencontre chez l'adolescent.

■ L'angiokératome diffus s'observe dans la maladie de Fabry, maladie héréditaire grave. Il siège le plus souvent au niveau du bassin et s'associe à des troubles rénaux et cardiaques.

Le traitement des angiokératomes n'est pas systématique. Il repose sur leur destruction par ablation chirurgicale (électrochirurgie ou laser).

Angioléiomyome

Petite tumeur bénigne se développant dans la peau, au sein de l'hypoderme, et prenant naissance dans la paroi musculaire d'une veine sous-cutanée.

Généralement isolé, mais parfois multiple, l'angioléiomyome forme un nodule ferme, bien limité, sensible à la pression. Il se compose de multiples vaisseaux capillaires entourés par des faisceaux de fibres musculaires lisses. C'est le plus souvent l'examen microscopique qui permet d'identifier, après son ablation, la tumeur.

Angiomatose

Maladie caractérisée par l'apparition d'angiomes (malformations congénitales des vaisseaux sanguins ou lymphatiques) multiples à la surface de la peau ou dans la profondeur des organes, parfois associée à d'autres malformations.

Angiomatose bacillaire

L'angiomatose bacillaire, également appelée angiomatose épithélioïde, est une maladie due à un agent bactérien qui s'observe surtout chez les sujets immunodéprimés ou infectés par le virus V.I.H. Elle se manifeste par des lésions cutanées (papules violacées de taille très variable, de 1 millimètre à plusieurs centimètres de diamètre, saignant facilement) et sous-cutanées (nodules fermes, mobiles ou adhérents, douloureux) associées à des signes d'atteinte viscérale (fièvre au long cours avec amaigrissement, lésions osseuses et atteinte des organes qui forment les globules rouges du sang : moelle osseuse, foie, rate).

Angiomatose encéphalotrigéminée

L'angiomatose encéphalotrigéminée, également appelée maladie de Sturge-Weber-Krabbe, est une affection congénitale rare, caractérisée par la présence d'un large angiome plan (« tache de vin ») s'étendant sur tout un côté du visage, autour de l'œil, associée à un angiome des méninges (avec atrophie de l'hémisphère cérébral sous-jacent et présence de calcifications intracérébrales), des choroïdes et des viscères.

Elle peut entraîner une hémiplégie, une arriération mentale progressive et une épilepsie. Un glaucome (augmentation de la pression intraoculaire) risque de se développer dans l'œil atteint, provoquant une perte partielle ou totale de la vue. Dans les cas graves, une intervention chirurgicale sur les parties du cerveau atteintes est nécessaire.

Angiomatose hémorragique familiale

L'angiomatose hémorragique familiale, également appelée angiomatose héréditaire hémorragique, ou maladie de Rendu-Osler, est une maladie héréditaire, caractérisée par la présence d'angiomes de la peau, des muqueuses, et, plus rarement, d'angiomes viscéraux.

Elle évolue en deux phases. Pendant l'adolescence, elle se manifeste par des épistaxis (saignements de nez) à répétition, dus à des télangiectasies (dilatations des capillaires) muqueuses ; à partir de la 20e année apparaissent des angiomes de la peau et des muqueuses qui sont à l'origine de nouvelles hémorragies, parfois très graves. Les angiomes cutanés peuvent s'accompagner d'angiomes viscéraux (du système nerveux et du tube digestif), d'anévrysmes artérioveineux pulmonaires et d'une atteinte hépatique.

Angiomatose neurocutanée

C'est une affection caractérisée par des angiomes multiples affectant le système nerveux et la peau.

Angiomatose rétinocérébelleuse

L'angiomatose rétinocérébelleuse, également appelée maladie de von Hippel-Lindau, est une affection généralement familiale et héréditaire, caractérisée par l'existence d'angiomes affectant la rétine, le cervelet, le 4e ventricule, la moelle épinière, et, plus rarement, les hémisphères cérébraux.

Traitement des angiomatoses

Le traitement des angiomatoses reste très décevant. Lorsqu'il existe un angiome plan, un traitement par laser argon peut être efficace. En cas d'atteinte vasculaire profonde, le traitement dépend de l'importance des zones touchées. Dans les cas les plus graves (angiome cérébral), il peut être nécessaire d'envisager une intervention chirurgicale.

Le traitement de l'angiomatose bacillaire repose sur les antibiotiques généraux (érythromycine, tétracyclines, quinolones, etc.). Il doit être poursuivi longtemps (de 3 à 6 mois), sinon des récidives peuvent survenir avec atteinte rapide et grave de l'état général.

Angiome

Malformation touchant le système vasculaire : artères, capillaires, veines et vaisseaux lymphatiques.

L'angiome est une lésion congénitale, bénigne, des vaisseaux sanguins (hémangiome) ou lymphatiques (lymphangiome), qui se traduit par une déformation des structures vasculaires. Il peut exister dès la naissance ou apparaître au cours de l'enfance ou de la vie adulte. Dans certains cas, il peut également régresser et disparaître.

La localisation est soit superficielle (peau, muqueuses), soit profonde (viscères, par exemple cerveau, foie, poumon) ; les angiomes profonds risquent de provoquer des hémorragies.

Angiomes cutanés

On distingue, parmi les angiomes cutanés, les angiomes immatures, les angiomes matures, ou plans, les angiomes stellaires et les angiomes capillaroveineux.

■ **Les angiomes immatures** sont des malformations du système vasculaire très fréquentes chez les nourrissons, qui se développent à partir du derme superficiel.

Ils se présentent sous deux aspects différents : les angiomes tubéreux, ou angiomes fraise, forment des saillies plus ou moins volumineuses, bien délimitées et de couleur rouge ; les angiomes sous-cutanés paraissent moins superficiels et leur saillie peut être recouverte d'une peau normale ou bleutée.

Dans la majorité des cas, les angiomes immatures régressent spontanément, et l'abstention de tout traitement est la conduite la plus raisonnable. Une simple surveillance dermatologique régulière est suffisante, sauf si l'angiome est localisé dans une zone fonctionnellement importante (paupières pour la vision, larynx pour la respiration, lèvres pour la dentition). Dans une telle situation, une corticothérapie ou une ablation chirurgicale peuvent être envisagées.

■ **Les angiomes matures, ou angiomes plans,** sont des malformations très fréquentes du système vasculaire, qui se développent à partir des capillaires du derme superficiel. Ce sont les classiques « envies », ou « taches de vin », qui, malgré leur aspect parfois impressionnant, n'entraînent aucun trouble fonctionnel. L'angiome plan va s'étendre au cours de la vie du patient, prendre une couleur plus foncée et se recouvrir de nodules saillants. Il est traité par le laser argon. Toutefois, les résultats ne sont pas toujours parfaits, et il faut souvent répéter l'opération.

■ **Les angiomes stellaires, ou télangiectasiques,** sont des malformations du système vasculaire qui se présentent comme de petites taches rouges en forme d'étoile, légèrement surélevées. Ils siègent surtout sur le visage et les extrémités et sont favorisés par la grossesse. On les rencontre également dans le cadre des cirrhoses alcooliques. Lorsqu'ils ne disparaissent pas spontanément, ces angiomes se traitent par électrocoagulation sous anesthésie locale.

■ **Les angiomes capillaroveineux** sont des malformations rares du système vasculaire qui se présentent comme des saillies bleutées situées sur les trajets veineux, qui augmentent de volume pendant un effort. Ils peuvent être traités par injection de produits sclérosants ou par ablation chirurgicale mais imposent la pratique d'examens complémentaires avant intervention.

Angiomes digestifs

Parmi les angiomes digestifs les plus courants figurent les angiomes hépatiques et ceux du tube digestif.

■ **Les angiomes hépatiques** sont des malformations développées à partir des structures vasculaires du foie. Ils sont de cause inconnue. Sauf exception, ils sont parfaitement asymptomatiques et sont révélés par hasard, à l'occasion d'une échographie. S'ils dépassent 3 centimètres de diamètre, ils se différencient difficilement de certaines tumeurs hépatiques. Un scanner ou une imagerie par résonance magnétique (I.R.M.) est alors nécessaire pour établir le diagnostic. Un traitement s'impose rarement, sauf si l'angiome est très volumineux. Dans ce cas, une intervention chirurgicale peut être envisagée.

■ **Les angiomes du tube digestif, ou angiodysplasies,** sont des malformations dévelop-

ANGIOME

Les angiomes cutanés les plus fréquents sont l'angiome plan (ci-dessous), l'angiome stellaire (ci-contre, à droite) et l'angiome tubéreux (en bas, à droite).

Les fines ramifications de l'angiome stellaire rayonnent à partir d'un vaisseau central.

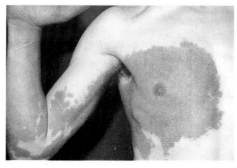

L'angiome plan est parfois très inesthétique du fait de son étendue ou de sa localisation.

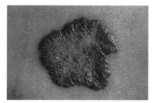

La lésion de l'angiome tubéreux présente une surface irrégulière.

pées à partir des structures vasculaires du tube digestif. Ces petits pelotons vasculaires ne provoquent aucun trouble fonctionnel réel mais peuvent entraîner des hémorragies brutales ou continues. Leur diagnostic est réalisé grâce à un examen endoscopique ou à une artériographie. Le traitement ne s'impose qu'en cas d'hémorragie. Dans ce cas, la destruction de l'angiome peut se faire pendant l'endoscopie ou l'artériographie.

Angiomes artérioveineux

Ces malformations congénitales du système vasculaire concernent essentiellement les jonctions artérioveineuses du cerveau. L'artère et la veine sont anormalement reliées entre elles par un réseau de vaisseaux embryonnaires.

SYMPTÔMES ET SIGNES

Découverts le plus souvent chez le sujet jeune, les angiomes artérioveineux peuvent être révélés par des maux de tête, des crises d'épilepsie, parfois un déficit neurologique progressif.

DIAGNOSTIC ET ÉVOLUTION

Le diagnostic repose sur l'artériographie, qui permet de situer précisément la malformation et d'apprécier sa taille. La complication majeure est la rupture d'anévrysme, entraînant des hémorragies cérébrales et cérébroméningées.

TRAITEMENT

Le seul traitement radical, lorsqu'il est possible, est l'ablation chirurgicale de la malformation. Un traitement par embolisation (obstruction des vaisseaux de liaison par une substance obturante déposée par sonde intravasculaire guidée radiologiquement), seul ou en complément de la chirurgie, peut également être proposé.

Angio-œdème

→ VOIR Quincke (œdème de).

Angiopathie

Toute maladie des vaisseaux sanguins ou lymphatiques.

DIFFÉRENTS TYPES D'ANGIOPATHIE

■ L'angiopathie artérielle est principalement représentée par les diverses atteintes qui sont les conséquences de l'athérosclérose (maladie dégénérative de l'artère due à la formation d'une plaque lipidique sur sa paroi). Lorsque l'athérosclérose concerne les artères coronaires, elle provoque un angor et parfois un infarctus du myocarde ; lorsqu'elle concerne les artères carotides ou cérébrales, elle peut entraîner des accidents vasculaires cérébraux tels qu'une hémiplégie ; lorsqu'elle touche les artères des membres inférieurs, elle produit une artérite ; enfin, lorsqu'elle atteint l'aorte, celle-ci peut être le siège d'un anévrysme. Beaucoup plus rarement, une angiopathie artérielle est le résultat d'anomalies congénitales du tissu élastique, constituant essentiel de la paroi artérielle, comme dans la maladie de Marfan. Plus rarement encore, il peut s'agir d'une inflammation de la paroi artérielle, comme dans la maladie de Horton ou dans d'autres artériopathies non athéromateuses. Enfin,

L'angioplastie par voie transcutanée permet d'éviter une intervention chirurgicale. Une aiguille creuse est piquée dans une artère facilement accessible, par exemple l'artère fémorale à l'aine ou l'artère humérale au bras, et permet l'introduction d'un guide métallique. Toutes ces manœuvres sont réalisées sous contrôle radiologique. On peut ainsi dilater une artère, essentiellement les artères coronaires, mais aussi les artères situées dans les membres inférieurs ou l'abdomen.

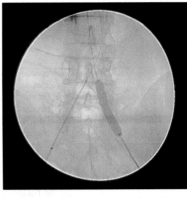

Le ballonnet monté sur un tube est gonflé dans une artère iliaque.

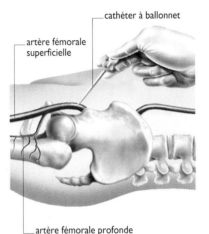

cathéter à ballonnet

artère fémorale superficielle

artère fémorale profonde

Un guide métallique très fin est poussé à travers l'aiguille piquée dans l'artère, jusqu'à l'endroit du rétrécissement.

Un cathéter à ballonnet est enfilé sur le guide métallique, jusqu'à ce que le ballonnet arrive au rétrécissement.

Le ballonnet est gonflé plusieurs fois, pendant quelques secondes à chaque fois, jusqu'à dilatation de l'artère.

une forme particulière d'angiopathie artérielle est la microangiopathie du diabète, qui touche les artérioles, entraînant le plus souvent des complications rénales, rétiniennes ou cardiaques.

■ L'angiopathie veineuse comprend essentiellement les phlébites et les varices. La phlébite correspond à une obstruction plus ou moins complète d'une ou de plusieurs veines d'un membre (le plus souvent inférieur) par un caillot. La complication à craindre est l'embolie pulmonaire : le caillot se détache et gagne les poumons par la veine cave inférieure et le cœur droit. Les varices consistent en des dilatations des veines superficielles des membres inférieurs. Souvent héréditaires, celles-ci sont inesthétiques et peuvent se compliquer d'ulcères ou, très rarement, de rupture des veines et évoluer vers l'insuffisance veineuse chronique.

■ L'angiopathie lymphatique, beaucoup plus exceptionnelle, est essentiellement représentée par l'œdème d'un membre (supérieur ou inférieur), dû à un blocage des ganglions lymphatiques à la racine du membre et empêchant la lymphe de quitter celui-ci. Dans sa forme la plus spectaculaire, ce blocage provoque un énorme gonflement du membre, appelé éléphantiasis.

Angioplastie

Intervention chirurgicale consistant à réparer, à dilater ou à remodeler un vaisseau déformé, rétréci ou dilaté.

INDICATIONS

Le choix d'une angioplastie dépend de la localisation de la lésion (au niveau d'une bifurcation ou non) et de son aspect à l'examen radiologique (longueur, éventuelles anfractuosités, excentration, présence de calcifications). L'angioplastie est le plus souvent indiquée pour traiter la sténose (rétrécissement) des artères coronaires (responsable d'angor [angine de poitrine] ou d'infarctus du myocarde), celle des artères rénales (source d'hypertension artérielle), des artères mésentériques supérieures et des artères des membres inférieurs (dont l'atteinte se traduit par des douleurs à la marche). Elle est beaucoup plus rarement indiquée dans la réparation des carotides internes (artères qui irriguent le cerveau) et des veines (veine iliaque, veine cave inférieure ou veine porte).

DÉROULEMENT

L'angioplastie peut être pratiquée par incision chirurgicale ou par voie transcutanée.

■ L'angioplastie par incision utilise un fragment de veine sain (en général prélevé sur la jambe du malade) ou de tissu synthétique (patch) qui vient restaurer la partie malade après incision longitudinale de la paroi du vaisseau.

■ L'angioplastie par voie transcutanée utilise une sonde à ballonnet gonflable. Elle ne s'applique qu'aux rétrécissements localisés. En outre, elle est inopérante sur un segment artériel totalement obstrué. L'injection d'un produit de contraste iodé, repérable par radiographie, permet de localiser la zone rétrécie et de contrôler le positionnement de la sonde. Celle-ci est introduite dans le vaisseau malade par le biais d'un vaisseau périphérique (par exemple l'artère fémorale) ; le ballonnet, placé au niveau du rétrécissement artériel, est ensuite gonflé pour dilater le segment atteint. Après obtention d'un résultat satisfaisant (disparition complète de la sténose ou persistance d'une sténose minime ne gênant plus le cheminement du sang), sonde et ballonnet sont retirés.

COMPLICATIONS ET PRONOSTIC

Les complications graves de l'angioplastie par voie transcutanée (occlusion de l'artère par clivage de sa paroi, hématome, hémorragie) sont rares. À terme, un nouveau rétrécissement (resténose) peut parfois survenir : il est alors traité, habituellement avec succès, par une nouvelle angioplastie. Dans les cas de resténoses coronaires, relativement fréquentes, les techniques de réparation se sont aujourd'hui diversifiées : utilisation du laser, d'un rotoblator (toupie pivotant à grande vitesse) ou mise en place d'un stent (armature intra-artérielle).

Angiosarcome

Tumeur maligne d'origine vasculaire.

Un angiosarcome a pour origine la prolifération anarchique de cellules endothéliales situées dans la paroi des vaisseaux. L'angiosarcome du sein est un cas particulier : il ressemble à un angiome (lésion bénigne des vaisseaux sanguins), mais sa localisation permet de l'identifier comme étant un angiosarcome. Dans les autres cas, il s'agit d'un nodule dont les cellules sont parfois tellement altérées que leur origine vasculaire ne peut être affirmée que sur les données de l'immunohistochimie (technique histologique de marquage des cellules par des réactions immunologiques) ou de la microscopie électronique.

Les localisations les plus fréquentes sont le foie, la peau, la rate et les os. La survenue de ces tumeurs peut être facilitée par le contact avec certaines substances. L'angiosarcome hépatique, par exemple, est favorisé par l'arsenic contenu dans les pesticides et le chlorure de polyvinyle des matières plastiques.

Le traitement fait appel aux différentes techniques thérapeutiques cancérologiques adaptées à chaque organe.

→ VOIR Kaposi (sarcome de).

Angiospasme

Contraction spasmodique d'un vaisseau sanguin.

Cette réaction inappropriée concerne le plus souvent une artère et survient en réaction à des stimulations thermiques, mécaniques ou biochimiques. Ainsi, dans la maladie de Raynaud, l'angiospasme est responsable de manifestations douloureuses des pieds et des mains après une exposition au froid. Au cours d'une angiographie, le contact mécanique de la sonde avec la paroi

d'un vaisseau peut provoquer un spasme transitoire. Enfin, certains patients souffrant d'angor se plaignent de douleurs thoraciques au repos, douleurs liées à un spasme des artères coronaires et définissant l'angor de Prinzmetal.

Le traitement fait appel aux antispasmodiques vasculaires et, particulièrement, aux inhibiteurs calciques.

Angoisse

→ VOIR Anxiété.

Angor

Douleur thoracique pouvant irradier vers le cou, la mâchoire inférieure ou les bras, due à la mauvaise irrigation du cœur. SYN. *angine de poitrine*.

L'angor est une affection fréquente dans les pays développés, où il représente l'un des principaux problèmes de santé publique.

DIFFÉRENTS TYPES D'ANGOR

■ **L'angor stable chronique** se caractérise par des douleurs peu fréquentes lors d'un niveau d'activité assez important, qui cèdent rapidement à la prise d'un médicament.

■ **L'angor instable** regroupe l'angor d'apparition récente *(de novo)*, l'angor d'effort chronique déstabilisé (survenant plus souvent qu'à l'accoutumée, pour des efforts moindres, et cédant plus difficilement à la prise d'un médicament) et l'angor survenant au repos (angor de repos). L'angor instable indique un risque élevé de survenue à court terme d'un infarctus du myocarde.

■ **L'angor spastique, ou angor de Prinzmetal**, ne survient qu'au repos, généralement au petit matin.

CAUSES

L'angor s'explique par le rétrécissement anormal d'une ou de plusieurs des artères du cœur, les coronaires. Dans la plupart des cas d'angor stable chronique et d'angor instable, ces diminutions de calibre se manifestent au cours de l'effort, lorsque les besoins cardiaques en oxygène sont augmentés. L'atteinte des artères coronaires est en règle générale consécutive à l'athérome (dépôt lipidique sur les parois artérielles), dont les principaux facteurs de survenue sont l'âge, le sexe (l'angor est plus tardif chez la femme), l'hypertension artérielle, le diabète, l'obésité, l'hypercholestérolémie, le tabagisme et l'hérédité.

L'angor spastique, quant à lui, est lié à la contraction spasmodique d'une artère coronaire sans qu'il existe nécessairement de rétrécissement sur l'artère à l'état normal.

SYMPTÔMES ET ÉVOLUTION

L'angor se manifeste pendant un effort par une sensation de serrement derrière le sternum, pouvant irradier vers la gorge, la mâchoire inférieure, le dos, les bras (surtout le gauche). La complication de l'angor réside en l'infarctus du myocarde : l'artère rétrécie se bouche. L'infarctus se traduit par une crise douloureuse, intense et prolongée, avec sueurs, nausées ou vomissements et malaise (hypotension artérielle) ; il impose le transport sans délai par ambulance spécialisée vers un service d'urgence cardiologique.

DIAGNOSTIC

Essentiellement clinique, il repose sur les caractéristiques et la durée de la douleur survenant chez un patient qui présente un ou plusieurs facteurs de risque d'athérome. Des modifications de l'électrocardiogramme apparaissent durant la douleur. D'autres examens sont utilisés pour rechercher les lésions des artères coronaires et pour guider le traitement : l'épreuve d'effort sur vélo ou sur tapis roulant (qui peut déclencher le symptôme douloureux), la scintigraphie myocardique et la coronarographie.

TRAITEMENT ET PRÉVENTION

L'angor stable se traite par des médicaments (bêtabloquants, trinitrine, inhibiteurs calciques, aspirine), tandis que la forme instable impose une hospitalisation pour diminuer le risque de survenue d'un infarctus. Deux autres solutions thérapeutiques sont envisageables : l'angioplastie coronaire ou la chirurgie (pontage aortocoronaire), leurs indications étant fonction des résultats de la coronarographie et de l'efficacité des médicaments. Le traitement de l'angor spastique fait appel aux vasodilatateurs de la famille des inhibiteurs calciques. La meilleure prévention repose sur la lutte contre les facteurs de risque de l'athérome : régime alimentaire pauvre en graisses, pratique d'un sport adapté, arrêt du tabac, vie régulière.

Anguillulose

Maladie parasitaire due à l'infestation par des anguillules. SYN. *strongyloïdose*.

L'anguillule, ou *Strongyloides stercoralis,* est un petit ver de la classe des nématodes, de 2 ou 3 millimètres de long. Il s'implante dans l'intestin grêle, en particulier dans le duodénum. Il se rencontre principalement sur des sols chauds et humides souillés de matières fécales humaines, dans les pays tropicaux et sur le pourtour de la Méditerranée.

CONTAMINATION

Les larves d'anguillule sont déposées sur le sol avec les selles et s'y développent. Lorsqu'on marche pieds nus sur le sol contaminé, elles pénètrent dans l'organisme

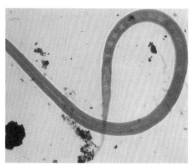

Anguillulose. *La larve d'anguillule pénètre dans l'organisme par la peau, gagne ensuite par voie sanguine et lymphatique les poumons, puis l'intestin grêle et s'y développe ; les œufs pondus par les femelles y éclosent, et les larves sont éliminées dans les selles.*

à travers la peau et, par la circulation sanguine et lymphatique, gagnent les poumons puis l'intestin grêle.

SYMPTÔMES ET SIGNES

L'infection se traduit d'abord par une toux, une difficulté à respirer, puis par des douleurs et des brûlures épigastriques, une diarrhée à répétition, des poussées d'urticaire, des démangeaisons et une inflammation du derme.

TRAITEMENT ET PRÉVENTION

L'anguillulose est combattue par administration d'antihelminthiques comme le tiabendazole ou, de plus en plus fréquemment, l'ivermectine, médicament très efficace et bien toléré. On prévient l'infestation en zone tropicale en évitant de marcher pieds nus et en prohibant l'usage d'engrais humains.

Anhidrose, ou Anidrose

Absence de sécrétion sudorale.

En cas de diminution de la sécrétion sudorale, on parle d'hypohidrose.

■ L'anhidrose congénitale, ou maladie de Christ-Siemens, est rare. On la rencontre dans la dysplasie ectodermique anhidrotique, où elle s'associe souvent à une hypotrichose (déficit ou arrêt du développement du système pileux) et à une anodontie (absence de dents).

■ Les anhidroses acquises peuvent être dues à l'utilisation de médicaments qui diminuent la sécrétion sudorale (anticholinergiques, sympatholytiques) ou à des troubles endocriniens (hypothyroïdie) ou nerveux (lésions de l'hypothalamus). Certaines dermatoses (lichen scléreux, sclérodermie, radiodermites) peuvent aussi, en détruisant l'appareil sudoral, causer une anhidrose.

L'anhidrose entraîne une sécheresse de la peau, que l'on traite par l'application de laits émollients, et parfois des troubles de la régulation thermique (risque de coups de chaleur en été).

→ VOIR Transpiration.

Anhiste

Qualifie une lésion sans structure tissulaire identifiable.

C'est le cas en particulier de certains dépôts anormaux (amylose) ou de certaines nécroses comme la nécrose tuberculeuse (dite « caséeuse »), où l'étude microscopique ne permet pas de mettre en évidence d'éléments cellulaires. Toutefois, des moyens d'investigation plus précis (microscope électronique, histochimie) permettent aujourd'hui d'identifier certaines structures résiduelles caractéristiques d'un tissu.

Anhydride carbonique

Gaz incolore et inodore produit par l'activité des cellules vivantes (humaines, animales, végétales). SYN. *dioxyde de carbone, gaz carbonique*.

Dans l'organisme, l'anhydride carbonique (CO_2) est un déchet provenant du catabolisme (ensemble des réactions de dégradation) des cellules. Les glucides et les lipides sont dégradés par des enzymes en présence d'oxygène, ce qui fournit de l'énergie. Les restes de ces substances, inutilisables, forment le gaz carbonique, rejeté dans le sang (où il se trouve à l'état dissous ou associé à d'autres substances) puis expiré par les poumons sous forme gazeuse. Par ailleurs, le gaz carbonique tend à se comporter dans l'organisme comme un acide et joue un rôle important dans l'équilibre acido-basique.

UTILISATION THÉRAPEUTIQUE

Refroidi et comprimé, l'anhydride carbonique se transforme en neige carbonique, solide blanc utilisé en cryochirurgie (chirurgie faisant appel à des techniques de congélation locale).

Aniridie

Absence d'iris, d'origine congénitale ou traumatique.

Anomalie relativement rare, l'aniridie congénitale est souvent héréditaire et affecte les deux yeux. Elle se trouve fréquemment associée à d'autres affections oculaires, telles qu'un glaucome congénital (hypertension intraoculaire), ou à des anomalies squelettiques ou viscérales (reins). Des traumatismes oculaires graves peuvent néanmoins provoquer une aniridie.

L'absence d'iris a pour conséquence une grande diminution de l'acuité visuelle et une gêne à la lumière, l'iris n'étant pas là pour filtrer les rayons lumineux.

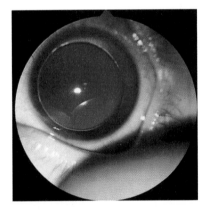

Aniridie totale. L'absence d'iris laisse voir directement l'intérieur du globe oculaire.

Anisakiase

Maladie parasitaire rare due à l'infestation par des larves de l'anisakis.

Les anisakis (surtout *Anisakis simplex*) sont des vers de la classe des nématodes qui vivent à l'état larvaire dans la cavité abdominale et dans les muscles de nombreux poissons d'eau de mer tels que harengs, morues et maquereaux.

CONTAMINATION ET SYMPTÔMES

Ingérée par l'intermédiaire de poissons infestés, la larve gagne l'estomac ou l'intestin, puis se niche dans leur paroi. Sa présence se manifeste par une douleur abdominale parfois violente et par des signes allergiques (urticaire, prurit, œdème, etc.).

Lorsque la maladie n'est pas traitée, une occlusion intestinale se déclenche plusieurs semaines après l'infestation, provoquée par la formation d'une tumeur englobant la larve (granulome éosinophile de l'intestin).

DIAGNOSTIC

Il s'établit sur la base d'un examen sanguin révélant la présence anormalement élevée de polynucléaires éosinophiles (type particulier de globules blancs) et d'anticorps et est confirmé par la recherche par fibroscopie de la larve plantée dans la muqueuse gastro-intestinale.

TRAITEMENT ET PRÉVENTION

Le traitement de l'anisakiase repose sur l'extraction chirurgicale de la larve. On prévient l'anisakiase en assurant la conservation des poissons de mer au moment de la pêche (ils doivent être éviscérés puis congelés à - 20 °C) et en les faisant cuire avant de les consommer.

Aniséiconie

Différence de dimensions entre les images perçues par chacun des deux yeux.

L'aniséiconie est due à une anisométropie (inégalité du pouvoir de réfraction des deux yeux), congénitale ou acquise, notamment en cas d'aphakie (absence de cristallin). L'aniséiconie est tolérée lorsque le pourcentage de différence de dimensions est inférieur à 3 %. Le port de lentilles permet une nette amélioration de cette anomalie.

Anisométropie

Inégalité de pouvoir de réfraction entre les deux yeux d'une même personne.

L'anisométropie se produit lorsqu'un sujet a, par exemple, un œil emmétrope (dont l'acuité visuelle est normale sans verres correcteurs) et un œil amétrope (myope, hypermétrope ou astigmate), ou encore les deux yeux amétropes, mais à des degrés différents. Dans ce cas, l'acuité visuelle de l'œil le plus amétrope risque de diminuer (amblyopie). Une anisométropie marquée entraîne une aniséiconie (différence de dimensions entre les images perçues par chacun des deux yeux).

Le port de verres correcteurs peut améliorer la vue si la différence entre les deux yeux n'est pas importante. Le port de lentilles permet d'équilibrer des amétropies plus marquées, mais ne supprime pas totalement l'aniséiconie.

Anisotropie

Qualité d'un milieu transparent dont les propriétés optiques varient selon la direction de la lumière.

L'anisotropie résulte de la présence de nombreux cristaux dans le milieu étudié. Elle peut être mise en évidence par l'examen en lumière polarisée. En biologie, l'anisotropie est observée, d'une part, dans les cellules musculaires, où elle témoigne de la structure fibrillaire ultramicroscopique des muscles, et, d'autre part, dans les corps biréfringents, éléments microscopiques que l'on trouve dans l'urine au cours de la néphrose lipoïdique (maladie rénale).

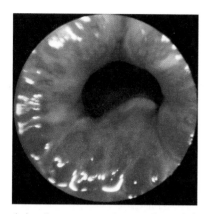

Anite. *La muqueuse qui tapisse le canal de l'anus prend un aspect rouge irrité.*

Anite

Inflammation de la région anale.

Une anite est due à la présence d'hémorroïdes ou à une infection cutanée. Elle se traduit par des sensations de brûlure, des démangeaisons. Le diagnostic est établi par anuscopie. Le traitement fait appel à des pommades anti-inflammatoires.

Ankyloblépharon

Adhérence partielle ou totale des deux bords des paupières.

L'ankyloblépharon d'origine congénitale peut être partiel : les paupières sont directement unies par leur bord, le plus souvent du côté externe, ou reliées par des sortes de bandes élastiques blanchâtres. S'il est total, l'ankyloblépharon est souvent associé à d'autres anomalies oculaires : œil absent ou incomplètement développé. Des plaies ou des brûlures mal cicatrisées peuvent également provoquer un ankyloblépharon. Le traitement est chirurgical.

Ankyloglossie

→ VOIR Langue (adhérence de la)

Ankylose

Limitation partielle ou totale de la mobilité d'une articulation.

Due à des lésions de l'articulation, l'ankylose est presque toujours irréversible et ne doit donc pas être confondue avec la raideur articulaire, qui, elle, est transitoire. Elle peut être la conséquence d'un traumatisme (fracture articulaire), d'une inflammation (arthrite aiguë ou chronique, rhumatisme polyarticulaire) ou d'une arthrodèse (fusion chirurgicale des os de l'articulation). Une ankylose partielle peut être améliorée par une kinésithérapie, efficace si elle est entreprise tôt. Pour les ankyloses complètes, le seul traitement est chirurgical.

Ankylostomiase, ou Ankylostomose

Maladie parasitaire due à l'infestation par des ankylostomes.

L'ankylostome (*Ancylostoma duodenale* à *Necator americanus*) est un ver parasite de la classe des nématodes, de quelques millimètres de long. Il s'implante dans l'intestin grêle et se nourrit du sang qu'il obtient en mordant la muqueuse.

Environ 700 millions d'individus souffrent d'ankylostomiase dans le monde, en majorité dans les zones tropicales et dans certaines régions méditerranéennes.

CONTAMINATION ET SYMPTÔMES
Les larves éclosent sur le sol, à partir d'œufs se trouvant dans les matières fécales humaines. Lorsqu'on marche pieds nus sur le sol contaminé, elles pénètrent dans l'organisme à travers la peau, provoquant une importante démangeaison appelée gourme des mineurs (en effet, l'ankylostome sévit dans les mines et les tunnels). Ces larves migrent ensuite dans les poumons par voie sanguine et lymphatique : leur présence se manifeste par une toux, une gêne à la déglutition et à la parole. Les larves s'implantent enfin dans l'intestin. L'infection se traduit alors par des douleurs et des brûlures épigastriques, une diarrhée, des nausées et un amaigrissement. Quand les vers sont très nombreux, ils provoquent une anémie, caractérisée par la pâleur d'un malade, son essoufflement, le gonflement de son visage et de ses membres. Cette anémie est particulièrement dangereuse chez la femme enceinte.

DIAGNOSTIC
Les œufs sont recherchés dans les selles par examen microscopique.

TRAITEMENT ET PRÉVENTION
Le traitement repose sur l'administration de médicaments antihelminthiques tels que le pyrantel, le flubendazole ou l'albendazole. En zone tropicale, on prévient l'infestation en évitant de s'asseoir directement sur le sol et de marcher pieds nus, et en prohibant l'utilisation d'engrais humains.

Annexe

Ensemble formé par la trompe utérine et l'ovaire et se rattachant, à droite et à gauche, à l'utérus.

Les annexes jouent un rôle essentiel dans le processus de fécondation : l'ovaire libère l'ovule, que la trompe aide à progresser, une fois fécondé, jusqu'à la cavité utérine. Un retard ou une anomalie dans cette progression peuvent entraîner une grossesse extra-utérine, l'ovule s'implantant dans la paroi de la trompe, où il ne pourra se développer.

L'infection des annexes est appelée annexite ou salpingite.

Annexe embryonnaire

Structure fœtale permettant l'établissement des relations fœtomaternelles (amnios, allantoïde, vésicule ombilicale, placenta). SYN. *annexe fœtale.*

Annexectomie

Ablation unilatérale ou bilatérale des annexes de l'utérus (trompes et ovaires).

L'annexectomie est une opération chirurgicale effectuée en cas de cancer de l'ovaire ou de l'utérus. Une hystérectomie (ablation de l'utérus et du col utérin) est souvent pratiquée parallèlement à cette intervention. L'annexectomie peut être faite sous anesthésie générale, de façon simple et rapide. Elle n'entraîne ni repos prolongé ni complications particulières.

L'annexectomie unilatérale ne provoque pas de stérilité. En revanche, après une annexectomie bilatérale, il faut envisager une hormonothérapie substitutive.

Annexite

→ VOIR Salpingite.

Anodontie

Absence totale ou partielle de développement des dents.

L'anodontie est due soit à un facteur héréditaire, soit à une maladie de la mère (pendant la grossesse) ou de l'enfant (durant le premier âge) empêchant la formation des germes dentaires. Elle peut également être liée à un processus naturel d'évolution de la denture (perte de l'incisive latérale maxillaire et des dents de sagesse). En cas d'anodontie partielle, la pose d'un bridge ou d'implants peut être indiquée. Si l'absence de dents est totale, une prothèse dentaire est indispensable. La découverte précoce de l'anodontie chez l'enfant, souvent par des clichés radiographiques, permet d'instaurer un traitement orthodontique visant à combler la zone édentée ou à préparer la pose ultérieure d'un bridge. L'absence de traitement risque d'entraîner une malocclusion (mauvaise imbrication entre les dents des maxillaires supérieur et inférieur) et ses complications (syndrome de Costen).

Anonychie

Malformation caractérisée par l'absence d'un ou de plusieurs ongles.

L'anonychie est habituellement congénitale, d'origine héréditaire : on parle alors d'anonychie vraie. Elle peut également être acquise, causée par un lichen plan, une acrosclérose ou une dermatose bulleuse : on parle alors d'onychoatrophie.

Anophtalmie

Malformation congénitale caractérisée par l'absence de l'un des globes oculaires ou des deux.

L'anophtalmie est compatible avec la vie lorsqu'elle est unilatérale et isolée. Toutefois, elle s'accompagne souvent d'autres anomalies craniocérébrales.

Anorectite

Inflammation de l'anus et du rectum.

Il existe différents types d'anorectite.
■ **L'anorectite infectieuse**, ou parasitaire (gonococcie, chlamydiase, amibiase), est généralement transmise lors de rapports sexuels sodomiques.
■ **L'anorectite radique** est provoquée par le traitement radiothérapique des cancers de la prostate ou du col utérin.
■ **Certaines maladies inflammatoires du tube digestif** (rectocolite hémorragique, maladie de Crohn) donnent également des rectites ou des anorectites.

Une anorectite se manifeste par une irritation anale, une sensation de tension rectale, de fausses envies de déféquer, une émission fréquente de glaires et de sang. L'identification de la cause s'établit à partir d'un examen bactériologique ou parasitologique de prélèvements, de biopsies. Le diagnostic se fait par anuscopie et le traitement fait appel à des médicaments donnés par voie générale ou locale (lavements à garder, suppositoires).

Anorexie

Diminution ou arrêt de l'alimentation, par perte d'appétit ou refus de se nourrir.

L'anorexie peut avoir une origine organique, psychique ou être liée à un abus de médicaments, notamment d'amphétamines. Parmi les causes organiques, on trouve les tumeurs cérébrales ou certaines blessures du cerveau touchant l'hypothalamus ou le cortex cérébral. Une anorexie peut aussi révéler une maladie de l'appareil digestif (gastrite), une tumeur de l'estomac, un ulcère gastrique, des troubles hépatiques (hépatite) ou certaines maladies infectieuses (grippe). Les causes psychiques sont, elles aussi, très diverses : névroses, hypocondrie, dépression, psychoses (crainte délirante d'empoisonnement), état démentiel, etc.

Anorexie mentale

Refus plus ou moins systématique de s'alimenter. SYN. *anorexie essentielle, anorexie nerveuse.*

L'anorexie mentale, qui apparaît le plus souvent lors de l'adolescence, touche majoritairement le sexe féminin (80 % des cas). L'anorexique, également appelée anorectique, est souvent brillante et très active et peut être parfaitement bien insérée dans la vie professionnelle. Si parfois elle a faim, elle nie en souffrir. Obsédée par son poids, elle peut abuser des laxatifs ou des diurétiques dans l'intention de maigrir et avoir des périodes de boulimie plus ou moins associées à des vomissements provoqués.

CAUSES

Elles sont discutées. L'anorexie mentale traduit presque toujours des conflits affectifs, familiaux (le plus souvent avec la mère) ou professionnels. Il semble aussi qu'en jeûnant obstinément la patiente s'efforce de contrôler les modifications physiques et psychologiques liées à la féminité et à la vie sexuelle (puberté, règles, lien amoureux, grossesse). D'autres chercheurs expliquent l'anorexie mentale par une phobie de l'embonpoint ou par un trouble de l'hypothalamus.

SYMPTÔMES ET SIGNES

Outre la perte de poids pouvant aller jusqu'à un amaigrissement extrême, souvent nié par la malade, l'aménorrhée (arrêt des règles) est un symptôme caractéristique de l'anorexie. Elle s'associe très souvent à une constipation rebelle et à des troubles biochimiques, consécutifs aux privations.

TRAITEMENT

Il doit être souple mais bien cadré. Il impose une séparation familiale, afin de dédramatiser la situation, avec hospitalisation dans un service spécialisé associant psychiatres, psychologues et nutritionnistes. La reprise de poids, qui n'est pas une fin en soi, dépend de la réussite du traitement psychothérapique et des mesures diététiques entreprises. En cas d'angoisse et de dépression, des anxiolytiques et des antidépresseurs peuvent être prescrits. Une fois son poids stabilisé, le sujet anorexique, pour éviter une rechute, doit poursuivre une psychothérapie pendant plusieurs mois, voire plusieurs années.

Anorexie du nourrisson

Fréquente, l'anorexie du nourrisson est le trouble alimentaire le plus souvent constaté chez l'enfant de 3 à 24 mois. D'une intensité et d'une durée limitées, elle passe le plus souvent inaperçue.

ANOREXIE COMMUNE

C'est une forme accentuée du refus alimentaire. Elle fait le plus souvent suite à une réponse mal adaptée de l'entourage face à ce refus soudain. Elle est souvent liée à un événement de la vie de l'enfant : poussée dentaire, sevrage, maladie infectieuse (rhinopharyngite, par exemple), naissance d'un frère ou d'une sœur, reprise du travail de l'un des parents, conflits familiaux. Le nourrisson anorexique, s'il refuse de manger aux repas, grignote néanmoins dans la journée et accepte toujours de boire. Les parents tentent souvent de le forcer à manger par toutes sortes de moyens : jeux, histoires, promesses, intimidation. Le conflit s'envenime d'autant plus qu'il n'est pas rare que le nourrisson s'alimente normalement chez d'autres personnes (nourrice, grands-parents ou à la crèche).

Après un examen clinique éliminant l'éventualité d'une maladie organique curable, le médecin aide les parents à dédramatiser la situation et fournit des conseils adaptés au fonctionnement familial et au stade de développement de l'enfant : présenter les aliments et les retirer sans commentaires en cas de refus, laisser le nourrisson manger avec ses doigts, assouplir les horaires de ses repas, jouer davantage avec lui, etc. La plupart des anorexies communes ne durent pas si elles sont traitées rapidement. La prise de poids reste faible mais va en augmentant. Toutefois, le diagnostic doit être remis en question en cas d'amaigrissement persistant.

ANOREXIE SÉVÈRE

Plus rare, elle peut apparaître quelques jours après la naissance. Le nourrisson présente un retard pondéral important et sa courbe de poids est « cassée ». Son développement psychomoteur et cognitif (acquisition des connaissances) est ralenti. Trois diagnostics peuvent être évoqués :
- une anorexie commune mal traitée peut se muer en une anorexie sévère si la relation parent-enfant devient fortement perturbée ;
- l'anorexie sévère peut être la conséquence d'une maladie organique. Le refus alimentaire n'entre plus alors dans le cadre de troubles comportementaux mais plutôt dans celui d'une disparition de la sensation de faim, liée à la pathologie ;

- l'anorexie sévère peut enfin révéler des troubles psychopathologiques. Elle est alors associée à d'autres symptômes tels que troubles du sommeil, irrégularité des acquisitions psychomotrices et cognitives de l'enfant, comportements anormaux (apathie et agressivité), communication et socialisation perturbées.

L'anorexie sévère du nourrisson peut nécessiter une prise en charge somatique ou psychopathologique.

Anorexigène

Médicament destiné à diminuer l'appétit.

Les anorexigènes sont en général des amphétaminiques (dérivés de l'amphétamine), notamment l'amfépramone, le clobenzorex, le fenfluramine, le fenproporex. En dehors des amphétaminiques, les mucilages (conçus en fait pour le traitement de la constipation) ont un effet anorexigène parce qu'ils provoquent une sensation de plénitude gastrique ; mais ils sont contre-indiqués chez les personnes atteintes de certaines maladies du tube digestif.

Les amphétaminiques sont parfois prescrits, pour de courtes périodes et en complément d'un régime alimentaire, dans le traitement de l'obésité. Ils sont administrés par voie orale. Ils sont contre-indiqués en cas de maladies cardiovasculaires, de grossesse, d'allaitement, ou en association avec certains antidépresseurs. Leur effet s'épuise avec le temps et l'on note souvent une reprise de poids à l'arrêt du traitement. Ils sont parfois responsables de toxicomanie, d'insomnie, d'excitation, de troubles psychiatriques aigus, de convulsions.

Anorganique (trouble)

Trouble existant en l'absence de lésion identifiable d'un organe.

Un trouble anorganique peut présenter des aspects variés, généraux (malaise, asthénie) ou locaux (céphalées). Le caractère anorganique d'un trouble ne peut être affirmé qu'après la réalisation de différents examens cliniques dont les résultats se révèlent tous normaux. L'apparition d'un trouble anorganique amène à rechercher une pathologie psychiatrique sous-jacente.

Anosmie

Perte totale ou partielle (on parle alors d'hyposmie) de l'odorat.

L'anosmie, qui n'affecte parfois que certaines odeurs, passe volontiers inaperçue du patient ou est prise pour un trouble du goût. Quand elle n'atteint qu'un seul côté du nez, on parle d'hémianosmie.

■ Les anosmies sont dites « de transmission » quand elles sont dues à un défaut de perméabilité des fosses nasales qui empêche les molécules odorantes d'atteindre les organes sensoriels (rhume de cerveau, rhinite chronique, sinusite, polypes des fosses nasales, abus de cigarettes).

■ Les anomalies sont dites « de perception » quand elles sont dues à une destruction des organes sensoriels de l'olfaction (lésion des centres nerveux, épilepsie).

Anosognosie

Incapacité pour un patient de reconnaître la maladie ou la perte de capacité fonctionnelle dont il est atteint.

L'anosognosie se rencontre essentiellement en cas de lésions de l'hémisphère mineur (hémisphère droit chez le droitier), principalement lors d'un accident cérébral ischémique (dû à une interruption de l'irrigation sanguine). Par exemple, un patient frappé d'une hémiplégie gauche massive refuse d'admettre l'existence de celle-ci, même quand on la lui fait constater, et se comporte, dans ses efforts pour se lever, comme s'il n'était pas paralysé. L'anosognosie peut s'associer à une hémiasomatognosie (le patient refuse de reconnaître comme sienne la moitié paralysée de son corps) ou à une anosodiaphorie (indifférence affective du patient à son trouble).

Anoxie

Insuffisance d'apport en oxygène aux organes et aux tissus vivants.

Dans les poumons, l'oxygène se fixe sur l'hémoglobine (pigment respiratoire des globules rouges du sang). Il est ensuite transporté par la circulation artérielle vers les tissus de l'organisme, qui en ont besoin pour assurer leurs fonctions, parfois vitales.

CAUSES

L'anoxie peut être due à diverses causes :
- une défaillance de l'appareil respiratoire, observée dans l'insuffisance respiratoire ou l'asphyxie ;
- une défaillance cardiaque ou circulatoire : arrêt cardiocirculatoire, dû en général à un infarctus du myocarde, hypotension artérielle majeure par hémorragie ou embolie pulmonaire grave ;
- une réduction anormale du taux d'hémoglobine due à une anémie profonde ou à une anomalie de la fixation de l'oxygène sur l'hémoglobine, comme dans l'intoxication par l'oxyde de carbone.

SYMPTÔMES ET ÉVOLUTION

L'anoxie tissulaire se traduit par une cyanose. Toutefois, c'est le cerveau qui est l'organe le plus sensible à l'anoxie. L'anoxie cérébrale, la plus grave, se manifeste de façon variable, par une perte de connaissance, un coma ou des convulsions dès lors que l'apport d'oxygène au cerveau a cessé plus de quelques minutes. Le coma postanoxique, parfois prolongé, témoigne du caractère irréversible de certaines lésions cérébrales. Les autres organes (cœur, reins) sont mieux protégés contre l'anoxie.

TRAITEMENT

Le traitement de l'anoxie repose sur celui de sa cause.
→ VOIR Arrêt cardiocirculatoire, Coma dépassé, État végétatif chronique.

Anse borgne (syndrome de l')

Trouble de l'intestin traduisant une lésion de cet organe susceptible d'entraîner un arrêt de la digestion et une pullulation microbienne dans l'appareil digestif. SYN. *pullulation microbienne intraluminale.*

Les principales causes du syndrome de l'anse borgne sont : les maladies inflammatoires du tube digestif entraînant des sténoses ou des fistules ; les interventions chirurgicales (en particulier les anastomoses termino-latérales) réalisant un cul-de-sac ; les diverticules de l'intestin grêle, la sclérodermie, l'amylose et la neuropathie diabétique, qui produisent un arrêt de la digestion par diminution du péristaltisme intestinal.

Le syndrome de l'anse borgne se manifeste par une diarrhée de selles jaune pâle, fétides et graisseuses, accompagnée d'un fléchissement de l'état général (état nauséeux, perte de poids), témoignant d'une mauvaise absorption intestinale.

Le diagnostic peut être orienté par un test respiratoire (à l'hydrogène). Le traitement consiste en la prise régulière d'un antibiotique à large spectre (tétracycline).
→ VOIR Test respiratoire.

Antabuse (effet)

Réaction provoquée par l'ingestion d'alcool chez des sujets prenant certains médicaments.

L'effet antabuse est caractéristique du disulfirame ; il est dans ce cas destiné à provoquer un dégoût de l'alcool chez un alcoolique chronique en période de sevrage. Il apparaît aussi, bien que très rarement, avec d'autres médicaments (antidiabétiques oraux), mais cette fois comme effet indésirable. Le sujet ressent une brusque bouffée de chaleur et de rougeur, parfois très marquée.

Antagonisme

Action mutuellement inhibitrice ou réductrice de deux substances.

Il y a antagonisme entre deux antibiotiques quand l'effet antibactérien conjoint des deux médicaments est inférieur aux effets que chacun d'entre eux aurait eu isolément. Ainsi, les antibiotiques bactériostatiques (bloquant le développement bactérien) sont souvent antagonistes. En revanche, les antibiotiques bactéricides (qui tuent les bactéries) ont souvent une action synergique.

Antagoniste

Substance se fixant sur les mêmes récepteurs cellulaires qu'une substance de référence, en empêchant celle-ci de produire tout ou partie de ses effets habituels.

Certains antihistaminiques (antagonistes de l'histamine), par exemple, sont prescrits pour empêcher la survenue de symptômes dus à l'histamine, au cours des allergies. Plusieurs médicaments du système nerveux végétatif sont des antagonistes de l'adrénaline (alphabloquants, bêtabloquants) ou de l'acétylcholine (anticholinergiques).
→ VOIR Agoniste.

Antalgique

→ VOIR Analgésique.

Antéhypophyse

Partie antérieure de l'hypophyse, responsable de la sécrétion de nombreuses hormones.

L'antéhypophyse, glande endocrine, sécrète des hormones appelées stimulines, qui agissent sur les autres glandes endocrines (glande thyroïde, glandes corticosurrénales, testicules et ovaires), et sécrète la prolactine et la somathormone. Ces différentes hormones créent à leur tour un rétro-contrôle en sécrétant chacune une hormone régulante : ainsi, la thyréostimuline (ou T.S.H.) stimule la thyroïde, qui produit la triiodothyronine freinant la production de T.S.H. ; la corticotrophine (ou A.C.T.H.) stimule les corticosurrénales, qui sécrètent du cortisol freinant la production d'A.C.T.H. ; l'hormone folliculostimulante (ou F.S.H.) et l'hormone lutéinisante (ou L.H.) stimulent les testicules et les ovaires, qui produisent les hormones sexuelles (œstradiol ou testostérone) ralentissant la production de L.H. et de F.S.H. La prolactine, quant à elle, est régulée par un facteur hypothalamique : la dopamine. Enfin, la somathormone (ou G.H.) stimule le foie, qui synthétise de la somatomédine ; la production de G.H. est freinée par la somatostatine et par l'hyperglycémie.

Anthelminthique

→ VOIR Antiparasitaire.

Anthracose

Maladie pulmonaire due à l'inhalation de particules de charbon ou de graphite.

L'anthracose, maladie professionnelle de la famille des pneumoconioses, touche particulièrement les travailleurs des mines de charbon. Elle n'entraîne en général pas de fibrose (durcissement et épaississement du tissu pulmonaire), mais peut provoquer à la longue une insuffisance respiratoire.

Le diagnostic est généralement établi avant même l'apparition des signes cliniques, lors d'un examen radiologique des poumons. À ce stade, il est encore temps de mettre fin à l'exposition du patient aux poussières incriminées. Il n'existe pas de traitement de l'anthracose, si ce n'est celui des symptômes (insuffisance respiratoire).
→ VOIR Pneumoconiose.

Anthrax

Agglomérat de plusieurs furoncles formant de gros nodules inflammatoires pleins de pus.

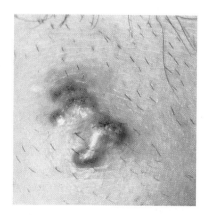

Anthrax. *Il se forme une plaque cutanée épaisse, rouge et douloureuse.*

Les anthrax sont plus fréquents chez l'homme que chez la femme. Les sujets diabétiques ou en mauvaise condition physiologique sont plus souvent touchés.

L'anthrax est dû à une infection aiguë de la gaine des poils et de la glande sébacée adjacente par le staphylocoque doré ; il siège le plus souvent à la nuque, au visage, au dos et à la fesse. Il a l'aspect d'une tuméfaction rouge, chaude, douloureuse et s'accompagne de fièvre et de ganglions. En mûrissant, il libère un pus sanguinolent. L'évolution peut se compliquer au plan local (abcès profond), voire général (septicémie).

Des pansements chauds et humides et une bonne désinfection locale, suivis de l'élimination à la pince du bourbillon (amas blanchâtre constitué de pus et de fragments dermiques nécrosés, situé au centre du furoncle), associés à une antibiothérapie par voie générale sont le meilleur traitement. Après guérison, les anthrax laissent toujours une cicatrice.

Anthropozoonose

Maladie de l'animal transmissible à l'être humain. SYN. *zoonose*.

Le mode de transmission des anthropozoonoses peut se faire par la consommation de la viande de l'animal ou par une de ses productions (lait, œufs). Dans d'autres cas, la transmission du germe s'effectue par morsure ou par piqûre.

Les anthropozoonoses peuvent être virales (rage, encéphalites), bactériennes (salmonellose, pasteurellose, brucellose), parasitaires (toxoplasmose, gale), mycosiques (teigne). La gravité des anthropozoonoses est très variable, pouvant aller d'une simple réaction locale à une affection mortelle.
→ VOIR **Maladie transmise par un animal.**

Antiacarien

Médicament antiparasitaire destiné à éliminer les acariens (agents de la gale, aoûtats, etc.). SYN. *acaricide*.

Les antiacariens comprennent plusieurs substances : benzoate de benzyle, clofénotane, lindane. Ils se présentent en crème et en lotion. Ils peuvent provoquer comme effets indésirables des réactions locales : sensation de cuisson, apparition d'un eczéma. Des réactions générales sont également possibles (convulsions) en cas d'ingestion accidentelle ou d'absorption à travers une lésion cutanée.
→ VOIR **Piqûre.**

Antiacide

→ VOIR **Antiulcéreux.**

Antiacnéique

Médicament utilisé dans le traitement de l'acné.

Les antiacnéiques se présentent sous deux formes : des produits à usage externe et des médicaments à prendre par voie orale. Les rétinoïdes, le peroxyde de benzoyle, l'acide salicylique, le résorcinol et certains antibiotiques sont commercialisés sous forme de crèmes, de gels, de lotions (applications locales). Les rétinoïdes et les antibiotiques sont aussi présentés sous forme orale, ainsi que les antiandrogènes pour la femme (acétate de cyprotérone s'opposant à l'action sur la peau des hormones androgènes).

Les antiacnéiques agissent soit en détruisant les bactéries cutanées, soit par effet kératolytique (desquamation de la surface de la peau, rendant les couches sous-jacentes plus accessibles aux autres traitements). Dans tous les cas d'acné, les soins d'hygiène locaux sont recommandés : nettoyage au savon doux et au lait de toilette, rinçage soigneux. Si ces mesures sont insuffisantes, les applications locales d'antiacnéiques, à poursuivre souvent pendant 2 ou 3 mois, constituent le meilleur choix initial. Les formes d'acné résistantes ou sévères d'emblée justifient un traitement supplémentaire par voie orale.

EFFETS INDÉSIRABLES

Les effets indésirables des traitements locaux, rares, sont une irritation, une rougeur, une desquamation excessive, une photosensibilisation (réaction cutanée au soleil). Le risque est beaucoup plus important avec les rétinoïdes administrés par voie orale, qui peuvent entraîner des malformations fœtales et doivent par conséquent être associés à une contraception efficace chez les femmes en âge de procréer.

Antiagrégant plaquettaire

Médicament réduisant l'agrégation des plaquettes sanguines.

Les antiagrégants plaquettaires (aspirine à faible dose, ticlopidine, sulfinpyrazone, dipyridamole) inhibent les fonctions plaquettaires qui participent à l'hémostase (arrêt des hémorragies). Ils sont administrés par voie orale.

Les antiagrégants plaquettaires sont indiqués pour prévenir la formation de caillots et les embolies (migration d'un caillot) après un infarctus du myocarde, un accident vasculaire cérébral (hémiplégie, par exemple), ou bien au cours des hémodialyses (épurations artificielles du sang). Ils sont contre-indiqués - moins cependant que les anticoagulants - en cas de risque hémorragique. Les interactions avec d'autres substances (anti-inflammatoires, anticoagulants) augmentent le risque de saignements.

Les effets indésirables sont des troubles digestifs, des réactions allergiques, des hémorragies, des destructions de cellules sanguines (chute du taux de plaquettes ou de globules blancs).

Antiamibien

Médicament prescrit contre les infections par les amibes. SYN. *amœbicide*.

Les antiamibiens font partie des antiparasitaires et se répartissent en deux catégories, selon leur effet. Les antiamibiens de contact (hydroxyquinoléines) n'agissent que localement, sur les amibes de l'intestin. Les antiamibiens diffusibles (imidazolés), capables de pénétrer dans le sang, sont actifs également sur les amibes qui ont migré dans les organes (par exemple le foie).

Antiangoreux

Médicament utilisé dans le traitement de l'insuffisance coronarienne (défaut d'irrigation du muscle cardiaque par les artères coronaires). SYN. *antiangineux*.

FORMES PRINCIPALES

■ **L'amiodarone** dilate les artères coronaires. Elle ne nécessite qu'une prise quotidienne. Elle risque de provoquer une bradycardie, de modifier le fonctionnement de la glande thyroïde et de provoquer une photosensibilisation (réaction cutanée au soleil). Il faut donc contrôler régulièrement la fonction thyroïdienne et le taux sérique d'amiodarone.

■ **Les bêtabloquants** diminuent la fréquence et la force de contraction du cœur, ce qui réduit sa consommation d'oxygène, donc ses besoins d'irrigation. Ils abaissent aussi la tension artérielle. Après un infarctus, certains bêtabloquants réduisent de façon importante la fréquence des récidives. Mais ils peuvent déclencher, chez le patient, un spasme bronchique ou encore une insuffisance cardiaque (diminution exagérée de la force de contraction).

■ **Les inhibiteurs calciques** sont de plus en plus utilisés dans les traitements à long terme et dans les cas de spasme des artères coronaires (surtout la nifédipine). Ils sont mieux tolérés que les bêtabloquants, mais peuvent provoquer une sensation de congestion de la tête et des œdèmes des membres inférieurs.

■ **La trinitrine et les dérivés nitrés** dilatent les vaisseaux sanguins, notamment les coronaires, par relâchement du tissu musculaire contenu dans leur paroi. Le cœur est mieux irrigué en même temps que ses besoins diminuent. Les dérivés nitrés par voie sublinguale (sous la langue), efficaces en moins de 2 minutes, sont la base du traitement de la crise d'angor. L'administration orale ou transdermique (application cutanée) est indiquée dans les traitements à long terme, bien que l'action des médicaments s'estompe avec le temps. La trinitrine et le dinitrate d'isosorbide intraveineux sont réservés au traitement intensif de l'angor instable et de l'infarctus.

Par ailleurs, les préparations orales de dérivés nitrés sont également indiquées pour agir contre certaines insuffisances cardiaques, mais leur effet vasodilatateur risque de provoquer une hypotension artérielle.

■ **La molsidomine** est transformée par le foie en un dérivé qui a des propriétés voisines de celles des dérivés nitrés, c'est-à-dire qui dilate les vaisseaux sanguins.

INDICATIONS

Les antiangoreux sont prescrits dans le traitement des différentes formes d'insuffisance coronarienne : traitement immédiat de la crise d'angor, ou angine de poitrine ; traitement en urgence de l'angor instable (grave) et de l'infarctus du myocarde ; traitement à long terme de l'insuffisance coronarienne. Ces médicaments sont employés seuls ou associés entre eux pour un maximum d'efficacité.

Antiarythmique

Médicament destiné à corriger certains troubles du rythme cardiaque, surtout les contractions trop rapides ou inefficaces.

FORMES PRINCIPALES

Les antiarythmiques sont classés, selon leur mécanisme d'action, en quatre familles : quinidine et produits équivalents ; bêtabloquants (sauf le sotalol) ; ensemble formé par l'amiodarone, le brétylium et le sotalol ; inhibiteurs calciques. En fonction de la prescription de l'un ou de l'autre de ces médicaments, les cellules du myocarde (muscle du cœur) deviennent moins excitables ou conduisent moins vite les phénomènes électriques, ou bien encore voient diminuer leur fonctionnement automatique. L'administration se fait soit par voie orale, soit par voie intraveineuse.

INDICATIONS

L'indication d'une de ces substances dépend de la variété du trouble du rythme : tachycardie (accélération du rythme cardiaque) ; fibrillation auriculaire (contractions inefficaces) ; irrégularité du rythme cardiaque ; extrasystoles (contractions supplémentaires occasionnelles).

SURVEILLANCE

La prescription et la surveillance du traitement, souvent délicates et spécialisées, nécessitent des électrocardiographies (enregistrements de l'activité électrique du cœur) et parfois des dosages du médicament dans le sang. En cas de récidive, on peut passer à une autre famille d'antiarythmiques ou associer deux produits.

EFFETS INDÉSIRABLES

Il peut survenir une insuffisance cardiaque (diminution de la force de contraction du cœur), un ralentissement excessif du rythme cardiaque ou un autre trouble du rythme.

Antiasthmatique

Médicament utilisé dans le traitement de l'asthme.

■ **En traitement symptomatique**, les antiasthmatiques soulagent ou arrêtent les crises d'asthme. Ils sont représentés surtout par les bêtastimulants (salbutamol, terbutaline), qui ont un effet bronchodilatateur. La théophylline et ses dérivés ainsi que les corticostéroïdes sont également employés.

■ **En traitement de fond**, les antiasthmatiques préviennent la survenue de nouvelles crises. On peut prescrire des bronchodilatateurs divers (oxitropium bromure, etc.), du cromoglycate de sodium, du kétotifène.

Antibactérien

Substance active contre les bactéries.
→ VOIR Antibiotique, Antiseptique, Bactéricide, Bactériostatique.

Antibiogramme

Examen bactériologique qui permet d'apprécier la sensibilité ou la résistance d'une bactérie à plusieurs antibiotiques.

Un antibiogramme permet de déterminer les concentrations minimales inhibitrices (C.M.I.), c'est-à-dire les quantités d'antibiotiques nécessaires pour empêcher la croissance bactérienne. Le procédé consiste à cultiver les bactéries présentes dans un prélèvement (sang, urine, etc.) afin de les identifier et de tester sur les colonies obtenues l'efficacité de divers antibiotiques.

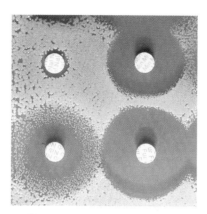

Antibiogramme. Les bactéries présentes sont diversement inhibées par les antibiotiques testés.

Antibioprophylaxie

Utilisation thérapeutique d'un antibiotique pour prévenir la survenue d'une infection considérée comme dangereuse. SYN. *antibioprévention.*

L'antibioprophylaxie s'oppose au traitement curatif, destiné à traiter une infection déjà déclarée, apparente ou non. Elle est particulièrement recommandée avant certaines interventions chirurgicales, lorsque les risques infectieux sont connus ou lorsque le malade a une certaine fragilité immunitaire. Elle est alors administrée en une seule dose ou répétée sur une très courte durée. L'antibioprophylaxie peut également s'adresser aux personnes qui ont été en contact avec un sujet atteint d'une maladie infectieuse (méningite cérébrospinale, par exemple). Dans ce cas, la conduite de l'antibioprophylaxie relève de dispositions officielles.

Antibiothérapie

Thérapeutique utilisant un ou plusieurs médicaments anti-infectieux de la classe des antibiotiques, dont l'activité s'exerce contre les bactéries.

L'antibiothérapie peut être préventive, ou prophylactique (on parle d'antibioprophylaxie) ; elle peut être aussi curative, destinée à combattre une infection déjà en place, apparente ou non (dans ce dernier cas, c'est une antibiothérapie curative précoce).

■ **L'antibiothérapie préventive** cherche soit à prévenir une surinfection bactérienne (par exemple chez les grands brûlés ou les sujets âgés atteints de syndrome grippal), soit à éviter l'essaimage de germes pathogènes à partir d'un foyer sur lequel un geste chirurgical est prévu (par exemple traitement d'un granulome apical dentaire chez un malade ayant une valvulopathie cardiaque, pour prévenir une endocardite d'Osler).

■ **L'antibiothérapie curative** s'impose lorsque les symptômes indiquent que le malade ne peut plus combattre l'agent infectieux avec ses seules défenses immunitaires. L'antibiothérapie permet alors d'arrêter la multiplication des bactéries (effet bactériostatique) ou de les détruire (effet bactéricide). Une antibiothérapie curative ne doit jamais être interrompue prématurément, qu'elle ait agi remarquablement en quelques jours ou, à l'inverse, qu'elle soit initialement sans effet notable apparent.

Les règles d'utilisation des antibiotiques sont parfaitement codifiées. Le choix de l'antibiotique est établi selon son spectre (activité antibactérienne). On peut, le cas échéant, estimer son potentiel d'action sur la souche bactérienne en cause en faisant pratiquer un antibiogramme. Les doses prescrites et leur fréquence sont fonction du poids du malade, de son âge (doses plus faibles pour les personnes âgées), de son état rénal et hépatique, du type d'infection et de sa gravité. La pharmacocinétique (métabolisme et diffusion du principe actif) doit également être prise en compte pour que des concentrations optimales parviennent au foyer infectieux. Enfin, la voie d'administration peut être orale ou parentérale (intramusculaire ou intraveineuse), et la durée du traitement est déterminée par les signes objectifs de guérison.

Une hospitalisation peut s'imposer du fait de l'antibiotique choisi, de son mode d'administration et en fonction de la gravité du cas.

Le problème majeur des antibiothérapies est l'apparition, sans cesse croissante, de souches bactériennes résistantes aux antibiotiques utilisés. Une antibiothérapie doit donc être justifiée pour être prescrite et doit être poursuivie jusqu'à son terme.

Antibiotique

Substance, d'origine naturelle ou synthétique, utilisée contre les infections causées par les bactéries.

HISTORIQUE

En 1928, le médecin britannique sir Alexander Fleming découvre qu'une moisissure, le *Penicillium,* empêche les cultures de bactéries de proliférer. La substance bactériostatique sécrétée par la moisissure prend le nom de pénicilline et devient disponible comme médicament dans les années 40 : c'est le premier antibiotique. Depuis, beaucoup d'autres substances actives contre de nombreuses bactéries ont été découvertes. Actuellement, les chercheurs s'efforcent de découvrir de nouvelles molécules actives sur les bactéries les plus résistantes, de diminuer la toxicité des médicaments et de simplifier leur mode d'administration.

FORMES PRINCIPALES

On dispose de plusieurs dizaines d'antibiotiques, regroupés en plus de dix familles dont les principales sont les suivantes : aminosides, bêtalactamines (pénicillines et céphalosporines), macrolides, nitro-imidazolés, quinolones, tétracyclines. Ils inhibent la synthèse de la paroi qui entoure la bactérie, ou bien la synthèse de ses protéines.

PRINCIPAUX ANTIBIOTIQUES

Familles et voies d'administration	Produits, groupes de produits	Indications et particularités	Principaux effets indésirables	Principales contre-indications
Aminosides voie injectable, orale et locale	Streptomycine	Tuberculose	Toxicité auditive, rénale	Anesthésie, grossesse, insuffisance rénale
	Amikanine, dibékacine, gentamicine, nétilmicine, sisomycine, spectinomycine, tobramycine	Réservés à certaines infections intestinales ou urinaires et aux infections graves	Toxicité auditive, rénale	Anesthésie, grossesse, insuffisance rénale
Antituberculeux voie orale	Éthambutol, isoniazide, pyrazinamide	Médicaments associés dans le traitement de la tuberculose	Toxicité hépatique, neurologique, oculaire	Grossesse, insuffisance hépatique ou rénale
	Rifampicine, streptomycine	Médicaments associés dans le traitement de la tuberculose	Toxicité auditive, rénale, digestive, hépatique, réactions allergiques	Anesthésie, grossesse, insuffisance rénale, nourrisson, allergie à ces médicaments
Bêtalactamines 1 : Pénicillines voie injectable et orale (avec ou sans inhibiteurs des bêtalactamases)	Pénicillines G (benzylpénicilline, pénicilline V) pénicillines M (cloxacilline, oxacilline) pénicillines A (amoxicilline, ampicilline) carboxypénicillines (ticarcilline) uréidopénicillines (mezlocilline, pipéracilline)	Médicaments d'usage courant ; indications propres à chaque groupe, dans l'ensemble, très larges : infections bronchopulmonaires, cardiaques, cutanées, digestives, génitales, méningées, O.R.L., ostéoarticulaires, urinaires, généralisées ; listériose, syphilis, etc.	Réactions allergiques, toxicité digestive, neurologique, rénale	Allergie à ces médicaments
	Amidinopénicillines (pivmecillinam)	Infections urinaires		
	Carbapénèmes (imipénème) Monobactames (aztréonam)	Réservés à l'hôpital, pour des infections sévères et résistantes aux autres antibiotiques		
Bêtalactamines 2 : céphalosporines voie injectable et orale	1re génération (céfaclor céfadroxil, céfalexine, céfalotine, céfapirine, céfatrizine, céfazoline, céfradine)	Indications propres à chaque groupe mais, dans l'ensemble, très larges : mêmes infections que pour les pénicillines. Ces produits commencent à avoir un usage courant depuis plusieurs années, mais beaucoup, dans les 2e et 3e générations, restent réservés aux soins à l'hôpital et aux infections sévères.	Réactions allergiques, toxicité rénale à forte dose	Allergie à ces médicaments
	2e génération (céfamandole, céfotiam, céfoxitine, céfuroxime)		Réactions allergiques, hémorragies	
	3e génération (céfixime, céfopérazone, céfotaxime, cefsulodine, ceftazidime, ceftizoxime, ceftriaxone, latamoxef)			
Lincosanides voie injectable	Clindamycine	Réservés à certaines infections sévères	Toxicité digestive, hépatique	Insuffisance hépatique

CARACTÉRISTIQUES ET ADMINISTRATION

Chaque antibiotique possède plusieurs caractéristiques.

■ Le spectre d'action est la liste des bactéries sur lesquelles l'antibiotique est actif. Le spectre peut être large ou étroit selon le nombre de germes sensibles à cet antibiotique. Les autres bactéries sont dites « résistantes » (résistance naturelle). Si besoin, un prélèvement local contenant les bactéries est envoyé dans un laboratoire, qui réalise un antibiogramme (étude de l'efficacité d'un choix d'antibiotiques sur la bactérie en cause) afin d'adapter le traitement.

■ Le caractère bactériostatique, ou bactéricide, de l'antibiotique correspond à l'arrêt de la prolifération ou à la destruction des bactéries.
■ Le devenir dans l'organisme détermine les voies d'administration possibles (locale, orale, injectable) en fonction de la répartition du produit dans les tissus, de son pouvoir de pénétration dans les cellules, de son organe d'élimination (rein ou foie).
■ La tolérance dépend de la toxicité du produit et de la probabilité d'allergie du malade au médicament.

Le choix d'un antibiotique dépend également de la nature de l'infection (siège,

gravité) et de l'état du malade (antécédents d'allergie, maladie rénale ou hépatique). Il est parfois nécessaire d'associer plusieurs produits pendant le traitement, par exemple en cas d'infection grave.

EFFETS INDÉSIRABLES

La plupart des antibiotiques peuvent provoquer des nausées, une diarrhée (par modification de la flore intestinale) ou bien des réactions allergiques (cutanées ou plus sévères), qui interdisent l'emploi ultérieur de tout antibiotique de la même famille. Ils peuvent également favoriser l'éclosion d'une mycose (principalement candidose).

SUITE

Familles et voies d'administration	Produits, groupes de produits	Indications et particularités	Principaux effets indésirables	Principales contre-indications
Macrolides voie injectable, orale et locale	Érythromycine, josamycine, midécamycine, roxithromycine	Médicaments d'usage courant, indiqués en cas d'infections génitales, O.R.L., pulmonaires, de toxoplasmose, etc.	Réactions allergiques, toxicité digestive, hépatique	Insuffisance hépatique
Nitroimidazolés voie injectable et orale	Métronidazole, ornidazole	Infections dues à des bactéries anaérobies	Atteinte digestive sans gravité	Allergie à ces médicaments
Phénicolés voie injectable et orale	Thiamphénicol	Infections sévères, en cas d'échec des autres antibiotiques	Toxicité digestive, sanguine	Grossesse, maladies hépatiques, nourrisson
Polypeptides (ou polymyxines) voie injectable	Colistine	Infections urinaires	Toxicité neurologique, rénale	Anesthésie, insuffisance rénale
Quinolones voie injectable et orale	Non fluorées (acide nalidixique, acide oxolinique, acide pipémidique, fluméquine, rosoxacine)	Infections génitales ou urinaires	Réactions allergiques toxicité auditive	Épilepsie, grossesse, maladies psychiatriques, nourrisson
	Fluorées (ciprofloxacine, norfloxacine, ofloxacine, péfloxacine)	Médicaments récents, en expansion, indiqués dans les infections génitales ou urinaires, les infections sévères, les légionelloses		
Rifamycines voie injectable et orale	Rifamycine	Applications locales	Réactions allergiques	Allergie à ce médicament
	Rifampicine	Tuberculose	Toxicité digestive, hépatique	Nourrisson
Sulfamides voie injectable, orale et locale (avec ou sans triméthoprime)	Sulfadiazine, sulfaméthoxazole, sulfamoxole	Infections génitales ou urinaires ou en cas d'échec des autres antibiotiques	Réactions allergiques, toxicité rénale, sanguine	Grossesse, insuffisance rénale, nourrisson
Synergistines voie orale et locale	Pristinamycine, virginiamycine	Infections cutanées, osseuses, pulmonaires	Toxicité digestive, hépatique	Insuffisance hépatique
Tétracyclines voie injectable, orale et locale	Doxycycline, métacycline, minocycline, oxytétracycline, rolitétracycline, tétracycline	Médicaments d'usage courant, indiqués dans les infections génitales, pulmonaires, le choléra, le typhus, etc.	Réactions allergiques, toxicité digestive, neurologique, rénale	Enfant avant 8 ans, insuffisance hépatique ou rénale
Divers voie injectable, orale et locale	Acide fusidique, fosfomycine, teicoplanine, vancomycine	Réservés à l'hôpital pour les infections à staphylocoque et les infections sévères	Toxicité auditive, rénale	Allergie à ces médicaments, insuffisance hépatique

Par ailleurs, il existe un risque plus général : l'apparition chez une bactérie d'une résistance à un antibiotique auquel elle était antérieurement sensible (résistance acquise), par sécrétion d'une enzyme qui s'oppose à l'action du médicament (par exemple la bêtalactamase s'opposant à l'action des bêtalactamines). Une résistance apparue sur des souches et chez un malade donné peut, dans certains cas, s'étendre d'une façon épidémique au sein des flores bactériennes du malade ou de son entourage. Cet effet est favorisé par une utilisation trop fréquente et inadéquate des antibiotiques.

Anticancéreux

Médicament utilisé dans le traitement chimiothérapique de certains cancers. SYN. *antimitotique, antinéoplasique, cytostatique.*

Les anticancéreux visent à détruire le plus grand nombre possible de cellules cancéreuses ou à les empêcher de se multiplier, tout en épargnant la plupart des cellules saines de l'organisme. Chaque variété de cancer est sensible à certains produits et résistante à d'autres. Les médicaments sont souvent associés, ce qui permet de diminuer leurs doses.

→ VOIR **Chimiothérapie anticancéreuse.**

Anticholinergique

Substance inhibant l'action de l'acétylcholine (neurotransmetteur du système parasympathique) dans le système nerveux végétatif. SYN. *parasympatholytique.*

Les anticholinergiques (atropine, benzatropine, trihexiphénidyle, etc.) s'opposent à l'action du système nerveux végétatif parasympathique en se fixant sur les récepteurs des cellules nerveuses à la place de l'acétylcholine. Ils sont prescrits dans le traitement des excès de sécrétion gastrique, des vomissements, de la maladie de Parkinson et administrés par voie orale ou par injection.

PRINCIPAUX ANTICHOLINERGIQUES

Principes actifs	*Principales indications*
Hydroxyzine Bromphéniramine Cyproheptadine Prométhazine Dexchlorphéniramine Merquitazine Alimémazine (sirop, comprimé) Tous ces produits sont aussi des antihistaminiques H1.	**Allergologie** Traitement symptomatique des manifestations allergiques bénignes : rhinite, conjonctivite, œdème de Quincke, urticaire. Traitement adjuvant des affections dermatologiques (eczéma, prurigo).
Pirenzépine (comprimé)	**Gastro-entérologie** Traitement adjuvant de l'ulcère gastro-duodénal
Trihexyphénidyle Bipéridène Procyclidine Tropatépine (comprimé, solution buvable, solution injectable)	**Neurologie** Maladie de Parkinson
Ipratropium (aérosol)	**Oto-rhino-laryngologie** Traitement des rhinites non infectées
Ipratropium Oxitropium (aérosol)	**Pneumologie** Traitement de fond de l'asthme et traitement des crises
Oxybutynine (aérosol)	**Urologie-néphrologie** Traitement de l'énurésie
Dihexyvérine Tiémonium Propanthéline Diphémanil (comprimé, solution buvable, suppositoire, solution injectable)	**Autres indications** Spasmes : traitement des manifestations spasmodiques douloureuses des voies digestives ou urinaires et en gynécologie, en obstétrique et en radiologie.

Les effets indésirables sont une rétention d'urine, qui se produit en cas d'adénome de la prostate, une crise aiguë de glaucome (hypertension intraoculaire), une aggravation d'une insuffisance cardiaque ou coronarienne. Les anticholinergiques sont à proscrire en cas de grossesse ou d'allaitement.

Anticoagulant

Substance médicamenteuse ou naturelle s'opposant à la coagulation du sang.

Médicaments anticoagulants

Ils rendent le sang plus fluide, mais peuvent provoquer des saignements.

FORMES PRINCIPALES

■ **Les héparines** agissent directement sur la coagulation, de façon rapide, et sont injectées par voie sous-cutanée ou intraveineuse.
■ **Les antivitamines K**, dérivés de la coumarine ou de l'indanédione, empêchent la synthèse par le foie de facteurs actifs de la coagulation ; elles sont prises par voie orale et ont un délai d'action plus long.

INDICATIONS

Les anticoagulants sont indiqués pour prévenir ou traiter les thromboses (formation de caillots) des vaisseaux sanguins et leur complication principale, l'embolie (migration d'un fragment de caillot qui obstrue un vaisseau). Ils sont prescrits dans les maladies et les situations suivantes : phlébite (thrombose veineuse) et embolie pulmonaire ; thrombose et embolie artérielles ; intervention chirurgicale ; immobilisation du membre inférieur (dans un plâtre ou lors d'un alitement prolongé) ; certaines maladies cardiaques (infarctus, valves artificielles). L'héparine, prescrite en premier dans les cas aigus, est relayée par des antivitamines K si le traitement doit se prolonger.

SURVEILLANCE

Les examens sanguins sont indispensables, sauf pour les traitements préventifs par l'héparine, dont les doses sont souvent très faibles. La coagulation doit être suffisamment modifiée, mais pas trop (risque d'hémorragie). Les tests sont différents pour l'héparine (temps de Howell, ou temps de céphaline activé) et pour l'antivitamine K (temps de prothrombine, ou temps de Quick, dont les résultats sont maintenant exprimés en INR, ou ratio international de normalisation). Les posologies sont modifiées en fonction des résultats.

EFFETS INDÉSIRABLES

Le surdosage provoque des hémorragies (des gencives, des voies digestives ou urinaires, etc.) et la formation d'hématomes. Ce risque est augmenté s'il existe déjà une lésion (ulcère de l'estomac), si le patient prend de l'aspirine ou des anti-inflammatoires. On doit éviter les injections intramusculaires. Les saignements peu abondants ne justifient en général qu'une diminution de la dose. Par ailleurs, les antivitamines K peuvent provoquer des malformations fœtales et sont donc contre-indiquées chez la femme enceinte.

Anticoagulants naturels

On distingue les anticoagulants normaux de ceux qui sont pathologiques.

ANTICOAGULANTS NORMAUX

Outre l'héparine, présente dans différents tissus, trois protéines sanguines importantes sont connues : l'antithrombine III, la protéine C et la protéine S. Leur déficit, le plus souvent congénital, entraîne dès le jeune âge des thromboses et des embolies, parfois graves s'il n'est pas traité par l'administration d'antivitamine K.

ANTICOAGULANTS PATHOLOGIQUES

Ce sont des anticorps absents chez le sujet sain. Certains sont spécifiques, c'est-à-dire dirigés contre certains facteurs de la coagulation du plasma (anticoagulants antifacteur VIII, antifacteur IX). Ils apparaissent à la suite de transfusions multiples et sont sources d'hémorragie. D'autres anticoagulants pathologiques sont non spécifiques, comme les antiphospholipides, que l'on rencontre dans le lupus érythémateux disséminé. Ils sont la cause de thromboses, traitées par les médicaments anticoagulants, et d'avortements répétés.

Anticonvulsivant

Médicament actif contre les convulsions, qu'elles soient d'origine épileptique ou dues à la fièvre.
→ VOIR Antiépileptique, Antipyrétique.

Anticorps

Protéine du sérum sanguin sécrétée par les lymphocytes B (globules blancs intervenant dans l'immunité) en réaction à l'introduction d'une substance étrangère (antigène) dans l'organisme. SYN. *immunoglobuline.*

L'antigène peut être essentiellement un virus, une bactérie, un parasite, un venin, un vaccin, une cellule cancéreuse.

À la suite d'un dérèglement du système immunitaire, des anticorps peuvent se retourner contre les cellules de l'organisme qui les produit. De tels anticorps sont appelés autoanticorps ; ils sont responsables de maladies auto-immunes telles que le lupus érythémateux disséminé ou la maladie de Biermer.
→ VOIR Immunoglobuline.

Anticorps antinucléaire

Autoanticorps dirigé contre un ou plusieurs éléments du noyau des cellules de l'organisme qui le produit.

Les premiers anticorps antinucléaires ont été découverts en 1948 par le médecin américain Malcolm Hargraves, qui a décrit la cellule portant depuis son nom (cellule phagocytée par une autre cellule après que son noyau a été lésé par des anticorps antinucléaires). Les anticorps antinucléaires, souvent dirigés contre le noyau des cellules du sujet même qui les produit, apparaissent au cours d'un certain nombre de maladies, notamment le lupus érythémateux disséminé, beaucoup plus rarement la polyarthrite rhumatoïde et le syndrome de Gougerot-Sjögren.

UTILISATION DIAGNOSTIQUE

On a recours à la technique d'immunofluorescence indirecte pour mettre en évidence les anticorps antinucléaires. Cette identification est importante dans la mesure où elle permet de faire un diagnostic précis de la maladie en cause. Au cours de cet examen pratiqué en laboratoire, le sérum du malade est déposé sur un frottis cellulaire. Les anticorps, retenus par les noyaux des cellules, sont révélés par un réactif marqué avec de la fluorescéine. L'analyse s'attache ensuite à déterminer contre quelle partie spécifique du noyau les anticorps sont dirigés.

Anticorps antithyroïdien

Anticorps capable de se fixer sur certains constituants des cellules de la glande thyroïde.

Les anticorps antithyroïdiens sont dits auto-immuns, car ils s'attaquent à un tissu appartenant à l'organisme qui les produit (alors que les anticorps sont normalement dirigés contre les organismes extérieurs). Les anticorps antithyroïdiens ont pour cible soit la peroxydase (enzyme de la cellule thyroïdienne), soit la thyroglobuline (précurseur inactif des hormones thyroïdiennes).

Dans le premier cas, les anticorps sont retrouvés chez les patients atteints d'une thyroïdite de Hashimoto. Dans le second cas, ils apparaissent chez les patients atteints de maladie de Basedow, de thyroïdites subaiguës ou de thyroïdite de Hashimoto.

Le dosage répété de ces anticorps révèle de grandes fluctuations mais n'impose pas l'instauration d'un traitement particulier.

Anticorps monoclonal

Anticorps produit par un clone de cellules (groupe de cellules identiques à la cellule mère dont elles sont issues) et utilisé à des fins diagnostiques et thérapeutiques.

Les anticorps de l'organisme sont produits par des globules blancs, les lymphocytes B, ou par des cellules qui en dérivent, les plasmocytes, en réponse à un antigène (substance d'origine étrangère). Le schéma est le suivant : un lymphocyte donné se multiplie pour former un clone, qui produit alors des anticorps monoclonaux, strictement identiques entre eux et spécifiques d'un seul antigène. Il y a normalement dans l'organisme une multitude de clones, aptes à répondre à tous les antigènes.

UTILISATIONS DIAGNOSTIQUE ET THÉRAPEUTIQUE

Les anticorps monoclonaux obtenus artificiellement sont utilisés pour le diagnostic de la grossesse (tests de grossesse) et pour celui d'infections virales, bactériennes ou parasitaires. En effet, les préparations à base d'anticorps monoclonaux permettent de détecter les antigènes correspondants dans les prélèvements des patients. En outre, certains anticorps monoclonaux sont essayés

dans le traitement de maladies auto-immunes.

La technique d'obtention des anticorps monoclonaux consiste à isoler en laboratoire une cellule B et à réaliser son hybridation (fusion) avec une cellule cancéreuse. La cellule hybride obtenue conserve une propriété de la cellule cancéreuse, celle de se multiplier rapidement à l'infini (ce qui permet d'obtenir facilement un clone), et une propriété lymphocytaire, celle de synthétiser des anticorps.

Anticortisolique

Substance chimique bloquant la sécrétion hormonale des glandes corticosurrénales.

La synthèse des hormones surrénaliennes, réalisée à partir du cholestérol, provoque la formation de cortisol, d'aldostérone et d'androgènes. Les anticortisoliques empêchent certaines des réactions chimiques dans cette chaîne de fabrication. Ainsi, les hormones formées, excepté le cortisol, sont dépourvues de toute activité. Les anticortisoliques sont utilisés notamment dans le traitement des syndromes de Cushing.

Antidépresseur

Médicament utilisé dans le traitement de la dépression.

Les antidépresseurs classiques sont soit des tricycliques (amitriptyline, amoxapine, etc.), soit des inhibiteurs de la monoamine oxydase, ou I.M.A.O. (nialamide, iproniazide, etc.). Parmi les nombreux autres produits n'appartenant pas à ces groupes (trazodone, maprotiline, etc.), les inhibiteurs de la recapture de la sérotonine (fluoxetine, paroxetine, citalopram, sertraline) sont en général bien tolérés. L'administration se fait par voie orale, sauf dans les cas sévères (voie intramusculaire ou perfusion intraveineuse). Le traitement ne fait sentir son effet qu'au bout de quelques jours ou quelques semaines et doit parfois être poursuivi pendant plusieurs mois. Il y a néanmoins toujours un risque de réveil d'une anxiété, risque qui justifie une surveillance étroite et un traitement particulier.

EFFETS INDÉSIRABLES

Les inhibiteurs de la monoamine oxydase doivent être accompagnés d'un régime alimentaire strict : il faut éviter les aliments et les boissons qui contiennent de la tyramine (fromage, vin rouge), car ils risquent de provoquer une élévation importante de la tension artérielle.

Par ailleurs, la plupart des antidépresseurs entraînent parfois une sécheresse buccale, une vision brouillée, des vertiges, une somnolence, une constipation et une douleur à la miction.

Antidiabétique

→ VOIR Hypoglycémiant.

Antidiarrhéique

Médicament utilisé dans le traitement symptomatique de la diarrhée.

Les antidiarrhéiques principaux ralentissent le transit intestinal : le diphénoxylate et le lopéramide, dits morphiniques, augmentent le tonus des fibres lisses circulaires et diminuent le péristaltisme intestinal ; les anticholinergiques inhibent l'effet du système nerveux végétatif. D'autres substances sont utilisées dans les diarrhées pour protéger les parois de l'intestin (pansements tels que l'actapulgite) ou pour diminuer l'hydratation de son contenu (adsorbants tels que le charbon) ; ces produits risquent de gêner l'absorption d'autres médicaments par la muqueuse intestinale.

ANTICORPS

Les anticorps sont élaborés par les plasmocytes. Des variations de structure, en nombre indéfini, permettent la liaison spécifique de chacun à un antigène.

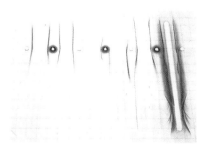

Dans cette immunoélectrophorèse (méthode d'analyse des antigènes), chaque ligne incurvée marque le point de rencontre d'un anticorps connu (placé dans les cercles) avec l'un des antigènes à identifier dans un prélèvement.

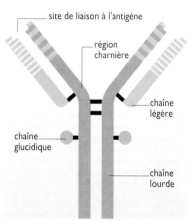

Un anticorps, ou immunoglobuline, est constitué de quatre chaînes polypeptidiques (formées d'une longue suite d'acides aminés) : deux chaînes lourdes (longues) et deux chaînes légères (courtes), les premières reconnaissant les antigènes.

En dehors des antidiarrhéiques proprement dits, les antiseptiques intestinaux (dérivés du nitrofurane ou de la quinoléine) sont parfois efficaces si la diarrhée est d'origine infectieuse.

Le traitement symptomatique de la diarrhée est associé au traitement de sa cause, s'il est possible, et de la déshydratation si les pertes liquidiennes sont importantes.

Antidiurétique (hormone)

Hormone favorisant la réabsorption de l'eau. SYN. *vasopressine*.

L'hormone antidiurétique est synthétisée par les neurones de l'hypothalamus et stockée dans l'hypophyse. Elle exerce son action dans les reins en permettant la réabsorption de l'eau par le tube collecteur et ainsi la concentration des urines.

La sécrétion d'hormone antidiurétique est stimulée par deux facteurs : l'augmentation de la pression osmotique du plasma (force exercée de part et d'autre de la membrane cellulaire des vaisseaux sanguins capillaires) et la baisse de la pression exercée par le volume sanguin circulant (hypovolémie).

Le déficit en hormone antidiurétique est responsable d'un diabète insipide, affection caractérisée par une polyurie (émission d'importantes quantités d'urine) et une polydipsie (soif intense et impérieuse). L'hypersécrétion inappropriée d'hormone antidiurétique, ou syndrome de Schwartz-Bartter, se caractérise par une baisse du taux de sodium dans le sang et la réduction des urines ; ce syndrome est souvent lié à l'existence d'une tumeur (le plus souvent cérébrale ou pulmonaire) et fait partie des syndromes dits paranéoplasiques.

Antidote

Contrepoison spécifique d'un produit toxique, utilisé en cas d'intoxication en complément d'un traitement symptomatique.
→ VOIR Intoxication.

Antiémétique

Médicament utilisé dans le traitement des nausées et des vomissements. SYN. *antivomitif*.

Les antiémétiques regroupent plusieurs types de médicaments : antihistaminiques (prométhazine, dimenhydrinate), anticholinergiques (scopolamine), antagonistes de la dopamine (métoclopramide, dompéridone, etc.), antagonistes de la sérotonine (odansétron, granisétron, corticostéroïdes). Ils agissent sur les centres nerveux cérébraux qui commandent les vomissements ou relâchent les muscles de la partie inférieure de l'estomac. Certains produits (antinaupathiques) sont particulièrement adaptés au mal des transports. Les antiémétiques sont souvent indispensables pour rendre un traitement anticancéreux tolérable par le malade. Leur administration est possible par différentes voies (orale, intraveineuse), selon l'intensité des symptômes. Dans tous les cas, la priorité est accordée au respect des contre-indications de chaque produit ainsi qu'à la recherche et au traitement de la cause des vomissements ou des nausées.

PRINCIPAUX ANTIDOTES

Nom chimique	Indications
Acétylcystéine	Intoxication aiguë au paracétamol
Acide aminocaproïque	Surdosage par les fibrinolytiques (streptokinase, urokinase)
Acide ascorbique	Intoxication par les agents méthémoglobinisants
Acide tranexamique	Surdosage par les fibrinolytiques
Adrénaline	Choc cardiovasculaire induit par la chloroquine et le labétalol
Éthanol	Intoxication par le méthanol ou l'éthylène-glycol
Anticorps antidigitalique	Intoxication aiguë par les digitaliques
Atropine (sulfate)	Intoxication aiguë par les parasympatholytiques insecticides (dont les organophosphorés)
Bleu de méthylène	Intoxication par les agents méthémoglobinisants
Calcium édétate de sodium	Intoxication par les métaux lourds : cobalt, plomb, chrome, fer, zinc
Charbon actif (adsorbant)	Intoxication par les médicaments quand ils sont encore présents dans le tube digestif
Dantrolène	Syndrome malin des neuroleptiques, hyperthermie maligne pendant l'anesthésie
Déféroxamine	Intoxication par les sels de fer ou d'aluminium
Dimercaprol	Intoxication par les dérivés de l'arsenic, le mercure, le plomb, les sels d'or
Flumazénil	Intoxication par les benzodiazépines
Folinate de calcium	Prévention et correction des accidents toxiques provoqués par le méthotrexate, la pyriméthamine ou autres antifoliques
Fraction PPSB	Intoxication par anticoagulants (antivitamines K)
Hydroxocobalamine (vitamine B12)	Intoxication par le cyanure
Isoprénaline	Intoxication par les bêtabloquants
Naloxone	Intoxication par la morphine et les dérivés opiacés
Pénicillamine	Intoxication par le cuivre, l'arsenic, le plomb ou le mercure
Propranolol	Intoxication par le trichloréthylène, la thyroxine, la théophylline, les bêtamimétiques, les bases xanthiques
Protamine	Surdosage en héparine
Pyridoxine (vitamine B6)	Surdosage en isoniazide
Sodium thiosulfate	Intoxication par les métaux lourds : bismuth, arsenic, mercure, or, thallium
Vitamine K1	Intoxication par les anticoagulants (antivitamines K)

Antiépileptique

Médicament utilisé dans le traitement de l'épilepsie.

Les antiépileptiques, prescrits par voie orale ou injectable, préviennent en grande partie la survenue de nouvelles crises chez les épileptiques. Les prises doivent être quotidiennes, toujours aux mêmes heures, sans interruption. L'arrêt du traitement, lorsqu'il est décidé, doit toujours se faire sous surveillance médicale stricte, car il peut provoquer un état de mal (crises successives). Les antiépileptiques ont de nombreuses interactions indésirables, entre eux et avec les autres médicaments. Chacun des produits suivants, classés par ordre décroissant de prescription, a ses propres indications et modalités d'administration. L'association de plusieurs antiépileptiques est généralement évitée afin d'empêcher l'accumulation d'effets indésirables et de limiter les interactions médicamenteuses, mais il est des cas où elle est indispensable.

■ Le phénobarbital reste l'antiépileptique le plus prescrit. Il a fait la preuve de son efficacité dans tous les types d'épilepsie. Ses effets indésirables les plus courants sont liés à son action sédative, qui, heureusement, s'atténue en règle générale au fil du traitement. Paradoxalement, il peut provoquer une excitation chez l'enfant. Le phénobarbital, par son action sur les enzymes hépatiques, modifie l'action de nombreux médicaments : inactivité possible des contraceptifs oraux, interaction avec les antivitamines K, etc. Les autres effets indésirables sont beaucoup plus rares : intolérance cutanée, le plus souvent bénigne et transitoire, mais pouvant évoluer vers une épidermolyse bulleuse (dermatose caractérisée par de grosses bulles décollant l'épiderme).

■ Le valproate de sodium est de plus en plus prescrit au tout début d'un traitement dans les épilepsies généralisées (forme classique) ou partielles (limitées par exemple au bras), mais pas pour le petit mal (forme d'épilepsie fréquente survenant essentiellement dans l'enfance). Ses effets indésirables sont un tremblement, une chute des cheveux toujours transitoire, une thrombopénie (diminution du nombre des plaquettes dans le sang), une prise de poids qui nécessite parfois une interruption du traitement, une somnolence en début de traitement et, surtout, une hépatite aiguë, exceptionnelle et réversible si elle est dépistée à temps.

■ **La carbamazépine** est particulièrement utilisée dans les épilepsies partielles. Bien tolérée, elle peut toutefois, comme le phénobarbital, perturber d'autres traitements par son action sur les enzymes hépatiques. Ses complications les plus fréquentes sont cutanées : érythème ou, exceptionnellement, éruptions plus graves imposant un arrêt du traitement. Un surdosage peut entraîner des troubles de l'équilibre.

■ **La phénytoïne** a été l'un des premiers antiépileptiques. Moins utilisée que par le passé, elle reste précieuse, par voie intraveineuse, dans le traitement des états de mal. Ses effets indésirables sont fréquents et sérieux : gingivite hypertrophique, troubles de l'équilibre, dyskinésies (mouvements anormaux). Elle peut aussi provoquer une encéphalopathie chronique avec détérioration mentale progressive.

■ **L'éthosuximide** est utilisée dans le traitement des absences épileptiques. Ses seuls effets indésirables importants sont des troubles digestifs, le plus souvent transitoires et nécessitant rarement l'arrêt du traitement. Des complications hématologiques sont exceptionnelles.

■ **Les benzodiazépines** (diazépam, clonazépam, etc.) ont, en plus de leurs propriétés anxiolytiques et sédatives, un effet anticonvulsivant. Elles ne sont toutefois qu'un médicament d'appoint contre les épilepsies, leur efficacité s'épuisant après quelques semaines ou quelques mois. Leurs effets indésirables sont une somnolence, une hypotonie (diminution du tonus musculaire) et une apathie incompatible avec une vie normale. Un arrêt brutal du traitement peut provoquer des crises de sevrage importantes.

■ **Le vigabatrin**, dernière génération d'antiépileptiques, est principalement utilisé pour traiter les épilepsies partielles rebelles aux autres antiépileptiques. Il agit en augmentant la concentration dans le cerveau d'un neurotransmetteur, l'acide gamma-aminobutyrique (GABA). Ses effets indésirables sont une somnolence, une sensation de fatigue et, parfois, des troubles psychiques.

Antiestrogène
→ voir Antiœstrogène.

Antifibrinolytique
Médicament utilisé dans le traitement de certaines hémorragies.

Les antifibrinolytiques (acide epsilon-aminocaproïque, acide tranexamique, aprotinine) neutralisent l'action de la plasmine sanguine, substance responsable de la fibrinolyse (destruction de la fibrine constituant les caillots sanguins).

Après une intervention chirurgicale ou au cours de certaines maladies, il arrive que la plasmine soit trop activée et empêche la formation des caillots, ce qui provoque des hémorragies. Les antifibrinolytiques sont indiqués dans ce type d'hémorragies.

Les antifibrinolytiques sont administrés par voie intraveineuse et peuvent provoquer, dans de rares cas, des troubles digestifs ou des réactions allergiques.

Antifongique, ou Antifungique
Médicament utilisé dans le traitement des mycoses (infections par des champignons microscopiques). syn. *fongicide*.

FORMES PRINCIPALES
Les principaux antifongiques sont la nystatine, l'amphotéricine B, le kétoconazole, le fluconazole, l'itraconazole, la flucytosine et la griséofulvine.

■ **Les antifongiques locaux** sont réservés aux mycoses superficielles (de la peau et des muqueuses) : traitement des mycoses du cuir chevelu (teigne), de la candidose buccale, du muguet et des mycoses gynécologiques. Ils se présentent sous la forme de pommade, de crème, de gel, de lotion, d'ovules gynécologiques.

■ **Les antifongiques oraux et systémiques** sont destinés au traitement des candidoses intestinales ou des cryptococcoses, observées surtout chez les sujets immunodéprimés et/ou toxicomanes. Ils empruntent deux voies : orale pour les mycoses du tube digestif, injectable pour les mycoses profondes (infections des organes ou du sang).

EFFETS INDÉSIRABLES
Les antifongiques locaux peuvent, occasionnellement, amplifier l'irritation. Les antifongiques systémiques peuvent provoquer des effets indésirables plus graves, incluant des lésions rénales ou hépatiques.

Antigène
Substance étrangère à l'organisme, susceptible de déclencher une réaction immunitaire en provoquant la formation d'anticorps.

ORIGINE ET STRUCTURE
Les virus, les bactéries, les parasites et les cellules altérées de l'organisme (infectées par un germe ou tumorales) sont des antigènes. Il peut s'agir soit de molécules isolées d'une taille suffisante pour comporter un ou plusieurs sites antigéniques, soit de structures complexes ou d'éléments fixés à la surface de micro-organismes pathogènes. Certains antigènes provoquent une réaction allergique en stimulant la production d'immunoglobulines, ou anticorps de type E (IgE) : ce sont les allergènes, qui ont des origines très diverses (venin d'abeille, pollen, produits chimiques, etc.).

Bien qu'un antigène soit en général une substance étrangère à l'organisme, dans le cas des maladies auto-immunes, c'est un élément même de l'organisme que celui-ci ne reconnaît plus comme sien.

Les antigènes sont, dans la plupart des cas, des glycoprotéines (protéines combinées à des glucides). Les lipides sont beaucoup plus rarement antigéniques, sauf s'ils sont associés à d'autres structures moléculaires plus importantes.

RECONNAISSANCE ET ÉLIMINATION
Lorsque l'antigène pénètre dans l'organisme, celui-ci stimule, dans un premier temps, les mécanismes d'immunité non sélective. Les cellules phagocytaires (lymphocytes T, polynucléaires neutrophiles, macrophages, monocytes) et les cellules cytotoxiques, localisées dans l'épiderme et les muqueuses, constituent la première barrière de défense.

Si l'antigène n'est pas éliminé à ce stade, des mécanismes d'immunité précis interviennent. L'antigène sera opposé aux lymphocytes (globules blancs intervenant dans l'immunité cellulaire), dont la particularité est de reconnaître des antigènes spécifiques. Les lymphocytes B, grâce à leurs anticorps de surface, reconnaissent directement l'antigène, tandis que les lymphocytes T ont besoin d'autres cellules du système immunitaire (macrophages, lymphocytes B) pour le reconnaître. L'élimination de l'antigène s'effectue alors grâce au complément (système de protéines enzymatiques participant à la destruction des antigènes) ou aux cellules phagocytaires.

Antiglaucomateux
Médicament utilisé dans le traitement du glaucome (hypertension intraoculaire).

Certains antiglaucomateux permettent de résoudre une crise aiguë (glaucome à angle étroit ou fermé) : acétazolamide, mannitol en perfusion, glycérine par voie orale, pilocarpine en collyre. D'autres antiglaucomateux, les bêtabloquants, utilisés en collyre, traitent les formes chroniques (glaucome à angle ouvert) ; comme ils sont en partie absorbés dans le sang, ils doivent faire l'objet d'une surveillance médicale chez les patients atteints de troubles cardiaques et chez l'enfant.

Antigonadotrope
Médicament inhibant la synthèse et la libération des hormones gonadotropes féminines (hormones stimulant les ovaires).

Les antigonadotropes ont pour principal représentant le danazol, qui atrophie la muqueuse utérine. Celui-ci est donc indiqué en cas d'endométriose (lésion de la muqueuse utérine caractérisée par la présence de fragments de muqueuse en dehors de l'utérus). Ses effets indésirables sont liés à son pouvoir androgénique (augmentation de la pilosité) et à un défaut d'œstrogènes (disparition des règles, par exemple).

Par ailleurs, l'effet antigonadotrope, inhibant les hormones gonadotropes de l'hypophyse, est aussi la caractéristique de médicaments de nature différente tels que la plupart des contraceptifs oraux.

Antigrippal
Médicament utilisé dans le traitement des syndromes grippaux.

Les antigrippaux (dont le terme relève du langage courant) font partie du traitement des symptômes, et non de la cause, de nombreuses infections virales courantes ressemblant à la grippe. On prescrit donc des médicaments tels que le paracétamol ou l'aspirine pour lutter à la fois contre la fièvre et contre les douleurs diverses (courbatures, maux de tête). Leur sont parfois associés des antihistaminiques. L'emploi de la vitamine C, bien que courant, n'est pas d'une efficacité scientifiquement prouvée.

Antihelminthique
→ voir Antiparasitaire.

Antihémorroïdaire

Médicament utilisé dans le traitement symptomatique des hémorroïdes.

Les antihémorroïdaires d'origine végétale (flavonoïdes) ont un mode d'action inconnu (ils diminuent peut-être la perméabilité des vaisseaux). Ils sont administrés par voie orale et sont prescrits en cures brèves, au besoin associés à des analgésiques. Les antihémorroïdaires locaux (sous forme de suppositoires et de pommades) sont des mélanges de substances agissant chacune sur un symptôme : inflammation (corticostéroïdes), douleur, démangeaison (anesthésique local). Ces différents médicaments sont en général utilisés en traitement d'appoint.

Antihistaminique

Médicament s'opposant à l'action d'une substance naturelle de l'organisme, l'histamine (qui déclenche les effets de l'allergie et augmente la sécrétion gastrique).

Les antihistaminiques agissent par blocage des récepteurs de l'histamine, situés sur différents types de cellules.

Antihistaminiques H_1

Ils bloquent les récepteurs de type H_1 de l'histamine, c'est-à-dire ceux qui sont situés sur les cellules des bronches, des vaisseaux, de l'intestin. Certains produits ont en outre une action anticholinergique, inhibant le système nerveux végétatif (alimémazine, hydroxyzine, prométhazine, etc.) ; d'autres ne la possèdent pas (cétirizine, loratidine). Les antihistaminiques H_1 sont indiqués dans différentes allergies (rhume des foins, conjonctivite allergique, maladies cutanées allergiques, réaction aiguë à un médicament) ; certains sont prescrits contre les vomissements ou la maladie de Parkinson. Ces médicaments sont administrés par voie orale ou injectable.

EFFETS INDÉSIRABLES

Il peut apparaître des troubles tels qu'une sécheresse de la bouche, une constipation, une hypertension intraoculaire et une rétention d'urine, qui se produit en cas d'adénome de la prostate. Ces médicaments ont également une action sédative, dangereuse pour les conducteurs de véhicules.

Antihistaminiques H_2

Ils bloquent les récepteurs de type H_2 de l'histamine, c'est-à-dire ceux qui sont situés sur les cellules de la muqueuse de l'estomac. Ce sont la cimétidine, la ranitidine, la famotidine, la nizatidine. Les antihistaminiques H_2 sont prescrits d'une part en cas d'ulcère de l'estomac et du duodénum, d'autre part pour traiter l'œsophagite peptique (inflammation de l'œsophage due au reflux du contenu gastrique). Ils sont donnés par voie orale, ou par voie injectable dans les cas les plus sévères.

EFFETS INDÉSIRABLES

Ils apparaissent rarement, mais sont très variés, surtout pour la cimétidine : douleurs musculaires, fatigue, troubles psychiatriques aigus, éruption cutanée, atteinte des cellules sanguines dans la moelle osseuse.

Antihypertenseur

Médicament utilisé dans le traitement de l'hypertension artérielle.

FORMES PRINCIPALES

Le choix entre les différents antihypertenseurs, comportant éventuellement une association de plusieurs d'entre eux, est décidé en fonction de l'âge, des pathologies associées, de la tolérance au produit.

■ **Les antihypertenseurs centraux** (clonidine, méthyldopa) agissent sur la commande cérébrale de l'appareil cardiovasculaire et diminuent les effets vasoconstricteurs périphériques. Ils risquent de provoquer bradycardie et somnolence.

■ **Les diurétiques** favorisent l'élimination du sodium et de l'eau dans les urines, ce qui diminue les volumes de liquide dans les vaisseaux, donc leur pression. Leurs effets indésirables comprennent hypokaliémie, déshydratation et insuffisance rénale.

■ **Les inhibiteurs de l'enzyme de conversion** empêchent l'action hypertensive d'un groupe de substances rénales appelé système rénine-angiotensine. Ils provoquent parfois une toux sèche ou, plus rarement, des réactions allergiques (urticaire, œdème de Quincke).

■ **Les bêtabloquants** agissent directement sur le myocarde (muscle du cœur). Ils risquent d'accroître un trouble de la conduction ou une bradycardie s'ils sont utilisés mal à propos.

■ **Les inhibiteurs calciques** relâchent les fibres musculaires contenues dans la paroi des artères. Leurs effets indésirables, rares, peuvent associer insuffisance cardiaque et œdème des membres inférieurs.

INDICATIONS ET SURVEILLANCE

Les antihypertenseurs diminuent les chiffres des pressions artérielles systolique (maxima) et diastolique (minima) afin de prévenir les complications de l'hypertension. Du fait que certaines d'entre elles n'apparaissent qu'après des dizaines d'années, le traitement est en général de longue durée. Une surveillance à intervalles réguliers s'impose pour vérifier l'efficacité du traitement, l'absence d'une chute de pression excessive, l'absence d'apparition d'effets indésirables.

Anti-infectieux

Médicament actif contre les infections microbiennes.

→ VOIR Antibiotique, Antifongique, Antiparasitaire, Antituberculeux, Antiviral.

Anti-inflammatoire

Médicament utilisé dans le traitement local de l'inflammation ou le traitement général des maladies inflammatoires.

Les anti-inflammatoires se répartissent en deux classes : stéroïdiens et non stéroïdiens. Ce sont des médicaments symptomatiques, qui n'agissent pas sur la cause de l'inflammation. Ils sont indiqués quand l'inflammation, processus normal de défense contre les agressions, devient gênante, notamment à cause de la douleur qu'elle provoque. On les associe, si besoin est, à d'autres soins anti-inflammatoires, par exemple la simple immobilisation de la région enflammée. Les anti-inflammatoires s'administrent par voie orale, injectable ou locale. Stéroïdiens et non stéroïdiens ont certains effets indésirables communs : agressivité pour la muqueuse de l'estomac (surtout pour les non stéroïdiens et encore davantage lorsqu'ils sont prescrits avec des anti-inflammatoires stéroïdiens), risque de gastrite, voire d'ulcère ; diminution de la résistance aux infections (pour les stéroïdiens).

Anti-inflammatoires stéroïdiens

Également appelés corticostéroïdes, ces produits (prednisone, prednisolone, bêtaméthasone) sont dérivés des corticostéroïdes naturels, hormones sécrétées par les glandes surrénales. Ils sont très puissants et permettent de contrôler l'inflammation quand elle devient sévère ou qu'elle se déclenche sans raison apparente, comme dans les maladies dites inflammatoires (polyarthrite rhumatoïde, allergies sévères, etc.). L'altération de la peau, la fragilité osseuse, l'apparition d'un état diabétique font partie de leurs nombreux effets indésirables. Les corticostéroïdes ont amélioré le pronostic vital et fonctionnel de nombreuses maladies même s'ils n'agissent pas sur leur cause.

Anti-inflammatoires non stéroïdiens

Ces produits, également appelés AINS (phénylbutazone, indométacine, diclofénac, dérivés de l'acide propionique), appartiennent à diverses catégories mais sont tous capables de bloquer la formation de certaines substances comme les prostaglandines, médiateurs chimiques nécessaires au développement de l'inflammation. Ils sont surtout efficaces dans les phases aiguës de l'inflammation et sont utilisés en rhumatologie (arthrite, poussée inflammatoire d'une arthrose, tendinite), en traumatologie, en urologie (coliques néphrétiques), en gynécologie (règles douloureuses). Les anti-inflammatoires non stéroïdiens ne doivent pas être associés entre eux, ni aux anticoagulants (risque de saignements). En général, ils sont contre-indiqués en cas d'antécédents d'allergie à l'un d'entre eux, ou d'allergie à l'aspirine.

Antilépreux

Médicament utilisé dans le traitement de la lèpre.

Les principaux antilépreux sont les sulfones (dapsone), la clofazimine, la rifampicine, la thalidomide. Leur prescription, par voie orale, dure plusieurs années, ces médicaments étant souvent associés entre eux. Les antilépreux sont indiqués en traitement curatif dans toutes les formes de lèpre et en traitement préventif chez un sujet qui a été en contact avec un lépreux.

Par ailleurs, la dapsone est parfois prescrite dans le cadre de certaines maladies inflammatoires de traitement difficile, en raison de ses propriétés anti-inflammatoires.

Antimétabolite

→ VOIR Chimiothérapie anticancéreuse.

Antimigraineux

Médicament utilisé dans le traitement de la migraine soit au cours des crises, soit pour éviter leurs récidives.

Les antimigraineux les plus importants sont les dérivés extraits de l'ergot de seigle (champignon parasite des céréales) et les bêtabloquants. Les premiers (dihydroergotamine, ergotamine) sont administrés par voie orale ou injectable (certaines préparations contiennent également de la caféine). Ils sont efficaces au cours de la crise migraineuse, surtout s'ils sont administrés à son début, mais leur usage à long terme est limité par un effet indésirable grave, l'ergotisme : la diminution de calibre des artères des bras et des jambes finit par provoquer des fourmillements et des douleurs qui évoluent parfois, en l'absence de traitement, vers la gangrène (mort des cellules des tissus). Certains bêtabloquants sont également indiqués contre la migraine, mais uniquement en traitement de fond, à long terme, pour éviter des récidives trop fréquentes. Ils sont administrés par voie orale et leurs effets indésirables éventuels sont essentiellement cardiaques (ils peuvent entraîner une bradycardie).

Parmi les autres antimigraineux utilisés, le sumatriptan est un produit qui stimule des récepteurs situés sur les cellules de vaisseaux sanguins cérébraux. Sa prescription est limitée aux migraines ayant résisté aux traitements classiques. Il est administré par voie orale ou injectable.

Enfin, de nombreuses migraines bénignes sont sensibles aux analgésiques ordinaires (paracétamol, etc.).
→ VOIR Migraine.

Antimüllérienne (hormone)

Hormone produite durant la vie intra-utérine par les cellules de Sertoli situées dans les testicules.

L'hormone antimüllérienne est une hormone polypeptidique découverte dans les années 1950. Son rôle est de faire disparaître chez les embryons mâles les canaux de Müller, ébauches embryonnaires des organes génitaux internes féminins, présents chez tous les embryons, quel que soit leur sexe. L'absence ou une anomalie de cette hormone, rare, entraîne la présence d'organes génitaux internes féminins chez le nouveau-né de sexe masculin, normalement constitué par ailleurs.

Antimyasthénique

Médicament utilisé dans le traitement de la myasthénie, maladie se traduisant par un épuisement de la force musculaire.

Les antimyasthéniques, tels que la pyridostigmine et la néostigmine, s'opposent à la destruction de l'acétylcholine, substance qui assure la transmission des influx entre les fibres nerveuses et les cellules musculaires. Ils facilitent donc la transmission de ces influx. Les antimyasthéniques sont administrés par voie orale ou injectable et peuvent avoir des effets indésirables : vomissements, hypersalivation, ralentissement du rythme cardiaque.

Antinéoplasique

→ VOIR Chimiothérapie anticancéreuse.

Antiœstrogène

Médicament s'opposant à l'action des œstrogènes (hormones féminines sécrétées par les ovaires).

Les antiœstrogènes comprennent le citrate de clomifène et le tamoxifène. Le citrate de clomifène empêche les œstrogènes d'agir sur l'hypothalamus (région du cerveau qui commande les ovaires) ; le tamoxifène empêche leur action sur le sein. Ils sont l'un et l'autre administrés par voie orale.

Le citrate de clomifène favorise le déclenchement de l'ovulation et est utilisé dans le traitement de certaines stérilités féminines. Un inconvénient important, bien que peu probable, est la survenue d'une grossesse multiple. Le tamoxifène est utilisé dans le traitement de certains cancers du sein, dits hormonodépendants (favorisés par les œstrogènes).

Ces deux médicaments sont contre-indiqués en cas de grossesse, et le citrate de clomifène également en cas de cancer génital. Ils peuvent provoquer des troubles gynécologiques (bouffées de chaleur, hémorragies utérines, gonflement des seins).

Antioncogène

Gène dont l'absence d'expression ou la délétion peut entraîner l'apparition d'une tumeur cancéreuse. SYN. *gène suppresseur de tumeur.*

Les antioncogènes sont normalement présents dans chaque cellule de l'individu et sont nécessaires pour que ces cellules restent saines. En revanche, leur destruction ou leur absence, associées à d'autres facteurs, peuvent provoquer une prolifération cancéreuse.

Les antioncogènes ont été mis récemment en évidence par deux sortes d'expériences : la formation d'un hybride résultant de la fusion entre une cellule cancéreuse et une cellule normale et le transfert d'un chromosome ou d'une molécule d'A.D.N. dans des cellules cancéreuses.

Dans le premier cas, le caractère non cancéreux de l'hybride obtenu témoigne de la présence d'un ou de plusieurs antioncogènes dans la cellule normale. Dans le deuxième cas, la suppression du caractère cancéreux de cellules après transfert d'un chromosome normal atteste la présence d'un ou de plusieurs antioncogènes sur ce chromosome.

La maladie pour laquelle l'étude des antioncogènes est le plus avancée est le rétinoblastome, tumeur de la rétine d'origine génétique, qui survient chez le jeune enfant. L'antioncogène responsable de l'apparition du rétinoblastome a été localisé sur le chromosome 13 ; il est également impliqué dans la genèse d'autres types de cancers : 50 % des ostéosarcomes, 20 % des cancers du sein et la plupart des cancers du poumon. D'autres antioncogènes ont été mis en évidence dans les tumeurs embryonnaires du rein, du foie, de la glande surrénale, du muscle, souvent associées à une maladie génétique (mutation sur le chromosome 11). Une localisation sur le chromosome 22 est en liaison avec des tumeurs de l'oreille interne et, sur le chromosome 1, avec des neuroblastomes familiaux.

Antioxydant

Substance naturelle ou chimique destinée à ralentir la dégradation des aliments due aux effets de l'oxydation. SYN. *antioxygène.*

Les principaux antioxydants sont la vitamine C (ou acide ascorbique, codé E 300 sur la liste des additifs alimentaires) et les dérivés de la vitamine E, les tocophérols (E 307, 308, 309).

D'autres antioxydants sont utilisés dans l'industrie agroalimentaire, notamment pour empêcher le rancissement des graisses : le B.H.A. (butyl-hydroxy-arisol, E 320) et le B.H.T. (butyl-hydroxy-toluène, E 321).
→ VOIR Additif alimentaire.

Antipaludéen

Médicament utilisé dans la prévention à court terme et dans le traitement du paludisme. SYN. *antipaludique.*

Les antipaludéens ont pour représentants principaux la chloroquine, l'halofantrine, la méfloquine, le proguanil, la quinine. Le choix du médicament, ou d'une association de médicaments, dépend du but visé : traitement d'un accès ou prévention chez le voyageur. Ce choix dépend aussi du pays où la personne a été infectée, ou du pays où elle se rend. En effet, le parasite devient souvent résistant, progressivement, aux médicaments employés, mais de manière variable selon les pays. Les résistances font l'objet d'une surveillance permanente à l'échelle internationale et d'une mise à jour annuelle. L'administration des antipaludéens se fait par voie orale, parfois intraveineuse pour la quinine. Les effets indésirables et les contre-indications varient selon le produit. On observe souvent des troubles digestifs (nausées), des vertiges, des céphalées, des éruptions cutanées ou des allergies plus graves. La méfloquine et l'halofantrine sont contre-indiquées pendant la grossesse.

Par ailleurs, certains antipaludéens sont prescrits comme anti-inflammatoires, par exemple la chloroquine en rhumatologie.

Antiparasitaire

Médicament utilisé dans le traitement des maladies dues aux parasites.

En fonction du type de parasite à détruire, les antiparasitaires sont soit antihelminthiques, soit antiprotozoaires. Ils sont administrés par voie orale.

■ Les antihelminthiques, ou anthelminthiques, couramment appelés vermifuges, sont actifs sur les cestodes (vers plats segmentés : ténia, échinocoque), les trématodes (vers plats non segmentés : douve, bilharzie ou schistosome), les nématodes (vers ronds non segmentés : ascaris, ankylostome, anguillule, filaire, oxyure, trichine, tricocéphale).

■ Les antiprotozoaires sont utilisés dans le traitement de l'amibiase (due à l'amibe), du paludisme (dû au plasmodium), de la

PRINCIPAUX ANTIPARASITAIRES

Antiparasitaires	*Nom des parasites sur lesquels l'antiparasitaire est actif*
Amodiaquine	plasmodium (agent du paludisme)
Bithionol	douve, ténia
Chloroquine	plasmodium (agent du paludisme)
Dérivés de l'antimoine	leishmanie
Dérivés de l'arsenic	trypanosome
Dérivés de la quinoléine	amibe
Dérivés imidazolés	
Albendazole	ascaris, anguillule, ankylostome, échinocoque, oxyure, ténia, trichine, trichocéphale
Flubendazole	ascaris, anguillule, ankylostome, oxyure, trichine, trichocéphale
Mébendazole	ascaris, ankylostome, échinocoque, oxyure, trichocéphale
Métronidazole	amibe, trichomonas, giardia, échinocoque
Ornidazole	amibe, trichomonas, giardia
Secnidazole	amibe, giardia
Thiabendazole	anguillule, *Larva migrans,* trichine
Tinidazole	amibe, giardia, trichomonas
Diéthylcarbamazine	filaires, *Larva migrans*
Difétarsone	amibe
Dihydroémétine	amibe, douve
Halofantrine	plasmodium (agent du paludisme)
Ivermectine	filaires
Lévamisol	ascaris, ankylostome
Méfloquine	plasmodium (agent du paludisme)
Niclosamide	douve, ténia
Pentamidine	leishmanie, trypanosome, *Pneumocystis carinii*
Pipérazine	ascaris, oxyure
Praziquantel	bilharzie (ou schistosome), ténia
Proguanil	plasmodium (agent du paludisme)
Pyrantel	ascaris, ankylostome, oxyure
Pyriméthamine + sulfadoxine	plasmodium (agent du paludisme), toxoplasme, *Pneumocystis carinii*
Pyrvinium	oxyure
Quinine	plasmodium (agent du paludisme)

giardiase (due à la giardia), de la leishmaniose (due à la leishmanie), de la trichomonase (due au trichomonas), de la toxoplasmose (due au toxoplasme), de la maladie du sommeil (due au trypanosome).

EFFETS INDÉSIRABLES

Ils sont le plus souvent mineurs : nausées, vomissements, douleurs abdominales, éruptions cutanées et vertiges, et sont régressifs à l'arrêt du traitement.

Antiparkinsonien

Médicament utilisé dans le traitement au long cours de la maladie de Parkinson et des syndromes parkinsoniens.

Les antiparkinsoniens agissent sur les mécanismes en cause dans la maladie : déficit en dopamine (substance précurseur de l'adrénaline et de la noradrénaline), excès d'acétylcholine (neurotransmetteur du système parasympathique).

FORMES PRINCIPALES

■ La lévodopa, médicament de référence, est transformée dans l'organisme en dopamine. On peut augmenter son efficacité en l'associant à un inhibiteur de l'enzyme qui détruit la dopamine en dehors du cerveau (dopadécarboxylase), ou aux autres antiparkinsoniens.

■ Les agonistes de la dopamine (amantadine, bromocriptine, dérivés de l'ergot de seigle, péribidil) imitent l'action de la dopamine sur les noyaux gris centraux.

■ Les anticholinergiques (benzatropine, trihexylphénidyl) inhibent l'action de l'acétylcholine.

■ Les inhibiteurs de la monoamine oxydase de type B (enzyme dont une des fonctions est de détruire la dopamine) sont représentés par la sélégilline.

SURVEILLANCE

Les médicaments sont donnés à doses progressives, par voie orale. L'évolution de la maladie pendant le traitement et l'apparition d'éventuels effets indésirables, tels que des troubles psychiatriques aigus (confusion, délire, hallucination) et des dyskinésies (mouvements involontaires), conditionnent l'attitude thérapeutique : diminution des doses, passage à un autre médicament, association médicamenteuse.

Antiperspirant

Substance utilisée pour diminuer une transpiration excessive. SYN. *antisudoral*.

Les antiperspirants sont souvent à base de sels d'aluminium (par exemple des chlorures). Ils se présentent, éventuellement inclus dans un déodorant, sous forme de lotion, de crème ou de spray. Les antiperspirants peuvent irriter la peau, provoquer une sensation de brûlure et de picotement ou une allergie.

Des hypersudations réellement importantes sont parfois traitées par des médicaments du système nerveux végétatif, réservés à la prescription médicale.

Antiprurigineux

Médicament utilisé dans le traitement du prurit (démangeaison).

En dehors des simples préparations calmantes, les produits employés sont surtout des anti-inflammatoires (buféxamac) et des anesthésiques locaux (butoforme), qui sont contre-indiqués chez l'enfant. Dans les cas où le prurit est généralisé, des antihistaminiques (du type H_1) sont prescrits. Les antiprurigineux sont administrés par voie locale et sur une petite surface. Par ailleurs, le traitement du prurit est souvent associé au traitement de sa cause (gale, maladie hépatique, diabète, etc.).

Antipsoriasique

Médicament utilisé dans le traitement du psoriasis.

■ Les antipsoriasiques à usage externe appartiennent à deux catégories principales (souvent associées) : les kératolytiques (acide salicylique, etc.), éliminant les squames superficielles épaisses ; les réducteurs (goudron, etc.), dont l'application vise à empêcher la récidive des lésions.

■ Les antipsoriasiques par voie orale sont représentés notamment par l'acitrétine, réservée aux formes sévères résistant aux autres traitements, du fait de ses effets indésirables (fragilité osseuse, toxicité hépatique, risques de malformations fœtales). Ils sont à proscrire chez la femme enceinte.

Antipsychiatrie

Courant de pensée apparu au début des années 60, remettant en cause la psychiatrie traditionnelle et la notion de maladie mentale sur laquelle celle-ci s'appuie.

Le terme d'antipsychiatrie est né dans un groupe de travail formé par les psychiatres britanniques Ronald David Laing, David Cooper et Aaron Esterson. Inspiré de la philosophie de Jean-Paul Sartre, ce mouvement aboutit à une remise en cause de la fonction du psychiatre, accusé de maintenir les valeurs de la classe sociale à laquelle il appartient. Il a permis une réévaluation critique du rôle social du psychiatre et une modification du fonctionnement des hôpitaux psychiatriques traditionnels, qui faisaient du malade mental un invalide passif.

Antipyrétique

Médicament utilisé dans le traitement symptomatique de la fièvre. SYN. *fébrifuge*.

Les antipyrétiques les plus utilisés sont le paracétamol et l'aspirine. Ils sont indiqués dans le cadre de maladies fébriles, infectieuses par exemple, si la fièvre est importante et après que sa cause a été identifiée. Chez le petit enfant, pour éviter les convulsions fébriles, les antipyrétiques sont plus largement utilisés que chez l'adulte, mais toujours après avis médical, et associés aux autres moyens de lutte contre la fièvre (bain tiède, etc.).

Antirhumatismal

Médicament utilisé dans le traitement de certaines affections rhumatologiques.

Les antirhumatismaux sont destinés à soulager les rhumatismes et les douleurs articulaires. Outre les anti-inflammatoires proprement dits (stéroïdiens et non stéroïdiens), qui agissent sur l'inflammation mais non sur sa cause, on prescrit des substances plus spécifiques, souvent longues à agir : sels d'or, pénicillamine, antipaludéens, immunodépresseurs.

Ces médicaments sont surtout réservés aux traitements de fond des rhumatismes chroniques polyarticulaires et inflammatoires (par exemple la polyarthrite rhumatoïde). Ils sont éventuellement associés entre eux et/ou aux analgésiques usuels. Les antirhumatismaux sont administrés par voie orale ou injectable. Chacun d'entre eux est susceptible d'entraîner des effets indésirables, parfois graves.

Antisécrétoire

Médicament utilisé dans le traitement de l'ulcère gastroduodénal.

Les antisécrétoires, diminuant la sécrétion acide de l'estomac, font partie des antiulcéreux et sont prescrits soit au cours d'un ulcère, soit en traitement de fond, pour éviter les récidives. Y sont inclus les anticholinergiques (pirenzépine), qui inhibent l'action du système nerveux végétatif sur l'estomac, et les antihistaminiques H_2 (cimétidine, famotidine, ranitidine, nizatidine). Les antisécrétoires sont administrés par voie orale.

Antisens (A.D.N. ou A.R.N.)

Copie complémentaire d'un gène donné, synthétisée chimiquement ou par des techniques de biologie moléculaire et destinée à contrôler l'activité du gène.

En se liant à l'A.R.N. messager d'un gène, l'antisens interrompt la synthèse de la protéine codée par ce gène. Cette propriété, expérimentalement prouvée, devrait avoir de nombreuses applications en médecine : par exemple, le traitement des maladies virales par des molécules d'A.D.N. ou d'A.R.N. antisens, véhiculées par un vecteur (virus, par exemple) dans les cellules du malade afin de neutraliser les produits des gènes viraux.

Antisepsie

Ensemble des procédés employés pour lutter contre l'infection microbienne de surface.

L'antisepsie est l'un des fondements de l'hygiène médicale. Différents moyens sont employés selon le but recherché : utilisation de produits chimiques ou de la chaleur. Les produits chimiques, utilisables uniquement en applications externes (solution de Dakin, dérivés de l'ammonium quaternaire, teinture d'iode, alcool, mercurescéine, etc.) permettent une antisepsie de la peau et des plaies superficielles. D'autres produits chimiques, utilisés pour la désinfection du matériel médical ou chirurgical non jetable, sont particulièrement adaptés à la destruction des bactéries, des champignons et de la plupart des virus (notamment celui du sida). La chaleur peut également être employée pour l'aseptisation du matériel chirurgical.

Antiseptique

Produit utilisé pour lutter contre les germes de la peau et des muqueuses.

Antiseptiques à usage externe

En fonction de leur structure chimique et de leurs propriétés, on distingue de nombreuses substances : alcool, eau oxygénée, ammoniums quaternaires (benzalkonium), chlorhexidine, dérivés du phénol, oxydants, acides, dérivés métalliques (mercure, argent, cuivre, zinc), colorants (éosine, bleu de méthylène), hexétidine, hexomédine, iode. Les critères de choix sont nombreux et complexes : toxicité, probabilité de déclencher une allergie, pouvoir irritant interdisant l'application sur les muqueuses ou sur les plaies, rapidité d'action, nécessité d'éliminer radicalement les germes ou seulement d'empêcher leur prolifération.

Antiseptiques à usage interne

Certains médicaments non antibiotiques sont prescrits par voie orale dans le traitement d'infections intestinales ou urinaires (sulfamides).

Antisérotonine

Médicament destiné à inhiber l'action d'une substance naturelle de l'organisme, la sérotonine, neurotransmetteur du système nerveux central.

Les antisérotonines empêchent la sérotonine de se fixer à ses récepteurs cellulaires, ou bien elles ont des mécanismes d'action plus complexes. Il s'agit d'un ensemble de produits hétérogènes, qui peuvent être prescrits dans les cas suivants : vomissements (odansétron, granisétron), dépression (clomipramine), migraine (méthysergide, sumatriptan), allergies, etc.

Antispasmodique

Médicament utilisé dans le traitement des spasmes musculaires.

Les antispasmodiques se répartissent en deux catégories : les musculotropes (agissant sur le muscle) et les anticholinergiques (inhibant l'action du système nerveux végétatif). Ils diminuent les spasmes musculaires de la paroi des organes creux et surtout les douleurs qui leur sont associées. Disponibles par voie orale et sous forme injectable, ils sont prescrits dans le traitement des spasmes digestifs principalement, mais aussi biliaires, urinaires ou utérins, une fois que leur cause a été déterminée.

Antistreptolysine

Anticorps apparaissant à la suite des infections aiguës à streptocoques (angine, par exemple).

Le dosage des antistreptolysines (ASLO) permet le diagnostic sérologique et le suivi évolutif des complications post-streptococciques telles que le rhumatisme articulaire aigu ou la glomérulonéphrite aiguë.

Antisudoral

→ VOIR Antiperspirant.

Antithrombine

Substance physiologique ou pathologique anticoagulante contenue dans le sang.

Fabriquées dans de nombreux organes, dont le foie, les antithrombines physiologiques agissent en neutralisant la thrombine (enzyme provoquant la coagulation du sang par transformation du fibrinogène en fibrine). L'antithrombine III, l'inhibiteur le plus actif de la coagulation, potentialise l'action de l'héparine (autre anticoagulant physiologique). Il existe également des antithrombines pathologiques : produits de dégradation du fibrinogène (antithrombine VI) et protéine myélomateuse (antithrombine V), qui inhibent la formation de fibrine et provoquent des hémorragies.

Antithyroïdien

Médicament utilisé dans le traitement des hyperthyroïdies (excès de sécrétion d'hormones par la glande thyroïde).

Les antithyroïdiens (benzylthiouracile et carbimazole), obtenus par synthèse, inhibent la production des hormones thyroïdiennes et sont utilisés, par exemple, dans la maladie de Basedow. Ils sont souvent efficaces en prescription de longue durée (un an ou plus). Dans le cas contraire, on les associe à l'administration d'iode radioactif ou à un traitement chirurgical. Les effets indésirables, rares, sont parfois graves et nécessitent une surveillance régulière : agranulocytose (baisse du nombre de globules blancs, avec risque d'infection majeure), hépatite, fièvre avec éruption cutanée.

Antitoxine

Anticorps sécrété par l'organisme au contact d'une toxine bactérienne et doué du pouvoir de la neutraliser.

Les antitoxines ont été découvertes, en 1890, par le médecin et bactériologiste allemand Emil von Behring et le médecin japonais Shibasaburo Kitasato. Ce sont les premiers anticorps connus. Les antitoxines sont largement utilisées pour la prévention (séroprévention) et le traitement (sérothérapie) des infections bactériennes toxigènes telles que le tétanos, la diphtérie ou le botulisme.

Les antitoxines sont habituellement obtenues par immunisation d'un cheval au moyen d'une anatoxine (toxine bactérienne rendue inoffensive par l'action de la chaleur et du formol) : c'est le sérum équin, qui tend à être remplacé par des antitoxines extraites du sérum humain (gammaglobulines) ou produites par culture cellulaire, afin de limiter les réactions allergiques.

Antituberculeux

Médicament antibiotique utilisé dans le traitement de la tuberculose.

Les antituberculeux les plus prescrits de nos jours sont l'isoniazide, la rifampicine, l'éthambutol, le pyrazinamide et, dans une moindre mesure, la streptomycine. Les règles de prescription sont très strictes en ce qui concerne la nature des produits et la durée du traitement, sous peine d'ineficacité. Les antituberculeux sont toujours associés entre eux (de 2 à 4 produits) et donnés pour au moins 6 mois, par voie orale. Un bilan préalable et un contrôle régulier sont indispensables pour limiter les effets indésirables : l'isoniazide, la rifampicine et le pyrazinamide ont une certaine toxicité pour le foie ; l'emploi de l'éthambutol nécessite un examen ophtalmologique régulier pour dépister l'éventuelle apparition de troubles de la vision des couleurs.

→ VOIR Antibiotique.

Antitussif

Médicament utilisé dans le traitement symptomatique de la toux.

■ Les antitussifs opiacés (codéine, codéthyline, pholcodine, etc.) agissent par inhibition de centres nerveux cérébraux et traitent les toux sèches, sans expectoration. Ils sont présentés sous forme de sirops et de comprimés. Ils ont un effet sédatif et peuvent entraîner une somnolence.

■ D'autres antitussifs, non opiacés (acétylcystéine, carbocystéine), sont expectorants, fluidifiants ou mucolytiques. Ils sont destinés au traitement des toux grasses. Parfois associés à des antispasmodiques, ils sont présentés sous forme de sirops ou de sachets.

Parmi les différents antitussifs disponibles, il faut sélectionner le produit et la dose qui n'empêcheront pas l'élimination d'éventuels crachats, ce qui risquerait alors de retarder la guérison, par surinfection. Par ailleurs, l'usage des antitussifs ne dispense pas de la recherche de la cause de la toux.

Antiulcéreux

Médicament utilisé dans le traitement des ulcères gastriques et duodénaux ou dans la prévention de leur récidive.

Les antiulcéreux agissent soit en diminuant la sécrétion d'acide chlorhydrique par la muqueuse de l'estomac (antiacides), soit en protégeant cette muqueuse contre l'acidité (effet « pansement » des protecteurs gastriques). Les principaux médicaments disponibles sont les antihistaminiques H_2 (ranitidine, etc.), les inhibiteurs de la pompe à proton (oméprazole, etc.), les prostaglandines (misoprostol, etc.) et, dans une moindre mesure, le sucralfate et les anticholinergiques (pyrinzépine). Par ailleurs, les antiacides (sels d'aluminium, sels de magnésium) sont utilisés en appoint, en association avec les autres substances, pour neutraliser l'acidité du contenu de l'estomac. Les antiulcéreux sont administrés par voie orale, ou par voie injectable dans les cas sévères.

Antiviral

Médicament utilisé dans le traitement des maladies virales.

Les antiviraux sont destinés à détruire les virus ou au moins à empêcher leur multiplication. Ils agissent pour la plupart en inhibant la synthèse du matériel génétique du virus, A.D.N. ou A.R.N. Ils sont administrés par voie orale ou injectable, certains étant de plus disponibles en usage local (maladies cutanées ou oculaires). Il arrive très souvent qu'un antiviral ne présente pas d'intérêt dans le traitement des infections courantes, alors que sa prescription devient justifiée et efficace pour des maladies graves.

FORMES PRINCIPALES

■ L'aciclovir inhibe la réplication (multiplication) de l'A.D.N. viral. Il existe sous forme de comprimés, de solutions injectables et de pommades ophtalmiques. Il est indiqué contre le virus de l'herpès, le virus de la varicelle et du zona, le cytomégalovirus et le virus d'Epstein-Barr.

■ L'amantadine et la rimantadine sont des traitements accessoires pour la prévention de l'infection par certains virus grippaux.

■ La vidarabine, sous forme de solution injectable et de pommade ophtalmique, est indiquée dans les infections graves par le virus de l'herpès.

■ Les inhibiteurs de la transcriptase inverse et les antiprotéases sont deux catégories d'antiviraux qu'on utilise pour combattre le virus du sida et qui sont encore plus efficaces lorsqu'ils sont utilisés en association.

Il existe de nombreux inhibiteurs de la transcriptase inverse (enzyme qui permet au virus de transcrire l'ARN en ADN), dont le chef de file est la zidovudine (AZT), utilisée depuis 1987. D'autres inhibiteurs ont également été mis au point : la didanosine, la zalcitabine, la stavudine et la lamivudine. Ces inhibiteurs sont prescrits en association pour retarder l'apparition d'une résistance. D'autres inhibiteurs de la transcriptase inverse sont en cours de développement. Plusieurs inhibiteurs de protéase (qui inhibent la multiplication du virus) ont été développés. Trois produits sont utilisés en 1997 : le saquinavir, le ritonavir et l'indinavir. De nombreux autres produits sont également en cours de développement.

■ D'autres antiviraux (foscarnet, ganciclovir, idoxuridine, méthizazone, méthylguanoside et ribavirine) sont actifs sur divers virus : cytomégalovirus, herpès, etc.

EFFETS INDÉSIRABLES

Les effets indésirables des antiviraux sont dus en partie au fait qu'ils altèrent les cellules hôtes du virus en même temps que le virus. C'est le cas en particulier de la zidovudine, dont les effets indésirables sont hématologiques (atteinte des globules rouges et des globules blancs). Beaucoup de substances sont ainsi actives en laboratoire mais inutilisables à cause de leur toxicité.

Antivomitif

→ VOIR Antiémétique.

Antre

Nom donné, par analogie de forme, à certaines cavités de l'organisme.

■ L'antre mastoïdien est une cavité remplie d'air qui se trouve dans la mastoïde (partie saillante de l'os temporal, située derrière le pavillon de l'oreille) et qui communique avec la caisse du tympan.

■ L'antre pylorique est la portion terminale de l'estomac. Il se termine par le pylore, orifice par lequel il s'ouvre dans le duodénum (début de l'intestin grêle).

Antrite

1. Inflammation et infection de la muqueuse de l'antre de la mastoïde (partie saillante de l'os temporal située derrière le pavillon de l'oreille).

L'antrite est une complication rare des otites moyennes aiguës du nourrisson. Chez l'enfant plus âgé et l'adulte, elle prend le nom de mastoïdite. Une douleur très vive, une fièvre élevée, une congestion derrière l'oreille, parfois une raideur de la nuque et une gorge douloureuse en sont les signes précurseurs. L'infection, venue de l'oreille moyenne, se propage à l'antre mastoïdien, où elle évolue sur un mode aigu ou chronique. Le traitement de l'antrite repose sur l'association antibiothérapie-chirurgie. Non traitée, l'antrite peut provoquer des complications veineuses, une méningite ou un abcès du cerveau.

2. Inflammation de la partie de l'estomac située juste avant le pylore (orifice inférieur de l'estomac, par lequel celui-ci s'ouvre dans le duodénum).

L'antrite est alors une gastrite localisée qui se traite comme telle.

→ VOIR Gastrite, Mastoïdite.

Anurie

Arrêt de la production d'urine par les reins.

On distingue deux types d'anurie :

■ L'anurie excrétoire est due à un obstacle à l'écoulement de l'urine au niveau du bassinet ou de l'uretère. De nombreuses maladies urologiques peuvent être en cause. Les plus fréquentes sont les calculs urinaires ainsi que les tumeurs de la prostate ou de la vessie obstruant les deux voies excrétrices.

■ L'anurie sécrétoire est due à un arrêt de la production de l'urine au niveau des néphrons (unités fonctionnelles élémentaires du rein), dans les couches superficielles (cortex) et profondes (médullaire) du rein. Les causes en sont très nombreuses : maladie des glomérules (unités de filtration du rein), de la vascularisation du rein, absorption de toxiques, etc.

SYMPTÔMES ET SIGNES

Le début de l'anurie est bien toléré cliniquement et ce n'est qu'après quelques jours qu'apparaissent anorexie, nausées, vomissements, céphalées, voire syndrome hémorragique et parfois crises convulsives, c'est-à-dire les signes du coma urémique. Les signes biologiques de l'insuffisance rénale apparaissent entre 48 et 72 heures : élévation du taux d'urée et de créatinine dans le sang et acidose métabolique avec hyperkaliémie (taux anormalement élevé de potassium dans le sang). Si le malade, méconnaissant son anurie, a continué à boire librement pendant quelques jours, il peut y avoir intoxication hydrique avec hypotonie.

TRAITEMENT

Le traitement d'une anurie est une urgence en raison de l'insuffisance rénale aiguë, qui apparaît très rapidement.

■ Le traitement de l'anurie excrétoire consiste à supprimer l'obstacle à l'écoulement de l'urine ou, si cela n'est pas possible, à dériver les urines en amont de l'obstruction. La dérivation urinaire peut être réalisée soit par la mise en place dans l'uretère obstrué d'une sonde fine introduite par les voies naturelles sous contrôle endoscopique, soit par l'introduction d'une sonde directement dans les voies urinaires dilatées par ponction à travers la peau.

■ Le traitement de l'anurie sécrétoire est l'hémodialyse (technique d'épuration du sang par filtration à travers une membrane semi-perméable), qui permet d'éviter les conséquences de l'insuffisance rénale aiguë et d'attendre, après élucidation de la cause de l'anurie, la récupération de la fonction rénale en quelques jours.

Anus

Orifice terminal du tube digestif permettant la défécation. (P.N.A. *anus*)

Le sphincter anal est l'appareil musculaire qui commande la fermeture de l'orifice. Il se compose d'un sphincter interne (muscle lisse qui assure la fermeture du canal anal au repos) et d'un sphincter externe (muscle strié, détendu au repos, qui se ferme par un effort volontaire). La défécation est un acte complexe qui requiert l'action coordonnée des deux sphincters.

PATHOLOGIE

Les principales affections de l'anus sont : les malformations congénitales, peu fréquentes (1 cas pour 10 000 environ), qui doivent être traitées dès la naissance ; la déficience des sphincters ou du système nerveux qui les commande, responsable d'incontinence anale ; les hémorroïdes ; les lésions inflammatoires et suppurées, comme l'abcès ou la fistule anale (nécessitant incision et drainage) ; le cancer de l'anus.

Anus (cancer de l')

Cancer qui atteint le canal anal ou la marge anale, essentiellement sous la forme d'un carcinome épidermoïde (tumeur maligne du tissu épithélial), plus rarement d'un adénocarcinome (tumeur maligne du tissu glandulaire).

Il est assez rare, mais sa fréquence croît lentement et il touche également l'homme et la femme. Son apparition serait liée à un agent viral. Le cancer de l'anus se présente comme une lésion indurée qui saigne plus ou moins et qui ne guérit pas. Quand il se développe, il donne lieu à des adénopathies inguinales. Le traitement fait essentiellement appel à la radiothérapie, parfois associée à l'ablation de la tumeur si celle-ci est volumineuse. Les résultats thérapeutiques sont relativement bons dans les formes peu étendues.

Anus artificiel

Abouchement chirurgical du tube digestif à la paroi antérieure de l'abdomen, pratiqué après chirurgie colique ou rectale avec ablation d'un segment d'intestin.

Le segment abouché peut être le côlon (colostomie) ou l'iléon (iléostomie). La paroi du côlon ou de l'iléon est ainsi ouverte sur l'extérieur à travers une incision de la paroi abdominale, permettant l'évacuation des selles dans une poche étanche aux odeurs. Après évacuation intestinale, la poche est changée (une ou deux fois par jour). L'anus artificiel est soit temporaire, précédant le rétablissement de la continuité intestinale, soit définitif. L'appareillage moderne des anus artificiels permet une très bonne tolérance et une vie normale.

Anuscopie

Examen qui permet d'explorer l'anus et le bas rectum.

L'anuscopie sert à établir le diagnostic des hémorroïdes, des fissures et des fistules anales, des chancres et des cancers de l'anus.

Cet examen, qui ne nécessite aucune préparation particulière, se pratique à l'aide d'un anuscope, tube métallique cylindrique de 10 cm de long environ, muni d'un système optique.

Cet instrument est introduit dans l'anus alors que le patient se tient en position génupectorale (à genoux, coudes sur la table d'examen, joue posée à plat, dos bien creusé). L'examen, précédé par un toucher anorectal, dure quelques minutes.

L'anuscopie peut être effectuée en cabinet médical par un gastroentérologue ou par un médecin généraliste, mais peut être complétée par une rectoscopie.

Anxiété

Trouble émotionnel se traduisant par un sentiment indéfinissable d'insécurité.

S'il existe une anxiété « normale » qui améliore l'apprentissage et les performances, l'anxiété peut aussi devenir pathologique : le sujet se trouve alors si profondément conditionné qu'il ne peut plus la contrôler.

CAUSES

Sigmund Freud relie l'anxiété à des besoins sexuels non satisfaits, mais la constatation de l'importance du « bonding » (processus par lequel un lien psychologique se crée entre parents et nouveau-né) a permis d'élaborer des théories reposant sur la peur de perdre les objets aimés. Parallèlement, les psychologues comportementalistes attribuent l'anxiété à une souffrance ou à un choc psychologique (accident, conflit, échec).

Banale au cours des états dépressifs, l'anxiété constitue le symptôme essentiel de la plupart des névroses (névrose d'angoisse, hystérie, phobie, obsession). Elle se rencontre aussi dans les psychoses (délire, schizophrénie). Enfin, elle peut être le signe d'une maladie organique : affection cardiaque (infarctus du myocarde), insuffisance respiratoire, asthme, hyperthyroïdie. L'abus de certains médicaments (amphétamines, barbituriques, anxiolytiques, hormones corticostéroïdes ou thyroïdiennes) peut déclencher, surtout chez les sujets prédisposés, des états anxieux.

SYMPTÔMES ET SIGNES

L'anxiété comporte trois caractères principaux : pressentiment d'un danger vague et imminent, réactions physiques variées (sensation d'étouffement, palpitations, sueurs, sécheresse de la bouche, vertiges, tremblements, troubles du transit), impression pénible d'impuissance ou de faiblesse devant la menace, chaque symptôme venant renforcer le qui-vive. Classiquement, le terme d'anxiété est donné au versant psychique du trouble alors que l'on réserve celui d'angoisse au versant somatique.

Le malade peut s'agiter, marcher sans but ou rester cloué sur place par la panique qui grandit en lui. La durée d'une crise d'anxiété est en général de 1 ou 2 heures. Quand les crises se répètent chez un sujet présentant un fond anxieux permanent, on parle de névrose d'angoisse.

TRAITEMENT

Il repose d'abord sur l'attitude de l'entourage du patient, qui doit rester calme et apaisant, sans attendrissement excessif mais sans agressivité ni mépris. S'il existe toute une gamme de médicaments contre l'anxiété (tranquillisants [benzodiazépines], bêtabloquants, neuroleptiques légers et certains antidépresseurs), celle-ci ne peut en aucun cas se traiter sans avis médical, sous peine d'une aggravation parfois liée à la prise abusive de médicaments (pharmacomanie). Le traitement de fond s'oriente souvent vers une psychothérapie. Les techniques de relaxation, l'exercice physique, une meilleure hygiène de vie constituent dans tous les cas un appoint remarquable.

Anxiolytique

Médicament utilisé dans le traitement de l'anxiété et de ses différentes manifestations.

Les anxiolytiques les plus prescrits sont les benzodiazépines, les carbamates, l'hydroxyzine. Ces médicaments ont plusieurs indications : anxiété simple, à condition qu'elle soit réellement gênante ; insomnie d'endormissement (et non pas réveil précoce) ; attaque de panique (crise anxieuse aiguë) ; états d'agitation psychiatrique incontrôlable ; anxiété au cours des névroses. Leur administration se fait par voie orale ou, parfois, en cas d'urgence, par injection.

EFFETS INDÉSIRABLES

Un risque partagé par nombre de ces produits est l'augmentation de leurs effets s'ils sont associés à de l'alcool. Les interactions avec les autres médicaments sont nombreuses. Par ailleurs, la somnolence qu'ils entraînent rend dangereuse la conduite d'un véhicule. Les benzodiazépines, bien que peu toxiques si les règles de prescription sont respectées, peuvent provoquer une dépendance, voire une véritable toxicomanie. Leur utilisation doit être particulièrement surveillée chez les anciens toxicomanes.

Aorte

Principale artère de l'organisme, naissant à la base du ventricule gauche et distribuant le sang oxygéné par les poumons dans tout le corps. (P.N.A. *aorta*)

À partir du ventricule gauche, l'aorte décrit une courbe en forme de crosse pour traverser le thorax, puis l'abdomen, avant de se diviser en ses deux branches terminales, les artères iliaques primitives, destinées principalement aux membres inférieurs. Au niveau de la crosse aortique naissent les artères coronaires (qui irriguent

En donnant une image, digitalisée ou non, de l'aorte et de ses branches, rendues opaques aux rayons X par injection d'un produit opacifiant, l'aortographie permet de préciser le diagnostic et de localiser exactement l'affection.

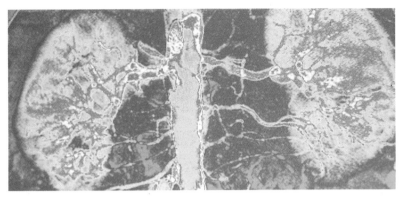

Les couleurs montrent les vitesses différentes de la circulation sanguine.

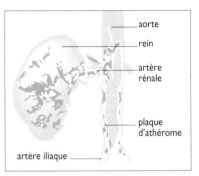

L'aorte donne une branche pour chaque rein. Chaque branche, ou artère rénale, se divise à son tour à l'intérieur du rein.

---

le cœur), le tronc artériel brachiocéphalique, l'artère sous-clavière gauche et la carotide primitive gauche (qui irriguent les membres supérieurs et le cerveau).

PATHOLOGIE

On peut observer diverses anomalies : un rétrécissement congénital au niveau de l'isthme (coarctation) ; une atteinte de la paroi, en général par une plaque d'athérome, aboutissant à la dilatation (anévrysme) ou à un rétrécissement du vaisseau. Dans les deux cas, la formation de caillots est fréquente, responsable d'embolies du cerveau et des membres. Une autre lésion athéromateuse est la dissection, clivage se produisant dans l'épaisseur de la paroi. Toutes ces atteintes justifient un traitement chirurgical.

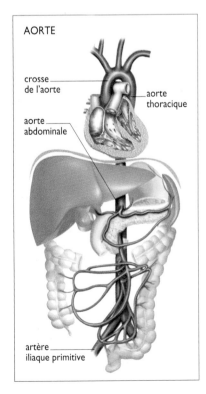

AORTE

crosse de l'aorte

aorte thoracique

aorte abdominale

artère iliaque primitive

Aortite

Inflammation de la paroi de l'aorte.

La forme la plus classique, l'aortite syphilitique, est liée à l'atteinte du vaisseau par l'agent de la syphilis, le tréponème pâle, à un stade tardif de la maladie, appelé syphilis tertiaire. Une angéite ou une spondylarthrite ankylosante peuvent également s'accompagner d'une aortite.

Une aortite se traduit par des lésions, observées le plus souvent sur l'aorte thoracique ascendante : insuffisance valvulaire aortique (valve fuyante), rétrécissement de l'origine (ostium) des artères coronaires pouvant provoquer un angor, calcification de la paroi aortique ou anévrysme, habituellement de type sacciforme (en forme de sac). La sérologie (recherche des anticorps dans le sang du malade) est utile au diagnostic, et le traitement comporte parfois, outre la prise de pénicilline, une intervention chirurgicale.

Aortographie

Examen radiologique qui permet de visualiser l'aorte et ses branches.

INDICATIONS

L'aortographie permet une exploration des diverses pathologies de l'aorte : anévrysme de l'aorte, dissection aortique, syndrome de Leriche (thrombose de l'aorte terminale et de sa bifurcation en artères iliaques primitives), voire coarctation aortique avant intervention chirurgicale.

TECHNIQUES

L'aortographie utilise deux procédés.

■ L'aortographie digitalisée par voie veineuse consiste à injecter un produit de contraste iodé opaque aux rayons X dans une veine du bras. Cette méthode présente l'avantage d'être peu traumatique mais offre des images de moindre qualité.

■ L'aortographie (digitalisée ou non) par ponction artérielle directe consiste à injecter le produit de contraste opaque aux rayons X dans l'artère après ponction à l'aine (artère fémorale), plus rarement au pli du coude (artère humérale) et, exceptionnellement, sur l'aorte elle-même par voie translombaire. Cette technique offre une excellente qualité d'image, mais elle est plus agressive.

DÉROULEMENT

Quand elle est réalisée par ponction artérielle, l'aortographie nécessite une hospitalisation de 24 à 48 heures. Elle se pratique sous anesthésie locale (pour un enfant, sous anesthésie générale légère) et sous contrôle électrocardiographique. L'examen dure de une demi-heure à trois quarts d'heure.

EFFETS INDÉSIRABLES

Ils sont de deux types : allergique et traumatique.

■ Les complications allergiques sont dues à l'iode contenu dans le produit de contraste. L'allergie à l'iode se traduit par des nausées, des vomissements, des éruptions cutanées ou une baisse de la tension artérielle. Lors d'une consultation précédant l'examen, le médecin doit s'assurer que le patient n'a jamais présenté d'allergie et, si ce n'est pas le cas, lui prescrire un traitement antiallergique.

■ Les complications traumatiques sont liées au risque de plaie vasculaire, surtout en cas de ponction artérielle, et peuvent entraîner une hémorragie locale. Il est indispensable, avant toute aortographie, de vérifier l'absence chez le patient de tout trouble de la coagulation.

Apgar (cotation d')

Système mis au point par l'anesthésiste américaine Virginia Apgar pour évaluer les grandes fonctions vitales du nouveau-né dès sa première minute de vie et en apprécier l'évolution 3, 5 ou 10 minutes plus tard.

Cinq éléments sont notés à la naissance : la fréquence cardiaque ; les mouvements respiratoires ; la coloration de la peau (bleue en cas d'appauvrissement en oxygène du sang, ou trop pâle) ; le tonus musculaire ; les réactions à la stimulation. Chaque élément est noté de 0 à 2, le total pouvant atteindre 10 :
- si la fréquence cardiaque est supérieure à 100 battements par minute, si l'enfant pousse un cri vigoureux à la naissance et si sa peau est rose, la cotation d'Apgar se situe entre 7 et 10 : le bébé est en bonne santé ;
- si le nouveau-né est inerte, cyanosé ou pâle (cotation d'Apgar entre 0 et 3), son état

COTATION D'APGAR

Critères	Cotation		
	0	1	2
Fréquence cardiaque	Inférieure à 80 battements par minute	Lente, entre 80 et 100 battements par minute	Au-dessus de 100 battements par minute
Mouvements respiratoires	Absents	Cri faible ; respiration irrégulière	Cri vigoureux ; respiration régulière
Tonus musculaire	Faible	Flexion d'un ou de deux membres	Bon tonus ; membres bien fléchis
Réactivité	Pas de réponse	Grimaces	Pleurs ou cris
Coloration de la peau	Cyanose ; pâleur	Corps rose mais extrémités cyanosées	Corps complètement rose

nécessite une réanimation et un massage cardiaque immédiats ;

– l'enfant naît parfois dans un état intermédiaire (cotation d'Apgar située entre 4 et 7 après une minute de vie). Il est alors nécessaire de procéder à une brève mais soigneuse désobstruction des voies respiratoires, suivie d'une ventilation au masque à oxygène pur.

La cotation d'Apgar, mentionnée dans les carnets de santé, ne doit pas inquiéter les parents si elle est inférieure à 7. Il est certain qu'une cotation faible (moins de 5) signifie que des soins urgents étaient nécessaires, mais une cotation moyenne (de 5 à 7) ne veut pas dire que l'enfant a subi un dommage à la naissance ni que les soins périnatals ont été insuffisants.

Aphakie, ou Aphaquie

Absence de cristallin.

L'œil sans cristallin est dit aphake (ou aphaque).

CAUSES

L'aphakie survient soit après une opération de la cataracte (extraction chirurgicale du cristallin), soit, beaucoup plus rarement, après un traumatisme oculaire.

SYMPTÔMES ET SIGNES

L'œil aphake perd ses facultés d'accommodation (qui permettent une vision nette, de loin comme de près) et devient hypermétrope. En effet, le cristallin est une lentille convergente responsable de l'accommodation, qui fournit un tiers de la puissance réfractive de l'œil.

Après l'ablation de son cristallin, un sujet ayant une vue normale peut ainsi devenir hypermétrope. S'il était myope, il peut soit retrouver une vue normale, soit constater une diminution de sa myopie, soit devenir faiblement hypermétrope. Si le sujet était hypermétrope avant l'intervention, ses difficultés de vision s'accentuent.

TRAITEMENT

Le port de verres correcteurs très convergents entraîne un agrandissement de l'image d'environ 30 % et peut rendre l'image floue au bord des verres (aberration visuelle). Dans le cas où un seul œil est aphake, l'inégalité de réfraction entre les deux yeux est trop importante pour pouvoir être corrigée par un seul verre très convergent.

Le port de lentilles procure un agrandissement de l'image de seulement 6 à 8 % et corrige bien les aphakies unilatérales. Il permet, par ailleurs, au sujet de retrouver un champ visuel normal, car la forme des lentilles épouse parfaitement la convexité de l'œil.

Enfin, les implants cristalliniens constituent la meilleure correction. Remplaçant le cristallin naturel, le cristallin artificiel ne provoque pas d'agrandissement d'image. Le champ visuel est, là aussi, restitué. Le patient peut ainsi retrouver sa vue très rapidement après l'opération, sans risque d'intolérance. Les contre-indications à cette intervention chirurgicale désormais courante sont exceptionnelles.

Aphasie

Trouble ou perte de l'expression et de la compréhension du langage acquis, parlé ou écrit, indépendants de tout état démentiel, atteinte sensorielle ou dysfonctionnement de la musculature pharyngolaryngée.

L'aphasie est le plus souvent due à un accident vasculaire cérébral touchant l'hémisphère dominant (le gauche pour les droitiers), mais elle peut également être la conséquence d'une tumeur, d'un traumatisme ou d'une infection cérébrale.

DIFFÉRENTS TYPES D'APHASIE

■ L'aphasie motrice, ou aphasie de Broca, est dominée par des troubles de l'expression orale et écrite, tandis que la compréhension est généralement bonne. On constate chez le patient une réduction du langage associée à des troubles articulatoires plus ou moins sévères, l'emploi inlassablement répété des mêmes phrases, généralement courtes et non construites, l'impossibilité de trouver le mot juste pour exprimer une idée, l'emploi de mots impropres. Les lésions responsables de cette forme d'aphasie, qui accompagne habituellement une hémiplégie droite, se situent dans le cerveau, dans l'aire de Broca, ou dans une région particulière de la substance blanche.

■ L'aphasie sensorielle, ou aphasie de Wernicke, est dominée par des troubles de compréhension très importants. L'expression orale ne comporte pas de troubles articulatoires mais l'emploi fréquent de mots inappropriés, constituant un véritable jargon. Le malade, qui n'a pas conscience de son trouble, s'étonne qu'on ne le comprenne pas. Cette aphasie, généralement observée en l'absence d'hémiplégie, est fréquemment associée à une perturbation du champ visuel droit. La lésion responsable se situe dans l'aire de Wernicke.

■ L'aphasie mixte est l'association des troubles de l'expression de l'aphasie de Broca et des troubles de la compréhension de l'aphasie de Wernicke. Lorsque ces troubles sont importants, on parle d'aphasie globale, difficile à corriger.

Aphonie

Extinction de voix.

L'aphonie est souvent précédée d'une dysphonie (modification du timbre de la voix : voix cassée, rauque, éteinte) qui s'aggrave progressivement.

Elle peut être due à une inflammation du larynx (laryngite aiguë ou chronique), à une tumeur ou à une paralysie des nerfs moteurs du larynx. Il existe également des aphonies psychiques, d'origine hystérique, survenant souvent après un traumatisme violent.
→ VOIR Dysphonie.

Aphrodisiaque

Substance destinée à stimuler le désir et à améliorer les performances sexuelles, de manière réelle ou supposée.

L'alimentation a de tout temps fourni les principaux aphrodisiaques (ginseng, gingembre, piment, truffe, huîtres, alcool à petites doses). Leur efficacité, non prouvée, semble le plus souvent relever de la « pensée magique » (qui attribue arbitrairement des vertus imaginaires à une substance neutre). D'autres produits (préparations hormonales, extrait thyroïdien à faible dose ou yohimbine, un alcaloïde extrait de l'écorce de yohimbehe, un arbre d'Afrique de l'Ouest) peuvent avoir une action transitoire, mais ils ne sont pas sans effets indésirables. Certains peuvent mener aux confins de la toxicomanie (anxiolytiques ou psychostimulants comme l'ecstasy), voire occasionner des empoisonnements graves (cantharide). L'alcool et le tabac, souvent considérés comme des stimulants, ont à long terme une action nocive sur le fonctionnement génital.

Aphte

Petite ulcération superficielle, douloureuse, observée le plus souvent sur la muqueuse buccale et parfois sur la muqueuse génitale.

Les aphtes peuvent être isolés ou s'intégrer dans une maladie plus générale, l'aphtose. Si leur origine est inconnue, il n'est pas douteux que leurs récidives, très fréquentes, sont liées à des facteurs infectieux, hormonaux, alimentaires et au surmenage. Ils guérissent habituellement sans nécessiter de traitement en une dizaine de jours.

SYMPTÔMES ET SIGNES

Évoluant par poussées, les aphtes peuvent être de très petite taille (aphtes miliaires) ou géants (aphtes nécrotiques de Sutton). Les aphtes buccaux sont des ulcérations arrondies ou de forme ovale, au fond jaunâtre, entourées d'un halo rouge inflammatoire. Ils touchent les gencives, le bord interne des lèvres et des joues, les bords de la langue. Les aphtes génitaux, rarement isolés, s'observent principalement dans la maladie de Behçet, où ils sont associés à de nombreux aphtes buccaux.

TRAITEMENT ET PRÉVENTION

Le traitement repose sur des applications d'antiseptiques, d'anesthésiques locaux et d'antibiotiques (tétracyclines), des bains de bouche antiseptiques, l'apport de vitamines du groupe B. Les mesures de prévention classiques sont importantes pour les aphtes

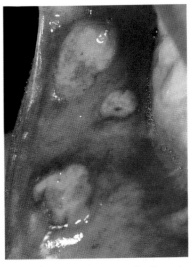

Aphte de la muqueuse buccale. *Un aphte forme un petit cratère au fond jaunâtre, entouré d'un liseré rouge.*

buccaux : bonne hygiène buccodentaire et suppression des aliments qui déclenchent des poussées : gruyère, fruits secs ou acides (noix, noisettes, etc.) et épices.
→ VOIR Fièvre aphteuse.

Aphtose

Affection chronique caractérisée par des poussées d'aphtes buccaux et/ou génitaux.

Dans les aphtoses, les poussées d'aphtes sont associées à des signes extramuqueux (lésions oculaires, nerveuses ou vasculaires, fièvre, atteinte de l'état général) et récidivent à intervalles plus ou moins rapprochés.

DIFFÉRENTS TYPES D'APHTOSE

■ L'aphtose buccale récidivante, ou stomatite aphteuse récurrente, se caractérise par l'apparition, par poussées successives, d'aphtes buccaux de taille variable. Les plus petits, de diamètre inférieur à 1 centimètre, guérissent en 10 à 14 jours sans laisser de

marques. Les ulcérations plus grandes peuvent durer plusieurs mois et laisser des cicatrices. Les récidives sont fréquentes. Les femmes sont plus souvent atteintes que les hommes. Le stress, les règles, une carence en fer ou en vitamine B12 sont des facteurs favorisant cette affection.

■ La maladie de Behçet est une aphtose inflammatoire chronique qui touche la peau, les muqueuses (coexistence d'aphtes buccaux et génitaux), l'œil, les articulations, les vaisseaux, le système nerveux, l'appareil digestif, les reins et les poumons.

■ L'aphtose bipolaire, ou aphtose de Neumann, est une forme mineure de la maladie de Behçet.

TRAITEMENT

Il repose tout d'abord sur celui des aphtes. On a, de plus, souvent recours aux traitements anti-inflammatoires généraux (colchicine, anti-inflammatoires non stéroïdiens, corticothérapie générale).
→ VOIR Behçet (maladie de).

Aplasie

Insuffisance ou arrêt congénital de développement d'un tissu ou d'un organe.

Ainsi, l'aplasie d'oreille se caractérise par une croissance incomplète de l'oreille externe ou moyenne. Elle peut être majeure (il n'existe aucune structure d'oreille externe ou moyenne) ou mineure (touchant une partie de l'oreille externe ou moyenne). Elle se corrige généralement par la mise en place d'une prothèse à la fois esthétique et fonctionnelle.

Par extension, l'aplasie désigne certaines lésions acquises.

Aplasie médullaire

Maladie caractérisée par une raréfaction de la moelle osseuse, se traduisant par une diminution des globules rouges, des globules blancs et des plaquettes.

L'aplasie médullaire est une maladie rare qui s'observe à tous les âges.

CAUSES

L'aplasie est due à l'incapacité de la moelle osseuse à produire des cellules souches, forme originelle des cellules sanguines. Les causes toxiques ou infectieuses sont les mieux identifiées : radiations ionisantes (rayons X), absorption de certains médicaments ou produits chimiques (dérivés du benzène, anticancéreux, certains antibiotiques – surtout le chloramphénicol –, arsenicaux, antithyroïdiens, sels d'or, antiépileptiques, certains neuroleptiques) ou certaines infections (hépatite récente, tuberculose). Lorsque la numération-formule sanguine, le myélogramme et/ou la biopsie de la moelle ne permettent de retrouver aucune cause, l'aplasie est dite idiopathique. Un mécanisme immunologique semble alors impliqué dans la moitié des cas.

SYMPTÔMES ET SIGNES

Le manque de globules rouges entraîne une anémie (pâleur et fatigue), le manque de globules blancs expose le sujet aux infections et le manque de plaquettes provoque des hémorragies (purpura, par exemple).

ÉVOLUTION ET TRAITEMENT

Lorsque la cause est médicamenteuse et que les cellules souches sont épargnées, l'aplasie médullaire régresse spontanément. Dans les formes idiopathiques, cette éventualité est plus rare. Une aplasie médullaire peut exceptionnellement précéder l'apparition d'une leucémie.

Le traitement symptomatique repose sur une antibiothérapie massive en cas d'infection, sur la transfusion de plaquettes en cas d'hémorragie, de globules rouges s'il y a anémie grave. Le traitement de fond repose sur l'administration d'immunosuppresseurs (ciclosporine et sérum antilymphocytaire), sur la greffe de moelle osseuse, effectuée à partir d'un donneur compatible, chez les sujets jeunes, et sur l'administration d'androgènes (qui stimulent les cellules souches de la moelle) si le traitement immunosuppresseur n'est pas efficace.

Apnée

Arrêt de la respiration de durée variable, sans arrêt cardiaque.

Une apnée peut être temporaire (de quelques secondes à 1 ou 2 minutes) ou durer plus longtemps, mettant la vie du sujet en danger en provoquant des lésions irréversibles du cerveau. On parle alors d'arrêt respiratoire. L'apnée peut être volontaire (plongée sous-marine, exploration de la fonction respiratoire) ou non.

■ Chez le nouveau-né, surtout prématuré, des apnées brèves (de 5 à 15 secondes) sont fréquentes et généralement sans gravité ; plus longues (de 15 à 20 secondes), elles sont pathologiques et doivent être signalées sans attendre au médecin.

■ Chez l'adulte, une apnée prolongée peut survenir en cas de lésion du cerveau par un accident vasculaire cérébral, un accident ischémique transitoire (interruption brève de la circulation sanguine dans un vaisseau cérébral) ou un traumatisme crânien. Elle peut également survenir après la prise de substances chimiques (certains anesthésiques notamment). Si la respiration ne reprend pas spontanément, il faut pratiquer d'urgence une respiration assistée.

Apnée du sommeil

Elle peut survenir chez les deux sexes et à tout âge. Elle a été évoquée dans certains cas de mort subite du nouveau-né ; sa fréquence croît avec l'âge. Lorsqu'elles sont très nombreuses (plus de 30 en 6 heures), les apnées du sommeil sont responsables d'une désorganisation du sommeil et d'une oxygénation insuffisante du sang.

On estime que la forme la plus courante et la plus grave d'apnée du sommeil, l'apnée du sommeil obstructive, touche 1 homme sur 100, âgé de 30 à 50 ans, le plus souvent obèse et gros ronfleur.

TRAITEMENT

La majorité des malades étant des obèses, il consiste d'abord en une réduction du poids. Il faut en outre éviter de consommer de l'alcool dans les 2 heures précédant le coucher et ne pas absorber de somnifères.

Un traitement efficace de l'apnée du sommeil existe depuis plusieurs années : par l'application d'un masque sur le nez et la bouche pendant le sommeil, on obtient le maintien d'une pression positive constante dans les voies respiratoires ; de l'air, provenant d'un compresseur, est envoyé par le masque dans les voies nasales et à l'intérieur des voies respiratoires pour les maintenir ouvertes. Parfois, une intervention chirurgicale est utile : elle consiste à enlever tout ou partie du voile du palais (palatoplastie), voire, dans les quelques cas rebelles, à pratiquer une trachéotomie (ouverture de la trachée) pour court-circuiter les voies aériennes supérieures.

Apocrine (glande)
→ VOIR Sudoripare (glande).

Apolipoprotéine
→ VOIR Lipoprotéine.

Aponévrectomie
Ablation chirurgicale d'une aponévrose.

Une aponévrectomie peut accompagner l'ablation d'une tumeur de la peau, des tissus sous-jacents ou d'un muscle. Elle se pratique le plus souvent dans le traitement de la maladie de Dupuytren, caractérisée par un épaississement de l'aponévrose de la paume de la main, lequel entraîne une rétraction irréductible des doigts.

Aponévrose
Membrane blanchâtre, résistante, constituée de fibres conjonctives.

■ Les aponévroses de revêtement, ou fascia, forment une membrane fibreuse qui engaine les muscles et les sépare des organes voisins. Plusieurs aponévroses peuvent se rejoindre en une membrane épaisse et dense, l'aponévrose d'intersection, comme celle de la ligne médiane de la paroi abdominale, qui regroupe les aponévroses des muscles grands droits de l'abdomen.
■ Les aponévroses d'insertion, analogues à des tendons aplatis, entourent les muscles et leur servent de points d'insertion sur les os. Il en est ainsi des muscles larges et plats du dos et de la paroi abdominale.

Aponévrosite
Inflammation d'une aponévrose.

Une aponévrosite concerne très fréquemment le pied (rétraction de l'aponévrose plantaire, ou maladie de Ledderhose) et la main (rétraction de l'aponévrose palmaire avec tendance à la flexion des doigts, ou maladie de Dupuytren). La maladie de Ledderhose crispe la voûte plantaire et provoque souvent des douleurs vives ; la maladie de Dupuytren maintient les doigts en flexion.

Le traitement d'une aponévrosite est tout d'abord orthopédique (mise au repos de la zone atteinte, par exemple à l'aide de semelles orthopédiques faites sur mesure). Il peut aussi être chirurgical, avec l'ablation de l'aponévrose (aponévrectomie).

Aponévrotomie
Incision chirurgicale de l'aponévrose d'un muscle ou d'un groupe de muscles appartenant à une même loge musculaire.

Une aponévrotomie se pratique (sur la jambe, surtout, et sur l'avant-bras) pour alléger la pression s'exerçant sur un muscle tendu par un œdème ou par des hématomes, quand ceux-ci, en interdisant la circulation sanguine, risquent de provoquer des lésions graves, voire de détruire définitivement le muscle. L'aponévrotomie permet au muscle de reprendre du volume. On recourt également à cette intervention quand la rétraction d'une aponévrose entraîne une position anormale et irréductible (paume de la main, par exemple).

Apophyse
Saillie osseuse.

Il existe des apophyses articulaires, dont la forme varie avec le type d'articulation auquel elles appartiennent, et des apophyses non articulaires, qui sont le siège d'insertion d'un muscle ou d'un tendon. Ces dernières sont appelées, selon leur localisation, tubérosité, tubercule, épine, crête ou ligne.

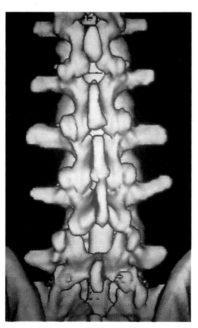

Apophyses vertébrales. Les deux apophyses transverses et l'apophyse épineuse au centre.

Apophysite
Inflammation d'une apophyse.

L'origine des apophysites, variétés d'ostéochondroses de croissance, est encore mal connue. Ces affections pourraient survenir à la suite d'un traumatisme, d'une infection microbienne, de troubles vasculaires ou endocriniens. Généralement bénignes, elles se rencontrent le plus souvent chez les sujets jeunes. Leur évolution peut durer plusieurs mois et, dans certains cas, imposer une immobilisation plâtrée. On différencie les apophysites suivant leur localisation.
■ L'apophysite tibiale antérieure, ou maladie d'Osgood-Schlatter, atteint le plus souvent les garçons entre 12 et 14 ans. Elle se traduit par l'apparition d'une tuméfaction douloureuse de l'apophyse tibiale.
■ L'apophysite calcanéenne se rencontre chez le sujet entre 10 et 15 ans, plus souvent chez les garçons que chez les filles. Elle se manifeste par une douleur vive à la pression de la partie postérieure du talon.
■ La styloïdite est une inflammation de l'apophyse styloïde du cubitus.
TRAITEMENT
Il consiste en général en un simple repos de l'articulation, parfois associé à des infiltrations locales de corticostéroïdes.

Apoptose
Processus physiologique qui conduit une cellule à sa mort naturelle.

Le mécanisme en serait l'activation dans le noyau d'endonucléases endogènes, enzymes responsables de la destruction des acides nucléiques par fragmentation. Il est possible que ce programme, génétiquement déterminé, fasse défaut dans les tumeurs malignes, rendant les cellules « immortelles ». L'une des orientations actuelles du traitement du cancer vise à restaurer cette fonction fondamentale de la vie cellulaire.

Appareil
Ensemble d'organes qui concourent à une même fonction physiologique.

On distingue l'appareil du système (ensemble complexe d'éléments – non limités à des organes – dont la somme des effets produit une fonction dans sa totalité) et les voies (ensemble des chemins organiques – pleins ou creux – véhiculant une fonction de son point d'origine à son point d'utilisation).

Les principaux appareils sont l'appareil circulatoire, l'appareil digestif, l'appareil génital de l'homme et de la femme, l'appareil lacrymal, l'appareil locomoteur, l'appareil respiratoire et l'appareil urinaire.

Appareil cardiovasculaire
→ VOIR Circulatoire (appareil).

Appareil circulatoire
→ VOIR Circulatoire (appareil).

Appareil dentaire
Dispositif fixe ou amovible utilisé en prothèse dentaire pour remplacer les dents manquantes, corriger la position de certaines dents sur l'arcade ou compenser les pertes de substances engendrées par des malformations congénitales (fente labiopalatine par exemple) ou des maladies (cancer buccal).
→ VOIR Prothèse.

Appareil digestif
→ VOIR Digestif (appareil).

Appareil génital féminin
→ VOIR Génital féminin (appareil).

Appareil génital masculin
→ VOIR Génital masculin (appareil).

Appareil lacrymal
→ VOIR Lacrymal (appareil).

Appareil locomoteur
→ VOIR Locomoteur (appareil).

Appareil respiratoire
→ VOIR Respiratoire (appareil).

Appareil urinaire
→ VOIR Urinaire (appareil).

Appareillage orthopédique
Appareil utilisé en orthopédie pour compenser une amputation.

Par extension, le terme d'appareillage orthopédique désigne également la pose de cet appareil.

Après une amputation, l'appareillage a pour rôle de remplacer le membre amputé. Pour le membre supérieur, il existe deux types d'appareillages : les prothèses dites « de vie sociale » et les prothèses dites « de travail », qui ont la forme d'un crochet ou d'une pince. Pour le membre inférieur, il en existe trois types, classés suivant leur emboîture (partie de la prothèse qui engaine le moignon). L'emboîture classique prend appui sur les points osseux à la racine du moignon, la pointe de ce dernier restant libre. Dans les emboîtures à adhérence, la tenue de la prothèse est assurée par les contractions musculaires du moignon. Enfin, les emboîtures de contact engainent parfaitement le moignon, prenant appui aussi bien sur les points osseux que sur son extrémité.

Appendice
Prolongement d'un organe. (P.N.A. *appendix*)

Il existe plusieurs appendices dans le corps humain.

■ L'appendice xyphoïde est localisé à l'extrémité inférieure du sternum.

■ L'appendice de Morgani se situe dans le larynx, à la hauteur des cordes vocales.

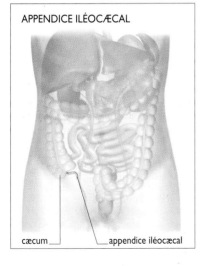

APPENDICE ILÉOCÆCAL

cæcum   appendice iléocæcal

■ Les appendices épiploïques sont des languettes graisseuses qui prolongent un méso (membrane de la cavité abdominale).

■ L'appendice vermiculaire, ou appendice iléocæcal, appelé appendice dans le langage courant, prend naissance au-dessous de l'orifice iléocæcal, au point de jonction entre l'intestin grêle et le gros intestin. De forme assez cylindrique, il mesure de 7 à 8 centimètres de long et de 4 à 8 millimètres de diamètre. L'appendice, riche en follicules lymphoïdes, ne joue qu'un rôle mineur, sinon négligeable, dans la défense de l'organisme.

PATHOLOGIE
En raison de la proximité des matières en fin de digestion, l'appendice vermiculaire est fréquemment le siège d'une infection ou d'un abcès, l'appendicite. L'appendice peut également être le siège de tumeurs, bénignes ou malignes. Enfin, l'appendice peut exceptionnellement donner lieu à une torsion (ou volvulus) simulant une appendicite aiguë. Dans tous ces cas, une appendicectomie (ablation de l'appendice) est envisagée.

Appendicectomie
Ablation chirurgicale de l'appendice.

INDICATIONS
L'appendicectomie est pratiquée en cas d'appendicite pour prévenir la rupture de l'appendice enflammé, qui provoquerait une péritonite ou un abcès abdominal.

DÉROULEMENT
L'appendicectomie s'effectue par incision chirurgicale de l'abdomen ou, plus récemment, par cœlioscopie. L'incision, oblique ou transversale, est pratiquée à droite de l'abdomen, dans la fosse iliaque ; d'ordinaire petite, elle doit parfois être agrandie lorsque l'appendice, situé derrière le cæcum, sous le foie ou très bas dans le petit bassin, est difficile ou impossible à extraire. Après incision, l'appendice est ligaturé et sectionné à sa base ; le moignon peut être laissé libre ou enfoui dans le cæcum. Le patient est en général autorisé à boire et à manger légèrement dans les 24 heures après l'intervention.

Les abcès appendiculaires sont drainés et l'appendice enlevé, immédiatement ou plus tard. En cas de péritonite, l'appendicectomie est associée à un nettoyage et à un drainage de la cavité péritonéale.

COMPLICATIONS
L'appendicectomie expose à plusieurs complications, exceptionnelles, comme le lâchage du moignon ou la péritonite postopératoire de l'enfant (ou péritonite du 5e jour), ou plus fréquentes, comme l'abcès de paroi. Mais, dans la majorité des cas, c'est une opération bénigne qui nécessite de 2 à 6 jours d'hospitalisation et une brève convalescence.

Appendicite
Inflammation de l'appendice.

L'appendicite peut survenir à tout âge, mais elle est particulièrement fréquente chez l'adolescent et l'adulte jeune. L'origine de l'inflammation n'est pas toujours déterminée ; elle peut être causée par l'obstruction de l'appendice par une accumulation de matières fécales. L'appendicite la plus courante, caractérisée

par une simple inflammation de la muqueuse, est dite « catarrhale » ou « suppurée ». Lorsque la muqueuse est obstruée par du pus, celui-ci reste parfois localisé, provoquant une agglutination d'anses intestinales soudées par des adhérences autour d'un abcès : c'est la péritonite plastique, ou plastron appendiculaire.

En cas de nécrose de la paroi de l'appendice, le pus peut également gagner l'ensemble du péritoine ; il déclenche alors une péritonite.

SYMPTÔMES ET DIAGNOSTIC
Lorsque l'appendice est normalement situé, l'appendicite se traduit par une douleur survenant brutalement dans la fosse iliaque (partie latérale et inférieure de l'abdomen) droite, accompagnée de nausées, voire de vomissements, et d'une fièvre modérée (de 38 °C à 38,5 °C) ; la palpation de la zone est douloureuse et provoque une réaction de défense (durcissement de la paroi abdominale) ; le transit intestinal est ralenti.

Le diagnostic est plus difficile à établir lorsque l'appendice est anormalement situé : derrière le cæcum, l'inflammation se traduit par des douleurs lombaires ; chez la femme, très bas dans le petit bassin, il provoque des symptômes analogues à ceux de l'inflammation des trompes utérines ; sous le foie, il simule une infection vésiculaire aiguë. Le diagnostic est également délicat dans les formes atténuées d'appendicite, aucun examen radiologique n'étant assez fiable pour permettre de détecter l'inflammation avec certitude. L'échographie et le scanner de l'abdomen peuvent aider au diagnostic. De nombreuses affections présentent en outre des signes proches de ceux de l'appendicite : infection urinaire, infection génitale chez la femme, colite, tumeur cæcale, adénolymphite mésentérique (inflammation des ganglions mésentériques) chez l'enfant, voire douleurs abdominales vagues sans cause déterminée.

TRAITEMENT
C'est l'appendicectomie. Celle-ci ne doit être décidée que sur des signes probants : fièvre aux alentours de 38 °C, réaction de défense abdominale, élévation des globules blancs à la numération globulaire.

Après établissement du diagnostic, l'intervention est pratiquée sans tarder pour éviter le développement d'une péritonite plastique, voire généralisée. Une crise aiguë d'appendicite peut se calmer spontanément mais présente toujours un risque de récidive ; seuls certains cas, chez les personnes très âgées, prennent parfois une allure chronique.

En l'absence de moyens chirurgicaux, on tente d'endiguer l'inflammation par administration d'antibiotiques. En cas de péritonite plastique, l'abcès peut être évacué immédiatement ou à froid ; l'ablation de l'appendice ne sera effectuée qu'après guérison de l'abcès. La péritonite généralisée exige en revanche une intervention d'urgence comprenant l'ablation de l'appendice et le nettoyage complet de la cavité péritonéale.

COMPLICATIONS
Les appendicites ne nécessitent normalement que quelques jours d'hospitalisation et permettent la reprise d'activités normales après 2

ou 3 semaines. Une péritonite appendiculaire peut toutefois se compliquer chez les vieillards, les sujets dénutris, diabétiques ou obèses, et obliger à recourir à un séjour en réanimation chirurgicale, surtout lorsque des abcès intrapéritonéaux se sont développés.

Appertisation

Méthode de conservation des aliments par stérilisation à la chaleur, dans des récipients hermétiquement clos (bocaux de verre, boîtes de conserve en fer-blanc ou en aluminium, etc.).

L'appertisation, du nom de son inventeur, Nicolas Appert (1749-1841), concerne les aliments les plus divers, au naturel ou cuisinés : viandes, poissons, légumes, fruits, etc. Elle consiste à porter l'aliment à une température suffisamment élevée et pendant un temps assez long pour assurer la destruction ou l'inhibition de tous les germes qu'il contient. Plus la température est élevée, plus le temps nécessaire à la stérilisation est court, ce qui permet de préserver en grande partie sa valeur nutritionnelle (teneur en vitamines notamment).

De la même façon, les conserves appertisées doivent être réalisées immédiatement après la récolte afin de garder à l'aliment le maximum de ses qualités gustatives et nutritionnelles. Il est préférable de les stocker dans un endroit frais et sec.

Apprentissage

Mode d'acquisition d'un comportement résultant de l'expérience ou d'un entraînement particulier.

Il existe deux grands types de théories de l'apprentissage. Selon les théories comportementales, l'apprentissage repose sur un système complexe de réactions à des stimuli façonnant les attitudes ultérieures du sujet (conditionnement pavlovien par exemple) ainsi que sur l'observation d'un modèle extérieur, que l'on imitera ou non. Selon les théories cognitives, l'expérience permet de construire une structure abstraite de connaissances sur laquelle se fonderont les futures décisions et le comportement, ce processus faisant intervenir les qualités mentales plus abstraites de la mémoire ainsi que l'« insight » (intuition) et la compréhension.

Cependant, aucune théorie ne peut à elle seule rendre entièrement compte de la complexité de l'apprentissage : sans doute certaines choses sont-elles apprises automatiquement par le conditionnement, tandis que d'autres le sont par des processus complexes de pensée.

TROUBLES DE L'APPRENTISSAGE

Ce sont les troubles physiques et psychologiques qui gênent l'apprentissage, occasionnant chez l'enfant de multiples problèmes scolaires. Ce terme n'inclut pas les difficultés dues à une carence émotionnelle, environnementale ou à un mauvais enseignement. Les enfants d'une intelligence limitée ont retardée ont des difficultés d'apprentissage. D'autres ont des problèmes spécifiques, une dyslexie (difficulté à lire), une dyscalculie (incapacité de résoudre des problèmes mathématiques) ou une dys-

graphie (problèmes d'écriture). Certains psychologues pensent que les difficultés spécifiques d'apprentissage chez un enfant d'intelligence normale peuvent être causées par des formes mineures de troubles cérébraux, parfois héréditaires.

Apragmatisme

Trouble de l'activité apprise, caractérisé par l'incapacité du sujet de réaliser les actes les plus courants.

L'apragmatisme est un trouble du contact avec la réalité, s'accompagnant souvent de sentiments de dépersonnalisation. Dans les cas les plus graves, les actes du sujet perdent leur efficacité et leur but ; ses gestes sont incohérents, généralement outrés (maniérisme) et sans utilité.

L'apragmatisme se rencontre dans les psychoses (schizophrénies surtout) et les états démentiels. Des formes partielles et transitoires apparaissent fréquemment au cours d'un état dépressif ou d'une poussée psychasthénique.

On observe également un apragmatisme sexuel résultant la plupart du temps d'inhibitions émotionnelles ou névrotiques (éjaculation précoce, dyspareunie, vaginisme).

L'apragmatisme peut conduire à une désinsertion sociale et professionnelle progressive, voire nécessiter, dans les cas les plus graves, un placement définitif en institution.

Apraxie

Trouble de la réalisation de gestes concrets (manipulation d'objets) ou symboliques (signe de croix) indépendant de toute atteinte des fonctions motrices et sensitives et de tout trouble de la compréhension.

L'apraxie témoigne d'une atteinte du cortex cérébral, d'origine traumatique, infectieuse, vasculaire ou tumorale.

DIFFÉRENTS TYPES D'APRAXIE

On distingue plusieurs formes d'apraxie, chacune liée à une lésion d'une partie différente du cerveau : apraxie idéomotrice (lésions du lobe pariétal de l'hémisphère dominant), apraxie idéatoire ou constructive (lésions du carrefour pariéto-temporo-occipital de l'hémisphère dominant ou mineur), etc. L'agraphie (impossibilité d'écrire) et l'aphasie d'expression (trouble de la parole) sont parfois considérées comme des formes particulières d'apraxie.

■ L'apraxie idéomotrice est l'incapacité d'exécuter un geste sur commande verbale, tandis que l'activité spontanée et les réflexes sont conservés. Le patient sera par exemple incapable de faire un signe de croix si on le lui demande, alors qu'il l'effectuera normalement en entrant dans une église. L'apraxie idéomotrice est souvent associée à une aphasie.

■ L'apraxie idéatoire perturbe la coordination des mouvements lorsqu'il s'agit d'utiliser un objet (allumer une bougie, s'habiller). Les gestes sont hachés, confus. Le malade a du mal à suivre un plan d'action déterminé. L'apraxie idéatoire se trouve fréquemment associée à une aphasie de Wernicke et à une hémianopsie latérale homonyme (perte uni-

latérale, du côté droit ou du côté gauche, du champ de vision).

■ L'apraxie constructive se traduit par une difficulté à préciser les relations spatiales d'objets ou de parties d'objets, par exemple à reproduire graphiquement des figures simples ou complexes, même lorsque celles-ci sont reconnues. En cas d'atteinte de l'hémisphère dominant, elle s'associe souvent à une aphasie de Wernicke.

■ L'apraxie dynamique est l'incapacité à réaliser sur demande une séquence de mouvements rapides selon une programmation établie. Le malade est par exemple incapable de présenter successivement et rapidement le poing, la paume et la tranche de la main sur une table.

Apyrexie

Absence d'élévation de la température normale du corps (autour de 37 °C).

Si la température s'élève au-dessus des valeurs normales, il y a fièvre – on dit aussi pyrexie, hyperthermie ou état fébrile. L'apyrexie est un des signes de la guérison, comme la fièvre est un des signes de la présence d'une maladie infectieuse ou inflammatoire. La courbe de température est essentielle pour suivre l'évolution d'une telle maladie.

Arachnodactylie

Allongement pathologique des doigts et des orteils.

Ceux-ci, étirés et amincis, évoquent par leur forme des pattes d'araignée. L'arachnodactylie est une des anomalies morphologiques qui entrent dans le syndrome de Marfan, mais elle se rencontre parfois isolément.

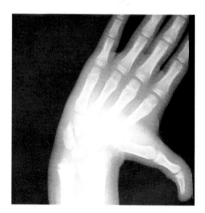

Arachnodactylie. *L'allongement des doigts et leur trop grande souplesse sont caractéristiques.*

Arachnoïdite

Inflammation subaiguë ou chronique de l'arachnoïde (l'une des trois membranes qui constituent les méninges).

CAUSES

Une arachnoïdite peut apparaître plusieurs années après une méningite purulente ou une hémorragie méningée. Elle peut également se développer au contact d'un foyer infectieux rachidien comme une spondylite. Assez souvent, on ne retrouve aucune de ces affections et l'on parle dans ce cas d'arachnoïdite primitive.

SYMPTÔMES ET SIGNES
Ils varient suivant la localisation et l'étendue de la maladie. Il peut s'agir de maux de tête, de crises d'épilepsie, d'atteintes des racines de la moelle épinière avec apparition de troubles sensitifs, d'irritation de la moelle épinière avec apparition de troubles moteurs (paraplégie ou tétraplégie) et génito-sphinctériens (incontinence urinaire, par exemple).

TRAITEMENT
Le traitement est essentiellement celui de la cause infectieuse (antibiothérapie).

Arbovirose

Toute maladie infectieuse due à un arbovirus, virus transmis à l'homme par un arthropode (insecte ou arachnide).

Plusieurs centaines d'arbovirus, appartenant à cinq familles, ont été identifiés, mais seule une centaine d'entre eux est responsable d'une maladie précise. Les principales arboviroses sont : la fièvre jaune, les fièvres hémorragiques, la dengue, l'encéphalite japonaise, l'encéphalite à tiques. L'arbovirose est transmise à l'homme par la piqûre d'un insecte (moustique, phlébotome) ou d'un arachnide (tique, acarien).

La gravité des arboviroses est très variable, pouvant aller d'un simple état grippal à une forme mortelle.

Arcade

Formation vasculaire, fibreuse ou osseuse en forme d'arc.

Parmi les arcades vasculaires, on distingue, réunissant à leur terminaison l'artère radiale et l'artère cubitale, l'arcade palmaire de la main, d'où part la vascularisation des doigts, et l'arcade de Riolan, qui constitue une voie de dérivation essentielle à la vascularisation du côlon lorsque l'une des deux artères mésentériques est bouchée.

L'arcade crurale est une bande fibreuse tendue entre l'épine iliaque et le pubis, qui suit le pli de l'aine, et derrière laquelle passent l'artère et la veine fémorales ainsi que le nerf crural.

Les arcades orbitaires et sourcilières sont des arcades osseuses de l'os frontal situées au-dessus des orbites, constituant les rebords saillants où sont implantés les sourcils. Les plaies des arcades sourcilières sont fréquentes. Elles saignent beaucoup et nécessitent une suture chirurgicale.

Arc branchial

Structure permettant le développement de certains composants musculaires ou squelettiques du fœtus.

L'ensemble des six arcs branchiaux, séparés par des sillons, forme l'appareil branchial. Les arcs branchiaux, qui apparaissent à partir de la 3e semaine de gestation, sont visibles par échographie à la surface de l'embryon. Ils participent à la formation de l'extrémité céphalique et de la face de l'embryon (os de l'oreille interne, maxillaire, squelette pharyngolaryngé). Certains arcs branchiaux sont éphémères et disparaissent au cours de la gestation, d'autres subsistent sous forme de conduits ou de canaux (conduit auditif externe, tympan).

Arc cornéen

Anneau blanchâtre constitué de cholestérol et situé autour de la cornée.

L'arc cornéen s'observe habituellement chez les personnes âgées, témoignant d'une infiltration lipidique du stroma (il est aussi appelé dans ce cas arc sénile, ou gérontoxon). S'il apparaît chez un sujet jeune, il y a lieu de rechercher une hyperlipémie (élévation anormale du taux de lipides dans le sang). Cette anomalie n'altère jamais la vision.

Arc réflexe

Trajet parcouru par l'influx nerveux provoquant un réflexe.

L'arc réflexe est un circuit neuronal constitué par un neurone récepteur d'informations (neurone afférent), un neurone ou une chaîne de neurones intermédiaires traitant ces informations (interneurone[s]), un neurone envoyant l'ordre à l'organe effecteur à l'issue du traitement de ces informations (neurone efférent).

L'arc réflexe médullaire constitue le type le plus élémentaire de circuit neuronal : il est constitué d'un neurone afférent sensitif allant de la périphérie (des récepteurs cutanés ou musculaires) à la moelle épinière, d'un neurone intermédiaire situé dans la moelle épinière et d'un neurone moteur efférent allant de la moelle vers le muscle du même niveau, permettant une réponse adaptée au stimulus. Parfois, le circuit est plus simple encore, ne comportant pas de neurone intermédiaire. L'arc réflexe médullaire est contrôlé par des circuits plus élaborés situés à différents niveaux du système nerveux central, en particulier dans le cortex cérébral.

Ardoisiers (maladie des)
→ VOIR Schistose.

Arénavirose

Toute maladie infectieuse due à un arénavirus, virus dont le patrimoine génétique est constitué d'une molécule d'A.R.N.

Les principales arénaviroses sont la maladie d'Armstrong, la fièvre de Lassa et certaines fièvres hémorragiques.

Aréole

Région circulaire foncée entourant le mamelon du sein. (P.N.A. *areola mammæ*)

L'aréole se pigmente davantage et s'élargit dès le début de la grossesse. En chirurgie, dans certaines interventions sur le sein, une incision périaréolaire permet d'obtenir des cicatrices presque invisibles.

Argyrie, ou Argyrose

Affection caractérisée par une pigmentation diffuse grisâtre de la peau due au dépôt intradermique de particules d'argent.

L'argyrie est consécutive à l'absorption prolongée, par la peau ou les muqueuses, de sels d'argent (gouttes nasales, collyres, pansements gastriques, nitrate d'argent, etc.). La coloration gris ardoise de la peau atteint d'abord les zones exposées à la lumière (visage, mains, conjonctive) puis s'étend au reste du corps. La lunule des ongles est souvent atteinte.

Les particules d'argent se déposent dans les glandes sudoripares du derme de façon indélébile. La prévention est donc indispensable.

Armstrong (maladie d')

Maladie infectieuse due à un arénavirus (virus dont le patrimoine génétique est constitué d'une molécule d'A.R.N.), le virus d'Armstrong. SYN. *chorioméningite lymphocytaire*.

La maladie d'Armstrong est une méningite aiguë, qui se manifeste par une fièvre, des maux de tête, des nausées et des vomissements. La ponction lombaire révèle un liquide céphalorachidien clair, contenant des lymphocytes. L'évolution de cette maladie est bénigne et ne nécessite aucun traitement curatif particulier.

A.R.N.
→ VOIR Acide ribonucléique.

Arnold (nerf d')

Nerf formé par la branche postérieure de la deuxième racine cervicale. (P.N.A. *nervus occipitalis major*)

Le nerf d'Arnold assure l'innervation motrice des muscles profonds du cou ainsi que l'innervation sensitive du cuir chevelu (zone cutanée s'étendant de l'occiput jusqu'au sommet du crâne).

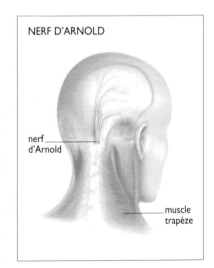

NERF D'ARNOLD

nerf d'Arnold

muscle trapèze

Arnold (névralgie d')

Lésion douloureuse du grand nerf d'Arnold.
CAUSES
Une névralgie d'Arnold survient en général spontanément, mais elle est parfois provo-

quée par une pression locale ou certains mouvements de la tête. À l'examen clinique, il est possible de la déclencher en appuyant sur le point d'émergence du nerf. Lorsque la douleur est continue, une cause locale (lésion cervicale haute ou lésion cervico-occipitale, par exemple) doit être systématiquement recherchée.

SYMPTÔMES ET SIGNES
La névralgie d'Arnold se manifeste par une douleur qui, à partir du haut de la nuque, irradie jusqu'au sommet du crâne. D'intensité vive, semblable à des élancements ou à des brûlures, cette douleur peut être intermittente ou continue.

TRAITEMENT
Les analgésiques et les anti-inflammatoires sont rarement efficaces. Une infiltration locale de corticostéroïdes ou de novocaïne soulage généralement le patient, mais parfois de façon temporaire. Lorsque la névralgie d'Arnold est due à une lésion cervico-occipitale ou à une syringomyélie, le traitement est celui de l'affection d'origine.

Aromathérapie
Thérapeutique par ingestion, massage du corps ou inhalation d'huiles essentielles végétales ou d'essences aromatiques.

L'aromathérapie est une branche de la phytothérapie, traitement des maladies par des produits dérivés des plantes.

Les huiles essentielles s'utilisent soit à l'état naturel, avec ou sans excipient, soit conditionnées sous forme de capsules afin d'être protégées de l'oxydation.

Des gélules d'essence de sauge peuvent être prescrites dans certains états spasmophiliques ; le cyprès, le thym, le genièvre, l'eucalyptus sont actifs en cas de bronchite. Globalement, l'aromathérapie est réputée active, surtout dans les phénomènes infectieux. Grâce à elle, on peut éviter à certaines personnes les effets indésirables des médicaments après avoir vérifié l'absence d'une cause sérieuse à leurs troubles et l'inutilité d'un traitement plus efficace.

Arrêt cardiocirculatoire
Cessation spontanément irréversible d'une activité cardiaque efficace, entraînant un arrêt de la perfusion d'organes vitaux.

L'arrêt cardiocirculatoire est appelé couramment arrêt cardiaque. On parle souvent aussi d'inefficacité cardiovasculaire.

CAUSES
Un arrêt cardiocirculatoire est généralement la complication d'une cardiopathie ischémique (infarctus du myocarde). Les causes directes les plus fréquentes en sont la fibrillation ventriculaire (activité cardiaque anarchique), l'asystolie (absence d'activité électrique) et la dissociation électromécanique (activité électrique persistante, mais sans efficacité du cœur sur la circulation). Une inefficacité cardiocirculatoire peut également résulter d'un trouble majeur du rythme (bradycardie extrême ou tachycardie supérieure à 200 pulsations/minute) ou d'une grande perturbation circulatoire (hémorragie massive, embolie pulmo-

naire). La conséquence de cette inefficacité cardiocirculatoire est une anoxie (insuffisance ou arrêt de l'apport d'oxygène aux organes), avec son risque de lésions cérébrales rapidement irréversibles au-delà de 3 minutes.

SYMPTÔMES ET SIGNES
Un arrêt cardiocirculatoire provoque en 15 à 20 secondes une perte de conscience et un arrêt de la commande respiratoire. Des convulsions peuvent survenir à la phase initiale de l'arrêt, avec perte d'urine. La disparition des pouls, perçue sur les carotides de chaque côté du cou ou sur l'artère fémorale à l'aine, atteste l'inefficacité cardiocirculatoire. Les mouvements respiratoires sont absents ou remplacés par des secousses respiratoires intermittentes. La cyanose des lèvres et des oreilles traduit l'anoxie tissulaire, et la mydriase (dilatation fixe des pupilles) révèle un retentissement cérébral grave de cette anoxie.

TRAITEMENT ET PRONOSTIC
La constatation d'un arrêt cardiocirculatoire impose des manœuvres immédiates de réanimation : assurer la liberté des voies aériennes, effectuer une respiration artificielle par bouche-à-bouche, restaurer une activité circulatoire par massage cardiaque externe. La réanimation doit être poursuivie jusqu'à la récupération du malade (son efficacité étant jugée sur la présence d'un pouls fémoral et le soulèvement de la cage thoracique lors du bouche-à-bouche), l'arrivée d'un personnel qualifié ou une déclaration de mort par un médecin. Les mesures de sauvetage sont relayées par la ventilation artificielle après intubation trachéale et par des traitements qui dépendent de la cause de l'arrêt cardiocirculatoire (par exemple, choc électrique externe en cas de fibrillation ventriculaire). Le massage cardiaque est poursuivi jusqu'à la reprise d'une activité cardiaque spontanée suffisante.

Le pronostic d'un arrêt cardiocirculatoire est fonction de la rapidité des secours et de la durée de l'anoxie cérébrale.

Arrêt respiratoire
→ VOIR Apnée.

Arrhénoblastome
Tumeur masculinisante de l'ovaire, le plus souvent bénigne.

L'arrhénoblastome représente seulement 0,2 % des tumeurs ovariennes et survient essentiellement chez la jeune femme. Il a la structure d'un adénome testiculaire et entraîne des manifestations de virilisme (hirsutisme, séborrhée, raucité vocale) par sécrétion d'androgènes, hormones sexuelles principalement sécrétées, à l'ordinaire, dans les testicules. Le traitement consiste en l'ablation de l'ovaire atteint.

Arriération mentale
→ VOIR Déficience mentale.

Artefact
Altération du résultat d'un examen due au procédé technique utilisé.

Le terme d'artefact est particulièrement utilisé en imagerie médicale. Un artefact déforme l'image de la réalité anatomique ou en altère l'aspect sur l'échelle des gris (du noir au blanc). À chaque technique d'imagerie correspondent un genre particulier d'artefact et ses causes techniques spécifiques.

■ **En radiologie conventionnelle**, dont la technique s'apparente à la photographie, l'information parasite peut trouver son origine dans un défaut d'exposition ou bien dans des phénomènes de flou cinétique (liés à tout mouvement du sujet pendant le temps de pose). Plus spécifiques des rayons X, d'autres artefacts sont dus aux différences de pénétration des rayons selon les structures, avec des effets de bord, de tangence ou de diffusion secondaire.

■ **En tomodensitométrie** (scanner), c'est le flou cinétique qui provoque les principaux artefacts. D'autres sont dus à l'absorption complète des rayons X par certaines structures osseuses ou métalliques, ou encore à la dissimulation d'informations par certains produits de contraste très denses. L'imagerie en coupe introduit des artefacts spécifiques, liés tantôt à l'épaisseur excessive de la coupe, tantôt à une coupe trop fine.

■ **En imagerie par résonance magnétique**, les artefacts sont le plus souvent relatifs aux phénomènes de flou cinétique et de mouvements incontrôlés ; ils peuvent aussi être imputés à un corps étranger métallique, qui dévie le champ magnétique, et parfois au type de fréquence utilisé.

L'utilisation de l'ordinateur a engendré un nouveau type d'artefacts : artefacts de calcul, de reconstruction, de traitement de l'image.

Le radiologue repère habituellement les images d'artefacts, dont les principales sont connues. Mais certaines, plus trompeuses, sont parfois interprétées à tort comme pathologiques. Au pire, l'artefact peut rendre l'examen ininterprétable : en cas de doute, le médecin proposera de renouveler l'examen ou d'utiliser une autre méthode.

Artère
Vaisseau qui véhicule le sang du cœur vers les tissus. (P.N.A. *arteria*)

Les artères sont des tubes flexibles aux parois épaisses. Leur diamètre diminue au fur et à mesure qu'elles s'éloignent du cœur et qu'elles se subdivisent. L'ensemble constitue l'arbre artériel. Leurs ultimes ramifications sont les artérioles, qui alimentent les vaisseaux capillaires. Parmi les principales, l'aorte (issue du ventricule gauche) et ses branches de division distribuent le sang oxygéné, rouge, à l'ensemble des tissus, sauf aux poumons ; les artères pulmonaires véhiculent le sang bleu, désaturé, riche en gaz carbonique, du ventricule droit vers les poumons, où il est oxygéné.

STRUCTURE
La paroi artérielle comporte trois tuniques concentriques : de l'intérieur vers l'extérieur, l'intima, la média et l'adventice.

■ **L'intima**, la plus interne, mince et lisse, tapissée de cellules dites endothéliales, est directement au contact du sang.

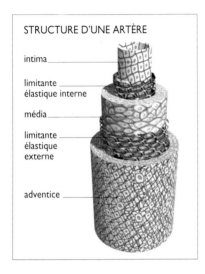

STRUCTURE D'UNE ARTÈRE

intima

limitante élastique interne

média

limitante élastique externe

adventice

■ **La média**, ou tunique moyenne, est épaisse, musculaire et élastique.

■ **L'adventice**, la plus externe, fibreuse et résistante, contient les vaisseaux nourriciers des grosses artères *(vasa vasorum).*

PHYSIOLOGIE

Les grosses artères ont des propriétés élastiques intrinsèques (compliance artérielle) leur permettant de supporter les pressions élevées qu'elles subissent au cours du cycle cardiaque. Les artères de moyen et de petit calibre sont soumises à de nombreuses influences, centrales ou locorégionales, neurogènes, hormonales et humorales, qui régissent les variations de leur diamètre (vasomotricité). La mise en jeu de la compliance et de la vasomotricité a pour effet de transformer progressivement le débit sanguin pulsatile et intermittent à la sortie du cœur en un débit continu au niveau tissulaire et d'adapter les variations du débit sanguin aux besoins de l'organisme, notamment à l'effort.

PATHOLOGIE

Une artère peut être l'objet de lésions traumatiques (toute plaie artérielle nécessite une compression d'amont immédiate, puis une réparation en milieu hospitalier pour éviter une hémorragie abondante), dégénératives et/ou inflammatoires (athérome, artériosclérose, artérite, etc.).

Artérialisation

Transformation du sang veineux en sang artériel par échanges gazeux (oxygène et gaz carbonique) à travers la membrane alvéolo-capillaire entre l'alvéole pulmonaire et le réseau capillaire lors du passage du sang.

Au cours de l'artérialisation, l'oxygène, véhiculé au fond de l'alvéole pulmonaire par les mouvements inspiratoires, se diffuse vers le sang des capillaires sanguins de la petite circulation. Effectuant un trajet rigoureusement inverse, la vapeur d'eau et le gaz carbonique, produits par la chaîne respiratoire cellulaire, se diffusent des capillaires vers les alvéoles pour être rejetés dans l'air ambiant lors de l'expiration. À la suite de ces échanges, le sang artériel est plus riche

en oxygène que le sang veineux et moins riche en gaz carbonique.

Des troubles de l'artérialisation peuvent provoquer dans les tissus une hypoxie (diminution du taux d'oxygène) et une hypercapnie (augmentation du taux de gaz carbonique). → VOIR Hématose, Respiration.

Artériectomie

Ablation d'un segment artériel.

L'artériectomie est une intervention exceptionnelle, imposant obligatoirement, si le tronc sectionné est important, un pontage (implantation d'une prothèse ou greffe d'un segment veineux sain prélevé sur le patient) pour rétablir la circulation artérielle.

Artériographie

Examen radiologique qui permet la visualisation directe d'une artère et de ses branches, ainsi que l'étude des anomalies éventuelles du territoire qu'elle irrigue.

Une artériographie est réalisée par injection dans l'artère d'un produit de contraste iodé. Elle est dite globale si le produit est injecté dans un tronc artériel (aortographie) et sélective lorsque le produit est injecté dans une branche (artère rénale, par exemple).

INDICATIONS

L'artériographie est essentiellement utilisée pour établir des diagnostics préopératoires ; elle permet notamment de prévoir le caractère plus ou moins hémorragique de certaines interventions, de préciser l'emplacement des vaisseaux et de leurs lésions et d'obtenir d'importants renseignements sur la circulation des veines et des artères.

L'artériographie permet de localiser un rétrécissement artériel, un anévrysme ou l'origine d'un saignement digestif. Elle détecte également certaines malformations des vaisseaux (angiomes, fistules), les lésions traumatiques et les pathologies ischémiques, c'est-à-dire dues à une interruption ou à une diminution de la circulation sanguine (thrombose artérielle ou veineuse). Ainsi, dans les cas d'infarctus intestinal, elle permet de constater une oblitération aiguë par thrombose ou embolie et la diminution de la circulation sanguine. L'artériographie sélective de l'artère hépatique permet de préciser l'extension d'un cancer du foie.

TECHNIQUE

L'artériographie est réalisée soit directement (au niveau même de la région anatomique à examiner), soit à proximité ou à distance de cette région (avec utilisation d'un cathéter). Dans la plupart des artériographies à distance, le point de ponction est situé au pli de l'aine, sur l'artère fémorale.

Le produit de contraste iodé introduit dans l'artère est rapidement entraîné par le flux sanguin, d'abord à travers l'arborescence des divisions artérielles, puis dans les systèmes artériolaire et capillaire, enfin dans le système veineux.

Il ne s'écoule que quelques secondes entre l'opacification artérielle initiale et le temps de retour veineux. Aussi l'information artériographique doit-elle être rapidement saisie, soit selon un mode dynamique apparenté

au cinéma, soit en mode discontinu, c'est-à-dire par la réalisation d'une série rapide de clichés programmés à l'avance.

DÉROULEMENT

L'artériographie nécessite une hospitalisation de 24 à 48 heures. Elle se pratique sous anesthésie locale et peut durer de 30 minutes à 2 heures.

EFFETS SECONDAIRES

Ils sont de deux types : allergique et traumatique. L'effet allergique est dû à l'iode contenu dans le produit de contraste. L'allergie à l'iode se traduit par des nausées, des vomissements, des éruptions cutanées ou une baisse de la tension artérielle. Le médecin doit s'assurer que le patient n'a jamais présenté d'allergie et, si ce n'est pas le cas, lui prescrire préalablement un traitement antiallergique. L'effet traumatique consiste en un risque faible d'hémorragie locale. Il est utile, avant toute artériographie, de vérifier l'absence chez le patient de tout trouble de la coagulation. De même, une fois le cathéter retiré après l'examen, le point de ponction sera fermement comprimé et surveillé pendant 24 heures.

Artériole

Vaisseau sanguin de faible diamètre qui assure la liaison entre une artère et un capillaire. (P.N.A. *arteriola*)

Le calibre d'une artériole ne dépasse guère 300-400 microns, et sa paroi est riche en fibres musculaires lisses et en fibres élastiques. Bien que de petite taille, l'artériole est très contractile, ce qui lui permet d'adapter son débit aux besoins des tissus qu'elle irrigue. À sa jonction avec le capillaire, l'artériole présente un petit manchon de fibres musculaires appelé « sphincter précapillaire », qui permet de supprimer l'irrigation d'un territoire déterminé. L'étude de la circulation artériolaire peut être réalisée directement par l'examen du fond d'œil et la capillaroscopie (observation au microscope des capillaires superficiels) et indirectement par l'exploration Doppler (utilisation des ultrasons pour étudier la vitesse des globules rouges dans les vaisseaux) et la pléthysmographie (étude des variations du volume vasculaire d'un segment de membre).

Les artérioles peuvent être intéressées par le processus de surcharge et de dégénérescence athéroscléreuse. Elles peuvent également être le siège d'inflammations, comme dans les connectivites.

Artériopathie

Toute maladie des artères, quelle que soit sa cause.

DIFFÉRENTS TYPES D'ARTÉRIOPATHIE

■ **Les artériopathies dégénératives** (artériosclérose et athérosclérose), dues à la formation d'une plaque d'athérome sur la paroi d'une artère et/ou à l'altération de ses fibres, sont de loin les plus importantes.

■ **Les occlusions artérielles aiguës** sont souvent dues à la formation d'un caillot sanguin (thrombose). Elles peuvent résulter d'une maladie athéromateuse ou traumatique, ou d'une embolie (migration d'un obstacle).

- L'anévrysme est caractérisé par la dilatation d'un segment de vaisseau artériel.
- D'autres formes d'artériopathie peuvent être citées : le spasme artériel (maladie de Raynaud), les tumeurs vasculaires, les fistules (ou communications artérioveineuses anormales), les malformations, les lésions consécutives à un traumatisme, les artérites infectieuses (typhus, syphilis), les artérites inflammatoires (maladie de Horton), les artérites nécrosantes et certaines connectivites (périartérite noueuse, lupus érythémateux disséminé, maladie de Léo Buerger, granulomatose de Wegener).

SYMPTÔMES ET SIGNES

Une artériopathie se traduit par des signes très variés selon sa localisation et son origine. Toutefois dominent une douleur du tissu mal irrigué (angor, crampes, claudication douloureuse d'un membre inférieur) et des signes de mauvaise irrigation (pâleur, refroidissement, vertiges).

DIAGNOSTIC

Il repose sur l'interrogatoire du patient et l'examen clinique (disparition du pouls, souffle à l'auscultation d'une artère), sur la mesure des flux sanguins par effet Doppler pour les vaisseaux accessibles à cette technique (artères cervicales, artères des membres inférieurs), sur l'imagerie directe du vaisseau par échographie ou par artériographie régionale ou sélective d'un organe.

ÉVOLUTION

En cas de rétrécissement ou d'occlusion de l'artère, un défaut d'irrigation (ischémie), voire une mortification (infarctus) du tissu ou de l'organe irrigué par le vaisseau peuvent se produire. En cas d'anévrysme ou de rupture du vaisseau, on peut observer une compression des tissus avoisinants. Il y a également un risque de formation de caillot sanguin et d'occlusion artérielle.

TRAITEMENT

Le traitement d'une artériopathie est fonction de sa cause. On prescrit des anti-inflammatoires dans la maladie de Horton ou la périartérite noueuse, un traitement antispasmique en cas de spasme artériel, un traitement anticoagulant, éventuellement associé à une ablation du caillot de sang, dans les thromboses. On peut également réaliser une intervention chirurgicale destinée à supprimer l'obstacle en cas de compression artérielle traumatique, une dilatation par ballonnet, une plastie réparatrice de l'artère ou un contournement (pontage) pour les rétrécissements artériels.

Artériorraphie

Suture chirurgicale d'une artère.

L'artériorraphie est une variété d'angiorraphie, terme qui désigne la suture chirurgicale de n'importe quel vaisseau. Si l'artère est trop abîmée, on préfère à la suture la greffe d'un segment veineux sain ou la mise en place d'une prothèse.

Artériosclérose

Maladie dégénérative de l'artère due à la destruction des fibres musculaires lisses et des fibres élastiques qui la constituent.

ARTÉRIOSCLÉROSE

Les lésions, essentiellement athéromateuses (dépôts lipidiques), qui causent un rétrécissement des artères, sont plus accentuées dans le cerveau, le cœur, les reins, les membres inférieurs. L'artériographie est un des principaux moyens diagnostiques de l'artériosclérose.

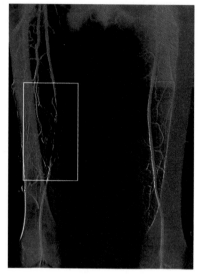

Sur cette artériographie (radiographie des artères) des membres inférieurs, l'espace intérieur des artères apparaît en rouge. On constate que celui-ci est très irrégulier, en raison de l'existence sur les parois artérielles de plaques d'athérome (dépôt de cholestérol).

DIFFÉRENTS TYPES D'ARTÉRIOSCLÉROSE

On réunit généralement sous le terme d'artériosclérose deux maladies distinctes.

- L'artériosclérose proprement dite est caractérisée par un épaississement diffus de la paroi des artères de petit calibre dû à des dépôts d'apparence vitreuse, constitués essentiellement de protéines plasmatiques, sans dépôt lipidique. L'artériolosclérose touche les artérioles.
- L'athérosclérose, qui est souvent associée à l'artériosclérose, est caractérisée par des dépôts lipidiques sur la paroi artérielle et s'accompagne parfois d'une médiacalcose (calcification de la paroi).

CAUSES

L'artériosclérose, qui s'accompagne d'un vieillissement précoce des éléments vasculaires, est favorisée par un certain nombre de facteurs de risque cardiovasculaire dont les principaux sont le tabagisme, l'hypertension artérielle, le diabète, l'obésité, l'existence d'un taux élevé de cholestérol dans le sang, des antécédents familiaux d'artériosclérose et la sédentarité. L'incidence de la maladie croît avec l'âge, le processus pathologique étant habituellement lent mais progressif. L'homme est proportionnellement plus touché que la femme.

SYMPTÔMES ET ÉVOLUTION

L'artériosclérose ne se manifeste que lorsque le rétrécissement de l'artère gêne la circulation sanguine. Les symptômes sont alors sensiblement les mêmes que ceux de l'athé-

rosclérose : crises d'angor, vertiges, douleurs. Les lésions peuvent évoluer en infarctus du myocarde, en artérite des membres inférieurs, en accident vasculaire cérébral ou en insuffisance rénale.

DIAGNOSTIC

L'artériosclérose peut être détectée cliniquement par la palpation des artères sur leur trajet superficiel ou, pour les artères de l'œil, sur leur aspect à l'examen du fond d'œil. Certains examens permettent d'estimer la localisation et l'extension de la maladie : radiographie simple, échographie vasculaire, ou artériographie lorsque l'on envisage un traitement chirurgical ou une angioplastie (dilatation d'un rétrécissement artériel à l'aide d'une sonde à ballonnet montée sur un cathéter guide). Ces examens sont parfois l'occasion de mettre en évidence les calcifications d'une médiacalcose.

TRAITEMENT

Il est avant tout préventif et porte sur une amélioration de l'hygiène de vie (détente psychique, activité physique modérée, suppression du tabac, régime alimentaire pauvre en graisses). Le traitement médicamenteux a une place restreinte : vasodilatateurs et antiagrégants plaquettaires.

Artériotomie

Incision de la paroi d'une artère.

Une artériotomie se pratique le plus souvent pour débarrasser la cavité de l'artère d'un caillot ou d'une plaque d'athérome

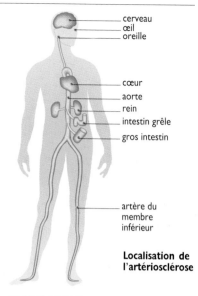

cerveau
œil
oreille
cœur
aorte
rein
intestin grêle
gros intestin
artère du membre inférieur

Localisation de l'artériosclérose

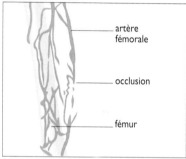

artère fémorale
occlusion
fémur

L'artère fémorale droite (à gauche) est obstruée par l'artériosclérose et donc invisible sur une partie de son trajet.

(dépôt lipidique). L'incision peut être longitudinale ou transversale ; après élimination de l'obstacle, l'artère est suturée soit bord à bord, soit à l'aide d'un « patch » d'élargissement (fragment de tissu ou d'organe prélevé sur le sujet lui-même, ou prothèse en tissu synthétique).

Artérite

Lésion inflammatoire d'une artère.

Par extension, ce terme regroupe toutes les lésions artérielles, quel qu'en soit le mécanisme.

La lésion peut concerner les différentes tuniques de la paroi artérielle : intima (endartérite), média (mésartérite) ou adventice (périartérite), ou même toutes les trois à la fois (panartérite).

Une artérite peut s'étendre de manière diffuse ou se limiter à un territoire vasculaire localisé (artères des membres inférieurs, artères coronaires ou artères carotides). Elle est parfois limitée à un seul vaisseau (artère temporale dans la maladie de Horton, artère rétinienne dans l'artérite du même nom) ou à des portions d'un vaisseau (périartérite noueuse).
→ VOIR Angéite, Artériopathie.

Artérite temporale

→ VOIR Horton (maladie de).

Arthralgie

Douleur siégeant au niveau des articulations ou dans les articulations elles-mêmes, pouvant ne pas s'accompagner d'une modification de l'apparence extérieure de la jointure.

Les arthralgies sont fréquentes au cours de toutes les maladies articulaires (arthrite rhumatismale ou infectieuse, arthrose). Leur intensité est très variable.

Arthrite

Toute affection inflammatoire, aiguë ou chronique, qui frappe les articulations. SYN. *ostéoarthrite*.

Si une seule articulation est atteinte, on parle de monoarthrite ; lorsque 2, 3 ou 4 articulations sont touchées, d'oligoarthrite ; au-delà, de polyarthrite. On appelle acropolyarthrites les arthrites qui touchent les articulations distales (mains, pieds) ; polyarthrites rhizoméliques, les arthrites qui touchent essentiellement les articulations des racines des membres (épaules, hanches) ; spondylarthropathies, les arthrites des membres qui s'associent à des atteintes inflammatoires de la colonne vertébrale ou des articulations sacro-iliaques. Une arthrite qui dure plus de 3 mois est dite chronique.

L'arthrite se caractérise par des douleurs souvent nocturnes pouvant réveiller le malade. Le matin, les articulations ne retrouvent leur mobilité qu'après une période d'échauffement, dont la durée constitue un bon témoin du degré d'inflammation. L'épiderme est localement rosé ou rouge, voire violacé. L'articulation est souvent gonflée, en partie du fait d'un épanchement de liquide synovial ; l'analyse de celui-ci, après prélèvement par arthrocentèse (ponction de l'articulation), permet de confirmer le caractère

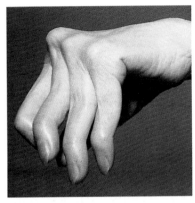

Arthrite. Dans une polyarthrite rhumatoïde, les articulations sont déformées en flexion.

inflammatoire de la maladie et de rechercher un germe pathogène ou des microcristaux. Au besoin, une biopsie de la membrane synoviale peut être réalisée sous anesthésie locorégionale, parfois combinée à une arthroscopie permettant le contrôle visuel.

On distingue quatre catégories d'arthrite : les arthrites inflammatoires aseptiques, dont l'inflammation synoviale est de cause inconnue ; les arthrites septiques et les arthrites microcristallines, dues respectivement à la présence d'un germe et de cristaux dans l'articulation ; enfin, les arthrites, ou arthropathies, nerveuses, dues à certaines maladies du système nerveux.

Arthrites inflammatoires aseptiques

Les arthrites inflammatoires aseptiques forment un groupe d'affections de causes très diverses.

■ **Le rhumatisme articulaire aigu, ou maladie de Bouillaud**, est l'une des principales arthrites inflammatoires aseptiques. Il touche peu d'articulations, essentiellement les genoux, les coudes et les chevilles, et l'inflammation est très douloureuse mais de courte durée, l'atteinte passant en quelques jours d'une articulation à une autre. Des complications cardiaques sont très fréquentes (cardite rhumatismale).

■ **La polyarthrite rhumatoïde**, le plus fréquent des grands rhumatismes inflammatoires, appartient au groupe des maladies de système, ou connectivites. Elle s'installe sans cause décelable, tout en étant favorisée par certaines circonstances (surmenage, infection, affaiblissement général). Elle touche plusieurs articulations simultanément, surtout les doigts et les poignets, et évolue sur de nombreuses années.

■ **Les arthrites réactionnelles** apparaissent en réaction à une infection siégeant en dehors de l'articulation et qui est provoquée par certaines entérobactéries, transmises en général par l'alimentation ou au cours d'infections génitales. Ces arthrites entrent dans le cadre du syndrome oculo-urétro-synovial (syndrome de Fiessinger-Leroy-Reiter). On a découvert en 1973 qu'elles se

déclenchent surtout chez les sujets porteurs d'un groupe leucocytaire héréditaire (le groupe HLA B27) également présent chez 90 % des sujets atteints de spondylarthrite ankylosante. C'est une des raisons qui ont fait grouper ces affections sous le vocable de spondylarthropathies.

■ **La spondylarthrite ankylosante** est une affection chronique fréquente chez les hommes, qui siège au niveau des articulations sacro-iliaques et intervertébrales. Son évolution s'étale sur de nombreuses années.

■ **Le rhumatisme psoriasique** est caractérisé par l'atteinte fréquente des articulations distales des doigts, associée à un psoriasis.

■ **La polyarthrite chronique juvénile, ou maladie de Still**, affecte surtout les enfants âgés de moins de 4 ans. C'est une polyarthrite symétrique associée à des adénopathies (gonflement d'un ou de plusieurs ganglions lymphatiques), à une splénomégalie (augmentation de volume de la rate) et à une éruption cutanée.

Arthrites septiques

Les arthrites septiques, ou arthrites infectieuses, sont provoquées par un germe ayant pénétré dans l'articulation soit par voie sanguine, depuis un foyer infectieux situé à distance, soit accidentellement, à la faveur d'une blessure ouverte, voire d'une infiltration. Ce sont presque toujours des monoarthrites. Gonflée, chaude, parfois rouge, l'articulation touchée devient vite douloureuse au point de rendre tout mouvement impossible. Le malade a de la fièvre, accompagnée de frissons.

Lorsque l'on suspecte une arthrite septique chez un sujet, celui-ci doit être isolé, et le germe en cause identifié le plus rapidement possible. Cette identification sera faite par hémoculture si le germe a pu être transmis par voie sanguine, par prélèvement gynécologique, urinaire, de gorge ou de tout foyer infectieux éventuel (dentaire, sinusien, cutané, etc.) et/ou par ponction de l'articulation pour étudier le liquide synovial et le mettre en culture.

■ **Les arthrites septiques à germes banals** (staphylocoques, streptocoques) sont les plus fréquentes. L'infection vient d'un foyer voisin (plaie) ou distant (bactériémie). La ponction retire un liquide purulent. Ces arthrites septiques sont favorisées par un état immunitaire déficient (sida en particulier).

■ **Les arthrites brucelliennes**, observées au cours de la brucellose, sont devenues très rares du fait de la quasi-disparition de cette maladie. Elles peuvent être aiguës ou chroniques. Elles touchent toutes les articulations avec une prédilection pour celles de la colonne vertébrale, pour les articulations sacro-iliaques et pour les hanches. Le diagnostic, orienté par des lombalgies avec fièvre, s'appuie sur les radiographies du rachis et du bassin.

■ **L'arthrite de Lyme, ou maladie de Lyme**, est due à un germe, *Borrelia burgdoferi*, inoculé par une morsure de tique. Cette maladie provoque également une éruption cutanée et des signes neuroméningés.

■ **Les arthrites virales** peuvent être dues aux virus de la rubéole et des hépatites, au parvovirus responsable de l'exanthème subit, à certains arbovirus africains et australiens, au V.I.H. L'atteinte articulaire touche en règle générale peu d'articulations et reste modérée. Ces arthrites guérissent en quelques jours sans laisser de séquelles.

■ **Les arthrites sexuellement transmises** comprennent les arthrites gonococciques (rares aujourd'hui), les arthrites de la syphilis secondaire, les arthrites réactionnelles à *Chlamydia trachomatis* et les arthrites peu fréquentes et brèves de la phase d'invasion du V.I.H. (virus du sida).

■ **Les arthrites tuberculeuses** avaient presque disparu avec la vaccination par le B.C.G. et le traitement antibiotique des primo-infections tuberculeuses. Elles voient aujourd'hui leur nombre augmenter du fait de l'immunodéficience profonde induite par le virus du sida, qui rend certaines mycobactéries, normalement inoffensives, pathologiques chez des sujets infectés par le V.I.H.

Arthrites microcristallines

Dans les arthrites microcristallines, l'inflammation est déclenchée par l'accumulation dans les articulations de microcristaux d'acide urique (goutte), de pyrophosphate de calcium (chondrocalcinose) ou d'apatite (maladie des calcifications multiples). Ces arthrites provoquent des crises très douloureuses, avec gonflement rapide, mais transitoire, de l'articulation. Elles guérissent sans laisser de séquelles.

Arthrites nerveuses

Les arthrites nerveuses, ou arthropathies nerveuses, s'observent au cours de certaines maladies du système nerveux (tabès, syringomyélie, diabète, lèpre, paraplégie et tétraplégie d'origine traumatique) provoquant une perte de sensibilité de l'articulation. Les traumatismes et les contraintes s'exerçant sur cette dernière ne déclenchent plus alors la contracture réflexe protectrice des muscles de voisinage, mais ils entraînent une mobilité exagérée, susceptible d'endommager l'articulation et de créer une déformation importante appelée articulation de Charcot (gonflement, voire destruction articulaire plus ou moins marquée).

Traitement des arthrites

Certaines arthrites demandent un traitement spécifique : antibiotiques pour les arthrites septiques, uricosuriques dans la goutte, anti-inflammatoires et corticostéroïdes dans la polyarthrite rhumatoïde. Dans la plupart des cas, les analgésiques et les anti-inflammatoires soulagent la douleur. Certaines arthrites inflammatoires aseptiques peuvent entraîner des déformations ou des destructions articulaires nécessitant parfois une arthroplastie (remplacement de l'articulation par une prothèse), voire une arthrodèse (fusion chirurgicale des os de l'articulation). Le traitement des arthrites septiques doit être précoce, car les lésions de l'os et des cartilages résultant de l'action du germe peuvent devenir irréversibles en quelques jours. On peut, en attendant que le germe soit identifié, commencer un traitement antibiotique, qui sera ajusté quand le germe sera connu et sa sensibilité aux divers antibiotiques, précisée. Un repos de quelques jours avec immobilisation de la ou des articulations atteintes est conseillé. Le traitement des arthrites microcristallines est celui de l'affection en cause (goutte par exemple). Bien qu'elles soient importantes, les déformations occasionnées par les arthrites nerveuses laissent généralement de larges possibilités fonctionnelles. Une contention par appareil orthopédique peut être nécessaire pour limiter les mouvements anormaux.
→ VOIR Polyarthrite rhumatoïde, Rhumatisme articulaire, Spondylarthropathie.

Arthrite chronique juvénile
→ VOIR Still (maladie de).

Arthrite dentaire

Inflammation du ligament alvéolodentaire.

L'arthrite dentaire est provoquée par une compression des terminaisons nerveuses du ligament entre deux structures dures et inextensibles : l'os alvéolaire et la racine dentaire. Celle-ci peut être causée par des complications de maladies pulpaires ou par une réaction congestive et douloureuse du ligament due à un choc ou à une série de traumatismes (serrage de crochet, surélévation prothétique, etc.). L'arthrite dentaire se traduit par une mobilité de la dent, d'importantes douleurs et une sensation de contact prématuré avec les dents antagonistes (impression de « dent longue »).

TRAITEMENT
La suppression de ces causes, qui suffit souvent à guérir l'arthrite dentaire, peut être complétée par la prise d'analgésiques et d'anti-inflammatoires.

Arthrocentèse

Ponction d'une articulation à des fins diagnostiques ou thérapeutiques.

L'arthrocentèse se pratique sous anesthésie locale. Elle permet de prélever le liquide synovial ; on introduit pour cela une aiguille assez longue dans la cavité articulaire. Le liquide synovial retiré peut ensuite être soumis à des examens biologiques afin de rechercher des germes pathogènes ou des cellules anormales. Selon le diamètre de l'aiguille utilisée, il est également possible d'introduire un arthroscope (ou tout autre appareil) pour visualiser l'articulation. Enfin, l'arthrocentèse permet d'injecter directement dans l'articulation les médicaments nécessaires au traitement d'une affection articulaire (corticostéroïdes, antibiotiques).

Arthroclyse

Lavage d'une articulation après arthrocentèse (ponction de l'articulation).

On a recours à l'arthroclyse pour éliminer des cristaux ou des corps étrangers intra-articulaires, mais aussi pour nettoyer l'articulation après avoir évacué le pus d'une arthrite septique.

L'arthroclyse se pratique en faisant passer plusieurs litres d'un liquide de lavage (généralement du sérum physiologique) dans l'articulation après y avoir introduit deux aiguilles, l'une servant à introduire le liquide, l'autre à l'évacuer.

Arthrodèse

Intervention chirurgicale consistant à bloquer définitivement une articulation afin de la rendre indolore et stable.

INDICATIONS
L'inconvénient majeur d'une arthrodèse est de limiter la mobilité du membre ou de la région du corps concernés. La plupart du temps, les chirurgiens ne pratiquent donc cette intervention que lorsqu'il est impossible de réaliser une arthroplastie (réfection chirurgicale de l'articulation) ou en cas d'échecs successifs de celle-ci. Une arthrodèse peut être également pratiquée sur des articulations très endommagées ou pour lesquelles la perte de mobilité est peu gênante, ou quand les prothèses disponibles ne sont pas suffisamment fiables.

TECHNIQUE
Il existe deux types d'arthrodèse :
■ **L'arthrodèse extra-articulaire,** devenue rare, au cours de laquelle on soude l'articulation sans l'ouvrir, par un greffon osseux ;
■ **L'arthrodèse intra-articulaire,** la plus fréquemment pratiquée, au cours de laquelle on ouvre l'articulation pour enlever les surfaces articulaires et mettre les éléments osseux en contact direct afin qu'ils s'unissent comme les fragments d'un os fracturé.

Arthrographie

Examen radiologique qui permet de visualiser l'intérieur d'une articulation.

L'arthrographie rend possible l'examen des structures anatomiques articulaires ou périarticulaires non osseuses, invisibles sur des clichés simples. Elle requiert une ponction articulaire et l'injection d'un produit de contraste, qui peut être de l'air (arthrographie gazeuse), un produit de contraste iodé (arthrographie opaque, ou iodée) ou un mélange des deux méthodes (arthrographie en double contraste).

INDICATIONS
L'arthrographie est essentiellement utilisée pour établir un diagnostic ou pour prendre des clichés préopératoires. Au genou, elle permet de détecter une lésion d'un ménisque ou d'un ligament croisé provoquant douleurs, blocages, instabilité ou gonflement. À l'épaule, l'examen peut confirmer une déchirure de la « coiffe » musculaire et la complication de certaines tendinites engendrant douleurs et impotence fonctionnelle. Pour toutes les articulations, l'arthrographie réalise une exploration affinée des surfaces articulaires, de leur revêtement cartilagineux, ou la recherche d'un corps étranger intra-articulaire, souvent de nature cartilagineuse et qui serait invisible à la radiographie simple.

TECHNIQUE
Une radiographie simple de l'articulation précède l'examen. La ponction articulaire est

effectuée après désinfection locale soigneuse de la peau : l'obtention de quelques gouttes de liquide articulaire témoigne du bon positionnement de l'aiguille. Le produit de contraste est alors injecté dans l'articulation, rendant visible la cavité articulaire.

DÉROULEMENT

Une arthrographie ne nécessite pas d'hospitalisation et dure environ 30 minutes. Après l'examen, le patient peut reprendre ses activités, sans toutefois solliciter trop rapidement l'articulation examinée.

EFFETS SECONDAIRES

Ils sont rares et généralement bénins : nausées, malaise, hémorragie locale de faible intensité. L'injection du produit de contraste iodé peut provoquer une réaction allergique. Le médecin doit donc s'assurer que le malade n'a jamais présenté d'allergie ou, si ce n'est pas le cas, lui prescrire préalablement un traitement antiallergique.

Arthrolyse

Intervention chirurgicale visant à rendre sa mobilité à une articulation limitée dans ses mouvements en coupant les ligaments et la capsule entourant l'articulation.

L'arthrolyse, pratiquée sous anesthésie locale ou générale, peut être chirurgicale, arthroscopique ou simplement manuelle.

Arthropathie

Toute maladie rhumatismale, quelle que soit sa cause. SYN. *ostéo-arthropathie*.

Les principales arthropathies sont les arthrites et l'arthrose.

■ Les arthrites sont des affections inflammatoires aiguës ou chroniques. Elles provoquent une douleur, un gonflement, une raideur ou une rougeur d'une ou de plusieurs articulations.

■ L'arthrose est une maladie chronique d'origine mécanique qui provoque une destruction des cartilages osseux des articulations.

Arthroplastie

Intervention chirurgicale consistant à rétablir la mobilité d'une articulation en créant un nouvel espace articulaire.

INDICATIONS

Elles sont nombreuses, notamment en cas d'arthrose, d'arthrite, de traumatismes, ou encore en cas d'ablation de tumeurs malignes obligeant à une reconstruction de l'articulation touchée.

TECHNIQUE

■ L'arthroplastie simple consiste à supprimer l'articulation malade sans poser de prothèse à la place. Elle est relativement rare en dehors de quelques cas particuliers (orteil en marteau).

■ L'arthroplastie complexe consiste à remplacer, en partie ou totalement, l'articulation malade par une prothèse. Elle permet son utilisation ultérieure avec une bonne mobilité. Elle peut être réalisée sur de nombreuses articulations (hanche, genou, coude, épaule, doigt). Lorsque l'arthroplastie est partielle, par exemple lors d'une fracture du fémur, on remplace la tête du fémur par une

ARTHROSCOPIE

L'examen s'effectue sous anesthésie locale. Introduit par une petite incision, l'arthroscope permet d'observer l'articulation, d'y prélever des tissus et même de l'opérer.

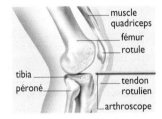

La position de l'arthroscope (trait bleu) permet au médecin d'examiner tous les constituants de la cavité articulaire.

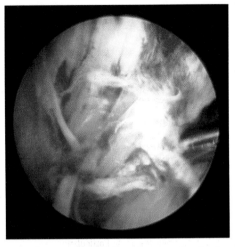

Ici, l'arthroscopie met en évidence la rupture d'un des deux ligaments croisés. Situés dans l'articulation du genou, ces ligaments relient les extrémités du fémur et du tibia, les empêchant de glisser horizontalement l'une sur l'autre.

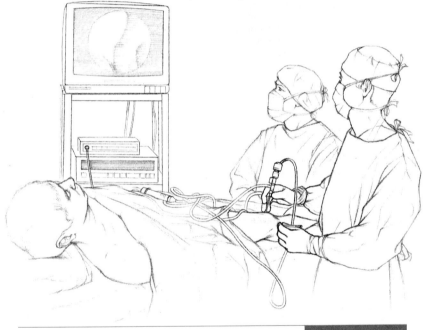

prothèse en métal ayant la même forme. Lorsque l'arthroplastie est totale, on remplace les deux surfaces articulaires. Au niveau de la hanche, par exemple, la tête et le col du fémur sont remplacés par une prothèse (en acier, en titane ou réalisée dans un alliage de chrome et de cobalt), tandis que la surface articulaire correspondante du bassin est remplacée par un hémisphère creux en polyéthylène. Le même type d'opération peut être pratiqué pour le genou : une pièce en acier, se substituant à la surface articulaire détruite, est fixée à la partie inférieure du fémur, et une pièce complémentaire est fixée sur le tibia.

PRONOSTIC

Dans le domaine des arthroplasties, les progrès sont rapides. La compréhension de la biomécanique des articulations et l'évolution des différents matériaux utilisés ont permis d'améliorer la durée de vie des

prothèses. Malheureusement, celle-ci n'est tout de même pas illimitée. Un élément se descelle parfois de son support osseux tandis qu'à long terme une usure entraînant un dysfonctionnement des pièces mécaniques peut se produire.

La réalisation d'une arthroplastie totale de l'épaule est beaucoup moins fréquente que celle d'une arthroplastie de la hanche, car elle donne des résultats moins satisfaisants.

Arthroscopie

Examen endoscopique de l'intérieur d'une articulation permettant d'établir un diagnostic, généralement par une biopsie dirigée, et de traiter les lésions.

L'arthroscopie permet l'examen de structures invisibles aux rayons X : cartilage, membrane synoviale, ligaments croisés et ménisques. Les arthroscopies le plus fréquemment réalisées sont celles du genou et de l'épaule, mais toutes les autres articulations peuvent également être examinées ou opérées ainsi.

TECHNIQUE

Après une ouverture minime de l'articulation pratiquée sous anesthésie locale, le médecin introduit l'arthroscope, tube rigide muni d'appareils optiques et d'instruments permettant la chirurgie intra-articulaire. La plupart des composants de l'articulation sont accessibles sous arthroscopie : un corps étranger articulaire peut être ôté, un cartilage endommagé, remodelé, et un ménisque, recousu ou enlevé. L'ablation de la membrane synoviale (tissu recouvrant les os de l'articulation) se pratique à l'aide d'un rasoir-aspirateur. Enfin, les ligaments peuvent faire l'objet de gestes chirurgicaux directs. L'avantage majeur de la chirurgie sous arthroscopie est de réduire le temps d'hospitalisation et le délai nécessaire à la reprise fonctionnelle. La cicatrice est en outre très petite par rapport à celle de la chirurgie classique. La miniaturisation du matériel, la transmission des images sur écran ont permis l'accès à d'autres articulations que le genou ou l'épaule.

Arthrose

Affection articulaire, d'origine mécanique et non inflammatoire, caractérisée par des lésions dégénératives des articulations, associées à une prolifération du tissu osseux sous-jacent.

Les localisations les plus fréquentes de l'arthrose sont le genou, la main, le pied, la hanche, le cou et la colonne vertébrale. L'arthrose rachidienne intervertébrale, ou discarthrose, peut léser le disque intervertébral et être responsable de sa dégénérescence, de hernies discales et donc de sciatiques. L'arthrose, qui se manifeste surtout après 60 ans, est trois fois plus fréquente chez la femme que chez l'homme. Bien qu'elle ne soit pas au sens strict la conséquence du vieillissement, sa fréquence augmente lorsque le cartilage n'a plus ses qualités originelles de souplesse, d'élasticité, de glissement. La lésion du cartilage articulaire est parfois d'origine traumatique. Des défauts génétiques de fabrication sont également susceptibles de la favoriser. Un cartilage normal, soumis à des contraintes anormales du fait d'une articulation mal

constituée ou d'une activité professionnelle ou sportive trop intense, peut se fissurer et favoriser le développement d'une arthrose. Cela explique pourquoi certaines articulations, plus exposées aux traumatismes ou aux malformations, sont plus souvent touchées que les autres, ou encore pourquoi, dans certaines familles, les arthroses sont particulièrement nombreuses et précoces. L'arthrose doit donc être considérée comme l'étape finale commune de causes diverses (génétiques, traumatiques, etc.) dont les combinaisons sont des plus variées.

SYMPTÔMES ET SIGNES

La douleur qu'elle occasionne est « mécanique » : elle apparaît après tout effort soutenu et disparaît au repos, ne gênant pas le sommeil. Au réveil, elle est souvent pénible pendant quelques minutes (dérouillage). On apprécie d'ailleurs la sévérité ou l'évolution d'une arthrose par la latence d'apparition de la douleur. Pour les membres inférieurs, on utilise ainsi comme indice le temps (ou le périmètre) de marche indolore.

L'arthrose peut évoluer par poussées dites congestives, au cours desquelles la douleur

---

ARTHROSE

Maladie articulaire diffuse, l'arthrose affecte davantage les articulations soumises à d'importantes contraintes mécaniques : celles de la colonne vertébrale, de la hanche, du genou. La radiographie permet d'évaluer la gravité des lésions.

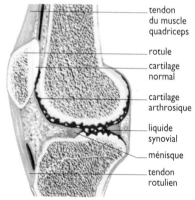

tendon du muscle quadriceps
rotule
cartilage normal
cartilage arthrosique
liquide synovial
ménisque
tendon rotulien

Dans le genou, le cartilage du fémur et du tibia est lésé. Des fragments se sont détachés.

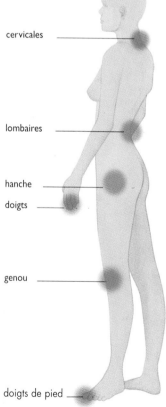

cervicales
lombaires
hanche
doigts
genou
doigts de pied

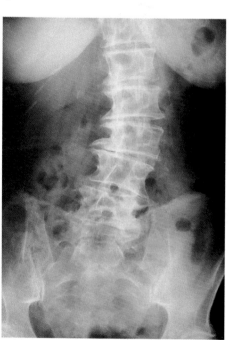

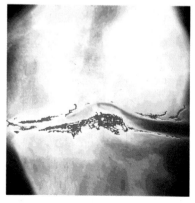

Une arthrose a provoqué, dans la région lombaire, un pincement des disques intervertébraux et la formation d'excroissances osseuses (à gauche).

Localisations les plus fréquentes de l'arthrose, qui a en général plusieurs causes (génétiques, traumatiques, etc.).

Le cartilage (espace sombre entre le fémur et le tibia) va en s'amenuisant. L'os sous-jacent est lésé et densifié irrégulièrement (en rouge).

Les articulations sont classées d'après leur degré de mobilité. Les plus mobiles sont celles des membres. Les extrémités osseuses en contact sont recouvertes d'un tissu glissant, le cartilage. La solidité d'une articulation est assurée par une enveloppe fibreuse, ou capsule, par des ligaments, qui relient les os entre eux, et par des muscles, attachés aux os par des tendons.

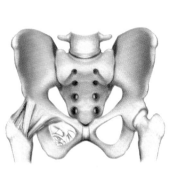

L'articulation de la hanche comporte le ligament le plus résistant du corps. Elle contribue à la stabilité du tronc.

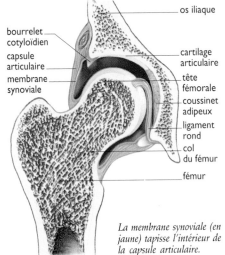

os iliaque

bourrelet cotyloïdien

capsule articulaire

membrane synoviale

cartilage articulaire

tête fémorale

coussinet adipeux

ligament rond

col du fémur

fémur

La membrane synoviale (en jaune) tapisse l'intérieur de la capsule articulaire.

Différents types d'articulations

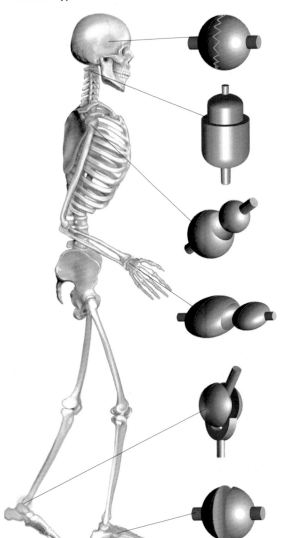

Synarthrose
Articulations immobiles, les sutures crâniennes unissent les os du crâne.

Trochoïde
L'articulation cylindrique entre l'atlas et l'axis permet la rotation de la tête.

Énarthrose
L'articulation sphérique de l'épaule (ou de la hanche) permet pratiquement tous les mouvements.

Condylienne
L'articulation ellipsoïdale du poignet assure la flexion-extension et la latéralité.

Trochléenne
L'articulation en poulie (coude, cheville et phalanges) n'assure que les mouvements de flexion-extension.

Arthrodie
Les articulations planes entre le tarse et les métatarsiens se limitent à de faibles glissements.

devient plus persistante. L'articulation est raidie, gonflée par un épanchement de liquide synovial, dont l'arthrocentèse précise la nature « mécanique » et non inflammatoire : aspect jaune clair transparent, contenant moins de 1 000 cellules par millimètre cube. Les poussées congestives correspondent à des phases de destruction du cartilage (chondrolyse), au cours desquelles celui-ci, amolli, est très fragile. Un amincissement de un demi-millimètre à plusieurs millimètres peut survenir.

DIAGNOSTIC

La radiographie peut être normale. Mais elle est cependant utile pour exclure d'autres maladies responsables de douleurs comparables et surtout pour mesurer l'épaisseur du cartilage et estimer la rapidité de son amincissement au cours de la maladie. Le scanner, associé ou non à l'arthrographie, n'est pas utile au diagnostic, mais peut préciser la nature de malformations articulaires favorisant la maladie.

Les signes radiologiques de l'arthrose évoluée sont un pincement localisé de l'interligne articulaire, une condensation de l'os situé sous le cartilage et la présence d'ostéophytes, ou « becs-de-perroquet » (prolifération anormale de tissu osseux autour du cartilage malade), témoignant des efforts de reconstruction de l'organisme. Situés en dehors de l'articulation, ces ostéophytes n'entraînent par eux-mêmes aucune douleur, tout au plus une légère diminution de l'amplitude articulaire.

TRAITEMENT

Lors des poussées congestives, la mise au repos de l'articulation est indispensable : utilisation d'une canne pour les arthroses des membres inférieurs, port d'un collier ou d'un lombostat pour les arthroses cervicales ou lombaires. Les analgésiques, l'aspirine, les anti-inflammatoires et les infiltrations de corticostéroïdes peuvent soulager la douleur, mais ne protègent pas de la chondrolyse. La crise passée, si l'épaisseur du cartilage est suffisante, l'articulation retrouve souvent une fonction normale. Il faut cependant éviter traumatismes et surmenage, susceptibles de déclencher une nouvelle poussée ; cela passe parfois par un régime amaigrissant, pour diminuer le poids superflu supporté par les articulations. Les malformations articulaires peuvent être opérées chirurgicalement (ostéotomie) à ce stade.

L'entretien d'une bonne musculature compense, en partie, le mauvais état articulaire. Le thermalisme, la physiothérapie peuvent également être utiles. Quand le cartilage est complètement détruit et que l'arthrose entraîne une impotence fonctionnelle importante, on recourt parfois à une arthroplastie (chirurgie de remplacement articulaire) ou à une arthrodèse (soudure chirurgicale d'une articulation).

Arthrotomie

Ouverture chirurgicale d'une articulation par incision des membranes (capsule articulaire et synoviale) qui l'entourent.

On a recours à une arthrotomie pour évacuer le contenu purulent d'une articulation, pour effectuer l'ablation d'un ménisque ou pour pratiquer une arthrolyse (section des ligaments et de la capsule articulaire).

Articulation

Ensemble des éléments par lesquels les os s'unissent les uns aux autres. (P.N.A. *articulationes*)

On distingue plusieurs types d'articulations, classés d'une part selon leur mobilité, d'autre part selon leur forme.

■ Les synarthroses sont immobiles. Elles sont rugueuses, irrégulières ou dentelées. Les os sont réunis soit par du cartilage, soit par un tissu fibreux. C'est le cas des os du crâne.

■ Les amphiarthroses sont semi-mobiles. Les os sont réunis par des ligaments interosseux et des ligaments périphériques. C'est le cas des articulations du rachis.

■ Les diarthroses sont très mobiles. Elles se composent de deux surfaces articulaires lisses recouvertes de cartilage, d'une capsule articulaire et de ligaments, enfin d'une synoviale, membrane fine tapissant l'intérieur de la capsule. Cette membrane sécrète un liquide incolore, visqueux et filant qui lubrifie l'articulation : le liquide synovial. C'est le cas du genou et du coude.

Les articulations sont également classées selon la forme des surfaces articulaires : les arthrodies (surfaces planes en contact), les trochléennes (surfaces en forme de poulie), les trochoïdes (surfaces en forme de segments de cylindre, l'un concave, l'autre convexe), les énarthroses (surfaces en forme de segments de sphère, l'un concave, l'autre convexe), les condyliennes (segments d'ellipsoïde convexe et concave).

PATHOLOGIE

Les articulations peuvent être atteintes selon deux processus, l'un dégénératif, l'arthrose, l'autre inflammatoire, l'arthrite, par des traumatismes et enfin par des tumeurs.

■ L'arthrose est due à l'usure du cartilage, qui s'amincit, et s'accompagne d'une ostéophytose (« becs-de-perroquet ») de voisinage. Il s'ensuit une diminution de la mobilité, une déformation des extrémités osseuses en contact et des douleurs au moindre mouvement articulaire. Les articulations le plus souvent atteintes par l'arthrose sont la hanche et le genou.

■ L'arthrite, inflammation de l'articulation ou de la synoviale, peut être d'origine inflammatoire ou infectieuse, microcristalline ou nerveuse. Des poussées d'arthrite peuvent précéder ou accompagner l'arthrose.

■ Un traumatisme de l'articulation peut provoquer une contusion ou une plaie. La première se traduit par une douleur, parfois une ecchymose ou une hydarthrose (épanchement de liquide séreux intra-articulaire). Si un ou plusieurs ligaments sont rompus, il y a entorse. Si l'articulation est déboîtée, il y a luxation. Par ailleurs, une plaie sur une articulation expose le cartilage, fragile, et peut entraîner une infection.

■ Des tumeurs peuvent aussi se développer sur les articulations.

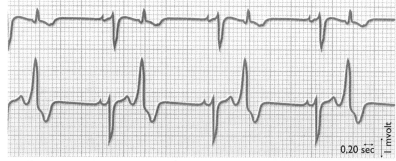

Arythmie par extrasystoles. *Sur cet électrocardiogramme, comportant l'enregistrement simultané de deux dérivations, à chaque complexe ventriculaire normal (onde pointue vers le bas) succède une contraction ventriculaire précoce (onde vers le haut) qui indique une extrasystole.*

Aryténoïde

Cartilage du larynx. (P.N.A. *cartilago arytenoidea*)

Au nombre de deux, les aryténoïdes sont les seuls cartilages mobiles du larynx. Ils écartent ou rapprochent les cordes vocales. Leur immobilisation, lors des paralysies du larynx, notamment, entraîne donc une dysphonie (trouble de la phonation). Leur inflammation (aryténoïdite) s'observe surtout lors de laryngites tuberculeuses.

Arythmie cardiaque

Trouble du rythme cardiaque, de nature physiologique ou pathologique. SYN. *dysrythmie cardiaque*.

Le rythme physiologique cardiaque, ou rythme sinusal, prend naissance dans une partie du cœur dénommée sinus de Keith et Flack. Il est transmis au reste du cœur par un tissu myocardique spécialisé, le tissu nodal, qui propage cet influx électrique et synchronise les mouvements des différentes parties du cœur.

Le rythme sinusal, en principe régulier et autonome, est contrôlé par le système nerveux autonome, sympathique et parasympathique. Ce rythme s'accélère au cours de l'effort, lors d'une émotion, à l'inspiration et en cas de fièvre. Sa fréquence, au repos, est comprise chez la plupart des sujets entre 60 et 90 cycles par minute. Les sportifs peuvent avoir un rythme proche de 40, et les anxieux, proche de 100.

DIFFÉRENTS TYPES D'ARYTHMIE

On peut distinguer les extrasystoles (contractions prématurées), les tachycardies (accélérations brusques et passagères du rythme cardiaque), les bradycardies (diminutions brusques et passagères du rythme cardiaque), les fibrillations ventriculaires (contractions anarchiques et inefficaces).

Les tachycardies peuvent concerner les oreillettes (fibrillation auriculaire, flutter auriculaire, tachycardie paroxystique de Bouveret) ou les ventricules (tachycardie ventriculaire).

CAUSES

Toutes les cardiopathies, notamment les cardiopathies ischémiques (artériosclérose, athérosclérose) et même le simple vieillissement du cœur, sont des causes d'arythmie. Parmi les autres origines, il faut citer : l'embolie pulmonaire, les bronchopneumopathies, les troubles hydroélectrolytiques, certains médicaments (diurétiques, certains antiarythmiques, etc.), l'abus de tabac, les excitants comme le café, l'alcool.

Le mécanisme des arythmies est très varié. Une zone du myocarde (tissu musculaire du cœur) peut devenir particulièrement excitable. Une anomalie peut se produire dans la conduction de l'influx par le tissu nodal. L'insuffisance coronarienne est une cause fréquente de trouble du rythme, par défaut d'oxygénation du tissu cardiaque. Les bradycardies peuvent avoir pour origine un dysfonctionnement du tissu nodal.

SYMPTÔMES ET SIGNES

Ils sont variés. Il s'agit le plus souvent de syncopes, d'un essoufflement, de palpitations, de malaises, d'une chute de la tension artérielle, d'angor (angine de poitrine) ou de signes d'insuffisance cardiaque.

En cas de palpitations, il est important de repérer si les battements sont réguliers ou irréguliers, si l'apparition du trouble est progressive ou brutale et quelle a été sa durée, et de noter la fréquence cardiaque, quand cela est possible.

DIAGNOSTIC

Il est assuré par l'électrocardiogramme en période de crise, d'où l'intérêt du monitorage par enregistrement de longue durée (holter). Dans ce cas, un récepteur et un enregistreur sont portés pendant un ou plusieurs jours par le patient. Parfois, un électrocardiogramme endocavitaire (enregistrement par une électrode montée par voie veineuse jusque dans les cavités cardiaques droites) est indiqué. Il s'agit d'un examen spécialisé pratiqué en milieu hospitalier.

TRAITEMENT

Il fait appel à des médicaments antiarythmiques diminuant l'excitabilité du cœur, accélérant ou diminuant la fréquence du rythme ou influençant le système nerveux sympathique. La stimulation cardiaque, temporaire ou permanente (pacemaker), est également possible. Dans quelques cas, une électrothérapie (choc électrique) est pratiquée. On peut également envisager une

Les fibres d'amiante qui pénètrent en nombre dans le tissu pulmonaire ne peuvent être détruites par les macrophages, dont les attaques se révèlent inefficaces à long terme. Elles entraînent la formation de tissu fibreux, qui gêne la respiration.

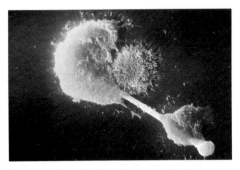

Des macrophages (en jaune) attaquent l'amiante.

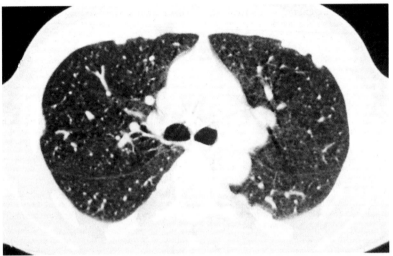

La trame pulmonaire est épaissie et des nodules apparaissent : ces altérations sont visibles au scanner.

destruction très localisée, par énergie électrique, ou radiofréquence, de la zone d'origine du trouble. Certains troubles rythmiques, en particulier en l'absence de cardiopathie, ne relèvent d'aucun traitement.

Asbestose

Maladie pulmonaire chronique due à l'inhalation intense et prolongée de fibres d'amiante.

Les fibres d'amiante, en pénétrant dans le poumon, provoquent une inflammation qui se transforme peu à peu en fibrose pulmonaire (épaississement du tissu pulmonaire).

L'asbestose est une maladie professionnelle de la famille des pneumoconioses. Il se passe plusieurs années (généralement 10 ans) entre le début de l'exposition à la poussière d'amiante et l'apparition de la maladie. L'essoufflement, principal symptôme de l'asbestose, s'aggrave au fur et à mesure du développement de celle-ci. Il s'accompagne d'une toux sèche et d'une sensation de serrement de la poitrine. Par la suite, une insuffisance respiratoire se développe.

L'asbestose et déjà l'inhalation d'amiante accroissent le risque de contracter la tuberculose ou un cancer des poumons, particulièrement chez les fumeurs.

DIAGNOSTIC ET TRAITEMENT

Le diagnostic repose sur la radiographie, le scanner, les explorations fonctionnelles respiratoires (révélant une diminution de la fonction respiratoire) et la mise en évidence de corps asbestosiques dans les crachats, le liquide bronchoalvéolaire et la biopsie pulmonaire. Une fois l'asbestose déclarée, il n'y a pas de traitement efficace. La maladie entraîne une invalidité croissante.

PRÉVENTION

La prévention est essentielle : contrôle des normes d'exposition professionnelle et environnementale, surveillance radiologique étroite des individus exposés. En outre, depuis une quinzaine d'années, l'amiante est remplacé dans l'industrie aussi souvent que possible par d'autres minéraux, et notamment par les fibres de verre.
→ VOIR Pneumoconiose.

Ascaridiase, ou Ascaridiose

Maladie parasitaire due à l'infestation par les ascaris.

Ascaris lumbricoïdes est un ver parasite de la classe des nématodes, de couleur rosée et de 20 à 30 centimètres de long. Il s'implante dans la cavité de l'intestin grêle et s'y nourrit de chyme intestinal, liquide résultant de la digestion gastrique des aliments.

L'ascaridiase touche environ 1,5 milliard d'individus sur toute la surface du globe, surtout dans les zones tropicales et, en Europe, dans les zones rurales.

CONTAMINATION

L'ascaridiase se contracte par ingestion d'œufs d'ascaris souillant l'eau, les fruits et les légumes. Après avoir éclos dans le tube digestif, les vers gagnent le foie, les poumons puis l'intestin grêle, où ils deviennent adultes ; les femelles pondent des œufs, rejetés dans les selles.

SYMPTÔMES ET DIAGNOSTIC

La présence du ver se manifeste d'abord sous forme de toux et de douleurs thoraciques. Les symptômes de cette « bronchite » disparaissent rapidement : le malade présente alors des signes de fatigue, devient irritable et nerveux ; il souffre de prurit (démangeaisons), de diarrhée, de douleurs abdominales, de nausées et d'amaigrissement. Le diagnostic est établi par la recherche des œufs d'ascaris dans les selles, par examen au microscope.

TRAITEMENT ET PRÉVENTION

Le traitement consiste en l'administration de médicaments antihelminthiques : flubendazole, pyrantel ou mébendazole. On prévient l'infestation en respectant des règles élémentaires d'hygiène : se laver les mains, nettoyer légumes et fruits à l'eau potable.
→ VOIR Löffler (syndrome de).

Ascite

Excès de liquide entre les deux membranes du péritoine, dont l'une tapisse l'intérieur de la paroi abdominale, l'autre recouvrant les viscères abdominaux.

CAUSES

Les causes possibles d'une ascite sont nombreuses. Il peut s'agir :
- d'une maladie qui atteint le péritoine (tuberculose, cancer primitif ou secondaire) ;
- d'une maladie du foie comportant une hypertension portale (cirrhose) ;
- d'une insuffisance cardiaque droite ou d'un syndrome néphrotique ;
- d'une dénutrition, la baisse du taux sanguin de protides entraînant une rétention d'eau.

SYMPTÔMES ET SIGNES

Une ascite de faible abondance ne provoque aucun symptôme particulier et n'est décelable que par échographie ou ponction. En revanche, une ascite volumineuse provoque une distension croissante de l'abdomen, qui peut entraîner une gêne respiratoire. L'échographie oriente alors le diagnostic, qui est confirmé par la ponction. Le liquide d'ascite peut être jaune clair, de la couleur de l'urine : il est alors sérofibrineux (formé de sérosité et de fibrine). Il peut être teinté de sang, laiteux, voire bilieux. L'analyse chimique distingue les liquides riches ou pauvres en protides (exsudats et transsudats), les premiers évoquant un processus inflammatoire ou infectieux. La recherche de germes pathogènes et de cellules tumorales complète l'examen.

TRAITEMENT

Le traitement d'une ascite est celui de sa cause. En cas d'épanchement volumineux, une ponction évacuatrice est indispensable. Elle entraîne pour l'organisme un manque d'eau, d'électrolytes et de protéines, qu'il faut compenser par des perfusions intraveineuses.

Asepsie

Absence de germes microbiens susceptibles de causer une infection.

Les objets, êtres vivants ou milieux qui répondent à cette définition sont dits aseptiques. Ce mot possède en outre d'autres emplois : dans le descriptif d'une maladie, il désigne une lésion dont l'origine n'est pas une infection microbienne (gangrène aseptique) ou qui évolue sans subir de complications infectieuses (nécrose aseptique d'un fibrome de l'utérus).

Il existe peu de milieux aseptiques naturels sur la Terre, à l'exception de zones très froides (pôles) ou très chaudes (volcans en éruption) et du milieu intérieur (sang, tissus, urine) des animaux en bonne santé, leur tube digestif étant, à l'inverse, abondamment fourni en microbes. L'œuf et le fœtus sont aseptiques, et le nouveau-né peut être maintenu dans cet état.

En physiologie, l'élevage de petits animaux de laboratoire en milieu aseptique permet d'utiliser ces derniers dans de nombreuses expériences concernant la recherche bactériologique, immunologique et cancérologique.

L'asepsie est rigoureusement respectée lors des interventions médicales et chirurgicales, y compris en petite chirurgie (injections, perfusions, ponctions). On utilise également des chambres stériles (entièrement aseptiques) lors du traitement de certains malades très fragiles : leucémiques traités par irradiation totale, sujets venant de recevoir une greffe ou dont les défenses immunitaires sont totalement ou partiellement détruites.

En chirurgie, l'asepsie désigne l'ensemble des méthodes préservant de la souillure microbienne tout ce qui est en contact avec la plaie opératoire. Elle est obtenue par désinfection de la peau autour du champ opératoire avec des antiseptiques, par stérilisation des instruments, des pansements, des gants et des vêtements du chirurgien et de ses assistants et par disposition autour de la zone opératoire de champs stériles, tissus imperméables à usage unique. La salle d'opération, murs et sol, est lavée quotidiennement, aérée par une ventilation appropriée, l'air étant décontaminé par des machines diffusant des vapeurs d'antiseptique. Pour minimiser les risques d'infection, certaines salles, dites aseptiques, sont réservées aux opérations ne comportant aucun risque de projection de liquides septiques (pus, par exemple). Le terme de faute d'asepsie désigne toute manœuvre risquant de souiller ce qui est aseptique.

Asialie

Absence de sécrétion de salive par les glandes salivaires. SYN. *aptyalisme*.

En cas de simple diminution de la sécrétion de salive, on parle d'hyposialie. L'asialie est souvent définitive si elle est congénitale ou consécutive à une radiothérapie de la face et du cou, ou bien encore lorsqu'elle fait partie du syndrome de Gougerot-Sjögren. En revanche, lorsqu'elle est liée à la prise de certains médicaments freinant la sécrétion salivaire (belladone, atropine, benzodiazépines et bêtabloquants), l'arrêt de la prise médicamenteuse permet,

en règle générale, le retour à une salivation normale. L'asialie peut provoquer des caries dentaires multiples et des infections gingivales. Des bains de bouche et des applications quotidiennes sur les muqueuses de gel de fluor permettent de prévenir les complications. Des visites régulières chez le dentiste sont également conseillées.
→ VOIR Xérostomie.

Asomatognosie

Incapacité pour un patient de reconnaître une partie ou la totalité de son corps à la suite d'une lésion cérébrale localisée.

CAUSES

Une asomatognosie est due à des lésions du lobe pariétal d'un hémisphère du cerveau, soit de l'hémisphère mineur, les troubles étant alors unilatéraux (on parle d'hémiasomatognosie), soit de l'hémisphère dominant, les troubles étant alors bilatéraux. L'origine des lésions peut être traumatique, vasculaire, infectieuse ou tumorale.

SYMPTÔMES ET SIGNES

■ **Les lésions de l'hémisphère mineur** (le droit chez les droitiers) affectent la moitié opposée du corps (la gauche chez les droitiers). Le malade refuse de reconnaître comme sienne cette moitié de son corps, qu'il considère comme une présence étrangère. Il garde l'image d'un corps fait de deux moitiés et situe correctement la droite et la gauche, mais la moitié atteinte de son corps cesse d'être intégrée dans cette image corporelle. Le trouble est d'intensité variable, allant du refus formel à un simple désintérêt. De véritables hallucinations corporelles (impression de modifications de volume, de poids, de longueur ou de déplacement) y sont parfois associées.

■ **Les lésions de l'hémisphère dominant** affectent les deux parties du corps et se caractérisent par l'incapacité à identifier sur demande une partie de son corps (autotopoagnosie), de ses doigts (agnosie digitale) ou de désigner ses membres droits ou gauches.

Aspartame

Édulcorant qui a un pouvoir sucrant élevé et un apport calorique négligeable.

Il peut être utilisé dans les régimes hypocaloriques et de nombreux produits (glaces, boissons, confitures...) en contiennent.
→ VOIR Edulcorant.

Aspergillome

Forme particulière de l'aspergillose pulmonaire (maladie due à un champignon, *Aspergillus fumigatus*).

CONTAMINATION

Les spores d'aspergillus sont présentes en suspension dans l'air : leur inhalation est donc inévitable. Le champignon inhalé se développe presque toujours dans une cavité préexistante. C'est souvent une ancienne caverne tuberculeuse, la tuberculose pouvant être guérie depuis longtemps. La cavité peut également être celle d'un abcès à germes pyogènes (générateurs de pus), d'un kyste pulmonaire congénital, ou encore d'une

bronchectasie (augmentation du calibre des bronches, plus ou moins localisée).

SYMPTÔMES ET SIGNES

L'aspergillome se traduit par une toux, accompagnée d'une hémoptysie (saignement en provenance des bronches) parfois abondante et récidivante.

DIAGNOSTIC

L'analyse des crachats ou la fibroscopie bronchique permettent de retrouver les filaments du champignon. La radiographie des poumons montre une opacité comblant progressivement la cavité, en passant par un stade typique, dit en grelot, où la partie de la cavité obstruée forme un croissant clair autour de l'amas de champignons. Le sérodiagnostic avec la recherche de précipitines (anticorps) est l'examen-clé. Dans la majorité des cas, il est positif.

TRAITEMENT

S'il est possible, il est chirurgical : la guérison n'est généralement complète qu'après l'ablation de la zone pulmonaire atteinte.

Aspergillose

Maladie infectieuse due au développement d'un champignon, *Aspergillus fumigatus*.

DIFFÉRENTS TYPES D'ASPERGILLOSE

■ **Les aspergilloses immunoallergiques** traduisent une allergie à l'aspergillus. Elles regroupent l'asthme bronchique aspergillaire, l'aspergillose bronchopulmonaire et l'alvéolite allergique intrinsèque (pneumopathie apparaissant 2 heures seulement après le contact avec le champignon allergène).

■ **Les aspergilloses pulmonaires localisées** sont l'aspergillome, l'aspergillose pleurale, la bronchite aspergillaire (le champignon fait nappe à la surface des bronches).

■ **Les aspergilloses diffuses** sont les aspergilloses invasive (importante chez le sujet immunodéprimé), semi-invasive (importante chez les sujets diabétiques ou sous corticothérapie au long cours) et disséminée, touchant au moins deux organes.

CONTAMINATION

La contamination se fait par voie respiratoire ou, beaucoup plus rarement, par inoculation

Aspergillose. *Le champignon responsable est de la même classe que le pénicillium (ascomycète).*

(piqûre d'insecte). Les spores de l'aspergillus sont présentes en suspension dans l'air : leur inhalation est donc inévitable.

Agent pathogène accidentel, l'aspergillus ne se développe que s'il rencontre des conditions favorables à son implantation (allergie, immunodépression, etc.).

SYMPTÔMES ET SIGNES

On observe une toux, accompagnée parfois de manifestations asthmatiques (sifflements et difficultés respiratoires).

TRAITEMENT

Il repose sur l'administration d'antifongiques, principalement l'amphotéricine B, par voie intraveineuse.

→ VOIR Aspergillome.

Aspermie

Défaut d'émission du sperme.

L'aspermie consiste soit en une absence d'éjaculation, soit en une éjaculation rétrograde.

■ **L'absence d'éjaculation** est due à un trouble endocrinien, à des problèmes psychologiques (créant nervosité et anxiété) ou à la prise de certains médicaments (antihypertenseurs).

■ **L'éjaculation rétrograde** est une éjaculation du sperme dans la vessie. Ce trouble est souvent constaté lors d'une maladie neurologique ou après une intervention chirurgicale (notamment une ablation de la prostate). Des rapports sexuels effectués avec la vessie pleine permettent parfois une éjaculation normale.

Asphyxie

Difficulté ou impossibilité de respirer.

L'asphyxie peut entraîner une anoxie (interruption de l'apport d'oxygène aux organes et tissus vivants), avec risque de coma, voire d'arrêt cardiaque.

L'asphyxie peut résulter d'une strangulation, d'une immersion (noyade) ou d'une obstruction des voies aériennes supérieures (corps étranger, œdème, infection suffocante) ; l'asphyxie par obstruction peut résulter de l'inhalation d'un corps étranger, chez l'adulte au cours d'un repas (« fausseroute ») ou, chez l'enfant, à tout moment (« peanuts syndrome » par inhalation de cacahuète).

Des infections peuvent également obstruer les voies respiratoires : accidents allergiques aigus (œdème de Quincke), certaines affections virales ou bactériennes, tumeur des bronches, etc.

L'asphyxie peut aussi être la conséquence ultime de l'insuffisance respiratoire, aiguë ou chronique, quelle que soit sa cause : paralysie des muscles respiratoires par atteinte du centre respiratoire (hémorragie cérébrale) ou par atteinte des nerfs commandant les muscles, par exemple.

L'asphyxie peut enfin être due à un séjour dans un milieu insuffisamment oxygéné ou à une intoxication par inhalation de gaz toxiques, de vapeurs ou de fumées (oxyde de carbone, fumées d'incendie, gaz de combat, etc.).

SYMPTÔMES ET SIGNES

Les symptômes apparaissent rapidement dans le cas d'une asphyxie par obstruction des voies respiratoires : rougeur et congestion du visage, mouvements excessifs tentant de lutter contre l'obstacle, sueurs, convulsions. L'obstruction laryngée provoque une respiration difficile, avec un temps inspiratoire prolongé et bruyant au cours duquel se creusent les régions de la partie inférieure du cou (tirage).

En cas d'inhalation de gaz toxiques, les manifestations varient selon la nature du gaz : assoupissement progressif avec l'oxyde de carbone, toux d'irritation avec le chlore.

TRAITEMENT

Il dépend de la cause. Le plus souvent, il vise avant tout à restaurer la liberté des voies aériennes et à assurer l'oxygénation d'urgence. La désobstruction buccale est en général le premier geste à réaliser en cas de fausse-route. Le bouche-à-bouche permet de rétablir les mouvements respiratoires en attendant les premiers secours, qui pratiqueront, si nécessaire, une respiration assistée et une oxygénation au masque ou par intubation. Un enfant chez qui l'on suspecte une laryngite ou une épiglottite ne doit cependant jamais être allongé.

Aspirateur

Appareil servant à aspirer et à éliminer des substances solides et liquides hors de l'organisme humain.

Un aspirateur se compose de trois parties.

■ **Une pompe aspirante**, généralement actionnée par un moteur électrique (à l'hôpital, elle est le plus souvent reliée à un groupe d'aspiration central, les chambres des malades, les salles d'opération et de réveil étant équipées de prises spéciales groupées avec celles d'oxygène, d'air ou d'autres gaz).

■ **Une tubulure d'aspiration stérile** à usage unique, de calibre et de matière variables suivant l'usage (aspiration orale, nasale, endotrachéale, duodénale, de sang, etc.), qui doit être utilisée aseptiquement.

■ **Un bocal en verre ou en plastique jetable** pour recevoir les substances aspirées.

Lorsque l'aspiration doit être prolongée, le malade peut la pratiquer seul à domicile, après éducation en milieu hospitalier (aspiration trachéale des trachéotomies permanentes chez les sujets atteints d'insuffisance respiratoire chronique, par exemple).

Aspiration

Technique consistant à évacuer les gaz, liquides ou sécrétions indésirables de diverses cavités de l'organisme à l'aide d'un drain, d'un fibroscope ou d'une sonde branchés sur un aspirateur.

INDICATIONS

■ **L'aspiration buccopharyngée** assure le dégagement des voies aériennes du nouveau-né ou du comateux.

■ **L'aspiration trachéale**, par sonde ou par le biais d'un fibroscope, s'utilise couramment pour évacuer les sécrétions trachéobronchiques dans une intention diagnostique (recueil de cellules ou d'agents microbiens) ou thérapeutique (chez un malade trachéotomisé ou sous ventilation assistée).

■ **L'aspiration gastrique** est couramment employée en chirurgie et en réanimation pour évacuer les sécrétions gastriques et mettre au repos le tube digestif.

En outre, l'aspiration est fréquemment utilisée en cours d'intervention chirurgicale pour évacuer le sang ou les sérosités ou pour nettoyer une cavité purulente après drainage chirurgical (abcès, pleurésie).

Aspirine

Médicament analgésique, antipyrétique, anti-inflammatoire et antiagrégant plaquettaire en fonction de la dose utilisée.

Nom de marque protégé dans certains pays, le mot « aspirine » appartient au domaine public en France, où il est couramment utilisé pour désigner l'acide acétylsalicylique.

→ VOIR Acide acétylsalicylique.

Asplénie

Absence de rate, d'origine congénitale ou due à une ablation chirurgicale.

Par extension, le non-fonctionnement de la rate est appelé asplénie fonctionnelle. Il s'observe notamment dans la drépanocytose homozygote (maladie sanguine héréditaire responsable d'une anémie très grave).

La rate détruit les plaquettes et les globules rouges trop vieux ou anormaux et produit des anticorps. L'asplénie entraîne un risque de thrombose vasculaire quand les plaquettes sont en trop grand nombre et une fragilité aux infections, surtout chez l'enfant avant 5-6 ans. Chez l'adulte, le risque d'infection à pneumocoque peut être réduit par la vaccination, et le risque de thrombose par les antiagrégants plaquettaires. Chez l'enfant, les vaccinations complètes sont nécessaires et une antibiothérapie préventive est justifiée.

Assistance cardiorespiratoire

Ensemble des techniques palliant les conséquences d'une insuffisance cardiaque aiguë.

L'assistance cardiorespiratoire associe les méthodes d'assistance respiratoire (ventilation assistée, intubation trachéale) et celles d'assistance cardiaque (qui vont du massage cardiaque externe à la contrepulsion aortique, consistant à mettre en place dans l'aorte thoracique des ballons, gonflés pendant la diastole et dégonflés pendant la systole).

Association médicamenteuse

Regroupement de plusieurs principes actifs dans un même médicament ou association de plusieurs médicaments permettant d'augmenter l'efficacité et de diminuer les doses, donc les risques d'effets indésirables de chacun d'entre eux.

→ VOIR Interaction médicamenteuse.

Astasie

Incapacité partielle ou totale de conserver la station debout, indépendante de tout déficit musculaire et de tout trouble des mécanismes élémentaires de la marche.

L'astasie peut être due à des lésions cérébelleuses, labyrinthiques ou lacunaires multiples, d'origines diverses, traumatique, infectieuse, vasculaire ou tumorale. Elle est généralement associée à une abasie (incapacité de marcher). La station debout et les essais de marche sans soutien provoquent soit la chute, soit une trépidation sur place des membres inférieurs.

Astéréognosie

Incapacité à identifier des objets par le seul toucher.

L'astéréognosie peut être la conséquence d'un déficit sensitif élémentaire ou de lésions du cortex pariétal postérieur : on parle, dans ce dernier cas, d'astéréognosie pure.

Le patient ne peut reconnaître un objet que lorsqu'il le voit. Dans l'astéréognosie pure, contrairement au déficit sensitif élémentaire, la forme, le volume et la matière de l'objet sont reconnus, mais son identification demeure impossible.

Astérixis

Trouble neurologique caractérisé par des secousses musculaires brusques et brèves, dues à une interruption intermittente du tonus musculaire. SYN. *flapping tremor*.

Signe d'une grave atteinte hépatique, l'astérixis est caractéristique de l'encéphalopathie hépatique. Associé à une cirrhose, il peut être spontané ou provoqué par une hémorragie digestive, une infection ou la prise d'anxiolytiques.

Lorsque le malade a les bras tendus en avant, les mains en extension et les doigts écartés, on observe, à intervalles réguliers, des mouvements alternatifs de rapprochement et d'écartement des doigts, de flexion et d'extension des articulations des phalanges et du poignet. Ces mouvements sont bilatéraux, asymétriques et asynchrones.

TRAITEMENT
Pronostic et traitement se confondent avec ceux de la maladie causale.

Asthénie

État de faiblesse générale caractérisé par une diminution du pouvoir fonctionnel de l'organisme, non consécutive au travail ou à l'effort et ne disparaissant pas avec le repos.

L'asthénie diffère de la fatigue, phénomène naturel, et de l'adynamie, phénomène neuromusculaire. Plutôt que d'asthénie en général, il convient de parler d'états asthéniques, chacun ayant sa cause (somatique, psychique ou réactionnelle).

■ **Les asthénies somatiques** peuvent avoir une cause infectieuse (mononucléose infectieuse, hépatite virale, tuberculose), cardiovasculaire (hypertension artérielle, troubles vasculaires cérébraux), respiratoire (insuffisance respiratoire), hématologique (anémie, leucémie, lymphome), cancérologique, neuromusculaire (myasthénie, sclérose en plaques, maladie de Parkinson, myopathies), métabolique (diabète, hypoglycémie, hyper-

lipidémie, trouble du métabolisme du potassium), endocrinienne (hyper- ou hypothyroïdie, hyper- ou hypocorticisme) ou toxique (absorption d'alcool, d'oxyde de carbone).
■ **Les asthénies psychiques** représentent 50 % des états asthéniques. Les syndromes dépressifs et les états anxieux sont le plus souvent responsables d'asthénie, plus volontiers matinale, apparaissant dès le réveil.
■ **Les asthénies réactionnelles** sont des troubles de l'adaptation à des situations de contrainte, socioprofessionnelles.

Asthénopie

Incapacité ou difficulté à soutenir un effort visuel de près, entraînant une vision brouillée et des maux de tête.

L'asthénopie accommodative peut être corrigée par le port de verres convergents ; l'asthénopie musculaire, par une rééducation orthoptique (gymnastique des yeux).

Asthme

Affection caractérisée par des crises de dyspnée (gêne respiratoire) paroxystique sifflante témoignant d'une contraction brutale des muscles commandant l'ouverture et la fermeture des bronches, auxquelles s'associent un œdème et une hypersécrétion des muqueuses des voies aériennes (pharynx, larynx, trachée, fosses nasales).

FRÉQUENCE
L'asthme est une affection assez fréquente, qui touche de 2 à 5 % de la population

---

Asthme

La contraction des bronchioles, qui résulte de leur hypersensibilité, cause une gêne respiratoire ; celle-ci s'évalue par le volume expiratoire.

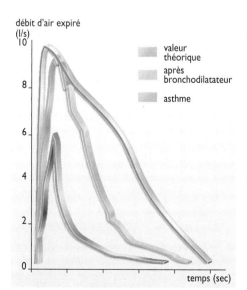

Réduit (courbe rose), le débit expiratoire est amélioré par les bronchodilatateurs (courbe verte).

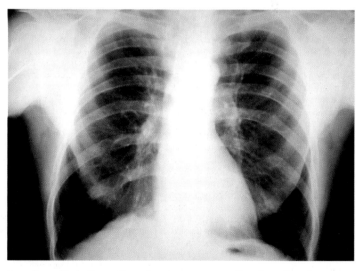

La radiographie du thorax d'un asthmatique montre une distension pulmonaire avec une accumulation d'air dans les poumons (anormalement noirs) et une horizontalisation des côtes.

La paroi d'une petite bronche contient une couche de tissu musculaire.

La contraction de la couche musculaire diminue le diamètre de la bronche.

générale et débute habituellement à un âge situé entre 5 et 15 ans.

CAUSES

L'hérédité est l'un des éléments essentiels du développement de l'asthme. Celui-ci est la conséquence d'une réactivité anormale des voies aériennes à certains allergènes (pollens, acariens contenus dans les squames d'animaux et la poussière domestique, les moisissures). Ceux-ci, lorsqu'ils pénètrent dans les voies aériennes, agressent les cellules du revêtement intérieur des bronches, qui libèrent des substances chimiques agissant directement sur la contraction des muscles bronchiques ; d'autres substances, d'action plus tardive, sont responsables de l'œdème et de l'hypersécrétion. Certains facteurs peuvent déclencher des crises : les infections respiratoires, l'exercice physique (particulièrement à l'air froid), l'inhalation de polluants (fumée de tabac), les contrariétés, la prise de certains médicaments (comme l'aspirine).

Asthme de l'adulte

Les crises d'asthme sont de gravité variable, allant d'un simple essoufflement à une insuffisance respiratoire importante (état de mal asthmatique). Elles surviennent le plus souvent le soir ou la nuit. Certains signes avant-coureurs peuvent se manifester : maux de tête, pesanteur digestive, éternuements, démangeaisons sur tout le corps. Après quelques quintes de toux sèche, l'expiration devient sifflante et difficile, provoquant des sueurs et une tachycardie. Une cyanose peut apparaître (coloration bleu-violet des doigts et des lèvres). Le malade tousse un peu, ramenant une expectoration visqueuse (crachat perlé de Laennec). Cette crise s'apaise progressivement au bout de plusieurs dizaines de minutes. Le retour au calme peut être total mais, après une forte crise, il persiste fréquemment une respiration sifflante, accentuée par l'expiration forcée.

TRAITEMENT

Le traitement de l'asthme dépend de sa sévérité. Dans tous les cas, il faut supprimer les facteurs déclenchants (allergènes, produits chimiques). Le traitement de la crise fait appel aux bêtamimétiques en aérosol-doseur. Si le traitement n'est pas suffisamment efficace ou si la crise est sévère, on a recours aux corticoïdes par voie générale et à l'hospitalisation pour oxygéner le malade, lui administrer des médicaments par voie injectable et le surveiller. En traitement de fond, le malade utilise les bêtamimétiques en aérosol-doseur lorsqu'il en ressent le besoin. En cas d'asthme modéré, on conseille des corticoïdes inhalés. En cas d'asthme sévère, les corticoïdes inhalés sont prescrits à forte dose, associés aux bêtamimétiques éventuellement à longue durée d'action. La corticothérapie générale n'est prescrite que si elle est indispensable et à la dose la plus faible possible.

Asthme de l'enfant

L'asthme de l'enfant peut différer de celui de l'adulte par ses manifestations cliniques et son traitement. Il survient rarement avant 2-3 ans, souvent dans des familles prédispo-

---

Asthme et sport

L'exercice physique, surtout à l'air froid, peut entraîner une crise d'asthme. Lors d'un exercice d'intensité modérée et de courte durée, celle-ci se déclenche généralement après l'arrêt de l'effort pour s'apaiser spontanément en 30 minutes. Parfois, elle peut survenir pendant un effort prolongé, obligeant le sportif à relâcher son rythme, voire à interrompre momentanément son activité. Dans ce dernier cas, la crise s'apaise alors en quelques minutes.

La pratique régulière d'un sport, sous surveillance médicale, peut permettre de repousser le moment de la crise, voire de l'éviter. La natation en atmosphère chaude et humide est le sport privilégié des asthmatiques. Certains sports d'endurance (course à pied, ski de fond) sont mal tolérés si une période d'échauffement n'est pas respectée. En revanche, les sports de combat, le cyclotourisme, les sports de ballon sont le plus souvent bien tolérés. Un traitement médicamenteux avant l'effort peut être préventif ; le cromoglycate de sodium est particulièrement efficace.

---

sées et chez des enfants qui présentent d'autres manifestations de type allergique (eczéma du nourrisson, rhinite allergique, etc.). Son évolution est variable : tantôt il reste limité à deux ou trois crises isolées, tantôt il persiste pendant toute la deuxième enfance, disparaissant à 7 ans ou à la puberté, mais pouvant resurgir à l'âge adulte. Ce risque est d'autant plus élevé que la première crise est survenue plus tardivement.

La gravité de l'asthme infantile tient au fait qu'il gêne souvent le développement thoracique de l'enfant ainsi que sa vie familiale et scolaire.

TRAITEMENT

Le traitement de l'asthme infantile diffère quelque peu de celui de l'adulte : les bronchodilatateurs ne doivent être administrés que par nébulisation avant l'âge de 5 ans, les corticostéroïdes doivent être évités en prescription continue du fait du risque de retentissement sur la croissance ; le cromoglycate et le kétotifène sont souvent plus efficaces que chez l'adulte. L'hygiène de vie (élimination des allergènes, exercice physique adapté avec éventuelle prévention d'un asthme d'effort, absence de tabagisme actif ou passif) est aussi importante que le traitement médicamenteux.

Complications de l'asthme

Si la crise d'asthme est la plus impressionnante mais la plus bénigne des dyspnées aiguës, les asthmes évolués et rebelles sont souvent graves. C'est le cas de l'asthme à dyspnée continue et de l'état de mal asthmatique, déficience respiratoire aiguë pouvant survenir chez tout asthmatique, mais dont

---

l'apparition est favorisée par l'abus de médicaments sympathomimétiques. Le malade est en proie à une succession de crises asthmatiques intenses pouvant conduire à l'asphyxie. L'état de mal asthmatique s'installe généralement en quelques heures ou quelques jours, mais peut parfois survenir sans signes avant-coureurs. La mesure des gaz du sang, en révélant une hypoxie (diminution du taux d'oxygène sanguin), jointe à une hypercapnie (augmentation du taux de gaz carbonique sanguin), vient confirmer le diagnostic.

Une hospitalisation en urgence est indispensable. Le traitement est fondé sur l'inhalation d'oxygène, la prise à forte dose de bronchodilatateurs et l'injection de corticostéroïdes. Dans les cas les plus graves, une respiration assistée peut être pratiquée, mais elle est de réalisation délicate, en raison du spasme bronchique qui s'oppose à l'insufflation d'air, ce qui nécessite des pressions élevées.

Prévention et surveillance de l'asthme

Chaque fois que cela est possible, il faut tenter d'éviter tout contact avec l'allergène : utilisation d'une literie synthétique, de produits acaricides en cas d'allergie aux acariens, dépoussiérage soigneux du lieu d'habitation. Quand l'éviction de l'allergène est impossible et si cet allergène est unique, une désensibilisation spécifique peut être proposée (par injections de doses croissantes d'allergène).

La surveillance des patients asthmatiques est réalisée par la mesure du volume expiratoire maximal par seconde (V.E.M.S.), qui permet d'apprécier le degré d'obstruction bronchique, d'évaluer la sévérité d'une crise, d'adapter le traitement de fond au patient, de prévenir les rechutes. Les patients se surveillent à l'aide d'un débitmètre de pointe (peak flow).

Pronostic de l'asthme

La fréquence et la gravité des crises d'asthme sont variables selon l'âge du patient. Les traitements actuels permettent la plupart du temps aux asthmatiques de mener une vie normale à condition de maintenir leur traitement de fond, même en l'absence de crise.
→ VOIR Allergie, Insuffisance cardiaque.

Astigmatisme

Défaut optique résultant d'une courbure inégale de la cornée le plus souvent, et plus rarement du cristallin ou de l'ensemble du globe oculaire.

L'astigmatisme peut être congénital ou acquis (dû à la cicatrice d'une lésion). Il se traduit par une déformation des images : par exemple, l'image d'un point apparaît sous la forme de deux droites perpendiculaires. Une personne atteinte d'un léger astigmatisme peut avoir une bonne vue mais ressentir une certaine fatigue visuelle. Elle est parfois en même temps myope ou hypermétrope.

L'astigmatisme cornéen peut se mesurer grâce à un ophtalmomètre de Javal ; les autres formes d'astigmatisme sont mesurées par un autoréfractomètre. Le degré d'astigmatisme s'exprime en dioptries positives ou négatives dans un axe donné.

ASTRAGALE

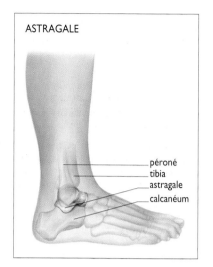

péroné
tibia
astragale
calcanéum

TRAITEMENT
L'astigmatisme se corrige par le port de verres cylindriques d'axe variable. Les lentilles ne sont efficaces qu'en cas d'astigmatisme modéré (lentilles toriques).

Astragale

Os court du pied en forme de poulie, situé entre l'extrémité inférieure de la jambe et le calcanéum, qui forme le sommet de la voûte tarsienne et joue un rôle essentiel dans les mouvements de flexion-extension du pied. (P.N.A. *talus*)

Les fractures de l'astragale, assez rares, surviennent toujours après un traumatisme violent, le plus souvent un accident sur la voie publique. Leur traitement est soit orthopédique (avec réduction externe et immobilisation plâtrée), soit chirurgical. Les principales complications sont la non-consolidation de la fracture, l'arthrose de la cheville et la nécrose osseuse.

Astringent

Substance qui assèche et resserre les tissus.

Les astringents tels que le nitrate d'argent, le permanganate de potassium et le sulfate de zinc sont surtout utilisés en cosmétique ; leur usage médical fait appel à leur propriété antiseptique. Ils sont appliqués sur la peau pour faciliter certaines cicatrisations.

Astrocytome

Tumeur maligne du système nerveux central se développant aux dépens des astrocytes (cellules constitutives du tissu de soutien du système nerveux central).

DIFFÉRENTS TYPES D'ASTROCYTOME
Les astrocytomes n'ont pas la même évolution selon leur localisation.
■ **Les astrocytomes des hémisphères cérébraux** surviennent chez l'adulte entre 30 et 50 ans. Ils sont très infiltrants (sans limite nette) et peuvent envahir le tissu cérébral. Ils se révèlent souvent par des manifestations épileptiques. Leur évolution est très lente.

■ **Les astrocytomes du cervelet** touchent surtout l'enfant et se révèlent par une hypertension intracrânienne et un syndrome cérébelleux.

DIAGNOSTIC ET TRAITEMENT
Le diagnostic est généralement aisé grâce au scanner cérébral et à l'imagerie par résonance magnétique (I.R.M.). L'ablation chirurgicale de l'astrocytome est, en général, la première étape du traitement. Elle doit être aussi complète que possible, mais elle est rarement totale compte tenu du caractère infiltrant des astrocytomes. Pourtant, même partielle, elle permet de diminuer la compression du tissu cérébral sain en réduisant le volume de la tumeur et facilite l'action du traitement médical complémentaire (radiothérapie et parfois chimiothérapie par voie intraveineuse ou intracarotidienne).

Asymptomatique

Qui ne se manifeste pas par des symptômes ou signes cliniques (observés ou confirmés lors de l'examen direct du malade).

C'est le cas de certaines maladies (hypertension artérielle, diabète).

Asystole

→ VOIR Arrêt cardiocirculatoire.

Ataxie

Trouble de la coordination des mouvements, lié non à une atteinte de la force musculaire mais à un défaut de coordination du jeu musculaire.

Pour que la réalisation d'un mouvement tel que la marche soit normale, il faut non seulement que la force des muscles impliqués soit normale, mais encore que leur contraction intervienne au bon moment et qu'elle soit parfaitement ajustée et coordonnée ; cela suppose une information permanente sur leur position. C'est le rôle de la sensibilité profonde (propriété que possède le système nerveux de recevoir, d'analyser et d'intégrer des stimuli), avec l'aide de la vision et de l'appareil vestibulaire (comprenant le labyrinthe, organe de l'oreille interne responsable de l'équilibre, et les voies nerveuses vestibulaires du tronc cérébral), sous le contrôle du cervelet.

L'atteinte de chacune de ces structures peut être à l'origine d'une ataxie. L'ataxie peut ainsi être due à :
- une lésion des voies de la sensibilité profonde, au niveau périphérique (due à un tabès ou à une polyradiculonévrite de type Guillain-Barré) ou central (due à une compression médullaire postérieure ou à une sclérose combinée de la moelle par avitaminose B12) ;
- une lésion du cervelet d'origine infectieuse, tumorale, toxique (alcoolisme) ou dégénérative (ataxie cérébelleuse) ;
- une lésion des voies vestibulaires centrales ou siégeant au niveau de l'oreille interne (ataxie labyrinthique).

DIFFÉRENTS TYPES D'ATAXIE
L'ataxie affecte la direction et l'amplitude des mouvements volontaires et perturbe les contractions musculaires, volontaires ou réflexes, nécessaires à l'équilibre et à la marche. Elle peut également affecter les mouvements des yeux et l'élocution.
■ **L'ataxie par atteinte de la sensibilité profonde** se caractérise par une démarche désarticulée : la jambe est jetée en avant de façon brusque et mal dirigée ; le pied prend contact avec le sol par le talon. Lorsque les yeux sont fermés, le trouble s'accroît.
■ **L'ataxie cérébelleuse** se caractérise par une démarche jambes écartées, comme si le malade était ivre. Les mouvements sont exécutés avec une amplitude exagérée. Les mouvements alternatifs rapides sont impossibles. L'ataxie cérébelleuse s'accompagne généralement d'une dysarthrie (difficulté à articuler les mots). Parfois, lorsque la lésion n'affecte qu'un côté du cervelet, l'incoordination est limitée aux membres du même côté et s'accompagne d'un tremblement de ces membres au cours des mouvements volontaires.
■ **L'ataxie labyrinthique** se caractérise par une tendance à tomber d'un côté et par une déviation latérale pendant la marche.

Ataxie-télangiectasie

Maladie héréditaire caractérisée par l'association d'un syndrome cutané constitué de télangiectasies (dilatation des petits vaisseaux périphériques), d'un syndrome neurologique (ataxie cérébelleuse) et d'un déficit immunitaire.

Rare, l'ataxie-télangiectasie est une maladie héréditaire de transmission autosomique dominante, portée par le chromosome 11 : elle se développe chez un sujet s'il a reçu le gène porteur d'un de ses parents. Elle apparaît dans la petite enfance. Les télangiectasies oculaires commencent les premières, au coin des yeux, sous forme de lignes horizontales. Elles touchent ensuite, entre 2 et 8 ans, les paupières, les oreilles, le cou et les plis de flexion.

Le syndrome neurologique débute également au cours de la deuxième année ; il se manifeste sous la forme d'une ataxie cérébelleuse qui évolue progressivement vers un état grabataire souvent accompagné de troubles psychiques importants. Le déficit immunitaire est responsable d'infections répétées, essentiellement bronchopulmonaires. L'ataxie-télangiectasie est fréquemment associée à des affections malignes (leucémies, tumeurs cérébrales, cancers épithéliaux, etc.). En l'absence de traitement efficace, il faut insister sur la prévention (conseil génétique). Le diagnostic anténatal par amniocentèse (analyse du liquide amniotique) permet d'estimer le risque d'atteinte éventuelle du fœtus.

Atélectasie

Affaissement des alvéoles d'une partie du poumon ou d'un poumon entier, dû à une absence de ventilation consécutive à l'obstruction totale ou partielle d'une bronche.

L'atélectasie est l'état normal des poumons du fœtus jusqu'au premier cri de la naissance. Chez l'adulte, elle n'est pas mortelle, car les parties saines du poumon (ou, si nécessaire, l'autre poumon) compensent la perte de fonction de la partie affaissée. En revanche, elle peut mettre la vie du nouveau-né en danger.

CAUSES

L'obstruction d'une bronche peut résulter de plusieurs phénomènes : inhalation accidentelle d'un corps étranger (cacahuète), asthme, formation d'un bouchon de mucus ou, plus rarement, complication de l'anesthésie générale. Des causes chroniques d'atélectasie ont également été reconnues : obstruction d'une bronche par une maladie de la paroi bronchique (tumeur maligne ou bénigne le plus souvent) ou compression des voies aériennes normales par une anomalie avoisinante, par exemple par des ganglions lymphatiques, dont l'origine est le plus souvent cancéreuse ou tuberculeuse.

SYMPTÔMES ET DIAGNOSTIC

Le symptôme principal d'une atélectasie est la gêne respiratoire. On peut également constater une toux et une douleur thoracique, liées en général à la cause sous-jacente. Le diagnostic est établi par un examen clinique et par la radiographie thoracique, qui montre une opacité bien limitée à un lobe ou à un segment pulmonaire.

TRAITEMENT

C'est celui de la cause de l'affection : retrait d'un corps étranger par fibroscopie bronchique, kinésithérapie respiratoire ou fibro-aspiration en cas de bouchon de sécrétions. Une fois l'obstruction disparue, la partie affaissée du poumon se regonfle en général peu à peu, mais certaines régions peuvent rester lésées de façon irréversible.

Athérome

Dépôt lipidique sur la surface interne de la paroi des artères.

La plaque d'athérome est visible sur la paroi de l'artère sous forme d'une simple tache jaunâtre ou blanchâtre, qui prend du relief, contrastant avec le reste de la surface resté sain. Ces plaques sont de taille variable : de quelques millimètres à plusieurs centimètres de diamètre.

CAUSE

La cause précise de l'apparition de l'athérome est inconnue. Sa survenue est liée à des facteurs génétiques (hypercholestérolémie familiale) et environnementaux (mauvaise hygiène de vie : sédentarité, tabac, stress, régime alimentaire riche en graisse). L'athérome touche davantage l'homme que la femme, et plus souvent les diabétiques et les hypertendus. Une origine infectieuse de l'athérome serait possible, incriminant notamment les germes du genre *Chlamydia* et des études de prévention par les antibiotiques sont entreprises.

FORMATION DE L'ATHÉROME

Phénomène complexe, elle ne résulte pas simplement d'une accumulation de lipides, et n'est pas directement liée non plus au taux de cholestérol sanguin. Y interviennent les différents composés plasmatiques transportant le cholestérol (par exemple les lipoprotéines L.D.L.) et des interactions avec les cellules endothéliales (qui tapissent la paroi interne des vaisseaux).

Les étapes de la formation de l'athérome sont encore discutées par les spécialistes. Le cholestérol favoriserait l'adhésion des mono-

cytes (catégorie de globules blancs) sur la paroi artérielle. Ces derniers pénétreraient alors l'intima (tunique interne de l'artère) pour se transformer en macrophages, cellules absorbant les lipoprotéines, puis en cellules dites spumeuses (qui ont l'aspect de l'écume), constitutives de l'athérome.

Le développement de l'athérome s'accompagne d'une modification de la paroi artérielle de type sclérosant avec prolifération de fibres musculaires lisses et de fibres de collagène : c'est l'athérosclérose. Des théories récentes font d'ailleurs jouer un rôle pathogénique très important aux fibres musculaires lisses.

ÉVOLUTION DE L'ATHÉROME

L'athérome peut se développer très tôt, avant l'âge de 20 ans, chez les sujets prédisposés. Le processus évolue ensuite de façon très lente, sur plusieurs décennies, parfois sans symptômes apparents. L'athérome se signale cliniquement lorsqu'il provoque un rétrécissement critique de l'artère. Il peut alors être responsable d'une ischémie (rétrécissement d'un vaisseau entraînant un défaut d'oxygénation d'un organe), voire d'une brusque occlusion du vaisseau.

PRÉVENTION

Le développement de l'athérome n'est pas inéluctable et la prévention est essentielle : absence ou suppression de la consommation de tabac, régime alimentaire pauvre en graisses, traitement d'un diabète, d'une hypertension artérielle.

Athérosclérose

Maladie dégénérative de l'artère ayant pour origine la formation d'une plaque d'athérome (dépôt lipidique) sur sa paroi.

En Europe, l'athérosclérose est au premier rang des causes de mortalité, responsable de plus d'un tiers des décès.

CAUSES

L'athérosclérose est liée à de multiples facteurs génétiques et environnementaux. Ceux-ci interviennent plus comme facteurs de risque, en augmentant la possibilité de déclenchement de la maladie, que comme causes directes. L'âge, le sexe (prédominance masculine avant 60 ans), certains facteurs génétiques (hypercholestérolémie familiale), l'élévation anormale du taux de cholestérol, l'hypertension artérielle, le tabagisme, le diabète et l'obésité sont les principaux facteurs de risque. L'association de deux ou de plusieurs facteurs accroît d'autant la probabilité d'apparition de la maladie.

SYMPTÔMES ET SIGNES

L'athérosclérose ne se manifeste que lorsque la plaque d'athérome est devenue de taille suffisamment importante pour perturber la circulation du sang dans l'artère.

L'athérosclérose peut alors provoquer des crises d'angor, des accidents neurologiques transitoires (vertiges) ou des douleurs dans les membres. Les symptômes dépendent de la localisation de la plaque d'athérome. L'athérosclérose concerne surtout les zones proches du cœur, les carrefours, les bifurcations des artères. Elle atteint par ordre de fréquence : l'aorte abdominale, les coro-

naires (artères nourricières du cœur), les carotides internes, qui vascularisent le cerveau, les artères iliaques et fémorales des membres inférieurs.

ÉVOLUTION

L'athérosclérose est à l'origine de nombreuses maladies vasculaires : l'insuffisance coronaire (crise d'angor), l'infarctus du myocarde, l'insuffisance cardiaque, les troubles du rythme cardiaque, l'insuffisance circulatoire cérébrale et ses accidents neurologiques (hémiplégie, aphasie, cécité), l'insuffisance circulatoire des membres inférieurs (artérite), l'hypertension artérielle, l'insuffisance rénale.

TRAITEMENT

Les lésions étant constituées au moment du diagnostic, le traitement aura pour but d'en limiter les conséquences néfastes. Des antiagrégants plaquettaires, voire des anticoagulants peuvent être prescrits pour empêcher la formation de caillots sanguins. Des vasodilatateurs sont souvent utiles pour limiter les symptômes et restaurer la circulation. Mais ces médicaments ne traitent pas les causes de l'affection.

Dans certaines situations plus graves, une ablation du segment artériel touché et son remplacement par un greffon sain ou une prothèse peuvent être pratiqués.

PRÉVENTION

La prévention, primaire (en l'absence de tout signe pathologique) ou secondaire (à la suite d'une complication), est essentielle. Elle se fait par le dépistage des facteurs de risque, suivi de leur suppression ou de leur contrôle (arrêt de la consommation de tabac, régime pauvre en graisses, par exemple).

Dans quelques études concernant la prévention secondaire, le ralentissement de la progression de l'athérosclérose, voire sa régression ont pu être démontrés.

Athétose

Trouble caractérisé par l'existence de mouvements involontaires, lents, irréguliers, de faible amplitude, ininterrompus, affectant surtout la tête, le cou et les membres.

CAUSES

L'athétose apparaît lors d'une lésion des noyaux gris centraux (masses de substance grise situées dans les hémisphères cérébraux et aidant au contrôle des mouvements), qui peut être due à une atteinte cérébrale de l'enfant dans la période prénatale ou postnatale, à une encéphalite (infection de l'encéphale), à des maladies dégénératives telles que la chorée de Huntington ou aux effets indésirables de certains médicaments comme les phénothiazines ou les dérivés de la lévodopa. Dans ce dernier cas, l'athétose peut disparaître à l'interruption du traitement par ces médicaments.

Chez l'enfant, l'athétose est essentiellement liée à une anoxie (interruption de l'apport d'oxygène aux tissus) néonatale et à un ictère nucléaire (syndrome observé chez le nouveau-né, caractérisé par des altérations des noyaux gris du cerveau). Elle peut être également symptomatique d'affections dysmétaboliques (caractérisées par une perturbation du métabolisme) ou dégénératives.

Les plaques d'athérome se déposent dans les artères jusqu'à les obstruer complètement par endroits, entravant la circulation. Il n'apparaît de symptômes que si une plaque est épaisse. Des examens comme l'artériographie aident à préciser le diagnostic.

**Formation
d'une plaque d'athérome**

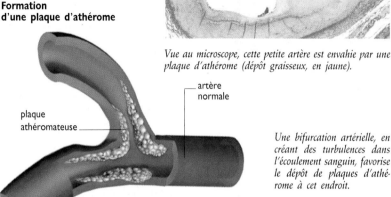

Vue au microscope, cette petite artère est envahie par une plaque d'athérome (dépôt graisseux, en jaune).

artère
normale

plaque
athéromateuse

Une bifurcation artérielle, en créant des turbulences dans l'écoulement sanguin, favorise le dépôt de plaques d'athérome à cet endroit.

Un athérome (en jaune) obstrue à demi cette artère. Une plaque d'athérome peut mesurer plusieurs centimètres d'épaisseur.

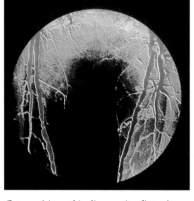

Cette artériographie d'une artère fémorale met en évidence des irrégularités de calibre dues à des dépôts d'athérome.

L'athétose atteignant une moitié du corps (hémiathétose) est le plus souvent d'origine vasculaire (hémorragique ou ischémique).

SYMPTÔMES ET SIGNES
L'athétose peut se manifester par des mouvements de torsion axiale et d'inclinaison ou de flexion-extension du cou et du tronc. Très souvent, elle se combine à une chorée (mouvements désordonnés involontaires) dans une choréoathétose. Souvent, le patient a aussi des difficultés à garder l'équilibre et à marcher. L'athétose s'atténue pendant le sommeil, mais les mouvements athétosiques sont renforcés par la fatigue, le travail intellectuel, les émotions et les stimuli cutanés. Ils surviennent spontanément ou viennent parasiter un acte volontaire (syncinésie), provoquant des contractions qui rendent difficiles les gestes quotidiens. À cette agitation permanente s'ajoutent des spasmes figeant le mouvement pendant quelques instants. Ils ne sont pas douloureux, mais ils provoquent des attitudes anormales très caractéristiques de la maladie.

Chez l'enfant, l'athétose, liée à l'ictère nucléaire ou à l'anoxie néonatale, s'accompagne de troubles de la motricité oculaire ainsi que d'une surdité qui, en cas d'ischémie néonatale, n'apparaissent que quelques mois après la naissance.

DIAGNOSTIC
Le diagnostic de l'athétose est essentiellement clinique. L'électromyogramme permet de le confirmer en montrant la mise en jeu simultanée de muscles agonistes et antagonistes lors du mouvement.

TRAITEMENT
Le traitement médical de l'athétose repose essentiellement sur le diazépam et le dantrolène (relaxant musculaire). Une des méthodes de rééducation (par kinésithérapie, notamment) consiste à apprendre au patient à contrôler ses gestes lorsqu'il est soumis à des stimuli sensitifs.

Les recherches thérapeutiques s'orientent actuellement vers l'étude du rôle des neurotransmetteurs, en particulier celui des substances cholinergiques.

Athyréose

Absence congénitale du corps thyroïde.

Cette affection, extrêmement rare, entraîne une hypothyroïdie (insuffisance de la sécrétion hormonale thyroïdienne) précoce, dès les premiers jours de la vie. La cause de cette anomalie est inconnue, mais une transmission héréditaire familiale est évoquée.

Le déficit thyroïdien durant la vie intra-utérine ne retentit pas sur la croissance, car l'enfant bénéficie de la sécrétion thyroïdienne de sa mère : la taille, le poids et le périmètre crânien des nouveau-nés sans corps thyroïde sont normaux. Seule la maturation osseuse peut être retardée de 6 à 8 semaines. En revanche, après la naissance, si l'hypothyroïdie n'est pas rapidement dépistée, elle peut entraîner un retard de la croissance, de la maturité sexuelle et du développement cérébral. Chez le nouveau-né, le dépistage systématique par des tests mesurant le taux des hormones thyroïdiennes dans le sang permet un diagnostic précoce. Le cas échéant, un traitement supplétif par L-thyroxine (hormone thyroïdienne) est immédiatement mis en route, qu'il convient généralement de poursuivre à vie. Le pronostic de cette anomalie, si elle est dépistée et traitée tôt, est excellent.

Atlas

Première vertèbre cervicale. (P.N.A. *atlas*)

L'atlas s'articule en haut avec l'occipital, en bas avec l'axis, deuxième vertèbre cervicale, et joue un rôle essentiel dans les mouvements de la tête : rotation, flexion, extension et inclinaison latérale. La fracture isolée de l'atlas, rare, peut être provoquée par une hyperextension forcée de la tête. Le sujet souffre de névralgie occipitale et ressent une vive douleur à la palpation. Une radiographie et une tomographie (coupe radiographique) permettent de confirmer le diagnostic de fracture.

Immédiatement après le traumatisme, le sujet doit se reposer et éviter les mouvements forcés. En cas de douleur intense, une amélioration peut être obtenue par traction orthopédique progressive. Selon les lésions, la pose d'un plâtre ou une greffe osseuse activent la guérison.

Atopie

Prédisposition héréditaire à développer des manifestations d'hypersensibilité immédiate telles que l'asthme, le rhume des foins, l'urticaire, l'eczéma dit atopique, la pollinose (sensibilité aux grains de pollen), certaines rhinites et conjonctivites ainsi que diverses manifestations allergiques digestives.

L'atopie est liée à des facteurs génétiques encore mal élucidés. La principale caractéristique du sujet atopique est sa capacité à produire, de manière excessive, des anticorps, ou immunoglobulines, de type E (IgE) au contact d'allergènes naturellement inhalés ou ingérés en quantité minime.

A.T.P.

→ VOIR Adénosine.

Atrésie

Absence ou occlusion, généralement congénitale, d'un orifice ou d'un conduit naturel.

Les différentes formes d'atrésie se décèlent le plus souvent à la naissance.

Atrésie anale

Très rare, l'atrésie anale est une absence de continuité entre le rectum et l'anus.

Elle est systématiquement dépistée à la naissance par l'introduction d'une sonde.

TRAITEMENT

Le traitement chirurgical consiste à ouvrir l'extrémité du rectum et à rétablir la continuité avec l'anus. L'intervention est en général efficace.

Atrésie de l'artère pulmonaire

L'atrésie de l'artère pulmonaire est une interruption grave de la voie vasculaire pulmonaire qui relie le cœur droit au poumon. Elle peut être isolée ou associée à une communication interventriculaire.

Le symptôme est une cyanose du nouveau-né. Les poumons de ce dernier, non irrigués, sont « clairs » sur l'image radiographique.

TRAITEMENT

Le traitement, chirurgical, doit être rapidement entrepris.

Atrésie biliaire

Rare, l'atrésie biliaire est une interruption des canaux biliaires situés soit à l'extérieur du foie (extrahépatiques), soit à l'intérieur (intrahépatiques).

L'écoulement de la bile jusqu'au duodénum est alors compromis.

Les symptômes sont ceux d'une cholestase (augmentation de volume du foie) : ictère intense, selles blanches. La conséquence est une rétention de la bile dans le foie. Le diagnostic est confirmé par échographie, voire par biopsie hépatique. Le pronostic dépend de la survenue ou non d'une cirrhose biliaire ou d'une infection (angiocholite).

TRAITEMENT

L'intervention chirurgicale, quand elle est possible, consiste à relier directement une partie de l'intestin grêle à une voie biliaire intrahépatique fonctionnelle, si celle-ci existe. Si l'intervention échoue, le seul recours est une transplantation du foie.

Atrésie duodénale

Rare, touchant un nouveau-né sur 5 000 à 10 000 naissances, selon les études, l'atrésie duodénale est l'interruption de la partie initiale de l'intestin grêle, le duodénum.

Le diagnostic peut être établi par échographie avant la naissance. Les signes de l'atrésie duodénale sont un hydramnios (augmentation anormale du volume du liquide amniotique), une dilatation de l'estomac et du duodénum du fœtus, un intestin peu visible sur les images. Dans ce cas, une amniocentèse doit être pratiquée pour établir le caryotype de l'enfant, car l'atrésie duodénale est souvent associée à la trisomie 21. Après la naissance, les symptômes visibles sont des vomissements bilieux, l'absence d'évacuation du méconium (première selle verdâtre), un ventre plat, une distension dans la région située au-dessous de l'ombilic. Un examen radiographique confirme le diagnostic.

TRAITEMENT

L'atrésie duodénale impose une intervention chirurgicale en urgence.

Atrésie de l'œsophage

Touchant un nouveau-né sur 3 500, l'atrésie de l'œsophage est une interruption de cet organe.

Un petit segment de l'œsophage manque, de sorte que la partie supérieure de celui-ci et sa partie inférieure, reliée à l'estomac, se terminent en cul-de-sac. Dans la plupart des cas, il existe un canal anormal (fistule trachéo-œsophagienne) entre la partie supérieure de l'œsophage et la trachée.

Certains signes sont caractéristiques de l'atrésie : hypersalivation du nouveau-né, cri voilé, quinte de toux, régurgitations constantes. Une détresse respiratoire peut survenir et les poumons de l'enfant peuvent être endommagés si l'on n'intervient pas assez rapidement.

Le diagnostic se fait par un dépistage systématique à la naissance : une sonde introduite par la narine bute, en cas d'atrésie, sur le premier cul-de-sac de l'œsophage.

TRAITEMENT

Le nouveau-né doit être transporté en urgence dans un service de réanimation chirurgicale néonatale, maintenu en position demi-assise pour diminuer le reflux du liquide gastrique vers la trachée. La partie supérieure de l'œsophage doit être dégagée par aspiration au moyen d'une sonde. Une radiographie thoracique permet d'évaluer les possibilités d'une intervention chirurgicale (anastomose) en localisant le cul-de-sac œsophagien et une éventuelle fistule entre les deux parties. Si le poids de l'enfant est suffisamment élevé, si les poumons sont sains et s'il n'existe aucun signe d'infection, l'intervention pourra être pratiquée en une seule fois.

L'enfant guéri d'une atrésie de l'œsophage n'aura, le plus souvent, aucune difficulté de déglutition par la suite.

Atrichie

Malformation congénitale rare, caractérisée par l'absence complète de cheveux et de poils.

L'atrichie peut être isolée ou associée à d'autres malformations : retard de croissance, atteintes oculaires ou dysplasies ectodermiques (absence congénitale de glandes sudoripares).

On peut détecter la malformation chez l'enfant dès l'âge de 2-3 ans.

Atrophie

Diminution de poids et de volume d'un organe, d'un tissu ou d'un membre à la suite d'une nutrition insuffisante des cellules ou d'une immobilisation.

Une atrophie provient d'une déficience ou d'une destruction de vaisseaux sanguins, de nerfs ou de substances nutritives. Elle peut être pathologique (atrophie du foie consécutive à une cirrhose), mais aussi physiologique (atrophie du thymus à l'adolescence et de l'utérus après la ménopause). Le traitement d'une atrophie n'est possible que dans la mesure où il persiste un peu d'organe ou de tissu normal susceptible de se multiplier.

Atrophie cérébelleuse

Cette atrophie diffuse ou localisée du cervelet est provoquée par l'alcoolisme chronique, un cancer viscéral, le plus souvent bronchopulmonaire, ou par des encéphalopathies dégénératives (maladie de Friedreich ou hérédoataxie de Pierre Marie).

L'atrophie cérébelleuse évolue lentement et entraîne un certain degré d'invalidité. Les symptômes sont essentiellement des troubles de la station debout et de la marche ou des troubles de la coordination des membres. Le diagnostic repose sur le scanner cérébral. Lorsque l'atrophie cérébelleuse est d'origine alcoolique, l'arrêt de l'intoxication en stoppe l'évolution.

Atrophie cérébrale

La diminution de volume du tissu cérébral est due à des affections dégénératives des neurones du cortex cérébral.

Ses causes sont multiples : traumatismes craniocérébraux, maladies dégénératives, artériosclérose du cerveau. Les capacités intellectuelles de l'individu diminuent, ce qui peut entraîner une démence. La maladie d'Alzheimer en est un exemple. Le scanner cérébral ou l'imagerie par résonance magnétique (I.R.M.) en confirment le diagnostic. Les thérapeutiques actuelles sont limitées.

Atrophie cutanée

Amincissement de la peau, qui perd aussi en élasticité et en consistance.

■ L'atrophie sénile est due au vieillissement physiologique. La peau d'un sujet âgé devient mince, jaunâtre, sèche, sans élasticité. Les rides en sont le mode d'expression le plus visible.

■ L'atrophie sclérodermique, observée dans le cadre d'une sclérodermie, se manifeste par une induration (durcissement anormal) profonde de l'épiderme et du derme. La peau perd sa souplesse habituelle.

■ L'atrophie ichtyosiforme est caractérisée par une desquamation de l'épiderme, qui devient sec et rugueux dès les premiers mois de la vie. Les causes en sont congénitales.

■ L'atrophie cortisonique est une atrophie cutanée diffuse, provoquée par la fonte du tissu collagène à la suite d'un traitement prolongé par les corticostéroïdes.

La perte d'eau qui résulte d'une atrophie cutanée, quel qu'en soit le type, peut être compensée par les crèmes réhydratantes.

Atrophie musculaire

Également appelée amyotrophie, l'atrophie musculaire est une diminution de volume des muscles striés.

Une amyotrophie diffuse se constate lors d'un amaigrissement important. Elle peut aussi être due à une non-utilisation des muscles lors d'un repos complet au lit sans kinésithérapie compensatoire.

Une amyotrophie localisée peut être due à une maladie du muscle lui-même lors d'une myopathie (maladie de la fibre musculaire), à des lésions nerveuses (poliomyélite), à un défaut d'irrigation (artérite), à une immobilisation nécessaire à la consolidation d'une fracture, ou être provoquée par des affections douloureuses (arthrite, arthrose).

Atrophie optique

Atrophie du nerf optique, résultant d'une destruction plus ou moins complète des fibres du nerf optique.

Une atrophie optique peut être provoquée par un processus inflammatoire (méningite, sclérose en plaques, syphilis, etc.), tumoral (compression du nerf optique par une tumeur), vasculaire (obstruction des vaisseaux irriguant le nerf optique) ou toxique (absorption de quinine, d'oxyde de carbone, de plomb). Certaines atrophies optiques, relativement rares, sont héréditaires ; elles sont transmises aux hommes par les femmes, comme le syndrome de Leber, qui atteint plus particulièrement les hommes jeunes.

L'atrophie optique entraîne une perturbation des fonctions visuelles : la vision des couleurs est difficile, le champ visuel s'altère et l'acuité visuelle diminue plus ou moins profondément. L'examen du fond d'œil permet de constater une décoloration de la papille optique (extrémité antérieure du nerf optique) pouvant aller de la pâleur à une blancheur nacrée.

Le traitement préventif est essentiel : dépistage et élimination de la cause de l'atrophie optique chaque fois que possible. Sinon (sclérose en plaques, syndrome de Leber), aucun traitement spécifique ne peut être proposé. Toute atrophie optique constituée est irréversible.

Atropine

Substance extraite de la belladone et possédant une action anticholinergique (inhibant l'action du système nerveux végétatif parasympathique).

L'atropine est la substance la plus représentative des médicaments anticholinergiques. Les substances qui ont une action très proche de celle de l'atropine sont appelées atropiniques. L'atropine elle-même est parfois utilisée comme médicament, par exemple dans le traitement de certains ralentissements cardiaques, en préparation à l'anesthésie, lors de certaines inflammations oculaires et pour dilater la pupille avant un examen du fond d'œil.

Attaque de panique

Trouble qui apparaît dans un contexte d'anxiété et associe, en l'absence de maladie organique ou mentale, quatre des symptômes suivants : dyspnée (difficulté à respirer), palpitations, douleur thoracique, sensation d'étouffement, vertiges, sueurs, tremblement, peur de mourir ou de perdre tout contrôle de soi.

Les attaques de panique sont impressionnantes, mais leur évolution est toujours favorable. Le traitement par des antidépresseurs est efficace.

Attelle

Appareil destiné à immobiliser une articulation ou un membre fracturé soit temporairement, en guise de premier secours, soit de façon prolongée pour un traitement complet.

Une attelle peut être de forme et de conception extrêmement variées, fabriquée sur le lieu d'un accident avec les matériaux disponibles (planchette de bois ou magazine en papier journal maintenus par une bande de tissu enroulée autour du membre blessé) ou vendue toute faite dans le commerce. Lorsqu'elle est en plâtre, posée après réduction de la fracture par le chirurgien, l'attelle, réalisée sur mesure, a l'avantage d'être parfaitement adaptée au patient. Elle peut également être en aluminium doublé de mousse ou en matière plastique, fabriquée industriellement ou par un kinésithérapeute. D'autres attelles, en toile matelassée munie d'armature et fermée par des bandes Velcro, servent à immobiliser certaines articulations comme le genou. Des attelles gonflables sont souvent utilisées par les équipes d'urgence lors du ramassage des blessés.

Attelle dentaire

Appareillage qui rend les dents solidaires et permet ainsi de les immobiliser.

■ L'attelle bimaxillaire solidarise fermement les dents des mâchoires inférieure et supérieure. Elle empêche toute ouverture buccale et s'utilise en cas de fracture accidentelle des maxillaires ou après une chirurgie maxillofaciale correctrice. L'attelle bimaxillaire est construite directement dans la bouche à l'aide de fils métalliques enroulés entre les dents.

■ L'attelle unimaxillaire soutient plusieurs dents entre elles sur une même mâchoire. Elle sert à réduire la mobilité dentaire en cas de parodontopathie ou de traumatismes dentaires nécessitant une immobilisation. Elle peut être métallique ou en Nylon.

Attention

Concentration active de la conscience sur un objet déterminé.

L'attention dépend des aptitudes intellectuelles, de la maturité du sujet et de son éducation. Elle est dite sélective lorsqu'elle permet de se concentrer sur une tâche en cessant de percevoir les stimulations ambiantes étrangères, et diffuse lorsque tous les sens sont aux aguets.

TROUBLES DE L'ATTENTION

Ils peuvent être liés à la prise d'alcool (même en faible quantité) ou de certains médicaments (psychotropes, antihistaminiques). Ils peuvent également être dus à une maladie psychiatrique ou à une lésion du cortex cérébral, qui joue un rôle prépondérant dans le rôle de cette activité nerveuse. Ils sont ainsi caractéristiques du syndrome frontal (ensemble de troubles provoqués par l'atteinte de la région préfrontale du cerveau).

Ils se manifestent cliniquement par une incapacité du sujet à fixer son attention : celui-ci ne peut se tenir à une tâche suivie et donne des réponses inconsistantes aux questions qu'on lui pose. Ces troubles peuvent aussi revêtir des formes propres à certains états : stagnation (psychasthénie, états dépressifs), polarisation sur une rumination morbide (idée fixe névrotique ou délirante), labilité (humeur changeante) et dispersion (confusion mentale, accès maniaque, état démentiel).

Attrition

Broiement d'un tissu, d'origine traumatique.

Pris au sens large, le terme attrition peut également désigner certaines lésions d'un viscère : on parle ainsi d'attrition cérébrale, hépatique ou splénique.

L'attrition entraîne une contusion, un arrachement et une dévascularisation des tissus pouvant aboutir à un œdème ou à une nécrose. Lorsqu'elle est due à un écrasement, l'attrition peut également, au moment où la compression du membre est supprimée ou lors du rétablissement de la vascularisation artérielle, déclencher la libération de produits toxiques agressifs pour le rein et susceptibles de provoquer une anurie (arrêt complet de la production d'urine). Le traitement chirurgical d'une attrition va de la simple excision des tissus meurtris avant réparation avec couverture cutanée (par greffe ou suture) à l'amputation.

Atypique

Qualifie une cellule ou un noyau dont les caractères morphologiques s'écartent des caractères habituels pour se rapprocher de ceux que l'on observe au cours des proliférations tumorales malignes.

Parmi ces caractères anormaux figurent l'inégalité de taille des cellules et des noyaux, l'irrégularité de forme des noyaux et leur richesse en chromatine ainsi que la perte de différenciation fonctionnelle du cytoplasme. C'est sur ces éléments que repose, au cours des examens cytopathologiques, l'orientation diagnostique vers une dysplasie (anomalie de développement d'un tissu) ou une tumeur maligne.

Audimutité

→ VOIR Mutité.

Audiogramme

Graphique représentant les capacités auditives de chaque oreille.

Un audiogramme s'établit grâce à un audiomètre, appareil électronique émettant des sons de diverses fréquences (graves, moyennes ou aiguës). En abscisse sont exprimées les fréquences en hertz (audiogramme tonal) ou les pourcentages d'intelligibilité (audiogramme vocal), en ordonnée apparaissent les pertes auditives en décibels.

■ L'audiogramme tonal consiste à rechercher les seuils auditifs d'un sujet pour diverses fréquences.

■ L'audiogramme vocal permet de préciser la compréhension des syllabes, donc d'évaluer la gêne sociale entraînée par la perte auditive et, éventuellement, de prescrire une prothèse.

Audiologie

Science étudiant les phénomènes se rapportant à l'audition.

Audiométrie

Mesure instrumentale de l'audition, complément de l'acoumétrie, qui en est la mesure clinique.

On distingue l'audiométrie subjective, qui nécessite une collaboration entre le sujet testé et son médecin, de l'audiométrie objective, qui ne nécessite pas de réponse du sujet soumis au test.

Audiométrie subjective

Elle se pratique avec un appareil électronique appelé audiomètre.

■ L'audiométrie automatique consiste à faire entendre au patient des sons variés, d'abord graves, puis de plus en plus aigus, pour qu'il précise lui-même, par sa perception, ses seuils d'audition.

■ L'audiométrie des hautes fréquences consiste à tester l'audition des fréquences plus aiguës que celles du spectre sonore de la voix.

■ L'audiométrie tonale détermine le seuil d'audition de chaque fréquence pour chaque oreille, soit en conduction aérienne, soit en conduction osseuse.

■ L'audiométrie vocale détermine les seuils d'audition non plus de sons purs, mais de mots de 2 ou 3 syllabes, ce qui permet au médecin d'évaluer les difficultés de communication du patient.

Audiométrie objective

Elle est fondée sur l'enregistrement et l'analyse des réponses physiologiques du système auditif.

■ La tympanométrie analyse, grâce à une sonde obturant le conduit auditif externe, l'écho d'une vibration sonore réfléchie sur la membrane tympanique en fonction de pressions variables. Ce test renseigne sur le fonctionnement de l'oreille moyenne et sur la perméabilité de la trompe d'Eustache.

■ L'étude du réflexe stapédien consiste à tester les capacités du muscle de l'étrier (osselet de l'oreille moyenne).

■ L'enregistrement des potentiels évoqués des voies auditives permet, à l'aide d'électrodes placées en différents endroits du crâne, d'analyser les réponses électriques du cerveau à des stimulations sonores émises par un audiomètre.

→ VOIR Audiogramme.

Audioprothésiste

Technicien spécialisé chargé du choix, de la délivrance, de l'adaptation et du suivi des prothèses auditives.

Audition

Fonction sensorielle qui permet de capter les sons par l'oreille et de les transmettre, par le nerf cochléaire, au cerveau, où ils sont reçus et analysés.

L'audition est rendue possible grâce aux systèmes auditifs périphérique et central.

■ Le système auditif périphérique est formé des oreilles externe, moyenne et interne.
- L'oreille externe (pavillon et conduit auditif externe) protège l'oreille moyenne et agit comme un récepteur en amplifiant certaines fréquences.
- L'oreille moyenne, située dans la caisse du tympan (cavité de l'os temporal), amplifie les sons et assure leur transmission à l'oreille interne. Une membrane élastique très mince, le tympan, isole l'oreille moyenne de l'extérieur. Les osselets (le marteau, l'enclume et l'étrier) transmettent les vibrations vers l'oreille interne. La trompe d'Eustache communique avec le pharynx et maintient constante la pression intérieure.
- L'oreille interne comprend la cochlée, en avant, et le système vestibulo-semi-circulaire, en arrière. Les cellules ciliées externes de la cochlée amplifient le message sonore et le transmettent aux cellules ciliées internes, qui traduisent alors l'information en message nerveux.

■ Le système auditif central est constitué par des fibres nerveuses qui, partant des cellules ciliées internes, se rejoignent dans le fond du conduit auditif pour former le nerf auditif (les nerfs auditifs constituent la huitième paire de nerfs crâniens), et par le cortex temporal, où l'influx nerveux se transforme en sensation consciente du message auditif et en permet l'interprétation par le sujet.

Aura

Manifestation clinique passagère annonçant une crise d'épilepsie.

L'aura est très variable selon les sujets. Elle peut revêtir la forme de sensations subjectives telles que des hallucinations visuelles (sensation lumineuse perçue par l'œil sans qu'elle ait été provoquée par la lumière), auditives (bruits plus ou moins élaborés), olfactives (odeurs le plus souvent désagréables), etc., ou une sensation de mouvement dans une partie du corps. Elle peut également s'accompagner de mouvements du corps (manifestation adversive : déviation conjuguée de la tête et des yeux, par exemple). L'analyse de l'aura peut permettre :
- de prévoir l'intensité de la crise qui va suivre ; si la décharge neuronale initiale, cause de l'aura, reste localisée, la crise d'épilepsie reste partielle ; si la décharge neuronale se propage aux structures profondes, la crise risque d'être généralisée (avec perte de connaissance éventuelle) ;
- de localiser une lésion cérébrale, cause éventuelle de l'épilepsie ; une aura visuelle oriente le diagnostic vers les aires occipitales ; une aura auditive, vers les aires temporales supérieures ; une aura olfactive, vers les régions temporales internes ; une manifestation adversive, vers les régions temporale et/ou frontale.

Auricule

Prolongement creux de la partie antérieure de chacune des oreillettes du cœur. (P.N.A. *auricula cordis*)

Relativement exclues du courant sanguin principal, les auricules peuvent être le lieu de formation de caillots - source d'embolies périphériques - lorsque les conditions circulatoires s'y prêtent : ralentissement du flux sanguin dû, par exemple, à une baisse importante du débit cardiaque ou à une sténose mitrale (rétrécissement de l'orifice valvulaire qui fait communiquer l'oreillette et le ventricule gauches).

Les auricules peuvent être étudiées par l'échocardiographie transœsophagienne.

Auriculothérapie

Thérapeutique dérivée de l'acupuncture traditionnelle et qui consiste à traiter différentes affections du corps par la piqûre de points déterminés du pavillon de l'oreille.

L'auriculothérapie fut découverte en 1951. Elle rapproche, pour localiser des points correspondant aux différentes parties du corps, le dessin de l'oreille de l'image du fœtus. La stimulation de ces points par microcourant ou à l'aide de petites aiguilles (implantées pendant 15 à 20 minutes, ou plus longtemps) permet d'atténuer ou de faire disparaître certains phénomènes pathologiques comme les douleurs somatiques, les allergies, les intoxications par l'alcool, le tabac, les troubles hémorroïdaires ou l'aérophagie.

Auscultation

Action d'écouter les bruits internes de l'organisme pour contrôler le fonctionnement d'un organe ou déceler une anomalie.

Cette méthode d'examen clinique fut inventée par le médecin français René Laennec en 1819. L'auscultation peut être immédiate, par contact direct de l'oreille sur la partie du corps à ausculter, ou médiate, par l'intermédiaire d'un stéthoscope, méthode actuellement utilisée.

■ L'auscultation de l'abdomen permet d'entendre des bruits hydroaériques intestinaux (borborygmes). La présence d'un souffle abdominal peut traduire l'existence d'un anévrysme de l'aorte abdominale ou d'un rétrécissement des artères rénales.

■ L'auscultation du crâne permet d'entendre à travers la boîte crânienne un souffle qui peut révéler un anévrysme vasculaire intracérébral.

■ L'auscultation du cœur permet d'entendre deux bruits séparés par un petit silence et suivis d'un grand silence. Le premier bruit, grave, correspond au début de la systole ventriculaire ; le second, clair et bref, est dû au claquement de fermeture des valvules sigmoïdes. Toute modification des bruits (souffle, dédoublement, bruit de galop, arythmie, frottement, click) traduit souvent une atteinte cardiaque. Le siège de ces anomalies d'auscultation renseigne sur la localisation des lésions.

■ L'auscultation fœtale permet d'entendre à l'aide d'un stéthoscope de bois les bruits

AUDITION

L'audition est possible grâce à une série de phénomènes qui se produisent à l'intérieur de l'oreille. Sous l'effet des ondes sonores, le tympan se met à vibrer ; ces vibrations sont amplifiées dans l'oreille moyenne par les trois osselets (le marteau, l'enclume et l'étrier). La base de l'étrier, la platine, communique alors les vibrations à l'oreille interne, à travers la fenêtre ovale. Dans la partie antérieure de l'oreille interne (labyrinthe), le son est transformé en impulsions transmissibles par voie nerveuse, grâce aux cils vibratiles qui tapissent les cellules sensorielles de la cochlée (organe de Corti). Cette information nerveuse est ensuite véhiculée jusqu'au cortex.

Les centres auditifs

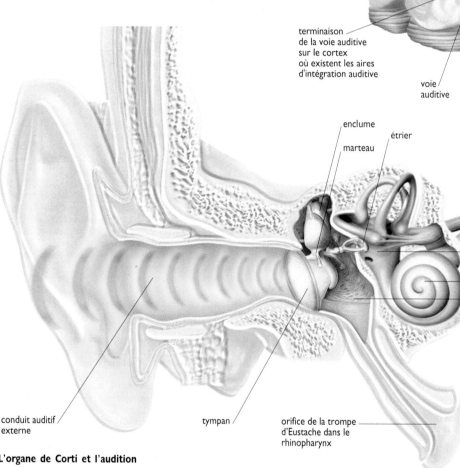

terminaison de la voie auditive sur le cortex où existent les aires d'intégration auditive

lobe temporal

voie auditive

nerf auditif

oreille interne

enclume

marteau

étrier

nerf cochléaire

oreille interne

cochlée

oreille moyenne

conduit auditif externe

tympan

orifice de la trompe d'Eustache dans le rhinopharynx

L'oreille et l'audition

Oreille externe
Le pavillon et le conduit auditif externe captent et font converger les vibrations sonores vers le tympan.

Oreille moyenne
Les vibrations du tympan sont transmises aux trois osselets (marteau, enclume et étrier).

Oreille interne
Elle est également appelée labyrinthe en raison de sa forme complexe. Seul le labyrinthe antérieur (la cochlée, ou limaçon) participe à l'audition, la partie postérieure de l'oreille interne (vestibule et canaux semi-circulaires) étant responsable de l'équilibre. À l'intérieur de la cochlée se trouve l'organe sensoriel de Corti, composé de cellules ciliées et de liquide. Les vibrations du liquide déterminent les mouvements des cils et stimulent les cellules sensorielles. Les influx nerveux qui en résultent sont transmis au cerveau par le nerf cochléaire.

L'organe de Corti et l'audition

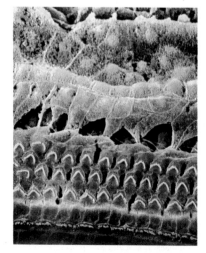

Les cellules sensorielles de l'oreille interne, reconnaissables à leur dentelure jaune, sont stimulées par les vibrations issues du tympan.

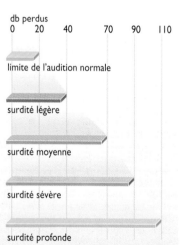

db perdus
0   20   40   70   90   110

limite de l'audition normale

surdité légère

surdité moyenne

surdité sévère

surdité profonde

Un des tests destinés à mesurer l'audition consiste à produire des sons d'intensité variable, le sujet ayant à signaler ceux qu'il entend.

du cœur du fœtus à travers l'abdomen de la femme enceinte, dès la 8e semaine de grossesse. Ce bruit caractéristique est signe de la vitalité du fœtus.

■ **L'auscultation du poumon** permet d'entendre le murmure vésiculaire qui correspond aux mouvements des alvéoles pulmonaires lors de leur insufflation et de leur exsufflation. Toute perception d'un bruit anormal (frottement, souffle, râle, tintement métallique, crépitement) traduit une atteinte pulmonaire ou pleurale.

■ **L'auscultation des vaisseaux** permet d'entendre, essentiellement, le bruit des artères carotides et fémorales. L'audition d'un souffle témoigne d'une oblitération vasculaire partielle.

Autisme

Rupture de l'activité mentale avec la réalité extérieure et repli plus ou moins total dans le monde de l'imaginaire et des fantasmes.

Ce terme, créé en 1911 par le psychiatre suisse Eugen Bleuler, s'applique aussi bien à l'adulte qu'à l'enfant.

Autisme de l'enfant

Chez l'enfant, l'autisme est commun à divers syndromes psychotiques. Ses causes demeurent discutées. Certains, comme le psychanalyste américain Bruno Bettelheim, considèrent l'autisme comme une réaction de défense de l'enfant, qui vit toute relation avec le vivant comme destructrice. D'autres l'expliquent par un dysfonctionnement du système nerveux central.

L'autisme infantile se manifeste toujours avant l'âge de 30 mois, le plus souvent dans la première année de vie. L'autisme de Kanner en est la forme type. Il se manifeste par un désintérêt de l'enfant pour le monde animé aussi bien que pour sa propre image dans le miroir, par des gestes et des jeux stéréotypés avec des objets comme un caillou, une ficelle, etc. Le retard du langage est fréquent. Le sens du terme d'autisme s'est élargi et recouvre une partie du champ des psychoses infantiles précoces (avant 5 ans). Lors du diagnostic, la distinction entre l'autisme et l'arriération mentale est souvent délicate.

Il n'existe pas de traitement des causes de l'autisme infantile. Des écoles spéciales, le soutien et le conseil aux parents et aux familles, parfois une thérapie comportementale (notamment pour réduire les automutilations) peuvent contribuer à une amélioration.

Autisme de l'adulte

Chez l'adulte, l'autisme est le plus souvent un symptôme clinique de la schizophrénie. Il apparaît comme une défense du sujet contre l'angoisse provoquée par le monde extérieur, perçu comme hostile et menaçant.

L'autisme est un état indicible d'étrangeté où se mêlent angoisse et extase, avec un sentiment de dissolution dans l'infini pouvant laisser place à une impression de vide et d'ennui insupportable, parfois cause de suicide. Le malade se coupe peu à peu du monde réel, qui n'a bientôt plus de signification, se limitant à ce que son propre imaginaire veut qu'il soit.

Le traitement ne peut se faire qu'en milieu spécialisé. Il repose sur une chimiothérapie neuroleptique souvent prolongée.

Autoaccusation

Revendication de fautes imaginaires ou très exagérées par rapport à la réalité.

La douleur morale qui en résulte extériorise un complexe de culpabilité que seule une expiation masochiste pourrait soulager.

L'autoaccusation est l'un des principaux symptômes de la mélancolie ; elle peut alors conduire le malade au suicide ou à l'automutilation. Elle s'observe aussi chez l'épileptique et parfois dans l'alcoolisme chronique. Enfin, elle est fréquente chez les mythomanes, pour attirer l'attention.

Autoanticorps

Anticorps dirigé contre un constituant de l'organisme qui le produit.

Les autoanticorps sont produits au cours des maladies auto-immunes et leur dépistage permet souvent de confirmer le diagnostic de la maladie. Ainsi, certains anticorps antinucléaires (dirigés contre des molécules du noyau) sont associés au lupus érythémateux disséminé, tandis que les facteurs rhumatoïdes (dirigés contre les anticorps de type G) sont le signe d'une polyarthrite rhumatoïde et que les anticorps antithyroglobuline caractérisent la thyroïdite de Hashimoto.

Toutefois, des autoanticorps peuvent apparaître naturellement chez les sujets âgés sans entraîner de manifestations cliniques. Ils ne semblent donc pas systématiquement pathogènes.

Autoclave

Appareil utilisant la vapeur d'eau sous pression à des fins de stérilisation.

L'autoclave est surtout utilisé en chirurgie pour le linge, les gants, les pansements et les instruments métalliques. Il se compose d'un générateur de chaleur et d'une étuve à double paroi. Les objets à stériliser sont placés dans des boîtes étanches. L'eau est portée à ébullition afin d'obtenir une chaleur humide (de 115 à 135 °C pendant 30 à 45 minutes). Un condensateur permet ensuite de faire un vide très poussé pour obtenir un séchage parfait. Les boîtes, stockées dans un endroit sec, restent stériles pendant une semaine.

Autodialyse

Prise en charge, par un malade atteint d'insuffisance rénale chronique, de ses séances d'hémodialyse (technique d'épuration du sang par filtration à travers une membrane semi-perméable) : préparation et réglage de l'appareil, mise en place des aiguilles, surveillance, etc.

Pour beaucoup de patients, le traitement dans un centre d'hémodialyse hospitalier public ou privé ne se justifie pas. Aussi, de nombreux centres d'autodialyse ont été créés. Ils regroupent plusieurs malades habitant dans la même région et ayant suivi une formation à la technique de l'hémodialyse. Généralement, une infirmière est présente, mais elle n'intervient qu'en cas de nécessité. Les malades sont suivis régulièrement par un néphrologue, qui n'est cependant pas présent en permanence dans le centre.

L'autodialyse se développe actuellement, car elle offre de nombreux avantages : autonomie du malade, déplacements moins longs, coûts beaucoup moins élevés que ceux de l'hémodialyse lorsqu'elle est pratiquée en milieu hospitalier.

→ VOIR Hémodialyse.

Autogreffe

Greffe dans laquelle le greffon est prélevé sur le sujet lui-même.

L'autogreffe s'oppose à l'allogreffe, pratiquée entre deux individus d'une même espèce mais génétiquement différents, et à l'hétérogreffe, effectuée entre deux individus d'espèces différentes (par exemple, greffe d'un cœur de babouin sur un homme). Contrairement aux deux précédentes, elle présente l'avantage de ne pas entraîner de phénomène de rejet.

■ **L'autogreffe de peau** est pratiquée lorsque la perte cutanée est trop importante pour que l'on puisse recourir à une suture. Le greffon peut être prélevé sur différentes parties du corps (cuisses, bas-ventre, cuir chevelu) en fonction de l'étendue de la zone à réparer. C'est le seul type de greffe praticable dans les réparations cutanées, allogreffe et hétérogreffe de l'épiderme entraînant un rejet presque immédiat par l'organisme du sujet greffé.

■ **L'autogreffe osseuse** consiste en un prélèvement osseux, généralement effectué dans la partie supérieure d'un des os iliaques (crête iliaque), sur les côtes ou sur le cubitus, que l'on fixe sur l'os lésé.

■ **L'autogreffe de moelle osseuse** concerne principalement les sujets atteints de maladies sanguines et immunitaires graves (déficit immunitaire, leucémie, aplasie médullaire). La moelle est prélevée sur le patient pendant une rémission de la maladie, traitée pour éliminer toute cellule maligne résiduelle, puis congelée (cryoconservation). C'est cette moelle saine qui lui sera réinjectée en cas de nouvelle poussée de la maladie.

Autohistoradiographie

Technique de laboratoire permettant d'étudier in vitro les étapes d'un métabolisme ou les divisions cellulaires.

L'autohistoradiographie consiste à enregistrer par une technique photographique la présence d'un corps radioactif introduit dans un tissu ou une culture de cellules. Une émulsion photographique posée sur une coupe de tissu ou un étalement cellulaire est impressionnée par la radioactivité dégagée par le matériel. Après révélation, l'émulsion fait apparaître les cellules contenant le produit radioactif, qui peuvent être ainsi identifiées et comptées.

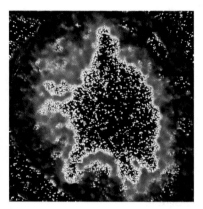

Autohistoradiographie. *Condensation de points noirs radioactifs dans un tube séminifère du testicule.*

Auto-immunité

État pathologique d'un organisme victime de ses propres défenses immunitaires.

Le rôle du système immunitaire est de défendre l'organisme contre l'agression de germes extérieurs. Le dérèglement de ce système provoque l'apparition d'anticorps nuisibles à l'organisme (autoanticorps). Les maladies auto-immunes se caractérisent par la destruction d'un organe (glande thyroïde dans la thyroïdite de Hashimoto) ou la neutralisation d'une fonction (transmission de l'influx nerveux aux muscles au cours de la myasthénie).

Il existe des facteurs génétiques prédisposant à l'auto-immunité, car la probabilité d'apparition de certaines maladies est plus importante chez les sujets porteurs d'antigènes particuliers du système HLA (*Human Leucocyte Antigen* [antigène leucocytaire humain]). Ainsi, plusieurs membres d'une famille peuvent développer la même maladie auto-immune. Des facteurs extérieurs (substances médicamenteuses, micro-organismes, rayons ultraviolets ou hormones) interviennent aussi dans le développement de l'auto-immunité.

Autolyse

→ voir Suicide.

Automatisme

Accomplissement d'actes psychomoteurs échappant au contrôle de la volonté du sujet.

En dehors des automatismes de la vie courante, il existe des automatismes pathologiques, conscients ou inconscients. Ceux-ci peuvent être dus à des causes organiques (automatismes épileptiques ou médullaires) ou psychiques.
■ Les **automatismes épileptiques** sont des activités motrices involontaires plus ou moins coordonnées qui se manifestent lors d'un état d'obnubilation mentale accompagnant ou suivant une crise d'épilepsie. Ils peuvent revêtir diverses formes, le plus souvent combinées : oroalimentaire (pourléchage, lappement, mâchonnement), mimique (reflétant l'état émotionnel : peur, joie, colère), verbale, gestuelle (mouvements de grattage, de préhension, déplacements d'objets) ou ambulatoire. Ils ne laissent habituellement aucun souvenir au sujet.
■ Les **automatismes médullaires** sont des réactions réflexes dues à une activité autonome de la moelle épinière, libérée du contrôle habituel des centres nerveux à la suite d'une section d'origine traumatique, compressive ou vasculaire. Survenant généralement 3 ou 4 semaines après l'accident initial, ils se caractérisent par des réflexes de défense ou de triple retrait (flexion complète des trois segments d'un membre lors de la stimulation de son extrémité). Le traitement des automatismes médullaires repose sur la rééducation.
■ Les **automatismes dus à des causes psychiques** se rangent en deux classes :
– les automatismes d'acte (fugue, raptus [comportement paroxystique], gesticulations, somnambulisme) s'observent dans la confusion mentale et les psychoses en phase aiguë (schizophrénie surtout) ;
– les automatismes de pensée, auxquels on rattache parfois certaines phobies et obsessions graves, sont principalement représentés par l'automatisme mental. Décrit pour la première fois en 1925 par le psychiatre français Gaëtan Gatian de Clérambault, ce syndrome est caractérisé par un trouble du cours de la pensée (le malade a l'impression que sa pensée est manœuvrée de l'extérieur), des hallucinations sensitives et des automatismes psychomoteurs (tics, gestes parasites, impulsions verbales).

Automédication

Prise de médicament sans avis médical.

Certains médicaments, vendus sans ordonnance, sont disponibles pour l'automédication. Il est impératif de respecter les instructions d'emploi lors du traitement ou de demander conseil à son pharmacien. En effet, ces médicaments en vente libre, comme tout médicament, peuvent être nocifs s'ils sont mal employés. Par ailleurs, il est toujours important de respecter une prescription médicale et d'utiliser les médicaments seulement au moment où ils ont été prescrits et non ultérieurement pour un trouble similaire.

Automutilation

Comportement au cours duquel un sujet s'inflige des blessures ou des lésions.

L'automutilation se rencontre chez les enfants arriérés ou psychotiques placés en institution : coups de tête répétés contre les murs, morsures des poings, etc. Chez l'adulte, c'est une complication grave des psychoses (mélancolie, schizophrénie, hypochondrie délirante), qui exige une hospitalisation en urgence. Enfin, elle peut être utilisée comme moyen de chantage par les psychopathes ou les hystériques, ce qui n'exclut pas le risque de passage à l'acte.

Autopiqueur

Petit appareil mécanique permettant de prélever quelques gouttes de sang à l'extrémité d'un doigt.

L'autopiqueur permet de réaliser, à domicile ou à l'hôpital, un prélèvement sanguin pour examen immédiat (mesure de la glycémie pour la surveillance d'un diabète sucré, par exemple). Il peut être utilisé par le médecin, l'infirmière ou le patient lui-même. Son emploi est sans danger et pratiquement indolore.

Autoplastie

Technique servant à recouvrir un tissu à vif de vaste dimension par un morceau de peau proche, simplement déplacé et non totalement détaché afin de garder intacte une partie de ses vaisseaux nourriciers (pédicule).

On distingue plusieurs types d'autoplastie : par glissement, par rotation ou par « cross-leg » (technique consistant à greffer la peau d'un membre sur l'autre ; les deux membres sont alors temporairement réunis par un pédicule de peau). La zone donneuse est recouverte d'une greffe libre ou, si la taille de cette zone le permet, simplement suturée.

Autopsie

Acte médical réalisé après la mort et destiné à en déterminer les causes. SYN. *nécropsie.*

L'autopsie doit être faite le plus tôt possible pour éviter les altérations cadavériques. Elle comprend l'examen de l'encéphale, des viscères de l'abdomen, du thorax et du cou. On cherche à mettre en évidence des lésions, notamment celles ayant pu entraîner la mort, et des prélèvements systématiques sont réalisés sur tous les organes en vue d'examens biologiques et microscopiques. Certains tissus peuvent même faire l'objet, comme lors d'enquêtes criminelles, d'une étude toxicologique.

L'autopsie est à la base de la méthode anatomoclinique, qui cherche à expliquer une maladie par une lésion organique. Jusqu'au XIXᵉ siècle, l'anatomopathologie se résumait à la pratique des autopsies. C'est encore sur cette pratique que reposent de nombreux travaux épidémiologiques.

Autorégulation

Régulation automatique d'un processus physiologique assurant l'homéostasie (maintien des différents paramètres biologiques) de l'organisme.

L'autorégulation résulte en général d'un phénomène de rétrocontrôle, dit aussi « de feed-back ». Ainsi, la sécrétion par le pancréas de l'insuline, qui abaisse le taux de glycémie, s'interrompt automatiquement quand la glycémie est revenue à la normale. L'homéostasie est assurée par voie humorale (sanguine essentiellement), par l'action des glandes endocrines et des hormones qu'elles sécrètent.

Autosome

Chromosome dont les informations génétiques n'interviennent pas dans la détermination du sexe.

Chez l'être humain, chacune des cellules somatiques (toutes les cellules du corps humain, excepté les cellules sexuelles) contient 44 chromosomes autosomes et 2 chromosomes hétérosomes (ou chromosomes sexuels).

Ces 44 autosomes forment 22 paires de chromosomes identiques deux à deux, assurant la transmission de multiples caractères héréditaires qui ont tous en commun le fait de n'être pas liés au sexe.

Les altérations des autosomes provoquent des maladies héréditaires, dites autosomiques, affectant les deux sexes d'une même descendance.

Autosuggestion

Action de s'influencer soi-même, consciemment ou non, afin que la conduite suggérée se réalise, en dehors de la volonté, d'une manière presque automatique.

L'influence sur la vie psychique et le comportement d'une idée qui a été, au départ, volontairement privilégiée sert de fondement à la méthode d'Émile Coué. À la fin du XIXe siècle, ce pharmacien français avait remarqué qu'il suffit souvent qu'un patient soit persuadé de l'efficacité de son traitement pour qu'il guérisse. Plus tard, le neurologue et psychiatre français Pierre Janet (1859-1947) développa la notion d'autosuggestion, encore appliquée aujourd'hui dans les techniques de relaxation mentale et corporelle. L'autosuggestion, en améliorant la perception qu'a le sujet de son corps et de sa conscience, joue aussi un rôle capital dans le traitement de certaines névroses.

Autotransfusion

Injection intraveineuse à un sujet de son propre sang, prélevé avant une intervention chirurgicale ou au cours de celle-ci. SYN. *transfusion autologue*.

Les premières autotransfusions datent des années 1960, mais le risque de contracter le sida par transfusion a considérablement augmenté la demande et l'utilisation depuis 1987. L'autotransfusion diminue la probabilité de transmettre au receveur un sang contaminé (virus du sida, mais aussi virus de l'hépatite, agents du paludisme et de la syphilis) et le risque d'accidents transfusionnels par incompatibilité de groupe sanguin. Cependant, elle ne peut pas être utilisée en cas d'anémie sévère ou de mauvais état général du patient. Selon les modes d'obtention du sang, on distingue différentes techniques d'autotransfusion.

■ L'autotransfusion différée se pratique dans le mois précédant l'intervention. De 2 à 4 prélèvements d'environ 400 millilitres sont effectués à une semaine d'intervalle. Le sang, préparé et conservé, est retransfusé au moment de l'intervention ou dans les heures ou les jours qui suivent.

■ La récupération peropératoire se pratique au cours de certaines interventions. Le sang perdu est récupéré à l'aide de machines spécifiques, puis filtré et retransfusé au malade. Cette technique peut être isolée ou associée à la précédente.

■ L'hémodilution préopératoire, associée aux techniques précédentes ou isolée, consiste à prélever 2 ou 3 unités de sang (de 400 millilitres) de 24 à 48 heures avant l'intervention et à les remplacer par un liquide moins dense afin de conserver au malade son volume de sang total.

Avant-bras

Partie du membre supérieur située entre le coude et le poignet. (P.N.A. *antebrachium*)

Le radius en dehors, le cubitus en dedans, réunis par le ligament interosseux, délimitent deux régions de l'avant-bras : la région antibrachiale antérieure et la région antibrachiale postérieure.

■ La région antibrachiale antérieure, qui répond aux deux tiers de la circonférence de l'avant-bras, comporte un plan superficiel, constitué de vaisseaux (veines radiale et cubitale superficielles, utilisées pour une prise de sang ou une perfusion), de nerfs et de muscles, et un plan profond, formé de muscles qui jouent un rôle important dans la flexion des doigts. Entre les plans musculaires profond et superficiel cheminent des faisceaux vasculonerveux. À la partie basse de la région antibrachiale antérieure, l'écartement des tendons et des muscles forme la gouttière du pouls, où l'on perçoit les battements de l'artère radiale.

■ La région antibrachiale postérieure est formée de muscles qui jouent un rôle essentiel dans la flexion et l'extension des doigts, la rotation de la main et ses mouvements d'écart (abduction) ou de rapprochement (adduction).

PATHOLOGIE

La fracture des deux os de l'avant-bras est de loin la plus fréquente. Elle se présente différemment chez l'enfant et l'adulte. Chez l'enfant, les extrémités des os fracturés restent en contact, malgré l'angulation (angle formé par les deux fragments) : la fracture est dite « en bois vert ». L'intervention chirurgicale consiste à redresser l'angulation et à poser un plâtre. L'immobilisation est d'environ 6 semaines. Chez l'adulte, les fractures sont plus rares, mais souvent très déplacées ; elles sont fréquentes chez le sujet âgé (ostéo-

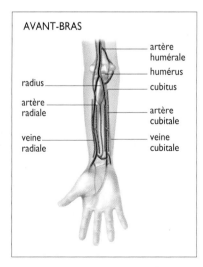

AVANT-BRAS

radius — artère humérale
— humérus
— cubitus
artère radiale —
— artère cubitale
veine radiale —
— veine cubitale

porose). Une ostéosynthèse (réunion des fragments osseux par une pièce métallique) et une immobilisation de 3 mois sont préférables à un traitement orthopédique.

Averroès

Philosophe, astronome et médecin arabe (Cordoue 1126 - Marrakech 1198).

Traducteur et commentateur d'Aristote, il eut une grande influence sur la pensée philosophique et religieuse de son temps. Il écrivit également de très importants ouvrages de médecine. Il décela notamment le rôle de la rétine dans la vue et constata que la variole n'atteignait jamais deux fois le même individu.

Aveugle

Personne privée de la vue et, plus précisément, personne empêchée par une baisse de l'acuité visuelle (en général inférieure à 1/10) de poursuivre son travail habituel (définition de l'Association internationale de prophylaxie de la cécité, New Delhi, 1969). SYN. *non-voyant*.
→ VOIR Cécité.

Avicenne

Philosophe et médecin iranien (Afchana, près de Boukhara, 980 - Hamadhan 1037).

Son œuvre, très vaste, comprend notamment un *Canon de la médecine*, où il décrit avec précision des maladies telles que la méningite aiguë, la pleurésie et les fièvres éruptives. Cet ouvrage servit pendant longtemps de référence pour les études médicales, en Orient comme en Occident.

Avitaminose

Ensemble des phénomènes pathologiques dus à une carence en une ou plusieurs vitamines.

Devenues rares dans les pays occidentaux, les avitaminoses se rencontrent essentiellement dans les pays en voie de développement. Elles peuvent être dues à une carence des apports alimentaires, à une absorption digestive insuffisante ou à une utilisation déficiente par l'organisme de ces vitamines.

■ L'avitaminose A se révèle principalement par des manifestations oculaires : héméralopie (affaiblissement ou perte de la vision en lumière peu intense) et xérophtalmie (diminution de la transparence de la conjonctive et de la cornée).

■ L'avitaminose B1 a pour expression majeure le béribéri.

■ L'avitaminose B2, ou ariboflavinose, entraîne des troubles oculaires (baisse d'acuité visuelle, photophobie par sensibilité anormale à la lumière) et des lésions cutanomuqueuses (gerçures des lèvres).

■ L'avitaminose B6 a des manifestations multiples et bien connues chez l'animal, mais il n'existe pas, en pathologie humaine, d'avitaminose B6 caractérisée.

■ L'avitaminose B12 n'existe pas à proprement parler, mais une affection, la maladie de Biermer, est caractérisée par l'absence d'absorption de la vitamine B12 par suite d'une altération de la muqueuse gastrique.

■ L'avitaminose C confirmée entraîne le scorbut et, chez le nourrisson, la maladie de Barlow.

■ L'avitaminose D a pour conséquence un rachitisme chez l'enfant, une ostéomalacie (affection caractérisée par un ramollissement des os) chez l'adulte et, à tout âge et en certaines circonstances, une tétanie.

■ L'avitaminose K, enfin, entraîne des phénomènes hémorragiques.

■ L'avitaminose PP entraîne la pellagre.

Avivement

Grattage chirurgical d'un tissu malade afin d'obtenir une zone saine sous-jacente.

Un avivement se pratique surtout sur des tissus mous tels que les muscles ou la peau, avant une greffe cutanée, ou sur un os avant réparation ou ostéosynthèse.

Avortement

Interruption prématurée de la grossesse.

Dans l'usage courant, le mot avortement est employé comme synonyme d'interruption volontaire de grossesse (I.V.G.), tandis que l'expression fausse couche désigne un avortement spontané. Par ailleurs, on appelle avortement thérapeutique une interruption de grossesse provoquée pour raisons médicales.

Avortement spontané

C'est la perte non provoquée du fœtus avant le 180e jour de gestation. On l'appelle, couramment, fausse couche.

En raison des progrès de la réanimation néonatale, l'Organisation mondiale de la santé (O.M.S.) préconise de définir l'avortement comme l'expulsion de « produits ovulaires » pesant moins de 500 grammes. L'avortement spontané accidentel et isolé se distingue des avortements spontanés à répétition, aux causes multiples, qui posent de nombreux problèmes de diagnostic et de traitement.

FRÉQUENCE

Les avortements spontanés représentent de 10 à 20 % des interruptions de grossesse (les chiffres sont incertains, car certaines femmes ne se rendent pas compte qu'elles ont avorté et d'autres ne consultent pas le médecin). Les avortements de ce type ont généralement lieu dans les dix premières semaines suivant la fécondation.

CAUSES

Les causes d'avortement spontané, multiples, doivent être déterminées afin de mettre en œuvre le traitement approprié.

■ Les causes maternelles regroupent les causes génitales (hypoplasie ou malformations utérines, synéchies, salpingite, fibrome et tumeur de l'utérus, béance du col utérin) ; les causes hormonales (insuffisance en œstrogènes ou progestérone, insuffisance hormonale globale, hypothyroïdie, excès d'androgènes) ; les causes générales (carence alimentaire, intoxication, maladie infectieuse, diabète, syphilis, traumatismes divers). Seuls les avortements répétés justifient de longues investigations, mais la recherche de la cause de l'avortement doit néanmoins être menée conjointement au traitement.

■ Les causes ovulaires correspondent à des anomalies fœtales et représentent environ 70 % des fausses couches. Ces facteurs agissent surtout pendant le premier trimestre de la grossesse et provoquent la mort du fœtus avant son expulsion. Grossesses multiples et hydramnios (excès de liquide amniotique) font partie des causes ovulaires.

SYMPTÔMES ET SIGNES

En début de grossesse, les signes d'une menace d'avortement consistent en des métrorragies (petites pertes de sang rouge) indolores ; des coliques s'y associent parfois. Le repos absolu au lit, accompagné d'un traitement médical (hormones, antispasmodiques), se révèle le meilleur moyen de lutter contre ces menaces d'avortement. L'échographie permet de vérifier le lieu d'implantation de l'embryon (hypothèse de grossesse extra-utérine) ; en cas de béance du col utérin, la prévention appelle un cerclage de l'utérus et le repos total.

En revanche, l'augmentation croissante des pertes sanguines et des douleurs, accompagnées de l'ouverture du col, annonce l'avortement proprement dit. L'avortement est dit complet lorsque le fœtus et le placenta sont expulsés ; il ne nécessite aucun traitement particulier. En revanche, s'il y a rétention placentaire dans la cavité utérine, hémorragie et infection locale sont à craindre. Un examen, la révision utérine, en milieu hospitalier est indispensable.

TRAITEMENT

Un curetage est pratiqué sous anesthésie générale afin d'assurer la vacuité utérine ; des antibiotiques sont prescrits immédiatement pour prévenir une éventuelle infection. La cause de l'avortement est immédiatement recherchée afin de pouvoir, le cas échéant, mettre en place un traitement permettant d'éviter un nouvel avortement.

Avortement provoqué

On distingue l'avortement provoqué pour motif thérapeutique et l'avortement provoqué pour situation de détresse.

AVORTEMENT PROVOQUÉ POUR MOTIF THÉRAPEUTIQUE

Il se pratique à tout moment de la grossesse, sur demande des deux parents ou d'un seul, si la vie de la mère est en danger (insuffisances cardiaque, respiratoire ou rénale, sida, cancer, etc.) ou si l'enfant à naître risque fortement d'être atteint d'une affection particulièrement grave et incurable. Des examens appropriés permettent de vérifier les présomptions d'atteinte fœtale (échographie, biopsie des villosités choriales, amniocentèse, sérodiagnostics sanguins).

L'avortement thérapeutique, dont les complications sont exceptionnelles, est effectué en milieu hospitalier par administration de prostaglandines.

AVORTEMENT POUR SITUATION DE DÉTRESSE

Il est réalisé en début de grossesse, sur justification de la situation et après information des risques médicaux que la femme encourt.

Il est pratiqué sous anesthésie locale ou générale, par aspiration endo-utérine, avec une canule ou une seringue (méthode de Karman), ou, beaucoup plus rarement en raison des risques de lésions de la muqueuse utérine, par curetage. L'aspiration peut être remplacée jusqu'au 49e jour d'aménorrhée par un traitement associant le mifepristone (RU 486) et un dérivé des prostaglandines, administré 36 à 48 heures après la prise de mifepristone. Ces produits sont contre-indiqués en cas de tabagisme régulier ou d'autres facteurs de risque cardiovasculaire (hyperlipidémie, diabète). Une contraception est ensuite conseillée.

→ VOIR Interruption volontaire de grossesse, Stérilité.

Avulsion dentaire

Extraction ou délogement d'une dent.

L'avulsion dentaire peut être provoquée (avulsion thérapeutique) ou spontanée, à la suite d'un choc (avulsion traumatique).

Avulsion dentaire thérapeutique

C'est l'intervention chirurgicale couramment appelée extraction dentaire, au cours de laquelle la dent est éliminée dans son intégralité (couronne et racines).

INDICATIONS

Cette intervention radicale, devenue rare de nos jours, peut être réalisée :
- lorsque les thérapeutiques habituelles sont inopérantes (atteinte carieuse très étendue, fracture coronoradiculaire, parodontopathie avancée, etc.) ;
- lorsque les dents sont responsables d'encombrement ou de malocclusion (mauvaise imbrication entre les dents des maxillaires supérieur et inférieur gênant la mastication ou engendrant des complications infectieuses ou des problèmes esthétiques). Ainsi, chez l'enfant, la dent définitive peut faire son éruption lorsque la dent de lait est encore sur l'arcade. L'extraction de cette dernière permettra souvent le repositionnement correct de la dent en évolution ;
- en cas de traitement orthodontique ;
- pour prévenir un risque infectieux, avant une opération chirurgicale du cœur ou une radiothérapie des cancers de la face, sur les dents constituant des foyers infectieux.

DÉROULEMENT

Une anesthésie locale est généralement pratiquée. L'anesthésie peut être générale lorsqu'il s'agit de retirer des dents de sagesse incluses difficiles, plusieurs dents en même temps, ou encore en face de patients trop anxieux ou de jeunes enfants. La gencive autour de la dent à extraire est décollée, puis la dent est retirée. Le comblement de l'alvéole s'effectue à partir du caillot. Suivant la complexité de l'intervention, l'état de la dent et du malade, des antibiotiques et des anti-inflammatoires peuvent être associés aux analgésiques et aux bains de bouche habituellement prescrits.

COMPLICATIONS

Peu fréquentes en général, elles peuvent prendre la forme d'une alvéolite (inflammation de l'alvéole) ou d'une hémorragie. Les dents qui ont été extraites peuvent être remplacées par des prothèses fixes (bridges) ou amovibles, ou bien par des implants.

Avulsion dentaire traumatique

C'est le délogement d'une dent à la suite d'un choc.

Dans ce cas, l'avulsion s'accompagne parfois d'autres lésions : fracture du rebord alvéolaire, blessure des lèvres. Les incisives supérieures des enfants de 7 à 10 ans sont particulièrement exposées, surtout si elles occupent une position trop antérieure. Lors d'un accident, il faut toujours, autant que possible, récupérer la ou les dents avulsées ; en effet, on tente souvent de les réimplanter, bien que le pronostic soit très incertain. Il dépend de la survie du ligament parodontal, conditionnée par 3 éléments : la racine de la dent avulsée ne doit être ni grattée ni nettoyée ; la dent doit être réimplantée très rapidement (moins de 1 heure) et conservée, en attendant, dans du sérum physiologique ou du lait ; le traitement effectué par le dentiste doit comprendre une contention et un soin préventif de la racine. Le respect de ces conditions ainsi qu'une sérieuse surveillance radiologique pendant un an favorisent le maintien durable de la dent réimplantée.

Axillaire (artère, veine)

Artère et veine situées au creux des aisselles. (P.N.A. *arteria axillaris, vena axillaris*)

La région axillaire, limitée vers l'extérieur par le bras, vers l'intérieur par le thorax et vers le haut par l'articulation de l'épaule, est un véritable carrefour vasculonerveux et lymphatique pour l'irrigation du bras.

■ **L'artère axillaire** est une artère musculaire qui fait suite à l'artère sous-clavière et se prolonge par l'artère humérale.

■ **La veine axillaire**, qui chemine le long de l'artère axillaire, draine le retour veineux du membre supérieur vers la veine cave supérieure.

Axis

Deuxième vertèbre cervicale. (P.N.A. *axis*)

L'axis est, par son apophyse odontoïde, engagée comme un pivot dans l'atlas, l'axe de rotation de la tête par rapport au cou.

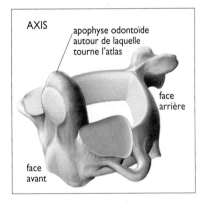

AXIS
apophyse odontoïde autour de laquelle tourne l'atlas
face arrière
face avant

L'axis est relié par des ligaments à l'atlas, mais aussi directement à l'occiput.

Le jeu des articulations (les surfaces en contact, sur les côtés, sont connexes) entre les deux premières vertèbres cervicales, l'atlas et l'axis, permet une rotation de 90° à droite et à gauche. L'axis participe, mais de façon limitée, aux mouvements d'inclinaison latérale de la tête.

PATHOLOGIE
La fracture de l'axis atteint le plus souvent l'apophyse odontoïde, au niveau du col. Le sujet ressent une douleur cervicale haute et une gêne à la déglutition. La radiographie permet de préciser le siège de la fracture et d'observer s'il n'y a pas eu aussi luxation de l'atlas. Selon les cas, une immobilisation simple (de 8 à 12 semaines) ou une intervention chirurgicale avec fixation par ligature métallique ou par greffe osseuse permettent le rétablissement.

Azoospermie

Absence totale de spermatozoïdes dans le sperme émis.

L'azoospermie est une cause importante de stérilité masculine. Elle diffère de l'oligospermie (faible quantité de spermatozoïdes) et de l'asthénospermie (insuffisance de mobilité des spermatozoïdes). Elle touche environ 1 % des hommes.

Les recherches par des examens cliniques et des dosages hormonaux permettent de déterminer deux formes d'azoospermie : l'azoospermie excrétoire et l'azoospermie sécrétoire.

Azoospermie excrétoire

Les spermatozoïdes se forment normalement dans le testicule, mais l'obstruction des canaux déférents ou des épididymes empêche leur transport vers les vésicules séminales et la prostate. Cette obstruction peut résulter d'une maladie sexuellement transmissible, d'une tuberculose, d'une intervention chirurgicale pratiquée dans la région de l'aine ou d'une infection chronique de l'appareil génital.

Une opération chirurgicale permet de désobstruer les canaux.

Azoospermie sécrétoire

Les spermatozoïdes ne se forment pas ou plus dans le testicule. La biopsie testiculaire confirme cette anomalie. Lorsque cette azoospermie est congénitale, elle peut provenir d'une cryptorchidie (testicules restés dans l'abdomen), d'un syndrome de Klinefelter (présence d'un chromosome X supplémentaire) ou d'une mucoviscidose. L'azoospermie sécrétoire est parfois consécutive à une orchite (inflammation testiculaire) ou à des traitements anticancéreux.

La plupart de ces formes d'azoospermie n'ont pas, actuellement, de traitement.

Azote

1. Élément constitutif fondamental de la matière vivante, au même titre que le carbone, l'oxygène et l'hydrogène.

L'atome d'azote (N) entre en particulier dans la composition des acides aminés, des protéines, des acides nucléiques (A.D.N. et A.R.N.). L'organisme reçoit des substances azotées (sous forme de protéines) de l'alimentation, qu'il dégrade ensuite (par exemple en acides aminés) afin qu'elles puissent être absorbées et reconstituées (par exemple en protéines). Inversement, la dégradation des substances azotées de l'organisme devenues inutiles produit différents déchets contenant de l'azote, notamment l'urée, qui est excrétée par les urines.

2. Gaz incolore et inodore formé de deux atomes d'azote.

L'azote gazeux constitue 80 % de l'air atmosphérique. Il n'est pas absorbé et ne joue aucun rôle dans l'organisme.

Azotémie

Quantité d'azote présente dans le sang sous forme de composés azotés, à l'exception de l'azote protéique.

Ce terme est souvent improprement utilisé pour désigner l'urémie (concentration d'urée dans le sang) : l'urée n'est en effet qu'une des substances sanguines contenant de l'azote.

L'augmentation pathologique de l'azotémie est l'hyperazotémie, terme souvent employé, là encore de façon impropre, comme synonyme d'urémie.

AZT

→ VOIR Zidovudine.

Azygos

Chacune des trois veines du système cave qui draine le sang des parois thoracique et abdominale. (P.N.A. *azygos*)

Situées dans le thorax de part et d'autre du rachis, les azygos collectent le sang des veines intercostales et débouchent dans la veine cave supérieure. On distingue, à droite, une grande veine azygos et, à gauche, deux petites veines azygos, l'une supérieure, l'autre inférieure.

Les azygos ont un rôle important lorsque la veine cave inférieure est bouchée, car elles assurent alors une anastomose spontanée (dérivation) entre les veines caves supérieure et inférieure. Elles jouent aussi un rôle dans l'hypertension portale : le sang de la veine porte, rencontrant un obstacle hépatique, emprunte une voie détournée allant de la veine rénale à la veine lombaire, puis à la petite veine azygos inférieure, qui rejoint la veine cave. Cette voie de suppléance, qui réalise une anastomose portocave spontanée, permet le retour du sang splanchnique (des viscères) au cœur droit.

B

Babésiose ou babésiellose

Maladie parasitaire due à l'infestation des globules rouges par les babésioïdés.

Les babésioïdés sont des protozoaires qui parasitent l'homme et de nombreux animaux (piroplasmose canine).

L'infection se transmet par la piqûre de tiques d'espèces variées. Sous sa forme bénigne, qui se rencontre fréquemment aux États-Unis, la babésiose se traduit par une fièvre, une asthénie, des sueurs et des douleurs musculaires. En Europe, elle survient volontiers chez des sujets ayant subi une ablation de la rate. Il s'agit, dans ce cas, d'une forme grave qui se manifeste par une anémie aiguë apparaissant brutalement et par une insuffisance rénale sévère.

Le traitement associe, outre l'éviction de la tique, qui reste attachée plusieurs jours à la peau, des transfusions sanguines, des méthodes d'épuration par rein artificiel et des antibiotiques.

Babinski (signe de)

Anomalie d'un réflexe cutané du pied, traduisant une lésion du système nerveux.

Le signe de Babinski, décrit par le neurologue français Joseph Babinski à la fin du XIXe siècle, sert à dépister une lésion du système nerveux central (moelle épinière et encéphale). Plus précisément, la lésion siège sur la voie pyramidale, faisceau de fibres nerveuses motrices qui descend du cortex cérébral jusqu'à différents niveaux de la moelle et qui commande la motricité des muscles du squelette. Lors des accidents vasculaires cérébraux, le signe de Babinski se manifeste du côté paralysé. Il est bilatéral au cours des paraplégies et des hémorragies méningées.

Le signe de Babinski apparaît quand on frotte le bord externe de la plante du pied, du talon vers les orteils, avec une pointe émoussée : le gros orteil subit une extension vers le haut, lente et complète ; les autres orteils s'étendent parfois en éventail. C'est l'inverse du réflexe normal, au cours duquel le gros orteil doit se mettre en flexion, vers le bas, et la voûte plantaire se creuser. Parfois, le signe de Babinski n'apparaît que quand on frotte la face interne du tibia ou quand on pince le tendon d'Achille, mais sa signification est la même.

Bacillaire

Relatif au bacille de Koch (agent de la tuberculose).

Un prélèvement bactériologique est dit bacillaire lorsque l'examen au microscope y révèle, après coloration spécifique, la présence de bacilles de Koch ; il est dit paucibacillaire quand il ne contient que de rares bacilles.

Bacille

Bactérie en forme de bâtonnet, par opposition aux coques (bactéries rondes) et aux spirochètes (bactéries spiralées).

Les bacilles sont responsables de nombreuses maladies : diphtérie, dysenterie, tétanos, tuberculose, etc.

Bacille acido-alcoolo-résistant

→ VOIR Mycobactérium.

Bacillémie

→ VOIR Bactériémie.

Bacillus

Genre bactérien comprenant différents bacilles aérobies à Gram positif.

Les bactéries appartenant au genre bacillus sont capables de produire des spores (éléments sphériques à paroi épaisse) qui leur permettent de résister à des conditions d'environnement difficiles (hautes températures, déshydratation).

Une seule espèce de bacillus, *Bacillus anthracis*, est pathogène pour l'animal et, plus rarement, pour l'homme. Elle est responsable de la maladie du charbon. Les autres espèces de bacillus sont ordinairement saprophytes (présentes dans l'organisme sans provoquer de maladies), mais peuvent être à l'origine de maladies chez les sujets affaiblis (malades en réanimation, sujets immunodéprimés).

Bactéricide

Qui tue les bactéries, qui les détruit.

Cet adjectif s'emploie notamment pour qualifier un antibiotique, un antiseptique ou un procédé de désinfection.

Par analogie avec la concentration minimale inhibitrice (C.M.I.), concentration minimale d'un antibiotique permettant d'inhiber le développement d'une colonie bactérienne, la concentration minimale bactéricide (C.M.B.) est la quantité minimale d'antibiotiques nécessaire pour ne laisser survivre qu'une bactérie sur 10 000, en 24 heures et à 37 °C. Un antibiotique est dit bactéricide si sa C.M.I. et sa C.M.B., vis-à-vis d'une souche bactérienne donnée, sont proches.

Un traitement bactéricide associant deux antibiotiques (aminosides, bêta-lactamines, quinolones) est indispensable dans le traitement des infections graves telles que les septicémies, les endocardites ou les méningites.

Bactéridie

→ VOIR Bacillus.

Bactérie

Être vivant appartenant à un groupe caractérisé par une structure unicellulaire très simple, à noyau diffus et se reproduisant par scissiparité (division en deux).

Certaines bactéries ont un effet bénéfique sur l'organisme, comme celles qui vivent dans l'intestin et contribuent à la digestion, et celles qui, présentes en permanence sur la peau, empêchent les bactéries pathogènes de la coloniser (flore saprophyte). D'autres sont pathogènes, à l'origine de nombreuses affections. Elles pénètrent dans l'organisme selon différents modes : inhalation (tuberculose, diphtérie, coqueluche), ingestion (fièvre typhoïde), appareil urogénital (maladies sexuellement transmissibles, comme la syphilis et la blennorragie), plaies (tétanos) ou follicules pileux (furoncles). Les infections bactériennes cutanées sont favorisées par la chaleur, la transpiration et l'occlusion de la peau par des langes ou des pansements.

DESCRIPTION

Les bactéries sont uniquement visibles au microscope optique (leur taille n'excède pas 500 micromètres). Ce sont des procaryotes (êtres unicellulaires dont le noyau n'est pas nettement séparé du cytoplasme) ; leur patrimoine génétique est contenu dans un unique chromosome diffus dans le cytoplasme.

DIFFÉRENTS TYPES DE BACTÉRIE

Les bactéries possèdent toutes, à de rares exceptions près, une paroi protectrice rigide. Celle-ci conditionne leur forme : ronde pour les coques (également appelés cocci), allongée pour les bacilles, spiralée pour les spirochètes.

En fonction de leur habitat, de l'organisme dans lequel elles sont implantées et de leurs interactions avec cet organisme, elles sont classées en saprophytes (présentes dans l'environnement, occasionnellement chez l'homme, mais non vectrices de maladies), commensales (hôtes habituels du sujet normal), opportunistes (normalement saprophytes ou commensales, mais vectrices de différentes maladies).

DÉVELOPPEMENT ET REPRODUCTION

Les bactéries se développent et se reproduisent de façon autonome par scissiparité, chaque division bactérienne donnant naissance à deux bactéries filles identiques, de génération en génération, constituant un

Pour identifier les bactéries présentes dans un prélèvement, on étudie essentiellement leur forme et la façon dont elles fixent les colorants. En général, cette étude est suivie d'une mise en culture, laquelle est destinée à accélérer leur multiplication.

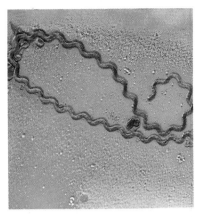

Une bactérie en forme de long filament spiralé est appelée spirochète. Celui-ci, par exemple, est l'agent de la leptospirose.

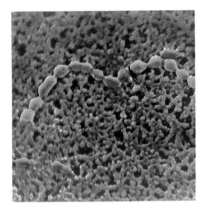

Ces bactéries, arrondies, sont des cocci, ou coques. Leur disposition caractéristique en chaînette révèle des streptocoques.

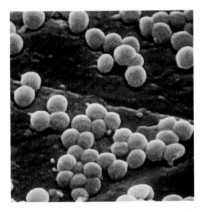

Ces cocci, disposés en petits amas, sont des staphylocoques. Certains staphylocoques sont des hôtes normaux de la peau.

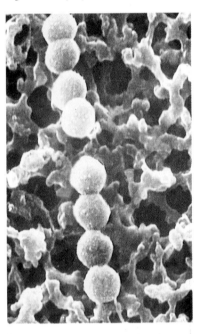

Le pneumocoque est une espèce du genre streptocoque. Il peut provoquer des otites, des pneumonies et des méningites.

Bactériologie

Discipline consacrée à l'étude des bactéries.

La bactériologie détermine l'identification des bactéries, leur classification, leurs interactions avec le milieu extérieur, l'homme et les animaux.

La bactériologie médicale s'attache à mettre en évidence la ou les différentes souches bactériennes responsables des infections humaines. L'examen bactériologique requiert un échantillon de liquide (pus, sang, urine, épanchement) prélevé sur le malade. Ce prélèvement est d'abord directement examiné au microscope après une coloration permettant d'identifier les cellules réactionnelles (différents types de globules blancs) et la forme des bactéries. Une coloration spécifique, appelée coloration de Gram, permet d'établir une distinction entre bactéries à Gram positif (apparaissant violettes après coloration) et bactéries à Gram négatif (perdant leur teinte violette après traitement) et, ainsi, d'apporter un premier élément de classification, utile pour connaître les antibiotiques susceptibles d'efficacité. Les bactéries sont alors mises en culture ; après leur identification, la sensibilité ou la résistance de la souche aux différents antibiotiques est testée par la réalisation d'un antibiogramme afin de choisir le traitement le mieux adapté à l'infection.

Bactériolyse

Destruction de la cellule bactérienne.

La bactériolyse est le fait de certains anticorps qui se fixent sur la paroi des bactéries et qui sont susceptibles de provoquer la lyse (destruction) de celles-ci au contact d'un ensemble spécifique de protéines plasmatiques, appelé complément. Dans l'organisme, ce phénomène joue un rôle sans doute très important dans la lutte naturelle contre les infections par des bactéries du genre *Hæmophilus* ou par des méningocoques.

Bactériophage

Virus infectant exclusivement les bactéries. SYN. *phage*.

Les bactériophages pénètrent dans les bactéries grâce à des récepteurs spécifiques situés dans la paroi bactérienne. Certains bactériophages, dits virulents, entraînent en se multipliant l'éclatement de la bactérie, et les phages libérés vont contaminer les bactéries voisines. En culture bactériologique, l'action de ces phages virulents se traduit par des zones dépourvues de bactéries, appelées plages de lyse et visibles à l'œil nu. Du fait de leur spécificité, ils sont utilisés en bactériologie et en épidémiologie pour typer les bactéries.

D'autres phages, dits tempérés, sont capables d'intégrer leur patrimoine génétique dans celui de la bactérie hôte. Cette intégration peut faire acquérir à la bactérie de nouveaux caractères génétiques. Certains bactériophages, enfin, sont capables, en changeant successivement d'hôte, de transporter des gènes d'une bactérie à une autre (phénomène de transduction).

clone. Elles sont cependant capables d'échanger du matériel génétique (phénomène de conjugaison, par exemple) et d'acquérir ainsi de nouveaux caractères, transmissibles à leur descendance. La relative simplicité de leur structure, leur vitesse de multiplication importante (une division toutes les 20 minutes pour un colibacille) en font un outil très utilisé en biologie moléculaire.

Bactériémie

Présence éphémère de bactéries dans le sang.

Une bactériémie est mise en évidence par hémoculture (mise en culture d'un prélèvement sanguin dans l'intention d'isoler d'éventuels germes pathogènes). Elle peut survenir en diverses occasions, provoquées (manipulation d'un foyer infectieux, acte chirurgical, exploration endoscopique digestive, extraction dentaire) ou spontanées (mastication avec infection dentaire). Elle passe le plus souvent inaperçue, mais peut aussi se traduire par un accès de fièvre accompagné de frissons. Dans d'autres cas, elle prend l'aspect d'un choc bactériémique (choc infectieux).

Une bactériémie simple n'a généralement pas de suites infectieuses. Toutefois, si elle se répète, elle peut conduire à une septicémie. Par ailleurs, chez un malade souffrant de valvulopathie, ayant une prothèse valvulaire cardiaque ou une cardiopathie congénitale (communication interauriculaire ou interventriculaire), une bactériémie risque de provoquer la fixation des bactéries sur la lésion cardiaque, et donc une endocardite. Celle-ci doit être prévenue par une brève antibiothérapie encadrant tout acte, dentaire ou endoscopique, susceptible de déclencher une bactériémie.

Une bactériémie isolée n'est pas traitée. Si elle se répète, un examen soigneux doit rechercher son origine.

Bactériostase

Arrêt de la multiplication d'une colonie bactérienne.

Dans les infections de moyenne gravité, cet arrêt momentané de la multiplication des bactéries, provoqué par un traitement antibiotique bactériostatique, permet aux défenses de l'organisme de circonscrire le foyer infectieux et d'assurer la guérison.

Bactériostatique

Se dit de tout phénomène ou de toute substance, notamment antibiotique (tétracyclines, chloramphénicol, macrolides), capable d'inhiber la multiplication des bactéries sans les tuer.

L'effet bactériostatique d'un antibiotique est déterminé par la mesure de sa concentration minimale inhibitrice (C.M.I.), c'est-à-dire la plus petite concentration de l'antibiotique considéré requise pour inhiber in vitro la croissance d'une souche bactérienne.

Bactériurie

Présence de bactéries dans l'urine.

Bien que l'urine soit normalement stérile, une bactériurie n'est pas toujours synonyme d'infection des voies urinaires. En effet, l'urine peut avoir été souillée au moment de son émission ou de son prélèvement : on parle alors de bactériurie non pathologique. Pour qu'une bactériurie soit « significative » (c'est-à-dire qu'elle témoigne d'une infection de la vessie, de l'urètre ou des reins), des critères très stricts sont requis, notamment un nombre de bactéries supérieur à 10 000 par millilitre d'urine.

On recherche les germes présents dans l'urine à l'aide d'un examen cytobactériologique des urines (E.C.B.U.), associé à une numération des germes. Les bactériuries les plus fréquentes sont le fait de bactéries appartenant à la famille des entérobactéries, dont l'espèce la plus répandue, *Escherichia coli,* ou colibacille, est responsable d'au moins 60 % des infections urinaires.

La découverte d'une bactériurie doit faire rechercher le ou les facteurs ayant pu favoriser l'infection : calcul, malformation des voies urinaires, tumeurs, etc.

Bagassose

Maladie respiratoire due à l'inhalation de poussières de bagasse.

La bagasse, résidu fibreux obtenu après le broyage de la canne à sucre, est utilisée comme combustible, comme engrais et surtout pour fabriquer du papier et du carton. L'inhalation de la poussière de bagasse provoque des crises aiguës, qui se produisent habituellement après un délai de 4 ou 5 heures. Elles associent une dyspnée (difficulté respiratoire), des céphalées, une expectoration de goût désagréable et de la fièvre. Si le malade arrête de travailler dans cette atmosphère nocive, la bagassose peut régresser spontanément. Sinon, elle risque d'évoluer vers une fibrose pulmonaire.

La prévention de cette maladie professionnelle, aujourd'hui très rare, repose sur le port de masque et la mécanisation des opérations.

Bâillement

Réflexe consistant en une ouverture large et involontaire de la bouche, avec inspiration accompagnée d'une dilatation du pharynx, puis expiration associée à des mouvements de contraction de la face.

Le bâillement a une signification et un mécanisme neurologique mal connus. Il est habituellement lié à l'assoupissement ou à l'ennui. Il entraîne une diminution de l'acuité auditive, liée à l'obturation momentanée de la trompe d'Eustache. Toutefois, le bâillement est parfois le signe d'un trouble neurologique. Un bâillement excessif peut apparaître au cours des maladies du système nerveux central qui atteignent le tronc cérébral. C'est le cas de l'hypertension intracrânienne (augmentation de la pression du liquide qui se trouve à l'intérieur de l'encéphale). Un bâillement peut s'observer aussi lors d'une encéphalite (inflammation du cerveau), d'une méningite, avant certaines crises d'épilepsie et également quand le débit sanguin cérébral est bas.

Balanite

Inflammation le plus souvent aiguë du gland et du sillon situé entre le gland et le prépuce.

Une balanite peut être la localisation particulière d'une dermatose (psoriasis, eczéma, lichen, aphtose) ou avoir une origine tumorale, voire cancéreuse. Les balanites infectieuses, causées par des bactéries, des champignons microscopiques (candida), des parasites (trichomonas) ou des virus (herpès), sont des maladies sexuellement transmissibles.

Les signes de balanite, variables selon les affections, sont des lésions sensibles et d'aspect très différent : taches blanches ou rouges, érosions à la surface de la muqueuse, érythèmes, etc. Le diagnostic repose sur l'aspect des lésions ; il peut être facilité par un examen bactériologique ou une biopsie. Le traitement de la balanite est celui de sa cause, une fois celle-ci déterminée.

Balantidiose, ou Balantidiase

Maladie parasitaire du côlon due à l'infestation par *Balantidium coli.*

Balantidium coli est le seul protozoaire cilié parasite de l'homme.

La balantidiose, présente sur toute la surface du globe, mais surtout en zone tropicale, affecte le porc et, plus rarement, l'homme. La contamination s'effectue par ingestion d'eau souillée par des parasites enkystés (le kyste étant la forme de résistance des protozoaires en milieu extérieur) ou de viande de porc mal cuite.

Cette zoonose (maladie de l'animal transmissible à l'homme) se traduit par une dysenterie avec selles glaireuses et sanglantes, par des douleurs abdominales et, parfois, par des hémorragies intestinales, une péritonite et une colite chronique.

La maladie est aisément diagnostiquée par un examen microscopique des selles, qui révèle la présence du parasite ; elle est traitée par administration d'antibiotiques (tétracyclines, ampicilline).

Balint (Michael)

Psychiatre et psychanalyste britannique d'origine hongroise (Budapest 1896 – Londres 1970).

Auteur de théories sur les relations médecin-malade-maladie, Michael Balint est le créateur d'une méthode consistant à réunir régulièrement des médecins sous la conduite d'un psychanalyste pour qu'ils analysent leur comportement vis-à-vis de leurs patients (groupe Balint).

Ses observations à la Tavistock Clinic de Londres (dont il fut le fondateur) et l'influence de son analyste Sándor Ferenczi l'amenèrent à insister sur l'importance des relations mère-enfant les plus précoces. Il a également élaboré la notion de maladie de base, ou « défaut fondamental », liée à l'histoire psychologique et biologique de l'individu, les « maladies organiques » n'en représentant que l'exacerbation.

Ballonisation valvulaire mitrale

→ VOIR Barlow (syndrome de).

Ballonnement

→ VOIR Distension abdominale.

Balnéothérapie

Soins par des bains du corps entier ou de l'une de ses parties.

La balnéothérapie est utilisée dans la cure des affections rhumatismales, dermatologiques et oto-rhino-laryngologiques. On utilise différents types d'eau en adjoignant ou non des solutions médicamenteuses.

■ Les bains médicamenteux sont donnés en baignoire ; de nombreuses substances peuvent y être introduites. Les bains antiseptiques (triclocarban, chlorhexidine, permanganate de potassium) conviennent aux dermatoses infectées. Les bains émollients (amidon, avoine, huile de soja, huile d'arachide, etc.) permettent un ramollissement des excès de kératine épidermique (psoriasis, kératodermies, sécheresse cutanée [xéroses]). Les bains antiprurigineux (produits végétaux, huile minérale, lipoprotéines) sont surtout prescrits pour les prurits allergiques.
■ Les bains thermaux utilisent les eaux de source thermale à la température d'émergence, refroidies ou réchauffées. Les sources sont indiquées pour différentes affections selon la composition de l'eau (riche en calcium, en soufre, en fer, en cuivre, en sulfates, en bicarbonates, en gaz carbonique, etc.).
■ Les bains de boue sont obtenus par délayage d'une eau thermale avec un limon. Ils sont notamment indiqués pour le traitement des rhumatismes.
→ VOIR Thermalisme.

Bancroft (filaire de)

→ VOIR Filariose lymphatique.

Bandage

Technique utilisée pour maintenir un pansement en place, pour exercer une compression ou pour immobiliser une partie du corps ou d'un membre.

Chaque localisation (doigt, membre, cheville, coude, etc.) appelle une technique de bandage qui lui est adaptée. Une bande mal posée n'est pas sans risque : trop serrée par exemple, elle gênera la circulation artérielle et, enroulée en descendant vers une extrémité, la circulation veineuse.

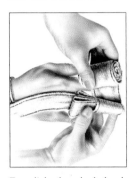

Tout d'abord, rouler la bande par un tour du poignet et un aller-retour le long du doigt.

Puis décrire des 8, du doigt au poignet, en croisant la bande sur le dos de la main.

À chaque passage, la bande est approximativement décalée sur un tiers de sa largeur.

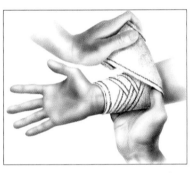

Pour un segment de membre, tel l'avant-bras, après un premier tour, remonter en hélice ; achever par un autre tour.

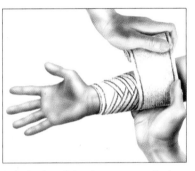

Si la bande utilisée n'est pas assez élastique, la retourner recto verso à chaque tour, en s'aidant d'un doigt.

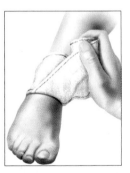

Un premier tour à hauteur de la cheville doit fixer solidement la bande.

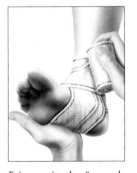

Faire ensuite des 8 avec la bande, du pied à la jambe, en croisant sur le pied.

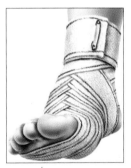

À chaque nouveau passage, la bande est légèrement décalée vers le haut.

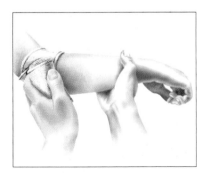

Passer un premier tour de bande à la pliure du coude (ou du genou), puis faire des 8 qui se croisent du côté antérieur.

Chaque 8 s'éloigne un peu plus du coude. À chaque nouveau passage, la bande est décalée sur un tiers de sa largeur.

DIFFÉRENTS TYPES DE BANDAGE

■ **Les bandages simples** sont constitués par des tours de bande (en tissu, en latex, en tricot élastique) qui se recouvrent entièrement et entourent une partie du corps. Appliqués de façon circulaire, spiralée, oblique, renversée ou croisée selon la partie du corps concernée, ils sont fréquemment utilisés pour maintenir un pansement, bander une entorse, en particulier de la cheville, et pour la contention abdominale.

■ **Les bandages dits pleins** sont de larges pièces de tissu pliées de façon à immobiliser un membre blessé (en cas de luxation de l'épaule, de traumatisme de l'avant-bras, etc.) contre le thorax. Le meilleur exemple en est l'écharpe de Mayor, large carré plié en deux, de telle sorte que les coins supérieurs s'écartent ; la partie inférieure, passée autour de l'abdomen sous l'avant-bras replié, est nouée en arrière ; les deux coins supérieurs passent de part et d'autre du cou et sont fixés par des épingles.

■ **Les bandages tubulaires** sont des cylindres de jersey ou de mailles larges fréquemment utilisés pour les pansements des doigts ou, en forme de culotte, pour les pansements du périnée.

■ **Les bandages mécaniques** sont des bandages herniaires composés d'une ou de deux pelotes (boules allongées, généralement en caoutchouc, destinées à comprimer l'orifice herniaire) et d'une ceinture de maintien. L'utilisation de ces bandages pour la contention des hernies inguinales est aujourd'hui de plus en plus rare, le traitement chirurgical lui étant préféré dans la plupart des cas.

Bande

Morceau de tissu, de caoutchouc, etc., de longueur et de largeur variables, utilisé en médecine ou en chirurgie pour maintenir, recouvrir ou comprimer.

DIFFÉRENTS TYPES DE BANDE

■ **Les bandes de gaze**, très souples et légères mais peu élastiques, servent surtout à maintenir les pansements.

■ **Les bandes de crêpe** et les **bandes élastiques adhésives** permettent de comprimer légèrement une plaie pour en arrêter le saignement ou un membre gonflé par un traumatisme (entorse, déchirure musculaire, etc.). Il faut veiller à ne pas trop serrer le bandage afin de ne pas entraver la circulation sanguine.

■ **Les bandes plâtrées** servent à immobiliser un membre fracturé. Après les avoir mouillées, le médecin les met en place sur le membre, où elles sèchent et forment une coque en plâtre rigide. Aujourd'hui, elles sont progressivement remplacées par des bandes en résine colorée, plus légères et plus faciles d'emploi.

■ **La bande d'Esmarch** est une bande de caoutchouc qui sert à comprimer un membre afin d'en évacuer tout le sang veineux. Les chirurgiens l'utilisent en association avec un garrot placé à la racine d'un membre à opérer pour interrompre la circulation sanguine dans ce membre pendant tout le temps que dure l'intervention.

Banque

En génie génétique, ensemble de cellules clonées (reproduites à partir d'une seule cellule initiale) contenant chacune un facteur recombinant.

Le terme de facteur recombinant désigne un élément d'A.D.N. auquel un gène étranger peut être intégré avant duplication de la cellule. Les banques permettent de cloner des gènes spécifiques pour les étudier et les utiliser à des fins biologiques et industrielles (correction d'anomalies génétiques, amélioration d'espèces végétales, etc.).

Banting (sir Frederick Grant)

Médecin et physiologiste canadien (Alliston, Ontario, 1891 - Musgrave Harbor, Terre-Neuve, 1941).

Frederick Grant Banting participa à la découverte de l'insuline, isolée à partir des îlots de Langerhans du pancréas. Ses travaux lui valurent en 1923 le prix Nobel de médecine, qu'il reçut avec John James Richard Macleod.

Bárány (épreuve de)

Test de stimulation calorique servant à l'exploration du labyrinthe, organe de l'équilibre.

L'épreuve de Bárány consiste à étudier l'excitabilité du labyrinthe en injectant de l'eau froide ou chaude dans l'oreille du sujet debout. L'excitation des organes nerveux provoque un nystagmus (mouvements répétitifs, incontrôlables, des yeux) et un déséquilibre. L'étude de ces réponses permet d'établir le diagnostic exact de certains vertiges et troubles de l'équilibre.

Barbiturique

Médicament utilisé dans le traitement de l'épilepsie ou au cours de l'anesthésie.

Les barbituriques (amobarbital, butobarbital, méthohexital, phénobarbital, vinylbital) sont des dérivés de l'acide barbiturique, lui-même étant le produit de condensation de l'acide malonique et de l'urée. Les thiobarbituriques (thiopental) contiennent du soufre en plus. Ces différents produits sont employés comme antiépileptiques (surtout le phénobarbital) ou comme adjuvants en anesthésie (méthohexital, thiopental). Ils diminuent l'activité du système nerveux central mais ne sont plus utilisés comme hypnotiques (inducteurs du sommeil) en raison de leurs effets indésirables.

Ils sont contre-indiqués en cas d'allergie au produit, de porphyrie (trouble du métabolisme), d'insuffisance rénale ou respiratoire sévère, de grossesse (sauf nécessité) et d'allaitement. Leur administration est orale ou injectable.

EFFETS INDÉSIRABLES

Un de leurs principaux effets indésirables est de déclencher une tolérance (nécessitant une augmentation progressive des doses pouvant aller jusqu'à la toxicomanie). L'action sédative, la somnolence qu'ils entraînent peuvent être gênantes ; l'association de l'alcool augmente cet effet. Les barbituriques provoquent également des réactions cutanées, des douleurs articulaires, des baisses de tension artérielle, des anémies et des crises de porphyrie. Les barbituriques sont par ailleurs des inducteurs enzymatiques : ils stimulent des enzymes hépatiques responsables de la dégradation de nombreux médicaments, lesquels risquent alors de devenir moins efficaces (anticoagulants oraux, bêtabloquants, dépresseurs du système nerveux central, contraceptifs oraux).

Barlow (syndrome de)

Trouble cardiaque associant un bruit anormal et un souffle alors lors de la systole. SYN. *ballonisation valvulaire.*

Le syndrome de Barlow est lié à une fuite de sang à travers une des deux valves mitrales. Cette fuite est due à une lésion particulière, appelée prolapsus, caractérisée par un mouvement anormal de la valve, qui fait saillie dans la cavité de l'oreillette gauche. Ce prolapsus, causé par une anomalie de la texture de la valve, est détecté chez environ 5 % de la population, mais une très faible proportion donne lieu à des complications, le plus souvent bénignes (augmentation de la fuite mitrale, troubles du rythme cardiaque) ou, exceptionnellement, plus graves (embolie, infection de la valve).

Barnard (Christiaan)

Chirurgien sud-africain (Beaufort West, province du Cap, 1922).

Après des études de médecine à l'université du Cap, Christiaan Barnard part en 1956 étudier aux États-Unis les opérations à cœur ouvert. De retour en Afrique du Sud, il y introduit ce type d'intervention. En 1967, il réalise au Cap, avec une équipe de 20 chirurgiens, la première transplantation cardiaque chez un être humain. Le malade greffé ne survit que 18 jours, mais l'opération est considérée comme un succès et elle élargit considérablement le champ d'application des transplantations d'organes.

Barotraumatisme

Toute manifestation pathologique liée à des variations de pression à l'intérieur de l'organisme.

CAUSES

Un barotraumatisme survient en plongée sous-marine ou en avion soit à la descente, soit à la remontée (accident de décompression). Peuvent également survenir des accidents dits barotraumatiques chez les sujets sous ventilation assistée (sujets intubés ou trachéotomisés, exposés à la surpression d'un respirateur artificiel).

SYMPTÔMES ET SIGNES

Le barotraumatisme peut affecter l'oreille, les sinus, voire le système respiratoire (surpression pulmonaire) ou nerveux, par embolie gazeuse (maladie des caissons). La pression qui règne dans la caisse du tympan doit être égale à la pression atmosphérique. Cela est réalisé par la présence de la trompe d'Eustache, conduit reliant la caisse du tympan à la fosse nasale, où règne la pression atmosphérique. Lorsque celle-ci augmente (plongée sous-marine, descente en avion), si la trompe d'Eustache ne remplit pas son rôle, par exemple parce qu'elle est obstruée par des sécrétions, la dépression croissante de la caisse du tympan provoque une otite barotraumatique. Cette otite se manifeste par une douleur violente située au fond de l'oreille, associée à une surdité. L'oreille interne peut être lésée, ce qui entraîne une surdité de perception souvent irréversible.

Les conditions de survenue des barotraumatismes des sinus de la face sont semblables à celles des barotraumatismes de l'oreille. Ils sont néanmoins beaucoup moins fréquents que ces derniers. Le facteur de risque essentiel est l'existence d'une rhinite ou d'une sinusite aiguë ou chronique affectant la perméabilité des sinus.

TRAITEMENT ET PRÉVENTION

Le traitement des barotraumatismes est fondé sur les décongestionnants administrés par voie nasale et les analgésiques. La prévention repose sur une éducation des sujets à risque (plongeurs, aviateurs) et une interdiction des vols et des plongées en cas d'infection aiguë ou chronique des voies aériennes supérieures (pharynx, larynx, fosses nasales) ou de l'oreille.

Bartholin (glande de)

Chacune des glandes situées de part et d'autre de la moitié postérieure de l'orifice vaginal. SYN. *glande vulvovaginale.* (P.N.A. *glandula vestibularis major*)

Les glandes de Bartholin sont contenues dans le muscle constricteur de la vulve ; leur canal excréteur débouche entre les petites lèvres et l'hymen. Elles augmentent rapidement de volume après la puberté et régressent à la ménopause. Leur rôle consiste à sécréter en permanence, mais plus encore au moment des rapports sexuels, un liquide filant et incolore qui contribue à la lubrification du vagin.

Les glandes de Bartholin peuvent être le siège d'une inflammation pouvant déboucher sur une infection. Leur ablation, parfois nécessaire en cas d'infections récidivantes, n'empêche pas la sécrétion de liquide lubrifiant par les autres glandes vaginales.

Bartholinite

Inflammation d'une ou des deux glandes de Bartholin.

Une bartholinite survient le plus souvent à partir d'une infection vaginale. Elle peut aussi succéder à l'infection d'un pseudokyste (kyste sans épithélium), formé après obturation du canal excréteur de la glande. Les symptômes en sont un gonflement rouge et douloureux de la partie postérieure de la vulve, accompagné de fièvre. Par la suite, un abcès peut se former, signalé par une tuméfaction avec présence de pus sousjacent. En début d'inflammation, le traitement fait appel aux antibiotiques. S'il existe un abcès, le traitement est alors chirurgical. En cas de récidive ou d'infection chronique, le seul traitement efficace est la marsupialisation (ouverture du canal excréteur) ou l'ablation de la glande.

Bartonellose

Maladie infectieuse due à une bactérie à Gram négatif, *Bartonella bacilliformis,* transmise à l'homme par la piqûre d'un insecte, le phlébotome, du genre *Lutzomyia.* SYN. *anémie du Pérou, maladie de Carrion.*

La bartonellose sévit à l'état endémique dans les hautes vallées des Andes ; l'homme est le seul hôte connu de ce germe.

La maladie évolue en deux phases : une phase fébrile et septicémique (fièvre de la Oroya), bientôt accompagnée d'une anémie importante et d'un coma mortel dans 40 à 50 % des cas, précède une phase cutanée (verruga du Pérou) caractérisée par des lésions verruqueuses vasculaires, souvent hémorragiques, de la peau et des muqueuses.

Le traitement, efficace s'il est administré dès la phase initiale, consiste en l'administration d'antibiotiques.

Baryte

→ VOIR Produit de contraste.

Bas de contention

Bas dont l'élasticité importante comprime la jambe, suppléant ainsi à la déficience des parois veineuses. SYN. *bas à varices.*

Les bas de contention servent à faciliter le retour du sang des extrémités vers le cœur chez les personnes atteintes de varices et à éviter la formation de caillots après les interventions de chirurgie esthétique sur les membres inférieurs. Ils contribuent également à la prévention des phlébites en cas d'intervention chirurgicale. Ils sont généralement en latex, vendus en pharmacie. Pour qu'ils remplissent leur fonction, il faut les enfiler avant de se lever après avoir gardé les jambes surélevées quelques minutes et les retirer au coucher. Il existe également des collants et des bandes de contention.

Base

Substance chimique caractérisée par son aptitude à capter, dans l'eau, des ions hydrogène (H^+) ou à libérer des ions hydroxyle (OH^-). SYN. *alcalin.*

Le pH des solutions basiques est supérieur à 7. Les bases les plus courantes sont la potasse (hydroxyde de potassium), la soude caustique (hydroxyde de sodium) et l'ammoniaque. Dans l'organisme comme dans la nature, les bases sont neutralisées par des acides pour donner des sels (chlorure de sodium, par exemple) et de l'eau.
→ VOIR Acide.

Basedow (maladie de)

Maladie auto-immune de la glande thyroïde. SYN. *maladie de Graves.*

Décrite par le médecin allemand Karl von Basedow en 1840, cette maladie concerne surtout les jeunes femmes. Elle est parfois familiale ou associée à un diabète sucré. Un événement marquant dans la vie du patient (surmenage, changement familial ou professionnel) peut être un facteur déclenchant.

La maladie de Basedow est la plus fréquente des causes d'hyperthyroïdie (augmentation de la production d'hormones thyroïdiennes) : elle est due à l'action d'autoanticorps sur les récepteurs thyroïdiens de la thyréostimuline (hormone hypophysaire qui stimule la thyroïde). En se fixant sur ces récepteurs, qu'ils stimulent continuellement, ces anticorps entraînent une hyperactivité de la thyroïde.

SYMPTÔMES ET SIGNES
Trois sortes de signes sont observés.

■ **Les signes d'hyperthyroïdie**, très fréquents, motivent souvent la consultation : amaigrissement, bien que l'appétit soit conservé, tremblement, fatigue et agitation.

■ **Le goitre**, augmentation diffuse et bénigne de la thyroïde qui provoque un gonflement du cou, est constant. La palpation permet d'en estimer la taille et l'étendue.

■ **Les signes oculaires** se manifestent avec une importance très variable : rétraction de la paupière supérieure, qui rend le regard plus éclatant ; signes inflammatoires (rougeur, œdème) ; exophtalmie (yeux exorbités), éventuellement bilatérale ; paralysie des muscles oculomoteurs. L'atteinte oculaire peut précéder ou suivre de plusieurs années l'apparition d'une hyperthyroïdie.

DIAGNOSTIC ET TRAITEMENT
Le diagnostic de la maladie de Basedow est clinique, fondé sur l'association des symptômes. Il est confirmé par des examens sanguins révélant un faible taux de thyréostimuline et une augmentation du taux des hormones thyroïdiennes, et par la scintigraphie au technétium, qui révèle une hyperfixation diffuse de cette substance dans l'ensemble de la glande thyroïde.

Le traitement peut être médicamenteux (antithyroïdiens de synthèse), chirurgical (thyroïdectomie partielle) ou faire appel à la médecine nucléaire (injection d'une dose individualisée d'iode 131 radioactif qui va se fixer sur la glande thyroïde et la détruire à proportion de son hyperfonctionnement).

La guérison sans séquelles est habituelle, mais les rechutes sont possibles.

Basophile

Se dit d'un composant cellulaire ou tissulaire qui fixe les colorants basiques.

Les composants basophiles sont acides, puisque acides et bases se combinent entre eux pour se neutraliser. Ainsi, un colorant basique (hématoxyline, hématéine, etc.) peut faire apparaître au microscope des éléments riches en acides nucléiques, tels les chromosomes ou certains dépôts anormaux comme les calcifications.

■ **Les polynucléaires basophiles** sont des globules blancs dont le cytoplasme (partie de la cellule autour du noyau) renferme des granulations marquées par les colorants basiques.

Bassin

Ceinture osseuse située en bas de l'abdomen et soutenant la colonne vertébrale, à laquelle sont attachés les membres inférieurs. (P.N.A. *pelvis*)

Le bassin est formé par les deux os iliaques, qui s'articulent en arrière, de manière rigide, au sacrum, prolongé lui-même vers le bas par le coccyx. Les os iliaques s'incurvent de l'arrière vers l'avant, où ils se réunissent en formant la symphyse pubienne. Les muscles de la paroi abdominale, ceux des fesses, du bas du dos et la plupart des muscles des cuisses sont rattachés au bassin.

Au cours de la croissance du fœtus, chaque os iliaque se constitue à partir de trois os qui fusionnent entre eux : l'ilion (large surface osseuse plate, surmontée d'une berge convexe, la crête iliaque), l'ischion (qui supporte l'essentiel du poids du corps en position assise) et le pubis, le plus petit des os du bassin. Ces trois os se soudent dans la cavité cotyloïde, demi-sphère arrondie dans laquelle vient s'articuler la tête du fémur pour constituer la hanche.

Chez la femme, les articulations sacro-iliaques et la symphyse pubienne sont imprégnées au cours de la grossesse par des hormones qui les rendent un peu plus souples, ce qui favorise l'accouchement.

EXAMENS
Le bassin s'explore essentiellement par les examens radiologiques conventionnels. Un scanner est souvent réalisé pour faire un bilan plus précis des fractures du cotyle.

PATHOLOGIE
Les fractures en composent l'essentiel.

■ **Les fractures de la ceinture osseuse pelvienne** sont fréquentes. Elles résultent le plus souvent d'un traumatisme violent et peuvent être associées à des lésions des organes internes du bassin. En cas de double fracture de l'anneau pelvien ou de disjonction de la symphyse pubienne, il faut empêcher, par alitement ou par traction, le bassin de supporter le poids du corps jusqu'à consolidation, souvent après réduction de la fracture par traction ou chirurgie. En revanche, les fractures n'entraînant pas d'instabilité du bassin (fracture de l'aile iliaque, fracture par arrachement musculaire ou ligamentaire) sont en général traitées par des méthodes orthopédiques non chirurgicales (traction, corset, plâtre), le bassin supportant alors le poids du corps.

■ **Les fractures de la cavité cotyloïde**, fréquentes, entraînent une atteinte de l'articulation coxofémorale. Aussi leur traitement est-il difficile et la survenue d'une arthrose post-traumatique n'est-elle pas rare.

■ **L'ostéite pubienne** (inflammation de la symphyse pubienne) est habituellement causée par des microtraumatismes répétés s'exerçant sur le bassin. Elle peut survenir chez les footballeurs, se manifestant par une douleur à la partie interne de l'aine, avec gonflement. Dans la plupart des cas, la guérison est obtenue par le repos.

Bassin hygiénique

Vase plat en métal émaillé ou en plastique que l'on place sous le siège des malades alités ne pouvant plus se lever.

Le bassin hygiénique sert aussi à la toilette intime des femmes après un accouchement ou une intervention gynécologique. Il doit être lavé chaque jour à l'eau bouillante et désinfecté à l'eau de Javel.

Bassinet

Partie anatomique du rein appartenant aux cavités excrétrices. (P.N.A. *pelvis renalis*)

Bassin

Le bassin osseux, formé par le sacrum et le coccyx en arrière, par les os iliaques sur les côtés et en avant, délimite une large cavité en entonnoir où l'on distingue le grand bassin (bas de l'abdomen) et le petit bassin (siège de la vessie et des organes génitaux).

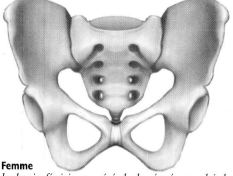

Femme
Le bassin féminin, en général plus évasé que celui de l'homme, est adapté à la maternité.

Homme

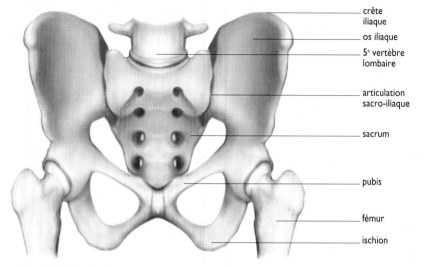

crête iliaque
os iliaque
5e vertèbre lombaire
articulation sacro-iliaque
sacrum
pubis
fémur
ischion

Le bassinet est un organe creux en forme d'entonnoir, situé dans le sinus du rein, à son bord interne. Formé par la réunion des calices, il se prolonge dans sa partie inférieure par l'uretère. Il recueille l'urine formée dans le tissu rénal et excrétée dans les calices et en assure l'écoulement dans l'uretère.

Batteurs en grange (maladie des)

→ VOIR Poumon de fermier (maladie du).

Baudelocque (Jean-Louis)

Chirurgien et médecin accoucheur français (Heilly, Somme, 1745 - Paris 1810).

Jean-Louis Baudelocque devint en 1794 accoucheur de la maternité de Port-Royal à Paris (alors appelée hospice de la Maternité) et dirigea à partir de 1802, date de sa création, une école théorique et pratique d'accouchement annexée à la maternité. Il écrivit plusieurs traités d'obstétrique qui contribuèrent pour beaucoup à faire de sa spécialité une véritable discipline scientifique.

Bazin (érythème induré de)

Inflammation cutanée chronique, survenant le plus souvent sur les jambes.

L'érythème induré de Bazin se rencontre surtout chez la femme. Il est dû à la tuberculose, à une infection par le streptocoque, à une prise médicamenteuse ou à une insuffisance veineuse. Il se manifeste par des placards rouges ou violacés, durs, bilatéraux, siégeant sur les jambes, se transformant parfois en ulcérations longues à se cicatriser. Son traitement est celui de la maladie responsable, si elle est identifiée. Sinon, il vise à combattre les symptômes : repos et, parfois, corticothérapie générale.

B.C.G. (vaccin)

Vaccin antituberculeux.

Le B.C.G. (sigle de bacille de Calmette et Guérin, ses inventeurs) a été mis au point à l'Institut Pasteur de Lille entre 1906 et 1923. Il fut fabriqué à partir d'une culture de bacilles *Mycobacterium tuberculosis bovis*.

Le B.C.G., vaccin vivant atténué, permet d'obtenir une immunité durable contre la tuberculose. Il est également utilisé comme immunostimulant dans certaines maladies malignes (cancer de la vessie ou leucémie). Obligatoire dans 64 pays, il est recommandé dans la plupart des autres. La vaccination se pratique parfois dès la naissance dans les milieux à risque (membre de la famille d'un tuberculeux, enfants du personnel hospitalier, etc.), mais le plus souvent avant l'entrée en collectivité (crèche, école maternelle), par injection intradermique ou par multipiqûre (bague) au bras ou à la cuisse. Le vaccin doit impérativement être conservé au réfrigérateur. Un test de contrôle de l'acquisition de l'immunité est réalisé 3 mois plus tard par intradermoréaction à la tuberculine, bague ou timbre. La vaccination doit être recommencée si le résultat du test est négatif ; la tentative peut être renouvelée trois fois au maximum.

Le vaccin n'entraîne que de légères réactions locales (petite pustule cicatricielle). Celles-ci évoluent exceptionnellement en ulcération ou avec dissémination de la lésion. Les maladies de peau et les états d'immunodépression sont des contre-indications à cette vaccination.

Béance dentaire

Existence d'un espace anormal entre les dents du haut et celles du bas.

La béance dentaire la plus fréquente est la béance antérieure : bouche fermée, les incisives, les canines, voire les prémolaires, du haut ne sont pas en contact avec leurs homologues du bas. Lorsqu'elle est importante, elle peut entraîner une béance labiale au repos.

Son origine peut être basale ou alvéolaire.
■ **La béance basale** résulte d'une mauvaise position du maxillaire supérieur et du maxillaire inférieur l'un par rapport à l'autre. Elle est généralement d'origine héréditaire et se traite par la chirurgie orthopédique afin de replacer les deux os l'un en face de l'autre.
■ **La béance alvéolaire** est une anomalie souvent acquise du fait de la succion tardive du pouce ou de l'interposition de la langue entre les dents lors de la déglutition. Elle ne se corrige pas spontanément et requiert un traitement orthodontique.

Béance du col utérin

Malformation caractérisée par une ouverture anormale de l'orifice du col de l'utérus.
SYN. *béance isthmique.*
CAUSES
La béance du col utérin est le plus souvent d'origine traumatique : elle apparaît après un accouchement difficile ou un avortement provoqué traumatique. Lorsqu'elle est congénitale, elle est souvent associée à d'autres malformations utérines.
SYMPTÔMES ET DIAGNOSTIC
La béance du col utérin se manifeste uniquement lors de la grossesse et peut entraîner soit un avortement tardif (au cours du 2e trimestre de la grossesse), soit un accouchement prématuré. Le diagnostic est établi par le calibrage du col avec une bougie (instrument cylindrique de mesure d'un canal ou d'un orifice). Il est confirmé par l'hystérographie et/ou l'hystéroscopie.
TRAITEMENT
Il repose sur le cerclage du col utérin dans les trois premiers mois de la grossesse. Cette petite intervention consiste à passer un fil de Nylon autour de l'orifice du col utérin et à le serrer convenablement. Le fil est sectionné au début du 9e mois de la grossesse ou au commencement du travail si l'accouchement survient prématurément.

Bébé collodion (syndrome du)

Syndrome congénital très rare atteignant le nouveau-né, caractérisé par une enveloppe cutanée anormale.

Un nouveau-né atteint du syndrome du bébé collodion conserve à la naissance la couche épitrichiale (couche superficielle de la peau qui, normalement, se détache vers le 7e mois de gestation). Cette couche forme une membrane lisse, luisante, tendue, qui se met rapidement à se fissurer, à se décoller par endroits et à saigner faiblement.

Ce syndrome nécessite un traitement en urgence : mise en couveuse, réhydratation, surveillance de la perméabilité respiratoire et des fonctions rénales. Il est régressif (retour à une peau normale) dans 10 % des cas, mais, le plus souvent, il évolue après trois à six mois vers une dermatose généralisée sèche (ichtyose) nécessitant des soins réguliers et continus.

Bec-de-lièvre

→ VOIR Fente labiopalatine.

Bec-de-perroquet

→ VOIR Ostéophyte.

Béclère (Antoine)

Médecin et radiologiste français (Paris 1856 – id. 1939).

Antoine Béclère est le créateur, en France, de l'enseignement de la radiologie médicale, sur laquelle il effectua de nombreux travaux. Il fonda, à l'hôpital Tenon, à Paris, le premier laboratoire de radiodiagnostic.

Becquerel

Unité de mesure de la radioactivité.

Depuis 1982, le becquerel (Bq) remplace officiellement le curie dans le système international des unités. Un becquerel correspond à la désintégration d'un noyau atomique par seconde.

Cette unité est employée en médecine lorsqu'on utilise des produits radioactifs dans une intention thérapeutique (pour soigner certaines maladies comme le cancer) ou diagnostique (scintigraphie). Dans ce dernier cas, la substance radioactive dont on suit la diffusion dans l'organisme du patient est appelée « traceur ». Selon la nature du corps radioactif utilisé, un examen nécessite de quelques dizaines de kilobecquerels (1 kBq = 1 000 Bq) à plusieurs mégabecquerels (1MBq = 1 000 000 Bq). La mesure en becquerels de la radioactivité ne suffit pas à elle seule à évaluer le risque d'une irradiation par un corps radioactif. Il faut également tenir compte de sa période radioactive (temps nécessaire à la désintégration de la moitié des atomes contenus dans un échantillon de ce corps), de sa distribution dans l'organisme, de l'énergie et du type de rayonnement émis au cours de la désintégration des noyaux atomiques. D'autres unités sont utilisées (gray, sievert) pour les effets des rayonnements.

Becquerel (Henri)

Physicien français (Paris 1852 - Le Croisic 1908).

Fils et petit-fils de deux physiciens célèbres, Henri Becquerel découvrit le phénomène de la radioactivité en 1896, grâce à ses recherches sur les sels d'uranium, et partagea avec Pierre et Marie Curie le prix Nobel de physique en 1903.

Bégaiement

Perturbation de l'élocution, caractérisée par l'hésitation, la répétition saccadée, la suspension pénible et même l'empêchement complet de la faculté d'articuler.

Le bégaiement est un trouble fréquent chez l'enfant, avec prédominance masculine (3,5 garçons pour 1 fille) : de 5 à 10 % des enfants en seraient atteints lors de leur entrée à l'école.

DIFFÉRENTS TYPES DE BÉGAIEMENT

■ Le bégaiement clonique se manifeste par la répétition involontaire et saccadée d'une syllabe ; physiologique chez l'enfant de 2-3 ans, il disparaît spontanément en quelques semaines ou en quelques mois.
■ Le bégaiement tonique est l'impossibilité d'émettre certains mots pendant un temps variable : il survient souvent lors de l'émission du premier mot de la phrase.
■ Le bégaiement tonicoclonique est le plus fréquent, associant à des degrés divers les deux aspects précédents : après le blocage initial, on observe la répétition explosive de certaines syllabes. Les consonnes semblent favoriser le bégaiement, mais chaque sujet peut avoir sa syllabe élective ou son mot d'achoppement préférentiel.
■ Le bégaiement par inhibition est très différent : lorsqu'une question lui est posée, le sujet bègue reste inerte et inexpressif avant de commencer à parler.

CAUSE

Elle n'est pas établie de façon certaine. Le bégaiement peut dépendre de causes affectives (choc émotif intense, perturbation de la vie familiale, timidité, hyperémotivité névrotique) ou être dû à un développement sensorimoteur défectueux. Son incidence familiale (de 30 à 35 % des cas) a fait incriminer un facteur héréditaire.

SYMPTÔMES ET ÉVOLUTION

Le bégaiement survient chez l'enfant pendant la période d'acquisition de la parole et du langage, généralement entre 18 mois et 9 ans. Son apparition est insidieuse, s'étendant sur plusieurs semaines ou plusieurs mois ; elle est marquée par des troubles épisodiques : l'enfant bégaie lorsqu'il est dans des phases d'excitation ou de stress, ou lorsqu'il est pressé de communiquer. Ultérieurement, le désordre peut devenir chronique. On observe des signes associés : troubles moteurs, affectant le visage, les muscles respiratoires, et phénomènes vasomoteurs (rougeur de la face, hypersalivation). En outre, un quart des enfants bègues présentent parallèlement un retard dans le développement de la parole et du langage.

Le bégaiement est très influencé par le contexte émotionnel. Certaines situations (comme le téléphone) tendent à l'augmenter. Il s'atténue ou disparaît lors du cri et du chuchotement et n'affecte pas le chant. La lecture, la récitation l'atténuent le plus souvent. Le bégaiement lui-même, lorsqu'il est durable, engendre un grand nombre de réactions émotionnelles consécutives au sentiment d'être incapable de parler de façon correcte. Il peut être autoentretenu par la peur de bégayer.

TRAITEMENT

Il repose essentiellement sur la rééducation orthophonique. Celle-ci paraît particulièrement indiquée et efficace dans le traitement du bégaiement du jeune enfant. Elle s'impose d'autant plus impérieusement lorsqu'un retard de parole et de langage se trouve associé au bégaiement. Il existe différentes techniques de rééducation orthophonique, adaptées à l'âge et au comportement de chaque enfant. En cas de bégaiement physiologique, il est recommandé aux parents de ne pas faire répéter les mots à l'enfant qui commence à parler, afin de ne pas favoriser les répétitions et de ne pas fixer le phénomène. Depuis quelques années se sont développées des techniques thérapeutiques, comme la psychothérapie comportementale, qui s'adressent plutôt au grand enfant ou à l'enfant ayant éprouvé découragement, honte, difficultés d'affirmation de soi à cause de son bégaiement. Les psychothérapies de type psychanalytique donnent des résultats dans les cas où prédomine une souffrance psychologique. Certains médicaments peuvent être parfois proposés dans les formes sévères. Environ 80 % des enfants atteints de bégaiement guérissent, et ce avant l'âge de 16 ans.

PRÉVENTION

Il est utile de repérer les difficultés d'installation de la parole et du langage chez le très jeune enfant afin de les traiter le plus tôt possible, ce qui permet souvent d'éviter l'apparition du bégaiement.

Behçet (maladie de)

Affection chronique évoluant par poussées inflammatoires récidivantes.

Décrite en 1937 par le dermatologue turc Hulusi Behçet, cette maladie rare est une affection de l'âge adulte. Elle survient principalement au Moyen-Orient, au Japon et dans le bassin méditerranéen. Dans ces zones à forte prévalence, on note une nette prédominance masculine. D'origine discutée, la maladie de Behçet semble être une maladie auto-immune, dans le déclenchement de laquelle une infection due à un virus non encore identifié jouerait un rôle.

SYMPTÔMES ET SIGNES

L'affection est souvent chronique et récidivante ; elle se traduit par des aphtes des muqueuses buccale et génitale, parfois de la peau, des arthrites et une uvéite (inflammation de l'œil). Elle peut également être à l'origine d'une méningite et comporte souvent une atteinte vasculaire (artérite, anévrysme artériel, phlébite).

L'apparition d'ulcères intestinaux, d'épididymite et de symptômes neuropsychiatriques est également possible.

TRAITEMENT

L'administration de corticostéroïdes à doses élevées et d'immunosuppresseurs (ciclosporine A) permet le plus souvent d'endiguer rapidement les phénomènes inflammatoires, notamment les inflammations oculaires. Cependant, une diminution importante de l'acuité visuelle survient dans certains cas, généralement de 6 à 10 ans après le début de l'atteinte oculaire. La maladie de Behçet peut être mortelle (entre 3 et 4 % de décès) du fait de ses complications vasculaires et viscérales.

Bejel

Maladie infectieuse contagieuse due à une infestation non vénérienne par *Treponema pallidum*. SYN. *syphilis endémique*.

Treponema pallidum est un tréponème de la classe des spirochètes.

Le bejel sévit à l'état endémique dans les régions semi-désertiques du Moyen-Orient et du Sahel. Sa transmission, dont la modalité est mal connue, s'effectue durant l'enfance par voie buccale.

Il provoque des ulcérations cantonnées aux muqueuses et aux zones humides de la peau (bouche, zone anogénitale), ne donnant lieu à aucune complication et laissant le sujet en bon état général. Tardivement peuvent apparaître des lésions cutanées de faible gravité (kératodermie palmoplantaire [épaississement de la couche cornée de la voûte plantaire]).

Treponema pallidum est également à l'origine de la syphilis ; aussi l'interprétation de la sérologie peut-elle être malaisée chez l'adulte. Le traitement du bejel consiste en l'administration de pénicilline.

Bell (paralysie de)

→ VOIR Paralysie faciale.

Belladone (Atropa belladona)

Plante de la famille des solanacées. SYN. *belle dame, herbe au diable*.

Le terme de belladone (de l'italien « bella dona », c'est-à-dire « belle dame ») vient du fait que les Italiennes, à partir du XVIe siècle, utilisèrent cette plante pour dilater la pupille de leurs yeux afin de les faire paraître plus grands et plus beaux.

La belladone, haute plante herbacée, est très vénéneuse. Ses baies violacées sont responsables d'intoxications graves (agitation avec délire). De ses feuilles et de ses racines, on extrait des alcaloïdes (atropine, hyoscyamine) aux utilisations thérapeutiques variées.

Bence-Jones (protéinurie de)

Présence dans les urines de protéines de Bence-Jones.

Certaines maladies, dont la plus fréquente est la maladie de Kahler, ou myélome multiple, provoquent l'apparition de protéines de Bence-Jones (fragments d'immunoglobulines sécrétés par les plasmocytes) dans le sang : ces protéines se retrouvent alors dans les urines. Lorsque la protéinurie de Bence-Jones est très abondante, elle peut entraîner une altération du tissu rénal et une insuffisance rénale.

Benedikt (Moritz)

Médecin autrichien (Eisenstadt 1835 - Vienne 1920).

Précurseur immédiat de Sigmund Freud, Moritz Benedikt effectua des recherches sur l'hystérie, qui le conduisirent à affirmer que celle-ci résultait d'un trouble de la libido (il fut l'un des premiers à utiliser ce terme dans le sens de désir), trouble attribuable, selon lui, soit à un traumatisme subi dans l'enfance, soit à un désordre fonctionnel du moment. Dès 1891, il préconisa comme traitement une psychothérapie baptisée « analyse psychologique ». On lui doit par ailleurs des travaux dans les domaines de la neurologie et de l'électrothérapie.

Bénin

1. Qualifie une maladie qui évolue de façon simple et sans conséquence grave vers la guérison.
2. Caractérise une lésion non cancéreuse, localisée et n'entraînant aucune dissémination de métastases dans les tissus voisins (par opposition à malin).

Benzalkonium

Substance organique qui dérive d'un sel d'ammonium quaternaire et d'un acide gras de l'huile de coco, et qui possède des propriétés antiseptiques.

Grâce à son activité inhibitrice et destructrice des spermatozoïdes, le benzalkonium entre dans la composition d'ovules ou de crèmes spermicides utilisés en contraception locale.

Benzodiazépine

Médicament utilisé principalement dans le traitement de l'anxiété et de l'insomnie.

FORMES PRINCIPALES

Les benzodiazépines sont classées selon leur durée d'action :
- longue (durée supérieure à 24 heures) : bromazépam, chlordiazépoxide, clobazam, clorazépate dipotassique, diazépam, lorazépam, nordazépam, prazépam ;
- moyenne (durée d'environ 12 heures) : alprazolam, clonazépam, estazolam, flunitrazépam, loprazolam, nitrazépam, oxazépam, témazépam ;
- courte (durée de quelques heures) : midazolam.

Ces médicaments ont pour mécanisme d'action de renforcer la transmission de l'influx nerveux cérébral dans les synapses (jonctions entre deux cellules nerveuses) dont le neurotransmetteur est l'acide gamma-aminobutyrique (ou GABA). Plus précisément, ils agissent sur les récepteurs centraux aux benzodiazépines, dont le fonctionnement est couplé à celui des récepteurs au GABA.

INDICATIONS ET CONTRE-INDICATIONS

Les benzodiazépines, qui ont un pouvoir anxiolytique, sont utilisées comme sédatifs psychiques : elles diminuent l'anxiété sous ses différents aspects (tension psychique, émotivité, inhibitions psychologiques), les troubles psychosomatiques, les agitations psychiatriques. Certaines sont prescrites spécialement contre l'insomnie. Diazépam et clonazépam font partie du traitement de l'épilepsie et des convulsions. Par ailleurs, les benzodiazépines sont également utiles en anesthésie, pour soulager les contractures musculaires, et au cours du tétanos.

L'insuffisance respiratoire et la myasthénie sont des contre-indications, tout comme l'association à d'autres substances déprimant le système nerveux central (alcool, psychotropes, par exemple).

L'administration est orale, ou injectable pour les urgences telles que l'angoisse aiguë.

EFFETS INDÉSIRABLES

La toxicité des benzodiazépines est globalement faible. Mais un des effets indésirables les plus graves, bien que rare, est la survenue d'une toxicomanie : le sujet est contraint de poursuivre la consommation du médicament en raison de l'apparition de troubles, parfois graves, à son arrêt. C'est le syndrome de sevrage : rebond de l'anxiété et de l'insomnie, tension musculaire, nausées, voire troubles psychiques (désorientation) et crises d'épilepsie. Cet effet est limité par la prescription en cures de courte durée, inférieures à 10 semaines (4 semaines dans le cas des hypnotiques), par une prudence particulière chez les toxicomanes (notamment les alcooliques) et par un arrêt progressif sous contrôle médical après un usage prolongé. Un autre effet est dangereux chez les conducteurs de véhicules : la somnolence. On peut observer aussi une fatigue et des éruptions cutanées.

Béquille

Appareil permettant à un handicapé ou à un traumatisé des membres inférieurs de se déplacer sans prendre appui sur ceux-ci.

Il faut distinguer les béquilles axillaires, avec point d'appui sous les aisselles, des cannes anglaises, dont le point d'appui se situe au niveau des avant-bras. Ces dernières sont le plus fréquemment utilisées : plus confortables, elles évitent en outre la survenue de troubles neurologiques, qui peuvent apparaître lors de l'utilisation de béquilles axillaires au fait de la compression d'éléments nerveux au niveau de l'aisselle. On dit des sujets marchant à l'aide de béquilles qu'ils « béquillent ».

Berger (maladie de)

Maladie chronique des glomérules du rein, caractérisée par la présence d'immunoglobuline A dans ces unités de filtration. SYN. *néphropathie à IgA*.

La maladie de Berger est la plus fréquente des glomérulonéphrites (néphrites caractérisées par une atteinte élective des glomérules) chroniques. Elle représente 25 à 30 % des maladies glomérulaires primitives (maladies exclusivement dues à une atteinte des glomérules) et touche surtout les sujets jeunes, avec une très nette prédominance masculine. Cette affection se rencontre partout dans le monde, mais semble plus fréquente en Asie du Sud-Est et en Europe (surtout en France et dans la péninsule Ibérique) qu'en Amérique du Nord.

SYMPTÔMES ET SIGNES

La maladie de Berger peut se manifester par une hématurie (présence de globules rouges dans les urines) visible à l'œil nu, survenant souvent parallèlement à des infections des voies aériennes supérieures (larynx, pharynx, fosses nasales). Dans d'autres cas, l'affection évolue sans symptômes apparents ; sa découverte, souvent fortuite, fait suite à un examen révélant une hématurie microscopique, parfois associée à une faible protéinurie (présence de protéines dans les urines).

TRAITEMENT ET ÉVOLUTION

Il n'existe aucun traitement spécifique de cette affection, dont les causes et l'évolution sont encore mal élucidées. L'insuffisance rénale, qui en est le risque majeur (elle survient dans 35 % des cas environ), rend indispensable un contrôle médical régulier. La maladie de Berger évolue généralement très lentement, sur plusieurs années. Un cinquième environ des malades atteignent un stade nécessitant un traitement par hémodialyse (technique d'épuration du sang par filtration à travers une membrane semi-perméable) ou une greffe rénale. Dans 60 à 65 % des cas, l'évolution est sans complication, mais les anomalies urinaires persistent le plus souvent.

Béribéri

Maladie due à une carence en vitamine B1 (thiamine).

Le béribéri était autrefois très répandu chez les peuples d'Asie qui se nourrissaient exclusivement de riz décortiqué (alors que la cuticule du riz contient précisément de la vitamine B1). Il sévit encore dans certaines populations sous-alimentées des pays en développement. Rare dans les pays industrialisés, il ne s'y rencontre que chez les personnes qui ont une alimentation très déséquilibrée, comme les alcooliques ou certaines personnes âgées.

CAUSE

La vitamine B1, qui se trouve surtout dans les céréales complètes, le foie, la viande de porc et la levure, joue un rôle important dans le métabolisme des glucides. Sans elle, le cerveau, les nerfs et les muscles ne peuvent fonctionner correctement.

SYMPTÔMES ET SIGNES

Le béribéri se manifeste tout d'abord par une fatigue et un amaigrissement. Il peut ensuite évoluer sous deux formes :

■ Le **béribéri sec**, qui affecte principalement les nerfs et les muscles, a pour principaux symptômes un engourdissement, une sensation de brûlure aux jambes et une atrophie musculaire. Dans les cas graves, le malade ne peut plus marcher ni même se lever.

■ Le **béribéri humide** se traduit principalement par une insuffisance cardiaque : le cœur n'arrivant plus à jouer correctement son rôle de pompe, les veines se congestionnent et des œdèmes apparaissent sur les jambes et parfois sur le tronc et le visage. En l'absence de traitement, des troubles du rythme cardiaque et une évolution rapide de l'insuffisance cardiaque peuvent avoir une issue fatale.

TRAITEMENT

Il consiste à administrer, d'abord par injections puis par voie orale, de la vitamine B1 au malade. La guérison, rapide, est, dans la plupart des cas, totale.
→ VOIR **Vitamine B1**.

Bernard (Claude)

Physiologiste français (Saint-Julien, Rhône, 1813 - Paris 1878).

Le savant débute modestement comme préparateur en pharmacie à Lyon. Il s'installe ensuite à Paris, y étudie la médecine et obtient son diplôme en 1843, après avoir soutenu une thèse sur le suc gastrique et son rôle dans la nutrition. Ce travail inaugure toute une série d'expériences sur les phénomènes chimiques de la digestion, qui aboutiront à la découverte de la fonction glycogénique du foie et à celle du rôle du pancréas. Claude Bernard révèle aussi l'existence du système nerveux sympathique, indépendant du système cérébrospinal, et il analyse le mode d'action de certains produits toxiques comme le curare. Entré à l'Académie des sciences en 1854, nommé la même année professeur de physiologie expérimentale à la Sorbonne, il enseigne au Collège de France à partir de 1855. En 1868, il devient professeur au Muséum d'histoire naturelle et est élu à l'Académie française.

Claude Bernard formula les principes et les règles de l'expérimentation scientifique dans un ouvrage capital, *Introduction à l'étude de la médecine expérimentale* (1865). Ses idées et son enseignement exercèrent une profonde influence sur l'évolution de la recherche biologique.

Bérylliose

Maladie pulmonaire rare de la famille des pneumoconioses, due à l'inhalation de poussières ou de fumées contenant du béryllium, métal dur entrant dans la composition de nombreux alliages.

Sous sa forme aiguë, la bérylliose peut commencer quelques semaines après le début de l'exposition au béryllium ; elle se traduit alors par un œdème pulmonaire, qui régresse dès que cesse cette exposition. Sous sa forme chronique, la maladie se manifeste par une dyspnée (difficulté respiratoire) progressive, d'éventuelles atteintes cutanée, hépatique ou ganglionnaire et la formation de granulomes (petites tumeurs), dits bérylliques.

Un examen radiologique, une biopsie bronchique pour détecter la présence éventuelle de granulomes bérylliques, parfois un dosage sanguin permettent de confirmer le diagnostic et d'éviter la confusion avec une sarcoïdose, maladie d'origine inconnue, qui présente des symptômes voisins.

Les corticostéroïdes atténuent les symptômes de la bérylliose en phase aiguë, mais ils n'enrayent pas l'évolution de la maladie. La prévention reste donc essentielle.
→ VOIR **Pneumoconiose**.

Besnier-Boeck-Schaumann (maladie de)

→ VOIR **Sarcoïdose**.

Besoin énergétique

Quantité d'énergie indispensable à l'individu pour assurer ses dépenses énergétiques.

Les besoins énergétiques sont assurés par l'alimentation. Ils sont importants, autour de 100 kilocalories par kilogramme de poids, chez un nourrisson, puis diminuent, allant de 1 900 kilocalories/jour pour un enfant de 7 à 9 ans jusqu'à 2 900 kilocalories/jour pour un adolescent en pleine croissance. Ils sont moindres chez l'adulte (environ 2 700 kilocalories pour l'homme, 2 000 pour la femme) mais augmentent un peu chez la femme lors de la grossesse et de la lactation.

Si, chez un adulte, la quantité d'énergie apportée par les aliments est égale à la quantité d'énergie dépensée, l'individu conserve un poids stable. Si elle est insuffisante, celui-ci puise dans les réserves nutritives stockées par l'organisme et il maigrit. Si, au contraire, l'apport est supérieur aux dépenses, le sujet stocke des réserves énergétiques et grossit.

De nombreuses recherches sur les mécanismes de régulation des besoins et des dépenses énergétiques sont en cours, afin, notamment, de mieux comprendre les causes de l'obésité et d'en faciliter le traitement.
→ VOIR **Dépense énergétique**, **Métabolisme**.

Besredka (méthode de)

Technique consistant à injecter un sérum par petites fractions.

La dose à injecter est fractionnée, l'injection de la plus grande part du sérum étant précédée, à des intervalles et à des dosages variables, d'une ou de plusieurs injections d'une très petite quantité du même sérum.

La méthode de Besredka est surtout utilisée quand le produit injecté est un sérum d'origine animale risquant de provoquer un choc anaphylactique. Cette technique tend à tomber en désuétude du fait de l'utilisation de plus en plus large de sérum humain, supprimant les risques d'allergie.

Bêtabloquant

Médicament capable de s'opposer à certains effets des catécholamines (adrénaline, noradrénaline, dopamine) de l'organisme.
SYN. *bêta-adrénolytique*.

FORMES PRINCIPALES

Les bêtabloquants les plus classiques sont l'aténolol, le labétolol, le métoprolol, le pindolol, le propanolol, le sotalol. Ils se fixent sur les récepteurs bêta des cellules de l'organisme et les bloquent, inhibant ainsi en partie l'action des médiateurs du système nerveux sympathique, par exemple l'accélération cardiaque et la bronchodilatation. Ce sont donc des sympatholytiques.

Les bêtabloquants se distinguent les uns des autres selon qu'ils inhibent les récepteurs cardiaques (bêta 1) ou les récepteurs bronchiques (bêta 2). Dans le premier cas, il en résulte des effets cardiovasculaires : antiarythmiques, antiangoreux et antihypertenseurs ; dans le second cas, ils entraînent une bronchoconstriction (diminution du diamètre des bronches). C'est surtout l'effet sur le cœur et sur les vaisseaux qui est recherché.

Une deuxième distinction porte sur leur élimination par le foie ou par les reins : en cas d'insuffisance hépatique, on fait appel aux bêtabloquants à élimination rénale, et inversement.

INDICATIONS ET CONTRE-INDICATIONS

Les indications, au long cours ou en urgence, sont l'hypertension artérielle, l'angor, les troubles du rythme cardiaque, l'infarctus du myocarde et la prévention de la mort subite après un infarctus, ainsi que la migraine et les algies de la face (syndrome douloureux particulier du visage). Le glaucome (hypertension intraoculaire) peut également être traité par des bêtabloquants.

Les contre-indications, variables d'un produit à l'autre, doivent être absolument respectées chez le sujet âgé : bloc auriculo-ventriculaire (ralentissement de la conduction des influx électriques entre les oreillettes et les ventricules), insuffisance cardiaque non contrôlée par un traitement, bradycardie (ralentissement du rythme cardiaque) importante, artérite, syndrome de Raynaud (trouble circulatoire des mains évoluant par crises).

Ces médicaments sont surtout administrés par voie orale, parfois par voie injectable, en cas d'urgence. Certains produits, contre le glaucome, sont disponibles en collyre.

EFFETS INDÉSIRABLES

Certains sont bénins : troubles digestifs (douleurs d'estomac, nausées, vomissements, diarrhées), asthénie, insomnie et cauchemars, syndrome de Raynaud et paresthésies (fourmillements) des mains et des pieds, éruption cutanée. D'autres effets sont plus graves : bloc auriculoventriculaire, bradycardie, chute de tension, insuffisance cardiaque, crise d'asthme, hypoglycémie (surtout chez les diabétiques traités par des hypoglycémiants), impuissance.

Par ailleurs, il faut surveiller l'association avec d'autres médicaments antiarythmiques et ne jamais interrompre brutalement un traitement par bêtabloquant, car cela peut provoquer un infarctus chez les personnes atteintes d'angor.

Bêta-2-microglobuline

Protéine intervenant dans la réponse immunitaire de l'organisme et, plus particulièrement, dans l'activation des lymphocytes T, cellules du système immunitaire.

La bêta-2-microglobuline est une protéine constituée d'une centaine d'acides aminés, de structure proche de certains anticorps (immunoglobulines G). Son dosage dans le sang, les urines ou le liquide céphalorachidien peut servir au diagnostic de certaines maladies rénales, lymphatiques, rhumatismales, auto-immunes ou inflammatoires.

Bêtalactamase

Substance capable de dégrader de façon spécifique les antibiotiques de la famille des bêtalactamines.

La bêtalactamase est une enzyme sécrétée par les bactéries. Elle entraîne une augmentation de la concentration minimale inhibitrice (C.M.I.) des bêtalactamines avec pour conséquence l'impossibilité d'utiliser ces antibiotiques. Ce processus constitue le mode de résistance le plus répandu des bactéries aux bêtalactamines.

Bêtalactamine

Médicament antibiotique actif contre certaines bactéries.

La famille des bêtalactamines se divise en deux grands groupes de produits : les pénicillines et les céphalosporines.

Bêtastimulant

Médicament capable de reproduire certains des effets des catécholamines (adrénaline, noradrénaline, dopamine) de l'organisme. SYN. *bêta-adrénergique, bêtasympathomimétique*.

Les bêtastimulants les plus utilisés sont le salbutamol et la terbutaline, ainsi que la ritodrine en obstétrique. Ils se fixent sur les récepteurs bêta des cellules de l'organisme et les stimulent, imitant ainsi en partie l'action des médiateurs du système nerveux sympathique, en particulier la bronchodilatation (augmentation du calibre des bronches) et le relâchement des fibres musculaires de l'utérus.

INDICATIONS ET CONTRE-INDICATIONS

■ **En pneumologie,** les bêtastimulants sont indiqués pour dilater les bronches, au cours des crises d'asthme ou en traitement de fond (parfois avant une activité sportive), et dans les autres bronchopneumopathies obstructives (atteinte diffuse des bronches avec gêne respiratoire) telles que la bronchite chronique.

■ **En obstétrique,** les bêtastimulants contribuent à diminuer les contractions de l'utérus dans le cadre des menaces d'accouchement prématuré et lors de certains accouchements difficiles.

Les contre-indications sont l'angor non contrôlé par un traitement et l'infarctus du myocarde. Lorsque ces médicaments sont utilisés par voie injectable, l'association avec certains anesthésiques, les antidépresseurs du type I.M.A.O., les digitaliques (médicaments cardiologiques) et les antidiabétiques est déconseillée ou doit être prudente. L'administration des bêtastimulants se fait par voie orale, par voie injectable, sous forme d'aérosol, de nébulisation (pneumologie) ou de suppositoire (obstétrique).

EFFETS INDÉSIRABLES

Il peut se produire des troubles neurosensoriels (agitation, tremblements, vertiges, maux de tête), digestifs (nausées, vomissements) et cardiaques (palpitations, accélération du rythme du cœur), des réactions allergiques, une hyperglycémie (augmentation du glucose sanguin) ou une hypokaliémie (baisse du potassium sanguin).

Beurre

Matière grasse alimentaire obtenue à partir de la crème de lait de vache.

La composition du beurre est la suivante : 18 % au maximum de matière non grasse (eau [16 grammes au plus] et matière sèche dégraissée : protéines, glucides, etc.) pour 82 % de matières grasses laitières.

Le beurre allégé et les spécialités laitières allégées à tartiner sont, comme le beurre, des dérivés du lait, mais leur teneur en matière grasse doit être comprise entre 41 et 65 % pour le premier, 20 et 40 % pour les secondes. Les produits allégés à moins de 60 % de matières grasses doivent de préférence être consommés crus ou fondus.

Le beurre est, quand on le consomme cru, l'une des matières grasses les plus digestes. Il est riche en vitamine A (une ration de 25 grammes permet de couvrir environ 30 % des besoins journaliers de l'enfant et de l'adulte) et apporte aussi de la vitamine D. Il contient des acides gras essentiels indispensables à la constitution correcte du cerveau chez l'enfant. Sa valeur nutritive est élevée (780 kilocalories pour 100 grammes) : c'est, sous un faible volume, une importante source d'énergie rapidement utilisable par l'organisme.

Bézoard

Agrégat de substances non digestibles stagnant dans le tube digestif.

Les bézoards se constituent le plus souvent dans l'estomac, plus rarement dans l'intestin grêle.

DIFFÉRENTS TYPES DE BÉZOARD

■ **Les phytobézoards** résultent d'une accumulation de substances végétales fibreuses, résidus d'agrumes ou d'autres végétaux à fibres. Leur présence est due à un régime déséquilibré ou à des troubles de l'évacuation gastrique : troubles moteurs ou rétrécissements organiques (cancers, certaines gastrectomies).

■ **Les trichobézoards** sont faits d'une accumulation de cheveux. On les rencontre chez les enfants, les psychopathes, les débiles mentaux ou les prisonniers qui avalent les cheveux qu'ils s'arrachent.

■ **Les autres bézoards** sont constitués de substances diverses ingérées : médicament à enveloppe particulière pour libération prolongée, coton...

SYMPTÔMES ET DIAGNOSTIC

Certains bézoards ne donnent lieu à aucun symptôme ; d'autres entraînent des troubles digestifs et alimentaires chroniques (douleurs abdominales, anorexie, nausées, constipation). Le diagnostic est établi grâce à la radiographie du tube digestif ou à la fibrogastroscopie (examen de l'intérieur de l'estomac, effectué à l'aide d'un gastroscope, appareil d'observation muni d'un système optique grossissant, que l'on introduit par l'œsophage jusqu'à l'estomac).

TRAITEMENT

Il consiste d'une part à éliminer le bézoard (soit par l'action d'enzymes capables de le digérer, soit en l'extrayant par endoscopie ou par intervention chirurgicale) et, d'autre part, à agir sur sa cause.

Bicarbonate de sodium

Antiacide utilisé pour soulager une indigestion ou un pyrosis (aigreur d'estomac). SYN. *bicarbonate de soude*.

Le bicarbonate de sodium s'administre par voie orale, sous forme de poudre. Il provoque souvent des éructations et une gêne abdominale. En raison de l'apport excessif de sodium, une utilisation prolongée peut entraîner un œdème des chevilles et des nausées. Pour la même raison, il est contre-indiqué en cas d'insuffisance cardiaque ou rénale (risque d'œdème).

BICEPS : BRAS ET CUISSE

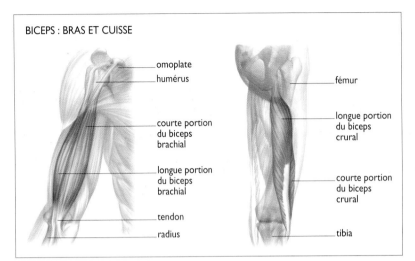

omoplate
humérus
courte portion du biceps brachial
longue portion du biceps brachial
tendon
radius

fémur
longue portion du biceps crural
courte portion du biceps crural
tibia

Biceps

Muscle des membres supérieurs et inférieurs dont l'une des extrémités est rattachée à l'os par deux tendons séparés. (P.N.A. *musculus biceps*)

Le corps humain comprend deux types de biceps.

■ **Le biceps brachial** débute au niveau de l'épaule. Attaché par deux tendons supérieurs (un long et un court) à l'omoplate et par un tendon inférieur au radius, il assure la rotation et la flexion de l'avant-bras sur le bras.

■ **Le biceps crural**, situé à la face postérieure de la cuisse, s'insère en haut par deux tendons supérieurs, le plus long fixé à l'ischion, le plus court au fémur. Il participe à la flexion de la jambe sur la cuisse.

Bichat (Marie François Xavier)

Anatomiste et physiologiste français (Thoirette, Jura, 1771 – Paris 1802).

Marie François Xavier Bichat est considéré comme l'initiateur de l'anatomie générale, car, plus que les organes eux-mêmes, il étudia les tissus qui les constituent. Il contribua également aux progrès de l'embryologie et définit la vie comme l'ensemble des propriétés vitales résistant aux processus physico-chimiques, de dégradation. Disparu prématurément, à trente ans, Bichat, qui fut médecin à l'Hôtel-Dieu à Paris, laissa néanmoins plusieurs ouvrages, dont *Recherches physiologiques sur la vie et la mort* (1799) et *Anatomie générale* (1801).

Bicuspidie

Malformation congénitale du cœur caractérisée par la présence de deux valves sigmoïdes au lieu de trois, généralement au niveau de la valvule aortique.

La bicuspidie, facilement décelée à l'échocardiographie, n'a généralement aucune incidence pathologique. Elle provoque cependant des turbulences à l'écoulement du flux sanguin pendant la contraction du ventricule gauche. Elle peut, pour cette raison, favoriser une infection des valvules cardiaques (maladie d'Osler) ainsi que des dépôts de calcaire

qui gênent l'ouverture de ces valvules et provoquent chez les sujets âgés une sténose (rétrécissement) nécessitant parfois une intervention chirurgicale.

Bière

Boisson fermentée alcoolisée préparée à partir de céréales germées (orge principalement) et aromatisée au houblon.

Les bières ordinaires contiennent environ 3 % d'alcool, les bières dites sans alcool moins de 1 %, mais les bières spéciales (bières de luxe, par exemple) peuvent en contenir jusqu'à 8 %. Une canette de 33 cl de bière à 6 % apporte 15 grammes d'alcool pur, soit l'équivalent d'un verre de cognac. Cette boisson ne doit donc pas être proposée aux enfants.

La bière a une valeur énergétique élevée (en moyenne 400 kilocalories par litre), du fait notamment de sa richesse en glucides (35 grammes par litre). Il faut en tenir compte lors d'un régime hypocalorique ou en cas de diabète.

Biermer (maladie de)

Anémie résultant d'une mauvaise absorption de la vitamine B12 dans l'estomac. SYN. *anémie de Biermer, anémie pernicieuse, maladie d'Addison-Biermer.*

La maladie de Biermer (du nom du médecin suisse qui la découvrit en 1908) se rencontre surtout dans la seconde moitié de l'existence.

CAUSES

C'est une maladie auto-immune due à la destruction des cellules gastriques qui sécrètent l'acide chlorhydrique et le facteur intrinsèque, l'absence de ce dernier provoquant une mauvaise absorption de la vitamine B12. Outre son rôle dans le système nerveux, la vitamine B12 est indispensable à la synthèse de l'A.D.N. : son absence a des conséquences importantes, particulièrement sur la vie des tissus à division cellulaire rapide, comme la moelle osseuse, et entraîne une diminution des polynucléaires neutrophiles (globules blancs intervenant dans la lutte contre les

infections) et des plaquettes, ainsi que l'apparition de mégaloblastes (globules rouges de taille supérieure à la normale).

SYMPTÔMES ET DIAGNOSTIC

Les symptômes sont ceux de toute anémie : pâleur, asthénie, dyspnée. Le diagnostic s'établit par le myélogramme (examen des cellules de la moelle osseuse), qui révèle une anémie mégaloblastique avec un taux sanguin abaissé de vitamine B12, tandis que celui de l'acide folique (autre vitamine susceptible d'expliquer une anémie mégaloblastique) est normal. L'absence d'acide chlorhydrique et de facteur intrinsèque dans l'estomac est mise en évidence soit par dosage direct dans le liquide gastrique prélevé par tubage, soit grâce au test de Schilling.

TRAITEMENT

Il repose sur l'injection de vitamine B12 par voie intramusculaire jusqu'à correction de l'anémie, puis une fois par mois à vie. Il est prudent de surveiller la muqueuse gastrique par fibroscopie tous les deux ans, la maladie pouvant favoriser l'apparition de polypes susceptibles de dégénérer.

Biguanide

Médicament utilisé dans le traitement du diabète non insulinodépendant.

Les biguanides font partie, avec les sulfamides hypoglycémiants, des hypoglycémiants oraux, par opposition à l'insuline, qui est administrée en injection.

Bilan

Examen ou ensemble d'examens permettant d'évaluer l'état de santé d'un sujet.

■ **Le bilan métabolique** est la comparaison des entrées et des sorties d'une substance donnée chez un individu. Il consiste à doser, dans l'organisme, les entrées (dans les apports que constituent les aliments et la boisson) et à contrôler les sorties (par l'analyse des urines et des matières fécales) de substances diverses comme l'eau (bilan hydrique), le potassium, le sodium (bilan électrolytique), etc. Un bilan équilibré signifie qu'il y a concordance entre l'ingestion de la substance et les pertes. Un bilan positif indique des sorties insuffisantes par rapport aux entrées, ce qui, dans le cas du chlorure de sodium (sel de table), risque d'entraîner une rétention d'eau ; un bilan négatif indique des sorties excessives, ce qui, toujours dans le cas du chlorure de sodium, peut révéler certaines maladies des reins.

■ **Le bilan musculaire** est un examen permettant d'évaluer la force d'un muscle selon une échelle numérotée de 0 à 5. Il se pratique en cas de déficit moteur (paralysie due à une poliomyélite, par exemple) afin d'en mesurer l'évolution.

■ **Le bilan préopératoire** est un ensemble d'examens (cliniques, radiologiques, électrocardiographiques, biologiques) effectués systématiquement avant une intervention chirurgicale et qui, associés à un interrogatoire du sujet sur ses antécédents familiaux et personnels (traitements suivis, allergies, etc.), permettent de dépister une éventuelle contre-indication et d'évaluer le risque opératoire. Le bilan préopératoire peut conduire à un traitement médical avant l'intervention.

■ **Le bilan de santé**, ou « check-up », est un ensemble d'examens (clinique, radiologique, électrocardiographique, biologique, buccodentaire, auditif, visuel) pratiqués dans une intention préventive chez un patient apparemment en bonne santé. Actuellement, les bilans de santé sont plutôt délaissés au profit de dépistages plus ciblés.

■ **Le bilan d'aptitude sportive** est un examen médical permettant de détecter d'éventuelles contre-indications à la pratique de certaines disciplines sportives. Il s'adresse à tous ceux qui désirent commencer ou reprendre la pratique d'un sport, ainsi qu'aux personnes s'adonnant à un sport dangereux. Dans ce dernier cas, le bilan est annuel et obligatoire. Le médecin doit tenir compte de la nature du sport envisagé, du niveau de pratique (loisirs ou compétition) et de l'expérience du sujet (débutant, chevronné). L'examen commence par un entretien avec le sujet afin de connaître ses antécédents familiaux, médico-chirurgicaux (traitement en cours, existence éventuelle de troubles fonctionnels), son rythme et son hygiène de vie. À cette occasion, un contrôle du suivi des vaccinations peut être effectué. Le bilan se poursuit par la mesure de la fréquence cardiaque et de la tension artérielle, ainsi que par une auscultation pour rechercher un souffle cardiaque. L'examen clinique tient compte de la taille et du poids du sujet et permet d'apprécier sa souplesse articulaire et son équilibre, afin de déceler d'éventuelles anomalies de la colonne vertébrale ou des membres. Une auscultation pulmonaire et des examens abdominal, oto-rhino-laryngologique et cutané sont pratiqués, ainsi qu'un électrocardiogramme. Au cas où le médecin suspecte une pathologie ou l'existence d'un facteur de risque, des examens complémentaires peuvent être effectués.

Bile

Liquide sécrété par les cellules du foie, qui contribue à la digestion des graisses.

La bile, de couleur jaune verdâtre et de goût amer, contient de l'eau, des électrolytes (substances en solution dans l'eau sous forme d'ions), un pigment, la bilirubine, qui résulte de la décomposition de l'hémoglobine, et des sels biliaires qui, en émulsifiant les graisses (en les fragmentant en microscopiques gouttelettes), jouent un rôle indispensable dans leur digestion par l'intestin.

La sécrétion biliaire varie chez l'adulte de 0,5 à 1 litre par jour. Elle est permanente, mais se renforce au moment des repas. Collectée par le canal hépatique, la bile quitte le foie par les voies biliaires et est mise en réserve dans le canal cholédoque et la vésicule biliaire. Dès que les graisses d'un repas passent de l'estomac dans le duodénum, elles déclenchent la sécrétion d'une hormone qui entraîne à son tour la contraction de la vésicule biliaire et l'écoulement de la bile dans le duodénum par la voie biliaire principale.

La bile est un milieu extrêmement riche en corps dissous physiquement instables qui peuvent, sous l'influence de divers facteurs, former des cristaux et des calculs (lithiase) dans la vésicule ou les voies biliaires.

Bilharziose

Maladie parasitaire due à l'infestation par des bilharzies (ou schistosomes). SYN. *schistosomiase*.

Les bilharzies sont des vers de la classe des trématodes, qui vivent dans l'appareil circulatoire de l'homme.

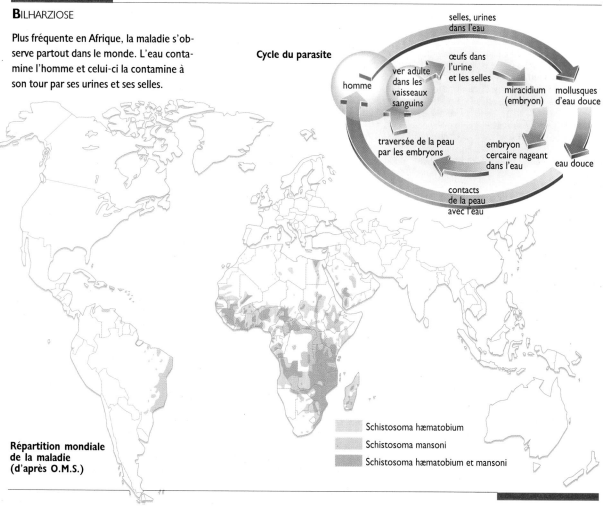

BILHARZIOSE

Plus fréquente en Afrique, la maladie s'observe partout dans le monde. L'eau contamine l'homme et celui-ci la contamine à son tour par ses urines et ses selles.

Cycle du parasite

selles, urines dans l'eau

œufs dans l'urine et les selles

ver adulte dans les vaisseaux sanguins

homme

miracidium (embryon)

mollusques d'eau douce

traversée de la peau par les embryons

embryon cercaire nageant dans l'eau

eau douce

contacts de la peau avec l'eau

Répartition mondiale de la maladie (d'après O.M.S.)

Schistosoma hæmatobium
Schistosoma mansoni
Schistosoma hæmatobium et mansoni

Les bilharzioses atteignent plusieurs centaines de millions d'êtres humains dans les pays du tiers-monde. Elles font l'objet, avec le paludisme, la filariose, la leishmaniose, la trypanosomiase et la lèpre, d'un programme de lutte et de recherche prioritaire dirigé par l'Organisation mondiale de la santé.

DIFFÉRENTS TYPES DE BILHARZIOSE

Quatre principaux types de bilharzies affectent l'homme : *Schistosoma mansoni* et *Schistosoma japonicum* (qui provoquent des bilharzioses intestinales, présentes, pour celle causée par *S. mansoni*, aux Antilles, au Brésil, en Afrique noire, en Égypte et dans la péninsule arabique, et, pour celle causée par *S. japonicum*, en Chine, aux Philippines, en Indonésie et dans la péninsule indochinoise) ; *Schistosoma intercalatum* (à l'origine d'une bilharziose rectale, présente en Afrique centrale) ; *Schistosoma hæmatobium* (causant une bilharziose urinaire, présente en Afrique et au Proche-Orient).

Ces différents vers ont le même cycle de développement et de reproduction : chaque espèce de ver parasite une espèce de mollusque d'eau douce bien précise. La transmission de la maladie s'effectue au contact de l'eau contenant les larves. Celles-ci gagnent alors les vaisseaux sanguins, où elles se développent. Les vers adultes, qui mesurent quelques millimètres de long, vivent en couples dans les veines de l'abdomen, de la vessie, de l'intestin, du rectum, du foie ou de la rate ; leur durée de vie peut dépasser quinze ans. La femelle pond chaque jour des centaines d'œufs, qui se propagent dans l'urine et les selles.

SYMPTÔMES ET SIGNES

Le passage des embryons à travers la peau provoque un prurit (démangeaisons) à l'endroit de la pénétration. Quelques semaines plus tard apparaissent une fièvre, une diarrhée et des plaques d'urticaire. Une analyse de sang effectuée à ce stade met en évidence un taux élevé de globules blancs éosinophiles et d'anticorps antibilharziens. Cette phase, dite d'invasion, s'observe rarement dans les cas de bilharziose urinaire ; elle est plus fréquente dans les bilharzioses intestinales.

Les bilharzioses intestinale et rectale se traduisent par des diarrhées et des douleurs abdominales. L'exploration du côlon révèle la présence de polypes et d'ulcérations du gros intestin. L'infestation peut également provoquer une augmentation du volume du foie et de la rate, souvent accompagnée d'une ascite (épanchement de liquide dans la cavité péritonéale) et du développement de varices dans l'œsophage et l'abdomen.

La bilharziose urinaire se traduit par une hématurie, c'est-à-dire par la présence de sang dans les urines, qui sont trop fréquentes et d'émission douloureuse. À l'examen radiologique, la vessie peut apparaître calcifiée. L'échographie et l'urographie intraveineuse révèlent parfois des polypes de la vessie et une dilatation des cavités rénales. L'infestation peut également se traduire par une splénomégalie (augmentation du volume de la rate), des atteintes de l'appareil génital, des poumons et du cœur.

DIAGNOSTIC ET TRAITEMENT

L'examen microscopique des selles, des urines ou d'un fragment de muqueuse rectale révèle la présence d'œufs caractéristiques du parasite.

Le traitement consiste à administrer, par voie orale et pendant un ou deux jours, des médicaments antihelminthiques, oxamniquine (active contre *Schistosoma mansoni*) ou praziquantel (actif contre les quatre bilharzies). Efficaces et bien tolérés, ces médicaments permettent de traiter un grand nombre de malades sans hospitalisation.

PRÉVENTION

Elle repose sur l'élimination des matières fécales (construction de latrines), l'absence de contact avec les eaux de surface infestées (installation de puits) ou la destruction des mollusques par produits chimiques. Le recours à la vaccination serait une solution, mais il n'est pas encore envisageable à grande échelle.

Bilirubine

Pigment jaune-brun provenant de la dégradation de l'hémoglobine (et de quelques autres pigments respiratoires) et constituant le principal colorant de la bile.

■ **La bilirubine libre**, insoluble dans l'eau, est surtout produite dans la rate et la moelle osseuse et transportée jusqu'au foie par l'albumine du sang.

■ **La bilirubine conjuguée**, soluble dans l'eau, est obtenue après transformation chimique dans le foie et excrétée dans la bile. Dans l'intestin, une partie de la bilirubine conjuguée est transformée sous l'action de bactéries, colorant les selles en brun.

La bilirubinémie (concentration plasmatique de la bilirubine) est la mesure des bilirubines conjuguée et libre, liées ou non à l'albumine. Normalement, le sang ne contient qu'une faible quantité de bilirubine libre. L'élévation du taux de cette dernière est un signe d'hémolyse (destruction des globules rouges). La présence de bilirubine conjuguée dans le sang (bilirubinémie) ou dans les urines (bilirubinurie) est le signe d'une maladie hépatique ou d'une obstruction biliaire. Enfin, l'élévation de l'une ou de l'autre forme de bilirubine dans le sang s'accompagne d'accumulation de pigments dans les tissus et produit un ictère (jaunisse).

Biliverdine

Pigment biliaire de couleur verte résultant de la dégradation de l'hémoglobine.

La biliverdine est formée dans la moelle osseuse et dans la rate par dégradation de l'hémoglobine des globules rouges vieillis. Elle est ensuite transformée en bilirubine, éliminée avec la bile dans l'intestin.

Binet (Léon)

Médecin et physiologiste français (Saint-Martin, Seine-et-Marne, 1891 – Paris 1971).

Professeur de physiologie puis doyen de la faculté de médecine de Paris, il étudia notamment l'exploration fonctionnelle du poumon, la lutte contre l'asphyxie, l'hémor-ragie aiguë et l'occlusion intestinale. On lui doit également des recherches sur le venin des serpents et les intoxications par les champignons.

Biochimie

Science consacrée à l'étude de la composition et des réactions chimiques de la matière vivante et des substances qui en sont issues. SYN. *chimie biologique*.

La biochimie décrit la structure et la localisation des molécules qui constituent les êtres vivants. Par ailleurs, elle étudie les réactions chimiques dans lesquelles ces molécules sont impliquées (métabolisme), soit pour les synthétiser (anabolisme), ce qui permet notamment de construire les tissus, soit pour les dégrader (catabolisme), ce qui permet essentiellement de produire de l'énergie. Avec la physiologie, la biochimie précise aussi le rôle joué par chaque molécule dans le fonctionnement des êtres vivants.

Bioéthique

→ VOIR Éthique médicale.

Biofeedback

→ VOIR Rétrocontrôle.

Biologie moléculaire

Science consacrée à l'étude des molécules supportant le message héréditaire (acides nucléiques A.D.N. et A.R.N.).

La biologie moléculaire analyse, dans les molécules, la structure du génome et ses altérations (mutations) ainsi que les mécanismes de l'expression, normale et pathologique, des gènes. L'expression biologie moléculaire est parfois employée pour désigner les techniques d'étude des gènes.

Biométrie

Étude statistique des dimensions et de la croissance des êtres vivants.

Biométrie fœtale

C'est la mesure des dimensions du fœtus par échographie. La biométrie fœtale peut avoir lieu dès la 6e semaine d'aménorrhée (arrêt des règles), c'est-à-dire dès le 2e mois de grossesse, moment où l'embryon commence à être vu par échographie. Les mesures biométriques varient suivant le moment de la grossesse : pendant le 1er trimestre, c'est la distance craniocaudale (du sommet du crâne à l'extrémité de la colonne vertébrale) ; au cours des 2e et 3e trimestres, les mesures portent essentiellement sur le diamètre bipariétal (de la tête), le diamètre thoracique et la longueur du fémur.

Ces éléments permettent de préciser la date de conception et le terme, d'évaluer le développement fœtal, de dépister certaines anomalies (hydramnios, spina-bifida, anomalies crâniennes, etc.). Associée à l'étude anatomique et à l'aspect physiologique du fœtus, la biométrie permet d'apprécier le bien-être fœtal. Enfin, la confrontation des mesures fœtales au diamètre pelvien de la mère détermine la possibilité d'un accouchement par les voies naturelles.

Les courbes de développement fœtal sont exprimées en percentiles (groupes représentant un centième particulier d'une population divisée en centièmes selon un critère donné). Sont considérées comme normales les mesures comprises entre le 10e et le 90e percentile. En dessous, on parle de retard de croissance intra-utérin, au-dessus, de macrosomie fœtale.

Biométrie oculaire

C'est la mesure des dimensions de l'œil par échographie.

Les principales indications sont :
– la mesure de la longueur axiale du globe avant extraction chirurgicale du cristallin (en cas de cataracte), afin de déterminer la possibilité d'implantation d'un cristallin artificiel ;
– la surveillance de l'évolution de certaines pathologies qui modifient la longueur de l'œil (glaucome congénital chez le petit enfant, atrophie d'un œil traumatisé) ;
– la différenciation entre une mégalocornée (grande cornée, sans caractère pathologique) et une buphtalmie (distension de l'œil dans le cadre d'un glaucome congénital) ; entre microcornée (petite cornée, sans caractère pathologique) et microphtalmie (diminution de taille de tout le globe oculaire, qui n'est pas fonctionnel).

La sonde permettant la réflexion des ultrasons est posée sur la cornée après anesthésie de contact par collyre. Cet examen, d'une totale innocuité, dure quelques minutes. Les résultats sont connus immédiatement.

Biomicroscope

Microscope binoculaire à source lumineuse mobile permettant l'examen anatomique de l'œil. SYN. *lampe à fente*.

Le biomicroscope sert à examiner à un fort grossissement les différentes structures de l'œil. En faisant varier la hauteur et la largeur de la fente lumineuse de l'appareil, réfléchie vers l'œil par un miroir, on obtient une coupe optique du segment antérieur de l'œil (cornée, chambre antérieure, iris, pupille, cristallin et corps vitré antérieur). En revanche, l'étude du segment postérieur de l'œil (rétine), appelée examen du fond d'œil, nécessite l'adaptation sur le biomicroscope de verres d'examen spéciaux : verre à trois miroirs, posé sur la cornée après anesthésie de contact par collyre, lentille de Volk, qui n'a pas besoin d'être en contact avec l'œil. Enfin, le tonomètre par aplanation (appareil de mesure de la pression intraoculaire), qui s'adapte sur le biomicroscope, est utilisé pour mesurer la pression intraoculaire (notamment en cas de glaucome).

Biopsie

Prélèvement d'un fragment de tissu ou d'organe à des fins d'examen microscopique.

INDICATIONS

Une biopsie est indiquée quand on souhaite une étude anatomopathologique (structure globale du fragment vu au microscope) et parfois biochimique (recherche de diverses substances), immunologique (mise en évi-

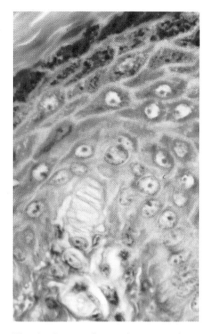

Biopsie. *Sur cette biopsie de peau, au-dessus du derme (en bleu), les cellules de l'épiderme (roses, avec un noyau blanc) se disposent en couches superposées.*

dence d'antigènes), génétique ou bactériologique. Elle permet ainsi le diagnostic d'une anomalie locale, par exemple une tumeur, ou de symptômes généralisés, comme lors d'une maladie systémique. Parfois, on cherche à s'assurer qu'une lésion connue (ulcère de l'estomac ou autre) ne contient pas de cellules cancéreuses. Plusieurs biopsies successives peuvent être pratiquées pour vérifier que l'évolution de la maladie est favorable sous traitement. La biopsie est inscrite dans une démarche diagnostique précise ; elle intervient souvent après des examens plus faciles à réaliser (dosages sanguins, radiographies). Son intérêt est multiple : elle réussit là où les autres techniques sont inopérantes ; elle apporte une certitude diagnostique au lieu d'une probabilité ; elle indique, entre plusieurs variétés connues d'une même maladie, celle qui est en cause ; elle précise l'extension des lésions, leur degré de pénétration dans les tissus. Ces différents points ont d'importantes répercussions pronostiques et thérapeutiques : par exemple, un cancer sera traité plus radicalement si l'on sait qu'il appartient à une certaine variété, ou qu'il a franchi certaines limites tissulaires.

TECHNIQUE

■ **La biopsie transcutanée, ou ponction-biopsie,** se fait avec une aiguille adaptée ou un trocart (instrument en forme de poinçon, monté sur un manche et contenu dans une canule), le médecin se guidant, si besoin, par échographie ou scanner. Dans certaines variantes, comme pour la muqueuse de l'utérus, on réalise une aspiration avec une seringue. Dans d'autres cas (forage), on détache une « carotte » de l'organe, par exemple pour le sein. Par biopsie transcutanée, il est ainsi possible de prélever des fragments de sein, de foie, de rein, de plèvre et de poumon, de membrane synoviale (dans le genou), d'os (dans la crête iliaque, limite supérieure du bassin), de nerf et de muscle, mais aussi de conjonctive ou de paupière, etc. Par ailleurs, certains organes sont accessibles par l'intermédiaire d'un organe creux : c'est ainsi que la biopsie de la prostate est faite à travers la paroi du rectum, celle de la muqueuse utérine en passant une canule par le col de l'utérus.

■ **La biopsie par endoscopie** utilise un endoscope, appareil d'observation muni d'un système optique grossissant. On peut y glisser une pince à biopsie ou de petits instruments opératoires en vue de traiter une lésion. En passant par les voies naturelles, on a accès à presque tout le tube digestif (fibroscopie gastroduodénale, coloscopie), à l'utérus (hystéroscopie), aux bronches et aux poumons (fibroscopie bronchique), à la vessie (cystoscopie). Par ailleurs, en introduisant l'endoscope à travers une petite incision cutanée, on peut pratiquer la biopsie des organes abdominaux (péritoine, ovaires, ganglions lymphatiques) au cours d'une cœlioscopie, ou celle de la plèvre au cours d'une pleuroscopie.

■ **La biopsie chirurgicale** nécessite une véritable opération. On la pratique quand la lésion est trop profonde (les autres méthodes étant inefficaces) ou en même temps qu'un geste à visée thérapeutique. La biopsie est dite extemporanée si l'examen au microscope est effectué immédiatement, le chirurgien attendant le résultat pour déterminer l'importance de l'opération. La biopsie-exérèse enlève la totalité d'une lésion (tumeur, polype) dans une intention thérapeutique et pour réaliser un examen microscopique plus complet. En neurochirurgie, une biopsie cérébrale est parfois pratiquée à travers un volet crânien ou un trou de trépan pour préciser la nature d'une lésion focalisée et parfois celle d'un syndrome démentiel inexpliqué. En obstétrique, la biopsie des villosités choriales du placenta, pour le diagnostic des anomalies fœtales, se fait à travers le col de l'utérus ou la paroi abdominale de la mère.

DÉROULEMENT ET EFFETS SECONDAIRES

Le déroulement de l'examen est très variable selon la localisation de la biopsie et la technique utilisée. L'anesthésie peut être locale (biopsie transcutanée du sein, de la peau) ou générale (biopsie chirurgicale d'un organe profond).

Le délai d'obtention des résultats peut aller de quelques minutes (examen extemporané) à une dizaine de jours. Comme pour tout examen médical, l'indication d'une biopsie doit être soigneusement pesée, de sorte que les avantages l'emportent sur les inconvénients, qui sont exceptionnels : une biopsie, surtout transcutanée, peut léser un organe, provoquer une hémorragie par traumatisme d'un vaisseau sanguin, introduire des microbes dans l'organisme. Cependant, les risques sont considérablement diminués par l'expérience de l'opérateur, le guidage radiographique des instruments, le respect d'une asepsie rigoureuse.

→ VOIR Cytoponction, Frottis, Ponction.

Biorythme

Variation périodique d'un phénomène physiologique. SYN. *rythme biologique*.

Tous les êtres vivants sont réglés selon des biorythmes qui obéissent à des mécanismes endogènes (internes à l'organisme), comme la sécrétion de certaines hormones, ou exogènes (extérieurs à l'organisme), comme le cycle jour/nuit, dont dépend le rythme du sommeil.

La chronobiologie est l'étude des biorythmes.

→ VOIR Chronobiologie.

Biotine

Vitamine hydrosoluble synthétisée par certains végétaux (levure de bière) et microorganismes. SYN. *vitamine B8, vitamine H*.

La biotine permet l'incorporation du gaz carbonique au cours des réactions métaboliques des glucides, des lipides et des acides aminés.

La biotine est apportée par l'alimentation. Les aliments qui en sont le plus riches sont le foie, le jaune d'œuf. La carence est rare chez l'homme.

→ VOIR Vitamine B8.

Biotype

Ensemble des caractères biochimiques permettant de définir différents groupes au sein des bactéries d'une même espèce.

En bactériologie, la détermination du biotype permet de retrouver la souche bactérienne à l'origine d'une épidémie à partir de prélèvements réalisés chez différents malades. Le sérotype (déterminé par les antigènes portés par la bactérie) et le lysotype (déterminé par l'ensemble des bactériophages capables de détruire la souche) permettent de compléter la caractérisation de la souche.

Biotypologie

Science consistant à classer les différents individus humains en un nombre limité de types qui peuvent être génétiques, morphologiques, physiologiques, etc.

Bisexualité

1. Coexistence dans tout psychisme humain de potentialités à la fois féminines et masculines.

La bisexualité est un phénomène universel : chaque être humain porte en lui la trace physique et psychique des deux sexes dont il est issu. Depuis la fin du XIXe siècle, les découvertes embryologiques et physiologiques sur la détermination des caractères sexuels ainsi que la psychanalyse ont mis l'accent sur la bisexualité potentielle de l'être humain. Selon Freud, l'acceptation de cette bisexualité se situerait au stade anal (lorsque l'enfant découvre l'opposition activité-passi-

vité). Un refoulement de cette bisexualité pourrait entraîner, chez le névrosé, un conflit entre son sexe manifeste et sa double constitution latente.

2. Pratique de relations sexuelles aussi bien avec des hommes qu'avec des femmes.

La bisexualité manifeste est rarement totale et permanente. Généralement, le bisexuel reconnaît l'une de ses tendances comme prédominante, l'autre n'étant qu'un « penchant » épisodique.

Bismuth

Métal dont les sels étaient naguère utilisés par voie orale dans le traitement des colites.

Les sels de bismuth, très toxiques, peuvent provoquer notamment une encéphalopathie (atteinte du cerveau), ce qui a fait interdire leur utilisation à partir de 1978.

Bistouri

Instrument chirurgical à lame courte, pointue et très tranchante servant à inciser la peau et les tissus. SYN. *scalpel chirurgical*.

Un bistouri peut avoir une lame droite ou courbe, fixe ou démontable. Certains bistouris sont jetables, tels ceux qui servent à couper les fils de suture.

Bistouri électrique

Appareil branché sur le secteur, se terminant par une pointe où circulent des courants de haute fréquence.

Utilisé en chirurgie, le bistouri électrique peut servir, selon l'intensité du courant utilisé, soit à faire coaguler le sang d'un vaisseau qui saigne, soit à sectionner des tissus. Il permet alors d'éviter le saignement des vaisseaux capillaires, mais produit une petite escarre (croûte noirâtre) au point de coagulation. Un autre inconvénient du bistouri électrique est que le courant, en se diffusant dans les tissus, peut endommager les nerfs voisins de la région opérée : aussi recourt-on, en cas d'incision de zones anatomiques très innervées, à un bistouri électrique délivrant un courant bipolaire de haute fréquence, ce qui limite la diffusion du courant électrique.

B.K.

→ VOIR Koch (bacille de).

B.K. virus

Adénovirus de la famille des papovavirus.

Le B.K. virus est caractérisé par une longue période de latence ; il est responsable d'une encéphalite démyélinisante à évolution lente. Cette encéphalite, rare mais s'observant en cas d'immunodépression (sida, greffe rénale), est la première maladie de ce type à avoir été rapportée formellement à un virus.

Le B.K. virus ne doit pas être confondu avec le bacille de Koch, responsable de la tuberculose.

Blackfan-Diamond (maladie de)

Anémie congénitale due à une érythroblastopénie (absence ou diminution des précurseurs des globules rouges).

Rare, la maladie de Blackfan-Diamond s'observe dès les premiers mois de la vie et peut atteindre les deux sexes. Il existe de rares formes familiales.

La cause précise de la maladie est inconnue. Dans la moelle osseuse, les érythroblastes (précurseurs des globules rouges) sont absents ou en nombre très réduit. Les symptômes sont ceux de toute anémie : pâleur, asthénie, dyspnée.

La corticothérapie à fortes doses est efficace chez 50 % des malades ; dans les autres cas, il faut envisager des transfusions. Les résultats de traitement par des facteurs de croissance hématopoïétiques (érythropoïétine, interleukine 3) sont décevants.

Blakemore (sonde de)

Dispositif permettant d'arrêter une hémorragie digestive due à la rupture d'une varice œsophagienne liée à une hypertension portale (élévation de la pression du sang dans la veine porte).

La sonde de Blakemore est en caoutchouc et comporte à son extrémité deux ballonnets gonflables. L'un empêche la sonde de remonter dans l'œsophage, l'autre assure l'arrêt de l'hémorragie par compression de la varice. Il existe d'autres sondes dont l'utilisation est comparable. Mais l'efficacité de ce procédé reste limitée, car on ne peut maintenir la compression que pendant un temps restreint.

Blastocyste

Embryon entre le 5e et le 7e jour après la fécondation, au moment de son implantation utérine.

Au stade de blastocyste, qui succède à celui de morula, l'œuf se creuse d'une cavité centrale et se divise en deux ensembles cellulaires principaux : une couche unicellulaire externe, le trophoblaste, qui donnera naissance à la couche superficielle du placenta, et un groupe de cellules situées à son pôle supérieur, le bouton embryonnaire, qui donnera naissance à l'embryon à l'intérieur de la cavité centrale.

Blastocystis hominis

Champignon de la sous-classe des myxomycètes souvent présent dans les selles humaines (environ 5 % des selles examinées).

Blastocystis hominis vit dans le tube digestif et n'est à l'origine d'aucune pathologie connue. Cependant, sa présence est mentionnée dans les résultats d'examens microscopiques de selles.

Blastomère

Cellule résultant de la division de l'œuf fécondé.

Les deux premiers blastomères apparaissent vers la 30e heure après la fécondation ; ils sont quatre entre la 40e et la 50e heure, huit à la 60e heure et seize le 4e jour. À ce stade, l'œuf a la forme d'une minuscule sphère bosselée : c'est la morula.

Cette segmentation initiale de l'œuf se produit alors que celui-ci s'achemine vers l'utérus, dans la trompe utérine ; l'œuf ne change pratiquement pas de volume malgré les divisions cellulaires successives : les blastomères sont de plus en plus petits. L'œuf commencera à grossir au stade ultérieur (blastocyste).

Les recherches génétiques ont révélé que le prélèvement d'un blastomère, porteur du patrimoine génétique de l'individu, ne compromettait pas le développement de l'œuf. Ainsi, dans les années à venir, le diagnostic de certaines maladies géniques pourra être fait avant l'implantation de l'œuf dans l'utérus.

Blastomycose

Maladie infectieuse provoquée par le champignon *Blastomyces*.

Blastomyces est un champignon microscopique de la famille des blastomycètes, qui sévit dans les deux parties du continent américain et plus rarement en Afrique.

DIFFÉRENTS TYPES DE BLASTOMYCOSE

■ **La blastomycose nord-américaine,** qui atteint aussi l'Afrique, est due à *Blastomyces dermatidis.* Elle se contracte par inhalation, plus rarement par voie cutanée. C'est une maladie rare, d'évolution lente, dont la forme disséminée peut être grave. Elle provoque des lésions chroniques, granulomateuses et purulentes des poumons, des os et de la peau, ces dernières ayant l'aspect de verrues.

■ **La blastomycose sud-américaine,** ou paracoccidioïdomycose, qui concerne surtout le Brésil, est due à *Blastomyces brasiliensis.* Elle se contracte par voie orale. Mycose profonde d'évolution chronique, elle provoque des lésions cutanées et muqueuses autour des orifices naturels (notamment au visage) et des adénopathies (gonflements des ganglions lymphatiques). Les lésions profondes touchent le tube digestif, le cerveau et les poumons.

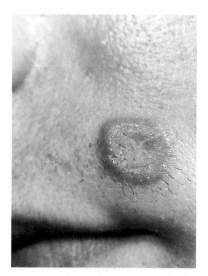

Blastomycose. *Certaines formes d'infection à champignon provoquent, près des orifices du visage, des taches surélevées.*

■ **Une forme particulière de blastomycose,** la maladie de Lobo, provoquée par le champignon *Loba loboi,* est purement cutanée ; elle sévit exclusivement dans le bassin amazonien et provoque des chéloïdes (tumeurs dures et fibreuses de la peau).

DIAGNOSTIC ET TRAITEMENT

Le diagnostic repose sur la mise en évidence du champignon, qui a l'apparence d'une levure, dans les tissus atteints.

Le traitement consiste en l'administration d'antifongiques (azolés) par voie générale.

Blennorragie

Maladie sexuellement transmissible, provoquée par *Neisseria gonorrheæ.* SYN. *gonococcie, gonorrhée.*

Neisseria gonorrheæ est un gonocoque à Gram négatif. La blennorragie, couramment appelée « chaude-pisse », est la plus ancienne des maladies vénériennes connues et se transmet lors de rapports sexuels génitaux et buccaux, et de la mère à l'enfant lors de l'accouchement.

Elle est très répandue, mais sa fréquence demeure difficile à estimer. Dans les pays développés, elle atteindrait de 3 à 15 % des femmes enceintes.

SYMPTÔMES ET ÉVOLUTION

■ **Chez l'homme,** une urétrite (inflammation de l'urètre) est la plus fréquente des manifestations. Elle apparaît de 4 à 20 jours après le contact infestant, sous forme d'un écoulement urétral jaunâtre, abondant, tachant le linge et s'accompagnant de brûlures à la miction. En l'absence de traitement, des inflammations locales (prostatite, cystite ou orchi-épididymite) peuvent apparaître, et l'urétrite peut évoluer vers une forme subaiguë ou chronique dont le risque majeur est un rétrécissement urétral, source de difficultés croissantes à la miction.

■ **Chez la femme,** les symptômes sont souvent masqués, la blennorragie se déclarant sous forme de leucorrhées (pertes blanches) et d'inflammations locales (cervicite, bartholinite, cystite). L'infection peut gagner les ovaires et les trompes, voire provoquer une pelvipéritonite (péritonite limitée au bassin), et être cause de stérilité ultérieure.

■ **Chez la fillette,** qui peut contracter la maladie lors de la toilette avec du linge contaminé par un autre usager, la blennorragie se traduit souvent par une inflammation de la vulve et du vagin.

■ **Chez le nouveau-né,** la transmission s'effectue au moment de la naissance et se traduit par une ophtalmie gonococcique.

DIAGNOSTIC

Le diagnostic est parfois malaisé du fait de localisations atypiques : stomatite et pharyngite (après rapport orogénital), anorectite, endocardite ou méningite consécutive à l'atteinte du pharynx. Il doit être confirmé par un examen en laboratoire, direct ou après culture, du pus prélevé localement.

TRAITEMENT

La blennorragie est efficacement traitée par un antibiotique (pénicilline ou autre, si le gonocoque responsable de l'infection résiste

à celle-ci). Le traitement doit être précoce et le sujet s'abstenir de tout rapport sexuel pendant les soins, les partenaires sexuels étant traités préventivement, même s'ils ne présentent aucun signe de la maladie.

Blépharite

Inflammation des paupières, habituellement limitée à leur bord libre, évoluant de façon chronique et récidivante.

Il est très difficile de trouver une cause précise à cette pathologie, mais certains facteurs peuvent la favoriser : des anomalies de la réfraction, en particulier l'astigmatisme et les hétérophories (troubles fonctionnels de la vision binoculaire, liés aux variations de l'équilibre des muscles de l'œil), une irritation chronique (poussières), l'usage de certains cosmétiques (vernis à ongles, teintures capillaires), des infections chroniques (staphylocoques), des affections dermatologiques (rosacée) et allergiques.

Une blépharite est responsable de démangeaisons parfois gênantes et se traduit par une rougeur sur le bord libre des paupières, souvent accompagnée de squames blanches plus ou moins épaisses.

Le traitement, local (pommades antiseptiques et antibiotiques), est souvent très décevant, ne permettant que des rémissions temporaires. Les récidives sont donc la règle, sauf si la cause a été clairement identifiée et éliminée.

Blépharochalasis

Relâchement des tissus de la paupière supérieure, qui retombe en un large repli jusqu'au rebord ciliaire, souvent observé chez les sujets âgés.

Le blépharochalasis peut gêner la vision. Le traitement consiste en une intervention chirurgicale bénigne.

Blépharophimosis

Malformation congénitale, qui se caractérise par un rétrécissement de la fente des paupières, dû à un épicanthus (pli cutané vertical à l'angle interne des paupières) et à un ptôsis (chute de la paupière supérieure).

Un blépharophimosis apparaît le plus souvent de façon isolée, mais il existe des cas familiaux. Seul le ptôsis peut être gênant pour la vision (en rétrécissant le champ visuel) et nécessiter une intervention chirurgicale.

Blépharoplastie

Opération chirurgicale esthétique ou réparatrice des paupières.

■ **La blépharoplastie esthétique** corrige les déformations des paupières. Celles-ci sont le plus souvent liées au vieillissement cutané et à la distension des fibres élastiques, parfois dus à une prédisposition familiale ou à une exposition exagérée au soleil : excédent de peau, paupières plissées, blépharochalasis (paupières supérieures très lourdes dont le poids vient appuyer sur le bord ciliaire, empêchant l'ouverture normale des yeux) ou, plus rarement, ptôsis (relâchement ou chute de la paupière supérieure).

■ La blépharoplastie réparatrice corrige les dégâts (pertes de tissu) occasionnés par des traumatismes ou par l'ablation de certaines tumeurs des paupières.

DÉROULEMENT

Une blépharoplastie, le plus souvent réalisée sous anesthésie locorégionale, consiste, lorsqu'il existe un excédent de peau et de graisse des quatre paupières, à ôter ce surplus. Ainsi, en bas, le chirurgien pratique une incision au ras des cils et la prolonge dans les plis de la patte d'oie. Il décolle la paupière en passant en arrière du muscle orbiculaire, puis enlève l'excédent de peau et de coussinets graisseux. Le muscle et la peau sont redrapés et retendus, l'incision finement suturée ; on ôte les fils en général 4 jours après l'intervention.

Certaines poches graisseuses importantes sont traitées par voie conjonctivale : l'incision est pratiquée dans la partie de la paupière en contact avec le blanc de l'œil, ce qui évite l'incision de la peau elle-même.

RÉSULTATS

Quelques ecchymoses apparaissent parfois après l'opération ; elles disparaissent en 2 ou 3 semaines. Une correction excessive peut conduire à un ectropion (renversement de la paupière inférieure, qui perd ainsi son contact avec le globe oculaire et laisse voir une partie de sa face interne). Mais, dans la majorité des cas, le résultat est très satisfaisant et persiste de nombreuses années : les cicatrices sont presque invisibles ou à peine décelables après quelques mois de cicatrisation.

Blépharoptôse

→ VOIR Ptôsis.

Blépharospasme

Affection acquise consistant en des contractions involontaires des muscles des paupières.

Un blépharospasme n'a pas de cause connue. Il peut apparaître au cours de certaines affections de l'œil ou de la paupière ou après paralysie faciale périphérique (par atteinte du nerf facial). Il s'accompagne alors souvent d'un larmoiement au cours de la mastication (syndrome des larmes de crocodile). Cette forme de tic peut également être associée à des contractions toniques des muscles superficiels de la face du même côté (hémispasme facial).

Le traitement d'un blépharospasme, grandement amélioré par les injections locales de toxine botulique, qui bloque la stimulation nerveuse, demeure néanmoins difficile.

Blépharostat

Instrument servant à maintenir les deux paupières écartées.

Le blépharostat est surtout utilisé pour la chirurgie du globe oculaire, parfois aussi pour l'examen de l'œil, notamment chez les jeunes enfants.

Bloc auriculoventriculaire

Altération de la conduction électrique dans le tissu nodal (tissu propre au muscle cardiaque) entre oreillettes et ventricules.

BLOC AURICULOVENTRICULAIRE

À l'état normal, le nœud sinusal, ou nœud de Keith et Flack, petit amas de cellules de l'oreillette droite, produit des influx électriques périodiques qui stimulent les oreillettes et gagnent les ventricules par le faisceau de His. En cas de bloc auriculoventriculaire, la conduction nerveuse est freinée entre le nœud auriculoventriculaire et les ventricules : bien que les oreillettes continuent de se contracter à un rythme normal, leurs impulsions ne sont conduites qu'avec retard aux ventricules, qui tendent alors à se contracter plus lentement, voire même indépendamment d'elles (bloc auriculoventriculaire complet).

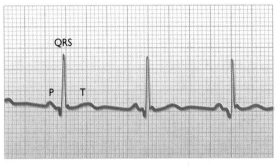

Électrocardiogramme normal : une petite onde P (contraction des oreillettes) précède une grande onde QRS (contraction ventriculaire) et une onde arrondie T (relaxation).

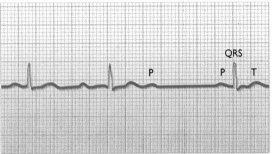

Dans certains cas de bloc auriculoventriculaire, QRS est trop éloignée de P. Parfois, il n'y a pas d'onde QRS après une onde P : il manque alors une contraction ventriculaire.

DIFFÉRENTS TYPES DE BLOC AURICULOVENTRICULAIRE

Les blocs auriculoventriculaires (B.A.V.) sont classés selon trois degrés de gravité, chaque type pouvant être aigu ou chronique :
- simple allongement du délai de contraction entre oreillettes et ventricules, la contraction des ventricules continuant de suivre normalement celle des oreillettes ;
- dissociation incomplète de la contraction du ventricule et de celle de l'oreillette, avec absence de contraction du ventricule après certaines contractions de l'oreillette ;
- dissociation complète entre les contractions auriculaires et les contractions ventriculaires, qui sont ralenties.

CAUSES

■ **Les blocs auriculoventriculaires aigus** s'observent essentiellement dans la période initiale de l'infarctus du myocarde. Ils peuvent aussi survenir après une intervention de chirurgie cardiaque, au cours d'une maladie infectieuse (endocardite bactérienne) ou virale, ou être favorisés par certains médicaments (anesthésiques locaux, bêtabloquants, amiodarone).

■ **Les blocs auriculoventriculaires chroniques** sont le plus souvent liés à une maladie dégénérative des voies de conduction électrique chez les sujets de plus de 60 ans. Les autres causes sont les myocardiopathies, les cardiopathies valvulaires, les malformations congénitales ou le simple bloc vagal des sportifs (hyperactivité du système nerveux autonome parasympathique).

SYMPTÔMES ET SIGNES

Un bloc auriculoventriculaire peut être asymptomatique ou se manifester par une syncope ou un syndrome d'Adam-Stokes (accident neurologique dû à une brusque diminution de l'irrigation cérébrale), avec risque de récidive et de mort brutale. L'insuffisance cardiaque est possible en cas de dissociation complète, de cardiopathie sous-jacente et de ralentissement important du rythme cardiaque.

DIAGNOSTIC ET TRAITEMENT

Le diagnostic repose sur un électrocardiogramme, la localisation précise du bloc pouvant appeler un enregistrement du faisceau de His (enregistrement endocavitaire de l'activité électrique cardiaque à l'aide d'une sonde introduite dans le cœur).

Certains blocs, qui ne présentent pas de symptômes et/ou qui n'entraînent pas de ralentissement cardiaque important, ne nécessitent pas de traitement. Le traitement de fond des blocs aigus est l'entraînement électrosystolique temporaire (sonde intracardiaque stimulant le cœur), celui des blocs chroniques, l'implantation d'un stimulateur extracorporel (pacemaker).

Bloc de branche

Trouble cardiaque de la conduction des influx électriques dans les branches du faisceau de His, qui cheminent de part et d'autre du septum interventriculaire (cloison musculaire séparant les ventricules).

Un bloc de branche se traduit par le ralentissement ou même l'interruption de la conduction de l'influx nerveux vers l'un des deux ventricules. Comme cet influx électrique a pour rôle de déclencher la contraction musculaire cardiaque, on observe un retard de contraction d'un ventricule par rapport à l'autre.

Un bloc de branche est souvent associé à une cardiopathie (hypertrophie ventriculaire, cardiopathie ischémique, etc.). Il peut également s'observer chez des patients normaux. Il n'a généralement aucune traduction clinique autre qu'un aspect anormal de l'électrocardiogramme, qui révèle le retard d'activation électrique du ventricule dont la branche est bloquée. Le traitement est celui de la cause.

Bloc enzymatique surrénalien

Anomalie ou absence de fonctionnement, d'origine héréditaire, d'une enzyme de la glande corticosurrénale.

Le bloc enzymatique surrénalien le plus fréquent (1 pour 5 000 naissances) est lié à l'insuffisance d'une enzyme de type 21-hydroxylase (une hydroxylase accélère la fixation d'un atome d'oxygène et d'un atome d'hydrogène sur une molécule). Les filles sont plus souvent touchées que les garçons (4 pour 1). Cette maladie est transmise sur un mode autosomique récessif.

Le mécanisme du trouble est le suivant : le déficit enzymatique entraîne une baisse du taux de cortisol, qui provoque une élévation de la production par l'hypophyse de corticotrophine ; cette hormone stimule la glande corticosurrénale, qui, à son tour, sécrète plus d'hormones androgènes.

SYMPTÔMES ET SIGNES

Le bloc enzymatique surrénalien provoque une hyperplasie (augmentation de volume) de la glande surrénale, avec une perte de sel (chlorure de sodium) plus ou moins importante. Les symptômes diffèrent selon le degré de gravité de la maladie et selon le moment où elle se manifeste.

Dans les formes qui se révèlent juste après la naissance, la maladie se traduit par une déshydratation aiguë s'il y a perte de sel. La croissance est ralentie. Dans d'autres cas, on observe une hypertension artérielle. Enfin, chez la petite fille, l'excès d'androgènes peut entraîner un pseudo-hermaphrodisme (virilisation avec masculinisation des organes génitaux externes).

Dans les formes de révélation tardive (à la puberté, par exemple), une avance staturale, une puberté précoce ou une stérilité chez l'adulte peuvent être constatées.

DIAGNOSTIC ET TRAITEMENT

Le diagnostic repose sur l'élévation du taux sanguin de précurseurs hormonaux du cortisol.

Le traitement consiste à remplacer les sécrétions absentes par des médicaments dont la prescription dure toute la vie. Un traitement adapté et précoce permet de prévenir un défaut de croissance (petite taille) chez l'enfant ou les signes de virilisme chez la petite fille.

Bloc enzymatique thyroïdien

Trouble de la synthèse des hormones thyroïdiennes, d'origine héréditaire.

Il existe cinq types de bloc enzymatique thyroïdien, tous transmis sur un mode autosomique récessif. Ils ont pour origine une anomalie spécifique qui survient dans l'une des étapes chimiques de la synthèse des hormones thyroïdiennes (défaut d'assimilation de l'iode, par exemple).

SYMPTÔMES ET SIGNES

C'est l'association d'un goitre et d'une hypothyroïdie, parfois dès les premiers mois, avec un retentissement variable sur la taille, le développement du squelette et surtout celui des facultés intellectuelles.

DIAGNOSTIC ET TRAITEMENT

Le dépistage systématique de l'hypothyroïdie à la naissance permet d'établir un premier diagnostic. Le dosage des hormones thyroïdiennes permet d'apprécier la gravité de l'atteinte. Le diagnostic est facilité lorsqu'il existe un trouble familial connu de la synthèse des hormones thyroïdiennes.

Le traitement consiste dans tous les cas en l'administration d'hormones thyroïdiennes de substitution durant toute la vie. Il fait régresser le goitre et la compression qui peut en résulter, et assure à l'enfant un développement psychomoteur et staturopondéral normal. Aujourd'hui, l'apparition d'un goitre, son évolution et son éventuel traitement peuvent être surveillés in utero par échographie obstétricale.

Bloc opératoire

Ensemble des locaux et des équipements nécessaires aux opérations chirurgicales.

Un bloc opératoire comprend au moins une salle d'opération, une surface de circulation pour le transfert des malades et des locaux destinés au stockage et à l'entretien du matériel.

SALLE D'OPÉRATION

C'est une salle de grande dimension (de 35 à 50 mètres carrés), en raison de la présence éventuelle de gros matériel, et qui comporte plusieurs dépendances : un local où l'opéré est préparé à l'anesthésie, un autre où les chirurgiens et les autres intervenants se lavent les mains et s'habillent avec des vêtements stériles. Au-dessus de la table d'opération, réglable en hauteur et inclinable, un éclairage focalisé évite la projection d'ombres. Le champ opératoire est équipé de prises électriques pour les différents appareils, de circuits d'alimentation en gaz (oxygène, protoxyde d'azote) et d'un circuit d'aspiration, de plateaux, de tiroirs et de placards de rangement pour le petit matériel. Le sol est antistatique afin de ne pas attirer les poussières ; les murs et les sols sont conçus pour être faciles à laver. Un système d'aération permet le renouvellement constant de l'air, qui est filtré et stérilisé.

SALLES ANNEXES

Les surfaces de circulation sont utilisées pour le transfert du malade du lit au chariot, puis pour son retour vers la salle de réveil, tous les circuits étant indépendants. On range le matériel dans les locaux de stockage, les instruments étant nettoyés et lavés après usage, puis placés dans des boîtes et stérilisés.

La capacité d'un bloc opératoire est variable, de deux salles à une quinzaine. On parle alors de bloc commun, car les salles d'opération sont de plus en plus utilisées par plusieurs spécialités dans les grands hôpitaux à forte activité chirurgicale.

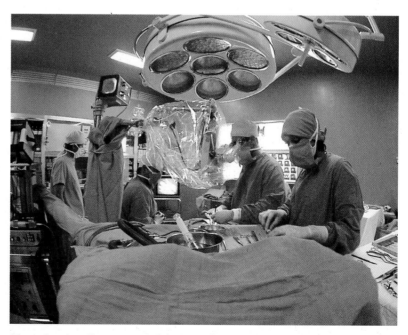

Bloc opératoire. *Chirurgiens, anesthésistes et infirmières travaillent en équipe.*

Blocage

Incapacité totale à réaliser un mouvement volontaire.

■ **Le blocage musculaire** est un symptôme qui évoque en premier lieu une lésion extrapyramidale (généralement sous-corticale) et, en particulier, la maladie de Parkinson. Survenant souvent à la marche, il entraîne des chutes à répétition. S'il apparaît en cours de traitement chez des sujets atteints de maladie de Parkinson, il peut être lié aux fluctuations de la dopathérapie (le traitement de base de cette maladie, utilisant la lévodopa) ou être un signe de cessation d'apport de lévodopa.

La réapparition de blocages chez un sujet parkinsonien jusque-là bien équilibré par le traitement est en général caractéristique du début du déclin moteur.

■ **Le blocage articulaire** subit et intermittent, par exemple celui de l'articulation du genou, peut être le signe d'une lésion du ménisque ou de la présence d'un corps étranger dans l'articulation.

Son traitement repose sur l'extraction par arthroscopie du corps étranger ou du ménisque lésé.

■ **Le blocage lombaire** avec inclinaison latérale du rachis peut révéler une lésion d'un disque intervertébral. Son traitement est celui de la hernie discale responsable.

Blocage bimaxillaire

Immobilisation des maxillaires inférieur et supérieur par des ligatures métalliques. SYN. *blocage intermaxillaire.*

Un blocage bimaxillaire se pratique à la suite d'interventions correctrices ou de fractures des maxillaires. Il s'obtient habituellement par la fixation de ligatures fines en acier spécial autour de plusieurs paires de dents antagonistes des mâchoires supérieure et inférieure ; les fils sont alors réunis entre eux pour maintenir les maxillaires dans une position d'occlusion serrée. Sa durée est généralement de 4 à 6 semaines, au cours desquelles le sujet, qui ne peut ouvrir la bouche, s'alimente avec une nourriture liquide ou semi-liquide.

Blocpnée, ou Blockpnée

Forme majeure de dyspnée (difficulté respiratoire) caractérisée par une sensation de suffocation, sans douleur thoracique.

La blocpnée est un symptôme voisin de l'angor (douleur thoracique irradiant dans les bras et la mâchoire), quoique moins grave que celui-ci. L'un et l'autre sont le signe d'une insuffisance coronarienne (insuffisance d'apport de sang au cœur). Divers médicaments (coronarodilatateurs) peuvent soulager la blocpnée, mais c'est surtout sa cause qu'il faut s'attacher à traiter.

Boerhaave (Hermann)

Médecin hollandais (Voorhout, près de Leyde, 1668 - Leyde 1738).

Docteur en philosophie et en médecine, il réforma l'enseignement médical, développa l'observation clinique et fut l'un des premiers à accorder une place importante à la physiologie. La grande renommée dont il jouissait attira à Leyde, où il professait, des étudiants de toute l'Europe, et le tsar Pierre le Grand lui-même compta parmi ses élèves en 1697.

Boisson

Liquide absorbé par la bouche, destiné à compenser les pertes en eau de l'organisme.

Sur les 2,5 litres que l'organisme perd en moyenne chaque jour, la boisson doit apporter au moins 1 litre (le reste étant fourni par les aliments ou produit lors des réactions chimiques de transformation des aliments dans l'organisme). Seule l'eau est réellement indispensable. L'absorption des autres boissons correspond moins à une soif véritable qu'au plaisir de boire, ces boissons ayant aussi une fonction sociale (apéritif, pause-café, etc.).

DIFFÉRENTS TYPES DE BOISSON

■ **L'eau potable** (du robinet ou vendue en bouteille), à la différence de l'eau pure (eau distillée), contient en solution du gaz carbonique et des éléments minéraux (sels calcaires, magnésium, phosphates, carbonates, etc.). Les eaux minérales ont une teneur en minéraux variable selon la source.

■ **Les jus de fruits et de légumes frais** sont riches en vitamine C notamment et en sels minéraux. Les jus de fruits apportent des calories (de 100 à 120 kilocalories par millilitre) par le biais des sucres simples (glucose, fructose, saccharose) qu'ils contiennent et les préparations industrielles comportent souvent une adjonction de sucre, en principe mentionnée sur l'étiquette. Des nectars sont ainsi préparés en additionnant de l'eau et du sucre au jus de certains fruits, trop acides ou trop pulpeux (abricot, goyave, pêche, banane).

■ **Les infusions aromatiques** (thé, café, tisanes) ont une valeur nutritive nulle à condition de ne pas y ajouter de sucre. La caféine que contiennent le thé et le café leur confère des propriétés stimulantes, diurétiques et cardiotoniques. Leur abus risque, chez les personnes prédisposées, d'entraîner nervosité, palpitations et insomnie. Le café est en outre une excellente source de vitamine PP et le thé fournit aussi des vitamines du groupe B et du fluor. Les tisanes ont des principes actifs qui varient selon les plantes avec lesquelles elles sont composées.

■ **Les boissons aromatisées non alcoolisées** sont généralement plus pauvres en vitamines (à moins que le contraire ne soit spécifié sur l'étiquette) et plus riches en sucre que les jus de fruits frais (il y a de 55 à 100 grammes de sucre dans un litre de limonade, 98 grammes dans un litre de Coca-Cola, 103 grammes dans un litre de Pepsi-Cola, plus de 100 grammes dans un litre de Tonic). Ces boissons sont souvent rendues gazeuses par adjonction de gaz carbonique (gazéification) et colorées à l'aide d'un additif autorisé. Les boissons au cola (Coca-Cola, Pepsi-Cola) contiennent de la caféine (une boîte de Coca-Cola en contient presque autant qu'une tasse de thé).

■ **Les boissons alcoolisées** (cidre, bière, vin, etc.) doivent être consommées avec modération et interdites aux enfants.

Boiterie

→ VOIR Claudication.

Bol alimentaire

Masse d'aliments mâchés – amollis et agglutinés par l'action de la salive, des dents et de la langue – prête à être déglutie.

Le bol alimentaire progresse tout le long du tube digestif (de la bouche à l'estomac, etc.) pour se transformer en bol intestinal, puis en bol fécal.

Borborygme

Bruit produit par les aliments liquides et par les gaz qu'ils dégagent dans l'estomac ou l'intestin au cours de la digestion. SYN. *gargouillement, gargouillis.*

Les borborygmes font partie du processus normal de la digestion et constituent un phénomène parfaitement bénin, ne nécessitant donc ni investigations ni traitements particuliers.

Bordet-Gengou (bacille de)

→ VOIR Bordetella.

QUANTITÉ D'ALCOOL CONTENUE DANS UN LITRE DE BOISSON ALCOOLISÉE		
Boisson	*Degré d'alcool*	*Grammes d'alcool pur dans un litre de cette boisson*
Vin blanc ou rouge, à 10° Vol.	10	80 grammes d'alcool pur
Vin à 12° Vol.	12	96 grammes
Bière de table	3 ou 4	24 à 32 grammes
Bière export	5 à 8	40 à 64 grammes
Bière de luxe	5 à 8	40 à 64 grammes
Cidre	2 à 6	16 à 48 grammes
Vin doux pour apéritif	16 environ	128 grammes environ
Rhum	33 environ	264 grammes environ
Liqueur (type Bénédictine)	43 environ	340 grammes environ
Pastis 45	45	360 grammes
Eau de vie, cognac	45 à 60	360 à 480 grammes
Gin, vodka, whisky	45 à 60	360 à 480 grammes

Alimentation et nutrition humaines (*par Henri Dupin, Jean-Louis Cuq, Marie-Irène Malewak, Catherine Luynaud-Rouaud, Anne-Marie Berthier ; ESF éditeur*).

Bordetella

Bactérie d'un genre comprenant différents coccobacilles aérobies à Gram négatif.

Les bactéries du genre *Bordetella* sont de petits bacilles. Elles colonisent volontiers les cellules ciliées de l'arbre respiratoire. *Bordetella pertussis* (ou bacille de Bordet-Gengou) et *Bordetella parapertussis* sont responsables de la coqueluche chez l'homme. *Bordetella bronchiseptica* atteint surtout les animaux (porc, chien, etc.) et exceptionnellement l'homme, dans les cas d'immunodépression, provoquant une infection bronchique.

Bornholm (maladie de)

Maladie infectieuse contagieuse due au virus Coxsackie B. SYN. *myalgie épidémique*.

Cette maladie (observée d'abord dans l'île de Bornholm, au Danemark) se propage par petites épidémies. Ses symptômes sont ceux d'un état grippal (fièvre, frissons, céphalée) avec de violentes douleurs musculaires thoraciques. Elle guérit spontanément en quelques jours, sans séquelles. Le traitement se limite à calmer les douleurs.

Borréliose

→ VOIR Lyme (maladie de).

Bosse sérosanguine

Tuméfaction formée par un épanchement de sérum et de sang sous-cutané dans le cuir chevelu du nouveau-né.

La bosse sérosanguine est la conséquence d'une pression exercée sur la voûte crânienne de l'enfant pendant l'accouchement, souvent par un forceps ou une ventouse. Cette lésion très bénigne disparaît spontanément en quelques jours sans aucune séquelle. Elle peut contribuer à aggraver l'ictère du nouveau-né ou à le prolonger, en raison de la dégradation progressive de l'hémoglobine contenue dans la bosse sérosanguine.

Bothriocéphalose

Maladie parasitaire de l'intestin grêle due à l'infestation par le bothriocéphale *Diphyllobothrium latum*.

Le bothriocéphale est un ténia (ver plat) de la classe des cestodes, qui peut atteindre plusieurs mètres de long et se développe dans l'intestin grêle de l'homme et d'autres mammifères (chiens, chats, etc.).

La bothriocéphalose, maladie assez rare, sévit dans les pays froids et tempérés. L'infestation s'effectue par l'ingestion de poissons de lac et de rivière (brochet, perche, truite), moins fréquemment par l'ingestion de poissons de mer.

Cette zoonose (maladie de l'animal transmissible à l'homme) se manifeste par des douleurs abdominales et des diarrhées, plus rarement par une forme particulière d'anémie, proche de la maladie de Biermer.

Le diagnostic repose sur l'examen microscopique des selles, qui révèle la présence d'œufs de bothriocéphale.

Le traitement consiste en l'administration d'un médicament antihelminthique (niclosamide). On prévient l'infestation en consommant des poissons bien cuits.

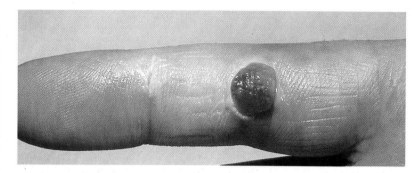

Botryomycome. D'origine traumatique ou infectieuse, cette tumeur est fréquente sur la main.

Botryomycome

Tumeur bénigne cutanée. SYN. *granulome pyogénique, granulome télangiectasique*.

Il existe de multiples formes de botryomycome ; ces tumeurs peuvent apparaître en particulier lors de traitements par isotrétinoïne (médicament utilisé contre l'acné) ou suivre un traumatisme local (ongle incarné) et/ou une infection microbienne par staphylocoques.

Le botryomycome a l'aspect d'une lésion surélevée, rouge framboise, saignant au moindre contact, en général pédiculée et nettement séparée de la peau normale par un sillon. Il siège de préférence sur la main, le pied, le cuir chevelu. La tumeur est analysée par examen histologique, afin d'éliminer la possibilité de confusion avec une forme de mélanome. Le traitement fait appel à l'ablation chirurgicale du botryomycome.

Botulisme

Intoxication alimentaire provoquée par le bacille anaérobie à Gram positif *Clostridium botulinum*.

Clostridium botulinum est présent dans le sol, les eaux et l'organisme de nombreux animaux et produit des spores qui résistent à l'ébullition et aux modes de conservation (sel, vinaigre, fumaison) utilisés dans la fabrication des conserves familiales. Ces spores sécrètent une toxine qui inhibe la sécrétion d'acétylcholine intervenant dans la transmission des influx nerveux, provoquant ainsi des paralysies en cas d'ingestion d'aliments contenant la toxine. Des cas de botulisme sont également parfois signalés chez des consommateurs de conserves industrielles (légumes, poissons).

SYMPTÔMES ET SIGNES

La maladie débute de quelques heures à 5 jours après l'absorption de nourriture infectée. Les premiers signes en sont souvent des troubles de la vue (paralysie, diplopie, pseudo-presbytie) et une mydriase (dilatation anormale et persistante de la pupille). Ils s'accompagnent d'une sécheresse intense de la bouche, avec une difficulté à avaler pouvant évoquer une angine. Des formes graves peuvent apparaître : encéphalite, paralysie musculaire, troubles cardiaques, voire mort subite.

DIAGNOSTIC ET TRAITEMENT

Le diagnostic repose sur la mise en évidence de la toxine dans l'aliment incriminé.

Le traitement est purement symptomatique et impose souvent l'hospitalisation avec surveillance de la déglutition, de la respiration et de l'état cardiaque. L'injection de sérum antibotulique est généralement recommandée. La maladie régresse généralement lentement, en quelques semaines.

PRÉVENTION

Elle repose sur le respect scrupuleux des règles de préparation alimentaire et d'abattage des animaux. Les conserves douteuses (couvercle bombé, odeur suspecte) doivent être écartées de la consommation. La stérilisation de conserves pendant 1 heure et demie à 120 °C est une mesure d'hygiène efficace, car elle détruit la toxine.

Bouche

Cavité du visage formant le segment initial du tube digestif et assurant des fonctions digestive, respiratoire et phonatoire. (P.N.A. *os*)

La bouche est limitée en haut par le palais, structure osseuse prolongée par le voile du palais ; en bas, par le plancher buccal, formé essentiellement par la langue ; latéralement et en avant, par les arcades dentaires, qui comportent les gencives et les dents, l'ensemble étant recouvert par les joues et les lèvres. La bouche communique en arrière avec le pharynx par l'isthme du gosier. Elle est lubrifiée par les glandes salivaires.

La bouche participe aux fonctions de phonation, en servant de caisse de résonance aux sons produits dans le larynx ; de digestion, en assurant la dégradation des aliments avant déglutition, grâce aux enzymes salivaires ; de respiration, en remplaçant la respiration nasale lorsque celle-ci est empêchée (mais cela supprime les effets bénéfiques des fosses nasales : réchauffement de l'air et élimination de particules) ; de gustation, en permettant les sensations gustatives grâce aux papilles linguales.

PATHOLOGIE

La bouche peut être le siège de malformations, d'infections ou de tumeurs.

■ **L'aphte** est une ulcération superficielle de la muqueuse buccale (langue, joue ou gencive), qui guérit spontanément en 4 ou

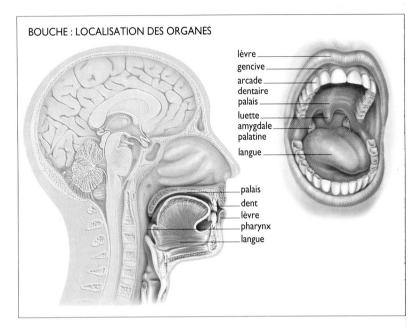

BOUCHE : LOCALISATION DES ORGANES

lèvre
gencive
arcade dentaire
palais
luette
amygdale palatine
langue

palais
dent
lèvre
pharynx
langue

5 jours. Si ce n'est pas le cas, il est nécessaire d'aller consulter un médecin, car ces lésions peuvent être le signe d'une maladie grave (cancer, leucémie, sida).

■ **La candidose buccale, ou muguet,** est provoquée par un champignon microscopique, *Candida albicans,* et se traduit par l'apparition de taches blanches à l'intérieur de la bouche. Une prise prolongée d'antibiotiques ou de corticostéroïdes, qui réduisent les défenses naturelles de l'organisme, ou un diabète peuvent provoquer cette mycose. Les malades atteints d'un déficit immunitaire (sida, notamment) offrent un terrain favorable au développement d'une mycose buccale. Le traitement repose sur la prise d'antifongiques locaux.

■ **La fente labiopalatine,** connue sous le nom de bec-de-lièvre, est une malformation congénitale due à une mauvaise jonction des deux parties de la lèvre supérieure et/ou du palais (palais dur et mou), au cours du développement embryonnaire. Elle est traitée par intervention chirurgicale.

■ **La leucoplasie** est une irritation de la muqueuse buccale. Le tabac, l'alcool ou de petites blessures provoquées par un appareil dentaire peuvent en être à l'origine. Peu douloureuse, elle apparaît comme un dépôt blanchâtre pouvant saigner facilement. Il n'y a pas de traitement de la leucoplasie, mais elle doit être surveillée, car elle peut dégénérer en cancer.

■ **Le lichen plan** se caractérise par un durcissement de la muqueuse buccale, d'aspect blanchâtre. Il peut avoir pour origine un frottement de la muqueuse sur une dent ou un appareil dentaire, ou un simple tic nerveux (mordillement de la lèvre ou de la joue). Cette lésion, bénigne, doit cependant faire l'objet d'une consultation médicale, car elle peut être un signe précurseur de maladie plus grave.

■ **Les maladies de la gencive** (gingivite ou parodontite) et la carie dentaire, qui peuvent aboutir à la perte des dents, doivent être évitées par un brossage quotidien.

Les bains de bouche

Les bains de bouche sont recommandés pendant et après le traitement des maladies de la gencive (gingivite et parodontite). Un bain de bouche à l'eau salée tiède peut aider à calmer les inflammations très douloureuses causées par une inclusion de dent de sagesse ou une alvéolite dentaire, ou à drainer le liquide purulent d'un abcès dentaire.

Les bains de bouche fluorés sont utiles à titre préventif chez l'enfant, pour éviter les caries, en renforçant l'émail des dents et en agissant directement contre la plaque. Ils sont aussi conseillés en traitement curatif, par exemple après une radiothérapie d'un cancer de la bouche ou lorsque le collet des dents est sensible.

Les solutions antiseptiques et aromatisantes vendues dans le commerce servent à rincer la bouche et à éliminer les débris alimentaires. Elles doivent être utilisées pendant une courte période (de 4 à 7 jours) dans le cadre d'une infection gingivale ou dentaire. En effet, leur utilisation prolongée peut avoir pour conséquences une irritation des tissus et des affections secondaires. Par ailleurs, leur pouvoir aromatisant procure un bien-être passager, mais ne résout pas la cause d'une mauvaise haleine, qui provient en général d'une inflammation du parodonte (ensemble des tissus de soutien de la dent), d'un foyer infectieux nasal ou de troubles digestifs.

Bouche (cancer de la)

Cancer pouvant toucher les lèvres, la langue, le plancher de la bouche, la paroi interne des gencives et, plus rarement, le palais, sous la forme d'un carcinome.

Le cancer de la bouche est assez fréquent : il représente environ 8 % des cancers. Les hommes sont plus souvent atteints que les femmes, surtout à partir de 50 ans.

Les facteurs favorisants sont le tabac (65 % des malades sont des fumeurs), l'alcool, une mauvaise hygiène buccale et des appareils dentaires inadaptés provoquant des frottements avec la muqueuse. Toute anomalie, lésion ou bourgeonnement ne disparaissant pas au bout d'une dizaine de jours, appelle une consultation médicale.

SYMPTÔMES ET SIGNES

À son début, la maladie est très peu marquée : sensations de brûlure fugace, petits saignements. La tumeur se développe sous la forme d'une ulcération de la muqueuse ou d'un bourgeonnement accompagné de saignements. Lorsqu'elle est située sur la langue, elle peut rendre la déglutition ou la phonation difficiles. Enfin, à un stade avancé du cancer, la douleur devient importante.

DIAGNOSTIC ET TRAITEMENT

Le diagnostic de cancer de la bouche repose sur la biopsie. Plus le diagnostic est précoce, meilleures sont les chances de guérison.

Trois thérapies sont possibles, selon l'évolution et la taille de la tumeur cancéreuse : la chirurgie, la cobaltothérapie (radiothérapie à haute énergie) ou la chimiothérapie, employées seules ou associées. La chirurgie est souvent mutilante, entraînant une gêne fonctionnelle et un préjudice esthétique. Une intervention chirurgicale ultérieure peut pallier les inconvénients esthétiques.

Bouche-à-bouche

Assistance respiratoire d'urgence, applicable dans l'attente de secours médicalisés en cas d'arrêt respiratoire ou cardiocirculatoire, qui consiste, pour un sauveteur, à insuffler l'air qu'il expire, encore riche en oxygène, au sujet inanimé.

Le sauveteur couche le sujet sur le dos, désencombre sa bouche de tout corps étranger, enlève ses prothèses dentaires et tire sa mâchoire inférieure vers l'avant pour dégager l'entrée des voies respiratoires, obstruée chez le malade inconscient par la chute de la langue en arrière. Il incline la tête du sujet en arrière en maintenant la nuque et fait basculer le menton vers le haut. Après avoir pincé le nez de la personne inanimée entre le pouce et l'index et pris une inspiration profonde, il pose sa bouche ouverte sur celle du sujet et expire profondément. Le soulèvement immédiat du thorax du sujet atteste l'efficacité de la ventilation. L'expiration est passive.

S'il s'agit d'un nourrisson ou d'un petit enfant, la bouche du sauveteur prend à la fois le nez et la bouche ; la ventilation est plus douce que pour l'adulte et comprend de 20 à 30 respirations par minute (contre une quinzaine pour l'adulte).

En cas d'arrêt cardiaque, un massage cardiaque externe est associé au bouche-à-bouche : 2 insufflations successives suivies de 15 compressions thoraciques s'il n'y a qu'un seul sauveteur, 1 insufflation suivie de 5 compressions pour chaque sauveteur, tour à tour, s'ils sont deux.

Bouchon muqueux

Accumulation de sécrétions glaireuses dans l'endocol (canal du col utérin) pendant la grossesse.

La perte du bouchon muqueux est l'un des premiers signes de déclenchement spontané d'un accouchement, sans pour autant signifier l'imminence de celui-ci.

Bouffée de chaleur

Sensation de chaleur subite et passagère (ne durant que de 1 à 2 minutes) du visage, du cou et du thorax, accompagnée de sueurs et de frissons.

Les bouffées de chaleur sont toujours le signe d'une modification de l'activité hormonale. Le plus souvent, elles sont dues à la diminution de la production d'œstrogènes pendant la ménopause. Parfois, elles surviennent après une hystérectomie totale avec castration (ablation des 2 ovaires). Elles sont favorisées par les émotions et par les changements de la température extérieure. Leur apparition est imprévisible et incontrôlable, leur intensité variable.

Le traitement des bouffées de chaleur dues à la ménopause ou à la castration chirurgicale repose sur l'hormonothérapie substitutive. Certains médicaments neuroleptiques peuvent être utilisés si les hormones sont contre-indiquées.

Bouillaud (Jean-Baptiste)

Médecin français (Garat, Charente, 1796 - Paris 1881).

Il fut le premier à établir le lien entre le rhumatisme articulaire aigu et certaines lésions cardiaques. Ses travaux sur les lobes antérieurs du cerveau ouvrirent la voie aux recherches du chirurgien Paul Broca.

Bouillaud (maladie de)

→ VOIR Rhumatisme articulaire aigu.

Bouillon de culture

Milieu liquide utilisé en bactériologie pour permettre la multiplication des bactéries.

Issu de la macération de viande, il contient tous les éléments nutritifs nécessaires au développement des micro-organismes. Certaines bactéries (*Pneumococcus, Hæmophilus* ou *Brucella*) requièrent des bouillons enrichis, le plus souvent avec des dérivés du sang.

Boulimie

Trouble du comportement alimentaire caractérisé par un besoin incontrôlable d'absorber de la nourriture en grande quantité chez un sujet qui, habituellement, n'est pas un « gros mangeur ». SYN. *hyperorexie, hyperphagie, polyorexie*.

Le comportement boulimique a des significations très diverses. Il peut s'intriquer à

À terre, sans connaissance, la victime ne parle ni ne réagit. On pratique le bouche-à-bouche, si l'on ne perçoit aucun bruit respiratoire ni aucun mouvement du thorax, jusqu'à la reprise spontanée de la respiration ou l'arrivée des secours médicaux d'urgence.

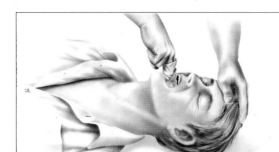

Desserrer la ceinture et le col de la victime pour qu'ils ne gênent pas sa respiration. Commencer par nettoyer sa bouche avec deux doigts recouverts d'un mouchoir propre.

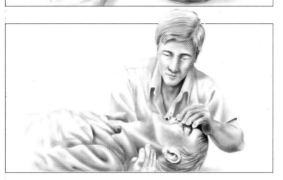

Pincer le nez de la victime et maintenir sa tête en arrière pour faciliter le passage de l'air ; de l'autre main, soutenir la nuque ou tirer le menton vers le haut pour dégager le larynx.

Ne pas insuffler la totalité de l'air, qui devient pauvre en oxygène en fin d'expiration. Tout en restant dans la même position, regarder, sans ôter sa bouche, si le thorax de la victime se soulève bien. Ne pas trop forcer.

En inspirant, vérifier que le thorax de la victime se rabaisse et que la respiration spontanée n'a pas repris. Le rythme doit être de 15 cycles par minute, un cycle durant 4 secondes.

S'interrompre si la respiration spontanée, qu'il ne faut pas contrarier, reprend. Si une petite inspiration survient, insuffler doucement de l'air en même temps ou s'arrêter quelques secondes.

de nombreux problèmes psychologiques ou médicaux, constituer, par exemple, une variante d'un autre trouble des conduites alimentaires, l'anorexie mentale.

FRÉQUENCE

Le comportement boulimique s'installe souvent lors de l'adolescence, peut-être plus fréquemment chez les femmes. Sa fréquence reste encore imprécise.

CAUSES

En dehors des cas de dérèglements métaboliques (diabète, désordre hormonal) et de certaines lésions nerveuses, les principales causes de la boulimie sont d'ordre psychologique. Très souvent, le comportement boulimique apparaît comme une défense contre la dépression et le stress : le fait de manger ne vise pas tant à se nourrir qu'à apaiser l'angoisse, compenser la frustration ou revaloriser une image de soi. Il peut aussi constituer un rite névrotique ou une compensation à l'insatisfaction sexuelle (chez l'hystérique, notamment). Dans l'anorexie mentale, des crises boulimiques avec prise de poids viennent parfois interrompre le jeûne, sans que les autres symptômes disparaissent. Psychiquement, la patiente demeure une anorexique. Certaines deviennent directement boulimiques, sans jeûne ni amaigrissement préalables.

SYMPTÔMES ET DIAGNOSTIC

Le comportement boulimique n'est pas préoccupant tant qu'il reste occasionnel, comme c'est le cas chez des sujets qui ont envie d'aliments à forte charge affective et symbolique ; les « envies » des femmes enceintes constituent ainsi une forme de boulimie physiologique. La boulimie dépressive et névrotique se manifeste de façon périodique sous forme d'impulsions tyranniques. Elle procure un apaisement momentané, à la différence de la boulimie des anorexiques. La boulimie de l'anorexique se caractérise par l'ingestion à très peu de temps d'intervalle (généralement moins de 2 heures) de grandes quantités de nourriture, avec le sentiment de ne plus pouvoir contrôler son alimentation. Le patient a en outre tendance à se faire vomir, à prendre des laxatifs et à pratiquer, le reste du temps, un régime sévère afin d'éviter de grossir.

Dans les cas les plus graves, les accès boulimiques accompagnés de vomissements provoqués peuvent entraîner une déshydratation et une fuite de potassium (qui se manifeste par une faiblesse et des crampes), des lésions œsophagiennes et dentaires dues à l'acidité du liquide gastrique régurgité.

TRAITEMENT

Il est orienté par le diagnostic et un bilan organique préalable. Pour être efficace et durable, le traitement doit s'établir dans la confiance, afin d'agir sur les causes psychologiques de la boulimie. La psychothérapie, éventuellement associée à une prescription d'antidépresseurs, vise à la maturation émotionnelle et à une résolution des conflits affectifs. Le patient et le médecin coopèrent aussi afin d'établir de nouvelles habitudes alimentaires. Un régime ne saurait être entrepris sans avis médical, et les anorexigènes sont à proscrire absolument.

Bourbouille
→ VOIR Miliaire.

Bourdonnements d'oreille
→ VOIR Acouphène.

Bourneville (sclérose tubéreuse de)
Maladie d'origine héréditaire affectant la peau et le système nerveux. SYN. épiloïa.

La sclérose tubéreuse de Bourneville, décrite par le psychiatre français Désiré Magloire Bourneville en 1880-1881, est une phacomatose (maladie associant des tumeurs cutanées et nerveuses) qui atteint au moins un enfant de moins de 12 ans sur 12 000. Sa transmission héréditaire est dominante (il n'y a pas de « saut » de générations), mais les gènes en cause sont imparfaitement connus.

La maladie se caractérise par des malformations et des tumeurs, surtout cérébrales et cutanées, mais aussi oculaires, rénales, cardiaques, pulmonaires et digestives. Les principales conséquences sont les suivantes : épilepsie et retard mental ; petites excroissances ou taches décolorées sur la peau ; insuffisance de la fonction rénale. Dans l'établissement du diagnostic, la recherche de ces signes est complétée par la radiologie du cerveau (scanner, imagerie par résonance magnétique) afin de détecter d'autres tumeurs éventuelles.

Le traitement ne s'adresse qu'aux symptômes (épilepsie, insuffisance rénale, etc.). La durée de vie est souvent réduite à cause de l'atteinte cérébrale et rénale, mais d'une façon très variable en fonction de la sévérité de la maladie.

Bourse séreuse
Poche limitée par une membrane de même nature qu'une membrane synoviale articulaire et destinée à faciliter le glissement de la peau, d'un muscle ou d'un tendon sur un os. (P.N.A. bursa mucosa)

On distingue les bourses séreuses superficielles et les bourses séreuses profondes, intertendineuses ou intermusculaires.

■ Les bourses séreuses superficielles, comme la bourse olécranienne au coude et la bourse prérotulienne au genou, peuvent être le siège d'inflammations (rhumatismes) ou d'abcès. La bourse olécranienne enflammée porte le nom d'hygroma simple ou infecté. Il existe une bourse séreuse superficielle à chaque endroit du corps où un os est saillant sous la peau (par exemple, en regard d'un hallux valgus, à l'orteil).

■ Les bourses séreuses profondes sont, par exemple, celles qui entourent les tendons de la main ou du pied. Ce sont les bourses séreuses circulaires, également appelées gaines. Elles facilitent le glissement des tendons sur le plan osseux profond. Les bourses séreuses circulaires de la main peuvent être le siège de bursites inflammatoires, tuberculeuses, granulomateuses et surtout bactériennes. Dans ce dernier cas, on parle de phlegmons (inflammations suppurées diffuses) des gaines.

Bouton
Lésion bénigne de la peau prenant généralement la forme d'une petite tuméfaction parfois enflammée.

Le terme s'applique dans l'usage courant à toutes sortes de menues lésions cutanées, parmi lesquelles la terminologie médicale distingue plus précisément : la macule (tache plane), la papule (petite tache légèrement surélevée), la vésicule (petite élevure emplie de liquide clair), la bulle (élevure liquidienne plus grande), la pustule (élevure contenant du pus), le nodule (sphère petite ou moyenne plus ou moins profonde).

Bouton de fièvre
→ VOIR Herpès.

Bouton d'huile
Petite saillie, souvent pustuleuse, apparaissant avec d'autres, sous forme d'éruption, sur la peau des mains et des avant-bras et due au contact répété avec les huiles industrielles.

La guérison est le plus souvent assurée par le nettoyage avec un savon dégraissant et le port de gants protecteurs.

Bouton d'Orient
→ VOIR Leishmaniose cutanée.

Boutonnière
Petite incision des tissus mous.

Une boutonnière est pratiquée pour évacuer une collection (sang, pus), explorer au doigt la zone sous-jacente à l'incision ou extirper un corps étranger par une ouverture de la plus petite taille possible.

Bouveret (maladie de)
Tachycardie paroxystique à début et fin brusques. SYN. tachycardie paroxystique supraventriculaire.

Une maladie de Bouveret peut se déclencher sur un sujet à cœur normal ou être associée à une cardiopathie. Elle fait partie des troubles du rythme rencontrés dans l'hyperthyroïdie. Certains cas sont liés à l'existence anormale d'une voie supplémentaire du tissu nodal (tissu qui assure la conduction nerveuse du cœur), provoquant le détournement de l'influx nerveux.

SYMPTÔMES ET SIGNES

La maladie de Bouveret se traduit par une accélération cardiaque d'emblée très rapide (de 180 à 200 pulsations/minute) ; l'électrocardiogramme montre un rythme très régulier. Le temps de l'accélération peut durer de quelques minutes à plusieurs heures, et la crise peut récidiver selon des intervalles très variables. Elle s'achève brusquement avec un retour immédiat à la fréquence cardiaque normale et est souvent suivie d'une crise polyurique (fréquent besoin d'uriner).

La tolérance de la crise est généralement bonne, mais il peut s'y associer une sensation de malaise, un essoufflement, une douleur thoracique, voire une baisse de tension artérielle.

La crise s'interrompt fréquemment à l'aide du déclenchement d'un réflexe qui stimule le nerf vague, ralentisseur du rythme cardia-

BOUTONS

Les lésions couramment appelées boutons se classent, pour la description diagnostique, beaucoup plus précise (couleur, relief, inflammation, etc.), en divers types (papule, nodule, vésicule, bulle, pustule, etc.) dont l'aspect, le groupement et la localisation caractérisent chacun une maladie ou un groupe de maladies. Leur constatation n'est cependant qu'un des éléments du diagnostic.

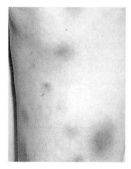

Nodules sous une peau rouge (érythème noueux).

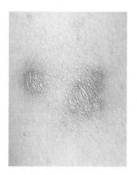

Papules légèrement saillantes (érythème noueux).

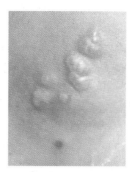

Vésicules réunies en bouquet, typiques de l'herpès.

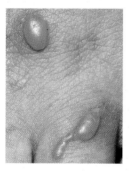

Cloques translucides de la dermite des prés.

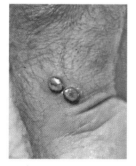

Cloques plus opaques infectées par une bactérie.

Plaques parsemées de points rouges (rubéole).

que : inspiration profonde, ingestion d'un aliment ou d'une boisson, changement de position, compression des globes oculaires.

TRAITEMENT
Le traitement aigu de la crise fait appel à des manœuvres déclenchant le réflexe vagal et à l'injection intraveineuse d'acide adénosine triphosphorique. Un traitement préventif antiarythmique peut être ensuite prescrit.

Bowen (maladie de)
Tumeur de nature précancéreuse de la peau ou des muqueuses.

La maladie de Bowen est une variété de carcinome épidermique se développant, au début, uniquement dans l'épiderme (forme intraépithéliale ou in situ).

La tumeur forme sur la peau une ou plusieurs plaques rose grisâtre, arrondies, à surface irrégulière ; sur les muqueuses génitales ou anales, elle forme des taches rouges, arrondies et légèrement surélevées (chez l'homme), grisâtres ou blanchâtres (chez la femme). Ces lésions s'étendent lentement, pouvant se transformer en véritable épithélioma spinocellulaire (forme de cancer cutané). La maladie a pu être associée à des cancers viscéraux profonds.

Le diagnostic de maladie de Bowen repose sur l'examen d'un prélèvement au micro-scope, et son traitement, sur la destruction définitive des lésions par cryochirurgie, par laser ou par ablation chirurgicale.

Brachial
Relatif au bras.
■ **L'aponévrose brachiale** réalise un manchon périphérique et est rattachée à l'humérus par deux cloisons latérales, qui limitent les loges antérieure et postérieure.
■ **Le muscle brachial antérieur** est le muscle fléchisseur de l'avant-bras sur le bras, situé en arrière du biceps.
■ **Le nerf brachial cutané interne** est l'une des branches terminales du plexus brachial, qui assure la sensibilité de la face interne du bras.
■ **Le plexus brachial** est une formation nerveuse intermédiaire entre les racines (issues de la moelle épinière) des branches antérieures des quatre derniers nerfs rachidiens cervicaux et du premier nerf dorsal, et les nerfs périphériques qui assurent l'innervation motrice et sensitive du membre supérieur (épaule et bras). Le plexus brachial a la forme d'un triangle qui traverse la partie inférieure et latérale du cou et pénètre ensuite dans le creux axillaire (aisselle).

Son atteinte, directe par fracture de la clavicule ou indirecte par élongation lors d'un accouchement ou par compression (syndrome du défilé costoclaviculaire), entraîne des troubles moteurs et sensitifs graves du membre supérieur, variables selon la ou les racines qui sont traumatisées.

Brachiocéphalique
Relatif à la fois au bras et à la tête.
■ **Le tronc artériel brachiocéphalique** est une artère qui naît de la crosse aortique et se divise en artère carotide primitive droite, qui vascularise le visage et l'encéphale, et en artère sous-clavière droite, qui vascularise le membre supérieur droit.
■ **Les troncs veineux brachiocéphaliques** sont deux grosses veines, nées de chaque côté de la réunion de la veine jugulaire interne issue du cerveau et de la veine sous-clavière issue du bras. Ces deux troncs veineux convergent pour former la veine cave supérieure. Le tronc veineux gauche, plus long que le droit, passe derrière la face postérieure du manubrium sternal (segment supérieur du sternum).

Brachycéphale
1. Se dit d'un individu qui a le crâne aussi développé dans le sens latéral que dans le sens longitudinal.
Le type morphologique brachycéphale s'oppose au type dolichocéphale (plus long que large) ; en France, il se rencontre plus fréquemment en Bretagne et dans les régions montagneuses.
2. Se dit d'un individu qui présente une malformation crânienne viable, consécutive à une soudure prématurée des sutures frontopariétales du crâne, avec atrophie de la partie intermédiaire du cerveau.

Brachydactylie
Malformation héréditaire à transmission autosomique dominante, caractérisée par un raccourcissement anormal des doigts ou des orteils.
La brachydactylie est confirmée par une radiographie des extrémités qui révèle une diminution de la taille des phalanges. Elle est souvent associée à une achondroplasie (anomalie responsable d'une petite taille).

Brachymélie
Malformation congénitale caractérisée par le raccourcissement d'un ou de plusieurs membres ou segments de membres. SYN. *micromélie*.
Un sujet atteint de brachymélie a des os courts, trapus, souvent incurvés, parfois même absents. Cette malformation peut entrer dans le cadre de syndromes associant diverses malformations.

Brachyœsophage
→ VOIR Endobrachyœsophage.

Bradycardie
Ralentissement des battements du cœur en dessous de 60 pulsations/minute.
Le rythme cardiaque normal varie, chez la plupart des sujets, de 60 à 100 pulsations/minute ; la moyenne est de 70-80 pulsations/minute, moins chez certains sportifs.

Tout signe s'inscrit dans un rectangle de deux colonnes de 3 points en relief. Chaque assemblage de points forme une lettre, un chiffre, un symbole mathématique ou une note de musique. Le braille s'écrit avec un poinçon ou une machine ; il se lit en palpant les reliefs avec les doigts. Il en existe une version sténographique. Cet alphabet est adapté à toutes les langues.

L'écriture Braille se déchiffre plus ou moins rapidement, selon la pratique, avec l'extrémité d'un ou des deux index.

Tableau de transcription des principaux signes en braille.

a	b	c	d	e	,	;	:	.	?
f	g	h	i	j	!	« »	(	)	*
k	l	m	n	o	numérique	trait d'union	apostrophe ou abréviatif		indice
p	q	r	s	t	numérique	1	2	3	4
u	v	w	x	y	5	6	7	8	9
z	œ	æ	ç	é	0	exposant	√	+	–
à	è	ù	â	ê	x	/	=	>	<
î	ô	û	ë	ï					
ü	ì	ò ou §	majuscule						

Les gros points, en relief, représentent les caractères ; les petits points servent à indiquer la position relative des gros dans chaque groupe de six.

CAUSES

Une bradycardie peut être sinusale, c'est-à-dire due à un ralentissement de l'activité électrique du nœud sinusal (stimulateur physiologique du cœur). Elle n'est pas systématiquement pathologique et s'observe chez les athlètes et les sportifs bien entraînés, les personnes âgées et les sujets vagotoniques, chez qui on constate une hyperactivité du système nerveux parasympathique.

Elle peut aussi être due à l'action de médicaments chronotropes négatifs (ralentissant la fréquence cardiaque) : bêtabloquants, digitaliques, nombreux antiarythmiques, certains inhibiteurs calciques.

Une bradycardie pathologique s'associe parfois à des troubles de la conduction de l'influx électrique à travers le cœur (dysfonction sinusale, bloc auriculoventriculaire) ou à certaines maladies comme l'hypothyroïdie ou l'infarctus du myocarde.

ÉVOLUTION

La bradycardie demeure sans conséquence lorsqu'elle est modérée ou s'installe progressivement. Si elle est excessive et survient brutalement, elle peut être responsable d'asthénie, de malaises ou de syncopes.

TRAITEMENT

Il dépend du mécanisme responsable ainsi que de son caractère pathologique ou non et de sa tolérance clinique. Une bradycardie sinusale, par exemple, peut être soignée par administration de dérivés atropiniques. Une bradycardie due à un bloc auriculoventriculaire requiert habituellement la pose d'un stimulateur cardiaque (pacemaker).

Braille (Louis)

Inventeur français (Coupvray, Seine-et-Marne, 1809 – Paris 1852).

Ayant perdu la vue à l'âge de 3 ans, Louis Braille entra en 1819 à l'Institution royale des jeunes aveugles, où il apprit la musique. Devenu professeur à l'Institution, et soucieux de développer les techniques d'enseignement, il inventa un système d'écriture et de lecture en points qui porte son nom et y incorpora la notation musicale. L'écriture Braille fournit aux non-voyants une méthode de lecture pratique et efficace. Le premier livre en braille fut édité en 1837.

Brancard

Appareil servant au transport des malades et des blessés.

Un brancard est formé d'une armature de bois ou de métal supportant un matelas ou une toile (on parle alors de civière). Il peut être posé sur roulettes, muni de bras télescopiques et équipé, éventuellement, d'une potence pour perfusion. Dans les ambulances, il se fixe sur des rails installés sur le plancher de la voiture.

Bras

Partie du membre supérieur comprise entre l'épaule et le coude. (P.N.A. *brachium*)

Le squelette du bras est constitué par l'humérus, d'où se détachent deux cloisons intermusculaires, externe et interne, issues de l'aponévrose brachiale. Elles divisent ainsi

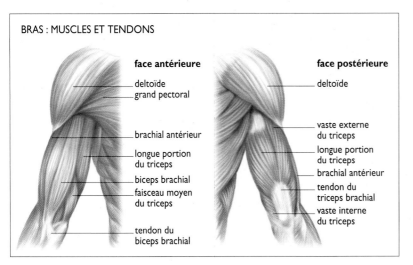

BRAS : MUSCLES ET TENDONS

face antérieure
- deltoïde
- grand pectoral
- brachial antérieur
- longue portion du triceps
- biceps brachial
- faisceau moyen du triceps
- tendon du biceps brachial

face postérieure
- deltoïde
- vaste externe du triceps
- longue portion du triceps
- brachial antérieur
- tendon du triceps brachial
- vaste interne du triceps

deux régions appelées loges, l'une antérieure et l'autre postérieure.

■ **La loge antérieure** contient, en couche superficielle, le biceps et, en couche profonde, le muscle coracobrachial et le muscle brachial antérieur. Entre les deux couches passent l'artère humérale et ses veines satellites, le nerf médian, le nerf musculocutané et le nerf cubital.

■ **La loge postérieure** est constituée par le muscle triceps brachial et ses faisceaux. Dans la partie haute du triceps se trouve le nerf circonflexe, qui innerve le muscle deltoïde. Dans sa partie profonde se situent l'artère humérale profonde et le nerf radial, localisé dans une gouttière sur la face postérieure de l'humérus.

■ **Les enveloppes superficielles** sont formées de la peau, de filets nerveux et surtout de deux veines superficielles, la veine basilique, sur la face interne du bras, et la veine céphalique sur la face externe, qui débouchent dans la veine axillaire. Cette dernière veine est utilisée pour les cathétérismes veineux centraux (introduction d'une sonde permettant l'exploration de la veine cave supérieure et des cavités cardiaques droites).

PATHOLOGIE

Elle est essentiellement traumatique : fracture de l'humérus, rupture du tendon du biceps, lésion du nerf radial. Les atteintes vasculaires (artérite, phlébite) s'observent beaucoup plus rarement dans le membre supérieur que dans le membre inférieur.

Bretonneau (Pierre)

Médecin français (Saint-Georges-sur-Cher 1778 - Paris 1862).

Il fut le premier à comprendre l'unicité et la spécificité d'une maladie en réunissant un ensemble de manifestations disparates. C'est ainsi qu'il individualisa la diphtérie et la typhoïde. Bien avant Pasteur, il constatait déjà que « les maladies spécifiques se développent sous l'influence d'un principe contagieux ». Il préfigurait, en ce sens, l'ère de la bactériologie.

Bréviligne

Se dit d'un type morphologique correspondant à une petite taille, à un développement du corps en largeur et à des membres courts.

Le type bréviligne confère un aspect plutôt trapu, par opposition au type longiligne.

Bride

Bande de tissu conjonctif fibreux réunissant anormalement deux organes ou développée au niveau d'une cavité séreuse.

On distingue plusieurs types de bride.

■ **Les brides amniotiques** sont des formations fibreuses tendues à l'intérieur de la cavité amniotique, peut-être responsables de malformations, voire d'amputations congénitales des membres. Leur présence traduirait une irritation ou une infection larvée des parois ou du liquide amniotique.

■ **Les brides péritonéales** sont des formations consécutives à une inflammation ou à la présence, dans la cavité péritonéale, de sérosités ou de sang. Elles ne sont pas nécessairement facteur de troubles, mais une torsion d'une anse intestinale autour des brides (volvulus) peut entraîner une occlusion intestinale aiguë. Une intervention chirurgicale rétablit un circuit intestinal normal.

■ **Les brides pleurales** sont des formations fibreuses, en forme de fil ou de bande, qui rattachent une zone malade du poumon à la plèvre en cas de rétraction du poumon due à la présence d'air dans la plèvre (pneumothorax). Elles peuvent être sectionnées chirurgicalement.

Bridge

Prothèse destinée à remplacer une ou plusieurs dents absentes et fixée sur les dents naturelles voisines du secteur édenté.

Le brigde (« pont », en anglais) est fabriqué à partir d'une empreinte des dents, puis scellé aux dents saines adjacentes par des couronnes. Il peut être en métal (alliage d'or, par exemple) ou, plus esthétique, en céramique, monté sur une armature métallique (pour les dents visibles). Un bridge dit « complet » peut comporter plus de 12 dents sur une même arcade.

Le rôle d'un bridge est de rétablir la mastication, la phonation et l'esthétique. Lorsqu'il est bien exécuté, son intégration dans la bouche est parfaite.

Bright (Richard)

Médecin anglais (Bristol 1789 - Londres 1858).

Médecin au Guy's Hospital de Londres, il fut le premier à étudier et à décrire la néphrite chronique (qui fut longtemps appelée mal de Bright).

On lui doit de nombreux travaux portant principalement sur le rein, les viscères et les tumeurs de l'abdomen.

Bright (mal de)

→ VOIR Insuffisance rénale.

Brill (maladie de)

Rechute bénigne du typhus exanthématique, infection résurgente (sans réinfection) caractérisée notamment par une artérite des membres inférieurs.

La maladie de Brill survient longtemps après la contamination par *Rickettsia prowazeki,* agent du typhus. Le traitement est celui des symptômes.

Broca (Paul)

Chirurgien et anthropologue français (Sainte-Foy-la-Grande 1824 - Paris 1880).

Il localisa le centre du langage dans la 3e circonvolution cérébrale gauche (« circonvolution de Broca ») et établit un lien entre un trouble de la maîtrise du langage, l'aphasie motrice (« aphasie de Broca ») et certaines lésions de cette zone.

Fondateur de l'École d'anthropologie (1859), il est considéré comme l'initiateur de l'anthropologie physique moderne.

Brochage

Procédé d'ostéosynthèse utilisant des broches (tiges métalliques) pour maintenir les fragments osseux d'une fracture, de façon temporaire ou définitive.

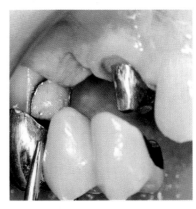

Bridge. *La prothèse, fixée à chaque extrémité sur une dent saine, est posée en pont sur l'emplacement des dents manquantes.*

Une broche longue, dépassant de chaque côté du membre, permet de fixer une fracture instable : une traction corrige la position de l'os. Une broche courte peut être utilisée comme une vis ou un clou et retirée plus tard.

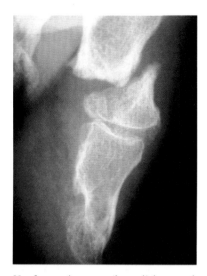

Une fracture du gros orteil avec déplacement de l'os, même remise en place par traction à la main, serait instable si on ne la stabilisait.

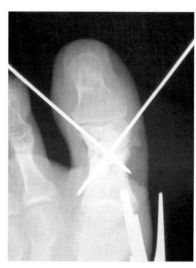

Des broches stabilisent l'os. On les coupe ensuite au ras de celui-ci, puis on suture les tissus et on pose un plâtre.

INDICATIONS

Le brochage est souvent utilisé dans la réparation des os de petite taille (main, pied et doigt) et pour le maintien de la réduction des fractures de l'extrémité inférieure du radius (poignet). Dans certains cas, il peut être utilisé comme contention temporaire d'une fracture avant installation d'une plaque ; les broches ont alors pour fonction de maintenir les fragments osseux en place et de faciliter ainsi l'ostéosynthèse.

TECHNIQUE

Les broches sont des tiges métalliques droites et de section circulaire, rigides mais souples, de longueur et de diamètre variables. Elles peuvent être posées à l'aide d'un moteur rotatif, électrique ou à air comprimé, qui permet de perforer les os durs. Pour les petits os, le chirurgien recourt parfois à un « nez américain » (mandrin muni d'une poignée). Le brochage peut nécessiter plusieurs broches, notamment pour la réduction de fractures de l'humérus : on parle alors de brochage fasciculé.

Bromide

Lésion cutanée due à une intoxication chronique par des médicaments à base de brome ou de ses dérivés, du type bromure.

Les bromides revêtent l'aspect de lésions saillantes rouge violine, apparaissant surtout sur le visage, les jambes et les fesses, accompagnées de lésions acnéiformes. Outre l'arrêt du médicament en cause (l'utilisation du brome est quasiment abandonnée de nos jours), le traitement consiste en l'application locale d'antiseptiques.

Bromidrose, ou Bromhidrose

Émission d'une sueur d'odeur fétide.

La bromidrose est due à un dysfonctionnement des glandes sudoripares. La sueur est d'abondance normale, mais son odeur, évoquant le rance ou le moisi, est parfois source de handicap social. L'anomalie peut être localisée (pieds) ou généralisée (plis du corps).

Le traitement consiste en une hygiène rigoureuse et en l'application de déodorant à base d'aluminium, de zinc ou de zirconium.

Bromoforme

Substance aux propriétés anesthésiques et antispasmodiques, qui entre dans la composition de sirops antitussifs.

L'intoxication par de très fortes doses a un effet dépresseur sur le système nerveux central. Pour cette raison, l'administration de bromoforme est contre-indiquée chez l'enfant de moins de 5 ans.

Bronche

Conduit cylindrique assurant le transport de l'air entre la trachée et les alvéoles pulmonaires. (P.N.A. *bronchus*)

Issues de la trachée, les deux bronches principales (droite et gauche) se subdivisent dans chaque poumon en bronches lobaires, puis en rameaux de plus en plus petits avant de se terminer en bronchioles. L'ensemble forme l'arbre bronchique. Les bronches ont une armature fibrocartilagineuse et musculeuse qui les rend semi-rigides. Elles sont tapissées d'une muqueuse couverte de cils (servant à évacuer les poussières à l'extérieur) et de glandes.

PATHOLOGIE

Les maladies des bronches constituent des affections de gravité variable suivant le siège et l'étendue des lésions et leur retentissement sur la ventilation pulmonaire. On distingue l'inflammation aiguë ou chronique de la muqueuse bronchique (bronchite), l'oblitération localisée (tumeur, présence d'un corps étranger, sténose) ou diffuse (bronchospasme) du conduit bronchique, la dilatation des bronches (branchectasie) et les maladies du cartilage bronchique (dyskinésie trachéobronchique). Les bronches peuvent également être le siège d'un cancer, le plus souvent localisé sur les bronches principales ou sur les bronches lobaires.

Bronches (kyste des)

Kyste caractérisé par une cavité ronde ou ovale bien limitée, siégeant le plus souvent dans les bronches du lobe supérieur du poumon. SYN. *kyste bronchogénique, kyste bronchopulmonaire.*

Les kystes des bronches sont congénitaux. Ils ont une paroi mince et irrégulière. Présentant parfois plusieurs cavités, ils peuvent atteindre plusieurs centimètres de diamètre. Leur contenu est un mélange d'air et de liquide. Ils sont généralement bien tolérés. Souvent, le médecin ne découvre leur existence qu'à l'occasion de radiographies systématiques, de maladies infectieuses de l'enfant ou de l'adulte jeune, avec expectoration purulente, ou encore d'hémoptysie (expectoration de sang provenant des voies aériennes).

Dans ces deux derniers cas, l'ablation chirurgicale peut se révéler nécessaire.

Bronches (tumeur des)

Tumeur bénigne ou maligne située dans les voies aériennes au-dessous de la glotte (c'est-à-dire dans les bronches, mais aussi, par extension, dans la trachée et les poumons).

La plupart des tumeurs des bronches sont des cancers bronchiques. Leurs principaux symptômes cliniques sont très variables, parfois inexistants. Les tumeurs des bronches peuvent entraîner une toux, une dyspnée (difficulté respiratoire), voire une hémoptysie (expectoration de sang provenant des voies aériennes).

Si la radiologie sert à visualiser la tumeur et ses possibles conséquences pulmonaires, le diagnostic repose essentiellement sur la bronchoscopie, qui permet d'effectuer un prélèvement dont l'étude au microscope renseignera sur la nature des tissus concernés et le caractère bénin ou malin (susceptible d'envahir les tissus environnants et de se répandre ailleurs dans le corps par métastases) de la tumeur. On peut ainsi distinguer, entre autres : les tumeurs épithéliales bénignes (papillomes) ou malignes (cancers de divers types) ; les tumeurs des glandes bronchiques bénignes (cylindrome, adénome bronchique muqueux) ou malignes ; les tumeurs mésenchymateuses (provenant des tissus conjonctifs) bénignes (hamartome, chondrome, lipome, fibrome, tumeur d'Abrikossoff) ou malignes (sarcomes) ; les métastases d'un cancer primitif situé ailleurs que dans le thorax.

Le traitement, souvent chirurgical, et le pronostic dépendent directement de la nature de la tumeur.

→ VOIR **Bronchiolo-alvéolaire** (cancer), **Bronchopulmonaire** (cancer).

Bronchectasie

Augmentation permanente et irréversible du calibre des bronches. SYN. *dilatation des bronches*.

La bronchectasie existe sous deux formes différentes : la maladie bronchectasique, diffuse, et le syndrome bronchectasique, localisé.

Maladie bronchectasique

Elle s'installe au cours d'une agression infectieuse aiguë (coqueluche, rougeole, etc.) ou chronique, parfois favorisée par une maladie générale (mucoviscidose, déficit immunitaire, etc.).

Le symptôme principal de la maladie bronchectasique est la toux, grasse, prédominant le matin et en position couchée, ramenant une expectoration chronique purulente. Les poussées d'infection sont fréquentes et se manifestent par de la fièvre, une recrudescence de l'expectoration et, souvent, des hémoptysies (crachats de sang).

Le diagnostic est confirmé par l'aspect des bronches sur les radiographies et surtout sur le scanner. Les explorations fonctionnelles respiratoires (mesure des volumes et des débits inspirés et expirés) aident au diagnostic et permettent d'apprécier la gravité de la maladie. L'évolution de la maladie bronchectasique est chronique, commençant le plus souvent dans l'enfance.

Certaines formes peuvent conduire à une insuffisance respiratoire chronique.

Le traitement se limite à la kinésithérapie respiratoire : drainage de posture (le sujet est placé dans une position qui facilite l'expectoration), expectoration dirigée (aide à l'expectoration efficace avec le minimum d'efforts), éducation de la toux.

Les antibiotiques ne servent qu'à juguler des poussées infectieuses.

Syndrome bronchectasique localisé

Il s'agit d'une séquelle d'une agression bronchopulmonaire sévère mais localisée : tuberculose, abcès pulmonaire, corps étranger dans l'arbre bronchique, etc.

Le syndrome bronchectasique localisé se manifeste par une dyspnée (gêne respiratoire) plus ou moins importante, une toux sèche en cas de présence d'un corps étranger, une expectoration purulente en cas d'abcès et des hémoptysies parfois abondantes.

À la différence de la maladie bronchectasique, il peut être traité chirurgicalement si la bronchectasie est handicapante et si la kinésithérapie se révèle inefficace.

Bronchiole

Rameau de division d'une bronche à l'intérieur du poumon. (P.N.A. *bronchioli*)

Les bronchioles (bronchioles terminales puis bronchioles respiratoires) se terminent en petits sacs en forme de grappe de raisin, appelés alvéoles, à travers les parois desquels s'effectuent les échanges gazeux avec le sang.

Bronchiolite

Inflammation aiguë des bronchioles évoluant vers une détresse respiratoire.

Une bronchiolite survient surtout chez l'enfant de moins de 2 ans.

D'origine virale (essentiellement due au virus respiratoire syncytial), elle se propage par voie aérienne : la contamination se fait par l'écoulement nasal et les gouttelettes émises au moment de la toux, parfois aussi par les mains du personnel dans les collectivités (infections nosocomiales).

Ainsi, les bronchiolites sont fréquentes en milieu hospitalier et dans les crèches, par épidémies surtout hivernales.

SYMPTÔMES ET DIAGNOSTIC

La bronchiolite, qui survient souvent après une rhinopharyngite, se traduit par une difficulté respiratoire : augmentation de la fréquence respiratoire (polypnée), creusement du thorax à l'inspiration, expiration prolongée et sifflante. Une toux irritative, des râles crépitants (témoignant d'une bronchoalvéolite associée) et parfois une accélération du rythme cardiaque s'y ajoutent. L'hypersécrétion de mucus bronchique favorise l'encombrement des voies respiratoires. La fièvre est en général modérée.

La maladie est plus grave chez les enfants de moins de 3 mois et en cas d'antécédents de prématurité ou d'hypotrophie. Elle peut alors se manifester par une cyanose indiquant une diminution de la concentration du sang en oxygène, un battement des ailes du nez révélant une insuffisance respiratoire, un refus de s'alimenter, une agitation, des troubles de la conscience.

BRONCHES

Les bronches, après de nombreuses ramifications, se terminent par les alvéoles, qui sont le siège des échanges d'oxygène et de gaz carbonique. Elles forment avec la trachée l'arbre trachéo-bronchique. Leur diamètre peut varier sous l'action de fibres musculaires lisses.

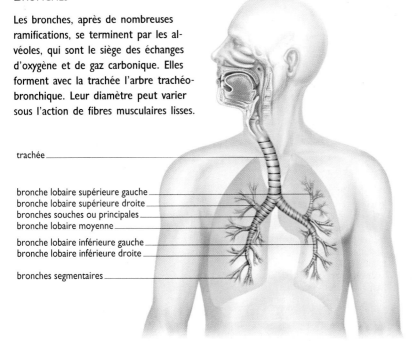

trachée

bronche lobaire supérieure gauche
bronche lobaire supérieure droite
bronches souches ou principales
bronche lobaire moyenne

bronche lobaire inférieure gauche
bronche lobaire inférieure droite

bronches segmentaires

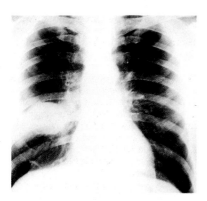

Sur la radiographie, la tache blanche sur le fond noir du poumon droit montre une atteinte cancéreuse des bronches.

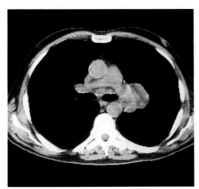

En coupe, vue au scanner, cet autre cancer forme une masse accolée aux vaisseaux du médiastin.

Le diagnostic, évoqué par les symptômes et par l'auscultation, doit être confirmé par une radiographie pulmonaire.

TRAITEMENT ET PRONOSTIC

Le traitement peut être effectué à domicile, sauf dans les formes graves, où l'enfant doit être hospitalisé. Il repose sur la kinésithérapie respiratoire, destinée à désobstruer les voies aériennes supérieures. Des bronchodilatateurs sont parfois prescrits. Un traitement antibiotique peut être utile pour éviter une surinfection bactérienne. Le traitement antiviral est réservé aux formes sévères quand il existe un terrain à risque (maladie cardiopulmonaire). L'enfant peut être hospitalisé pour bénéficier d'un apport d'oxygène ou d'une assistance respiratoire, ainsi que d'une alimentation par sonde gastrique ou par voie intraveineuse.

La bronchiolite évolue habituellement en quelques jours et guérit sans séquelle. Parfois, les épisodes peuvent se répéter en raison d'une immunité de courte durée contre le virus. Un nourrisson peut donc faire 2 ou 3 bronchiolites par an. À long terme, la survenue d'un asthme chez les enfants ayant eu une bronchiolite serait possible, surtout dans les familles présentant un terrain allergique.

Bronchiolo-alvéolaire (cancer)

Cancer pulmonaire particulier, tapissant la face interne des alvéoles sans en détruire l'architecture. SYN. *cancer alvéolaire*.

Seul véritable « cancer du poumon », puisqu'il se développe à partir des cellules des terminaisons de l'arbre respiratoire (bronchioles et alvéoles), le cancer bronchiolo-alvéolaire ne représente que 3 % des cancers bronchopulmonaires primitifs. Sa cause reste inconnue.

Le plus souvent, il se présente sous l'aspect d'une tumeur ronde unique, localisée en périphérie des poumons. Le traitement idéal est alors chirurgical. Après ablation, le pronostic est assez bon.

Plus caractéristique, mais plus rare, est la forme pneumonique (atteinte aiguë d'un lobe pulmonaire entier), s'accompagnant parfois d'une expectoration abondante, qui est reconnaissable à la radiologie par une opacité systématisée (bien limitée à un lobe ou à un segment pulmonaire). Dans ce cas, les traitements classiques (chirurgie, radiothérapie, chimiothérapie) sont inutiles, mais l'évolution est alors assez lente et les métastases extrathoraciques sont rares.

Bronchique (brossage)

Méthode qui consiste à frotter la muqueuse des bronches avec une petite brosse stérile passée dans le canal d'un bronchoscope (tube optique destiné à l'exploration des voies pulmonaires) pour ramener un prélèvement de cellules ou de germes.

Le brossage bronchique est utilisé pour rechercher au microscope des signes de cancer ou des germes responsables d'infections bronchopulmonaires : dans ce dernier cas, le prélèvement est mis en culture.
→ VOIR Bronchoscopie.

Bronchite

Inflammation des bronches, aiguë ou chronique, se traduisant par une toux grasse et des expectorations.

Bronchite aiguë

La bronchite aiguë, l'une des affections respiratoires les plus fréquentes, est due à une infection virale des bronches (bronchite) ou des bronchioles (bronchiolite). D'apparition brutale et de durée brève, elle est favorisée par le tabagisme et la pollution atmosphérique et survient surtout en hiver.

Les signes cliniques sont une toux quinteuse, rauque, des expectorations (crachats) et une fièvre dont la manifestation varie selon le virus mais ne dépasse pas 39 °C. Le diagnostic ne nécessite pas d'examens complémentaires.

ÉVOLUTION ET TRAITEMENT

Les symptômes peuvent disparaître spontanément en moins de 2 semaines. Toutefois, l'évolution peut aussi se faire vers la surinfection bactérienne, l'expectoration devenant alors purulente (épaisse, jaunâtre ou verdâtre). Des complications, comme une pneumonie ou une pleurésie, sont exceptionnelles. Par ailleurs, il y a un risque d'insuffisance respiratoire chez les sujets fragiles (nourrisson, vieillard).

Le traitement d'une bronchite aiguë porte uniquement sur les symptômes : médicaments contre l'infection et l'excès de sécrétions bronchiques, administrés par voie orale ou rectale ou encore en inhalation. Les antibiotiques sont indiqués en cas de surinfection et chez les sujets fragiles.

Bronchite chronique

La bronchite chronique se caractérise par une hypersécrétion bronchique permanente ou récidivante. On parle de bronchite chronique lorsque les périodes de toux et d'expectoration durent 3 mois consécutifs et s'étendent sur au moins 2 ans.

La consommation de tabac joue un rôle important dans cette maladie : la fréquence de la bronchite chronique chez les non-fumeurs est de l'ordre de 8 %, alors qu'elle atteint 50 % chez les sujets fumant plus de 20 cigarettes par jour. D'autres facteurs interviennent également : la pollution atmosphérique (parfois liée au lieu de travail) et les infections à répétition.

Le diagnostic se fait uniquement à l'auscultation. Cependant, certains examens peuvent être prescrits : radiographie thoracique, analyses de sang et exploration fonctionnelle respiratoire.

ÉVOLUTION ET TRAITEMENT

La bronchite chronique évolue vers l'insuffisance respiratoire chronique et l'emphysème (distension et destruction des alvéoles pulmonaires), qui entraînent une hypertension artérielle pulmonaire marquée par un essoufflement, une cyanose, un œdème des membres inférieurs.

Après plusieurs années, la gêne respiratoire à l'effort persiste au repos et devient invalidante. Par ailleurs, il existe un risque d'apparition de cancer bronchopulmonaire.

Le traitement, qui varie selon la gravité de la maladie, repose sur l'arrêt de la consommation de tabac, la surveillance et le traitement antibiotique précoce et systématique de chaque nouvelle infection bronchique, la kinésithérapie respiratoire, l'administration de médicaments (bronchodilatateurs, fluidifiants des sécrétions, analeptiques). Dans les formes les plus sérieuses, de l'oxygène peut être administré à domicile. La prévention porte essentiellement sur la lutte individuelle et collective contre le tabagisme et la pollution.

Bronchite récidivante de l'enfant

Inflammation des bronches survenant environ une fois par mois pendant 3 mois et touchant surtout les enfants à partir de 6 mois et jusqu'à 4 ans.

CAUSES

Il existe des facteurs favorisants : asthme, allergie, détresse respiratoire néonatale, rhinopharyngites et otites à répétition, bronchiolites, tabagisme des parents, mode de garde collectif. Le plus souvent, les bronchites sont liées au développement immunitaire du jeune enfant. Leur fréquence (comme celle des autres infections O.R.L.) diminue vers 4-5 ans, une fois l'immunité acquise, c'est-à-dire quand l'organisme s'est fortifié contre les virus avec lesquels il est mis en contact. Néanmoins, on recherchera toujours une carence en fer, un terrain allergique ou un reflux gastro-œsophagien. Dans d'autres cas (dysplasie bronchopulmonaire du prématuré, cardiopathie congénitale), la bronchite peut entraîner une altération de l'état général. En l'absence de cause évidente, il faut rechercher une mucoviscidose, un déficit immunitaire, un reflux gastro-œsophagien sévère.

SYMPTÔMES ET TRAITEMENT

La bronchite récidivante se caractérise par des épisodes de toux successifs et une fièvre plus ou moins importante.

Le traitement est adapté à la gravité de la bronchite (intensité et durée de la toux, gêne respiratoire plus ou moins importante, intervalle séparant deux crises) et dépend de la tolérance de la maladie par l'enfant, appréciée d'après sa courbe pondérale, son appétit, la qualité de son sommeil. Le traitement peut faire appel aux médicaments fluidifiant les sécrétions bronchiques, aux aérosols et aux antibiotiques pour éviter la surinfection bactérienne.

Bronchocèle

1. Dilatation bronchique localisée située en dessous d'un rétrécissement dû à une tumeur ou à une inflammation (infection banale, tuberculose, cancer) et remplie de pus, de caséum ou de mucus.
2. Tumeur du cou, le plus souvent congénitale, en communication avec une bronche.

Bronchoconstricteur

Substance provoquant une bronchoconstriction (diminution du diamètre des bronches) gênant la respiration et pouvant aboutir à une crise d'asthme.

Certaines substances naturelles de l'organisme sont bronchoconstrictrices, comme l'histamine. Par ailleurs, on se sert de substances bronchoconstrictives pour confirmer le diagnostic de certains asthmes, lors d'explorations fonctionnelles respiratoires mesurant la diminution des performances sous l'effet de ces substances.

En dehors de ces cas, une bronchoconstriction est un effet indésirable de médicaments tels que certains bêtabloquants, qui sont donc déconseillés chez les sujets asthmatiques.

Bronchodilatateur

Substance provoquant une bronchodilatation (augmentation du diamètre des bronches) et diminuant la gêne respiratoire au cours de l'asthme et de la bronchite chronique.

Certaines substances naturelles de l'organisme sont bronchodilatatrices, comme l'adrénaline.

DIFFÉRENTS TYPES DE BRONCHODILATATEUR

■ Les anticholinergiques (oxitropium, ipatropium) inhibent les récepteurs de l'acétylcholine, médiateur du système nerveux parasympathique qui est normalement bronchoconstricteur. Leur action est moins régulière et moins rapide que celle des bêtastimulants, auxquels ils peuvent être associés.

■ Les bêtastimulants proprement dits (salbutamol, terbutaline) provoquent le relâchement des muscles des bronches. Ces médicaments sont les plus importants des bronchodilatateurs, du fait de leur rapidité d'action sous forme d'aérosol et de l'absence de toxicité majeure par cette voie ; ils sont en général très efficaces pour arrêter une crise d'asthme. Cependant, l'obligation d'augmenter les doses, liée à l'efficacité décroissante, puis nulle, de ces médicaments, impose la consultation immédiate d'un médecin. En effet, il peut s'agir d'un signe d'aggravation brutale de l'asthme, nécessitant parfois l'hospitalisation.

■ La théophylline et les médicaments qui lui sont apparentés (xanthines) entraînent la relaxation des muscles lisses. Ces médicaments sont aujourd'hui moins utilisés comme bronchodilatateurs à cause de leur toxicité (il y a notamment risque de convulsions en cas de surdosage). Leur administration prolongée requiert donc un contrôle de leur taux sanguin.

Bronchographie

Examen radiographique des bronches.
SYN. *bronchographie lipiodolée.*

La bronchographie, supplantée par le scanner du thorax et la bronchoscopie, est aujourd'hui rarement employée.

INDICATIONS ET CONTRE-INDICATIONS

La bronchographie permet essentiellement d'établir le diagnostic de bronchectasie (dilatation des bronches), au cours de certaines bronchopneumopathies infectieuses chroniques ou récidivantes, ou d'hémoptysies (hémorragies d'origine bronchique). Cet examen est surtout pratiqué dans un but préopératoire.

La bronchographie ne doit pas être prescrite en cas d'insuffisance respiratoire ou cardiaque trop importante, d'infection bronchique non contrôlée ni chez les sujets souffrant d'allergie à l'iode.

TECHNIQUE

Un produit de contraste iodé opaque aux rayons X est introduit par sonde jusqu'aux bronches par la bouche et la trachée. Plusieurs clichés sont ensuite réalisés sous divers angles.

PRÉPARATION ET DÉROULEMENT

La bronchographie nécessite une hospitalisation de 24 heures. Elle se pratique sous anesthésie locale afin de réduire les réactions de toux lors de l'introduction de la sonde puis du produit de contraste. Le patient peut recevoir en outre un antispasmodique (sulfate d'atropine) et un tranquillisant. L'examen dure de 30 à 45 minutes. Il peut être précédé et suivi d'une « toilette bronchique » consistant à vider les bronches par expectoration, effectuée avec l'aide d'un kinésithérapeute. Le patient peut éprouver une légère gêne respiratoire dans les 24 heures qui suivent la bronchographie.

Bronchographie. *L'arbre bronchique et ses différentes ramifications apparaissent nettement sur la radiographie.*

Bronchopathie

Toute affection des bronches, quelle que soit sa cause.

Les plus fréquentes sont les bronchopathies chroniques, qui regroupent la bronchite chronique, l'asthme et l'emphysème. On peut également citer la bronchectasie (dilatation des bronches), la mucoviscidose, les tumeurs bronchiques, les bronchites infectieuses, les malformations bronchiques, etc.

Bronchophonie

Résonance exagérée de la voix à l'auscultation thoracique.

La bronchophonie est due à la transmission de la voix au travers d'une condensation pulmonaire qui peut être due à une pneumonie, à une tumeur, etc.

Bronchoplégie

Diminution du calibre des bronches par paralysie des muscles bronchiques.

La bronchoplégie, à l'instar du bronchospasme, entraîne des difficultés fonctionnelles (gêne respiratoire, difficultés à l'expectoration), mais elle se distingue de celui-ci par son mécanisme passif. Elle est rarement réversible.

Bronchopneumonie

Pneumonie caractérisée par une infection plus ou moins étendue des bronchioles, des alvéoles pulmonaires et/ou de l'interstitium pulmonaire.

La bronchopneumonie, plus couramment appelée congestion pulmonaire, est une affection extrêmement fréquente. Elle survient le plus souvent chez les jeunes enfants et chez les sujets âgés ou physiologiquement affaiblis.

CAUSES

L'origine d'une bronchopneumonie est infectieuse, bactérienne (pneumocoque, streptocoque), virale (rougeole) et parfois mycologique (aspergillus).

SYMPTÔMES ET DIAGNOSTIC

Le diagnostic repose sur l'association d'une fièvre souvent élevée (39 ou 40 °C) et de symptômes tels que la toux ou l'expectoration. Pour le confirmer, le médecin peut demander une radiographie pulmonaire ; celle-ci montre des opacités peu denses et mal limitées (à la différence de la pneumonie aiguë). Dans certains cas, pour déterminer quel germe est en cause, il peut aussi faire pratiquer un examen des crachats, voire une fibroscopie bronchique.

TRAITEMENT ET PRONOSTIC

Un traitement antibiotique est en général efficace en 48 heures et la majorité des malades guérissent totalement en une quinzaine de jours. Mais leur radiographie ne redevient normale qu'au bout d'environ quatre semaines.

Bronchopulmonaire (cancer)

Cancer développé aux dépens des tissus des bronches et des poumons.

Les cancers bronchopulmonaires sont des cancers bronchiques, les seuls cancers véritablement développés à partir du tissu pulmonaire étant le cancer bronchiolo-alvéolaire et les cancers secondaires.

Cancer bronchopulmonaire primitif

C'est le cancer le plus fréquent dans le monde. Il a connu une augmentation spectaculaire d'incidence depuis 30 ans. Le tabagisme est la cause principale des cancers bronchopulmonaires primitifs. Même une exposition passive à la fumée de tabac a des effets cancérigènes : chez un non-fumeur vivant parmi de gros fumeurs, le risque de survenue d'un cancer bronchopulmonaire primitif est supérieur de 35 % à celui encouru par un non-fumeur non exposé. L'environnement (non pas la pollution atmosphérique mais une exposition, professionnelle ou non, à des radiations ionisantes ou à certaines matières comme l'amiante, le chrome, le nickel, les hydrocarbures) constitue un autre facteur de risque.

On distingue deux grandes catégories de cancers bronchopulmonaires primitifs, en fonction de la taille de leurs cellules.

■ Les cancers dits « non à petites cellules » constituent 80 % des cancers bronchopulmonaires. Ils regroupent les tumeurs épidermoïdes (45 %), les adénocarcinomes (20 %) et les cancers indifférenciés à grandes cellules (15 %). Ils se manifestent par des signes respiratoires (toux persistante, essoufflement, douleurs thoraciques, expectoration sanguinolente, sifflements respiratoires, pneumopathie traînante ou récidivante, abcès du poumon, pleurésie purulente), qui s'associent tardivement à une altération de l'état général du sujet.

■ Les cancers à petites cellules constituent 20 % des cancers bronchopulmonaires. Ces cancers à haut potentiel métastasique et à envahissement médiastinal précoce sont particulièrement graves. Leurs manifestations sont semblables à celles des cancers « non à petites cellules ». Du fait du volume des tumeurs et de leur prolifération, ils entraînent parfois des dilatations des veines superficielles du thorax et un œdème de la base du cou en cas de compression de la veine cave supérieure, ainsi qu'un syndrome paranéoplasique (notamment le syndrome de Schwartz-Bartter, dû à la sécrétion anormale d'hormone antidiurétique par la tumeur maligne).

DIAGNOSTIC

La découverte d'un cancer bronchopulmonaire primitif a généralement lieu lors d'un examen radiologique prescrit à cause de l'un des symptômes précédemment décrits. L'obtention de tissus (par biopsie, généralement réalisée par fibroscopie bronchique) ou de cellules cancéreuses (par analyse de crachats) permet de confirmer le diagnostic.

ÉVOLUTION

Après une évolution locorégionale, les cancers bronchopulmonaires primitifs peuvent entraîner des métastases extrathoraciques, dont les plus fréquentes sont osseuses, hépatiques et cérébrales.

TRAITEMENT

■ Le traitement des cancers « non à petites cellules » dépend de leur extension dans le thorax, voire en dehors (métastases), et de l'état de la fonction respiratoire du sujet. Au terme de ce bilan, seuls 30 % des malades sont opérables. Parmi eux, 25 % peuvent bénéficier d'une éradication complète du cancer, l'ablation pouvant porter sur un segment du lobe, un lobe entier (lobectomie) ou un poumon entier (pneumonectomie). La radiothérapie ne contient l'extension de la tumeur que dans un très petit nombre

de cas. Les chimiothérapies, quant à elles, donnent des résultats médiocres.

■ Le traitement des cancers à petites cellules repose sur la chimiothérapie d'association (faisant appel à plusieurs médicaments). Il est souhaitable d'y associer une radiothérapie du thorax dans les formes localisées.

PRÉVENTION

Elle comprend principalement la lutte contre le tabagisme et des mesures de protection professionnelle.

Cancers bronchopulmonaires secondaires

Du fait de la riche vascularisation du poumon, ils sont très fréquents. Ils sont dus à des métastases, beaucoup plus souvent pulmonaires que bronchiques, provenant, par voie sanguine ou lymphatique, d'un cancer primitif dont le siège est variable, situé le plus souvent dans le sein, le tube digestif, le rein ou les bronches. Leurs symptômes sont les mêmes que ceux des cancers bronchopulmonaires primitifs. À la radiographie, ils peuvent revêtir des aspects très divers : opacité pulmonaire unique, opacités pulmonaires multiples (aspect en « lâcher de ballons »), opacités réticulonodulaires diffuses, correspondant le plus souvent à une lymphangite carcinomateuse (responsable de troubles de la diffusion des gaz), etc. Leur traitement, avant tout médical (chimiothérapie, hormonothérapie), dépend surtout de la nature du cancer primitif ; exceptionnellement, il peut être chirurgical. Leur pronostic est en général sévère.

Bronchorrhée

Augmentation pathologique de la sécrétion de mucus par les bronches, qui se traduit par une expectoration anormalement abondante.

Une bronchorrhée a pour causes principales la bronchite chronique, l'asthme bronchique, les bronchectasies (dilatations des bronches), les abcès pulmonaires, les fistules bronchopleurales, le carcinome bronchiolo-alvéolaire et la tuberculose bronchique.

Bronchoscopie

Exploration de la trachée et des bronches grâce à un bronchoscope. SYN. *endoscopie bronchique.*

Le bronchoscope, soit rigide (tube optique muni d'un système d'éclairage), soit, le plus souvent, souple (fibroscope formé de fibres optiques qui transportent la lumière), permet d'observer directement l'état de la muqueuse bronchique. Des instruments adaptables à cet appareil permettent de pratiquer différents types d'intervention, essentiellement des prélèvements locaux (biopsie, brossage, aspiration, etc.).

La bronchoscopie est un examen indolore, un peu gênant mais sans danger. Elle se pratique de préférence à jeun, habituellement sous anesthésie locale, plus rarement sous anesthésie générale. Le bronchoscope est généralement introduit par la narine, quelquefois par la bouche. L'examen dure entre 10 et 20 minutes en moyenne.

INDICATIONS

La bronchoscopie est un examen clé pour le diagnostic d'un grand nombre de maladies pulmonaires, en particulier le cancer bronchique et les infections des patients immunodéprimés. Elle peut aussi avoir un rôle thérapeutique : extraction des corps étrangers inhalés (souvent chez l'enfant), désobstruction, à l'aide du laser ou par cryothérapie, d'une bronche fermée par une tumeur, aspiration de sécrétions gênant la respiration, pose d'une sonde d'intubation, lavage bronchiolo-alvéolaire, etc.

Bronchospasme

Contraction spasmodique des muscles lisses de la paroi des bronches.

Le bronchospasme entraîne un rétrécissement temporaire des bronches et, donc, une réduction du débit d'air qui les traverse, provoquant un sifflement à l'expiration ou une toux. Sa cause la plus fréquente est l'asthme. On retrouve plus rarement à son origine la bronchite chronique, le choc anaphylactique (violente réaction allergique) et les réactions allergiques à certains produits chimiques. Son traitement fait appel aux bronchodilatateurs.

Bronchospirométrie

Examen permettant de mesurer simultanément la capacité respiratoire de chacun des deux poumons.

La bronchospirométrie permet de connaître les réserves fonctionnelles d'un poumon et ses possibilités en cas d'ablation du poumon opposé. Elle est réalisée à l'aide d'un bronchospiromètre, sorte de bronchoscope muni de deux tubes différents pour explorer chacun des poumons, qui sont reliés à deux spirographes distincts. Comme la bronchoscopie, elle se pratique de préférence à jeun, habituellement sous anesthésie locorégionale, plus rarement sous anesthésie générale. Normalement, le poumon droit assure 55 % de la ventilation pulmonaire et le poumon gauche, 45 %.

Bronchotomie

Ouverture chirurgicale d'une bronche.

Une bronchotomie est une intervention peu fréquente, surtout utilisée pour extraire un corps étranger enclavé dans cette bronche ou pour enlever certaines tumeurs bénignes.

Broussais (François)

Médecin français (Saint-Malo 1772 – Vitry 1838).

Professeur à l'hôpital du Val-de-Grâce puis à la faculté de médecine de Paris, François Broussais faisait de l'inflammation des tissus la cause exclusive des maladies et préconisait comme seuls remèdes la diète et la saignée. Il connut son heure de gloire, mais l'inanité de ses théories fut démontrée lors de la terrible épidémie de choléra qui sévit à Paris en 1832.

Brown-Séquard (Charles-Édouard)

Physiologiste et médecin français (Port-Louis, île Maurice, 1817 – Paris 1894).

La bronchoscopie est un examen rapide, réalisable sous anesthésie locale, désagréable mais indolore. Ici, le médecin a introduit le tube dans le larynx, par la bouche et le pousse lentement en observant l'état de la trachée et des grosses bronches. Il peut au besoin faire des prélèvements ou extraire un corps étranger.

Le bronchoscope permet de voir la muqueuse, qui tapisse les bronches, et les orifices des branches de division.

Professeur à Harvard (Cambridge, États-Unis), Charles-Édouard Brown-Séquard succéda, en 1878, à Claude Bernard à la chaire de physiologie expérimentale du Collège de France. Il effectua des recherches très poussées sur la physiologie nerveuse et notamment sur les conséquences de l'hémisection de la moelle épinière (syndrome de Brown-Séquard). Il fut, par ailleurs, un pionnier en endocrinologie (*Recherches sur la fonction des glandes surrénales*, 1856) et en opothérapie (utilisation thérapeutique d'organes ou d'extraits d'organes d'origine animale).

Brown-Séquard (syndrome de)

Syndrome neurologique dû à une lésion grave de la moitié droite ou gauche de la moelle épinière.

Ce syndrome n'existe quasiment pas à l'état pur en pathologie humaine, où une lésion n'atteint jamais très exactement une moitié latérale de la moelle. Cependant, il est plus ou moins marqué dans diverses circonstances : traumatisme, compression par une tumeur, sclérose en plaques, accident vasculaire de la moelle.

SYMPTÔMES ET SIGNES

Les symptômes sont dus à l'interruption des faisceaux verticaux de fibres nerveuses, motrices ou sensitives ; ils apparaissent donc dans la région du corps gouvernée par la moelle et située sous la lésion. Par exemple, une lésion peut empêcher les ordres moteurs émanant du cerveau (faisceau pyramidal) d'arriver jusqu'à la région de la moelle commandant la jambe située du même côté que la lésion : il se produit une paralysie. De la même façon, la sensibilité profonde, ascendante (faisceaux de Goll et de Burdach), renseignant le cerveau sur la position des articulations et la tension des muscles, est supprimée dans cette région. En revanche, la sensibilité de la peau à la température et à la douleur (faisceau spinothalamique) est abolie de l'autre côté du corps, car les fibres sensitives correspondantes croisent la ligne médiane avant de monter dans la moelle (elles passent de droite à gauche ou inversement).

TRAITEMENT

Le traitement du syndrome de Brown-Séquard dépend de la cause. L'atteinte est réversible dans les cas où une compression a pu être rapidement levée.

Brucellose

Maladie infectieuse due à une bactérie aérobie à Gram négatif du genre *Brucella,* transmise à l'homme par les animaux. SYN. *fièvre de Malte, fièvre ondulante, mélitococcie.*

La brucellose est une anthropozoonose largement répandue, surtout dans les régions méditerranéennes. Elle est transmise par les bovins *(Brucella abortus bovis),* les caprins *(Brucella melitensis)* ou les porcins *(Brucella abortus suis),* par voie cutanée chez les professionnels (éleveurs) ou digestive (absorption de lait cru ou de fromages frais contaminés).

SYMPTÔMES ET SIGNES

L'incubation peut durer plusieurs semaines. La maladie se déclare par une fièvre prolongée, ondulante (d'intensité variable), accompagnée de sueurs et de douleurs diffuses. Cette fièvre s'associe à diverses manifestations neuroméningées, ostéoarticulaires, hépatiques ou génitales, parfois septicémiques, notamment avec endocardite.

DIAGNOSTIC ET TRAITEMENT

Le diagnostic repose, en début de maladie, sur la mise en évidence du germe par hémoculture (culture biologique du sang du malade), puis sur le sérodiagnostic de Wright ou l'intradermoréaction de Burnet.

La brucellose est traitée par administration d'antibiotiques, efficace lorsque 2 ou 3 produits (cyclines, quinolones, aminosides) sont utilisés en association. Le traitement doit se poursuivre 2 mois à partir de la phase aiguë. Les formes chroniques de la maladie, en particulier celles qui comportent des foyers ostéoarticulaires, sont malaisées à soigner. On peut recourir à une désensibilisation par injection d'antigènes, à la corticothérapie, voire à la psychothérapie lorsque les symptômes invoqués sont amplifiés par une note subjective (« patraquerie brucellienne »).

PRÉVENTION

Les cas de brucellose humaine ou animale doivent obligatoirement être déclarés aux autorités compétentes. Les malades sont isolés, les animaux contaminés abattus, les locaux et le linge désinfectés. Chez l'homme, des précautions alimentaires et une hygiène adéquate suffisent à éviter la contagion. La vaccination des professionnels exposés et du bétail permet de réduire la fréquence de la maladie.

Bruit

Son ou combinaison de sons produit par des vibrations irrégulières d'amplitudes différentes.

Ordinairement, les muscles de l'oreille moyenne réagissent à un bruit intense par une contraction de la chaîne des osselets qui transmet les vibrations à l'oreille interne, réduisant ainsi l'impact de celui-ci. Mais, en cas de bruit trop soudain, ces réflexes de protection n'ont pas le temps de se mettre en action : la force totale des vibrations est transmise à l'oreille interne, entraînant d'importantes lésions dans les cellules ciliées de la cochlée. Un bruit très intense peut provoquer une rupture du tympan.

Un son devient pénible et nocif à partir de 90 à 100 décibels. L'exposition à un bruit très intense et soudain, généralement de plus de 130 décibels, peut produire une lésion brutale et définitive. Une exposition continuelle à des bruits importants conduit d'abord à une perte de la capacité d'entendre certains sons aigus, puis la surdité s'étend à toutes les hautes fréquences et la perception de la parole s'affaiblit. À un stade plus avancé, la perception des sons les plus graves peut aussi être affectée. Les bruits ont, en outre, un important retentissement sur le psychisme. Ils peuvent gêner le travail intellectuel, diminuer les facultés de concentration et de raisonnement et nuire à la qualité du sommeil.

Bruit du cœur

Vibration sonore brève émise par le cœur.

L'auscultation d'un cœur normal au stéthoscope permet d'entendre la répétition périodique de deux bruits. Le premier, normalement grave et sourd, quasi simultané du pouls, inaugure la systole. Il correspond à la fermeture des valvules auriculoventriculaires (mitrale et tricuspide). Le second, bref et sec, inaugure la diastole. Il correspond à la fermeture des valvules sigmoïdes obturant les orifices aortique et pulmonaire.

Il est possible d'entendre des bruits supplémentaires pendant la diastole, en dehors de toute maladie, chez l'enfant et le jeune adulte, mais surtout lors de certaines pathologies (insuffisance cardiaque, anomalie du myocarde, rétrécissement mitral, etc.). Lorsque le rythme est rapide, ces bruits prennent le nom de galop.

L'origine de ces bruits est discutée : contact des valves, turbulence des volumes sanguins déplacés. Les bruits du cœur peuvent être traduits graphiquement en fonction de la chronologie de la révolution cardiaque, lors d'une phonocardiographie.
→ VOIR Auscultation.

Brûlure

Lésion de la peau ou des muqueuses provoquée par leur exposition à une chaleur intense ou par leur contact avec un agent physique ou chimique.

Les brûlures peuvent être causées par des liquides bouillants, des solides chauds ou en combustion, des agents chimiques (acides, bases, phosphore), de l'électricité ou des agents radioactifs (rayons X).

Selon leur étendue, on distingue les brûlures dites bénignes (touchant moins de 15 % de la surface du corps) des brûlures graves (touchant de 15 à 60 % de cette même surface). On les classe également en fonction de leur profondeur.

Brûlures du premier degré

Les brûlures du premier degré atteignent l'épiderme et se manifestent par une rougeur, parfois suivie d'une desquamation. Elles peuvent entraîner une légère fièvre. Le coup de soleil est une brûlure de ce type.

TRAITEMENT

La douleur peut être calmée par l'application de compresses froides ou d'eau courante fraîche. Les brûlures du premier degré sont éventuellement traitées par application de crèmes

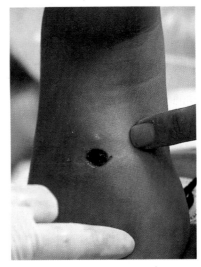

Brûlure. *Une brûlure du troisième degré localisée sur la cuisse d'un enfant nécessite un traitement spécial.*

grasses et adoucissantes et pansées pour éviter l'infection. Les phlyctènes (cloques contenant du plasma) peuvent être excisées chirurgicalement. Ces brûlures guérissent vite, généralement en moins de trois semaines.

Brûlures du deuxième degré

Les brûlures du deuxième degré peuvent être superficielles (atteinte de l'épiderme et d'une partie du derme, épargnant des îlots de membrane basale) ou profondes (destruction de l'épiderme et de la totalité du derme). Elles se traduisent par l'apparition de phlyctènes et peuvent provoquer un choc cardiovasculaire avec chute de tension et tachycardie. La brûlure, en altérant la barrière cutanée, favorise la surinfection.

TRAITEMENT

Les brûlures du deuxième degré nécessitent une désinfection et la pose d'un pansement stérile. Si le derme est à vif, une pommade grasse peut être appliquée sur la brûlure pour aider à la cicatrisation. Dans certains cas, la brûlure conduit à la perte progressive de la peau, qui s'élimine en une quinzaine de jours. Celle-ci est suivie d'une régénération cutanée provenant de la zone périphérique de la brûlure, qui permet la couverture de la zone brûlée.

En cas de brûlure profonde et étendue, la cicatrisation ne peut avoir lieu rapidement : le recours à des techniques de chirurgie réparatrice (greffe, lambeau) est alors conseillé, une excision chirurgicale précoce des tissus morts et des greffes de peau offrant un meilleur résultat fonctionnel et esthétique que la cicatrisation spontanée.

Brûlures du troisième degré

Les brûlures du troisième degré, ou carbonisation, détruisent l'épiderme, le derme et l'hypoderme. Très profondes, elles peuvent occasionner la destruction des muscles, des

tendons ou de l'os sous-jacent et occasionner la mort des patients, notamment des sujets âgés. Cependant, les techniques chirurgicales actuelles permettent la survie de sujets atteints à 80 % de la surface corporelle, voire 95 % chez des sujets jeunes.

TRAITEMENT

Ces brûlures imposent une hospitalisation dans un centre spécialisé et une réparation en plusieurs temps : excision chirurgicale des tissus morts, réparation chirurgicale (autogreffe d'épiderme notamment) puis cicatrisation, parfois associée à des interventions de chirurgie plastique. En cas de brûlures étendues, l'immersion du brûlé dans des

---

Premiers soins à donner à un brûlé

Les brûlures superficielles de faible étendue (moins de 15 % de la surface corporelle) et ne concernant pas les régions à risques (face, plis de flexion, orifices naturels) ne nécessitent pas d'hospitalisation. Il faut passer la partie du corps brûlée sous l'eau courante froide, mais non glacée, pendant au moins 5 minutes, la désinfecter à l'aide d'un antiseptique dilué, enlever l'épiderme décollé et non adhérent. Les plus grosses phlyctènes (cloques contenant du plasma) doivent être excisées par un médecin, et les lésions recouvertes d'un pansement gras (tulle gras, par exemple). Une injection de sérum antitétanique est pratiquée au besoin, parfois associée à l'administration d'un analgésique ou d'un anxiolytique.

Si la brûlure est étendue ou profonde, on évite de déshabiller la personne, sauf si ses vêtements sont imbibés de liquide bouillant ou si, fabriqués en tissu synthétique, ils risquent de fondre au contact de la peau. Il faut surtout éviter de faire boire le brûlé et, s'il a ingéré des produits caustiques, de le faire vomir. Enveloppé dans des draps propres, il doit être dirigé immédiatement vers un centre spécialisé.

---

bains de liquide physiologique est pratiquée pour réduire les pertes en plasma par les surfaces brûlées, maintenir la température corporelle et atténuer la douleur.

La rééducation kinésithérapique est essentielle dans le traitement des grands brûlés pour éviter la formation de brides cicatricielles et redonner une amplitude normale de mouvement dans les régions lésées, surtout au niveau des doigts. Les massages sont entrepris dès la période de cicatrisation. La rééducation par le jeu et l'ergothérapie peut réapprendre, surtout s'il s'agit d'enfants, à manipuler divers objets. Ultérieurement, les cicatrices disgracieuses et gênantes sont corrigées par chirurgie plastique. Des cures thermales avec douches puissantes réussissent à aplanir certaines grandes cicatrices.

Brûlure d'estomac

→ VOIR Gastrite.

Brûlure oculaire

Lésion oculaire d'origine chimique ou thermique.

Les brûlures oculaires constituent l'un des plus graves traumatismes de l'appareil visuel.
■ **Les brûlures chimiques** sont la conséquence de la projection dans l'œil d'un caustique ou d'un acide. Elles imposent un lavage immédiat et abondant du globe oculaire avec du sérum physiologique tiède ou, à défaut, avec de l'eau du robinet, jusqu'à élimination du toxique. Lorsque la conjonctive (fine membrane protégeant le globe oculaire) est brûlée, les yeux sont larmoyants ; si la brûlure est voisine du pourtour de la cornée, celle-ci peut se nécroser partiellement. La brûlure de la cornée (membrane circulaire située derrière la conjonctive et protégeant l'iris et la pupille) se manifeste par l'opacification et l'insensibilité de celle-ci et par une réduction de l'acuité visuelle. Dans les culs-de-sac de la conjonctive, la nécrose est remplacée dans les jours qui suivent la brûlure par des adhérences empêchant la fermeture des paupières : c'est le symblépharon, dont le risque est l'ulcération cornéenne.

Le traitement repose sur des injections de vasodilatateurs sous la conjonctive, sur une antibiothérapie pour prévenir les infections oculaires, voire sur une greffe de conjonctive saine ou de muqueuse buccale afin de revasculariser la zone brûlée. Pour prévenir le symblépharon et détruire les adhérences en voie de formation, l'ophtalmologiste passe plusieurs fois par jour une petite baguette de verre enduite d'une pommade antiseptique entre la conjonctive et la face interne de la paupière, jusqu'à guérison. Une ponction de la chambre antérieure de l'œil peut également être pratiquée pour évacuer le toxique accumulé dans l'humeur aqueuse. Ultérieurement, la formation d'une taie cornéenne, lorsque celle-ci gêne la vision, peut nécessiter une greffe de cornée.
■ **Les brûlures thermiques**, en général moins graves, touchent en premier lieu les paupières, qui peuvent présenter tous les degrés de brûlure. Lorsqu'elles sont profondes, elles sont parfois le siège de déformations ou de rétractions cicatricielles. Le globe oculaire est atteint lorsqu'il y a projection d'un corps étranger incandescent. Mais le film lacrymal atténue dans une certaine mesure l'effet de la brûlure, qui reste en général superficielle. Il convient cependant de rechercher le corps étranger et de l'enlever.

Bruxisme

Mouvements répétés et inconscients de friction des dents. SYN. *bruxomanie*.

Le bruxisme est habituellement un tic nerveux dû à un état de tension émotionnelle ou de stress. Il arrive aussi qu'il soit causé localement par l'existence de petits contacts non harmonieux des dents entre elles.

Le bruxisme peut entraîner une usure importante des dents, provoquant une sensibilité aux changements de température et aux aliments acides ; il peut même occasion-

ner une fatigue musculaire au niveau de la mâchoire et de la nuque.

Le traitement consiste à administrer des sédatifs quand la tension nerveuse est trop forte, à restaurer et à équilibrer les surfaces dentaires et, parfois, à faire porter au sujet une prothèse de protection durant la nuit.

Bubon

Inflammation des ganglions lymphatiques évoluant vers la suppuration.

Un bubon se développe plus particulièrement à l'aine. Il s'observe dans certaines infections : la peste bubonique, le chancre mou, la maladie de Nicolas-Favre.

Budd-Chiari (syndrome de)

Syndrome lié à une obstruction des veines sus-hépatiques (qui débouchent du foie pour rejoindre la veine cave inférieure).

CAUSES

Il peut s'agir d'une malformation congénitale, d'une compression extérieure (tumeur) ou de tout autre phénomène susceptible de favoriser une thrombose veineuse (anomalie de la coagulation, congénitale ou due à la prise de contraceptifs, augmentation anormale du nombre des globules rouges, etc.).

SYMPTÔMES ET SIGNES

Il y a hypertension portale (élévation de la pression du sang dans la veine porte, qui amène le sang d'origine digestive au foie). Les symptômes sont différents selon la forme, aiguë ou chronique, du syndrome.
■ **La forme aiguë** se traduit par des douleurs hépatiques dues à une déficience des fonctions hépatiques.
■ **La forme chronique** se manifeste par des hémorragies digestives et une ascite (excès de liquide dans la cavité péritonéale, provoquant une distension de l'abdomen).

DIAGNOSTIC

Il peut être confirmé par l'échographie, le Doppler (examen qui permet de mesurer la vitesse de circulation du sang dans les vaisseaux) ou l'angiographie.

TRAITEMENT

Si l'on réussit rarement à déboucher la veine obstruée, on sait traiter l'effet, l'hypertension portale, par des médicaments et/ou la chirurgie (anastomose portocave).

Bulbe

Partie renflée de certains organes.

Il existe de nombreux bulbes dans l'organisme : le bulbe cardiaque, qui est, chez l'embryon, un segment de l'ébauche du cœur ; le bulbe duodénal, première portion du duodénum, siège préférentiel des ulcères dits bulbaires ; le bulbe carotidien, qui correspond à la division de la carotide primitive en carotides interne et externe ; le bulbe du corps caverneux, extrémité postérieure de cet organe érectile pénien ; etc.

Bulbe rachidien

Partie inférieure de l'encéphale, qui constitue un centre nerveux important. (P.N.A. *medulla oblongata*)

Le bulbe rachidien est situé entre la protubérance annulaire – au-dessus – et la

moelle épinière – en dessous. Il est le siège de centres neurovégétatifs extrêmement importants. Il contient les faisceaux pyramidaux, formés de nerfs moteurs qui descendent les ordres du cerveau vers la moelle, ainsi que d'autres faisceaux (spinothalamique, ruban de Reil médian, etc.) qui remontent les informations sensitives vers différentes zones de l'encéphale. Par ailleurs, le bulbe a aussi un rôle actif grâce à la présence de noyaux (petits centres de commande) de plusieurs nerfs crâniens. Il intervient ainsi en partie dans la sensibilité du visage, dans la sensibilité et la motricité de la langue, du pharynx, du larynx et, par l'intermédiaire du nerf pneumogastrique, dans celle des viscères thoracoabdominaux.

L'atteinte de la région bulbaire à l'occasion de traumatismes (fractures de la première vertèbre cervicale) est l'un des plus graves traumatismes médullaires, entraînant une tétraplégie (paralysie des quatre membres).
→ VOIR Syndrome bulbaire.

Bulle dermatologique

Soulèvement cutané arrondi de grande taille, rempli d'une sérosité contenant ou non du sang. SYN. *phlyctène*.

CAUSES

Certaines bulles sont provoquées par des agents physiques tels que le frottement (ampoule), la chaleur (brûlure), le froid (gelure) ou par un contact avec des substances chimiques caustiques. Les autres bulles sont l'expression d'anomalies appelées dermatoses bulleuses. Elles ont des origines variables : photodermatose (sensibilité exagérée à la lumière) ; toxidermie (réaction allergique qui peut être due à de très nombreux médicaments, tels les sulfamides, les barbituriques, l'aspirine, etc., et dont l'une des formes est le syndrome de Lyell). L'impétigo, d'origine bactérienne, peut prendre à son début l'aspect d'une bulle, ainsi que certaines maladies dermatologiques : pemphigus vulgaire, pemphigoïde bulleuse, certains érythèmes polymorphes, dermatite herpétiforme. Les maladies bulleuses héréditaires, rares, peuvent se manifester dès l'enfance : incontinentia pigmenti, épidermolyse bulleuse, porphyries congénitales.

SYMPTÔMES ET DIAGNOSTIC

La bulle se distingue de la vésicule, très petite, et de la pustule, qui contient du pus. Elle est fragile et sa rupture ne laisse qu'une érosion de la peau, se recouvrant éventuellement d'une croûte, ce qui rend le diagnostic plus difficile. Les bulles peuvent siéger sur une peau saine (pemphigus) ou rouge (érythème polymorphe). Elles peuvent être uniques (brûlure, ampoule) ou multiples (érythème polymorphe), limitées aux pieds et aux mains (épidermolyse bulleuse), aux régions non couvertes par les vêtements (photodermatoses) ou se généraliser (toxidermies). Le diagnostic des formes étendues nécessite un prélèvement biopsique, qui permet de distinguer deux variétés de bulles, selon que le liquide s'accumule dans l'épaisseur de l'épiderme (pemphigus) ou entre l'épiderme et le derme (toxidermies).

ÉVOLUTION ET TRAITEMENT

Une bulle peut être le symptôme d'une maladie grave. Les maladies bulleuses étendues ont parfois un pronostic sévère, comme le syndrome de Lyell, qui impose un traitement en réanimation. Le traitement des bulles, très variable, dépend de leur cause.

Bulle pulmonaire

Structure sphérique anormale, remplie d'air, développée au sein d'un poumon.

Une bulle est formée à partir d'un tissu pulmonaire anormal, distendu, parfois détruit, et n'est pas fonctionnelle : elle n'assure aucun échange gazeux entre le sang et l'air. Sa taille varie de 1 centimètre à celle de tout le poumon. Elle peut apparaître dans un poumon sain ou malade, atteint d'emphysème. Petite, une bulle isolée n'entraîne en général aucun trouble ; volumineuse, elle peut comprimer le reste du poumon ou les gros vaisseaux, provoquant des troubles cardiorespiratoires. Certaines bulles superficielles, même de petite taille, peuvent se rompre et se compliquer alors d'un pneumothorax (présence d'air dans la plèvre). Le traitement est chirurgical.

Buphtalmie

Augmentation du volume du ou des globes oculaires, liée le plus souvent à un glaucome congénital (hypertension intraoculaire).

La buphtalmie se manifeste sous la forme d'une saillie antérieure de la cornée, qui devient douloureuse à mesure qu'elle grossit. Elle peut provoquer des vergetures de la membrane postérieure de la cornée, dues à son trop fort étirement. À travers elles, l'humeur aqueuse s'infiltre dans la cornée et provoque un œdème cornéen, responsable d'une photophobie (sensation pénible produite par la lumière) avec larmoiement.

La buphtalmie peut être évaluée par la mesure du diamètre cornéen, obtenue à l'aide d'un compas (souvent pratiquée sous anesthésie générale chez les petits enfants), et par la biométrie oculaire, qui mesure le diamètre antéropostérieur de l'œil. Le traitement du glaucome ne peut pas faire régresser la buphtalmie, mais il la stabilise et, surtout, il empêche l'apparition d'autres lésions, notamment du nerf optique.

Burkitt (lymphome de)

Tumeur ganglionnaire maligne de l'enfant.

Le lymphome de Burkitt, de type non hodgkinien, se rencontre presque exclusivement en Afrique tropicale, où il représente la plus fréquente des tumeurs de l'enfant. En Europe et en Amérique du Nord, il est très rare, mais constitue pourtant la moitié des lymphomes de l'enfant.

CAUSES

En Afrique, l'apparition de la tumeur est la conséquence de plusieurs infections successives du sujet, entraînant une stimulation de son système immunitaire et, plus particulièrement, des lymphocytes B.

On constate, par exemple, une infection par le virus d'Epstein-Barr, généralement contractée à partir de la mère, puis un paludisme à *Plasmodium falciparum* ; la tumeur surviendrait ensuite, lors d'accidents génétiques entraînant la translocation (échange) des chromosomes 8 et 14.

SYMPTÔMES ET SIGNES

La forme africaine est caractérisée par une tuméfaction généralement située à la mâchoire ; la forme d'Europe et d'Amérique du Nord est plutôt localisée dans l'abdomen ou les amygdales. L'évolution est rapide : augmentation de volume de la tumeur, puis dissémination aux ganglions et, surtout, au système nerveux central, à la moelle osseuse et au sang (leucémie aiguë).

DIAGNOSTIC ET TRAITEMENT

Seule la biopsie de la tumeur permet d'identifier un lymphome de Burkitt. Depuis une quinzaine d'années, les traitements chimiothérapiques, utilisant un nombre croissant de médicaments anticancéreux, permettent de guérir la majorité des formes localisées et plus de la moitié des formes étendues. Pendant 5 ou 6 mois, la chimiothérapie est administrée par voie veineuse, mais aussi par ponction lombaire, pour prévenir ou guérir les atteintes du système nerveux ; elle est complétée par une radiothérapie. Ce traitement nécessite des hospitalisations répétées et assez prolongées. Le patient est considéré comme guéri s'il n'y a pas eu de rechute dans l'année qui suit celle du début du traitement ; sinon, une nouvelle chimiothérapie est pratiquée, suivie d'une autogreffe de moelle.

Burnet (intradermoréaction de)

Technique de diagnostic de la brucellose.

Elle consiste en une injection intradermique d'un filtrat de culture de *Brucella melitensis*. Un patient atteint de brucellose demeure sensible (réaction positive) à cette intradermoréaction pendant 2 à 5 ans après sa guérison.

Burnett (syndrome de)

Syndrome associant une hypercalcémie, une alcalose (alcalinité excessive du sang) et une insuffisance rénale. SYN. *syndrome des buveurs de lait, syndrome du lait et des alcalins.*

Le syndrome de Burnett est dû à une consommation excessive et prolongée de lait et/ou de médicaments antiacides (contre l'acidité gastrique). Il s'observe le plus souvent chez les patients souffrant d'un ulcère gastroduodénal et de troubles rénaux associés. Il se manifeste par une faiblesse, des douleurs musculaires, une apathie. Le traitement consiste à réduire la consommation de lait et/ou des médicaments antiacides.

Bursite

Inflammation aiguë ou chronique d'une bourse séreuse. SYN. *hygroma.*

Étant donné l'analogie de structure entre bourse séreuse et bourse synoviale, les bursites ont la même origine que les arthrites infectieuses, microcristallines ou inflammatoires. En outre, elles peuvent être provoquées par une irritation locale (frottement). Elles touchent le plus souvent le coude, la rotule (dans les professions imposant un travail à genoux) et le tendon d'Achille (port de chaussures mal adaptées).

Une bursite se manifeste par une douleur locale avec gonflement et présence de liquide dans la bourse. Elle s'accompagne parfois d'une inflammation de la capsule articulaire contiguë. Le traitement repose sur la ponction du liquide, l'administration d'anti-inflammatoires, au besoin sur l'injection locale de corticostéroïdes, voire sur une intervention chirurgicale en cas de récidive.

Buschke-Ollendorf (syndrome de)

Anomalie héréditaire cutanée et osseuse.

Le syndrome de Buschke-Ollendorf se traduit par des plaques jaunâtres plus ou moins grandes correspondant à des anomalies du tissu conjonctif de la peau (hamartomes conjonctifs), associées à de petites lésions osseuses multiples (ostéopœcilie). Aucun traitement n'est encore proposé.

Butée

Greffon osseux apposé chirurgicalement près d'une articulation afin d'en augmenter la surface.

La butée, le plus souvent prélevée sur le patient lui-même, peut être réalisée à la hanche pour traiter une dysplasie (malformation ou anomalie du développement) afin d'augmenter la surface portante de l'articulation et de ralentir l'apparition d'une arthrose. Elle est alors souvent associée à une ostéotomie (correction chirurgicale) du fémur, destinée à en recentrer la tête sous une articulation agrandie par la butée. En cas d'arthroplastie totale de la hanche (remplacement de l'articulation par une prothèse), une butée peut être réalisée dans la cavité articulaire pour assurer un meilleur maintien à long terme de la prothèse. Une butée peut aussi être réalisée à l'épaule quand la cavité articulaire de l'omoplate a été détériorée par des luxations répétées : associée à une remise sous tension de la capsule articulaire, elle permet de prévenir d'autres luxations.

Buveurs de lait (syndrome des)

→ VOIR Burnett (syndrome de).

Bywaters (syndrome de)

Insuffisance rénale aiguë survenant en cas d'atteinte grave de la musculature. SYN. *syndrome d'écrasement.*

Le syndrome de Bywaters survient à la suite de lésions étendues des muscles squelettiques provoquées par des phénomènes de compression ou d'écrasement. Il est dû à la libération dans la circulation sanguine d'un pigment normalement contenu dans les cellules musculaires, la myoglobine. Présente en grande quantité dans le sang, celle-ci devient rapidement toxique et bloque les tubules rénaux, ce qui provoque une insuffisance rénale aiguë.

Le traitement fait le plus souvent appel à l'hémodialyse, la guérison s'effectuant en général sans séquelles. Parallèlement, un traitement chirurgical des lésions musculaires est parfois nécessaire.

C

Cacao

Graine du cacaoyer, arbre de la famille des sterculiacées.

Le cacao, riche en matières grasses, fournit le beurre de cacao et la poudre de cacao, matière première du chocolat. Il renferme également des glucides, des protéines, des vitamines ainsi que des sels minéraux : il est très riche en phosphore (600 milligrammes pour 100 grammes), en potassium (1 900 milligrammes pour 100 grammes) et en magnésium (400 milligrammes pour 100 grammes). Il contient des alcaloïdes (caféine et surtout théobromine), mais en faible quantité. Les fréquentes attractions irrésistibles qu'on peut observer pour le chocolat seraient dues à la présence dans le cacao de substances anxiolytiques, susceptibles d'atténuer certains types d'anxiété.

Le chocolat ne possède aucune toxicité particulière, y compris pour le foie. C'est toutefois un aliment très calorique, qui peut être pour certains difficile à digérer. Consommé en quantité importante, il pourrait, en outre, favoriser la constipation. Une consommation modérée de chocolat est donc recommandée.

Cacchi et Ricci (maladie de)

Affection congénitale caractérisée par une dilatation des tubes collecteurs des urines dans le rein (chaque néphron se termine par un tel tubule). SYN. *ectasies canaliculaires précalicielles, rein en éponge.*

La fréquence de la maladie de Cacchi et Ricci est inconnue, car elle peut ne jamais se manifester et est souvent découverte de façon fortuite au cours d'examens entrepris pour une tout autre raison. Son diagnostic nécessite une urographie intraveineuse (examen radiographique consistant à rendre les voies urinaires opaques aux rayons X). Cette maladie, bénigne, ne porte jamais atteinte au pronostic rénal. Sa seule complication notable est la formation, dans les dilatations tubulaires ou les calices, de calculs pouvant être à l'origine de coliques néphrétiques. Il n'existe pas de traitement.

Cachexie

État d'affaiblissement profond de l'organisme, lié à une dénutrition très importante.

La cachexie en elle-même n'est pas une affection, mais un symptôme dont les causes sont diverses. Elle peut être la conséquence d'une anorexie (diminution ou perte totale de l'appétit). Chez les malades atteints d'un cancer (cachexie cancéreuse), cette anorexie est due à une altération du goût ou à une aversion acquise pour certains aliments, en particulier la viande. Ces phénomènes seraient provoqués par des substances sécré-

tées par la tumeur elle-même, les cachexines. La cachexie anorexique peut également accompagner une insuffisance cardiaque grave et chronique. Une forme particulière de cachexie est causée par l'anorexie mentale, autorestriction alimentaire d'origine psychique. Il est possible d'observer un état de cachexie malgré une conservation de l'appétit, au terme d'une longue évolution, dans certains cas d'hyperthyroïdie, en particulier chez les personnes âgées. La cachexie des maladies chroniques infectieuses (sida, tuberculose) ou inflammatoires (connectivites) est encore mal expliquée.

Cacosmie

Perception d'une odeur fétide, réelle ou imaginaire.

■ **La cacosmie est objective** lorsque l'odeur existe réellement : elle est même perceptible par l'entourage du sujet. Elle est due à une infection nasale ou sinusienne, parfois à une tumeur des fosses nasales ou à un corps étranger.

■ **La cacosmie est subjective,** au contraire, si on ne décèle aucun support matériel. Il peut s'agir d'une inflammation du nerf olfactif, d'une hallucination au cours d'une maladie psychiatrique ou d'un signe annonciateur d'une crise d'épilepsie.

Caducée

Emblème des professions médicales et paramédicales.

Le caducée se compose d'un faisceau de baguettes autour duquel s'enroule le serpent d'Esculape, dieu de la Médecine, et que surmonte le miroir de la Prudence. Cet emblème, dont on retrouve déjà la trace quelques millénaires avant notre ère, symbolise l'énergie et la fécondité par l'équilibre des forces contraires, mais aussi la supériorité de l'esprit sur le corps.

Le mot caducée désigne également la vignette qui porte l'emblème médical. Ce signe de reconnaissance est délivré aux membres du corps médical et aux personnes qui exercent des professions paramédicales (infirmiers, masseurs-kinésithérapeutes, sages-femmes) afin de faciliter leurs déplacements professionnels.

Caduque

1. Couche superficielle de la muqueuse utérine, qui est expulsée avec le placenta après l'accouchement. SYN. *caduque déciduale, caduque utérine.*

Au cours de la deuxième semaine de la grossesse, la couche superficielle de la muqueuse de l'utérus subit des modifications, visibles au microscope, et prend alors le nom de caduque. À ce moment, l'œuf fécondé est contenu dans l'épaisseur de la caduque, dans laquelle on distingue trois parties. La caduque ovulaire (ou réfléchie) recouvre l'œuf du côté de la cavité utérine, le séparant de celle-ci. Du côté opposé, la caduque utéroplacentaire (ou basale) sépare l'œuf du muscle utérin sous-jacent. La caduque utérine vraie (ou pariétale) tapisse toute la cavité utérine, sauf dans la zone où se trouve l'œuf.

Ultérieurement, la caduque utéroplacentaire, sous l'œuf, s'épaissit pour former le placenta. L'œuf – et la cavité amniotique (poche des eaux) dont il s'entoure – grossit en faisant une saillie dans la cavité utérine, qu'il finit par remplir complètement. Ce faisant, il repousse la caduque ovulaire, qui le recouvre, jusqu'à ce qu'elle atteigne la caduque utérine vraie. Ces deux caduques s'atrophient alors et se soudent pour former l'amnios.

2. Endomètre (muqueuse utérine) qui subit des transformations au cours d'une grossesse anormale.

On parle ainsi de caduque endométriale lors des grossesses extra-utérines.

Cæcostomie

Opération chirurgicale qui consiste à ouvrir le cæcum, partie initiale du gros intestin, pour le vider de son contenu.

La cæcostomie est une méthode peu répandue, indiquée en cas d'occlusion du côlon (gros intestin). Cette dernière s'observe quand le côlon est obstrué par une tumeur ou quand la musculature de sa paroi devient inefficace. L'intervention consiste à ouvrir d'abord le cæcum puis à l'aboucher à la paroi abdominale pour le faire communiquer avec l'extérieur. L'évacuation de son contenu permet alors de décomprimer le côlon. Celui-ci est ensuite nettoyé des matières qui s'y sont accumulées grâce à l'introduction d'une sonde, qui permet également d'injecter du sérum physiologique en grande quantité.

Cæcum

Portion initiale du côlon située au-dessous de l'iléon et prolongée par l'appendice. (P.N.A. *cæcum*)

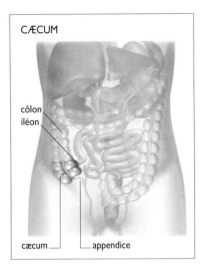

CÆCUM

côlon
iléon

cæcum · appendice

Le cæcum peut être le siège de typhlites (lésions inflammatoires) et de cancers, relativement fréquents chez le sujet âgé et de diagnostic difficile. Il peut également se tordre, créant un volvulus.

Café

Graine du caféier, arbrisseau de la famille des rubiacées.

Le café contient des sels minéraux, des vitamines, de la caféone (substance aromatique) et des alcaloïdes (caféine et théobromine), ces derniers exerçant une action diurétique. La variété Arabica est moins chargée en caféine (de 0,8 à 1,3 %) que la variété Robusta (entre 2 et 3 %). La caféine, présente également dans d'autres plantes, comme le thé, le cacao, le maté et la noix de kola, possède à faible dose des propriétés stimulantes et cardiotoniques ; elle combat efficacement la somnolence et stimule l'activité intellectuelle. Ces propriétés la font entrer dans la composition de diverses préparations pharmaceutiques.

Les effets de la caféine peuvent devenir excessifs à des doses variables selon les individus. Elle provoque alors des tremblements, des palpitations, une insomnie. Une consommation régulière et excessive de café peut entraîner un phénomène d'accoutumance, l'arrêt brutal de la consommation se traduisant alors parfois par des céphalées, une irritabilité et une fatigue.

Cage thoracique

Ensemble des os du squelette du thorax.
(P.N.A. *thorax*)

La cage thoracique est formée en arrière par les douze vertèbres dorsales, latéralement par les côtes et en avant par le sternum, os plat et allongé situé au centre de la partie antérieure du thorax et prolongé par l'appendice xyphoïde. Les deux dernières côtes, ou côtes flottantes, ne s'insèrent pas sur le sternum. La cage thoracique est limitée en bas par le diaphragme, qui joue un rôle essentiel dans la respiration. La limite supérieure est formée par le dôme pleural, lame fibreuse correspondant au bord supérieur de la première paire de côtes.

La cage thoracique est recouverte par les muscles intercostaux reliant les côtes, par les muscles pectoraux en avant et par les muscles grands dorsaux et grands dentelés en arrière et latéralement. Elle contient le cœur, les gros vaisseaux (aorte, artère pulmonaire), les poumons et la trachée et, en arrière, l'œsophage. L'ensemble de la cage thoracique est très souple, en raison de sa structure cartilagineuse, et permet des mouvements respiratoires de grande amplitude.

Caillot

Masse semi-solide qui se forme lorsque le sang coagule.

Un caillot est constitué de cellules sanguines (globules rouges et plaquettes) et de fibrine. Lorsque du sang frais est laissé en contact avec l'air, il se transforme rapidement en une masse amorphe. Après quelques heures, celle-ci se rétracte et exsude un liquide, le sérum. La masse compacte surnageante constitue le caillot.

Les caillots ont pour fonction d'arrêter l'hémorragie lorsque les vaisseaux sanguins sont rompus. Ils peuvent toutefois se constituer spontanément (thrombose) et avoir de graves conséquences en provoquant une occlusion ou une embolie.

Les caillots pathologiques, encore nommés thrombus, surviennent aussi bien dans les artères que dans les veines. Lorsqu'ils se forment dans le réseau veineux, ils déclenchent des thrombophlébites, compliquées parfois d'une embolie pulmonaire si le caillot migre vers le poumon. Lorsqu'ils se forment dans le réseau artériel, ils peuvent provoquer des thromboses des artères cérébrales, coronariennes ou périphériques, selon leur localisation.

Une mauvaise circulation (varices, immobilité des membres), un mauvais état des vaisseaux (infection, athérosclérose) et une viscosité trop importante du sang sont autant de facteurs de risque pour la formation des caillots pathologiques.
→ VOIR **Hémostase primaire.**

Caissons (maladie des)

Ensemble des manifestations pathologiques affectant les sujets soumis à des compressions ou à des décompressions trop rapides.

Les personnes exposées à la maladie des caissons sont les ouvriers qui travaillent dans des enceintes métalliques pressurisées (les constructeurs de piles de ponts, par exemple), les scaphandriers et les plongeurs.

CAUSES

La maladie des caissons est due à la formation de bulles de gaz dans les tissus des sujets respirant de l'air ou des mélanges gazeux à des pressions supérieures à la pression atmosphérique. Ainsi, sous l'eau, de grandes quantités de gaz inerte (principalement de l'azote) s'accumulent dans les tissus du plongeur. S'il remonte trop vite, la baisse de pression est brutale et le gaz se libère, formant des bulles capables d'obstruer les vaisseaux (embolie gazeuse).

SYMPTÔMES ET SIGNES

Les manifestations aiguës de la maladie des caissons peuvent être transitoires (douleurs articulaires, démangeaisons cutanées, vertiges, troubles visuels ou auditifs) ou, plus graves, neurologiques (paraplégie) ou respiratoires (œdème du poumon). À long terme s'installent des troubles chroniques (vertiges, otites, baisse de l'audition et nécroses articulaires, notamment à la hanche).

TRAITEMENT ET PRÉVENTION

Le malade doit être transporté en urgence dans une chambre de décompression (caisson hyperbare). Si le traitement est institué à temps, la maladie des caissons est totalement réversible. Sinon, des risques de complications à long terme (paralysie partielle) subsistent.

La prévention de la maladie des caissons repose sur une remontée lente, par paliers de décompression, permettant aux gaz libérés de passer progressivement des tissus dans les poumons.
→ VOIR **Barotraumatisme.**

Cal osseux

Substance osseuse, formée à partir de tissu conjonctif, permettant la consolidation d'un os fracturé.

Un cal osseux se crée en deux phases. Dans un premier temps, un cal provisoire appelé cal conjonctif se forme, qui permet d'aboutir en quelques semaines à la consolidation : on parle d'os immature. Dans un second temps, cet os immature est progressivement (en quelques mois) remplacé par un nouvel os, calcifié, identique à l'os anciennement fracturé.

L'immobilisation correcte d'une fracture, par pose d'un plâtre ou de broches, permet au cal de se développer normalement dans des délais propres à chacun des os. Si la consolidation ne respecte pas l'anatomie de l'os, on parle de cal vicieux. Lorsque le cal

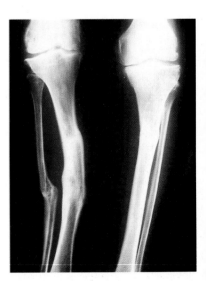

Cal osseux. *Un cal vicieux s'est formé sur le tibia et le péroné (à gauche).*

osseux ne se développe pas ou se développe mal, on aboutit à une pseudarthrose (formation d'une nouvelle articulation, anormale, due à l'absence totale et définitive de consolidation osseuse).

Calabar (œdème de)
→ VOIR Loase.

Calcanéite
→ VOIR Inflammation du calcanéum.

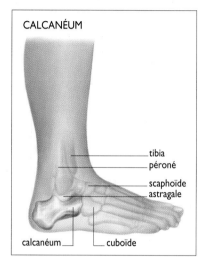

CALCANÉUM

tibia
péroné
scaphoïde
astragale
calcanéum
cuboïde

Calcanéum
Os le plus volumineux du tarse, situé à la partie inférieure et postérieure du pied. (P.N.A. *calcaneus*)

Le calcanéum forme la saillie du talon et l'appui postérieur de la voûte plantaire. Il est allongé, aplati transversalement. Sa face supérieure, le thalamus, s'articule avec l'astragale. Sur sa face postérieure s'insère le tendon d'Achille.

PATHOLOGIE
Les fractures du calcanéum, fréquentes, sont généralement dues à une chute violente. Elles sont le plus souvent plurifragmentaires. Leur traitement peut être fonctionnel (rééducation immédiate avec béquilles), orthopédique, voire chirurgical en cas de déplacement osseux important. Une fracture mal consolidée du calcanéum peut être à l'origine de séquelles (arthrose, formation d'un cal osseux ne respectant pas l'anatomie de l'os), auxquelles il est nécessaire de remédier par une fusion chirurgicale (arthrodèse de l'astragale et du calcanéum).

Une inflammation (calcanéite) affecte parfois la zone où se fixent, sous le calcanéum, les tendons situés à la plante du pied. Elle entraîne une douleur, voire un gonflement, apparaissant à la marche. De plus, la radiographie peut révéler la présence d'une épine calcanéenne (petite saillie osseuse située à la partie inférieure de l'os). Le traitement repose sur le port de semelles orthopédiques, associé à des infiltrations cortisoniques locales.

Calcémie
Taux de calcium contenu dans le sang.

La calcémie est très stable, autour de 2,5 millimoles par litre. Elle résulte d'un équilibre permanent entre l'absorption intestinale de calcium, sa fixation dans l'os – ou au contraire sa libération – et son élimination dans les urines. En jouant sur ces trois mécanismes, la vitamine D, la calcitonine (hormone sécrétée par la thyroïde) et la parathormone (hormone sécrétée par les parathyroïdes) assurent la régulation de la calcémie.

■ L'hypocalcémie (diminution de la calcémie) provoque des troubles nerveux et musculaires (fourmillements, tétanie avec contracture des mains et des pieds) ; à long terme, on peut observer une déminéralisation osseuse.

■ L'hypercalcémie (augmentation de la calcémie) est souvent plus grave immédiatement, si elle est importante, avec un risque de coma et d'arrêt cardiaque.

Calcification
Dépôt de calcium dans les tissus.

La calcification est le plus souvent un processus normal de fixation de calcium dans le tissu osseux, contribuant de façon majeure à la solidité de ce dernier. Ainsi, elle est stimulée lors d'une fracture afin d'en accélérer la consolidation.

Parfois, la calcification, anormale, se produit dans des tissus mous. Elle est due le plus souvent à des altérations locales des tissus : lésion athéromateuse dans une artère, hématome dans un tendon ou une articulation, altération cartilagineuse liée à une chondrocalcinose articulaire, nécrose tuberculeuse dans le poumon, nécrose tumorale liée à un cancer du sein.

L'augmentation durable du taux de calcium dans le sang (hyperparathyroïdie, intoxication par la vitamine D) peut également entraîner des calcifications très diffuses.

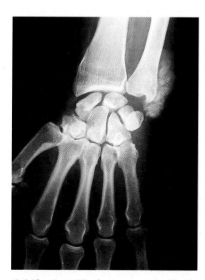

Calcification. Elle forme une tache blanche au-dessus du poignet, du côté du cubitus.

Calcifications tendineuses (maladie des)
Maladie caractérisée par la formation de dépôts de cristaux d'un sel de calcium, l'apatite, dans les tendons. SYN. *rhumatisme à apatite*.

La maladie des calcifications tendineuses est une maladie fréquente mais bénigne, dont la cause reste inconnue. Elle touche toutes les articulations, mais son siège de prédilection est le tendon du muscle susépineux, qui coiffe l'épaule. Les calcifications peuvent devenir gênantes si, par leur taille, elles limitent la mobilité des tendons ou si elles se brisent. Les cristaux de calcium formés provoquent une périarthrite aiguë qui guérit sans séquelles.

Le traitement consiste en infiltrations locales de corticostéroïdes et, en cas de gêne majeure, peut nécessiter une ablation chirurgicale.

Calcinose
Syndrome caractérisé par la formation de dépôts anormaux de calcium dans les tissus.

La calcinose peut atteindre divers tissus du corps, notamment la peau et les cartilages (on parle, dans ce dernier cas, de chondrocalcinose articulaire).

Une calcinose peut être primitive, et alors généralisée ou localisée (notamment au niveau de l'oreille ou des bourses), mais elle peut aussi être consécutive à une maladie. On distingue, dans ce cas :
– les calcinoses métaboliques, dues à des troubles du métabolisme phosphocalcique (maladie de Paget, sarcoïdose, hypervitaminose D, insuffisance rénale) ;
– les calcinoses dystrophiques, dues à des troubles métaboliques locaux (sclérodermie, présence d'une tumeur, d'un hématome, réaction à un corps étranger, acné).

■ La calcinose cutanée est caractérisée par la formation de dépôts dans le tissu sous-cutané. Ceux-ci ont l'apparence de saillies, uniques ou multiples, plus ou moins bien limitées, prédominant dans les zones proches des articulations. Ces nodules, mobiles, indolores et très durs à la palpation, peuvent être confondus avec les dépôts d'acide urique de la goutte ou avec des nodules rhumatoïdes. Ils peuvent percer en surface et libérer une concrétion blanchâtre.

TRAITEMENT
Le traitement de la calcinose est celui de sa cause directe. La chirurgie ne s'impose que pour les cas douloureux.
→ VOIR Chondrocalcinose articulaire.

Calcitonine
Hormone facilitant la fixation du calcium sur les os et diminuant le taux de calcium sanguin. SYN. *thyrocalcitonine*.

La calcitonine est un polypeptide (chaîne d'acides aminés) sécrété par les cellules C de la glande thyroïde, indépendamment des hormones thyroïdiennes proprement dites (telles que la thyroxine). Son rôle principal est d'inhiber les ostéoclastes, cellules résorbant normalement le tissu osseux ; en inhibant la destruction osseuse, elle empêche le calcium de quitter le tissu osseux pour gagner le sang. La calcitonine entraîne ainsi une diminution du taux sanguin de calcium lorsque celui-ci est anormalement élevé ; elle limite l'absorption du calcium par l'intestin et favorise son excrétion rénale. Sa sécrétion obéit à une régulation naturelle : l'augmentation de la calcémie stimule la sécrétion de calcitonine ; l'augmentation dans le sang de certaines hormones (gastrine, cholécystokinine) produit le même effet.

UTILISATION THÉRAPEUTIQUE

La calcitonine employée est alors d'origine animale (porc, saumon) ou synthétique (reproduisant exactement la calcitonine humaine). Elle est indiquée dans les maladies osseuses telles que l'ostéoporose, la maladie de Paget, l'algodystrophie et dans l'hypercalcémie. L'administration de calcitonine se fait par injection, le plus souvent intramusculaire. Les effets indésirables sont des allergies, des bouffées vasomotrices (rougeurs brusques) et des troubles digestifs (nausées, vomissements, diarrhées, douleurs abdominales).

Calcium

Élément chimique présent dans la nature et dans le corps humain, où il est indispensable à la solidité osseuse et au fonctionnement des cellules musculaires et nerveuses.

BESOINS DE L'ORGANISME

Le calcium est stocké dans les os (ceux-ci en contiennent environ 1 kilogramme, soit 99 % du calcium de l'organisme), dont il assure la solidité, sous forme de phosphate et de citrate de calcium. Il intervient dans le fonctionnement des muscles, en particulier du myocarde, et dans la commande des muscles par les nerfs. Le calcium joue aussi un rôle dans la perméabilité des membranes cellulaires aux ions, dans la réception des messages hormonaux par les cellules et dans l'activation des enzymes. Enfin, il intervient dans plusieurs étapes de la coagulation du sang.

SOURCES

Le calcium est essentiellement contenu dans les produits laitiers. Ils apportent de 60 à 80 % du calcium total consommé. Le lait en fournit 120 milligrammes pour 100 grammes, le fromage frais de 70 à 170, le fromage de 150 à 1 200. Les apports quotidiens recommandés sont de 600 à 1 200 milligrammes jusqu'à l'adolescence, puis de 900 milligrammes chez l'adulte (au moins 1 200 chez la femme ménopausée, de 1 200 à 1 500 pendant la grossesse et pendant l'allaitement). On recommande de consommer au moins un produit laitier par repas.

UTILISATION THÉRAPEUTIQUE

Le calcium employé à des fins thérapeutiques se présente sous forme de sels : de chlorure, de gluconate, de phosphate, de carbonate, etc.

■ **Par voie orale**, il est indiqué si l'alimentation est carencée en calcium, dans les déminéralisations osseuses (rachitisme, ostéoporose), en appoint d'autres traitements et parfois dans la spasmophilie (toutefois sans preuve scientifique d'efficacité).

■ **Par voie injectable**, ses indications sont l'hypocalcémie et la tétanie hypocalcémique.

Le calcium est contre-indiqué s'il existe déjà une surcharge en calcium (hypercalcémie, calcul urinaire) et chez les patients sous digitaliques (médicaments utilisés en cardiologie). Les effets indésirables du calcium sont d'exceptionnels troubles digestifs. Le surdosage provoque une hypercalcémie qui nécessite parfois un traitement en urgence.

Calcium édétate de sodium

Médicament utilisé dans le traitement des intoxications par les métaux lourds.
SYN. *EDTA calcicodisodique.*

Le calcium édétate de sodium est indiqué dans le traitement des intoxications au plomb, au chrome, au cobalt, au cuivre, au fer, au zinc, au manganèse ou au nickel. Sa prescription, en perfusion intraveineuse, nécessite une surveillance en milieu spécialisé. Les effets indésirables, fréquents, sont des malaises fébriles avec nausées et vomissements, des maux de tête, des mictions difficiles à contrôler, une atteinte rénale.

Calciurie

Quantité de calcium éliminée dans les urines.

Les urines destinées à une mesure de la calciurie doivent être recueillies dans un bocal décalcifié, fourni par le laboratoire qui réalise l'examen. Chez le sujet normal, la calciurie des 24 heures ne doit pas être supérieure à 300 milligrammes chez l'homme, à 250 chez la femme.

■ **L'hypercalciurie** (élévation anormale de la calciurie) peut révéler une lithiase (présence de calculs rénaux). Elle peut être due à une hypercalcémie (augmentation pathologique du taux de calcium dans le sang) provoquée par certaines affections : hyperparathyroïdie primaire (augmentation de l'activité des glandes parathyroïdes), cancer ostéolytique (cancer au cours duquel les os sont détruits), hypersécrétion de l'hormone de croissance (responsable d'une acromégalie), intoxication à la vitamine D, maladie du foie (dégénérescence hépatolenticulaire), maladie de système (sarcoïdose). Certains traitements par diurétiques (furosémide) entraînent parfois une hypercalciurie.

■ **L'hypocalciurie** (baisse de la calciurie) n'a pas de symptômes spécifiques. Très rare, elle s'observe dans les hypoparathyroïdies, lors de certaines affections des os (ostéomalacie), d'insuffisances rénales chroniques sévères ou encore au cours de traitements par des diurétiques thiazidiques.

Calcul

Concrétion pierreuse qui se forme par précipitation de certains composants (calcium, cholestérol) de la bile ou de l'urine.

On appelle lithiase le processus de formation des calculs. Ceux-ci se développent le plus souvent dans les voies biliaires, les reins et les voies urinaires. Les plus bénins se désagrègent spontanément ou sont évacués par les voies naturelles. Les autres, à l'origine de coliques

Calcul. Vus au microscope, des cristaux d'oxalate de calcium, comme il s'en trouve dans les calculs urinaires.

hépatiques ou néphrétiques, doivent être éliminés par extraction chirurgicale ou lithotripsie (broiement par ultrasons).

Calice

Cavité excrétrice du rein, localisée dans le sinus rénal, qui draine l'urine sécrétée par les papilles.

DIFFÉRENTS TYPES DE CALICE

On en distingue deux.

■ **Les petits calices** sont de fins conduits membraneux qui font suite à chaque papille rénale.

■ **Les grands calices** sont formés par la réunion de plusieurs petits calices. Il en existe normalement trois dans chaque rein, qui se rejoignent à son bord interne pour former le bassinet.

Callosité

Épaississement cutané localisé, lié à des frottements répétés.

■ **Les callosités professionnelles**, dues à des activités manuelles répétées, touchent surtout les mains, sous forme d'épaississements arrondis ou linéaires sur les zones de frottement.

■ **Les callosités orthopédiques**, cors ou durillons, sont les plus fréquentes. Le cor forme un cône jaunâtre douloureux et peut prendre un aspect macéré (œil-de-perdrix) ; il siège au dos des articulations des orteils, entre les orteils ou à la plante des pieds. Le durillon, arrondi, conserve à sa surface le dessin normal des lignes cutanées, contrairement à la verrue ; il touche la face plantaire et les bords latéraux des pieds. Cor et durillon sont parfois provoqués par une malformation des pieds, même mineure.

Le traitement associe un décapage mécanique (au bistouri) ou chimique (pommade à l'acide salicylique) et, au besoin, le port de chaussures adaptées, voire la correction chirurgicale d'une malformation.

Calmette (Albert)

Médecin et bactériologiste français (Nice 1863 – Paris 1933).

Fondateur et directeur de l'Institut Pasteur de Lille, puis sous-directeur de l'Institut Pasteur de Paris, Albert Calmette découvrit un sérum contre les morsures de serpent et mit au point, en 1921, avec Camille Guérin, le vaccin antituberculeux appelé B.C.G.

Calorie

Unité de mesure de l'énergie libérée par la chaleur, utilisée pour exprimer les dépenses et les besoins énergétiques de l'organisme ainsi que la valeur énergétique des aliments.

Une calorie (cal) représente la quantité de chaleur nécessaire pour élever de 1 °C la température de 1 gramme d'eau sous une pression atmosphérique normale.

L'unité de mesure officielle internationale de l'énergie est le joule, mais la calorie est très largement utilisée, en particulier en diététique. La forme la plus usitée est la « grande calorie », ou kilocalorie (symbole kcal), qui vaut 1 000 calories. 1 calorie équivaut à 4,185 joules.

La valeur calorique des différents aliments peut être calculée à partir de la composition en macronutriments (glucides, protéines, lipides) de l'aliment concerné. Chacun des nutriments de base a une valeur calorique connue : 4 kilocalories pour 1 gramme de glucides, 4 kilocalories pour 1 gramme de protéines et 9 kilocalories pour 1 gramme de lipides. L'alcool, bien qu'il ne soit pas considéré comme un nutriment, apporte 7 kilocalories par gramme ; ainsi, les alcooliques chroniques peuvent avoir des apports caloriques satisfaisants en quantité, mais de très mauvaise qualité. Des tables répertoriant les différents aliments permettent de calculer la quantité calorique totale ingérée par un sujet au cours d'une journée. Le bilan énergétique du sujet correspond à la différence entre la quantité des apports caloriques et celle des dépenses. Chez l'adulte, lorsque ce bilan est positif (apports supérieurs aux dépenses), le poids du sujet augmente, car l'excès d'énergie est stocké sous forme de graisse. Lorsque ce bilan est négatif (apports inférieurs aux dépenses), le sujet perd du poids. Enfin, un bilan équilibré, où apports et dépenses sont équivalents, correspond à un poids stable.

Calvitie

Absence ou perte des cheveux.

La calvitie touche entre 15 et 30 % de la population masculine. Son origine est le plus souvent héréditaire, mais elle peut également être acquise, consécutivement à l'absorption de certains médicaments (chimiothérapie anticancéreuse, par exemple), à une irradiation aux rayons X, etc.

Chez l'homme autour de la trentaine, elle commence par une perte de cheveux dans la région des tempes, puis gagne progressivement la portion frontale médiane. Apparaît ensuite une calvitie dans la région de la tonsure, c'est-à-dire au sommet du crâne, dans la région occipitopariétale. La calvitie hippocratique, qui apparaît vers la cinquantaine, atteint, elle, l'ensemble du crâne et ne laisse qu'une couronne de cheveux au-dessus des oreilles et sur le pourtour de la région occipitale basse du crâne. Son évolution est généralement rapide lorsqu'elle apparaît dès l'âge de 25 à 30 ans, beaucoup plus lente lorsqu'elle survient vers 50 ans.

TRAITEMENT

Il fait appel à plusieurs procédés.

■ **Le traitement médical** comporte la prescription, sur plusieurs mois, de stimulants de la pousse des germes pileux, tels que le minoxidil.

■ **La greffe du cuir chevelu**, technique utilisée depuis les années 50, consiste à prélever dans une zone peu visible (au-dessus ou en arrière des oreilles, dans la région occipitale) des bandelettes de cuir chevelu comprenant de 10 à 50 cheveux, que l'on greffe dans la zone dégarnie.

■ **La microgreffe de cuir chevelu**, technique utilisant le même principe que la greffe, mais qui est beaucoup plus récente que celle-ci (elle n'est pratiquée que depuis le milieu des années 80), consiste à greffer des îlots de 1 à 3 cheveux. Le traitement est donc assez long (de 6 à 12 séances), puisqu'il faut plusieurs centaines de petites greffes pour obtenir un bon résultat.

■ **La technique des lambeaux de cuir chevelu** consiste à placer dans les zones dégarnies une vaste languette de cuir chevelu vascularisée par une artère et une veine.

■ **Les expandeurs** sont des ballonnets siliconés que l'on gonfle progressivement sous le cuir chevelu afin de le dilater pour augmenter la surface portant des cheveux et de masquer ainsi une calvitie peu importante (tonsure). L'inconvénient principal de cette technique est que le patient doit subir une déformation du crâne pendant six semaines à deux mois, durée nécessaire à la dilatation.

■ **Les implants de cuir chevelu** permettent de mettre en place des cheveux artificiels, un par un. Malheureusement, cette technique provoque fréquemment de petites infections à la racine des cheveux. En outre, on observe une perte de 15 à 20 % des implants chaque année. Si la technique est bien tolérée, on peut la renouveler régulièrement.

■ **Les perruques** permettent de camoufler la calvitie. Elles sont aujourd'hui particulièrement bien adaptées, maintenues par collage, tressage, implants sous-cutanés avec rétention par plots magnétiques ou en titane.
→ VOIR Alopécie.

Camphre

Substance issue du camphrier (laurier d'Asie orientale et d'Océanie), aujourd'hui synthétisée et employée en thérapeutique.

Le camphre synthétique est utilisé en traitement d'appoint, dans des préparations où il est mélangé avec d'autres substances, notamment pour son action cutanée légèrement analgésique. Toutefois, il provoque une excitation du système nerveux, suivie d'une sédation, et, à fortes doses, des convulsions, voire un coma. Il est contre-indiqué chez le nouveau-né, le nourrisson et l'enfant, chez lesquels on peut observer en outre des nausées, des vomissements, des coliques, des maux de tête et un délire.

Camptodactylie

Déformation des doigts caractérisée par la flexion permanente d'une articulation, en règle générale celle située entre la première et la deuxième phalange.

La camptodactylie est fréquemment localisée à l'auriculaire. Elle peut apparaître soit isolément, pour des raisons encore mal connues, soit associée à un syndrome de malformation (dysostose des membres avec déficience mentale) plus ou moins grave. Le traitement est très discuté par les médecins. Certains s'abstiennent d'intervenir lorsque la gêne fonctionnelle est minime (situation la plus fréquente). Lorsque le handicap devient plus important, la chirurgie peut être envisagée.

Canal

Conduit faisant communiquer un organe avec un autre ou avec l'extérieur et livrant passage à une sécrétion, à un vaisseau, à un nerf, à un tendon, à la moelle osseuse ou à de l'air.

Ainsi, le canal cervical est la partie interne du col de l'utérus, qui s'ouvre dans l'utérus par l'isthme utérin ; le canal cholédoque conduit la bile du foie au duodénum, et le canal cystique le relie à la vésicule biliaire. Le canal déférent est le conduit qui assure le passage du sperme depuis l'épididyme jusqu'à la base de la prostate, où il rejoint le canal éjaculateur ; les canaux galactophores servent à mener le lait des lobules mammaires aux pores qui s'ouvrent dans le mamelon ; le canal rachidien, formé par l'empilement des vertèbres, livre passage à la moelle épinière.

Canal artériel (persistance du)

Anomalie caractérisée par l'absence de fermeture, après la naissance, du canal qui relie chez le fœtus l'aorte à la branche gauche de l'artère pulmonaire.

Lors de la vie intra-utérine, il n'y a pas de circulation pulmonaire puisque le fœtus ne respire pas ; le sang, qui se charge en oxygène lors de son passage par le placenta, passe directement de l'artère pulmonaire à l'aorte par ce canal. À partir de la naissance, la pression du sang s'affaiblit dans l'artère pulmonaire tandis qu'elle reste constante dans l'aorte. C'est pourquoi, en l'absence de fermeture du canal artériel, le sang rouge aortique va passer en sens inverse de l'aorte dans l'artère pulmonaire. Ce passage de sang rouge oxygéné dans la circulation veineuse porte le nom de shunt gauche-droite. Cette anomalie cardiaque congénitale ne connaît pas de cause précise.

SYMPTÔMES ET SIGNES

Une partie du sang oxygéné étant directement déviée dans la circulation veineuse, sans passage par les organes à nourrir, un nouveau-né avec un shunt gauche-droite important peut présenter des signes de défaillance cardiorespiratoire (essoufflement, fréquence cardiaque augmentée, etc.). De plus, cette malformation favorise les infections cardiaques (endocardite infectieuse).

DIAGNOSTIC

Il est facilement établi à l'auscultation, car il existe un souffle continu, entendu pendant la systole (temps de la contraction cardiaque) et pendant la diastole (phase de repos du cœur). Ce souffle est la traduction phonique du passage permanent du sang à travers le canal artériel.

TRAITEMENT

Le canal artériel est systématiquement oblitéré par voie chirurgicale. Tout récemment, une méthode de fermeture du canal artériel a été proposée : elle consiste à mettre en place, au cours d'un cathétérisme (introduction d'une sonde par voie vasculaire), une sorte de double parapluie. Le résultat du traitement et le pronostic sont excellents.

Canal carpien (syndrome du)

Syndrome caractérisé par une sensation d'engourdissement, de fourmillement ou même de douleur dans les doigts.

Le syndrome du canal carpien survient surtout la nuit ou le matin au réveil. Il est provoqué par la compression du nerf médian dans le canal carpien, à la face antérieure du poignet et se complique parfois de paralysie des doigts. Il atteint le plus souvent la femme, au cours de la grossesse et à l'âge de la ménopause, mais toute cause de rétrécissement du canal carpien peut provoquer un syndrome du canal carpien : synovite, myxœdème, acromégalie, amylose, déformation traumatique des os du carpe, etc.

Si les symptômes résistent aux injections de corticostéroïdes dans le canal, une intervention chirurgicale sous anesthésie locorégionale peut être envisagée pour libérer le nerf.

Canal dentaire

Conduit constitué d'un tissu dur (os ou dentine), situé dans l'épaisseur du maxillaire et livrant passage aux nerfs et aux vaisseaux des dents.

Au niveau des maxillaires, le canal dentaire conduit une branche du nerf trijumeau vers les dents, dont les racines reçoivent chacune au moins un paquet vasculo-nerveux (pulpe) logé dans une paroi dentinaire.

Canal rachidien (syndrome de rétrécissement du)

Syndrome provoqué par une compression des racines de la moelle épinière (qui innervent les membres inférieurs) au niveau du canal rachidien lombaire.

CAUSES

Le syndrome de rétrécissement du canal rachidien peut avoir une origine congénitale (achondroplasie), être dû au glissement d'une vertèbre (spondylolisthésis) ou à la déformation d'un disque intervertébral (protrusion discale). Enfin, il est parfois provoqué par une hypertrophie des ligaments ou du tissu graisseux qui entourent la dure-mère ou par une tumeur intrarachidienne.

La gêne fonctionnelle ainsi occasionnée est très particulière. Le sujet souffre peu au repos, mais la douleur se réveille à la marche : au bout de 100 à 1 000 mètres, il doit s'arrêter, se tenant penché en avant ou le dos appuyé contre un mur ou encore assis ; après quelques minutes, il peut reprendre sa marche pour une distance équivalente (claudication intermittente).

DIAGNOSTIC ET TRAITEMENT

Divers examens (myélographie, scanner, imagerie par résonance magnétique) permettent de préciser l'origine du rétrécissement et son importance. Suivant ces données, le traitement sera soit médical (rééducation, port d'un lombostat, injection de corticostéroïdes), soit chirurgical, soit mixte.

Canard

Petit récipient en plastique, autrefois en porcelaine, muni d'une anse et d'un bec allongé, permettant de faire boire un malade couché avec un débit régulier, sans renverser de liquide.

Cancer

Maladie qui a pour mécanisme une prolifération cellulaire anarchique, incontrôlée et incessante.

Cette prolifération anarchique du cancer s'oppose à la prolifération contrôlée, harmonieuse et le plus souvent intermittente qui caractérise les tissus normaux et qui n'a lieu que pour réparer les pertes cellulaires accidentelles par plaie ou agression et les pertes naturelles par vieillissement.

Le terme cancer recouvre un vaste ensemble de maladies, cataloguées selon les cellules et les tissus à partir desquels les cancers se forment. La tumeur développée dans un organe (tumeur primitive) va se greffer à distance sur d'autres organes (cerveau, poumon, foie, etc.), en passant par les voies lymphatiques ou sanguines. Ces tumeurs secondaires, qui reproduisent la structure de la tumeur mère, s'appellent des métastases.

Fréquence

Dans les pays industrialisés, le cancer est la deuxième cause de mortalité après les maladies cardiovasculaires. On note, en Europe et en Amérique du Nord, la prédominance des cancers du poumon, attribuables pour 90 % au tabagisme, des cancers colorectaux, probablement liés, en partie, à l'alimentation, et des cancers du sein, aux causes peu claires encore. En Afrique, on relève la fréquence des cancers du foie dans les zones d'endémie de l'hépatite B et celle des cancers du col de l'utérus dans les pays où la natalité est élevée et où l'hygiène est encore défaillante, ce qui a pour conséquence un taux élevé de maladies sexuellement transmissibles (papilloma ou herpès) qui peuvent être à l'origine de ces cancers.

Causes

Les cancers sont causés par l'exposition à des virus, à des substances naturelles ou chimiques, à des rayonnements. Cela a pour

effet d'induire des mutations ou des expressions inappropriées de divers gènes appelés oncogènes, impliqués dans la prolifération des cellules, dans leur différenciation et dans la régulation de ces phénomènes. Les oncogènes sont normalement sous le contrôle de gènes inhibiteurs, les antioncogènes, qui peuvent être perdus ou subir eux-mêmes une mutation sous l'action des agents énumérés plus haut, leur fonction s'en trouvant réduite. Mais ces antioncogènes peuvent manquer de façon héréditaire, ce qui explique en partie l'existence de prédispositions familiales aux cancers.

ALCOOL

Chez l'homme, l'alcool est un facteur de risque pour les cancers de la cavité buccale, du pharynx, de l'œsophage et du foie (augmentation de risque variant de 2 à 15 selon les quantités bues et les organes atteints). Enfin, l'effet conjugué de l'alcool et du tabac correspond à des risques plus élevés que la somme des risques pris isolément (effet multiplicatif). Un certain nombre d'études montrent une augmentation de risque du cancer du sein chez les femmes consommant des boissons alcoolisées.

ALIMENTATION

Des études ont attiré l'attention sur le rôle de l'alimentation dans la genèse de certains cancers, les aliments étant incriminés en tant que tels (graisses), par déficience (fibres, vitamines) ou par contamination intermédiaire (aflatoxine, nitrites). Le rôle des graisses dans la carcinogenèse est suspecté principalement dans le cas de cancers colorectaux, mais également dans les cancers du sein, de l'endomètre et de la prostate. Des études ont mis en évidence une augmentation de risque parallèlement à la consommation de graisse mais ont révélé un effet protecteur des fruits et des légumes ; quant au rôle du café dans les cancers du pancréas, il n'a pas été prouvé. Les nitrites, provenant du sel utilisé comme conservateur alimentaire, sont accusés d'avoir augmenté les risques de cancer de l'estomac. L'aflatoxine, contaminant de la nourriture stockée en milieu chaud et humide, est incriminée dans les cancers primitifs du foie, en association avec le virus de l'hépatite B.

IRRADIATION

Dès 1902, le premier cancer de la peau après irradiation était décrit. En 1944, une publication révéla que les radiologistes mouraient dix fois plus de leucémies que les autres médecins. Chez les survivants des bombardements atomiques d'Hiroshima et de Nagasaki, en 1945, les premiers cas de leucémie furent observés en 1948, avec un pic en 1951-1952. D'autres types de cancer furent observés en nombre anormalement élevé 15 ans après l'exposition et le sont, aujourd'hui encore, chez les survivants ayant reçu plus de 1 gray (unité de dose d'irradiation). Dans ce dernier cas, il existe une augmentation significative du nombre de cancers, qui varie selon les tissus irradiés : sont essentiellement touchés la moelle osseuse, la glande thyroïde, le sein, l'os. Les leucémies apparaissent en moyenne 8 ans après l'irradiation causale, les sarcomes 20 ans après, les autres tumeurs 30 ou 40 ans après.

La réglementation de la radioprotection a permis de faire disparaître les risques professionnels, en particulier chez les radiologues, les manipulateurs et les ouvriers des installations atomiques. De même, les progrès de la radiologie et les nouvelles méthodes d'imagerie médicale ont diminué pour les patients les risques liés aux radiographies.

MALADIES

Quelques rares maladies s'accompagnent d'un risque élevé de cancers atteignant spécifiquement certains organes (par exemple, le rétinoblastome dans la trisomie 21). Elles peuvent donner lieu d'emblée à des tumeurs malignes qui en sont soit la seule manifestation (rétinoblastome, néphroblastome), soit l'élément d'un syndrome, ou donner lieu à une pathologie non tumorale mais à forte probabilité de transformation maligne (par exemple, la polypose colique).

MÉDICAMENTS CANCÉRIGÈNES

L'attention sur le rôle cancérigène des hormones fut attirée par l'apparition de cancer du vagin chez les filles nées de mères ayant reçu du diéthylstilbestrol (œstrogène) pendant les 3 premiers mois de la grossesse. Lorsque les œstrogènes sont utilisés en tant que contraceptifs, c'est-à-dire associés à des progestatifs, le risque de voir apparaître un cancer du sein est sensiblement le même chez les utilisatrices et les non-utilisatrices. L'utilisation des contraceptifs oraux soulève quelques réserves, portant sur la durée de l'utilisation, l'utilisation avant une première grossesse et l'utilisation chez les femmes atteintes d'une affection bénigne du sein. Toutefois, des enquêtes américaines, réalisées auprès d'une population de femmes ménopausées ayant reçu un traitement œstrogénique, ont montré une augmentation, de l'ordre de 4 à 8 fois, du risque de cancer du corps de l'utérus – cette augmentation étant directement liée à la dose et à la durée de la prise d'œstrogènes. Cependant, l'utilisation actuelle d'œstroprogestatifs semble faire disparaître ce risque, voire se révéler protectrice.

En dehors des hormones, les médicaments pour lesquels on a également mis en évidence une augmentation de risque de cancer sont essentiellement les immunosuppresseurs, les anticancéreux et les dérivés arsenicaux.

PRÉDISPOSITIONS FAMILIALES

On observe des prédispositions familiales à certains cancers. Ainsi, les membres d'une famille qui comporte une personne atteinte d'un cancer du côlon, de l'ovaire ou du sein présentent un risque de 2 à 4 fois plus élevé que les autres de développer le même cancer. Cette augmentation du risque est cependant faible et peut probablement s'expliquer par un mécanisme dépendant de plusieurs gènes entraînant une prédisposition à laquelle s'ajoutent les risques liés aux facteurs d'environnement.

L'apparition d'un cancer suppose une transformation des cellules normales, favorisée par divers facteurs (génétiques, viraux, etc.), et une inefficacité du système immunitaire. Parmi les différents moyens diagnostiques, l'examen au microscope est primordial.

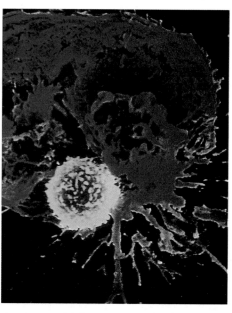

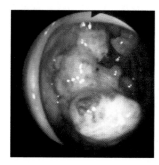

À la coloscopie, le côlon apparaît presque entièrement obstrué par une masse tumorale, dont la nature cancéreuse est confirmée par la biopsie.

Le microscope à balayage montre un lymphocyte (jaune), variété de globule blanc, en train d'attaquer une cellule cancéreuse (violet) afin de provoquer sa destruction ou d'empêcher sa multiplication.

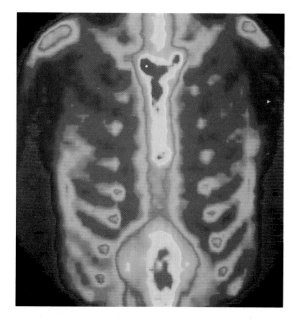

Sur cette scintigraphie du torse, les couleurs traduisent les différentes concentrations du produit radioactif injecté, selon la nature des tissus où il s'est fixé. On voit, en bleu, les côtes. Les taches rouges, au niveau de la clavicule et de l'estomac, révèlent les métastases d'un cancer.

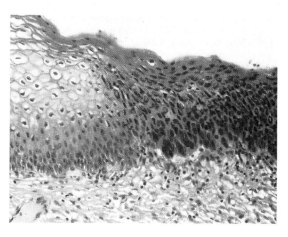

Muqueuse (bordure foncée, en haut) du col de l'utérus, vue au microscope. Normale à gauche, elle est cancéreuse à droite : désorganisée, avec beaucoup trop de noyaux cellulaires (points foncés).

CLASSIFICATION TNM (*) DES CANCERS

T		N		M	
T is	In situ (localisé)	N0	Pas d'atteinte ganglionnaire	M0	Pas de métastases
T1 T2 T3	Taille de plus en plus importante	N1 N2 N3	Nombre de ganglions atteints de plus en plus grand ou atteinte d'aires ganglionnaires de plus en plus éloignées	M1	Métastases à distance
T4	Envahissement de voisinage				

(*) Tumor - lymph node - metastasis [tumeur - ganglion - métastase]

RAYONNEMENTS SOLAIRES

La mode du bronzage de ces dernières décennies est accompagnée, dans tous les pays, d'une forte augmentation de l'incidence des tumeurs cutanées, carcinomes et mélanomes. Le rôle des U.V. (rayons ultraviolets), en particulier des U.V.B., les plus courts et les plus nocifs, dans l'apparition de tumeurs cutanées a été mis en évidence à la fois par des observations épidémiologiques (fréquence élevée des mélanomes en Australie par exemple) et par des modèles expérimentaux. Les cancers cutanés sont beaucoup plus fréquents chez les sujets à peau claire.

SUBSTANCES CANCÉRIGÈNES

C'est en 1775 que le médecin et chirurgien anglais Percival Pott établit la relation entre l'exposition à la suie chez les ramoneurs et l'apparition d'un cancer du scrotum. En 1885, le chirurgien allemand Ludwig Rehn signalait un grand nombre de cancers de la vessie chez les ouvriers de l'industrie des colorants. Les plus récentes évaluations du Centre international de recherche sur le cancer montrent que, sur 707 substances ou procédés industriels testés, 7 procédés et 23 substances se sont révélés cancérigènes pour l'homme.

TABAC

L'explosion spectaculaire des cancers bronchopulmonaires attira l'attention, il y a une quarantaine d'années, sur le rôle du tabac. Selon de nombreuses enquêtes épidémiologiques, le tabac est responsable d'environ 90 % des cancers pulmonaires. Le risque est d'autant plus important qu'on fume beaucoup, depuis longtemps, qu'on inhale la fumée et qu'on a commencé jeune. Le filtre diminue le risque, le tabac brun l'augmente. Enfin, il faut mentionner une augmentation du risque de cancers bronchopulmonaires chez les personnes vivant dans un environnement enfumé (fumeurs passifs).

VIRUS

Le rôle des rétrovirus est maintenant bien établi chez l'animal ; chez l'homme, selon les connaissances actuelles, seuls les rétrovirus V.I.H. (sida) et HTLV1 (leucémie) semblent avoir une potentialité oncogénique. En revanche, le rôle de certains virus à A.D.N. (acide désoxyribonucléique) dans l'apparition de cancers humains se précise.

La première liaison mise en évidence entre virus et cancer fut celle d'un virus de la famille des *Herpesviridæ* (le virus d'Epstein-Barr) avec le lymphome africain de Burkitt (1964). Ce même virus fut, 2 ans plus tard, incriminé dans le cancer du nasopharynx. C'est en 1978 que le lien entre le virus de l'hépatite B (HBV) et le cancer primitif du foie fut évoqué en observant la concordance de distribution géographique entre les zones à haut risque d'hépatocarcinome et d'hépatite B. Le rapport entre papillomavirus (HPV) et les cancers du col de l'utérus représente le troisième système virus-cancer. Depuis de nombreuses années, on avait montré le rôle des maladies virales sexuellement transmissibles dans le développement des cancers du col de l'utérus. Les éléments montrant le rôle prédominant de certains HPV (en particulier les souches 16, 18, 33) s'accumulent.

Symptômes et diagnostic

La multiplicité des cancers et leur spécificité propre rendent difficile le dénombrement de tous les symptômes de la maladie. Néanmoins, une perte de poids importante et plus ou moins rapide, un manque d'appétit, une fatigue intense, une perte de sang dans les selles ou par la bouche, enfin des douleurs diverses sont des signes fonctionnels qui peuvent être associés à la présence d'un cancer. Le développement souvent silencieux des cancers tend à en retarder le diagnostic et pose des problèmes aux médecins, qui ne voient le patient qu'à un stade déjà avancé de la maladie. Parfois, la maladie est décelée par hasard, au cours d'une visite médicale ou d'un examen de sang. Le diagnostic repose sur l'examen clinique, des examens de laboratoire, des examens radiologiques et endoscopiques, des biopsies.

Évolution du cancer

Une fois déclenchés par l'activation d'oncogènes, mutés ou non, et en raison de la perte ou de l'altération par mutation d'un ou de plusieurs antioncogènes, les cancers subissent une progression dans la malignité qui les rend de plus en plus capables de contourner les obstacles que l'organisme ou les traitements dressent sur leur route. Ils progressent également dans l'organisme, c'est-à-dire s'étendent sur place de façon caractéristique dans le tissu d'origine et dans les tissus voisins, pouvant être responsables de compression d'organes. En même temps, ils disséminent à distance, par petits foyers distincts, des métastases.

La progression dans la malignité est l'effet d'une instabilité génétique, qui croît en fonction du temps. Des propriétés nouvelles apparaissent, qui modifient les cellules, les faisant ressembler à celles d'un tissu différent ou d'un tissu de la vie embryonnaire. Dans certains cas, les cellules cancéreuses sécrètent des substances ayant des propriétés comparables à certaines hormones naturelles, qui provoquent des manifestations identiques à une hypersécrétion (syndrome de Schwarz-Bartter : sécrétion inappropriée d'hormone antidiurétique). On parle alors de syndrome paranéoplasique. Parmi les propriétés nouvelles des cellules cancéreuses, il faut souligner la prolifération continue. Cette prolifération est assurée par l'expression permanente de récepteurs aux facteurs de croissance cellulaires, qui ne s'expriment que de façon intermittente dans la cellule normale. Les cellules cancéreuses sont également capables de fabriquer elles-mêmes, au contraire des cellules normales, les facteurs de croissance, ce qui leur confère un avantage de survie et de prolifération considérable. En outre, elles expriment un gène dont le produit a pour effet d'empêcher la mort cellulaire. C'est ainsi que l'on peut dire qu'une cellule cancéreuse est immortelle.

Autre aspect important de l'instabilité génétique des cancers : l'hétérogénéité des cellules fait qu'au sein d'une même tumeur existent de nombreux clones (ensemble de cellules issues par multiplication d'une même cellule initiale) différents, possédant des capacités différentes. Ainsi, si certains clones rencontrent des obstacles à leur prolifération, les autres subissent une expansion et occupent le terrain. Cette hétérogénéité clonale s'observe très tôt dans le développement d'un cancer, bien avant sa

CLASSIFICATION PAR STADE D'ÉVOLUTION DES CANCERS

Stade 0	Cancer in situ (localisé)
Stade I	Petite tumeur sans envahissement ganglionnaire
Stade II	Tumeur plus volumineuse et envahissement ganglionnaire minime
Stade III	Tumeur développée au-delà de l'organe atteint avec envahissement ganglionnaire important
Stade IV	Tumeur extensive avec grosses adénopathies ou métastases

Vivre avec un cancer

De plus en plus nombreux sont les patients qui vivent des années avec un cancer qui ne peut être éradiqué mais dont l'évolution est enrayée ou, du moins, suffisamment freinée pour que tout danger à moyen terme soit écarté. Cette stabilisation de maladies encore incurables est souvent le premier pas vers de futures guérisons. Elle crée de nouveaux rapports que patients et médecins doivent apprendre à gérer, d'autant qu'elle modifie leurs comportements en conduisant les premiers à davantage de confiance et les seconds à plus de transparence. Cette situation nouvelle engendre de nouveaux problèmes médicaux, intégrés à la vie quotidienne des malades.

Ainsi, les infections, qui sont souvent plus fréquentes chez les patients à l'immunité altérée par les traitements ou par la maladie, doivent être prévenues par les vaccins appropriés et être traitées quand elles s'établissent. L'alimentation des patients ne doit pas être négligée : il faut prendre sous forme de crudités les vitamines nécessaires, manger davantage de poissons de mer, dont les lipides ont un effet préventif sur les cancers et peut-être sur leur extension. L'appétit, souvent défaillant, peut être rétabli, éventuellement par l'administration de corticostéroïdes ou d'anabolisants. Les efforts physiques ne sont généralement pas contre-indiqués ; au contraire, le patient doit mener une vie aussi normale que possible.

Quant à l'état psychologique, il mérite la plus grande attention de la part des médecins, qui peuvent prescrire des médicaments contre l'anxiété, à condition d'en respecter les contre-indications. Les douleurs, s'il en existe, peuvent toujours être calmées. Les médecins, parfois, les sous-estiment ; au patient de les faire prendre en compte et traiter. Enfin, le sujet porteur d'un cancer doit pouvoir recourir, chaque fois qu'il le désire, à un deuxième avis sur les traitements proposés ou en cours. Les médecins se doivent d'accéder à cette demande dans un esprit de coopération légitime.

phase visible, et constitue une difficulté majeure pour le thérapeute.

La progression anatomique du cancer doit être évaluée par divers examens complémentaires (scanner, imagerie par résonance magnétique, scintigraphie). Cette évaluation permet une classification de chaque cancer qui, associée à ses caractéristiques histologiques, permet de choisir le traitement le mieux adapté.

Traitement et prévention

Le traitement repose sur la chirurgie, la radiothérapie (rayons X ou à haute énergie, cobaltothérapie), la chimiothérapie (adminis-

tration de médicaments ayant un effet destructeur et immunologique) et/ou l'hormonothérapie (administration d'hormones). Les recherches actuelles s'orientent vers des méthodes thérapeutiques capables de redonner aux cellules cancéreuses des caractères normaux (traitement redifférenciant). Dans ce domaine, des succès réels ont été obtenus récemment dans certains types de leucémie. En raison des difficultés de dépistage et de traitement de la maladie, la prévention du cancer prend toute son importance. La sensibilisation de la population semble un facteur décisif. Certains gestes, comme l'autopalpation des seins, devraient devenir courants. Il faut également insister sur le respect d'une certaine hygiène de vie et proscrire, autant qu'il est possible, les comportements à risque.
→ VOIR Antioncogène, Chimiothérapie anticancéreuse, Cobaltothérapie, Curiethérapie, Hormonothérapie anticancéreuse, Immunothérapie anticancéreuse, Oncogène, Radiothérapie.

Cancer (dépistage précoce du)

Recherche et mise en évidence d'un cancer par un examen systématique (test) avant l'apparition des premiers signes fonctionnels ou cliniques.

Le dépistage des cancers concerne des sujets qui ne présentent aucun symptôme. Il a pour but de traiter des cancers à un stade peu avancé, visant une augmentation du taux de guérison et un abaissement du taux de mortalité.

DIFFÉRENTS TYPES DE DÉPISTAGE

■ Le dépistage individuel est demandé par le médecin généraliste ou spécialiste ou, plus rarement, est sollicité par le sujet lui-même en fonction de ses facteurs de risque propres : cancers familiaux rares où une prédisposition au cancer est génétiquement transmise de façon dominante (polypose colique familiale) ; prédisposition génétique par perte d'activité d'un gène suppresseur de cancer (tel l'oncogène Rb1 pour le rétinoblastome) ; anomalies cytogénétiques ou constitutionnelles prédisposant à des cancers particuliers (syndrome de Fanconi, nævomatose basocellulaire).
■ Le dépistage de masse s'adresse à une population définie de plusieurs milliers d'individus (population exposée à des facteurs de risque particuliers). Ce dépistage nécessite un programme préétabli, un budget et des moyens de réalisation relevant de la Santé publique.

MOYENS DE DÉPISTAGE

Ils sont cliniques (autoexamen ou examen médical), radiologiques (mammographie), endoscopiques (coloscopie), anatomopathologiques (frottis cervicovaginal).
■ Le cancer du col utérin est dépisté grâce au frottis cervicovaginal, examen simple, indolore, réalisé par tout médecin à partir des premiers rapports sexuels. Après 2 examens situés à 1 an d'intervalle, un examen tous les 3 ans suffit, en l'absence d'anomalies, jusqu'à l'âge de 65 ans.
■ Le cancer du sein est dépisté par une mammographie effectuée tous les 2 ou 3 ans

à partir de l'âge de 50 ans, et plus précocement en cas de risque familial. On estime à 30 % la réduction de la mortalité due au cancer du sein grâce à la pratique de ce dépistage après 50 ans.
■ Le cancer colorectal est dépisté par la recherche de sang dans les selles. Celle-ci est complétée en cas de positivité par un examen endoscopique pour affirmer ou non la présence d'un cancer ou de lésions précancéreuses (polypes).
■ Le cancer bronchopulmonaire n'a pas bénéficié, en raison de sa rapidité évolutive, d'un dépistage radiologique systématique. Les clichés thoraciques restent utiles chez les sujets à risque (fumeurs), mais la prévention primaire, l'arrêt du tabagisme, est fondamentale.

Cancer (prévention du)

Ensemble des mesures qui visent à lutter contre l'exposition aux facteurs de risque de carcinogenèse (prévention primaire) et à traiter les états précancéreux (prévention secondaire).

Éradiquer ou diminuer les facteurs de risque de cancer et ainsi réduire la fréquence des maladies sont les objectifs de la prévention. Les facteurs de risque sont définis à partir d'enquêtes épidémiologiques rétrospectives et prospectives. Les maladies héréditaires prédisposant à un cancer et les tumeurs dont le risque est transmis héréditairement ne sont à l'origine que de peu de cancers. En revanche, 90 % des cancers sont liés à des facteurs extérieurs ou environnementaux. Les cancers consécutifs à la pollution ou à une exposition professionnelle sont estimés à 10 %. Le mode de vie, le comportement individuel sont en cause dans plus de 80 % des cancers.

PRÉVENTION PRIMAIRE INDIVIDUELLE

Elle repose sur la modification des modes de vie et du comportement, facteurs de risque les plus fréquents.
■ Le tabac est responsable de 30 % de la totalité des décès par cancer. Plus de 90 % des cancers bronchopulmonaires, première cause de mortalité par cancer dans le monde, et des voies aérodigestives (cancers oropharyngo-laryngés et œsophagiens) lui sont directement imputables.
■ L'alcoolisme, non directement carcinogène, mais très souvent associé au tabagisme, a un rôle de cofacteur multiplicatif de risque pour les cancers des voies aérodigestives supérieures : 9/10 de ceux-ci s'observent chez des individus consommateurs d'alcool et de tabac.
■ L'alimentation, lorsqu'elle est riche en graisses saturées et en protéines, et pauvre en fibres, multiplie le risque des cancers digestifs (estomac, côlon et rectum), mais aussi celui des cancers hormonodépendants (sein, endomètre, prostate). Une consommation excessive d'aliments fumés majore le risque de cancer de l'estomac.
■ Les autres facteurs de risque, comme les expositions prolongées au soleil ou les infections à papillomavirus (maladies virales sexuellement transmissibles), favorisent respectivement l'apparition de cancers cutanés,

notamment des mélanomes malins, et de cancers anogénitaux.

PRÉVENTION PRIMAIRE COLLECTIVE

Elle repose sur la mise en place de mesures réglementaires administratives visant à réduire la pollution atmosphérique, la fréquence des cancers professionnels par une meilleure protection des travailleurs exposés à l'amiante, aux radiations ionisantes, aux colorants aromatiques, aux poussières des bois exotiques, etc. Ces facteurs de risque professionnels sont en cause dans 2 à 5 % des cancers.

Des campagnes d'information, d'éducation auprès des jeunes sont menées, rappelant les principales recommandations d'hygiène contre le cancer : ne pas fumer ; modérer la consommation de boissons alcoolisées ; éviter les expositions prolongées au soleil ; respecter les consignes de sécurité dans la production et la manipulation de produits à risque ; consommer des aliments frais et riches en fibres ; éviter les aliments riches en matières grasses.

La lutte contre le tabagisme et l'alcoolisme reste prioritaire. Elle justifie la prise de mesures à visée collective, mais la prévention primaire dans ce domaine dépend en dernier lieu d'une décision individuelle.

PRÉVENTION SECONDAIRE

Elle repose sur trois types de mesures :
- le traitement des états précancéreux, reconnus par dépistage systématique lors de la surveillance de sujets à haut risque ou à l'occasion de toute consultation (traitement des lésions tissulaires et histologiques bénignes : dystrophies, dysplasies, métaplasies, tumeurs bénignes) ;
- la prescription de médicaments capables de corriger des états dysplasiques ou métaplasiques des muqueuses (vitamine A et acides rétinoïques dans l'usage actuel), associée à l'arrêt de l'exposition aux carcinogènes en cause ;
- l'ablation chirurgicale des lésions précancéreuses (colectomie préventive dans la polypose colique familiale, ablation de lésions cutanées à haut risque néoplasique, de lésions dysplasiques du col utérin).

Cancérogenèse

→ VOIR Carcinogenèse.

Cancérologie

Spécialité médicale qui se consacre à l'étude et au traitement des cancers. SYN. *carcinologie, oncologie.*

Cancérophobie

Crainte morbide, injustifiée, du cancer.

Candidine

Extrait d'antigène purifié à partir d'une préparation du champignon *Candida albicans.*

La candidine est utilisée comme test d'immunité cellulaire à *Candida albicans.* Elle est généralement comprise, avec d'autres substances, dans le « multitest » mesurant le degré d'immunodépression anti-infectieuse générale, particulièrement celui des patients atteints du sida.

Candidose

Toute maladie causée par la prolifération de champignons levuriformes du genre *Candida.* SYN. *moniliase.*

Parmi les espèces de *Candida* pathogènes pour l'homme, la plus fréquente est *Candida albicans.* Cette levure, naturellement présente dans la bouche, le tube digestif et les voies génitales, se multiplie et devient pathogène lorsque baissent les fonctions immunitaires de l'organisme (traitements immunodépresseurs, patients infectés par le V.I.H.) ou lorsque survient une modification hormonale spontanée (grossesse), pathologique (diabète) ou consécutive à une prise médicamenteuse (contraception par pilule œstroprogestative, antibiotiques à large spectre). Des candidoses peuvent également survenir en cas d'altérations préalables de la peau ou des muqueuses liées à des facteurs extérieurs (chaleur, savons acides).

Les lésions provoquées par les *Candida* se présentent sous des aspects variés ; les plus fréquentes, le plus souvent bénignes, atteignent la peau et les muqueuses. Rares mais plus graves, les candidoses profondes atteignent les viscères.

Candidoses cutanées et muqueuses

Elles peuvent se présenter sous trois aspects caractéristiques.

■ Les **candidoses buccales** se traduisent le plus souvent par un muguet : après une phase aiguë où la langue et la face interne des joues sont rouge vif, sèches et vernissées apparaissent des dépôts blanchâtres crémeux, qui partent lorsqu'on les gratte à l'abaisse-langue et qui peuvent noircir à la longue. Les candidoses buccales se développent plus facilement chez les patients souffrant d'asialie (absence de salive), chez ceux atteints du sida et chez les porteurs d'appareils dentaires.

■ Les **candidoses cutanées** se localisent surtout au niveau des plis du corps et sont favorisées par la macération. Elles se traduisent par un intertrigo, lésion débutant au fond du pli, qui devient rouge, suintant et prurigineux, s'étend symétriquement de part et d'autre et se borde d'une collerette blanchâtre. Les candidoses cutanées peuvent également se développer à la base des ongles, où elles provoquent une tourniole (panaris superficiel), ou compliquer un érythème fessier du nourrisson.

■ Les **candidoses génitales** se traduisent, chez la femme, par une vulvovaginite avec pertes blanchâtres, chez l'homme par une balanite avec apparition d'un enduit blanc crémeux dans le sillon situé entre gland et prépuce, démangeaisons et écoulement urétral fréquent.

DIAGNOSTIC ET TRAITEMENT

Le diagnostic des candidoses de la peau et des muqueuses repose sur l'analyse de prélèvements, en examen direct et après culture. L'infection est traitée par application d'antifongiques locaux prescrits sous forme de crèmes, de pommades, de solutions ou d'ovules selon la localisation. Un traitement systématique du partenaire s'impose en cas de candidose génitale. Le traitement par antifongiques généraux est nécessaire dans les formes sévères ou récidivantes.

Candidoses profondes

Elles sont dues à la propagation d'une candidose de la peau ou des muqueuses qui essaime par voie sanguine ou à partir d'une perfusion et se manifestent chez les sujets immunodéprimés, les patients munis de corps étrangers à demeure (prothèse valvulaire cardiaque, cathéter intraveineux) et les héroïnomanes. Elles peuvent toucher le cerveau (méningite, abcès du cerveau), l'œil (rétinite septique, endophtalmie), le cœur (endocardite), les poumons, le foie, la rate, les reins et les voies urinaires hautes. La candidose oropharyngée se complique fréquemment d'une atteinte de l'œsophage avec dysphagie (gêne à la déglutition).

DIAGNOSTIC ET TRAITEMENT

Le diagnostic repose sur la mise en évidence des levures par examen direct et par culture sur milieu spécifique des prélèvements, ce qui permet l'identification d'espèces. L'examen sérologique (recherche d'anticorps anti-*Candida*) se révèle souvent peu opérant comme moyen diagnostique. Le traitement fait appel aux antifongiques par voie locale ou générale.

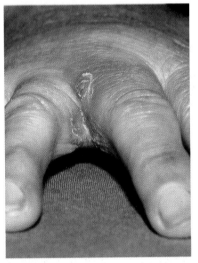

Candidose. *Une fissure ou une tache rouge entre les doigts peut révéler une candidose.*

Canine

Dent pointue, tranchante, située entre les incisives et les prémolaires.

Les canines, au nombre de 2 sur chaque maxillaire, servent à déchirer les aliments. → VOIR Dent.

Canitie

Blanchiment physiologique ou pathologique des cheveux.

La canitie est liée à une diminution de l'activité des mélanocytes, cellules produisant les pigments de la peau et des phanères (poils, ongles, cheveux). Elle est en général liée à l'âge, débutant entre 30 et 50 ans dans les ethnies européennes. Dans les cas d'apparition plus précoce, elle est d'origine héréditaire.

Une canitie prématurée peut également être due à un vieillissement précoce, conséquence d'une anomalie génétique, ou à des maladies auto-immunes. C'est le cas du vitiligo (troubles de la pigmentation), de la pelade (alopécie localisée et brutale) à la phase de repousse des cheveux, d'une thyroïdite (inflammation de la glande thyroïde), etc.

Il n'existe pas de traitement médical.

Cannabis

1. Nom scientifique du chanvre.
2. Substance extraite du chanvre indien, utilisée comme stupéfiant sous diverses formes, tels le haschisch et la marijuana.

Le cannabis a pour composant principal le tétrahydrocannabinol. Outre la dépendance psychique, il provoque de nombreux effets secondaires : nausées, vomissements, accélération cardiaque, anomalies de la coordination des mouvements, irritabilité, troubles de la mémoire et du jugement, perte de la notion du temps et de l'espace et, pris à très fortes doses, crises schizophréniques et paranoïaques.

Canule

Petit tube en métal, en matière plastique ou en caoutchouc permettant le passage d'air ou de liquide à travers un orifice, naturel ou chirurgical.

Une canule est rigide ou souple, droite ou courbée, de longueur et de calibre variés selon les utilisations : injection d'un liquide dans un orifice naturel, drainage des sécrétions dans une cavité interne après une intervention chirurgicale ou maintien de l'ouverture des voies respiratoires supérieures (trachéotomie, par exemple).

■ La canule de Mayo, ou canule de Guedel, de forme aplatie, se glisse dans la bouche pour maintenir le passage de l'air chez les comateux et éviter un étouffement provoqué par une chute de la langue en arrière.

■ La canule de trachéotomie, ou canule de Krishaber, est introduite dans la trachée pour permettre la respiration en cas d'obstruction du larynx. Elle est reliée à un appareil de ventilation artificielle qui insuffle de l'air dans les poumons du malade. La canule de trachéotomie permet également le passage d'une sonde bronchique pour aspirer les sécrétions qui encombrent les bronches. En caoutchouc ou en argent, posée en milieu hospitalier, elle est bien tolérée ; une canule en argent peut demeurer en place de façon prolongée (plusieurs années) chez des malades souffrant d'insuffisance respiratoire chronique.

■ Les canules rectales et vaginales, adaptables sur un tuyau de caoutchouc, s'utilisent pour pratiquer des lavements ou des injections.

Capacité pulmonaire

Quantité d'air présente dans les poumons, mesurée à des fins diagnostiques lors d'une exploration fonctionnelle respiratoire.

On distingue plusieurs capacités pulmonaires.

■ La capacité pulmonaire vitale est le volume d'air maximal que l'on peut inspirer en une seule fois après avoir expiré au maximum (ou, à l'inverse, le volume maximal expiré après une inspiration forcée). L'étude de la capacité vitale, simple et rapide, relève de la pratique courante. Les valeurs normales, comprises entre 3 et 5 litres environ chez l'adulte, varient selon l'origine ethnique, l'âge, le sexe, la taille et le poids.

■ La capacité pulmonaire totale est la somme de la capacité vitale précédente et du volume résiduel (volume d'air restant en permanence dans les poumons, même après une expiration forcée) ; c'est le plus grand volume d'air contenu dans les poumons, après une inspiration forcée.

Les mesures de capacités pulmonaires sont indiquées dans la recherche d'une cause de gêne respiratoire et dans l'évaluation de la gravité et de l'évolution de diverses anomalies respiratoires.

La technique utilisée pour mesurer la capacité pulmonaire vitale est surtout la spirographie qui consiste à enregistrer sur un spirographe les volumes d'air inspirés et expirés, puis à les traduire sous forme de graphique permettant le calcul des volumes.

Capillaire

Vaisseau de très petit diamètre qui conduit le sang des artérioles aux veinules. SYN. *capillaire sanguin*. (P.N.A. *vas capillare*)

Les capillaires, qui mesurent entre 5 et 30 micromètres de diamètre, se distribuent en fines ramifications, appelées réseau capil-

CAPILLAIRE SANGUIN

La paroi des capillaires sanguins est formée d'une couche de cellules jointives dont la membrane permet divers échanges. Les plus petits capillaires ne laissent passer qu'un globule rouge à la fois grâce aux capacités de déformabilité de ce dernier.

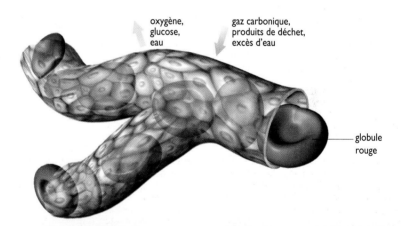

oxygène, glucose, eau

gaz carbonique, produits de déchet, excès d'eau

globule rouge

Un réseau de capillaires sanguins (rouge sur le fond jaune) vu au microscope à balayage irrigue la plupart des tissus.

Dans les vaisseaux, les globules blancs sont difficiles à déceler, noyés dans la masse des globules rouges (disques rouges).

laire, dans l'ensemble des tissus et des organes. Les capillaires peuvent être court-circuités par des connexions directes artério-veineuses, les canaux de Suquet, douées d'une contractilité propre et susceptibles de modifier la circulation dans le réseau capillaire. Ces canaux interviennent en cas de collapsus, par exemple lorsque le sang doit irriguer de façon prioritaire les organes centraux et non la périphérie.

PHYSIOLOGIE

Les vaisseaux capillaires ont pour rôle essentiel d'assurer la nutrition et le fonctionnement des différents tissus de l'organisme ; grâce à leur très grand nombre et à la finesse de leur paroi, ils représentent une surface d'échanges considérable entre le sang et les tissus : apports d'oxygène, d'eau, d'ions, de métabolites, transport de gaz carbonique. Les capillaires se dilatent ou se contractent selon les besoins des organes en éléments nutritifs et en oxygène : vasodilatation au niveau des organes digestifs pendant la digestion, au niveau des muscles lors d'un effort physique ou de la peau pour diminuer la température corporelle. L'écoulement du sang dans chaque capillaire est contrôlé par un petit anneau musculaire placé à son origine, le sphincter précapillaire, lui-même influencé par les stimuli nerveux et humoraux.

EXAMENS

Le pouls capillaire permet d'évaluer l'état de la circulation périphérique. La pression sur un doigt de la main ou du pied provoque une décoloration momentanée de la zone concernée. Si circulation sanguine est bonne, la zone redevient rose dès que la pression cesse. Dans le cas contraire, le pouls capillaire est dit ralenti ou effacé.

Le réseau capillaire est exploré par capillaroscopie dans les zones directement accessibles (conjonctive et extrémité des doigts).

PATHOLOGIE

■ **La fragilité capillaire** est due à une finesse excessive de la paroi des capillaires. Un traumatisme peut provoquer leur rupture et créer une ecchymose. Cette fragilité vasculaire est d'autant plus grande que le sujet est âgé ou sous traitement corticostéroïdien au long cours.

■ **Les capillarites** sont des inflammations des vaisseaux observées dans les maladies de système.

■ **Les angiomes capillaires** (tumeurs bénignes formant une tache rouge de taille variable sur la peau et les muqueuses) sont parfois présents dès la naissance.

Capillarite

Inflammation aiguë ou chronique des capillaires sanguins, parfois des artérioles et veinules attenantes, entraînant des manifestations cutanées prédominant aux jambes.

CAUSES

Les capillarites ont des causes et des mécanismes en général mal connus. On retrouve parfois un mécanisme immunologique, une diminution de la circulation veineuse (varices et phlébites des membres inférieurs) ou un facteur allergique.

SYMPTÔMES ET SIGNES

Les capillarites sont responsables de plusieurs symptômes cutanés, plus ou moins diffus, diversement associés : le purpura, signe le plus caractéristique, est formé de taches rouges ne s'effaçant pas à la pression, dues à une issue de sang hors des capillaires. La capillarite peut également se traduire par une coloration brunâtre ou jaunâtre de la peau, due aux dépôts de fer provenant des globules rouges détruits sur place ; une forme fréquente en est la dermite ocre des jambes, due à une insuffisance chronique de la circulation veineuse.

Certaines capillarites entraînent une nécrose cellulaire, qui se traduit par une petite croûte noire recouvrant une ulcération (perte de substance) ; cette nécrose peut être suivie d'une atrophie blanche (atrophie cutanée). D'autres inflammations des capillaires provoquent des télangiectasies, dilatations des capillaires, qui deviennent alors visibles comme de fins traits rouges.

Ces symptômes ne sont pas spécifiques des capillarites ; c'est pourquoi le diagnostic nécessite parfois une biopsie avec examen des lésions au microscope.

TRAITEMENT

Il n'existe pas de traitement curatif réellement efficace, mis à part celui d'une cause éventuelle ; on peut essayer la prescription de « protecteurs capillaires » tels que la vitamine PP. Par ailleurs, les corticostéroïdes en pommade soulagent les démangeaisons et les lésions eczématiformes que cette inflammation occasionne.

Capillaroscopie

Technique d'examen des vaisseaux capillaires cutanés permettant le diagnostic de certains troubles circulatoires : vascularites et connectivites.

La capillaroscopie est principalement indiquée dans le diagnostic des acrosyndromes (troubles de la circulation des extrémités, mains et pieds), dont le plus connu est le syndrome de Raynaud. Elle est également utile dans l'étude des connectivites, maladies diffuses de l'organisme par atteinte du tissu conjonctif. Elle permet surtout de différencier les troubles fonctionnels de la circulation capillaire (sans lésions visibles des capillaires) des troubles organiques (avec lésions des capillaires).

DÉROULEMENT

Simple, rapide et anodin, l'examen consiste à observer les capillaires à travers la peau. Le patient pose sa main sur une plaque lumineuse. Après avoir nettoyé l'un des ongles avec une solution antiseptique et y avoir déposé une goutte d'huile, le médecin observe, à l'aide d'un microscope grossissant de 50 à 100 fois, la peau du rebord de l'ongle afin de noter le nombre et l'aspect des capillaires.

La présence de mégacapillaires (capillaires très dilatés) constitue un argument majeur du diagnostic de microangiopathie (atteinte des vaisseaux de petit calibre) organique. Des photographies permettront des comparaisons ultérieures.

Capitonnage

Opération chirurgicale destinée à réduire le volume d'une cavité.

Le capitonnage se pratique pour accélérer la cicatrisation d'une poche, par exemple après le drainage d'un abcès ou d'un kyste. Il n'est possible que si la cavité est située dans des tissus mous. Les parois de la cavité sont rapprochées puis fixées l'une à l'autre par plusieurs points de suture.

Capsule

Membrane fibreuse ou élastique enveloppant une structure anatomique.

On distingue plusieurs types de capsules.

■ **La membrane conjonctive d'un organe plein** est une capsule : la capsule thyroïdienne limite la glande thyroïde, la capsule de Glisson recouvre le foie, la capsule rénale limite le rein, la capsule de Tenon recouvre l'arrière du globe oculaire.

■ **La capsule articulaire** est un manchon fibreux qui s'attache au pourtour des surfaces articulaires de deux os unis l'un à l'autre et qui s'épaissit par endroits en ligaments. La capsule articulaire de l'épaule répond à cette définition.

■ **L'enveloppe d'un espace liquidien** est une capsule : la capsule du cristallin est une membrane très fine et très élastique qui enveloppe la masse épithéliale du cristallin.

■ **La capsule interne** est une zone de substance blanche qui se trouve à l'intérieur du cerveau, entre deux zones de substance grise, et où passent les fibres motrices du faisceau pyramidal.

Capsulite

Inflammation de la capsule d'une articulation.

Capsuloplastie

Opération chirurgicale sur une articulation.

Une capsuloplastie intervient sur une capsule articulaire, manchon fibreux qui entoure une articulation mobile (par exemple l'épaule) servant à maintenir les deux os en contact. Un relâchement ou, au contraire, une rétraction de cette capsule peut gêner les mouvements. Le but de l'opération est de corriger la forme de la capsule, soit en la retendant, dans le premier cas, soit en l'incisant avant de la reconstituer par suture, dans le second cas.

Caractère

En génétique, désigne toute caractéristique individuelle transmissible de manière héréditaire aux générations suivantes.

En 1865, le prêtre et botaniste autrichien Gregor Mendel inaugura la recherche en ce domaine en étudiant, chez les pois, la transmission des caractères « enveloppe verte » / « enveloppe jaune » et « enveloppe lisse » / « enveloppe ridée », pour en déduire les premières lois fondamentales de l'hérédité.

Caractériel

Se dit d'un sujet, le plus souvent un enfant, dont le caractère est perturbé sans qu'il présente cependant une véritable maladie psychiatrique.

Chez l'enfant, les troubles caractériels se manifestent par un comportement d'opposition : agressivité, turbulence, intolérance à la discipline, paresse, dispersion continuelle de l'attention. Ils peuvent être dus à des problèmes affectifs ou relationnels mais aussi à une affection organique : asthme, infection méconnue, parasitose, séquelle d'un traumatisme crânien, etc. Le traitement de ces troubles doit donc être défini selon chaque cas. Le terme caractériel, à la fois réducteur et par trop extensible, ne caractérise aucune maladie précise et tend aujourd'hui à tomber en désuétude.

Caraté

Maladie infectieuse contagieuse non vénérienne due à la bactérie *Treponema carateum*. SYN. *pinta*.

Le caraté est une tréponématose endémique dans certains pays d'Amérique latine. La transmission se fait par des contacts cutanés directs et par les ustensiles de cuisine. Elle atteint l'enfant et l'adulte.

Cette maladie se manifeste par des papules squameuses, puis par des taches roses, rouges ou violacées qui prennent en vieillissant une teinte brun-noir ou blanchissent. Il n'y a pas de complications.

Le diagnostic est établi, pour les lésions de la première phase, à partir de la mise en évidence du germe après prélèvement, pour les lésions tardives sur une réaction sérologique (test de Nelson, réaction de Bordet-Wassermann) identique à celle de la syphilis. Le caraté est efficacement traité par administration de pénicilline.

Carbamate

Médicament utilisé dans le traitement des manifestations de l'anxiété.

Les carbamates (méprobamate) sont indiqués comme anxiolytiques (actifs contre l'anxiété) et comme myorelaxants (actifs contre les contractures musculaires douloureuses). Les contre-indications sont la grossesse et certaines maladies (myasthénie, porphyrie). Les carbamates sont incompatibles avec l'alcool et les médicaments qui dépriment le système nerveux (certains antidépresseurs, certains hypnotiques). Ils sont administrés par voie orale ou intramusculaire. Parmi les effets indésirables, on peut observer une somnolence, une baisse de la tension artérielle, une réaction allergique, des vertiges.

Carbone

Élément chimique (C) caractéristique du monde vivant.

Bien que le carbone soit présent dans le règne minéral (diamant, charbon, pétrole, graphite), c'est avant tout le constituant fondamental de la matière vivante. C'est pourquoi la partie de la chimie qui étudie le carbone et ses combinaisons a été appelée chimie organique. Dans l'organisme, le carbone entre dans la constitution des molécules des trois composants principaux : glucides (essentiellement formés de carbone et d'eau), lipides et protéines.

Carcinogenèse

Naissance d'un cancer à partir d'une cellule transformée par plusieurs mutations. SYN. *cancérogenèse, oncogenèse*.

La carcinogenèse est un phénomène à plusieurs étapes, observé en cancérologie clinique et chez l'animal de laboratoire. La compréhension de son fonctionnement repose sur deux idées majeures : l'une est que la transformation tumorale est un processus cumulatif d'événements mutationnels, l'autre que ces événements sont interdépendants. Ainsi, des tumeurs bénignes montrant une prolifération cellulaire restreinte et contrôlée peuvent dégénérer en tumeurs malignes aux proliférations cellulaires anarchiques, incontrôlées, capables d'envahir les tissus adjacents. Au cours de son évolution, une cellule maligne acquiert par mutations successives des propriétés nouvelles qui la rendent de plus en plus résistante et agressive pour l'organisme.

Le mécanisme essentiel de la carcinogenèse repose sur l'activation de certains oncogènes (gènes intervenant dans le contrôle de la prolifération cellulaire et capables de provoquer un processus de cancérisation).

DIFFÉRENTS TYPES D'ACTIVATION DES ONCOGÈNES

L'étude moléculaire des oncogènes a permis de découvrir plusieurs types d'activation pouvant correspondre à plusieurs étapes de la carcinogenèse.

La survenue d'une ou de plusieurs de ces activations déclenche un cancer.

■ **La carcinogenèse chimique** correspond à une activation par mutation dans un oncogène. Elle se caractérise par deux stades successifs : l'initiation et la promotion. Un oncogène peut être activé par mutation avec une substance chimique « initiatrice » pour former des tumeurs bénignes, qui, elles, sont susceptibles de dégénérer en cancer sous l'action d'une substance « promotrice ».

■ **La carcinogenèse virale** comprend deux sortes d'activation. La première implique des virus lents qui, par insertion, activent un oncogène. La seconde concerne des virus qui portent un gène transformant, capable de transformer la cellule en cellule tumorale.

■ **L'amplification d'un oncogène** correspond à une activation par multiplication du nombre de copies de l'oncogène à l'intérieur de la cellule. Il s'agit souvent d'un événement tardif au cours de la progression tumorale. L'amplification de l'A.D.N. ou de l'A.R.N. d'un oncogène conduit à l'augmentation d'une protéine pouvant lutter contre le produit d'un autre gène, un gène suppresseur de la transformation tumorale (antioncogène). La quantité de protéine oncogène l'emporterait sur celle de la protéine suppresseur de tumeur, provoquant ainsi le cancer.

Carcinoïde

Tumeur bénigne ou maligne peu volumineuse qui se développe surtout dans les muqueuses digestives, parfois dans la muqueuse bronchique, aux dépens des cellules endocrines dites argentaffines (colorables par certains sels d'argent). SYN. *tumeur argentaffine*.

Les carcinoïdes sont peu fréquents : ils représentent moins de 1 % des tumeurs digestives et moins de 0,2 % de l'ensemble des tumeurs. Ils apparaissent le plus souvent entre 50 et 60 ans, chez l'homme comme chez la femme.

Les carcinoïdes sont peu volumineux et multiples dans un tiers des cas. Leur caractère bénin ou malin est en rapport avec leur taille et leur siège : les tumeurs de moins de 2 centimètres sont souvent bénignes. La différenciation entre les deux variétés est parfois difficile à établir. Les localisations sont, par ordre de fréquence décroissant, l'appendice (siège de la moitié des carcinoïdes digestifs), le jéjunum et l'iléon (intestin grêle), le rectum et les bronches ; les carcinoïdes de l'estomac ou de l'ovaire sont beaucoup plus rares.

SYMPTÔMES ET ÉVOLUTION

Les carcinoïdes bénins ne se manifestent par aucun symptôme et sont découverts lors d'une intervention ou d'un examen effectué à l'occasion d'une autre maladie (appendicectomie ou endoscopie). Les carcinoïdes malins peuvent obstruer l'intestin et donner des métastases dans le foie et les ganglions abdominaux. Ils peuvent sécréter de nombreuses hormones (sérotonine, histamine, corticotrophine, somathormone, calcitonine, glucagon, gastrine, etc.) qui entraînent des symptômes révélateurs : syndrome de Cushing, acromégalie, syndrome carcinoïde, ce dernier surtout en cas de carcinoïde de l'intestin grêle.

DIAGNOSTIC

Le diagnostic est établi par la localisation radiologique de la tumeur (digestive ou pulmonaire), par l'examen microscopique de la biopsie et par la mise en évidence de la sécrétion hormonale. Le recueil des urines permet le dosage de l'acide 5-hydroxy-indolacétique (5 H.I.A.), molécule dérivée de la sérotonine.

TRAITEMENT

Le traitement des carcinoïdes bénins consiste en l'ablation chirurgicale complète de la tumeur, ou des tumeurs (carcinoïdes de l'appendice, par exemple). En cas de carcinoïde malin, l'évolution très lente de la tumeur justifie des thérapeutiques multiples : radiothérapie, ablation chirurgicale étendue aux métastases, exceptionnellement transplantation hépatique.

Carcinoïde (syndrome)

Syndrome dû à la présence d'un carcinoïde malin et comportant des métastases ganglionnaires et hépatiques. SYN. *syndrome carcinoïdien*.

Le syndrome carcinoïde est lié à la sécrétion de diverses substances et notamment de la sérotonine.

SYMPTÔMES ET SIGNES

Le syndrome carcinoïde se manifeste par des bouffées vasomotrices de la face et du cou déclenchées par les aliments, par l'alcool ou par les émotions. Une tachycardie (accélération du rythme cardiaque), une hypotension artérielle et une diarrhée s'observent fréquemment. Des lésions cardiaques peuvent survenir : hypertension pulmonaire, insuffisance tricuspidienne. Enfin, des épisodes de bronchospasme (crises d'asthme) sont également fréquents.

DIAGNOSTIC

Le diagnostic de syndrome carcinoïde est confirmé par les dosages sanguins de sérotonine et surtout par la détection dans les urines du principal métabolite de la sérotonine, l'acide 5-hydroxy-indol-acétique (5 H.I.A.). Les biopsies de la tumeur achèvent l'identification.

TRAITEMENT

Le traitement du syndrome carcinoïde consiste en l'ablation de la tumeur chaque fois qu'elle est possible. Un traitement médicamenteux à base de somatostatine peut être efficace.

Carcinologie

→ VOIR Cancérologie.

Carcinomatose

Diffusion d'un cancer à l'ensemble de l'organisme.

Une carcinomatose se traduit par l'apparition de très nombreuses métastases, souvent de petite taille, dans la plupart des tissus ou se concentrant au contraire dans une région précise du corps (carcinomatose péritonéale, par exemple).

Carcinome

Tumeur maligne développée aux dépens des tissus épithéliaux. SYN. *épithélioma*.

Les carcinomes représentent environ 80 % des cancers. Ils peuvent se développer sur la peau, les muqueuses digestives, respiratoires, génitales et urinaires, sur toutes les glandes annexées à ces tissus (sein, foie, pancréas, rein, prostate) et sur les glandes endocrines (thyroïde, surrénale). Leur gravité dépend du siège de la tumeur (le carcinome de la peau est généralement d'évolution favorable) et de son aspect microscopique, c'est-à-dire de la capacité de celle-ci à reproduire plus ou moins fidèlement le tissu où elle se développe.

On distingue parmi les carcinomes trois types différents.

■ **Le carcinome épidermoïde**, dont les cellules reproduisent une structure qui rappelle l'épiderme, est caractéristique des cancers de la peau, de la bouche, du larynx, de l'œsophage, de nombreuses tumeurs des bronches, des poumons, de l'anus, du vagin et du col utérin.

■ **Le carcinome glandulaire, ou adénocarcinome**, dont les cellules, organisées autour de cavités, forment des tubes glandulaires ou sécrètent du mucus, touche l'estomac, le côlon, le rectum. Il est également responsable du quart des cancers bronchopulmonaires et de la quasi-totalité des cancers du sein, de la prostate, du rein, de l'utérus et de la thyroïde.

■ **Les carcinomes indifférenciés** ne reproduisent aucune structure tissulaire reconnaissable (carcinome « à petites cellules » des bronches, par exemple). Ce sont en général les plus graves.

Carcinome neuroendocrine cutané

Tumeur cutanée maligne.

Le carcinome neuroendocrine cutané, rare, n'a pas de cause précise connue : il s'agirait d'une prolifération de cellules de Merckel, l'une des variétés de cellules de l'épiderme.

Il forme un nodule violacé, rouge bleuté ou bleuâtre, cutané ou sous-cutané, qui apparaît surtout dans la région de la tête ou du cou chez le sujet âgé.

DIAGNOSTIC ET TRAITEMENT

Ils relèvent de la biopsie-exérèse : le dermatologue ou le chirurgien enlève toute la tumeur, qui est ensuite examinée au microscope. Ultérieurement, une surveillance régulière est nécessaire, car la lésion récidive une fois sur trois et peut s'étendre aux ganglions qui drainent la zone de la tumeur.

Carcinosarcome

Tumeur maligne rare, associant deux proliférations tumorales, l'une épithéliale (carcinome), l'autre conjonctive (sarcome). SYN. *épithéliosarcome*.

Il s'agit le plus souvent d'un carcinome ayant subi une modification morphologique : c'est le cas de certains cancers épidermoïdes du poumon, du larynx ou de l'œsophage à cellules fusiformes.

Cardia

Zone frontière entre l'œsophage et l'estomac. (P.N.A. *ostium cardiacum*)

Le cardia forme un système complexe comportant deux parties : un cardia muqueux, séparant la muqueuse de l'œsophage et celle de l'estomac, et une zone appelée sphincter cardial, légèrement décalée par rapport au cardia muqueux, qui n'est pas un sphincter (muscle circulaire) permanent mais une zone musculaire formant un sphincter exclusivement à la contraction.

Ce sphincter cardial joue un rôle déterminant : sa déficience est responsable du reflux gastro-œsophagien et peut donner lieu à une œsophagite peptique.

Cardiologie

Étude du fonctionnement du cœur et, particulièrement, des maladies atteignant le cœur ou les vaisseaux sanguins.

Les affections relevant de la cardiologie constituent, dans nos pays, la première cause de mortalité. La cardiologie a bénéficié de considérables progrès accomplis durant les dix dernières années dans la compréhension des maladies cardiaques et cardiovasculaires, de leurs facteurs de risque, dans leur exploration, leur traitement et leur prévention.

Cardiomégalie

Augmentation de volume du cœur.

CAUSES

Elles sont de trois types.

■ **La dilatation d'une ou de plusieurs cavités cardiaques** peut résulter d'un mauvais fonctionnement valvulaire, d'un défaut d'irrigation du muscle cardiaque (cardiopathie ischémique) ou d'une maladie du muscle cardiaque lui-même.

■ **L'hypertrophie myocardique** (épaississement du muscle cardiaque au niveau d'un ou des deux ventricules) peut être consécutive à la présence d'un obstacle à l'éjection sanguine du cœur (hypertension artérielle, rétrécissement serré de la valvule aortique) ou à l'existence d'une maladie du muscle cardiaque lui-même ; on parle alors de cardiopathie hypertrophique.

■ **Les épanchements péricardiques** sont responsables d'un élargissement de la silhouette cardiaque, visible à la radiographie et à l'échographie, dû à l'accumulation de liquide à l'intérieur du péricarde (enveloppe du cœur). Ce liquide est de type séro-fibrineux, séro-hématique ou purement sanglant, en fonction de sa cause.

SYMPTÔMES ET SIGNES

Une cardiomégalie ne s'accompagne souvent d'aucun signe. Lorsqu'elle est importante, il en découle une insuffisance cardiaque qui se manifeste généralement par l'apparition d'un gonflement des membres inférieurs (œdème) et d'un essoufflement.

DIAGNOSTIC

Il repose essentiellement sur l'examen clinique et surtout sur la radiographie du thorax.

TRAITEMENT

Le traitement d'une cardiomégalie est celui de sa cause, lorsque celle-ci est curable.

Cardiomyopathie

→ VOIR Myocardiopathie.

Cardiopathie

Toute maladie du cœur, quelle qu'en soit l'origine.

Les cardiopathies se divisent en deux grands groupes, selon qu'elles sont congénitales ou acquises.

Cardiopathies congénitales

Il s'agit de malformations du cœur, présentes à la naissance et résultant d'un défaut de développement survenu pendant la vie embryonnaire.

Leur fréquence est d'environ 700 sur 100 000 naissances.

DIFFÉRENTS TYPES DE CARDIOPATHIE CONGÉNITALE

■ **Les cardiopathies avec cyanose**, autrefois appelées maladies bleues, sont les cardiopathies les plus graves et les plus complexes des cardiopathies congénitales. Elles sont dues, en général, à une variété de shunt (court-circuit) faisant passer directement, sans passage par les poumons, le sang pauvre en oxygène (veines caves) vers la grande circulation artérielle (aorte), normalement riche en oxygène. Ainsi, la transposition artérielle est une cardiopathie où les positions de l'aorte et de l'artère pulmonaire sont inversées. Il existe de nombreuses autres cardiopathies avec cyanose, comprenant en général une association complexe de plusieurs malformations : tétralogie de Fallot, trilogie de Fallot.

■ **Les cardiopathies sans cyanose** sont essentiellement dues à des rétrécissements de vaisseaux ou à des communications intracardiaques anormales. La coarctation aortique est un rétrécissement sur une

CARDIOPATHIE

Les examens de base, pour le diagnostic d'une cardiopathie, sont la radiographie simple du thorax et l'électrocardiographie. Le médecin les prescrit à un patient qui se plaint de douleurs thoraciques, de palpitations, de gêne respiratoire. Mais ils peuvent aussi être pratiqués lors d'un bilan systématique, par exemple avant une intervention chirurgicale, et révéler alors une cardiopathie jusque-là insoupçonnée. Les autres examens, tels que l'échographie cardiaque, ne sont demandés que dans un second temps, pour affirmer et préciser le diagnostic.

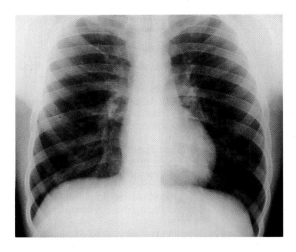

Sur cette radiographie ordinaire du thorax, les poumons apparaissent en noir, les os et les viscères en blanc. Le cœur est représenté par une tache blanche située entre les poumons, en regard de leur moitié inférieure.

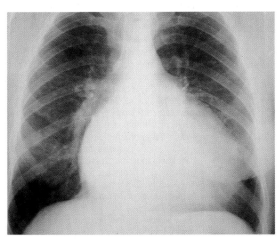

En cas d'hypertrophie du ventricule gauche (celui-ci paraît à droite sur la radiographie), le cœur occupe beaucoup plus de place, aux dépens du poumon gauche. C'est un signe d'insuffisance cardiaque, principale complication des cardiopathies.

certaine longueur de l'aorte thoracique (l'artère qui distribue le sang oxygéné à tout l'organisme), qui entraîne une diminution de la circulation sanguine dans la partie inférieure du corps. Un rétrécissement peut également siéger sur l'artère pulmonaire (qui amène le sang non oxygéné du cœur vers les poumons). La persistance du canal artériel est due à l'absence de fermeture, anormale après la naissance, d'un petit canal présent chez le fœtus, ce qui se traduit par un shunt faisant passer directement le sang de l'aorte à l'artère pulmonaire. Enfin, un orifice peut être anormalement présent dans la paroi interne du cœur, ce qui crée une communication interventriculaire (entre les deux ventricules) ou interauriculaire (entre les deux oreillettes), cette dernière anomalie étant l'une des causes le plus fréquemment observées de cardiopathie congénitale.

SYMPTÔMES ET SIGNES

Les cardiopathies congénitales peuvent se manifester par la perception d'un souffle à l'auscultation du cœur. Ce souffle donne des renseignements importants sur le type de cardiopathie en cause, selon l'endroit exact et le moment où il est perçu, pendant la systole (contraction) ou la diastole (relâchement). Cependant, la majorité des souffles sont bénins, traduisant un simple retard de l'adaptation à la vie en dehors de l'utérus. Les cardiopathies avec cyanose se traduisent par une coloration bleutée de la peau, des muqueuses et des ongles, due au manque d'oxygène dans le sang. Par ailleurs, une malformation gênant la circulation sanguine normale peut entraîner une anomalie de fonctionnement du cœur, puis sa défaillance : accélération des contractions, augmentation de volume du cœur et du foie par accumulation du sang. Parfois, on observe des malaises ou un accident vasculaire cérébral. Il existe aussi des signes particuliers à certaines variantes de malformation.

DIAGNOSTIC ET ÉVOLUTION

Grâce à la pratique systématique de l'échographie chez les femmes enceintes, le diagnostic d'une cardiopathie congénitale est parfois fait avant la naissance. Dans les autres cas, les signes décrits ci-dessus invitent à réaliser différents examens complémentaires : radiographie du thorax ; électrocardiographie ; échographie cardiaque avec Doppler ; beaucoup plus rarement, cathétérisme (mesure des pressions et des taux d'oxygène dans le cœur, grâce à une sonde introduite par une artère ou une veine).

L'évolution est extrêmement variable. Certaines cardiopathies congénitales sont relativement bénignes, comme la persistance du canal artériel. D'autres, en particulier les cardiopathies avec cyanose comme la tétralogie de Fallot, mettent rapidement en jeu la vie de l'enfant et sont prises en charge en urgence dès la naissance.

TRAITEMENT ET PRONOSTIC

Le traitement médical est celui des conséquences de la cardiopathie (malaises par insuffisance d'apport d'oxygène, accidents vasculaires cérébraux, artériolites pulmonaires obstructives), par exemple par administration d'oxygène ; il se révèle parfois suffisant. Le traitement chirurgical, entrepris à une date variable selon la gravité de la maladie, est possible dans la plupart des cas.

Le pronostic est généralement favorable ou excellent après traitement.

Cardiopathies acquises

Il s'agit de différentes anomalies cardiaques apparaissant au cours de la vie.

■ **Les cardiopathies hypertensives** sont provoquées par l'hypertension artérielle prolongée et insuffisamment contrôlée.

■ **Les cardiopathies ischémiques** correspondent à une ischémie (insuffisance d'oxygénation du muscle cardiaque) par rétrécissement des artères coronaires irriguant le cœur ; les formes les plus caractéristiques en sont l'angor (angine de poitrine) et surtout l'infarctus du myocarde.

■ **Les cardiopathies valvulaires** sont dues à un rétrécissement ou à une insuffisance (fermeture incomplète) d'une des valvules cardiaques (valvule mitrale, tricuspide, aortique, pulmonaire).

■ **Le cœur pulmonaire chronique** est l'ensemble des troubles cardiaques consécutifs à une affection pulmonaire chronique.

■ **Les myocardiopathies**, d'origine le plus souvent inconnue, atteignent directement le muscle du cœur. Il en existe trois formes principales : myocardiopathies, hypertrophique, dilatée ou restrictive.

■ **Les maladies du péricarde** (qui affectent la membrane fibreuse entourant le cœur) sont également rattachées aux cardiopathies proprement dites.

Chaque type de cardiopathie acquise a son propre mode d'expression, d'évolution et de traitement.

Cardioplégie

Technique médicale destinée à provoquer un arrêt de l'activité du muscle cardiaque afin de protéger le cœur au cours d'interventions chirurgicales cardiaques ou thoraciques.

La cardioplégie consiste à perfuser par voie intraveineuse des solutions dites cardioplégiques, provoquant l'arrêt des battements cardiaques. La cardioplégie est souvent associée à la mise en place d'une circulation extracorporelle, court-circuitant le cœur : le sang veineux de l'opéré circule à travers un appareil qui l'oxygène et le réinjecte dans les artères.

Cardiorraphie

Suture permettant la fermeture d'une brèche du cardia, orifice supérieur de l'estomac où s'abouche l'œsophage.

Du fait de la rareté de ce type de lésion, qui survient, par exemple, après des vomissements violents et prolongés, la cardiorraphie est une intervention peu fréquente.

Cardiospasme

Contraction spasmodique du cardia, zone frontière entre l'œsophage et l'estomac, lors du passage du bol alimentaire.

Le cardiospasme est l'une des manifestations de l'achalasie (trouble de la motricité digestive).

Cardiothyréose

Complication cardiaque d'une hyperthyroïdie (hypersécrétion d'hormones thyroïdiennes par la glande thyroïde).

La cardiothyréose se traduit par des troubles du rythme cardiaque : les plus fréquents sont l'arythmie complète par fibrillation auriculaire, comportant un risque embolique, et le flutter auriculaire (contraction anormalement rapide des oreillettes). Une insuffisance cardiaque peut succéder au trouble du rythme ; elle est plus fréquente chez le sujet âgé.

Le dosage des hormones thyroïdiennes, systématique en cas de troubles cardiaques inexpliqués chez le sujet âgé, permet de rattacher les symptômes cardiaques à une hyperthyroïdie.

TRAITEMENT

Les troubles du rythme et l'insuffisance cardiaque cèdent au traitement de l'hyperthyroïdie et à la prise de médicaments bêtabloquants.

Cardiotomie

Incision de la paroi du cardia, orifice supérieur de l'estomac où s'abouche l'œsophage.

Cardiotonique

Médicament augmentant la force de contraction du cœur. SYN. *tonicardiaque*.

Les cardiotoniques comprennent trois catégories de médicaments : les amines sympathomimétiques (adrénaline, isoprénaline, dopamine, dobutamine) ; les inhibiteurs des phosphodiestérases (amrinone, milrinone, enoximone) ; les digitaliques, ou glucosides cardiotoniques (digoxine, digi-

toxine). Tous augmentent, par des mécanismes variables, la concentration de calcium dans les cellules du myocarde (muscle du cœur), provoquant une élévation du débit cardiaque et une augmentation de l'excitabilité myocardique.

INDICATIONS ET MODES D'ADMINISTRATION

Les médicaments cardiotoniques sont indiqués en cas d'insuffisance cardiaque et pour traiter certains troubles du rythme (accélération, ralentissement). Ils sont prescrits soit par voie injectable en cas d'urgence, dont le choc cardiogénique et l'arrêt cardiocirculatoire, soit par voie orale à long terme (mode habituel d'administration pour les médicaments digitaliques).

EFFETS INDÉSIRABLES

Chaque produit a ses propres effets indésirables, mais il existe un risque commun : l'apparition de troubles du rythme cardiaque, parfois graves (accélération ou ralentissement trop intenses).

Cardiovasculaire (appareil)

→ VOIR Circulatoire (appareil).

Cardioversion

Méthode de traitement de certains troubles du rythme cardiaque par choc électrique externe. SYN. *choc électrique externe, défibrillation*.

Utilisée pour la première fois en 1956, la cardioversion est pratiquée à l'aide d'un appareil appelé défibrillateur.

INDICATIONS ET CONTRE-INDICATIONS

Elles diffèrent selon le degré d'urgence de la cardioversion.

■ **En urgence**, il s'agit souvent de traiter un trouble du rythme spontanément mortel comme une fibrillation ventriculaire (contraction rapide et irrégulière des ventricules), notamment au cours des premières heures d'un infarctus du myocarde. Il peut également s'agir de réduire un autre trouble du rythme, ventriculaire (tachycardie ventriculaire) ou auriculaire (fibrillation ou flutter auriculaire), mal toléré en lui-même ou à cause d'une cardiopathie sous-jacente susceptible de s'aggraver encore.

■ **Sans caractère d'urgence encore**, il peut s'agir du traitement d'une arythmie installée depuis quelques jours ou quelques semaines, après échec d'un traitement médicamenteux anti-arythmique, ou d'une arythmie récidivant sous traitement médicamenteux.

Les contre-indications de la cardioversion ne sont prises en compte qu'en dehors d'une situation d'extrême urgence. Ce sont principalement l'âge du patient (supérieur à 75 ans), la présence d'une cardiomégalie (augmentation de la taille du cœur) très importante ou d'une insuffisance cardiaque.

PRÉPARATION ET DÉROULEMENT

La cardioversion se pratique en milieu hospitalier. La douleur thoracique qu'elle engendre justifie une brève anesthésie générale, mais celle-ci peut être impossible à effectuer en cas d'extrême urgence. Le médecin applique une électrode sur le sternum et une autre sur la paroi latérale gauche du thorax, puis déclenche la stimula-

tion électrique, qui a pour effet de suspendre momentanément l'influx nerveux du cœur afin de permettre une reprise, généralement normale cette fois, des battements cardiaques. Après la cardioversion, une surveillance du malade est indispensable. Dans la majorité des cas, cette méthode est parfaitement bien tolérée.

Cardite rhumatismale

Inflammation des tissus du cœur, consécutive à un rhumatisme articulaire aigu.

En raison de mesures préventives (utilisation d'antibiotiques), la cardite rhumatismale, couramment appelée rhumatisme cardiaque, a pratiquement disparu dans les pays industrialisés.

Il s'agit d'une inflammation des tissus qui atteint le péricarde (enveloppe du cœur), le myocarde (muscle du cœur) et l'endocarde (tunique interne du cœur). Elle est généralement associée à une inflammation d'autres organes comme les poumons, les articulations et la peau.

SYMPTÔMES ET SIGNES

La cardite rhumatismale se traduit par une fièvre, une douleur dans la poitrine et parfois un essoufflement. Il s'y ajoute souvent des douleurs articulaires.

DIAGNOSTIC

À l'examen, le cœur bat vite et l'on peut entendre un souffle par lésion d'une valvule cardiaque ou un frottement péricardique par atteinte du péricarde. Des signes d'insuffisance cardiaque sont parfois présents (essoufflement, jambes lourdes et gonflées). L'électrocardiogramme peut mettre en évidence des anomalies électriques (troubles du rythme ou de la conduction cardiaques). Sur la radiographie du thorax, le cœur apparaît dilaté s'il existe une péricardite. L'échographie cardiaque permet de faire un excellent bilan de l'atteinte.

En l'absence de traitement, la cardite rhumatismale laisse des séquelles cardiaques concernant notamment les valvules (valvulopathie postrhumatismale).

TRAITEMENT ET PRÉVENTION

Les médicaments anti-inflammatoires (corticostéroïdes) sont prescrits pour traiter la poussée de la maladie ; un traitement antibiotique (pénicilline) prolongé sur plusieurs années permet d'éviter les rechutes.

Le traitement préventif repose sur l'usage des antibiotiques lors de toute infection à streptocoques de l'enfant et de l'adolescent, principalement en cas d'angines et d'otites.

Carence affective

Absence ou insuffisance des échanges affectifs essentiels au développement et à l'équilibre affectif d'un sujet.

Les carences affectives peuvent avoir des conséquences plus ou moins graves selon le degré de développement de l'individu.

La privation prolongée du contact avec la mère ou avec un substitut maternel entraîne chez le nourrisson une inhibition anxieuse, un désintérêt pour le monde extérieur (dépression anaclitique) qui s'accompagne d'anorexie, d'insomnie, d'agitation, de retard psychomoteur et de troubles psychosomatiques. C'est ce qu'on appelle le syndrome d'hospitalisme. Si la carence se poursuit au-delà de 3 ou 4 mois, l'enfant risque de souffrir de dommages physiques et psychiques irréversibles.

Par extension, on parle de carence affective lorsqu'un enfant n'a pas bénéficié de relations affectives suffisantes dans les cinq premières années de sa vie : il risque d'en résulter un retard psychomoteur et des troubles du caractère (impulsivité, instabilité caractérielle, etc.).

Chez l'adulte, des situations vitales contraignantes (deuil, infirmité, émigration) peuvent amplifier certaines tendances à la paranoïa, à l'introversion ou aux troubles du caractère qui enferment l'individu dans la solitude et risquent, en réaction, de déclencher des troubles psychiatriques aigus. Chez le sujet âgé, le manque d'échanges affectifs précipite parfois le processus de sénilité et peut même déclencher des réactions de détresse allant jusqu'au suicide.
→ VOIR Abandon.

Carence alimentaire
Absence ou insuffisance de certains éléments indispensables à l'équilibre et au développement physique d'un sujet.

Une carence alimentaire peut être globale ou sélective et porter sur des nutriments agissant à très petites doses tels que les sels minéraux, les oligoéléments, les acides aminés ou les vitamines. Elle peut être liée à un défaut d'apports ou à une incapacité de l'organisme de bien utiliser ceux-ci. Outre la malnutrition, l'insuffisance d'apports nutritifs peut être due à un régime déséquilibré : les végétaliens, dont le régime est plus strict que celui des végétariens, souffrent habituellement d'un manque d'acides aminés essentiels, de fer, de calcium et de vitamine B12. Les désordres du comportement alimentaire, dus à une anorexie ou à un abus de régimes amaigrissants, provoquent des carences dont les conséquences peuvent être sérieuses si on n'y remédie pas. Les affections organiques qui s'accompagnent d'anorexie (cancer, hépatite, tuberculose) ont aussi pour conséquence des carences à des degrés divers.

Les effets d'une carence alimentaire sont d'autant plus désastreux qu'elle survient plus précocement. Chez l'embryon, le fœtus ou le nourrisson, elle entrave la division cellulaire. Un enfant qui a souffert de carence alimentaire avant sa naissance et au cours de sa première année risque de présenter des défaillances du système nerveux central, et le dommage est alors irréversible. En revanche, une carence alimentaire affectant un enfant de plus de un an n'a que des effets temporaires, pourvu que soit rétablie par la suite une alimentation correcte.

Parmi les principales carences alimentaires, on peut citer la carence en vitamine A, qui cause des troubles oculaires importants ; la carence en iode, qui entraîne un mauvais fonctionnement de la thyroïde (goitre, hypothyroïdie) ; la carence en acides

gras, qui entrave la croissance normale des enfants, etc.
→ VOIR Avitaminose.

Carène
Zone anatomique correspondant à la division de la trachée en ses deux bronches principales (ou souches), destinées à la ventilation des poumons droit et gauche. SYN. *éperon trachéal.* (P.N.A. *carena tracheæ*)

Carie
Maladie détruisant les structures de la dent, évoluant de la périphérie (émail) vers le centre de la dent (pulpe dentaire).

FRÉQUENCE
Selon les études conduites par l'O.M.S., la carie est aujourd'hui le 3e fléau mondial. Ainsi, en région parisienne, un adolescent de 12 ans présente en moyenne quatre caries. Cette importance est vraisemblable-

ment due à la richesse croissante de l'alimentation en glucides.

CAUSES
Une carie est due à l'action combinée de trois facteurs : la plaque dentaire (substance qui se forme sur la dent, composée de débris alimentaires, de mucus salivaire et de bactéries), le terrain (constitution de la dent, hérédité) et l'alimentation. Les bactéries de la plaque dentaire assimilent les sucres rapides, prolifèrent et sécrètent un acide qui attaque la dent et entraîne la formation d'une cavité, cela d'autant plus facilement que les tissus durs de la dent sont déminéralisés.

SYMPTÔMES ET SIGNES
La carie se loge de préférence dans les zones anfractueuses, difficiles à nettoyer. Elle commence par attaquer l'émail, créant une cavité. D'abord indolore, elle progresse dans le tissu calcifié recouvrant la pulpe (dentine),

Carie dentaire

Une carie apparaît d'abord comme une tache qui noircit l'émail de la dent, puis comme un trou. Elle attaque le tissu calcifié de la couronne dentaire (émail et ivoire, prolongé dans la racine par le cément), qui recouvre la pulpe. Elle peut être à peine visible, mais très étendue en profondeur.
D'abord indolore, la dent devient sensible lorsque la carie atteint la pulpe.

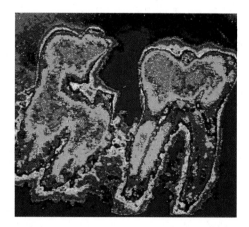

La radiographie est utile pour déceler l'étendue exacte des lésions. Ici, la carie a creusé une large cavité dans la couronne de la molaire de gauche.

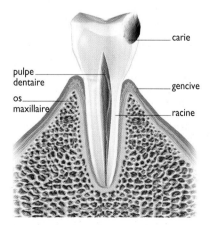

carie
pulpe dentaire
gencive
os maxillaire
racine

Les parties les plus exposées de la couronne, points de départ des caries, sont, avec le collet, les cuspides, protubérances situées sur la face masticatoire des prémolaires et des molaires.

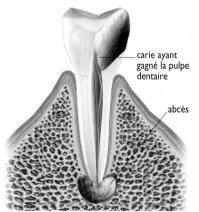

carie ayant gagné la pulpe dentaire
abcès

La carie, après avoir détruit l'émail, atteint l'ivoire, ouvrant une porte d'entrée aux bactéries, qui peuvent gagner la pulpe et provoquer une infection de l'os.

agrandissant la cavité et permettant aux bactéries d'envahir la pulpe mise à nu au centre de la dent. La dent devient alors sensible au contact du froid et du chaud, puis des sucres. Non traitée, la carie entraîne la destruction de la dent et l'infection de l'os sous-jacent par pénétration microbienne.

TRAITEMENT

Une carie doit être soignée le plus tôt possible. Elle est nettoyée à la fraise et la cavité dentaire ainsi dégagée est obturée par un produit de restauration (amalgame, par exemple). En cas de caries plus avancées, la dévitalisation de la dent, ou son extraction, est nécessaire.

PRÉVENTION

La prévention doit jouer sur les trois causes de la carie : la plaque bactérienne doit être éliminée quotidiennement par un brossage minutieux complété par le passage du fil dentaire. Une alimentation équilibrée, pauvre en sucres rapides (que l'on peut remplacer par des sucres de substitution) est également efficace. Il ne faut pas, en particulier, encourager les enfants à consommer des sucreries, ni leur en donner avant le coucher. Enfin, il est possible d'intervenir de façon précoce sur la constitution de la dent en renforçant l'émail par l'administration de fluor (dans l'eau, le sel ou en comprimés) au cours des douze premières années de la vie. Par ailleurs, une surveillance régulière (tous les ans environ) s'impose par consultation d'un dentiste.

Carl Smith (maladie de)

Maladie aiguë de l'enfant, probablement d'origine virale, se traduisant par une hyperlymphocytose (augmentation très importante du nombre de lymphocytes, type de globules blancs, dans le sang).

La maladie de Carl Smith survient en dehors de tout contexte de vaccination ou de coqueluche, facteurs habituels d'hyperlymphocytose. Elle se propage par petites épidémies et a été imputée à certains virus (coxsackie A et B, virus echo, adénovirus). Elle se caractérise par une rhinopharyngite fébrile avec diarrhée, parfois associée à une éruption cutanée ou à une méningite lymphocytaire, très rarement à des adénopathies (augmentation de volume des ganglions) et à une splénomégalie (augmentation de la taille de la rate). L'évolution est courte, bénigne et ne nécessite aucun traitement.

Carnitine

Acide aminé dont le déficit peut provoquer une myopathie (maladie grave des muscles).

La carnitine est synthétisée par le foie, mais on l'absorbe également dans certains aliments (viandes, laitages). Elle stimule la dégradation de constituants de l'organisme, particulièrement les lipides, afin de produire de l'énergie.

UTILISATION THÉRAPEUTIQUE

La carnitine est prescrite par voie orale dans le traitement d'une myopathie (maladie musculaire) héréditaire résultant d'un déficit en carnitine et provoquant une accumulation de lipides dans les muscles.

Des effets indésirables graves ont été décrits, parmi lesquels, essentiellement, une myasthénie (blocage de la commande nerveuse des muscles).

Caroncule

Petite excroissance charnue de couleur rougeâtre. (P.N.A. *caruncula*)

On en distingue plusieurs formes.

■ **Les grande et petite caroncules** sont des saillies coniques situées sur la face interne du deuxième duodénum et au niveau desquelles s'abouchent le cholédoque et le canal de Wirsung, d'une part, et, d'autre part, le canal de Santorini.

■ **La caroncule lacrymale** est une petite saillie rouge ou rosée située à l'angle interne de l'œil.

■ **Les caroncules multiformes, ou myrtiformes**, sont des tubercules situés à l'entrée du vagin et résultant du déchirement de l'hymen après le premier rapport sexuel.

■ **La caroncule sublinguale** est un petit tubercule situé sous la langue (à l'extrémité du frein), au sommet duquel s'ouvrent le canal de Wharton et le canal de Rivinus (canaux excréteurs des glandes salivaires).

Carotène

Pigment orangé, liposoluble, précurseur de la vitamine A, présent dans un grand nombre de végétaux et au sein de l'organisme.

Le bêta carotène fait partie des caroténoïdes. Il est présent dans les carottes, les tomates, certains légumes verts, dans les fruits, dans le lait entier et le beurre. Il se dissout dans les eaux de lavage et de cuisson. Le bêta carotène se transforme dans la muqueuse intestinale en vitamine A.

Une consommation excessive d'aliments riches en bêta carotène provoque un jaunissement de la peau, sans atteinte des globes oculaires, contrairement à un ictère. Cette coloration disparaît rapidement dès que l'on supprime l'excès d'apport alimentaire. Le bêta carotène protège la peau du soleil par stimulation de la synthèse de la mélanine. Il est aussi utilisé pour obtenir un brunissement de la peau sans exposition au soleil.

Carotide (artère)

Artère du cou et de la tête. (P.N.A. *arteria carotis*)

Il existe deux carotides primitives, l'une droite, l'autre gauche. La carotide primitive droite naît de la bifurcation du tronc artériel brachiocéphalique (branche de l'aorte thoracique) en artères carotide d'une part et sous-clavière droite d'autre part. À l'inverse, la carotide primitive gauche naît directement de la partie horizontale de l'aorte thoracique. Les deux vaisseaux cheminent ensuite parallèlement de part et d'autre de la trachée depuis la base du cou jusqu'à la hauteur du larynx, où ils se divisent chacun en deux branches principales, la carotide interne et la carotide externe.

■ **Les carotides externes** donnent naissance à de nombreuses branches destinées à irriguer la face (nez, cavité buccale, mâchoires) et le cuir chevelu.

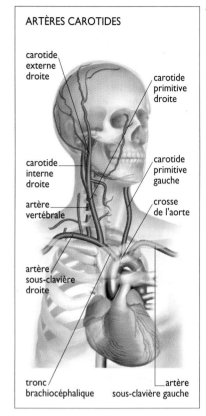

ARTÈRES CAROTIDES

carotide externe droite

carotide primitive droite

carotide interne droite

carotide primitive gauche

artère vertébrale

crosse de l'aorte

artère sous-clavière droite

tronc brachiocéphalique

artère sous-clavière gauche

■ **Les carotides internes** pénètrent dans le crâne pour nourrir le cerveau et les yeux. À la base du cerveau, les branches des carotides internes et celles du tronc basilaire (nées de la réunion des deux artères vertébrales) se rejoignent pour former le polygone de Willis.

PHYSIOLOGIE

Les carotides possèdent deux zones sensibles de chaque côté du cou : le sinus carotidien, qui intervient dans la régulation de la pression artérielle, et le corpuscule carotidien, ou glomus carotidien, qui joue un rôle important dans la régulation de la saturation en oxygène du sang et dans le fonctionnement de la respiration.

EXAMENS

Les artères carotides peuvent être explorées de manière non invasive (ou non sanglante) par la palpation, l'ultrasonographie : l'échotomographie bidimensionnelle fournit des coupes anatomiques des artères carotides ; le Doppler, souvent couplé à l'examen précédent, précise les vitesses des globules rouges circulant à l'intérieur du vaisseau ; celles-ci s'accélèrent à l'endroit où l'artère est rétrécie et s'annulent si le vaisseau est occlus. L'artériographie carotidienne, qui nécessite un abord vasculaire, est généralement réservée aux cas où se discute un acte chirurgical.

PATHOLOGIE

L'interruption transitoire de la circulation dans une artère carotide peut provoquer un accident ischémique transitoire (A.I.T.).

L'occlusion d'une de ces artères peut entraîner un accident vasculaire cérébral (A.V.C.) si le déficit circulatoire dans le territoire occlus n'est pas compensé par un afflux de sang provenant des autres artères irriguant le cerveau, par l'intermédiaire du polygone de Willis.

Carotidogramme

Technique d'exploration cardiovasculaire consistant à obtenir, par voie externe, le pouls carotidien, qui reflète l'activité mécanique du cœur.

Un carotidogramme est indiqué dans l'exploration des valvulopathies aortiques (rétrécissement et fuite). Il permet de préciser les données fournies par l'auscultation cardiaque et apporte des informations utiles sur le fonctionnement du cœur.

L'examen est réalisé au moyen d'un capteur placé en regard de l'artère carotide sur le cou, afin d'y enregistrer les vibrations correspondant aux contractions du cœur. Le signal est ensuite filtré, amplifié puis transmis à un système d'enregistrement sur papier. Une courbe est alors obtenue sur la base des données de l'enregistrement des pulsations ou des variations de la pression de l'artère carotidienne.

Carpe

Ensemble des os et des articulations situés entre la main et l'avant-bras, formant l'ossature du poignet. (P.N.A. *carpus*)

Le carpe est formé de huit os courts, disposés en deux rangées. La rangée supérieure, articulée avec le radius et le cubitus, est constituée par le scaphoïde, le semi-lunaire, le pyramidal et le pisiforme. La rangée inférieure, articulée avec les cinq métacarpiens, comprend le trapèze, le trapézoïde, le grand os et l'os crochu.

L'articulation du carpe permet d'exécuter les mouvements de flexion et d'extension de la main. Les fractures des petits os du carpe sont difficiles à diagnostiquer. La plus fréquente est celle du scaphoïde, perceptible à la palpation, entre les tendons situés à la base du pouce.

Carphologie

Mouvement incessant et involontaire des mains et des doigts témoignant d'un trouble de la conscience.

La carphologie constitue l'un des symptômes de l'encéphalite des fièvres typhoïdes graves et de l'encéphalopathie alcoolique (delirium tremens).

Carrel (Alexis)

Chirurgien et biologiste français (Sainte-Foy-lès-Lyon 1873 - Paris 1944).

Ses travaux à l'Institut Rockefeller de New York, sur la suture des vaisseaux sanguins et la greffe de tissus et d'organes notamment, lui valurent le prix Nobel de médecine (1912). Revenu en France en 1938, il y poursuivit des expériences sur le cancer. Un

de ses ouvrages, *l'Homme, cet inconnu* (1936), eut une large diffusion. Mais il publia des articles prônant l'eugénisme qui contribuèrent à son discrédit.

Carte d'identité génétique

→ VOIR Empreinte génétique.

Carte de restriction génétique

Schéma des différentes zones de coupure par des enzymes de restriction sur une séquence d'A.D.N.

Les enzymes de restriction, d'origine bactérienne, sont utilisées en laboratoire pour découper l'A.D.N. en petits fragments. Comme elles le scindent toujours aux mêmes endroits, on peut en établir le schéma, qui sera perturbé par toute anomalie de l'A.D.N.

Cartilage

Tissu conjonctif qui constitue le squelette chez l'embryon, et qu'on trouve en petite quantité chez l'adulte, notamment au niveau des surfaces osseuses de certaines articulations. (P.N.A. *cartilago*)

Le cartilage, lamelle blanche, lisse, souple, résistante et élastique, est formé de cellules, les chondrocytes, qui assurent son renouvellement, de fibres de collagène et de substance fondamentale, faite surtout de protéoglycanes (grosses molécules spongieuses).

DIFFÉRENTS TYPES DE CARTILAGE

■ Le **cartilage de conjugaison** se trouve dans les os longs. Il sépare la diaphyse (corps de l'os) de l'épiphyse (extrémité renflée de l'os). Il n'existe que chez l'enfant et joue un rôle déterminant dans la croissance osseuse, grâce à un mécanisme appelé ossification enchondrale. L'ossification terminée, il disparaît à l'âge adulte.

■ Le **cartilage élastique** se trouve dans le pavillon de l'oreille, dans l'épiglotte, dans les anneaux de la trachée et des bronches. Il est mou, semblable à du caoutchouc.

■ Le **cartilage fibreux**, ou fibrocartilage, est un constituant des ménisques du genou, des disques intervertébraux, des côtes, du sternum et de la symphyse pubienne. Il contient du collagène dur, dense et très solide.

■ Le **cartilage hyalin** est un tissu blanc, nacré, élastique, qui recouvre les surfaces osseuses des articulations (genou, coude, poignet) ; grâce à ses propriétés d'amortissement et à son coefficient de glissement remarquable, il favorise les mouvements des extrémités osseuses. Son épaisseur est fonction de la pression supportée par l'articulation. Par exemple, l'épaisseur moyenne du cartilage des genoux est de 7 millimètres. Le cartilage hyalin permet d'amortir les chocs en répartissant les pressions sur toutes les surfaces articulaires. Par ailleurs, il existe entre les deux surfaces cartilagineuses d'une articulation une pression légèrement négative qui les maintient en contact. Si l'on tire fortement sur une articulation, en particulier celle des doigts, les deux surfaces cartilagineuses se décollent, provoquant un bruit caractéristique. De même, le craquement du rachis, obtenu lors d'une manipulation

CARPE

L'articulation du carpe, squelette du poignet (huit petits os en deux rangées), avec les os de l'avant-bras, radius et cubitus, permet la flexion, l'extension et l'inclinaison latérale de la main. En revanche, les articulations avec les métacarpiens sont peu mobiles.

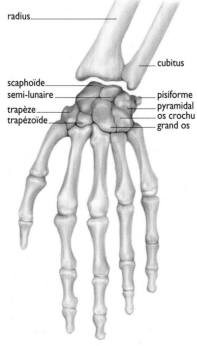

radius
cubitus
scaphoïde
semi-lunaire
trapèze
trapézoïde
pisiforme
pyramidal
os crochu
grand os

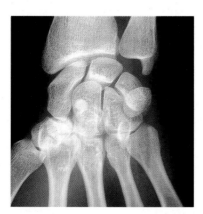

Radiographie du poignet droit vu de face : on voit distinctement les deux rangées de quatre os qui composent le carpe.

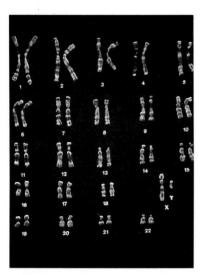

Caryotype masculin. *Les deux chromosomes sexuels, un X et un Y, sont dissemblables.*

---

vertébrale, est dû au décollement des surfaces cartilagineuses et n'a aucune vertu thérapeutique particulière.

Le cartilage articulaire est un tissu vivant dont les cellules, les chondrocytes, assurent le renouvellement en associant la destruction du cartilage ancien (chondrolyse) et l'élaboration de cartilage nouveau (chondroformation).

PATHOLOGIE

Dans l'arthrose, la chondrolyse domine par périodes et provoque l'amincissement du cartilage. Certaines maladies infectieuses, tumorales ou inflammatoires, ou des maladies osseuses comme l'ostéochondrite ou la chondrocalcinose, provoquent une altération du cartilage.

Le cartilage s'use avec l'âge. Un cartilage usé est caractéristique d'une arthrose ou d'une arthrite : dans l'arthrose, l'épaisseur du cartilage diminue dans la zone de lésion ; dans l'arthrite, l'inflammation atteint l'ensemble des surfaces articulaires. Les chondrocytes n'assurent plus le renouvellement du cartilage régulièrement.

Enfin, en cas de rupture de ménisque, le tissu cartilagineux, dépourvu de vaisseaux, ne se cicatrise pas.

Caryolyse

Dissolution ou disparition complète du noyau de la cellule.

La caryolyse est une forme de mort de la cellule, que l'on observe en particulier au cours de l'ischémie (arrêt de la circulation sanguine locale). Selon le caractère plus ou moins diffus de l'atteinte, elle est de gravité variable. Dans les cas les plus graves, elle entraîne la nécrose du tissu atteint (infarctus du myocarde, par exemple).

Caryotype

Ensemble des chromosomes d'une cellule ou d'un individu, spécifique d'une espèce donnée. SYN. *complément chromosomique.*

Par extension, le terme caryotype désigne la représentation photographique des chromosomes d'une cellule. En effet, à un stade précis de la division cellulaire, les paires de chromosomes sont parfaitement visibles. Elles sont alors photographiées, puis numérotées de 1 à 22 par ordre décroissant de taille, les chromosomes sexuels étant notés X et Y et rangés séparément.

En médecine, l'examen du caryotype permet de mettre en évidence les aberrations chromosomiques (anomalies du nombre ou de la structure des chromosomes). Ainsi, dans la trisomie 21 (mongolisme), le caryotype montre 3 chromosomes 21 (d'où le nom de la maladie) au lieu de 2.

Caséine

Principale protéine du lait.

La caséine est une protéine riche en phosphore, abondante dans le lait, présente aussi dans les fromages, les yaourts. La diététique de la croissance l'utilise pour son apport en phosphates et en acides aminés.

Caséum

Substance anormale des tissus, pâteuse, de couleur blanchâtre ou jaune, plus rarement grisâtre, se formant à la suite d'un processus de nécrose (mort tissulaire) localisée.

Le caséum se présente comme une plage finement granuleuse ; il peut se calcifier, s'enkyster et les bacilles, qui y sont maintenus à l'abri de l'air, ne peuvent se multiplier et meurent. Mais, s'il se ramollit, il peut être éliminé par les bronches et laisse dans le tissu pulmonaire une caverne où les bacilles se multiplient, assurant le développement de l'infection.

Castration

Ablation chirurgicale des testicules (orchidectomie bilatérale) ou des ovaires (ovariectomie bilatérale).

La castration fait partie du traitement de certains cancers génitaux (ovaires). Elle est également pratiquée pour réduire le taux sanguin d'hormones, œstrogènes ou testostérone, qui stimulent la croissance des cancers hormonodépendants du sein et de la prostate. Cette intervention doit être distinguée de l'ablation unilatérale du testicule, pratiquée pour traiter les tumeurs du testicule et n'entraînant aucune des conséquences de la castration.

■ **Chez l'homme**, le déficit hormonal consécutif à la castration peut entraîner une féminisation (raréfaction de la barbe, modification de la voix) d'autant plus importante que le sujet castré est jeune.

■ **Chez la femme**, la castration entraîne l'arrêt des règles et équivaut à une ménopause artificielle. L'intervention doit être suivie d'un traitement hormonal palliatif.

Chez les deux sexes, la castration peut entraîner, à long terme, des troubles de la libido (énergie de la pulsion sexuelle).

Catabolisme

Ensemble des réactions chimiques de dégradation de substances organiques.

Le catabolisme permet de produire de l'énergie et d'éliminer des substances vieillies ou toxiques.
→ VOIR Anabolisme, Métabolisme.

Catalase

Enzyme contenue dans les cellules et détruisant l'eau oxygénée.

La catalase, en libérant l'oxygène que contient l'eau oxygénée, la transforme en eau. L'eau oxygénée, substance très toxique produite au cours de différentes réactions cellulaires, ne peut donc s'accumuler dans l'organisme.

Catalepsie

État physique transitoire caractérisé par une rigidité des muscles du visage, du tronc et des membres, qui restent figés dans leur attitude d'origine.

La catalepsie se rencontre dans diverses affections, notamment l'hystérie et la schizophrénie. Elle peut également être provoquée par certaines atteintes cérébrales (tumeurs, par exemple). Les muscles sont anormalement raides et toute tentative extérieure de modification se heurte à une résistance ou à l'adoption d'une nouvelle position. Le traitement de la catalepsie est celui de sa cause.

Cataplasme

Préparation pâteuse étalée entre deux linges et appliquée sur la peau pour soulager une inflammation (bronchite, douleur dorsale).

Les cataplasmes sont composés de farine de moutarde – ils sont alors appelés sinapismes – ou de sel d'alumine. Ils ont presque disparu au profit de formes médicamenteuses plus efficaces ou plus pratiques (comprimés, pommades). Ils sont contre-indiqués sur une dermatose (eczéma), une plaie ou une infection cutanée, en raison d'un risque d'irritation et d'infection.

Cataplexie

Disparition soudaine du tonus musculaire, entraînant le plus souvent la chute du sujet.

La cataplexie peut être limitée à une région de l'organisme (membres, paupières, mâchoire inférieure), mais, le plus souvent, elle affecte l'ensemble des muscles de la posture et du maintien corporel ; elle s'accompagne fréquemment d'un brusque accès de sommeil (narcolepsie).

Elle survient à l'occasion d'émotions intenses, agréables ou pénibles, et dure en général de quelques secondes à quelques minutes. Elle résulterait du déclenchement intempestif des mécanismes du sommeil.

Bénigne en elle-même, la cataplexie peut néanmoins être un facteur d'accident. Un traitement psychostimulant permet de prévenir ce risque chez ceux qui y sont sujets.

Le cristallin est l'un des milieux transparents de l'œil que les rayons lumineux traversent avant de parvenir à la rétine. Son opacification par la cataracte entraîne une gêne visuelle progressive, qui constitue un signe d'alerte. L'examen ophtalmologique, à l'aide d'un biomicroscope, détermine le degré et le siège de la cataracte. Le traitement chirurgical est entrepris quand la cataracte est « mûre », c'est-à-dire assez évoluée, mais pas trop néanmoins.

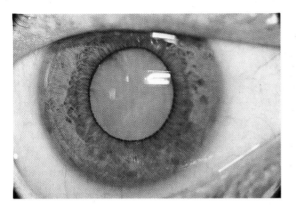

Au cours des cataractes très évoluées, le cristallin perd progressivement sa transparence pour devenir d'un blanc laiteux. L'orifice de la pupille, au centre de l'iris, derrière lequel se trouve le cristallin, n'a plus son aspect de cercle noir.

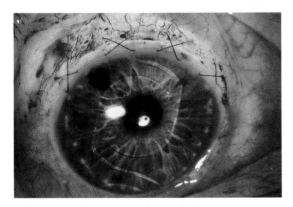

Après avoir incisé le bord de la cornée (les points de suture sont encore visibles), le chirurgien a retiré le cristallin, situé en arrière de l'iris, et mis en place un cristallin artificiel transparent (implant), mais devant l'iris et la pupille.

Cataracte

Opacification partielle ou totale du cristallin, due à l'altération du métabolisme des fibres cristalliniennes et responsable d'une baisse progressive de la vision.

DIFFÉRENTS TYPES DE CATARACTE

■ **La cataracte du sujet âgé** est la plus fréquente. À partir de 65 ans, tout individu peut présenter un début de cataracte, qui s'accentue avec l'âge. Les causes n'en sont pas encore exactement connues, mais on sait qu'un ralentissement de la synthèse des protéines s'opère et que le noyau cristallinien devient dur.

■ **La cataracte de l'adulte** peut être d'origine traumatique : contusion du globe oculaire sans effraction ou intrusion d'un corps étranger qui a pu passer inaperçue ; elle est alors souvent unilatérale. Elle peut aussi résulter d'une maladie générale (diabète, le plus souvent), de troubles du métabolisme phosphocalcique (hypoparathyroïdie, tétanie), de certaines affections neurologiques (myotonie de Steinert) ou dermatologiques (eczéma atopique, poïkilodermie, sclérodermie) ainsi que de certains traitements prolongés par les corticostéroïdes. Enfin, certaines pathologies oculaires peuvent se compliquer de cataracte : les fortes myopies, le glaucome, les uvéites ou d'autres affections de l'uvée (membrane de l'œil comprenant l'iris, le corps ciliaire et la choroïde) et les affections choriorétiniennes (décollement de la rétine, tumeur intraoculaire).

■ **La cataracte de l'enfant** a une origine parfois difficile à déterminer. Elle peut être congénitale, due à une maladie infectieuse contractée par la mère pendant sa grossesse et transmise à l'embryon (rubéole) ou, plus rarement, être la conséquence d'une maladie métabolique, comme la galactosémie congénitale, ou accompagner une trisomie 21 (mongolisme).

SYMPTÔMES ET SIGNES

Une cataracte se traduit par une baisse progressive de l'acuité visuelle, s'étalant parfois sur plusieurs années. Une sensation de brouillard est fréquente, ainsi que des éblouissements dus à la diffraction des rayons lumineux dans un milieu qui s'opacifie. Plus rarement, on observe une diplopie monoculaire (sensation de vision dédoublée persistant à la fermeture d'un seul œil). Chez l'enfant, on peut constater une leucocorie (pupille blanche).

DIAGNOSTIC

■ **Chez l'adulte**, l'examen ophtalmologique permet de mesurer la baisse de l'acuité visuelle. Après dilatation pupillaire, l'examen au biomicroscope sert à confirmer la cataracte, à apprécier le degré de l'opacification et à préciser son siège sur les différentes couches du cristallin. Des examens complémentaires sont parfois nécessaires au diagnostic, notamment si l'on suspecte une dégénérescence maculaire (du pôle postérieur de la rétine) : échographie oculaire, angiographie oculaire ou électrorétinographie. La biométrie oculaire permet aussi d'estimer avant l'intervention la taille du cristallin artificiel à implanter.

■ **Chez l'enfant**, la cataracte est plus difficile à détecter dans la mesure où celui-ci ne signale pas toujours la gêne visuelle, surtout si elle est progressive. En outre, l'acuité visuelle n'est mesurable qu'à partir d'un certain âge : chez les nourrissons, on ne peut tester que les réflexes photomoteurs, les clignements réflexes, la mauvaise tolérance à la fermeture du bon œil ou la poursuite d'une lumière par le regard.

TRAITEMENT

Des collyres destinés à ralentir l'évolution de la cataracte peuvent être instillés. Cependant, le traitement proprement dit de la cataracte est chirurgical : extraction du cristallin avec, ou non, implantation d'un cristallin artificiel.

■ **Chez l'adulte**, le remplacement du cristallin malade par un cristallin artificiel (implant) est devenu pratiquement systématique (sauf chez les sujets très myopes), la tolérance à long terme étant très bonne. On peut faire appel à trois techniques différentes : l'extraction intracapsulaire, qui consiste à enlever le cristallin en totalité et à le remplacer par un cristallin artificiel ; l'extraction extracapsulaire, qui consiste à extraire uniquement le noyau et le cortex cristalliniens avant de loger le cristallin artificiel dans le sac capsulaire ; enfin, la phacoémulsification, qui permet de détruire le noyau du cristallin par les ultrasons et de l'aspirer avant d'implanter le cristallin artificiel. Les deux dernières techniques sont les plus fréquemment utilisées aujourd'hui.

■ **Chez l'enfant**, on a recours à la phacophagie : un petit instrument sectionne le cristallin grâce à un système de guillotine et aspire les fragments. Cette technique n'est utilisable que lorsque le noyau du cristallin est mou ou lorsque le cristallin, dont la capsule a été endommagée par un traumatisme, est imbibé d'humeur aqueuse. Son avantage repose sur le fait qu'elle ne nécessite qu'une petite incision. L'utilisation de cristallins artificiels chez l'enfant reste cependant controversée, car on en connaît mal la tolérance à long terme. C'est pourquoi la pose d'implant est souvent évitée : la correction est alors effectuée par une lentille de contact, ou par des verres correcteurs si l'affection est bilatérale. La correction est définitive en général après 3 mois, dès que l'astigmatisme lié à l'extraction du cristallin est résorbé.

Les soins postopératoires sont des collyres anti-inflammatoires, généralement corticostéroïdiens, et des collyres mydriatiques qui dilatent la pupille pendant 2 ou 3 mois pour éviter qu'elle ne se resserre trop tôt sur l'implant. La pose sur l'œil d'une coque rigide trouée permet en outre de protéger la cornée lors de sa lente cicatrisation.

Catarrhe

Inflammation aiguë ou chronique d'une muqueuse, surtout dans les voies aériennes supérieures (nez, pharynx), avec hypersécrétion non purulente de ses glandes.

Ce terme, désuet, reste utilisé dans des expressions consacrées par l'usage : il existe un « catarrhe nasal » au cours de la grippe, de la rougeole, etc. Le « catarrhe de gourmes » désigne la phase d'infestation des voies respiratoires par un parasite, l'ankylostome ; le « catarrhe suffocant » désigne une pneumopathie aiguë propre aux enfants en bas âge et touchant les bronchioles.

Le diagnostic et le traitement d'un catarrhe sont ceux de la maladie ayant provoqué l'inflammation.
→ VOIR Ankylostomiase.

Catastrophe (médecine de)

Organisation des secours et des soins lors d'accidents collectifs où le nombre des victimes dépasse les capacités habituelles des services concernés.

DÉROULEMENT

L'organisation doit être assez souple pour combiner les plans de secours préétablis et l'adaptation à chaque type de situation. Elle permet d'assurer le ramassage, le tri et l'évacuation des victimes vers des structures de soins plus lourdes.

Le triage a donc un rôle diagnostique et thérapeutique essentiel vis-à-vis des victimes de blessures multiples, d'écrasements, de brûlures ou de lésions de souffle, qui constituent l'essentiel des dégâts observés. Le but est d'assurer la meilleure prise en charge immédiate des urgences vitales, qui concernent de 5 à 10 % des blessés (urgences respiratoires, vasculaires et cardiocirculatoires), des premières urgences, qui constituent 20 % des cas et doivent être traitées dans les 6 heures (polytraumatismes, fractures ouvertes, brûlures, comas...), ainsi que des blessures graves des mains ou de la face. Lorsque les secours sont envoyés à l'étranger, leur organisation doit permettre leur autonomie, leur articulation avec les moyens locaux et doit en outre incorporer une logistique de transport aérien et de télécommunications.

Catécholamine

Substance chimique faisant partie des neurotransmetteurs, c'est-à-dire sécrétée par certains neurones pour transmettre l'influx nerveux vers d'autres cellules.

Il existe trois catécholamines dans le corps humain : l'adrénaline, la noradrénaline et la dopamine. Elles sont synthétisées dans la glande médullosurrénale (adrénaline), dans les terminaisons du système nerveux végétatif sympathique (noradrénaline) et dans certaines cellules du système nerveux central (dopamine). Ce sont des neurotransmet-

teurs : elles permettent à un neurone de transmettre l'influx nerveux à un autre neurone, à un muscle ou à une glande. L'adrénaline et la noradrénaline sont libérées dans la circulation sanguine en réponse à une agression et augmentent le travail cardiaque et le débit sanguin tout en dilatant les voies aériennes. Le dosage des concentrations urinaires de catécholamines aide au diagnostic de certaines tumeurs rares, bénignes ou malignes, touchant le système nerveux sympathique (phéochromocytome).

Catgut

Fil résorbable, obtenu à partir du tissu conjonctif de l'intestin grêle du mouton.

Le catgut s'utilise en chirurgie pour les ligatures et les sutures transitoires (sauf les sutures cutanées), nécessaires seulement pendant le temps de cicatrisation. Assimilable par l'organisme, il se résorbe en 4 à 15 jours, quel que soit son diamètre.

Catharsis

Méthode psychanalytique reposant sur l'effet thérapeutique provoqué par l'extériorisation du souvenir d'événements traumatisants et refoulés.

Dès l'Antiquité, on a dénommé catharsis (littéralement « purification, purgation ») l'une des fonctions de la tragédie, qui, en faisant revivre aux spectateurs leurs passions, a pour effet de les en purger. Au XIXe siècle, on reprit le mot pour désigner une technique qui vise à libérer l'activité mentale d'un sujet d'une émotion pathogène, notamment à l'aide de l'hypnose. L'étude de ces phénomènes, entre 1886 et 1895, par les médecins autrichiens Josef Breuer et Sigmund Freud a préparé l'apparition de la psychanalyse.

De nombreuses psychothérapies exploitent l'effet cathartique, notamment au cours de subnarcoses (technique de traitement psychologique qui facilite l'expression des conflits par l'injection de barbituriques légers qui abaissent la vigilance) et lors du réveil qui suit une séance d'électrochocs.

Cathéter

Tuyau en matière plastique, de calibre millimétrique et de longueur variable.

Un cathéter peut être placé aussi bien dans un vaisseau (veine, artère) que dans une cavité (vessie, cavité cardiaque) de l'organisme. On l'utilise pour effectuer un diagnostic (radiographie par injection d'un produit de contraste, prélèvement sanguin, mesure de pressions intravasculaires, etc.) ou un traitement (perfusion, drainage, alimentation en sang d'un circuit extracorporel, etc.). Sa pose, pratiquée parfois sous anesthésie locale, nécessite une hospitalisation de courte durée.

■ Le cathéter artériel peut être placé dans une artère périphérique pour surveiller de façon continue la pression artérielle et mesurer par prélèvement les gaz du sang.
■ Le cathéter à ballonnet, ou cathéter de radiologie interventionnelle, se présente sous la forme d'une sonde pourvue d'un ou de plusieurs ballonnets qui, gonflés, la

maintiennent en place ou exercent une pression sur un organe ou un vaisseau. Il permet notamment de pratiquer des drainages, de dilater des artères rétrécies (cette technique est connue sous le nom d'angioplastie transcutanée), de désobstruer un vaisseau sanguin bouché par un caillot (embolectomie) ou de bloquer la circulation en cas d'hémorragie.
■ Le cathéter veineux, ou cathéter à chambre, peut être placé dans une veine périphérique, le plus souvent une veine de l'avant-bras, ou poussé jusque dans une grosse veine proche du cœur pour enregistrer la pression veineuse centrale. Mais il sert surtout aux perfusions de produits sanguins, de solutions nutritives, médicamenteuses, etc. Un cathéter veineux spécial permet l'introduction dans une veine d'une sonde d'entraînement électrosystolique ; poussée jusqu'au cœur, dans le ventricule droit, celle-ci peut être utilisée pour stimuler électriquement les ventricules en cas de rythme cardiaque trop lent.

SURVEILLANCE

Un cathéter maintenu longtemps en place peut causer une inflammation, une thrombose (formation d'un caillot dans un vaisseau sanguin) ou une infection. Une asepsie rigoureuse lors de la pose et du retrait et une surveillance étroite du vaisseau cathétérisé permettent de prévenir d'éventuelles complications.

Cathétérisme

Introduction d'un cathéter (tuyau en matière plastique, de calibre millimétrique) dans un vaisseau sanguin ou dans un canal naturel à des fins diagnostiques ou thérapeutiques.

Le cathétérisme est notamment utilisé dans une intention radiographique, après injection d'un produit de contraste, pour visualiser les cavités de l'organisme ; pour explorer et dilater, à l'aide d'un cathéter à ballonnet, les rétrécissements vasculaires et cardiaques ; pour mesurer les débits et les pressions du sang dans les différents vaisseaux ; pour introduire localement des substances médicamenteuses ou évacuer un liquide.

Cathétérisme cardiaque

C'est l'introduction dans la cavité d'un vaisseau sanguin d'un cathéter que l'on fait glisser jusque dans les cavités du cœur pour explorer son fonctionnement.

Le cathétérisme cardiaque permet le diagnostic d'une maladie cardiaque, l'évaluation de sa gravité et l'appréciation de son retentissement, qu'il s'agisse d'une maladie congénitale ou acquise. Il est possible, lors de l'examen, d'effectuer un prélèvement de sang pour mesurer la teneur de celui-ci en oxygène, d'injecter un produit de contraste iodé pour réaliser une angiographie, en particulier des artères coronaires (coronarographie), ou d'utiliser un cathéter à ballonnet pour traiter la sténose (rétrécissement) d'une artère (angioplastie transluminale) ou d'une valvule (valvuloplastie transcutanée). Compte tenu du caractère délicat de l'exploration, les indications sont discutées préalablement pour chaque cas.

Le cathéter, long tube fin permettant l'exploration du cœur et des vaisseaux, peut être introduit soit par une veine, et guidé dans le sens de la circulation jusqu'à une veine cave (supérieure à partir d'une veine du bras, inférieure à partir de la veine fémorale à l'aine), puis dans l'oreillette droite, le ventricule droit et l'artère pulmonaire ; soit par une artère (humérale au bras, fémorale à l'aine), et guidé à contre-courant jusqu'à l'aorte, puis dans chacune des artères coronaires ou dans le ventricule gauche.

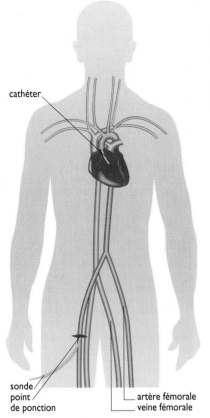

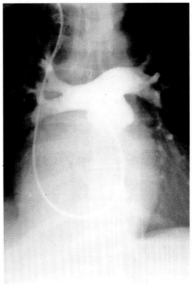

Le cathéter a permis d'injecter un produit opaque aux rayons X dans l'artère pulmonaire (tache claire au centre, qui bifurque en deux branches). Les poumons apparaissent en noir.

Le cathéter permet aussi d'introduire des instruments et de réaliser des interventions thérapeutiques, par exemple sur une artère coronaire rétrécie.

TECHNIQUE

Le cathétérisme cardiaque est réalisé sous contrôle radioscopique et nécessite une hospitalisation de 48 à 72 heures. On pratique une anesthésie locale et une petite incision au point d'introduction du cathéter, généralement au pli de l'aine. Le cathéter est introduit dans une veine (fémorale, jugulaire interne ou céphalique) pour l'exploration des cavités droites du cœur, dans une artère (fémorale ou humérale) pour celle des cavités gauches ; il est ensuite poussé jusqu'au cœur dans le vaisseau.

Le cathéter est relié à un manomètre qui mesure la pression sanguine à l'intérieur des cavités cardiaques. Après retrait du cathéter, le point de ponction est fermement comprimé pour éviter tout saignement. L'examen dure de 30 minutes à 1 heure 30.

COMPLICATIONS

Rares, les complications peuvent être mécaniques : hémorragie au point de ponction ou, exceptionnellement, thrombose vasculaire ; elles peuvent aussi être infectieuses ou bien entraîner des troubles du rythme : déclenchement d'extrasystoles isolées ou en salves, souvent transitoires et sans conséquences graves, lors du passage de la sonde dans les cavités cardiaques. Le risque d'accident fatal, extrêmement faible, n'est généralement pas lié à l'examen lui-même, mais à la gravité de la maladie ayant motivé le cathétérisme cardiaque.

Causalgie

Douleur intense et prolongée due à la lésion d'un nerf.

Les causalgies sont le plus souvent dues à une lésion traumatique d'un gros tronc nerveux, tel que le nerf médian (au milieu de l'avant-bras) ou le nerf sciatique. La douleur est permanente, semblable à celle que provoque une brûlure, et exacerbée par de nombreux facteurs (lumière, bruit, changements de température, émotion, etc.). La peau peut être rouge, chaude, avec hypersudation. La guérison se fait en quelques mois ou plus. Le traitement, souvent difficile, consistant en l'administration d'analgésiques, peut être complété par des stimulations électriques, voire par une intervention chirurgicale sur le nerf.

Cautère

Agent chimique ou physique utilisé pour détruire un tissu, en faciliter la cicatrisation ou réaliser une hémostase locale (arrêt d'une hémorragie).

Pour cautériser, on utilise le nitrate d'argent, l'acide trichloracétique, la neige carbonique, l'azote liquide et l'acide osmique (agents chimiques) ou le bistouri électrique (agent physique).

Cautérisation

Destruction d'un tissu afin de supprimer une lésion, d'arrêter un saignement ou de faire régresser le bourgeonnement exubérant d'une cicatrice.

La cautérisation est le plus souvent localisée et superficielle, pratiquée sur la peau ou sur une muqueuse. Les principales méthodes de cautérisation sont l'électrocoagulation par passage de courant dans un bistouri électrique, la destruction au laser, la cryothérapie (traitement par le froid). On recourt parfois à l'application d'une substance caustique. Les anciens appareils thermiques (galvanocautère, thermocautère) ne sont plus utilisés.

Cave (veine)

Vaisseau ramenant le sang bleu (désaturé en oxygène et chargé de gaz carbonique) vers le cœur droit. (P.N.A. *vena cava*)

Les veines caves sont au nombre de deux.
■ La veine cave supérieure draine le sang de la moitié supérieure du corps (tête, cou, membres supérieurs et thorax). Elle est formée par la réunion des veines brachiocéphaliques droite et gauche.
■ La veine cave inférieure, la plus volumineuse, draine le sang de la moitié inférieure

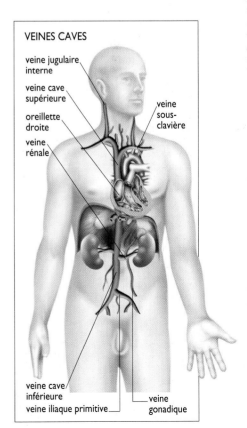

VEINES CAVES

du corps (abdomen, bassin et membres inférieurs). Elle est formée par la réunion de deux veines iliaques primitives, chemine à droite de l'aorte, un peu en avant de la colonne vertébrale, et passe derrière le foie. Elle longe la veine porte (ce qui permet de pratiquer l'anastomose portocave dans la chirurgie de l'hypertension portale). Elle a un débit deux fois plus important que celui de la veine cave supérieure.

Les 2 veines caves se jettent dans l'oreillette droite.

EXAMENS

La cavographie consiste à rendre visible une veine cave par l'injection préalable dans une veine périphérique d'un liquide opaque aux rayons X.

PATHOLOGIE

Les veines caves peuvent être oblitérées partiellement ou totalement par un caillot. Dans la veine cave supérieure, la thrombose se traduit par une distension, directement visible ou décelable, des veines du cou et des membres supérieurs. Dans la veine cave inférieure, l'oblitération se traduit par un gonflement des membres inférieurs.

Caverne

Cavité apparaissant dans le poumon, plus rarement dans le rein ou le foie, après l'élimination de caséum (foyer de nécrose tuberculeuse, pâteuse et blanche).

Sous l'effet du traitement antituberculeux, cette cavité se rétracte et laisse une cicatrice, mais elle peut persister et exposer le malade à des accidents évolutifs : hémoptysies (expectorations de sang) ou aspergillose (maladie infectieuse due à un champignon, appelé *Aspergillus*, qui se loge dans la cavité résiduelle, créant un aspergillome).

Cavité dentaire

Cavité creusée mécaniquement à l'intérieur de la dent, permettant l'éviction d'une carie et la pose d'un matériau de remplissage.

La géométrie de la cavité dentaire dépend de la situation de la carie et de sa profondeur, mais aussi de la nature du matériau de remplissage : ainsi, l'amalgame dentaire, très largement répandu, nécessite la taille d'une cavité plus profonde que large. D'autres matériaux, plus adhésifs (composites, verres ionomètres), permettent de pratiquer des cavités moins grandes.

Une carie profonde, proche du nerf, peut provoquer des douleurs : la cavité est alors intrapulpaire. Dans ce cas, l'utilisation de fines aiguilles torsadées permet de débarrasser le canal des microbes et des matières organiques qu'il contient et de lui donner une forme conique avant de procéder au remplissage de la cavité. La dent est dite « dévitalisée » et nécessite une restauration à l'aide d'une couronne prothétique.

Par ailleurs, la profondeur d'une carie peut être à l'origine de l'affaiblissement d'une cuspide (protubérance située sur la face triturante des prémolaires et des molaires), qui ne résisterait pas aux pressions de la mastication. Sa suppression préventive et sa reconstitution ultérieure doivent alors être envisagées.

Cavographie

Examen radiologique qui permet de visualiser la veine cave inférieure ou, plus rarement, la veine cave supérieure.

INDICATIONS

Une cavographie est prescrite le plus souvent dans le cas de phlébite du membre inférieur. Il s'agit alors de savoir si le caillot qui obstrue plus ou moins complètement la veine fémorale et la veine iliaque s'étend aussi dans la veine cave inférieure : il existe, dans ce cas, un risque plus important de complication par embolie pulmonaire.

TECHNIQUE

■ **La cavographie inférieure** est réalisée en ponctionnant l'une des deux veines fémorales et en introduisant une sonde dans la veine iliaque. Cette sonde permet d'injecter un produit iodé opaque aux rayons X, rendant visible la lumière de la veine cave et permettant l'étude de sa morphologie.
■ **La cavographie supérieure** est réalisée de manière analogue, par ponction d'une ou des deux veines brachiales.

DÉROULEMENT ET EFFETS SECONDAIRES

La cavographie, examen non douloureux, se pratique à l'hôpital, à jeun. Elle nécessite seulement une anesthésie locale du point de ponction et dure 1 heure environ. Elle ne requiert pas d'hospitalisation.

Il existe un risque d'hémorragie locale (à l'endroit de la ponction de la veine fémorale) lorsque le patient ne reste pas allongé pendant 24 heures après l'examen. Chez certains patients présentant un terrain allergique, une réaction allergique liée à la présence d'iode dans le produit injecté peut avoir lieu. Cette réaction peut être prévenue grâce à la prise préalable de médicaments.

Cavum

Partie supérieure et aérienne du pharynx, située en arrière des fosses nasales. SYN. *nasopharynx, rhinopharynx*. (P.N.A. *cavum*)

Le cavum abrite les végétations adénoïdes. Les trompes d'Eustache y aboutissent.

Cécité

Fait d'être aveugle ou malvoyant.

La cécité peut être totale ou partielle, congénitale ou acquise.

Selon l'O.M.S., il y a cécité lorsque l'acuité visuelle corrigée est inférieure à 1/20. La cécité peut être partielle (l'acuité du meilleur œil est comprise entre 1/20 et 1/50), presque totale (l'acuité du meilleur œil est comprise entre 1/50 et le seuil de perception de la lumière) ou totale (pas de perception de la lumière).

On estime à 40 millions le nombre de personnes atteintes de cécité dans le monde. Dans les pays industrialisés, en dehors des maladies congénitales et des traumatismes, les causes principales sont les maladies de la rétine, souvent dues au diabète. En Asie et en Afrique, les principales causes de cécité sont l'onchocercose, parasitose qui atteint 30 millions d'individus, dont 1 million sont aveugles, et le trachome, conjonctivite chronique affectant 350 millions d'individus, dont 7 à 9 millions sont aveugles.

Ceinture

Partie osseuse qui réunit un membre au tronc. (P.N.A. *cingulum*)
■ **La ceinture scapulaire** est constituée par deux os, la clavicule et l'omoplate. Elle unit le bras au thorax, auquel elle est reliée par l'articulation sternoclaviculaire et par de nombreux muscles.
■ **La ceinture pelvienne** est formée des deux os iliaques, qui relient les membres inférieurs à la colonne vertébrale.

Ceinture abdominale

Ensemble des muscles de la paroi abdominale, qui sert à contenir les viscères intra-abdominaux.

Ceinture orthopédique

Ceinture destinée à soutenir l'abdomen et à contenir une hernie ou à corriger les déviations de la colonne vertébrale.
■ **La ceinture herniaire**, composée d'une pelote de contention et d'un système de maintien, sert à contenir une hernie abdominale. Elle est peu utilisée en raison des progrès de la chirurgie mais demeure une solution palliative.
■ **La ceinture de maintien ou de soutien abdominal**, généralement confectionnée en tissu élastique, peut être baleinée. Elle est surtout utilisée pour soutenir ou maintenir l'abdomen et ses organes après une éventration, un accouchement ou en cas d'obésité.

Cellule

Élément constitutif fondamental de tout être vivant. (P.N.A. *cellula*)

Les cellules, dont la taille varie de 7 micromètres (globules rouges) à plus de 1 mètre (neurones), regroupent l'essentiel des fonctions du tissu auquel elles appartiennent.

STRUCTURE

La plupart des cellules humaines ont une structure semblable, composée de trois éléments principaux.
■ **Le noyau** de la cellule contient l'A.D.N., support de l'information génétique.
■ **Le cytoplasme** est une matière fluide contenant de nombreux organites (mitochondries, ribosomes, etc.) impliqués dans toutes les activités fonctionnelles (métabolisme) de la cellule.
■ **La membrane cellulaire** est une enveloppe externe qui sépare la cellule du milieu extérieur et joue un rôle majeur dans les échanges (régulation du passage des nutriments, de l'oxygène, du gaz carbonique, des hormones, etc.).

DIFFÉRENTS TYPES DE CELLULE

Selon leur rythme de renouvellement, on distingue trois types de cellule.
■ **Les cellules labiles** se reproduisent très vite (cellules de l'épiderme, des épithéliums digestifs, cellules sanguines).
■ **Les cellules stables** se renouvellent lentement (foie, muscles).
■ **Les cellules permanentes** sont incapables de se multiplier (neurones).

DIVISION CELLULAIRE

Les cellules se reproduisent de deux manières différentes, par mitose ou par méiose. La

CELLULE

La cellule est la structure de base du corps, le plus petit élément ayant les attributs de la vie. La plupart des cellules sont différenciées, c'est-à-dire qu'elles ont une forme et une fonction particulières. Celles qui participent à une même fonction constituent un tissu (épiderme, sang). La membrane cellulaire représente la limite externe. Le noyau est une masse compacte contenant l'A.D.N., substance qui se condense en chromosomes pendant la division cellulaire. Le cytoplasme, fluide, renferme les organites (« organes » de la cellule) : ribosomes (sphères minuscules), réticulum et appareil de Golgi (canaux et sphères creuses), mitochondries (ovales).

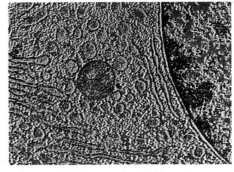

Noyau sphérique (en vert et rose) à côté des canaux du réticulum endoplasmique (en jaune).

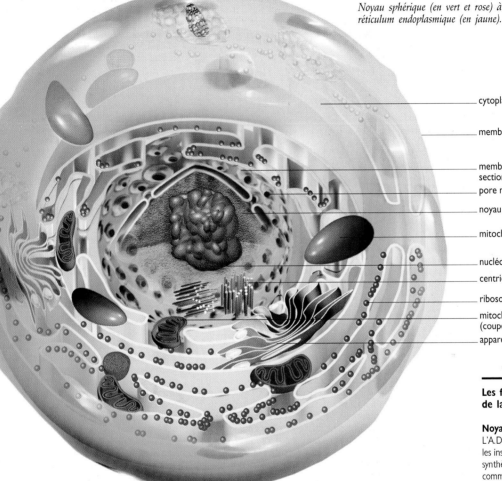

cytoplasme

membrane cellulaire

membrane nucléaire sectionnée

pore nucléaire

noyau

mitochondrie

nucléole

centriole

ribosome

mitochondrie (coupe)

appareil de Golgi

Les fonctions de la cellule

Noyau
L'A.D.N. du noyau renferme les instructions destinées à la synthèse des enzymes qui commandent les réactions chimiques de l'organisme.

Cytoplasme
Les substances chimiques sont dissoutes dans le cytoplasme, s'y déplacent et y subissent des réactions.

Ribosome
Une multitude de ribosomes lisent l'A.R.N., copié à partir de l'A.D.N., ce qui permet la synthèse des acides aminés constitutifs des protéines.

Réticulum et appareil de Golgi
Ils sont la voie de transport préférentielle de certaines protéines.

Mitochondries
Elles fournissent l'énergie nécessaire à la cellule.

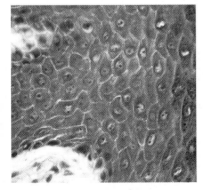

Cellules de l'épiderme, polyédriques et serrées les unes contre les autres.

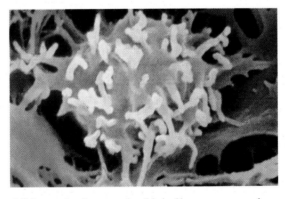

Cellule sanguine du groupe des globules blancs, avec ses nombreux prolongements (en jaune), dans un capillaire (en bleu).

mitose est la plus courante : les chromosomes se trouvant dans le noyau de la cellule initiale sont exactement dupliqués et transmis en nombre égal aux deux cellules filles. La méiose est un type particulier de division cellulaire, spécifique aux ovules et aux spermatozoïdes : les cellules filles n'acquièrent que la moitié du matériel chromosomique de la cellule mère.

Par ailleurs, les cancers sont caractérisés par une prolifération cellulaire anarchique.

Cellule souche

Cellule à l'origine de toutes les cellules sanguines.

DIFFÉRENTS TYPES DE CELLULE SOUCHE

■ Les cellules souches hématopoïétiques se trouvent dans la moelle rouge des os. Leur fréquence est très faible, moins de 1 cellule sur 10 000, et leur caractérisation morphologique incertaine, car elles ont le même aspect qu'un lymphocyte. Elles ont la propriété d'être pluripotentes (de pouvoir donner naissance à n'importe quel type de cellule sanguine) et sont capables d'autorenouvellement, donc peuvent assurer la production de cellules sanguines (hématopoïèse) durant toute la vie. Leur existence a été démontrée chez l'animal de façon indirecte, dans des expériences de greffe après irradiation ; elle l'a aussi été chez l'homme, où, dans certaines maladies, une anomalie du caryotype (ensemble des chromosomes) est retrouvée dans toutes les cellules sanguines, ce qui témoigne de leur origine commune. Les cellules souches hématopoïétiques pluripotentes ne doivent pas être confondues avec les cellules souches déterminées, auxquelles elles donnent naissance.

■ Les cellules souches déterminées, encore appelées « progéniteurs », sont des cellules intermédiaires possédant des capacités de différenciation mais pas d'autorenouvellement ; elles sont donc incapables, à elles seules, d'assurer l'hématopoïèse.

UTILISATION THÉRAPEUTIQUE

Les cellules souches sont utilisées dans les greffes de moelle pour réintroduire une production de cellules sanguines normales chez des individus atteints de graves maladies hématologiques telles que les leucémies. En effet, ces cellules sont capables, même en très petit nombre, de reconstituer l'hématopoïèse à long terme.

Il s'agit là, cependant, d'interventions expérimentales ; il est impossible, à l'heure actuelle, de différencier précisément les cellules souches hématopoïétiques et de les cultiver. Leur caractérisation précise constitue un enjeu biologique et médical majeur (greffes, transfert de gènes).

Cellulite

Modification ou altération visible du tissu cutané ou sous-cutané, parfois de nature inflammatoire.

Le terme de cellulite désigne deux affections sans rapport entre elles : la cellulite au sens courant, dite cellulite esthétique, et les cellulites médicales, recouvrant elles-mêmes plusieurs maladies.

La cellulite, au sens courant du terme, s'observe surtout chez la femme, dans la région des fesses et des cuisses. La peau prend une consistance molle, un aspect capitonné. Dans une minorité de cas, le préjudice esthétique est important. La cellulite, au sens médical de cellulite infectieuse, est une infection sévère, formant sur la peau une grande plaque rouge gonflée.

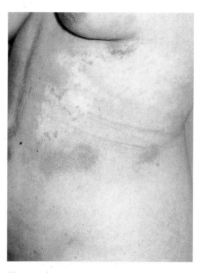

Il arrive plus rarement qu'une cellulite forme des plaques sur le tronc.

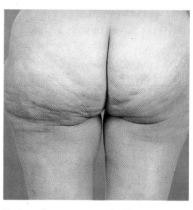

En haut des cuisses et sur les fesses, la cellulite (au sens courant) forme un renflement, dit « en culotte de cheval ».

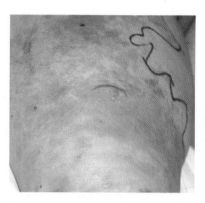

La cellulite atteint surtout la jambe (les contours sont marqués au crayon).

Cellulite esthétique

Il s'agit d'une modification de la peau due à un dépôt de graisse sous-cutané.

Plus fréquente chez la femme, la cellulite est due à plusieurs causes, qui peuvent s'associer : hérédité, apport calorique trop important, rétention d'eau. Ce dernier facteur provient lui-même d'un trouble hormonal, l'excès d'œstrogènes, se manifestant en particulier avant les règles et pendant la grossesse, d'une insuffisance de la circulation veineuse ou lymphatique ou d'un facteur mécanique constitué par le port de vêtements trop serrés. Cependant, l'apparition d'une cellulite dans sa forme modérée est un processus physiologique normal qui concerne 95 % des femmes.

DESCRIPTION

La cellulite apparaît à la puberté ; elle est alors ferme et sensible, la peau devenant rouge et granuleuse sur les cuisses et les fesses. Entre 25 et 50 ans, elle devient molle, puis flasque, des boules sous-cutanées apparaissent puis s'accentuent ; la peau prend de plus en plus un aspect capitonné dit « en peau d'orange ».

TRAITEMENT

Il tente de corriger tous les facteurs en cause. Un régime modéré peut donner des résultats, mais il ne faut pas en surestimer l'efficacité, car c'est en premier lieu sur les adipocytes (cellules graisseuses) situés en dehors des territoires de la cellulite qu'il agit. On peut aussi corriger un déséquilibre hormonal ou

vasculaire et conseiller le port de vêtements amples. Les échecs sont fréquents et des méthodes manuelles (massages), une destruction des adipocytes par injections ou ultrasons, une intervention chirurgicale sont parfois préconisées. Ces techniques, qui n'ont pas fait l'objet de vérifications scientifiques, provoquent leurs propres effets indésirables, comme le risque de séquelles disgracieuses. Une certaine prudence s'impose, d'autant que la cellulite est un problème uniquement esthétique et sans aucune incidence pathologique.

Cellulite infectieuse

Il s'agit d'une infection aiguë ou chronique du tissu sous-cutané.

C'est une infection d'origine bactérienne, le plus souvent à streptocoque, parfois à staphylocoque doré ou à différents germes à Gram négatif, consécutive à une plaie cutanée. Elle se manifeste habituellement sous la forme d'une grande zone rouge, chaude et douloureuse, touchant surtout les membres inférieurs, associée à une fièvre, à des frissons et à un malaise général. L'infection peut s'étendre aux vaisseaux lymphatiques, au sang et aux organes. Certaines formes touchent le visage, l'œil ou le cuir chevelu.

Une cellulite infectieuse nécessite une hospitalisation en urgence ; elle est traitée par administration d'antibiotiques. Les atteintes streptococciques, fréquemment récidivantes, nécessitent parfois un traitement antibiotique prophylactique à répéter pendant plusieurs mois.

Cellulite à éosinophiles

La cellulite à éosinophiles, ou syndrome de Welles, est une maladie très rare, d'origine inconnue, caractérisée par l'apparition brutale de grandes plaques rouges, gonflées et œdémateuses, sur les membres, inférieurs et le tronc.

Les plaques s'étendent, quelques jours après, prenant une disposition annulaire.

Le diagnostic repose sur la numération des globules du sang, qui révèle une forte augmentation d'un certain type de globules blancs, les leucocytes éosinophiles, et sur une biopsie cutanée. La maladie est soignée par corticostéroïdes, mais peut récidiver.

Cément

Tissu calcifié très fin qui recouvre la racine de la dent et assure la cohésion de celle-ci avec l'os de la mâchoire. (P.N.A. *cementum*)

Le cément est détruit au cours de certains troubles affectant la dent et ses tissus de soutien (parodontopathies, en particulier).

Centigrade (échelle)

Échelle de température à 100 degrés, aujourd'hui appelée échelle Celsius.

La nouvelle nomenclature, l'échelle thermométrique centésimale Celsius, du nom de son créateur, l'astronome et physicien suédois Anders Celsius, fut adoptée en 1948 lors de la conférence générale du Bureau international des poids et mesures. Le degré 0 (0 °C) de cette échelle est celui du point de fusion de la glace ; le degré 100 (100 °C), celui du point d'ébullition de l'eau. Pour convertir les degrés Celsius en degrés Fahrenheit (utilisés dans les pays anglosaxons), multiplier par 0,8 et ajouter 32.

Centromère

Constriction principale du chromosome, qui sépare celui-ci en deux bras, le bras court et le bras long.

Constitué de séquences répétées d'A.D.N., le centromère participe à la fixation des chromosomes sur le fuseau achromatique au cours de la division cellulaire.

Céphalée

Toute douleur de la tête, quelle que soit sa cause. SYN. *céphalalgie*.

Les céphalées, couramment appelées maux de tête, siègent sur la voûte crânienne, en excluant le cou et la face. Très fréquentes, elles constituent l'un des premiers motifs de consultation médicale. Leur diagnostic n'est pas toujours aisé. On s'aide parfois d'examens sanguins, ophtalmologiques ou dentaires, de radiographies des sinus ou de l'ensemble du crâne, exceptionnellement d'un électroencéphalogramme ou d'un scanner cérébral. L'évolution des céphalées est très variable, de quelques heures à quelques jours, les accès pouvant se répéter pendant plusieurs années.

DIFFÉRENTS TYPES DE CÉPHALÉE

Classiquement, on distingue trois grands groupes de céphalées.

■ Les céphalées psychogènes, très fréquentes, sont dues à une fatigue, à des troubles psychologiques bénins (anxiété, stress), voire à une véritable dépression. La tension psychique peut provoquer une contraction exagérée des muscles de la nuque, avec irradiation de la douleur vers la tête. Les céphalées psychogènes sont permanentes et peuvent obliger à un ralentissement modéré des activités. Leur évolution est chronique.

■ Les migraines touchent de 5 à 10 % de la population générale. Leur cause primitive est inconnue, mais on sait qu'il se produit une constriction suivie une dilatation de certaines artères de la tête et qu'il existe souvent un terrain familial. En général, la douleur est intense, pulsatile, localisée à la moitié du crâne, associée à des troubles digestifs (nausées, vomissements), exacerbée par la lumière, le bruit, l'activité physique. L'évolution est chronique et paroxystique : on observe des crises de fréquence très variable (de une par an à plusieurs par mois), durant de 2 heures à quelques jours.

■ Les céphalées symptomatiques ne constituent pas en elles-mêmes une maladie, mais sont un symptôme d'une affection organique, notamment de la maladie de Horton, de certaines affections oculaires (glaucome, troubles de la vision), oto-rhino-laryngologiques (sinusite, otite), dentaires ou rhumatologiques (arthrose cervicale). Elles sont parfois occasionnées par une hypertension artérielle, une intoxication à l'oxyde de carbone, certains médicaments (les vasodilatateurs, par exemple), une fièvre. Une céphalée symptomatique peut aussi être due à une hémorragie méningée, à une méningite, à une tumeur cérébrale, qui, en gênant la circulation du liquide céphalorachidien, déclenche en amont une hypertension intracrânienne, à un traumatisme crânien, à un hématome cérébral post-traumatique ou à un anévrisme cérébral. En cas d'hypertension intracrânienne, la céphalée prédomine à la fin de la nuit ou au réveil. Augmentée par les efforts de toux et les mouvements de la tête, elle peut s'associer à des nausées ou à des vomissements, à un flou visuel, à une somnolence. Une hémorragie méningée, une méningite s'accompagnent d'une raideur de la nuque, de nausées, de vomissements et d'une intolérance à la lumière.

TRAITEMENT

Outre la guérison d'une cause éventuelle et l'emploi de moyens spécifiques (médicaments antimigraineux s'il s'agit d'une migraine), le traitement est celui de la douleur en général ; il fait appel aux analgésiques usuels tels que le paracétamol. Certaines mesures soulagent parfois la douleur : le patient peut s'allonger, éviter les facteurs aggravants (pièce bruyante, mal aérée), étirer ou masser les muscles de ses épaules, de son cou, du visage et du cuir chevelu et, si possible, dormir quelques heures.

→ VOIR **Migraine**.

Céphalhématome

Épanchement sanguin bénin de la voûte crânienne chez le nouveau-né.

Un céphalhématome siège entre un os du crâne et son périoste, enveloppe fibreuse qui lui est normalement adhérente. Il est dû à la rupture de petits vaisseaux, consécutive aux frottements sur la tête du bébé pendant l'accouchement. Ainsi, il est parfois observé après un accouchement difficile, quand il y a eu application d'un forceps sur la tête. Dans les jours suivant la naissance apparaît sur le crâne une tuméfaction arrondie et asymétrique, aux bords nets, ce qui la différencie de la bosse sérosanguine, à l'aspect plus diffus.

Le céphalhématome se résorbe spontanément et complètement en quelques semaines ; aucun traitement n'est nécessaire. Le céphalhématome peut toutefois intensifier l'ictère du nouveau-né, du fait de la libération des pigments contenus dans les globules rouges de l'épanchement. Par ailleurs, il persiste parfois ultérieurement sur les radiographies quelques calcifications, auxquelles il ne faut attribuer aucune signification pathologique.

Céphalorachidien (liquide)

Liquide entourant tout le système nerveux central et remplissant également les cavités ventriculaires encéphaliques.

Le liquide céphalorachidien (LCR), d'un volume de 150 millilitres environ, d'aspect clair « eau de roche », est réparti en deux compartiments communiquant entre eux par de petits orifices. Le premier compartiment, interne, est contenu dans les 4 ventricules, cavités situées à l'intérieur de l'encéphale, et dans le très fin canal de l'épendyme, au centre de la moelle épinière. Le deuxième compartiment, externe, est contenu dans l'épaisseur des méninges.

En permanence, des cellules spécialisées de l'encéphale sécrètent le liquide céphalorachidien. Celui-ci descend dans les ventricules, puis une proportion minime continue dans la moelle, la majeure partie passant dans le compartiment externe méningé par des orifices, les trous de Magendie et de Luschka.

On peut prélever le liquide céphalorachidien à des fins diagnostiques, pour analyser sa composition chimique et rechercher des cellules ou des bactéries responsables d'affections neurologiques. La technique habituellement pratiquée est la ponction lombaire.

PATHOLOGIE

Une gêne à l'écoulement ou à la résorption du liquide céphalorachidien, due à l'existence d'une tumeur, d'une infection ou d'une malformation, peut provoquer en amont de l'obstacle une hydrocéphalie (dilatation des cavités), associée ou non à une hypertension intracrânienne (augmentation de la pression du liquide). Par ailleurs, une fracture de la base du crâne peut engendrer une brèche méningée, laissant s'échapper du liquide céphalorachidien, qui coule alors par l'oreille ou par le nez.

Céphalosporinase

Enzyme du groupe des bêtalactamases sécrétée par certaines bactéries, responsable de la résistance aux antibiotiques du groupe des céphalosporines.

Céphalosporine

Médicament antibiotique apparenté à la pénicilline et actif contre de nombreuses bactéries.

Les céphalosporines, classées en trois générations en fonction de leur date d'apparition sur le marché, sont représentées notamment par la céfalotine (1re génération), le céfamandole (2e génération) et le céfotaxime (3e génération). Elles sont bactéricides, c'est-à-dire qu'elles détruisent les bactéries sans se contenter de stopper leur développement. Leur mécanisme d'action consiste à empêcher la bactérie de synthétiser sa paroi protectrice.

Les très larges indications des céphalosporines incluent notamment les septicémies, les infections respiratoires, génitales, urinaires et celles des oreilles. Bien tolérés dans l'ensemble, ces médicaments ont cependant pour effet indésirable commun des réactions allergiques. En particulier, 10 % des sujets allergiques aux pénicillines le sont aussi aux céphalosporines (allergie croisée).

Cérat

Préparation à base d'huile ou de cire, destinée à être appliquée sur la peau.

Les cérats servent d'excipient (support des substances actives) pour certains médicaments dermatologiques et sont aussi utilisés en cosmétologie.

Cerceau

Appareil supportant le drap et les couvertures afin d'éviter à certains malades (grands brûlés, comateux, sujets atteints d'une poussée aiguë d'arthrite, etc.) d'en ressentir le poids sur le corps et, en particulier, sur les membres inférieurs.

Cerclage

Technique chirurgicale consistant à maintenir en place un organe (os, œil, vaisseau) ou à resserrer un orifice (anus, col de l'utérus) à l'aide de fils de métal, de Nylon ou d'autres matériaux.

Cerclage du col de l'utérus

Cette intervention consiste à mettre en place un fil pour resserrer le col utérin.

Elle est indiquée dans les cas de béance du col et de l'isthme, le plus souvent diagnostiquée après des avortements spontanés tardifs. Elle se pratique dans les premiers mois de la grossesse sous anesthésie générale ou locale, ou même sans anesthésie, au moyen d'une technique simple utilisant un spéculum. Le fil doit être enlevé trois semaines avant la date prévue de l'accouchement, ou plus tôt si celui-ci se déclenche spontanément. En effet, la persistance d'un fil de cerclage au moment des contractions de l'accouchement risque d'entraîner une déchirure du col.

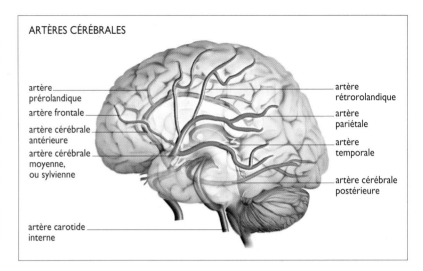

ARTÈRES CÉRÉBRALES

artère prérolandique · artère frontale · artère cérébrale antérieure · artère cérébrale moyenne, ou sylvienne · artère carotide interne · artère rétrorolandique · artère pariétale · artère temporale · artère cérébrale postérieure

Céréale

Plante de la famille des graminées, dont les graines, entières ou réduites en farine, sont utilisées dans l'alimentation humaine.

Les céréales le plus couramment consommées sont le blé, le seigle, le riz, le maïs, l'orge, l'avoine, le millet. Les céréales renferment à la fois des protéines, des graisses, des sucres, des sels minéraux et des vitamines. Elles sont particulièrement riches en vitamines B (B1, B2, B3, B6) et E, en magnésium et en fibres, mais contiennent peu de calcium. Leurs grains contiennent de 10 à 15 % d'eau, de 70 à 76 % de glucides (notamment sous une forme particulière appelée amidon), de 8 à 12 % de protéines et de 2 à 4 % de lipides. Elles perdent une partie de leur valeur nutritive si les graines sont décortiquées ou si la farine est tamisée.

Dans certains pays, les céréales constituent la base de l'alimentation (jusqu'à 80 % de l'énergie consommée). Elles entrent dans la fabrication de nombreux produits dont le pain, les pâtes alimentaires, les semoules, les biscuits, etc. Au cours des différentes transformations qu'elles subissent pour l'obtention de ces produits, les céréales perdent une partie de leurs micronutriments (vitamines, oligoéléments et sels minéraux). Cependant, les professionnels de l'agroalimentaire peuvent aujourd'hui ajouter ces minéraux ou vitamines perdus (procédé dit « de restauration »).

Le blé, l'orge, l'avoine et le seigle contiennent du gluten, auquel les personnes atteintes d'allergie au gluten sont intolérantes. Celles-ci peuvent en revanche absorber sans danger du riz et du maïs.
→ VOIR Maladie cœliaque.

Cérébrale (artère, veine)

Artère ou veine du cerveau. (P.N.A. *arteria cerebri, vena cerebri*)

La vascularisation cérébrale est assurée par les deux artères carotides internes, donnant chacune naissance aux deux artères cérébrales antérieure et moyenne, et par les deux artères vertébrales, qui se réunissent en arrière dans le crâne pour donner le tronc basilaire, se divisant lui-même à son tour pour donner les deux artères cérébrales postérieures.

Les différentes artères cérébrales sont reliées près de leur origine par des artères communicantes antérieures et postérieures, l'ensemble réalisant une sorte de cercle appelé polygone de Willis. En cas d'occlusion d'une des artères carotides ou vertébrales, le polygone de Willis protège le cerveau d'un arrêt brutal de la circulation dans le territoire correspondant et évite par conséquent un accident neurologique grave.

Le sang contenu dans le cerveau est drainé vers le cœur par les deux veines jugulaires internes, formées par la réunion des sinus veineux cérébraux.

EXAMEN

Les artères cérébrales peuvent être explorées par le Doppler transcrânien, mais surtout par l'artériographie, avec ponction dans l'une des artères carotides.

PATHOLOGIE

■ **Les anévrysmes artériels** intracérébraux sont des malformations siégeant presque exclusivement à la base du cerveau, visibles sous forme de dilatations. Ils peuvent être responsables d'hémorragies méningées ou méningocérébrales.

■ **Les thromboses** résultent de la formation de caillots sanguins (appelés thrombus) à l'intérieur des vaisseaux et présentent un risque d'accident vasculaire cérébral par occlusion ou embolie.

Céruléoplasmine

Glycoprotéine transportant le cuivre contenu dans le sang.

La céruléoplasmine transporte le cuivre jusqu'à l'intestin, où il est éliminé. Dans la maladie de Wilson, c'est son insuffisance qui provoquerait une accumulation du cuivre, notamment dans le système nerveux. Par ailleurs, la céruléoplasmine participe à l'élimination des radicaux libres, tels que l'eau oxygénée, produits par l'activité cellulaire mais très toxiques.

Cérumen

Substance de consistance molle, d'aspect cireux, située au fond du conduit auditif externe.

Le cérumen est un mélange de sécrétions des glandes sébacées et cérumineuses, de squames, d'agents saprophytes (staphylocoques blancs et dorés, corynébactéries) et de corps étrangers (poussières, notamment). Il protège le revêtement cutané du conduit auditif et constitue une barrière chimique et un piège mécanique pour les corps étrangers.

BOUCHON DE CÉRUMEN

Normalement, le cérumen s'évacue spontanément. Cependant, il peut s'accumuler au fond du conduit auditif externe, notamment du fait de l'utilisation de Coton-Tige, et provoquer un bouchon à l'origine d'une irritation, voire d'une baisse de l'acuité auditive. L'évacuation du bouchon de cérumen, parfois difficile, doit être réalisée par un médecin soit par aspiration, soit par irrigation, ou encore par extraction.

Céruménolytique

Médicament destiné à permettre l'extraction des bouchons de cérumen de l'oreille.

Cerveau

Partie la plus élevée, la plus volumineuse et la plus complexe de l'encéphale, siège des facultés intellectuelles. (P.N.A. *cerebrum*)

STRUCTURE

Le cerveau comprend deux hémisphères réunis par le cerveau moyen, ou diencéphale, et par le corps calleux. Il se situe au-dessus du tronc cérébral et du cervelet. Cet ensemble occupe la boîte crânienne. Chaque hémisphère est subdivisé par des scissures formant les lobes (frontal en avant, occipital en arrière, pariétal et temporal latéralement), et les lobes sont creusés par des sillons formant des plis, ou circonvolutions. Le cerveau est en outre creusé de cavités, ou ventricules, remplies de liquide céphalorachidien nourricier et protecteur. Il existe un ventricule dit latéral par hémisphère, et un 3e ventricule correspondant au diencéphale. Le cerveau est entouré par les méninges.

Le cerveau est constitué, comme le reste du système nerveux central, de substance grise (corps des neurones et des synapses) et de substance blanche (fibres myélinisées). Dans les hémisphères, la substance grise se répartit en une couche superficielle épaisse, le cortex, et en noyaux profonds, les noyaux gris centraux (pallidum, putamen et noyau caudé). Le diencéphale est composé essentiellement de deux gros noyaux gris symétriques, les thalamus. Ceux-ci surmontent l'hypothalamus, structure qui comprend de petits noyaux et se prolonge par deux glandes, l'hypophyse en bas, l'épiphyse en arrière.

Les neurones du cortex cérébral comprennent des cellules rondes, ou grains, destinées à la réception des stimulations périphériques (sensations tactiles, ondes visuelles ou sonores) ; des cellules triangulaires, ou pyramides, à vocation motrice ; des cellules fusiformes qui relient, par le corps calleux, deux points symétriques des hémisphères cérébraux. Chaque hémisphère contrôle la moitié du corps qui se trouve du côté opposé.

FONCTIONNEMENT

Les cellules nerveuses et leurs fibres sont soutenues par les cellules gliales, qui leur apportent les éléments nutritifs dont elles ont besoin. La substance grise, composée d'amas de cellules nerveuses, est responsable des fonctions nerveuses ; la substance blanche, formée de fibres nerveuses, assure les connexions à l'intérieur de chaque hémisphère, entre les hémisphères et avec le système nerveux central sous-jacent. Dans le cortex, la substance grise est le point de départ de la motricité volontaire, le point d'arrivée de la sensibilité et le siège principal des fonctions supérieures (conscience, mémoire, émotion, langage, réflexion). Les aires corticales riches en grains ont une fonction sensitive ou sensorielle ; les territoires riches en pyramides sont moteurs ; les aires dites associatives ont des grains et des pyramides équilibrés et assurent l'analyse et l'intégration des sensations élémentaires, la coordination des mouvements volontaires et les fonctions intellectuelles. Les noyaux gris des hémisphères jouent un rôle primordial dans la motricité dite extrapyramidale, qui facilite les mouvements volontaires. Dans le diencéphale, les thalamus traitent les informations sensitives avant de les transmettre au cortex, et l'hypothalamus contrôle l'activité des viscères.

EXAMENS

Le cerveau est exploré, comme le reste de l'encéphale, par l'imagerie radiologique, le scanner et surtout par l'imagerie par résonance magnétique (I.R.M.). Ces méthodes très performantes ont supplanté l'électroencéphalographie (enregistrement de l'activité électrique de l'encéphale), technique plus ancienne.

PATHOLOGIE

Le cerveau peut être atteint par les mêmes affections que le reste de l'encéphale : traumatismes crâniens, accidents vasculaires cérébraux (obstruction ou rupture d'une artère cérébrale), tumeurs bénignes ou malignes, encéphalites, infectieuses (souvent virales) ou non, abcès, intoxications diverses, maladies dégénératives (maladie de Parkinson, maladie d'Alzheimer, sclérose en plaques), maladies congénitales chromosomiques (trisomie 21). Les maladies psychiatriques proprement dites ne correspondent à aucune lésion connue ; toutefois, la dépression ou la schizophrénie peuvent avoir une origine métabolique.

En pathologie cérébrale, on distingue deux types de signes.

■ **Les signes non spécifiques** sont les mêmes, quelle que soit la localisation de la lésion. Il en est ainsi des maux de tête, des convulsions, des crises d'épilepsie (mouvements saccadés avec perte de conscience), de l'hypertension intracrânienne (augmentation de la pression du liquide céphalorachidien), du coma.

■ **Les signes de localisation**, en revanche, donnent une indication sur la zone atteinte, reflet de la fonction spécifique de chaque territoire. Ainsi, les lésions du lobe frontal provoquent, selon leur siège, soit la paralysie croisée d'une moitié du corps (hémiplégie), soit des troubles de la personnalité et du comportement (apathie, négligence de soi), de l'humeur (dépression, euphorie) et des facultés intellectuelles. Elles peuvent également provoquer des troubles de la parole articulée (aphasie), de l'écriture ou une perte de la compréhension du langage. Les lésions pariétales sont responsables d'un trouble des mouvements volontaires, l'apraxie (le sujet n'arrive plus à effectuer le geste qu'on lui demande ou à manipuler un objet), et d'une agnosie tactile (le sujet ne reconnaît plus les objets au toucher alors que les organes sensoriels fonctionnent parfaitement). Les lésions occipitales sont à l'origine d'une agnosie visuelle (le sujet n'identifie plus ce qu'il voit).
→ VOIR Cortex, Encéphale.

Cerveau (abcès du)

Collection de pus localisée dans le cerveau.

Un abcès du cerveau résulte presque toujours de la propagation d'une infection située à un autre endroit du corps ; celle-ci vient de l'oreille moyenne ou des sinus dans 40 % des cas, mais il peut s'agir aussi d'une septicémie (présence de bactéries dans le sang). Les autres causes sont les traumatismes (piqûre, blessure), qui peuvent introduire des germes extérieurs, et les déficits des défenses immunitaires favorisant la multiplication des germes. Une fois constitué, l'abcès lèse les cellules nerveuses et peut provoquer une augmentation de la pression du liquide céphalorachidien.

SYMPTÔMES ET SIGNES

Les symptômes les plus courants de l'abcès du cerveau sont des maux de tête, une somnolence, des vomissements. Parfois, on observe une fièvre, des troubles visuels, des crises d'épilepsie, voire des signes spécifiques de la région lésée par l'abcès tels qu'une paralysie d'un membre. Le scanner, ou éventuellement l'imagerie par résonance magnétique (I.R.M.), confirme le diagnostic.

TRAITEMENT

Il fait appel aux antibiotiques à hautes doses, associés le plus souvent au drainage ou à l'ablation de l'abcès par le chirurgien. Environ 10 % des cas sont d'évolution mortelle. Les autres peuvent laisser des séquelles neurologiques, comme une épilepsie.

Cerveau (tumeur du)

Tumeur, bénigne ou maligne, située dans le cerveau.

On distingue les tumeurs primitives, qui se développent à partir de cellules du cerveau, et les tumeurs secondaires, qui sont des métastases.

Tumeur primitive du cerveau

Environ 60 % des tumeurs primitives sont des gliomes, formés à partir des cellules

CERVEAU

Le cerveau est la partie la plus importante de l'encéphale. De l'extérieur, on ne voit que ses deux hémisphères, très volumineux, qui recouvrent, au centre, le diencéphale. Leur surface, formée d'une couche de substance grise, le cortex, présente des sinuosités (circonvolutions) séparées par des sillons ; certains, plus profonds (scissures), y délimitent quatre lobes : les lobes frontal (siège de la motricité volontaire), pariétal (siège de la sensibilité consciente), occipital (siège des voies visuelles) et temporal (site, notamment, de l'audition). Le cortex, qui contient les corps des cellules nerveuses, est le siège des fonctions supérieures : la conscience, l'émotion, la mémoire, le langage, la réflexion. Tout l'encéphale baigne dans le liquide céphalorachidien, qui circule alentour entre les méninges et dans des cavités internes, les ventricules. Le scanner et l'imagerie par résonance magnétique (I.R.M.) permettent d'examiner les diverses parties de l'encéphale.

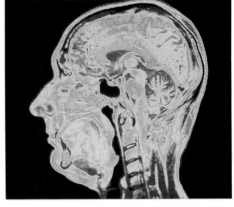

Isolé de la voûte osseuse par le liquide céphalorachidien (en noir), l'encéphale (vu en coupe par I. R. M.), ici coloré en bleu, remplit toute la cavité crânienne.

Structure profonde du cerveau

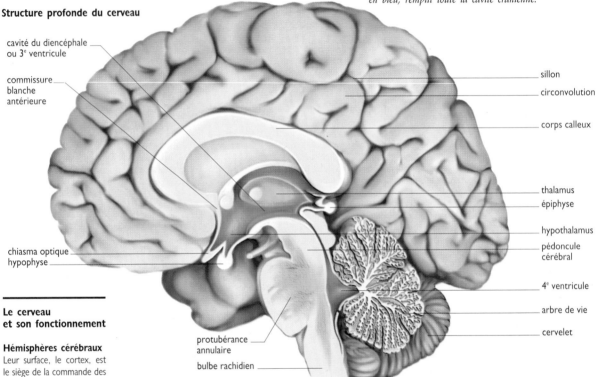

cavité du diencéphale ou 3e ventricule — commissure blanche antérieure — chiasma optique — hypophyse — protubérance annulaire — bulbe rachidien — sillon — circonvolution — corps calleux — thalamus — épiphyse — hypothalamus — pédoncule cérébral — 4e ventricule — arbre de vie — cervelet

Le cerveau et son fonctionnement

Hémisphères cérébraux
Leur surface, le cortex, est le siège de la commande des mouvements volontaires, de la sensibilité consciente et des opérations intellectuelles complexes. Toutes les fibres du cortex passent par le diencéphale.

Diencéphale
Il comprend le 3e ventricule, bordé de chaque côté par le thalamus, substance grise au rôle sensitif, et se prolonge vers l'avant par l'hypothalamus, qui commande les viscères et les sécrétions hormonales de l'hypophyse.

Tronc cérébral et cervelet
Ils bordent le 4e ventricule. Le tronc cérébral contient les centres régulateurs de la respiration et de la température. Le cervelet coordonne les mouvements et l'équilibre.

Les régions du cerveau

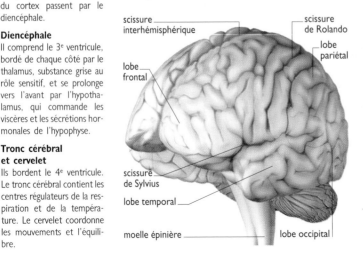

scissure interhémisphérique — lobe frontal — scissure de Sylvius — lobe temporal — moelle épinière — scissure de Rolando — lobe pariétal — lobe occipital

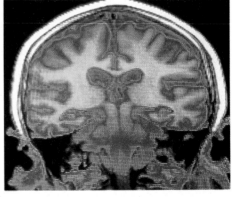

Une coupe transversale (scanner) montre le profond sillon médian qui sépare les hémisphères ; au-dessous, en trèfle, les cavités ventriculaires, remplies de liquide céphalorachidien.

gliales qui entourent et soutiennent les cellules nerveuses ; ils peuvent être bénins ou malins. Les méningiomes, qui siègent sur les méninges, sont également fréquents ; ils sont toujours bénins. Les causes des tumeurs primitives ne sont pas connues.

Les symptômes sont de trois ordres : déficit neurologique (aphasie, paralysie localisée), épilepsie dans un cas sur cinq et signes d'hypertension intracrânienne (maux de tête, altération des fonctions mentales, vomissements). L'apparition des symptômes est plus précoce et leur évolution plus rapide et plus extensive dans le cas d'une tumeur maligne. Les techniques d'imagerie médicale (scanner cérébral et imagerie par résonance magnétique [I.R.M.]) permettent de déterminer le siège exact de la tumeur et de donner des indications sur sa nature. Mais le diagnostic précis ne peut être établi qu'après une biopsie cérébrale. Le traitement, lorsqu'il est possible, repose sur l'ablation chirurgicale de la tumeur, aidée par repérage tridimensionnel (stéréotaxie) et éventuellement complétée par la radiothérapie.

Tumeur secondaire du cerveau

Les tumeurs secondaires sont des métastases, souvent multiples, qui proviennent essentiellement d'un cancer bronchopulmonaire ou d'un cancer du sein. Les symptômes sont les mêmes que ceux des tumeurs primitives du cerveau, mais ils évoluent de façon plus rapide.

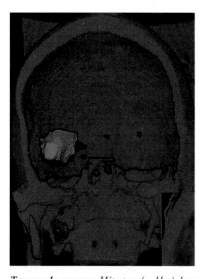

Tumeur du cerveau. Métastase (en bleu) dans un lobe frontal, localisée par un examen du crâne au scanner.

Le diagnostic repose sur les techniques d'imagerie médicale, qui mettent en évidence les lésions cérébrales et, dans un cas sur deux, le cancer primitif. Le traitement est celui du cancer primitif s'il a été découvert. La radiothérapie cérébrale est également indiquée.

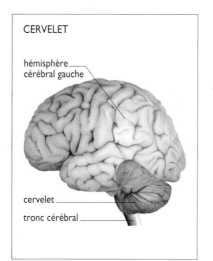

CERVELET

hémisphère
cérébral gauche

cervelet

tronc cérébral

Cervelet

Partie de l'encéphale située à la base du crâne, en arrière du tronc cérébral, et responsable de la coordination de l'activité musculaire nécessaire à l'équilibre et aux mouvements. (P.N.A. *cerebellum*)

STRUCTURE

Le cervelet est situé dans la région du crâne appelée fosse postérieure. Au-dessus de lui, les méninges forment la tente du cervelet, qui sépare celui-ci des hémisphères cérébraux. En avant, le cervelet est connecté avec le tronc cérébral, dont il est séparé par le 4e ventricule (cavité remplie de liquide céphalorachidien) dans sa partie médiane. Sur chaque côté, 3 paires de pédoncules cérébelleux le rattachent aux éléments du tronc cérébral (au bulbe rachidien, à la protubérance annulaire et aux pédoncules cérébraux). Il forme, avec le bulbe rachidien et la protubérance annulaire, le rhombencéphale, ou cerveau postérieur.

Le cervelet lui-même est constitué de 2 lobes (ou hémisphères) latéraux réunis au milieu par le vermis. Sa structure interne ressemble à celle des hémisphères cérébraux, avec une couche de substance grise périphérique formant un cortex et des noyaux profonds de substance grise disséminés dans de la substance blanche. Le cervelet reçoit plusieurs vaisseaux en provenance d'un important groupe d'artères de l'encéphale, le système vertébrobasilaire.

FONCTIONNEMENT

Les fibres nerveuses de la substance blanche, conductrices de l'influx nerveux, réalisent les connexions entre les noyaux et le cortex du cervelet et le reste du système nerveux central. Elles sortent du cervelet et y rentrent en passant par les pédoncules. Le cervelet reçoit à chaque instant des informations sur l'appareil locomoteur ; il coordonne en réponse la contraction et la décontraction des muscles.

Le vermis joue un rôle dans la statique du corps (posture du corps, maintien de l'équilibre), et les lobes jouent un rôle dans sa dynamique (aide aux mouvements volontaires).

EXAMENS ET PATHOLOGIE

Le cervelet est exploré de la même façon que le reste de l'encéphale, particulièrement par le scanner. On y observe les mêmes maladies : tumeurs, abcès, troubles vasculaires, maladies dégénératives, intoxications, etc.

Lorsque le cervelet ou les fibres nerveuses en relation avec lui sont lésés, un syndrome cérébelleux survient, comportant une ataxie (trouble de la coordination motrice). Parfois, l'atteinte du vermis prédomine et le sujet présente une hypotonie musculaire (relâchement musculaire excessif) ; il écarte trop les pieds en position debout et sa démarche donne une impression d'ébriété. Si l'atteinte d'un lobe prédomine, le malade a du mal à commencer et à arrêter ses mouvements, qui vont trop loin (hypermétrie) ; il ne peut plus réaliser de mouvements alternatifs rapides (faire les « marionnettes », par exemple) ; ses gestes sont souvent gênés par un tremblement.

→ VOIR Encéphale.

Cervical

1. Relatif au cou.

■ **Les ganglions cervicaux** sont au nombre de trois à droite et de trois à gauche, les uns au-dessous des autres. Ils représentent le début d'une chaîne qui se continue vers le bas, le long de la colonne vertébrale, et qui fait partie du système nerveux végétatif sympathique.

■ **La colonne vertébrale cervicale** est composée de 7 vertèbres cervicales, la première étant appelée atlas et la deuxième axis. Elle est disposée en lordose, c'est-à-dire qu'elle dessine une courbe concave en arrière.

2. Relatif à un col (portion rétrécie d'un organe, tel le col de l'utérus).

■ **La glaire cervicale** est une sécrétion du col de l'utérus. Au début du cycle, elle est claire, filante, basique et de plus en plus abondante, ce qui aide l'ascension des spermatozoïdes. Après l'ovulation, elle se

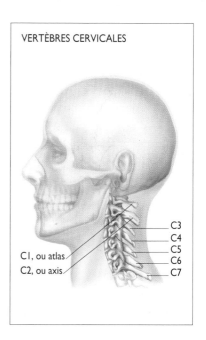

VERTÈBRES CERVICALES

C1, ou atlas
C2, ou axis

C3
C4
C5
C6
C7

raréfie et s'épaissit, se transformant même en bouchon muqueux en cas de grossesse, ce qui protège l'intérieur de l'utérus.

Cervicalgie

Douleur du cou, quelle qu'en soit la cause.

Une cervicalgie peut révéler plusieurs types d'affections.

■ Un torticolis survient le plus souvent après un traumatisme léger ou lorsque le sujet a dormi en mauvaise position. Il se traduit par une contraction douloureuse et permanente du muscle.

■ Une arthrose cervicale, ou cervicarthrose, se traduit par une douleur située à l'arrière du cou, qui gêne souvent les mouvements de celui-ci.

■ Une hernie discale cervicale entraîne des douleurs situées à l'arrière du cou. Celles-ci, accentuées par la toux, peuvent irradier dans l'épaule et le bras.

■ Un traumatisme cervical important (coup du lapin) peut avoir des manifestations très diverses : de la simple douleur musculaire à la tétraplégie (en cas de luxation vertébrale importante).

Cervicarthrose

Arthrose affectant le rachis cervical.

Une cervicarthrose se retrouve chez la majorité des sujets après 50 ans, mais les lésions (pincement discal et ostéophytes), révélées par l'examen radiologique, ne s'accompagnent parfois d'aucun symptôme ; d'une façon générale, il n'existe pas de corrélation entre l'importance des lésions et les douleurs ressenties. La cervicarthrose atteint surtout la partie basse du rachis cervical, mais elle peut aussi affecter sa partie supérieure.

Le plus souvent, la cervicarthrose n'entraîne qu'une légère infirmité. La douleur, signe des poussées congestives, gêne les mouvements du cou, souvent plus d'un côté que de l'autre, et elle est aggravée par des oscillations passives de la tête comme il s'en produit en voiture. Chez la majorité des individus, après quelques poussées douloureuses qui durent chacune plusieurs semaines, voire plusieurs mois, la gêne diminue au prix d'une perte de mobilité du cou. Une cervicarthrose peut contribuer à rétrécir le canal cervical et entraîner à la longue des lésions de la moelle épinière avec troubles de la marche.

Une névralgie cervicobrachiale est souvent associée à la cervicarthrose, mais elle peut avoir d'autres origines. Elle entraîne une douleur aiguë qui part du cou pour gagner le bras, puis la main ; elle dure de 3 à 6 semaines, régressant ensuite lentement. Elle appelle des investigations (scanner, imagerie par résonance magnétique [I.R.M.]) pour préciser la nature de la compression de la racine nerveuse (ostéophyte, hernie discale, etc.) et son siège dans le cou.

TRAITEMENT

Il repose sur la prescription d'analgésiques et la mise au repos du cou par un collier cervical lors des poussées douloureuses. Massages, rééducation ou cures thermales peuvent être utiles en dehors des épisodes de crise. Le traitement de la névralgie cervicobrachiale repose le plus souvent sur les anti-inflammatoires non stéroïdiens, parfois sur les corticostéroïdes. En cas de hernie discale, une nucléolyse ou une intervention chirurgicale peut s'imposer.

Cervicite

Inflammation du col de l'utérus. SYN. *métrite du col.*

Une cervicite peut être d'origine bactérienne, virale ou parasitaire et survient toujours sur une muqueuse lésée ou anormale. Elle existe sous deux formes, externe ou interne.

■ L'exocervicite, ou inflammation de la paroi externe du col, se traduit par des pertes anormales, voire purulentes. Elle est visible au spéculum.

■ L'endocervicite, ou inflammation de la paroi interne du col, se traduit par un écoulement purulent.

Les deux formes vont souvent de pair. Le traitement peut être local (ovules gynécologiques) ou général (par voie orale).

Césarienne

Incision chirurgicale permettant d'extraire un nouveau-né de l'utérus maternel.

La césarienne se pratique, de nos jours, dans 8 à 15 % des accouchements.

INDICATIONS

La césarienne est obligatoire dans certains cas : disproportion fœtopelvienne (bébé trop gros pour le bassin de la mère) ; souffrance fœtale aiguë (ralentissement du rythme cardiaque du fœtus, imposant une extraction rapide) ; placenta prævia (insertion basse du placenta) ; mauvaise présentation du fœtus (par l'épaule, en position transversale) ; pathologie grave de la mère en fin de grossesse (hypertension artérielle, toxémie, coagulopathies). Une césarienne est programmée lorsqu'il n'est pas souhaitable que la femme accouche par les voies naturelles ; elle peut aussi être décidée et pratiquée en cours de travail s'il survient des signes de souffrance fœtale.

TECHNIQUE

L'intervention peut avoir lieu sous anesthésie générale ou bien péridurale. L'incision se fait sur l'abdomen, à la hauteur du sommet du pubis et le plus souvent dans le sens horizontal, ce qui permet une cicatrisation solide et esthétique. Parfois, l'incision peut être verticale. L'incision de l'utérus, ou hystérotomie, permet d'extraire le fœtus et le placenta. Les différents plans incisés sont ensuite suturés avec des fils résorbables. La cicatrice est refermée par des fils ou des agrafes que l'on retire entre le 6e et le 9e jour.

SURVEILLANCE ET EFFETS SECONDAIRES

La surveillance et la convalescence d'une femme accouchée par césarienne sont plus longues qu'après un accouchement par les voies naturelles, puisqu'il s'agit d'une intervention chirurgicale. Les complications sont toutefois rares, et diminuées par l'usage préventif des antibiotiques et des anticoagulants. Après un premier accouchement par césarienne, un accouchement par les voies naturelles est envisageable si les dimensions du bassin le permettent. Mais une femme peut faire l'objet de trois ou quatre césariennes consécutives si la cicatrisation est bonne.

Cestodose

→ VOIR Échinococcose, Téniase.

Cétonurie

Élimination dans l'urine de corps cétoniques.

On parle généralement de cétonurie pour désigner une élimination urinaire excessive de corps cétoniques (acétone, acide acétoacétique et acide bêtahydroxybutyrique). Une cétonurie se rencontre notamment au cours de l'acidocétose (forme particulière d'acidose due à une accumulation de corps cétoniques dans l'organisme), complication du diabète, et au cours du jeûne.

Cétose

État pathologique dû à l'accumulation dans l'organisme de corps cétoniques, substances produites au cours du processus de dégradation des graisses.

Une cétose s'observe lorsque le corps trouve ses ressources énergétiques en brûlant en majorité des graisses, au lieu du glucose qui est normalement sa principale source d'énergie. Ce phénomène se produit dans le diabète, quand l'organisme est en carence d'insuline, ce qui l'empêche d'utiliser le glucose comme source d'énergie. Les acides gras interviennent alors comme substituts énergétiques, libérant de grandes quantités de corps cétoniques. La cétose s'observe aussi en cas de vomissements acétonémiques, dans certains troubles digestifs ou hépatiques et au cours du jeûne.

La cétose se traduit par une présence anormalement élevée de corps cétoniques dans le sang et les urines. Elle peut demeurer asymptomatique ou provoquer une acidocétose, complication aiguë survenant lorsque la quantité de corps cétoniques dépasse les capacités d'élimination de l'organisme.

DIAGNOSTIC ET TRAITEMENT

Le diagnostic repose sur la mise en évidence d'un taux anormalement élevé de corps cétoniques dans les urines. Une cétose simple se traite essentiellement en redonnant à l'organisme, par l'alimentation, par le traitement des vomissements ou par le rééquilibrage du diabète, la possibilité d'utiliser les sources d'énergie qui le dispensent de recourir dans une trop grande proportion à la dégradation des graisses.

17-cétostéroïde

Substance excrétée dans l'urine, reflétant la sécrétion par l'organisme d'hormones androgènes.

Les principaux 17-cétostéroïdes sont l'androstérone, l'étiocholanolone et la déhydroépiandrostérone. Ils proviennent notamment de la dégradation d'hormones androgènes sécrétées par la glande surrénale (chez les deux sexes) et par le testicule. La présence de ces substances en quantité supérieure à la normale dans l'urine de la femme peut révéler un excès de sécrétions d'androgènes d'origine surrénalienne.

Chagas (maladie de)

Maladie parasitaire aiguë ou chronique due au protozoaire *Trypanosoma cruzi*. SYN. *trypanosomiase américaine.*

La maladie de Chagas est transmise par les déjections de triatomes (genre de punaise) hématophages et se contracte par voie cutanée ou muqueuse. Cette grave parasitose sévit à l'état endémique en Amérique centrale et dans le nord-est du Brésil ; plusieurs millions de personnes en sont atteintes.

SYMPTÔMES

La forme aiguë, qui dure plusieurs jours et peut être mortelle, correspond à la présence des parasites dans le sang. Elle est caractérisée par une fièvre irrégulière.

Dans la forme chronique, une réaction auto-immune de l'organisme détruit d'une part les cellules ganglionnaires des plexus myentériques (système nerveux) de l'œsophage et du côlon, d'autre part le tissu myocardique. Ces lésions se traduisent par un dysfonctionnement des sphincters de l'œsophage et par l'hypertrophie de certains organes (thyroïde, foie, rate, intestin). L'atteinte myocardique peut aboutir à une insuffisance cardiaque grave.

DIAGNOSTIC

Le diagnostic de la maladie de Chagas est fondé sur la mise en évidence des trypanosomes dans le sang. On peut également avoir recours au xénodiagnostic (procédé consistant à faire piquer le sujet potentiellement malade par un parasite sain dans lequel les trypanosomes se multiplient et sont détectés) ou à des tests sérologiques.

TRAITEMENT

Il est limité au traitement symptomatique des diverses manifestations.

Chaînes lourdes (maladie des)

Maladie rare du sang touchant les lymphocytes et caractérisée par une sécrétion pathologique de chaînes lourdes d'immunoglobulines (l'un des deux types de chaîne protéique entrant dans la composition des anticorps de type alpha).

La maladie des chaînes lourdes se traduit par la présence, dans le sang et les urines, de fragments libres d'immunoglobulines. Elle peut être associée à un lymphome (prolifération localisée de lymphocytes malins) ou à une leucémie lymphoïde chronique, ou évoluer vers l'un de ces deux types de cancer.

La maladie des chaînes lourdes alpha, la plus fréquente, survient en Afrique du Nord ou au Moyen-Orient et touche essentiellement l'intestin grêle et les ganglions mésentériques. Elle se manifeste principalement par une diarrhée chronique et par un trouble du processus d'absorption des aliments. La maladie peut évoluer d'un stade bénin, réversible sous antibiothérapie, vers un stade de lymphome malin, nécessitant un traitement par chimiothérapie.

Chaise percée

Chaise ou fauteuil percés d'un trou dans lequel est encastré un pot de chambre.

Destinée aux malades invalides ou incontinents, la chaise percée doit être lavée chaque jour à l'eau bouillante et désinfectée à l'eau de Javel. Elle joue un rôle important dans le maintien de l'autonomie des personnes âgées.

Chalazion

Tuméfaction inflammatoire provoquée par l'obstruction d'une glande de Meibomius située dans la paupière.

Le chalazion est un nodule rouge, souple, siégeant dans l'épaisseur de la paupière. Il est indolore en l'absence de surinfection. Il apparaît sans cause particulière. Toutefois, il faut rechercher un diabète ou une anomalie de réfraction en cas de récidive.

Grâce au traitement médical à base de collyres et de pommades antibiotiques et anti-inflammatoires, le chalazion peut se résorber totalement ou laisser place à un nodule enkysté, blanc et ferme, également indolore, qui peut être retiré chirurgicalement lorsqu'il est gênant. Si les traitements locaux ne suffisent pas, on a recours à l'excision chirurgicale par voie conjonctivale, sous anesthésie locale.

Chaleur

Température élevée d'une atmosphère, d'un corps ou d'un organisme.

Le corps humain tire spontanément sa chaleur des diverses oxydations de l'organisme (digestion, contractions musculaires). Il maintient, quelle que soit la température extérieure, sa température interne à peu près constante à 37 °C. Quand la température extérieure devient excessive, l'organisme s'adapte par des réactions physiologiques simples et efficaces.

MÉCANISMES RÉGULATEURS

Deux phénomènes compensateurs interviennent pour lutter contre la chaleur :
– la dilatation des vaisseaux de l'épiderme, qui, par augmentation de la surface de contact, favorise la perte de chaleur par convection mais s'accompagne d'hypotension, de tachycardie et d'augmentation du débit cardiaque ;
– l'accroissement de la sudation, qui peut atteindre 1 litre par heure (une sudation habituelle est d'environ 1 litre par jour).

Au-delà de certaines limites, l'adaptation est insuffisante et des réactions pathologiques peuvent s'observer : coups de chaleur, syncopes, crampes musculaires liées à la perte de chlorure de sodium.

Chaleur (coup de)

Ensemble de symptômes dus à une exposition excessive à la chaleur, le coup de chaleur est particulièrement grave chez l'enfant de moins de deux ans, dont la régulation thermique est mal assurée, ses réserves organiques en eau étant faibles. Il concerne également l'adulte et survient le plus souvent après une exposition prolongée au soleil (plage, court de tennis, etc.).

CAUSES ET SYMPTÔMES

Les circonstances favorisant un coup de chaleur sont multiples : promenades intempestives aux heures chaudes de l'été, voyages confinés en automobile, pièces exiguës dépourvues d'aération, chauffage excessif l'hiver.

Quatre facteurs concourent à son déclenchement : la chaleur sèche avec degré hygrométrique bas, la durée d'exposition à cette chaleur, l'absence d'aération, l'abus de vêtements et de couvertures.

Le coup de chaleur se manifeste par une température rectale supérieure à 40 °C, un faciès grisâtre, une peau sèche et brûlante, des yeux cernés, une adynamie (faiblesse musculaire), une prostration. Il peut se compliquer de crises convulsives.

TRAITEMENT ET PRÉVENTION

Le coup de chaleur est traité par une réhydratation par voie veineuse et nécessite, le plus souvent, une hospitalisation.

■ **Chez les nourrissons**, la prévention repose sur le port de vêtements légers par temps chaud, sur l'emploi d'un simple drap en guise de couverture, sur l'aération et l'humidification de l'endroit dans lequel ils se trouvent, sur la prise de nombreux biberons d'eau entre les repas.

■ **Chez l'adulte**, il est recommandé en cas de chaleur excessive d'éviter les efforts physiques importants sans préparation adaptée, de porter des vêtements légers et amples permettant la circulation d'air, de boire abondamment et d'augmenter sa ration de sel, important facteur de rétention d'eau.

Champ

1. Région du corps délimitée sur laquelle porte une intervention chirurgicale.
2. Pièce stérile de tissu ou de papier placée sur la peau qui délimite la zone faisant l'objet d'une intervention chirurgicale.

Les champs, toujours stériles, permettent d'éviter que les mains des opérateurs et leurs instruments n'entrent en contact avec la peau du malade et ses germes. Classiquement en tissu, ils sont fixés à la peau par des pinces spéciales dites pinces de Jayle. On tend à les remplacer aujourd'hui par des champs à usage unique en matière synthétique, imperméables, collés à la peau et jetés après l'intervention. Par ailleurs, la suture des plaies cutanées bénignes peut se faire avec un champ stérile unique, troué en son centre, posé sur la peau.

Le champ abdominal est une pièce de tissu servant, après ouverture chirurgicale de l'abdomen, à protéger les viscères voisins du foyer opératoire et à éponger le sang.

Champ visuel

Espace que l'œil peut percevoir quand il est immobile.

Le champ visuel dépend de la rétine périphérique, qui représente la plus grande partie de la surface rétinienne. Il s'oppose ainsi à l'acuité visuelle (nécessaire par exemple à la lecture), qui, elle, dépend de la macula, petite zone rétinienne centrale de moins de 2 millimètres de diamètre. Par ailleurs, il existe dans le champ visuel une zone, nommée tache aveugle, qui n'est pas perçue. Elle correspond à la papille, petit

Les anomalies du champ visuel sont explorées avec précision grâce à un appareil appelé périmètre : sur un écran plat ou en forme de coupole dont le sujet regarde le centre, d'un seul œil, apparaissent successivement, en différents endroits et de façon aléatoire, des points lumineux d'intensité variable ; ceux que le malade voit sont enregistrés.

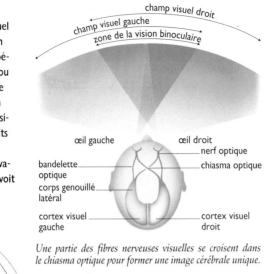

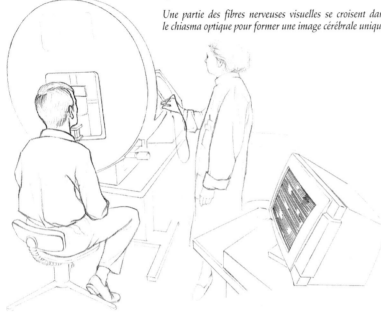

Une partie des fibres nerveuses visuelles se croisent dans le chiasma optique pour former une image cérébrale unique.

disque situé près de la macula (du côté du nez), point de départ du nerf optique et dépourvu de cellules sensorielles. On ne perçoit pas spontanément la tache aveugle d'un œil, d'une part à cause de sa petite taille, d'autre part parce qu'elle est dans le champ visuel de l'autre œil.

EXPLORATION DU CHAMP VISUEL

■ **L'exploration clinique** a l'avantage de pouvoir être réalisée n'importe où, sans instrument. Son principal inconvénient est de ne pas être reproductible : elle ne peut donc servir que d'examen de dépistage. Dans le test de confrontation, le sujet, qui regarde droit devant lui, doit signaler le moment où il perçoit un objet (le « test ») que l'examinateur déplace devant ses yeux de la périphérie vers le centre. Dans l'épreuve d'Amsler, le sujet doit fixer le point central d'un schéma tout en dessinant les anomalies qu'il perçoit.

■ **L'exploration instrumentale** présente l'avantage d'être reproductible : elle permet donc, le cas échéant, de suivre l'évolution de différents paramètres. Elle utilise un test lumineux mobile et enregistre les endroits où il devient visible pour le patient. Elle se fait généralement à l'aide d'un appareil dit périmètre de Goldmann, qui a la forme d'une grande coupole devant laquelle se

place le patient et où apparaissent des points lumineux de taille et d'intensité variables. L'analyseur de Friedmann utilise les mêmes principes, mais avec un écran plat.

ANOMALIES DU CHAMP VISUEL

■ **L'amputation** est un rétrécissement de la limite périphérique du champ visuel. Dans certains cas, elle est due à un glaucome très évolué ou à une rétinopathie pigmentaire (dégénérescence héréditaire). Dans d'autres cas, l'amputation est due à une atteinte des voies visuelles. Elle siège alors en un endroit précis, entraînant une quadranopsie (amputation d'un quart du champ visuel de chaque œil) ou une hémianopsie (amputation d'une moitié du champ visuel d'un œil), plus souvent verticales qu'horizontales.

■ **Le scotome** est une zone aveugle ou à vision faible à l'intérieur du champ visuel due à une atteinte de la rétine ou des voies visuelles. Le sujet peut ne pas le percevoir spontanément ou bien le percevoir comme une tache.

Champignons

Organismes vivants possédant un noyau cellulaire typique. Dépourvus de chlorophylle, ils vivent aux dépens de matières organiques (soit saprophytes tirant leur

nourriture de matériaux inertes, soit parasites de l'homme, des animaux ou des plantes). Ils se nourrissent par absorption à travers leur paroi cellulaire.

Il existe près de 100 000 espèces de champignons. Certains sont microscopiques (levures, moisissures, etc.), d'autres possèdent des carpophores, qui sont les « champignons » au sens courant du terme.

Certains champignons sont utiles et jouent un rôle dans les industries de fermentation (bière, vin, pain), dans la préparation des fromages, la production d'enzymes, etc. Dans le domaine médical, leur intérêt réside dans la préparation d'antibiotiques, d'œstrogènes, d'anabolisants. D'autres champignons sont nuisibles, parasitent les plantes, altèrent les denrées après récolte, détériorent les matériaux.

Nombre de champignons récoltés dans la nature ou cultivés constituent d'excellents comestibles ; comportant jusqu'à 90 % d'eau, ils sont cependant riches en glucides, en protéines, en sels minéraux et en vitamines. D'autres sont vénéneux et provoquent des empoisonnements graves, parfois mortels. Certaines espèces, contenant de la psilocybine, ont des propriétés hallucinogènes.

Les champignons sont impliqués dans trois types de maladie : les mycoses (infection d'un tissu vivant), les allergies (réaction d'un individu liée à l'inhalation des spores ou au contact d'un champignon), les mycotoxicoses (intoxication résultant de l'ingestion de métabolites fongiques toxiques).

Intoxications alimentaires dues aux champignons

En cas d'ingestion de champignons vénéneux, l'intoxication peut se manifester immédiatement, ou après une période d'incubation variable, selon le type de champignon ingéré. On distingue différents types d'intoxication selon la toxine responsable et l'effet qu'elle produit.

Pour éviter tout empoisonnement, il est indispensable d'apprendre à identifier par leurs caractères les espèces dangereuses et de prohiber systématiquement la consommation de tout exemplaire dont l'identification est douteuse.

DIFFÉRENTS TYPES D'INTOXICATION

■ **Les intoxications phalloïdiennes** se manifestent après ingestion d'amanites (phalloïde, printanière ou vireuse) et sont provoquées par les amatoxines et les phallotoxines. Les symptômes se manifestent de 10 à 12 heures après ingestion sous forme de douleurs abdominales, de déséquilibre ionique du sang, de crampes musculaires, de prostration et, enfin, de troubles hépatiques.

■ **Les intoxications paraphalloïdiennes**, dues à l'ingestion de différentes espèces de lépiotes, sont provoquées par les amanitines ; les symptômes se manifestent de 5 à 15 heures après ingestion sous forme de vomissements, de crampes musculaires douloureuses et d'hépatite.

■ **Les intoxications orellaniennes**, provoquées par l'ingestion de certains cortinaires, sont dues à l'orellanine ; elles se manifestent très tardivement (de 3 à 15 jours après ingestion) et provoquent de sévères lésions rénales (néphropathie aiguë avec anurie).

■ **Les intoxications muscariniennes** (ou sudoriennes) sont causées par l'ingestion de l'inocybe de Patouillard, des clitocybes blancs, du pleurote de l'olivier. La toxine responsable, la muscarine, provoque des troubles digestifs, une abondante sueur, une salivation exagérée et des larmoiements ; ces signes se manifestent peu après l'ingestion.

■ **Les intoxications psychotropiques** sont de deux sortes. L'ingestion d'amanites tue-mouches et panthère provoque des troubles digestifs précoces et une ivresse due à l'acide iboténique et au muscinol qu'elles contiennent ; la consommation de divers psilocybes provoque des hallucinations dues à leurs composés indoliques.

■ **Les intoxications gyromitriennes** sont dues à l'ingestion de gyromitres frais. La substance toxique en cause, la monométhyl-hydrazine, provoque tardivement (de 6 à 24 heures après ingestion) vomissements, diarrhée, nausées, convulsions et hémolyse.

■ **Les intoxications gastro-intestinales** peuvent être graves après ingestion de l'entolome livide ou du tricholome tigré, peu graves, avec un effet purgatif, en cas d'ingestion de clavaire élégante, irritantes après consommation de lactaire toisonné ou de lactaire muqueux, donnant lieu à de simples indigestions avec la russule émétique, le bolet Satan, la psalliote jaunissante.

■ **L'éréthisme cardiovasculaire** est dû à l'ingestion de coprin noir d'encre consommé avec une boisson alcoolisée, qui provoque une rubéfaction de la face.

■ **L'ergotisme, ou feu de Saint-Antoine,** est provoqué par l'ergot du seigle, qui infecte cette céréale. L'ergotisme peut prendre soit la forme d'une gangrène des extrémités, soit celle de crises convulsives, avec crampes, spasmes et troubles psychiques.

TRAITEMENT

En présence d'une intoxication, il convient d'alerter le centre antipoison le plus proche, afin que le traitement approprié soit apporté : lavage d'estomac, traitement de l'hépatite ou de la néphrite, rééquilibrage ionique du sang, etc.

Chancre

Ulcération isolée de la peau ou des muqueuses constituant le stade initial de plusieurs maladies contagieuses, le plus souvent vénériennes.

■ **Le chancre donovanien** est une manifestation initiale de la donovanose, ou granulomatose vénérienne tropicale, maladie sexuellement transmissible due à un bacille du groupe des klebsielles, *Calymmatobacterium granulomatis.*

Les chancres ont l'aspect de nodules, siègent le plus souvent sur les parties génitales et ont tendance à s'ulcérer. Ils sont traités par administration d'antibiotiques.

■ **Le chancre de la maladie de Nicolas-Favre,** dû à *Chlamydia trachomatis,* apparaît après une incubation de 4 à 21 jours. C'est un chancre de petite taille, génital, anal ou

Chancre chez l'homme. Une lésion qui s'ulcère, sur les organes génitaux, peut être le signe d'une syphilis.

buccal, qui passe fréquemment inaperçu, mais s'associe à une inflammation des ganglions douloureuse et caractéristique. Il est efficacement traité par antibiotiques.

■ **Le chancre mixte** apparaît lors d'une double infestation par le chancre mou et la syphilis, la seconde affection se manifestant avec un décalage de 3 semaines. Il se manifeste sous forme d'une lésion caractéristique du chancre mou (élevure rougeâtre et douloureuse s'ulcérant et se bordant d'un liseré jaune et rouge) qui persiste anormalement et modifie son aspect au bout de 3 semaines. En cas de chancre mou, l'association avec la syphilis est toujours recherchée, la sérologie destinée à mettre la syphilis en évidence devant être pratiquée à la troisième semaine.

■ **Le chancre scabieux** est une lésion génitale cutanée due à la gale. Il forme de petites élévations croûteuses sur les muqueuses génitales. Le traitement est celui de la gale.

■ **Le chancre syphilitique, ou chancre induré,** dû à *Treponema pallidum,* s'observe au cours de la première phase de la syphilis. Il survient de 10 à 20 jours après le contact infectant et se localise le plus souvent sur le pénis, l'anus ou la vulve, parfois dans le rectum, dans la bouche, sur le doigt ou sur le mamelon, où sa reconnaissance est malaisée. Il prend la forme d'une érosion rosée qui évolue vers une ulcération propre, dure et indolore au toucher, accompagnée d'une inflammation des ganglions drainant la zone infectée, puis disparaît en quelques semaines. À ce stade, la pénicilline est un traitement très efficace.

■ **Le chancre tuberculeux** est une manifestation rare de la tuberculose contractée par inoculation directe du bacille de Koch après traumatisme, tatouage, extraction dentaire ou intervention chirurgicale. C'est une ulcération siégeant sur le visage, les extrémités ou les muqueuses buccales, bronchiques ou génitales, accompagnée d'un ganglion unilatéral. Le traitement est la trithérapie (association de 3 médicaments antituberculeux), qui vise à éviter la dissémination viscérale de l'infection.

Chancre mou

Maladie sexuellement transmissible due au bacille *Hemophilus ducreyi,* endémique dans les pays en développement. SYN. *chancrelle.*

Quelques jours après la contamination, un chancre apparaît sur la verge ou la vulve sous forme d'une élevure rougeâtre et douloureuse qui s'ulcère rapidement et se borde d'un liseré jaune et rouge. Souvent multiple par auto-inoculation, la lésion est de taille variable (de quelques millimètres à plusieurs centimètres) ; elle se complique d'une infection douloureuse des ganglions, qui se fistulisent et provoquent des abcès (bubons chancrelleux) en l'absence de traitement. Cette infection touche essentiellement l'aine gauche.

DIAGNOSTIC ET TRAITEMENT

Le diagnostic s'effectue par grattage de la lésion et examen bactériologique du prélèvement ; le traitement repose sur l'administration d'antibiotiques. L'association avec une autre maladie sexuellement transmissible doit toujours être recherchée, en particulier l'évolution parallèle d'une syphilis qui définit le chancre mixte.

Charbon

Maladie infectieuse contagieuse due à la bactéridie charbonneuse à Gram négatif *Bacillus anthracis.*

La maladie du charbon est transmise à l'homme par les animaux, principalement ovins, équins et caprins, vivants ou morts. La contamination s'effectue le plus souvent lors de la manipulation des produits d'équarrissage, par voie cutanée ou muqueuse, et parfois par inhalation ou ingestion des spores de la bactérie.

SYMPTÔMES ET SIGNES

L'incubation dure 2 ou 3 jours. L'aspect le plus caractéristique de la maladie du charbon est une pustule qui siège souvent à la face et devient vite une tuméfaction noirâtre. Cette pustule est accompagnée d'un œdème inflammatoire local important et d'une adénopathie satellite (infection des ganglions lymphatiques drainant la zone infectée). L'évolution de la pustule se fait vers une escarre, mais les formes extensives avec œdème malin, septicémiques avec état infectieux et atteinte pulmonaire, digestives ou encéphalitiques sont devenues exceptionnelles depuis l'introduction du traitement par les antibiotiques.

DIAGNOSTIC ET TRAITEMENT

Le diagnostic s'établit sur un prélèvement de la lésion ou sur une hémoculture. Le traitement antibiotique (pénicilline à forte dose), instauré d'urgence pour éviter l'extension de la maladie à l'ensemble de l'organisme, est très efficace ; il a rejeté cette affection au rang des raretés, sauf dans les pays en développement.

Charbon activé

Médicament utilisé pour ses propriétés d'adsorption (fixation par simple contact) des gaz, des liquides et des toxiques.

Le charbon est obtenu par calcination de matières d'origine animale ou végétale. Il est dit activé ou actif lorsqu'il a subi une préparation spéciale destinée à augmenter son pouvoir adsorbant. Il est administré par voie orale.

INDICATIONS

■ **En gastroentérologie,** le charbon activé est prescrit dans les cas de dyspepsie (difficultés de digestion), de météorisme (excès de gaz), de ballonnement, de colopathie fonctionnelle (troubles de fonctionnement du gros intestin), de douleurs abdominales, de diarrhées non infectieuses et pour prévenir les diarrhées dues aux antibiotiques.

■ **En toxicologie,** le charbon activé est largement utilisé pour soigner les intoxications et les surdosages médicamenteux ; grâce à sa capacité d'adsorption, il empêche les substances présentes dans le tube digestif de diffuser vers le sang et donc d'exercer leurs éventuels effets toxiques.

EFFETS INDÉSIRABLES

En général bien toléré, le charbon activé peut entraîner une coloration des selles en noir, des vomissements, une constipation. De plus, il gêne l'absorption intestinale des autres médicaments, qui doivent être administrés à distance des prises de charbon.

Charcot (Jean-Martin)

Médecin français (Paris 1825 - près du lac des Settons, Nièvre, 1893).

Fils d'un carrossier, Jean-Martin Charcot devint en 1862 chef de service à l'hôpital de la Salpêtrière, à Paris. Il y enseigna pendant vingt ans et y créa, en 1882, la première chaire au monde de clinique des maladies nerveuses. Sous son influence, la maladie mentale fut systématiquement analysée et diagnostiquée. Ses recherches sur l'épilepsie, la maladie de Parkinson, la sclérose en plaques et le tabès font de lui l'un des fondateurs de la neurologie moderne. Sigmund Freud, parmi d'autres, s'inspira de ses leçons sur l'hystérie et l'hypnose pour ses propres travaux.

Charcot (maladie de)

Affection du système nerveux central au cours de laquelle des lésions des cellules nerveuses provoquent progressivement des paralysies. SYN. *sclérose latérale amyotrophique.*

La maladie de Charcot prédomine chez l'homme. Sa répartition géographique semble uniforme, à l'exception de trois zones à haut risque : l'île de Guam dans le Pacifique, la péninsule de Kii au Japon et deux régions de Nouvelle-Guinée. Sa cause est inconnue, mais environ 5 % des cas sont héréditaires.

SYMPTÔMES ET DIAGNOSTIC

En général, on observe simultanément deux niveaux de lésions des neurones. Le niveau « central » se rapporte à certains neurones à fonction motrice du cortex cérébral. Le niveau « périphérique » concerne des neurones servant de relais aux précédents : neurones de la moelle épinière, envoyant leurs prolongements dans les nerfs des membres, et neurones de l'encéphale, envoyant leurs prolongements dans les nerfs qui commandent, par exemple, la langue ou le pharynx.

■ **Le syndrome central,** ou syndrome pyramidal, associe exagération des réflexes et hypertonie (raideur) des membres.

■ **Le syndrome périphérique,** lié aux lésions de la moelle, consiste en une amyotrophie (atrophie musculaire) et en une paralysie touchant souvent d'abord les membres supérieurs. L'atteinte des neurones de l'encéphale provoque une dysarthrie (anomalie de la voix, qui devient mal articulée, puis nasonnée), des troubles de la déglutition, une atrophie de la langue.

Le diagnostic est confirmé par l'électromyographie (enregistrement de l'activité électrique des nerfs et des muscles), qui permet aussi de dépister une atteinte de régions encore indemnes de signes cliniques.

TRAITEMENT ET PRONOSTIC

Le riluzole, qui est un antiglutamate, est proposé dans le traitement de la maladie de Charcot. Il a allongé la survie en retardant, notamment, l'apparition de complications respiratoires. La maladie, qui commence habituellement après 20 ans, évolue sur plusieurs années vers une aggravation progressive. Le décès survient notamment à cause de l'atteinte des muscles respiratoires.

Charcot-Marie (maladie de)

Affection rare des nerfs entraînant des paralysies. SYN. *maladie de Charcot-Marie-Tooth.*

La maladie de Charcot-Marie est une affection héréditaire à transmission autosomique dominante ou récessive, d'évolution très lente. Les muscles du pied et de la jambe sont touchés les premiers. On observe une amyotrophie (atrophie musculaire) progressant du bas vers le haut. De plus, le pied a tendance à tomber la pointe en bas, le malade devant lever haut la jambe à chaque pas pour ne pas heurter le sol de la pointe de son pied. La voûte plantaire se creuse, les orteils se déforment en griffes. Beaucoup plus tard, l'amyotrophie gagne les mains puis les avant-bras. A ces signes principaux peuvent s'ajouter des troubles sensitifs (perte de la sensibilité cutanée) et visuels.

Le diagnostic repose sur les signes cliniques précédents. Il est aidé par l'électromyographie (enregistrement de l'activité électrique des nerfs et des muscles) et parfois par la biopsie neuromusculaire.

ÉVOLUTION ET TRAITEMENT

La maladie de Charcot-Marie commence habituellement dans l'enfance ou l'adolescence. Son évolution est très lente, n'entraînant que très rarement un handicap véritable. Il est possible de limiter les conséquences de l'impotence (rééducation, utilisation de béquilles), mais il n'existe pas encore de traitement curatif spécifique de cette maladie.

Charnière

Région d'articulation entre deux segments d'organes. SYN. *jonction articulée.*

■ **La charnière cervico-occipitale** unit l'occipital et les deux premières vertèbres cervicales (atlas et axis). Elle permet les mouvements de la tête par rapport à la partie cervicale de la colonne vertébrale.

■ **La charnière lombosacrée** est l'articulation de la cinquième vertèbre lombaire et du sacrum. Elle soutient plus de la moitié du poids du corps.

■ **La charnière rectosigmoïdienne** est la jonction entre le côlon sigmoïde, mobile, et le rectum, fixe.

Chasse (syndrome de)

Ensemble des manifestations cliniques observées après l'absorption d'un repas chez certains sujets ayant subi une ablation de l'estomac. SYN. *dumping syndrome.*

Le syndrome de chasse est constaté chez environ 15 à 30 % des opérés gastriques, mais seulement 5 % des patients sont gravement touchés. Il est lié à l'arrivée brutale du bol alimentaire dans la première anse du jéjunum. Plusieurs mécanismes physiopathologiques (système nerveux, facteurs hormonaux, diminution du volume sanguin circulant) sont responsables des troubles, mais le processus exact est encore mal connu.

SYMPTÔMES ET SIGNES

Le signe le plus caractéristique est une asthénie (affaiblissement généralisé) intense survenant de 5 à 20 minutes après la fin du repas et obligeant le patient à se coucher. Les autres manifestations sont des troubles vasomoteurs (sueurs, pâleur, tachycardie) et digestifs (sensation de plénitude gastrique). Le malaise dure de 20 à 40 minutes et se termine souvent par une débâcle diarrhéique ou par une crise polyurique (émission d'une quantité excessive d'urine).

TRAITEMENT

Il est essentiellement diététique : fractionnement des repas (4 ou 5 repas par jour), prise des boissons en dehors des repas, exclusion des sucres rapides, qui favorisent le syndrome. Des produits ralentissant la vitesse d'absorption des sucres peuvent également être utilisés.

Check-up

→ VOIR Bilan.

Chéilite

Inflammation aiguë ou chronique de la muqueuse des lèvres.

Les chéilites ont des causes très nombreuses. Les causes externes comprennent les facteurs physiques (tic de mordillement des lèvres, appareil dentaire mal adapté, exposition au froid ou au soleil), l'utilisation de cosmétiques (rouge à lèvres, dentifrice) et de pommades antiseptiques ou antibiotiques, le contact avec certains aliments (agrumes, épices, café soluble). Les causes internes peuvent être infectieuses (mycose, infection bactérienne, syphilis), médicamenteuses (rétinoïdes prescrits contre l'acné, antibiotiques), carentielles (carence en zinc, en vitamine B2).

Par ailleurs, certaines chéilites sont des formes atténuées de maladies dermatologiques telles que l'eczéma ou le psoriasis.

Une chéilite aiguë se traduit par une rougeur, un gonflement, une sensation de brûlure. Dans la chéilite chronique, les fissures et les croûtes prédominent. Les lésions s'étendent parfois à la peau avoisinante.

DIAGNOSTIC ET TRAITEMENT
Le diagnostic est difficile ; on recherche d'abord les causes externes, puis les causes internes, enfin les causes dermatologiques. Si aucune cause n'est trouvée, le traitement est celui des symptômes et fait principalement appel aux corps gras et à la vitamine A en application locale.

Chélateur

Substance chimique permettant la neutralisation de certains métaux toxiques.

Un chélateur se combine avec un métal lourd présent dans un tissu (arsenic, chrome, cobalt, fer, mercure, or, plomb, etc.) et forme alors un complexe chimique soluble dans l'eau et éliminé dans les urines. Les chélateurs sont utilisés en thérapeutique par voie orale ou injectable pour traiter les intoxications par les métaux. Les principaux sont le dimercaprol, le calcitétracémate disodique et la déféroxamine.

Chéloïde

Bourrelet fibreux développé sur une cicatrice.

Une chéloïde apparaît en général sur une cicatrice d'intervention chirurgicale, de vaccin ou de blessure. Elle est due à la prolifération de cellules et de fibres du tissu conjonctif. Elle apparaît plus fréquemment chez les sujets noirs et asiatiques.

SYMPTÔMES ET SIGNES
Sur la cicatrice se développent un ou plusieurs bourrelets épais, fermes, rouges, souvent douloureux. Les localisations les plus fréquentes sont le lobe de l'oreille, les épaules, la face antérieure du thorax. Une chéloïde n'a pas tendance à disparaître spontanément mais, au contraire, à s'étendre et à récidiver après traitement. Elle est souvent le siège de démangeaisons, parfois d'élancements douloureux.

TRAITEMENT ET PRÉVENTION
Le traitement comprend des massages réguliers, des infiltrations de corticostéroïdes, la cryothérapie ou des cures thermales (douches filiformes à haute pression). Le résultat est un aplanissement de la lésion ou un ralentissement de son évolution. Le traitement chirurgical consiste à implanter un fil de substance radioactive ou à retirer la chéloïde au laser à gaz carbonique. Cependant, les traitements chirurgicaux doivent être conduits avec la plus grande prudence, du fait de leur efficacité partielle et de la fréquence des récidives. Le traitement préventif doit être entrepris le plus systématiquement possible. Il repose essentiellement sur la compression post-chirurgicale des incisions.

Chémosis

Gonflement œdémateux de la conjonctive.

Un chémosis se présente sous la forme d'un bourrelet infiltré de liquide. Il apparaît au cours d'inflammations aiguës de la conjonctive (conjonctivites allergiques aiguës) ou de brûlures de cette membrane. Parfois, c'est une hémorragie sous-conjonctivale qui provoque une distension de la conjonctive : il s'agit alors d'un chémosis hémorragique.

Le traitement fait appel aux anti-inflammatoires locaux.

Chevauchement

Superposition anormale de deux éléments anatomiques.

Le terme de chevauchement s'emploie particulièrement dans le cas de certaines fractures des os : l'une des extrémités de l'os fracturé ne reste pas dans l'alignement, mais se déplace sur le côté, puis vient se placer le long de l'autre extrémité.

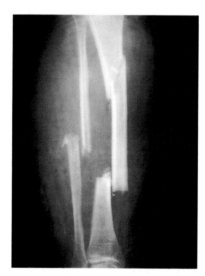

Chevauchement. *Les fragments fracturés du tibia (à droite), comme ceux du péroné (à gauche), se sont déplacés en se juxtaposant sur une certaine longueur.*

Cheveu

Poil de grande longueur implanté sur la peau du crâne, dite cuir chevelu.

Cheville

Segment du membre inférieur qui unit la jambe au pied, formé par l'articulation tibiotarsienne et les tissus qui l'entourent. SYN. *cou-de-pied.* (P.N.A. *regiones malleolares*)

La cheville est formée par 3 os : les malléoles interne (extrémité inférieure du tibia) et externe (extrémité inférieure du péroné) et l'astragale (os du pied), qui s'appuie sur le calcanéum. Le tendon d'Achille est situé sur la face postérieure de la cheville.

L'articulation de la cheville permet d'effectuer des mouvements de flexion, d'extension et de très légers mouvements latéraux.

PATHOLOGIE
La cheville subit souvent des traumatismes : entorse et fracture de Dupuytren.

■ **L'entorse** est due à un mouvement forcé du pied en dedans, qui engendre une élongation ou une rupture des faisceaux du ligament latéral externe.
■ **La fracture de Dupuytren,** due à un mouvement forcé du pied en dehors, est une fracture bimalléolaire qui requiert une réduction d'urgence pour éviter une déformation persistante.

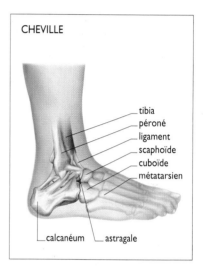

CHEVILLE

tibia
péroné
ligament
scaphoïde
cuboïde
métatarsien

calcanéum — astragale

Cheyne-Stokes (dyspnée de)

Trouble de la fréquence et de l'amplitude respiratoires.

La dyspnée de Cheyne-Stokes est caractérisée par une suite de cycles respiratoires d'amplitude croissante puis décroissante, séparés les uns des autres par une période d'apnée (arrêt respiratoire). Après une pause respiratoire de quelques secondes ou plus, la respiration reprend lentement, son rythme s'accélère progressivement, son amplitude devient de plus en plus intense et elle devient bruyante et pénible. Enfin, symétriquement, le rythme et l'amplitude respiratoires diminuent pour aboutir à une nouvelle apnée. La dyspnée de Cheyne-Stokes est physiologiquement normale chez le nouveau-né et le nourrisson. En pathologie, elle peut être la conséquence d'une insuffisance rénale sévère, d'un fonctionnement anormal du centre respiratoire bulbaire (accident vasculaire cérébral, traumatisme crânien) ou d'une intoxication médicamenteuse.

Chiasma optique

Croisement en X des voies optiques (ensemble des neurones qui conduisent l'influx nerveux de la rétine au lobe occipital) dans l'encéphale. (P.N.A. *chiasma opticum*)

Le chiasma optique est situé à la base du cerveau, juste au-dessus de l'hypophyse. Sa compression, due, par exemple, à une tumeur de l'hypophyse, peut provoquer une perte partielle de la vision, appelée hémianopsie bitemporale : le sujet, alors, ne voit plus sur les côtés de son champ visuel.

Chimère

Organisme constitué de deux ou, plus rarement, de plusieurs variétés de cellules ayant des origines génétiques différentes.

Les chimères sont difficiles à obtenir étant donné les phénomènes de rejet entre groupes cellulaires différents. Des chimères stables mélangeant la caille et le poulet ont cependant déjà été réalisées.

Chez l'homme, les hétérogreffes (greffe d'un organe animal, par exemple d'un cœur de babouin, sur un homme), qui, au sens strict, forment un homme chimère, ne donnent pas encore de bons résultats. Elles devraient permettre dans l'avenir, grâce aux progrès de la lutte contre le rejet, de pallier la pénurie de dons d'organes.

Chimionucléolyse

→ VOIR Nucléolyse.

Chimioprévention

→ VOIR Chimioprophylaxie.

Chimioprophylaxie

En pathologie infectieuse, la chimioprophylaxie correspond à un usage préventif de médicaments anti-infectieux, antibiotiques ou non. SYN. *chimioprévention*.

Chimiothérapie anticancéreuse

Traitement médicamenteux qui a pour but d'éliminer les cellules cancéreuses dans l'ensemble des tissus.

Différents types de médicament

Plusieurs milliers de substances naturelles ou synthétiques ont été testées en laboratoire, en particulier sur les animaux. Mais une cinquantaine seulement d'agents anticancéreux sont aujourd'hui utilisés chez l'être humain, depuis l'emploi des moutardes azotées en 1942. Les médicaments anticancéreux atteignent les cellules ayant commencé un cycle cellulaire, période où une cellule se prépare à subir une mitose (division cellulaire). Certains d'entre eux, agissant sur une phase précise du cycle, sont dits phase-dépendants.

À l'intérieur de ce cadre général, le mécanisme d'action exact des médicaments anticancéreux est le plus souvent connu et sert de base à leur classification.

■ Les antimétabolites (fluoro-uracile, méthotrexate, 6-mercaptopurine, nitroso-urées) bloquent la synthèse de l'A.D.N.

■ Les médicaments agissant sur l'A.D.N. préformé sont les agents alkylants (cyclophosphamide, ifosfamide, melphalan, mitomycine C, sels de platine) ; les agents intercalants (anthracyclines et anthracènedione), qui se fixent entre les 2 brins de l'A.D.N. et interagissent avec la topo-isomérase II, enzyme nécessaire à la structure normale de l'A.D.N. ; la bléomycine, qui provoque des cassures de l'A.D.N.

■ Les médicaments antimitotiques : alcaloïdes de la pervenche (vincristine, vinblastine, vindésine, vinorelbine) et taxanes (dérivés de l'if), appelés poisons du fuseau, empêchent la division cellulaire.

■ D'autres médicaments sont les dérivés de la podophyllotoxine (téniposide, vepéside), qui entraînent des cassures de l'A.D.N. et interagissent avec la topo-isomérase II ; la procarbazine, qui agit sur l'A.R.N. de transfert ; enfin, l'actinomycine D, qui agit sur l'A.R.N. messager.

Différents types de traitement

Parmi les critères de choix d'un médicament, on doit tenir compte de la sensibilité ou de la résistance spontanée du cancer à traiter. Le degré de sensibilité dépend surtout du type de tissu (pulmonaire, mammaire). D'autres facteurs peuvent intervenir, tels qu'une faible irrigation vasculaire de la tumeur, diminuant l'arrivée des médicaments contenus dans le sang, ou une réparation par les cellules cancéreuses des lésions de leur A.D.N. dues au médicament.

Il faut tenir compte également de la faible efficacité de la monochimiothérapie (traitement par un seul médicament). Le plus souvent, on pratique une polychimiothérapie en associant plusieurs médicaments. Les produits employés ont des mécanismes d'action différents, de sorte que l'on observe une efficacité globale supérieure à celle de chaque produit. Par ailleurs, pour éviter une toxicité cumulative, on ne prescrit pas à un malade plusieurs médicaments ayant un effet toxique important sur le même organe.

Il existe encore d'autres critères de choix des médicaments, comme l'âge du patient et ses maladies, antérieures ou actuellement associées au cancer, qui peuvent constituer une contre-indication à certains produits.

Quant au mode d'administration des médicaments, on distingue la voie générale, qui agit d'une façon très diffuse dans l'organisme, et la voie locorégionale, qui ne concerne que la tumeur ou la région du corps où elle se trouve.

TRAITEMENT PAR VOIE GÉNÉRALE

Il peut être soit oral soit injectable. L'administration se fait soit par cures de un ou de plusieurs jours, à intervalles réguliers (tous les mois, par exemple), soit en continu, pendant de longues périodes. Le traitement a lieu essentiellement en milieu hospitalier.

La chimiothérapie anticancéreuse peut être associée à l'hormonothérapie, dans les cancers hormonodépendants (sein, corps de l'utérus, prostate), pour agir conjointement sur les cellules non hormonosensibles et les cellules hormonosensibles.

Le traitement par voie générale peut également être associé à un traitement locorégional non médicamenteux, par radiothérapie ou chirurgie. Lorsqu'il est associé à une radiothérapie, il permet d'amplifier les effets toxiques sur les cellules cancéreuses. Dans d'autres cas, le traitement par voie générale autorise une ablation chirurgicale jugée initialement impossible ou difficile, car il diminue, par exemple, le volume de la tumeur. Par ailleurs, le traitement par voie générale est le seul à pouvoir détruire d'éventuelles métastases, cellules cancéreuses disséminées parfois très à distance dans l'organisme.

TRAITEMENT PAR VOIE LOCORÉGIONALE

Certains médicaments anticancéreux peuvent être administrés dans les séreuses (plèvre, péricarde, péritoine) ou dans la vessie. Par ailleurs, dans certains cancers oto-rhino-laryngologiques et certains cancers des membres, du bassin ou du foie, le médicament peut être injecté dans l'artère qui irrigue la région où se trouve la tumeur. Cela permet d'atteindre de fortes concentrations locales sans que le produit disséminé dans l'organisme. Dans la plupart des cas, le traitement, par cures répétées, est commencé à l'hôpital et peut être poursuivi, sous surveillance médicale, à domicile.

Effets indésirables

Les médicaments anticancéreux n'agissent malheureusement pas uniquement sur les cellules tumorales. Ils sont également toxiques pour les cellules normales à renouvellement rapide (cellules sanguines ou digestives) et pour certains organes. Cette toxicité peut être immédiate, apparaissant au moment même de l'administration ; elle peut être décalée de plusieurs jours par rapport au traitement, par atteinte des tissus à renouvellement rapide, ou encore retardée en fonction des doses, pour certains médicaments ayant une toxicité d'organe particulière.

TOXICITÉ SANGUINE

Tous les médicaments anticancéreux, excepté la bléomycine, sont toxiques pour les cellules sanguines. L'atteinte des cellules sanguines en cours de formation dans la moelle osseuse se traduit dans la circulation du sang par une diminution des globules blancs et une diminution des plaquettes, la première étant responsable d'infections, la seconde, d'hémorragies, qui surviennent de 10 à 14 jours après le début du traitement.

Ces inconvénients peuvent aujourd'hui être diminués par la prise d'autres médicaments, les facteurs de croissance cellulaire, destinés à accélérer la formation des cellules sanguines dans la moelle osseuse. C'est surtout la formation des globules blancs qui est stimulée par ces médicaments, celle des plaquettes l'étant peu. Ils réduisent l'apparition de complications infectieuses et leur gravité ; leur efficacité, actuellement limitée, devrait s'améliorer dans un proche avenir. Leur administration se fait par voie injectable. La pratique de greffes de moelle, associées ou non à ces médicaments, permet aujourd'hui la réalisation de chimiothérapies à doses plus importantes.

La réparation médullaire, spontanée ou aidée par les facteurs de croissance, permet la reprise d'un traitement anticancéreux après une interruption de 21 à 28 jours, selon les médicaments et les associations utilisés.

TOXICITÉ DIGESTIVE

Les sels de platine sont les médicaments les plus toxiques pour l'appareil digestif. Toutefois, les nausées et les vomissements qu'ils provoquent ne sont plus un obstacle à la chimiothérapie : associés systématiquement aux médicaments les plus vomitifs, des antiémétiques de la famille des antisérotonines suppriment en partie ces réactions chez la plupart des patients.

AUTRES TOXICITÉS

Il s'agit d'effets indésirables immédiats, concernant des tissus à renouvellement rapide (cheveux, muqueuse orodigestive, vessie), ou d'effets secondaires retardés, propres à certains organes. Ils nécessitent une surveillance régulière et sont pris en compte dans le choix des médicaments. Ils peuvent imposer l'arrêt transitoire ou définitif du traitement en cause.

■ **Des atteintes neurologiques** peuvent se produire. Des cas de neuropathies, touchant plus les membres inférieurs que les membres supérieurs, ainsi que des pertes du goût et de la sensibilité ont été observés lors de traitements prolongés par les sels de platine. De telles atteintes sont réversibles.

■ **La chute des cheveux** est fréquente au cours des chimiothérapies anticancéreuses. Les anthracyclines, les alcaloïdes de la pervenche, les dérivés de la podophyllotoxine en sont responsables. Cette chute des cheveux est réversible après l'arrêt du traitement. Toutefois, elle peut être enrayée par la pose d'un casque réfrigérant pendant tout le temps de la perfusion. Le froid provoque une vasoconstriction du cuir chevelu qui limite l'arrivée du produit.

■ **Les effets sur le cœur** consistent en troubles du rythme cardiaque dans les heures qui suivent le traitement par les anthracyclines. Dans le cas de patients soignés avec de très fortes doses du produit, une insuffisance cardiaque sévère, rebelle aux traitements habituels, peut s'installer. Aussi les malades traités par anthracyclines font-ils l'objet de contrôles fréquents de la fonction cardiaque.

■ **Les effets sur les gonades** (cellules sexuelles) sont une stérilité qui justifie qu'un patient en âge de procréer envisage la conservation de son sperme avant le démarrage du traitement.

■ **La peau et les muqueuses** peuvent être atteintes : le fluoro-uracile provoque des réactions érythémateuses (rougeurs) sur la peau saine ; le méthotrexate entraîne un érythème et des ulcérations de la bouche ou de la peau et la bléomycine, des lésions des muqueuses ou de la peau. Toutes ces réactions régressent spontanément dès l'arrêt du traitement.

■ **Les effets sur les poumons** sont des fibroses pulmonaires irréversibles, provoquées par la bléomycine, en particulier chez les personnes âgées ou lorsque le médicament est associé à une radiothérapie. Les malades soignés avec le méthotrexate risquent un pneumothorax (pénétration d'air dans la cavité pleurale), qui est curable en dehors du traitement.

■ **Les effets sur les reins** succèdent à la prise de mitomycine : on constate parfois une augmentation du taux de créatinine dans le sang, indiquant le degré d'insuffisance rénale. L'atteinte rénale (œdèmes, crises d'urémie) due aux sels de platine est liée au dosage de ces médicaments. De tels troubles sont réversibles.

RÉSISTANCE AU TRAITEMENT

Il arrive également qu'apparaisse en cours de traitement, lors d'une chimiothérapie, une résistance du patient à plusieurs médicaments. Ce phénomène s'observe à l'égard des alcaloïdes de la pervenche, des dérivés de la podophyllotoxine, des anthracyclines et des taxanes. Il suffit que le malade ait été traité par un seul de ces médicaments pour qu'il développe une résistance aux quatre. Plusieurs produits peuvent renverser cette tendance : vérapamil, tamoxifène, ciclosporine.

Toutefois, lorsqu'une telle résistance se produit, il est souvent nécessaire de changer de traitement et d'avoir recours à des médicaments ayant un mode d'action différent.

Chimiothérapie anti-infectieuse

Traitement d'une infection par un médicament issu de la synthèse chimique, comme un sulfamide ou l'isoniazide.

En pathologie infectieuse, on distingue la chimiothérapie anti-infectieuse de l'antibiothérapie, qui traite par les antibiotiques, par exemple la pénicilline, issus d'organismes vivants végétaux.

Cependant, cette classification n'a guère de conséquences pratiques, les règles d'usage étant les mêmes pour les deux catégories de médicaments et les résistances bactériennes s'exprimant de la même façon dans les deux cas. De plus, la frontière entre médicaments anti-infectieux organiques et chimiques est floue, les molécules antibiotiques faisant de plus en plus l'objet de modifications artificielles de structure.

Chiropractie, ou Chiropraxie

Méthode de traitement paramédicale reposant sur la manipulation des vertèbres. SYN. *vertébrothérapie.*

La chiropractie est fondée sur une théorie empirique selon laquelle la plupart des maladies seraient dues à des déplacements vertébraux entraînant une détérioration de la fonction nerveuse normale. Elle prétend agir sur les troubles fonctionnels des différents appareils (respiratoire, cardiovasculaire) et sur certaines douleurs (vertébrales, thoraciques, abdominales ou pelviennes) par des manipulations brèves et brusques soit sur la vertèbre en cause, soit sur le cou, le tronc ou les membres. Ces manipulations, qui exagèrent le jeu physiologique de la vertèbre, sont critiquées pour les effets qu'elles peuvent entraîner. En France, la chiropractie est pratiquée par des non-médecins et le diplôme de chiropracteur n'est pas reconnu. Dans certains pays, il existe un diplôme d'État.

Chirurgie

Discipline médicale spécialisée dans le traitement des maladies et des traumatismes, qui consiste à pratiquer, manuellement et à l'aide d'instruments, des actes opératoires sur un corps vivant.

HISTORIQUE

La découverte, dans des gisements néolithiques, de crânes trépanés et cicatrisés - preuve que les opérations avaient eu lieu sur des sujets en vie - témoigne de l'ancienneté de certaines pratiques. Nombre de peuples de l'Antiquité, tels les Égyptiens, les Romains

Chirurgie. *La table d'opération est éclairée par un dispositif spécial ; autour, les intervenants, qui sont vêtus de blouses, de bonnets et de masques stériles réservés au bloc. On aperçoit, à gauche, des instruments sur un plateau et, à droite, une potence de perfusion.*

ou encore les Indiens du début de notre ère, possédaient des chirurgiens fort habiles. Au Moyen Âge pourtant, l'Occident chrétien interdit la dissection des cadavres et réunit chirurgiens et barbiers, dont les fonctions ne sont pas distinguées, dans un même corps d'état, celui des barbiers chirurgiens. Pendant la Renaissance, le progrès spectaculaire des connaissances en anatomie et l'affaiblissement du tabou de la dissection vont permettre aux chirurgiens - le Français Ambroise Paré (1509-1590) étant le plus illustre - de perfectionner considérablement leurs méthodes et leurs instruments. Aux XVIIᵉ et XVIIIᵉ siècles ainsi qu'au début du XIXᵉ siècle, des progrès continuent à être réalisés. Cependant, les interventions chirurgicales restent très limitées, car la mortalité par infection est encore très importante et les opérations sont un véritable supplice pour les patients puisqu'elles se font sans anesthésie. La découverte des propriétés anesthésiques de l'éther (1846), puis celle de l'antisepsie (1867) vont enfin permettre à la chirurgie de prendre son essor.

Depuis, celle-ci a bénéficié de l'accumulation des connaissances des chirurgiens et des autres spécialistes, particulièrement des anesthésistes et des immunologistes. Dans le même temps sont apparus des matériaux très élaborés et des techniques de plus en plus sophistiquées. C'est ainsi qu'est devenu possible le remplacement d'organes (cœur, foie, rein, poumon) ou de tissus, par greffe ou par implantation de prothèses.

INDICATIONS

Les applications de la chirurgie peuvent se classer de la manière suivante :
- correction des conséquences des traumatismes osseux, articulaires et viscéraux ;
- traitement de lésions infectieuses (abcès, ostéites, arthrites, péritonites) ;
- ablation de tumeurs bénignes ou malignes ;
- lutte contre les effets des troubles métaboliques (ablation de calculs urinaires), neurologiques (libération de nerf en cas de douleur) ou endocriniens (ablation de la glande thyroïde pour traiter la maladie de Basedow) ;
- correction de malformations de membres ou d'organes, en particulier du cœur ;
- remplacement d'organes déficients (rein, cœur, foie, poumons).

DIFFÉRENTS TYPES DE CHIRURGIE

Le champ de la chirurgie recouvre les champs de nombreuses spécialités médicales, avec la chirurgie digestive, l'orthopédie et la traumatologie, l'urologie, la chirurgie infantile, la gynécologie, la neurochirurgie, auxquelles sont venues s'ajouter les chirurgies plastique, cardiaque, vasculaire, thoracique et endocrinienne ; l'ophtalmologie, l'oto-rhino-laryngologie et la chirurgie dentaire (ou odontologie) sont assimilées à des spécialités chirurgicales.

La petite chirurgie, enfin, concerne des actes chirurgicaux simples, pratiqués sans anesthésie ou sous anesthésie locale, dont certains sont facilement réalisables par un médecin non-chirurgien : incision d'un abcès, suture d'une plaie, ablation d'une petite tumeur superficielle.

→ VOIR Chirurgie cardiovasculaire, Chirurgie esthétique, Chirurgie ophtalmologique, Chirurgie pleuropulmonaire, Chirurgie réparatrice, Neurochirurgie, Odontologie, Psychochirurgie.

Chirurgie cardiovasculaire

Chirurgie destinée à traiter les maladies du cœur et des vaisseaux.

Les progrès réalisés dans les dernières décennies ont grandement facilité les interventions de chirurgie cardiovasculaire, bien qu'il s'agisse encore d'opérations longues et relativement lourdes.

DIFFÉRENTS TYPES DE CHIRURGIE CARDIOVASCULAIRE

■ **La chirurgie coronaire** traite les lésions des artères coronaires, responsables d'un angor grave. L'intervention, réalisée pour la première fois en 1967, consiste en un pontage de ces artères. Il s'agit de court-circuiter un rétrécissement artériel en utilisant un vaisseau non atteint, par exemple une veine des membres inférieurs : une extrémité du morceau de veine à greffer est branchée en amont du rétrécissement, une autre en aval. Le sang peut circuler ainsi de nouveau sans difficulté.

■ **La chirurgie des cardiopathies congénitales** a pour but de refermer des communications anormalement persistantes ou anormalement développées entre les cavités cardiaques, ou bien de restaurer le branchement normal de certains vaisseaux. Certaines interventions ont lieu dès la naissance.

■ **La chirurgie péricardique** est utile lorsque le cœur est comprimé soit par une quantité importante de liquide, soit par un péricarde (enveloppe du cœur) rigide. Elle permet d'évacuer ce liquide ou de retirer une partie du péricarde.

■ **La chirurgie valvulaire** consiste à remplacer une valvule cardiaque abîmée par une valvule artificielle ou à la réparer lorsque c'est possible (valvuloplastie mitrale). Deux types de valvule artificielle existent : des prothèses biologiques fabriquées à partir de tissus animaux ou humains et reproduisant l'anatomie naturelle d'une valvule ; des prothèses mécaniques, à disque, à bille ou à ailettes, qui sont plus durables mais qui nécessitent un traitement anticoagulant à vie pour éviter la formation de caillots à leur contact.

■ **La transplantation, ou greffe cardiaque,** est effectuée en cas d'atteinte cardiaque trop sévère pour qu'il y ait amélioration par chirurgie cardiaque classique ou traitement médicamenteux. Elle consiste à remplacer l'organe déficient par un cœur sain.

TECHNIQUE

Afin de faciliter le geste chirurgical, il est nécessaire de stopper les contractions cardiaques par un refroidissement significatif de l'organisme humain. Pendant l'opération, la circulation sanguine dans le reste du corps est assurée par un système permettant au sang veineux d'être enrichi en oxygène lors de son passage au travers d'un oxygénateur extérieur, puis le sang est réinjecté dans les artères au moyen d'une pompe. Après l'intervention, le cœur est réchauffé, les battements cardiaques reprennent et la circulation interne peut de nouveau être assurée.

Chirurgie dentaire
→ VOIR Odontologie.

Chirurgie esthétique

Spécialité chirurgicale regroupant l'ensemble des interventions consistant à améliorer l'apparence physique d'un individu.

INDICATIONS

La chirurgie du visage permet d'opérer le nez (rhinoplastie), les paupières (blépharoplastie), le menton (génioplastie), les oreilles décollées, la calvitie (microgreffe ou lambeaux) et de modifier la forme des mâchoires, des pommettes et du crâne (chirurgie maxillofaciale et craniofaciale). La chirurgie de la silhouette traite les seins (notamment par la pose de prothèses, pour augmenter le galbe mammaire), le ventre, les bras, les fesses, les cuisses, les genoux et les mollets (par réinjection de graisse par filling ou aspiration par liposuccion). Les liftings permettent de rajeunir le visage et de raffermir les cuisses, les fesses, les bras et les mains. La dermabrasion atténue les cicatrices par meulage.

PRÉPARATION ET DÉROULEMENT

Un entretien permet au chirurgien de déterminer les motivations de son patient et de lui expliquer clairement le déroulement de l'intervention, les risques de complications ainsi que les limites de l'opération. Il est suivi d'un examen médical, afin de déterminer le mode d'anesthésie à employer (anesthésie locale, locorégionale ou générale). D'autres examens peuvent être utiles : radiographie ou scanner, notamment pour étudier la cloison nasale ; imagerie par résonance magnétique (I.R.M.) pour dépister les excédents graisseux des chevilles, des genoux, etc. Une consultation psychiatrique se révèle parfois indispensable.

Pour les interventions mineures, l'hospitalisation de jour est suffisante. En revanche, les risques de complications postopératoires sérieuses imposent une hospitalisation plus longue en cas d'anesthésie générale ou d'anesthésie locale potentialisée (renforcée par des neuroleptiques) se prolongeant plus d'une demi-heure.

ÉVOLUTION

Le résultat d'une intervention de chirurgie esthétique évolue au fil de la cicatrisation, qui dure un an en moyenne. On peut dépister les complications immédiates dès le deuxième jour. Au bout de dix jours, on effectue un premier bilan. À la troisième semaine, le résultat devient esthétiquement acceptable. Les stigmates de l'opération ont en général disparu au bout de deux mois ; il faut alors surveiller les cicatrices, qui peuvent subir une transformation hypertrophique, voire chéloïdienne (avec un relief très accentué). Six mois après l'opération subsistent parfois quelques cicatrices, un petit œdème et une induration. C'est un an après l'acte opératoire qu'a lieu le dernier bilan. S'il persiste des anomalies, c'est à ce moment qu'une retouche ou une reprise opératoire pourra être proposée.

COMPLICATIONS
Une paralysie provoquée par la section d'un petit nerf, exceptionnellement d'une branche importante, peut se manifester immédiatement après l'opération. Un hématome survient parfois soit immédiatement après l'opération, soit dans les trois ou quatre jours qui suivent. On distingue les petits hématomes (ecchymoses), qui se résorbent spontanément, des hématomes importants qui entraînent la formation d'une poche de sang et doivent être drainés par ponction ou par incision chirurgicale. L'infection est une complication rare et le plus souvent locale. Enfin, il existe des complications spécifiques : enkystement ou allergie au silicone après la pose d'une prothèse mammaire, troubles de la cicatrisation cutanée après un lifting, ou encore ectropion (renversement de la paupière inférieure, qui perd ainsi son contact avec le globe oculaire et laisse voir une partie de sa face interne) pour la blépharoplastie.

ÉCHECS
Ils sont rares. On admet qu'il existe 1 % de vices de cicatrisation ou d'autres problèmes mineurs, les complications plus graves ne représentant pas plus de 1 cas pour 1 000 opérations. Cependant, les cas d'insatisfaction du patient, qui juge le résultat insuffisant, inacceptable ou qui conteste la nécessité de l'intervention, sont beaucoup plus fréquents. Le plus souvent, ils sont dus à un manque d'information préalable ou à un suivi postopératoire insuffisant.

TRAITEMENT DES COMPLICATIONS ET DES ÉCHECS
Une complication mineure peut conduire à une simple retouche chirurgicale. Dans d'autres cas, une véritable réintervention est nécessaire. Les fautes sérieuses imputables à un chirurgien doivent être réparées et éventuellement indemnisées.

Chirurgie ophtalmologique
Spécialité chirurgicale traitant les maladies du globe oculaire et de ses annexes (muscles oculomoteurs, paupières).

INDICATIONS
La chirurgie ophtalmologique peut se diviser en trois secteurs en fonction de la région de l'œil traitée :

■ **La chirurgie du segment antérieur** se pratique en cas de lésions de la cornée, de l'iris ou du cristallin : cataracte (opacification du cristallin), atteintes de la cornée (myopies fortes), glaucome (augmentation de la pression intraoculaire).

■ **La chirurgie du segment postérieur** traite essentiellement le décollement de la rétine : séparation des deux feuillets de la rétine sous l'effet du passage de liquide vitréen.

■ **La chirurgie des annexes** intervient notamment sur les muscles oculomoteurs (situés entre le globe oculaire et les os de l'orbite), en particulier au cours des strabismes, et sur les paupières en cas d'anomalie : ptosis (chute de la paupière supérieure),

De la simple manipulation de petits instruments, sous anesthésie locale, à une opération de plusieurs heures sur différents points du corps, les interventions à but esthétique sont d'importance très variable et utilisent des moyens plus ou moins sophistiqués. Certaines de ces interventions, en raison des profondes répercussions qu'elles peuvent avoir (il arrive que le sujet ne se reconnaisse pas), nécessitent une évaluation anatomique et psychologique préopératoire.

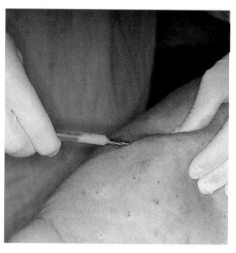

La lipoaspiration, ou liposuccion, consiste à aspirer la graisse sous-cutanée en excès au moyen d'un tube fin que l'on introduit à travers la peau.

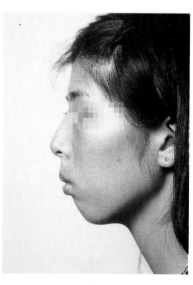

La chirurgie de correction permet notamment de modifier, comme chez cette jeune femme, la forme du nez ou du menton.

L'arête du nez a été redressée et le menton est devenu plus saillant, modifiant très nettement l'aspect général du visage.

ectropion (renversement d'une paupière vers l'extérieur), entropion (renversement vers l'intérieur), tumeur.

TECHNIQUES
On distingue la chirurgie à globe ouvert (ouverture de la coque externe de l'œil), caractérisée par un risque infectieux plus élevé et une cicatrisation lente, de la chirurgie à globe fermé, qui concerne les opérations des annexes du globe oculaire, par exemple.

Quelle que soit la technique employée, la chirurgie ophtalmologique requiert toujours une anesthésie. L'anesthésie locale, suffisante lors d'opérations des paupières, se fait par injection d'un anesthésique juste à l'endroit à opérer. L'anesthésie régionale se pratique lors d'interventions nécessitant une insensibilisation de tout l'œil ; elle s'obtient par injection d'un anesthésique à proximité des nerfs, en arrière de l'œil. L'anesthésie générale est systématique chez les enfants

et fréquente dans les interventions portant sur le segment postérieur ou sur les muscles.

La chirurgie ophtalmologique, délicate et précise, a beaucoup bénéficié du microscope opératoire (microchirurgie).
→ VOIR Laser.

Chirurgie orthopédique
Spécialité chirurgicale traitant les maladies, les accidents et les déformations de l'appareil locomoteur (os, articulations, ligaments, tendons, muscles).

La chirurgie orthopédique était limitée à ses débuts au seul traitement des fractures. En même temps que celui-ci s'améliorait, l'accumulation des connaissances chirurgicales et le développement des nouveaux matériaux et des appareils permettaient des progrès importants dans différents domaines : les prothèses articulaires, les greffes osseuses et la chirurgie endoscopique.

■ **Les prothèses articulaires** permettent de remplacer en partie ou totalement une articulation malade (arthroplastie). Elles sont indiquées, par exemple, en cas d'arthrose évoluée ayant détruit les surfaces d'une articulation. Les articulations qui peuvent être remplacées sont surtout celles de la hanche et du genou, mais aussi celles de l'épaule et du coude. La technique générale consiste à découper chacun des deux os à proximité de sa surface articulaire, laquelle est éliminée et remplacée par une prothèse dont la surface a une forme équivalente. La prothèse tient grâce à sa forme (par emboîtement sur l'os) et grâce à une ou plusieurs tiges plus ou moins longues qui s'enfoncent dans l'os. De plus, la pose d'un ciment entre la prothèse et l'os renforce la solidité. Les matériaux constituant les surfaces sont le plus souvent l'acier inoxydable (pour l'une des surfaces) et le polyéthylène de haute densité (pour la deuxième surface) ; les couples alumine/alumine ou alumine/polyéthylène sont d'utilisation plus récente. Les parties non frottantes telles que les tiges sont en métal, le plus souvent en vitallium forgé ou en acier inoxydable, plus récemment en alliage de titane.

■ **Les greffes osseuses**, pratiquées depuis longtemps, sont indiquées pour combler la perte d'un fragment osseux dans différentes situations, par exemple après l'ablation d'une tumeur osseuse ou quand un os a été opéré plusieurs fois à la suite d'un traumatisme ou d'une malformation grave. Les indications de la greffe osseuse s'étendent aujourd'hui à des régions de plus en plus grandes : tibia, extrémité supérieure du fémur, os d'une moitié du bassin. Ces opérations, très lourdes, entraînent parfois des complications graves, mais elles s'adressent à des malades qui, sans ces interventions, devraient être amputés.

■ **La chirurgie endoscopique** est indiquée pour égaliser une surface articulaire endommagée par l'arthrose, retirer un fragment de ménisque ou un corps étranger, ou encore réparer un ligament. Les interventions concernent surtout le genou, mais aussi l'épaule. Elles se pratiquent au moyen d'un endoscope (tube muni d'un système optique) contenant de petits instruments chirurgicaux, introduit par de petites incisions. La convalescence est plus courte et moins compliquée qu'après un acte de chirurgie conventionnelle.

Chirurgie pleuropulmonaire

Chirurgie destinée à diagnostiquer et à traiter certaines maladies du poumon et de la plèvre.

■ **La thoracotomie** est l'ouverture de la cage thoracique par voie intercostale ; le plus souvent postérieure et latérale, elle permet différents types d'intervention : biopsies de la plèvre et du poumon ; ablation de tout ou partie d'un poumon, pratiquée en cas de cancer bronchopulmonaire ou tumeur bénigne ; interventions sur la plèvre (décortication, instillation de substances), dans le traitement des pleurésies purulentes et des pneumothorax (présence d'air dans la plèvre). Les greffes cardiopulmonaires ou pulmonaires (concernant un poumon ou les deux) sont réservées aux formes graves des fibroses (développement diffus d'un tissu fibreux dans les poumons), de la mucoviscidose, de l'emphysème.

■ **L'endoscopie chirurgicale** consiste à introduire un endoscope (tube muni d'un système optique et de petits instruments chirurgicaux) dans une cavité du corps par une courte incision. Deux techniques sont utilisées, en fonction des cas :
- la thoracoscopie, ou pleuroscopie, qui permet, après incision intercostale et création d'un pneumothorax (insufflation d'air dans la plèvre), de voir la plèvre et, le cas échéant, d'effectuer une biopsie de la plèvre et du poumon ;
- la médiastinoscopie, qui consiste à faire passer l'endoscope par une incision pratiquée au-dessus du sternum ; elle permet de compléter le diagnostic des anomalies des ganglions lymphatiques du thorax.

Chirurgie réparatrice

Spécialité chirurgicale regroupant l'ensemble des interventions consistant à réparer diverses lésions du corps humain.

BRÛLURES

La chirurgie des brûlures, par greffe de peau prélevée sur le sujet, a récemment fait de très grands progrès. En effet, il est désormais possible de fabriquer de l'épiderme par culture tissulaire : en prélevant 1 centimètre carré de peau saine, on peut ainsi développer en 3 semaines jusqu'à 1 mètre carré de surface neuve.

ESCARRES

Fréquentes chez les patients dans le coma, paralysés ou simplement alités, elles sont dues à la compression prolongée des tissus sous le poids du malade et peuvent affecter non seulement la peau mais également l'os et les articulations sous-jacentes. Elles se traitent par greffe de lambeaux musculaires ou musculo-cutanés.

TUMEURS SUPERFICIELLES

Elles se traitent par ablation. L'importance de celle-ci est déterminée d'après une biopsie (examen préliminaire permettant de connaître la nature de la tumeur par examen au microscope). L'ablation, lorsqu'elle est importante, fait intervenir des techniques sophistiquées de chirurgie réparatrice, voire de microchirurgie, pour réduire au minimum le préjudice esthétique.

TRAUMATISMES DE LA FACE

Ces traumatismes sont le plus souvent liés à des accidents domestiques, à des accidents de la route, à des agressions. La chirurgie réparatrice permet de limiter le préjudice esthétique. Elle fait appel à diverses techniques : greffe, plastie osseuse, suture d'un lambeau de peau arraché, etc.

TRAUMATISMES DES MEMBRES

Ces traumatismes se traitent par des greffes de lambeaux musculocutanés ou cutanés et, au besoin, par des techniques de microchirurgie, qui permettent notamment de réimplanter un membre sectionné. Une bonne vascularisation et une continuité osseuse solide sont nécessaires à la réparation correcte d'un membre. Si ces principes sont respectés, la reconstruction dure le plus souvent entre 2 et 6 mois. Sinon, des handicaps importants peuvent subsister et certaines réparations s'étaler sur plusieurs années, aboutissant à un résultat insatisfaisant, voire à une amputation.

MALFORMATIONS CONGÉNITALES

Les malformations congénitales (principalement les fentes des lèvres, du palais et de la face, ainsi que les malformations de l'abdomen, des organes génitaux, de la vessie et des membres) relèvent de la chirurgie réparatrice.

La chirurgie fœtale, qui consiste à opérer le fœtus dans le ventre de la mère, permet de les prévenir. Elle suppose l'établissement d'un diagnostic parfait par échographie durant la grossesse.

CHIVA

→ VOIR Cure hémodynamique de l'incontinence valvulaire en ambulatoire.

Chlamydia

Bactérie responsable de nombreuses affections génitales, oculaires et respiratoires aiguës et chroniques.

On doit reconnaître aux bactéries du genre *Chlamydia* une importance pathologique de plus en plus grande. Elles sont notamment la cause la plus fréquente de cécité dans le monde et la première cause de stérilité féminine. Il en existe trois espèces pathogènes pour l'homme, *Chlamydia trachomatis,* responsable d'infections génitales et oculaires (trachome), *Chlamydia psittaci,* responsable d'infections pulmonaires, et *Chlamydia pneumoniæ,* responsable de pneumopathies et de bronchites.

Maladies sexuellement transmissibles à chlamydia

Ce sont les plus fréquentes des maladies sexuellement transmissibles. L'infection se manifeste chez l'homme par une urétrite (inflammation de l'urètre) avec écoulement, se compliquant parfois d'une épididymite (infection de l'épididyme). Chez la femme, elle provoque une cervicite (inflammation du col de l'utérus) ou une salpingite (inflammation des trompes) pouvant se traduire par des douleurs de l'abdomen et du pelvis, une fièvre, des pertes blanches et des saignements en dehors des règles ou demeurer asymptomatique : cette latence et la fréquence des atteintes des trompes expliquent les nombreux cas de stérilité dus aux chlamydias et soulignent l'importance d'un dépistage et d'un traitement systématiques.

Autre infection génitale à chlamydia, la maladie de Nicolas-Favre, ou lymphogranulomatose vénérienne, se traduit par un chancre génital apparaissant quelques jours après la contamination, associé à une infection des ganglions lymphatiques.

Le traitement des infections génitales à chlamydia repose essentiellement sur l'administration d'antibiotiques (tétracyclines et macrolides) pendant dix à vingt jours selon la gravité de l'infection, par voie intraveineuse dans les cas d'atteinte salpingienne sévère. Le dépistage d'autres maladies sexuellement transmissibles est systématiquement entrepris ainsi que le traitement du ou des partenaires sexuels.

Infection oculaire à chlamydia

Elle se rencontre le plus souvent en Afrique et en Asie et se contracte par contact direct ou par l'intermédiaire de mouches, provoquant un trachome, inflammation évoluant vers l'opacification de la cornée et, parfois, la cécité. Le trachome est traité par antibiotiques locaux et généraux ; une intervention chirurgicale peut être nécessaire.

Infection pulmonaire à chlamydia

Elle se transmet par les perroquets, perruches, pigeons et volailles, se contracte par inhalation de poussière contaminée par les déjections d'oiseaux infectés et provoque une ornithose, pneumopathie bénigne, ou une psittacose, forme rare et grave de pneumonie. La psittacose est traitée par antibiotiques.

→ VOIR Nicolas-Favre (maladie de), Psittacose, Trachome.

Chloasma

Affection cutanée caractérisée par des taches brunes sur le visage. SYN. *mélasma*.

CAUSES

Le chloasma se présente sous la forme de taches brunes plus ou moins foncées, aux contours arrondis irréguliers, confluant parfois en nappes plus grandes, accentuées par l'exposition solaire. Ces taches, symétriques, siègent sur le front, le nez, les pommettes.

Cette affection est avant tout d'origine hormonale, ce qui explique qu'elle puisse se développer chez la femme enceinte, se traduisant par un « masque de grossesse » qui s'efface le plus souvent spontanément, peu à peu, après l'accouchement ; mais celui-ci peut récidiver en cas de nouvelle grossesse. Il peut également apparaître lors de la prise de pilules contraceptives fortement dosées en œstrogènes. Les causes externes sont moins fréquentes : application de cosmétiques de qualité médiocre, souvent suivie d'exposition solaire intempestive. Des médicaments autres que les contraceptifs peuvent provoquer le même effet. Il existe enfin un certain facteur héréditaire.

TRAITEMENT ET PRÉVENTION

Pour les chloasmas persistants, le traitement fait appel aux agents dépigmentants (associations d'acide rétinoïque, de corticostéroïdes et d'hydroquinone, d'acide azélaïque), toujours prescrits avec beaucoup de précaution du fait du risque de dépigmentation exagérée. Le résultat du traitement est relativement long à obtenir et les récidives sont fréquentes après exposition solaire.

La prévention consiste à éliminer les facteurs déclenchants et favorisants : changement ou arrêt de la pilule contraceptive ou des cosmétiques, protection contre le soleil avec une crème écran total.

Chlore

Élément chimique très répandu dans la nature.

Le chlore gazeux (Cl_2), formé de deux atomes de chlore, est fabriqué industriellement mais n'existe pas tel quel dans la nature. Il réagit avec l'eau pour former de l'acide chlorhydrique.

Dans la nature et dans l'organisme, le chlore est présent sous forme de sels, surtout de chlorure de sodium (sel de table). Le sang humain contient environ 100 millimoles de chlorure par litre. Cette concentration peut augmenter dans les affections rénales et diminuer en cas de vomissements répétés.

Le chlore entre dans la composition de l'eau de Javel, désinfectant très actif de l'eau et des surfaces. On l'utilise également dans le soluté de Dakin, un antiseptique de la peau.

Un effet caustique plus ou moins marqué existe pour tous les produits à base de chlore. Ceux-ci sont irritants pour la peau et surtout pour les muqueuses, et extrêmement toxiques en cas d'ingestion accidentelle. Ils doivent être tenus hors de portée des enfants.

Chloroforme

Liquide incolore et volatil, autrefois utilisé comme anesthésique.

Le chloroforme, qui permettait une anesthésie générale par inhalation, est aujourd'hui quasiment abandonné du fait de sa forte toxicité cardiaque.

Chlorose

Forme grave d'anémie ferriprive (par manque de fer).

La chlorose se caractérise par une perte de la coloration physiologique blanc rosé de la peau, qui devient jaune verdâtre en raison d'une baisse du taux d'hémoglobine. Le terme est aujourd'hui désuet.

Choane

Orifice postérieur des fosses nasales. (P.N.A. *choanæ*).

Au nombre de deux, les choanes sont séparés l'un de l'autre par le vomer, os de la cloison nasale. Ils permettent le passage de l'air des fosses nasales vers le cavum, partie supérieure du pharynx.

L'atrésie choanale (absence congénitale de développement des choanes) entraîne des difficultés respiratoires chez le nouveau-né. Le traitement repose sur leur ouverture chirurgicale.

Choc anaphylactique

Manifestation la plus sévère de l'allergie aiguë entraînant une grave défaillance circulatoire.

Le choc anaphylactique est dû à un mécanisme d'hypersensibilité immédiate (libération dans la circulation sanguine d'histamine et autres substances entraînant la dilatation des vaisseaux sanguins), déclenché par une substance avec laquelle un sujet allergique a déjà été en contact antérieurement. Les substances en cause sont parfois des aliments (lait, œufs, poisson, fruits de mer) ou des médicaments (sérums, antibiotiques, analgésiques, anesthésiques locaux). Il existe parfois des réactions initiales comparables lors du premier contact avec certaines substances (piqûres d'insectes).

SYMPTÔMES ET SIGNES

Le choc anaphylactique se déclenche dans les minutes ou dans l'heure qui suivent le contact et est annoncé par une intense sensation de malaise. Il s'accompagne de démangeaisons débutant à la paume des mains, de frissons, de sueurs, d'une pâleur suivie d'une rougeur diffuse, d'une éruption d'urticaire. Peu après apparaissent une gêne respiratoire sévère, une chute de la tension artérielle, tandis que le pouls devient imperceptible. Parfois surviennent des vomissements ou une diarrhée sanglante, une crise d'asthme, un œdème de Quincke (gonflement du visage). Dans les formes les plus graves et en l'absence de traitement, l'importance du choc et de la gêne respiratoire peut entraîner la mort.

TRAITEMENT ET PRÉVENTION

Le traitement nécessite une hospitalisation d'urgence en service de réanimation et repose principalement sur l'administration immédiate par voie intraveineuse d'adrénaline, un remplissage vasculaire, éventuellement l'injection de corticostéroïdes et d'antihistaminiques, d'efficacité moins immédiate. Une intubation trachéale peut être nécessaire.

La prévention est la même que pour les autres troubles allergiques : empêcher le contact avec les substances en cause, si cela est possible, ou pratiquer une désensibilisation (injections répétées de doses infimes de ces substances). De plus, on prescrit au sujet chez qui le risque persiste d'avoir en permanence de l'adrénaline à portée de main, qu'il peut s'administrer facilement en l'absence d'un médecin.

Choc cardiogénique

Insuffisance circulatoire aiguë consécutive à une défaillance fonctionnelle de la pompe cardiaque.

CAUSES

Un choc cardiogénique est le plus souvent dû à un infarctus du myocarde étendu, la partie valide du muscle cardiaque étant insuffisante pour assurer la circulation sanguine, même lorsque l'organisme est au repos. D'autres atteintes, comme des lésions valvulaires sévères, une embolie pulmonaire massive ou des myocardiopathies (atteintes non coronaires du muscle cardiaque), peuvent, lorsqu'elles sont à un stade avancé, être responsables de l'apparition d'un choc cardiogénique.

SYMPTÔMES ET SIGNES

Le choc cardiogénique est caractérisé par une chute de la pression artérielle systolique, associée à une diminution du débit cardiaque. Celle-ci se traduit par une pâleur des extrémités, des sueurs, un refroidissement de la peau, des troubles de la conscience, des urines peu abondantes et foncées. L'altération de la fonction de pompe du cœur peut entraîner un engorgement circulatoire dans les poumons, aboutissant parfois à un œdème pulmonaire.

TRAITEMENT

Il repose sur des mesures de réanimation en unité de soins intensifs, avec utilisation de substances stimulant la contractilité cardiaque (dobutamine, par exemple). Des dispositifs d'assistance circulatoire, comme la contrepulsion par ballonnet intra-aortique, peuvent partiellement pallier la diminution de débit sanguin ou diminuer le travail du cœur. Si la cause du choc est un infarctus du myocarde aigu, on cherche à dissoudre dès les premières heures la thrombose coronaire par une thrombolyse. Si ces traitements médicamenteux ne suffisent pas, la coronarographie permet d'envisager la désobstruction par angioplastie de l'artère coronaire responsable.

Enfin, une transplantation cardiaque en urgence peut, en dernier recours, permettre la survie d'un malade jeune.

PRÉVENTION

Le choc cardiogénique est une affection grave ; aussi le meilleur traitement demeure-t-il préventif. Il consiste à lutter contre les facteurs favorisant le développement de lésions des artères coronaires : tabagisme, obésité, diabète, taux de cholestérol élevé, hypertension artérielle. Chez les patients cardiaques, un bilan médical précis et une surveillance régulière permettent de mieux guider les choix de traitement et, notamment, de déterminer le moment où une intervention chirurgicale (pontage coronarien, par exemple) devient nécessaire.

Choc hypovolémique

Insuffisance circulatoire aiguë consécutive à une diminution rapide du volume sanguin circulant.

Un choc hypovolémique est le plus souvent provoqué par une hémorragie importante (hémorragie digestive due à un ulcère de l'estomac, par exemple) ou par une déshydratation (diarrhée aiguë du nourrisson, brûlure grave). Il se manifeste par une soif, une agitation, une pâleur extrêmes, un collapsus (baisse importante de la tension artérielle) et, à l'auscultation, une tachycardie.

Le choc hypovolémique impose une hospitalisation en urgence avec pose d'une perfusion veineuse pour compenser les pertes liquidiennes et rétablir une pression artérielle efficace.

Choc infectieux

Réaction de l'organisme survenant lors d'un accès fébrile correspondant à un état septicémique (large diffusion d'agents infectieux dans tout l'organisme). SYN. *choc septique.*

CAUSES

Un choc infectieux est provoqué par la libération de toxines dans l'organisme. Son mécanisme, encore mal connu, pourrait faire intervenir certaines substances issues du germe responsable (endotoxines et certaines exotoxines). Celles-ci déclencheraient une série de réactions imbriquées dans lesquelles

diverses substances chimiques (cytokines) élaborées par les cellules de l'organisme joueraient un rôle.

Les infections en cause sont très diverses, avant tout digestives ou urinaires, et principalement dues à des bacilles à Gram négatif, mais aussi à des staphylocoques ou à des streptocoques. Le choc infectieux peut également venir compliquer une intervention qui provoque une dissémination infectieuse (chirurgie digestive, endoscopie colique ou urinaire, présence d'un cathéter veineux). Le plus grave est le choc méningococcique, ou purpura fulminans.

SYMPTÔMES ET SIGNES

Un choc infectieux provoque des anomalies circulatoires se traduisant par un collapsus (chute brutale de la tension artérielle) et un refroidissement de plus en plus marqué des extrémités, accompagné d'une cyanose diffuse, de frissons. Ces premiers signes sont rapidement suivis de troubles viscéraux multiples : syndrome de détresse respiratoire aiguë, insuffisance rénale aiguë avec oligurie, troubles de la coagulation, gastrite aiguë hémorragique, etc.

TRAITEMENT

Le choc infectieux nécessite une hospitalisation en urgence. Le traitement vise à enrayer le plus rapidement possible le processus infectieux par l'administration intraveineuse d'antibiotiques, accompagnée d'une perfusion intraveineuse de soluté macromoléculaire destinée à rétablir un volume normal de liquide dans les vaisseaux ; au besoin, on procède à une intervention directe sur le foyer infectieux.

Choc obstétrical

Insuffisance circulatoire aiguë survenant chez une femme enceinte ou en cours d'accouchement.

Complication grave de la grossesse, le choc obstétrical est beaucoup moins fréquent qu'autrefois grâce à la surveillance accrue des femmes enceintes et des parturientes, ainsi qu'à la diminution du temps de travail de l'accouchement.

Un choc obstétrical peut être dû à une hémorragie survenant lors de la délivrance ou à un choc infectieux. Il se traduit par une chute de la pression artérielle, une torpeur, un refroidissement, une cyanose et une oligurie (diminution de la quantité d'urine émise). Si le fœtus est encore dans l'utérus, le choc maternel entraîne une diminution brutale de l'apport de sang et d'oxygène, qui impose une césarienne en urgence, faute de quoi l'enfant peut garder des séquelles (risque de souffrance cérébrale notamment).

Le traitement consiste à supprimer la cause du choc (hémorragie, foyer infectieux) et à pallier d'urgence ses effets par la réanimation : perfusion ou transfusion de sang, administration d'oxygène.

Choc septique

→ VOIR Choc infectieux.

Chocolat

→ VOIR Cacao.

Cholagogue

Médicament destiné à provoquer la vidange de la vésicule biliaire dans l'intestin.

Les cholagogues (mannitol, sorbitol) sont indiqués dans le traitement des troubles dyspeptiques (difficultés de digestion) et dans celui de la constipation. Ils sont contre-indiqués en cas d'obstruction des voies biliaires (calcul, par exemple). Ils sont administrés par voie orale et peuvent déclencher des douleurs abdominales et des diarrhées chez les sujets atteints de colopathie fonctionnelle (spasme du gros intestin).

Cholangiographie

Examen radiologique qui permet de visualiser la vésicule et les voies biliaires.

On distingue plusieurs types de cholangiographie selon le mode d'opacification.

Cholangiographie intraveineuse

C'est une radiographie de la vésicule et des voies biliaires après injection intraveineuse d'un produit de contraste. Cet examen est pratiqué lorsqu'une cholécystographie orale (opacification de la vésicule par ingestion de capsules de produit de contraste) s'est révélée insuffisante ou lorsque la vésicule a été retirée chirurgicalement.

DÉROULEMENT

Une cholangiographie intraveineuse se fait en salle de radiologie. Le patient est allongé, on lui injecte le produit de contraste par perfusion à l'avant-bras et, en fin de perfusion, une série de clichés est réalisée. L'examen dure environ une heure.

EFFETS INDÉSIRABLES ET CONTRE-INDICATIONS

Cet examen est contre-indiqué chez les patients souffrant d'insuffisance hépatique ou d'ictère (absence d'opacification dans ces cas), chez les personnes allergiques aux produits iodés (on recourt alors à l'échographie) et chez les femmes enceintes.

Cholangiographie rétrograde

C'est une radiographie de la vésicule après introduction d'un produit de contraste par les voies naturelles au moyen d'un endoscope.

DÉROULEMENT

Une cholangiographie rétrograde nécessite une hospitalisation et une anesthésie générale légère, n'endormant pas totalement le patient. Lors de l'examen, le médecin introduit un fibroscope dans la bouche, le fait progresser jusqu'au duodénum. Il pousse alors, par le tuyau du fibroscope, un fin cathéter dans l'orifice d'abouchement duodénal du cholédoque et du canal pancréatique de Wirsung (au niveau de l'ampoule de Vater), ce qui lui permet d'injecter un produit de contraste dans les voies biliaires et le canal pancréatique et de visualiser ceux-ci sur écran. Il prend alors plusieurs clichés, développés sur-le-champ pour repérer une éventuelle anomalie, comme la présence de calculs, et la traiter immédiatement. Après l'examen, le patient demeure sous contrôle médical rigoureux à l'hôpital pendant un à trois jours et reçoit un traitement antibiotique pour prévenir le risque d'infection.

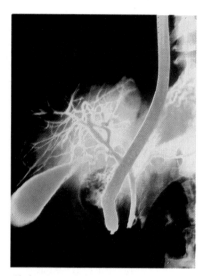

Cholangiographie rétrograde. Le produit injecté par fibroscope (tube vert, à droite) rend visibles la vésicule (orange, à gauche) et les voies biliaires.

COMPLICATIONS

Elles consistent en une infection des voies biliaires et du pancréas. Bien que rares, survenant surtout en cas d'intervention thérapeutique, elles imposent une surveillance médicale après l'examen.

Cholangiographie transhépatique

C'est une radiographie après injection directe du produit de contraste dans les voies biliaires à travers la paroi abdominale. Cet examen ne peut être pratiqué que si les canaux biliaires sont dilatés en raison d'un obstacle empêchant l'écoulement de la bile.

DÉROULEMENT

Une cholangiographie transhépatique nécessite une hospitalisation et se pratique en salle de radiologie. Un médicament calmant est administré avant l'examen. Le patient est alors allongé et on lui injecte un produit anesthésiant à la hauteur du foie avant de réaliser une ponction des voies biliaires à l'aide d'une seringue. Lorsque la bile vient facilement, ce qui indique que l'aiguille est bien en place dans l'un des canaux biliaires, le produit de contraste est injecté et plusieurs clichés sont réalisés et développés immédiatement. Ils précisent la nature et la localisation de l'obstacle, et le médecin peut installer un cathéter pour permettre le drainage de la bile. L'examen dure environ une heure.

EFFETS INDÉSIRABLES ET CONTRE-INDICATIONS

Le produit de contraste administré par injection pouvant entraîner une réaction allergique (nausées, vomissements, éruptions cutanées, baisse de la tension artérielle), un traitement antiallergique est prescrit préventivement dans les cas qui le nécessitent. Les complications, hémorragie, épanchement de bile ou infection, sont rares. L'examen est contre-indiqué chez les femmes enceintes, en raison du risque d'irradiation du fœtus, et chez les patients souffrant de troubles importants de la coagulation du sang.

Cholangiome

Tumeur du foie, constituée de canaux dont l'aspect rappelle les canaux biliaires.

Un cholangiome peut être bénin, mais il est le plus souvent malin. Les cholangiomes malins, ou cholangiocarcinomes, atteignent dans la moitié des cas un foie sain, contrairement aux hépatocarcinomes, qui compliquent le plus souvent une cirrhose. Dans les formes localisées, l'ablation chirurgicale est possible.

Cholangite sclérosante

Affection chronique inflammatoire et fibrosante des voies biliaires intrahépatiques et extrahépatiques.

On distingue la cholangite sclérosante primitive, de cause inconnue, qui s'observe en l'absence de toute maladie biliaire antérieure, et la cholangite sclérosante secondaire, due à des lésions des voies biliaires (obstruction prolongée, acte chirurgical ou cancer). Les principaux symptômes, d'évolution le plus souvent insidieuse, sont un ictère, un prurit et une hépatomégalie (augmentation de volume du foie). Une cholestase chronique (diminution ou arrêt de la sécrétion biliaire) apparaît ensuite, due à l'obstruction des voies biliaires, qui peut évoluer vers une cirrhose biliaire.

Il n'existe pas de traitement spécifique de la maladie. Si celle-ci a atteint un stade avancé, une transplantation hépatique peut être proposée.

Cholécalciférol

Vitamine liposoluble indispensable à la calcification des os. SYN. *vitamine D3.*
→ VOIR Vitamine D3.

Cholécystectomie

Ablation de la vésicule biliaire.

INDICATIONS

Une cholécystectomie est indiquée essentiellement en cas de lithiase vésiculaire (présence d'un ou de plusieurs calculs dans la vésicule biliaire) si elle entraîne des symptômes douloureux. En effet, en l'absence de traitement chirurgical, et même parfois d'emblée, les calculs peuvent avoir pour complications une cholécystite (inflammation de la vésicule), un pyocholécyste (infection suppurée), voire une colique hépatique (douleur aiguë provoquée par la migration d'un calcul dans le canal cholédoque, qui conduit la bile vers l'intestin), parfois suivie d'un ictère ou d'une pancréatite (inflammation du pancréas).

TECHNIQUES

Deux techniques chirurgicales peuvent être employées pour enlever la vésicule biliaire et prévenir ou traiter ces complications.

La technique classique s'effectue par laparotomie, c'est-à-dire par incision de l'abdomen, le plus souvent juste au-dessous des dernières côtes droites. L'opération dure de 60 à 90 minutes et demande une hospitalisation de 4 à 5 jours. Les complications sont très rares.

La seconde technique chirurgicale, par cœlioscopie, consiste à visualiser la cavité abdominale à l'aide d'un tube muni d'un système optique, introduit dans l'abdomen par une petite incision de l'ombilic, et relié à une caméra permettant de suivre les images sur un écran vidéo. D'autres incisions abdominales permettent l'introduction d'instruments spécifiquement adaptés à ce type de chirurgie. Après section de son artère, la vésicule est détachée du foie puis extraite par l'incision ombilicale. Cette technique ne demande qu'une hospitalisation de 1 à 3 jours et entraîne moins de douleurs postopératoires que la technique classique. Toutefois, le risque d'échec est plus élevé.

Cholécystite

Inflammation de la vésicule biliaire.

Une cholécystite est due à une inflammation et/ou à une infection bactérienne de la vésicule biliaire. La plus fréquente, la cholécystite lithiasique, est liée à la présence de calculs dans la vésicule biliaire, mais il existe aussi des formes sans lithiase (cholécystite alithiasique).

SYMPTÔMES

Une cholécystite se manifeste par des douleurs de colique hépatique siégeant dans la région sous-hépatique, qui bloquent l'inspiration profonde et sont exacerbées par la palpation. Les nausées et vomissements sont fréquents. Un syndrome infectieux (fièvre, augmentation du nombre de globules blancs) est toujours présent.

DIAGNOSTIC ET ÉVOLUTION

Le diagnostic est confirmé par l'échographie, qui montre un épaississement de la paroi vésiculaire et révèle souvent la présence de calculs. L'évolution spontanée peut se faire vers la régression ou vers des complications : gangrène vésiculaire, péritonite.

TRAITEMENT

La cholécystectomie (ablation de la vésicule) est indispensable, par méthode chirurgicale traditionnelle ou par cœlioscopie. L'opération est souvent réalisée après quelques jours d'antibiothérapie. La pose de glace sur le ventre peut calmer les douleurs.

Cholécystographie orale

Examen radiologique destiné à visualiser la vésicule biliaire et les voies biliaires extrahépatiques.

La cholécystographie orale permet la mise en évidence de calculs et de tumeurs de la vésicule et la vérification du bon fonctionnement de celle-ci. Cet examen, dont les indications sont aujourd'hui très rares, a été supplanté par l'échographie et l'échoendoscopie.

DÉROULEMENT

La veille de l'examen, le patient ingère des comprimés contenant un produit de contraste iodé qui s'accumule dans la vésicule biliaire. L'examen se déroule le lendemain matin, à jeun, en salle de radiographie. Le médecin prend une première série de clichés, le patient étant debout puis en position allongée. Celui-ci ingère alors l'équivalent d'un repas gras, qui provoque des contractions de la vésicule et chasse le produit de contraste vers le canal cholédoque. De nouveaux clichés sont alors réalisés. L'examen dure environ 45 minutes.

EFFETS SECONDAIRES
Très rares, ils consistent en une réaction, sous forme de vomissements, de diarrhée modérée et de douleurs abdominales passagères, à l'ingestion du produit de contraste. La cholécystographie orale est impossible ou imparfaite en cas de cholestase (stagnation de la bile dans les canaux biliaires) ou d'obstruction du canal cystique.

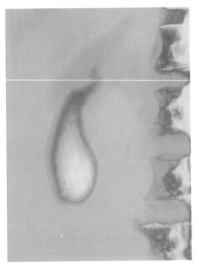

Cholécystographie orale. Le produit ingéré s'accumule dans la vésicule biliaire (au centre) et l'opacifie ; à droite, la colonne vertébrale.

Cholécystokinine

Hormone sécrétée par le duodénum et l'intestin grêle et favorisant les processus de digestion.

La cholécystokinine stimule les sécrétions pancréatique et biliaire ainsi que la motilité gastrique, intestinale et vésiculaire. Elle agit également en relâchant le sphincter d'Oddi, qui se trouve à la jonction des canaux biliaire et pancréatique, dans le duodénum.

Cholédocotomie

Ouverture ou section du canal cholédoque, pratiquée le plus souvent pour en évacuer des calculs.

Une cholédocotomie se pratique souvent en même temps qu'une cholécystectomie (ablation de la vésicule). Le cholédoque est incisé ou sectionné, puis les calculs sont extraits au moyen de différents instruments. Éventuellement, un cholédoscope (tube muni d'un système optique qui sert à examiner le cholédoque) permet de vérifier l'état du canal et de s'assurer que tous les calculs ont bien été enlevés. Ensuite, soit on referme la cholédocotomie par suture, soit

on pose un drain (drain de Kehr) conduisant à la peau, laissé en place quelques jours pour évacuer les sécrétions. Dans certains cas, le cholédoque est le siège d'une obstruction qui ne peut être levée ; la cholédocotomie permet alors d'aboucher la portion sus-jacente de la voie biliaire dans le tube digestif afin de restaurer l'écoulement normal de la bile.

Cholédoque (canal)

Portion terminale de la voie biliaire principale. (P.N.A. *ductus choledochus*)

Le canal cholédoque prend naissance à la confluence du canal cystique, venant de la vésicule biliaire, et du canal hépatique, issu du foie. Il se termine dans le duodénum après s'être réuni avec le canal pancréatique de Wirsung dans l'ampoule de Vater.

Le canal cholédoque peut être le siège de calculs ou de tumeurs. Il peut être comprimé par des tumeurs, notamment les cancers de la tête du pancréas.

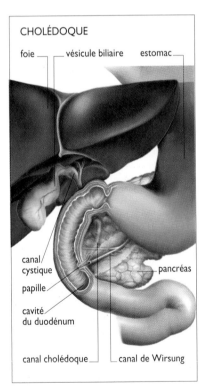

CHOLÉDOQUE

foie — vésicule biliaire — estomac

canal cystique

papille

cavité du duodénum

pancréas

canal cholédoque — canal de Wirsung

Cholépéritoine

Épanchement de bile dans la cavité péritonéale. SYN. *péritonite biliaire.*

Un cholépéritoine peut se produire de façon spontanée lors d'une rupture de la vésicule biliaire ou d'un kyste hydatique (manifestation d'une parasitose, l'hydatidose) ou, plus rarement, être d'origine traumatique : plaie de la vésicule biliaire après intervention chirurgicale ou biopsie du foie par ponction à travers la peau.

Il se manifeste par des signes de péritonite avec douleurs abdominales de l'hypocondre

droit (zone située sous les côtes), diffusant rapidement, et par une défense et une contracture de la paroi abdominale à la palpation.

Le traitement, réalisé en urgence, consiste en la réparation chirurgicale de la lésion.

Choléra

Maladie infectieuse intestinale contagieuse due à une bactérie, le vibrion cholérique (*Vibrio choleræ*, variété el Tor).

Longtemps cantonné dans le delta du Gange, le choléra s'est propagé par le biais de l'ouverture des voies de commerce, puis par les déplacements de populations, et a été responsable de millions de morts au XIXe siècle. Sa dissémination est, aujourd'hui encore, favorisée par l'absence d'hygiène. Des pandémies, comme des atteintes par foyers isolés, peuvent être observées. Les zones géographiques principalement touchées sont l'Asie, le Moyen-Orient, l'Europe et, depuis quelques années, l'Afrique et l'Amérique du Sud.

CAUSE
Le choléra se transmet principalement soit par l'ingestion d'eau polluée par des déjections humaines infectées, soit par l'ingestion d'aliments ou de boissons souillés, ou encore de crustacés infestés. Le vibrion cholérique, introduit dans l'organisme humain, produit une entérotoxine qui altère la paroi de l'intestin grêle sans la détruire.

SYMPTÔMES ET ÉVOLUTION
De un à cinq jours après la contamination, une diarrhée se déclare brutalement, avec vomissements abondants et crampes musculaires. Il n'y a pas de fièvre. La diarrhée devient vite liquidienne, la gravité de la maladie résidant dans l'importance de la déshydratation. Chez l'enfant et le vieillard, le risque est plus grand encore, car ce déficit en eau est particulièrement rapide, marqué par une perte de poids et un enfoncement des yeux dans leurs orbites, accompagné d'un choc hypovolémique (insuffisance circulatoire) avec hypotension (chute de la tension artérielle) et oligurie (chute de la quantité d'urine excrétée).

DIAGNOSTIC ET TRAITEMENT
Le vibrion cholérique doit être recherché dans les selles lors de cas de choléra isolés ; en revanche, la confirmation du diagnostic par cet examen bactériologique ne s'impose pas lors d'épidémies.

Le traitement repose sur le remplacement des pertes liquidiennes par l'administration, pendant quelques jours, soit par perfusion intraveineuse, soit par voie orale s'il n'y a pas de vomissements, d'une préparation standard de l'Organisation mondiale de la santé. Un traitement antibiotique peut être prescrit pour éviter la propagation à l'ensemble de l'organisme.

PRÉVENTION
Elle repose sur des mesures sanitaires concernant les circuits des eaux usées et des latrines et sur des règles d'hygiène simples : propreté parfaite des aliments et des mains, eau de boisson encapsulée ou bouillie. Peu efficace, la vaccination n'est valable que 6

mois ; elle est parfois exigée à l'entrée de certains pays. La déclaration des cas de choléra, le traitement et l'isolement des malades sont soumis aux règles édictées par l'Organisation mondiale de la santé.

Cholérétique

Médicament destiné à augmenter la sécrétion de la bile.

Certains végétaux, comme le curcuma, l'artichaut, le boldo, sont cholérétiques. Les cholérétiques de synthèse (anétholtrithione cyclovalone) sont indiqués en cas de dyspepsie (difficultés de digestion), de ballonnements, d'éructations et de flatulences, de constipation. Une obstruction des voies biliaires, même sans ictère, constitue une contre-indication. Ces médicaments, pris par voie orale, sont irritants et peuvent déclencher des diarrhées et des douleurs abdominales chez les sujets atteints de colopathie fonctionnelle (spasme du gros intestin).

Cholériforme

Se dit de selles liquidiennes et très abondantes.

Les selles cholériformes sont liquidiennes comme celles du choléra ; elles peuvent entraîner une déshydratation rapide. On les rencontre lors de diarrhées infectieuses ou de diarrhées aiguës non infectieuses (rectocolite, maladie de Crohn).

Cholestase

Diminution ou arrêt de la sécrétion biliaire.

DIFFÉRENTS TYPES DE CHOLESTASE

■ La cholestase extrahépatique est une stagnation de la bile dans les canaux situés au-dessous du hile du foie. Elle est due à l'obstruction de la voie biliaire principale. Les causes les plus fréquentes en sont les calculs du cholédoque, les cancers du pancréas, du cholédoque et du foie.

■ La cholestase intrahépatique est une stagnation de la bile dans les voies biliaires situées à l'intérieur du foie. Elle est due à une obstruction de ces voies ou à une diminution de la sécrétion de la bile par atteinte des cellules du foie. Les causes les plus fréquentes sont dans le premier cas les cancers, dans le second cas les hépatites aiguës ou chroniques et les cirrhoses.

SYMPTÔMES ET SIGNES

Les principaux signes sont un ictère et un prurit (démangeaisons), bien qu'il existe des cholestases sans ictère. L'absence d'acides biliaires à l'intérieur de l'appareil digestif entraîne une malabsorption des graisses et des vitamines liposolubles A, D, E et K, se traduisant par une diarrhée graisseuse et un déficit des vitamines non assimilées. Le manque de bilirubine dans le tube digestif provoque une décoloration des selles.

DIAGNOSTIC

Les tests biologiques hépatiques (dosage des éléments d'origine hépatique du plasma sanguin) révèlent une élévation de certaines enzymes, gammaglutamyltransférase et phosphatases alcalines, et, plus spécifiquement, une élévation de la nucléotidase, sécrétée par la muqueuse intestinale, ainsi

que de la bilirubine. L'échographie est d'un secours précieux et permet de vérifier la perméabilité des voies biliaires et de déceler un éventuel obstacle.

TRAITEMENT

Il dépend essentiellement de la cause. Il est le plus souvent chirurgical en cas de cause extrahépatique et vise alors à rétablir l'écoulement de la bile du foie vers le duodénum. Il est en principe médicamenteux quand la cause est intrahépatique.

Cholestéatome de l'oreille moyenne

Tumeur bénigne de l'oreille moyenne, le plus souvent localisée à la caisse du tympan.

Le cholestéatome est formé de cellules épidermiques. Il tend à se développer très lentement, envahissant et détruisant l'oreille moyenne, puis l'oreille interne ; il peut entraîner une surdité complète. L'ablation chirurgicale est le seul traitement du cholestéatome. Des récidives sont possibles.

Cholestérol

Substance lipidique, essentiellement synthétisée par le foie à partir d'une autre substance, l'acétylcoenzyme A.

Les principales sources alimentaires de cholestérol sont le jaune d'œuf, les abats, les produits laitiers, les viandes et les poissons. Il existe deux formes chimiques de cholestérol, l'une libre (non liée à une autre substance), l'autre estérifiée (liée à un acide gras pour former des stérides). Le cholestérol que l'on retrouve dans le sang est la somme de ces deux formes.

Dans l'organisme, le cholestérol entre dans la constitution des cellules, faisant partie par exemple de la structure de leur membrane. Il intervient aussi dans plusieurs métabolismes : d'une part, il est le point de

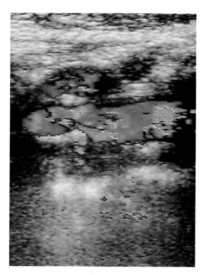

Cholestérol. Une échographie montre des taches blanches correspondant à la présence de plaques d'athérome (dépôts de cholestérol) sur la paroi de l'artère carotide (en rouge).

départ de la synthèse d'hormones (corticostéroïdes en particulier) dans la glande surrénale et l'ovaire ; d'autre part, il est transformé par le foie en acides biliaires, rejetés dans l'intestin avec la bile et indispensables à la digestion des lipides.

PATHOLOGIE

Les lipides tels que le cholestérol et les triglycérides sont transportés dans le sang, associés à des protéines, c'est-à-dire sous forme de lipoprotéines. Parmi celles-ci, les LDL (lipoprotéines de basse densité) sont particulièrement riches en cholestérol, qu'elles sont susceptibles de déposer sur la paroi des artères ; l'athérosclérose est l'atteinte des artères par exagération de ces phénomènes. À l'inverse, les HDL (lipoprotéines de haute densité) enlèvent le cholestérol de la paroi des vaisseaux et l'amènent au foie, qui peut le réutiliser.

→ VOIR Cholestérolémie, Dyslipidémie, Hypercholestérolémie.

Cholestérol HDL

→ VOIR HDL cholestérol.

Cholestérol LDL

→ VOIR LDL cholestérol.

Cholestérolémie

Taux de cholestérol dans le sang.

La cholestérolémie est un des indicateurs du risque d'athérosclérose. Les valeurs normales (de 5,2 à 6,5 millimoles environ, soit, selon les anciennes unités, de 2 à 2,5 grammes par litre) augmentent avec l'âge.

Cholestyramine

Résine administrée par voie buccale pour empêcher la réabsorption de substances liposolubles (sels biliaires et cholestérol) par l'organisme.

La cholestyramine est prescrite dans le traitement du prurit de la cholestase (diminution ou arrêt de la sécrétion biliaire) et de certaines hypercholestérolémies comportant un risque vasculaire élevé. Elle est excrétée dans les fèces avec les substances qu'elle a captées. Un traitement par cholestyramine entraîne l'absorption d'autres substances, notamment les vitamines liposolubles, et peut en outre interférer avec les effets de certains médicaments.

Cholinergique

Substance augmentant ou imitant l'action de l'acétylcholine. SYN. *parasympathomimétique.*

Les cholinergiques favorisent l'action du système nerveux parasympathique, en particulier la bronchoconstriction, ainsi que la commande nerveuse des muscles du squelette.

Il existe deux types de cholinergiques, qui se distinguent selon leur mode d'action.

■ Les cholinergiques directs (substances naturelles utilisées comme médicaments, telle la pilocarpine, ou substances non médicamenteuses, comme la muscarine contenue dans l'amanite tue-mouches) se fixent sur les récepteurs des cellules, à la place de l'acétylcholine, pour les stimuler.

■ Les cholinergiques indirects, ou anti-cholinestérasiques (médicaments, comme la néostigmine et l'ésérine, ou produits organophosphorés contenus dans certains insecticides), empêchent la destruction naturelle de l'acétylcholine par une enzyme, la cholinestérase.

Les médicaments cholinergiques ont des indications diverses (myasthénie, glaucome) et sont prescrits par voie orale, injectable ou locale (collyres). Ils sont contre-indiqués en cas d'asthme et de maladie de Parkinson. Ils provoquent parfois des douleurs abdominales, des nausées, des diarrhées, un ralentissement cardiaque.

Cholinestérase

Enzyme capable d'inhiber l'action d'un neurotransmetteur, l'acétylcholine. SYN. *acétylcholinestérase*.

Dans l'organisme, la cholinestérase a pour rôle d'inactiver l'acétylcholine dès sa libération du tissu nerveux. Elle l'empêche ainsi d'agir sur les muscles du squelette ou les viscères. L'intoxication par les insecticides organophosphorés provoque un blocage irréversible de la cholinestérase et une accumulation toxique d'acétylcholine, causant vomissements, diarrhées, gêne respiratoire et ralentissement cardiaque.

Chondrite

Inflammation d'un cartilage.

Chez l'enfant, les chondrites touchent les cartilages de croissance. Elles sont notamment à l'origine de déformations du rachis (maladie de Scheuermann) et de la tubérosité tibiale, au genou.

Chez l'adulte, la chondrite prend deux formes principales.

■ La chondrite des cartilages du nez, des oreilles, des anneaux de la trachée, assez douloureuse, témoigne d'une maladie générale, la polychondrite, qui peut être grave (risque d'atrophie des cartilages) et nécessiter le recours aux corticostéroïdes.

■ La chondrite des cartilages costaux, en particulier de celui de la deuxième côte, provoque des douleurs thoraciques souvent confondues avec des douleurs d'origine cardiaque (syndrome de Tietze). Beaucoup moins grave que la précédente, elle se traite à l'aide d'analgésiques.

Chondrocalcinose articulaire

Maladie rhumatismale caractérisée par l'incrustation de cristaux de pyrophosphate de calcium dans le cartilage articulaire et dans les ménisques.

La chondrocalcinose articulaire peut être primitive, sa fréquence augmentant alors avec l'âge (30 % des sujets de plus de 80 ans en sont atteints). Sa cause réelle est inconnue ; on note cependant des formes familiales où la maladie est plus précoce et plus grave. Par ailleurs, elle peut survenir à la suite de certaines maladies comme l'hyperparathyroïdie ou l'hémochromatose.

SYMPTÔMES ET SIGNES

Par leur incrustation dans le cartilage, les cristaux peuvent avoir plusieurs consé-quences. En se libérant dans l'articulation, ils sont susceptibles de déclencher une crise aiguë d'arthrite microcristalline, ou pseudo-goutte, ou bien, en fragilisant le cartilage, ils peuvent favoriser le développement d'une arthrose. Enfin, la multiplicité des atteintes articulaires peut simuler un rhumatisme inflammatoire. Mais la chondrocalcinose articulaire reste parfois latente. Les radiographies des articulations (poignet, genou) mettent en évidence des calcifications, souvent fines et linéaires.

TRAITEMENT

Les accès de pseudogoutte sont soulagés par des anti-inflammatoires ou par une ponction des épanchements articulaires, suivie d'une infiltration de corticostéroïdes. Dans les formes chroniques, l'arthrolyse (lavage chirurgical de l'articulation) a parfois une action calmante non négligeable. Le traitement est chirurgical lorsque les lésions sont très destructrices et associées à de l'arthrose.

Chondrodystrophie

Trouble de la formation et de la croissance des cartilages.

Une chondrodystrophie peut être responsable de différentes sortes de nanisme. La mieux connue est l'achondroplasie, et la plus célèbre, la pycnodysostose, qui affecta le peintre français Henri de Toulouse-Lautrec.

Chondromalacie

Ramollissement localisé du cartilage articulaire.

La chondromalacie, qui affecte surtout les cartilages de l'articulation du genou (rotule, fémur), peut être la conséquence d'un traumatisme dû à une pratique sportive (comme le cyclisme ou l'équitation, qui exigent une grande participation du genou) ou constituer le signe précurseur d'une arthrose. Elle résulte d'une rupture très localisée du réseau de fibres de collagène qui maintient sous pression les constituants du cartilage. Une vive douleur est ressentie lorsque le genou s'étend (course, montée ou descente des escaliers, etc.).

Le diagnostic repose sur l'arthroscopie, qui permet de voir et de palper le ramollissement. Le traitement essentiel est une mise au repos de l'articulation touchée (gouttière plâtrée, voire immobilisation) pendant quelques mois, associée à une rééducation. La chirurgie n'est indiquée qu'en cas d'anomalie importante de la rotule.

Chondromatose

Affection caractérisée par la présence de chondromes, petites tumeurs cartilagineuses.

Les chondromes apparaissent, le plus souvent, sur les synoviales des articulations ou les os.

■ La chondromatose synoviale, bénigne, affecte principalement le genou et la hanche ; les éléments cartilagineux formés sont autant de corps étrangers qui entravent le jeu de l'articulation. Le traitement repose sur la synovectomie (ablation chirurgicale de la synoviale), par arthroscopie.

■ La chondromatose osseuse est une altération de l'os dans laquelle une zone osseuse se trouve en partie remplacée par du cartilage. Souvent indolore, elle affecte plutôt les doigts et les os longs des membres. L'ablation chirurgicale peut être indiquée lorsque le ou les chondromes deviennent gênants ou pour corriger une déformation d'un membre.

Chondrome

Tumeur cartilagineuse bénigne.

Un chondrome survient le plus souvent sur les os des mains et des pieds (phalanges, métacarpiens et métatarsiens), plus rarement à la racine des membres et dans le tronc. Cette tumeur peut se révéler par une tuméfaction palpable, une fracture (le chondrome compromettant la solidité de l'os, qui peut se rompre à l'occasion d'un effort) ou être découverte lors d'un examen radiologique. Le traitement repose sur l'ablation chirurgicale complète du chondrome, qui permet de prévenir le risque de fracture et d'éviter une récidive.

Chondrosarcome

Tumeur maligne primitive de l'os, d'origine cartilagineuse.

Un chondrosarcome atteint surtout les os volumineux comme le fémur, le tibia ou l'humérus, mais il peut aussi siéger sur le bassin ou de nombreux autres os. C'est une des formes les plus fréquentes de cancer osseux. Il touche surtout l'adulte après la troisième décennie.

Le chondrosarcome se développe à l'intérieur ou à l'extérieur de l'os soit spontanément, soit en venant compliquer l'évolution d'une tumeur bénigne préexistante (chondrome, ostéochondrome). Il se manifeste par des douleurs très vives et, lorsqu'il atteint un os superficiel, par une tuméfaction. Il peut également, quand il est très volumineux, comprimer les organes du voisinage, voire provoquer des fractures.

La radiographie montre un foyer de destruction du tissu osseux, mais le diagnostic ne peut être affirmé qu'après biopsie et examen microscopique. Le traitement repose sur une ablation chirurgicale large de la tumeur. L'évolution du chondrosarcome est dominée par deux risques : récidive locale si l'ablation n'a pas été complète et apparition de métastases, pulmonaires en particulier.

Chordome

Tumeur maligne vertébrale siégeant le plus souvent sur le sacrum, le coccyx ou à la base du crâne.

Le chordome est issu de la notochorde, tissu embryonnaire autour duquel s'organise l'axe rachidien pendant le développement du fœtus. En dépit de cette origine, c'est une tumeur de l'adolescent et de l'adulte. Sa croissance est très lente, révélée souvent par la compression d'organes avoisinants, responsable de douleurs d'intensité croissante. Le traitement, chirurgical, est délicat et les récidives sont fréquentes.

Chorée

1. Syndrome aigu ou chronique caractérisé par la survenue de mouvements involontaires d'un type particulier, brefs, rapides, irréguliers et prédominant à la racine des membres (épaule, hanche).

Les causes de ce syndrome sont nombreuses : inflammatoires, vasculaires, tumorales, endocriniennes, toxiques (oxyde de carbone, alcool) ou médicamenteuses (pilules contraceptives, antiépileptiques). La chorée est également caractéristique de deux maladies, la chorée de Huntington et la chorée de Sydenham ; cette dernière, plus couramment connue sous le nom de danse de Saint-Guy, a aujourd'hui disparu du fait de l'usage des antibiotiques.

Le syndrome comporte des mouvements involontaires brusques et brefs, d'assez grande amplitude. D'abord localisés à la face, ils gagnent ensuite les membres. Ils s'associent à une hypotonie (relâchement musculaire) et à une perturbation du mouvement volontaire, en particulier de la marche. Les mouvements choréiques peuvent être réduits par le traitement de la cause, quand il existe, ou par l'administration de neuroleptiques.

2. Toute affection dans laquelle prédomine le syndrome décrit ci-dessus.
→ VOIR Huntington (chorée de), Sydenham (chorée de).

Choréoathétose

État caractérisé par des mouvements intermédiaires entre les mouvements choréiques habituels et les mouvements athétosiques, plus lents, moins amples, gagnant l'extrémité des membres, donnant souvent une impression générale de reptation.

Ces mouvements anormaux ne représentent qu'une variante des mouvements choréiques, observée, par exemple, dans certaines chorées toxiques.

Choriocarcinome

Tumeur maligne rare qui se développe dans l'utérus à partir du placenta, après une grossesse, ou, chez l'homme, dans le testicule. SYN. *chorioépithéliome*.

Choriocarcinome de l'utérus

Cette tumeur maligne survient après une grossesse dans environ 1 cas sur 20 000, succédant le plus souvent à une grossesse marquée par une anomalie du placenta, la môle hydatiforme (formation de kystes bénins à partir des villosités placentaires), ou, plus rarement, à un avortement.

SYMPTÔMES ET SIGNES
La tumeur a tendance à produire rapidement des métastases par voie sanguine, en particulier pulmonaires. Elle se manifeste souvent par des saignements vaginaux persistants, mais elle peut aussi ne provoquer aucun symptôme précoce et ne se révéler que par ses métastases (gêne respiratoire, toux, crachats sanglants).

DIAGNOSTIC
Il repose sur l'échographie et sur les dosages sanguins et urinaires des hormones chorioni-

ques gonadotrophiques, ou h.C.G. (hormones produites par le placenta).

TRAITEMENT ET PRÉVENTION
Le traitement par chimiothérapie anticancéreuse a un effet bénéfique spectaculaire, surtout si le diagnostic est précoce. Son efficacité se mesure à la baisse du taux d'hormones chorioniques gonadotrophiques (h.C.G.).

La prévention de ce type de cancer consiste à surveiller régulièrement toute femme ayant eu une grossesse avec môle hydatiforme.

Choriocarcinome du testicule

Cette tumeur maligne du testicule survient surtout chez l'homme jeune. Elle se révèle par un nodule palpable et indolore du testicule, très souvent associé à une gynécomastie (augmentation de volume des seins). Cette dernière est provoquée par une sécrétion excessive d'hormones chorioniques gonadotrophiques due à la prolifération du tissu tumoral.

DIAGNOSTIC
Il repose sur l'échographie et sur les dosages sanguins et urinaires des hormones.

ÉVOLUTION ET TRAITEMENT
Le choriocarcinome testiculaire revêt une particulière gravité en raison de la fréquence et de la précocité des métastases. Son traitement associe l'ablation chirurgicale du testicule tumoral (orchidectomie) et une chimiothérapie anticancéreuse. Une surveillance régulière et durable du patient est nécessaire afin de déceler les récidives, qui sont fréquentes.

Chorioépithéliome

→ VOIR Choriocarcinome.

Choriogonadotrophine

→ VOIR Chorionique gonadotrophique (hormone).

Chorioméningite lymphocytaire

→ VOIR Armstrong (maladie d').

Chorion

1. Couche conjonctive profonde d'une muqueuse ou d'un tissu séreux, qui se trouve sous l'épithélium. (P.N.A. *corium*).

Le chorion est formé de fibres collagènes et élastiques, de vaisseaux et de nerfs destinés à assurer la nutrition de l'épithélium.

2. Membrane externe de l'œuf, issue de la réunion du trophoblaste et du mésoblaste au début de la grossesse.

Le chorion et l'amnios, qui protègent le fœtus, sont expulsés avec le placenta après l'accouchement, prenant alors le nom de caduque.

Chorionique gonadotrophique (hormone)

Hormone sécrétée principalement par le placenta durant les premiers mois de la grossesse. SYN. *choriogonadotrophine, gonadotrophine chorionique*.

L'hormone chorionique gonadotrophique (h.C.G.) est une hormone polypeptidique

(formée de plusieurs acides aminés) constituée de deux sous-unités, alpha et bêta. La première n'a pas de fonction connue ; la seconde a une grande similitude de structure avec la sous-unité bêta de l'hormone lutéinisante (LH), ce qui explique leur utilisation thérapeutique semblable (stimulation de l'ovulation et de la spermatogenèse).

La production d'hormone chorionique gonadotrophique par le placenta commence dès l'implantation de l'œuf dans l'utérus et augmente très rapidement durant les premières semaines de la grossesse. Son taux est plus élevé en cas de grossesse multiple (jumeaux, triplés, etc.). Le taux plasmatique maximal de l'hormone chorionique gonadotrophique est atteint vers la dixième semaine de la grossesse ; ensuite, il diminue et se stabilise en plateau jusqu'à l'accouchement.

UTILISATIONS DIAGNOSTIQUE ET THÉRAPEUTIQUE
Le dosage de la sous-unité bêta de l'hormone chorionique gonadotrophique dans le sang permet le diagnostic précoce de la grossesse. Les autres cas d'élévation de cette sécrétion sont extrêmement rares : môle hydatiforme (dégénérescence kystique du placenta dans les premiers mois de la grossesse) ; certains cancers à composante embryonnaire (choriocarcinomes).

Extraite des urines des femmes enceintes, l'hormone chorionique gonadotrophique est ensuite purifiée et administrée par voie injectable pour stimuler l'ovulation ou la spermatogenèse.

Choroïde

Membrane comprise entre la rétine et la sclérotique, ou blanc de l'œil. (P.N.A. *choroidea*).

La choroïde forme la partie postérieure de l'uvée (tunique vasculaire de l'œil comprenant la choroïde, le corps ciliaire et l'iris). Elle est séparée de la sclérotique par un espace dit suprachoroïde et de la rétine par l'épithélium pigmentaire. Elle est formée d'un réseau de vaisseaux sanguins qui nourrissent la rétine. La vascularisation artérielle est due à l'artère ophtalmique, par l'intermédiaire des artères ciliaires, et le drainage veineux est effectué par les veines dites vortiqueuses. L'exploration de la choroïde se fait par angiographie rétinienne et échographie oculaire. Sa pathologie est surtout inflammatoire (choroïdites), vasculaire ou tumorale (mélanomes).

Choroïdite

Inflammation de la choroïde (membrane de l'œil située entre la rétine et la sclérotique). SYN. *uvéite postérieure*.

CAUSES
La toxoplasmose est la cause de choroïdite la plus fréquente ; la maladie est transmise par la mère pendant la vie intra-utérine. Une choroïdite peut également être provoquée par la maladie de Behçet, la toxocarose, la pseudohistoplasmose ainsi que par une uvéoméningite.

SYMPTÔMES ET SIGNES
Une choroïdite se manifeste essentiellement par une baisse de l'acuité visuelle, sans

rougeur ni douleur oculaire. C'est parfois un simple flou visuel, gênant surtout la vision de loin, accompagné de la perception d'opacités bougeant avec les mouvements du globe oculaire : il traduit seulement un trouble des milieux oculaires. Une chute plus importante de l'acuité visuelle et une altération de la vision de près peuvent signifier une atteinte de la macula (pôle postérieur de l'œil sur la rétine). Parfois, l'acuité visuelle est conservée et le patient signale la perception d'une tache plus sombre, ne bougeant pas avec les mouvements du globe oculaire. Enfin, quand elle résulte d'une toxoplasmose congénitale, la choroïdite est souvent inapparente à la naissance : un foyer (zone inflammatoire limitée) choriorétinien n'apparaît alors qu'à la puberté.

DIAGNOSTIC ET ÉVOLUTION

Le diagnostic repose sur l'examen du fond d'œil. Le dosage des anticorps antitoxoplasmiques dans l'humeur aqueuse, bien plus abondants que dans le sérum, permet également d'identifier la choroïdite due à la toxoplasmose.

Un foyer choroïdien est une tache blanchâtre, aux bords irréguliers, entourée d'un œdème rétinien. Au cours de l'évolution, le foyer s'aplatit, l'œdème se résorbe et la lésion laisse place à une cicatrice atrophique et pigmentée. La gravité de la maladie dépend de l'atteinte de la macula : si celle-ci est touchée, la baisse de la vision est immédiate et irréversible. L'examen du fond d'œil peut mettre en évidence d'autres anomalies accompagnant la choroïdite : une hyalite (inflammation du corps vitré), un décollement de la rétine dû à l'œdème rétinien ou une vascularite rétinienne.

TRAITEMENT

Il repose d'abord sur celui de la maladie qui provoque la choroïdite. Ainsi, dans le cadre d'une toxoplasmose, le traitement de la choroïdite doit être précédé d'un traitement antiparasitaire. Des anti-inflammatoires corticostéroïdiens peuvent ensuite être utilisés à fortes doses.

Chromatide

Chacune des deux copies identiques d'un chromosome, réunies par le centromère au moment de la mitose.

Dans le noyau, le chromosome a l'aspect d'un long filament. Avant la mitose (division cellulaire), il se condense et se divise, donnant deux copies identiques de lui-même, les chromatides, qui restent unies un certain temps par le centromère : le chromosome a alors la forme d'un X. À la fin de la mitose, les deux chromatides se séparent l'une de l'autre et migrent en sens opposé vers les pôles du fuseau achromatique pour passer dans les cellules filles et redevenir des chromosomes indépendants.

Chromatine

Constituant principal du noyau des cellules entre deux divisions cellulaires.

La chromatine doit son nom à sa capacité de fixer les colorants. Elle est constituée, en grande partie, par les chromosomes dans un état non condensé. Sa condensation, lors de la division cellulaire, conduit à la formation des chromosomes.

Chromatographie

Technique permettant de séparer les constituants d'un mélange afin de les doser.

La chromatographie est une technique de laboratoire. Dans une de ses principales variantes, une colonne cylindrique solide (alumine, charbon) est remplie d'un produit ayant une affinité pour le constituant que l'on veut étudier. Le mélange (échantillon d'urine, par exemple) est déposé en haut de la colonne. Seul le constituant à étudier (cystine, par exemple) est retenu dans la colonne, le reste du mélange étant éliminé. On fait ensuite couler un solvant qui détache et entraîne la substance à étudier, qui est ainsi recueillie en bas de la colonne, à l'état partiellement purifiée, pouvant alors être identifiée et, éventuellement, dosée.

Chromatopsie

Perception visuelle des couleurs, due aux cônes de la rétine.

La chromatopsie est essentiellement centrale – et non périphérique – en raison de la concentration des cônes dans la macula (zone centrale de la rétine au pôle postérieur de l'œil). En outre, le niveau d'intensité de la lumière doit être suffisant pour permettre aux cônes d'être fonctionnels.

Chrome

Oligoélément métallique nécessaire à l'organisme dans diverses réactions biochimiques : métabolisme des glucides et des lipides principalement.

Le chrome (Cr) est indispensable au corps humain, mais en quantités infimes. En concentration trop élevée dans l'organisme, il a de graves effets toxiques. Il provoque des lésions inflammatoires de la peau et des muqueuses, en particulier de la muqueuse nasale s'il est inhalé. Chez les sujets exposés de façon chronique aux vapeurs de chrome, la fréquence des cancers du poumon est significativement plus élevée.

Chromidrose, ou Chromhidrose

Sécrétion d'une sueur colorée.

La chromidrose, anomalie très rare, se rencontre surtout au cours d'infections cutanées, microbiennes ou mycosiques, qui favorisent la sécrétion de pigments, ou à la suite d'une exposition à des teintures vestimentaires ou à des sels de cuivre. Exceptionnellement, elle est provoquée par la synthèse de pigments d'une nature mal connue, les pigments lipofuchsiniques.

La sueur sécrétée lors d'une chromidrose prend une teinte variable : rougeâtre, jaunâtre, bleuâtre, verdâtre ou noirâtre. Habituellement, cette affection ne nécessite aucun traitement.

Chromomycose

Mycose cutanée due à des champignons des genres *Cladosporium* et *Phialophora*. SYN. *chromoblastomycose*.

Les champignons *Cladosporium carrionii* et *Fonsecæa pedrosoi*, le plus souvent responsables de cette mycose, se présentent dans la nature sous forme de filaments, chez l'homme sous forme de cellules fumagoïdes (petites cellules ovoïdes de couleur marron). Ils prolifèrent surtout en Amérique centrale, aux Antilles et à Madagascar.

L'homme est contaminé, le plus souvent aux jambes et aux bras, en s'égratignant à des épines souillées.

SYMPTÔMES ET SIGNES

Dans un premier temps apparaît sur la peau une plaque rouge indolore qui se transforme lentement en dermatite verruqueuse chronique - dite en chou-fleur -, parfois en lésions semblables à des tumeurs, qui peuvent s'ulcérer.

DIAGNOSTIC ET TRAITEMENT

Le diagnostic repose sur un examen microscopique de prélèvements cutanés et de leur culture. Un traitement de longue durée, à base d'antifongiques, permet d'éliminer cette mycose.

Chromosome

Élément situé dans le noyau de la cellule, porteur de l'information génétique.

Les chromosomes contiennent les gènes et permettent leur distribution égale dans les deux cellules filles lors de la division cellulaire. Ils sont formés d'une longue molécule d'A.D.N., associée à des protéines (histones, notamment). Entre deux divisions cellulaires, ils ne sont pas individualisés et la molécule d'A.D.N., pelotonnée, forme la chromatine. Ils se condensent progressivement au cours de la division cellulaire pour prendre une apparence caractéristique en forme de X à deux bras courts et deux bras longs, reliés par un centromère.

Le nombre et la forme des chromosomes (caryotype) sont les mêmes pour tous les individus d'une espèce donnée. Les gamètes (cellules sexuelles) ne possèdent qu'un seul exemplaire de chaque chromosome, tandis que les autres cellules de l'organisme, dites cellules somatiques, possèdent deux exemplaires de chaque.

Chaque cellule humaine, excepté les gamètes, possède 22 paires de chromosomes appelés autosomes, numérotées de 1 à 22 par ordre de taille décroissante, et une paire de chromosomes sexuels appelés gonosomes : XX chez la femme et XY chez l'homme.

Les anomalies soit du nombre, soit de la structure des chromosomes sont appelées aberrations chromosomiques. Elles peuvent être détectées avant la naissance par l'analyse du caryotype de cellules fœtales obtenues par ponction de trophoblaste ou par amniocentèse. La présence d'un chromosome surnuméraire constitue une trisomie, tandis qu'un chromosome manquant dans une paire réalise une monosomie. Certaines maladies résultent d'une anomalie du nombre des chromosomes sexuels, comme le syndrome de Turner, où il manque un chromosome X (XO), ou le syndrome de Klinefelter, où l'on observe un chromosome X en trop.
→ VOIR Hérédité.

CHROMOSOME

C'est lors de la division cellulaire que les chromosomes peuvent être observés, avec leurs deux chromatides en bâtonnet réunies en un point, le centromère. Chacun peut être apparié à un autre ; chez un sujet de sexe masculin, une des paires associe deux chromosomes dissemblables.

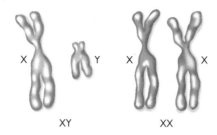

Homme   Femme

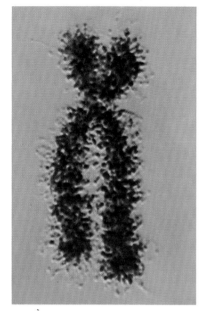

Aspect typique, en X, des chromosomes. Chaque chromatide a un bras court et un bras long, de part et d'autre du centromère. Les chromatides se détacheront pour aller chacune dans une cellule fille, y reconstituer un chromosome.

Chaque chromosome fixe différemment les colorants, mais la disposition en est symétrique sur ses deux chromatides. Ici, chaque diagramme schématise la répartition des bandes colorées propre à trois chromosomes différents.

Chronique

Se dit d'une maladie d'évolution lente et sans tendance à la guérison.

À la différence d'une maladie aiguë, une maladie chronique n'est pas marquée par un début précis et se développe insensiblement sur des mois ou des années ; elle peut toutefois être émaillée de poussées aiguës plus ou moins brutales comme dans le cas de la polyarthrite rhumatoïde. Elle aboutit à des lésions souvent irréversibles.

Certaines infections sont chroniques, les germes étant résistants ou inaccessibles aux traitements. D'autres affections, liées à un désordre immunitaire (connectivite) ou à un trouble métabolique (diabète, myxœdème), sont également chroniques et nécessitent un traitement permanent destiné à corriger le trouble pathologique.

Chronobiologie

Étude scientifique des biorythmes (rythmes biologiques des êtres vivants).

La chronobiologie étudie les phénomènes temporels internes déterminés génétiquement aussi bien que les phénomènes externes (cycles quotidiens, saisonniers, etc.) et leur influence sur les différents organismes vivants.

En médecine, les applications sont multiples : traitement des troubles du sommeil et de l'humeur par « resynchronisation » du patient ; en pharmacologie, étude de la chronotoxicité (variation des effets toxiques en fonction du temps) et de la chronesthésie (variation de la sensibilité d'un organe) en vue d'une administration plus efficace et moins nocive des médicaments, etc.
→ VOIR Dossier Chronobiologie.

Chronopharmacologie

Étude de l'influence du moment d'administration d'un médicament sur son action.

La chronopharmacologie est une application de la chronobiologie. Elle consiste à déterminer les variations de l'activité ou de la toxicité d'un produit selon l'heure d'administration. Elle étudie également les modifications des rythmes biologiques, ou biorythmes, dues aux médicaments. Son but est d'améliorer l'efficacité thérapeutique et de diminuer les effets indésirables. Par exemple, les antihistaminiques H2, prescrits dans le traitement des ulcères gastroduodénaux, seront pris le soir, à distance du dernier repas, afin de ne pas freiner la sécrétion gastrique nécessaire à la digestion ; les corticostéroïdes seront administrés par voie orale en une seule prise le matin, période de la journée où la sécrétion spontanée d'hormones par la glande surrénale est le moins freinée.

Chvostek (signe de)

Contraction des muscles du visage, et plus précisément de la partie médiane et latérale de la lèvre supérieure, après percussion du nerf facial au niveau de la pommette.

Le signe de Chvostek s'observe en cas de baisse des taux sanguins de calcium et/ou de magnésium. Ces déficits peuvent être dus à diverses affections : syndrome de malabsorption, alcoolisme chronique, cirrhose du foie. Le signe de Chvostek est également caractéristique de la spasmophilie, de l'hypoparathyroïdie et de la tétanie.

Chyle

Liquide laiteux constitué de lymphe et de graisses provenant de l'alimentation.

Le chyle est présent pendant la digestion dans les canaux lymphatiques de l'intestin grêle, dits chylifères, qui assurent une des phases de la nutrition en le véhiculant jusqu'au canal thoracique.

Chylifère (vaisseau)

Petit vaisseau lymphatique qui absorbe le chyle dans l'intestin.

Les vaisseaux chylifères débouchent dans les canaux lymphatiques, plus volumineux.

Chylomicron

Grosse particule lipidique circulant dans le sang, transportant les triglycérides d'origine alimentaire après la digestion.

Les chylomicrons passent du tube digestif dans la lymphe puis dans le sang et subissent ensuite l'action d'une enzyme, la lipoprotéine lipase, principalement dans le tissu adipeux et les muscles. Le foie ne les capte pas directement mais assimile les triglycérides ou les acides gras provenant de leur destruction.

Chylopéritoine

Épanchement de liquide chyleux dans le péritoine.

Un chylopéritoine est le signe d'une compression et d'une rupture des voies lymphatiques abdominales. Les principales causes en sont les traumatismes, les cancers et les lymphomes abdominaux.

Le traitement dépend de la cause. La suppression des graisses alimentaires réduit le volume de l'épanchement chyleux, naturellement riche en globules de graisse.

Chylothorax

Présence de chyle dans la cavité pleurale.

Un chylothorax, anomalie très rare, est provoqué par une intervention chirurgicale, un traumatisme, une tumeur du thorax. Il peut causer une dyspnée (gêne respiratoire) et se révèle à l'aide d'une ponction de la plèvre, qui ramène du chyle provenant d'une fuite des vaisseaux lymphatiques.

Le repos s'impose ; en cas de dyspnée, le liquide est évacué par drainage ; un traitement chirurgical est parfois possible.

LA CHRONOBIOLOGIE

Les êtres vivants sont dotés de véritables horloges qui donnent l'heure à toutes les cellules et déterminent des rythmes auxquels obéissent tous les phénomènes biologiques. La connaissance de ces rythmes ouvre de nouvelles voies thérapeutiques.

LES RYTHMES DES ÊTRES VIVANTS

La chronobiologie étudie les variations biologiques prévisibles en fonction du temps (*chronos* signifie temps en grec), les mécanismes qui les contrôlent et les circonstances susceptibles de les altérer. En effet, de nombreux travaux scientifiques prouvent que, à de très rares exceptions près, tous les phénomènes biologiques — qu'il s'agisse par exemple des sécrétions hormonales, de la température du corps, du cycle veille-sommeil ou du renouvellement des cellules — varient de façon régulière suivant des périodes connues, générées par l'organisme lui-même, les plus étudiées étant les rythmes circadiens, dont la période est d'environ 24 heures.

Les propriétés des rythmes biologiques

En 1729, J.-J. Dortous de Mairan constate que les mouvements de l'héliotrope, dont la fleur se tourne vers le soleil, persistent lorsque cette plante est maintenue en permanence dans l'obscurité. On sait maintenant que les rythmes de tous les êtres vivants persistent dans un environnement constant. J.-J. Virey suggère, dès 1814, qu'il existe des « garde-temps » biologiques endogènes (internes à l'organisme), mais ce n'est que dans les années 1970 que plusieurs chercheurs (R. Moore, F.K. Stephan) prouvent l'existence de ceux-ci.

La localisation des horloges biologiques

Il y a, à la base du cerveau des mammifères et de certains oiseaux, des formations de cellules nerveuses situées au-dessus du croisement des nerfs optiques ; ce sont les noyaux suprachiasmatiques, ou N.S.C. Le rôle d'horloge biologique joué par ces N.S.C. fut démontré par le fait que leur destruction expérimentale, chez l'animal, entraîne la disparition d'une partie des rythmes circadiens, plus ou moins importante selon l'espèce. Les rythmes circadiens d'un rat privé de N.S.C. réapparaissent lorsqu'on lui greffe des N.S.C. prélevés chez un fœtus de rat. Par ailleurs, les N.S.C. appartiennent au système dit sérotoninergique (ensemble des cellules nerveuses qui utilisent principalement la sérotonine, un neurotransmetteur, pour communiquer entre elles). Si des animaux d'expérience sont soumis à un traitement qui supprime les sécrétions de sérotonine, une partie de leurs rythmes circadiens est abolie.

La synchronisation des rythmes biologiques circadiens

La périodicité des phénomènes physiologiques de l'organisme (cycle veille-sommeil, synthèse des protéines, division cellulaire, etc.) est ainsi générée par l'organisme lui-même, et non par les variations cycliques de l'environnement. Toutefois, les horloges biologiques doivent être mises à l'heure et réglées car, sans recalage quotidien, leur périodicité se perturbe. Ainsi, le rythme circadien d'un être humain exposé aux conditions d'isolement dans le temps, sans repère objectif ni variation des conditions d'éclairement et de température, n'est plus de 24 heures mais avoisine 24,8 heures.

En général, c'est l'alternance des nuits et des jours qui joue le rôle de synchroniseur : la succession de la lumière et de l'obscurité, et l'apparition de l'aube et du crépuscule (début et fin de lumière) règlent la période des rythmes et remettent à l'heure les pics et les creux d'activité des différentes fonctions biologiques, de même qu'on règle une horloge en ajustant la longueur de son balancier et en mettant à l'heure ses aiguilles.

D'autres synchroniseurs de l'environnement naturel propre à une espèce peuvent intervenir : l'alternance de la chaleur pendant le jour et de la fraîcheur pendant la nuit, par exemple. Pour l'espèce humaine, ce sont les impératifs horaires liés à la vie sociale, comme les heures de travail, qui jouent le rôle de synchroniseur prépondérant.

CHRONOBIOLOGIE ET MÉDECINE

Les cellules de l'organisme doivent assurer de nombreuses fonctions, qui sont parfois incompatibles. Les cellules du foie, par exemple, fabriquent d'une part du glycogène, d'autre part des protéines, mais ne peuvent normalement réaliser ces deux tâches en même temps : la synthèse du glycogène est assurée pendant la phase d'activité du sujet, celle des protéines pendant sa phase de repos, ce qui suppose une programmation dans le temps des activités cellulaires. Il en résulte que la sensibilité des cellules, exposées à un agent physique ou chimique, varie en fonction de l'heure, mais aussi du moment de l'année.

Les heures de moindre résistance

L'effet des toxiques sur l'organisme varie en fonction du temps : si l'on soumet des souris aux effets d'une toxine produite par une bactérie, le colibacille, on constate qu'à une certaine heure ce poison tue 80 % des animaux exposés (heure de moindre résistance), alors que 20 % seulement meurent si la même dose de poison est administrée 12 heures plus tôt (ou plus tard). La variation des effets des agents physiques et chimiques en fonction de l'heure a été confirmée pour de nombreuses autres espèces animales et pour de multiples agents ou substances : bruit, radiations ionisantes, poisons végétaux et animaux, et, bien sûr, médicaments.

Le rythme des maladies

Des recherches approfondies, portant sur des milliers de cas et menées notamment par Michael Smolensky et James E. Muller aux États-Unis depuis les années 1980, ont montré que les maladies et leurs symptômes ne se manifestent pas au hasard dans la journée et dans l'année, mais prédominent à certaines heures et à certaines saisons. Dans 70 % des cas, la crise d'asthme survient entre 4 heures et 7 heures du matin ; l'infarctus du myocarde frappe le plus souvent vers 10 heures du matin ; la mortalité par accidents cardiovasculaires prédomine, dans l'hémisphère Nord, en février-mars ; les perforations de l'intestin dues à un ulcère gastroduodénal culminent vers 17 heures. Le mécanisme précis de ces phénomènes est encore inconnu, car ceux-ci dépendent de plusieurs rythmes qui contrôlent les variations périodiques de la vulnérabilité de l'organisme. Ainsi, l'heure de la perforation de l'ulcère gastroduodénal est à mettre en relation avec les rythmes circadiens de la sensibilité de la muqueuse de l'estomac, des sécrétions d'acide et de celles de mucus protecteur.

Chronopharmacologie et chronothérapie

Deux branches de la médecine, la chronopharmacologie et la chronothérapie, commencent à exploiter ces données. La chronopharmacologie concerne les variations des effets des médicaments en fonction de leur heure d'administration, d'une part, et, d'autre part, les effets de ceux-ci sur les rythmes biologiques (durée de leur cycle, moment de leur plus grande et de leur plus faible intensité, etc.). La chronothérapie permet de tirer le meilleur parti médical des résultats de la chronopharmacologie. Elle permet d'augmenter les effets désirés des médicaments lorsqu'ils sont administrés à une heure convenable (celle-ci pouvant être prédite par l'expérimentation animale), ou d'en diminuer les effets toxiques, et le plus souvent de faire les deux.

Des traitements plus efficaces et mieux tolérés

Par exemple, lorsque le traitement de l'asthme nocturne d'une personne qui s'active le jour et se repose la nuit exige l'administration de corticostéroïdes, ces médicaments sont mieux tolérés et plus efficaces lorsqu'ils sont pris le matin et à midi.

Des études cliniques ont permis de déterminer les heures optimales d'administration d'un grand nombre de substances : il en est ainsi du cortisol et des corticostéroïdes, mais aussi des anti-inflammatoires non stéroïdiens utilisés en rhumatologie, des antihistaminiques utilisés en allergologie et dans le traitement des ulcères gastroduodénaux, des anticoagulants et des antihypertenseurs utilisés en cardiologie, des bronchodilatateurs utilisés en pneumologie et en asthmologie, des analgésiques, des hormones, des anticancéreux, etc. Des pompes portables peuvent être programmées pour injecter la substance active aux heures optimales.

La chronothérapie, discipline scientifique récente, n'est pas encore maîtrisée ni mise en œuvre par tous les médecins, mais prend peu à peu sa place dans les techniques thérapeutiques modernes. □

LES GÈNES DES RYTHMES CIRCADIENS

Les gènes qui contrôlent certains rythmes biologiques ont été identifiés chez différentes espèces animales et végétales. Chez la drosophile, une mouche très utilisée pour les recherches en génétique, l'Américain R.J. Konopka a montré, en 1971, que ces gènes se situent sur le chromosome sexuel X ; l'un d'entre eux contrôle la valeur de la période circadienne ; un autre, les heures des pics d'activité. Cependant, si ces recherches permettent de confirmer l'existence d'un contrôle génétique des rythmes, les relations des gènes avec les différentes horloges internes et les mécanismes de celles-ci demeurent inconnus, mais font l'objet d'hypothèses et de recherches.

LES RYTHMES CIRCADIENS

Chez l'adulte en bonne santé exerçant une activité diurne, de 7 heures à 23 heures, et un repos nocturne, on constate que la sécrétion maximale d'une hormone, le cortisol, se situe vers 7 heures du matin ; celle de l'adrénaline, vers 8 heures ; celle de l'insuline, vers midi. Les rythmes de la fréquence cardiaque et la pression artérielle du même sujet culminent vers 16 heures ; le rythme du nombre de globules blancs, vers 23 heures.

Il en résulte une « plage optimale » pour exercer certaines de nos activités, par exemple réaliser les meilleures performances sportives (entre 14 et 17 heures) ou utiliser notre mémoire à long terme (vers 18 heures).

VOIR *Génétique, Hormone, Sommeil, Température.*

Chylurie

Présence de chyle dans les urines.

Une chylurie témoigne d'une fistule entre les canaux lymphatiques et les voies excrétrices des reins (en particulier les bassinets). Elle se traduit par l'émission d'urines chargées de chyle, d'aspect lactescent. Elle est provoquée par l'obstruction des voies lymphatiques dans la partie haute de l'abdomen ou dans le thorax.

L'obstruction peut être d'origine parasitaire (filariose de Bancroft, due à *Wuchereria bancrofti),* congénitale (malfaçon du canal thoracique) ou tumorale. La fistule lymphatique peut être mise en évidence par urographie intraveineuse.

Chyme

Produit de la digestion gastrique du bol alimentaire lorsqu'il arrive dans le duodénum.

L'expulsion du chyme à travers le pylore se fait par fractions successives. La modification physicochimique du chyme tout au long du tractus digestif aboutit à la formation des matières fécales.

Chymopapaïne

Médicament destiné à être injecté entre les disques intervertébraux pour le traitement d'une sciatique par chimionucléolyse. SYN. *alphachymotrypsine.*

La chymopapaïne est une enzyme protéolytique (capable de détruire les protéines) extraite d'un végétal, le papayer. Elle agit par chimionucléolyse, c'est-à-dire qu'elle permet de détruire la partie du disque intervertébral qui fait une saillie et comprime le nerf sciatique. Elle n'est indiquée que lorsque les autres traitements médicaux ont échoué mais évite souvent une intervention chirurgicale. L'allergie à ce produit est une contre-indication formelle. La chymopapaïne peut déclencher des spasmes musculaires, une augmentation transitoire de la douleur et de graves mais exceptionnelles complications neurologiques (paralysie des membres inférieurs).

Chymotrypsine

Médicament utilisé pour ses propriétés anti-inflammatoires.

La chymotrypsine est une enzyme protéolytique (capable de détruire les protéines), extraite du pancréas du bœuf. Elle est indiquée en ophtalmologie pour réduire le traumatisme de l'œil au cours des opérations du cristallin. Elle est également utilisée en traumatologie pour diminuer un œdème. La chymotrypsine est prescrite par voie orale, injectable ou locale. L'allergie à ce produit est une contre-indication formelle. Son principal effet indésirable consiste précisément en une réaction anaphylactique, du fait de son origine animale.

Ciblage génétique

Introduction d'un petit fragment d'A.D.N., à un endroit précis, au sein d'un chromosome. SYN. *ciblage génique.*

Le ciblage génétique ne se pratique actuellement que sur des cellules en culture ou sur des souris. Il constitue une voie d'avenir pour la thérapie génique (traitement des maladies par modification des gènes). Il est également utilisé pour créer des pathologies héréditaires chez l'animal en vue de constituer des modèles pour l'étude des pathologies humaines et de procéder, chez l'animal, à des expériences thérapeutiques destinées à être ensuite transposées en des applications adaptées à l'homme.

Cicatrice

Tissu fibreux remplaçant à titre définitif ou très prolongé un tissu normal après une lésion.

Le tissu cicatriciel se forme aussi bien dans les organes internes (à la suite d'une rupture musculaire, d'une intervention chirurgicale) que sur la peau.

PATHOLOGIE

Une cicatrice normale est à peine visible, souple à la palpation et sans modification de la couleur de la peau. Parfois, cependant, elle prend un aspect anormal.

■ **Les cicatrices chéloïdiennes** ont un relief très accentué. Elles continuent à évoluer après guérison de la plaie.

■ **Les cicatrices dépigmentées** sont fréquentes après cryothérapie (traitement d'une lésion cutanée par le froid). Elles correspondent à la disparition des mélanocytes, les cellules cutanées responsables de la synthèse des pigments.

■ **Les cicatrices déprimées** sont souvent la conséquence de processus inflammatoires (acné), viraux (varicelle) ou bactériens (furoncle). Elles peuvent être arrondies, ovalaires ou de forme irrégulière et de profondeur variable.

■ **Les cicatrices hypertrophiques** ont un relief moins accentué que les cicatrices chéloïdes et sont fréquentes sur certaines zones : épaules, dos, poitrine, région pubienne. Elles régressent spontanément en un ou deux ans.

■ **Les cicatrices pigmentées,** brunes, se rencontrent très fréquemment chez les sujets à peau colorée.

■ **Les cicatrices rétractiles** sont dues à un rétrécissement de la zone cicatricielle provoquant une traction sur les tissus voisins. Elles forment des cordons fibreux, durs, surélevés, qui peuvent limiter les mouvements s'ils siègent sur une articulation. Elles s'observent souvent après une brûlure.

TRAITEMENT ET PRÉVENTION

Le traitement des cicatrices pathologiques est toujours difficile. Les cicatrices hypertrophiques peuvent être améliorées par des massages avec ou sans produit actif (corticostéroïdes), des infiltrations de corticostéroïdes, des applications d'azote liquide ou bien une simple compression. Le traitement est en partie semblable pour les cicatrices chéloïdiennes, mais il est moins efficace. Les cicatrices déprimées peuvent faire l'objet d'un relèvement chirurgical. Si le préjudice esthétique est important, les cicatrices dépigmentées peuvent être tatouées et les cicatrices pigmentées, massées avec des produits dépigmentants. Seule la chirurgie est efficace dans le cas des cicatrices rétractiles. L'évolution des cicatrices situées sur des zones « mobiles » (pli des coudes ou des genoux) doit être surveillée pendant plusieurs années car, dans de rares cas, ces cicatrices peuvent dégénérer.

La prévention des cicatrices pathologiques tient d'une part au traitement médical correct des plaies, d'autre part aux techniques de suture des incisions chirurgicales. → VOIR Chéloïde.

Cicatrisant

Substance favorisant la cicatrisation des plaies cutanées.

Les cicatrisants, nombreux, sont essentiellement à base de vitamines, d'hormones, d'extraits placentaires ou végétaux. Leur usage est souvent affaire de mode et leur efficacité réelle, très discutée. En effet, la plaie peut être bénigne et cicatriser spontanément ou être plus grave et nécessiter alors un traitement médicamenteux.

Cicatrisation

Réparation spontanée d'un tissu après une lésion, aboutissant en règle générale à la formation d'une cicatrice.

La cicatrisation est un ensemble de phénomènes locaux de défense, survenant après une agression : blessure, brûlure, maladie, intervention chirurgicale. De nombreux produits actifs en provenance du sang et du tissu sont libérés au cours de ces phénomènes : enzymes, protéines diverses, histamine, etc. La cicatrisation comprend plusieurs étapes, dont la première est la coagulation du sang, arrêtant le saignement. Les globules blancs venant du sang éliminent les cellules mortes. Puis des cellules survivantes prolifèrent et donnent naissance à un nouveau tissu, dont l'aspect dépend de la localisation de la lésion. En effet, dans le cas du tissu osseux, par exemple, les cellules saines voisines migrent dans la zone atteinte et prolifèrent, reconstituant ainsi une structure identique à celle précédant l'agression. En revanche, dans le cas du tissu musculaire, la zone atteinte est comblée essentiellement par du tissu fibreux, non musculaire et non contractile.

La cicatrisation dépend de plusieurs facteurs, notamment génétiques et ethniques : ainsi, la survenue d'une cicatrice chéloïdienne (cicatrice pathologique caractérisée par un bourrelet fibreux) est plus fréquente chez les sujets noirs et asiatiques. En outre, la prise de certains médicaments (corticostéroïdes) peut retarder la cicatrisation.

CICATRISATION D'UNE PLAIE

Selon la nature et l'aspect de la plaie, on distingue deux types de cicatrisation.

■ **La cicatrisation de première intention** concerne les plaies dont les bords sont bien rapprochés l'un de l'autre, comme après certains traumatismes ou certaines incisions faites par le chirurgien, en l'absence d'infection. La cicatrisation est alors rapide et de bonne qualité, qu'elle soit spontanée ou facilitée par une suture (par fils ou agrafes) si la plaie est trop profonde.

■ **La cicatrisation de seconde intention** concerne au contraire les plaies dont les bords sont éloignés l'un de l'autre. On l'observe, par exemple, au cours d'un ulcère de la jambe, entraînant une perte de substance cutanée. Le fond de la plaie se recouvre alors d'un support fibreux. Les cellules saines situées sur les bords prolifèrent tout en migrant pour recouvrir le fond de la plaie et élaborent un nouveau tissu cutané. Ce processus est naturellement plus lent qu'une cicatrisation de première intention, et la cicatrice, souvent plus disgracieuse. Le traitement utilisera des médicaments dermatologiques (solutions, pommades, pansements) et parfois des moyens physiques (curette, bistouri). Il requiert plusieurs étapes :
- la désinfection avec des antiseptiques tels que la chlorhexidine ou l'hexamidine ;
- la détersion (élimination des débris et des excès de sécrétions) par agent chimique ou, au besoin, au bistouri ;
- les techniques servant à favoriser la granulation (prolifération de nouveau tissu) et l'épidermisation (formation d'un nouvel épiderme), notamment la pose de pansements hydrocolloïdes occlusifs.

Ciclosporine

Médicament immunosuppresseur (diminuant l'activité du système immunitaire), utilisé notamment au cours des transplantations d'organes. SYN. *ciclosporine A*.

La ciclosporine, disponible depuis 1984, est extraite d'un champignon norvégien. Elle inhibe le système immunitaire du sujet, particulièrement les lymphocytes T4. Elle l'empêche ainsi de rejeter un organe transplanté (rein, cœur, poumon, foie, pancréas) ou un tissu greffé (moelle osseuse). Par ailleurs, elle est indiquée ou expérimentée dans les formes graves et résistantes de certaines maladies : psoriasis, maladies rhumatismales (polyarthrite rhumatoïde), affections du rein (syndrome néphrotique), diabète insulinodépendant.

La ciclosporine est administrée par voie le plus souvent orale, parfois intraveineuse. L'allergie à ce médicament et la grossesse sont des contre-indications. Les interactions médicamenteuses sont nombreuses : antibiotiques, anti-inflammatoires, contraceptifs, vaccins. La prescription, délicate, ne peut se faire qu'en milieu hospitalier et nécessite un suivi régulier du taux sanguin de ciclosporine.

EFFETS INDÉSIRABLES

Le principal d'entre eux est la toxicité rénale, mais on peut observer aussi un développement excessif de la pilosité, une hypertension artérielle, des infections, une hépatite, des tremblements.

Ciguë

1. Nom commun à plusieurs plantes vénéneuses.

Les ciguës comprennent : la grande ciguë (*Conium maculatum*), haute de 1 à 2 mètres, dont toutes les parties sont toxiques ; la ciguë vireuse (*Cicuta virosa*), plante aquatique au rhizome très toxique ; la petite ciguë (*Æthusa cynapium*), qui risque d'être confondue avec le persil ou le cerfeuil et dont la toxicité est mal connue, mais probable.

La ciguë n'a plus aucune utilisation thérapeutique.

2. Poison extrait de la grande ciguë.

L'intoxication par la ciguë se manifeste par des troubles digestifs puis respiratoires dus à une paralysie musculaire. Le traitement peut nécessiter des mesures de réanimation en urgence (assistance respiratoire, administration d'oxygène).

Ciment chirurgical

Pâte utilisée pour fixer sur ou dans l'os des prothèses articulaires internes.

Le ciment chirurgical est fabriqué immédiatement avant utilisation, à l'aide d'une poudre et d'un solvant. Le ciment le plus utilisé est le méthyle méthacrylate, éventuellement associé à un antibiotique qui se diffuse localement très progressivement. Bien toléré par l'organisme, il permet de fixer solidement les prothèses à l'os lorsque celles-ci reproduisent parfaitement la mécanique de l'articulation opérée.

Cinétique chimique

Discipline étudiant la vitesse des réactions chimiques.

La cinétique chimique indique la quantité de substance transformée par unité de temps au cours d'une réaction chimique et les facteurs qui peuvent influencer ce chiffre. Parmi ces facteurs figurent les catalyseurs, substances qui modifient la vitesse d'une réaction sans subir elles-mêmes de transformation chimique. Dans l'organisme, certaines enzymes jouent le rôle de catalyseur.

Leur rôle est vital, car la plupart des réactions du corps humain sont spontanément trop lentes pour satisfaire aux besoins.

Cinquième maladie

→ VOIR Mégalérythème épidémique.

Circoncision

Ablation du prépuce. SYN. *posthectomie*.

La circoncision est pratiquée rituellement dans certaines religions. Elle peut également être réalisée pour des raisons d'hygiène, l'ablation du prépuce évitant l'accumulation de sécrétions sous le prépuce, parfois source d'infections.

En pathologie, elle est pratiquée par un médecin lorsque le prépuce est trop long, le gland difficile à décalotter, ou en cas de gêne à la miction due à un rétrécissement préputial, de balanite (infection du sillon préputial) et, chez l'adulte, de paraphimosis (étranglement douloureux de la base du gland par un anneau préputial trop étroit, rendant le recalottage impossible).

Circulation extracorporelle

Technique utilisée en chirurgie cardiaque à cœur ouvert, permettant d'assurer, de manière temporaire et artificielle, la circulation et l'oxygénation du sang à la place du cœur et des poumons.

INDICATIONS

La circulation extracorporelle est utilisée lorsque des interventions doivent être effectuées sur un cœur immobile, exempt de flux sanguin, par exemple en cas de pontage aortocoronaire, de remplacement d'une valvule cardiaque ou de fermeture de communications anormales entre différentes cavités cardiaques.

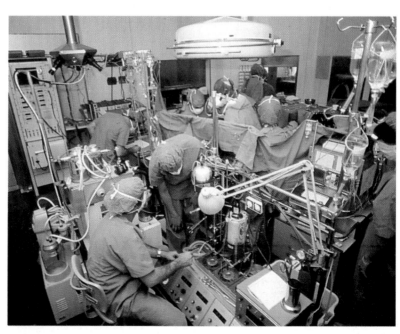

Circulation extracorporelle, au cours d'une opération de chirurgie cardiaque.

TECHNIQUE

La circulation extracorporelle consiste à faire passer le sang veineux à travers un appareil d'oxygénation avant de le réinjecter dans le réseau artériel. Le sang issu des veines est donc collecté peu avant son arrivée dans le cœur grâce à des tuyaux, appelés canules, branchés sur les veines caves. Ce sang passe ensuite dans le circuit de circulation extracorporelle, comportant des filtres, un dispositif thermique pour maintenir la température sanguine au niveau souhaité et un oxygénateur qui va jouer le rôle de poumon. Enfin, le sang oxygéné est réinjecté dans la circulation artérielle par une canule insérée dans l'aorte. La circulation est assurée par un système de pompe qui propulse le sang à intervalles réguliers comme le ferait le cœur, avec un débit et une pression réglables. Tous ces dispositifs sont mis en place de façon temporaire et retirés en fin d'intervention, les points d'entrée des canules étant suturés. La circulation sanguine normale est alors rétablie. Par ailleurs, le sang est dilué avec des liquides (hémodilution), et des systèmes d'aspiration permettent de le récupérer dans toute la zone opérée puis de le réinjecter après filtrage dans le circuit. Ces techniques ont beaucoup réduit les besoins de transfusion sanguine.

COMPLICATIONS

La mise en place d'un système de circulation extracorporelle entraîne un risque de thrombose qui est jugulé par un traitement anticoagulant (héparine à forte dose). Les risques d'infection sont évités par l'utilisation d'un appareil et de techniques rigoureusement aseptiques.

Circulation sanguine

Mouvement du sang dans les différents vaisseaux sous l'impulsion de la pompe cardiaque.

Décrite pour la première fois par le médecin anglais William Harvey en 1628, la circulation sanguine fournit aux cellules de l'organisme, par l'intermédiaire du sang, l'oxygène et les substances dont elles ont besoin pour survivre et jouer leur rôle dans le fonctionnement des organes. Pour ce faire, le sang emprunte deux circuits : le premier, appelé circulation pulmonaire, ou petite circulation, lui permet de se réoxygéner au contact des alvéoles pulmonaires ; le second, appelé circulation systémique, ou grande circulation, irrigue les organes en sang réoxygéné. Tous les échanges gazeux entre sang et organes s'effectuent par l'intermédiaire des capillaires, ramifications terminales de très petite taille des vaisseaux sanguins.

■ La circulation pulmonaire amène le sang veineux (sang pauvre en oxygène et riche en gaz carbonique) au contact des alvéoles pulmonaires pour le réoxygéner totalement et éliminer son gaz carbonique en excès. Elle s'effectue par l'artère pulmonaire qui naît du ventricule droit et se subdivise en un grand nombre de branches, se ramifiant elles-mêmes en une multitude de capillaires. Après s'être réoxygéné, le sang regagne le cœur par des veinules, des veines puis de grosses veines pulmonaires (au nombre de quatre), qui débouchent dans l'oreillette gauche. La petite circulation fonctionne à basse pression, la pression maximale ne dépassant pas normalement 25 millimètres de mercure dans l'artère pulmonaire.

■ La circulation systémique amène aux cellules le sang artériel, riche en oxygène et pauvre en gaz carbonique. Elle se fait par l'aorte, qui naît du ventricule gauche et donne elle-même naissance à un grand nombre de branches (artères, artérioles) qui irriguent l'ensemble de l'organisme. Une fois les échanges entre oxygène et gaz carbonique effectués dans les organes à travers les parois des capillaires, le sang regagne le cœur par l'intermédiaire de veinules, de veines puis de veines de gros calibre, qui débouchent, pour la moitié inférieure du corps, dans la veine cave inférieure, pour la moitié supérieure du corps, dans la veine cave supérieure ; les deux veines caves se jettent dans l'oreillette droite. La grande circulation est un système à haute pression, la pression maximale atteignant chez le sujet normal de 100 à 140 millimètres de mercure dans l'aorte et dans ses branches.

Circulation sanguine fœtomaternelle

Il n'existe pas de respiration pulmonaire chez le fœtus : c'est grâce à la circulation sanguine fœtomaternelle qu'il reçoit, par l'intermédiaire du placenta et du cordon ombilical, oxygénation et nutrition.

DESCRIPTION

Le sang maternel parvient dans le placenta par les artères spiralées, branches des artères utérines. Le sang fœtal oxygéné part du placenta pour arriver à l'oreillette droite du fœtus par le biais de la veine ombilicale et de la veine cave inférieure. Il passe directement dans l'oreillette gauche par un orifice situé entre les deux oreillettes, le trou de Botal, puis dans le ventricule gauche. Après oxygénation du corps, le sang gagne l'oreillette droite, le ventricule droit, l'artère pulmonaire puis l'aorte, en évitant les poumons grâce à un canal appelé canal artériel. Le sang appauvri en oxygène regagne alors le placenta par les deux artères du cordon ombilical pour s'y réoxygéner au contact du sang maternel. Il n'y a donc jamais passage de sang maternel, mais simplement oxygénation du sang fœtal au contact du sang maternel par le biais du placenta. Trou de Botal et canal artériel se ferment après la naissance.

Circulatoire (appareil)

Ensemble constitué par le cœur et les vaisseaux du corps humain. SYN. *appareil cardiovasculaire*.

STRUCTURE

L'appareil circulatoire comprend une pompe, le cœur, et un ensemble de conduits, les vaisseaux (artères, artérioles, capillaires, veines, veinules et lymphatiques), qui véhiculent le sang à travers tout l'organisme.

■ Le cœur est un organe creux constitué par un muscle qui délimite quatre cavités : deux oreillettes - droite et gauche -, et deux ventricules - droit et gauche. Son poids normal à vide est de 250 à 300 grammes environ. Le cœur est séparé en cœurs droit et gauche par l'intermédiaire de cloisons internes étanches, ou septum : le septum interauriculaire, entre les deux oreillettes, et le septum interventriculaire, entre les deux ventricules. La paroi cardiaque est formée de trois tuniques, qui sont, de l'intérieur vers l'extérieur : l'endocarde, qui tapisse la face interne des cavités cardiaques et la surface des valvules ; le myocarde, constitué de fibres musculaires striées ; et l'épicarde, tunique externe du cœur qui répond au feuillet interne, ou viscéral, du péricarde, sac qui contient le cœur.

■ L'oreillette et le ventricule droits, qui communiquent par une valvule à trois feuillets, la valvule tricuspide, constituent le cœur droit. Ce dernier se prolonge par l'artère pulmonaire, puis par la circulation pulmonaire, encore appelée « petite circulation » ou « circulation à basse pression » (de l'ordre de 25 millimètres de mercure), par l'intermédiaire de la valvule pulmonaire. Le rôle des valvules est d'empêcher le reflux du sang.

■ L'oreillette et le ventricule gauches, qui communiquent par l'intermédiaire d'une valvule à deux feuillets, la valvule mitrale, constituent le cœur gauche. Ce dernier se prolonge par l'aorte, puis par la circulation systémique, encore appelée « grande circulation » ou « circulation à haute pression » (de l'ordre de 120 millimètres de mercure en phase de contraction cardiaque), par l'intermédiaire de la valvule aortique.

PHYSIOLOGIE

Les oreillettes ont pour fonction essentielle le remplissage du ventricule avec lequel elles communiquent. La différence de pression à laquelle sont soumis les ventricules droit et gauche explique leur différence de morphologie : le ventricule gauche, qui chasse le sang dans la circulation systémique, est beaucoup plus épais que le ventricule droit, qui éjecte le sang dans la circulation pulmonaire. Le myocarde est irrigué par les artères coronaires, vaisseaux nourriciers du cœur lui-même, qui prennent naissance à la racine de l'aorte.

L'ensemble de l'appareil circulatoire est l'objet d'une régulation très précise et complexe qui fait intervenir des mécanismes nerveux (nerfs sympathiques et parasympathiques), hormonaux (reins et glandes médullosurrénales) et humoraux (système rénine-angiotensine-aldostérone, facteur antinatriurétique, prostaglandines, kinines). Cet appareil permet ainsi de transformer un débit pulsatile, dû aux contractions régulières du cœur, en un débit continu dans les petits vaisseaux périphériques, propice aux échanges entre le sang et les tissus. Ces échanges assurent l'apport de l'oxygène et des nutriments nécessaires au fonctionnement des différents tissus et organes, et le transport des déchets du métabolisme cellulaire vers leurs organes d'élimination naturels : poumons, reins. L'appareil circulatoire

APPAREIL CIRCULATOIRE

C'est la circulation sanguine qui apporte à chaque cellule ce dont elle a besoin pour former et renouveler ses structures et produire de l'énergie : les nutriments (aliments de la cellule) et l'oxygène. Elle emporte aussi les déchets de l'activité cellulaire, tel le gaz carbonique. Le sang sort du cœur par les artères ; il y revient par les veines, où se jettent les vaisseaux lymphatiques par l'intermédiaire du canal thoracique.

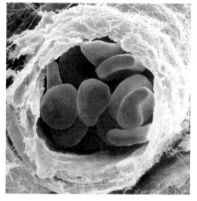

Dans cette artère (en coupe), on ne voit que les globules rouges, qui transportent l'oxygène ; le plasma, autour d'eux, contient les nutriments, les hormones, etc.

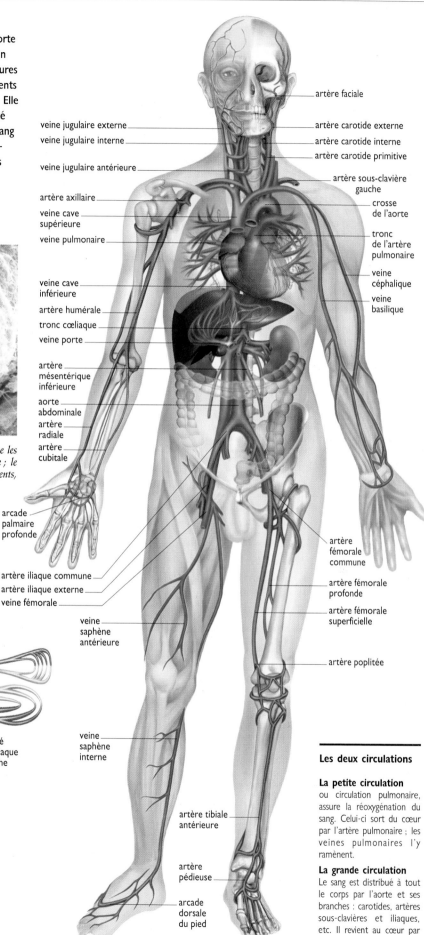

veine jugulaire externe
veine jugulaire interne
veine jugulaire antérieure
artère axillaire
veine cave supérieure
veine pulmonaire
veine cave inférieure
artère humérale
tronc cœliaque
veine porte
artère mésentérique inférieure
aorte abdominale
artère radiale
artère cubitale
arcade palmaire profonde
artère iliaque commune
artère iliaque externe
veine fémorale
veine saphène antérieure
veine saphène interne

artère faciale
artère carotide externe
artère carotide interne
artère carotide primitive
artère sous-clavière gauche
crosse de l'aorte
tronc de l'artère pulmonaire
veine céphalique
veine basilique
artère fémorale commune
artère fémorale profonde
artère fémorale superficielle
artère poplitée
artère tibiale antérieure
artère pédieuse
arcade dorsale du pied

cavité cardiaque droite
cavité cardiaque gauche
sang désoxygéné
sang oxygéné

Les deux circulations

La petite circulation
ou circulation pulmonaire, assure la réoxygénation du sang. Celui-ci sort du cœur par l'artère pulmonaire ; les veines pulmonaires l'y ramènent.

La grande circulation
Le sang est distribué à tout le corps par l'aorte et ses branches : carotides, artères sous-clavières et iliaques, etc. Il revient au cœur par les deux veines caves.

participe également à l'équilibre du milieu intérieur par sa fonction de régulation de la pression artérielle et de la température intracorporelle.

EXAMENS

L'appareil circulatoire peut être exploré par différents examens, dont certains ne sont pas invasifs, c'est-à-dire qu'ils ne nécessitent ni incision chirurgicale ni passage de matériel important à travers la peau.

■ L'échocardiographie et le Doppler cardiaque (écho-Doppler cardiaque) étudient les dimensions et les mouvements des différentes parties du cœur, d'une part, la direction et la vitesse de circulation du sang, d'autre part.

■ L'échographie et le Doppler vasculaire (écho-Doppler vasculaire) sont utilisés pour contrôler l'état des parois vasculaires et de la circulation du sang dans les veines et les artères.

■ L'électrocardiographie, ou E.C.G., analyse l'activité électrique du cœur.

■ La mesure de la pression artérielle à l'aide d'un tensiomètre est systématique lors de tout examen médical.

■ La phonocardiographie (enregistrement des bruits cardiaques) permet de préciser les données de l'auscultation.

■ La radiographie thoracique permet de visualiser la taille du cœur et la forme de ses contours.

■ La scintigraphie myocardique et la ventriculographie isotopique permettent de mesurer la contractilité du cœur.

D'autres examens de l'appareil circulatoire sont invasifs, c'est-à-dire qu'ils s'effectuent au moyen de petites sondes poussées temporairement le long du trajet d'une veine ou d'une artère jusqu'au cœur.

■ L'angiocardiographie met en évidence les cavités cardiaques et étudie leurs dimensions et leur contractilité.

■ L'artériographie (radiographie des artères après injection d'un produit de contraste) permet de visualiser les artères des membres et des principaux organes.

■ Le cathétérisme cardiaque sert à mesurer les pressions, les débits et les concentrations en oxygène et en gaz carbonique dans les cavités cardiaques.

■ L'enregistrement du faisceau de His (partie du tissu de conduction spécifique du cœur) étudie la conduction électrique à l'intérieur des cavités cardiaques.

■ La phlébographie (radiographie des veines après injection d'un produit de contraste) permet la visualisation des veines de l'organisme.

PATHOLOGIE

Les atteintes de l'appareil circulatoire sont nombreuses : anomalie de l'influx électrique cardiaque ou trouble du rythme cardiaque ; valvulopathie (atteinte des valvules cardiaques) ; atteinte vasculaire caractérisée par une sténose (rétrécissement) ou un anévrysme (dilatation) d'une artère ; dissection aortique (clivage des parois de l'aorte), souvent associée à un anévrysme ; phlébite (obstruction d'une veine par un caillot) ; insuffisance coronaire, connue sous le nom

d'angor ou d'angine de poitrine, pouvant déboucher sur un infarctus du myocarde en cas d'occlusion d'une artère coronaire ou d'une de ses branches de division ; hypertension artérielle ; insuffisance cardiaque ; malformation congénitale du cœur, de gravité variable ; myocardite (atteinte du muscle cardiaque, d'origine toxique, infectieuse ou inflammatoire) ; cardiopathie hypertensive, valvulaire ou ischémique ou myocardiopathie (atteinte du muscle cardiaque, d'origine inconnue) ; endocardite (atteinte inflammatoire ou infectieuse de la tunique interne du cœur), d'origine infectieuse ou rhumatismale ; péricardite (atteinte inflammatoire de l'enveloppe externe du cœur).

Circumduction

Mouvement de rotation d'un membre combiné avec des déplacements latéraux et antéropostérieurs, qui mobilise plusieurs groupes musculaires.

La circumduction est un mouvement complexe qui comprend l'abduction (le membre s'écarte du corps) et l'adduction (il s'en rapproche).

Cirrhose

Maladie du foie provoquée par une altération de ses cellules.

La cirrhose est une des premières causes de mortalité dans les pays industrialisés. Elle se traduit par une sclérose du tissu hépatique, par le développement dans le foie d'un réseau de cicatrices fibreuses et par une régénération pathologique des cellules, qui forment des nodules de régénération, îlots de cellules viables séparées par du tissu cicatriciel. La mauvaise vascularisation de ces nodules aboutit à l'altération progressive des fonctions hépatiques. Lors d'une cirrhose, le foie prend un aspect dur et bosselé. Il peut augmenter (cirrhose hypertrophique) ou diminuer (cirrhose atrophique) de volume.

CAUSES

Les causes des cirrhoses sont multiples ; l'alcoolisme est la plus fréquente dans les pays industrialisés, mais la cirrhose peut également être provoquée par une maladie virale (hépatites B, C, D), auto-immune (cirrhose biliaire primitive, hépatite chronique auto-immune), métabolique (hémochromatose, maladie de Wilson, fructosémie, galactosémie, tyrosinémie, mucoviscidose, etc.) ; certaines cirrhoses sont encore de cause inconnue.

SYMPTÔMES ET SIGNES

L'évolution clinique d'une cirrhose passe par plusieurs phases. La maladie est d'abord totalement asymptomatique. Après un temps variable apparaissent les premiers troubles : asthénie (affaiblissement généralisé), amaigrissement, ascite (épanchement liquidien à l'intérieur du péritoine), hémorragies digestives dues à une hypertension portale (élévation de la pression sanguine dans la veine conduisant la circulation intestinale et splénique vers le foie) avec risque de rupture des varices œsophagiennes. À un stade avancé, l'insuffisance

hépatocellulaire se traduit par un ictère, des hémorragies diffuses, une encéphalopathie (somnolence, coma). Les cirrhotiques sont particulièrement sensibles aux infections : tuberculose, infections respiratoires et urinaires, infection du liquide d'ascite. Au stade terminal apparaît une insuffisance rénale grave. Lorsque la cirrhose évolue sur plusieurs années, le foie peut devenir le siège d'un hépatocarcinome (tumeur maligne développée à partir des cellules hépatiques).

DIAGNOSTIC ET TRAITEMENT

Le diagnostic d'une cirrhose ne peut être formellement établi qu'à partir d'une biopsie hépatique, transcutanée ou chirurgicale.

Le traitement, complexe, vise essentiellement à prévenir ou à retarder la constitution de la fibrose, la cirrhose étant irréversible une fois installée. Cependant, le processus cirrhotique peut être ralenti par la suppression immédiate et complète de toute boisson alcoolisée. La prévention et le traitement des principales complications (traitement des infections ; de l'hypertension portale, par dérivation chirurgicale des vaisseaux malades ; de l'ascite, par administration de diurétiques et réduction des apports en sel) ont permis de prolonger considérablement la vie des cirrhotiques, mais les patients risquent alors de contracter un hépatocarcinome. Dans ce cas, il est quelquefois possible de réaliser l'ablation chirurgicale de la tumeur. La transplantation hépatique constitue le seul traitement radical de la cirrhose. Elle n'est applicable que dans un nombre limité de cas, chez des patients assez jeunes et en l'absence de complications vasculaires graves.

Ciseaux

Instrument utilisé en chirurgie pour sectionner ou disséquer.

Les ciseaux sont de formes et de dimensions extrêmement variées, suivant leur utilisation : droits ou courbes, pointus ou ronds ; leurs branches sont plus ou moins longues en fonction de la situation des organes à opérer. Il existe ainsi des ciseaux spécifiques pour couper la paroi utérine ou à lames creuses pour la chirurgie osseuse.

Civière

→ VOIR Brancard.

Clairance

Coefficient représentant l'aptitude d'un organe ou d'un tissu à éliminer une substance donnée d'un fluide de l'organisme.

La clairance est le rapport, à un instant donné, entre la quantité d'une substance éliminée par unité de temps et la concentration dans un fluide de l'organisme de cette même substance. On étudie le plus souvent la clairance rénale d'une substance, exprimée par le nombre de millilitres de plasma sanguin que le rein peut totalement débarrasser de cette substance en une minute.

La mesure de la clairance rénale d'une substance permet d'apprécier la valeur fonctionnelle des différents éléments du rein.

La cirrhose se caractérise par des lésions disséminées dans le foie. Les cellules sont détruites et remplacées par du tissu fibreux. La prolifération compensatrice des cellules restantes est anarchique et forme des nodules et des bosselures typiques de la maladie.

Les examens sanguins et radiologiques (échographie) permettent de dépister les anomalies précédant une cirrhose (stéatose) et donnent des arguments pour le diagnostic de la cirrhose.

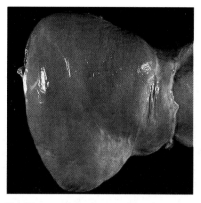

Un foie normal (après autopsie) présente une surface régulière et lisse, de couleur rosée ; il est ici vu de face.

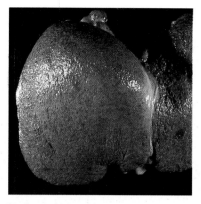

Un foie cirrhotique (après autopsie ou ablation pour greffe) est déformé, sa surface est plus ou moins bosselée et verdâtre.

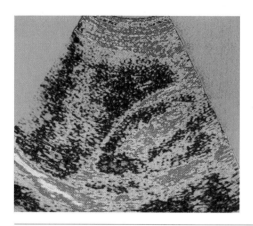

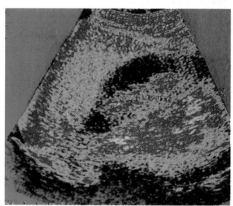

Sur une échographie normale de l'abdomen, le foie apparaît comme une volumineuse masse verte (à gauche de l'image) et le rein comme un ovale vert centré de rouge (à droite).

La densité anormale du foie (masse rouge, à gauche de l'image) à l'échographie peut faire diagnostiquer une stéatose (surcharge en graisse), état précurseur de la cirrhose.

Certaines substances, dites ultrafiltrables, sont plus spécialement éliminées par le glomérule (unité de filtration du rein) et d'autres, par le tubule (qui intervient aussi dans la réabsorption du sel, de l'eau, du glucose, etc., et éventuellement dans celle du potassium et de l'hydrogène). En fonction de leur clairance rénale, les substances ultrafiltrables du plasma sont classées en trois catégories :

- substances uniquement filtrées par le glomérule et non sécrétées ou réabsorbées par le tubule rénal, telles que l'inuline, la créatinine ou le mannitol ;
- substances filtrées par le glomérule et excrétées ou réabsorbées par le tubule rénal, telles que le glucose (réabsorbé tant que la glycémie est inférieure à 1,60 gramme par litre de sang) ou l'acide para-amino-hippurique ;
- substances filtrées par le glomérule et réabsorbées passivement par le tubule rénal, telles que l'urée.

Ainsi, l'étude de la clairance d'une substance uniquement éliminée par le glomérule permet de mesurer la filtration glomérulaire et donc de détecter une éventuelle insuffisance rénale.

Dans les laboratoires de recherche, on mesure la clairance de l'inuline, mais cette substance doit être injectée par perfusion intraveineuse car elle n'est pas présente dans le sang. En pratique courante, on préfère donc mesurer la clairance de la créatinine,

ce qui nécessite simplement un prélèvement sanguin et urinaire. Sa valeur normale est d'environ 120 millilitres par minute chez l'homme, 110 chez la femme. En cas d'insuffisance rénale, ces chiffres diminuent.

Clampage

Obturation temporaire d'un vaisseau ou du tube digestif à l'aide d'un clamp.

Le clamp est une pince simplement placée sur un vaisseau ou sur le tube digestif. Il est muni de longs mors et de crans d'arrêt réglant l'intensité de la compression et empêchant l'ouverture spontanée de la pince. La denture des mors est conçue pour ne pas abîmer les tissus.

INDICATIONS

Le clampage des gros vaisseaux permet de réaliser plusieurs gestes chirurgicaux : hémostase (arrêt des saignements dans la région opérée) ; réparation par suture de l'organe concerné ; remplacement d'un segment de vaisseau, en aval de la suture, par une greffe veineuse ou par une prothèse (tube en matière synthétique). Ainsi, une plaie de l'aorte est traitée par un clampage en urgence de cette artère. En chirurgie du foie, le clampage du pédicule hépatique contenant la veine porte et l'artère hépatique (qui amènent le sang au foie) permet de pratiquer l'ablation d'une tumeur du foie sans déclencher d'hémorragie. Par ailleurs, le clampage du tube digestif est indiqué pour éviter l'issue de matières dans le champ

opératoire quand on pratique l'ablation d'un segment d'intestin grêle ou de côlon, atteint, par exemple, d'un cancer.

Clangor

Résonance métallique anormale du deuxième bruit cardiaque, perçue lors de l'auscultation.

Le deuxième bruit cardiaque correspond à la fermeture des valves sigmoïdes aortiques et pulmonaires à la fin de la systole, c'est-à-dire après l'évacuation sanguine des deux ventricules. Le clangor est le plus souvent dû à une altération des valves sigmoïdes aortiques. Diverses affections peuvent être à l'origine de cette altération, en particulier le rhumatisme articulaire aigu et la syphilis.

Le clangor disparaît avec le traitement de sa cause.

Claquage

Rupture d'un petit nombre de fibres musculaires.

Un claquage est dû à un effort d'intensité supérieure aux capacités du muscle. La douleur qu'il occasionne est vive et localisée et l'apparition d'un hématome, fréquente. Une échographie peut compléter l'examen clinique en confirmant l'hématome.

Le traitement fait appel au repos, à un bandage compressif associé à des applications de glace et à la prise d'anti-inflammatoires. Il peut être complété, en cas de lésions importantes, par de la kinésithérapie (massages de drainage, électrothérapie). L'entraînement peut reprendre progressivement quand la douleur a disparu au repos.

La prévention repose sur le respect des règles d'échauffement.

Clar (miroir de)

Dispositif d'éclairage essentiellement utilisé en oto-rhino-laryngologie pour l'exploration des cavités peu accessibles.

Le miroir de Clar est muni en son centre d'une source d'éclairage. Sa forme concave permet de réfléchir vers le malade un faisceau de rayons lumineux parallèles. Il est percé de deux trous pour les yeux de l'observateur.

Claude Bernard-Horner (syndrome de)

Syndrome affectant l'un des deux yeux et associant un myosis (diminution du diamètre de la pupille), un rétrécissement de la fente palpébrale par ptosis (chute de la paupière supérieure) et une enophtalmie (enfoncement du globe oculaire dans son orbite).

Le syndrome de Claude Bernard-Horner est dû à une atteinte du système nerveux végétatif sympathique. La lésion peut être centrale : lésion survenue dans le bulbe rachidien au cours d'un accident ischémique cérébral (interruption de la circulation sanguine dans le cerveau), ou périphérique (en dehors de l'encéphale) : lésion survenue dans la région de l'artère carotide lors d'un traumatisme ou au sommet du poumon au cours d'un cancer.

Le traitement du syndrome de Claude Bernard-Horner est celui de sa cause.

Claudication

Irrégularité de la marche. SYN. *boiterie*.

Les causes de claudication sont multiples : celle-ci peut être due au raccourcissement d'un membre inférieur, à une ankylose, à une raideur ou à une paralysie d'un pied, d'un genou ou d'une hanche, voire de la colonne vertébrale, à une affection générale neurologique ou musculaire. Elle peut également trouver son origine dans une lésion douloureuse conduisant le sujet à esquiver la phase d'appui d'un des membres inférieurs.

Claudication intermittente

Syndrome caractérisé par une douleur ou une faiblesse musculaire survenant lors de la marche et obligeant à l'arrêt.

Les causes de claudication intermittente peuvent être vasculaires ou neurologiques.

Claudication intermittente vasculaire

Elle est provoquée par une artériopathie des membres inférieurs, c'est-à-dire un rétrécissement des artères, en général par athérosclérose (dépôt d'une plaque d'athérome). Au début de la maladie, la douleur ne se manifeste pas au repos, car les muscles ont suffisamment d'oxygène. En revanche, après un certain temps d'effort, la demande en

oxygène s'accroît et les artères ne peuvent plus la satisfaire, ce qui provoque des douleurs. Celles-ci, qui siègent dans le mollet, plus rarement dans la cuisse ou dans la fesse, ressemblent à celles que provoque une crampe. Elles se manifestent après un certain périmètre de marche, c'est-à-dire, pour un sujet donné, toujours après la même distance de marche. Le sujet est obligé de s'arrêter, la douleur disparaissant alors en quelques minutes. La reprise de la marche entraîne la réapparition des douleurs dans les mêmes conditions.

Claudication intermittente neurologique

Elle est due à une compression de la moelle épinière ou des racines des nerfs à l'intérieur de la colonne vertébrale, qui empêche le système nerveux d'envoyer les influx nerveux aux muscles après un certain temps d'effort.

Elle se manifeste par une faiblesse soudaine de la jambe ou une raideur. Celle-ci peut être associée à des lombalgies, voire à une sciatique. L'existence d'un périmètre de marche est, là encore, caractéristique. La chute est possible si le malade ne s'arrête pas. Les troubles peuvent devenir bilatéraux après un certain temps.

Évolution et traitement des claudications intermittentes

L'évolution des claudications intermittentes non traitées se fait vers la persistance des symptômes (douleur, paralysie), qui peuvent même se manifester au repos. Leur traitement est celui de leur cause.

Claustrophobie

Peur maladive des espaces clos.

La claustrophobie est souvent le résultat d'une expérience traumatisante associée à un lieu fermé. Presque tous les psychanalystes expliquent cette phobie par une crainte sexuelle remontant à l'enfance.

L'angoisse saisit le sujet dès qu'il se trouve ou risque de se trouver enfermé : dans une voiture, un ascenseur, une salle de spectacle, etc. Tout en ayant conscience de l'absurdité de sa peur, il tente de lutter contre celle-ci par évitement (détour, prétexte pour fuir l'endroit redouté) ou en recherchant la présence rassurante d'un familier. Il peut s'agir d'un phénomène passager, qui disparaît spontanément. Parfois cependant, la claustrophobie nécessite une psychothérapie de fond ou une thérapie comportementale.

Clavicule

Os long, en forme de S très allongé, situé au niveau de l'épaule. (P.N.A. *clavicula*)

La clavicule s'articule d'un côté avec l'acromion et de l'autre avec le sternum. Elle est jointe solidement à l'omoplate par de gros ligaments (trapézoïde et conoïde) et permet l'insertion de nombreux muscles de l'épaule et du cou.

PATHOLOGIE

■ Les fractures de la clavicule sont les plus fréquentes des fractures. Elles résultent le plus souvent d'une chute sur l'épaule mais

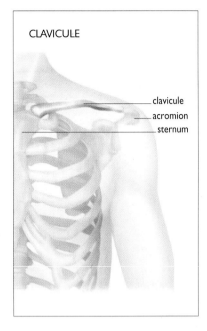

CLAVICULE

clavicule
acromion
sternum

s'observent également chez le nouveau-né après un accouchement difficile. Elles siègent généralement au tiers moyen de l'os. Les complications immédiates (ouverture cutanée, blessure d'un vaisseau profond, atteinte nerveuse) sont exceptionnelles. Leur traitement est orthopédique, par simple immobilisation avec un bandage ou un anneau élastique en forme de 8 solidarisant les deux épaules et mettant l'une en face de l'autre les deux extrémités fracturées. Le traitement chirurgical est exceptionnel. Les séquelles d'une fracture de la clavicule peuvent être un cal vicieux (cal osseux ne respectant pas l'anatomie de l'os) et une pseudarthrose (absence complète et définitive de consolidation d'une fracture, réalisant une sorte de fausse articulation).

■ Les luxations de la clavicule surviennent surtout chez le sportif. Se produisant souvent au niveau de l'articulation acromio-claviculaire, elles peuvent être plus ou moins graves, de la simple entorse à la déchirure ligamentaire complète. Le traitement est soit fonctionnel (rééducation), soit chirurgical en cas de déplacement important ou lorsque le sujet est jeune et sportif.

Click

Bruit anormal, sec et intense, perçu à l'auscultation du cœur pendant la systole (phase de contraction cardiaque).

Le click, longtemps désigné sous le nom de triolet, est entendu entre les deux bruits normaux du cœur. Il peut avoir deux causes : l'une est la ballonisation mitrale, forme mineure du prolapsus mitral dans laquelle les valves mitrales, distendues, prennent une forme de parachute, ce qui provoque une mise en tension soudaine des cordages de la valvule mitrale au moment de la contraction du ventricule gauche. Les rétrécissements valvulaires aortiques congénitaux sont l'autre cause de click, l'existence d'une soudure entre les valves entraînant une ouverture brutale en début de systole. Le click disparaît avec le traitement de sa cause.

Clignement

Fermeture réflexe et intermittente des paupières répartissant la sécrétion lacrymale sur la cornée afin d'humidifier celle-ci en permanence.

La diminution du clignement, provoquée par certaines paralysies faciales, peut entraîner un dessèchement se compliquant parfois d'une ulcération, voire d'une perforation de la cornée.

L'augmentation du clignement avec contracture douloureuse des paupières (blépharospasme) peut résulter d'une affection de l'œil ou encore être essentielle, c'est-à-dire sans cause reconnue.

Climatologie

En médecine, étude de l'incidence des climats sur l'organisme.

La climatologie est à la base de la climatothérapie, utilisation thérapeutique des propriétés des différents climats. En effet, les variations thermiques, l'altitude, la latitude, le degré d'hygrométrie, les vents, les radiations solaires peuvent avoir des effets néfastes ou bénéfiques sur l'organisme. Ainsi, la plupart des maladies cardiovasculaires sont des contre-indications au séjour en haute altitude en raison de la diminution de la pression en oxygène qui y règne.

L'absence de poussières et d'allergènes (substances responsables des réactions immunitaires de type allergique) au-dessus de 1 500 mètres est, en revanche, bénéfique dans certaines formes d'asthme et pour d'autres maladies allergiques. Certains climats marins sont bienfaisants pour les rhumatismes. L'ensoleillement, de par l'action des ultraviolets sur la synthèse de la vitamine D, est favorable à la cure du rachitisme.

Clinicien

Médecin qui établit un diagnostic par examen direct du malade.

Le clinicien recourt à l'interrogatoire du patient (antécédents, histoire, analyse des symptômes) et à son examen physique (inspection, palpation, percussion, auscultation). À l'issue de cette étape, il peut, s'il le juge nécessaire, orienter les investigations vers des recherches en laboratoire, en radiologie et vers des procédés de diagnostic requérant diverses techniques instrumentales.

Clinique

Qui concerne l'observation du patient.

L'information clinique est recueillie par l'interrogatoire et l'examen direct d'un patient, conduits par le médecin dans une intention diagnostique. Le diagnostic clinique qu'elle permet d'établir peut nécessiter, pour sa confirmation ou sa précision, la mise en œuvre ultérieure d'examens paracliniques ou complémentaires (analyses de laboratoire, électrocardiographie, radiologie, endoscopie, échographie, etc.).

L'enseignement clinique est un enseignement pratique dispensé aux étudiants en médecine, au chevet du malade, dans les services hospitaliers dits « de clinique », par les professeurs et chefs de clinique.

Clitoridectomie

Ablation du clitoris, thérapeutique ou rituelle.
→ VOIR Excision.

Clitoris

Petit organe érectile de l'appareil génital externe de la femme situé à la partie antérieure de la vulve. (P.N.A. *clitoris*)

Le clitoris se compose du genou, formé par l'incurvation des corps caverneux ; du gland, qui le termine ; du fascia clitoridien, qui le gaine ; du capuchon, formé par les petites lèvres de la vulve, qui le recouvre partiellement ; du frein, qui est situé en dessous.

Richement innervé et irrigué, le clitoris devient turgescent et plus sensible lors d'une stimulation sexuelle.

Cloison nasale

Structure séparant les deux fosses nasales. (P.N.A. *septum nasi*)

La cloison nasale est cartilagineuse en avant et osseuse en arrière. Une déviation de la cloison peut être congénitale ou consécutive à un traumatisme. Si elle est importante, la déviation donne au sujet une sensation d'obstruction et de gêne respiratoire. Dans ce cas, la chirurgie peut rétablir le passage de l'air par septoplastie (repositionnement ou ablation d'une partie de la cloison nasale).

Cloisonnement

Division pathologique d'une cavité par une ou plusieurs membranes appelées cloisons.

Les cloisonnements de l'utérus et du vagin, par exemple, qui sont souvent associés, sont des malformations congénitales qui peuvent entraîner des fausses couches tardives. Le cloisonnement vaginal se décèle par un toucher vaginal et un examen gynécologique, le cloisonnement utérin par une hystérographie ou une hystéroscopie. Le traitement consiste alors à supprimer cette cloison en intervenant par les voies naturelles grâce à un hystéroscope (tube muni d'un système optique, que l'on introduit dans l'utérus).

Clonage

Technique consistant à isoler une cellule et sa descendance afin d'obtenir une lignée de cellules (appelée clone) dérivant d'un seul ancêtre, donc ayant un patrimoine génétique rigoureusement identique.

Le clonage est très utilisé en génétique et en biologie moléculaire. Il permet, par exemple, d'obtenir un grand nombre de bactéries possédant toutes le gène particulier que l'on veut étudier. Pour cela, il suffit d'insérer dans une bactérie le gène qui fait l'objet de l'étude et de permettre à cette seule bactérie modifiée de se multiplier.

Clone

Ensemble de cellules dérivant d'une cellule unique et ayant, par conséquent, un patrimoine génétique rigoureusement identique à celui de la cellule initiale.

Le clonage d'une brebis à partir d'une cellule mammaire d'une brebis adulte a été réussi en 1996.

Clonie

→ VOIR Myoclonie.

Clonorchiase

Maladie parasitaire due à l'infestation des canaux biliaires du foie par des douves (distomatose). SYN. *opisthorchiase*.

La clonorchiase est due à l'ingestion de douves (vers plats de quelques millimètres de long) des espèces *Clonorchis sinensis* et *Opisthorchis viverrini*. Ces douves s'implantent successivement, pour assurer leur développement, dans des mollusques d'eau douce puis dans des poissons. C'est en mangeant ces poissons infestés crus que le sujet peut être

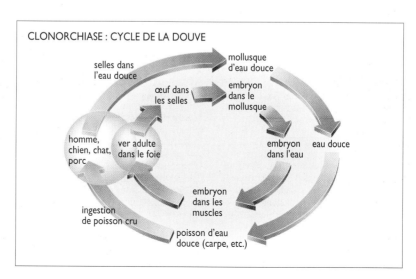

CLONORCHIASE : CYCLE DE LA DOUVE

selles dans l'eau douce — mollusque d'eau douce — embryon dans le mollusque — embryon dans l'eau — eau douce — embryon dans les muscles — poisson d'eau douce (carpe, etc.) — ingestion de poisson cru — homme, chien, chat, porc — ver adulte dans le foie — œuf dans les selles contaminé par les douves. La clonorchiase sévit dans les pays d'Extrême-Orient et en Europe centrale.

SYMPTÔMES ET SIGNES

La clonorchiase se manifeste par des crises de colique hépatique, des poussées d'ictère (jaunisse), une cirrhose semblable à la cirrhose alcoolique, plus rarement par un cancer des voies biliaires.

DIAGNOSTIC ET TRAITEMENT

L'examen microscopique des selles permet de déceler la présence des œufs de douves. Le traitement, très efficace, consiste en l'administration par voie orale de praziquantel. La prévention repose sur la cuisson du poisson avant consommation.

→ VOIR Distomatose.

Clonus

Contraction incontrôlable et répétée d'un muscle déclenchée par son étirement. SYN. *trépidation épileptoïde.*

Le clonus apparaît le plus souvent au niveau du pied. Ce phénomène se voit à l'état normal chez certaines personnes, mais il est alors de courte durée (quelques secondes). Par contre, un clonus inépuisable (qui ne s'arrête pas) est un des signes du syndrome pyramidal, dû à une lésion des fibres nerveuses qui transmettent les impulsions provenant du cortex cérébral aux muscles moteurs. Les examens médicaux s'attachent alors à rechercher les autres signes de ce syndrome et sa cause.

Clostridium

Bactérie anaérobie stricte à Gram positif.

Il s'agit de bactéries commensales (hôtes d'un organisme ne causant aucun dommage) du tube digestif de l'homme et de l'animal. Elles sont capables de former des spores très résistantes aux conditions hostiles du milieu extérieur (température, dessiccation, etc.). Ces spores, dans certaines conditions favorables à leur germination, sécrètent des toxines pathogènes. Ainsi *Clostridium tetani* est-il l'agent du tétanos, *Clostridium botulinum* celui du botulisme, *Clostridium perfringens* celui de certaines appendicites et septicémies, et *Clostridium difficile* celui des colites pseudomembraneuses, complication du traitement antibiotique.

Clou

Tige métallique qui, introduite dans le canal médullaire d'un os long (tibia, fémur) à la suite d'une fracture, permet d'assurer l'immobilisation rigoureuse des fragments osseux de façon temporaire ou définitive.

Le clou permet une fixation si solide qu'elle autorise parfois l'appui sur le membre opéré. Il existe de nombreux types de clous, pleins ou creux, de diamètre et de taille variables. Certains peuvent être bloqués de part et d'autre de l'os par une vis. Les clous de tibia et de fémur ont une forme adaptée à celle de l'os que l'on veut traiter. Il est parfois nécessaire d'ajuster le calibre du canal médullaire de l'os pour permettre une meilleure adaptation du clou.

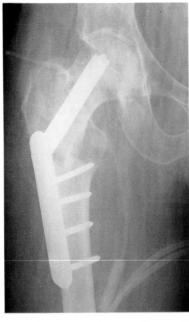

Clou. *Cette fracture du col du fémur a été immobilisée par un clou-plaque : le clou prend appui sur la plaque, fixée par quatre vis.*

Les chirurgiens se servent également de dispositifs appelés clous-plaques, composés d'un élément métallique d'un seul bloc associant un clou et une plaque. Les clous-plaques s'utilisent lors d'interventions sur le fémur, notamment pour une fracture du col du fémur.

Clou plaquettaire

Agglomération de plaquettes sur une brèche vasculaire, constituant l'ébauche du caillot.

→ VOIR Hémostase primaire.

Coagulation

Transformation du sang liquide en gel semi-solide.

En entraînant la formation d'un caillot, la coagulation permet que le saignement consécutif à une blessure soit endigué. Ce processus est la conséquence d'un enchaînement de réactions chimiques impliquant divers substrats et enzymes plasmatiques. Il met en jeu 13 facteurs, qui interviennent dans cette chaîne de réactions. Ces interactions complexes ont pour résultat de transformer une protéine soluble, le fibrinogène, en une protéine insoluble, la fibrine, qui forme l'armature du caillot.

DÉROULEMENT

Le processus de coagulation comprend trois phases principales qui se succèdent.

■ **La thromboplastinoformation** aboutit à la formation d'une enzyme, le facteur X activé.

■ **La thrombinoformation** aboutit à la formation d'une autre enzyme, la thrombine.

■ **La fibrinoformation** correspond à la transformation du fibrinogène en fibrine grâce à la thrombine.

TROUBLES DE LA COAGULATION

■ **Une coagulation déficiente** est généralement la conséquence d'une thrombopénie (insuffisance de plaquettes), d'une carence en différents facteurs de coagulation ou d'une anomalie des vaisseaux sanguins. Ces affections ont des causes diverses. Elles peuvent être congénitales (hémophilie, maladie de Willebrand) ; acquises (maladie hépatique, troubles digestifs, coagulation intravasculaire disséminée pour la carence en facteurs de coagulation ; infections virales et maladies auto-immunes pour la carence en plaquettes) ; dues à l'absorption de certains médicaments (anticoagulants, acide acétylsalicylique) ; provoquées par une carence en vitamines (carence en vitamine C du scorbut).

Elles se traduisent par une propension aux hémorragies internes et externes.

■ **Une coagulation trop importante,** ou hypercoagulation, peut être liée à une augmentation du taux de facteurs de coagulation, à la fin d'une grossesse par exemple, à une diminution de la quantité d'enzymes anticoagulantes (maladie du foie), à un ralentissement du flux sanguin. Cette surcoagulation peut entraîner une thrombose (formation d'un caillot dans une artère ou dans une veine).

EXAMENS DE LA COAGULATION

Les différents troubles de la coagulation sont diagnostiqués par l'examen du processus de coagulation du sang, global (temps de coagulation) ou analytique (durée de chacune des trois phases), et par la numération globulaire (mesure du taux d'hémoglobine et du nombre de globules blancs, de plaquettes et de globules rouges par millimètre cube de sang).

Ces mêmes examens permettent aussi d'étudier les résultats d'un traitement anticoagulant administré pour réduire un risque de thrombose.

Coagulation intravasculaire disséminée

Syndrome hémorragique caractérisé par la formation de caillots dans les petits vaisseaux sanguins entraînant la chute des facteurs de coagulation.

La coagulation intravasculaire disséminée se rencontre au cours d'infections graves (septicémie), en gynécologie (rétention de fœtus mort, décollement placentaire, toxémie), dans certains cas de cancers et lors de transfusions de sang sérologiquement incompatible.

Les signes de la coagulation intravasculaire disséminée sont de multiples hémorragies et la formation de caillots dans les reins, les glandes surrénales ou le cerveau. Le traitement est celui de la maladie en cause et consiste également à transfuser des plaquettes et du plasma frais et à perfuser de l'héparine.

Coaptation

1. En chirurgie, réduction d'une luxation ou des fragments osseux d'une fracture.

2. En biologie, ajustement géométrique

parfait de deux organes construits séparément au cours du développement.

Coapteur

Instrument chirurgical utilisé pour réduire une fracture et pour maintenir les fragments d'os en bonne position jusqu'à la consolidation.

Le coapteur permet d'abord de réduire la fracture, c'est-à-dire de remettre en place les deux extrémités osseuses quand elles se sont déplacées. Ensuite, en maintenant l'os pendant l'opération, il facilite la pose d'un clou ; il peut aussi être laissé en place après l'opération, jusqu'à ce que la fracture soit consolidée.

Il existe différents types de coapteur. Certains sont internes : ainsi, le coapteur de Danis est une plaque armée de vis permettant de rapprocher les fragments osseux. Les coapteurs externes, également appelés fixateurs externes, sont composés de broches fixées perpendiculairement à l'os, de part et d'autre de la zone de fracture, et qui dépassent à l'extérieur, où elles sont réunies par une tige parallèle à l'os.

Coarctation aortique

Rétrécissement congénital de l'aorte, essentiellement localisé dans le thorax, à l'origine de la partie descendante de l'aorte thoracique, après la naissance de l'artère sous-clavière.

La coarctation aortique gêne l'écoulement du sang dans l'aorte. Elle provoque une augmentation de la pression artérielle en amont et sa diminution en aval ; cela crée un affaiblissement ou, le plus souvent, une suppression des battements des artères fémorales au creux de l'aine.

DIAGNOSTIC ET ÉVOLUTION

Le diagnostic de coarctation aortique, suggéré par une hypertension artérielle des membres supérieurs, repose sur l'échographie. Ensuite, une artériographie préopératoire précise l'importance de la circulation collatérale (en amont et en aval). En l'absence d'intervention réparatrice, la coarctation aortique peut se compliquer d'une infection risquant de dégénérer en septicémie (maladie d'Osler), d'une défaillance cardiaque, surtout chez le nourrisson, et de divers accidents neurologiques ou cardiologiques (accidents vasculaires cérébraux, angor, infarctus du myocarde). Ces complications étaient autrefois responsables de décès prématurés vers l'âge de 35 ans.

TRAITEMENT

La chirurgie, grâce à une technique mise au point en 1947, a transformé le pronostic. L'intervention consiste en une ablation de la zone rétrécie et en une suture des 2 segments aortiques sus- et sous-jacents. Le résultat est excellent, surtout lorsque l'intervention a été effectuée dès l'âge de 3 ou 4 ans, évitant ainsi les risques de persistance d'hypertension artérielle.

Cobalt

Métal blanc, voisin du fer et du nickel, présent dans l'organisme comme oligoélément.

Le cobalt (Co) est un oligoélément, c'est-à-dire qu'il est indispensable à l'organisme bien qu'il n'y soit présent qu'à l'état de traces. Il entre dans la composition de la vitamine B12, qui intervient dans la formation des globules rouges et dont la carence provoque une anémie.

UTILISATION THÉRAPEUTIQUE

Un isotope radioactif du cobalt, le cobalt 60, est employé en radiothérapie dans le traitement des cancers (cobaltothérapie).

Cobaltothérapie, ou Cobalthérapie

Utilisation thérapeutique des rayons gamma de haute énergie (1,25 MeV) provenant d'une source de cobalt 60 radioactif, dans l'intention de détruire des cellules cancéreuses.

La cobaltothérapie est la technique la plus utilisée en radiothérapie. Elle a supplanté, à partir des années 1940, les rayons X, car elle permet d'épargner davantage la peau et d'obtenir un meilleur rendement en profondeur et une plus grande homogénéité du rayonnement.

INDICATIONS

La cobaltothérapie est le traitement de base d'un grand nombre de tumeurs relativement superficielles ou semi-profondes (sein, tumeurs oto-rhino-laryngologiques, ganglions). Elle est utilisée soit à titre exclusif pour des tumeurs radiosensibles ou inopérables, soit, plus fréquemment, en complément de la chirurgie. Elle peut aussi être associée à la chimiothérapie dans des protocoles souvent complexes, décidés en consultation de plusieurs spécialistes.

TECHNIQUE

Seule est pratiquée la télécobaltothérapie, la source de cobalt 60 étant extérieure à l'organisme. Celle-ci mesure 2 centimètres de diamètre et émet des rayons gamma, comme le soleil, dans toutes les directions. Pour s'en protéger, on la place dans une sphère de tungstène, d'où le nom imagé mais impropre de « bombe » au cobalt. Dans cette sphère est aménagé un canal, ou collimateur, par lequel sort un faisceau de rayons gamma qui sert à l'irradiation. L'activité de la source diminuant avec le temps, la durée d'exposition du patient doit être augmentée tous les mois pour obtenir le même dosage.

PRÉPARATION ET DÉROULEMENT

Un repérage radiologique préalable a lieu au simulateur afin de vérifier l'incidence du rayonnement. On marque ensuite à l'encre rouge sur la peau du patient les portes d'entrée du faisceau. Le traitement est généralement délivré par petites doses quotidiennes durant 4 à 8 semaines afin de permettre aux cellules saines de se réparer entre les séances.

EFFETS SECONDAIRES

La dose atténuée de rayonnement reçue par la peau permet d'épargner celle-ci dans une certaine mesure ; les lésions cutanées (érythème, desquamation) sont moins importantes que lors des radiothérapies à plus basse énergie. Les autres effets secondaires dépendent des régions traitées : irritation des muqueuses pour la gorge, troubles digestifs pour l'abdomen. Ils sont en général réversibles. Une convalescence d'un mois entre deux séances est nécessaire pour une meilleure tolérance du traitement.

Cobaye

Petit rongeur utilisé comme animal de laboratoire, notamment pour l'étude des maladies infectieuses. SYN. *cochon d'Inde*.

Le cobaye est fréquemment utilisé dans les laboratoires de bactériologie en raison de sa facilité d'élevage, de son faible coût et de sa sensibilité à de nombreux germes pathogènes pour l'homme : brucella, leptospire, bacille diphtérique, bacille de Koch.

Cocaïne

Alcaloïde naturel ou synthétique, utilisé en médecine comme anesthésique local et considéré comme un stupéfiant.

Autrefois extraite des feuilles du coca, la cocaïne est aujourd'hui obtenue par synthèse partielle à partir de l'ecgonine.

INDICATIONS

À l'état naturel, la cocaïne n'est plus guère employée que sous forme de solution huileuse (collyre à 2 %) et de pommade à l'atropine et à la cocaïne. Le chlorhydrate de cocaïne, substance synthétique, est un puissant anesthésique local et un puissant vasoconstricteur. Il est inscrit sur le liste des substances stupéfiantes.

EFFETS INDÉSIRABLES

En cas de surdosage, il peut se produire une angoisse, une pâleur, des hallucinations et des convulsions, des nausées et des vomissements, une mydriase (dilatation anormale et persistante de la pupille), une fièvre, une dépression respiratoire et une insuffisance circulatoire. La mort peut survenir à partir de l'injection de 0,020 gramme, mais, plus généralement, les doses mortelles dépassent 1 gramme.

INTOXICATION

Un usage prolongé de cocaïne (par inhalation ou injection) débouche sur une toxicomanie : celle-ci provoque une excitation des centres cérébraux psychiques et sensoriels et une diminution de la sensation de fatigue. Par ailleurs, des inhalations régulières peuvent entraîner des lésions de la cloison nasale, et de fortes doses engendrent parfois un comportement psychotique. L'overdose peut entraîner des convulsions, un coma ou un collapsus aboutissant parfois à la mort par arrêt cardiaque. Le « crack » est une forme purifiée de cocaïne dont les effets sont plus rapides, plus intenses et moins prolongés. Ses conséquences sur l'activité cardiaque peuvent être mortelles.
→ VOIR **Dossier Toxicomanie**.

Coccidioïdomycose

Maladie infectieuse provoquée par le champignon *Coccidioides immitis*. SYN. *coccidioïdose*.

La coccidioïdomycose sévit dans les régions désertiques de Californie, d'Amérique centrale et d'Amérique du Sud, atteignant plus particulièrement les populations rurales. Cette maladie se contracte par inhalation de poussières contenant des spores, pendant les mois secs et chauds.

La coccidioïdomycose provoque des symptômes pulmonaires, fébriles, semblables à ceux de la grippe ou de la tuberculose, qui peuvent s'associer à des manifestations générales : érythème noueux (éruption de plaques sur les membres inférieurs), suppurations ostéoarticulaires, méningite.

DIAGNOSTIC ET TRAITEMENT
La recherche du germe s'effectue par une analyse de l'expectoration ou du pus et une intradermoréaction spécifique. La coccidioïdomycose est traitée par administration d'antifongiques.

La prévention repose essentiellement sur l'asphaltage des routes.

Coccidiose intestinale

Maladie parasitaire due à la présence dans l'intestin de coccidies.

Les coccidies sont des protozoaires infestant habituellement les animaux, plus rarement l'homme. Il existe plusieurs types de coccidiose.

■ **L'isosporose**, due au protozoaire *Isospora belli,* est une parasitose sévissant uniquement en zone tropicale. L'infestation peut être asymptomatique ou se manifester par une diarrhée fébrile, plus grave chez l'immunodéprimé. Le diagnostic repose sur la mise en évidence du protozoaire dans les selles. Certains cas guérissent spontanément, les autres sont soignés par administration de sulfamides.

■ **La sarcocystose** est une parasitose due à *Sarcocystis hominis,* protozoaire présent sur toute la surface du globe, retrouvé dans de nombreuses selles humaines, saprophyte (non vecteur de maladie), mais dont la présence est toujours mentionnée dans les résultats d'examens microscopiques des selles pratiqués pour d'autres raisons.

■ **La cryptosporidiose**, parasitose due aux protozoaires *Cryptosporidium parvum* et *Cryptosporidium muris,* peut ne donner lieu à aucun symptôme ou se traduire par une gastroentérite. Elle touche surtout les immunodéprimés (sidéens), chez qui elle se traduit par des diarrhées fébriles graves, parfois liquidiennes. Le diagnostic repose sur la mise en évidence du parasite dans les matières fécales. Le traitement est celui des symptômes.

Coccobacille

Bactérie dont la forme est intermédiaire entre celle d'un coccus (sphérique) et celle d'un bacille (allongé).

Les germes d'aspect coccobacillaire sont le plus souvent des bacilles à Gram négatif *(Yersinia, Pasteurella, Hæmophilus, Brucella, Acinetobacter, Moraxella).*

Coccus

Bactérie de forme arrondie ou ovalaire. SYN. *coque.*

Les cocci ont entre 2 et 3 micromètres de diamètre. La manière dont ils s'agencent entre eux, associée à une coloration effectuée selon la méthode de Gram, permet de préjuger de leur genre : parmi les cocci à Gram positif, les staphylocoques sont généralement disposés en amas ou en grappes, les streptocoques en chaînettes, les pneumocoques par deux. Les cocci à Gram négatif sont plus souvent disposés par deux, comme *Neisseria meningitidis* (méningocoque responsable de méningite) dans le liquide céphalorachidien, ou *Neisseria gonorrhϾ* (gonocoque responsable de la blennorragie) dans un prélèvement d'origine génitale.

Coccygodynie

Douleur de la région coccygienne.

Une coccygodynie a pour origine un traumatisme direct ou une entorse des ligaments sacrococcygiens. Chez les personnes âgées, elle peut révéler une fracture de fatigue du sacrum (fracture spontanée liée au vieillissement ou à l'usure de l'os). Enfin, elle est parfois associée à un état dépressif. Réveillée par la pression de la pointe du coccyx, la coccygodynie rend la station assise pénible.

Le traitement dépend de la cause mais, dans tous les cas, il faut éviter, pendant quelques semaines, la position assise sur le coccyx en reportant à l'aide de coussins l'appui sur le haut des cuisses.

La kinésithérapie (manipulation du coccyx) est parfois utile.

Coccyx

Segment inférieur de la colonne vertébrale. (P.N.A. *os coccygis*)

Le coccyx est un petit os se terminant en pointe vers le bas, formé de 4 à 6 vertèbres atrophiées et soudées entre elles. Avec le sacrum situé au-dessus, il constitue la partie postérieure du bassin osseux.

PATHOLOGIE
La fracture du coccyx est le plus souvent due à une chute sur les fesses. Elle provoque une vive douleur gênant la position assise. L'examen et les radiographies confirment le diagnostic. Cette fracture se complique parfois à long terme d'une coccygodynie, douleur du coccyx persistant plusieurs semaines. Son traitement, de même que celui

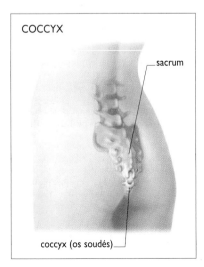

COCCYX

sacrum

coccyx (os soudés)

de la coccygodynie, est symptomatique et se limite à la prescription d'analgésiques ou d'anti-inflammatoires.

Cochlée

Partie de l'oreille interne dévolue à l'audition. SYN. *limaçon.* (P.N.A. *cochlea*)

La cochlée est la portion antérieure du labyrinthe, cavité incluse dans le rocher (partie interne horizontale de l'os temporal). Elle est ainsi en rapport avec le vestibule, portion postérieure du labyrinthe responsable de l'équilibre. Elle comprend une partie osseuse et une partie membraneuse.

■ **La cochlée osseuse** est une cavité incluse dans le rocher et remplie d'un liquide, la périlymphe, où se trouve la cochlée membraneuse.

■ **La cochlée membraneuse, ou canal cochléaire,** est un cylindre à paroi souple enroulé en spirale et rempli d'un autre liquide, l'endolymphe. Sur toute la longueur de ce cylindre, l'organe de Corti forme une petite saillie ; il contient les cellules sensorielles, dont l'extrémité baigne dans l'endolymphe.

Les sons provoquent des vibrations du tympan, transmises de proche en proche à la chaîne des osselets de l'oreille moyenne, à la périlymphe puis à la paroi de la cochlée membraneuse et à l'endolymphe. L'organe de Corti perçoit les mouvements liquidiens et les transforme en phénomènes électriques, lesquels sont transmis à l'encéphale par le nerf auditif.

Code génétique

Système grâce auquel l'information génétique contenue sous forme chimique dans l'A.D.N. des noyaux des cellules peut commander la synthèse des protéines, constitutives de la matière vivante.

Les molécules d'A.D.N. sont constituées de deux très longs brins entrelacés (structure en « double hélice »), formés chacun d'une longue séquence de substances chimiques, les bases nucléotidiques suivantes : adénine (A), cytosine (C), guanine (G), thymine (T). Ces quatre bases peuvent se combiner de multiples manières ; par exemple, pour une portion de molécule d'A.D.N. donnée : CGCATCCTAGTTGATCATGAC.

Lors de la traduction, les bases sont lues trois par trois (CGC, ATC, etc.), chacun de ces triplets (ou codons) « codant » un acide aminé spécifique. Ainsi, le triplet TGC correspond à la cystine, le triplet ACG à la thréonine, etc. Cette information est transmise du noyau au cytoplasme des cellules par l'intermédiaire de l'A.R.N., réplique en négatif de l'A.D.N. sur laquelle les triplets sont successivement lus et décodés. Les acides aminés sont réunis au fur et à mesure que sont lus les triplets de bases nucléotidiques. Lorsque la traduction est terminée, on obtient une chaîne plus ou moins longue d'acides aminés formant une molécule de protéine.

Codéine

Substance dérivée de la morphine, utilisée comme analgésique et antitussif.

La codéine est indiquée contre les douleurs quand les analgésiques usuels (aspirine, paracétamol) ne sont pas efficaces. Elle est également prescrite comme antitussif (contre la toux). De nombreux médicaments contiennent de la codéine associée à d'autres principes actifs. Les contre-indications principales sont la grossesse, le jeune âge, l'insuffisance respiratoire. Il existe plusieurs présentations, pour administration par voie orale et en suppositoires.

EFFETS INDÉSIRABLES

La codéine ne peut s'employer qu'en cures de courte durée. En effet, un usage prolongé, de même que le dépassement des posologies recommandées, peut provoquer une accoutumance, voire une toxicomanie. Les autres effets indésirables sont des difficultés respiratoires, des allergies, une somnolence, une constipation.

Codominance

Relation équilibrée entre deux versions d'un même gène qui leur permet de s'exprimer simultanément chez un individu.

Dans les cellules, chaque chromosome existe en deux exemplaires et il arrive très fréquemment qu'un gène soit d'une version différente (allèle) sur l'un des chromosomes et sur l'autre. Quand cela est le cas, les deux versions entrent en compétition pour s'exprimer. Si elles sont de force égale, elles s'expriment toutes les deux dans l'apparence de l'individu et les deux allèles sont dits codominants. Chez les plantes, par exemple, la compétition entre un allèle « couleur rouge » et un allèle « couleur blanche » codominants donnera lieu à l'apparition d'une fleur de couleur rose.

Codon

Séquence de trois bases nucléotidiques dans la molécule d'un acide nucléique (A.D.N. ou A.R.N.). SYN. *triplet*.

Chaque codon correspond spécifiquement à un acide aminé, dont la nature est déterminée par le code génétique. Les codons jouent un rôle fondamental dans la synthèse des protéines, molécules formées d'une succession d'acides aminés.
→ VOIR Code génétique.

Cœliaque

Qualifie ce qui se rapporte à la cavité abdominale.

■ La région cœliaque est située entre le diaphragme et l'un des replis du péritoine, le mésocôlon transverse. Elle est traversée par l'aorte cœliaque. De part et d'autre du tronc cœliaque, le plexus solaire, ou plexus cœliaque, réunit les grands et petits nerfs splanchniques et les nerfs pneumogastriques. Cette zone est particulièrement vulnérable à la douleur en cas de cancer du pancréas.

■ Le tronc cœliaque est une artère naissant de l'aorte au niveau de la 12e vertèbre dorsale. Long de 1 à 3 centimètres, il donne naissance à trois branches : l'artère coronaire stomachique, l'artère splénique et l'artère hépatique. Le tronc cœliaque peut être comprimé par une formation fibreuse en

forme d'arc, le ligament arqué. Il peut aussi être le siège d'une sténose (rétrécissement) due à un dépôt d'athérome.

Cœliochirurgie

Technique chirurgicale permettant d'intervenir sous le contrôle d'un endoscope (tube muni d'un système optique) que l'on introduit dans la cavité abdominale. SYN. *chirurgie par laparoscopie, chirurgie sous vidéoscopie, vidéochirurgie*.

Cette méthode opératoire est l'extension à la chirurgie d'une technique diagnostique, la cœlioscopie. D'abord appliquée à des interventions effectuées sur l'appareil génital de la femme, la cœliochirurgie s'est étendue à de nombreux territoires et organes.

INDICATIONS

Le nombre d'interventions pratiquées en cœliochirurgie est actuellement important et tend à augmenter.

■ Dans le petit bassin, la cœliochirurgie permet le traitement de la stérilité, l'ablation des ovaires, des annexes, l'hystérectomie, le curage ganglionnaire.

■ Sur les viscères abdominaux, elle assure l'ablation de la vésicule, l'extraction des calculs de la voie biliaire principale, le traitement des hernies hiatales, des ulcères gastroduodénaux, l'ablation segmentaire, voire totale, du côlon, le traitement des occlusions par bride.

■ Dans l'espace rétropéritonéal (derrière le péritoine, membrane qui entoure les organes digestifs), elle est utilisée pour la néphrectomie (ablation d'un rein), la surrénalectomie (ablation d'une ou des deux glandes surrénales), le curage ganglionnaire (par exemple de métastases cancéreuses).

■ Dans le thorax, la même technique, alors appelée thoracoscopie, permet également de traiter des lésions pulmonaires et de réaliser des interventions sur l'œsophage, y compris l'œsophagectomie.

TECHNIQUE

La cœliochirurgie se pratique en milieu hospitalier, sous anesthésie générale. Pour les interventions pratiquées dans l'abdomen, les plus fréquentes, on introduit dans un premier temps, par une aiguille enfoncée dans l'ombilic ou dans la région sous-costale gauche, du gaz carbonique afin de créer un pneumopéritoine (large espace gazeux éloignant la paroi des viscères et permettant la manipulation des instruments). Un trocart (instrument en forme de poinçon, monté sur un manche et contenu dans une canule) est ensuite introduit à travers la région ombilicale afin de permettre le passage de l'endoscope. Celui-ci est relié à une caméra ; l'image peut être suivie sur un écran, et, éventuellement, enregistrée sur cassette vidéo. D'autres trocarts, d'un calibre de 5 à 12 millimètres, sont introduits en différents points de la paroi pour permettre le passage des instruments nécessaires à l'intervention : pince tractrice, ciseau, électrocoagulateur, matériel de suture ou de ligature, aspirateur, irrigateur. Lorsque l'intervention est terminée, le gaz s'évacue spontanément par les ouvertures, et les orifices cutanés sont suturés.

PERSPECTIVES

L'avantage de la cœliochirurgie est d'éviter les incisions de paroi et leurs éventuelles complications (abcès de paroi, désunion de cicatrice), de diminuer la répercussion organique postopératoire, donc de raccourcir la durée du séjour hospitalier. En revanche, cette technique ne modifie ni n'améliore le geste opératoire. Elle comporte des risques accrus de perforation d'organes, nécessite un appareillage important et coûteux, un personnel formé et des chirurgiens entraînés.

La cœliochirurgie est en pleine expansion et le matériel utilisé ne cesse de s'améliorer. L'avenir donnera la mesure de cette évolution de la chirurgie.

Cœlioscopie

Technique d'exploration consistant à introduire à travers la paroi de l'abdomen un endoscope (tube muni d'un système optique) dans l'intention d'observer les organes abdominaux et de pratiquer des prélèvements. SYN. *laparoscopie*.

Le terme laparoscopie est surtout employé pour qualifier l'exploration de la partie supérieure de l'abdomen (foie, en particulier), tandis que le terme cœlioscopie s'applique plutôt à l'exploration du petit bassin.

De cette phase purement exploratoire est née la cœliochirurgie, qui concernait initialement les interventions gynécologiques (ablation des kystes de l'ovaire, libération d'adhérences formées autour des trompes). La cœlioscopie, qui a constitué un progrès décisif dans le diagnostic des affections gynécologiques, a étendu son champ d'application aux autres spécialités médicales et chirurgicales : la cholécystectomie (ablation de la vésicule), la colectomie (ablation du côlon) ont également été réalisées par cœlioscopie. Les suites opératoires sont plus courtes.

INDICATIONS

La cœlioscopie est utilisée pour découvrir certaines causes de stérilité (obturation des trompes, adhérences, endométriose), pour prélever des ovules – ou les réimplanter une fois fécondés – lors de fécondations artificielles, pour diagnostiquer une grossesse extra-utérine, une salpingite (infection des trompes), la nature d'un kyste ovarien. Lors de cet examen, d'éventuelles lésions peuvent être traitées par cœliochirurgie.

TECHNIQUE ET DÉROULEMENT

La cœlioscopie se pratique sous anesthésie générale après injection de gaz carbonique dans la cavité péritonéale. L'endoscope est ensuite introduit par une petite incision ombilicale d'environ 1 centimètre. L'appareil est relié à une caméra qui transmet ces images sur écran et peut les enregistrer sur cassette vidéo. Afin de tester la perméabilité des trompes, le médecin introduit dans le vagin un petit tube métallique grâce auquel il peut injecter des liquides colorés. Un prélèvement nécessite de une à trois petites incisions dans la région suspubienne, par lesquelles sont introduits des trocarts (instruments en forme de poinçon, montés sur un manche et contenus dans une canule) permettant le

La cœlioscopie est une technique d'exploration qui nécessite une anesthésie générale. Le cœlioscope, introduit par une incision paraombilicale, permet à la fois l'inspection et des prélèvements, les instruments nécessaires étant introduits par une autre petite incision, ou par plusieurs incisions si cela se révèle nécessaire. Pour permettre une meilleure observation, la cavité à examiner est préalablement dilatée par une insufflation de gaz carbonique. À la fin de l'examen, le gaz carbonique s'élimine spontanément en 24 heures environ.

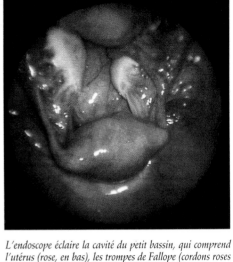

L'endoscope éclaire la cavité du petit bassin, qui comprend l'utérus (rose, en bas), les trompes de Fallope (cordons roses de chaque côté) et les ovales blancs des ovaires sur le côté.

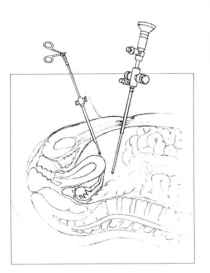

Le cœlioscope est introduit par une petite incision près de l'ombilic et permet de visualiser les organes concernés et de prélever du liquide, du pus ou des tissus.

passage des pinces. À la fin de l'examen, le gaz carbonique s'évacue spontanément par les ouvertures, et les incisions sont suturées. Une cœlioscopie, qui dure de 15 à 30 minutes, nécessite une hospitalisation d'une journée.

EFFETS SECONDAIRES

Cet examen est remarquablement bien supporté grâce à sa ou à ses très petites incisions. Il n'y a pas de douleurs au réveil mais seulement un léger ballonnement dû à l'injection de gaz carbonique dans l'abdomen.

Coenzyme

Substance de l'organisme indispensable au fonctionnement de certaines enzymes.

Les coenzymes ont une nature chimique variable, mais non protéique : la plupart dérivent des vitamines (surtout du groupe B), d'autres sont des métaux (magnésium, zinc, cuivre). Elles sont toujours associées à une protéine, l'ensemble constituant une enzyme.

■ La coenzyme A, l'une des plus importantes coenzymes, fixe et transporte des radicaux acyl (chaîne carbonée), en particulier du type acétyl (chaîne contenant 2 atomes de carbone). Dans ce dernier cas, il se forme de l'acétylcoenzyme A, une forme activée de l'acide acétique qui joue un rôle fondamental lors des réactions chimiques cellulaires. L'acétylcoenzyme A est réalisée au cours de la dégrada-

tion des glucides et des lipides. Elle peut être utilisée, selon les besoins de l'organisme, pour fournir de l'énergie à la cellule (en subissant une suite de réactions appelée cycle de Krebs) ou pour synthétiser de nouveaux acides gras, du cholestérol (lui-même précurseur d'hormones stéroïdes telles que la cortisone) ou des corps cétoniques (acétone).

Cœur

Organe musculeux creux situé dans la partie médiane et gauche du thorax, entre les deux poumons, et assurant la circulation sanguine dans le corps grâce à ses contractions régulières. (P.N.A. *cor*)

STRUCTURE

Le cœur se compose de 4 cavités contenues dans une enveloppe, le péricarde : 2 oreillettes et 2 ventricules, chaque oreillette étant séparée du ventricule sous-jacent par une valvule : à droite, la valvule tricuspide, constituée de 3 valves ; à gauche, la valvule mitrale, constituée de 2 valves. Les valves s'insèrent sur la paroi du ventricule correspondant par des cordages rattachés à des protubérances musculaires appelées piliers.

■ Le cœur droit, qui associe l'oreillette et le ventricule droits, est chargé de propulser le sang désoxygéné, par l'artère pulmonaire et ses branches, jusqu'aux poumons (petite circulation).

■ Le cœur gauche, qui associe l'oreillette et le ventricule gauches, recueille le sang

oxygéné venant des poumons et le propulse, par l'aorte et ses branches, dans tout l'organisme (grande circulation).

■ Les oreillettes reçoivent le sang désoxygéné par l'intermédiaire des veines caves inférieure et supérieure, pour l'oreillette droite, et le sang oxygéné par les 4 veines pulmonaires pour l'oreillette gauche. Les oreillettes sont séparées par une cloison, le septum interauriculaire.

■ Les ventricules envoient le sang dans les artères. Le droit, triangulaire et peu épais, communique avec l'artère pulmonaire, dont il est séparé par la valvule pulmonaire, formée de 3 valves sigmoïdes. Le gauche, de forme ovoïde et plus épais que le droit, communique avec l'aorte, dont il est séparé par la valvule aortique, composée de 3 valves sigmoïdes. Les ventricules sont séparés par une cloison musculaire, le septum interventriculaire.

■ La paroi cardiaque comprend 3 épaisseurs : l'endocarde, qui tapisse l'intérieur des cavités ; le myocarde, qui constitue en lui-même le muscle cardiaque ; le péricarde, sorte de sac situé autour du cœur.

PHYSIOLOGIE

L'apport sanguin au muscle cardiaque est assuré par les artères coronaires, qui prennent naissance à la partie initiale de l'aorte thoracique. Le retour du sang veineux coronaire est assuré par des veines qui se regroupent pour former le sinus coronaire,

CŒUR

Une cloison étanche divise le cœur en deux moitiés, « cœur droit » et « cœur gauche », comprenant chacune une oreillette en arrière et un ventricule en avant. Le cœur fonctionne par cycles, où se succèdent une systole (contraction) et une diastole (relaxation).
Les oreillettes sont un peu en avance sur les ventricules : ainsi, quand elles se contractent, elles complètent le remplissage des ventricules. En revanche, les cycles des moitiés droite et gauche sont synchrones. Ce sont les artères coronaires qui nourrissent le cœur et qui lui amènent l'oxygène ; leur obstruction provoque un infarctus.

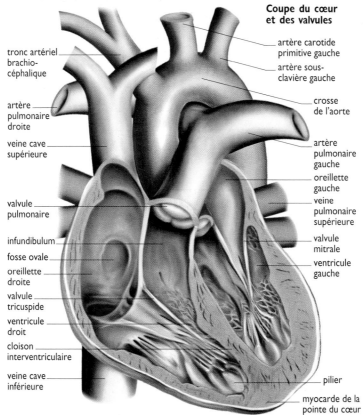

Coupe horizontale du thorax (scanner) : entre les poumons (en noir), le cœur (en rose) est placé obliquement derrière le sternum (en haut, en bleu) et déborde à gauche (région ventriculaire) vers les côtes.

Le cycle cardiaque

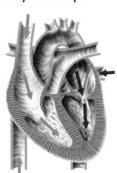

Le sang remplit les cavités du cœur (diastole).

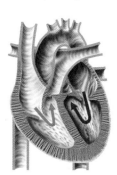

La systole (contraction) est d'abord auriculaire.

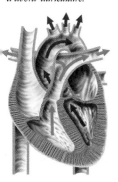

La contraction des ventricules expulse le sang.

Coupe du cœur et des valvules

Légendes :
- tronc artériel brachio-céphalique
- artère pulmonaire droite
- veine cave supérieure
- valvule pulmonaire
- infundibulum
- fosse ovale
- oreillette droite
- valvule tricuspide
- ventricule droit
- cloison interventriculaire
- veine cave inférieure
- artère carotide primitive gauche
- artère sous-clavière gauche
- crosse de l'aorte
- artère pulmonaire gauche
- oreillette gauche
- veine pulmonaire supérieure
- valvule mitrale
- ventricule gauche
- pilier
- myocarde de la pointe du cœur

Vue antérieure

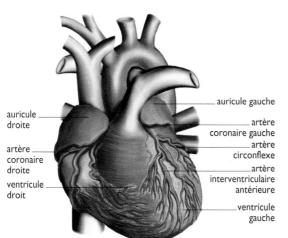

Légendes :
- auricule droite
- artère coronaire droite
- ventricule droit
- auricule gauche
- artère coronaire gauche
- artère circonflexe
- artère interventriculaire antérieure
- ventricule gauche

Le cœur et son fonctionnement

Cœur droit
Il reçoit le sang pauvre en oxygène par les deux veines caves. Le sang passe de l'oreillette dans le ventricule, qui l'envoie vers les poumons par l'artère pulmonaire.

Cœur gauche
Il reçoit le sang ré-oxygéné par les veines pulmonaires. Le sang passe de l'oreillette dans le ventricule, qui l'éjecte dans l'aorte. Celle-ci le distribue à tout l'organisme et au cœur par les artères coronaires.

Valvules
Elles ne permettent le passage du sang que dans un sens, des oreillettes aux ventricules (valvules mitrale à gauche, tricuspide à droite) et des ventricules aux artères qui partent du cœur (valvules aortique à gauche, pulmonaire à droite).

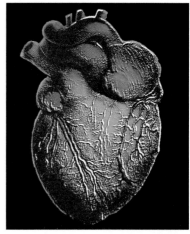

Le muscle cardiaque (en bleu) est irrigué par le réseau des vaisseaux coronaires (en rose).

s'abouchant dans l'oreillette droite. Le sang veineux arrive dans l'oreillette droite par les veines caves, puis pénètre dans le ventricule droit. Il est alors éjecté avec une fréquence de l'ordre de 70 pulsations par minute vers l'artère pulmonaire. Après enrichissement en oxygène dans les poumons, le sang retourne au cœur par les veines pulmonaires. Il passe alors de l'oreillette gauche dans le ventricule gauche, puis est éjecté dans la circulation artérielle par l'intermédiaire de l'aorte et de ses branches.

Le cœur est un organe contractile : ses mouvements sont engendrés et se propagent grâce au tissu dit nodal, que l'on pourrait comparer à un circuit électrique. Celui-ci comprend le nœud sinusal, situé dans l'oreillette droite, qui commande la fréquence cardiaque, et le nœud auriculo-ventriculaire, placé à la jonction des oreillettes et des ventricules et prolongé vers les deux ventricules par le faisceau de His et ses ramifications, qui permettent le passage de l'influx vers les ventricules. Le fonctionnement du tissu nodal est influencé par le système nerveux végétatif et par les catécholamines (adrénaline, noradrénaline, dopamine).

EXAMENS

Les plus simples sont l'examen clinique du cœur à l'aide d'un stéthoscope, l'étude de la pression artérielle avec un tensiomètre et la recherche des différents pouls. Les examens complémentaires sont l'électrocardiographie, les examens radiographiques (angiocardiographie, par exemple), l'échocardiographie et le Doppler cardiaque, le Holter tensionnel et la scintigraphie myocardique.

→ VOIR Arythmie cardiaque, Cardiopathie, Circulatoire (appareil).

Cœur artificiel

Dispositif implanté dans le thorax à la place des ventricules.

Par extension, ce terme peut désigner les procédés d'assistance ventriculaire gauche.

Actuellement, le cœur artificiel s'utilise en attendant une greffe cardiaque. Il est constitué de poches en plastique mues par énergie pneumatique, le débit cardiaque pouvant être adapté aux besoins de l'organisme. Le patient est relié à l'appareil qui sert de source d'énergie, ce qui ne lui permet que des déplacements limités.

→ VOIR Greffe du cœur.

Cœur pulmonaire

Tout trouble de la partie droite du cœur, essentiellement le ventricule, dû à une affection pulmonaire.

DIFFÉRENTS TYPES DE CŒUR PULMONAIRE

■ Le cœur pulmonaire aigu s'observe surtout à la phase initiale d'une embolie pulmonaire grave.
■ Le cœur pulmonaire chronique peut compliquer les insuffisances respiratoires chroniques : bronchopneumopathies obstructives liées à une consommation excessive de tabac, emphysème diffus, fibroses pulmonaires, tuberculose étendue et autres

pathologies modifiant la ventilation, comme les séquelles thoraciques de la poliomyélite, les cyphoscolioses importantes, l'hypoventilation alvéolaire.

SYMPTÔMES ET SIGNES

Il s'agit de signes cliniques d'insuffisance cardiaque droite, à savoir une augmentation de volume du foie, une hypertension veineuse, des œdèmes des membres inférieurs. S'y ajoutent une modification du tracé électrocardiographique, une distension des cavités cardiaques droites, une hypertension artérielle pulmonaire, une élévation des pressions dans le ventricule droit et l'oreillette droite.

DIAGNOSTIC ET ÉVOLUTION

Le diagnostic repose sur la mise en évidence des signes précités chez un sujet atteint d'une pathologie pulmonaire.

Après traitement, les troubles liés au cœur pulmonaire aigu peuvent disparaître sans séquelles. En revanche, dans le cœur pulmonaire chronique, l'évolution se fait vers une aggravation progressive par poussées parallèles à la maladie pulmonaire.

TRAITEMENT

Le traitement est celui de la cause et repose sur l'utilisation d'anticoagulants, voire de fibrinolytiques, dans l'embolie pulmonaire et d'antibiotiques lors des infections bronchiques. Un traitement diurétique est parfois indiqué ; il faut également traiter un éventuel trouble du rythme cardiaque. L'oxygénothérapie prescrite dans l'embolie pulmonaire doit être particulièrement surveillée chez les personnes souffrant d'insuffisance respiratoire, car l'hypoxie (diminution de l'oxygène dans les tissus) est devenue, chez ces malades, le principal stimulant du centre de commande respiratoire.

PRÉVENTION

Elle est essentielle. Il peut s'agir d'un traitement anticoagulant pour prévenir l'apparition d'une phlébite, point de départ de l'embolie pulmonaire, dans certaines situations telles que la contention plâtrée des membres inférieurs, l'alitement ou une intervention chirurgicale. Chez les personnes atteintes d'insuffisance respiratoire, la suppression du tabac et des sédatifs, le traitement antibiotique en cas d'infection, la vaccination (antigrippale en particulier), le traitement d'un bronchospasme, la kinésithérapie respiratoire, enfin la prescription d'une cure climatique sont indiqués.

Cognitif

Qui se rapporte à la faculté de connaître.

Le développement des fonctions cognitives chez l'enfant a surtout été étudié par le psychologue suisse Jean Piaget (1896-1980). Ses travaux montrent que le sujet se développe dans un rapport continuel d'adaptation réciproque au milieu : il « assimile » les éléments extérieurs compatibles avec sa nature pour s'ajuster aux situations nouvelles. Piaget distingue quatre grands stades de développement successifs, auxquels correspondent des structures cognitives propres : intelligence sensorimotrice (de la naissance à 2 ans) ; stade préopératoire (de

2 à 7 ans) ; stade des opérations concrètes (de 7 à 11 ans) ; stade des opérations abstraites (à partir de 11-12 ans).

Actuellement, l'étude des fonctions cognitives porte également sur le sujet âgé et les processus de détérioration mentale.

Cohorte

Ensemble d'individus suivis chronologiquement, à partir d'un temps initial donné, dans le cadre d'une étude épidémiologique.

Une cohorte forme un groupe homogène choisi pour l'étude d'une pathologie. La comparaison de deux cohortes possédant les mêmes caractéristiques (par exemple, des sujets âgés au départ de 70 ans), mais constituées à plusieurs années de distance, peut révéler une distorsion (« phénomène de cohorte »), principalement liée aux modifications intervenues dans les conditions générales d'existence (meilleure nutrition, élévation du niveau de vie, etc.).

Coiffe des rotateurs (syndrome de la)

Syndrome caractérisé par une douleur de l'épaule ressentie lors d'un mouvement d'abduction du bras, c'est-à-dire lorsque celui-ci s'écarte du corps, au passage vers 70⁰. SYN. *syndrome des sus-épineux.*

La coiffe des rotateurs est un ensemble de muscles et de tendons qui forment une structure anatomique renforçant l'articulation de l'épaule. Les lésions de la coiffe des rotateurs peuvent avoir des origines multiples (tendinite, calcification intratendineuse, rupture de tendon, conflit mécanique avec l'acromion). Parfois, une rupture totale de la coiffe entraîne même une impotence partielle de l'épaule : les mouvements volontaires (élévation du bras) sont alors irréalisables, tandis que les mouvements passifs restent possibles. Le sujet conserve néanmoins une sensibilité normale de l'épaule : il n'y a pas de paralysie.

TRAITEMENT

Le traitement du syndrome peut être médical (anti-inflammatoires, analgésiques) ou, en cas de rupture des tendons, chirurgical. L'arthroscopie permet l'ablation des calcifications et, si nécessaire, une acromioplastie.

Col utérin

→ VOIR Utérus.

Col utérin (cancer du)

→ VOIR Utérus (cancer de l').

Colchicine

Substance d'origine végétale possédant des propriétés anti-inflammatoires, qui s'utilise essentiellement dans le traitement de la crise de goutte (inflammation aiguë du gros orteil).

Contre-indiquée pendant la grossesse, la colchicine est prise par voie orale et induit très rarement des allergies et des atteintes des cellules sanguines (baisse des globules blancs). Il faut se conformer à la prescription, car le surdosage provoque une diarrhée suivie de spasmes douloureux, de paralysies, de convulsions et nécessite une réanimation en urgence.

Colectasie

Dilatation aiguë, partielle ou totale, du côlon, due à la présence de gaz.

Une colectasie s'observe au cours d'affections neuromusculaires, de troubles métaboliques (diminution du taux de potassium dans le sang) ou d'inflammation du côlon (rectocolite hémorragique, maladie de Crohn, colite pseudomembraneuse après administration de certains antibiotiques). Elle se traduit par un ballonnement abdominal, qui peut être douloureux ou non, et par un ralentissement du transit intestinal. Une colectasie peut entraîner une perforation du côlon et, en particulier, du cæcum.

Le traitement est chirurgical en cas d'obstacle ou de colite inflammatoire, médicamenteux et associé à une exsufflation par endoscopie (création d'une dépression évitant la distension de la paroi du côlon) dans les autres cas.

Colectomie

Ablation chirurgicale du côlon ou de l'un de ses segments.

INDICATIONS

Une colectomie est pratiquée pour des atteintes tumorales bénignes (polypes) ou malignes ou pour des atteintes infectieuses (diverticulite).

TECHNIQUE

La colectomie peut être totale (on retire tout le côlon) ou partielle (on n'en retire qu'une partie) : côlon droit (vertical, faisant suite à l'intestin grêle), transverse (horizontal, entre le côlon droit et le gauche), gauche (vertical, se poursuivant par le rectum). Après que la colectomie proprement dite a été effectuée, le chirurgien dispose de deux techniques pour terminer l'opération, l'anastomose ou la colostomie.

■ **Dans l'anastomose**, il rétablit immédiatement la continuité digestive en abouchant les deux fragments de l'intestin restant.

■ **Dans la colostomie**, il fixe l'orifice du tube digestif à la paroi antérieure de l'abdomen, constituant un anus artificiel. La colostomie est utilisée chaque fois que l'anastomose immédiate est impossible soit parce que le segment d'aval du côlon est oblitéré (par exemple, du fait d'un envahissement cancéreux), soit parce que la paroi de l'intestin n'est pas suffisamment cicatrisée pour permettre une suture sans risque. Elle peut être définitive ou suivie ultérieurement d'une anastomose.

Colibacille

→ VOIR Escherichia coli.

Colibacillose

Affection urinaire ou digestive due au colibacille *(Escherichia coli),* quelles que soient ses manifestations.

Le colibacille est une entérobactérie (bactérie présente dans la flore naturelle du tube digestif). Dans l'usage, on parle de colibacillose en précisant, dans chaque cas,

le site de l'infection : colibacillose urinaire, intestinale, etc.

→ VOIR Colite, Infection urinaire.

Colique

1. Qui se rapporte au côlon.
2. Douleur spasmodique liée à la distension du tube digestif, des canaux glandulaires ou des voies urinaires.

Les coliques biliaires ou hépatiques sont liées au blocage des canaux par des calculs ; les coliques intestinales sont dues soit à l'irritation provoquée par une gastroentérite ou une colite, soit à une occlusion intestinale. Il existe également des coliques pancréatiques, causées par l'obstruction du canal de Wirsung, et salivaires, dues à une lithiase.

La colique se traduit par la répétition de paroxysmes douloureux très violents, entrecoupés d'accalmies. Elle peut s'accompagner de nausées et de gêne respiratoire (coliques biliaires ou hépatiques), d'agitation et de vomissements (coliques néphrétiques).

Les coliques sont traitées par administration d'analgésiques et d'antispasmodiques. Elles imposent la recherche d'une cause obstructive (calcul, caillot) qui peut être traitée par une extraction.

Colique (cadre)

→ VOIR Côlon.

Colique néphrétique

Douleur aiguë et violente de la région lombaire due à une obstruction aiguë de l'uretère entraînant une dilatation brusque des voies urinaires en amont de l'obstacle.

CAUSES

Le plus souvent, une colique néphrétique est la conséquence d'un calcul qui obstrue, complètement ou non, soit la jonction entre le bassinet et l'uretère, soit l'uretère lui-même à n'importe quel niveau jusqu'à son entrée dans la vessie. Les autres causes, notamment le blocage d'un caillot sanguin dans l'uretère en cas de saignement abondant dans l'urine, sont beaucoup plus rares.

SYMPTÔMES ET SIGNES

La colique néphrétique se traduit par une violente douleur, qui débute le plus souvent progressivement, s'intensifie rapidement et évolue par paroxysmes très violents, vite insupportables, et sans qu'aucune position la soulage. La douleur emprunte un trajet particulier, caractéristique de ce type d'affection : elle contourne le flanc et se propage vers le bas, descendant vers les organes génitaux externes. Très souvent, la douleur est associée à des troubles digestifs, à des nausées et à des vomissements. Quand l'obstacle est situé bas dans l'uretère, le patient se plaint souvent de troubles mictionnels se traduisant par de fréquents besoins d'uriner sans émission d'urine.

DIAGNOSTIC

Dans la majorité des cas, les caractères de la colique néphrétique sont suffisamment typiques pour que le diagnostic soit immédiatement établi par le médecin, voire par le malade lui-même s'il a déjà souffert de cette affection. Le diagnostic peut être

confirmé par une échographie rénale ou par une urographie intraveineuse, qui mettent en évidence la dilatation des voies urinaires en amont de l'obstacle.

TRAITEMENT

Il comporte le traitement de la douleur et, dans certains cas, l'extraction du calcul.

■ **Le traitement de la douleur** est une urgence, car il s'agit d'une affection difficilement supportable et qui peut durer des heures. Il consiste à supprimer toute boisson ou à arrêter une éventuelle perfusion, l'augmentation de la quantité d'urine aggravant ou perpétuant la douleur en accroissant la dilatation en amont de l'obstacle. On associe à cette mesure la prescription d'analgésiques et d'antispasmodiques ou d'anti-inflammatoires.

■ **L'extraction du calcul** n'est pas toujours nécessaire. En effet, celui-ci est souvent expulsé spontanément et recueilli dans les urines. L'extraction est nécessaire en cas de douleur persistante - on parle alors de colique néphrétique hyperalgique - malgré l'administration d'analgésiques, ou si la colique néphrétique est associée à une infection urinaire fébrile, en raison des risques de septicémie encourus en l'absence de traitement ; dans ce cas, l'extraction est associée à l'administration d'antibiotiques.

→ VOIR Lithiase, Lithotripsie.

Coliques du nourrisson

Douleurs abdominales spasmodiques du nourrisson, responsables de pleurs et d'une agitation accompagnés d'éructations et d'émissions de gaz.

Les coliques du nourrisson ne traduisent aucune maladie particulière ; les nouveau-nés qui en souffrent ont en effet une courbe de poids, des selles et un comportement alimentaire normaux. Il existe parfois une distension de l'abdomen, qui est soulagée par l'émission de gaz et de selles.

Il s'agit d'une affection bénigne, qui disparaît en général au 3e ou au 4e mois. Quelques mesures simples peuvent être proposées : ne pas mettre systématiquement l'enfant au sein en cas de pleurs, le mettre sur le ventre après le repas, prescrire certains médicaments antispasmodiques.

Colite

Inflammation aiguë ou chronique du côlon.

Le terme de colite recouvre des affections très variées, à l'exception des tumeurs et des malformations du côlon. Il est parfois employé à tort pour désigner des troubles du fonctionnement de l'intestin dans lesquels il n'existe pas d'inflammation.

CAUSES

■ **Une colite aiguë** peut avoir une origine infectieuse (bactérienne, virale ou parasitaire), médicamenteuse (laxatifs irritants, traitement prolongé par les antibiotiques), être la conséquence d'une radiothérapie ou d'une ischémie (insuffisance circulatoire de la paroi intestinale).

■ **Une colite chronique** est souvent de cause inconnue et se déclare au cours de certaines affections telles que la maladie de Crohn ou la rectocolite hémorragique.

SYMPTÔMES ET SIGNES

Une colite se traduit essentiellement par une diarrhée, associée ou non à des douleurs abdominales.

DIAGNOSTIC ET TRAITEMENT

Le diagnostic repose sur la coloscopie, qui permet, en outre, d'effectuer une biopsie pour rechercher une cause bactériologique ou virale de la colite et en préciser les caractéristiques histologiques. La coloscopie est toutefois contre-indiquée dans les cas de colite grave, de sigmoïdite diverticulaire et de colite ischémique évoluée.

Le traitement est le plus souvent médicamenteux (antibiotiques pour les colites infectieuses, corticostéroïdes pour la maladie de Crohn et la rectocolite hémorragique), parfois chirurgical lors des sigmoïdites diverticulaires ou postradiothérapiques.

Collage dentaire

Fixation d'un matériau malléable, appelé composite, à la surface d'une dent ou entre deux dents. SYN. *restauration collée*.

INDICATIONS

Le collage dentaire est habituellement utilisé pour traiter les dents fracturées, ébréchées, trop espacées ou ayant une anomalie de forme. Il peut également servir à réaliser des attelles de contention (appareillages destinés à solidariser les dents) ou à fermer un diastème (espacement exagéré) entre deux dents antérieures, ou encore à remplacer une couronne. Enfin, il est employé pour appliquer un film de composite à la surface des dents afin de prévenir l'apparition de caries chez les enfants.

TECHNIQUES

Le dentiste commence par appliquer un peu d'acide sur la surface de la dent pour la rendre rugueuse : c'est le mordançage. Une résine liquide est ensuite déposée sur la surface rugueuse ainsi préparée afin que le matériau de collage puisse y adhérer. Lorsqu'on doit reconstruire une partie manquante de la dent, on utilise une résine composite pâteuse, modelée sur la dent avant d'être durcie.

Si la soudure du composite à l'émail dentaire est bien maîtrisée à l'heure actuelle, son adhésion à la dentine pose encore des problèmes, dus à l'hétérogénéité des tissus qui composent la dent et à la difficulté d'assécher la dentine.

Collagène

Protéine la plus abondante du corps humain, responsable de la cohésion des tissus.

Le collagène est une protéine constituée de trois chaînes d'un millier d'acides aminés chacune, dont les plus abondants sont le glycocolle, la proline et la lysine. Ces protéines s'organisent en fibres, visibles au microscope. Le collagène est un constituant majeur du tissu conjonctif, dont il assure la résistance mécanique. Ce sont les fibroblastes, cellules du tissu conjonctif, qui assurent la synthèse du collagène. Ils donnent aux fibres l'orientation convenable : celles-ci sont soit toutes parallèles et serrées entre elles pour assurer un maximum de résistance, dans

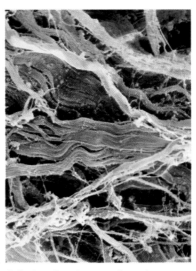

Collagène. *Le microscope électronique permet de voir des faisceaux de fibres de collagène dans un enchevêtrement lâche.*

le cas des tendons, soit enchevêtrées irrégulièrement dans tous les sens et beaucoup moins denses, à l'intérieur des viscères.

PATHOLOGIE

Certaines maladies sont caractérisées par une formation anormale des fibres de collagène, qui envahissent alors l'organisme d'une façon diffuse et provoquent les connectivites, autrefois appelées collagénoses. Tel est, par exemple, le cas de la sclérodermie, qui se manifeste par un épaississement fibreux de la peau.

UTILISATION THÉRAPEUTIQUE

En dermatologie, le collagène des pommades et des crèmes cosmétiques ne pouvant pénétrer dans l'épaisseur de la peau, son efficacité thérapeutique n'a pas encore été prouvée. Des injections intradermiques de collagène bovin sont parfois utilisées pour faire disparaître les rides. Il faut alors tenir compte des contre-indications (allergies éventuelles, maladies auto-immunes, etc.) et réaliser des tests préalables (dosages d'anticorps sanguins, tests cutanés). Le résultat est souvent satisfaisant mais très transitoire, durant rarement plus de 12 mois.

Collagénose

→ VOIR Connectivite.

Collapsothérapie

Ancienne méthode de traitement de certaines tuberculoses pulmonaires.

La collapsothérapie fut utilisée jusqu'en 1950 environ, puis détrônée par les antibiotiques. Elle consistait à provoquer un collapsus (affaissement) d'une zone du poumon, supprimant ainsi l'oxygène indispensable au bacille et facilitant la cicatrisation. On pratiquait pour ce faire un « pneumothorax thérapeutique » (insufflation d'air dans la cavité pleurale, autour du poumon) ou une thoracoplastie (ablation chirurgicale

de côtes). De nos jours, il arrive encore que l'on observe les séquelles de ces anciennes techniques, telles qu'une gêne respiratoire, chez des sujets âgés.

Collapsus cardiovasculaire

Chute sévère de la pression artérielle systolique (chiffre supérieur) au-dessous de 80 millimètres de mercure.

Habituellement associé à l'existence d'un pouls faible et rapide, un collapsus cardiovasculaire est dû à un mauvais fonctionnement du muscle cardiaque, à une diminution du volume sanguin, à une infection grave ou à une hypotonie vasculaire responsable d'une vasodilatation importante. Si le collapsus cardiovasculaire se prolonge, il apparaît un état de choc, véritable insuffisance circulatoire aiguë. Ce type de malaise nécessite donc une hospitalisation en urgence et des mesures de réanimation, ainsi qu'un traitement de la cause.

→ VOIR Choc cardiogénique, Choc hypovolémique, Choc infectieux.

Collatéral

Qui est placé à côté.

■ **En anatomie**, la branche collatérale d'un vaisseau est une branche non terminale, telles les branches collatérales de l'artère humérale au bras.

La circulation collatérale est une circulation de suppléance assurée à partir des branches collatérales lorsqu'il existe un obstacle sur le vaisseau principal, artère ou veine. Les vaisseaux collatéraux, normalement peu importants ou nouvellement formés, se dilatent et permettent ainsi au sang de contourner l'obstacle.

■ **En génétique**, les membres collatéraux sont des membres d'une même famille liés par une parenté indirecte (frères, oncles, cousins, etc.).

Colle biologique

Préparation médicamenteuse d'usage chirurgical, ressemblant à de la colle et appliquée sur le champ opératoire.

INDICATIONS

L'usage de la colle biologique s'est répandu dans la quasi-totalité des spécialités chirurgicales (neurochirurgie, chirurgie plastique, thoracique, vasculaire, etc.). Cette préparation est une barrière contre l'infection. De plus, elle complète l'hémostase (arrêt des saignements), comble les petites cavités et colle les sutures et les plaies des organes.

TECHNIQUE

La colle biologique se présente sous la forme d'une solution fortement concentrée en protéines plasmatiques de la coagulation, obtenues à partir du sang de donneurs. Mélangée à de la thrombine et à du calcium, la préparation devient coagulable. Appliquée sur les tissus pendant l'opération, elle y forme une nappe adhésive comparable à de la colle. Ultérieurement, elle se résorbe spontanément. On traite la colle biologique, produit d'origine humaine, pour en éliminer d'éventuels virus (sida, hépatite) ; elle peut en outre provoquer une allergie.

Collection

Accumulation de liquide physiologique ou pathologique (sang, pus, etc.) dans une cavité de l'organisme.

Les collections se distinguent des autres épanchements liquidiens en ce qu'elles restent dans une zone bien définie. Ainsi, le pus d'un abcès (contrairement à celui d'un phlegmon) est limité en périphérie par une coque fibreuse.

Les causes des collections sont le plus souvent traumatiques ou infectieuses.

Une collection peut contenir des sérosités (liquide clair venant du sérum sanguin ou des sécrétions cellulaires), de la lymphe, du sang dans le cas d'un hématome, ou du pus dans le cas d'un abcès. Sa consistance est liquidienne, ce qui explique qu'un hématome ou un abcès soit dit « collecté » quand il est passé de la phase de caillot ou de masse inflammatoire compacte à la phase liquidienne.

DIFFÉRENTS TYPES DE COLLECTION

Selon leur localisation, on distingue deux types de collection.

■ Les collections superficielles siègent sous ou dans la peau : hématome sous-cutané, abcès, etc. Elles se signalent par une masse palpable et fluctuante : quand on appuie sur la collection, un autre doigt posé plus loin sent le liquide se déplacer.

■ Les collections profondes peuvent siéger dans un organe (cerveau), entre plusieurs organes, dans l'abdomen par exemple, ou dans une cavité préexistante (plèvre). Elles se signalent parfois par une douleur, si elles provoquent une compression des petits nerfs voisins, voire par des signes liés à leur cause (infection, par exemple). En outre, elles peuvent provoquer une compression, quelquefois grave, d'un organe ou d'un tissu important (cerveau, gros tronc nerveux, etc.). Elles se diagnostiquent par l'échographie ou le scanner.

TRAITEMENT

Le traitement d'une collection dépend de sa cause, de sa localisation et de sa gravité. Les collections les plus bénignes ne sont pas traitées. Les plus graves sont évacuées par ponction, voire par une véritable opération chirurgicale.

Collet

Partie de la dent constituant le point d'union entre la racine et la couronne. (P.N.A. *collum dentis*)

Le collet est la partie de la dent sur laquelle la plaque dentaire se forme le plus aisément. Il peut être le siège d'une carie.

Colloïde

1. Substance homogène de consistance gélatineuse, riche en thyroglobuline et contenue dans les vésicules thyroïdiennes, unités fonctionnelles de la glande.
2. Se dit de certains adénocarcinomes de l'estomac, du côlon ou du sein, caractérisés par la consistance particulière que leur confère l'abondance de mucines (substances de nature glycoprotéinique élaborées par certaines cellules glandulaires).

Collutoire

Préparation médicamenteuse destinée à être appliquée sur les muqueuses de la cavité buccale.

Un collutoire, selon sa composition, peut être antiseptique, antibiotique, anesthésique ou d'une autre nature. De consistance semi-liquide, il est étalé sur la muqueuse au moyen d'une tige munie de coton ou dispersé par pulvérisation.

Collyre

Solution stérile instillée en gouttes dans le cul-de-sac conjonctival inférieur pour produire un effet sur l'œil.

DIFFÉRENTS TYPES DE COLLYRE

Selon le principe actif qu'ils contiennent, on distingue différents types de collyre.

■ Les collyres antiseptiques luttent contre les agents infectieux présents dans les culs-de-sac conjonctivaux ; ils sont parfois associés à des vasoconstricteurs destinés à atténuer les rougeurs de la conjonctive.

■ Les collyres antibiotiques traitent les conjonctivites infectieuses, les kératites et les infections des voies lacrymales. Les contre-indications sont rares ; seul le chloramphénicol est évité chez l'enfant et les personnes atteintes d'insuffisance médullaire.

■ Les collyres anti-inflammatoires stéroïdiens (hydrocortisone, dexaméthasone, prednisolone), à base de corticostéroïdes, sont souvent associés à un antibiotique et sont indiqués pour traiter les inflammations oculaires, externes ou internes, et pour prévenir l'inflammation postopératoire. Cependant, ils ont de nombreux effets indésirables : aggravation des ulcères cornéens et des kératites superficielles, risque d'activation d'une infection oculaire virale (notamment herpès), risque d'apparition d'un glaucome en cas de traitement prolongé.

■ Les collyres anti-inflammatoires non stéroïdiens, plus récents, ne présentent pas autant d'effets indésirables que les corticostéroïdes, mais leur action anti-inflammatoire est plus limitée.

■ Les collyres antiglaucomateux comprennent les collyres adrénaliniques, bêtabloquants et myotiques. Ceux des deux premières catégories agissent en diminuant la sécrétion d'humeur aqueuse, les adrénaliniques provoquant en outre une dilatation de la pupille et étant donc contre-indiqués en cas de glaucome à angle étroit, alors que les bêtabloquants sont contre-indiqués en cas d'asthme ou de bloc auriculoventriculaire (ralentissement ou arrêt de la conduction électrique cardiaque entre les oreillettes et les ventricules). Les collyres myotiques facilitent l'écoulement de l'humeur aqueuse et produisent un myosis (rétrécissement de la pupille), qui interdit leur utilisation en cas d'inflammation de l'iris et de forte myopie.

■ Les collyres mydriatiques entraînent une dilatation de la pupille et sont utilisés lors des examens ophtalmologiques, en cas d'uvéite ou après une opération de la cataracte. Parmi les collyres mydriatiques, l'atropine et le cyclopentolate ont, en plus, une action cycloplégique (qui entraîne une paralysie de l'accommodation). Tous les collyres mydriatiques sont contre-indiqués en cas de glaucome à angle étroit non traité.

■ D'autres collyres (collyres anesthésiques, collyres à la fluorescéine) sont utilisés à des fins d'examen ophtalmologique.

MODE D'ADMINISTRATION

Les collyres sont composés d'un principe actif en solution dans de l'eau distillée additionnée de sérum physiologique et d'un antiseptique puis conditionnés dans de petits flacons stériles. Après ouverture, ils doivent être conservés dans un endroit frais, à l'abri de la lumière et être utilisés dans les 15 jours qui suivent. Le produit est instillé dans le creux de la paupière inférieure et se diffuse à l'intérieur de l'œil à travers la cornée.

Colobome

Malformation congénitale de l'œil consistant en une fente qui peut siéger au niveau de l'iris, de la choroïde, du nerf optique et/ou de la paupière supérieure.

Un colobome résulte de l'absence de fermeture de la fente oculaire du fœtus : la cupule optique (première ébauche de l'œil du fœtus) se ferme normalement entre la 5e et la 7e semaine de la grossesse ; une anomalie de ce processus provoque le colobome. Celui-ci peut toucher un seul élément de l'œil (colobome papillaire ou choroïdien) ou plusieurs éléments (colobome irien et papillo-choroïdo-rétinien).

L'œil est fermé normalement à l'extérieur, la malformation n'affectant que des structures intraoculaires. L'anomalie s'accompagne rarement de manifestations fonctionnelles ; on constate parfois une diminution de la sensibilité de la vision périphérique au cours de certains colobomes papillaires.

Le diagnostic est obtenu par l'examen du globe oculaire. Un colobome ne se traite pas.

Syndrome de la papilla volubilis

Variante exceptionnelle du colobome papillaire, ce syndrome est une malformation congénitale de l'œil caractérisée par un amas central de tissu glial (tissu nerveux conjonctif) d'où partent en rayons les vaisseaux papillaires. L'extérieur de l'œil n'est pas touché, mais la vision est très abaissée. En outre, le syndrome de la papilla volubilis peut s'accompagner d'anomalies intracrâniennes et faciales. Le diagnostic repose sur l'examen du fond d'œil. Il n'existe pas de traitement de cette malformation.

Côlon

Partie de l'intestin commençant à la valvule de Bauhin (fin de l'intestin grêle) et se terminant au rectum, qui élabore et véhicule les matières fécales. SYN. *gros intestin.* (P.N.A. *colon*)

STRUCTURE ET FONCTIONNEMENT

Le côlon est un tube musculaire et muqueux mesurant environ 1,40 mètre de long. Il forme un cadre, appelé cadre colique, et comporte quatre sections : côlon droit ou ascendant, transverse, gauche ou descendant et sigmoïde. La première section, le côlon ascendant, débute en bas à droite de l'abdomen et remonte jusque sous le foie. Il marque alors un angle droit, formant le côlon transverse, qui traverse l'abdomen de droite à gauche, puis un nouvel angle à gauche et vers le bas, formant le côlon descendant, vertical et accolé en arrière au péritoine. À l'entrée du bassin, il forme une anse mobile, le côlon sigmoïde, qui se termine par le rectum, accolé en avant du sacrum et situé en grande partie derrière le péritoine.

Le côlon reçoit les aliments ; il exerce une fonction motrice (stockage et brassage) et est le siège de phénomènes d'absorption (il reçoit environ 1,5 litre d'eau par jour et en absorbe plus de 90 %) et de digestion (assurée par la flore bactérienne). Ces différents processus métaboliques s'accompagnent d'une production de gaz et aboutissent à la constitution de la selle.

EXAMENS ET PATHOLOGIE

Le côlon est principalement exploré par la coloscopie et le lavement baryté. Il est le siège d'affections diverses, inflammatoires (colites), tumorales (polypes, adénocarcinomes) et mécaniques (volvulus, ou torsion d'une anse intestinale). Il peut être trop long (dolichocôlon) ou trop large (mégacôlon).

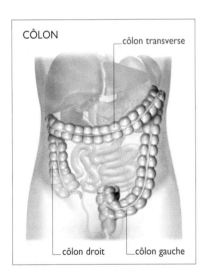

CÔLON — côlon transverse — côlon droit — côlon gauche

Côlon (cancer du)

Cancer qui atteint le côlon, le plus souvent sous forme d'adénocarcinome.

Le cancer colorectal (cancer du rectum et du côlon) représente 15 % de toutes les tumeurs malignes et est en passe d'atteindre le premier rang dans les pays occidentaux, pour les deux sexes ; sa proportion par rapport à l'ensemble des cas de cancer se majore de 10 % tous les cinq ans, alors que le pronostic (50 % de survie après cinq ans) n'a pas évolué depuis vingt ans. Cette évolution souligne l'importance d'un diagnostic précoce et du dépistage.

CAUSES

Le risque de cancer du côlon est plus élevé chez les personnes génétiquement prédisposées aux polypes intestinaux, chez celles qui ont des antécédents personnels et/ou fami-

liaux de polype ou de cancer coliques, et chez celles qui souffrent d'une colite inflammatoire ancienne. D'autres facteurs de risque interviennent, en particulier les régimes alimentaires pauvres en fibres.

SYMPTÔMES ET SIGNES

Le cancer du côlon se présente sous la forme d'une tumeur ulcérée et/ou bourgeonnante, pouvant entraîner un rétrécissement de la cavité du côlon. Il se traduit par des signes digestifs : modifications récentes du transit, douleurs abdominales persistantes, saignement, et par des signes extradigestifs : anémie, fièvre, altération de l'état général. Il peut également se révéler par une occlusion intestinale ou à l'occasion de la mise en évidence de métastases, en particulier au niveau du foie.

TRAITEMENT

Il consiste en une colectomie partielle (ablation de la portion atteinte du côlon puis rétablissement de la continuité), associée à l'ablation des vaisseaux et des ganglions de voisinage et complétée dans certains cas par un traitement médicamenteux chimiothérapique. Ce complément permet de diminuer de façon significative le nombre des récidives de la maladie cancéreuse. Dans les cancers du bas rectum, l'ablation de la partie malade est suivie d'une colostomie, création d'un anus artificiel.

PRÉVENTION

Elle est surtout fondée sur un diagnostic précoce de la maladie et sur le dépistage et la résection des polypes, souvent à l'origine du cancer. L'identification récente du gène responsable de la plus fréquente des polyposes intestinales familiales représente aujourd'hui un espoir important pour cette prévention. La détection par recherche de sang dans les selles se fait à l'aide d'un test, l'Hémocult. Si celui-ci est positif, on effectue une coloscopie. L'aspirine et les anti-inflammatoires non stéroïdiens pourraient diminuer la fréquence de ce cancer.

Côlon (tumeur du)

Tumeur siégeant sur le côlon.

Les tumeurs bénignes du côlon sont très fréquentes et prennent le plus souvent la forme d'adénomes (polypes), plus rarement celle de léiomyomes, de lipomes et d'angiomes. Ces tumeurs sont souvent asymptomatiques et sont découvertes à l'occasion d'un examen radiologique ou endoscopique.

Les polypes font l'objet d'un dépistage chez les sujets à risque (antécédents personnels et familiaux) et d'une ablation systématique, car certains constituent des lésions bénignes précancéreuses.
→ VOIR Côlon (cancer du).

Colonie

Amas de bactéries identiques descendant d'une même cellule bactérienne.

Les colonies bactériennes ont une taille, une forme, une pigmentation et des reflets différents selon les genres bactériens cultivés. Ces caractéristiques permettent, lors de la culture d'un prélèvement polymicrobien, de recenser les différentes bactéries en présence

(technique de l'isolement), puis de poursuivre séparément l'étude de chaque type représenté afin de l'identifier, à l'aide de techniques biochimiques et éventuellement immunologiques, et de préciser sa sensibilité à divers antibiotiques (antibiogramme).

Colonne vertébrale

→ VOIR Rachis.

Colopathie

Toute maladie du côlon.

Colopathie fonctionnelle

Trouble du fonctionnement du côlon, d'origine inconnue, sans lésion organique décelable. SYN. *syndrome de l'intestin irritable.*

La colopathie fonctionnelle est très répandue ; on estime qu'elle concerne près de 30 % de la population générale. Il existe probablement, à l'origine de l'affection, une anomalie du fonctionnement neuromusculaire du côlon et de l'intestin grêle ; l'état psychologique du patient intervient également, autant comme facteur déclenchant que pour déterminer le seuil de perception des douleurs.

SYMPTÔMES ET SIGNES

La colopathie fonctionnelle se traduit par des douleurs de type spasmodique siégeant sur le trajet du côlon, par des troubles du transit intestinal (constipation, diarrhée, alternance des deux), enfin par des difficultés à la défécation. Elle est fréquemment associée à un ballonnement abdominal. Il n'y a ni fièvre ni atteinte de l'état général.

DIAGNOSTIC

Le diagnostic est le plus souvent limité à un examen clinique. Des examens complémentaires, comme l'exploration du côlon ou de l'intestin grêle, ne sont prescrits que si l'examen clinique est équivoque ou s'il existe un risque de tumeur du côlon : apparition récente des troubles, antécédents personnels ou familiaux, âge avancé.

TRAITEMENT

Il repose en partie sur le respect d'une bonne hygiène alimentaire : le régime doit être largement diversifié et comporter beaucoup de fibres alimentaires. Les médicaments, antispasmodiques contre la douleur, antidiarrhéiques, anticonstipants, sont prescrits avec parcimonie, de façon discontinue. Il importe surtout d'expliquer au patient que les troubles sont bénins et ne comportent aucun risque de complication.

Colopexie

Fixation chirurgicale du côlon sur le péritoine pariétal.

Une colopexie est indiquée dans les cas de volvulus du côlon, au cours desquels une partie du côlon en forme d'anse tourne sur son axe, en étranglant les pieds de l'anse. Il se produit ainsi une occlusion intestinale (interruption brutale du passage des matières). La colopexie consiste, après avoir remis le côlon en place, à le fixer sur le péritoine pariétal (feuillet du péritoine tapissant la paroi de l'abdomen) afin de rendre impossible toute nouvelle torsion du côlon.

Coloplastie

Opération chirurgicale dont l'un des résultats est la modification de la forme et de la fonction du côlon.

DIFFÉRENTS TYPES DE COLOPLASTIE

■ Le premier type de coloplastie consiste à utiliser une portion du côlon pour remplacer un autre segment du tube digestif. Il s'applique surtout à l'œsophage, lorsqu'on l'a retiré, à cause d'un cancer par exemple, et que l'estomac ou l'intestin grêle ne sont pas utilisables. Un segment du côlon est alors remonté dans le thorax et anastomosé (abouché bout à bout) avec la partie haute de l'œsophage. Une autre anastomose rétablit la continuité du côlon restant dans l'abdomen.

■ Le deuxième type de coloplastie consiste à élargir la cavité du côlon lorsque celle-ci est rétrécie en raison d'une inflammation (colite).

■ Le troisième type de coloplastie consiste à accoler deux segments du côlon pour ralentir le transit et former un réservoir. C'est le cas après une ablation du rectum.

Colorant

Substance colorée naturelle ou synthétique, ajoutée à un aliment pour en améliorer la présentation.

L'utilisation des colorants comme additifs alimentaires est sévèrement réglementée : les colorants nocifs (certains d'entre eux sont soupçonnés d'action cancérigène) sont proscrits ; les colorants dont l'innocuité est prouvée sont limités à de très faibles quantités. Certaines personnes cependant, en particulier des enfants, absorbent des quantités massives de confiseries ou de boissons colorées industriellement, alors qu'on ne connaît pas exactement les conséquences d'une telle consommation.

→ VOIR Additif alimentaire.

Coloration

Technique d'observation et de différenciation des cellules et des bactéries en laboratoire.

La coloration permet de voir les bactéries au microscope et de les différencier. L'identification des différentes structures tissulaires ou cellulaires nécessite l'emploi de divers colorants, certains étant naturels (safran, hématoxyline), d'autres synthétiques.

Les bactéries sont d'abord différenciées en fonction de leur forme (cocci arrondis ou bacilles en bâtonnet, après coloration par le bleu de méthylène, par exemple), puis en fonction de caractéristiques biochimiques de leur paroi, grâce à la coloration de Gram. Lors de cette coloration, les bactéries dites à Gram positif apparaissent en violet, tandis que les bactéries dites à Gram négatif apparaissent en rouge. Le résultat permet de préjuger de la nature du germe, et donc de sa sensibilité à un traitement antibiotique donné, dès l'examen direct.

Coloscopie

Examen qui permet d'explorer tout ou partie de la muqueuse du côlon et, dans certains cas, la dernière anse de l'intestin grêle.

La coloscopie permet de rechercher la cause d'une diarrhée, d'un saignement digestif, de douleurs abdominales et de diagnostiquer un polype ou un cancer du côlon ; elle permet aussi la surveillance des patients ayant été opérés d'un cancer du côlon ou du rectum. On peut, pendant l'examen, pratiquer une polypectomie (ablation de polype) et un prélèvement biopsique à des fins diagnostiques.

La coloscopie nécessite généralement une courte hospitalisation et peut se pratiquer sans anesthésie ou sous anesthésie générale légère. Avant l'examen, le côlon du patient est totalement nettoyé par ingestion, la veille de l'examen, d'un repas dénué de fibres et par absorption en deux temps (la veille et le jour de l'examen) de 4 litres d'une solution spéciale ; celle-ci entraîne une diarrhée qui, lorsqu'elle est claire, indique le parfait nettoyage du côlon.

Lors de l'examen, le patient est allongé et, si la coloscopie se fait sous anesthésie, on lui injecte un anesthésique dans une veine de l'avant-bras. Le médecin effectue un toucher rectal, puis introduit dans l'anus un coloscope, long tuyau flexible muni de fibres optiques, certaines conduisant la lumière, d'autres renvoyant l'image sur un écran vidéo ou à travers un oculaire. Le coloscope progresse dans le côlon grâce à une insufflation d'air. L'examen dure environ 30 minutes, davantage si l'on pratique une intervention (extraction de polypes) ou si le côlon est plus long que la moyenne. Le patient demeure sous surveillance médicale pendant 3 heures après l'examen, 24 heures en cas d'extraction de polypes.

EFFETS SECONDAIRES

Lors de l'examen pratiqué sans anesthésie, l'insufflation d'air nécessaire à la progression du coloscope est parfois douloureuse. La perforation, très rare, est le seul accident grave. Ce risque impose des examens très prudents en cas de côlon pathologique (colite ulcéreuse, diverticules). L'ablation d'un polype peut entraîner, exceptionnellement, une hémorragie.

Colostomie

Abouchement chirurgical du côlon à la peau, constituant un anus artificiel, temporaire ou définitif.

La colostomie consiste à créer un orifice sur l'abdomen, par lequel les matières se vident en partie ou en totalité au lieu de s'évacuer par l'anus.

Il y a deux types de colostomie, latérale et terminale.

■ La colostomie latérale consiste à créer un orifice dans la paroi du côlon et à le fixer à une incision cutanée. La position de l'ouverture est donc latérale par rapport au flux des matières. Cette dérivation, en général temporaire, est pratiquée comme traitement en urgence d'une occlusion intestinale (interruption du transit), en amont de l'interruption. Elle est aussi effectuée en amont d'un segment de côlon récemment opéré pour le protéger contre le passage des matières en attendant que la zone suturée soit cicatrisée.

■ La colostomie terminale est pratiquée à la suite d'une ablation chirurgicale complète du côlon. L'orifice du segment en amont est abouché à la peau : la position de l'ouverture se trouve donc en position terminale par rapport au flux des matières. Dans l'opération de Hartmann, la colostomie est provisoire : le segment d'aval du côlon, constitué du rectum et de l'anus, ayant été conservé, le rétablissement de la continuité colique sera possible dans un deuxième temps. Dans les autres cas, la colostomie est définitive,

---

Dans une colostomie terminale, le côlon est abouché transversalement à la peau, formant un anus artificiel. Quand, en aval de l'ablation, le rectum et l'anus ont pu être conservés, une intervention ultérieure permet de rétablir la continuité colique.

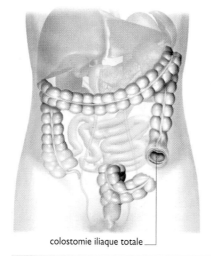

colostomie iliaque totale

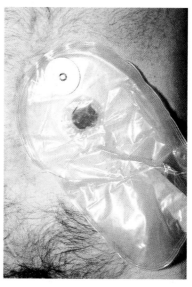

Une poche en plastique reçoit les matières évacuées par l'anus artificiel. Changée régulièrement, elle est maintenue par une plaque adhésive collée sur la peau.

---

car le segment d'aval a été retiré, à cause d'un cancer par exemple.

Après une colostomie, le recueil des matières et des gaz se fait dans une poche. Celle-ci, fixée à la peau au niveau du flanc gauche par un système adhésif, est changée à chaque vidange intestinale. Spontanément, les vidanges se font une ou deux fois par jour. Mais le patient peut garder un certain contrôle, d'une part grâce à un régime alimentaire, d'autre part avec un lavement matinal qui évite l'évacuation pendant la journée. Il existe une grande variété de matériels, discrets, étanches aux matières et aux odeurs, non irritants. Après avoir appris, généralement en milieu hospitalier ou avec une association de malades, à s'en servir, le patient peut manipuler la poche seul. Beaucoup de colostomisés, malgré les contraintes et les difficultés psychologiques du début, mènent une vie sociale, familiale et sportive normale.
→ VOIR Anus artificiel, Stomie.

Colostrum

Liquide jaunâtre sécrété par la glande mammaire les premiers jours suivant l'accouchement, avant la montée de lait.

Extrêmement riche en minéraux, en anticorps maternels et en protéines, le colostrum est très bénéfique au nouveau-né : il est particulièrement nourrissant et favorise à la fois la résistance immunitaire et la motricité intestinale de l'enfant. Ainsi, il facilite l'évacuation du méconium, première selle verdâtre du nouveau-né. Quant à la sécrétion lactée, elle apparaît environ trois jours après la naissance.

On observe parfois des sécrétions de colostrum sous contraceptif oral et pendant la grossesse, par stimulation de la prolactine (hormone d'origine hypophysaire qui favorise la lactation).

Colotomie

Ouverture chirurgicale de la paroi du côlon, à des fins diagnostiques ou thérapeutiques.

La colotomie permet d'explorer le côlon, d'y déceler une anomalie éventuelle et, si cela est possible, de la traiter : ablation d'une tumeur bénigne (polype) siégeant sur la paroi du côlon et faisant saillie dans sa cavité ; décompression et évacuation du côlon au cours d'une occlusion intestinale. La colotomie, en raison du risque élevé de dissémination de germes qu'elle entraîne, nécessite des précautions particulières d'asepsie.

Colpectomie

Intervention chirurgicale consistant à enlever une partie du vagin quand celui-ci est distendu.

La colpectomie est une intervention surtout pratiquée en cas de prolapsus génital (chute du vagin et de l'utérus) ; elle accompagne parfois une hystérectomie (ablation de l'utérus) ou une périnéorraphie (suture chirurgicale du périnée).
→ VOIR Colpohystérectomie, Colpopérinéorraphie.

Colpocèle

Distension avec affaissement des parois du vagin.

Une colpocèle est essentiellement d'origine traumatique, liée à un accouchement difficile. Elle s'associe presque toujours à un prolapsus (descente d'organes). Une colpocèle de la paroi antérieure du vagin s'accompagne généralement d'une cystocèle (descente de la vessie). Une colpocèle de la paroi postérieure entraîne le plus souvent une rectocèle (descente du rectum) ou une élytrocèle (saillie du cul-de-sac de Douglas, diverticule du péritoine, dans la paroi vaginale). La colpocèle se manifeste par une sensation de pesanteur pelvienne, avec parfois une incontinence urinaire. Le diagnostic repose sur l'examen gynécologique.

Le traitement, chirurgical, se fait si possible par les voies naturelles.

Colpocystographie

Examen radiologique permettant d'explorer un prolapsus (descente d'organe) chez la femme.

La colpocystographie permet d'apprécier les caractéristiques d'un prolapsus et de choisir ainsi la meilleure technique chirurgicale convenant à son traitement. Elle est également indiquée soit dans le bilan des incontinences urinaires liées à l'effort, soit dans celui d'un prolapsus.

DÉROULEMENT

L'examen se déroule en salle de radiologie. La patiente est allongée sur la table d'examen, en position gynécologique, genoux pliés. Le vagin, la vessie, l'urètre et le rectum sont opacifiés par injection de produits de contraste dans les voies naturelles. La table est basculée de manière à permettre la prise des clichés en position debout. Deux clichés sont pris, le premier en effort de retenue (contraction musculaire maximale), le second en effort de poussée (extension musculaire maximale). Puis les deux images sont décalquées sur un même support, appelé colpocystogramme, afin d'estimer l'écart existant entre les deux positions. Cette évaluation est facilitée par la radiologie assistée par ordinateur.

EFFETS SECONDAIRES

Les jours suivant l'examen, la patiente peut ressentir de légères brûlures à la miction, dues à l'introduction de la sonde dans le canal urétral ; elles disparaissent spontanément. L'allergie à l'iode n'est pas une contre-indication, le produit de contraste ne passant pas dans le sang.

Colpohystérectomie

Ablation chirurgicale de l'utérus et de la partie supérieure du vagin.

Une colpohystérectomie est surtout pratiquée dans le traitement des cancers génitaux (adénocarcinome endométrial ; adénocarcinome ou carcinome épidermoïde du col de l'utérus), mais elle peut également être indiquée dans certains cas de prolapsus génital (descente du vagin et de l'utérus).

S'il y a cancer, l'intervention s'accompagne souvent de l'ablation des para-

mètres (lames fibreuses qui relient l'utérus au bassin) et des ganglions iliaques externes et internes. Elle est alors aussi appelée opération de Wertheim (du nom de celui qui a décrit cette technique). On parle de Wertheim de type 1, 2, 3 ou 4 selon l'étendue de la résection. Une colpohystérectomie se pratique sous anesthésie générale.

Colpopérinéorraphie

Opération chirurgicale visant à redonner au vagin et au périnée leur forme, leur position et leurs dimensions normales après une déchirure ou un prolapsus (descente d'organes).

DIFFÉRENTS TYPES DE COLPOPÉRINÉORRAPHIE

■ La colpopérinéorraphie antérieure se pratique lorsqu'il y a eu distension de la partie antérieure du vagin et chute de la vessie (cystocèle antérieure).
■ La colpopérinéorraphie postérieure est effectuée lorsqu'il y a eu distension de la partie postérieure du vagin avec chute du rectum (rectocèle) et du cul-de-sac de Douglas (élytrocèle), en resserrant notamment les muscles releveurs entre eux afin de rétablir une continence vulvaire parfaite.

INDICATIONS ET DÉROULEMENT

La colpopérinéorraphie a pour principale indication les prolapsus génitaux avec béance de la vulve, consécutifs à un traumatisme (le plus souvent lié à l'accouchement d'un gros enfant).

L'intervention se pratique par les voies naturelles, la patiente étant sous anesthésie générale ou locorégionale.

EFFETS SECONDAIRES

La colpopérinéorraphie permet de continuer à mener une vie sexuelle normale. Toutefois, on s'efforce d'éviter chez les femmes en période de fécondité pour limiter les risques de dyspareunie (douleurs apparaissant au cours des rapports sexuels).

Colposcopie

Examen du vagin et du col de l'utérus à l'aide d'un colposcope (loupe binoculaire fixée sur un spéculum).

INDICATIONS

La colposcopie est un examen que certains gynécologues pratiquent lors de toute consultation, d'autres seulement en cas d'anomalie du frottis cervicovaginal. C'est un moyen de diagnostic et de surveillance indispensable pour toutes les pathologies du col de l'utérus : il permet de détecter d'éventuelles lésions, bénignes ou suspectes de malignité, d'effectuer des prélèvements biopsiques, de pratiquer des traitements (utilisation du laser ou conisation cervicale) et d'en surveiller les effets.

TECHNIQUE ET DÉROULEMENT

Après avoir écarté les parois du vagin à l'aide d'un spéculum, le médecin effectue un premier examen des tissus. Puis il applique une solution d'acide acétique, qui fait apparaître les lésions précancéreuses en blanc (au lieu de l'habituelle coloration rosée). Pour confirmation de son diagnostic, il applique une seconde solution à base d'iode, qui colore l'ensemble des tissus, sauf

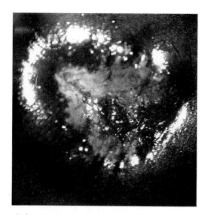

Colposcopie. La zone centrale claire (en jaune) du col de l'utérus n'a pas fixé les colorants ; elle peut être précancéreuse.

les zones suspectes. Si nécessaire, il pratique une biopsie des tissus non colorés, qui sont ensuite envoyés en laboratoire pour repérer toute dysplasie (modification des cellules) précancéreuse.

La colposcopie est, en soi, parfaitement indolore et ne nécessite pas d'anesthésie. Elle se pratique chez le gynécologue, sur une table d'examen et en position gynécologique. La meilleure période pour effectuer une colposcopie se situe entre le 8e et le 14e jour du cycle menstruel, période à laquelle le col est le plus ouvert. Cet examen n'a aucun effet secondaire, même en cas de grossesse.

Coma

Altération totale ou partielle de l'état de conscience.

CAUSES

Un coma peut être dû à des lésions cérébrales d'origine vasculaire, infectieuse, tumorale ou traumatique (œdème, hémorragie ou contusion cérébrale). Il peut aussi résulter d'une oxygénation cérébrale insuffisante (insuffisance circulatoire, asphyxie, intoxication à l'oxyde de carbone), d'une crise d'épilepsie, d'une intoxication des tissus cérébraux (intoxication médicamenteuse, alcoolique, surdose de drogue), d'une maladie métabolique (encéphalopathie respiratoire ou hépatique, acidocétose diabétique, hypoglycémie) ou endocrinienne (coma myxœdémateux).

DIFFÉRENTS TYPES DE COMA

On distingue plusieurs types de coma selon l'étendue de l'altération des fonctions de relation. Un sujet peut entrer dans le coma à n'importe quel stade. Les premiers (I et II) sont plus facilement réversibles si la cause du coma est supprimée. Sinon, celui-ci s'aggrave jusqu'au stade IV, irréversible.

■ Le stade I, ou coma vigil, est caractérisé par des réactions d'éveil du sujet lorsqu'il est soumis à une stimulation douloureuse (ouverture des yeux, grognements).

■ Le stade II se manifeste par la disparition de la capacité d'éveil du sujet. Des réactions motrices persistent cependant, comme le retrait d'un membre lorsqu'on le pince ; elles sont d'autant moins adaptées aux stimuli que le trouble est plus grave.

■ Le stade III, ou coma carus, voit la disparition de toutes les réactions motrices et l'apparition de troubles oculaires (mouvements asymétriques des yeux) et végétatifs, notamment respiratoires, qui peuvent causer le décès par anoxie (suppression de l'apport d'oxygène aux tissus).

■ Le stade IV, ou coma dépassé, définit la mort cérébrale et, donc, la mort du malade.

DIAGNOSTIC

L'examen neurologique permet d'apprécier la profondeur du coma. Il se fonde sur l'examen oculaire : réaction des pupilles à la lumière, motilité oculaire ; sur l'étude des réponses aux stimulations (auditives, visuelles, tactiles, etc. : appel, lumière, douleur) ; sur l'étude du tonus musculaire, des réflexes et de la respiration. Le tracé de l'électroencéphalogramme indique la réactivité du sujet aux stimuli.

TRAITEMENT

Un malade dans le coma doit être hospitalisé en urgence. Indépendamment du traitement de la cause, lorsque celui-ci est possible, une surveillance très stricte du sujet est nécessaire afin de veiller au maintien de ses fonctions vitales : respiration (oxygénation et, souvent, ventilation assistée) et circulation sanguine (réhydratation, lutte contre un collapsus). Le malade est nourri artificiellement par perfusion, voire par sonde digestive. Les soins infirmiers visent à la prévention des complications de l'alitement (escarres), à la protection des yeux, etc. Des traitements médicaux spécifiques permettent de lutter contre l'œdème cérébral, de prévenir ou de traiter des crises convulsives et de prévenir des complications thromboemboliques à l'aide d'un traitement anticoagulant.

PRONOSTIC

L'évolution d'un coma est extrêmement variable. À terme, son pronostic dépend très largement de sa cause : les intoxications médicamenteuses évoluent souvent favorablement en l'absence de complications et d'anoxie cérébrale. L'âge conditionne tout particulièrement le devenir des comas traumatiques (évolution plus favorable chez les blessés les plus jeunes). Le pronostic des comas prolongés est mauvais, sauf lorsqu'ils sont dus à un traumatisme crânien (des réveils tardifs peuvent alors être observés). Les données des examens neurologiques des premiers jours (réactivité, pupilles, réflexes, etc.) permettent parfois d'évaluer approximativement les chances de récupération.

Un sujet peut rester dans un coma profond pendant plusieurs mois, voire plusieurs années, avec une activité cérébrale faible ou imperceptible (état végétatif chronique). En revanche, toute lésion du tronc cérébral provoque une altération des fonctions vitales (respiration, notamment) conduisant le plus souvent au coma dépassé.

Coma dépassé

État de mort cérébrale caractérisé par l'arrêt définitif de toutes les fonctions du cerveau et du tronc cérébral, avec persistance de l'activité cardiaque. SYN. *mort cérébrale.*

CAUSES

Les causes les plus fréquentes d'un coma dépassé sont l'arrêt cardiocirculatoire prolongé, quelle qu'en soit la raison (suppression de l'apport d'oxygène aux tissus, intoxication, infarctus, choc hémorragique, etc.), les traumatismes crâniens et les accidents vasculaires cérébraux graves.

DIAGNOSTIC

Il repose sur des signes cliniques : absence de réflexe cornéen, de respiration spontanée et de réaction au pincement. Le médecin doit s'assurer que le malade n'est pas en hypothermie (baisse de la température du corps simulant la mort), victime d'une intoxication par une substance déprimant le système nerveux. L'arrêt définitif de l'activité cérébrale est attesté par deux électroencéphalogrammes plats pratiqués à plusieurs heures d'intervalle. À la différence de l'état végétatif chronique, le coma dépassé est irréversible. L'arrêt cardiaque définitif survient en quelques heures ou en quelques jours. Si un prélèvement d'organe est envisagé, la réanimation est poursuivie pour maintenir la vitalité de l'organe (ou des organes) à transplanter.

Comédon

Lésion élémentaire du follicule pilosébacé caractéristique de l'acné.

Un comédon résulte de l'obstruction du canal d'un follicule pilosébacé, portant un poil et drainant du sébum, sécrétion de la glande sébacée. Il se forme alors un bouchon de kératine (protéine de l'épiderme) et de sébum, qui dilate la glande sous-jacente. Les comédons siègent surtout sur le front, le nez, les joues, le dos et la poitrine. Leur apparition est favorisée par la chaleur humide, une configuration étroite des canaux drainant les sécrétions sébacées, les règles chez la femme, certains corps gras. On distingue les comédons fermés, ou points blancs, microkystes blanchâtres, et les comédons ouverts, ou points noirs, qui forment de petits nodules surmontés d'un orifice noir et dilaté ; le contenu est une matière blanche et épaisse.

TRAITEMENT

L'expulsion manuelle sans asepsie préalable est à proscrire, car elle peut provoquer l'infection du follicule. Il convient de faire un nettoyage de peau soigneux au savon doux et un traitement local ou général actif sur l'hyperkératose, en particulier avec des rétinoïdes. Ceux-ci donnent d'excellents résultats mais comportent, par voie générale, un risque élevé de malformations chez l'embryon, ce qui impose une contraception efficace chez le femme en âge de procréer suivant un tel traitement.

Commensal

Micro-organisme qui est l'hôte habituel d'un organisme sans lui causer de dommage.

La peau et les muqueuses de l'être humain sont colonisées en permanence par des bactéries commensales, qui jouent un rôle fondamental dans la résistance aux infections en stimulant en permanence le système immunitaire et empêchent, par leur seule présence (effet de barrière), l'implantation de bactéries pathogènes.

De nombreuses bactéries potentiellement pathogènes, comme les staphylocoques et les streptocoques, présentes sur la peau et les muqueuses, sont des commensales de l'être humain ; elles ne déterminent une infection que lors d'une inoculation accidentelle (par exemple, piqûre entraînant un panaris) ou chez des sujets dont les défenses sont amoindries.

Commissurotomie

Opération chirurgicale destinée à élargir un orifice cardiaque en en séparant les valves anormalement soudées entre elles.

Commissurotomie mitrale

Cette intervention, la plus courante des commissurotomies, consiste à séparer les valves mitrales. Elle a été pratiquée pour la première fois en 1952, à cœur fermé. Depuis 1982, la commissurotomie à cœur fermé est remplacée, quand les valves ne sont pas trop atteintes, par un cathétérisme (introduction d'un ballonnet dans l'oreillette gauche en passant à travers la cloison interauriculaire), qui se fait sous anesthésie locale et comporte moins de risques. Il existe aussi des techniques à cœur ouvert, qui permettent d'obtenir de meilleurs résultats à long terme.

Commissurotomie aortique

Cette intervention, beaucoup plus rarement pratiquée, consiste à séparer les valves aortiques. Réalisée le plus souvent chez l'enfant, elle est indiquée en cas de rétrécissement aortique congénital, quand il existe un risque d'accident grave, et nécessite l'ouverture de l'aorte à cœur ouvert, sous anesthésie générale, avec mise en place d'une circulation extracorporelle. Une commissurotomie percutanée (sans ouverture du thorax) peut être réalisée chez les personnes âgées.

Commotion cérébrale

Ébranlement de l'ensemble du cerveau lors d'un traumatisme du crâne, aboutissant à un coma provisoire.

Une commotion cérébrale ne se traduit, hormis le coma, par aucun signe clinique ; ni l'électroencéphalogramme ni le scanner ne révèlent de lésion. Le coma se dissipe dans un délai allant de quelques minutes à quelques jours. Cependant, même dans les formes de très courte durée, un examen médical immédiat est recommandé afin de dépister une éventuelle anomalie cérébrale plus grave (hématome).

Communication interauriculaire

Absence de fermeture de la cloison cardiaque qui sépare normalement l'oreillette droite de l'oreillette gauche.

La communication interauriculaire est l'anomalie cardiaque la plus fréquente

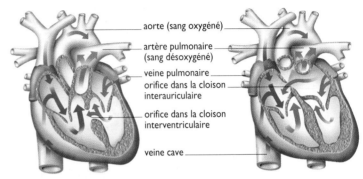

COMMUNICATIONS INTERAURICULAIRE ET INTERVENTRICULAIRE

Ces deux malformations cardiaques congénitales sont caractérisées par la présence d'un petit orifice anormal dans la cloison interne du cœur, à la hauteur des oreillettes ou des ventricules. Le sang oxygéné contenu dans les cavités gauches (à droite, sur les dessins) passe alors en partie dans les cavités droites à chaque contraction, au lieu d'être éjecté par l'aorte vers les différents organes du corps. Ce « shunt gauche-droite » a un faible débit, et les conséquences en sont modérées.

Communication interventriculaire   **Communication interauriculaire**

aorte (sang oxygéné)
artère pulmonaire (sang désoxygéné)
veine pulmonaire
orifice dans la cloison interauriculaire
orifice dans la cloison interventriculaire
veine cave

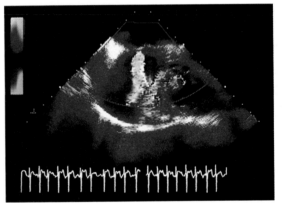

Une échographie permet de voir la paroi (rouge) des oreillettes droite (à gauche) et gauche (à droite). Une contraction (systole) propulse le sang vers les ventricules, mais un mince filet (bleu et jaune) s'échappe de la gauche vers la droite. Le cœur peut s'accélérer (le tracé est visible en bas).

après la communication interventriculaire. De taille souvent importante, l'orifice laisse passer du sang oxygéné de l'oreillette gauche vers l'oreillette droite, en raison de la pression plus élevée dans le cœur gauche que dans le cœur droit, réalisant un court-circuit gauche-droite.

DIAGNOSTIC ET ÉVOLUTION
Cette malformation ne se manifeste par aucun symptôme chez l'enfant, mais par un essoufflement chez l'adulte. Elle peut être toutefois soupçonnée par un souffle à l'auscultation et par des examens radiologiques et électrocardiographiques. L'échographie et le Doppler cardiaques permettent de l'identifier formellement.

Parfois remarquablement tolérée en l'absence de traitement, la communication interauriculaire permet une survie qui peut atteindre 60 ou 70 ans. Mais souvent elle se complique, vers 40 ans, de troubles du rythme et de défaillance cardiaque.

TRAITEMENT ET PRONOSTIC
Une fermeture de l'orifice pendant l'enfance évite la survenue de complications à l'âge adulte. Les résultats de cette intervention de chirurgie cardiaque sont le plus souvent excellents.

Communication interventriculaire

Absence de fermeture de la cloison cardiaque qui sépare normalement le ventricule droit du ventricule gauche.

La communication interventriculaire est la cardiopathie congénitale la plus fréquente (8 cas pour 1 000 naissances). En raison des différences de pression entre les deux ventricules, le sang rouge (oxygéné) passe, par cet orifice qui va de quelques millimètres à 1 ou 2 centimètres de diamètre, du ventricule gauche au ventricule droit, puis dans l'artère pulmonaire.

SYMPTÔMES ET DIAGNOSTIC
La communication interventriculaire est généralement sans symptôme. L'adulte peut parfois ressentir un essoufflement. À l'auscultation, un souffle systolique (pendant la contraction du cœur) permet de la déceler. L'échocardiographie confirme le diagnostic.

TRAITEMENT ET PRONOSTIC
Lorsque l'orifice est petit, il a tendance à se fermer spontanément. Le seul risque est la maladie d'Osler, dans laquelle un microbe se greffe sur l'orifice. Lorsque l'orifice est large, la communication interventriculaire entraîne souvent une forte hypertension dans l'artère pulmonaire, ce qui impose une fermeture chirurgicale avant l'âge de deux

ans. Bien maîtrisée, cette technique a des résultats excellents et permet au sujet de mener une vie normale.

Compatibilité sanguine

Possibilité de mélanger le sang d'un individu à un autre sans provoquer de réaction immunitaire d'hémolyse.

La règle de la compatibilité sanguine est de ne pas apporter d'antigènes contre lesquels le receveur a des anticorps, par exemple du sang A ayant l'antigène A à un malade O possédant des anticorps anti-A.

La compatibilité sanguine la plus simple est l'identité de groupe entre le produit sanguin et le receveur de sang : ainsi, un malade de groupe A sera transfusé avec du sang A. La vérification de la compatibilité doit être effectuée immédiatement avant toute transfusion au lit du malade. En effet, certains anticorps existent de façon naturelle (anticorps du système ABO) ; d'autres, appelés agglutinines irrégulières, n'apparaissent que dans certaines circonstances et doivent donc être recherchés avant toute transfusion.
→ VOIR Groupe sanguin.

Compensation

Ensemble des manifestations par lesquelles un sujet tend à surmonter une situation d'infériorité ou de frustration.

La compensation, d'abord décrite par le médecin et psychologue autrichien Alfred Adler (1870-1937), vise à remplacer un sentiment pénible par son opposé : le sentiment d'infériorité par un sentiment de supériorité, l'impuissance par une volonté de puissance, etc. Son mécanisme est le plus souvent inconscient, si bien qu'elle masque les problèmes sans toujours les résoudre.

La compensation a en général un effet positif (réalisation sociale, créativité), mais peut également perturber les rapports du sujet à autrui (besoin de dominer, timidité excessive, névrose).

Complément

Système enzymatique participant aux réactions antigènes/anticorps et, en particulier, à la destruction des antigènes.

Le complément, formé de protéines, est présent dans le sérum sanguin. Il est constitué de 11 composants qui interviennent les uns après les autres et déclenchent des réactions en cascade aboutissant à la destruction d'un antigène. Le complément attaque l'antigène lorsque l'anticorps a reconnu celui-ci et s'est fixé sur lui (voie classique) ou lorsqu'il est en contact direct avec la paroi d'un antigène (voie alterne).

Le complément joue un rôle fondamental dans la lutte contre les maladies infectieuses et leurs vecteurs. Un déficit, inné ou acquis, d'un des composants du complément entraîne un plus grand risque de développer certaines maladies.

Complexe

Ensemble de tendances inconscientes, à forte charge émotionnelle, qui conditionnent l'organisation de la personnalité d'un sujet.

Le terme, emprunté à la physiologie, fut introduit en psychanalyse en 1906 par les psychiatres suisses Edmund Bleuler et Carl Gustav Jung. Les complexes se forment dans les premières années de la vie. Ils ne sont pas pathologiques mais peuvent le devenir, causant des troubles caractériels chez l'enfant, des troubles psychiques chez l'adulte.
■ **Le complexe de castration** provient de la découverte de la différenciation sexuelle. Il se traduit par une crainte mêlée de curiosité pour les organes génitaux et pour le corps tout entier. Durant cette période, la gêne ou l'incompréhension de l'entourage peuvent renforcer une culpabilité inconsciente de l'enfant, plus tard génératrice d'échec amoureux, voire de névrose.
■ **Le complexe d'infériorité**, décrit en 1907 par le psychologue autrichien Alfred Adler, naît lorsque l'enfant prend conscience de sa faiblesse naturelle (vis-à-vis des adultes, notamment). Chaque individu cherche à corriger son infériorité en fonction de la valeur affective ou symbolique qu'elle revêt pour lui : ce mécanisme est appelé compensation.
■ **Le complexe d'Œdipe**, amour de l'enfant pour le parent de sexe opposé, associé à une haine pour le parent de même sexe, est décrit pour la première fois par le psychanalyste autrichien Sigmund Freud en 1908. C'est de la résolution de ce conflit intérieur que dépend, à l'adolescence, le choix du partenaire sexuel.

Complexe immun circulant

Association d'un antigène et de l'un des anticorps correspondant à cet antigène, qui circule dans le sang et peut provoquer des maladies auto-immunes.

L'existence des complexes immuns circulants est un phénomène naturel de réaction immunitaire. Cependant, leur taux élevé dans le sang est pathologique. Normalement, les complexes immuns circulants captent le complément (système enzymatique participant à la lutte contre les antigènes), et l'agrégat antigène-anticorps-complément séjourne dans la circulation sanguine avant d'être éliminé par le système réticulohistiocytaire (cellules chargées d'éliminer les déchets dans le sang). Dans la plupart des cas, l'antigène est l'un des constituants d'un agent infectieux, mais il peut aussi être un auto-antigène, c'est-à-dire une substance naturelle de l'organisme contre laquelle celui-ci réagit anormalement en produisant des anticorps dirigés contre elle, ou auto-anticorps. Ainsi, les complexes immuns circulants peuvent se déposer, selon la nature de cette substance, dans tel ou tel organe, le rein par exemple, et être à l'origine de lésions viscérales. Le traitement des maladies auto-immunes qu'ils engendrent est propre à chacune d'entre elles et fait appel essentiellement à la plasmaphérèse (épuration plasmatique).

Compliance pulmonaire

Élasticité des poumons, dont la mesure est utilisée dans le bilan des maladies respiratoires.

La compliance est le rapport d'une variation du volume pulmonaire à la variation de la pression d'air correspondante. Une grande compliance signifie que le poumon se distend facilement à l'inspiration et reprend facilement son volume initial à l'expiration.

La compliance est mesurée lors d'un examen pléthysmographique, qui évalue les variations du volume du thorax au cours de la respiration et les pressions correspondantes. La compliance est anormalement augmentée en cas d'emphysème et anormalement diminuée en cas de fibrose pulmonaire (développement diffus d'un tissu fibreux anormal).
→ VOIR Exploration fonctionnelle respiratoire, Pléthysmographie.

Complication

État pathologique survenant lors de l'évolution d'une maladie, dont il aggrave le pronostic.

Une complication peut être secondaire à l'évolution spontanée de la maladie elle-même : au cours de l'appendicite, par exemple, l'appendice enflammé peut se perforer et entraîner une péritonite (infection de toute la cavité abdominale). Elle peut être liée à un terrain particulier : l'infestation par le virus de l'immunodéficience humaine (V.I.H.) entraîne une diminution des défenses immunitaires, favorisant le développement d'affections opportunistes comme la toxoplasmose ou la tuberculose. Une complication peut aussi être la conséquence d'un traitement médical inadapté : une antibiothérapie non efficace sur un germe, ou insuffisamment dosée, peut être responsable d'une septicémie.

Complications opératoires

Ensemble des incidents ou accidents qui peuvent survenir pendant ou après toute intervention chirurgicale : apparition d'un abcès de paroi lié à une infection de la plaie, d'adhérences pathologiques des tissus, survenue d'un trouble du rythme cardiaque provoqué par l'anesthésie, etc.

Comportement (trouble du)

Défaut manifeste d'adaptation à la vie sociale.

Les troubles du comportement prennent de multiples formes : ils peuvent affecter la présentation (habillement, physionomie), le comportement quotidien (hygiène, sommeil, alimentation), le contact à autrui (méfiance, opposition, indifférence) ou se manifester par des passages à l'acte (réalisation de désirs impulsifs), tels que fugue, suicide, délinquance.

Les troubles du comportement apparaissent souvent à l'occasion d'une situation conflictuelle. Ils sont particulièrement fréquents dans les états démentiels, les psychopathies, les phases aiguës de psychose, l'hystérie et l'alcoolisme. Mais ils peuvent également être provoqués par certaines affections organiques qu'un bilan médical systématique devra dépister : tumeurs et accidents vasculaires cérébraux, épilepsie, décompensations métaboliques (par exemple d'un diabète), intoxications, etc.

Composite dentaire

Matériau plastique utilisé en dentisterie pour obturer la cavité dentaire.

Le composite est un matériau résineux renforcé par des éléments minéraux, qui se présente dans une gamme de teintes très étendue de façon à permettre une restauration esthétique des dents antérieures cariées. Le composite est maintenu par collage et non, comme l'amalgame, de façon mécanique ; en revanche, il est moins durable que ce dernier ou que l'or. Son utilisation est donc indiquée pour restaurer les fractures d'angles (sur une incisive), mais plus controversée pour le remplissage des prémolaires et des molaires.

Compresse

Pièce de gaze hydrophile repliée plusieurs fois sur elle-même et stérilisée.

Les compresses s'utilisent pour les soins infirmiers (nettoyage, pansement des plaies) et en chirurgie, pour absorber le sang et dégager les organes à opérer. Leur dimension et leur épaisseur sont très variées, et leur tissage est plus ou moins serré en fonction de ces différents usages. Autrefois stérilisées à l'autoclave afin d'être réutilisées, elles sont aujourd'hui jetables, conditionnées dans des sachets stériles. Certaines sont déjà imbibées d'un corps gras, pour ne pas adhérer à la plaie (traitement des ulcères des jambes ou des brûlures), ou d'un produit antiseptique.

Compression

1. Syndrome dû à la pression exagérée exercée sur des tissus ou sur un organe par un élément anatomique, une structure pathologique ou un instrument médical.

Les causes de compression sont nombreuses : déplacement d'un fragment osseux après une fracture ; rétrécissement d'un canal anatomique, pour des raisons souvent inconnues ; épanchement d'air ou de liquide dans une cavité (plèvre, péricarde) ; collection (hématome, abcès) ; tumeur bénigne ou maligne ; pose d'un plâtre trop serré.

On observe des signes très variables, puisqu'ils dépendent de la cause (tumeur, abcès, etc.), de l'organe lésé et du degré de gravité de la compression. Parmi les exemples les plus fréquents, un rétrécissement du canal carpien situé à la face antérieure du poignet peut, en comprimant le nerf médian qui commande la flexion de la main et des doigts, entraîner une sensation d'engourdissement ou de fourmillement dans les doigts, appelée syndrome du canal carpien. Une tumeur de l'abdomen peut comprimer la veine cave inférieure, le sang s'accumulant alors dans la partie inférieure du corps. Enfin, un plâtre trop serré provoque parfois une compression grave des vaisseaux et des nerfs d'un membre (appelée syndrome des loges), avec séquelles (paralysies et déformations). Des fourmillements, un œdème, une cyanose imposent le retrait immédiat du plâtre.

2. Technique thérapeutique consistant à exercer une pression, le plus souvent dans le dessein d'arrêter une hémorragie.

En cas d'hémorragie, la compression permet la plupart du temps d'attendre le traitement chirurgical. L'application d'un garrot est un geste exceptionnel, réservé au médecin et lié à des circonstances très précises (accident grave, victimes nombreuses). En effet, il existe d'une part un risque de « syndrome de levée d'obstacle », parfois mortel quand on retire le garrot, d'autre part un risque de séquelles (paralysies) si la compression est trop prolongée.

Compression de la moelle, ou compression médullaire

Syndrome dû à une compression de la moelle épinière, parfois responsable de paralysies.

Les causes rencontrées sont multiples : tumeur bénigne ou maligne, infection, malformation vasculaire de la moelle épinière ou arthrose de la colonne vertébrale. La compression s'exerce soit directement sur la moelle épinière, soit sur ses vaisseaux en diminuant la circulation sanguine locale.

Le syndrome peut prendre trois formes, éventuellement associées.

■ Le syndrome lésionnel traduit la compression des nerfs rachidiens au niveau des racines qui les relient à la moelle. Il se manifeste par des douleurs le long du trajet du nerf comprimé, un déficit sensitif, une faiblesse musculaire et une abolition des réflexes tout au long des fibres nerveuses concernées.

■ Le syndrome sous-lésionnel traduit la compression des faisceaux de fibres nerveuses, motrices ou sensitives, à l'intérieur de la moelle. Les fibres motrices descendant du cerveau ne conduisent plus les messages au-dessous du niveau de la compression. Cela se manifeste le plus souvent par des troubles de la marche commençant par une claudication intermittente (obligation de s'arrêter après une certaine distance). Dans la même région du corps, l'atteinte des faisceaux de fibres sensitives entraîne des douleurs, des fourmillements, une diminution de la sensibilité. Par ailleurs, il existe des troubles sphinctériens, surtout mictionnels (envie impérieuse d'uriner, par exemple).

■ Le syndrome rachidien est dû à l'éventuelle anomalie (tumeur, infection) qui est à l'origine de la compression. Il se traduit par une raideur, une déformation, une douleur de la colonne vertébrale.

DIAGNOSTIC ET TRAITEMENT
Le diagnostic repose sur la radiologie, principalement le scanner ou l'imagerie par résonance magnétique (I.R.M.).

Le traitement d'une compression de la moelle est une urgence. Variable selon la cause, il est cependant le plus souvent chirurgical (ablation d'une tumeur, par exemple). En l'absence de traitement, l'évolution se fait vers l'aggravation progressive des symptômes, en particulier la paraplégie (paralysie totale des membres inférieurs), et vers l'irréversibilité des lésions. En outre, une aggravation brutale peut survenir à tout moment, liée à la compression d'une artère médullaire importante.

Compulsion

Trouble du comportement caractérisé par une envie irrésistible d'accomplir certains actes, à laquelle le sujet ne peut résister sans angoisse.

Compulsion alimentaire

La compulsion alimentaire est une des formes les plus répandues de compulsion. Elle se traduit par une impulsion soudaine à absorber un aliment donné en dehors des heures habituelles des repas, souvent en dehors de toute nécessité métabolique et de la sensation de faim qui en découle. Certaines compulsions alimentaires sont fréquentes chez les femmes enceintes.

Les compulsions alimentaires entraînent souvent un sentiment de culpabilité. Elles ne sont anormales que lorsqu'elles sont répétitives et poussent le sujet à une recherche active des aliments. Elles peuvent aller jusqu'à la boulimie, dans laquelle le sujet est régulièrement pris d'une envie irrépressible de nourriture, dont il absorbe des quantités massives.

La conséquence de la compulsion alimentaire, qui augmente notablement l'apport calorique quotidien, est la prise de poids. → VOIR Boulimie.

Conception

Fécondation de l'ovule, gamète femelle, par un spermatozoïde, gamète mâle.

La conception a lieu normalement dans le tiers externe de la trompe de Fallope, de 12 à 48 heures en moyenne après un rapport sexuel fécondant. Dès qu'un spermatozoïde a pénétré l'ovule, aucun autre n'y est admis grâce à la formation d'une membrane externe imperméable. L'œuf (alors appelé zygote), constitué de la fusion des noyaux de l'ovule et du spermatozoïde, chemine le long de la trompe tout en se divisant, avant de s'implanter dans la muqueuse utérine.

Conditionnement

Acquisition ou renforcement d'un comportement, d'une habitude par un système de corrélations entre un stimulus et une réponse.

La notion de conditionnement a, pour la première fois, été mise en lumière par le physiologiste et médecin russe Ivan Petrovitch Pavlov (1849-1936). La plus célèbre de ses expériences porte sur l'étude du réflexe de salivation chez le chien. Chaque fois qu'on présente un plat de viande à un chien, la vue de l'aliment le fait saliver : il s'agit là d'un stimulus et d'une réponse « inconditionnels ». Mais, si on fait sonner une cloche à chaque fois que l'on apporte l'aliment au chien, celui-ci finit par associer ce stimulus à la satisfaction de son appétit. Il suffit ensuite de sonner la cloche pour que le chien se mette à saliver : il a acquis ce que Pavlov appelle un « réflexe conditionnel ».

Ces découvertes faites sur l'animal ont très vite été intégrées dans un courant de la psychologie né aux États-Unis vers le début du siècle : le béhaviorisme. S'intéressant aux comportements observables, et non à l'expérience interne, celui-ci rend compte de l'activité du sujet par un système de corrélations entre stimulus et réponse.

Par son refus de reconnaître la dimension subjective de la vie psychique, le béhaviorisme théorique a suscité de nombreuses critiques. Aujourd'hui, en psychothérapie, la méthode béhavioriste garde des partisans convaincus. Elle s'attache à rééduquer la personnalité d'un sujet atteint d'une affection psychiatrique en considérant ses symptômes comme une réponse inadaptée, entretenue par un mauvais conditionnement. Le « déconditionnement » consiste alors à supprimer la réponse pathologique en répétant jusqu'à l'épuisement le stimulus déclencheur ou en lui opposant une réponse incompatible (stimulus provoquant l'aversion ou l'évitement). Cette méthode s'applique surtout aux états anxieux (phobie, obsession), aux habitudes parasites (tic, bégaiement) et aux troubles sexuels (éjaculation précoce, impuissance, vaginisme).

Condition physique

État général de l'organisme d'un sujet, déterminant le niveau de ses performances physiques potentielles.

La condition physique dépend à la fois des prédispositions génétiques du sujet et de son hygiène de vie. La pratique régulière d'une activité physique, une consommation minimale de tabac et d'alcool, le sommeil, l'équilibre alimentaire et la corpulence du sujet sont également déterminants.

ÉVALUATION

Le médecin note le rapport poids/taille du sujet, évalue ses capacités cardiaques par des tests simples (test de Ruffier, test de Flack) en relevant la fréquence cardiaque et la tension artérielle au repos, à l'effort et lors de la récupération ; d'autres tests, plus sophistiqués, mesurent des paramètres cardiaques, ventilatoires et métaboliques (quantité maximale d'oxygène pur que le sang peut véhiculer vers les muscles et que ceux-ci peuvent utiliser, par exemple).

En cas de mauvaise condition physique, un bilan biologique orienté (glycémie, cholestérolémie, etc.) peut être demandé.

Condom

→ VOIR Préservatif.

Conduction

Transmission de l'influx nerveux cardiaque responsable des contractions automatiques et rythmées du cœur.

PHYSIOLOGIE

L'influx nerveux cardiaque se produit grâce à un tissu myocardique spécialisé, appelé tissu nodal. Il prend naissance, au niveau des oreillettes, dans le nœud sinusal de Keith et Flack et est propagé des oreillettes aux ventricules par les autres éléments du tissu nodal : nœud auriculoventriculaire d'Aschoff-Tawara, situé à la partie basse de la cloison interauriculaire ; tronc du faisceau de His, situé à la partie haute de la cloison interventriculaire ; branches du faisceau de His - branche droite pour le ventricule droit, branche dédoublée en deux hémibranches,

antérieure et postérieure, pour le ventricule gauche ; réseau de Purkinje ramifié dans la paroi des ventricules. Dans le tissu nodal, l'onde d'activation électrique progresse à différentes vitesses : lentement dans le nœud auriculoventriculaire, plus rapidement dans le faisceau de His et le réseau de Purkinje.

PATHOLOGIE

Les troubles de la conduction peuvent se produire dans n'importe quelle partie du tissu nodal. Néanmoins, les plus importants et les plus fréquents concernent les conductions sino-auriculaire, auriculoventriculaire et intraventriculaire. Ces troubles peuvent se présenter comme un retard de conduction (bloc incomplet) ou comme une absence de conduction (bloc complet). Le bloc peut être intermittent ou permanent.

Un trouble de la conduction est souvent sans symptôme au début et peut le rester. En cas de blocage complet de l'activation cardiaque, si les zones d'automaticité du tissu nodal sous-jacent (pacemakers naturels) ne prennent pas la relève, il se produit une syncope, ou syndrome d'Adams-Stokes. Le diagnostic peut être fait par l'électrocardiographie, le monitorage, le Holter électrocardiographique, parfois l'électrocardiographie endocavitaire, pour mettre en évidence l'activité du faisceau de His, préciser le niveau et le degré du blocage et en déduire l'éventuelle indication de la pose d'un stimulateur.

De nombreux troubles de la conduction ne requièrent aucun traitement et doivent être simplement surveillés. En cas de syncope ou de malaises équivalents, un entraînement électrosystolique temporaire (montée d'une sonde de stimulation électrique par voie veineuse jusque dans les cavités cardiaques) ou permanent (pose d'un stimulateur cardiaque) est souvent indiqué.

Condyle

Portion osseuse, en forme de segment de sphère, constituant une partie de certaines surfaces articulaires. (P.N.A. *condylus*)

■ **Le condyle carpien** est formé de la partie convexe des quatre os supérieurs du carpe.

■ **Les deux condyles fémoraux**, interne et externe, s'appuient chacun sur un plateau tibial (extrémité supérieure du tibia) par l'intermédiaire d'un ménisque.

■ **Le condyle huméral** est la partie externe de l'extrémité articulaire inférieure de l'humérus.

Les condyles sont constitués de tissu osseux spongieux et tapissés de cartilage. Leur altération est un phénomène caractéristique de l'arthrose.

Condylome génital

Lésion génitale sexuellement transmissible d'origine virale. SYN. *végétation vénérienne*.

Un condylome génital est une tumeur cutanée ou muqueuse d'origine virale (papillomavirus), bénigne, indolore, semblable à une verrue, qui se développe sur le col de l'utérus, dans le vagin, sur la vulve ou l'anus chez la femme ; sur la verge, le testicule ou l'anus chez l'homme. Ces lésions touchent

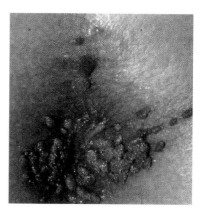

Condylome génital. Des « crêtes-de-coq », excroissances dues au même virus que les verrues, sont situées autour de l'anus.

surtout les sujets jeunes, 90 % des malades ayant moins de 40 ans. Elles sont actuellement en recrudescence.

Le condylome génital peut prendre différentes formes : excroissance importante, communément appelée crête-de-coq, ou condylome plan uniquement visible après coloration. Cette affection prend une ampleur particulière chez les sujets immunodéprimés ; le condylome acuminé géant de Buschke-Löwenstein en est une forme particulièrement étendue.

Les inconvénients qu'engendrent les condylomes génitaux sont locaux : gêne, suintements, mauvaises odeurs. L'infection par le papillomavirus favorise en outre le développement d'un cancer de l'utérus. Le traitement est local : application de podophylline, électrocoagulation, laser. C'est une affection difficile à soigner en raison de sa localisation et qui tend à récidiver. Le traitement du patient impose celui du partenaire.

Confabulation

Récit imaginaire spontané tentant de masquer une défaillance mentale.

La confabulation apparaît comme un moyen de pallier un trouble de la mémoire, de la perception, de l'orientation ou du jugement. Elle se rencontre dans les démences (paralysie générale, démences séniles telles que la presbyophrénie), les intoxications graves (à l'oxyde de carbone), l'alcoolisme et l'artériosclérose cérébrale.

Conflit discoradiculaire

Relation anatomique anormale entre une ou plusieurs racines nerveuses et les disques intervertébraux correspondants.

Les hernies discales peuvent, en comprimant ou en irritant les racines nerveuses qui passent à leur voisinage, provoquer un conflit discoradiculaire responsable d'une sciatique ou d'une cruralgie.

Confusion mentale

État pathologique qui se caractérise par une désorganisation de la conscience.

CAUSES

Une confusion mentale est le plus souvent due à une affection organique cérébrale (épilepsie, accident vasculaire cérébral, encéphalite) ou à une maladie générale (infection fébrile, accident métabolique). Parfois, elle a aussi pour origine une intoxication par l'alcool, les stupéfiants ou certains médicaments (amphétamines, barbituriques, antidépresseurs, benzodiazépines, neuroleptiques). Enfin, elle peut être due à un choc émotionnel particulièrement violent (accident, catastrophe) ou constituer une complication d'une affection psychiatrique.

SYMPTÔMES ET SIGNES

La confusion mentale se traduit par un affaiblissement ou un désordre de tous les processus psychiques : baisse de la vigilance (hébétude, obnubilation ou torpeur) ; incapacité à coordonner les idées ; troubles de la perception et de la mémoire ; désorientation dans l'espace et dans le temps ; anxiété ; délire onirique avec des hallucinations sensorielles parfois terrifiantes. Le malade est comme égaré, perplexe, incapable de se retrouver et de comprendre la situation. En règle générale, la confusion mentale s'associe le plus souvent à des signes organiques (fièvre, déshydratation, maux de tête) qui peuvent mettre en danger la vie du sujet.

TRAITEMENT

La confusion mentale est une urgence qui exige une surveillance hospitalière et le repos, mais l'essentiel du traitement consiste à soigner la maladie d'origine. Après guérison, le malade récupère la totalité de ses facultés mentales.

Congélation

Procédé de conservation des aliments par le froid à − 18 ºC au minimum. SYN. *surgélation.*

La congélation bloque tout développement microbien et inhibe en grande partie les enzymes et les réactions chimiques susceptibles de dégrader les aliments. Elle permet de conserver la teneur de ceux-ci en micronutriments et est considérée comme l'une des meilleures techniques de conservation des denrées alimentaires. Elle nécessite simplement en général un blanchiment préalable pour les légumes. Le consommateur doit également pratiquer un mode de décongélation et de cuisson qui préserve les aliments : en effet, le développement microbien s'effectue très rapidement dès que la température remonte. Il ne faut donc en aucun cas recongeler des aliments préalablement dégelés, sous peine de toxi-infection alimentaire.

La manutention des produits alimentaires congelés demande, pour éviter tout risque de développement microbien, un respect de la continuité de la « chaîne du froid ».

Congénital

Qui est présent dès la naissance.

■ **Les malformations congénitales** sont des altérations morphologiques des organes, des tissus, des membres, résultant d'une anomalie de leur formation pendant les deux ou trois premiers mois de la grossesse (période dite de l'organogenèse).

Elles peuvent être très bénignes ou, au contraire, retentir gravement sur le fonctionnement d'un organe, par exemple le cœur. La plupart des malformations ont des causes inconnues et, probablement, multiples.

■ **Les déformations congénitales** ne sont pas dues à une anomalie de l'organogenèse mais à l'action de forces mécaniques anormales sur un tissu de structure normale. Ainsi, une mauvaise position du fœtus dans l'utérus peut provoquer une altération morphologique du thorax ou des pieds.

■ **Les affections congénitales génétiques,** telle la trisomie 21 (mongolisme), sont liées à une atteinte du patrimoine génétique du fœtus pendant les premières divisions cellulaires de l'œuf. Cette atteinte elle-même est congénitale bien que, parfois, elle ne se manifeste que longtemps après la naissance. Certaines affections génétiques congénitales sont héréditaires ; certaines donnent lieu à des malformations.

■ **Les affections congénitales dues à l'environnement du fœtus pendant la grossesse,** avec ou sans malformations, sont dues au retentissement sur le fœtus de diverses pathologies maternelles : infections (rubéole, toxoplasmose), maladies hormonales (diabète), intoxications (alcool) ; éventuellement médicaments : antiépileptiques, anticoagulants, anticancéreux).

Congestion

Accumulation anormale de sang dans un organe ou un tissu. SYN. *hyperhémie.*

■ **La congestion active,** phase initiale de l'inflammation, est due à un afflux exagéré de sang artériel. Les tissus sont alors rouges et chauds.

■ **La congestion passive** est due à un mauvais écoulement du sang veineux, lié à une phlébite, à une compression veineuse ou à une défaillance cardiaque. Les tissus, froids, prennent alors une coloration violacée.

Congestion cérébrale

→ VOIR Accident vasculaire cérébral.

Congestion pulmonaire

→ VOIR Pneumopathie.

Conisation cervicale

Ablation d'un fragment de tissu en forme de cône à la base du col de l'utérus.

INDICATIONS

La conisation cervicale se pratique quand les frottis vaginaux et la colposcopie associée à des biopsies ont montré l'existence de lésions précancéreuses sur le col de l'utérus. L'ablation des lésions susceptibles de dégénérer permet de prévenir un cancer du col.

TECHNIQUE ET DÉROULEMENT

Après une incision conique dans le col et l'endocol (intérieur du col), les tissus restants sont rapprochés afin de recréer un nouveau col. L'intervention se pratique sous anesthésie locale, locorégionale ou générale et nécessite une hospitalisation.

SURVEILLANCE

Il n'y a guère d'inconvénients secondaires graves. Il faut toutefois surveiller davan-tage une grossesse ultérieure en raison d'un risque accru d'accouchement prématuré. Une conisation large peut aussi modifier la glaire cervicale et la rendre peu propice à la pénétration des spermatozoïdes : chez une femme qui désire avoir des enfants, il convient alors d'améliorer la qualité de la glaire par l'administration d'œstrogènes.

Conjonctive

Membrane muqueuse transparente qui recouvre la face interne des paupières (conjonctive tarsale) et tapisse une partie du globe oculaire (conjonctive bulbaire). (P.N.A. *tunica conjunctiva*)

STRUCTURE

■ **La conjonctive tarsale, ou palpébrale,** épaisse et vascularisée, comprend une partie inférieure et une partie supérieure. On examine la conjonctive tarsale inférieure en tirant sur la paupière inférieure, le patient regardant vers le haut, et la supérieure en retournant la paupière supérieure.

■ **La conjonctive bulbaire,** plus fine et plus transparente, laisse apparaître les vaisseaux sous-conjonctivaux et épiscléraux. Elle se termine en avant à la jonction de la sclérotique et de la cornée.

FONCTION

La conjonctive protège le globe oculaire des agressions extérieures. Elle participe à la sécrétion lacrymale, permet la stabilité du film lacrymal sur l'œil et produit des substances nutritives pour la cornée.

PATHOLOGIE

La conjonctive peut être le siège de diverses affections : inflammation (conjonctivite) ; lésion dégénérative (pinguecula, petite saillie jaunâtre ; ptérygion, épaississement membraneux dû à l'âge ou à l'exposition prolongée des yeux au soleil et aux intempéries) ; tumeur, bénigne ou maligne ; enfin, elle peut avoir à souffrir d'un traumatisme (hémorragie sous-conjonctivale, brûlure avec ou sans symblépharon, adhérence entre les deux feuillets conjonctivaux) ou de sécheresse oculaire.

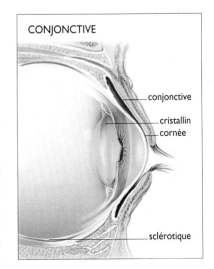

CONJONCTIVE

conjonctive
cristallin
cornée
sclérotique

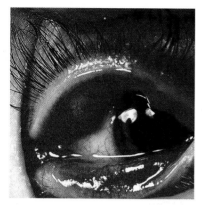

Conjonctivite. La conjonctive est très rouge dans son ensemble, gonflée par endroits et l'œil est larmoyant.

Conjonctivite

Inflammation de la conjonctive, d'origine infectieuse, virale, parasitaire ou allergique.

Les conjonctivites sont fréquentes et souvent bénignes.

CAUSES

Les conjonctivites infectieuses sont dues à des agents bactériens (staphylocoques, streptocoques, pneumocoques). Les conjonctivites virales sont souvent causées par des adénovirus ; elles peuvent aussi être imputables à des virus herpétiques ou résulter d'affections virales comme la rougeole ou la varicelle. Les conjonctivites d'origine parasitaire, très rares sous nos climats, peuvent être provoquées par une filariose due à la loa-loa africaine. Les conjonctivites allergiques, parfois associées à une blépharite ou à un eczéma des paupières, sont dues soit à des particules aériennes (pollens, poussières), soit à des cosmétiques, à des collyres ou à des lentilles de contact.

SYMPTÔMES ET SIGNES

Les conjonctivites peuvent être unilatérales ou bilatérales. Elles se manifestent habituellement par une rougeur de l'œil, prédominant dans les culs-de-sac conjonctivaux sous les paupières, sans douleur. La gêne provient de démangeaisons ou de l'impression d'avoir des grains de sable sous la paupière. Une conjonctivite d'origine allergique se traduit par un larmoiement intense, et une conjonctivite infectieuse par des sécrétions purulentes qui, parfois, collent les cils le matin au réveil. On les décolle à l'aide d'un morceau de coton imbibé de sérum physiologique ou d'eau bouillie.

DIAGNOSTIC ET ÉVOLUTION

Le diagnostic repose sur l'examen clinique : rougeur de l'œil et chémosis (conjonctive gonflée). Une conjonctivite évolue en général de façon bénigne, mais on observe parfois des complications dont les plus graves peuvent atteindre la cornée : kératite ponctuée superficielle (micro-ulcérations à la surface de la cornée) ou kératite sous-épithéliale (petits nodules blanchâtres pouvant entraîner une baisse de l'acuité visuelle).

TRAITEMENT

Dans le cas des conjonctivites infectieuses, le traitement est à base de collyres antibiotiques adaptés aux germes. Si la conjonctivite est virale, des collyres antiseptiques et antibiotiques servent à prévenir les surinfections, fréquentes. Les antiviraux sont efficaces contre les virus de type herpès. Le traitement des conjonctivites allergiques, pour être efficace, doit concerner à la fois les symptômes et les causes : collyres anti-inflammatoires stéroïdiens et désensibilisation à l'allergène en cause.

Conn (syndrome de)

Syndrome lié à une hypersécrétion d'aldostérone par un adénome (tumeur bénigne) de l'une des glandes corticosurrénales.

Le syndrome de Conn, rare, est deux fois plus fréquent chez les femmes.

SYMPTÔMES ET SIGNES

L'hypersécrétion d'aldostérone entraîne une hypertension artérielle et une hypokaliémie (baisse du potassium sanguin) d'importance variable. Cette cause d'hypertension constitue de 0,1 à 0,5 % des hypertensions. L'hypertension artérielle peut être modérée ou très sévère, accompagnée de maux de tête ou d'une atteinte de la vascularisation rétinienne, appréciée par l'examen du fond d'œil. Des crampes, une asthénie, des troubles du rythme cardiaque ou une polydipsie (soif excessive) avec polyurie se manifestent aussi.

DIAGNOSTIC

Des dosages sanguins d'aldostérone et de rénine (hormone qui stimule la synthèse de l'aldostérone), en position couchée après repos, puis après une station debout prolongée, permettent d'établir le diagnostic. Le scanner de la région surrénalienne montre habituellement l'existence d'une petite tumeur. D'autres examens sont parfois nécessaires lorsque l'adénome n'est pas bien mis en évidence au scanner : scintigraphie surrénalienne, artériographie ou imagerie par résonance magnétique (I.R.M.).

TRAITEMENT

Le traitement médical par antialdostérones permet de normaliser la pression artérielle et le taux de potassium sanguin avant l'ablation de l'adénome, intervention qui met un terme aux troubles.

Connectivite

Toute maladie caractérisée par une atteinte inflammatoire et immunologique du tissu conjonctif et par la diffusion des lésions. L'appellation maladie systémique est aujourd'hui préférée. SYN. *collagénose, maladie de système.*

CAUSES

Elles sont encore méconnues. Il existe vraisemblablement un trouble du système immunitaire, comme en témoigne, dans le sang des patients, la présence de certains autoanticorps dirigés contre les propres constituants des cellules de l'organisme. Certains antigènes du système d'histocompatibilité (HLA) se rencontrent plus volontiers au cours de certaines maladies ou chez certaines familles, plus fréquemment atteintes, ce qui évoque le rôle favorisant d'un facteur génétique.

SYMPTÔMES ET SIGNES

Le tissu conjonctif étant présent dans tout l'organisme, tous les organes sont susceptibles d'être atteints de façon plus ou moins associée, d'où la grande variété des symptômes (atteintes articulaire, cutanée, cardiaque, pulmonaire, hépatique, rénale, nerveuse centrale ou périphérique, vasculaire, digestive). Les principales connectivites sont la polyarthrite rhumatoïde, le lupus érythémateux disséminé, la sclérodermie, la connectivite mixte, ou syndrome de Sharp, la dermatopolymyosite, la périartérite noueuse. L'évolution, en général chronique, est émaillée de poussées fréquemment associées à un syndrome inflammatoire. L'issue de ces maladies dépend principalement de l'atteinte des organes vitaux.

TRAITEMENT

Il relève souvent de la corticothérapie ou des immunosuppresseurs par voie orale ou injectable, malgré leurs nombreux effets indésirables, en particulier infectieux. Il peut également faire appel à des injections intraveineuses d'immunoglobulines ou à des techniques d'épuration plasmatique (plasmaphérèse) en milieu hospitalier.

Consanguinité

Existence d'un lien de parenté entre deux individus.

Un fort degré de consanguinité dans un couple augmente de façon importante la probabilité d'apparition d'une affection héréditaire récessive chez ses enfants. En effet, ces maladies ne peuvent se manifester chez un sujet que lorsque les deux gènes porteurs de la maladie, l'un transmis par le père, l'autre par la mère, se trouvent présents sur une paire de chromosomes homologues.

Dans la plupart des cas, la fréquence, dans la population générale, du gène responsable d'une maladie récessive est très faible. Si un sujet porteur de ce gène épouse un sujet qui ne lui est pas apparenté, le risque que ce dernier soit, lui aussi, porteur du gène « malade », et donc que le couple ait un enfant atteint de la maladie, est extrêmement faible. En revanche, si ce même sujet épouse quelqu'un qui lui est apparenté, la probabilité que ce parent plus ou moins éloigné possède lui aussi, par l'intermédiaire de leur ancêtre commun, le gène « malade » est loin d'être négligeable. Le risque que le couple ait un enfant atteint de la maladie s'en voit donc considérablement augmenté.

C'est ainsi que s'explique la prévalence importante des maladies héréditaires récessives dans les populations isolées, soit pour des raisons géographiques (insularité), soit pour des raisons culturelles (groupes humains n'acceptant pas les mariages extra-communautaires).

Conscience

Connaissance immédiate que chacun possède de son existence, de ses actes et du monde extérieur.

La conscience fait intervenir l'ensemble des facultés de connaissance, les sensations, la mémoire et l'expérience. Elle suppose un fonctionnement suffisant du cerveau, du système réticulé et du tronc cérébral. À l'état normal, elle permet au sujet de donner une réponse appropriée aux stimulations sensitives et sensorielles, notamment aux plus complexes d'entre elles, les stimulations verbales. Elle diffère en cela de la vigilance, ou état d'éveil simple, qui n'est que la capacité du système nerveux à s'adapter à une situation nouvelle et ne relève que du système réticulé.

TROUBLES NEUROPHYSIOLOGIQUES DE LA CONSCIENCE
L'altération de la conscience entraîne un éventail de troubles qui recouvre largement le champ psychiatrique.

■ **Le coma**, qui altère de façon plus ou moins totale les fonctions de relation, est le plus grave des troubles de la conscience et de la vigilance. Un malade dans le coma ne réagit souvent plus qu'à des stimuli nociceptifs (qui provoquent une agression douloureuse des tissus) tels que les piqûres.

■ **La stupeur** est un état où le patient ne réagit qu'à des stimuli simples : appel de son nom, bruit ou lumière vive, secousses.

■ **L'obnubilation** est un état moins sévère, où le patient répond correctement à des ordres complexes (exécution d'ordres écrits, calcul mental), mais avec beaucoup de lenteur, de difficulté de concentration, de fatigabilité.

■ **La confusion mentale** est une altération globale et aiguë des fonctions psychiques, dont les causes, organiques ou psychiques, sont multiples.

Conseil génétique

Ensemble des méthodes permettant d'évaluer le risque de survenue d'une maladie héréditaire chez un individu.

Le conseil génétique est un acte médical fondé sur les lois fondamentales de la génétique. Dans la pratique, il s'applique aux familles touchées par une ou plusieurs maladies génétiques. Le travail du généticien consiste à déterminer le risque, pour le couple ou le futur couple, d'avoir un enfant atteint d'une maladie héréditaire.

L'arbre généalogique de chaque membre du couple est établi, puis on calcule la probabilité, pour chacun, d'avoir reçu le gène responsable de la maladie, compte tenu des cas de consanguinité. L'estimation peut être affinée par des analyses biologiques : recherche de modifications de certains paramètres (déficit ou absence d'un acide aminé ou d'une enzyme) ou de mutations (étude du caryotype des parents ou d'un premier enfant). Effectué pendant la grossesse, le conseil génétique apprécie l'utilité d'un dépistage prénatal (amniocentèse, fœtoscopie, prélèvement de villosités choriales). Dans un deuxième temps, il permet de recommander des méthodes contraceptives, ou d'autres possibilités telles que l'insémination artificielle, aux couples qui ne souhaitent pas prendre de risque. Chaque cas est particulier, la décision de procréation appartenant en dernier ressort aux parents.

Conserve alimentaire
→ VOIR Appertisation.

Consolidation
Temps nécessaire à la réparation totale d'une fracture, avec soudure solide des fragments.

Consommation d'oxygène
Différence entre la quantité d'oxygène qu'un sujet inspire et celle qu'il expire.

L'oxygène inspiré permet à l'organisme de produire l'énergie nécessaire à ses besoins en brûlant les substances alimentaires (protéines, lipides, glucides). Au repos, la consommation d'oxygène est évaluée à environ 3,5 millilitres/kilogramme/minute. Au cours d'un exercice physique, elle varie en fonction de l'intensité de l'effort et des masses musculaires mises en jeu.

Consommation maximale d'oxygène
C'est la quantité maximale d'oxygène que le sang peut véhiculer vers les muscles et que ceux-ci peuvent utiliser.

Elle est révélatrice de la capacité physique d'un sujet à fournir des efforts de longue durée. L'entraînement peut l'améliorer de 10 à 30 %. Elle se mesure lors d'un test d'effort sur bicyclette ergonomique ou sur tapis roulant. On l'évalue à 35-45 millilitres/kilogramme/minute chez l'homme sédentaire, à 30-40 millilitres/kilogramme/minute chez la femme sédentaire ; à 50-60 millilitres/kilogramme/minute chez un jeune homme adulte bien entraîné, à 45-55 millilitres/kilogramme/minute chez une jeune femme bien entraînée. C'est dans les sports d'endurance (ski de fond, cyclisme, etc.) qu'elle se montre le plus élevée.

L'activité physique permet d'améliorer l'utilisation de l'oxygène par l'organisme : en favorisant la circulation sanguine, elle augmente la capacité d'absorption de l'oxygène par les muscles.

Constipation
Émission anormalement rare des selles.

Il n'existe pas de rythme « normal » de la défécation, la fréquence moyenne des selles étant, selon les individus, de deux par jour à trois par semaine. Aussi ne parle-t-on de constipation qu'à moins de trois selles par semaine.

DIFFÉRENTS TYPES DE CONSTIPATION
Les mécanismes en jeu sont divers. Certaines constipations sont dues à la lenteur de la progression des fèces le long du cadre colique. Dans d'autres cas, la progression est normale, mais il existe des troubles de l'évacuation dus à un mauvais fonctionnement du rectum et de l'anus. La constipation peut être occasionnelle, provoquée par un alitement, une fièvre, un régime restrictif, des médicaments ralentisseurs, une grossesse, un voyage, etc., ou chronique et permanente.

CAUSES
Si l'on excepte les rares cas liés à une maladie organique (cancer, maladie inflammatoire), la plupart des constipations sont purement fonctionnelles, aucune maladie organique n'étant retrouvée. Dans la majorité

des cas, elles sont favorisées par l'alimentation occidentale, pauvre en fibres, par la sédentarité et par le stress.

DIAGNOSTIC ET TRAITEMENT
On ne multiplie les investigations que pour les constipations d'apparition récente ; une analyse clinique de la situation digestive aboutit le plus souvent au diagnostic de constipation fonctionnelle bénigne. Il importe alors de convaincre le patient qu'il ne s'agit pas d'une véritable maladie et que la raréfaction des selles n'implique aucune nuisance : ni intoxication par les fèces ni risque d'occlusion ou de majoration de poids (une selle pèse 100 grammes environ). Le traitement consiste à adopter certaines règles d'hygiène de vie : une alimentation variée comportant en proportion suffisante des fibres alimentaires (son, haricots verts, farine complète, céleri...), des crudités et des fruits ; la pratique d'un exercice physique, etc. L'usage des laxatifs en automédication est déconseillé ; s'ils sont prescrits, ils le sont de façon limitée de manière à éviter leurs effets nocifs : diarrhée, dépendance, crampes intestinales, flatulences.

Constricteur
Qualifie les muscles possédant la fonction de resserrer circulairement certains canaux ou orifices.

■ **Les muscles constricteurs du pharynx** sont des muscles plats, minces et symétriques qui forment la gouttière musculaire postérieure du pharynx. Au nombre de trois de chaque côté du pharynx (constricteurs inférieurs, moyens et supérieurs), ils s'imbriquent les uns sur les autres. Ces muscles font progresser le bol alimentaire au cours de la déglutition.

■ **Le muscle constricteur de la vulve** est un muscle fin placé sur la paroi latérale du vagin, qui en rétrécit l'orifice. Sa contracture permanente provoque un vaginisme inférieur.

Consultant
Médecin à qui le médecin traitant envoie un de ses patients afin de prendre un avis diagnostique ou thérapeutique.

Le rôle du médecin consultant (le plus souvent un spécialiste) se limite à cet avis : il laisse au médecin traitant le soin de suivre le malade et de surveiller l'application de ses prescriptions.

Contage
Temps écoulé entre la contamination par un agent infectieux et les premiers signes de la maladie qu'il provoque.

S'agissant d'une maladie infectieuse, le contage équivaut donc au temps (ou période) d'incubation.

Le contage est déterminé pour chacune des maladies.

Le terme s'emploie aussi pour désigner l'agent matériel qui transmet une infection, qu'il s'agisse des micro-organismes eux-mêmes ou de la substance organique (expectoration, salive, squame) qui les contient, ainsi que l'individu ou l'événement par lesquels s'effectue la contagion.

CONTAGION DES MALADIES

Maladie	Durée moyenne d'incubation	Période de contagion	Durée habituelle de la maladie	Éviction du malade
Coqueluche	Environ 8 jours	De 6 jours avant les quintes de toux à 5 semaines après l'apparition des symptômes	1 mois et plus	30 jours à compter du début de la maladie
Diphtérie	2 à 7 jours	Depuis la contamination par le bacille jusqu'à la disparition de celui-ci, accélérée par les antibiotiques	1 mois	30 jours après la guérison ou après 2 prélèvements négatifs effectués à 8 jours d'intervalle
Fièvre typhoïde	9 à 21 jours	De 2 jours avant l'apparition des symptômes jusqu'à ce que les prélèvements bactériologiques soient négatifs	1 mois	Jusqu'à la guérison
Grippe	1 à 3 jours	Du début des symptômes jusqu'au 3e jour de la maladie	7 à 10 jours	Jusqu'à la guérison
Impétigo	Quelques jours	Tant que les lésions cutanées ne sont pas guéries	4 ou 5 jours si la maladie est traitée	Jusqu'à la guérison
Méningite à méningocoques	4 à 5 jours	Quelques jours (durée raccourcie par la prise d'antibiotiques)	12 jours	Jusqu'à la guérison
Oreillons	8 à 21 jours	De 3 jours avant le gonflement des parotides jusqu'à la disparition des symptômes	7 à 10 jours	Jusqu'à la guérison
Poliomyélite	7 à 14 jours	Jusqu'à la disparition du virus dans les selles, avec un risque maximal la 1re semaine	1 semaine pour la phase aiguë	Jusqu'à la disparition du virus dans les selles
Rougeole	10 à 14 jours	De 6 jours avant l'éruption à 5 jours après la disparition de la fièvre	10 à 15 jours	Jusqu'à la guérison
Rubéole	8 à 15 jours	De 5 jours avant à 5 jours après l'éruption	1 à 3 jours	Jusqu'à la guérison
Scarlatine	3 à 8 jours	Pendant toute la durée de la fièvre et de l'éruption	3 à 5 jours si la maladie est traitée	Jusqu'à un prélèvement de gorge négatif, après la guérison
Tuberculose respiratoire	Plusieurs années	Tant que le malade reste porteur du bacille (en général, pendant les 3 premières semaines de traitement)	6 à 12 mois	Jusqu'à présentation d'un certificat de négativation de l'expectoration
Varicelle	14 jours	De 1 jour avant à 7 jours après l'éruption	8 à 10 jours	Jusqu'à la guérison

Contagieux

1. Se dit d'un phénomène pathologique transmissible entre les êtres humains.

Les maladies contagieuses se classent selon le degré de contagion, lié à la virulence plus ou moins grande du germe.
■ **Les maladies hautement contagieuses** se transmettent aisément, essentiellement par inhalation, lors de la parole, de la toux, de l'éternuement, les germes traversant les muqueuses respiratoires ou conjonctivales. Elles peuvent aussi être transmises par le sang ou les matières d'élimination (fèces, urines, sueur, bile). Certaines sont bénignes, et peu d'individus y échappent (maladies contagieuses de l'enfance telles que la rhinopharyngite, la varicelle) ; d'autres sont très graves, voire mortelles, telles la peste, les fièvres virales hémorragiques africaines et, à certaines périodes de l'année, la grippe.
■ **Les maladies de contagion limitée** se transmettent par inhalation (coqueluche, méningococcie, tuberculose pulmonaire ou laryngée), par voie sanguine ou humorale (hépatites B et C, sida) ou par voie salivaire (mononucléose infectieuse).

2. Se dit d'un individu atteint d'une maladie contagieuse dans la période pendant laquelle il peut la transmettre.

Contagion

Transmission d'une maladie d'un sujet atteint à un sujet sain.

Ce terme ne s'applique pas aux cas où le germe est transmis soit par un animal (on parle alors d'anthropozoonose ou de zoonose), soit par transfusion sanguine.

La période de contagion est celle de l'excrétion et de la dissémination des germes par le malade ; elle est variable selon chaque maladie et considérablement diminuée dans les infections bactériennes si le sujet malade prend un antibiotique.

La contagion s'effectue avec un délai d'incubation déterminé pour chaque maladie contagieuse, laquelle conserve également sa spécificité clinique, si bien que la filiation des cas apparaît toujours avec une grande netteté. De surcroît, les germes en cause sont toujours étrangers à la flore naturelle de l'hôte. Ces caractères distinguent les maladies contagieuses primitives des infections nosocomiales (contractées en milieu hospitalier), même si l'on rencontre parmi celles-ci des cas authentiques de contagion.

On distingue, indépendamment du degré de contagion, deux types de transmission.
■ **La contagion directe** se fait essentiellement par voie aérienne (lors de la parole, de la toux, de l'éternuement : rougeole, varicelle, grippe), par le sang ou le sperme infecté (sida) ou par contact cutané (scarlatine, herpès génital, gale, pédiculose).
■ **La contagion indirecte** se fait essentiellement par l'intermédiaire des vêtements ou de la literie (poux), des eaux ou des matières d'élimination (fèces, urines) infectées. Ainsi, un cycle orofécal est en cause lors des hépatites A et E, du choléra, de l'amibiase et des entéroviroses comme la poliomyélite.

L'usage des vaccins et des antibiotiques a considérablement réduit les problèmes de contagion, si bien qu'aujourd'hui l'isolement du malade, considéré traditionnellement comme le seul moyen efficace de lutter contre l'extension des infections, est remis en question. Seules persistent des mesures d'éviction scolaire pour certaines maladies contagieuses.

Contamination

Envahissement d'une surface par des micro-organismes.

La contamination peut être ou non suivie de la pénétration des micro-organismes à l'intérieur du corps, de la substance ou de l'objet contaminés. Elle n'est donc pas synonyme d'infection.

Contention

Procédé thérapeutique permettant d'immobiliser un membre, de comprimer des tissus ou de protéger un malade agité.

INDICATIONS

■ En psychiatrie, la contention sert à empêcher certains malades trop agités ou violents de s'automutiler ou de blesser leur entourage.

■ En traumatologie, la contention sert à immobiliser les fractures, les entorses ou les luxations. Elle est également pratiquée lors des accidents tendineux et musculaires les plus bénins ou, à titre préventif, pendant la pratique sportive.

TECHNIQUE

■ En psychiatrie, la contention par camisole de force ne se pratique plus. En cas d'agitation extrême, en attendant que les neuroleptiques fassent leur effet, le malade est protégé des accidents par des attaches souples aux poignets et aux chevilles.

■ En traumatologie, la contention fait appel à la chirurgie ou à différents matériels : plâtre, gouttière, bandage. Dans ce dernier cas, on distingue deux procédés :
- la contention adhésive, ou strapping, est réalisée avec des bandelettes adhésives, élastiques ou non, selon la pathologie en cause ; elle permet une immobilisation relative d'une articulation, une réduction des douleurs et de l'œdème ;
- la contention non adhésive est moins utilisée. Les bandes élastiques sont employées pour comprimer un épanchement sanguin (hématome), pour immobiliser provisoirement une articulation ou en cas d'allergie aux contentions adhésives. Les bandes non élastiques sont utilisées pour maintenir un membre dans une bonne position (« écharpe » en attendant l'arrivée à l'hôpital en cas de luxation de l'épaule, par exemple).

La contention de certaines fractures maxillofaciales est assurée par des appareils prenant appui sur les dents et sur les maxillaires.

Les ceintures de contention abdominale sont destinées à empêcher l'extériorisation des éventrations et des hernies, mais leur intérêt réel est très discuté.

Contraception

Méthode visant à éviter, de façon réversible et temporaire, la fécondation d'un ovule par un spermatozoïde ou, s'il y a fécondation, la nidation de l'œuf fécondé.

HISTORIQUE

Les méthodes scientifiques de contraception apparaissent dans le courant du XIXe siècle et, surtout, dans sa seconde moitié. L'origine des dispositifs intra-utérins, ou stérilets, semble remonter à la fin du XIXe siècle. Le médecin allemand Graffenberg essaie et perfectionne dès 1909 un anneau contraceptif. Les anneaux utilisés par la suite, entre les années 1930 et 1960 (crins de Florence sertis par un fil d'argent et de plastique déformable), donnent d'excellents résultats. À partir de 1962, le polyéthylène devient la matière de référence, commercialisée sous des centaines de modèles. En 1969 apparaissent les stérilets en cuivre, et en 1977 les stérilets imprégnés de progestérone ou de progestatifs de synthèse.

Par ailleurs, la découverte de la progestérone en 1934 marque les débuts scientifiques de la contraception hormonale. À l'aube des années 1950, deux équipes américaines travaillant sur l'inhibition de l'ovulation et sur l'infertilité font des essais avec de la progestérone, bientôt remplacée par la noréthynodrel. La première pilule, utilisée dès 1957 comme régulateur de la menstruation, mélange à fortes doses noréthynodrel et mestranol. Depuis, d'innombrables compositions, séquences et dosages ont vu le jour.

DIFFÉRENTS TYPES DE CONTRACEPTION

La contraception utilise actuellement quatre types d'action : les moyens mécaniques (préservatifs, diaphragmes) ; les méthodes chimiques (crèmes, éponges, ovules spermicides) ; les dispositifs intra-utérins (stérilets) ; les méthodes hormonales (contraception œstroprogestative et pilule du lendemain). S'y ajoutent les méthodes dites « naturelles », reposant sur l'abstinence périodique pendant la seconde partie du cycle. L'efficacité de ces différentes méthodes est mesurée par l'indice de Pearl : un indice de 3 signifie que 3 grossesses sont constatées chez 100 femmes qui ont utilisé la méthode pendant un an.

Il n'est pas nécessaire d'interrompre plusieurs mois à l'avance une contraception afin d'avoir un enfant : la conception peut avoir lieu le mois suivant l'arrêt de la contraception, sachant que la fécondité est d'environ 25 % par cycle et par couple. Après l'accouchement, une méthode contraceptive doit être reprise avant le 25e jour, car une ovulation peut se produire, que la femme allaite ou non.

Moyens mécaniques

Il s'agit de méthodes visant à interposer un obstacle entre l'ovule et les spermatozoïdes.

■ Les préservatifs (masculins et, dans certains pays, féminins) en vente libre et assurent une bonne sécurité à condition d'être employés correctement, ce qui suppose, notamment, de changer de préservatif masculin à chaque nouveau rapport. Certains préservatifs masculins sont enduits d'un produit spermicide. L'indice de Pearl des préservatifs masculins est estimé entre 1 et 5. Ils constituent en outre la meilleure protection contre les maladies sexuellement transmissibles, en particulier le sida.

■ Les diaphragmes, qui s'emploient de préférence associés à un produit spermicide, peuvent apporter une bonne protection contre la grossesse. Leur indice de Pearl varie entre 1,4 et 5. Principalement formés d'une membrane souple qui s'applique sur le col de l'utérus, ils doivent être adaptés à l'anatomie de l'utilisatrice. Le choix de leur dimension et leur utilisation supposent une consultation préalable chez un gynécologue et une surveillance médicale.

Méthodes chimiques

Ces méthodes consistent en l'application locale de produits spermicides.

■ Ovules, crèmes et éponges spermicides agissent en détruisant les spermatozoïdes. Afin d'accroître leur efficacité, on ne doit pas les employer seuls mais en association avec les barrières mécaniques.

Dispositifs intra-utérins (D.I.U.)

Ils consistent en l'introduction dans l'utérus d'un corps étranger qui possède un certain pouvoir spermicide et empêche en outre une éventuelle nidation de l'œuf du fait de l'altération microscopique de la muqueuse utérine qu'il provoque.

■ Les stérilets en cuivre ont une durée d'action de 4 à 5 ans et leur indice de Pearl est de 0,3 à 2. La pose d'un stérilet ne peut se faire qu'en milieu médical et doit donner lieu à une surveillance rigoureuse. En cas de désir de grossesse, le dispositif intra-utérin est retiré sans difficulté par le gynécologue. Les dispositifs intra-utérins sont contre-indiqués pour les femmes qui n'ont jamais eu d'enfant, qui ont déjà eu des salpingites (infections des trompes) ou des grossesses extra-utérines en raison du risque d'infection génitale haute qu'ils entraînent et de la plus grande fréquence des grossesses extra-utérines avec stérilet. En outre, ils peuvent provoquer des douleurs pelviennes, des hémorragies ou une perforation utérine ; il peut arriver qu'ils soient expulsés spontanément.

■ Le stérilet du lendemain, posé dans les 7 jours qui suivent le rapport sexuel, a une très bonne efficacité.

Méthodes hormonales

Ces méthodes agissent à la fois en inhibant l'ovulation, par action sur l'hypophyse, qui ne libère plus de gonadotrophines, et en modifiant la muqueuse utérine et la glaire cervicale, ce qui entrave le passage des spermatozoïdes.

■ La pilule contraceptive existe sous 3 formes : la plus courante consiste en l'administration quotidienne d'œstrogène et de progestatif, simultanément et à doses fixes (pilule combinée, normodosée ou minidosée) ; beaucoup moins fréquente est l'administration d'œstrogène seul, puis des deux hormones à des dosages variables selon la phase du cycle (pilule séquentielle) ; enfin, en cas de contre-indication à l'un de ces types de pilules œstroprogestatives, il est possible de prendre un progestatif seul, éventuellement à faibles doses (micropilule). Pratiquées de façon rigoureuse, ces méthodes contraceptives sont extrêmement efficaces : l'indice de Pearl est proche de 0. Les pilules les plus récentes sont les plus sûres à l'emploi grâce à l'utilisation de progestatifs de la troisième génération, associés à des doses d'œstrogène de plus en plus faibles.

La pilule est la méthode contraceptive la plus efficace, malgré des effets indésirables. Le stérilet est presque aussi sûr, bien qu'il présente un risque infectieux. Les préservatifs sont un peu moins efficaces, surtout s'ils sont mal utilisés et non enduits de produit spermicide. Le préservatif masculin assure la meilleure protection contre le sida.

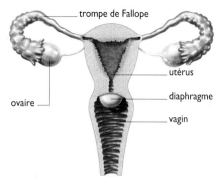

Le diaphragme coiffe le col de l'utérus avant les rapports sexuels, puis est gardé au moins 8 heures.

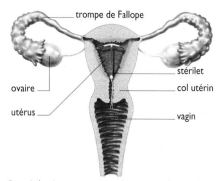

Le stérilet (souvent en cuivre), posé par le médecin, nécessite une surveillance rigoureuse.

La mise en place du préservatif masculin

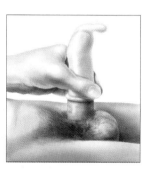
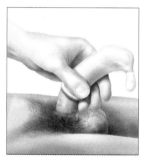

Le préservatif doit répondre aux normes légales. Son mode d'emploi doit être respecté, notamment en ce qui concerne la lubrification : les corps gras (vaseline, huile, savon) peuvent fragiliser le latex.

Pour éviter l'éclatement et les fuites, il faut chasser l'air du petit réservoir à sperme qui se trouve à l'extrémité, en le pinçant. Le préservatif est mis seulement quand l'érection est complète.

Le préservatif est mis avant tout contact sexuel. Il est déroulé jusqu'au bout sans être trop étiré. En cas de rapport homosexuel, il faut utiliser un modèle plus épais (100 micromètres).

Après éjaculation, l'homme se retire aussitôt tout en maintenant le préservatif à sa base pour l'empêcher de glisser et pour éviter les fuites, puis il l'enlève. Un préservatif ne sert qu'une fois.

Les pilules peuvent être contre-indiquées dans les cas suivants : âge supérieur à 40 ans, tabagisme, pathologie cardiovasculaire, cancéreuse, gynécologique, hépatique. Quoique généralement bien tolérées, elles peuvent entraîner différents effets indésirables : maladies cardiovasculaires (phlébite, hypertension...), diabète, excès de cholestérol. Ces effets sont en grande partie contrôlés par une surveillance régulière.

■ **La pilule du lendemain** consiste à empêcher la nidation de l'œuf en cas de rapport sexuel sans contraception et présumé fécondant. Cette méthode consiste à prendre, environ 24 heures après le rapport, deux fois deux pilules spécifiques qui entraînent une hémorragie. Cette prise médicamenteuse ne peut se faire que sous contrôle médical strict.

Méthodes naturelles

■ **La méthode des températures** consiste à s'abstenir de tout rapport sexuel jusqu'à ce que l'élévation de la température, pendant 3 jours de suite, signifie qu'il n'y a plus de risque de fécondation. La courbe de la température, prise chaque jour à la même heure juste avant le lever, reflète, en l'absence de toute affection fébrile, les différents stades du cycle : à une première phase, où la température se situe au-dessous de 37 °C, succède une phase en plateau au-dessus de 37 °C (effet de la progestérone sécrétée par le corps jaune) qui commence

aux environs du 14e jour du cycle (ovulation) et finit avec les règles. Juste avant le décalage thermique, la courbe atteint son point le plus bas, appelé nadir. Cette méthode a pour inconvénient d'être très contraignante et de présenter un grand nombre d'échecs. Elle convient surtout aux couples qui désirent espacer les naissances sans véritablement craindre une grossesse.
→ VOIR Ogino-Knaus (méthode d'), Préservatif, Stérilet.

Contraction

Diminution de la longueur ou du volume d'un muscle ou d'un organe, entraînant un mouvement ou une mise sous tension.

Les contractions peuvent être involontaires, comme le sont celles des muscles lisses (estomac, cœur, utérus et autres organes creux) ; ou volontaires, comme le sont celles des muscles striés (appareil locomoteur, muscles des yeux).

Contraction utérine

Raidissement intermittent du muscle utérin pendant l'accouchement.

Les contractions rythmiques et plus ou moins douloureuses de l'utérus annoncent normalement le début du travail de l'accouchement. Leur mécanisme de déclenchement, probablement hormonal (ocytocine), est encore inconnu. Les contractions s'accroissent en intensité et en fréquence tout

au long du travail, entraînant d'abord l'effacement puis la dilatation du col et, enfin, l'expulsion du fœtus et du placenta. Il faut distinguer ces véritables contractions, annonciatrices de l'accouchement, des contractions de Braxton-Hicks, qui sont souvent perceptibles à partir du 6e mois de grossesse mais sont indolores et n'entraînent pas de modification du col. Les contractions de Braxton-Hicks, physiologiques, sont la réaction du muscle utérin à sa distension.

Contracture

Contraction d'un muscle du squelette, spontanée, durable et douloureuse, survenant en l'absence de toute lésion anatomique.

CAUSES

Une contracture peut être provoquée par un certain nombre de maladies infectieuses : ainsi, le tétanos provoque des contractures généralisées ; une péritonite s'annonce par une contracture des muscles de l'abdomen ; une réaction à une irritation inflammatoire locale explique la contracture des muscles de la colonne vertébrale au cours des poussées d'arthrose et des méningites. Les contractures surviennent aussi au cours de certaines intoxications, à la strychnine par exemple, de certaines maladies du système nerveux central (paralysies) ou de l'hystérie. Le muscle est lui-même directement atteint en cas de myosite (inflammation des muscles) ou de surmenage musculaire.

SYMPTÔMES ET SIGNES

Une contracture peut être permanente ou transitoire (crampe). À la palpation, le muscle est dur, douloureux.

TRAITEMENT ET PRÉVENTION

Le repos et l'application de froid sont au besoin associés aux massages et à la kinésithérapie, ainsi qu'aux médicaments en cas de douleur intense (analgésiques, décontracturants musculaires ou myorelaxants, anti-inflammatoires).

Les contractures dues à un effort sportif trop important par rapport au niveau d'entraînement peuvent être prévenues : respect des règles d'échauffement progressif, adaptation de l'effort au degré de l'entraînement, arrêt du sport pendant 4 à 7 jours après une première contracture.

→ VOIR Crampe.

Contre-indication

Condition qui rend inapplicable un acte médical.

Une contre-indication découle de l'état du malade et interdit un traitement médicamenteux, une intervention chirurgicale ou un examen complémentaire. Un ulcère gastroduodénal en évolution, par exemple, est une contre-indication à la corticothérapie ; un infarctus du myocarde de moins de six mois, à une intervention chirurgicale ; un terrain allergique à l'iode, à une exploration radiologique utilisant un produit de contraste iodé. Certains actes : sport, séjour en altitude, efforts violents, etc., constituent une contre-indication.

Une contre-indication peut également découler d'un traitement (un traitement anticoagulant, par exemple, est une contre-indication aux infiltrations intra-articulaires et aux injections intramusculaires).

Les contre-indications peuvent être temporaires ou définitives.

Controlatéral

Qui se situe ou se manifeste du côté du corps opposé au côté considéré par rapport à un plan médian vertical (plan sagittal) passant par le nez, l'ombilic et entre les deux membres inférieurs.

Un réflexe controlatéral se produit du côté opposé au côté stimulé. Ainsi, un réflexe achilléen controlatéral a lieu à droite quand on stimule le tendon d'Achille gauche.

Dans les cas de sciatique, une douleur dite controlatérale se manifeste du côté malade lorsqu'on imprime un mouvement à la jambe du côté sain.

Contrôle des naissances

Système médical sous contrôle législatif mis en place dans un pays pour favoriser le développement de la contraception.

C'est essentiellement depuis les années 1950 que les gouvernements se préoccupent des problèmes de démographie dans le monde. La 1re Conférence mondiale sur la population a lieu à Rome en 1954 sous les auspices de l'O.N.U. et de l'U.I.E.S.P. (Union internationale pour l'étude scientifique de la population). L'année 1965 marque un tournant : l'expression « planification familiale » est utilisée pour la première fois lors de la 2e Conférence mondiale sur la population. L'O.N.U. s'engage alors, par l'intermédiaire de l'O.M.S., dans une politique de développement d'activités de planification familiale. Des centres de planification familiale, publics ou privés, sont mis en place dans beaucoup de pays à travers le monde. Cependant, des pays surpeuplés comme l'Inde ou la Chine ont recours à une politique de contrôle des naissances draconienne (campagnes d'informations, stérilisations en masse, fortes amendes en cas de naissance non réglementaire).

Dans les pays occidentaux, la contraception et l'avortement sont considérés comme des sujets tabous avant 1965. Les gouvernements redoutent les conflits moraux et politiques que la légalisation de tels actes pourrait engendrer, malgré l'attitude plutôt favorable de l'opinion publique. Aujourd'hui, les préservatifs sont en vente libre, tandis que les ventes de pilules et de stérilets sont soumises à une prescription médicale. La stérilisation est autorisée aux États-Unis, au Danemark, en Grande-Bretagne mais n'est réglementée ni en Belgique, ni en France, ni en Italie (dans ces deux derniers pays, toutefois, elle peut être contestée, la loi interdisant la « mutilation des corps »). Les lois sur l'avortement varient selon les pays : interdite (sauf cas particuliers) en Pologne, en Espagne et en Irlande, la pratique de l'interruption de grossesse est autorisée en France, en Angleterre, en Suisse et en Suède, par exemple, mais elle continue de soulever à l'heure actuelle beaucoup de contestations aux États-Unis, au Canada et en Allemagne.

Contusion

Meurtrissure provoquée par un coup, sans déchirure de la peau ni fracture des os.

Une contusion peut être de gravité variable et s'accompagner d'hématomes et de lésions internes. Par exemple, un traumatisme crânien peut entraîner une fracture directe du côté atteint et une contusion cérébrale controlatérale par contrecoup.

Sur le corps, une contusion se traduit par une ecchymose, épanchement de sang dans l'épaisseur de la peau.

Convalescence

Période de transition entre la fin d'une maladie et de son traitement et le retour du malade à une bonne santé physique et psychique.

La convalescence est de durée très variable, de quelques jours à plusieurs semaines selon la gravité de l'affection médicale ou l'importance de l'intervention chirurgicale. C'est une période de moindre résistance, durant laquelle le malade retrouve son appétit et ses forces, récupère du poids et ses fonctions physiologiques ; aussi le régime alimentaire doit-il être riche et varié et apporter les vitamines nécessaires. La convalescence peut nécessiter l'hospitalisation dans une maison de rééducation spécialisée ou un séjour sous un climat particulier. Elle s'achève lorsque le patient a retrouvé l'état de santé qui était le sien avant la maladie.

Convulsions

Contractions brusques et involontaires des muscles, survenant par crises.

CAUSES

La nature de la cause retrouvée, quand elle peut l'être, varie : fièvre ou déshydratation chez le nourrisson, traumatisme crânien, infection (méningite, encéphalite), accident vasculaire cérébral, tumeur intracrânienne, trouble métabolique (chute du glucose ou du calcium sanguin), intoxication (alcool, oxyde de carbone, médicament).

SYMPTÔMES ET SIGNES

Le terme de convulsions se rapporte en général à des phénomènes musculaires généralisés à tout le corps, dits « cloniques » : secousses, mouvements saccadés des membres, du visage et des yeux. Les phénomènes dits « toniques » se traduisent, quant à eux, par une raideur intense du corps et peuvent s'associer aux précédents au cours de la même crise. Il y a une perte de conscience, au moins au cours des crises généralisées. On parle d'épilepsie quand les crises ont tendance à récidiver sur plusieurs mois ou plusieurs années, que leur cause soit connue ou non. Chez un nourrisson, des convulsions imposent une hospitalisation afin de savoir s'il s'agit d'une cause occasionnelle ou du début d'une épilepsie.

TRAITEMENT

Outre la suppression d'une cause éventuelle, le traitement fait parfois intervenir le diazépam (par injection intramusculaire ou par voie intrarectale) pendant la crise. Au besoin, le diazépam et d'autres antiépileptiques (phénobarbital, etc.) administrés par voie orale préviennent les récidives à long terme.

Convulsions fébriles de l'enfant

Les convulsions dues à la fièvre ne se produisent que chez les enfants de moins de 5 ans, le plus souvent avant 2 ans. La fièvre est toujours assez élevée, supérieure à 38 °C ; 5 % des nourrissons font des convulsions si la température augmente rapidement. Toutes les affections fébriles peuvent être en cause (surtout les rhinopharyngites, les otites et la rougeole).

Les convulsions fébriles sont de courte durée, inférieure à 2 ou 3 minutes. L'examen de l'enfant révèle que le développement psychomoteur est normal et que le système nerveux n'est pas atteint. Cependant, l'hospitalisation est le plus souvent indiquée afin d'écarter une cause grave sous-jacente, particulièrement une méningite.

Certains critères indiquent qu'il y a pour l'enfant un risque élevé de récidive au cours d'une autre poussée fébrile ; ce sont : un retard psychomoteur, une anomalie de l'examen neurologique, un âge inférieur à 9 mois, des convulsions prolongées, des antécédents familiaux de convulsions fébriles. Quant au risque ultérieur d'épilepsie (persistance des convulsions à long terme, même sans fièvre), il est très faible, inférieur à 2 %.

Le traitement des convulsions fébriles ne diffère pas de celui des autres types de convulsions : diazépam, au mieux par voie intrarectale. On donne parfois un traitement préventif à chaque épisode fébrile, voire un traitement préventif continu jusqu'à 5 ans s'il existe un facteur de risque.

Cooley (anémie de)

Forme grave et homozygote de thalassémie, maladie génétique du sang, caractérisée par la présence d'une hémoglobine de type fœtal dans le sang. SYN. *bêtathalassémie homozygote*.

L'anémie de Cooley possède la particularité d'être transmise par les deux parents, l'un et l'autre porteurs d'un gène thalassémique. Chez le sujet atteint, les deux chromosomes de la paire sont donc porteurs du gène défectueux (thalassémie homozygote).

SYMPTÔMES

L'anémie de Cooley se traduit par un ensemble typique de symptômes tels qu'une modification des os du crâne conférant un faciès mongoloïde, qui apparaît dans l'enfance, un retard de croissance, une splénomégalie (rate de grande taille), une anémie microcytaire (globules rouges de petite taille) importante. L'analyse sanguine par électrophorèse de l'hémoglobine révèle un taux très élevé d'hémoglobine fœtale (comparable à celle du fœtus).

TRAITEMENT ET PRÉVENTION

Le traitement est fondé sur des transfusions régulières pour permettre une croissance et une activité proches de la normale. On prescrit également un chélateur du fer (substance captant le fer), de façon à réduire les risques d'accumulation et de surcharge en fer de l'organisme. Cette surcharge s'aggrave cependant inéluctablement.

La prévention repose sur le diagnostic anténatal chez les familles à risque.

Coombs (test de)

Technique qui permet de mettre en évidence des anticorps à la surface des globules rouges.

Le test de Coombs est utilisé pour établir le diagnostic de maladies auto-immunes, de la maladie hémolytique du nouveau-né et de certaines incompatibilités transfusionnelles dues à la présence d'agglutinines irrégulières (anticorps rendant incompatibles des sangs de groupe sanguin et de Rhésus apparemment identiques).

On distingue deux méthodes, l'une directe, l'autre indirecte.
■ Le test de Coombs direct recherche des anticorps fixés à la surface des globules rouges.
■ Le test de Coombs indirect recherche des anticorps dans le sérum du malade.

Quelle que soit la technique, un test positif se traduit par l'agglutination visible des globules rouges.

Coordination

Ensemble des mécanismes nerveux assurant à chaque instant la coordination des contractions et des décontractions des différents muscles du squelette.

Cette coordination est indispensable à la fois pour maintenir les postures du corps et pour réaliser les mouvements non réflexes. Elle assure, par exemple, au cours de la flexion de l'avant-bras sur le bras, le jeu harmonieux du muscle agoniste, le biceps, responsable du mouvement, et celui du muscle antagoniste, le triceps, qui doit freiner le mouvement sans l'interrompre.

La coordination fait intervenir plusieurs mécanismes. Des voies nerveuses amènent les informations à l'encéphale : voies de la sensibilité profonde (position des articulations, degré de tension des muscles), de la sensibilité tactile, de la vision, de l'équilibre. Des systèmes moteurs communiquent en sens inverse les instructions de l'encéphale en commandant les contractions musculaires : les voies pyramidales, venant du cortex cérébral, transmettent les mouvements volontaires, et les voies extrapyramidales, les postures et l'aide au mouvement volontaire. Le contrôle de l'ensemble est réalisé par le cervelet.

Coproculture

Examen bactériologique des selles.

On pratique une coproculture lors d'une dysenterie, d'une diarrhée fébrile ou d'une diarrhée survenant dans un contexte épidémique pour rechercher les germes responsables de l'affection. L'examen doit être effectué sur des selles fraîchement émises et avant tout traitement antibiotique. Il est précédé d'un examen direct des selles pour déceler la présence en quantité importante de leucocytes (globules blancs sanguins), qui témoigne d'une diarrhée bactérienne invasive, de parasites ou de champignons. Des colorations peuvent également être effectuées pour apprécier une modification quantitative globale de la flore intestinale.

La présence de certains germes, telles les salmonelles, est considérée comme pathologique et témoigne d'une infection bactérienne digestive. En revanche, pour la plupart des autres germes, seul leur nombre peut définir si leur présence est témoin ou non d'une infection, car, chez un sujet sain, les bactéries participent au processus de digestion et sont systématiquement retrouvées en grande quantité dans les selles, dont elles représentent environ le tiers du poids.

Coprolalie

Impulsion à proférer des termes orduriers, de nature scatologique ou sexuelle.

Autrefois appelée « manie blasphématoire », la coprolalie survient de façon banale chez les adolescents, dans certains milieux (groupes masculins, par besoin d'affirmation virile) ou, à titre de défoulement, chez un sujet inhibé. Elle est fréquente dans la manie et les états schizophréniques (stéréotypies verbales).

Chez le névrosé, elle peut constituer une tentation obsédante : envie de lancer des gros mots lors d'une cérémonie religieuse, d'une rencontre officielle, etc. Selon les psychanalystes, la coprolalie serait une régression vers le plaisir des stades anal et oral.

Coprolithe

Fragment de matière fécale durcie et calcifiée prenant l'aspect d'un petit caillou.

Les coprolithes sont le plus souvent découverts à l'occasion d'une radiographie mais jouent rarement un rôle pathogène. Néanmoins, ils peuvent se loger dans l'appendice ou dans un diverticule colique, provoquant parfois une appendicite ou une diverticulite.

Coprologie

Ensemble des techniques étudiant les matières fécales.

La coprologie étudie le résultat de la digestion en dosant ses différents produits (graisses et protéines) dans les selles ; elle recherche et étudie les parasites et œufs de parasites, les nombreux microbes, virus, champignons, pathogènes ou non, que contiennent les selles. Par ces analyses et ces investigations, elle contribue à l'établissement du diagnostic.

Coprophagie

Consommation de matières fécales.

La coprophagie s'accompagne souvent d'autres manifestations d'intérêt complaisant ou pathologique pour les excréments : manipulation, souillure du corps et des objets (coprophilie), langage ordurier (coprolalie).

Cette tendance témoigne d'une régression à un stade infantile primitif (sadique anal et sadique oral), qui s'observe chez les déments (gâtisme), les schizophrènes, les handicapés mentaux, parfois chez les maniaques et certains pervers. Chez l'enfant en bas âge, ce genre de manifestation, le plus souvent minime et transitoire, ne présente pas de caractère pathologique.

Coprophilie

Recherche du plaisir liée aux matières fécales et aux fonctions excrétoires.

La coprophilie est fréquente dans les perversions, où elle résulte d'un déplacement de l'intérêt sexuel vers les excréments (coprolagnie) et les urines (urolagnie ou ondinisme). Elle peut s'associer au voyeurisme, à l'exhibitionnisme ou au fétichisme. La coprophilie se rencontre également dans les états graves de régression psychique (schizophrénie, démence) et chez les handicapés mentaux. Chez l'enfant en bas âge, sa survenue est un phénomène banal et transitoire, qui ne revêt généralement pas de caractère pathologique.

Coque oculaire

1. Enveloppe de l'œil constituée par la sclérotique (blanc de l'œil) et, en avant de l'iris, par la cornée.

Par la sclérotique, membrane épaisse, la coque oculaire a une fonction de protection de l'œil ; par la cornée, transparente, elle intervient dans la réfraction.

2. Protection convexe rigide, trouée en son centre pour permettre la vision, qui est placée devant l'œil pour le protéger, notamment après une intervention chirurgicale.

Les cordes vocales sont deux replis cutanés qui forment des bandelettes horizontales orientées d'avant en arrière. Elles sont situées à l'intérieur du larynx, à la hauteur de la « pomme d'Adam ». On les appelle parfois « cordes vocales inférieures », car chacune est surmontée d'une bandelette parallèle, la « corde vocale supérieure », ou bande ventriculaire, à peine visible. Quand elles se ferment ou vibrent, les cordes vocales permettent la phonation. On peut les observer et étudier leurs mouvements grâce à la laryngoscopie, directe ou indirecte.

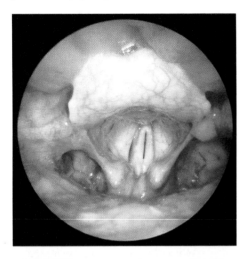

Au centre, vues du dessus, les cordes vocales, fermées, dessinent un sillon dans le triangle du larynx ; la base de la langue occupe la partie supérieure de l'image ; le pharynx, la partie basse et les côtés.

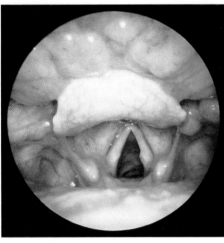

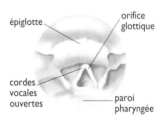

Ouvertes, les cordes vocales forment un V renversé dont la pointe, vers l'avant, jouxte l'épiglotte (en casque), un des cartilages du larynx. Elles découvrent l'entrée de la trachée et laissent passer l'air librement.

Coqueluche

Maladie infectieuse due au bacille de Bordet-Gengou, *Bordetella pertussis*.

La coqueluche est devenue très rare dans les pays où la vaccination est courante. Elle y atteint essentiellement les enfants de moins de 5 ans non vaccinés et est dangereuse surtout chez le nourrisson. La maladie demeure plus fréquente dans les pays en développement, où elle est encore parfois mortelle.

La coqueluche se transmet d'un individu à l'autre (toux, éternuements), souvent par petites épidémies.

SYMPTÔMES ET SIGNES

Après le contage (contact avec une personne atteinte de coqueluche), l'incubation silencieuse dure environ une semaine. Puis apparaissent un écoulement nasal, une fièvre modérée et une toux pouvant provoquer des vomissements. Quelques jours plus tard, la toux peut prendre un aspect caractéristique, couramment appelé chant du coq : violente quinte, souvent suivie d'une pause respiratoire avec cyanose et d'une reprise inspiratoire bruyante. Chez le jeune enfant, il se produit parfois des apnées (arrêts respiratoires) avec cyanose, sans toux. À l'inverse, chez l'enfant plus grand et chez l'adulte, une toux persistante peut être la seule manifestation de la maladie.

DIAGNOSTIC ET ÉVOLUTION

Le diagnostic repose sur les symptômes et sur la constatation d'une augmentation des globules blancs dans le sang.

La coqueluche dure de 8 à 10 semaines. Elle est souvent suivie d'une phase prolongée de toux isolée, le tic coquelucheux. Par ailleurs, elle est immunisante : on ne la contracte qu'une fois. Parfois, chez le nourrisson, la coqueluche se complique d'un épuisement, d'une déshydratation, d'une surinfection des poumons par une autre bactérie, d'une asphyxie ou encore d'une encéphalite (inflammation de l'encéphale).

TRAITEMENT ET PRÉVENTION

Le traitement repose sur la prise d'antibiotiques, et de sédatifs de la toux chez les enfants de plus de 7 ans. L'hospitalisation doit être systématique pour les nourrissons de moins de 6 mois et les enfants chez qui on a observé une cyanose ; la surveillance étroite des autres enfants s'impose, surtout pendant les quintes. L'isolement de l'enfant est nécessaire et la déclaration de la maladie aux autorités sanitaires, obligatoire.

La vaccination, possible à partir de 3 mois, avec une piqûre de rappel tous les 5 ans pendant l'enfance, est très efficace et presque toujours sans risques.

Coquille

Appareil généralement plâtré, destiné à limiter ou à supprimer les mouvements d'une partie du corps chez un patient alité.

Le terme de coquille est aujourd'hui tombé en désuétude au profit de termes plus précis désignant la région que l'on veut immobiliser : genouillère, coudière, attelle de poignet, lombostat, etc.

Cor

Callosité douloureuse sur un orteil.

Corde vocale

Petite structure fibreuse du larynx, en forme de cordon, permettant la phonation. (P.N.A. *plica vocalis*)

STRUCTURE ET FONCTIONNEMENT

Au nombre de deux, les cordes vocales dessinent une petite saillie horizontale sur la paroi latérale du larynx. Entre elles se trouve la région de la glotte, qui sépare la région sus-glottique et la région sous-glottique, le tout constituant le larynx.

Au repos, c'est-à-dire à l'inspiration, les cordes vocales forment un V renversé dont la pointe est tournée vers l'avant. À l'expiration, leurs portions postérieures se joignent et leur vibration est à l'origine de la phonation. La glotte joue également un rôle de protection des voies aériennes par la fermeture des cordes vocales lors de la déglutition.

EXAMENS

Les cordes vocales sont examinées par le médecin spécialiste au cours d'une laryngoscopie.

■ La laryngoscopie indirecte consiste à observer le reflet des cordes vocales dans un petit miroir placé au fond du pharynx. On vérifie ainsi non seulement la structure des cordes vocales, mais aussi leur fonctionnement (fermeture, vibrations).

■ La laryngoscopie directe, pratiquée sous anesthésie générale, consiste à introduire par la bouche du sujet un tube creux de façon que son extrémité atteigne la partie supérieure du larynx. Ce tube, équipé d'un dispositif d'éclairage, permet une observation directe des cordes vocales.

PATHOLOGIE

La laryngite (inflammation) chronique est l'une des pathologies les plus fréquentes des

La cornée, paroi mince, est difficile à voir (on la devine mieux de profil), car c'est un hublot transparent devant l'iris et la pupille, dont un liquide la sépare. Elle se prolonge par la sclérotique, le « blanc de l'œil ». La cornée constitue la première lentille de l'œil, avant le cristallin.

Le microscope permet d'examiner les couches de la cornée : au centre, le stroma (bleu), entre deux membranes, une fine vers l'intérieur (endothélium), une plus épaisse du côté externe (épithélium). La coupe laisse deviner la courbure de la cornée.

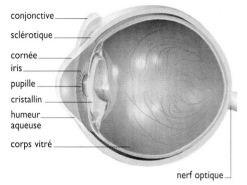

conjonctive
sclérotique
cornée
iris
pupille
cristallin
humeur aqueuse
corps vitré
nerf optique

cordes vocales, et son traitement est celui de sa cause (tabagisme, etc.). En outre, il existe plusieurs sortes de tumeurs bénignes, dont le nodule des cordes vocales, fréquent en cas de surmenage vocal (enseignants, orateurs, chanteurs) ; un simple repos vocal avec séances d'orthophonie (rééducation de la voix) en vient généralement à bout, faute de quoi il faut pratiquer son ablation. Le cancer du larynx, souvent consécutif à une laryngite chronique, peut être limité aux seules cordes vocales ; son pronostic est alors assez bon, surtout si le traitement est précoce. Par ailleurs, le fonctionnement des cordes vocales peut être perturbé par une compression des nerfs du larynx due à une tumeur du cou, de la tête, du thorax.

La dysphonie (voie enrouée, « cassée ») est le signe principal des maladies des cordes vocales. Une dysphonie persistante justifie toujours un examen médical afin de dépister une éventuelle pathologie.

Cordon ombilical

Tige conjonctive contenant les vaisseaux qui relient le fœtus au placenta et lui assurent un apport d'oxygène et d'éléments nutritifs provenant du sang de la mère. (P.N.A. *funiculus umbilicalis*)

Le cordon ombilical se présente comme un cordon torsadé, long, à terme, de 40 à 60 centimètres et large de 1 à 2 centimètres. Il est constitué d'une sorte de gélatine (gelée de Wharton) entourant la veine ombilicale, qui apporte le sang oxygéné, et les deux artères ombilicales, qui ramènent au placenta le sang veineux du fœtus. Les échanges fœtomaternels se faisant par le placenta, artères et veine ombilicales contiennent toutes trois du sang purement fœtal. Une ponction de sang ombilical, réalisée sous échographie, permet de faire le diagnostic des souffrances ou des maladies du fœtus ainsi que d'étudier son caryotype (l'ensemble de ses chromosomes). Cela peut être utile dans les quatre premiers mois de la grossesse, au cours desquels le fœtus est trop petit pour que l'on pratique, sous échographie, une ponction de sang fœtal.

CHUTE DU CORDON

Dès que l'enfant respire, la circulation sanguine fœtale s'interrompt, le trou de Botal (qui permettait chez le fœtus le passage du sang de l'oreillette droite vers l'oreillette gauche) se ferme pour donner une circulation autonome. Le cordon n'a donc plus d'utilité et doit être coupé. La section du cordon se fait entre deux pinces, à environ deux centimètres de la paroi abdominale du nouveau-né. Le moignon est désinfecté tous les jours à l'aide d'alcool à 60 % vol. et d'éosine aqueuse. Il est ensuite recouvert d'une compresse stérile maintenue en place grâce à une bande filet ou à un sparadrap antiallergique. Le cordon tombe spontanément au bout d'une quinzaine de jours, laissant une cicatrice, l'ombilic, ou nombril. En pratiquant ces soins, il est possible de baigner le nouveau-né dès sa sortie de maternité, avant la cicatrisation et la chute du cordon.

PATHOLOGIE

Les accidents ou anomalies du cordon sont particulièrement graves parce qu'ils risquent d'interrompre l'apport sanguin au fœtus. Les nœuds du cordon, par exemple, peuvent entraîner la mort du fœtus in utero. Pendant le travail, la compression du cordon se traduit par des ralentissements cardiaques du fœtus, qui peuvent imposer une extraction rapide au forceps, si le col est suffisamment dilaté, ou par césarienne.

Cordon spermatique

Cordon fibreux reliant la cavité abdominale à l'épididyme et au testicule. (P.N.A. *funiculus spermaticus*)

Le cordon spermatique comprend tous les éléments vasculaires, nerveux et fonctionnels destinés à l'épididyme et au testicule : le canal déférent, les vaisseaux spermatiques et déférentiels, les filets nerveux et le ligament de Cloquet.

Cordotomie

Section chirurgicale de faisceaux de fibres nerveuses sensitives de la moelle épinière, effectuée dans une intention analgésique.

La cordotomie a des indications très précises : douleurs intenses (souvent d'origine cancéreuse) siégeant dans la partie inférieure du tronc ou dans les membres inférieurs et résistant aux plus puissants des analgésiques. Cette section localisée des voies de la douleur respecte le plus souvent celles de la motricité et de la sensibilité.

Cornage

Bruit anormal dû à une entrave au passage de l'air dans le larynx pendant la respiration.

Le cornage s'observe principalement chez l'enfant au cours des laryngites aiguës ou après inhalation d'un corps étranger (fausse-route) qui reste bloqué dans le larynx. C'est un bruit émis au moment de l'inspiration et associé habituellement à une dyspnée (gêne respiratoire). Facile à détecter, le cornage implique l'institution d'un traitement, souvent en première urgence.

Corne cutanée

Excroissance dure, de teinte grisâtre ou brunâtre, siégeant sur le visage ou les mains, le plus souvent chez les sujets âgés.

Une corne cutanée est due à un amas local de kératine. Elle se développe sur une lésion préexistante due à une maladie dermatologique (kératose sénile, maladie de Bowen, cancer cutané) ou sur une cicatrice.

Une corne cutanée se traduit par une saillie en pyramide, qui croît lentement et peut mesurer jusqu'à 2 centimètres. Elle est traitée par l'ablation chirurgicale, suivie d'un examen histologique pour vérifier l'absence de cancer sous-jacent.

Cornée

Membrane fibreuse et transparente enchâssée dans la sclérotique (blanc de l'œil) et constituant la partie antérieure du globe oculaire. (P.N.A. *cornea*)

STRUCTURE

La cornée ressemble à un hublot convexe transparent : son diamètre est en moyenne de 11,7 millimètres, son rayon de courbure de 7,8 millimètres, son épaisseur, au centre, de 0,52 millimètre. En surface, la cornée possède un épithélium de plusieurs couches cellulaires, recouvert par le film lacrymal. Sous l'épithélium se trouve le stroma cornéen (tissu conjonctif formé de fibrilles de collagène), qui représente 90 % de l'épaisseur de la cornée. Une membrane sépare le stroma cornéen de l'épithélium. En arrière, le stroma est limité par la membrane de Descemet, puis par l'endothélium cornéen, constitué d'une couche de cellules hexagonales incapables de se régénérer. La zone de jonction de la cornée avec la sclérotique porte le nom de limbe sclérocornéen.

PHYSIOLOGIE

La cornée n'est pas vascularisée ; elle est nourrie directement par le milieu environnant. À l'extérieur, l'atmosphère et le film lacrymal lui procurent l'oxygène et les éléments nutritifs ; à l'intérieur, elle se nourrit de l'humeur aqueuse, qui est pompée grâce à un système situé dans l'endothélium cornéen. La cornée intervient dans le processus de réfraction en formant le premier dioptre (lentille) sur le trajet des rayons lumineux. Elle a également un rôle de protection de l'œil.

PATHOLOGIE

Elle varie avec la couche cellulaire concernée. Il existe également des malformations congénitales de la cornée.

■ **Les atteintes de l'épithélium** sont des kératites (inflammations de la cornée). Leur origine est traumatique (ulcérations, plaies, corps étrangers, brûlures, notamment par agent chimique ou arc électrique) ou infectieuse (abcès, herpès). La sécheresse oculaire peut aussi causer une kératite. Le traitement fait appel à des médicaments anti-infectieux locaux, à des cicatrisants cornéens et, en cas de douleurs importantes, à des collyres cycloplégiques permettant de mettre au repos le corps ciliaire.

■ **Les atteintes du stroma** sont essentiellement d'origine traumatique (effraction profonde de la cornée telle qu'œdème, plaie, brûlure) et dystrophique (kératocône : anomalie du collagène cornéen). Leur traitement fait appel aux anti-inflammatoires locaux, ou généraux en cas d'œdème. On peut aussi recourir à la kératoplastie (greffe).

■ **Les atteintes de l'endothélium** sont principalement dystrophiques. Il s'agit essentiellement de la dystrophie endoépithéliale de Fuchs, ou cornea guttata (diminution de la densité cellulaire de l'endothélium), habituellement découverte au cours d'un examen systématique, notamment avant une intervention chirurgicale sur l'œil. Seule une kératoplastie peut y remédier.

■ **Les malformations congénitales** sont la mégalocornée (élargissement du diamètre cornéen), le plus souvent en rapport avec un glaucome congénital, et la microcornée (rétrécissement du diamètre cornéen), habituellement associée à la microphtalmie.

Coronaire (artère, veine)

Vaisseau assurant l'irrigation du muscle cardiaque. (P.N.A. *arteria coronaria, vena coronaria*)

Artères coronaires

Ces artères sont les vaisseaux responsables de l'oxygénation cardiaque. Elles sont au

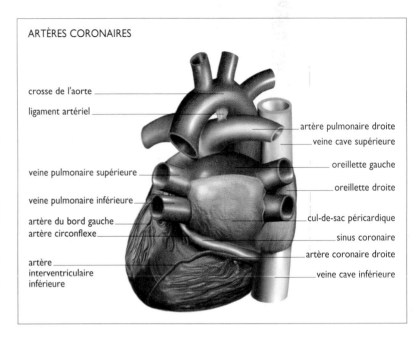

ARTÈRES CORONAIRES

crosse de l'aorte

ligament artériel

veine pulmonaire supérieure

veine pulmonaire inférieure

artère du bord gauche
artère circonflexe

artère interventriculaire inférieure

artère pulmonaire droite

veine cave supérieure

oreillette gauche

oreillette droite

cul-de-sac péricardique

sinus coronaire

artère coronaire droite

veine cave inférieure

nombre de deux : l'artère coronaire droite et l'artère coronaire gauche. Les artères coronaires prennent naissance à la partie initiale de l'aorte en regard des valves aortiques droite et gauche. L'artère coronaire gauche est formée d'un tronc commun qui se divise, après passage derrière le tronc de l'artère pulmonaire, en deux parties : l'artère interventriculaire antérieure et l'artère circonflexe. L'artère coronaire gauche est habituellement la plus importante, nourrissant la majeure partie du ventricule gauche. Parfois, cependant, c'est la coronaire droite qui irrigue la partie inférieure du ventricule gauche : elle est alors dite dominante. L'artère coronaire droite chemine dans le sillon auriculoventriculaire, puis se divise en artères rétroventriculaire et interventriculaire postérieure, après avoir fourni des branches destinées au nœud sinusal et au nœud auriculoventriculaire, voies de conduction de l'influx nerveux cardiaque.

Les artères coronaires sont explorées par coronarographie.

PATHOLOGIE

Les artères coronaires peuvent présenter des rétrécissements dus à l'athérome, des spasmes responsables d'un angor (angine de poitrine) ou une occlusion à l'origine d'un infarctus du myocarde.

Veines coronaires

Les veines coronaires ramènent le sang pauvre en oxygène du muscle cardiaque vers l'oreillette droite afin qu'il soit réoxygéné. Elles sont au nombre de deux : la veine cardiaque postérieure s'unit à la grande veine cardiaque située le long de l'artère interventriculaire antérieure pour former le sinus coronaire. Celui-ci chemine à proximité de l'artère circonflexe avant de se jeter dans l'oreillette droite.

Les veines coronaires peuvent être explorées par coronarographie au temps tardif, c'est-à-dire après passage du sang dans le muscle cardiaque.

→ VOIR Angor, Athérosclérose.

Coronarographie

Examen radiologique permettant la visualisation des artères coronaires qui irriguent le cœur.

INDICATIONS

La coronarographie fournit un bilan précis de l'état des artères coronaires en cas d'angor (angine de poitrine) ou d'infarctus du myocarde. Elle peut être complétée par une angiocardiographie, qui permet d'apprécier la contractilité du ventricule gauche. Parfois, en cas d'artère bouchée ou très rétrécie, une angioplastie (dilatation du rétrécissement) est effectuée au cours de l'examen.

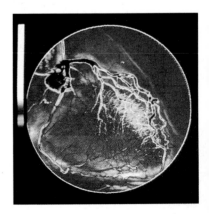

Coronarographie. *Les coronaires gauche (en haut) et droite (en bas) sillonnent le cœur avec leurs nombreuses branches de division.*

TECHNIQUE

Après anesthésie locale, l'artère fémorale droite est ponctionnée à l'aine afin de permettre l'introduction d'une petite sonde. Lorsque les artères fémorales ou l'aorte sont le siège de nombreuses plaques d'athérome ou qu'il existe un anévrysme de l'aorte, la sonde est introduite dans l'artère humérale, au niveau du bras. Elle est alors poussée le long de l'artère vers l'aorte, puis amenée jusqu'à l'origine des artères coronaires. Par la sonde, un produit de contraste iodé opaque aux rayons X est injecté, dessinant l'intérieur des artères coronaires pour en donner un véritable schéma anatomique. Une caméra filme le cheminement du produit dans les artères coronaires afin de pouvoir analyser plus finement les anomalies de calibre ; plusieurs prises de vue sont réalisées pour chaque artère sous différentes incidences. À la fin de l'examen, la sonde est retirée et un pansement compressif est placé au point de ponction fémoral.

DÉROULEMENT

La coronarographie nécessite généralement une hospitalisation de 1 ou 2 jours et dure de 20 minutes à 1 heure 30. Il est souhaitable, lorsque la sonde a été introduite au creux de l'aine, que le patient reste allongé 24 heures environ après l'examen pour éviter les risques d'hémorragie locale.

EFFETS SECONDAIRES

Certains patients peuvent ressentir au moment de l'injection un malaise lié à une allergie au produit iodé. Celle-ci doit être systématiquement signalée au médecin avant l'examen si elle est connue, ou recherchée par des tests. En outre, en l'absence de compression du point de ponction après l'examen, un hématome peut apparaître.

Corps calleux

Structure médiane de l'encéphale, constituée de fibres nerveuses, qui unit les deux hémisphères cérébraux.

Le corps calleux permet à chaque hémisphère cérébral d'exercer en permanence une action excitatrice ou inhibitrice, selon les cas, sur l'autre hémisphère.

PATHOLOGIE

Une atteinte du corps calleux peut avoir une cause vasculaire (insuffisance circulatoire, hématome), tumorale, infectieuse (syphilis), dégénérative (maladie de Marchiafava-Bignami, au cours de l'alcoolisme chronique). Quand le corps calleux n'assure plus ses fonctions, la perte de la coordination entre les deux hémisphères cérébraux provoque des troubles moteurs ainsi que des troubles de la mémoire et de l'équilibre avec tendance à la chute en arrière.

Corps cétonique

Une des trois substances (acétone, acide diacétique, acide bêtaoxydobutyrique) produites au cours du processus de dégradation des graisses dans l'organisme.

Dans des circonstances normales, les corps cétoniques, en majorité acides, sont éliminés par les reins dans les urines. Si leur accumulation devient trop importante et

dépasse les possibilités d'élimination de l'organisme, comme dans le diabète, il se produit une acidocétose : le pH du plasma sanguin s'acidifie, provoquant des troubles qui évoluent rapidement jusqu'au coma. → VOIR Acidocétose.

Corps étranger

Substance ou objet se trouvant indûment dans un organe, un orifice ou un conduit du corps humain.

Un corps étranger est soit apporté accidentellement de l'extérieur (objet inhalé, déglutti, introduit), situation fréquente chez le jeune enfant, soit formé spontanément à partir du corps lui-même (calculs, calcifications intra-articulaires).

Articulations

Un fragment cartilagineux peut se détacher du cartilage (ostéochondrite chez l'enfant) ou de la synoviale (chondromatose), formant un corps étranger qui, en se déplaçant, provoque des blocages articulaires ou la sensation de quelque chose qui remue (souris articulaires). De tels fragments sont le plus souvent retirés par arthroscopie.

Œil

Un corps étranger superficiel et visible (gravier, insecte, poussière) peut être ôté avec un coin de mouchoir propre ; s'il est planté dans la cornée, il est indispensable d'en confier d'urgence l'extraction à un ophtalmologiste, car il peut provoquer une perte de l'humeur aqueuse et, si ce corps étranger est métallique, il risque de s'oxyder et de libérer des pigments toxiques pouvant entraîner une cécité à long terme. Il sera enlevé chirurgicalement à l'aide d'un électroaimant. La prévention de tels accidents repose sur le port de lunettes de protection en cas de risques (travaux).

Oreille

La présence d'un corps étranger dans l'oreille peut être signalée par l'enfant, ou se manifester par une otalgie (douleur de l'oreille) ou encore par une otorragie (hémorragie par le conduit auditif externe). L'objet introduit doit impérativement être ôté, exclusivement par un médecin (tenter de retirer l'objet par des manœuvres intempestives risque de léser le tympan), par lavage d'oreille ou à l'aide de micro-instruments adaptés.

Voies digestives

Les corps étrangers ayant été avalés, le plus souvent par un jeune enfant ou par un malade psychiatrique, nécessitent une surveillance clinique (apparition de signes tels que douleurs, arrêt du transit intestinal) et radiographique (progression le long du tube digestif). Après ingestion, la plupart des corps étrangers de petite taille, s'ils ne sont ni toxiques ni coupants (bouton, bille, etc.), sont éliminés dans les selles sans danger pour l'organisme. Dans le cas contraire (petites piles, épingles, arêtes de poisson, esquilles d'os de poulet ou de lapin, échardes, éclats de verre, etc.), une extraction par fibroscopie est nécessaire.

Voies respiratoires

La présence d'un corps étranger inhalé y est fréquente, surtout chez le jeune enfant (jouet, fragment de jouet ou corps végétal, comme une cacahuète).

SYMPTÔMES ET SIGNES

La pénétration dans les voies respiratoires passe par trois stades. Le syndrome de pénétration, lors du passage à travers le larynx (fausse-route), se manifeste par un accès brutal de suffocation et par une toux sèche ; cet épisode se passe le plus souvent en quelques minutes et ne provoque qu'exceptionnellement une mort subite par asphyxie. La seconde phase, moins spectaculaire, correspond à l'implantation, généralement bien tolérée, du corps étranger dans les bronches ; celui-ci provoque quelquefois des épisodes de toux et une gêne respiratoire permanente ou intermittente. La troisième phase, tardive, est celle de complications avec bronchites ou pneumopathies à répétition, abcès du poumon, voire dilatation des bronches.

TRAITEMENT

En cas d'asphyxie aiguë, le corps étranger peut être expulsé par la manœuvre de Heimlich, en exerçant une pression forte et brutale à la base de la cage thoracique ou, s'il s'agit d'un jeune nourrisson, en lui donnant quelques tapes entre les omoplates. Le plus souvent, après la phase de pénétration, l'enfant ne présente pas de symptômes particuliers. Il est néanmoins nécessaire de réaliser une fibroscopie bronchique pour rechercher l'objet inhalé. Celui-ci est enlevé par bronchoscopie, sous anesthésie générale. → VOIR Extraction, Fausse-route alimentaire, Heimlich (manœuvre de).

Corps flottant

Tache sombre, de taille et de forme variables, perçue sous la forme de points, de filaments ou de filets et bougeant avec les mouvements de l'œil.

La perception de corps flottants est généralement un phénomène naturel, qui commence souvent vers 50 ans (65 % des sujets âgés de 65 ans en sont atteints). Elle révèle un décollement postérieur du corps vitré (masse gélatineuse transparente remplissant le bulbe de l'œil), qui se sépare de la rétine. La perception de corps flottants est, la plupart du temps, bénigne et sans conséquences. Toutefois, deux signes doivent attirer l'attention : l'apparition de corps flottants fins, régulièrement espacés et noirs, qui sont parfois le signe d'une petite hémorragie vitréenne, et l'apparition de points lumineux bleutés (photopsies), qui peuvent traduire une traction rétinienne. Ces deux affections requièrent un examen ophtalmologique rapide.

Corps jaune

Glande endocrine qui se développe dans l'ovaire, de façon temporaire et cyclique après l'ovulation, et qui sécrète de la progestérone. (P.N.A. *corpus luteum*)

Lorsque chaque mois, dans l'ovaire, un follicule se rompt pour libérer un ovule, il se développe dans la cavité une glande dont les grosses cellules jaunes contenant de la lutéine sécrètent de la progestérone (hormone responsable, notamment, de l'augmentation de la température corporelle, qui devient, dans cette deuxième partie du cycle, habituellement supérieure à 37 °C le matin). Si l'ovule n'est pas fécondé, le corps jaune se flétrit et dégénère, entraînant la baisse de la sécrétion de progestérone et l'apparition des règles, qui marquent un nouveau cycle.

En revanche, si l'ovule est fécondé et s'implante dans l'utérus, sa couche périphérique, ou trophoblaste, sécrète des hormones chorioniques gonadotrophiques (h.C.G.) qui entraînent la persistance du corps jaune durant les deux ou trois premiers mois de la grossesse. En effet, la progestérone est indispensable au maintien de l'implantation de l'œuf dans l'utérus. Quand le trophoblaste, futur placenta, est enfin capable de sécréter la progestérone nécessaire à sa survie, le corps jaune régresse et disparaît. → VOIR Corps utérin (cancer), Utérus (cancer de l').

Corps vitré
→ VOIR Vitré.

Corset
Appareillage porté sur le tronc en vue de traiter diverses affections.

Un corset a pour objet de s'opposer aux déviations de la colonne vertébrale (scoliose, cyphose bénigne), d'éviter leur aggravation ou de soulager les articulations intervertébrales (lombalgies chroniques et récidivantes). Il est également utilisé en cas de fracture du rachis. Selon le cas, on emploie deux types différents de corset.

■ Les corsets classiques, souples, en tissu de coton, sont renforcés par des baleines plastiques ou métalliques et ajustables grâce à un système de lacets et de courroies. Exerçant une contre-pression sur l'abdomen, ils diminuent le poids supporté par la colonne lombaire, limitent l'amplitude des mouvements douloureux et tiennent chaud.

■ Les corsets modernes sont fabriqués avec un matériau léger (résine) à partir d'une pâte qui, après préparation, se solidifie lors du moulage autour de la colonne vertébrale. Indéformables, ils sont utilisés chez l'adolescent pour traiter une déformation vertébrale évolutive (scoliose, cyphose). Ils ont remplacé le corset de plâtre, trop fragile. C'est à ce type qu'appartiennent les lombostats, corsets destinés à soutenir la partie lombaire de la colonne vertébrale en cas de conflit discoradiculaire (hernie discale).

Cortex
Partie périphérique de certains organes, qui se distingue, par sa structure et ses fonctions, du reste de l'organe. (P.N.A. *cortex*)

Le cortex des hémisphères cérébraux est spécifique des mammifères, sa grande surface et sa complexité sont caractéristiques de l'espèce humaine. Dans l'encéphale, le cervelet comprend aussi un cortex. Dans les autres organes, le cortex est aussi appelé zone ou région corticale, ou encore corticale (adjectif pris substantivement), la partie centrale de l'organe étant nommée zone médullaire. On parlera ainsi du cortex du rein, du cortex des glandes surrénales, du cortex de l'ovaire, etc.

Cortex cérébral
Partie périphérique des hémisphères cérébraux, siège des fonctions nerveuses les plus élaborées telles que le mouvement volontaire et la conscience. SYN. *écorce cérébrale*. (P.N.A. *cortex cerebri*)

STRUCTURE

Le cortex cérébral est formé de substance grise, variété de tissu nerveux contenant les corps cellulaires (partie principale) des neurones. Il est en relation avec le reste du système nerveux grâce aux fins prolongements multiples des neurones. Dans le sens de l'épaisseur, de la surface des hémisphères vers la profondeur, l'organisation du cortex le fait parfois comparer aux circuits électroniques, bien qu'il soit plus complexe. En effet, on y distingue au microscope plusieurs couches superposées, chacune renfermant un réseau de corps cellulaires et de prolongements. Par ailleurs, chaque hémisphère cérébral est divisé en 4 grands lobes : les frontières entre les lobes correspondent à de profonds sillons, les scissures, à la surface du cortex.

Il existe 3 types de cortex, de complexité croissante et se distinguant par leur structure au microscope et par leur rôle : l'archicortex, le paléocortex et le néocortex. Celui-ci, le seul observable des trois sur une vue externe des hémisphères, occupe en fait dans l'espèce humaine la quasi-totalité de la surface des lobes.

FONCTIONNEMENT

■ L'archicortex induit les comportements les plus élémentaires, qui permettent d'assurer la survie de l'espèce.

■ Le paléocortex, qui comprend en particulier une région appelée hippocampe, détermine la motivation, l'attention sélective, les réactions émotives, la sélection des comportements du sujet en fonction d'un apprentissage antérieur.

■ Le néocortex est organisé pour son fonctionnement sous forme de petites zones, les aires corticales primaires, chacune responsable d'un certain type d'activités. Le cortex du lobe frontal, situé à la partie antérieure de l'hémisphère cérébral, joue un rôle important dans le comportement de l'individu ; en outre, on y trouve l'aire motrice primaire, qui commande tous les mouvements volontaires. Le cortex pariétal, situé en haut de l'hémisphère, sur le côté, intervient dans la connaissance du corps, le maniement des données spatiales, le contrôle du geste ; il comprend en particulier l'aire sensitive, qui assure la réception des informations cutanées. Le cortex temporal, situé sur le côté de l'hémisphère, en dessous du cortex pariétal, participe à différentes fonctions cérébrales : goût, olfaction, audition, langage, mémoire, vie végétative (fonctionnement des viscères). Le cortex occipital, qui se trouve en arrière de l'hémisphère, contient l'aire visuelle, qui reçoit et analyse les informations venant de l'œil. Des aires d'association se trouvent autour de toutes ces aires primaires et entre elles ; elles permettent notamment la coordination des fonctions de base, par exemple la perception et la compréhension simultanées d'images et de sons.

Le cortex tient donc un rôle indispensable d'une part dans les fonctions nerveuses de base (motricité, sensibilité, sensorialité), d'autre part dans les fonctions supérieures (langage, mémoire, etc.). On y observe souvent, comme dans le reste du système nerveux central, le phénomène du croisement : le cortex droit assure les mouvements et la sensibilité de la moitié gauche du corps et la vision de la moitié gauche de l'espace, tandis que le cortex gauche contrôle la moitié droite du corps et la moitié droite de la vision de chaque œil.

La latéralisation est un phénomène spécifique au cortex : pour certaines fonctions, les deux hémisphères ne sont pas symétriques, l'un étant dit dominant. C'est ainsi que le langage est contrôlé par l'hémisphère dominant (le gauche chez un droitier, le gauche ou le droit chez un gaucher).
→ VOIR Cerveau, Encéphale.

Corti (organe de)
Organe de l'oreille interne, responsable de l'audition.

L'organe de Corti, situé dans le canal de la cochlée (partie de l'oreille interne), contient des cellules sensorielles qui sont munies à leur surface de cils baignant dans un liquide, l'endolymphe. Ces cils subissent des mouvements dus aux ondes liquidiennes déclenchées par les sons et transforment ceux-ci en phénomènes électriques qui se propagent aux cellules nerveuses.

Corticodépendant
Se dit d'une maladie dont le traitement par des corticostéroïdes, pour garder son efficacité, doit être allégé très progressivement et, le plus souvent, incomplètement.

De nombreuses maladies inflammatoires, rhumatismales, dermatologiques et pulmonaires (asthme) sont améliorées par les corticostéroïdes. Ces maladies évoluant par poussées, les corticostéroïdes sont prescrits d'abord à doses importantes, puis progressivement diminués afin de maintenir le bénéfice thérapeutique avec une dose quotidienne minimale. Toutefois, si la maladie est corticodépendante, une diminution excessive des doses du médicament entraîne une rechute.

Corticoïde
→ VOIR Corticostéroïde.

Corticostéroïde
Hormone sécrétée par les glandes corticosurrénales à partir du cholestérol et utilisée en thérapeutique essentiellement comme anti-inflammatoire et comme immunosuppresseur. SYN. *corticoïde*.

LES CORTICOSTÉROÏDES

LES GLUCOCORTICOSTÉROÏDES

Principes actifs	Présentation	Indications et usages	Effets secondaires
Cortisone	Comprimé	Inflammations, allergies, affections pulmonaires (asthme...), rhumatologiques (polyarthrite rhumatoïde...), cancéreuses (leucémie...)	Les effets n'apparaissent qu'après plusieurs mois ou plusieurs années de traitement : prise de poids, hypertension artérielle, œdèmes, anomalies cutanées (atrophie, vergetures, ecchymoses, cicatrisation lente), troubles osseux (ostéoporose, ralentissement de la croissance), atrophie musculaire, troubles digestifs (ulcère), troubles oculaires (cataracte, glaucome), diabète, troubles psychiques (insomnie, psychose), insuffisance surrénalienne aiguë en cas d'arrêt trop rapide du traitement.
Hydrocortisone	Comprimé Suspension injectable		
Prednisone	Comprimé		
Prednisolone	Comprimé Suspension injectable		
Méthylprednisolone	Comprimé Suspension injectable		
Triamcinolone	Suspension injectable		
Paraméthasone	Suspension injectable		

LES DERMOCORTICOSTÉROÏDES

Principes actifs	Présentation	Indications	Effets secondaires
Classe I (très forts)			En usage abusivement prolongé, altération de la peau à l'endroit des applications : atrophie, vergetures, cicatrisation lente, infections. En application sur une surface étendue ou sous un pansement occlusif, surtout chez l'enfant : mêmes effets que les glucocorticostéroïdes.
Clobétasol (propionate) [0,05 %]	Crème, gel	Dermatoses de faible étendue qui résistent aux substances de classe II, traitement bref	
Bêtaméthasone (dipropionate) [0,05 %]	Pommade		
Classe II (forts)		Dermatoses de faible étendue (psoriasis, lupus, lichénification) et cicatrices très développées, traitement bref	
Amcinonide (0,10 %)	Crème, pommade		
Bêtaméthasone (valérate) [0,10 %]	Crème, pommade		
Bêtaméthasone (dipropionate) [0,10 %]	Crème, lotion, pommade		
Désoximétasone (0,25 %)	Crème		
Diflucortolone (valérianate) [0,10 %]	Crème, pommade		
Difluprednate (0,05 %)	Crème, gel		
Fluocinolone (acétonide) [0,025 %]	Crème, pommade		
Fluocinonide (0,05 %)	Pommade		
Fluclorolone (acétonide) [0,025 %]	Crème, pommade		
Halcinonide (0,10 %)	Crème		
Hydrocortisone (butyrate) [0,10 %]	Crème, lotion, pommade		
Classe III (assez forts)			
Bêtaméthasone (valérate) [0,05 %]	Crème	Chez le nourrisson et l'enfant, sur le visage et sur les lésions étendues	
Difluprednate (0,02 %)	Crème		
Désonide (0,10 %, 0,05 %)	Crème		
Fluocinolone (acétonide)	Lotion		
Fluocinonide (0,01 %)	Pommade		
Triamcinolone (bénétonide) [0,075 %]	Crème		
Classe IV (modérés)			
Hydrocortisone (acétate) [0,5 %]	Crème	Chez le nourrisson et l'enfant, sur le visage et sur les lésions étendues	

LES MINÉRALOCORTICOSTÉROÏDES

Principes actifs	Présentation	Indications	Effets secondaires
Désoxycortone	Préparation pour injection intramusculaire	À utiliser en traitement d'appoint dans certains cas d'insuffisance surrénalienne	Peu d'effets indésirables, sauf en cas de surdosage : œdèmes, hypertension artérielle.
9-alpha-fludrocortisone	Comprimé		

PHYSIOLOGIE

Les glandes corticosurrénales, situées à la partie périphérique des deux glandes surrénales, sécrètent 3 groupes d'hormones : les androgènes surrénaliens (surtout le sulfate de déhydroépiandrostérone), qui participent au développement des caractères sexuels mâles et favorisent le développement musculaire ; les glucocorticostéroïdes (surtout le cortisol), qui interviennent dans les réactions chimiques de l'organisme, notamment celles qui concernent le glucose ; les minéralocorticostéroïdes (surtout l'aldostérone), qui retiennent le sodium et l'eau dans l'organisme.

UTILISATION THÉRAPEUTIQUE

Les corticostéroïdes de synthèse, de structure chimique identique à celle des hormones naturelles ou voisine, sont utilisés en thérapeutique.

■ **Les glucocorticostéroïdes**, associés aux minéralocorticostéroïdes, se substituent aux hormones naturelles en cas d'insuffisance surrénale lente (maladie d'Addison). Certains dérivés chimiques (prednisone, bêtaméthasone) ont un effet anti-inflammatoire, antiallergique et immunosuppresseur. Grâce à cette dernière propriété, ils permettent la prévention du rejet des organes transplantés et le traitement des leucémies, en association avec des anticancéreux. Les produits peuvent être administrés sous forme orale ou injectable, ou être appliqués localement. Dans ce dernier cas, il s'agit essentiellement des dermocorticostéroïdes, utilisés pour traiter les affections cutanées.

■ **Les minéralocorticostéroïdes** (9-alpha-fludrocortisone), associés aux glucocorticostéroïdes, permettent le traitement des insuffisances surrénales. L'administration a lieu par voie orale ou injectable. Les prescriptions à long terme nécessitent une surveillance de l'équilibre hydroélectrolytique (concernant l'eau et les sels minéraux tels que le sodium et le potassium) pour limiter l'apparition d'œdèmes et d'hypertension artérielle.

EFFETS INDÉSIRABLES

En cure courte, la corticothérapie présente peu de dangers, à condition de respecter un régime pauvre en sel. En revanche, une corticothérapie à long terme provoque de nombreux effets indésirables : ostéoporose et tassement vertébral, œdème, fonte musculaire, syndrome de Cushing (obésité de la face et du tronc), hirsutisme (pilosité excessive), fragilité cutanée, pétéchies (petites taches hémorragiques sous-cutanées), flush (accès de rougeur cutanée), infections, diabète, hypertension artérielle, troubles psychiques (psychose), glaucome, cataracte, arrêt de la croissance chez l'enfant, troubles hormonaux chez le fœtus. Mises au repos, les glandes surrénales peuvent s'atrophier sans signe visible, exposant à de graves accidents (insuffisance surrénale aiguë) en cas d'arrêt brutal de la corticothérapie, d'infections ou d'intervention chirurgicale. Un arrêt brutal du traitement peut également provoquer un rebondissement de l'affection ayant motivé la prescription des corticostéroïdes.

Les dermocorticostéroïdes provoquent parfois les mêmes effets en passant dans le sang à travers la peau, si on les applique sur de trop grandes surfaces, surtout chez l'enfant. De plus, une utilisation de plusieurs mois induit des anomalies souvent irréversibles : amincissement cutané, acné, couperose, vergetures, surtout sur le visage. Aussi l'administration de corticostéroïdes à long terme nécessite-t-elle un soigneux bilan préalable pour rechercher un éventuel diabète ou une hypertension artérielle susceptibles de s'aggraver sous corticothérapie, ce qui peut nécessiter une modification de leur traitement. De même, un foyer infectieux, comme une tuberculose ancienne, ou une parasitose, comme l'anguillulose, risquent de s'aggraver sous corticothérapie et doivent impérativement être soignés avant le début du traitement.

Corticosurrénale (glande)

Zone périphérique de chacune des deux glandes surrénales, qui élabore et sécrète les corticostéroïdes (hormones synthétisées à partir du cholestérol).

Les glandes surrénales sont situées au-dessus des reins. Ce sont des glandes endocrines de faible volume (de 2 à 3 centimètres de long sur 0,5 centimètre d'épaisseur), qui sont constituées de deux parties : la médullosurrénale (zone centrale) et la corticosurrénale (zone périphérique).

STRUCTURE ET PHYSIOLOGIE

La corticosurrénale est divisée en trois zones concentriques. En raison de son équipement enzymatique spécifique, chacune de ces zones est spécialisée dans la synthèse d'un certain type de corticostéroïde.

■ **La zone glomérulée** de la corticosurrénale, la plus externe, sécrète l'aldostérone sous l'action du système rénine-angiotensine (ensemble de substances régulant la tension artérielle). L'aldostérone joue un rôle essentiel dans l'équilibre hydroélectrolytique (maintien des volumes liquidiens et des concentrations en sodium de l'organisme).

■ **La zone fasciculée**, stimulée par la corticotrophine, produit le cortisol, qui favorise la dégradation des protéines, augmente les réserves lipidiques et possède une forte activité anti-inflammatoire.

■ **La zone réticulée** synthétise des androgènes. Les androgènes surrénaliens représentent une très faible partie des androgènes chez l'homme et la moitié des androgènes chez la femme.

PATHOLOGIE

Habituellement, les produits intermédiaires entre le cholestérol et les corticostéroïdes, dits précurseurs, sont retrouvés dans le sang à des taux faibles. Lorsque l'équipement enzymatique de la glande est incomplet, la synthèse des hormones actives ne peut avoir lieu et les précurseurs sont sécrétés en grande quantité. Ce trouble porte le nom de bloc enzymatique surrénalien.

Les autres maladies qui affectent la corticosurrénale peuvent entraîner un arrêt de la production hormonale, comme dans le cas de la maladie d'Addison (insuffisance corticosurrénalienne lente, pouvant se compliquer d'insuffisance corticosurrénalienne aiguë) ; elles peuvent également provoquer un hypercorticisme (excès de production) pouvant engendrer un syndrome de Cushing, un syndrome de Conn ou un virilisme (apparition chez la femme de caractères masculins), selon qu'il s'agit respectivement d'une hypersécrétion de cortisol, d'aldostérone ou d'androgènes.

Un déficit de sécrétion des corticosurrénales peut être compensé par des hormones de substitution administrées quotidiennement par voie orale. Par ailleurs, lorsqu'une maladie ou une intervention chirurgicale détruit une corticosurrénale, la deuxième est capable d'assurer la fonction surrénalienne à elle seule.

Corticothérapie

Thérapeutique utilisant les corticostéroïdes.

Les corticostéroïdes sont des hormones sécrétées naturellement par le cortex des glandes surrénales. En thérapeutique, on utilise des corticostéroïdes de synthèse, sous des formes variables en fonction de l'affection à traiter : voie orale, injections, crèmes, lotions, pommades.

INDICATIONS

La corticothérapie est utilisée pour pallier une carence de la production naturelle d'hormones corticostéroïdes. C'est le traitement de l'insuffisance surrénalienne lente, ou maladie d'Addison. Associée à un régime normosodé, voire à des minéralocorticostéroïdes, elle a transformé le pronostic de cette maladie autrefois mortelle.

■ **La corticothérapie** est également utilisée pour ses effets antiallergiques, dans le cas d'un œdème de Quincke, et immunosuppresseurs, dans les cas de connectivites, de greffes d'organes et de maladies auto-immunes. Les corticostéroïdes possèdent en outre de puissantes propriétés anti-inflammatoires : on les administre soit en cure de quelques jours, le plus souvent en association avec des antibiotiques, en cas d'otite, de sinusite ou de bronchite, soit en traitement au long cours, sur plusieurs mois, voire plusieurs années, en cas de maladies inflammatoires chroniques (asthme, connectivite, maladie de Horton, hémopathies, pathologies rénales ou hépatiques). Dans les cas d'affections cutanées, les corticostéroïdes sont utilisés par voie locale et traitent les dermatoses allergiques aiguës (dermites de contact, dermatites atopiques) et les dermatoses chroniques (psoriasis, lichen plan, lichénifications, lupus érythémateux chronique). Un traitement d'attaque avec application quotidienne précède alors un traitement d'entretien, progressivement espacé une fois la dermatose guérie.

→ VOIR **Corticostéroïde**.

Corticotrophine

Hormone sécrétée par l'antéhypophyse. SYN. *adrénocorticotrophine, corticostimuline, hormone corticotrope hypophysaire.*

La corticotrophine, ou ACTH, est stimulée par l'hypothalamus et par l'hormone antidiurétique. Sa production varie au cours de la journée : son taux est maximal vers 8 heures du matin et minimal vers minuit. Sa sécrétion augmente en cas de stress.

La corticotrophine agit principalement sur les zones fasciculée et réticulée des glandes corticosurrénales, en excitant leurs sécrétions (cortisol et androgènes). Elle stimule en particulier les premières étapes de la synthèse des corticostéroïdes en favorisant l'accumulation intrasurrénalienne du cholestérol et les premières étapes de sa transformation : il en résulte une sécrétion de cortisol. Outre son action métabolique, le cortisol sanguin agit sur les cellules hypophysaires en freinant la production de corticotrophine, créant ainsi une boucle de régulation permanente (rétrocontrôle).

Le taux sanguin de corticotrophine doit être apprécié en fonction du taux de cortisol sanguin, étudié surtout par des dosages dynamiques (provoqués par l'administration de substances médicamenteuses ou hormonales stimulant ou freinant la sécrétion de corticotrophine).

PATHOLOGIE

Une tumeur de l'hypophyse, responsable d'un excès de production de corticotrophine, va entraîner une hypersécrétion de corticostéroïdes surrénaliens (syndrome de Cushing). En revanche, une insuffisance de sécrétion de corticotrophine est très rare ; elle peut se rencontrer dans le cadre d'une insuffisance hypophysaire (hypopituitarisme).

Cortisol

Hormone élaborée à partir du cholestérol, sécrétée par la glande corticosurrénale. SYN. *hydrocortisone.*

Le cortisol partage les propriétés générales des glucocorticostéroïdes, dont il est le chef de file. Son action s'exerce sur le métabolisme des glucides (augmentation d'un taux de glucose sanguin trop faible), des lipides (répartition dans l'organisme), des protéines (synthèse des protéines des muscles et des os), de l'eau et des minéraux. La sécrétion du cortisol se fait selon un cycle nycthéméral (sur une durée de 24 heures), avec un pic maximal le matin. Sa régulation est assurée par la corticotrophine, une hormone sécrétée par l'hypophyse : une diminution du taux sanguin de cortisol engendre une augmentation de la sécrétion de corticotrophine, ce qui provoque une stimulation de la glande corticosurrénale et une remontée du taux de cortisol.

UTILISATIONS DIAGNOSTIQUE ET THÉRAPEUTIQUE

Le dosage du cortisol sanguin et urinaire permet de dépister des anomalies de la corticosurrénale (par excès ou insuffisance de sécrétion de cortisol). En outre, le cortisol a les mêmes applications thérapeutiques que les autres glucocorticostéroïdes : traitement des insuffisances de la corticosurrénale, de certains troubles immunitaires, d'inflammations, d'allergies.

Cortisone

Hormone de la famille des glucocorticostéroïdes, sécrétée par la glande corticosurrénale à partir d'une autre hormone, le cortisol, ou fabriquée synthétiquement.

La cortisone partage les propriétés générales des glucocorticostéroïdes : son action s'exerce sur le métabolisme des glucides de l'organisme (elle empêche le taux sanguin de glucose de diminuer) et des protéines (elle favorise leur synthèse). En outre, elle permet la rétention du sodium dans l'organisme.

UTILISATION THÉRAPEUTIQUE

La cortisone de synthèse, administrée comme médicament par voie orale, est transformée par le foie en cortisol. Elle est employée dans le traitement de l'insuffisance surrénale, par exemple au cours de la maladie d'Addison, dans laquelle les sécrétions de la corticosurrénale sont trop faibles. L'administration de cortisone est alors indispensable et ce traitement est à vie.

Il n'y a pas d'effets indésirables si on arrive à maintenir dans l'organisme des concentrations identiques aux concentrations normales, ce qui est en général le cas. Sinon, des effets indésirables se manifestent : atrophie cutanée (peau décolorée et fine par endroits, sans pilosité, parcourue de petits vaisseaux), diabète, fragilité osseuse, atrophie musculaire, etc. De plus, un arrêt brutal du traitement risque de provoquer une insuffisance surrénale aiguë, imposant un traitement en urgence.

Corvisart (baron Jean)

Médecin français (Dricourt, Ardennes, 1755 - Paris 1821).

Professeur au Collège de France en 1797, il devint médecin du gouvernement en 1799 puis premier médecin de Napoléon Ier, qui le fit baron en 1808. Remarquable clinicien, il vulgarisa notamment la percussion comme méthode d'examen dans le diagnostic des maladies cardiaques et pulmonaires.

Corynébactérie

Bactérie appartenant à un genre regroupant de nombreuses espèces de bacilles à Gram positif, aérobies ou non.

Les corynébactéries présentent, en culture et après coloration, un regroupement caractéristique en palissade, en lettres de l'alphabet ou en paquet d'épingles. Une seule espèce, *Corynebacterium diphteriæ,* ou bacille de Klebs-Löffler, agent de la diphtérie, est spécifiquement pathogène pour l'homme.

Les autres espèces, parfois appelées bacilles diphtéroïdes, sont commensales (hôtes de l'organisme sans pouvoir pathogène sur celui-ci), vivant sur la peau ou les muqueuses. Cependant, certaines d'entre elles, comme *Corynebacterium jeikeium,* peuvent infecter les sujets immunodéprimés et poser de difficiles problèmes thérapeutiques en raison de la résistance qu'elles présentent aux antibiotiques.

Coryza

Rhinite aiguë, d'origine infectieuse ou non. SYN. *rhume.*

Le coryza est une des affections les plus répandues. Toute la population en est affectée chaque année selon des fréquences variables (en moyenne de 6 à 10 épisodes chez l'enfant, de 2 à 4 chez l'adulte). Il est, le plus souvent, d'origine virale et très contagieux à proximité.

SYMPTÔMES ET SIGNES

■ Le coryza infectieux, d'origine virale, débute par des courbatures, une fatigue, des picotements ou des brûlures dans le nez, suivis d'une obstruction nasale bilatérale, d'une rhinorrhée aqueuse et d'éternuements en salves, souvent accompagnés d'une toux. L'examen des fosses nasales révèle une muqueuse enflammée et sensible. Les complications sont surtout fréquentes chez les enfants, sous forme d'otite moyenne aiguë ou de bronchite.

■ Le coryza spasmodique, caractérisé par des crises d'éternuements particulièrement nombreuses, est de nature allergique (rhume des foins). Il se déclenche le plus souvent au printemps, traduisant une réaction allergique aux pollens. Les crises d'éternuements sont parfois accompagnées de maux de tête, de picotements des yeux et du larynx, d'obstruction nasale.

TRAITEMENT

■ Le coryza infectieux évolue favorablement, en général spontanément, dans la majorité des cas. Il n'existe pas de traitement ayant fait preuve d'une efficacité réelle. L'essentiel du traitement est purement symptomatique et vise à améliorer l'obstruction nasale et à diminuer l'écoulement. L'inhalation de vapeurs chaudes est susceptible de suspendre la multiplication virale. Chez l'enfant, la désobstruction des fosses nasales peut être réalisée par lavage au sérum physiologique et mouchage.

■ Le coryza spasmodique, ou rhume des foins, disparaît spontanément lorsque le patient est soustrait à l'agent allergène. Les symptômes peuvent être traités par administration d'antihistaminiques ou de corticostéroïdes, le phénomène allergique lui-même pouvant céder à une désensibilisation.

Cosmétique

Substance non médicamenteuse appliquée sur la peau, les muqueuses ou les dents en vue de les nettoyer, de les protéger, d'en modifier l'aspect ou l'odeur.

COMPOSITION

Un cosmétique est constitué d'un excipient et d'un ou de plusieurs principes actifs.

■ L'excipient contient une phase dispersante, la partie la plus importante du cosmétique en quantité, soit aqueuse (eau distillée, cellulose), soit huileuse (vaseline, cire d'abeille) ; des substances tensioactives, comme les savons, nécessaires à la cohésion du cosmétique ; des parfums ; des colorants.

■ Les principes actifs sont utilisés soit pour leur action globale sur la peau, réelle ou supposée (vitamines, collagène, extrait de plantes), soit pour une action précise (filtres solaires assurant une protection plus ou moins forte, par exemple).

PATHOLOGIE

Les intolérances aux cosmétiques sont devenues moins fréquentes dans certains pays comme la France du fait de la sévérité des réglementations en vigueur. Certains effets nocifs sont liés directement au contact avec la peau (irritation cutanée), simple dermite allergique, acné. D'autres effets sont provoqués par les agents photosensibilisants, l'exposition au soleil déclenchant une inflammation cutanée. Il n'y a pas d'action cancérogène démontrée pour les cosmétiques dont la vente est autorisée, mais ce sujet est perpétuellement controversé, en particulier pour ceux qui contiennent des dérivés benzéniques.

Costen (syndrome de)

Affection de l'articulation temporomandibulaire se traduisant par une douleur, une sensation d'oreille bouchée ou d'écoulement de liquide dans celle-ci et parfois des difficultés à ouvrir la bouche.

Le syndrome de Costen est une arthralgie qui résulte habituellement d'un mauvais articulé dentaire et qui peut être associée à un bruxisme (mouvements inconscients de friction des dents antagonistes) et à des craquements articulaires lors de la mastication. Le traitement consiste à ajuster et à harmoniser les rapports des dents entre elles.

Côte

Chacun des os plats, en forme d'arc, qui constituent la charpente du thorax. (P.N.A. *costa*)

On compte, de haut en bas, 12 paires de côtes, chacune étant attachée à une vertèbre dorsale. L'ensemble constitue le gril costal, qui forme avec les vertèbres et le sternum la cage thoracique. On distingue les vraies côtes (1 à 7), unies au sternum par les cartilages costaux ; les fausses côtes (8 à 10), dont l'extrémité antérieure s'unit au cartilage costal sus-jacent ; et les côtes flottantes (11 et 12), dont le cartilage reste libre.

PATHOLOGIE

Les fractures des côtes sont fréquentes chez l'adulte, beaucoup plus rares chez l'enfant en raison de la souplesse de son thorax. Habituellement provoquées par une chute ou un coup, elles peuvent aussi être dues à un traumatisme mineur (toux prolongée, éclat de rire). Elles provoquent une douleur aiguë et un gonflement des tissus adjacents. Le diagnostic est confirmé par la radiographie. Les fractures ne concernant qu'un nombre limité de côtes sont bénignes et leur traitement est simplement analgésique. Les douleurs, accentuées par les mouvements respiratoires ou la toux, disparaissent spontanément en quelques semaines. Chez les sujets âgés, la diminution d'amplitude des mouvements respiratoires peut cependant favoriser une infection pulmonaire. En revanche, les fractures pluricostales, surtout celles qui provoquent un volet thoracique (portion de la paroi thoracique désolidarisée de l'ensemble du squelette), peuvent mettre en péril la vie du blessé par détresse respiratoire aiguë. Le traitement, conduit en urgence et en milieu chirurgical, nécessite la fixation du volet thoracique et une ventilation assistée.

Côte cervicale (syndrome de la)

Compression des vaisseaux (artère sous-clavière) et des plexus nerveux de la base du cou (origine des nerfs du membre supérieur) par une côte surnuméraire.

Certains individus naissent porteurs d'une côte supplémentaire, appelée côte cervicale, issue de la septième vertèbre cervicale et située au-dessus des côtes normales. La

compression de l'artère sous-clavière peut provoquer une ischémie ou une thrombose, celle du plexus brachial des paresthésies (fourmillements) ou des douleurs du membre supérieur. La radiographie permet le diagnostic. Le traitement consiste en l'ablation chirurgicale de cette côte surnuméraire.

Cotrimoxazole

→ VOIR Sulfamide.

Cotyle

Cavité articulaire creuse de l'os iliaque. SYN. *acétabulum, cavité cotyloïde*. (P.N.A. *acetabulum*)

Le cotyle comprend deux parties : un rebord osseux saillant hémicirculaire, tapissé de cartilage, et un fond en retrait, non articulaire, où s'insère le ligament rond, relié à la tête du fémur.

Le cotyle peut être altéré par une coxite (inflammation), une coxarthrose (arthrose de la hanche) ou diverses fractures, en particulier les fractures du bassin. Chaque cause a son traitement propre.

Cou

Partie du corps située entre la tête et le tronc. (P.N.A. *collum*)

Le cou est formé par les sept vertèbres cervicales et par de nombreux muscles attachés au crâne, aux vertèbres cervicales et aux clavicules. Il est traversé par les parties hautes de l'appareil digestif (pharynx et œsophage) et de l'appareil respiratoire (larynx et trachée). Il est délimité par le bord supérieur des clavicules et du sternum. La moelle épinière y passe, dans le canal rachidien cervical. Un traumatisme médullaire à ce niveau (« coup de lapin ») peut entraîner une tétraplégie (paralysie des 4 membres).

Le cou est le siège de quatre glandes importantes : la parotide, la sous-maxillaire, la thyroïde et les parathyroïdes. Il est parcouru de chaque côté par une artère carotide primitive (divisée en carotides externe et interne), une artère vertébrale, trois veines jugulaires, interne, antérieure et externe. Il est le siège de nombreux nerfs, notamment les nerfs pneumogastriques, phréniques, récurrents et spinaux.

Cou (kyste congénital du)

→ VOIR Kyste branchial.

Couches (retour de)

Survenue des premières règles après l'accouchement.

Le retour de couches a généralement lieu dans un délai de un à deux mois chez les femmes qui n'allaitent pas et dans un délai de un à trois mois chez celles qui allaitent. Toutefois, on observe des délais plus longs chez certaines femmes (jusqu'à 4 ou 5 mois sans retour des règles). L'abondance des pertes est parfois supérieure à celle des règles habituelles. En outre, il se produit souvent, autour du 12e jour après l'accouchement, un saignement plus léger, appelé petit retour de couches.

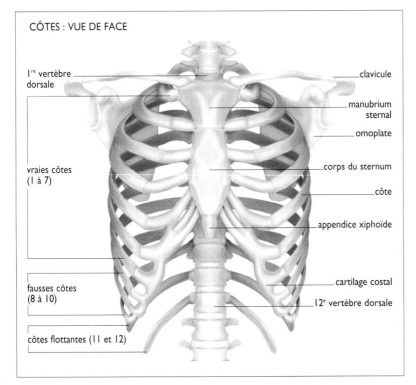

CÔTES : VUE DE FACE

Ire vertèbre dorsale

clavicule

manubrium sternal

omoplate

vraies côtes (1 à 7)

corps du sternum

côte

appendice xiphoïde

cartilage costal

fausses côtes (8 à 10)

12e vertèbre dorsale

côtes flottantes (11 et 12)

COU : DESCRIPTION ANATOMIQUE

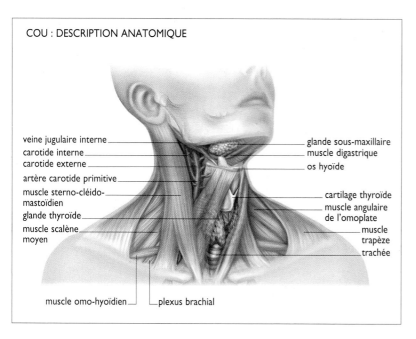

veine jugulaire interne
carotide interne
carotide externe
artère carotide primitive
muscle sterno-cléido-mastoïdien
glande thyroïde
muscle scalène moyen

glande sous-maxillaire
muscle digastrique
os hyoïde
cartilage thyroïde
muscle angulaire de l'omoplate
muscle trapèze
trachée

muscle omo-hyoïdien — plexus brachial

Un cycle ovulatoire peut précéder le retour de couches, même en cas d'allaitement. Ainsi, l'ovulation se produit parfois dès le 25e jour après l'accouchement. C'est pourquoi il est nécessaire de prendre des précautions contraceptives à partir de ce moment-là : prise d'œstroprogestatifs dès le 15e jour, utilisation de préservatifs masculins, la pose de stérilet n'étant conseillée qu'après le retour de couches. La non-survenue du retour de couches après 4 ou 5 mois doit faire évoquer une nouvelle grossesse.

Coude

Articulation située à la jonction du bras et de l'avant-bras. (P.N.A. *regio cubiti*)

Le coude est constitué par la juxtaposition de trois articulations : huméroradiale, humérocubitale et radiocubitale, mais par une seule cavité articulaire, une seule synoviale, une cap-

sule et un appareil ligamentaire uniques. En avant, il comprend la région du pli du coude, traversée par plusieurs muscles (biceps, brachial antérieur, muscles épitrochléens et épicondyliens). Ceux-ci délimitent la gouttière bicipitale (dépression allongée du biceps) interne, qu'empruntent les artères humérale, radiale, cubitale et le nerf médian, et la gouttière bicipitale externe, où passent le nerf musculocutané et le nerf radial. En arrière, le coude comprend la région olécranienne, où passe le nerf cubital.

PHYSIOLOGIE

L'articulation de l'humérus avec le cubitus et le radius permet des mouvements de flexion et d'extension de l'avant-bras sur le bras ; les articulations huméroradiale et radiocubitale permettent des mouvements de pronation (rotation vers l'intérieur) et de supination (rotation vers l'extérieur).

PATHOLOGIE

■ **La luxation du coude** est le déplacement en bloc du squelette de l'avant-bras par rapport à l'humérus. La luxation postérieure, la plus fréquente, s'observe chez l'adulte après une chute sur la paume de la main. Immédiatement après la chute, la face postérieure du coude est le siège d'une dépression caractéristique, rapidement comblée par un gonflement diffus. Cette luxation, mise en évidence par la radiographie, peut être associée à diverses fractures (apophyse coronoïde, tête radiale). Après réduction, l'immobilisation s'impose ; une réparation chirurgicale des éléments capsuloligamentaires est parfois nécessaire.
■ **Le syndrome de la pronation douloureuse** survient chez le jeune enfant vers l'âge de 3 ans, quand l'adulte le hisse par la main. L'enfant se plaint de souffrir du coude ; son avant-bras inerte demeure en pronation. La réduction est obtenue en réalisant un mouvement de flexion du coude et de supination de l'avant-bras.

COUDE

muscle triceps brachial
muscle biceps brachial
muscle brachial antérieur
humérus
ligament
radius
olécrane
tête du radius
cubitus

■ **La fracture de l'olécrane** nécessite la pose d'un plâtre, qui doit être porté pendant environ un mois. S'il y a eu déplacement de l'os, une réparation osseuse par cerclage ou au moyen d'une vis est nécessaire.

Cou-de-pied
→ VOIR Cheville.

Coup de chaleur
→ VOIR Chaleur (coup de).

Coup de soleil
→ VOIR Érythème solaire.

Couperose

Dilatation permanente et visible des petits vaisseaux de la peau du visage.

La couperose est une affection très fréquente, qui touche surtout les femmes à peau claire et fragile, entre 30 et 50 ans. Elle est favorisée par les émotions, les excitants (alcool, café, tabac), les grossesses, les troubles digestifs, l'utilisation abusive de médicaments dermatologiques à base de corticostéroïdes et, chez l'homme surtout, par l'alcoolisme chronique.

DESCRIPTION

La couperose se traduit par une rougeur du visage, survenant d'abord par poussées après les repas, puis permanente, et par une télangiectasie, ou dilatation des petits vaisseaux superficiels, dessinant de fins traits rouges ou violines, arborisés, accompagnés parfois de veinules bleutées plus grosses. Les lésions sont symétriques, localisées sur les pommettes et les ailes du nez au début, puis plus diffuses. D'autres signes peuvent apparaître : acné rosacée (saillies remplies de pus), rhinophyma (hypertrophie bosselée du nez).

TRAITEMENT

Il est surtout local et vise à détruire les vaisseaux dilatés par électrocoagulation, à l'aide d'un bistouri électrique ou au moyen du laser argon. Dans les cas rebelles, on peut pratiquer des scarifications ou des douches filiformes, en particulier lors de cures thermales.

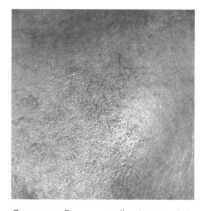

***Couperose.** Rougeur et télangiectasies (vaisseaux dilatés) sont visibles sur ce cliché de peau du visage.*

Courbature

Sensation d'endolorissement, de fatigue des muscles après un effort inhabituel ou à la phase initiale de certaines infections virales (grippe, hépatite, etc.).

Des courbatures peuvent également être observées lors d'un traitement par interféron.

Courbe de température

1. Tracé de la température rectale prise à heures fixes pendant plusieurs jours successifs et permettant de suivre l'évolution de l'état fébrile d'un sujet lors d'une maladie, en particulier infectieuse, ou d'une hospitalisation.

2. Tracé de la température rectale prise au réveil par la femme et permettant de déterminer le moment de son ovulation, soit pour éviter une grossesse, soit au contraire pour en améliorer les chances.
→ voir Contraception.

Couronne dentaire

Partie de la dent recouverte d'émail dentaire, qui émerge totalement du maxillaire.

Par extension, on parle de couronne prothétique pour désigner une couronne artificiellement élaborée par le chirurgien-dentiste afin de recouvrir la couronne naturelle en cas de lésion importante (carie, fracture de la dent) ou de teinte anormale de celle-ci. Selon l'emplacement de la dent ou les exigences esthétiques du patient, la couronne choisie peut être en céramique ou en métal.

Coussinet des phalanges

Petite saillie fibreuse bénigne siégeant au dos des doigts.

Les coussinets des phalanges sont de petites saillies ovalaires, fermes, rose brunâtre, indolores, au dos des articulations des phalanges, ressemblant à des verrues ou à des callosités banales. Ils témoignent d'une hyperplasie (développement excessif d'un tissu) et peuvent être l'un des signes d'une polyfibromatose (excès de tissu fibreux) plus générale.

Une intervention chirurgicale est proposée lorsqu'il existe une gêne fonctionnelle, mais aucun traitement n'est nécessaire dans la plupart des cas.

Couveuse

Enceinte fermée destinée à isoler un nouveau-né fragile et à le maintenir dans les conditions proches de celles de l'utérus maternel tout en permettant les soins. syn. incubateur.

La couveuse est indiquée particulièrement chez les prématurés et les nouveau-nés à faible poids de naissance. Elle isole l'enfant des variations de la température extérieure et surtout des agents infectieux. La température y est constante et suffisamment élevée pour économiser les dépenses énergétiques de l'organisme. Le taux d'humidité de l'air de la couveuse et la concentration d'oxygène sont également contrôlés. L'habitacle est muni d'orifices pour le passage des tuyaux de ventilation et des sondes d'alimentation. De plus, des boîtes à gants (orifices dans lesquels on entre les mains) permettent les manipulations du bébé (alimentation par biberon quand elle est possible, soins d'hygiène et caresses).

Grâce à la transparence des parois en plastique, l'enfant, dévêtu, est facilement surveillé. Dans les services de néonatalogie, le personnel prend certaines précautions pour supprimer les agressions sonores et lumineuses et tente de respecter le rythme veille/sommeil de l'enfant en couvrant et découvrant le haut de l'incubateur à la hauteur de ses yeux. À la sortie de l'enceinte, les contacts corporels seront développés pour permettre une relation précoce entre la mère et l'enfant.

Cowden (maladie de)

Affection cutanée héréditaire associant diverses malformations à de multiples lésions de la peau et des viscères et pouvant avoir une évolution maligne.

La maladie de Cowden se manifeste par de petites tumeurs cutanées arrondies autour de la bouche, par des verrues sur la peau ou les muqueuses, des tumeurs multiples des organes touchant surtout les seins, la thyroïde, le tube digestif et l'appareil urogénital et par diverses malformations (palais voûté en ogive, visage en forme de tête d'oiseau, anomalies rachidiennes).

Le traitement repose sur la destruction des tumeurs cutanées par azote liquide, électrocoagulation ou volatilisation au laser à gaz carbonique et sur l'ablation chirurgicale des tumeurs viscérales afin de prévenir une éventuelle transformation maligne. La prévention impose une enquête familiale, pour dépister d'autres membres atteints, et une surveillance régulière des lésions viscérales dépistées.

Coxa plana

Aplatissement de la tête fémorale.

La coxa plana est une séquelle d'une affection osseuse, la maladie de Legg-Perthes-Calvé. Lors de cette maladie, survenant le plus souvent chez les enfants âgés de 5 à 10 ans, la tête fémorale en voie de croissance est le siège d'une nécrose d'origine vasculaire, qui la fragilise.

La coxa plana est indolore. Cependant, elle entraîne généralement, plusieurs années, voire quelques dizaines d'années après sa survenue, une arthrose précoce qu'il est nécessaire de traiter.

Il n'existe pas de traitement spécifique de cette anomalie.

Coxa valga

Déformation de l'extrémité supérieure du fémur, caractérisée par une ouverture excessive de l'angle cervicodiaphysaire (angle formé par le col du fémur et la diaphyse).

La coxa valga peut être congénitale (associée, par exemple, à une luxation congénitale de la hanche) ou acquise (due à une fracture du col du fémur). Indolore, elle peut cependant provoquer une claudication mais, surtout, elle occasionne généralement, plusieurs années, voire quelques dizaines d'années après sa survenue, une arthrose précoce qui doit être traitée.

Le seul traitement de la coxa valga est chirurgical : il consiste à rétablir un angle normal entre le col du fémur et la diaphyse.

Coxa vara

Déformation de l'extrémité supérieure du fémur, caractérisée par une fermeture de l'angle cervicodiaphysaire (angle formé par le col du fémur et la diaphyse).

La coxa vara peut être congénitale ou acquise, à la suite d'une fracture du col du fémur ou d'une affection de l'enfance, l'épiphysiolyse de la tête du fémur. Indolore, elle peut cependant entraîner une claudication. À long terme (au bout de quelques années, voire de quelques dizaines d'années), elle occasionne généralement l'apparition d'une arthrose précoce, qui doit être traitée.

Le seul traitement de la coxa vara est chirurgical : il consiste à rétablir un angle normal entre le col du fémur et la diaphyse.

Coxalgie

Infection tuberculeuse de l'articulation de la hanche.

Ce terme, qui signifie étymologiquement « douleur de la hanche », devrait en principe pouvoir être employé pour n'importe quelle douleur affectant cette région du corps. L'usage médical le réserve néanmoins à la

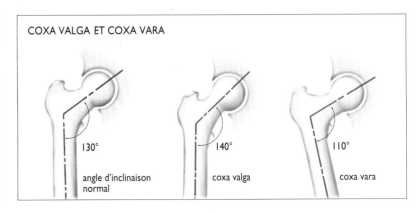

COXA VALGA ET COXA VARA

130° angle d'inclinaison normal

140° coxa valga

110° coxa vara

désignation de la seule coxite tuberculeuse de l'articulation coxofémorale.

La coxalgie atteint surtout les enfants entre 3 et 6 ans. Les symptômes sont ceux d'une arthrite évoluant discrètement (douleur, claudication, fatigue, fièvre modérée le soir). La région de la hanche peut être le siège d'une adénopathie et la radiographie révèle l'existence d'un pincement et d'un flou de l'articulation.

Le traitement de la coxalgie est celui de la tuberculose, associé à une immobilisation stricte de la hanche par plâtre ou par traction. Lorsque la maladie est soignée correctement dès son début, son évolution se fait vers la guérison complète. En l'absence de traitement, elle peut provoquer de graves complications locales (abcès, fistule, ankylose, luxation, raccourcissement du membre) et générales (méningite, tuberculose pulmonaire).

Chez l'adulte, la coxalgie est plus rare et le diagnostic, plus difficile, nécessite une biopsie synoviale pour mettre en évidence les lésions tuberculeuses. Dans les cas les plus graves, une arthroclyse (lavage chirurgical de l'articulation) peut être nécessaire.

Coxarthrose

Arthrose de la hanche.

La coxarthrose touche les sujets de plus de 50 ans. Elle évolue lentement, par poussées marquées par des douleurs de l'aine, de la face antérieure de la cuisse et du genou qui peuvent entraîner une claudication.

La radiographie du bassin montre une diminution soit progressive (80 % des cas), soit très rapide (20 % des cas) de l'épaisseur du cartilage de l'articulation coxofémorale.

Tant qu'il reste du cartilage, le traitement médical est utile (utilisation de cannes, prescription d'anti-inflammatoires, injections intra-articulaires d'acide hyaluronique, cures thermales). Quand le cartilage a disparu, la gêne fonctionnelle devient telle que le recours à une arthroplastie (remplacement de l'articulation par une prothèse totale) de la hanche est indispensable. Lorsqu'une coxarthrose débute chez un sujet jeune, on recherche une anomalie de la forme de la hanche susceptible d'être corrigée chirurgicalement dans le but d'enrayer l'évolution de la maladie.

Coxiella

Genre bactérien constitué d'une seule espèce, *Coxiella burnetii*.

Les *Coxiellæ*, bacilles à Gram positif de petite taille, ne peuvent se multiplier en dehors d'une cellule vivante. Ces bactéries, présentes sur toute la surface du globe, sont responsables de zoonoses transmises à l'homme par les bovins et les ovins, qui jouent le rôle de réservoir du microorganisme. La transmission à l'homme peut se faire par piqûre de tique ou par voie aérienne (inhalation).

Coxiella burnetii est l'agent pathogène responsable de la fièvre Q.

→ VOIR Fièvre Q.

Coxite

Inflammation de l'articulation (arthrite) coxofémorale.

Une coxite peut être due à une maladie inflammatoire (polyarthrite rhumatoïde, spondylarthrite ankylosante) ou infectieuse (brucellose).

Coxométrie

Étude de la hanche consistant en mesures effectuées sur un cliché radiologique.

La coxométrie permet de détecter les lésions et les anomalies de la hanche, en particulier les dysplasies (malformations) du cotyle, cavité articulaire de l'os iliaque dans laquelle s'emboîte la tête du fémur.

DÉROULEMENT

La coxométrie nécessite la prise de plusieurs clichés radiologiques standard des hanches, de face et en « faux » profil, en position debout. Ensuite, des tracés et des mesures d'angles sont réalisés sur ces clichés à l'aide d'un coxomètre, règle graduée à laquelle est intégré un rapporteur.

Les clichés de coupes transversales par scanner à rayons X permettent la mesure directe de l'antéversion et la détection des anomalies d'orientation du col du fémur.

Coxopathie

Toute affection de la hanche, quelles que soient sa nature et sa cause.

Coxsackie (virus)

Entérovirus à A.R.N. de la famille des picornavirus.

On distingue deux virus coxsackies, A et B, à transmission orofécale (des selles à la bouche par l'intermédiaire de la main), responsables d'infections le plus souvent inapparentes mais parfois d'épidémies de méningite, d'encéphalite virale à liquide clair, d'exanthème, de conjonctivite ou de péricardite. Le virus coxsackie A est en outre responsable de la maladie de Bornholm (myalgie épidémique), le virus coxsackie B, de l'herpangine (pharyngite vésiculeuse).

Crachat

Substance normale (salive) ou pathologique (sécrétions muqueuses purulentes ou hémorragiques) rejetée par la bouche, en provenance des voies respiratoires ou aérodigestives (bouche, pharynx).

Le langage technique médical utilise le terme « expectoration » pour un crachat issu des voies respiratoires inférieures (trachée, bronches, alvéoles pulmonaires), expulsé par des efforts de toux.

■ Le crachat perlé de Laennec est l'expectoration parfois rencontrée au cours de la crise d'asthme. Il doit son nom à son aspect blanc, luisant, arrondi, semblable à une perle.

→ VOIR Expectoration.

Crachoir

Petit récipient jetable en carton ou en plastique, muni d'un couvercle, destiné à recueillir les crachats d'un malade et permettant au besoin d'en mesurer la quantité et d'en observer l'aspect.

Crampe

Contraction involontaire, brutale, intense et douloureuse d'un muscle du squelette.

Les crampes sont parfois dues à une maladie neurologique atteignant les cellules nerveuses dans la moelle épinière (maladie de Charcot) ou dans les nerfs (diabète, alcoolisme). Elles peuvent aussi être en rapport avec une artérite des membres inférieurs (rétrécissement des artères par dépôt d'athérome), des troubles métaboliques liés aux ions (sodium perdu dans la sueur, potassium, calcium), un effort prolongé ou une déshydratation. Les crampes survenant pendant la pratique d'un sport ont une origine complexe, vasculaire (insuffisance de la circulation sanguine par rapport aux besoins) et métabolique (production excessive d'acide lactique). La cause de certaines autres crampes (crampes nocturnes, crampes de la grossesse) est encore mal connue.

DIFFÉRENTS TYPES DE CRAMPE

Une crampe est une contracture transitoire. Selon sa cause et son degré de gravité, elle peut apparaître à l'effort, au repos ou les deux à la fois. Un avis médical est préférable si elle survient régulièrement lors d'efforts modérés, non sportifs, ou si elle est prolongée (plus d'une heure).

■ La crampe des écrivains résulte d'une contraction des doigts autour du stylo ; elle débute au doigt, s'étend progressivement à la main puis à la racine du bras, les autres gestes étant en général réalisables.

■ Les crampes de la grossesse, très fréquentes, surviennent surtout pendant les derniers mois. Parfois d'origine inconnue, elles semblent le plus souvent liées à une carence en calcium ou en magnésium.

■ Les crampes nocturnes sont un phénomène fréquent qui, isolé, ne correspond à aucune maladie circulatoire ni neurologique.

TRAITEMENT

Une crampe disparaît ou s'atténue souvent grâce au massage du muscle ou à son étirement passif, le pied étant fléchi sur la jambe pour une crampe du mollet, par exemple. Si une cause est retrouvée, elle doit être traitée. Ainsi, on traite généralement les crampes de la grossesse par l'administration de calcium ou de magnésium. Quand les crampes récidivent, on prescrit parfois des myorelaxants (relaxants musculaires tels que le thiocolchicoside ou le tétrazépam), des sels minéraux (calcium) ou de l'hydroxyquinidine. Chez le sportif, la prévention porte sur les points suivants : entraînement de fond suffisant et progressif, échauffement avant l'effort, bonne hydratation, bonne connaissance du geste technique (position correcte du corps), matériel adapté au sportif et à sa spécialité (forme des chaussures, taille de la raquette de tennis, etc.).

→ VOIR Contracture.

Crâne

Boîte osseuse contenant et protégeant l'encéphale. (P.N.A. *cranium*)

STRUCTURE

Le crâne est de forme grossièrement ovale, avec un pôle postérieur plus volumineux et une capacité de 1 500 centimètres environ.

CRÂNE

Les os du crâne forment, avec ceux de la face, le squelette de la tête. De l'extérieur, on ne voit que la voûte du crâne, formée par le frontal en avant, les pariétaux et les temporaux sur les côtés et l'occipital en arrière. À l'intérieur se trouve l'encéphale. Le crâne a plusieurs fonctions : il loge et protège le cerveau et certains organes des sens (fosses nasales, orbites, oreille moyenne et interne). De plus, c'est sur lui que viennent s'insérer les muscles de la tête et du cou. Il est percé de plusieurs orifices, qui permettent le passage des nerfs crâniens et des vaisseaux sanguins (artères carotides, veines jugulaires).

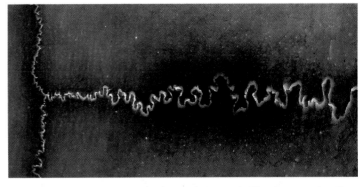

Les os du crâne sont unis entre eux par des articulations particulières, les sutures, interdisant tout mouvement. On voit, en gros plan, l'imbrication des os.

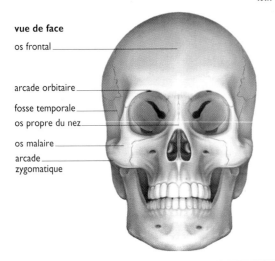

vue de face
- os frontal
- arcade orbitaire
- fosse temporale
- os propre du nez
- os malaire
- arcade zygomatique

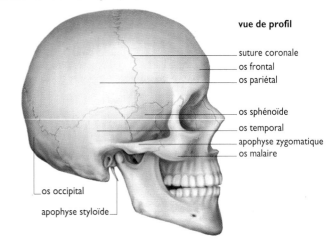

vue de profil
- suture coronale
- os frontal
- os pariétal
- os sphénoïde
- os temporal
- apophyse zygomatique
- os malaire
- os occipital
- apophyse styloïde

Il repose sur l'atlas, première vertèbre cervicale, elle-même placée sur l'axis, la deuxième vertèbre ; l'articulation entre l'atlas et l'axis permet la rotation de la tête.

La partie supérieure du crâne forme la voûte crânienne, fermée en bas par une portion osseuse horizontale, la base. La voûte comprend une partie de l'os frontal en avant, deux os pariétaux, une partie des deux os temporaux sur les côtés, une partie de l'os occipital en arrière. La base comprend les parties horizontales de l'os frontal, des os temporaux et de l'os occipital et, de plus, l'os ethmoïde et l'os sphénoïde. Tous ces os sont soudés entre eux par des sutures empêchant toute mobilité.

L'espace entre la voûte et la base du crâne est occupé par l'encéphale. L'os temporal comprend une cavité contenant les organes de l'oreille moyenne et de l'oreille interne. Les os du crâne, associés aux os de la face, dessinent les limites des orbites et des fosses nasales. Les sinus sont des cavités creusées dans l'épaisseur de certains os (frontal, sphénoïde et ethmoïde, notamment) et contenant de l'air.

Le crâne est percé de plusieurs trous pour le passage des vaisseaux et des nerfs, en particulier les artères carotides, les veines jugulaires et les nerfs crâniens. À la base du crâne et dans sa région postérieure se trouve le trou occipital, à la hauteur duquel le tronc cérébral (partie inférieure de l'encéphale) se prolonge par la moelle épinière.

Sur la voûte crânienne du nourrisson, on observe deux petites zones membraneuses dites fontanelle antérieure et fontanelle postérieure. Elles correspondent au point de jonction, non encore ossifié, de plusieurs os.

EXAMEN ET PATHOLOGIE

Le crâne est examiné par des radiographies conventionnelles. Différentes positions du faisceau de rayons X par rapport au malade sont nécessaires pour voir tous les os.

Les traumatismes du crâne, avec ou sans fracture, sont les pathologies les plus fréquentes. Ils représentent environ 80 % des accidents domestiques de l'enfant (chute d'une table à langer, d'une chaise, d'un escalier, de bicyclette, etc.). Les signes d'une fracture du crâne dépendent des régions du cerveau atteintes et de la nature des lésions : vertiges, troubles de la vue, perte de connaissance, paralysie, perte de sensibilité, etc. Le traitement chirurgical de la fracture, s'il est nécessaire, consiste à replacer un os ou à évacuer un hématome. Par ailleurs, le crâne peut être affecté par les mêmes maladies que les autres os : anomalies de la calcification, dues, par exemple, à des troubles hormonaux, tumeurs bénignes ou malignes, etc.
→ voir Traumatisme crânien.

Craniopharyngiome

Tumeur de la région de l'hypophyse.

Le craniopharyngiome est, dans la moitié des cas, une tumeur de l'enfant, chez qui il représente 15 % des tumeurs cérébrales.

Ses symptômes sont des maux de tête importants et des vomissements dus à une hypertension intracrânienne (augmentation de pression du liquide céphalorachidien) ainsi que des troubles visuels (amputation du champ visuel, baisse de l'acuité visuelle) provoqués par la compression des nerfs optiques. On observe par ailleurs une insuffisance de sécrétion des hormones hypophysaires, responsable notamment d'un retard de la croissance et de la puberté. Le diagnostic est habituellement aisé grâce au scanner et à l'imagerie par résonance magnétique (I.R.M.).

Le traitement d'un craniopharyngiome est l'ablation chirurgicale de la tumeur, éventuellement complétée par une radiothérapie. De plus, un traitement hormonal définitif de remplacement doit être institué.

Bien que cette tumeur soit de nature bénigne, son évolution est assez grave du fait de sa localisation près du cerveau, de sa tendance à infiltrer les tissus voisins et de l'impossibilité fréquente de la retirer complètement.

Craniosténose

Soudure prématurée des sutures crâniennes chez l'enfant, gênant le développement du cerveau. SYN. *craniosynostose*.

Les sutures (articulations entre les os de la voûte du crâne) ne se solidifient normalement qu'à l'âge adulte, ce qui autorise la croissance de l'encéphale et de la boîte crânienne pendant l'enfance. Quelquefois liée à une autre maladie, parfois génétique, la craniosténose reste souvent sans cause déterminée.

La craniosténose entraîne une absence d'évolution du périmètre crânien (microcéphalie) et une déformation de la tête, variable selon la ou les sutures concernées : scaphocéphalie (tête allongée d'avant en arrière), acrocéphalie (tête allongée vers le haut), plagiocéphalie (tête asymétrique), trigonocéphalie (tête triangulaire) ou oxycéphalie (tête pointue). La craniosténose peut être isolée ou bien s'associer à d'autres malformations. Elle s'accompagne souvent de signes neurologiques (cécité, par exemple) dus soit à une lésion associée du cerveau, soit à la compression du cerveau dans un volume trop rapidement inexpansible (hypertension intracrânienne).

DIAGNOSTIC ET TRAITEMENT

La craniosténose est suspectée dans les premiers mois de la vie en raison de l'absence de croissance de la boîte crânienne. Les radiographies du crâne permettent de préciser les anomalies osseuses, et le scanner donne des informations sur l'état du cerveau. À long terme, l'évolution sans traitement laisse des séquelles neurologiques, par exemple un retard mental. Le traitement, chirurgical, consiste à écarter les os du crâne en découpant les bords soudés. Cette intervention donne d'excellents résultats.

Craniotabès

Ramollissement des os du crâne de l'enfant dû à leur calcification insuffisante.

Le craniotabès n'a guère de signification avant l'âge de 5 mois. En revanche, chez l'enfant plus âgé, il peut traduire un rachitisme (troubles osseux par carence en vitamine D) et est associé aux autres signes osseux et musculaires évocateurs de la maladie (bourrelets aux extrémités des membres, hypotonie). Le craniotabès se manifeste par une dépression lorsqu'on appuie fortement sur certaines zones de la voûte du crâne. Le traitement est celui du rachitisme (apport en vitamine D et en calcium).

Craniotomie

Ouverture chirurgicale de la voûte du crâne.

La craniotomie est la voie d'accès à l'encéphale lors des interventions de neurochirurgie. Elle permet, par exemple, l'évacuation d'une collection (abcès, hématome) ou l'ablation d'une tumeur. Pratiquée sous anesthésie générale, elle consiste d'abord à inciser, décoller et rabattre le cuir chevelu, puis à sectionner les os en créant un volet crânien, surface osseuse rabattue ou détachée le temps de l'opération. Après l'intervention, le volet est remis en place et fixé.

Créatine

Substance azotée de l'organisme, jouant un rôle dans la contraction musculaire.

La créatine, synthétisée à partir d'acides aminés et présente dans plusieurs tissus, est notamment transformée dans le tissu musculaire par la créatine kinase.

Créatine kinase

Enzyme essentiellement musculaire intervenant dans la mise en réserve d'énergie par phosphorylation de la créatine. SYN. *créatine phosphokinase (C.P.K.)*.

Dans le muscle au repos, la créatine kinase ajoute à la créatine, substance présente dans le tissu musculaire, un acide phosphorique provenant de la dégradation d'une autre substance, l'adénosine triphosphate. Il se forme ainsi de la créatine phosphate, ou phosphagène, qui constitue une réserve d'énergie à moyen terme. En cas de besoin de l'organisme, une réaction inverse permet, à partir de la créatine phosphate, de reconstituer l'adénosine triphosphate, source d'énergie immédiatement disponible pour une activité musculaire.

La destruction pathologique de cellules musculaires libère de la créatine kinase, qui passe alors dans le sang. Normalement, la concentration sanguine de cette enzyme est inférieure à 200 unités internationales par litre. Elle augmente en cas d'infarctus du myocarde et pour certaines myopathies (maladies des muscles du squelette).

Créatinine

Substance azotée provenant de la dégradation de la créatine, constituant du tissu musculaire.

Après passage dans le sang, où sa concentration normale est d'environ 62 à 115 micromoles/litre (de 7 à 13 milligrammes/litre), la créatinine est éliminée par le rein dans les urines.

UTILISATION DIAGNOSTIQUE

L'augmentation du taux de créatinine dans le sang permet de diagnostiquer une éventuelle insuffisance rénale. Cet examen a remplacé le dosage de l'urée dans l'évaluation de la fonction rénale. Parallèlement, il est possible, en calculant la clairance de la créatinine (nombre de millilitres de plasma que le rein épure de cette substance en une minute), de mesurer le degré de l'insuffisance rénale et de décider, le cas échéant, d'effectuer une épuration extrarénale du sang, avec un rein artificiel par exemple.

Crème alimentaire

Corps gras alimentaire d'origine animale, obtenu à partir du lait.

La crème est l'un des corps gras les moins riches en lipides. Sa teneur globale en lipides de 30 % et sa valeur calorique de près de 300 kilocalories pour 100 grammes sont beaucoup plus faibles que celles du beurre ou de la margarine (82 % de lipides et 780 kilocalories pour 100 grammes), ou de l'huile (100 % de lipides et 900 kilocalories pour 100 grammes), ce qui en fait une matière grasse d'assaisonnement précieuse dans le cadre des régimes hypocaloriques en particulier. Elle est pauvre en glucides et en protéines mais contient des minéraux et est riche en vitamine A. La crème est présentée sous différentes formes plus ou moins liquides et existe en formule allégée (12 % de matières grasses au lieu de 30 % au moins).

Crème pharmaceutique

Préparation peu graisseuse et peu épaisse permettant soit d'appliquer un principe médicamenteux sur un endroit du corps, soit d'hydrater la peau.

La crème diffère de la pommade par sa consistance plus fluide.

Crème solaire

→ VOIR Filtre solaire.

Crénothérapie

Traitement par les eaux de source à leur point d'émergence.
→ VOIR Thermalisme.

Crépitation

Sensation tactile, parfois audible, comparable à un bruit de pas sur la neige ou à du sel qui éclate dans le feu.

Perçues sous la peau, les crépitations témoignent d'une infiltration de gaz (emphysème sous-cutané ou gangrène gazeuse). On peut également en faire l'expérience lors d'une fracture : elles témoignent alors de frictions lors du glissement du cartilage ou des fragments osseux entre eux. Enfin, on perçoit parfois des crépitations à l'auscultation du poumon (on parle alors de râles crépitants) : provoquées par le frottement des alvéoles pulmonaires les unes contre les autres, elles sont la preuve d'un foyer de pneumonie ou d'un œdème pulmonaire.

Crête-de-coq

→ VOIR Condylome génital.

Creutzfeldt-Jakob (maladie de)

Maladie cérébrale très rare, évoluant vers une démence.

La maladie de Creutzfeldt-Jakob est due à un agent infectieux d'un type particulier (prion). Malgré cette origine infectieuse, elle a plusieurs points de ressemblance avec les maladies dégénératives. On l'inclut, notamment avec le kuru de Nouvelle-Guinée, parmi les encéphalopathies (maladies du cerveau) spongiformes, ainsi appelées d'après l'aspect des cellules nerveuses au microscope.

La maladie se manifeste par une démence associée à divers troubles neurologiques : mouvements anormaux, cécité, paralysies, déficits sensitifs, hypertonie (raideur musculaire excessive).

L'électroencéphalographie apporte des éléments diagnostiques essentiels.

La maladie de Creutzfeldt-Jakob commence le plus souvent après 50 ans puis évolue rapidement, bien qu'on ait observé des formes prolongées.

Des observations chez des sujets jeunes, effectuées en Grande-Bretagne, appuient l'hypothèse d'une transmission alimentaire, à partir de viandes d'animaux malades : vaches atteintes d'encéphalopathie spongiforme (maladie de la vache folle).

Il n'y a pas actuellement de traitement curatif, mais de nombreuses recherches sont en cours.

Creux poplité

Région du membre inférieur située en arrière de l'articulation du genou. SYN. *région poplitée.* (P.N.A. *fossa poplitea*).

En forme de losange, le creux poplité est limité par l'écartement des muscles ischiojambiers en haut et celui des jumeaux en bas. Dans sa partie médiane et profonde, le creux poplité est un carrefour vasculonerveux composé, d'une part, de l'artère poplitée et de la veine poplitée, d'autre part, du nerf sciatique, qui se divise dans sa partie haute en deux nerfs à fonction motrice et sensitive : le sciatique poplité interne et le sciatique poplité externe. En surface se trouve la veine saphène externe, qui se jette dans la veine poplitée profonde.

PATHOLOGIE

La palpation du creux poplité sur une jambe en demi-flexion permet de déceler un anévrysme (dilatation) de l'artère poplitée. Par ailleurs, la veine saphène externe, lorsqu'elle est atteinte de varices, est ligaturée dans le creux poplité. Enfin, le creux poplité peut être le siège de kystes poplités, formations rondes et remplies de liquide synovial qui surviennent souvent en cas d'hydarthrose chronique du genou.

Crevasse

Fissure cutanée peu profonde.

Les crevasses sont dues au froid (gerçures) ou à une affection dermatologique (dermite chronique, eczéma, psoriasis). Elles siègent en général aux mains et aux pieds et sont souvent douloureuses.

Le traitement repose sur les antiseptiques pour empêcher l'infection, puis sur différentes pommades cicatrisantes, le plus souvent à base de vitamine A.

Crevasses du sein

Fissures apparaissant fréquemment au cours de l'allaitement et se signalant par des douleurs intenses lors de la tétée, parfois avec saignement.

En l'absence de traitement, les crevasses du sein risquent d'évoluer vers l'infection (abcès, lymphangite du sein). Une hygiène attentive (toilette quotidienne à l'eau et au savon, lavage des mains au savon et séchage des bouts des seins avant chaque tétée), l'utilisation d'un tire-lait ou d'un « bout de sein » lors des tétées et, éventuellement, des crèmes antiseptiques guérissent les crevasses en quelques jours.

Cri du chat (maladie du)

Maladie congénitale caractérisée par un ensemble de malformations de la tête et du larynx et un retard mental.

La maladie du cri du chat est due à la perte du bras court du chromosome 5. Cette aberration chromosomique se manifeste par une petite tête (microcéphalie), un retard mental profond et une déformation du larynx donnant un timbre particulier à la voix de l'enfant (d'où le nom de la maladie). Elle peut être diagnostiquée avant la naissance par l'analyse du caryotype de cellules fœtales, à partir de la 8e semaine de grossesse.

Le cristallin est situé juste derrière l'iris et le trou noir de la pupille, au centre de l'iris. À cause de sa transparence, on ne le voit pas ordinairement, sauf quand il est opacifié par une cataracte.

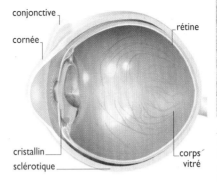

Au microscope, on observe une fine capsule en surface (en orangé, à droite), recouvrant un épithélium plus épais (rose). Les fibres cristalliniennes, juxtaposées en couches parallèles, permettent une transparence parfaite.

Cri du nourrisson

Un des moyens d'expression du petit enfant avant l'acquisition de la parole.

Les cris trop fréquents ou trop prolongés ont des causes multiples, une infime minorité d'entre celles-ci étant pathologiques.

■ **Les troubles alimentaires**, liés à l'insuffisance des quantités données ou à une trop grande dilution des biberons, provoquant des cris vigoureux ; l'enfant présente des mouvements de succion, il met ses doigts dans sa bouche. Dans d'autres cas, le biberon est donné trop rapidement, la tétine est trop ouverte ou le lait trop liquide : le nourrisson crie de façon vigoureuse avec des grimaces au cours de la prise du biberon, qui est entrecoupée d'éructations sonores dues à l'ingestion d'air ; ou bien la tétée est suivie de cris et d'émission de gaz évoquant des coliques.

■ **Une perturbation du rythme de vie de l'enfant**, par des réveils provoqués pour lui imposer certaines heures de repas, ou par des déplacements en des lieux qui lui sont inconnus, entraîne des cris. Le nourrisson crie au cours de l'endormissement, qui est difficile ; il n'est pas calmé quand on le lève ou il crie dès qu'on le recouche.

■ **Une modification des relations entre mère et enfant**, par exemple lors d'une dépression de la mère, engendre une réaction de l'enfant. Volontiers hyperactif, il s'apaise dans les bras d'une tierce personne.

■ **Certaines maladies**, enfin, provoquant des cris de douleur. Ceux-ci s'accompagnent généralement d'autres signes de maladie (fièvre, pâleur, diarrhée, arrêt des selles, vomissements, douleur à la pression des oreilles). Ils ne ressemblent pas aux autres cris : ils sont plaintifs, plus violents ou aigus. Ce type de cris doit conduire rapidement à une consultation médicale.

Cri du nouveau-né

Premier cri du nouveau-né qui traduit son adaptation à la vie extra-utérine.

Les multiples stimuli sensoriels liés à la sortie de l'utérus (froid, sensations tactiles) déclenchent chez le nouveau-né, par un réflexe nerveux, une ouverture de la glotte et une violente contraction des muscles inspiratoires. La forte dépression ainsi créée dans le thorax provoque une entrée d'air dans l'arbre respiratoire : c'est la première inspiration. Les alvéoles pulmonaires, qui étaient fermées et inutilisées pendant la grossesse, s'ouvrent en se déplissant brutalement. Puis survient la première expiration, elle aussi réflexe, alors que la glotte est partiellement fermée : c'est le premier cri.

Une absence de cri à la naissance peut indiquer que l'enfant est né endormi, à cause d'une anesthésie pratiquée sur sa mère, ou que ses fonctions vitales ont été endommagées. La plupart du temps, une stimulation manuelle ou une ventilation au masque sont suffisantes pour provoquer ce premier cri.

Cricoïde (cartilage)

Cartilage du larynx. (P.N.A. *cartilago cricoidea*)

Le cartilage cricoïde est situé au-dessous de la pomme d'Adam. Il forme ainsi la partie inférieure du larynx, juste au-dessus de la trachée. C'est le seul cartilage complètement circulaire, refermé sur lui-même en anneau, permettant de maintenir cette partie du larynx constamment ouverte.

Crise de foie

Trouble digestif sans lien avec une maladie du foie, le plus souvent lié à une indigestion.

Crise oculogyre

Spasme des muscles oculomoteurs tirant les yeux dans une position fixe, le plus souvent vers le haut (crise de plafonnement).

La crise oculogyre, rare, a pour origine presque exclusive un syndrome de Parkinson apparu à la suite d'une encéphalite. Elle peut durer de quelques secondes à quelques heures, pendant lesquelles le sujet est incapable de ramener les yeux dans leur position normale. Ces crises sont souvent accompagnées d'un mouvement de la tête dans la même direction que les yeux. Le traitement et le pronostic se confondent avec ceux de l'encéphalite.

Cristallin

Lentille biconvexe, située en arrière de l'iris et en avant du corps vitré, qui intervient dans l'accommodation. (P.N.A. *lens*)

Le cristallin, qui mesure 1 centimètre de diamètre, est maintenu grâce au ligament suspenseur zonulaire qui le relie au muscle ciliaire. Il est constitué d'une capsule externe, d'un cortex et d'un noyau central. Il est très adhérent au corps vitré chez le sujet jeune ; son adhérence diminue avec l'âge. La mise au point des objets selon la distance est effectuée grâce à la modification de la courbure du cristallin sous l'impulsion du muscle ciliaire. En outre, l'arrangement parallèle des fibres cristalliniennes permet une parfaite transparence. La rigidité progressive du cristallin, liée au vieillissement naturel de l'œil, entraîne une perte du pouvoir d'accommodation de l'œil : c'est la presbytie, qui provoque une diminution de la vision de près. La perte de la transparence cristallinienne, qui atteint principalement les personnes âgées, est à l'origine de la cataracte.

Cristallurie

Présence de cristaux dans les urines.

La recherche de cristaux est réalisée par l'examen au microscope du sédiment obtenu après centrifugation d'une urine fraîchement recueillie. Lorsque la recherche est effectuée sur des urines concentrées, il est habituel d'y retrouver des cristaux formés d'éléments minéraux ou organiques (sels de calcium, acide urique, acide oxalique), sans que cela ait une signification pathologique. En revanche, la présence de cristaux de cystine, toujours pathologique, est révélatrice d'une cystinurie.

Critique

1. Qui présente les caractères d'une crise.
La phase critique d'une maladie est une période d'incertitude quant à l'évolution favorable ou défavorable de celle-ci.
2. Qui met la vie en danger.

Crohn (maladie de)

Maladie inflammatoire chronique de l'intestin d'origine inconnue.

La maladie de Crohn, qui atteint entre 3 et 6 personnes sur 100 000, se rencontre à tout âge, mais surtout chez l'adolescent, l'adulte jeune et les sujets de plus de 60 ans. Elle évolue par poussées successives et lèse des segments de l'intestin avec une prédilection pour l'iléon (intestin grêle terminal), le côlon et l'anus. Les lésions comportent un épaississement de la paroi et des ulcérations.

SYMPTÔMES ET DIAGNOSTIC
La maladie se révèle le plus souvent par une diarrhée aiguë ou chronique avec perte de l'appétit, amaigrissement et anémie. Elle se complique de fistules et, parfois, d'abcès siégeant en général à l'anus, d'occlusions intestinales et de fistules internes. Elle peut également être à l'origine d'une uvéite (inflammation oculaire) et d'une spondylarthropathie (affection inflammatoire chronique caractérisée par une atteinte articulaire

vertébrale). Le diagnostic repose sur l'examen clinique, qui révèle une distension abdominale douloureuse, et sur des examens biologiques et morphologiques (radiographies intestinales, rectosigmoïdoscopie) permettant de constater l'épaississement de la paroi intestinale, avec des ulcérations.

TRAITEMENT
C'est essentiellement celui de l'inflammation, qui consiste en l'administration de corticostéroïdes et de dérivés de la salazosulfapyridine. Dans certains cas rebelles, on recourt à un traitement immunodépresseur. Le traitement chirurgical concerne les complications de la maladie (occlusion, hémorragie, fistule grave) et les formes résistant au traitement médical.
→ VOIR Spondylarthropathie.

Croissance de l'enfant

Augmentation de la taille des différents éléments de l'organisme entre la naissance et la fin de l'adolescence.

La croissance de l'enfant consiste en une augmentation en taille, mais aussi en poids, en surface et en volume des diverses régions du corps, des organes, des tissus. Elle est précédée de la croissance in utero, pendant la vie embryonnaire puis fœtale. Autre

versant du développement de l'enfant, la maturation consiste en un perfectionnement progressif du fonctionnement des organes.

FACTEURS DE CROISSANCE
Il existe divers facteurs intervenant dans la croissance en poids et en taille.
■ **Les facteurs héréditaires** justifient que la taille d'un enfant soit toujours évaluée, pour juger de sa normalité, en fonction de la taille des parents.
■ **Les facteurs alimentaires** expliquent les besoins en substances incorporées aux nouveaux tissus, par exemple en protéines pour la synthèse de l'os ou du muscle.
■ **Les facteurs hormonaux** sont représentés surtout par l'hormone de croissance sécrétée par l'hypophyse, glande endocrine située à la base du cerveau. Les hormones de la glande thyroïde et les hormones sexuelles masculines ou féminines interviennent aussi dans la croissance, ainsi que dans la maturation.

ÉTAPES ET VITESSE DE LA CROISSANCE
La croissance normale s'effectue en plusieurs étapes, dont chacune a des caractères particuliers : croissance de la première enfance (de 1 mois à 2 ans), de la seconde enfance (de 2 ans à 12 ans), de la puberté. La vitesse de croissance staturale (gain de

MALADIE DE CROHN

Maladie inflammatoire d'origine inconnue, la maladie de Crohn est de diagnostic souvent délicat, car elle se traduit par des symptômes qui ne lui sont pas spécifiques (douleurs, fièvre, diarrhée, amaigrissement). Les examens qui permettent de la diagnostiquer sont la rectoscopie et la coloscopie (exploration, à l'aide d'un endoscope introduit par voie naturelle, du rectum et du côlon), ainsi que les radiographies de l'intestin, qui mettent en évidence des irrégularités et des ulcérations de sa paroi.

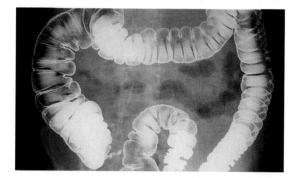

Radiographie en double contraste (après injection de baryte et d'air) du côlon. Sa partie terminale (en bas à droite) est rétrécie. La façon dont se dépose la baryte renseigne sur l'état des parois.

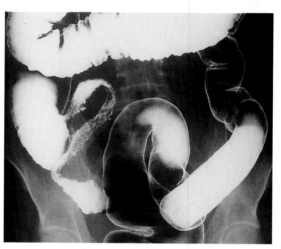

Ici, comme souvent dans la maladie de Crohn, c'est l'intestin grêle, avant son débouché dans le côlon (à gauche, au milieu), qui est rétréci sur une assez grande longueur ; son contour est irrégulier par endroits. La baryte, déposée inégalement à l'intérieur, laisse supposer des ulcérations de la paroi.

257

Un bon moyen de surveiller la croissance de l'enfant consiste à reporter régulièrement son poids et sa taille sur un graphique. Ces données peuvent ainsi être comparées aux valeurs moyennes établies pour chaque âge et chaque sexe, et la régularité de la courbe obtenue peut être contrôlée. Toute cassure de cette courbe, tout écart important par rapport aux valeurs moyennes nécessitent une consultation pédiatrique et, éventuellement, des examens complémentaires.

Courbe de croissance de la fille

Les courbes de référence indiquant les valeurs moyennes, à chaque âge, du poids et de la taille diffèrent suivant les populations. Pour le garçon et la fille, elles restent à peu près confondues durant l'enfance et s'écartent ensuite. Dans une population donnée, 95 % des enfants ont un poids et une taille compris entre la moyenne M (ici, courbe verte) plus deux écarts-types (σ) et la moyenne moins deux écarts-types (ici, courbes en trait plus épais).

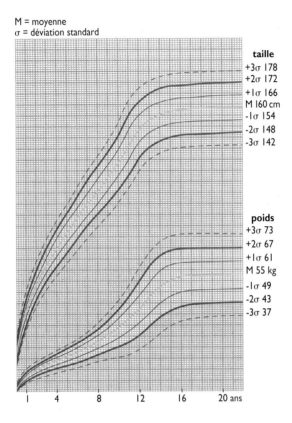

Courbe de croissance du garçon

Lorsque les mensurations d'un enfant restent comprises entre ces deux valeurs, une anomalie est peu probable. Si elles s'en écartent, des examens complémentaires (cliniques, biologiques, etc.) doivent être pratiqués pour dépister une éventuelle pathologie. Une autre indication importante est la régularité de la croissance : elle doit évoluer parallèlement aux courbes de référence sans changer brusquement de « couloir » (les courbes du schéma sont distantes d'un écart-type), c'est-à-dire sans cassure.

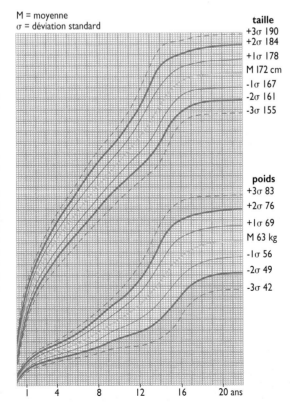

taille en centimètres, par année), par exemple, est très élevée chez le nourrisson : plus de 20 centimètres la première année, près de 10 la deuxième. Ainsi, la taille, qui est d'environ 50 centimètres à la naissance, a doublé à l'âge de 4 ans, les facteurs nutritionnels étant particulièrement importants pendant toute cette période. La vitesse de croissance est ensuite réduite à 5 ou 6 centimètres par an et proportionnelle à l'âge. Elle diminue encore à la phase prépubertaire, puis elle subit une forte augmentation (pic de croissance) à la puberté grâce à l'effet des hormones sexuelles sur le squelette. Une nouvelle réduction survient en phase postpubertaire, ramenant la croissance à environ 1 centimètre par an pendant 3 ans.

De plus, chaque région du corps, chaque organe a sa propre vitesse de croissance. Les membres atteignent leur croissance maximale à l'arrivée de la puberté, la colonne vertébrale croît surtout pendant et après la puberté. La croissance de l'encéphale, estimée par la mesure du périmètre crânien, s'effectue à la vitesse la plus rapide au cours des 2 premières années ; l'encéphale atteint son volume presque définitif à l'âge de 5 ans.

SURVEILLANCE DE LA CROISSANCE

La croissance est surveillée pendant toute l'enfance afin de pallier si possible une insuffisance, mais surtout afin de dépister une maladie responsable de retard de croissance, qui serait à la fois grave et curable. En pratique, il est recommandé de mesurer la taille et le poids d'un enfant environ tous les mois jusqu'à l'âge de 6 mois, tous les 2 mois jusqu'à 1 an, 1 ou 2 fois par an jusqu'à la fin de l'adolescence ; le périmètre crânien est également mesuré chez les plus petits.

Les chiffres, reportés sur un graphique, constituent la courbe de croissance au cours du temps. La normalité en poids et en taille de l'enfant est jugée par un procédé statistique ; il ne doit pas s'écarter de plus de 2 déviations standards, en plus ou en moins, de la moyenne des enfants de son âge. De plus, on s'intéresse à la forme

---

Croissance et sport

Le sport favorise la croissance de l'enfant du point de vue cardiaque, respiratoire et psychomoteur. Le travail musculaire doit rester équilibré et modéré afin d'éviter les déviations du squelette, les douleurs musculaires, articulaires ou osseuses. Un entraînement intensif (plus de 12 heures par semaine) peut ralentir la croissance et retarder la puberté, mais sans conséquence sur la taille définitive de l'enfant. Pendant la puberté, en revanche, le sport de haut niveau, associé à un déséquilibre alimentaire ou hormonal, peut entraîner des troubles, notamment dans la maturation des os, et avoir un retentissement sur sa taille adulte.

régulière de la courbe, par exemple toujours au-dessus de la moyenne ou bien toujours en dessous, sans cassure.

TROUBLES DE LA CROISSANCE

Une cassure de la courbe pondérale peut être due à une carence d'apports alimentaires, à une mauvaise absorption intestinale, par exemple au cours de la maladie cœliaque, à une atteinte du cœur, des reins ou des poumons (mucoviscidose).

Une petite taille est souvent héréditaire, sans caractère pathologique, lorsque la vitesse de croissance n'est pas réduite et que la courbe est régulière. Parfois, surtout chez le garçon, il s'agit d'un simple retard de la puberté, qui se produira normalement, mais un peu plus tard que pour la moyenne ; le pronostic de la taille finale est en général favorable. Beaucoup plus rarement, une petite taille est liée à une situation pathologique : retard de croissance intra-utérin, anomalie chromosomique, pathologie du squelette, maladie chronique, carence nutritionnelle, carence affective, cause hormonale (insuffisance de sécrétion de la glande thyroïde ou de l'hormone de croissance, excès de sécrétion de la glande corticosurrénale). Une grande taille, souvent constitutionnelle, ne rentre pas dans le cadre des troubles de la croissance, sauf lorsqu'elle fait partie d'un syndrome malformatif (syndrome de Marfan).
→ VOIR **Gigantisme**, **Nanisme**.

Croissance intra-utérine

Développement du fœtus à l'intérieur de l'utérus maternel. SYN. *croissance fœtale*.

La croissance intra-utérine est liée à l'état de santé du fœtus et à la qualité des échanges entre celui-ci et la mère par le biais du placenta. Normalement, le fœtus pèse environ 200 grammes à quatre mois, 1 300 grammes à sept mois et 3 400 grammes à terme. Aujourd'hui, l'échographie permet de mesurer à chaque stade le diamètre bipariétal (diamètre transversal de la tête d'une bosse pariétale à l'autre), le diamètre abdominal transverse et la longueur du fémur. Toutes ces données, regroupées sur une courbe, permettent de surveiller la croissance fœtale et de prévoir son évolution.

PATHOLOGIE

■ **Un excès de croissance intra-utérin** se rencontre dans certaines familles (gigantisme familial) ou chez les femmes atteintes de diabète lors de la grossesse.

■ **Un retard de croissance intra-utérin** peut être dû à une anomalie chromosomique telle que la trisomie 21 (mongolisme) ou à d'autres facteurs génétiques. Il peut résulter de dysfonctionnements ou d'anomalies placentaires ou bien d'une altération des flux sanguins utéroplacentaires observée chez les femmes hypertendues ou souffrant de prééclampsie (lésion rénale se traduisant par la présence de protéines dans les urines, des œdèmes et une hypertension artérielle). Un retard de croissance intra-utérin peut également provenir d'une malnutrition du fœtus provoquée par la consommation excessive de tabac, la malnutrition ou l'alcoolisme chronique maternels.

Croix-Rouge

Mouvement international (Croissant-Rouge pour les pays islamiques) créé en 1863 en Suisse par Henri Dunant, après la bataille de Solferino, pour aider les soldats blessés.

La Croix-Rouge est aujourd'hui une organisation à vocation d'aide humanitaire au sens le plus large, y compris en temps de paix, constituée de plusieurs organisations parallèles. Son action se fonde sur sept principes fondamentaux : humanité, impartialité, neutralité, indépendance, volontariat, unité, universalité. Son emblème est une croix rouge (ou un croissant rouge pour les pays islamiques) sur fond blanc.
■ **Le Comité international de la Croix-Rouge** (C.I.C.R.), institution humanitaire indépendante formée exclusivement de citoyens suisses, représente et coordonne les différentes actions de l'organisation au plan international. En cas de conflit, le C.I.C.R. s'efforce d'obtenir des belligérants l'application des conventions et des protocoles additionnels de Genève (1864, 1899, 1929, 1949, 1977) et il intervient en faveur des victimes civiles et militaires (visites dans les prisons).
■ **La Ligue des sociétés de la Croix-Rouge et du Croissant-Rouge**, fondée en 1919, est une fédération internationale regroupant les sociétés nationales de Croix-Rouge. Celles-ci, actuellement au nombre de 148, sont reconnues par le C.I.C.R. Elles assurent, outre le secours des victimes civiles et militaires lors des conflits, des activités médico-sociales (dispensaires, etc.) et de formation (personnel infirmier, etc.) en temps de paix. Ligue et C.I.C.R. sont coordonnés par une commission permanente.

Crossing over

→ VOIR **Enjambement**.

Croup

Diphtérie à localisation laryngée.

Le croup s'observe surtout chez l'enfant, dans les pays où la vaccination antidiphtérique n'est pas appliquée. Les premiers symptômes en sont une toux rauque et une voix éteinte. De fausses membranes se forment, qui obstruent la filière laryngée et la glotte, entraînant une perturbation de la respiration, voire une asphyxie.

Le traitement d'urgence repose sur le sérum antidiphtérique et les antibiotiques. En cas de tirage (difficulté à inspirer provoquant une dépression de la paroi thoracique) durant plus de 30 minutes chez le tout-petit, il est nécessaire de pratiquer une trachéotomie.

Croûte de lait

→ VOIR **Dermite séborrhéique**.

CRP

→ VOIR **Protéine C-réactive**.

Crudivorisme

Théorie selon laquelle l'homme ne doit se nourrir que d'aliments crus.

Les adeptes du crudivorisme considèrent que la cuisson des aliments est inutile, et même nuisible, à leur bonne assimilation par l'organisme. Une variante du crudivorisme, l'instinctothérapie, consiste à n'absorber que des aliments n'ayant subi aucune préparation, en se laissant guider uniquement par l'attirance provoquée par leur aspect, leur odeur ou leur goût.

Dans la mesure où une alimentation variée et équilibrée est conservée, de telles pratiques ne semblent pas présenter de danger chez une personne en bonne santé, mais l'allégation de leurs vertus thérapeutiques risque de détourner un malade d'un traitement médical dont il aurait besoin. En outre, la cuisson, en détruisant les germes pathogènes contenus dans les aliments, constitue une mesure de prévention efficace contre de nombreuses affections.

Crural

Qui concerne la cuisse.
■ **Le nerf crural**, dont une des branches innerve le quadriceps crural, est formé de trois branches du plexus lombaire. Il chemine dans la paroi lombaire et le petit bassin avant de pénétrer dans la cuisse. L'atteinte du nerf crural se traduit par une impossibilité d'extension et de flexion du membre correspondant.
■ **Le quadriceps crural** est un muscle puissant de la face antérieure de la cuisse. Il est composé de quatre faisceaux distincts : le crural proprement dit, le droit antérieur, le vaste externe et le vaste interne. Ces faisceaux sont placés sur la face antérieure du fémur et de l'os iliaque et convergent pour former le tendon du quadriceps, qui s'insère sur la rotule et se prolonge par le tendon rotulien. Le quadriceps crural a pour rôle d'étendre la jambe dans le prolongement de la cuisse et de fléchir la cuisse sur le bassin.

Cruralgie

Au sens strict, douleur de la cuisse.

En pratique, le terme de cruralgie est réservé aux névralgies (douleurs vives ressenties sur le trajet d'un nerf) et aux radiculalgies (douleurs liées à la souffrance de la racine postérieure d'un nerf rachidien) crurales, qui sont à l'origine de douleurs siégeant à la face antérieure de la cuisse.

Selon la racine nerveuse atteinte, la douleur se propage de la cuisse au genou, voire jusqu'au tibia. Au début de la maladie, la douleur peut empêcher le malade de dormir. Elle s'atténue en 3 à 6 semaines dans les cruralgies dites « banales », dues le plus souvent à un conflit discoradiculaire (hernie discale) ou à une arthrose postérieure où s'est développé un kyste. Une cruralgie peut aussi révéler une compression nerveuse provoquée par une lésion quelconque, bénigne, maligne ou infectieuse, se développant sur le trajet du nerf.

Cruveilhier-Baumgarten (syndrome de)

Syndrome rare caractérisé par une perméabilité anormale des veines périombilicales, permettant la constitution de volumineuses dilatations veineuses autour de l'ombilic.

Le sang circule à grand débit dans les veines dilatées, ce qui provoque un frémissement perceptible à la palpation. Cette affection survient au cours d'une hypertension portale, généralement liée à une cirrhose. L'existence de ce syndrome ne constitue pas un facteur particulier de gravité et n'appelle pas de traitement spécifique.

Cryochirurgie

Utilisation du froid au cours d'une intervention chirurgicale.

INDICATIONS ET CONTRE-INDICATIONS

Les indications de la cryochirurgie recouvrent de multiples spécialités médicales. En dermatologie, son terrain d'élection, elle permet de traiter des tumeurs bénignes ou malignes, uniques ou multiples, même en cas de récidive. La cryochirurgie est utilisée en ophtalmologie (cataracte, décollement de rétine). Certaines lésions de l'anus et du rectum (hémorroïdes, par exemple) peuvent être opérées par cette méthode. Enfin, depuis peu, on y recourt lors de certains cancers du foie (quand ils ne sont pas trop évolués) ou pour détruire une tumeur obstruant les grosses bronches.

La cryochirurgie est contre-indiquée chez les sujets ayant des manifestations pathologiques lors de l'exposition au froid (urticaire ou trouble de la circulation déclenchés par le froid) et sur certaines régions cutanées (cuir chevelu, zones proches d'un cartilage, membres inférieurs). De plus, elle interdit tout examen au microscope puisque le tissu pathologique est détruit, ce qui soulève des problèmes dans le cas des cancers : on ne peut être sûr de la nature exacte de la tumeur.

TECHNIQUE

La source de froid habituellement employée est l'azote liquide, soit par pulvérisation, soit par l'intermédiaire d'une sonde refroidie appliquée sur la lésion. L'appareillage comprend aussi des instruments permettant de vérifier l'abaissement de température (de – 80 °C à – 160 °C). La cryochirurgie en profondeur de l'organisme nécessite une anesthésie générale. En dermatologie, au contraire, le traitement, plus superficiel, est très simple et relativement indolore dans l'immédiat, car le froid insensibilise les terminaisons nerveuses.

Dans le cas fréquent de cryochirurgie d'une tumeur cutanée, la lésion évolue après le traitement en trois phases : d'abord blanche, elle devient rouge violacé, œdémateuse, parfois surmontée d'une bulle et, dans certains cas, très douloureuse pendant 24 ou 48 heures ; puis elle se nécrose, prenant une coloration noire ; enfin, 30 à 40 jours plus tard se forme la cicatrice définitive, fine et souple, mais souvent décolorée.

→ VOIR Cryothérapie.

Cryoglobuline

Immunoglobuline anormale précipitant à des températures inférieures à 37 °C.

Il existe plusieurs types de cryoglobulines. Celles qui sont dites « de type I », monoclonales (provenant d'un seul groupe de cellules issues d'une cellule initiale unique), se rencontrent au cours de proliférations lymphoplasmocytaires. Les cryoglobulines mixtes (provenant de plusieurs populations de cellules), dites « de types II et III », sont formées d'un complexe de deux immunoglobulines et sont associées à des maladies auto-immunes.

SYMPTÔME ET TRAITEMENT

Les signes pathologiques associés à la présence de cryoglobulines sont variés. On peut observer des signes cutanés, vasomoteurs (troubles circulatoires, comme dans le syndrome de Raynaud) ou des complications rénales et neurologiques.

Le traitement est celui de la cause. Il est éventuellement associé à une plasmaphérèse (épuration du sang des immunoglobulines anormales).

Cryothérapie

Traitement utilisant le froid sous forme de glace, de sachets chimiques congelés ou de gaz (cryoflurane).

La cryothérapie est utilisée pour atténuer la douleur, lutter contre l'inflammation et l'œdème ou détruire des lésions cutanées. Le froid réalise une vasoconstriction (réduction du calibre des vaisseaux), qui diminue le débit sanguin.

La cryothérapie fait partie du traitement initial des entorses, des déchirures musculaires et des lésions des tendons. Elle consiste en l'application de glace ou de gaz sur la peau, qu'on protège par un linge pour éviter de la léser. L'application dure au minimum 20 minutes et est renouvelée plusieurs fois par jour pendant 2 à 6 jours en fonction de la lésion. La cryothérapie est également utilisée pour traiter principalement les tumeurs bronchiques et les hémorroïdes, ainsi que certaines tumeurs cutanées.

→ VOIR Cryochirurgie.

Cryptococcose

Mycose provoquée par l'inhalation d'une levure, *Cryptococcus neoformans*. SYN. *torulose*.

Cryptococcus neoformans, présent sur toute la surface du globe, se développe dans le sol, les fruits, le lait, les fientes de pigeon. L'homme est contaminé par voie respiratoire, digestive ou, plus rarement, cutanée, et la levure se dissémine par voie sanguine ou lymphatique. Les sujets immunodéprimés (sida, maladies du sang) sont plus particulièrement exposés.

SYMPTÔMES

La manifestation la plus habituelle est une méningite ou une méningoencéphalite à liquide clair, d'évolution subaiguë, avec parfois des atteintes pulmonaires, cutanéomuqueuses, sous forme d'ulcérations ou sous forme disséminée.

DIAGNOSTIC

La méningite à cryptocoques est diagnostiquée en examinant un échantillon de liquide céphalorachidien prélevé par ponction lombaire. Il peut être nécessaire de radiographier les poumons, d'analyser l'expectoration et de pratiquer une bronchoscopie et une biopsie pulmonaire.

TRAITEMENT

Les antifongiques (fluconazole ou amphotéricine B) administrés par voie générale permettent d'atténuer les symptômes et de stériliser les lésions.

Cryptogénétique, ou Cryptogénique

→ VOIR Idiopathique.

Cryptorchidie

Anomalie congénitale de position du testicule. SYN. *ectopie du testicule*.

La cryptorchidie atteint de 3 à 4 % des nouveau-nés, le plus souvent du côté droit. Dans 20 % des cas, elle est bilatérale. Cette anomalie congénitale est due au fait que le testicule n'est pas descendu en suivant le trajet normal, entre l'intérieur de l'abdomen et les bourses, pendant la vie intra-utérine. Le testicule s'arrête à un niveau variable, restant soit dans l'abdomen, soit à la racine de la bourse. La cause de cette anomalie est mal connue.

DIAGNOSTIC ET ÉVOLUTION

Le diagnostic se fait le plus souvent chez le nouveau-né, à la palpation, lors des premiers examens pédiatriques. Cependant, dans certains cas, l'absence de testicule dans la bourse n'est pas perçue, s'il n'y a pas eu d'examen des organes génitaux ou en cas de testicule oscillant (mobile), et le diagnostic se fait plus tardivement. Si le testicule est à la racine de la bourse, il suffit de constater sa position et l'impossibilité de le faire descendre. Si le testicule n'est pas perçu, des dosages de la testostérone sanguine permettent de vérifier qu'il est présent dans l'abdomen et fonctionnel. L'examen recherche aussi une autre malformation éventuellement associée, telle qu'une hernie inguinale ou une anomalie du pénis.

Le testicule descend spontanément dans environ la moitié des cas avant l'âge de 3 mois et, dans plus de 2 cas sur 3, avant l'âge de 1 an. S'il ne descend pas, il est nécessaire de pratiquer un traitement. En effet, en dehors des troubles psychologiques ultérieurs provoqués par l'absence apparente d'un ou des deux testicules, une cryptorchidie persistante favorise la stérilité et, surtout, la cancérisation du testicule atteint.

TRAITEMENT

La cryptorchidie doit être traitée du fait du risque de complications, surtout si elle persiste après l'âge de 2 ans. Un traitement médical par l'hormone chorionique gonadotrophique (h.C.G.) est essayé dans un premier temps pour provoquer la descente du ou des testicules. Son taux de succès est de 10 à 50 %, d'autant plus élevé que le testicule est situé bas. Son échec impose un traitement chirurgical par orchidopexie (abaissement du testicule à l'intérieur des bourses).

Cryptosporidiose

→ VOIR Coccidiose intestinale.

Cubitale (artère)

Branche terminale interne de l'artère humérale, qui va du coude au poignet. (P.N.A. *arteria ulnaris*)

L'artère cubitale est, avec l'artère radiale, l'une des deux artères de l'avant-bras. L'artère cubitale est de plus gros calibre que la radiale et a un trajet plus interne, à la partie antérieure de l'avant-bras (vers la paume de la main). Elle donne naissance, au niveau du poignet, à l'artère cubitopalmaire, qui va constituer, avec l'artère radiale, l'arcade palmaire profonde. L'artère cubitale part ensuite en direction du pouce pour former, avec l'artère radiopalmaire, l'arcade palmaire superficielle. Ses diverses branches collatérales assurent l'irrigation de muscles de l'avant-bras et de la main.

La pathologie de l'artère cubitale est essentiellement traumatique (plaies).

Cubitus

Os long de l'avant-bras, parallèle et interne au radius, s'articulant en haut avec l'humérus, en bas avec les os du carpe. (P.N.A. *ulna*)

L'extrémité supérieure du cubitus s'articule avec le radius, mais aussi avec la partie inférieure de l'humérus, au niveau de l'articulation du coude. La pointe osseuse qui se trouve à la partie postérieure du coude, l'olécrane, appartient au cubitus.

PATHOLOGIE

■ **Les fractures de l'extrémité supérieure du cubitus** touchent surtout l'olécrane : elles se produisent en cas de chute sur la main ou l'avant-bras. Leur traitement est généralement chirurgical. Beaucoup plus rarement, l'apophyse coronoïde est touchée (luxation postérieure du coude). Le traitement est alors le plus souvent orthopédique (immobilisation plâtrée).
■ **Les fractures isolées de la diaphyse du cubitus** (partie centrale de l'os) sont rares. Leur association à une luxation en avant de la tête radiale, appelée fracture de Monteggia, peut être due à une chute sur le membre supérieur ou à un choc direct sur l'avant-bras par l'arrière ; le traitement est chirurgical chez l'adulte et orthopédique chez l'enfant.
■ **Les fractures de l'extrémité inférieure du cubitus** peuvent toucher le col, plus rarement la tête du cubitus et exceptionnellement l'apophyse, à moins qu'elles ne soient associées à une fracture de l'extrémité inférieure du radius (fracture de Pouteau-Colles). Leur traitement est généralement orthopédique (immobilisation plâtrée).

Cuir chevelu

Ensemble de tissus mous qui recouvrent le crâne, normalement garni de cheveux. SYN. *scalp*.

La couche supérieure du cuir chevelu renferme les bulbes pileux, le tissu cellulaire sous-cutané contenant des cellules graisseuses et un réseau de vaisseaux sanguins et de filets nerveux.

PATHOLOGIE

La pathologie la plus fréquente du cuir chevelu est représentée par les traumatismes (contusions, plaies), les tumeurs et la calvitie.
■ **Les traumatismes** peuvent provoquer des plaies, qui entraînent parfois une hémorragie importante. En effet, très richement vascula-

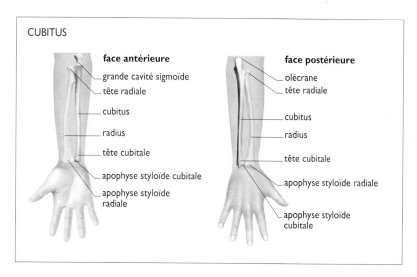

CUBITUS

face antérieure
- grande cavité sigmoïde
- tête radiale
- cubitus
- radius
- tête cubitale
- apophyse styloïde cubitale
- apophyse styloïde radiale

face postérieure
- olécrane
- tête radiale
- cubitus
- radius
- tête cubitale
- apophyse styloïde radiale
- apophyse styloïde cubitale

risé, le cuir chevelu saigne facilement. Toute plaie doit faire rechercher un traumatisme crânien avec ou sans fracture.
■ **Les tumeurs** du cuir chevelu sont relativement fréquentes : tumeurs bénignes, telles que les loupes (accumulation sous-cutanée de sébum), ou malignes, telles que les sarcomes ou les mélanomes.
■ **La calvitie** est une pathologie du cuir chevelu assez fréquente.

Cuir chevelu (greffe du)

Intervention chirurgicale qui consiste à transplanter des fragments de cuir chevelu pileux dans les zones dégarnies du crâne.

INDICATIONS

La greffe du cuir chevelu traite la calvitie classique, mais également les zones d'alopécie traumatique dues à une brûlure du cuir chevelu, par exemple.

TECHNIQUES

■ **La greffe** consiste à prélever sous anesthésie locale des fragments de cuir chevelu pileux (de 10 à 50 cheveux) dans une zone dissimulée (autour des oreilles, dans la région de l'occiput) afin de les réimplanter dans des zones dégarnies.
■ **La microgreffe** est actuellement la technique la plus employée. On prélève sous anesthésie locale des fragments de peau chevelue d'environ 4 millimètres, comportant de 1 à 3 cheveux : le repiquage, par plusieurs centaines de petites greffes, nécessite alors plusieurs séances (de 6 à 12).
■ **La technique des lambeaux** consiste à transporter sur la zone dénudée une langue de cuir chevelu pileux qui garde une attache cutanée assurant le maintien de sa vascularisation. Les lambeaux sont taillés de différentes manières en fonction de la morphologie du crâne du patient. Cette technique se pratique sous anesthésie locale en milieu hospitalier.

Il est également possible de combiner ces trois méthodes.

RÉSULTATS ET COMPLICATIONS

La cicatrisation s'achève en 10 jours environ. Les cheveux greffés tombent au bout de

quelques semaines avant de repousser vers le 3e ou le 4e mois. Cependant, dans les sites « donneurs », la repousse n'est pas toujours parfaite. Les complications de la greffe du cuir chevelu (petites hémorragies postopératoires, par exemple) sont rares ; les infections, exceptionnelles. Cependant, les greffes, même réussies, ne durent pas indéfiniment et peuvent de nouveau laisser place à des zones clairsemées.

Cuisse

Segment du membre inférieur compris entre la hanche et le genou. (P.N.A. *femur*)

La cuisse est limitée en haut par le pli de l'aine et le pli fessier, en bas par l'articulation du genou.

Le squelette de la cuisse est constitué du fémur, s'articulant en haut avec le cotyle pour former la hanche, en bas avec le tibia et la rotule pour former le genou.

Les muscles de la cuisse sont, dans la partie antérieure, le quadriceps, le tenseur du fascia lata et le couturier ; dans la partie postérieure, le biceps crural, les trois adducteurs de la cuisse ainsi que le droit interne, le pectiné, le demi-tendineux et le demi-membraneux.

La cuisse est traversée par l'artère fémorale, une des branches de l'aorte, qui se divise dans la partie haute en artère fémorale superficielle, destinée à la jambe, et en artère fémorale profonde, destinée à la cuisse. De même, la veine fémorale profonde s'unit à la veine fémorale superficielle, issue de la jambe, pour former la veine fémorale commune. Le réseau veineux superficiel est drainé par la veine saphène interne, qui se jette dans la veine fémorale commune.

L'innervation sensitive et motrice de ce segment du membre inférieur est réalisée par les branches du nerf crural et, en arrière, par le nerf sciatique, qui traverse la cuisse de haut en bas.

PATHOLOGIE

La cuisse peut être le siège de lésions osseuses (fractures du fémur), de lésions vasculaires (artérite, plaie artérielle, phlébite,

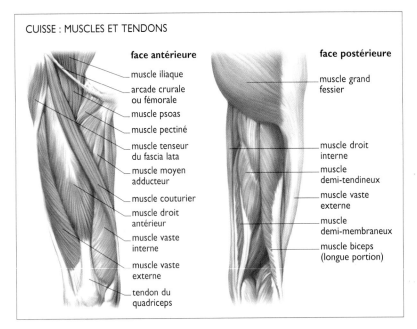

CUISSE : MUSCLES ET TENDONS

face antérieure
- muscle iliaque
- arcade crurale ou fémorale
- muscle psoas
- muscle pectiné
- muscle tenseur du fascia lata
- muscle moyen adducteur
- muscle couturier
- muscle droit antérieur
- muscle vaste interne
- muscle vaste externe
- tendon du quadriceps

face postérieure
- muscle grand fessier
- muscle droit interne
- muscle demi-tendineux
- muscle vaste externe
- muscle demi-membraneux
- muscle biceps (longue portion)

---

varices), de douleurs d'origine nerveuse (cruralgie, sciatique) ou de lésions musculaires (élongation, hématome ou déchirure du quadriceps).

Cuivre

Métal de couleur brun-rouge.

Le cuivre (Cu) est un oligoélément indispensable à l'organisme. Il est en effet nécessaire au bon fonctionnement de certaines enzymes, jouant notamment un rôle dans la protection contre certaines substances toxiques (radicaux libres). Les besoins quotidiens de cuivre chez l'adulte seraient de l'ordre de 1,5 à 3 milligrammes. L'accumulation de cuivre dans l'organisme s'observe dans la maladie de Wilson, une affection héréditaire qui se manifeste par des lésions du foie et du cerveau (pouvant aller jusqu'à la cirrhose et à la démence), ou encore lors d'une médication inadaptée ou d'une intoxication.

Culot urinaire

Dépôt formé par la sédimentation de l'urine.
SYN. *sédiment urinaire.*

L'étude du culot urinaire sert à rechercher des cellules, des cristaux ou des germes pathologiques. Elle est pratiquée sur des urines récemment recueillies, conservées à froid et centrifugées.

Culotte de cheval

→ VOIR Stéatomérie.

Culpabilité

Sentiment de faute ressenti par un sujet, que celle-ci soit réelle ou imaginaire.

La culpabilité est un sentiment normal que l'éducation fait découvrir à l'enfant en lui apprenant ce qui est permis et ce qui est défendu. La conscience de la faute est indispensable à la vie en société : elle limite l'agressivité et la volonté de puissance de chacun, l'obligeant à respecter autrui ; l'absence de sentiment de culpabilité peut être un facteur de délinquance.

Lorsqu'il est diffus, intense et permanent, le sentiment de culpabilité peut cependant avoir un caractère pathologique. Dans la névrose obsessionnelle, il traduit la révolte inconsciente du moi contre le moi idéal. Dans la mélancolie, le sujet reporte sur lui-même les reproches qu'il n'ose pas adresser à l'objet d'amour. Lorsque le sujet est persuadé d'être coupable, il peut aussi se réfugier dans le délire, qui lui semble alors la seule façon d'atténuer la douleur de son vécu.

Selon la psychanalyse, le sentiment de culpabilité pathologique aurait sa source dans un complexe d'Œdipe mal résolu. L'enfant, partagé entre l'amour qu'il porte à son parent de même sexe et son désir de le tuer pour prendre sa place auprès du parent de sexe opposé, peut en effet ressentir un fort sentiment de culpabilité.

Culture

Technique de laboratoire permettant la multiplication des bactéries contenues dans un prélèvement réalisé chez un malade afin de les isoler et de les identifier.

La culture a toujours lieu dans des conditions optimales - pH, température, humidité, pression d'oxygène - de développement des colonies bactériennes. Les milieux de culture peuvent être liquides (bouillon) ou solides (gélose) et ils sont enrichis en fonction des besoins de chaque bactérie.

La culture des virus et de certaines bactéries *(Chlamydia, Rickettsia, Coxiella)* nécessite un milieu cellulaire vivant. Elle est réalisée par inoculation à des cultures cellulaires, à un animal de laboratoire réceptif ou à un œuf de poule embryonné.

Curage ganglionnaire

Ablation chirurgicale d'un groupe de ganglions lymphatiques.

Un curage ganglionnaire est indiqué dans la chirurgie des cancers. En effet, lorsque le cancer a commencé à s'étendre, les cellules cancéreuses de l'organe atteint sont drainées par la lymphe jusqu'aux ganglions les plus proches. Les ganglions retirés sont analysés au microscope, ce qui permet, selon le résultat, d'adapter le traitement, par exemple en y associant une radiothérapie ou une chimiothérapie. Le curage concerne les ganglions du cou, de l'aisselle, de l'aine, de l'intestin ou ceux qui se trouvent près de l'aorte abdominale.

Curarisant

Médicament utilisé au cours de l'anesthésie en complément d'un anesthésique principal.
→ VOIR Curarisation.

Curarisation

Technique complémentaire de l'anesthésie générale consistant à bloquer la transmission neuromusculaire.

INDICATIONS

Particulièrement indiquée lors de l'intubation trachéale et de la chirurgie abdominale, la curarisation impose une ventilation assistée. En provoquant un relâchement musculaire complet du sujet, elle permet de l'opérer dans des conditions excellentes et a beaucoup contribué à étendre le champ des indications de la chirurgie moderne.

MÉCANISME

La curarisation s'obtient par l'administration, par voie intraveineuse, de produits dits curarisants (leur action paralysante est identique à celle du curare, un poison d'origine végétale, animale ou obtenu par synthèse). On distingue les substances dérivées du curare (comme la tubocurarine) des curares de synthèse (gallamine, succinylcholine, pancuronium, vécuronium ou atracurium). Ils agissent au niveau de la plaque motrice : en bloquant la transmission nerveuse entre la fibre nerveuse et la fibre musculaire, ils empêchent l'action d'un neurotransmetteur, l'acétylcholine.

Parmi les effets indésirables, on note le risque d'insuffisance respiratoire et d'apnée (arrêt respiratoire).

Curatrice (traitement à visée)

Traitement visant à éliminer totalement une lésion ou une maladie.

L'expression s'emploie surtout en chirurgie des cancers, quand toute la tumeur et ses prolongements ont pu être retirés (dans un traitement palliatif, l'ablation totale n'est pas possible).

Cure chirurgicale

Toute intervention visant à l'ablation ou à la correction d'une lésion ou d'une malformation.

La cure chirurgicale radicale implique une intervention totale et définitive : ainsi la cure radicale d'une hernie supprime-t-elle à la fois la hernie et l'orifice herniaire.

Cure hémodynamique de l'incontinence valvulaire en ambulatoire

Technique de traitement chirurgical des varices ne nécessitant pas d'hospitalisation.

INDICATIONS

La cure hémodynamique de l'incontinence valvulaire en ambulatoire (Chiva) s'adresse aux personnes souffrant d'une insuffisance des veines superficielles des membres inférieurs sans varices importantes. Ces varices sont liées à une insuffisance de fermeture des valvules veineuses, normalement disposées de façon à s'ouvrir quand le sang va vers le haut et à se refermer si le sang tend à redescendre ; il s'ensuit une stagnation du sang dans les membres inférieurs. Le trouble atteint principalement la veine saphène interne, le long de la face interne de la jambe et de la cuisse, provoquant lourdeurs et varices.

DÉROULEMENT ET RÉSULTAT

La Chiva suppose un repérage préalable, par écho-Doppler, des veines qui fonctionnent normalement. On ligature alors la veine saphène interne au niveau de celles-ci, ce qui permet au sang superficiel d'être drainé par les veines profondes plutôt que par la saphène interne. Cette intervention, réalisée sous anesthésie locale, ne nécessite pas d'hospitalisation. Les résultats immédiats sont satisfaisants. Quelques années après le traitement, les complications (séquelles, récidives) sont peu nombreuses.

Cure de sommeil

Méthode thérapeutique consistant à soigner par le sommeil certaines affections psychologiques ou psychosomatiques.

Une cure de sommeil se pratique dans des établissements spécialisés : le patient est plongé dans un sommeil artificiel, le plus proche possible du sommeil naturel, grâce à des médicaments (neuroleptiques, hypnotiques) choisis en fonction de chaque cas. Durant toute la cure, le patient fait l'objet d'une surveillance attentive : contrôle du pouls, de la tension artérielle, de la température, etc. La durée de la cure est variable : généralement 20 heures de sommeil par jour, sur une période d'environ 15 jours.

Une cure de sommeil est utilisée dans le traitement des états d'angoisse, principalement chez les sujets névrosés. Elle peut donner de bons résultats dans certaines manifestations psychosomatiques (asthme, ulcère gastroduodénal, etc.) ; elle est parfois employée dans le sevrage des toxicomanes.

Cure thermale

Séjour effectué dans un centre thermal, au cours duquel le curiste, assisté médicalement, soigne les troubles dont il est atteint grâce aux propriétés thérapeutiques des eaux locales.

Une cure thermale se pratique dans des établissements spécialisés avec des eaux prises à la source même, avant qu'elles ne perdent les propriétés biologiques et pharmacodynamiques qu'elles tiennent de leur richesse en ions et en oligoéléments. Ces propriétés varient en fonction de la composition spécifique de chaque eau thermale, chaque station s'adressant à un type d'affection différent.

DIFFÉRENTES UTILISATIONS DES EAUX

La cure repose sur l'hydrothérapie par voie interne (absorption) ou externe (bains, douches, pulvérisations, boues). Les gaz contenus dans l'eau sont utilisés soit dans les eaux elles-mêmes, soit dans des étuves ou en inhalation.

RÉSULTATS

Les résultats thérapeutiques se manifestent dans un délai de 1 à 3 mois après la cure, durent jusqu'à un an et peuvent se prolonger grâce au renouvellement des cures. La durée généralement prescrite est de 21 jours.

Les vertus de la cure peuvent être renforcées par les effets bénéfiques du climat (climat de semi-altitude sec et ensoleillé pour les asthmatiques, par exemple). La cure peut être pratiquée en association avec une rééducation fonctionnelle. Le patient peut également y recevoir des conseils d'hygiène alimentaire et corporelle ainsi que des informations lui permettant de mieux combattre l'affection dont il souffre. Enfin, une station thermale est aussi un centre de détente et de réadaptation pour les patients atteints de maladies invalidantes.

INDICATIONS

Elles concernent principalement les affections chroniques (rhumatisme, asthme, infections dermatologiques, troubles circulatoires) et les troubles fonctionnels (colopathie fonctionnelle). Une cure ne peut être pratiquée que sur prescription médicale.

Curetage, ou Curettage

Opération consistant à vider de son contenu une cavité naturelle ou pathologique (utérus, os, articulation, plaie) en la raclant à l'aide d'une curette.

Curetage aspiratif de l'utérus

Cette technique consiste à éliminer un œuf implanté, pour une interruption volontaire de grossesse, ou à enlever des fragments placentaires après une fausse couche. Le curetage de l'utérus a été souvent incriminé dans le développement de synéchies utérines (adhérences des parois de la cavité utérine, à l'origine de stérilité ou d'avortements spontanés). La curette est donc aujourd'hui abandonnée au profit d'une canule aspirante, beaucoup moins traumatisante pour la muqueuse utérine. On parle alors d'aspiration endo-utérine. Elle se pratique sous anesthésie locale ou générale et nécessite une hospitalisation de jour.

Curetage biopsique de l'utérus

Il s'agit d'un prélèvement, réalisé à l'aide d'une curette, de fragments utérins destinés à être analysés au microscope. Le curetage biopsique est très utilisé pour le diagnostic des affections intra-utérines : polypes de l'utérus, hyperplasie de la muqueuse, cancer de l'utérus. Cette intervention est presque systématiquement précédée d'une hystéro-scopie (examen de l'utérus à l'aide d'un endoscope, tube muni d'un système optique, inséré par le vagin) permettant de déterminer la localisation exacte de la pathologie utérine. Le curetage biopsique se pratique sous anesthésie locale ou générale, dure environ 5 minutes et ne nécessite qu'une hospitalisation de jour.

Curie

Unité de mesure de la radioactivité.

Depuis 1982, le curie (Ci) a été remplacé par le becquerel (Bq) dans le système international des unités. Le curie correspond à la désintégration de 37 milliards de noyaux atomiques par seconde, soit l'activité de un gramme de radium. Ses sous-multiples, microcurie (μCi) et millicurie (mCi), continuent malgré les règles internationales à être employés en médecine (1 μCi = 37 kBq), où l'on utilise des doses de radioactivité allant de quelques microcuries à plusieurs millicuries. Ainsi, un examen scintigraphique du squelette nécessite l'administration de 20 millicuries d'un composé marqué au technétium, tandis que le traitement par radiothérapie métabolique d'une tumeur thyroïdienne peut nécessiter une dose de 100 millicuries d'iode.

Curie (Marie)

Physicienne française d'origine polonaise (Varsovie 1867 - Sallanches 1934).

Maria Sklodowska, venue à Paris pour étudier à la Sorbonne (1892), épouse Pierre Curie (1895) et effectue avec lui des recherches sur le phénomène de la radioactivité ; ils découvrent ensemble le polonium et le radium (1898). À la mort de son mari, elle lui succède à la chaire de physique générale à la Sorbonne ; c'est la première femme à obtenir ce poste. On lui doit la création de l'Institut du radium en 1911 et l'initiative de l'utilisation des rayons X en médecine. Après le prix Nobel de physique, en 1903, elle reçoit celui de chimie en 1911 et elle entre à l'Académie de médecine en 1922. Elle meurt victime des effets du rayonnement sur lequel elle a si longtemps travaillé.

Curie (Pierre)

Physicien français (Paris 1859 - id. 1906).

Avec son frère Paul-Jacques, il fait en 1880 d'importantes découvertes sur les propriétés de certains cristaux. Nommé chef de travaux à l'École de physique et de chimie en 1882, il effectue des recherches fondamentales sur les propriétés magnétiques des corps puis se consacre à l'étude de la radioactivité, ce qui lui vaut de partager en 1903, avec sa femme, Marie, et Henri Becquerel, le prix Nobel de physique. Il devient professeur de physique générale à la Sorbonne en 1904 et entre en 1905 à l'Académie des sciences. Il meurt accidentellement l'année suivante.

Curiethérapie

Technique de radiothérapie utilisant des rayons gamma émis par des sources radioactives scellées, introduites dans l'organisme afin d'y détruire des cellules cancéreuses.

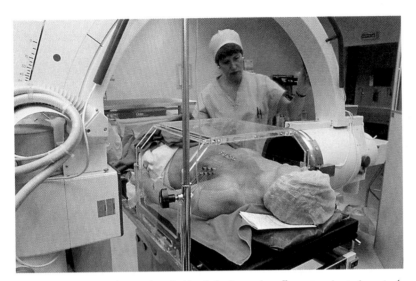

Curiethérapie. Cette technique de radiothérapie locale est plus efficace et moins toxique que la radiothérapie classique. On voit ici les implants destinés à traiter un cancer du sein gauche.

Le radium est aujourd'hui supplanté par des corps radioactifs artificiels dont la production et la manipulation sont plus faciles et moins dangereuses.

DIFFÉRENTS TYPES DE CURIETHÉRAPIE

On distingue deux modalités d'utilisation : la curiethérapie interstitielle et la curiethérapie endocavitaire.

■ La curiethérapie interstitielle, ou curie-puncture, consiste à implanter dans la tumeur des fils d'iridium radioactif en forme de droites ou de boucles. Ce traitement, de courte durée, est indiqué dans de nombreux cancers de la peau ou des orifices (verge, anus, oreille, lèvre), ou en complément d'une ablation partielle du sein afin d'éviter une récidive locale, ou encore après récidive inopérable d'une tumeur superficielle ou d'un ganglion adhérant aux tissus voisins. Les fils d'iridium sont introduits à l'intérieur de fines tubulures de plastique ou d'aiguilles métalliques creuses, préalablement placées, sous anesthésie, sous la peau.

■ La curiethérapie endocavitaire consiste à introduire dans les cavités naturelles de l'organisme atteintes par une tumeur des sources de césium 137 radioactif. L'indication la plus fréquente est le cancer du col de l'utérus. Les sources de césium sont introduites dans le col utérin et dans les culs-de-sac latéraux du vagin par la vulve, au moyen de tubulures en plastique mises en place sous anesthésie. Ces tubulures sont reliées à un appareil de stockage qui délivre les sources de rayons. Ce dispositif est appelé curietron. La curiethérapie gynécologique précède souvent la chirurgie du cancer du col ou peut être associée à une irradiation externe quand la chirurgie n'est pas indiquée. Une autre technique, de plus en plus employée, est la curiethérapie à haut débit de dose : utilisée pour certains cancers de l'œsophage, elle utilise une source de grosse activité, introduite pour un temps très court.

PRÉPARATION ET DÉROULEMENT

Les curiethérapies nécessitent un repérage radiologique permettant une reconstitution anatomique tridimensionnelle par ordinateur et un calcul précis du temps d'irradiation. Le traitement, pratiqué sous la responsabilité d'un radiothérapeute, doit avoir lieu dans une chambre spéciale équipée de parois absorbant le rayonnement pour la protection du personnel et de la famille du patient. Les visites, brèves, sont faites derrière des paravents plombés. À la fin de la curiethérapie, les sources radioactives sont retirées et le malade ne présente plus de danger radioactif pour son entourage. Le traitement dure entre 2 et 6 jours.

EFFETS SECONDAIRES

La curiethérapie provoque une irritation intense de la zone traitée (peau, muqueuses), qui s'atténue après 3 ou 4 semaines. Une convalescence d'un mois entre 2 séances est nécessaire pour une meilleure tolérance du traitement.

Cushing (syndrome de)

Ensemble de troubles liés à une hypersécrétion de corticostéroïdes (hormones produites par les glandes corticosurrénales).

CAUSES

Les causes du syndrome de Cushing sont hypophysaires, surrénaliennes ou extraendocriniennes. Les trois quarts des syndromes de Cushing sont dus à une maladie décrite en 1932 par le neurochirurgien américain Harvey Williams Cushing et appelée maladie de Cushing. Celle-ci est provoquée par une hypersécrétion de corticotrophine par l'hypophyse, généralement due à un adénome hypophysaire. Elle s'observe surtout chez la femme entre 20 et 40 ans.

Les autres causes du syndrome de Cushing sont moins fréquentes. Il peut s'agir d'un adénome surrénalien, tumeur le plus souvent bénigne d'une glande surrénale : la sécrétion surrénalienne ne répond alors plus au contrôle physiologique par la corticotrophine. Enfin, le syndrome de Cushing peut être lié à la sécrétion extraendocrinienne (dite ectopique) de corticotrophine par une tumeur, souvent carcinoïde, dont la petite taille rend parfois la localisation difficile.

La prise excessive de corticostéroïdes entraîne des manifestations d'hypercorticisme (hypersécrétion de corticostéroïdes) semblables à celles du syndrome de Cushing.

SYMPTÔMES ET SIGNES

Le syndrome de Cushing est caractérisé par une obésité localisée à la face, au cou et au tronc, une hypertension artérielle, une atrophie musculaire avec asthénie et une ostéoporose. On observe également des vergetures pourpres sur l'abdomen, les cuisses et la poitrine ainsi qu'un développement excessif du système pileux sur le visage. Environ 20 % des malades souffrent de diabète sucré.

DIAGNOSTIC ET ÉVOLUTION

Le diagnostic doit être confirmé par des dosages hormonaux (corticotrophine et cortisol), sanguins et urinaires, à la fois statiques (spontanés) et dynamiques (par administration de substances médicamenteuses ou hormonales freinant ou stimulant la sécrétion corticosurrénalienne). Les examens radiologiques hypophysaires et surrénaliens recherchent la présence d'adénomes.

L'évolution spontanée se fait vers l'aggravation progressive.

TRAITEMENT

Il dépend de la cause du syndrome et peut être soit médical (administration d'anticortisoliques), soit chirurgical (exérèse d'un adénome ou d'une tumeur). La surrénalectomie totale (ablation des deux glandes surrénales) peut également être envisagée ; elle doit être suivie d'un traitement hormonal substitutif qu'il conviendra de poursuivre à vie. Le pronostic de cette maladie, diagnostiquée et traitée à temps, est favorable.

Cuspide

Protubérance située sur la face triturante des prémolaires et des molaires.

Aux cuspides (en relief) correspondent les fosses (en creux) : le contact de ces deux éléments permet le broiement des aliments entre deux dents antagonistes.

Cuti-réaction

Test de réaction inflammatoire cutanée caractérisé par l'introduction dans l'organisme, par scarification, d'une toxine ou d'un produit auxquels le sujet peut être sensibilisé.

La cuti-réaction était naguère très utilisée pour connaître la réponse d'un sujet à la tuberculine ou, en allergologie, dans l'exploration des dermites de contact.

La cuti-réaction de von Pirquet, mise au point en 1907 par le médecin autrichien Clemens von Pirquet, permet de connaître le degré de sensibilité d'un sujet à la tuberculine. La peau scarifiée, généralement sur la face externe du bras et à l'aide d'un vaccinostyle, est mise en contact avec une préparation de tuberculine ou de son dérivé protéique purifié (tuberculine P.P.D.). À la place du vaccinostyle, on peut utiliser une bague à multipunctures dont les dents sont imprégnées de tuberculine ou réaliser une percuti-réaction grâce à un timbre délivrant la tuberculine par contact avec la peau.

■ La réponse au test est négative si aucune réaction n'est visible ou si elle se limite à une petite rougeur. Elle indique que le sujet n'a pas été en contact avec le bacille tuberculeux ou qu'une éventuelle vaccination n'a pas entraîné d'immunisation. Cependant, des réactions négatives peuvent se rencontrer chez des sujets qui ont par ailleurs une autre affection entraînant une perte transitoire de l'immunité, comme la sarcoïdose ou la maladie de Hodgkin.

■ La réponse au test est positive si l'on constate, 2 ou 3 jours après, une rougeur et une induration de 2 millimètres au moins dont la taille augmente régulièrement. Elle signifie que le sujet a été en contact, à un moment de sa vie, avec le bacille tuberculeux, qu'il s'agisse d'une primo-infection ou du vaccin par le B.C.G.

La cuti-réaction se prête mal à une quantification de la réaction cutanée et à des études épidémiologiques. C'est pourquoi on lui préfère l'intradermo-réaction de Mantoux, seule méthode de référence pour une étude précise de l'hypersensibilité à la tuberculine. Chez les enfants, c'est généralement le timbre qui est utilisé.

Cutis laxa

Altération des propriétés viscoélastiques des tissus de soutien se manifestant particulièrement au niveau de la peau.

La cutis laxa est une maladie rare du tissu conjonctif, héréditaire (à transmission autosomique dominante ou autosomique récessive) ou secondaire à une affection cutanée inflammatoire. Elle est parfois associée à une autre maladie héréditaire (maladie d'Ehlers-Danlos, neurofibromatose).

La maladie débute dans l'enfance ou à l'âge adulte. Elle se traduit par une extension progressive de la surface de la peau, qui forme de grands plis flasques conférant au visage un aspect prématurément vieilli. La cutis laxa à transmission autosomique récessive (maladie héréditaire transmise par des chromosomes autosomes - non sexuels - et qui ne se développe chez un sujet que s'il a reçu le gène porteur de la maladie de chacun de ses parents) s'accompagne parfois d'altérations digestives, urinaires, pulmonaires et vasculaires.

Il n'existe pas de traitement curatif de la cutis laxa, hormis la chirurgie réparatrice.

Cutis marmorata

Quadrillage de couleur violacée de la peau, dessinant un réseau de mailles.

La cutis marmorata est une réaction normale de la peau, observée chez le nourrisson et déclenchée par le froid. Elle est l'équivalent du livedo, qui donne les mêmes signes chez l'adulte.

La cutis marmorata telangiectica congenita est une anomalie plus profonde des petits vaisseaux de la peau, qui peut durer pendant toute l'enfance et s'associer à d'autres malformations, en particulier des os et du système nerveux.

Cyanocobalamine

Vitamine du groupe B fournie à l'homme par la viande, le poisson, les œufs et les produits lactés, jouant un rôle important dans la maturation des globules rouges.
→ VOIR Vitamine B12.

Cyanose

Coloration mauve ou bleutée de la peau due à la présence d'un taux anormalement élevé (supérieur à 50 grammes par litre de sang) d'hémoglobine non oxygénée dans les vaisseaux capillaires de la peau et qui prédomine sur les ongles et les lèvres.

CAUSES

■ Chez le nouveau-né, une cyanose est le plus souvent liée à une affection des alvéoles pulmonaires, la maladie des membranes hyalines, parfois à des inhalations de méconium importantes par le fœtus ou à une infection. Elle peut être aussi d'origine cardiaque (malformation congénitale).

■ Chez le nourrisson, une cyanose chronique peut être due à une cardiopathie qui entraîne des anomalies de la circulation sanguine (le sang oxygéné est envoyé aux poumons tandis que le sang non oxygéné passe directement dans l'organisme).

■ Chez le sujet plus âgé, une cyanose peut être due à une insuffisance respiratoire aiguë ou à un trouble circulatoire (état de choc), à une maladie vasculaire périphérique (thrombose, embolie ou spasme) ainsi qu'à une anomalie de la fixation de l'oxygène sur l'hémoglobine sous l'effet de toxiques chimiques ou médicamenteux (methémoglobine et sulfhémoglobine).

SYMPTÔMES ET SIGNES

Outre la coloration de la peau, les principaux symptômes de la cyanose sont ceux de la maladie causale. D'origine respiratoire, la cyanose s'associe aux signes d'insuffisance respiratoire. Dans les cardiopathies congénitales cyanogènes, elle est isolée, sans détresse respiratoire ni signes de lutte.

DIAGNOSTIC ET TRAITEMENT

Diagnostic et traitement se confondent avec ceux de la maladie causale.

Cyanure

Sel hautement toxique formé par la combinaison d'un métal (fer, mercure) et d'un groupement chimique de carbone et d'azote (CN), dit cyanogène.

Les cyanures sont utilisés pour la destruction des rongeurs ou encore pour la désinfection des locaux. Ils ne sont plus utilisés en thérapeutique, à l'exception du nitroprussiate de sodium, réservé à l'usage hospitalier, qui possède des propriétés hypotensives. Le cyanure peut provoquer une intoxication, qui se manifeste très rapidement par une accélération cardiaque, un essoufflement, un coma. Le traitement symptomatique (assistance respiratoire, oxygène) est complété par l'administration d'un antidote (vitamine B12 à fortes doses).

Cycle menstruel

Période comprise entre chaque début de règles, au cours de laquelle se succèdent un ensemble de phénomènes physiologiques et hormonaux rendant possibles l'ovulation, la rencontre des gamètes, la fécondation et la nidation de l'embryon au sein de la muqueuse utérine.

Le cycle menstruel se répète chez la femme, de la puberté jusqu'à la ménopause, et n'est normalement interrompu que par les périodes de grossesse (il peut l'être artificiellement par contraception hormonale). Il dure en moyenne 28 jours et intéresse l'hypophyse, les ovaires, l'utérus et le vagin.

Le cycle menstruel se subdivise en une phase folliculaire et une phase lutéale.

■ La phase folliculaire dure environ 14 jours, pendant lesquels la sécrétion hypophysaire d'hormone folliculostimulante (FSH) provoque la maturation de plusieurs follicules ovariens, dont un seul parviendra à maturité. Ceux-ci sécrètent des œstrogènes responsables à leur tour d'un épaississement de l'endomètre (muqueuse interne de l'utérus) et d'une sécrétion abondante de glaire cervicale, destinée à faciliter l'ascension des spermatozoïdes.

■ La phase lutéale débute vers le 14e jour, lorsqu'une légère hausse du taux d'œstrogènes déclenche dans l'hypophyse une importante sécrétion d'hormone lutéinisante (LH), qui provoque l'ovulation et la transformation du follicule rompu en corps jaune. Le corps jaune, à son tour, sécrète de la progestérone, hormone qui augmente la température corporelle, rend la glaire cervicale impropre à l'ascension des spermatozoïdes et contribue à préparer l'endomètre pour une nidation éventuelle de l'œuf. Si l'ovule n'est pas fécondé, le corps jaune se flétrit brutalement et dégénère. La chute du taux de progestérone qui s'ensuit entraîne la desquamation de l'endomètre, qui s'évacue en formant les règles. Un autre cycle peut recommencer, qui va préparer à nouveau le corps féminin à l'accueil d'un œuf.

→ VOIR Contraception, Couches (retour de), Menstruation.

Cycloplégie

Paralysie du muscle ciliaire de l'œil se traduisant par une impossibilité d'accommoder de près.

Une cycloplégie résulte en général de l'instillation de collyres dits cycloplégiques (atropine essentiellement) pratiquée avant un examen ophtalmologique approfondi. Elle cesse plus ou moins rapidement selon le produit utilisé. L'effet de l'atropine peut durer de 2 à 7 jours après une seule instillation, tandis que les autres produits ont un effet cycloplégique moins important et moins durable (quelques heures).

Les autres causes de cycloplégie sont plus rares : paralysies toxi-infectieuses (diphtérie, botulisme), toxiques (amanite phalloïde), traumatiques (contusion du globe oculaire) ou infectieuses (syphilis).

Une cycloplégie se traduit par une gêne à la vision de près, importante surtout pour les sujets jeunes ayant une vision normale et pour les hypermétropes.

Cyclospasme

Spasme de l'accommodation dû à la contraction permanente du muscle ciliaire.

Un cyclospasme est le plus souvent le signe d'une fatigue oculaire due à un trouble de la réfraction mal corrigé ou à un mauvais équilibre oculomoteur (hétérophorie, ou trouble de la vision lié aux variations de l'équilibre des muscles oculomoteurs ; trouble de la convergence). Les collyres myotiques (pilocarpine, ésérine), certains traumatismes ou inflammations, de rares intoxications et affections encéphalitiques peuvent aussi causer un cyclospasme.

Un cyclospasme se traduit par une pseudomyopisation : le myope voit sa myopie augmenter, le sujet ayant une vision normale devient myope et l'hypermétrope voit son hypermétropie diminuer. La vision de près est toujours excellente, parfois accompagnée d'une sensation de voir plus gros (macropsie) et de maux de tête surtout frontaux, en barre.

Le diagnostic repose sur l'examen de l'œil après instillation d'atropine, un puissant cycloplégique (produit qui paralyse de façon temporaire le muscle ciliaire de l'œil). Le traitement d'un cyclospasme dû à un trouble de la réfraction ou à un mauvais équilibre oculomoteur, purement palliatif, consiste à porter des verres correcteurs.

Cyclothymie

Humeur caractérisée par l'alternance de phases d'excitation et d'abattement.

Le terme fut créé en 1882 par le psychiatre allemand Karl Kahlbaum pour désigner la succession d'états de manie et de mélancolie chez certains de ses patients. En 1920, le psychiatre allemand Ernst Kretschmer l'étendit à une forme normale de tempérament. Un sujet cyclothymique possède une grande capacité d'accord et de fusion avec le monde. Généralement sociable, il réagit aux variations de l'ambiance par la joie, la tristesse ou la colère. Quand la cyclothymie prend un caractère exagéré, elle entre cependant dans le domaine pathologique et peut aboutir à la psychose maniaco-dépressive.

Cyclotron

Accélérateur circulaire de particules atomiques.

Le cyclotron est utilisé par les physiciens pour étudier la structure de la matière. Les médecins disposent en général de modèles moins puissants qui produisent des molécules radioactives ou des rayonnements utilisés en radiothérapie.

PRINCIPE

Des particules chargées, telles que des protons ou des ions plus lourds, sont injectées à l'intérieur d'une chambre à vide circulaire d'un diamètre de l'ordre du mètre, où elles sont soumises, d'une part, à un champ électrique de radiofréquence qui leur confère une vitesse parfois proche de celle de la lumière (près de 300 000 kilomètres par seconde), d'autre part, à un champ magnétique qui les fait tourner en orbite sur une trajectoire en spirale qui augmente progressivement d'amplitude. Lorsqu'elles ont atteint la vitesse désirée, elles sont éjectées du faisceau vers un point d'impact.

UTILISATIONS DIAGNOSTIQUE ET THÉRAPEUTIQUE

Selon l'utilisation envisagée, la nature des particules accélérées et celle de la cible sur laquelle on les dirige varient. Cette cible peut renfermer une substance qui, devenue radioactive sous l'effet du rayonnement, servira ensuite à des fins diagnostiques au moyen d'une gammacaméra (thallium 201, iode 123). Dans quelques cas, ces substances émettent des positons ; on les utilise pour des examens tomographiques particuliers. En protonthérapie, la grande précision balistique du faisceau de protons permet de détruire sélectivement de petites tumeurs. En neutronthérapie, un faisceau de neutrons obtenu par bombardement d'une cible métallique par les protons sert à traiter des tumeurs résistant à la radiothérapie classique.

Cylindrome

Tumeur épithéliale, bénigne ou maligne, constituée par un amas de cellules tumorales groupées autour d'une cavité, formant comme un cylindre.

Les principales localisations du cylindrome sont cutanées et bronchiques, mais celui-ci peut également atteindre les glandes salivaires et le sein.

Son évolution est surtout locale (peu de métastases) et son pronostic, relativement favorable.

■ **Le cylindrome cutané** est une tumeur épithéliale bénigne développée aux dépens des glandes sudorales, le plus souvent du cuir chevelu. Arrondi, bien délimité, de couleur rosée ou violacée, il peut être isolé ou se réunir en grappes pour couvrir une étendue importante du cuir chevelu.

■ **Le cylindrome trachéobronchique** est une tumeur des glandes de la muqueuse bronchique, de malignité atténuée mais certaine.

TRAITEMENT

L'ablation chirurgicale constitue le seul traitement. Les récidives sont possibles et nécessitent alors d'associer radiothérapie et chirurgie. Le laser donne de bons résultats sur les cylindromes trachéobronchiques.

Cylindrurie

Présence d'un nombre excessif de cylindres dans les urines.

Divers éléments microscopiques (protéines, cellules sanguines) contenus dans les urines peuvent précipiter ou s'agglutiner dans les tubes urinifères : ce sont les cylindres. Chaque type de cylindre oriente vers une variété de néphropathie : des cylindres hématiques (contenant des globules rouges) indiquent une atteinte des glomérules (unités de filtration du rein), des cylindres leucocytaires (composés de globules blancs), une maladie inflammatoire.

Cyphoscoliose

Double déformation de la colonne vertébrale, associant une déviation latérale (scoliose) et une déviation à convexité postérieure (cyphose).

Une cyphoscoliose entraîne des troubles statiques d'importance variable et peut s'accompagner de douleurs, voire d'un retentissement sur l'état général (troubles respiratoires, cardiaques ou viscéraux). Le traitement repose sur la kinésithérapie et la gymnastique corrective et, dans les cas les plus graves, sur le port d'un corset. La prévention consiste à surveiller et à corriger l'attitude de l'enfant ou de l'adolescent en position assise.

Cyphose

Déformation de la colonne vertébrale, anormalement convexe en arrière.

La courbure du rachis dorsal, normalement convexe en arrière, est excessive dans la cyphose, qui affecte habituellement la colonne dorsale entre les 2 omoplates, arrondissant le dos et projetant le cou en avant.

■ **La cyphose des enfants et des adolescents** résulte parfois d'une mauvaise posture, mais est le plus souvent due à une maladie de croissance des vertèbres dorsales, la maladie de Scheuermann. Cette cyphose n'est pas douloureuse mais favorise l'apparition d'une arthrose dorsale.

■ **La cyphose des adultes jeunes** est le plus souvent due à certaines maladies inflammatoires de la colonne vertébrale, les spondylarthropathies.

■ **Les cyphoses acquises des sujets âgés** résultent de tassements vertébraux (ostéoporose), de discopathies dégénératives multiples (vieillissement des disques intervertébraux) ou, plus rarement, d'un déficit des muscles paravertébraux.

TRAITEMENT

Le traitement des cyphoses est celui de leur affection d'origine. Il repose également sur la kinésithérapie et la rééducation corrective. Dans les cas graves (maladie de Scheuermann), le port d'un corset est indispensable.

Cyprotérone

Progestatif utilisé dans le traitement du cancer de la prostate.

Cystalgie

Douleur de la vessie.

Une cystalgie peut avoir différentes localisations, suspubienne ou pelvienne, et être ou non permanente. Provoquée par une irritation de la paroi vésicale, elle se manifeste par des brûlures s'accentuant pendant et après la miction. Les causes les plus fréquentes en sont les cystites, les tumeurs et les calculs de la vessie.

Cystectomie

Ablation chirurgicale de tout ou partie de la vessie.

La cystectomie est l'un des modes de traitement des tumeurs vésicales. Il existe deux types de cystectomie, selon le nombre et la situation des tumeurs à enlever.

Exagérée, la courbure du dos en arrière, à la hauteur des omoplates, forme une cyphose. Cette déformation peut être due à une maladie de la colonne vertébrale. Elle-même peut favoriser une arthrose. La radiographie permet de la mesurer et de surveiller son évolution.

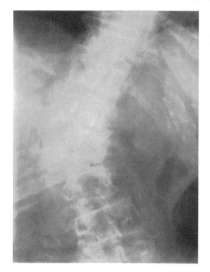
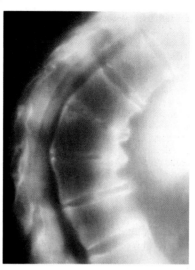
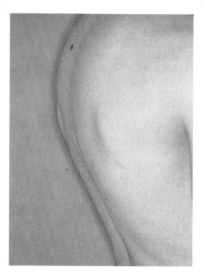

Dans une cyphoscoliose, un déplacement latéral de la colonne vertébrale s'ajoute à la courbure exagérée de la cyphose.

Dans une cyphose, les vertèbres sont déformées, aplaties vers l'avant, les disques sont pincés et bordés d'excroissances osseuses (ostéophytes).

Une cyphose, à cause de la mauvaise posture qu'elle entraîne, peut gêner diverses fonctions, par exemple la respiration.

■ **La cystectomie partielle** permet de conserver une miction normale par les voies naturelles. Elle est indiquée pour les tumeurs vésicales uniques situées sur une partie mobile de la paroi de la vessie. La contenance vésicale est souvent réduite après l'intervention, mais une capacité normale est récupérée en quelques mois.

■ **La cystectomie totale** est souvent associée, chez l'homme, à l'ablation de la prostate (prostatocystectomie) et, chez la femme, à celle de l'utérus et de l'urètre (pelvectomie antérieure). Cette intervention est pratiquée en cas de cancers étendus de la vessie. L'opéré ne pouvant plus uriner par les voies naturelles, une dérivation doit être réalisée. Quatre méthodes sont possibles :
– l'entérocystoplastie, qui est le remplacement de la vessie par un segment d'intestin ; cette technique n'est applicable que chez l'homme, car, chez la femme, elle entraîne une incontinence urinaire totale ;
– l'implantation des uretères dans le haut rectum (opération de Coffey), les mictions s'effectuant par l'anus ; cette intervention est peu pratiquée en raison de ses mauvais résultats sur le confort à la miction ;
– la dérivation cutanée non continente, dans laquelle les uretères sont abouchés à la paroi abdominale, les urines étant recueillies dans une poche placée sur l'abdomen ;
– la dérivation cutanée continente, dans laquelle un segment d'anse intestinale est isolé, façonné en réservoir pour recueillir l'urine et pourvu d'une valve qui assure la continence. Le malade s'autosonde plusieurs fois par jour pour évacuer ses urines.

Cysticercose
Maladie parasitaire provoquée par l'infestation par des cysticerques, larves du ténia du porc. SYN. *ladrerie*.

La cysticercose sévit surtout à Madagascar, en Amérique latine, à la Réunion et dans certains pays d'Asie et d'Europe (Portugal).
Elle se contracte par ingestion d'aliments crus et mal lavés sur lesquels se trouvent les œufs du ténia. L'œuf éclôt dans l'estomac, puis l'embryon du ténia gagne les muscles, le derme et surtout l'œil ou le cerveau et s'enkyste, provoquant l'apparition d'une petite tumeur de la taille d'un grain de riz, la larve cysticerque.

SYMPTÔMES ET SIGNES
La localisation dans le cerveau provoque des crises d'épilepsie, des maux de tête, des convulsions et des vomissements répétés. La localisation dans le globe oculaire peut entraîner une cécité.

DIAGNOSTIC ET TRAITEMENT
Le diagnostic repose sur la localisation des larves enkystées soit par radiographie ou scanner cérébral, soit par biopsie. Le traitement consiste en l'administration de praziquantel par voie orale. Le kyste doit parfois être retiré chirurgicalement.

Cystinose
Maladie due à un trouble du métabolisme de la cystine, acide aminé qui se dépose dans certains tissus (œil, rein essentiellement).

CAUSES ET SYMPTÔMES
La cystinose est une maladie héréditaire à transmission autosomique récessive (le gène porteur est sur un chromosome autosome – non sexuel – et doit être reçu du père et de la mère pour que l'enfant développe la maladie). Ses symptômes diffèrent selon l'âge auquel elle débute ; on distingue la forme rencontrée chez l'adulte, la plus rare et la plus bénigne (sans atteinte rénale), la forme juvénile, qui évolue tardivement mais inéluctablement vers l'insuffisance rénale, et la forme infantile, la plus grave. Le début

de la maladie se situe alors dans les premiers mois de la vie et est marqué par des signes d'atteinte des fonctions tubulaires du rein (polyurie, soif, déshydratation) associés à une acidose rénale. La croissance s'en trouve ralentie, aboutissant à un nanisme avec rachitisme. Au bout de quelques années apparaît une insuffisance rénale.
L'accumulation de cystine dans d'autres organes que le rein est à l'origine des autres manifestations de la maladie : atteinte oculaire avec baisse de la vision, voire cécité, atteinte du système nerveux central, du pancréas, de la thyroïde.

TRAITEMENT
On ne sait pas actuellement empêcher l'accumulation de cystine dans les tissus. Le traitement est donc symptomatique, destiné à pallier les pertes hydroélectrolytiques (eau, sodium, potassium, etc.) dues aux troubles tubulaires : apport important d'eau, de bicarbonate de sodium, de potassium, de phosphore et de vitamine D pour lutter contre le rachitisme. Lorsque l'insuffisance rénale est arrivée à son stade ultime, une épuration extrarénale (dialyse péritonéale, hémodialyse) est indispensable, le meilleur traitement étant la transplantation rénale, dont les résultats sont particulièrement bons dans la cystinose.

Cystinurie
Maladie congénitale caractérisée par une excrétion urinaire anormalement élevée de cystine et d'autres acides aminés dibasiques (lysine, arginine, ornithine).

CAUSES ET SYMPTÔMES
La cystinurie est une maladie héréditaire transmise sur le mode autosomique récessif (le gène porteur est localisé sur un chromosome autosome – non sexuel – et il faut qu'il ait été reçu à la fois du père et de la mère

pour que l'enfant développe la maladie). Due à une anomalie tubulaire, elle se manifeste par la formation de calculs (lithiase) de cystine, généralement volumineux, qui se révèlent le plus souvent par des coliques néphrétiques. Généralement, la lithiase apparaît précocement, chez l'adolescent ou chez l'adulte jeune.

TRAITEMENT
Impératif, car les calculs récidivent et peuvent à la longue altérer la fonction rénale, le traitement consiste à dissoudre les calculs déjà formés et à empêcher la formation de nouveaux par des apports très abondants d'eau enrichie en alcalins (bicarbonate de sodium, par exemple). En effet, lorsque l'urine est basique, la cystine devient plus soluble. Il est parfois nécessaire de recourir à un médicament, la D-pénicillamine, qui, en se liant à la cystine, provoque la dissolution des cristaux.

Cystite
Inflammation aiguë ou chronique de la muqueuse vésicale.

Une cystite témoigne le plus souvent d'une infestation par des germes pathogènes, des bacilles (*Escherichia coli* [colibacillose], *Proteus mirabilis*) ou, plus rarement, par un champignon (*Candida albicans*). Elle est beaucoup plus fréquente chez les diabétiques, les femmes jeunes en période d'activité sexuelle et les femmes enceintes (elle peut causer des contractions utérines avec menace d'accouchement prématuré). Elle est souvent liée à une maladie gênant l'évacuation vésicale des urines (rétrécissement ou diverticule de l'urètre, calculs vésicaux, tumeur vésicale) ou à des brides hyménéales entraînant, lors du coït, une inoculation dans l'urètre et la vessie de germes présents dans le vagin. Chez l'homme, elle peut être due à un obstacle prostatique (adénome).

SYMPTÔMES ET SIGNES
La cystite se manifeste souvent brutalement par une douleur suspubienne, des brûlures à la miction, des mictions fréquentes et impérieuses avec émission de seulement quelques gouttes d'urine. Celle-ci est trouble, signe de la présence de pus (pyurie), malodorante et contient parfois du sang (cystite hématurique). La température demeure normale, l'apparition d'une fièvre signalant le passage à une infection des voies urinaires.

DIAGNOSTIC ET TRAITEMENT
Les germes en cause sont identifiés par un examen cytobactériologique des urines (E.C.B.U.), et un antibiogramme teste leur sensibilité aux antibiotiques usuels.

La cystite est traitée par administration d'antibiotiques à bonne élimination urinaire. Un contrôle de la stérilité des urines est réalisé 48 heures après la fin du traitement. Un traitement « monodose » (une seule prise d'antibiotique) peut être proposé aux femmes jeunes, en l'absence de fièvre et s'il ne s'agit pas de récidive.

PRÉVENTION
Le traitement de la cause favorisante suffit généralement à prévenir de nouveaux accès

de cystite. Dans de nombreux cas cependant, aucune cause ne peut être mise en évidence. La récidive est alors fréquente et la prévention repose sur le respect de règles hygiéniques et diététiques : boisson abondante (plus de 2 litres d'eau par jour), mictions fréquentes, hygiène génitale et périnéale parfaite, traitement d'une constipation.

Cystocèle
Descente de la vessie sur le vagin.

Une cystocèle survient surtout chez les femmes ayant eu plusieurs enfants, le plus souvent après la ménopause. Elle accompagne fréquemment une colpocèle (affaissement du vagin) et peut se doubler d'un prolapsus utérin (descente de l'utérus). Elle n'entraîne souvent aucun symptôme mais gêne parfois l'évacuation de la vessie lors de la miction ou provoque une incontinence urinaire d'effort. Elle est alors traitée par rééducation du périnée, afin de remuscler celui-ci, ou par une intervention chirurgicale appelée cystopexie, visant à replacer la vessie dans la cavité pelvienne.

Cystographie
Examen radiologique étudiant l'état et le fonctionnement de la vessie.

INDICATIONS
La cystographie permet d'observer les contours de la vessie, sa capacité d'évacuation et l'état de l'urètre. Elle concerne particulièrement les hommes, chez qui les affections prostatiques liées à l'âge (adénome prostatique) peuvent provoquer un retard et une difficulté à uriner ainsi qu'une évacuation incomplète de la vessie. Elle permet également de localiser les tumeurs, les polypes vésicaux et les calculs et de déceler la présence d'un reflux vésico-urétéral (reflux d'urine vers les reins lors de la miction).

TECHNIQUE ET DÉROULEMENT
La cystographie nécessite l'opacification de la vessie, réalisable de deux manières.

■ **Lors de la cystographie par urographie intraveineuse**, l'opacification s'obtient indirectement, le produit de contraste, injecté par voie veineuse, étant éliminé par les reins dans les urines et opacifiant ainsi les voies urinaires. Des clichés de la vessie sont réalisés respectivement avant, pendant et après la miction, permettant d'évaluer l'état de l'urètre et de mettre en évidence un éventuel résidu vésical postmictionnel. Cette technique ne permet pas l'observation du reflux vésico-urétéral.

■ **Lors de la cystographie par voie rétrograde ou suspubienne**, le produit de contraste, dilué dans du sérum physiologique, est injecté directement dans la vessie par une sonde introduite à travers la paroi suspubienne (cathétérisme suspubien sous anesthésie locale) ou dans l'urètre ; cette technique nécessite une asepsie rigoureuse, et un court traitement antibiotique peut être prescrit pour prévenir tout risque infectieux. Plusieurs clichés sont réalisés pendant que la vessie se remplit, puis pendant et après la miction.

EFFETS SECONDAIRES
Contrairement à la cystographie rétrograde, où le produit de contraste iodé ne passe pas dans le sang, la cystographie par urographie intraveineuse peut entraîner une réaction d'intolérance à l'iode ; celle-ci est évitée par un traitement antiallergique prescrit préventivement aux patients sensibles.

Cystomanométrie
Examen permettant de mesurer les pressions dans la vessie au fur et à mesure de son remplissage.

La cystomanométrie est pratiquée à l'aide d'une petite sonde munie de capteurs, introduite dans la vessie après légère anesthésie locale chez l'homme (l'introduction étant plus sensible pour lui). La vessie est remplie d'eau et les pressions enregistrées se traduisent par un graphique.

On peut ainsi étudier les troubles vésicaux fonctionnels d'origine neurologique et les incontinences urinaires d'effort.

Cystopexie
Fixation chirurgicale de la vessie pour en corriger l'affaissement (cystocèle).

La vessie est fixée par suture à la paroi abdominale ou à la symphyse pubienne.

Cystoplastie
Intervention chirurgicale visant à remplacer tout ou partie de la vessie après une cystectomie.

Une cystoplastie remplace la vessie si celle-ci a été retirée, ou l'agrandit si sa capacité a été réduite. Elle est réalisée par entérocystoplastie, c'est-à-dire au moyen d'un segment d'intestin (grêle ou côlon) dont le chirurgien conserve la vascularisation et auquel il donne une forme et une capacité approchant celles de la vessie. S'il y a eu cystectomie totale, les deux uretères sont abouchés à la vessie reconstituée de façon à permettre la miction par les voies naturelles.

La cystoplastie de remplacement n'est pas réalisable chez la femme en cas d'ablation du col vésical, car elle conduit à une incontinence urinaire totale et définitive ; on lui préfère une dérivation urinaire cutanée.

Cystoscopie
Examen endoscopique de la vessie.

INDICATIONS
La cystoscopie a des fins diagnostiques et thérapeutiques : observer la muqueuse vésicale, les orifices urétéraux, le col vésical et l'urètre, effectuer le prélèvement d'une lésion suspecte, introduire une sonde urétérale, guidée jusqu'au rein pour rechercher, par exemple, l'origine d'un saignement ou des cellules tumorales ; et aussi réaliser des radiographies des voies rénales en injectant, par une sonde urétérale, des produits radio-opaques, traiter certaines tumeurs vésicales par résection électrique ou au laser, détruire ou extraire des calculs vésicaux.

DÉROULEMENT
La cystoscopie diagnostique ne nécessite pas d'hospitalisation et se pratique le plus souvent sans anesthésie chez la femme, et

sous anesthésie locale chez l'homme, par application d'un gel. La cystoscopie thérapeutique se déroule au bloc opératoire sous anesthésie générale ou péridurale.

L'examen est pratiqué à l'aide d'un cystoscope, tube rigide ou souple muni d'un système optique, que l'on introduit dans l'urètre. Le cystoscope du type souple permet une exploration vésicale atraumatique et indolore chez l'homme.

Cystostomie

Technique chirurgicale consistant à aboucher directement la vessie à la peau.

La cystostomie peut être temporaire ou définitive. Destinée à permettre l'évacuation des urines quand celle-ci est impossible par les voies basses naturelles, elle est pratiquée au-dessus du pubis.

Ce geste chirurgical n'est plus très courant. On lui préfère l'introduction d'un drain vésical à travers la peau (cathéter suspubien), qui nécessite une incision de moindre importance. Son indication principale est la rétention vésicale complète chez l'homme, due à un adénome de la prostate. Cette technique évite l'inconfort et le traumatisme d'une sonde urétrale.

Cytaphérèse

Prélèvement sanguin sélectif d'un seul type d'éléments cellulaires, les autres éléments étant restitués au donneur.

Les éléments prélevés peuvent être des plaquettes (thrombaphérèse), des globules blancs (leucaphérèse), des lymphocytes (lymphaphérèse), des globules rouges (érythrophérèse).

La cytaphérèse, utilisée en thérapeutique pour enlever des cellules en excès chez un malade lors de leucémies ou de thrombocytémies (excès du taux de plaquettes), est surtout pratiquée chez un donneur sain pour constituer des réserves de produits spécifiques pouvant être transfusés ensuite à des malades. Les différents produits sanguins sont en général séparés à l'aide d'un séparateur de cellules mécanique.

Cytochrome

Protéine indispensable à la production d'énergie par les cellules.

Les cytochromes participent à la chaîne respiratoire des cellules, suite de réactions qui terminent la dégradation de nombreuses substances organiques. Plus précisément, ils contiennent du fer leur permettant d'assurer des transports d'électrons nécessaires au fonctionnement de cette chaîne. Ces réactions consomment de l'oxygène et de l'hydrogène et produisent de l'eau, mais elles permettent surtout de synthétiser de l'adénosine triphosphate, source d'énergie pour la cellule. Par ailleurs, certains cytochromes contenus dans les cellules hépatiques jouent un rôle dans la transformation et la destruction de divers médicaments.

Cytodiagnostic

Méthode de diagnostic fondée sur l'étude microscopique de cellules prélevées dans l'organisme soit par ponction (sang, moelle osseuse), soit par raclage (exsudats, produits de desquamation).

Le cytodiagnostic le plus fréquent est celui des frottis vaginaux permettant le dépistage des cancers du col de l'utérus. Cette technique est aussi utilisée dans le diagnostic de certaines dermatoses bulleuses (notamment le pemphigus), l'aspect des cellules épithéliales libérées dans la bulle et la nature des cellules inflammatoires qui les accompagnent renseignant avec précision sur la nature de la maladie.

Cytogénétique

Branche de la génétique qui étudie les chromosomes, à l'état normal ou pathologique, à l'aide de techniques cytologiques (immunofluorescence, etc.).

Cytokine

Molécule sécrétée par les lymphocytes (globules blancs intervenant dans l'immunité cellulaire) et les macrophages (cellules de défense de l'organisme chargées d'absorber des particules étrangères) et impliquée dans le développement et la régulation des réponses immunitaires.

Les cytokines sont des peptides, petites protéines constituées d'acides aminés, qui agissent sur des cellules de types variés possédant des récepteurs propres à chacun d'entre eux. Certaines cytokines ont reçu le nom de leur fonction principale (interférons, facteurs nécrosant les tumeurs) ; d'autres portent le nom générique d'interleukine, suivi d'un numéro (de 1 à 13).

DIFFÉRENTS TYPES DE CYTOKINES

Les cytokines peuvent être classées en différentes catégories selon les activités biologiques qu'elles exercent.

■ Les cytokines pro-inflammatoires (interleukines 1, 6 et 8, facteurs nécrosant les tumeurs) sont des facteurs régulateurs de l'inflammation, de la fièvre, du sommeil, de l'hématopoïèse (formation des cellules du sang) ou de la destruction osseuse.

■ Les cytokines immunorégulatrices (interleukines 2, 4, 5, 7, 10 et 12), aux activités plus restreintes, contrôlent essentiellement la formation des cellules du système immunitaire et leur activation en cellules tueuses ou productrices d'anticorps.

■ Les cytokines effectrices (interférons, facteurs nécrosant les tumeurs) assurent la défense de l'organisme vis-à-vis des agents infectieux et des cancers.

PHYSIOLOGIE

Les cytokines ont pour fonction de moduler les réactions immunitaires mais aussi de contrôler les activités du système neuroendocrinien. Leur sécrétion est déclenchée par le contact avec un antigène ou par une autre cytokine. Lorsqu'une cytokine se lie à son récepteur, elle entraîne, à l'intérieur de la cellule, une cascade d'événements métaboliques (activation d'enzymes) qui déclenche ou modifie l'activité d'une catégorie de cellules. Les cytokines suscitent ainsi un réseau complexe de relations entre toutes les cellules impliquées dans les défenses immunitaires.

UTILISATION THÉRAPEUTIQUE

La production industrielle des cytokines, après clonage de leurs gènes, a déjà permis leur utilisation dans le traitement de cancers et de maladies du système immunitaire.

Cytologie

Étude des caractères morphologiques et fonctionnels des cellules.

La cytologie recourt essentiellement à l'examen microscopique des cellules.

■ La cytologie exfoliatrice étudie les cellules qui se détachent naturellement d'un épithélium : frottis vaginaux, cellules vésicales dans les urines, cellules de la muqueuse bronchique dans les crachats, etc.

■ La cytologie par ponction, ou cytoponction, indiquée pour les organes profonds et les tumeurs inaccessibles par une voie naturelle, étudie des cellules prélevées par aspiration au moyen d'une aiguille.

La cytologie apporte des renseignements précieux mais ne permet pas de diagnostic formel : d'une part, certaines lésions non tumorales (virales, par exemple) présentent les mêmes signes que des modifications morphologiques généralement observées dans les tumeurs malignes ; d'autre part, une cytologie normale ne permet pas d'exclure une tumeur, le prélèvement ayant pu porter sur une zone saine.

Cytolyse

Destruction de la cellule.

La cytolyse est le plus souvent un phénomène naturel : les muqueuses digestives, par exemple, sont le siège de remaniements constants éliminant les cellules usées et les remplaçant par de nouvelles. Mais la cytolyse peut aussi être provoquée par une ischémie (arrêt de la circulation sanguine), par certains virus (tels ceux de l'hépatite pour les cellules du foie), par des poisons, des médicaments et certains agents physiques (radium, rayons X, photons du laser). Elle peut enfin résulter de la toxicité de lymphocytes ou de macrophages sur des cellules fragilisées (infectées par un virus ou tumorales).

Cytomégalie

Augmentation de volume d'une cellule.

La cytomégalie relève le plus souvent d'une infection de la cellule par un virus du groupe des herpès, le cytomégalovirus. Fréquente chez les sujets immunodéprimés, elle est caractérisée par l'apparition dans tous les tissus de cellules de très grande taille. Des « cellules géantes » sont également retrouvées lors des réactions tissulaires à la présence d'un corps étranger ou dans certains granulomes inflammatoires (tuberculeux, en particulier).

Cytomégalovirus

Virus à A.D.N. de la famille des *Herpesviridæ* (herpès virus).

Le cytomégalovirus est transmis par contact avec la salive et les urines contaminées et par les globules blancs (transfusion). Une fois dans l'organisme, il réside dans les lymphocytes et persiste toute la vie.

Le diagnostic des affections du sein recourt fréquemment à la cytoponction. Cette technique consiste à prélever par aspiration des cellules dans une grosseur ou une masse suspectes pour les étudier au microscope. Le médecin peut faire plusieurs prélèvements au même endroit mais dans des directions différentes. Dans certains cas, l'aspiration ramène du liquide : la grosseur est alors un kyste. Lorsqu'il s'agit d'une tumeur, l'examen cytologique ne permet pas toujours de déterminer sa nature.

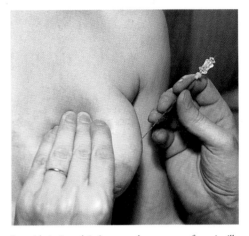 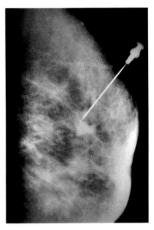

Le médecin introduit à travers la peau une fine aiguille creuse en direction de la masse qu'il a palpée ou repérée sur les radiographies, pour en examiner les cellules.

La radiographie vérifie que la position de l'aiguille par rapport à la zone à ponctionner est correcte.

Le cytomégalovirus est responsable d'infections congénitales (maladie des inclusions cytomégaliques) et, à tout âge, d'infections latentes qui, fréquemment, ne donnent lieu à aucun symptôme, ou se traduisent par une fièvre prolongée avec mononucléose sanguine, éventuellement associée à une hépatite, à une pneumopathie ou à une encéphalite. L'infection peut également déclencher une forme particulièrement grave de rétinite, presque exclusivement observée chez les sujets atteints du sida et immunodéprimés.

DIAGNOSTIC ET TRAITEMENT

Le diagnostic se fait par immunofluorescence (recherche dans le sang d'anticorps rendus fluorescents pour être visualisés), par culture de sang, d'urines ou de sécrétions ou par examen sérologique. Le traitement antiviral, au besoin par voie locale dans les atteintes oculaires, est préconisé en cas de lésions constituées chez le sujet immunodéprimé.

Cytométrie en flux

Technique de biologie cellulaire permettant de mesurer les caractéristiques morphologiques de cellules et l'intensité de la fluorescence qu'elles émettent, après marquage avec un ou plusieurs colorants.

La cytométrie en flux est utilisée pour évaluer le degré de malignité des tumeurs (de la vessie, de la prostate et du rein) et les anomalies cellulaires constitutionnelles (trisomies, par exemple). L'examen se pratique sur un prélèvement tumoral ou liquidien (sang, liquide céphalorachidien...). La mesure de la fluorescence, émise après coloration de l'A.D.N. du noyau, permet d'évaluer la quantité d'A.D.N. dans chaque cellule. Cette quantité se modifie lorsque le nombre de chromosomes varie.
→ VOIR Typage cellulaire.

Cytopathologie

Étude des maladies cellulaires.

La cytopathologie est l'étude des modifications morphologiques des cellules, provoquées par les maladies. Son champ d'application est très diversifié : cytologie sanguine (numération globulaire, formule leucocytaire), médullaire (moelle osseuse), cytologie d'organes ponctionnés (rate, foie) ou de tissus superficiels (frottis vaginaux).

Cytoplasme

Ensemble des éléments qui se trouvent à l'intérieur de la cellule, à l'exclusion du noyau.

Le cytoplasme, limité par la membrane cellulaire, renferme des éléments différenciés, ou organites, permettant à la cellule d'assurer ses fonctions.
■ **Le réticulum endoplasmique** est un réseau de vésicules qui joue un rôle important dans la synthèse des protéines et les transports intracellulaires.
■ **Les ribosomes**, riches en A.R.N., jouent un rôle fondamental dans la synthèse des protéines.
■ **L'appareil de Golgi** concentre et excrète les protéines élaborées par le réticulum endoplasmique.

■ **Les mitochondries** stockent et fournissent l'énergie indispensable à la cellule.
■ **Les lysosomes** sont de petites vésicules remplies d'enzymes hydrolytiques responsables des phénomènes de la digestion cellulaire, en particulier de la phagocytose.

Cytoponction

Technique consistant à prélever, à l'aide d'une fine aiguille, des cellules d'une lésion située en profondeur en vue d'un diagnostic cytologique. SYN. *cytologie par ponction.*

INDICATIONS

Bien que tous les organes soient accessibles à la cytoponction, ses terrains d'application privilégiés sont les kystes ovariens liquidiens (qu'elle permet en outre de traiter par vidange du kyste) et les tumeurs (notamment celles du sein).

DÉROULEMENT

La ponction est guidée par la palpation ou, pour les organes profonds (poumon, foie, pancréas), par les techniques d'imagerie médicale (radiologie, échographie, scanner). Les cellules prélevées sont étalées sur des lames, colorées et observées au microscope. Si l'innocuité et la simplicité de réalisation de la cytoponction en font une technique d'exploration d'un très grand intérêt, celle-ci ne permet pas cependant, à la différence de la biopsie, d'établir un diagnostic formel.
→ VOIR Cytologie.

Cytoprotection gastrique

Processus naturel ou médicamenteux protégeant les cellules gastriques.

La présence de certaines substances, essentiellement des prostaglandines, accroît la résistance de la muqueuse gastrique à différentes agressions telles que le stress, à certains agents physiques et chimiques, parmi lesquels des médicaments.

■ **La cytoprotection adaptable** s'effectue par la sécrétion par l'organisme de prostaglandines protégeant l'estomac contre un agent nocif. Elle est démontrée par l'application préalable d'un irritant faible, qui stimule la sécrétion, et protège la muqueuse contre un agent plus nocif, appliqué ultérieurement.
■ **La cytoprotection exogène** consiste en l'administration de médicaments destinés à induire un effet cytoprotecteur. L'application thérapeutique de ce procédé ne donne pas de résultats probants.

Cytostatique
→ VOIR Anticancéreux.

Cytostéatonécrose

Nécrose localisée d'un tissu adipeux.

■ **Chez le nouveau-né,** la cytostéatonécrose est souvent due à un traumatisme obstétrical, à un défaut d'oxygène au moment de l'accouchement ou à une exposition au froid. La maladie apparaît entre le 2e et le 20e jour de la vie sous forme de plaques nodulaires indurées de couleur rosée ou rouge violacé touchant surtout le dos et le visage. Les lésions régressent le plus souvent spontanément sans traitement.
■ **Chez l'adulte,** la cytostéatonécrose touche surtout la femme entre 20 et 60 ans ; elle apparaît au cours de certaines affections du pancréas, de maladies héréditaires ou bien encore après un traumatisme (cytostéatonécrose mammaire en particulier). La cytostéatonécrose se manifeste, dans les zones où le pannicule adipeux est important, par des nodules ou des plaques sous-cutanés ; dans le sein, par la présence d'une masse palpable irrégulière et douloureuse ; sur le péritoine, par des lésions dites en « taches de bougie », qui se calcifient souvent.

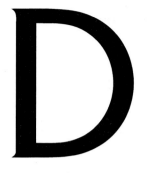

D

Dacryoadénite

Inflammation, aiguë ou chronique, de la glande lacrymale.

Les causes d'une dacryoadénite sont des infections aujourd'hui rares dans les pays développés : gonococcie pour la forme aiguë ; tuberculose, trachome ou syphilis pour la forme chronique. L'inflammation se caractérise par une tuméfaction à l'angle externe de l'œil, qui peut être douloureuse et s'accompagner d'œdème. Quand la tuméfaction est volumineuse, elle peut refouler l'œil vers le bas. Le diagnostic repose sur l'examen clinique. Le traitement fait appel aux anti-infectieux locaux ou généraux.

Dacryocystite

Inflammation, aiguë ou chronique, du sac lacrymal, situé entre l'angle interne de l'œil et le nez.

CAUSES

Une dacryocystite est le plus souvent due à l'obstruction du canal lacrymonasal, qui relie le sac lacrymal au nez et qui se trouve à proximité de chaque orifice nasal. Cette obstruction, liée à une infection ou à une irritation chronique, provoque un arrêt de la circulation lacrymale et favorise l'infection du sac lacrymal.

SYMPTÔMES ET SIGNES

■ La dacryocystite aiguë se manifeste par une tuméfaction arrondie, rouge, chaude et douloureuse, située entre l'angle interne de l'œil et l'aile du nez, et par un larmoiement. Si un abcès se forme, le centre de la tuméfaction devient mou, blanchâtre, avec amincissement de la peau.
■ La dacryocystite chronique entraîne un larmoiement et un mucocèle (kyste contenant du mucus) du sac lacrymal, masse

Dacryocystite. Dans l'angle interne de l'œil, le sac lacrymal forme une tuméfaction boursouflée et enflammée, saillante sous la peau.

ferme et indolore dont la pression entraîne la sortie de mucus par l'orifice lacrymal.

TRAITEMENT

Il repose sur une dacryocystorhinostomie (désobstruction chirurgicale du canal lacrymonasal), qui consiste à faire communiquer par une large ouverture dans la paroi osseuse le sac lacrymal et la fosse nasale et à aboucher le sac lacrymal à la muqueuse nasale, court-circuitant ainsi le canal lacrymonasal obturé. Lorsqu'il s'agit d'une dacryocystite aiguë, il faut parfois ouvrir l'abcès en pratiquant une incision, avec drainage chirurgical et administration d'antibiotiques.

Dalibour (eau de)

Solution utilisée pour ses propriétés antiseptiques sur la peau.

L'eau de Dalibour contient du sulfate de cuivre et du sulfate de zinc, éléments présents dans divers autres produits du commerce, notamment pommades et crèmes. Ces sulfates ont pour propriétés d'être antiseptiques et d'inhiber la croissance de certaines bactéries et de certains champignons microscopiques, souvent sans les tuer.

L'eau de Dalibour, appliquée localement, est utilisée en traitement d'appoint lors d'infections cutanées relativement bénignes. Des réactions allergiques peuvent toutefois se produire sur la peau, ce qui nécessite l'interruption du traitement.

Daltonisme

Trouble héréditaire de la vision des couleurs, notamment du rouge et du vert.

C'est le physicien et chimiste britannique John Dalton (1766-1844) qui décrivit le premier ce trouble, dont il était lui-même atteint. Le daltonisme est beaucoup plus fréquent chez les hommes (touchant de 2 à 8 % d'entre eux) que chez les femmes (atteignant 0,5 % d'entre elles), ce qui s'explique, comme pour l'hémophilie, par le mode de transmission de la maladie.

CAUSE ET SYMPTÔMES

La transmission du daltonisme est héréditaire, de type récessif, et liée au sexe : le gène porteur se trouve sur le chromo-

some X ; un garçon qui l'a reçu de sa mère développe toujours la maladie, une fille ne la développe que si elle l'a reçu de son père et de sa mère. L'anomalie de la vision est due à un trouble fonctionnel des cônes de la rétine, qui permettent la perception des couleurs.

Le daltonisme se manifeste par une confusion du bleu-vert et du rouge. Selon le degré de gravité de son trouble, le sujet peut voir ces couleurs affaiblies ou en gris, avec des variations d'intensité.

DIAGNOSTIC ET TRAITEMENT

Le daltonisme est dépisté de façon de plus en plus systématique, en particulier dans le cadre de la médecine du travail. Pour le détecter, on présente au patient un atlas d'Ishihara, constitué d'un fond de pastilles colorées sur lequel se détache un chiffre composé de pastilles d'une couleur différente. La difficulté de lecture du chiffre indique le degré de gravité du daltonisme.

Il n'y a pas de traitement spécifique de cette anomalie, qui par ailleurs n'est pas gênante dans la vie courante et peut même être ignorée du sujet. Cependant, le daltonisme interdit l'exercice de certaines professions où il est fait usage de signalisations rouges et vertes (chemins de fer, aviation).

Dantrolène

Médicament utilisé dans le traitement de l'hypertonie (raideur des muscles du squelette).

Le dantrolène agit directement sur le muscle en le décontractant (myorelaxant). Il est prescrit par voie orale au cours d'hypertonies provoquées par une affection neurologique (hémiplégie, sclérose en plaques). Par ailleurs, il est employé par voie injectable en milieu hospitalier au cours d'un syndrome très rare, l'hyperthermie maligne (fièvre élevée par augmentation de l'activité des organes), provoquée par des anesthésiques volatils chez des sujets prédisposés. Les effets indésirables possibles sont des troubles digestifs (vomissements, diarrhée, douleurs, atteinte du foie), neuropsychiques (fatigue, somnolence, vertiges), urinaires (incontinence) et cutanés (éruptions).

Darier (maladie de)

Maladie cutanée caractérisée par des lésions croûteuses et cornées malodorantes.

La maladie de Darier est une maladie héréditaire rare qui se transmet sur le mode autosomique dominant : le gène porteur de la maladie est situé sur un chromosome autosome - non sexuel - et il suffit qu'il soit reçu de l'un des parents pour que l'enfant développe la maladie. Le signe le plus caractéristique est la formation de petites papules arrondies de moins de 1 centimètre de diamètre, légèrement en saillie et à la surface grisâtre et rugueuse, qui siègent symétriquement sur le visage et sur le tronc. Ces papules peuvent être associées à de petites lésions planes semblables à des verrues, situées sur le dos des mains.

La maladie de Darier débute dès l'enfance, entre 8 et 16 ans, puis évolue de façon chronique et peut se compliquer, notamment, d'une surinfection grave généralisée de la peau avec risque d'extension aux muqueuses, en particulier celles de l'œsophage et des voies aériennes supérieures (pharynx, larynx, fosses nasales). Le pronostic reste réservé du fait des complications et de la faible efficacité du traitement.

Darling (maladie de)
→ VOIR Histoplasmose.

Déambulateur
Cadre rigide ou articulé destiné à fournir un appui dans ses déplacements à une personne dont la marche ou l'équilibre ne sont pas assurés. SYN. *cadre de marche.*

Le déambulateur sert d'appui au malade, qui le déplace ou le pousse à chaque pas. Il est parfois muni de roulettes. Une partie frontale et deux parties latérales lui assurent une parfaite stabilité.

Débilité mentale
→ VOIR Déficience mentale.

Débit cardiaque
Volume de sang expulsé par chaque ventricule du cœur par unité de temps.

Le débit cardiaque est le débit du sang qui sort du cœur par l'aorte pour être distribué à l'ensemble de l'organisme. Il est normalement égal à celui du sang qui revient au cœur par les veines caves. Sa valeur au repos est d'environ 5 litres par minute, mais dépend de la taille et de la corpulence du sujet ; au cours d'un effort, elle peut atteindre 40 litres par minute.

Le débit cardiaque dépend de deux facteurs : d'une part la force de contraction du cœur ; d'autre part la résistance à l'écoulement du sang des petites artères de l'organisme, qui augmente quand les muscles de la paroi des artères se contractent. Il peut être mesuré par des techniques complexes et spécialisées, dont celle dite de Stewart-Hamilton. Cet examen consiste, après avoir injecté une substance dans le cœur, à mesurer l'évolution dans le temps de sa concentration sanguine.

Le débit cardiaque s'abaisse dans l'insuffisance cardiaque. Il est augmenté en cas d'hyperthyroïdie, de fistule artérioveineuse et dans certaines anémies.

Débit minute des hématies et des leucocytes (mesure du)
Examen destiné à déterminer le nombre de globules rouges et de globules blancs éliminés dans l'urine par minute. SYN. *compte d'Addis-Hamburger.*

Le débit minute des hématies et des leucocytes, communément appelé hématies-leucocytes minute (H.L.M.), s'utilise essentiellement pour mettre en évidence une hématurie microscopique (présence de sang dans l'urine, mais en quantité insuffisante pour lui donner une coloration rouge visible à l'œil nu). Cet examen nécessite un recueil d'urines sur une période de 2 à 3 heures. Le dépôt obtenu après centrifugation de l'échantillon est analysé au microscope. Le nombre d'hématies et de leucocytes contenus dans l'urine est déterminé, puis il est rapporté à la quantité d'urines émise par minute. Les résultats s'expriment en nombre d'hématies et de leucocytes par minute. Dans l'urine d'un sujet normal, le débit des hématies doit être inférieur à 5 000 et celui des leucocytes inférieur à 10 000.

Un débit minute élevé d'hématies ne permet pas de localiser l'origine du saignement, qui peut se situer à un endroit quelconque des reins ou des voies urinaires (calices, bassinet, uretères, vessie, urètre). Un débit minute élevé de leucocytes est le plus souvent dû à une infection urinaire.

Débit sanguin cérébral
Volume de sang transitant dans les vaisseaux sanguins du cerveau en 1 minute.

Le débit sanguin cérébral est de 750 millilitres par minute. Le sang assure l'approvisionnement du cerveau non seulement en oxygène mais aussi en glucose, qui est sa seule source d'énergie. Les artères du cerveau augmentent ou diminuent de diamètre en fonction des besoins des cellules nerveuses, c'est-à-dire de leur plus ou moins grande activité.

MESURE
Elle n'est pas encore réalisable pour le diagnostic courant des affections du cerveau, mais assure une meilleure compréhension du fonctionnement de celui-ci et de la pathologie cérébrale. La technique de mesure du débit sanguin cérébral, réservée à des centres spécialisés en milieu hospitalier, consiste à administrer au patient, par injection intraveineuse ou par inhalation, des substances radioactives. Une fois arrivées dans le cerveau, ces substances émettent des rayonnements (rayons gamma) ou des particules élémentaires (positrons), recueillis par des capteurs placés autour de la tête. La technique la plus récente (tomographie par émission de positrons) fait appel à l'informatique pour construire une image en coupe du cerveau. La vitesse à laquelle la substance administrée apparaît sur les images indique le débit sanguin.

PATHOLOGIE
Le cerveau est l'organe du corps humain le plus sensible à une insuffisance de la circulation sanguine ou à la chute du taux de glucose dans le sang. Une interruption du débit sanguin cérébral, due à un arrêt cardiocirculatoire, provoque une altération du fonctionnement des cellules nerveuses après 6 secondes, un arrêt de l'activité cérébrale (perte de conscience, coma) au bout de 2 minutes, des dommages irréversibles (paralysies, mort) après 5 minutes. Le traitement consiste en une réanimation d'urgence (assistance respiratoire et cardiaque) associée au traitement de la cause (arrêt d'une éventuelle hémorragie, injection intraveineuse de glucose).

Débit ventilatoire
Volume d'air inspiré ou expiré par les poumons par unité de temps et dont la mesure est utilisée à des fins diagnostics. SYN. *débit respiratoire.*

La mesure des débits ventilatoires fait partie de l'examen appelé exploration fonctionnelle respiratoire (E.F.R.), qui recherche la cause d'une dyspnée (gêne respiratoire) et l'évaluation de son importance. Différents types de débit ventilatoire sont mesurables. Le plus important, en pratique, est le volume expiratoire maximal par seconde (V.E.M.S), volume rejeté pendant la première seconde d'une expiration forcée suivant une inspiration profonde, dont la valeur normale se situe entre 2,7 et 4 litres par seconde.

La technique générale du débit ventilatoire consiste à faire inspirer ou expirer le patient dans un tuyau relié à un appareil de mesure automatique. Aucune préparation ni surveillance particulière n'est nécessaire.

Le débit ventilatoire permet d'orienter le diagnostic de la maladie. Ainsi, les débits expiratoires diminuent en cas de rétrécissement des petites bronches, phénomène qui peut être causé par l'asthme, par exemple.

Débitmètre de pointe
Petit instrument en forme de tube utilisé par un malade asthmatique pour contrôler son état respiratoire. En anglais, *peak flow meter.*

Le débitmètre de pointe s'utilise en cas d'asthme assez sévère, nécessitant un traitement quotidien, ou lorsque les crises persistent malgré le traitement. Son faible encombrement, son prix modique et sa facilité d'utilisation (il suffit de souffler dedans) font du débitmètre de pointe un instrument que le malade peut manipuler lui-même.

Le débit de pointe mesuré dans ce cas est le débit respiratoire maximal du malade. Il se situe normalement entre 450 et 600 litres par minute. L'autosurveillance de l'asthmatique, par mesures quotidiennes notées sur un carnet, permet d'aider le médecin à adapter le traitement.

Débit-volume (boucle)
Graphique dessiné par un appareil de mesure de la respiration, utilisé pour le diagnostic et la surveillance des affections respiratoires.

La méthode de la boucle débit-volume est l'une des façons de mesurer les débits ventilatoires, examen pratiqué pour rechercher la cause d'une dyspnée (gêne respiratoire) ou pour évaluer sa gravité.

La technique consiste à faire inspirer puis expirer le sujet dans un tuyau relié à un appareil qui calcule automatiquement les volumes et les débits respiratoires, les affiche et les imprime. De plus, l'appareil dessine une courbe qui indique le débit d'air (en ordonnée) correspondant à chaque valeur du volume d'air présent dans les poumons (en abscisse). Si, à lui seul, le résultat de l'examen ne permet pas d'établir le diagnostic, il sert à l'orienter. En effet, la forme de la courbe fournit des renseignements permettant, par exemple, de dépister un rétrécissement des petites bronches, comme il s'en produit au cours de l'asthme.

Debré (Robert)

Médecin français (Sedan 1882 - Le Kremlin-Bicêtre, Val-de-Marne, 1978).

Professeur de bactériologie, puis de clinique médicale des enfants (pédiatrie) à la faculté de médecine de Paris, il publia d'importants travaux sur les maladies infantiles, l'immunologie et l'hygiène. Il fit de son service de clinique à l'hôpital des Enfants-Malades à Paris un centre de réputation mondiale.

Débridement

Ablation chirurgicale de brides.

Les brides sont des structures fibreuses anormales (bandelettes, lamelles, zones d'adhérence) reliant deux éléments anatomiques ou cloisonnant la cavité d'un abcès.

Il existe différents types de débridement.

■ Le **débridement d'un abcès** consiste, après ouverture, à décoller les adhérences fibreuses entre les tissus et à enlever les lamelles fibreuses cloisonnant l'intérieur de l'abcès, qui gênent son évacuation.

■ Le **débridement d'une plaie** consiste à ôter les adhérences fibreuses qui se sont développées entre les tissus afin de pouvoir la nettoyer.

Décalage horaire (symptômes du)

Modification du cycle biologique de 24 heures consécutives provoquée par le changement de fuseau horaire lors de voyages en avion.

Les principaux symptômes du décalage horaire sont les troubles du sommeil, plus importants après un vol vers l'est (qui raccourcit la journée) que pour un vol vers l'ouest ; les troubles digestifs : troubles du transit, de la digestion, etc. ; les désordres psychiques et physiques provoqués par la perturbation de la sécrétion de cortisol (hormone sécrétée par les glandes surrénales), habituellement deux à trois fois plus importante le matin qu'en fin d'après-midi. L'adaptation de l'organisme à un nouveau fuseau horaire demande souvent plusieurs jours. Les très jeunes enfants sont plus sensibles au décalage horaire et ont besoin d'un temps d'adaptation plus long.

Décalcification

Diminution importante de la teneur en calcium de l'organisme, particulièrement dans les os et les dents.

Une décalcification provient d'un taux d'élimination du calcium supérieur à celui de l'absorption alimentaire. Elle peut être due à une hyperchlorhydrie (excès d'acide chlorhydrique gastrique), à des troubles des glandes parathyroïdes, à une carence en vitamine D. Diabète, immobilisation prolongée et grossesse sont également des facteurs de décalcification.

La décalcification entraîne différents troubles tels que, chez l'enfant, un rachitisme (calcification insuffisante des os et des cartilages de croissance). Chez l'adulte, elle a pour conséquence une ostéoporose (porosité du tissu osseux) ou une ostéomalacie (ramollissement et déminéralisation des os).

TRAITEMENT

Il est avant tout diététique : consommation de végétaux et de farines riches en calcium (choux, légumes secs, pain complet), de laitages, de préparations à base de calcium et de phosphore, de vitamine D.

Décalottage

Action de découvrir le gland pénien en faisant glisser la peau du prépuce vers la base de la verge.

Le décalottage, naguère fréquemment pratiqué à la naissance ou au cours de la petite enfance, est de moins en moins effectué aujourd'hui en raison des petites lésions qu'il peut occasionner. Cependant, il est possible de relever légèrement le prépuce sur le gland afin de mieux le nettoyer.

Le décalottage est impossible en cas de phimosis (étroitesse du prépuce), phénomène courant chez l'enfant de moins de 6 mois, pouvant persister plusieurs années chez certains garçons.

Décapsulation

Brèche d'une capsule, membrane fibreuse entourant et protégeant certains viscères pleins (rate, foie, rein).

Une décapsulation peut être due à un traumatisme fermé (sans plaie) de l'abdomen ou encore survenir accidentellement au cours d'une intervention chirurgicale. Ses symptômes sont ceux du traumatisme et de l'hémorragie : douleur, effondrement de la tension, perte de connaissance, etc. La décapsulation nécessite une hémostase chirurgicale ou, si l'hémorragie cesse, une étroite surveillance.

Décarboxylase

Enzyme entraînant la libération d'un groupement carboxyle d'un acide organique.

DÉBIT VENTILATOIRE

Les débits inspirés et expirés sont souvent mesurés par un appareil nommé spiromètre, qui exprime les résultats sous forme d'une courbe débit-volume, avec l'inspiration dans la partie inférieure de la courbe et l'expiration dans la partie supérieure. Le débit de pointe (ou débit expiratoire maximal) se mesure lors du même examen.

débit (l/s)

sujet normal
asthme
emphysème

volume (l)

Sur le tracé obtenu, le pic indique en ordonnée la valeur du débit de pointe.

Les décarboxylases ont une structure variable mais contiennent souvent du phosphate de pyridoxal, un dérivé du pyridoxal, ou vitamine B6. Elles jouent un rôle essentiel dans le métabolisme des acides. En effet, les décarboxylases font perdre leur caractère acide aux acides dits carboxyliques et transforment les acides aminés en amines.

Décérébration

Trouble dû à une lésion grave du tronc cérébral (partie de l'encéphale située juste au-dessous du cerveau).

Une décérébration peut avoir pour cause une tumeur cérébrale, un traumatisme crânien ou une intoxication par une substance chimique. Elle se manifeste par une rigidité des quatre membres en extension, accompagnée d'accès de raidissement de toute la colonne vertébrale, avec la tête rejetée en arrière. Ces signes apparaissent chez un sujet dans le coma et témoignent d'une aggravation de l'état comateux. Le traitement, s'il est possible, consiste à intensifier, d'une part, les manœuvres de réanimation et, d'autre part, à s'attaquer à la cause (antidote d'un toxique, par exemple). Le pronostic est, malgré tout, sombre dans l'ensemble.

Déchirure musculaire

Rupture d'un muscle due à un effort trop intense.

Une déchirure musculaire survient le plus souvent chez un sportif insuffisamment entraîné. Elle se manifeste par une douleur aiguë, provoquant l'arrêt de l'activité physique et pouvant occasionner une syncope. Quelques jours après le traumatisme, un hématome apparaît à la surface du muscle.

Le traitement comprend le repos complet du sujet pendant deux jours, la surélévation du membre associée à l'application, deux heures par jour, d'une vessie de glace et la prise d'anti-inflammatoires non stéroïdiens et de myorelaxants. Au bout de deux jours, l'hématome, s'il est volumineux, peut être ponctionné sous échographie puis bandé. Une semaine après, une rééducation est commencée, la reprise des activités sportives n'étant envisageable qu'au moins un mois après l'accident.

Déchirure rétinienne

Formation d'une brèche dans la rétine (membrane nerveuse sensible à la lumière qui tapisse le fond de l'œil), souvent à sa périphérie.

CAUSES

Une déchirure rétinienne apparaît dans les zones de fragilité de la rétine et s'observe plus fréquemment chez les sujets atteints d'une forte myopie, dont la rétine est parfois plus mince. Elle peut également résulter d'un traumatisme de l'œil.

SYMPTÔMES ET SIGNES

L'apparition de la déchirure n'est souvent accompagnée d'aucun symptôme. Toutefois, le sujet atteint perçoit parfois des sortes d'éclairs bleutés, fixes, surtout la nuit. Une pluie de points noirs, dite pluie de suie,

devant l'œil peut signaler un saignement de la déchirure et une hémorragie intravitréenne. La complication principale d'une déchirure rétinienne est le décollement de la rétine, dû au passage de liquide vitréen sous la rétine. Celui-ci se manifeste par la perception d'un voile noir dans une partie du champ visuel.

TRAITEMENT

Le traitement habituel est la photocoagulation au laser argon, pratiquée lors d'une consultation ; elle consiste à effectuer de petites brûlures autour de la déchirure afin de la fixer, sans toutefois la faire disparaître. La réaction inflammatoire qui s'ensuit fait adhérer la rétine à l'épithélium pigmentaire sous-jacent, empêchant son décollement. La cicatrice n'est solide qu'après un délai de trois semaines à un mois.

Lorsque la déchirure est déjà soulevée par du liquide vitréen, on recourt parfois à une cryoapplication (application de froid à travers la sclérotique) sous anesthésie locale ou générale. Ce traitement nécessite une hospitalisation de 24 ou 48 heures. Le patient doit s'en tenir à une activité calme tant que la cicatrisation n'est pas définitive.

Le sujet traité pour une déchirure rétinienne fait l'objet d'une surveillance dans les années qui suivent, car les récidives sont possibles.

Décibel

Unité de niveau sonore exprimant la puissance avec laquelle une source émet un son.

Le nombre de décibels (dB) n'est pas proportionnel à l'intensité du son tel que l'oreille le perçoit, la relation entre les deux étant plus complexe (logarithmique). Ainsi, on a établi que 0 décibel correspond au seuil d'audition de l'oreille ; un son de 10 décibels est dix fois plus intense ; un son de 20 décibels, cent fois plus intense. Une différence de 1 décibel entre deux sons est à peine perçue par l'oreille.
→ VOIR Bruit.

ÉCHELLE DE NIVEAUX SONORES

	Décibels
Seuil normal d'audition	0
Voix chuchotée à 1 mètre	20
Rue calme	50
Conversation à 1 mètre	70
Acier martelé à 1 mètre	100
Discothèque	110
Seuil de la douleur	120
Marteau piqueur	130
Avion à réaction	140

D'après : Psychoacoustique, de Marie-Claire Boete, Édition Inserm.

Déclaration obligatoire des maladies infectieuses

Information que doit réglementairement et obligatoirement donner aux autorités sanitaires, nationales ou internationales (Organi-

sation mondiale de la santé), le médecin qui examine un malade atteint de certaines maladies infectieuses contagieuses, dont la liste a été établie par décret.

La déclaration obligatoire des maladies infectieuses est un moyen de surveiller ces maladies, reconnu par l'O.M.S. et utilisé par tous les pays. Son but est double : alerter les services de santé publique, qui, éventuellement, décident de mesures relatives aux soins et à la prévention (isolement), et recueillir les données qui établissent le plus exactement possible le nombre de cas observés de chacune de ces maladies.

Le choléra, la peste et la fièvre jaune sont les trois seules maladies soumises à déclaration obligatoire au plan international ; la variole, compte tenu de son éradication, ne figure plus parmi les maladies soumises au règlement. Cette dernière maladie, cependant, ainsi que la rage, le typhus exanthématique et les fièvres virales hémorragiques africaines sont justiciables de mesures sanitaires internationales. La grippe, le paludisme, la poliomyélite, le typhus à poux et la fièvre récurrente à poux sont sous la surveillance de l'O.M.S. : il est recommandé aux administrations nationales, sans caractère obligatoire, de faire état des cas déclarés sur leur territoire et des flambées épidémiques de ces maladies. D'autres maladies, comme la fièvre typhoïde, le tétanos, la diphtérie, le botulisme, le sida avéré, la brucellose, font l'objet de mesures locales.

Déclive (point)

Point le plus bas d'une cavité, d'un épanchement de liquide ou d'un abcès.

Le point déclive d'un épanchement ou d'un abcès est, sauf cas exceptionnel, l'endroit où l'on fait pénétrer l'aiguille pour en pratiquer le drainage.

Décollement épiphysaire

Traumatisme osseux, spécifique à l'enfant et à l'adolescent, atteignant le cartilage de conjugaison (zone de croissance de l'os).

Les épiphyses (extrémités des os longs) sont séparées de la diaphyse (corps de l'os) par une mince lame cartilagineuse, le cartilage de conjugaison, également appelé cartilage de croissance, qui constitue la zone d'accroissement actif de l'os. Un accident peut provoquer une séparation, appelée décollement, entre ce cartilage et le reste de l'os, laquelle peut s'associer ou non à une fracture. À l'examen, la région est douloureuse et parfois déformée ; le diagnostic nécessite une radiographie.

TRAITEMENT

Le plus souvent, le traitement est orthopédique : il consiste en une manipulation externe faite sous anesthésie et destinée à remettre en position normale la région traumatisée, puis en un plâtrage laissé en place jusqu'à la consolidation. Les résultats sont en général bons ; cependant, des anomalies peuvent apparaître par la suite sans qu'on puisse les prévoir, et une surveillance sérieuse de cette zone est nécessaire jusqu'à la fin de la croissance de l'enfant.

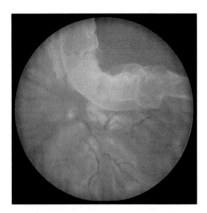

Décollement de la rétine. En haut à droite, en orange foncé, une poche de liquide vitréen décolle la rétine (vue de face).

Décollement de la rétine

Affection grave de l'œil due à la séparation de la rétine (membrane nerveuse sensible à la lumière qui tapisse le fond de l'œil) et du feuillet sous-jacent sous l'effet du passage de liquide vitréen sous la rétine.

Le décollement de la rétine, assez fréquent, touche en général un seul œil. Il survient plus fréquemment chez les personnes atteintes de forte myopie ou aphakes (dépourvues de cristallin), chez les sujets âgés et chez ceux pour qui il existe un décollement de rétine dans les antécédents familiaux ou personnels. Un décollement peut résulter d'un traumatisme (contusion ou plaie du globe oculaire). Il peut aussi être d'origine tumorale ou inflammatoire.

SYMPTÔMES ET SIGNES

Des signes dits prémonitoires indiquent les phénomènes qui précèdent le décollement : perception de petites mouches volantes ou de points bleutés lumineux signalant une perte de l'adhérence normale du corps vitré à la rétine ; survenue d'éclairs lumineux bleutés et fixes révélant la traction exercée par le corps vitré sur la rétine, ou vision d'une « pluie de suie » indiquant un saignement de la rétine, alors déchirée, dans le corps vitré. Lorsque la rétine est décollée, le sujet a l'impression de voir un voile noir dans une partie de son champ visuel. La baisse de la vision indique que la macula (zone centrale de la rétine) est atteinte.

DIAGNOSTIC ET ÉVOLUTION

Le diagnostic repose sur l'examen du fond d'œil après dilatation pupillaire. Celui-ci permet d'évaluer l'ampleur de l'atteinte, de déterminer sa localisation et de rechercher, à la périphérie de la rétine, des déhiscences (ruptures de la continuité des tissus sous forme de déchirures ou de trous) responsables du décollement. Si le fond de l'œil n'est pas visible, une échographie oculaire peut être pratiquée.

L'évolution, invariablement défavorable en l'absence de traitement, est aujourd'hui enrayée grâce aux méthodes modernes d'examen et aux progrès de la chirurgie.

TRAITEMENT ET PRÉVENTION

Le traitement, toujours chirurgical, repose sur trois principes : repérer précisément les déhiscences périphériques, les obturer par forte pression sur l'œil et recréer l'adhérence entre les feuillets désolidarisés par cryoapplication (application de froid à travers la sclérotique), ce qui provoque une réaction inflammatoire à l'origine de la cicatrisation. Il est aussi nécessaire parfois de pratiquer l'ablation du corps vitré ou encore une ponction du liquide sous-rétinien. L'hospitalisation dure environ une semaine, pendant laquelle le patient peut avoir une activité calme. Une surveillance postopératoire rigoureuse est indispensable en raison des risques de récidive ou d'atteinte de l'autre œil.

Le traitement préventif reste essentiel. Il repose sur la surveillance des sujets à risque et le traitement des lésions dégénératives de la périphérie rétinienne par photocoagulation au laser argon avant qu'elles ne provoquent un décollement de la rétine.

Décompensation

1. Rupture de l'équilibre physiologique de la fonction d'un organe.

Une cardiopathie valvulaire est dite décompensée, par exemple, lorsque la lésion de la valvule est telle qu'elle entraîne un déficit de la fonction circulatoire que le cœur ne peut compenser par un travail supplémentaire (insuffisance cardiaque).

2. En psychopathologie, apparition d'un déséquilibre entre deux tendances psychologiques opposées.

La décompensation se présente alors comme une rupture dans le fonctionnement habituel du sujet, qui, souffrant d'une faiblesse intérieure, d'un sentiment d'infériorité, sauvegardait jusque-là son équilibre par une compensation (hyperactivité, attitude dominatrice, fuite en avant). Généralement, le déséquilibre résulte d'une impossibilité d'adaptation à une situation nouvelle : intervention chirurgicale, accident, deuil, vieillissement. Il peut se manifester par un raptus (comportement paroxystique) anxieux, un état de confusion, de stupeur et de régression aiguë, voire un délire.

Par extension, le terme désigne toute extériorisation soudaine ou progressive d'une affection mentale latente.

Décompression

Diminution de la pression qui s'exerce sur l'organisme d'un sujet après que celui-ci a été soumis à une pression supérieure à la pression atmosphérique.

ACCIDENTS DE DÉCOMPRESSION

Les accidents de décompression affectent principalement les plongeurs en scaphandre autonome et les ouvriers travaillant dans des caissons pressurisés (on parle alors de maladie des caissons), mais aussi les aviateurs et les astronautes.

La décompression, lorsqu'elle est trop rapide, entraîne la formation de bulles dans les vaisseaux et les tissus de l'organisme du fait de la diminution brutale de la pression qui s'exerce sur lui. Les manifestations de ce type d'accident sont multiples. Des symptômes, comme un emphysème sous-cutané (infiltration gazeuse sous-cutanée) et des démangeaisons, peuvent précéder des douleurs articulaires violentes, en particulier aux épaules et aux genoux. Les atteintes du système nerveux se traduisent, notamment, par une faiblesse des jambes et des troubles de la vision et de l'équilibre, mais elles peuvent aussi se signaler par une paraplégie, liée à la présence de bulles d'azote dans les tissus nerveux, ainsi que par des hémiplégies et des crises d'épilepsie par embolie gazeuse.

Dès l'apparition des premiers troubles, le sujet doit être conduit de toute urgence vers un centre spécialisé, où une recompression dans un caisson hyperbare s'impose. La prévention repose sur le respect des paliers de décompression, par exemple lors de la remontée, pour les plongeurs.

→ VOIR Barotraumatisme, Caissons (maladie des).

Décontamination

1. Action visant à éliminer une dispersion involontaire de matières radioactives.

La décontamination porte essentiellement sur des liquides radioactifs. En dépit des mesures de sécurité préconisées, ceux-ci peuvent se répandre accidentellement sur le sol, sur les surfaces de travail, voire atteindre les personnes (contamination externe) ; ils peuvent même pénétrer à l'intérieur de l'organisme par les voies respiratoires, digestives ou cutanées.

Les techniques de décontamination varient selon la nature des éléments radioactifs en cause. En général, un lavage soigneux à l'aide de détergents spécifiques permet de réduire la contamination externe. En cas de contamination interne, le transit de la substance active dans l'organisme sera accéléré pour favoriser l'élimination de celle-ci (diurèse forcée, administration du même élément non radioactif). Le degré de la décontamination doit être vérifié par des détecteurs de rayonnement adaptés.

2. Nettoyage d'un matériel avant sa stérilisation en vue de réduire au minimum sa contamination initiale.

Décortication

Intervention chirurgicale consistant à séparer un organe de son enveloppe fibreuse, normale ou pathologique.

Selon la technique utilisée, mais surtout selon l'organe concerné, on distingue différents types de décortication.

Une des plus importantes est la décortication pulmonaire, pratiquée notamment dans les pleurésies purulentes, au cours desquelles des membranes fibreuses épaississent et durcissent la plèvre, qui empêche alors le poumon de bouger normalement. La décortication consiste à retirer ces membranes, éventuellement après avoir pratiqué l'ablation d'une côte pour accéder plus facilement à la zone opérée.

Certaines interventions supposent une décortication du rein ou du cœur.

Décubitus

Attitude du corps allongé sur un plan horizontal.

Le décubitus peut être dorsal, ventral ou latéral droit ou gauche.

Dans un cadre pathologique, le décubitus latéral en chien de fusil est caractéristique des patients atteints de méningite. Lors d'une pleurésie, le décubitus latéral sur le côté malade soulage la respiration.

Le décubitus prolongé provoque des escarres aux points de pression, dits escarres de décubitus. On les prévient par l'usage de matelas spéciaux et par des massages.

Dédoublement de la personnalité

Trouble de l'unité de la conscience de soi, caractérisé par l'apparition en alternance d'une personnalité première et d'une ou de plusieurs personnalités secondaires chez un même sujet.

Le dédoublement de la personnalité peut avoir diverses causes et se manifester sous différentes formes.

■ Le syndrome des personnalités multiples se manifeste par la succession, chez un même patient, de plusieurs personnalités imaginaires, revêtues par le jeu d'une substitution de l'expérience rêvée à l'expérience réelle. Cet état peut se rencontrer chez les hystériques ainsi que chez les sujets hyperimaginatifs qui supportent mal les frustrations et fuient la réalité.

■ Le dédoublement manichéen se traduit par la conviction du sujet que deux personnages à la fois complémentaires et opposés existent en lui et vivent à tour de rôle, ou même simultanément, une vie totalement différente. Un tel état, proche de celui que l'écrivain britannique Robert Stevenson a décrit dans *Docteur Jekyll et Mister Hyde* (1886), peut être dû au délire chronique, à la schizophrénie, à l'automatisme mental ou à l'épilepsie.

■ D'autres formes, plus atténuées, de dédoublement de la personnalité se rencontrent dans les cas de confusion mentale, de dépersonnalisation ou dans certains cas inexpliqués d'affaiblissement transitoire du sentiment d'identité. L'une de ces formes est l'héautoscopie, dans laquelle le sujet perçoit l'image de son propre corps comme si elle était projetée en dehors de lui. Elle peut résulter d'une atteinte cérébrale diffuse (encéphalite, intoxication, épilepsie), mais elle s'observe également chez certains sujets sains à l'approche du sommeil (hallucination hypnagogique), sous hypnose ou dans divers autres états marqués par une baisse de la vigilance.

Défaillance cardiaque

→ VOIR Insuffisance cardiaque.

Défaillance multiviscérale (syndrome de)

Survenue simultanée ou successive d'au moins deux défaillances viscérales d'ordre respiratoire, circulatoire, hépatique, rénal, digestif ou neurologique, associées à une élévation du débit cardiaque et du métabolisme (surtout du catabolisme).

Le syndrome de défaillance multiviscérale affecte de 7 à 15 % des malades hospitalisés en réanimation. L'agression initiale, infectieuse, traumatique ou chirurgicale, entraîne la sécrétion par l'organisme de médiateurs chimiques responsables de lésions viscérales multiples.

TRAITEMENT
C'est principalement celui de la cause initiale, ainsi que l'oxygénation par ventilation artificielle et la correction des anomalies circulatoires (collapsus, vasoconstriction), suivi d'une assistance nutritionnelle et métabolique (alimentation par perfusion ou sonde digestive). La recherche actuelle porte sur la maîtrise de la production des médiateurs, en particulier par l'immunothérapie.

PRONOSTIC
Le pronostic est surtout défavorable chez les patients de plus de 65 ans présentant au moins trois défaillances viscérales, parmi lesquelles l'atteinte du foie semble jouer un rôle déterminant.

Défécation

Action par laquelle les fèces sont expulsées. SYN. *exonération.*

La défécation est un phénomène complexe, pour partie réflexe, pour partie volontaire, cette dernière étant acquise par l'éducation. Le passage des matières fécales du côlon sigmoïde dans le rectum éveille l'envie de la défécation. En contrôlant le sphincter strié de l'anus et le tonus de la paroi abdominale, le sujet peut soit expulser les selles, soit les retenir. Les selles sont éliminées par contractions successives.

La perte de cet enchaînement peut constituer une cause de constipation. À l'inverse, une pression trop forte des matières fécales en cas de diarrhée est à l'origine d'une incontinence irrépressible.

Défécographie

Examen radiologique qui permet de visualiser le mécanisme de la défécation.

INDICATIONS
La défécographie permet de déterminer les causes d'une constipation dite terminale, due à une impossibilité pour le rectum d'évacuer les matières fécales, ou au contraire d'une incontinence anale empêchant le patient de se retenir. La défécographie est pratiquée après des investigations cliniques et des examens complémentaires comme l'endoscopie ou le lavement baryté.

TECHNIQUE
Elle consiste à mesurer les différences d'absorption d'un faisceau de rayons X par les divers tissus du rectum après remplissage de celui-ci par un produit opaque aux rayons X. La série des clichés pris au cours de la défécographie est ensuite interprétée par le médecin.

PRÉPARATION ET DÉROULEMENT
Il est nécessaire de prévenir le patient du déroulement de l'examen et de son but afin d'obtenir sa coopération et d'éviter les blocages psychologiques. L'examen a lieu en salle de radiologie. Le patient se déshabille et s'allonge sur le côté. Dans un premier temps, le médecin introduit une canule dans le rectum et remplit celui-ci, sous faible pression, d'une pâte barytée épaisse, dont la consistance est proche de celle des matières naturelles. Puis le patient s'assoit sur un siège spécial, radiotransparent, comme pour aller à la selle. Le radiologue prend alors des clichés du rectum au repos, en retenue et en poussée, toutes les demi-secondes. L'examen dure environ 15 minutes. Les résultats peuvent être connus dès le lendemain.

Défense abdominale

Contraction douloureuse des muscles de la paroi abdominale à la palpation.

Une défense abdominale est le signe d'une péritonite (inflammation du péritoine) localisée autour d'un organe. Celle-ci peut être due à une appendicite, à une salpingite, à une cholécystite (infection de la vésicule biliaire) ou encore à une sigmoïdite (inflammation du sigmoïde, partie terminale du côlon).

C'est une contraction douloureuse, spontanée ou provoquée par l'examen clinique du malade. Elle est localisée à la région voisine de l'organe atteint, par exemple en bas et à droite de l'abdomen en cas d'appendicite. Une palpation douce permet de la vaincre. En l'absence de traitement, elle se transforme en contracture abdominale : la contraction des muscles, très douloureuse, est alors permanente et généralisée à l'ensemble de l'abdomen (ventre de bois).

TRAITEMENT
La seule présence d'une défense abdominale doit faire hospitaliser le malade dans un service de chirurgie. Il n'y a pas de traitement spécifique de la défense, qui n'est que le signe d'une infection ou d'une lésion avancées d'un organe : appendicite, par exemple, nécessitant une appendicectomie, sigmoïdite (inflammation du côlon sigmoïde) curable parfois par les antibiotiques, etc.

Déféroxamine, ou Desferrioxamine

Médicament utilisé en cas d'excès de fer dans l'organisme.

La déféroxamine est indiquée au cours de l'intoxication aiguë par le fer et de l'hémochromatose (surcharge chronique de fer dans l'organisme). Elle est administrée en injection ou en perfusion intraveineuse. Les effets indésirables éventuels sont une baisse de la tension artérielle, une réaction allergique, des convulsions, l'apparition d'une cataracte, la coloration des urines en rouille et des selles en noir.

→ VOIR Antidote.

Défervescence

Diminution ou disparition de la fièvre au cours des maladies aiguës.

Souvent, la défervescence s'accompagne de sueurs et est annonciatrice de la guérison. Dans l'exanthème subit, maladie infectieuse bénigne avec, d'abord, une forte fièvre, une brutale défervescence précède l'éruption caractéristique de l'affection, semblable à celle de la rougeole.

Déficience mentale

Insuffisance du développement intellectuel.
SYN. *arriération mentale, débilité mentale, oligophrénie.*

La déficience mentale se distingue des psychoses infantiles primitives, des syndromes de carence (hospitalisme) et des déficits sensoriels, perceptifs ou moteurs (surdité, instabilité psychomotrice, dyslexie). Elle regroupe l'ensemble des affections qui empêchent l'accès de l'enfant à l'autonomie et à l'adaptation sociale.

DIFFÉRENTS TYPES DE DÉFICIENCE MENTALE

La déficience mentale se traduit par un retard du développement psychomoteur (marche, propreté, langage) ou, plus tardivement, par une inadaptation scolaire. Ce diagnostic ne sera retenu qu'au terme d'un bilan somatique et psychométrique approfondi. Le bilan somatique cherche une maladie physique curable. Les tests psychométriques, sous forme de questions et de jeux, établissent le quotient intellectuel (QI). Selon le quotient intellectuel du sujet, on distingue l'arriération profonde (quotient intellectuel inférieur à 30), qui nécessite une assistance permanente ; la débilité profonde (quotient intellectuel compris entre 30 et 50), où l'acquisition du langage et la réalisation d'une activité manuelle simple sont possibles ; la débilité moyenne (quotient intellectuel compris entre 50 et 70), éducable en institution médicopédagogique ; la débilité légère (quotient intellectuel compris entre 70 et 85), compatible avec une scolarité adaptée et une insertion professionnelle.

CAUSES

La déficience mentale peut être endogène : aberrations chromosomiques (trisomie 21), trouble héréditaire du métabolisme, maladie endocrinienne de la thyroïde ou de la parathyroïde, malformation craniocérébrale, phacomatose, épilepsie. Elle peut aussi être acquise, due à une maladie infectieuse (rubéole, toxoplasmose) contractée par la mère pendant la grossesse, à une encéphalite, à une méningite ou à une souffrance cérébrale (provoquée par une anoxie, une hémorragie, un ictère nucléaire [syndrome caractérisé par des lésions des noyaux gris du cerveau]). Dans 50 % des cas, sa cause reste inconnue.

TRAITEMENT

L'orientation et le traitement de l'enfant dépendent de plusieurs facteurs : structure affective (parfois très riche) ; état des fonctions sensorielles, motrices et instrumentales ; stabilité du comportement ; harmonie familiale ; tolérance du milieu ; etc. L'enfant a surtout besoin de se sentir en confiance, vis-à-vis des autres comme vis-à-vis de lui-même. Associée à un soutien psychothérapique, la rééducation permet souvent d'obtenir d'appréciables progrès ; en cas d'agitation ou d'agressivité de l'enfant, on l'associe parfois à des neuroleptiques légers. Les problèmes du placement éventuel et de l'avenir de l'enfant doivent être abordés au cours de rencontres régulières avec les parents. Ceux-ci peuvent aussi être utilement conseillés par une association de parents d'enfants inadaptés.

Défilé cervicobrachial (syndrome du)

Syndrome provoqué par la compression des vaisseaux et des nerfs dans le défilé cervicobrachial (qui relie le cou à chacun des bras).
SYN. *syndrome du défilé thoracobrachial.*

CAUSES

Ce syndrome peut avoir plusieurs causes. Une côte surnuméraire (côte cervicale), un cal osseux exubérant après fracture de la clavicule, des épaules tombantes par insuffisance musculaire peuvent rétrécir le défilé cervicobrachial au point de comprimer les éléments qui y transitent. Ce défilé est limité par deux muscles, les scalènes antérieur et moyen, par la première côte et par la clavicule.

SYMPTÔMES ET SIGNES

La compression des racines nerveuses provoque des douleurs, une fatigabilité lors de travaux qui nécessitent de lever le bras, des fourmillements ou des décharges électriques dans le membre supérieur du côté correspondant à l'atteinte. La compression de la veine axillaire entraîne l'apparition d'un œdème intermittent et parfois d'une véritable phlébite du membre supérieur. Enfin, la compression de l'artère, beaucoup plus rare, se traduit par une fatigabilité du bras correspondant et peut aller jusqu'à l'occlusion du vaisseau, se manifestant par un refroidissement brutal de tout le membre.

TRAITEMENT

Un traitement chirurgical est parfois nécessaire dans les formes sévères qui entraînent une gêne importante : il consiste à supprimer tous les éléments osseux ou musculaires qui compriment les vaisseaux ou les nerfs. En cas d'insuffisance musculaire, le traitement consiste en une rééducation.

Défloration

Rupture de l'hymen, survenant le plus souvent au cours du premier rapport sexuel complet.

La défloration entraîne une douleur habituellement supportable, parfois absente, et un saignement, généralement peu abondant.

Après la déchirure de l'hymen, les lambeaux se rétractent, prenant le nom de caroncules myrtiformes. Toutefois, certains hymens, très souples, permettent la pénétration sans se déchirer.

Dégénérescence

1. Évolution d'une maladie vers une forme plus grave.

On parle ainsi de la dégénérescence d'une tumeur bénigne en tumeur maligne.

2. Altération du fonctionnement d'une cellule, d'un tissu ou d'un organe.

Le terme de dégénérescence, dans cette acception, exclut les inflammations, les infections et les tumeurs.

La dégénérescence a des causes à la fois multiples et mal connues. Elle est souvent liée au vieillissement de l'organisme : le vieillissement normal comporte des phénomènes de dégénérescence, et les maladies par dégénérescence, ou dégénératives, ressemblent souvent à un vieillissement accéléré. Dans certains cas, on retrouve à l'origine un traumatisme, une insuffisance de la circulation sanguine, une intoxication (alcoolisme), une maladie héréditaire.

Les signes de dégénérescence sont très variables puisqu'ils dépendent de l'organe ou du groupe d'organes atteints (système nerveux, œil, articulations, appareil cardiovasculaire) et de la maladie concernée (arthrose, athérosclérose). L'évolution peut se faire vers une aggravation progressive ou parfois vers une stabilisation, voire le retour à la normalité.

Dégénérescence du système nerveux

Altération progressive du fonctionnement du système nerveux, concernant en général un groupe fonctionnel particulier de cellules nerveuses.

Dégénérescence wallérienne

C'est l'altération de l'axone d'un neurone (prolongement d'une cellule nerveuse conduisant l'influx nerveux vers d'autres cellules, par exemple musculaires). La cause en est un traumatisme (coupure, choc). Le segment distal (le plus éloigné du corps cellulaire du neurone) de l'axone, qui se trouve à l'intérieur de la main ou du pied, se fragmente et est éliminé par les globules blancs. Ce phénomène se traduit soit par des fourmillements, soit par une faiblesse des muscles concernés, voire une paralysie, selon le nombre d'axones touchés. Le segment proximal (proche du corps cellulaire du neurone) de l'axone repousse ensuite spontanément, à la vitesse de un millimètre par jour environ. Si le nerf est resté en place, ou s'il a été remis exactement en place par le chirurgien, l'axone peut retrouver sa place et ses fonctions initiales. Dans le cas contraire, la prolifération désordonnée du segment proximal peut aboutir à un névrome, petite tumeur bénigne, nécessitant parfois une ablation chirurgicale.

Maladies dégénératives

Ces maladies du système nerveux atteignent chacune un groupe précis de cellules nerveuses, variable selon la maladie. Il peut s'agir d'une maladie de Parkinson, d'une démence (maladie d'Alzheimer, chorée de Huntington), d'une maladie héréditaire dite hérédodégénérative (maladie de Charcot-Marie-Tooth, maladie de Friedreich). Chaque maladie a ses propres caractéristiques, mais souvent la cause en est inconnue, ou connue seulement en partie, les signes sont graves (paralysie, démence), l'évolution est très lente (s'étendant sur plusieurs années ou dizaines d'années), le traitement est peu ou pas efficace, avec pourtant des exceptions, comme dans la maladie de Parkinson.

Dégénérescence oculaire

Altération du fonctionnement de certains tissus de l'œil.

Les dégénérescences rétiniennes sont les plus fréquentes et les plus graves des dégénérescences oculaires. Elles se classent en deux grandes catégories : les dégénérescences maculaires et les dégénérescences tapétorétiniennes.

Dégénérescence maculaire

Elle consiste en une destruction progressive de la macula (zone rétinienne de quelques millimètres de diamètre qui permet la vision précise, dite vision centrale). Les principaux facteurs favorisants sont la myopie et, surtout, l'âge, puisque cette dégénérescence est plus fréquente après 70 ans. La dégénérescence maculaire se manifeste par une baisse de la vision centrale empêchant surtout la lecture, alors que le reste de la vision, celle dite périphérique, est normal. Le diagnostic repose sur l'examen du fond d'œil. L'évolution, très progressive, aboutit à la perte de la vision centrale (scotome central). Le traitement, par photocoagulation au laser, n'est indiqué que dans certaines formes de la maladie.

Dégénérescence tapétorétinienne

Il s'agit d'une affection constitutionnelle très rare de l'épithélium pigmentaire et de la rétine. D'origine souvent héréditaire, elle est responsable d'une baisse de l'acuité visuelle ou d'une absence de vision périphérique. Elle se manifeste tantôt dans les premières années de la vie, tantôt plus tardivement, mais toujours avant 30 ans. Le diagnostic de cette dégénérescence repose sur l'examen du fond d'œil ainsi que sur l'électrorétinogramme et l'électro-oculogramme. Il n'y a pas de traitement spécifique de cette maladie.

Déglutition

Acte par lequel le bol alimentaire passe de la bouche dans l'œsophage, puis dans l'estomac.

La déglutition comporte deux temps : un temps pharyngé, à la fois volontaire et réflexe, et un temps œsophagien, entièrement réflexe.

Tout d'abord, une bouchée, mâchée et mêlée à de la salive, est avalée : la langue la pousse vers l'arrière de la bouche, et les muscles volontaires situés à ce niveau la font passer dans le pharynx. La glotte se ferme simultanément, protégeant la trachée et les poumons et empêchant ainsi une fausse-route alimentaire. Le bol alimentaire progresse alors dans l'œsophage par une contraction réflexe et coordonnée de la couche musculeuse de sa paroi. Le cardia (sphincter inférieur de l'œsophage) s'ouvre au moment adéquat pour laisser passer les aliments dans l'estomac.

Les troubles de la déglutition sont connus sous le nom de dysphagie.

Degos (maladie de)

Maladie de système se traduisant principalement par une éruption cutanée associée à une atteinte digestive grave.

La maladie de Degos, d'une grande rareté, est d'origine inconnue. Son signe essentiel consiste en de petites élevures rosées de moins de 5 millimètres de diamètre, au centre déprimé et entourées d'un halo rougeâtre, survenant en n'importe quel point du corps. Les lésions peuvent s'étendre à l'appareil digestif (perforation de l'intestin),

plus rarement au système nerveux. Il n'existe pas actuellement de traitement curatif de cette maladie, dont le pronostic est encore très sévère.

Déhydroépiandrostérone

Hormone sécrétée par la glande corticosurrénale à partir du cholestérol.

La déhydroépiandrostérone (D.H.A.) a une structure chimique qui la classe parmi les stéroïdes (molécules comportant plusieurs cycles) à 19 atomes de carbone. Elle est sécrétée à un taux suffisamment faible pour que sa fonction androgénique (virilisante) ne soit pas perceptible chez la femme.

Déjà-vu (impression de)

Trouble de la mémoire donnant au sujet l'impression soudaine et intense d'avoir déjà vécu dans le passé la situation présente.

L'impression de déjà-vu peut survenir de façon fugace chez un sujet sain, sans que cela revête de signification particulière. Elle est parfois liée à des troubles psychologiques ; ainsi, elle constitue un symptôme d'états confusionnels et anxieux, de l'épilepsie, de la psychasthénie et de certaines amnésies.

Déjerine-Klumpke (syndrome de)

Syndrome atteignant le membre supérieur et l'œil.

Le syndrome de Déjerine-Klumpke est dû à une lésion des fibres inférieures du plexus brachial (entrecroisement de filets nerveux du creux de l'aisselle donnant principalement naissance aux nerfs du bras). La cause initiale peut être un traumatisme, une compression ou une infiltration par un cancer voisin (cancer bronchopulmonaire du sommet des poumons). Les signes sont une paralysie de la main, une perte de la sensibilité de l'avant-bras et de la main, un syndrome de Claude Bernard-Horner, qui associe un myosis (rétrécissement de la pupille), un ptosis (chute de la paupière supérieure) et une enophtalmie (enfoncement de l'œil dans l'orbite). Parfois, le traitement de la cause, par exemple la réparation nerveuse chirurgicale, guérit les troubles, les atténue ou du moins arrête leur extension.

Déjerine-Sottas (maladie de)

Maladie héréditaire, caractérisée par une hypertrophie des nerfs responsable d'atrophie musculaire et de paralysies.

La maladie de Déjerine-Sottas est héréditaire et se transmet de façon autosomique dominante : le gène porteur se trouve sur un chromosome non sexuel ; il suffit qu'il soit transmis par l'un des parents pour que l'enfant développe la maladie. Cette neuropathie atteint les nerfs commandant les muscles du squelette. Les signes en sont une paralysie des membres inférieurs entraînant une gêne à la marche, puis une paralysie des membres supérieurs rendant difficiles les gestes de la vie courante, ainsi qu'une diminution de la sensibilité cutanée. S'y ajoutent souvent des douleurs, une déforma-

tion de la colonne vertébrale, des troubles de la motricité oculaire. L'évolution commence très tôt, parfois à la naissance, et aboutit souvent à une dépendance totale sans qu'un traitement puisse l'arrêter.

Pour certains médecins, cette affection serait une des variantes de la maladie de Charcot-Marie-Tooth.

Delay (Jean)

Psychiatre français (Bayonne 1907 – Paris 1987).

Titulaire de la chaire des maladies mentales et de l'encéphale à la faculté de médecine de Paris à partir de 1946, Jean Delay décrivit en 1956 l'action sur les maladies mentales de la chlorpromazine, nouveau médicament capable d'atténuer considérablement les symptômes des psychoses. Il ouvrait ainsi l'ère de la psychopharmacologie. Son œuvre littéraire (en particulier la Jeunesse d'André Gide) lui a valu d'entrer à l'Académie française en 1959.

Délétion

Perte d'un fragment d'A.D.N. par un chromosome.

Une délétion peut porter sur des fragments d'A.D.N. de longueur très variable. Elle provoque des effets plus ou moins importants selon la séquence d'A.D.N. touchée. En effet, les gènes, porteurs de l'information génétique, sont localisés sur l'A.D.N. La délétion peut représenter une mutation très grave si elle affecte un fragment portant un gène, la protéine dont celui-ci commande la synthèse ne pouvant plus être produite par l'organisme. Cependant, si la délétion intervient dans une région de l'A.D.N. qui ne porte aucun gène ou dans une région non stratégique pour la fonction de la protéine, la maladie est plus modérée, comme c'est le cas dans certaines myopathies.

Délire

Perte du sens de la réalité se traduisant par un ensemble de convictions fausses, irrationnelles, auxquelles le sujet adhère de façon inébranlable.

Le délire se distingue de l'onirisme (confusion mentale), de la désorientation caractéristique de certains troubles neurologiques (amnésie, démence) ainsi que des productions imaginaires du mythomane ou de l'hystérique.

SYMPTÔMES ET SIGNES

Le délire se décrit selon différents traits : ses mécanismes (délire d'interprétation, hallucinations ou illusions, construction d'un scénario imaginaire, etc.), plusieurs d'entre eux étant souvent associés ; ses thèmes (délire de persécution, mégalomanie, délire mystique ou prophétique, jalousie, auto-accusation, sentiment d'être commandé par une force extérieure, etc.) ; sa structure (délire bien construit et cohérent ; délire fantastique, dont la construction part dans tous les sens mais qui reste néanmoins organisé ; délire flou, incohérent) ; son déclenchement, tantôt soudain et inattendu (bouffée délirante), tantôt insidieux et progressif ; son évolution (réversible ou non, intermittente, extensive, s'accompagnant ou non d'un déficit intellectuel).

Le délire apparaît comme un trouble profond de l'ensemble de la personnalité. S'il peut émerger dans certaines affections névrotiques (hystérie, névrose obsessionnelle) et dans les états intermédiaires entre la névrose et la psychose, il est surtout propre aux psychoses.

Épisode délirant aigu

L'épisode délirant aigu, ou bouffée délirante aiguë, est une psychose aiguë qui survient brutalement, le plus souvent chez un sujet jeune et sans antécédent. Il peut être réactionnel, consécutif à une intoxication, ou démasquer une structure psychotique.

Délire des psychoses chroniques

Le délire des psychoses chroniques revêt des formes très variées. La paranoïa et la paraphrénie se traduisent par un délire très cohérent, qui se développe de façon progressive, sans affaiblissement intellectuel. La schizophrénie est marquée par un délire flou, incohérent, peu organisé, appelé délire paranoïde. Le délire caractéristique de la psychose maniacodépressive amplifie le dérèglement de l'humeur : mégalomanie euphorique chez le maniaque, autoaccusations, idées de non-existence de soi (syndrome de Cotard) ou d'une partie du corps chez le mélancolique.

Traitement et pronostic du délire

En règle générale, la première apparition d'un délire doit être traitée en milieu spécialisé. Le pronostic dépend de la rapidité et de la qualité des soins. L'analyse de l'expérience délirante, des phases de recrudescence et de rémission est essentielle pour orienter le traitement. Selon la gravité des troubles de la personnalité, les neuroleptiques, le lithium, parfois les antidépresseurs, associés à un éventail de psychothérapies, individuelles ou de groupe, telles que la psychanalyse, la sociothérapie, l'art-thérapie (par le modelage, le dessin, la peinture, le mime), permettent d'enrayer le délire. Par la suite, et lorsque les troubles délirants restent mineurs et ne comportent pas un risque de passage à l'acte (agression, automutilation, suicide), l'hospitalisation ne s'impose plus. La psychothérapie et un simple traitement d'entretien sont souvent suffisants pour permettre au patient de conserver son adaptation socioprofessionnelle.

Delirium tremens

Syndrome aigu et grave dû au sevrage brutal d'une personne souffrant d'alcoolisme chronique.

Le delirium tremens est généralement consécutif à un sevrage involontaire, le patient étant obligé d'arrêter la prise d'alcool du fait d'une maladie ou d'une hospitalisation, par exemple pour fracture. Le mécanisme, mal connu, réside peut-être dans la suppression des effets sédatifs de l'alcool.

SYMPTÔMES ET SIGNES

Ils comprennent des tremblements généralisés, des membres ou de la langue, des sueurs abondantes, de la fièvre, une accélération du rythme cardiaque, une agitation, une confusion mentale, une déshydratation (révélée par un pli cutané de la peau : lorsque la peau est pincée, le pli persiste anormalement), un délire avec hallucinations (zoopsies, ou visions d'animaux fantastiques). Le malade « vit son délire » et se trouve entraîné dans des activités imaginaires, par exemple pour échapper aux animaux qu'il voit. Des convulsions peuvent également survenir.

Les symptômes s'installent habituellement de 24 à 36 heures après la dernière prise d'alcool, sous la forme d'un prédelirium (tremblements, agitation sans délire). Pendant le delirium proprement dit, le patient encourt des risques graves : conséquences d'actes dangereux (défenestration, par exemple), déshydratation pouvant aboutir au collapsus cardiovasculaire (effondrement de la tension artérielle) et survenue d'une encéphalopathie (affection du cerveau) grave, dite de Gayet-Wernicke, par carence en vitamine B1.

TRAITEMENT ET PRÉVENTION

Le traitement du delirium tremens repose sur la réhydratation intensive du patient par perfusion intraveineuse, sur l'administration de médicaments sédatifs (anxiolytiques) par voie injectable et sur la surveillance en milieu hospitalier. La prise de vitamine B1 permet d'éviter l'apparition d'une encéphalopathie. Un traitement préventif s'impose : il faut veiller à une bonne réhydratation et à l'administration de sédatifs par voie orale dans les situations de sevrage alcoolique, volontaire ou involontaire.

Délivrance

→ VOIR Accouchement.

Deltoïde

Muscle de la face externe de l'épaule. (P.N.A. *musculus deltoideus*)

En forme de cône à sommet dirigé vers le bas, le deltoïde est volumineux et épais. Il recouvre entièrement l'articulation de l'épaule et unit la ceinture scapulaire à la face externe de l'humérus. Sa face profonde est séparée de l'articulation scapulohumérale par une bourse séreuse. Son bord antérieur s'écarte en haut du grand pectoral pour former l'espace deltopectoral. Le deltoïde est innervé par le nerf circonflexe, branche du plexus brachial formée par des fibres provenant des 5e et 6e nerfs cervicaux.

Le deltoïde participe à tous les mouvements de l'articulation de l'épaule. Sa partie centrale, très puissante, permet l'abduction (élévation latérale) du bras. Ses parties antérieure et postérieure servent à élever le bras en avant et en arrière et participent aux mouvements de torsion.

PATHOLOGIE

L'atteinte des 5e et 6e racines nerveuses cervicales, due essentiellement à une hernie discale au niveau du rachis cervical, entraîne la perte de l'abduction du bras.

Démangeaison

→ VOIR Prurit.

Démence

Affaiblissement progressif de l'ensemble des fonctions intellectuelles, dû à une lésion des cellules nerveuses cérébrales.

DIFFÉRENTS TYPES DE DÉMENCE

Les démences se divisent en deux catégories : les démences symptomatiques, qui sont la conséquence d'une autre maladie bien déterminée, et les démences dégénératives, de cause inconnue ou peu précise.

■ **Les démences symptomatiques** sont le plus souvent vasculaires, liées à la répétition d'accidents vasculaires cérébraux. Dans les autres cas, la démence provient d'une autre maladie neurologique (chorée de Huntington, maladie de Parkinson, sclérose en plaques, hématomes cérébraux) ou d'une maladie hormonale (insuffisance thyroïdienne), d'une intoxication (alcool, oxyde de carbone), d'une infection (syphilis, sida).

■ **Les démences dégénératives** sont représentées par la maladie d'Alzheimer, avec atrophie cérébrale à prédominance postérieure, la maladie de Pick, où l'atrophie prédomine dans les régions frontales, et les démences séniles, sans atteinte neurologique marquée. Celles-ci, qui surviennent après 60-70 ans, le plus souvent chez la femme, sont liées à des lésions dégénératives du cortex cérébral, dites « plaques séniles ». Certains auteurs font des démences séniles une forme tardive de la maladie d'Alzheimer ; d'autres incriminent l'artériosclérose.

SYMPTÔMES ET SIGNES

On observe des troubles intellectuels tels qu'une diminution de la mémoire (le sujet se perd dans les rues qu'il connaissait), de l'attention, du jugement, du raisonnement. Assez rapidement, des troubles de l'affectivité, du langage et du comportement appa-

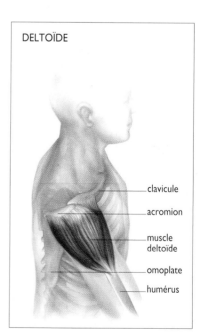

DELTOÏDE

clavicule

acromion

muscle deltoïde

omoplate

humérus

raissent : indifférence, altération du langage, conduite violente ou impudique. Le malade est parfois longtemps conscient de ses troubles. Certains signes sont spécifiques d'une maladie, par exemple une paralysie en cas de tumeur cérébrale. Dans les démences séniles, on note la prédominance des idées délirantes de préjudice et de persécution.

DIAGNOSTIC

Le diagnostic consiste d'abord à identifier le début d'une démence alors que des signes modérés n'ont pas encore alerté l'entourage du patient. Il nécessite un avis spécialisé, neurologique ou psychiatrique, fondé sur l'interrogatoire du malade et de son entourage. La deuxième phase du diagnostic repose sur la recherche d'une cause éventuellement curable, par des analyses sanguines et un scanner cérébral. Parfois, cette enquête est négative et le diagnostic de la variété de démence, impossible ; seule l'apparition totale des signes permettra alors d'établir le diagnostic.

ÉVOLUTION

L'évolution la plus caractéristique d'une démence est la suivante : début discret à partir de l'âge mûr, lenteur de l'aggravation (dix ans ou plus), aspect inexorable. Dans la maladie de Pick, l'évolution, assez longue, aboutit à un appauvrissement du langage, à des troubles du comportement (excitation psychomotrice ou, au contraire, perte totale d'initiative) et à une grave boulimie. Cependant, certaines démences d'origine vasculaire surviennent brutalement.

TRAITEMENT

Certaines démences symptomatiques sont guéries ou améliorées par le traitement de leur cause : administration d'hormones thyroïdiennes ; arrêt d'une intoxication ; prise d'antibiotiques contre la syphilis ; correction de facteurs de risque vasculaire (hypertension artérielle, excès de cholestérol, diabète, tabagisme). Dans les démences dégénératives (maladies d'Alzheimer ou de Pick), il n'y a pas de traitement spécifique mais les médicaments peuvent atténuer certains symptômes (sédatifs contre l'agitation, par exemple).

PERSPECTIVES

Le nombre de sujets atteints de démence augmente avec le vieillissement des populations. Il s'agit donc, dans les pays développés, d'un problème important de santé publique. C'est pourquoi la recherche médicale concernant les origines de ces maladies se poursuit sans relâche, et des traitements médicamenteux sont en cours d'étude.

Déminéralisation

→ VOIR Ostéoporose.

Démodex

Parasite présent dans les follicules pileux.
Le démodex pourrait être à l'origine de l'acné rosacée.

Demons-Meigs (syndrome de)

Syndrome caractérisé par l'association d'une tumeur ovarienne bénigne (souvent un fibrome) et d'un épanchement de liquide dans le péritoine (ascite) et dans la plèvre (hydrothorax). SYN. *syndrome de Meigs*.

L'origine du syndrome de Demons-Meigs est inconnue. L'ascite se traduit par un gonflement de l'abdomen, et l'épanchement pleural par une gêne respiratoire. Le diagnostic de la tumeur repose sur l'examen clinique et est confirmé par échographie. La radiographie du thorax met en évidence l'hydrothorax, et l'échographie, l'ascite. Intarissables, ces épanchements doivent être ponctionnés fréquemment.

Le traitement consiste en l'ablation chirurgicale de la tumeur, qui entraîne la guérison immédiate.

Démyélinisation

Perte de la gaine de myéline qui entoure certaines fibres nerveuses.

Les gaines de myéline, de nature lipidique et protéique, ont pour rôle d'accélérer la vitesse de transmission des influx nerveux le long des axones des cellules nerveuses. La démyélinisation perturbe donc le fonctionnement de celles-ci. Un tel phénomène est observé dans différentes maladies (syndrome de Guillain-Barré, sclérose en plaques). La cause de cette affection est souvent mal connue, mais ses effets évoquent des anomalies du système immunitaire, elles-mêmes déclenchées éventuellement par une infection virale. Les symptômes, neurologiques, dépendent de la maladie : paralysies, perte de sensibilité, troubles sensoriels.

Le diagnostic est confirmé par un électromyogramme du système nerveux périphérique, qui traduit l'effondrement des vitesses de conduction nerveuse. Généralement, le traitement ne peut que ralentir momentanément la maladie ou soulager les symptômes. Cependant, dans un certain nombre de cas, la démyélinisation régresse spontanément.

Dengue

Maladie infectieuse due à différents virus du groupe des arbovirus. SYN. *fièvre rouge*.

La dengue est transmise à l'homme par la piqûre d'un moustique, *Aedes ægypti*. C'est une maladie endémique survenant par épidémies dans de nombreuses régions chaudes du globe (Asie du Sud-Est, Pacifique, Afrique, Amérique centrale et du Sud, Caraïbes).

SYMPTÔMES ET SIGNES

La dengue se déclare habituellement, entre le cinquième et le huitième jour après la piqûre, par un état grippal avec une fièvre élevée et des douleurs diffuses. Une éruption érythémateuse cutanée apparaît au deuxième jour. Après une rémission d'une journée, les symptômes reprennent puis la guérison survient en une dizaine de jours, laissant le malade dans un état de grande fatigue.

Une autre forme de la maladie, la dengue hémorragique, provoque des hémorragies cutanées, viscérales et digestives ; elle est parfois mortelle.

TRAITEMENT ET PRÉVENTION

Purement symptomatique, le traitement vise à réduire la fièvre et les douleurs. La prévention consiste essentiellement à se protéger des moustiques.

Déni

Refus inconscient de reconnaître une réalité extérieure traumatisante.

En psychanalyse, le terme de déni fut employé pour la première fois en 1924 par Sigmund Freud pour désigner un mécanisme de défense du moi du petit enfant contre l'angoisse provoquée par la découverte de la différence des sexes. Refusant d'admettre la réalité, l'enfant continue à croire à l'existence d'un pénis féminin, puis attribue son absence à une castration.

Selon Freud, le mécanisme du déni s'apparente à celui de la psychose, tous deux étant marqués par un rejet de la réalité. Si le déni est normal chez le tout petit enfant, la persistance d'une croyance au phallus maternel lorsque l'enfant grandit peut se transformer en fétichisme. Dans cette forme de déviation sexuelle, qui traduit la persistance d'un conflit infantile inconscient, l'individu ne trouve sa satisfaction érotique que par l'intermédiaire d'un objet (chaussure, gant, etc.) appartenant au sexe opposé et qui tient pour lui le rôle de phallus maternel : cela lui permet ainsi de concilier le déni et la reconnaissance de la différence sexuelle.

Densitométrie osseuse

Mesure de la densité osseuse par évaluation du contenu minéral des os, essentiellement du calcium.

La densitométrie osseuse s'utilise pour mettre en évidence ou suivre les affections qui appauvrissent le squelette en calcium, comme l'ostéoporose et l'ostéomalacie, soit au contraire l'exagèrent, comme la fluorose osseuse. Elle se pratique actuellement au moment de la ménopause, pour dépister les sujets à risque d'ostéoporose.

TECHNIQUES

La biopsie osseuse quantitative a été longtemps la seule méthode accessible. Aujourd'hui, la technique la plus utilisée est l'absorptiométrie biphotonique, qui, grâce à deux rayons X d'énergie différente, permet de calculer la part exacte de l'os dans leur atténuation.

Le scanner permet des évaluations de la densité qui évitent les erreurs dues aux calcifications aortiques et aux ostéophytes. Mais l'irradiation est plus importante et la machinerie plus lourde.

L'atténuation d'un faisceau d'ultrasons à travers le calcanéum est à l'étude.

Dent

Organe minéralisé implanté dans le maxillaire, dont la partie visible émerge de l'os. (P.N.A. *dentes*)

Les dents permettent la mastication, qui constitue le premier temps de la digestion. En soutenant les tissus mous (lèvres, joues), elles jouent un rôle dans l'esthétique du visage et dans la prononciation des sons.

On distingue chez l'être humain les dents de lait, temporaires, et les dents permanentes. Les dents de lait apparaissent entre l'âge de 6 mois et l'âge de 30 mois et sont au nombre de 20. L'éruption des dents permanentes, au nombre de 32, est plus étalée. Elle commence

DENTS

Une dent comprend une couronne, visible, et une ou plusieurs racines fixées dans une alvéole osseuse. Au centre se trouve une cavité remplie d'un tissu (la pulpe) riche en nerfs et en vaisseaux. La pulpe est entourée par la dentine (ou ivoire), elle-même recouverte d'émail (pour la couronne) ou de cément (pour la racine). La dentition, ou évolution des dents, se fait en deux temps, des dents temporaires précédant les dents définitives. La denture temporaire, en place jusqu'à environ 6 ans, comprend 20 dents, la définitive, en place vers l'âge de 12 ans, est de 32 dents.

Molaire et incisive, vues en coupe

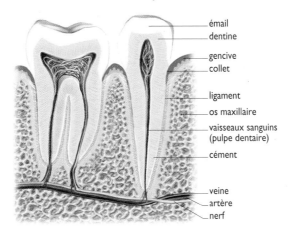

- émail
- dentine
- gencive
- collet
- ligament
- os maxillaire
- vaisseaux sanguins (pulpe dentaire)
- cément
- veine
- artère
- nerf

Les fonctions des différents types de dent

Incisives
Plates et coupantes comme des lames, elles tranchent les aliments dans un mouvement de cisaillement.

Canines
Les plus pointues et les plus longues des dents, elles permettent de déchirer les aliments.

Prémolaires
Broyeuses, à 2 cuspides, elles sont un peu moins puissantes que les molaires.

Molaires
Une large surface de mastication (de 4 à 5 cuspides) les rend essentielles au broiement des aliments.

Dents de lait

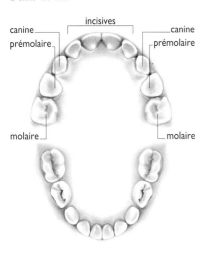

canine — incisives — canine
prémolaire — prémolaire
molaire — molaire

Denture de l'adulte

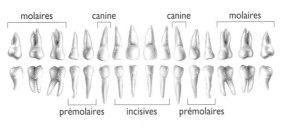

molaires — canine — canine — molaires

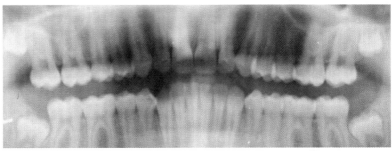

prémolaires — incisives — prémolaires

Les premières dents (incisives inférieures) font éruption vers le 6ᵉ ou le 7ᵉ mois ; la denture temporaire, qui comprend 20 dents, est complète entre 2 et 3 ans.

Une radiographie panoramique permet de voir la totalité des dents.

à partir de 6 ans et se termine à 12 ans. L'éruption des 4 dents de sagesse peut se produire à partir de 18 ans environ.

STRUCTURE
La dent est un tissu vivant, innervé et irrigué par des nerfs et des vaisseaux sanguins. Ceux-ci parviennent au centre de la dent par l'intermédiaire du canal dentaire et forment la pulpe, logée au centre de la dent et contenue dans un tissu calcifié, la dentine. La zone visible de la dent, appelée couronne, est recouverte d'émail, lequel constitue le tissu le plus dur de l'organisme ; la racine de la dent, partie implantée dans le maxillaire, est entourée de cément, qui assure l'articulation avec l'os au moyen de fins filaments formant le ligament alvéolodentaire.

DIFFÉRENTS TYPES DE DENTS
On distingue les dents de devant, incisives et canines, et les dents postérieures, prémolaires et molaires.
■ Les incisives, au nombre de 8, ont une forme de pelle et permettent de trancher les aliments, les incisives supérieures recouvrant les incisives inférieures à la manière d'une lame de ciseaux par rapport à l'autre.

■ Les canines, au nombre de 4, pointues et robustes, sont les dents les plus longues chez l'homme. Situées à la limite des dents postérieures, elles déchiquettent les aliments.
■ Les prémolaires, au nombre de 8, les premières des dents postérieures, peuvent avoir 1 ou 2 racines et présentent deux cuspides (protubérances situées sur la surface de mastication) ; elles participent au broiement des aliments.
■ Les molaires, au nombre de 12, dont 4 dents de sagesse, possèdent 2 ou 3 racines et de 4 à 5 cuspides ; elles jouent un rôle essentiel dans le broiement des aliments.

PATHOLOGIE
Les dents et la mâchoire peuvent être le siège de douleurs, le plus souvent dues à une carie et à ses conséquences. L'inflammation du nerf, provoquée par la proximité microbienne d'une carie, produit un flux supplémentaire de sang à l'intérieur de la pulpe ; mais l'exiguïté de la cavité pulpaire, emmurée dans la dentine, empêche toute possibilité d'œdème inflammatoire, et toute augmentation de la pression sanguine (au contact du chaud, en position couchée)

Le brossage des dents

Il débarrasse les dents des débris alimentaires et de la plaque bactérienne et doit se faire chaque jour, après les principaux repas, durant environ trois minutes à chaque fois. Il faut changer souvent la brosse, qui doit être à manche souple, à petite tête (pour atteindre les zones d'accès difficile), munie de poils synthétiques souples et arrondis. Le brossage doit être plus minutieux qu'énergique ; il s'effectue sur toutes les faces des dents, dans un mouvement dirigé de la gencive – à brosser aussi – vers la dent. L'angle des poils avec la surface de la dent doit être de 45º. Le dentifrice permet de polir les dents et de rafraîchir l'haleine. Une fois par jour, le passage d'un fil dentaire entre les dents complète le brossage. Les bridges et les appareils orthodontiques fixés se nettoient à l'aide de brossettes interdentaires.

induit une réaction violente et douloureuse des filets nerveux pulpaires. Le drainage des tissus de soutien apporte un soulagement immédiat ; il doit être complété par un nettoyage et un assainissement des canaux.

Une infection microbienne peut aussi se produire lors d'une maladie de la gencive et provoquer un abcès. Dans certains cas, des bains de bouche à l'eau salée ou des antibiotiques sont prescrits.

Dent (abcès de la)

Collection de pus localisée dans les tissus qui enveloppent la racine dentaire.

CAUSES

Un abcès de la dent résulte d'une infection de la pulpe, formée de nerfs et de vaisseaux sanguins et située dans la cavité centrale de la dent. Une fois celle-ci détruite, l'infection atteint l'os de la mâchoire. Cette infection peut résulter d'une fracture de la dent, d'une parodontopathie (maladie des gencives) ou, le plus souvent, d'une carie dentaire.

SYMPTÔMES ET SIGNES

Un abcès dentaire se signale par une rougeur et un gonflement de la gencive. Une douleur lancinante gêne fortement la mastication. Céphalées, fièvre et fatigue générale accompagnent souvent l'évolution de l'abcès. Si le drainage se fait spontanément (rupture de la paroi de l'abcès), un pus verdâtre et fétide s'écoule et la douleur s'estompe généralement. Dans ce cas, l'abcès aboutit à la formation d'un granulome (amas cellulaire inflammatoire) ou d'un kyste.

TRAITEMENT

Les progrès de l'endodontie (étude des tissus pulporadiculaires de la dent, de leur pathologie et des traitements qui s'y rattachent) favorisent aujourd'hui la conservation de la dent. Une simple incision au bistouri permet le drainage du pus si celui-ci ne s'est pas fait naturellement. Elle est suivie par un traitement endodontique (assainissement des canaux infectés puis comblement de la cavité par une pâte d'obturation), complété par la pose d'une couronne. Dans les cas où l'incision est impossible (tuméfaction sans pus encore formé), des antibiotiques sont prescrits par voie orale.

Quand l'abcès résulte d'une maladie de la gencive, drainage au bistouri, détartrage et curetage sont indiqués, auxquels s'ajoutent des mesures d'hygiène quotidienne.

PRÉVENTION

Les visites de contrôle chez le dentiste (deux fois par an pour l'enfant, une fois par an pour l'adulte) évitent la propagation d'une carie ou d'une infection de la gencive, qui peut atteindre l'os.

Dent incluse

Arrêt partiel ou total de l'éruption d'une dent qui demeure sous la gencive ou est complètement enchâssée dans l'os de la mâchoire.

L'inclusion la plus fréquente concerne les dents de sagesse, lorsque, évoluant tardivement, celles-ci ne trouvent pas suffisamment de place et restent coincées derrière la dernière molaire. Les canines supérieures peuvent aussi rester incluses. Si l'évolution est partielle, les bactéries de la plaque dentaire se glissent entre la dent et la gencive et entraînent douleur, enflure et empâtement ganglionnaire, ce qui peut nécessiter l'extraction chirurgicale de la dent.

Dentifrice

Substance légèrement abrasive et antiseptique utilisée pour le brossage dentaire.

Le dentifrice, sous forme de pâte, de poudre ou de gel, permet de garder les dents lisses et brillantes, tandis que son pouvoir aromatisant assure la fraîcheur de l'haleine. L'adjonction de sels de fluor peut aider à la protection de la dent contre la carie mais ne l'assure pas à elle seule ; l'acte essentiel de l'hygiène buccodentaire est un brossage quotidien soigneux, complété par le passage d'un fil dentaire entre les dents.

Dentine

Tissu calcifié blanchâtre qui recouvre la pulpe de la dent. SYN. *ivoire.*

La dentine est elle-même recouverte par l'émail au niveau de la couronne (partie émergée de la dent) et par le cément au niveau de la racine.

→ VOIR **Dent.**

Dentisterie

→ VOIR **Odontologie.**

Dentition

Évolution physiologique de tout le système dentaire, qui réalise progressivement la mise en place de l'ensemble des dents.

L'éruption dentaire survient, de la petite enfance à l'âge adulte, selon une chronologie caractéristique. Cette phase dynamique précède celle où les dents sont en place (denture).

DENTITION DE LAIT

Les dents de lait, ou dents temporaires, sont au nombre de 20. Elles commencent à émerger des gencives vers l'âge de 6 à 7 mois. Ce sont d'abord les deux incisives centrales inférieures qui apparaissent, suivies des supérieures, en général vers 8 mois. Vers 10 mois viennent les incisives latérales supérieures puis les incisives latérales inférieures. Entre le 12e et le 18e mois, c'est l'éruption des premières molaires temporaires puis des canines (entre 18 et 24 mois) et des deuxièmes molaires temporaires (entre 24 et 30 mois). Les dents de lait sont donc constituées dans leur ensemble vers l'âge de 3 ans et tout retard d'éruption dépassant de plus de un an cette chronologie doit être considéré comme pathologique.

L'éruption peut s'accompagner de salivation, de rougeur des gencives, éventuellement tuméfiées, luisantes et douloureuses. On observe parfois de petits kystes bleutés, un coryza séreux, une rougeur des joues.

DENTITION DÉFINITIVE

À partir de 6 ans, les dents de lait sont progressivement remplacées par les dents permanentes, et l'enfant est en période de denture mixte : la première molaire définitive apparaît tout d'abord derrière les molaires temporaires et sert de guide pour l'éruption de la dentition permanente, qui comprend l'apparition des incisives puis des premières prémolaires vers l'âge de 9 ans, des canines vers 11 ou 12 ans et des deuxièmes molaires permanentes à 12 ans. Les troisièmes molaires, ou dents de sagesse, évoluent à partir de 18 ans environ, mais leur éruption peut ne jamais survenir.

Lorsque le germe d'une dent définitive a élaboré le tiers de sa racine, son éruption s'effectue, précédée par la chute de la dent de lait. La formation de la racine s'achève en trois ans.

PATHOLOGIE

L'éruption d'une dent peut être contrariée par le manque de place, celle-là restant alors totalement ou partiellement incluse dans la mâchoire. Une discordance de volume entre les dents et leur base osseuse se traduit, si les dents sont trop petites, par des espaces entre elles, si elles sont trop volumineuses, par un encombrement dentaire (rotation, chevauchement) ou par des inclusions ; l'encombrement dentaire peut être traité par le port d'un appareil dentaire. Une dent peut également présenter des anomalies de structure ou de couleur, visibles dès son apparition (dysplasie dentaire), ou venir en surnombre (dent surnuméraire).

Denture

Ensemble des dents présentes sur les deux arcades dentaires.

La denture permanente de l'être humain comprend 32 dents, également réparties sur les deux mâchoires.

→ VOIR **Dent.**

Dénudation

Mise à nu chirurgicale d'un organe, d'un tissu ou d'un élément anatomique.

Le terme de dénudation s'applique le plus souvent à la dénudation veineuse : le chirurgien incise la peau, recherche la veine puis l'ouvre pour y introduire un cathéter. En général, il s'agit d'une veine superficielle dans laquelle on peut alors introduire des liquides et des médicaments par une perfusion prolongée. Cette technique, rare, est utilisée quand on n'a pas réussi à introduire le cathéter en piquant directement à travers la peau, par exemple chez des malades en état de choc et devant bénéficier d'une réanimation plus ou moins prolongée.

Dénutrition

État pathologique dans lequel les besoins en énergie ou en protéines de l'organisme ne sont pas couverts.

Lorsque la dénutrition affecte les jeunes enfants, si elle est énergétique, on parle de marasme, la dénutrition protéique étant appelée kwashiorkor. Des carences en vitamines, en fer et autres minéraux sont très souvent associées à ces états.

CAUSES

Une dénutrition survient en raison d'une carence d'apport soit absolue (apport alimentaire insuffisant), soit relative (augmentation des besoins énergétiques ou protéiques du sujet), ces deux causes pouvant se conjuguer chez un même malade.

■ **Les carences d'apport** sont généralement dues à une déficience alimentaire : famine, misère, trouble du comportement alimentaire (régime amaigrissant excessif, aberration diététique, anorexie psychogène, dépression, grève de la faim). Une carence d'apport peut également être due à une anomalie du processus de digestion ou d'absorption des aliments consommés : tube digestif raccourci à la suite d'une intervention chirurgicale, pancréatite chronique, anomalie de la muqueuse intestinale.

■ **Les carences d'apport relatives** interviennent lors de diverses maladies, quand les dépenses énergétiques sont accrues à la suite d'une augmentation des dépenses cellulaires : cancer, maladie infectieuse (sida, tuberculose), inflammatoire (polyarthrite rhumatoïde) ou métabolique (hyperthyroïdie), insuffisance respiratoire chronique, insuffisance cardiaque. À cette augmentation des besoins énergétiques ou protéiques peut s'ajouter, dans plusieurs de ces maladies, une carence d'apport due à une mauvaise digestion, à une mauvaise absorption des aliments consommés ou à un manque d'appétit. C'est notamment ce qui survient au stade terminal de certaines maladies mortelles (cachexie).

SYMPTÔMES ET SIGNES
La dénutrition se manifeste par un amaigrissement important, une augmentation de la taille du foie, une sécheresse de la peau et des cheveux, des ongles cassants, striés ou déformés et, parfois, lorsque la dénutrition est principalement protéique, par des œdèmes ainsi que par des perturbations fonctionnelles (déficience immunitaire). Une dénutrition protéique se traduit par une fonte de la masse musculaire et par la diminution du taux de protéines plasmatiques. Une dénutrition énergétique se manifeste par une fonte des réserves adipeuses.

TRAITEMENT
Si l'alimentation orale est possible (appétit conservé, appareil digestif intact), la réalimentation se pratique en suivant des règles mises au point lors du retour des déportés de la Seconde Guerre mondiale (réalimentation progressive et prudente sur plusieurs semaines). Si l'alimentation orale n'est pas possible, les nutriments seront apportés au malade au moyen d'une sonde placée dans l'estomac ou le duodénum (alimentation entérale) ou d'un cathéter veineux central, poussé jusque dans la veine cave supérieure (alimentation parentérale).

Dépendance

État résultant de l'absorption périodique ou continuelle d'une drogue.

Selon la nature de la drogue consommée (médicaments, tabac, alcool, haschisch, héroïne), l'état du sujet et sa tolérance au produit, la dépendance peut être psychique (n'entraînant pas de manifestations physiques) ou physique.

■ **La dépendance psychique** se traduit par le besoin de consommer des drogues modifiant l'activité mentale. L'abstinence provoque un désir compulsif, tyrannique, de recourir de nouveau au produit.

■ **La dépendance physique** se traduit par des troubles organiques dès que la drogue cesse d'être consommée : c'est l'état de manque, caractérisé par des vomissements, des crampes, une angoisse intense, etc.
→ VOIR Dossier Toxicomanie.

Dépense énergétique

Quantité d'énergie dépensée par un individu pour assurer son métabolisme de base, le maintien de sa température interne corporelle, sa croissance et son activité musculaire.

La dépense énergétique d'un individu est fonction de trois facteurs principaux : son métabolisme de base, sa thermogenèse et le coût de ses activités physiques.

■ **Le métabolisme de base, ou métabolisme de repos**, mesuré au repos complet, à jeun, dans une atmosphère calme et à température constante proche de la neutralité thermique (29 °C), correspond à l'énergie nécessaire pour maintenir les fonctions de base de l'organisme : rythme cardiaque, température, respiration, etc. Il représente près des deux tiers de la dépense énergétique globale et varie en fonction de la masse des tissus maigres (muscles, foie, cœur, etc.). Il diminue avec l'âge et est plus important chez l'homme que chez la femme. Il peut aussi être influencé par certaines hormones (hormones thyroïdiennes, par exemple).

■ **La thermogenèse** correspond à la quantité d'énergie nécessaire pour digérer des aliments, assimiler et stocker leurs composants nutritifs. Elle peut être stimulée par le stress ou par certaines substances, comme la caféine ou la nicotine, susceptibles d'accroître les dépenses énergétiques. Cela explique en partie pourquoi l'arrêt du tabac peut s'accompagner d'une prise de poids.

■ **Le coût de l'activité physique**, variable selon les individus (il semble influencé par des facteurs génétiques), ne dépasse généralement pas 15 à 20 % de la dépense énergétique globale chez les sédentaires. Il peut cependant s'accroître considérablement en fonction de la durée, de l'intensité et du type d'activité physique et aussi augmenter au fil d'un entraînement sportif.

L'équilibre du poids d'un individu dépend du bilan qui s'établit chez celui-ci entre les entrées énergétiques (apports caloriques) et l'ensemble des dépenses. Tout excès dans les apports, s'il n'est pas compensé par une augmentation des dépenses (par l'exercice physique notamment), conduit à un stockage de l'énergie excédentaire sous forme de graisse, donc à une prise de poids.
→ VOIR Besoin énergétique.

Dépersonnalisation

Perte, par un sujet, du sentiment de sa propre réalité physique et mentale.

La dépersonnalisation est souvent précédée ou accompagnée d'une déréalisation (sentiment d'étrangeté du monde extérieur).

C'est un trouble psychoaffectif pénible, difficile à exprimer par le sujet, qui « se sent drôle, différent ». Selon le psychiatre français Pierre Janet, la dépersonnalisation traduirait une baisse de la tension psychologique, survenant notamment dans la psychasthénie (névrose caractérisée par un sentiment global d'incapacité d'agir). On l'observe également dans les états dépressifs, la névrose obsessionnelle, certaines intoxications (par les amphétamines, le L.S.D.). Dans ses formes sévères, elle peut être le symptôme d'une psychose (bouffée délirante, installation d'une schizophrénie, délire chronique), mais elle survient aussi de façon fugitive et isolée à la suite d'un surmenage ou même sans cause apparente.

Dépigmentant
→ VOIR Agent dépigmentant.

Dépigmentation
→ VOIR Leucodermie.

Dépistage

Ensemble d'examens et de tests effectués au sein d'une population apparemment saine afin de dépister une affection latente à un stade précoce.

Les tests de dépistage doivent, théoriquement, avoir une sensibilité (proportion de tests positifs parmi les sujets malades) et une spécificité (proportion de tests négatifs parmi les sujets non malades) élevées.

Le dépistage s'applique surtout aux cancers (sein, prostate, tube digestif, col de l'utérus), permet leur découverte précoce et augmente nettement les chances de guérison. Depuis l'apparition de l'épidémie de sida, le dépistage concerne également la séropositivité au V.I.H., en particulier chez les groupes exposés.

Dépistage anténatal

Dépistage d'une maladie du fœtus avant la naissance. SYN. *diagnostic prénatal.*

HISTORIQUE
Le dépistage anténatal, véritable révolution dans la conception de l'obstétrique, est jalonné par quelques dates : 1958, première échographie obstétricale ; 1972, première amniocentèse ; 1976, première fœtoscopie (examen direct du fœtus dans l'utérus) ; 1982, premier prélèvement de sang fœtal guidé par échographie ; 1983, première biopsie de villosités choriales (prélèvement de tissu placentaire, ou trophoblaste).

INDICATIONS
Le dépistage anténatal précoce (amniocentèse, biopsie de villosités choriales) concerne essentiellement les anomalies génétiques ou chromosomiques. Il est effectué au cours du premier trimestre de la grossesse, uniquement chez certaines femmes qui risquent de porter un enfant atteint de telles anomalies. L'échographie morphologique du 5e mois de grossesse permet, plus tardivement, de dépister les malformations fœtales. La fœtoscopie, moins pratiquée actuellement, sert également à établir le diagnostic de certaines malformations. Enfin, le prélèvement de

sang fœtal ouvre la voie à l'exploration biologique du fœtus.

Le dépistage anténatal permet de préparer la naissance et la prise en charge précoce d'un enfant porteur d'une anomalie compatible avec la vie.

TECHNIQUES

■ **L'amniocentèse** consiste à prélever du liquide amniotique par ponction abdominale. Elle permet le dépistage anténatal des anomalies chromosomiques par l'étude du caryotype des cellules fœtales, l'étude de l'A.D.N. et la mesure de certaines enzymes. Elle est effectuée vers la 17e semaine d'aménorrhée (absence des règles). Les dépistages le plus souvent effectués sont ceux de la trisomie 21 (mongolisme) et de l'hémophilie.

■ **La biopsie de villosités choriales** consiste à prélever un échantillon de tissu placentaire (trophoblaste) par voie vaginale ou abdominale sous contrôle échographique ou endoscopique. Elle a le même intérêt que l'amniocentèse mais peut se faire plus tôt (vers la 10e semaine d'aménorrhée) et fournit des résultats plus rapidement.

■ **L'échographie** repose sur l'émission d'ultrasons réfléchis par les tissus et analysés en fonction de leur fréquence. Elle permet de visualiser le fœtus, de mesurer et de suivre sa croissance, d'analyser l'aspect anatomique d'éventuelles anomalies fœtales ainsi que leur retentissement fonctionnel et leur évolution au cours de la grossesse. L'étude du comportement du fœtus (mobilité, par exemple) renseigne sur le bien-être de l'enfant. Grâce à cet examen, une décision de prise en charge précoce peut être envisagée in utero ou à la naissance.

■ **La fœtoscopie** est pratiquée à partir du 3e mois en introduisant un tube muni d'un système optique par voie abdominale à travers l'utérus jusque dans la poche amniotique. Elle sert à rechercher certaines malformations, essentiellement des anomalies des extrémités, et à réaliser des biopsies cutanées.

■ **Le prélèvement de sang fœtal**, pratiqué sous contrôle échographique à partir du 4e mois de la grossesse, permet de dépister des infections fœtales, de réaliser le caryotype, d'analyser le sang fœtal et de déceler des anomalies sanguines (anémie, thrombopénie) et des anomalies biologiques (enzymes hépatiques, gaz du sang). Certaines analyses sont aujourd'hui réalisées à partir d'un prélèvement de sang maternel, qui autorise, à partir du 3e mois, certains diagnostics biologiques en offrant des résultats comparables et sans risque pour le fœtus. À l'avenir, le prélèvement de sang maternel permettra l'étude de cellules fœtales qui ont traversé la barrière fœtoplacentaire et circulent dans le sang maternel.

Déplétion

Diminution en quantité d'un liquide organique normalement présent dans une cavité, notamment du sang contenu dans une zone du corps, ou dans la totalité du système circulatoire de l'organisme.

Par extension, le terme de déplétion est utilisé pour désigner la baisse du taux d'un électrolyte du plasma, comme la déplétion de sodium ou de potassium lors de l'utilisation de diurétiques.

Dépression

État pathologique caractérisé par une humeur triste et douloureuse associée à une réduction de l'activité psychomotrice.

Dans son usage familier, le terme de dépression peut recouvrir des états très divers allant du simple « passage à vide » à des troubles psychiatriques plus sévères.

CAUSES

De nombreuses dépressions apparaissent à la suite d'un événement pénible (deuil, abandon conjugal, licenciement, etc.) ou de toute autre expérience (passage de l'enfance à l'adolescence, de l'âge mûr à la sénescence, échec ou même succès) qui demande au sujet de s'adapter à une nouvelle situation. De telles dépressions sont parfois désignées comme réactionnelles. Une dépression peut aussi être déclenchée par une maladie physique (accident vasculaire cérébral, hépatite, etc.), un bouleversement hormonal (suite d'accouchement) ou un dérèglement endocrinien (hypothyroïdie). Dans certains cas, le syndrome dépressif apparaît en liaison avec une évolution névrotique ou psychotique. Enfin, certaines dépressions très graves, comme la mélancolie (psychose caractérisée par une douleur morale intense), ont une cause partiellement héréditaire : on parle dans ce dernier cas de dépression endogène.

SYMPTÔMES ET SIGNES

Les traits spécifiques des troubles dépressifs sont à la fois psychiques et physiques. Ils atteignent leur maximum d'intensité en fin de nuit ou en début de journée. Au plan psychique, le sujet est d'humeur triste avec perte des motivations, autodépréciation, difficulté à se concentrer, peur de l'avenir, anxiété. La souffrance morale peut l'amener à envisager le suicide, d'autant plus que la sensation d'écoulement du temps semble anormalement ralentie. Les dépressifs ont en commun un sentiment inconscient de « perte d'objet » qui les amène à retourner contre eux-mêmes les reproches et l'agressivité destinés normalement à l'objet perdu, ce qui leur donne un fort sentiment de culpabilité et d'impuissance. Au plan physique, le dépressif souffre de troubles de l'appétit, de désordres digestifs, de céphalées, de palpitations, de fatigabilité, d'insomnie et d'altération de la libido.

TRAITEMENT

Le risque majeur de la dépression est le suicide, surtout à redouter dans la mélancolie, les phases aiguës des psychoses (schizophrénie) et chez les personnes âgées. Outre un traitement par les antidépresseurs (tricycliques, I.M.A.O. [inhibiteurs de la monoamine oxydase]) ou les stabilisateurs de l'humeur (lithium), qui ont considérablement réduit l'usage de l'électrochoc, on préconise toujours une psychothérapie, parfois d'inspiration psychanalytique.

Dépression de l'adolescent

La dépression de l'adolescent, tout en se rapprochant de celle de l'adulte (anxiété, sentiment d'infériorité, humeur triste), en diffère par une moindre inhibition, une attitude plus distante qu'accablée, un sentiment de vide ou d'abandon plutôt que de déchéance. Par ailleurs, un état dépressif peut se cacher sous des symptômes trompeurs (dépression masquée) : troubles du comportement (fugue, colère, goût morbide pour le risque), anorexie, boulimie ; l'adolescent se plaint de douleurs (courbatures, maux de tête, d'estomac), a des problèmes scolaires. Les principales complications des dépressions d'adolescent sont la psychose (schizophrénie, psychose maniacodépressive) et, surtout, le passage à l'acte (délinquance, toxicomanie, suicide).

TRAITEMENT

Il ne saurait se limiter à l'administration de psychotropes (antidépresseurs, anxiolytiques), qui risquent de provoquer une dépendance. Dans la plupart des cas, la psychothérapie apportera à l'adolescent l'approfondissement qu'il recherche, l'aidant efficacement à mûrir et à mieux s'accepter.

Dépression de la personne âgée

La dépression de la personne âgée revêt des formes très diverses. La forme la plus grave en est la mélancolie d'involution, qui se traduit par une douleur morale intense avec idées de préjudice et de persécution, une hypocondrie (peur non justifiée d'être malade), une détérioration de l'état général. D'autres formes se manifestent par de l'insomnie, des troubles du caractère, un repli sur soi, des affections psychosomatiques diverses, parfois une pseudodétérioration intellectuelle pouvant simuler une démence.

TRAITEMENT

Il fait appel aux électrochocs en cas de mélancolie d'involution et, d'une manière générale, aux antidépresseurs et à certains sédatifs (neuroleptiques, hypnotiques non barbituriques). Ceux-ci pouvant être mal supportés, un bilan préalable et une surveillance sont nécessaires. Autant que les psychotropes, l'écoute médicale demeure indispensable. Elle aide la personne âgée à retrouver son statut social, à maintenir ses aptitudes physiques et psychiques, voire à poursuivre une évolution créatrice.

→ VOIR **Dossier Dépression.**

Dérivation

Intervention chirurgicale qui consiste à créer une voie artificielle pour l'écoulement de matières ou de liquides, en remplacement de la voie naturelle (tube digestif, voie urinaire, etc.) où siège un obstacle.

Par extension, le terme de dérivation désigne aussi la voie artificielle ainsi créée.

Les dérivations comprennent différents types d'opération. On distingue les dérivations définitives, destinées à court-circuiter un obstacle inopérable situé sur la voie naturelle, des dérivations provisoires, pratiquées en attendant qu'une nouvelle intervention puisse être effectuée. On classe aussi les dérivations en deux catégories selon qu'elles sont externes ou internes. Une dérivation externe se termine soit à l'extérieur du corps (abouchement du côlon à la peau pour créer un anus artificiel), soit dans une cavité détournée de son rôle normal (cavité cardiaque, cavité péritonéale). Une dérivation interne permet de court-circuiter un obstacle. Après que celui-ci a été franchi, les matières et les liquides sont ramenés dans leur voie naturelle.

Les indications, les techniques et le pronostic d'une dérivation sont très variables selon la maladie en cause et le type de dérivation pratiqué. Les indications les plus fréquentes sont les tumeurs, éventuellement cancéreuses, comprimant ou détruisant la voie naturelle, ou encore les rétrécissements d'une telle voie, dus à une malformation ou à une inflammation. L'intervention sert alors à la fois à rétablir une fonction vitale (par exemple l'écoulement des urines) et à empêcher les complications dues à l'accumulation des liquides en amont de l'obstacle (par exemple l'insuffisance rénale). Le pronostic est variable : la maladie initiale peut continuer à évoluer (la dérivation n'étant qu'un geste palliatif pour atténuer momentanément les symptômes) ou être définitivement guérie, hormis un éventuel handicap définitif.

■ **Les dérivations biliaires** sont parmi les plus fréquemment pratiquées. Elles sont indiquées lorsque le canal cholédoque, amenant normalement la bile du foie et de la vésicule biliaire vers l'intestin grêle, est obstrué par un obstacle, par exemple par un cancer du pancréas. Les dérivations biliaires sont essentiellement internes, réalisées par l'abouchement du segment d'amont du canal cholédoque dans l'intestin grêle, qui court-circuite le segment comprimé.

■ **Les dérivations digestives** se pratiquent le plus souvent lorsque des tumeurs rétrécissent le diamètre du tube digestif. La colostomie est une dérivation externe abouchant le côlon à la peau de l'abdomen afin de créer un anus artificiel.

■ **Les dérivations urinaires** sont indiquées quand le segment inférieur d'un uretère (conduisant normalement l'urine du rein à la vessie) est comprimé par une tumeur d'un organe voisin ou quand il est lui-même le siège d'une tumeur ou d'une inflammation. Les dérivations urinaires internes consistent le plus souvent à remplacer un segment d'uretère, voire la vessie, par un segment d'intestin. Elles permettent de respecter les mictions par les voies naturelles. Les dérivations urinaires externes (urétérostomies) abouchent l'uretère à la peau.

■ **Les dérivations vasculaires** se pratiquent essentiellement chez les malades atteints de cirrhose. En effet, une cirrhose gêne la circulation sanguine à l'intérieur du foie, ce qui provoque une hypertension portale (augmentation de la pression sanguine dans la veine porte et dans les veines qu'elle reçoit), susceptible d'occasionner des hémorragies graves du tube digestif. La principale dérivation vasculaire est l'anastomose porto-

cave. Celle-ci consiste à aboucher la veine porte, qui ramène normalement le sang du tube digestif vers le foie, à la veine cave inférieure, qui ramène le sang des organes abdominaux vers le cœur et dont le trajet est voisin. En court-circuitant le foie, cette dérivation permet de diminuer les pressions.

■ **Les dérivations ventriculaires** sont indiquées dans les hydrocéphalies, caractérisées par une accumulation de liquide céphalorachidien dans les ventricules cérébraux, due à un obstacle en aval (tumeur, séquelles de méningite, malformation). Elles consistent à placer un cathéter dans un ventricule dilaté, à travers le crâne. Le cathéter court ensuite habituellement sous la peau et se termine dans la cavité péritonéale ou dans l'oreillette droite du cœur. Lorsque le sujet atteint d'hydrocéphalie est un enfant, le cathéter doit être changé à plusieurs reprises pendant sa croissance, à chaque fois qu'il devient trop court.

Dérivé nitré
Médicament utilisé dans le traitement de l'angor (angine de poitrine).

Les dérivés nitrés sont classés en deux groupes : les dérivés à action rapide et courte (dinitrate d'isosorbide, trinitrine) et les dérivés à action lente et prolongée (certaines formes de dinitrate d'isosorbide et de trinitrine, mononitrate d'isosorbide, tétranitrate d'érythrityle), la différence tenant soit à la nature du produit, soit à la voie d'administration.

INDICATIONS ET CONTRE-INDICATIONS
Les dérivés nitrés sont essentiellement indiqués soit au cours des crises d'angor sous leur forme à action rapide, soit en traitement de fond, au long cours, pour prévenir les récidives, sous leur forme à action prolongée. Ils sont également utilisés en traitement d'appoint lors de l'insuffisance cardiaque, chronique ou aiguë (provoquant un œdème aigu du poumon).

Les dérivés nitrés sont contre-indiqués en cas de myocardiopathie obstructive (affection du muscle cardiaque formant un bourrelet à l'intérieur de la cavité ventriculaire) et de glaucome (augmentation de la pression intraoculaire).

MODE D'ADMINISTRATION
En cas de crise, l'administration se fait par voie sublinguale (sous la langue), sous forme de comprimés ou de pulvérisations. Le traitement préventif de fond fait appel à la voie orale, ou encore à la voie transdermique, sous forme de « timbre » à laisser collé sur la peau pendant 24 heures ou de pommade.

EFFETS INDÉSIRABLES
Les dérivés nitrés peuvent provoquer assez fréquemment des maux de tête, des bouffées de chaleur et des rougeurs cutanées, des palpitations ou encore une baisse de tension artérielle immédiate déclenchant un malaise et nécessitant un ajustement des doses. Leur administration continue et prolongée risque d'aboutir à un effet de tolérance et à une perte de l'efficacité, qu'une suspension transitoire du traitement permet de rétablir.

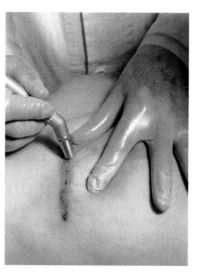

Dermabrasion. Cette technique est indiquée notamment pour effacer une cicatrice ou un tatouage. Après anesthésie locale, le médecin meule prudemment la surface de la peau en respectant les règles d'asepsie.

Dermabrasion
Technique d'abrasion des lésions cutanées.

La dermabrasion se pratique sur les cicatrices, les tatouages, les rides. Elle est plus rarement utilisée pour traiter les rougeurs diffuses du visage, les angiomes et certaines verrues. La technique repose sur un meulage des lésions à l'aide d'une fraise ou d'une brosse métallique à rotation rapide, qui permet d'enlever les couches superficielles de la peau (épiderme et derme superficiel).

L'intervention, effectuée sous anesthésie locale, ne nécessite aucune hospitalisation. À la fin de la séance, le médecin applique sur la région traitée un pansement gras, qui sera laissé en place 8 jours. La cicatrisation demande de 15 à 20 jours. L'exposition au soleil est contre-indiquée pendant les 6 mois qui suivent l'intervention, car elle en compromettrait le résultat esthétique. Celui-ci est assez bon dans l'ensemble. Cependant, un meulage trop profond risque de laisser une cicatrice disgracieuse. Une augmentation ou une diminution de la pigmentation cutanée dans la zone traitée constituent également un risque non négligeable de cette technique.

Dermatite
Toute inflammation de la peau, quelle que soit son origine. SYN. *dermite*.

En médecine, ce terme (comme dermite), employé seul, ne correspond précisément à aucune maladie et, quand il est associé à un qualificatif (comme dans dermatite herpétiforme), les affections qu'il désigne ne forment pas un groupe homogène.

Dermatite atopique
→ VOIR Eczéma.

LA DÉPRESSION

Intense sentiment de tristesse et d'inutilité, troubles du sommeil, perte d'énergie..., la dépression se solde par une insupportable souffrance à laquelle certains tentent d'échapper par le suicide. C'est pourtant aujourd'hui une maladie efficacement soignée.

AIDER UN DÉPRESSIF

C'est à l'entourage d'engager le malade à prendre conscience de son état et à se soigner. En effet, l'une des caractéristiques de la dépression est d'être difficile à identifier, surtout quand le malade se plaint essentiellement de troubles physiques, d'où le qualificatif de dépression « masquée » : il a le plus grand mal à prendre lui-même conscience de son état, est réticent à l'idée d'aller voir un psychiatre et se culpabilise pour expliquer ses troubles. L'engager à rencontrer le médecin de famille est alors la meilleure solution. En revanche, demander au malade de faire preuve de bonne volonté, de se changer les idées en prenant des vacances, etc., va à contresens de la guérison.

LE MÉCANISME D'ACTION DES ANTIDÉPRESSEURS

Les travaux scientifiques s'appuient sur l'hypothèse selon laquelle les neurotransmetteurs, molécules dont le rôle est de transmettre les informations entre les cellules nerveuses (neurones), jouent un rôle important dans le déclenchement des dépressions mais aussi dans leur traitement. En effet, les antidépresseurs ont en commun de maintenir un taux élevé de neurotransmetteurs dans le système nerveux en empêchant leur destruction physiologique.
Les antidépresseurs tricycliques agissent globalement sur la dopamine, la noradrénaline et la sérotonine ; les antidépresseurs sérotoninergiques, plus électivement sur la sérotonine. Les I.M.A.O. freinent l'activité de la M.A.O., enzyme de dégradation de la dopamine et de la noradrénaline.

QUI EST CONCERNÉ ?

À l'échelle d'une vie entière, de 6 à 10 % des hommes et de 12 à 20 % des femmes seront, à un moment ou à un autre, confrontés à la dépression. C'est dire l'ampleur de ce phénomène qui peut aussi bien survenir après un événement traumatisant, comme un deuil, qu'à la ménopause, ou après un accouchement. Parfois, la dépression constitue l'un des deux temps d'une psychose maniaco-dépressive, alternance de moments d'excitation et d'épisodes dépressifs graves. Parfois encore, elle est liée à un manque d'ensoleillement et survient entre octobre et mars : c'est la « dépression saisonnière ». Personne ne peut donc prétendre y échapper.

Statistiques et dépression

Les déprimés sont plus nombreux chez les femmes jeunes, les hommes âgés, les femmes célibataires et les hommes mariés. Si la dépression peut être favorisée par des événements de vie « négatifs » tels qu'une maladie physique ou la perte d'un emploi, elle peut l'être aussi par la consommation excessive de drogue ou d'alcool, ainsi que par celle de médicaments neuroleptiques ou stimulants.

RECONNAÎTRE UNE DÉPRESSION

Il est très délicat d'en identifier les premiers signes, souvent confondus avec ceux d'un banal passage à vide, baisse de forme qui disparaît d'elle-même en quelques jours. La dépression s'annonce par une modification globale, mais le plus souvent insidieuse, du comportement. Au début, le déprimé devient anxieux, réagit de manière inhabituelle à des contrariétés banales ; il est sujet à de brefs accès de colère, de joie ou de pleurs. Il a des difficultés pour trouver le sommeil puis se réveille en pleine nuit, habituellement entre minuit et 2 heures du matin ; chez certains, le sommeil est « haché » de rêves angoissants ou de réveils multiples. Enfin, il grossit ou maigrit involontairement.
Souvent, c'est seulement après plusieurs mois d'évolution, alors que le malade est en véritable situation de détresse morale, que l'entourage prend conscience de la gravité de son état. Cette « dépression confirmée » rassemble 4 types de troubles, toujours présents mais avec une intensité variable d'un malade à l'autre.

Troubles de l'humeur et ralentissement

Le déprimé souffre d'une immense tristesse permanente ; il est pessimiste et se sent dévalorisé, incapable, inutile. L'idée du suicide le taraude, comme étant la solution qui mettrait un terme à sa souffrance et libérerait son entourage. Dans bien des cas, le déprimé tente effectivement de mettre fin à ses jours ; cette tentative impose une protection immédiate et, le plus souvent, une hospitalisation.
Le ralentissement des activités intervient à tous les niveaux, qu'il s'agisse du psychisme, de la motricité, du langage ou des relations. Le malade, figé, parle lentement, de façon monotone, et semble avoir perdu toute spontanéité ; lorsqu'on l'interroge, il réfléchit longuement avant de répondre. Il s'exprime lentement, ce qui met en évidence sa difficulté à se concentrer. Incapable d'agir et de prendre une décision, le déprimé retrouve un semblant d'énergie en fin de journée, qu'il met à profit, par exemple, pour réaliser de simples actes de la vie quotidienne (comme se raser), tant cela lui est difficile le matin.

Anxiété, troubles du sommeil et de l'état physique

Le malade est perpétuellement inquiet, préoccupé par des sujets personnels ou plus généraux. Ses insomnies s'aggravent et il se réveille fréquemment pendant la deuxième partie de la nuit ou avant le lever du jour ; c'est d'ailleurs pendant cette dernière période que se concentrent les idées dépressives qui favorisent les « suicides du petit matin ».

L'altération de l'état physique dépend de l'ancienneté de la dépression et de son évolution, mais aussi du sexe et de l'âge, de la négligence plus ou moins grande du régime alimentaire. Plus spécifiquement, le déprimé souffre de troubles du transit digestif, de maux de tête, d'une grande fatigue et d'un désintérêt pour l'activité sexuelle.

Guérir d'une dépression

Vaincre une dépression en quelques mois est le plus souvent possible, et un traitement médical doit toujours être tenté. Non soigné, un épisode dépressif est beaucoup plus long à disparaître. Il expose en outre le patient à des souffrances inutiles, voire au suicide, alors que le déprimé mis sous traitement peut voir son état s'améliorer dès la 3e semaine. De plus, traiter une dépression permet souvent d'éviter les récidives, beaucoup plus difficiles à soigner. C'est ici qu'intervient le rôle primordial de l'entourage, qui doit engager le malade à se soigner, même si cela n'est pas toujours facile. Un premier entretien médical permet au praticien d'évaluer l'intensité de la dépression, d'établir une relation de confiance avec le malade, de l'informer de son état et des perspectives thérapeutiques, y compris de la nécessité d'une hospitalisation.

Le traitement psychologique

Il s'agit le plus souvent d'une psychothérapie de soutien, nécessaire dans la première phase de la maladie, alors que le patient a tendance à s'isoler et à perdre confiance en lui. Ce traitement consiste en entretiens centrés sur les événements qui ont contribué à l'installation de la dépression. C'est alors que le médecin doit se montrer attentif, prodiguer conseils et orientations. Une fois dépassée la phase aiguë, ces entretiens débouchent éventuellement sur la nécessité de faire un travail plus approfondi, faisant intervenir l'inconscient (psychothérapie « profonde », psychanalyse).

Les médicaments psychotropes

Dans le traitement de la dépression, l'année 1957 a marqué une étape décisive : c'est alors que l'on découvre les effets antidépresseurs de l'iproniazide – qui inhibe l'action biologique d'une enzyme, la monoamine oxydase, d'où son sigle (I.M.A.O.) – et d'un autre produit, l'imipramine ; celle-ci sera dite « tricyclique » en raison de sa structure chimique. Depuis, d'autres substances (antidépresseurs d'action sérotoninergique) sont venues compléter cette gamme. Aujourd'hui, le traitement d'un déprimé passe le plus souvent par ces médicaments, efficaces dans deux tiers des cas. Les antidépresseurs tricycliques ont une action antidépressive puissante et n'induisent aucune accoutumance mais s'accompagnent d'effets secondaires tels que sécheresse de la bouche, tremblements, vertiges, prise de poids, palpitations, constipation. Aux I.M.A.O., également très actifs mais délicats à manier – leur association avec l'alcool, en particulier, doit être rigoureusement prohibée –, on préfère actuellement des produits, appelés I.M.A.O. réversibles, au mécanisme d'action similaire mais dépourvus de tels risques. Quel que soit le traitement choisi, il est poursuivi pendant au moins six mois puis progressivement diminué sous surveillance médicale. Dans certaines formes de la maladie ou en cas d'efficacité insuffisante des antidépresseurs, un psychiatre peut également être amené à préconiser des séances de privation de sommeil, qui améliorent l'humeur du malade, voire d'exposition à la lumière. Pour traiter plus spécifiquement certains symptômes de la dépression, comme l'angoisse et les troubles du sommeil, il prescrit également, dans certains cas, des tranquillisants ou des somnifères. Quand la dépression s'inscrit dans l'évolution d'une maladie maniaco-dépressive, un traitement régulateur de l'humeur (en particulier sels de lithium) est nécessaire.

L'électronarcose

Lorsque la dépression est grave – on parle alors de mélancolie – et que les autres traitements se révèlent inefficaces, on recourt encore à l'électronarcose, une technique qui a remplacé l'électrochoc. Beaucoup moins angoissante qu'à ses débuts (1938) pour le patient, l'électronarcose est réalisée sous anesthésique et sous relaxant musculaire (médicament à base de curare), afin de soulager l'appréhension du malade et d'éviter les convulsions. Elle permet, à raison de 6 à 8 séances, de guérir certaines dépressions résistant à tout autre traitement. □

Voir *Antidépresseur, Mélancolie, Psychose maniaco-dépressive, Sommeil (troubles du).*

Dermatite herpétiforme

Maladie cutanée caractérisée par des bulles remplies de liquide, souvent associées à une atteinte digestive.

Rare, la dermatite herpétiforme touche deux fois plus souvent l'homme que la femme. Elle est plus fréquente dans les pays anglo-saxons et scandinaves. Son mécanisme est probablement auto-immun : pour une raison inconnue, le système immunitaire (globules blancs, anticorps, etc.) attaque les propres constituants de l'organisme, la peau dans ce cas. De plus, il existe un facteur héréditaire encore mal connu.

Les symptômes de cette dermatite sont des démangeaisons intenses associées à des éruptions variables mais ressemblant souvent à celles de l'herpès (bulles liquidiennes en saillie sur la peau), survenant n'importe où sur le corps mais toujours de façon symétrique. Par ailleurs, la dermatite herpétiforme est très souvent associée à une autre affection, la maladie cœliaque (intolérance au gluten). Son évolution est chronique : elle commence entre 20 et 45 ans et se poursuit par des poussées successives qui s'espacent peu à peu.

TRAITEMENT

Il repose sur les sulfones, médicaments utilisés dans ce cas pour leurs propriétés anti-inflammatoires. Si la dermatite herpétiforme est associée à la maladie cœliaque, le régime alimentaire particulier (sans gluten) qui traite cette dernière fait souvent régresser en même temps la dermatite.

Dermatofibrome

→ VOIR Histiocytofibrome.

Dermatologie

Partie de la médecine qui étudie et soigne les maladies de la peau, des phanères (cheveux, ongles) et des muqueuses.

La dermatologie est une spécialité médicale ancienne : dès le début du XIXe siècle, l'un de ses fondateurs, le baron français Jean-Louis Alibert, propose une première classification des maladies de la peau, connue sous le nom d'arbre des dermatoses.

Le champ de la dermatologie est actuellement très vaste : il couvre les maladies dues à l'exposition de l'individu au milieu extérieur (chaleur, soleil, froid, agressions chimiques), les maladies d'origine exogène (dues à des microbes, des champignons, des virus ou des parasites). De nombreuses maladies générales comme le diabète, les maladies endocriniennes, métaboliques, inflammatoires ou du collagène ont également des retentissements cutanés importants. Il existe aussi de nombreuses dermatoses, dites psychogènes, où le facteur psychologique joue un grand rôle : psoriasis, lichen, pelade, etc. De nombreuses maladies de la peau, encore, sont dues à des anomalies génétiques qui peuvent se manifester dès l'enfance ou plus tardivement. Enfin, la peau, comme tout organe, peut être le siège de tumeurs bénignes ou malignes, par exemple de mélanomes, tumeurs formées à partir des mélanocytes (cellules pigmentaires).

Ainsi, la dermatologie, spécialité essentiellement descriptive à ses débuts, est devenue une discipline scientifique, où, en particulier, la recherche sur les phénomènes immunologiques joue un grand rôle et où d'énormes progrès ont été faits tant dans la connaissance des maladies de la peau que dans leur traitement pendant ces 20 dernières années.

Dermatome

1. Territoire cutané en forme de bande, innervé par une racine nerveuse.

Les dermatomes sont disposés de façon différente selon l'endroit du corps où ils se trouvent. Sur le tronc, ils forment des bandes horizontales successives alors que, sur les membres, leur disposition est plus complexe, plutôt verticale. Chaque dermatome est innervé par une racine sensitive rachidienne (filet de fibres nerveuses entrant dans le canal rachidien de la colonne vertébrale et se terminant dans la moelle épinière). Cette racine véhicule toutes les informations venant du dermatome (douleur, sensations tactiles, température).

L'examen des dermatomes est utile pour rechercher une lésion touchant une racine nerveuse (par exemple une compression par une tumeur). Il consiste à appliquer du froid et du chaud sur la peau, à piquer et à toucher celle-ci en différents endroits. En relevant les zones cutanées insensibles, on peut ainsi savoir si elles coïncident avec un ou plusieurs dermatomes. La racine en cause est identifiée grâce au dermatome atteint, ce qui permet de déterminer le niveau de la lésion médullaire responsable.

2. Instrument chirurgical tranchant utilisé pour prélever des lamelles de peau destinées à être greffées.

Dermatomyosite

Maladie inflammatoire des muscles striés et de la peau.

Rare, la dermatomyosite, d'origine immunologique probable, se rencontre deux fois plus souvent chez la femme que chez l'homme, survient surtout entre 20 et 50 ans et peut également être observée chez l'enfant. Dans un certain nombre de cas, elle s'associe à un cancer viscéral.

SYMPTÔMES ET SIGNES

■ **Des signes cutanés** révèlent la maladie dans trois cas sur quatre : rougeur débutant sur les paupières et s'étendant symétriquement sur le visage, puis sur les bras, les avant-bras, les mains et les membres inférieurs sous forme de placards rose-violine uniformes pouvant donner des sensations de chaleur ou de brûlure. Ces rougeurs s'associent souvent à un œdème du visage et de la racine des membres.

■ **L'atteinte musculaire**, qui constitue le deuxième signe de la maladie, se traduit par une diminution de la force musculaire qui touche surtout la racine des membres et rend difficiles, voire impossibles, des gestes courants comme mettre la main sur la nuque ou s'accroupir en tenant les bras horizontaux. Chez l'enfant, la maladie peut entraîner une calcinose (présence de dépôts de

calcium dans les tissus mous) et un retard de croissance du fait de l'atteinte musculaire.

TRAITEMENT

Il consiste essentiellement en l'administration de corticostéroïdes à forte dose, poursuivie jusqu'à la stabilisation des signes musculaires puis progressivement réduite sur une durée de 2 ou 3 ans. Dans les cas sévères, on administre soit des perfusions intraveineuses à très haute dose de corticostéroïdes, soit un traitement par immunosuppresseurs (ciclosporine). Chez l'enfant, la corticothérapie générale doit s'accompagner d'une prise en charge soigneuse de la motricité. En cas de cancer associé, le syndrome de dermatomyosite régresse en fonction du traitement de la tumeur.

Dermatophytie

Infection de la peau, du cuir chevelu ou des ongles due à un champignon microscopique, le dermatophyte.

Il existe trois sortes de dermatophyte, chacune comprenant plusieurs espèces microbiennes : *Epidermophyton*, *Microsporum* et *Trichophyton*. La contamination s'effectue le plus souvent par contact humain ; parfois, elle se fait par l'intermédiaire des animaux domestiques ; dans d'autres cas, elle est due au contact du sujet avec un sol, une eau ou des objets contaminés.

SYMPTÔMES ET SIGNES

Les signes cliniques sont très variables.

■ **Les lésions superficielles** se classent en deux groupes. Le premier comprend les atteintes de la peau glabre, par exemple l'herpès circiné (plaque de plusieurs centimètres à bordure rouge) ou l'intertrigo (inflammation de la peau au niveau des plis, notamment au fond de l'espace entre deux orteils, survenant au cours du pied d'athlète). Le second comprend les atteintes des cheveux, ou teignes, et celles des ongles, ou onychomycoses, signalées par un changement de couleur et un épaississement des ongles.

■ **Les lésions profondes** peuvent être aiguës ou chroniques. Les lésions aiguës comprennent, notamment, des kérions (teignes suppuratives caractérisées par la présence de placards tuméfiés pustuleux sur le cuir chevelu) et des sycosis (suppuration des poils de la barbe). Les lésions chroniques se présentent sous la forme de plaques rouges ou de nodules sous-cutanés.

DIAGNOSTIC

Très souvent, les signes cliniques permettent d'identifier la maladie, mais ils ne sont pas spécifiques de celle-ci. Le diagnostic doit donc être confirmé par l'examen au microscope de prélèvements de peau ou de sécrétions des lésions.

TRAITEMENT ET PRÉVENTION

Le traitement d'une dermatophytie repose sur les antifongiques, dont la griséofulvine ou ses dérivés, le kétoconazole et les produits apparentés (dits imidazolés), associés à des applications de crème ou de lotion. La prévention consiste à éviter la contagion, par exemple en proposant l'éviction scolaire pour les enfants.

Dermatose

Toute maladie de la peau, quelle que soit sa cause.

Le terme s'applique aussi, par extension, aux affections des muqueuses et des annexes cutanées (cheveux, ongles).

Dermatose à IgA linéaire

Maladie cutanée rare, caractérisée par l'apparition de bulles liquidiennes dans la partie inférieure du corps.

La dermatose à IgA linéaire est une maladie auto-immune, c'est-à-dire une affection dans laquelle on observe un dérèglement sans cause connue du système immunitaire, plus précisément des anticorps de type IgA (immunoglobulines A). Elle se manifeste par l'apparition, par soulèvement de la partie superficielle de la peau, de bulles remplies de liquide, qui siègent surtout sur le bas du tronc et les membres inférieurs. Le diagnostic est fait par biopsie cutanée et examen particulier de la peau par immunofluorescence, qui permet de retrouver les anticorps responsables de la maladie.

Le traitement repose sur l'antisepsie des lésions, pour éviter l'infection du liquide des bulles, et l'administration, par voie orale, de médicaments de la catégorie des sulfamides ou des sulfones.

Dermatose annulaire

Toute affection cutanée dont les lésions dessinent des anneaux ou des arcs de cercle. SYN. *dermatose circinée.*

Une dermatose annulaire se manifeste par une ou plusieurs taches avec une périphérie foncée nettement pathologique, souvent rouge, tandis que leur centre est plus clair. L'apparence des lésions peut varier dans le temps, parfois même d'un jour à l'autre. La disposition annulaire ne constitue pas une maladie en elle-même, mais un signe caractéristique de maladies très diverses : érythème annulaire centrifuge, érythème chronique migrateur, érythème polymorphe, granulome annulaire, herpès circiné, psoriasis, urticaire, lupus érythémateux.

Dermatose érythématosquameuse

Maladie cutanée caractérisée par un érythème surmonté de squames, fines lamelles qui se détachent.

Les dermatoses érythématosquameuses se classent en trois catégories : les dermatoses pityriasiques (pityriasis versicolor), les dermatoses psoriasiques (psoriasis) et les dermatoses croûteuses (lupus érythémateux chronique). Elles se manifestent par un érythème (rougeur cutanée due à une dilatation des vaisseaux, s'effaçant à la pression) formant une ou deux plaques de quelques centimètres de diamètre, associé à des squames (petites lamelles de kératine qui se détachent normalement de la peau en permanence, mais qui deviennent ici visibles comme une membrane blanche plus ou moins adhérente). Les autres caractéristiques des dermatoses érythématosquameuses, telles que leur cause, leur évolution ou leur traitement, varient selon la maladie en cause.

Dermatose pustuleuse sous-cornée

Maladie cutanée de l'âge mûr, d'évolution chronique, mais bénigne.

La dermatose pustuleuse sous-cornée est une maladie rare, de cause inconnue. Elle se manifeste par l'apparition, le plus souvent chez la femme, de pustules de moins de 1 centimètre de diamètre, dessinant, principalement sur le tronc, des sortes d'anneaux. La maladie commence vers 50 ans puis évolue par poussées successives.

Le traitement repose sur l'administration, par voie orale, de médicaments du groupe des sulfones ; il entraîne, en général, une atténuation des symptômes. Les récidives sont cependant possibles lorsqu'on diminue les doses.

Derme

Couche moyenne de la peau, séparant l'épiderme de l'hypoderme.

STRUCTURE

Le derme est un tissu appartenant au groupe des tissus conjonctifs, dont il partage les caractères généraux. En effet, on y observe au microscope des cellules éparpillées au sein d'un matériel extracellulaire.

■ **Les cellules fondamentales** du derme sont des fibroblastes, sécrétant les constituants des fibres puis assemblant ces fibres autour d'eux et les détruisant au fur et à mesure de leur vieillissement. De plus, quelques globules blancs venant du sang sont présents dans le derme, assurant la défense de la peau contre les agents étrangers.

■ **Le matériel extracellulaire** est formé de fibres baignant dans une substance dite fondamentale. Ces fibres sont des assemblages d'une substance protéique, le plus souvent du collagène, parfois de l'élastine. La substance fondamentale est essentiellement composée d'eau, mais contient aussi diverses protéines.

PHYSIOLOGIE

Le derme assure la solidité de la peau grâce aux fibres de collagène et son élasticité grâce aux fibres d'élastine. Il protège les régions sous-cutanées des agressions mécaniques et participe aux échanges thermiques entre le corps et le milieu extérieur en régulant les pertes de chaleur de l'organisme. En outre, grâce à ses nombreux vaisseaux superficiels, il assure la nutrition de l'épiderme. Tandis que le derme superficiel contient les capillaires et les terminaisons nerveuses et la majeure partie de la substance fondamentale, le derme profond comprend la plupart des fibres élastiques et collagènes.

Dermite

→ VOIR Dermatite.

Dermite artificielle

→ VOIR Dermite orthoergique.

Dermite bulleuse

→ VOIR Pemphigoïde cicatricielle.

Dermite de contact

→ VOIR Eczéma.

Dermite ocre des jambes

→ VOIR Angiodermite purpurique et pigmentée.

Dermite orthoergique

Irritation cutanée due, en général, au contact d'un produit chimique avec la peau. SYN. *dermite artificielle.*

Les dermites orthoergiques sont les plus fréquentes des maladies cutanées dues à l'action d'un agent étranger. Les causes en sont très nombreuses : substances irritantes contenues dans les cosmétiques (savons), les teintures, les détergents ménagers, les produits à usage professionnel (ceux utilisés par les maçons, par exemple).

DIFFÉRENTS TYPES DE DERMITE ORTHOERGIQUE

Selon leur évolution, aiguë ou chronique, on classe les dermites orthoergiques en deux catégories.

■ **Dans la forme aiguë,** les signes sont des douleurs ou des sensations de brûlure parfois intenses, une rougeur, des bulles (petites saillies cutanées remplies de liquide), voire des zones de nécrose (tache noirâtre due à la mort des cellules) avec escarres.

■ **Dans la forme chronique,** souvent liée à la manipulation professionnelle d'une substance mal tolérée, la peau est sèche, fissurée ou épaisse par endroits, parfois douloureuse.

DIAGNOSTIC

Il se fonde sur les signes cliniques, sur la localisation des lésions (dans les régions en contact avec les substances chimiques, en général les mains) et sur les activités du malade (activités ménagères, professions exposées). Il est plus difficile, parfois impossible, de retrouver la substance responsable. L'un des problèmes principaux du diagnostic est de ne pas confondre une dermite orthoergique avec un eczéma de contact, dû à une allergie. En effet, tous les individus peuvent développer une dermite orthoergique au contact d'une substance irritante si sa concentration est suffisante. En revanche, seules les personnes allergiques à une substance précise développent un eczéma de contact à cette substance.

TRAITEMENT ET PRÉVENTION

Le traitement repose sur le nettoyage de la peau au sérum physiologique à la phase aiguë et sur l'utilisation exclusive de savons dermatologiques spéciaux à la phase chronique ainsi que sur l'application de produits gras (pansements gras à la phase aiguë, pommades grasses riches en vitamine A à la phase chronique). La prévention consiste à supprimer le contact avec les substances responsables, par exemple en appliquant des crèmes isolantes ou en mettant des gants avant de les manipuler.

Dermite des prés

Éruption cutanée due à une exposition au soleil après contact avec un végétal.

La dermite des prés est due à la conjonction de trois facteurs : humidité (par exemple le sujet a pris un bain dans une rivière), contact avec un végétal (il s'est allongé sur l'herbe) puis exposition à une lumière suffisamment intense (soleil d'été). Les végétaux responsables de cette éruption sont nombreux : certaines plantes ou fleurs, le bouton d'or par exemple. Elle se manifeste par des stries linéaires rouges, parfois parsemées de bulles (décollements cutanés remplis de liquide) de quelques millimètres, dessinant grossièrement la forme du végétal. La dermite des prés commence brutalement, puis régresse spontanément en quelques jours. Le traitement se limite à l'application d'antiseptiques cutanés pour éviter une infection.

Dermite séborrhéique

Affection cutanée caractérisée par des rougeurs et des squames prédominant sur le visage. SYN. *dermatite séborrhéique*.

CAUSES
La dermite séborrhéique est de cause inconnue. Cependant, on pense que certains cas seraient dus à une infection par un champignon microscopique.

SYMPTÔMES ET SIGNES
Elle se manifeste par de petites taches ou de grandes plaques rouges recouvertes de squames grasses et jaunâtres. Les lésions prédominent dans les zones où la sécrétion séborrhéique est la plus importante : cuir chevelu surtout, ailes du nez, sillon entre le nez et les lèvres, sourcils.

■ **Dans les formes bénignes**, on observe seulement quelques rougeurs et squames du cuir chevelu, formant chez le nourrisson ce que l'on appelle les croûtes de lait.

■ **Dans les formes graves**, le cuir chevelu est atteint jusqu'au front, constituant un « casque séborrhéique ». Le tronc aussi peut être atteint. Chez le nourrisson, la généralisation de la dermite séborrhéique à l'ensemble du corps forme l'érythrodermie de Leiner-Moussous.

ÉVOLUTION ET TRAITEMENT
Chez le nourrisson, la maladie commence dès les premières semaines et s'arrête spontanément avant 4 mois. Les croûtes de lait ne nécessitent qu'un savonnage doux et une application d'huile d'amande douce. Chez l'adulte, l'évolution de la dermite séborrhéique est chronique. Le traitement consiste d'abord à éviter les cosmétiques et le grattage.

Dans les formes plus graves de la maladie, on fait souvent appel aux antiseptiques cutanés, parfois aux dermocorticostéroïdes, mais, dans ce cas, la prescription est limitée à des produits peu puissants, en cures courtes et de façon très prudente chez l'enfant.

Dermite du siège
→ VOIR Érythème fessier.

Dermocorticostéroïde

Corticostéroïde (hormone corticosurrénalienne) naturel ou de synthèse appliqué sur la peau pour traiter les inflammations cutanées.

Les dermocorticostéroïdes sont classés selon une échelle à quatre niveaux suivant leur pouvoir anti-inflammatoire et leur degré d'efficacité : dermocorticostéroïdes de niveau I, les plus puissants, dont l'application doit faire l'objet d'une surveillance locale et générale attentive ; de niveau II, très actifs et présentant des risques d'effets indésirables importants ; de niveau III, à l'activité et aux effets indésirables moindres ; de niveau IV, exerçant une activité anti-inflammatoire modérée. Seuls certains corticostéroïdes de niveau III et ceux du niveau IV peuvent être appliqués sur le visage ; chez l'enfant, la prescription est limitée à ceux de niveau IV.

INDICATIONS
Les dermocorticostéroïdes sont indiqués dans le traitement des dermatoses allergiques aiguës et des dermatoses chroniques (psoriasis, lichen plan, lichénification, lupus érythémateux chronique). Le traitement se déroule en deux phases : traitement d'attaque avec application quotidienne, puis traitement d'entretien avec espacement progressif des applications, en raison d'un stockage du médicament dans la couche cornée, mais également du risque d'épuisement de l'effet vasoconstricteur. Il ne doit jamais être interrompu brutalement, ce qui risquerait de déclencher un phénomène de rebond.

EFFETS INDÉSIRABLES
La corticothérapie locale peut provoquer, à l'endroit des applications, une atrophie cutanée et des télangiectasies (dilatation des petits vaisseaux sanguins) ainsi qu'une insuffisance surrénale fonctionnelle. Une stricte surveillance s'impose donc, surtout chez l'enfant, en cas d'application étendue ou en cas d'utilisation de dermocorticostéroïdes de niveaux I et II.

CONTRE-INDICATIONS
Ce sont les surinfections microbiennes, mycosiques, virales et parasitaires et les terrains propices au développement rapide d'une atrophie cutanée (rosacée du visage).

Dermoépidermite

Infection localisée et superficielle de la peau, survenant en général sur les jambes.

Une dermoépidermite a pour cause une infection par une bactérie, le plus souvent un streptocoque. La maladie se manifeste par une plaque rouge, plus ou moins suintante ou croûteuse, située sur un des membres inférieurs ou sur les deux. Elle peut aussi se signaler par une douleur, une fièvre, parfois la poussée d'un gros ganglion lymphatique à l'aine. La dermoépidermite ne doit pas être confondue avec une phlébite, aux symptômes parfois voisins. Son traitement repose sur un repos complet, la prise d'antibiotiques par voie orale pendant 3 semaines, associés à des soins locaux par antiseptiques non allergisants.

Dermographisme
Réaction cutanée locale due à une stimulation mécanique (frottement, griffure) et assimilée à une urticaire.

Derrick-Burnet (maladie de)
→ VOIR Fièvre Q.

Désadaptation
Perte de la faculté de répondre efficacement à une situation nouvelle ou à un conflit.

L'individu désadapté est incapable de maintenir sa personnalité à un niveau d'organisation suffisant pour faire face aux exigences de la vie en société et à ses propres exigences psychiques et biologiques.

De même que l'adaptation est un des critères de la normalité, la désadaptation est un des critères de la psychopathologie. On peut la rapprocher de la notion psychiatrique de déstructuration (affaiblissement de la hiérarchie des fonctions psychiques) et de la notion psychanalytique de régression (retour du sujet à un stade antérieur de son développement affectif ou intellectuel).

Dans la vie collective et sociale, la désadaptation est favorisée par le stress, l'exclusion (habitat défavorisé, chômage, immigration, etc.) et risque de conduire à la marginalité (délinquance, toxicomanie, régression psychique).

Désamination
Réaction chimique au cours de laquelle une substance aminée perd son groupe amine.

La désamination concerne notamment les acides aminés. Sous l'action d'une enzyme dite désaminase, il y a alors formation d'un acide cétonique et libération d'une molécule d'ammoniac.

Désarticulation
Intervention chirurgicale consistant en l'ablation d'un segment de membre ou d'un membre entier à la hauteur d'une articulation.

La désarticulation se distingue de l'amputation, caractérisée par la section de l'os. Plus radicale que celle-ci, qui permet de conserver un segment de membre appareillable, elle se pratique pour des raisons de sécurité dans le traitement des tumeurs malignes des os. Une désarticulation peut être d'importance variable et va de l'ablation d'une phalange à celle d'un membre inférieur (désarticulation à hauteur de la hanche).

Désensibilisation
Méthode thérapeutique destinée à diminuer la sensibilité allergique d'un sujet.

La désensibilisation consiste, après identification de l'allergène (facteur déclenchant l'allergie), à injecter des doses initialement très faibles, puis progressivement croissantes, de l'antigène responsable du phénomène allergique ; ce procédé aide le sujet à développer une tolérance vis-à-vis de l'allergène en cause. C'est une méthode relativement astreignante, qui débute toujours sous surveillance médicale stricte et nécessite plusieurs mois, voire plusieurs années, de traitement régulier.

En pathologie infectieuse, ce procédé est parfois utilisé à l'encontre de manifestations pathologiques d'intolérance vis-à-vis d'une bactérie.

La désensibilisation des allergiques donne de très bons résultats chez l'enfant lorsque peu d'allergènes sont en cause, ainsi que dans les allergies aux piqûres d'insectes, en particulier celles des hyménoptères (abeilles, frelons, guêpes).

Déshydratation

Ensemble des troubles résultant d'une perte d'eau excessive dans l'organisme.

CAUSES

Sous un climat tempéré, les pertes liquidiennes normales de l'organisme, causées par la sudation, la respiration et les urines, sont d'environ 1,5 à 2 litres par jour. Elles sont combinées à une perte de substances dissoutes dans les liquides corporels, notamment à la perte de chlorure de sodium (sel). La déshydratation survient lorsque ces déperditions ne sont pas compensées par un apport équivalent. Cet état s'observe en cas d'apport hydrique insuffisant ou lors de pertes hydriques excessives. Celles-ci peuvent être d'origine cutanée, digestive, rénale ou respiratoire.

■ **Les pertes cutanées** s'observent en cas de fièvre, de brûlures étendues (par suintement et évaporation), de sudation intense.

■ **Les pertes digestives** peuvent se faire vers l'extérieur : vomissements, diarrhée aqueuse (dans les cas de choléra, par exemple). Elles peuvent aussi être internes en cas d'occlusion intestinale, de péritonite. L'eau s'accumule alors dans le péritoine ou dans le tube digestif.

■ **Les pertes rénales** sont liées à l'emploi de médicaments diurétiques ou à une sécrétion d'urines excessive du fait d'une maladie rénale, d'une insuffisance surrénalienne ou d'un diabète sucré ou insipide.

■ **Les pertes respiratoires** (l'eau est éliminée sous forme de vapeur par les poumons) sont le plus souvent dues à une augmentation de la fréquence respiratoire, qui peut dépendre elle-même de différents facteurs (effort, insuffisance cardiaque ou respiratoire).

SYMPTÔMES ET SIGNES

Un état de déshydratation se manifeste par une soif intense, un dessèchement de la bouche, de la langue et de la peau (qui garde le pli qu'on lui imprime par pincement), une diminution de la résistance des globes oculaires à la pression, une diminution du volume des urines, une hypotension artérielle, avec un pouls rapide. Les pertes en sel provoquent des maux de tête, des crampes, voire des troubles de la conscience qui aggravent la déshydratation, le sujet devenant alors incapable de ressentir ou d'exprimer sa soif.

TRAITEMENT

Toujours urgent, particulièrement aux âges extrêmes de la vie (nourrisson, sujet âgé), le traitement repose sur l'administration de solutés (eau associée à du sodium) soit par voie digestive, en cas de déshydratation faible, soit par voie veineuse lorsque la déshydratation est plus grave.

PRÉVENTION

En cas de fièvre, de vomissements ou de diarrhée, et si l'on se trouve sous un climat chaud, il est recommandé de boire abondamment : au moins 0,5 litre d'eau toutes les deux heures. Les pertes de sel provoquées par une transpiration intense seront compensées par l'adjonction d'un quart de cuiller à café de sel par demi-litre d'eau ou par l'absorption d'eau minérale.

Déshydratation aiguë du nourrisson

État résultant d'une diminution importante et rapide des quantités d'eau dans l'organisme d'un enfant de moins de 2 ans.

La fréquence des déshydratations aiguës s'est considérablement réduite dans les pays développés du fait de la prise en charge familiale et médicale des causes possibles de ce trouble (diarrhées, fièvres). En revanche, les déshydratations aiguës demeurent très fréquentes dans les pays en développement, où elles constituent la première cause de mortalité des enfants de moins de 5 ans. La déshydratation aiguë est particulièrement grave pour les nourrissons, chez lesquels la concentration en eau de l'organisme est proportionnellement plus élevée que chez le grand enfant ou chez l'adulte, les pertes étant donc proportionnellement plus abondantes. Ainsi, les entrées ou sorties quotidiennes d'eau constituent, chez le nourrisson, plus du tiers de son volume d'eau extracellulaire, alors que cette proportion n'est que de 1/6 chez le grand enfant.

CAUSES

La cause majeure des déshydratations aiguës du nourrisson est la diarrhée, d'origine surtout infectieuse, éventuellement associée à des vomissements. Il faut y ajouter la fièvre, quelle que soit son origine. Dans une petite minorité de cas, les pertes sont urinaires (anomalie rénale congénitale, diabète, insuffisance surrénalienne) ou font suite à un coup de chaleur (exposition prolongée à une chaleur excessive).

SYMPTÔMES ET SIGNES

La perte de poids est un signe primordial, qui aide au diagnostic de déshydratation et permet d'en évaluer la gravité.

■ **Les formes bénignes** sont définies par une perte de poids inférieure à 5 % et ne s'accompagnent d'aucun autre signe.

■ **Les formes moyennes** se caractérisent par une perte de poids de 5 à 10 %. On observe en outre une hypotonie des globes oculaires (yeux creux, enfoncés dans les orbites), une dépression de la fontanelle (petite zone non ossifiée du crâne), un pli cutané, provoqué par un pincement de la peau sur l'abdomen, qui ne s'efface pas assez rapidement et témoigne ainsi de la sécheresse des tissus cutanés, une soif intense, une sécheresse des muqueuses (langue, joues), une fièvre.

■ **Les formes graves** correspondent à une perte de poids supérieure à 10 % et mènent au collapsus cardiovasculaire (effondrement de la tension artérielle avec pouls imperceptible, peau froide, pâleur), aux convulsions puis au coma.

Les signes biologiques consistent en différentes anomalies des électrolytes sanguins : diminution ou augmentation de la natrémie (concentration du sodium) ou de la kaliémie (concentration du potassium), acidose (augmentation des substances acides).

DIAGNOSTIC ET ÉVOLUTION

Le diagnostic est porté après examen de l'enfant et interrogatoire des parents. Des examens complémentaires peuvent le confirmer après hospitalisation en urgence du nourrisson. Quand la cause persiste, l'évolution de la forme la plus bénigne vers la forme la plus grave peut se faire en quelques heures. Des complications apparaissent parfois, notamment rénales (insuffisance aiguë) et neurologiques (hématome sous-dural).

TRAITEMENT

Le traitement des déshydratations vise à supprimer la cause quand cela est possible, à réhydrater en apportant de l'eau, à corriger les désordres électrolytiques et les complications éventuelles. Les enfants souffrant d'une forme bénigne sont réhydratés par voie orale à l'aide de solutions contenant des électrolytes, prêtes à l'emploi, données en petites quantités et de façon répétée au biberon. Cela peut être fait à domicile pour les cas les plus bénins. Dans les formes les plus graves, la réhydratation a lieu par perfusion intraveineuse à l'hôpital.

PRÉVENTION

La prévention, simple, consiste à bien hydrater et à surveiller l'enfant en cas de diarrhée et/ou de fièvre. En période de chaleur, il est nécessaire de faire boire les bébés régulièrement. L'information des parents est très importante afin qu'ils puissent eux-mêmes prendre en charge les cas les plus simples et demander une aide médicale éventuelle au bon moment.

Des systèmes de prévention et de traitement, mis en place dans les pays en voie de développement depuis des années, portent sur deux points principaux : l'information des mères et la mise à la disposition des populations de solutions de réhydratation orale.

Déshydrogénase

Enzyme intervenant au cours des réactions d'oxydation qui se produisent à l'intérieur des cellules et permettant de produire de l'énergie.

La structure des déshydrogénases est variable, mais celles-ci, pour être actives, nécessitent une substance appelée nicotinamide-adénine-dinucléotide, ou N.A.D., dérivée de la vitamine PP.

UTILISATION DIAGNOSTIQUE

La concentration sanguine d'une déshydrogénase particulière, la déshydrogénase lactique, ou lacticodéshydrogénase (L.D.H.), augmente en cas de nécrose (mort cellulaire). Sa mesure aide ainsi au diagnostic des infarctus du myocarde, des hépatites, des infections bactériennes et au suivi des chimiothérapies.

Désinfection

Destruction momentanée des microbes présents sur un matériel.

À la différence de l'antisepsie, la désinfection ne s'applique pas au malade mais à son environnement : linge, literie, instruments médicaux, locaux et mobilier. Pour certaines maladies infectieuses (choléra, fièvre typhoïde), elle s'effectue en fin de maladie.

La désinfection vise à détruire un maximum de germes pathogènes (bactéries, virus et champignons microscopiques), responsables éventuels d'infections. Les procédés utilisés sont d'ordre physique (chaleur sèche, chaleur humide, rayonnements ionisants) ou chimique (eau de Javel, formaldéhyde).

Si la destruction totale et durable de tous les germes présents est requise (instruments chirurgicaux, par exemple), la désinfection devient insuffisante ; on recourt alors à la stérilisation, qui agit radicalement et est assortie d'un conditionnement spécifique assurant son maintien.

Désinsertion

Rupture du point d'attache entre un os et un ligament, un tendon ou un muscle.

Une désinsertion peut survenir lors d'une fracture, d'une entorse sévère, d'une luxation, d'un arrachement tendineux ou être la conséquence d'une maladie, généralement rhumatismale. Mais un chirurgien, au cours d'une intervention, peut aussi réaliser volontairement une désinsertion pour atteindre un espace anatomique particulier.

Le traitement consiste en la réinsertion par suture du ligament, du tendon ou du muscle lésé. Dans le cas de lésions trop importantes, on peut tenter une transposition, par réinsertion d'un autre ligament, d'un autre tendon, voire d'un autre muscle.

Désinvagination

Traitement de l'invagination intestinale aiguë du nourrisson.

La désinvagination se pratique en cas d'invagination intestinale du nourrisson, c'est-à-dire quand l'intestin grêle pénètre à l'intérieur du côlon de telle sorte qu'il s'y trouve engainé (invaginé). La progression des matières étant alors interrompue, une occlusion intestinale peut se produire.

Le traitement fait appel à un lavement baryté du côlon, pratiqué en milieu hospitalier : de la baryte, substance épaisse, est injectée par l'anus de l'enfant, préalablement apaisé à l'aide de sédatifs, et remonte le long du côlon. En progressant, elle repousse l'intestin grêle et le désinvagine. Cependant, si cette méthode se révèle inefficace, l'enfant est confié au chirurgien, qui, sous anesthésie générale, désinvagine l'intestin grâce à une traction douce.

Désobstruction

Traitement, chirurgical ou non, consistant à supprimer un obstacle dans un canal ou une cavité naturels.

Divers organes peuvent être concernés.
■ **Les artères** peuvent être obstruées par un embole, le plus souvent un fragment de caillot sanguin apporté par la circulation, en provenance d'un autre endroit du corps et restant bloqué dans l'artère. L'extraction se fait grâce à un cathéter à ballonnet : celui-ci est introduit dans l'artère à travers la peau, puis poussé au-delà du caillot. Le ballonnet, situé à une extrémité du cathéter, est alors gonflé par injection à l'autre extrémité de la sonde. Quand on retire le cathéter, le ballonnet ramène le caillot avec lui. Les artères peuvent aussi être rétrécies de façon chronique par des plaques d'athérome, un dépôt lipidique qui adhère à leur paroi.

L'endartériectomie chirurgicale permet alors de pratiquer l'ablation des plaques, après incision de l'artère. Dans le traitement des obstructions artérielles chroniques, la désobstruction est cependant moins utilisée que le pontage, qui consiste à court-circuiter la zone de rétrécissement en implantant un tube en matière synthétique ou en greffant un segment de vaisseau.
■ **Les veines** peuvent être obstruées par un caillot (phlébite, thrombose veineuse) formé sur place, source possible d'embolie. Si le traitement médicamenteux par anticoagulant ne suffit pas, on procède à une désobstruction à l'aide d'une sonde à ballonnet, selon les mêmes principes que pour les artères.
■ **Le côlon** peut être le siège d'une tumeur, d'un cancer, d'un rétrécissement dû à une inflammation ou à une infection. La désobstruction est obtenue soit par lavement, soit par intervention chirurgicale (ablation de la tumeur, par exemple).

Désorientation

Perte du sens de l'orientation dans le temps et/ou dans l'espace.

Une désorientation résulte d'un bouleversement des perceptions mentales qui permettent ordinairement au sujet de se repérer dans une situation donnée.
■ **La désorientation dans l'espace et dans le temps** (spatio-temporelle) est un des symptômes majeurs de la confusion mentale. On la rencontre également dans tout état d'affaiblissement de la conscience (troubles de la vieillesse, démence, accidents vasculaires cérébraux, etc.).
■ **La désorientation dans le temps** est propre aux formes d'amnésie dans lesquelles le sujet n'arrive plus à fixer les informations récentes mais revit comme présente une scène passée (ecmnésie) et voit affluer un défilé de souvenirs (mentisme).
■ **La désorientation dans l'espace** se rencontre dans certaines psychoses chroniques et dans les atteintes du système nerveux central (encéphale et moelle épinière).

Desquamation

Élimination normale ou pathologique de la couche cornée de la peau.

La desquamation peut se faire de différentes manières, par petites squames très fines (desquamation pityriasiforme), par larges lambeaux (desquamation psoriasiforme, scarlatine) ou en un seul bloc ; on parle dans ce dernier cas de squamecroûte.

Outre celui de la maladie en cause, le traitement repose sur les bains d'amidon et l'application d'excipients neutres.

Désunion

Rupture d'une suture chirurgicale entre deux éléments anatomiques.

Les désunions concernent différents types de suture : cutanée, digestive, vasculaire, etc. Elles sont le plus souvent liées à une mobilisation (lever, reprise du transit intestinal) trop précoce du sujet, à une surinfection locale ou au mauvais état des tissus.

Les désunions se manifestent par une béance sur tout ou partie de la longueur des deux bords initialement en contact, évidente sur la peau, visible sur les radiographies ou au cours d'une deuxième opération dans les autres cas. Le traitement consiste à refaire les sutures après avoir éventuellement soigné une infection locale.

Détartrage

Élimination du tartre des surfaces dentaires.

Le détartrage permet d'éviter les différentes nuisances causées par le tartre (dépôt de calcaire d'origine essentiellement salivaire) : développement de souches de bactéries, maladies et irritations de la gencive, coloration inesthétique liée à la consommation de colorants alimentaires et de tabac.

Il est réalisé à l'aide d'instruments à l'extrémité tranchante ou par des appareils ultrasoniques qui décollent le tartre sous l'effet de vibrations. Une fois le tartre éliminé, les surfaces détartrées sont repolies par application d'une pâte faiblement abrasive à l'aide d'une brossette ronde montée sur contre-angle.

Détersion

Nettoyage d'une cicatrice ou d'une cavité naturelle à l'aide de produits détergents.

La détersion permet de faciliter la cicatrisation, qui serait sans elle très lente ou impossible. Elle consiste à retirer les dépôts fibreux, le pus, les sécrétions, les petits corps étrangers inclus dans une plaie cutanée. La détersion procède par application de produits (solutions, poudres, pommades, pâtes) ou de pansements imprégnés de ces produits. Les agents détergents sont des antiseptiques ou des enzymes détruisant les protéines constitutives des débris.

Détoxication

Processus par lequel l'organisme inactive les substances toxiques d'origine interne ou externe.

La détoxication se produit essentiellement dans les cellules hépatiques. Elle consiste en réactions chimiques réalisées par des enzymes suivant deux mécanismes.
■ **Dans le premier**, une substance est transformée en une autre moins toxique ou non toxique. Par exemple, le groupe amine venant de la dégradation des acides aminés est transformé en urée.
■ **Dans le second**, une substance est transformée en une autre, parfois également toxique, mais plus facilement éliminable. Ainsi, un composé insoluble dans l'eau (tels certains médicaments, par exemple) est modifié pour devenir hydrosoluble, ce qui permet son élimination par les urines.

Détresse respiratoire aiguë (syndrome de)

Forme particulière d'insuffisance respiratoire aiguë caractérisée par sa gravité et sa survenue rapide sur des poumons préalablement sains.

CAUSES

La cause peut être, chez l'adulte, une agression pulmonaire directe (infection pulmonaire, inhalation de gaz toxiques ou de liquides [vomissements, noyade], contusion pulmonaire) ou indirecte (traumatismes graves, états infectieux graves, choc infectieux, transfusions massives, etc.). Chez le nouveau-né, ce syndrome est le plus souvent dû à un manque de surfactant (liquide tapissant la surface interne des alvéoles pulmonaires) ; c'est la maladie des membranes hyalines, qui constitue la première cause de décès des prématurés.

Le mécanisme par lequel les lésions pulmonaires apparaissent est encore mal élucidé mais s'inscrit dans une réaction inflammatoire complexe faisant intervenir de nombreux facteurs cellulaires et sanguins.

SYMPTÔMES ET SIGNES
Le syndrome de détresse respiratoire aiguë se traduit par un œdème pulmonaire lésionnel, caractérisé par des opacités radiologiques pulmonaires diffuses bilatérales associées à une hypoxie sévère (diminution importante de la concentration en oxygène du sang) ; celui-ci doit être distingué d'un œdème pulmonaire cardiogénique, révélateur d'une insuffisance cardiaque gauche.

Les signes d'insuffisance respiratoire aiguë (respiration accélérée et difficile) sont souvent intriqués avec ceux de la maladie en cause.

TRAITEMENT ET PRONOSTIC
Le traitement du syndrome de détresse respiratoire aiguë est celui de la maladie en cause. Il repose par ailleurs sur la ventilation artificielle, dans l'attente de la récupération pulmonaire. Le pronostic dépend largement de l'origine du syndrome, du terrain sur lequel il survient, des défaillances viscérales associées et de sa gravité après quelques jours d'évolution. Le risque est de voir se développer chez le malade, tandis que les lésions initiales et l'œdème régressent, une fibrose pulmonaire cicatricielle parfois irréductible, se traduisant par la persistance d'un certain degré d'insuffisance respiratoire. Le taux de survie est très variable : il se situe, selon les cas, entre 20 et 60 %.

Deuil
État de choc émotionnel provoqué par la perte d'un être cher.

Le décès d'un proche provoque habituellement une réaction de désarroi (tristesse, douleur morale, difficulté à se reporter sur un nouvel objet d'amour) considérée comme normale et que les rites sociaux contribuent à apaiser. Normalement, le sujet surmonte sa détresse en procédant à un travail psychique, dit travail de deuil, qui consiste à se détacher affectivement de l'être perdu tout en préservant son souvenir.

Lorsque la nature et la durée des symptômes se révèlent disproportionnées (dépression et anxiété persistantes, délire, tentative de suicide), on parle de deuil pathologique. Celui-ci peut révéler un problème psychique sous-jacent. À l'inverse, l'absence de deuil est, elle aussi, pathologique et constitue parfois un signe de perversion morale ou de psychose (schizophrénie surtout).

Les psychanalystes allemand Karl Abraham (1912) et autrichien Sigmund Freud (1916) ont établi un lien entre le deuil et la mélancolie : dans les deux cas, le patient s'identifierait à un objet imaginaire aimé et détruit par sa faute, dont il expierait inconsciemment la perte.

Développement de l'enfant
Ensemble des phénomènes qui participent à la transformation progressive de l'être humain de la conception à l'âge adulte.

Le développement relève de deux phénomènes : d'une part la croissance en poids et en taille, d'autre part la maturation, c'est-à-dire le perfectionnement des structures (dents, par exemple) et des fonctions (neuromotrice, sexuelle). Par ailleurs, le développement se manifeste dans deux domaines : psychomoteur et physique.

Développement psychomoteur de l'enfant
Il recouvre le développement moteur (acquisition des mouvements, de la coordination) et le développement sensoriel, intellectuel, affectif et social (construction du psychisme) et témoigne de la maturation progressive du système nerveux.

CHEZ LE NOURRISSON
Entre 1 mois et 2 ans, le développement de l'enfant concerne 4 grands types d'acquisition : posture du corps et motricité générale ; mouvements des mains ; langage ; relations avec l'entourage.

Les postures du corps sont liées au tonus musculaire : l'hypertonie (exagération du tonus) en flexion des membres du nouveau-né diminue progressivement, tandis que le tonus axial (tête-cou-dos) se renforce. Le nourrisson tient la tête droite en position assise vers 3 mois, il commence à s'asseoir seul vers 7 mois et commence à marcher vers 1 an. La possibilité de préhension des objets commence vers 4 mois, mais la pince formée par le pouce et l'index n'est utilisée qu'à partir de 9 mois. L'enfant mange seul après 18 mois et il trace un trait à 2 ans.

En ce qui concerne le langage, la vocalisation de plusieurs syllabes (papa, maman) apparaît vers 7 mois, les suites de 3 mots plus ou moins significatifs à 1 an, les phrases de 2 à 3 mots à 2 ans, âge où l'enfant comprend parfaitement ce qu'on lui dit. En ce qui concerne les relations, l'enfant suit du regard un objet ou un visage à l'âge de 3 mois, distingue les visages familiers des étrangers vers 6 mois et joue avec d'autres enfants à 2 ans.

Le développement affectif et social s'exprime dans les premiers mois par la satisfaction des besoins alimentaires, l'importance des contacts physiques, le rôle apaisant de la voix des parents. L'enfant passe d'une dépendance totale à une autonomie relative. Celle-ci se manifeste par ce qu'on appelle l'angoisse de la séparation maternelle, qui apparaît vers l'âge de 7 ou 8 mois : l'enfant commence à se ressentir comme différent de sa mère, dans un état de moindre fusion. Il se reconnaît dans un miroir vers 11-12 mois : c'est le « stade du miroir » (J. Lacan), phase importante et complexe dans l'ébauche du moi.

D'autres paramètres sont intégrés au développement : rythme des repas (6 ou 7 par jour à 1 mois, 4 après 4 mois), durée du sommeil (18 heures à 2 mois, 15 ou 16 heures à 4 mois, 14 ou 15 heures à 9 mois), maîtrise des sphincters (l'enfant est propre le jour entre 1 et 3 ans, la nuit entre 2 et 5 ans).

La surveillance médicale consiste à vérifier l'apparition de ces différentes acquisitions à une date convenable afin de déceler un retard psychomoteur, partiel ou généralisé. Toutefois, comme chaque enfant évolue à sa propre vitesse, on ne fixe pas de dates précises et rigoureuses pour l'acquisition de telle ou telle fonction, mais de larges limites. Ainsi, bien que la marche soit acquise parfois à 1 an, son absence n'est pas considérée comme pathologique avant l'âge de 18 mois au moins.

PENDANT LA PETITE ENFANCE
Le développement psychomoteur entre 2 et 6 ans consiste simplement à perfectionner les acquisitions précédentes. En ce qui concerne la motricité générale, on voit l'enfant monter seul un escalier à partir de 2 ans, faire de la bicyclette à 2 ans et demi. Il dessine des gribouillis à partir de 2 ans, imite des ronds à 3 ans et réalise des dessins variés à 5 ans. À partir de 2 ans, l'enfant s'exprime en courtes phrases et maîtrise plus de 100 mots, dont le « je ». Cependant, un enfant qui ne parle pas ne doit pas inquiéter son entourage avant l'âge de 3 ans. Entre 1 et 3 ans apparaissent, selon les moments, une conduite d'opposition aux parents ou une imitation de ceux-ci ; entre 4 et 6 ans se situe l'identification au sexe masculin ou féminin et la constitution de la personnalité.

Ainsi, à 3 ans, l'activité motrice, l'acquisition de la propreté, l'habileté manuelle, l'ébauche du graphisme et l'ouverture aux autres autorisent l'entrée en classe maternelle. À 6 ans, la maîtrise du langage et les progrès du graphisme permettent le début de la scolarisation.

Développement physique de l'enfant
Il porte sur la croissance en taille et en poids et sur la maturation osseuse, dentaire et pubertaire de l'enfant de la naissance à l'âge adulte. La croissance en taille et en poids de l'ensemble du corps et de chaque organe est liée à des facteurs héréditaires et hormonaux mais nécessite aussi des apports alimentaires équilibrés. La surveillance est réalisée par des mesures régulières de la taille et du poids de l'enfant et par leur comparaison à des moyennes statistiques, en reportant les données sur des courbes pour une lecture plus efficace.

La maturation osseuse est évaluée seulement en cas d'anomalie de la croissance. L'âge osseux est le critère le plus utilisé : sur une radiographie de la main, on note le nombre d'épiphyses (extrémités des os longs) et d'os courts où du tissu osseux a commencé à remplacer le cartilage. La comparaison avec un repère photographique donne l'âge osseux, c'est-à-dire l'âge que

PRINCIPALES ÉTAPES DU DÉVELOPPEMENT PSYCHOMOTEUR DE L'ENFANT

Âge	Développement moteur	Activités : préhension, graphisme	Langage	Motricité oculaire, comportement relationnel
1 mois	Sur le ventre, soulève la tête.	Serre le doigt introduit dans sa main.	Fait des bruits de gorge, se calme au bruit de la voix.	Fixe son regard sur une personne et la suit des yeux.
3-5 mois	En position assise, tient sa tête droite. Sur le ventre, s'appuie sur les avant-bras, les jambes en extension (4 mois).	Les mains sont ouvertes et tiennent un hochet d'un mouvement volontaire. Commence à attraper les objets. Va les chercher à portée de sa main (5 mois).	Rit aux éclats, vocalise de façon prolongée.	Sourit à son entourage. Tend la main et les bras vers une personne ou un objet. Tourne la tête quand on l'appelle.
6-8 mois	Tient assis sans soutien un court instant. Se retourne du dos sur le ventre.	Passe l'objet d'une main dans l'autre, porte ses pieds à la bouche.	Vocalise plusieurs syllabes, fait des roulades, répète « ma-ma ».	Distingue les visages familiers et paraît inquiet devant une personne étrangère. Participe au jeu « coucou le voilà » (8 mois).
Vers 1 an	Marche seul (12-15 mois) ou tenu par la main.	Lance les objets, donne un objet sur ordre, a une préhension fine pince pouce-index (9 mois).	Dit 3 mots dont au moins un a une signification autre que papa maman. Imite « au revoir » (10 mois), « non » (9-10 mois). Comprend les ordres simples.	Participe à son habillement. Répète ce qui fait rire.
Vers 2 ans	Court sans tomber, monte et descend seul l'escalier. Donne sur ordre un coup de pied dans un ballon.	Tourne les pages d'un livre. Trace un trait.	Comprend parfaitement. Fait des phrases de 2 à 3 mots. Montre les parties du corps sur une poupée ; se nomme par son prénom.	Aide à ranger ses affaires. Joue en compagnie d'autres enfants.
Vers 3 ans	Fait du tricycle.	Trace un rond.	Peut raconter une petite histoire.	Prête ses jouets et joue avec d'autres enfants.

D'après C. Billard : la Pratique médicale, Masson, 1986.

l'enfant devrait avoir d'après sa maturation osseuse. Cet âge est normalement égal à l'âge réel de l'enfant, mais peut révéler une avance ou un retard de croissance osseuse.

La maturation dentaire est plus difficile à évaluer. Schématiquement, la première dentition, temporaire, est constituée de 20 dents qui poussent entre 6 et 30 mois. La deuxième dentition, définitive, est constituée de 28 dents qui poussent entre 6 et 12 ans. Quatre dents de sagesse s'y ajoutent ultérieurement, en général.

La maturation pubertaire est la dernière étape du développement, qui transforme l'enfant en un adolescent doué de la capacité de reproduction.

Troubles du développement

Le retard psychomoteur est un motif fréquent de consultation médicale. En effet, l'absence d'acquisitions psychomotrices normales chez le nourrisson et les difficultés scolaires chez l'enfant plus grand alertent les parents. Toutefois, certains d'entre eux sont inquiets sans raison et comparent trop systématiquement leur enfant à ceux de sa classe d'âge. Il faut toujours apprécier séparément chez un enfant les acquisitions manuelles (préhension et graphisme), les acquisitions du langage (compréhension et expression) et les acquisitions relationnelles. En outre, la rapidité du développement intellectuel ne permet aucunement de préjuger de sa qualité finale.

Il arrive cependant que l'enfant connaisse des problèmes d'autonomie et d'adaptation liés à la genèse de sa personnalité. Toute suspicion de retard psychomoteur doit mener à une consultation pédiatrique, qui vérifiera en particulier la qualité de la vision et de l'audition de l'enfant ainsi que son état neurologique.

■ **De la naissance à 1 an**, à l'exclusion des causes organiques, l'origine de troubles du développement est à rechercher dans la concomitance de deux facteurs : les rythmes de l'enfant (soins, contact, nourriture, sommeil) et le profil psychologique de la mère. D'autres facteurs interviennent fréquemment, extérieurs à l'unité mère/enfant : environnement difficile, conflit conjugal, événements traumatisants. Le déroulement de la grossesse et de l'accouchement, le rapport entre l'image réelle et l'image idéale de l'enfant sont également à considérer. Une série de troubles, essentiellement d'ordre psychosomatique, peuvent provenir d'une inadaptation réciproque mère/enfant, surtout au second semestre : anorexie, vomissements, mérycisme (rumination d'aliments), difficultés de sevrage, coliques, eczéma, insomnie. Généralement, de tels troubles peuvent être traités par une action psychothérapique. Dans les cas les plus graves, un syndrome de carence affective risque de s'installer. Une intervention rapide, en milieu spécialisé, se révèle alors nécessaire.

■ **Avant 2 ans**, d'autres troubles peuvent traduire une stagnation ou une insuffisance dans les échanges affectifs et la socialisation, une difficulté d'établir une relation avec le monde extérieur : évitement ou défaut de réponse par le regard ou le sourire, pauvreté

du jeu ; troubles du tonus musculaire, de la station assise et debout. Une propreté trop précoce revêt parfois la même signification. Une consultation spécialisée doit alors être proposée afin de dépister un éventuel blocage global du développement (autisme, psychose infantile, arriération ou oligophrénie, mongolisme).

■ **De 2 ans à l'âge scolaire**, les troubles du développement le plus souvent rencontrés concernent le langage (retard de parole, dyslexie), la psychomotricité (tics, bégaiement, syndrome hyperkinétique), le contrôle sphinctérien (encoprésie, énurésie), l'alimentation (anorexie, obésité, enfant « petit mangeur » ou « vomisseur »), le sommeil (insomnie, cauchemars), l'éveil intellectuel et affectif (troubles du comportement, anxiété, dépression, inadaptation scolaire). Ils peuvent recouvrir un très large éventail de situations selon le contexte dans lequel ils apparaissent et les étapes antérieures du développement de l'enfant. Leur traitement dépend du diagnostic, après bilan.

→ VOIR **Adolescence, Puberté.**

Déviance

Ensemble de conduites morales et affectives qui traduisent un écart par rapport à la norme sociale.

Cette notion remonte au XIXe siècle : on parle alors de « vice » ou de « déviation de l'instinct », d'origine constitutionnelle, pour rendre compte de phénomènes aussi divers que les perversions sexuelles, la délinquance, l'alcoolisme, la passion du jeu, etc.

Dévitalisation

Extirpation chirurgicale de la pulpe (nerf et vaisseaux) d'une dent. SYN. *pulpectomie*.

La dévitalisation, souvent nécessaire pour traiter une carie ou une fracture douloureuse, peut aussi être préventive, pour anticiper la survenue de douleurs.

Une dévitalisation nécessite une anesthésie locale. La dent est isolée par une digue, et l'émail et la dentine surplombant la cavité contenant la pulpe sont enlevés par fraisage. La pulpe contenue dans les canaux des racines est alors éliminée à l'aide de fines aiguilles torsadées. La dent est enfin hermétiquement obturée à l'aide de gutta-percha et de ciment.

Du fait des délabrements importants qui ont conduit à sa dévitalisation, une dent dévitalisée est mécaniquement plus fragile qu'une dent vivante, ce qui nécessite souvent la pose d'une couronne.

Dextrocardie

Anomalie congénitale de la place du cœur, logé à droite du thorax, ses cavités cardiaques étant inversées.

D'origine inconnue, probablement génétique, la dextrocardie s'accompagne le plus souvent d'une interversion totale de tous les viscères, appelée situs inversus : le foie se trouve donc situé à gauche, l'estomac à droite, l'appendice à gauche.

Beaucoup plus rarement, il s'agit d'une rotation du cœur vers la droite, alors que tous les autres organes sont en place normale ; cette rotation est souvent associée à des malformations cardiaques complexes. Enfin, la dextrocardie peut être simplement due à l'attraction du cœur vers la droite en raison d'anomalies du poumon droit.

Le diagnostic de dextrocardie repose sur la perception anormale des bruits cardiaques du côté droit du thorax et sur la radiographie thoracique.

Une dextrocardie isolée n'a aucun retentissement sur la vie du sujet. Elle n'appelle de traitement que s'il existe une malformation cardiaque ou pulmonaire associée.

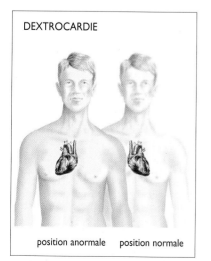

DEXTROCARDIE

position anormale   position normale

Diabète

Toute maladie caractérisée par l'élimination excessive d'une substance dans les urines.

On distingue le diabète insipide, trouble de la fonction rénale caractérisé par une émission massive d'urines ; le diabète sucré, présence excessive de sucres dans les urines due à une hyperglycémie ; le diabète rénal, présence de sucre dans les urines sans hyperglycémie ; le diabète gestationnel, forme de diabète sucré survenant pendant la grossesse.

Employé sans épithète, le mot diabète désigne le diabète sucré.

Diabète bronzé

→ VOIR Hémochromatose.

Diabète gestationnel

Diabète sucré transitoire survenant pendant la grossesse.

Le diabète gestationnel, ou diabète de la grossesse, se traduit par une hyperglycémie (excès de sucre dans le sang) due à une insuffisance de la sécrétion d'insuline par le pancréas. Cette forme de diabète est le plus souvent détectée pendant la seconde moitié de la grossesse, l'enfant étant trouvé plus gros que la normale, ou lors d'un examen urinaire révélant une glycosurie (présence de sucre dans les urines) ; cependant, une glycosurie postprandiale (après les repas) est banale durant la grossesse et ne signifie pas diabète pour autant. Pour éviter les risques encourus par le fœtus (malformations, développement trop rapide), la grossesse doit alors être strictement surveillée. Le régime et le traitement de ce diabète sont les mêmes que ceux du diabète sucré, à l'exception des sulfamides et des biguanides, qui font courir des risques de malformation au fœtus et doivent être proscrits.

Diabète insipide

Trouble fonctionnel caractérisé par une incapacité des reins à concentrer les urines, se traduisant par une polyurie (émission d'une quantité d'urines très importante et diluée) et par une polydipsie (soif intense).

En situation normale, la concentration des urines est régulée par l'hormone antidiurétique, sécrétée par la posthypophyse, qui agit sur le tube collecteur, partie terminale du néphron (unité fonctionnelle microscopique du rein). Dans le diabète insipide, l'hormone antidiurétique peut faire défaut ou ne pas être déversée dans la circulation (diabète insipide central), ou bien, étant normalement sécrétée, elle peut ne pas agir sur les cellules du tube collecteur (diabète insipide néphrogénique). Chez le nourrisson ou un sujet dans le coma, la soif intense ne peut s'exprimer et la perte hydrique, particulièrement grave, risque de provoquer une déshydratation cellulaire importante, cause de lésions cérébrales parfois mortelles.

CAUSES

■ Le diabète insipide central, le plus fréquent, peut avoir des causes multiples : traumatisme crânien, ablation de l'hypo-physe, kyste ou tumeur hypothalamohypophysaire (craniopharyngiome, métastase), tuberculose, sarcoïdose, méningite, encéphalite, etc. Dans certains cas, aucune cause n'est retrouvée. Il existe des formes familiales et congénitales.

■ Le diabète insipide néphrogénique peut être d'origine congénitale ou secondaire à certaines maladies rénales chroniques (pyélonéphrite), à des maladies générales atteignant le rein (myélome, amylose) ou à la prise de médicaments comme le lithium, utilisé dans le traitement de la psychose maniacodépressive.

DIAGNOSTIC ET TRAITEMENT

On élimine d'abord d'autres causes de polyurie, notamment la potomanie (ingestion de grandes quantités de liquide en dehors de tout trouble hormonal). On soumet alors le patient à une épreuve de restriction hydrique (suppression des apports liquidiens), effectuée sous stricte surveillance médicale : en cas de diabète insipide, l'émission d'urine reste importante et le patient se déshydrate. La recherche de la cause du diabète insipide central repose essentiellement sur l'imagerie par résonance magnétique (I.R.M.) de la zone hypothalamohypophysaire.

Le traitement consiste d'abord en un apport d'eau abondant, sous forme de boissons ou, si nécessaire, de perfusions. Certains de ces diabètes guérissent avec la suppression de la cause (arrêt d'un traitement par le lithium, par exemple). Dans les diabètes insipides d'origine centrale, on administre un équivalent de l'hormone antidiurétique, la desmopressine, le plus souvent en pulvérisations nasales, parfois par injections.

Diabète rénal

Présence excessive de sucre dans les urines alors que le taux de glucose dans le sang est normal.

Le diabète rénal se différencie du diabète sucré, où le sucre présent dans les urines est dû à une hyperglycémie (excès de sucre dans le sang). C'est un trouble fonctionnel découlant d'une maladie congénitale des tubules rénaux, caractérisée par un défaut de réabsorption du glucose. Ce trouble peut être isolé et découvert fortuitement ou associé à d'autres anomalies tubulaires : perte excessive de phosphate, aminoacidurie, acidose tubulaire.

Le diagnostic repose sur la confirmation d'une absence de diabète sucré par dosage de la glycémie à jeun et après le repas ou lors d'une épreuve d'hyperglycémie provoquée. Le diabète rénal n'a aucune conséquence pathologique et ne demande aucun traitement.

Diabète sucré

Affection chronique caractérisée par une glycosurie (présence de sucre dans les urines) provenant d'une hyperglycémie (excès de sucre dans le sang).

Le diabète sucré est dû à une insuffisance ou à un ralentissement de la sécrétion par

Alimentation et sport

Quel que soit le type de diabète, un régime alimentaire équilibré doit être respecté afin d'apporter la ration calorique nécessaire, de réduire l'hyperglycémie et de maintenir un poids satisfaisant et stable. La ration alimentaire doit être répartie en trois repas et une ou deux collations et fournir 55 % des calories sous forme de glucides (dont deux tiers de glucides complexes dits d'absorption lente et un tiers de glucides simples dits d'absorption rapide), répartis aux différents repas et adaptés à un éventuel effort physique ; les boissons alcoolisées, qui peuvent provoquer une hypoglycémie chez les diabétiques traités par l'insuline, doivent être évitées.

L'apport en protéines (qui doit représenter de 12 à 15 % des apports énergétiques) est assuré par la viande, le poisson, les œufs, le lait, les produits laitiers, le pain, les céréales, les pommes de terre, les légumes secs, le soja. L'apport en glucides est assuré par les pommes de terre, les fruits frais, les légumes verts, le pain et les céréales, le lait, les yaourts. Les glucides des produits sucrés (pâtisseries, boissons sucrées) sont à limiter, voire à éviter, et à consommer lors des repas. Les lipides (qui doivent représenter 30 % des apports énergétiques) sont apportés par le beurre, l'huile, les graisses fournies par la viande et le fromage. Les graisses végétales doivent être préférées aux graisses animales afin de limiter les risques de maladie des artères par athérosclérose.

Le régime du diabétique non insulinodépendant présentant une surcharge pondérale doit également être équilibré tout en étant hypocalorique. Les boissons alcoolisées sont également déconseillées dans ce cas, compte tenu de l'apport calorique supplémentaire qu'elles pourraient constituer. La ration calorique globale est adaptée à l'évolution du poids et au traitement.

Un exercice physique régulier (entre 30 et 45 minutes trois fois par semaine), de préférence un sport d'endurance (bicyclette, natation, course à pied), améliore le passage du sucre dans les cellules, diminuant les besoins de l'organisme en insuline. Cependant, l'exercice est susceptible de provoquer une hypoglycémie chez le patient insulinodépendant. Celle-ci est prévenue par l'injection d'insuline dans une zone non sollicitée par l'exercice, par l'adaptation de la dose injectée à l'effort fourni et par l'autocontrôle de la glycémie avant et après l'activité physique. Avant d'autoriser tout exercice physique, il faut s'assurer de l'absence d'insuffisance coronarienne (volontiers silencieuse chez le diabétique) par un examen cardiologique avec électrocardiogramme, complété si nécessaire par une épreuve d'effort.

le pancréas d'insuline, hormone nécessaire à l'utilisation du glucose pour répondre aux besoins énergétiques cellulaires. Il atteint 4 % de la population des pays industrialisés et a souvent un terrain familial : entre 5 et 7 % des enfants ayant eu un parent diabétique risquent de développer la maladie. Il existe deux types principaux de diabète sucré : le diabète insulinodépendant, ou D.I.D., forme majeure de la maladie nécessitant l'injection quotidienne d'insuline, et le diabète non insulinodépendant, ou D.N.I.D., dit aussi diabète gras, qui représente 85 % des cas et se caractérise par une production d'insuline insuffisante mais néanmoins assez importante pour permettre au patient de vivre sans administration supplémentaire d'insuline. On distingue en outre le diabète dit gestationnel, apparaissant au cours de la grossesse, et des diabètes dits secondaires, moins fréquents, se manifestant au cours de différentes affections (pancréatite chronique, hémochromatose, acromégalie, syndrome de Cushing, phéochromocytome) ou de traitements médicamenteux (corticostéroïdes) ou liés à un certain type de malnutrition (diabète tropical).

Diabète insulinodépendant

Il s'agit d'une forme de diabète sucré caractérisée par un déficit majeur de la sécrétion d'insuline. Le diabète insulinodépendant survient souvent avant l'âge de 20 ans, parfois peu après la naissance. Il peut avoir une cause génétique, virale et surtout auto-immune ; un antigène inconnu serait à l'origine d'une réaction immunitaire aboutissant à la destruction des cellules bêta du pancréas sécrétant l'insuline.

SYMPTÔMES ET SIGNES

Le diabète insulinodépendant se traduit à la fois par une soif très intense, une émission abondante d'urines, un amaigrissement brutal et une fatigue importante. Il peut aussi se déclarer par l'apparition d'une complication aiguë telle que l'acidocétose (accumulation excessive de corps cétoniques dans l'organisme), signe que la carence en insuline oblige l'organisme à puiser dans ses réserves de graisses pour produire l'énergie nécessaire. S'il n'est pas traité, il évolue inexorablement vers le coma diabétique.

DIAGNOSTIC

Il repose essentiellement sur l'analyse de la glycémie (taux de sucre dans le sang). L'existence d'un diabète est établie lorsque deux mesures de la glycémie réalisées à jeun révèlent un taux de sucre supérieur ou égal à 1,40 gramme par litre (7,7 millimoles par litre). Si la glycémie à jeun est inférieure à ce chiffre, on recourt à l'hyperglycémie provoquée par voie orale (mesure de la glycémie avant et après l'absorption d'une quantité donnée de sucre par voie orale) ; on pose le diagnostic de diabète si la glycémie reste supérieure à 2 grammes par litre (11 millimoles par litre) 2 heures après l'absorption du glucose, lors de deux examens réalisés à six mois d'intervalle. On peut également faire le dosage de l'insulinémie (taux d'insuline dans le sang).

TRAITEMENT

Il fait impérativement appel à l'injection quotidienne d'insuline, celle-ci pouvant être d'origine animale ou produite par génie génétique (insuline synthétique). L'insuline est administrée soit par injection sous-cutanée (de 1 à 3 injections par jour) à l'aide d'une seringue ou d'un stylo injecteur, soit en continu grâce à une petite pompe reliée par un cathéter à une aiguille implantée sous la peau de l'abdomen. Une pompe implantée sous la peau et reliée à un cathéter placé dans la cavité de l'abdomen est actuellement expérimentée. Le patient doit en outre se soumettre à un régime alimentaire équilibré, pauvre en sucres « rapides » et adapté aux doses d'insuline administrées, et, si possible, à une activité physique régulière.

Le diabète insulinodépendant nécessite une surveillance par le diabétique lui-même (autosurveillance), qui peut mesurer sa glycémie plusieurs fois par jour à partir de gouttes de sang prélevées au doigt et mises en contact avec des bandelettes réactives. Il existe des appareils permettant une lecture numérisée automatique de la glycémie. Glycémie et doses d'insuline sont notées sur un carnet de surveillance. Cette technique permet une adaptation, au jour le jour, des doses d'insuline afin de se rapprocher au plus près de la glycémie normale.

Les traitements modernes et une surveillance scrupuleuse (tests de glycémie et suivi médical réguliers, respect du régime alimentaire) permettent à la plupart des diabétiques de mener une existence normale. La greffe du pancréas, qui constituerait le traitement idéal, pose encore de nombreux problèmes, mais les recherches se poursuivent (implants de cellules bêta du pancréas).

Diabète non insulinodépendant

Il s'agit d'une forme de diabète sucré due à une sécrétion insuffisante d'insuline, survenant le plus souvent chez un sujet obèse, ou ayant été obèse, et généralement découverte après l'âge de 40 ans. Des mutations génétiques ont été identifiées chez des familles souffrant d'une forme sévère de diabète non insulinodépendant.

La sécrétion d'insuline est importante au début, mais elle ne peut assurer une régulation du sucre dans le sang car le sujet est en partie insensible à l'action de cette insuline. La sécrétion d'insuline peut diminuer ultérieurement et cette forme de diabète évoluer vers le diabète insulinodépendant (déficit majeur de la sécrétion d'insuline). Outre l'obésité, les facteurs de risque du diabète non insulinodépendant sont liés à la répartition abdominale du tissu adipeux et à une activité physique insuffisante.

SYMPTÔMES ET SIGNES

Le diabète non insulinodépendant ne se traduit souvent par aucun symptôme et est découvert de façon fortuite lors d'un examen ou d'une complication découlant d'un diabète déjà installé, le plus souvent neuropathie (lésion des nerfs périphériques) et infection cutanéomuqueuse ; la maladie est alors suspectée lorsque des antécédents familiaux de diabète non insulinodépendant existent. Il peut également être suspecté à l'occasion de la naissance d'un enfant de plus de 4 kilogrammes (une quantité excessive de glucose transmise au fœtus entraîne un développement plus rapide que la normale) ou se traduire par des symptômes d'hyperglycémie importante : polydipsie (soif intense), polyurie (augmentation du volume des urines), amaigrissement.

DIAGNOSTIC ET TRAITEMENT

Comme pour le diabète insulinodépendant, le diagnostic repose sur la mesure de la glycémie. Le traitement fait appel a un régime alimentaire équilibré – voire hypocalorique en cas d'obésité, et pauvre en sucres simples (pâtisseries, boissons sucrées, etc.), avec retour au poids normal – et au développement de l'activité physique. En cas d'échec, on associe des médicaments hypoglycémiants (sulfamides et biguanides).

Complications du diabète

Elles concernent les patients insulinodépendants et non insulinodépendants mais sont plus fréquentes, plus précoces et plus graves chez les insulinodépendants.

COMPLICATIONS CHRONIQUES

Elles sont essentiellement dues à l'altération des vaisseaux sanguins, soit des petits vaisseaux (microangiopathie), soit des gros vaisseaux (macroangiopathie).

■ **La macroangiopathie** est responsable d'artérite des membres inférieurs et d'insuffisance coronarienne, aggravées en présence d'autres facteurs de risque d'athérome (hypertension artérielle, tabagisme, hyperlipidémie).

■ **La néphropathie diabétique** touche 40 % des diabétiques et se traduit par l'apparition d'une protéinurie (passage trop important de protéines dans les urines) évoluant à long terme vers l'insuffisance rénale. Cette évolution est accélérée par la survenue d'une hypertension artérielle.

Diabète et grossesse

La plupart des femmes diabétiques peuvent avoir une grossesse normale. Cependant, un taux de glucose trop élevé au moment de la conception peut constituer un risque de malformation pour le fœtus ; aussi, la grossesse doit-elle être planifiée et surveillée. En outre, une glycémie trop importante peut provoquer un développement du fœtus plus rapide que la normale, accroissant les risques à l'accouchement (hydramnios, dystocie) et provoquant l'accouchement d'un nouveau-né d'un poids supérieur à 4 kilogrammes. Un traitement par les sulfamides et les biguanides, qui font courir des risques de malformation au fœtus, doit impérativement être arrêté pendant la grossesse et éventuellement remplacé par une insulinothérapie transitoire.

DIABÈTE INSULINODÉPENDANT

En cas de diabète insulinodépendant, une injection sous-cutanée d'insuline, une ou plusieurs fois par jour, est indispensable. Pour être plus autonomes, les patients, y compris les enfants, font eux-mêmes les injections et procèdent aux mesures de glycémie indispensables. À côté de la seringue et de l'aiguille traditionnelles, d'autres techniques sont apparues : le « stylo » injecteur à réserve d'insuline, de manipulation plus simple ; la pompe portable à injection continue, placée dans un boîtier accroché à la ceinture et réservée à certains cas particuliers.

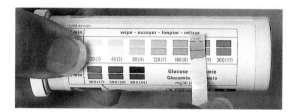

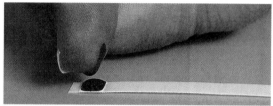

Le malade dépose sur une bandelette réactive une goutte de sang qu'il a prélevée en se piquant la pulpe du doigt. En comparant la couleur prise par la bandelette à une échelle de couleurs étalon, il peut connaître son taux sanguin de glucose. Il est également possible d'introduire la bandelette dans un appareil individuel plus sophistiqué, affichant directement le taux de glucose sur un petit écran.

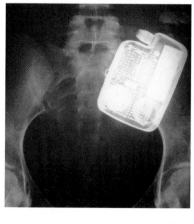

Encore utilisées à titre expérimental, les pompes à insuline comme celle-ci, implantées sous la peau, sont automatiques, avec un contrôle à distance, et ne doivent être remplies que tous les mois ou tous les 3 mois.

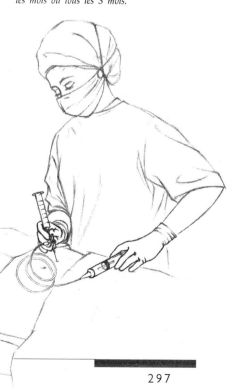

■ La neuropathie diabétique se traduit essentiellement par des troubles de la sensibilité (superficielle et profonde) des membres inférieurs, à l'origine de troubles trophiques (nutrition des tissus) et de complications infectieuses, notamment d'ulcérations torpides du pied (mal perforant plantaire) pouvant évoluer vers la gangrène. D'autres complications, plus rares, peuvent également survenir, comme une mononévrite (atteinte inflammatoire isolée d'un nerf périphérique), une neuropathie digestive, vésicale ou cardiaque par atteinte du système nerveux végétatif (dysautonomie).
■ La rétinopathie diabétique (lésion de la rétine) est pratiquement constante après quinze années d'évolution du diabète. Cette affection doit être systématiquement recherchée chaque année chez tout diabétique par examen du fond d'œil, complété au besoin par une angiographie rétinienne (radiographie des vaisseaux de la rétine après injection d'un produit opacifiant). Malgré le traitement au laser, la rétinopathie diabétique reste la première cause de cécité des pays occidentaux.
■ Les infections chroniques ont une origine microbienne ou mycosique. Elles consistent principalement en infections urinaires, gynécologiques et en diabétides (infections cutanées localisées).
■ Le traitement du diabète lui-même peut engendrer d'autres complications chroniques : prurit, urticaire, érythème polymorphe, éruptions lichénoïdes et photosensibilisation en cas de traitement par les sulfamides et les biguanides ; accidents allergiques et de

---

Ce qu'il faut savoir

Un diabétique insulinodépendant étant exposé aux malaises hypoglycémiques, lui sont interdits certains métiers « de sécurité » dans lesquels une perte de connaissance pourrait avoir des conséquences graves pour lui ou pour les autres. De même, un diabétique renoncera à exercer des métiers très fatigants ou impliquant des horaires irréguliers.

En ce qui concerne la conduite automobile, les diabétiques insulinodépendants peuvent obtenir le permis du groupe I, qui leur est délivré à titre temporaire. En revanche, ils ne peuvent obtenir le permis du groupe II (poids lourds). Les diabétiques non insulinodépendants peuvent obtenir les deux types de permis après avis d'une commission médicale.

Tous les pays ne disposant pas des mêmes produits, le diabétique doit emporter avec lui en voyage sa provision d'insuline.

Enfin, il existe des camps de vacances et des maisons à caractère sanitaire pour les jeunes diabétiques. Il existe aussi de nombreuses associations s'adressant aux diabétiques et à l'ensemble des personnes concernées par ce problème.

---

la pigmentation et troubles de la répartition du tissu graisseux de la peau en cas de traitement par l'insuline.

COMPLICATIONS AIGUËS

■ L'acidocétose, accumulation excessive de corps cétoniques dans l'organisme, constitue l'aboutissement du diabète insulinodépendant non traité, avec accumulation de corps cétoniques dans le sang entraînant une acidose : le malade maigrit rapidement, souffre de vertiges, de troubles digestifs, d'une grande lassitude. Un seul de ces signes doit alerter : en l'absence de traitement, l'évolution se fait vers le coma.
■ Le coma hyperosmolaire, hyperglycémie très importante avec déshydratation, est une complication rare du diabète non insulinodépendant chez le sujet âgé. Acidocétose et coma hyperosmolaire imposent une hospitalisation d'urgence en centre spécialisé et sont traités par injection massive d'insuline.
■ L'hypoglycémie (glycémie très basse par manque de sucre) est une conséquence du traitement lui-même ou de son excès par rapport au régime alimentaire ou à l'exercice physique. Elle se traduit par une fatigue soudaine, une sensation de faim, des vertiges et des sueurs et est traitée par administration de sucres « rapides » par voie orale si le malade est conscient ou par injection sous-cutanée de glucagon.

Diagnostic

Temps de l'acte médical permettant d'identifier la nature et la cause de l'affection dont un patient est atteint.

Un diagnostic s'établit en plusieurs étapes.
■ Le diagnostic proprement dit, ou diagnostic positif, comprend un examen clinique : entretien avec le patient, qui permet de retracer l'histoire de la maladie, de préciser les antécédents familiaux, chirurgicaux, gynécologiques, l'hygiène et le mode de vie (« anamnèse »), et examen physique, général ou orienté, à la suite de l'entretien. Au terme de la consultation, l'examen clinique peut être complété par des examens paracliniques ou complémentaires nécessitant éventuellement une hospitalisation.
■ Le diagnostic différentiel correspond à la phase où le médecin écarte la possibilité d'affections présentant des signes communs avec la maladie.
■ Le diagnostic étiologique, enfin, consiste à identifier la cause de l'affection (identification d'un germe, mise en évidence d'un dérèglement hormonal, etc.).

Diagnostic préimplantatoire

Identification d'une anomalie génétique chez l'embryon grâce aux techniques de fécondation in vitro et de biologie moléculaire.

Le diagnostic préimplantatoire s'adresse aux couples qui désirent un enfant et qui ont déjà donné naissance à un ou plusieurs enfants atteints de maladie génétique grave et incurable.

Après avoir réalisé une fécondation in vitro et avant le transfert des embryons dans l'utérus de la mère, une cellule de chaque embryon est prélevée et analysée afin de

rechercher l'anomalie génétique en cause. Seuls seront introduits dans l'utérus de la femme les embryons exempts d'anomalie génétique.

Le diagnostic préimplantatoire est pratiqué dans des centres très spécialisés. En raison du risque de dérive eugénique (présélection des « meilleurs » individus), son autorisation fait l'objet de consultations sur le plan législatif dans la plupart des pays d'Europe.

Diagnostic prénatal
→ VOIR Dépistage anténatal.

Dialyse

Technique visant à suppléer une fonction rénale défaillante en éliminant à la fois l'excès d'eau du corps et les produits de déchet du sang.

INDICATIONS

Le rôle principal du rein est de maintenir dans l'organisme un équilibre en électrolytes (sodium, potassium, calcium) et en eau ainsi que d'éliminer les produits de déchet (urée, acide urique). Quand la fonction rénale est perturbée, brutalement (insuffisance rénale aiguë) ou progressivement (insuffisance rénale chronique), ces processus sont mis en défaut : une dialyse s'impose.

PRINCIPE

Il existe deux méthodes de dialyse : l'hémodialyse et la dialyse péritonéale. Toutes deux font appel à une membrane semi-perméable, artificielle pour l'hémodialyse et naturelle (le péritoine) pour la dialyse péritonéale. Cette membrane agit comme un filtre entre le sang du patient et le dialysat, une solution dont la concentration est adaptée à chaque malade selon le degré d'épuration à obtenir et dont le rôle est notamment d'entraîner les substances toxiques accumulées dans le sang. Les échanges entre le dialysat, préparé à l'avance, et le sang se produisent à travers la membrane selon deux mécanismes : la diffusion et l'ultrafiltration.
■ Lors de la diffusion, des substances toxiques passent du sang vers le dialysat en fonction de leur taille et surtout de la différence de concentration qui règne de part et d'autre de la membrane. En particulier, l'urée, lorsque sa concentration dans le sang du malade est excessive, est attirée vers le dialysat, qui en est dépourvu.
■ Lors de l'ultrafiltration, l'eau en excédent dans l'organisme est éliminée grâce à un gradient de pression de part et d'autre de la membrane : gradient osmotique (du glucose en grande quantité dans le dialysat attire l'eau) ou gradient hydrostatique (différence de pression entre sang et dialysat).

Dialyse péritonéale

Technique de dialyse utilisant comme membrane d'échange et de filtration une enveloppe interne du corps, le péritoine.

La dialyse péritonéale fut d'abord employée pour le traitement des insuffisances rénales aiguës puis, plus récemment, du fait de la bonne résistance du péritoine, pour celui des insuffisances rénales chroniques.

Le péritoine (membrane à double feuillet qui tapisse la cavité abdominale et les organes qu'elle contient et dont l'une des faces est parcourue par de nombreux capillaires sanguins) est utilisé comme système de filtrage naturel lors de cette technique d'épuration extrarénale. Les échanges d'eau et de substances dissoutes (sodium, potassium, calcium) s'effectuent alors entre le sang contenu dans les capillaires péritonéaux et le dialysat, préparé à l'avance dans une poche en plastique ; celui-ci est introduit dans la cavité péritonéale par un cathéter en silicone implanté chirurgicalement dans la paroi abdominale, qui sert également à son évacuation. L'introduction du dialysat dans la cavité péritonéale et sa vidange sont facilitées par l'utilisation de machines automatiques. Une fois infusé, le dialysat est jeté et remplacé par un dialysat frais.

DIFFÉRENTS TYPES DE DIALYSE PÉRITONÉALE

■ **La dialyse péritonéale continue ambulatoire** sert au traitement de l'insuffisance rénale chronique. Quatre fois par jour, sept jours sur sept, le dialysat est introduit dans la cavité péritonéale par un cathéter ; il reste alors en place 4 heures avant d'être évacué. Cette technique, qui s'est développée depuis le début des années 80, est réalisable à domicile. Un stage d'entraînement de quelques jours, effectué dans un centre spécialisé, est nécessaire, à la fin duquel le malade peut effectuer sa dialyse de façon autonome. Des infections péritonéales (péritonite), généralement dues aux manœuvres de raccordement des poches sur le cathéter, peuvent survenir ; elles sont d'ordinaire facilement combattues par un traitement antibiotique mais, dans certains cas, le cathéter doit être changé. Parmi les autres complications, la plus grave est l'altération progressive de la perméabilité de la membrane péritonéale, qui oblige à abandonner la dialyse péritonéale continue ambulatoire pour l'hémodialyse. Sur des périodes relativement courtes, 5 ans au maximum, cette technique semble donner des résultats d'aussi bonne qualité que l'hémodialyse dans le traitement de l'insuffisance rénale chronique. On manque cependant de recul pour apprécier son efficacité sur des périodes plus longues.

■ **La dialyse péritonéale intermittente,** identique à la dialyse péritonéale continue ambulatoire quant au principe, est le plus souvent utilisée dans les insuffisances rénales chroniques mais peut aussi remédier à certaines insuffisances rénales aiguës (dues à une intoxication, par exemple). Chaque semaine, trois séances de dialyse de 12 heures en moyenne sont effectuées à l'aide de machines qui infusent et évacuent le dialysat toutes les 30 minutes. Bien que généralement pratiquée chez des sujets hospitalisés, la dialyse péritonéale intermittente peut être réalisée à domicile.
→ VOIR Hémodialyse.

Diapason

Instrument de métal formé d'une lame vibrante en U montée sur une tige, couramment utilisé au cours du diagnostic des surdités et des maladies neurologiques.

UTILISATION DIAGNOSTIQUE

■ **En oto-rhino-laryngologie,** l'examen au diapason fait partie de l'acoumétrie, mesure clinique de l'audition à l'aide d'instruments très simples, voire sans instruments, avec la seule voix du médecin. C'est le premier examen auquel on fait appel pour diagnostiquer une surdité, d'une part pour confirmer une perte d'audition signalée par le malade, d'autre part pour trouver sa cause. Le diapason ne fournit cependant qu'une indication générale, qui doit être précisée par d'autres examens (audiométrie). Il existe trois techniques d'examen : les tests de Rinne, de Weber et de Bonnier. Le premier test consiste à faire vibrer le diapason devant l'oreille ; le deuxième test, à le faire vibrer lorsqu'il est placé sur le front ; et le troisième test, à le faire vibrer sur un os situé à distance de la tête (rotule, poignet).

■ **En neurologie,** l'examen au diapason, testant la sensibilité dite vibratoire, concourt à l'étude de la sensibilité superficielle (tact, sensibilité de la peau aux piqûres, etc.). Il s'emploie au début du diagnostic d'une maladie neurologique, quelle qu'elle soit. Son résultat, non significatif à lui seul, oriente le choix des examens complémentaires (radiographies, etc.). L'examen consiste à poser la tige du diapason sur la peau, à un endroit où il existe un os immédiatement sous-jacent, comme le tibia à la face antérieure de la jambe. Normalement, le sujet ressent la vibration. L'absence de sensation signale une lésion du système nerveux mais ne renseigne ni sur la nature ni sur le siège de la lésion.

Diapédèse

Capacité de certaines cellules à traverser les vaisseaux, essentiellement au niveau de la paroi des capillaires.

La diapédèse est une particularité de certains globules blancs, les polynucléaires neutrophiles. Ces cellules peuvent ainsi gagner très rapidement un tissu envahi par des agents pathogènes, des bactéries par exemple, et lutter contre l'infection.

Diaphanoscopie

→ VOIR Transillumination.

Dialyse

La dialyse consiste à mettre le sang en contact avec un liquide artificiel (le dialysat), à travers une membrane semi-perméable. Les substances en excès (urée, potassium, etc.) quittent alors le sang selon un phénomène physique spontané appelé diffusion. En cas d'affection rénale chronique, plusieurs séances hebdomadaires de dialyse sont nécessaires.

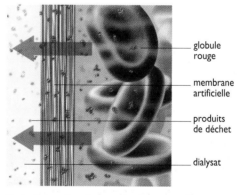

globule rouge

membrane artificielle

produits de déchet

dialysat

Seules l'eau et les substances de très petite taille contenues dans le sang (à droite) peuvent traverser la membrane semi-perméable vers le dialysat (à gauche).

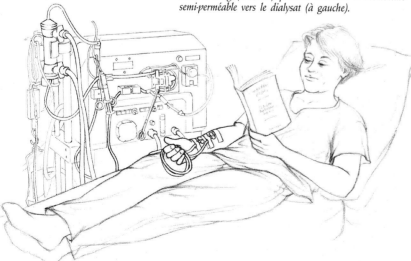

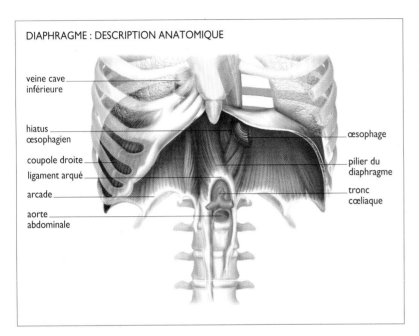

DIAPHRAGME : DESCRIPTION ANATOMIQUE

veine cave inférieure
hiatus œsophagien
coupole droite
ligament arqué
arcade
aorte abdominale
œsophage
pilier du diaphragme
tronc cœliaque

Diaphragme

Cloison musculotendineuse qui sépare la cavité thoracique de la cavité abdominale. (P.N.A. *musculus diaphragma*)

STRUCTURE ET PHYSIOLOGIE

Le diaphragme a la forme d'une voûte irrégulière qui s'implante par sa base sur le pourtour de l'orifice inférieur du thorax. Le diaphragme comprend deux parties : l'une centrale et tendineuse, le centre phrénique, l'autre périphérique et constituée de faisceaux musculaires formant de chaque côté les coupoles diaphragmatiques. Le diaphragme présente trois grands orifices qui sont traversés par la veine cave inférieure, l'aorte et l'œsophage, et plusieurs ouvertures plus étroites à travers lesquelles passent les racines internes des veines azygos, du nerf sympathique et des nerfs splanchniques.

Le diaphragme, en se contractant pendant l'inspiration, augmente le diamètre du thorax et facilite la respiration.

PATHOLOGIE

Les orifices du diaphragme, en particulier l'orifice œsophagien, peuvent être anormalement ouverts et laisser passer une partie de l'estomac à travers le muscle : cela s'appelle une hernie hiatale. Des contractions spasmodiques répétées et involontaires du diaphragme, suivies d'une fermeture brutale de la glotte qui coupe l'arrivée d'air, provoquent le hoquet, qui produit des sons caractéristiques. Enfin, une lésion des nerfs phréniques entraîne une paralysie diaphragmatique, qui empêche les poumons de se distendre complètement lors de l'inspiration ; une radiographie thoracique montre alors l'ascension d'une coupole diaphragmatique.

Diaphragme contraceptif

Membrane de caoutchouc, montée sur un anneau souple, qui se place au fond du vagin de façon à coiffer le col de l'utérus.

Un diaphragme est formé d'une paroi mince et souple, en dôme, cerclée d'un anneau métallique flexible qui la maintient en place. Il doit être prescrit par un médecin ; son insertion exige un bref apprentissage. Le diaphragme doit être enduit d'une crème spermicide avant chaque rapport sexuel et être ensuite laissé en place de 6 à 8 heures, mais jamais plus de 24 heures. Après utilisation, il doit être lavé, rincé, séché, talqué et rangé à l'abri de la poussière. Bien entretenu, il peut être conservé un an.

Associé à un spermicide, le diaphragme est un bon contraceptif : si les règles d'utilisation sont respectées, le taux d'échec est de 3 % (3 cas de grossesse pour 100 femmes l'utilisant pendant un an). Pour être efficace, il doit être parfaitement adapté à l'anatomie de l'utilisatrice ; toute modification corporelle importante (amaigrissement, prise de poids, accouchement) nécessite un contrôle médical de son ajustement et, parfois, son remplacement.

Diaphyse

Partie moyenne du corps d'un os long. (P.N.A. *diaphysis*)

Un os long, comme le tibia, se compose de trois parties : les épiphyses, ses extrémités, qui sont pourvues des surfaces articulaires ; les métaphyses, régions adjacentes aux épiphyses ; et la diaphyse, qui constitue le corps même de l'os. Coupée transversalement, celle-ci présente une section circulaire ou triangulaire. Elle est formée à la périphérie par le périoste, puis par un os plus dense et compact, dit os cortical ou os haversien, qui entoure, au centre, un canal contenant un tissu gras, la moelle osseuse.

PATHOLOGIE

Les fractures osseuses atteignent souvent la diaphyse des os longs (fémur, tibia, péroné, humérus, radius, cubitus).

Diarrhée

Émission, aiguë ou chronique, de selles trop fréquentes.

Dans le langage courant, le mot diarrhée évoque l'existence de selles liquides. Selon la définition médicale, la diarrhée est définie par un poids quotidien de selles supérieur à 300 grammes ; quand le volume de selles liquides ne dépasse pas cette limite, on parle de fausse diarrhée.

Diarrhée aiguë

Cette émission de selles liquides et fréquentes est caractérisée par un début brutal et une durée limitée.

Les diarrhées aiguës sont dues à des germes (salmonelles, shigelles, *Campylobacter, Yersinia,* colibacilles entéropathogènes anaérobies, staphylocoques), à des parasites (amibes) ou à des virus (rotavirus, adénovirus, entérovirus, coronavirus, etc.). Elles se contractent par ingestion d'eau ou d'aliments infectés ou par transmission des fèces contaminées à la bouche par l'intermédiaire des mains. Certaines diarrhées infectieuses, pour la plupart d'origine microbienne, sont contagieuses par transmission orofécale directe ou indirecte ; la plus connue en est la toxi-infection alimentaire qui frappe plusieurs personnes à partir d'un aliment contaminé (épidémies de crèches ou de villages de vacances). Le syndrome dysentérique (selles glaireuses et sanglantes) est une variante sévère de la diarrhée aiguë.

Le danger des diarrhées aiguës tient essentiellement au risque de déshydratation, particulièrement grand chez les nourrissons et les personnes fragiles. Le traitement consiste en une réhydratation importante et en un traitement de la cause. Il est souvent utile de ne pas enrayer la diarrhée trop tôt, de façon à faciliter l'élimination des germes. Les antibiotiques ne sont nécessaires que dans certaines circonstances et chez les sujets fragiles.

Dans les cas de diarrhées contagieuses, surtout lorsque l'infection prend un tour épidémique, le lavage fréquent des mains, en particulier avant chaque repas, permet de limiter les risques de contamination.

Diarrhée chronique

Cette émission de selles liquides et fréquentes s'étend sur une période excédant trois semaines.

Les diarrhées chroniques peuvent être liées à une lésion de la paroi intestinale (tumeur, maladie inflammatoire), à un phénomène de malabsorption (intolérance au gluten), à une hyperactivité du transit intestinal (résultant d'une hyperthyroïdie) ou à une sécrétion pathologique de l'épithélium de l'intestin (diarrhée sécrétoire). Au cours de diarrhées chroniques, le risque de dénutrition est souvent important. L'identification de la cause de la diarrhée est le préliminaire du traitement et décide de sa nature : ablation d'une tumeur, régime sans gluten dans le cas d'une maladie cœliaque, etc. Simultanément, une renutrition correcte doit être assurée.

Diarrhée du nourrisson

Émission aiguë ou chronique de selles plus liquides ou plus fréquentes qu'à l'état normal chez le nourrisson.

Diarrhée aiguë du nourrisson

Cette émission de selles plus liquides ou plus nombreuses qu'à l'état normal est caractérisée par un début brutal.

La diarrhée aiguë constitue souvent un motif de consultation. Elle risque de provoquer une perte brutale d'eau et de sodium entraînant une déshydratation aiguë du nourrisson et, chez l'enfant de moins de trois mois, une dénutrition pérennisant elle-même la diarrhée sur un mode chronique. Ce type de diarrhée a le plus souvent une cause infectieuse intestinale d'origine virale ou parfois microbienne (salmonelle, shigelle, colibacille etc.). La diarrhée aiguë est, plus rarement, due à une autre sorte d'infection (otite, infection urinaire ou autre).

La diarrhée peut être verte, ce qui traduit l'accélération du transit intestinal, sans signification infectieuse particulière. Liquide et associée à des vomissements, elle traduit un syndrome gastrotoxique. Certaines diarrhées sont glairosanglantes et accompagnées de fièvre. Pour déterminer les germes en cause, la coproculture n'est nécessaire qu'en cas d'épidémie de diarrhées sanglantes, purulentes ou rebelles.

TRAITEMENT

La déshydratation du nourrisson est une urgence ; elle se traduit notamment chez le bébé par une perte de poids et une légère dépression de la fontanelle. Lors de la consultation, les parents doivent préciser au médecin les circonstances et les caractéristiques de l'épisode diarrhéique (date et heure de début, nombre de selles, volume, consistance, couleur, etc.). Le traitement est établi en fonction du degré de déshydratation, essentiellement évalué par rapport à la perte de poids. Si ce degré est faible, on propose d'arrêter tout apport de lait et de remplacer celui-ci par des solutions d'eau, de sodium et de sucre. Chez les enfants de plus de 6 mois, les modifications diététiques possibles sont plus variées : consommation de riz, de carottes, de bananes, de pommes, de coings. Ce n'est que si l'on constate une déshydratation sévère que l'enfant devra être hospitalisé et nourri par des solutés hydroélectrolytiques, complétés ou non par une perfusion de glucose et de sodium. Les antibiotiques ne sont utiles qu'en cas de diarrhée glairosanglante ou consécutive à une infection où il existe un risque infectieux général. Une diarrhée de plus de 48 heures, même en l'absence de déshydratation, doit conduire à demander un avis médical.

Diarrhée chronique du nourrisson

Cette diarrhée se manifeste par des anomalies permanentes ou récidivantes de l'aspect des selles, qui sont trop nombreuses et trop molles pendant une durée prolongée, habituellement supérieure à quatre semaines.

La plupart des diarrhées chroniques n'entraînent aucun retentissement sur la courbe de croissance de l'enfant, qui conserve, par ailleurs, un bon état général. Les selles ont un aspect variable : liquide, fétide, glaireux, contenant des aliments non digérés, et elles témoignent simplement de manifestations dites « du côlon irritable », sans cause déterminée. Ces diarrhées ne justifient pas d'examens complémentaires mais des mesures diététiques simples comme un régime pauvre en lactose et en fibres avec, parfois, la prise de médicaments.

En revanche, les diarrhées chroniques s'accompagnant d'une cassure de la courbe de poids nécessitent une recherche de l'affection en cause : diarrhée chronique postinfectieuse, intolérance aux protéines du lait, intolérance au gluten, mucoviscidose. Elles cèdent généralement à un traitement spécifique. Les examens sont réalisés en milieu pédiatrique hospitalier.

Diarrhée des voyageurs

Diarrhée de courte durée survenant au cours d'un déplacement lointain et due à une modification brutale des habitudes alimentaires et pratiquement toujours à une infection microbienne. SYN. *turista*.

La diarrhée des voyageurs est devenue très fréquente du fait de l'augmentation du tourisme. Sa fréquence en zone tropicale serait favorisée par l'abus de boissons glacées en climat chaud et par le contexte alimentaire. Cependant, les causes infectieuses sont pratiquement constantes en raison de l'insuffisance des conditions d'hygiène alimentaire, qui favorise le développement des germes (shigelles et salmonelles) ; les épisodes de diarrhée des voyageurs sont le plus souvent bénins, mais la possibilité d'un choléra ne doit jamais être écartée, même en l'absence d'épidémie officiellement déclarée par les autorités sanitaires.

En général, quelques conseils d'hygiène sont suffisants pour prévenir la plupart des cas, en particulier des consignes strictes d'alimentation : aliments cuits, fruits pelés, boissons capsulées ou eau bouillie. L'antibiothérapie prophylactique systématique n'est guère à recommander mais doit être utilisée dès les premiers signes digestifs.

Diastasis

Écartement anormal entre deux éléments anatomiques distincts, normalement fixés l'un à l'autre.

En fait, un diastasis est un espace anormalement important entre deux surfaces articulaires de deux os parallèles, tels le tibia et le péroné, formé à la suite d'une fracture ou d'une entorse grave.

À l'état normal, les extrémités inférieures de ces deux os, les malléoles, sont solidement fixées l'une à l'autre grâce à plusieurs ligaments. Le diastasis tibiopéronier se manifeste à la cheville par un écartement anormal des malléoles du tibia et du péroné entraînant une modification du fonctionnement naturel de cette articulation. Le traitement du diastasis repose sur la réduction anatomique et stable de la fracture ou de l'entorse responsables.

Diastole

Période de relaxation musculaire et de remplissage des ventricules cardiaques, succédant à la systole.

À l'auscultation, la diastole est la période silencieuse la plus longue, qui se situe entre le deuxième et le premier bruit du cœur. La diastole, qui succède à la systole, période de contraction, correspond au temps de « repos » des ventricules, formé d'une phase de relâchement de la contraction et d'une phase de remplissage, elle-même comportant trois phases : remplissage rapide, puis lent et, enfin, lié à la contraction auriculaire. La diastole est en fait une période active.

Au repos, à fréquence normale, la diastole est d'une durée supérieure à la systole. En cas de tachycardie, la durée de la diastole est très fortement raccourcie, alors que celle de la systole varie peu. La fonction diastolique peut être altérée, notamment en cas d'hypertrophie pathologique des parois ventriculaires (hypertension artérielle) ou défaut de contractilité par ischémie myocardique (angor, infarctus du myocarde).

Diathermie

Utilisation, à des fins thérapeutiques, de la chaleur produite par des courants électriques, par des micro-ondes ou par des ultrasons.

Naguère employée comme méthode analgésique, la diathermie n'est plus guère utilisée aujourd'hui qu'en chirurgie : le bistouri diathermique, ou bistouri électrique, permet de coaguler des petits vaisseaux de façon à empêcher les saignements intempestifs pendant une intervention.

Diathèse

Ensemble d'affections différentes atteignant simultanément ou successivement un même sujet et considérées comme étant de nature comparable.

Ce terme, qui réunissait par exemple le diabète et la goutte, souvent associés chez un sujet obèse, n'est plus guère usité depuis que l'on identifie précisément les diverses maladies.

Diencéphale

Région centrale du cerveau, recouverte et masquée par les deux hémisphères cérébraux, qui s'y rattachent de chaque côté. (P.N.A. *diencephalon*)

Situé au-dessus du tronc cérébral, le diencéphale est creusé d'une cavité, le 3e ventricule. Il comprend de chaque côté le thalamus, qui reçoit les informations sensitives, les trie et les analyse avant de les renvoyer au cortex du cerveau et du cervelet, et l'hypothalamus, prolongé par l'hypophyse, centres de commande des viscères et de plusieurs glandes hormonales (thyroïde, surrénales, gonades).

L'hypothalamus intervient également dans les métabolismes (eau, lipides), dans la régulation de la température, de la tension artérielle. À ce titre, il représente le cerveau végétatif.

→ VOIR Cerveau.

Diète

Abstention temporaire, totale ou partielle, d'aliments pour des raisons personnelles ou thérapeutiques.

Les diètes sont indiquées avant les coloscopies ou certaines interventions de chirurgie intestinale : prescription d'un régime sans fibres suivi de l'ingestion de plusieurs litres d'un liquide spécial provoquant une vidange colique complète. Elles sont également utilisées dans le traitement de l'obésité. On les range en trois catégories.

■ La diète absolue consiste à n'absorber ni aliments ni boissons par les voies naturelles. Dans ce cas, les apports essentiels à l'organisme sont fournis sous forme de solutions diverses administrées par perfusions intraveineuses.

■ La diète hydrique consiste à n'absorber que de l'eau de façon à ne pas apporter de calories à l'organisme et donc à provoquer une perte de poids. L'adaptation de l'organisme à de telles pratiques provoque généralement l'effet inverse de celui souhaité : la mise au ralenti du métabolisme provoquée par la diète persiste après son interruption, et le patient reprend tout le poids perdu, voire davantage, dès la reprise de l'alimentation.

■ La diète protéique limite l'alimentation aux protéines. Ce type de régime exige une fonction rénale parfaite, faute de quoi il peut se révéler dangereux. Seul le médecin peut le prescrire.

Ces diètes sont peu prescrites par les médecins en effet, l'exclusion d'un ou de plusieurs types d'aliments engendre frustration et carences, et produit rarement à long terme les effets attendus.

Diététicien

Spécialiste de la diététique, dont le titre est réglementé (niveau d'études requis, avec obtention de diplômes).

Le rôle du diététicien consiste notamment à prescrire un régime alimentaire adapté aux apports nutritionnels recommandés dans un but hygiénique (dans une cantine scolaire, par exemple) ou thérapeutique. Les principales pathologies pour lesquelles il fait appel à un diététicien sont l'obésité, la dénutrition, le diabète, les dyslipidémies (troubles du métabolisme des lipides), l'hypertension artérielle, l'insuffisance rénale ainsi que certaines autres maladies métaboliques ou carentielles.

Lors d'une première consultation, le diététicien interroge d'abord le patient afin de déterminer ses habitudes et ses comportements alimentaires, et de quantifier ses besoins quotidiens en glucides, en lipides et en protéines. Puis, en fonction de la raison pour laquelle celui-ci lui a été adressé, il prescrit un régime détaillant les apports quotidiens et leur répartition dans la journée.

Diététique

Étude de l'alimentation.

La diététique inclut la connaissance de la valeur nutritive des aliments et de leur transformation lors de la cuisson et de la conservation. Elle permet d'établir des régimes alimentaires adaptés aux besoins des sujets sains ou malades. Ainsi, un enfant atteint de maladie cœliaque (intolérance au gluten) devra recevoir les apports énergétiques nécessaires à sa croissance, compte tenu des aliments qui lui sont interdits (avoine, blé, orge, seigle). Dans le cadre de la prise en charge des sujets obèses ou présentant une surcharge pondérale, la diététique permettra d'établir un régime hypocalorique, mais équilibré, n'induisant pas de carences.

Diéthylstilbestrol

Médicament œstrogène puissant, prescrit de 1946 à 1977 à des femmes enceintes pour prévenir les avortements spontanés et traiter les hémorragies pendant la grossesse.

Depuis 1977, le diéthylstilbestrol, commercialisé sous le nom de Distilbène®, n'est plus utilisé en raison des risques qu'il engendre pour l'enfant, risques dont les conséquences se manifesteront pour la plus grande part entre 1990 et 2010. Pour les garçons, les conséquences, minimes, concernent l'appareil génito-urinaire (malformations de l'urètre), mais les filles peuvent présenter des anomalies du col et du corps de l'utérus capables d'entraîner la stérilité. Lorsque ces femmes, à leur tour, sont enceintes, elles courent un risque plus élevé d'avortement spontané, de grossesse extra-utérine et d'accouchement prématuré. En outre, le risque de cancer du vagin est plus élevé chez elles. La surveillance des enfants nés de mères ayant pris du diéthylstilbestrol pendant leur grossesse permet de prévenir, dans une certaine mesure, l'apparition des risques liés à ce médicament.

Dieulafoy (Georges)

Médecin français (Toulouse 1839 - Paris 1911).

Il devint professeur à l'Hôtel-Dieu de Paris en 1896 et acquit très vite une grande réputation de clinicien. On lui doit l'invention d'une méthode médicochirurgicale de traitement pour l'aspiration des liquides pathologiques, en particulier les épanchements pleuraux.

Différenciation cellulaire

Évolution normale des cellules souches ou embryonnaires qui acquièrent au cours de ce processus leurs propriétés fonctionnelles.

Au cours du développement embryonnaire, une série de modifications interviennent pour transformer les cellules indifférenciées du bouton embryonnaire en feuillets qui donnent naissance aux ébauches des futurs organes. La différenciation des cellules va croissant au cours du développement du fœtus, aboutissant à des fonctions et à des morphologies cellulaires précises et diversifiées.

De même, lors du renouvellement des cellules dans l'épithélium ou la moelle osseuse, c'est par un processus de différenciation que les cellules souches deviennent des cellules adultes, matures, capables d'assurer des fonctions différentes.

PATHOLOGIE

La différenciation cellulaire peut être déviée et aboutir à des éléments adultes s'écartant du type programmé. On parle alors de métaplasie. C'est le cas, par exemple, de l'épithélium bronchique devenant, sous l'effet du tabac, d'une infection virale ou d'une irritation chronique, pluristratifié (épaissi en plusieurs couches) et malpighien (se rapprochant de l'aspect de l'épiderme cutané).

La différenciation morphologique et/ou fonctionnelle peut également se perdre dans certaines conditions pathologiques : on parle alors de dédifférenciation. Ainsi, au cours de la cicatrisation, le tissu régénéré est souvent peu différencié au début du processus. De même, dans une prolifération tumorale, la perte plus ou moins complète de la différenciation est habituelle. On observe que l'évolution spontanée d'une tumeur est d'autant plus rapide que cette tumeur est peu différenciée, sa sensibilité à la radiothérapie et à la chimiothérapie étant en revanche d'autant plus grande.

Digestibilité

Aptitude d'un aliment à être digéré.

La digestibilité des glucides est plus grande que celle des protéines ou que celle des lipides. Il existe également des aliments non digestibles qui servent uniquement de lest, comme les fibres alimentaires.

Digestif (appareil)

Ensemble des organes ayant pour fonction essentielle l'assimilation des aliments destinés à apporter l'énergie nécessaire au fonctionnement des cellules.

STRUCTURE ET PHYSIOLOGIE

Il est habituel de distinguer le tube digestif et les glandes digestives (foie, pancréas).

■ Le tube digestif a un rôle essentiellement mécanique de transport des aliments. Il est constitué successivement de la bouche, avec la langue et les dents ; du pharynx ; de l'œsophage, qui mesure 25 centimètres de long et assure le transport du bol alimentaire ; de l'estomac, constitué du fundus (partie supérieure), ayant une fonction de réservoir, et de l'antre (partie inférieure), zone de malaxation dans laquelle les aliments sont réduits en chyme (bouillie de particules fines) ; de l'intestin grêle, long de 7 mètres, subdivisé en duodénum, jéjunum et iléon, qui reçoit les sécrétions biliaires et pancréatiques, et qui assure la digestion des aliments et l'absorption de la quasi-totalité des nutriments, des vitamines, de l'eau et des électrolytes ; du gros intestin, subdivisé en cæcum et côlon, d'une longueur de 2 mètres ; enfin du rectum, long d'environ 20 centimètres ; et de l'anus.

■ Les glandes digestives, qu'il s'agisse des glandes salivaires (parotides, sous-maxillaires et sublinguales), du foie, du pancréas ou des glandes de l'intestin grêle, participent à la digestion des aliments en sécrétant des sucs contenant diverses enzymes de la digestion. Le foie est situé entre la circulation du tube digestif (veine porte) et la circulation géné-

Le tube digestif commence par la bouche et se prolonge par l'œsophage, au niveau du cou et du thorax, puis, dans l'abdomen, par un volumineux réservoir, l'estomac, suivi de l'intestin. Celui-ci comprend l'intestin grêle, très long et replié en de nombreuses anses, le côlon, disposé en cadre sur trois côtés, le rectum et l'anus. Plusieurs glandes annexées au tube digestif y rejettent leurs sécrétions par des canaux : les glandes salivaires ; le foie, à droite de l'estomac, relié à l'intestin grêle par le canal cholédoque ; le pancréas, sous l'estomac, relié à l'intestin grêle par le canal de Wirsung. Le péritoine, fine membrane qui enveloppe l'estomac et l'intestin, est d'un seul tenant mais forme des replis complexes autour des organes.

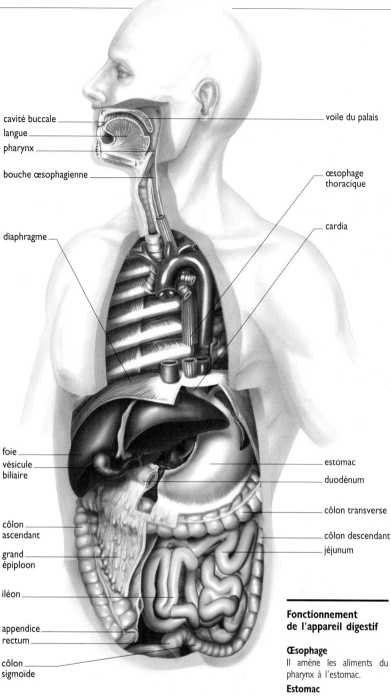

cavité buccale — langue — pharynx — bouche œsophagienne — diaphragme — foie — vésicule biliaire — côlon ascendant — grand épiploon — iléon — appendice — rectum — côlon sigmoïde — voile du palais — œsophage thoracique — cardia — estomac — duodénum — côlon transverse — côlon descendant — jéjunum

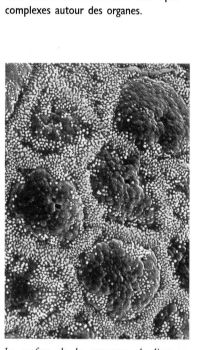

La surface de la muqueuse de l'estomac comprend des saillies arrondies (rouges), entourées de sillons hexagonaux (jaunes) au fond desquels s'ouvrent des glandes.

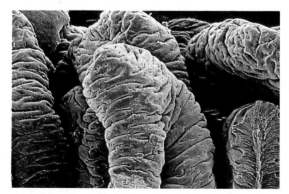

La paroi de l'intestin grêle est tapissée d'une multitude de villosités, minuscules expansions en forme de doigt de gant, qui augmentent la surface de contact avec les substances d'origine alimentaire et facilitent donc l'absorption des nutriments.

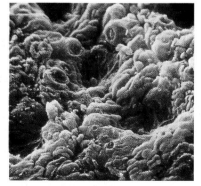

La surface de la muqueuse du côlon, comme celle de l'estomac, est vallonnée et comprend des dépressions au fond desquelles s'ouvrent des glandes sécrétant du mucus.

Fonctionnement de l'appareil digestif

Œsophage
Il amène les aliments du pharynx à l'estomac.

Estomac
Il brasse les aliments par ses contractions et participe à leur dégradation en sécrétant de l'acide et des enzymes.

Intestin grêle
Il termine la dégradation des aliments. De plus, sa muqueuse permet l'absorption des substances nutritives dans le sang.

Foie
Il sécrète et stocke dans la vésicule la bile indispensable à la digestion des graisses.

Pancréas
Ses sécrétions contiennent plusieurs catégories d'enzymes digestives.

Côlon
Il assure le stockage et la déshydratation des résidus.

rale (veine cave), et il remplit deux rôles différents : éliminer les déchets de la digestion et, à partir des éléments dégradés, synthétiser les protéines nécessaires à la vie pour les envoyer dans l'organisme. Il est relié au duodénum, vers lequel il excrète de la bile, qui joue un rôle important dans la digestion des graisses, par le canal cholédoque. Le pancréas, d'une vingtaine de centimètres de long, barre transversalement la moitié supérieure de l'abdomen. C'est une glande à la fois endocrine (sécrétant des hormones sanguines : insuline et glucagon nécessaires à la régulation des sucres) et exocrine (déversant ses produits de sécrétion dans une cavité naturelle : le suc pancréatique nécessaire à la digestion est ainsi drainé vers le duodénum).

Parmi les organes de l'appareil digestif, seuls le foie et l'intestin grêle sont indispensables à la vie.

EXPLORATION

L'appareil digestif peut être exploré par différents examens.

■ **La cholangiographie rétrograde** sert à déceler les maladies des voies biliaires et parfois celles du pancréas ; elle permet aussi l'extraction des calculs de la voie biliaire principale.

■ **La coloscopie** permet de dépister les atteintes du côlon et de pratiquer des biopsies et l'ablation de polypes. De par sa fiabilité et ses possibilités thérapeutiques, la coloscopie tend aujourd'hui à remplacer le lavement baryté.

■ **La coproculture** permet de faire le diagnostic d'un syndrome gastro-intestinal d'origine bactérienne.

■ **L'échographie**, largement utilisée de nos jours, permet d'obtenir des images des différents organes digestifs pleins, foie et pancréas essentiellement, mais également de la vésicule biliaire, pour y déceler des calculs.

■ **La fibroscopie gastrique**, exploration visuelle de la partie haute du tube digestif (œsophage et estomac), sert à déceler les inflammations (œsophagite, gastrite), les ulcères gastroduodénaux et les tumeurs de l'œsophage et de l'estomac.

■ **Le lavement baryté** a pour objectif l'opacification du côlon par voie basse pour obtenir une image radiologique de cet organe. Deux techniques sont utilisées : standard et double contraste. Le lavement baryté standard est un bon examen pour diagnostiquer le cancer du côlon ; le double contraste s'utilise dans la recherche de polypes. Cet examen, relativement long, tend aujourd'hui à être remplacé par la coloscopie.

■ **La recherche de sang dans les selles** est utile dans le dépistage des cancers colorectaux et des polypes.

■ **Le test au carmin** sert à évaluer la durée du transit intestinal. L'ingestion d'un marqueur (carmin), dont on surveille l'apparition dans les selles, permet cette évaluation.

■ **Le transit du grêle** sert à observer le transit de l'intestin grêle par la voie haute, grâce à l'absorption de baryte (diluée à 50 %) par voie orale. Assez rare, cet examen s'utilise en cas de maladies de l'intestin grêle.

PATHOLOGIE

La pathologie de l'appareil digestif est très diversifiée.

■ **Les cancers** peuvent naître à tous les niveaux de l'appareil digestif (bouche, œsophage, estomac, côlon, rectum, foie, pancréas). Les traitements dépendent essentiellement du type de cancer, de l'organe atteint, de son stade d'évolution.

■ **La constipation** est une des causes les plus fréquentes de consultation chez le médecin. Les constipés chroniques sont, dans notre société, des personnes ayant un régime alimentaire pauvre en fibres et une vie sédentaire. Une musculature abdominale défaillante est également un des éléments du problème. Le traitement passe donc avant tout dans ces cas par une modification de l'hygiène de vie.

■ **Les diarrhées** peuvent être présentes dans diverses maladies. C'est le cas des diarrhées du sida, des alternances de diarrhée et de constipation de certains cancers digestifs, etc. Toutefois, la diarrhée est le plus souvent un des symptômes des gastroentérites virales, assez courantes chaque année dans les collectivités d'enfants, ou des gastroentérites bactériennes dues à des intoxications alimentaires (salmonelloses).

■ **Les gastrites**, inflammations de l'estomac, sont favorisées par l'alcool et le tabac, et peuvent provoquer des douleurs et des brûlures d'estomac.

■ **Les hépatites** sont des maladies virales affectant le foie, qui peuvent être transmises par voie sanguine et par voie sexuelle.

■ **Les hernies hiatales** sont caractérisées par le passage d'une portion d'estomac dans le thorax, à travers le canal du diaphragme où passe l'œsophage.

■ **Les ulcères**, maladies du stress, sont localisés soit sur l'estomac (ulcère gastrique), soit sur le duodénum (ulcère duodénal), ce dernier étant le plus courant.

Digestion

Ensemble des processus mécaniques et biochimiques assurant la transformation et l'absorption des aliments.

Après avoir été avalé, le bol alimentaire passe dans le pharynx, puis dans l'œsophage et parvient à l'estomac grâce à un mécanisme involontaire mettant en action les muscles de la paroi œsophagienne (péristaltisme).

■ **Dans l'estomac**, les aliments subissent des modifications permettant leur absorption ultérieure par l'intestin grêle : la digestion gastrique assure leur stockage et leur broyage mécanique, leur stérilisation partielle et la dégradation de certaines protéines. L'estomac peut stocker jusqu'à environ un litre d'aliments qui y sont transformés par les sécrétions gastriques. Ces sécrétions, produites par les glandes gastriques, contiennent de l'acide chlorhydrique et des enzymes digestives (notamment la pepsine, nécessaire à la digestion des protéines). De petites ondes, propagées approximativement toutes les 20 secondes par les couches musculaires, permettent le mixage des aliments avec les sécrétions et poussent le mélange obtenu,

le chyme, vers la partie inférieure de l'estomac. Le chyme passe dans la première partie de l'intestin grêle, le duodénum, par un sphincter, le pylore.

■ **Dans l'intestin grêle** (duodénum, jéjunum, iléon), la digestion se poursuit par la réduction des glucides en sucres élémentaires, des lipides en monoglycérides et en acides gras, des protéines en acides aminés ou en peptides. Pour ce faire, l'intestin grêle a besoin des sécrétions du pancréas et de la bile. La sécrétion pancréatique est riche en enzymes nécessaires à la digestion des protéines, des glucides et des lipides, tandis que la sécrétion biliaire joue un rôle important dans la digestion des lipides. L'absorption des substances transformées se fait immédiatement par les entérocytes (cellules intestinales qui permettent le passage des aliments dans le sang) de chacun des segments de l'intestin grêle. Dans le duodénum sont absorbés préférentiellement le fer, le calcium et les vitamines. Les glucides et les lipides sont absorbés dans le duodénum et le jéjunum, et les sels biliaires, dans l'iléon. Les matières qui n'ont pas été absorbées progressent jusqu'au gros intestin par des mouvements péristaltiques. La digestion colique (au niveau du côlon) consiste essentiellement en une dégradation microbienne sans grande utilité pour la nutrition.

Digitalique

Médicament utilisé au cours de l'insuffisance cardiaque. SYN. *glucoside cardiotonique*.

Les digitaliques, d'origine végétale, sont extraits de la digitale pourprée (*Digitalis purpurea*), de la digitale laineuse (*Digitalis lanata*) et des strophantus. Les principales substances utilisées sont le deslanoside, la digitoxine et la digoxine. Elles ralentissent la fréquence cardiaque, augmentent la contractilité du muscle cardiaque, diminuent la vitesse de conduction de l'influx nerveux dans le nœud auriculoventriculaire et accroissent l'excitabilité myocardique.

INDICATIONS ET CONTRE-INDICATIONS

L'action essentielle des digitaliques est de ralentir la fréquence cardiaque lorsque le cœur est en fibrillation auriculaire rapide et, en outre, d'augmenter l'intensité des contractions du cœur.

Les digitaliques sont contre-indiqués dans plusieurs maladies cardiaques (myocardiopathie obstructive, bloc auriculoventriculaire, tachycardie ventriculaire) et sont incompatibles notamment avec le calcium utilisé par voie veineuse. Lorsqu'ils sont pris avec des diurétiques hypokaliémiants (diminuant la concentration de potassium sanguin), il convient de compenser la perte de potassium pour éviter des troubles du rythme cardiaque.

MODE D'ADMINISTRATION ET SURVEILLANCE

La digitalisation est l'action d'administrer un digitalique à doses élevées, lors d'un traitement d'attaque. Le médicament est pris le plus souvent par voie orale, mais la voie injectable est utilisable en milieu hospitalier et en cas d'urgence. Au traitement d'attaque par les digitaliques fait suite en règle générale un traitement d'entretien à doses plus faibles. La surveillance du traitement, essentiellement clinique et électrocardiographique, doit être stricte. Elle fait parfois appel aux dosages sanguins pour vérifier la concentration du médicament.

EFFETS INDÉSIRABLES

Les digitaliques sont le plus souvent bien supportés. Mais, en raison d'une marge relativement étroite entre dose thérapeutique et dose toxique, il existe un risque de surdosage. Celui-ci, qui peut être grave, se manifeste par des troubles digestifs (nausées, vomissements, diarrhée), neurologiques (maux de tête, vertiges, vision colorée) et cardiaques (troubles du rythme). Il impose l'hospitalisation et l'arrêt, au moins transitoire, du traitement digitalique, voire d'autres mesures thérapeutiques.

Digitoplastie

Opération chirurgicale consistant à réparer par greffe un doigt partiellement ou totalement amputé à la suite d'un accident.

Dilacération

Déchirure irrégulière d'un tissu.

Une dilacération est en général due à un traumatisme, le plus souvent une glissade violente (accident de moto, par exemple). Plus rarement, il peut s'agir d'une forme complexe et grave de déchirure du périnée au moment de l'accouchement. Les signes d'une dilacération sont de multiples petites déchirures irrégulières pouvant atteindre la peau, les muscles, les tissus et les nerfs. Le traitement chirurgical est plus difficile que pour les traumatismes et les plaies, où la section est le plus souvent à bords nets.

Dilatation

Augmentation du diamètre ou du volume d'un organe creux, d'un orifice ou d'un canal.

Une dilatation peut être spontanée, soit physiologique, soit pathologique, ou artificielle.

Dilatations physiologiques

Plusieurs organes ou parties d'organes augmentent naturellement leur diamètre ou leur volume. C'est le cas, par exemple, de la pupille de l'œil, qui permet ainsi la pénétration d'une plus grande quantité de lumière dans l'œil lorsque la luminosité extérieure est moindre.

DILATATION DU COL UTÉRIN

C'est l'augmentation du diamètre du col de l'utérus au début de l'accouchement, qui permet par la suite le passage de l'enfant. La dilatation est souvent très lente au cours de la première naissance (en moyenne 18 heures) et elle se déroule en trois phases. La première dure une dizaine d'heures et consiste en l'effacement du col, qui perd son relief, et en une dilatation de 2 centimètres de diamètre ; la seconde dure de 4 à 6 heures, au terme desquelles l'orifice atteint 6 centimètres ; enfin, la dernière dure 2 heures, jusqu'à dilatation complète (10 centimètres). Le col utérin s'aligne alors

sur le haut du vagin. Chez la multipare (femme qui a déjà accouché), la phase de dilatation est beaucoup plus rapide.

Dilatations pathologiques

Plusieurs organes ou parties d'organes augmentent de façon anormale leur diamètre ou leur volume. Certaines dilatations pathologiques sont congénitales, comme la dilatation des ventricules cérébraux, qui entraîne une hydrocéphalie, ou celle du côlon, observée dans la maladie de Hirschsprung. Elles peuvent également être acquises et s'observent dans la plupart des organes creux et des canaux, en général en amont d'un obstacle (rétrécissement ou calcul). C'est le cas dans les voies urinaires (calices rénaux, bassinets, uretères), dans les voies digestives (œsophage, estomac, intestin grêle, côlon, voies biliaires), dans l'appareil cardiovasculaire (cavités cardiaques, artères et veines) et dans l'appareil respiratoire (bronches).

Dilatations artificielles

Il s'agit de manœuvres destinées à élargir un conduit. Elles se pratiquent parfois avec le doigt, plus souvent avec des instruments spéciaux (sondes et bougies de calibres croissants, ballonnets gonflables à pression contrôlée). En gynécologie, la dilatation du col de l'utérus permet la réalisation des curetages utérins ; en urologie, la dilatation est employée dans le cas de rétrécissement urétral et, en gastroentérologie, dans les rétrécissements de la partie inférieure de l'œsophage ou de l'anus. La chirurgie cardiaque fait appel à la dilatation dans le cas de rétrécissements valvulaires (sténoses des valves sigmoïdes aortiques). Une technique particulière, la dilatation endoluminale, est une forme d'angioplastie employée pour dilater les artères coronaires, les artères des membres ou encore la veine porte après une transplantation.

Dilatation des bronches

→ VOIR Bronchectasie.

Dimercaprol

Médicament utilisé dans le traitement d'intoxications par des métaux lourds. SYN. *BAL (British Anti Lewisite)*.

Le dimercaprol est indiqué en cas d'intoxication aiguë par l'arsenic, le mercure, l'or, et en traitement d'appoint du saturnisme (intoxication aiguë ou chronique par le plomb). L'administration se fait par injection. Les effets indésirables éventuels sont une hypertension artérielle et une tachycardie, des nausées et des douleurs abdominales, des sensations de brûlure cutanée ainsi que, en cas de surdosage, des convulsions ou un coma.

→ VOIR Antidote, Chélateur.

Dioptrie

Unité de mesure de réfraction des systèmes optiques (œil, lentille de microscope ou d'appareil photographique, verre correcteur).

Une lentille convergente (convexe) de 1 dioptrie a une distance focale de 1 mètre,

c'est-à-dire que les rayons lumineux parallèles venus de l'infini convergent en un point, appelé focal, situé à 1 mètre du centre de la lentille. Placée devant l'œil, une telle lentille entraîne un raccourcissement de la distance focale, ramenant par exemple une hypermétropie de 1 dioptrie à une vision normale. Une lentille divergente (concave) provoque un écartement des rayons et, placée devant l'œil, elle entraîne un allongement de la distance focale, ramenant par exemple une myopie de 1 dioptrie à une vision normale.

Dioscoride

Médecin grec (1er siècle après J.-C.).

Dioscoride suivit les armées romaines lors de leurs expéditions et laissa un traité en grec, *Sur la matière médicale,* décrivant tous les médicaments en usage à son époque. Ce traité, largement illustré par les miniaturistes du Moyen Âge, demeura l'une des sources les plus consultées par les médecins jusqu'à l'aube du XIXe siècle.

Dioxyde de carbone

→ VOIR Anhydride carbonique.

Diphosphonate

Médicament utilisé dans le traitement de maladies osseuses et d'anomalies du calcium sanguin. SYN. *bisphosphonate*.

Les diphosphonates sont nombreux. 3 produits ont été surtout étudiés : le clodronate disodique, l'étidronate disodique et le pamidronate sodique. Ils agissent en inhibant l'activité des ostéoclastes, cellules osseuses dont la fonction consiste à résorber l'os. Les indications des diphosphonates sont très précises : maladie de Paget (maladie des os avec déformations), ostéoporose (fragilité osseuse) due à la ménopause et compliquée de fracture vertébrale, hypercalcémie (augmentation du taux de calcium sanguin) grave et consécutive à un cancer. L'administration se fait par injection, uniquement en milieu hospitalier, ou par voie orale. Les effets indésirables éventuels sont des troubles digestifs (nausées, diarrhée) ou une fièvre.

Diphtérie

Maladie infectieuse (toxi-infection) contagieuse, due au bacille de Klebs-Löffler, *Corynebacterium diphtheriæ*.

La diphtérie touche surtout les enfants et se transmet par voie aérienne rapprochée (salive) ; elle peut être transmise par un malade ou par un porteur sain (sujet immunisé hébergeant le germe). Jusqu'aux années 1930, la diphtérie constituait l'une des principales causes de mortalité infantile au monde. Elle a pratiquement disparu des pays occidentaux grâce à la vaccination systématique (DT-coq, vaccin antidiphtérique, antitétanique et anticoquelucheux, administré au cours de la première année), mais persiste dans les pays en développement et représente toujours un risque sérieux pour le voyageur non vacciné. Des épidémies sont survenues en Europe de l'Est.

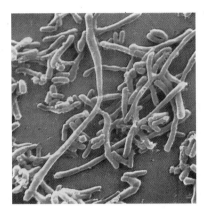

Diphtérie. *L'agent de la diphtérie, le bacille* Corynebacterium diphteriæ, *a la forme d'un bâtonnet, typique des bacilles.*

Le bacille de Klebs-Löffler agit doublement, d'une part en se multipliant localement au niveau du pharynx, d'autre part en élaborant une toxine qui atteint le myocarde et le système nerveux.

SYMPTÔMES ET SIGNES

Après une incubation de 1 à 7 jours, la diphtérie se manifeste par une angine subfébrile, associée à une inflammation des ganglions sous-maxillaires et à une fatigue importante. L'examen de la gorge montre de fausses membranes luisantes ou grisâtres, plus ou moins étendues sur les amygdales et le voile du palais.

DIAGNOSTIC ET TRAITEMENT

Le diagnostic repose sur l'examen clinique et sur un prélèvement de gorge pour rechercher le germe. Dans nos pays, une angine à fausses membranes correspond le plus souvent à une maladie bénigne, la mononucléose infectieuse. Le traitement doit malgré tout être prescrit en urgence, sans attendre le résultat de l'analyse, qui peut être confirmé par la réaction de Schick (intradermoréaction permettant de déceler les sujets non immunisés). Il consiste en une injection de sérum antidiphtérique, y compris, en cas de doute, chez un sujet déjà vacciné, et sur l'administration d'antibiotiques (pénicilline, macrolide). Bien soignée, la maladie évolue favorablement, et le malade cesse d'être contagieux après quelques jours de traitement antibiotique. Il doit cependant être isolé jusqu'à confirmation de l'éradication du bacille, par examen de plusieurs prélèvements effectués pendant 6 jours consécutifs.

COMPLICATIONS

En l'absence de traitement, l'infection du pharynx prend l'aspect d'une angine maligne, avec fausses membranes étendues et hémorragiques, paralysie du voile du palais, « cou proconsulaire » (importante tuméfaction du cou liée à l'inflammation des ganglions), pâleur intense du visage, pseudo-presbytie (trouble de l'accommodation visuelle). Une autre forme grave en est le croup, atteinte du larynx obstrué par les membranes, entraînant une dysphonie (trouble de l'émission des sons), une gêne respiratoire à l'inspiration, voire une asphyxie pouvant nécessiter une trachéotomie.

Autre complication de la diphtérie, la myocardite (inflammation du muscle cardiaque, avec troubles du rythme, extrasystoles, bloc auriculoventriculaire) doit être recherchée dans tous les cas. En effet, l'intensité des troubles peut conduire à une insuffisance cardiaque aiguë ou à la mort subite : c'est le syndrome malin secondaire de Marfan, qui survient vers le sixième jour.

Vers le trentième jour après le début de la maladie peuvent apparaître des signes nerveux, avec paralysie périphérique des membres et atteinte des muscles respiratoires provoquant progressivement une insuffisance respiratoire aiguë. L'ensemble de ces troubles entraînait jadis la mort ; la réanimation respiratoire a considérablement amélioré le pronostic.

Diplégie

Paralysie bilatérale, touchant de façon symétrique des zones plus ou moins étendues de l'organisme.

Le terme de diplégie n'est employé que pour certains syndromes ou maladies, en particulier la diplégie faciale et la diplégie cérébrale infantile.

■ **La diplégie faciale** est une atteinte bilatérale du nerf facial, qui innerve les muscles du visage. Les signes consistent en une paralysie de la mimique : impossibilité de fermer les yeux, de sourire, etc. La cause en est souvent un syndrome de Guillain-Barré (inflammation diffuse des nerfs). Il n'y a pas de traitement spécifique, et les symptômes régressent en général spontanément.

■ **La diplégie cérébrale infantile**, ou maladie de Little, est une double hémiplégie se traduisant par une paraplégie spasmodique séquellaire (paralysie des membres inférieurs). La cause est une encéphalopathie (atteinte du cerveau) qui touche le plus souvent des enfants prématurés ou dont la mère a eu un accouchement difficile. Cette diplégie est à l'origine d'une démarche caractérisée par la position en varus équin des deux pieds (pieds se tournant en dedans, la pointe vers le bas), avec sautillement au franchissement du pas. Il n'y a pas de traitement spécifique, mais le malade peut être aidé par la rééducation.

→ VOIR Guillain-Barré (syndrome de), Little (maladie de).

Diplocoque

Bactérie de forme arrondie ou légèrement allongée, toujours associée en une paire avec une autre bactérie identique à l'examen microscopique, après coloration.

Les pneumocoques, les méningocoques et les gonocoques sont des diplocoques.

Diploïde

Se dit d'une cellule qui possède deux jeux identiques de chromosomes.

Dans la quasi-totalité des cellules d'un organisme, chaque chromosome possède un chromosome homologue, qui lui est identique : on dit de ces cellules qu'elles sont diploïdes. Seules les cellules sexuelles (ovules et spermatozoïdes chez l'homme) ne possèdent qu'un seul jeu de chromosomes : on parle alors de cellules haploïdes.

Diplopie

Perception de deux images pour un seul objet regardé.

DIFFÉRENTS TYPES DE DIPLOPIE

On distingue deux types de diplopie, qui n'ont pas la même origine.

■ **Les diplopies monoculaires** persistent lorsqu'on ferme l'œil qui n'est pas atteint : elles proviennent d'une atteinte du globe oculaire. Elles apparaissent au début de certaines cataractes, lors d'affections de la macula (zone centrale de la rétine) ou bien en cas d'iridectomie (ablation d'un fragment d'iris) chirurgicale ou traumatique.

■ **Les diplopies binoculaires**, en revanche, disparaissent lorsqu'on ferme l'un ou l'autre des yeux : il s'agit d'une atteinte des muscles oculomoteurs. Elles peuvent provenir d'une paralysie oculomotrice d'origine traumatique, tumorale, vasculaire ou due à certaines affections, comme le diabète ou la sclérose en plaques. Une diplopie binoculaire peut également survenir en cas d'affection musculaire (myasthénie, myopathie endocrinienne) ou en cas d'hétérophorie (trouble de la vision binoculaire lié aux variations de l'équilibre des muscles oculomoteurs). Dans ce dernier cas, la tendance à la déviation de l'œil, habituellement corrigée de façon spontanée pour éviter la diplopie, réapparaît sous l'effet de la fatigue ou d'une intoxication alcoolique.

DIAGNOSTIC ET TRAITEMENT

Le diagnostic des diplopies monoculaires repose sur un examen ophtalmologique au biomicroscope ou sur le fond d'œil, selon la cause. Pour les diplopies binoculaires, le muscle oculomoteur déficient est déterminé grâce à un test orthoptique spécifique.

Le traitement des diplopies monoculaires est essentiellement celui de la cause, quand il est possible : traitement d'une cataracte, réparation chirurgicale d'une iridectomie trop large. Le traitement des diplopies binoculaires consiste dans un premier temps à cacher l'œil atteint, afin de procurer un soulagement rapide au patient. Si la diplopie persiste, on peut être amené à placer sur le verre des lunettes des prismes, qui seront incorporés au verre si la diplopie est permanente. Quant au traitement chirurgical, il ne peut être proposé que dans certaines paralysies définitives. Dans tous les cas où il est possible, le traitement de la cause est indispensable.

Dirofilariose

Maladie parasitaire du poumon et de la peau, due à l'infestation par une dirofilaire.

Les dirofilaires sont des vers filiformes de la classe des nématodes, parasites du chien, parfois du chat, plus rarement de l'homme. L'infestation se produit par la piqûre de certaines espèces de moustiques.

■ **La localisation pulmonaire** du ver, due à *Dirofilaria immitis,* est surtout fréquente au Japon et en Amérique. Elle se traduit par une image radiologique comparable à celle obtenue pour un cancer (opacité parenchymateuse). La dirofilaire provoque également une thrombose des artères dans lesquelles elle vit. Il n'existe pas de traitement.

■ **La localisation sous-cutanée** du ver, le plus souvent due à *Dirofilaria repens,* se traduit par l'apparition d'œdèmes prurigineux fugaces, qui se déplacent sous la peau. L'extraction du ver amène la guérison.

PRÉVENTION

L'usage d'une moustiquaire et de produits antimoustiques, en crème ou en lotion à vaporiser, permet de se protéger des piqûres.

Disaccharidase

Enzyme, située dans la bordure des entérocytes (cellules intestinales), qui transforme les sucres appelés disaccharides (saccharose, lactose, maltose) en monosaccharides (glucose, galactose, fructose).

Il existe plusieurs sortes de disaccharidases dans l'organisme, correspondant chacune au sucre à transformer. Les plus importantes sont la lactase, la fructosidase et la maltase. Les déficits de l'une ou de l'autre de ces enzymes constituent des anomalies souvent congénitales, parfois acquises. Le plus important est le déficit en lactase. L'absence d'une disaccharidase entraîne une mauvaise digestion et une mauvaise absorption du sucre correspondant, ce qui provoque une diarrhée. Le traitement implique la suppression de ce sucre dans l'alimentation.

Discarthrose

Atteinte dégénérative du disque intervertébral liée à une arthrose vertébrale.

Discographie

Examen radiologique qui permet d'observer les disques intervertébraux.

INDICATIONS

Une discographie est essentiellement pratiquée en cas de lombalgie rebelle, avant un geste chirurgical ou de radiologie interventionnelle sur une hernie discale (chimionucléolyse, par exemple). La discographie concerne surtout les disques situés entre les quatrième et cinquième vertèbres lombaires, d'une part, et entre la cinquième vertèbre lombaire et la première vertèbre sacrée, d'autre part. C'est là, en effet, que sortent les racines des nerfs sciatiques, qui assurent l'innervation motrice de la majeure partie des membres inférieurs. La compression ou la simple irritation de ces racines provoquent une douleur plus ou moins importante.

TECHNIQUE ET DÉROULEMENT

L'examen nécessite une hospitalisation et se déroule en salle de radiologie. Après anesthésie locale, le médecin injecte le produit de contraste iodé au centre du disque, en évitant le liquide céphalorachidien. La progression du liquide est suivie sur un écran de contrôle. Si le disque est normal, il n'est pas possible d'injecter plus de quelques millilitres de produit, ce qui traduit l'étanchéité des fibres situées autour de la structure centrale du disque.

En revanche, si le disque est lésé, la quantité de produit de contraste injectable peut être plus importante, et l'opacification du centre du disque, beaucoup moins harmonieuse. En outre, l'injection peut provoquer une douleur chez le patient, ce qui permet de localiser le disque lésé.

Le médecin prend ensuite des clichés radiographiques du rachis lombaire, sous différents angles. Puis il retire l'aiguille et place un petit pansement compressif que le patient peut enlever dès le lendemain. L'examen dure environ 30 minutes. Il est conseillé au malade de rester allongé pendant les 24 heures qui suivent, pour éviter au maximum le retour de la lombalgie.

EFFETS SECONDAIRES

La discographie ne provoque aucun effet secondaire, si ce n'est le réveil d'une douleur lombaire. L'injection du produit iodé provoque une sensation de chaleur. En cas d'asthme, d'eczéma, d'allergie à l'iode, le médecin prescrit un traitement antiallergique avant d'effectuer l'examen.

Discoradiculographie

→ VOIR Saccoradiculographie.

Disjonction

1. Séparation des deux chromosomes homologues lors d'une division cellulaire (mitose ou méiose).
2. Désunion ou séparation anormale entre deux éléments anatomiques habituellement unis.

En pratique, ce terme n'est usité que pour les articulations. Une disjonction peut survenir au niveau d'articulations peu mobiles comme la symphyse pubienne (zone de jonction entre les deux pubis) ou l'articulation sacro-iliaque (articulation réunissant les deux os iliaques et le sacrum). Elle est généralement due à un traumatisme (accident, par exemple). L'écartement entre les deux éléments de l'articulation, parfois très important, peut entraîner des lésions des organes abdominaux.

Le traitement d'une disjonction consiste en général à laisser l'articulation au repos, mais une intervention chirurgicale est parfois nécessaire. La disjonction de l'articulation sacro-iliaque, par exemple, qui survient le plus souvent en association avec des fractures du bassin, requiert une immobilisation prolongée, voire une intervention chirurgicale.

Disomie uniparentale

Anomalie caractérisée par le fait que deux chromosomes homologues proviennent d'un même parent alors que, normalement, les parents apportent chacun un des chromosomes homologues.

La disomie uniparentale permet notamment d'expliquer qu'une maladie dont la transmission est liée au sexe, comme l'hémophilie (affection héréditaire liée au chromosome X, transmise selon le mode récessif par les femmes aux seuls enfants mâles), puisse être transmise par un père à son fils, ce qui est, normalement, impossible.

Dispositif intra-utérin

→ VOIR Stérilet.

Disque intervertébral

Structure anatomique arrondie et plate, constituée de tissu cartilagineux, réunissant les vertèbres et jouant entre elles le rôle d'amortisseur.

Chaque disque intervertébral est formé d'une partie périphérique, l'annulus, puissant anneau de fibres qui adhère fortement aux vertèbres et assure la stabilité de la colonne vertébrale, et d'une partie centrale, gélatineuse et élastique, le nucleus pulposus, composée d'un liquide très visqueux sous pression, qui absorbe et répartit les chocs.

PATHOLOGIE

À la suite d'un accident ou d'efforts répétés, l'annulus peut se fissurer. Le lumbago aigu est dû à l'infiltration du nucleus dans cette fissure. Si le nucleus traverse toute l'épaisseur de l'annulus, il entraîne la formation d'une hernie discale pouvant déclencher, si une racine du nerf sciatique est comprimée, une sciatique. Chez l'enfant et l'adolescent, le nucleus peut perforer la plaque cartilagineuse d'une vertèbre et provoquer une hernie intraspongieuse.

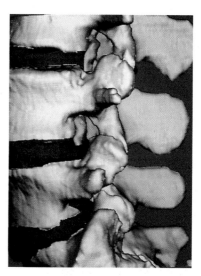

Disque intervertébral. *Chaque disque (en rouge) constitue une articulation entre deux vertèbres (en bleu). En jaune, les ligaments.*

Dissection

Opération qui consiste à séparer méthodiquement et à individualiser les différentes parties d'un organisme.

La dissection est avant tout la source de la connaissance anatomique. Pratiquée par les Grecs d'Alexandrie aux IVe et IIIe siècles avant J.-C., la dissection du corps humain fut peu en usage ailleurs. Les Romains y répugnaient. Pourtant, l'un des plus grands médecins de l'Antiquité, Galien, disséqua au IIe siècle après J.-C. de très nombreux corps d'animaux se rapprochant de celui de l'homme – singes essentiellement. Au Moyen Âge, la dissection passait pour sacrilège dans l'Occident chrétien. Il fallut attendre le début du XVIe siècle et la remise à l'honneur des travaux anatomiques parmi les savants pour qu'elle soit de nouveau, mais timidement, pratiquée. Elle devint courante au siècle suivant. Elle a bénéficié des techniques de conservation des corps et, plus récemment, des procédés de congélation des tissus et d'injection du réseau vasculaire par des substances colorées solidifiantes.

La dissection sert plus directement la thérapeutique lorsqu'il s'agit, au cours d'une intervention chirurgicale, de dégager un organe, par exemple le rein, des tissus avoisinants et, le cas échéant, d'adhérences, avec, en particulier, le repérage et l'isolement soigneux des artères, des veines et des nerfs qui en dépendent.

La dissection est aussi la technique utilisée pour isoler les organes lors d'une autopsie.

Dissection aortique

Rupture longitudinale de la média (tunique moyenne de la paroi artérielle) de l'aorte.
SYN. *anévrysme disséquant.*

Une dissection aortique survient souvent au tout début de l'aorte, après rupture de sa paroi interne au-dessus des valves sigmoïdes aortiques. L'arrivée du sang sous pression dans la paroi artérielle par cette déchirure contribue ensuite à étendre le clivage le long du vaisseau. Le sang retourne parfois dans l'aorte par un deuxième orifice de rupture situé plus loin. La dissection aortique aboutit à l'existence de 2 canaux : le vrai chenal, où le sang circule dans les conditions normales, et le faux, créé par la dissection de la paroi artérielle.

CAUSES

Il existe en général un terrain artériel particulier : sujets souffrant d'athérosclérose ou présentant des anomalies de constitution des fibres élastiques (maladie de Marfan), quand une hypertension artérielle sévère est installée depuis longtemps ou après un traumatisme thoracique important.

SYMPTÔMES ET SIGNES

Le malade se plaint de douleurs thoraciques d'apparition brutale, intenses, voire insupportables, dont le siège se déplace avec l'extension de la dissection.

DIAGNOSTIC ET ÉVOLUTION

Le diagnostic doit être fait rapidement, grâce à certains examens complémentaires comme la radiographie du thorax, l'échographie cardiaque, surtout par voie transœsophagienne, le scanner, l'artériographie ou l'imagerie par résonance magnétique (I.R.M.). Le risque principal est la rupture de l'artère disséquée dans le péricarde ou dans d'autres parties du thorax, avec hémorragie interne parfois foudroyante. L'hospitalisation en urgence est nécessaire.

TRAITEMENT

Il consiste à remplacer chirurgicalement la partie de l'aorte atteinte de dissection par une prothèse, en réimplantant au besoin les branches nées de la partie à remplacer sur la prothèse. Une autre technique repose sur l'emploi de colles spéciales, dites biologiques, pour ressouder les constituants de la paroi artérielle. Enfin, dans certaines localisations, la chirurgie n'est pas indispensable, le traitement de l'hypertension artérielle pouvant suffire à éviter l'extension de la dissection.

Dissimulation

Action par laquelle un sujet cherche délibérément à cacher à autrui un état ou un fait.

La dissimulation pathologique fait « bouclier » lors des relations du sujet avec autrui. En cela, elle s'apparente à la méfiance, à la dénégation, voire à la simulation. Pour éviter que soit découvert un symptôme jugé honteux (délire, idée fixe, rite névrotique, toxicomanie) ou se soustraire aux conséquences d'une transgression qu'il a commise (acte pervers, délinquance, etc.), le dissimulateur pratique l'évitement (il cherche à changer de sujet, répond à côté), l'échappatoire (il use de faux-fuyants, de justifications), la banalisation (il minimise l'impact de son acte), voire la pseudocritique de lui-même (il promet de s'amender). La dissimulation d'un projet suicidaire est fréquente chez les déprimés mélancoliques.

Distal

Se dit de la portion d'un élément anatomique la plus éloignée d'un organe de référence situé en amont du même appareil et, pour un membre, de la portion la plus éloignée du tronc.

Le mot s'emploie par opposition à proximal. L'intestin grêle distal (iléon) est le segment le plus éloigné de la bouche, organe situé en amont de l'appareil digestif. Les doigts sont la partie distale du membre supérieur (par rapport au tronc).

Distension abdominale

Augmentation du volume de l'abdomen.

Une distension abdominale peut n'être qu'un ballonnement, dû à un trouble fonctionnel, mais elle peut aussi témoigner d'une ascite (épanchement séreux dans le péritoine), d'une occlusion intestinale ou d'une tumeur abdominale. La grossesse entraîne une distension abdominale naturelle. La cause est recherchée par un examen clinique, une échographie, parfois une radiographie ou un scanner.

Distomatose

Maladie parasitaire de l'homme et des mammifères, due à l'infestation par une douve.

La douve est un ver plat de la classe des trématodes, ayant la forme d'une feuille, possédant deux ventouses et pouvant mesurer jusqu'à 3 centimètres de long.

On distingue, selon l'organe où se fixe le parasite, les distomatoses hépatiques, intestinales ou pulmonaires.

Distomatose hépatique

La distomatose hépatique, ou fasciolose, est une maladie parasitaire du foie, due à l'infestation par *Fasciola hepatica* (encore appelée grande douve du foie). Elle est fréquente en France chez les herbivores domestiques (vaches, moutons, etc.), plus rare chez l'homme, le cycle de reproduction du parasite nécessitant la présence de prairies humides, où paissent les herbivores, et d'un petit mollusque semi-aquatique, la limnée, commune dans les prairies d'Europe. Les étés et automnes chauds et humides sont donc favorables à l'expansion de la distomatose hépatique. L'homme se contamine en consommant de la salade crue comme le pissenlit, le cresson ou la mâche, cueillie dans les prairies.

SYMPTÔMES ET SIGNES

Après ingestion, la douve chemine de l'estomac vers le foie jusqu'aux voies biliaires. Dans les semaines qui suivent l'ingestion du parasite, le sujet a de la fièvre, des frissons et ressent des douleurs au foie. Surviennent également des poussées d'urticaire et parfois des gonflements des articulations. Le passage de la douve dans les voies biliaires provoque un ictère, des douleurs du foie plus aiguës, des coliques hépatiques et une inflammation des voies biliaires et de la vésicule.

DIAGNOSTIC

Lors des premiers symptômes, l'infestation est diagnostiquée par des examens sérologiques et sanguins, qui révèlent une hyperéosinophilie (augmentation d'une variété de leucocytes témoignant d'une infestation parasitaire). La présence des œufs de douve dans les selles ou dans le liquide biliaire, obtenu par tubage duodénal, confirme le diagnostic.

TRAITEMENT ET PRÉVENTION

Le traitement nécessite une hospitalisation et consiste en l'administration d'émétine. La prévention repose sur la consommation de cresson et de mâche de production exclusivement industrielle ; le pissenlit doit être soigneusement lavé, et il ne faut pas le cueillir dans les prairies où paissent des vaches ou des moutons.

Distomatoses intestinales

Ce sont des maladies parasitaires de l'intestin grêle, fréquentes en Extrême-Orient et en Égypte, dues à l'infestation par *Fasciolopsis buski* en Asie du Sud-Est, en Chine et aux Indes, par *Heterophyes heterophyes* dans ces mêmes régions ainsi qu'au Proche-Orient et en Égypte, et par *Metagonimus* en Extrême-Orient. Les douves responsables de distomatoses intestinales infestent l'homme, le porc, le chat, le chien et certains oiseaux aquatiques. Cette parasitose se contracte par ingestion de végétaux ou de poissons crus infestés.

SYMPTÔMES ET SIGNES

La distomatose intestinale se manifeste par des douleurs abdominales et une diarrhée chronique avec élimination de glaires et de sang. Le sujet maigrit progressivement et ressent une grande fatigue.

Le diagnostic repose sur l'examen microscopique des selles, qui révèle la présence d'œufs de douves. Ces distomatoses sont traitées par administration de praziquantel ou de niclosamide. La prévention repose sur la cuisson des poissons d'eau douce et des végétaux avant consommation.

Distomatose pulmonaire

La distomatose pulmonaire, ou paragonimose, est une maladie parasitaire des poumons due à l'infestation par une douve du genre *Paragonimus,* qui sévit en Afrique, en Amérique intertropicale et, surtout, en Asie du Sud-Est. Elle s'implante dans les bronches de l'homme et de nombreux animaux sauvages et domestiques : félins, rongeurs, porc, chien, etc. Son cycle de reproduction nécessite la présence d'eau douce et de certains mollusques aquatiques.

La contamination s'effectue par ingestion d'écrevisses ou de crabes crus. Les vers se logent dans les bronches, qui se dilatent jusqu'à former une cavité. Des parasites peuvent s'égarer sous la peau, parfois dans le cerveau, provoquant alors un abcès.

L'infestation se traduit par des douleurs thoraciques et une toux rebelle. Le sujet peut parfois cracher du sang.

DIAGNOSTIC

La radiographie des poumons permet de constater la présence de cavités juxtaposées en anneaux olympiques. L'examen microscopique des crachats ou des selles montre les œufs de douves caractéristiques.

TRAITEMENT ET PRÉVENTION

Le praziquantel est efficace. Par prudence, il vaut mieux éviter de consommer des crustacés crus ou de boire une eau de provenance douteuse, non traitée, dans les régions du monde mentionnées ci-dessus.

Disulfirame

Médicament utilisé dans la prévention des rechutes de l'alcoolisme chronique.

Le disulfirame est indiqué quand un alcoolique chronique qui a été sevré désire une aide pour ne pas récidiver. En effet, si le malade boit de l'alcool après l'ingestion du médicament, le disulfirame provoque un effet, dit antabuse, qui se caractérise par un malaise, une rougeur et une chaleur du visage, des maux de tête, des sueurs et des vomissements.

Le disulfirame se prend par voie orale. Il existe également sous forme d'implants (comprimés à implanter sous la peau de l'abdomen). Le patient doit être surveillé lorsqu'il est sous traitement, car l'effet antabuse peut être violent en cas d'ingestion d'une quantité importante d'alcool.

Diurèse

Volume d'urine sécrété par les reins pendant une période de temps donnée.

La diurèse n'est pas forcément équivalente au volume de l'urine évacuée lors des mictions, car celle-ci peut s'accumuler dans la vessie et ne pas être excrétée en raison d'un dysfonctionnement de la vidange vésicale. L'étude et la mesure de la diurèse à intervalles rapprochés, par exemple toutes les heures, après l'administration de certains médicaments (diurétiques, notamment) permettent de surveiller des états pathologiques graves (tel l'œdème pulmonaire aigu dans l'insuffisance ventriculaire gauche).

La diurèse varie d'un individu à l'autre et chez le même individu, essentiellement en fonction des volumes d'eau ingérés. On estime que la diurèse normale d'un adulte se situe entre 0,5 et 3 litres par 24 heures.

Diurétique

Médicament augmentant l'excrétion urinaire de l'organisme, utilisé dans le traitement de l'hypertension artérielle et des œdèmes.

FORMES PRINCIPALES

Il existe trois types de diurétiques, qui agissent chacun sur un segment du néphron (unité fonctionnelle du rein) : les diurétiques thiazidiques (bendrofluméthiazide, chlortalidone, clopamide, hydrochlorothiazide, xipamide), les diurétiques de l'anse (bumétanide, furosémide) et les diurétiques d'épargne potassique (amiloride, triamtérène, antialdostérones tels que le canrénoate de potassium et la spironolactone). Le mécanisme d'action général des diurétiques consiste à favoriser l'élimination des ions du plasma sanguin (surtout le sodium et le chlore), provoquant un phénomène d'osmose qui entraîne dans l'urine l'eau du plasma sanguin.

INDICATIONS ET CONTRE-INDICATIONS

Les principales indications des diurétiques sont l'hypertension artérielle et les œdèmes dus à une insuffisance cardiaque, à une maladie rénale ou à une cirrhose hépatique. L'emploi des médicaments diurétiques dans les régimes amaigrissants n'a pas d'efficacité réelle : il provoque une perte d'eau, parfois néfaste, mais aucune perte de graisse.

Les contre-indications et interactions médicamenteuses sont très nombreuses et varient selon les produits. Ainsi, les diurétiques, sauf ceux de l'anse, sont contre-indiqués en cas d'insuffisance rénale et incompatibles avec les anti-inflammatoires.

MODE D'ADMINISTRATION

L'administration est habituellement orale. Les diurétiques de l'anse existent aussi sous forme injectable pour les cas d'urgence.

EFFETS INDÉSIRABLES

Outre l'aggravation d'une insuffisance rénale, les diurétiques peuvent avoir pour effet indésirable des anomalies des taux des ions sanguins (baisse du sodium, augmentation ou diminution du potassium), un diabète, des réactions allergiques. Les diurétiques de l'anse entraînent parfois une surdité, réversible en cas d'arrêt rapide du traitement.

Diverticule

Cavité naturelle ou pathologique communiquant avec un organe creux.

L'appendice est un diverticule naturel de l'organisme. Parmi les diverticules pathologiques, on observe des diverticules digestifs et des diverticules urinaires. Les premiers peuvent être pharyngés (diverticules de Zenker), œsophagiens, duodénaux, jéjuno-

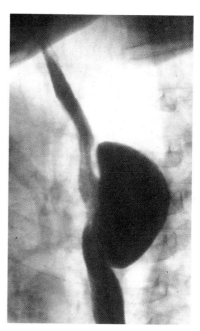

Diverticule. *Cette protubérance sombre, en bas, à droite, représente un volumineux diverticule formé en arrière de l'œsophage.*

iléaux et, cas le plus fréquent, coliques. Dans l'appareil urinaire, il peut s'agir de diverticules caliciels, vésicaux ou urétraux. Les diverticules pathologiques peuvent avoir une origine congénitale, traumatique ou infectieuse, ou être la conséquence d'un obstacle sur les voies digestives ou urinaires. Souvent sans symptômes apparents, ils peuvent gêner par leur volume, s'infecter ou se rompre. On pratique leur ablation chirurgicale lorsqu'ils entraînent de telles complications.

Diverticulite

Inflammation d'un ou de plusieurs diverticules.

La diverticulite est une complication de la diverticulose, qui atteint principalement le côlon sigmoïde. On parle également dans ce cas de sigmoïdite diverticulaire.

Diverticulose colique

Anomalie du côlon qui consiste en la présence de diverticules dans la paroi de celui-ci, la muqueuse colique réalisant une petite hernie en passant à travers la couche musculaire.

La fréquence des diverticuloses augmente avec l'âge : 80 % d'entre elles sont observées après 50 ans. Dans une population de plus de 70 ans, de 30 à 40 % des sujets sont porteurs de diverticules.

CAUSE

Elle tient certainement à l'alimentation. En effet, pratiquement inconnue au sein des populations dont l'alimentation est riche en fibres alimentaires, l'anomalie est très fréquente dans les pays industrialisés habitués à un régime pauvre en résidus.

DIVERTICULE COLIQUE

C'est le grand nombre des diverticules qui caractérise la diverticulose. Chaque diverticule creuse dans la paroi du côlon une poche qui fait saillie sur sa face externe. L'examen radiographique permet de les localiser.

Sur une radiographie avec opacification barytée, les diverticules, qui retiennent la baryte, forment des masses noires arrondies, particulièrement visibles en bordure du côlon.

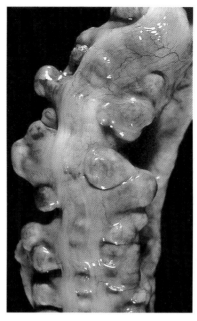

Les diverticules, bien visibles en saillie sur la paroi de cette pièce anatomique obtenue par dissection chirurgicale, sont très nombreux et exceptionnellement volumineux.

SYMPTÔMES ET ÉVOLUTION

Les diverticules, en nombre variable, ont la taille d'un noyau de cerise. Dans 80 % des cas, ils siègent au niveau du sigmoïde (dernier segment du côlon), mais peuvent se rencontrer en n'importe quel point du côlon. La plupart des diverticuloses sont sans symptômes et sans complications. Leur diagnostic repose sur l'examen clinique, la radiologie et la coloscopie. Les complications, rares, se produisent essentiellement dans les diverticuloses du sigmoïde. La sigmoïdite diverticulaire, ou diverticulite, est la plus fréquente ; elle se traduit par une douleur vive à gauche de l'abdomen, avec troubles du transit et fièvre, et régresse le plus souvent sous traitement antibiotique, mais peut aussi entraîner une péritonite par perforation, une occlusion, un abcès ou une pseudotumeur inflammatoire. La fistulisation (formation d'un canal infectieux) dans la vessie est possible. Plus rarement, les diverticules peuvent donner lieu à des hémorragies. En revanche, la diverticulose ne prédispose pas au cancer du côlon.

TRAITEMENT

Il fait appel à un régime riche en fibres. Les médicaments sont peu utilisés, sauf en cas de diverticulite, où l'antibiothérapie s'impose. La répétition des crises de diverticulite, les abcès, les pseudotumeurs et les fistules imposent un traitement chirurgical : c'est la résection (ablation d'un segment et abouchement des parties restantes) du sigmoïde. Effectuée en période d'infection, elle comporte en général deux temps : colostomie avec établissement d'un anus artificiel transitoire, puis abouchement des segments coliques, après traitement antibiotique. En l'absence d'infection, elle se fait en un seul temps, avec rétablissement immédiat de la continuité colique.

Division cellulaire

Processus au cours duquel une cellule mère se divise pour donner naissance à deux cellules filles.

La division cellulaire permet la reproduction des organismes unicellulaires ainsi que la croissance des organismes pluricellulaires.

DIFFÉRENTS TYPES DE DIVISION CELLULAIRE

On distingue deux grands types de division cellulaire : la méiose et la mitose. La méiose donne naissance à des cellules filles différentes, chacune ne contenant qu'une moitié du stock génétique de la cellule mère. Ce type de division cellulaire ne se produit chez l'homme que dans les ovaires et les testicules ; il donne naissance aux gamètes (spermatozoïdes et ovules). La mitose conduit, en revanche, à la formation de deux cellules filles identiques en tous points à la cellule mère, exception faite de la taille.

■ **La méiose** a un déroulement complexe. Globalement, on peut la considérer comme une succession de deux mitoses. Au cours de la première, le nombre de chromosomes reste dans les cellules filles le même que dans la cellule mère. Puis, chacune des deux cellules filles subit à son tour une division, au cours de laquelle son stock chromosomique est divisé par deux. On passe donc d'une cellule diploïde (à 2n chromosomes) à quatre cellules haploïdes (à n chromosomes). Chaque ovule formé dans l'ovaire et chaque spermatozoïde formé dans le testicule possèdent un contenu chromosomique spécifique. La réunion, lors de la fécondation, d'un ovule et d'un spermatozoïde redonnera une cellule diploïde.

■ **La mitose** se déroule toujours, à quelques variations près, de la même façon chez tous les êtres vivants.

Elle s'effectue en quatre phases distinctes :
– la prophase se caractérise par une condensation progressive, puis par un dédoublement des chromosomes dans le noyau de la cellule, suivi par la désagrégation de l'enveloppe nucléaire ;
– la métaphase voit la formation d'un fuseau, dit fuseau achromatique, le long duquel viennent se ranger les chromosomes ;
– l'anaphase se caractérise par la séparation des chromosomes en deux groupes égaux, chacun tiré par les fibres du fuseau vers les deux pôles de la cellule ;
– la télophase marque la fin de la mitose, avec la formation de deux nouveaux noyaux et la séparation de la cellule mère en deux cellules filles.

Dizygote

Se dit de jumeaux provenant de deux œufs (zygotes) différents. SYN. *bivitellin*.

Les jumeaux dizygotes, couramment appelés faux jumeaux, sont issus de la fécondation de deux ovules distincts par deux spermatozoïdes distincts. Ils ont donc un patrimoine génétique différent et peuvent, au contraire des vrais jumeaux (homozygotes), ne pas se ressembler et ne pas être du même sexe.

Doigt

Chacun des cinq appendices indépendants et articulés qui forment l'extrémité de la main. (P.N.A. *digitus manus*)

Les doigts sont les organes essentiels de la préhension, grâce au mouvement de pince qui permet d'opposer le pouce à n'importe lequel des quatre autres doigts. Chaque doigt long (index, médius ou majeur, annulaire, auriculaire) comporte trois segments : la phalange, la phalangine et la phalangette ; le pouce n'en comporte que deux. La phalangette, qui supporte l'ongle et l'extrémité du doigt, est très richement innervée, notamment la pulpe, et permet une grande finesse tactile. La mobilité des doigts est assurée grâce à de nombreux tendons (fléchisseurs, extenseurs) et à de petits muscles fins de la main.

PATHOLOGIE

■ **Les plaies** des doigts sont très fréquentes. Il vaut toujours mieux consulter un médecin pour s'assurer de l'absence de lésions profondes des éléments importants des doigts, tels que tendons, nerfs ou muscles. Alors que les plaies graves des tendons se reconnaissent au manque de mobilité du doigt, une plaie partielle peut n'entraîner aucune gêne mais favoriser, si elle n'est pas soignée, une rupture plus tardive du tendon lésé.

■ **Les fractures** du doigt demandent le plus souvent un traitement orthopédique. Les articulations des doigts peuvent aussi être le siège de luxations et d'entorses.

■ **Les infections** de la pulpe du doigt telles que le panaris ou la tourniole (panaris superficiel ayant tendance à faire le tour de l'ongle) sont généralement dues à une bactérie qui pénètre dans la peau après une coupure ou une piqûre.

■ **Les maladies** touchant les doigts sont nombreuses. Ainsi, la maladie de Dupuytren est une affection d'origine inconnue, qui se manifeste par la rétraction de l'aponévrose palmaire avec flexion progressive et irréductible de certains doigts. De même, les maladies rhumatismales atteignent souvent les doigts, entraînant parfois des déformations très importantes (polyarthrite rhumatoïde). Les doigts peuvent également être le siège de tumeurs des tissus mous ou des os. La plus fréquente, le chondrome, est une tumeur bénigne formée de tissu cartilagineux.

■ La section d'un doigt nécessite une réimplantation en urgence. Dans l'immédiat, il est essentiel d'envelopper le doigt coupé dans une compresse propre et de le poser sur de la glace (et non pas dans la glace, où il pourrait geler).

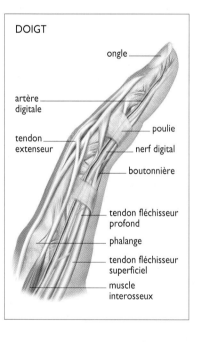

DOIGT

ongle

artère digitale

poulie

tendon extenseur

nerf digital

boutonnière

tendon fléchisseur profond

phalange

tendon fléchisseur superficiel

muscle interosseux

Doigt à ressort
Blocage d'un doigt en position repliée.

Un doigt à ressort est provoqué le plus souvent par un nodule du tendon fléchisseur, qui gêne le glissement du tendon à l'intérieur de sa gaine synoviale, ou parfois par une inflammation de la gaine du tendon. On peut redresser un doigt à ressort par une traction douce, qui le libère alors brusquement.

Une injection locale de corticostéroïdes assure le plus souvent la guérison. Plus rarement, une intervention chirurgicale est nécessaire pour libérer le tendon.

Doigtier
Fourreau en caoutchouc ou en matière plastique, en forme de doigt de gant, permettant de protéger un doigt infecté ou blessé, ou employé par les médecins pour pratiquer divers examens, notamment les touchers vaginal et rectal.

Le doigtier, conditionné en sachets stériles, est à usage unique et jetable.

Dolichocéphale
Se dit d'un crâne de forme allongée, plus grand dans le sens longitudinal que dans le sens latéral.

Le type dolichocéphale s'oppose au type brachycéphale (crâne aussi large que long). Il se rencontre en particulier chez les Nordiques, les Méditerranéens et certaines ethnies noires.

Dolichocôlon
Côlon particulièrement long.

En réalité, on ne connaît pas de critères objectifs permettant de déterminer la longueur normale du côlon. Le dolichocôlon n'est pas héréditaire et, contrairement à une opinion fréquemment répandue, il n'est responsable d'aucune manifestation pathologique et ne requiert aucun traitement particulier.

Dolto (Françoise)
Neuropsychiatre et psychanalyste française (Paris 1908 – id. 1988).

Françoise Dolto s'est spécialisée très tôt dans la psychanalyse des enfants, comme en témoigne sa thèse de médecine *Psychanalyse et Pédiatrie* (1939). Collaboratrice de Jacques Lacan, elle s'est fait connaître d'un large public grâce à ses analyses ainsi qu'à des émissions de radio, des ouvrages et de nombreux articles exposant ses idées sur le développement psychoaffectif de l'enfant, en mettant notamment l'accent sur l'autonomie de celui-ci.

Dominant
Se dit d'un caractère génétique (ou, par extension, du gène qui le porte) qui se manifeste lorsqu'il est présent dans le caryotype d'un sujet sur un seul des deux chromosomes homologues.

Dans les cellules, chaque chromosome existe en deux exemplaires, et il arrive très fréquemment qu'un gène se présente sous deux versions différentes (allèles) sur chacun des deux chromosomes. Quand c'est le cas, les deux versions entrent en compétition pour s'exprimer. Si elles sont de force inégale, seule l'une d'elles s'exprime dans l'apparence de l'individu : elle est alors dite dominante (allèle dominant), l'autre étant qualifiée de récessive. Ainsi, chez les plantes, la compétition entre un allèle « couleur rouge » dominant et un allèle « couleur blanche » récessif donnera une fleur de couleur rouge.

Quand une maladie génétique est à transmission dominante, il suffit qu'un sujet ait reçu de l'un de ses parents un chromosome porteur de l'allèle dominant pour que la maladie se manifeste chez lui.

Donneur universel
Sujet pouvant donner son sang à un individu de n'importe quel groupe sanguin du système ABO.

Seuls les sujets du groupe O sont dits donneurs universels ; en effet, leur sang ne contient ni l'antigène A ni l'antigène B ; leurs globules sont donc compatibles avec tous les groupes sanguins ABO.

Toutefois, un donneur universel ne l'est que dans le système ABO ; les règles de sécurité transfusionnelles liées au système Rhésus et aux agglutinines irrégulières restent applicables lors de la transfusion de son sang.

Donovanose
Infection cutanée habituellement transmise par voie sexuelle.

La donovanose n'a de fréquence notable que dans les pays tropicaux et affecte surtout les sujets âgés de 20 à 30 ans. La cause de cette affection est bactérienne : la seule transmission démontrée s'effectue par voie sexuelle, mais une transmission non sexuelle par les selles serait possible. L'incubation dure de quelques jours à plusieurs mois. Le signe de la maladie est une petite élevure rouge vif et indolore, qui s'ulcère en saignant. Elle peut siéger sur le gland du pénis, sur les grandes lèvres de la vulve, dans la région de l'aine, du pubis ou de l'anus. Le traitement repose sur l'administration, par voie orale, d'antibiotiques du groupe des tétracyclines ou des macrolides.

Dopage
Utilisation de dopants, substances permettant d'augmenter de manière artificielle les performances sportives d'un individu.

Le plus souvent, les dopants sont des médicaments détournés de leur usage normal : stimulants (amphétamines, caféine), analgésiques, hormones (anabolisants, hormones de croissance, corticostéroïdes), bêtabloquants. Ils permettent selon les cas de diminuer la fatigue, d'augmenter le volume et la force musculaires, ou encore d'atténuer les sensations douloureuses du sujet.

Leurs effets indésirables, nombreux et graves, varient selon la nature des substances. Ils peuvent être d'ordre cardiovasculaire (mort subite pendant la compétition, hémorragie cérébrale, hypertension artérielle), tumoral (tumeurs du foie, de la prostate), hormonal et génital (stérilité, impuissance chez l'homme, virilisation chez la femme), osseux ou traumatique (arrêt de la croissance chez un adolescent, fractures, ruptures tendineuses).

La liste des substances dopantes dont l'usage est interdit dans les compétitions est fixée par chacune des fédérations sportives, qui, en fait, adoptent souvent la liste établie par le Comité international olympique. Des contrôles antidopage sont régulièrement effectués lors de compétitions ou d'entraînements, par des médecins assermentés. Certains athlètes, tirés au sort parmi les concurrents, doivent se soumettre aux analyses d'urine et déclarer d'éventuels traitements médicaux en cours. En cas de tests positifs, ils sont sanctionnés par le Comité de lutte antidopage.

Dopamine
Neurotransmetteur du groupe des catécholamines, précurseur de la noradrénaline, jouant dans le cerveau un rôle fondamental pour le contrôle de la motricité et utilisé en thérapeutique pour son action stimulante sur le système cardiovasculaire.

La dopamine est synthétisée par certains neurones dits dopaminergiques. Ceux-ci sont localisés dans des centres nerveux précis (hypothalamus, locus niger, corps striés) intervenant dans la commande de la motricité. Ces centres sont reliés par différentes voies, dont la voie nigrostriée qui relie le locus niger et le striatum.

PATHOLOGIE

La diminution de dopamine dans l'encéphale, due à la dégénérescence des neurones dopaminergiques de la voie nigrostriée, est responsable des symptômes qui caractérisent la maladie de Parkinson. D'autres troubles, comme le syndrome parkinsonien provoqué par les neuroleptiques, sont également imputables au dysfonctionnement des mécanismes dopaminergiques.

UTILISATION THÉRAPEUTIQUE

La dopamine est utilisée à des fins thérapeutiques pour des propriétés qu'elle a peu à l'état naturel. En effet, utilisée comme médicament, elle se diffuse dans l'ensemble de l'organisme, et non dans le seul système nerveux. Elle possède une action dite inotrope positive (augmentation de la force de contraction du cœur), et c'est alors un médicament d'urgence en cas d'état de choc cardiogénique, infectieux, hypovolémique ou traumatique. Son administration, par voie intraveineuse, est réservée à des médecins spécialistes, réanimateurs et cardiologues. La dopamine peut provoquer des nausées, des vomissements, des crises d'angor par ralentissement de la circulation dans les artères coronaires, des troubles du rythme cardiaque.

Doppler (examen)

Examen utilisant les ultrasons pour mesurer la vitesse de la circulation sanguine. SYN. *vélocimétrie Doppler*.

INDICATIONS

L'examen Doppler est principalement prescrit en cardiologie (affections du cœur, des artères et des veines) et en neurologie (affections du cerveau).

■ L'examen Doppler **cardiaque** permet l'étude des mouvements du sang entre les diverses cavités cardiaques. Il est demandé lorsqu'on soupçonne une anomalie des cavités, des valvules, des parois du cœur ou de son fonctionnement. Il permet de diagnostiquer des communications anormales entre les oreillettes ou les ventricules, et d'évaluer l'importance d'anomalies de fonctionnement des valves cardiaques (rétrécissement ou insuffisance valvulaire).

■ L'examen Doppler **transcrânien** permet l'étude des mouvements du sang dans les artères intracérébrales, à travers les os du crâne.

■ L'examen Doppler **vasculaire** permet l'étude des mouvements du sang dans les artères ou les veines de l'organisme. Par exemple, l'examen Doppler des artères carotides, qui irriguent le cerveau, peut amener à diagnostiquer chez un patient victime de pertes de connaissance ou de paralysies transitoires un rétrécissement ou une occlusion d'un vaisseau. Il permet également l'analyse d'une artériopathie des membres inférieurs et la recherche d'une phlébite.

TECHNIQUE

Il existe différentes techniques correspondant à différents types d'appareil : Doppler continu (émission permanente d'un faisceau d'ultrasons), Doppler pulsé (brèves impulsions ultrasonores), Doppler couleurs (Doppler pulsé muni d'un système de codage couleurs, le sens et la vitesse du flux sanguin étant représentés par une couleur arbitraire). Par ailleurs, on associe fréquemment l'examen Doppler à une autre méthode utilisant aussi les ultrasons, l'échotomographie (échographie bidimensionnelle donnant une image en coupe de l'organe exploré) : c'est ce que l'on appelle parfois échographie Doppler ou écho-Doppler.

Une sonde émet des ultrasons qui se réfléchissent sur les globules rouges puis sont recueillis par un récepteur situé sur la même sonde. Il se produit un effet Doppler : la fréquence des ondes réfléchies dépend de la vitesse des globules rouges (elle augmente avec la vitesse) et permet donc de mesurer cette dernière. L'appareil émet un son d'autant plus aigu que la vitesse est rapide, et surtout il fournit un graphique sur écran de télévision ou sur papier. Le couplage avec l'échographie permet de visualiser la forme de la structure anatomique examinée (artère, cœur), vue en coupe, en même temps que le flux sanguin qui la traverse. L'utilisation de divers types de sondes et de fréquences variées permet d'étudier des structures vasculaires plus ou moins profondes.

DÉROULEMENT

L'examen Doppler ne nécessite ni préparation particulière, ni anesthésie, ni hospitalisation ; il est indolore. La région examinée est dévêtue, et le médecin pose sur la peau une sonde en forme de crayon, puis la déplace, parallèlement au trajet de l'artère étudiée, par exemple. Aucune surveillance n'est nécessaire après l'examen, qui n'entraîne aucun effet secondaire.

Dorsal

Qui se rapporte à la région du dos ou au revers de certains organes et de certaines régions du corps.

EXAMEN DOPPLER

Pratiqué en cabinet ou à l'hôpital, l'examen Doppler permet de détecter les rétrécissements des artères ou des veines, les anomalies des mouvements des valvules du cœur, et même les troubles du rythme cardiaque chez le fœtus. Son interprétation est délicate.

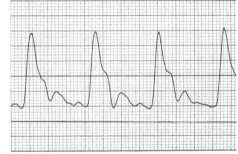

Chacun des pics correspond à une accélération du flux sanguin, provoquée par une contraction du cœur.

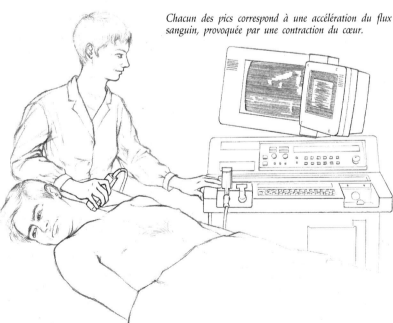

Un élément anatomique dorsal est situé dans le dos, entre les épaules et le bord supérieur du bassin. Toutefois, ce terme s'applique également à d'autres régions de l'organisme : la face dorsale de la main est sa face postérieure, opposée à la paume ; la face dorsale du pied est sa face supérieure, opposée à la plante ; la face dorsale de la langue est sa face supérieure.

■ **Les vertèbres dorsales,** au nombre de 12, sont précédées des vertèbres cervicales et sont suivies par les vertèbres lombaires. Elles font partie de la paroi postérieure de la cage thoracique et servent de soutien et de points d'articulation aux côtes.

■ **Les muscles grands dorsaux** sont deux muscles larges et aplatis qui recouvrent toute la partie inférieure du dos, puis se dirigent en se rétrécissant vers l'humérus. Lorsqu'ils prennent leur appui dans le dos, ils servent à ramener puissamment les bras vers le bas, et lorsqu'ils prennent leur appui sur l'humérus (le sujet s'accrochant à une barre par la main), ils servent à soulever le tronc.

■ **Les muscles longs dorsaux** sont deux muscles longs et étroits placés de chaque côté de la colonne vertébrale, qui s'étendent du bassin au cou. Ils font partie d'un ensemble de muscles qui maintiennent la colonne vertébrale. La contraction de l'un d'entre eux permet d'incliner latéralement la colonne vertébrale. La contraction des deux muscles longs dorsaux permet de relever la colonne vertébrale lorsqu'elle est penchée en avant.

Dorsalgie

Douleur du rachis dorsal.

Dans le langage médical, le terme « dos » désigne seulement la région de la colonne vertébrale appelée rachis dorsal, qui s'étend des épaules jusqu'à la taille, c'est-à-dire la région caractérisée par les douze vertèbres dorsales sur lesquelles s'articulent les côtes. Ainsi, de nombreux adultes et sujets âgés se plaignent de douleurs du dos alors que la plupart de ces douleurs concernent en réalité le rachis cervical bas ou le rachis dorsolombaire, plutôt que le rachis dorsal stricto sensu. Les dorsalgies, au sens propre, s'observent avec une fréquence nettement plus élevée chez les sujets travaillant dans l'industrie lourde.

Les causes des dorsalgies sont multiples : dégénératives (arthrose), inflammatoires (arthrite), mécaniques, liées à une mauvaise posture (cyphoscoliose) ou à une ostéoporose (raréfaction du tissu osseux) postménopausique ou sénile, ou traumatiques (fracture). Cependant, même si l'on invoque parfois des lésions osseuses, érosives ou ligamentaires, de nombreuses douleurs dorsales n'ont pas de causes évidentes : tel est le cas des dorsalgies dites essentielles, qui touchent les jeunes femmes et qui sont l'expression d'un état dépressif masqué.

TRAITEMENT ET PRÉVENTION
Le traitement des dorsalgies dépend de leur cause. Il repose essentiellement sur les analgésiques, les anti-inflammatoires et la kinésithérapie. Leur prévention fait appel au maintien d'une posture et d'une musculature rachidiennes correctes, ainsi qu'à l'adaptation ergonomique de certains postes de travail (sièges adaptés, par exemple).

Dos

→ VOIR Dorsalgie, Rachis.

Dosage biologique

Mesure de la concentration d'une substance dans un liquide de l'organisme.

Un dosage biologique est indiqué soit pour confirmer ou compléter un diagnostic, soit pour surveiller une maladie connue. Le liquide prélevé peut être naturel (sang, urine, liquide céphalorachidien) ou pathologique (épanchement dans la plèvre, le péritoine, une articulation).

DIFFÉRENTS TYPES DE DOSAGE BIOLOGIQUE
Outre les dosages fréquents de substances naturelles telles que l'albumine, le calcium, le cholestérol, le glucose, le sodium, on peut distinguer trois types de dosage plus récents : les dosages médicamenteux, les dosages hormonaux et les dosages immunologiques.

■ **Le dosage de certains médicaments dans le sang** connaît un développement. Les produits concernés sont déjà nombreux. Il s'agit notamment des digitaliques, destinés au traitement de l'insuffisance cardiaque, des antiépileptiques, des théophyllines, utilisées dans le traitement de l'asthme, ou encore des antibiotiques. On peut ainsi diagnostiquer un surdosage dangereux, mais surtout régler la posologie d'après les résultats de dosages réguliers pour avoir l'efficacité maximale et le minimum de risque.

■ **Le dosage des sécrétions hormonales dans le sang** se fait à partir d'un prélèvement simple ou grâce à des tests, plus spécialisés mais plus précis : ainsi, au cours d'un test de stimulation, on injecte une substance stimulant une glande, puis on vérifie dans le prélèvement que la concentration sanguine de l'hormone correspondante a bien augmenté. Au cours d'un test de freinage, on injecte une substance qui doit inhiber la glande avant de contrôler la baisse de la concentration de l'hormone concernée. La gynécologie et l'obstétrique font partie des spécialités médicales qui ont le plus bénéficié des dosages hormonaux. Les dosages sanguins de l'œstradiol, de la progestérone, des hormones hypophysaires (hormones folliculostimulante et lutéinisante commandant l'ovaire, prolactine) et les tests de stimulation sont indispensables pour compléter le diagnostic d'une puberté précoce, d'une aménorrhée (absence des règles), de troubles du cycle menstruel, d'anomalies de l'ovulation, d'une insuffisance en progestérone et de tumeurs de l'ovaire ou de l'hypophyse. Les dosages sont également utilisés pour suivre le traitement d'une stérilité par stimulation médicamenteuse de l'ovaire. Enfin, le dosage dans le sang et dans les urines de l'hormone chorionique gonadotrophique (H.C.G.) est une information primordiale pour le diagnostic de grossesse, y compris pour celui d'une éventuelle grossesse extra-utérine.

■ **Les dosages immunologiques dans le sang** servent à détecter la présence et à mesurer la concentration d'anticorps et/ou d'antigènes ou de marqueurs tumoraux (anticorps ou antigènes élaborés par certaines tumeurs malignes). Ces dosages témoignent de l'existence de maladies infectieuses (sérologie de l'herpès, des hépatites B et C ou du sida), de maladies auto-immunes ou de système (dosage des anticorps antinucléaires du lupus érythémateux disséminé), ou de certains cancers (dosage des antigènes carcinoembryonnaires de certains cancers digestifs).

TECHNIQUE ET EFFETS SECONDAIRES
La technique du prélèvement, en dehors de l'examen courant des urines recueillies dans un bocal, fait appel à la ponction avec une aiguille creuse ou un trocart (instrument en forme de poinçon), montés sur une seringue ou sur un tube et introduits à travers la peau. Il n'y a pas de préparation particulière pour un simple prélèvement de sang, pratiqué dans une grosse veine superficielle du coude ; une anesthésie locale peut être requise dans certains autres cas (prélèvement de liquide céphalorachidien, d'épanchements divers).

Les effets secondaires possibles sont les suivants : malaise, impressionnant mais bénin, hémorragie par piqûre d'un vaisseau, blessure d'organe, risque d'infection.

RÉSULTATS
Les résultats des dosages biologiques sont le plus souvent quantitatifs, c'est-à-dire présentés sous forme de chiffres. Il arrive qu'ils soient exprimés d'une manière semi-quantitative, approximative, par de une à cinq croix. En ce qui concerne les unités utilisées, deux systèmes coexistent souvent : les unités anciennes et les unités du système international (S.I.) adapté à la médecine, dans lequel le mètre cube, par exemple, est remplacé par le litre. Ainsi, la concentration du glucose sanguin est mentionnée couramment en grammes par litre (unité ancienne), alors qu'elle devrait être indiquée en millimoles par litre (système international). En raison des variations possibles entre laboratoires, les valeurs considérées comme normales par un laboratoire sont précisées à côté des résultats de chaque examen.

Dosimétrie

Mesure des rayonnements ionisants.

Les rayonnements ionisants sont susceptibles d'entraîner des effets néfastes pour l'organisme (mutation cellulaire, dégénérescence maligne, anémie, leucémie). Quantifiés par les physiciens et les biologistes, ils présentent le même risque, que leurs origines soient militaires, civiles ou médicales. Ainsi, bien que la radiologie médicale contribue largement au diagnostic des maladies et à leur traitement, le risque lié aux rayonnements existe : un sujet (patient, mais surtout radiologiste) ne doit pas être exposé à une trop grande quantité de rayons X dans un temps donné. C'est pourquoi il est nécessaire de surveiller et de mesurer le rayonnement reçu par les personnels en radiologie

lors des radiographies médicales à l'aide d'un dosimètre, petit appareil de mesure qu'ils portent sur eux. Chaque dosimètre est régulièrement contrôlé par des services spécialisés, afin de vérifier le non-dépassement des doses légalement autorisées.
→ VOIR Radioprotection.

Double aveugle (essai en)

Méthode comparative de l'efficacité de deux thérapeutiques, ou d'un nouveau médicament et d'un placebo.

Un essai en double aveugle requiert la participation de deux groupes de patients. Le produit testé est conditionné de la même façon que le médicament utilisé comme référence ou le placebo. Le médecin prescrit aux patients un des deux produits sans avoir ni donner connaissance de sa nature. Lorsque l'expérimentation est terminée, on analyse les résultats et on vérifie, en cas d'amélioration, à quel produit elle est due.

Douglas (cul-de-sac de)

Point le plus bas de la cavité péritonéale (formée par le péritoine, membrane séreuse qui tapisse la cavité abdominale), situé, chez la femme, entre le vagin et le rectum, et, chez l'homme, entre la vessie et le rectum. (P.N.A. *excavatio recto-uterina*)

Le cul-de-sac de Douglas est accessible par les touchers rectal et vaginal ; sa palpation permet de percevoir un épanchement intrapéritonéal, un abcès ou une tumeur solide. En cas d'abcès, la palpation peut être très douloureuse. La localisation d'un épanchement peut être confirmée par l'échographie, et une ponction préciser sa nature. Chez la femme, le drainage du cul-de-sac par le vagin se nomme colpotomie. Chez l'homme, le drainage se fait à travers la paroi antérieure du rectum (rectotomie). On appelle élytrocèle le prolapsus (descente d'organe) réalisé par une hernie du cul-de-sac de Douglas dans la paroi vaginale.

Douglassectomie

Ablation du cul-de-sac de Douglas.

Une douglassectomie est pratiquée lors du traitement chirurgical de rétrodéviations (mauvaises positions) de l'utérus, responsables de douleurs pelviennes. Elle peut aussi être effectuée pour traiter les élytrocèles (hernies du cul-de-sac de Douglas dans la paroi vaginale). L'intervention a lieu soit par laparotomie (ouverture de l'abdomen), soit par cœlioscopie (à partir de petites incisions ombilicales et pelviennes permettant l'introduction d'un endoscope et d'instruments chirurgicaux). Effectuée en milieu hospitalier, la douglassectomie requiert une anesthésie générale ou locorégionale.

Douleur

Sensation pénible se manifestant sous différentes formes (brûlure, piqûre, crampe, pesanteur, étirement, etc.) d'intensité et d'extension variables.

La douleur est associée à des lésions tissulaires, réelles ou potentielles, ou décrite comme si ces lésions existaient. La diversité de la douleur et le fait qu'elle soit toujours subjective expliquent qu'il soit difficile d'en proposer une définition satisfaisante. Cette notion recouvre en effet une multitude d'expériences distinctes, qui varient selon divers critères sensoriels et affectifs. Certains sujets décrivent une douleur en l'absence de toute cause physiologique probable ; cependant, il est impossible de distinguer leur expérience de celle qui est causée par une lésion réelle.

La compréhension des mécanismes de la douleur et leur classification demeurent également difficiles à appréhender. Une sensation douloureuse a pour premier objet de protéger l'organisme ; elle ne s'insère donc pas dans le domaine des sensations dites physiologiques, car souffrir ne peut être considéré comme un état normal. De plus, cette sensation d'alarme contre une agression extérieure ou intérieure peut, dans un second temps, si elle n'est pas soulagée, se retourner contre l'organisme lui-même, l'affaiblissant au lieu de le servir. Une douleur intense peut accaparer l'univers émotionnel et asservir le système nerveux, le rendant incapable d'accomplir une autre activité. Enfin, l'appréciation de l'intensité d'une douleur est éminemment variable ; elle dépend de la structure émotionnelle du sujet qui souffre, ce qui rend illusoire toute tentative d'étalonnage entre intensité du stimulus douloureux et souffrance.

MÉCANISME

La douleur est due le plus souvent à l'excitation de récepteurs communément appelés nocicepteurs (terminaisons nerveuses sensibles aux stimulations douloureuses), siégeant essentiellement dans la peau et, dans une moindre mesure, dans les vaisseaux, les muqueuses, les os et les tendons. Les organes internes en contiennent peu.

Lorsqu'un récepteur de la douleur est stimulé, les influx nerveux véhiculant le message cheminent dans les nerfs sensitifs vers la moelle épinière ; là, l'information douloureuse est soumise à un certain nombre de contrôles, en particulier inhibiteurs ; puis l'information est transmise vers le thalamus, où la sensation de douleur est perçue. Les nocicepteurs véhiculent deux types d'information, responsables de deux types de douleur : le premier type de douleur, bien localisé et immédiat, dû à une fracture par exemple, est véhiculé par de grosses fibres sensitives myélinisées ; le second type, une brûlure par exemple, plus diffus et plus tardif, est véhiculé par des fibres amyéliniques. Lorsque cela est possible, le cerveau envoie une réponse à un nerf moteur qui commande la contraction d'un muscle permettant l'éloignement de la source douloureuse.

DIFFÉRENTES FORMES DE DOULEUR

Une douleur se définit selon son site, son type, diffus ou localisé, son intensité, sa périodicité et son caractère : elle peut être pulsatile, battante, lancinante (les élancements sont caractéristiques d'une inflammation), en éclair (atteinte nerveuse), avoir une nature de crampe (atteinte musculaire) ou de colique (atteinte viscérale), etc. Dans certains cas, la douleur est ressentie dans un endroit du corps différent de la zone lésée ou traumatisée ; on parle alors de douleur irradiée. Un autre type de douleur, l'algohallucinose, est rapporté à un membre fantôme ; il est ressenti par environ 65 % des amputés.

■ **Une douleur aiguë** se manifeste à l'occasion d'une lésion tissulaire et a pour rôle essentiel de prévenir l'individu d'un dysfonctionnement de son organisme. Elle est associée à des palpitations, à une augmentation de la pression artérielle, du taux de certaines hormones (cortisol, catécholamines) et de la fréquence de la ventilation (mouvement de l'air dans les poumons).

■ **Une douleur chronique** est une douleur persistant un mois au-delà du temps habituel lors d'une maladie aiguë, ou après le temps escompté une fois la guérison survenue, ou bien encore une douleur associée à une maladie chronique.

TRAITEMENT

La lutte contre la douleur représente l'une des priorités de la médecine. Outre celui de la cause, le traitement consiste généralement en l'administration d'analgésiques non narcotiques (aspirine, paracétamol) pour les douleurs faibles, d'anti-inflammatoires non stéroïdiens pour les douleurs moyennes, d'analgésiques narcotiques (proches de la morphine) pour les douleurs importantes. Le traitement des douleurs chroniques rebelles peut également faire appel à l'injection locale d'opiacés, par cathéter épidural ou intradural pour la moelle et intravasculaire pour le cerveau, par l'intermédiaire d'un réservoir sous-cutané, où le produit est injecté, ou d'une pompe à infusion réglable sur demande. Des traitements non médicamenteux, comme la cryothérapie (application de froid), les massages, l'acupuncture, l'électrothérapie, voire des interventions de neurochirurgie visant à interrompre les voies de la sensibilité (par exemple, thermocoagulation du ganglion de Gasser dans les névralgies rebelles du trijumeau), peuvent également être utilisés. Des centres spécifiques de traitement de la douleur se sont créés ces dernières années. Ils connaissent un important développement et s'intègrent dans la prise en charge hospitalière du malade.

Douleur postopératoire

Douleur survenant à la suite d'une intervention chirurgicale.

La section et le traumatisme des tissus, nécessaires à toute intervention chirurgicale, lèsent de multiples ramifications nerveuses sensitives et libèrent des substances qui, par effet local ou répercussion sur le système nerveux central, engendrent de la douleur. La durée de celle-ci est très variable (de 24 heures à plusieurs jours), comme son intensité, qui dépend de nombreux facteurs :
– siège de l'intervention : les interventions sur l'abdomen, le thorax, le squelette et les viscères sont plus douloureuses que celles pratiquées sur la tête et le cou ;

DOULEUR

Une douleur est toujours un signal d'alarme de l'organisme. Son siège est un signe diagnostique essentiel, souvent délicat à déterminer : en effet, une douleur, surtout si elle est intense et irradiée, peut être difficile à rattacher à un organe précis.

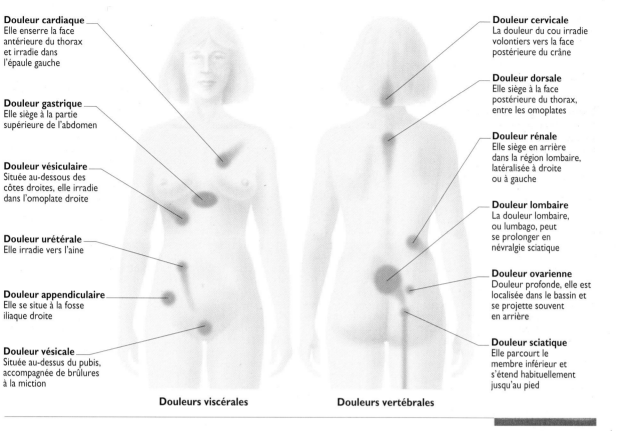

Douleur cardiaque
Elle enserre la face antérieure du thorax et irradie dans l'épaule gauche

Douleur gastrique
Elle siège à la partie supérieure de l'abdomen

Douleur vésiculaire
Située au-dessous des côtes droites, elle irradie dans l'omoplate droite

Douleur urétérale
Elle irradie vers l'aine

Douleur appendiculaire
Elle se situe à la fosse iliaque droite

Douleur vésicale
Située au-dessus du pubis, accompagnée de brûlures à la miction

Douleur cervicale
La douleur du cou irradie volontiers vers la face postérieure du crâne

Douleur dorsale
Elle siège à la face postérieure du thorax, entre les omoplates

Douleur rénale
Elle siège en arrière dans la région lombaire, latéralisée à droite ou à gauche

Douleur lombaire
La douleur lombaire, ou lumbago, peut se prolonger en névralgie sciatique

Douleur ovarienne
Douleur profonde, elle est localisée dans le bassin et se projette souvent en arrière

Douleur sciatique
Elle parcourt le membre inférieur et s'étend habituellement jusqu'au pied

Douleurs viscérales

Douleurs vertébrales

- importance de l'intervention et de la dissection des tissus ;
- causes psychologiques (ce qui explique que, pour une même intervention, certains opérés souffrent plus que d'autres).

La technique opératoire, la préparation psychologique, le contact humain, les explications préalables fournies au malade permettent d'atténuer les douleurs postopératoires ; les médicaments (analgésiques, notamment) sont très efficaces, bien que leur usage soit toujours limité par leurs effets indésirables. Des techniques d'exception peuvent être employées dans les cas les plus difficiles : injection péridurale de morphine après les grandes interventions sur l'abdomen ou les membres inférieurs ; auto-injections de substances morphiniques effectuées par l'opéré, en fonction de sa douleur, à l'aide d'une petite pompe.

Douve du foie
→ VOIR Distomatose.

Down (syndrome de)
→ VOIR Trisomie 21.

Dracunculose
Maladie parasitaire sous-cutanée due à l'infestation par *Dracunculus medinensis,* encore appelé filaire de Médine, ver de Guinée ou dragonneau.

Dracunculus medinensis est un ver de la classe des nématodes, d'aspect filiforme, qui mesure de 90 centimètres à 1 mètre de long à l'âge adulte. La dracunculose sévit en Afrique sahélienne et au Proche-Orient.

La contamination s'effectue par l'absorption de l'eau d'étang, de mare, de ruisseau contenant des cyclops (crustacés microscopiques) infestés par la larve du parasite ; les larves traversent la paroi abdominale, puis s'implantent et effectuent leur maturation dans le tissu sous-cutané, le plus souvent aux chevilles.

SYMPTÔMES ET SIGNES
La filaire de Médine adulte, un an environ après la contamination, perfore la peau pour pondre ses œufs, formant une cloque ou une petite plaie sur la cheville ou le pied. L'extrémité du ver est alors visible dans le pus qui s'écoule. Cette plaie peut, dans certains cas, se surinfecter et favoriser un tétanos. Le ver meurt parfois de lui-même en se calcifiant ; une radiographie permet alors de le localiser. Dans d'autres cas, il provoque une infection articulaire ou un abcès sous-cutané.

TRAITEMENT ET PRÉVENTION
L'extirpation du ver, par enroulement progressif sur une allumette ou une branche d'épineux, sans le casser, demeure le moyen le plus efficace de supprimer le parasite, mais cette manœuvre est lente et délicate. Un traitement antibiotique doit être administré en complément.

La prévention consiste à faire bouillir l'eau et à la filtrer avant consommation.

Drain
Tube en caoutchouc, en fibres de crin, en matière synthétique ou en silicone, destiné soit à collecter et à évacuer hors de l'organisme des liquides physiologiques (sang) ou pathologiques (pus), ou des liquides de lavage, soit à en expulser des gaz.

On distingue les drains passifs, où l'écoulement de la collection est spontané par gravité ou capillarité, des drains actifs, reliés à un système d'aspiration.

DRAINS PASSIFS
Ils peuvent être reliés à une poche destinée à recueillir les sécrétions, permettant de mesurer le volume collecté et, éventuellement, d'effectuer un examen clinique ou bactériologique.

■ **Le drain-cigarette**, en Cellophane ou en latex, est recouvert d'une lame de gaze ou d'un pansement qui absorbe les sécrétions.

■ **Le drain filiforme** est constitué par un faisceau de fibres de crin agissant par capillarité. Il sert à drainer les sutures cutanées mais n'est plus guère utilisé aujourd'hui.

■ **Le drain ondulé**, ou lame de drainage, **et le drain de Penrose**, généralement en caoutchouc, sont surtout utilisés en chirurgie abdominale. Pour éviter leur arrachement accidentel, on les fixe souvent par un fil cousu directement sur la peau ou par une épingle de sûreté. Les sécrétions ainsi drainées sont dérivées vers un sac adhérant à la peau et jetable.

■ Le **drain tubulaire**, en caoutchouc ou en matière plastique, simple ou avec une extrémité percée de petits trous, est employé lorsque la collection est importante. Il faut l'enlever dès l'arrêt de l'écoulement, faute de quoi il peut s'incruster dans les tissus.

DRAINS ACTIFS

Ils fonctionnent par aspiration et favorisent l'accolement des parois de la cavité drainée.

■ Le **drain de Kehr**, ou **drain en T**, est un drain de caoutchouc en forme de T dont les branches sont placées dans le canal cholédoque et raccordées à un tuyau relié à un sac jetable. Utilisé lors des opérations sur les voies biliaires, il permet de drainer temporairement la bile par siphonnement.

■ Le **drain de Mikulicz** est un sac en tissu rempli de mèches, tapissant la cavité à drainer. Utilisé en chirurgie abdominale (par exemple, en cas de péritonite), il permet l'accumulation, puis l'évacuation des collections. Parallèlement, en favorisant la formation d'adhérences, il sert à protéger les zones saines de la zone infectée.

■ Le **drain de Redon-Jost** est un tuyau souple dont une extrémité, percée de petits trous, est placée dans la zone à drainer. L'autre extrémité est reliée à un flacon de verre ou de plastique dans lequel le vide a été fait. Aspirant fortement les sécrétions, il est utilisé en cas de décollement important.

RETRAIT D'UN DRAIN

C'est un geste médical délicat, car il faut choisir le moment adéquat, respecter l'asepsie et ne pas abîmer les tissus. Il n'est pas douloureux lorsque le drain est placé dans les orifices naturels. Il l'est davantage sur les plaies. La cicatrisation se fait spontanément ou à l'aide de quelques pansements si la cicatrice est un peu large.

Drainage

Évacuation à l'extérieur de l'organisme de liquides, de gaz physiologiques ou pathologiques en rétention dans l'organisme.

L'indication d'un drainage est l'évacuation soit de sécrétions persistant quelques jours dans la région opérée après certaines interventions chirurgicales, soit de liquides ou de gaz apparus spontanément (abcès, pneumothorax).

Il existe plusieurs techniques de mise en place d'un drain. Dans le cas du drainage postopératoire, le drain est placé dans l'organe à la fin de l'opération. Dans d'autres cas, il est posé à travers la peau et les tissus sous-jacents, soit directement (pleurésie), soit à l'aide d'une échographie ou d'un scanner (abcès d'un viscère plein) permettant de vérifier sa position. Il existe aussi plusieurs techniques de recueil à l'extrémité externe du drain : on peut pratiquer un drainage passif (écoulement spontané) ou actif (le drain est branché sur un système d'aspiration), aboutissant dans un bocal ou dans une poche.

Bien que la préparation et le déroulement d'un drainage soient extrêmement variables, ils ont toujours lieu en milieu hospitalier, la mise en place du drain s'effectuant au moins sous anesthésie locale. Un des drai-nages les plus courants est celui d'un épanchement liquidien de la plèvre. Le patient étant assis au bord du lit, le médecin pratique une anesthésie locale, puis pique avec une aiguille montée sur une seringue dans un espace intercostal, dans la région postérieure et inférieure du thorax. Quand le liquide pleural passe dans l'aiguille, celle-ci est branchée sur un drain relié à un bocal et laissée en place quelques dizaines de minutes. Après l'intervention, un pansement ordinaire et un repos de quelques heures sont suffisants.

Drainage postural

Méthode de kinésithérapie utilisant la position du corps pour faciliter le drainage des bronches.

Le drainage postural est indiqué dans certaines maladies où il se produit une augmentation de la sécrétion des grosses bronches. Ces affections sont parfois aiguës, d'origine infectieuse, mais plus souvent chroniques (bronchite chronique, dilatation des bronches, mucoviscidose). La technique nécessite que le malade soit allongé sur un lit, les pieds surélevés. Les sécrétions sont drainées naturellement par la pesanteur vers la trachée, où elles sont ensuite éliminées par la toux. Chaque région des poumons est drainée préférentiellement selon la position exacte du corps (couché sur le côté droit ou gauche, avec des oreillers placés en différents endroits, etc.).

Drépanocytose

Maladie héréditaire du sang, caractérisée par une mutation de l'hémoglobine (hémoglobinopathie) se traduisant par une grave anémie chronique.

La drépanocytose est la plus fréquente des maladies de l'hémoglobine. Elle est apparue dans différentes zones du globe, toutes fortement soumises au paludisme. Le grand nombre de sujets atteints dans ces régions s'explique par le fait que les sujets hétérozygotes (n'ayant hérité la maladie que d'un seul parent et ne possédant donc qu'un gène muté sur deux) sont protégés du paludisme. Cette mutation de l'hémoglobine est particulièrement fréquente en Afrique équatoriale et au sein de la population noire des États-Unis.

La drépanocytose transmise par un seul des parents, dite hétérozygote, ou AS, est la forme la moins grave : le sujet est porteur du gène mais ne développe pas la maladie. La drépanocytose transmise par les deux parents (forme homozygote, ou SS) constitue la forme la plus grave.

CAUSE

La drépanocytose résulte de la mutation d'un acide aminé de la chaîne protéique bêta de l'hémoglobine, pigment transportant l'oxygène. Dans un environnement pauvre en oxygène, cette hémoglobine mutée, dite hémoglobine S, est moins soluble que la normale et forme des chaînes rigides aboutissant à la déformation du globule rouge en faucille (drépanocyte). Les globules rouges déformés se bloquent dans les petits vais-seaux ; ils sont en outre fragilisés et se détruisent facilement, entraînant une anémie hémolytique.

SYMPTÔMES ET SIGNES

La drépanocytose se manifeste par une anémie hémolytique chronique entrecoupée, chez l'enfant, de crises d'anémie aiguë (favorisées par l'hypoxie [baisse du taux d'oxygène inspiré], comme cela peut se produire au cours d'un voyage dans un avion insuffisamment pressurisé) avec une brusque augmentation du volume de la rate, et chez l'adolescent et l'adulte, de crises douloureuses résultant de l'occlusion des vaisseaux par les globules rouges déformés, en particulier dans les articulations. La mortalité est élevée, dans l'enfance, par atteinte des fonctions de la rate (hémorragies, thromboses qui favorisent les infections), et à l'âge adulte, essentiellement à cause de complications vasculaires.

TRAITEMENT

C'est uniquement celui des manifestations de la maladie ; il repose principalement sur l'antibiothérapie préventive et la perfusion intraveineuse pour réhydrater les malades. Lorsque les deux parents sont porteurs du gène, il est possible de diagnostiquer la présence de la maladie chez l'enfant à naître (amniocentèse, biopsie des villosités choriales).

Dressler (syndrome de)

Péricardite (inflammation du péricarde, membrane qui enveloppe le cœur) survenant de une à plusieurs semaines après un infarctus du myocarde.

D'origine auto-immunitaire probable, le syndrome de Dressler est rare, apparaissant après 3 ou 4 % des infarctus. Il se manifeste par une douleur thoracique plus forte à l'inspiration, de la fièvre accompagnée d'un syndrome inflammatoire biologique (augmentation des globules blancs et du fibrinogène dans le sang, élévation de la vitesse de sédimentation globulaire) et des signes électrocardiographiques, radiologiques et échographiques d'un épanchement péricardique, généralement modéré. Cette péricardite est à distinguer du frottement péricardique précoce et transitoire assez fréquent dans les premiers jours d'un infarctus transmural (touchant toute l'épaisseur du muscle cardiaque) ou sous-épicardique (touchant les couches superficielles du muscle cardiaque, au contact du péricarde).

L'évolution, spontanément favorable, peut être hâtée par les anti-inflammatoires, en particulier l'aspirine. Néanmoins, une récidive est possible dans les semaines qui suivent l'arrêt du traitement.

Drogue

1. Produit d'origine animale, chimique ou végétale, utilisé comme ingrédient dans une préparation médicamenteuse.

Par extension, ce terme désigne toute substance médicamenteuse.

2. Substance pouvant produire un état de dépendance physique et/ou psychique et engendrer une toxicomanie, quel qu'en soit le type (stimulant, analgésique, etc.).

→ VOIR **Stupéfiant**, **Dossier Toxicomanie**.

Duchenne (myopathie de)

Maladie héréditaire caractérisée par une dégénérescence musculaire.

La myopathie de Duchenne est la plus fréquente et la plus sévère des dystrophies musculaires, qui atteint 1 pour 2 500 garçons. Son mode de transmission est récessif et lié au sexe, c'est-à-dire que la maladie est transmise par les femmes et ne touche que les garçons. Le gène anormal est localisé sur l'un des chromosomes X de la mère. Le produit du gène en cause, la dystrophine, existe à un taux très réduit dans les muscles des sujets atteints. Il est aujourd'hui possible de détecter cette maladie avant la naissance par biopsie des villosités choriales ou par amniocentèse.

SYMPTÔMES ET DIAGNOSTIC

La myopathie de Duchenne débute dans la petite enfance, après l'acquisition de la marche. Les muscles des membres inférieurs sont les premiers touchés, suivis par ceux des membres supérieurs. L'enfant a de plus en plus de mal à se mouvoir, et la paralysie le gagne peu à peu.

L'électromyogramme permet d'affirmer la nature musculaire des troubles ; la biopsie musculaire confirme le diagnostic.

ÉVOLUTION ET TRAITEMENT

L'évolution est rapide et sévère : la marche devient impossible vers l'âge de 12 ans et nécessite le recours à un fauteuil roulant ; l'insuffisance respiratoire devient chronique ; une atteinte du cœur est fréquente.

Le traitement vise à combattre les symptômes et fait appel à la kinésithérapie et à l'orthopédie.

PERSPECTIVES

Deux grandes voies de recherche concernant le traitement de cette affection sont actuellement à l'étude. L'injection de myoblastes (cellules musculaires jeunes) dans les muscles atteints a donné des résultats encourageants chez l'animal, mais n'est encore utilisée que de façon limitée chez l'homme. La seconde méthode, qui est encore du domaine de la recherche, fait appel à la thérapie génique : elle consiste à introduire dans la cellule atteinte le gène normal de la dystrophine.

Dühring-Brocq (maladie de)

Ensemble de symptômes rapporté autrefois à une maladie unique et correspondant en réalité à deux affections distinctes, la dermatite herpétiforme et la pemphigoïde bulleuse, caractérisées l'une et l'autre par l'apparition de bulles sur la peau.

Dumping syndrome

→ VOIR Chasse (syndrome de).

Duodénite

Inflammation des parois du duodénum.

Les duodénites sont des lésions inflammatoires favorisées, comme les ulcères duodénaux ou les gastrites, par le stress, l'alcool et le tabac. Elles sont plus rarement dues à des parasites (anguillules, ankylostomes) ou à des virus (cytomégalovirus). Les duodénites, souvent sans symptômes apparents, peuvent provoquer des brûlures, des douleurs d'estomac, voire des hémorragies des parois de l'intestin grêle.

Le diagnostic de duodénite ne peut être porté qu'à l'aide d'un examen endoscopique comportant des biopsies et qui permet en particulier d'éliminer un ulcère du duodénum. Le traitement varie selon la cause.

Duodénopancréatectomie

Ablation chirurgicale du duodénum et du pancréas.

Une duodénopancréatectomie est indiquée dans les cas de pancréatites chroniques évoluées, de certaines tumeurs endocrines du pancréas et surtout de cancers de la voie biliaire principale (canal cholédoque) ou du pancréas.

L'intervention consiste à enlever le duodénum (première partie de l'intestin grêle) et tout ou partie du pancréas, puis à rétablir les voies qui ont été interrompues : voie digestive (entre l'estomac et l'intestin grêle), voie biliaire (entre le foie et la vésicule biliaire d'une part, l'intestin grêle d'autre part), voie d'excrétion du pancréas (canal de Wirsung, se terminant normalement dans l'intestin grêle) quand celui-ci n'a pas été retiré en entier. Le rétablissement de ces circuits se fait par des abouchements avec la partie restante de l'intestin grêle, abouchements dont il existe un grand nombre de variantes.

C'est une opération importante qui, en fonction de la maladie, comporte des difficultés variables. La guérison peut être obtenue, y compris en cas de cancers biliaires et pancréatiques.

Duodénum

Partie initiale de l'intestin grêle, succédant au pylore (sphincter musculaire à l'extrémité de l'estomac) et se poursuivant par le jéjunum (deuxième portion de l'intestin grêle). (P.N.A. *duodenum*)

Le duodénum est un segment fixe du tube digestif, en forme de cadre, qui entoure la tête du pancréas. Sa longueur est de 25 centimètres et son diamètre, variable suivant les régions, de 3 à 4 centimètres. Le duodénum se divise en quatre parties : la première, horizontale, comporte un renflement, le bulbe duodénal ; la deuxième partie, verticale, reçoit par l'ampoule de Vater, où s'abouchent les canaux cholédoque et de Wirsung, les sécrétions biliaires et pancréatiques ; les troisième et quatrième parties du duodénum sont respectivement horizontale et ascendante ; la dernière d'entre elles forme, avec l'intestin grêle, l'angle duodénojéjunal.

Le duodénum joue un rôle important dans la digestion en raison de l'arrivée à son niveau des sels biliaires et des enzymes pancréatiques. Le calcium, le fer, les vitamines, les lipides et une partie des glucides sont notamment absorbés dans cette partie du tube digestif.

PATHOLOGIE

Le bulbe duodénal est le principal siège des ulcères. Par ailleurs, l'ablation du duodénum est nécessaire en cas de cancer de la tête du pancréas, car celle-ci adhère au duodénum : cette intervention est appelée duodénopancréatectomie céphalique.

Duplication

1. En anatomie, anomalie caractérisée par la présence d'un organe en double ou celle d'un organe divisé en deux parties égales.
2. En génétique, dédoublement d'un chromosome ou d'un gène.

La duplication est un phénomène biologique fondamental qui permet de doubler le stock chromosomique d'une cellule ou d'un organisme. Elle précède toujours la division cellulaire classique, la mitose, au cours de laquelle une cellule mère donne naissance à deux cellules filles. Grâce à la duplication, ces deux cellules héritent du même patrimoine génétique.

Duplicité rénale

Anomalie congénitale caractérisée par la présence de deux reins du même côté, le côté opposé pouvant être normal ou présenter la même malformation.

Dans la duplicité rénale, les deux reins situés du même côté sont drainés par deux uretères séparés, qui soit se rejoignent avant leur raccordement à la vessie (bifidité urétérale), soit s'y abouchent séparément (duplicité urétérale vraie). D'autres malformations des voies urinaires sont souvent associées à cette anomalie : reflux vésico-urétéral (retour des urines vésicales vers les uretères et les reins lors de la miction), urétérocèle (dilatation de l'uretère), abouchement anormal d'un des deux uretères.

Une duplicité rénale isolée n'entraînant pas de complications, elle ne nécessite aucun traitement spécifique.

Dupuytren (Guillaume, baron)

Chirurgien français (Pierre-Buffière, Haute-Vienne, 1777 - Paris 1835).

Considéré comme l'un des fondateurs de l'anatomie pathologique, le baron Guillaume Dupuytren devint, en 1815, grâce à son

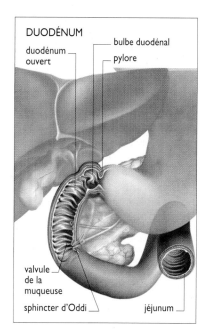

DUODÉNUM

duodénum ouvert — bulbe duodénal — pylore — valvule de la muqueuse — sphincter d'Oddi — jéjunum

habileté technique, chirurgien en chef de l'Hôtel-Dieu, à Paris. Il fut également chirurgien de Louis XVIII, puis de Charles X. Il a laissé son nom à une maladie des mains ainsi qu'à une fracture du péroné d'un type particulier. Le musée Dupuytren, musée d'anatomie pathologique de la Faculté de médecine de Paris, a été fondé à partir des collections personnelles du chirurgien.

Dupuytren (fracture de)

Fracture de l'articulation de la cheville, et plus précisément des deux extrémités inférieures du tibia et du péroné, les malléoles. SYN. *fracture bimalléolaire.*

La fracture de Dupuytren est provoquée par un mouvement forcé du pied par rapport à la jambe, par exemple une torsion violente. À l'examen, la cheville est douloureuse et souvent déformée d'une façon caractéristique. Rapidement un œdème apparaît, pouvant entraîner la formation de phlyctènes (cloques contenant du plasma). La radiographie permet d'établir le diagnostic et de constater d'éventuelles lésions supplémentaires : diastasis (écartement anormal entre le tibia et le péroné) ou fracture de la partie postérieure de l'extrémité inférieure du tibia.

TRAITEMENT

Cette fracture doit être traitée en urgence avant la survenue des phlyctènes. Le traitement peut être orthopédique, consistant en une manipulation externe, pratiquée sous anesthésie générale et sous contrôle radiologique, qui permet souvent de rendre son anatomie normale à la cheville, celle-ci étant ensuite plâtrée pour une durée d'environ 3 mois. Quand cette réduction orthopédique échoue, il est nécessaire d'opérer la cheville. Les suites de l'intervention, le plus souvent bonnes, ne sont cependant pas indemnes de complications : douleur et gonflement prolongés, raideur et arthrose. En cas de réduction imparfaite, la consolidation se fera en mauvaise position, entraînant la formation d'un cal vicieux (nouvelle formation osseuse destinée à souder les éléments fracturés, mais croissant sans respecter l'anatomie de la cheville).

Dupuytren (maladie de)

Affection de la main caractérisée par une flexion progressive et irréductible de certains doigts, principalement l'annulaire et l'auriculaire, vers la paume.

La maladie de Dupuytren est provoquée par l'épaississement et la rétraction de l'aponévrose palmaire, membrane conjonctive et fibreuse contenue dans la main. La cause de cette maladie est encore inconnue ; dans certains cas, elle semble favorisée par le diabète, la prise de médicaments antiépileptiques ou l'alcoolisme. Plus fréquente chez les hommes que chez les femmes, elle affecte en général les deux mains.

SYMPTÔMES ET SIGNES

En se rétractant, l'aponévrose entraîne, dans la paume, la formation de nodules fibreux, durs et palpables, et de bandes de tissu épaissi, appelées brides de rétraction, sous la peau ; les articulations entre les phalanges

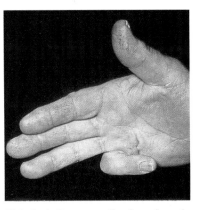

Maladie de Dupuytren. Il se forme des cordes fibreuses sous la peau, qui maintiennent le doigt en flexion vers la paume.

et les métacarpiens, ainsi que celles entre les phalanges et les phalangines, sont touchées, provoquant une flexion des doigts qui gêne pour saisir les objets.

TRAITEMENT

L'aponévrotomie à l'aiguille, qui consiste à sectionner à l'aiguille les brides sous anesthésie locale, est un traitement efficace. On peut aussi recourir à une intervention chirurgicale qui consiste en l'ablation complète des brides de rétraction et des nodules. Des récidives peuvent cependant survenir.

Dure-mère

Feuillet le plus externe des méninges tapissant toute la paroi interne du crâne. SYN. *pachyméninge.* (P.N.A. *dura mater*)

La dure-mère est une membrane épaisse et fibreuse entourant et protégeant l'ensemble du système nerveux central (moelle épinière, encéphale). Elle se prolonge par deux extensions importantes, la faux du cerveau (verticale, entre les deux hémisphères cérébraux) et la tente du cervelet (horizontale, entre les hémisphères cérébraux au-dessus et le cervelet au-dessous). La dure-mère est séparée du système nerveux par les feuillets plus minces des méninges, l'arachnoïde et la pie-mère.

La dure-mère peut être lésée à l'occasion d'un traumatisme, s'enflammer et s'épaissir, réalisant une pachyméningite.

Durillon

Épaississement localisé de la couche cutanée de l'épiderme sur une zone de frottement du pied.
→ VOIR Callosité.

Dynamométrie

Mesure et enregistrement graphique de la force musculaire. SYN. *dynamoergographie.*

La dynamométrie, utilisée en médecine sportive ou pour évaluer certaines maladies neurologiques ou musculaires, se pratique à l'aide d'un dynamomètre, sorte de ressort gradué muni d'une poignée. L'amplitude de la flexion exercée par le sujet sur le ressort

est mesurée lors d'efforts isométriques (sur un muscle au repos), d'efforts isotoniques (sur un muscle en mouvement) et au cours d'efforts d'endurance (sur un muscle fatigué). Cette méthode permet aussi d'évaluer, pendant une rééducation fonctionnelle, les progrès effectués par un sujet.

Dysarthrie

Difficulté de l'élocution non liée à une atteinte des organes de la phonation (langue, lèvres, voile du palais, etc.) ou de la commande nerveuse de ces organes.

Il existe deux grands types de dysarthrie, qui différent physiologiquement : le type paralytique, avec diminution des possibilités de contraction musculaire des organes de la phonation ; le type non paralytique, avec manque de coordination des organes phonateurs entre eux.

CAUSES

■ Les dysarthries paralytiques sont dues à une atteinte directe des muscles (myasthénie), à une atteinte du bulbe rachidien (sclérose latérale amyotrophique) ou à des lésions bilatérales des voies allant du cortex au bulbe. On parle dans ce dernier cas de syndrome pseudobulbaire ; il se rencontre, par exemple, dans les accidents vasculaires cérébraux multiples et la sclérose en plaques.

■ Les dysarthries non paralytiques sont dues à des atteintes de l'encéphale au cours de maladies neurologiques (lésions du cervelet, maladie de Parkinson, chorée, athétose).

SYMPTÔMES ET SIGNES

Les signes exacts dépendent de la maladie en cause. Dans les atteintes du cervelet, par exemple, le débit est lent et saccadé ; au cours de la maladie de Parkinson, la voix est de faible intensité et monotone ; dans la chorée et l'athétose, elle est rauque et forcée, avec des variations de puissance excessives.

TRAITEMENT

Certaines dysarthries sont améliorées par l'orthophonie (rééducation de la voix). Plus généralement, leur traitement est celui de la maladie concernée.

Dysautonomie

Ensemble des troubles dus à un fonctionnement anormal, héréditaire ou acquis, du système nerveux végétatif, qui commande les viscères, le cœur, les muscles lisses et certains éléments du revêtement cutané.

Avec les glandes endocrines, le système nerveux végétatif assure le maintien et la régulation de l'équilibre interne de l'organisme. La plupart des viscères ont une double innervation, sympathique et parasympathique, les deux composantes fonctionnant tantôt en opposition, tantôt en synergie ou en complément. La conséquence d'une atteinte du système nerveux végétatif est ainsi plus souvent un dysfonctionnement de l'organisme innervé que sa paralysie complète.

Les troubles concernent soit le système nerveux central (moelle épinière, encéphale), soit le système nerveux périphérique (nerfs).

CAUSES

Les causes des atteintes centrales sont des traumatismes du crâne ou de la moelle, des accidents vasculaires cérébraux (hémorragies, par exemple) ou le syndrome de Shy-Drager (maladie dégénérative lésant le système nerveux autonome). Les causes des atteintes périphériques sont des neuropathies (atteintes diffuses des nerfs) apparaissant au cours d'affections telles que le diabète ou l'amylose.

La dysautonomie héréditaire (dysautonomie familiale), exceptionnelle, s'observe chez les enfants juifs d'Europe centrale. C'est une maladie à transmission autosomique récessive : le gène porteur est situé sur un chromosome non sexuel et il faut qu'il soit reçu du père et de la mère pour que la maladie se développe.

SYMPTÔMES ET SIGNES

Les manifestations végétatives le plus couramment observées sont les perturbations du fonctionnement des sphincters, des troubles sexuels et des anomalies pupillaires, des variations de la pression artérielle (en particulier sa chute au passage en position debout), des troubles du rythme cardiaque, une augmentation ou une diminution de la sudation, des diarrhées.

La dysautonomie familiale débute au cours de la petite enfance, le plus souvent par des difficultés d'alimentation. Des fausses-routes et une hypersécrétion bronchique favorisent les infections pulmonaires récidivantes. La maladie se traduit également par des perturbations thermiques, sudorales et vasomotrices, et par des troubles neurologiques variés.

TRAITEMENT ET ÉVOLUTION

Certains symptômes, comme les pertes de connaissance par chute de la pression artérielle, peuvent être soulagés, mais le traitement est surtout celui de la cause, par exemple d'un diabète. Dans la forme héréditaire de la maladie, qui entraîne d'importants troubles de croissance, le pronostic est médiocre.

Dyschésie rectale

Trouble de l'évacuation rectale.

Une dyschésie rectale, qui peut témoigner d'une anomalie fonctionnelle ou de lésions anorectales, se manifeste par des difficultés à la défécation, accompagnées de sensations pénibles. Elle impose un examen endoscopique. Le traitement est directement lié à la cause.

Dyschondroplasie

→ VOIR Enchondromatose.

Dyschromatopsie

Altération de la vision des couleurs.

Les dyschromatopsies peuvent être congénitales ou acquises.

■ **Les dyschromatopsies congénitales** sont d'origine héréditaire et atteignent principalement les hommes (8 % contre 0,45 % pour les femmes). Leur transmission est, en effet, liée au sexe et au chromosome X. La couleur est perçue par l'œil grâce aux cônes de la rétine, dont l'altération entraîne une dyschromatopsie. Parmi les sujets atteints, on distingue ceux qui ne perçoivent aucune couleur, mais seulement des variations de luminosité, et ceux qui confondent certaines couleurs (personnes atteintes de daltonisme, par exemple).

■ **Les dyschromatopsies acquises** sont souvent le signe très précoce d'une atteinte du système de réception oculaire (choroïde, rétine et nerf optique). Les dyschromatopsies qui portent sur le rouge et le vert accompagnent souvent les atteintes du nerf optique, tandis que celles qui portent sur le jaune et le bleu sont souvent associées à des inflammations de la choroïde et de la rétine.

DIAGNOSTIC

Les dyschromatopsies sont dépistées par deux types de test.

■ **Les tests de classement ou d'appariement** comprennent essentiellement le test de Farnsworth, qui consiste à ranger, dans l'ordre demandé, des échantillons colorés de tonalités très proches.

■ **Les tests de confusion** sont représentés par l'atlas d'Ishihara, constitué d'un fond de pastilles colorées sur lequel se détache un chiffre composé de pastilles d'une couleur différente. Le patient dont la vision est normale voit distinctement les chiffres, tandis que le patient atteint de dyschromatopsie en est incapable.

TRAITEMENT

Il n'est envisageable que dans les dyschromatopsies acquises et repose sur le traitement de la cause.

Dyschromie

Toute modification de la couleur normale de la peau, due à une maladie dermatologique ou caractéristique d'une autre maladie de l'organisme.

Les dyschromies forment des taches dont la taille varie de quelques millimètres à plusieurs centimètres de diamètre, et le nombre, de une à plusieurs dizaines. Elles se rangent en deux catégories.

■ **Les hyperpigmentations** (peau anormalement foncée) surviennent, par exemple, au cours de la maladie d'Addison ou du chloasma (masque de grossesse).

■ **Les hypopigmentations** (peau anormalement claire) surviennent au cours du vitiligo, du pityriasis versicolor (infection de la peau par un champignon), etc.

L'évolution des dyschromies, de même que leur traitement, dépend de la maladie en cause.

Dyschromie dentaire

Modification de la couleur normale d'une ou de plusieurs dents.

Les dyschromies dentaires sont classées en deux groupes : les dyschromies primitives (les dents sont colorées dès l'éruption des dents de lait ou des dents définitives) et les dyschromies secondaires, ou acquises (les dents se colorent alors qu'elles étaient, à l'origine, de couleur normale).

■ **Les dyschromies primitives** sont dues à des anomalies du développement du germe dentaire, provoquées par la prise de certains antibiotiques (coloration brune avec les tétracyclines), un ictère (coloration verte), une intoxication chronique par le fluor (coloration blanche ou brune), etc.

■ **Les dyschromies secondaires** s'observent sur des dents dévitalisées ou plombées, mais il existe aussi des colorations dues, entre autres, au goudron des cigarettes, et qui sont alors limitées à la surface de la dent.

TRAITEMENT

Il comprend des techniques de blanchiment dentaire, un simple polissage en cas de coloration de surface, parfois un remplacement par des prothèses.

Dysembryome

Tumeur bénigne ou maligne qui se développe aux dépens de cellules embryonnaires restées présentes dans l'organisme, et capable de donner naissance à différents types de tissus. SYN. *tératome*.

Un dysembryome peut atteindre n'importe quel tissu du corps. Cependant, il siège le plus souvent dans les glandes génitales (ovaires, testicules) ou dans le médiastin (région médiane du thorax qui sépare les faces internes des poumons).

DIFFÉRENTS TYPES DE DYSEMBRYOME

Selon les tissus présents dans la tumeur, on distingue trois types de dysembryome.

■ **Le dysembryome mature** est une tumeur formée de tissus différenciés, de type adulte, qui peuvent être de la peau (kystes dermoïdes), mais aussi de l'os, du cartilage, du tissu thyroïdien ou du tissu nerveux. L'ovaire en est le siège habituel. Le traitement d'un dysembryome mature est chirurgical (ablation), et son pronostic est favorable.

■ **Le dysembryome immature** est constitué par les éléments précédents auxquels s'ajoutent des cellules peu différenciées, de type embryonnaire. C'est surtout dans le testicule que survient ce type de tumeur, au pronostic plus grave. Son traitement est chirurgical (ablation), complété par une chimiothérapie.

■ **Le dysembryome simplifié** se distingue par une seule composante tissulaire, plus ou moins différenciée : dans le goitre ovarien, par exemple, l'ovaire renferme du tissu thyroïdien, responsable parfois d'une hyperthyroïdie. L'ablation de la tumeur assure la guérison.

Dysembryoplasie

Anomalie du développement d'un organe ou d'un tissu, d'origine embryonnaire.

Une dysembryoplasie entraîne des malformations ou des déformations définitives.

Dysenterie

Syndrome infectieux caractérisé par l'émission de selles glaireuses et sanglantes mêlées ou non à des matières fécales.

SYMPTÔMES ET SIGNES

La dysenterie se traduit par des coliques (douleurs abdominales violentes) et de faux besoins. Une déshydratation et une atteinte importante de l'état général peuvent survenir rapidement, souvent accompagnées de signes d'infection.

Un syndrome dysentérique peut être dû à de nombreux agents infectieux, parasitaires ou microbiens.

■ **La dysenterie amibienne** est due à l'amibe *Entamoeba histolytica*. Elle se développe essentiellement dans les pays chauds où le niveau économique est bas et l'hygiène sommaire, et se contracte par ingestion d'eau ou d'aliments infestés. Le diagnostic repose sur l'étude des selles fraîches ou de prélèvements coliques directs. Le traitement fait appel à l'association d'amœbicides tissulaires (métronidazole) et d'amœbicides de contact.

■ **La dysenterie bacillaire** est due à des germes invasifs qui détruisent la muqueuse colique (shigelles, salmonelles, colibacilles entéropathogènes) ; elle se contracte par ingestion d'aliments infestés ou par transmission orofécale. Elle peut survenir de façon sporadique ; le plus souvent, elle accompagne les concentrations humaines massives. La mortalité par déshydratation et dénutrition du malade est très forte en l'absence de traitement, quasiment nulle en cas de soins médicaux efficaces et rapides. Le traitement fait essentiellement appel à la réhydratation et à la renutrition ; l'administration d'antibiotiques hâte la guérison.
→ VOIR Shigellose.

Dysérythropoïèse

Anomalie qualitative de la formation des globules rouges dans la moelle, aboutissant à une anémie par défaut de production.

Une dysérythropoïèse est très rarement congénitale, plus fréquemment acquise (anémie réfractaire, leucémie aiguë). Elle se traduit par des anomalies de la forme des érythroblastes (précurseurs des globules rouges), variables selon la maladie en cause.

Dysesthésie

Altération de la perception sensitive.

Une dysesthésie peut se traduire par un retard de la perception, par la diminution ou l'exagération de l'intensité réelle du stimulus, par une erreur de la localisation de celui-ci.

Dysfibrinogénémie

Anomalie congénitale ou acquise de la coagulation, causée par la production d'un fibrinogène (facteur de coagulation) anormal.

■ **La dysfibrinogénémie congénitale** n'est généralement pas apparente, mais peut se traduire par une tendance hémorragique avec cicatrisation lente, par des avortements spontanés chez la femme et, plus rarement, par des thromboses.

■ **La dysfibrinogénémie acquise** se rencontre dans les cancers primitifs du foie et dans l'insuffisance hépatique avancée (hépatite et cirrhose). Là encore, il n'y a pas de symptômes, mais l'anomalie témoigne de la gravité de l'atteinte hépatique.

Dysgénésie

Malformation d'un organe ou d'un tissu survenant pendant le développement embryonnaire.

■ **La dysgénésie épiphysaire**, liée à une hypothyroïdie congénitale, se manifeste chez l'enfant par des anomalies de développement du noyau d'ossification des épiphyses, extrémités des os longs. Ce noyau apparaît tardivement, il est irrégulier et fragmenté en petits morceaux. Cette malformation peut se manifester dès la naissance par l'absence des points d'ossification tibial supérieur, fémoral inférieur (genou) et cuboïde (poignet). Le traitement doit être le plus précoce possible, pour éviter un retentissement psycho-intellectuel, et consiste en une administration substitutive d'hormones (thyroxine). Les résultats sont en général très bons quant au physique ; sur le plan psycho-intellectuel, le pronostic est fonction du délai de mise en route du traitement.

■ **La dysgénésie gonadique**, malformation des glandes génitales, est une cause de stérilité. Elle est due soit à une anomalie chromosomique (syndrome de Turner chez la femme, de Klinefelter chez l'homme), soit à une mutation génétique.

Dysglobulinémie

Anomalie quantitative ou qualitative des globulines, l'un des groupes de protéines du sang.

Une dysglobulinémie peut se traduire par une augmentation diffuse des gammaglobulines, par une augmentation spécifique d'une catégorie particulière d'immunoglobulines, dite « dysglobulinémie monoclonale », ou encore par la production d'immunoglobulines pathologiques.

La plupart des dysglobulinémies sont bénignes et augmentent de fréquence avec l'âge. D'autres sont associées à un syndrome lymphoprolifératif (myélome multiple, plasmocytome, maladie de Waldenström, leucémie lymphoïde chronique, lymphomes, etc.) et nécessitent un traitement spécifique. Elles se traduisent en général par un syndrome inflammatoire important (forte élévation de la vitesse de sédimentation).

L'affection est détectée par un examen, l'électrophorèse (déplacement de particules chargées électriquement sous l'action d'un champ électrique), permettant de déterminer les types et les quantités de protéines contenues dans le sang ou les urines.

Les dysglobulinémies monoclonales isolées, dites bénignes, du sujet âgé, sans syndrome inflammatoire, ne nécessitent qu'une surveillance régulière. Lorsqu'une dysglobulinémie témoigne d'une maladie du sang, le traitement se confond avec celui de la maladie en cause.

Dysharmonie dentomaxillaire

Discordance de volume entre les dents et leurs bases osseuses.

FRÉQUENCE

La dysharmonie dentomaxillaire affecte de 60 à 80 % des individus et s'explique au plan génétique par l'indépendance des gènes déterminant la dimension des bases osseuses par rapport à ceux déterminant le volume des dents.

SIGNES

Si les dents sont trop petites, elles laissent des espaces entre elles. Si, à l'opposé, elles sont trop volumineuses, la dysharmonie reste parfois peu visible pour les dents de lait, mais elle peut se manifester, pour les dentures mixte et permanente, par un encombrement dentaire (rotation, chevauchement) ou par des inclusions (dents ne faisant pas éruption).

DIAGNOSTIC ET TRAITEMENT

Après prise d'empreintes et radiographie, la dysharmonie dentomaxillaire de l'enfant en période de denture mixte est corrigée par le port d'un appareil dentaire pendant quelques années (en général deux ou trois ans). Le traitement peut nécessiter l'extraction des quatre premières prémolaires, afin de laisser la place nécessaire au bon alignement des dents restantes.

Dysidrose

Forme d'eczéma caractérisée par des vésicules survenant sur les mains et les pieds.

La dysidrose, très fréquente, n'a pas toujours de cause connue. Parfois, elle est due à une infection par une bactérie ou par un champignon microscopique. Dans d'autres cas, il s'agit d'une allergie par contact prolongé ou répété avec une substance précise (nickel, par exemple). Elle peut aussi être liée à une perturbation psychologique.

Elle se manifeste d'abord par des rougeurs de la paume des mains, de la plante des pieds et des faces latérales des doigts et des orteils. Puis apparaissent des vésicules. Ces lésions s'associent à des démangeaisons. Les dysidroses sans cause connue ont souvent une évolution saisonnière, récidivant à chaque printemps ou à chaque automne.

TRAITEMENT

C'est d'abord celui de la maladie en cause, si elle est connue, associé à l'application

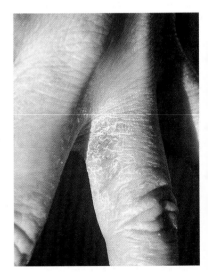

Dysidrose. *Les plaques rouges sur les faces latérales des doigts se couvrent de squames (fines lamelles), après disparition des vésicules.*

d'antiseptiques et d'anti-inflammatoires (corticostéroïdes cutanés, pâtes à base de sulfate de cuivre ou de sulfate de zinc). Un traitement général à base d'antihistaminiques et d'anxiolytiques peut être utile.

Dyskaliémie

Perturbation du taux du potassium sanguin.

Dans l'organisme, 98 % du potassium se trouve inclus dans les cellules, mais les 2 % restants, contenus dans le plasma, ont, malgré leur faible proportion, une grande influence sur le fonctionnement neuromusculaire. En effet, le rapport entre les concentrations intracellulaire et extracellulaire de potassium est le principal déterminant de l'excitabilité de certains tissus. Ainsi, de très faibles variations du taux de potassium sanguin (potassium extracellulaire) ont d'importantes conséquences sur le fonctionnement des muscles.

DIFFÉRENTS TYPES DE DYSKALIÉMIE

■ L'hypokaliémie (baisse anormale du taux de potassium sanguin) se traduit par une faiblesse musculaire pouvant aller jusqu'à la paralysie totale, y compris celle des muscles respiratoires.

■ L'hyperkaliémie (augmentation anormale du taux de potassium sanguin) provoque les mêmes symptômes, aggravés de troubles du rythme cardiaque pouvant provoquer, à l'extrême, un arrêt cardiaque.

Ces anomalies de concentration du potassium plasmatique peuvent intervenir en cas d'altération importante du milieu intérieur (troubles digestifs graves, brûlures, chocs), dans certaines maladies (insuffisance surrénalienne) ou à la suite d'un traitement à base de corticostéroïdes ou de diurétiques. Elles peuvent aussi être dues à un facteur héréditaire (paralysies périodiques familiales). Dans ce cas, le traitement repose sur l'administration de gluconate de calcium (hyperkaliémie) ou de sels de potassium (hypokaliémie). Dans les autres cas, le traitement variera en fonction des causes de l'hyperkaliémie ou de l'hypokaliémie.

Dyskératose

Trouble de la synthèse d'une protéine, la kératine, survenant au cours de diverses maladies cutanées.

Les dyskératoses se rencontrent dans deux types d'affections, héréditaires ou acquises. Les affections héréditaires sont notamment la maladie de Darier et la maladie de Hailey-Hailey. Les affections acquises sont précancéreuses (kératose pré-épithéliomateuse, maladie de Bowen), cancéreuses (épithélioma spinocellulaire), virales (molluscum contagiosum) ou dues à l'exposition au soleil (lucite phototoxique).

Les signes de la maladie (petites taches multiples, plaque de plusieurs centimètres de diamètre, etc.), de même que son évolution (disparition spontanée, dissémination dans tout l'organisme, etc.) et, a fortiori, son traitement (radiothérapie anticancéreuse, prise de médicaments kératolytiques ou autre), varient considérablement d'une forme de maladie à l'autre.

Dyskinésie

Anomalie de l'activité musculaire se traduisant par la survenue de mouvements anormaux ou par une gêne dans les mouvements volontaires, leur conférant un aspect anormal.

En pratique, le terme s'emploie dans un sens beaucoup plus restreint : mouvements anormaux qui prédominent à la face, au cou et au tronc. Il s'agit alors de mouvements spontanés, incontrôlables et répétés : protraction (sortie) de la langue ; spasmes des paupières ou de la face (grimaces) ; spasmes des muscles respiratoires, avec gêne à la respiration, ou des muscles laryngés, avec gêne à la parole.

CAUSE ET TRAITEMENT

La cause la plus fréquente est la prise de médicaments neuroleptiques, provoquant des dyskinésies dans les premiers jours du traitement ou plus tardivement (après 3 mois de traitement), lesquelles sont parfois irréversibles. Un traitement par la lévodopa ou par les agonistes dopaminergiques (médicaments agissant comme la dopamine) au cours d'une maladie de Parkinson est une autre cause possible de dyskinésie, rythmée par les prises du médicament.

Le traitement consiste essentiellement à arrêter le médicament en cause, ou, dans le cas d'un parkinsonien sous lévodopa, à en diminuer ou à en fragmenter les doses.

Dyslexie

Difficulté d'apprentissage de la lecture et de l'orthographe, en dehors de toute déficience intellectuelle et sensorielle, et de tout trouble psychiatrique.

FRÉQUENCE

La dyslexie touche environ 8 à 10 % des enfants, les garçons étant 3 fois plus souvent atteints que les filles.

CAUSES

Les causes actuellement reconnues de la dyslexie sont soit génétiques (fréquence significativement élevée de troubles du langage oral et écrit dans certaines familles), soit acquises (maladies atteignant le développement cérébral durant la grossesse).

SYMPTÔMES ET SIGNES

Après une période allant de plusieurs mois à un an d'apprentissage de la lecture, l'enfant dyslexique a une lecture encore trop lente, difficile, laborieuse, non automatisée : fautes phonétiques, lettres ou syllabes inversées, omises, remplacées, confondues, mots changés, etc. Les mêmes difficultés existent dans l'orthographe. Le texte lu est souvent mal compris. L'enfant aime aller à l'école ; le plus souvent, il est bon en calcul, mais il évite l'écriture et les lectures prolongées dans toutes les matières, même les énoncés de mathématiques.

Une évaluation médicopsychologique montre que les compétences intellectuelles et la motivation de l'enfant sont normales. Dans 30 à 50 % des cas, celui-ci a présenté des troubles du langage avant 4 ans.

DIAGNOSTIC

Souvent, la dyslexie est encore non dépistée et mal reconnue. Parents, professeurs et médecins doivent donc être vigilants. Des tests de langage, de lecture et d'orthographe,

effectués en présence d'un orthophoniste, permettent de confirmer le diagnostic.

TRAITEMENT ET PRONOSTIC

Les séances de rééducation orthophonique, prescrites par le médecin traitant, suivies une ou – plus souvent – deux fois par semaine pendant plusieurs mois, permettent de compenser le trouble plutôt que de le guérir. Les capacités de l'enfant dyslexique (intelligence, don pour les mathématiques, le sport, etc.) doivent être reconnues durant sa scolarité. Lorsqu'elle est diagnostiquée et traitée suffisamment tôt, une dyslexie légère ou moyenne permet une scolarité normale, bien que souvent difficile. À l'inverse, une dyslexie sévère ou tardivement reconnue peut être à l'origine de difficultés scolaires importantes.

Dyslipidémie

Anomalie du taux de lipides dans le sang.

Les lipides sanguins sont représentés par le cholestérol, les triglycérides, les phospholipides et les acides gras libres. Non solubles, ils ne peuvent circuler dans le sang qu'associés à des protéines spécifiques (apoprotéines), l'ensemble ainsi formé constituant une lipoprotéine. Il existe ainsi quatre sortes de lipoprotéines : les chylomicrons, les VLDL (*Very Low Density Lipoproteins*, ou lipoprotéines de très basse densité), les LDL (*Low Density Lipoproteins*, ou lipoprotéines de basse densité) et les HDL (*High Density Lipoproteins*, ou lipoprotéines de haute densité).

DIFFÉRENTS TYPES DE DYSLIPIDÉMIE

■ Les hyperlipidémies (augmentation du taux de lipides sanguins) sont principalement représentées par l'hypercholestérolémie, l'hyperchylomicronémie et l'hypertriglycéridémie. Ce sont les seules dyslipidémies dont la médecine ait à s'occuper. Certaines risquent en effet de provoquer une athérosclérose (dépôt de plaques d'athérome rétrécissant le diamètre intérieur des artères). Le traitement repose sur un régime alimentaire et, au besoin, sur la prise de médicaments dits hypolipidémiants.

■ Les hypolipidémies (diminution du taux de lipides sanguins) sont principalement représentées par l'hypocholestérolémie (diminution du taux de cholestérol dans le sang). Excepté quelques maladies héréditaires très rares, les hypolipidémies sont dues à des insuffisances alimentaires importantes ou à des maladies du tube digestif qui diminuent l'absorption des lipides alimentaires. Ces anomalies purement biologiques n'ont aucune conséquence (ni symptômes ni complications) en elles-mêmes.

Dysménorrhée

Menstruation douloureuse.

Une dysménorrhée atteint de 30 à 50 % des femmes en période d'activité génitale et gêne de façon notable environ 10 % d'entre elles. Elle peut apparaître dès le début de la vie génitale (dysménorrhée primaire) ou plus tard (dysménorrhée secondaire).

CAUSES

La dysménorrhée semble due à une anomalie de la contractilité utérine qui aurait plusieurs explications : trouble de la vascularisation utérine, excès de prostaglandines (substances sécrétées par de nombreux tissus et intervenant dans l'inflammation et dans les contractions utérines de l'accouchement), troubles hormonaux ou psychologiques, hérédité.

Une dysménorrhée primaire peut être causée par une anomalie de forme ou de position de l'utérus ou par un obstacle cervical à l'écoulement du sang. Une dysménorrhée secondaire est parfois la conséquence d'une infection génitale chronique, d'une endométriose, d'une maladie ovarienne, d'un rétrécissement du canal cervical.

SYMPTÔMES ET SIGNES

La douleur varie selon plusieurs critères :
- son siège : il est pelvien, mais la douleur irradie souvent dans le dos, vers le vagin et le rectum ; parfois, elle intéresse tout l'abdomen ;
- sa date d'apparition par rapport au flux menstruel : lorsqu'elle précède l'apparition des règles, elle se confond avec le syndrome prémenstruel ; au début des règles, elle traduit plutôt un obstacle à l'écoulement du sang ; elle peut également durer pendant toute la menstruation ou n'en marquer que la seconde moitié ;
- son type : elle peut être spasmodique (colique rappelant les douleurs de l'accouchement) ou lancinante et continue ;
- ses signes d'accompagnement, qui sont nombreux : troubles digestifs (nausées, vomissements, diarrhée), maux de tête, vertiges, pertes de connaissance.

TRAITEMENT

Longtemps considérées comme des manifestations psychosomatiques, les dysménorrhées sont aujourd'hui reconnues et traitées. La douleur peut céder à l'administration d'antispasmodiques ou d'analgésiques, mais les médicaments œstroprogestatifs et les antiprostaglandines sont également efficaces. Cependant, seuls la recherche et le traitement de la cause permettent de faire disparaître une dysménorrhée.

Dysostose

Malformation congénitale grave et très rare d'un ou de plusieurs os.

DIFFÉRENTS TYPES DE DYSOSTOSE

Certaines dysostoses siègent au niveau de la tête, telle la dysostose craniofaciale, ou maladie de Crouzon. D'autres atteignent la colonne vertébrale et comportent, par exemple, une fusion de plusieurs vertèbres. Il existe des dysostoses qui sont limitées aux membres, comme la phocomélie, caractérisée par une absence de membres, les mains et les pieds se rattachant directement au tronc, ou d'autres, enfin, qui concernent tout le squelette.

CAUSES

La transmission est souvent héréditaire, autosomique et dominante dans le cas de la dysostose craniofaciale (le gène porteur se trouve sur un chromosome non sexuel et il suffit qu'il soit reçu d'un des parents pour que la malformation apparaisse). La phocomélie, en revanche, est souvent due à une intoxication pendant la grossesse par un médicament aujourd'hui retiré de la vente, le thalidomide. Dans d'autres dysostoses, la cause précise est inconnue.

SYMPTÔMES ET SIGNES

Outre les malformations visibles, parfois majeures, de la région concernée (crâne allongé en hauteur, doigts et orteils fusionnés, pommettes peu développées, mâchoire prognathe), les signes observés sont des troubles sensoriels (cécité, surdité), une épilepsie ou un retard mental.

DIAGNOSTIC ET ÉVOLUTION

Le diagnostic de la variété exacte de dysostose nécessite un examen clinique et radiologique.

L'évolution va d'un extrême à l'autre, selon le type de dysostose : de la simple malformation, unique et stable, au décès survenant quelque temps après la naissance.

PRÉVENTION ET PRONOSTIC

Il n'existe pas de traitement curatif. En revanche, une prévention est possible sous la forme d'un conseil génétique aux parents porteurs de l'anomalie chromosomique.

Le pronostic, variable, est grave dans l'ensemble. Ainsi, le retard mental, quand il existe, est irréversible. L'espérance de vie est souvent réduite. Il semble que les seules perspectives actuellement envisageables se rapportent à la découverte et au contrôle de nouvelles causes de dysostose.

Dyspareunie

Douleur survenant chez la femme pendant les rapports sexuels.

On distingue généralement les dyspareunies de pénétration, ou superficielles, qui surviennent dès le début de la pénétration du pénis dans le vagin, et les dyspareunies profondes, ressenties dans le bas-ventre lorsque la pénétration est complète. Par ailleurs, une dyspareunie peut être primaire (survenant dès les premières relations sexuelles) ou secondaire (apparaissant à la suite d'un événement marquant, un accouchement, par exemple).

Les causes d'une dyspareunie sont soit organiques, soit psychologiques. Les causes organiques d'une dyspareunie de pénétration peuvent être un vagin étroit, une suture périnéale trop serrée après un accouchement, un manque d'œstrogènes lié à la ménopause, une infection vaginale. Celles d'une dyspareunie profonde sont fréquemment des maladies des trompes, des ovaires ou de l'utérus (endométriose). Cependant, la dyspareunie est souvent d'origine affective, pouvant traduire un refus du plaisir sexuel, sorte de conduite d'autopunition, ou un dégoût du partenaire.

TRAITEMENT

Si la cause est organique, son traitement fait céder la douleur. En cas de dyspareunie d'origine affective, une prise en charge psychothérapique est nécessaire, associée ou non à certaines techniques de rééducation sexuelle.

Dyspepsie

Sensation d'inconfort digestif apparaissant après les repas.

Une dyspepsie peut être le symptôme d'une maladie organique : gastrite, tumeur, maladie de l'intestin grêle ou du côlon. En l'absence de toute cause organique, c'est un symptôme de nature fonctionnelle, dont le mécanisme est inconnu. La dyspepsie se traduit par des douleurs abdominales, une sensation de lourdeur, une lenteur de la digestion. Le traitement est celui de la cause, lorsqu'elle est connue. Dans le cas fréquent de dyspepsie fonctionnelle, un traitement symptomatique (pansements gastriques, antispasmodiques) est souvent décevant.

Dysphagie

Trouble de la déglutition lié à la difficulté du passage des aliments de la bouche vers l'estomac.

CAUSES

Les dysphagies peuvent être d'origine otorhino-laryngologique, digestive ou neurologique. Les premières sont essentiellement dues aux infections pharyngées (angine, pharyngite), aux tumeurs bénignes et malignes du pharynx, au cancer de l'œsophage, au reflux gastro-œsophagien et à l'achalasie (perte de la coordination des mouvements du tube digestif). Une dysphagie d'origine neurologique peut être observée au cours du syndrome pseudobulbaire. Ce syndrome, qui associe des troubles de la déglutition, de la parole et de la mobilité de la face, est en général d'origine vasculaire, mais il peut être présent dans des maladies comme la sclérose en plaques ou la sclérose latérale amyotrophique, ou bien en cas de tumeurs du tronc cérébral. Des dysphagies d'origine neurologique peuvent aussi être provoquées par une myasthénie, une diphtérie, un botulisme, une poliomyélite antérieure aiguë et une polyradiculonévrite.

SYMPTÔMES ET SIGNES

La dysphagie est déclenchée par l'absorption d'aliments, le patient éprouvant des difficultés à déglutir. Elle survient le plus souvent lors de la prise d'aliments solides, puis s'aggrave progressivement, se produisant ensuite aussi lors de l'ingestion de liquides. Elle peut aller jusqu'à l'aphagie (impossibilité de déglutir). Une dysphagie peut s'accompagner de fausses-routes alimentaires, de douleurs cervicales ou rétrosternales, d'hypersialorrhée (sécrétion excessive de salive). Selon la localisation de l'arrêt des aliments, on parle de dysphagie haute (oropharynx et début de l'œsophage) ou basse (partie terminale de l'œsophage).

DIAGNOSTIC ET TRAITEMENT

Toute dysphagie prolongée impose un examen complet du pharynx et de l'œsophage (fibroscopie, radiographie, voire manométrie, ou mesure des pressions œsophagiennes), et, si besoin est, des explorations oto-rhino-laryngologiques et neurologiques.

Le traitement d'une dysphagie est celui de sa cause.

Dysphonie

Anomalie de la qualité de la voix qui devient rauque, éteinte, trop aiguë, trop grave ou bitonale (émission de deux sons simultanés).

Il existe deux types de dysphonie, selon le mécanisme en jeu : troubles de la mobilité du larynx par compression ou irritation des nerfs qui le commandent, entraînant une paralysie ; anomalie de la muqueuse du larynx lui-même, surtout des cordes vocales.

Les principales causes des paralysies sont des tumeurs (de la glande thyroïde, de l'œsophage, des bronches, du pharynx), des infections (grippe, typhoïde), des traumatismes (du crâne, du cou), des atteintes neurologiques du tronc cérébral ou des 9e, 10e et 11e nerfs crâniens. Les causes des anomalies atteignant directement le larynx sont le surmenage de la voix, les laryngites aiguës, les laryngites chroniques, en particulier liées au tabac, et surtout les cancers du larynx. Lorsqu'une dysphonie est due à un surmenage vocal (orateurs, chanteurs), on tente de rééduquer la voix par les techniques de l'orthophonie. Cependant, l'important est de traiter la cause de la dysphonie.

Il ne faut pas banaliser ou négliger une dysphonie, car le patient n'a pas souvent conscience de la valeur de ce signe ; un examen médical approfondi s'impose dès qu'une altération de la voix se prolonge au-delà de quelques jours.

Dysplasie

Anomalie du développement d'un organe ou d'un tissu entraînant des lésions et un trouble du fonctionnement.

Le terme de dysplasie est surtout utilisé pour désigner une anomalie tissulaire acquise (trouble de la multiplication et anomalies cellulaires). Selon l'étendue et la gravité de la lésion, on parle de dysplasie légère, modérée ou sévère. Ces lésions, observées sur les muqueuses génitales, digestives, respiratoires ou sur le sein, sont considérées comme des états précancéreux et nécessitent, selon les cas, une étroite surveillance ou un traitement.

Une dysplasie vasculaire est synonyme d'angiome (malformation congénitale des vaisseaux) et ne comporte aucun risque de cancérisation.

Dysplasie dentaire

Anomalie de structure ou de couleur de la dent de lait ou de la dent définitive.

Une dysplasie est visible dès l'apparition de la dent ; elle est dite simple lorsque la forme de la dent est conservée et l'atteinte limitée, complexe dans le cas contraire.

CAUSES

Les dysplasies sont dues à des troubles de la formation du germe dentaire, occasionnés par une maladie de la mère pendant la grossesse (dysplasie congénitale) ou de l'enfant (dysplasie acquise). Elles peuvent avoir une origine locale, comme l'infection chronique d'une dent temporaire, qui aboutit à une altération de l'émail et de la dentine de la dent définitive sous-jacente.

TRAITEMENT

Il est fonction de l'étendue de la dysplasie. Les érosions peuvent être compensées par l'application d'un composite. Si la dent définitive est très atteinte dans sa forme, la pose d'une couronne est indiquée.

→ VOIR **Amélogenèse imparfaite**.

Dyspnée

Gêne respiratoire ressentie par un malade, qu'elle soit constatée ou non par le médecin.

CAUSES

Les dyspnées peuvent être d'origine bronchopulmonaire, oto-rhino-laryngologique, neurologique, métabolique ou cardiaque. Parmi les causes bronchopulmonaires, on retrouve les affections bronchiques (asthme, bronchite chronique, présence d'un corps étranger ou d'une tumeur dans les bronches), les troubles pulmonaires (œdème aigu, infection ou tumeur du poumon, embolie pulmonaire), les anomalies de la plèvre (pleurésie, pneumothorax) ou de la cage thoracique (scoliose grave) gênant les mouvements du poumon. Les causes oto-rhino-laryngologiques sont surtout les laryngites chez l'enfant, les tumeurs du larynx chez l'adulte. Les causes neurologiques sont essentiellement le coma et certaines maladies du système nerveux. Parmi les causes métaboliques, il peut y avoir une diminution de l'oxygénation tissulaire, comme au cours des hémorragies. Enfin, la dyspnée traduit parfois un trouble cardiaque, notamment une insuffisance cardiaque.

SYMPTÔMES ET DIAGNOSTIC

Selon sa cause, la dyspnée revêt des formes très variables. Ainsi, une bradypnée (respiration trop lente), avec gêne à l'inspiration, révèle le plus souvent une cause laryngée ; une bradypnée avec gêne à l'expiration signale une obstruction bronchique due à l'asthme, et une polypnée (respiration trop rapide) est caractéristique de certaines anémies. Quand sa cause est chronique, tend à s'aggraver et est difficile à soigner (bronchite chronique, par exemple), la dyspnée évolue toujours de la même façon : elle n'apparaît d'abord que pour des efforts importants, puis pour des efforts de plus en plus faibles, et finit parfois par persister au repos. Mais la dyspnée est un signe trop banal, aux causes trop nombreuses, pour avoir à elle seule une valeur diagnostique. Il faut donc tenir compte du contexte (accident, maladie cardiaque antérieure, etc.) et de l'examen clinique (douleur thoracique, fièvre, etc.), parfois complété par une radiographie du thorax et par une électrocardiographie.

ÉVOLUTION ET TRAITEMENT

L'évolution d'une dyspnée dépend de sa cause, tant pour sa gravité (allant d'une simple gêne à la pratique de certains sports, pour les sujets asthmatiques, à une menace vitale immédiate, dans certains cas d'embolie pulmonaire) que pour sa durée (quelques heures pour des laryngites infantiles, parfois des dizaines d'années pour une bronchite chronique). Le traitement est également très variable : antibiotiques pour une infection pulmonaire bactérienne, bronchodilatateurs pour l'asthme, arrêt du tabac pour la bronchite chronique, etc.

Dysprotéinémie

Toute affection caractérisée par une hyperproduction d'immunoglobulines.

→ VOIR **Dysglobulinémie**.

Dystocie

Difficulté gênant ou empêchant le déroulement normal d'un accouchement.

L'origine d'une dystocie peut être maternelle ou fœtale.

Dystocies d'origine maternelle

Ces difficultés de l'accouchement sont liées à une anomalie maternelle.

■ **Les dystocies cervicales** siègent au niveau du col de l'utérus. Elles proviennent d'une rigidité, due en général à une anomalie de la contraction utérine, d'une agglutination du col, qui refuse de s'ouvrir, ou d'une sténose (rétrécissement) cicatricielle consécutive à une cautérisation ou à une intervention chirurgicale. Une césarienne est alors pratiquée.

■ **Les dystocies dynamiques** sont dues à des anomalies de la contraction utérine. Lorsque les contractions sont trop peu marquées, la diminution du tonus musculaire entraîne un manque d'amplitude et/ou un espacement excessif des contractions qui provoque une inertie, ou atonie utérine. Le traitement par perfusion d'ocytocine (médicament qui stimule les contractions de l'utérus) rétablit la régularité et l'intensité des contractions. En revanche, lorsque les contractions sont trop importantes, l'élévation du tonus musculaire entraîne un renforcement des contractions. Un tel phénomène peut se produire en cas d'obstacle à la progression du fœtus et peut entraîner la décision de pratiquer une césarienne. Le renforcement des contractions peut survenir spontanément au cours du travail, mais peut aussi être provoqué par l'administration d'ocytocine lors du déclenchement artificiel de l'accouchement.

■ **Les dystocies par obstacle prævia** sont dues soit à la présence dans le petit bassin d'une tumeur située au-devant du fœtus et empêchant sa descente (kyste de l'ovaire ou fibromyome), soit à l'insertion basse du placenta (placenta prævia), qui gêne l'expulsion. Dans les deux cas, une césarienne est envisagée.

■ **Les dystocies osseuses** sont dues à une déformation du bassin maternel ou à l'insuffisance de ses dimensions. Elles sont prévisibles dès le début de la grossesse par l'étude des antécédents, l'examen clinique et les mensurations du bassin, précisées par la radiopelvimétrie. Le rétrécissement osseux est parfois si important qu'une césarienne s'impose dès la fin de la grossesse sans attendre les premières douleurs. Dans le cas de rétrécissement plus modéré, le pronostic ne peut être établi pendant la grossesse, et il faut attendre l'accouchement et une courte période d'observation (épreuve du travail) pour décider de la conduite à tenir. Si la tête de l'enfant s'engage, l'accouchement se fera probablement par les voies naturelles.

■ **Les dystocies des parties molles** sont dues à des obstacles vaginaux (rétrécissement, vaginisme, kyste) et périnéaux (étroitesse vulvaire, cicatrices de brûlures étendues). Une épisiotomie (incision du périnée) élargit alors l'orifice et permet le passage de l'enfant.

Dystocies d'origine fœtale

Ces difficultés de l'accouchement sont liées à une anomalie fœtale.

■ **Certaines présentations** constituent des dystocies. Elles sont soit relatives (présentation du siège chez la primipare ou présentation de la face), soit absolues (présentations du front ou de l'épaule). L'obstétricien juge alors si l'accouchement peut avoir lieu par les voies naturelles ou s'il faut envisager de pratiquer une césarienne.

■ **L'excès de volume du fœtus** peut rendre l'accouchement difficile. Cet excès est global (gros enfant) ou localisé (hydrocéphalie, tumeurs du cou ou de la région sacrococcygienne, épaules trop larges). Une césarienne est alors pratiquée.

Dystonie

Contraction involontaire et douloureuse figeant tout ou partie du corps dans une position anormale.

Quand une partie du corps se fixe dans une position dystonique, la zone musculaire concernée se contracte sous l'effet d'un spasme, dit spasme dystonique. Certaines dystonies n'apparaissent qu'à l'occasion d'un mouvement précis ; on parle alors de dystonie de fonction.

CAUSE

Une dystonie est la manifestation d'une atteinte du système extrapyramidal. Les dystonies peuvent être isolées ou faire partie d'une maladie neurologique, parfois héréditaire (dystonie généralisée familiale), mais la cause en reste le plus souvent inconnue. Cependant, on retrouve parfois une pathologie bien déterminée, comme une tumeur cérébrale ou une maladie de Parkinson (dont la dystonie n'est pas un signe habituel).

SYMPTÔMES ET SIGNES

Ils sont variables. Dans le torticolis spasmodique, par exemple, qui constitue la dystonie localisée la plus fréquente et touche souvent les femmes après 40 ans, on observe une rotation anormale de la tête, souvent associée à une inclinaison de celle-ci. Dans la crampe de l'écrivain, la plus fréquente des dystonies de fonction, il se produit une crispation douloureuse des doigts, du poignet et, parfois, de tout le bras dès que le sujet essaye d'écrire. Une douleur accompagne généralement la crispation, qui survient dès le début de l'écriture et empêche sa poursuite.

TRAITEMENT

Il est fondé sur celui d'une cause éventuelle et sur la prise d'anticholinergiques, parfois associés à des myorelaxants pour lutter contre les douleurs. La dopamine, dans certains cas de dystonie généralisée familiale, permet d'obtenir des résultats spectaculaires.

Pour les dystonies localisées et de fonction, la kinésithérapie joue un rôle fondamental, car elle s'attache à décontracter les muscles hyperactifs et à favoriser le renforcement des muscles antagonistes. Des injections locales de toxine botulinique sont utilisées ; elles provoquent une paralysie transitoire des muscles atteints, facilitant la kinésithérapie.

Dystrophie musculaire

Maladie musculaire familiale et héréditaire provoquant une dégénérescence progressive des fibres musculaires.

Les dystrophies musculaires se classent en différents types, selon leur mode de transmission (lié ou non au sexe, dominant ou récessif), la rapidité de développement de la maladie et le début de survenue des symptômes.

DIFFÉRENTS TYPES DE DYSTROPHIE MUSCULAIRE

■ **La myopathie de Duchenne** est la plus fréquente et la plus grave des dystrophies musculaires. Elle atteint surtout les hommes (elle est liée au chromosome X et transmise par les femmes) et se manifeste dès la petite enfance.

■ **La myopathie dite de Becker** est une forme bénigne de la myopathie de Duchenne, caractérisée par un début plus tardif et une évolution prolongée.

■ **La myopathie facio-scapulo-humérale de Landouzy-Déjerine**, beaucoup plus rare, atteint les deux sexes et débute plus tardivement. Son évolution est très lente, et la maladie est compatible avec une vie sociale pratiquement normale.

■ **La myopathie des ceintures** atteint les deux sexes, débute chez l'adolescent ou l'adulte jeune et entraîne une invalidité relativement sévère à l'âge moyen de la vie.

■ **La myotonie, ou maladie de Steinert**, la plus fréquente des dystrophies musculaires de l'adulte, est à transmission autosomique dominante (le gène porteur se trouve sur un chromosome non sexuel et il suffit qu'il soit reçu de l'un des parents pour que la maladie se développe). Elle débute souvent entre 20 et 30 ans. Elle atteint d'abord l'extrémité des membres et la face avec un ptôsis (chute des paupières) et un aspect atone de la face. Le déficit intellectuel est fréquent ; l'évolution, plus ou moins invalidante, est néanmoins compatible avec une survie prolongée.

CAUSE

Elle est inconnue ou partiellement connue. Les dystrophies musculaires sont primitives, c'est-à-dire qu'elles ne découlent pas d'une maladie. Leur nature est dite dégénérative, terme indiquant qu'il ne s'agit pas d'une tumeur, d'une infection, d'un trouble immunitaire ou d'une lésion.

SYMPTÔMES ET SIGNES

Les signes commencent insidieusement et se développent ensuite très lentement. La force des muscles diminue de plus en plus, de façon symétrique de chaque côté du corps, provoquant un handicap souvent sévère. L'évolution peut être rapide et grave, comme dans la myopathie de Duchenne, entraînant une insuffisance respiratoire et une atteinte du cœur souvent fatale. D'autres dystrophies sont d'évolution plus lente (maladie de Steinert, myopathie de Landouzy-Déjerine).

DIAGNOSTIC

Une dystrophie musculaire est diagnostiquée par électromyographie (analyse de l'activité électrique du muscle) et confirmée par biopsie musculaire : la diminution du nombre de fibres musculaires est toujours considérable, et les fibres persistantes sont très inégales par leur diamètre, certaines étant fortement hypertrophiées.

TRAITEMENT

Des recherches sont actuellement en cours, mais aucun traitement n'a encore véritablement prouvé son efficacité.

→ VOIR Myopathie.

Dystrophie ovarienne

→ VOIR Ovaires polykystiques (syndrome des).

Dysurie

Difficulté à uriner.

Une dysurie est provoquée par l'existence d'un obstacle à l'évacuation des urines, qui peut entraîner une vidange incomplète avec résidu vésical après miction. L'adénome prostatique, la sclérose du col vésical, le rétrécissement de l'urètre, l'hypertonie du sphincter strié sont les causes obstructives les plus fréquentes de dysurie. Plus rarement, celle-ci peut être due à un dysfonctionnement neurologique de la vessie (paralysie avec atonie du muscle vésical).

Une dysurie se manifeste par des mictions lentes, pénibles, en plusieurs temps, avec nécessité de forcer pour évacuer la vessie. Elle est parfois précédée d'une difficulté à débuter la miction.

Le traitement d'une dysurie est celui de la maladie causale. Une dilatation de la vessie puis du haut appareil urinaire peuvent apparaître progressivement en l'absence de traitement, avec risque de retentissement sur la fonction rénale.

E

Eau

Liquide incolore, inodore et sans saveur entrant dans la composition de la majorité des organismes vivants.

La molécule d'eau (H_2O) se compose de 2 atomes d'hydrogène liés à 1 atome d'oxygène. L'eau bout à la température de 100 °C, se solidifie à 0 °C (sous la pression de 1 atmosphère, ou 101 kilopascals). L'eau est partout présente dans la nature, y compris dans l'atmosphère, sous forme de vapeur. Elle est dite potable quand elle répond à certaines normes fixées par des textes législatifs : elle doit être agréable à consommer tant pour son goût que pour sa couleur et son odeur, et, en règle absolue, non susceptible de porter atteinte à la santé. L'eau potable doit ne contenir ni micro-organismes pathogènes ni substances toxiques (cuivre, plomb, fluorures, cyanure, arsenic, composés phénoliques, etc.). Sa concentration en certaines substances chimiques (sels minéraux, ammoniaque, nitrites, nitrates, chlorures, matières organiques) doit être limitée.

L'eau est le principal solvant organique. Le corps humain est constitué en moyenne de 60 % d'eau, diversement répartie.
■ L'eau extracellulaire, qui représente 45 % de l'eau totale, correspond au plasma, à la lymphe, au liquide céphalorachidien et aux liquides interstitiels baignant les cellules.
■ L'eau intracellulaire, c'est-à-dire incluse dans les cellules, représente 55 % de l'eau totale de l'organisme.

L'eau circule d'un secteur à l'autre en fonction des concentrations existant respectivement de part et d'autre de la membrane cellulaire. Elle permet le transport des diverses substances qu'elle renferme en solution et les réactions chimiques entre elles. L'organisme humain perd en moyenne 2,5 litres d'eau par jour, principalement par les urines, ces pertes étant régulées par les reins (sous l'effet de l'hormone antidiurétique), le tube digestif, les poumons (respiration) et la peau (transpiration). Les pertes organiques en eau doivent être compensées par un apport correspondant : eau de boisson, eau contenue dans les aliments et eau métabolique, provenant de la combustion des nutriments. Le métabolisme de l'eau est régulé par l'organisme. La soif est le premier signal indiquant au sujet un déficit en eau. Dans certaines situations pathologiques, la teneur en eau de l'organisme peut varier. Lors d'une déshydratation, elle est insuffisante. À l'inverse, lors d'une sécrétion trop importante d'hormone antidiurétique, l'organisme a tendance à retenir trop d'eau, ce qui peut provoquer la formation d'œdèmes, en particulier d'œdème cérébral, susceptible d'entraîner des troubles de la conscience, voire un coma.

Eau distillée

1. Eau purifiée préparée par vaporisation d'une eau potable puis condensation de sa vapeur.

L'eau distillée, déminéralisée, convient à la préparation pharmaceutique de nombreux médicaments non injectables.
2. Eau chargée par distillation des principes volatils de certaines plantes. SYN. *hydrolat.*

De nombreux éléments, sous forme de substances fraîches ou sèches, sont utilisés dans la confection d'eau distillée : racines, bois, écorces, feuilles, fleurs, fruits, semences. Les eaux distillées entrent notamment dans la composition des potions, des sirops et des collyres.

Eau minérale

Eau de source dont la composition en éléments minéraux permet une utilisation thérapeutique.

L'appellation d'eau minérale est réservée à des eaux de composition constante et ne contenant aucune bactérie. Les eaux minérales sont classées selon leur teneur en minéraux : eaux très faiblement minéralisées (moins de 50 milligrammes par litre), eaux faiblement minéralisées (de 50 à moins de 500 milligrammes par litre) et eaux très riches en sels minéraux (plus de 1 500 milligrammes par litre). Elles peuvent être plates ou gazeuses (chargées de plusieurs fois leur volume en gaz carbonique [CO_2]). Les eaux gazeuses sont souvent plus riches en sodium et déconseillées dans les régimes hyposodés prescrits en cas d'insuffisance cardiaque ou d'hypertension. Seules les eaux minérales pouvant être consommées sans contre-indication par des personnes en bonne santé reçoivent l'autorisation d'être mises en bouteilles et librement commercialisées. Les eaux peu minéralisées peuvent servir à la composition des biberons si elles ne sont pas gazeuses. Des eaux riches en calcium peuvent contribuer à compenser une alimentation pauvre en minéraux. Certaines eaux enrichies en fluorures peuvent avoir un effet bénéfique dans la prévention de la carie dentaire. De même, la très faible teneur en sodium de certaines eaux minérales permet leur consommation quotidienne par des per-

sonnes astreintes à un régime hyposodé. Les propriétés des eaux minérales s'utilisent en thérapeutique, dans le cadre des cures thermales, soit par voie interne (boisson), soit par voie externe (bains).
→ VOIR Cure thermale.

Eau oxygénée

Solution antiseptique, désinfectante et hémostatique. SYN. *peroxyde d'hydrogène.*

L'eau oxygénée utilisée comme antiseptique est une solution diluée, dite à 10 volumes (capable de libérer 10 fois son volume d'oxygène gazeux). Elle est indiquée pour ses capacités à nettoyer les plaies cutanées bénignes et à en assurer l'antisepsie ainsi que pour ses propriétés hémostatiques (arrêtant les saignements) au cours des saignements de nez.

Eau pour préparation injectable

Eau obtenue par distillation d'eau potable, purifiée ou déjà distillée (bidistillation).

Cette eau, la seule à être autorisée pour la préparation des solutés injectables, est, après distillation, exempte de toutes ses substances pyrogènes (substances étrangères à l'organisme susceptible de provoquer une brusque augmentation de la température). Elle est utilisée pour la dilution ou la dissolution, au moment de l'emploi, de substances ou de préparations pour administration parentérale (perfusion) et entre dans la fabrication de certains médicaments injectables.

Eberth (bacille d')

Bactérie pathogène de l'homme, responsable de la fièvre typhoïde. SYN. *Salmonella typhi.*

Le bacille d'Eberth appartient à la famille des entérobactéries et au genre *Salmonella.* Il est responsable de l'apparition d'une fièvre typhoïde, au même titre que *Salmonella paratyphi A* ou *Salmonella paratyphi B,* et se transmet par ingestion d'eau ou d'aliments contaminés. L'infection par le bacille d'Eberth peut être diagnostiquée par hémoculture (isolement du germe dans le sang), par coproculture (isolement du germe dans les selles) ou, indirectement, par le sérodiagnostic de Widal et Félix (mise en évidence d'anticorps spécifiques présents dans le sérum du malade).

Ebola (virus)

Virus à A.R.N. appartenant à la famille des filovirus.

Le virus Ebola est responsable d'une grave fièvre hémorragique, observée pour la première fois en 1976 au Soudan et au Zaïre sous la forme d'une épidémie meurtrière. Les symptômes sont une fièvre ainsi qu'une diarrhée, qui provoque souvent une déshydratation, et des hémorragies (saignement du nez, purpura, vomissements de sang). Le traitement consiste à injecter aux sujets atteints du sérum de personnes convalescentes (contenant des anticorps). L'isolement strict est requis pendant la phase aiguë de la maladie. Il n'existe pas de vaccin.

Éburnation, ou Éburnéation

Affection caractérisée par une augmentation importante de la densité d'un os, dont une partie acquiert la dureté, la compacité et la consistance de l'ivoire.

L'éburnation est généralement décelée sur une radiographie osseuse montrant une zone anormalement contrastée ; elle peut apparaître dans de nombreux cas où la vascularisation de l'os est perturbée : tumeurs osseuses, infections (ostéite, ostéomyélite) ou lésions dues à une fracture (pseudarthrose, cal osseux). Son traitement est celui de l'affection en cause.

Écarteur

Instrument de base de chirurgie permettant d'écarter les tissus superficiels de la zone à opérer pour accéder librement aux régions profondes.

Les écarteurs, en général en métal, sont de forme et de taille variables. Le modèle le plus simple est une lame allongée et coudée. Un autre modèle, appelé valve simple, comprend en général une lame large, pourvue d'un manche faisant avec celle-ci un angle droit. Enfin, un troisième type d'écarteurs, appelé valve autostatique, tient en place tout seul grâce à la résistance des tissus à l'écartement. Indispensables dès que la surface à opérer est importante, les valves autostatiques sont constituées le plus souvent de deux lames rectangulaires parallèles, réunies à une extrémité par une articulation permettant de les ouvrir selon un angle déterminé.

E.C.B.U.

→ VOIR Examen cytobactériologique des urines.

Ecchymose

Épanchement superficiel de sang, se déposant sous la peau et formant une tache visible.

Une ecchymose, plus couramment appelée bleu, a presque toujours pour cause un traumatisme. Cependant, des ecchymoses surviennent parfois spontanément ou très facilement, soit pour une raison inconnue, soit du fait d'une maladie de la coagulation (hémophilie). Une ecchymose se traduit par l'apparition d'une tache rouge, bleue ou noire, relativement étendue, qui ne s'efface pas à la pression ; la couleur passe ensuite par le vert puis le jaune avant de disparaître en quelques jours. La localisation d'une fracture chez un sujet inconscient est parfois facilitée par la présence d'une ecchymose.

Le traitement d'une ecchymose est facultatif. Au besoin, un linge humide contenant des glaçons peut être appliqué pendant 10 minutes pour diminuer la douleur.

Une écharpe peut empêcher une fracture de se déplacer avant son traitement. Elle est contre-indiquée si le membre n'est pas spontanément dans la position requise (bras le long du corps, avant-bras à 90°). Il faut placer la main un peu plus haut que le coude pour éviter qu'elle ne gonfle, les doigts restant visibles (ainsi pourra-t-on surveiller leur couleur et leur sensibilité).

Une écharpe simple a la forme d'un triangle.

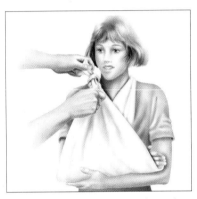

Après avoir passé l'écharpe sous l'avant-bras, en nouer les pointes sur l'épaule.

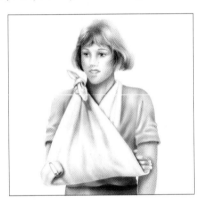

Replier un sommet du triangle autour du coude pour empêcher celui-ci de glisser.

Eccrine (glande)

→ VOIR Sudoripare (glande).

ECG

→ VOIR Électrocardiographie.

Écharde

Petit fragment de bois ou d'un autre corps ayant pénétré accidentellement sous la peau.

Plantée à l'extrémité d'un doigt, une écharde peut provoquer un panaris. Son extraction, quelquefois difficile, doit respecter les règles d'asepsie (utiliser du matériel stérile, désinfecter la plaie). En outre, la présence d'une écharde, même de petite taille, doit inciter le sujet à vérifier que sa vaccination antitétanique est bien à jour.

Écharpe

Pièce de tissu permettant de maintenir le membre supérieur (avant-bras, poignet, coude ou main) immobile sur la poitrine.

L'écharpe est mise autour du cou du malade et passée sous son avant-bras ou sous son poignet. Elle permet, en urgence, de soutenir un membre supérieur traumatisé pour atténuer la douleur et éviter d'aggraver le déplacement puis, après traitement, de soutenir ce membre et de le protéger.

■ L'écharpe simple, ou moyenne écharpe, permet de réaliser un maintien souple. Elle est surtout utilisée pour soulager la douleur. Elle emprisonne le bras à partir du coude jusqu'à la moitié de la main. En cas d'urgence, elle peut être réalisée à partir d'une simple pièce de tissu (en toile, en coton, en tissu-éponge) pliée en triangle et nouée sur l'épaule, mais elle est aussi vendue toute faite dans le commerce.

■ L'écharpe de Mayor, constituée de bandes de tissu entrecroisées, maintient le bras collé à la poitrine. Pliée en carré, elle couvre le bras, l'avant-bras et la main, ne laissant apparaître que l'épaule. Les bandes de tissu passent derrière la nuque puis croisées dans le dos, où elles sont fixées. Ce maintien, plus rigide, offre davantage de protection que l'écharpe simple. Il est nécessaire de placer un tampon de coton sous l'aisselle ainsi que dans la main immobilisée afin d'absorber l'humidité provoquée par la transpiration.

Échauffement

Succession d'exercices physiques destinés à préparer l'organisme à une activité sportive.

L'échauffement permet d'habituer progressivement à l'effort les appareils cardiovasculaire, pulmonaire, neuromusculaire et articulaire. Il participe à la prévention des accidents sportifs.

Un échauffement convenable dure environ 15 minutes et doit être adapté au sport pratiqué. Il commence par une activité régulière de faible intensité comportant l'introduction progressive de changements de rythme. La course à pied, par exemple, doit débuter à une allure très modérée (de

7 à 9 kilomètres/heure) pendant au moins 5 minutes, le sportif devant veiller à ce que ses membres supérieurs soient très relâchés, puis, progressivement, des changements de rythme faisant varier la vitesse de la course doivent être introduits. L'échauffement est complété par des mouvements d'assouplissement (étirements).

Échec (conduite d')

Comportement systématique et inconscient de mise en faillite de ses propres désirs.

La conduite d'échec peut aller jusqu'à une intolérance totale au succès (névrose d'échec) chez des personnes par ailleurs parfaitement aptes à réaliser leurs projets. Selon la psychanalyse, elle exprimerait une culpabilité inconsciente avec tendances masochistes profondes, qui procéderait de l'aliénation à un mythe familial (névrose de destinée). Elle se traduit par la survenue d'une dépression, d'une affection psychosomatique et, surtout, d'une conduite de renonciation, spontanée ou consécutive à un événement accidentel, dès que le malade entrevoit ou concrétise un certain type de réussite (professionnelle, amoureuse, etc.).

Le traitement, principalement psychothérapique, est difficile en raison des risques d'une nouvelle recherche d'échec par le patient.

Échinococcose multiloculaire

Maladie parasitaire due à la présence dans le foie de la larve d'un ténia du renard, *Echinococcus multilocularis*. SYN. *échinococcose alvéolaire*.

L'échinococcose multiloculaire est une cestodose qui sévit dans l'hémisphère Nord et, en particulier, dans l'est de la France. Le renard s'infeste lui-même en mangeant des rongeurs sauvages parasités, puis il dépose des selles contenant des œufs de ténia sur le sol. L'homme se contamine en mangeant des baies sauvages souillées ou en manipulant des cadavres de renard. La larve se développe anarchiquement dans le foie, y formant de nombreuses alvéoles. L'infestation se traduit par une douleur sourde dans la région du foie, par un amaigrissement et par un ictère (jaunisse).

TRAITEMENT ET PRÉVENTION

Le traitement nécessite l'ablation partielle du foie ou la greffe d'un foie sain ; le pronostic est réservé.

La prévention repose sur le lavage des baies sauvages avant consommation et sur le lavage des mains après manipulation d'un cadavre de renard.

Échinococcose uniloculaire

Maladie parasitaire provoquée par l'infestation par la larve d'un ténia du chien, *Echinococcus granulosus*. SYN. *hydatidose, kyste hydatique*.

Fréquente au Maghreb, au Kenya et dans le bassin méditerranéen, l'échinococcose est une cestodose. La larve se développe dans le foie, les poumons et, plus rarement, dans d'autres organes. Outre l'homme, elle atteint différents mammifères (moutons, dromadaires, bovins, etc.).

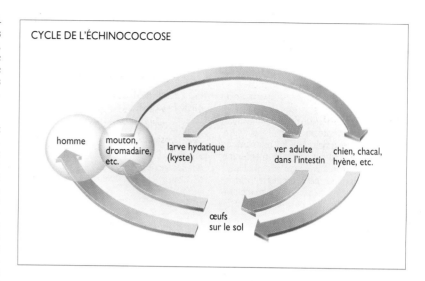

CYCLE DE L'ÉCHINOCOCCOSE

homme — mouton, dromadaire, etc. — larve hydatique (kyste) — ver adulte dans l'intestin — chien, chacal, hyène, etc. — œufs sur le sol

L'*Echinococcus granulosus* provoque la formation d'un kyste hydatique, sorte de tumeur arrondie de taille variable (jusqu'à 15 ou même 20 centimètres de diamètre) bordée par une paroi épaisse et remplie d'un liquide plus ou moins clair et de scolex (têtes de ténia), qui peuvent redonner naissance, chez l'homme, à un autre kyste et, chez le chien, à un ténia adulte.

Le ténia adulte est d'abord hébergé par le chien, qui rejette les œufs sur le sol en déféquant. L'homme se contamine alors s'il ingère des œufs de ténia disséminés sur le sol et souillant l'eau ou les légumes consommés crus, ou s'il porte ses mains à la bouche, sans les avoir lavées, après avoir manipulé de la terre ou caressé un chien dont la fourrure contient le parasite.

SYMPTÔMES ET DIAGNOSTIC

Les kystes peuvent se développer dans différents organes. Ils peuvent se rompre, libérant dans l'organisme des scolex susceptibles d'y causer de multiples kystes dits secondaires (échinococcose disséminée).
■ **Un kyste hydatique du foie** provoque une augmentation de volume du foie, des douleurs localisées, un ictère (la peau prend une coloration jaune) et des poussées passagères d'urticaire. L'échotomographie (échographie permettant d'obtenir des images en coupe de l'organe) permet de déceler la présence de la tumeur parasitaire.
■ **Un kyste hydatique des poumons** provoque une toux, des douleurs thoraciques et, parfois, le rejet d'un peu du liquide contenu dans le kyste. La radiographie des poumons met en évidence un ou plusieurs kystes.

TRAITEMENT

L'ablation de la tumeur par une intervention chirurgicale est toujours conseillée. Les échinococcoses disséminées peuvent être soignées avec de l'albendazole.

Échocardiographie

Technique d'imagerie utilisant les ultrasons et destinée à explorer le cœur.

Apparue à titre expérimental au cours de la Seconde Guerre mondiale, l'échocardio-graphie transthoracique s'est développée dans les années 60 en mode unidimensionnel (mode TM : temps-mouvement), mais elle a connu son plein essor à partir de la fin des années 70 avec l'apparition d'images en 2 dimensions (mode BD : bidimensionnel). Depuis le début des années 90, l'échocardiographie transœsophagienne permet d'observer beaucoup plus finement l'anatomie du cœur.

Échocardiographie transthoracique

Cet examen utilise une sonde échographique placée sur le thorax en regard du cœur.

INDICATIONS

■ Les maladies cardiaques congénitales peuvent être décelées par l'échocardiographie transthoracique. Différents plans de coupe sont utilisés, sous diverses incidences.

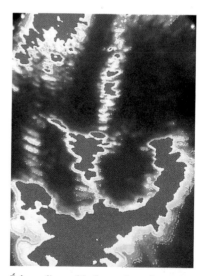

Échocardiographie. *Le muscle cardiaque avec, en bas, les ventricules, apparaît en rouge orangé ; les cavités ventriculaires, emplies de sang, en bleu.*

Les différentes cavités sont ainsi identifiées, leurs rapports mutuels, étudiés.

■ Les atteintes du ventricule gauche sont visibles, car il existe, au cours des contractions cardiaques, une modification de l'épaisseur de ses parois – cette épaisseur se trouvant augmentée en cas d'hypertension artérielle ancienne – et de sa taille. Les mesures reflètent le degré de fonctionnement de la pompe cardiaque, qui peut être diminué, par exemple, par un infarctus du myocarde ou par un mauvais fonctionnement de la valvule aortique ou mitrale.

■ Les dilatations de l'oreillette gauche peuvent être visualisées, en particulier lorsque la valvule mitrale est le siège d'un dysfonctionnement.

■ Les anomalies des valvules cardiaques, mitrale, tricuspide, aortique ou pulmonaire, qu'elles soient structurelles et concernent la texture de leurs feuillets ou qu'elles soient fonctionnelles et se traduisent par une modification de leur activité lorsqu'elles fuient ou sont rétrécies, sont bien visualisées.

■ Les atteintes du péricarde se manifestent par un épaississement ou par la présence d'un épanchement péricardique (quantité anormalement élevée de liquide dans le péricarde).

■ Les atteintes de l'aorte visualisées par l'échocardiographie transthoracique sont soit des dilatations, soit des dissections (clivage de la paroi artérielle).

TECHNIQUE

Une sonde d'échographie appliquée sur la poitrine émet des ondes ultrasonores. Celles-ci pénètrent dans les tissus du cœur et sont partiellement réfléchies chaque fois qu'elles rencontrent une structure de densité différente de la précédente (paroi cardiaque, sang). Les ultrasons renvoyés sont recueillis par un capteur, et le temps de leur retour est converti en une distance permettant de reconstruire sur un écran une image ressemblant à une coupe anatomique. La qualité des images obtenues est variable, l'obésité et certaines maladies pulmonaires étant, par exemple, des obstacles à la propagation des ultrasons. L'examen dure, en moyenne, de 20 à 40 minutes.

Par ailleurs, deux modes échographiques sont utilisés :

■ Le mode unidimensionnel, qui indique la variation d'une dimension anatomique en fonction du temps, sert à mesurer la taille des principales structures cardiaques (aorte, oreillette gauche, ventricule gauche).

■ Le mode bidimensionnel, qui donne des images anatomiques en deux dimensions, permet d'étudier les mouvements et les dimensions des différentes parties du cœur. Actuellement, l'échocardiographie en mode bidimensionnel peut être complétée par le Doppler cardiaque, examen qui permet d'étudier la circulation du sang à l'intérieur des cavités cardiaques.

EFFETS SECONDAIRES

L'échocardiographie transthoracique est un examen indolore, qui ne nécessite pas d'hospitalisation et qui n'entraîne aucun effet secondaire.

Échocardiographie transœsophagienne

Cet examen utilise une sonde échographique introduite par la bouche dans l'œsophage.

INDICATIONS

L'échocardiographie transœsophagienne complète l'échographie transthoracique pour rechercher un thrombus (caillot) dans une oreillette, une communication interauriculaire, une anomalie valvulaire mitrale (prolapsus, végétations d'endocardite) ou une anomalie de l'aorte thoracique (anévrysme, thrombus, dissection). Elle fournit des images plus précises des oreillettes, de la cloison interauriculaire et de la valvule mitrale.

TECHNIQUE

Après anesthésie locale, une sonde est introduite par la bouche et descendue dans l'œsophage jusqu'au niveau des oreillettes. Ce type d'échographie s'effectue en mode bidimensionnel.

EFFETS SECONDAIRES

Cet examen nécessite de pouvoir disposer d'un matériel de réanimation car il peut se produire un trouble du rythme ou une fausse-route après vomissements.

Écho-Doppler vasculaire

Examen échographique (fondé sur l'utilisation des ultrasons) destiné à explorer les artères et les veines.

DIFFÉRENTS TYPES D'ÉCHO-DOPPLER

L'écho-Doppler vasculaire comporte 3 modalités différentes : l'échographie bidimensionnelle, le Doppler artériel et l'écho-Doppler avec codage couleurs.

■ L'échographie bidimensionnelle fait appel à la propriété qu'a un faisceau d'ultrasons de se réfléchir en partie lorsqu'il rencontre la limite séparant deux structures de composition différente. La sonde échographique, qui est à la fois émettrice et réceptrice, permet donc, lorsqu'elle est appliquée sur la peau en regard d'une artère, de voir la paroi antérieure de cette artère, puis sa lumière (volume intérieur) et enfin sa paroi postérieure. L'échographie bidimensionnelle permet de mettre également en évidence les plaques d'athérome et les rétrécissements qui peuvent s'être formés dans l'épaisseur de la paroi artérielle. De la même façon, il est possible de voir les veines et de vérifier l'existence d'un caillot.

ÉCHO-DOPPLER

L'examen s'effectue en déplaçant une sonde sur la peau. Le praticien peut observer sur l'écran à la fois l'image en coupe des tissus rencontrés par les ultrasons, fournie par l'échographie à deux dimensions, et la représentation, réalisée par ordinateur avec des couleurs conventionnelles, du flux sanguin mesuré au même endroit par la technique du Doppler.

Image reconstituée informatiquement de l'artère carotide primitive, se divisant dans le cou en deux branches.

■ Le Doppler artériel utilise la propriété qu'ont les ultrasons de changer de fréquence d'émission lorsqu'ils se réfléchissent sur un corps en mouvement. En calculant automatiquement la différence entre la fréquence d'émission et la fréquence de réception, l'appareil est capable de donner avec précision la vitesse instantanée du corps en mouvement. Les globules rouges étant capables de réfléchir le faisceau d'ultrasons, il est possible d'apprécier à chaque instant la vitesse du flux sanguin dans le vaisseau situé en regard de la sonde Doppler. L'existence d'un rétrécissement localisé dans une artère provoque une accélération du flux sanguin à cet endroit et une diminution du flux artériel en aval du rétrécissement. L'analyse des courbes enregistrées à différents niveaux artériels (carotidien, fémoral, etc.) permet de connaître avec précision l'état du réseau artériel. De la même façon, l'enregistrement Doppler du flux veineux permet de mettre en évidence l'arrêt ou le ralentissement du flux sanguin, dû à la présence d'un caillot à l'intérieur de la veine examinée, dans le cas d'une phlébite.

■ L'écho-Doppler avec codage couleurs est une technique plus récente, courante, qui permet de visualiser sur écran le flux artériel ou veineux en colorant de manière arbitraire le flux sanguin en rouge s'il se dirige vers le capteur, en bleu s'il s'en éloigne.

EFFETS SECONDAIRES

L'écho-Doppler vasculaire est un examen indolore, dont la durée n'excède pas 40 minutes, qui ne nécessite pas d'hospitalisation et n'entraîne aucun effet secondaire.

Échoencéphalographie

Échographie de l'encéphale.

L'échoencéphalographie permet de déceler un hématome, une tumeur en expansion ou une dilatation des ventricules. Sa réalisation étant limitée par l'obstacle que constitue pour les ultrasons la voûte osseuse crânienne, elle est actuellement supplantée par le scanner cérébral et par l'imagerie par résonance magnétique (I.R.M.).
→ VOIR Échographie.

Échoendoscopie

Technique d'examen, de développement récent, associant l'exploration échographique, par réflexion des ultrasons dans les organes, et l'endoscopie.

INDICATIONS

L'échoendoscopie sert surtout à explorer le tube digestif. Par voie haute (endoscope introduit par la bouche), elle est utilisée principalement pour déterminer l'existence et l'extension de tumeurs œsophagiennes ou gastriques, bénignes ou malignes. L'étude des affections aiguës ou chroniques du pancréas (tumorales, infectieuses) fait également appel à cette technique, comme celle des maladies biliaires de diagnostic difficile.

L'échoendoscopie basse, avec introduction de l'endoscope par l'anus, étudie surtout les tumeurs rectales et permet d'apprécier l'extension d'une tumeur et de rechercher des ganglions adjacents.

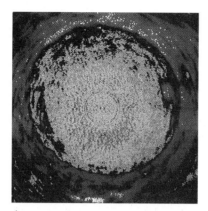

Échoendoscopie. La sonde (petit cercle central) montre une plaque d'athérome (orange), plus épaisse en haut, obstruant en partie la lumière d'une artère coronaire (en bleu).

TECHNIQUE

L'examen est réalisé à l'aide d'un échoendoscope, endoscope muni à son extrémité d'une sonde renfermant un cristal de quartz émettant et recueillant les ultrasons. Les échos des ultrasons, différents selon la nature et la consistance des structures rencontrées, sont traduits sur écran ou sur papier photographique sous forme d'image.

DÉROULEMENT

L'échoendoscopie haute nécessite le plus souvent une anesthésie générale légère, qui n'endort pas complètement le patient. Celui-ci doit être à jeun. Un fibroscope-endoscope – muni de fibres de verre renvoyant une image à un oculaire (système optique placé du côté de l'œil de l'observateur) ou sur un écran – est d'abord introduit par la bouche. Puis un échoendoscope, muni à son extrémité d'un ballonnet plein d'eau pour favoriser le passage des ultrasons, est introduit par la même voie jusqu'à l'œsophage, l'estomac ou le duodénum. L'examen dure de 15 à 30 minutes. L'échoendoscopie par voie basse se déroule de la même façon, mais ne nécessite pas d'anesthésie.

L'échoendoscopie ne s'accompagne d'aucun effet secondaire. Les patients ayant subi une anesthésie doivent demeurer 2 ou 3 heures sous surveillance médicale.

Échographie

Technique permettant de visualiser certains organes internes ou un fœtus grâce à l'emploi des ultrasons. SYN. *ultrasonographie*.

L'échographie est également utilisée en imagerie interventionnelle pour diriger les gestes de ponction ou de biopsie. Au bloc opératoire, elle peut guider l'exploration chirurgicale, y compris celle de lésions du cerveau ou de la moelle épinière. En raison de sa simplicité et de son innocuité, l'échographie est souvent le premier examen pratiqué pour établir un diagnostic.

DIFFÉRENTS TYPES D'ÉCHOGRAPHIE

Les examens échographiques sont classés selon les organes observés.

■ L'échographie abdominale (du foie, du pancréas, de la rate, de la vésicule, des voies biliaires et des gros vaisseaux tels que l'aorte et la veine cave inférieure) est demandée en cas d'anomalies sanguines comme l'augmentation du taux de certains leucocytes, de douleurs abdominales ou d'ictère. Elle permet de dépister les inflammations, les cirrhoses, les calculs biliaires et de repérer éventuellement un kyste ou une tumeur.

■ L'échographie endovaginale (par sonde introduite dans le vagin) permet d'observer l'utérus et les ovaires et d'y déceler un éventuel fibrome ou un kyste, en cas de douleurs et d'hémorragies. Elle présente l'avantage sur l'échographie conventionnelle (application de la sonde sur le bas-ventre) de pouvoir suivre beaucoup plus tôt le déroulement d'une grossesse et, notamment, de contrôler l'activité cardiaque du fœtus. Elle s'utilise, en outre, pour suivre le développement des follicules ovariens lors du traitement d'une stérilité ou de la programmation d'une fécondation in vitro et aussi pour vérifier la bonne implantation d'un stérilet. Elle permet de guider certains gestes chirurgicaux (ponction de kystes ovariens ou des follicules, traitement d'une grossesse extra-utérine).

■ L'échographie mammaire est un examen complémentaire de la mammographie. Elle permet de préciser la nature liquide ou solide d'une tumeur, de fournir certains renseignements sur sa malignité ou sa bénignité et de guider la ponction d'une masse mammaire.

■ L'échographie prostatique ou rénale peut révéler une maladie de la prostate ou la présence de calculs urinaires, de kystes et de tumeurs du rein en cas de troubles de la miction, de douleurs, d'infection, d'hématurie (présence de sang dans les urines).

TECHNIQUE

L'échographie est pratiquée selon deux modes : unidimensionnel et bidimensionnel. Le premier, très peu utilisé, indique par un tracé les structures rencontrées par le faisceau d'ultrasons le long d'une ligne droite. Le second, le plus courant, donne des images anatomiques en deux dimensions. On parle, dans ce cas, d'échotomographie.

Une sonde est posée sur la peau ou introduite dans une cavité naturelle (vagin ou rectum). Elle est munie d'un émetteur d'ultrasons (ondes acoustiques non perçues par l'oreille humaine) qui traversent les organes mais sont en partie réfléchis quand ils rencontrent une modification de la densité des tissus.

Il existe plusieurs types de sondes :

■ Les sondes utilisées par voie externe sont placées sur le corps du patient au-dessus de la région à explorer.

■ Les sondes endocavitaires (utilisées par voie interne) sont introduites soit dans le vagin (échographie endovaginale pour explorer le petit bassin), soit dans le rectum (échographie endorectale pour explorer la prostate), soit dans l'œsophage (échographie endo-œsophagienne ou transœsophagienne pour explorer le cœur).

L'examen consiste à déplacer une sonde émettant des ultrasons sur l'abdomen de la patiente tout en observant sur l'écran les images ainsi obtenues. Il permet de préciser un certain nombre d'éléments utiles à la surveillance de la grossesse.

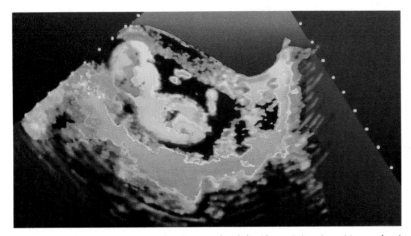

Le fœtus est bien visible, avec tête et jambes, baignant dans le liquide amniotique (en noir) et enveloppé par la paroi utérine (en rose). La mère peut voir son enfant sur l'écran.

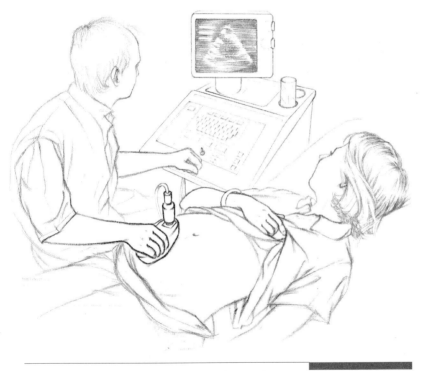

raisse pas, d'autres d'être à jeun et d'ingérer une préparation destinée à réduire les gaz intestinaux. L'examen est indolore et dure de 10 à 20 minutes.

EFFETS SECONDAIRES

L'échographie est une méthode d'imagerie médicale peu coûteuse, ne nécessitant ni préparation particulière du patient ni hospitalisation. Elle ne comporte pas le risque des rayons X. Il n'y a pas d'effet secondaire connu.

→ VOIR Échocardiographie.

Échographie obstétricale

Examen permettant de visualiser un fœtus grâce à la technique des ultrasons.

INDICATIONS

■ Au premier trimestre de la grossesse, l'échographie obstétricale permet de porter le diagnostic de vitalité de l'embryon, de déterminer l'âge de la grossesse et de détecter une grossesse multiple ou extra-utérine.

■ Au deuxième trimestre (vers la 22e semaine d'aménorrhée environ), elle sert à contrôler la taille du fœtus, ses mouvements et les battements de son cœur. Elle permet également de vérifier que sa croissance se poursuit normalement (en effectuant certaines mesures : diamètre bipariétal, diamètre abdominal transverse, longueur fémorale) et que la quantité de liquide amniotique est suffisante, de dépister les principales malformations ou anomalies morphologiques pouvant orienter vers une anomalie chromosomique telle que la trisomie 21.

■ Au troisième trimestre (vers la 32e semaine d'aménorrhée), elle permet de vérifier la morphologie du fœtus et de détecter d'éventuelles malformations tardives, d'évaluer la quantité de liquide amniotique et la position du placenta.

L'échographie permet encore de connaître le sexe du bébé, même s'il s'agit de jumeaux ou de triplés, avec une faible marge d'erreur, sauf dans de rares cas où la position du fœtus empêche de voir ses organes génitaux. Lorsque des analyses sont nécessaires, elle permet de guider une ponction de liquide amniotique ou de sang fœtal ou encore le prélèvement de villosités choriales (tissu placentaire).

Dans certains cas enfin, l'échographie permet de réaliser in utero de petites interventions concernant des anomalies qui seront prises en charge dès que la naissance de l'enfant sera possible, en fonction de la maturité pulmonaire.

TECHNIQUE

Une sonde est posée sur la peau et placée sur le corps de la patiente au-dessus de la région à explorer. Elle est munie d'un émetteur d'ultrasons (ondes acoustiques non perçues par l'oreille humaine) qui traversent les organes mais sont en partie réfléchis selon les différences de densité des tissus rencontrés.

DÉROULEMENT

Avant le 4e mois de grossesse, l'échographie obstétricale nécessite d'ingérer une quantité d'eau suffisante pour remplir la vessie, de façon qu'elle n'apparaisse pas. L'examen est indolore et dure de 10 à 20 minutes.

■ Les sondes miniaturisées, introduites par cathétérisme dans les vaisseaux, permettent l'échographie intravasculaire.

Les ultrasons, qui se propagent facilement dans les milieux liquides et n'y sont pas réfléchis, sont arrêtés par l'air et par les os. C'est pourquoi l'échographie est peu ou pas indiquée dans l'examen du cerveau, des poumons, des intestins ou des os. En revanche, les organes pleins comme le foie ou le rein apparaissent distinctement. À partir des ultrasons réfléchis, l'ordinateur produit, sur un écran simple ou un système vidéo, des images qui peuvent être photographiées. C'est en comparant différents plans que le médecin interprète les clichés.

DÉROULEMENT

Selon la zone à explorer, le patient s'allonge sur le dos ou sur le côté, le thorax ou le ventre dégagé. L'échographie endovaginale se déroule en position gynécologique (genoux pliés et écartés, pieds dans les étriers). Pour les échographies externes, la zone est préalablement enduite de gel pour favoriser la transmission des ultrasons. Le médecin applique alors la sonde et la déplace tout en observant les organes étudiés sur son écran de contrôle. Il peut donner immédiatement des indications sur le résultat.

Certaines échographies nécessitent d'ingérer une quantité d'eau suffisante pour remplir la vessie, de façon qu'elle n'appa-

La patiente s'allonge sur le dos, le ventre dégagé. L'abdomen est préalablement enduit de gel pour favoriser la transmission des ultrasons. Le médecin applique alors la sonde et la déplace tout en observant le fœtus sur son écran de contrôle. Il peut donner immédiatement des indications sur le résultat.

L'échographie ne comporte pas le risque que présentent les rayons X. Il n'y a pas d'effet secondaire connu.

Écholalie

Trouble du langage qui consiste à répéter de manière systématique les derniers mots entendus.

Une écholalie se rencontre lors de certains types d'aphasie et en cas de perturbation du fonctionnement du lobe frontal (partie antérieure du cerveau), par exemple au cours d'un accident vasculaire cérébral, d'une encéphalite ou d'une sclérose en plaques.

Échotomographie

Échographie en mode bidimensionnel fournissant des images de différents plans de coupe de l'organisme.
→ VOIR Échographie.

Éclampsie

Affection grave survenant généralement en fin de grossesse, caractérisée par des convulsions associées à une hypertension artérielle.

La cause de l'éclampsie n'est pas exactement connue.

SYMPTÔMES ET ÉVOLUTION

La maladie commence le plus souvent au troisième trimestre de la grossesse chez une femme n'ayant jamais accouché ; elle se manifeste tout d'abord par une hypertension artérielle, une présence excessive de protéines dans l'urine et des œdèmes. Ces signes s'accentuent tandis qu'apparaissent des maux de tête, des vertiges, des bourdonnements d'oreille, des éclairs visuels et une douleur en barre à la hauteur de l'estomac. Enfin survient l'éclampsie proprement dite, semblable à une crise d'épilepsie : perte de conscience, raideur des membres suivie de convulsions. Elle se déclenche parfois pendant l'accouchement ou immédiatement après celui-ci.

En l'absence de traitement, l'éclampsie peut mettre en jeu la vie de la mère et, dans 50 % des cas environ, la vie de l'enfant.

TRAITEMENT ET PRÉVENTION

Le traitement en urgence, en milieu spécialisé, comprend des anticonvulsivants (par exemple le diazépam) et le déclenchement de l'accouchement ou la césarienne. Dans la grande majorité des cas, la patiente guérit sans séquelle et il n'y a aucune récidive pendant les autres grossesses. Cependant, de 5 à 10 % des mères présentent des complications à long terme (cérébrales, rénales ou cardiaques).

La prévention de l'éclampsie repose sur le dépistage systématique, au cours de toute grossesse, des signes d'atteinte rénale (tension artérielle, protéinurie) et de ceux immédiatement précurseurs de l'éclampsie.

Economo ou Economo-Cruchet (maladie de von)

Forme historique d'encéphalite virale postgrippale.
→ VOIR Encéphalite.

Écoulement

Émission de liquide par un orifice naturel ou fistuleux.

Un écoulement peut constituer un phénomène normal ou pathologique. Dans ce dernier cas, il peut traduire, selon sa localisation et la nature du liquide, un grand nombre d'affections, de gravité très variable. Aussi tout écoulement anormal justifie-t-il un examen médical.

■ Un écoulement anal purulent doit faire rechercher une suppuration anale (fistule, fissure infectée), extra-anale (maladie de Verneuil) ou sus-anale (maladie inflammatoire rectale). Une émission glaireuse évoque une pathologie rectocolique (tumeur, colite) ; une impression d'humidité anale peut être liée à la présence d'hémorroïdes ou être provoquée par une dermite péri-anale.

■ Les écoulements du nez, d'aspect clair ou purulent, se rencontrent lors des différentes rhinites (virales, bactériennes, allergiques). Les saignements de nez peuvent être dus à une hypertension artérielle. Un écoulement de liquide clair, couleur eau de roche, après un traumatisme crânien, évoque une fracture de l'étage antérieur de la base du crâne avec fuite de liquide céphalorachidien.

■ Un écoulement de l'oreille, plus ou moins purulent, même peu important ou intermittent, évoque une otite, qui peut évoluer vers la surdité en l'absence de traitement.

■ Les écoulements sanguins provenant du mamelon, du rectum, de l'urètre, du vagin peuvent être le signe d'un cancer.

■ Un écoulement urétral purulent doit faire rechercher une blennorragie (urétrite infectieuse due au gonocoque).

■ Un écoulement purulent à travers la peau peut être dû à la formation d'une fistule à partir d'un abcès plus ou moins profond.

Écouvillon

Longue tige en métal ou en bois munie à son extrémité d'un morceau de coton ou de gaze, utilisée pour réaliser des prélèvements diagnostiques ou bien pour appliquer des produits antiseptiques ou analgésiques dans les cavités naturelles.

Un écouvillon sert essentiellement à effectuer des prélèvements de sécrétions sur la peau et les muqueuses (urètre, vagin, gorge, oreille) en vue de rechercher la présence de micro-organismes.

Écrasement (syndrome d')

→ VOIR Bywaters (syndrome de).

Ecstasy

Substance de structure proche de l'amphétamine et de la mescaline, utilisée comme stupéfiant en raison de ses effets euphorisants et psychostimulants.

L'ecstasy stimule la sécrétion de sérotonine, médiateur chimique des centres nerveux et en particulier de l'hypothalamus. Son mode d'administration est oral.

La toxicité de l'ecstasy est accrue chez les sujets atteints d'insuffisance cardiaque ou rénale, souffrant d'hypertension artérielle ou d'hyperthyroïdie et chez les femmes enceintes ou allaitant. De plus, elle entraîne un état de dépendance et souvent une psychose, une dépression, une hépatite et une insuffisance rénale.

Ectasie

Dilatation anormale d'un organe creux, d'un canal glandulaire ou d'un vaisseau.

■ L'ectasie artérielle, ou anévrysme artériel, est une dilatation des parois d'une artère.

■ L'ectasie canaliculaire précalicielle, ou maladie de Cacchi et Ricci, est une maladie congénitale comportant des dilatations en forme de kystes de la partie terminale des tubes collecteurs, qui débouchent dans les petits calices au niveau des papilles rénales.
→ VOIR Cacchi et Ricci (maladie de).

Ecthyma

Infection cutanée caractérisée par une ulcération survenant le plus souvent sur les membres.

L'ecthyma, provoqué par une bactérie, le streptocoque, affecte généralement des sujets affaiblis (diabète, dénutrition, déficit immunitaire). Précédé par des lésions vésiculeuses, il se traduit par une ulcération (creusement dû à la disparition des couches superficielles) croûteuse de la peau. Les antibiotiques (pénicillines), pris en urgence et à fortes doses, permettent d'arrêter l'infection. Les soins locaux sont ceux de l'ulcère (nettoyage local, pansements antiseptiques) ; cependant, un ecthyma laisse toujours une cicatrice.

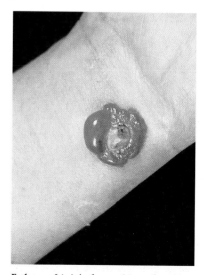

Ecthyma. Ici, à la face antérieure du poignet, la lésion se présente sous l'aspect typique d'une ulcération centrale, entourée d'un bourrelet rouge inflammatoire.

Ectoderme

Feuillet le plus externe de l'embryon. SYN. *ectoblaste*.

L'ectoderme est l'un des trois feuillets primitifs embryonnaires, les autres étant l'endoderme et le mésoderme. Il apparaît entre le 13e et le 16e jour après la fécondation. Il se différencie en deux parties qui donnent naissance, pendant l'embryogenèse, à des éléments essentiels de l'organisme : d'une part, le système nerveux, composé du système nerveux central (cerveau, moelle épinière), du système nerveux périphérique (nerfs reliant les organes au système nerveux central) et des parties principales des organes des sens (œil, oreille, nez) ; d'autre part, l'épiderme (couche externe de la peau), les phanères (ongles, poils, émail des dents) ainsi que les glandes sous-cutanées et les glandes mammaires.

Ectodermose pluri-orificielle

→ VOIR Érythème polymorphe.

Ectoparasite

Parasite sous-cutané ou vivant sur la peau occasionnellement ou en permanence et se nourrissant de sang ou de suc tissulaire. SYN. *ectozoaire*.

Le pou, la puce, la puce chique, le sarcopte de la gale, la tique et l'aoûtat (larve du trombidion) sont des ectoparasites de l'homme. La piqûre de ces insectes provoque une ectoparasitose.

→ VOIR Gale, Maladies transmises par les insectes, Pédiculose, Piqûres.

Ectopie

Localisation anormale, congénitale ou acquise, d'un organe.

DIFFÉRENTS TYPES D'ECTOPIE

■ **L'ectopie cervicale** est la présence anormale du tissu glandulaire (tapissant normalement l'endocol) à l'extérieur du canal endocervical du col de l'utérus. Cette anomalie, constatée à l'examen clinique, ne se signale par aucun symptôme et n'entraîne aucun trouble particulier.

■ **L'ectopie testiculaire, ou cryptorchidie,** est un trouble de la migration du testicule de l'abdomen dans la bourse pendant le développement embryonnaire. Elle se manifeste par une vacuité de la bourse et entraîne, à la puberté, une atrophie du testicule. Son traitement est médical (injections d'hormones gonadotropes) ou, le plus souvent, chirurgical, par orchidopexie (intervention consistant à faire descendre le testicule dans la bourse et à l'y fixer).

→ VOIR Cryptorchidie.

Ectropion palpébral

Éversion du bord de la paupière, le plus souvent la paupière inférieure, qui expose la conjonctive (membrane transparente qui tapisse l'intérieur des paupières), normalement en contact avec le globe oculaire.

CAUSES

Bien qu'un ectropion palpébral puisse exister dès la naissance (ectropion congénital), il s'observe surtout chez le sujet âgé (ectropion

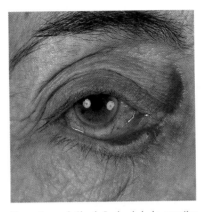

Ectropion palpébral. Le bord de la paupière inférieure, renversé vers l'extérieur, ne protège plus suffisamment l'œil, qui finit par être irrité, avec un risque de conjonctivite.

sénile) et est alors dû à un relâchement des tissus ou à une inflammation de la paupière (conjonctivite chronique). Il peut aussi résulter de la mauvaise cicatrisation d'une plaie ou d'une brûlure (ectropion cicatriciel), ou encore compliquer une paralysie faciale (ectropion paralytique).

SYMPTÔMES ET TRAITEMENT

L'ectropion palpébral entraîne un larmoiement permanent et une irritation de l'œil. Mal protégée, la cornée est exposée à des lésions trophiques : kératite ponctuée superficielle, voire ulcération cornéenne. La conjonctive s'épaissit, perdant sa souplesse et sa mobilité naturelles.

Le traitement d'un ectropion palpébral est chirurgical et plus ou moins complexe selon l'origine de celui-ci.

Ectropion cervical

Éversion de la muqueuse du col utérin.

L'ectropion cervical peut survenir de façon physiologique au cours d'une grossesse ou en liaison avec la prise d'œstroprogestatifs (contraception orale ou traitement hormonal). Il est parfois la conséquence d'une déchirure du col pendant l'accouchement. Il peut se manifester par des pertes vaginales d'abondance variable ou par de petits saignements lors des rapports sexuels ou de la toilette intime. Toutefois, ces signes peuvent manquer.

Un ectropion cervical n'est traité que s'il provoque des troubles. Le traitement fait appel à la chaleur (cautérisation chimique ou électrique), au froid (cryochirurgie) ou au laser (vaporisation).

Eczéma

Affection cutanée allergique, aiguë ou chronique, caractérisée par des zones rouges surmontées de petites vésicules liquidiennes très prurigineuses.

La fréquence exacte de l'eczéma n'est pas connue, mais on sait qu'elle est élevée puisque cette maladie motive jusqu'à 30 % des consultations en dermatologie.

DIFFÉRENTS TYPES D'ECZÉMA

Selon leur cause, on distingue trois principaux types d'eczéma, qui peuvent chacun revêtir une forme aiguë ou chronique.

■ **L'eczéma allergique de contact, ou dermite de contact,** survient à l'occasion de contacts répétés avec une substance allergisante (nickel, caoutchouc, détergents, certaines substances médicamenteuses, etc.). Certains sujets, le plus souvent des adultes, se mettent ainsi à développer une poussée d'eczéma à chaque nouveau contact.

■ **L'eczéma atopique,** également appelé eczéma constitutionnel ou dermatite atopique, affecte des sujets atteints d'atopie, c'est-à-dire héréditairement prédisposés aux allergies. Il est très fréquent chez le nourrisson. Les symptômes et les poussées sont principalement déclenchés par les pneumallergènes (poussière domestique, animaux microscopiques tels que les acariens, pollens) ou par d'autres allergènes présents dans certains aliments : lait, œuf, soja, etc.

■ **L'eczéma par sensibilisation interne** est dû à la présence d'un foyer infectieux déclenchant une sorte d'allergie se manifestant sur la peau.

Enfin, indépendamment de la classification précédente, il peut arriver qu'une affection cutanée (psoriasis) se recouvre de lésions semblables à celles provoquées par l'eczéma ; cette complication, appelée eczématisation, est le plus souvent due à l'application de médicaments allergisants.

SYMPTÔMES ET SIGNES

Selon qu'il est aigu ou chronique, l'eczéma revêt des formes très différentes.

■ **L'eczéma aigu** se manifeste par l'apparition de plaques rouge vif mal délimitées, gonflées, prurigineuses ; puis apparaissent des vésicules (cloques minuscules) qui par la suite se rompent, provoquant un suintement ; enfin se forment des croûtes plus ou moins épaisses, qui tombent au bout de 1 ou 2 semaines et laissent des cicatrices rosées.

■ **Les eczémas chroniques,** plus variés, se rangent en trois catégories principales :
– les formes sèches, qui se traduisent par des placards rouges et croûteux mal délimités, avec une desquamation tantôt fine, tantôt en larges lambeaux ;
– les formes lichénifiées, qui se caractérisent par des plages de peau épaisse et violine, parcourues de sillons à dessin losangique ;
– les formes dysidrosiques, qui se traduisent par l'apparition de vésicules sur les faces latérales des doigts ; celles-ci peuvent se rompre et former des croûtes ou des fissures, en particulier sur les paumes des mains et les plantes des pieds.

TRAITEMENT ET PRÉVENTION

Le traitement est d'abord celui de la cause, quand il est possible. Seule la suppression du contact avec l'allergène guérit les eczémas de contact, mais elle est souvent difficile à obtenir en pratique. En cas d'eczéma atopique, la suppression des pneumallergènes (acariens) est parfois possible, de même que celle des allergènes alimentaires. Enfin, une désensibilisation (injections répétées de l'allergène à très faibles doses) peut être entreprise dans certains cas d'eczémas atopiques. En cas d'eczéma par sensibilisation interne, les antibiotiques guérissent définitivement à la fois l'infection et l'eczéma. Les autres traitements visent à supprimer ou à atténuer les symptômes locaux ou généraux. Les traitements locaux comprennent les antiseptiques (surtout dans l'eczéma aigu) et les dermocorticostéroïdes (surtout dans l'eczéma chronique). Le traitement général consiste en l'administration orale d'antihistaminiques afin de calmer les démangeaisons. La prise en charge psychologique, le changement de climat ainsi que les cures thermales constituent autant d'aides non négligeables au traitement de l'eczéma, surtout lorsqu'il est chronique. Enfin, la transpiration aggravant l'eczéma, il est important d'éviter tout ce qui contribue à l'augmenter (vêtements trop chauds, etc.).

La prévention de l'eczéma atopique consiste à éviter chez tous les enfants, mais surtout en cas de précédents familiaux, les contacts précoces et répétés avec les allergènes potentiels. C'est une des raisons pour lesquelles on recommande de nos jours de diversifier progressivement l'alimentation du nourrisson.

Eczématide
→ voir Parakératose.

Édulcorant
Substance d'origine naturelle ou de synthèse donnant une saveur sucrée.

Les édulcorants sont utilisés comme additifs alimentaires ou comme ingrédients pour donner une saveur sucrée aux aliments, comme excipients pour faciliter l'administra-tion de médicaments, comme substituts du sucre dans le traitement de divers troubles nutritionnels (diabète, obésité, etc.). Ces substances se caractérisent par leur pouvoir sucrant, lequel est défini par rapport à celui du saccharose, choisi comme sucre de référence (valeur = 1).

DIFFÉRENTS TYPES D'ÉDULCORANTS

■ Les édulcorants d'origine naturelle (présents dans les fruits, les légumes, le miel, etc.) peuvent être calorigènes (fructose, galactose, glucose, lactose, maltose, saccharose) ou non calorigènes (glycyrrhizine, thaumatine).

■ Les édulcorants d'origine synthétique se divisent en édulcorants dits de masse ou de charge et en édulcorants dits intenses.

Les édulcorants de masse, ainsi nommés du fait de leur « effet-volume » (ils se dilatent dans le tube digestif, donnant une sensation de plénitude gastrique), sont le sorbitol, le

ECZÉMA

Il existe plusieurs formes d'eczéma, caractérisées par des lésions de diffé-rents types : plaques rouges et suintantes de l'eczéma aigu, plaques épaisses et sèches des formes chroniques, par exemple.

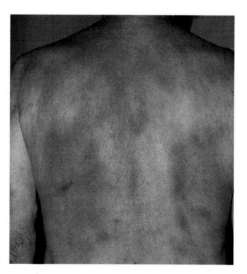

Eczéma de type dysidrosique : les mains de la malade sont marquées de taches rouges, la peau se dessèche et tend à se détacher par lambeaux.

Dans l'eczéma lichénifié, la peau s'épaissit et prend une coloration foncée, avec des plaques étendues.

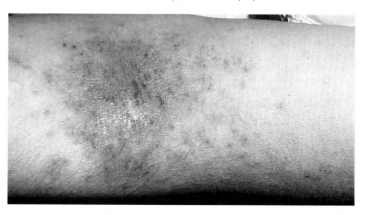

Un eczéma de contact peut être déclenché par une boucle de ceinture ou un bracelet en métal.

Eczéma aigu typique, à la pliure du coude : la peau est rouge vif, suintante, avec de minuscules saignements et des taches disséminées alentour.

LES PRINCIPAUX ÉDULCORANTS

Classification	Origine	Caractéristiques	Utilisation
Édulcorants calorigènes			
Fructose	Fruits, miel, légumes	Pouvoir sucrant = de 1,1 à 1,3 Laxatif à forte dose (diarrhée) Induction de caries	Additif alimentaire pour aliments de régime pour les sujets diabétiques et obèses
Sorbitol	Baie de sorbier Fruits (poire, pêche, pruneau) Cidre	Pouvoir sucrant = de 0,5 à 0,6 Laxatif à forte dose (diarrhée) Pas de risque de carie	Additif alimentaire, excipient pour dentifrice et chewing-gum
Xylitol	Bois de hêtre et de bouleau Fruits (framboises, bananes)	Pouvoir sucrant = de 1 Effet rafraîchissant Laxatif à forte dose Pas de risque de carie	Additif alimentaire, excipient pour chewing-gum
Édulcorants non calorigènes			
Acésulfame	Synthétique	Pouvoir sucrant = de 100 à 200 Arrière-goût amer	Additif alimentaire, excipient pour chewing-gum
Aspartame	Synthétique	Pouvoir sucrant = de 100 à 200 Contre-indiqué en cas de phénylcétonurie	Substances pharmaceutiques pour les sujets diabétiques ou obèses (comprimés, poudre)
Cyclamates de sodium ou de calcium	Synthétique	Pouvoir sucrant = de 25 à 30 Saveur métallique À éviter chez les femmes enceintes	Additif alimentaire utilisé en association avec la saccharine, substances pharmaceutiques pour les sujets diabétiques ou obèses (comprimés, granulés, gouttes)
Dihydrochalcone	Dérivés hémisynthétiques des flavonoïdes naturels présents dans les agrumes (orange, citron, pamplemousse)	Pouvoir sucrant = 1 000 Saveur mentholée Perception sucrée longue à apparaître et persistante Pas de risque de carie	Additif alimentaire (jus de fruit) excipient pour chewing-gum, dentifrice, bain de bouche et certaines préparations pharmaceutiques
Glycyrrhizine	Réglisse	Pouvoir sucrant = 50 Saveur mentholée et anisée À long terme, risque de provoquer hypertension artérielle, œdèmes des membres inférieurs, polyurie, crise de tétanie chez les sujets prédisposés	Additif alimentaire
Saccharine (saccharinate de sodium)	Synthétique	Pouvoir sucrant = de 300 à 400 Goût amer à forte concentration	Additif alimentaire souvent associé avec les cyclamates, substances pharmaceutiques pour les sujets diabétiques ou obèses (pastilles, comprimés, poudres, comprimés effervescents)
Thaumatine	Fruits de *Thaumatococcus daniellii* (plante d'Afrique occidentale)	Pouvoir sucrant = de 1 400 à 2 200 Pas de risque de carie Perception sucrée longue à apparaître et persistante	Additif alimentaire pour boissons pauvres en calories ou pour les régimes chez les sujets diabétiques, excipient pour dentifrice, bain de bouche et autres préparations pharmaceutiques

La commercialisation de ces différents édulcorants fait l'objet d'une réglementation spécifique à chaque pays.

maltilol, le lactitol, le mannitol et le xylitol. Ils possèdent une valeur nutritive inférieure à celle du saccharose. Les principaux intérêts de leur utilisation sont l'effet de masse, la résistance à la cuisson et le fait qu'ils ne provoquent pas de carie dentaire. Consommés à plus de 40 grammes par jour, ils peuvent provoquer flatulence et diarrhée.

Les édulcorants intenses (aspartame, acésulfame de potassium, cyclamates, saccharine) sont ainsi dénommés à cause de leur pouvoir sucrant très élevé (de 20 à 400 fois supérieur à celui du saccharose) ; ainsi, la saccharine est environ 300 fois plus sucrée que le saccharose, mais elle laisse un arrière-goût relativement amer. Ils sont non (ou très peu) calorigènes. L'aspartame est contre-indiqué chez les personnes souffrant de phénylcétonurie (déficit enzymatique empêchant la transformation de la phényl-alanine en tyrosine) car il contient de la phénylalanine.

Les édulcorants de synthèse peuvent être utiles dans certains régimes, amaigrissants notamment, mais ils ne sont d'aucune utilité dans le traitement d'un malaise hypoglycémique chez le diabétique.

EEG

→ VOIR Électroencéphalographie.

Effet cytopathogène

Dégénérescence et anomalie cellulaires liées à la présence d'un virus se multipliant dans une cellule.

L'existence d'effets cytopathogènes en culture de laboratoire témoigne en général de la présence d'un virus chez un malade. Les modifications observées dans le cytoplasme, les vacuoles ou le noyau de la cellule sont spécifiques de chaque virus.

Effet indésirable

Symptôme, affection ou anomalie biologique survenant fortuitement après la consommation d'un médicament utilisé à des fins prophylactiques, diagnostiques ou thérapeutiques, à des doses réputées normales.

La fréquence d'apparition des effets indésirables est difficile à établir à cause de la variété des situations possibles : certains effets sont anodins, d'autres mortels ; certains sont inhérents à un médicament, d'autres dus à une mauvaise utilisation. On peut cependant dire que les effets indésirables mineurs (ne nécessitant aucun traitement) sont beaucoup plus fréquents que les effets modérés (imposant un traitement, voire une hospitalisation), eux-mêmes plus fréquents que les effets graves (mettant en jeu la vie du malade ou laissant des séquelles importantes).

Un autre mode de classement des effets indésirables est fondé sur leur prévisibilité. Certains effets, inhérents au produit, sont prévisibles et répertoriés. Ainsi les anticancéreux, détruisant les cellules normales en même temps que les cellules cancéreuses, sont-ils toxiques, mais ils permettent la guérison définitive de maladies mortelles. D'autres effets indésirables dépendent à la fois du produit et d'un facteur inconnu propre au malade et ne sont pas individuellement prévisibles : les pénicillines, par exemple, sont allergisantes, mais il est impossible de prévoir par avance si elles induiront ou non une allergie chez un patient donné. Un troisième cas de figure est la découverte d'un effet indésirable, jusque-là inconnu et donc non prévisible, d'un médicament déjà commercialisé. La découverte de tels effets est facilitée par le système de pharmacovigilance, chargé, à l'échelle internationale, d'enregistrer les effets suspectés par les médecins traitants et les pharmaciens, de les soumettre à des experts pour avis et de proposer des mesures aux pouvoirs publics.

Égocentrisme

Tendance psychologique d'un sujet à tout rapporter à soi.

Le sujet égocentrique se considère comme le centre du monde. Cependant, à la différence de l'égoïste, l'égocentrique n'ignore pas l'altruisme, pourvu que celui-ci soit conforme à ses intérêts. Au-delà d'une discrète disposition affective et morale, au demeurant fort répandue, l'égocentrisme peut revêtir un caractère morbide, avec orgueil pathologique et hypertrophie du moi. Il est constant dans la paranoïa, se révèle à l'état latent dans de nombreuses névroses, l'hystérie notamment, et aussi dans l'hypocondrie.

Ehlers-Danlos (syndrome d')

Affection héréditaire caractérisée par des modifications du tissu collagène de la peau et des vaisseaux sanguins.

Il en existe des formes différentes (dominantes ou récessives), dont certaines comportent des modifications du nombre des fibres élastiques. Les signes qui en résultent sont une hyperélasticité de la peau, un relâchement et des déformations des ligaments articulaires, associés à une fragilité capillaire occasionnant des ecchymoses, des hématomes et des hémorragies multiples. Il n'existe pas encore de traitement curatif réellement efficace. Le pronostic du syndrome d'Ehlers-Danlos est réservé à cause de la fragilité artérielle et du risque d'hémorragie.

Ehrlich (Paul)

Médecin allemand (Strehlen, Silésie, 1854 – Bad Homburg, Hesse, 1915).

Les recherches de Paul Ehrlich portèrent notamment sur l'utilisation des anticorps sécrétés par l'organisme contre les affections microbiennes. Il mit au point deux dérivés arsenicaux qui furent les premiers traitements efficaces de la syphilis. En 1908, il reçut le prix Nobel de médecine pour ses travaux.

Eisenmenger (syndrome d')

Cardiopathie avec cyanose (dite « maladie bleue »), associant une malformation congénitale (communication entre les cavités cardiaques droites et gauches ou entre l'aorte et l'artère pulmonaire) et une maladie des artérioles pulmonaires liée le plus souvent à cette malformation.

Cette maladie, rarement détectée chez l'enfant en raison de son évolution progressive, n'est pas exceptionnelle chez l'adulte.

SYMPTÔMES ET SIGNES

Le syndrome d'Eisenmenger provoque une très forte augmentation des pressions artérielles pulmonaires. Celle-ci entraîne le passage du sang désoxygéné (bleu), contenu dans les cavités cardiaques droites et dans l'artère pulmonaire, dans les cavités cardiaques gauches ou dans l'aorte par la voie de communication anormale, qu'il s'agisse d'une communication entre les 2 oreillettes ou entre les 2 ventricules, de la persistance du canal artériel ou de l'existence d'une fenêtre entre l'aorte et l'artère pulmonaire. Cette circulation anormale du sang crée une cyanose des ongles et des lèvres. En cas de mauvaise tolérance apparaissent les signes d'insuffisance cardiaque. Toutefois, cette maladie est compatible avec une vie prolongée.

DIAGNOSTIC ET TRAITEMENT

L'échocardiographie met en évidence la présence d'une communication anormale entre les différentes structures anatomiques.

Quand cette affection est mal tolérée, son traitement est chirurgical et repose sur la greffe cœur-poumon ou sur la greffe pulmonaire isolée, associée, dans ce dernier cas, à une correction de la communication existante.

Éjaculation

Chez l'homme, émission de sperme par l'urètre au moment de l'orgasme.

L'éjaculation est un réflexe provoqué par des stimulations rythmées du pénis lors des rapports sexuels ou de la masturbation. Au moment de l'éjaculation, le sperme est évacué dans l'urètre prostatique, puis projeté à l'extérieur grâce à la contraction des muscles du périnée. Lors de cette projection, le col vésical situé à la sortie de la vessie est fermé, empêchant à la fois l'éjaculat de refluer vers la vessie et l'urine de se mêler au sperme.

PATHOLOGIE

■ L'anéjaculation se caractérise par l'absence de sperme lors de l'éjaculation. Elle survient le plus souvent à la suite du traitement de certains cancers.

■ L'éjaculation douloureuse s'accompagne de douleurs urétrales, périnéales ou anales. Elle est essentiellement due à une infection de la prostate.

■ L'éjaculation précoce, ou éjaculation prématurée, se produit au tout début de la pénétration, voire avant celle-ci. Elle est le plus souvent provoquée par un état d'anxiété ou par la peur de ne pouvoir obtenir un rapport sexuel satisfaisant. La prescription d'anxiolytiques associée à une psychothérapie peut y remédier.

■ L'éjaculation rétrograde, ou éjaculation « sèche », se produit lorsque le sperme, au lieu d'être projeté à l'extérieur, reflue vers la vessie. L'éjaculation rétrograde survient lorsque le col de la vessie reste ouvert en permanence, par exemple après l'ablation chirurgicale ou endoscopique d'un adénome de la prostate. Elle entraîne une stérilité.

■ L'éjaculation sanglante, ou hémospermie, caractérisée par la présence de sang frais (rouge) ou ancien (brun) dans le sperme, est la plupart du temps parfaitement bénigne. Elle peut cependant être due à une infection ou à une tumeur de la prostate, qu'il convient alors de traiter.

Élancement

Douleur aiguë, lancinante, intermittente.

La douleur provoquée par un panaris, par exemple, se manifeste sous forme d'élancements.

Élastine

Protéine présente d'une manière diffuse dans de nombreux tissus et organes.

Les molécules d'élastine entrent avec la fibrilline dans la constitution des fibres élastiques, visibles au microscope dans le tissu conjonctif, tissu disséminé dans les organes servant au soutien et à la nutrition de tissus plus « nobles » (glandulaires, musculaires, respiratoires). L'élastine participe à la solidité du tissu conjonctif et, selon son abondance, donne à celui-ci plus ou moins d'élasticité. Avec le temps, les fibres élastiques tendent à se raréfier, la peau devenant mince et ridée.

Élastome

Toute dermatose caractérisée par une augmentation du tissu élastique du derme.

Par extension, le terme « élastome » désigne toute affection cutanée caractérisée par un amas de substances ayant la propriété de se colorer comme le tissu élastique.

Les élastomes, peu fréquents, comprennent différents types d'affections : élastome en nappe du nez, élastome juvénile, élastome perforant serpigineux. D'origine inconnue, ils se manifestent par des papules (petites taches légèrement surélevées) ou par des plaques de couleur jaune, rose ou grise, uniques ou multiples. Le diagnostic, précisé par une biopsie cutanée, implique la recherche d'une autre affection du tissu élastique : syndrome d'Ehlers-Danlos, maladie de Marfan, etc. Le traitement, qui n'est nécessaire que pour des raisons esthétiques, consiste en l'ablation des lésions par curetage ou cryothérapie.

Élastorrhexie

Dégénérescence du réseau de fibres élastiques des tissus entraînant leur rupture, spontanée ou consécutive à des efforts minimes.

■ L'élastorrhexie systématisée, ou pseudoxanthome élastique, est une affection congénitale du tissu élastique du derme ; elle se manifeste par des ruptures des fibres élastiques des vaisseaux du cœur, par des stries vasculaires au fond de l'œil et par des papules (petites élevures) de couleur chamois sur le cou.

L'étendue des lésions varie d'un malade à l'autre, sans relation avec les manifestations viscérales.

Élastose

Altération du tissu élastique du derme.

L'élastose est due au vieillissement cutané, éventuellement accéléré par une exposition exagérée au soleil. Ses signes apparaissent à partir de 40 ans sur le front, le cou, le décolleté, le dos des mains : sur un fond de peau sèche ponctuée de taches pigmentées apparaissent des zones épaissies et jaunâtres, éventuellement recouvertes de sillons formant un quadrillage ou bien de rides profondes. Il n'y a pas de traitement vraiment satisfaisant, ni cosmétique ni chirurgical, de l'élastose. La prévention, capitale, consiste à éviter dès l'enfance les expositions solaires excessives, sans protection.

Électrocardiogramme

Tracé de l'électrocardiographie.

Électrocardiographie

Examen destiné à enregistrer l'activité électrique du muscle cardiaque.

INDICATIONS

L'électrocardiographie (ECG) complète utilement l'examen clinique du cœur. Elle permet de détecter un trouble du rythme ou de la conduction cardiaque, une hypertrophie auriculaire ou ventriculaire, une péricardite, une ischémie myocardique, en particulier un infarctus du myocarde.

TECHNIQUE

L'électrocardiographe est un appareil enregistreur relié à des électrodes de détection, dont 4 sont appliquées sur les poignets et les chevilles et 6 autres en des points déterminés de la surface du thorax. Divers groupements de ces électrodes, correspondant à différents circuits d'enregistrement, sont reliés à un stylet qui donne un tracé correspondant à une dérivation (reflet localisé de l'activité électrique du cœur). Douze dérivations sont ainsi enregistrées.

L'enregistrement graphique s'effectue habituellement à une vitesse de déroulement du papier de 25 millimètres par seconde ; il est étalonné de manière que la détection d'un courant de 1 millivolt provoque une déflexion verticale de 1 centimètre. La standardisation de la méthode permet ainsi de déterminer précisément la durée et l'amplitude des accidents électrocardiographiques enregistrés. Le tracé électrocardiographique porte le nom d'électrocardiogramme.

L'électrocardiogramme normal est constitué, à chaque cycle cardiaque, de la succession chronologique d'un certain nombre de déflexions (déviations du stylet par rapport à une ligne de base). L'impulsion électrique née du nœud sinusal et transmise aux oreillettes se traduit sur le papier par une première déflexion, ou onde P. Le passage de l'influx nerveux des oreillettes aux ventricules est défini par un trait horizontal qui correspond à l'espace PR. L'activation électrique des 2 ventricules se manifeste par une déflexion principale, rapide et ample, appelée complexe QRS. Elle est suivie par un segment horizontal ST marquant la fin de la systole, qui précède une onde T traduisant la récupération des propriétés électriques initiales des fibres myocardiques. Cette succession de déflexions est suivie d'une période de repos cardiaque, la diastole, caractérisée par un tracé électrocardiographique horizontal.

Une variante, plus rarement pratiquée, l'électrocardiographie endocavitaire, consiste à enregistrer l'activité électrique du cœur à partir d'électrodes placées dans les cavités cardiaques par cathétérisme (introduction d'un cathéter dans un vaisseau).

EFFETS SECONDAIRES

L'électrocardiographie est un examen non invasif dénué de tout inconvénient.

Électrocardiographie d'effort

→ VOIR Épreuve d'effort.

Électrochirurgie

Méthode de traitement chirurgical par utilisation locale d'un courant électrique.

L'électrochirurgie utilise la chaleur produite par le passage d'un courant électrique

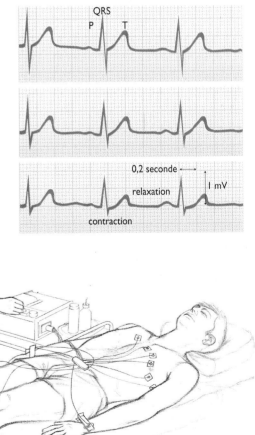

ÉLECTROCARDIOGRAPHIE

Des électrodes disposées sur la peau enregistrent l'activité électrique spontanée du cœur. Les courbes obtenues sont interprétées par un généraliste ou un cardiologue. L'examen dure environ 10 minutes et peut être pratiqué par une infirmière.

QRS
P T

0,2 seconde
relaxation
1 mV
contraction

dans un instrument opératoire afin de carboniser des tissus pathologiques. Selon le type d'instrument employé, on distingue deux types de méthode.

■ L'électrocoagulation, ou thermocoagulation, effectuée avec une aiguille parcourue par un courant électrique ou avec une électrode terminée par une petite boule, permet une destruction plus étendue des tissus, qui sont coagulés. Cette technique est surtout utilisée pour détruire de petites tumeurs. L'inconvénient est que l'examen de la lésion au microscope n'est alors plus possible.

■ L'électrodissection, faite avec un bistouri électrique, sert à sectionner des tissus d'une manière comparable à celle obtenue avec un bistouri classique. C'est une technique de dissection rapide et peu hémorragique.

INDICATIONS
L'électrochirurgie est surtout employée en dermatologie et en gastroentérologie.

■ En dermatologie, l'électrochirurgie s'utilise pour traiter les petites tumeurs, les angiomes (dilatations congénitales des vaisseaux), les verrues, la couperose ou pour réaliser une épilation. Dans le cas de l'électrodissection, on coupe la peau autour et au-dessous de la lésion ; celle-ci est soulevée à l'aide d'une pince afin que les tissus plus profonds ne soient pas brûlés. La lésion peut ensuite être examinée au microscope. La plaie est en général suturée avec des fils. Dans le cas de l'électrocoagulation, la lésion n'est pas retirée mais détruite sur place.

■ En gastroentérologie, l'électrochirurgie sert essentiellement à traiter des tumeurs, notamment des polypes du rectum, du côlon, de l'estomac et du duodénum. L'électrodissection permet d'enlever le polype, qui sera ensuite examiné au microscope pour une recherche d'éventuelles cellules cancéreuses. Quant à l'électrocoagulation, ce ne peut être qu'un geste palliatif, destiné à soulager les symptômes d'un cancer sans prétendre à une guérison définitive. La particularité de l'électrochirurgie digestive est de pouvoir être pratiquée par voie endoscopique (en introduisant un tube muni d'un système optique et d'instruments par la bouche ou par l'anus).

Électrochoc
Méthode thérapeutique visant à réduire certains troubles psychiatriques par l'effet de décharges électriques. SYN. *sismothérapie*.

L'électrochoc consiste à faire passer une décharge électrique à travers le cerveau, de façon à provoquer une crise convulsive. Souvent contesté parce que considéré comme brutal, il reste d'une efficacité remarquable dans le traitement des dépressions graves, en particulier de la mélancolie, des états schizophréniques et des confusions mentales persistantes.

L'électrochoc se pratique presque toujours sous anesthésie générale avec une surveillance médicale rigoureuse. La cure, effectuée en milieu hospitalier, comporte en moyenne 12 séances, à raison de 2 ou 3 par semaine. Ses effets indésirables (luxation, déchirure musculaire) sont bénins et peu nombreux.

En règle générale, une amnésie lacunaire survient : revenu à lui, le patient ne garde aucun souvenir de la séance.

Électrocoagulation
Technique d'électrochirurgie utilisant la chaleur dégagée par un courant électrique pour obtenir une coagulation locale.

Électrocochléographie
Enregistrement de l'activité électrique de l'oreille interne.

L'électrocochléographie est essentiellement employée pour évaluer l'état auditif des jeunes enfants. En effet, à la différence des autres examens de base de l'audition, dans lesquels le sujet doit dire s'il entend un son ou non, l'électrocochléographie ne nécessite pas la coopération du patient. La technique consiste à introduire une électrode en forme de très fine aiguille à travers le tympan, puis à la pousser de quelques millimètres, non loin de la cochlée (organe de l'audition faisant partie de l'oreille interne). Ensuite, l'examinateur soumet la cochlée à une série de stimulations sonores, auxquelles celle-ci répond par une activité électrique, enregistrée par l'électrode puis traduite sous la forme d'un graphique.

L'électrocochléographie permet de savoir si la cochlée fonctionne normalement (c'est alors le nerf auditif, entre la cochlée et l'encéphale, qui est responsable de la surdité) ou non (c'est elle qui est mise en cause).

Électrocution
Ensemble des lésions consécutives au passage d'un courant électrique à travers le corps ainsi qu'au dégagement de chaleur concomitant.

CAUSES
La plupart des cas d'électrocution mortels touchent les personnes qui, dans le cadre de leur profession, sont en contact avec des générateurs et des lignes à haute tension. Des centaines de personnes meurent aussi chaque année à la suite de la manipulation imprudente de câbles électriques ou pour s'être servies d'appareils électriques à proximité d'un point d'eau. Dans le domaine domestique, l'utilisation d'appareils ménagers à basse tension dans les salles d'eau (radiateur, rasoir, téléphone...) est dangereuse. La foudre est une autre cause fréquente d'électrocution.

Tous les courants ne présentent pas le même risque. Le plus nocif est le courant domestique alternatif à 50 périodes. Les tissus internes du corps, humides et salés, se révèlent de bons conducteurs d'électricité, la barrière principale au passage du courant venant de la résistance électrique de la peau. La peau sèche est un bon isolant et présente une résistance importante (plusieurs dizaines de milliers d'ohms), contrairement à la peau humide (quelques centaines d'ohms seulement). Dans ces conditions, le voltage utilisé dans une maison est assez fort pour se révéler fatal.

SYMPTÔMES ET SIGNES
Toute décharge électrique peut entraîner une sidération (arrêt subit du fonctionnement) des centres nerveux, une fibrillation ventri-

Premiers secours en cas d'électrocution

Le corps humain est très conducteur : après avoir coupé le courant, il faut écarter la victime de la source électrique ; lorsque cela est impossible, la pousser plus loin à l'aide d'un manche en bois en prenant garde d'avoir mis un objet sec sous ses propres pieds.

Lorsque la victime est en état de syncope respiratoire, on doit pratiquer la respiration artificielle (bouche-à-bouche) ; si la victime respire, la placer en position latérale de sécurité.

Il faut ensuite donner les premiers soins en cas de brûlure et protéger la plaie (application d'un pansement stérile ou, à défaut, d'un emballage propre) en attendant les secours.

culaire (contractions cardiaques rapides, anarchiques et inefficaces), une contraction musculaire pouvant empêcher la victime de relâcher sa prise de la source du courant, une contracture des muscles respiratoires et une perte de conscience. Il ne faut pas plus d'une charge d'une dizaine d'ampères pour que celle-ci, traversant le cœur, produise une arythmie (perturbation du rythme cardiaque). Un courant de forte intensité produit par de hauts voltages peut carboniser les tissus, aux endroits où la résistance est la plus forte, généralement aux points d'entrée et de sortie du courant.

TRAITEMENT
La réanimation doit être entreprise le plus rapidement possible (dans les cinq premières minutes), sur place, après avoir coupé le courant. Elle consiste en une ventilation artificielle (bouche-à-bouche), associée au massage cardiaque en cas d'arrêt cardiorespiratoire. La réanimation doit être poursuivie pendant 2 ou 3 heures. Au cours du transport de la victime vers un centre hospitalier, ni le bouche-à-bouche ni le massage cardiaque ne doivent être interrompus. Une fibrillation ventriculaire nécessite une cardioversion (rétablissement d'un rythme cardiaque normal par choc électrique) en urgence.

PRÉVENTION
Pour éviter tout risque d'électrocution à la maison, il faut prohiber l'installation de prises à proximité d'une tuyauterie et, avant d'entreprendre la réparation d'une installation électrique, vérifier que le courant est interrompu, porter des chaussures à semelles en caoutchouc (qui est mauvais conducteur) et opérer dans un environnement sec.

Électrodiagnostic
Mode de diagnostic médical utilisant les courants électriques, enregistrés ou induits.

Il est en effet possible d'enregistrer l'activité électrique de différents organes : l'électrocardiogramme est l'enregistrement de l'activité électrique du cœur et l'électroencéphalogramme celui des cellules nerveuses du cerveau. Dans d'autres cas,

La technique d'enregistrement consiste à disposer sur le cuir chevelu des électrodes qui enregistrent l'activité électrique spontanée du cerveau. Elle est beaucoup moins employée qu'autrefois du fait de la concurrence du scanner. Sur chaque courbe, la forme et la fréquence des ondes permettent de mettre en évidence une épilepsie. D'après le tracé, on peut localiser un éventuel foyer épileptique dans le cortex.

branchement

enregistrement

position des électrodes

Chacune des courbes superposées correspond à une dérivation.

moyen d'épreuves simples : ouverture des yeux, hyperpnée (respiration ample et lente), stimulation lumineuse intermittente obtenue grâce à des éclairs lumineux brefs et intenses dont la fréquence est progressivement croissante.

Une variante de l'électroencéphalographie consiste à faire un enregistrement sur 24 ou 48 heures avec un petit appareil portable, augmentant ainsi la probabilité d'enregistrer une crise d'épilepsie. Plus rarement, on pratique un enregistrement pendant le sommeil dans un centre spécialisé, le malade pouvant être simultanément filmé.

L'appareil dessine de 5 à 10 tracés les uns au-dessous des autres, qui correspondent chacun à une dérivation. Chaque tracé est formé d'une succession d'ondes caractérisées par leur fréquence (nombre d'ondes par seconde), leur forme (pointue, arrondie), leur amplitude (hauteur), leur réactivité aux stimulations (ouverture des yeux, respiration ample, éclairs lumineux répétés). L'étude de la fréquence, particulièrement importante, permet de distinguer les ondes delta (moins de 3,5 par seconde), thêta (entre 4 et 7,5), alpha (entre 8 et 13) et bêta (plus de 13). Chez l'adulte sain éveillé, les ondes alpha et bêta prédominent.

DÉROULEMENT ET EFFETS SECONDAIRES

L'examen se déroule dans un cabinet médical ou à l'hôpital sans nécessiter d'hospitalisation. Il dure environ 20 minutes, n'entraîne ni douleur ni effet secondaire.

Électrolyte

Substance chimique qui, mise en solution, se dissocie en ions et conduit le courant électrique.

Un électrolyte peut être un acide, une base ou un sel (par exemple du chlorure de sodium). Dans l'organisme, il existe un grand nombre d'électrolytes en solution dans les liquides physiologiques, décomposés en ions positifs, ou cations (sodium, potassium), et en ions négatifs, ou anions (chlore, bicarbonate). Ces ions migrent quand il existe un champ électrique, par exemple entre la surface extérieure (positive) et la surface intérieure (négative) des cellules. Dans le cas des cellules nerveuses, ce phénomène explique la transmission de l'influx nerveux. Dans l'organisme, il existe un équilibre entre les concentrations en cations et en anions : c'est l'équilibre hydroélectrolytique.

Électromyographie

Examen consistant à enregistrer l'activité électrique d'un muscle ou d'un nerf.

Le tracé obtenu est appelé électromyogramme.

INDICATIONS

L'électromyographie (E.M.G.) est un examen très utile en pathologie neuromusculaire, surtout en cas de paralysie. Ainsi, elle contribue à différencier un trouble anorganique (psychologique), une atteinte du système nerveux central (encéphale et moelle épinière), un syndrome neurogène périphérique (atteinte des nerfs ou de leur

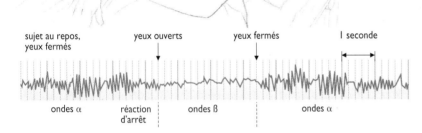

sujet au repos, yeux fermés   yeux ouverts   yeux fermés   I seconde

ondes α   réaction d'arrêt   ondes ß   ondes α

On observe, sur cette dérivation électroencéphalographique, une prédominance d'ondes bêta quand les yeux sont ouverts (au milieu) et d'ondes alpha quand les yeux sont fermés.

l'électrodiagnostic fait appel à une stimulation préalable de l'organe par un courant électrique de faible amplitude. Il en est ainsi de la stimulodétection au cours de l'électromyographie (étude de la vitesse de conduction des nerfs dans les membres).

Électrodissection

Section des tissus par un bistouri électrique.
→ VOIR Électrochirurgie.

Électroencéphalographie

Examen qui permet l'enregistrement de l'activité électrique spontanée des neurones du cortex cérébral.

Le tracé obtenu est appelé électroencéphalogramme.

INDICATIONS

L'électroencéphalographie (E.E.G.) a pour indication principale l'épilepsie : elle permet son diagnostic ainsi que la surveillance du

traitement et de son évolution. Elle sert également à établir le diagnostic d'encéphalite, de méningoencéphalite et à déterminer l'origine métabolique ou toxique d'un syndrome confusionnel (désorientation dans le temps et l'espace, troubles de la compréhension et de la mémoire, agitation). D'une manière plus accessoire, elle donne des informations diagnostiques assez caractéristiques dans la maladie de Creutzfeld-Jakob, démence d'origine infectieuse.

TECHNIQUE

On dispose sur l'ensemble du cuir chevelu de 10 à 20 électrodes, petites plaques métalliques reliées par des fils à l'appareil d'enregistrement. Celui-ci mesure le potentiel électrique détecté par chaque électrode et compare les électrodes deux à deux, chaque comparaison se traduisant par un tracé appelé dérivation. La réactivité électroencéphalographique est évaluée au

origine dans la moelle), une atteinte musculaire et un trouble de la conduction neuromusculaire (transmission des influx nerveux aux muscles).

Plus précisément, en cas de syndrome neurogène, l'examen permet de localiser le ou les nerfs atteints au cours d'un traumatisme ou d'une inflammation (polynévrite, polyradiculonévrite), d'en préciser le mécanisme (atteinte de la cellule nerveuse ou de la gaine de myéline) et d'orienter ainsi la recherche d'une cause ; il permet aussi de suivre l'évolution de la maladie. En cas d'atteinte musculaire, comme une myopathie, ou d'atteinte de la conduction neuromusculaire (bloc neuromusculaire), particulièrement caractéristique de la myasthénie, l'électromyographie confirme le diagnostic mais n'indique pas la cause.

TECHNIQUE ET DÉROULEMENT

On distingue deux types d'examen.

■ **L'examen de détection de l'activité musculaire** consiste à enregistrer l'activité électrique spontanée d'un muscle, d'abord au repos puis au cours d'un mouvement volontaire, grâce à une électrode, le plus souvent en forme d'aiguille, enfoncée dans le muscle à travers la peau et reliée à un appareil qui produit sur écran et sur papier un graphique, succession de petites ondes en forme de pointe, chacune représentant la contraction d'une unité motrice (groupe de cellules musculaires commandées par une même cellule nerveuse).

■ **L'examen de stimulation et de détection de l'activité musculaire** repose sur les mêmes principes mais procède différemment, en stimulant un nerf par un bref courant électrique indolore. Le nerf déclenche alors ses propres réactions électriques, qui se propagent sur toute sa longueur avant d'être transmises au muscle correspondant, où elles sont recueillies. On peut ainsi, d'une part, calculer la vitesse de conduction sur le nerf et, d'autre part, étudier la conduction neuromusculaire.

L'examen se déroule dans un cabinet médical ou en consultation hospitalière, sans préparation particulière, et dure de 20 à 30 minutes.

Électronystagmographie

Examen destiné à enregistrer le nystagmus oculaire (secousses rythmiques pathologiques du ou des globes oculaires), qui se rencontre dans les lésions neurologiques du tronc cérébral ou dans les atteintes de l'oreille interne.

L'électronystagmographie sert au diagnostic de certains troubles de l'équilibre ou des vertiges. Elle permet de déterminer la cause du nystagmus, son type (pendulaire ou à ressort) et de préciser sa position de blocage, utile à connaître si une intervention chirurgicale est envisagée.

Après que 3 électrodes ont été placées autour de chaque œil, les modifications électriques entraînées par les mouvements du globe oculaire sont enregistrées et représentées sur un graphique. L'examen dure environ 1 heure et comprend plusieurs phases, pendant lesquelles les yeux sont fixes ou mobiles, le patient étant successivement en pleine lumière et dans l'obscurité, immobile et assis sur un fauteuil qui se balance. Une électronystagmographie peut causer de légères sensations de vertige.

Électro-oculographie

Examen de l'œil destiné à enregistrer le potentiel de repos (activité électrique de base, en l'absence de stimulation) de cet organe lors des mouvements oculaires.

L'électro-oculographie permet de confirmer le diagnostic de nombreuses affections rétiniennes (plus précisément de l'épithélium pigmentaire), constitutionnelles (kyste, dégénérescence tapétorétinienne) ou acquises (épithélite rétinienne ou atteinte toxique due à certains antipaludéens de synthèse).

TECHNIQUE ET EFFETS SECONDAIRES

On dispose d'abord 4 électrodes sur la peau de chaque côté des yeux. Dans une pièce où l'intensité lumineuse varie, le patient doit ensuite effectuer des mouvements de va-et-vient des yeux entre deux points de lumière rouge. Les activités électriques recueillies sont amplifiées par un ordinateur, qui les enregistre et les traduit sur un graphique appelé électro-oculogramme.

L'électro-oculographie est un examen tout à fait indolore, qui ne s'accompagne d'aucun effet secondaire.

Électrophorèse

Technique de laboratoire permettant de séparer les différents constituants d'un mélange chimique en vue d'identifier et d'étudier chacun d'entre eux.

L'électrophorèse consiste à faire migrer des substances chimiques ionisées sous l'action d'un champ électrique. La technique la plus fréquente utilise un support en acétate de cellulose, imbibé d'une solution aqueuse dite solution tampon, de pH déterminé. On dépose le mélange (par exemple le sérum d'un malade) sur le support. On établit un champ électrique entre deux électrodes appliquées aux bornes du support et plongeant dans des bacs contenant des solutions tampons. Les substances migrent à travers le support avec des vitesses différentes. Au bout d'un temps déterminé, le courant est arrêté et les substances ainsi séparées sont révélées par un réactif approprié. Elles apparaissent sous forme de taches ou de bandes colorées, situées à différentes distances du dépôt initial.

L'électrophorèse permet notamment le dosage des protéines du sérum, qui se trouvent, sous l'action du champ magnétique, séparées en albumine et en globulines. L'étude des concentrations respectives de chaque catégorie de protéines de l'organisme aide à établir un diagnostic dans certains cas d'inflammation, d'infection, de cancer. L'électrophorèse est également applicable à d'autres substances (lipides, hémoglobine) et à d'autres liquides physiologiques (urine, larmes, liquide céphalorachidien).

→ VOIR Chromatographie.

Électrorétinographie

Examen de l'œil destiné à enregistrer l'activité électrique de la rétine après une stimulation lumineuse.

Les principales indications d'une électrorétinographie sont les maladies héréditaires de la rétine (dégénérescence tapétorétinienne), les atteintes rétiniennes toxiques ou traumatiques, dues à la prise d'antipaludéens de synthèse ou à la présence d'un corps étranger métallique dans l'œil, et, plus généralement, la vérification du bon fonctionnement de la rétine.

TECHNIQUE

L'électrorétinographie permet de distinguer, au moyen de lumières d'intensités et de couleurs différentes, l'activité des cônes, sensibles aux fortes intensités et à la couleur rouge (système photopique), de celle des bâtonnets, sensibles aux faibles intensités et au bleu (système scotopique). Un tracé est obtenu, l'électrorétinogramme (E.R.G.). Les informations électriques sont recueillies par l'intermédiaire d'électrodes placées sur la cornée et, au rebord de l'orbite, sur la peau. Des verres de contact en matière plastique empêchent les paupières de se fermer pendant l'examen. Chez l'enfant, une anesthésie générale peut être nécessaire.

EFFETS SECONDAIRES

Les patients qui portent des lentilles ne doivent pas les mettre pendant 24 heures avant et après l'examen. Après celui-ci, le patient reste souvent ébloui pendant quelques heures. Les électrodes placées sur la cornée peuvent entraîner une légère irritation de l'œil, traitée par un collyre.

Électrothérapie

Traitement utilisant l'énergie électrique ou l'enregistrement de l'activité électrique musculaire.

DIFFÉRENTS TYPES DE TECHNIQUE

L'électrothérapie comprend plusieurs techniques, certaines utilisant directement les courants électriques, d'autres les vibrations, les radiations lumineuses, les ondes courtes électromagnétiques et la bioréaction musculaire.

■ **L'ionisation** a une action locale destinée à traiter les maux de tête, les névralgies, les douleurs tendineuses ou articulaires, les contractures ; elle permet aussi de rééduquer certaines paralysies. Elle se pratique en appliquant sur la peau un courant continu de faible intensité par l'intermédiaire d'électrodes recouvertes d'éponges imbibées de solution minérale ou anti-inflammatoire.

■ **Les excitoneuromoteurs**, dont l'action porte sur les fibres nerveuses ou musculaires, ont les mêmes indications que l'ionisation. Ils utilisent des courants discontinus d'intensité et de fréquence variables.

■ **Les vibrations mécaniques** sont indiquées pour traiter les douleurs articulaires vertébrales et ligamentaires et pour réduire les cicatrices. Délivrées par un générateur pulsé à haute fréquence (ultrasons) ou à basse fréquence (infrasons) connecté à un cristal piézoélectrique, elles sont appliquées au moyen d'une sonde en contact avec la peau par l'intermédiaire d'eau ou de pommade analgésique. Elles exercent un effet de micromassage rapide et un effet thermique.

■ **Les radiations lumineuses** comprennent les infrarouges et les ultraviolets B, utilisés dans le cadre de la préparation à certains massages (traitement de l'arthrose) et pour leur action analgésique dans la phase éruptive du zona. Les infrarouges ont un effet circulatoire et thermique, les ultraviolets B un effet érythémateux. Ils sont appliqués sur tout le corps ou sur une région localisée au moyen de tubes émetteurs. Le port de lunettes protectrices est obligatoire.

■ **Les ondes courtes électromagnétiques** sont utilisées pour leur action anti-inflammatoire et circulatoire ainsi que pour activer le processus de cicatrisation et de régénération nerveuse. Le champ électromagnétique est appliqué à l'aide d'une tête émettrice placée en regard de la région à traiter. Les ondes courtes agissent sur les membranes cellulaires en facilitant les échanges métaboliques. Le port d'une prothèse métallique, susceptible de se déplacer sous l'attraction du champ magnétique (aimant), est une contre-indication à cette méthode.

■ **La bioréaction musculaire** (biofeedback) est indiquée dans le traitement des contractures vertébrales, des maux de tête d'origine psychique (stress) et dans la rééducation motrice. L'activité musculaire de la zone contracturée ou paralysée est enregistrée en continu grâce à une électrode de surface. Cette méthode permet au patient de s'autocorriger en modulant l'intensité sonore et visuelle de sa contraction musculaire observée sur un écran.

DÉROULEMENT ET EFFETS SECONDAIRES

L'électrothérapie se pratique en cabinet, chez un médecin neurologue ou rééducateur fonctionnel, ou encore à l'hôpital, dans un service de rééducation ou dans un centre anti-douleurs. Elle se déroule en une série de 5 à 15 séances de 10 à 30 minutes chacune. Chaque série est renouvelable 3 fois. L'électrothérapie peut entraîner quelques rares brûlures, surtout avec les méthodes utilisant directement les courants électriques (ionisation, courants excitoneuromoteurs) et les radiations lumineuses.

Éléphantiasis

Forme extrême de lymphœdème (accumulation de lymphe dans les tissus d'une région du corps).

Un éléphantiasis survient en cas d'obstacle mécanique à la circulation de la lymphe dans les vaisseaux drainant la région atteinte. Cette gêne peut être causée par un parasite, le filaire de Bancroft, qui vit dans le circuit lymphatique, ou être due à une malformation lymphatique, à une compression par une tumeur, à une lymphangite (inflammation des vaisseaux lymphatiques).

L'éléphantiasis se traduit par un œdème dur de la région atteinte (le plus souvent un membre inférieur, mais aussi un membre supérieur, le scrotum, la vulve ou un sein) et par un épaississement de la peau, parfois assez importants pour gêner les mouve-

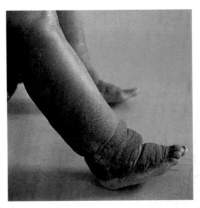

Éléphantiasis. La lymphe, qui ne circule plus, provoque un œdème de la jambe, dur et prenant un aspect en patte d'éléphant.

ments du malade. Le traitement est celui de la maladie responsable ; l'éléphantiasis peut persister ou régresser lentement et partiellement.

Eleveurs d'oiseaux (maladie des)

→ VOIR Poumon des éleveurs d'oiseaux (maladie du).

ELISA

Technique de dosage enzymatique du sang permettant de détecter des immunoglobulines dirigées contre un agent bactérien ou viral. (De l'anglais *Enzyme-Linked Immunosorbent Assay,* test d'immunoabsorption enzymatique.)

Le test ELISA permet de déterminer si une personne est ou non infectée par un micro-organisme donné. Il est dit séropositif en cas d'infection et séronégatif dans le cas contraire. Il sert notamment à diagnostiquer une séropositivité due au virus du sida. Toute positivité de ce test implique sa vérification par un procédé plus spécifique, comme la réaction de Western-Blot.

Elliptocytose

Maladie héréditaire du sang dans laquelle on observe des globules rouges de forme ovale.

L'elliptocytose est due à une forme anormale de spectrine, une protéine de la membrane des globules rouges. C'est une maladie héréditaire à transmission autosomique (le gène porteur est sur un chromosome non sexuel) dominante (il suffit qu'il soit reçu d'un des parents pour que la maladie se développe). On distingue trois formes pathologiques selon la gravité :

■ **une forme fruste,** ne donnant lieu à aucun symptôme, la plus fréquente ;

■ **une forme peu grave,** entraînant une anémie hémolytique modérée, compensée spontanément par le malade ;

■ **une forme grave,** avec hémolyse sévère (destruction des globules rouges) nécessitant des transfusions et, éventuellement, l'ablation de la rate (organe qui détruit les globules rouges mal formés).

Élongation

→ VOIR Étirement.

Émail dentaire

Couche externe dure qui recouvre la dent et la protège.

Embarras gastrique

Ensemble de symptômes gastro-intestinaux, mal définis, peu graves, de durée variable, accompagnés ou non de fièvre.

Un embarras gastrique est soit provoqué par une atteinte de l'intestin (infection avec retentissement gastroduodénal), soit consécutif à une intoxication alimentaire. Il se traduit par des sensations de malaise, des vertiges, des brûlures d'estomac, des éructations, des nausées et des vomissements. Ces troubles sont le plus souvent sans gravité, ne nécessitant qu'une réhydratation avec un apport suffisant de sels minéraux (sodium, potassium), associée à des antiémétiques pour combattre les vomissements.

Embarrure

Fracture de la boîte crânienne avec enfoncement de la partie fracturée.

Une embarrure est consécutive à un traumatisme crânien important. Elle est responsable d'une compression de la région du cerveau sous-jacente et, souvent, d'une hémorragie locale entre l'os et les méninges (hématome extradural). Le signe caractéristique en est l'enfoncement d'une petite partie de la surface du crâne, avec déplacement du fragment d'os fracturé. Le scanner cérébral précise l'importance de l'enfoncement et les éventuelles lésions de l'encéphale. Une intervention chirurgicale est nécessaire, en urgence ou différée de quelques jours ; elle consiste à replacer ou à enlever les parties de l'os fracturé ainsi qu'à réparer les tissus endommagés.

Embole

Élément de petite taille migrant dans la circulation sanguine jusqu'à son blocage dans un vaisseau trop étroit, et responsable

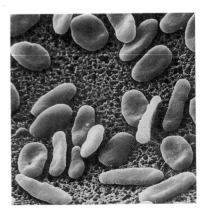

Elliptocytose. La forme ovalaire des globules rouges, examinés au microscope électronique (qui altère les couleurs), est décisive pour le diagnostic.

d'une interruption de la vascularisation du territoire tissulaire irrigué par ce vaisseau.

Un embole est le plus souvent cruorique (constitué d'un caillot de sang), mais il peut également s'agir d'un fragment de cholestérol, de calcaire ou de tissu tumoral, voire d'une bulle de gaz.

Embolectomie

Extraction chirurgicale d'un embole, en général un caillot sanguin, obstruant une artère.

L'embolectomie concerne le plus souvent un fragment (embole) d'un caillot sanguin formé dans le cœur ou sur la paroi interne d'un gros vaisseau, qui s'en est détaché puis a été emporté par la circulation et est arrivé dans une artère trop petite pour lui permettre de poursuivre sa migration. Cette artère est le plus souvent une artère des membres inférieurs, plus rarement une artère de l'intestin ; lorsque l'embole est localisé dans une artère cérébrale, l'embolectomie est contre-indiquée.

L'intervention suppose un repérage préalable de l'embole par écho-Doppler ou artériographie. Elle se pratique le plus souvent sous anesthésie générale. Le chirurgien ouvre l'artère, extrait l'embole, vérifie la liberté de l'artère en amont et en aval par le passage de sondes puis referme le vaisseau par suture.

Le pronostic est globalement bon pour les embolies des membres, plus réservé pour les embolies intestinales.

Embolie

Obstruction brutale d'un vaisseau, le plus souvent d'une artère, par la migration d'un corps étranger (appelé embole) véhiculé par la circulation sanguine.

DIFFÉRENTS TYPES D'EMBOLIE

Deux classifications existent. L'une repose sur la nature de l'embole :
- l'embolie athéromateuse est due à un fragment d'une plaque d'athérome apparue sur la paroi d'une artère ;
- l'embolie fibrinocruorique est due à un fragment détaché d'un thrombus (caillot sanguin) apparu sur la paroi d'un vaisseau ;
- l'embolie graisseuse est due à un fragment de moelle osseuse.

L'autre classification est établie d'après l'organe ou la région atteints :
- l'embolie artérielle d'un membre est due à l'obstruction d'une artère de l'un des membres, supérieurs ou inférieurs ;
- l'embolie cérébrale est due à l'obstruction d'une des artères destinées à l'irrigation sanguine de l'encéphale ;
- l'embolie pulmonaire est due à l'obstruction de l'une des branches de l'artère pulmonaire.

MÉCANISME

Il dépend de l'organe d'origine et de l'anatomie du circuit sanguin. Si l'embole naît dans la grande circulation veineuse (toutes les veines sauf les veines pulmonaires), il passe dans l'oreillette droite, puis dans le ventricule droit, puis dans l'une des branches de l'artère pulmonaire. Si l'embole

naît dans l'oreillette gauche, le ventricule gauche ou une artère de la grande circulation (toutes les artères sauf l'artère pulmonaire), il passe dans une artère d'un membre ou d'un organe. Une fois arrivé dans un vaisseau trop petit pour qu'il continue sa course, il s'immobilise et obstrue celui-ci.

SYMPTÔMES ET SIGNES

Dus à l'arrêt de la vascularisation dans le territoire correspondant au vaisseau, ils sont fonction de l'organe atteint : douleur thoracique brutale avec dyspnée (gêne respiratoire) et parfois défaillance cardiaque droite dans le cas d'une embolie pulmonaire ; hémiplégie dans le cas d'une embolie cérébrale ; douleur du membre, abolition des pouls distaux et, en l'absence de traitement, risque de gangrène dans le cas d'une embolie du bras ou de la jambe. Ils dépendent aussi souvent de la région d'origine de l'embole (thrombose veineuse du mollet au cours d'une embolie pulmonaire, par exemple).

TRAITEMENT ET PRONOSTIC

Le traitement varie selon la cause de l'embolie et l'organe atteint. Dans le cas d'une embolie fibrinocruorique, il fait appel à des médicaments anticoagulants ; administrés suffisamment tôt, ceux-ci peuvent empêcher l'extension du caillot et prévenir la formation d'un nouveau caillot.

Le pronostic dépend de la cause, de l'organe atteint et de l'état général du patient (âge, maladies éventuellement associées à l'embolie). Cependant, une embolie met souvent en jeu la survie d'un organe ou d'une région (gangrène d'un membre), voire la vie du malade (embolie pulmonaire ou cérébrale).

Embolie artérielle des membres

Obstruction brutale d'une artère du membre supérieur ou inférieur.

Une embolie artérielle d'un membre est due à la formation d'un caillot sur la paroi de l'oreillette ou du ventricule gauches, elle-même consécutive à une pathologie d'une valvule (rétrécissement mitral), à un infarctus du myocarde ou à un trouble du rythme cardiaque (fibrillation auriculaire). Plus rarement, elle peut être due à la formation d'un caillot sur la paroi d'un anévrysme de l'aorte.

Une embolie artérielle de ce type se manifeste par une brusque et intense douleur d'un membre, le plus souvent des deux membres inférieurs. Le pouls, pris au poignet ou à la cheville, est impalpable. La peau est froide, pâle, puis elle peut devenir insensible. Les muscles sont parfois paralysés. Selon l'artère obstruée, la limite supérieure de ces signes est plus ou moins haute sur le membre, qui, parfois, peut être entièrement atteint.

TRAITEMENT ET PRÉVENTION

Il faut pratiquer en urgence une ablation chirurgicale de l'embole sous anesthésie générale ou locale, après ouverture de la paroi de l'artère. Une autre méthode, réalisable sous anesthésie locale, consiste, à l'aide d'une sonde introduite dans l'artère en passant à travers la peau, à ramener l'embole

jusqu'à l'orifice de ponction. En l'absence de traitement, l'embolie peut provoquer une gangrène du membre atteint. La prévention des récidives fait appel aux anticoagulants ou aux antiagrégants.

Embolie cérébrale

Obstruction brutale de l'une des artères destinées à l'irrigation sanguine de l'encéphale.

Une embolie cérébrale est due à une affection du cœur ou d'une artère : formation dans le cœur d'un caillot à la suite d'une valvulopathie, d'un infarctus du myocarde, d'un trouble du rythme cardiaque (fibrillation auriculaire) ou de la pose d'une prothèse valvulaire, puis migration vers le cerveau des fragments de ce caillot ; formation d'un caillot à partir d'un rétrécissement d'une artère carotide ou d'une plaque d'athérome (dépôt de cholestérol) ; fragmentation et migration de matériel athéromateux formé dans la carotide ; etc.

L'embolie cérébrale provoque un accident vasculaire cérébral du type ischémique, c'est-à-dire dû à une diminution de l'irrigation sanguine d'un territoire cérébral. Cet accident se traduit de différentes façons : paralysie, abolition de la sensibilité, troubles du langage, voire de la conscience.

TRAITEMENT ET PRONOSTIC

Si l'on est pratiquement sûr qu'il s'agit bien d'une embolie cérébrale, un traitement anticoagulant peut être proposé, mais il existe un risque d'hémorragie. Le pronostic, relativement sévère, dépend de la localisation et de l'étendue du territoire atteint.

Embolie gazeuse

Migration de bulles de gaz dans les vaisseaux sanguins, qui les transportent le plus souvent jusqu'au cerveau.

CAUSES

L'embolie gazeuse est une forme assez rare d'embolie ; elle peut être provoquée par l'irruption accidentelle d'air dans un vaisseau au cours d'une intervention chirurgicale (chirurgie cardiaque, pulmonaire, neurochirurgie), lors d'interventions portant sur le circuit sanguin (transfusion massive sous pompe, circulation extracorporelle) ou encore lors de certains actes diagnostiques ou thérapeutiques (angiographie, cœlioscopie, laparoscopie). Un cas particulier d'embolie gazeuse est dû à la formation de bulles de gaz dans les vaisseaux sanguins à la suite d'une décompression brutale (accidents de plongée, maladie des caissons).

SYMPTÔMES ET SIGNES

L'embolie gazeuse donne lieu à des troubles neurologiques soudains – convulsions, coma, déficit moteur, troubles visuels –, sources de possibles séquelles, et à des troubles cardiovasculaires : collapsus, arrêt cardiocirculatoire, troubles du rythme cardiaque ou signes d'insuffisance coronarienne.

TRAITEMENT

Le traitement, à mettre en œuvre d'urgence, est fondé sur la réanimation cardiorespiratoire, avec restauration d'une pression artérielle normale et ventilation en oxygène pur, ainsi que sur le contrôle des convulsions. L'oxygénothérapie hyperbare (méthode permettant d'augmenter la quantité d'oxygène délivrée aux tissus en l'administrant sous une pression supérieure à la pression atmosphérique), effectuée le plus souvent en centre spécialisé, constitue le traitement le mieux approprié à l'embolie gazeuse.

Embolie graisseuse

Migration, dans un vaisseau sanguin, de particules graisseuses provenant de la moelle osseuse.

Une embolie graisseuse est due à la libération de fragments de moelle osseuse, riches en graisse, dans la circulation sanguine à la suite d'une fracture ou, parfois, d'une intervention chirurgicale osseuse ou articulaire, particulièrement si celle-ci a lieu sur les membres inférieurs et le bassin. Les signes apparaissent au bout de quelques heures : fièvre, insuffisance respiratoire aiguë, purpura (taches cutanées hémorragiques) du thorax et de la conjonctive ; d'autres complications hémorragiques (rénales, cardiovasculaires) peuvent survenir. Les troubles neuropsychiques sont d'expression variable (agitation, confusion, coma). L'embolie graisseuse semble mortelle dans 15 à 30 % des cas, sans que l'on puisse cependant parfaitement déterminer si c'est l'embolie elle-même ou le contexte dans lequel elle se produit (traumatismes graves) qui est en cause. Les autres cas guérissent souvent sans séquelles en une quinzaine de jours.

Embolie pulmonaire

Obstruction brutale de l'une des branches de l'artère pulmonaire.

L'embolie pulmonaire est une affection fréquente et une cause importante de mortalité. Elle est due à la formation d'un caillot sur la paroi d'une veine, presque toujours dans une veine profonde d'un membre inférieur, parfois dans une veine du petit bassin ou encore de l'abdomen (veine cave inférieure), caillot qui, libéré dans la circulation sanguine, migre et s'arrête dans une artère pulmonaire. Ce fait peut être consécutif à un accouchement ou à un avortement, à une opération (en particulier osseuse ou articulaire), à une immobilisation prolongée (alitement, fracture), à une insuffisance cardiaque, à un cancer, à une polyglobulie (augmentation du volume total des globules rouges de l'organisme).

SYMPTÔMES ET SIGNES

Les conséquences de l'embolie pulmonaire peuvent être de deux ordres : insuffisance respiratoire aiguë et défaillance circulatoire. D'apparition brutale, l'embolie se traduit par une gêne respiratoire, une douleur à la base du thorax, une accélération du cœur, une angoisse et parfois une hémoptysie (crachat de sang). Cependant, ces manifestations sont très variables selon le volume pulmonaire atteint, lui-même fonction de la taille de l'artère obstruée.

TRAITEMENT ET PRÉVENTION

Le traitement de l'embolie pulmonaire nécessite une hospitalisation en urgence ; il consiste à la fois à traiter les symptômes et les conséquences de l'embolie, notamment par administration d'oxygène, et à empêcher l'extension des caillots existants et la formation de nouveaux caillots à l'aide d'un anticoagulant, l'héparine, administré par voie veineuse puis relayé par la prise d'antivitamine K par voie orale pendant 3 à 6 mois. Dans les formes les plus graves, les thrombolytiques tels que la streptokinase ou l'urokinase permettent de dissoudre les caillots existants.

Le traitement préventif de l'embolie pulmonaire due à une phlébothrombose d'un membre inférieur ou de la région abdomino-pelvienne repose sur la mobilisation précoce, après accouchement ou intervention chirurgicale, ou sur la contention du membre en cas d'intervention orthopédique sur un membre inférieur, avec prescription d'héparine par voie sous-cutanée.

Embolisation

Technique consistant à injecter dans une artère un matériel permettant de l'obstruer complètement.

L'embolisation est utilisée pour boucher une artère dont le fonctionnement est pathologique : si l'artère alimente un cancer localisé, l'embolisation provoque la destruction par nécrose des cellules dépendant de cette artère ; si l'artère est le siège d'un anévrysme artérioveineux (communication anormale entre une artère et une veine, pouvant être responsable d'insuffisance cardiaque), l'occlusion de l'artère peut suffire à traiter cette malformation.

Le matériel est le plus souvent constitué de particules métalliques ou d'une substance thrombogène (provoquant la formation de caillots). Mais ce peut être aussi un ballonnet mobile qui, véhiculé par le courant sanguin, se trouve bloqué dans son cheminement, obturant ainsi complètement l'artère.

L'embolisation est une intervention délicate, pratiquée par des équipes hautement spécialisées. Elle nécessite une anesthésie locale ou générale et une hospitalisation de quelques jours. Le point de ponction doit être surveillé pendant 24 heures.

Embryogenèse

Ensemble des transformations subies par l'œuf fécondé jusqu'au développement complet de l'embryon.

L'embryogenèse se déroule pendant les 8 premières semaines de la grossesse. Elle est marquée par un développement rapide de l'œuf, qui, tout en s'implantant dans la muqueuse utérine (endomètre), se divise puis se creuse en deux parties, les couches germinales. Celles-ci se différencient lors de la 2e semaine en deux feuillets (endoderme et ectoderme), puis, à la 3e semaine, en trois feuillets (ectoderme, endoderme et mésoderme), d'où dérivent tous les systèmes et organes du corps. La plupart des principales malformations congénitales surviennent pendant ces quelques semaines du tout début de la grossesse. Les éléments morphologiques principaux deviennent reconnaissables dès la fin du 2e mois. L'embryon prend ensuite le nom de fœtus.
→ VOIR Embryon, Embryopathie.

Embryologie

Science qui étudie le développement de l'être vivant depuis la fécondation de l'œuf jusqu'à la fin du stade embryonnaire (fin du 2e mois chez l'être humain), qui marque l'acquisition de la forme définitive.

L'embryologie humaine a d'abord exploité les méthodes biochimiques de coloration permettant d'analyser les phénomènes de différenciation cellulaire ; aujourd'hui, elle bénéficie en plus des techniques modernes d'exploration de l'être vivant comme l'échographie ou l'embryoscopie. Elle permet de mieux comprendre l'anatomie de l'adulte et l'origine des malformations congénitales.

Embryon

Être humain pendant les 8 premières semaines de son développement à l'intérieur de l'utérus, ou en éprouvette puis dans l'utérus lors de la fécondation in vitro.

Toutefois, dans la pratique gynéco-obstétricale, on a coutume de distinguer la période embryonnaire, qui s'étend jusqu'à la fin du 3e mois de grossesse, et la période fœtale, qui la suit.

PREMIÈRE ET DEUXIÈME SEMAINES

L'embryon commence à se former dès la fécondation, qui a lieu dans les voies génitales de la femme par la rencontre d'un spermatozoïde avec un ovule. Tout en se dirigeant vers la muqueuse utérine, dans laquelle il va s'implanter, l'œuf fécondé se divise d'abord en 2, puis en 4, en 8 et en 16 cellules, formant alors une sphère pleine (morula), qui se creuse ensuite tout en continuant à se diviser. C'est dans cette sphère creuse que, dès la fin de la 2e semaine, l'embryon prend forme sous l'aspect d'un disque à deux feuillets, l'un externe (ectoblaste, ou ectoderme), l'autre interne (endoblaste, ou endoderme).

TROISIÈME SEMAINE

Un 3e feuillet apparaît, s'immisçant entre les deux premiers : le chordomésoblaste, ou mésoderme. À partir de ces 3 feuillets vont se constituer tous les organes et systèmes du corps humain. L'ectoblaste donne naissance au système nerveux et à l'épiderme ; l'endoblaste, à la muqueuse et aux glandes des appareils digestif et respiratoire et de la vessie ; le chordomésoblaste est à l'origine du squelette, des muscles, du tissu conjonctif, des systèmes circulatoire, lymphatique et urinaire, du derme et des organes génitaux. En même temps, la forme générale de l'embryon se dessine par des allongements et des flexions dans les sens longitudinal et transversal, qui interviennent successivement. Ce phénomène est appelé plicature embryonnaire.

Le chordomésoblaste forme un tube ouvert donnant à l'embryon un axe vertical (axe craniocaudal) et deux extrémités : céphalique et caudale. Tout autour apparaissent des masses de tissu, les somites, à partir

L'œuf humain naît de la fusion de deux cellules, le spermatozoïde, masculin, et l'ovule, féminin. Il subit ensuite une série de divisions produisant d'abord des cellules identiques entre elles (blastomères), puis des cellules qui se répartissent en deux groupes, les unes formant l'embryon, les autres les annexes protectrices et nourricières (futur placenta, cavité amniotique, cordon ombilical). À la troisième semaine apparaît une cavité liquidienne : les annexes forment sa paroi, et l'embryon est un bouton, puis un disque accroché à la paroi, suspendu dans le liquide. Le disque se creuse, individualisant deux feuillets, puis trois, à partir desquels les différents organes s'ébauchent au cours de transformations complexes (organogenèse). À la huitième semaine, l'embryon est devenu un fœtus.

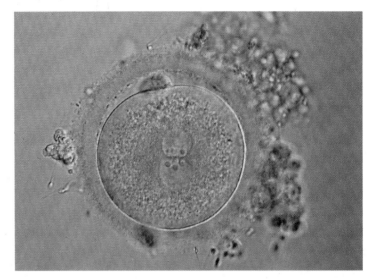

Pendant la fécondation, dans les voies génitales de la mère, le noyau du spermatozoïde et celui de l'ovule fusionnent, au centre de l'ovule. La première division cellulaire commence immédiatement après. L'œuf fécondé possède déjà l'intégralité de son patrimoine génétique.

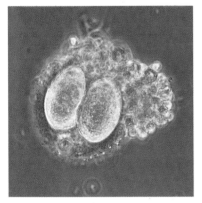

Après la première division, l'œuf se trouve formé de deux cellules exactement identiques entre elles, appelées blastomères.

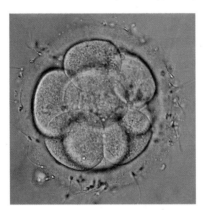

Après deux nouvelles divisions, l'œuf compte huit cellules. Il continue sa migration dans la trompe de Fallope vers l'utérus.

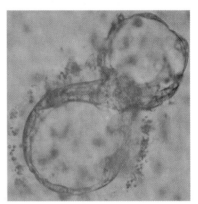

Au 5ᵉ jour après la fécondation, l'œuf, alors appelé blastocyte, se creuse. La membrane qui l'entoure (en bas) est éjectée.

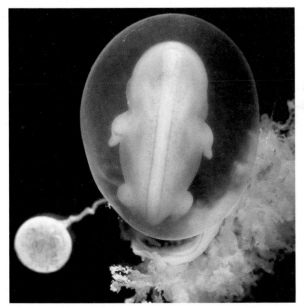

L'embryon est ici vu de dos ; à six semaines, on aperçoit par transparence le tube neural. Plus tard, ce tube s'entourera d'os et formera le cerveau et la moelle épinière. La vésicule vitelline extérieure disparaîtra progressivement.

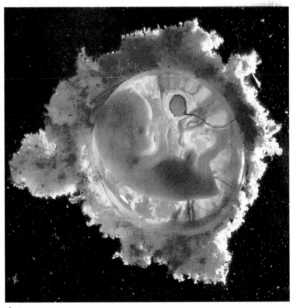

À sept semaines, les principaux organes, les doigts et les yeux sont ébauchés. L'embryon baigne dans le liquide amniotique. Tout autour se trouve un tissu irrégulier, le trophoblaste, qui donnera naissance au placenta.

desquelles se développeront les cartilages et les muscles. Le 18e jour, un épaississement se forme sur l'ectoderme : c'est la plaque neurale, aussi appelée crête neurale, qui est à l'origine de tout le système nerveux. En même temps que s'édifie l'embryon, le reste des cellules s'organise pour assurer sa nutrition. C'est ainsi que se forme une membrane nourricière : le chorion. Celui-ci se trouve bientôt tapissé par une membrane mince, l'amnios, d'origine ectodermique, qui délimite la cavité dans laquelle se développe l'embryon, puis le fœtus : la cavité amniotique.

QUATRIÈME SEMAINE
Le 22e ou 23e jour, l'embryon est gros comme un grain de blé et pratiquement droit. Le 24e jour, le cœur apparaît. Vers le 26e jour, l'embryon se courbe en C, les bourgeons des bras deviennent visibles. À la fin de la 4e semaine, les bourgeons des jambes sont présents ainsi que les cristallins des futurs yeux, de chaque côté de la tête. À cette période également apparaissent dans la région céphalique des formations appelées arcs branchiaux, qui sont des épaississements séparés par des sillons (fentes branchiales). Ceux-ci sont à l'origine des mâchoires inférieure et supérieure, de certaines structures du cou, des oreilles internes.

CINQUIÈME SEMAINE
Elle est marquée par le développement du cerveau. La tête grossit et s'incline vers l'avant. Le cordon ombilical se développe. À 5 semaines, l'embryon mesure de 5 à 8 millimètres. Il a un intestin.

SIXIÈME SEMAINE
Les bourgeons des membres, surtout ceux des membres supérieurs, se différencient par régions : le coude et le poignet sont reconnaissables et, sur la main, qui a la forme d'une palette, apparaissent des rayons, les futurs doigts. Le visage devient humain : le futur conduit auditif externe est un sillon, le futur pavillon de l'oreille, un bourrelet. L'œil est visible. Le tronc et le cou se redressent. Les somites de la région lombosacrée sont apparents. L'embryon mesure de 10 à 14 millimètres.

SEPTIÈME SEMAINE
Les membres se forment nettement. Les bras se projettent en avant du cœur. Des échancrures se creusent, dessinant les doigts. Une hernie ombilicale apparaît. L'embryon mesure de 17 à 22 millimètres.

HUITIÈME SEMAINE
Les membres sont nets. Les doigts, palmés, s'allongent. Des échancrures dessinent les futurs orteils. Les yeux s'ouvrent, mais les paupières apparaissent et commencent à les clore. Les pavillons des oreilles, bien qu'ils soient implantés assez bas, sont précis. Le cou est distinct. L'abdomen est moins saillant, le cordon ombilical, plus court. À la fin de la 8e semaine, l'appendice caudal disparaît. L'embryon mesure alors de 28 à 30 millimètres. Ses organes génitaux externes existent, mais ils ne permettent pas de définir son sexe. Le stade embryonnaire au sens strict s'achève et l'embryon est alors appelé fœtus.

Embryopathie
Atteinte de l'embryon pendant les 8 premières semaines de la grossesse.

À la différence des fœtopathies, qui frappent, à partir de la 9e semaine, un fœtus déjà bien formé, les embryopathies surviennent durant la période de développement de l'embryon (embryogenèse) et, si elles ne provoquent pas un avortement spontané, sont la cause de malformations graves.

DIFFÉRENTS TYPES D'EMBRYOPATHIE
Les embryopathies se distinguent en fonction de leurs facteurs de risque.

■ **Les embryopathies par agents physiques** peuvent être dues à l'exposition de la mère à des radiations ionisantes, soit lors d'un examen radiologique, soit au cours d'un traitement par radiothérapie. Ces radiations risquent d'entraîner des mutations génétiques. C'est pourquoi les femmes enceintes ne subissent plus d'examen radiographique systématique. La plupart des examens qui sont aujourd'hui pratiqués (scanner, radiographie standard ne concernant ni l'abdomen ni le petit bassin) sont d'une innocuité totale pour l'embryon.

■ **Les embryopathies par agents infectieux** sont exceptionnelles, car l'atteinte embryonnaire par un agent infectieux entraîne en général une fausse couche. Le virus de la rubéole fait exception à la règle : lorsque la maladie est contractée par une femme enceinte, elle peut entraîner chez le fœtus des anomalies oculaires ou des lésions cardiaques graves. Parmi les mesures de prévention figure la vaccination systématique des jeunes filles qui n'ont pas eu la rubéole. En cas de contact involontaire d'une femme enceinte non immunisée avec un malade, il convient de pratiquer une séroprévention par les gammaglobulines (anticorps antirubéoleux provenant du sang de malades guéris) et de la faire suivre de prises de sang répétées permettant de déceler l'apparition d'une séropositivité. Quand la toxoplasmose, maladie parasitaire des animaux qui se transmet à l'homme, atteint l'embryon, elle entraîne une fausse couche. Contractée plus tard au cours de la grossesse, elle peut provoquer des malformations fœtales, parfois une cécité.

■ **Les embryopathies par agents chimiques** sont dues à l'effet de médicaments dits tératogènes (causant des malformations congénitales). Le thalidomide, un tranquillisant des années 1960, a engendré des malformations d'une extrême gravité chez les enfants nés de femmes qui en avaient pris au début de leur grossesse. Aussi une femme enceinte ne doit-elle consommer aucun médicament sans avis médical.

■ **Les autres embryopathies** sont également rares : embryopathies traumatiques causées par des manœuvres abortives pratiquées hors cadre médical, embryopathies hormonales dues à des troubles endocriniens graves chez la mère (troubles pancréatiques, thyroïdiens, surrénaliens) et embryopathies par carence en vitamines ou en oxygène lorsque la mère ne s'alimente pas suffisamment (lors d'une anorexie, par exemple).

Embryoscopie
Examen direct de l'embryon pendant les deux premiers mois de la grossesse.

L'embryoscopie se pratique chez les femmes enceintes qui ont déjà eu un enfant atteint de malformations des membres ou d'une fente labiopalatine (bec-de-lièvre) pour dépister ce type de malformations.

Un tube à fibres optiques est introduit dans l'utérus, soit par voie vaginale, soit par voie abdominale. Amené au contact des membranes enveloppant l'embryon, l'instrument permet de voir celui-ci par transparence sans pénétrer dans la cavité ovulaire. L'examen, pratiqué sous anesthésie locale, est indolore et ne dure que quelques minutes. Effectué en milieu hospitalier spécialisé, il exige ensuite, par prudence, un repos de 24 heures. Le risque de fausse couche est de l'ordre de 5 à 10 %.

Émétique
Médicament destiné à provoquer des vomissements.

Il existe différents types d'émétiques, que l'on distingue selon leur mode de fonctionnement : action sur le centre du vomissement, situé dans le bulbe rachidien (apomorphine), action sur les terminaisons sensorielles du nerf glossopharyngien et du nerf vague (sulfate de cuivre, tartrate d'antimoine), action mixte (ipéca).

INDICATIONS
Les émétiques sont utilisés pour créer des réflexes conditionnés au cours de cures de désintoxication (cures de dégoût), notamment alcoolique. En revanche, ils ne sont plus guère indiqués pour traiter les intoxications par ingestion de substances toxiques ; on leur préfère dans ce cas le lavage gastrique.

CONTRE-INDICATIONS ET EFFETS INDÉSIRABLES
L'administration d'émétiques est à proscrire après ingestion de caustiques tels que l'eau de Javel, de produits moussants, de substances volatiles comme les dérivés du pétrole et lorsque le malade est somnolent ou comateux. Des effets indésirables tels qu'une perforation de l'estomac, des brûlures de l'œsophage et une fausse-route avec inondation bronchique au cours des vomissements peuvent survenir lorsque les contre-indications ne sont pas respectées.

Emmétropie
État d'un œil ne présentant aucune anomalie de la réfraction.

Lorsqu'un œil emmétrope fixe un objet situé à l'infini, l'image de cet objet se forme exactement sur la rétine et la vision est claire. À l'inverse, un œil atteint d'une anomalie de la réfraction (myopie, hypermétropie, astigmatisme) est dit amétrope.

Émotivité
Aptitude à réagir affectivement aux événements.

Globalement, l'émotivité se manifeste de quatre façons différentes : plaisir, tristesse, colère ou peur. Quand elle n'est pas exagérée, elle se présente à la fois comme une adaptation spontanée à un événement et comme un mode de communication interpersonnel. Des réactions émotives excessives (hyperémotivité) ou, à l'inverse, l'absence d'émotivité peuvent constituer un facteur d'inadaptation.

Empâtement

Diminution de la souplesse de la paroi abdominale ou des fosses lombaires, mal délimitée, ressentie par le médecin lors de la palpation, témoignant d'un processus inflammatoire ou infectieux.

Empathie

Capacité de comprendre intuitivement autrui.

L'empathie, plus que la sympathie, qui repose sur une similitude harmonieuse de sentiments, est un phénomène permettant de « se mettre à la place » de l'autre. L'apprentissage social favorise son développement en permettant l'acquisition de réactions codifiées (règles de politesse, fêtes avec échanges de cadeaux, réactions altruistes, etc.). Le défaut d'empathie s'observe chez certains sujets froids et fermés, schizoïdes ou obsessionnels. Son absence ou son exagération chez un sujet jeune annoncent parfois l'installation d'un processus schizophrénique. Les oscillations de l'empathie, avec passage d'un extrême à l'autre, constituent la toile de fond du caractère cyclothymique ; elles sont néanmoins banales au cours de l'adolescence.

Emphysème pulmonaire

Affection diffuse des poumons caractérisée par une distension des alvéoles avec destruction de leur paroi.

Les emphysèmes pulmonaires, couramment appelés emphysèmes, sont classés en différents types : panlobulaire, détruisant les alvéoles et les vaisseaux sanguins ; centrolobulaire, ne détruisant dans un premier temps que les alvéoles ; paralésionnel, dans lequel chaque foyer d'emphysème est au contact d'une cicatrice liée à une ancienne maladie pulmonaire.

CAUSES

Elles restent souvent inconnues, mais le grand âge est un facteur favorisant ; dans les formes de la quarantaine, dites « juvéniles », l'emphysème est dû à une anomalie des proportions d'enzymes présentes dans les poumons. L'emphysème centrolobulaire est une complication de la bronchite chronique, elle-même consécutive à une consommation excessive de tabac. L'emphysème paralésionnel est provoqué par certaines maladies pulmonaires : tuberculose, pneumoconioses (silicose par exemple).

SYMPTÔMES ET ÉVOLUTION

Les emphysèmes pulmonaires se traduisent par une gêne respiratoire. Ils risquent d'évoluer vers une insuffisance respiratoire chronique retentissant sur le fonctionnement du cœur (insuffisance cardiaque).

TRAITEMENT

Si l'emphysème pulmonaire est lié à une bronchite chronique ou à une dilatation des bronches, son traitement consiste d'abord à prévenir l'aggravation de l'affection : arrêt du tabac, traitement précoce de toute infection bronchopulmonaire. Le reste du traitement vise à soigner les symptômes : kinésithérapie respiratoire, administration de bronchodilatateurs tels que les théophyllines et les bêta-2-sympathomimétiques, inhalations quotidiennes d'oxygène.

Emphysème sous-cutané

Présence d'air dans les tissus sous-cutanés.

L'emphysème sous-cutané a le plus souvent pour cause un traumatisme du thorax ou du cou ayant déchiré le tissu du poumon ou la paroi d'une bronche ou de la trachée ; l'air des voies aériennes se diffuse alors vers les tissus sous-cutanés. L'emphysème sous-cutané se traduit par un gonflement du thorax ou du cou et par un bruit de crépitation à la palpation de la peau. Son traitement dépend de sa cause. Il peut demander une réparation chirurgicale des lésions des voies aériennes mais, le plus souvent, l'emphysème sous-cutané disparaît spontanément.

Empoisonnement

→ VOIR Intoxication.

Empreinte dentaire (prise d')

Moulage des dents, du relief de la mâchoire et de ses tissus de revêtement.

La prise d'empreinte permet d'étudier la position des dents et des structures buccales afin de réaliser des appareils orthodontiques ou des prothèses (dentier, bridge). Elle se fait au moyen d'un matériau plastique qui durcit après sa mise en place. On coule du plâtre dans l'empreinte ainsi formée afin d'obtenir une reproduction fidèle des dents, des gencives et, parfois, du palais.

Empreinte génétique

Configuration particulière des séquences d'A.D.N. d'un individu donné, qui lui est spécifique. SYN. *carte d'identité génétique*.

À l'image des empreintes digitales, l'empreinte génétique est particulière à chaque individu : à l'exception des vrais jumeaux, la probabilité pour que les empreintes génétiques de deux individus soient identiques est inférieure à 1 sur 10 milliards. Nécessitant très peu de matériel biologique (sang, sperme, fragments de peau, de cheveux, etc.), l'étude de l'empreinte génétique est employée notamment dans les recherches de paternité ou, en criminologie, pour innocenter ou confondre un suspect.

Empreinte parentale

Code inscrit sur l'A.D.N. d'un individu, qui permet de savoir à quel sexe il appartient.

Quand l'A.D.N. subit des modifications, elles sont différentes chez l'homme et chez la femme, d'où il résulte des différences de l'expression des gènes selon le sexe. Ainsi, un même chromosome muté, selon qu'il lui a été transmis par sa mère ou par son père, provoquera chez un enfant soit un syndrome de Prader-Willi, qui associe un nanisme, une obésité, un diabète, une insuffisance génitale et une arriération mentale, soit un syndrome d'Angelman, qui associe un retard mental et des troubles de la marche.

Empyème

Collection de pus dans une cavité naturelle.

Le terme d'empyème, peu utilisé, est dans la pratique quasiment synonyme de pleurésie purulente, le pus s'accumulant au cours de cette maladie entre les deux feuillets de la plèvre (membrane entourant le poumon).

Émulsion

Préparation pharmaceutique formée de deux phases liquides dont l'une (huile, résine), insoluble dans l'autre, y est dispersée sous forme de globules.

La préparation d'une émulsion se fait par agitation. Pour augmenter la stabilité du mélange, des surfactants (molécules spécifiques à la fois hydrophiles et hydrophobes) peuvent y être ajoutés. Une émulsion peut être utilisée telle quelle ou servir d'excipient : on peut y adjoindre un ou plusieurs principes actifs médicamenteux, des conservateurs, des colorants ou des édulcorants. Une émulsion médicamenteuse peut être administrée par voie orale, comme l'émulsion calmante préconisée dans le traitement des bronchites et des toux nerveuses, ou par voie entérale (sonde) ou parentérale (perfusion), comme les émulsions à base d'huile de soja utilisées comme apport calorique et en complément d'acides gras essentiels dans la prévention ou le traitement des carences. De nombreux produits médicamenteux ou cosmétiques présentés sous forme de lait, de lotion, de crème ou de pommade sont également des émulsions.

Énanthème

Localisation muqueuse d'une éruption.

Dans la rougeole, par exemple, l'énanthème précède l'exanthème, localisation cutanée de l'éruption. Un énanthème doit être recherché principalement sur la face interne des joues et dans la gorge.

Encéphale

Partie supérieure du système nerveux central, constituée du tronc cérébral, du cervelet et du cerveau et assurant le contrôle de l'ensemble de l'organisme. (P.N.A. *encephalon*)

STRUCTURE

L'encéphale occupe la boîte crânienne et contient trois éléments.

■ Le tronc cérébral, qui prolonge la moelle épinière, logée dans la colonne vertébrale, comprend de bas en haut le bulbe rachidien, la protubérance annulaire et les pédoncules cérébraux.

■ Le cervelet est une masse arrondie située en arrière du tronc cérébral.

■ Le cerveau, situé au-dessus du tronc cérébral, comprend le diencéphale (thalamus, hypothalamus, hypophyse) et les deux hémisphères cérébraux, très volumineux, attachés sur les côtés du diencéphale.

COMPOSITION

L'encéphale est formé de deux types de tissu nerveux : la substance grise et la substance blanche. La première, correspondant au corps des cellules nerveuses, recouvre les hémisphères et le cervelet (cortex) et se trouve également disséminée sous forme de noyaux dans la substance blanche. La seconde, correspondant aux fibres nerveuses (axones et dendrites) recouvertes d'une gaine de myéline, est située au-dessous du cortex cérébral et autour des noyaux gris. L'encéphale abrite 4 ventricules (cavités contenant du liquide céphalorachidien) : un ventricule latéral par hémisphère cérébral, le 3e ventricule pour le diencéphale et le 4e entre le tronc cérébral et le cervelet. Autour de l'encéphale se trouvent les méninges, membranes protectrices contenant également du liquide céphalorachidien.

FONCTIONNEMENT

L'encéphale forme, avec la moelle épinière, le système nerveux central, relié aux organes par les nerfs du système nerveux périphérique. La substance blanche assure les connexions d'un point à l'autre de l'encéphale ainsi qu'entre l'encéphale et la moelle. La substance grise assure la réception des informations, leur analyse et l'élaboration des réponses (contractions musculaires par exemple). Chaque partie de l'encéphale a des fonctions spécifiques, dont la complexité augmente avec la hauteur de sa localisation. Le tronc cérébral contient des centres de contrôle du cœur et de la respiration ; le cervelet harmonise les mouvements du corps ; le diencéphale permet le tri général des informations sensitives (thalamus) et la commande supérieure des hormones et des viscères (hypothalamus) ; les hémisphères sont responsables des sensations conscientes, de la motricité volontaire et des fonctions supérieures (facultés intellectuelles, émotions, comportements complexes).

→ VOIR Cerveau.

Encéphaline

→ VOIR Enképhaline.

Encéphalite

Affection inflammatoire de l'encéphale.

DIFFÉRENTS TYPES D'ENCÉPHALITE

Les encéphalites sont classées selon plusieurs critères. Le premier est le type de tissu nerveux concerné : les polioencéphalites atteignent la substance grise et sont souvent nécrosantes et irréversibles ; les leucoencéphalites concernent la substance blanche, dont les lésions peuvent disparaître définitivement ; les panencéphalites touchent à la fois la substance grise et la substance blanche. Le second critère concerne l'étendue de l'inflammation, diffuse ou localisée : la rhombencéphalite, par exemple, atteint le tronc cérébral. L'inflammation de l'encéphale peut être associée à celle de la moelle épinière (encéphalomyélite) ou à celle des méninges (méningoencéphalite).

CAUSES

Les causes des encéphalites sont surtout infectieuses, et plus particulièrement virales.

Les virus de la rage et de l'herpès peuvent provoquer une polioencéphalite, tandis qu'une leucoencéphalite peut être la complication d'une rougeole, des oreillons, d'une grippe, d'une mononucléose infectieuse. L'épidémie d'encéphalite de von Economo-Cruchet a fait suite en 1917 à la « grippe espagnole ». Certaines encéphalites à arbovirus sont transmises soit par les moustiques (encéphalite japonaise), soit par les tiques (encéphalite de la taïga).

SYMPTÔMES ET SIGNES

Une encéphalite se manifeste par une fièvre associée à des signes neurologiques variés (somnolence, confusion, délire, troubles du comportement, céphalées, convulsions). Certains signes sont caractéristiques, comme un syndrome infectieux net et des signes de localisation temporale en cas d'encéphalite herpétique. Une raideur de la nuque s'observe en cas de méningite, des paralysies et des troubles sensitifs en cas de myélite. L'apparition de ces symptômes nécessite une hospitalisation en urgence.

DIAGNOSTIC ET ÉVOLUTION

Le diagnostic repose sur l'électroencéphalographie (enregistrement de l'activité électrique du cerveau), le scanner cérébral et l'examen du liquide céphalorachidien prélevé par ponction lombaire.

L'évolution permet de distinguer les encéphalites aiguës et subaiguës. Les encéphalites aiguës, d'évolution rapide, comprennent deux groupes principaux de maladies : les encéphalites virales primitives (par exemple les encéphalites herpétiques), les plus graves, et les leucoencéphalites périveineuses, ou postinfectieuses (par exemple, après une rougeole chez l'enfant), qui guérissent habituellement sans séquelles. Les encéphalites subaiguës, qui durent plus longtemps, sont représentées surtout par la maladie de Creutzfeldt-Jacob.

TRAITEMENT

Il repose, selon les cas, sur la réanimation pour les formes graves, le traitement antiviral, à débuter rapidement en cas d'encéphalite herpétique, les corticostéroïdes en cas de leucoencéphalite périveineuse.

Encéphalocèle

Saillie d'une partie du cerveau hors de la boîte crânienne.

Une encéphalocèle est une malformation congénitale dans la plupart des cas et qui s'associe souvent à d'autres malformations cérébrales. Beaucoup plus rarement, elle peut succéder à un traumatisme crânien important. Le diagnostic repose sur la présence d'une zone plus ou moins grande dépourvue d'os, où siège une tuméfaction molle. La lésion n'est habituellement pas évolutive. Une intervention chirurgicale (résection partielle) n'est proposée qu'en cas d'encéphalocèle proéminente. Le pronostic dépend des lésions cérébrales associées.

Encéphalographie gazeuse

Examen utilisé autrefois en neuroradiologie pour étudier les contours du cerveau.
SYN. *encéphalotomographie gazeuse.*

L'encéphalographie gazeuse consistait à substituer au liquide céphalorachidien de l'air injecté par ponction lombaire avant de réaliser des clichés radiographiques du crâne. Elle nécessitait une hospitalisation et une anesthésie générale et engendrait habituellement de violents maux de tête pendant 48 heures. Elle a été progressivement abandonnée, depuis les années 70, car relayée par le scanner à rayons X puis par l'imagerie par résonance magnétique (I.R.M.).

Encéphalomyélite

Affection inflammatoire de l'encéphale et de la moelle épinière.

Les encéphalomyélites ont une origine souvent inflammatoire, infectieuse (surtout virale) ou tumorale. On observe à la fois des signes d'encéphalite (somnolence, convulsions, etc.), de myélite (paralysies, abolition de la sensibilité dans une région du corps) et de méningite (raideur de la nuque, maux de tête et fièvre). Le diagnostic est confirmé par ponction lombaire ou par scanner cérébral. Le traitement, selon les cas, peut faire appel à la réanimation ou à des médicaments antiviraux.

→ VOIR Encéphalite.

Encéphalopathie

Atteinte diffuse de l'encéphale liée à une affection générale.

Les causes des encéphalopathies sont des intoxications, des troubles métaboliques (carence en vitamine B1, insuffisance en oxygène) ou d'autres maladies générales (hypertension artérielle, insuffisance hépatique, alcoolisme chronique). Les signes neurologiques sont un ralentissement des idées, une agitation, une confusion mentale et, plus rarement, des convulsions. Les examens complémentaires et le traitement varient selon la maladie concernée.

→ VOIR Gayet-Wernicke (encéphalite de).

Encéphalopathie hépatique

Atteinte diffuse de l'encéphale due à une maladie grave du foie, aiguë ou chronique.

CAUSES

En cas d'insuffisance hépatique sévère, des substances, dites neurotoxiques, produites par l'intestin et normalement détruites par le foie, ne sont plus éliminées ; elles se retrouvent dans la circulation sanguine générale et atteignent l'encéphale. C'est le cas, en particulier, lorsqu'une intervention chirurgicale a créé une anastomose portocave qui court-circuite le foie.

L'encéphalopathie hépatique peut survenir soit lors d'une hépatite aiguë, virale ou toxique, dont elle constitue une grave complication, soit dans le cadre d'une cirrhose. Dans ce dernier cas, l'encéphalopathie est favorisée par une hémorragie digestive, une infection bactérienne ou la prise de médicaments (diurétiques ou sédatifs).

SYMPTÔMES ET DIAGNOSTIC

On observe des troubles de la conscience et du comportement ainsi qu'un astérixis (tremblement très ample des membres supérieurs, imitant des battements d'ailes).

Le diagnostic est confirmé par des anomalies de l'électroencéphalogramme, dont l'intensité est proportionnelle à la gravité de la maladie.

TRAITEMENT ET PRONOSTIC
Une encéphalopathie hépatique nécessite une hospitalisation en urgence. Le traitement varie suivant les circonstances d'apparition et vise à soigner la maladie responsable et à administrer du lactulose et/ou des antibiotiques à large spectre. Le pronostic dépend de l'évolution de la maladie hépatique.

Encéphalopathie respiratoire
Atteinte diffuse de l'encéphale due à un excès de gaz carbonique dans le sang.

L'encéphalopathie respiratoire provient d'une insuffisance respiratoire sévère, dont elle constitue une grave complication. Toutes les maladies respiratoires peuvent y aboutir à leur stade ultime. Le gaz carbonique, qui n'est plus éliminé par les poumons, envahit la circulation générale et intoxique l'encéphale. L'encéphalopathie respiratoire se traduit essentiellement par des troubles de la conscience tels qu'une somnolence, auxquels s'ajoutent un astérixis (tremblement très ample des membres supérieurs, imitant des battements d'ailes). Elle nécessite une hospitalisation en urgence. Le traitement de la cause est complété par la réanimation (ventilation assistée).

Encéphalopathie spongiforme
Atteinte diffuse de l'encéphale, due à un agent infectieux particulier, le prion (protéine capable de se répliquer en l'absence de toute information génétique).

Les encéphalopathies spongiformes atteignent les bovins (maladie des vaches folles), les moutons (scrapie), les visons. Chez l'homme, elles comprennent deux types de maladie : la maladie de Creutzfeldt-Jacob et le kuru. On ne sait pas encore avec certitude si l'homme peut être contaminé par la consommation de viande infectée. En revanche, la transmission a pu se faire par l'intermédiaire de tissus greffés et de médicaments provenant d'animaux, vivants ou morts (greffe de cornée, injection d'hormones de croissance). Les encéphalopathies spongiformes se caractérisent par une démence grave, d'évolution subaiguë (s'étendant sur quelques mois). La confirmation du diagnostic n'est possible qu'après la mort et repose sur l'examen au microscope du cerveau, dont les lésions ont l'aspect d'une éponge – d'où le nom de l'affection. Il n'existe pas encore de traitement pour ces maladies.

Enchondromatose
Maladie génétique se traduisant par l'apparition de nombreux chondromes (tumeurs cartilagineuses bénignes) sur les os des mains et des pieds, mais aussi sur les os longs des membres. SYN. *dyschondroplasie, maladie de Hollier.*

Les chondromes, indolores, peuvent entraîner des déformations et, lorsqu'ils sont volumineux, une fragilisation des os

parfois cause de fractures. Il n'existe pas de traitement spécifique de l'enchondromatose.

Les chondromes doivent être radiologiquement surveillés, étant donné le risque, toutefois relativement faible, de dégénérescence maligne de ces tumeurs.

Enclouage
Mise en place d'un clou dans un os fracturé pour maintenir solidement les fragments osseux en bonne position.

L'enclouage peut être effectué chirurgicalement « à ciel ouvert », c'est-à-dire en dégageant l'os. On peut aussi réaliser sur un os long fracturé un enclouage dit centromédullaire, le plus souvent « à foyer fermé », c'est-à-dire sans dégager le foyer de la fracture : le clou est alors introduit par une extrémité du canal médullaire de l'os. L'enclouage centromédullaire favorise la consolidation d'une fracture en conservant intactes les attaches musculaires de l'os et en préservant, par là même, son irrigation.

Enclume
Un des osselets de l'oreille moyenne. (P.N.A. *incus*)

L'enclume est constituée par une tête volumineuse, sur laquelle s'appuie le marteau, et par une tige terminée par une petite extension osseuse horizontale s'appuyant sur l'étrier. Elle forme, avec le marteau et l'étrier, la chaîne des trois osselets de l'oreille moyenne, qui transmet les vibrations sonores du tympan vers l'oreille interne. L'enclume entre en vibration sous l'action du marteau et fait vibrer l'étrier.

Encombrement bronchique
Accumulation de sécrétions dans les bronches.

Un encombrement bronchique, couramment appelé encombrement, peut notamment être dû à une augmentation importante des sécrétions bronchiques (bronchite aiguë) ou à la présence anormale de solides ou de liquides dans les bronches (fausse-route alimentaire, régurgitation). Dans certains cas d'encombrement, le mécanisme de la toux est en cause : elle ne suffit plus à éliminer les sécrétions en raison d'une altération des cils microscopiques tapissant les bronches, qui peut être liée au tabagisme, à une fatigue des muscles respiratoires ou à un trouble de la conscience (perte de connaissance).

L'encombrement bronchique se traduit par une gêne respiratoire ; l'auscultation des poumons permet de percevoir des râles bronchiques. Le traitement fait appel en priorité à la kinésithérapie respiratoire, parfois aux fluidifiants, en évitant les antitussifs ; il vise en outre à soigner la cause de l'encombrement bronchique.

Encombrement dentaire
Mauvaise imbrication des dents entre elles, qui se produit quand l'espace est insuffisant, au niveau des maxillaires, pour que leur alignement soit correct.

L'encombrement dentaire est héréditaire (dents trop larges) ou dû, chez l'enfant, à la perte prématurée des dents de lait (carie), remplacées par les dents définitives, plus volumineuses et en décalage avec la croissance des maxillaires. Dans ce cas, l'encombrement se résorbe en général spontanément vers 8 ou 9 ans. En compliquant le brossage, l'encombrement dentaire favorise les caries et la survenue de maladies parodontales ; il peut empêcher certaines dents de faire éruption sur l'arcade (dents incluses). Outre l'extraction, le traitement fait appel à la pose d'appareils orthodontiques.

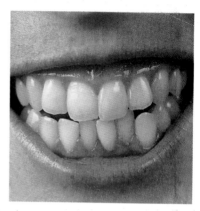

Encombrement dentaire. Dans ce cas, une dent surnuméraire a gêné l'éruption et la mise en place des autres dents.

Encoprésie
Émission involontaire et répétée de matières fécales en dehors des lieux réservés à cet usage, chez un enfant de plus de 4 ans indemne de toute maladie organique.

L'encoprésie, beaucoup plus rare que l'énurésie (émission involontaire d'urine), ne s'observe que chez 0,2 % des enfants de 6 ans. Qualifiée de primaire si l'enfant n'a jamais atteint la propreté fécale, et de secondaire si elle survient après une période de propreté, elle touche essentiellement les garçons. L'encoprésie secondaire est la plus courante. Elle témoigne en général de la persistance d'un comportement très infantile et de profondes difficultés affectives. Lorsqu'elle débute aux alentours de 6 ans, elle est souvent due à des perturbations provoquées par l'abord de la scolarité.

SYMPTÔMES ET SIGNES
Les situations sont très diverses : accidents épisodiques, exempts de toute constipation et facilement curables, ou encoprésies prolongées et rebelles, liées à des problèmes psychologiques importants.

DIAGNOSTIC ET TRAITEMENT
Dans tous les cas, une consultation médicale s'impose. Elle permettra d'éliminer d'éventuelles maladies digestives pouvant entraîner des anomalies de l'émission des selles (maladie de Hirschsprung, anomalie de l'anus, incontinence liée à des affections

neurologiques, etc.). Elle permettra aussi d'aborder les problèmes psychologiques susceptibles d'influer sur le comportement de l'enfant : difficultés dans ses relations avec ses parents, dépression, troubles anxieux.

Des lavements, souvent pratiqués lors d'un court séjour en milieu hospitalier, sont recommandés durant les épisodes de constipation. Par ailleurs, le transit intestinal peut se trouver facilité par des modifications du régime alimentaire (fibres essentiellement). Il convient aussi, parfois, d'assurer une rééducation de la défécation pour régulariser le rythme des selles. Cette rééducation passe notamment par une meilleure prise de conscience de la sensation de besoin et par des encouragements mettant en valeur, de façon systématique, les progrès de l'enfant.

Enfin, le recours à une psychothérapie individuelle ou à une thérapie familiale se révèle en général indispensable pour venir à bout des encoprésies les plus tenaces.

Endartériectomie

Ablation de l'endartère, tunique interne de l'artère formée de l'intima et de la partie adjacente de la média, lorsque l'artère est altérée par l'athérosclérose.

INDICATIONS

Une endartériectomie se réalise sur une artère dont le calibre est réduit de manière importante ou dont la paroi est irrégulière. Elle a pour but de restituer un bon débit à l'artère malade, et une vascularisation correcte aux territoires irrigués par celle-ci, ainsi que d'éviter la survenue d'accidents emboliques périphériques (occlusion d'un vaisseau sanguin par un caillot ou par un fragment de plaque d'athérome véhiculés par la circulation).

L'endartériectomie concerne essentiellement les artères carotides (en cas de rétrécissement d'une artère carotide interne, elle vise à rétablir la circulation sanguine destinée au cerveau) et les artères des membres inférieurs (en cas d'artérite).

TECHNIQUE

Une endartériectomie est réalisée sous anesthésie générale après un bilan préopératoire complet, comprenant une artériographie destinée à préciser le siège et le type de la lésion artérielle à opérer. L'intervention est longue et délicate, mais les risques opératoires sont faibles. Elle consiste à isoler, par des clamps (pinces), la zone artérielle lésée du reste de la circulation, puis à inciser le vaisseau, dont on enlève, après séparation, l'intima malade ainsi que les éventuels caillots. L'incision est ensuite suturée.

PRONOSTIC

Les résultats de l'intervention à court et à moyen terme sont bons, puisque la paroi interne de l'artère se reforme. Le pronostic à long terme dépend, dans une large mesure, de la diffusion de la maladie athéromateuse dans l'organisme et de l'évolution générale de cette maladie. Pour cela, il faut éliminer les facteurs de risque cardiovasculaire (hypertension artérielle et hypercholestérolémie) chaque fois que cela est possible.

Endémie

Persistance d'une maladie infectieuse au sein d'une population ou d'une région.

Lors d'une endémie, le germe se maintient à un faible taux dans la population, rendant la contamination toujours possible, même si la majorité des individus ont acquis une immunité leur permettant de résister à la maladie, qui n'apparaît donc que rarement. Des épisodes épidémiques peuvent apparaître au cours d'une endémie. On parle alors d'endémoépidémie.

Endoanévrysmorraphie

Technique chirurgicale utilisée dans le traitement des anévrysmes artériels d'un membre.

L'endoanévrysmorraphie consiste en l'incision de l'anévrysme et en l'obturation par voie endoanévrysmale (à l'intérieur du sac de l'anévrysme) de l'orifice interne de toutes les artères qui s'ouvrent dans cet anévrysme. En supprimant ainsi l'arrivée de sang dans la poche anévrysmale, on évite la complication la plus grave, la rupture d'anévrysme.

Une endoanévrysmorraphie se pratique sous anesthésie générale et nécessite quelques jours d'hospitalisation. Le risque d'hémorragie locale est faible.

Endobrachyœsophage

Modification pathologique du revêtement muqueux du bas œsophage, qui est progressivement remplacé par une muqueuse identique à celle de l'estomac. SYN. brachyœsophage.

L'endobrachyœsophage complique le plus souvent une inflammation de l'œsophage par reflux gastro-œsophagien. La modification de la muqueuse ne se traduisant par aucun symptôme particulier, le diagnostic repose sur la fibroscopie. Les principales complications sont la survenue d'une ulcération, dite ulcère de Barett, et surtout celle d'un cancer du bas œsophage ; la découverte d'un endobrachyœsophage impose donc une surveillance régulière par fibroscopie avec biopsies à différentes hauteurs dans l'œsophage.

Un traitement chirurgical peut être nécessaire pour traiter le reflux (fundoplicature) ou une forme à potentiel malin (ablation de la tumeur).

Endocarde

Tunique interne du cœur, tapissant l'intérieur du myocarde et limitant les cavités cardiaques. (P.N.A. endocardium)

L'endocarde donne naissance aux valvules cardiaques, composées de plusieurs valves. Il peut être le siège d'une endocardite, inflammation ou infection bactérienne.

Endocardite

Inflammation de l'endocarde.

Une endocardite peut être d'origine infectieuse ou rhumatismale.

Endocardite infectieuse

Cette inflammation de l'endocarde et des valvules cardiaques est due à une infection par des bactéries (streptocoques, staphylocoques, germes à Gram négatif) ou des champignons (Candida albicans), appartenant parfois à la flore habituelle des muqueuses de l'organisme. Le passage des germes dans la circulation sanguine, soit spontané, soit provoqué par des manœuvres instrumentales, est suivi d'une fixation de ces germes sur les valvules cardiaques appelée greffe bactérienne. Dans les deux tiers des cas, l'endocardite survient chez des sujets souffrant d'une atteinte des valvules cardiaques (rétrécissement ou insuffisance aortique, insuffisance mitrale), d'une cardiopathie congénitale ou porteurs d'une prothèse valvulaire ; dans nombre de cas, elle est consécutive à un geste à risque infectieux (soins dentaires, intervention chirurgicale).

L'endocardite atteint fréquemment les valvules aortique et mitrale du cœur gauche, plus rarement les valvules tricuspide et pulmonaire du cœur droit. En cas d'atteinte droite, c'est une infection veineuse répétée qui en est la cause ; elle est très fréquente chez les toxicomanes utilisant des drogues injectables par voie intraveineuse.

SYMPTÔMES ET SIGNES

Lorsque la greffe bactérienne survient sur les valvules naturelles du malade, ce qui se produit dans 80 % des cas, l'endocardite peut prendre deux formes cliniques, selon qu'elle atteint un patient souffrant ou non d'une atteinte préalable des valvules cardiaques.

■ La forme aiguë, la moins fréquente, survenant sur des valvules saines, se manifeste par une fièvre brutale, élevée, accompagnée de frissons, d'un état septicémique et souvent de signes d'insuffisance cardiaque gauche (œdème pulmonaire aigu) par lésions de l'orifice aortique (insuffisance aortique aiguë). L'endocardite tricuspide provoque de multiples abcès du poumon par embolie.

■ La forme subaiguë, ou maladie d'Osler, plus fréquente, est une infection qui survient chez des patients souffrant d'une atteinte des valvules cardiaques d'origine rhumatismale, congénitale, athéroscléreuse ou dégénérative. Les signes, progressifs, associent une fièvre tenace et modérée autour de 38 °C, une fatigue intense, des sueurs, un amaigrissement, des douleurs articulaires et musculaires diffuses, la modification d'un souffle à l'auscultation cardiaque. La palpation révèle une splénomégalie (augmentation de volume de la rate). Il existe aussi des signes cutanés : faux panaris d'Osler (sur la pulpe des doigts ou des orteils), purpura. Les complications vasculaires, cérébrales et rénales peuvent être révélatrices de la maladie.

Lorsque l'endocardite se développe sur une prothèse valvulaire, les deux formes, aiguë ou subaiguë, peuvent s'observer.

DIAGNOSTIC

Il repose sur l'isolement et la culture du germe par hémoculture (mise en culture de prélèvements de sang). Les germes le plus fréquemment retrouvés sont les streptocoques et les staphylocoques. L'échocardiographie révèle la présence sur les valves d'une ou de plusieurs végétations (excroissances irrégulières témoignant de l'infection des valves) et permet d'apprécier l'importance et le retentissement de l'atteinte cardiaque.

ÉVOLUTION

Une endocardite est une maladie grave en raison du risque de complications cardiaques et extracardiaques.

TRAITEMENT

Le traitement médical requiert une association d'antibiotiques à forte dose, actifs sur le germe isolé par hémoculture et prescrits pendant 4 à 6 semaines pour éviter les récidives. L'administration se fait par voie intraveineuse. Le traitement chirurgical (remplacement de la valvule atteinte par une prothèse ou sa réparation) est indiqué s'il y a constitution rapide ou aggravation d'une insuffisance cardiaque ou s'il existe une fuite valvulaire importante, le traitement médicamenteux étant insuffisant dans ce cas.

PRÉVENTION

La prévention de l'endocardite infectieuse repose sur une antibiothérapie pratiquée lorsqu'un sujet atteint de cardiopathie (rhumatismale, congénitale, etc.) est soumis à un geste dit « à risque » : extraction et dévitalisation dentaires, détartrage, amygdalectomie, adénoïdectomie (ablation chirurgicale des végétations), chirurgie et endoscopie bronchiques, urologiques, gynécologiques, digestives.

Endocardite rhumatismale

Cette inflammation de l'endocarde et des valvules cardiaques est la complication d'une maladie spécifique : le rhumatisme articulaire aigu. Encore fréquent dans certains pays peu médicalisés, celui-ci a pratiquement disparu dans les pays industrialisés grâce au traitement antibiotique de toutes les angines ; c'est pourquoi les endocardites rhumatismales y sont devenues rares.

Une angine streptococcique est à l'origine de la maladie ; en revanche, l'atteinte valvulaire n'est pas infectieuse, mais due à un conflit immunitaire tissulaire à partir de l'infection streptococcique pharyngée. Toutes les valvules du cœur peuvent être atteintes, surtout les valvules mitrale et aortique, provoquant un rétrécissement ou une insuffisance valvulaire.

Le traitement est celui de la valvulopathie, médicamenteux d'abord puis, si celle-ci s'aggrave, chirurgical par mise en place d'une prothèse valvulaire.

Endocardite du lupus érythémateux disséminé

Dans quelques cas de lupus érythémateux disséminé, il existe une endocardite, dite de Libmann-Sachs, comportant quelques végétations (hypertrophies tissulaires) et dont le diagnostic repose sur l'échocardiographie. Il n'y a pas de traitement spécifique de cette maladie.

→ VOIR Cardite rhumatismale, Rhumatisme articulaire aigu, Valvulopathie.

Endocrine

Se dit des sécrétions (hormones) qui passent directement dans la circulation sanguine ainsi que des organes et des tissus qui produisent ces sécrétions.

La sécrétion endocrine s'oppose à la sécrétion exocrine, où le produit de sécrétion est libéré dans une cavité naturelle de l'organisme ou vers l'extérieur (sucs digestifs, larmes, etc.).

Les glandes du système endocrinien sont l'hypophyse, les surrénales, la thyroïde, les parathyroïdes et les gonades.

Le pancréas est particulier en ce qu'il possède à la fois des cellules exocrines, sécrétant des enzymes de la digestion libérées dans le duodénum, et des cellules endocrines, les cellules bêta, sécrétant une hormone, l'insuline.

Endocrinologie

Science qui étudie la physiologie et la pathologie des hormones et celles de leurs organes producteurs, les glandes endocrines, ainsi que le traitement de cette pathologie.

La recherche actuelle en physiologie tente de préciser les mécanismes d'action des hormones, d'identifier la structure des récepteurs cellulaires hormonaux et le mode de régulation fine des différentes sécrétions hormonales. Elle essaie également de préciser les mécanismes moléculaires à l'origine des maladies hormonales. La pathologie endocrinienne comprend les états d'hypersécrétion hormonale, ceux d'insuffisance hormonale et les dysfonctionnements des récepteurs hormonaux. Elle comprend également les anomalies concernant uniquement la morphologie d'une glande dont l'activité sécrétoire reste normale.

Le diagnostic des affections endocriniennes comprend deux volets : le diagnostic biologique, qui repose sur des dosages hormonaux dans le sang ou les urines, et le diagnostic morphologique, qui s'appuie sur les données de l'imagerie : radiologie, échographie, scintigraphie, imagerie par résonance magnétique (I.R.M.), scanner, etc.

Endoderme

Feuillet interne de l'embryon. SYN. *endoblaste, entoblaste.*

L'endoderme est, avec l'ectoderme et le mésoderme, l'un des trois feuillets primitifs embryonnaires. Il apparaît entre le 13e et le 16e jour après la fécondation. Il donne naissance par sa partie dorsale à l'intestin primitif et par sa partie ventrale à la vésicule vitelline, ou ombilicale, futur siège de la formation du sang de l'embryon. C'est de l'endoderme que dérive le tissu de revêtement du tube digestif, de l'appareil respiratoire, de la vessie, de l'urètre, de l'oreille moyenne et du conduit auditif interne. Sa partie antérieure forme le tissu glandulaire de la thyroïde, des parathyroïdes, du thymus et des amygdales, et sa partie moyenne celui du foie et du pancréas.

Endodontie

Discipline spécialisée dans l'étude et le traitement des maladies de la pulpe dentaire.

La nécrose de la pulpe d'une dent, due à une carie profonde ou à une fracture, ouvre la voie au passage de microbes dans l'os de la mâchoire, provoquant un abcès ou un kyste. L'endodontie a pour but de nettoyer et d'obturer les canaux infectés et évite ainsi l'extraction de la dent. La reconstitution prothétique, par pose d'une couronne, achève de rendre à la dent sa solidité et son esthétique.

Endogamie

Mode d'union entre un homme et une femme ayant des ancêtres communs.

Pour un enfant issu d'une telle union, il existe un risque plus important d'être porteur de maladies génétiques en raison du croisement de gènes identiques. C'est surtout le cas dans certains groupes ethniques repliés sur eux-mêmes, ou isolats. Le contraire de l'endogamie est l'exogamie.

Endogène

Qualifie tout ce qui émane de l'organisme.

Une septicémie, par exemple, est d'origine endogène lorsqu'elle survient après une extraction dentaire responsable de la dissémination des germes locaux par voie sanguine. Le contraire d'endogène est exogène.

Endomètre

Muqueuse tapissant la face interne de l'utérus. (P.N.A. *endometrium*)

L'endomètre subit des modifications tout au long de la vie de la femme. Au cours du cycle menstruel, sous l'influence de la sécrétion hormonale, il s'épaissit pour préparer une éventuelle nidation de l'œuf et assurer sa nutrition. En l'absence de fécondation, la couche superficielle de l'endomètre se décolle et est éliminée, formant les règles. Après la ménopause, l'endomètre s'atrophie et le cycle menstruel est interrompu.

PATHOLOGIE

L'endomètre peut être le siège d'une inflammation (endométrite), de polypes, d'un cancer. La présence de fragments de muqueuse utérine à l'extérieur de l'utérus caractérise l'endométriose.

→ VOIR Utérus (cancer de l').

Endométriose

Affection gynécologique caractérisée par la présence de fragments de muqueuse utérine (endomètre) en dehors de leur localisation normale.

L'endométriose est surtout fréquente chez les femmes âgées de 25 à 40 ans. C'est une cause importante de stérilité : de 30 à 40 % des patientes souffrant d'endométriose ont des problèmes d'infertilité. Cette dernière est fonction du siège de l'affection, la localisation tubaire (dans les trompes) étant la plus préoccupante.

CAUSE

La cause de la maladie est mal connue : il est possible que des fragments de muqueuse utérine non éliminés pendant les règles remontent le long des trompes de Fallope pour aller se fixer sur un organe de la cavité pelvienne, où ils forment des kystes. Ceux-ci sont le plus souvent situés sur le muscle utérin (on parle alors d'adénomyome), sur la trompe, sur l'ovaire et sur la cloison séparant le rectum du vagin ; ils se trouvent plus rarement sur le péritoine, sur l'intestin, sur la vessie et sur les cicatrices cutanées. Comme l'endomètre normal, les fragments de muqueuse obéissent aux fluctuations hormonales durant le cycle menstruel : ils se développent sous l'influence des œstrogènes et de la progestérone, puis saignent quand les taux hormonaux, en s'effondrant, déclenchent les règles.

SYMPTÔMES ET SIGNES

Le gonflement des kystes provoque des douleurs pendant les règles, surtout vers leur fin. Ces douleurs, qui disparaissent pendant le cycle, sont le principal symptôme, mais l'endométriose peut aussi être responsable d'hémorragies menstruelles abondantes et de douleurs au cours des rapports sexuels.

DIAGNOSTIC

Il est établi lorsqu'une femme en période d'activité génitale présente des signes fonctionnels évocateurs, associés ou non à une stérilité. Parfois, une endométriose est découverte lors du bilan d'une stérilité. Le diagnostic est confirmé par l'échographie, qui met en évidence le ou les kystes ovariens, et surtout par la cœlioscopie, qui révèle des adhérences et des lésions kystiques sombres implantées sur le péritoine.

TRAITEMENT

Il fait appel à l'ablation du ou des kystes ou à leur destruction par électrocoagulation ou laser, sous contrôle endoscopique. En outre, des médicaments supprimant la menstruation (progestatifs, danazol, substances analogues de la gonadolibérine, une hormone de l'hypothalamus) peuvent être administrés pendant quelques mois. À la fin du traitement, une grossesse peut être envisagée. Après la ménopause, les lésions s'atrophient spontanément puisque la sécrétion hormonale cesse. Toutefois, si les douleurs persistent, une hystérectomie (ablation de l'utérus) peut être pratiquée.

Endométrite

Inflammation de l'endomètre (muqueuse utérine) provoquée par une infection.

Une endométrite, qui peut être aiguë ou chronique, est causée par des germes divers, souvent ceux qui sont à l'origine des maladies sexuellement transmissibles, des chlamydiae, des mycoplasmes. Elle peut suivre un accouchement ou un avortement (rétention de débris placentaires) ou encore résulter de la présence d'un stérilet.

Une endométrite aiguë se traduit par des douleurs pelviennes, des pertes vaginales, des métrorragies (saignements survenant en dehors des règles) et, parfois, par de la fièvre. Une endométrite chronique est découverte à l'occasion d'un bilan de stérilité, de troubles menstruels ou d'infections pelviennes. Les germes retrouvés peuvent être identiques à ceux qui sont à l'origine des endométrites aiguës (autrefois, le bacille tuberculeux était la cause la plus fréquente de l'affection).

DIAGNOSTIC ET TRAITEMENT

Le diagnostic repose sur l'examen clinique et sur l'identification du germe par prélève-

ENDOSCOPIE

L'endoscopie permet d'examiner une cavité – et, éventuellement, d'y effectuer des gestes thérapeutiques – au moyen d'un tube que l'on y introduit, chaque fois que possible par les voies naturelles (la bouche pour l'estomac et les bronches). Selon les cas, l'anesthésie est locale ou générale. Sous anesthésie locale, l'examen est désagréable mais non douloureux. Son intérêt diagnostique est primordial.

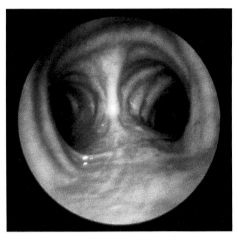

L'endoscopie comporte un système d'éclairage qui permet, dans ce cas, d'examiner la muqueuse des bronches.

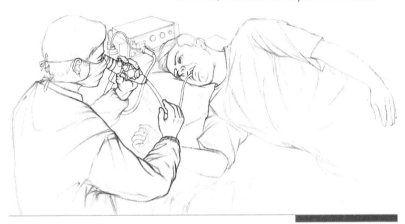

ment local et mise en culture. Selon les cas, un curetage destiné à éliminer les débris dont la présence entretient l'infection, l'enlèvement du stérilet responsable et, éventuellement, l'administration d'antibiotiques assurent la guérison.

Endorphine

Substance produite par certaines cellules du système nerveux central et ayant des propriétés analgésiques semblables à celles de la morphine.

La structure d'une endorphine est celle d'un polypeptide constitué par une longue chaîne d'acides aminés. La fonction des endorphines n'est pas parfaitement connue. Elles participent à l'analgésie physiologique et agissent en se fixant sur les mêmes récepteurs membranaires des cellules nerveuses que la morphine, d'où la dénomination de « peptides opioïdes » qui leur a été donnée comme aux enképhalines. Une endorphine serait donc comme une « morphine naturelle » sécrétée par le cerveau. La prise chronique de morphine provoque une inhibition de la synthèse des endorphines, ce qui laisse libres un plus grand nombre de récepteurs membranaires et explique les phénomènes de tolérance (augmentation des doses pour obtenir les mêmes effets) et de dépendance physique (impossibilité d'interrompre brutalement le traitement) que l'on observe avec les produits morphiniques, médicaments ou drogues.

Endoscope

Tube optique muni d'un système d'éclairage et utilisé pour pratiquer une endoscopie.

On distingue deux types d'endoscope.
■ L'endoscope rigide, notamment utilisé pour l'exploration de la vessie et de la cavité abdominale, est constitué d'un tube métallique de 5 à 8 millimètres de diamètre muni d'un oculaire.
■ L'endoscope souple, ou fibroscope, de diamètre plus petit, est constitué de fibres de carbone ou de verre capables de transmettre la lumière provenant d'une source de lumière « froide ». Il permet une exploration non traumatisante de cavités d'accès difficile comme le côlon, l'estomac ou les bronches.

Les endoscopes peuvent être équipés de caméras vidéo ou d'accessoires chirurgicaux : pince (pour saisir et ôter un corps étranger), pince à biopsie (pour prélever un échantillon de tissu), ciseaux, lacet (pour retirer les polypes), panier (pour retirer les calculs), anse diathermique (fil métallique tressé, en forme de boucle, utilisé pour la résection de polypes pédiculés).

Endoscopie

Exploration visuelle d'une cavité, naturelle ou non, par l'intermédiaire d'un tube optique muni d'un système d'éclairage appelé endoscope.

De nombreux organes peuvent bénéficier d'une étude endoscopique : l'œsophage, l'estomac, le duodénum, les voies biliaires, le côlon, le rectum, la trachée, les bronches, les voies aériennes supérieures, l'urètre, la vessie, les uretères, la cavité péritonéale, l'utérus, les grosses articulations, etc. L'endoscopie, terme générique, recouvre ces différentes explorations, qui possèdent chacune une désignation plus précise : bronchoscopie (exploration des bronches), coloscopie (exploration du côlon), laparoscopie (exploration de la cavité abdominale), arthroscopie (exploration d'une articulation), etc. Une endoscopie est habituellement pratiquée sous anesthésie locale, parfois sous anesthésie générale. Elle peut être réalisée à des fins diagnostiques ou opératoires.

■ L'endoscopie diagnostique permet d'approcher l'organe malade, de l'examiner, d'y pratiquer des biopsies. En urologie, par exemple, la cystoscopie (endoscopie de la vessie) permet surtout de déceler des tumeurs des voies urinaires.

■ L'endoscopie opératoire permet d'effectuer des interventions complexes, sans ouverture des parois, pour traiter certaines affections qui, auparavant, nécessitaient une voie chirurgicale classique : ablation de tumeurs de la vessie, d'une hypertrophie prostatique, de polypes de l'estomac, traitement de la stérilité féminine, etc.

Endothélium

Fine couche de cellules tapissant la face interne de la paroi des vaisseaux sanguins et lymphatiques.

L'endothélium permet les échanges de liquides entre les vaisseaux et les tissus interstitiels (tissus profonds situés entre les organes et les vaisseaux). Il joue également un rôle fondamental dans les réactions de vasoconstriction et de vasodilatation ainsi que dans le processus d'agrégation plaquettaire (premier stade de l'élaboration d'un caillot).

Endotoxine

Élément constitutif de la membrane externe de tous les bacilles à Gram négatif.

Les endotoxines sont composées de lipides et de glucides. Libérées par la destruction des bacilles lors d'une infection, elles se diffusent dans la circulation sanguine. Elles sont alors responsables de chocs infectieux graves (états septicémiques dus à une cascade de réactions immunologiques et inflammatoires). De nouvelles molécules anti-endotoxines sont à l'étude afin de traiter les formes les plus graves de choc infectieux.

Énervation

Suppression de l'innervation sensitive d'un organe ou d'une région du corps.
SYN. *dénervation*.

L'énervation est le plus souvent indiquée en cas de douleur intolérable résistant aux autres traitements, en particulier aux analgésiques, comme c'est parfois le cas lors de certains cancers viscéraux (en particulier du pancréas) en phase terminale. La technique repose sur la section, voire l'ablation d'un nerf à fonction sensitive et neurovégétative sur une certaine longueur, ou sur sa

destruction par alcoolisation (infiltration locale d'alcool absolu ou de phénol) ou encore par thermocoagulation (destruction par la chaleur), provoquant une anesthésie définitive de toute la région innervée par ce nerf. Ces deux dernières techniques peuvent être réalisées sous anesthésie régionale, par voie percutanée (en piquant à travers la peau) et en se guidant par l'échographie ou le scanner.

Enfance

Période de la vie qui se situe entre la naissance et la puberté et qui caractérise un être humain en voie de développement.

Stades de l'enfance

L'enfance comprend plusieurs stades successifs : la période néonatale, la première enfance et la seconde enfance.

■ La période néonatale, c'est-à-dire le stade du nouveau-né, va de la naissance au 28e jour de la vie et commence par une période d'adaptation à la vie extra-utérine (du 1er au 7e jour), durant laquelle l'enfant pourrait être particulièrement exposé à des pathologies comme l'anoxie (manque d'oxygénation, du cerveau notamment). Cette période est également celle où l'on peut découvrir d'éventuelles anomalies, dont certaines sont systématiquement dépistées (phénylcétonurie, hypothyroïdie).

■ La première enfance caractérise le nourrisson et va de 29 jours à 2 ans. C'est une période d'intense développement de tous les organes et en particulier du cerveau. Les acquisitions psychomotrices sont rapides. La personnalité affective se dessine. Durant cette phase d'adaptation immunitaire, l'enfant doit faire face aux multiples agressions infectieuses dont il est l'objet (virales surtout, bactériennes parfois). La pathologie infectieuse constitue ainsi le premier motif de consultation pour les nourrissons. Il est également recommandé de procéder durant cette période au dépistage d'éventuels troubles auditifs et visuels.

■ La seconde enfance se situe entre 2 et 12 ans. La vitesse de croissance est plus faible (5 centimètres par an environ) et les acquisitions de l'enfant se situent essentiellement dans le domaine socioculturel. On distingue l'âge préscolaire (2-6 ans), âge de maturation et de socialisation, et l'âge scolaire (6-12 ans), phase durant laquelle s'élargissent et se perfectionnent les connaissances.

L'enfance se termine à la puberté, qui inaugure l'adolescence.
→ VOIR Alimentation du nourrisson, Croissance de l'enfant, Développement de l'enfant.

Enfant bleu

Enfant atteint d'une cardiopathie congénitale cyanogène.
→ VOIR Cardiopathie.

Enfouissement

Technique chirurgicale consistant à protéger la suture d'un organe opéré en la recouvrant.

L'enfouissement n'est pas une intervention chirurgicale en lui-même mais une technique indiquée à la fin d'une intervention, le plus souvent une ablation de l'appendice, parfois une opération comprenant une suture avec des agrafes. Il consiste à repousser en profondeur le moignon ligaturé de l'appendice ou la suture et à les recouvrir en rapprochant deux berges voisines, maintenues l'une contre l'autre par une nouvelle suture.

Engagement cérébral

Déplacement d'une partie de l'encéphale à travers un orifice membraneux ou osseux naturel, aboutissant à une compression grave du système nerveux.

DIFFÉRENTS TYPES D'ENGAGEMENT CÉRÉBRAL

Il existe différents types d'engagement, selon l'orifice concerné. En effet, l'encéphale peut s'engager à travers un orifice limité par une membrane : d'une part, la faux du cerveau, membrane verticale localisée entre les deux hémisphères, dont le bord supérieur s'attache au crâne et dont le bord inférieur dessine un demi-cercle ouvert vers le bas (engagement cingulaire) ; d'autre part, la tente du cervelet, membrane horizontale située entre les hémisphères cérébraux au-dessus et le cervelet au-dessous, dont le bord postérieur s'attache au crâne et dont le bord antérieur dessine un demi-cercle ouvert en avant (engagements diencéphalique et temporal). L'encéphale peut aussi s'engager à travers un orifice osseux du crâne, le trou occipital, région du crâne où se trouve le point de jonction de l'encéphale avec la moelle épinière (engagement des amygdales cérébelleuses, saillies antéro-inférieures du cervelet, ressemblant aux amygdales du pharynx).

CAUSES

Les causes d'engagement sont des lésions d'un certain volume (tumeur, hématome, d'origine traumatique ou non, abcès) gênant l'écoulement du liquide céphalorachidien, qui s'accumule en créant une hypertension intracrânienne et repousse la région de l'encéphale correspondante.

SYMPTÔMES ET SIGNES

Les symptômes dépendent du type d'engagement. L'engagement temporal, par exemple, se caractérise par une mydriase (dilatation de la pupille), consécutive à la lésion de structures commandant l'œil. L'engagement des amygdales cérébelleuses provoque des accès d'hypertonie (raideur) des membres, éventuellement associés à un ralentissement du rythme cardiaque ou à un arrêt respiratoire. Les formes mineures ne se signalent que par une attitude guindée ou une inclinaison de la tête sur le côté.

DIAGNOSTIC ET ÉVOLUTION

Le diagnostic repose sur l'observation de ces symptômes, qui amène à pratiquer en urgence un scanner. Un engagement cérébral nécessite en effet une hospitalisation immédiate : l'évolution est souvent rapidement fatale en l'absence de traitement.

TRAITEMENT

Il fait appel à une intervention neurochirurgicale qui doit être pratiquée sans délai pour décomprimer le cerveau.

Engagement du fœtus

Début de la descente du fœtus dans le bassin maternel, à la fin de la grossesse ou au cours de l'accouchement.

L'engagement est le franchissement, par la tête ou le siège du fœtus, de la limite supérieure du petit bassin, appelée détroit supérieur. Il se produit vers la 37e semaine pour une première grossesse, au début du travail pour les suivantes. Le diagnostic d'engagement repose sur le toucher vaginal, combiné avec la palpation de l'abdomen, ce qui permet de préciser la présentation fœtale. L'absence d'engagement au cours de l'accouchement (bébé trop volumineux, placenta prævia) nécessite une césarienne, même si la dilatation est complète.

Engelure

Rougeur des extrémités (mains, pieds, nez, oreilles) due au froid.

L'engelure ne doit pas être confondue avec la gelure, accident aigu grave résultant d'une exposition à un froid intense (chez les alpinistes, par exemple). Généralement déclenchées par un temps froid et humide, les engelures affectent plutôt les femmes et les enfants. Souvent associées à une acrocyanose (trouble de la circulation sanguine responsable d'une cyanose des extrémités), elles sont dues à la fois à une diminution du débit sanguin dans les artérioles par vasoconstriction et à une accumulation du sang dans le système veineux de retour.

Elles se caractérisent par des plaques rouge violacé, épaisses, froides, très douloureuses. À court terme, elles peuvent se compliquer de fissures, d'ulcérations ou de cloques entraînant une gêne au travail manuel ou à la marche. Les troubles commencent avec l'automne et s'arrêtent progressivement au printemps.

TRAITEMENT ET PRÉVENTION

Il n'y a pas de traitement radical des engelures ; on conseille les bains chauds et froids (sans températures extrêmes) en alternance, des massages doux à l'alcool

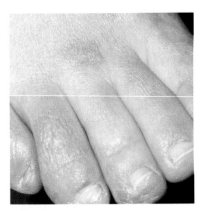

Engelures. *Les orteils sont tuméfiés, gonflés, très douloureux et présentent des rougeurs irrégulièrement réparties.*

camphré, des applications de pommades grasses, la prise de vitamines et de vasodilatateurs. En revanche, pendant la période froide, la prévention est essentielle : protection contre le froid et suppression des vêtements trop serrés, qui ralentissent la circulation sanguine.

Engorgement

Accumulation de sécrétions (sang, sérum, sécrétions glandulaires) dans un tissu ou un organe.

■ **L'engorgement mammaire** est un trouble de l'excrétion du lait qui survient au moment de la montée laiteuse, aux environs du 3e jour après l'accouchement. Au début de l'allaitement, le nouveau-né ne tète pas assez vigoureusement et les seins de sa mère, incomplètement vidés, restent durs, tendus et douloureux. Pour faire céder l'engorgement, il suffit souvent d'exprimer le lait à la main en pressant le sein autour de l'aréole et en aidant le bébé à bien placer sa bouche. Parfois, il faut stimuler la contraction des muscles de la glande mammaire en administrant un médicament hormonal (posthypophysaire) puis en appliquant un tire-lait, manuel ou électrique, une demi-heure après la prise de celui-ci, pour vider le sein. Non traité, un engorgement mammaire expose la femme aux infections du sein et la contraint à cesser l'allaitement.

Engourdissement

Lourdeur, insensibilité, fourmillement, impotence touchant le plus souvent un membre.

Un engourdissement peut être causé par une circulation insuffisante ou par une lésion du système nerveux, comme dans la sclérose en plaques. En cas d'atteinte nerveuse, l'étendue de la zone touchée renseigne sur le site et le mécanisme de la lésion. Le maintien prolongé dans une même position ou une anesthésie locale entraînent également un engourdissement, qui disparaît spontanément après le changement de position ou l'évacuation du produit anesthésiant.

Engrènement

Interpénétration des fragments d'un os lors d'une fracture.

Après une fracture, surtout si elle est localisée sur une métaphyse (partie de l'os située entre l'épiphyse et la diaphyse, où celui-ci est spongieux, donc friable), les épines osseuses s'encastrent les unes dans les autres : c'est l'engrènement, qui confère une stabilité relative et précaire à l'os en permettant un accrochage fragile des deux surfaces osseuses fracturées. Un mouvement brutal peut, par la suite, provoquer un désengrènement, c'est-à-dire une séparation des fragments osseux fracturés.

Si une fracture engrenée en mauvaise position doit être désengrenée avant toute tentative de réduction, une fracture engrenée en bonne position doit être maintenue immobile jusqu'à consolidation complète ; la pose d'un bandage ou d'un plâtre peut alors suffire.

Enjambement

Processus survenant au cours de la méiose, caractérisé par un échange de fragments de bras chromatidiens entre deux chromosomes homologues. En anglais, *crossing over*.

Au cours d'une méiose (ensemble des divisions cellulaires aboutissant à la formation des cellules reproductrices), il se produit environ 60 enjambements. Ce phénomène, normal, permet un brassage de l'information génétique d'origine paternelle et maternelle.

Enképhaline ou Encéphaline

Substance présente dans les cellules du système nerveux, aux propriétés analgésiques semblables à celles de la morphine.

La structure d'une enképhaline est celle d'un petit polypeptide, constitué par une courte chaîne d'acides aminés. La fonction des enképhalines n'est pas parfaitement connue. Elles agiraient comme neurotransmetteurs physiologiques de l'analgésie ; les récepteurs membranaires sur lesquels elles se fixent pour agir sont les mêmes que ceux de la morphine, d'où la dénomination de « peptides opioïdes » qui leur a été donnée comme aux endorphines. On les trouve dans des régions du cerveau qui jouent un rôle important dans la réception et le tri des informations douloureuses. De plus, elles inhibent l'action de la substance P, messager naturel de la douleur dans la moelle épinière.

L'étude de substances activant les enképhalines de l'organisme est l'une des voies de la recherche thérapeutique actuelle. En effet, ces substances pourraient permettre l'élaboration de médicaments analgésiques aussi puissants que la morphine, mais d'action plus précise et n'ayant pas ses effets indésirables, en particulier sur la conscience et la respiration.

Enkystement

Formation d'une coque fibreuse autour d'une lésion isolant celle-ci du reste de l'organisme.

La plupart des lésions qui se développent dans un organe (abcès, infarctus, tumeur) entraînent une réaction de défense du tissu sain voisin, d'abord inflammatoire, puis fibreuse. Si la lésion n'est pas rapidement éliminée, elle est recouverte par une couche plus ou moins épaisse de collagène, ressemblant à un kyste, qui enraie son extension. Dans le cas d'un abcès, cette formation empêche les antibiotiques de pénétrer jusqu'à la lésion. Les abcès du poumon, les cavernes tuberculeuses et les pleurésies purulentes s'enkystent fréquemment. Le traitement comprend l'ablation chirurgicale de la lésion ou la décortication du poumon (séparation de son enveloppe fibreuse).

Énophtalmie

Enfoncement anormal de l'œil dans son orbite.

DIFFÉRENTS TYPES D'ÉNOPHTALMIE

■ **L'énophtalmie traumatique** peut apparaître à la suite d'une fracture du plancher de l'orbite. D'autres signes lui sont alors souvent associés : diplopie (vision double), hypotropie (déplacement du globe vers le bas), diminution de la sensibilité du nerf sous-orbitaire.

■ L'énophtalmie du syndrome de Claude Bernard-Horner résulte d'une atteinte, à la hauteur du cou, de la voie sympathique destinée à l'œil, notamment lors de certains cancers du sommet du poumon. Cette énophtalmie, discrète et inconstante, s'accompagne souvent d'un ptôsis (chute de la paupière supérieure) et d'un myosis (rétrécissement de la pupille).

SYMPTÔMES ET DIAGNOSTIC

L'enfoncement du globe oculaire entraîne une diminution de la fente des paupières gênant plus ou moins la vision. Le diagnostic d'énophtalmie est difficile, faute de critère quant à la position de l'œil par rapport à son orbite. En cas d'énophtalmie unilatérale, le diagnostic repose sur l'asymétrie de la position des globes. Une énophtalmie peut être mise en évidence par le scanner.

TRAITEMENT

Plus ou moins aisé, il dépend essentiellement de la cause.

Enrouement

Altération de la voix, qui se traduit par un timbre sourd, rauque ou éraillé.

Un enrouement est dû à une maladie du larynx ou à une anomalie de son fonctionnement (laryngite, surmenage vocal). Le traitement de l'enrouement dépend de sa cause : arrêt d'un tabagisme en cas de laryngite, repos vocal en cas de surmenage, etc. Tout enrouement persistant plus de 15 jours impose un examen médical approfondi.

Entérectomie

Ablation chirurgicale d'un segment de l'intestin.

Une entérectomie se pratique dans plusieurs pathologies de l'intestin : tumeur, infection, hémorragie, ischémie (interruption de la circulation sanguine). Le chirurgien retire une certaine longueur de l'intestin grêle ou du côlon (colectomie), puis rétablit le plus souvent la continuité intestinale par une anastomose (abouchement de la partie amont à la partie aval de l'intestin).

Entérique

Qui concerne l'intestin, que ce soit l'intestin grêle ou le côlon.

Ce terme s'emploie aussi accolé à différents préfixes : un syndrome dysentérique, par exemple, est défini par des évacuations rectales fréquentes, souvent mucosanglantes, que l'on observe dans les lésions infectieuses, inflammatoires ou tumorales du rectosigmoïde ; une artère mésentérique est une artère destinée à irriguer l'intestin.

Entérite

Inflammation de la muqueuse intestinale de l'intestin grêle, du pylore à la valvule iléocæcale.

CAUSES

Elles sont multiples : inflammatoires (maladie de Crohn), infectieuses - en particulier

bactériennes, tuberculeuses, virales, parasitaires -, tumorales (lymphome), vasculaires (athérome) et radiques (postradiothérapie).

SYMPTÔMES ET TRAITEMENT

Les symptômes comprennent des crampes survenant après les repas, des diarrhées et, moins fréquemment, des hémorragies digestives avec, souvent, de la fièvre ainsi qu'une dénutrition due à la malabsorption des nutriments. L'examen clinique permet de déceler des signes (météorisme abdominal localisé, anse intestinale dilatée, masse tumorale) orientant vers une maladie de l'intestin grêle. La maladie peut également être révélée de façon brutale par une occlusion intestinale due à un obstacle mécanique ou à une obstruction fonctionnelle de l'intestin.

Le traitement dépend de la cause et peut être médical (administration d'anti-inflammatoires et d'antibiotiques) ou chirurgical.

Entérobactérie

Famille de bacilles (bactéries en forme de bâtonnet) à Gram négatif.

La famille des entérobactéries regroupe une vingtaine de genres différents ayant en commun quelques caractéristiques biochimiques ainsi que leur habitat : le tube digestif de l'homme ou celui des animaux.

Les entérobactéries du genre *Salmonella* ou *Shigella* sont des bacilles pathogènes spécifiques de l'homme, responsables de maladies dues à un défaut d'hygiène (contamination par l'intermédiaire d'eaux, d'aliments souillés, d'animaux porteurs).

Les genres *Escherichia* et *Proteus* sont les principales bactéries aérobies présentes à l'état normal dans le tube digestif, mais ils peuvent aussi se comporter comme des pathogènes opportunistes.

Enfin, les entérobactéries des genres *Klebsiella, Enterobacter, Hafnia* et *Serratia, Morganella* et *Providencia,* normalement présentes dans les sols, dans les eaux d'égout et à l'état normal en faible quantité dans le tube digestif, peuvent provoquer de graves infections urinaires, pulmonaires et des septicémies, notamment en milieu hospitalier, du fait de leur résistance aux antibiotiques.

Entérocolite

Inflammation simultanée des muqueuses de l'intestin grêle et du côlon.

Entérocolite infectieuse

C'est une inflammation des muqueuses de l'intestin grêle et du côlon qui peut être due à une bactérie, à un virus ou à un parasite. La contamination s'effectue par ingestion d'aliments infectés ou par transmission entre individus. Les symptômes en sont une diarrhée aqueuse ou sanglante, des crampes abdominales, des vomissements, associés ou non à une fièvre.

■ L'entérocolite bactérienne peut être due à une bactérie vivante qui détruit la muqueuse (shigelloses, salmonelloses, yersinioses, *Campylobacter jejuni*) ou à une bactérie

produisant une toxine responsable d'une hypersécrétion hydroélectrolytique (choléra, intoxications alimentaires). Le traitement consiste essentiellement en une réhydratation et en l'administration d'antibiotiques en cas d'atteinte sévère ou prolongée.

■ L'entérocolite due à une tuberculose intestinale, ou tuberculose digestive, est encore aujourd'hui une cause relativement fréquente d'entérocolite infectieuse ; elle concerne plus fréquemment les patients immunodéprimés (sida). Le traitement est celui de la diarrhée (réhydratation, antibiotiques) et de la tuberculose.

■ L'entérocolite virale, due en particulier aux rétrovirus, touche essentiellement les enfants et évolue spontanément vers la guérison. Le cytomégalovirus, qui atteint les sujets immunodéprimés et les malades du sida, peut provoquer une atteinte parfois grave du côlon et du rectum, avec des lésions de type ischémique (interruption de la circulation sanguine).

■ L'entérocolite parasitaire peut être d'origine variée. Les parasitoses les plus fréquentes sont l'amibiase (atteinte colique) et la lambliase (atteinte duodénojéjunale) ; l'évolution est favorable sous traitement antiparasitaire. Les malades du sida ou les immunodéprimés peuvent être sujets à des infestations intestinales graves (cryptosporidiose ou anguillulose).

Entérocolite inflammatoire

C'est une inflammation d'origine non infectieuse des muqueuses de l'intestin grêle et du côlon. La maladie de Crohn en représente la forme principale. Dans cette maladie chronique dont l'origine est encore inconnue, tout segment du tube digestif peut être touché et, en particulier, l'iléon et le côlon.

Entérocoque

Genre bactérien appartenant à la famille des streptocoques, cocci à Gram positif groupés en chaînettes.

On compte quatre espèces principales d'entérocoques, dont *Enterococcus fæcalis* et *Enterococcus fæcium,* qui vivent en commensaux dans le tube digestif mais peuvent être responsables d'infections urinaires (transmission du germe dans l'urètre, chez la femme, à l'occasion de rapports sexuels), de septicémies et d'endocardites en cas de diminution des défenses immunitaires ou de déséquilibre de la flore intestinale, notamment lors de traitements antibiotiques. Du fait de leur résistance aux antibiotiques à large spectre, comme les céphalosporines de troisième génération, les entérocoques posent de réels problèmes thérapeutiques.

Entérocyte

Cellule la plus répandue de la muqueuse de l'intestin grêle.

L'entérocyte est caractérisé par un renouvellement cellulaire rapide (durée de vie de 3 à 4 jours) et par son importante fonction d'absorption : de nombreux nutriments (eau, électrolytes, glucides, lipides, protéines et vitamines liposolubles) sont absorbés par son intermédiaire. Les nutriments absorbés rejoignent ensuite le système veineux porte par les vaisseaux lymphatiques. La surface d'échange entre les entérocytes et la cavité intestinale est maximale grâce à l'existence au sommet de ces cellules de microvillosités qui constituent la « bordure en brosse » du revêtement cellulaire digestif. On estime que l'ensemble de la surface d'échange couvre 200 m².

Les entérocytes possèdent également des activités enzymatiques importantes qui interviennent dans la digestion des glucides et des protéines. Toute atteinte inflammatoire ou infectieuse de ces cellules peut entraîner une malabsorption des nutriments avec diarrhée graisseuse (contenant des graisses normalement absorbées par l'intestin) responsable de carences (anémie, déficit en calcium et en protéines).

Entéropathie

Affection de l'intestin grêle.

Le terme d'entéropathie regroupe de multiples maladies d'origine inflammatoire, infectieuse, tumorale, vasculaire, etc. Couramment, il désigne essentiellement trois affections : l'entéropathie au gluten, l'entéropathie exsudative et l'entéropathie associée aux déficits en immunoglobulines.

■ L'entéropathie au gluten, ou maladie cœliaque, est provoquée par l'intolérance au gluten.

■ L'entéropathie exsudative est due à la déperdition exagérée, dans le tube digestif, de substances (en particulier des protéines) normalement présentes dans le sang, la lymphe et le liquide intestinal.

■ L'entéropathie associée aux déficits en immunoglobulines (en particulier le déficit en IgA et en gammaglobulines) se traduit le plus souvent par une diarrhée due à une malabsorption, avec ou sans atrophie de la muqueuse intestinale.
→ VOIR Maladie cœliaque.

Entérorénal

Qui concerne à la fois l'intestin et le rein.

Le syndrome entérorénal, par exemple, associe une infection intestinale et une infection rénale ou urinaire. L'infection urinaire étant due à des bactéries coliques, on estime que la contamination de l'appareil urinaire se fait par l'intermédiaire des vaisseaux lymphatiques reliant le rectum à la vessie et/ou à la prostate.

Entérospasme

Contraction douloureuse spasmodique de l'intestin grêle.

Un entérospasme témoigne d'une sténose (rétrécissement) fonctionnelle ou organique de l'intestin grêle. Il est ressenti comme une tension ou comme une crampe, généralement de courte durée, survenant souvent une demi-heure environ après les repas. Le siège de la douleur peut permettre de localiser la portion atteinte : une douleur à l'épigastre, par exemple, correspond à une origine duodénale.

Un entérospasme peut être associé à des borborygmes, à des ballonnements abdominaux et à des vomissements, ce qui traduit une atteinte de l'intestin grêle, ou à des ondulations de la paroi intestinale, visibles ou perçues à la palpation abdominale et suivies de borborygmes (syndrome de König), qui résultent d'une dilatation de l'intestin en amont du rétrécissement.

Le traitement est chirurgical (ablation d'une tumeur, résection de l'intestin) lorsque l'entérospasme a une origine organique (occlusion), médicamenteux (antispasmodiques) s'il est d'origine fonctionnelle.

Entérostomie

Abouchement d'un segment d'intestin grêle ou de côlon à la peau.

Provisoire ou définitive, une entérostomie permet l'évacuation du liquide digestif ou des matières fécales en amont d'un obstacle tumoral, infectieux ou d'une suture digestive. Plus rarement, une entérostomie provisoire permet d'introduire des aliments artificiels directement dans l'intestin (alimentation entérale), en cas de dénutrition grave ou d'impossibilité d'alimentation orale, dans les jours qui suivent une opération.

La technique consiste à ouvrir l'intestin grêle ou le côlon et à le suturer à une incision pratiquée dans la peau. L'entérostomie peut être pratiquée sur la 2e portion de l'intestin grêle (jéjunostomie), sur sa 3e portion (iléostomie) ou sur le côlon (colostomie). Dans ce dernier cas, elle permet un contrôle relatif de l'évacuation des matières, contrairement à l'entérostomie de l'intestin grêle, pour lequel ce contrôle est beaucoup plus difficile.

Entérotomie

Ouverture chirurgicale de l'intestin grêle, par incision.

Une entérotomie permet de réaliser une anastomose entre deux segments digestifs, d'enlever une tumeur faisant saillie dans le tube digestif ou d'évacuer des gaz et des matières en rétention à cause d'une occlusion.

Entérotoxine

Toxine dont la cible est le tube digestif, principalement le jéjunum ou le côlon, entraînant des diarrhées.

Les entérotoxines sont des substances pathogènes pour l'homme, libérées par certaines bactéries à transmission orale (ingestion d'eau ou d'aliments contaminés) ou orofécale (des fèces à la bouche par l'intermédiaire des mains) ; elles peuvent être sécrétées par des espèces variées : *Staphylococcus aureus*, *Escherichia coli*, *Vibrio choleræ*, *Bacillus cereus*, *Clostridium perfringens* et *Clostridium difficile*.

Entérovirus

Ensemble de virus à A.R.N. appartenant à la famille des *Picornaviridæ*.

La catégorie des entérovirus comprend notamment les poliovirus, les virus Echo, les coxsackies A et B, les entérovirus 68-72 et le virus de l'hépatite A.

La transmission de ces virus est orofécale (des selles à la bouche par l'intermédiaire des mains). Parmi les sujets infestés, un grand nombre le sont sans signes apparents (porteurs asymptomatiques, dits naguère « porteurs sains »). Les entérovirus sont responsables de maladies diverses et de gravité variable, la plus sévère étant la poliomyélite antérieure aiguë, contre laquelle seule la vaccination est efficace. Ils sont également responsables de l'hépatite A, généralement bénigne, et de gastroentérites virales touchant essentiellement les jeunes enfants (50 % des diarrhées hivernales infantiles sont d'origine virale). Ces gastroentérites se traduisent par une diarrhée aiguë liquidienne, par une fièvre modérée et des vomissements ; elles évoluent spontanément vers la guérison en 2 à 5 jours sans traitement spécifique, hormis une réhydratation (par voie orale, ou intraveineuse en cas de déshydratation sévère). Chez les sujets fragiles, particulièrement les nourrissons, cette réhydratation doit être entreprise précocement. Dans la majorité des cas, la maladie se résolvant spontanément, il n'est pas nécessaire de rechercher le virus dans les selles. La prévention repose sur un fréquent lavage des mains, en particulier avant chaque repas.

Enthèse

Zone d'un os où s'insère un tendon ou un ligament.

Enthésopathie, ou Enthésiopathie

Toute affection d'une enthèse.

Les principales enthésopathies sont d'origine inflammatoire. Survenant le plus souvent au cours d'une spondylarthropathie (atteinte inflammatoire des articulations vertébrales), les plus fréquentes touchent le talon, provoquant des talalgies (douleurs du talon). Leur traitement repose sur l'administration d'anti-inflammatoires, avec ou sans infiltrations locales pour le talon.

Entorse

Lésion des ligaments d'une articulation sans déplacement des surfaces articulaires.

Les entorses sont dues à un mouvement brutal de l'articulation lui faisant dépasser ses amplitudes normales. On distingue les entorses bénignes, où les ligaments sont simplement distendus, des entorses graves, où ils sont rompus.

■ Les entorses bénignes, communément appelées foulures, correspondent à une distension violente des ligaments articulaires, mais sans rupture vraie ni arrachement de ceux-ci. À l'examen clinique, l'articulation paraît très douloureuse et gonflée, mais elle permet les mouvements normaux. La radiographie est normale. Le traitement consiste à poser un bandage de contention (strapping) ou une attelle pour une durée de 2 à 3 semaines, parfois un plâtre si l'articulation est très douloureuse (cheville, par exemple).

■ Les entorses graves sont caractérisées par une déchirure ou un arrachement ligamentaire entraînant des mouvements anormalement amples au niveau de l'articulation. À l'examen clinique, celle-ci est douloureuse et gonflée, mais parfois pas plus que lors d'une entorse bénigne. La radiographie s'impose donc pour détecter ces entorses qui peuvent entraîner des séquelles : douleurs persistantes, enraidissement, instabilité et fragilité chroniques de la région concernée. Une immobilisation pendant plusieurs semaines peut suffire, mais une intervention chirurgicale est souvent nécessaire : elle consiste soit à réparer le ligament arraché, soit à réaliser une transplantation ligamentaire. Dans tous les cas, une rééducation appropriée est nécessaire jusqu'à la récupération complète.

La pratique de certains sports (tennis, football, basket) expose particulièrement les articulations, surtout le genou et la cheville, aux entorses. De même, la fatigue et le surentraînement sont des facteurs favorisants. La prévention passe par le respect des règles d'échauffement avant toute activité sportive et par le port de bandages souples sur les articulations menacées.

Entropion

Bascule du bord de la paupière vers l'intérieur du globe oculaire, atteignant le plus souvent la paupière inférieure.

Un entropion est parfois congénital et, dans ce cas, il est dû à une hypertrophie de la peau et du muscle orbiculaire sous-jacent (entropion des « grosses joues »). Il est plus souvent acquis et dû essentiellement à l'âge (entropion sénile) et à la contracture spasmodique du muscle orbiculaire d'une paupière dont le plan fibreux est relâché. Parfois intermittent, il n'apparaît qu'après plusieurs clignements. L'entropion cicatriciel, plus rare, résulte d'une plaie touchant la partie postérieure de la paupière.

SYMPTÔMES ET SIGNES

L'entropion a pour conséquence un frottement des cils sur la cornée qui provoque des lésions superficielles responsables de douleurs, d'une sensibilité de l'œil à la lumière, d'un larmoiement, d'un spasme de la paupière et d'une rougeur oculaire. Ces troubles aggravent à leur tour l'entropion.

TRAITEMENT

Le traitement de l'entropion est uniquement chirurgical et consiste à retendre la paupière. L'intervention nécessite une hospitalisation brève et se pratique, chez l'adulte, sous anesthésie locale.

Énucléation

Ablation du globe oculaire par section du nerf optique.

Une énucléation peut avoir lieu chez les sujets atteints d'une cécité incurable et douloureuse ou chez les personnes ayant une tumeur oculaire maligne. L'accord écrit du patient ou des tuteurs légaux doit être obtenu. L'intervention a lieu le plus souvent sous anesthésie générale.

Cette opération s'accompagne de la pose d'une prothèse intraorbitaire en matériau synthétique (méthacrylate de méthyl, par exemple) sur laquelle on

suture les muscles oculomoteurs pour en permettre la mobilité. Les différents plans sont suturés séparément et de façon particulièrement soigneuse. Quelques semaines après l'intervention, une prothèse oculaire peut être posée pour recréer l'apparence de l'œil.

Énurésie

Émission d'urine involontaire et inconsciente, généralement nocturne, chez un enfant ayant dépassé l'âge de la propreté et ne souffrant pas de lésion organique des voies urinaires.

L'énurésie se distingue de l'incontinence, où l'enfant n'est propre ni le jour ni la nuit. L'énurésie est dite primaire lorsque l'enfant n'est pas en mesure de contrôler sa vessie à l'âge normal de la propreté, c'est-à-dire entre 2 et 4 ans ; elle est dite secondaire lorsqu'elle survient après une période où la propreté était acquise.

Le trouble fonctionnel du contrôle de l'émission d'urines est fréquent : de 5 à 10 % des enfants âgés de 7 ans et de 0,5 à 1 % des enfants de 8 ans en seraient atteints.

DIFFÉRENTS TYPES D'ÉNURÉSIE

■ L'énurésie nocturne isolée, ou énurésie vraie, s'observe surtout chez les garçons et présente souvent un caractère familial (parents, frères et sœurs). Elle ne survient que la nuit.

■ L'énurésie par immaturité vésicale, due à la persistance d'une vessie de type infantile, très contractile, est plus répandue chez les filles. Elle se caractérise surtout par de fréquents et impérieux besoins d'uriner (plus de 6 mictions par jour) ou par des fuites d'urine lors du rire, de la toux, du jeu. Les examens complémentaires (échographie, cystographie, cystomanométrie) sont le plus souvent inutiles.

CAUSES

Le mécanisme de l'énurésie est encore mal connu. Certains lui attribuent une cause psychosomatique (difficultés relationnelles et affectives, climat de tension familiale, rigueur excessive de la mère concernant l'acquisition de la propreté), d'autres font intervenir un mécanisme hormonal (absence de réduction de la sécrétion d'hormone antidiurétique au cours de la nuit, conduisant à un remplissage excessif de la vessie à l'origine de la perte des urines). Ces explications demeurent des hypothèses.

TRAITEMENT

Il nécessite la participation active de l'enfant. Pour qu'il puisse mieux contrôler ses mictions (émissions d'urine), celui-ci devra recevoir autant d'informations anatomiques et physiologiques que possible ; on l'intéressera à ses progrès, éventuellement par la tenue d'un cahier. Il faut aussi supprimer toute garniture ou couche, ce qui maintient l'enfant dans une situation régressive, et la mère dans son rôle de nourrice prolongée. La restriction des apports d'eau, le soir, n'a pas d'effet thérapeutique réel. Dans tous les cas, il est indispensable de déculpabiliser l'enfant, de ne pas le gronder ni le punir et de ne pas se moquer de lui.

Le traitement proprement dit varie en fonction du type de l'énurésie.

■ L'énurésie nocturne isolée peut être progressivement supprimée, après l'âge de 8 ans, à l'aide d'un appareil dit « pipi-stop » qui, placé sous le drap, sonne au contact des premières gouttes d'urine. Il permet l'établissement d'un réveil conditionné, mais il faut toutefois que l'enfant prenne en main la direction des opérations. En effet, les réveils nocturnes imposés par les parents sont le plus souvent épuisants pour eux et inefficaces. Si les troubles persistent, le recours à un traitement hormonal antidiurétique léger aura un effet immédiat. Dans les cas les plus sévères, une psychothérapie peut être mise en œuvre.

■ L'énurésie par immaturité vésicale se traite essentiellement par la rééducation des mictions de l'enfant, dans un service d'urodynamique. Celui-ci apprend à utiliser à bon escient la sensation de besoin pour uriner. Il est également possible de recourir à un traitement médicamenteux (imipramine) visant à réduire l'excessive contractilité du muscle de la vessie.

Enveloppement

Méthode thérapeutique consistant à envelopper tout ou partie du corps d'un malade avec un linge mouillé et essoré.

■ L'enveloppement froid est souvent réalisé en cas de fièvre élevée. Le malade est enroulé dans un drap mouillé dans une eau dont la température est inférieure de 2 °C à la fièvre. Au préalable, son visage et son thorax ont été rafraîchis. Ce traitement complète l'action des antipyrétiques et procure au malade, grâce à son effet rafraîchissant, une sensation de bien-être. L'enveloppement dure environ 20 minutes. Si la fièvre reste élevée, il peut être renouvelé 4 ou 5 fois par 24 heures.

■ L'enveloppement sinapisé, autrefois utilisé dans le traitement des bronchopneumonies, consistait à recouvrir de farine de moutarde délayée dans de l'eau tiède le thorax et le dos du malade, puis à les envelopper dans une serviette trempée dans l'eau tiède.

Envie

Tache violacée appelée couramment tache de vin. SYN. *angiome plan*.

Environnement

Ensemble des éléments qui entourent un individu ou une espèce et dont certains contribuent directement à subvenir à ses besoins.

Les facteurs déterminants de l'environnement sont d'ordre physique, biologique et sociopsychologique. Parmi les facteurs physiques, on distingue notamment la nature du terrain géographique (présence et qualité de l'eau, degré d'humidité de l'atmosphère, productivité agricole), l'intensité de la lumière solaire (rayons infrarouges, caloriques ; rayons ultraviolets, bactéricides et facteurs de croissance) et la température. Les facteurs biologiques sont, par exemple, les ressources en nourriture et la proportion de germes microbiens dans un espace géographique donné. Les facteurs sociopsychologiques environnementaux sont représentés par les rapports affectifs, qui peuvent être source de conflits, et, au plan collectif, par les conditions socioprofessionnelles (nombre d'heures travaillées, habitat, loisirs, etc.).

L'écologie est la science qui étudie les relations des êtres vivants avec leur environnement.

RISQUES LIÉS À L'ENVIRONNEMENT

Certains agents de l'environnement (égouts, gaz d'échappement, fumées d'usine, produits chimiques, radioactivité, déchets industriels, germes infectieux, etc.) sont susceptibles de provoquer des maladies : ils sont dits « facteurs de risque environnementaux ».

Dans les pays en voie de développement, les facteurs de risque environnementaux sont essentiellement liés au manque d'eau saine, du fait de la carence d'égouts et du non-retraitement des déchets domestiques, et au manque de nourriture. D'autres facteurs de risque sont communs aux pays en voie de développement et aux pays industrialisés : maladies infectieuses transmises par les animaux, conditions de travail (maladies et accidents professionnels), vie sociale (accidents domestiques et de la circulation, alcoolisme, tabagisme).

→ VOIR Climatologie.

Enzyme

Protéine accélérant les réactions chimiques de l'organisme.

La fonction générale d'une enzyme est de catalyser une réaction chimique, autrement dit de l'accélérer sans modifier ses autres caractéristiques et sans qu'elle soit elle-même modifiée. L'enzyme se fixe sur une substance, appelée le substrat, et la transforme. À l'intérieur des cellules, les enzymes sont ainsi responsables aussi bien de la synthèse de nouvelles substances servant à construire la cellule (anabolisme) que de la dégradation de substances servant à produire de l'énergie (catabolisme). Leur rôle est vital, car les conditions physicochimiques (température, pH) qui règnent dans le corps empêchent la plupart des réactions de se produire à une vitesse suffisante.

Il existe des milliers d'enzymes, dont beaucoup ne sont pas encore connues. Leur propriété la plus remarquable est leur double spécificité. D'une part, une enzyme est spécifique d'un substrat (par exemple, du glucose). D'autre part, elle est caractéristique d'une réaction : une enzyme commence le processus de dégradation du glucose en vue de produire de l'énergie, mais c'est une autre qui, selon les besoins de l'organisme, entamera le processus de mise en réserve sous forme de glycogène.

La structure des enzymes est celle de toutes les protéines : une très longue chaîne d'acides aminés, dont la composition est propre à chacune d'elles. Beaucoup contiennent de surcroît une partie non protéinique (par exemple du cuivre), que l'on appelle apoenzyme.

→ VOIR Cinétique chimique.

Enzyme de conversion

Enzyme participant à la régulation de la pression artérielle. SYN. *enzyme de conversion de l'angiotensine, kininase II.*

L'enzyme de conversion sert à transformer dans le sang une substance, l'angiotensine I, en angiotensine II, un puissant vasoconstricteur. Cette enzyme fait partie du groupe de substances qui constituent le système rénine-angiotensine, lequel maintient la pression artérielle quand elle tend à s'abaisser. En pathologie, l'élévation du taux sanguin de l'enzyme de conversion se rencontre dans la sarcoïdose.

En thérapeutique, on se sert de médicaments inhibiteurs de l'enzyme de conversion pour traiter l'hypertension artérielle.

Enzyme de restriction

Protéine présente dans une bactérie, capable de reconnaître une séquence spécifique dans une chaîne d'A.D.N. étranger et de la cliver pour en protéger la bactérie.

Plus de 500 enzymes de restriction ont été caractérisées. Leur faculté de couper les chaînes d'A.D.N. en des sites très précis est utilisée en laboratoire pour isoler et détacher des fragments d'A.D.N. et créer par l'association in vitro de différents fragments des molécules appelées recombinants. Les enzymes de restriction sont à la base du développement de la biologie moléculaire.

Enzymopathie

Toute affection due à un trouble du métabolisme d'une enzyme.

Il existe un grand nombre d'enzymopathies différentes, dont moins de 200 sont connues : elles ne représentent que les cas les plus graves et se manifestent très tôt. Les enzymopathies ont souvent pour cause une mutation héréditaire du gène commandant la synthèse de l'enzyme. Une enzyme donnée ayant pour fonction d'accélérer une des réactions chimiques de l'organisme par transformation d'une substance (le substrat) en une autre (le produit de la réaction), les signes d'une enzymopathie sont soit l'insuffisance du produit, soit l'accumulation anormale du substrat. Selon l'enzyme en cause, ils sont très variés, parfois très graves : ainsi, la phénylcétonurie (trouble dû à un déficit en une enzyme, la phénylalanine-hydroxylase) se manifeste par une atteinte sévère du système nerveux, avec retard mental.

TRAITEMENT

Ce peut être un régime alimentaire d'exclusion (on supprime de l'alimentation le substrat, la phénylalanine par exemple, qui tend déjà à s'accumuler spontanément dans l'organisme du malade). Il peut aussi être symptomatique (s'attaquer non pas à la maladie mais à ses symptômes).

Éosinophile

→ VOIR Acidophile.

Éosinophilie

Augmentation du nombre des polynucléaires éosinophiles (un type de globules blancs) dans le sang. SYN. *hyperéosinophilie.*

On parle généralement d'éosinophilie à partir de 500 polynucléaires éosinophiles par millimètre cube de sang (c'est leur nombre et non leur pourcentage qui compte). L'éosinophilie, diagnostiquée lors d'une numération globulaire du sang, s'observe dans des circonstances pathologiques variées. Elle se déclare souvent lors d'une parasitose, notamment lors d'infestation par des vers intestinaux : l'oxyurose en est une cause particulièrement fréquente chez l'enfant. En revanche, les protozoaires (responsables en particulier du paludisme) ne provoquent pas d'éosinophilie.

Les allergies (asthme, eczéma, allergie médicamenteuse) sont une deuxième grande cause d'éosinophilie.

L'augmentation des polynucléaires éosinophiles peut également être liée à la présence de certaines tumeurs malignes (maladie de Hodgkin, cancers profonds) et à certaines connectivites (maladies du collagène), en particulier la périartérite noueuse. Dans ces derniers cas, l'éosinophilie est généralement associée à une vitesse de sédimentation élevée. Enfin, exceptionnellement, l'éosinophilie est le symptôme révélateur d'un syndrome myéloprolifératif (forme de leucémie chronique).

Épanchement

Présence de liquide ou de gaz dans une cavité naturelle (péritoine, plèvre, péricarde, articulation, bourse) qui, normalement, n'en contient pas.

■ L'épanchement articulaire, dit épanchement de synovie, ou hydarthrose, est une accumulation de liquide synovial à l'intérieur d'une grosse articulation (genou, coude) entraînant une tuméfaction locale et une gêne fonctionnelle. Il est dû à une production exagérée de liquide de lubrification par la membrane synoviale à la suite d'un traumatisme, d'une arthrose ou d'une maladie rhumatologique inflammatoire telle que la chondrocalcinose. L'épanchement articulaire est traité par administration d'analgésiques, d'anti-inflammatoires et par des infiltrations locales de corticostéroïdes.

■ L'épanchement de la cavité péricardique est la manifestation d'une péricardite (inflammation du péricarde, le plus souvent d'origine virale). Il se manifeste par des douleurs thoraciques, un essoufflement, une accélération du rythme cardiaque. Lorsque l'épanchement, par son abondance, comprime le cœur et gêne le travail cardiaque, le malade est hospitalisé et le liquide en excès est évacué par ponction à travers la paroi thoracique.

■ L'épanchement pleural (entre les deux feuillets de la plèvre) peut être constitué de liquide, provoquant une pleurésie (inflammation de la plèvre), ou d'air, ayant comme conséquence un pneumothorax. Il se traduit par des douleurs thoraciques et une dyspnée (difficulté respiratoire). Le traitement de la pleurésie est celui de sa cause. Certains pneumothorax se résorbent spontanément ; d'autres nécessitent une ponction de l'air, voire une intervention chirurgicale pour assurer l'étanchéité de la cavité pleurale.

ÉPAULE : DESCRIPTION ANATOMIQUE

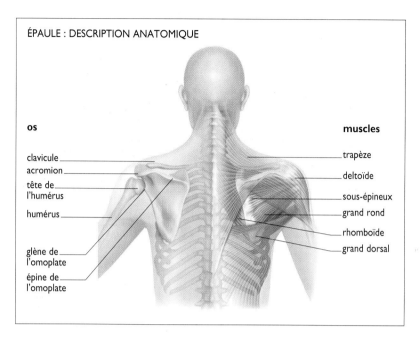

os

clavicule
acromion
tête de l'humérus
humérus
glène de l'omoplate
épine de l'omoplate

muscles

trapèze
deltoïde
sous-épineux
grand rond
rhomboïde
grand dorsal

Épaule

Articulation qui unit le bras au thorax.
(P.N.A. *articulatis humeri*)

Par extension, le terme épaule recouvre la région du corps correspondant à cette articulation.

L'épaule est formée par l'articulation scapulohumérale, unissant l'humérus et l'omoplate, et les masses musculaires qui l'entourent. Elle comprend trois zones : la région deltoïdienne, la région axillaire, ou aisselle, et la région scapulaire. L'articulation est composée par la tête de l'humérus, ronde, qui se loge dans la cavité correspondante de l'omoplate, la glène, ou cavité glénoïde. Les surfaces articulaires sont maintenues en place par une capsule enveloppante épaisse, par des ligaments puissants et par les tendons des muscles qui s'insèrent sur l'humérus. C'est une articulation très mobile qui permet des mouvements du bras de grande amplitude et en tous sens.

PATHOLOGIE

■ **Les luxations** de l'épaule sont les luxations les plus fréquentes. Elles surviennent surtout chez l'adulte jeune. La plus courante est la luxation antéro-interne, qui résulte d'un mouvement violent ou d'un traumatisme. La partie antérieure de la capsule est lésée et la tête de l'humérus quitte la cavité glénoïde pour aller se loger dans l'aisselle. À l'examen clinique, l'épaule est douloureuse et impotente et présente une déformation caractéristique. La radiographie confirme le diagnostic. La réduction de la luxation doit être réalisée en urgence avec ou sans anesthésie générale. L'épaule est immobilisée par le port d'une écharpe pendant trois semaines. Une rééducation est souvent nécessaire.

D'autres formes plus rares de luxations de l'épaule peuvent survenir, parfois compli-quées par une fracture de la tête de l'humérus ou de la glène de l'omoplate.

Toutes les luxations peuvent laisser des séquelles, notamment l'épaule gelée, caractérisée par une raideur extrême de l'articulation et une douleur parfois intense, ou la périarthrite de l'épaule. En outre, une récidive de la luxation, appelée luxation récidivante, se produit parfois. Elle s'observe surtout chez les sujets jeunes ; survenant lors de mouvements de plus en plus minimes, elle peut devenir à la longue très invalidante. Une intervention chirurgicale est alors indispensable pour stabiliser l'épaule.

■ **Les fractures** de l'extrémité supérieure de l'humérus sont fréquentes chez les personnes âgées. L'épaule est alors le plus souvent impotente et douloureuse. Selon le type de la fracture, en un ou plusieurs fragments, le traitement sera orthopédique, par simple immobilisation, ou chirurgical. On peut aussi remplacer la tête de l'humérus par une prothèse.

■ **La périarthrite de l'épaule** est une affection douloureuse de l'épaule due à une lésion des tissus fibreux et des tendons entourant l'articulation. Elle peut dépendre de nombreuses causes : séquelle d'une luxation ou d'une fracture, simple contusion de l'épaule, tendinite, syndrome de la coiffe des rotateurs. Elle se traduit par une douleur modérée survenant lors de certains mouvements de l'épaule. Le traitement est fonction de la cause de la périarthrite : il peut être médical, par prescription d'anti-inflammatoires, ou chirurgical.

Épaule-main (syndrome)

Douleur et raideur unilatérales de l'épaule et de la main.

Le syndrome épaule-main fait partie des algodystrophies. D'origine inconnue, il peut survenir après un infarctus du myocarde (il se déclenche alors du côté gauche), lors d'une hémiplégie, d'un zona du membre supérieur ou d'un traumatisme important de l'épaule ; il est plus fréquent chez les diabétiques.

La main affectée devient chaude, humide, rouge et gonflée ; à un stade plus tardif, elle peut se raidir en demi-flexion et prendre un aspect violacé et froid. L'épaule est souvent très raide. Le syndrome disparaît la plupart du temps de lui-même au bout d'un an ou deux ; ce délai peut être raccourci par la physiothérapie, associée parfois à des infiltrations de corticostéroïdes dans l'épaule.
→ VOIR Algodystrophie.

Épendyme

Membrane tapissant la surface du canal central de la moelle épinière, appelé canal de l'épendyme, et les ventricules cérébraux. (P.N.A. *ependyma*)

Le canal de l'épendyme permet l'écoulement du liquide céphalorachidien. L'épendyme lui-même peut être le siège d'une tumeur, le plus généralement bénigne : un épendymome.

Épendymome

Tumeur généralement bénigne du système nerveux central développée à partir de l'épendyme.

Les épendymomes s'observent à tout âge, mais sont plus fréquents chez l'enfant et l'adolescent. Lorsqu'ils se situent sur les ventricules cérébraux (le quatrième ventricule est le siège le plus fréquent), ils peuvent entraîner un blocage de l'écoulement du liquide céphalorachidien et causer une hydrocéphalie. Les localisations dans la moelle épinière sont également possibles et sont révélées par des signes de souffrance médullaire (troubles moteurs, sensitifs, parfois syndrome syringomyélique). Ces tumeurs, le plus souvent bénignes, sont susceptibles de s'étendre dans le système nerveux. Le diagnostic repose sur l'imagerie par résonance magnétique (I.R.M.). Le traitement, neurochirurgical, consiste en l'ablation de l'épendymome.

Éperon

Saillie ou partie saillante d'un tissu de l'organisme.

■ **L'éperon de l'intestin** est une saillie de la paroi profonde du côlon formant un coude et servant à la dérivation complète des matières en cas de pose d'un anus artificiel.

■ **L'éperon trachéal**, également appelé carène, est la crête médiane située à la partie inférieure de la trachée et séparant celle-ci en bronches principales droite et gauche.

■ **L'éperon de Wolf** est une saillie musculaire localisée dans la partie interne du ventricule droit du cœur.

Éphédrine

Alcaloïde présent dans les arbustes du genre *Ephedra* et utilisé dans le traitement des affections respiratoires.

L'éphédrine entraîne la libération de neurotransmetteurs, les catécholamines endogènes, stockés dans les terminaisons nerveuses. Elle active le système nerveux végétatif sympathique et exerce une activité cardiaque (accélération du rythme) et bronchodilatatrice. Elle est administrée par inhalation ou par voie générale et prescrite, souvent en association avec d'autres principes actifs, dans les cas de bronchopneumopathies obstructives (asthme, bronchite chronique). L'éphédrine peut provoquer des palpitations et des douleurs cardiaques.

Éphélide

Petite tache cutanée pigmentée.

Les éphélides, couramment appelées « taches de rousseur », sont fréquentes chez les sujets à peau pâle, blonds ou roux ; elles s'accentuent après une exposition au soleil. Ce sont de toutes petites taches beiges, jaunes ou brunâtres, symétriques, touchant surtout le visage et le thorax. À titre purement esthétique, on peut proposer pour les atténuer des applications très superficielles d'azote liquide ou l'emploi du laser à gaz carbonique. La prévention à l'aide d'une crème ou d'un lait écran total avant les expositions solaires reste la plus efficace.

Épicanthus

Repli cutané vertical situé à l'angle interne de l'œil. SYN. *pli épicanthique.*

L'épicanthus est congénital, plus fréquent et plus marqué chez les enfants jaunes que chez les enfants blancs. Il se rencontre fréquemment dans la trisomie 21 (mongolisme). Il entraîne ce que l'on nomme en langage courant des « yeux bridés ». S'il masque une partie du globe oculaire, il peut simuler un strabisme (défaut de parallélisme des axes oculaires). Quand il est gênant, il peut être opéré.

Épicondylalgie

Toute douleur d'une région épicondylienne.

Les épicondylalgies sont, dans la majorité des cas, dues à une épicondylite (inflammation de la région épicondylienne), surtout du coude. En pratique, le terme d'épicondylalgie est d'ailleurs parfois utilisé à la place d'épicondylite.

Épicondyle

Petite saillie osseuse située au voisinage d'un condyle articulaire (surface arrondie et saillante s'adaptant en général à une cavité pour former une articulation). (P.N.A. *epicondylus lateralis*)

Le terme d'épicondyle désigne le plus souvent l'apophyse de l'extrémité inférieure de l'humérus, située sur la partie externe du coude, qui permet l'insertion de nombreux muscles de l'avant-bras.

Épicondylite

Inflammation des tendons s'insérant sur l'épicondyle (apophyse de l'extrémité inférieure de l'humérus), à la partie externe du coude.

De nombreux muscles de l'avant-bras, notamment ceux commandant l'extension et la rotation de la main, s'attachent sur

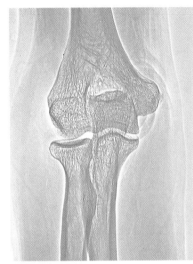

Épicondylite. La Xérographie permet de voir que les tendons et les muscles (ombres à côté des os) sont anormalement épaissis ; en revanche, les os et l'articulation sont normaux.

l'épicondyle. Ces muscles sont très sollicités dans la pratique de certains sports, comme le tennis et le golf, mais aussi par de nombreux gestes de la vie quotidienne ou professionnelle. Une épicondylite, appelée aussi « tennis elbow » en médecine sportive, peut survenir après un traumatisme violent, mais elle se produit plus souvent à la suite de microtraumatismes fréquents, d'un surmenage de la région du coude ou de la répétition intense de certains mouvements.

Une épicondylite se caractérise par une douleur de la partie externe du coude ; dans les cas les plus sévères, quelques gestes précis, comme tenir une bouteille ou ouvrir une porte, deviennent impossibles.

TRAITEMENT

Le traitement consiste d'abord en la mise au repos du coude, par l'interruption éventuelle de la pratique sportive pendant au moins 15 jours ; il comprend aussi l'application fréquente de glace sur la région douloureuse (cryothérapie) et la prescription d'anti-inflammatoires par voie orale ou sous forme de pommade ; des massages peuvent également contribuer à faire diminuer l'inflammation. Si la douleur persiste, des infiltrations locales de corticostéroïdes sont nécessaires. La reprise du sport devra être progressive. En cas de récidive, il faut envisager un traitement chirurgical.

PRÉVENTION

Pour prévenir les risques d'épicondylite lorsqu'on pratique un sport où le bras est très sollicité, il convient de respecter la pratique de l'échauffement, d'utiliser un matériel étudié (au tennis, par exemple, veiller à employer une raquette au manche adapté à sa force et à sa main) et de s'initier sous la direction d'un bon entraîneur pour éviter les erreurs techniques et les gestes inappropriés.

Épidémie

Développement et propagation rapide d'une maladie contagieuse, le plus souvent d'origine infectieuse, dans une population.

Une épidémie peut rester localisée ou s'étendre à une région plus importante, voire gagner l'ensemble du globe (pandémie). Elle peut se greffer sur une endémie (maladie constante dans une population) ou survenir pour la première fois.

En cas d'épidémie, des mesures nationales, voire internationales, sont décidées par les autorités médicales ; ces mesures visent à lutter contre la maladie et sa propagation.

Épidémiologie

Discipline étudiant les différents facteurs qui interviennent dans l'apparition des maladies, leur fréquence, leur mode de distribution, leur évolution et la mise en œuvre des moyens nécessaires à leur prévention.

Pour réaliser une étude épidémiologique, on sélectionne un groupe au sein d'une population donnée ; chacun de ses membres est soigneusement caractérisé : origine ethnique, sexe, âge, profession, classe sociale, situation familiale.

Chaque étude vise à déterminer l'incidence d'un trouble déterminé (nombre de cas nouveaux chaque semaine, chaque mois, chaque année), sa prévalence (nombre de sujets atteints du trouble donné) et les éventuelles relations entre un critère (âge, profession, etc.) et une affection. Les observations sont répétées à intervalles réguliers pour déterminer si des changements interviennent. Les résultats permettent l'établissement de statistiques.

L'épidémiologie comparative requiert deux groupes d'individus, l'un possédant une caractéristique donnée susceptible d'intervenir dans la maladie étudiée (fumeurs pour une étude sur le cancer du poumon, par exemple), l'autre non, les deux groupes partageant par ailleurs les mêmes caractéristiques (âge, sexe, milieu socioprofessionnel, etc.). Cette méthode permet de déterminer l'incidence du facteur choisi (le fait de fumer) sur l'apparition de la maladie. Cependant, les rapports mis au jour par l'épidémiologie comparative ne révèlent pas systématiquement un lien de cause à effet ; ainsi, la prévalence des maladies cardiaques chez les personnes possédant une automobile ne signifie pas que posséder une automobile provoque des troubles cardiaques, mais que, le fait d'en posséder une suggérant un mode de vie plus sédentaire, le manque d'exercice favorise le risque de survenue d'une maladie cardiaque.

Épiderme

Couche superficielle de la peau. (P.N.A. *epidermis*)

L'épiderme est un épithélium constitué par les kératinocytes, cellules de très loin les plus abondantes dans l'organisme, disposées en couches superposées. Sa fonction essentielle est d'assurer une barrière entre l'organisme et le milieu extérieur. La couche basale, la plus profonde, repose sur le derme sous-jacent à l'épiderme. Les couches suivantes (corps muqueux de Malpighi, puis couche granuleuse) sont de plus en plus riches en kératine, protéine caractéristique de l'épiderme, jusqu'à la couche cornée, superficielle, extrêmement riche en kératine. Les cellules mortes de l'épiderme s'éliminent par desquamation.

L'épiderme, outre les kératinocytes, contient également des mélanocytes et des cellules de Langerhans. Par ailleurs, des structures venant du derme le traversent : d'une part les canaux des glandes sudoripares ; d'autre part les follicules pilosébacés, contenant la racine des poils et servant de canaux excréteurs aux glandes sébacées. Les orifices des glandes et des follicules s'appellent les pores.

Les kératinocytes ont un cycle de vie très particulier : ils apparaissent à la suite de la division d'une cellule de la couche basale de l'épiderme et se déplacent au fil des jours vers la surface, tout en sécrétant et en accumulant de la kératine, puis ils meurent et se dissolvent dans le reste de la couche cornée. La kératine de surface se desquame en très fins lambeaux pour laisser la place à celle qui se forme par-dessous. L'épiderme, à la fois imperméable, résistant et souple, sert globalement à renforcer le rôle de protection de la peau, surtout contre l'eau et les agressions physiques et chimiques, grâce à la kératine, et contre les agressions menaçant l'immunité cellulaire, grâce aux cellules de Langerhans.

Épidermite

Atteinte inflammatoire de l'épiderme.

Les causes infectieuses des épidermites sont nombreuses. Les parakératoses infectieuses (caractérisées par un épaississement exagéré de la couche cornée d'origine infectieuse) peuvent être d'origine streptococcique ou mycosique. Les décollements de l'épiderme (vésicules, bulles, pustules) d'origine infectieuse sont souvent spécifiques du germe responsable : varicelle, herpès, zona, impétigo, érysipèle, charbon.

Épidermolyse bulleuse

Toute affection cutanée caractérisée par une tendance chronique à la formation de bulles (cloques).

Les épidermolyses bulleuses, plus couramment appelées épidermolyses, peuvent être acquises, se révélant alors chez l'adulte, ou héréditaires, se révélant surtout dans ce cas chez le nouveau-né et l'enfant (maladies de Cockayne-Weber, d'Herlitz, de Koebner). Elles se manifestent par l'apparition de bulles contenant un liquide clair ou parfois sanguin ; localisées en certains endroits ou généralisées à tout le corps, celles-ci peuvent atteindre la bouche. Leur évolution dépend de chaque cas, cette maladie pouvant tantôt ne se caractériser que par quelques bulles sur les mains et les pieds, tantôt provoquer des bulles disséminées susceptibles d'apparaître dès la naissance et de menacer la vie de l'enfant.

Dans les formes acquises, la recherche d'une maladie générale s'impose : colite, lymphome, dysglobulinémie, amyloïdose ou connectivite.

TRAITEMENT

Il n'existe pas de traitement curatif vraiment efficace des épidermolyses bulleuses. Cependant, un traitement préventif (suppression des sports violents) et symptomatique (désinfection des bulles) est nécessaire. Il est recommandé aux parents d'un enfant atteint d'épidermolyse bulleuse héréditaire de demander un conseil génétique à un spécialiste s'ils désirent avoir d'autres enfants.

Épidermomycose

Forme cutanée de mycose.
→ VOIR Mycose.

Épidermotest

Test de dépistage des allergies cutanées ou respiratoires. SYN. *test épicutané, test épidermique.*

Les épidermotests, couramment appelés tests cutanés, sont pratiqués dans le cas de l'eczéma de contact, dû à la mise en contact d'un allergène (substance responsable d'une allergie) avec la peau. Ils consistent à appliquer des substances sur la peau et à noter quelles sont celles qui provoquent un petit eczéma local ; on aboutit ainsi au diagnostic des allergènes responsables chez le malade concerné. La technique nécessite l'utilisation de batteries standards d'allergènes, éventuellement spécifiques de la profession du sujet (coiffeur, ouvrier du bâtiment travaillant le ciment, etc.). Le médecin dermatologue ou allergologue teste dans une séance jusqu'à 50 produits, qui contiennent chacun un allergène potentiel, en déposant sur la peau du dos du patient quelques gouttes puis en les recouvrant d'un sparadrap hypoallergique. La lecture se fait de 48 à 72 heures plus tard : le test est dit positif pour une substance donnée si, à son contact, la peau prend un aspect particulier (rougeur, démangeaison, cloque). Mais un test peut être faussement positif à la suite d'une allergie croisée : ce n'est alors pas l'allergène qui provoque les symptômes, mais une autre substance, de structure chimique voisine. À l'inverse, un test peut être faussement négatif si la concentration en allergène du produit est insuffisante ou si le test n'est pas pratiqué après une semaine d'interruption d'un traitement antihistaminique ou par les corticostéroïdes. Si l'intérêt des épidermotests est certain, ne serait-ce qu'à cause de leur simplicité, leur interprétation est parfois délicate.

Épididyme

Organe cylindrique s'étendant derrière le testicule, faisant suite aux cônes efférents, sortes de petits tubes sortant du testicule, et se prolongeant par le canal déférent, ou canal spermatique, qui débouche dans l'urètre. (P.N.A. *epididymis*)

L'épididyme est constitué d'un canal microscopique très long, pelotonné sur lui-même, à l'intérieur duquel les cellules sper-

matiques produites dans le testicule progressent lentement en achevant leur maturation.

PATHOLOGIE

L'épididyme peut être le siège de nombreuses affections.

■ **L'agénésie épididymaire** (développement incomplet de l'épididyme), congénitale, peut entraîner une stérilité lorsqu'elle concerne les deux épididymes.

■ **L'inflammation de l'épididyme**, ou épididymite, est presque toujours associée à une inflammation du testicule dans une orchiépididymite. Lorsque les deux épididymes sont atteints, il peut se produire une obstruction des canaux épididymaires entraînant une stérilité.

■ **Le kyste de l'épididyme** se présente sous la forme d'un nodule rempli de liquide. Il ne nécessite une ablation chirurgicale que s'il est volumineux ou gênant et n'a aucune conséquence sur la fertilité.

Épididymectomie

Ablation de tout ou partie de l'épididyme.

L'épididymectomie se pratique en cas de destruction de l'épididyme par une infection chronique, notamment dans certains cas d'épididymite chronique. Lorsqu'un seul épididyme a été enlevé, l'épididyme restant assure une fonction de reproduction normale. En revanche, lorsque l'épididymectomie est bilatérale, elle entraîne une stérilité.

Épididymite

Inflammation aiguë ou chronique de l'épididyme, le plus souvent d'origine infectieuse.

Isolée, l'épididymite est exceptionnelle ; elle est presque toujours associée à une orchite (inflammation du testicule).
→ VOIR Orchiépididymite.

Épidurite

Inflammation du tissu épidural, situé autour de la moelle épinière, entre la dure-mère et le canal rachidien.

Une épidurite est souvent due au staphylocoque doré, qui se localise dans le tissu nerveux, le plus souvent à partir d'une lésion cutanée. L'épaississement du tissu entraîne une compression de la moelle épinière plus ou moins étendue le long de l'axe rachidien, provoquant une paraplégie ou une quadriplégie (paralysie des membres inférieurs ou des quatre membres). Le traitement fait appel aux antibiotiques et, éventuellement, à une intervention chirurgicale permettant la décompression nerveuse.

Épigastralgie

Douleur localisée à l'épigastre, zone supérieure et médiane de l'abdomen.

Une épigastralgie est le plus souvent due à une affection gastroduodénale (gastrite, ulcère). La douleur est alors ressentie entre les repas, régulière, calmée par la prise de médicaments alcalins (pansements gastriques) ou d'aliments.

Les épigastralgies peuvent aussi révéler des maladies biliaires, pancréatiques, coliques et même extradigestives (angor, arthrose dorsale).

Épigastre

Région supérieure et médiane de l'abdomen, déprimée (sauf chez l'obèse) en un creux appelé le creux épigastrique. (P.N.A. *epigastrium*)

L'épigastre, qui n'a pas de limites très précises, correspond plus à une notion d'examen clinique du malade qu'à une définition anatomique.

Épigastrique

Qui se rapporte à l'épigastre.

Une douleur épigastrique peut révéler de nombreuses affections, le plus souvent digestives (ulcère gastroduodénal, calculs biliaires, pancréatite aiguë, etc.), mais aussi extradigestives, parmi lesquelles l'infarctus du myocarde, l'anévrysme aortique compliqué, le tassement vertébral sont les plus fréquentes.

Le diagnostic repose sur l'interrogatoire du patient, qui permet de préciser les caractères de la douleur et les signes qui accompagnent celle-ci, sur un examen clinique, en particulier abdominal, cardiovasculaire et rhumatologique, et sur d'éventuels examens complémentaires.

Épiglotte

Petit cartilage de la région supérieure du larynx. (P.N.A. *cartilago epiglottica*)

L'épiglotte est une lame de cartilage recouvert de muqueuse dont la base est attachée et articulée au reste du larynx. Située à l'extrémité supérieure du larynx, elle fait partie de la paroi antérieure de cet organe ; la base de la langue se trouve juste au-dessus et en avant d'elle.

L'épiglotte sert à protéger les voies respiratoires pendant le passage de la salive ou des aliments vers l'œsophage. En effet, la déglutition s'accompagne toujours d'un mouvement de la base de la langue vers l'arrière, celle-ci appuyant sur l'épiglotte ; cette dernière, en basculant à son tour vers l'arrière, obstrue ainsi l'orifice du larynx.

L'épiglotte peut être le siège d'une épiglottite (inflammation aiguë).

Épiglottite

Inflammation aiguë de l'épiglotte.

L'épiglottite est due à une bactérie, *Hæmophilus influenzæ*. C'est la plus grave des laryngites (inflammations du larynx) de l'enfant. Ses symptômes apparaissent brusquement : fièvre élevée, gêne respiratoire importante, gêne à la déglutition se traduisant par une accumulation de salive. L'enfant se tient spontanément assis, penché en avant, la bouche ouverte, manifestant un grand besoin d'air. L'évolution se fait en quelques heures : aggravation de l'état respiratoire, cyanose, somnolence. Après transport en urgence à l'hôpital, le traitement consiste en une intubation (introduction d'un tube souple dans la trachée en passant par le nez) et en une perfusion d'antibiotiques. Le pronostic, réservé en l'absence de traitement, est excellent si celui-ci a été entrepris assez tôt.

→ VOIR Laryngite.

Épilepsie

Affection caractérisée par la répétition chronique de décharges (activations brutales) des cellules nerveuses du cortex cérébral.

Toute personne peut faire une fois dans sa vie une crise d'épilepsie, également appelée crise comitiale. Il s'agit alors d'une activation exagérée et passagère d'une zone corticale. On ne parle d'épilepsie, ou de maladie épileptique, que dans les cas où les crises se répètent pendant des mois ou des années. Les épilepsies sans cause sont appelées épilepsies primaires idiopathiques ; les autres, provoquées notamment par une tumeur cérébrale ou par une agression cérébrale d'origine toxique (prise de certains antidépresseurs, de neuroleptiques), métabolique (hypoglycémie) ou infectieuse (encéphalite), sont dites secondaires.

On distingue les épilepsies généralisées et les épilepsies partielles selon que la décharge se produit dans tout le cortex cérébral ou seulement dans une région de celui-ci.

Épilepsies généralisées

Ces activations brutales des cellules du cortex cérébral sont essentiellement représentées par le grand mal et le petit mal.

■ **Le grand mal** se caractérise par une crise dite tonicoclonique, marquée par une perte de connaissance totale et des convulsions et durant de cinq à dix minutes. Après un début très brutal, signalé par un cri, puis une chute souvent traumatisante, la crise se déroule en trois phases : phase tonique, marquée par une contraction intense de tout le corps et souvent une morsure de la langue ; phase clonique, correspondant aux convulsions, secousses brusques et généralisées ; phase résolutive, caractérisée par une respiration bruyante, dite stertoreuse, avec parfois une perte d'urines. Le malade ne garde aucun souvenir de la crise.

■ **Le petit mal,** le plus fréquent, appelé absence, débute généralement entre 4 et 6 ans et disparaît à la puberté. Le jeune malade perd brusquement conscience quelques secondes, ne bouge plus, ne répond pas aux questions et son regard devient fixe. Il n'y a pas de chute et la crise peut passer totalement inaperçue.

■ **D'autres épilepsies généralisées** se rencontrent dans les encéphalopathies épileptiques du jeune enfant (syndrome de West ou spasmes infantiles, syndrome de Lennox-Gastaut), maladies où une épilepsie est associée à un retard mental.

Épilepsies partielles

Ces activations brutales des cellules d'une région du cortex cérébral sont dites simples s'il n'y a pas de troubles de la conscience : elles comprennent alors des manifestations motrices (convulsions limitées à une région, par exemple le bras), sensitives (fourmillements), sensorielles (hallucinations). Les épilepsies complexes, se traduisant par une altération de la conscience, se manifestent par une activité psychomotrice qui peut être simple (mouvements de mastication, battements des pieds) ou plus complexe (fugue), et dont le sujet ne se rend pas compte ; on peut aussi observer des symptômes psychiques (sensation désagréable et intense d'étrangeté, de déjà-vu, de déjà vécu).

DIAGNOSTIC

Le diagnostic de l'épilepsie fait appel à l'électroencéphalographie. Le scanner cérébral et l'imagerie par résonance magnétique (I.R.M.) permettent parfois d'en trouver la cause.

TRAITEMENT

Le traitement d'une crise de grand mal consiste d'abord en mesures de protection (allongement en position latérale de sécurité, pose d'une canule) et si besoin en une injection intramusculaire de benzodiazépine. Le traitement de fond repose sur la prise de médicaments antiépileptiques pour éviter les récidives des crises. Les épilepsies secondaires ne disparaissent pas toujours avec le traitement de leur cause.

PRONOSTIC

Il est difficile d'établir un pronostic général pour l'épilepsie, celui-ci dépendant de l'existence ou non d'une cause (en particulier, tumeur cérébrale chez l'adulte), de la fréquence des crises et de leur type. Néanmoins, la plupart des épileptiques ont une maladie bien contrôlée par les antiépileptiques et peuvent mener une vie pratiquement normale. Cette qualité de vie est obtenue au prix d'une observation régulière du traitement, qui doit parfois être poursuivi à vie. L'espérance de vie n'est aucunement diminuée dans cette maladie.

L'épilepsie a cependant un retentissement sur la vie privée et professionnelle des patients. Ils doivent en effet respecter une certaine hygiène de vie : heures de sommeil suffisantes et régulières, pas de consommation régulière de boissons alcoolisées. Seuls les patients ayant une épilepsie photosensible (survenant lors d'une stimulation lumineuse intermittente) doivent prendre des précautions lorsqu'ils regardent la télévision, travaillent sur ordinateur ou s'adonnent aux jeux vidéo : pièce suffisamment éclairée, respect d'une distance suffisante entre l'écran et le patient. Dans tous les cas doivent être exclues les activités sportives où une crise peut mettre en jeu la vie du sujet : plongée sous-marine, alpinisme, sports aériens... La baignade en eau peu profonde peut être autorisée si les crises sont bien contrôlées, à condition que le patient soit accompagné. De même, certaines professions sont déconseillées ou proscrites : chauffeur de poids lourd ou de véhicules de transport en commun, personnel navigant des compagnies aériennes, professions où le travail en hauteur est fréquent, etc. Enfin, chez l'enfant épileptique, il existe souvent des difficultés scolaires, dont les causes sont multiples : troubles de l'attention liés au traitement, absentéisme dû aux crises, troubles du caractère.

→ VOIR Antiépileptique.

Épiloïa

→ VOIR Bourneville (sclérose tubéreuse de).

Épiphénomène

Symptôme accessoire qui peut accompagner les autres symptômes d'une maladie, mais qui ne modifie pas le cours de celle-ci et ne nécessite généralement pas de traitement spécifique.

Une chute des cheveux survenant à l'occasion d'une vaccination antigrippale, par exemple, est un épiphénomène.

Épiphora

Larmoiement anormal consistant en un écoulement des larmes sur les joues.

Un épiphora résulte d'une obstruction du canal lacrymonasal ou d'un ectropion de la paupière inférieure. Les larmes ne sont alors pas évacuées normalement par les voies lacrymales vers les fosses nasales et débordent sur les joues. L'épiphora disparaît avec le traitement de sa cause.

Épiphyse

1. Chacune des deux extrémités d'un os long, souvent renflée et porteuse d'une surface articulaire. (P.N.A. *epiphisis*)

L'épiphyse est constituée d'os spongieux. Elle dépend, pour sa formation, d'un noyau d'ossification spécifique, différent de celui de la diaphyse (corps de l'os long), dont elle est séparée par une zone de cartilage de croissance.

2. Petite glande endocrine située en haut et en arrière du troisième ventricule du cerveau. SYN. *glande pinéale*. (P.N.A. *corpus pineale*)

L'épiphyse se calcifie au cours de l'enfance et devient visible sur les radiographies à partir de 20 ans. Ce processus de calcification ne modifie pas son fonctionnement. Elle est régulée par les récepteurs bêta-adrénergiques, exerce un rôle sur le cycle de reproduction et contient un grand nombre de substances biologiquement actives, dont la première à être isolée fut la mélatonine.

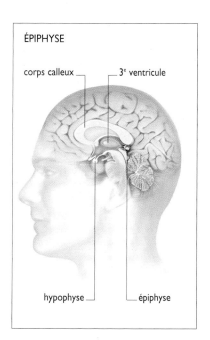

ÉPIPHYSE

corps calleux — — 3ᵉ ventricule

hypophyse — — épiphyse

Celle-ci inhibe la fonction gonadotrope (action sur les glandes sexuelles) de l'hypothalamus (centre de la vie végétative).

L'épiphyse peut être le siège d'une tumeur très rare, le pinéalome.
→ VOIR **Mélatonine**.

Épiphysiolyse

Déplacement de l'épiphyse supérieure du fémur, ou tête du fémur, dû à une anomalie de croissance du cartilage de conjugaison. SYN. *coxa vara de l'adolescent*.

Tant que dure la croissance du fémur, son épiphyse est séparée de la partie médiane de l'os par une zone cartilagineuse particulièrement fragile, si bien qu'un trouble perturbant la croissance de cette région peut entraîner un déplacement de la tête du fémur hors de son logement. L'épiphysiolyse est une maladie rare qui apparaît chez l'enfant entre 11 et 14 ans.

Ses causes, mal connues, sont notamment d'ordre hormonal. Le malade boite et peut parfois ressentir des douleurs aiguës à l'aine. La radiographie montre nettement le glissement de la tête par rapport au col du fémur. Le traitement de l'épiphysiolyse est le plus souvent chirurgical : il consiste à fixer la tête fémorale au col, en général par vissage. Il doit être effectué le plus rapidement possible, car les complications de la maladie peuvent être graves : nécrose du cartilage avec contractures musculaires douloureuses, arthrose précoce de la hanche, etc.

Épiphysite

Maladie des extrémités des os, touchant l'enfant et l'adolescent, localisée sur le noyau de l'épiphyse de certains os.

Le surmenage des zones articulaires pendant la croissance, dû notamment à la pratique intensive d'un sport, est une cause importante d'épiphysite.

La maladie se manifeste par des douleurs persistantes. Elle aboutit à la nécrose du noyau osseux atteint, entraînant des séquelles parfois importantes et des déformations de la région articulaire lésée.

Différentes localisations ont été distinguées. L'épiphysite peut atteindre le col du fémur ; appelée dans ce cas maladie de Leggs-Perthes-Calvé, elle provoque des déformations, sources d'arthrose très précoce de la hanche, se déclenchant avant 40 ans. Lorsqu'elle est localisée aux vertèbres, l'épiphysite, appelée maladie de Scheuermann, provoque une incurvation excessive de la colonne vertébrale (cyphose), au niveau du thorax. Enfin, elle peut atteindre les os du pied (épiphysite métatarsienne de Köhler) ou du tibia (épiphysite tibiale supérieure déformante, plus connue sous le nom de maladie de Blount, ou épiphysite tibiale antérieure, également appelée maladie d'Osgood-Schlatter).

TRAITEMENT
Il demande souvent une immobilisation dans une attelle ou un plâtre pour réduire le risque de déformation ; une intervention orthopédique peut également se révéler nécessaire.

Épiploïte

Inflammation aiguë ou chronique du grand épiploon.

Isolée, l'épiploïte est exceptionnelle. Dans la pratique, elle est presque toujours associée à une inflammation d'un organe abdominal (lors d'une appendicite, par exemple). Son traitement consiste en l'ablation du segment d'épiploon atteint par l'inflammation.

Épiploon

Repli du péritoine (membrane qui tapisse les parois de l'abdomen et enveloppe les viscères abdominaux). (P.N.A. *omentum*)

■ **Le petit épiploon** relie le foie à l'estomac. Il contient entre ses deux feuillets la veine porte et les voies biliaires.

■ **Le grand épiploon** relie l'estomac au côlon transverse, en recouvrant la surface des intestins. Il renferme d'importantes réserves de graisses. Il peut être le siège de kystes, de tumeurs bénignes (fibromes) ou malignes (mésothéliomes) ou, plus rarement, de lésions vasculaires (infarctus) ou inflammatoires (épiploïte).

Épiploplastie

Utilisation du grand épiploon (repli du péritoine reliant l'estomac au côlon transverse) lors d'une intervention chirurgicale intra-abdominale.

Une épiploplastie est indiquée soit au cours d'opérations comportant une suture digestive, par exemple pour refermer une incision pratiquée le long de l'intestin, soit lors de l'ablation d'une portion d'organe, par exemple le rectum dans le traitement d'un cancer. La technique consiste à se servir d'un fragment du grand épiploon pour le placer autour de la suture ou pour combler la cavité résultant de l'ablation. L'épiploplastie permet d'empêcher la suture de s'ouvrir dans les jours suivant l'opération ou de diminuer le risque de saignement ou d'infection de la cavité.

Épisclère

Membrane fibreuse de l'œil située entre la sclérotique et la conjonctive. (P.N.A. *lamina episcleralis*)

Épisclérite

Inflammation de l'épisclère (membrane fibreuse de l'œil située entre la sclérotique et la conjonctive).

Une épisclérite survient le plus souvent chez l'adulte jeune. Elle n'a généralement pas de cause spécifique. Parfois, elle est due à une connectivite ou est favorisée par un terrain allergique.

SYMPTÔMES ET SIGNES
L'épisclérite se traduit par une rougeur du blanc de l'œil, accompagnée d'une gêne modérée, d'un larmoiement intermittent et d'une légère sensibilité de l'œil à la lumière. Elle est assez peu douloureuse. Outre ces symptômes communs, l'épisclérite peut prendre deux aspects différents : l'épisclérite diffuse se manifeste par une vasodilatation des vaisseaux épiscléraux superficiels, qui affecte tout ou partie du globe oculaire sans

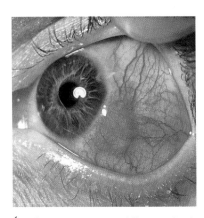

Épisclérite. Une rougeur diffuse envahit le blanc de l'œil, où l'irritation dilate et révèle les vaisseaux sanguins.

modification de son relief ; l'épisclérite nodulaire se caractérise par un œdème localisé, à l'origine d'un nodule dont le centre est clair.

TRAITEMENT

Il repose sur l'emploi d'anti-inflammatoires locaux, associés, le cas échéant, au traitement de la cause.

Épisiotomie

Intervention chirurgicale qui consiste à sectionner la muqueuse vaginale et les muscles superficiels du périnée afin d'agrandir l'orifice de la vulve et de faciliter l'expulsion du fœtus lors de l'accouchement.

INDICATIONS

L'épisiotomie dépend de l'appréciation de l'obstétricien : aussi est-elle pratiquée de façon très variable suivant les lieux d'accouchement. Elle n'est pas effectuée systématiquement chez la femme qui accouche d'un premier enfant. En revanche, lorsqu'elle a été faite une première fois, les épisiotomies suivantes auront lieu au même endroit. Les indications les plus fréquentes d'une épisiotomie sont la naissance d'un gros bébé, la présentation par le siège ou l'extraction par forceps. Elle est également effectuée chez les patientes atteintes d'anomalies congénitales du périnée ou ayant été excisées rituellement. Cette intervention permet de prévenir d'éventuelles déchirures du périnée et d'éviter la survenue à long terme de troubles urinaires tels qu'une incontinence.

Une épisiotomie est parfois pratiquée également lors de certaines hystérectomies effectuées par voie basse.

DÉROULEMENT ET SURVEILLANCE

Une épisiotomie est faite et recousue sous anesthésie locale, ou sous anesthésie péridurale lorsqu'il en a été instauré une pour l'accouchement. L'incision est latérale ou médiane (dirigée vers l'anus). Les soins postopératoires ont lieu plusieurs fois par jour et sont répétés après chaque selle ou miction : toilette et séchage à l'air chaud jusqu'à ce que les fils soient retirés, en général le cinquième jour. Les rapports

sexuels peuvent être repris après la cicatrisation complète, qui a lieu environ 3 semaines après l'accouchement. L'épisiotomie n'a généralement aucune conséquence.

Épispadias

Malformation congénitale dans laquelle le méat urétral (orifice externe de l'urètre) est situé sur la face dorsale du pénis.

Rare, l'épispadias est une malformation très grave qui s'associe presque toujours à une exstrophie vésicale (développement incomplet de la vessie et de la paroi abdominale). Le traitement de l'épispadias fait appel à une reconstruction chirurgicale en plusieurs temps de la vessie, du sphincter urétral, de l'urètre ainsi que du pénis. Des séquelles (incontinence urinaire, fonction sexuelle perturbée) sont fréquentes.

Épistaxis

Saignement de nez. SYN. *rhinorragie.*

Les épistaxis sont fréquentes chez les enfants au moment de la puberté, chez la femme pendant les six premiers mois de la grossesse et chez les personnes âgées atteintes d'athérome (dépôt de cholestérol sur la paroi des artères). Cette hémorragie des fosses nasales, le plus souvent d'origine inconnue, peut être due à une hypertension artérielle, à un trouble de la coagulation (hémophilie, consommation excessive d'aspirine), à un traumatisme des fosses nasales ou à une affection des sinus, qui communiquent normalement avec les fosses nasales.

TRAITEMENT ET PRÉVENTION

Le traitement des formes bénignes habituelles commence par un mouchage, pour évacuer les caillots, et se poursuit par une compression prolongée (jusqu'à 15 minutes) des ailes du nez. La tête du sujet doit être penchée en avant afin que le sang ne passe pas par la bouche et que l'on ne croie pas à tort que l'épistaxis s'est arrêtée. Si ce traitement se révèle inefficace, le médecin met en place une mèche de gaze (parfois imprégnée d'un hémostatique), longue bandelette tassée dans les fosses nasales. Dans les cas les plus graves, on pratique une électrocoagulation des petites artères qui saignent, voire une ligature artérielle chirurgicale. Lorsque la cause exacte de l'épistaxis n'a pas été retrouvée, on peut, pour prévenir les récidives, pratiquer une cautérisation chimique (au nitrate d'argent) d'un petit vaisseau de la cloison nasale.

Épithélialisation

Régénération de l'épithélium (tissu de revêtement de la surface externe des muqueuses et des cavités internes de l'organisme) après une ulcération ou, plus généralement, une perte de substance.

Forme de cicatrisation, l'épithélialisation se fait en deux temps : la lésion du tissu est d'abord comblée par un « bourgeon charnu » qui assure la réparation de la trame conjonctive. Ensuite, les cellules épithéliales qui bordent la plaie se divisent et recouvrent progressivement la lésion. La cicatrisation n'est obtenue qu'au moment où la brèche

épithéliale est totalement fermée. Dans un organe, le poumon par exemple, une cavité résultant d'une infection (abcès ou caverne tuberculeuse) peut, après un certain temps d'évolution, se trouver réépithélialisée à partir de l'épithélium bronchique, assurant ainsi la guérison.

Épithélioma

Tumeur maligne qui se développe aux dépens des tissus épithéliaux. SYN. *carcinome.*

Le terme d'épithélioma doit être théoriquement remplacé par celui de carcinome. Cependant, l'usage a conservé la dénomination d'épithélioma pour désigner certaines maladies, surtout cutanées (épithéliomas basocellulaire, spinocellulaire).
→ VOIR Carcinome.

Épithélioma basocellulaire

Variété de tumeur cutanée, à malignité réduite.

L'épithélioma basocellulaire est très fréquent chez les sujets à peau blanche, surtout après 40 ans. Ses facteurs favorisants sont connus : exposition exagérée au soleil, exposition aux rayonnements ionisants, cicatrice de brûlure. L'attention doit être attirée par toute lésion cutanée (croûte, ulcération, lésion saillante) devenant chronique et récidivante. Cette tumeur se traduit le plus souvent par une perle, saillie arrondie de la taille d'une tête d'épingle, rosée, translucide, souvent parcourue de petits vaisseaux, survenant le plus souvent sur le visage. Le diagnostic est confirmé par l'examen au microscope. Cette tumeur peut s'étendre en surface ou en profondeur, mais très lentement et sans dissémination à distance.

TRAITEMENT ET PRÉVENTION

Il faut procéder, le plus souvent, à l'ablation chirurgicale de la tumeur, sous anesthésie locale. La destruction par électrocoagulation, azote liquide ou laser au gaz carbonique ne

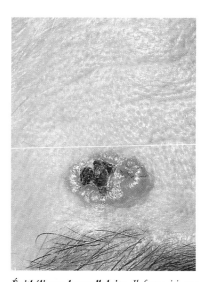

Épithélioma basocellulaire. Il forme ici une ulcération cernée par un bourrelet.

se conçoit en effet que pour de petites lésions débutantes, superficielles et non indurées. La prévention consiste surtout à éviter l'exposition solaire excessive.

Épithélioma intraépidermique

Variété de tumeur cutanée.

Assez rare, l'épithélioma intraépidermique peut être une lésion précancéreuse (forme débutante d'épithélioma basocellulaire ou spinocellulaire) ou la forme particulière d'une simple verrue séborrhéique (tumeur bénigne). Il a l'aspect d'une lésion arrondie, rosée ou brunâtre, lisse. Seul l'examen au microscope permet de préciser s'il comporte des cellules cancéreuses. Le traitement de l'épithélioma intraépidermique est son ablation chirurgicale.

Épithélioma spinocellulaire

Variété de tumeur cutanée ou muqueuse de nature maligne, développée aux dépens des kératinocytes de l'épiderme.

L'épithélioma spinocellulaire s'observe surtout après 40 ans. Plus fréquent chez l'homme que chez la femme, il est favorisé par une exposition solaire exagérée, le tabagisme (épithélioma de la lèvre) et des lésions cutanées préexistantes dites précancéreuses : cicatrice de brûlure, lésions dues à une maladie chronique (syphilis, ulcère de la jambe) ou à une maladie héréditaire (xeroderma pigmentosum), parakératose, irritation chronique (leucoplasie). Toute lésion légèrement bourgeonnante avec un aspect mamelonné, toute infiltration profonde entourée d'une rougeur périphérique, toute plaie ou ulcération saignant facilement doit donc être recherchée sur ces terrains et faire l'objet d'une biopsie.

Les signes de la forme la plus typique, dite ulcérovégétante, sont une lésion surélevée à surface mamelonnée et à base dure, entourée d'un halo rouge et présentant en

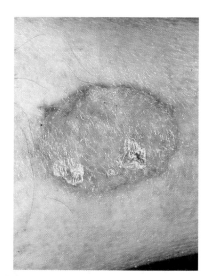

Épithélioma spinocellulaire. Ici, il forme une plaque délimitée, épaissie, croûteuse.

son centre une ulcération qui saigne facilement. Mais il peut s'agir aussi d'un nodule, d'une masse charnue ou d'une plaque superficielle. Les formes muqueuses peuvent atteindre la lèvre inférieure chez les fumeurs ou encore la langue et les muqueuses génitales. Le diagnostic doit toujours être confirmé par une biopsie. L'épithélioma spinocellulaire s'étend assez vite localement, se disséminant parfois dans les ganglions lymphatiques proches, ou même à distance (métastases).

TRAITEMENT ET PRÉVENTION

Il faut procéder à l'ablation chirurgicale de l'épithélioma spinocellulaire et associer à celle-ci une chimiothérapie anticancéreuse en cas de dissémination. Le pronostic dépend du degré d'extension de la tumeur. La prévention consiste d'une part à éviter dès l'enfance les expositions solaires exagérées, d'autre part à retirer chirurgicalement les lésions précancéreuses qui peuvent évoluer.

Épithélium

Tissu qui recouvre les surfaces de l'organisme, vers l'extérieur (peau, muqueuses des orifices naturels) ou vers l'intérieur (cavités du cœur, du tube digestif, etc.), ou qui constitue des glandes.

Un épithélium est formé de cellules serrées les unes contre les autres, le nombre de celles-ci et leur forme variant selon les divers types d'épithélium. Les épithéliums de revêtement qui tapissent la peau (épiderme) et les muqueuses ont une fonction de protection et contrôlent également les échanges de substances. Les épithéliums glandulaires constituent la partie active, sécrétrice, des glandes.

→ VOIR Endothélium.

Épitrochléalgie

→ VOIR Épitrochléite.

Épitrochlée

Saillie osseuse située sur la partie interne du coude. (P.N.A. *epicondylus medialis humeri*)

L'épitrochlée est une apophyse (saillie osseuse) importante de l'extrémité inférieure de l'humérus. Elle siège à côté de la trochlée, sorte de poulie permettant l'articulation de l'humérus avec le cubitus. L'épitrochlée est le point d'insertion de nombreux muscles fléchisseurs du poignet et des doigts avec le ligament latéral interne du coude.

Épitrochléite

Inflammation de l'épitrochlée. SYN. *épitrochléalgie*.

L'épitrochléite est provoquée par un traumatisme ou un surmenage de l'avant-bras, notamment d'origine sportive. Elle se caractérise par une douleur ressentie dans la partie interne du coude, survenant à la pression et lors des mouvements d'extension et de rotation de l'avant-bras. Le traitement repose essentiellement sur la mise au repos du coude (arrêt de l'activité sportive) pendant quelques semaines, parfois associée à la prise d'anti-inflammatoires.

Épreintes

Contractions douloureuses, répétées, paroxystiques du côlon terminal, accompagnées d'une fausse envie impérieuse d'aller à la selle.

Les épreintes témoignent d'une atteinte organique de la portion terminale du côlon et du rectum, qu'elle soit inflammatoire (rectocolite hémorragique), infectieuse (shigellose) ou tumorale (adénocarcinome rectosigmoïdien).

Ce symptôme peut faire partie du syndrome dysentérique. Il est alors associé à des ténesmes (sensations anales douloureuses).

Épreuve d'effort

Technique d'exploration cardiaque qui consiste à pratiquer l'électrocardiographie d'un malade au cours d'un effort physique. SYN. *électrocardiographie d'effort*.

INDICATIONS

L'épreuve d'effort vise à préciser, au cours d'un effort physique, le comportement des principales variables hémodynamiques que sont la fréquence cardiaque et la tension artérielle et à détecter l'existence de symptômes anormaux (douleurs thoraciques, malaises, palpitations) ou d'anomalies électrocardiographiques (troubles du rythme ou troubles de la repolarisation ventriculaire [phase de récupération électrique] révélant une insuffisance coronarienne).

L'examen peut être réalisé à des fins diagnostiques ou thérapeutiques. L'effort physique est alors utilisé comme révélateur d'une éventuelle pathologie cardiaque méconnue. Initialement réservée au dépistage et à la surveillance des maladies coronariennes, l'épreuve d'effort sert également aujourd'hui à évaluer une hypertension artérielle, à apprécier la tolérance d'une insuffisance cardiaque à évaluer certains troubles du rythme ou des valvulopathies. Toutefois, le manque de spécificité et de sensibilité de l'épreuve d'effort pour certains malades ou en présence de certaines anomalies électrocardiographiques peut contraindre le médecin à coupler cet examen avec une scintigraphie myocardique ou une échocardiographie.

TECHNIQUE

Une électrocardiographie est d'abord pratiquée au repos alors que le malade est en position allongée, puis assis ou debout. Alors que les électrodes sont toujours en place, le patient produit un effort physique sur une bicyclette ergométrique ou un tapis roulant. Le déroulement du test d'effort est programmé, en fonction du malade et des renseignements souhaités et obtenus, par l'augmentation de la résistance du pédalier de la bicyclette ou par l'accélération de la vitesse de déroulement du tapis et/ou la majoration de sa pente. Au cours de l'épreuve, la fréquence cardiaque, la tension artérielle et l'électrocardiogramme sont enregistrés systématiquement toutes les minutes, ou lors de la survenue d'un symptôme, puis encore chaque minute pendant la phase de récupération de l'effort (6 minutes environ) ou jusqu'à disparition du symptôme.

Le test est mené chaque fois que possible jusqu'au maximum de l'effort et peut être interrompu par la survenue d'un symptôme ou d'anomalies de la fréquence cardiaque, de la tension artérielle ou de l'électrocardiogramme.

SURVEILLANCE
Bien que d'une totale innocuité dans la plupart des cas, l'épreuve d'effort est pratiquée dans une structure médicalisée par un médecin spécialisé disposant d'un appareil de défibrillation et d'un matériel de réanimation cardiorespiratoire adapté. Elle ne nécessite pas d'hospitalisation.

RÉSULTATS
L'épreuve d'effort permet de quantifier le niveau d'effort qui fait apparaître des signes d'ischémie myocardique, d'angor ou d'autres modifications électrocardiographiques. L'existence, à l'effort, de divers troubles du rythme ou encore l'évolution des chiffres de tension artérielle d'un patient hypertendu peuvent être précisées. Il est enfin possible de surveiller la bonne tolérance et l'efficacité à l'effort d'une thérapeutique cardiovasculaire anti-ischémique ou anti-arythmique dans des conditions plus proches des habitudes de vie du malade. Les résultats doivent être interprétés en tenant compte de l'influence de certains médicaments cardiovasculaires (bêtabloquants), qui modifient les paramètres de l'épreuve d'effort.
→ VOIR Électrocardiographie.

Épreuve fonctionnelle
Ensemble de tests destinés à étudier la fonction d'un organe ou d'un système.

Épreuves fonctionnelles respiratoires
Ce sont les tests étudiant la fonction du poumon, sa capacité, la dynamique des échanges gazeux, la répartition de l'air dans les compartiments et l'oxygénation des tissus afin de comprendre le mécanisme d'une atteinte de la fonction respiratoire et d'évaluer son importance.

Les épreuves fonctionnelles respiratoires comprennent la mesure des volumes et débits pulmonaires, parfois la mesure d'autres paramètres. La mesure des volumes pulmonaires se fait à l'aide d'un spiromètre ou d'un pléthysmographe. Les débits sont mesurés lors d'une expiration forcée par un spiromètre ou un pneumotachygraphe. L'étude des fonctions mécaniques du poumon (relations pression/volume) est parfois d'une réalisation délicate, certains patients supportant mal l'introduction du ballon intra-œsophagien nécessaire à cet examen.

Épreuves fonctionnelles en endocrinologie
Ce sont des tests dynamiques qui étudient le fonctionnement des régulations hormonales : on administre un produit qui stimule ou qui freine une hormone et l'on observe les variations des taux de cette hormone.

Épreuves fonctionnelles en hépato-gastro-entérologie
■ Dans l'œsophage, la contractilité est explorée par la manométrie (enregistrement étagé des pressions) ; l'acidité de la sécrétion œsophagienne (prélevée par sonde) est mesurée par la pH-métrie.
■ Dans l'estomac, la vitesse de vidange gastrique est mesurée à l'aide de marqueurs isotopiques (substances radioactives), la capacité sécrétoire des cellules gastriques, grâce au recueil de la sécrétion après sa stimulation par administration d'insuline ou de pentagastrine.
■ Dans l'intestin grêle, l'analyse détaillée des fèces sous un régime alimentaire déterminé permet d'étudier la digestion et l'absorption. On peut également mesurer le passage vers le sang d'un certain nombre de substances introduites dans l'intestin : D-xylose, folates, vitamine B12.
■ Dans le côlon, le dosage de l'eau et des électrolytes (chlore, potassium, sodium) dans les fèces (fécalogramme) permet d'étudier la fonction d'absorption ; le transit fécal est mesuré par le suivi (radiographie) de traceurs radio-opaques ingérés. L'exploration de la défécation par la prise des pressions anorectales (manométrie) et par les radiographies dynamiques (défécographie) permet l'étude de certaines constipations et des incontinences anales. Le test au carmin permet de mesurer la vitesse globale du transit digestif.
■ Dans le foie, les capacités de synthèse sont explorées par le dosage de l'albumine sérique, des protéines de la coagulation et du cholestérol plasmatique. Les fonctions d'épuration du foie sont évaluées d'après le taux plasmatique de la bilirubine conjuguée (principal pigment biliaire). L'intégrité, ou l'altération, des cellules hépatiques est appréciée par le dosage des transaminases sériques.
■ Dans le pancréas, l'exploration de la fonction endocrine s'effectue en étudiant les variations de la glycémie après prise orale de sucre. La fonction exocrine est mesurée en dosant le débit des enzymes pancréatiques déversées dans le duodénum après injection d'une hormone stimulante.

Epstein-Barr (virus d')
Virus à A.D.N. du groupe des *Herpes viridæ,* responsable de la mononucléose infectieuse et impliqué dans l'apparition de certaines tumeurs. SYN. *EBV, virus EB.*

Au cours de la phase aiguë de la mononucléose infectieuse (infection virale aiguë caractérisée par une fièvre élevée, une angine et une tuméfaction des ganglions lymphatiques), le virus d'Epstein-Barr est présent dans les sécrétions nasopharyngées du malade et y persiste pendant très longtemps après la convalescence. Il est également impliqué dans la carcinogenèse (transformation en cancer) observée au cours du lymphome de Burkitt et du carcinome indifférencié du nasopharynx. Le virus d'Epstein-Barr est en effet capable de transformer des lymphocytes B normaux cultivés en laboratoire en lymphoblastes à croissance continue. Le virus d'Epstein-Barr est aussi actuellement incriminé dans le développement de la maladie de Hodgkin.

Le diagnostic de l'infection par ce virus repose sur des examens sérologiques spécifiques. Un vaccin expérimental contre l'infection par ce virus a été récemment mis au point en Grande-Bretagne.

Épulis
Pseudotumeur inflammatoire des gencives.

Un épulis est une prolifération anormale de cellules dans un tissu ; celles-ci, à la différence des cellules tumorales, ne sont pas autonomes par rapport à leur environnement. L'épulis forme une petite saillie rouge violacé, souvent située dans l'espace entre deux dents. Certaines formes régressent spontanément. Dans les autres cas, un traitement anti-inflammatoire (bains de bouche décongestionnants) peut suffire ; parfois, il faut avoir recours à une ablation chirurgicale.

Épuration
Élimination des déchets contenus dans un organisme ou dans une substance.

■ L'épuration extrarénale est un procédé thérapeutique permettant de pallier l'insuffisance de la fonction physiologique du rein et d'épurer le sang de l'urée en excès. Elle s'effectue de plusieurs manières. La dialyse péritonéale utilise le péritoine comme membrane de dialyse. L'hémodialyse fait appel à un appareil branché sur un circuit extracorporel de circulation sanguine. Les personnes atteintes d'insuffisance rénale peuvent être traitées dans des centres spécialisés ou à domicile.
→ VOIR Autodialyse, Dialyse, Hémodialyse.

Équilibre
Fonction permettant à l'être humain d'avoir conscience de la position de son corps dans l'espace et de la contrôler.

Le contrôle de la position du corps est assuré par trois systèmes sensoriels : les systèmes visuel, proprioceptif et vestibulaire.
■ Le système visuel renseigne le sujet sur la position de son corps par rapport au milieu environnant.
■ Le système proprioceptif comporte des récepteurs, groupes microscopiques de cellules spécialisées, situés dans les muscles et dans les ligaments articulaires, renseignant sur l'état de tension des muscles et sur la position des articulations.
■ Le système vestibulaire comprend la partie postérieure de l'oreille interne, située dans une cavité du tissu osseux du crâne et formée d'une zone renflée, le vestibule, sur laquelle s'ouvrent trois canaux en forme de demi-cercle, les canaux semi-circulaires. Le vestibule renseigne sur la position de la tête dans l'espace et sur l'accélération linéaire qu'elle subit (dans une voiture au démarrage, dans un ascenseur) ; les canaux semi-circulaires renseignent sur les accélérations angulaires de la tête (rotation, flexion, inclinaison sur le côté).

Ces trois systèmes envoient leurs informations à des centres nerveux situés dans l'encéphale, le tronc cérébral et surtout le cervelet, qui les analysent et, en réponse, élaborent des ordres. Le système qui effectue la réponse est constitué par les muscles, qui imposent à chaque région du corps la position exacte qui convient.

Les examens et les pathologies ayant un rapport avec l'équilibre sont extrêmement nombreux. Cependant, le simple examen clinique permet d'orienter le diagnostic. Ainsi, un vertige, sensation erronée de déplacement de l'espace ou du corps, est le symptôme d'une affection du vestibule, telle qu'une infection ou une tumeur ; une diminution de la force musculaire ou une disparition de la sensibilité cutanée, lorsqu'elles sont associées à un trouble de l'équilibre, signalent une affection du système nerveux : tumeur, dégénérescence, etc.

Éradication

1. Extirpation totale d'un organe ou d'une tumeur.
2. Suppression totale d'une maladie infectieuse ou du vecteur animal de celle-ci dans une région.

La campagne de vaccination de l'Organisation mondiale de la santé contre la variole a permis l'éradication de cette maladie depuis 1979.

Érection

Gonflement et durcissement de certains organes ou tissus (pénis, clitoris, mamelon du sein).

L'érection est souvent déclenchée par une stimulation sexuelle, ou par le froid pour les mamelons. Le mécanisme de l'érection pénienne est d'origine vasculaire : l'excitation des nerfs érecteurs de la moelle épinière provoque une dilatation des artères du pénis, qui entraîne un afflux de sang dans les corps caverneux péniens. Tant que dure l'érection, le sang est retenu dans ces corps caverneux, devenus turgescents par un mécanisme de vasoconstriction veineuse encore mal élucidé. La flaccidité, ou arrêt de l'érection, réapparaît lorsque le sang retenu dans les corps caverneux retourne dans la circulation veineuse générale.

L'impuissance se caractérise par l'incapacité d'obtenir ou de garder une érection suffisante ; lorsqu'elle est totale, les rapports sexuels sont impossibles.

Éréthisme cardiaque

État d'hyperexcitabilité du cœur dû à l'action du système nerveux sympathique sur cet organe.

L'éréthisme cardiaque se manifeste par une sensation de battements violents dans la poitrine, parfois même dans le cou et à l'intérieur du crâne. À l'examen, il se traduit par une hyperpulsatilité (pouls ample, accentuation des bruits cardiaques à l'auscultation, exagération des mouvements cardiaques à l'échocardiographie). L'éréthisme cardiaque se rencontre chez de nombreux adolescents et n'est alors, en général, significatif d'aucune affection particulière. Cependant, lorsqu'il est gênant, il peut être diminué par l'administration d'un médicament sédatif ou, mieux encore, par un médicament bêtabloquant. En revanche, une hyperthyroïdie s'accompagne d'un éréthisme cardiaque net avec tachycardie permanente.

E.R.G.

→ VOIR Électrorétinographie.

Ergocalciférol

Vitamine liposoluble indispensable à la calcification des os, utilisée dans le traitement du rachitisme.
→ VOIR Vitamine D.

Ergot de seigle (dérivés de l')

Dérivés synthétiques d'un champignon parasite des céréales, l'ergot de seigle, ou *Claviceps purpurea,* utilisés comme médicament.

Les dérivés de l'ergot de seigle utilisés en thérapeutique comprennent différentes substances ayant chacune des indications, des contre-indications et des effets indésirables propres : dihydroergotamine, ergotamine, bromocriptine, lisuride, méthylergométrine, dihydroergocristine, dihydroergocryptine, dihydroergotoxine. Ces substances agissent en inhibant l'action cellulaire de la dopamine, de la sérotonine et de l'adrénaline.

INDICATIONS
Elles sont variées : migraine (ergotamine et dihydroergotamine) ; traitement de la maladie de Parkinson (bromocriptine, lisuride) en remplacement de la lévodopa au stade tardif de la maladie ; conséquences de l'hyperprolactinémie (augmentation de la sécrétion de prolactine par l'hypophyse) : troubles du cycle menstruel, stérilité ou galactorrhée (écoulement pathologique de lait) chez la femme, gynécomastie (hypertrophie des mamelles) ou impuissance chez l'homme (bromocriptine, lisuride) ; hémorragies après un accouchement ou un avortement (méthylergométrine).

EFFETS INDÉSIRABLES
Un traitement par un dérivé de l'ergot de seigle peut provoquer des nausées et des vomissements, une hypotension orthostatique (diminution de la pression artérielle en station debout), une confusion ou un délire. Ces dérivés sont contre-indiqués en cas d'insuffisance coronarienne ou d'artériopathie sévère des membres inférieurs. L'administration de ces médicaments comporte en outre un risque d'ergotisme allant jusqu'à provoquer une gangrène des extrémités des membres inférieurs. Ce risque est accru en cas d'association avec un antibiotique du groupe des macrolides ; cette association est donc contre-indiquée.

Ergothérapie

Thérapie qui utilise l'activité pour la réadaptation des handicapés physiques et mentaux.

Pratiquée dès les années 1800 à l'hôpital de la Salpêtrière de Paris, l'ergothérapie connut un important essor à la suite des deux guerres mondiales en raison du nombre important de blessés et du besoin urgent de professionnels pouvant assumer la charge de restaurer les malades dans leur statut social et professionnel.

L'ergothérapie est indiquée dans tous les domaines de la rééducation et de la réadaptation sociale et professionnelle ; son but est de rendre aux malades leur indépendance soit en leur permettant de s'adapter à leur déficit, soit en participant à l'amélioration de leur état. Elle se pratique en milieu hospitalier ou dans des structures alternatives : centres d'accueil à la journée, foyers, hôpitaux de jour, etc. Ses indications sont très larges : maladies mentales, infirmités motrices (paralysies, séquelles post-traumatiques, affections rhumatologiques, myopathies, brûlures, maladies cardiaques, etc.). Il existe également une ergothérapie préventive visant à éviter l'hospitalisation, notamment pour les personnes âgées.

■ L'ergothérapie rééducative-réadaptative utilise l'action comme médiateur pour parvenir à un objectif donné (recherche d'une meilleure coordination des mouvements, entraînement au port d'une prothèse, réapprentissage des actes quotidiens, etc.). Sur cette base, toute activité (activités artisanales, comme la vannerie ou le tissage ; activités d'éveil, d'expression, écriture, jeux ; réapprentissage des gestes de la vie quotidienne ; activités de type professionnel de tous ordres, etc.) est bonne à utiliser, dans la mesure où elle peut aider le patient et s'adapte à ses possibilités. Cette médiation permet d'observer et d'analyser les problèmes que pose la maladie concernée, puis de proposer une solution en concertation avec le malade et le médecin traitant (comment éviter la douleur dans les gestes de la vie quotidienne pour un patient souffrant de douleurs lombaires, par exemple).

L'ergothérapeute met en place et suit le projet de réadaptation à la vie familiale et professionnelle. Il propose ses compétences dans l'aménagement du logement et pour régler les problèmes d'accessibilité. Lors du retour à l'emploi, il contacte l'entreprise, analyse les difficultés inhérentes à la reprise du poste de travail.

■ L'ergothérapie préventive vise à conseiller le patient sur les gestes quotidiens et l'aménagement de son logement et à lui permettre d'assumer son handicap ou sa maladie en restant intégré dans son milieu de vie.

Ergotisme

Intoxication par l'ergot de seigle, *Claviceps purpurea,* champignon parasite des céréales, ou par ses dérivés médicamenteux (ergotamine et, surtout, dihydroergotamine, utilisée dans le traitement des migraines).

L'ergotisme provoque une vasoconstriction (diminution de diamètre) des artères des membres, responsable d'accidents ischémiques des extrémités. Il est favorisé par l'association de médicaments dérivés de l'ergot de seigle avec certains macrolides (antibiotiques tels que l'érythromycine ou la troléandomycine) ou par un surdosage de ces médicaments. L'ergot de seigle a été responsable dans le passé d'intoxications dues à l'ingestion de seigle parasité.

Les premiers signes de l'ergotisme sont des fourmillements, des douleurs et une peau pâle et froide aux pieds et aux mains. L'intoxication, non traitée, peut, dans un second temps, évoluer vers une gangrène des extrémités.

La survenue d'un ergotisme impose l'arrêt immédiat du médicament responsable dès l'apparition des premiers signes, l'hospitalisation si l'ergotisme est accompagné de délire. Le traitement du spasme artériel consiste en l'administration de nitrite d'amyle en inhalation, de trinitrine par voie sublinguale, de papavérine en injection.

Erlichia
Petit bacille à Gram négatif appartenant à un genre proche des rickettsies.

Les *Erlichia* se développent à l'intérieur des cellules infectées. Elles se retrouvent fréquemment sous forme d'inclusions (particules isolées au sein du cytoplasme) dans les leucocytes des animaux infectés (chiens essentiellement). Les bactéries sont ensuite transmises à l'homme par des tiques.

Ces bacilles provoquent une forte fièvre, une leucopénie (baisse des globules blancs), une thrombocytopénie (baisse des plaquettes) et des anomalies hépatiques. Le diagnostic se fonde sur des examens sérologiques. Le traitement consiste en l'administration d'antibiotiques.

Érosion
Perte de substance très superficielle de la peau ou d'une muqueuse. SYN. *exulcération*.

Une érosion de la peau, de la muqueuse génitale, de la muqueuse digestive ou de la cornée est une disparition des couches superficielles ; beaucoup moins profonde qu'un ulcère, elle peut être due à un traumatisme, à une inflammation, à une infection (syphilis, herpès), à une maladie dermatologique (lichen, maladie bulleuse). Le traitement est celui de la maladie correspondante.

Érotisme
Recherche psychologique et physiologique de l'attraction et de l'excitation sexuelles.

L'érotisme, loin de n'être qu'un instinct dont l'unique fin serait l'orgasme, peut être décrit comme un mode d'échange affectif conscient propre à l'être humain. Une trop grande frustration érotique, qu'elle soit engendrée par certains types d'éducation ou par des faits de civilisation (puritanisme victorien, par exemple), conditionne de nombreux troubles de la personnalité : altération des capacités sexuelles, impuissance, frigidité, états névrotiques, perversions, etc. Ceux-ci sont du ressort de traitements spécifiques : sexothérapie, psychanalyse, thérapies comportementales.

Érotomanie
Conviction délirante d'être aimé.

L'érotomanie est une exagération pathologique de la passion amoureuse. Elle affecte le plus souvent une femme. Selon les psychanalystes, son mécanisme repose sur un retournement du désir amoureux par déni et projection, la formule « Je l'aime »

Les éruptions cutanées ont des formes diverses, parfois typiques d'une maladie. Les infections bactériennes et virales en sont les causes les plus fréquentes. Il s'agit souvent d'affections contractées dans l'enfance.

Exanthème subit (ou roséole infantile).

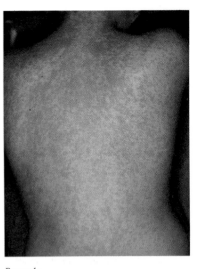

Rougeole.

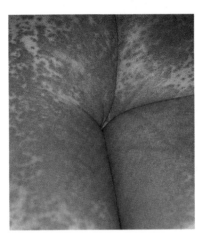

Scarlatine.

Varicelle.

devenant alors « Je ne l'aime pas, c'est lui qui m'aime ». L'érotomane se croit désiré par une personne jugée de rang important (vedette, homme politique, prêtre, médecin). Chacun des gestes de cette personne est interprété comme un signe d'encouragement ou de mise à l'épreuve, y compris les manifestations d'indifférence ou de rejet. Classiquement, le délire évolue en trois phases : espoir, dépit, rancune. À ce dernier stade, la quête érotomaniaque peut tourner à la persécution de la personne visée, avec scandales et voies de fait. L'hospitalisation, voire l'internement s'imposent alors.

Erratique
Qui n'est pas fixe.

Une douleur erratique est une douleur de localisation variable ; une fièvre erratique est caractérisée par une courbe de température irrégulière.

Éructation
Rejet bruyant, par la bouche, des gaz contenus dans l'estomac. SYN. *rot*.

L'éructation occasionnelle durant ou après un repas permet de faire diminuer le volume de la poche à air gastrique et de soulager ainsi la gêne provoquée par l'hyperpression

intragastrique. Elle est à distinguer de l'aérophagie, qui est la déglutition d'air. Lorsque les éructations sont fréquentes et répétées, elles peuvent faire partie des symptômes de la dyspepsie (troubles de la digestion) et sont alors associées à d'autres signes digestifs (ballonnements abdominaux, pesanteur gastrique, états nauséeux).

La tétée des nourrissons s'achève normalement sur une éructation, avec rejet d'un peu de lait (régurgitation). Cette éructation est provoquée par la déglutition de bulles d'air pendant la tétée. Il faut, à la fin de chaque repas, tenir verticalement l'enfant et attendre cette éructation avant de le recoucher afin d'éviter une éventuelle fausse-route.

Éruption
Survenue, le plus souvent brutale, de lésions cutanées ou muqueuses.

Une éruption peut être d'origine infectieuse, comme les éruptions fébriles contagieuses de l'enfance (rougeole, scarlatine, etc.), l'érysipèle, la variole et le zona. Elle peut être associée à des infections virales (à entérovirus ou à arbovirus), à des infections à rickettsies (fièvres exanthématiques) et à des maladies parasitaires (toxoplasmose).

Les éruptions infectieuses doivent être distinguées des toxidermies (éruptions allergiques provoquées par un médicament) et des réactions cutanées liées à une intolérance alimentaire ou à des stress brutaux (lichen plan). Les éruptions d'origine infectieuse sont parfois assez spécifiques pour permettre de reconnaître ou de suggérer la présence du germe pathogène. Ainsi, l'éruption de la rougeole (macules distinctes) se distingue de celle de la scarlatine (rougeur diffuse). Cependant, une éruption peut aussi prendre la forme de l'une ou de l'autre : éruption morbilliforme (semblable à celle de la rougeole) ou scarlatiniforme. Certains diagnostics nécessitent donc un prélèvement bactériologique ou une biopsie cutanée.

Éruption fébrile de l'enfant

Cette survenue chez l'enfant de lésions cutanées ou muqueuses a le plus souvent une origine infectieuse.

La survenue d'une éruption fébrile chez l'enfant est un motif fréquent de consultation. Dans la plupart des cas, il s'agit des principales maladies infectieuses susceptibles de survenir à cet âge : rougeole, rubéole, mégalérythème épidémique, exanthème subit, scarlatine, mononucléose infectieuse. D'autres éruptions sont liées à des maladies inflammatoires, comme la maladie de Kawasaki, le rhumatisme articulaire aigu ou la maladie de Still.

DIAGNOSTIC
Il repose sur l'examen clinique de l'éruption, sa nature (macules, papules, vésicules, etc.), sa localisation, sa chronologie (survenue unique ou par poussées) et les symptômes associés (fièvre, desquamation, prurit).

TRAITEMENT
Il comprend le traitement de la fièvre, l'application, dans certains cas, d'antiseptiques cutanés sur les lésions et le traitement spécifique de la maladie en cause.

Érysipèle

Maladie infectieuse aiguë, caractérisée par une inflammation de la peau.

L'érysipèle est dû à une bactérie, le streptocoque, provenant d'une infection cutanée ou rhinopharyngée, appelée « porte d'entrée ». L'érysipèle du visage, très aigu et douloureux, forme un placard rouge, chaud, gonflé, entouré d'un bourrelet et s'étendant très rapidement. L'érysipèle de la jambe, plus fréquent, se traduit par une augmentation de volume de la jambe, qui devient rouge, associée à une douleur, à une fièvre et à une augmentation du volume des ganglions de l'aine. Sans traitement, la maladie peut évoluer vers une aggravation avec extension de l'infection : phlegmon, septicémie, gangrène de la jambe. Devant tout érysipèle, il faut rechercher un terrain favorisant : diabète ou déficit immunitaire. Le traitement, conduit alors en urgence, est celui du foyer infectieux initial, associé à l'administration de pénicilline par voie intraveineuse. La guérison est habituelle si le traitement est précoce, mais les récidives sont fréquentes.

Érysipéloïde

Dermite d'origine microbienne. SYN. *érysipéloïde de Baker-Rosenbach, rouget du porc.*

L'érysipéloïde de Baker-Rosenbach est dû à la bactérie *Erysipelothrix rhusiopathiae* (bacille du rouget), qui provoque chez les animaux la maladie dénommée rouget du porc. La bactérie est transmise par l'intermédiaire d'une plaie lors de la manipulation d'un animal contaminé. C'est une maladie qui touche le plus souvent les bouchers, les charcutiers et les poissonniers.

Cette dermite se manifeste sous la forme d'un placard inflammatoire douloureux, de couleur rouge violacé, sur la main ou un doigt et remontant progressivement le long du bras, parfois associé à une fièvre, à des douleurs articulaires et à des réactions ganglionnaires. Le traitement est assuré par les antibiotiques (pénicillines, macrolides). L'affection est généralement locale mais peut donner des formes graves associées à un état septicémique, voire à une endocardite (inflammation de l'endocarde d'origine infectieuse).

Erysipelothrix rhusiopathiae

Petit bacille à Gram positif responsable de l'érysipéloïde, ou maladie du rouget du porc. SYN. *bacille du rouget.*
→ VOIR Érysipéloïde.

Érythème

Rougeur de la peau s'effaçant à la pression.

On distingue d'ordinaire les érythèmes localisés des érythèmes généralisés, eux-mêmes classés selon leur aspect en trois catégories : scarlatiniformes (vastes plages de peau d'un rouge vineux, sans aucun intervalle de peau saine entre elles), morbilliformes (taches rosées ou rougeâtres, irrégulières, avec entre elles des intervalles de peau saine) et roséoliformes (petites taches rosées parfois à peine discernables).

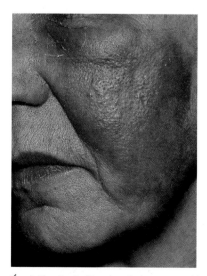

Érysipèle. *Particulièrement douloureux sur le visage, le placard inflammatoire, gonflé et chaud, s'étend rapidement.*

Les érythèmes sont dus à une dilatation des vaisseaux sanguins cutanés.

■ **Les érythèmes généralisés** ont pour cause soit une allergie à un médicament, soit une maladie infectieuse (scarlatine, rougeole, rubéole, mégalérythème épidémique, syphilis, exanthème subit).

■ **Les érythèmes localisés** peuvent être dus à une cause physique (coup de soleil), chimique (dermite artificielle), médicamenteuse (érythème pigmenté fixe), infectieuse (intertrigo, érysipèle, érysipéloïde, pasteurellose, trichinose) ou dermatologique (dermatomyosite, lupus érythémateux disséminé).

L'érythème n'étant que le signe d'une maladie, ses symptômes et son évolution dépendent de celle-ci, de même que son traitement.

Érythème annulaire centrifuge

Affection cutanée, caractérisée par des lésions annulaires.

Les érythèmes annulaires centrifuges n'ont souvent pas de cause connue, mais on découvre, dans certains cas, une cause médicamenteuse (aspirine, vaccin), infectieuse (infection à streptocoque, tuberculose, mononucléose infectieuse, trypanosomiase, grippe), dermatologique (pemphigus, lupus érythémateux subaigu) ou cancéreuse (cancer du poumon, de la prostate, de l'utérus ; leucémie). Ils se traduisent par des plaques plus ou moins prurigineuses comprenant un centre d'allure normale et un petit bourrelet rouge périphérique, se déplaçant d'une manière centrifuge. L'évolution se fait par poussées successives, sur plusieurs mois. Le traitement de l'érythème annulaire centrifuge est celui de la maladie en cause.

Érythème fessier

Irritation cutanée du nourrisson, atteignant la région recouverte par les couches. SYN. *dermite du siège.*

CAUSES
L'érythème fessier est extrêmement fréquent chez le nourrisson. Sa cause peut être externe : frottement des couches et contact prolongé avec les urines et les selles acides. Il peut aussi être dû à certaines maladies dermatologiques : dermite séborrhéique du nourrisson, psoriasis, etc. La troisième cause possible de l'érythème fessier, isolée ou venant compliquer l'une des précédentes, est une infection bactérienne, virale ou mycosique (due à un champignon microscopique).

SYMPTÔMES ET SIGNES
L'érythème fessier se manifeste principalement par une rougeur de la peau sur les fesses, les bourrelets abdominaux, le haut des cuisses et les organes génitaux externes. Les plis sont généralement épargnés. L'aspect exact des lésions et leur localisation dépendent de la cause de l'irritation. Dans les formes sévères, l'érythème se complique d'ulcérations, témoignant souvent d'une surinfection.

TRAITEMENT ET PRÉVENTION
Le traitement repose sur des règles d'hygiène locale : nettoyer fréquemment la peau avec des antiseptiques doux dilués et la rincer

soigneusement ; appliquer après chaque lavage des lotions ou des gels à base d'imidazolés, laisser les fesses à l'air le plus longtemps possible chaque jour, renouveler les couches fréquemment et ne pas trop les serrer ; éviter les applications de corps gras et de pommades, qui favorisent la macération. Les infections bactériennes nécessitent en outre un traitement antibiotique oral.

Certaines règles d'hygiène doivent permettre d'éviter la survenue d'un érythème fessier : lavage du siège avec un savon surgras ou un pain de toilette, rinçage abondant et séchage par tamponnement, non par frottement. Le recours à des pâtes à l'eau à base de zinc, isolant l'épiderme des matières et de l'humidité, semble plus utile que l'utilisation de corps gras.

Érythème nécrolytique migrateur

Affection cutanée due à une tumeur du pancréas. SYN. *syndrome du glucagonome*.

L'érythème nécrolytique migrateur, dont la cause est un glucagonome, tumeur rare du pancréas, se caractérise par des zones cutanées rouges débutant dans les plis (aines, fesses, aisselles), s'associant très rapidement à des vésicules, à des bulles, à des érosions puis à des croûtes et s'étendant de façon centrifuge. L'état général du malade est très altéré avec un amaigrissement important, des douleurs abdominales et une diarrhée. Le traitement vise, dans un premier temps, à corriger les désordres de l'état général (anémie, troubles électrolytiques, carences en zinc et en acides aminés), puis à soigner le glucagonome (somatostatine, chimiothérapie, voire ablation chirurgicale).

Érythème noueux

Inflammation aiguë de l'hypoderme (couche profonde de la peau).

L'érythème noueux atteint surtout les adultes jeunes, le plus souvent sur les membres inférieurs. Il peut être dû à une infection (infection à streptocoque ou à yersinia, tuberculose, mononucléose infectieuse, ornithose ou lèpre), à une maladie générale (sarcoïdose, aphtose), à une colite inflammatoire (maladie de Crohn, rectocolite hémorragique) ou à une prise médicamenteuse (aspirine, pilule contraceptive, sulfamides). Il se traduit par des nodules sous-cutanés profonds, douloureux, chauds, recouverts d'une peau rosée ou rougeâtre, siégeant le plus souvent sur la face antéro-interne des jambes. Il évolue par poussées et ne laisse pas de cicatrice. Son traitement est celui de la cause si elle est identifiée. Sinon, il vise uniquement à traiter les symptômes : repos au lit, parfois prise de médicaments anti-inflammatoires.

Érythème pigmenté fixe

Affection cutanée d'origine médicamenteuse, se manifestant par des plaques.

L'érythème pigmenté fixe peut être dû à la prise d'analgésiques (aspirine, paracétamol), d'anti-inflammatoires non stéroïdiens, d'antibiotiques (sulfamides, tétracyclines), d'antiparasitaires, de barbituriques, d'antihistaminiques, de laxatifs ou de pilules contraceptives. Il se traduit par l'apparition de plaques rouges devenant brunâtres puis noirâtres, persistant plusieurs semaines, voire plusieurs mois. Bien délimitées, celles-ci surviennent toujours au même endroit pour un sujet donné, de préférence sur les mains, les poignets et la région anogénitale. En cas de nouvelle prise du médicament en cause, les plaques récidivent. Le seul traitement consiste à arrêter la prise du médicament responsable et à proscrire toute prise d'un médicament de la même famille chimique, la guérison étant alors définitive.

Érythème polymorphe

Affection cutanée caractérisée par des lésions en forme de cocarde et témoignant d'un état d'hypersensibilité. SYN. *ectodermose pluri-orificielle*, *érythème exsudatif multiforme*.

Parmi les causes de l'érythème polymorphe, on retrouve essentiellement des infections virales (herpès, varicelle, zona, grippe, mononucléose infectieuse, hépatite B), microbiennes (tuberculose, lèpre) ou des prises médicamenteuses (pénicilline, tétracyclines, sulfamides, œstrogènes, anti-inflammatoires). Parfois, l'érythème polymorphe accompagne une maladie de système (connectivite), une sarcoïdose, une colite inflammatoire, un lymphome, un cancer profond. Cependant, son origine reste inconnue dans 30 à 40 % des cas. Il affecte plutôt les hommes jeunes et se manifeste par l'apparition, le plus souvent sur les membres, de plaques rouges qui s'étendent et prennent en général un aspect typique : une bulle centrale entourée d'une première couronne de peau déprimée et blanche, puis d'une deuxième couronne avec plusieurs bulles. Une fièvre et des douleurs articulaires s'y associent. Il peut se compliquer de conjonctivite ou de kératite. Le traitement est surtout celui de l'affection responsable, si elle est identifiée, auquel s'ajoute l'antisepsie des bulles ; la prise de corticostéroïdes par voie orale reste très discutée. Une variété particulièrement sévère d'érythème polymorphe, le syndrome de Stevens-Johnson, où les lésions atteignent les muqueuses de la bouche, gênant l'alimentation, peut nécessiter une réanimation et une alimentation par perfusions.

Érythème solaire

Réaction de l'épiderme dû à une exposition solaire excessive. SYN. *coup de soleil*.

Après une exposition trop intense ou trop prolongée au soleil, la peau devient érythémateuse (rougeâtre), voire bulleuse (formation de cloques), et le patient ressent une douleur cuisante. Dans un second temps, la peau desquame en lambeaux et se pigmente irrégulièrement. L'érythème solaire correspond à une brûlure du premier ou du second degré. Il survient soit chez des personnes au teint clair, à la peau pauvre en mélanine (celle-ci favorisant la protection contre les rayons du soleil), soit après une exposition insuffisamment protégée.

Le traitement consiste à appliquer localement des crèmes contre les brûlures et à prendre des antalgiques (calmants) par voie générale. En cas de coup de chaleur associé, une réhydratation en milieu hospitalier est parfois nécessaire.

Pour prévenir les coups de soleil, l'exposition solaire doit être progressive et la peau, protégée par des crèmes photoprotectrices « écran total », filtrant les rayons brûlants (ultraviolets B). L'application doit être renouvelée toutes les deux heures, surtout après transpiration ou baignade.

L'exposition prolongée au soleil représente un risque ultérieur de développement d'un mélanome (cancer grave de la peau).

Érythermalgie

Trouble vasomoteur des extrémités (mains, pieds), qui se manifeste par accès. SYN. *érythromélalgie*.

Très rare, l'érythermalgie peut être consécutive à la prise de médicaments (inhibiteurs calciques), à une maladie hématologique (polyglobulie) ou systémique (lupus érythé-

CLASSIFICATION DES ÉRYTHÈMES SOLAIRES				
	1er degré	*2e degré*	*3e degré*	*4e degré*
Couleur	Rosée	Rouge vif	Violine	Cyanique
Autres signes cutanés	Aucun	Aucun	Œdème	Bulles ou phlyctènes
Signes généraux	Aucun	Aucun	Aucun	Fièvre de 39 à 40 °C Malaise général
Délai d'apparition	6 à 24 heures	2 à 12 heures	2 à 6 heures	6 à 12 heures
Durée	1 à 2 jours	2 à 3 jours	4 jours	4 à 6 jours
Desquamation	Fine et rapide	Fine et rapide	En lambeaux	En lambeaux
Pigmentation (coloration de la peau par la mélanine)	Aucune	Plus ou moins importante	Coloration importante	Aucune

mateux disséminé). Lorsque aucune cause n'est retrouvée, on parle d'érythermalgie primitive. Les crises sont déclenchées par la chaleur ou par un effort physique. Les extrémités, surtout les pieds, deviennent brusquement rouges, chaudes et douloureuses. Le traitement repose sur la prise d'aspirine, voire, en cas d'échec, sur les bêtabloquants ; il vise en outre à traiter la cause de l'érythermalgie si elle est retrouvée.

Erythrasma

Infection cutanée bactérienne prédominant aux aisselles et aux aines.

L'erythrasma est dû à une bactérie, *Corynebacterium minutissimum*. Il se manifeste par des plaques rosées symétriques. Le traitement fait appel aux antiseptiques locaux : désinfection avec un savon liquide, application de dérivés imidazolés ou d'érythromycine en solution. Par voie générale, l'érythromycine donne habituellement de bons résultats ; des récidives sont cependant possibles.

Érythroblaste

Cellule de la moelle osseuse, spécialisée dans la synthèse de l'hémoglobine.

Les érythroblastes constituent entre 10 et 30 % des cellules de la moelle osseuse. Selon leur degré de maturité, on distingue le proérythroblaste, l'érythroblaste basophile, l'érythroblaste polychromatophile et l'érythroblaste acidophile, qui donne naissance à l'érythrocyte, ou globule rouge. Les différents stades sont caractérisés par l'évolution du noyau et du cytoplasme de la cellule : condensation puis expulsion du noyau, enrichissement du cytoplasme en hémoglobine et réduction progressive de la taille des cellules.

À l'état normal, seuls les globules rouges matures sont présents dans le sang : la

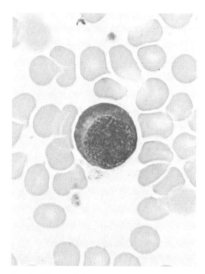

Érythroblaste. À la différence du globule rouge, dont il est, dans la moelle osseuse, le précurseur, il possède un noyau (en violet).

présence de cellules à des stades plus précoces (érythroblastose) s'observe lors de certaines anémies et dans certains cancers du sang.
→ VOIR Érythroblastose, Érythropoïèse.

Érythroblastopénie

Anomalie sanguine caractérisée par la diminution ou la disparition des érythroblastes (cellules de la moelle osseuse spécialisées dans la synthèse de l'hémoglobine) et entraînant une anémie.

L'érythroblastopénie, anomalie rare, n'entraîne pas de modification des autres cellules sanguines, plaquettes et globules blancs. Elle se traduit par une anémie causant pâleur, essoufflement, fatigue et vertiges. On distingue des formes aiguës et des formes chroniques d'érythroblastopénie.

■ **Les formes aiguës** compliquent souvent une anémie hémolytique (destruction des globules rouges) mais surviennent aussi chez le sujet sain. Souvent, la cause en est alors virale. Le parvovirus humain B19 est capable d'entraîner la destruction des érythroblastes qu'il infecte. D'autres virus peuvent aussi être incriminés : celui de l'hépatite, celui de la mononucléose infectieuse ou le V.I.H. (sida), surtout lors d'un traitement par l'AZT. Enfin, on observe également des érythroblastopénies aiguës transitoires chez l'enfant (d'origine immunologique probable) et des érythroblastopénies d'origine toxique, causées par des médicaments tels que le chloramphénicol et ses dérivés (antibiotiques). Ces mêmes formes guérissent en quelques semaines, spontanément ou après arrêt du toxique en cause.

■ **Les formes chroniques** touchent l'enfant et l'adulte. Chez l'enfant, l'érythroblastopénie chronique, ou maladie de Blackfan-Diamond, est une anomalie rare qui survient dans les premiers mois de la vie. Chez l'adulte, l'érythroblastopénie est parfois associée à d'autres pathologies : tumeur du thymus, myasthénie, lupus érythémateux disséminé, leucémie lymphoïde chronique. Mais, dans un grand nombre de cas, elle est isolée et semble alors d'origine immunologique ou, plus rarement, due à une anomalie des cellules souches de la moelle. La plupart des traitements utilisés dans ces formes sont (en dehors de l'ablation du thymus, en cas de tumeur) des immunosuppresseurs, qui donnent des résultats satisfaisants.

Érythroblastose

Passage dans le sang d'érythroblastes, cellules de la moelle osseuse à l'origine des globules rouges.

L'érythroblastose sanguine est considérée comme pathologique si le taux d'érythroblastes dans le sang est supérieur de 1 % à celui des globules blancs. Elle témoigne alors d'une grande production de globules rouges et s'observe après une ablation de la rate, une hémorragie aiguë, dans la thalassémie (maladie héréditaire de la synthèse de l'hémoglobine) et au cours de toute hémolyse importante, notamment dans la maladie hémolytique du nouveau-né. Elle peut aussi

être associée à une myélémie (passage dans le sang de cellules granuleuses immatures de la moelle) et traduit alors souvent une atteinte primitive de la moelle osseuse (leucémie, métastase médullaire de cancer).

Érythrocyanose sus-malléolaire des jeunes filles

Affection cutanée chronique bénigne.

D'origine inconnue, l'érythrocyanose sus-malléolaire des jeunes filles affecte exclusivement les femmes, avec une nette prédominance durant l'adolescence. Elle a l'aspect d'une coloration rouge bleuâtre ou violacée, symétrique, apparaissant dans la partie inférieure des jambes et disparaissant spontanément après quelques mois ou quelques années. La seule gêne occasionnée par l'érythrocyanose est d'ordre esthétique. On ne connaît pas de traitement vraiment efficace de cette affection.

Érythrocyte

→ VOIR Hématie.

Érythrodermie

Affection caractérisée par une éruption cutanée rouge généralisée, associée à une altération de l'état général de l'organisme.

Les érythrodermies ont une cause précise dans plus de 80 % des cas : maladie cutanée préexistante (psoriasis, eczéma), prise médicamenteuse (antibiotiques, barbituriques, lithium, anti-inflammatoires, anticoagulants), infection (staphylocoque chez le nourrisson, champignons), maladie hématologique (mycosis fongoïde, histiocytose X de l'enfant) ; dans 15 à 20 % des cas, aucune cause n'est retrouvée. La peau, atteinte d'un érythème rouge vif, est sèche, squameuse ou, au contraire, suintante, épaisse puis pigmentée ; les démangeaisons sont plus ou moins intenses. Des signes généraux s'ajoutent aux précédents, tels qu'une fièvre élevée, des frissons, une frilosité, un amaigrissement ainsi que l'apparition de nombreux ganglions, d'un gros foie et d'une grosse rate. L'érythrodermie peut soit régresser, soit donner lieu à des complications comme une surinfection cutanée, une défaillance cardiaque (surtout chez les sujets âgés), une déshydratation, des œdèmes, une chute du taux d'albumine, de sodium ou de potassium sanguin, une phlébite ou des escarres.

Le traitement, souvent effectué en milieu hospitalier, est d'abord celui des symptômes ; il comprend le repos au lit, des applications et des bains de substances antiseptiques et actives contre les démangeaisons. Chaque complication éventuelle est traitée pour elle-même (antibiotiques, réhydratation, alimentation par voie digestive, traitement cardiovasculaire). Le traitement de la maladie responsable de l'érythrodermie ne doit être entrepris qu'une fois la réaction érythrodermique jugulée.

Érythrokératodermie

Affection cutanée héréditaire caractérisée par des plaques rouges.

Les érythrokératodermies sont des affections à transmission autosomique (par les chromosomes non sexuels) dominante (il suffit que le gène porteur de l'affection soit reçu de l'un des parents pour que l'enfant développe la maladie). Elles entraînent la formation de plaques rouges généralisées sur l'ensemble du corps, associées à des placards kératosiques sur les membres, les fesses et le visage. Leur traitement fait appel aux kératolytiques locaux (pommades ou crèmes à base d'urée) et aux rétinoïdes par voie orale (acitrétine).

Érythromélalgie

Affection caractérisée par de violentes crises douloureuses ressenties aux mains et aux pieds, qui deviennent rouges, gonflés et cuisants. SYN. *syndrome de Weir-Mitchell.*

L'érythromélalgie, due à une dilatation des vaisseaux des extrémités, peut révéler une anomalie sanguine telle qu'un excès de plaquettes. Elle est alors très bien soulagée par l'aspirine et guérit si l'anomalie sanguine est traitée.

Érythropoïèse

Processus de formation des globules rouges dans la moelle.

L'érythropoïèse est un phénomène permanent. Elle débute lorsqu'une cellule souche pluripotente de la moelle (pouvant donner naissance à n'importe quelle cellule sanguine) se détermine en un progéniteur érythroblastique (cellule capable de se différencier uniquement en globule rouge et non en globule blanc ou en plaquette). La fréquence des progéniteurs érythroblastiques est faible, constituant environ 0,1 % des cellules de la moelle.

L'érythropoïèse s'adapte aux besoins de l'organisme pour combler rapidement un déficit en globules rouges, notamment en cas d'hémorragie aiguë ou d'hémolyse ; la production de globules rouges est sous la dépendance d'une hormone spécifique, l'érythropoïétine, et de plusieurs facteurs de croissance (GM-CSF, interleukine 3). On estime, en moyenne, la production de globules rouges à 10 milliards par heure.
→ VOIR Érythroblaste.

Érythropoïétine

Hormone responsable de la différenciation et de la prolifération des globules rouges.

L'érythropoïétine est essentiellement produite par le rein (90 %), mais également par le foie (10 %). C'est l'hypoxie tissulaire (baisse de l'oxygénation dans les tissus) qui déclenche sa synthèse, selon un mécanisme encore mal connu. Elle agit sur les cellules érythroblastiques de la moelle osseuse, à l'origine des globules rouges, par l'intermédiaire d'un récepteur spécifique. L'érythropoïétine est présente en très faible quantité dans le sang d'un sujet normal, mais elle augmente en cas d'anémie. Le gène de l'érythropoïétine a été déterminé en 1985.

PATHOLOGIE

En cas d'insuffisance rénale, l'absence ou la réduction de la synthèse de cette hormone par le rein provoque une diminution du nombre de globules rouges.

À l'inverse, dans certaines formes de cancer du rein, les cellules tumorales sécrètent de façon excessive cette hormone ou des substances ayant les mêmes effets. On observe alors une polyglobulie (augmentation très importante du nombre des globules rouges circulants) dite secondaire, qui disparaît avec la guérison du cancer.

Une polyglobulie secondaire s'observe également chez les sujets séjournant de façon prolongée en altitude.

UTILISATION THÉRAPEUTIQUE

L'érythropoïétine obtenue par génie génétique, dite érythropoïétine humaine recombinante, disponible depuis la fin des années 1980, est utilisée pour traiter l'anémie des patients atteints d'insuffisance rénale chronique. Le médicament, injecté par voie intraveineuse ou sous-cutanée un jour sur deux, évite les transfusions sanguines aux malades, leur donnant ainsi un confort de vie appréciable. Ce traitement nécessite une stricte surveillance et ne peut être prescrit que par un néphrologue. D'autres formes d'anémie sont actuellement traitées : myélome, polyarthrite rhumatoïde... Cette hormone a en outre été utilisée pour le dopage de sportifs.

Érythrose

Rougeur du visage due à une dilatation des vaisseaux, permanente ou survenant par accès.

L'érythrose, dont la « bouffée de chaleur » constitue une forme paroxystique, affecte habituellement les jeunes femmes sous forme de poussées congestives prédominant sur les joues, le nez et les pommettes, survenant le plus souvent après un repas, un changement de température ou à la suite d'une émotion ou d'un stress.

L'érythrose constitue le premier stade de l'acné rosacée. Son traitement consiste en la prise à petites doses de neurosédatifs et en la correction d'éventuels déséquilibres hormonaux. Certaines précautions sont à respecter : petits repas évitant les excitants (épices, alcool), pris à heures fixes et en mangeant lentement ; le soir, nettoyage du visage avec un lait de toilette pour peaux sèches suivi de pulvérisations décongestionnantes d'eau minérale ou de sérum zinc (sérum physiologique additionné de sulfate de zinc) ; le matin, application de crème ou de lotion décongestionnante à base d'extraits végétaux (mélilot, hamamélis, anthocyanes) ; au soleil, protection rigoureuse par une crème écran total ; au froid, protection par des crèmes grasses épaisses. Enfin, divers traitements mécaniques peuvent également apporter une amélioration : massages faciaux, applications de neige carbonique, etc.

Escarre

Destruction localisée de la peau survenant chez les malades alités.

Les escarres apparaissent chez les personnes alitées, parfois après quelques heures d'immobilisation, surtout si elles ont perdu leur mobilité naturelle (coma, paralysie) ou si elles sont en mauvais état général (dénutrition, déshydratation) ; dans quelques cas très rares, elles peuvent aussi apparaître sous un plâtre. Dues à une compression prolongée s'exerçant sur une région en saillie, elles touchent surtout les zones d'appui : talons, fesses, région du sacrum, parfois coudes, omoplates ou partie postérieure du crâne.

SYMPTÔMES ET SIGNES

On observe d'abord une zone rouge et douloureuse. Puis la peau devient noire, cartonneuse, insensible au toucher. Plus tard, la disparition de la peau nécrosée fait place à un ulcère laissant les tissus sous-jacents (muscles, tendons, os) à découvert. Si l'alitement persiste, l'escarre ne guérit pas spontanément ; elle peut au contraire s'étendre et, surtout, se surinfecter.

TRAITEMENT ET PRÉVENTION

Le traitement repose sur les soins locaux : désinfection, détersion à l'aide de pommades à la trypsine, granulation ou « comblement » de l'ulcère à l'aide de pansements hydrocolloïdes. La prévention est indispensable : normalement appliquée à tous les malades alités, elle consiste à changer fréquemment le malade de position, à effectuer des massages locaux, des séances d'application alternée de froid et de chaud (glaçons, puis séchage), à changer immédiatement le linge souillé, à utiliser un matelas dit alternatif, composé de plusieurs boudins qui se gonflent et se dégonflent alternativement. Il faut toujours vérifier qu'un plâtre n'est pas trop compressif. Le linge doit être changé souvent pour éviter la macération. Enfin, la correction de troubles nutritionnels fait également partie intégrante de la prévention des escarres.

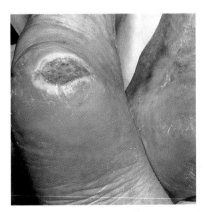

Escarre. L'érosion de la peau (ici, au talon) entraîne l'infection des tissus sous-jacents.

Escherichia coli

Bactérie du tube digestif de l'homme. SYN. *colibacille.*

De la famille des entérobactéries, *Escherichia coli* constitue 80 % de la flore aérobie du tube digestif de l'homme sain. C'est également le germe le plus fréquemment

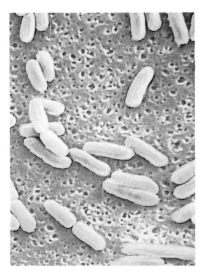

Escherichia coli. *Au microscope à balayage, les bactéries se présentent sous la forme de bâtonnets, caractéristique des bacilles.*

responsable d'infections chez l'homme, et notamment l'agent principal des infections urinaires spontanées ou consécutives à une manipulation instrumentale (sonde urinaire, par exemple). Cette bactérie est aussi à l'origine de septicémies, de méningites chez le nourrisson ainsi que de manifestations intestinales telles que des diarrhées, variables selon la souche en cause : la diarrhée des voyageurs, ou turista, est provoquée par des souches d'*Escherichia coli* productrices d'entérotoxines, certaines diarrhées hémorragiques se compliquant parfois d'un syndrome hémolytique-urémique très grave (destruction des globules rouges et lésions rénales), dû à la présence de souches sécrétant une puissante toxine appelée toxine Vero. Le traitement repose sur l'antibiothérapie.

Esculape

Dieu de la Médecine, dans l'Antiquité. En grec, *Asclépios*.

On attribuait à Esculape le pouvoir de guérir les maladies et même de ressusciter les morts. De nombreux sanctuaires, dont le plus célèbre se trouvait à Épidaure, lui étaient consacrés.

Esmarch (bande d')

→ VOIR Garrot.

Ésotropie

→ VOIR Strabisme.

Espace extradural

Espace situé entre la méninge la plus superficielle (dure-mère) et la paroi osseuse voisine.

■ **Dans l'encéphale,** l'espace extradural, compris entre la dure-mère et le crâne, est normalement inexistant, la dure-mère étant accolée à l'os. Cependant, en cas d'hématome extradural après un traumatisme crânien, du sang s'accumule : la dure-mère se décolle et l'espace extradural apparaît.

■ **Dans la moelle épinière,** l'espace extradural, dit aussi épidural, est compris entre la dure-mère et le canal rachidien, formé par les vertèbres. Il est rempli d'un tissu graisseux contenant des vaisseaux sanguins (lors d'une épidurite, on observe une inflammation de ce tissu). En thérapeutique, on fait des injections, dites épidurales, dans cet espace, en piquant en général entre deux vertèbres lombaires, le produit injecté se diffusant ensuite dans les racines nerveuses des membres inférieurs : corticostéroïde, pour traiter une sciatique, ou anesthésique en vue, par exemple, d'un accouchement (anesthésie péridurale).

Espérance de vie

Durée statistique moyenne de vie d'une personne donnée dans une population donnée.

Dans les pays industrialisés, l'espérance de vie à la naissance se situe en 1994-1995 entre 72 et 76 ans pour un homme et entre 79 et 81 ans pour une femme.

L'écart entre l'espérance de vie des hommes et celle des femmes pourrait être lié à des facteurs hormonaux, mais également aux facteurs de risque vasculaire, notamment du fait du plus grand nombre de fumeurs chez les hommes ; cependant, l'augmentation du tabagisme chez les femmes n'a pas considérablement modifié cet écart. L'espérance de vie augmente avec l'âge : ainsi, pour une femme ayant atteint 80 ans, elle est non pas de 82 mais de 87 ou 88 ans. Enfin, l'espérance de vie est nettement moindre dans certains pays en développement en raison de l'importance de la mortalité infantile et de l'absence de règles d'hygiène et de diététique correctes.

Esquille

Petit fragment osseux provenant d'une fracture, le plus souvent complexe.

Une esquille est indépendante des parties osseuses fracturées mais reste parfois attachée à des muscles avoisinants. Il arrive qu'elle entraîne des complications : lorsqu'elle est acérée, elle peut perforer un vaisseau important ou transpercer la peau ; elle risque aussi de gêner la remise en position anatomique normale des deux extrémités fracturées ; enfin, elle peut se nécroser. Il faut donc dans certains cas l'ôter chirurgicalement (esquillectomie).

Essai thérapeutique

Expérimentation d'un nouveau médicament préalablement à sa mise sur le marché.

Un essai thérapeutique a pour but de préciser si un médicament donné est plus efficace que le ou les médicaments de référence pour la maladie concernée et s'il est suffisamment dénué d'effets indésirables sur l'homme.

Il intervient après diverses phases d'études du produit, étude biochimique puis culture sur tissu ou expérimentation sur un animal de laboratoire. Pour réaliser un essai thérapeutique, on suit de plus en plus souvent un protocole utilisant la méthode des essais comparatifs : deux groupes de sujets appariés (comparables quant au nombre, à la répartition de l'âge, du sexe, etc.) sont sélectionnés, les sujets étant répartis au hasard dans l'un ou l'autre groupe. Un groupe reçoit le médicament à tester, l'autre (groupe témoin), le médicament de référence ou, s'il n'existe pas, un « placebo » (produit sans effet présenté sous la même forme que le médicament à tester). L'essai est réalisé soit en simple aveugle (le malade ignore ce qu'il reçoit mais le médecin le sait) soit, le plus souvent, en double aveugle (ni

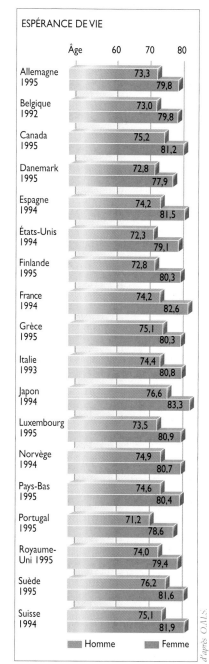

le malade ni le médecin ne le savent). En fin de test, le « secret » est levé et les malades sont répartis dans le groupe ayant reçu le médicament étudié et le groupe témoin, puis les résultats sont comparés en termes d'efficacité et de tolérance et soumis à une analyse statistique de leur validité.

Lors d'un essai thérapeutique, un comité d'éthique assure le respect des règles de l'éthique médicale : tout sujet, avant d'y être inclus, reçoit une information orale et écrite sur les buts, les conditions et les éventuels inconvénients de l'essai et doit donner par écrit son « consentement éclairé ». De plus, il a le droit de suspendre unilatéralement sa participation à n'importe quel moment au cours du test. Les comités d'éthique, les comités médicaux de coordination surveillent l'évolution de l'essai et peuvent soit l'interrompre, s'il se révèle par exemple que les inconvénients dans le groupe témoin sont trop importants, soit le prolonger si ses résultats, bien qu'encourageants, ne permettent pas encore d'établir une efficacité statistiquement significative.

Ester

Substance chimique résultant de la combinaison entre un alcool et un acide carboxylique.

Dans l'organisme, les esters sont nombreux et appartiennent à différentes familles chimiques, aux rôles variés. Ainsi, l'acétylcholine, un neurotransmetteur (messager du système nerveux), est un ester de la choline et de l'acide acétique.

Estérase

Enzyme capable de séparer l'alcool et l'acide combinés dans un ester.

On dit d'une estérase qu'elle hydrolyse un ester. Ainsi, la cholinestérase hydrolyse en choline et en acide acétique le neurotransmetteur (messager du système nerveux) qu'est l'acétylcholine afin que celle-ci ne stimule pas en permanence les cellules nerveuses ou musculaires.

Estomac

Partie du tube digestif située au-dessous du diaphragme, entre l'œsophage et le duodénum, où sont stockés, brassés, prédigérés et stérilisés les aliments avant qu'ils ne soient envoyés dans l'intestin pour y être absorbés. (P.N.A. *gaster*)

L'estomac est une poche en forme de J, divisée en une portion verticale, le fundus, et une portion horizontale, l'antre. On appelle petite courbure la partie concave du J, grande courbure le bord convexe. La partie supérieure du fundus communique avec l'œsophage par le cardia et forme la grosse tubérosité. L'antre est séparé du duodénum par le pylore, doté d'un sphincter puissant ouvrant et fermant l'issue vers l'intestin. L'estomac est richement vascularisé par les trois branches du tronc cœliaque. Il est situé entre le foie, à droite, la rate, à gauche, le diaphragme, en haut, le côlon transverse, en bas, et le pancréas, en arrière, dont il est séparé par l'arrière-cavité des épiploons, ce qui en fait un organe très mobile.

Estomac

L'estomac est situé en haut et à gauche de l'abdomen, sous le diaphragme. Sa motilité propre — sa paroi comporte une couche musculaire — lui permet de brasser les aliments puis de les propulser dans l'intestin grêle grâce à l'ouverture du sphincter musculaire du pylore, qui joint l'estomac au duodénum.
Les aliments sont aussi modifiés chimiquement par les sécrétions de la muqueuse de l'estomac, qui assurent les premières étapes de la digestion.

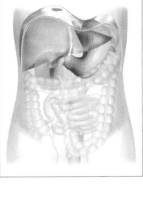

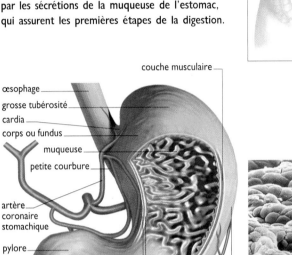

couche musculaire
œsophage
grosse tubérosité
cardia
corps ou fundus
muqueuse
petite courbure
artère coronaire stomachique
pylore
antre
péritoine — sous-muqueuse
duodénum
grande courbure

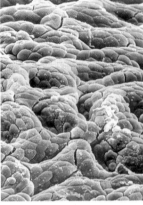

La surface de la muqueuse gastrique a un aspect alvéolé.

STRUCTURE
La paroi de l'estomac comporte quatre couches : séreuse (péritoine) ; musculaire (formée de fibres longitudinales, circulaires et obliques et assurant le brassage et l'évacuation des aliments) ; sous-muqueuse, formée d'un tissu conjonctif lâche ; muqueuse, formée d'un épithélium prismatique avec cellules à pôles muqueux fermés et responsable de la sécrétion du suc gastrique.

FONCTION
L'estomac exerce deux activités essentielles, motrice et sécrétoire.

■ **La motricité de l'estomac** est caractérisée par deux fonctions : une fonction de réservoir, assurée par le fundus, et une fonction d'évacuation, assurée par l'antre.

■ **La sécrétion gastrique** est constituée d'un mélange d'acide chlorhydrique, de pepsine, de facteur intrinsèque et de mucus. Le facteur intrinsèque, glycoprotéine sécrétée dans le fundus, est un élément essentiel pour l'absorption de la vitamine B12 dans l'intestin grêle.

PATHOLOGIE ET EXAMENS
L'estomac peut être le siège d'un cancer, d'un ulcère, de troubles auto-immuns (maladie de Biermer, due à l'incapacité de la paroi

gastrique à produire le facteur intrinsèque), d'un volvulus (torsion). Il est exploré par fibroscopie gastrique, transit œso-gastroduodénal baryté, biopsie.

Estomac (cancer de l')
Tumeur maligne qui atteint les différents tissus de l'estomac, le plus souvent sous forme d'un adénocarcinome.

L'adénocarcinome gastrique se range à la quatrième place dans l'ordre de fréquence des cancers ; il est deux fois plus fréquent chez l'homme que chez la femme. Des facteurs liés à l'environnement et notamment au mode de préparation alimentaire (poissons fumés par exemple) favoriseraient l'apparition de ce type de cancer et expliqueraient sa plus grande fréquence au Japon, par exemple, où ce genre d'alimentation est habituel. La gastrite atrophique (inflammation de la muqueuse de l'estomac) est aussi un facteur prédisposant. Les adénocarcinomes représentent 90 % des tumeurs gastriques, mais des tumeurs plus rares telles que les lymphomes ou les léiomyosarcomes peuvent aussi exister.

SYMPTÔMES ET SIGNES
Ils sont variés et non spécifiques : signes évoquant un trouble de la digestion, douleurs

rappelant celles d'un ulcère (brûlures diges-tives, douleurs abdominales, éructation, ballonnement, nausées, flatulence), compli-cations (hémorragie, rétrécissement et, exceptionnellement, perforation gastrique), phlébites à répétition, fièvre prolongée, amaigrissement important et sans cause, anémie ferriprive. Le cancer de l'estomac peut également être découvert de façon fortuite à l'occasion d'une endoscopie. En cas de cancer évolué, une masse tumorale peut être palpable au niveau de l'épigastre. Il convient alors de rechercher des signes cliniques de l'extension de la tumeur (gan-glions, hypertrophie du foie et métastases dans cet organe, métastases ovariennes [tumeur de Krukenberg], ascite néoplasique).

DIAGNOSTIC

Il repose essentiellement sur l'endoscopie gastrique avec prélèvement de tissu par biopsie. On peut associer à celle-ci une radiographie de l'estomac, qui permet de reconnaître quel type de lésion (forme bourgeonnante, ulcérée ou infiltrante) est en cause, ainsi que plusieurs examens complé-mentaires destinés à établir le bilan de l'extension tumorale : scanner abdominal, échoendoscopie, échographie hépatique, radiographie du thorax.

TRAITEMENT ET PRONOSTIC

Le traitement est avant tout chirurgical et consiste en une gastrectomie (ablation par-tielle ou totale de l'estomac). En effet, l'estomac n'est pas un organe indispensable à la survie, même si son ablation gêne la digestion normale et entraîne une carence en vitamine B12, qui doit être compensée par un complément vitaminique. L'extirpa-tion totale de la tumeur n'est possible que chez la moitié des malades opérés. Une chimiothérapie ou une radiothérapie peu-vent être associées à la chirurgie ou prati-quées en cas de cancer inopérable.

Le pronostic du cancer de l'estomac dépend du type de la tumeur, de sa localisation et de son extension. Il demeure réservé dans de nombreux cas.

Estomac (syndrome du petit)

Ensemble de symptômes apparaissant juste après les repas chez les patients ayant subi une gastrectomie partielle (ablation de l'estomac).

Le syndrome du petit estomac associe une impression de plénitude gastrique à des dou-leurs gastriques et entraîne une diminution de l'alimentation ; on prescrit alors au patient une alimentation par petits repas fractionnés. Ce syndrome s'estompe généralement avec le temps.

Estradiol

→ VOIR Œstradiol.

Estriol

→ VOIR Œstriol.

Estrogène

→ VOIR Œstrogène.

Estrone

→ VOIR Œstrone.

État grippal

État fébrile et douloureux accompagné de maux de tête et de courbatures.

Un état grippal ne dure que quelques jours et traduit généralement une infection virale saisonnière et non une grippe authentique. Le traitement sert à lutter contre la fièvre et les douleurs. Cependant, un état grippal persévérant peut être la traduction d'autres infections, virales ou non, en particulier s'il s'accompagne d'autres symptômes.

État limite

État intermédiaire entre la névrose et la psychose. En anglais, *borderline*. SYN. *personna-lité limite*.

L'expression d'état limite regroupe un certain nombre de troubles de la personna-lité qui se manifestent par des relations de dépendance intense, une grande vulnérabi-lité dépressive et une vie affective plutôt pauvre, sans empêcher toutefois l'adaptation sociale.

Selon les études menées ces vingt dernières années par les psychanalystes, dont le Français Jean Bergeret, les états limites seraient dus à des troubles « narcissi-ques » (de la relation du sujet à sa propre image) entraînant une angoisse de « perte d'objet » – l'objet étant, pour le sujet, constitutif de sa propre image, dont la perte est susceptible de causer une réaction dépressive sévère. L'objet peut être une personne idéalisée avec laquelle le malade noue une relation appelée anaclitique, nécessaire à sa survie. Ce peut être également un toxique : alcool, médicament, drogue douce, etc.

Les sujets souffrant d'état limite cherchent rarement à se soigner, sauf si un traumatisme (deuil, etc.), un accident ou un conflit professionnel déclenche un épisode psychia-trique aigu (dépression, raptus anxieux) qui vient extérioriser le trouble affectif sous-jacent. Le traitement peut associer les médicaments et la psychothérapie. Une hospitalisation trop longue, qui ne ferait qu'accentuer la fragilité psychologique du sujet, doit être évitée.

État de mal

État pathologique caractérisé par la succes-sion de crises propres à une maladie, sans retour à l'état normal entre les crises, ou par la prolongation d'une crise.

On parle surtout d'état de mal dans le cas de l'asthme et de l'épilepsie et, dans une moindre mesure, dans celui de la migraine.

■ **L'état de mal asthmatique** débute comme une crise d'asthme (gêne respiratoire in-tense), mais celle-ci ne s'arrête pas et les traitements usuels sont inefficaces. Cette détresse respiratoire aiguë impose un traite-ment d'urgence en service de réanimation, qui fait appel à l'administration d'oxygène, de théophylline et de corticostéroïdes à fortes doses pour dilater les bronches.

■ **L'état de mal épileptique** est souvent dû à un arrêt brutal du traitement chez un malade épileptique, éventuellement associé à une prise d'alcool. Les crises (raideurs, convulsions, perte ou altération de la conscience) se répètent presque sans inter-ruption, sans que le malade reprenne même parfois conscience entre deux crises. Le traitement par antiépileptiques à fortes doses est pratiqué en urgence dans un service de réanimation.

■ **L'état de mal migraineux** se caractérise par une crise de violents maux de tête qui se prolonge au-delà de la durée habituelle chez le malade. Cette crise peut nécessiter un traitement par perfusion d'analgésiques à fortes doses en milieu hospitalier.

État végétatif chronique

État défini par l'absence de toute activité consciente décelable alors même que le sujet est en état de veille.

L'état végétatif correspond à des lésions étendues des hémisphères cérébraux avec maintien relatif du fonctionnement du tronc cérébral. Il est donc très différent du coma dépassé, qui correspond à la mort cérébrale et ne se prolonge que quelques heures ou jours du fait des mesures de réanimation.

Les causes les plus fréquentes de l'état végétatif chronique sont l'arrêt circulatoire prolongé (des lésions irréversibles survenant rapidement lorsque le cerveau n'est pas irrigué) et les traumatismes crâniens.

SYMPTÔMES ET SIGNES

Les yeux ouverts ou fermés, le malade respire spontanément et a quelques gestes automatiques (bâillements, mâchonne-ments, parfois mouvements des membres). Il ne présente aucune manifestation des fonctions supérieures : il ne parle pas, n'exécute aucun ordre simple, ne répond pas de façon adaptée aux stimulations et a perdu toute possibilité de communiquer avec son entourage.

TRAITEMENT

Le maintien d'une nutrition artificielle et de soins infirmiers prolonge la survie du malade jusqu'à ce que survienne généralement une complication fatale (infection, embolie).

Éthanol

→ VOIR Alcool éthylique.

Éther

Oxyde d'éthyle, liquide incolore, volatil, hypnotique et anesthésique.

L'éther était autrefois utilisé comme anes-thésique général (par inhalation au masque, éventuellement dans un mélange). Moins actif que le chloroforme, il est aujourd'hui réservé aux petites interventions.

Détourné de son usage premier par les toxicomanes, il ne peut être délivré sans un contrôle strict. Étant hautement inflammable et explosif, même à distance, du fait d'une importante évaporation, il doit être stocké à l'abri de la lumière et selon des normes répondant à une réglementation sévère.

Éthique médicale

Ensemble des règles de conduite des profes-sionnels de santé vis-à-vis de leurs patients.

L'éthique médicale, nécessairement complexe, participe à la fois de la déontologie (ensemble des règles internes à une profession), de la morale et de la science.

L'éthique médicale concerne l'aspect limité à la santé d'une notion similaire mais plus vaste, la bioéthique, laquelle représente l'ensemble des mêmes règles appliquées à tous les domaines des sciences de la vie.

Les règles déontologiques, édictées dès le vᵉ siècle av. J.-C. (serment d'Hippocrate), en appellent aux notions de générosité, de dévouement, de désintéressement et de secret médical. Les règles morales protègent le malade de la dérive que pourraient introduire les grandes évolutions des sciences de la vie dans cette seconde moitié du xxᵉ siècle : évolution thérapeutique (découverte de la radiothérapie, par exemple) et évolution biologique (découverte du code génétique et de ses applications, comme la thérapie génétique). Les règles scientifiques, enfin, imposent au corps médical de vérifier que toute attitude médicale, surtout thérapeutique, repose sur des notions dont la rigueur scientifique est réelle.

Ces trois aspects de l'éthique médicale se retrouvent dans les règles, définies en 1964 par la déclaration d'Helsinki (réunion internationale de représentants de professions médicales) et complétées en 1975 par celle de Tokyo, qui président aux expérimentations. Les principales résolutions de ces déclarations figurent maintenant dans les protocoles expérimentaux. Elles assurent au patient le respect de son choix, manifesté par un consentement libre et éclairé.

Des comités nationaux et régionaux d'éthique à fonction consultative ont été créés dans plusieurs pays ; on leur soumet divers protocoles d'essais thérapeutiques, mais également les difficultés soulevées par divers problèmes contemporains : modalités de détection du V.I.H. (virus du sida), fécondation in vitro, prélèvements d'organes pour transplantations - pour ne citer que quelques exemples majeurs.

L'éthique médicale est donc garante de la liberté du malade et témoigne de la recherche d'une certaine forme de sagesse, de « science avec conscience », dans l'exercice de la médecine contemporaine.
→ VOIR Essai thérapeutique.

Ethmoïde

Petit os médian faisant partie à la fois du crâne et de la face. (P.N.A. os ethmoidale)

L'ethmoïde est situé immédiatement en arrière du nez, entre les deux orbites. Il comprend deux lames perpendiculaires entre elles, l'une verticale et l'autre horizontale. La lame verticale fait partie de la cloison médiane des fosses nasales. À chaque extrémité, droite et gauche, de la lame horizontale est suspendue une masse latérale grossièrement cubique : à l'intérieur, cette dernière contient de petites cavités remplies d'air, les sinus ; du côté des fosses nasales, elle porte de petites saillies osseuses, les cornets ; du côté opposé, elle fait partie de l'orbite.

Les principales pathologies de l'ethmoïde sont le cancer et l'ethmoïdite (inflammation aiguë des sinus de l'ethmoïde).

Ethmoïde (cancer de l')

Cancer atteignant l'ethmoïde sous la forme d'un adénocarcinome (tumeur maligne provenant d'un tissu glandulaire).

Le cancer de l'ethmoïde touche essentiellement les travailleurs du bois (ébénistes, menuisiers), surtout des bois exotiques. Il est dû à la suspension dans l'air de tanins contenus dans le bois, qui s'accumulent sur la muqueuse tapissant les os des fosses nasales. Les signes du cancer de l'ethmoïde sont une obstruction nasale et des écoulements par le nez, clairs ou hémorragiques, peu abondants mais répétés. Ils ne se manifestent qu'après une exposition fréquente aux agents toxiques ayant duré plusieurs années. Le traitement associe une ablation chirurgicale de l'ethmoïde, une chimiothérapie et une radiothérapie. Dans les groupes à risque, la prévention est assurée par le port d'un masque, et le dépistage de la maladie, par un examen clinique et radiographique annuel systématique.

Ethmoïdite

Inflammation aiguë des sinus de l'ethmoïde. SYN. sinusite ethmoïdale.

Les ethmoïdites comprennent différents types d'affections atteignant les sinus (cavités remplies d'air) situés à l'intérieur de l'ethmoïde. Soit l'ethmoïde est atteint en même temps que les sinus des autres os de la face : on parle alors de pansinusite ; soit il est atteint isolément : c'est l'ethmoïdite proprement dite.

L'ethmoïdite atteint surtout les enfants de 2 à 4 ans. Elle est due à une infection rhinopharyngée remontant dans les canaux par lesquels les sinus communiquent avec les fosses nasales. Elle se traduit par une atteinte grave de l'état général (fièvre, abattement), un écoulement de pus par le nez, un œdème progressif des paupières commençant à l'angle interne de l'œil. L'infection risque d'évoluer rapidement en s'étendant autour des globes oculaires (risque de cécité ultérieure) ou vers les méninges et le cerveau.

L'enfant doit être hospitalisé d'urgence. Le traitement s'appuie sur l'administration d'antibiotiques par voie intraveineuse.

Éthylisme

→ VOIR Alcoolisme.

Étiologie

Étude des causes des maladies.

Certains facteurs sont directement responsables d'une maladie, comme les agents pathogènes des maladies infectieuses, les toxiques, le froid, la chaleur, etc. D'autres constituent des facteurs favorisant l'émergence d'une maladie : hérédité, âge, sexe, hygiène de vie, conditions de travail, surmenage, problèmes affectifs.

Certaines maladies ont une seule cause bien définie, comme le méningocoque dans le cas de la méningite cérébrospinale. D'autres possèdent plusieurs causes distinctes ; c'est ainsi qu'on invoque pour un cancer le rôle de facteurs génétiques (onco-gènes), infectieux (virus) et environnementaux. À l'inverse, l'origine de certaines maladies, dites idiopathiques, demeure encore inconnue.

Étirement

Exercice d'assouplissement des muscles et des tendons.

Mise en tension du tissu, l'étirement en améliore la souplesse par augmentation des amplitudes naturelles. L'étirement du quadriceps, par exemple, qui s'effectue en position debout, consiste à prendre sa cheville dans la main et à plier le genou pour amener le talon à la fesse, sans cambrer le dos.

L'étirement doit être progressif, la tension étant maintenue quelques secondes puis relâchée lentement. Il participe à la prévention des accidents musculaires et tendineux : au cours de l'échauffement, il prépare les muscles qui vont être sollicités par le sport pratiqué et permet d'éviter l'élongation (déchirure musculaire bénigne) ; après l'effort, il évite leur enraidissement. Un muscle froid ne doit pas être étiré.

Étourdissement

Trouble caractérisé par une altération passagère des sens pouvant évoluer vers une perte de connaissance.

Un étourdissement est le plus souvent bénin. Il peut être dû à une hypotension orthostatique (chute momentanée de la pression artérielle quand on passe rapidement de la position couchée ou assise à la position debout), à un malaise vagal (ralentissement de la fréquence cardiaque et chute de la pression artérielle), à une hypoglycémie (chute de la concentration de sucre dans le sang), à un vertige paroxystique bénin, faisant rechercher une origine oto-rhino-laryngologique, à une forte émotion, à une insuffisance vertébrobasilaire (arthrose de la colonne cervicale entraînant un étourdissement lorsque l'on met la tête en arrière par compression d'une artère, elle-même souvent athéromateuse).

L'étourdissement peut avoir d'autres causes, plus rares mais sérieuses : trouble du rythme ou de la conduction cardiaques ; accident ischémique transitoire (obstruction partielle et intermittente de la circulation cérébrale) ; hématome intracérébral, surtout après un traumatisme, ou tumeur cérébrale.

Les étourdissements les plus bénins disparaissent au repos. Leur persistance, l'évolution des troubles en vertiges témoignent d'une aggravation et invitent à une consultation médicale.

Étranglement

Resserrement accidentel d'un organe ou des vaisseaux qui assurent sa nutrition, menaçant rapidement sa vitalité.

Il existe différents types d'étranglement en fonction de leur localisation. Ceux qui se produisent sur l'intestin provoquent une occlusion intestinale (arrêt du transit des matières).

■ L'étranglement herniaire se produit lorsque le segment d'intestin contenu dans la poche de la hernie est étranglé par compression à la base de la hernie. En plus de l'arrêt du transit intestinal, le malade se plaint d'une violente douleur et n'arrive plus à rentrer la hernie dans l'abdomen quand il appuie dessus. L'intestin doit être remis en place par une intervention chirurgicale d'urgence, et la paroi de l'abdomen, renforcée pour empêcher toute récidive de la hernie.

■ **Le volvulus** est dû à la rotation d'une anse intestinale sur elle-même, qui tord et étrangle le pied de l'anse, ou encore à un étranglement par une bride, bandelette fibreuse résultant le plus souvent d'une opération antérieure.

■ **L'étranglement d'un vaisseau** peut être provoqué par une fibrose (développement anormal de tissu fibreux, dû à une inflammation chronique).

■ **L'étranglement du cordon spermatique**, appelé aussi improprement torsion du testicule, se produit lorsque le cordon auquel le testicule est suspendu tourne sur lui-même ; l'artère venant de l'abdomen et cheminant dans le cordon est ainsi étranglée. Le patient, en général un adolescent, ressent une violente douleur. Là encore, seule une opération en urgence permet d'éviter la perte définitive de la fonction de l'organe (dans ce cas, la formation des spermatozoïdes).

Étrier

Un des trois osselets de l'oreille moyenne. (P.N.A. *stapes*)

L'étrier a la structure d'un triangle évidé dont la base est épaisse et large. Sa localisation le met en rapport, par son sommet, avec un autre osselet, l'enclume, et, à sa base, avec une membrane fermant l'oreille interne. En vibrant sous l'action de l'enclume, l'étrier permet la transmission du son du tympan vers l'oreille interne.

L'étrier peut être le siège d'une affection de cause inconnue, l'otospongiose, qui se traduit par une surdité. Le traitement de l'otospongiose nécessite de retirer l'étrier et de le remplacer par une prothèse au cours d'une intervention chirurgicale pratiquée sous anesthésie générale.

Étuve

1. Appareil clos dans lequel une température élevée prédéterminée est entretenue afin d'opérer la désinfection ou la stérilisation d'objets divers.

Les étuves servent à la désinfection ou à la stérilisation. Elles fonctionnent à la chaleur sèche ou humide.

■ **Les étuves à chaleur humide** sont des appareils dans lesquels est maintenue une température de 120 °C à une pression de 2 atmosphères. La désinfection est assurée en 15 minutes. Elles sont essentiellement utilisées pour la stérilisation des linges opératoires.

■ **Les étuves à chaleur sèche** sont des cuves métalliques à double paroi de cuivre, à fermeture hermétique, dans lesquelles la température doit atteindre 170 °C pendant 30 à 40 minutes. Le métal et le verre peuvent être stérilisés à la chaleur sèche, de même

que le linge et les compresses, mais les couleurs s'altèrent et, au-delà de 180 °C, les pansements risquent de roussir.

■ **Les étuves à formol** ajoutent l'effet du formol à celui de la vapeur d'eau, ce qui augmente leur action insecticide et bactéricide. La désinfection est obtenue, comme pour les étuves à chaleur humide, en 15 minutes, mais la température n'est que de 80 °C. Cette méthode présente l'avantage de ne détériorer ni les instruments délicats ni les vêtements, le cuir ou le caoutchouc.

2. Appareil utilisé en microbiologie pour maintenir les cultures de microbes à température constante et donc faciliter leur développement.

Les étuves à culture microbienne sont utilisées en laboratoire pour les analyses et la recherche. Les températures les plus favorables aux cultures de ce type se situent entre 30 °C et 40 °C.

Eucalyptus

Arbre de grande taille de la famille des myrtacées, très répandu dans les régions méditerranéennes et dont les feuilles sont utilisées pour la fabrication de médicaments. SYN. *arbre à fièvre, gommier bleu.*

Le principe actif essentiel des feuilles d'eucalyptus est l'eucalyptol, obtenu par distillation. Ses propriétés sont expectorantes (effet fluidifiant sur les sécrétions bronchiques) et antiseptiques. Ses indications sont le traitement d'appoint des affections bronchopulmonaires ou grippales. Les préparations à base d'eucalyptus sont présentées sous forme de gélules, de pastilles, de sirops, de solutions pour inhalation et de suppositoires.

Eugénisme

Théorie cherchant à opérer une sélection sur les collectivités humaines à partir des lois de la génétique.

L'eugénisme fut conçu dans la seconde moitié du XIXe siècle par le scientifique britannique sir Francis Galton. Son utilisation tendancieuse par les nazis à des fins politiques, de même que la stérilisation forcée de certaines catégories d'individus, a conduit à de dangereuses dérives, que la communauté scientifique s'applique aujourd'hui à éviter, comme en témoignent le moratoire international qui, en 1974, a interrompu pendant 2 ans les recherches en génie génétique (Congrès international d'Asilomar, Californie) et le débat actuel sur la législation de la bioéthique.

Eunuque

Homme pubère ayant subi une castration (ablation des testicules).

Ce terme s'appliquait, aux siècles passés, principalement en Orient, aux hommes à qui l'on faisait subir une castration sans raisons médicales, mais afin de les utiliser comme esclaves particuliers (gardiens de harem essentiellement).

Aujourd'hui, la castration n'est pratiquée que pour des motifs médicaux.
→ VOIR Castration.

Eustache (trompe d')

Conduit reliant le pharynx à l'oreille moyenne. (P.N.A. *tuba auditiva*)

La trompe d'Eustache a la forme d'un fin canal dont la paroi est faite de cartilage fibreux dans la portion proche du pharynx et de tissu osseux dans la portion proche de l'oreille. Elle s'ouvre par un orifice dans la paroi du rhinopharynx, au fond des fosses nasales, et par un autre orifice dans la caisse du tympan, siège de l'oreille moyenne contenant les osselets.

La trompe d'Eustache a pour rôle d'égaliser les pressions qui s'exercent sur chacune des faces du tympan, plus précisément la pression entre la caisse du tympan (face interne) et la pression atmosphérique (face externe). À chaque déglutition, les mouvements du pharynx provoquent l'ouverture automatique de l'orifice de la trompe d'Eustache, laquelle conduit alors l'air du pharynx vers l'oreille, en remplacement de celui résorbé en permanence par la muqueuse de l'oreille.

Chez l'enfant, l'hypertrophie des amygdales pharyngées, plus connues sous le nom de « végétations », peut, en obstruant les orifices d'une trompe d'Eustache (ou des deux trompes), provoquer un dysfonctionnement de celle-ci, voire une otite séreuse. Le traitement consiste alors à pratiquer une adénoïdectomie (ablation chirurgicale, sous anesthésie générale, des « végétations »).

Euthanasie

Acte consistant à ménager une mort sans souffrance à un malade atteint d'une affection incurable entraînant des douleurs intolérables.

Certains pays (Pays-Bas) autorisent l'euthanasie, mais la plupart la considèrent comme un crime, sa légalisation, délicate, étant susceptible d'entraîner un glissement de l'euthanasie « agonique » à l'euthanasie utilitaire. Dans l'état actuel des différentes législations, il est bien difficile de dire si l'accord, ou la demande, préalable du malade (en particulier s'il a adhéré à une association favorable à l'euthanasie) facilite ou non la décision médicale.

Les progrès de la médecine ont donné naissance à un nouveau problème, celui de l'euthanasie passive (pour des patients en coma dépassé maintenus artificiellement en vie) ; décider d'interrompre une réanimation est une responsabilité souvent difficile à assumer et nécessite une concertation entre famille et médecin afin d'adopter la meilleure attitude.

Euthyroïdie

État physiologique correspondant à un taux normal d'hormones thyroïdiennes.

L'euthyroïdie s'oppose à la dysthyroïdie, dysfonctionnement de la sécrétion thyroïdienne dans lequel on distingue l'hyperthyroïdie (maladie de Basedow) et l'hypothyroïdie (myxœdème).

Les hormones thyroïdiennes modulent le fonctionnement de presque tous les organes du corps. Leur rôle est de permettre l'adaptation de la fonction de l'organe aux conditions extérieures, comme la thermogenèse (production de chaleur par l'organisme), qui doit être adaptée à la température extérieure et à l'effort musculaire fourni.

Eutocie

Situation obstétricale favorable permettant d'espérer un accouchement normal.

L'eutocie s'oppose à la dystocie, qui désigne un accouchement difficile. Les présentations eutociques sont, par exemple, la présentation céphalique (tête du fœtus en avant) et, dans certains cas, la présentation par le siège (fesses en avant).

Évacuation

1. Expulsion ou rejet de matières hors de l'organisme par les voies naturelles.
2. Suppression d'une collection, par exemple le pus d'un abcès, par excision chirurgicale.

Évagination

Retournement, spontané ou chirurgical, d'un organe creux sur lui-même, comme un doigt de gant.

Au cours d'un prolapsus (descente d'organe), le vagin ou le rectum peuvent ainsi s'évaginer. Quand un traitement est nécessaire, par exemple à cause d'une incontinence rectale, il est le plus souvent chirurgical.

Évaluation fonctionnelle à visée sportive

Ensemble de tests destinés à déterminer l'aptitude physique d'un sujet à une pratique sportive et à évaluer les capacités fonctionnelles des organes mis en jeu au cours de l'exercice.
■ Dans l'évaluation de l'appareil cardiovasculaire, celui-ci est soumis à des tests d'effort simples, comme le test de Ruffier, qui consiste à effectuer 30 flexions-extensions des membres inférieurs en 45 secondes. Ces tests permettent d'observer les variations de la fréquence cardiaque et de la tension artérielle. L'épreuve sur bicyclette ou sur tapis roulant, exigeant un effort plus intense, permet de plus une évaluation de la consommation d'oxygène au cours de l'exercice ainsi que le dosage sanguin de l'acide lactique (estimation de la participation du métabolisme anaérobie) et de certaines hormones comme les catécholamines (estimation de l'état de stimulation de l'organisme). Les tests de terrain, comme le test de Cooper, qui consiste à parcourir en course à pied la plus grande distance possible en 12 minutes, sont utilisés pour estimer l'aptitude physique en fonction de la performance accomplie.
■ Dans l'évaluation de l'appareil pulmonaire, ce dernier est soumis à un examen spirométrique, qui renseigne sur les capacités ventilatoires des poumons.
■ Dans l'évaluation de l'appareil musculaire, les muscles sont testés dans différentes conditions : évaluation de la capacité de travail du muscle au cours de tests de détente comme celui de détente verticale (le sujet saute le plus haut possible et touche avec la main une règle graduée), mesure de la force maximale volontaire de certains groupes musculaires, tel le quadriceps, à l'aide d'un dynamomètre isocinétique.

En fonction de l'activité sportive pratiquée, d'autres tests peuvent être nécessaires, comme une évaluation neurologique ou ophtalmologique.

Évanouissement

→ VOIR Perte de connaissance.

Éventration

Saillie des viscères abdominaux à travers la couche musculaire de la paroi de l'abdomen et sous la peau.

Une éventration est généralement liée à un défaut de cicatrisation après une intervention chirurgicale. Siégeant à l'endroit de l'incision, elle est due à une ouverture spontanée de la couche de muscle et d'aponévrose (membrane fibreuse qui enveloppe les muscles), la paroi abdominale n'étant alors plus constituée que par la couche cutanée et le péritoine sous-jacent.

Une éventration se traduit par une saillie arrondie, parfois visible uniquement en position debout ou quand le patient fait un effort. Elle peut augmenter de volume, parfois de façon très importante, surtout lorsqu'elle siège sur la ligne médiane, au-dessus ou au-dessous de l'ombilic, ou provoquer une occlusion intestinale (arrêt du transit des matières).

TRAITEMENT

Une éventration sus-ombilicale ou sous-costale, si elle est petite, ne nécessite qu'une simple surveillance. Plus grande, elle peut parfois être contenue par une ceinture abdominale. Cependant, dès qu'une éventration devient trop volumineuse ou douloureuse, elle doit être opérée. L'intervention consiste soit à rapprocher et à suturer les muscles et les aponévroses, soit à les remplacer par une prothèse en matière synthétique, appelée plaque.

Dans tous les cas, la reprise de l'activité physique doit être progressive, éventuellement associée à une kinésithérapie.

Éversion

Renversement vers l'extérieur des bords d'un orifice, laissant apparaître le revêtement muqueux de sa face interne.

Éviction scolaire

Mesure consistant à interdire à un élève ou à un membre du personnel atteint par une maladie contagieuse la fréquentation d'un établissement d'enseignement.

L'éviction scolaire a pour but d'éviter la propagation de la maladie.

Évidement

Ablation chirurgicale radicale de tous les éléments anatomiques d'une région de l'organisme.

L'évidement sert le plus souvent à compléter le traitement d'une tumeur maligne.

Ainsi, l'évidement ganglionnaire, ou curage ganglionnaire, consiste à retirer tout un groupe de ganglions lymphatiques (par exemple ceux du cou) du fait d'un cancer situé dans la région qu'ils drainent.

Éviscération

1. Extériorisation des viscères à travers une brèche de la paroi abdominale.

Une éviscération peut être due à un défaut de solidité de la paroi abdominale après fermeture opératoire, lié à une altération préalable des tissus, à une infection, à une distension des viscères ou parfois à une complication postopératoire (lâchage d'une suture digestive, par exemple). Elle survient entre le 5e et le 10e jour suivant l'intervention. Elle est plus fréquente chez les patients en mauvais état général ou obèses. L'organe éviscéré est en général l'intestin. Le traitement, chirurgical et conduit en urgence, consiste à le réintégrer dans la cavité abdominale et à fermer la paroi.
2. Ablation chirurgicale de tous les tissus mous contenus dans une cavité naturelle. SYN. *exentération*.

L'éviscération peut être réalisée dans un dessein thérapeutique, le plus souvent en cas de tumeur cancéreuse grave. L'éviscération du globe oculaire est l'ablation du contenu de l'œil lors de certaines affections oculaires non tumorales.

Une éviscération peut aussi être pratiquée au cours de certaines autopsies. L'organe retiré est alors examiné et fait l'objet de dosages biologiques et d'examens au microscope.

Ewing (sarcome d')

Tumeur maligne des os.

Le sarcome d'Ewing est une tumeur rare qui atteint surtout l'enfant entre 10 et 15 ans, plus rarement l'adulte jeune. Il touche le plus souvent la diaphyse (partie moyenne) des os longs comme le fémur et le tibia. L'os malade est douloureux, tuméfié ; fragilisé, il risque de se briser.

Le diagnostic repose sur la radiographie ; il est confirmé par une biopsie qui permet d'analyser la tumeur. Le pronostic du sarcome d'Ewing, grave, est amélioré aujourd'hui par la radiothérapie et la chimiothérapie. Une intervention chirurgicale est parfois nécessaire.

Examen

Observation minutieuse d'un patient permettant de déterminer un diagnostic.
■ L'examen clinique fait suite à l'interrogatoire (recueil d'informations sur les antécédents personnels et familiaux, l'hygiène et le mode de vie, l'histoire de la maladie) ; il comprend l'inspection (par exemple recherche d'une éruption cutanée), la palpation (recherche d'une hépatomégalie, d'une adénopathie, etc.), la percussion (du thorax par exemple, à la recherche d'un son mat, révélant un épanchement pleural) et l'auscultation des différentes parties du corps et de certains organes (cœur, poumons) ; il peut être général ou orienté en fonction des symptômes présentés par le malade.

■ Des examens complémentaires (analyses biologiques, radiographies, endoscopie, électrocardiogramme, etc.) peuvent être prescrits afin de compléter l'examen clinique.

Examen cytobactériologique

Ensemble des techniques étudiant les cellules et les germes contenus dans les prélèvements de liquides.

L'examen cytobactériologique étudie un échantillon des pus superficiels ou profonds, des liquides physiologiques (sang, urine), des liquides réactionnels (ascite, épanchement pleural) ou des sécrétions pharyngées ou vaginales afin de déterminer s'ils révèlent ou non une infection et quel est le germe en cause.

Examen cytobactériologique des urines

Examen des urines au microscope permettant de détecter une infection urinaire et de déterminer le nombre de germes et de globules rouges et blancs par millilitre d'urine.

Un examen cytobactériologique des urines (E.C.B.U.) est prescrit dès que l'on soupçonne une infection de l'appareil urinaire (infection de la prostate, cystite bactérienne, etc.). Pour obtenir un résultat sûr et interprétable, il est important de respecter certaines conditions de prélèvement : les urines doivent être émises le matin à jeun après désinfection du méat urétral (orifice extérieur de l'urètre) et recueillies dans un flacon stérile.

■ Le nombre de germes présents dans l'urine permet d'affirmer ou non l'existence de l'infection : s'il est inférieur à 1 000/millilitre, il n'y a pas d'infection (une souillure a pu survenir lors du prélèvement) ; s'il est compris entre 1 000 et 100 000, il y a peut-être une infection, sans certitude absolue ; s'il est supérieur à 100 000, on sait de façon certaine qu'il y a une infection. Les germes repérés sont mis en culture afin d'être identifiés. L'une des méthodes employées est la coloration de Gram. Normalement, plus de 90 % des germes présents dans l'urine sont Gram négatifs (ils ne fixent pas la coloration de Gram) : *Escherichia coli*, *Proteus*, *Klebsiella*, *Enterobacter*. La culture des germes permet aussi de réaliser un antibiogramme qui teste leur sensibilité ou leur résistance vis-à-vis des différents antibiotiques. Après résultat, le médecin sera à même de prescrire l'antibiotique le plus adapté. Un examen de contrôle doit toujours être pratiqué quelques jours après l'arrêt de la prise des antibiotiques pour s'assurer de la guérison de l'infection.

■ Le nombre des cellules sanguines présentes dans l'urine apporte d'autres renseignements. Normalement, le nombre de globules rouges est inférieur ou égal à 2 000/millilitre, de même que le nombre de globules blancs. En cas d'infection, le nombre de globules blancs augmente et leur aspect est altéré. Une augmentation du nombre de globules rouges définit une hématurie microscopique, révélant une infection urinaire, une tumeur de la vessie, un calcul du rein, etc.

Examen isotopique

→ VOIR Scintigraphie.

Exanthème

Éruption cutanée érythémateuse et généralisée à l'ensemble du corps, caractéristique d'une maladie infectieuse.

Le terme d'exanthème s'emploie par opposition à celui d'énanthème, éruption sur les muqueuses (en pratique, celle qui tapisse l'intérieur de la bouche).

On observe un exanthème au cours de la rougeole, de la scarlatine, du typhus, de la varicelle, etc.

Exanthème subit

Fièvre éruptive de la première enfance liée à un virus HHV6 (virus herpès humain de type 6). SYN. *sixième maladie, roséole infantile*.

SYMPTÔMES ET SIGNES

L'exanthème subit se manifeste par une fièvre brutale qui atteint rapidement 39-40 °C et se maintient en plateau pendant trois jours environ ; elle est parfois compliquée d'une crise convulsive fébrile, en général bénigne.

L'éruption survient le troisième ou le quatrième jour ; elle précède ou accompagne la chute de la fièvre. Elle se manifeste par de petites taches superficielles, rose pâle, prédominant sur le tronc, atteignant aussi les membres mais épargnant la face. Elle dure seulement de 12 à 24 heures. Toutefois, la maladie peut également prendre la forme d'une fièvre isolée sans éruption, d'une rougeur cutanée discrète sur le tronc, très fugace et non fébrile.

TRAITEMENT

L'exanthème subit ne nécessite aucun traitement autre que celui destiné à combattre la fièvre.

Excipient

Substance associée au principe actif d'un médicament et dont la fonction est de faciliter l'administration, la conservation et le transport de ce principe actif jusqu'à son site d'absorption.

Un excipient doit être neutre vis-à-vis des principes actifs, des matériaux de conditionnement et de l'organisme. Les principaux excipients utilisés en pharmacie sont l'eau, diverses graisses (huile d'amande douce, beurre de cacao, acide stéarique), des alcools, des cires (blanc de baleine, lanoléine), des sucres (saccharose, lactose, glucose, amidon), des celluloses, des protéines (caséine), divers produits de synthèse (polyvidone, polyoxyéthylèneglycol) et des minéraux (silice, talc, kaolin, etc.).

Excision

1. Ablation chirurgicale d'un tissu malade, ne laissant en place que des tissus sains.

L'excision d'un panaris, par exemple, consiste à évacuer tout le pus collecté dans le doigt, mais aussi à retirer tous les tissus nécrosés. On peut aussi exciser une escarre, zone de nécrose cutanée survenant chez les malades longtemps alités. L'excision peut servir en même temps de biopsie si elle est suivie d'un examen des lésions au microscope. Après une excision de tissus superficiels, la cicatrisation peut être facilitée par la greffe d'un lambeau de peau prélevé à un autre endroit du corps du sujet.

2. Ablation rituelle de tout ou partie des organes génitaux féminins externes.

L'excision, de même que l'infibulation, est pratiquée dans un dessein rituel dans certains pays d'Afrique et du Moyen-Orient. Cette mutilation engendre de nombreuses complications, immédiates ou non : hémorragies, infections (y compris le tétanos), lésions du périnée (région située entre les organes génitaux et l'anus), douleurs pendant l'acte sexuel et suppression du plaisir sexuel. L'excision est illégale dans de nombreux pays, dont la France, le Canada, la Belgique, la Grande-Bretagne, l'Espagne et la Suisse.

Excitabilité

Faculté possédée par les cellules musculaires et les cellules nerveuses de réagir à une stimulation.

L'excitabilité repose sur un processus physiologique : une cellule nerveuse libère une substance chimique (neurotransmetteur) qui se fixe sur des récepteurs membranaires d'une cellule musculaire et les excite, ce qui déclenche la contraction de celle-ci. Ce phénomène a lieu grâce à un potentiel d'action, activité électrique due à des mouvements d'ions (sodium, potassium, calcium) à travers la membrane cellulaire. Cette propriété est utilisée lors des procédés d'exploration par électrodiagnostic.

Exclusion

Opération chirurgicale consistant à isoler un organe ou une portion d'organe de sa circulation sanguine normale, de son circuit digestif ou respiratoire.

Les exclusions ont des indications et une technique opératoire variables selon l'organe concerné. Cependant, on peut les classer en deux grandes catégories, selon qu'elles sont transitoires ou définitives.

■ Les exclusions transitoires, de durée suffisamment courte pour éviter des lésions tissulaires par anoxie (suppression de l'apport d'oxygène aux tissus), sont destinées à faciliter une intervention chirurgicale : exclusion vasculaire du foie par interruption de ses vaisseaux pendant une hépatectomie (ablation de tout ou partie du foie) pour limiter les pertes de sang ; exclusion d'un poumon par une sonde interrompant la ventilation au cours de l'ablation d'un organe thoracique ; exclusion de la circulation cardiaque par circulation extracorporelle lors des interventions de chirurgie cardiaque.

■ Les exclusions définitives sont surtout pratiquées pour court-circuiter un segment d'intestin rétréci par une inflammation ou une tumeur.

Excoriation cutanée

Perte de substance de la peau n'atteignant que les couches très superficielles.

Les excoriations cutanées s'observent lorsqu'un sujet atteint d'une maladie provoquant des lésions prurigineuses (psoriasis, lichen) se gratte. Elles peuvent être le point de départ de petites surinfections, provoquées en particulier par des staphylocoques.

Excrétion

Évacuation hors de l'organisme, ou de la structure qui les a élaborés, des sécrétions ou des déchets inutilisables ou nocifs.

Une excrétion suit immédiatement la sécrétion produite, comme celle de la sueur par les glandes sudoripares de la peau, ou est différée, comme dans le cas de la bile, de l'urine ou des matières fécales : dans ce cas, le produit, après sécrétion, est accumulé dans un réservoir où il peut être retenu.

Les organes excréteurs sont les reins (déchets azotés, sels minéraux, médicaments), le foie (bile), le côlon (selles), les poumons (gaz carbonique et vapeur d'eau), les glandes sudoripares (sels et eau).

Exérèse

→ voir Ablation.

Exocrine

Se dit d'une glande ou d'une cellule dont les produits de sécrétion sont directement excrétés dans une cavité naturelle (tube digestif, par exemple) ou à l'extérieur (peau) et de la sécrétion d'une telle glande ou d'une telle cellule.

La sécrétion exocrine se distingue de la sécrétion endocrine, qui libère le produit élaboré dans la circulation sanguine.

Les produits de sécrétion des cellules exocrines du tube digestif sont le mucus, des enzymes et diverses substances comme le facteur intrinsèque. Les glandes sudoripares et les glandes lacrymales sont des glandes exocrines. Le pancréas, quant à lui, est une glande à la fois endocrine (il sécrète l'insuline) et exocrine (il libère des enzymes digestives).

Exocytose

Envahissement de l'épiderme par des cellules venant du derme.

L'exocytose s'observe dans certaines maladies, comme l'eczéma ou le psoriasis, au cours desquelles l'épiderme est envahi par des globules blancs (lymphocytes, granulocytes) venant du derme sous-jacent.

Exogène

Qualifie ce qui provient de l'extérieur de l'organisme.

Exogène est le contraire d'endogène. Une intoxication à l'oxyde de carbone, par exemple, est une intoxication exogène.

Exon

Partie du gène qui détermine la structure d'une protéine.

Chaque gène contient le plan de fabrication d'une ou de plusieurs protéines. Les exons sont les régions de l'A.D.N. génique qui déterminent l'ordonnancement des acides aminés lors de cette synthèse. D'autres régions de l'A.D.N., qui n'interviennent pas dans ce processus et dont le rôle est encore mal connu, sont appelées introns.

Exonération

→ voir Défécation.

Exophorie

Déviation divergente et latente (qui n'existe pas à l'état de repos de l'œil et n'apparaît que dans certaines conditions) des axes des globes oculaires.

L'exophorie se distingue à la fois de l'exotropie (strabisme), au cours de laquelle la déviation est permanente et s'accompagne d'un trouble de la vision binoculaire, et de l'ésophorie, où la déviation est convergente.

L'exophorie est un trouble fréquent qui n'a pas de cause spécifique.

SYMPTÔMES ET SIGNES

Ils apparaissent souvent après un travail de près et traduisent une fatigue oculaire. L'exophorie peut entraîner des douleurs sourdes, des picotements, une sensation de paupières lourdes, de brûlure parfois associés à un larmoiement, à une rougeur oculaire, voire à une vision trouble ou double. Ces symptômes peuvent s'accompagner de maux de tête localisés au front ou à la nuque. Beaucoup d'exophories, cependant, ne présentent aucun de ces symptômes et sont très bien supportées.

DIAGNOSTIC

L'exophorie est mise en évidence par le test de l'écran : le sujet fixe un point précis, puis l'on interpose un écran entre le point et chaque œil alternativement. Lorsque l'écran est levé, l'œil qui était caché est tourné vers l'extérieur. Le bilan orthoptique mesure les angles de déviation et les possibilités de vision binoculaire.

TRAITEMENT

Le traitement fait appel au port de verres correcteurs, surtout pour les myopes, et à la rééducation orthoptique, qui a pour but d'améliorer la vision binoculaire.

Exophtalmie

Saillie du globe oculaire hors de son orbite.

CAUSES

Une exophtalmie provient d'une modification soit du « contenant » (rétrécissement de l'orbite), soit du « contenu » (augmentation du volume des éléments de l'œil ou développement d'une tumeur à cet endroit). Elle peut être bilatérale ou unilatérale.

■ L'exophtalmie bilatérale est le plus souvent associée à une maladie thyroïdienne auto-immune (maladie de Basedow, thyroïdite de Hashimoto).

■ L'exophtalmie unilatérale peut avoir plusieurs origines : infectieuse (cellulite orbitaire, notamment liée à une sinusite), vasculaire (fistule carotidocaverneuse d'origine traumatique, angiome orbitaire), traumatique (hématome intraorbitaire ou emphysème sous-cutané après fracture d'un sinus), tumorale.

SYMPTÔMES ET SIGNES

La saillie de l'œil est variable et peut être mesurée par l'exophtalmomètre de Hertel ou au scanner. Cette saillie peut être associée à une rougeur de la conjonctive, à un œdème des paupières, parfois à une vision double avec un strabisme passager.

DIAGNOSTIC

Il repose sur l'examen clinique, qui détermine si l'exophtalmie est unilatérale ou bilatérale, si elle peut être réduite (le globe oculaire peut être repoussé partiellement en arrière) ou non, si la saillie est dans l'axe de l'orbite ou oblique, s'il y a des signes vasculaires (souffle à l'auscultation, battements pulsatiles ressentis en appuyant sur l'œil). En complément, l'échographie orbitaire et le scanner permettent de confirmer l'exophtalmie, de la mesurer et, bien souvent, d'en découvrir la cause. L'imagerie par résonance magnétique (I.R.M.) et d'autres examens (bilan de la fonction thyroïdienne, artériographie) contribuent à la recherche de causes plus spécifiques ou à la détermination d'un éventuel retentissement sur le champ visuel, dû à une atteinte du nerf optique.

TRAITEMENT

C'est d'abord celui de la cause : il est hormonal – associé éventuellement à une corticothérapie – pour une exophtalmie basedowienne, antibiotique et anti-inflammatoire pour les exophtalmies infectieuses, chirurgical, radiothérapique ou chimiothérapique pour les exophtalmies tumorales, neurochirurgical ou neuroradiologique en cas d'anomalies vasculaires. Si une exophtalmie majeure menace le nerf optique, une décompression orbitaire chirurgicale peut être envisagée. L'exophtalmie disparaît partiellement ou totalement, sans séquelles.

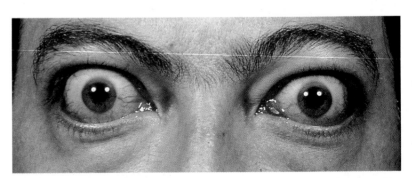

Exophtalmie bilatérale. *Les yeux, que la paupière ne vient plus recouvrir normalement, semblent écarquillés sous l'effet d'une émotion.*

Exosérose

Envahissement de l'épiderme par des liquides séreux.

Une exosérose s'observe au cours de l'eczéma. Elle se traduit par l'accumulation de sérosités (liquides clairs) provenant des vaisseaux du derme sous-jacent, provoquant un suintement de l'épiderme.

Exostose

Tumeur bénigne se développant à la surface d'un os.

Les exostoses, autrefois appelées ostéochondromes, sont d'origine inconnue. Cependant, l'exostose du conduit auditif externe est plus fréquente chez les sujets souvent au contact de l'eau (plongeurs sous-marins, surfeurs).

Lorsque les exostoses sont multiples et qu'elles siègent sur différents os, elles sont caractéristiques d'une affection héréditaire, la maladie des exostoses multiples. Celle-ci débute dès l'enfance : les exostoses compriment des nerfs ou des artères ; elles ne dégénèrent que très rarement en cancer. Les exostoses solitaires apparaissent plus tard et donnent lieu à moins de complications, bien que les exostoses du conduit auditif soient source de surdité.

TRAITEMENT

Lorsque les exostoses sont gênantes, elles peuvent être retirées chirurgicalement. Dans les autres cas, une simple surveillance clinique et radiologique est suffisante, mais nécessaire.

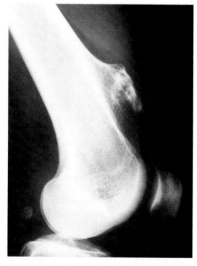

Exostose. Cette tumeur osseuse bénigne déforme le bord du fémur (en haut, à droite).

Exotoxine

Toxine produite par certaines bactéries pendant leur phase de croissance et sécrétée dans l'organisme.

Les principales exotoxines sont les exotoxines neurotropes (touchant le système nerveux) du tétanos, de la diphtérie et du botulisme. D'autres, telles les entérotoxines, sont responsables de symptômes digestifs et, notamment, du choléra.

Exotropie

→ voir Strabisme.

Expectorant

Fluidifiant bronchique facilitant l'expectoration des sécrétions produites par les voies respiratoires inférieures (trachée, bronches, alvéoles pulmonaires). SYN. *fluidifiant, mucolytique.*

Les expectorants sont représentés par différents types de substance : benzoate de sodium, carbocystéine, terpine, essence de thérébenthine. Ils sont indiqués en traitement d'appoint des affections provoquant une augmentation des sécrétions (bronchite aiguë et chronique, mucoviscidose). Leur emploi est contre-indiqué en association avec des médicaments antitussifs ou quand les sécrétions sont déjà suffisamment fluides, et aussi chez les malades qui ne peuvent pas cracher à cause d'un état général ou respiratoire trop faible.

Les expectorants sont administrés par voie orale (comprimés, sirop, solutions buvables, granulés) ou en inhalation (aérosol). Pris à forte dose, ils peuvent provoquer des gastralgies (douleurs de l'estomac) et, surtout si les contre-indications ne sont pas respectées, une inondation des bronches par les sécrétions, qui conduit à une asphyxie.

Expectoration

1. Expulsion par la toux de sécrétions provenant des voies aériennes inférieures (trachée, bronches, alvéoles pulmonaires). 2. Produit expulsé par la toux.

Les expectorations, plus couramment appelées crachats, sont provoquées par une accumulation de sécrétions, survenant notamment au cours d'affections bronchopulmonaires : bronchite aiguë, bronchite chronique, bronchectasie, asthme, infection pulmonaire (pneumonie, abcès du poumon, tuberculose), altérations bronchiques consécutives au tabagisme.

Les expectorations de sang, ou hémoptysies, sont un cas particulier ; elles peuvent être dues à une affection bronchopulmonaire (cancer bronchique, embolie pulmonaire, tuberculose) ou cardiaque aiguë.

TRAITEMENT

Il n'y a pas lieu d'empêcher directement l'expectoration, qui n'est que le signe d'une maladie et qui, en empêchant l'accumulation des sécrétions, a un rôle bénéfique. Lorsqu'elle est chronique, très gênante, ou si les sécrétions sont trop épaisses et difficiles à expectorer, on cherche cependant à la faciliter à l'aide de médicaments fluidifiants, voire d'une kinésithérapie respiratoire.

Expérimentation

Étude de paramètres physiologiques ou des effets de substances potentiellement thérapeutiques, faite sur l'animal ou sur l'être humain.

Actuellement, à côté des études sur l'animal se développent des tests réalisés sur culture de tissu.

Chez l'homme peuvent être distinguées (en accord avec la plupart des législations européennes) les études considérées comme sans bénéfice réel pour l'individu (évaluation de paramètres physiologiques chez des sujets sains), au cours desquelles la protection et la liberté individuelles, sont respectées de manière particulièrement stricte, et les études susceptibles d'apporter un bénéfice réel pour l'individu (essais thérapeutiques effectués sur des malades). Chaque étude est réalisée conformément à un protocole d'expérimentation.

L'ensemble des méthodes d'expérimentation doit obéir aux règles de l'éthique médicale.
→ voir Essai thérapeutique, Éthique médicale.

Expertise médicale

Étude pratiquée par un médecin-expert, aboutissant à l'établissement d'un rapport d'expertise.

■ Dans le domaine de l'assurance, les compagnies emploient des médecins experts tant pour fixer le risque à assurer que pour apprécier les dommages et les incapacités entraînés par un sinistre corporel.

■ Dans le domaine judiciaire, l'expertise s'effectue à la demande d'un magistrat. L'expert détermine la cause et les circonstances d'une mort, évalue l'état psychique et le degré de responsabilité d'un inculpé. Dans les procédures civiles, il détermine les causes et les responsabilités d'un sinistre corporel et fixe l'importance des dommages.

■ Dans le domaine pharmacologique, les organismes publics qui autorisent la mise sur le marché des nouveaux médicaments exigent des rapports d'expertise sur les différentes phases de l'étude d'un nouveau produit : action sur l'animal, pharmacocinétique (devenir du médicament dans l'organisme), effets thérapeutiques, toxicité, effets indésirables. Toute nouvelle méthode de diagnostic ou de traitement instrumental fait également l'objet d'une expertise avant d'être autorisée.

Enfin, l'expertise médicale peut être requise par diverses instances, comme les sociétés savantes, les associations de consommateurs ou les centres hospitaliers, pour connaître la valeur de certaines procédures diagnostiques ou thérapeutiques.

Expiration

Phase de la respiration pendant laquelle l'air est expulsé hors des poumons.

Au repos, l'expiration (plus courte que l'inspiration) est un phénomène passif, c'est-à-dire qu'elle ne met pas en jeu de contractions musculaires : après une inspiration, la cage thoracique se rabaisse sous l'action de la pesanteur et les poumons reprennent spontanément leur place grâce à leur élasticité naturelle. Cependant, l'expiration forcée est un phénomène actif : elle fait intervenir des muscles dits expiratoires (intercostaux, abdominaux).

Exploration fonctionnelle rénale

Ensemble d'examens destinés à évaluer la fonction rénale.

L'étude des reins fait appel à de très nombreux examens complémentaires. Certains, comme l'échographie, donnent essentiellement des renseignements morphologiques ; d'autres, comme la mesure de la créatininémie (taux sanguin de créatinine) ou la recherche d'une protéinurie (présence de protéines dans l'urine), sont des examens de routine, renseignant d'une façon globale sur le fonctionnement rénal ; d'autres examens, enfin, beaucoup plus sophistiqués, ont pour objectif d'étudier plus précisément certaines fonctions des reins et surtout d'apporter des renseignements quantitatifs : ce sont les épreuves fonctionnelles rénales, réalisées le plus souvent dans des services d'exploration spécialisés.

DIFFÉRENTS TYPES D'EXPLORATION

Trois examens surtout sont pratiqués.

■ **La mesure de la filtration glomérulaire** est le seul examen qui permette d'affirmer l'existence d'une insuffisance rénale et d'en apprécier la gravité. Elle s'obtient en mesurant la clairance rénale, c'est-à-dire le nombre de millilitres de plasma sanguin que le rein peut filtrer en éliminant totalement une substance donnée en l'espace d'une minute ; celle-ci se situe normalement entre 100 et 120 millilitres/minute. En effet, l'insuffisance rénale se caractérise par une baisse de la filtration glomérulaire ; on calcule donc la clairance rénale de substances uniquement filtrées par le glomérule, comme la créatinine ou l'inuline, sachant que, en cas d'insuffisance rénale, ces chiffres s'abaissent. Cette technique ne nécessite qu'une analyse sanguine couplée à une analyse d'urine. Quand on veut connaître la filtration glomérulaire de chaque rein, et non la fonction rénale globale, on utilise une technique de scintigraphie fondée sur la détection de substances radioactives préalablement absorbées par le patient.

■ **La mesure du flux sanguin rénal** a pour objet de déterminer la quantité de sang qui pénètre dans les reins en une minute. On mesure à cet effet, à l'aide d'une analyse de sang couplée à une analyse d'urine, la clairance de l'acide para-amino-hippurique (P.A.H.), qui permet d'obtenir le flux plasmatique rénal, à partir duquel on calcule le flux sanguin rénal. Normalement, le flux plasmatique est de 600 millilitres/minute et le flux sanguin rénal varie entre 1 000 et 1 200 millilitres/minute. Il existe aussi des méthodes utilisant des traceurs radioactifs qui permettent d'évaluer le flux sanguin de chaque rein.

■ **L'étude des fonctions tubulaires du rein** vérifie la capacité du tubule rénal à réguler le volume de l'urine et sa composition afin de maintenir à un niveau constant les différents composants du milieu interne de l'organisme. Ainsi, on peut mesurer aussi bien le pouvoir de concentration ou de dilution du rein que sa capacité d'acidifier les urines. Pour mesurer la capacité du rein à concentrer l'urine, on demande au sujet de s'abstenir de boire pendant quinze heures, au terme desquelles on recueille ses urines, qui doivent atteindre une concentration d'une osmolarité supérieure à 900 milliosmoles/litre. À l'inverse, pour mesurer le pouvoir de dilution du rein, on fait boire le sujet le plus possible pendant plusieurs heures, puis on mesure l'osmolarité de ses urines, qui doit s'abaisser jusqu'à 80 milliosmoles/litre. Pour calculer la capacité d'acidification des urines, on fait ingérer au patient, en grandes quantités, des substances acides (chlorure d'ammonium), puis on étudie le pH (degré d'acidité) de l'urine. Normalement, celui-ci doit descendre au moins jusqu'à 5,4.

Exploration fonctionnelle respiratoire

Ensemble d'examens destinés à évaluer la fonction respiratoire.

Les explorations fonctionnelles respiratoires (E.F.R.) servent à diagnostiquer la plupart des maladies du poumon, à en apprécier la gravité et à contrôler l'efficacité de leur traitement. Elles sont aussi réalisées avant certaines interventions chirurgicales afin d'évaluer l'opérabilité du sujet et les risques de complications postopératoires. L'exploration séparée de chaque poumon est indispensable avant pneumonectomie (ablation d'un poumon).

DIFFÉRENTS TYPES D'EXPLORATION

■ **La spirométrie** consiste à faire respirer le sujet par la bouche, le nez pincé, dans un tuyau relié à un appareil de mesure, en exécutant différentes manœuvres (respiration normale, inspiration forcée, expiration forcée). Elle indique les volumes d'air contenus dans les poumons à différents moments de la respiration, les débits d'air inspirés ou expirés et permet de tracer un graphique (courbe débit-volume). La spirométrie permet de détecter un éventuel syndrome obstructif, qui se traduit par une baisse des débits expiratoires, ou restrictif, se traduisant par une baisse des volumes. C'est la technique d'exploration fonctionnelle respiratoire la plus simple, la plus rapide (quelques minutes) et la moins spécialisée.

■ **Les tests pharmacodynamiques**, pratiqués au cours d'une spirométrie, consistent à faire inhaler au sujet des substances bronchoconstrictrices ou bronchodilatatrices. Ils permettent, d'une part, d'obtenir des diagnostics plus précis que ceux de la spirométrie simple, d'autre part, de tester la sensibilité d'un sujet allergique à une substance donnée.

■ **La pléthysmographie** consiste à placer le sujet dans une petite enceinte fermée où l'on mesure facilement les variations de volume de son thorax et les modifications de pression correspondantes. Elle donne une appréciation des volumes pulmonaires plus complète que la spirométrie ; elle permet aussi d'évaluer la résistance des bronches au passage de l'air.

■ **La manométrie intraœsophagienne** consiste à mesurer à l'aide d'une sonde les pressions à l'intérieur de l'œsophage. Elle permet d'évaluer la souplesse des poumons et de la cage thoracique.

■ **La mesure de la concentration des gaz du sang** (oxygène, gaz carbonique) nécessite un prélèvement sanguin effectué au poignet, dans l'artère radiale (là où l'on sent battre le pouls). Cet examen, assez facile et rapide, se pratique surtout en urgence pour évaluer la gravité d'une affection respiratoire d'après la baisse de la concentration d'oxygène dans le sang.

Exploration urodynamique

Ensemble des examens permettant d'enregistrer les variations de pression et de débit régnant dans l'appareil urinaire afin de détecter certaines anomalies de l'évacuation de l'urine du rein vers la vessie et de la miction.

L'appareil permettant ces mesures, couramment appelé chaise urodynamique, est constitué de capteurs placés, par l'intermédiaire d'une sonde, dans les cavités des voies urinaires (vessie, bassinet) et permettant d'enregistrer en continu les variations de pression et de débit dans ces cavités au fur et à mesure de leur remplissage par du sérum physiologique, qui simule l'urine.

On distingue quatre principaux types d'examen urodynamique.

■ **La cystomanométrie** consiste à enregistrer les pressions régnant dans la vessie lors de son remplissage. Normalement, la pression de base augmente jusqu'à un pic se traduisant, lorsque la vessie est pleine, par un besoin d'uriner. Cet examen permet d'explorer les vessies neurologiques (vessies déficientes du fait de lésions nerveuses).

■ **La débitmétrie mictionnelle** consiste à calculer le débit de la miction, ce qui permet de déceler une gêne à l'évacuation de l'urine (adénome prostatique, rétrécissement de l'urètre). Le débit maximal moyen normal est d'environ 20 millilitres par seconde.

■ **Le profil de pression urétral** consiste à mesurer les pressions intra-urétrales afin de déceler une éventuelle insuffisance sphinctérienne. Indolore, cet examen ne nécessite aucune hospitalisation ni anesthésie. Il est utilisé pour mettre en évidence les anomalies de la jonction pyélo-urétérale ou toute autre malformation obstructive du haut appareil urinaire (uretère, calice, bassinet).

■ **Le test de Whitaker** consiste à enregistrer les pressions régnant dans le bassinet du rein. Cet examen, effectué en milieu hospitalier, nécessite la mise en place, sous anesthésie locale, locorégionale ou générale, d'une sonde dans le bassinet par néphrostomie percutanée (ponction à travers la peau des voies excrétrices intrarénales grâce à un contrôle radioscopique et échographique). Il permet de confirmer et d'évaluer l'importance d'un obstacle à l'évacuation de l'urine du rein vers la vessie.

Expression

En génétique, traduction de l'information portée par un gène.

L'expression d'un gène conduit à la formation de la protéine dont il détient le plan de fabrication. Lorsqu'un gène subit une mutation, la protéine dont il permet la synthèse est modifiée, ce qui peut provoquer une maladie, comme la drépanocytose.

Expulsion

Évacuation par les voies naturelles d'un élément contenu dans le corps.

Le terme d'expulsion peut ainsi s'appliquer à l'élimination d'un calcul rénal par l'urètre, des fèces par l'anus, de mucus ou d'un corps étranger par les voies respiratoires.

La dernière phase de l'accouchement, durant laquelle l'enfant sort des voies génitales de la mère, est aussi appelée expulsion. Lorsque le col utérin est complètement dilaté, les contractions utérines et les poussées abdominales de la mère font progresser l'enfant dans le petit bassin. Selon la présentation, la tête ou le siège apparaît à la vulve et l'obstétricien ou la sage-femme contiennent la force de la poussée pour éviter la déchirure des tissus du périnée. Une incision de ces tissus (épisiotomie) est parfois pratiquée pour faciliter le passage de l'enfant.

On appelle aussi expulsion l'élimination de tout élément issu de la cavité utérine, soit au cours d'une fausse couche spontanée (expulsion naturelle), soit lors d'une interruption thérapeutique de grossesse.

Exsanguinotransfusion

Remplacement de la plus grande partie du sang ou des globules rouges d'un malade par le sang ou les globules rouges de donneurs.

INDICATIONS

Les principales indications d'une exsanguinotransfusion sont la maladie hémolytique du nouveau-né, les anémies ou les intoxications graves, la babésiose, la drépanocytose.

■ **La maladie hémolytique du nouveau-né,** causée par une incompatibilité sanguine entre la fœtus et sa mère, entraîne une anémie grave de l'enfant qui se manifeste par un ictère. Cette maladie se produit lorsque la mère appartient à un groupe sanguin Rhésus négatif, a fabriqué des anticorps antirhésus et est enceinte d'un bébé Rhésus positif. Si l'état de santé du bébé, évalué notamment d'après le dosage de la bilirubine présente dans son sang, le requiert, on procède à une exsanguinotransfusion dans les premiers jours de la vie de l'enfant. Les globules rouges de sang neuf se substituent alors aux globules rouges de l'enfant, qui sont porteurs des anticorps responsables de la maladie, et corrigent l'anémie ; la bilirubine, pigment responsable de l'ictère, est éliminée. Aujourd'hui, l'exsanguinotransfusion peut être effectuée au cours de la grossesse, sur le fœtus à l'intérieur de l'utérus, lorsque se manifestent des signes graves de maladie hémolytique, en particulier un œdème généralisé (anasarque) décelé à l'échographie. La ponction, suivie d'une injection, est faite dans le cordon ombilical, sous contrôle échographique, et peut être répétée plusieurs fois avant la naissance.

■ **D'autres anémies hémolytiques graves** peuvent justifier une exsanguinotransfusion, en particulier la drépanocytose (maladie sanguine héréditaire caractérisée par la présence d'une hémoglobine anormale, l'hémo-

globine S). L'exsanguinotransfusion, qui permet d'abaisser le taux d'hémoglobine S au-dessous de 40 % ou même de 20 %, peut être répétée périodiquement ; elle est indiquée en cas de complications sévères (infections, accident vasculaire cérébral).

■ **Des intoxications graves** peuvent nécessiter une exsanguinotransfusion isolée, par exemple l'intoxication par l'hydrogène arsénié ou le sulfate de cuivre, ainsi que la babésiose (maladie parasitaire des animaux transmise à l'homme par une tique).

TECHNIQUE

L'exsanguinotransfusion est pratiquée de façon manuelle chez le nouveau-né : un cathéter est introduit dans la veine ombilicale pour permettre alternativement les ponctions de sang du bébé et les injections du sang ou de globules rouges du donneur. Dans d'autres cas (drépanocytose), on peut utiliser un appareil de cytaphérèse qui permet d'éliminer les globules rouges du malade et de lui restituer les autres éléments de son sang ainsi que des globules rouges sains. Cette méthode est plus rapide et plus confortable pour le patient que la méthode manuelle, qui consiste à retirer le sang du malade par une veine et à réinjecter le sang du donneur par une autre veine.

Exstrophie vésicale

Développement incomplet de la vessie et de la paroi abdominale située sous le nombril.

Dans l'exstrophie vésicale, la vessie, inachevée, s'ouvre directement sur la paroi abdominale, entre le nombril et le pubis, l'urine s'écoulant alors directement à l'extérieur. D'autres malformations sont souvent associées à cette malformation congénitale : épispadias (positionnement anormal de l'orifice de l'urètre) chez le garçon, clitoris divisé chez la fille, disjonction entre les deux os iliaques formant la symphyse pubienne, aplasie (développement incomplet) du sphincter urétral.

Une exstrophie nécessite plusieurs opérations : reconstruction de la vessie, de la paroi abdominale, du sphincter urétral et de l'urètre. Le résultat final peut être excellent, rétablissant une bonne continence urinaire et une fonction sexuelle normale.

Exsudat

1. Suintement liquide d'une partie des éléments du sang à travers la paroi d'un vaisseau.

Un exsudat, riche en albumine et en leucocytes, est généralement consécutif à une inflammation des membranes qui entourent un organe ; responsable d'un épanchement, il remplit certaines cavités. Son caractère inflammatoire le différencie du transsudat, épanchement de liquide séreux ou albumineux purement mécanique.

2. Liquide d'un épanchement pleural riche en protéines.

Lorsqu'il est supérieur à 25 grammes/litre, le taux de protéines d'un exsudat témoigne d'un processus inflammatoire ou infectieux. L'aspect du liquide peut orienter vers l'affec-

tion en cause : un exsudat jaune citron évoque une pleurésie d'origine tuberculeuse, un exsudat contenant des traces de sang, ou hémorragique, évoque une pleurésie maligne, etc.

Extenseur

Muscle étendant un segment de membre sur l'autre.

Extension

Action d'allonger un segment du corps dans le prolongement du segment qui lui est adjacent.

Tendre le membre supérieur, par exemple, revient à placer l'avant-bras en extension sur le bras. Le terme est également utilisé pour qualifier une articulation dans une situation donnée : le genou est en extension lorsque la jambe est tendue.

Extension continue

Il s'agit d'une méthode orthopédique de traitement des fractures par traction à l'aide de poids et d'un système de poulies et de câbles. La traction sur l'os est assurée soit par l'intermédiaire d'une broche qui le traverse, soit par des bandes adhésives collées sur le membre. Elle peut être maintenue plusieurs semaines. Cette méthode est souvent utilisée chez l'enfant et pour les fractures du bassin chez l'adulte.

Extéroceptif

Qui reçoit ses informations de récepteurs sensoriels situés dans la peau et stimulés par des agents extérieurs à l'organisme.

■ **La sensibilité extéroceptive** complète la sensibilité des organes sensoriels : la sensibilité intéroceptive (venant des viscères) et la sensibilité proprioceptive (venant des muscles et des articulations). La sensibilité extéroceptive est rendue possible par la présence dans la peau et dans les muqueuses de récepteurs microscopiques, les extérocepteurs, transmettant aux fibres nerveuses les informations provenant d'une stimulation mécanique (toucher, pression forte), thermique (froid, chaleur) ou douloureuse (irritation). Le message nerveux peut alors soit se poursuivre jusqu'au cortex cérébral, où il devient conscient, soit être à l'origine d'un réflexe extéroceptif.

■ **Le réflexe extéroceptif** est un réflexe de défense, qui consiste par exemple en un retrait involontaire et incontrôlable d'un membre afin de soustraire celui-ci à une stimulation douloureuse de la peau. Le cerveau anticipe alors la réaction douloureuse. Ces réflexes mettent en jeu plusieurs neurones (cutanés, médullaires et moteurs).

Extinction de voix

→ VOIR Aphonie.

Extraction

Intervention chirurgicale ou médicale consistant à retirer de l'organisme un tissu (une tumeur, par exemple), un organe (dent, etc.) ou un corps étranger.

Extraction dentaire

→ VOIR Avulsion dentaire.

Extrapériosté

Qui se rapporte à une technique chirurgicale permettant d'atteindre un os en le détachant de ses attaches musculaires sans en décoller le périoste, membrane de tissu conjonctif adhérant à l'os.

Une intervention extrapériostée provoque une perte de sang plus importante qu'une intervention sous-périostée, qui consiste à dénuder un os sans laisser le périoste en place, mais elle permet en revanche de respecter la vascularisation de l'os, assurée par la multitude de petits vaisseaux que contient le périoste.

Extrapéritonisation

Intervention chirurgicale consistant à placer un organe en dehors de la cavité péritonéale.

L'extrapéritonisation se pratique, par exemple, au cours d'une colostomie (opération créant un anus artificiel par abouchement du côlon à la peau). Elle consiste alors à placer le segment du côlon qui est juste avant l'ouverture cutanée entre le péritoine (qui tapisse l'abdomen) et la paroi musculaire de l'abdomen. Cette technique réduit les risques ultérieurs de prolapsus (sortie du côlon en dehors de l'abdomen par l'anus artificiel).

Extrasystole

Contraction cardiaque anormale survenant de manière prématurée au cours du cycle cardiaque.

DIFFÉRENTS TYPES D'EXTRASYSTOLE

On distingue trois types d'extrasystole en fonction de leur lieu d'origine : les extrasystoles auriculaires, qui prennent naissance dans les oreillettes, les extrasystoles jonctionnelles ou nodales, qui sont produites à la jonction auriculo-ventriculaire, et les extrasystoles ventriculaires, qui naissent dans les ventricules.

CAUSES ET SYMPTÔMES

Les extrasystoles sont le plus souvent dues à l'hyperexcitabilité électrique d'une zone limitée du myocarde. Elles peuvent passer totalement inaperçues ou, à l'inverse, s'accompagner d'une sensation de coups dans la poitrine, de palpitations, de malaise ou de pause cardiaque.

DIAGNOSTIC

Les extrasystoles sont facilement détectées par la prise du pouls et surtout par l'auscultation cardiaque prolongée, qui décèle l'irrégularité des battements cardiaques.

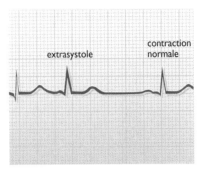

Le pic formé par une extrasystole auriculaire est peu ample et étroit.

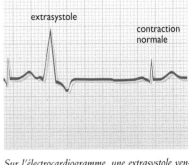

Sur l'électrocardiogramme, une extrasystole ventriculaire est plus haute et large.

Elles sont confirmées par l'électrocardiographie. Lorsque le médecin le juge nécessaire, il prescrit un enregistrement électrocardiographique sur 24 heures (enregistrement Holter), qui permet de préciser les caractéristiques des extrasystoles : siège, nombre, répétition au hasard ou identique, existence et longueur d'une pause extrasystolique, variabilité sur 24 heures.

ÉVOLUTION

L'évolution dépend très étroitement du type d'extrasystole et de l'existence ou non d'une cardiopathie associée.

■ **Les extrasystoles auriculaires ou jonctionnelles**, peu nombreuses, sont bénignes sur cœur sain et peuvent être négligées. En revanche, quand elles sont nombreuses, elles doivent être prises en charge, surtout en cas de cardiopathie sous-jacente. Elles peuvent entraîner une fibrillation auriculaire, trouble du rythme qui justifie, compte tenu de son risque évolutif, d'en préciser les causes afin d'ajuster le traitement.

■ **Les extrasystoles ventriculaires**, quant à elles, ne doivent jamais être négligées, leur existence sur cœur sain étant rare. Elles se rencontrent dans diverses cardiopathies. Dans l'infarctus du myocarde, par exemple, elles peuvent être répétitives et engendrer la survenue d'une tachycardie ventriculaire, voire d'une fibrillation ventriculaire, spontanément mortelle en l'absence d'un traitement d'urgence (par cardioversion, c'est-à-dire choc électrique externe). La gravité potentielle des extrasystoles ventriculaires est évaluée en fonction de leur nombre, de leur précocité, de l'existence ou

non de formes répétitives et de leur morphologie (montrant l'existence d'un seul ou de plusieurs foyers d'hyperexcitabilité ventriculaire).

TRAITEMENT

Il n'est pas systématique et dépend du caractère symptomatique ou non des extrasystoles, ainsi que de leur siège, de leur fréquence et de leur association ou non avec une cardiopathie. Chaque fois que cela est possible, le traitement des extrasystoles est celui de leur cause. Il fait parfois appel à l'administration d'antiarythmiques.

Exulcération

→ VOIR Érosion.

Ex vivo

Se dit des expérimentations effectuées sur des cellules en culture.

Les expériences ex vivo constituent une étape intermédiaire entre celles conduites in vitro (en éprouvette) et celles réalisées in vivo (sur un organisme vivant).

Ey (Henri)

Psychiatre et philosophe français (Banyuls-dels-Aspres 1900 – id. 1977).

Par son enseignement à l'hôpital Sainte-Anne, à Paris, Henri Ey a beaucoup contribué à rénover la formation des psychiatres français. Selon lui, la maladie mentale constitue une « forme de régression ou d'arrêt du développement de la vie psychique ». Il est l'auteur de plusieurs ouvrages, dont *Traité des hallucinations* (1973) et *Défense et Illustration de la psychiatrie* (1978).

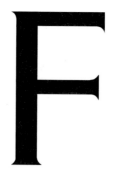

Fabry (maladie de)

Maladie héréditaire caractérisée par une accumulation de lipides dans les organes et les tissus.

Très rare, la maladie de Fabry est due à un déficit d'une enzyme, l'alphagalactosidase A, aboutissant à une accumulation de sphingolipides (lipides contenant un alcool azoté, la sphingosine, ou son dérivé, la dihydrosphingosine) dans les cellules de la paroi des vaisseaux, des muscles, des reins. La transmission est récessive, liée au chromosome X (les femmes transmettent la maladie, mais celle-ci n'atteint que les hommes). La maladie de Fabry se traduit, d'une part, par l'apparition d'angiomes (taches rouges dues à une dilatation des vaisseaux) sur la peau et les muqueuses, d'autre part par des crises douloureuses touchant les mains, les pieds et l'abdomen et, enfin, par des atteintes viscérales, surtout rénales mais aussi cardiovasculaires, neurologiques et oculaires. Des traitements curatifs sont à l'essai, mais ils sont encore peu efficaces. Le traitement symptomatique est celui des douleurs, par analgésiques, et de l'insuffisance rénale quand elle s'aggrave (dialyse).

Fabulation

Récit imaginaire auquel croit un sujet, de façon totale ou partielle.

La fabulation, qu'elle soit construite de toutes pièces ou à partir d'un arrangement de la réalité, peut être richement fantasmée (manie, moment fécond d'un délire), absurde ou répétitive (autisme, détérioration sénile, arriération). Organisée autour d'une intrigue centrale, avec des développements cohérents et parfois complexes, elle prend le nom d'affabulation (paraphrénie, mythomanie). Une fabulation transitoire, servant de compensation affective, prolonge la rêverie diurne de nombreux sujets (personnalités à traits hystériques, notamment).

Face

Région limitée en haut par le cuir chevelu, sur les côtés par les oreilles et en bas par le cou. (P.N.A. *facies*)

La face se compose du front, des yeux, du nez, de la bouche, du menton et des joues.

STRUCTURE ET PHYSIOLOGIE

■ **Le massif osseux facial** comprend la mâchoire inférieure, formée d'un seul os symétrique (le maxillaire inférieur, ou mandibule), et la mâchoire supérieure, formée de treize os situés autour du maxillaire supérieur (unguis, palatins, cornets inférieurs, os du nez, malaires et vomer).

■ **Les muscles de la face,** nombreux, sont des muscles peauciers directement en contact, du côté externe, avec l'hypoderme, sur lequel ils s'insèrent.

■ **La vascularisation de la face** est assurée par les branches des deux artères carotides externes : les artères faciales, les artères temporales superficielles et les artères auriculaires postérieures. Les veines faciales et temporales superficielles drainent le sang veineux et se jettent dans les veines jugulaires.

■ **Les nerfs de la face** sont de deux types : moteurs et sensitifs. Les premiers sont issus du nerf facial, 7e nerf crânien. Les branches sensitives proviennent du nerf trijumeau, 5e nerf crânien, et du plexus nerveux cervical superficiel.

■ **Les organes de la face** permettent d'assurer les fonctions de la respiration, de l'odorat, de la digestion, du goût, de la vision et de l'expression (parole et mimique).

PATHOLOGIE

■ **L'atteinte unilatérale du nerf facial** peut entraîner une paralysie faciale touchant la moitié de la face dans le sens vertical.

■ **Les dysmorphies de la face** sont des malformations faciales, soit congénitales, soit acquises. Les premières sont très rares (1 cas sur 50 000 environ) ; parmi elles, la maladie neurofibromateuse de von Recklinghausen est caractérisée par des tumeurs cutanées parfois très importantes, tandis que la maladie de Crouzon est marquée par un visage très large, des yeux écartés et un nez court. Les dysmorphies acquises sont consécutives à des traumatismes ou à des accidents de la voie publique.

■ **Les fractures de la face** les plus fréquentes sont les fractures des os du nez et de la mâchoire.

Faciale (artère)

Artère cheminant du cou vers le visage et destinée à la vascularisation de celui-ci. (P.N.A. *arteria facialis*)

Il existe deux artères faciales, droite et gauche, issues des carotides externes correspondantes. Elles contournent la glande sous-maxillaire, dépassent la mâchoire inférieure puis la lèvre supérieure pour atteindre ensuite le bord interne de l'œil et s'unir aux artères nasales.

Les artères faciales assurent l'apport sanguin à la peau (joues, menton, lèvres, nez, etc.) et aux muscles de la face. Elles irriguent également les amygdales, les glandes sous-maxillaires, le pharynx et le palais.

Faciès

Aspect du visage pouvant évoquer certaines maladies par ses caractéristiques et son expression.

L'observation du faciès peut guider le diagnostic : un faciès pâle avec des conjonctives décolorées, par exemple, fait rechercher une anémie ; un faciès cyanosé évoque une insuffisance respiratoire.

Facteur de la coagulation

Substance intervenant dans le processus de solidification du sang (formation d'un caillot).

Il existe treize facteurs de la coagulation, numérotés de I à XIII : fibrinogène, prothrombine, thromboplastine, calcium, proaccélérine, accélérine, proconvertine, facteurs antihémophiliques A et B, facteurs Stuart, PTA, Haegeman et facteur de stabilisation de la fibrine.

→ VOIR Coagulation.

Facteur de croissance

Molécule favorisant ou inhibant la multiplication des cellules.

On distingue, selon leur structure chimique, différents types de facteurs de croissance : protéines (très longues chaînes d'acides aminés), peptides (chaînes plus courtes), stéroïdes (substances de la famille du cholestérol). L'action des facteurs de croissance sur leurs cellules cibles s'exerce selon des modes différents : ils interviennent tantôt sur la membrane cellulaire, tantôt sur le noyau de la cellule. Ils peuvent soit stimuler la division de la cellule qui les produit (stimulation autocrine), soit stimuler la croissance d'une autre cellule que la cellule sécrétrice (stimulation paracrine), soit encore exercer leur action sur tout l'organisme par l'intermédiaire du sang (stimulation endocrine).

MÉCANISME D'ACTION

Le facteur de croissance se fixe tout d'abord sur une molécule chimique qui lui est spécifique, le récepteur. Ainsi activé, celui-ci provoque la synthèse d'une autre molécule chimique, le second messager (le premier messager étant le facteur de croissance lui-même). Celui-ci déclenche une suite de réactions chimiques aboutissant à la formation d'une protéine dite régulatrice (capable d'accélérer ou de ralentir les phénomènes), qui se fixe sur les gènes impliqués dans la division et la différenciation de la cellule et modifie leur degré d'activité.

Les facteurs de croissance favorisent ou limitent, selon le cas, la formation de nouveaux tissus, leur croissance, leur réparation après une lésion. Des divisions plus ou moins nombreuses déterminent le volume du tissu, la différenciation déterminant l'apparition de caractères particuliers propres aux différentes cellules (cellule sanguine, osseuse, glandulaire, etc.). Les facteurs de croissance sont aussi impliqués dans le développement ou l'inhibition du cancer, où le processus pathologique se caractérise à la fois par une division cellulaire trop importante et par une perte de la différenciation des cellules.

UTILISATION THÉRAPEUTIQUE

Les facteurs de croissance utilisés comme médicaments sont produits par génie génétique. La plupart d'entre eux n'ont pas encore dépassé la phase expérimentale, mais ils sont l'un des axes prioritaires de la recherche. Trois d'entre eux, le GM-CSF (de l'anglais *Granulocyte Macrophage Colony Stimulating Factor*), le GCSF (de l'anglais *Granulocyte Colony Stimulating Factor*) et l'érythropoïétine, destinés à stimuler, les deux premiers, la multiplication des globules blancs, le troisième, celle des globules rouges, sont déjà commercialisés. Le GM-CSF et le GCSF sont utilisés pour réduire la durée de la leucopénie (baisse excessive du taux de globules blancs) survenant notamment au cours d'une chimiothérapie anticancéreuse, après une greffe de moelle osseuse et au cours du sida ; l'érythropoïétine, dans le traitement de certaines anémies, particulièrement celle de l'insuffisant rénal chronique dialysé. L'administration de ces facteurs de croissance s'effectue par injection. Le facteur de croissance des plaquettes (thrombopoïétine) a été identifié en 1994 et pourrait être disponible en thérapeutique dans les années qui viennent.

Facteur intrinsèque

Glycoprotéine produite par l'estomac, assurant la protection et l'assimilation de la vitamine B12.

Le facteur intrinsèque, comme l'acide chlorhydrique, est synthétisé par les cellules du fundus de l'estomac. Dès sa libération, il se lie à la vitamine B12 contenue dans les aliments et la protège durant son parcours jusqu'à son absorption dans l'iléon (partie terminale de l'intestin grêle). À cet endroit, le facteur intrinsèque se fixe sur un récepteur spécifique, et la vitamine B12 passe dans la cellule intestinale puis dans la circulation sanguine.

PATHOLOGIE

L'absence de facteur intrinsèque est responsable d'un défaut majeur de l'absorption de la vitamine B12 et provoque une anémie mégaloblastique (caractérisée par des globules rouges de grande taille). La cause la plus fréquente en est la maladie de Biermer, due à la destruction des cellules de l'estomac qui fabriquent le facteur intrinsèque. L'absence congénitale de récepteur du facteur intrinsèque entraîne également une malabsorption de la vitamine B12 : c'est la maladie d'Imerslund.

Facteur natriurétique auriculaire

Hormone peptidique (formée de plusieurs acides aminés) sécrétée par le cœur au niveau des oreillettes, qui provoque une vasodilatation et facilite l'élimination du sodium.

Le facteur natriurétique auriculaire (F.N.A.) contrebalance les effets vasoconstricteurs et la rétention d'eau et de sel produits par les catécholamines (noradrénaline, adrénaline, dopamine) et le système rénine-angiotensine-aldostérone. Il est stimulé en cas d'hypervolémie (augmentation du volume de sang circulant) ou d'élévation des pressions sanguines dans les oreillettes cardiaques. Son taux est élevé en cas d'insuffisance cardiaque ou rénale.

UTILISATION THÉRAPEUTIQUE

Les applications thérapeutiques du facteur natriurétique auriculaire, molécule de synthèse, sont en cours d'évaluation.

Facteur nécrosant les tumeurs

Substance du système immunitaire ayant surtout un rôle dans la lutte contre les cellules cancéreuses. *En anglais : Tumor Necrosis Factor* (TNF).

Les facteurs nécrosant les tumeurs font partie des cytokines (protéines sécrétées par une cellule et allant se fixer sur une autre cellule pour y déclencher divers phénomènes tels que sa multiplication ou sa différenciation). Ils sont au nombre de deux : le TNF alpha et le TNF bêta, produits, le premier, par les monocytes activés et, le second, par les lymphocytes T. Leurs propriétés sont comparables : ils sont capables d'induire la nécrose hémorragique (mort tissulaire avec hémorragie locale) d'une tumeur. De plus, ils prennent part à la réaction inflammatoire et à la réponse immunitaire, où ils interviennent dans les mécanismes de défense contre les agents infectieux.

Facteur prédisposant

Facteur qui augmente les risques d'apparition d'une maladie. SYN. *facteur de risque*.

Il existe des facteurs prédisposants environnementaux (égouts, gaz d'échappement, fumées d'usines, produits chimiques, radioactivité, déchets industriels, maladies infectieuses, accidents domestiques, du travail et de la circulation, etc.) susceptibles d'être responsables de certaines maladies. L'hérédité, le tabagisme, surtout lorsque la fumée est inhalée et que la consommation est supérieure à six cigarettes par jour, l'obésité, l'hypertension artérielle, l'hyperlipidémie (taux élevé de lipides sanguins), surtout l'hypercholestérolémie avec des taux faibles de lipoprotéines de haute densité (HDL), l'hyperglycémie (taux élevé de glucides sanguins), le diabète, la sédentarité, le stress, etc., sont des facteurs prédisposants d'une maladie coronarienne. L'hypertension artérielle est le plus important facteur de risque d'un accident vasculaire cérébral.

En outre, l'accumulation de facteurs prédisposants est en elle-même un facteur de risque : dans ce cas, en effet, les risques ne se trouvent pas simplement additionnés, mais multipliés.

Facteur VIII

Protéine plasmatique intervenant dans le mécanisme de la coagulation sanguine.

Le facteur VIII, associé au facteur Willebrand, forme le complexe VIII. En effet, en raison de son instabilité, le facteur VIII doit être protégé d'une digestion enzymatique par le facteur Willebrand, auquel il s'accole. Le facteur VIII est synthétisé dans le foie et dans d'autres tissus comme la rate. Il est impliqué dans l'activation du facteur X, étape de la chaîne de réactions conduisant à la coagulation. L'hémophilie A est due à un déficit congénital de ce facteur.

Fahrenheit (échelle)

Échelle de température utilisée dans les pays anglo-saxons.

L'échelle Fahrenheit doit son nom au physicien prussien Daniel Gabriel Fahrenheit. Quand on compte en degrés Fahrenheit (°F), le point de fusion de la glace est à 32 °F, le point d'ébullition de l'eau à 212 °F, la température corporelle normale à 98,6 °F.

Pour convertir les degrés Fahrenheit en degrés Celsius, il faut d'abord soustraire 32, puis multiplier par 0,56. Inversement, pour convertir les degrés Celsius en degrés Fahrenheit, il faut d'abord multiplier par 1,8, puis ajouter 32.

Faiblesse musculaire

→ VOIR Adynamie.

Faim

Besoin physiologique de manger.

Il faut distinguer la faim de l'envie de manger, cette dernière ne répondant pas à un besoin physiologique mais à une envie de consommer des aliments dont l'ingestion procurera du plaisir. La faim, comme son opposé, la satiété, est régulée dans le système nerveux central par l'hypothalamus, qui reçoit des informations de l'ensemble de l'organisme sur l'état des réserves énergétiques et communique avec d'autres structures cérébrales provoquant la sensation de faim. Certaines pathologies d'origine organique ou psychologique peuvent induire soit une sensation de faim excessive (boulimie, diabète insulinodépendant, hyperthyroïdie), soit au contraire un manque d'appétit (anorexie).

Faisceau

Réunion de plusieurs fibres, conjonctives, musculaires ou nerveuses, liées ensemble dans le sens de leur longueur.

Les fibres conjonctives (collagène, élastine) réunies en faisceaux forment l'armature du tissu conjonctif, tissu de soutien et de liaison de tout l'organisme. Les fibres musculaires disposées en faisceaux constituent un muscle long. Les neurones sont réunis en faisceaux pour constituer les nerfs.

■ **Le faisceau de His**, élément du tissu nodal (tissu conducteur de l'influx nerveux cardiaque), transmet l'influx nerveux des oreillettes aux ventricules.

■ **Le faisceau pyramidal** constitue la voie motrice principale du système nerveux

Les trompes de Fallope partent du fond de l'utérus, chacune d'un côté, et rejoignent après une courbe l'ovaire qui leur correspond, le coiffant de leur pavillon terminal. L'ampoule tubaire, portion élargie qui précède ce pavillon, est le lieu habituel de la fécondation. Lorsque l'ovule a été fécondé, la trompe le fait progresser jusqu'à l'utérus, où il s'implante.

Dans les franges de son pavillon, la trompe accueille l'ovule libéré par l'ovaire.

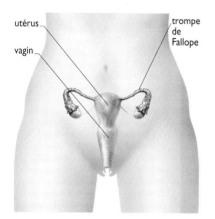

Les trompes sont situées de chaque côté de l'utérus, très bas à l'intérieur du petit bassin. Elles se terminent en regard des ovaires.

utérus
vagin
trompe de Fallope

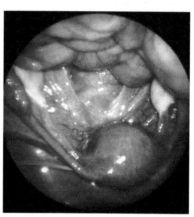

En bas à droite, vu du dessus par cœlioscopie, le fond de l'utérus, d'où partent les trompes ; en blanc, les ovaires.

central, reliant les cellules pyramidales de l'encéphale aux fibres motrices de la moelle épinière.

Fallope (Gabriel)

Anatomiste et chirurgien italien (Modène 1523 - Padoue 1562).

Gabriel Fallope professa à Padoue et fit de nombreuses découvertes anatomiques, dont celle des trompes de l'utérus, auxquelles on a donné son nom.

Fallope (trompe de)

Chacun des deux conduits allant d'un côté de l'utérus à l'ovaire correspondant et se terminant par un entonnoir bordé de franges.
SYN. *trompe utérine.* (P.N.A. *tuba uterina*)

Les trompes de Fallope, qui constituent, avec les ovaires, les annexes de l'utérus, sont des tubes de 7 ou 8 centimètres de long prolongés par les pavillons tubaires.

Durant le cycle menstruel, l'ovule libéré par l'ovaire au moment de l'ovulation est capté par le pavillon, puis les cils tapissant la paroi interne de la trompe l'acheminent vers l'utérus. Le plus souvent, c'est au niveau du tiers externe de la trompe qu'a lieu la rencontre entre l'ovule et le spermatozoïde.

La ligature chirurgicale des trompes prati-

quée chez les femmes ne désirant plus avoir d'enfants provoque une stérilité en principe irréversible.

PATHOLOGIE

Il arrive parfois qu'un ovule fécondé s'implante dans la trompe et y commence son développement, provoquant une grossesse tubaire, l'une des formes possibles de grossesse extra-utérine.

Une infection de l'utérus peut provoquer une inflammation d'une ou des trompes de Fallope (salpingite) et leur obturation, entraînant une stérilité. Le phimosis tubaire est une obturation d'une ou de deux trompes due à un accolement des franges pavillonnaires d'origine infectieuse. Une collection liquidienne ou purulente dans la trompe est appelée hydrosalpinx ou pyosalpinx (abcès de la trompe). Les obturations tubaires sont traitées chirurgicalement.

Fallot (tétralogie de)

Cardiopathie congénitale associant une communication interventriculaire, une hypertrophie ventriculaire droite, un rétrécissement à la sortie du ventricule droit vers l'artère pulmonaire et une malposition de l'aorte.

Dans cette cardiopathie, rare, le sang désoxygéné (bleu) peut passer dans l'aorte,

entraînant une cyanose des ongles et des lèvres, justifiant la dénomination de « maladie bleue », qui lui est associée. La cyanose, progressive, apparaît vers 6 mois ; elle est augmentée par l'effort et les pleurs, s'accompagnant ou non d'une perte de connaissance. L'auscultation cardiaque permet de déceler un souffle important.
TRAITEMENT

Le traitement, chirurgical, est pratiqué, autant que possible, lorsque le poids de l'enfant a atteint 15 kilogrammes. Il consiste presque toujours en une réparation de toutes les malformations, c'est-à-dire en l'ouverture du rétrécissement de la voie pulmonaire et en la fermeture de la communication interventriculaire.
PRONOSTIC

La tétralogie de Fallot était très grave jusque dans les années 1950, puisque 90 % des malades mouraient avant l'âge de 20 ans. Son pronostic, aujourd'hui, est bon. Les résultats de l'intervention chirurgicale sont, dans l'ensemble, satisfaisants et les malades peuvent mener une vie quasi normale.

Fallot (trilogie de)

Cardiopathie congénitale consistant en l'association d'un rétrécissement valvulaire à l'origine de l'artère pulmonaire et d'une communication interauriculaire.

Dans cette cardiopathie, le sang désoxygéné (bleu) peut passer dans les cavités cardiaques gauches puis dans l'aorte par la communication interauriculaire, provoquant une cyanose. Cette malformation est rare.
TRAITEMENT

Le traitement, chirurgical, est pratiqué, autant que possible, lorsque le poids de l'enfant a atteint 15 kilogrammes. Il consiste en l'ouverture du rétrécissement de la voie pulmonaire et en la fermeture de la communication interauriculaire. Il donne, à long terme, de très bons résultats.

Fanconi (maladie de)

Affection congénitale caractérisée par des malformations multiples, des troubles sanguins et une instabilité chromosomique.

La maladie de Fanconi est une maladie génétique rare, à transmission autosomique (non liée au sexe) récessive (le gène porteur doit être reçu du père et de la mère pour qu'elle se développe).
SYMPTÔMES ET ÉVOLUTION

Elle associe diverses malformations telles qu'une pigmentation cutanée, une absence de pouce, une petite taille, un rein en fer à cheval, des anomalies oculaires et une microcéphalie. Elle est également caractérisée par une aplasie médullaire (disparition des cellules responsables de la formation des cellules sanguines circulantes) provoquant, en particulier, une anémie. Il existe une fragilité des chromosomes. Le risque de cancers (peau, foie) est plus élevé que dans la population générale.
TRAITEMENT

En dehors de la greffe de moelle osseuse, les traitements sont purement symptomatiques (transfusions, androgènes à forte dose) et permettent d'améliorer la survie.

Fanconi (syndrome de)

Affection rénale caractérisée par des troubles des fonctions tubulaires entraînant une fuite trop importante de substances de l'organisme (acides aminés, glucose, phosphates, bicarbonates, calcium, potassium, etc.) dans les urines. SYN. *syndrome de De Toni-Debré-Fanconi*.

Quand il n'est pas dû à une autre maladie, le syndrome de Fanconi est dit primitif ; il est alors parfois héréditaire. Dans les autres cas, un syndrome de Fanconi est dit secondaire ; il peut être provoqué par une intoxication (mercure, plomb), une maladie métabolique héréditaire (cystinurie, galactosémie), un cancer (myélome) ou une maladie rénale (syndrome néphrotique).

Les symptômes du syndrome de Fanconi sont la conséquence des fuites rénales : acidose métabolique (acidification des liquides de l'organisme), déshydratation, diminution du taux de calcium sanguin, responsable de fragilité osseuse et de rachitisme et de retard de croissance chez l'enfant ou d'ostéomalacie (ramollissement des os) chez l'adulte.

Le traitement de la cause, quand elle est identifiée, entraîne la guérison. Dans les autres cas, le traitement est celui des symptômes : réhydratation, apport de calcium, de vitamine D, d'alcalins, etc.

Fangothérapie

Traitement par l'application de boues d'origine volcanique.

La fangothérapie est essentiellement un traitement d'appoint de l'arthrose, quelle que soit la localisation de celle-ci.

D'abord utilisée dans les stations thermales, cette technique est à présent également pratiquée dans les cabinets de kinésithérapie. La boue est soit appliquée localement, sous forme de cataplasmes, soit globalement, dans un bain.

Faradisation

Ancienne méthode de traitement d'affections psychiques à l'aide de courants électriques.

La faradisation était utilisée, surtout au XIXe siècle, dans le traitement d'affections neuropsychiatriques à troubles fonctionnels, en particulier l'hystérie de conversion (hystérie avec des symptômes physiques) et la neurasthénie. Cette technique avait pour but de supprimer les paralysies d'origine psychologique, les douleurs rebelles (névralgies) et consistait à appliquer des courants de faible intensité à l'aide d'électrodes disposées sur le trajet des nerfs concernés.

Fascia

Membrane fibreuse recouvrant des muscles ou une région du corps.

Les fascias font partie des aponévroses, membranes fibreuses présentes en différents endroits du corps, doublant, par exemple, les côtes ou enveloppant les muscles. Ils ont un rôle de soutien et de protection. Deux d'entre eux sont suffisamment grands ou denses pour mériter une mention.

■ Le fascia lata, épaississement de l'aponévrose fémorale, est tendu, en forme de bande, le long de la face externe de la cuisse, entre le bassin et le tibia.

■ Le fascia superficialis forme une membrane située sous la peau. Il enveloppe la totalité du corps. Il peut être le siège d'une inflammation, appelée fasciite.

Fasciculation

Contraction localisée de faisceaux musculaires.

Une fasciculation est parfois un phénomène normal. Elle est alors soit spontanée, observée en cas de fatigue, soit déclenchée par une percussion ou un refroidissement musculaire localisé. Dans d'autres cas, les fasciculations ont pour cause un syndrome neurogène périphérique (atteinte de cellules nerveuses) et sont alors associées à une amyotrophie ou à une diminution de la force musculaire. Elles indiquent une excitabilité anormale de certaines unités motrices et sont particulièrement fréquentes lors de la sclérose latérale amyotrophique, ou maladie de Charcot. Les fasciculations consistent en contractions très brèves des faisceaux constituant les muscles, se manifestant par des frémissements de la surface de la peau dans les régions concernées. Le traitement des fasciculations pathologiques est celui de leur cause.

Fasciite

Inflammation du fascia (membrane fibreuse) sous-cutané (fascia superficialis).

■ La fasciite infectieuse est due à des bactéries. Il s'agit d'une cellulite sous-cutanée extensive avec atteinte des gaines musculaires et des muscles, formant un placard rouge et douloureux ; elle se traite par antibiotiques.

■ La fasciite à éosinophiles, ou syndrome de Shulman, est une variété de sclérodermie (maladie caractérisée par l'épaississement des couches profondes de la peau) survenant par plaques cutanées multiples : son traitement fait appel aux corticostéroïdes.

■ La fasciite nodulaire est une tumeur bénigne formant un nodule de 2 à 5 centimètres de diamètre sous la peau, prenant souvent un faux aspect cancéreux (croissance rapide). La guérison est assurée par son ablation chirurgicale.

Fatigabilité

Diminution anormalement rapide de la force musculaire, provoquée par l'effort.

La fatigabilité est un signe qui peut être dû à un défaut de transmission de l'influx nerveux à la cellule musculaire, phénomène observé tout particulièrement au cours d'une maladie, la myasthénie. Une fatigabilité peut également se rencontrer au cours d'affections qui touchent le système nerveux central (sclérose en plaques) ou en cas d'insuffisance surrénalienne chronique (maladie d'Addison). La fatigabilité apparaît lors d'un effort musculaire soutenu et prolongé ou lors d'un effort peu intense et de courte durée répété plusieurs fois. Si elle n'est pas évidente, on la détecte en faisant passer des tests au malade : s'il serre la main de l'examinateur à plusieurs reprises, sa force diminue progressivement ; après un temps de repos, la force redevient normale. Il n'y a pas de traitement isolé de la fatigabilité, qui se traite en même temps que sa cause.

Fatigue chronique (syndrome de)

Syndrome récemment individualisé consistant en une fatigue permanente avec épuisement au moindre effort. SYN. *syndrome des « yuppies »* (c'est-à-dire des jeunes cadres dynamiques [de *young urban professional*]), emprunt à l'anglais.

CAUSES

La cause d'un syndrome de fatigue chronique reste mystérieuse. Les causes organiques habituelles de fatigue ne sont pas retrouvées, qu'elles soient infectieuses (grippe, hépatite virale, mononucléose infectieuse, sida, tuberculose), endocriniennes ou métaboliques (diabète, insuffisance surrénalienne, carences en calcium, fer, potassium, magnésium), hématologiques (anémie, hémopathie), musculaires (myasthénie, myopathie), neurologiques (maladie de Parkinson, sclérose en plaques) ou cancéreuses. Toutes ces affections s'accompagnent souvent d'une fatigue générale, qui peut être le premier motif de consultation d'un médecin.

De nombreuses hypothèses ont été soulevées pour expliquer une fatigue chronique.

■ L'hypothèse virale a mis en relief le syndrome chronique du virus d'Epstein-Barr, responsable de la mononucléose infectieuse, et fait aussi intervenir des entérovirus intestinaux, mais sans preuves jusqu'ici.

■ L'hypothèse immunologique est fondée sur la baisse de l'immunité cellulaire (diminution des lymphocytes T et du taux de gammaglobulines dans le sang).

■ L'hypothèse organique évoque le rôle soit d'une anomalie musculaire, jamais mise en évidence jusqu'à présent, soit de troubles du sommeil (apnée du sommeil), soit d'un défaut de sécrétion de la mélatonine (hormone sécrétée par l'épiphyse), auquel serait liée la fatigue des voyages en avion avec important décalage horaire.

■ L'hypothèse neuropsychique, actuellement retenue, fait intervenir la démotivation et la dépression, le surmenage et le stress, sous l'influence de neurotransmetteurs tels que la dopamine et la noradrénaline. Un état dépressif est fréquemment rencontré chez les sujets atteints de fatigue chronique, dont il est difficile de déterminer s'il en fait partie ou s'il n'en est qu'une conséquence.

SYMPTÔMES ET SIGNES

Une fatigue chronique se caractérise par une fatigue intense, déclenchée par le moindre effort, avec réduction d'au moins la moitié de l'activité habituelle, accompagnée de fièvre, de douleurs musculaires et dorsales, de maux de tête, de troubles du sommeil, d'un défaut de concentration. Ces symptômes persistent dans le temps.

TRAITEMENT

Les approches thérapeutiques de la fatigue chronique varient en fonction de la cause retenue. Le traitement peut comprendre la prise de « fortifiants » : acides aminés, oligoéléments tels que le manganèse, le cuivre, le calcium, le magnésium, qu'une alimentation équilibrée fournit, il faut le souligner, en quantités suffisantes ; la prise de vitamines : vitamines A, D, E et vitamines du groupe B, en particulier la vitamine B1, ou thiamine, pour son action sur le système nerveux ; la lutte contre la fatigue nerveuse par l'exercice physique, les méthodes de relaxation, la thalassothérapie, l'acupuncture. En revanche, il faut éviter l'usage des amphétamines, des anabolisants et des médicaments dopants.

Fausse couche

→ VOIR Avortement.

Fausse-route alimentaire

Accident dû à l'inhalation dans les voies aériennes de liquide ou de particules alimentaires normalement destinés à l'œsophage.

CAUSES

Cet accident se produit le plus souvent au cours de l'alimentation. Les fausses-routes sont plus fréquentes chez le nouveau-né et le nourrisson : nourrisson glouton ou vomisseur, dysfonctionnement du pharynx par immaturité des cartilages, malformations œsophagiennes, laryngées ou cardiovasculaires, prématurité. La fausse-route peut être favorisée par des erreurs de technique alimentaire (tétine trop percée, tétée en position inclinée).

Chez l'adulte, elle peut être consécutive à un mouvement inspiratoire intempestif ou témoigner d'une paralysie des nerfs commandant le pharynx et le larynx. Une fausse-route peut également survenir en cas d'ingestion de nourriture peu de temps avant une anesthésie, après une anesthésie générale (inhalation de vomissements) ou une anesthésie locale, réalisée pour une endoscopie par exemple. Après l'anesthésie, un délai minimal de 2 heures doit être observé avant toute ingestion.

SYMPTÔMES ET SIGNES

La fausse-route se manifeste par une gêne respiratoire et des accès de toux, voire par une syncope. L'évolution est en général bénigne, mais peut se compliquer de pneumopathie ou d'un abcès du poumon. Exceptionnellement, elle se complique de mort subite par syncope réflexe.

TRAITEMENT

Il faut arrêter immédiatement l'alimentation et, s'il s'agit d'un nourrisson, favoriser la toux en lui tapotant le thorax, le mettre en position déclive (tête plus basse que les pieds) et, si besoin, lui faire reprendre la respiration par le bouche-à-bouche. Chez l'adulte, si le malade peut respirer et parler, il ne faut pas contrarier ses tentatives d'expulsion du corps étranger par la toux. Si l'obstruction des voies aériennes est complète (impossibilité de parler, de tousser ou de respirer) et que le malade est conscient, il faut lui appliquer la manœuvre de Heimlich, c'est-à-dire se placer derrière lui, passer les bras autour de sa taille, fermer un poing que l'on couvre de l'autre main et que l'on pose sur l'ombilic sous le rebord costal, avant de l'enfoncer rapidement dans l'abdomen par traction ferme vers le haut ; cette manœuvre peut être répétée plusieurs fois. Si l'asphyxie est totale, le malade étant inconscient, il faut pratiquer en urgence les manœuvres de réanimation cardiorespiratoire ; l'obstruction des voies aériennes supérieures peut nécessiter une trachéotomie en urgence. Une endoscopie bronchique permet d'extraire le corps étranger. L'inhalation de vomissements accroît le risque de pneumopathie et impose un traitement antibiotique.

PRÉVENTION

Elle consiste :

■ chez les prématurés, à remplacer la succion buccale par le gavage par sonde gastrique ;

■ chez tous les nourrissons, à donner le sein ou le biberon en position assise ou verticale, en veillant à ce que l'enfant ne boive pas trop rapidement en attendant, pour le recoucher, qu'il ait effectué son rot ;

■ chez les nourrissons habituellement vomisseurs, à faire vomir le nourrisson en position oblique, couché sur le côté et non sur le dos ;

■ chez les opérés, à astreindre le patient à la diète plusieurs heures avant l'anesthésie et l'intervention.

Fauteuil roulant

Fauteuil muni de roues, qui permet le déplacement de malades ou de handicapés moteurs.

Le fauteuil roulant peut être poussé grâce à deux poignées installées sur le dossier. Certains modèles sont conçus pour que la personne handicapée puisse actionner elle-même les roues par la seule force de ses bras ; d'autres modèles sont équipés d'un moteur électrique et offrent une plus grande autonomie. D'autres encore, pliables, peuvent se ranger à l'arrière ou dans le coffre d'une voiture. Extrêmement légers, ils permettent la pratique de nombreux sports : tir à l'arc, basket-ball, etc.

Faux du cerveau

Membrane médiane formée par les méninges accolées sur la face interne des deux hémisphères cérébraux. (P.N.A. *falx cerebri*)

La faux du cerveau est disposée verticalement d'avant en arrière, entre les deux hémisphères cérébraux. Elle a la forme de la lame d'une faux : son bord supérieur, convexe, longe la voûte du crâne, et son bord inférieur, concave, s'incurve vers le bas et légèrement vers l'avant. Ce bord inférieur repose en avant sur un os de la base du crâne (lame criblée de l'ethmoïde) ; il repose en arrière sur la tente du cervelet, la deuxième grande membrane méningée du crâne, tendue horizontalement au-dessus du cervelet.

EXAMENS ET PATHOLOGIE

La faux du cerveau a un intérêt particulier pour les examens radiologiques du cerveau (scanner, imagerie par résonance magnétique), car elle y sert de point de repère. En effet, sur les coupes horizontales, elle apparaît comme une ligne parfaitement médiane, tendue d'avant en arrière. Une masse (tumeur, abcès) présente dans un hémisphère refoule les tissus autour d'elle et dévie la faux sur le côté ; ce signe radiologique est appelé effet de masse.

La faux du cerveau peut être le siège d'un méningiome (tumeur bénigne de croissance lente), responsable d'une atteinte pyramidale des membres inférieurs (paraplégie).

Favisme

Forme particulière d'hémolyse aiguë (destruction des globules rouges) chez des sujets souffrant d'un déficit héréditaire en glucose-6-phosphate déshydrogénase (ou G-6-PD, enzyme de la dégradation du glucose) dans les globules rouges.

Le favisme s'observe dans les pays situés autour de la Méditerranée chez les sujets porteurs de la mutation méditerranéenne dite B⁻, qui dérègle le métabolisme des globules rouges. Il est provoqué par la consommation de fèves, mais le mécanisme biochimique de déclenchement de l'hémolyse est encore inconnu. Son traitement consiste en transfusions.

Une prévention doit être menée chez les personnes à risque en leur interdisant la consommation de fèves.

→ VOIR Glucose-6-phosphate déshydrogénase, Hémolyse.

Favus

Infection du cuir chevelu par un champignon microscopique du groupe des dermatophytes.

Le favus, surtout fréquent en Afrique du Nord et au Moyen-Orient, est dû à une variété de teigne, *Trichophyton schönleinii*. Il se traduit par une godet favique, petite cupule jaune (croûte recouvrant du pus) d'où émerge le cheveu parasité. En l'absence de traitement, le favus provoque une chute des cheveux définitive. Le traitement est fondé sur la prise d'antifongiques (griséofulvine, kétoconazole) par voie locale et orale. Si le malade est un enfant, une éviction scolaire s'impose.

Fébricule

Fièvre de faible importance évoluant entre 37,2 °C et 37,8 °C et témoignant le plus souvent d'une infection bénigne.

Fébrifuge

→ VOIR Antipyrétique.

Fébrile

Qui a rapport à la fièvre.

Le paludisme, par exemple, est une maladie parasitaire qui se manifeste par des accès fébriles.

Fécaloïde

Qui ressemble aux matières fécales.

Les vomissements fécaloïdes, par exemple, sont un rejet par la bouche du contenu intestinal s'observant en cas d'occlusion intestinale évoluée et nécessitant une intervention chirurgicale rapide.

FÉCONDATION

La rencontre de l'ovule, féminin, et du spermatozoïde, masculin, suivie de leur fusion et de la formation d'un œuf, définit la fécondation. Un seul spermatozoïde féconde un ovule ; si plusieurs parvenaient à y pénétrer, le résultat ne serait pas viable. Dans la trompe, lieu habituel de la fécondation, l'ovule fécondé (œuf, ou zygote) commence aussitôt à se diviser et progresse vers l'utérus, où se poursuit la vie embryonnaire.

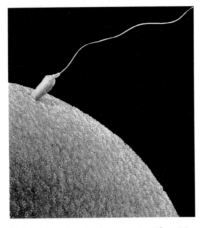

Grâce à son flagelle, le spermatozoïde rejoint l'ovule. Sa tête seule y pénètre.

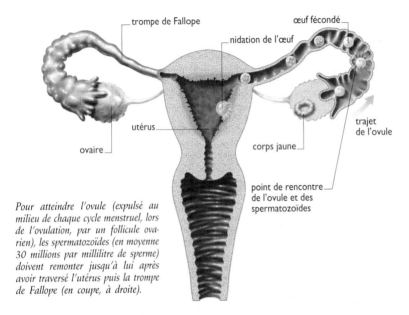

trompe de Fallope
œuf fécondé
nidation de l'œuf
trajet de l'ovule
utérus
ovaire
corps jaune
point de rencontre de l'ovule et des spermatozoïdes

Pour atteindre l'ovule (expulsé au milieu de chaque cycle menstruel, lors de l'ovulation, par un follicule ovarien), les spermatozoïdes (en moyenne 30 millions par millilitre de sperme) doivent remonter jusqu'à lui après avoir traversé l'utérus puis la trompe de Fallope (en coupe, à droite).

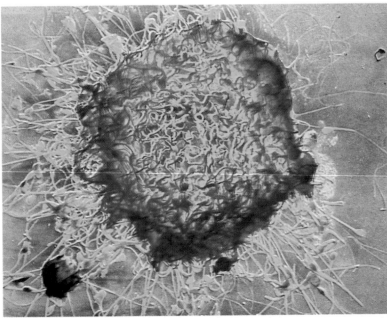

Une multitude de spermatozoïdes (en vert) se pressent autour d'un ovule (en brun), mais un seulement parviendra à en traverser l'enveloppe.

Fécalome

Volumineuse masse dure constituée de matières fécales déshydratées stagnant dans l'ampoule rectale.

Un fécalome s'observe le plus souvent chez les sujets alités. Il peut remonter jusque dans le côlon gauche, évoquant une tumeur abdominale. Il provoque une constipation intense et douloureuse, parfois une fausse diarrhée en cas de délitement de la partie superficielle du fécalome, associée à une incontinence des sphincters.

Le diagnostic repose sur un toucher rectal ; l'évacuation du fécalome nécessite des lavements, associés ou non à une fragmentation digitale ou instrumentale.

Fécalurie

Présence de matières fécales dans l'urine.

Une fécalurie traduit toujours une fistule entérovésicale (communication anormale entre la vessie et l'intestin). Elle peut être située entre la vessie et le côlon gauche ou entre la vessie et le rectum. Ces fistules sont le plus souvent d'origine infectieuse (rupture dans la vessie d'un diverticule sigmoïdien infecté), inflammatoire (maladie de Crohn) ou tumorale (envahissement de la vessie à partir d'un cancer du côlon).

La fécalurie s'accompagne d'infections urinaires à répétition ainsi que de pneumaturie (émission d'air lors de la miction). Son traitement est chirurgical (suppression de la fistule).

Fèces

Matières non absorbables par l'organisme, formées par les résidus de la digestion et excrétées au terme du transit digestif. SYN. *excréments, matières fécales, selles.*

Les fèces sont composées pour 80 % d'eau et pour 20 % de matières sèches : résidus alimentaires (surtout cellulosiques), cellules intestinales desquamées et bactéries. Elles sont émises entre deux fois par jour et trois fois par semaine, en moyenne cinq fois par semaine. Une selle normale pèse de 100 à 150 grammes. La forme, la couleur et l'odeur des fèces n'ont en général pas une grande signification pathologique. En revanche, un poids élevé (supérieur à 200 grammes par jour) et la présence de sang sont anormaux. On parle de diarrhée lorsque le poids quotidien des selles excède 300 grammes, de constipation lorsqu'on émet moins de trois selles par semaine.

L'analyse des matières fécales (coprologie) comporte la recherche de germes et de virus pathogènes (coproculture), la détection de parasites et de sang. L'analyse chimique (fécalogramme) permet de déceler des troubles de l'absorption et de la digestion intestinale.

Fécondation

Formation d'un œuf (ou zygote) par l'union d'un ovule et d'un spermatozoïde.

La fécondation naturelle, assurée par les rapports sexuels, a lieu le plus souvent dans le tiers externe de la trompe de Fallope, où se trouve l'ovule libéré par l'ovaire au moment de l'ovulation. De leur côté, plusieurs millions de spermatozoïdes, contenus dans le sperme, gagnent le col utérin et le franchissent. Propulsés par les mouvements de leur flagelle, ils remontent dans la cavité utérine, s'engagent dans la trompe et entourent l'ovule. La tête des spermatozoïdes sécrète une substance qui ouvre une brèche dans la paroi de l'ovule. Dès que la tête de l'un d'entre eux a traversé cette paroi, laissant son flagelle à l'extérieur, l'ovule devient imperméable aux autres spermatozoïdes.

La tête du spermatozoïde se transforme aussitôt en un corpuscule allongé, le pronucléus mâle, qui s'accole au noyau de l'ovule, ou pronucléus femelle. Dans chaque pronucléus, la chromatine, substance granuleuse, se condense en 23 chromosomes contenant les gènes, supports de l'hérédité. Ces chromosomes mâles et femelles s'apparient deux à deux, si bien que l'œuf, première cellule de l'individu, contient déjà celui-ci tout entier en puissance.

L'œuf gagne ensuite la cavité utérine, poussé par les contractions de la trompe de Fallope et les cils qui tapissent sa paroi interne. Quatre ou cinq jours plus tard, il s'implante dans la muqueuse utérine, où il effectue sa nidation.

Lorsque, pour des raisons variées, la fécondation naturelle se révèle impossible, deux méthodes peuvent permettre à une femme de concevoir : l'insémination artificielle et la fécondation in vitro.
→ VOIR Caryotype, Génotype.

Fécondation in vitro

Méthode de procréation médicalement assistée consistant à prélever chez une femme un ovule, à le féconder artificiellement en laboratoire puis à le replacer dans la cavité utérine de la même femme ou d'une autre femme. SYN. *F.I.V.E.T.E. (fécondation in vitro et transfert d'embryon).*

La fécondation in vitro, ou F.I.V., a pour la première fois permis la conception d'un enfant viable en 1978, en Grande-Bretagne. En France, le premier « bébé éprouvette » est né en 1982, à l'hôpital Antoine-Béclère de Clamart. Au Canada, c'est également en 1982 qu'a eu lieu la première naissance d'un enfant issu de ce mode de fécondation ; en Belgique, en 1983 ; en Suisse, en 1985. Aujourd'hui, le taux de réussite de la fécondation in vitro est d'environ 25 %.

INDICATIONS

Le recours à la fécondation in vitro est indiqué quand la stérilité d'un couple désireux d'avoir un enfant est due, chez la femme, à un obstacle situé dans les trompes de Fallope (absence de trompes, trompes bouchées), qui empêche la rencontre des spermatozoïdes et de l'ovule.

TECHNIQUE

La technique, complexe, est pratiquée dans des centres spécialisés. Elle se déroule en plusieurs phases et nécessite souvent plusieurs tentatives.
■ La 1ʳᵉ **phase** consiste en la stimulation de l'ovulation. La femme reçoit, durant la

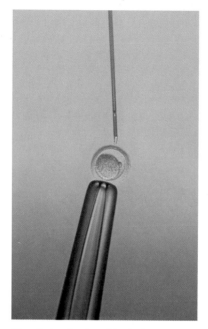

Fécondation in vitro. L'ovule (au centre, au noyau discernable) est fécondé par des spermatozoïdes introduits à l'aide d'une micropipette.

première semaine du cycle, des injections d'hormones qui activent la maturation de plusieurs ovules (alors qu'un seul parvient normalement à maturité durant le cycle physiologique). Cette phase est surveillée par des dosages hormonaux sanguins et par des échographies qui montrent le développement dans les ovaires des follicules ovariens contenant les ovules. À partir du 8ᵉ jour, les prélèvements sanguins et les échographies ont lieu toutes les 24 ou 48 heures.
■ La 2ᵉ **phase** est celle du recueil des gamètes (cellules sexuelles). Immédiatement avant l'ovulation, déclenchée par injection d'hormone chorionique gonadotrophique (h.C.G.), un prélèvement des ovules est effectué par ponction des follicules ovariens soit par voie abdominale, soit par voie vaginale sous contrôle échographique. Cette ponction nécessite une hospitalisation d'une journée et un repos dans les jours qui suivent. Le sperme de l'homme est recueilli après masturbation.
■ La 3ᵉ **phase** est la réunion des gamètes. Au laboratoire, les ovules sont isolés du liquide folliculaire et, de 1 à 6 heures après la ponction ovarienne, sont inséminés par les spermatozoïdes et placés dans un incubateur ; 24 heures plus tard, l'examen sous microscope met la fécondation en évidence.
■ La 4ᵉ **phase** est la phase de replacement d'un ou de plusieurs embryons dans l'utérus maternel ; 48 heures après la ponction, plusieurs embryons, déjà parvenus au stade de division en 2 ou 4 cellules, sont déposés dans la cavité utérine par voie vaginale. L'opération dure moins d'une heure. Un traitement progestatif, ayant pour but de

favoriser l'implantation du ou des embryons, est prescrit ; 14 jours plus tard, le dosage sanguin de l'hormone chorionique gonadotrophique permet de confirmer la grossesse ou l'échec du replacement.

Les chances de grossesse augmentent avec le nombre d'embryons replacés, mais le risque de grossesse multiple incite la plupart des équipes médicales à limiter ce nombre à 3. Les embryons surnuméraires peuvent être congelés, avec l'autorisation des géniteurs, afin de servir pour d'éventuelles réimplantations ultérieures.

Fécondité

Capacité de se reproduire.

La fécondité concerne aussi bien l'homme que la femme, mais le terme s'applique plus spécifiquement à la femme et à la possibilité d'une fécondation après un rapport sexuel.

La période de fécondité de la femme pendant le cycle menstruel dure 4 ou 5 jours : elle commence 2 jours avant l'ovulation - les spermatozoïdes pouvant survivre 48 heures dans les voies génitales - et cesse 2 ou 3 jours après, l'ovule restant vivant pendant ce laps de temps. Si l'ovulation se produit le 15ᵉ jour du cycle menstruel - cas le plus fréquent -, la période de fécondité s'étend à peu près du 13ᵉ au 18ᵉ jour du cycle.

Féculent

Aliment glucidique riche en amidon.

Les féculents sont principalement représentés par les céréales (blé, riz, seigle, etc.), les graines de légumineuses (haricots, lentilles) et les tubercules (pommes de terre, patate douce, topinambour, etc.) ainsi que par les nombreux produits fabriqués à partir de ces aliments (pain, pâtes alimentaires). Dans les pays développés, les féculents sont souvent délaissés au profit d'aliments riches en glucides rapides (sucre, miel, confiture). Pourtant, ils ont des propriétés nutritionnelles importantes : leur richesse en amidon les inscrit dans la catégorie des sources de glucides d'absorption lente - qui fournissent de l'énergie de façon lente et progressive, surtout s'ils contiennent aussi des fibres. Ainsi, il est recommandé de consommer des féculents avant une activité physique prolongée.

Feed-back

→ VOIR Rétrocontrôle.

Felty (syndrome de)

Syndrome très rare caractérisé par l'association d'une polyarthrite rhumatoïde et d'une neutropénie profonde (baisse des globules blancs neutrophiles), généralement accompagnées d'une splénomégalie (augmentation de la taille de la rate).

La polyarthrite, qui peut être évolutive ou en rémission, se manifeste par des douleurs localisées à plusieurs articulations. La neutropénie, probablement d'origine immunitaire, provient à la fois d'un défaut de production des cellules neutrophiles et d'un excès de leur destruction ; elle peut provoquer des infections à répétition.

Divers traitements ont été proposés : le lithium contre la neutropénie et la corticothérapie contre la polyarthrite rhumatoïde, par exemple.

Fêlure dentaire

Fracture non ouverte, de profondeur variable, atteignant l'émail, la dentine et/ou la pulpe de la dent.

Une fêlure horizontale est souvent superficielle et peut ne pas être traitée. En revanche, les fêlures verticales nécessitent un traitement approprié car leur évolution peut aboutir à la perte de la dent.

→ VOIR Fracture dentaire.

Féminisation

Atténuation, chez l'homme, des caractères sexuels secondaires masculins, suivie de l'apparition de caractères sexuels secondaires féminins.

La féminisation peut être provoquée par la castration partielle ou totale (ablation d'un testicule ou des deux), mais également par une insuffisance testiculaire, une tumeur féminisante du testicule ou un traitement par les œstrogènes. Elle ne concerne la voix que si elle précède la puberté. Les modifications portent surtout sur la pilosité faciale et corporelle, qui diminue, tandis que les cheveux poussent davantage. Les contours de la musculature s'adoucissent, les seins se développent, les graisses se répartissent différemment. Parfois, le pénis s'atrophie. Le traitement est spécifique de la cause.

Fémoral

Qui concerne le fémur et, plus généralement, la cuisse.

■ Les condyles fémoraux, qui reposent sur l'extrémité supérieure du tibia, participent à l'articulation du genou.

■ La tête fémorale, qui s'insère dans le cotyle de l'os iliaque, participe à l'articulation de la hanche.

Fémorale (artère, veine)

Vaisseaux situés dans la région de la cuisse. (P.N.A. *arteria femoralis, vena femoralis*)

Artère fémorale

L'artère fémorale commune est l'artère de la cuisse qui fait suite à l'artère iliaque externe au niveau de l'arcade crurale, au pli de l'aine. Elle se divise, 2 centimètres plus bas, en artère fémorale superficielle, qui se prolonge au niveau du genou par l'artère poplitée – qui descend vers le tibia –, et en artère fémorale profonde, qui donne de nombreuses branches irriguant le quadriceps, muscle principal de la cuisse.

Veine fémorale

Deux veines dans la cuisse, la veine fémorale profonde et la veine fémorale superficielle, longent les artères correspondantes avant de se réunir pour former la veine fémorale commune. Cette dernière longe elle-même l'artère fémorale commune et se prolonge par la veine iliaque externe au niveau de l'arcade crurale.

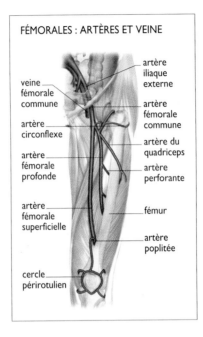

FÉMORALES : ARTÈRES ET VEINE

veine fémorale commune — artère circonflexe — artère fémorale profonde — artère fémorale superficielle — cercle périrotulien — artère iliaque externe — artère fémorale commune — artère du quadriceps — artère perforante — fémur — artère poplitée

Fémur

Os long qui forme le squelette de la cuisse. (P.N.A. *femur*)

Le fémur s'articule en haut avec l'os iliaque et en bas avec le tibia. C'est le lieu d'insertion des principaux muscles de la cuisse. Son extrémité supérieure comprend une saillie articulaire arrondie, appelée tête du fémur, qui s'articule à une cavité osseuse appartenant à l'os iliaque, le cotyle, pour former l'articulation de la hanche, et deux saillies rugueuses, le grand et le petit trochanter. La tête du fémur se raccorde aux deux trochanters par une courte pièce osseuse, le col du fémur. À son extrémité

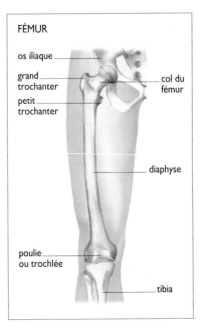

FÉMUR

os iliaque — grand trochanter — petit trochanter — poulie ou trochlée — col du fémur — diaphyse — tibia

inférieure, le fémur s'arrondit en deux masses, les condyles, séparées par une échancrure profonde, l'échancrure intercondylienne.

PATHOLOGIE

Le fémur peut être le siège de nombreux types de fractures.

■ **Les fractures du col du fémur** surviennent essentiellement chez la femme âgée à la suite d'un traumatisme mineur. Elles sont favorisées par l'ostéoporose (raréfaction du tissu osseux). La douleur est très vive, la marche impossible. La radiographie permet de les classer en deux catégories :

– les fractures cervicales, qui présentent un trait de fracture situé juste sous la tête fémorale ou au niveau du col, sans atteindre les trochanters, et peuvent affecter la synoviale postérieure, traversée par les vaisseaux qui irriguent la tête. La lésion de ces vaisseaux, en interrompant la vascularisation, provoque une nécrose de la tête fémorale, voire une pseudarthrose (formation d'une nouvelle articulation, anormale, due à l'absence de consolidation osseuse) de la fracture. C'est pourquoi, en cas de déplacement modéré des fragments osseux ou chez une personne encore jeune, la fracture sera réduite puis traitée par ostéosynthèse (maintien des fragments par des vis ou des vis-plaques), alors que, chez une personne âgée, la tête du fémur devra être remplacée par une prothèse ;

– les fractures qui montrent un trait de fracture passant au niveau des deux trochanters et épargnant les vaisseaux. L'ostéosynthèse utilise cette fois un clou-plaque.

Les fractures du col du fémur doivent toutes être opérées afin que la reprise de la marche soit le plus précoce possible et que le malade ne subisse pas les complications d'un alitement prolongé (escarres, infection, phlébite). L'intervention est effectuée sous anesthésie péridurale ou, plus rarement, sous anesthésie générale. La durée de l'immobilisation dépend à la fois de la gravité de la fracture et du traitement institué : lorsque la tête du fémur a été remplacée par une prothèse ou que la fracture, traitée par ostéosynthèse, est peu déplacée, le malade peut s'appuyer sur le membre 2 ou 3 jours après l'intervention ; en revanche, lorsque la fracture est très déplacée et traitée par ostéosynthèse, l'immobilisation peut durer jusqu'à 45 jours, voire 2 mois. La rééducation repose sur la reprise de la marche, qui se fait toujours à l'aide de béquilles ou d'un déambulateur, et sur la kinésithérapie.

■ **Les fractures de la tête fémorale**, très rares, sont généralement associées à une luxation traumatique de la hanche. Leur traitement est le plus souvent orthopédique, parfois chirurgical lorsque la fracture est très déplacée.

■ **Les fractures isolées du trochanter** sont traitées par une mise au repos du membre pendant 6 semaines ou par voie chirurgicale si la fracture est très déplacée. Leur pronostic est excellent.

■ **Les fractures de la diaphyse fémorale** surviennent généralement chez l'adulte après un traumatisme violent. Leur gravité est liée à la fois aux pertes de sang très importantes qu'elles entraînent et aux lésions osseuses, viscérales ou crâniennes qui leur sont souvent associées (polytraumatisme). Elles sont réduites puis consolidées par ostéosynthèse (enclouage centromédullaire ou plaques vissées). Leur pronostic est généralement bon.

■ **Les fractures de l'extrémité inférieure du fémur** sont graves, surtout lorsqu'elles lèsent les surfaces articulaires. Les fractures d'un seul condyle fémoral sont assez facilement traitées par vis, tandis que les fractures en Y, plus complexes, sont difficiles à réduire et à traiter par lame-plaque ou vis-plaque. Il peut en résulter une raideur définitive du genou, si la rééducation, faute d'un assemblage suffisamment solide, n'est pas entreprise rapidement, ou une arthrose du genou en cas de réduction imparfaite des surfaces articulaires.

Fenestration

Création chirurgicale d'une ouverture dans la paroi d'une cavité.

La fenestration permet d'avoir accès à une cavité pour en examiner l'intérieur avec un endoscope (petit tube muni d'un système optique) ou encore pour prélever à des fins d'analyse son contenu ou l'évacuer. Ainsi, la fenestration d'un kyste hépatique permet de l'évacuer par la fenêtre ainsi créée et de l'empêcher de se reformer.

Fente labiopalatine

Malformation caractérisée par une fente de la lèvre supérieure et/ou du palais. SYN. *bec-de-lièvre*.

Les plus anciennes descriptions de la fente labiopalatine remontent à l'Antiquité. C'est le chirurgien français Ambroise Paré qui, au XVIᵉ siècle, en tenta les premières réparations plastiques.

FRÉQUENCE

Cette anomalie touche un nouveau-né sur 500 environ (0,2 %). La fente labiale est plus fréquente chez les garçons, tandis que la division du palais se retrouve plus souvent chez les filles. Lorsque la fente ne s'accompagne pas d'autres malformations, le risque de voir le cas se reproduire chez des frères et sœurs ou des cousins germains oscille entre 3 et 4 %.

CAUSE ET SYMPTÔMES

La fente labiopalatine est due à un défaut de soudure des bourgeons faciaux de l'embryon entre le 35ᵉ et le 40ᵉ jour de la vie intra-utérine. Elle se présente comme une interruption de la lèvre rouge et de la lèvre blanche avec, parfois, un élargissement important de la narine. Lorsque l'enfant ouvre la bouche, on voit dans le palais une fente qui va jusqu'à la luette.

La fente labiopalatine entraîne non seulement une disgrâce esthétique mais aussi, parfois, des troubles fonctionnels : gêne pour se nourrir, pour parler et même pour entendre, en raison d'une éventuelle obstruction de l'orifice de la trompe d'Eustache dans l'oreille. Elle doit donc être traitée aussi précocement que possible.

DIAGNOSTIC

L'échographie prénatale met en évidence de telles anomalies, ce qui permet d'y préparer la famille. Chez le nouveau-né, la malformation est immédiatement visible.

TRAITEMENT

Il est chirurgical et intervient très tôt après la naissance. La lèvre, le nez et le voile du palais (palais mou) sont réparés avant 6 mois. La voûte palatine (palais dur) est en général opérée un peu plus tard. Lorsque des troubles de la parole risquent de se manifester, on intervient aussi sur le pharynx. Enfin, un oto-rhino-laryngologiste vérifiera la liberté du passage de l'air dans la trompe d'Eustache. Au moment de l'adolescence, de petites retouches sont parfois nécessaires.

Les opérations sur les fentes labiopalatines ont fait de grands progrès et permettent d'espérer, surtout pour les formes les plus banales, une restitution très satisfaisante, tant esthétique que fonctionnelle. Certaines recherches portent sur la chirurgie intra-utérine en vue d'une réparation de la malformation avant la naissance.

Fer

Oligoélément indispensable à l'organisme, qui intervient dans de nombreuses réactions chimiques et permet notamment le transport de l'oxygène par l'hémoglobine des globules rouges.

L'atome de fer (Fe) est intégré dans de nombreuses protéines, souvent au sein d'une structure moléculaire particulière appelée hème. On distingue les protéines porteuses d'hème, ou héminiques, comme l'hémoglobine, la myoglobine, les cytochromes, les peroxydases ou les catalases des enzymes, et les protéines non héminiques comme la ferritine et l'hémosidérine. Chez l'adulte, l'organisme contient habituellement entre 2,5 et 5 grammes de fer, essentiellement contenus dans l'hémoglogine et la myoglobine.

PHYSIOLOGIE

Près de 70 % du fer de l'organisme se trouvent associés à l'hémoglobine des globules rouges et représentent à peu près 3 grammes. La destruction permanente des globules rouges libère le fer de l'hémoglobine, qui est réutilisé par l'organisme lors de la synthèse de nouveaux globules rouges. L'autre partie du fer, fer de réserve (de 0,6 à 1,2 gramme), est située dans des tissus tels que la rate, la moelle osseuse et le foie, soit sous forme de ferritine, rapidement disponible en cas de besoin, soit sous forme d'hémosidérine pour une libération plus progressive. Enfin, le plasma contient également du fer à un taux de 11 à 23 micromoles/litre.

Les pertes en fer sont généralement très faibles, de l'ordre du milligramme chaque jour ; elles sont plus importantes en cas d'hémorragie, un litre de sang contenant environ 0,5 gramme de cet élément. Chez les femmes, la période des règles accroît les pertes quotidiennes, qui peuvent alors s'élever à 3 milligrammes par jour.

Pour compenser ces pertes, l'organisme puise le fer dans l'alimentation. Les apports journaliers recommandés sont de 10 à 18 milligrammes selon l'âge et le sexe. Une alimentation équilibrée apporte en moyenne de 10 à 25 milligrammes de fer, dont 10 à 20 % seulement sont réellement absorbés. Les viandes rouges (riches en myoglobine), le boudin (riche en hémoglobine), le poisson sont des aliments riches en fer et, dans une moindre mesure, les lentilles, les épinards (qui ne sont pas, contrairement à une

---

Fᴇɴᴛᴇ ʟᴀʙɪᴏᴘᴀʟᴀᴛɪɴᴇ

La malformation peut toucher le palais, la lèvre ou l'un et l'autre. Aujourd'hui, elle peut être dépistée par échographie avant la naissance, et sa réparation chirurgicale est entreprise rapidement, en général avant l'âge de 6 mois.

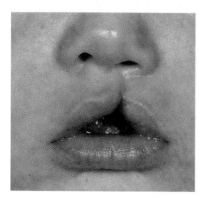

Une fente du palais laisse en communication la bouche et les fosses nasales.

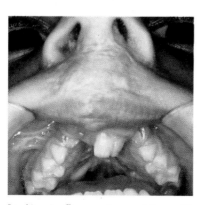

La chirurgie efface ce qu'on appelait autrefois « bec-de-lièvre » ou « gueule-de-loup ».

BESOINS EN FER

Individus	Besoins quotidiens (en milligrammes)
Femme – pendant la grossesse et en période d'allaitement	de 1,6 à 1,8 de 2 à 2,2
Homme	1
Nourrisson et enfant (jusqu'à 11 ans)	0,1 par kilogramme de poids
Adolescent – fille – garçon	de 1,6 à 1,8 1,5

opinion répandue, extrêmement riches en fer), les fruits secs. L'absorption du fer a lieu essentiellement dans le duodénum. Après avoir traversé les cellules intestinales, cet élément se fixe à la transferrine (ou sidérophyline) pour être véhiculé jusqu'à la moelle des os, où il passe dans les globules rouges. En général, le taux d'absorption est lié aux besoins de l'organisme. Ainsi, dans certaines circonstances, on observe un accroissement physiologique des besoins en fer : pendant la grossesse et l'allaitement, chez les nourrissons et les adolescents.

CARENCE

La carence en fer, ou carence martiale, provoquée par une augmentation des pertes ou des besoins ou, beaucoup plus rarement, par une malabsorption ou un défaut d'apport, peut entraîner une anémie. Par ailleurs, au cours des réactions inflammatoires, les macrophages (cellules de défense de l'organisme) stockent anormalement le fer circulant, diminuant ainsi la fraction disponible pour les globules rouges. Ce phénomène explique le caractère microcytaire (globules rouges de petite taille) des anémies qui accompagnent les inflammations chroniques (cancer, rhumatisme inflammatoire, etc.).

APPORT EXCESSIF

À l'inverse, on peut observer des surcharges en fer de l'organisme dues à une absorption excessive d'origine génétique (hémochromatose primitive) ou à des apports répétés sous forme de transfusions sanguines (hémochromatose secondaire). La ponction biopsie du foie confirme la surcharge.

UTILISATION THÉRAPEUTIQUE

Le fer est utilisé dans le traitement des anémies ferriprives et dans leur prévention chez les sujets exposés (en cas de saignement, de malabsorption, de grossesses répétées, chez le nourrisson). Chez ce dernier, le fer contenu dans le lait maternel est suffisant pour couvrir ses besoins jusqu'à 3 mois ; au-delà, un apport est nécessaire jusqu'à l'âge de un an au moins, soit par la diversification de l'alimentation, soit par l'apport de lait enrichi en fer. Le fer est commercialisé sous forme de préparations à base de sels ferreux (seuls ou associés) et administré par voie orale ou injectable. Le traitement est en général de longue durée. Il faut prendre certaines précautions d'emploi en cas d'association avec les tétracyclines et certains antiacides, comme respecter un intervalle de 2 heures entre les prises.

L'absorption de fer peut entraîner des troubles digestifs (constipation, nausées, vomissements, coloration foncée des selles), qui cessent dans les 24 heures qui suivent l'arrêt du traitement.

Férine

Se dit d'une toux rauque et saccadée qui évoque le cri d'animaux sauvages.

Une toux férine peut survenir dans la rougeole lors de sa phase catarrhale initiale.

Ferritine

Glycoprotéine riche en fer, synthétisée par le foie et assurant le stockage du fer dans cet organe, mais aussi dans la rate et dans la moelle osseuse.

La ferritine assure une disponibilité rapide des réserves en fer. On la trouve en petite quantité dans le plasma, où son dosage est un bon indice du niveau des réserves : la ferritinémie (taux de ferritine dans le sang) est basse en cas de carence et élevée en cas de surcharge, en particulier dans l'hémochromatose. Le taux de ferritine est normalement de 20 à 300 nanogrammes par litre. Cependant, dans les maladies inflammatoires ou les hémopathies malignes (cancers du sang), il augmente sans rapport avec les réserves.

Fers

→ voir Forceps.

Fertilité

Aptitude à la procréation, tant chez l'homme que chez la femme.

L'homme et la femme sont fertiles dès la puberté, mais l'homme le demeure jusqu'à un âge avancé, tandis que la femme cesse de concevoir après la ménopause.

■ **La fertilité masculine** est liée à la sécrétion, par les testicules, de spermatozoïdes sains et mobiles, en nombre suffisant dans le sperme, c'est-à-dire normalement au moins 20 millions par millilitre. Elle repose aussi sur la qualité de l'érection et de l'éjaculation. La fertilité masculine décroît de façon progressive et partielle avec l'âge.

■ **La fertilité féminine** dépend de la capacité des ovaires à produire des ovules et à libérer, à chaque cycle menstruel, un ovule sain qui, capté par le pavillon de la trompe de Fallope, parcourt celle-ci jusqu'à sa rencontre avec un spermatozoïde. Elle est liée à l'équilibre hormonal de la femme et à la capacité de sa muqueuse utérine à accueillir l'œuf fécondé lors de la nidation.

Fesse

Région située à la partie postérieure de la hanche, au-dessous et en arrière de la crête iliaque. (P.N.A. *nates* ou *clunes*)

La fesse a une forme convexe, qui est due aux muscles fessiers. Son volume varie selon l'embonpoint et la musculature du sujet.

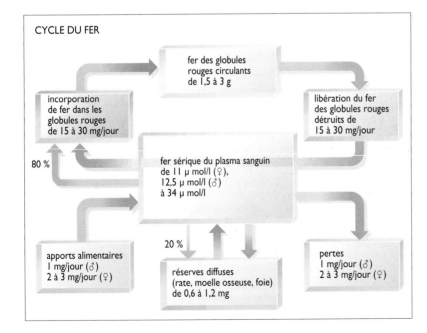

CYCLE DU FER

fer des globules rouges circulants de 1,5 à 3 g

incorporation de fer dans les globules rouges de 15 à 30 mg/jour

libération du fer des globules rouges détruits de 15 à 30 mg/jour

80 %

fer sérique du plasma sanguin de 11 μ mol/l (♀), 12,5 μ mol/l (♂) à 34 μ mol/l

apports alimentaires 1 mg/jour (♂) 2 à 3 mg/jour (♀)

20 %

réserves diffuses (rate, moelle osseuse, foie) de 0,6 à 1,2 mg

pertes 1 mg/jour (♂) 2 à 3 mg/jour (♀)

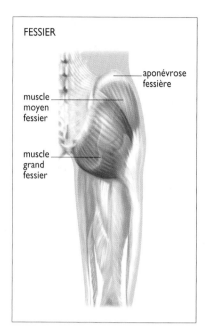

FESSIER

aponévrose
fessière

muscle
moyen
fessier

muscle
grand
fessier

Fessier (muscle)

Important muscle de la région fessière, qui, par son volume, conditionne l'aspect de la fesse. (P.N.A. *musculus gluteus*)

Le muscle fessier se divise en trois couches musculaires successives : le grand, le moyen et le petit fessier. Les attaches supérieures de ces trois muscles se font sur la face externe de l'os iliaque. Elles se séparent à leur terminaison pour se fixer sur l'extrémité supérieure du fémur : pour les petit et moyen fessiers, sur la face externe de la grosse tubérosité et, pour le grand fessier, derrière l'extrémité supérieure de l'os. À la face profonde des muscles fessiers chemine un nerf volumineux, le nerf grand sciatique.

Le muscle fessier joue un rôle important dans les mouvements d'abduction, de rotation interne et externe de la cuisse. D'autre part, lorsqu'il prend appui sur les insertions fémorales, ce muscle exerce une action sur le bassin.

Fétichisme

Déviation des pulsions sexuelles d'un sujet sur un objet érotique de substitution qui peut être aussi bien une partie déterminée du corps (cheveux, seins, fesses) qu'un objet (vêtement, chaussure).

Selon les psychanalystes, le fétichisme serait une défense contre l'angoisse infantile de castration. Un comportement fétichiste apparaît aussi dans les névroses et les psychasthénies. Son traitement reste essentiellement psychothérapique (psychanalyse, thérapie comportementale).

Feuillet

L'une des trois structures anatomiques embryonnaires apparaissant lors des deuxième et troisième semaines de grossesse.

Les feuillets constituent les ébauches tissulaires primordiales qui donneront naissance à tous les organes embryonnaires.
→ VOIR Ectoderme, Embryon, Endoderme, Mésoderme.

Fibre alimentaire

Substance résiduelle d'origine végétale non digérée par les enzymes du tube digestif.

Les fibres alimentaires comprennent la cellulose, l'hémicellulose, les gommes, les mucilages, la pectine et la lignine. Les principaux aliments riches en fibres sont les céréales et les produits céréaliers (son de blé, farine de blé complet, etc.), certains fruits (noix, abricots, figues, pruneaux) et légumes (haricots secs, lentilles, pois).

Les fibres alimentaires ont un effet régulateur sur le transit intestinal : elles augmentent le volume et l'hydratation des selles et diminuent la pression à l'intérieur du côlon. Elles modifient en outre l'absorption des glucides, des lipides, des protéines et des sels minéraux.

Condition de leur efficacité, une prise régulière et répétée est bénéfique en cas de constipation, de colopathie spasmodique, etc. Elle diminuerait les risques de cancer du côlon et permettrait un meilleur contrôle du diabète. Toutefois, l'ingestion de fibres peut provoquer des flatulences et une accélération du transit - inconvénients limités si l'alimentation est progressivement enrichie en fibres, de préférence peu irritantes (légumes verts, jeunes et cuits, par exemple). L'alimentation devrait apporter de 25 à 35 grammes de fibres par jour.

Les aliments riches en fibres sont contre-indiqués dans certaines maladies comme les syndromes de malabsorption, les colites ulcéreuses, les lésions sténosantes (provoquant un rétrécissement) du tube digestif ou une maladie de Crohn en évolution.

Fibre conjonctive

Fibre du tissu conjonctif (tissu de soutien des autres tissus) constituée d'une protéine : soit collagène, soit élastine.

Les fibres conjonctives forment des faisceaux dans le tissu conjonctif et lui confèrent ses qualités mécaniques de résistance et d'élasticité.
→ VOIR Réticuline (fibre de).

Fibre musculaire

Cellule allongée formant l'élément essentiel du muscle. SYN. *cellule musculaire.*

Il existe trois types de fibre musculaire : les fibres striées qui constituent les muscles du squelette ; les fibres striées qui constituent le myocarde (muscle du cœur) ; les fibres lisses, musculature des viscères creux. Toutes sont formées d'éléments contractiles, les myofibrilles, qui, en se contractant, diminuent la longueur de la fibre musculaire. Seules les fibres striées squelettiques sont directement accessibles à la volonté, les autres étant sous la dépendance du système neurovégétatif. Parmi les fibres striées, certaines, à contraction lente, permettent les contractions peu intenses et durables (efforts d'endurance) ; d'autres, à contraction rapide, permettent des contractions intenses et peu durables (efforts de résistance). La proportion de ces deux types de fibre varie selon l'héritage génétique des individus, mais l'entraînement sportif peut la modifier en augmentant la proportion des fibres sollicitées par un type particulier d'effort.

Fibre nerveuse

Fibre formée par un axone (prolongement d'un neurone), entouré ou non d'une gaine de myéline (substance lipidique et protéique dont la fonction est d'accélérer la transmission de l'influx nerveux) et d'une gaine de Schwann (constituée de cellules gliales qui protègent et soutiennent les neurones).

Certaines fibres nerveuses sont spécialisées dans la motricité, d'autres dans la transmission sensorielle.

Fibrillation

Activité anormale de fibres musculaires isolées dont la membrane est instable et qui se contractent en l'absence d'innervation.

Une fibrillation se produit en cas de dénervation, d'origine pathologique (dégénérescence nerveuse) ou traumatique (plaie d'un nerf périphérique, par blessure à l'arme blanche, par exemple). Ce phénomène est mis en évidence par l'activité musculaire enregistrée par électromyographie. Lorsque, au cours d'examens successifs, les fibrillations disparaissent, cela signifie qu'il existe un retour progressif à la normale avec une réinnervation débutante. En revanche, leur persistance indique que le processus de dénervation n'est pas réparé.

Fibrillation auriculaire

Trouble du rythme cardiaque caractérisé par la disparition du rythme sinusal normal, remplacé par des contractions rapides (de 400 à 600 par minute) et inefficaces des oreillettes, et provoquant la contraction irrégulière et souvent rapide des ventricules.
CAUSES
Multiples, elles comprennent la plupart des maladies cardiovasculaires, certaines maladies bronchopulmonaires retentissant sur le cœur et quelques maladies métaboliques,

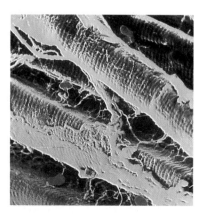

Fibre musculaire. Cellules cylindriques et striées d'un muscle du squelette.

telle l'hyperthyroïdie. Certains médicaments peuvent aussi la provoquer, entre autres ceux qui accélèrent la fréquence cardiaque.

SYMPTÔMES ET SIGNES

La fibrillation auriculaire n'est pas toujours ressentie par le malade ; mais, souvent, celui-ci éprouve des palpitations. Ce trouble peut aussi se manifester par un angor (angine de poitrine), du fait de l'accélération du rythme cardiaque, ou par une insuffisance cardiaque. Enfin, il peut être révélé par une complication embolique, l'absence de contraction efficace des oreillettes provoquant l'arrêt ou le ralentissement du sang à cet endroit et le risque de formation de caillots susceptibles de migrer dans la circulation.

DIAGNOSTIC

Il repose sur la palpation du pouls et surtout sur l'auscultation cardiaque prolongée, qui permet de constater l'existence de battements irréguliers. L'électrocardiographie confirme le diagnostic.

TRAITEMENT ET PRONOSTIC

Le traitement peut être médicamenteux, visant soit à ralentir la cadence des ventricules (digitaliques, bêtabloquants), soit à réinstaurer un rythme régulier (antiarythmiques). Une cardioversion (choc électrique externe) peut servir à régulariser les contractions cardiaques. Les médicaments antiarythmiques sont utiles aussi dans la prévention des récidives. Un traitement anticoagulant est généralement associé, provisoirement, pendant la phase aiguë, ou de façon prolongée quand la fibrillation devient permanente – cas fréquent chez le sujet âgé – pour prévenir le risque de formation de caillots et d'embolie périphérique.

Bien contrôlée, une fibrillation auriculaire permet une survie prolongée. Le pronostic dépend de la cardiopathie sous-jacente.

Fibrillation ventriculaire

Trouble du rythme cardiaque grave, caractérisé par la disparition de toute contraction organisée des ventricules, remplacée par une trémulation ventriculaire (contractions localisées anarchiques et inefficaces).

CAUSES

Une fibrillation ventriculaire peut s'observer dans les suites d'un infarctus du myocarde ou d'une autre cardiopathie ou encore venir compliquer une électrocution.

SYMPTÔMES ET SIGNES

La trémulation ventriculaire provoque un arrêt cardiocirculatoire responsable d'une perte de connaissance et d'un état de mort apparente.

DIAGNOSTIC ET ÉVOLUTION

Le diagnostic, évoqué devant l'état du sujet, est confirmé par l'électrocardiographie, pratiquée dès l'arrivée des secours d'urgence. En l'absence de traitement, la fibrillation ventriculaire est spontanément mortelle (elle est cause d'un grand nombre de morts subites).

TRAITEMENT

Le traitement d'urgence repose sur la cardioversion (choc électrique externe), destinée à régulariser les contractions cardiaques. La prévention des récidives dépend de la cause

du trouble et de l'état du sujet ; elle fait appel, lorsque la cause ne peut être corrigée, à des médicaments antiarythmiques et/ou à des systèmes de défibrillation implantables (stimulateurs cardiaques implantés dans la poitrine, qui servent à détecter les épisodes de fibrillation ventriculaire et à réagir immédiatement par une stimulation électrique).

Fibrinogène

Protéine plasmatique synthétisée dans le foie et intervenant dans la coagulation.

Le fibrinogène est le facteur I de la coagulation, précurseur soluble de la fibrine. Lorsqu'il est activé par la thrombine, un autre des facteurs de la coagulation, il se transforme en un monomère (unité) de fibrine. Cette protéine va ensuite se polymériser spontanément par accolement des monomères et devenir insoluble par stabilisation grâce au facteur XIII de la coagulation. Il se constitue alors un amas protéique qui va s'opposer au saignement par obturation de la plaie.

Fibrinolyse

Processus de destruction physiologique des dépôts de fibrine (protéine filamenteuse contenue dans le sang et intervenant dans la coagulation) sous l'action de la plasmine (forme active du plasminogène, élaboré dans le foie).

La fibrinolyse, en limitant la quantité de fibrine dans le sang, protège l'individu des risques de thrombose. Après la cicatrisation d'une plaie hémorragique, elle dissout le caillot devenu inutile. Elle a donc un rôle inverse, mais complémentaire, de celui des facteurs de la coagulation.

Toutefois, lors d'une cirrhose ou d'un épisode de coagulation intravasculaire, la fibrinolyse peut devenir excessive et provoquer des hémorragies difficiles à maîtriser. On peut également la provoquer dans un dessein thérapeutique, à l'aide de médicaments fibrinolytiques, pour dissoudre un caillot, par exemple lors de la phase aiguë d'un infarctus du myocarde ou lors d'une embolie pulmonaire.

→ VOIR Thrombolyse.

Fibrinolytique

Médicament utilisé pour détruire les caillots formés dans la circulation sanguine. SYN. *thrombolytique.*

Les différents fibrinolytiques (streptokinase, urokinase, activateur tissulaire du plasminogène) agissent par destruction de la fibrine, qui constitue la trame fibreuse des caillots. Leur efficacité est d'autant plus grande que le caillot est plus récent.

Un fibrinolytique est prescrit en cas de thrombose (formation d'un caillot, ou thrombus) de moins de 6 heures dans une artère ou une veine, particulièrement dans une artère coronaire (infarctus du myocarde) ou pulmonaire (embolie pulmonaire). L'administration d'un fibrinolytique par voie injectable est généralement réservée aux unités de soins intensifs en milieu hospitalier. Cependant, dans le cas des infarctus du

myocarde, la première injection peut être effectuée très précocement par le réanimateur de l'unité mobile de soins dès son arrivée au domicile du malade.

EFFETS INDÉSIRABLES ET CONTRE-INDICATIONS

Un fibrinolytique peut causer une hémorragie (au point d'injection ou généralisée), une fièvre, des réactions allergiques. Il est contre-indiqué en cas d'accident vasculaire cérébral récent, de risque hémorragique, d'hypertension artérielle, d'insuffisance rénale ou hépatique grave.

→ VOIR Thrombolyse.

Fibrinopénie

Diminution du taux de fibrinogène plasmatique au-dessous de 1,5 gramme par litre. SYN. *fibrinogénopénie.*

Une fibrinopénie peut être congénitale (afibrinogénémie) ou acquise, par consommation excessive du fibrinogène (coagulation intravasculaire disséminée), par fibrinolyse pathologique ou thérapeutique ou par diminution de la production de fibrinogène en cas d'insuffisance hépatique. La fibrinopénie entraîne un risque élevé d'hémorragie.

Le traitement consiste à corriger la cause et à apporter, s'il y a lieu, du fibrinogène, sous forme de plasma frais congelé, par exemple.

Fibroadénome

→ VOIR Adénofibrome.

Fibroblaste

Chacune des cellules fusiformes qui, disposées en faisceaux, qui constituent l'essentiel du tissu conjonctif de l'organisme.

Les fibroblastes sont responsables, d'une part, de la formation des fibres collagènes (substance intercellulaire du tissu conjonctif) et, d'autre part, de la production de la substance gélatineuse et amorphe qui entoure les fibroblastes et les fibres collagènes.

Le rôle des fibroblastes est essentiel dans la réparation des lésions traumatiques, inflammatoires ou autres ; devenant alors mobiles et contractiles (myofibroblastes), ils permettent la cicatrisation des plaies.

Fibromatose

Maladie caractérisée par l'apparition de fibromes (tumeurs fibreuses) ou d'une fibrose (augmentation des fibres dans un tissu), plus ou moins disséminés.

Les fibromatoses comprennent différents types de maladies, parfois héréditaires, de cause en général inconnue, qui atteignent surtout la peau et les tissus superficiels, parfois les os, les articulations, le système nerveux. Sur la peau, elles se traduisent par des plaques, des nodules ou des bandes, fermes, voire durs, et de couleur blanche, jaune, rosée ou brunâtre.

Les principales fibromatoses sont la maladie de Dupuytren (rétraction de l'aponévrose palmaire) et la maladie de Ledderhose (rétraction de l'aponévrose de la plante du pied), la maladie de La Peyronie (fibromatose de la verge), la pachydermodactylie (épaississement de l'extrémité des doigts) et les tumeurs

FIBROME UTÉRIN

Improprement appelé fibrome de l'utérus, le léiomyome est une tumeur musculaire bénigne, localisée dans la paroi utérine ou en saillie (vers l'extérieur ou l'intérieur). Il est exploré surtout par échographie, parfois par hystérographie.

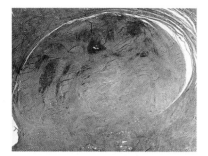

Léiomyome du fond de l'utérus (masse ronde centrale), si volumineux qu'il occupe presque toute la cavité utérine.

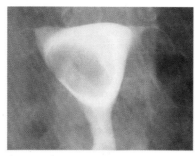

À l'hystérographie, dans le triangle blanc de l'utérus (au centre), une tache sombre (à gauche) révèle un léiomyome.

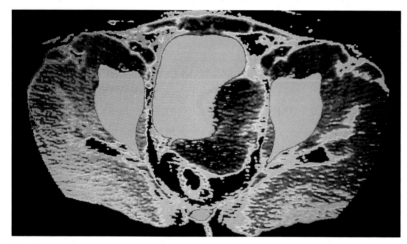

Léiomyome (au centre, bleu foncé) comprimant la vessie (en haut).

dermoïdes (fibromatose profonde se manifestant par des placards indurés abdominaux).

Le pronostic des fibromatoses est très variable : parfois, le préjudice est surtout esthétique ; dans d'autres cas, le pronostic, du fait des troubles du fonctionnement organique que la maladie entraîne, est beaucoup plus grave. Enfin, certains fibromes ressemblent dans leur évolution à des cancers, récidivant après ablation mais sans donner de métastases.

TRAITEMENT

Il fait appel aux immunosuppresseurs et à l'ablation chirurgicale. Cependant, du fait des risques induits par les immunosuppresseurs (aplasie médullaire et, à long terme, développement d'un cancer) et de la fréquence des récidives en cas d'ablation chirurgicale, il doit être décidé et conduit avec la plus grande prudence.

Fibrome

Tumeur bénigne du tissu conjonctif fibreux.

Un fibrome est rare, localisé surtout dans la peau. Le plus souvent, la prolifération fibreuse s'associe à celle d'autres tissus : vasculaire (angio-histiocyto-fibrome), musculaire (fibromyome), cartilagineux (fibrochondrome) ou graisseux (fibrolipome).

Le nom de fibrome donné à certaines tumeurs utérines est impropre puisque le fibrome utérin se développe à partir de cellules musculaires lisses.

Fibrome utérin

Tumeur bénigne développée à partir du muscle utérin. SYN. *fibromyome utérin, léiomyome utérin, myome utérin.*

À ce terme, consacré par l'usage, devrait être préféré celui de myome utérin.

Le fibrome de l'utérus est plus fréquent chez les femmes de 40 à 50 ans et chez les femmes noires.

DIFFÉRENTS TYPES DE FIBROME UTÉRIN

Un fibrome peut siéger au niveau du col, de l'isthme ou du corps de l'utérus. Il est dit sessile quand sa base est large, pédiculé si elle est fine. Selon leur localisation dans le muscle utérin, on distingue les fibromes interstitiels, situés dans l'épaisseur du muscle, les fibromes sous-séreux, qui saillent dans la cavité abdominale, et les fibromes sous-muqueux, en relief dans la cavité utérine. Un fibrome sous-muqueux pédiculé s'appelle aussi polype fibreux.

SYMPTÔMES ET SIGNES

La tumeur se manifeste le plus souvent par des troubles menstruels : ménorragies (règles de plus en plus abondantes), associées à des métrorragies (saignements entre les règles). Elle entraîne parfois des douleurs utérines, une pesanteur pelvienne, une augmentation de volume de l'abdomen. Dans 10 % des cas, elle ne provoque aucun symptôme.

DIAGNOSTIC

L'examen gynécologique révèle une augmentation de volume de l'utérus, qui est dur, fibreux, plus ou moins irrégulier. La taille et la localisation du fibrome sont précisées par hystérographie (radiographie de l'utérus après injection d'un produit opaque) et par échographie. L'hystéroscopie permet de voir les fibromes sous-muqueux.

ÉVOLUTION

Certains fibromes restent petits et, en raison de leur siège, ne provoquent pas de troubles. En revanche, d'autres peuvent entraîner des complications, avant tout des hémorragies abondantes, surtout observées en cas de fibrome sous-muqueux, qui ne cèdent pas au traitement médical et peuvent être à l'origine d'une anémie, accompagnée d'asthénie, de palpitations cardiaques et de lipothymies (malaises). Les compressions ne sont pas rares : certains fibromes du fond utérin peuvent devenir très gros sans entraîner de compression grave, car ils refoulent des viscères abdominaux mous, mais ceux du col ou de l'isthme compriment les organes voisins (réseau veineux, uretère, vessie, rectum) contre les parois osseuses, causant des troubles de la circulation sanguine, des troubles urinaires, une constipation. D'autres complications sont beaucoup plus rares, comme la torsion d'un fibrome sous-séreux sur son pédicule, qui se traduit par une douleur brutale, la dégénérescence et la nécrose du fibrome (nécrobiose aseptique) ou sa cancérisation, exceptionnelle.

La présence d'un fibrome n'est pas un obstacle à une grossesse, mais le risque de croissance ou de ramollissement de la tumeur ainsi que les complications possibles rendent sa surveillance indispensable. Une fausse couche ou un accouchement prématuré sont toujours à craindre. L'accouchement et les suites de couches peuvent également être compliqués par l'inertie de l'utérus, un vice de présentation fœtale ou une rétention placentaire.

TRAITEMENT

Un fibrome qui n'entraîne aucun symptôme est simplement surveillé. Le traitement est indiqué si le fibrome entraîne des troubles, et dépend du volume, du siège et du retentissement de la tumeur. Un traitement hormonal (médicaments progestatifs) peut ralentir son évolution. La chirurgie est envisagée quand le fibrome est sous-muqueux, volumineux ou s'il se complique de torsion ou de nécrose : il est alors enlevé. Son ablation (myomectomie) peut être réalisée par voie abdominale (laparoscopie) ou par hystéroscopie opératoire. L'hystérectomie totale (ablation de l'utérus, des trompes et des ovaires) n'est proposée que lorsque la patiente ne désire plus d'enfant ou approche de la ménopause.

Fibromyome

→ VOIR Fibrome utérin.

Fibromyalgie

Syndrome douloureux diffus touchant surtout la femme, d'origine inconnue et d'évolution prolongée, mais jamais invalidante. SYN. *fibrosite, polyenthésopathie, syndrome polyalgique idiopathique diffus.*

La maladie est définie par des douleurs diffuses ressenties dans différentes parties du corps : l'occiput, le cou, la paroi du thorax, la fesse, le coude, le genou. Il n'y a aucune modification objective des articulations ni d'anomalies radiologiques ou biologiques. Les douleurs s'accompagnent de fatigue, surtout matinale, et souvent de troubles du sommeil. Il peut y avoir un syndrome dépressif. Le traitement fait appel aux antidouleurs, aux antidépresseurs tricycliques et à la physiothérapie.

Fibroplasie rétrolentale

→ VOIR Rétinopathie des prématurés.

Fibrosarcome

Tumeur maligne développée aux dépens du tissu conjonctif (tissu de soutien et de nutrition), présent dans la plupart des organes).

Les fibrosarcomes se localisent souvent sous la peau, où ils forment des tuméfactions dures tendant à grossir, et dans les muscles et les os. Les signes et le traitement des fibrosarcomes dépendent de l'organe atteint. Généralement, leur croissance est plutôt rapide et les métastases sont fréquentes. Leur traitement combine la chirurgie, la radiothérapie et la chimiothérapie.

Fibroscopie

Technique d'endoscopie permettant notamment d'examiner l'estomac, le côlon, l'intestin grêle, les bronches, la vessie, l'oropharynx, les voies biliaires et les vaisseaux.

TECHNIQUE

Une fibroscopie s'effectue à l'aide d'un fibroscope, endoscope souple formé d'une gaine étanche de 40 à 160 centimètres de longueur et de 5 à 12 millimètres de diamètre renfermant un faisceau de fibres de verre qui conduit la lumière d'éclairage, fournie par une forte lampe située à l'extérieur de l'appareil, donnant une lumière froide, et permet ainsi l'observation. Différents canaux sont destinés à l'insufflation d'air, au lavage, à l'aspiration de sécrétions ainsi qu'au passage d'instruments souples : pinces à biopsie, appareils de section, émetteurs laser. L'ensemble de l'appareil est mû par un système de câbles qui permet à l'extrémité du fibroscope de décrire 360 degrés. Il est possible d'installer une sonde d'échographie à l'extrémité d'un fibroscope (échoendoscopie), qu'on utilise, ainsi équipé, pour l'étude fine des tumeurs digestives ou l'analyse des structures voisines de l'estomac (pancréas, voies biliaires).

On peut, grâce à la fibroscopie, observer, photographier, filmer, effectuer des prélèvements (endoscopie diagnostique), retirer des corps étrangers, casser ou extraire des calculs, retirer ou détruire des tumeurs, coaguler des vaisseaux qui saignent, ponctionner des poches de liquide (endoscopie interventionnelle).

Une fibroscopie se déroule en général sous anesthésie locale ; l'anesthésie générale n'est indiquée que pour la coloscopie (fibroscopie du côlon) et pour les fibroscopies faites chez l'enfant. L'hospitalisation n'est nécessaire qu'en cas d'anesthésie générale (observation pendant environ 24 heures après l'examen). Les risques des fibroscopies sont très faibles : perforations et hémorragies ne surviennent qu'exceptionnellement.

Fragiles et assez coûteux, les fibroscopes seront probablement détrônés par des vidéoendoscopes, appareils ayant le même aspect mais comportant à leur extrémité une microcaméra de télévision.

→ VOIR Endoscopie, Gastroscopie.

Fibroscopie bronchique

Examen endoscopique permettant d'observer avec précision la trachée et les bronches.

La fibroscopie bronchique met en évidence les lésions de ces organes et permet d'effectuer des prélèvements de tissus et de sécrétions afin de recueillir des cellules, des bactéries, des champignons ou des parasites.

DÉROULEMENT

Cet examen ne nécessite pas d'hospitalisation. Il se déroule en position assise ou couchée. Le patient doit être à jeun. On procède d'abord à une anesthésie locale du nez, du larynx, de la trachée et des bronches par inhalation d'un produit anesthésiant. Puis un fibroscope adapté à la fibroscopie bronchique, le bronchofibroscope, est introduit par une narine et guidé sous contrôle visuel jusque dans les bronches à travers le larynx, les cordes vocales et la trachée. L'examen dure environ 20 minutes.

EFFETS SECONDAIRES

La fibroscopie bronchique n'est pas douloureuse grâce à l'efficacité du produit anesthésiant ; elle est cependant désagréable à cause de l'insensibilisation de la région de la gorge et du nez ainsi que des réflexes de toux et de vomissement qu'elle peut provoquer. Une toux spasmodique survient parfois à l'issue de l'examen ; elle disparaît rapidement. Comme après toute anesthésie pharyngolaryngée, il convient de s'abstenir de boire et de manger pendant les 2 heures qui suivent l'examen afin d'éviter les fausses-routes.

→ VOIR Fibroscopie

Fibroscopie œso-gastro-duodénale

Examen endoscopique permettant d'observer avec précision l'œsophage, l'estomac et le duodénum.

La fibroscopie œso-gastro-duodénale aide à repérer d'éventuelles inflammations et lésions (ulcérations, ulcères, etc.) de la paroi digestive. Elle sert également à pratiquer des biopsies.

DÉROULEMENT

Cet examen ne nécessite pas d'hospitalisation. Le patient doit être à jeun depuis au moins 6 heures. Le plus souvent, l'examen est effectué sans anesthésie générale ; on procède à une anesthésie locale de l'arrière-gorge par aérosol ou gargarisme avec un produit anesthésiant. Le fibroscope est introduit par la bouche, le patient devant avaler l'embout du tube. On insuffle alors de l'air par l'intermédiaire du fibroscope pour distendre les parois des organes et faciliter l'examen.

EFFETS SECONDAIRES

La fibroscopie œso-gastro-duodénale ne s'accompagne d'aucun effet secondaire, si ce n'est parfois un mal de gorge, qui disparaît au bout d'une journée. Elle n'est pas douloureuse mais peut être désagréable, notamment au moment où le patient doit « avaler » l'extrémité du tube et en raison aussi de l'insufflation d'air, qui entraîne un ballonnement passager. En cas d'anesthésie générale, le patient doit rester quelques heures à l'hôpital sous surveillance du personnel soignant.

Fibrose

Augmentation pathologique du tissu conjonctif contenu dans un organe. SYN. *sclérose.*

Le plus souvent, une fibrose est la dernière phase d'une inflammation chronique (abcès chronique, tuberculose pulmonaire) ou de la cicatrisation d'une blessure. Dans d'autres cas, elle apparaît d'emblée, sans raison connue, et évolue en s'aggravant (fibrose pulmonaire primitive, sclérodermie). Une fibrose est dite systématisée si elle respecte l'architecture de l'organe, mutilante si elle en détruit complètement la structure. Les signes et le traitement de la fibrose dépendent de la maladie en cause.

Fibrose hépatique congénitale

Malformation rare du foie, caractérisée par une fibrose importante de cet organe et par des dilatations microscopiques des canaux biliaires.

La fibrose hépatique congénitale est une maladie à transmission autosomique (par les chromosomes non sexuels) dominante : il suffit que le gène porteur de la maladie soit transmis par l'un des parents pour que celle-ci se manifeste chez l'enfant. Elle peut s'associer à d'autres anomalies : dilatation des voies biliaires intrahépatiques (syndrome de Caroli), malformations rénales (polykystose, maladie de Cacchi et Ricci).

La principale conséquence de cette malformation est une hypertension du système veineux porte, apparaissant au cours de l'enfance ou de l'adolescence et se traduisant par des hémorragies digestives abondantes. Le traitement consiste à prévenir et à traiter les hémorragies par l'administration de médicaments ou par intervention chirurgicale. Dans les formes graves, une transplantation hépatique peut être nécessaire.

Fibrose pulmonaire

Affection respiratoire caractérisée par un épaississement pathologique du tissu pulmonaire.

Les fibroses pulmonaires ont parfois une cause connue : action d'un toxique (médicament), d'un microbe, de particules organiques ou minérales contenues dans l'atmosphère (chez les agriculteurs, les mineurs). Mais, bien souvent, aucune cause n'est décelable ; l'affection est alors appelée fibrose primitive.

Ces maladies se traduisent par une gêne respiratoire, très discrète au début, et par des râles (bruits anormaux) à l'auscultation. Leur évolution est très lente, l'aggravation vers une insuffisance respiratoire s'étalant sur plusieurs années, mais peut être fatale. Le traitement repose sur les corticostéroïdes, les immunosuppresseurs et, dans les cas les plus graves, sur l'administration d'oxygène. Les espoirs thérapeutiques se fondent sur les possibilités de greffe pulmonaire.

Fiessinger-Leroy-Reiter (syndrome de)
→ VOIR Syndrome oculo-urétro-synovial.

Fièvre
Température corporelle supérieure à 37 °C, mesurée dans la bouche, ou à 37,7 °C, mesurée dans le rectum. SYN. *pyrexie*.

CAUSES
La fièvre est provoquée par des protéines, dites pyrogènes, libérées dans l'organisme quand les globules blancs luttent contre les microbes responsables d'une infection. Cette élévation de température agit contre la multiplication de certains microbes. Une fièvre peut également être présente en l'absence d'infection (infarctus du myocarde, tumeur du système lymphatique).

SYMPTÔMES ET SIGNES
Un état fébrile s'accompagne souvent d'une sensation de froid, de soif intense ou de frissons, pouvant aller, chez l'enfant, jusqu'aux convulsions ou au délire. Chez l'adulte, une fièvre modérée peut n'être pas perçue ou entraîner seulement une sensation de malaise avec impression de froid. Chez le vieillard, une fièvre élevée peut entraîner des troubles du comportement, simulant une méningite, par exemple. Les signes d'accompagnement (toux, diarrhée, brûlures urinaires, écoulement nasal, etc.) sont essentiels pour caractériser la maladie. L'aspect de la courbe thermique (courbe obtenue en relevant la température à intervalles réguliers) est également capital : fièvre irrégulière de type septicémique ; fièvre continue (en plateau) évoquant la typhoïde ou des réactions à certains médicaments ; fièvre ondulante (brucellose) ; fièvre tierce ou fièvre quarte (survenant par accès tous les deux ou tous les trois jours), caractéristiques du paludisme.

TRAITEMENT
Une consultation est nécessaire si la fièvre, isolée (sans autres symptômes), dure plus de 3 jours ou si le malade est un nourrisson ou un enfant ayant des antécédents de convulsions fébriles. Des médicaments antipyrétiques (contre la fièvre) peuvent être administrés, mais il faut traiter avant tout la cause de l'accès fébrile (par un traitement anti-infectieux, par exemple).

Fièvre amarile
→ VOIR Fièvre jaune.

Fièvre aphteuse
Maladie des bovins et des porcins, atteignant exceptionnellement l'homme, provoquée par un virus de la famille des picornavirus.

L'homme se contamine par voie cutanée (plaie), exceptionnellement par voie digestive (ingestion de lait cru infecté) ; la transmission interhumaine n'a jamais été établie.

La fièvre aphteuse a une durée d'incubation de 3 à 5 jours et se traduit par une stomatite (inflammation et aphtes des muqueuses de la cavité buccale) accompagnée d'une fièvre élevée et de lésions cutanées vésiculopustuleuses. La maladie dure entre 2 et 3 jours. Des formes graves atteignent la glotte et le poumon et entraînent des troubles respiratoires. Il n'existe aucun traitement hormis la désinfection des lésions et la prescription d'analgésiques pour combattre la douleur. L'abattage des animaux infestés est systématique.

Fièvre fluviale du Japon
Maladie infectieuse due à une bactérie, *Rickettsia tsutsugamushi*. SYN. *fièvre à tsutsugamushi, scrubtyphus*.

La fièvre fluviale est transmise par des acariens (aoûtats) et s'observe en Extrême-Orient. Le réservoir du virus est constitué par un rongeur des forêts. La durée d'incubation est de 10 jours. L'infection se traduit par une fièvre et des frissons précédant l'apparition d'une escarre au point de piqûre, avec adénopathie (inflammation des ganglions lymphatiques), et d'un exanthème maculaire (éruption cutanée diffuse de taches rouges non saillantes). Des troubles plus graves (pneumopathie, encéphalite, myocardite) peuvent également survenir. Les antibiotiques sont efficaces en 36 heures.

Fièvre hémorragique avec syndrome rénal
Affection rénale aiguë, d'origine infectieuse.

C'est une maladie rare due au virus de Hantaan (ou hantavirus), qui survient essentiellement en milieu rural, affectant de préférence les agriculteurs et les bûcherons. Il existe une forme de la maladie appelée fièvre hémorragique de Corée et une forme européenne, décrite sous le nom de nephropathia epidemica. La contamination de l'homme se fait par voie aérienne, par l'inhalation de particules provenant de déjections de rongeurs sauvages.

SYMPTÔMES ET SIGNES
La maladie débute brutalement. Les symptômes sont tout d'abord semblables à ceux d'une grippe, puis des douleurs caractéristiques apparaissent : maux de tête, douleurs musculaires, lombalgies, douleurs abdominales qui peuvent durer de 6 à 15 jours. Des hémorragies surviennent parfois : saignements du nez ou de la conjonctive, présence de sang dans les urines. La troisième phase est celle de l'insuffisance rénale aiguë : les urines deviennent rares, hémorragiques et contiennent des protéines. Les taux d'urée et de créatinine dans le sang peuvent s'élever fortement.

TRAITEMENT
Il n'existe pas de traitement spécifique de cette maladie, qui guérit sans laisser de séquelles en une à deux semaines.

Fièvre inexpliquée
Fièvre isolée survenant en l'absence de toute manifestation clinique.

La constatation d'une fièvre (température au-delà des valeurs physiologiques normales) inexpliquée et persistante requiert une hospitalisation. On en recherche alors systématiquement les causes en envisageant les plus fréquentes comme les plus rares. L'hospitalisation permet en outre de détecter les fièvres factices (truquage du thermomètre pratiqué par certains psychopathes pour attirer sur eux l'intérêt médical).

La recherche d'une cause infectieuse nécessite l'examen des poumons, des urines, du sang (hémoculture), la détection d'une infection cachée (dents, sinus, organes génitaux, valvules cardiaques) ou d'une tuberculose. On recherche le paludisme et l'amibiase en cas de séjour dans un pays où ces maladies sévissent de manière endémique ; la possibilité d'une immunodéficience (sida) doit être envisagée. Cancer et maladies sanguines (leucémie, lymphome) sont recherchés par scanner du thorax et de l'abdomen, endoscopie des bronches et du tube digestif et biopsie ostéomédullaire (examen de la moelle sanguine) ; la possibilité d'une thrombose veineuse profonde ou intracardiaque est examinée par échographie ou Doppler. La détection d'une connectivite (maladie du collagène), enfin, nécessite des examens sérologiques, morphologiques et des biopsies.

Les fièvres demeurant inexpliquées au terme de ces investigations sont très rares.

Fièvre jaune
Maladie infectieuse grave due à un flavivirus, le virus amaril. SYN. *fièvre amarile*.

La fièvre jaune sévit en Afrique centrale ainsi qu'en Amérique tropicale (Amazonie) et en Amérique du Sud. Il existe deux modes de transmission : entre animaux (notamment des primates) ou, accidentellement, de l'animal à l'homme (fièvre de brousse) par l'intermédiaire de moustiques des genres *Hæmagogus* ou *Ædes* (*Æ. africanus*, *Æ. simpsoni*) ; d'homme à homme (fièvre citadine), par l'intermédiaire de *Ædes ægypti*.

SYMPTÔMES ET SIGNES
Après une incubation de 3 à 6 jours, l'infection se traduit par une fièvre importante et soudaine, par une congestion du visage, qui devient bouffi, et par des douleurs abdominales et musculaires. La maladie peut régresser spontanément après 3 ou 4 jours ou s'aggraver, entraînant un état de choc avec hypothermie, ictère et vomissements

397

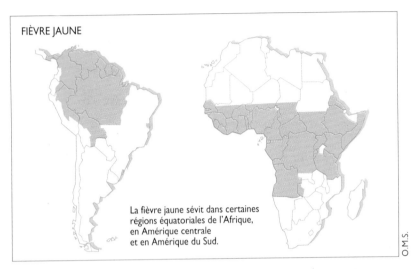

FIÈVRE JAUNE

La fièvre jaune sévit dans certaines régions équatoriales de l'Afrique, en Amérique centrale et en Amérique du Sud.

O.M.S.

sanglants, anurie (arrêt de la production d'urines), protéinurie massive (taux anormalement élevé de protéines dans les urines). Ces signes traduisent une grave atteinte hépatique et rénale pouvant entraîner le coma et la mort.

DIAGNOSTIC ET PRÉVENTION

Le diagnostic est fondé sur des examens sérologiques (recherche d'anticorps dans le sang) ; il n'existe aucun traitement sinon symptomatique : réhydratation, dialyse rénale, transfusion, etc. Le vaccin est la seule protection efficace ; il est obligatoire en zone endémique et protège pour une durée d'au moins dix ans. Dans le cas d'une première vaccination, celle-ci doit être effectuée dix jours avant le départ.

Fièvre méditerranéenne familiale

Maladie caractérisée par de brusques accès de fièvre, qui reviennent périodiquement, à intervalles plus ou moins réguliers, sans que l'on retrouve de facteurs déclenchants particuliers. SYN. *maladie périodique.*

CAUSES ET FRÉQUENCE

La fièvre méditerranéenne familiale est une maladie héréditaire qui semble se transmettre selon un mode autosomique (par les chromosomes non sexuels) récessif (le gène porteur doit être transmis par le père et la mère pour que l'enfant développe la maladie), avec une nette prédominance masculine. Elle a été décrite pour la première fois en 1945 et touche essentiellement les populations d'Afrique du Nord et du Moyen-Orient. Le gène de la fièvre méditerranéenne familiale a été identifié en 1997.

SYMPTÔMES ET SIGNES

La maladie se déclare généralement avant que l'enfant ait atteint sa dixième année. Les accès de fièvre durent de quelques heures à quelques jours et disparaissent spontanément. La maladie se traduit également par des douleurs abdominales violentes et brutales d'une durée de 24 à 48 heures, s'accompagnant souvent de vomissements et de constipation, ainsi que par des crises articulaires très douloureuses, qui durent plusieurs jours. Celles-ci, qui affectent les grosses articulations, peuvent provoquer un gonflement et une rougeur de la peau. Parfois, des douleurs thoraciques (accès pleural) et un érythème douloureux des jambes s'y associent.

ÉVOLUTION

Au bout de quelques années, une amylose (maladie caractérisée par l'infiltration anormale dans les tissus de la peau et des viscères d'une substance ayant l'aspect de l'amidon) peut survenir. Le plus souvent, elle affecte le rein, évoluant inéluctablement vers une insuffisance rénale chronique ; celle-ci s'aggrave rapidement, obligeant le malade à un traitement par hémodialyse (technique d'épuration du sang à travers une membrane semi-perméable).

TRAITEMENT ET PRÉVENTION

L'utilisation d'un médicament antigoutteux, la colchicine, prévient les accès douloureux ou les espace considérablement et permet, en outre, d'éviter l'apparition de l'amylose rénale. Ce traitement doit être institué le plus tôt possible, car il a peu d'effet sur une crise déclarée, sauf à très fortes doses, entraînant alors des troubles secondaires importants tels qu'une diarrhée. De plus, la colchicine est inefficace sur une amylose déclarée.

Fièvre paratyphoïde

Septicémie provoquée par un bacille à Gram négatif de la famille des entérobactéries, *Salmonella paratyphi* A, B ou C. SYN. *paratyphoïde.*

La fièvre paratyphoïde est proche de la fièvre typhoïde par son mode de propagation (germe transmis par l'intermédiaire de l'eau de boisson ou d'aliments souillés par des excréments humains infectés), sa répartition géographique (principalement l'Afrique, l'Asie et l'Amérique du Sud) et ses symptômes cliniques (fièvre, troubles digestifs et nerveux, puis diarrhée). Les complications sont toutefois moins fréquentes.

Le diagnostic repose sur l'identification du germe par hémoculture et coproculture et sur le sérodiagnostic de Widal et Félix au cours de la deuxième semaine de fièvre. Le traitement consiste en l'administration précoce d'antibiotiques ; il existe un vaccin, le TAB, administré en 3 injections avec un rappel après un an, qui protège contre la typhoïde et les paratyphoïdes A et B.

Fièvre pourprée des montagnes Rocheuses

Maladie infectieuse due à la bactérie *Rickettsia rickettsii.* SYN. *Tick fever.*

La fièvre pourprée sévit particulièrement aux États-Unis ; elle est transmise de certains mammifères (lapin) à l'homme par l'intermédiaire de tiques de la famille des ixodidés *(Dermacentor andersoni)* et se traduit par un état fébrile et un exanthème (rougeur cutanée) parfois hémorragique se déclenchant vers le 6e jour. Les lésions que provoque la fièvre pourprée sont celles d'une vascularite (inflammation des vaisseaux sanguins) ; elles s'accompagnent parfois de manifestations nerveuses (encéphalite). Cette maladie infectieuse est traitée par l'administration d'antibiotiques. Un vaccin, récemment mis au point, est disponible aux États-Unis.

Fièvre puerpérale

État fébrile survenant dans la période qui suit un accouchement ou un avortement, avant la réapparition des règles. SYN. *infection puerpérale.*

La fièvre puerpérale, autrefois cause de mortalité importante chez les femmes, est devenue rare dans les pays développés grâce à la meilleure surveillance des patientes en suite de couches. Elle a quatre grandes causes : une endométrite (infection de l'utérus), une phlébite utéropelvienne ou des membres inférieurs, une infection urinaire, une infection mammaire (engorgement, abcès du sein, lymphangite). Les germes responsables sont en général le streptocoque ou le staphylocoque. Les complications majeures sont une septicémie (infection généralisée) ou une embolie. Le traitement fait appel aux antibiotiques.

Fièvre Q

Maladie infectieuse peu fréquente, due à une bactérie de la famille des rickettsies, *Coxiella burnetii.* SYN. *maladie de Derrick-Burnet.*

La fièvre Q sévit sur toute la surface du globe. Son germe a pour réservoir des bovins, des caprins et quelques arthropodes. Elle se transmet à l'homme par l'ingestion de lait contaminé ou par voie respiratoire, plus rarement par des piqûres de tiques.

Après une incubation de 10 à 30 jours, la maladie se déclare sous la forme d'une atteinte pulmonaire se manifestant d'abord par une toux sèche, accompagnée de maux de tête, de douleurs thoraciques et d'une fièvre élevée. Elle se complique parfois d'une endocardite (inflammation de la tunique interne du cœur), qui peut se révéler par la prolongation de la fièvre sur plusieurs semaines. Le traitement consiste en l'administration prolongée d'antibiotiques.

Fièvre récurrente
→ voir Borréliose.

Fièvre des tranchées
Maladie infectieuse due à une bactérie, *Rickettsia quintana.* SYN. *fièvre des 5 jours, fièvre quintane, fièvre de la Meuse, fièvre d'Ukraine.*

La fièvre des tranchées, rare de nos jours, a été observée au cours de la Première Guerre mondiale chez les soldats en campagne, d'où son nom. Elle est transmise par les poux et est caractérisée par un état fébrile accompagné de douleurs osseuses intenses aux tibias. Elle est traitée par les antibiotiques.

Fièvre des trois jours
Maladie infectieuse bénigne due à un arbovirus, virus transmis par un arthropode (insecte). SYN. *fièvre à phlébotome, fièvre à pappataci, dengue d'Orient.*

La fièvre des trois jours est endémique au Moyen-Orient mais se rencontre aussi en Italie et en France. L'infection provoque une fièvre accompagnée de douleurs articulaires et d'un érythème cutané. La fièvre des trois jours est courte et bénigne mais laisse une fatigue prolongée. Il n'y a pas de traitement spécifique. La protection contre les piqûres d'insectes est la seule prévention.

Fièvre typhoïde
Septicémie provoquée par une bactérie à Gram négatif, *Salmonella typhi,* ou bacille d'Eberth.

La fièvre typhoïde est endémique en Afrique, en Asie et en Amérique du Sud, mais quelques cas sporadiques apparaissent également dans les pays industrialisés. Dans ce cas, ils ont souvent pour origine la consommation de fruits de mer ou une contamination du malade au cours d'un voyage.

Le germe de la typhoïde est transmis par l'intermédiaire de l'eau de boisson ou d'aliments souillés par des excréments humains infectés. Sa propagation est donc largement dépendante des conditions d'hygiène. Après absorption, les bacilles passent au travers de la muqueuse intestinale et se multiplient dans les ganglions lymphatiques. Ils gagnent ensuite la circulation sanguine, déclenchant une septicémie. La phase d'incubation, silencieuse et correspondant à la multiplication des germes, dure entre 7 et 15 jours.

SYMPTÔMES ET SIGNES
On observe une fièvre progressivement croissante, des troubles digestifs et nerveux (maux de tête, insomnies, vertiges) durant la première semaine d'évolution de la maladie. La diarrhée est le symptôme dominant au cours de la deuxième semaine. Elle est accompagnée d'une fièvre importante, entre 39 et 40 °C, et d'un tuphos (état de prostration et de délire). La gravité de la maladie dépend du risque de libération dans le sang circulant d'endotoxines bactériennes responsables de graves troubles cardiaques (myocardite, collapsus cardiovasculaire), digestifs (perforation et hémorragie intestinales) et neurologiques (encéphalite). D'au-

tres complications, plus rares, sont dues à la prolifération bactérienne dans le foie (abcès) et la vésicule biliaire (cholécystite).

DIAGNOSTIC ET TRAITEMENT
Le diagnostic repose sur la recherche du bacille par hémoculture ou coproculture (ensemencement d'un milieu de culture avec un prélèvement de sang ou de matières fécales). Le sérodiagnostic de Widal et Félix met la maladie en évidence à partir de la deuxième semaine d'infection. Le dépistage des porteurs sains (porteurs du bacille ne développant pas la maladie) doit également être pratiqué dans l'entourage du malade pour éviter la dissémination de la typhoïde.

Le traitement repose sur une antibiothérapie adaptée dont la durée est comprise entre 10 et 15 jours. Il est associé à une réhydratation et au repos. La fréquence des rechutes est d'environ 5 %.

PRÉVENTION
Elle fait appel à des règles d'hygiène telles que le lavage des mains et des aliments. La vaccination est efficace et recommandée aux voyageurs, aux personnels de restauration alimentaire et de laboratoire. Un vaccin est disponible, le typhim Vi, administré en une fois, immédiatement efficace et ne nécessitant aucun rappel.

Fil dentaire
Fil en soie ou en Nylon, ciré ou non, dont le passage quotidien entre les dents permet de parfaire le brossage en éliminant les débris alimentaires et la plaque dentaire logés dans les interstices.

Filariose lymphatique
Maladie parasitaire des ganglions et des vaisseaux lymphatiques due à l'infestation par les filaires.

La filaire est un ver filiforme qui peut mesurer de 4 à 10 centimètres de long. La filaire femelle pond des microfilaires (embryons en forme de vers) qui circulent dans la lymphe et dans le sang. Les vers adultes vivent dans les ganglions et les vaisseaux lymphatiques.

Les filaires sont transmises par de très nombreuses piqûres de moustiques infestés appartenant aux genres *Culex, Ædes, Anopheles* et *Mansonioïdes,* abondants sous les climats chauds et humides de la zone intertropicale. La filaire de Bancroft *(Wuchereria bancrofti)* est l'une des principales filaires responsables de filariose lymphatique.

SYMPTÔMES ET SIGNES
La filariose lymphatique se manifeste par des poussées de fièvre passagères, accompagnées de douleurs dans les ganglions inguinaux (à l'aine). Ceux-ci augmentent de volume (adénite) et les vaisseaux lymphatiques prennent la forme de cordons rouges et gonflés sous la peau (lymphangite). Dans d'autres cas, le malade émet des urines blanchâtres, dues à une fistule entre les voies urinaires et les vaisseaux lymphatiques, qui entraîne une émission de chyle dans les urines (chylurie). Celles-ci contiennent parfois un peu de sang. Les poussées d'adénite et de lymphangite se poursuivent pendant de nombreuses années, puis la peau s'épaissit et se plisse progressivement. Se développe alors un éléphantiasis (lymphœdème monstrueux caractérisé par une peau rugueuse et un gonflement des tissus) surtout des membres inférieurs, des seins ou des testicules, provoquant une gêne importante pour le malade. La chylurie provoque un amaigrissement et une infection rénale.

DIAGNOSTIC ET TRAITEMENT
Une analyse de sang, prélevé de préférence la nuit (période où les microfilaires sont le plus abondantes), permet de déceler les parasites et d'établir le diagnostic. Lors des poussées de fièvre, le malade doit se reposer et prendre des médicaments anti-inflammatoires. Une fois la fièvre disparue, le médecin prescrit un antiparasitaire (ivermectine). En cas de chylurie, un régime alimentaire riche en lipides permet d'atténuer les symptômes. L'éléphantiasis est difficile à traiter par la chirurgie.

PRÉVENTION
La seule prévention consiste à se protéger des moustiques à l'aide d'insecticides, dans

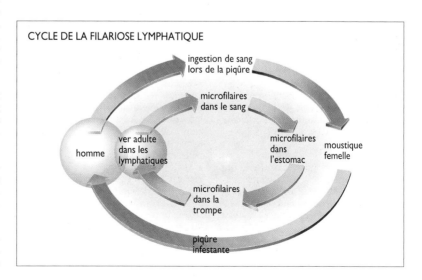

CYCLE DE LA FILARIOSE LYMPHATIQUE

ingestion de sang lors de la piqûre

microfilaires dans le sang

homme

ver adulte dans les lymphatiques

microfilaires dans l'estomac

moustique femelle

microfilaires dans la trompe

piqûre infestante

les pays de la zone intertropicale, et à assécher les petites étendues d'eau proches des habitations.

Filière pelvigénitale

Passage emprunté par le fœtus pendant l'accouchement par les voies naturelles.

La filière pelvigénitale se compose du bassin osseux (sacrum, coccyx, os iliaques et pubis) et du bassin mou (périnée). Le périnée, ou plancher pelvien, est composé de ligaments et de muscles qui soutiennent les organes du petit bassin (utérus, vagin, vessie, rectum). Lors de l'accouchement, la progression du fœtus est facilitée par un assouplissement des articulations du bassin osseux (articulations sacro-iliaques et de la symphyse pubienne) et une distension considérable des tissus mous. Lorsque le bassin osseux est trop étroit ou déformé, une césarienne peut être nécessaire. Lorsque les tissus mous manquent d'élasticité, une incision du périnée (épisiotomie) est pratiquée pour éviter qu'il ne se déchire.

Filtration glomérulaire

Passage du sang à travers les parois du réseau de capillaires qui forment le glomérule.

Le rein est formé d'une multitude de néphrons constituant chacun un rein en miniature et dont le glomérule est la partie initiale. Celui-ci comprend un système de capillaires, le flocculus. Le sang qui circule dans le flocculus est filtré à travers la paroi des capillaires, constituant un ultrafiltrat plasmatique. Celui-ci, dont la composition en ions est identique à celle du sang, ne comporte pratiquement pas de protéines.

La filtration glomérulaire est la première phase du processus de formation de l'urine par les reins. Cette urine, appelée urine primitive, est ensuite transformée en urine définitive par les tubules rénaux. Normalement, elle ne contient pas d'éléments figurés du sang (globules rouges, globules blancs, plaquettes).

La diminution de la filtration glomérulaire caractérise l'insuffisance rénale.
→ VOIR Clairance.

Filtre solaire

Produit cosmétique protégeant la peau contre le rayonnement solaire.

Les filtres solaires sont classés selon les types de rayonnement pour lesquels ils sont actifs.

■ Les filtres à courte bande protègent surtout des ultraviolets B (U.V.B.).

■ Les filtres à large bande sont actifs pour les ultraviolets A (U.V.A.) et les U.V.B.

Les produits vendus dans le commerce peuvent associer plusieurs substances. Leur effet global est indiqué par le coefficient de protection, lequel n'est défini en pratique que pour les U.V.B. Ce coefficient est le rapport entre la durée d'exposition sans coup de soleil avec le produit et la durée d'exposition sans coup de soleil sans le produit. Ainsi, l'application d'une crème ayant un coefficient de protection contre les U.V.B. égal à 3 chez un sujet qui, sans

produit, attrape un coup de soleil après 20 minutes d'exposition permet, théoriquement, à celui-ci de rester exposé $20 \times 3 = 60$ minutes sans coup de soleil. Ces chiffres restent toutefois indicatifs.

En pratique, le choix d'un produit dépend de deux facteurs : le degré d'ensoleillement (qui va de faible à extrême) et le phototype du sujet (étalonné de I, pour les peaux laiteuses très sensibles au soleil et qui ne bronzent pas, à VI pour les peaux noires) ; en outre, le bronzage lui-même est protecteur. Même avec un produit très efficace, l'exposition doit être évitée entre 12 et 16 heures en été.

Fissure anale

Type d'ulcération allongée, en forme de crevasse, siégeant au niveau du canal anal.

La fissure anale est d'origine mal connue, sans doute liée à la présence d'une plaie minime survenue lors de la défécation et induisant une contracture musculaire qui gêne la cicatrisation. Elle se manifeste le plus souvent par l'apparition d'une douleur violente après la défécation (syndrome fissuraire). Le diagnostic se fonde sur l'inspection de l'anus ; il importe de s'assurer que la douleur ne révèle pas une autre affection (chancre syphilitique, cancer).

Le traitement fait appel à l'application locale de médicaments (pommades anti-inflammatoires et cicatrisantes) ou à des injections sous-fissuraires. En cas d'échec, le tissu sclérosé est enlevé chirurgicalement sous anesthésie générale, et quelques fibres musculaires sont sectionnées, ce qui permet la cicatrisation.

Fissure de fatigue

→ VOIR Fracture de fatigue.

Fistule

Canal pathologique mettant en communication anormale deux viscères (fistule interne) ou un viscère et la peau (fistule externe).

Les fistules sont soit congénitales, soit acquises. Dans ce dernier cas, elles peuvent être dues à un traumatisme ou à une intervention chirurgicale, à une inflammation, à une infection (abcès), à une tumeur ou encore à un calcul.

DIFFÉRENTS TYPES DE FISTULE

Parmi les multiples variétés de fistules, certaines sont plus caractéristiques ou plus fréquentes.

■ Les fistules anales, les plus communes, sont dues à l'infection d'une petite glande de la paroi du canal anal (portion du rectum qui se termine à l'anus). Elles apparaissent entre la glande et la marge de l'anus et se manifestent par un suintement de matières purulentes entraînant des démangeaisons.

■ Les fistules digestives, très nombreuses, peuvent être congénitales, reliant une cavité intestinale (intestin grêle, côlon) à la peau, ou acquises. Parmi ces dernières, la plus fréquente est la fistule biliodigestive, qui relie le canal cholédoque ou la vésicule biliaire au duodénum, plus rarement au côlon ou à une anse de l'intestin grêle ; elle est due à un calcul de la vésicule.

■ Les fistules urinaires peuvent être congénitales, affectant l'uretère et/ou la vessie, ou acquises : elles sont alors dues à l'évolution d'une affection inflammatoire ou tumorale, à une plaie opératoire ou à un traumatisme (fistules vésicovaginales survenant après un accouchement difficile ou à la suite d'une hystérectomie).

■ Les fistules respiratoires sont surtout représentées par les fistules trachéo-bronchoœsophagiennes, liées à l'évolution d'une tumeur (dans les cancers de l'œsophage notamment), et les fistules pancréaticopleurales, dues à une pancréatite chronique.

SYMPTÔMES ET SIGNES

Une fistule peut ne présenter aucun symptôme ou provoquer un écoulement du premier viscère vers le second ou vers l'extérieur, à travers la peau : écoulement du contenu digestif par la peau ou dans les urines, par exemple. On peut aussi observer un passage de gaz intestinal vers les voies urinaires (pneumaturie) ou d'urine vers le vagin. Parfois, les signes sont moins évidents : diarrhée due à une fistule entre deux segments du tube digestif, par exemple. Plus rarement, une fistule perturbe directement le fonctionnement des organes concernés. Ainsi, une fistule de l'oreille se traduit parfois par une surdité et des vertiges.

DIAGNOSTIC

Il repose sur les signes cliniques précédents et sur l'exploration radiologique des organes concernés. De plus, il est souvent nécessaire de connaître le trajet exact de la fistule à travers les tissus, en vue de la traiter. Ce diagnostic de localisation est fait par l'exploration chirurgicale ou encore par fistulographie, grâce à un produit de contraste iodé et hydrosoluble qui, injecté dans la fistule, la rend visible sur les radiographies.

TRAITEMENT

Une fistule est parfois guérie par le traitement de l'affection en cause (traitement antibiotique d'un abcès). Dans d'autres cas, le chirurgien doit la drainer ou procéder à son ablation.

Fistule artérioveineuse

1. Canal pathologique mettant en relation une artère et la veine correspondante, qui chemine à son côté.

Une fistule artérioveineuse peut être congénitale ou acquise ; dans ce dernier cas, elle peut se former spontanément par rupture d'un anévrysme artériel dans la veine voisine ou être consécutive à un traumatisme (blessure par balle, par exemple). Le sang se dirige de l'endroit où il est soumis à une plus forte pression vers l'endroit où la pression est plus basse, c'est-à-dire qu'il est détourné de l'artère vers la veine. Le cœur compense ce déficit de la circulation artérielle en augmentant son débit. Une fistule artérioveineuse, lorsqu'elle touche des vaisseaux volumineux (fistule entre l'aorte et la veine cave inférieure), peut, à long terme, provoquer une insuffisance cardiaque.

Le traitement consiste à fermer chirurgicalement la fistule. Il est possible aussi, en introduisant une sonde dans l'artère, de larguer un petit ballonnet destiné à obstruer l'orifice de communication entre l'artère et la veine.

2. Abouchement chirurgical d'une artère et d'une veine périphérique.

La fistule artérioveineuse est indispensable à la conduite d'une hémodialyse (technique d'épuration du sang par filtration à travers une membrane semi-perméable), pratiquée dans le traitement de l'insuffisance rénale. Les séances d'hémodialyse durent en général de 4 à 5 heures et se répètent 3 fois par semaine ; le sang du malade circule dans un circuit extracorporel nécessitant un débit élevé, de l'ordre de 250 à 300 millilitres par minute. Celui-ci peut être obtenu grâce à la fistule artérioveineuse. La veine qui reçoit directement le sang artériel se dilate et devient facile à ponctionner au moyen d'aiguilles de gros calibre.

La fistule artérioveineuse doit être pratiquée quelques semaines ou quelques mois avant le début du traitement afin d'obtenir une dilatation suffisante. Chaque fois que c'est possible, le chirurgien abouche l'artère radiale juste au-dessus du poignet avec une grosse veine superficielle de l'avant-bras. Dans certains cas, la fistule est créée au bras, entre l'artère humérale et la veine céphalique. Parfois, elle doit être créée à l'aide de vaisseaux en fibres synthétiques. La fistule artérioveineuse n'a pas de conséquence désagréable pour le patient, car elle est sous la peau ; cependant, elle est parfois inesthétique lorsqu'elle est très dilatée, formant un gros cordon veineux battant et visible.

COMPLICATIONS
Une des complications possibles, la formation d'un caillot, nécessite une intervention chirurgicale en urgence afin de désobstruer le vaisseau. En cas d'infection, un traitement antibiotique immédiat permet parfois d'éviter la suppression de la fistule.

Fistulisation

Apparition pathologique ou création chirurgicale d'une fistule (canal qui met en communication directe deux viscères ou un viscère et la peau).

Les signes d'une fistulisation sont très variés selon l'organe atteint et l'affection en cause. Parfois nuls, ils peuvent aussi être intenses (crachat brutal et volumineux de pus) et passer par tous les intermédiaires possibles (petit écoulement plus ou moins permanent). Le traitement de la fistule est celui de sa cause (antibiotiques, pour un abcès) ; parfois, elle doit être suturée ou retirée chirurgicalement.

La fistulisation est aussi un geste pratiqué au cours d'interventions chirurgicales. Ainsi, la fistulisation d'un kyste du pancréas dans l'intestin permet de vider le kyste et de l'empêcher de se reformer.

Fistulographie

Examen radiographique permettant de visualiser une fistule (canal pathologique mettant en communication directe deux viscères ou un viscère et la peau).

La fistulographie permet d'apprécier le trajet de la fistule ainsi que ses rapports avec les organes de voisinage ou avec un éventuel abcès. Elle donne des informations utiles pour la stratégie thérapeutique. Préalablement à l'examen, un produit de contraste iodé et hydrosoluble est injecté directement dans la fistule ou administré par voie orale ou par lavement baryté, puis des clichés radiographiques sont réalisés sous différents angles, afin de fournir un document utile au traitement.

EFFETS SECONDAIRES
Ils concernent essentiellement les patients ayant une allergie à l'iode, qui doit être détectée avant l'examen. On prévient dans ces cas le risque de réaction au produit de contraste par un traitement anti-allergique de quelques jours.

F.I.V.

→ VOIR Fécondation in vitro.

F.I.V.E.T.E.

→ VOIR Fécondation in vitro.

Flatulence

Émission par l'anus de gaz intestinal.

Un adulte expulse de 2 à 20 litres de gaz par jour, provenant essentiellement des fermentations intestinales qui ont lieu dans le côlon. Ces gaz sont inflammables et explosifs (risque en cas d'utilisation d'un bistouri électrique). La flatulence est un phénomène normal. Certains aliments, très fermentescibles, sont susceptibles d'augmenter la production des gaz : légumes (haricots blancs, choux, céleri, etc.), céréales (pâtes, pain), fibres (son), fruits (raisins secs, abricots, agrumes, bananes). L'abondance plus ou moins grande des gaz et leur odeur plus ou moins forte n'ont pas de signification pathologique et ne nécessitent pas de traitement.

Fléchisseur

Muscle ou groupe de muscles dont l'action provoque la flexion.

Ainsi, le muscle fléchisseur du bras sur l'avant-bras est le biceps.

Fleming (sir Alexander)

Médecin et bactériologiste britannique (Darve 1881 - Londres 1955).

Toute la carrière d'Alexander Fleming se déroule au Saint Mary's Hospital de Londres, où il devient professeur en 1919. En 1928, il découvre par hasard que la prolifération bactérienne est inhibée par une moisissure banale, *Penicillium notatum,* mais ne dispose pas des moyens nécessaires pour poursuivre des recherches chimiques d'extraction. C'est en 1939 qu'une équipe de chercheurs du laboratoire de pathologie d'Oxford, dirigée par Howard Florey et Ernst Chain, reprend ses travaux et parvient à isoler chimiquement la substance à l'origine de cette action, la pénicilline, permettant ainsi de produire industriellement cet antibiotique. Les premiers essais sur l'homme, qui ont lieu en 1941, inaugurent l'ère des anti-

biotiques. Anobli par le roi George VI en 1944, Fleming reçoit l'année suivante le prix Nobel de médecine avec Florey et Chain pour « la plus grande contribution apportée à l'humanité par la science médicale ».

Flexion

Action de plier deux segments de membre l'un sur l'autre.

Flore bactérienne

Ensemble des espèces bactériennes vivant à la surface de la peau ou des muqueuses d'un hôte sans nuire à celui-ci. SYN. *écosystème bactérien.*

Les flores bactériennes du tube digestif, des voies génitales, de l'arbre respiratoire et de la peau sont qualitativement et quantitativement distinctes mais relativement stables d'un individu sain à un autre. Chaque flore bactérienne est formée de plusieurs populations bactériennes (plusieurs genres, plusieurs espèces), certaines dominant en nombre. L'ensemble, dont la composition est définie pour une région précise du corps et pour une période donnée, est en équilibre interne et en équilibre avec l'organisme. Les différentes flores varient selon des modifications physiologiques (flore vaginale au cours du cycle menstruel, flore buccale lors de l'apparition ou de la disparition des dents) ou accidentelles (traitement antibiotique, modification de l'alimentation). Elles jouent un rôle essentiel dans la résistance à l'infection en empêchant les micro-organismes étrangers et pathogènes de s'implanter. Certaines bactéries de la flore digestive aident en outre à la digestion et synthétisent différentes vitamines (vitamine K, acide folique), constituant un apport complémentaire à celui de l'alimentation.

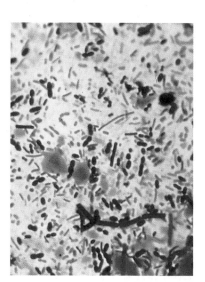

Flore bactérienne. Le microscope révèle une multitude de bactéries : bacilles, en forme de bâtonnets ; cocci, arrondis, souvent par groupes de trois ou quatre, etc.

Flore intestinale

Ensemble de germes qui existent normalement dans l'intestin.

Le contenu de l'appareil digestif est stérile à la naissance mais, très rapidement, des germes s'implantent dans la bouche, dans l'intestin grêle et, en très grand nombre, dans le côlon. Le gros intestin contient un nombre important de souches bactériennes saprophytes (sans danger pour l'organisme), essentiellement anaérobies, qui se nourrissent des produits non digérés présents dans le côlon. Les différentes souches bactériennes établissent entre elles un équilibre empêchant la prédominance d'une espèce sur les autres. La flore intestinale constitue une « barrière » vivante qui permet à l'organisme de se protéger contre le développement de microbes pathogènes.

PATHOLOGIE

La prise d'antibiotiques à large spectre peut perturber gravement l'équilibre de la flore intestinale. Ce déséquilibre passager se traduit le plus souvent par la perte de l'odeur fécale des selles et le développement de champignons, plus rarement par une diarrhée bénigne, qui se manifeste pendant toute la durée du traitement, exceptionnellement par une forme grave de colite, l'entérocolite pseudomembraneuse, due à *Clostridium difficile*, qui requiert un traitement antibiotique spécifique. Dans tous les cas, l'arrêt de l'antibiothérapie est suivi de la restauration progressive de la flore intestinale.

Une infection intestinale ou une toxi-infection (sécrétion de toxines par des bactéries) peuvent également entraîner une perturbation de la flore, incapable de compenser l'action des germes pathogènes. Le traitement est celui de la cause infectieuse.

Fluctuation

Déplacement de liquide (pus, le plus souvent) provoqué par la palpation entre deux doigts de la paroi d'une zone abcédée.

Dans l'évolution d'un abcès, l'apparition d'une fluctuation indique le moment propice à l'évacuation du pus par incision.

Fluor

Corps simple très répandu dans la nature sous forme de fluorure de calcium, l'un des composants des tissus durs de l'organisme (cartilages, os, dents, etc.), et de fluorure de sodium.

INDICATIONS ET CONTRE-INDICATIONS

Le fluor est un moyen de prévention actif contre la carie dentaire, son incorporation à l'émail des dents permettant à celui-ci de résister à l'attaque acide. Il est aussi utilisé dans le traitement de l'ostéoporose (raréfaction du tissu osseux) vertébrale. Il est contre-indiqué chez les sujets présentant une insuffisance rénale (risque d'intoxication).

MODE D'ADMINISTRATION

■ Pour prévenir les caries, le fluor est parfois administré sous forme de comprimés à l'enfant, dès sa naissance et pendant toute la durée de la formation dentaire. Le comprimé peut être avalé directement, le fluor se transmettant à la dent par le sang,

ou sucé pendant environ 15 minutes : mélangé à la salive, il pénètre alors à travers l'émail des dents. L'adolescent et l'adulte peuvent faire usage de bains de bouche, de dentifrices ou de chewing-gums fluorés, mais l'action de ces produits n'est réelle que si l'on respecte un temps de contact d'au moins 15 minutes. Enfin, le fluor peut être appliqué trimestriellement par le dentiste.

■ Pour traiter les ostéoporoses vertébrales, un dérivé du fluor, le fluorure de sodium, est prescrit sous forme de comprimés en association avec du calcium. Ces deux principes actifs doivent se prendre à des moments différents pour éviter toute interaction médicamenteuse.

APPORT EXCESSIF

Il convient de ne pas multiplier inconsidérément les apports en fluor, son action étant bénéfique à très faibles doses. En outre, un apport excessif peut provoquer une fluorose (apparition de taches sur l'émail des dents). Dans le traitement de l'ostéoporose vertébrale, le surdosage en fluorure de sodium peut entraîner des intoxications graves qui nécessitent une hospitalisation en urgence. Le sujet est victime de troubles digestifs, d'une sécrétion excessive de salive et de troubles neuromusculaires (fourmillements, crampes, douleurs musculaires, spasmes).

Fluorescéine

Colorant jaune-orangé présentant une fluorescence verte très intense sous l'effet de la lumière bleue.

La fluorescéine sert, en particulier, à pratiquer certains examens ophtalmologiques. Sous forme de collyre instillé dans l'œil, elle permet d'étudier la surface de la cornée (recherche de corps étrangers, d'ulcérations, étude de l'adaptation de lentilles de contact) et peut être utilisée pour la mesure de la tension oculaire. Administrée dans une veine au pli du coude, elle permet la réalisation d'une angiographie oculaire, destinée à observer le fond de l'œil (circulation choriorétinienne) à travers la pupille dilatée. Le produit circule jusqu'à l'œil et des photographies sont alors prises au moyen de filtres appropriés.

En dehors de rares réactions allergiques, la fluorescéine est généralement bien tolérée et ne présente aucune contre-indication, même en cas de grossesse. Administrée dans un vaisseau, elle colore légèrement la peau et les urines en jaune-orangé durant quelques heures.

Fluoro-9-alpha-hydrocortisone

→ VOIR Alpha-fluorohydrocortisone (9).

Fluoroquinolone

→ VOIR Quinolone.

Fluorose

Maladie due à une intoxication chronique par le fluor.

CAUSES

Une fluorose peut être d'origine hydrotellurique lorsque l'eau potable contient plus de 2,4 milligrammes de fluor par litre, comme

c'est le cas en Afrique du Nord, en Inde, en Argentine, en Islande et dans les régions volcaniques des États-Unis. Elle peut aussi être liée à une intoxication professionnelle, affectant, par exemple, les ouvriers manipulant la cryolite (minerai d'aluminium).

SYMPTÔMES ET SIGNES

La fluorose donne un aspect tacheté à l'émail des dents. Ces colorations vont de simples taches blanches transparentes à des marbrures d'un marron sombre. Elles sont d'autant plus marquées que l'intoxication fluorée a lieu durant la période de calcification des dents.

TRAITEMENT

Il consiste à maquiller les taches disgracieuses par collage de matériaux (composites, porcelaine). Cependant, des colorations foncées et étendues ne peuvent être dissimulées que par un recouvrement prothétique total de la dent (couronne).

Flush

Accès de rougeur du visage. SYN. *bouffée vasomotrice*.

Un flush peut être dû à une émotion, à un effort physique, à un facteur alimentaire (repas copieux, condiments, crustacés, ingestion d'alcool), à un médicament (isoniazide, sulfamides antidiabétiques, disulfirame, acide nicotinique), à une tumeur (phéochromocytome, tumeur pancréatique), à une maladie endocrinienne (maladie de Basedow), à une migraine ou à la ménopause. Dans ce dernier cas, le flush est communément appelé bouffée de chaleur. Le sujet éprouve brusquement une sensation de chaleur associée à une rougeur du visage, parfois à un malaise. Quelquefois, lorsque les crises se répètent plusieurs fois par jour, et ce pendant plusieurs années, des lésions permanentes du visage (petites dilatations des capillaires et des veinules, voire pigmentation progressive des parties découvertes) apparaissent. Le traitement fait appel, d'une part, aux antimigraineux pour traiter la crise et, d'autre part, au traitement de la cause lorsque celle-ci est trouvée.

Flutter auriculaire

Trouble du rythme cardiaque relativement bénin touchant les oreillettes, qui se contractent de manière régulière et coordonnée à une fréquence élevée (environ 300 fois par minute).

CAUSES

Un flutter auriculaire peut apparaître isolément, sans cause particulière (il est alors dit idiopathique), mais le plus souvent il accompagne diverses cardiopathies. Il est dû à un circuit en boucle de l'influx nerveux cardiaque, responsable d'un mouvement circulaire rapide des impulsions électriques dans les oreillettes. Le nœud auriculoventriculaire, qui assure la transmission des impulsions électriques des oreillettes aux ventricules, ne conduit pas chaque battement, exerçant ainsi un rôle de filtre et de protection des ventricules vis-à-vis d'une cadence auriculaire trop rapide. Ainsi, la réponse ventriculaire n'est observée que toutes les 2, 3 ou même 4 contractions auriculaires. On parle alors, respectivement, de flutter auriculaire 2/1, 3/1 ou 4/1.

SYMPTÔMES ET SIGNES

Parfois sans symptômes, le flutter auriculaire se traduit néanmoins le plus souvent par des sensations de palpitations. La rapidité du rythme ventriculaire (150 contractions par minute pour un flutter auriculaire 2/1) peut entraîner l'aggravation d'une insuffisance cardiaque sévère ou d'un angor (angine de poitrine).

DIAGNOSTIC ET TRAITEMENT

Le diagnostic repose sur l'électrocardiographie. La réduction du flutter auriculaire est parfois spontanée mais, le plus souvent, il est nécessaire de recourir à une cardioversion (choc électrique externe) ou à une stimulation électrique temporaire des oreillettes pour rétablir un rythme sinusal normal. La plupart des flutters auriculaires peuvent être réduits. La prévention de la récidive de l'arythmie fait souvent appel aux médicaments antiarythmiques.

PRONOSTIC

Il dépend de la cardiopathie sous-jacente mais est, en règle générale, favorable.

F.N.A.

→ VOIR Facteur natriurétique auriculaire.

Fœtopathie

Maladie affectant le fœtus (enfant pendant les 7 derniers mois de la vie utérine).

Comme les embryopathies – qui touchent l'embryon (8 premières semaines de la grossesse) –, les fœtopathies peuvent être classées en fonction de leur cause.

■ **Les fœtopathies dues à des atteintes virales, bactériennes ou parasitaires** produisent des infections massives sur des organes déjà formés. Ces infections persistent au-delà de la naissance, causant des lésions souvent sévères. Les principaux agents infectieux responsables de fœtopathies graves, avec séquelles, sont le virus de la rubéole, le cytomégalovirus, le tréponème (syphilis), le toxoplasme. La rubéole provoque un retard de croissance intra-utérin avec une augmentation de volume du foie, une anémie et une thrombopénie (diminution du nombre de plaquettes dans le sang) et parfois des anomalies osseuses. Le cytomégalovirus engendre un retard de croissance intra-utérin et une microcéphalie (petite taille du crâne) parfois responsable d'un retard de développement intellectuel. La syphilis congénitale peut donner lieu à des septicémies qui ont parfois des conséquences sur le rein, les yeux, les os, le cerveau. Enfin, la toxoplasmose peut entraîner des lésions cérébrales et oculaires.

■ **Les fœtopathies dues à des maladies maternelles** sont essentiellement liées au diabète. Le diabète, lorsqu'il est mal équilibré durant la grossesse, peut provoquer une macrosomie fœtale (grande taille excessive de l'organisme) ou une myocardiopathie (atteinte du muscle cardiaque). Ces signes régressent en quelques mois après la naissance sans laisser de séquelles.

■ **D'autres fœtopathies** sont dues à l'administration mal contrôlée de certains médicaments tels que les antithyroïdiens ou les antivitamines K (anticoagulants). Les premiers peuvent provoquer une hypothyroïdie transitoire et les seconds, des hémorragies intracrâniennes.

Fœtoscopie

Examen destiné à examiner le fœtus dans l'utérus maternel à l'aide d'un fibroscope (tube muni d'un système optique).

La fœtoscopie, qui peut se pratiquer de la 19e semaine jusqu'au terme de la grossesse, permet le diagnostic prénatal de diverses anomalies fœtales soit par l'examen direct, soit par l'examen en laboratoire d'un prélèvement de peau du fœtus (biopsie cutanée). Les progrès de l'échographie en ont réduit les indications.

INDICATIONS

L'indication principale d'une fœtoscopie est la recherche d'anomalies héréditaires des extrémités ou de la peau, lorsqu'il y en a eu déjà certains cas dans la famille. La fœtoscopie permet également certaines interventions de chirurgie fœtale avant l'accouchement, discipline actuellement en voie de développement.

TECHNIQUE

Le fibroscope est introduit dans la cavité amniotique par une petite incision abdominale. L'examen, qui nécessite une anesthésie locale, dure entre 10 et 20 minutes et entraîne un faible risque de fausse couche par rupture des membranes.

Fœtus

Être humain de la fin du 2e mois au terme de la grossesse.

Le stade de fœtus suit celui d'embryon : les systèmes et les organes sont déjà formés ; la période fœtale est surtout marquée par la maturation et la croissance.

Croissance fœtale.

Évolution du fœtus du 3e mois à la naissance.

TROISIÈME MOIS (9e-13e semaine)

Relié au placenta par le cordon ombilical, le fœtus flotte dans un sac membraneux rempli de liquide amniotique. Son foie se développe beaucoup, son intestin s'allonge, ses reins fonctionnent et ses urines commencent à se déverser dans le liquide amniotique. Sa tête se redresse et son visage se modèle : les lèvres se dessinent, les yeux, recouverts par les paupières, se rapprochent peu à peu vers le centre de la face. Les cordes vocales apparaissent. Les premiers os se forment ; le fœtus remue bras et jambes, mais les mouvements ne sont pas perçus par la mère. En revanche, le stéthoscope à ultrasons permet d'entendre le rythme cardiaque fœtal. Les organes génitaux externes se différencient : le sexe du fœtus est reconnaissable, mais pas encore visible à l'échographie. La 13e semaine, des mouvements respiratoires se produisent : le fœtus ouvre et ferme la bouche, ébauche des mouvements de succion, tourne la tête. Il mesure 12 centimètres et pèse 65 grammes.

QUATRIÈME MOIS (14e-18e semaine)

La tête et le corps semblent mieux proportionnés. Le fœtus ouvre et ferme les poings, suce son pouce, avale le liquide amniotique. Ses mains sont complètement formées. La peau est fine, rougeâtre et laisse transparaître les vaisseaux sanguins. Les cheveux commencent à pousser. Le système digestif fonctionne : une substance noirâtre, le méconium, commence à s'accumuler dans l'intestin. Les articulations se forment, les muscles se développent, le fœtus prend des forces, et la mère ressent ses mouvements, plus précocement si ce n'est pas sa première grossesse. Les battements du cœur (140-160 par minute) deviennent perceptibles au stéthoscope ordinaire. Le sac ovulaire occupe à présent toute la cavité utérine. À la fin du 4e mois, le fœtus mesure 20 centimètres et pèse 250 grammes.

CINQUIÈME MOIS (19e-23e semaine)

La multiplication des cellules nerveuses s'achève et le cerveau va désormais grossir régulièrement de 90 grammes par mois. La peau est moins rouge mais reste fripée. Un duvet, appelé lanugo, commence à la recouvrir. Les ongles poussent, les empreintes digitales sont présentes, les bourgeons des dents se développent. La différenciation sexuelle est maintenant complète. L'appareil respiratoire poursuit son développement, et les mouvements respiratoires se multiplient. C'est au cours du 5e mois que l'échographie obstétricale donne le plus d'indications sur la morphologie de l'enfant. À la fin du mois, il mesure 30 centimètres et pèse 650 grammes.

SIXIÈME MOIS (24e-27e semaine)

Le fœtus bouge beaucoup (de 20 à 60 mouvements par demi-heure en période active) ; ses périodes d'activité alternent avec des périodes de sommeil. Son corps s'arrondit, les glandes sudoripares se forment. Le visage s'affine, les cheveux poussent. L'oreille définitive est en place et l'enfant commence à réagir aux bruits extérieurs. Il suce souvent son pouce ; parfois, il a le hoquet. Le fœtus mesure 37 centimètres et pèse 1 000 grammes.

SEPTIÈME MOIS (28e-31e semaine)

L'estomac et l'intestin sont en état de fonctionner. Le fœtus entend ; ses yeux sont complètement ouverts. Il commence à se sentir un peu à l'étroit dans l'utérus et remue donc moins. À la fin du mois, il mesure 42 centimètres et pèse 1 500 grammes.

HUITIÈME MOIS (32e-35e semaine)

Le fœtus prend la position qu'il gardera jusqu'au moment de l'accouchement : le plus souvent, il se place la tête en bas, calée dans la partie la plus étroite de l'utérus, fesses en haut. Les os se développent, la graisse s'accumule sous la peau, le lanugo tombe peu à peu, remplacé par un enduit protecteur graisseux et blanchâtre, le vernix caseosa, abondant surtout dans les plis. L'enfant avale beaucoup de liquide amniotique et urine en proportion. À la fin du mois, le fœtus mesure 47 centimètres et pèse 2 500 grammes.

Le fœtus se développe à l'abri de la cavité amniotique, baigné dans le liquide qu'elle contient. La fine membrane qui l'entoure, l'amnios, est elle-même entourée d'un tissu plus résistant, le chorion, qui forme avec elle « les membranes » et est à l'origine du placenta – formation vascularisée ancrée dans la muqueuse utérine, où se produisent les échanges avec le sang de la mère. Grâce aux vaisseaux du cordon ombilical, le fœtus reçoit des nutriments et de l'oxygène et élimine des déchets et du gaz carbonique. Les organes déjà mis en place pendant la période embryonnaire sont amenés peu à peu vers leur maturation pendant la période fœtale. La forme extérieure du corps se modifie considérablement.

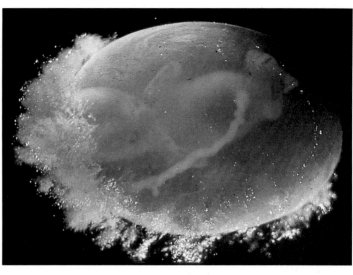

10ᵉ semaine. Le fœtus mesure une dizaine de centimètres. La forme humaine est nettement ébauchée. Le cordon ombilical aboutit au placenta.

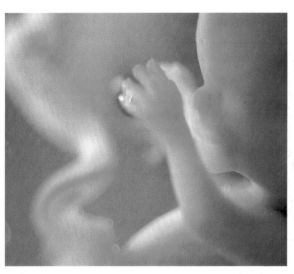

13ᵉ semaine. Les bras ont commencé à bouger. La tête aussi se mobilise. On distingue déjà les doigts ; les oreilles, le nez, les paupières se dessinent.

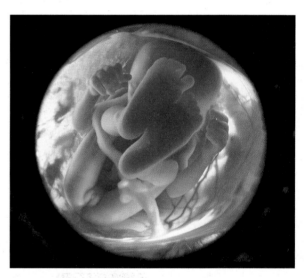

6ᵉ mois. La cavité amniotique remplit maintenant tout l'utérus, et la mère sent les mouvements du fœtus, dont les proportions sont proches de celles du nouveau-né.

À la fin du 7ᵉ mois, tous les organes des sens fonctionnent. S'il devait naître prématurément, l'enfant serait viable, bien que très fragile.

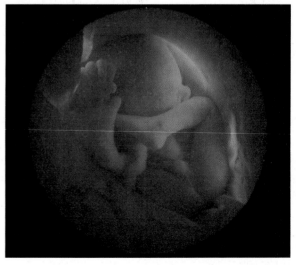

Au 9ᵉ mois, le fonctionnement des organes et leur forme définitive sont acquis. L'enfant prend ou conserve sa position définitive dans l'utérus avant la naissance.

NEUVIÈME MOIS (36e-39e semaine)

Les poumons et le cœur sont prêts à fonctionner, mais des orifices font communiquer les cavités cardiaques, et un canal relie les gros vaisseaux (aorte et tronc de l'artère pulmonaire). Ces communications se fermeront après la naissance, lorsque la respiration sera établie. Les testicules sont descendus dans le scrotum mais, chez la fille, les ovaires ne seront en place qu'à la naissance. Le vernix caseosa se détache, sauf dans les plis, et flotte dans le liquide amniotique. La peau est maintenant bien lisse. Les os du crâne ne sont pas soudés : les espaces qui les séparent, les fontanelles, ne se fermeront qu'après la naissance.

À terme, le fœtus pèse en moyenne 3 200 grammes et mesure 50 centimètres. Il a des cheveux, des ongles aux mains et aux pieds. Le lanugo persiste sur les épaules, aux aisselles, à l'aine. Le cœur pèse 18 grammes, le foie de 100 à 125 grammes, chaque rein 12 grammes, le cerveau 350 grammes. Les organes n'ont pas tous leur structure définitive : en particulier, le cerveau va encore poursuivre son développement pendant plusieurs années.

Activité fœtale

Les mouvements du fœtus apparaissent très tôt, à la 12e semaine. Ils sont d'abord réflexes, puis volontaires à partir du 5e mois. Le fœtus agite les jambes (ruades, pédalage), il pousse avec les pieds pour changer de position. Il bouge les bras, met son pouce dans sa bouche. Vers la fin de la grossesse, l'ampleur des mouvements diminue par manque d'espace. Un fœtus dort beaucoup (jusqu'à 20 heures par jour) et les modifications de son rythme cardiaque permettent de distinguer les phases d'éveil et de sommeil (profond ou léger).

Perceptions fœtales

Le développement du système nerveux du fœtus lui permet d'avoir des perceptions sensorielles précoces.
■ Le goût se développe dès le 4e mois : le fœtus avale le liquide amniotique et il semble qu'il perçoive les saveurs.
■ Le toucher se développe tôt, dès 4 mois de grossesse. Le fœtus sent quand on le touche à travers le ventre maternel, et cette perception est exploitée par l'haptonomie, technique employée dans certaines maternités dans le cadre de la préparation à l'accouchement.
■ La vue existe potentiellement : le fœtus semble distinguer la lumière de l'obscurité. Il réagit à un faisceau de lumière violente dirigée vers sa tête à travers l'abdomen.
■ Les sensations auditives sont présentes : dès le 6e ou le 7e mois, le fœtus entend et réagit aux bruits qui ne sont pas ceux, internes, de la mère, auxquels il est habitué. Les bruits violents le font sursauter, la musique douce l'apaise.
■ La douleur est ressentie dès 7 mois.
■ Les émotions de la mère, enfin, semblent être transmises au fœtus, qui, apparemment, y réagit (par une accélération de son rythme cardiaque, par exemple).
→ VOIR Fœtopathie.

Foie

Volumineuse glande annexe du tube digestif, aux fonctions multiples et complexes de synthèse et de transformation de diverses substances. (P.N.A. *hepar*)

DESCRIPTION

Le foie est situé en haut et à droite de l'abdomen, sous la coupole droite du diaphragme, qui le sépare du poumon correspondant, et entouré de tous côtés par les côtes. Il est en rapport anatomique avec plusieurs éléments. Du côté supérieur, il est rattaché au diaphragme par un épais ligament. Sous sa face inférieure, la vésicule biliaire lui est accolée avec, à sa gauche, le pédicule hépatique ; celui-ci est formé de l'artère hépatique (allant de l'aorte vers le foie), de la veine porte (drainant le tube digestif et allant vers le foie) et de la voie biliaire (allant du foie vers la vésicule biliaire et l'intestin).

Le foie pèse 1,5 kilogramme chez l'adulte. Il comprend un lobe gauche, un lobe droit et, entre les deux, le lobe de Spiegel ; chacun de ces lobes est lui-même divisé en 8 segments. Cette division en segments permet l'hépatectomie dite réglée, où l'ablation est limitée à un ou à quelques segments, dans le traitement d'un développement tumoral par exemple.

FONCTIONNEMENT

Le foie reçoit, par l'artère hépatique et la veine porte, des substances chimiques, qu'il transforme et rejette soit dans la bile, par laquelle elles passent dans la vésicule biliaire puis dans l'intestin, soit dans les veines sus-hépatiques, d'où elles passent dans la veine cave puis dans l'ensemble de la circulation sanguine. De plus, il peut synthétiser des substances et en stocker. C'est le physiologiste français Claude Bernard qui met le premier en évidence, par des expériences de « lavage » du foie, la fonction glycogénique de cet organe, laquelle consiste à stocker le glucose sous forme de glycogène ; en cas de déficit en glucose, le foie en libère pour maintenir constante la glycémie (taux sanguin de glucose). Ce fonctionnement s'applique à des glucides, à des lipides, à des protéines (le foie synthétise en particulier plusieurs protéines facteurs de la coagulation : le facteur I [fibrinogène], le facteur II [prothrombine] et les facteurs V, VII, VIII et X, dont les taux sont diminués lors des insuffisances hépatocellulaires [destruction massive des cellules du foie]), à des hormones, à des vitamines et aussi à des toxiques, ainsi transformés et rendus inoffensifs ; ces substances sont d'origine interne (venant des organes, des tissus) ou externe (aliments, médicaments). La survie sans foie ne peut durer que quelques heures. En cas d'insuffisance hépatique grave, le seul traitement possible est la greffe.

EXAMENS

L'exploration fonctionnelle du foie repose sur les dosages sanguins. Ainsi, une insuffisance hépatique se traduit par une diminution du taux de certaines protéines (albumine), révélée par une altération des tests de coagulation (surtout le temps de Quick).

Une cholestase (insuffisance de l'excrétion biliaire) provoque une augmentation du taux sanguin de bilirubine et des phosphatases alcalines. Une cytolyse (destruction des cellules hépatiques) s'accompagne d'une augmentation du taux sanguin des transaminases. Le taux de gammaglutamyl-transférase sanguine s'élève au cours de toutes les affections du foie. La ponction-biopsie hépatique, pratiquée par voie transcutanée, permet l'examen histologique du fragment de parenchyme hépatique prélevé. Les examens complémentaires radiologiques du foie, qui ont aujourd'hui pratiquement supplanté la laparoscopie, sont l'échographie, la scintigraphie, le scanner, voire l'imagerie par résonance magnétique (I.R.M.).

PATHOLOGIE

Le foie peut être atteint par une inflammation (hépatite, d'origine virale, alcoolique, toxique), par une infection bactérienne globale ou localisée (abcès), par un parasite (amibiase, kyste hydatique), par une cirrhose, par une tumeur bénigne ou maligne (hépatocarcinome, métastases). Par ailleurs, des maladies de système telles que la sarcoïdose peuvent comporter une localisation au foie.

Foie (abcès du)

Collection de pus dans le foie.

Un abcès du foie est dû à une invasion par des bactéries ou des parasites du genre amibe venant soit de l'intestin, soit des voies biliaires, soit du sang. Il se manifeste par une fièvre, un amaigrissement, une fatigue et parfois des douleurs intermittentes de la région sous-costale droite. Le traitement repose sur la prise d'antibiotiques et d'anti-amibiens. S'il est insuffisant, l'abcès est drainé par ponction (une aiguille, guidée par échographie, traverse la paroi de l'abdomen) ou par une intervention chirurgicale.

Foie (cancer du)

Tumeur maligne du foie.

Un cancer du foie peut être primitif ou secondaire (métastases provenant d'un autre cancer).

Cancer primitif du foie

C'est une tumeur maligne développée aux dépens soit des cellules hépatiques (hépatocarcinome), soit des cellules des canaux biliaires (cholangiocarcinome) ou des vaisseaux (angiosarcome). Le cancer primitif du foie reste rare en Europe et en Amérique ; il est beaucoup plus fréquent en Afrique et en Asie.

■ L'hépatocarcinome, ou cancer hépatocellulaire, est la plus répandue des tumeurs hépatiques ; il survient dans 20 % des cas sur un foie sain, plus fréquemment sur un foie atteint d'une maladie hépatique préexistante (cirrhose, hépatite chronique). À la différence de l'Europe, où la cirrhose alcoolique reste la principale cause de ce type de tumeur, dans les pays tropicaux, l'hépatocarcinome est souvent lié aux virus des hépatites B et C, parfois à la pollution des

FOIE

Le foie est logé sous le diaphragme, du côté droit. Formé de deux lobes principaux juxtaposés, il reçoit sur sa face inférieure l'artère hépatique et la veine porte ; la volumineuse veine cave inférieure, qui passe en arrière, draine le sang de l'organe. Les cellules hépatiques (hépatocytes) forment des rangées disposées en rayon de roue autour des branches de la veine cave. Par ailleurs, le foie rejette la bile par le canal hépatique (continué par le canal cholédoque). Le diagnostic des maladies du foie fait appel à la radiologie.

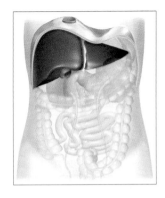

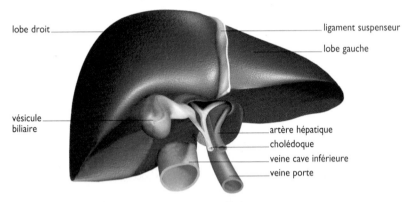

lobe droit — ligament suspenseur
— lobe gauche
vésicule biliaire — artère hépatique
— cholédoque
— veine cave inférieure
— veine porte

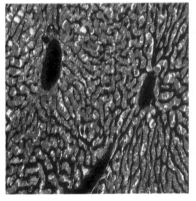

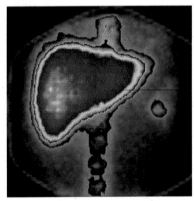

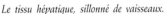

Le tissu hépatique, sillonné de vaisseaux.

Image scintigraphique normale du foie.

aliments, notamment par l'aflatoxine (toxine fungique).

■ **Le cholangiocarcinome**, beaucoup plus rare, est surtout commun en Asie du Sud-Est, où l'on incrimine le rôle de certaines parasitoses.

■ **L'angiosarcome**, la plus rare des tumeurs primitives du foie, est quelquefois lié à des intoxications chroniques (chlorure de vinyle, arsenic).

SYMPTÔMES ET SIGNES

L'hépatocarcinome se traduit par un gros foie repérable à la palpation et par un état fébrile pseudo-infectieux. Il provoque une douleur modérée, localisée dans la partie supérieure de l'abdomen, qui constitue souvent le premier symptôme de la maladie. Il peut également se traduire par l'aggravation d'une cirrhose déjà connue et est de plus en plus souvent découvert lors de la surveillance systématique de cette maladie.

DIAGNOSTIC ET ÉVOLUTION

Le diagnostic repose sur l'échographie, le scanner et la biopsie hépatique guidée par échographie. La mise en évidence d'alpha-fœto-protéine dans le sang affirme le diagnostic : cette protéine, absente du sérum des adultes sains ou atteints d'autres maladies hépatiques, est présente chez deux sur trois des malades atteints d'un hépatocarcinome. Le risque de métastases, essentiellement pulmonaires et osseuses, est important.

TRAITEMENT

Il comporte l'ablation chirurgicale de la tumeur quand cela est possible, par hépatectomie partielle. Exceptionnellement, une transplantation hépatique peut être envisagée. Dans les formes ne relevant pas de la chirurgie, le traitement fait appel à la chimiothérapie générale ou locale (injection du produit directement dans la tumeur par un cathéter introduit dans l'artère hépatique)

ou à la destruction de la tumeur par alcoolisation (injection locale d'alcool).

PRÉVENTION ET PRONOSTIC

La prévention des tumeurs primitives du foie repose sur la lutte contre l'alcoolisme, sur la vaccination précoce contre le virus de l'hépatite B et sur le traitement des hépatites chroniques B et C. Le diagnostic précoce des hépatocarcinomes survenant sur une maladie cirrhotique doit permettre l'amélioration du pronostic, qui demeure actuellement sévère.

Cancer secondaire du foie

C'est le plus fréquent des cancers du foie dans les pays tempérés ; il peut se déclarer lors de tout autre cancer ; cependant, il est plus fréquent dans les cancers de l'appareil digestif (côlon, estomac, pancréas, voies biliaires) et dans les cancers gynécologiques (utérus, ovaires, seins). Un cancer secondaire du foie est dit synchrone lorsqu'il est découvert en même temps que le cancer primitif, métachrone s'il se déclare après le traitement du cancer primitif.

Le cancer secondaire est de plus en plus souvent découvert lors du diagnostic de la tumeur primitive.

SYMPTÔMES ET SIGNES

Le cancer secondaire du foie peut se traduire par une altération de l'état général ou par un ictère. L'examen clinique peut révéler à la palpation un gros foie nodulaire (« foie marronné »), douloureux ou non.

DIAGNOSTIC ET TRAITEMENT

Le diagnostic repose sur l'échographie, le scanner et la biopsie, indispensable pour confirmer l'atteinte hépatique. Le traitement est si possible chirurgical (ablation de la tumeur). Dans les formes diffuses, on utilise la chimiothérapie générale ou locale (injection du produit dans un cathéter introduit dans l'artère hépatique). Le pronostic des cancers secondaires du foie demeure réservé.

Foie (kyste du)

Cavité pathologique remplie d'une substance liquide ou fluide et située à l'intérieur du foie.

Unique ou multiple, un kyste du foie peut être d'origine parasitaire (kyste hydatique) ou non.

■ **Le kyste hydatique du foie** est une manifestation de l'hydatidose, infection de l'organisme par un parasite venant du chien, *Echinococcus granulosus*. Le kyste est unique, d'un diamètre d'environ 10 centimètres en moyenne et n'entraîne généralement aucun symptôme pendant des années. Cependant, il peut se rompre, provoquant une douleur intense, une chute de tension, une fièvre, une crise d'urticaire et, à plus long terme, une dissémination du parasite dans l'organisme. Le traitement est l'ablation chirurgicale du kyste.

■ **Le kyste non parasitaire du foie**, formé par la dilatation des petits canaux biliaires intrahépatiques, est fréquent et ne donne généralement pas de symptômes ; seuls les kystes les plus volumineux provoquent quelques douleurs. On procède parfois, dans les cas douloureux, à l'ablation chirurgicale du kyste.

Foie (tumeur bénigne du)

Prolifération de cellules normales formant un nouveau tissu à l'intérieur du foie.

On distingue deux types de tumeurs bénignes du foie.

■ L'adénome se développe à partir des hépatocytes, les cellules du foie. Sa fréquence est augmentée par la prise de la pilule contraceptive. Il est souvent unique. Volumineux, douloureux, il doit être retiré chirurgicalement.

■ L'hémangiome, très fréquent, est un agglomérat de petits vaisseaux sanguins anormaux. Il est souvent multiple. L'hémangiome ne demande en général qu'une simple surveillance ; cependant, du fait de son volume, il peut dans certains cas nécessiter une intervention chirurgicale.

Foie cardiaque

Ensemble des altérations du foie faisant suite à une insuffisance cardiaque.

CAUSES

Dans l'insuffisance cardiaque, surtout l'insuffisance ventriculaire droite, le cœur assure mal son rôle de pompe et ne fait plus suffisamment circuler le sang. Il s'ensuit un engorgement de la circulation veineuse revenant au cœur, d'où une accumulation chronique du sang arrivant dans le foie.

SYMPTÔMES ET SIGNES

Un foie cardiaque peut être latent, sans aucun symptôme, ou entraîner une douleur dans la région sous-costale droite (en haut et à droite de l'abdomen) au cours d'un effort (hépatalgie d'effort). Dans les formes aiguës, la douleur est spontanée.

DIAGNOSTIC

L'échographie montre un foie volumineux, et la pression manuelle exercée sur le foie provoque un gonflement des veines jugulaires (reflux hépato-jugulaire). Les examens sanguins (taux de prothrombine, transaminases) peuvent révéler une altération des fonctions du foie, en particulier une diminution des facteurs de la coagulation.

TRAITEMENT

Le traitement du foie cardiaque est celui de l'insuffisance cardiaque. Il peut faire disparaître les lésions ou, du moins, faire régresser l'hépatomégalie (foie volumineux) et les anomalies associées.

Folie

Dérèglement de l'esprit.

Jusqu'au XIXe siècle, le mot folie recouvre surtout les manifestations extérieures de la démence : fureur, mélancolie, déraison, délire. Avec l'apparition des classifications médicales, il a été progressivement remplacé par les expressions d'aliénation mentale puis de psychose. Son emploi est désormais sans valeur scientifique.

Follicule

Formation anatomique en forme de sac et qui entoure un organe et/ou sécrète ou excrète une substance.

Certains follicules sont des formations normales, comme les follicules pilosébacés qui entourent la base des poils, les follicules thyroïdiens (ou vésicules thyroïdiennes, sphères creuses renfermant une sorte de gelée, la colloïde) ou encore les follicules lymphatiques, présents dans l'écorce des ganglions lymphatiques, qui constituent un réseau dont les mailles retiennent des cellules du sang, les lymphocytes.

Certaines maladies infectieuses (tuberculose, syphilis) entraînent la formation de cellules particulières qui se regroupent en follicules (ou nodules), appelés aussi granulomes.

Follicule ovarien

Cavité de l'ovaire dans laquelle se développe un ovule. SYN. *follicule de De Graaf.*

Plusieurs millions de follicules ovariens sont présents dès la naissance, mais seuls 300 ou 400 d'entre eux parviendront à maturité. Dès la puberté, au début de chaque cycle menstruel chez la femme - normalement, tous les 28 jours -, un follicule grossit, saille à la surface de l'ovaire et éclate pour libérer un ovule au 14e jour : c'est l'ovulation. Ensuite, le follicule dégénère, prenant le nom de corps jaune.

Un follicule ovarien est pourvu de deux enveloppes, les thèques interne et externe. La thèque interne sécrète des hormones, surtout des hormones femelles telles que les œstrogènes, mais aussi des hormones mâles comme la testostérone. Après la ménopause, il n'y a plus d'ovulation mais, dans l'ovaire, quelques follicules continuent à sécréter de petites quantités d'hormones, mâles surtout. L'échographie permet de mesurer les follicules et de vérifier leur croissance et leur nombre, facilitant ainsi la surveillance des traitements hormonaux stimulateurs de l'ovulation.

Folliculine

L'une des deux hormones sécrétées par l'ovaire et le placenta. SYN. *œstrone.*
→ VOIR Œstrogène.

Folliculite

Inflammation des follicules pilosébacés.

Les folliculites sont d'origine infectieuse ; on les classe en fonction de l'agent responsable.

■ Les folliculites bactériennes, les plus fréquentes, sont dues au staphylocoque doré. Superficielles, elles se traduisent par la formation de petites pustules centrées autour d'un poil sur la barbe, les bras, les cuisses ; elles guérissent spontanément ou deviennent chroniques. Les furoncles et les anthrax sont des folliculites profondes. Leur traitement consiste en applications d'antiseptiques, parfois une prescription d'antibiotiques par voie orale.

■ Les folliculites mycosiques sont dues à des champignons microscopiques. Le *pityrosporum* cause de petites lésions rouges du tronc. Les dermatophytes du genre *Trichophyton* provoquent des placards violacés sur les membres inférieurs. La guérison est assurée par la prise d'antifongiques (griséofulvine, kétoconazole) par voie orale.

Folliculostimulante (hormone)

Hormone hypophysaire intervenant dans la maturation des follicules ovariens chez la femme et dans la formation des spermatozoïdes dans les tubes séminifères chez l'homme. SYN. *folliculotropine.*

L'hormone folliculostimulante (FSH) est une glycoprotéine sécrétée par les cellules gonadotropes de l'antéhypophyse sous la stimulation d'un facteur hypothalamique, la gonadolibérine. Elle appartient à la famille des gonadotrophines, tout comme l'hormone lutéinisante (LH).

CANCER DU FOIE

Le foie est une des localisations les plus fréquentes du cancer. Les symptômes n'étant pas spécifiques, l'examen radiologique est en règle générale l'étape décisive du diagnostic, même si une confirmation par biopsie est nécessaire.

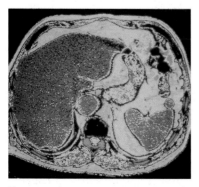

Une coupe du tronc au scanner montre (en orange, à gauche) la masse volumineuse du foie ; l'image est normale.

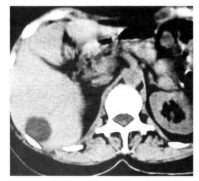

Ici, le scanner a mis en évidence un cancer (tache noire en bas et à gauche). La vertèbre (en blanc) fournit un repère.

L'hormone folliculostimulante est libérée dans le sang à un rythme qui varie en fonction de la période du cycle menstruel chez la femme : sa production augmente progressivement durant la première partie du cycle et lui permet de sélectionner un ou plusieurs follicules ovariens. Ceux-ci reprennent alors leur développement, qui avait été interrompu in utero, pour devenir des follicules susceptibles d'ovuler et de sécréter de l'œstradiol et des androgènes. Chez l'homme, l'hormone folliculostimulante stimule les transformations successives des spermatogonies (cellules sexuelles mâles immatures) nécessaires à la formation de spermatozoïdes fécondants.

UTILISATION THÉRAPEUTIQUE
Une hormone de synthèse identique à l'hormone folliculostimulante humaine est disponible depuis peu. Elle est utilisée comme inducteur d'ovulation chez les femmes dont la sécrétion physiologique d'hormone folliculostimulante est trop faible ou peu efficace.

Folliculotropine
→ VOIR Folliculostimulante (hormone).

Fond d'œil
Partie postérieure de l'intérieur de l'œil (papille optique, rétine et ses vaisseaux), que l'on peut observer directement à travers la cornée et le cristallin grâce à un appareil optique.

STRUCTURE ET ASPECT
On distingue deux parties du fond d'œil : le pôle postérieur (centre de la rétine, comprenant la papille et la macula), directement accessible, et la périphérie rétinienne, qui nécessite l'utilisation de miroirs pour être visualisée. La rétine a une coloration orangée due aux nombreux vaisseaux de la choroïde (membrane sous-jacente à la rétine). La papille, ou tête du nerf optique, forme un disque jaune-orangé plus clair sur la rétine. C'est aussi de cet endroit qu'émergent tous les vaisseaux qui irriguent la rétine. Non loin de la papille se trouve une région de la rétine un peu plus foncée et dépourvue de vaisseaux : la macula, située exactement au pôle postérieur de l'œil, qui est responsable de la vision précise.

L'équateur de la rétine se reconnaît à la présence de veines appelées vortiqueuses, qui drainent le sang des veines choroïdiennes. Au-delà, la périphérie de la rétine est dépourvue de vaisseaux.

Fond d'œil (examen du)
Examen qui permet de visualiser la papille optique, la rétine et ses vaisseaux. SYN. *ophtalmoscopie*.

INDICATIONS
L'examen du fond d'œil, pratiqué systématiquement lors de tout examen ophtalmologique complet, est indiqué pour établir le diagnostic des affections de la rétine et de celles de la choroïde (membrane accolée à la rétine). Il permet également d'observer la vascularisation rétinienne, qui peut être modifiée par de nombreuses maladies.

L'examen du fond d'œil se pratique couramment avec un ophtalmoscope muni d'une loupe, d'un éclairage et d'un petit manche. On peut utiliser aussi un volumineux appareil, le biomicroscope, en posant sur l'œil un verre spécial (ce qui provoque une gêne discrète). Sur le fond de l'œil, formé par la rétine et ses vaisseaux, se détache le disque jaune pâle de la papille ; la macula, zone de vision fine, est plus au centre, dans l'axe visuel.

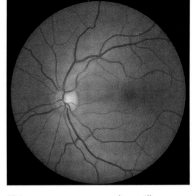

Vaisseaux convergeant vers la papille.

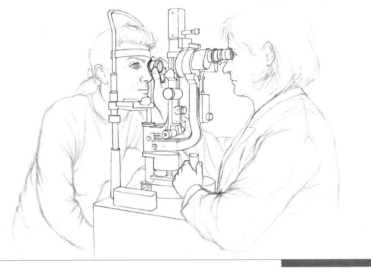

TECHNIQUE
L'examen est effectué par deux types d'appareil : un ophtalmoscope, avec ou sans interposition d'une lentille fortement convergente, ou un biomicroscope (lampe à fente), ce dernier nécessitant d'interposer devant l'œil une lentille de contact ou un verre d'examen (verre à trois miroirs). L'ophtalmoscope sert à examiner le pôle postérieur de l'œil (centre de la rétine, papille et macula), tandis que le verre à trois miroirs est utilisé pour examiner la périphérie rétinienne en cas de risque de décollement de la rétine. Une dilatation pupillaire préalable peut être provoquée au moyen de collyres mydriatiques afin de permettre une vision plus large. Si elle n'est pas nécessaire pour l'examen du pôle postérieur de l'œil, elle est néanmoins souvent pratiquée ; elle est indispensable pour l'examen de la périphérie rétinienne. Le fond d'œil est divisé artificiellement en quatre régions, ou quadrants, afin de faciliter la localisation des éventuelles anomalies constatées. Une fois la dilatation effective, l'examen ne dure pas plus de 3 minutes par œil.

EFFETS SECONDAIRES
La dilatation de la pupille, qui n'est pas pratiquée en cas de glaucome à angle étroit, entraîne un flou visuel qui demeure gênant pendant les quelques heures qui suivent l'examen. Aussi est-il déconseillé au patient de conduire un véhicule juste après un examen du fond d'œil.

Fontanelle
Espace membraneux compris entre les os du crâne chez le nourrisson.

Les os du crâne du nouveau-né ne sont pas soudés comme chez l'adulte : situées sur la ligne médiane du crâne, à la jonction de différents os, les fontanelles permettent la croissance du cerveau, très importante durant les deux premières années de la vie, et s'ossifient à la fin de la croissance cérébrale.

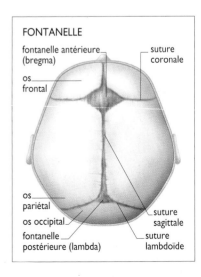

FONTANELLE

fontanelle antérieure (bregma)

suture coronale

os frontal

os pariétal

os occipital

fontanelle postérieure (lambda)

suture sagittale

suture lambdoïde

Il existe deux fontanelles, antérieure et postérieure.

■ **La fontanelle antérieure**, ou grande fontanelle, a la forme d'un losange. Située entre les angles frontaux et pariétaux des os du crâne, elle est la plus facilement palpable et mesure 2 ou 3 centimètres de large. Elle se ferme entre 8 mois et 2 ans.

■ **La fontanelle postérieure**, ou petite fontanelle, de forme triangulaire, a environ 0,5 centimètre de large. Elle est située entre l'occipital et les pariétaux et se ferme vers l'âge de 2 mois.

PATHOLOGIE
La fontanelle antérieure a tendance à saillir quand l'enfant pleure. Une tension persistant alors que l'enfant ne pleure plus, associée à de la fièvre et à des troubles du comportement, peut faire craindre une méningite ou une hypertension intracrânienne annonçant une hydrocéphalie. En revanche, une dépression de la fontanelle antérieure traduit parfois l'existence d'une déshydratation. Chez les enfants rachitiques, la fontanelle antérieure demeure en général anormalement large ou tarde à se fermer. À l'inverse, une soudure prématurée des os du crâne se produit lors de craniosténoses et de microcéphalies.

Foramen ovale (persistance du)

Persistance d'un petit orifice présent chez le fœtus et situé presque au centre de la cloison interauriculaire séparant l'oreillette droite de l'oreillette gauche du cœur.

Le foramen ovale se ferme normalement à la naissance, mais demeure perméable chez 20 à 30 % des sujets adultes. Sa persistance n'entraîne aucun symptôme particulier et n'est parfois jamais découverte. Toutefois, elle peut être la source de complications importantes en cas de phlébite du membre inférieur. Le caillot formé dans la veine peut migrer dans l'oreillette droite puis, sous l'effet d'une pression anormale (embolie pulmonaire ou effort de toux), passer dans l'oreillette gauche, dans l'aorte et dans la circulation systémique, entraînant une occlusion artérielle. On parle alors d'embolie paradoxale. Les artères cérébrales sont les plus touchées : l'accident vasculaire cérébral peut provoquer une hémiplégie ou une aphasie. Le diagnostic de cette anomalie est assuré par l'échocardiographie transœsophagienne.

Forceps

Instrument utilisé pour saisir et protéger la tête du fœtus afin de faciliter l'expulsion de celui-ci lors de l'accouchement.

Un forceps, anciennement appelé fers, est une sorte de pince composée de 2 branches articulées démontables dont les extrémités arrondies, les cuillères, s'adaptent à la forme de la tête du bébé. Quand les 2 branches sont en place, le manche permet la prise tout en respectant l'écartement des cuillères.

DIFFÉRENTS TYPES DE FORCEPS
Les forceps se classent en deux catégories : les forceps à branches croisées (forceps de Tarnier, forceps de Pajot) et les forceps à branches parallèles (forceps de Démelin, forceps de Suzor). Ils diffèrent par leur système d'articulation, la courbure des branches, la forme des cuillères, évidées ou non, la longueur des manches, le système de traction. Les spatules de Thierry, lames non articulées entre elles, qui s'appliquent sur la tête fœtale sans la comprimer pour l'orienter et la faire progresser, ne sont pas des forceps.

INDICATIONS
Les indications du forceps peuvent être commandées par l'état de la mère ou par celui du fœtus. Dans le premier cas, le forceps sert à diminuer les efforts d'expulsion, contre-indiqués dans certaines maladies cardiaques, respiratoires, oculaires, et permet de pallier l'inefficacité des poussées expulsives. Du côté fœtal, trois indications dominent : la souffrance fœtale, qui se traduit par une modification des bruits du cœur au monitorage, la durée excessive des efforts d'expulsion (plus de 30 minutes) et la protection du crâne du fœtus, surtout lorsque l'accouchement est prématuré. Bien appliqué, un forceps est sans danger, pour la mère comme pour le fœtus. Son utilisation s'accompagne généralement d'une épisiotomie (incision du périnée).

Forestier (maladie de)
→ VOIR Pseudo-polyarthrite rhizomélique.

Formol

Substance chimique utilisée comme désinfectant ou comme conservateur. SYN. *aldéhyde formique, formaldéhyde*.

Le formol est un liquide incolore, toxique, à l'odeur très piquante, irritant pour la peau et les muqueuses. Il sert à désinfecter certains locaux, notamment les blocs opératoires, et aussi à désinfecter ou à stériliser du matériel médical ou chirurgical. Par ailleurs, il est utilisé pour conserver tissus et organes prélevés au cours des biopsies et des autopsies.

Foudroiement

Atteinte d'un sujet par la foudre.

La foudre peut entraîner 3 types d'effets : l'électrisation, l'effet de souffle et les traumatismes secondaires. Le trajet du courant intéresse souvent le cerveau et le cœur. La mort survient, dans environ 20 % des cas, par arrêt respiratoire ou troubles du rythme cardiaque. Les brûlures sont en général superficielles et peuvent indiquer le trajet du courant. Des complications peuvent s'observer chez les survivants : amnésie, troubles de l'audition, cataracte, séquelles douloureuses. Un syndrome de stress post-traumatique est fréquent. Lorsque l'orage gronde, il faut abandonner tout objet métallique, se coucher à terre (surtout ne pas s'abriter sous un arbre isolé). Une voiture fermée et entièrement métallique peut être un abri. Pendant un orage, il ne faut pas téléphoner ni utiliser les appareils électriques si le bâtiment n'est pas protégé contre la foudre.

Foulure
→ VOIR Entorse.

Fourmillement

Sensation superficielle de picotement, survenant spontanément ou après compression d'un nerf ou d'un vaisseau sanguin.

Un fourmillement est souvent bénin lorsqu'il est lié à une compression mécanique et transitoire d'un membre. Il peut également témoigner d'une neuropathie périphérique, la localisation du fourmillement renseignant sur le nerf atteint.
→ VOIR Paresthésie.

Fovea
→ VOIR Macula.

Fox et Fordyce (maladie de)

Affection cutanée caractérisée par une éruption de petites lésions très prurigineuses au niveau des aisselles, des aines, de l'aréole des seins et du pubis.

Due à une inflammation des glandes sudoripares, la maladie de Fox et Fordyce est une affection assez rare qui touche les femmes entre 13 et 40 ans. Elle se traduit par la formation de petites macules (lésions légèrement en saillie). Le traitement est à la fois local (corticostéroïdes ou rétinoïdes) et oral (corticostéroïdes, anxiolytiques, hormones), mais il est peu efficace.

Fracastoro (Girolamo)

Poète et médecin italien (Vérone 1483 – Incaffi, Vérone, 1553). En français, *Jérôme Fracastor*.

Auteur d'un poème célèbre dans lequel il donna à la syphilis le nom qu'elle a gardé, Girolamo Fracastoro entreprit dès 1546 l'étude de cette maladie.

Fracture

Rupture d'un os ou d'un cartilage dur.

Selon leur cause, on range les fractures en trois catégories.

■ **Les fractures par choc direct** s'accompagnent de contusions des tissus mous de l'entourage et de risques d'ouverture du foyer de fracture.

■ **Les fractures par choc indirect** provoquent une torsion, un étirement ou un tassement de l'os.

■ **Les fractures pathologiques** surviennent sur des os fragilisés par une lésion préexistante, qu'elle soit d'origine infectieuse ou tumorale.

En outre, on établit une distinction entre les fractures ouvertes, où les fragments osseux ont traversé la peau et où le foyer de fracture est à l'air libre (d'où un risque d'infection), et les fractures fermées, où le foyer de fracture ne communique pas avec l'extérieur.

SYMPTÔMES ET SIGNES
Sur le plan clinique, une fracture se traduit par une douleur aiguë, une impossibilité de réaliser certains gestes, un hématome, parfois une déformation. Le trait de fracture, précisé par la radiographie, peut avoir différents aspects : transversal, oblique, spi-

Lorsqu'elle se produit, une fracture peut léser une artère (en déclenchant une hémorragie qui entrave la circulation en aval), un nerf (en provoquant une paralysie parfois définitive), la peau (avec un risque d'infection grave) ou tout autre organe. À long terme, les séquelles peuvent être une douleur, une déformation, une gêne aux mouvements. En attendant les secours, il faut empêcher le blessé de bouger et mettre une attelle si on est secouriste.

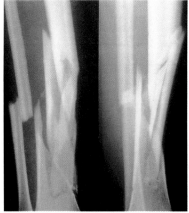

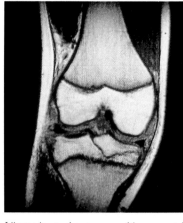

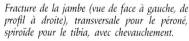

Fracture de la jambe (vue de face à gauche, de profil à droite), transversale pour le péroné, spiroïde pour le tibia, avec chevauchement.

L'imagerie par résonance magnétique permet de découvrir une fracture du plateau tibial, à la tête du tibia (os du bas, du côté droit).

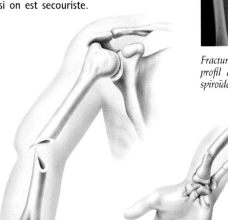

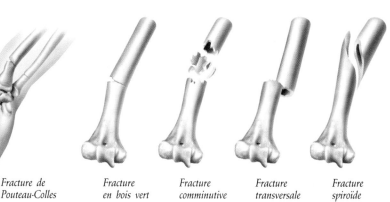

Fracture de la diaphyse humérale

Fracture de Pouteau-Colles

Fracture en bois vert

Fracture comminutive

Fracture transversale

Fracture spiroïde

roïde (trait hélicoïdal parfois observé dans les fractures des os longs des membres), comminutif (trait comportant de très nombreux fragments), etc. Les fragments osseux peuvent être éloignés l'un de l'autre (fracture déplacée), se chevaucher ou être engrenés. Il existe en outre chez l'enfant deux types de fracture spécifiques : la fracture en bois vert (l'os n'est pas rompu sur toute sa circonférence) et la fracture en motte de beurre (tassement localisé de l'os).

TRAITEMENT

Son premier but est de remettre l'os en bonne position par une manœuvre appelée réduction, manuelle ou chirurgicale. Il s'agit de replacer les extrémités osseuses au contact l'une de l'autre, en un alignement parfait, afin que la fracture se consolide en bonne position, restituant à l'os sa forme initiale. Après la réduction, contrôlée radiologiquement, l'os est immobilisé : cette contention peut être orthopédique, par plâtre ou traction, ou chirurgicale, au moyen d'un matériel externe (fixateur externe) ou interne (vis, plaque vissée, clou, cerclage métallique).

La consolidation est le processus physiologique qui aboutit à la soudure des deux fragments d'un os fracturé. Elle se fait par le développement d'un cal osseux. Dans un premier temps, des bourgeons de tissu conjonctif envahissent l'hématome, formant un cal conjonctif. Puis se produit une minéralisation du cal. Enfin, l'os se reconstitue peu à peu. De nombreux facteurs

interviennent dans le bon déroulement de la consolidation d'une fracture : l'alimentation (apport en calcium et en protéines), les taux de parathormone et de vitamine D, l'état général, l'âge (la consolidation est plus rapide chez un sujet jeune), le type de fracture (les fractures ouvertes sont plus longues à se consolider), le traitement (rééducation immédiate, bonne mise en contact des extrémités osseuses, immobilisation rigoureuse). Au terme du délai normal de consolidation, on évalue la solidité de l'os fracturé selon l'aspect radiologique du cal osseux ; l'absence de douleur et de mobilité du foyer de fracture et, pour le membre inférieur, un appui possible et pratiquement indolore viennent confirmer le diagnostic. Sauf chez l'enfant, chez qui elle est le plus souvent inutile, débute alors la rééducation : reprise des mouvements, musculation, aide à la reprise de l'appui complet. La prudence est recommandée : même si la consolidation clinique est obtenue, l'os n'a pas retrouvé sa solidité initiale. En particulier, les activités sportives doivent souvent n'être reprises que de 2 à 6 mois après le retrait du plâtre.

Fracture de fatigue

Fracture survenant sur un os sain, n'ayant subi aucun traumatisme. SYN. *fissure de fatigue*.

Une fracture de fatigue survient sur un os soumis à des contraintes excessives et d'autant plus fragile que le sujet est âgé. En

médecine du sport, elle concerne le plus fréquemment les membres inférieurs et survient après une activité physique intensive ou inhabituelle (marche prolongée) ou à cause de chaussures mal adaptées. Aujourd'hui, le vieillissement de la population, qui reste néanmoins très active, a multiplié les cas de fractures de fatigue, qui siègent sur les os les plus divers : bassin, sacrum, fémur, tibia, etc.

Les fractures de fatigue se révèlent par des douleurs, parfois responsables d'une boiterie, gênant ou empêchant la marche. Leur traitement se limite le plus souvent au simple repos. Parfois, le port d'une botte plâtrée est préconisé. En médecine du sport, la meilleure prévention reste un entraînement progressif adapté et le choix d'un bon matériel (chaussures amortissantes).

Fracture dentaire

Lésion qui peut affecter l'émail et la dentine, ou parfois même la pulpe d'une dent.

D'origine traumatique, parfois favorisées par une carie, les fractures dentaires peuvent être horizontales, verticales ou obliques.

La fracture dentaire, au contraire de celle de l'os, ne se consolide pas, car ni l'émail ni la dentine ne sont vascularisés.

■ **Les fractures horizontales ou obliques** sont très fréquentes en milieu scolaire, surtout sur les incisives. La fracture peut être superficielle et ne léser que l'émail ou affecter aussi la dentine, provoquant une

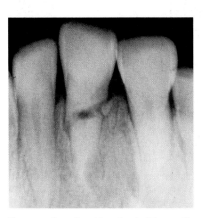

Fracture dentaire. *Une des incisives radio-graphiées est cassée horizontalement à la base de la couronne.*

sensibilité au froid et au sucre. On reconstruit alors la dent par collage. Lorsque la fracture est profonde et affecte la pulpe, on dévitalise la dent. Cependant, chez un enfant de moins de 12 ans, il est important de maintenir la vitalité de la dent jusqu'à l'édification complète de sa racine.

■ Les fractures verticales nécessitent l'extraction de la dent.

Fragilité capillaire

Diminution de la résistance des vaisseaux capillaires due à l'altération de leur paroi.

Une fragilité capillaire s'observe dans le purpura simplex ou sénile, la maladie de Rendu-Osler, le purpura allergique, les purpuras métaboliques causés par le scorbut, le diabète, la maladie de Cushing, la cirrhose, l'urémie ainsi que les infections et les dysprotéinémies. Elle peut résulter d'un traitement au long cours par les corticostéroïdes. Elle entraîne des saignements variables qui vont du purpura bénin à l'hémorragie oculaire ou cérébrale. La résistance capillaire se mesure en laboratoire soit par le test du lacet (garrot superficiel qui provoque un engorgement dans les capillaires), soit par celui de la ventouse (succion qui favorise l'hémorragie capillaire). Le traitement est celui de la cause.

→ VOIR Pétéchie.

Fragilité osseuse héréditaire

→ VOIR Ostéogenèse imparfaite.

Frémissement

Série de vibrations perçues par la main placée à plat sur une région du corps. En anglais, *thrill.*

Le frémissement est en général cardiaque et provient d'une anomalie des valvules du cœur (essentiellement un rétrécissement mitral) ; il est dit cataire, car il ressemble à la sensation que l'on a en posant la main sur le corps d'un chat qui ronronne. À l'auscultation cardiaque, un souffle est perçu. Un frémissement peut également être ressenti en palpant une fistule artérioveineuse ou la thyroïde hypervascularisée d'un sujet atteint de maladie de Basedow.

Fréquence cardiaque

Nombre de cycles cardiaques par unité de temps (par minute, conventionnellement).

La fréquence cardiaque au repos à l'âge adulte varie, selon les sujets, de 60 à 100 par minute. Elle est plus rapide chez l'enfant et diminue légèrement chez les sujets âgés. Elle s'accélère à l'effort ou lors d'un stress, sous l'effet d'une stimulation du nerf sympathique et de l'action de certaines hormones (adrénaline, noradrénaline) sur le nœud sinusal. Elle est ralentie par la stimulation du nerf pneumogastrique (ou vague), dont le tonus prédomine au repos. Elle est modulée, surtout chez le sujet jeune, par la respiration : s'accélérant à l'inspiration et diminuant à l'expiration. Si ce phénomène est marqué, on parle d'arythmie respiratoire.

La mesure de la fréquence cardiaque peut s'effectuer par la prise du pouls (palpation au niveau d'une artère périphérique de l'onde systolique, engendrée par la contraction des ventricules) ou, de manière plus précise, par l'auscultation prolongée des bruits du cœur au moyen d'un stéthoscope appliqué sur le thorax. Il est aussi possible de déterminer la fréquence cardiaque à partir d'un enregistrement électrocardiographique.

PATHOLOGIE

La fréquence cardiaque au repos peut être anormalement lente (moins de 60 cycles par minute) ou rapide (plus de 100 cycles par minute) ; on parle alors, respectivement, de bradycardie et de tachycardie. Si elle est irrégulière ou anarchique, il s'agit d'un trouble du rythme cardiaque.

Freud (Sigmund)

Médecin autrichien, fondateur de la psychanalyse (Freiberg [aujourd'hui Příbor], Moravie, 1856 - Londres 1939).

Sigmund Freud passe la plus grande partie de sa vie à Vienne, où ses parents s'installent alors qu'il n'a que 4 ans. Docteur en médecine en 1881, il se spécialise en neurologie. Un stage effectué en 1885 dans le service du neurologue Jean-Martin Charcot à l'hôpital de la Salpêtrière, à Paris, lui permet d'observer les manifestations de l'hystérie et les effets de l'hypnose.

Sigmund Freud pense qu'à l'origine des troubles névrotiques se trouvent des désirs inconscients incompatibles avec la vie sociale et la morale. Ceux-ci, refoulés, continuent à exister. Ils se manifestent au travers des rêves et des actes manqués (*l'Interprétation des rêves,* 1900 ; *Psychopathologie de la vie quotidienne,* 1901) aussi bien que dans les symptômes névrotiques (conversion hystérique, phobie, obsession). La mise en évidence de la sexualité infantile (*Trois Essais sur la théorie de la sexualité,* 1905) et du complexe d'Œdipe (*le Petit Hans,* 1909) suscite une très forte opposition du milieu médical. Cependant, la psychanalyse réunit désormais de nombreux adeptes : Alfred Adler, Carl Gustav Jung, Karl Abraham, Ernest Jones, Sandor Ferenczi, Otto Rank, Wilhelm Reich, Georg Groddeck. En 1910, lors du deuxième Congrès de psychanalyse, est créée l'Association psychanalytique internationale. Mais, entre 1911 et 1913, Adler et Jung font scission. À partir de 1920, les recherches de Freud, qui s'étendaient déjà à la psychologie sociale, à l'anthropologie (*Totem et Tabou,* 1912) et à la littérature (*l'Inquiétante Étrangeté,* 1919), l'amènent à remanier sa doctrine. Il propose une théorie générale de la personnalité fondée sur une division tripartite de l'appareil psychique (en « ça », « moi » et « surmoi ») et l'antagonisme des pulsions de vie et de mort (*Au-delà du principe de plaisir,* 1920). La renommée de Freud devient aussi prestigieuse que controversée. Sa réflexion porte sur la culture, l'histoire (*Malaise dans la civilisation,* 1930), la religion (*Moïse et le monothéisme,* 1939). Après l'invasion de l'Autriche par les nazis, en 1938, Freud est contraint de se réfugier à Londres, où il meurt en septembre 1939.

Friction

Manœuvre qui consiste à frotter vigoureusement une partie du corps.

Une friction sert à provoquer une irritation locale et temporaire afin de faire cesser un état congestif ou inflammatoire (grippe, bronchite, pneumopathie). Elle se pratique à sec, avec une brosse plus ou moins souple ou un gant de crin, ou, chez des personnes alitées, avec des lotions sédatives (alcool camphré, eau de Cologne) ou un baume révulsif. Après une sensation de chaleur temporaire, le malade éprouve une impression de soulagement et de bien-être. La friction peut, dans un deuxième temps, s'accompagner de l'application d'une pommade sédative ou anti-inflammatoire.

Friedländer (bacille de)

→ VOIR Klebsiella.

Friedman (analyseur de)

Appareil permettant l'enregistrement du champ visuel. SYN. *campimètre de Friedman.*

L'analyseur de Friedman sert surtout à l'exploration des glaucomes (hypertension intraoculaire), qui provoquent essentiellement des altérations de la partie centrale du champ visuel. Il se compose d'un écran plan sur lequel s'allument des points lumineux de taille fixe mais d'intensité variable. Lorsque le patient ne perçoit pas certains points lumineux ou qu'il ne les perçoit que lorsque leur intensité est supérieure à la normale, ces points sont reportés sous forme de points noirs ou gris, plus ou moins intenses, sur un schéma qui donne, ainsi, l'image de la perte visuelle.

En raison de son écran plan, l'analyseur de Friedman permet une bonne exploration des 30 degrés centraux du champ visuel. Les méthodes utilisant une coupole, comme le périmètre de Goldman, permettent d'explorer un champ plus large.

Friedreich (maladie de)

Maladie dégénérative de la moelle épinière.

La maladie de Friedreich, bien que très rare, est la plus fréquente des dégénérescences spinocérébelleuses (touchant la moelle épinière et le cervelet). Elle débute en général à la puberté, mais les formes tardives (après 30 ans) ne sont pas exceptionnelles.

CAUSES

La maladie de Friedreich est héréditaire, caractérisée par des lésions de la moelle atteignant toujours les mêmes structures : les cordons postérieurs et les faisceaux spinocérébelleux, qui apportent au cerveau les informations sur la position des articulations et la tension des muscles ; les faisceaux pyramidaux, qui transmettent les ordres de la motricité volontaire.

SYMPTÔMES ET ÉVOLUTION

La maladie se traduit d'abord par des difficultés à la course et à la marche. Son évolution est très progressive. Les symptômes les plus caractéristiques s'observent quelques années plus tard : ataxie (incoordination des mouvements), parésie (diminution de la force musculaire) prédominant aux membres inférieurs, abolition des réflexes, atteinte de la sensibilité profonde (le sujet, les yeux fermés, ne peut plus dire dans quelle position il se trouve). À ces signes neurologiques s'associe un syndrome dysmorphique, constitué le plus souvent par le creusement de la voûte plantaire, moins souvent par une cyphoscoliose (déformation de la colonne vertébrale). Par ailleurs, il existe aussi des troubles du rythme cardiaque. La dégradation progressive des fonctions motrices conduit en quinze ou vingt ans à un état d'infirmité totale.

TRAITEMENT ET PRONOSTIC

Il n'existe pas actuellement de traitement curatif. La prévention repose sur le conseil génétique aux futurs parents dans les familles atteintes. Des études en cours portent sur le dépistage anténatal de cette maladie. Certaines formes frustes permettent une vie normale jusqu'à un âge avancé, mais le pronostic fonctionnel est le plus souvent mauvais. La vie est parfois menacée, notamment à cause des troubles cardiaques.

Frigidité

Trouble de la sexualité féminine consistant en l'absence de satisfaction sexuelle durant les rapports.

La frigidité peut être complète (absence totale d'appétit et de plaisir sexuels, également dénommée anorgasmie) ou partielle, la femme ne parvenant à l'orgasme que rarement, mais les relations sexuelles demeurant satisfaisantes dans la période qui précède la jouissance. Le trouble peut être capricieux, dépendre du partenaire ou des circonstances. La frigidité est dite primaire lorsque la femme n'a jamais eu d'orgasme et secondaire lorsqu'elle survient chez une femme qui en a déjà éprouvé.

CAUSES ET TRAITEMENT

Les causes d'une frigidité sont multiples. Elles peuvent être organiques (infection, déséquilibre hormonal, alcoolisme, accouchement difficile, ménopause) ou psychologiques (peur d'une grossesse ou d'une maladie sexuelle, surmenage, stress, dépression, détachement à l'égard du partenaire). Un traitement est presque toujours possible : il peut reposer sur l'hormonothérapie ou la psychothérapie, par exemple.

Frisson

Tremblement involontaire, plus ou moins généralisé, des muscles.

Le frisson est souvent accompagné de claquements des dents et d'horripilation (« chair de poule »). C'est une réaction normale du corps contre le froid. En réponse à l'abaissement de la température du corps, le réflexe du frisson, en provoquant des contractures musculaires, engendre de la chaleur. Un frisson causé par le froid disparaît le plus souvent dès le moment où le corps s'est réchauffé.

Le frisson s'observe aussi, en association avec une poussée de fièvre, à la phase initiale des maladies infectieuses, ou au cours des septicémies, lors des décharges microbiennes dans la circulation sanguine. Dans ce cas, il témoigne de la réaction de l'organisme à l'invasion microbienne.

Froid (dermatoses dues au)

Affections cutanées déclenchées ou aggravées par une exposition au froid.

Le froid, d'une part, représente une agression directe pour l'épiderme ; d'autre part, il provoque un ralentissement de la circulation dans les capillaires sanguins du derme. Certaines réactions cutanées sont normales, présentes chez tous les sujets : sécheresse de la peau, démangeaisons, lèvres fendillées, aggravation d'une maladie de peau (psoriasis, eczéma) ; les gelures ne surviennent que par des froids intenses, comme en montagne. D'autres réactions, en revanche, sont dites anormales : troubles vasomoteurs de différents types (engelures, acrocyanose, érythrocyanose, livedo, syndrome de Raynaud) ; urticaire survenant soit sans cause connue, soit en liaison avec certaines anomalies sanguines (cryoglobulines).

Fromage

Produit laitier obtenu par la coagulation du lait sous l'action de la présure et/ou des ferments lactiques et ayant subi un égouttage.

Les fromages sont des aliments d'une grande diversité, mais ils ont tous en commun leur richesse en protéines et en calcium. Ils ont une teneur variable en lipides et en sodium. On distingue les fromages à pâte pressée cuite (comté, emmental, gruyère), les fromages à pâte pressée non cuite (saint-nectaire, cantal), les fromages à pâte molle à croûte fleurie (brie, camembert) ou à croûte lavée (maroilles, livarot), les fromages à pâte persillée (fourme d'Ambert, roquefort), les fromages de chèvre, les fromages à pâte fondue (crème de gruyère) et les fromages frais (demi-sel, fromage de campagne).

Leur teneur en eau varie entre 35 et 80 % selon l'égouttage et le temps de maturation. Le pourcentage de matières grasses indiqué sur l'emballage est calculé sur extrait sec du produit. Les fromages à pâte cuite sont les plus gras, mais aussi les plus riches en calcium. Les fromages frais sont moins riches en calcium, dont une grande partie reste dans le petit-lait. Une partie des vitamines hydrosolubles disparaît lors de l'égouttage, mais il se produit un enrichissement en vitamines B2, B3, B6 et B9 sous l'action des moisissures. La vitamine A est abondante dans les fromages gras.

Dans les régimes amaigrissants, il est recommandé de limiter la consommation de fromages (du fait de leur richesse en lipides, et donc en calories). Les fromages à pâte molle sont contre-indiqués chez les sujets prenant des inhibiteurs de la monoamine-oxydase (I.M.A.O.).
→ VOIR **Aliment.**

Frottement

Bruit évoquant un froissement de cheveux, perçu lors de l'auscultation au stéthoscope, provoqué par le glissement l'une sur l'autre de deux membranes séreuses enflammées.

■ **Le frottement péricardique**, perçu pendant les silences entre chaque bruit du cœur, réalise un bruit de « va-et-vient » et est le plus souvent consécutif à une péricardite d'origine virale.

■ **Le frottement pleural**, perçu pendant l'inspiration, plus rarement à l'expiration, est consécutif à un épanchement pleural d'abondance modérée et d'origine diverse (infectieuse, cardiaque, tumorale, etc.).

Frottis

Prélèvement et étalement sur lame, en couche mince, d'une goutte d'un liquide biologique (sang, liquide céphalorachidien, sécrétion, urine), d'un produit pathologique (pus, épanchement) ou de cellules d'un tissu ou d'un organe (ganglion, vagin, etc.) en vue d'une observation microscopique.

L'observation peut se faire à l'état frais, avant coloration, ce qui permet d'observer la mobilité des bactéries présentes dans le prélèvement. Elle est le plus souvent effectuée après coloration spécifique des cellules (coloration de Giemsa) ou des bactéries (coloration de Gram).

Frottis cervicovaginal

Prélèvement et étalement sur une lame de cellules du vagin et du col de l'utérus en vue de leur observation microscopique.

INDICATIONS

Le frottis cervicovaginal, couramment appelé frottis, est un examen de dépistage précoce du cancer du vagin ou du col de l'utérus ; il permet également de déceler la modification des cellules avant que celles-ci ne deviennent cancéreuses, permettant d'y opposer un traitement préventif.

■ **Le prélèvement de cellules du vagin** est préconisé dans le dépistage du cancer vaginal de la femme ménopausée et chez les femmes dont la mère a été traitée par diéthylstilbestrol pendant la grossesse.

■ **Le prélèvement de cellules du col de l'utérus** s'effectue à la jonction de la muqueuse glandulaire de l'endocol (partie

Lorsqu'un frottis n'est pas strictement normal, un second frottis ou une colposcopie (examen du col à la loupe) sont indiqués. La présence de cellules cancéreuses ne renseigne pas sur la gravité de l'atteinte, celle-ci pouvant se révéler bénigne.

interne du col) et de la muqueuse malpighienne de l'exocol (partie externe du col).

Deux frottis pratiqués à un an d'intervalle sont recommandés au début de la vie sexuelle, puis un frottis tous les 2 à 3 ans jusqu'à l'âge de 65 ans. En cas de frottis anormal et/ou de suspicion de maladie sexuellement transmissible, le frottis doit être renouvelé plus souvent.

DÉROULEMENT

Le frottis cervicovaginal consiste à réaliser trois prélèvements de cellules : l'un dans le fond du vagin, les deux autres respectivement sur la surface et dans le canal du col utérin. Il se pratique chez un gynécologue ou en laboratoire. Il ne doit pas être précédé d'une toilette du vagin. Le médecin demande à la patiente de s'allonger sur la table d'examen en position gynécologique, c'est-à-dire genoux pliés et écartés, pieds calés dans les étriers. Il met d'abord en place un spéculum, petit appareil en forme de bec de canard qui permet d'écarter légèrement les parois du vagin pour mieux l'observer et aussi mieux voir le col de l'utérus. Le prélèvement est étalé sur une lame de verre, puis coloré avec des réactifs, ce qui permet à la fois un cytodiagnostic hormonal et le dépistage des anomalies précancéreuses.

Le frottis de dépistage est indolore ; il arrive que se produise un léger saignement, dû au frottement de la spatule sur le col ; ce saignement est sans gravité et s'arrête de lui-même en un ou deux jours. Il faut enfin savoir que la période des règles est le seul moment du cycle où le frottis est contre-indiqué, car la présence de sang dans le prélèvement risque de fausser l'interprétation des résultats. La découverte d'anomalies lors d'un frottis nécessite d'entreprendre des examens complémentaires mais n'autorise, en aucun cas, un diagnostic définitif. Celui-ci ne sera établi qu'après une colposcopie, qui permet de guider les prélèvements sur les zones suspectes.

Le frottis cervicovaginal n'est pas déconseillé pendant une grossesse, occasion privilégiée d'examens gynécologiques et donc de dépistage.

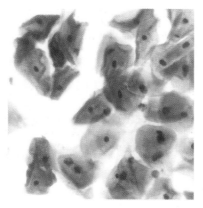
Cellules normalement colorées.

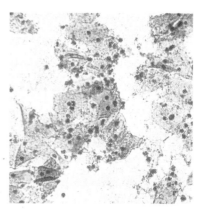
Le frottis montre une inflammation.

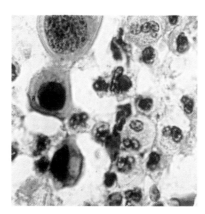
Frottis douteux, sans cancer net.

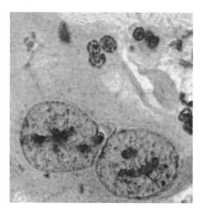
Dysplasie (état précancéreux) ou cancer.

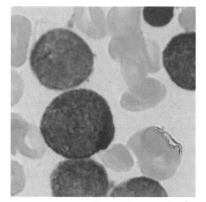
Frottis sanguin. *La présence dans le sang de globules blancs jeunes (cellules colorées en violet), normalement cantonnés dans la moelle osseuse, est un signe d'infection.*

Frottis sanguin

Prélèvement et étalement sur une lame de cellules du sang en vue d'une observation microscopique de celles-ci après coloration spécifique.

Un frottis sanguin n'est pas nécessaire pour réaliser une numération formule sanguine, effectuée de façon automatique à l'aide d'appareils. Mais il reste très utile pour examiner la forme des hématies, ou globules rouges (par exemple, les hématies en faucille de la drépanocytose), l'aspect de cellules anormales (tels les lymphocytes bleutés de la mononucléose infectieuse ou les blastes d'une leucémie) ou des plaquettes ; il permet de diagnostiquer des infections telles que le paludisme en repérant le parasite dans les globules rouges.

Fructosamine

Protéine du plasma sanguin à laquelle sont liées une ou plusieurs molécules de glucose.

On appelle fructosamines les protéines du plasma sanguin (albumine, globulines) quand des molécules de glucose se sont fixées sur elles de façon spontanée (sans intervention d'une enzyme) et transitoire. La mesure de leur concentration reflète les concentrations de glucose sanguin, et cela au cours des deux dernières semaines avant le dosage. Elle est utilisée dans la surveillance du diabète, mais beaucoup plus rarement que celle de l'hémoglobine glycosylée.

Fructose

Sucre présent dans l'organisme et dans l'alimentation. SYN. *lévulose*.

Le fructose fait partie des glucides simples, du type hexose (leur molécule comprend six atomes de carbone). Il peut exister tel quel ou bien sous forme de saccharose, formé par l'association d'une molécule de fructose et d'une molécule de glucose. Le fructose apporté par l'alimentation est contenu dans le sucre de table, les fruits (pomme, poire, raisin), le miel. Dans l'organisme, il est transformé en glucose.

INTOLÉRANCE AU FRUCTOSE

C'est une affection héréditaire due à un déficit des enzymes qui transforment le fructose. Elle se manifeste chez le nourrisson et l'enfant par une perte d'appétit, des vomissements, des accès d'hypoglycémie (chute brutale du glucose sanguin), un retard de croissance. Le traitement consiste à supprimer le fructose de l'alimentation, ce qui fait disparaître les troubles.

Fruit

Produit comestible de certains végétaux, de saveur généralement sucrée.

Les fruits sont riches en eau, en glucides (fructose, surtout), en fibres végétales (cellulose et pectine, présentes surtout dans leur peau), en vitamines (vitamine C dans les agrumes notamment, vitamines B1, B2 et B6 dans les fruits secs, précurseurs de la vitamine A dans les fruits à noyaux et les baies) et en sels minéraux. Leur teneur en glucides varie de 5 à 19 % pour les fruits frais, à 40 %, voire 65 %, pour les fruits secs (dattes, figues, raisins). Les fruits secs ont une valeur calorique beaucoup plus élevée que les fruits frais et sont très riches en glucides simples, en sodium, potassium et calcium. Les fruits oléagineux (amandes, noix, noisettes) sont riches en fibres, en protéines et surtout en lipides ; ils sont beaucoup plus caloriques que les fruits frais : 400 kilocalories pour 100 grammes. Leur apport doit être contrôlé dans les régimes amaigrissants.

Consommés en quantités raisonnables, les fruits frais constituent un bon apport de fibres et de vitamines. La cuisson les rend plus digestes du fait des modifications de leur composition en fibres et en glucides, mais elle présente, en revanche, l'inconvénient d'entraîner une perte importante de vitamines.

F.S.H.

→ VOIR Folliculostimulante (hormone).

Fulguration

Technique de destruction d'une partie localisée du muscle cardiaque par un choc électrique d'une intensité pouvant varier de 100 à 320 joules.

La fulguration est employée dans le traitement de certains troubles du rythme cardiaque réfractaires aux autres thérapeutiques : les tachycardies jonctionnelles (maladie de Bouveret, syndrome de Wolff-Parkinson-White), les tachycardies ventriculaires et quelques arythmies auriculaires résistantes. Ces dernières sont traitées par fulguration du faisceau de His et induisent un bloc auriculoventriculaire complet, nécessitant la mise en place ultérieure d'un stimulateur cardiaque. La fulguration est délivrée au moyen d'un cathéter-électrode placé au contact de la zone à détruire. Elle nécessite une anesthésie générale. Actuellement, la fulguration tend à être remplacée par une technique de destruction plus fine : l'application d'un courant de radiofréquence, de moindre intensité.

→ VOIR Technique ablative intracardiaque.

Fumigation

→ VOIR Inhalation.

Fundus

Partie supérieure de l'estomac, située sous la coupole du diaphragme. SYN. *grosse tubérosité.*

Les cellules du fundus jouent un rôle important dans la sécrétion de la pepsine et de l'acide chlorhydrique.

Funiculite

1. Inflammation d'une racine nerveuse dans son trajet intrarachidien, consécutive à un rhumatisme des vertèbres.
2. Inflammation du cordon spermatique testiculaire (formé par le canal déférent, les artères spermatiques et déférentielles et les veines spermatiques).

Une funiculite est souvent associée à une orchiépididymite (inflammation du testicule [orchite] et de l'épididyme [épididymite]). Le cordon est gonflé, causant des douleurs pénibles. Dans le cas d'une association avec une orchite et lorsque la funiculite atteint les deux testicules, il y a risque de stérilité. L'inflammation doit être traitée très énergiquement à l'aide d'antibiotiques.

Furoncle

Infection aiguë d'un follicule pilosébacé.

Un furoncle est un type de folliculite dû à une infection par un staphylocoque doré. L'ensemble du follicule pileux est alors nécrosé et rempli de pus. Le furoncle se caractérise tout d'abord par une petite élevure centrée autour d'un poil, douloureuse, chaude, recouverte d'une peau rouge et luisante. Après quelques jours se forme le bourbillon caractéristique du furoncle : le follicule est remplacé par un cône dur et jaune, laissant un cratère rouge quand il s'élimine, dont la cicatrice est parfois définitive.

Les furoncles peuvent récidiver ou se multiplier, ce qui peut témoigner d'un diabète jusque-là méconnu. Plusieurs furoncles voisins peuvent se réunir pour former un anthrax. Une manipulation intempestive (pressions pour essayer d'extraire le bourbillon) peut entraîner une septicémie en provoquant le passage du microbe dans le sang, à partir duquel il peut se disséminer. Les furoncles du visage, surtout à proximité du nez, des lèvres, des yeux, peuvent se compliquer de staphylococcie maligne de la face : infection locale grave (grand placard inflammatoire), septicémie avec risque de thrombophlébite (inflammation) s'étendant aux veines intracrâniennes, mettant en jeu la vie du malade.

TRAITEMENT

Le traitement des formes courantes de furoncle relève de la seule application locale d'antiseptiques et d'antibiotiques ; en particulier, les pansements imbibés d'alcool accélèrent l'évolution vers le bourbillon. Les

antibiotiques par voie orale ou injectable sont prescrits en cas de terrain fragile (diabète), de furoncles multiples, de forme grave ; la suspicion de staphylococcie maligne impose une hospitalisation du sujet en urgence pour un traitement antibiotique par voie veineuse.

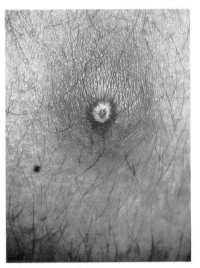

Furoncle. *Le bourbillon jaune central, rempli de pus, est entouré d'un placard inflammatoire rouge, chaud et douloureux.*

Furonculose

Récidive et extension numérique de furoncles chez un même individu.

Les furoncles peuvent se développer dans une zone cutanée précise ou de manière diffuse. Leur prévention est fondée sur le respect de règles hygiéniques et diététiques (éviter une alimentation trop riche en sucres rapides).

Une furonculose peut révéler un diabète sucré ; aussi celui-ci doit-il être recherché en présence d'un tel signe.

Fusée

Extension d'un foyer infectieux (abcès) ou d'un foyer de nécrose, selon un trajet rectiligne ou sinueux, à travers des tissus sains.

À la différence des fistules, les fusées ne sont pas nettement délimitées (elles ne sont pas entourées d'un canal) ; en outre, elles sont parfois beaucoup plus volumineuses. Il n'existe pas de symptômes ni de traitement particulier des fusées, qui sont traitées en même temps que l'affection concernée (par drainage d'un abcès ou par prise d'antibiotiques).

G-6-PD

→ VOIR Glucose-6-phosphate déshydrogénase.

Gadolinium

Élément chimique (Gd) utilisé comme produit de contraste en imagerie par résonance magnétique.
→ VOIR Produits de contraste.

Galactographie

Examen radiologique permettant de visualiser les canaux galactophores (par lesquels s'écoule le lait) de la glande mammaire.

Une galactographie est indiquée lors d'un écoulement de sang par un pore du mamelon. Elle permet de visualiser une anomalie à l'intérieur des canaux, notamment une tumeur, le plus souvent bénigne (papillome). Elle consiste à injecter à l'aide d'un mandrin (aiguille creuse), dans le pore responsable, un produit de contraste opaque aux rayons X avant de prendre un cliché radiographique. Cet examen n'est pas douloureux et ne nécessite ni hospitalisation ni anesthésie.

Galactorrhée

Écoulement laiteux par le mamelon en dehors des moments où l'enfant est nourri au sein.

Une galactorrhée peut être unilatérale ou bilatérale et se produire à travers un ou plusieurs pores du mamelon. Elle peut être spontanée ou provoquée par une pression exercée sur le mamelon.

CAUSES

La galactorrhée est due à une augmentation de la sécrétion d'une hormone, la prolactine, par l'hypophyse (glande endocrine située à la base du cerveau).

■ La galactorrhée physiologique est fréquente chez la femme qui allaite. Due à une sécrétion excessive de lait, elle persiste souvent quelque temps après le sevrage.

■ La galactorrhée pathologique se produit en dehors des périodes d'allaitement. Elle est alors souvent associée à d'autres troubles, comme une aménorrhée (absence de règles). Une galactorrhée est parfois causée par une tumeur bénigne (adénome) de l'hypophyse ou par un traitement par des médicaments hormonaux (œstroprogestatifs), par les phénothiazines ou par certains médicaments antihypertenseurs.

DIAGNOSTIC

Le diagnostic repose sur un dosage sanguin de la prolactine, qui révèle une quantité excessive d'hormone. Le scanner ou l'imagerie par résonance magnétique (I.R.M.) peuvent montrer une tumeur hypophysaire.

TRAITEMENT

Un grand nombre de galactorrhées ne réclament aucun traitement particulier. Une tumeur est traitée par la chirurgie ou par l'administration de bromocriptine, une substance qui inhibe la sécrétion de prolactine, arrête la production de lait et peut dans certains cas faire régresser une tumeur. La galactorrhée disparaît alors, ainsi que les troubles qui l'accompagnent.

Galactose

Glucide caractéristique du lait.

Le galactose est un hexose (glucide simple à six atomes de carbone). Il peut être combiné à d'autres glucides simples pour former des glucides plus complexes ; en particulier, l'association d'une molécule de galactose et d'une molécule de glucose forme le lactose, un autre glucide caractéristique du lait.

La principale source de galactose est le lait. Selon les besoins de l'organisme, il est alors retransformé en glucose (source d'énergie) ou bien utilisé pour synthétiser des glucides complexes (faisant partie de la structure des cellules).

La déficience héréditaire d'une enzyme participant aux transformations du galactose, la transférase, provoque une maladie appelée galactosémie congénitale.

Galactosémie congénitale

Déficit héréditaire en transférase, enzyme participant aux transformations du galactose dans l'organisme.

La galactosémie congénitale débute chez le nouveau-né. Elle se manifeste par un ictère, des diarrhées et des vomissements. Non traitée, elle se traduit par une déficience mentale, un retard de croissance, une cirrhose et une cataracte. Un régime alimentaire sans lactose empêche l'apparition des différentes manifestations de la galactosémie congénitale. Le lait et ses dérivés sont à proscrire durant toute l'existence du malade.

Gale

1. Affection cutanée due à des parasites de l'ordre des acariens, les sarcoptes *(Sarcoptes scabiei)*. SYN. *gale sarcoptique, scabiose*.

La gale survient par épidémies cycliques, séparées par des périodes de 30 à 40 ans ; la dernière épidémie remonte aux années 1965 à 1980. Selon le type de transmission, on distingue la gale dite humaine, caractérisée par une contamination à partir d'une autre personne, de la gale non humaine, caractérisée par une contamination à partir d'un animal ou d'un végétal.

Gale humaine

Dans cette affection cutanée, la femelle du sarcopte creuse un tunnel dans l'épaisseur de l'épiderme et y pond des œufs. Ceux-ci donnent naissance à des larves, qui deviennent adultes et se reproduisent sur la peau. La contamination s'effectue par contact physique direct (rapport sexuel) ou par l'intermédiaire d'objets contaminés (drap, couverture). La contamination indirecte (literie, vêtements infestés) est rare.

SYMPTÔMES ET SIGNES

La gale humaine se manifeste tout d'abord par des démangeaisons, très caractéristiques si elles atteignent tous les membres d'une famille. Puis apparaissent de courts sillons (correspondant aux tunnels) surmontés à une extrémité d'une minuscule perle translucide (vésicule perlée), prédominant entre les doigts, sur les poignets, les aisselles, la région de la ceinture, mais ne siégeant jamais sur le visage. Les démangeaisons entraînent des lésions surélevées, rouges et excoriées, ou des lésions de grattage. En l'absence de traitement, les démangeaisons persistent et peuvent se compliquer de lésions suintantes et de croûtes surinfectées.

La gale peut aussi se manifester sous d'autres formes :
- la gale du nourrisson peut se traduire par l'apparition de lésions vésiculeuses, survenant sur la paume des mains et la plante des pieds, et de gros nodules au niveau des aisselles et de l'aine ;
- la gale des gens propres se manifeste uniquement par des démangeaisons à recrudescence nocturne ;
- la gale dite norvégienne, qui se rencontre surtout chez les sujets immunodéprimés, est caractérisée par l'apparition de croûtes non prurigineuses, prédominant aux extrémités du corps (mains, pieds).

TRAITEMENT

Il doit être administré en même temps à tous les membres de la famille et à tous les sujets très proches. Les produits antiscabieux (destinés à traiter la gale) sont le benzoate de benzyle, le D.D.T., le lindane, les pyréthrines. Ils se présentent sous forme de lotions ou d'aérosols à appliquer sur la peau, mais aussi sur le linge et la literie. Le traitement comporte d'abord un savonnage de tout le corps, suivi d'un badigeonnage par le produit traitant ; celui-ci est généralement laissé au contact de la peau pendant

La gale est due au sarcopte, animal acarien minuscule. Elle est contagieuse seulement en cas de contact assez prolongé. Les démangeaisons en constituent le signe d'alarme le plus habituel et le plus précoce. La présence de courts sillons cutanés creusés par le parasite confirme le diagnostic, mais ceux-ci apparaissent plus tardivement et ne sont pas observés dans tous les cas.

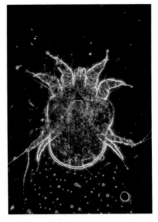

Le sarcopte de la gale, vu ici au microscope optique, est un acarien (comme les aoûtats ou les tiques) qui mesure quelques dixièmes de millimètre de long.

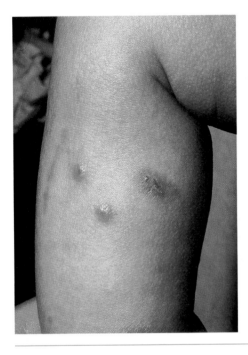

Outre un sillon caractéristique, sur le devant de la jambe, on observe des boutons plus ou moins croûteux, plus ou moins infectés, conséquence du grattage. Les autres formes de gale sont plus rares.

8 à 12 heures. Le mode d'emploi de chaque produit doit être rigoureusement respecté, surtout chez l'enfant, notamment en ce qui concerne la durée d'application. En effet, outre la possibilité d'irritation en cas de contact avec les voies respiratoires (aérosols), les yeux ou les muqueuses, il existe un risque d'atteinte neurologique (convulsions).

Après le traitement, les démangeaisons peuvent persister pendant quelques jours, voire quelques semaines ; elles finissent par disparaître totalement.

Gales d'origine animale ou végétale

C'est un ensemble d'affections cutanées dues à des variétés d'acariens présents sur les animaux (chats, chiens, oiseaux) ou les végétaux (arbustes, blé). Elles se manifestent par des démangeaisons passagères, sans sillon caractéristique. La disparition de la source de contamination entraîne la guérison.

2. Nom parfois donné, par abus de langage, à des affections cutanées ressemblant plus ou moins à la gale proprement dite. SYN. *pseudogale*.

La gale du ciment, par exemple, est en réalité une dermite du ciment, variété d'eczéma allergique de contact (affection due à la fois à l'irritation provoquée par la manipulation du ciment et à une réaction d'allergie aux bichromates chimiques qui entrent dans sa composition).

Galénique

Relatif à la préparation des médicaments.

Une forme galénique (ou pharmaceutique, ou encore médicamenteuse) est une préparation que le pharmacien met au point soit dans un laboratoire pharmaceutique industriel, soit dans son officine.

La pharmacie galénique est la science qui étudie la fabrication, la présentation, le dosage, la voie d'administration et la conservation des médicaments. Cette appellation vient du nom de Galien.

→ VOIR Médicament.

Galien (Claude)

Médecin grec (Pergame v. 131 - Rome v. 201).

Il exerça à Pergame puis à Rome et son enseignement eut autant de répercussions que celui d'Hippocrate. Il fit d'importantes découvertes en anatomie, notamment sur le cerveau et le cœur, grâce à ses dissections d'animaux. Mais le parallélisme qu'il établit avec l'être humain fut à l'origine de théories erronées qui persistèrent jusqu'au XVIe siècle. Il fut le premier à affirmer que la compréhension de la maladie, et donc sa guérison, nécessitait une connaissance précise du corps et du fonctionnement des organes.

Gall (Franz Josef)

Médecin allemand (Tiefenbronn, Bade-Wurtemberg, 1758 - Montrouge, Hauts-de-Seine, 1828).

Il exerça la médecine à Vienne et à Paris et fonda la phrénologie (étude du caractère et des fonctions intellectuelles d'après la conformation du crâne). Aujourd'hui abandonnée, la phrénologie n'en contribua pas moins à faire progresser les connaissances sur le cerveau et la localisation des fonctions cérébrales.

Gallium

Métal de numéro atomique 31, proche de l'aluminium dans la classification de Mendeleïev.

■ Le gallium 67 (^{67}Ga) est le principal isotope du gallium, utilisé en médecine nucléaire. Injecté par voie intraveineuse, le gallium se fixe sur une protéine, la transferrine, dont les récepteurs sont nombreux sur les tumeurs. L'exploration scintigraphique, réalisée de 48 à 72 heures après l'injection, permet d'une part de localiser les tumeurs malignes mises en évidence par le gallium, d'autre part d'évaluer les risques de récidive tumorale après traitement. Le gallium est également utilisé pour situer, par scintigraphie, des foyers infectieux et apprécier le potentiel évolutif de processus inflammatoires comme la sarcoïdose pulmonaire ou la pneumonie à *Pneumocystis carinii*.

■ Le gallium 68 (^{68}Ga) est un élément radioactif utilisé dans la tomographie d'émission à positons (procédé d'imagerie médicale qui permet d'obtenir des images en coupe de la concentration absolue dans un organe du radioélément étudié).

Galop

Rythme à trois temps du cœur évoquant le galop du cheval.

Un troisième battement qui vient s'ajouter aux deux bruits normaux du cœur est toujours anormal, sauf chez l'enfant. Ce troisième battement peut être produit soit dans le ventricule gauche et être alors perçu à la pointe du cœur, soit dans le ventricule droit et être perçu dans la région de l'appendice xyphoïde (extrémité du sternum). Il est décelable à l'auscultation.

CAUSES

Le galop peut témoigner d'une diminution de la contractilité cardiaque lors d'une insuffisance cardiaque, d'un bloc de branche (retard de l'activation de l'un des ventricules) ou bien d'une insuffisance mitrale ou tricuspide (défaut de fermeture de la valvule mitrale ou tricuspide).

Gamète

Cellule reproductrice. SYN. *cellule sexuelle*.

Les gamètes (spermatozoïdes chez l'homme, ovules chez la femme) sont produits dans les glandes sexuelles, ou gonades (testicules chez l'homme, ovaires chez la femme), au cours de la méiose (division cellulaire particulière).

Alors que les cellules somatiques (non sexuelles) ont $2n$ chromosomes, la méiose ne confère à chaque gamète qu'un nombre n de chromosomes. Lors de la fécondation, la fusion d'un gamète mâle et d'un gamète femelle conduit à un zygote (ou œuf) ayant donc de nouveau 2*n* chromosomes, point de départ de la constitution d'un nouvel individu.

Gamma-angiocardiographie

Technique scintigraphique d'imagerie médicale ayant pour but d'étudier la fonction contractile du cœur. Elle se réalise à l'aide d'une gamma-caméra après l'injection dans une veine du bras d'une faible quantité d'un élément radioactif (radioélément). Cet examen est rapide (environ 1 heure) et n'entraîne aucun effet secondaire.

INDICATIONS

Une gamma-angiocardiographie est demandée en cas de maladie coronarienne, d'atteinte des valvules cardiaques, de troubles du rythme, de recherche d'une atteinte du muscle cardiaque après l'administration de certains médicaments anticancéreux (anthracyclines).
→ VOIR Ventriculographie isotopique.

Gamma-caméra

Appareil utilisé pour détecter les rayonnements gamma émis par des éléments radioactifs et former une scintigraphie, image de leur répartition dans l'organisme.

La gamma-caméra, ou caméra à scintillation, est composée d'un détecteur de forme circulaire ou rectangulaire, devant lequel se tient le patient, et d'un ordinateur spécialisé.

Par la scintigraphie, image de l'utilisation par l'organisme d'un traceur radioactif préalablement administré, la gamma-caméra apporte des renseignements sur la morphologie d'un organe mais aussi sur son fonctionnement. L'image scintigraphique obtenue sur l'écran de l'ordinateur, puis adressée au médecin traitant, est formée d'un ensemble de points, les pixels. Dans le cas le plus fréquent, la nuance de gris d'un pixel traduit la valeur de la concentration radioactive en un point précis de l'organe. Pour améliorer le contraste entre les différentes zones de l'image, les scintigraphies sont souvent représentées en couleurs, chaque nuance correspondant à un niveau différent de radioactivité. À chaque pixel est associé un nombre conservé dans la mémoire de l'ordinateur, ce qui permet de calculer certains paramètres physiologiques (débit cardiaque, etc.) ou de mesurer des taux de fixation, l'organe captant une dose plus ou moins importante de produit.

On peut également réaliser une image représentative de l'enregistrement de plusieurs images successives. Dans ce cas, l'ordinateur détermine la couleur d'un pixel en fonction de la variation de la radioactivité pendant une durée déterminée et non plus seulement en fonction de sa concentration à un instant donné.

Les gamma-caméras ont une taille habituellement suffisante pour réaliser l'image globale de la plupart des organes. Seule l'étude du corps entier impose de déplacer le lit d'examen ou la caméra elle-même en un mouvement continu et régulier. De nombreuses gamma-caméras sont conçues pour effectuer également une rotation complète autour du patient et réaliser ainsi des tomoscintigraphies qui permettent, grâce

à plusieurs plans de coupe, de mieux localiser les lésions à l'intérieur d'un organe.

Le même appareillage peut donc réaliser les différents types de scintigraphie : image plane classique, étude dynamique, balayage du corps entier ou tomoscintigraphie. Une gamma-caméra est également capable de détecter des rayonnements gamma d'énergies différentes. Cette capacité, alliée à la disponibilité de nombreuses molécules radioactives, permet à la médecine nucléaire de réaliser l'exploration scintigraphique de plus d'une centaine de fonctions différentes de l'organisme. L'évolution actuelle des gamma-caméras tend à augmenter le nombre des détecteurs à deux, voire à trois par appareil, dans le but d'améliorer la qualité des examens et d'en réduire la durée.

D'autres caméras sont spécialement conçues pour l'étude d'un organe, par exemple le cerveau ou le cœur, ou pour un type d'examen particulier, par exemple la tomographie à positons.

Gammaencéphalographie

Examen scintigraphique du cerveau.

Primitivement utilisée pour la recherche des tumeurs, la scintigraphie cérébrale s'oriente désormais vers l'utilisation de molécules spécifiques du métabolisme du cerveau. Les indications principales sont les démences (maladie d'Alzheimer), les accidents vasculaires cérébraux et l'épilepsie partielle. La tomographie par émission de positons offre également un champ particulièrement riche d'explorations cérébrales, en particulier celles mettant en jeu les récepteurs au niveau des synapses.
→ VOIR Scintigraphie, Tomographie par émission de positons.

Gammaglobuline

Protéine du plasma sanguin appartenant à la famille des immunoglobulines (anticorps), analysée et dosée en pratique clinique par l'électrophorèse des protides sanguins, et également utilisée en thérapeutique pour renforcer une immunité déficiente.

À l'électrophorèse, les gammaglobulines migrent après les alpha et bétaglobulines. Leur taux normal varie de 6 à 12 g par litre. Elles sont diminuées en cas de déficit immunitaire, et augmentées en cas d'état inflammatoire ou infectieux, et de cirrhose. Parfois, une seule variété de gammaglobuline est élevée (dysglobulinémie monoclonale), anomalie souvent bénigne mais pouvant révéler un myélome.

UTILISATION THÉRAPEUTIQUE

Les gammaglobulines sont obtenues à partir du sang d'un donneur. On distingue deux types de préparations : les préparations dites polyvalentes, issues de donneurs sains et contenant à des titres variables des immunoglobulines dirigées contre diverses maladies ; les préparations dites spécifiques, qui, outre les immunoglobulines contenues dans les préparations polyvalentes, renferment également une quantité très importante d'immunoglobulines dirigées contre une maladie spécifique. Ces dernières sont réalisées à partir de donneurs relevant d'une maladie

ou en cours de vaccination. On dispose ainsi de préparations qui peuvent être utilisées contre la diphtérie, les infections à cytomégalovirus, l'hépatite B, la varicelle et le zona, les oreillons, la rubéole, le tétanos, la variole et la coqueluche.

INDICATIONS

La première indication des gammaglobulines est la prévention et le traitement d'une maladie infectieuse (déficit immunitaire congénital, sida de l'enfant, leucose lymphoïde chronique). La seconde indication concerne la régulation des réactions immunitaires, comme dans le cas d'une thrombopénie d'origine immunologique.

EFFETS INDÉSIRABLES

Les réactions allergiques sont mineures. Un dépistage systématique dans le sang des donneurs empêche toute transmission involontaire des virus du sida ou de l'hépatite B. Le risque de transmission du virus de l'hépatite C est discuté.

Gammaglutamyl-transpeptidase

Enzyme présente dans plusieurs organes et, plus particulièrement, dans le foie, facilitant le transfert transcellulaire des acides aminés.
SYN. *gammaglutamyl-transférase,* ou *Gamma-GT.*

La concentration dans le plasma de la gammaglutamyl-transpeptidase, également appelée GGT ou gamma-GT, s'élève au cours des nombreuses maladies hépatiques et, particulièrement, au cours de la cholestase ou des complications hépatiques de l'alcoolisme. Cette concentration est cependant peu spécifique de l'alcoolisme puisque les taux de cette enzyme peuvent être augmentés par l'obésité ou par la prise de certains médicaments (barbituriques), et peuvent même être modérément élevés chez des sujets sains.

Gamma-GT

→ VOIR Gammaglutamyl-transpeptidase.

Ganglion lymphatique

Petit organe appartenant au système lymphatique, qui joue un rôle fondamental dans la fonction immunitaire.

Les ganglions lymphatiques, couramment appelés ganglions, sont souvent disposés en chaînes ou groupés en amas. Ils sont placés sur le trajet de la lymphe circulant des tissus vers le sang : aine, aisselle, cou, etc. Certains ganglions sont superficiels et palpables chez les sujets minces, d'autres profonds et visibles à l'examen radiologique (scanner, imagerie par résonance magnétique).

STRUCTURE

Un ganglion est constitué de tissu lymphoïde, tissu où les globules blancs de type lymphocyte séjournent et se multiplient. On y trouve des lymphocytes B groupés en amas arrondis, appelés follicules, qui sont bordés de zones où dominent les lymphocytes T. Le ganglion est irrigué par des capillaires sanguins.

PHYSIOLOGIE

Les interactions cellulaires qui activent la réaction immunitaire de l'organisme s'établissent au niveau des ganglions lymphatiques : en cas d'agression (infection, cancer),

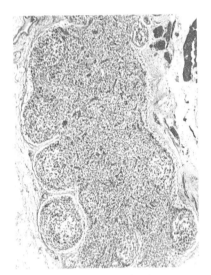

Ganglion lymphatique. *Les lymphocytes y sont groupés en amas arrondis, les follicules. La lymphe circule dans des canaux (en blanc).*

les antigènes sont acheminés par les canaux lymphatiques jusqu'au ganglion le plus proche. Quand un lymphocyte du ganglion rencontre l'antigène qu'il sait spécifiquement reconnaître, il est activé et se met à proliférer. Les lymphocytes ainsi activés prennent des caractères immunologiques. Les lymphocytes T passent directement dans le sang pour circuler dans l'organisme vers les agresseurs et les détruire (immunité cellulaire) ; les lymphocytes B activés se transforment en plasmocytes et sécrètent des anticorps qu'ils rejettent dans le sang (immunité humorale). Certains lymphocytes sont sélectionnés pour servir de lymphocytes-mémoire, qui réagissent rapidement et fortement lors de la réintroduction ultérieure du même antigène.

PATHOLOGIE
L'activation et la multiplication des lymphocytes se traduisent par une augmentation de la taille du ganglion de quelques millimètres à quelques centimètres. Une adénopathie est une augmentation de volume importante et persistante d'un ganglion, activé mais aussi envahi, car n'ayant pas maîtrisé l'agresseur. C'est un signe indiquant l'existence d'une inflammation, d'une infection ou d'un cancer, le ganglion étant envahi par des cellules malignes, soit issues du tissu lymphoïde (lymphome, maladie de Hodgkin), soit provenant de la métastase d'un cancer développé dans le territoire de drainage de ce ganglion, mais ne donnant pas d'autres renseignements à lui seul. Dans la majorité des cas, une adénopathie témoigne d'un épisode infectieux locorégional bénin.
Le diagnostic d'une adénopathie inexpliquée persistante impose le plus souvent le recours à une ponction ou à l'ablation chirurgicale du ganglion (biopsie ganglionnaire) pour examen histologique.

Ganglion nerveux

Amas de cellules formant un petit renflement sur le trajet des nerfs.

Un ganglion nerveux contient le corps cellulaire de neurones (cellules nerveuses), petit centre de commande du neurone dont les prolongements forment les nerfs. Il existe deux types de ganglions nerveux, selon qu'ils sont situés sur les nerfs somatiques, responsables des relations avec l'extérieur (sensibilité), ou sur les nerfs végétatifs, responsables du fonctionnement des viscères (sécrétion, motricité).
Les ganglions somatiques, rachidiens - ou spinaux (près de la moelle épinière) - ou crâniens (près de l'encéphale), sont uniquement sensitifs. Ils contiennent le corps cellulaire de neurones qui amènent les messages de la peau vers le système nerveux central.
Les ganglions végétatifs, sympathiques (mise de l'organisme en alerte) ou parasympathiques (mise au repos), sont uniquement moteurs. Ils sont disséminés près de la colonne vertébrale ou des organes. Un prolongement d'un neurone préganglionnaire arrive dans le ganglion et y établit une synapse (relais) avec le corps cellulaire d'un neurone postganglionnaire, lequel envoie un prolongement vers un organe.

Ganglioplégique

Médicament inhibant la transmission de l'influx nerveux.

Les ganglioplégiques agissent sur les ganglions situés sur le trajet des nerfs du système nerveux végétatif. Ils empêchent une substance naturelle, l'acétylcholine, de transmettre les messages d'une cellule nerveuse à la suivante. Ils ne sont pratiquement plus utilisés en thérapeutique.

Gangrène

Affection caractérisée par la mort des tissus, touchant essentiellement les membres mais parfois aussi des viscères tels que le foie, le poumon ou l'intestin.

La cause principale d'une gangrène est une interruption locale de la circulation sanguine. Deux types de gangrène existent : la gangrène sèche et la gangrène humide, laquelle se déclare lorsqu'une gangrène sèche ou une plaie se compliquent d'une surinfection (donnant lieu à des gangrènes infectieuses, dont la plus fréquente est la gangrène gazeuse).

Gangrène sèche

Dans cette nécrose des tissus, il n'y a pas d'infection bactérienne ; les zones atteintes meurent parce que le sang n'y parvient plus et, donc, parce que les tissus ne sont plus oxygénés. Une gangrène sèche ne se propage pas à d'autres tissus.
Elle peut être provoquée par une embolie artérielle (migration d'un caillot qui reste bloqué dans une artère et l'obstrue), une thrombose, une amputation traumatique, une compression (au cours d'un accident) ayant duré plus de six heures, une artérite (inflammation d'une artère), une artériosclé-

rose ou une gelure. Elle siège le plus souvent au membre inférieur, surtout à son extrémité (orteil, talon), mais peut remonter vers le genou. Elle se traduit par une douleur violente, un changement de couleur de la peau (d'abord pâle, puis violette et finalement noirâtre).

TRAITEMENT
Le traitement de la gangrène sèche consiste à améliorer la circulation des régions affectées avant qu'il ne soit trop tard. Si les tissus s'infectent, des antibiotiques sont administrés au patient pour empêcher l'installation d'une gangrène humide.

Gangrène humide

La gangrène humide se caractérise par une nécrose des tissus due à l'infection, par des bactéries, d'une zone de gangrène sèche ou d'une plaie. Au lieu d'être secs, les tissus sont gonflés et suintants.

TRAITEMENT
Devant une gangrène humide, l'amputation chirurgicale de la région malade est inévitable, de même que l'ablation des tissus vivants à proximité de la plaie.

Gangrène gazeuse

Due à des germes anaérobies, particulièrement ceux du genre *Clostridium* elle se traduit par une nécrose des tissus, due le plus souvent à une lésion de la peau ou des muqueuses (accident, chirurgie), et est favorisée par la présence d'un hématome ou d'un corps étranger.
La pullulation des germes produit des gaz d'odeur putride, qui se diffusent sous la peau (crépitation gazeuse) et dans les tissus, et des toxines qui conduisent à des signes locaux et généraux rapidement évolutifs. La douleur locale est intense et la fièvre, élevée. Le malade est très affaibli (chute de la tension artérielle).

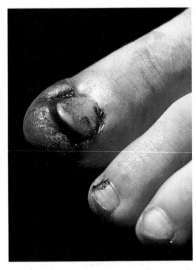

Gangrène. *Quand elle atteint la peau, la gangrène forme une tache noire qui, non traitée, peut s'étendre au pied.*

Observée surtout en temps de guerre sur des plaies souillées de terre, la gangrène gazeuse est rare aujourd'hui et affecte le plus souvent des diabétiques, sujets particulièrement sensibles à toute forme d'infection.

TRAITEMENT
Des antibiotiques sont administrés et une oxygénothérapie hyperbare (exposition à de l'oxygène à forte pression) est pratiquée. Localement, l'ablation chirurgicale des tissus nécrosés s'impose. Cependant, le pronostic de la gangrène gazeuse reste très réservé.

PRÉVENTION
Les soins et l'antisepsie des plaies constituent un traitement préventif très efficace.

Ganser (syndrome de)

Trouble caractérisé par des réponses inappropriées, approximatives ou absurdes données par un sujet aux questions qu'on lui pose, sans atteinte de ses facultés intellectuelles.

Le syndrome de Ganser proviendrait d'un refus de la réalité ou d'un « rétrécissement de la conscience ». Surtout décrit dans l'hystérie ou les chocs post-traumatiques, il se distingue parfois mal de certains symptômes de la schizophrénie ou, en médecine pénitentiaire, de la simulation.

Gant

Accessoire qui épouse la forme de la main et qui sert à protéger aussi bien le malade que le médecin ou le personnel médical.

En cas de sensibilité au latex ou de risque d'eczéma, il est recommandé de porter des gants doublés de tissu ou des gants en caoutchouc hypoallergique.

Des gants en caoutchouc, très fins, stérilisés et jetables, sont utilisés pour les opérations chirurgicales, les examens gynécologiques ainsi que pour administrer des soins aux malades ; on évite ainsi tout risque de contamination. Après traitement d'une plaie, les gants doivent être enlevés à partir du poignet pour être jetés à l'envers.

Gardner (syndrome de)

Maladie héréditaire caractérisée par des tumeurs multiples.

Le syndrome de Gardner se transmet sur le mode autosomique (par les chromosomes non sexuels) dominant (il suffit que le gène porteur soit reçu de l'un des parents pour que la maladie se développe). Survenant chez l'enfant ou l'adolescent, il se traduit par de multiples tumeurs bénignes cutanées (fibromes, lipomes, kystes), par des malformations des os et des dents et, surtout, par une polypose rectocolique (polypes du gros intestin et du rectum). Celle-ci nécessite une surveillance régulière de l'intestin par coloscopie, un polype pouvant dégénérer en tumeur maligne.

La maladie impose une enquête familiale ; le traitement repose sur l'ablation chirurgicale des lésions.

Gardnerella vaginalis

Bacille à Gram négatif responsable d'une vaginite non gonococcique.

Autrefois dénommée *Hæmophilus vaginalis* ou *Corynebacterium vaginale, Gardnerella vaginalis* est une petite bactérie non mobile aux extrémités arrondies, capable de vivre sans oxygène. Sa présence entraîne une vaginite assez discrète, encore appelée vaginose bactérienne, accompagnée d'un écoulement malodorant et de démangeaisons. Un diagnostic rapide est possible par un test à la potasse (addition d'une goutte de potasse aux sécrétions vaginales) et par un frottis cervicovaginal. Le traitement antibiotique doit être local (ovules vaginaux) et général. En cas de récidive, il est nécessaire de faire traiter également le ou les partenaires sexuels de la femme.

Gargarisme

Solution médicamenteuse utilisée pour rincer la bouche et la gorge.

Les gargarismes servent à traiter les angines et toutes les inflammations de la bouche. Diverses solutions sont utilisées : antibiotiques, antiseptiques, astringentes ou émollientes. La solution est utilisée froide ou tiède. Il faut la faire « barboter » en expirant l'air des voies respiratoires, ce qui facilite le contact du produit avec les muqueuses. L'apparition de nausées et de toux est fréquente, mais elle permet l'expulsion des mucosités. La solution ne doit pas être avalée, mais recrachée. Avaler une gorgée par inadvertance est toutefois sans gravité.

Garrot

Lien serré autour d'un membre et dont le but est d'y interrompre la circulation sanguine.

En milieu chirurgical, la pose d'un garrot est indiquée dans les interventions vasculaires et osseuses. La technique consiste à placer un garrot pneumatique ou une bande de caoutchouc – appelée aussi bande d'Esmarch – à la racine du membre (près de l'épaule ou de la hanche), puis à le gonfler à la pression voulue, c'est-à-dire à une pression légèrement supérieure à la pression artérielle : de cette façon, le garrot est non traumatisant. Grâce à cette technique, il est possible d'éviter les saignements pendant l'opération.

En cas d'hémorragie, même grave, il ne faut jamais poser un garrot. En effet, une simple compression à l'endroit du saignement ou, au besoin, sur l'artère en cause est généralement suffisante. Même les spécialistes ne mettent un garrot que dans des circonstances exceptionnelles (afflux de blessés, amputation) et selon des règles très précises. Sinon, on risque de provoquer une gangrène. De même, il faut laisser aux spécialistes le soin de retirer un garrot : les substances toxiques accumulées dans le membre, en diffusant brutalement dans l'organisme, risquent en effet de provoquer le décès immédiat du malade.

Gastralgie

Douleur de l'estomac.

Les gastralgies peuvent être épisodiques et sans gravité ou signaler une maladie de l'estomac (ulcère, gastrite, cancer). La prise de médicaments anti-inflammatoires non stéroïdiens peut également provoquer des gastralgies. Celles-ci apparaissent généralement après les repas et ressemblent à des crampes ou à des brûlures au-dessus de l'ombilic. Seules les gastralgies intenses et/ou durables nécessitent un examen complémentaire (gastroscopie).

Gastrectomie

Ablation chirurgicale partielle ou totale de l'estomac.

Une gastrectomie est une intervention chirurgicale majeure, pratiquée sous anesthésie générale, qui nécessite une hospitalisation et des soins postopératoires. La gastrectomie totale est indiquée en général pour un cancer de l'estomac avancé, et la gastrectomie partielle pour un cancer à un stade peu avancé ou pour un ulcère résistant aux médicaments antiulcéreux.

Après gastrectomie totale, le chirurgien rétablit le circuit digestif par abouchement de l'œsophage au jéjunum (deuxième partie de l'intestin grêle). Les aliments passent alors directement dans l'intestin. La gastrectomie partielle, appelée intervention de Péan, de Polya ou de Finsterer, selon les variantes, retire uniquement l'antre (partie inférieure) de l'estomac, ou les deux tiers inférieurs, ou encore les quatre cinquièmes inférieurs de celui-ci ; le chirurgien réalise ensuite une anastomose entre la partie restante de l'organe et le duodénum (première partie de l'intestin grêle) ou une anse du jéjunum, la tranche gastrique destinée à être reliée à l'intestin étant préalablement rétrécie afin d'éviter une vidange trop rapide de l'estomac (syndrome de chasse). Dans le traitement des ulcères, la gastrectomie des deux tiers de l'organe a fait place, parmi différentes techniques chirurgicales, à une gastrectomie limitée à l'antre, associée à une section des nerfs pneumogastriques (vagotomie tronculaire). La gastrectomie effectuée en cas de cancer s'accompagne d'un curage ganglionnaire (cœliaque, splénique, hépatique). Elle est parfois élargie à des organes voisins : rate et partie distale du pancréas.

La gastrectomie supprimant définitivement la fonction de réservoir de l'estomac, on pallie ce manque par une diététique adaptée (fractionnement des repas). Comme l'estomac joue un rôle dans l'absorption intestinale de la vitamine B12, un supplément de cette vitamine est prescrit à vie. La gastrectomie reste en général source d'amaigrissement. Le pronostic global dépend surtout de la maladie initiale.

→ VOIR Estomac (syndrome du petit), Syndrome postprandial tardif.

Gastrine

Hormone peptidique sécrétée par les cellules endocrines de l'antre gastrique (partie inférieure de l'estomac) et des parois du duodénum et du jéjunum et participant à la digestion des aliments.

Le rôle principal de la gastrine est de favoriser la sécrétion d'acide chlorhydrique par les cellules pariétales du fundus (portion supérieure de l'estomac). La sécrétion de gastrine est provoquée par l'arrivée des aliments au contact de la paroi antrale et interrompue par l'augmentation de l'acidité gastrique.

L'hypersécrétion de gastrine, liée à une tumeur des cellules sécrétantes, entraîne la formation d'ulcères gastroduodénaux multiples et récidivants, accompagnés d'une diarrhée (syndrome de Zollinger-Ellison).

Gastrique

Relatif à l'estomac.

Le suc gastrique est un liquide sécrété par les glandes de l'estomac, qui participe au processus de la digestion. Une tumeur gastrique est une tumeur située dans l'estomac.

Gastrite

Inflammation de la muqueuse de l'estomac.

Les gastrites peuvent être aiguës ou chroniques.

Gastrites aiguës

Ces inflammations aiguës de la muqueuse de l'estomac ont des causes très diverses : médicaments (notamment anti-inflammatoires), allergie, stress, agents infectieux. Parfois, la cause d'une gastrite aiguë n'est pas retrouvée. Les symptômes de la maladie, inconstants, sont essentiellement des douleurs gastriques (brûlures d'estomac) déclenchées ou exacerbées par la prise d'aliments. Le diagnostic se fait par gastroscopie (examen direct de l'œsophage et de l'estomac) avec biopsies. Le principal risque de cette maladie est l'hémorragie digestive, dont l'importance est imprévisible.

TRAITEMENT

Il fait appel à un régime alimentaire peu irritant (sans épices, sans alcool ni friture), à des pansements gastriques et à des

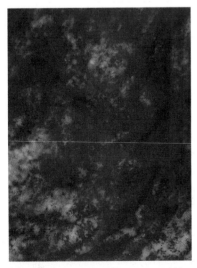

Gastrite. *La muqueuse de l'estomac, vue ici lors d'une gastroscopie, est irritée, rouge, plus ou moins hémorragique.*

médicaments antisécrétoires (réduisant l'acidité gastrique). Les gastrites aiguës guérissent en quelques jours.

Gastrites chroniques

Ces inflammations chroniques de la muqueuse de l'estomac sont dues à des agents irritants, en particulier le tabac et l'alcool, à la prise de médicaments anti-inflammatoires ou encore à des phénomènes d'autoimmunité (fabrication par l'organisme d'anticorps dirigés contre ses propres organes), comme dans la maladie de Biermer. Dans un certain nombre de cas, la cause demeure inconnue. Une gastrite chronique peut se manifester par des douleurs gastriques. Le plus souvent cependant, il n'y a pas de douleurs gastriques, mais parfois une perte d'appétit ou une anémie due à une petite hémorragie persistante. Le diagnostic repose sur la gastroscopie, accompagnée de nombreuses biopsies. L'évolution des gastrites chroniques est longue et conduit en général à l'atrophie de la muqueuse de l'estomac et à la réduction de la sécrétion gastrique. Ce processus n'a pas de conséquence digestive significative. Il existe un risque faible d'évolution tumorale.

TRAITEMENT

Il consiste essentiellement à soulager les symptômes, quand ils existent (pansements gastriques, régime sans alcool). Dans les cas où l'on peut craindre une évolution tumorale, une surveillance gastroscopique est nécessaire. Le traitement de la gastrite chronique de la maladie de Biermer consiste à combler par des injections régulières de vitamine B12 le déficit de cette vitamine, dont l'absorption digestive est perturbée.

Gastroduodénal

Relatif à l'estomac et au duodénum.

La principale maladie gastroduodénale est l'ulcère, mais les gastroduodénites (inflammations aiguës ou chroniques de l'estomac et du duodénum) ne sont pas rares. Les maladies gastroduodénales se manifestent par des douleurs survenant après l'ingestion d'aliments. Des nausées, des vomissements, des sensations de lourdeur peuvent y être associés. Les antiacides (pansements gastriques) et les antisécrétoires (médicaments réduisant l'acidité de l'estomac) sont utilisés dans le traitement de ces maladies.

Gastroduodénale (artère)

Artère de l'abdomen, constituant une des trois branches issues de l'artère hépatique. (P.N.A. *artera gastro-duodenalis*)

L'artère gastroduodénale descend derrière le duodénum, où elle donne naissance à une branche dénommée artère pancréaticoduodénale supérieure droite et destinée à irriguer le pancréas et la partie initiale de l'intestin. Arrivée à la partie basse du duodénum, l'artère gastroduodénale se divise en ses deux branches terminales : l'artère pancréaticoduodénale inférieure droite et l'artère gastroépiploïque droite, qui chemine dans le grand épiploon vers l'estomac avant de s'unir à un rameau de l'artère splénique. Ces branches assurent l'apport sanguin nécessaire au pancréas, au duodénum, au grand épiploon et à l'estomac.

Gastroduodénostomie

Abouchement chirurgical de l'estomac au duodénum.
→ VOIR Gastroentérostomie.

Gastroentérite

Inflammation de l'estomac et de l'intestin provoquant des troubles digestifs aigus, généralement passagers.

Une gastroentérite est le plus souvent d'origine infectieuse, virale (adénovirus, coronavirus, rotavirus, virus de Norwalk) ou bactérienne (salmonelles, shigelles, staphylocoques) et elle se contracte par ingestion d'eau ou d'aliments contaminés ou bien par transmission orofécale (des fèces à la bouche par l'intermédiaire des mains) ; de telles formes apparaissent de façon épidémique dans les collectivités. Une gastroentérite peut également survenir en cas d'intolérance alimentaire ou médicamenteuse.

SYMPTÔMES ET SIGNES

Une gastroentérite se traduit par une diarrhée d'intensité variable qui survient le plus souvent brutalement et qui est accompagnée de douleurs gastriques et abdominales et de vomissements. Les formes les plus graves peuvent entraîner une déshydratation.

TRAITEMENT

Il repose principalement sur le repos et l'absorption de quantités importantes de liquides additionnés de sucre et de sel pour compenser l'eau et les électrolytes perdus par les vomissements et la diarrhée. On peut également administrer au patient du charbon et un antiseptique intestinal. Les formes les plus graves – surtout lorsqu'elles affectent de jeunes enfants ou des sujets âgés, plus exposés à la déshydratation – peuvent nécessiter une réhydratation en milieu hospitalier. En règle générale, la prescription d'antibiotiques n'est pas nécessaire, sauf chez les personnes très fragiles.

Gastroentérologie

Spécialité médicale consacrée à l'étude de l'appareil digestif et des maladies qui s'y rapportent. SYN. *hépatogastroentérologie*.

La gastroentérologie prend en charge les maladies de l'œsophage, de l'estomac, de l'intestin grêle, du gros intestin, du rectum et de l'anus ainsi que les maladies de certaines glandes digestives (foie, voies biliaires et pancréas exocrine, lequel sécrète certaines enzymes de la digestion).

L'hépatologie constitue un domaine à part au sein de la gastroentérologie.

Gastroentérostomie

Opération chirurgicale consistant à relier directement l'intestin grêle à l'estomac.

On distingue différents types de gastroentérostomie selon la partie de l'intestin grêle abouchée à l'estomac : la gastroduodénostomie (duodénum) et la gastrojéjunostomie (jéjunum), plus fréquente.

Une gastroentérostomie permet de rétablir le circuit digestif après une ablation de la partie inférieure de l'estomac (gastrectomie partielle), d'assurer le passage de la nourriture lorsqu'un trouble de la vidange de l'estomac existe, de court-circuiter un rétrécissement duodénal dû à une tumeur ou à une cicatrice.

La technique consiste à inciser l'estomac et l'intestin puis à les suturer l'un à l'autre. La gastroentérostomie est une opération assez courante et son résultat peut être excellent. Cependant, le pronostic de la maladie en cause est parfois réservé.

Gastrojéjunostomie

Abouchement chirurgical de l'estomac au jéjunum
→ VOIR Gastroentérostomie.

Gastroparésie

Paralysie chronique de la musculature gastrique conduisant à un retard de l'évacuation de l'estomac.

Ce phénomène, rare, est dû à l'atteinte du système nerveux qui commande et coordonne les mouvements de l'estomac. Les principales causes en sont le diabète et les maladies du système nerveux végétatif. Une gastroparésie se traduit par des troubles de la digestion et par une sensation de remplissage permanent de l'estomac. Le diagnostic fait appel à la gastroscopie, à l'étude radiologique de l'évacuation gastrique après ingestion d'un produit de contraste et, plus rarement, à la mesure isotopique de cette évacuation (mesure de la vitesse de vidange après ingestion d'une substance radioactive). Le traitement, difficile, repose sur des médicaments qui accélèrent l'évacuation de l'estomac.

Gastrorragie

Hémorragie provenant de l'estomac.
→ VOIR Hémorragie digestive.

Gastroscopie

Examen permettant l'exploration directe de la muqueuse de la partie haute du tube digestif et la pratique de certaines interventions. SYN. *fibroscopie gastrique.*

INDICATIONS

La gastroscopie permet l'examen du tube digestif de l'œsophage au duodénum, l'extraction de corps étrangers et l'ablation de petites tumeurs ainsi que l'arrêt d'hémorragies par injection ou coagulation. Les grosses tumeurs peuvent être découpées à l'aide de sondes laser introduites dans le gastrofibroscope.

TECHNIQUE

La gastroscopie a bénéficié de la mise au point, dans les années 1960, d'un nouvel appareil en fibres de verre souples permettant la visualisation des zones courbes : le gastrofibroscope. Celui-ci se compose d'une longue gaine étanche où passent plusieurs faisceaux de fibres de verre, l'un servant à l'observation et les autres à l'éclairage. Divers canaux permettent l'insufflation d'air, l'injection de liquide de lavage, l'aspiration d'air et de fluides et l'introduction des instruments nécessaires à l'examen (pinces à biopsie) ou à une intervention thérapeuti-

que (anse diathermique, sonde laser destinées à l'ablation des tumeurs). Plus récemment est apparu le vidéogastroscope : les fibres de verre, fragiles, ont été remplacées par un système complexe comportant une minicaméra vidéo. Il est également possible d'associer un appareil d'échographie à un gastrofibroscope et d'analyser ainsi en profondeur les lésions gastriques.

DÉROULEMENT

Le fibroscope est introduit par la bouche jusqu'à l'estomac. La sensation est désagréable mais non douloureuse. Le plus souvent, l'examen est réalisé chez l'adulte sous simple anesthésie locale. Il dure de 3 à 10 minutes. L'hospitalisation n'est pas nécessaire.

EFFETS SECONDAIRES

Il ne faut ni boire ni manger avant que les effets de l'anesthésie locale se soient dissipés (1 ou 2 heures) pour éviter le risque de fausse-route alimentaire.

Gastrostomie

Opération chirurgicale consistant à relier directement l'estomac à la peau par une sonde permettant l'alimentation.

On pratique une gastrostomie quand l'alimentation par la voie normale est impossible ou dangereuse : rétrécissement de l'œsophage par une tumeur maligne ; fausse-route des aliments vers les voies respiratoires par trouble de la commande de la déglutition, dû à une affection neurologique atteignant l'encéphale.

La gastrostomie consiste à placer, chirurgicalement ou à l'aide d'un endoscope (tube muni d'un système optique), une sonde entre l'intérieur de l'estomac et la peau. La nutrition est ensuite assurée par introduction dans la sonde de produits nutritifs. Même si le résultat de cette opération est satisfaisant en lui-même, le pronostic de la maladie en cause est le plus souvent réservé.

Gastrulation

Repliement d'une partie de la paroi de l'œuf fécondé, qui se produit pendant la 3e semaine de grossesse.

La gastrulation, parfois appelée organisation primordiale, est une étape initiale essentielle au cours de l'embryogenèse. En effet, c'est à ce stade que, dans l'œuf constitué de deux feuillets dits primordiaux (ectoderme et endoderme), apparaît un troisième feuillet (le mésoderme, ou chordomésoblaste), qui se constitue par le déplacement de cellules de l'ectoderme. L'embryon est dit alors tridermique. Il prend le nom de gastrula. Lors de la gastrulation, la disposition des trois feuillets donne à l'embryon son axe craniocaudal et un aspect symétrique : l'ectoderme forme le tube neural, ébauche du futur système nerveux central ; le mésoderme évolue en forme de tube ouvert, flanqué de part et d'autre d'une lame de tissu qui se segmentera d'une extrémité à l'autre de l'embryon en diverses formations (squelette, muscles, tissu conjonctif) ; l'endoderme est à l'origine de la plupart des viscères.
→ VOIR Blastocyste, Morula, Zygote.

Gaucher

Personne qui a tendance à utiliser la moitié gauche du corps pour accomplir les mouvements et les gestes habituels.

Être gaucher est un phénomène purement physiologique résultant d'une latéralisation dominante droite (dominance de l'hémisphère cérébral droit). La gaucherie peut être congénitale ou acquise (consécutive à une lésion cérébrale gauche).

On a longtemps voulu rééduquer, à tort, les enfants gauchers : contrarier un gaucher (interdire systématiquement à un enfant de se servir de sa main gauche) risque de créer des troubles psychomoteurs (tics, maladresse), des troubles de l'élocution, de la graphie ou de la lecture ou des troubles affectifs (émotivité, conduite d'opposition, sentiment de culpabilité ou d'infériorité). Mais il est vrai que, plongé dans un univers conçu pour les droitiers, l'enfant gaucher peut présenter un retard d'adaptation. La tâche de l'éducateur est d'aider l'enfant à maîtriser la spatialité afin de le conforter au mieux dans ses performances.

Gaucher (maladie de)

Maladie héréditaire du métabolisme des lipides due au déficit d'une enzyme, la bêtaglucosidase.

La maladie de Gaucher atteint le plus souvent l'adulte entre 20 et 30 ans, mais elle peut aussi toucher le nourrisson ou l'enfant de 2-3 ans. Sa transmission est autosomique et récessive (le gène en cause se situe sur des chromosomes non sexuels et il faut qu'il soit reçu des deux parents pour que la maladie se développe).

SYMPTÔMES ET SIGNES

La maladie se traduit par l'accumulation de glucocérébrosides (lipides liés à des glucides, présents notamment dans le cerveau) dans la rate, le foie, les ganglions, la moelle osseuse et, à un moindre degré, le cerveau. Elle se manifeste par une augmentation du volume de la rate et du foie. Puis apparaissent des pigmentations brunes de la peau et de la conjonctive. L'hyperactivité de la rate entraîne une anémie, une diminution du nombre de granulocytes et de plaquettes avec risque d'hémorragies et d'infections. Une atteinte nerveuse peut se manifester, surtout chez le nourrisson (arrêt du développement psychomoteur, apathie, troubles de la déglutition et paralysie des muscles moteurs de l'œil) et chez l'enfant (convulsions, rigidité des membres et paralysie des muscles moteurs de l'œil).

DIAGNOSTIC

Le diagnostic est confirmé par la présence, dans la moelle osseuse, de cellules particulières, dites cellules de Gaucher, et par la mise en évidence du déficit en bêtaglucosidase dans le foie, la rate ou les leucocytes. Un dépistage biochimique anténatal est possible par l'étude des cellules amniotiques ou des villosités choriales.

ÉVOLUTION ET TRAITEMENT

La maladie de Gaucher évolue rapidement chez l'enfant mais surtout chez le nourrisson, pour lequel elle est souvent mortelle.

Chez l'adulte, en revanche, son évolution est beaucoup plus lente, le malade étant principalement exposé aux complications entraînées par l'augmentation de volume de la rate. Il n'existe pas de traitement de cette maladie.

Gay bowel syndrom
→ VOIR Syndrome intestinal des homosexuels.

Gayet-Wernicke (encéphalopathie de)
Atteinte diffuse de l'encéphale par carence en vitamine B1.

L'encéphalopathie de Gayet-Wernicke est due à une carence découlant elle-même le plus souvent d'un alcoolisme chronique, parfois d'une dénutrition sévère. Les signes en sont une désorientation temporo-spatiale, des troubles de la vigilance (somnolence), de la station debout et de la marche (par atteinte du cervelet et/ou des nerfs périphériques), une hypertonie (raideur), une paralysie des mouvements oculaires. En l'absence de traitement, la maladie peut évoluer vers un syndrome de Korsakoff (troubles graves de la mémoire).

Le scanner et l'imagerie par résonance magnétique (I.R.M.) précisent les lésions cérébrales, dont la localisation autour des ventricules cérébraux est évocatrice de l'affection.

Le traitement consiste en l'injection de vitamine B1. Le pronostic est essentiellement lié à la précocité de la mise en œuvre du traitement.

Gaz carbonique
→ VOIR Anhydride carbonique.

Gaz médical
Gaz utilisé en médecine comme anesthésiant ou comme mélange respiratoire utilisé lors d'une ventilation artificielle.

Les principaux gaz médicaux sont l'oxygène et l'azote (mélange respiratoire) ainsi que le protoxyde d'azote, ou gaz hilarant (anesthésique). Ces gaz sont soit conditionnés en cylindres métalliques, soit stockés dans des centrales de grande capacité reliées aux utilisateurs par un système de canalisations. L'oxygène en bonbonne peut être employé par les médecins ou, après formation spéciale, par les malades. À l'hôpital, chaque gaz est distribué par un circuit indépendant aboutissant à des prises spécifiques, ce qui évite toute méprise pour l'utilisateur.

Gaz du sang (examen des)
Mesure des taux d'oxygène et de gaz carbonique dans le sang artériel. SYN. *gazométrie artérielle*.

Ces taux reflètent l'hématose (enrichissement du sang en oxygène et épuration de son gaz carbonique dans les poumons).

Le prélèvement du sang se fait à partir d'une artère superficielle, en général l'artère radiale au poignet, ou, chez l'enfant, dans les capillaires de l'oreille. Le résultat, obtenu en quelques minutes, est exprimé en « pres-

sion partielle » artérielle : PaO_2 pour l'oxygène (normalement de 11,3 à 13,3 kilopascals, soit de 85 à 100 millimètres de mercure en anciennes unités, ces valeurs diminuant avec l'âge) ; $PaCO_2$ pour le gaz carbonique (normalement de 4,9 à 5,7 kilopascals, soit de 37 à 43 millimètres de mercure, valeur non modifiée par l'âge).

Ces mesures sont en fait toujours couplées à celles d'autres paramètres d'importance physiologique considérable : pH (reflet de la concentration du sang en ions bicarbonate et en gaz carbonique) ; pourcentage d'hémoglobine oxygénée (de 97 à 100 % dans le sang artériel) ; quantité d'hémoglobine sanguine ; taux de bicarbonates sanguins.

À partir de l'ensemble de ces éléments, il est possible d'évaluer la situation respiratoire d'un malade, d'apprécier des perturbations de l'équilibre acido-basique, de déterminer, lorsque l'on connaît le débit cardiaque, la quantité d'oxygène que le cœur et les poumons délivrent aux tissus périphériques. Lorsque sont couplées des mesures des gaz du sang artériel et des gaz du sang veineux mêlé prélevé dans l'artère pulmonaire au cours du cathétérisme cardiaque, il est également possible d'évaluer la consommation périphérique d'oxygène. L'examen des gaz du sang est courant dans les services de réanimation et fait partie de l'exploration fonctionnelle respiratoire. Il permet d'évaluer la gravité d'une insuffisance respiratoire et de déterminer sa cause, de même qu'il est utile à l'interprétation des perturbations de l'équilibre acido-basique sanguin (acidose, alcalose) et à l'évaluation de l'apport et de l'utilisation de l'oxygène.

Gée (maladie de)
→ VOIR Maladie cœliaque.

Gélineau (syndrome de)
Trouble caractérisé par des accès répétés de besoin subit de sommeil (narcolepsie), au cours desquels le tonus musculaire diminue (catalepsie).

C'est une affection rare, de cause inconnue, qui touche le plus souvent l'homme jeune. Souvent, la catalepsie provoque la chute du malade. Le traitement repose sur les amphétamines, l'imipramine ou le modafinil (nouvelle substance plus efficace et mieux tolérée).

Gelure
Lésion grave des tissus causée par le froid.

Certaines circonstances favorisent l'apparition des gelures : immobilité prolongée, vêtements trop serrés ou humides, vent. Toutes les régions du corps peuvent être touchées, mais les gelures atteignent surtout les extrémités (doigts, orteils, nez, oreilles). Elles se manifestent par une sensation de picotement puis par un engourdissement progressif, signe d'alarme important, car ensuite la victime ne sent plus rien. La peau est froide et blanche, puis violacée et gonflée. Dans les formes les plus graves et non traitées apparaissent des phlyctènes (cloques contenant du plasma) puis une gangrène.

TRAITEMENT ET PRONOSTIC
Le traitement consiste à soustraire le malade au froid, à desserrer ses vêtements sans les lui retirer et à l'enrouler dans une couverture. L'hospitalisation s'impose dès qu'elle est possible. Un réchauffement trop brutal est dangereux ; il ne faut surtout pas frictionner le malade, ni lui faire prendre un bain chaud, ni même le réchauffer sur un radiateur.

Le pronostic est variable, de la guérison rapide sans séquelle à l'amputation chirurgicale.
→ VOIR Froid (dermatoses dues au).

Gencive
Tissu de la muqueuse buccale qui recouvre les faces interne et externe des os maxillaires. (P.N.A. *gengiva*)

Les gencives constituent une bande de 2 à 4 millimètres qui entoure les dents ; sa surface est kératinisée et empêche la pénétration des microbes à sa jonction avec la dent. Une gencive saine est ferme, de couleur rose pâle.

PATHOLOGIE
Outre la gingivite (inflammation des gencives) et la parodontite (inflammation des tissus de soutien de la dent se traduisant par une destruction plus ou moins importante de l'os alvéolaire), les gencives peuvent être le siège de tumeurs bénignes ou malignes (épulis).

Gène
Segment d'A.D.N. conditionnant la synthèse d'une ou de plusieurs protéines et, donc, la manifestation et la transmission d'un caractère héréditaire déterminé.

Les gènes sont situés à des endroits bien spécifiques des chromosomes, que l'on appelle locus. Cette localisation est toujours identique d'une génération à la suivante. L'être humain possède environ 100 000 gènes différents, l'ensemble des gènes d'un individu constituant son génotype. L'ensemble du matériel génétique, c'est-à-dire toutes les molécules d'A.D.N. d'une cellule, est appelé génome. La carte du génome humain a pu être complétée à la fin de l'année 1993 grâce aux travaux de l'équipe française du professeur Daniel Cohen. Les chromosomes allant par paires, chaque cellule possède chaque gène en double. Seuls les gènes portés par les chromosomes X et Y chez l'individu de sexe masculin sont uniques. Les différentes versions d'un gène (le gène « couleur des yeux », par exemple) sont appelées allèles (yeux bleus, yeux bruns, yeux verts, etc.). Lorsque l'allèle est le même sur les deux chromosomes, le sujet est dit homozygote. Si les deux allèles sont différents, il est dit hétérozygote. Lorsque chaque allèle a subi une mutation différente, le sujet est dit double hétérozygote.

Une maladie héréditaire qui se manifeste seulement si les deux allèles du gène en cause sont mutés est dite à transmission récessive. Si, au contraire, un seul allèle muté suffit pour que la maladie se manifeste, elle est dite à transmission dominante.

Gène du développement

Gène conditionnant la synthèse d'une protéine qui intervient au cours du développement embryonnaire et qui est responsable de la différenciation des cellules (phénomène au cours duquel elles se spécialisent dans un tissu particulier : muscle, cartilage, foie, etc.). SYN. *gène homéotique, homéogène.*

Généraliste

Médecin exerçant la médecine générale, par opposition à spécialiste. SYN. *omnipraticien.*

Le médecin généraliste assure plusieurs fonctions spécifiques.

■ **La prise en charge globale.** Le généraliste tient compte du milieu dans lequel vit le patient (profession, conditions de travail, habitat, etc.). Il assume la gestion simultanée de problèmes de santé divers, apprécie les relations entre les différentes affections et évalue les répercussions des problèmes sur le corps et/ou le psychisme. Il accompagne le patient lors d'événements douloureux de sa vie, d'autant mieux qu'il connaît et suit la famille dans son ensemble (médecin de famille), identifie les risques tant physiques que psychoaffectifs et sociaux auxquels le patient est exposé et met en œuvre, autant que faire se peut, les mesures préventives nécessaires.

■ **La continuité des soins.** Le généraliste, en assurant la continuité des soins d'un patient, recueille au fil des consultations un grand nombre d'informations consignées dans le dossier médical de celui-ci, qui constitue la mémoire de son histoire.

■ **La coordination des soins.** Le généraliste négocie avec le patient la demande d'une consultation spécialisée ou des examens complémentaires à faire. Il le conseille sur le choix d'un confrère ou d'un lieu d'hospitalisation et coordonne les diverses interventions (professionnelles paramédicales, travailleurs sociaux).

■ **Le premier recours.** Le généraliste est la personne la plus compétente pour répondre à un patient qui souffre ou qui présente une anomalie morphologique ou fonctionnelle. Les symptômes sont souvent multiples, peu spécifiques, et posent le problème de la frontière entre le normal et le pathologique. Le généraliste analyse, évalue, hiérarchise tous ces signes et prend une décision adaptée.

■ **L'acteur de santé publique.** Le généraliste, par son exercice spécifique de proximité et de terrain, est un partenaire privilégié des actions de santé publique, telles que la prévention, le dépistage de masse et l'éducation sanitaire.

Génération

Ensemble d'individus composé des enfants d'un couple et de ceux des frères et sœurs de chaque membre du couple.

Génétique

Science dont l'objet est l'hérédité, normale et pathologique.

La génétique analyse et permet de prévoir la transmission des caractères héréditaires ; celle-ci obéit aux lois de l'hérédité, découvertes à la fin du XIXᵉ siècle par le botaniste autrichien Gregor Mendel.

L'avènement de la biologie moléculaire, à la fin des années 1950 pour les bactéries, au début des années 1970 pour les eucaryotes (êtres vivants ayant des cellules à noyau : les mammifères en font partie), a permis d'étudier la structure moléculaire et l'organisation des gènes, les mécanismes de leur expression et leurs altérations.
→ VOIR Dossier génétique, Génie génétique, Hérédité.

Génie génétique

Ensemble des techniques permettant de manipuler les acides nucléiques (A.D.N., A.R.N.) en laboratoire. SYN. *manipulations génétiques, techniques de biologie moléculaire.*

Le génie génétique permet d'isoler un gène et de le produire en grandes quantités. Celui-ci peut être utilisé pour diagnostiquer une maladie héréditaire (par exemple chez le fœtus). Le génie génétique étudie également les mécanismes qui permettent l'expression de ce gène dans les cellules. En isolant le gène, on peut aussi produire, en grande quantité, la protéine dont il conditionne la synthèse afin de l'utiliser en thérapeutique. Ainsi, il est possible de créer par génie génétique de l'insuline humaine, pour traiter les sujets diabétiques, ou du facteur VIII pour traiter les hémophiles A. Les protéines ainsi produites sont plus sûres que celles extraites d'échantillons humains, qui risquent d'être contaminées par des virus. Enfin, les gènes isolés pourront, lorsque la technique nécessaire aura été mise au point, être utilisés pour traiter, de manière définitive, les maladies génétiques.

Génioplastie

Opération chirurgicale de modification ou de reconstruction du menton.

Les premières génioplasties datent des années 1950.

DIFFÉRENTS TYPES DE GÉNIOPLASTIE

Selon le but de l'opération, on peut distinguer différents types de génioplastie.

■ **La génioplastie d'addition** consiste à augmenter le volume du menton. La mise en place des prothèses en silicone se fait par voie endobuccale (c'est-à-dire par l'intérieur de la bouche) et n'entraîne aucune complication particulière ni phénomène d'allergie. Une légère usure des os en contact avec les prothèses peut cependant se produire.

■ **La génioplastie de soustraction** vise à retirer l'excédent osseux du menton. Le chirurgien doit veiller, au cours de l'opération, à ne pas sectionner les nerfs dentaires inférieurs, proches de la mandibule, afin de ne pas provoquer une insensibilité de la lèvre et d'une partie des dents antérieures.

■ **La génioplastie de transposition** repose sur la section verticale de l'excédent osseux de la mandibule et sur son déplacement devant le menton afin d'en augmenter le volume. Le fragment osseux ajouté est fixé au menton à l'aide de fils d'acier ou de vis qui peuvent demeurer dans l'organisme. Le résultat de l'opération est durable à condition que l'autogreffe osseuse prenne bien.
→ VOIR Profiloplastie.

Génital féminin (appareil)

Ensemble des organes de la femme assurant la fonction de reproduction.

Structure

L'appareil génital féminin se compose d'organes externes et internes.

ORGANES GÉNITAUX EXTERNES

Ils portent également le nom de vulve. Celle-ci est formée par deux replis cutanés, dits grandes lèvres, qui recouvrent deux replis de muqueuse, dits petites lèvres, et protègent un vestibule dans lequel s'ouvrent l'urètre en avant et le vagin en arrière. De part et d'autre du vestibule débouchent les glandes de Bartholin, qui sécrètent un liquide lubrifiant. À la commissure des petites lèvres se trouve un tubercule érectile, le clitoris, riche en terminaisons nerveuses qui lui confèrent sa sensibilité.

ORGANES GÉNITAUX INTERNES

Ils comprennent deux glandes sexuelles, les ovaires, et les voies génitales, formées des trompes utérines, de l'utérus et du vagin.

■ **Les ovaires** sont des glandes en forme d'amande de 3 ou 4 centimètres de long. Ils sont situés de part et d'autre de l'utérus, auquel ils sont reliés par des ligaments. Leur surface est nacrée et fripée. Ils contiennent les follicules ovariens, aussi appelés follicules de De Graaf, qui produisent les ovules.

■ **Les trompes utérines,** ou trompes de Fallope, sont des conduits de 8 ou 9 centimètres de longueur. Leur extrémité libre, en forme de pavillon et bordée de franges, s'ouvre en face d'un ovaire. Leur paroi contient une importante musculature lisse, et des cils tapissent leur face interne. L'autre extrémité des trompes débouche dans les coins supérieurs de l'utérus, les cornes utérines.

■ **L'utérus** est un muscle creux en forme de poire renversée, de 7 centimètres de haut et 5 centimètres de large, situé entre la vessie et le rectum. Son corps se rétrécit en bas, vers l'isthme, et se termine par le col utérin, en saillie dans le vagin. Sa paroi contient une couche de musculature lisse et est tapissée à l'intérieur par une muqueuse, l'endomètre, riche en glandes et en vaisseaux sanguins. À l'extérieur, l'utérus est recouvert par le péritoine et soutenu par des ligaments résistants. Normalement, il est incliné vers l'avant (antéflexion) et forme avec le vagin un angle d'environ 90°.

■ **Le vagin** est un conduit musculo-membraneux d'environ 8 centimètres de long, dont la paroi est constituée de replis longitudinaux et transversaux. Elle est tapissée par une muqueuse riche en glandes qui sécrètent du mucus. Enrichi de cellules provenant de la desquamation naturelle de la paroi, ce mucus forme les pertes vaginales naturelles. Le fond du vagin, occupé par la saillie cylindrique du col utérin, forme autour de celui-ci un bourrelet, le cul-de-sac vaginal. L'orifice inférieur du vagin est en partie fermé par un repli, l'hymen, déchiré par le premier rapport sexuel.
→ VOIR Suite de l'article pages suivantes.

LA GÉNÉTIQUE

Science de l'hérédité, la génétique, née
au milieu du XIXe siècle avec les travaux de Gregor Mendel,
connaît depuis plusieurs années un remarquable essor.
Ses progrès laissent aujourd'hui entrevoir ce que
sera la médecine du XXIe siècle.

LES PREMIERS PAS DE LA GÉNÉTIQUE

Les Grecs, plusieurs siècles avant Jésus-Christ, avaient imaginé que certaines caractéristiques physiques des individus, appelées aujourd'hui caractères, se transmettaient des parents aux enfants. Mais il fallut attendre le milieu du XIXe siècle, avec les travaux de Gregor Mendel (1822-1884), pour que les premières lois qui régissent la transmission héréditaire des caractères soient établies, en 1865.

Les découvertes de Mendel

Ces travaux consistaient à croiser des pois de couleurs et de formes différentes et à observer les caractéristiques des pois obtenus d'une génération à l'autre. Des observations de Mendel découlent deux des notions fondamentales de la génétique : d'une part, celle de phénotype (ensemble des caractères physiques et biologiques d'un individu) et de génotype (ensemble des caractères inscrits dans le patrimoine génétique d'un individu, qu'ils se traduisent ou non dans son phénotype) ; d'autre part, celle de caractère dominant (n'ayant besoin, pour se manifester chez un enfant, que d'être transmis par un seul des parents) et de caractère récessif (qui doit être transmis par le père et la mère pour se manifester chez l'enfant). Cependant, les lois de l'hérédité définies par Mendel tombèrent dans l'oubli et ne furent redécouvertes qu'avec les travaux de l'Américain Thomas Morgan (1866-1945).

L'A.D.N. : CENT ANS D'HISTOIRE

L'existence des chromosomes (éléments du noyau de la cellule en forme de bâtonnet et organisés par paires, uniquement visibles au cours de la division cellulaire) a été connue dès la fin du XIXe siècle, mais rien ne démontrait alors qu'ils contenaient l'information héréditaire. D'autre part, les travaux de Mendel ont permis d'établir l'existence d'éléments conditionnant la transmission et la manifestation des caractères héréditaires, les gènes. À la fin du premier quart du XXe siècle, une première association de ces deux découvertes est réalisée par Morgan, qui montre que les gènes sont situés sur les chromosomes.

L'identification de l'A.D.N.

En 1944, trois biologistes américains, Avery, Mac Leod et Mac Carthy, découvrent que la molécule responsable de la transmission des caractères héréditaires est la molécule d'acide désoxyribonucléique (A.D.N.). En réalité, l'A.D.N. est connu, indirectement, depuis 1889, année où une substance nommée « acide nucléique » a été extraite du noyau. On analyse la composition de cette substance dans les premières décennies du XXe siècle, puis le détail de son organisation est élucidé par deux biologistes anglais, James Watson et Francis Crick, en 1953.

La structure de l'A.D.N.

Ces biologistes montrent que la molécule d'A.D.N. est constituée de deux brins ; chacun d'eux est formé d'une longue chaîne de molécules alternées d'acide phosphorique et de désoxyribose. L'une des quatre substances suivantes, appelées bases : adénine, thymine, cytosine, guanine, est associée à chaque molécule de désoxyribose. Les deux chaînes sont enroulées en hélice l'une autour de l'autre et associées, au niveau des bases. Ce modèle explique aussi bien le codage de l'information au sein des gènes que la possibilité de transmission de l'information de génération en génération.

L'INFORMATION GÉNÉTIQUE

La molécule l'A.D.N. est donc constituée d'un enchaînement de bases. Le principe du codage de l'information est le même que celui du langage, et l'ensemble des gènes d'un individu, appelé génome, peut être comparé à un roman : le « langage » des gènes comprend quatre lettres, les quatre bases ATGC, l'ordre de ces lettres définissant les « mots » que sont les gènes. De même qu'une faute d'orthographe peut changer le sens d'un mot, et donc du message, une mutation peut changer le message porté par le gène. Cette altération se traduit par une maladie génétique.

Le rôle des acides aminés

Chaque caractère est dû à une protéine, enchaînement de petites molécules — les acides aminés —, dont il n'existe que 20 sortes ; l'information nécessaire pour la formation de cette protéine est contenue dans le gène qui en commande la synthèse mais, l'alphabet des gènes n'étant pas le même que celui des protéines (lequel est constitué de 20 « lettres »), un décodage de l'information contenue dans les gènes est nécessaire ; il est réalisé par la cellule en deux étapes, appelées transcription et traduction.

La transmission de l'information

La molécule d'A.D.N., étant structurée en deux chaînes complémentaires, peut se reproduire exactement à l'identique et aboutir ainsi à deux molécules filles totalement semblables. En effet, selon une loi dite « de complémentarité », le A d'un brin ne peut s'associer qu'à un T sur l'autre brin, et il en est de même pour G et C. La cellule possède un système permettant de séparer les deux brins de la molécule d'A.D.N. et de fabriquer des brins complémentaires des brins ainsi libérés. Ce système introduit des A en face des T et des T en face des A ; il en est de même pour les G et les C : il résulte de ce phénomène, appelé réplication, deux molécules totalement identiques à la molécule de départ.

LA GÉNÉTIQUE MOLÉCULAIRE, UN FORMIDABLE ESPOIR

Les lois de la génétique établies par Mendel permettaient d'établir des prévisions statistiques de la survenue d'une maladie héréditaire au sein d'une famille, mais non une prévision individuelle, et de déterminer un risque, mais non une certitude. Celle-ci n'aurait pu être obtenue qu'à l'examen non pas du phénotype (le sujet est-il atteint de la maladie ?) mais du génotype (la mutation responsable de la maladie est-elle pré-

sente dans ses chromosomes ?). À partir du milieu des années 1970, le développement des techniques de biologie moléculaire (clonage, lecture des séquences de bases, modification et correction du message génétique, etc.) permet d'étudier dans le détail la molécule d'A.D.N. qui constitue les gènes. L'ensemble de ces techniques constitue la « génétique moléculaire ». Pour certaines maladies héréditaires dont le gène a été isolé, celle-ci permet de proposer aux couples concernés la recherche, chez le fœtus, du défaut génétique en cause (diagnostic prénatal génotypique).

Les progrès de la génétique moléculaire laissent espérer que l'on aura un jour isolé la totalité des gènes responsables des maladies génétiques (on en dénombre plus de 5 000). On pourra alors réaliser le diagnostic prénatal de toutes ces maladies et, peut-être, envisager leur guérison définitive en remplaçant dans chaque cellule le gène altéré par sa copie normale (génothérapie, ou thérapie génique).

Premières tentatives de thérapie génique

L'identification du gène en cause ne suffit pas pour qu'une maladie se prête à une tentative de thérapie génique. Il faut en outre, dans l'état actuel de la technologie, que cette maladie soit consécutive au défaut d'un seul gène, que celui-ci ne commande pas la synthèse d'une protéine toxique pour l'organisme et que l'on connaisse les facteurs qui commandent l'activité de ce gène. Aussi la première tentative de thérapie génique, réalisée en 1990 par les Américains French Anderson et Michael Blaese, a-t-elle porté sur une maladie génétique pourtant très rare, dans laquelle une enzyme, l'adénosine déaminase (ADA), n'est pas fabriquée, ce qui entraîne un grave déficit immunitaire : le gène manquant a été introduit dans les lymphocytes du malade, transporté par un rétrovirus inoffensif pour l'homme. Une autre tentative de thérapie génique porte sur le traitement du cancer : aux États-Unis, Steven Rosenberg a expérimenté chez un patient atteint de mélanome (cancer de la peau) un « vaccin anticancer », constitué de cellules tumorales prélevées sur le malade et cultivées en y intégrant un gène, le facteur de nécrose tumorale (TNF). La réinjection de ces cellules provoquerait une réaction immunitaire de défense contre les cellules cancéreuses.   □

LE DÉFI DU GÉNOME HUMAIN

Les progrès de la génétique moléculaire ont permis de dresser la carte complète du génome humain, c'est-à-dire des gènes contenus dans chacune des molécules d'A.D.N. de l'espèce humaine. Ce travail, entrepris par l'équipe du Français Daniel Cohen et terminé fin 1993, constituait un préalable indispensable pour isoler les quelque 100 000 gènes du génome. Parallèlement, un vaste programme de recherche a débuté en 1986 aux États-Unis ; il vise à déterminer la totalité de la séquence en bases du génome humain, soit environ 3 milliards de bases. Ces recherches permettent d'espérer que de nombreuses maladies génétiques pourront, dans les prochaines années, être précocement dépistées et traitées.

LES MYSTÈRES DU GÉNOME

Peu après la découverte de la structure de la molécule d'A.D.N., les chercheurs découvrent avec étonnement que le génome des cellules ayant un noyau contient dix fois plus d'A.D.N. que nécessaire, les gènes ne représentant qu'environ 10 % de la molécule d'A.D.N. Le rôle exact de cet A.D.N. apparemment inutile, appelé A.D.N. égoïste, est toujours en partie inconnu. On sait simplement qu'il joue un rôle dans la mise en place et dans le maintien de la structure du noyau. À la fin des années 1970, les chercheurs constatent encore, sans pouvoir l'expliquer, que l'information permettant la synthèse des protéines est morcelée au sein des gènes, qui sont constitués d'une alternance de séquences codantes et non codantes.

VOIR *Acide désoxyribonucléique, Chromosome, Conseil génétique, Génome, Génothérapie, Hérédité, Mutation, Thérapie génique.*

Fonctionnement

La fonction génitale féminine commence à la puberté et prend fin à la ménopause. Elle est rythmée par les cycles ovariens et les règles, qui, lorsque la femme n'est pas enceinte, se produisent tous les 28 jours en moyenne sous la forme d'un écoulement de sang provenant de la paroi vascularisée de l'utérus, mêlé à de fins débris de muqueuse utérine. À chaque cycle, en effet, l'un des follicules ovariens parvient à maturité dans l'un des deux ovaires et éclate, libérant un ovule : c'est l'ovulation. Capté par les franges et le pavillon de la trompe utérine, l'ovule s'achemine alors vers l'utérus. Si, pendant ce trajet, qui dure 4 jours, il est fécondé par un spermatozoïde, l'ovule va s'implanter dans la muqueuse utérine pour y devenir embryon. S'il n'est pas fécondé, les règles se déclenchent. Ces phénomènes obéissent à une sécrétion hormonale hypophysaire (hormones folliculostimulante et lutéinisante) qui contrôle le cycle ovarien. De leur côté, les ovaires sécrètent leurs propres hormones (œstrogènes et progestérone essentiellement), qui stimulent les organes sexuels et préparent l'utérus à une éventuelle grossesse.

En cas de grossesse, le col utérin se ferme, l'utérus se distend peu à peu jusqu'à atteindre 30 centimètres de hauteur et 20 centimètres de diamètre, et, enfin, les parois du vagin s'assouplissent pour permettre l'accouchement. Après la naissance, l'utérus se contracte fortement et reprend peu à peu son volume normal. Il faut 6 semaines à l'ovaire pour retrouver son fonctionnement cyclique, marqué par la réapparition des règles (retour de couches), plus tardive si la femme allaite.

Examens

L'appareil génital féminin peut être exploré essentiellement par 5 techniques différentes : l'examen gynécologique du médecin ; la radiographie, avec introduction d'un produit de contraste dans le cas de l'hystérosalpingographie (radiographie de l'utérus et des trompes) ; l'échographie ; la colposcopie (examen direct du vagin et du col utérin à l'aide d'un tube optique introduit par voie vaginale), qui permet d'effectuer un frottis cervicovaginal ; enfin, la cœlioscopie (examen direct des organes à l'aide d'un tube optique introduit par une minuscule incision abdominale). Les frottis, qui doivent être pratiqués régulièrement, servent au dépistage des cancers de l'utérus.

Pathologie

Outre les malformations congénitales, rares (vagin ou utérus doubles ou absents, imper-

---

APPAREIL GÉNITAL FÉMININ

Les organes génitaux externes sont représentés par la vulve. Les organes génitaux internes comprennent le vagin, l'utérus, les trompes de Fallope et les ovaires. Ces derniers élaborent les gamètes féminins (ovules) et sécrètent des hormones (œstrogènes et progestérone). Le bassin de la femme est organisé en trois plans verticaux, soit, d'arrière en avant : la fin de l'intestin (rectum), les organes génitaux internes, la fin de l'appareil urinaire (vessie, urètre) ; voies génitales et urinaires sont distinctes.

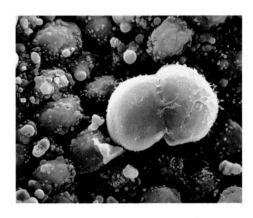

Cellule précurseur d'un ovule en train de subir une division (mitose) dans un ovaire d'embryon féminin de 7 semaines. Chacun de ces précurseurs s'entoure d'autres cellules pour former un follicule ovarien dès avant la naissance.

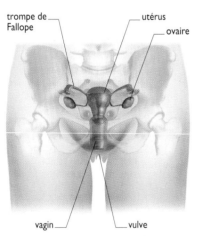

trompe de Fallope — utérus — ovaire — vagin — vulve

L'utérus et le vagin sont situés exactement sur la ligne médiane, et les ovaires de part et d'autre, sur les côtés. Entre les deux, les trompes. Tous ces organes sont localisés très bas dans le bassin, au-dessous de l'intestin.

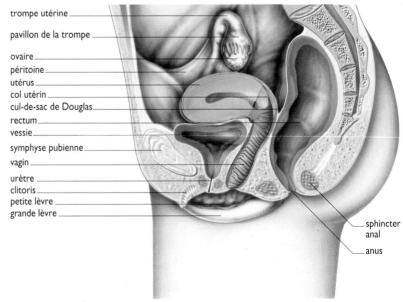

trompe utérine — pavillon de la trompe — ovaire — péritoine — utérus — col utérin — cul-de-sac de Douglas — rectum — vessie — symphyse pubienne — vagin — urètre — clitoris — petite lèvre — grande lèvre — sphincter anal — anus

foration de l'hymen, pseudohermaphrodisme), les déplacements d'organes (prolapsus), les mauvaises positions de l'utérus (rétroversion) et les grossesses extra-utérines (implantation de l'œuf fécondé ailleurs que dans l'utérus), la pathologie de l'appareil génital féminin comprend de nombreuses affections. Si les déséquilibres ou les insuffisances de la sécrétion hormonale sont souvent à l'origine de retards de la puberté, de troubles de la menstruation ou de la ménopause, ou encore d'une stérilité, les affections les plus fréquentes sont les infections et les tumeurs.

■ Les infections, entre autres les maladies sexuellement transmissibles, sont dues à des bactéries, à des champignons ou à des virus. Elles restent souvent localisées à la vulve ou au vagin (vulvovaginite, bartholinite), au col de l'utérus (cervicite), à l'utérus (endométrite), aux trompes (salpingite), provoquant

des pertes vaginales, des douleurs, parfois de la fièvre. Dans la plupart des cas, l'infection se transmet au partenaire. Des troubles des rapports sexuels et une stérilité peuvent en résulter également.

■ Les tumeurs peuvent être bénignes ou malignes. Les premières comptent principalement les kystes de l'ovaire, les polypes et les fibromes utérins, l'endométriose et la môle hydatiforme (prolifération du tissu placentaire). Les tumeurs malignes sont représentées par les cancers, qui se développent surtout sur le col et le corps utérins ou sur l'ovaire. Les cancers de la vulve et du vagin sont plus rares.

Génital masculin (appareil)

Ensemble des organes masculins permettant la reproduction.

Chez l'homme, l'appareil génital est étroitement lié à l'appareil urinaire. Il

comprend les testicules, les épididymes, les canaux déférents, les vésicules séminales, la prostate ainsi que le pénis.

■ Les testicules, situés dans les bourses, sont de forme ovoïde et d'une longueur de 4 centimètres environ. Ils élaborent la testostérone (hormone mâle, agissant sur le développement des organes génitaux et des caractères sexuels secondaires) et les spermatozoïdes.

■ L'épididyme, conduit situé en arrière du testicule, reçoit les spermatozoïdes, qu'il amène vers le canal déférent.

■ Le canal déférent est situé dans le cordon spermatique (pédicule contenant le testicule et l'épididyme). Il s'agit d'un conduit très fin qui relie l'épididyme aux ampoules déférentielles et aux canaux éjaculateurs. Il transporte les spermatozoïdes.

■ Les vésicules séminales sont deux poches situées en arrière de la prostate ; elles

---

APPAREIL GÉNITAL MASCULIN

Les organes génitaux externes sont représentés par les testicules et le pénis. Les testicules élaborent les gamètes masculins (spermatozoïdes) et des hormones (surtout la testostérone). Les organes génitaux internes comprennent la prostate et les vésicules séminales. Le bassin de l'homme est organisé en deux plans verticaux, soit, d'arrière en avant : la terminaison de l'intestin (rectum) et les organes génitaux internes et urinaires. La partie terminale de l'urètre, véhiculant le sperme et l'urine, a une double fonction, génitale et urinaire.

Les cellules précurseurs des spermatozoïdes (en bleu) se disposent contre la paroi des tubes séminifères (en brun), qui forment le testicule. Après la puberté, elles migrent vers le centre des tubes en se transformant en spermatozoïdes.

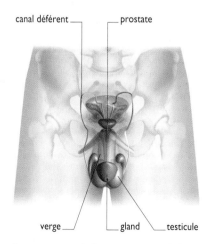

La prostate est située exactement sur la ligne médiane, sous la vessie et autour de l'urètre. Les testicules, les canaux déférents et les vésicules séminales sont situés de part et d'autre de cette ligne médiane.

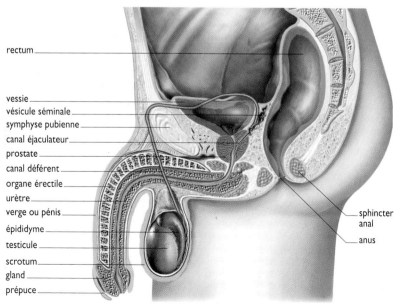

427

fabriquent le plasma séminal, qui, mêlé aux sécrétions prostatiques, va former le sperme avec les spermatozoïdes.

■ **Les canaux éjaculateurs,** qui font suite aux vésicules séminales, expulsent le sperme dans l'urètre au moment de l'excitation sexuelle.

■ **La prostate** est une glande pesant de 15 à 20 grammes, située sous le col vésical et entourant l'urètre. Elle sécrète le plasma séminal, qui, associé aux sécrétions des vésicules séminales et aux spermatozoïdes, va former le sperme.

■ **Le pénis, ou verge,** est constitué de l'urètre, conduit véhiculant l'urine lors de la miction et le sperme lors de l'éjaculation, et de deux organes érectiles, appelés corps caverneux, qui sont flaccides à l'état de repos ; lors de l'érection, ils deviennent rigides grâce à l'afflux de sang.

EXAMENS

De nombreux examens explorent l'appareil génital masculin :

– le spermogramme (numération des spermatozoïdes, étude de leur forme, de leur motilité, de leur vitalité, etc.) peut permettre de diagnostiquer l'origine d'une stérilité masculine ;

– les dosages sanguins de testostérone explorent la fonction hormonale du testicule ;

– l'échographie s'attache à décrire les vésicules séminales, la prostate et les testicules ;

– l'écho-Doppler étudie la vascularisation des corps caverneux, qui assurent la qualité de l'érection.

PATHOLOGIE

Outre la stérilité, les principales pathologies qui peuvent affecter l'appareil génital masculin sont :

– les atrophies et ectopies (position anormale, en général d'origine congénitale) testiculaires ;

– les tumeurs et infections du testicule et de l'épididyme ;

– les troubles de l'éjaculation ;

– les tumeurs, bénignes (adénome) ou malignes (cancer), de la prostate ;

– les troubles de l'érection (impuissance sexuelle par exemple).

Génodermatose

Toute affection cutanée caractérisée par un mode de transmission génétique précis.

Le terme de génodermatose est réservé aux maladies pour lesquelles la transmission héréditaire est nette, qu'elle soit dominante (il suffit que le gène porteur soit reçu de l'un des parents pour que l'enfant développe la maladie) ou récessive (le gène porteur doit être reçu du père et de la mère pour que l'enfant développe la maladie). Il n'existe pas de classification exhaustive des génodermatoses, très nombreuses. On peut cependant distinguer :

■ les génodermatoses essentiellement caractérisées par des anomalies de l'épiderme (ichtyoses, épidermolyses bulleuses, kératodermies congénitales) ;

■ les génodermatoses essentiellement caractérisées par des anomalies du tissu conjonctif : anomalies du collagène et du tissu élastique, comme la cutis laxa ou le syndrome d'Ehlers-Danlos, syndromes de vieillissement prématuré comme le syndrome de Werner ;

■ les génodermatoses associées à des anomalies métaboliques, comme la phénylcétonurie (perturbation de l'assimilation des acides aminés) ;

■ les génodermatoses caractérisées par une photosensibilité (excès de sensibilité au soleil) comme le xeroderma pigmentosum (cancers cutanés multiples) ;

■ les génodermatoses associées à une malformation de la crête neurale, ou neurocristopathies : neurofibromatose de Recklinghausen, sclérose tubéreuse de Bourneville.

Le traitement, quand il est nécessaire, est celui des symptômes (soins de peau, ablation de tumeurs). La présence d'un cas de génodermatose au sein d'une famille doit faire établir un arbre généalogique afin de préciser le mode de transmission de l'anomalie, demander un conseil génétique en cas de souhait de grossesse et recourir au diagnostic anténatal dès que se pose un problème de viabilité de l'embryon.

Génome

Ensemble du matériel génétique, c'est-à-dire des molécules d'A.D.N., d'une cellule.

Le génome est constitué de l'ensemble des gènes (séquences codantes) et des autres séquences, dites non codantes, qui constituent la plus grande partie de l'A.D.N. chromosomique. Le nombre de gènes contenus dans le génome humain n'est pas connu avec précision ; sans doute avoisine-t-il les 100 000, dont seules quelques centaines ont pour l'instant été isolées.

En 1990, une équipe de chercheurs français a lancé un projet ambitieux : l'élaboration de la carte du génome humain. Depuis sa réalisation, effective à la fin de l'année

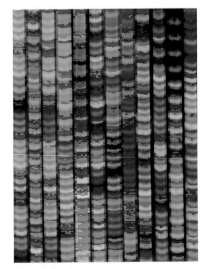

Génome. La succession des séquences de l'A.D.N. est mise en évidence par un marquage coloré, visible sur ces bandes.

1993, il devient possible de connaître l'ensemble des gènes qui constituent le génome, ce qui permettra de caractériser tous ceux qui sont à l'origine des 5 000 maladies génétiques répertoriées à ce jour et, donc, d'en améliorer le diagnostic et, à plus long terme, d'en permettre la guérison par thérapie génique (traitement des maladies par modification des gènes). Les génomes d'autres organismes (levures, souris) sont aussi en cours de détermination ; les premiers résultats montrent que le nombre de gènes qui avait été estimé est de loin inférieur à la réalité.

Génothérapie

→ voir Thérapie génique.

Génotype

Ensemble des caractères génétiques d'un être vivant, qu'ils se traduisent ou non dans son phénotype (ensemble des caractères physiques et biologiques d'un individu).

Genou

Région articulaire située à la jonction de la cuisse et de la jambe. (P.N.A. *genu*)

L'articulation du genou unit le fémur au tibia et à la rotule. Elle se compose, en avant, de l'appareil extenseur, formé du muscle quadriceps, qui s'insère sur la rotule, et du tendon rotulien, tendu de la pointe de la rotule à l'extrémité supérieure du tibia (la rotule peut donc être considérée comme un os sésamoïde particulier) ; en arrière, elle comprend la région poplitée. L'extrémité inférieure du fémur présente, en avant, la trochlée, surface articulaire en forme de poulie, articulée avec la rotule, et, en bas et en arrière, les condyles, surfaces articulaires arrondies, articulés avec l'extrémité supérieure du tibia. L'adaptation parfaite de la surface articulaire du fémur avec celle du tibia est garantie par l'existence de deux formations fibrocartilagineuses, appelées ménisques. Des ligaments très puissants garantissent une stabilité parfaite à cette articulation. En plus des formations ligamentaires latérales, il existe deux ligaments dans l'espace compris entre les condyles, appelés ligaments croisés antérieur et postérieur, qui s'opposent aux mouvements de torsion du genou.

PATHOLOGIE

■ **L'entorse du genou** est une lésion des ligaments du genou allant de la simple élongation (entorse bénigne) à la rupture complète (entorse grave). Elle est souvent due à un mouvement de torsion forcée du pied, survenant notamment lors de la pratique de certains sports comme le football ou le ski. Les entorses bénignes se traduisent par une douleur et un gonflement de l'articulation. Le port d'un simple bandage ou d'un plâtre pendant 3 semaines permet de calmer la douleur. Les entorses graves se caractérisent par une douleur vive et par une hémarthrose (saignement dans la cavité articulaire). Le sujet, lorsqu'il se tient debout, a l'impression que son genou va se dérober. La rupture complète d'un ligament latéral

GENOU ET APPAREIL EXTENSEUR

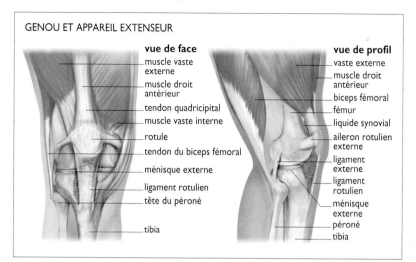

vue de face
- muscle vaste externe
- muscle droit antérieur
- tendon quadricipital
- muscle vaste interne
- rotule
- tendon du biceps fémoral
- ménisque externe
- ligament rotulien
- tête du péroné
- tibia

vue de profil
- vaste externe
- muscle droit antérieur
- biceps fémoral
- fémur
- liquide synovial
- aileron rotulien externe
- ligament externe
- ligament rotulien
- ménisque externe
- péroné
- tibia

exige une immobilisation plâtrée de 6 semaines. La rupture d'un ligament croisé antérieur ne nécessite pas d'immobilisation plâtrée, à moins qu'il ne soit réparé chirurgicalement, par suture ou transposition ligamentaire (à l'aide d'un fragment de tendon prélevé sur des muscles voisins ou sur le tendon rotulien) ; cette réparation, contraignante pour le patient, ne doit être proposée qu'aux sportifs de haut niveau. En effet, une simple rééducation, qui doit d'ailleurs toujours être suivie, quel que soit le type de traitement entrepris, aboutit presque toujours à un excellent résultat et à une reprise de la plupart des activités sportives.

■ **Les lésions des ménisques du genou,** fréquentes chez les sportifs de haut niveau, sont essentiellement des déchirures, allant parfois jusqu'à la rupture complète. Leur traitement est chirurgical : il consiste à pratiquer une suture ou, le plus souvent, une ablation totale du ménisque par ouverture chirurgicale de l'articulation ou par arthroscopie. Après l'intervention, il est recommandé au sujet de reprendre la marche le plus tôt possible. La rééducation est facultative.

■ **La luxation du genou** se caractérise par la perte de contact entre les surfaces articulaires du fémur et du tibia ; des lésions de l'artère poplitée et du nerf sciatique, qui passent en arrière dans la région poplitée, sont possibles. La luxation du genou nécessite une réparation chirurgicale.

■ **D'autres pathologies** s'observent pour le genou, qui peut être contaminé par un germe entraînant la survenue d'une arthrite septique, être le siège d'une maladie inflammatoire atteignant la synoviale (membrane qui recouvre la face intérieure de la capsule articulaire), telle la polyarthrite rhumatoïde, ou d'une maladie dégénérative qui atteint les cartilages par usure progressive, comme l'arthrose. Des tumeurs peuvent se développer à partir de la synoviale, des os ou des parties molles environnantes. Enfin, l'hydarthrose du genou, couramment appelée épanchement

de synovie, est le plus souvent due à un traumatisme, à une arthrose ou à une polyarthrite rhumatoïde.

Genou (arthrose du)
→ VOIR Gonarthrose.

Genouillère
Bandage ou plâtre servant à maintenir ou à protéger l'articulation du genou.

■ **Les genouillères élastiques** sont utilisées soit pour obtenir une compression soutenue et prolongée en cas d'hydarthrose (accumulation de liquide séreux dans la cavité articulaire) chronique, soit pour renforcer l'articulation dont l'appareil musculoligamentaire est déficient.

■ **Les genouillères plâtrées,** posées sous contrôle orthopédique, sont indiquées dans le cas de certaines entorses graves ou de fractures du genou (en particulier lorsque la rotule a été atteinte). De telles genouillères permettent la marche quand celle-ci est autorisée.

Genu recurvatum
Déformation du genou caractérisée par la possibilité d'étendre exagérément vers l'avant la jambe sur la cuisse de façon à former un angle ouvert en avant.

On distingue trois principaux types de genu recurvatum.

■ **Le genu recurvatum familial,** très fréquent, s'observe dès les premiers pas chez le jeune enfant. Bénin, il est dû à une hyperlaxité de l'articulation et disparaît généralement à l'âge adulte sans traitement particulier. Quelques exercices musculaires simples, comme la marche sur la pointe des pieds, sont conseillés. Il arrive cependant que la déformation persiste à l'âge adulte et soit à l'origine d'une arthrose du genou.

■ **Le genu recurvatum congénital,** plus rare et plus grave, est toujours associé à une arthrogrypose (luxation congénitale du genou par malformation complexe de l'articulation). Il nécessite le plus souvent un traitement chirurgical.

■ Le genu recurvatum acquis est la conséquence d'une fracture de la partie inférieure du fémur ou de la partie supérieure du tibia, consolidée en mauvaise position, ou la conséquence de déficits musculaires dus à une paralysie permettant au genou d'avoir une mobilité anormale. Pour prévenir les risques d'arthrose du genou, il faut alors le plus souvent pratiquer une ostéotomie (intervention chirurgicale qui consiste à sectionner l'os incriminé pour le replacer dans un axe plus favorable).

Genu valgum
Déviation de la jambe vers l'extérieur de l'axe du membre inférieur avec saillie du genou en dedans.

S'il est marqué, le genu valgum, couramment appelé genou cagneux, peut entraver la marche. En outre, les pressions ne s'exerçant pas aux endroits habituels, le genu valgum est souvent facteur de gonarthrose (arthrose du genou).

■ **Chez l'enfant,** entre 3 et 5 ans, le genu valgum est courant, accentué par un excès de poids. Il est dû à une hyperlaxité des ligaments internes du genou ou encore à une séquelle de fracture (fracture de la partie inférieure du fémur ou de la partie supérieure du tibia, qui n'a pas consolidé en bonne position), à une maladie osseuse par carence (rachitisme) ou à une malformation osseuse. Le genu valgum est indolore. Dans les formes légères, il régresse souvent avec la gymnastique et la croissance. Dans les formes importantes, le traitement nécessite la prise de vitamine D (contre le rachitisme), le port de chaussures correctrices et la pose d'attelles pendant la nuit. La chirurgie est réservée aux formes graves ; le chirurgien fait une ostéotomie (section osseuse) qui réaligne l'os concerné, puis le fixe.

■ **Chez l'adulte,** le genu valgum peut être dû à un genu valgum infantile non traité, à une séquelle de fracture du genou consolidée en mauvaise position ou à une maladie osseuse (ostéomalacie). Il est parfois à l'origine d'une arthrose du genou invalidante. Outre la vitamine D (contre une ostéomalacie), le traitement des formes graves de genu valgum est l'ostéotomie ou, si la situation a évolué depuis trop longtemps, le remplacement de l'articulation du genou par une prothèse.

Genu varum
Déviation de la jambe vers l'intérieur de l'axe du membre inférieur avec saillie du genou en dehors.

Le genu varum, couramment appelé jambe arquée, peut évoluer vers une arthrose du genou (gonarthrose) par excès de pression sur les points normalement soumis à des pressions faibles.

■ **Chez l'enfant,** le genu varum est habituel jusqu'à l'âge de 18 mois. Chez les enfants plus âgés, il peut être dû à une maladie osseuse (rachitisme). Le genu varum est indolore. Le traitement, s'il est nécessaire, est chirurgical et consiste à placer une agrafe sur le tibia du côté externe du cartilage

Le genu valgum et le genu varum sont des déviations de l'axe normal des jambes. Chez l'enfant, ils sont souvent bénins, voire non pathologiques, mais ils peuvent aussi être liés à une maladie et permettre de la dépister.

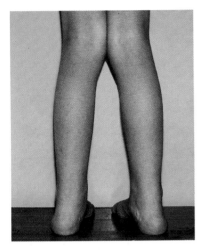

Le genu valgum est caractérisé par un écartement exagéré des pieds.

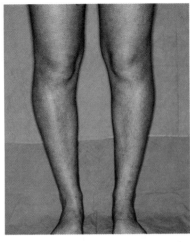

Le genu varum est caractérisé par un écartement exagéré des genoux.

de conjugaison (plaque cartilagineuse située aux extrémités d'un os, assurant sa croissance) ; les os grandissent alors à vitesse normale du côté interne du genou, moins vite du côté externe, ce qui permet d'obtenir une correction progressive.

■ Chez l'adulte, le genu varum peut être dû à un genu varum infantile non traité ou à une séquelle de fracture. Le traitement des formes graves est chirurgical, par ostéotomie (section osseuse) suivie d'une correction de l'axe et d'une fixation de l'os concerné. Cet acte chirurgical n'est pas forcément suivi d'une immobilisation avec plâtre.

Géode

Cavité osseuse pathologique donnant sur les clichés radiographiques une image radiotransparente.

Les géodes ont des causes diverses. On peut les rencontrer dans certaines formes d'arthrose, de polyarthrite rhumatoïde et dans différentes tumeurs osseuses (géodes de la voûte crânienne dans le myélome multiple).

Gériatrie

Discipline médicale consacrée aux maladies dues au vieillissement.

L'allongement important de la durée de vie dans les pays économiquement favorisés a facilité l'émergence de situations pathologiques particulières. Si les maladies qui frappent le sujet âgé sont dans leur majorité les mêmes que celles qui apparaissent plus tôt dans la vie, la fréquence de certaines affections s'accroît. Ainsi, la réduction graduelle des défenses immunitaires augmente le risque infectieux : pneumopathies, tuberculose, infections urinaires ; l'accumulation de différents facteurs de risque conduit à l'apparition de nombreuses maladies malignes : cancers, leucémies, myélome ; les maladies cardiaques et vasculaires liées à l'hypertension artérielle et à l'athérome augmentent de fréquence ; les maladies neurologiques (démence organique)

apparaissent ; les déficits sensoriels (surdité, malvoyance) s'aggravent, les traumatismes sont favorisés et susceptibles de conséquences graves (fracture du col du fémur, tassement vertébral) ; la déminéralisation osseuse, les usures articulaires entraînent douleurs et impotence ; les troubles nutritionnels peuvent être favorisés par la solitude et l'indigence.

Les sujets âgés sont souvent atteints par plusieurs affections concomitantes ; leurs plaintes sont multiples et les conduisent à de nombreuses consultations médicales. Il en résulte fréquemment une médication multiple pouvant elle-même induire une iatropathologie (maladie causée par les traitements médicamenteux). Aussi la prise en charge de tels patients nécessite-t-elle des connaissances spécifiques. Il revient au gériatre de traiter les cas les plus complexes, notamment ceux des patients dépendants au point de vivre dans des établissements spécialisés.

Germe infectieux

Tout micro-organisme (bactérie, virus, parasite) vivant, source de maladie infectieuse.

Gérontologie

Science consacrée à l'étude du vieillissement humain.

La gérontologie étudie la pathologie des gens âgés sans se consacrer à leur prise en charge (gériatrie). Son champ de recherche est du domaine de la biologie moléculaire et cellulaire ; elle participe d'un certain nombre de sciences humaines : démographie, économie générale, sociologie, psychologie.

Au cours du vieillissement, seuls certains phénomènes, comme les modifications de la peau, des cheveux, qui blanchissent, et de l'œil (cataracte, presbytie), ainsi que certaines modifications endocriniennes (ménopause) sont directement liés à l'âge. Les grandes fonctions de l'organisme (articulaire, rénale, respiratoire, etc.) ne connaissent qu'un ralentissement discret et progressif. La plupart des au-

tres attributs de l'âge sont la conséquence d'une accumulation de maladies possédant chacune une cause propre et non strictement liées à l'âge (maladies vasculaires, cancers, etc.). Une meilleure connaissance de ces phénomènes pourrait probablement modifier ou retarder le vieillissement, la part grandissante des gens âgés dans la pyramide des âges conférant une importance croissante à ce type de recherche. À l'heure actuelle cependant, peu de connaissances sont solidement établies.

Gérontoxon
→ voir Arc cornéen.

Gestation
→ voir Grossesse.

Gianotti-Crosti (syndrome de)
→ voir Acrodermatite.

Giardiase
→ voir Lambliase.

Gibbosité
Bosse dorsale due à une courbure anormalement convexe de la colonne vertébrale.
→ voir Cyphose, Scoliose.

Gibert (pityriasis rosé de)
→ voir Pityriasis.

Gigantisme
Taille anormalement grande par rapport à la taille moyenne des individus de même âge et de même sexe.

Plus précisément, on parle de gigantisme quand la taille est supérieure à deux écarts-types, ou déviations standards, par rapport à la courbe de croissance normale établie en fonction de l'âge et du sexe. En effet, des tables de croissance, élaborées à partir de grandes populations d'enfants, donnent pour chaque âge et chaque sexe une taille moyenne et la valeur d'un écart-type.

DIFFÉRENTS TYPES DE GIGANTISME

Il convient de distinguer le gigantisme constitutionnel, le gigantisme transitoire et le véritable gigantisme pathologique. Le plus souvent, le gigantisme est constitutionnel, aucune anomalie hormonale n'étant mise en évidence. La croissance est accélérée mais régulière. Dans d'autres cas, il s'agit d'une accélération anormale et passagère de la vitesse de croissance. C'est ce qu'on observe au cours de l'hyperthyroïdie de l'enfant, des pubertés précoces et dans les cas d'hypersécrétion d'androgènes. Le gigantisme est alors transitoire, ces situations, rares, aboutissant à une taille définitive souvent petite.

Le véritable gigantisme pathologique, responsable d'une grande taille définitive, est dû à une hypersécrétion par l'hypophyse de l'hormone somatotrope, ou hormone de croissance, débutant avant la fin de la puberté. Il s'agit d'une acromégalie (développement excessif des os de la face et des extrémités des membres) prépubertaire. Cette maladie, très rare, est due à la présence d'un adénome de l'hypophyse, qui sécrète l'hormone de croissance en excès.

DIAGNOSTIC

Le diagnostic du gigantisme repose sur la confrontation de la courbe de croissance staturale à la courbe moyenne, sur l'évaluation du développement pubertaire, sur l'existence de symptômes évoquant une pathologie endocrinienne et sur la maturation osseuse ainsi que, si cela est nécessaire, sur des dosages hormonaux.

TRAITEMENT

Dans les cas de grande taille constitutionnelle, on peut parfois déclencher la puberté pour réduire de quelques centimètres la taille définitive. Le traitement du gigantisme pathologique est chirurgical : il consiste en l'ablation de l'adénome hypophysaire.
→ VOIR Acromégalie.

Gilbert (syndrome de)

Trouble dû à une anomalie héréditaire du transport et de la transformation hépatique de la bilirubine (pigment biliaire issu de la dégradation de l'hémoglobine), anomalie liée à un déficit enzymatique.

Autrefois appelé « cholémie familiale », le syndrome de Gilbert est une anomalie bénigne et relativement fréquente qui se manifeste par un discret ictère des conjonctives. Le diagnostic repose sur la constatation d'une augmentation modérée de la bilirubine libre (avant sa transformation hépatique) dans le sang, en dehors de tout autre signe d'anémie hémolytique. Il n'existe aucune autre anomalie du foie. L'affection ne nécessite aucun traitement.

Gilles de La Tourette (syndrome de)

Affection neurologique chronique rare caractérisée par l'existence de tics, accompagnés ou non de coprolalie (émission de mots orduriers) et d'écholalie (répétition de fragments de mots ou de phrases). SYN. *maladie des tics*.

L'origine de cette affection est encore mal connue ; elle serait due à une hyperactivité des systèmes dopaminergiques. Le caractère familial de la maladie n'est pas exceptionnel.

SYMPTÔMES ET SIGNES

Les tics apparaissent habituellement entre 2 et 10 ans, avec une nette prédominance masculine. Ils se répètent souvent par salves, ce qui leur confère une apparence de rythmicité, et peuvent toucher la plupart des muscles du squelette. Ces tics affectent de préférence la face et les muscles laryngés (clignement des paupières, plissement du front, sourire, protraction de la langue, etc.) ; des vocalisations peuvent s'y associer (grognement, reniflement, éructation, etc.). Les tics qui touchent les membres peuvent être variés : accroupissement, trépignement, saut, etc. Ils atteignent aussi fréquemment les muscles du cou, sous forme de flexion, d'inclinaison latérale ou d'extension de la tête. Le fait qu'ils puissent être contrôlés par la volonté les distingue des autres mouvements anormaux.

TRAITEMENT ET ÉVOLUTION

Aucune lésion anatomique particulière n'a été mise en évidence dans ce syndrome. Le traitement est fondé sur les neuroleptiques (halopéridol, pimozide) ; il est associé, au besoin, à une psychothérapie. Parfois important, le handicap que provoque le syndrome de Gilles de La Tourette n'évolue cependant pas vers la détérioration intellectuelle ; les neuroleptiques améliorent ou guérissent jusqu'à 80 % des cas.

Gingivectomie

Acte chirurgical consistant à inciser et à enlever une partie de la gencive entourant une dent.

Une gingivectomie est indiquée en cas de parodontite (inflammation des tissus de soutien de la dent) ou de gonflement des gencives à la suite de la prise de certains médicaments (antiépileptiques notamment) ainsi que lors des poussées inflammatoires dues à l'éruption d'une dent de sagesse. Elle peut être également nécessaire avant la réalisation d'une couronne, lorsque la fracture ou la destruction carieuse de la dent ont évolué sous la gencive. La gingivectomie facilite le nettoyage des poches parodontales (tartre, plaque dentaire), le curetage des racines déchaussées et permet de réappliquer la gencive sur l'os. Après l'opération, la région qui entoure la dent est sensible au froid pendant quelque temps. Les complications dépendent de l'état de délabrement de l'os et de l'hygiène buccale.

Gingivite

Inflammation des gencives.

Une gingivite peut être due à un mauvais brossage des dents, qui entraîne une accumulation de la plaque dentaire et du tartre. Des modifications hormonales temporaires peuvent aussi provoquer une gingivite, par exemple pendant la grossesse, l'inflammation disparaissant après l'accouchement. Enfin, la prise de certains médicaments antidépresseurs ou antiépileptiques est aussi susceptible de causer une gingivite. La gencive, rouge et gonflée, devient très sensible et saigne facilement, notamment lors du brossage.

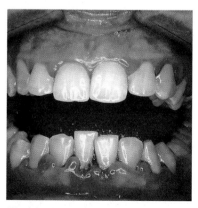

Gingivite. *Les gencives sont rouges et tuméfiées et les dents commencent à se déchausser.*

Un détartrage complet, puis la reprise d'un brossage quotidien et méticuleux font disparaître les symptômes en quelques jours. En l'absence de traitement, la gingivite peut évoluer vers une parodontite, inflammation des tissus de soutien de la dent provoquant une fonte de l'os (amenuisement) dans lequel la dent est implantée. La fonte de l'os peut entraîner un déchaussement.

■ **La gingivite ulcéronécrotique** est une affection entraînant très rapidement des destructions massives de la gencive et de l'os sous-jacent. On la rencontre chez l'adolescent ainsi que chez les patients atteints d'une déficience immunitaire. Elle évolue rapidement vers une parodontite aiguë.

Ginkgolide

Principe actif extrait des feuilles du *Ginkgo biloba*, arbre chinois de la famille des ginkgoacées, et servant à la fabrication de médicaments.

Les ginkgolides sont principalement indiqués pour leur action vasculoprotectrice, contre les douleurs de l'artériopathie oblitérante des membres inférieurs (rétrécissement des artères par dépôt de cholestérol) ; on les emploie aussi pour corriger la diminution des facultés intellectuelles des sujets âgés (troubles de la mémoire, confusion, etc.) et les troubles circulatoires veineux, notamment en cas de varices des membres inférieurs (jambes lourdes, fourmillements, crampes, œdèmes) et d'hémorroïdes. L'administration se fait par voie orale. Les effets indésirables sont rares : troubles digestifs ou cutanés, maux de tête, allergie.

Les ginkgolides sont actuellement en cours d'expérimentation dans le traitement de pathologies diverses telles que la sclérose en plaques et certaines infections graves.

Glaire cervicale

Liquide visqueux et transparent sécrété par les cellules du col utérin sous l'action des œstrogènes.

La glaire cervicale subit des modifications au cours du cycle menstruel : épaisse au début du cycle, elle devient plus fluide, filante et élastique vers le 13e jour d'un cycle de 28 jours. À ce stade, son examen au microscope révèle une cristallisation en feuille de fougère, caractéristique d'une glaire normale. La glaire cervicale est un bon milieu de survie pour les spermatozoïdes et favorise leur ascension dans l'utérus et leur capacitation (transformation de la tête du spermatozoïde le rendant apte à la fécondation).

Un examen de laboratoire, le test postcoïtal de Huhner, permet d'évaluer les qualités de la glaire cervicale et le comportement des spermatozoïdes qu'elle contient. Cet examen consiste à observer au microscope un échantillon de glaire prélevé 8 heures après un rapport sexuel.

PATHOLOGIE

La glaire cervicale peut contenir des substances qui, en modifiant sa composition, s'opposent au passage des spermatozoïdes. Ce sont, par exemple, des agents infectieux,

Les principales glandes endocrines sont l'hypothalamus, l'hypophyse, la glande thyroïde, les parathyroïdes, les surrénales, le pancréas et les gonades (ovaires chez la femme, testicules chez l'homme). Hypothalamus et hypophyse ont un rôle de commande.

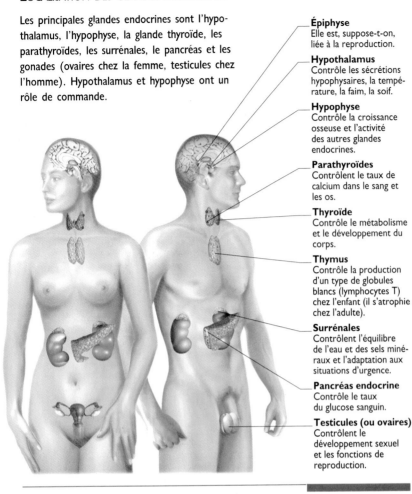

Épiphyse
Elle est, suppose-t-on, liée à la reproduction.

Hypothalamus
Contrôle les sécrétions hypophysaires, la température, la faim, la soif.

Hypophyse
Contrôle la croissance osseuse et l'activité des autres glandes endocrines.

Parathyroïdes
Contrôlent le taux de calcium dans le sang et les os.

Thyroïde
Contrôle le métabolisme et le développement du corps.

Thymus
Contrôle la production d'un type de globules blancs (lymphocytes T) chez l'enfant (il s'atrophie chez l'adulte).

Surrénales
Contrôlent l'équilibre de l'eau et des sels minéraux et l'adaptation aux situations d'urgence.

Pancréas endocrine
Contrôle le taux du glucose sanguin.

Testicules (ou ovaires)
Contrôlent le développement sexuel et les fonctions de reproduction.

provoquant une inflammation du col utérin, ou des hormones, notamment progestatives. Un traitement œstrogénique entraîne l'amélioration de la qualité de la glaire et, parfois, la guérison d'une stérilité.

Glande

Organe dont le fonctionnement est caractérisé par la synthèse puis la sécrétion d'une substance.

Une glande est constituée d'un type de tissu appelé épithélium, de même nature que la couche superficielle de la peau (épiderme) et des muqueuses. Elle puise dans le sang les substances élémentaires dont elle se sert pour accomplir ses fonctions de sécrétion, c'est-à-dire la synthèse d'une substance chimique qui lui est propre, et aussi l'évacuation de cette substance, qui est utilisée par des tissus, par des organes ou par l'ensemble de l'organisme. La sécrétion d'une glande peut être soit exocrine, soit endocrine.

■ **Les glandes endocrines,** c'est-à-dire à sécrétion interne, rejettent la substance produite, appelée hormone, dans le sang. L'hormone peut alors, en diffusant par voie sanguine dans l'organisme, agir sur un ou plusieurs organes cibles. L'hypophyse, la thyroïde, les parathyroïdes, les surrénales et les ovaires sont des glandes endocrines.

■ **Les glandes exocrines,** c'est-à-dire à sécrétion externe, rejettent la substance produite à l'extérieur soit directement (à la surface de la peau), soit indirectement (dans le tube digestif, les bronches, les voies génitales ou urinaires). Elles sont souvent munies d'un canal excréteur. Les glandes salivaires, sudoripares et lacrymales sont des glandes exocrines.

Certaines glandes sont à la fois endocrines et exocrines. Ainsi, le pancréas sécrète à la fois des enzymes digestives, rejetées par un canal dans l'intestin, et des hormones (dont l'insuline), rejetées dans le sang.

Glaucome

Maladie de l'œil caractérisée par une élévation de la pression intraoculaire avec atteinte de la tête du nerf optique et altération du champ visuel, pouvant aboutir à la cécité.

Le terme de glaucome recouvre plusieurs types d'affection. Mais, dans tous les cas, l'élévation de la pression intraoculaire (normalement inférieure à 20 millimètres de mercure) est due à une accumulation d'humeur aqueuse dans l'œil. On distingue les glaucomes primitifs, sans cause particulière (glaucome primitif à angle large, le plus fréquent ; glaucome primitif à angle étroit et glaucome congénital), et les glaucomes secondaires, qui apparaissent au cours de certaines affections.

Glaucome primitif à angle large

Cette élévation de la pression intraoculaire porte également le nom de glaucome à angle ouvert ou de glaucome chronique. Elle atteint de 1 à 4 % de la population, a souvent un caractère familial et apparaît généralement après 45 ans. Un gène du glaucome a été identifié.

SYMPTÔMES ET DIAGNOSTIC
Touchant les deux yeux, ce glaucome se traduit au début par une simple élévation de la tension oculaire, qui ne provoque aucun symptôme. Puis il entraîne une altération du champ visuel plus ou moins importante, mais irréversible, et des modifications de la tête du nerf optique (excavation papillaire) pouvant aboutir à la cécité. Dans certaines formes, les altérations du champ visuel apparaissent alors que la tension oculaire n'a jamais été élevée. Il s'agit alors d'un glaucome sans tension, de diagnostic difficile. Le diagnostic d'un glaucome à angle large repose sur la mesure de la tension oculaire, sur la gonioscopie, qui met en évidence l'ouverture de l'angle, sur l'examen de la papille et du champ visuel.

TRAITEMENT
La surveillance de la tension oculaire chez les sujets âgés de plus de 45 ans permet de les traiter au stade précoce, avant toute altération de la vision. Le traitement vise avant tout à faire baisser la tension oculaire à l'aide de collyres antiglaucomateux bêtabloquants, myotiques et adrénaliniques et, parfois, à améliorer la circulation sanguine rétinienne et papillaire à l'aide de médicaments vasodilatateurs. S'il se révèle insuffisant, on peut rétablir l'écoulement de l'humeur aqueuse par la chirurgie (trabéculectomie) ou à l'aide du laser argon (trabéculoplastie), le premier type d'intervention étant plus efficace et plus durable que le second. Dans les formes résistant à tout traitement, on peut utiliser les ultrasons.

Glaucome primitif à angle étroit

Cette élévation de la pression intraoculaire porte également le nom de glaucome à angle fermé ou de glaucome par fermeture de l'angle. Elle touche les personnes qui ont un angle iridocornéen (entre l'iris et la cornée) particulièrement étroit : en cas de dilatation pupillaire (intervention chirurgicale, examen ophtalmologique, prise de médicaments comme les atropiniques), l'évacuation de l'humeur aqueuse peut être gênée.

SYMPTÔMES ET DIAGNOSTIC
Touchant le plus souvent un seul œil, ce glaucome se manifeste par des crises aiguës de douleurs oculaires et périorbitaires, accompagnées d'une baisse de la vision et parfois de nausées et de vomissements. À l'examen ophtalmologique, l'œil est rouge et dur, la cornée trouble et la pupille dilatée. L'évolution peut être rapide et aboutir à la perte de l'œil.

TRAITEMENT
Le traitement de la crise consiste à faire baisser au plus vite la tension oculaire (injection intraveineuse d'acétazolamide, médicament diurétique, instillation de collyres antiglaucomateux bêtabloquants et surtout myotiques). Il faut ensuite pratiquer un petit trou dans l'iris pour permettre la circulation de l'humeur aqueuse dans l'œil.

L'intervention peut se faire au laser (iridotomie) ou chirurgicalement (iridectomie). Si le traitement est entrepris rapidement, il n'y a pas de séquelles.

Glaucome congénital

Cette élévation de la pression intraoculaire est due à une anomalie qui survient pendant le développement embryonnaire de l'angle iridocornéen, laquelle empêche l'évacuation de l'humeur aqueuse. Elle touche généralement les deux yeux et se manifeste souvent dès la naissance : l'enfant larmoie et craint la lumière ; la cornée est de grande taille (mégalocornée), parfois trouble (œdème cornéen) et le volume du globe oculaire peut se trouver augmenté (buphtalmie).

DIAGNOSTIC ET TRAITEMENT
L'examen des globes oculaires et l'échographie oculaire de l'enfant dans les premiers mois permettent le diagnostic de glaucome congénital. Le traitement est avant tout chirurgical et doit être entrepris au plus vite pour obtenir une stabilisation de la maladie.

Glaucome secondaire

Cette élévation de la pression intraoculaire est due à des maladies oculaires (inflammations, traumatismes, lésions du cristallin) ou générales (augmentation de la pression dans les veines orbitaires) ou à la prise de certains médicaments (corticostéroïdes, surtout en instillation oculaire).

Les symptômes, le diagnostic et le traitement d'un glaucome secondaire s'apparentent à ceux du glaucome primitif à angle large. Le traitement cherche à réduire la pression excessive sur le nerf optique et fait appel soit aux collyres antiglaucomateux, soit à la chirurgie, soit au laser. Il s'adresse surtout à la maladie causale.

GLAUCOME

Selon qu'il est à angle étroit ou ouvert, un glaucome peut être à l'origine de crises douloureuses ou rester inaperçu. La chirurgie s'impose parfois.

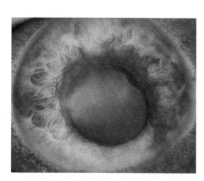

Au cours d'une crise aiguë de glaucome, la cornée paraît trouble, la pupille dilatée.

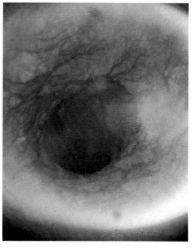

Dans ce cas, l'intervention (section de l'iris) a consisté à décentrer la pupille.

Glioblastome

Variété de tumeur maligne du système nerveux central.

Le glioblastome fait partie des tumeurs du type gliome ; il en représente 50 % des cas. Il peut être primitif (non lié à une autre affection) ou dû à la transformation maligne d'un autre gliome, l'astrocytome.

SYMPTÔMES ET SIGNES
Cette tumeur se localise de préférence dans l'un des deux hémisphères cérébraux. Elle augmente rapidement de volume et s'accompagne d'un œdème cérébral important. Elle se traduit par des signes neurologiques, dus à la lésion de cellules nerveuses (paralysie, troubles sensitifs), et des signes d'hypertension intracrânienne provoqués par l'augmentation de pression des liquides intracérébraux (maux de tête, vomissements). Le scanner et l'I.R.M. (imagerie par résonance magnétique) cérébraux confirment le diagnostic et permettent de localiser précisément la tumeur.

TRAITEMENT ET PRONOSTIC
Le traitement repose sur l'ablation chirurgicale de la tumeur et sur la radiothérapie. Mais le glioblastome, tumeur infiltrante et mal délimitée, récidive généralement ; le pronostic demeure sombre.

Gliome

Variété de tumeur du système nerveux central (encéphale et moelle épinière) développée aux dépens des cellules gliales (cellules assurant la protection et la nutrition des cellules nerveuses).

Les gliomes sont les plus fréquentes des tumeurs primitives du système nerveux central chez l'adulte. Ils regroupent différents types de tumeurs cérébrales, bénignes (astrocytome, oligodendrogliome) ou malignes (glioblastome).

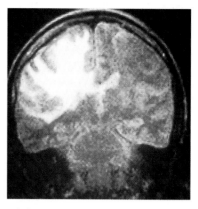

Glioblastome. *Le scanner révèle la tumeur volumineuse (en blanc) qui envahit le lobe pariétal d'un hémisphère cérébral.*

Globe vésical

Vessie distendue par une rétention d'urine.

Le globe vésical est plus fréquent chez l'homme que chez la femme. Il est très souvent dû à un obstacle sur la voie urinaire (adénome de la prostate, notamment), à un rétrécissement de l'urètre ou, plus rarement, à un dysfonctionnement neurologique de la vessie (atonie du muscle vésical, par exemple). Chez la femme, le globe vésical est le plus souvent provoqué par une compression pelvienne de l'appareil urinaire, due à un volumineux fécalome (masse dure de matières fécales accumulées dans le gros intestin), ou par un alitement prolongé.

Le globe vésical se traduit par une envie d'uriner non satisfaite et très douloureuse. La rétention peut être complète ou incomplète. Pour éviter l'arrêt du fonctionnement des reins, il faut évacuer rapidement l'urine par un drainage réalisé soit par un sondage urétral, soit en ponctionnant directement la vessie à travers la paroi abdominale et en mettant en place un cathéter sus-pubien. Il est ensuite nécessaire de traiter la cause du globe vésical.

Globule blanc
→ VOIR Leucocyte.

Globule rouge
→ VOIR Hématie.

Globuline

Toute protéine de poids moléculaire très élevé.

Les globulines, comme les autres protéines, sont constituées d'une très longue chaîne d'acides aminés. Les globulines du sang comprennent les lipoprotéines (protéines transportant les lipides tels que le cholestérol), les sérumglobulines (sous-groupe de protéines appelées parfois, abusivement, globulines), le fibrinogène (destiné à former les fibres des caillots sanguins) ; l'albumine, en revanche, en est exclue.

Le dosage par électrophorèse (méthode de laboratoire servant à séparer, au moyen d'un champ électrique, les différents composants d'une solution) permet une étude des globulines du sang. Cette technique conduit à les regrouper en quatre grandes familles : alpha-1-globulines, alpha-2-globulines, bêta-globulines et gammaglobulines, représentant respectivement de 1 à 4 %, de 6 à 10 %, de 8 à 12 % et de 12 à 19 % de toutes les protéines. Les gammaglobulines comprennent surtout la majorité des anticorps. Il arrive souvent qu'une maladie modifie les proportions de chaque famille de globulines. Ainsi, les réactions inflammatoires se caractérisent par une augmentation des alpha-1-globulines et des alpha-2-globulines. La cirrhose du foie augmente les gammaglobulines. Les gammapathies monoclonales sont des maladies où l'on observe une augmentation isolée d'une protéine spécifique appartenant à la famille des alpha-2-globulines, des bêtaglobulines ou des gammaglobulines (et non une augmentation globale de l'une de ces familles) ainsi qu'une diminution des autres protéines.

Glomérule

Première partie du néphron (unité anatomique et fonctionnelle du rein), où a lieu la formation de l'urine primitive, élaborée à partir du sang.

Chaque rein comporte environ 1 million de glomérules situés dans le cortex rénal (partie superficielle du tissu rénal). Les glomérules sont de petites sphères de 150 à 200 micromètres de diamètre. Ils se composent d'une enveloppe, la capsule de Bowman, et d'un système de capillaires, le flocculus. Les capillaires sont séparés par un tissu de soutien, le mésangium ; ils naissent d'une artériole appelée artériole afférente (branche terminale de l'artère rénale) et se terminent par une autre artériole, dite artériole efférente. Le sang est filtré à travers les parois des capillaires et donne l'urine primitive, qui est recueillie dans l'espace situé entre le flocculus et la capsule de Bowman, appelé chambre urinaire, puis s'écoule par le tube proximal (première partie du tube urinifère).

→ VOIR Tubule rénal.

Glomérulite

→ VOIR Glomérulonéphrite.

Glomérulonéphrite

Toute maladie rénale caractérisée par une atteinte des glomérules (unités de filtration du rein). SYN. *glomérulite, glomérulopathie, néphropathie glomérulaire.*

Les glomérulonéphrites peuvent être aiguës ou chroniques. Dans ce dernier cas, elles sont irréversibles, altérant de façon définitive les glomérules. Les glomérulonéphrites sont dites primitives, ou idiopathiques, quand elles sont limitées aux reins, sans aucune atteinte extrarénale. Elles sont dites secondaires lorsque l'atteinte glomérulaire est la conséquence ou la localisation d'une maladie générale, par exemple le diabète sucré.

Glomérulonéphrites aiguës

Elles sont généralement d'origine infectieuse (dues à un streptocoque), le plus souvent consécutives à une angine non traitée, plus rarement à une infection cutanée comme l'impétigo.

SYMPTÔMES ET SIGNES

Les glomérulonéphrites aiguës se manifestent par un syndrome néphritique caractérisé par une atteinte rénale qui survient de 10 à 15 jours après l'angine : des œdèmes se développent très rapidement aux paupières, dans la région lombaire et aux chevilles ; les urines sont foncées et peu abondantes, contenant du sang et des protéines, tandis qu'apparaît une hypertension artérielle ; il existe parfois une insuffisance rénale modérée.

TRAITEMENT

Le traitement est celui des symptômes : restriction des apports d'eau et de sodium, prise de diurétiques pour faire disparaître les œdèmes. Si ces mesures demeurent insuffisantes, on recourt à un traitement par des médicaments hypotenseurs. La guérison intervient presque toujours en 10 à 15 jours sans laisser de séquelles.

Glomérulonéphrites chroniques

Elles peuvent être primitives, sans cause connue, ou secondaires, consécutives à des maladies comme le lupus érythémateux disséminé, le purpura rhumatoïde, l'amylose, le diabète, le paludisme, ou encore à l'héroïnomanie ou à l'action de certains médicaments comme les sels d'or ou la D-pénicillamine.

SYMPTÔMES ET SIGNES

Les glomérulonéphrites chroniques se traduisent par une protéinurie (présence de protéines dans l'urine) parfois très abondante, qui provoque un syndrome néphrotique (apparition d'œdèmes). Celui-ci peut, dans sa forme majeure, aboutir à une anasarque, œdème généralisé qui se double d'épanchements pleuraux et d'ascite (accumulation de liquide entre les deux feuillets du péritoine). À des degrés variables, toutes les glomérulonéphrites chroniques sont susceptibles d'évoluer vers une insuffisance rénale chronique.

TRAITEMENT

Lorsqu'elles se manifestent par une simple anomalie urinaire, les glomérulonéphrites chroniques ne justifient aucun traitement, mais elles doivent être surveillées régulièrement. Dans certaines variétés plus graves de l'affection, les principaux médicaments utilisés sont les corticostéroïdes, employés seuls ou associés à des immunosuppresseurs. Le traitement des symptômes se révèle souvent nécessaire : régime sans sel strict, traitement de l'hypertension artérielle, prise en charge en milieu spécialisé en cas d'insuffisance rénale chronique. À un stade très évolué, les glomérulonéphrites chroniques requièrent une dialyse et, éventuellement, une transplantation rénale.

Glomérulopathie

→ VOIR Glomérulonéphrite.

GLOMÉRULE

Au microscope à fort grossissement, l'ovale de la cavité glomérulaire apparaît délimité par une large bordure claire. C'est là, en périphérie, que l'urine primitive est collectée ; elle provient du sang filtré par les capillaires. Ceux-ci, en coupe, ont un aspect discontinu, perlé. Séparés les uns des autres par un tissu spécialisé, le mésangium, ils occupent le centre du glomérule.

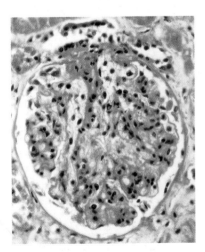

Cette coupe histologique d'un glomérule montre les capillaires (en rose) entourés par la chambre urinaire (en blanc).

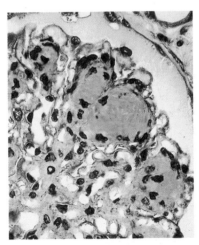

La vue au microscope montre qu'un tissu anormal (en vert) s'est développé autour des capillaires, responsable d'une glomérulosclérose.

Glomérulosclérose

Toute lésion non spécifique qui affecte le glomérule et le détruit progressivement.

D'un mécanisme encore mal connu, une glomérulosclérose peut être la conséquence de toute maladie rénale chronique, quels qu'en soient les causes et les mécanismes (diabète sucré, par exemple). Elle se traduit par une atteinte irréversible des capillaires glomérulaires et un comblement de la chambre urinaire par du tissu fibreux pouvant entraîner la disparition totale du glomérule. Si l'ensemble des glomérules est touché, il s'ensuit une insuffisance rénale qui impose un traitement par dialyse.

Glomus carotidien

Amas de tissu vasculaire et nerveux ayant l'aspect d'une petite pelote et qui se situe à la bifurcation de la carotide primitive. SYN. *corpuscule carotidien.* (P.N.A. *glomus caroticum*)

Le glomus carotidien est un chémorécepteur (organe sensible aux excitants chimiques et capable de déclencher diverses réactions physiologiques) qui règle la teneur du sang en oxygène. Il peut être le siège d'une tumeur telle qu'un angiome.

Glossectomie

Ablation chirurgicale partielle ou totale de la langue.

Une glossectomie se pratique en cas de cancer de la langue. Réalisée sous anesthésie générale, cette intervention consiste à retirer soit la partie mobile de la langue, en passant par la bouche, soit l'ensemble de la langue (y compris la base fixée au plancher de la bouche) en pratiquant une incision dans le cou. Lorsqu'elle est importante, la glossectomie peut entraîner des séquelles phonatoires et digestives plus ou moins handicapantes. Une greffe peut cependant permettre une reconstitution partielle de la langue.

Glossite

Inflammation de la langue.

Une glossite se traduit par une modification de l'aspect et de la couleur de la langue, qui devient rouge et douloureuse, et par une atrophie des papilles. L'affection peut être aiguë ou chronique.

■ Les glossites aiguës peuvent être généralisées à toute la langue (scarlatine, intoxication médicamenteuse) ou localisées (blessure due à une dent ou à une prothèse, brûlure).

■ Les glossites chroniques peuvent être un signe d'anémie par carence en une vitamine du groupe B (maladie de Biermer), en fer (anémie ferriprive) ou en zinc, l'un des signes d'une sécheresse buccale dans le cadre d'un syndrome de Gougerot-Sjögren ou de la syphilis tertiaire (3ᵉ stade de l'évolution de celle-ci) ; elles sont alors généralisées. Les formes localisées comprennent les petites érosions surinfectées de la syphilis secondaire et deux affections particulières, d'origine inconnue :
– la glossite exfoliatrice marginée, qui se caractérise par l'apparition de plaques rouges dont la forme varie d'un jour à l'autre ;

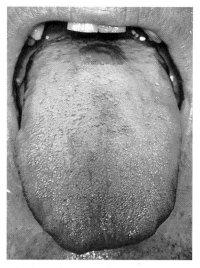

Glossite. *Inflammation de la muqueuse tapissant la surface de la langue, qui est rouge, douloureuse et dont le volume a augmenté.*

– la glossite losangique médiane, qui se traduit par une plaque rouge de distribution plus ou moins symétrique.

TRAITEMENT

C'est celui de la maladie en cause si elle est connue. Une bonne hygiène dentaire et des bains de bouche sont recommandés. La glossite exfoliatrice marginée n'a pas de traitement spécifique ; la glossite losangique médiane est traitée par bains de bouche antiseptiques et par la vitamine PP.

Glossodynie

Sensation anormale perçue sur les bords ou à la pointe de la langue.

Une glossodynie peut être due à une glossite ou à une irritation de la langue par des dents en mauvais état ; très souvent, elle est liée à un facteur psychologique (anxiété, peur exagérée du cancer). Elle se traduit parfois par une véritable douleur ; dans d'autres cas, par des sensations de piqûre, de brûlure ou de gêne. Le traitement dépend de l'affection en cause.

Glossolalie

Langage désordonné, parsemé de mots et de tournures grammaticales inventés par le malade. SYN. *verbigération.*

La glossolalie s'observe dans les états démentiels et dans certaines aphasies (perte de la parole ou de la compréhension du langage). Elle se rencontre aussi dans les délires chroniques (discours intarissable du paranoïaque mégalomane), la schizophrénie ou la psychose maniaque (où elle se traduit par une fuite des idées).

Glossoplégie

Paralysie de la langue.

Une glossoplégie témoigne d'une atteinte nerveuse du bulbe rachidien ou des faisceaux pyramidaux se terminant dans les noyaux des nerfs grands hypoglosses. Ses causes les plus fréquentes sont la sclérose latérale amyotrophique (maladie dégénérative) et l'état lacunaire (lésions disséminées dues à l'hypertension artérielle). Elle s'associe habituellement à une atteinte du pharynx, avec troubles de la déglutition, et du larynx, avec modification de la voix.

Glossoptôse

Chute de la langue en arrière chez un sujet en position couchée sur le dos.

Une glossoptôse survient le plus souvent chez des malades dans le coma ou sous anesthésie. Exceptionnellement, elle est due à une malformation congénitale de la face. En obstruant la glotte (entrée du larynx), elle entrave la liberté des voies respiratoires du sujet et risque de provoquer son asphyxie.

Prévention et traitement consistent à tirer la mâchoire du sujet vers l'avant, celle-ci entraînant alors la langue avec elle, ou, mieux, à introduire dans la bouche une canule destinée à maintenir la langue en place.

Chez le nouveau-né, la glossoptôse congénitale se traite chirurgicalement.

Glotte

Région du larynx comprise entre les cordes vocales. (P.N.A. *glottis*)

La glotte constitue l'étage moyen du larynx, situé entre le vestibule laryngé (au-dessus) et la région sous-glottique (au-dessous). Elle est bordée de chaque côté par une corde vocale, cordelette blanchâtre horizontale, constituée de muscles et recouverte d'une fine muqueuse. Pendant une respiration normale, l'air expiratoire ne produit aucun son en franchissant la glotte. Au cours de la phonation, l'air expiratoire produit un son grâce à la vibration des cordes vocales (son laryngé) et aux cavités orobuccales situées au-dessus.

PATHOLOGIE

Les maladies de la glotte se traduisent par une modification du timbre de la voix (dysphonie) et sont souvent dues au tabac, qui est un facteur pathogène important. La glotte peut être atteinte par une paralysie laryngée, qui l'immobilise et par des anomalies de la muqueuse : tumeurs bénignes ou malignes et laryngites chroniques.

Glucagon

Hormone sécrétée par le pancréas et qui augmente la concentration sanguine du glucose (glycémie).

Le glucagon est un polypeptide formé d'une chaîne de 29 acides aminés. Il est sécrété par une variété de cellules endocrines du pancréas : les cellules alpha. Lorsque la glycémie (taux sanguin de glucose) diminue, la sécrétion de glucagon est stimulée. Le glucagon sécrété agit sur les cellules hépatiques en stimulant la libération du glucose en réserve dans le foie sous forme de glycogène. C'est cet apport de glucose qui fait remonter la glycémie. Celle-ci est maintenue constante grâce à l'intervention antagoniste de l'insuline, hormone hypoglycémiante également sécrétée par le pancréas.

Le glucagon est indiqué chez le patient diabétique en cas d'hypoglycémie (chute du glucose sanguin) due à un surdosage en insuline ayant entraîné un malaise ou un coma. L'administration se fait par injection sous-cutanée, intramusculaire ou intraveineuse. L'injection provoque le réveil rapide du patient, auquel on peut alors administrer du sucre ou un liquide sucré. Il n'y a pas d'effets indésirables notables.

CONTRE-INDICATIONS

L'administration de glucagon est contre-indiquée en cas d'hypoglycémie due à un insulinome (tumeur des cellules du pancréas sécrétant l'insuline) ou à une prise d'alcool ainsi que chez les personnes ayant un phéochromocytome (tumeur bénigne des cellules sécrétant l'adrénaline et la noradrénaline).

Glucagonome

Tumeur maligne des cellules alpha du pancréas, qui sécrètent une hormone appelée glucagon.

Le glucagonome est une tumeur très rare, d'évolution lente. Il se manifeste par une éruption cutanée de plaques rouges, dont la caractéristique est d'être migratrice, une stomatite (inflammation de la bouche) et une glossite (inflammation de la langue) douloureuse. Une perte de poids ainsi qu'un diabète et une anémie sont fréquents. Le diagnostic repose sur le dosage sanguin du glucagon, qui montre un taux élevé, et sur le scanner ou l'imagerie par résonance magnétique (I.R.M.), qui mettent en évidence la tumeur lorsque celle-ci a atteint un certain volume. Le traitement du glucagonome consiste en son ablation chirurgicale. En cas de récidive ou de métastase hépatique, un traitement par les dérivés de la somatostatine (hormone hypothalamique qui inhibe la sécrétion pancréatique) est mis en œuvre.

Glucide

Substance composée de carbone, d'hydrogène et d'oxygène, d'origine essentiellement végétale. SYN. *hydrate de carbone, sucre.*

Avec les protéines et les lipides, les glucides, autrefois appelés hydrates de carbone, constituent les trois principaux macronutriments de l'alimentation. Les besoins sont d'environ 5 grammes par kilogramme de poids et par jour et doivent représenter de 50 à 55 % de la ration calorique quotidienne. Les glucides représentent une source énergétique rapidement mobilisable et apportent 4 kilocalories par gramme. Selon la longueur et la complexité de leur molécule, on les range en deux catégories.
■ **Les glucides simples** comprennent les monosaccharides (glucose, mannose, galactose, fructose, sorbitol), constitués d'une seule molécule de glucide, et les disaccharides (saccharose, lactose), formés de deux molécules de glucide. Appelés aussi sucres rapides parce qu'ils sont rapidement absorbés par la muqueuse digestive, ils ont un goût sucré. On les trouve dans de nombreux aliments en quantité plus ou moins importante, mais ils sont surtout abondants dans les fruits, les confitures, les bonbons, les pâtisseries, etc. Les laitages apportent des glucides sous forme de lactose (10 grammes pour 200 ml de lait) contenu dans le lactosérum ; les fromages affinés en sont dépourvus.
■ **Les glucides complexes** sont des polysaccharides, constitués par l'assemblage de très nombreuses molécules de glucide en chaînes plus ou moins ramifiées. Ils n'ont en général pas de saveur sucrée. Les polysaccharides hydrolysables sont susceptibles d'être réduits en monosaccharides par une enzyme qui permet ainsi leur absorption par la muqueuse digestive. Ils sont essentiellement représentés par l'amidon, constituant principal des féculents, des racines et des tubercules, et par le glycogène, présent surtout dans le foie des animaux. Les polysaccharides non hydrolysables constituent la majeure partie des fibres végétales alimentaires (cellulose).

Il est conseillé, pour avoir une alimentation équilibrée, d'apporter à l'organisme une ration de 50 à 60 % de glucides composée d'un tiers de glucides simples et de deux tiers de glucides complexes.

Le principal trouble du métabolisme des glucides est le diabète.

Glucocorticostéroïde

Hormone stéroïde sécrétée par la zone fasciculée des glandes surrénales et dont la synthèse a pour origine le cortisol. SYN. *glucocorticoïde.*

Les glucocorticostéroïdes sont très utilisés pour leur action anti-inflammatoire et antiallergique. Ils ont un rôle physiologique dans tous les métabolismes (modifications chimiques de l'organisme). L'augmentation ou la diminution de leur taux (respectivement hypercorticisme et maladie d'Addison) entraînent la perturbation de l'ensemble de ces métabolismes et un cortège de symptômes cliniques et de modifications biologiques comme une bouffissure du visage, une hypertension artérielle, la fragilisation de la peau et l'apparition de vergetures en cas de sécrétion excessive ; une fatigue, une hypotension artérielle et une anorexie en cas de déficit. Lorsque la sécrétion glucocorticostéroïde est déficiente (insuffisance corticosurrénalienne), l'équilibre hormonal est rétabli par la prise orale d'hydrocortisone.
→ VOIR **Corticostéroïdes.**

Glucose

Glucide présent aussi bien dans le règne animal que végétal et qui est la principale source d'énergie de l'organisme. SYN. *dextrose.*

Le glucose est un glucide simple (on ne peut pas le décomposer en plusieurs autres glucides) dont la molécule comprend 6 atomes de carbone (hexose). Ses sources sont alimentaires. Les aliments contiennent rarement du glucose libre (sauf le raisin), beaucoup plus souvent du glucose inclus dans des glucides plus complexes (maltose ou amidon, par exemple) subissant l'action d'enzymes du tube digestif, qui les transforment en glucose. Mais le glucose peut aussi être synthétisé au cours de la néoglucogenèse hépatique, suite de réactions chimiques transformant en glucose des lipides et des acides aminés provenant des protéines et de l'acide lactique. Le glucose devient à son tour du glycogène, polymère du glucose (chaîne ramifiée de molécules de glucose) servant de réserve. Celui-ci est formé dans le muscle pour ses propres besoins et dans le foie pour les besoins de tout l'organisme. S'il y a nécessité (entre les repas, en cas de stress, de froid), le foie libère le glucose du glycogène et le fait passer dans le sang, où il devient disponible pour tous les organes. Le taux de glucose dans le sang (glycémie) est maintenu sensiblement constant dans l'organisme par la mise en jeu de systèmes régulateurs.

La dégradation du glucose, due à des enzymes, aboutit à la synthèse d'adénosine triphosphate (A.T.P.), que les cellules de l'organisme sont capables d'utiliser directement pour tous leurs besoins énergétiques.

Glucose-6-phosphate déshydrogénase

Enzyme participant à la dégradation du glucose.

PHYSIOLOGIE

L'enzyme appelée glucose-6-phosphate déshydrogénase (G-6-PD) catalyse une réaction de déshydrogénation du glucose (élimination d'atomes d'hydrogène dans la molécule de glucose). Cette enzyme assure la protection des globules rouges : en effet, elle fournit des atomes d'hydrogène (H) au glutathion (molécule participant au transport de l'hydrogène) afin que celui-ci transforme l'oxygène excédentaire (O) en eau (H_2O) ; en l'absence de glucose-6-phosphate déshydrogénase, le glutathion n'assume plus son rôle, et l'oxygène présent agresse le globule rouge.

PATHOLOGIE

Le déficit génétique en glucose-6-phosphate déshydrogénase est le plus fréquent des déficits enzymatiques du globule rouge. Le gène responsable de la production de cette enzyme est situé sur le chromosome X (comme le gène responsable de l'hémophilie). Le déficit touche davantage les garçons puisqu'il suffit d'un seul gène atteint pour que la maladie se manifeste, alors que les deux gènes doivent être mutés pour qu'elle apparaisse chez les filles. Une autre particularité de cette mutation est qu'elle protège du paludisme les sujets qui possèdent le gène muté. On connaît de très nombreuses variantes de l'enzyme glucose-6-phosphate déshydrogénase, certaines d'entre elles ne produisant aucun symptôme, d'autres entraînant une fragilisation des globules rouges, qui peut aller, dans les formes les plus graves, jusqu'à leur destruction chronique. Les deux types les plus fréquents sont le type A (Afrique) et le type B (Europe), dit aussi déficit méditerranéen. Celui-ci donne des poussées d'hémolyse sévères lors de l'absorption de médicaments oxydants (antipaludéens, sulfamides, par exemple) ou, parfois, seulement à la suite d'ingestion de fèves (favisme). Cette destruction intravasculaire entraîne une émission d'urines rouges et éventuellement une insuffisance rénale aiguë. Le déficit africain est moins sévère. Le traitement est essentiellement préventif : il consiste à proscrire tous les médicaments connus pour être mal tolérés chez ces malades. Les symptômes régressent dès l'arrêt du traitement incriminé.

Glutamine

Acide aminé permettant à l'organisme de neutraliser l'action toxique de l'ammoniaque en s'y combinant.

La glutamine est formée dans les tissus par fixation d'une molécule d'ammoniaque sur une molécule d'acide glutamique ; c'est lors de cette réaction chimique que l'ammoniaque perd sa toxicité.

Selon les besoins de l'organisme, la glutamine peut être utilisée de deux façons. Dans un premier cas, elle amène l'ammoniaque au rein, qui l'élimine, ou au foie, qui s'en sert pour synthétiser l'urée, laquelle est éliminée ensuite par le rein. Dans un second cas, l'azote contenu dans l'ammoniaque de la glutamine est réutilisé pour synthétiser des substances azotées dont l'organisme a besoin, telles les protéines (en particulier dans les muscles) ou les bases puriques et pyrimidiques (constituants de l'A.D.N. et de l'A.R.N.).

Glutathion

Substance de l'organisme de nature peptidique (constituée d'acides aminés) et servant au transport de l'hydrogène.

Le glutathion, présent dans tous les tissus de l'organisme, est synthétisé par une enzyme, la glutathion synthétase, à partir de trois acides aminés, l'acide glutamique, la cystéine et la glycine. Il existe alors sous une forme oxydée (contenant de l'oxygène), sur laquelle une autre enzyme, la glutathion réductase, peut fixer de l'hydrogène, ce qui commue le glutathion en forme réduite (sans oxygène). Le glutathion réduit protège les cellules contre l'oxydation, par exemple contre l'action toxique des radicaux libres tels que le peroxyde d'hydrogène (eau oxygénée). Dans le cas précis des globules rouges, il empêche l'hémoglobine d'être oxydée en méthémoglobine, laquelle est incapable de transporter l'oxygène.

Un déficit héréditaire en glutathion synthétase provoque une acidose chronique (excès d'acides, c'est-à-dire d'hydrogène, dans l'organisme). Un déficit héréditaire en glutathion réductase provoque une anémie hémolytique (tendance à la destruction des globules rouges du fait d'une anomalie de ces derniers).

Gluten

Protéine présente dans certaines céréales (avoine, blé, orge, seigle) et contenant un acide aminé, la glutamine, dans la proportion de 40 %.

TROUBLES DU MÉTABOLISME DU GLUTEN

Chez certains sujets, l'ingestion de gluten provoque des troubles, essentiellement représentés par la maladie cœliaque. Celle-ci, appelée également intolérance au gluten, apparaît surtout dans l'enfance et survient quelques mois après l'introduction du gluten dans l'alimentation. Chez ces sujets, l'organisme sécrète des anticorps contre la molécule de gliadine, un des composants du gluten. Ce sont ces anticorps qui induisent l'intolérance au gluten, en général par une atteinte des villosités de l'intestin grêle ; celle-ci peut provoquer des diarrhées chroniques et une malabsorption des nutriments entraînant anémie, retard de croissance, déficit en vitamines, troubles du métabolisme phosphocalcique, etc. Le traitement repose sur la suppression définitive des aliments contenant du gluten.

Glycémie

Taux de glucose dans le sang.

Grâce à plusieurs mécanismes de régulation, la glycémie est maintenue sensiblement constante (autour de 1 gramme par litre) afin d'apporter aux organes et aux tissus des quantités constantes de glucose sanguin. Celui-ci couvre toujours les besoins de l'organisme, malgré les variations de son apport extérieur (alimentation) et de sa consommation par les cellules, cette dernière étant augmentée par l'effort physique, par exemple. La régulation du taux sanguin de glucose est assurée grâce à un équilibre permanent entre les substances, de nature surtout hormonale, qui diminuent la glycémie (insuline) et celles qui l'augmentent (glucagon, adrénaline, hormone de croissance). Le mécanisme de base de cette régulation hormonale est directement fonction des variations de la glycémie, auxquelles les cellules sécrétrices d'une de ces hormones sont immédiatement sensibles.

MESURE DE LA GLYCÉMIE

La glycémie se mesure soit dans le sang veineux au cours de la classique « prise de sang » (glycémie veineuse), soit dans le sang capillaire après une petite piqûre au bout du doigt (glycémie capillaire), une goutte de sang étant posée sur une bandelette réactive ; la mesure est alors déterminée soit par comparaison de la couleur obtenue avec une échelle, soit par lecture directe, la bandelette étant introduite dans un petit appareil appelé auto-analyseur. La valeur normale de la glycémie est de 4,4 à 6,7 millimoles par litre (soit de 0,8 à 1,2 gramme par litre) à jeun et de moins de 6,7 millimoles par litre (1,2 gramme par litre) deux heures après un repas. L'autocontrôle glycémique est indispensable dans la surveillance du diabète.

PATHOLOGIE

■ L'hypoglycémie (diminution de la glycémie) risque d'aboutir à une perte de connaissance si elle est importante. Elle est traitée par administration orale de sucre si le malade est conscient, par injection de glucagon dans le cas contraire.
■ L'hyperglycémie (augmentation de la glycémie) est l'un des signes caractéristiques du diabète. Elle est traitée par un régime alimentaire approprié, éventuellement par l'administration de médicaments hypoglycémiants et, dans certains cas (diabète insulino-dépendant), par l'injection d'insuline.

Glycéride

Lipide simple résultant de l'association entre un alcool, le glycérol, et un ou plusieurs acides gras.

Les glycérides comprennent trois types de substance selon qu'ils contiennent un (monoglycérides), deux (diglycérides) ou trois (triglycérides) acides gras.

Les triglycérides sont les principaux constituants des corps gras alimentaires. Dans le sang, ils circulent, associés à d'autres lipides (cholestérol) et à des protéines, pour former des lipoprotéines appelées VLDL (very low density lipoproteins, ou lipoprotéines de très basse densité) et les chylomicrons. Dans l'intestin, une enzyme, la lipoprotéine lipase, agit sur les triglycérides pour libérer successivement un puis deux acides gras, les transformant ainsi en diglycérides puis en monoglycérides ; ceux-ci gagnent le foie, la circulation sanguine puis pénètrent dans les cellules des tissus, où ils subissent deux types de réaction : dans le tissu adipeux, ils sont retransformés en triglycérides, moyen de stockage de l'énergie ; dans les autres tissus, ils sont dégradés pour fournir de l'énergie.

TROUBLES DU MÉTABOLISME DES GLYCÉRIDES

Les hypertriglycéridémies (augmentation de la concentration sanguine en triglycérides) font partie des hyperlipidémies (augmentation des lipides). Favorisant l'athérosclérose (rétrécissement du diamètre des artères par dépôt de lipides), elles nécessitent un régime alimentaire (perte de l'excès de poids, suppression de l'alcool et du sucre) et parfois la prise de médicaments hypolipémiants.
→ VOIR Triglycéride.

Glycérol

Alcool de l'organisme, constituant des lipides et source d'énergie.

Le glycérol se rencontre sous forme libre et sous forme d'ester (combiné à un ou plusieurs acides) : acide glycérophosphorique (associé à l'acide phosphorique) ou glycéride (associé à des acides gras). Il provient, dans l'organisme, soit de l'alimentation, soit, de façon interne, de la dégradation du glucose et de celle des glycérides.

Le glycérol a pour rôle, selon les besoins de l'organisme, de se retransformer en glycérides et de constituer ainsi une réserve d'énergie ou, au contraire, de se transformer en acide glycérophosphorique et de subir une dégradation produisant de l'énergie.

Glycine

Acide aminé participant à la synthèse du glucose. SYN. glycocolle.

La glycine est présente dans l'alimentation mais elle n'est pas indispensable, l'organisme étant capable de la synthétiser. Outre son rôle dans la formation du glucose, elle sert à la conjugaison hépatique des substances toxiques : les cellules du foie la fixent sur ces substances, qui deviennent ainsi très solubles et facilement éliminables dans les urines.

Les troubles du métabolisme de la glycine sont héréditaires mais très rares. L'un d'eux, l'hyperglycinémie, est caractérisé par l'association d'une augmentation du taux de la glycine dans le sang, de troubles neurologiques (paralysies) et d'un retard du développement chez l'enfant ; le seul traitement est celui des symptômes.

Glycocolle
→ VOIR Glycine.

Glycogène
Glucide constitué de très longues chaînes ramifiées de molécules de glucose, formant la principale réserve de glucose de l'organisme.

La synthèse du glycogène, ou glycogénogenèse, a lieu dans le foie et dans les muscles, à partir surtout du glucose mais aussi d'autres glucides.

La dégradation du glycogène, ou glycogénolyse, est l'opération inverse, aboutissant à la libération de glucose, dont le muscle se sert pour produire l'énergie nécessaire à sa contraction. Le foie, quant à lui, relâche le glucose dans le sang, le mettant ainsi à la disposition de tous les organes, qui le captent et le consomment en fonction de leurs besoins énergétiques. Cette fonction glycogénique du foie a été mise en évidence par les travaux du physiologiste français Claude Bernard.

Glycogénogenèse
Synthèse du glycogène.
→ VOIR Glycogène.

Glycogénolyse
Dégradation du glycogène.
→ VOIR Glycogène.

Glycogénose
Toute maladie héréditaire caractérisée par une surcharge des organes en glycogène.

Les glycogénoses, affections rares, se transmettent sur le mode autosomique (par les chromosomes non sexuels) récessif (le gène en cause doit être reçu du père et de la mère pour que la maladie se développe). Elles sont dues à un déficit d'une des enzymes responsables du métabolisme du glycogène, qui s'accumule dans le foie, le cœur, les reins, les muscles et ne fournit plus le glucose dont les cellules ont besoin.

Selon l'enzyme atteinte, on distingue plusieurs types de glycogénose.

■ La glycogénose de type I, ou maladie de von Gierke, due à un déficit en glucose-6-phosphatase, est la moins rare. Elle se traduit par une surcharge progressive du foie en glycogène, une hypoglycémie, un retard de la croissance et de la puberté.

■ La glycogénose de type II, ou maladie de Pompe, commence quelques mois après la naissance et associe une hypotonie (faiblesse musculaire), un gros cœur, une surcharge du foie, une macroglossie (grosse langue) ; son diagnostic anténatal est possible. D'autres formes de l'affection se localisent plutôt aux muscles.

■ Les glycogénoses de type III et de type IV sont rares et atteignent surtout le foie.

Le traitement, peu satisfaisant dans l'ensemble, est celui des symptômes (crises d'hypoglycémie) ; certaines formes de glycogénose sont, en outre, sensibles à un contrôle des apports alimentaires en glucides.

Glycolipide
Lipide dont la molécule contient des glucides.

Les glycolipides sont un groupe de substances caractéristiques des membranes cellulaires. Chez l'homme, ils se rencontrent dans les membranes des cellules nerveuses et dans celles des globules rouges.

Glycolyse
Dégradation du glucose par les cellules de l'organisme.

La glycolyse est une suite complexe de réactions chimiques, chacune étant commandée par une enzyme particulière. Le glucose est ainsi transformé en acide pyruvique, l'énergie produite au cours de la transformation pouvant être utilisée par la cellule. Si celle-ci est en aérobiose (quantité d'oxygène disponible normale), l'acide pyruvique est transformé en acétylcoenzyme A, lequel subit une suite de réactions, le cycle de Krebs, produisant une énergie importante sous forme de molécules d'adénosine-triphosphate (ATP). Si la cellule est en anaérobiose (quantité d'oxygène disponible insuffisante), comme au cours d'un effort trop intense ou trop prolongé, l'acide pyruvique est transformé en acide lactique, inutilisable pour la production d'énergie.

Glycoprotéine
Substance formée d'une protéine liée à un glucide.

Les glycoprotéines sont très répandues dans les tissus animaux et végétaux. Chez l'homme, elles comprennent toutes les protéines du plasma sanguin (à l'exception de l'albumine), celles des sécrétions muqueuses, certaines hormones, des enzymes, des constituants des membranes cellulaires (notamment ceux qui, dans les globules rouges, définissent les groupes sanguins), etc. Les glucides, en particulier l'acide sialique, rendent les glycoprotéines plus solubles dans l'eau et les protègent contre les agents chimiques et les infections.

Glycorégulation
Ensemble des mécanismes physiologiques permettant la régulation de la glycémie (concentration du sang en glucose).

La glycorégulation repose essentiellement sur l'action antagoniste d'hormones : l'insuline (sécrétée par les cellules bêta du pancréas), qui abaisse la glycémie en faisant pénétrer le glucose dans les cellules, et des hormones antagonistes : le glucagon (sécrété aussi par le pancréas), qui stimule la dégradation du glycogène contenu dans le foie et les muscles en glucose, ainsi que l'hormone de croissance, les catécholamines et les glucocorticostéroïdes.
→ VOIR Glycémie.

Glycosaminoglycane
→ VOIR Mucopolysaccharide.

Glycosurie
Présence de glucose dans les urines.

À l'état normal, les urines ne contiennent que d'infimes quantités de glucose. La glycosurie est très caractéristique, bien que non spécifique, du diabète sucré. Elle révèle une hyperglycémie (augmentation du taux de glucose dans le sang) non traitée ou dont le traitement n'a qu'une efficacité partielle ; en effet, lorsque l'hyperglycémie atteint un certain niveau, appelé seuil rénal du glucose, le rein n'arrive plus à empêcher le glucose de fuir dans les urines.

Chez le diabétique, la mesure de la glycosurie des 24 heures (quantité de glucose contenu dans les urines recueillies pendant 24 heures) permet une surveillance de l'équilibre du diabète ; cet équilibre est effectif lorsque la glycosurie est nulle. Cependant, si le diabète s'est compliqué d'insuffisance rénale, le seuil rénal du glucose s'élève et une glycosurie n'apparaît que pour des taux nettement plus élevés de glycémie : le contrôle de la glycosurie n'est donc plus dans ce cas un moyen fiable de surveillance.

Gnathostomose
Maladie parasitaire provoquée par l'infestation par un ver nématode, le gnathostome.
SYN. gnathostomiase.

Le gnathostome, ou Gnathostoma spinigerum, est un petit ver de 2 à 3 centimètres de long, parasite de l'estomac des carnassiers piscivores (qui mangent du poisson), en particulier du chien, du chat ou de l'homme. Il se rencontre surtout en Extrême-Orient et, plus rarement, au Proche-Orient, au Mexique et en Australie.

CONTAMINATION ET SYMPTÔMES
Les larves se développent dans les poissons d'eau douce ou les crustacés. L'infestation est provoquée par l'ingestion de ces animaux crus, mais le parasite reste à l'état de larve dans l'organisme humain.

La larve du gnathostome se déplace sous la peau et provoque des manifestations pathologiques : œdème ou pseudotumeur cutanée, abcès ou dermatite furonculoïde, etc. Les cellules éosinophiles (leucocytes fixant à un colorant acide, l'éosine) se multiplient dans le sang.

La larve peut aussi migrer de l'estomac vers le foie, l'abdomen, l'œil et le cerveau, entraînant parfois dans ce dernier cas une méningoencéphalite (inflammation des méninges et de l'encéphale) à éosinophiles. Cette migration peut durer plusieurs années.
TRAITEMENT ET PRÉVENTION
Seule l'extraction chirurgicale de la larve permet de soigner le patient.

On prévient l'infestation en évitant de consommer poissons et crustacés crus dans toutes les régions d'endémie et, en particulier, dans les pays du Sud-Est asiatique.

Goitre
Augmentation de volume, souvent visible, de la glande thyroïde.

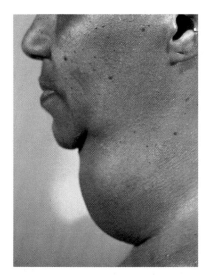

Goitre. *Un goitre est le plus souvent de petite taille, la thyroïde n'atteignant un tel volume qu'en l'absence de traitement.*

Le goitre est une affection extrêmement fréquente : 800 millions de personnes en sont atteintes dans le monde. Cette maladie est souvent familiale et sa fréquence augmente avec l'âge. Elle atteint plus souvent les femmes que les hommes. Certaines régions sont connues comme étant particulièrement touchées par la fréquence du goitre : la Kabylie, par exemple, ou, en France, le Massif central et le centre de la Bretagne, en raison d'un déficit en iode.

CAUSES

Plusieurs types d'anomalie peuvent favoriser l'apparition d'un goitre. Un déficit en iode, constituant obligatoire des hormones thyroïdiennes, entraîne un goitre par carence iodée. La synthèse des hormones thyroïdiennes peut aussi se faire de façon imparfaite par suite d'un déficit enzymatique congénital. Certaines maladies thyroïdiennes plus rares provoquent également des goitres : la maladie de Basedow, la thyroïdite de Hashimoto ainsi que d'autres thyroïdites.

SYMPTÔMES ET DIAGNOSTIC

Un goitre se manifeste par un gonflement de la région antérieure du cou. Dans la plupart des cas, il est isolé. Néanmoins, il est accompagné de troubles consécutifs à un excès d'hormones thyroïdiennes dans la maladie de Basedow (amaigrissement, tachycardie, tremblements) ou de troubles dus à une insuffisance de ces hormones dans certaines thyroïdites (peau épaissie, constipation, frilosité).

Le diagnostic repose sur la palpation du cou. Lors de l'examen, on évalue la taille du goitre ainsi que son caractère vasculaire nodulaire, plus ou moins sensible. Surtout, on recherche des signes de compression des organes de voisinage, c'est-à-dire une dysphagie (gêne à la déglutition), une dysphonie (modification de la voix) ou une dyspnée (gêne respiratoire). On étudie parfois le goitre par une échographie cervicale qui visualise les lobes thyroïdiens et les nodules, précisant leur taille et leur aspect liquidien (kyste) ou solide. Une scintigraphie thyroïdienne peut se révéler nécessaire pour étudier le fonctionnement de la glande. Une étude cytologique des nodules par cytoponction (aspiration à l'aide d'une aiguille fine) est parfois aussi réalisée. Enfin, le dosage des hormones thyroïdiennes révèle une éventuelle augmentation ou une diminution de celles-ci.

ÉVOLUTION ET TRAITEMENT

Spontanément, le goitre peut rester de petite taille ou augmenter de façon régulière et entraîner à terme des signes compressifs. Un goitre peut en outre devenir toxique (en sécrétant des hormones thyroïdiennes de façon excessive) et entraîner une hyperthyroïdie. Le traitement est proposé en fonction de cette évolution et de la cause du goitre : apport d'iode exogène en cas de carence, administration d'hormones thyroïdiennes en cas de synthèse déficiente de celles-ci ou thyroïdectomie (ablation de la thyroïde) partielle en cas de maladie thyroïdienne.

Goldmann (périmètre de)

Appareil permettant l'exploration du champ visuel, surtout périphérique.

Le périmètre de Goldmann est utilisé pour le diagnostic des déficits oculaires de type neurologique, qui concernent surtout le champ visuel périphérique, comme les hémianopsies (perte de la vue atteignant une moitié du champ visuel). La forme hémisphérique du périmètre de Goldmann permet en effet d'étudier un champ beaucoup plus étendu en périphérie que les méthodes utilisant un écran plan, comme l'analyseur de Friedman. En revanche, le champ visuel central est analysé de façon moins précise par cette méthode.

L'appareil se présente comme une coupole hémisphérique au centre de laquelle le sujet place la tête. L'œil examiné fixe un point central. Des points lumineux sont déplacés par l'examinateur sur la surface de la coupole : dès que le sujet perçoit l'apparition d'un point lumineux, il le signale. L'examinateur trace en conséquence sur une feuille de relevé un petit repère correspondant à chaque point perçu. Il peut ensuite relier ces différents repères et tracer une courbe, appelée isoptère, qui donne la mesure de la perte visuelle du patient.

Gomme

Production pathologique de nature infectieuse, bien délimitée, ressemblant à une tuméfaction.

Les gommes, extrêmement rares, ont trois types de cause selon la nature de l'agent infectieux. Les gommes syphilitiques sont une manifestation de la syphilis tertiaire (après plusieurs années sans traitement) ; les nodules siègent sous la peau ou sous les muqueuses, dans les viscères ou dans les os. Les gommes tuberculeuses siègent aux mains, aux pieds et sur le tronc. Les autres gommes, beaucoup moins caractéristiques, sont dues au staphylocoque ou à un champignon microscopique.

Une gomme évolue d'abord vers le ramollissement puis vers l'ulcération (creusement). Son traitement est celui de l'infection responsable (antibiotiques, antifongiques, etc.).

Gonade

Glande sexuelle, mâle ou femelle (testicule ou ovaire), qui produit les cellules germinales (cellules dont la division et la maturation conduisent à la formation des cellules sexuelles, ou gamètes).

Les testicules sécrètent les spermatozoïdes et les hormones mâles (principalement la testostérone) tandis que les ovaires produisent les ovocytes (dont dérivent les ovules) et les hormones femelles (œstrogènes et progestérone). Le fonctionnement des gonades obéit à l'hypophyse.

Bien que le sexe d'un embryon soit déterminé dès la fécondation, celui-ci est au début en partie bisexué et ses gonades sont indifférenciées : c'est le stade indifférencié, ou primitif, des organes reproducteurs. Les gonades n'acquièrent leurs caractéristiques mâles ou femelles qu'à la 7e semaine du développement.

Gonadolibérine (analogue de la)

Substance médicamenteuse de synthèse dont la structure est proche de celle de la gonadolibérine (hormone hypothalamique agissant sur l'hypophyse pour stimuler la synthèse des gonadotrophines, qui stimulent elles-mêmes les glandes génitales).

Les analogues de la gonadolibérine, également connus sous le nom d'analogues de la GnRH ou de la LH - RH, sont utilisés pour supprimer la formation des gonadotrophines, notamment dans les cas de puberté précoce, de cancer de la prostate et d'endométriose, ainsi que dans le traitement de certaines stérilités (fécondation in vitro).

Les analogues de la gonadolibérine sont de deux types : les antagonistes s'opposent totalement à elle en occupant sa place sur les récepteurs hypophysaires ; les agonistes stimulent transitoirement puis annulent la sécrétion des gonadotrophines. Le traitement est administré par voie injectable.

→ VOIR Hypothalamique (hormone).

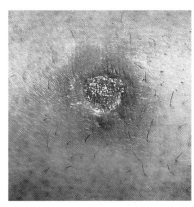

Gomme. *Cette lésion cutanée a évolué vers une ulcération superficielle.*

Gonadostimuline

→ VOIR Gonadotrophine.

Gonadotrophine

Hormone sécrétée par l'hypophyse (glande endocrine située à la base du cerveau), qui stimule l'activité et la sécrétion hormonale des gonades (ovaires et testicules). SYN. *gonadostimuline, hormone gonadotrope*.

Il existe deux gonadotrophines : l'hormone lutéinisante, appelée également lutéotropine ou LH, et l'hormone folliculostimulante, connue aussi sous le nom de folliculotropine, ou FSH. Elles sont identiques chez l'homme et chez la femme. Elles possèdent une partie commune (sous-unité alpha) et une partie spécifique (sous-unité bêta).

Le déclenchement de la sécrétion des gonadotrophines se fait à la puberté. Leur production par l'hypophyse dépend de la libération par une région cérébrale voisine, l'hypothalamus, d'une hormone, la gonadolibérine. Les gonadotrophines agissent en stimulant les gonades, qui produisent alors des hormones sexuelles - testostérone chez le garçon, œstradiol chez la fille -, lesquelles agissent à leur tour sur l'hypophyse et l'hypothalamus, freinant la sécrétion des gonadotrophines et de la gonadolibérine et assurant ainsi par rétrocontrôle la régulation de leur production.

Chez la femme, les gonadotrophines sont indispensables au déroulement normal de l'ovulation pendant le cycle menstruel, à la maturation des follicules ovariens et à la production d'une quantité adéquate d'œstradiol et de progestérone, hormones qui préparent la muqueuse utérine à l'éventuelle implantation d'un œuf fécondé. À la ménopause, les taux des hormones folliculostimulante et lutéinisante s'élèvent considérablement (20 fois pour la première, de 3 à 5 fois pour la seconde), la production d'œstradiol par les ovaires, dont la réserve folliculaire est épuisée, ayant cessé.

Chez l'homme, les gonadotrophines stimulent la production des androgènes et des spermatozoïdes à partir de la puberté et pendant toute la vie.

UTILISATION THÉRAPEUTIQUE

L'hormone folliculostimulante et l'hormone lutéinisante sont utilisées pour stimuler l'ovulation chez la femme dont les cycles menstruels sont absents et pour stimuler la production de spermatozoïdes chez l'homme atteint de déficit en gonadotrophines. Ces hormones sont purifiées à partir des urines de femmes ménopausées ; l'hormone folliculostimulante est aussi produite par synthèse. L'hormone lutéinisante peut être remplacée par l'hormone chorionique gonadotrophique, produite en grande quantité par le placenta durant le premier trimestre de la grossesse et purifiée à partir des urines de femmes enceintes.

Gonalgie

Toute douleur du genou, quelle que soit sa cause.

Une gonalgie peut témoigner de multiples affections ou traumatismes touchant le genou : arthrose, arthrite, lésions méniscales ou cartilagineuses, syndrome rotulien (ensemble des symptômes liés à une atteinte des cartilages de la rotule et du fémur, parfois associée à une désaxation de la rotule), chondrocalcinose (maladie rhumatismale caractérisée par un dépôt de cristaux de pyrophosphate de calcium dans le cartilage articulaire), entorse, fracture de la rotule ou des plateaux tibiaux (extrémité supérieure du tibia), etc. En outre, certaines affections de la hanche, telles que la coxalgie (tuberculose de l'articulation coxofémorale), peuvent provoquer des douleurs du genou alors que celui-ci est intact. À l'inverse, certaines arthrites, dites arthropathies nerveuses, provoquant des déformations importantes mais indolores des genoux.

Gonarthrose

Arthrose du genou.

La gonarthrose est la cause la plus fréquente de douleur du genou chez les sujets de 45 ans et plus.

CAUSES

La gonarthrose est souvent favorisée par une mauvaise conformation de l'articulation - comme dans le genu varum, où l'axe de la jambe est dévié en dedans par rapport à l'axe de la cuisse -, provoquant une surcharge sur l'une des parties du genou.

SIGNES ET SYMPTÔMES

La douleur siège dans l'articulation mais n'irradie pas au-delà. Selon la zone du cartilage atteint, elle prédomine en avant, en dedans ou en arrière du genou. Augmentée par la station debout prolongée, la marche, la montée et la descente des escaliers, elle se calme au repos. Comme les autres formes d'arthrose, la gonarthrose se caractérise par des poussées évolutives congestives ; pendant ces périodes, le genou est gonflé et la douleur est permanente.

TRAITEMENT

Lorsque l'arthrose, due à un genu varum, concerne la partie interne du genou, une intervention chirurgicale destinée à rendre un axe convenable à la jambe est pratiquée sous anesthésie générale. En ce qui concerne l'arthrose de la partie externe du genou et de la rotule, un traitement médicamenteux, associé à une rééducation, suffit ; la chirurgie correctrice, délicate, est rarement nécessaire. Les arthroses consécutives à une lésion du genou requièrent la prise d'analgésiques et d'antiarthrosiques. Des infiltrations et des lavages articulaires peuvent aider. Si le genou est très atteint, en particulier si la marche est impossible sur une distance inférieure à 100 mètres sans douleur, la mise en place d'une prothèse du genou peut rendre au sujet une bonne capacité de déplacement.

Gonioscopie

Examen direct de l'angle iridocornéen, formé par la face antérieure, plane, de la base de l'iris et la face postérieure, convexe, de la périphérie de la cornée.

La gonioscopie est capitale dans l'étude du glaucome (augmentation excessive de la pression intraoculaire), dont elle permet de distinguer les différentes formes, notamment celles à angle large et celles à angle étroit.

L'examen consiste à placer sur l'œil du patient un verre de contact conique, à l'intérieur duquel se trouve un miroir incliné permettant de voir l'intérieur de l'angle iridocornéen, inaccessible de l'extérieur du fait de l'opacification progressive de la cornée à sa jonction avec la sclérotique.

Goniosynéchie

Accolement pathologique du pourtour de l'iris à la face interne de la cornée.

SYMPTÔMES ET SIGNES

Une goniosynéchie est souvent découverte inopinément lors d'une gonioscopie (examen direct de l'angle iridocornéen). Elle se présente sous l'aspect de spicules (pointes) de l'iris plus ou moins étendues et plus ou moins nombreuses. Lorsqu'elle est limitée, la goniosynéchie constitue une anomalie bénigne ne nécessitant pas de traitement. En revanche, dans les cas les plus graves, les spicules couvrent tout le pourtour de l'angle iridocornéen (goniosynéchie annulaire) et peuvent entraîner une hypertonie oculaire (glaucome) par interruption de l'évacuation de l'humeur aqueuse.

TRAITEMENT

Le traitement, essentiellement préventif, est celui de toute inflammation intraoculaire et de toute poussée de glaucome aiguë (instillation de collyre anti-inflammatoire, intervention chirurgicale [iridectomie périphérique]).

Goniotomie

Intervention chirurgicale parfois pratiquée dans le traitement du glaucome congénital.

La goniotomie consiste à sectionner, à l'aide d'une lame spéciale, la membrane embryonnaire anormalement persistante qui, au cours du glaucome congénital, obstrue l'angle iridocornéen et entraîne une élévation de la pression intra-oculaire.

DÉROULEMENT

Cette intervention se pratiquant chez le jeune enfant, elle est toujours effectuée sous anesthésie générale ; elle se déroule sous contrôle d'une lentille spéciale posée sur la cornée, ce qui permet une bonne visualisation de l'angle iridocornéen pendant l'intervention. Une goniotomie nécessite que la cornée soit bien transparente ; dans le cas contraire, la cornée peut être éclaircie par l'instillation d'une goutte de glycérine.

ÉVOLUTION

Il peut arriver que se produise un petit saignement dans la chambre antérieure de l'œil ; il se résorbe habituellement en 24 ou 48 heures. Après l'opération, des collyres antibiotiques et anti-inflammatoires stéroïdiens sont instillés plusieurs fois par jour ; un contrôle de la pression intraoculaire est effectué 4 semaines plus tard, puis à intervalles plus ou moins rapprochés, selon l'efficacité de l'intervention sur le rétablissement d'une pression intraoculaire normale. En cas de résultat insuffisant, une nouvelle intervention est possible.

Les bourgeons du goût, corpuscules ovalaires contenant des cellules sensorielles, ne sont visibles qu'au microscope. Ils sont spécialisés dans la perception des quatre saveurs fondamentales, dont la combinaison est à l'origine de toutes les saveurs. Cette spécialisation commande leur répartition sur la langue, où ils se trouvent dans l'épaisseur des papilles. Parmi elles, les papilles caliciformes sont les plus grandes et les plus riches en bourgeons.

Les aires du goût

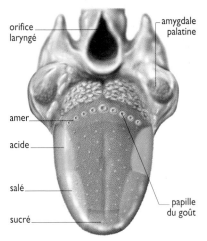

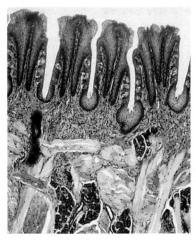

La langue est couverte de papilles qui permettent d'identifier les quatre goûts fondamentaux : salé, sucré, amer et acide.

Chaque papille est entourée d'un profond sillon (en jaune clair) dont les parois renferment, superposés, les minuscules bourgeons du goût.

Gonococcémie

Septicémie (état infectieux généralisé) à gonocoque.

Forme grave de l'infection à gonocoque se développant à partir d'un foyer infectieux originel, la gonococcémie est aujourd'hui exceptionnelle et peut s'accompagner d'endocardite ou de méningite. Elle est diagnostiquée par la mise en évidence de gonocoques dans le sang (par hémoculture), et traitée par administration d'antibiotiques, très efficaces.

Gonococcie

→ VOIR Blennorragie.

Gonocoque

→ VOIR Neisseria gonorrhœæ.

Gonométrie

Radiographie osseuse des genoux destinée à contrôler l'alignement du fémur et du tibia.

La gonométrie permet de mesurer l'angle des deux os, normalement minime, et de rechercher les déviations des genoux « en dedans » (genu valgum) ou « en dehors » (genu varum).

Une gonométrie permet également de vérifier l'efficacité d'une rééducation ou de prévoir les éventuelles corrections chirurgicales à effectuer. L'examen est principalement pratiqué en orthopédie, en rhumatologie et en pédiatrie.

DÉROULEMENT ET RÉSULTATS

Le patient est debout, les jambes nues, et doit s'efforcer de rester immobile au moment de la prise des clichés (de face et de profil). Les résultats sont connus dans les 20 à 30 minutes qui suivent l'examen.

Gonorrhée

→ VOIR Blennorragie.

Gonosome

Chromosome sexuel. SYN. *hétérochromosome*.

Les gonosomes sont les chromosomes X et Y, qui sont responsables de la détermination du sexe : les femmes ont deux chromosomes X, tandis que les hommes ont un chromosome X et un chromosome Y.

Goodpasture (syndrome de)

Maladie auto-immune caractérisée par une néphropathie (affection des reins) et une atteinte pulmonaire.

Rare, de cause encore inconnue, le syndrome de Goodpasture est lié à la présence d'auto-anticorps (anticorps suscités par un antigène provenant de l'organisme même du sujet) qui affectent la paroi des capillaires glomérulaires et celle des alvéoles pulmonaires. L'atteinte des glomérules entraîne rapidement une insuffisance rénale. L'atteinte pulmonaire se manifeste par des hémoptysies (crachements de sang provenant de la trachée, des bronches ou des poumons).

DIAGNOSTIC ET TRAITEMENT

Le diagnostic requiert des examens sanguins, une biopsie rénale (prélèvement et analyse d'un fragment de rein) et une radiographie

des poumons. Le traitement de cette maladie, toujours grave, fait appel aux corticostéroïdes, aux immunosuppresseurs et à la plasmaphérèse (procédé d'épuration du plasma sanguin). Néanmoins, très souvent, l'atteinte rénale progresse et peut nécessiter un traitement à vie par dialyse.

Goudron de houille

Substance noire, épaisse et collante entrant dans la composition de certains shampooings, crèmes et pommades. SYN. *coaltar*.

Certaines préparations à base de goudron de houille contiennent des antiseptiques ou des corticostéroïdes et sont prescrites dans diverses affections de la peau et du cuir chevelu.

Gougerot-Sjögren (syndrome de)

Affection associant une sécheresse oculaire à une sécheresse buccale. SYN. *syndrome sec*.

Le syndrome de Gougerot-Sjögren affecte surtout la femme à partir de 40 ans. Il est soit isolé, soit le plus souvent consécutif à une connectivite (polyarthrite rhumatoïde, lupus érythémateux disséminé, sclérodermie) ou à une affection auto-immune (thyroïdite, hépatite chronique active, cirrhose biliaire primitive).

L'atteinte oculaire se traduit par une sensation de brûlure (« sable » dans les yeux) ou de corps étranger, par une absence de larmes ou un larmoiement d'irritation. L'atteinte des glandes salivaires se traduit par une sécheresse buccale qui gêne la déglutition et l'alimentation et peut provoquer des brûlures de la bouche, des fissures des

commissures des lèvres et de la langue et des troubles gingivodentaires (gingivite, caries) ; elle est souvent associée à une hypertrophie des parotides. Ces symptômes s'accompagnent couramment d'une sécheresse de la peau, de la vulve et du vagin, responsable de démangeaisons. Les manifestations extraglandulaires ne sont pas rares : adénopathie, pneumopathie interstitielle, atteinte rénale, polyarthrite, vascularite.

DIAGNOSTIC

Il s'appuie sur l'existence d'un syndrome inflammatoire (élévation de la vitesse de sédimentation et hypergammaglobulinémie à l'électrophorèse des protéines), sur la présence, inconstante, d'anticorps antinucléaires ou plus spécifiques et sur la mise en évidence d'une infiltration glandulaire par des lymphocytes (à l'examen histologique d'un prélèvement de glandes salivaires accessoires, effectué sous anesthésie locale, généralement à la face interne de la lèvre inférieure).

TRAITEMENT

Il s'adresse à la connectivite lorsqu'elle est à l'origine du syndrome (corticostéroïdes, immunosuppresseurs). Il vise en outre à traiter les symptômes : sialagogues augmentant la production de salive (anétholtrithione), bonbons acidulés, chewing-gum, bonne hygiène dentaire, larmes artificielles (collyre mis dans les yeux plusieurs fois par jour). Les formes extraglandulaires graves nécessitent la prise de corticostéroïdes.

Goût

Un des cinq sens, renseignant sur les saveurs et la composition des aliments.

Le diagnostic peut être confirmé par l'examen microscopique de liquide prélevé dans une articulation, qui décèle les cristaux typiques de l'acide urique. Celui-ci, en excès, est cause de la goutte. Dans sa forme aiguë, elle se manifeste par une vive inflammation d'une articulation, très douloureuse et qui dure de quelques heures à quelques jours. La forme chronique, qui tend à disparaître grâce aux progrès thérapeutiques, provoque, d'une part, une destruction partielle des articulations et, d'autre part, la formation de dépôts sous-cutanés, auxquels on donne le nom de tophus goutteux, qui se localisent surtout aux doigts ou aux cartilages des oreilles et s'ulcèrent parfois.

Cristaux d'acide urique vus au microscope.

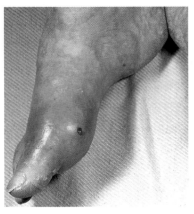

Aspect d'un accès de goutte aigu du gros orteil.

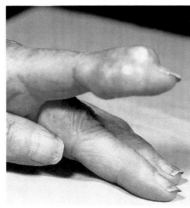

Volumineux tophus goutteux au bout d'un index.

traitement de fond, les articulations se déforment puis se détruisent après quelques années d'évolution, et l'accumulation d'acide urique sous la peau fait apparaître des tuméfactions (tophus goutteux) sur l'oreille, les tendons et les tissus mous. La surproduction d'acide urique peut en outre entraîner la formation de calculs rénaux, dont l'élimination provoque une colique néphrétique, et, à l'extrême, conduire à une insuffisance rénale.

DIAGNOSTIC ET TRAITEMENT

Le diagnostic, essentiellement clinique, est étayé par le dosage de l'acide urique sanguin, dont le taux se montre souvent élevé. La crise de goutte est traitée par administration de colchicine et d'anti-inflammatoires non stéroïdiens. Le traitement de l'excès d'acide urique lui-même dépend de son origine. Un défaut d'élimination est traité par un uricosurique (benzbromarone). Un excès de production dû à des excès alimentaires ou à une consommation exagérée d'alcool impose un régime hypocalorique et la suppression de l'alcool. Les sujets génétiquement prédisposés à fabriquer trop d'acide urique sont traités par l'allopurinol, qui en inhibe partiellement la synthèse. L'usage de ce médicament a pratiquement fait disparaître les cas de goutte chronique avec déformation et destruction articulaires ainsi que les insuffisances chroniques rénales d'origine goutteuse.

Goutte-à-goutte
→ VOIR Perfusion.

Goutte épaisse

Examen microscopique d'une goutte de sang, permettant de déceler la présence de parasites dans l'organisme.

TECHNIQUE

Une goutte de sang d'environ 1 centimètre de diamètre est déposée sur une lame de verre. Après séchage, la goutte, colorée en bleu puis en rouge, est examinée au microscope.

Sur le fond rose de la préparation, le technicien observe les noyaux des globules blancs, ceux des parasites et le cytoplasme. Par cette technique, les hématozoaires du paludisme, les trypanosomes des trypanosomiases, les microfilaires des filarioses lymphatiques et de la loase sont faciles à reconnaître.

La goutte épaisse est un examen lent mais qui offre l'avantage de concentrer les parasites sur une surface restreinte (si l'on veut une réponse rapide, l'analyse d'un frottis sanguin s'effectue en quelques minutes). Elle est surtout utilisée pour diagnostiquer la trypanosomiase africaine, dont les parasites sont peu nombreux dans le sang.

Gouttière

1. Rainure située entre deux reliefs créés par des os, des ligaments ou des muscles et dans laquelle peuvent passer un nerf, un tendon ou un vaisseau.

On distingue notamment la gouttière du pouls, située entre les tendons des muscles long supinateur et grand palmaire, au bord externe de l'extrémité inférieure de l'avant-

Les sensations gustatives prennent leur origine dans les bourgeons du goût, récepteurs sensoriels disséminés dans la muqueuse de la langue, le voile du palais et les parois latérales et postérieures de la gorge.

Chaque bourgeon est constitué d'un groupe de cellules sensorielles, dont le sommet effilé recueille les excitants gustatifs et dont la base est recouverte de terminaisons de fibres nerveuses. Lorsqu'une cellule sensorielle est excitée, elle transmet ses informations aux fibres nerveuses ; ces informations sont alors acheminées par différents nerfs crâniens jusqu'au thalamus et au cortex temporal des hémisphères cérébraux.

Il existe quatre sortes de bourgeons du goût, sensibles aux quatre saveurs fondamentales – le sucré, le salé, l'acide, l'amer – dont le mélange produit toutes les saveurs. Le goût résulte en fait de la conjonction des stimulations sensorielles provenant du système gustatif et du système olfactif : à l'expiration, une partie des particules ingérées sont expulsées par voie nasale et stimulent les récepteurs olfactifs par leurs composantes odorantes.

PATHOLOGIE

L'agueusie (perte du goût) peut être due à une perte de l'odorat, à une maladie buccale (infection, cancer) ou hormonale (hypo-

thyroïdie, diabète). Elle modifie le comportement alimentaire et retentit parfois sur le psychisme jusqu'à provoquer une dépression. La constatation d'un trouble du goût doit conduire à une consultation médicale.
→ VOIR Agueusie.

Goutte

Maladie métabolique résultant d'un excès d'acide urique dans l'organisme.

CAUSES

La goutte atteint le plus souvent l'homme d'âge mûr. Elle peut être due à certaines maladies, hématologiques en particulier, ou à la prise de médicaments, mais elle est le plus souvent liée à une obésité ou à des excès alimentaires. Il existe également une prédisposition génétique à fabriquer trop d'acide urique.

SYMPTÔMES ET SIGNES

Présent en excès dans l'organisme, l'acide urique précipite et cristallise dans les articulations (le plus souvent à la base du gros orteil mais aussi aux chevilles, genoux, parfois poignets ou doigts) ; il provoque des crises aiguës de douleurs très vives (crises de goutte) pouvant empêcher le patient de poser le pied au sol. Cette arthrite microcristalline aiguë typique guérit sans séquelles. En l'absence de

bras, où passe l'artère radiale, dont on recherche les battements en y posant les doigts lors de la prise du pouls.

2. Appareil utilisé comme moyen d'immobilisation provisoire d'un membre fracturé.

Généralement métallique, grillagée et matelassée de coton, la gouttière peut aussi être en plâtre, employée dans ce cas pour immobiliser un membre quand le plâtre cylindrique n'est pas ou plus nécessaire.

Graefe (signe de von)

Retard observé dans la réaction d'abaissement de la paupière supérieure lorsque le regard se porte vers le bas.

Le signe de von Graefe témoigne d'une asynergie oculopalpébrale : le « blanc » de l'œil reste découvert alors que, normalement, la paupière supérieure s'abaisse en même temps que le globe oculaire. Ce signe s'observe essentiellement au cours de la maladie de Basedow (hyperfonctionnement de la glande thyroïde). Il s'accompagne parfois d'une raréfaction du clignement et d'une rétraction de la paupière. Le traitement est celui de la maladie causale. Si l'anomalie persiste, des techniques chirurgicales d'allongement de la paupière peuvent être pratiquées lorsque l'hyperthyroïdie est stabilisée depuis au moins 6 mois.

Grain de beauté

→ voir Lentigo.

Gram (coloration de)

Technique de coloration utilisée en bactériologie pour visualiser les bactéries à l'examen microscopique.

La coloration de Gram se réalise en plusieurs étapes, les germes étant successivement colorés avec du violet de gentiane et du lugol, ensuite placés dans un bain d'alcool puis colorés à la fuchsine. Les germes dont la coloration première résiste à l'alcool et qui restent violets sont dits à Gram positif ; les autres, qui deviennent roses, sont dits à Gram négatif.

Cette technique permet de mettre en évidence des différences de structure de la paroi des bactéries corrélées à des différences de sensibilité aux antibiotiques : la coloration de Gram, associée à l'analyse de la forme des bactéries et à l'arrangement spécifique de celles-ci, permet de préjuger de l'identité d'un germe et d'orienter le choix du traitement antibiotique.

Grand mal

Forme principale d'épilepsie généralisée.
→ voir Épilepsie.

Granulation

Grain inclus dans le cytoplasme de certains globules blancs, les polynucléaires, appelés pour cette raison granulocytes.

Les granulations, en forme de sphères, sont limitées par une membrane cytoplasmique et contiennent de l'histamine, des cristaux ou des enzymes telles que les peroxydases. En fonction de leur aptitude à fixer tel ou tel colorant, on distingue les granulations neutrophiles, éosinophiles et basophiles. Ces différentes propriétés ont permis de classer les polynucléaires en trois types de même nom. Les lymphocytes et les monocytes sanguins (autres types de globules blancs) contiennent également quelques granulations.

Granulocyte

→ voir Polynucléaire.

Granulomatose

Toute maladie inflammatoire chronique caractérisée par l'apparition de granulomes (petites masses inflammatoires) disséminés dans les organes et les tissus.

Les principales granulomatoses sont la tuberculose et la sarcoïdose, mais aussi la lèpre et la granulomatose de Wegener. Au cours d'une affection, la présence de granulomes dans un prélèvement d'organe oriente donc le diagnostic vers un petit nombre de maladies. Cependant, celles-ci n'ont aucun rapport entre elles quant à leur cause, leurs signes ou leur traitement.

Granulome

Masse inflammatoire de petite taille due à la prolifération dans un tissu d'un certain nombre de cellules : cellules de défense dérivées des globules blancs du type monocyte (macrophages, cellules épithélioïdes, cellules géantes), entourées d'une couronne de globules blancs du type lymphocyte.

Un granulome est généralement le résultat d'une réaction localisée à la présence d'un agent infectieux ou d'un corps étranger, mais il peut aussi se former sans cause définie. Sa mise en évidence requiert l'examen histologique d'une biopsie (de peau, de muqueuse bronchique, de foie, etc.). Bien qu'il ne soit pas spécifique d'une maladie, il a une grande valeur diagnostique, car on ne le trouve que dans un petit nombre d'affections, appelées granulomatoses, dont les plus fréquentes sont la tuberculose et la sarcoïdose. L'intérêt diagnostique du granulome varie selon le tissu affecté : ainsi, lorsqu'il siège dans la plèvre ou dans une articulation, il est presque toujours dû à une tuberculose ; dans le poumon, il révèle généralement une tuberculose ou une sarcoïdose. Lorsque sa diffusion est considérable, il peut entraîner une fibrose de l'organe ou du tissu atteint.

Granulome annulaire

Affection cutanée bénigne, caractérisée par des petits nodules tendant à se grouper en anneaux.

Fréquent, le granulome annulaire est de cause inconnue. Il survient chez le sujet jeune, plus souvent chez la femme. Il s'associe parfois à un diabète insulinodépendant ou à une maladie susceptible de provoquer des anergies (baisse des défenses immunitaires) : sarcoïdose, maladie de Hodgkin, infection par le V.I.H.

COLORATION DE GRAM

La coloration de Gram est pratiquée systématiquement sur les bactéries prélevées chez un malade. Combinée à l'étude de leur forme, elle contribue à leur identification et à l'établissement du diagnostic. Ainsi, un coccus qui reste violet peut être un staphylocoque, un bacille qui devient rose, un *Hæmophilus*.

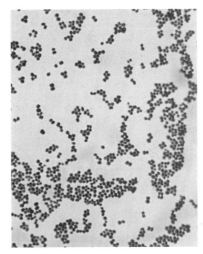

Les bactéries à Gram positif prennent, au contact du violet de gentiane, une couleur violette qui résiste à l'alcool.

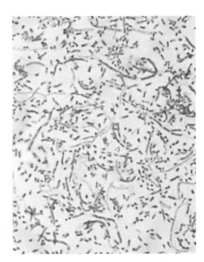

Les bactéries à Gram négatif perdent leur couleur violette dans l'alcool puis sont teintées en rose sous l'action de la fuchsine.

Un granulome annulaire se traduit par l'apparition de petits nodules lisses, fermes, indolores et non prurigineux, évoluant de façon centrifuge (du centre vers l'extérieur), formant un anneau au centre déprimé et à la périphérie plus saillante. Il existe des formes généralisées, comportant de très nombreuses lésions. Le traitement est en général limité à des applications locales de dermocorticostéroïdes pour les formes peu étendues ; dans les formes généralisées, l'utilisation de sulfones, de rétinoïdes, de iodure de potassium ainsi que la puvathérapie ont été proposées.

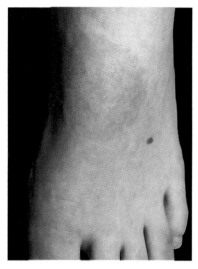

Granulome annulaire. *Il siège souvent sur les articulations des mains ou au dos du pied.*

Granulome des cordes vocales

Petite masse inflammatoire, complication fréquente de l'intubation.

La technique de l'intubation, employée en anesthésie et en réanimation, consiste à placer un tube dans la trachée du sujet afin d'assurer la liberté de ses voies aériennes respiratoires. Le frottement du tube peut provoquer de petites ulcérations (pertes de substance, érosion de la muqueuse), puis un granulome.

Chez l'adulte, le granulome des cordes vocales n'entraîne le plus souvent qu'une altération de la voix. Il peut disparaître spontanément ou nécessiter une rééducation de la voix (orthophonie), voire une ablation chirurgicale. Chez l'enfant, il risque d'obstruer le larynx et d'empêcher ainsi le retrait du tube. Il faut alors procéder à l'ablation du granulome par endoscopie.

Granulome dentaire

Réaction inflammatoire à l'extrémité de la racine d'une dent. SYN. *granulome apical.*

Le granulome dentaire fait suite à la perte de vitalité de la dent (carie, fracture). Il est dû à la réaction des tissus de soutien de la dent à l'invasion des microbes et de leurs

toxines provenant du canal radiculaire dont le nerf est infecté. Le nettoyage et l'obturation du canal permettent de faire disparaître le granulome.

Granulome éosinophile facial

Affection cutanée caractérisée par l'apparition d'une plaque rouge sur le visage.

Rare, le granulome éosinophile facial survient surtout chez l'homme entre 20 et 60 ans. D'origine inconnue, il se manifeste par un placard rouge brunâtre légèrement en saillie, grossièrement symétrique et dont la surface a un aspect de peau d'orange (parsemée d'orifices pilaires dilatés). Le traitement fait intervenir les dermocorticostéroïdes, les sulfones, la destruction par le laser à gaz carbonique ou par le froid (cryothérapie). Le granulome éosinophile facial est une affection bénigne, mais qui récidive souvent et tend à laisser des cicatrices.

Granulome silicotique

Lésion cutanée due à la présence de silice sous la peau.

Le granulome silicotique est une réaction inflammatoire à des particules de silice ayant pénétré sous la peau à la faveur d'une blessure remontant parfois à plusieurs dizaines d'années. Souvent associé à une sarcoïdose (maladie de cause inconnue se traduisant par une inflammation des ganglions lymphatiques et d'autres tissus), il forme une ou plusieurs petites sphères plus ou moins saillantes, rose jaunâtre, élastiques ou molles, à l'endroit des cicatrices. Le traitement du granulome silicotique repose sur son ablation chirurgicale.

Granulopoïèse

Formation des granulocytes, ou polynucléaires (globules blancs contenus dans le sang), par la moelle osseuse.

La granulopoïèse, phénomène permanent, conduit à la synthèse de 20 à 30 milliards de polynucléaires par jour. La durée totale de la formation d'un de ces globules blancs est d'une dizaine de jours environ. Les stades cellulaires successifs sont l'hémoblaste, le promyéloblaste, le myéloblaste, le myélocyte, le métamyélocyte et le polynucléaire. L'ensemble de ces cellules représente de 50 à 70 % du nombre total des cellules de la moelle osseuse. Normalement, seul le polynucléaire, qui est arrivé à maturation, passe dans la circulation sanguine.

PATHOLOGIE

En cas de besoins accrus (par exemple au cours d'une infection), la moelle osseuse est capable d'augmenter sa cadence de production, ce qui aboutit à une polynucléose (augmentation du nombre de polynucléaires dans le sang). En revanche, une insuffisance médullaire partielle, qui ne porte que sur la granulopoïèse (agranulocytose, aplasie médullaire), et la prise de certains médicaments (anticancéreux, par exemple) entraînent une neutropénie (diminution du nombre de polynucléaires neutrophiles) qui rend le malade très vulnérable aux infections. La

granulopoïèse peut également faire l'objet de dérégulations malignes, observées lors des syndromes myéloprolifératifs (leucémie myéloïde chronique), qui entraînent une prolifération excessive et anarchique des granulocytes.

Graves (maladie de)

→ VOIR Basedow (maladie de).

Gravide

Qui porte un embryon ou un fœtus, en parlant d'une femme ou d'un utérus.

Gravidique

Se dit d'une maladie qui entrave le déroulement normal de la grossesse.

Cette maladie est soit provoquée par la grossesse (anémie, maladie rénale), soit préexistante et aggravée par elle (accident cardiaque, diabète).

Greffe

Transfert, sur un malade receveur, d'un greffon constitué de cellules, d'un tissu, d'une partie d'organe ou d'un organe entier.

La greffe de cellules ou de tissu est techniquement simple : injection intraveineuse de cellules (greffe de moelle osseuse) ou application locale d'un tissu (greffe de peau, de tissu osseux, de cornée).

Si la greffe concerne un organe (cœur, foie, poumon, pancréas, rein), il faut rétablir la continuité de la circulation sanguine en abouchant chirurgicalement les vaisseaux (artères et veines) du receveur à ceux du greffon. On parle alors de transplantation d'organe. Les transplantations orthotopiques consistent à retirer l'organe malade puis à mettre à la place le greffon, qui se trouve donc dans sa situation anatomique naturelle ; elles sont pratiquées sur le cœur, le foie, le poumon. Les transplantations hétérotopiques consistent à transplanter le greffon plus ou moins loin de sa position naturelle, l'organe malade restant en place ; c'est la technique employée dans la greffe du rein ; elle est exceptionnellement utilisée aussi pour le foie et le cœur.

Une autre classification des greffes est fondée sur l'origine du greffon.

■ **L'autogreffe** consiste à prélever le greffon sur le malade lui-même. Elle est réalisable avec de la moelle osseuse, de la peau, du tissu osseux, des segments de nerfs, de tendons ou de vaisseaux, des tissus greffés sur l'œil. L'intérêt de cette technique est d'éviter le rejet du greffon par le système immunitaire du malade.

■ **L'allogreffe** consiste à prélever le greffon sur une autre personne, en général décédée. Elle est utilisée dans les greffes de tissu (moelle osseuse, peau, tissu osseux, fragments de tendons ou de vaisseaux, cornée) et dans les transplantations d'organe. Le problème posé par cette technique est que, souvent, le système immunitaire du receveur, différent de celui du donneur, tend à rejeter le greffon. Cependant, depuis quelques années, les progrès considérables réalisés dans la sélection du donneur et dans la lutte contre le rejet grâce aux immunosuppresseurs (ciclosporine en particulier) ont donné un nouvel essor à l'allogreffe, au point que le problème crucial devient, pour certains organes, le nombre insuffisant de donneurs par rapport aux demandes.

DÉROULEMENT

Les greffes d'organes, du moins les plus courantes (rein, cœur), nécessitent l'inscription du patient sur une liste d'attente, sauf pour les urgences (définies à partir de critères très précis). La période d'attente est souvent longue (plusieurs mois) avant l'obtention de l'organe le plus compatible sur le plan immunologique. Pour la greffe elle-même, la durée d'hospitalisation est en général brève (3 semaines) mais peut être prolongée jusqu'à 2 ou 3 mois lorsque surviennent des complications (rejet, notamment). Par la suite, un traitement immunosuppresseur est indispensable, accompagné d'une surveillance médicale rigoureuse et parfois d'une nouvelle hospitalisation.

Greffe de cœur

Implantation du cœur d'un donneur sur un malade receveur. SYN. *transplantation cardiaque, transplantation de cœur.*

La première greffe d'un cœur humain a été réalisée en 1967 par le chirurgien sud-africain Christiaan Barnard. La majorité des greffes cardiaques pratiquées aujourd'hui se fait avec des greffons humains ; cependant, la faible disponibilité des transplants et le contexte urgent dans lequel l'intervention doit être effectuée ont rendu nécessaire la recherche de solutions de remplacement : transplantation de cœurs d'animaux (grands singes) d'une part, mise au point d'un cœur artificiel d'autre part.

INDICATIONS

La greffe se pratique dans les cas d'insuffisance cardiaque terminale, lorsque les autres moyens thérapeutiques sont devenus inefficaces : infarctus importants ou à répétition ayant détruit la majeure partie du muscle cardiaque, maladies du myocarde ou des valvules cardiaques à un stade avancé. L'insuffisance cardiaque retentit également sur les poumons : aussi, en cas d'atteinte pulmonaire, peut-on pratiquer une greffe cœur-poumons.

CONTRE-INDICATIONS

Un bilan prégreffe est indispensable car certaines maladies interdisent de procéder à une greffe du cœur, telles qu'une ostéoporose (décalcification osseuse) importante, un ulcère de l'estomac, une maladie pulmonaire grave, une insuffisance rénale ou des lésions artérielles diffuses. L'âge n'est pas actuellement une contre-indication et beaucoup de malades âgés de 60 ou 65 ans ont pu bénéficier d'une greffe.

TECHNIQUE

Le problème le plus délicat est celui de la date à laquelle il faut intervenir : opérer trop tôt fait en effet prendre inutilement le risque opératoire lié à la transplantation ; attendre trop longtemps fait courir au malade le risque d'une mort subite ou de se retrouver dans un état trop grave pour pouvoir être opéré.

C'est pourquoi de nombreux tests ont été mis au point pour apprécier au mieux la gravité de l'état du malade et fixer le plus précisément possible le délai convenable. Le patient est alors inscrit sur une liste de candidats à la greffe de cœur et bénéficie d'une intervention plus ou moins rapide selon la gravité de son état.

La greffe cardiaque est une opération lourde, aux contraintes nombreuses : il faut que le cœur du donneur batte au moment où il est prélevé, ce qui suppose que celui-ci soit en état de mort cérébrale ; d'autre part, le temps dont on dispose entre le prélèvement et l'implantation est court (10 heures maximum). La compatibilité immunologique entre donneur et receveur, étudiée par comparaison de leurs groupes tissulaires et sanguins (notamment systèmes HLA, ABO et Rhésus), doit être la meilleure possible pour réduire au maximum le risque de rejet.

L'intervention nécessite la mise en place d'une circulation extracorporelle assurant un apport de sang oxygéné au cerveau et aux principaux organes vitaux. Le cœur du receveur est enlevé dans sa quasi-totalité, les parois postérieures des oreillettes ainsi que les orifices des vaisseaux aboutissant au cœur (aorte, veines caves, vaisseaux pulmonaires, etc.) restant toutefois en place. Le nouveau cœur peut alors être installé et reconnecté. En cas d'urgence et de non-disponibilité d'un greffon, l'implantation d'un cœur artificiel, en matière inerte non organique, peut être envisagée. Cette dernière technique a l'avantage de supprimer les complications d'ordre immunologique ; elle présente cependant encore de nombreux inconvénients, notamment vasculaires (formation fréquente de caillots) ; on y recourt donc le plus souvent de manière provisoire, en attendant qu'une greffe d'un cœur organique soit possible.

COMPLICATIONS

Les principales complications de la greffe de cœur sont d'ordre immunologique, la survenue d'un rejet pouvant nécessiter une retransplantation en urgence. On tente de la prévenir par la prescription systématique d'immunosuppresseurs (dérivés de la cortisone et ciclosporine, notamment).

PRONOSTIC

Il est généralement bon, avec environ 80 % de survie à un an et un pourcentage de décès de l'ordre de 5 % par an ensuite. À terme, la qualité de vie d'un greffé du cœur peut redevenir tout à fait normale, avec notamment reprise d'une activité physique satisfaisante et même pratique d'un sport.

Greffe de conjonctive

Transfert chirurgical d'un morceau de conjonctive.

Une greffe de conjonctive est pratiquée en cas de perte de substance de la conjonctive, que celle-ci soit due à un traumatisme (plaie ou brûlure ayant entraîné une importante nécrose ou une adhérence des deux feuillets de la conjonctive) ou à une intervention chirurgicale (ablation d'une tumeur importante ou de toute autre lésion). Le greffon utilisé peut être soit de la conjonctive prélevée à un autre endroit sur l'œil lésé ou sur l'œil intact, soit de la muqueuse buccale.

L'intervention, qui nécessite une hospitalisation de 4 à 5 jours, est pratiquée sous anesthésie générale ou parfois locale. Un pansement oculaire est ensuite laissé en place pendant 24 heures ; l'instillation de collyres et l'application d'une pommade antibiotique et anti-inflammatoire sont nécessaires pendant un laps de temps variable (de 2 à 4 semaines).

Une greffe de conjonctive n'a aucun retentissement sur la vision. La surveillance porte sur la vitalité du greffon, qui peut être rejeté du fait d'une mauvaise vascularisation ; une nouvelle greffe peut alors être tentée ultérieurement. En revanche, le greffon étant pratiquement toujours prélevé sur le sujet lui-même, le risque de rejet immunitaire est pratiquement nul.

Greffe de cornée

Transplantation chirurgicale d'un morceau de cornée. SYN. *kératoplastie.*

Les principales indications d'une greffe de cornée sont les œdèmes (dystrophie bulleuse) ou les abcès de la cornée, les taies (opacités de la cornée résultant d'une lésion inflammatoire ou accidentelle), le kératocône (déformation de la cornée) et diverses affections dégénératives de la cornée.

TECHNIQUE

La greffe de cornée consiste à remplacer une partie de cornée malade ou opacifiée par une même portion de cornée saine ou transparente, prélevée sur un sujet décédé ou, beaucoup plus rarement, sur le malade lui-même. Les techniques actuelles permettent de conserver le greffon de cinq jours à une semaine et donc de vérifier l'absence de risque de transmission d'une maladie virale. On distingue les greffes de cornée transfixiantes ou perforantes, les plus fréquentes, dans lesquelles le fragment prélevé correspond à toute l'épaisseur de la cornée, et les greffes de cornée lamellaires, où l'on n'enlève qu'une partie superficielle de celle-ci.

PRONOSTIC

Habituellement bon, il dépend surtout de l'affection en cause. Les risques de rejet sont minimes, car la cornée est un tissu dépourvu de vaisseaux, donc relativement isolé du système immunitaire.

Greffe de foie

Transfert d'une partie ou de la totalité du foie d'un donneur sur un malade receveur. SYN. *transplantation du foie.*

Réalisée pour la première fois chez l'homme en 1963 par le chirurgien américain Thomas Starzl, la greffe de foie se pratique en cas de maladie hépatique congénitale ou de cirrhose ; ses autres indications potentielles, telles que les tumeurs hépatiques, sont encore discutées. Le foie du malade est

retiré pour être remplacé par celui d'une personne décédée. Chez l'enfant, on peut être amené à pratiquer, pour des raisons de taille, une greffe réduite (on ne greffe qu'une partie d'un foie d'adulte, trop volumineux). Le faible nombre de foies disponibles conduit à envisager de nouvelles solutions : greffe partagée (deux malades reçoivent chacun une partie d'un foie), prélèvement d'un fragment de foie chez un donneur vivant. Peut-être à l'avenir, et sous réserve de nouvelles techniques permettant d'empêcher le rejet, pourra-t-on réaliser des hétérogreffes (foie provenant d'un animal). La mortalité opératoire est d'environ 5 à 10 %. Actuellement, le pourcentage de survie à 2 ans est d'environ 70 %. Les 6 premiers mois sont les plus exposés aux complications. Un traitement immunosuppresseur à vie est indispensable ainsi qu'une surveillance régulière.

Greffe de moelle osseuse

Remplacement de la moelle osseuse d'un patient atteint d'une maladie hématologique par des cellules de moelle osseuse prélevées sur un sujet sain. SYN. *greffe de cellules hématopoïétiques, greffe de moelle.*

INDICATIONS

Un des rôles principaux de la moelle osseuse est de produire, grâce à certaines cellules appelées cellules souches, les éléments des différentes lignées sanguines (les globules rouges, la plupart des globules blancs, les plaquettes, etc.). Toute maladie des cellules souches peut nécessiter une greffe de moelle : leucémie (prolifération de globules blancs et de leurs cellules d'origine dans la moelle osseuse et dans le sang), hypoplasie ou aplasie médullaire (insuffisance ou absence de production des différentes lignées). Les malades doivent être en général âgés de moins de 50 ans et en bon état physiologique en raison de la fréquence et de la gravité des complications.

TECHNIQUE

Toute greffe de moelle doit être précédée d'une destruction la plus complète possible de la moelle osseuse du receveur afin que la maladie ne récidive pas sur la moelle greffée. Cette destruction est généralement obtenue par chimiothérapie et radiothérapie intensives. Le prélèvement de moelle osseuse sur le donneur s'effectue le plus souvent sous anesthésie générale, par ponction au niveau des os iliaques ou du sternum. On retire en général de 200 à 500 millilitres de moelle. Ce prélèvement, qui s'apparente au don de sang, est effectué sur un sujet vivant et n'entraîne aucune conséquence ultérieure sur la santé du donneur. La moelle ainsi recueillie est filtrée, congelée et préparée à la greffe, qui aura lieu plus tard par simple transfusion : les cellules souches du donneur iront coloniser spontanément le tissu osseux du receveur, vidé de ses cellules souches malades.

Il existe actuellement deux types de greffe de moelle.

■ **L'allogreffe** consiste à prélever les cellules de la moelle osseuse d'un sujet sain ayant

---

GREFFE DE CORNÉE

Le greffon est généralement prélevé sur un cadavre, d'importantes précautions étant prises pour éviter la transmission de maladies infectieuses. On remplace la zone pathologique de la cornée, sur tout ou partie de son épaisseur, sous microscope binoculaire opératoire.

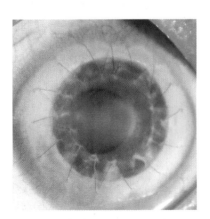

Les fils de suture qui maintiennent le fragment greffé seront laissés en place environ 1 an, jusqu'à la fin de la cicatrisation.

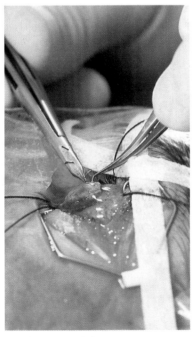

Le greffon est mis en place sur un globe oculaire correctement dégagé (à l'aide de bandelettes et de fils écarteurs).

le même système d'histocompatibilité que le malade. C'est chez un frère ou une sœur de celui-ci qu'on a le plus de chances (25 %) de trouver un donneur compatible. En l'absence de donneur apparenté, l'équipe médicale est obligée de faire appel à une banque de moelle. On ne trouve alors un donneur suffisamment compatible que dans moins de 20 % des cas.

■ L'autogreffe consiste à prélever, chez un malade devant suivre un traitement détruisant sa moelle osseuse (chimiothérapie, radiothérapie, radiochimiothérapie), des cellules souches, à un stade peu avancé de la maladie où celles-ci peuvent être obtenues à partir du sang ou de la moelle. Congelées, elles sont réinjectées au malade après le traitement ; la moelle osseuse se reconstitue alors en 2 ou 3 semaines. Cette technique concerne essentiellement les sujets atteints de maladies malignes des ganglions lymphatiques et de la moelle (myélome multiple, lymphome, leucémie) ou de tumeurs solides. Contrairement à l'allogreffe, l'autogreffe n'entraîne pas de risque de réaction du greffon contre l'hôte ; elle peut donc être réalisée sur des sujets plus âgés.

COMPLICATIONS

Trois complications sont possibles.

■ Des infections bactériennes peuvent survenir. Dues à l'absence de globules blancs consécutive à la destruction de la moelle osseuse du patient et au traitement par immunosuppresseurs, surtout en cas de réaction du greffon contre l'hôte, elles apparaissent surtout pendant la phase préparatoire et après la greffe, un délai de 2 à 3 semaines étant nécessaire avant que la nouvelle moelle ne fonctionne. Ces complications infectieuses, graves, sont combattues par la mise systématique du malade sous antibiotiques en cas de fièvre et par son isolement en chambre stérile, les visites étant contrôlées (masques, protège-chaussures, etc.). En outre, l'anémie et les hémorragies dues au manque de plaquettes sont combattues par des transfusions de plaquettes et de globules rouges.

■ Les complications immunologiques, spécifiques des allogreffes, sont principalement représentées par la réaction du greffon contre l'hôte, lors de laquelle certains lymphocytes (types de globules blancs) du donneur attaquent et détruisent les cellules (peau, tube digestif, foie) du receveur. Cette complication existe dans environ 50 % des allogreffes ; elle est plus rare chez les sujets de moins de 20 ans. La réaction du greffon contre l'hôte peut être aiguë, survenant dans les 3 mois qui suivent la greffe, ou chronique, se produisant des mois après la greffe. Elle est prévenue par la prise d'immunosuppresseurs (ciclosporine) et traitée par l'adjonction d'autres types d'immunosuppresseurs (corticostéroïdes).

■ La maladie initiale peut récidiver, notamment en cas de leucémie. Cependant, le risque de récidive est moindre qu'en cas de traitement classique (chimiothérapie et radiothérapie). En cas de rechute, une nouvelle greffe de moelle peut d'ailleurs être tentée.

La réaction du greffon contre l'hôte

La réaction du greffon contre l'hôte est caractéristique de la greffe de moelle. Il s'agit d'un syndrome dû à une incompatibilité entre le greffon et le receveur : les lymphocytes T et les anticorps du greffon, après avoir détecté des antigènes d'origine étrangère sur les cellules du receveur, attaquent ces dernières. La réaction peut être aiguë et apparaître de 10 à 40 jours après la greffe : éruptions cutanées, démangeaisons, troubles digestifs importants (vomissements, diarrhées), fièvre et, parfois, atteinte hépatique (ictère). Il existe également des réactions chroniques du greffon contre l'hôte, qui surviennent des mois, voire des années, après la greffe et entraînent des lésions cutanées indurées sur la paume des mains, la plante des pieds, le tronc, les fesses et les cuisses, parfois associées à une hépatite chronique et à une sclérose pulmonaire. Le traitement fait appel aux corticostéroïdes et aux immunosuppresseurs. En l'absence de traitement, ce syndrome peut être mortel.

PRONOSTIC

Il dépend essentiellement de la maladie traitée, de l'âge du patient et de son état général au moment de la greffe, ainsi que du type de greffe choisi.

Greffe de nerf

Transplantation chirurgicale d'un nerf.

Les greffes de nerf consistent à prélever sur un sujet un segment de nerf sensitif peu important, puis à le suturer aux deux bouts d'un nerf moteur ou sensitif lésé ou sectionné à la suite d'un accident ou d'une intervention chirurgicale. Le résultat n'est pas immédiat. En effet, le greffon ne joue aucun rôle nerveux : il sert de gaine guidant la repousse des fibres du nerf lésé dans la bonne direction, cette repousse pouvant demander plusieurs mois.

Greffe d'os

Transplantation chirurgicale d'un fragment osseux.

AUTOGREFFE

De loin la plus pratiquée des greffes d'os, elle consiste à prélever un fragment osseux sur le sujet lui-même, au niveau du tibia ou de la crête iliaque (bord supérieur de l'os du bassin). Le péroné aussi peut être utilisé ; on conserve alors son artère nourricière, ce qui permet de disposer d'un greffon osseux vivant. Les autogreffes sont employées pour combler une perte de substance (reconstruction d'une vertèbre, par exemple), pour faciliter la consolidation d'un os fracturé ou pour favoriser la bonne évolution d'un cal. On les utilise aussi pour réaliser des butées (obstacles placés sur une articulation pour en limiter les mouvements excessifs et prévenir ainsi les luxations) de hanche ou

d'épaule ou une arthrodèse (intervention chirurgicale consistant à bloquer définitivement une articulation, par exemple entre deux vertèbres). Le greffon est posé ou encastré à l'endroit de la perte de substance et, au besoin, fixé par des vis. Les autogreffes ont de très bons résultats, l'incorporation du greffon dans l'os greffé s'effectuant dans un délai d'environ 6 semaines.

ALLOGREFFE

Cette technique s'emploie lorsque la perte de substance est très importante, par exemple après l'ablation de tumeurs osseuses. Le greffon provient alors d'une personne décédée ou opérée (ablation de la tête du fémur pour arthrose) ; il a été traité par irradiation et conservé par congélation ou lyophilisation dans une banque d'organes. Le greffon est fixé à l'aide d'un clou ou d'une plaque lorsqu'on reconstruit un os, à l'aide d'une prothèse lorsqu'on reconstruit une articulation et sa périphérie. Le résultat est moins bon que celui des autogreffes. En général, le greffon ne « prend » pas et meurt : il sert alors de trame sur laquelle l'os nouveau se reconstitue progressivement.

Greffe pancréatique

Transfert d'un pancréas ou de cellules pancréatiques d'un donneur sur un malade receveur.

La greffe d'un pancréas entier, ou transplantation du pancréas, est la plus rare des greffes d'organe ; elle n'est pratiquée qu'en cas de diabète grave. Ce dernier étant très souvent associé à une insuffisance rénale, on réalise d'ailleurs parfois une greffe double rein-pancréas. Le pancréas transplanté sécrète l'insuline à la place du pancréas du malade. Une autre technique se développera peut-être, celle de la greffe d'îlots de Langerhans, qui sont des îlots de cellules sécrétant normalement l'insuline et qu'il suffirait d'injecter au malade.

Greffe de peau

Greffe d'un fragment de peau, naturel ou développé en laboratoire, sur une région où la peau a été détruite.

La greffe de peau est surtout utilisée en cas de brûlure mais aussi quand une intervention chirurgicale a retiré une surface de peau importante (souvent pour traiter un cancer) ou après une blessure.

AUTOGREFFE

La peau est prélevée sur le sujet lui-même, si possible en un endroit peu visible (cuisse, bas-ventre, cuir chevelu, région inguinale, etc.). La greffe peut être soit superficielle, dermoépidermique, ne prélevant que les couches superficielles de la peau, soit totale, prélevant la peau dans toute son épaisseur. Dans certains cas, notamment en cas de perte de substance importante, on peut être amené à pratiquer des prélèvements de portions de muscles sous-jacents : on parle alors de lambeau musculocutané. Plus rarement, on peut se contenter de petits cylindres de peau (greffes en pastille dans les ulcères de jambe). Le greffon est soit directement posé sur la surface à greffer, soit

La greffe consiste à transférer sur une région malade un fragment de peau prélevé sur une région saine. Elle est pratiquée lorsqu'il est certain que la peau lésée ne cicatrisera pas d'elle-même, par exemple en cas de brûlure trop profonde (troisième degré). La zone où est effectué le prélèvement cicatrise seule ou à l'aide d'une suture chirurgicale. Par ailleurs, le greffon n'est pas toujours prélevé sur le patient ; il peut arriver qu'il soit pris sur un sujet décédé.

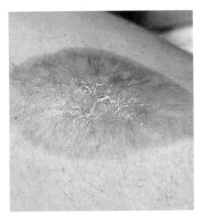

L'aspect de la peau, parfois peu satisfaisant du point de vue esthétique, tend cependant à s'améliorer au fil des mois.

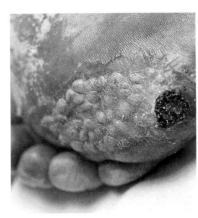

Un greffon que le système immunitaire du malade détruira permet néanmoins à la peau sous-jacente d'amorcer sa cicatrisation.

traité en laboratoire pour que ses cellules prolifèrent ; cette technique, appelée culture d'épiderme, permet de produire jusqu'à 1 mètre carré de nouvel épiderme à partir d'un greffon de 1 centimètre carré.

L'intérêt de l'autogreffe est l'absence de rejet immunitaire. Les tissus du sujet établissent progressivement des connexions avec le greffon et, en une dizaine de jours environ, la greffe « prend ». Les greffes de peau superficielles, assez inesthétiques, sont réservées aux zones peu apparentes. Lorsque la greffe est totale, la zone traitée cicatrise mieux et son aspect se rapproche davantage de celui de la peau d'origine : on la réserve donc généralement au visage.

ALLOGREFFE

Cette technique, beaucoup plus rarement appliquée, n'est indiquée qu'en cas de brûlure étendue, quand le sujet n'a plus assez de peau normale. La peau greffée provient alors de personnes décédées, éventuellement après une période de conservation dans une banque d'organes. Elle est rapidement rejetée par le système immunitaire du malade mais permet de passer le cap difficile des premiers jours en tant que pansement provisoire.

Greffe pulmonaire

Transfert d'un ou de deux poumons d'un donneur sur un malade receveur. SYN. *transplantation pulmonaire.*

La greffe pulmonaire, récente (la première tentative sur l'homme a été pratiquée en 1963 par le chirurgien américain Hardy), est actuellement encore l'une des greffes d'organe les moins pratiquées. Elle est indiquée en cas d'insuffisance respiratoire chronique grave, provoquée par des affections atteignant le tissu pulmonaire telles que les fibroses, l'emphysème, la dilatation des bronches, la mucoviscidose, et au cours d'affections atteignant les vaisseaux comme l'hypertension artérielle pulmonaire. Selon les cas, la greffe consiste à remplacer un poumon ou bien les deux, ou encore le bloc cœur-poumons. Cette greffe est difficile en raison du manque de poumons disponibles et des complications postopératoires (rejet immunitaire, infection).

Greffe de rein

Transfert d'un des reins d'un sujet donneur sur un malade receveur dont les reins ne fonctionnent plus. SYN. *transplantation du rein.*

Les premières greffes de rein ont été pratiquées au début des années 1950 à Boston (équipe du médecin américain David Hume) et à Paris (équipes des médecins français René Küss et Jean Hamburger). La greffe de rein ne se pratique que chez des patients atteints d'une insuffisance rénale grave. Un seul rein est greffé, qui suffira à assurer la fonction rénale de tout l'organisme. Le malade doit, en principe, avoir moins de 60 ans. Le donneur, le plus souvent une personne décédée, doit être génétiquement assez proche du receveur. Le rein greffé est placé dans la fosse iliaque (en bas et sur le côté de l'abdomen) et ses vaisseaux sont abouchés aux vaisseaux iliaques du malade, l'uretère sortant du rein greffé étant, quant à lui, abouché à la vessie du malade ou à l'un de ses uretères. Après transplantation, on prescrit au sujet un traitement immunosuppresseur – comportant par exemple de la ciclosporine et de l'azathioprine – afin d'éviter le rejet du greffon.

PRONOSTIC

La greffe rénale est couronnée de succès dans plus de 80 % des cas, les résultats étant encore supérieurs si le donneur a une bonne compatibilité tissulaire (groupe HLA) avec le receveur. L'échec d'une greffe de rein a des conséquences moins graves que celui d'une greffe de cœur, de foie ou de poumon : en cas de rejet, le patient doit reprendre des séances de dialyse. S'il est bien portant, une nouvelle greffe peut être tentée.

Greffe de tendon

Transplantation chirurgicale d'un tendon. Elle se pratique surtout en cas de section avec perte de substance d'un tendon (arrachement, par exemple). Ce sont les tendons des doigts qui sont les plus vulnérables ; on les remplace le plus souvent par un tendon d'un orteil ou d'un poignet.

Grenouillette

Tumeur bénigne du plancher de la bouche, sous la langue.

Une grenouillette est due en général à une rétention des sécrétions d'une glande salivaire dans la muqueuse buccale. Les causes de ce phénomène demeurent inconnues. Une grenouillette se présente sous la forme d'une petite boule lisse. Le traitement consiste à inciser la tumeur sous anesthésie locale pour permettre l'évacuation du liquide qu'elle contient.

Griffe

Déformation affectant la main ou le pied.

■ À la main, l'aspect en griffe se traduit par une flexion permanente de l'annulaire et de l'auriculaire. Cette déformation, appelée griffe cubitale, est généralement due à une blessure du nerf cubital, qui innerve la partie interne de la main. Beaucoup plus rarement, il s'agit d'une malformation congénitale caractérisée par une flexion irréductible des doigts, en particulier de l'auriculaire. Le traitement, chirurgical, fait appel à des transferts tendineux.

■ Au pied, l'aspect en griffe se caractérise par une flexion exagérée et permanente des orteils en direction de la plante du pied, qui présente elle-même une courbure très accentuée. Cette déformation peut être congénitale ou résulter d'un accident ayant lésé les nerfs ou les vaisseaux des muscles du pied. Dans les cas où la déformation peut être corrigée manuellement, le traitement repose sur le port de semelles orthopédiques ; dans les autres cas, il faut avoir recours à une intervention chirurgicale qui consiste en général à raccourcir la première phalange de tous les orteils et, éventuellement, à allonger les tendons extenseurs.

Griffes du chat (maladie des)

→ VOIR Lymphoréticulose bénigne d'inoculation.

Grippe

Maladie infectieuse, très contagieuse, due aux virus à A.R.N. *Myxovirus influenza* A et B, de la famille des orthomyxovirus.

La grippe est transmise par voie respiratoire à courte distance. Elle sévit sur toute la surface du globe et est responsable d'épidémies annuelles, généralement en hiver. Tous les 10 ou 15 ans survient une épidémie beaucoup plus grave et étendue, comme celle de 1919, qui fit 20 millions de morts en Europe.

SYMPTÔMES ET SIGNES

La grippe se traduit essentiellement par un état fébrile accompagné de courbatures, qui dure pendant plusieurs jours et régresse spontanément. Ces symptômes, relativement communs, sont les mêmes pour de nombreuses maladies infectieuses virales ou bactériennes (états grippaux). L'atteinte de la muqueuse respiratoire par le virus provoque une inflammation des voies respiratoires supérieures (nez, gorge, trachée) et inférieures (bronches, poumons). Des formes sévères, surtout respiratoires (œdème aigu pulmonaire grippal, grippe maligne), peuvent se rencontrer lors des épidémies. La maladie peut aussi prendre un caractère de gravité chez les personnes âgées (troubles cardiaques, complications infectieuses) et chez les personnes souffrant de bronchite chronique ou d'insuffisance cardiaque.

TRAITEMENT ET PRÉVENTION

Le traitement est celui des symptômes (douleurs, fièvre) ; on n'administre des antibiotiques qu'en fonction de la surinfection des voies respiratoires.

La prévention par un vaccin antigrippe (virus inactivé), administré en une seule injection, est conseillée chez les sujets fragiles, âgés, cardiaques ou atteints d'une insuffisance respiratoire. La vaccination doit être renouvelée chaque année, selon les recommandations de l'O.M.S., le virus en cause changeant généralement d'une année sur l'autre. On dispose également d'un médicament antiviral, l'amantadine, qui peut être administré préventivement pendant quelques jours, par exemple après qu'un sujet à risque s'est trouvé en contact avec une personne contagieuse.

Grossesse

Ensemble des phénomènes se déroulant entre la fécondation et l'accouchement, durant lesquels l'embryon, puis le fœtus, se développe dans l'utérus maternel. SYN. *gestation, gravidité*.

La grossesse dure en moyenne 9 mois, regroupés en 3 trimestres, soit 273 jours à partir de la date de la fécondation. Mais, comme celle-ci est le plus souvent difficile à évaluer, sauf dans le cas d'une fécondation artificielle (fécondation in vitro), les obstétriciens comptent souvent en semaines d'aménorrhée (S.A.), c'est-à-dire en semaines d'absence de règles : le début de la grossesse est alors fixé au 1er jour des dernières règles normales, sa durée étant de 41 semaines d'aménorrhée. En réalité, ce chiffre varie : 17 % des femmes accouchent au cours de la 41e semaine, 25 % entre la fin de la 38e et la fin de la 40e semaine et 29 % pendant la 42e semaine. Il existe par ailleurs des variations ethniques : ainsi, les femmes noires accouchent une ou deux semaines plus tôt que les autres femmes. Avant 37 semaines d'aménorrhée, l'accouchement est dit prématuré ; après 41 semaines et 3 jours, on parle de terme dépassé.

Déroulement de la grossesse

On en suit les étapes par trimestre.

SIGNES PRÉCOCES

L'un des premiers signes est l'absence de règles à la date prévue. Même si, d'ordinaire, les cycles menstruels sont irréguliers ou si un accident de santé ou un choc émotionnel peuvent expliquer une éventuelle irrégularité, la femme doit tenir compte de cette absence de règles car, si elle est enceinte, elle est déjà à 4 semaines d'aménorrhée.

Une femme qui surveille sa courbe de température matinale, pour une raison contraceptive ou pour favoriser la conception, peut observer un plateau thermique (élévation de la température persistant au-dessus de 37 °C) de plus de 16 jours alors que, normalement, la courbe redescend au-dessous de 37 °C la veille des règles. En même temps, d'autres signes apparaissent : émotivité, irritabilité anormales, nausées matinales, envies ou dégoûts alimentaires, gonflement et sensibilité des seins, besoins fréquents d'uriner, sensation de jambes lourdes, goût de métal dans la bouche.

Devant ces signes, la femme doit consulter un médecin pour faire confirmer ou infirmer la grossesse.

PREMIER TRIMESTRE

À l'examen gynécologique, l'utérus est globuleux et ramolli, le col utérin violacé et la glaire cervicale est absente. Ces signes, qui s'accentuent avec le temps, permettent,

à 8 semaines d'aménorrhée, d'assurer le diagnostic de grossesse. Mais auparavant, celle-ci peut être confirmée par le dosage de l'hormone chorionique gonadotrophique (h.C.G.), présente dans l'urine et le plasma sanguin de la femme enceinte.

■ **Des tests de grossesse** sont en vente libre en pharmacie : fondés sur une réaction immunologique, ils décèlent la présence dans l'urine d'une forme d'h.C.G., la bêta-h.C.G., dès le 1er jour de retard des règles. Toutefois, leur efficacité n'est pas totale et les dosages d'h.C.G. dans le plasma sanguin faits en laboratoire sont beaucoup plus sûrs. L'hormone est décelable dès le retard de règles : son taux double toutes les 48 heures pour atteindre un maximum à un peu plus de 2 mois de grossesse.

■ **L'échographie** permet, à 5 semaines d'aménorrhée, de voir le sac ovulaire et, à 6 semaines, l'embryon et le siège de la grossesse. À 7 semaines, l'activité cardiaque de l'embryon est décelée et, à 8 semaines, la présence éventuelle de plusieurs embryons (grossesse multiple) est confirmée. La meilleure période pour dater une grossesse au moyen de l'échographie et pour établir son terme, c'est-à-dire à la fois la date prévue pour l'accouchement et l'âge gestationnel, se situe entre la 8e et la 12e semaine d'aménorrhée. La mesure craniocaudale (du sommet de la tête au bas de la colonne vertébrale) de l'embryon permet alors de

---

Grossesse et vie quotidienne

L'alimentation d'une femme enceinte doit être équilibrée : la vitamine C est apportée en suffisance par les légumes et les fruits frais, le calcium, par les produits laitiers. Parfois, un supplément en fer et en acide folique est nécessaire. Pour éviter une contamination par la toxoplasmose ou la listériose, maladies dangereuses pour le fœtus, il faut consommer la viande cuite, rincer les légumes et les fruits, proscrire le lait cru et les produits à base de lait cru. La quantité de nourriture doit être surveillée afin que la prise de poids ne dépasse pas 12 à 13 kilogrammes. Idéalement, celle-ci devrait être de 9 ou 10 kilogrammes.

Cette surcharge se répartit ainsi : fœtus, 3 kilogrammes ; placenta, 1 kilogramme ; liquide amniotique, 1 kilogramme ; utérus, 1 kilogramme ; augmentation du volume sanguin, 1 kilogramme ; augmentation du volume des seins, 1 kilogramme. Le total est de 8 kilogrammes, auxquels s'ajoute un poids supplémentaire de graisse et d'eau.

L'activité sportive est conseillée, à l'exclusion des sports à risques traumatiques (ski, équitation) ou exigeant des efforts intenses (compétition, marathon, aérobic, musculation). Les deux premiers mois, les modifications hormonales entraînent une amélioration des capacités

physiques. Ensuite, la modération est recommandée : natation, marche, gymnastique, danse rythmique aident à maintenir le tonus musculaire et à limiter la prise de poids ; après l'accouchement, le retour à la forme physique antérieure est plus rapide chez une femme sportive. La gymnastique prénatale est conseillée à toutes les femmes enceintes, dans le cadre de la préparation à l'accouchement, ainsi que des séances de gymnastique aquatique ou de yoga. Toutes ces techniques allient des exercices respiratoires à des mouvements d'assouplissement et à la relaxation.

L'hygiène corporelle doit être parfaite, car les problèmes dermatologiques sont fréquents pendant la grossesse. Toutefois, les douches brûlantes, les longs bains très chauds et les douches vaginales sont à éviter. Le massage des seins, de l'abdomen, des cuisses et des fesses avec une crème raffermissante est recommandé, ainsi que le port d'un soutien-gorge résistant. Les gencives, fragilisées, gonflent et saignent facilement. En revanche, les caries ne sont pas particulièrement favorisées, mais il est nécessaire de faire contrôler l'état de ses dents pendant une grossesse.

Voyager en train ou en avion reste possible, sauf avis médical contraire. Mais une femme enceinte doit éviter les longs voyages en voiture, les vibrations pouvant déclencher des contractions.

préciser le terme à 3 jours près. Plus tard, entre 12 et 20 semaines, c'est la mesure du crâne (diamètre bipariétal) qui sert de repère, mais la précision est moindre.

Au cours de ce trimestre, l'utérus augmente progressivement de volume. À partir du 2e mois, il gagne 4 centimètres en hauteur par mois. La hauteur utérine se mesure avec un mètre ruban, sur l'abdomen, depuis l'arcade pubienne jusqu'au fond de l'utérus. À 3 mois, le fond dépasse de peu le pubis.

Les signes se multiplient. La femme présente parfois une constipation, de la nervosité, des vertiges, des troubles du sommeil (insomnies, accès de somnolence irrésistibles), des sensations abdominales inhabituelles, une salivation excessive. Elle peut prendre du poids (1 ou 2 kilogrammes) ou en perdre, si les nausées et les vomissements l'empêchent de s'alimenter.

DEUXIÈME TRIMESTRE

Après la 12e semaine, les nausées s'atténuent, puis disparaissent. L'utérus se développe, l'abdomen gonfle et la grossesse devient visible. Les mouvements du fœtus sont perçus entre 20 et 22 semaines d'aménorrhée pour un premier enfant, entre 18 et 20 semaines ensuite. Les seins grossissent et s'alourdissent. La pigmentation de la peau s'accentue : une ligne verticale sombre se dessine sur l'abdomen et parfois des taches se forment sur le visage (masque de grossesse) et sur la face interne des cuisses. La peau de l'abdomen s'amincit, se marquant parfois de vergetures par rupture des fibres élastiques cutanées. Le poids augmente (de 5 à 7 kilogrammes). Les dents et les gencives sont fragiles. À 4 mois et demi, le fond utérin atteint l'ombilic. Au 6e mois, la hauteur utérine est de 24 centimètres.

TROISIÈME TRIMESTRE

Au 7e mois, la hauteur utérine est d'environ 28 centimètres, au 8e mois de 30 centimètres et à 9 mois de 32 ou 33 centimètres. L'utérus appuie en bas sur la vessie, si bien que la toux, les éternuements, le rire peuvent entraîner une incontinence urinaire. Vers le haut, il refoule l'estomac, occasionnant des brûlures, et repousse le diaphragme, causant un essoufflement. L'abdomen se distend, les articulations du bassin deviennent douloureuses. Le corps s'alourdit, la fatigue s'accentue, le poids augmente encore de 4 kilogrammes, pour atteindre une augmentation totale de 9 à 13 kilogrammes. Les glandes mammaires sécrètent du colostrum.

Au cours du 8e mois, le fœtus se place normalement la tête en bas. Lors du 9e mois, sa tête s'engage dans le petit bassin, allégeant sa poussée sur le diaphragme : l'essoufflement s'atténue, tandis que la pesanteur pelvienne s'accroît. Des contractions utérines intermittentes non douloureuses se produisent.

Enfin, le terme de la grossesse est annoncé par la survenue de contractions utérines de plus en plus puissantes, rapprochées et régulières, qui accompagnent l'effacement puis la dilatation du col de l'utérus et marquent le début du travail, première phase de l'accouchement.

Surveillance médicale prénatale

La surveillance médicale de la grossesse est effectuée par un gynécologue ou une sage-femme, en cabinet ou dans une maternité. Elle consiste en une série d'examens médicaux dont certains sont obligatoires. La prise en charge précoce et continue d'une grossesse permet désormais de prévenir d'éventuels incidents.

PREMIER EXAMEN PRÉNATAL

L'examen clinique complet comprend un examen cardiovasculaire et pulmonaire, un examen des seins et un examen gynécologique (utérus, ovaires) ainsi qu'un frottis de dépistage si le frottis précédent date de plus d'un an. Le médecin demande des examens complémentaires : détermination des groupes sanguins si la future mère ne possède pas de carte de groupe sanguin complète (ABO, Rhésus et Kell), dépistage de la rubéole si elle n'est pas certaine d'avoir eu cette maladie, dépistage de la syphilis, de la toxoplasmose, de la drépanocytose pour les Africaines et de la thalassémie pour les femmes asiatiques ou du Moyen-Orient. Il propose également une recherche de séropositivité au virus du sida. La recherche d'une protéinurie, pour déceler une atteinte rénale, et d'une glycosurie, pour dépister un diabète, est effectuée mensuellement. Une numération formule sanguine est obligatoire au 6e mois de grossesse. Ces examens permettent de déceler les grossesses à risque et de prévoir, le cas échéant, une consultation spécialisée. Celle-ci peut conduire à envisager un cerclage du col si celui-ci est ouvert, une recherche génétique lorsque la famille présente une maladie héréditaire, et à proposer une amniocentèse pour détecter une anomalie chromosomique si la femme est âgée de plus de 38 ans.

CONSULTATIONS SUIVANTES

Elles se succèdent de mois en mois lorsque la grossesse se déroule normalement. Les mesures de la hauteur utérine sont notées sur une courbe, le développement et la vitalité du fœtus sont suivis. Le rythme cardiaque fœtal, perçu d'abord à l'échographie, puis à l'auscultation, est normalement régulier (de 120 à 160 pulsations par minute). Le poids de la femme est noté, sa tension artérielle, mesurée (la normale ne doit pas dépasser 13/8). Un toucher vaginal explore le col utérin.

Certains examens sanguins sont répétés régulièrement si la sérologie était négative au 1er examen : tous les mois pour la toxoplasmose, tous les mois jusqu'à 3 mois de grossesse révolus pour la rubéole. De même, lorsque la femme est Rhésus négatif, l'enfant risque d'être Rhésus positif, et la gravité des conséquences de l'incompatibilité Rhésus rend nécessaire la recherche mensuelle de la présence d'agglutinines. Le dépistage des marqueurs de l'hépatite B a lieu à 7 mois de grossesse. L'échographie réalisée entre 20 et 22 semaines d'aménorrhée permet de rechercher des anomalies morphologiques du fœtus et d'étudier sa croissance. La dernière échographie, réalisée à 33 semaines, vérifie la position du fœtus,

sa croissance, sa morphologie, l'abondance du liquide amniotique ainsi que la localisation du placenta.

DERNIER EXAMEN PRÉNATAL

La consultation du 9e mois, normalement la dernière avant l'accouchement, permet de vérifier la vitalité du fœtus, le type de la présentation (par la tête, par le siège, etc.). Si l'enfant se présente par l'épaule ou par le siège, le médecin tente parfois de le retourner manuellement de l'extérieur (version par manœuvre externe). Selon les circonstances, l'état du col et des parties molles (présence de tissu cicatriciel pouvant gêner les contractions ou l'expulsion), l'obstétricien prévoit le mode d'accouchement (par les voies naturelles ou par césarienne). S'il envisage une anesthésie (péridurale ou générale), il fait pratiquer les examens nécessaires et demande une consultation d'anesthésie. C'est aussi au cours de ce dernier examen qu'est éventuellement envisagé le déclenchement artificiel de l'accouchement. Des conseils sont donnés à la mère de façon qu'elle sache partir à temps pour la maternité. Enfin, un rendez-vous est pris à 41 semaines d'aménorrhée pour un enregistrement des bruits du cœur fœtal et pour une amnioscopie si, à cette date, l'accouchement ne s'est pas produit.

Aspects psycho-affectifs de la grossesse

Les progrès médicaux et l'évolution de la condition féminine ont transformé l'expérience de la grossesse, qui est de plus en plus choisie et désirée. Pourtant, celle-ci fait encore l'objet d'appréhensions obscures. Certaines d'entre elles ont une origine personnelle, ravivant les conflits infantiles (découverte de la sexualité, conflits œdipiens) ; d'autres sont liées aux circonstances (changement du rythme de vie, attitude du futur père, inquiétude professionnelle, problèmes matériels et moraux posés par la naissance, par exemple).

Au début, la femme enceinte se sent plus vulnérable sur le plan affectif : besoin de protection, recherche de gratification, dépendance envers l'entourage, « envies » alimentaires. Cet état accompagne les troubles du premier trimestre (nausées, vomissements, vertiges, nervosité, fatigue, insomnie), modes d'expression émotionnelle qui disparaissent le plus souvent dès que l'enfant commence à bouger. Toutefois, ils peuvent persister ou s'aggraver (vomissements incoercibles), entraînant une déshydratation et un amaigrissement qui nécessitent un traitement médical et psychologique et parfois même une hospitalisation.

La grossesse suscite parfois des manifestations anxieuses (phobies, obsessions, psychasthénie) témoignant d'une tendance névrotique à laquelle une aide psychologique peut remédier. Les accidents psychotiques (délire, accès maniaque ou mélancolique) sont rares. Ils doivent être traités en milieu spécialisé mais ne constituent pas un obstacle au déroulement normal de la grossesse.

Une bonne évolution de la grossesse dépend aussi du lien qui unit le couple.

GROSSESSE

La grossesse est une période de transformations physiques et physiologiques intenses. Le corps de la femme se modifie mois après mois pour permettre le développement de l'enfant.
Au premier trimestre, la grossesse n'est pas visible mais le fœtus acquiert sa forme définitive : tous les organes sont ébauchés à 3 mois.
Aux deuxième et troisième trimestres, l'abdomen maternel s'arrondit tandis que le développement se poursuit jusqu'au terme.

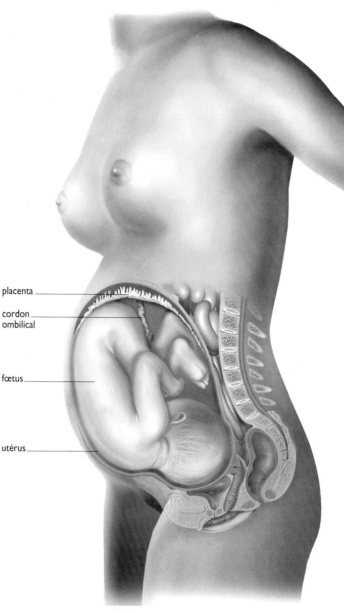

placenta

cordon ombilical

fœtus

utérus

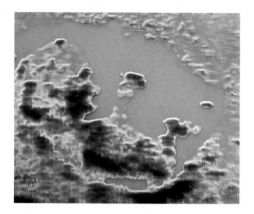

Une échographie réalisée à 3 mois de grossesse.

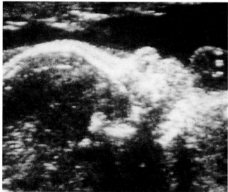

La tête est visible à 8 mois de grossesse.

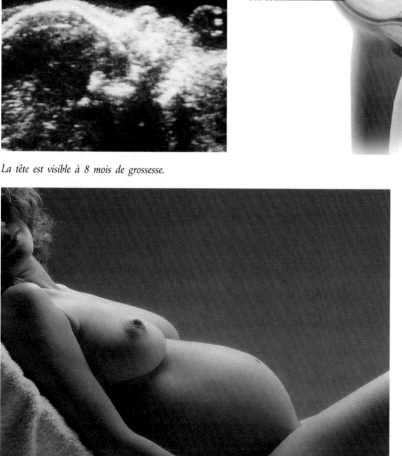

Le corps de la mère se transforme pour s'adapter au développement de l'enfant.

Les échographies

Premier trimestre
L'échographie du premier trimestre permet de dater avec précision la fécondation et donc le terme de la grossesse, ainsi que de voir le nombre de fœtus présents dans l'utérus.

Deuxième trimestre
L'échographie du deuxième trimestre est destinée à vérifier la morphologie du fœtus et à étudier sa croissance.

Troisième trimestre
L'échographie du troisième trimestre sert essentiellement à préciser la présentation du fœtus (par la tête, par le siège, par l'épaule) et à contrôler ses mensurations et celles de la mère ainsi que l'emplacement du placenta.

Grossesse et médicaments

Le fœtus est très sensible aux médicaments et aux drogues absorbés par sa mère ; le risque d'atteinte fœtale est élevé, si bien que toute prise de médicament non essentiel doit être exceptionnelle pendant la grossesse. C'est pourquoi une femme enceinte ne doit pas prendre de médicament sans avis médical.

Les principaux médicaments tératogènes (produisant, au stade embryonnaire, des malformations congénitales) sont les anticancéreux, les antidiabétiques oraux, certains antiépileptiques, le lithium, les hormones sexuelles de synthèse, les vaccins vivants atténués (rougeole, oreillons, rubéole, fièvre jaune et vaccin antipoliomyélitique de Sabin), certains antibiotiques (tétracyclines) et antipaludéens.

Les principaux médicaments toxiques pour le fœtus sont les sulfamides retard, les aminosides, les digitaliques, certains anticoagulants (antivitamines K), l'aspirine au cours du 3e trimestre. Les opiacés et les neuroleptiques agissent, quant à eux, sur les centres nerveux du fœtus et sont surtout toxiques pendant l'accouchement en raison de la difficulté respiratoire et de la trop grande somnolence qu'ils provoquent.

La prise de LSD, de cocaïne ou d'amphétamines entraîne un risque d'accouchement prématuré, d'insuffisance de poids fœtal, de malformation congénitale et de retard mental et physique. Dans le cas de l'héroïnomanie, non seulement l'enfant présente à la naissance une insuffisance pondérale, mais il naît intoxiqué et son sevrage demande 6 semaines. Si la mère est alcoolique, les risques d'avortement sont accrus ; le bébé pourra présenter des malformations faciales ou cardiaques, un retard de croissance, parfois un retard mental. Enfin, une consommation élevée de tabac est responsable d'une insuffisance de poids à la naissance, d'une diminution de la résistance aux infections, d'une sensibilité aux infections et aux maladies de l'appareil respiratoire.

Contrairement à ce que redoutent un bon nombre de femmes enceintes, la transformation de leur corps ne diminue en rien l'attrait sexuel. À partir du 7e mois, selon l'avis médical, les rapports amoureux exigent une certaine prudence, sinon l'abstention complète. Les obstétriciens recommandent au futur père d'assister aux séances de préparation à l'accouchement de façon à être mieux informé et à mieux participer, avec sa compagne, à la naissance de l'enfant. Dans certaines maternités, des réunions d'information sont organisées à l'intention des couples.

Grossesses pathologiques

Tout événement survenant au cours de la grossesse et qui comporte un risque pour la mère et/ou pour l'enfant est considéré comme pathologique. En outre, une grossesse est dite « à risque » lorsqu'elle survient chez une femme atteinte d'une maladie préexistante que la gestation peut aggraver, qui peut compliquer l'accouchement ou influer sur l'état de santé du fœtus. Les grossesses survenant dans ces conditions sont suivies de près et peuvent nécessiter une hospitalisation.

Parmi les maladies pouvant être aggravées ou réactivées par une grossesse, on trouve le diabète, le lupus érythémateux disséminé, le sida, la drépanocytose, certains cancers, des affections cardiaques (rétrécissement mitral, cardiopathies congénitales), pulmonaires (asthme), endocriniennes (hyperthyroïdie, hypothyroïdie), neurologiques (épilepsie, sclérose en plaques). Chez les femmes ayant subi une transplantation (rein, foie, cœur), la grossesse est à haut risque, mais d'autres facteurs de risque sont aussi reconnus : l'obésité, une forte consommation d'alcool, les toxicomanies, le tabagisme et l'âge de la femme (moins de 17 ans, plus de 38 ans).

L'évaluation médicale d'une grossesse tient compte des anomalies anatomiques osseuses ou utérines, de la présence d'une hypertension artérielle. On sait que le paludisme chronique, une rickettsiose, une hépatite virale (B surtout) entraînent souvent un avortement et que les femmes enceintes concernées par ces maladies doivent être surveillées. Une grossesse multiple est également considérée à risque, car elle peut entraîner un accouchement prématuré.

PREMIER TRIMESTRE

Au premier trimestre, ce sont les risques de fausse couche, les grossesses extra-utérines et les grossesses se compliquant de vomissements incoercibles qui font l'essentiel de la pathologie. Les menaces de fausse couche se traduisent par des douleurs pelviennes et des saignements vaginaux. Si l'échographie ne révèle pas de dommages irréversibles de l'œuf (arrêt de développement, décollement, œuf clair), un traitement hormonal par la progestérone, associé au repos, permet parfois de poursuivre la grossesse. Au début de la gestation, la grossesse extra-utérine, dans laquelle l'œuf s'est implanté hors de l'utérus, présente une réelle gravité avec son risque de rupture tubaire ; son traitement est le plus souvent chirurgical et consiste en l'ablation de l'œuf et, parfois, de la trompe endommagée. Les vomissements incoercibles dus aux modifications hormonales peuvent aussi marquer ce premier trimestre. Le repos, un traitement antiémétique (contre les vomissements), le jeûne – suivi de la réintroduction prudente de l'alimentation – sont le plus souvent efficaces. L'hospitalisation peut être nécessaire. Enfin, au cours de ce trimestre, la rubéole ou la toxoplasmose, si elles affectent peu la santé de la mère, peuvent être très graves pour le fœtus.

DEUXIÈME TRIMESTRE

La menace d'accouchement prématuré représente la principale pathologie du deuxième trimestre, mais elle se prolonge également pendant le troisième trimestre. Elle se traduit par des contractions utérines indolores qui modifient progressivement le col de l'utérus. Le meilleur traitement de la menace d'accouchement prématuré est le repos accompagné, si besoin est, de traitements diminuant ou arrêtant les contractions utérines. Un accouchement est dit prématuré s'il survient avant 37 semaines d'aménorrhée. Au cours du second trimestre, il arrive parfois que la survenue de contractions entraîne à l'examen la découverte d'une béance du col de l'utérus : un cerclage est alors effectué entre la 12e et la 21e semaine. Associé au repos, parfois en position allongée, et au traitement relaxant l'utérus, il suffit souvent à faire disparaître la menace d'avortement et permet de poursuivre la grossesse en général jusqu'au terme normal, en tout cas jusqu'à la date de viabilité, après la 28e semaine.

TROISIÈME TRIMESTRE

Au cours du troisième trimestre, diverses maladies maternelles peuvent compliquer une grossesse : l'anémie, l'hypertension artérielle, la toxémie gravidique, les infections urinaires et rénales. Des causes liées au fœtus peuvent aussi intervenir : un excès de développement (macrosomie fœtale) ou un retard de croissance intra-utérin, un excès de liquide amniotique (hydramnios) ou son insuffisance (oligoamnios). Les insertions anormales du placenta, par exemple le placenta praevia, sont aussi des facteurs de risque en raison des hémorragies qu'elles produisent. Enfin, la constatation in utero de malformations fœtales compatibles avec la vie et permettant la poursuite de la grossesse nécessite aussi une surveillance accrue, une programmation de la naissance au meilleur moment et dans un centre spécialisé proche d'un service de chirurgie pédiatrique ; certaines interventions chirurgicales sont même tentées sur le fœtus in utero, par exemple le traitement de certaines hernies diaphragmatiques.

→ VOIR Accouchement, Avortement, Embryon, Fécondation in vitro, Fœtus, Placenta praevia, Rhésus.

Grossesse extra-utérine

Grossesse se développant en dehors de la cavité utérine. SYN. *grossesse ectopique.*

Une grossesse extra-utérine (G.E.U.) survient dans environ 2 % des grossesses, mais la fréquence de ce phénomène varie selon les parties du monde (1 pour 28 naissances en Jamaïque, 1 pour 65 aux États-Unis, 1 pour 60 au Canada, 1 pour 38 à 72 en France selon les études). Elle a triplé en 10 ans et les grossesses extra-utérines représentent encore de 4 à 10 % des causes de décès chez les femmes enceintes.

DIFFÉRENTS TYPES DE GROSSESSE EXTRA-UTÉRINE

Dans 96 % des cas, l'œuf s'implante dans la trompe de Fallope (grossesse tubaire). Les autres localisations, plus rares, sont tuboovariennes, ovariennes ou péritonéales (dans la cavité abdominale). En outre, quoiqu'elles soient bien intra-utérines, certaines localisations peuvent être soit l'embouchure de la trompe (grossesse angulaire), soit le col utérin (grossesse endocervicale). Dans la trompe de Fallope, l'œuf peut se greffer en n'importe quel point : par ordre de fréquence décroissant, il se fixe dans l'ampoule tubaire, espace compris entre le pavillon et la trompe (grossesse ampullaire), dans la partie la plus étroite de la trompe (grossesse isthmique), dans le pavillon lui-même (grossesse infundibulaire) ou dans la paroi utérine, là où la trompe la traverse (grossesse interstitielle).

FACTEURS DE RISQUE

Les facteurs de risque qui expliquent l'accroissement de la fréquence des grossesses extra-utérines se regroupent en plusieurs catégories.

■ La fréquence croissante des maladies sexuellement transmissibles (M.S.T.) est un facteur important : un antécédent d'infection (salpingite) multiplie par 6 le risque de grossesse extra-utérine par suppression des cils qui, normalement, tapissent la trompe et facilitent le déplacement de l'ovule. Si l'origine tuberculeuse des salpingites est devenue rare en Europe, les infections à *Chlamydiæ* ou à gonocoques y sont fréquentes.

■ Le stérilet, bien que très efficace en tant que contraceptif, multiplie par 3 le risque de grossesse extra-utérine par rapport aux méthodes de contraception orale. Les stérilets contenant de la progestérone multiplient le risque par 6 ou 7. Ce risque, qui s'accroît après 2 ans d'utilisation du stérilet, est réversible lorsque le stérilet est enlevé. En revanche, les stérilets n'augmentent pas la fréquence des grossesses extra-utérines par rapport à une population de femmes qui n'utilisent pas de contraception.

■ Le tabac est un facteur de risque de grossesse extra-utérine ; plus une femme fume, plus le risque grandit. Une grossesse extra-utérine sur 5 serait directement liée à la consommation de tabac.

■ L'âge maternel est en cause : le risque est multiplié par 2 pour les femmes de 35 à 39 ans et presque par 4 à partir de 40 ans.

■ La chirurgie de la stérilité, si elle rétablit la perméabilité d'une trompe, laisse obligatoirement des cicatrices et ne répare pas les lésions préexistantes de la muqueuse.

■ La procréation médicalement assistée, c'est-à-dire la fécondation in vitro et le transfert intratubaire de gamètes (consistant à introduire les spermatozoïdes et l'ovule dans une trompe), multiplie par 2 le risque de grossesse extra-utérine par rapport aux femmes ayant spontanément présenté une grossesse extra-utérine.

■ Les autres facteurs d'augmentation de fréquence de la grossesse extra-utérine comprennent les micropilules (contraceptifs oraux faiblement dosés) et une atteinte in utero consécutive à un traitement par le diéthylstilbestrol suivi par la mère, car ce médicament altère l'anatomie tubaire. En outre, le risque de grossesse extra-utérine est plus important chez les femmes qui ont déjà connu ce type de grossesse.

SYMPTÔMES ET SIGNES

Une grossesse extra-utérine se manifeste par des douleurs abdominales et des hémorragies utérines survenant après un retard de règles, de 3 à 6 semaines généralement. En effet, l'œuf se développe dans un tissu qui n'est pas fait pour l'accueillir et il distend celui-ci. Lorsque l'œuf s'est greffé dans l'ampoule tubaire, la grossesse peut se poursuivre plus longtemps, l'embryon pouvant continuer son développement dans l'abdomen.

DIAGNOSTIC ET ÉVOLUTION

Le diagnostic précoce d'une grossesse extra-utérine est assuré par deux examens, souvent associés, pratiqués en milieu hospitalier.

■ Le dosage, dans l'urine ou le plasma sanguin, d'une hormone spécifique de la grossesse, l'hormone chorionique gonadotrophique (h.C.G.), sécrétée par le chorion puis par le placenta, organes nourriciers de l'œuf, indique un taux en général inférieur au taux attendu pour l'âge gestationnel. La disparition de cette hormone dans le sang est par ailleurs nécessaire pour affirmer la guérison, tant spontanée que consécutive à un traitement.

■ L'échographie peut mettre en évidence une activité cardiaque embryonnaire hors de l'utérus. Outre ce signe direct, l'examen peut révéler un gros utérus, un vide utérin qui ne correspond pas à la date de la grossesse, une hématocèle (épanchement de sang dans le cul-de-sac de Douglas, point le plus bas de la cavité péritonéale), une image anormale des trompes et des ovaires avec, parfois, des épanchements de sang dans la trompe et une absence d'embryon.

Le danger d'une grossesse extra-utérine réside dans la rupture de la trompe, qui peut entraîner une hémorragie interne de plus ou moins grande importance et est à l'origine de lésions irréversibles. Toutefois, cette complication, qui constitue une urgence chirurgicale, est devenue exceptionnelle.

TRAITEMENT ET PRONOSTIC

Une grossesse extra-utérine en voie de régression spontanée doit être surveillée de près en raison des risques de rupture de la trompe. Tous les autres cas nécessitent un traitement chirurgical, radical (ablation de la trompe) ou conservateur (conservation de la trompe) selon les cas. L'ouverture de l'abdomen est indiquée lorsqu'une grave hémorragie interne suit la rupture brutale de la trompe ou quand un épanchement sanguin s'est enkysté et que des adhérences se sont créées. Les grossesses interstitielle, ovarienne et abdominale constituent ses indications. Dans d'autres cas, la cœliochirurgie (intervention pratiquée sous contrôle endoscopique) permet d'intervenir sans avoir à pratiquer de grandes incisions. Les instruments chirurgicaux sont en effet introduits par une minuscule incision sous

---

GROSSESSE EXTRA-UTÉRINE

Le plus souvent, c'est une anomalie tubaire qui gêne la progression normale de l'œuf fécondé jusqu'à l'utérus. L'œuf s'implante alors dans la paroi de la trompe utérine. En grossissant, il provoque des douleurs, des saignements et parfois une rupture de la trompe. Une opération peut être nécessaire.

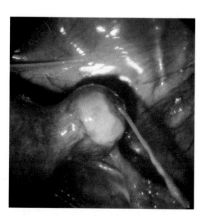

L'exploration cœlioscopique révèle une trompe dilatée par la présence de l'œuf.

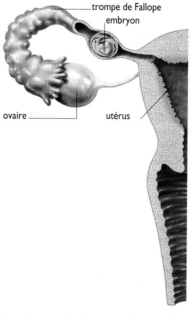

trompe de Fallope
embryon

ovaire
utérus

Il arrive que l'embryon se développe dans l'isthme de la trompe, juste avant l'utérus.

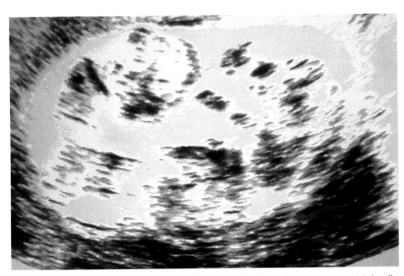

Grossesse multiple. *L'échographie est particulièrement adaptée au diagnostic et au suivi de telles grossesses. Elle montre ici l'existence de jumeaux, un à droite et un à gauche.*

contrôle visuel assuré par un cœlioscope (tube muni d'un système optique). Plus récemment, certaines équipes chirurgicales ont traité des grossesses extra-utérines par ponction sous surveillance échographique, associée à l'injection locale d'un médicament antimitotique, le méthotrexate, destiné à détruire les cellules de la grossesse extra-utérine.

Lorsque le diagnostic est évoqué, la patiente doit être hospitalisée en urgence, afin de prévenir immédiatement une éventuelle complication (rupture de la trompe, en particulier).

Grossesse multiple

Développement simultané de plusieurs fœtus dans l'utérus.

Le terme de grossesse multiple s'applique à la grossesse gémellaire, ou double (2 fœtus), trigémellaire, ou triple (3 fœtus), ainsi qu'à la grossesse quadruple, quintuple, sextuple, etc. Un seul cas de grossesse nonuple (9 fœtus) a été observé, en 1976, mais aucun des enfants n'a survécu.

La grossesse gémellaire est assez fréquente (1 cas sur 89 grossesses en Europe), mais ce taux varie selon les ethnies (il augmente en Asie et atteint 5 % dans certains pays d'Afrique), l'environnement, les facteurs familiaux (les jumelles ont deux fois plus de jumeaux que la population générale), l'âge de la femme et le nombre d'enfants qu'elle a déjà eus (données qui augmentent le risque de grossesse multiple).

Les techniques de procréation médicalement assistée (induction de l'ovulation, fécondation in vitro) entraînent souvent une grossesse gémellaire. La fécondation in vitro provoquerait 14 % de grossesses gémellaires après transfert de 3 embryons, tandis qu'elle multiplie par 5 au moins le taux des grossesses triples et quadruples.

DIFFÉRENTS TYPES DE GROSSESSE MULTIPLE

Il existe deux sortes de grossesse multiple, la grossesse monozygote (un seul œuf) et la grossesse dizygote (deux œufs), cette dernière représentant 30 % des grossesses gémellaires et 3 naissances sur 1 000.

■ **Dans la grossesse dizygote, ou pluriovulaire,** les enfants résultent de la fécondation de deux ou plusieurs ovules par des spermatozoïdes différents. Ils peuvent être de même sexe ou de sexes différents. Ils se ressemblent, mais pas plus que des frères et sœurs nés à des dates différentes. Les fœtus ont chacun leur membrane (chorion et amnios), mais le placenta peut être unique.

■ **Dans la grossesse monozygote, ou mono-ovulaire,** les enfants résultent de la fécondation par un spermatozoïde d'un seul ovule, qui se divise. Ils sont de même sexe, sont identiques du point de vue morphologique, physiologique et génétique. Leur sang possède les mêmes caractéristiques. La séparation de l'œuf en deux (ou plus) a lieu dans les 14 jours qui suivent la fécondation. Dans 30 % des cas, elle se fait avant le stade morula (16 divisions cellulaires), alors que l'œuf migre encore dans la trompe vers l'utérus ; chaque embryon baignera alors dans son sac membraneux, tapissé par l'amnios et le chorion nourricier, comme les embryons dizygotes. Dans 70 % des cas, la séparation a lieu entre le 6e et le 9e jour et les embryons ont le même chorion.

SURVEILLANCE

Le taux d'accouchement prématuré et de mortalité périnatale est plus élevé en cas de grossesse multiple. Ce risque est réduit par la prise en charge précoce de la grossesse dans un centre spécialisé. Une grossesse multiple exige une surveillance accrue, du repos, un arrêt de travail précoce, même lorsqu'il s'agit d'une grossesse gémellaire. L'échographie permet de diagnostiquer très tôt le caractère monozygote ou dizygote des embryons et de surveiller leur développement. À la naissance, les enfants ont généralement un poids inférieur à celui d'enfants issus d'une grossesse unique et ils font l'objet d'une surveillance attentive dans les premières semaines de leur vie.

Groupage tissulaire
→ VOIR Typage tissulaire.

Groupe sanguin

Ensemble de propriétés antigéniques du sang permettant de classer les individus et d'assurer la compatibilité de la transfusion sanguine entre donneurs et receveurs.

Ces propriétés antigéniques caractérisent plusieurs cellules du sang (globules rouges, plaquettes, granulocytes), ce qui permet de distinguer différents types de groupes sanguins. Le groupe sanguin (ABO, HLA, etc.) est l'un des éléments qui déterminent l'identité de chaque individu.

GROUPES SANGUINS ÉRYTHROCYTAIRES

Ils se caractérisent par des antigènes présents à la surface des globules rouges. Il existe une vingtaine de groupes érythrocytaires.

■ **Le système ABO,** le plus important, mis en évidence en 1900 par le médecin allemand Karl Landsteiner, doit être respecté dans toutes les transfusions. Il est défini tout d'abord par la présence d'antigènes A, B ou AB pour les groupes A, B et AB, ou par l'absence d'antigène pour le groupe O ; ensuite par la présence d'anticorps dans le sérum : respectivement anti-A, anti-B et anti-A+B chez les sujets B, A et O. Les sujets O sont donc donneurs universels, et les sujets AB receveurs universels. Selon le groupe, le sang est donc agglutiné par un sérum-test particulier : sérum-test contenant des anticorps anti-B ou anti-AB pour un sang de groupe A ; sérum-test anti-A ou anti-AB pour un sang de groupe B ; sérum anti-A ou anti-B pour un sang de groupe AB. Un sang de groupe O n'agglutine aucun sérum-test. La détermination des groupes ABO se fait compte tenu de ces règles de compatibilité, en faisant agir des sérums-tests anti-A, anti-B et anti-AB sur le sang du sujet ou, suivant le même principe, en faisant réagir le sérum du sujet sur des globules rouges tests.

■ **Le système Rhésus,** découvert en 1940 par le même médecin allemand, vient apporter une information supplémentaire à la classification établie par les groupes sanguins érythrocytaires. Il distingue 5 types d'antigènes : D, C, c, E et e. La présence de l'antigène D définit le groupe Rhésus positif, et son absence le groupe Rhésus négatif, les autres antigènes étant présents dans l'un et l'autre cas. Les anticorps correspondant à l'antigène D n'existent pas de façon naturelle mais peuvent apparaître après immunisation, lors d'une transfusion ou d'une grossesse, par exemple.

■ **Les autres systèmes majeurs** en matière de transfusion sont le système Kell, le système Duffy, le système Kidd et le système MNS. Le plus important, le système Kell, fait l'objet d'une détermination chez les femmes enceintes et chez les multitransfusés et comporte 2 antigènes dont le plus fréquent, l'antigène K, stimule une forte production d'anticorps).

Les groupes sanguins les plus importants, recherchés systématiquement avant toute transfusion, sont ceux des systèmes ABO et Rhésus. On les détermine en faisant agir des sérums-tests sur les globules rouges, puis on confirme ce résultat en mettant en contact le sérum du sujet avec des globules rouges tests. De nos jours, on ne prescrit à un receveur qu'un sang d'un groupe parfaitement identique au sien.

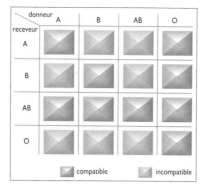

Table de compatibilité du système ABO.

Sérums-tests

Globules rouges tests

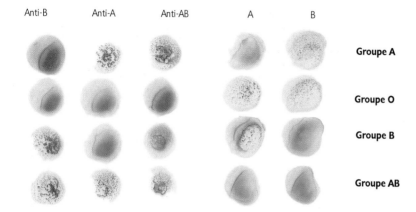

Les agglutinations (fines granulations) déterminent le groupe du sujet.

AUTRES GROUPES SANGUINS

D'autres classifications ont trait à d'autres cellules sanguines : les antigènes propres aux plaquettes (essentiellement PLA 1 et PLA 2) offrent peu d'intérêt en transfusion ; certains antigènes sont propres aux granulocytes ; enfin, le système HLA *(Human Leucocyte Antigen)* repose sur la classification d'antigènes existant sur toutes les cellules du sang, sauf les globules rouges ; il présente un intérêt en transfusion et doit également être pris en considération dans la transplantation de moelle osseuse et d'organe.
→ VOIR Antigène, Histocompatibilité, Rhésus (système).

Guanine

Base purique faisant partie de la structure des acides nucléiques (A.D.N. et A.R.N.).
La guanine peut se combiner avec un glucide, le ribose, pour former un nucléoside, la guanosine. Celle-ci forme à son tour des nucléotides en se combinant à un, deux ou trois acides phosphoriques, ce qui produit respectivement la guanosine-monophosphate (G.M.P.), la guanosine-diphosphate (G.D.P.) et la guanosine-triphosphate (G.T.P.). Ces nucléotides sont impliqués dans d'importantes réactions chimiques de la vie cellulaire, notamment celles qui permettent la transmission, à travers la membrane cytoplasmique, des stimulations apportées au métabolisme cellulaire par les hormones.

Guérison

Disparition totale des symptômes d'une maladie ou des conséquences d'une blessure avec retour à l'état de santé antérieur.

Guerre bactériologique

Utilisation d'agents biologiques à des fins militaires. SYN. *guerre biologique.*
La guerre bactériologique consiste à épandre dans l'air ou dans l'eau des virus ou des bactéries à potentiel contagieux très élevé ou des biotoxines d'action très rapide : staphylocoques toxigènes, agents du botulisme, de la variole, des fièvres virales hémorragiques, etc.
Une convention d'interdiction des armes biologiques a été signée en 1972 par 113 pays, conscients des risques qu'elles représentent, 23 autres pays demeurant en attente. Elle comporte une clause de vérification du respect de la convention par inspection des pays membres.

Guillain-Barré (syndrome de)

Inflammation aiguë et démyélinisation (destruction de la gaine de myéline entourant les fibres nerveuses) des nerfs périphériques, responsables de paralysies. SYN. *paralysie ascendante, polyradiculonévrite aiguë.*
Le syndrome de Guillain-Barré est la plus fréquente des polyradiculonévrites, affections qui ont en commun une inflammation des racines des nerfs à leur point d'émergence de la moelle épinière.

CAUSES

Le mécanisme de ce syndrome est auto-immun, l'organisme fabriquant des anticorps contre ses propres constituants. Ce dérèglement survient à tout âge, dans deux cas sur trois après une infection d'origine virale, souvent une fièvre éruptive.

SYMPTÔMES ET SIGNES

La maladie comprend trois phases. La première, qui dure moins de quatre semaines, est caractérisée par l'apparition d'une paralysie des membres inférieurs. Celle-ci s'étend ensuite symétriquement aux membres supérieurs (tétraplégie) et aux nerfs crâniens, provoquant une paralysie faciale, des troubles oculomoteurs et des troubles de la déglutition. Ces signes s'associent fréquemment à des manifestations sensitives : fourmillements, douleurs des muscles, du dos, le long des nerfs. Au cours de cette phase peut apparaître une paralysie des muscles respiratoires nécessitant un traitement en réanimation. La deuxième phase est caractérisée par la persistance, en plateau, des signes précédents, parfois pendant plusieurs mois. La troisième phase, qui dure de plusieurs semaines à plusieurs mois, est celle de la récupération, les signes disparaissant progressivement.

DIAGNOSTIC

Il repose sur l'examen du liquide céphalorachidien, obtenu par ponction lombaire, qui révèle une hyperprotéinorachie (augmentation du taux de protéines), et sur l'électromyogramme (mesure de l'activité électrique musculaire), qui révèle un ralentissement, le plus souvent important, de la vitesse de conduction des impulsions nerveuses.

TRAITEMENT ET PRONOSTIC

Le traitement consiste tout d'abord à assurer la respiration (ventilation assistée au besoin). Certains traitements visent à diminuer l'extension et la durée des paralysies, surtout dans les cas les plus graves, en recourant à différents moyens : échanges plasmatiques (soustraction des anticorps anormaux du plasma du malade), injection intraveineuse à fortes doses d'immunoglobulines humaines plasmatiques. Dans la majorité des cas, aucune séquelle n'est à déplorer ; les rechutes sont rares.

Güthrie (test de)

Test de dépistage néonatal de la phénylcétonurie.
Le test de Güthrie est systématiquement pratiqué chez le nouveau-né. Son but est de diagnostiquer la phénylcétonurie, maladie héréditaire due à une accumulation de phénylalanine, qui provoque, en l'absence de traitement, un retard mental. Le test, ordinairement pratiqué entre le 8e et le 14e jour de la vie, consiste à doser la phénylalanine à partir de quelques gouttes du sang de l'enfant, recueillies sur papier filtre puis mises au contact d'une culture de bactéries dont la croissance est stimulée par la phénylalanine, la pousse bactérienne étant proportionnelle à la concentration de celle-ci dans le sang. En cas de résultat positif (concentration de phénylalanine

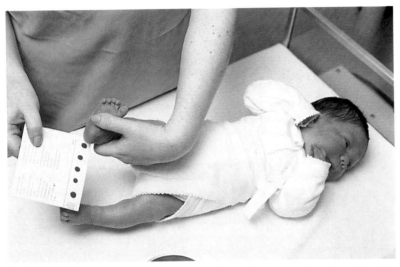

Test de Güthrie. *Le sang du nouveau-né, prélevé au talon, est mis au contact d'une culture de bactéries et sert à dépister la phénylcétonurie (maladie héréditaire due à l'accumulation de phénylalanine).*

supérieure à 20 milligrammes par millilitre), le diagnostic est confirmé par d'autres examens plus précis, ce qui permet d'instituer sans délai un régime alimentaire pauvre en phénylalanine (restriction protidique), nécessaire au traitement de la maladie.

Gymnastique respiratoire

Méthode de kinésithérapie respiratoire consistant à apprendre au sujet à contrôler et à faire travailler ses muscles respiratoires thoraciques et abdominaux.

La gymnastique respiratoire est indiquée dans toutes les maladies chroniques affectant la respiration : bronchite chronique, asthme, emphysème, mucoviscidose, etc. Elle permet d'améliorer la ventilation de l'air dans les poumons, l'oxygénation du sang et, en conséquence, le travail des muscles et les possibilités d'effort physique. Le kinésithérapeute montre au malade quels mouvements du thorax et de l'abdomen il doit effectuer et quels muscles doivent se contracter. Il lui apprend notamment le rôle de l'abdomen : exercices d'expiration profonde, obtenue en contractant les muscles abdominaux (en « rentrant le ventre »), suivie d'une inspiration passive, puis active, en relâchant ces mêmes muscles.

Gynécologie

Spécialité médicale consacrée à l'étude de l'organisme de la femme et de son appareil génital, du point de vue tant physiologique que pathologique.

La gynécologie médicale s'intéresse également aux premiers mois de la grossesse, mais elle se distingue de l'obstétrique, qui porte sur la surveillance de la grossesse et sur la technique de l'accouchement. Souvent cependant, un même spécialiste est gynécologue et obstétricien.

La gynécologie-obstétrique a bénéficié des progrès de l'imagerie, en particulier de l'échographie (sans danger pour le fœtus, à la différence des rayons X) et de la cœlioscopie. Elle utilise largement le développement des connaissances en endocrinologie, tant pour le diagnostic que pour la thérapeutique. Enfin, les cancers gynécologiques sont maintenant bien dépistés et traités.

Gynécomastie

Augmentation du volume de la glande mammaire chez l'homme.

La gynécomastie doit être distinguée de l'adipomastie, beaucoup plus fréquente, qui est une accumulation locale de tissu adipeux. La gynécomastie est une affection qui touche assez fréquemment l'homme âgé. Elle est généralement bénigne, hormis d'exceptionnelles tumeurs. Elle peut être unilatérale ou, plus souvent, bilatérale.

CAUSES

Elles sont diverses : médicamenteuses (prise de digitaliques, d'antialdostérones), métaboliques (insuffisance hépatique), hormonales (adénome à prolactine, atteinte testiculaire) ou encore mécaniques (irritation locale). Toutefois, la cause d'une gynécomastie demeure souvent inexpliquée. Chez le nouveau-né et le jeune adolescent, une gynécomastie transitoire (s'étalant sur quelques mois) peut survenir en raison d'un déséquilibre hormonal au profit des hormones féminines, mais elle disparaît spontanément avec le temps.

DIAGNOSTIC

Le diagnostic de gynécomastie est clinique, mais il doit souvent être complété par une mammographie et/ou une échographie. Ces examens confirment la présence de la glande ainsi que son homogénéité et ses contours. Un bilan hormonal vérifie par ailleurs les taux de testostérone, d'œstradiol et d'hormones hypophysaires.

TRAITEMENT

Un traitement local (application d'androgènes sous forme de gel) peut réduire la gynécomastie. Ce traitement est associé au traitement de la cause.

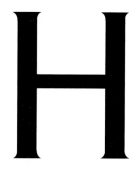

Habitus

Apparence extérieure générale d'une personne.

Ce terme, surtout utilisé en psychiatrie et en psychophysiologie, recouvre l'expression du visage, la posture au repos, les gestes, la démarche. L'habitus apporte des renseignements utiles au diagnostic et au pronostic d'une maladie. Il traduit un état de bien-être ou de souffrance.

Hæmophilus

Genre de bacilles à Gram négatif nécessitant, pour se développer, certains facteurs sanguins (hémine, ou facteur X ; NAD, ou facteur V). SYN. *hémophile*.

Les bacilles hémophiles le plus souvent rencontrés en pathologie humaine sont *Hæmophilus influenzæ* (bacille de Pfeiffer) et *Hæmophilus parainfluenzæ*, responsables d'infections respiratoires, d'otites ou de méningites, *Hæmophilus ægyptius*, à l'origine d'épidémies saisonnières de conjonctivite dans les pays chauds, et *Hæmophilus ducreyi* (bacille de Ducrey), agent du chancre mou.

Hahnemann (Christian Friedrich Samuel)

Médecin allemand (Meissen, Saxe, 1755 - Paris 1843).

Christian Friedrich Hahnemann fait ses études de médecine à Leipzig ; rebuté par l'inanité des traitements préconisés, il s'initie lui-même à la préparation des remèdes. À partir d'observations et d'expériences sur l'action du quinquina, il en vient à fonder la méthode homéopathique, qui vise à traiter une maladie par des remèdes provoquant à doses infimes des effets analogues à ceux de la maladie. En butte à l'hostilité et à l'incompréhension de ses concitoyens, Hahnemann s'installe en 1835 à Paris, où il continue ses travaux et acquiert une renommée considérable.

Hailey-Hailey (maladie de)

Affection cutanée héréditaire, caractérisée par des bulles et des vésicules. SYN. *pemphigus bénin familial*.

La maladie de Hailey-Hailey est transmise sur le mode autosomique dominant (le gène en cause est sur un chromosome non sexuel et il suffit qu'il soit reçu de l'un des parents pour que la maladie se développe). Les bulles et les vésicules forment des placards parcourus de fissures, situés symétriquement dans les plis (aisselles, aines). La maladie débute généralement à l'adolescence puis évolue de façon chronique par poussées pendant la saison chaude. Le traitement, qui consiste en applications locales d'antiseptiques et de corticostéroïdes, est décevant, mais le pronostic d'ensemble est bénin.

Haleine (mauvaise)
→ VOIR Halitose.

Halitose

Mauvaise haleine.

Une halitose peut être due à un mauvais état buccodentaire (gingivite, parodontite), à un état de stress émotionnel ou à diverses infections du nez ou de la gorge. Son traitement est celui de la maladie en cause.

Hallucination

Perception d'un objet non réel.

Il faut distinguer l'hallucination de l'illusion (perception déformée d'un objet réel), de l'interprétation délirante (interprétation fausse d'une perception exacte) et de l'hallucinose (le sujet sait, d'emblée, que sa perception hallucinatoire est sans objet).

Les hallucinations se rencontrent dans les psychoses (psychose hallucinatoire chronique, schizophrénie, bouffée délirante, etc.), les atteintes neurologiques (encéphalite, épilepsie), les intoxications (hallucinogènes, psychostimulants, cocaïne, alcool, etc.). Elles sont le plus souvent visuelles (taches colorées, etc.) et auditives (bruits, voix) mais peuvent être aussi gustatives, olfactives, tactiles. Psychiques, elles sont caractérisées par l'intrusion dans la pensée du sujet d'informations délirantes, de faux souvenirs qui l'influencent, lui dictant parfois ses actes.

Une hallucination peut rester isolée, laissant seulement une impression passagère d'étrangeté, ou se combiner avec d'autres symptômes en un délire : le patient réagit alors à ses hallucinations par la lutte, la fuite éperdue, la fascination, etc.

TRAITEMENT

Les neuroleptiques (halopéridol) sont efficaces, une hospitalisation pouvant en outre sécuriser le malade ; mais c'est ensuite la cause profonde des hallucinations qu'il faut s'attacher à traiter.

Hallux valgus

Déviation du gros orteil vers les autres orteils.

L'hallux valgus est dû à une déviation, le plus souvent congénitale, du premier métatarsien (os du squelette de l'avant-pied) vers le milieu du corps, appelée metatarsus varus ; il est favorisé par le port de talons hauts. Les arthrites chroniques et les déviations du talon vers l'extérieur du pied en constituent des causes moins fréquentes.

Un hallux valgus se traduit par une inflammation de l'articulation métatarsophalangienne, à l'origine de douleurs parfois intenses, parfois associée à une inflammation de la bourse séreuse correspondante (bursite). Son diagnostic est clinique et surtout radiologique, les clichés pratiqués permettant d'apprécier l'amplitude de la déformation et le degré d'usure articulaire.

TRAITEMENT

Il repose essentiellement sur le port de chaussures larges, qui permettent de limiter les frottements. La chirurgie est réservée aux sujets vraiment handicapés, car la rééducation est longue (un mois environ) et relativement douloureuse mais donne de bons résultats. L'intervention consiste à remettre le gros orteil dans son axe normal (par retension de certains ligaments, ablation du morceau d'os saillant, etc.).

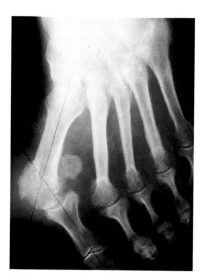

Hallux valgus. *L'articulation entre le gros orteil et le premier métatarsien fait saillie.*

Hamartome

Pseudotumeur atteignant un tissu ou un organe. SYN. *dysembryoplasie*.

Un hamartome est une malformation due à une anomalie du développement avant la naissance. Il se signale au microscope par la présence dans l'organe d'une petite zone contenant des tissus qui ont, par eux-mêmes, un aspect normal mais sont disposés et

La hanche, région située entre le bassin et le fémur, principalement constituée par l'articulation coxofémorale, supporte à chaque pas tout le poids du corps. Elle peut être le siège d'une arthrose, d'une arthrite, de luxations et de malformations.

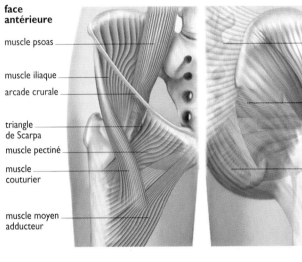

face antérieure
- muscle psoas
- muscle iliaque
- arcade crurale
- triangle de Scarpa
- muscle pectiné
- muscle couturier
- muscle moyen adducteur

face postérieure
- aponévrose lombosacrée
- moyen fessier
- muscle fessier profond
- muscle grand fessier

associés de manière anarchique, ce qui leur enlève tout rôle fonctionnel. C'est ainsi qu'on peut observer dans le poumon un hamartome constitué de cartilage bronchique disposé en amas au lieu d'être réparti autour des bronches. Les angiomes sont des hamartomes constitués d'un grand nombre de petits vaisseaux disposés anormalement. Dans une maladie héréditaire appelée syndrome des hamartomes multiples, ou maladie de Cowden, les hamartomes sont disséminés (glandes endocrines, tube digestif, sein, peau, muqueuses) et dégénèrent parfois en cancers.

TRAITEMENT
On peut procéder à une ablation chirurgicale des hamartomes s'ils sont gênants fonctionnellement ou esthétiquement.

Hambourg (entérocolite nécrosante de)

Inflammation des muqueuses de l'intestin grêle et du côlon, d'origine infectieuse et responsable de la destruction de ces tissus.

L'entérocolite nécrosante de Hambourg est due à une bactérie, *Clostridium perfringens*. Rare et très sévère, cette affection se manifeste par une occlusion intestinale associée à un état de choc septique.

Le traitement repose sur l'ablation chirurgicale de l'intestin grêle nécrosé et l'abouchement des segments restants, associés à des manœuvres de réanimation.

Hamburger (Jean)

Médecin français (Paris 1909 - *id.* 1992).

Créateur, en 1955, à l'hôpital Necker, à Paris, d'un service de néphrologie qui fut l'un des premiers du genre, il joua un rôle majeur dans les progrès faits en matière de réanimation, de greffe de rein et de rein artificiel durant les années 1950-1960. Auteur de nombreux ouvrages scientifiques et de réflexions sur la médecine et l'éthique, il fut élu à l'Académie française en 1985.

Hanche

Racine du membre inférieur, correspondant à sa jonction avec le tronc. (P.N.A. *coxa*)

La hanche comprend : l'articulation coxofémorale (entre l'os iliaque, ou os coxal, et le fémur) ; en avant de celle-ci, la région inguinocrurale et le triangle de Scarpa ; en dedans, la région ischiopubienne, ou obturatrice ; en arrière, la région fessière.

L'articulation coxofémorale unit la tête du fémur à la cavité cotyloïde de l'os iliaque. Les surfaces articulaires sont maintenues en contact par la capsule articulaire, les ligaments iliofémoral, pubofémoral et ischiofémoral et par le ligament rond. L'articulation de la hanche, à la fois très solide et très mobile, permet des mouvements variés : flexion et extension, adduction et abduction, circumduction et rotation.

PATHOLOGIE
■ **La luxation congénitale de la hanche** est une malformation caractérisée par la sortie de la tête fémorale hors de la cavité cotyloïde de l'os iliaque. Son dépistage est obligatoire à la naissance. Une technique particulière de

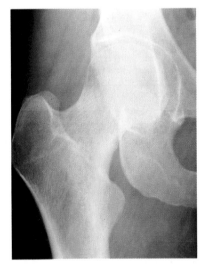

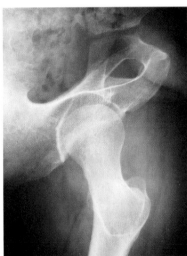

Hanche droite, de face : la tête du fémur s'emboîte dans une cavité de l'os iliaque.

De profil, on visualise mieux les détails de l'articulation, au-dessus du col du fémur.

langeage suffit alors à remettre en place définitivement la hanche. Cette affection peut être diagnostiquée plus tard, à l'âge de la marche, quand elle se signale par l'apparition d'une claudication. La réduction, plus difficile à obtenir, nécessite alors une mise en traction progressive du membre puis une immobilisation plâtrée. Plus le traitement est tardif, plus il est difficile et plus le risque de souffrance de la tête fémorale, impliquant des déformations de celle-ci et donc une arthrose ultérieure, est important.
■ **La luxation traumatique de la hanche,** déplacement brutal de la tête fémorale hors de sa cavité, est toujours due à un choc très violent (accident de la circulation, par exemple). Suivant la position du membre lors du traumatisme, la luxation pourra être postérieure ou, beaucoup plus rarement, antérieure. Une fracture associée de la paroi postérieure de la cavité cotyloïde est fré-

quente. Les complications immédiates possibles de la luxation traumatique de la hanche sont la compression de l'artère fémorale et celle du nerf sciatique. Cette luxation doit être réduite en urgence pour limiter le risque de nécrose de la tête fémorale. La hanche est ensuite mise en traction, le plus souvent pendant 3 semaines, voire 1 mois.

Handicap

Déficience ou incapacité mentale, physique ou sensorielle, partielle ou totale, temporaire ou définitive, causée par une altération des structures ou des fonctions psychologiques, physiologiques ou anatomiques et constituant un désavantage social. SYN. *déficience, incapacité, infirmité.*

Les différents handicaps se distinguent les uns des autres selon leur date d'apparition (handicap congénital ou acquis), leurs causes ou leurs conséquences. Différents handicaps s'associent parfois dans des plurihandicaps (conjonction de plusieurs handicaps, comme dans la surdicécité), ou dans des poly-handicaps. Ceux-ci constituent la forme la plus grave de handicap. Ils combinent en effet un retard mental sévère ou profond et des déficiences motrices.

FRÉQUENCE

Les chiffres varient selon les enquêtes en fonction des définitions du handicap et des modes d'évaluation utilisés ; ils doivent être interprétés très prudemment. Selon une étude faite dans différents pays à l'occasion de l'Année internationale des personnes handicapées (1981), 10 % de la population, tous niveaux de handicaps et tous âges confondus, souffre de difficultés fonction-nelles plus ou moins importantes.

Les handicaps mentaux et psychoaffectifs

Ils se caractérisent par des difficultés men-tales ou psychiques à affronter les situations de la vie courante et touchent environ une personne sur cent ; ils se situent au premier rang des handicaps sévères qui touchent les enfants et les adolescents.

CAUSES

La plupart des handicaps mentaux compor-tant un retard du développement intellectuel sont liés à des pathologies de la grossesse ou de l'accouchement, d'origine infectieuse ou vasculaire, ou, plus souvent encore, à des pathologies non accidentelles (aberrations chromosomiques, malformation du système nerveux central, syndrome polymalformatif,

anomalies métaboliques), responsables de 70 % environ des déficiences mentales pro-fondes. Celles-ci, dans un tiers des cas, restent inexpliquées.

L'adolescence et la vieillesse sont propices à l'explosion de troubles psychoaffectifs qui nécessitent une prise en charge.

TRAITEMENT ET PRÉVENTION

Certains handicaps neurologiques induisant une déficience intellectuelle sont curables. La gravité de la lésion organique ne détermine pas toujours l'importance du retard mental, la précocité de la prise en charge comptant dans l'amélioration des capacités d'un sujet.

Les handicaps moteurs

Caractérisés par un dysfonctionnement ou une réduction de l'activité physique d'un individu (absence de mobilité, mouvements parasites), les handicaps moteurs touchent les membres, le tronc ou la tête. Ils viennent au second rang dans les estimations consa-crées aux handicaps sévères chez les jeunes.

CAUSES

■ Chez l'enfant, les handicaps moteurs procèdent d'une malformation congénitale ou sont dus à une lésion cérébrale ou à une atteinte de la moelle épinière survenue avant, pendant ou après la naissance. Il s'agit soit de l'absence d'une partie ou de la totalité d'un membre (agénésie), soit de la perte totale ou partielle de la motricité par atteinte des muscles (myopathie) ou des nerfs qui commandent les muscles, soit de mouve-ments anormaux, soit d'atteintes articulaires.

■ Les handicaps moteurs acquis plus tardi-vement touchent les enfants et les adultes et sont dus à des accidents ou à des maladies. Dans les pays industrialisés, les accidents de voiture et de moto (fréquents chez les jeunes) sont responsables d'amputations, de paralysies, d'incapacités de contrôle, de handicaps graves dus à des fractures multi-ples associées ou non à des lésions viscérales. Le cerveau ou la moelle épinière peuvent être atteints et une lésion sur le trajet nerveux du nerf sciatique entre la moelle épinière et les muscles peut provoquer une sciatique paralysante. Les atteintes articulaires aussi (polyarthrites, arthroses) sont responsables de déficiences motrices.

TRAITEMENT

Il consiste à reconstituer l'intégrité physique du sujet par une intervention chirurgicale, à effectuer une rééducation motrice pour réduire l'importance des mouvements anor-maux ou à compenser l'absence d'un membre par une prothèse, qui le remplace totalement, ou une orthèse, qui s'adapte sur le membre mutilé.

Le développement des aides techniques, grâce à la domotique et à la création de robots, permet un contrôle de l'environne-ment au domicile.

Les handicaps sensoriels

Ils affectent la vue ou l'audition d'environ 70 millions d'individus dans le monde.

■ Les déficiences visuelles comprennent notamment les atteintes de l'acuité visuelle (cécité ou baisse d'acuité visuelle), les rétrécissements du champ visuel et les atteintes des paupières et des muscles oculomoteurs.

■ Les déficiences auditives se caractérisent par une acuité auditive insuffisante.

CAUSES

Les causes des handicaps sensoriels sont variées : accidents, infections, atteintes congénitales ou très précoces, etc. Des facteurs plus spécifiques peuvent également intervenir dans la genèse de telles défi-ciences. Ainsi, la faim, le manque d'hygiène et les épidémies propres aux pays en développement causent des handicaps vi-suels graves : les pays en développement regroupent 80 % des aveugles. De leur côté, la surdité ou l'hypoacousie peuvent être liées à la toxicité de certains médicaments, à l'exposition au bruit, à un barotraumatisme (lié par exemple à une plongée sous-marine mal contrôlée) ou au vieillissement.

TRAITEMENT

C'est dans chaque cas celui de la cause. On cherche en outre à compenser la déficience : prothèses auditives et visuelles (lunettes et loupes), implants cochléaires, aides techni-ques (utilisation de micro-ordinateurs capa-bles de transposer l'écriture habituelle en braille ou en synthèse vocale, sous-titrage des émissions télévisées).

→ VOIR Aveugle, Cécité, Hypoacousie, Infirmité motrice cérébrale.

Hansen (maladie de)
→ VOIR Lèpre.

Prévention et dépistage des handicaps chez l'enfant

Les actes de prévention et de dépistage des handicaps interviennent à différents stades de la vie de l'enfant.

Avant la conception, certaines vaccina-tions de la future mère contre diverses maladies infectieuses (la rubéole, par exemple) écartent les dangers que ces dernières présentent pour l'enfant. Par ailleurs, un conseil génétique est re-commandé dans les cas où la grossesse présente des risques particuliers : parents ayant déjà eu un enfant handicapé, lien de parenté proche entre les conjoints, femme de plus de 40 ans souhaitant devenir mère, conjoints porteurs d'une maladie ou d'une malformation identifiées. Les connais-sances aujourd'hui acquises dans les do-maines de la génétique et de la biologie moléculaire permettent d'évaluer les ris-ques de faire naître un enfant handicapé et débouchent sur une aide à la décision.

Pendant la grossesse, le dépistage des handicaps s'appuie sur le suivi du dévelop-pement de l'embryon puis du fœtus par des consultations régulières, des écho-graphies et des analyses biologiques. Ces examens permettent de détecter un déve-loppement anormal du fœtus, des anoma-lies anatomiques, cardiaques, rénales ou qui affectent les membres, un spina-bifida

ou des signes de souffrance fœtale. Lors-que la grossesse est considérée comme une grossesse à risque, d'autres examens peuvent être pratiqués : ponction du tro-phoblaste (tissu à l'origine du placenta), ponction amniotique, établissement du caryotype, dosages biologiques.

Pendant l'accouchement (et parfois avant), un moniteur (appareil d'enregis-trement) permet de suivre le rythme cardiaque du fœtus et de dépister une éventuelle souffrance fœtale.

Après la naissance, des examens pédia-triques spécialisés, pratiqués à intervalles réguliers (à la naissance, le 8e jour, le 24e mois et au-delà), identifient d'éven-tuelles difficultés de l'enfant et favorisent l'accès à une thérapeutique appropriée. Le dépistage systématique de l'hypothyroïdie ou de la phénylcétonurie à la naissance per-met, par exemple, d'agir pour éviter un re-tard mental. L'absence d'acquisitions psychomotrices normales chez le nourris-son et, plus tard, la présence de difficultés scolaires notables peuvent révéler un han-dicap neurologique sévère et exiger un bi-lan approfondi du degré d'autonomie pré-sent et à venir de l'enfant. La réadaptation a d'autant plus de chances de succès qu'elle commence tôt, l'objectif principal demeu-rant l'élaboration d'un projet pédagogique orienté vers l'autonomie puis la socialisa-tion progressive des sujets.

Hantaan (virus de)

Virus à A.R.N. de la famille des Bunyaviridæ, responsable de la fièvre hémorragique de Corée (fièvre hémorragique avec insuffisance rénale).

→ VOIR Fièvre hémorragique avec syndrome rénal.

Haploïde

Se dit d'une cellule qui ne possède qu'un seul jeu de chromosomes.

Les seules cellules haploïdes dans l'organisme humain sont les gamètes, c'est-à-dire les ovules et les spermatozoïdes. Ces cellules ne possèdent que 23 chromosomes, alors que toutes les autres cellules, dites diploïdes, en possèdent 23 paires, soit deux jeux semblables. L'information génétique portée par les gamètes est donc unique. La réunion de deux cellules haploïdes lors de la fécondation crée une cellule diploïde.

Haplotype

Ensemble de gènes différents, situés sur un même chromosome et à proximité les uns des autres.

Un haplotype est composé de gènes qui sont transmis ensemble d'une génération à l'autre, sauf lorsqu'un enjambement (crossing-over) survient entre eux.

Haptoglobine

Protéine du sang appartenant au groupe des alpha-2-globulines.

L'haptoglobine est une glycoprotéine (protéine associée à une partie glucidique) synthétisée par le foie. La variété précise d'haptoglobine que possède un individu est héréditaire, et son identification est utilisée en médecine légale lors des recherches de paternité. La diminution de la concentration d'haptoglobine dans le sang indique une hémolyse (destruction pathologique des globules rouges). Son augmentation est un signe de maladie inflammatoire.

Haptonomie

Méthode de préparation à l'accouchement qui utilise le toucher pour faire communiquer précocement, avant sa naissance, l'enfant et ses futurs parents.

L'haptonomie, mise au point par le médecin hollandais Frans Veldman, est enseignée sous la forme d'un accompagnement prénatal par des médecins ou des sages-femmes dans certaines maternités ou lors de consultations privées en cabinet. La préparation débute dès le 4ᵉ ou le 5ᵉ mois de grossesse, quand la mère sent l'enfant bouger. Au cours des séances d'haptonomie, les parents apprennent à communiquer avec leur enfant à l'aide de leurs mains, qu'ils posent sur le ventre maternel, et de leurs voix. Peu à peu, le bébé se montre sensible au contact et répond aux sollicitations en venant se placer contre les mains de ses parents. Il acquiert ainsi une première connaissance de son père et de sa mère et une plus grande sécurité affective. Les parents, quant à eux, apprennent à être à l'écoute de leur enfant et de ses réactions.

Pour la mère, les séances d'haptonomie sont source de détente et de confiance en soi : ses muscles abdominaux et périnéaux se relâchent spontanément, facilitant ainsi l'accouchement. L'haptonomie accorde en outre un rôle très important au futur père, parfois tenu un peu à l'écart.

Harada (maladie de)

Maladie associant une méningite et une uvéite postérieure (inflammation de la choroïde, membrane vasculaire de la rétine).

La maladie de Harada, uvéoméningite particulièrement fréquente chez les Asiatiques, n'a pas de cause connue.

SYMPTÔMES ET SIGNES

La méningite, habituellement très modérée, n'occasionne que des symptômes peu marqués (fièvre, maux de tête, nausées, gêne oculaire à la lumière et raideur de la nuque). L'inflammation de la choroïde se manifeste par des décollements de la rétine, régressant spontanément en laissant des cicatrices pigmentées, et parfois par une atteinte du nerf optique avec œdème de la papille, responsable d'une baisse de la vision. À ces troubles s'associent parfois une surdité et un vitiligo : l'affection est alors appelée maladie de Vogt-Koyanagi.

DIAGNOSTIC

Il repose sur l'examen ophtalmologique, qui met en évidence une inflammation de la rétine, complété par une analyse du liquide céphalorachidien, qui révèle une augmentation du nombre de cellules.

TRAITEMENT

Les corticostéroïdes par voie générale sont dans l'ensemble très efficaces.

Hardy-Weinberg (loi de)

Loi génétique permettant de prévoir pour chaque génération les pourcentages respectifs de deux types d'individus, distincts par leurs gènes : les homozygotes, d'une part, chez qui les allèles (gènes de même fonction et de même niveau sur chacun des deux chromosomes d'une même paire) sont semblables ; les hétérozygotes, d'autre part, chez qui les allèles sont différents.

Le calcul de l'importance respective des deux groupes se fait en fonction de la fréquence des différents allèles dans la population parentale.

Haricot

Petite cuvette en forme de haricot.

SYN. *réniforme*.

Il sert, lors de soins, à recueillir des pansements, des cotons souillés ou des liquides évacués au moyen d'une aiguille ou d'un trocart, dans le traitement d'un épanchement purulent ou d'un abcès. Il peut servir à la toilette des personnes alitées.

Hartmann (opération de)

Intervention chirurgicale consistant en l'ablation du côlon gauche avec colostomie (abouchement du côlon à la peau pour permettre l'évacuation des matières fécales).

L'opération de Hartmann est pratiquée soit en urgence en cas d'occlusion intesti-nale, soit chez les malades qui ne supporteraient pas le rétablissement immédiat de la continuité intestinale. Le plus souvent, elle est indiquée chez des patients atteints de cancer du côlon gauche, mais aussi d'affections bénignes comme la sigmoïdite diverticulaire compliquée ou récidivante. L'intervention consiste à suturer le segment inférieur du côlon après ablation du sigmoïde (sa partie terminale) et à réaliser une colostomie – définitive ou temporaire – avec le segment supérieur. L'opération de Hartmann est une intervention assez importante, effectuée en milieu hospitalier sous anesthésie générale. Ses suites sont favorables mais son pronostic dépend essentiellement de la maladie d'origine.

Hartnup (maladie de)

Maladie héréditaire liée à une anomalie du transport de certains acides aminés.

La maladie de Hartnup est une affection à transmission autosomique récessive (elle se transmet exclusivement par les chromosomes non sexuels, le gène porteur devant être reçu du père et de la mère pour que l'enfant développe la maladie). Elle se manifeste dès l'enfance par une éruption cutanée (plaques rouges) prédominant sur les zones exposées à la lumière, par des signes neurologiques (perte de l'équilibre ; succession de mouvements oscillatoires, courts et saccadés, des yeux) et, plus rarement, par un retard mental et des troubles psychiques.

Pour établir le diagnostic, on recherche une augmentation importante de l'excrétion urinaire des acides aminés et une élimination accrue de l'un d'entre eux, le tryptophane, dans les selles. Le traitement de la maladie de Hartnup, efficace, repose sur l'administration à vie de vitamine PP.

Harvey (William)

Médecin anglais (Folkestone 1578 – Londres 1657).

Enseignant l'anatomie et la chirurgie au Collège royal, William Harvey fut chirurgien des rois d'Angleterre Jacques Iᵉʳ et Charles Iᵉʳ. On lui doit surtout la découverte du mécanisme de la circulation sanguine, qu'il établit en pratiquant des expériences sur l'homme et l'animal. Il fit aussi des recherches sur l'embryon de poulet ainsi que sur les stades initiaux de la formation des mammifères. Il fut le premier scientifique à énoncer le principe que tout être vivant provient d'un germe.

Hashimoto (thyroïdite de)

Maladie thyroïdienne bénigne d'évolution chronique, entraînant souvent une hypothyroïdie (insuffisance de la sécrétion hormonale thyroïdienne).

Plus fréquente chez la femme que chez l'homme, la thyroïdite de Hashimoto survient généralement entre 30 et 50 ans. Il s'agit d'une maladie familiale, auto-immune, qui se manifeste par un goitre ferme, de volume modéré, et par des signes d'hypothyroïdie (épaississement de la peau, bradycardie, frilosité, constipation). Le diagnostic est confirmé par un prélèvement sanguin qui met en évidence la présence d'anticorps antithyroïdiens, en particulier celle d'antimicrosomes ou d'antiperoxydase.

En l'absence de traitement, la thyroïdite de Hashimoto évolue par poussées vers une hypothyroïdie profonde. Le traitement par la thyroxine compense la fonction défaillante de la thyroïde et permet la disparition des symptômes.

HDL cholestérol

Fraction du cholestérol sanguin transportée par des lipoprotéines (substances associant des lipides et des protéines) du type HDL (*high density lipoproteins*, ou lipoprotéines de haute densité). SYN. *cholestérol HDL.*

La mesure du taux sanguin de HDL cholestérol, communément appelé bon cholestérol, a plus de valeur que celle du cholestérol total pour estimer le risque de maladies cardiovasculaires dues au dépôt d'une plaque d'athérome sur la paroi des artères. La quantité de HDL cholestérol ne doit pas être inférieure à environ 1 millimole, soit 0,4 gramme par litre ; plus son taux est élevé, plus le risque de maladies coronaires (angor, infarctus) est faible.

Heberden (nodosité d')

Épaississement osseux au voisinage de l'articulation interphalangienne distale (la plus proche de l'ongle), donnant au doigt un aspect noueux.

La nodosité d'Heberden, qui peut affecter plusieurs doigts, est due à des excroissances osseuses appelées ostéophytes, caractéristiques de l'arthrose. Pendant la formation de la nodosité d'Heberden, correspondant à une phase congestive de l'arthrose, l'articulation est douloureuse ; une fois cette nodosité formée, les douleurs s'atténuent ou disparaissent. Le traitement de cette affection se confond avec celui de l'arthrose qui en est responsable.

Heerfordt (syndrome de)

Syndrome associant une inflammation des glandes parotides, une inflammation de l'iris et du corps ciliaire et la paralysie d'une ou de plusieurs paires de nerfs crâniens.

Le syndrome de Heerfordt affecte surtout les sujets entre 20 et 40 ans et apparaît parfois au cours de la sarcoïdose (inflammation des ganglions lymphatiques et d'autres tissus). Il peut également accompagner une uvéite ou une méningoencéphalite. Le syndrome d'Heerfordt se manifeste par une conjonctivite et une inflammation de la glande parotide, avec gonflement et douleurs derrière la mâchoire, associées à une paralysie faciale ou des nerfs oculomoteurs. Le diagnostic repose sur l'examen clinique, complété par des examens destinés à rechercher la cause du syndrome. Le traitement est celui de la maladie causale.

Heimlich (manœuvre de)

Technique de secourisme employée pour évacuer des voies aériennes d'un sujet un corps étranger (fragment alimentaire, etc.) responsable d'asphyxie.

La manœuvre de Heimlich consiste à comprimer brutalement le haut de l'abdomen du sujet, provoquant ainsi une brusque ascension du diaphragme et une surpression dans les voies respiratoires. Elle est réalisée en position debout : le sauveteur, placé derrière le malade, le ceinture de ses bras, les deux mains au-dessus de l'ombilic, avant d'exercer un mouvement brutal de compression vers le haut. Elle peut aussi être pratiquée sur un patient allongé sur le dos, le sauveteur effectuant alors de ses deux mains une compression brusque, dirigée vers le haut, de la partie haute de l'abdomen.
→ VOIR Fausse-route alimentaire.

Helicobacter pylori

Bactérie responsable de gastrites et d'ulcères.

Helicobacter pylori est retrouvé chez certains malades atteints de gastrite chronique ou d'ulcère du duodénum. Les antibiotiques permettent une guérison complète, sans récidive.

Heller (opération de)

Opération chirurgicale consistant à inciser la couche musculaire de l'œsophage jusqu'à la muqueuse. SYN. *œsophagocardiotomie extramuqueuse.*

L'opération de Heller est indiquée en cas de méga-œsophage (dilatation importante de l'œsophage due à un rétrécissement de son extrémité inférieure). L'opération consiste à pratiquer une cardiotomie (incision de la couche musculaire du cardia, zone frontière entre l'œsophage et l'estomac, épargnant la muqueuse) verticale de 10 à 12 centimètres de haut, débordant sur l'œsophage en haut et sur l'estomac en bas. Par ailleurs, l'angle entre l'œsophage et l'estomac (angle de His) est reconstitué pendant l'opération afin d'empêcher le reflux des aliments de l'estomac vers l'œsophage. Banale, cette opération nécessite de 8 à 10 jours d'hospitalisation.

Helminthiase

Maladie parasitaire humaine et animale due à l'infestation par des vers, les helminthes. SYN. *verminose.*

DIFFÉRENTS TYPES D'HELMINTHIASE

■ **Les helminthiases intestinales** sont dues soit à des nématodes (vers ronds) comme l'ascaris, le trichocéphale, la trichine, l'anguillule, l'ankylostome, soit à des vers plats comme le ténia du bœuf, le ténia du porc, le ténia du poisson, les douves intestinales ou les bilharzies. Elles sont parfois responsables de diarrhées et de douleurs abdominales mais ne se manifestent le plus souvent par aucun symptôme particulier.
■ **Les helminthiases du foie** sont dues soit à l'infestation par des vers adultes, les douves (grande douve du foie, douve de Chine), soit à l'infestation par des larves dans les cas de kyste hydatique (provoqué par une larve, l'hydatide) ou d'échinococcose alvéolaire, soit à la présence d'œufs, notamment dans le cas des bilharzioses. Elles se manifestent par un ictère (jaunisse) ou une cirrhose.

■ **Les helminthiases du poumon** correspondent soit à la présence de douves dans les bronches, soit au développement d'un kyste hydatique. Les douves provoquent la formation de cavités dans les bronches et se manifestent par des crachats de sang. Le kyste hydatique se manifeste par une tumeur bénigne du poumon.
■ **Les helminthiases exclusivement tropicales** atteignent les ganglions dans le cas des filarioses lymphatiques, la peau dans le cas de la loase, de la dracunculose ou de l'onchocercose, cette dernière affectant également les yeux.

CONTAMINATION

La plupart des helminthiases surviennent après ingestion d'aliments ou d'eau contaminés par les vers responsables. Il existe cependant d'autres modes de contamination : les helminthiases tropicales, à l'exception de la dracunculose, se transmettent par l'intermédiaire de piqûres d'insectes, et certaines helminthiases intestinales (anguillulose, ankylostomose et bilharzioses) se développent après pénétration des parasites à travers la peau.

TRAITEMENT

Les helminthiases se traitent par administration de médicaments antihelminthiques qui tuent les vers responsables. Ces médicaments sont le flubendazole, le pyrantel, le tiabendazole et l'ivermectine, efficaces contre les vers ronds, le praziquantel et la niclosamide, efficaces contre les vers plats.

PRÉVENTION

La cuisson des aliments, une meilleure hygiène individuelle, l'adduction d'eau potable, la construction de latrines et le développement du tout-à-l'égout, ainsi que la lutte contre les insectes, sont les clefs de la prévention des helminthiases.

Hémagglutination

Agglutination des cellules du sang.

Dans la pratique courante, ce phénomène ne concerne que les globules rouges. L'hémagglutination est un processus de nature immunologique qui se produit sous l'action d'anticorps spécifiques dirigés contre les antigènes portés par la membrane des globules rouges. Ce phénomène naturel est mis à profit dans la détermination des groupes sanguins ABO ou Rhésus et lors de tests immunologiques. Il existe également des anticorps dirigés contre les virus et, plus spécifiquement, contre les récepteurs membranaires leur permettant d'infecter les cellules : l'agglutination alors provoquée sert à l'établissement, en laboratoire, du diagnostic de maladies virales.

Hémangioblastome

→ VOIR Angioblastome.

Hémangiome

→ VOIR Angiome.

Hémarthrose

Épanchement de sang dans une articulation, le plus souvent localisé dans la cavité articulaire du genou.

En général, une hémarthrose survient immédiatement après un traumatisme provoquant une lésion sévère de l'articulation : fracture d'un os faisant partie de l'articulation, déchirure des ligaments, lésion de la capsule et de la synoviale, lésion du ménisque dans le cas du genou. Les autres causes d'hémarthrose, plus rares, sont diverses : hémophilie, traitements anticoagulants, arthrose de l'articulation fémororotulienne chez les personnes âgées, synovite villonodulaire (tumeur synoviale bénigne). L'hémarthrose se caractérise le plus souvent par un gonflement et une douleur de l'articulation concernée ; elle peut aussi entraîner un raidissement articulaire dû à une contracture des muscles de voisinage.

TRAITEMENT
Une poche de glace placée sur l'articulation peut aider à diminuer l'épanchement et la douleur. Afin d'arrêter l'hémorragie, le médecin pourra réaliser un bandage articulaire relativement serré et conseillera le repos du membre en position surélevée pendant 2 ou 3 semaines.

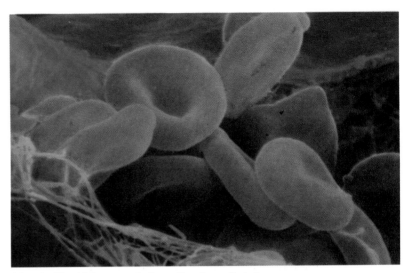

Hématie. Un globule rouge a la forme d'un disque déprimé en son centre.

Hématémèse
Vomissement de sang d'origine digestive.

Une hématémèse traduit une hémorragie digestive haute (sang plus ou moins digéré provenant de l'œsophage, de l'estomac ou du duodénum). Les causes les plus fréquentes en sont la rupture de varices œsophagiennes dues à l'hypertension portale chez un sujet atteint d'une cirrhose, les lésions favorisées par la prise de médicaments toxiques pour l'estomac (aspirine, anti-inflammatoires), l'ulcère gastroduodénal et les gastrites hémorragiques. Une fibroscopie gastrique permet de déterminer l'origine du saignement et d'établir le diagnostic. Une hématémèse nécessite une hospitalisation en urgence pour apprécier sa gravité et son retentissement.

Le traitement fait appel le plus souvent à la prise de médicaments antiulcéreux ainsi qu'à la sclérose, réalisée par voie endoscopique, de varices œsophagiennes ou d'un ulcère hémorragique. Une intervention chirurgicale s'impose en cas d'hémorragie non jugulée ou récidivante.

Hématie
Cellule sanguine transportant l'oxygène des poumons vers les tissus. SYN. *érythrocyte, globule rouge.*

L'hématie peut être considérée comme un sac transportant de l'hémoglobine, pigment protéinique de couleur rouge chargé de transporter l'oxygène.

STRUCTURE
L'hématie est une cellule ronde légèrement renflée sur les bords, d'un diamètre de 7 micromètres environ. Ses propriétés notables d'élasticité et de malléabilité lui permettent de se déformer pour passer dans les capillaires les plus fins (3 à 4 micromètres) puis de reprendre sa forme initiale. Sa membrane comporte une double couche lipidique dans laquelle s'insèrent des protéines. Sur celles-ci se fixent des substances,

notamment du glucose et du galactose, qui déterminent les groupes sanguins. Chez l'être humain, contrairement à ce qu'il en est chez d'autres espèces comme les oiseaux, le globule rouge ne possède pas de noyau.

CYCLE DE VIE
Les hématies sont produites par les érythroblastes, cellules souches de la moelle des os, dont elles représentent la dernière étape de différenciation. Ces érythroblastes se transforment en globules rouges jeunes, appelés réticulocytes, qui conservent pendant 48 heures environ des restes filamenteux. La durée de vie des hématies est de 120 jours en moyenne. Leur destruction est ensuite assurée par les cellules macrophages de la moelle des os, du foie et, accessoirement, de la rate. Elles sont décomposées en éléments chimiques simples qui sont immédiatement utilisés par les autres cellules de l'organisme. Seule l'hémoglobine, riche en fer, suit un cycle particulier ; sa structure centrale, l'hème, est transformée sous l'action d'enzymes et libérée dans le plasma sous forme de bilirubine (pigment jaune-brun). Celle-ci passe ensuite dans la bile et est éliminée dans les fèces. Le fer est, lui, remis en circulation et réutilisé.

PATHOLOGIE
Chacun des éléments de l'hématie peut être l'objet de modifications constitutionnelles ou acquises : ainsi, il existe des anomalies des lipides ou des protéines de sa membrane, de l'hémoglobine, des enzymes. Certaines modifications n'ont pas de conséquences sur la vie du globule rouge ; d'autres affectent son espérance de vie et sont responsables d'anémies hémolytiques.

Hématocèle
Accumulation de sang dans le cul-de-sac de Douglas.

Le cul-de-sac de Douglas est une poche comprise entre les deux feuillets du péritoine et constituant le point le plus bas de la cavité

péritonéale. Chez la femme, il est situé entre le vagin et le rectum ; chez l'homme, entre la vessie et le rectum. Chez la femme, une hématocèle est presque toujours une complication d'une grossesse extra-utérine non diagnostiquée. Cependant, elle peut aussi être due à une rupture de la rate ou d'un anévrysme ou survenir à la suite d'une intervention chirurgicale.

Après le saignement, des caillots se forment, qui s'entourent rapidement d'une coque pathologique formée par une agglutination d'anses intestinales et d'épiploon. Le traitement de l'hématocèle est celui de sa cause (drainage chirurgical, par exemple).

Hématocèle vaginale testiculaire
Accumulation de sang entre le testicule et son enveloppe séreuse, la vaginale testiculaire.

Une hématocèle vaginale testiculaire est souvent due à un traumatisme du testicule provoquant une rupture de l'albuginée (membrane entourant le testicule) ; plus rarement, elle est liée à une tumeur testiculaire. Douloureuse, elle se traduit par une augmentation de volume du testicule et de la bourse. Son traitement repose sur une intervention chirurgicale, qui permet d'évacuer la collection sanguine et de vérifier l'état du testicule.

Hématocrite
Mesure du volume occupé par les globules rouges dans un échantillon de sang par rapport au volume de celui-ci, exprimé en pourcentage.

L'hématocrite, l'un des éléments du bilan standard de la numération formule sanguine (N.F.S.), est un examen courant qui permet de calculer la teneur moyenne en hémoglobine des globules rouges. Naguère, cette mesure était effectuée par centrifugation de sang recueilli dans un tube contenant un produit anticoagulant séparant les globules du plasma. Actuellement, elle est calculée par des appareils électroniques à partir du nombre de globules rouges et du volume globulaire moyen de ceux-ci. L'hématocrite normal se situe entre 40 et 54 % chez l'homme et entre 35 et 47 % chez la femme. Sa diminution doit faire rechercher une anémie, son augmentation, une polyglobulie (augmentation de la masse totale des globules rouges de l'organisme).

Hématodermie

Prolifération, en général maligne, de globules blancs (lymphocytes, polynucléaires ou monocytes) ou de leurs dérivés dans la peau.

Les hématodermies comprennent trois types de manifestations.

■ **Les lymphomes** sont des proliférations lymphocytaires (lymphocytes T ou B) non liées à une autre maladie, tels le mycosis fongoïde et la maladie de Sézary.

■ **Les histiocytoses** sont des proliférations d'histiocytes (dérivés de globules blancs du type monocyte).

■ **Les leucémies**, proliférations diffuses de globules blancs de type lymphocyte ou monocyte, ont parfois des localisations cutanées.

Les signes des hématodermies sont extrêmement variés. Celles-ci se manifestent souvent par des plaques rougeâtres, parfois prurigineuses, ayant tendance à infiltrer la peau, qui s'épaissit et perd sa souplesse ; plus tard apparaissent des nodules sous-cutanés ou des tumeurs saillantes. Le traitement dépend de chaque maladie.

Hématologie

Science des maladies du sang.

L'hématologie se consacre à l'étude du sang, de la moelle et des ganglions. Elle a permis la découverte de nombreux processus physiologiques et pathologiques, qui ont pu être érigés en modèles pour d'autres tissus. Les plus importants de ces modèles sont les suivants.

■ **Le processus de fonctionnement du globule rouge** a été mis en évidence, ainsi que l'analyse de sa membrane et de sa principale fonction, le transport de l'oxygène.

■ **Un modèle de régulation génique**, celui des gènes de l'hémoglobine, a été établi, permettant d'identifier les zones de l'A.D.N. qui fixent les protéines activant la synthèse de l'hémoglobine dans les cellules érythroïdes.

■ **La physiologie moléculaire de l'hémoglobine**, c'est-à-dire les changements de forme de cette molécule, lorsqu'elle fixe ou libère de l'oxygène, a pu être précisée.

■ **La différenciation cellulaire du tissu de la moelle osseuse** a permis de montrer que les cellules souches acquièrent progressivement, sous l'effet de facteurs de croissance, une spécialisation progressive.

■ **Le mécanisme de la transformation maligne** a été reconnu et décrit. Il repose sur la modification de gènes ayant un rôle clé dans la différenciation cellulaire et dont l'activation anormale ou la mutation aboutissent à une mauvaise régulation de la production cellulaire et à la transformation maligne des cellules.

■ **Le système enzymatique en cascade de la coagulation** (formation du caillot qui bouche les vaisseaux lésés) a été détaillé.

■ **La transfusion sanguine** permet aujourd'hui à des millions de malades de survivre à des anomalies génétiques de la coagulation, à toutes sortes d'interventions chirurgicales, aux accidents et à des maladies du sang.

■ **Les premières applications du génie génétique** ont bénéficié aux malades atteints de maladies du sang : interféron alpha dans la leucémie à tricholeucocytes, érythropoïétine dans l'anémie de l'insuffisance rénale, facteurs de croissance des granulocytes dans certains déficits constitutionnels de la production des polynucléaires neutrophiles et les toxicités hématologiques induites par les chimiothérapies anticancéreuses.

Les succès de l'hématologie ont conduit à une hyperspécialisation : spécialistes des maladies de l'hémoglobine, des leucémies, des greffes, etc.

Hématome

Collection de sang dans un organe ou dans un tissu, faisant suite à une hémorragie.

Un hématome a presque toujours pour cause un traumatisme. Cependant, il peut survenir après un choc très bénin ou même spontanément en cas de surdosage en médicaments anticoagulants (particulièrement en antivitamine K) ou de maladie de la coagulation sanguine (hémophilie). Dans la majorité des cas, l'hématome régresse spontanément. Mais, parfois, il est remplacé par du tissu fibreux, ce qui peut gêner le fonctionnement de l'organe, par exemple si celui-ci est un muscle. D'autres complications de l'hématome sont sa surinfection ou la compression d'un organe voisin. On évacue le sang, par ponction ou incision chirurgicale, uniquement dans le cas d'hématomes volumineux et compressifs.

Hématome extradural

Collection de sang entre la voûte du crâne et la dure-mère (dernier feuillet externe enveloppant les méninges).

CAUSES ET SIGNES

L'hématome extradural est relativement rare. Il est consécutif à un coup sur le côté de la tête, avec rupture de l'artère située à la surface de la dure-mère, et souvent associé à une fracture du crâne. Il se forme et s'étend rapidement, augmentant la pression à l'intérieur du crâne, si bien que, quelques heures après le traumatisme, apparaissent chez le sujet des maux de tête, des troubles de la conscience (somnolence, coma), parfois une hémiplégie. L'évolution est caractéristique : les signes n'apparaissent que quelques heures après le traumatisme, alors que le malade semblait se porter bien.

DIAGNOSTIC ET TRAITEMENT

L'hospitalisation s'impose en urgence, le diagnostic est confirmé par scanner, et le

---

HÉMATOME

Un hématome est ordinairement diagnostiqué grâce au contexte (chute, prise d'anticoagulants) et à la palpation, s'il est assez superficiel. Mais l'échographie est précieuse, surtout s'il est profond, pour évaluer sa gravité ou guider une ponction.

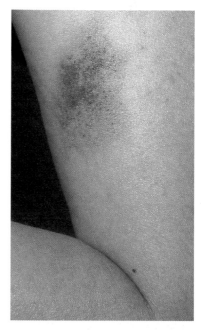

Un hématome consécutif à un traumatisme peut provoquer une douleur, un gonflement perceptible à la palpation et, à l'endroit du choc, en surface, une ecchymose.

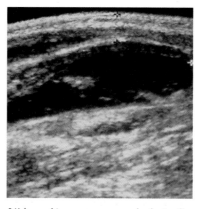

L'échographie permet, par exemple, de visualiser les hématomes situés dans les muscles : ici un hématome (en noir) localisé dans les tissus (plus clairs) de la cuisse.

traitement consiste en une intervention chirurgicale. Le chirurgien réalise un volet osseux dans le crâne, évacue l'hématome puis referme le volet.

PRÉVENTION

La gravité de cette affection et l'existence d'un intervalle libre de quelques heures entre le traumatisme crânien et la formation d'un hématome extradural justifient la surveillance à l'hôpital pendant 24 heures de tout traumatisme crânien.

Hématome rétroplacentaire

Épanchement anormal de sang qui peut survenir, pendant la grossesse, entre le placenta et la paroi de l'utérus.

Un hématome rétroplacentaire peut être causé par un traumatisme abdominal (chute, accident de la route). Toutefois, il est le plus souvent la conséquence d'une hypertension artérielle et de ses complications (toxémie gravidique), d'un diabète, d'une grossesse multiple ou d'un hydramnios (excès de liquide amniotique). Il se déclare, généralement au troisième trimestre de la grossesse ou pendant l'accouchement, par une douleur brutale et intense, un saignement vaginal, parfois un état de choc (malaise, chute de la tension artérielle). L'hématome rétroplacentaire, en décollant le placenta nourricier de la paroi utérine, prive le fœtus d'éléments nutritifs et met sa vie en danger. La vie de la mère est menacée par l'importance de l'hémorragie ou par les troubles de la coagulation qui y sont souvent associés.

TRAITEMENT

Le traitement, entrepris en urgence, associe la réanimation de la mère et l'accouchement par césarienne.

Hématome sous-dural

Collection de sang dans le crâne, à l'intérieur des méninges.

Un épanchement de sang se forme dans l'espace sous-dural après un traumatisme crânien. On distingue deux sortes d'hématome sous-dural.

■ L'hématome sous-dural aigu est consécutif à un traumatisme crânien grave (accident de la route, chute de plusieurs mètres). Aussitôt, des troubles de la conscience (somnolence, coma) et des signes neurologiques (paralysie, etc.) apparaissent. Le diagnostic est confirmé par scanner. En général, celui-ci montre aussi une contusion cérébrale (petites lésions diffuses). Si l'hématome est très volumineux, le chirurgien pratique une opération en urgence, sous anesthésie générale, pour l'évacuer. Mais, en raison de la contusion associée à l'hématome, le traitement est plutôt médical et s'adresse aux symptômes : médicaments contre l'œdème cérébral (mannitol par voie intraveineuse). Le pronostic de l'hématome sous-dural aigu est très sombre, avec une mortalité importante, malgré le traitement.

■ L'hématome sous-dural chronique est dû à un traumatisme bénin, que le patient a lui-même souvent oublié. Après une période de plusieurs semaines à quelques mois apparaissent, associés ou non, des maux de tête, des troubles psychiques, un ralentissement psychomoteur, des troubles de la marche, parfois un début d'hémiplégie ou des troubles de la parole (aphasie). Le diagnostic est confirmé par scanner. La décision d'opérer dépend de certains facteurs : état général du patient, volume de l'hématome, importance de l'effet de masse au scanner, ancienneté de l'hématome (également évaluée au scanner). Dans les cas où l'intervention chirurgicale n'est pas retenue, le traitement médical (surveillance, corticothérapie, etc.) permet, en règle générale, la résorption de l'hématome.

Hématomyélie

Épanchement sanguin dans la moelle épinière, au sein de la substance grise (partie centrale de la moelle).

Une hématomyélie est causée soit par un traumatisme, soit par une malformation de vaisseaux intramédullaires qui se rompent. Les symptômes sont les mêmes qu'en cas de section de fibres nerveuses : paraplégie (paralysie des membres inférieurs), abolition de la sensibilité dans la même région, incontinence. Le diagnostic est établi par scanner ou, mieux, par imagerie par résonance magnétique (I.R.M.). Le traitement est surtout celui des symptômes (rééducation).

Hématopoïèse

Ensemble des mécanismes qui assurent la production continue et régulière des différentes cellules sanguines.

Chez l'homme, l'hématopoïèse est assurée par la moelle osseuse. Elle comprend schématiquement trois stades. Le premier correspond à la formation de cellules pluripotentes (capables de donner naissance à n'importe quelle cellule sanguine) et autorenouvelables (qui se divisent de façon asymétrique, donnant une cellule différenciée et une cellule pluripotente). Le deuxième correspond à la formation de progéniteurs, issus des cellules pluripotentes, donnant des cellules appartenant à une lignée spécifique (polynucléaire, globule rouge, etc.). Enfin, le troisième est le stade de maturation, au cours duquel les cellules acquièrent progressivement la morphologie et les composants cellulaires de leur lignée. À la fin du processus de maturation, les cellules passent de la moelle vers le sang.

Les facteurs de croissance (GM-CSF, érythropoïétine, interleukine 3, etc.) jouent un rôle primordial dans le contrôle de l'hématopoïèse en assurant la survie, la prolifération et la différenciation des progéniteurs.

Hématosarcome

Tumeur maligne solide se développant dans les organes hématopoïétiques (organes qui jouent un rôle dans la formation des cellules sanguines : ganglions, moelle osseuse, rate, amygdales, tube digestif) et, plus rarement, dans tout autre tissu.

Ces tumeurs sont essentiellement des lymphomes (proliférations malignes d'origine lymphocytaire) ; les tumeurs se développant aux dépens d'autres types de cellules sanguines, comme les sarcomes granulocytiques et les histiocytoses malignes, apparaissent beaucoup plus rarement.
→ VOIR Lymphome.

Hématose

Processus physiologique permettant la transformation dans les poumons du sang veineux chargé de gaz carbonique en sang artériel chargé d'oxygène.

L'hématose comprend le transport par le sang du gaz carbonique, déchet produit par l'activité des cellules, par l'intermédiaire des veines caves, du cœur puis de l'artère pulmonaire, jusqu'à la barrière alvéolocapillaire des poumons (structure séparant l'air des alvéoles des globules rouges des capillaires), où il est éliminé dans l'air expiré, et le transport du sang à nouveau enrichi en oxygène par les veines pulmonaires, le cœur puis l'aorte vers les différents organes.

Une perturbation de l'hématose se traduit par une hypoxie (diminution de la concentration d'oxygène dans le sang), donc par une diminution de l'apport d'oxygène aux organes, qui peut retentir sur le fonctionnement de ces derniers, surtout sur celui du rein, du cœur ou du cerveau.

Hématospermie

→ VOIR Hémospermie.

Hématurie

Présence de sang dans l'urine.

Une hématurie peut être macroscopique, décelée par le patient lui-même, dont l'urine est de couleur rouge, rosée ou brune et contient parfois des caillots sanguins. Elle peut aussi être microscopique : l'urine est alors de couleur normale, le sang n'étant décelé qu'à l'examen microscopique. Certaines colorations rouges ou orangées de l'urine ne sont cependant pas des hématuries mais sont liées à l'ingestion de betteraves ou à celle de certains médicaments. Une hématurie est dite initiale quand le saignement survient au début de la miction ; terminale quand le saignement apparaît en fin de miction ; totale quand toutes les urines sont colorées.

Les maladies les plus fréquentes à l'origine d'une hématurie sont les infections urinaires (cystites), les tumeurs et papillomes de la vessie, les adénomes et les cancers de la prostate, les calculs du rein ou de l'uretère, les tumeurs du rein, les tuberculoses urinaires ou, plus exceptionnellement, certaines malformations vasculaires rénales. Généralement, une hématurie initiale révèle la présence d'une tumeur de la prostate ; une hématurie terminale, une maladie vésicale ; une hématurie totale, une atteinte rénale, surtout si elle s'associe à une colique néphrétique.

DIAGNOSTIC ET TRAITEMENT

Le diagnostic d'une hématurie repose sur un examen cytobactériologique des urines (E.C.B.U.), une urographie intraveineuse, une échographie rénale et vésicale. Si ces examens ne révèlent aucune anomalie, on recourt à une cystoscopie, à un scanner abdominopelvien, voire à une artériographie rénale. Le traitement consiste à soigner la maladie qui est à l'origine de l'hématurie.

Héméralopie

Diminution de la vision en lumière basse (crépuscule, éclairage faible).

Une héméralopie se rencontre essentiellement au cours d'affections touchant la rétine, qu'elles soient congénitales (rétinopathie pigmentaire) ou acquises (rétinopathie diabétique). Exceptionnellement, on peut évaluer ce symptôme à l'aide de tests spécialisés. Il n'existe pas de traitement.

Hémiagueusie

Perte du goût de la moitié droite ou gauche de la langue.

L'hémiagueusie est consécutive à une lésion d'un des deux nerfs qui transportent les sensations gustatives jusqu'à l'encéphale, à droite ou à gauche, le nerf facial pour les deux tiers antérieurs de la langue, le glossopharyngien pour le tiers postérieur. Cette lésion peut être due à une compression par une tumeur ou à une séquelle de traumatisme crânien. Le déficit sensoriel unilatéral est testé par l'application d'un coton imbibé de solution salée, sucrée ou amère sur les papilles de la langue. Le traitement est uniquement celui d'une cause éventuelle si cela est possible (ablation d'une tumeur, par exemple).

Hémianopsie

Perte de la vision de la moitié du champ visuel de chaque œil.

Les hémianopsies prennent différents aspects mais les plus courantes sont les hémianopsies latérales, dans lesquelles chaque œil perd la moitié temporale (du côté de la tempe, vers l'extérieur) ou nasale (du côté du nez, vers l'intérieur) de sa vision.

MÉCANISMES ET SIGNES
Les signes observés dépendent du fonctionnement de l'œil et de l'anatomie des voies visuelles (fibres nerveuses qui vont de la rétine au cortex cérébral). En effet, si l'on considère l'œil droit, on observe qu'un rayon lumineux venant de l'espace par le côté nasal (gauche) arrive sur le côté temporal (droit) de la rétine et qu'un rayon lumineux venant de l'espace par le côté temporal (droit) arrive sur la partie nasale (gauche) de la rétine – les images étant ainsi renversées comme dans un appareil photographique. Ensuite, les fibres nerveuses issues de la rétine temporale vont directement au cerveau droit, tandis que celles issues de la rétine nasale croisent la ligne médiane (en formant le chiasma optique) avant de se rendre au cerveau gauche. Pour l'œil gauche, les trajets sont symétriques des précédents. En résumé, pour chaque œil, le cerveau droit « voit » à gauche et le cerveau gauche « voit » à droite. Il en résulte deux grands types d'hémianopsie latérale.

■ **L'hémianopsie hétéronyme** bitemporale est la perte de la moitié temporale du champ visuel de chaque œil, comme si le malade avait des œillères. Elle est due à une lésion des fibres nerveuses qui s'entrecroisent dans le chiasma optique. L'hémianopsie hétéronyme binasale est beaucoup plus rare et de mécanisme inconnu.

■ **L'hémianopsie homonyme** peut être droite (perte de la moitié droite du champ visuel de chaque œil) ou gauche (perte de la moitié gauche). Elle est due à une lésion des voies visuelles situées après le chiasma, entre ce dernier et le cerveau.

CAUSES ET TRAITEMENT
Les lésions des voies visuelles peuvent avoir pour cause un traumatisme crânien, une compression par une tumeur ou un accident vasculaire cérébral. Le traitement est uniquement celui de la cause. Un diagnostic et un traitement très précoces permettent de récupérer la vision ou, tout au moins, empêchent l'aggravation du trouble.

Hémiatrophie faciale

Affection caractérisée par une atrophie de la moitié de la face. SYN. *maladie de Romberg*.

L'hémiatrophie faciale, très rare et de cause inconnue, atteint la peau, les tissus sous-cutanés et les os du front, de la joue et du menton. Elle peut s'accompagner de convulsions et de paralysies. La maladie débute dans l'enfance ou l'adolescence puis évolue progressivement. Il n'existe pas à ce jour de traitement connu.

Hémiballisme

Syndrome neurologique caractérisé par des mouvements anormaux et stéréotypés atteignant la moitié droite ou gauche du corps.

L'hémiballisme a pour cause une lésion d'un noyau gris situé dans la profondeur du cerveau et appelé corps de Luys. Son origine est le plus souvent vasculaire, par ischémie (insuffisance de la circulation sanguine) ou, surtout, par hémorragie. Les mouvements involontaires sont soudains, amples, rapides, prédominant à la racine des membres (épaule, hanche), incessants. Ce qui différencie l'hémiballisme de la chorée ou de l'hémichorée est la stéréotypie de ces mouvements involontaires. Ceux-ci peuvent être source de traumatismes et gêner la marche mais cessent pendant le sommeil. Les médicaments de type neuroleptique suppriment ou atténuent les troubles.
→ VOIR Athétose.

Hémicolectomie

Ablation chirurgicale de la partie droite ou gauche du côlon.

L'hémicolectomie se pratique en cas de tumeur ou d'infection du côlon. L'hémicolectomie droite consiste à enlever la fin de l'intestin grêle, le côlon ascendant et le début du côlon transverse. L'hémicolectomie gauche porte sur le côlon descendant et le sigmoïde (dernière partie du côlon).
→ VOIR Colectomie.

Hémiparésie

Déficit incomplet de la force musculaire affectant la moitié droite ou gauche du corps.

Une hémiparésie est une hémiplégie atténuée. Elle précède souvent celle-ci.

Hémiplégie

Paralysie affectant la moitié (gauche ou droite) du corps.

Une hémiplégie peut concerner une ou plusieurs parties du corps en même temps : il existe des hémiplégies d'un bras, d'une jambe, parfois de la face, mais toujours sur un seul côté du corps. Il peut y avoir des hémiplégies de toute une moitié du corps.

L'hémiplégie peut être soit spasmodique (les muscles atteints sont raides), soit flasque (les muscles sont mous et affaiblis).

CAUSES
Une hémiplégie a pour cause une lésion de la voie pyramidale, faisceau de fibres nerveuses qui vont du cortex cérébral jusqu'à différents niveaux de la moelle épinière et commandent la contraction des muscles. La lésion siège du côté opposé aux membres atteints : une hémiplégie gauche correspond à une lésion cérébrale droite et inversement. Cette lésion est elle-même consécutive à un accident vasculaire cérébral, ischémique (diminution ou arrêt de la circulation) ou hémorragique, à une tumeur ou à un traumatisme ou encore à une infection du système nerveux (abcès du cerveau). Les hémiplégies liées à des accidents vasculaires cérébraux débutent brutalement avant de régresser plus ou moins complètement ; celles qui correspondent à des tumeurs commencent progressivement, puis s'étendent et s'aggravent de plus en plus.

SYMPTÔMES ET SIGNES
Le malade bouge difficilement le bras et/ou la jambe du côté atteint et présente le signe de Babinski : le frottement du bord externe du pied provoque une extension lente du gros orteil.

DIAGNOSTIC
Pour déterminer le siège des lésions, on regarde si l'hémiplégie atteint la face, le bras, et/ou la jambe et avec quelle intensité relative (caractère proportionnel ou non proportionnel de l'hémiplégie). Ainsi, une lésion du cortex cérébral provoque une hémiplégie non proportionnelle (qui prédomine sur la face et le bras ou bien sur la cuisse) accompagnée d'une aphasie (perturbation du langage), d'une hémianopsie (cécité partielle), d'une astéréognosie (le sujet ne reconnaît pas les objets avec la main, les yeux fermés) ou d'une perte de connaissance. Une lésion du tronc cérébral, à la base de l'encéphale, provoque un syndrome alterne : la paralysie des membres affecte un côté du corps (par exemple le droit) alors que la paralysie des nerfs crâniens attachés à l'encéphale affecte l'autre côté (par exemple le côté gauche du visage). Cela s'explique par le fait que les fibres du faisceau pyramidal s'entrecroisent dans le tronc cérébral pour gagner le côté opposé.

TRAITEMENT
C'est essentiellement le traitement de la cause, qui peut faire régresser l'hémiplégie ou l'empêcher de s'aggraver. Il s'y ajoute celui des symptômes (ventilation assistée en cas de coma). Ultérieurement, la rééducation améliore souvent les séquelles motrices et l'orthophonie, celles du langage.

Hémizygote

Se dit, chez le sujet de sexe masculin, des gènes situés sur le chromosome X qui ne comportent pas de gènes homologues sur le chromosome Y.

La paire de chromosomes sexuels des sujets de sexe masculin se compose d'un chromosome X et d'un chromosome Y, plus court que le chromosome X. La plupart des gènes portés par le chromosome X n'ont donc pas de gène homologue sur le chromosome Y et sont dits hémizygotes.

→ VOIR Hétérozygote, Homozygote.

Hémochromatose

Maladie métabolique consécutive à l'accumulation de fer dans les tissus de l'organisme. SYN. *diabète bronzé*.

DIFFÉRENTS TYPES D'HÉMOCHROMATOSE

On distingue l'hémochromatose primitive, sans cause précise, de l'hémochromatose secondaire, qui fait suite à une autre maladie.

■ L'hémochromatose primitive est due à une mauvaise régulation de l'absorption du fer par l'intestin. C'est une maladie rare, héréditaire, plus fréquente chez les hommes et qui, en France, atteint plus particulièrement les sujets d'origine bretonne. Son diagnostic précoce est possible.

■ L'hémochromatose secondaire peut être liée à un alcoolisme chronique et surtout à des transfusions répétées, chaque litre de sang apportant 500 milligrammes de fer.

SYMPTÔMES ET SIGNES

Le stockage excessif de fer entraîne des anomalies hépatiques et endocriniennes. L'atteinte hépatique est une cirrhose, aggravée en cas de consommation d'alcool. L'atteinte endocrinienne est mixte : pancréatique (diabète sucré) et hypophysaire (déficit en gonadotrophines). Les symptômes sont variables : la surcharge en fer provoque une coloration grise de la peau ; le volume du foie augmente, la consistance de cet organe est modifiée et des signes d'hypertension portale (varices œsophagiennes, épanchement intrapéritonéal entraînant un gonflement abdominal, augmentation du volume de la rate) peuvent être présents. Le déficit en gonadotrophines entraîne une impuissance et une dépilation. Enfin, une insuffisance cardiaque est possible par atteinte du myocarde.

DIAGNOSTIC ET ÉVOLUTION

Le diagnostic repose sur l'examen clinique, sur le dosage de la ferritine dans le sang, qui montre une élévation très importante de celle-ci, et sur l'examen des tissus du foie prélevés par ponction-biopsie. Les examens complémentaires sont fonction de chaque cas : échographie ou scanner du foie, endoscopie digestive. Le bilan hormonal comprend une étude des gonadotrophines, des androgènes et du métabolisme glucidique. En l'absence de traitement, la maladie hépatique évolue vers une cirrhose sur laquelle peut se greffer un cancer primitif du foie.

TRAITEMENT

Le traitement de l'hémochromatose consiste à pratiquer des saignées régulières chez les patients qui ne sont pas anémiques ; celles-ci demeurent le procédé le plus efficace pour éliminer le fer en excès. Cependant, chez les malades polytransfusés, ce traitement n'est pas possible. Administrée à forte dose et de préférence par voie sous-cutanée, à l'aide d'une pompe portable, la déféroxamine (chélateur du fer) retarde le processus de surcharge en fer en augmentant son élimination urinaire et digestive.

Hémoculture

Technique de laboratoire visant à mettre en évidence la présence ou l'absence de microorganismes pathogènes dans le sang, donc à dépister les états septicémiques et à préciser le germe responsable ainsi que les antibiotiques actifs.

Une hémoculture nécessite de 10 à 20 millilitres de sang veineux, le plus souvent prélevé au pli du coude et recueilli dans deux flacons, l'un aérobie (contenant de l'oxygène et enrichi en gaz carbonique) et l'autre anaérobie (sans oxygène), contenant des milieux de culture appropriés à la croissance des microbes. Les délais de culture varient avec les microbes : la prolifération s'observe au bout d'un ou plusieurs jours (hémoculture positive) ou ne s'observe pas (hémoculture négative). En pratique, on effectue toujours au moins deux ou trois hémocultures pour s'assurer du résultat.

Les maladies diagnostiquées grâce aux hémocultures sont, entre autres, les septicémies à streptocoques, à staphylocoques ou à germes anaérobies, les fièvres typhoïdes (*Salmonella*) et la brucellose.

Hémodialyse

Méthode d'épuration du sang au moyen d'un rein artificiel.

L'hémodialyse a parfois été utilisée dans certains cas d'intoxication grave, mais c'est surtout le traitement majeur de l'insuffisance rénale aiguë et chronique. À moins qu'une greffe de rein puisse être pratiquée, le traitement de l'insuffisance rénale chronique par hémodialyse est définitif. L'insuffisance rénale aiguë correspond à une défaillance transitoire, de quelques jours à plusieurs semaines, du fonctionnement du rein : lorsque celle-ci est importante, elle peut nécessiter une épuration du sang par hémodialyse en attendant que la fonction rénale soit rétablie.

L'hémodialyse permet d'épurer le sang des déchets qui sont normalement éliminés dans l'urine (urée, créatinine), de corriger un éventuel déséquilibre électrolytique (taux anormal de sodium, de potassium, de bicarbonates, etc., dans le sang) et de rééquilibrer le pH du sang en cas d'acidose (acidité sanguine excessive).

TECHNIQUE

L'hémodialyse consiste à mettre en contact à travers une membrane semi-perméable appelée dialyseur (ne laissant passer que les petites et les moyennes molécules) le sang du malade et un liquide dont la composition est proche de celle du plasma normal (dialysat). À travers cette membrane s'effectuent des échanges

---

Le générateur d'hémodialyse

Le générateur d'hémodialyse est l'ensemble de l'appareillage technique qui permet la réalisation de l'hémodialyse. Il comporte plusieurs parties :
– un système qui fait circuler le sang dans le circuit extracorporel ;
– un système qui fabrique le dialysat et en assure la circulation ;
– un système appelé maîtriseur d'ultrafiltration qui, en créant une différence de pression entre le compartiment sang et le compartiment dialysat, permet de contrôler la quantité d'eau plasmatique soustraite du sang.

---

entre le sang et le dialysat selon un processus de diffusion tel que les substances vont du milieu le plus concentré vers le moins concentré. Ainsi, l'urée ou la créatinine en trop forte concentration dans le sang sont éliminées dans le dialysat, qui n'en contient pas.

DÉROULEMENT

En cas d'insuffisance rénale chronique, les séances de traitement durent entre 4 et 5 heures à raison de trois fois par semaine. La majorité des patients se rend dans des centres d'hémodialyse hospitaliers, publics ou privés. Mais la séance peut aussi avoir lieu au domicile du patient (dans ce cas, celui-ci suit d'abord une formation soit avec son conjoint, soit avec ses parents s'il s'agit d'un enfant) ou encore dans un centre d'autodialyse. En cas d'insuffisance rénale aiguë, les séances ont lieu à des rythmes variables, selon la gravité du trouble, dans des services de néphrologie ou de réanimation, quotidiennement dans les cas graves.

SURVEILLANCE

Une surveillance médicale, assurée par un néphrologue, est obligatoire. Celui-ci fixe la durée des séances, la quantité d'eau plasmatique à filtrer et les traitements annexes, diététiques et médicamenteux. L'hémodialyse est parfaitement compatible avec une vie normale.

→ VOIR Fistule artérioveineuse.

Hémodilution

Technique qui consiste, avant une opération chirurgicale à risque hémorragique, à prélever deux ou trois unités de sang de 400 millilitres environ à un sujet (en les remplaçant par un liquide moins dense) afin de pouvoir, à la fin de l'intervention ou juste après, les lui réinjecter.

L'hémodilution sert à maintenir une bonne tension artérielle, indispensable à une bonne irrigation des organes. Elle permet d'éviter la transfusion sanguine et ses effets indésirables (transmission de maladies infectieuses, réactions allergiques).

TECHNIQUE

Le sang prélevé sur le malade est remplacé, par perfusion intraveineuse, par un même volume de liquide de remplissage, solution de macromolécules (polymères de glucose, par exemple) qui n'est pas éliminable par les reins avant plusieurs heures. Pendant l'opération, la perfusion est maintenue. Le sang ayant été conservé, on peut ensuite le réinjecter au malade (autotransfusion).

Hémodynamique

Partie de la physiologie qui étudie les lois d'écoulement (débit, pression, vitesse, etc.) du sang dans les vaisseaux.

L'hémodynamique distingue deux types de circulation sanguine : la grande circulation, ou circulation systémique, qui est constituée par l'aorte et ses branches ainsi que par les deux veines caves et leurs branches, et la petite circulation, ou circulation pulmonaire, qui est constituée par l'artère pulmonaire et ses branches ainsi que par les veines pulmonaires.

Le débit sanguin des deux circulations est identique. Cependant, les résistances des artérioles pulmonaires étant cinq ou six fois plus faibles que celles des artérioles systémiques, la pression n'est pas la même dans les deux réseaux.

La circulation systémique est soumise à une haute pression. Celle-ci est caractérisée par une valeur maximale, la pression systolique (de 120 à 140 millimètres de mercure), quand le cœur se contracte, et une valeur minimale, la pression diastolique (de 70 à 80 millimètres de mercure), quand le cœur se relâche et se remplit de sang. Ces deux chiffres varient selon l'âge du sujet. La pression systémique s'élève de façon normale à l'effort du fait de l'augmentation du débit cardiaque.

La circulation pulmonaire est soumise à une basse pression. Tout comme la circulation systémique, elle comporte une valeur maximale, systolique (25 millimètres de mercure), et une valeur minimale, diastolique (13 millimètres de mercure).

MESURES ET ÉTUDE HÉMODYNAMIQUES
On mesure la pression systémique, communément appelée tension artérielle, au moyen d'un sphygmomanomètre (ou tensiomètre). Mais, pour mesurer avec précision les pressions des deux circulations, le débit cardiaque et les résistances des artérioles, on pratique un cathétérisme (introduction d'une sonde dans un gros vaisseau ou dans une cavité cardiaque).

L'étude hémodynamique par cathétérisme comporte très peu de risques. Elle est cependant réservée de plus en plus souvent aux seuls cas de recherche indispensable des pressions et des débits, par exemple avant certaines interventions de chirurgie cardiaque, ses autres indications classiques étant peu à peu supplantées par l'échographie.

Hémoglobine

Protéine contenue dans les globules rouges, auxquels elle donne leur couleur, et qui véhicule l'oxygène dans le sang.

L'hémoglobine (Hb) est une molécule comprenant une partie protéique volumineuse, la globine, elle-même formée de quatre polypeptides (longues chaînes d'acides aminés) attachés les uns aux autres : deux chaînes alpha et deux chaînes bêta.

Chaque chaîne s'enroule sur elle-même tout en ménageant sur un côté une petite poche où se loge de l'hème, une substance contenant du fer.

L'hémoglobine est synthétisée par les globules rouges pendant leur formation dans la moelle osseuse. Elle sert à transporter le gaz carbonique des organes (cœur, muscles) vers les poumons mais surtout à transporter l'oxygène dans tous les tissus de l'organisme. Chaque molécule d'hème fixe une molécule d'oxygène quand le globule rouge est dans les poumons, puis la relâche à l'arrivée dans un autre organe. L'hémoglobine est un pigment rouge vif, quand elle est oxygénée (couleur du sang des artères de la grande circulation), bleu quand elle a perdu son oxygène (veines de la grande circulation).

PATHOLOGIE
L'hémoglobine peut être atteinte d'un changement de structure diminuant ses capacités à transporter l'oxygène.
■ **La méthémoglobine** est une molécule d'hémoglobine modifiée par la transformation du fer ferreux de l'hème en fer ferrique, effet indésirable de médicaments (dapsone) ou due à une intoxication par les nitrites.
■ **La sulfhémoglobine** est due à la fixation de soufre sur une molécule d'hémoglobine par intoxication (hydrogène sulfuré, sulfamides).
■ **La carboxyhémoglobine** est due à la fixation d'oxyde de carbone sur une molécule d'hémoglobine au cours d'une intoxication par ce gaz.

Ces pathologies, de gravité très variable, peuvent n'entraîner qu'une cyanose ou, aussi bien, mettre en jeu la vie du malade.
→ VOIR **Numération formule sanguine.**

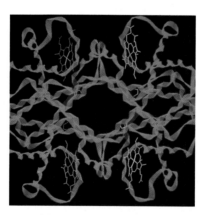

Hémoglobine. *Les quatre chaînes de la globine (en bleu) abritent l'hème (en rose).*

Hémoglobine glycosylée

Hémoglobine sur laquelle s'est fixée une molécule de glucose. SYN. *hémoglobine glyquée.*

L'hémoglobine glycosylée (HbA$_{1C}$) représente normalement moins de 6 % de l'hémoglobine de l'organisme. Sa concentration dépend de la glycémie (taux sanguin de glucose) moyenne des deux mois précédant

le dosage. Celui-ci est utilisé pour surveiller l'efficacité d'un traitement à long terme chez les diabétiques.

Hémoglobinopathie

Maladie relative à l'hémoglobine.

Parmi les hémoglobinopathies, on distingue les thalassémies (défaut de synthèse de l'hémoglobine) des hémoglobinoses (maladies liées à un défaut de structure de la molécule d'hémoglobine).

CAUSES
Les thalassémies sont dues à la diminution ou à l'absence de fabrication d'une des chaînes polypeptidiques de l'hémoglobine. L'une de ces anomalies concerne la chaîne bêta ; dans sa forme majeure, appelée anémie de Cooley, elle peut engendrer une anémie hémolytique grave.

Les hémoglobinoses, dont il existe plus de 300 variétés et qui sont désignées par le nom de la ville où demeure l'individu chez lequel la maladie a été trouvée, résultent généralement de mutations génétiques ponctuelles. Elles sont nombreuses et diverses, la mutation la plus fréquente étant celle qui provoque la drépanocytose, ou hémoglobinose S. La plupart des mutations n'entraînent aucune manifestation pathologique ; d'autres peuvent être responsables d'une hémolyse pathologique (drépanocytose, hémoglobinoses C et D), d'une affinité anormale de l'hémoglobine pour l'oxygène, avec pour conséquences possibles une augmentation du nombre de globules rouges ou une anémie, ou encore d'une incapacité de l'hémoglobine à fixer l'oxygène et à le transporter (hémoglobine M), entraînant une cyanose congénitale.

DIAGNOSTIC ET TRAITEMENT
Le diagnostic des anomalies repose essentiellement sur l'électrophorèse (séparation des composants du sang par utilisation d'un champ électrique), qui permet de détecter les hémoglobines anormales. Ce test ne pouvant mettre en évidence toutes les mutations, des épreuves de stabilité thermique de l'hémoglobine, des tests d'affinité pour l'oxygène ou une étude directe de l'A.D.N. sont parfois également nécessaires.

L'attitude à adopter en cas de risque de transmission d'une hémoglobinose est fonction du type de mutation : certaines formes ne nécessitent pour tout traitement que des restrictions alimentaires et médicamenteuses ; d'autres entraînent une hémolyse importante qui doit être traitée par des transfusions fréquentes. Pour les formes graves, les futurs parents peuvent avoir recours au conseil génétique et au dépistage prénatal afin d'estimer les risques encourus par leur enfant.
→ VOIR **Drépanocytose, Thalassémie.**

Hémoglobinurie

Présence d'hémoglobine dans les urines.

L'hémoglobinurie doit être distinguée de l'hématurie (présence de globules rouges dans les urines) et de la myoglobinurie (présence de myoglobine, protéine musculaire colorée, dans les urines). C'est un signe d'hémolyse (destruction des globules rouges) importante à l'intérieur des vaisseaux sanguins : lorsque les protéines, éléments tampons du plasma chargés de fixer une substance en excès pour maintenir sa concentration sanguine normale, sont saturées, elles ne captent plus l'hémoglobine, qui traverse alors la membrane glomérulaire du rein et passe dans les urines. L'hémoglobinurie se traduit par l'émission d'urines rouge sombre. Un tel signe doit faire rechercher la cause de l'hémolyse et, notamment, une anémie hémolytique.

Hémogramme

Numération des éléments figurés du sang (globules blancs, globules rouges, plaquettes).

Un hémogramme est réalisé à partir d'un prélèvement de sang veineux chez l'adulte, de sang capillaire chez le jeune enfant. Il comporte deux types d'analyse. L'un est quantitatif et décrit le nombre d'éléments figurés, le taux d'hémoglobine, la concentration moyenne des globules rouges en hémoglobine, la valeur de l'hématocrite (pourcentage du volume des globules rouges par rapport au volume sanguin total) et le volume globulaire moyen. L'autre est morphologique et décrit l'aspect des différentes cellules. Cette numération permet de dépister de très nombreuses affections (anémies, inflammations, réactions immunitaires, etc.).

Les hémogrammes sont aujourd'hui réalisés à l'aide d'appareils électroniques automatisés ; le recours à l'examen microscopique ne se fait qu'en cas d'anomalie détectée par l'appareil.

L'hémogramme est l'examen le plus couramment effectué sur une « prise de sang ».
→ VOIR **Numération formule sanguine.**

Hémolyse

Destruction des globules rouges.

La durée de vie des globules rouges dans l'organisme est, à l'état normal, de 120 jours environ. L'hémolyse est alors effectuée par les cellules macrophages de la moelle osseuse et du foie. Les différents constituants du globule sont ensuite recyclés et réutilisés par l'organisme : l'hémoglobine est décomposée en acides aminés ; le noyau tétrapyrolique de l'hémoglobine, dont le rôle est de capter l'atome de fer, est transformé sous l'action d'enzymes et libéré dans le plasma sous forme de bilirubine (pigment jaune-brun provenant de la dégradation de l'hémoglobine). Cette bilirubine est captée par le foie, passe dans la bile et est éliminée par les selles ; le fer est réintégré dans la formation des globules rouges après transfert sur une protéine porteuse, la sidérophiline.

HÉMOLYSES PATHOLOGIQUES

Une hémolyse pathologique peut faire suite à une anomalie particulière du globule rouge, comme dans le cas de la drépanocytose ou du déficit en glucose-6-phosphate déshydrogénase, à une agression extérieure (hémolyse mécanique due à la présence d'une prothèse cardiaque, paludisme) ou à une maladie auto-immune.

Une hémolyse pathologique révèle un raccourcissement notable de la vie des globules rouges. Cette destruction peut s'effectuer par l'action des macrophages (hémolyse intratissulaire), comme pour l'hémolyse physiologique, mais aussi directement dans le sang (hémolyse intravasculaire). Elle se traduit par une augmentation du taux de bilirubine libre, par une baisse d'une glycoprotéine du plasma, l'haptoglobine, et, lorsque l'hémolyse est surtout intravasculaire, par un taux élevé d'hémoglobine plasmatique dans le sang et par une hémoglobinurie (présence d'hémoglobine dans l'urine).

Hémopathie

Maladie du sang.

Les anémies et les leucémies, par exemple, sont des hémopathies.

Hémopéricarde

Épanchement de sang à l'intérieur du péricarde (enveloppe du cœur).

CAUSES

Elles sont nombreuses. Un hémopéricarde peut être consécutif à un infarctus du myocarde lorsque celui-ci se complique d'une rupture de la paroi libre du ventricule gauche ; à une tumeur cancéreuse ; à une radiothérapie ; à une opération du cœur, la présence d'une faible quantité de sang dans le péricarde étant dans ce cas un phénomène relativement banal qui disparaît spontanément ; à un traumatisme provoqué, par exemple, par l'introduction d'une sonde dans le cœur, l'hémopéricarde restant alors discret ; enfin, à un enfoncement de la paroi thoracique avec fracture de côtes, survenu lors d'un accident de la circulation (impact du volant, par exemple).

SIGNES

Un hémopéricarde se manifeste par des douleurs thoraciques, une tachycardie et un essoufflement. À l'auscultation, les bruits du cœur sont assourdis. La tolérance du cœur à un hémopéricarde est variable selon l'abondance de l'épanchement. Si la quantité de sang est importante, le cœur risque de se retrouver comprimé et d'être gêné dans son fonctionnement.

TRAITEMENT

Lors d'épanchements peu abondants et donc bien tolérés, le traitement se limite à une surveillance clinique et échographique. Lorsque la quantité de sang est importante, une intervention chirurgicale de drainage péricardique s'impose pour évacuer le sang et permettre au cœur de fonctionner à nouveau sans contrainte.

Une surveillance ultérieure est indispensable pour dépister une éventuelle récidive ou l'apparition d'une constriction cardiaque par épaississement du péricarde.

Hémopéritoine

Épanchement de sang dans la cavité péritonéale, cavité virtuelle délimitée par les deux feuillets du péritoine, membrane qui tapisse d'une part la paroi de l'abdomen, d'autre part les organes abdominaux.

CAUSES

Un hémopéritoine est le signe d'une lésion viscérale ou vasculaire. Il est dû en général à un traumatisme violent provoquant la rupture d'un organe plein (foie, rate). Il s'observe également en cas de grossesse extra-utérine ayant entraîné une rupture de la trompe. Moins fréquemment, il est lié à la présence d'une tumeur intra-abdominale. Lorsqu'il y a rupture d'un anévrysme de l'aorte abdominale, on parle d'un hémorétropéritoine.

SYMPTÔMES ET DIAGNOSTIC

Un hémopéritoine se manifeste par un ballonnement abdominal et des signes d'hémorragie interne : pouls accéléré, pâleur du visage, baisse de la pression artérielle, soif, agitation, décoloration des conjonctives, diminution des urines.

À l'examen, le ventre est tendu et sa percussion révèle un son mat. Le diagnostic est confirmé par la radiographie et par des examens sanguins mettant en évidence une anémie (baisse de l'hémoglobine) et une baisse de l'hématocrite (rapport entre le volume des globules rouges et le volume sanguin total). Enfin, la ponction du péritoine, effectuée à l'hôpital sous anesthésie locale, ramène du sang.

TRAITEMENT

L'intervention chirurgicale est urgente, pour arrêter l'hémorragie, en cas de rupture vasculaire ou de rupture d'une trompe, moins urgente en cas de saignement persistant et de lésions importantes du foie et de la rate. Lorsqu'il n'est pas évacué chirurgicalement, l'hémopéritoine se résorbe progressivement en laissant des adhérences et des brides, source d'occlusion ultérieure.

Hémophilie

Maladie héréditaire liée au chromosome X, caractérisée par un trouble de la coagulation du sang.

L'hémophilie est transmise sur un mode récessif et lié au sexe : le gène en cause se trouve sur l'un des deux chromosomes X de la mère et seuls les garçons développent la maladie. Les filles ne la présentent pas (sauf, parfois, des troubles mineurs). Une femme porteuse du gène de la maladie aura la moitié de ses fils hémophiles et la moitié de ses filles porteuses du gène, les autres enfants, filles ou garçons, étant indemnes. En revanche, le malade hémophile de sexe masculin transmet le gène anormal à toutes ses filles, qui deviennent porteuses du gène, mais ses fils sont épargnés.

DIFFÉRENTS TYPES D'HÉMOPHILIE

Il existe deux sortes d'hémophilie, A et B, la première étant dix fois plus fréquente que la seconde. La coagulation normale du sang dépend de l'action de treize facteurs sanguins numérotés de I à XIII. L'hémophilie A est liée à un déficit du facteur VIII et l'hémophilie B, à un déficit du facteur IX.

SYMPTÔMES ET SIGNES

L'hémophilie entraîne des hémorragies dont la répétition et la gravité sont proportionnelles à l'importance du déficit en facteur sanguin VIII ou IX.

Vivre hémophile

Afin de permettre aux patients atteints d'hémophilie de mener une vie aussi normale que possible, des centres spécialisés offrent une formation concernant les risques, le traitement et la prévention de cette maladie : reconnaissance des symptômes d'hémorragie, traitement préventif à domicile, conseil génétique. L'équipe médicale de ces centres comprend un médecin hématologue, une infirmière, un physiothérapeute et un travailleur social. S'y adjoignent un dentiste, un psychologue, un orthopédiste et un conseiller en génétique. Un laboratoire local d'hémostase et un centre de transfusion fournissent leur support technique. Dans ces centres, l'infirmière apprend au patient à s'injecter lui-même les produits substitutifs. Les enfants sont initiés très tôt à cette pratique (vers 8 ou 10 ans).

Certaines précautions doivent être prises dans la vie quotidienne des hémophiles : éviter les heurts et les chutes ; choisir de préférence des chemises à manches longues, des vestes et des pantalons rembourrés, des chaussures qui maintiennent les chevilles ; avoir sur soi une trousse de pharmacie contenant le nécessaire à perfusion. Les extractions dentaires sont effectuées en milieu hospitalier.

La pratique d'un sport n'est pas interdite. Cependant, en raison des risques d'accident articulaire, les sports violents ou dangereux sont à proscrire : arts martiaux, escrime, parachutisme, plongée sous-marine, football, équitation, etc. En revanche, sont évalués comme des sports à faible risque, pourvu qu'ils soient pratiqués avec un équipement approprié, la natation, le golf, le tennis, le volley-ball et le basket-ball (avec des genouillères et des chaussures montantes), le patin à roulettes (avec un casque et des genouillères), le ski de randonnée, le cyclisme (avec un casque et un siège bien ajusté), la course à pied (avec des chaussures dotées d'un support plantaire).

Sur le plan éducatif, seuls les métiers manuels sont exclus de l'orientation professionnelle. En outre, il est recommandé d'informer l'école de la maladie de l'enfant.

Quant aux déplacements et aux voyages, ils sont également possibles : en effet, il existe habituellement un centre pour hémophiles dans les hôpitaux universitaires des grandes villes. Leur liste peut être obtenue auprès des associations nationales pour hémophiles. En voyage, il faut prévoir une lettre du médecin qui contiendra les informations indispensables et les recommandations de traitement.

■ **Dans les formes légères**, où le taux sanguin de facteur VIII est supérieur à 5 %, les hémorragies ne sont à craindre qu'à l'occasion d'interventions chirurgicales ou d'extractions dentaires.

■ **Dans les formes modérées**, où le taux sanguin de facteur VIII varie entre 2 et 5 %, les hémorragies sont provoquées par des traumatismes, des chutes.

■ **Dans les formes sévères**, où le taux sanguin de facteur VIII est inférieur à 1 %, des saignements se produisent spontanément un peu partout dans l'organisme, causant des épanchements dans les muscles, sous la peau (hématomes) et dans les articulations (hémarthroses). Les hémorragies internes peuvent entraîner la présence de sang dans les urines (hématurie).

DIAGNOSTIC

Le diagnostic est confirmé par la mesure du taux des facteurs sanguins VIII et IX. Il peut également être établi avant la naissance : dès la 10e semaine de grossesse, un prélèvement de villosités choriales (futur placenta) permet l'analyse génétique du fœtus. À 18 ou 20 semaines de grossesse, l'analyse d'un prélèvement de sang fœtal dans le cordon ombilical permet la même recherche.

TRAITEMENT ET PRÉVENTION

Les hémorragies sont arrêtées par des substances coagulantes et, si nécessaire, la perte de sang est compensée par une transfusion. Une injection de concentré de facteur VIII lyophilisé et chauffé, ou de facteur IX chauffé, est pratiquée. Les hémophiles prennent, préventivement, des doses régulières de concentré de facteur VIII ou IX. Le risque de transmission par le sang de plusieurs virus a modifié les modes de traitement avec l'utilisation d'adjuvants comme la desmopressine, ou DDAVP, et les antifibrinolytiques. Aujourd'hui, le risque de transmission du virus du sida est en grande partie éliminé par le chauffage des produits injectés. Le risque de transmission de l'hépatite C persiste, mais il est très modéré, évalué de 1 à 3 pour 10 000 transfusions de sang ou de plasma ; celui de la transmission du virus de l'hépatite B est évalué à 1 pour 50 000, mais il peut être prévenu par la vaccination. Désormais, la production de facteur VIII par génie génétique protège totalement de la transmission virale par cette voie. Les altérations articulaires provoquées par les hémarthroses nécessitent parfois une rééducation orthopédique.

Les risques encourus par les hémophiles justifient que, avant de concevoir, une femme qui appartient à une famille d'hémophiles fasse vérifier si elle est ou non porteuse du gène de la maladie.

Hémopneumothorax
Épanchement simultané de sang et d'air dans la cavité pleurale.

Un hémopneumothorax a pour cause un traumatisme du thorax ou la rupture spontanée d'un vaisseau. Il est rarement bilatéral. Il entraîne une gêne respiratoire aiguë, voire un état de choc (défaillance aiguë de la circulation sanguine) nécessitant des transfusions sanguines.

Le traitement consiste en un drainage de la cavité pleurale ; si la brèche n'est pas colmatée par le drainage, une suture chirurgicale de celle-ci, nécessitant une thoracotomie (ouverture du thorax), est pratiquée.

Hémoptysie
Rejet par la bouche de sang provenant de l'appareil respiratoire.

Une hémoptysie est due à la rupture d'un vaisseau sanguin à un niveau quelconque de l'arbre respiratoire. Elle ne doit pas être confondue avec une hématémèse (vomissement de sang provenant de lésions de

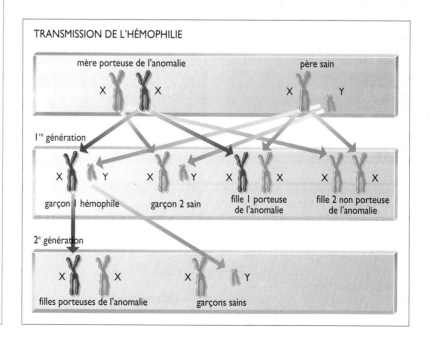

TRANSMISSION DE L'HÉMOPHILIE

mère porteuse de l'anomalie — père sain

X X — X Y

1re génération

X Y — X Y — X X — X X

garçon 1 hémophile — garçon 2 sain — fille 1 porteuse de l'anomalie — fille 2 non porteuse de l'anomalie

2e génération

X X — X Y

filles porteuses de l'anomalie — garçons sains

Si la pression de la main sur la plaie n'a pas arrêté le saignement – le blessé étant allongé –, on comprime l'artère, entre la plaie et le cœur, au point précis qui convient.

Les points de compression

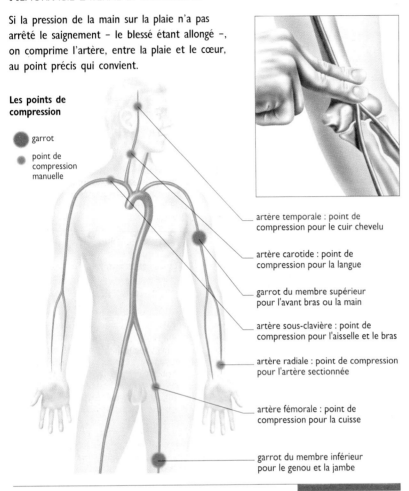

● garrot

● point de compression manuelle

artère temporale : point de compression pour le cuir chevelu

artère carotide : point de compression pour la langue

garrot du membre supérieur pour l'avant bras ou la main

artère sous-clavière : point de compression pour l'aisselle et le bras

artère radiale : point de compression pour l'artère sectionnée

artère fémorale : point de compression pour la cuisse

garrot du membre inférieur pour le genou et la jambe

---

l'appareil digestif) ni avec la présence de sang dans la bouche résultant d'un saignement de nez (épistaxis déglutie).

CAUSES

Une hémoptysie est le plus souvent consécutive à une bronchite chronique qui s'est infectée, à une tuberculose pulmonaire, ancienne ou récente, à une dilatation des bronches, à une embolie pulmonaire ou à un cancer des bronches.

SYMPTÔMES ET SIGNES

Elle se traduit par le rejet par la bouche d'une quantité de sang variable. Quelques jours après la crise, le sujet recrache de petits caillots de sang constituant la « queue » de l'hémoptysie. Selon l'importance du rejet, on distingue 4 types d'hémoptysie.

■ L'hémoptysie de faible abondance, la plus fréquente, est le rejet d'une petite quantité de sang rouge, de stries sanglantes ou de crachats noirâtres teintés de sang.

■ L'hémoptysie de moyenne abondance, rejet d'environ 100 millilitres de sang, peut être précédée d'un goût métallique dans la bouche, d'une gêne dans la poitrine et s'accompagner de sueurs, d'angoisse, de tachycardie.

■ L'hémoptysie de grande abondance, rejet brutal d'une quantité de sang pouvant atteindre 500 millilitres, s'accompagne d'un état de choc et d'une gêne respiratoire de degré variable.

■ L'hémoptysie cataclysmique, très rare, parfois mortelle en quelques instants, est le rejet brutal d'une quantité de sang très importante. Elle se rencontre lors de cancers bronchiques évolués avec rupture artérielle pulmonaire ou lors d'une rupture d'anévrysme artériel pulmonaire.

DIAGNOSTIC ET TRAITEMENT

Quelle que soit la quantité de sang craché, l'hémoptysie est un signe d'alarme important et doit toujours entraîner une consultation chez un médecin, voire une hospitalisation immédiate. Elle nécessite toujours une radiographie thoracique et le plus souvent une bronchoscopie et un scanner thoracique pour préciser la cause et localiser l'origine du saignement.

La cause de l'hémoptysie est à traiter en priorité. Le repos, les médicaments antihémorragiques et les anxiolytiques sont en général efficaces. Si l'hémoptysie est abondante ou persistante, une embolisation artérielle bronchique peut se révéler nécessaire. Elle consiste en l'oblitération de l'artère bronchique à l'aide de particules injectées sous contrôle radiologique. Une intervention chirurgicale, en cas de saignement rebelle et localisé, peut être indiquée dans de rares cas.

Hémorragie

Écoulement de sang hors des vaisseaux sanguins.

Une hémorragie est dite externe si le sang s'écoule directement à l'extérieur, interne si elle se produit dans une cavité (thorax, abdomen) ou dans un viscère (estomac, intestin) ; quand le sang sort par les voies naturelles (bouche, anus, urètre), l'hémorragie est dite secondairement extériorisée.

CAUSES

Une hémorragie a pour cause un traumatisme, la lésion d'un organe (inflammation, ulcère, tumeur) ou une anomalie des vaisseaux (anévrysme, fragilité par hypertension artérielle).

DIFFÉRENTS TYPES D'HÉMORRAGIE

■ Une hémorragie chronique peut avoir un volume si faible (hémorragie distillante) qu'elle reste inaperçue pendant plusieurs semaines si elle est interne ; en revanche, la perte de fer qu'elle provoque est responsable d'une anémie ferriprive.

■ Une hémorragie massive et rapide (plaie d'une grosse artère) entraîne la mort en quelques minutes par arrêt du retour veineux, alors même que l'organisme conserve encore les deux tiers de son volume sanguin.

■ Une hémorragie importante (un litre, par exemple) est suivie d'une hypotension artérielle puis d'une tachycardie et de divers signes de décompensation de l'organisme, caractéristiques de l'état de choc : soif, malaise, agitation, vertiges, bourdonnements d'oreille, accélération du pouls et de la respiration ; pâleur du visage, des conjonctives et des ongles. Si l'hémorragie ne se reproduit pas, tout rentre dans l'ordre : le volume plasmatique est reconstitué en quelques heures par les liquides extravasculaires (ceux des organes). La moelle osseuse, stimulée par le manque de globules rouges, augmente sa production et compense en quelques semaines le déficit. Si, au contraire, l'hémorragie se répète à quelques heures d'intervalle, le malade est en état de choc avec effondrement de la tension, oligurie (diminution des urines) et décède en l'absence de transfusion. Faite trop tard, celle-ci peut être sans effet (choc hémorragique irréversible).

TRAITEMENT

Il repose sur l'arrêt de l'hémorragie, en général par intervention chirurgicale. Lorsque l'hémorragie est externe et consécutive à la plaie de vaisseaux du cou ou d'un membre, elle peut être interrompue par compression – à la main ou à l'aide d'un paquet de tissus – du point de saignement ou d'un point situé sur le trajet du tronc artériel qui alimente le saignement. On peut aussi poser un garrot, soit à la racine du membre, soit immédiatement en amont du saignement, mais cette technique n'est pas sans danger. Il faut aussi remplacer le volume de sang perdu en perfusant dans une veine des solutés de remplissage (gélatines, dextrans). Ces derniers sont insuffisants dans les cas les plus graves, où l'on doit avoir recours aux transfusions sanguines.

Hémorragie cérébrale

Écoulement de sang dans le cerveau.
→ VOIR **Accident vasculaire cérébral.**

Hémorragie digestive

Écoulement sanguin provenant du tube digestif. SYN. *gastrorragie.*

Hémorragie du tube digestif haut

C'est un saignement provenant de l'œsophage, de l'estomac ou du duodénum, extériorisé par des vomissements sanglants appelés hématémèse.

CAUSES

Une hémorragie du tube digestif haut est due à un ulcère gastroduodénal, à une tumeur (bénigne ou maligne), à une rupture de varices situées dans l'œsophage ou à une gastrite aiguë, le plus souvent provoquée par des médicaments anti-inflammatoires.

DIAGNOSTIC ET TRAITEMENT

Le diagnostic se fait par fibroscopie. Celle-ci, faite au moyen d'un tube optique souple introduit par la bouche dans le tube digestif, permet souvent de pratiquer en même temps une sclérothérapie (injection de produits sclérosants dans la varice œsophagienne qui saigne). En cas d'hémorragie massive ou non contrôlée, l'intervention chirurgicale s'impose.

Hémorragie du tube digestif bas

C'est un saignement provenant de l'intestin (intestin grêle, côlon ou rectum), et qui s'évacue par l'anus.

CAUSES

Une hémorragie du tube digestif bas est due à une rupture d'hémorroïde, à une tumeur du rectum ou du côlon, à une ulcération provoquée par l'usage du thermomètre.

DIAGNOSTIC ET TRAITEMENT

On peut déceler une hémorragie du tube digestif bas par l'examen chimique des selles, qui peuvent contenir du sang rouge ou noir, appelé melæna. Le traitement, plus ou moins urgent, dépend de la cause et de l'importance du saignement : il peut être médical (sclérothérapie, électrocoagulation) ou chirurgical en cas d'hémorragie massive.

PRÉVENTION

L'examen des selles se pratique de plus en plus systématiquement chez les adultes après la cinquantaine pour rechercher un polype ou un cancer colorectal débutant. Cet examen peut être pratiqué à domicile grâce à des bandelettes réactives qui changent de couleur quand elles sont mises en contact avec des selles contenant du sang.

→ VOIR Rectorragie.

Hémorragie gynécologique

Écoulement sanguin par le vagin.

La cause la plus probable d'une hémorragie gynécologique est la menstruation. Le sang provient de l'utérus. Normalement, de la puberté à la ménopause, les règles surviennent à intervalles réguliers (28 jours), mais elles peuvent présenter des différences tant dans leur caractère que dans leur durée et leur date d'apparition.

CAUSES PATHOLOGIQUES ET SYMPTÔMES

Quand le sang provient de l'utérus, l'hémorragie gynécologique peut aussi être causée par une endométrite (infection de la muqueuse utérine) ou un cancer de l'utérus, maladies qui peuvent survenir aussi bien avant qu'après la ménopause. On distingue les ménorragies (règles anormalement prolongées) et les métrorragies (écoulement sanguin en dehors de la période des règles), qui apparaissent à la suite d'un trouble hormonal ou d'un myome (fibrome).

L'utérus peut aussi saigner pendant la grossesse : on parle alors d'hémorragie obstétricale. Lors des premiers mois, ce saignement peut annoncer un avortement spontané. Si le saignement intervient à un stade plus avancé de la grossesse, il peut traduire un problème fœtal ou maternel.

Quand le sang provient du col de l'utérus, le saignement peut être dû à un ectropion cervical (tissu glandulaire supplémentaire entourant le col de l'utérus) et l'écoulement survient plus fréquemment après les rapports sexuels. Une cervicite (inflammation du col de l'utérus), des polypes, un cancer du col peuvent aussi avoir pour symptôme un saignement du col de l'utérus.

Les saignements provenant de la paroi vaginale sont moins fréquents que les saignements du col et du corps de l'utérus. Ils peuvent éventuellement provenir d'une blessure provoquée par les rapports sexuels, surtout après la ménopause, les parois vaginales devenant alors plus minces et plus fragiles. Il arrive qu'une vaginite grave fasse saigner. Un saignement vaginal peut aussi être causé par un cancer du vagin.

TRAITEMENT

Le traitement est celui de la cause. Les infections sont traitées par des antibiotiques. Les parois fragilisées peuvent être fortifiées par des applications de crème contenant des hormones œstrogènes.

→ VOIR Hémorragie obstétricale.

Hémorragie intraoculaire

Épanchement sanguin dans une des différentes parties de l'œil.

Suivant la localisation, on distingue plusieurs sortes d'hémorragie intraoculaire.

Hémorragie intravitréenne

Une hémorragie intravitréenne est un écoulement sanguin dans le corps vitré.

CAUSES

Une hémorragie intravitréenne a le plus souvent une origine rétinienne puisque le corps vitré n'est pas irrigué par des vaisseaux sanguins. Elle est due soit à une déchirure de la rétine, soit à un accident vasculaire rétinien ou à une hémorragie rétinienne.

SYMPTÔMES ET SIGNES

Elle se manifeste par une « pluie de suie », perception d'une multitude de petits points noirs qui tombent, suivie d'une baisse de l'acuité visuelle.

DIAGNOSTIC ET TRAITEMENT

L'examen du fond de l'œil est rendu difficile par la présence de sang dans le corps vitré et l'on peut être amené à pratiquer une échographie afin de s'assurer de l'absence de décollement de la rétine. Si la résorption spontanée ne se produit pas, on pratique une ablation chirurgicale du corps vitré.

Hémorragie rétinienne

Une hémorragie rétinienne est un écoulement sanguin situé dans la rétine.

CAUSES

Une hémorragie rétinienne peut être due à l'occlusion d'une veine qui draine le sang de la rétine, à une hypertension artérielle, à un diabète ou encore à une dégénérescence de la rétine liée à l'âge ou à la myopie.

SIGNES

Elle ne se manifeste par une baisse de la vue que lorsqu'elle est suffisamment importante et concerne le pôle postérieur de la rétine et de la macula.

DIAGNOSTIC

Une hémorragie rétinienne a toujours une signification pathologique et, selon son aspect (en tache plus ou moins large et plus ou moins sombre, en flammèches, etc.), on peut préjuger de sa localisation dans l'épaisseur de la rétine.

Si une atteinte de la macula (zone de vision centrale fine) entraîne une altération visuelle sévère, des hémorragies périphériques sans altération visuelle peuvent passer inaperçues ; seul l'examen du fond de l'œil à la lampe à fente permet de les détecter.

Une hémorragie rétinienne peut engendrer une hémorragie intravitréenne.

TRAITEMENT

On ne connaît pas de moyen de faire disparaître ce type d'hémorragie.

Hémorragie sous-conjonctivale

C'est un écoulement sanguin sous la conjonctive, membrane transparente recouvrant le blanc de l'œil.

CAUSES

Une hémorragie sous-conjonctivale peut se produire spontanément, soit à la suite d'une quinte de toux, de vomissements répétés, soit par augmentation de la pression veineuse ou au cours d'une poussée d'hypertension artérielle. Elle peut aussi être causée par des troubles de la coagulation.

SYMPTÔMES ET TRAITEMENT

Une nappe rouge vif uniforme, plus ou moins étendue, apparaît, atteignant le limbe (limite entre la cornée et la sclérotique). Il n'y a ni douleur ni baisse de l'acuité visuelle et la découverte est souvent fortuite. Lorsque cette nappe survient à la suite d'un traumatisme, on n'en voit souvent pas la limite postérieure et il est important de vérifier l'état des autres structures oculaires. Elle se résorbe dans les deux cas sans traitement en deux semaines environ. Des épisodes répétitifs peuvent traduire une faiblesse locale des vaisseaux conjonctivaux ou une hypertension artérielle méconnue.

Hémorragie méningée

Épanchement de sang dans les méninges, enveloppes qui entourent le cerveau.

CAUSES

Une hémorragie méningée est due à la rupture spontanée d'un anévrysme artériel (petite zone dilatée d'une artère) ou à un traumatisme crânien. Le sang s'écoule entre les feuillets des méninges qui tapissent l'encéphale sous la voûte crânienne.

SIGNES ET SYMPTÔMES

Brutalement, le malade ressent des maux de tête intolérables, vomit en jets, ne supporte plus la lumière (photophobie) et, souvent, tombe brusquement inconscient. Contrairement aux méningites, il n'y a pas de fièvre. D'autres signes témoignent d'une lésion cérébrale : une perte de la parole, une paralysie faciale ou un déficit moteur d'un seul côté. Ceux-ci peuvent se développer en quelques minutes ou en quelques heures. Une complication particulière de l'hémorragie méningée est l'hydrocéphalie.

DIAGNOSTIC ET TRAITEMENT

Un scanner et une ponction lombaire, qui recueille un liquide céphalorachidien mêlé de sang, sont nécessaires pour établir le diagnostic. Le traitement est celui de la cause, par intervention chirurgicale quand celle-ci est possible. Les hémorragies méningées sont des accidents vasculaires cérébraux dont le pronostic est très réservé.

Hémorragie obstétricale

Écoulement de sang par le vagin au cours d'une grossesse.

Dans le cas d'une grossesse extra-utérine, le développement de l'œuf dans la trompe utérine finit par provoquer une rupture de la trompe ; celle-ci est suivie d'une hémorragie dans le péritoine, qui impose une intervention chirurgicale immédiate.

Dans les heures suivant l'accouchement peut survenir une hémorragie de la délivrance. Celle-ci est due soit à une inertie utérine (l'utérus ne se contracte pas pour reprendre son volume habituel), soit à la rétention d'une partie du placenta (resté fixé sur l'utérus). Dans les deux cas, le traitement consiste en la révision utérine sous anesthésie : le médecin cherche et retire à la main le fragment restant de placenta. Dans le cas de l'inertie utérine, si la révision utérine ne suffit pas, on pratique des injections d'ocytocine pour rétablir la contractilité du muscle utérin et arrêter l'hémorragie.

Hémorragie urologique

→ VOIR Hématurie.

Hémorragie des viscères abdominaux

Écoulement sanguin à l'intérieur de l'abdomen.

À la suite d'un choc traumatique, le foie ou la rate peuvent éclater et provoquer une hémorragie. Une opération chirurgicale en urgence s'impose (hépatectomie, splénectomie).

Une plaie vasculaire traumatique ou spontanée peut être aussi la cause d'une hémorragie intra-abdominale.

→ VOIR Hémopéritoine.

Hémorroïde

Varice des veines situées autour de l'anus.

Les hémorroïdes, pathologie courante et banale chez l'adulte, se divisent, selon leur emplacement, en hémorroïdes internes et hémorroïdes externes. Leur apparition est favorisée par l'hérédité, la constipation ; la grossesse, par le biais de l'hypertension veineuse qu'elle entraîne, est également un facteur prédisposant.

SYMPTÔMES ET SIGNES

Parfois sans symptômes, les hémorroïdes peuvent néanmoins se manifester de deux façons : par des douleurs et/ou par des saignements.

■ **Les douleurs** peuvent aller d'une sensation de pesanteur anale, en cas d'inflammation locale (anite hémorroïdaire), à une douleur violente et intolérable en cas d'étranglement d'un prolapsus hémorroïdaire (hémorroïde extériorisée et visible), appelé procidence hémorroïdaire. Les thromboses hémorroïdaires (tuméfactions bleutées, arrondies et dures provenant de la formation de caillots sanguins), le plus souvent externes, sont également responsables de douleurs importantes.

■ **Les saignements, ou rectorragies hémorroïdaires**, proviennent de lésions du réseau capillaire adjacent à la zone hémorroïdaire interne. Le saignement, de couleur rouge vif, est le plus souvent peu abondant et déclenché par la défécation. Néanmoins, tout saignement doit mener à un examen rectocolique approfondi de manière à pouvoir exclure l'hypothèse d'un cancer.

DIAGNOSTIC

Le diagnostic, aisé, se fait au cours d'un examen, dit proctologique, qui comprend le toucher rectal, l'examen de la marge anale et l'anuscopie (examen de l'anus à l'aide d'un tube appelé anuscope, muni d'un dispositif optique).

TRAITEMENT

Il commence par l'administration de laxatifs non irritants, l'absorption de médicaments anti-inflammatoires ou destinés à améliorer la circulation et la tonicité veineuses et l'application locale d'antiseptiques et d'anesthésiques. Les hémorroïdes peuvent également être soignées par des interventions réalisables par voie endoscopique : injections sclérosantes, ligature élastique qui serre la base de l'hémorroïde et entraîne sa nécrose, cryothérapie. En cas d'échec du traitement médical ou de pathologie sévère, on pratique une hémorroïdectomie (excision des hémorroïdes).

Hémorroïdectomie

Ablation chirurgicale des hémorroïdes.

L'hémorroïdectomie est indiquée en cas de complication des hémorroïdes (hémorragie, douleurs, formation d'un caillot, inflammation de l'anus) ou lorsque les traitements médicaux (sclérose, cryothérapie, ligature élastique) ont échoué. Pratiquée sous anesthésie générale, elle fait appel à différentes techniques ayant en commun l'ablation des hémorroïdes : celles-ci sont saisies à la pince, tirées et suturées avant d'être enlevées avec un bistouri.

Les suites de cette intervention étant assez douloureuses, elles nécessitent une surveillance et des soins postopératoires assidus, en particulier une dilatation anale prudente durant les 10 premiers jours. Il faut y associer des mesures diététiques (enrichissement du régime alimentaire en fibres). L'hémorroïdectomie est le seul traitement radical des hémorroïdes.

Hémosidérose

Surcharge dans les tissus d'hémosidérine, pigment protéique contenant un sel ferrique.

L'hémosidérose peut être localisée, provoquée alors par une hémorragie, ou généralisée, faisant suite à une transfusion.

L'hémosidérose ne doit être confondue ni avec l'hémochromatose, maladie entraînant une surcharge ferrique diffuse, ni avec la sidérose, où la surcharge, pulmonaire, est d'origine extérieure à l'organisme, due à l'inhalation de poussière de fer.

Lorsque la localisation en est pulmonaire, l'hémosidérose existe sous deux formes. L'hémosidérose pulmonaire primitive, sans cause connue, survient chez le sujet jeune et se traduit par une gêne respiratoire, des rejets de sang par la bouche et une anémie hypochrome (caractérisée par un manque d'hémoglobine), avec des dépôts d'hémosidérine dans les alvéoles pulmonaires. Elle évolue en quelques années vers une insuffisance cardiorespiratoire. L'hémosidérose pulmonaire secondaire s'observe lors des rétrécissements de la valvule mitrale ou à la suite de transfusions.

Hémospermie

Présence de sang dans le sperme. SYN. *hématospermie*.

Une hémospermie est le plus souvent bénigne, due à une inflammation ou à une infection des vésicules séminales. Beaucoup plus rarement, elle est liée à un adénome ou à un cancer de la prostate. Le sperme du sujet est coloré en rouge lorsque le saignement est récent, en brun lorsqu'il est ancien. Une hémospermie peut persister pendant quelques semaines, puis disparaître ensuite spontanément.

Hémostase primaire

Ensemble des phénomènes physiologiques permettant l'arrêt d'une hémorragie par la formation du clou plaquettaire.

L'hémostase primaire initie la formation du clou plaquettaire (agrégation de plaquettes au contact du vaisseau lésé) et l'arrêt du saignement, si le vaisseau est de petit diamètre.

L'hémostase primaire se décompose en plusieurs phases. Elle débute par une vasoconstriction réflexe, qui peut réduire le calibre du vaisseau sanguin jusqu'à 30 %. Les plaquettes se fixent alors sur les parois lésées et s'y accumulent en 1 ou 2 secondes grâce à une protéine plasmatique, le facteur Willebrand, qui permet la liaison entre des protéines plaquettaires et le collagène des parois. Le métabolisme des phospholipides situés sur la membrane des plaquettes est alors activé, celles-ci se contractent et sécrètent diverses substances dont la sérotonine et l'A.D.P. (acide adénosine-diphosphorique), lequel agrège les plaquettes, formant le clou plaquettaire.

L'exploration de cette phase se fait par la mesure du temps de saignement et par l'étude de l'agrégation plaquettaire en présence de divers agrégants comme l'A.D.P. et le collagène.

Hémostatique

Médicament capable d'arrêter les saigne-ments et les hémorragies.

DIFFÉRENTS TYPES D'HÉMOSTATIQUE

On distingue les hémostatiques pris par voie générale et ceux à usage local.

■ **Les hémostatiques généraux** sont administrés oralement, par injection ou par perfusion, selon le produit utilisé et le degré d'urgence. De nombreux produits existent, qui ont chacun une spécificité bien précise : la vitamine K sert à traiter et à prévenir des hémorragies par carence en vitamine K ou à pallier un surdosage en antivitamine K (médicament anticoagulant) ; la protamine - un inhibiteur de la fibrinolyse (destruction naturelle des caillots) - est prescrite contre les hémorragies par surdosage en héparine ; enfin, parmi les produits issus du sang humain, le facteur VIII est indiqué pour l'hémophilie A, le facteur IX pour l'hémophilie B, les concentrés de plaquettes pour certaines thrombopénies (déficits en plaquettes). Ces produits sont contre-indiqués en cas de grossesse et chez les personnes sujettes aux réactions allergiques. Les produits d'origine humaine sont traités pour éviter tout risque de transmission de virus (hépatite, sida).

■ **Les hémostatiques locaux** s'appliquent sur la plaie pour arrêter l'écoulement sanguin. Les colles biologiques (substances ressemblant à de la colle) et les gazes résorbables (détruites par les défenses immunitaires quelques jours après leur pose) servent lors des interventions chirurgicales. Les autres hémostatiques locaux sont utilisés de façon plus courante : l'alginate de calcium surtout, les celluloses, les dérivés de la vitamine K, l'eau oxygénée. Les produits prêts à l'emploi pour le public sont présentés en compresses, en solutions, en pommades pour application locale en cas de plaie cutanée bénigne (après nettoyage et désinfection) ou de saignements de nez. L'efficacité de ces produits est incertaine car on ne sait si l'arrêt du saignement est dû à l'hémostatique local, à l'hémostase physiologique, ou au fait que l'on comprime la plaie.

Hémothorax

Épanchement de sang dans la cavité pleurale.

Un hémothorax a le plus souvent pour cause un traumatisme du thorax, avec ou sans fracture de côte. Plus rarement, il est dû à une plaie du poumon (par arme blanche) ou au saignement d'une tumeur pulmonaire ou pleurale. Il se manifeste par une douleur, accentuée par la toux, et par une gêne respiratoire, associées à des signes d'hémorragie (hypotension artérielle, pâleur). Le diagnostic repose sur la radiographie des poumons puis sur la ponction. Un hémothorax doit être évacué par mise en place d'un drain, introduit à l'intérieur de la cavité pleurale à travers la paroi thoracique. En l'absence de traitement, il se forme un hématome qui risque de provoquer une infection ou des adhérences.

Henle (anse de)

Partie du tube urinifère qui, avec le glomérule, forme le néphron (unité fonctionnelle du rein).

L'anse de Henle forme une boucle en épingle à cheveux qui s'enfonce assez profondément dans la partie médullaire rénale (partie interne du tissu rénal). Elle joue un rôle fondamental dans les phénomènes de concentration (du sodium surtout) et de dilution des urines.

PATHOLOGIE

Certains diurétiques, comme le furosémide, agissent sur l'anse de Henle en bloquant le passage de sodium de l'urine dans le sang, entraînant ainsi une perte massive de sodium - et d'eau - dans les urines. On les appelle diurétiques de l'anse.

Héparine

Substance anticoagulante naturelle que renferment tous les tissus de l'organisme.

Pour une utilisation thérapeutique, l'héparine est extraite du poumon ou de l'intestin de bœuf ou de porc et est préparée pour devenir une poudre gris-brun, très soluble dans l'eau. Elle existe sous deux formes : l'héparine standard et l'héparine de bas poids moléculaire (forme récente n'utilisant qu'une fraction de la molécule d'héparine).

L'héparine est indiquée pour son action très rapide sur la thrombose (formation de caillots dans les vaisseaux sanguins) soit à faible dose et par voie sous-cutanée, à titre préventif d'une phlébite - par exemple chez les personnes alitées -, soit à dose plus forte et par voie sous-cutanée ou intraveineuse quand il existe déjà une thrombose.

L'héparine est contre-indiquée lorsque le patient est sujet aux hémorragies (maladie de la coagulation) ou qu'il est allergique à l'héparine. L'association avec certains médicaments qui ont aussi des effets anticoagulants (aspirine, anti-inflammatoires, antivitamine K) est proscrite. Certains effets indésirables peuvent survenir : saignements, thrombopénie (chute des plaquettes sanguines) ou ostéoporose (fragilité osseuse avec risque de fracture spontanée) lors des traitements prolongés.

→ VOIR Anticoagulant.

Hépatalgie

Douleur située dans la région sous-costale droite, pouvant irradier vers l'épaule ou vers l'omoplate droite, et liée à une maladie du foie.

Le plus souvent, une hépatalgie survient lors de tumeurs du foie, bénignes ou malignes, de maladies infectieuses (abcès hépatique, angiocholite) ou d'insuffisance cardiaque droite. Dans ce dernier cas, la douleur, qui survient à l'effort, est due à une stagnation du sang à l'intérieur du foie.

Hépatectomie

Ablation chirurgicale partielle ou totale du foie.

Une hépatectomie est pratiquée le plus souvent pour réaliser l'ablation d'une tumeur maligne, mais parfois aussi celle d'une tumeur bénigne, d'un kyste ou d'une plaie. Une hépatectomie partielle peut enlever jusqu'à 70 %, voire 80 % du foie, soit dans sa partie droite, soit dans sa partie gauche. Le foie comprend 3 lobes, eux-mêmes divisés en 8 segments. L'hépatectomie est dite mineure lorsqu'elle concerne 1 ou 2 segments, majeure au-delà. La partie du foie restante prolifère et remplace en quelques semaines la partie enlevée. L'hépatectomie totale est obligatoirement suivie de la transplantation d'un foie.

DÉROULEMENT

Pour limiter le risque d'hémorragie, on commence par réaliser un clampage (compression avec une petite pince) de l'artère hépatique, de la veine porte et, au besoin, de la veine cave inférieure. De plus, dans les hépatectomies partielles, pour éviter les saignements à plus long terme de la partie du foie restante, on pratique une ligature ou un clampage des vaisseaux de la tranche de section hépatique, complétés par l'application d'un produit hémostatique appelé colle biologique.

PRONOSTIC

L'hépatectomie est une intervention lourde, mais aujourd'hui bien connue et de pratique courante. Son pronostic dépend de la maladie en cause (cancer, kyste).

Hépaticoentérostomie

Opération chirurgicale consistant à relier directement les canaux biliaires à la paroi de l'intestin grêle.

Une hépaticoentérostomie se pratique en cas d'obstruction ou de rétrécissement des canaux biliaires, d'origine inflammatoire ou traumatique, ou du fait d'une tumeur. Les canaux biliaires sont sectionnés au-dessus de l'obstacle et leur extrémité supérieure est abouchée dans une ouverture pratiquée dans l'intestin grêle, leur extrémité inférieure étant retirée. On obtient donc une dérivation du circuit de la bile venant du foie, la bile continuant cependant à se déverser dans l'intestin. L'intervention elle-même donne des résultats satisfaisants, mais son pronostic dépend surtout de l'évolution de la maladie initialement en cause.

Hépatique (artère)

Artère qui amène au foie le sang oxygéné provenant du cœur.

L'artère hépatique naît de l'aorte abdominale dans sa portion initiale. Elle chemine au-dessus du pancréas, croise la veine porte (tronc veineux drainant vers le foie le sang des viscères abdominaux) et remonte vers le hile du foie (région du foie où pénètrent et d'où sortent les vaisseaux) à côté du canal cholédoque, par lequel la bile s'écoule du foie vers le duodénum.

L'artère hépatique donne trois principales ramifications : l'artère gastroduodénale, qui relie le pancréas, le duodénum et l'estomac ; l'artère pylorique, qui irrigue une partie de l'estomac, et l'artère cystique, qui rejoint la vésicule biliaire, puis elle se divise en deux artères terminales, droite et gauche, qui irriguent le foie.

Hépatite

Inflammation du foie, aiguë ou chronique.

Hépatites aiguës

Évoluant sur moins de 3 mois, elles ont des causes nombreuses.

■ **Les hépatites virales** sont les plus fréquentes. Les agents en sont essentiellement les virus A, B et C, mais parfois d'autres aussi, tels les virus D et E, le virus d'Epstein-Barr (hépatite se manifestant au cours de la mononucléose infectieuse) ou le cytomégalovirus.

■ **Les hépatites toxiques et médicamenteuses** peuvent être dues à la prise d'antibiotiques, d'antituberculeux, de paracétamol ou de certaines hormones. Certains toxiques, comme l'amanitine de l'amanite phalloïde, peuvent détruire totalement le foie.

■ **L'hépatite aiguë alcoolique** se rapproche des hépatites aiguës toxiques. Elle peut évoluer vers la destruction du tissu hépatique si l'intoxication se poursuit. C'est une étape obligée de la genèse d'une cirrhose.

■ **Les hépatites aiguës bactériennes ou parasitaires** résultent d'affections telles que la tuberculose, la brucellose, la leptospirose ou la bilharziose. On en rapproche certaines atteintes hépatiques au cours du sida, dues à des germes opportunistes tels que *Cryptococcus neoformans*.

SYMPTÔMES ET SIGNES

Ils sont inconstants et d'intensité variable. Certains sont communs à toutes les hépatites : ictère, urines foncées, selles claires, nausées, foie sensible à la palpation. D'autres sont fonction de la cause : syndrome pseudogrippal en cas d'hépatite virale (fatigue intense, maux de tête, courbatures et douleurs articulaires) ; foie ferme et de volume accru avec signes d'imprégnation alcoolique (peau fragilisée, douleurs des membres inférieurs, tremblements, etc.) en cas d'hépatite alcoolique. Enfin, certaines formes d'hépatite entraînent des symptômes particuliers. Ainsi, l'hépatite suraiguë dite fulminante, très agressive, provoque une destruction massive du foie avec hémorragies diffuses et confusion mentale (encéphalopathie hépatique). Dans l'hépatite dite cholestatique, l'ictère prédomine, souvent accompagné de démangeaisons cutanées très importantes, liées à l'accumulation de sels biliaires dans la peau. Mais certaines hépatites, notamment les hépatites virales A, ne donnent pas de symptômes ou n'en donnent que peu, ce qui explique que de nombreux individus, porteurs de traces biologiques d'hépatite (anticorps antiviraux), n'aient pas le moindre souvenir d'avoir eu cette maladie.

DIAGNOSTIC

Il est confirmé par des prélèvements sanguins montrant une élévation souvent importante des transaminases (enzymes hépatiques), preuve de la destruction aiguë et transitoire des cellules du foie, ainsi qu'une élévation de la bilirubine conjuguée (produit de l'hémoglobine après sa liaison à l'albumine dans le foie) et des phosphatases alcalines, témoin biologique de l'ictère.

On recherche également dans le sang, notamment sur les facteurs de la coagulation sanguine, dont beaucoup sont élaborés par le foie, des signes d'insuffisance hépatocellulaire afin d'apprécier le retentissement de l'hépatite sur le fonctionnement du foie. L'étude des prélèvements sanguins oriente aussi vers la cause de l'hépatite (présence d'anticorps antiviraux, par exemple).

ÉVOLUTION ET TRAITEMENT

L'évolution est en grande partie liée à la cause, au terrain immunitaire et à l'état du foie avant la survenue de l'hépatite.

■ **Les hépatites virales** évoluent spontanément de façon favorable dans la majorité des cas, sans séquelles. Elles ne nécessitent pas de traitement particulier mais une interdiction formelle de consommer de l'alcool ou des médicaments métabolisés par le foie. Quelques cas peuvent cependant évoluer vers la chronicité (virus B et C). De rares cas d'hépatite fulminante peuvent être rapidement mortels, nécessitant le recours à une réanimation lourde et parfois à une greffe de foie en urgence.

■ **Les hépatites alcooliques** peuvent nécessiter le transfert du patient en réanimation lorsqu'il existe des signes associés d'insuffisance hépatique (hémorragies par troubles de la coagulation sanguine, encéphalopathie) ; le pronostic est essentiellement lié à l'arrêt de l'intoxication alcoolique.

■ **Les hépatites médicamenteuses** régressent à l'arrêt du traitement mais, parfois, lentement.

■ **Les hépatites bactériennes** guérissent habituellement rapidement après prescription de l'antibiotique adapté.

Hépatites chroniques

Une hépatite est dite chronique lorsqu'elle évolue depuis plus de 6 mois.

CAUSES

Ce sont sensiblement les mêmes que celles des hépatites aiguës : causes virales, surtout pour les hépatites B et C ; causes médicamenteuses. Quant à l'hépatite chronique auto-immune, qui concerne la femme jeune, elle est liée à la production d'auto-anticorps dirigés contre le tissu hépatique. On en rapproche les atteintes du foie apparaissant au cours du lupus érythémateux disséminé.

SYMPTÔMES

Tous les degrés d'hépatite chronique peuvent exister, de l'inflammation modérée du foie qui persiste puis disparaît avec le temps jusqu'à l'hépatite chronique dite agressive. Les symptômes de l'hépatite aiguë se retrouvent, plus ou moins importants (douleurs abdominales, ictère, asthénie), dans l'hépatite chronique.

TRAITEMENT ET ÉVOLUTION

Variant peu en fonction de la cause, le traitement vise surtout les symptômes (prise d'analgésiques, transfusion en cas d'hémorragie digestive, anastomose portocave en cas d'hypertension portale) et la rééquilibration nutritionnelle (administration de vitamines et d'oligo-éléments).

La gravité des hépatites chroniques est liée à la possibilité d'apparition avec le temps d'une insuffisance hépatique irréversible (troubles de la coagulation sanguine, encé-phalopathie hépatique, acidose métabolique) et d'une hypertension portale (gêne de la circulation sanguine dans la veine porte). Cette évolution est due à la constitution d'une cirrhose, c'est-à-dire d'une fibrose hépatique, révélée par une ponction-biopsie du foie et qui s'installe progressivement du fait de l'inflammation chronique. Les cirrhoses peuvent en outre évoluer vers l'hépatocarcinome (cancer du foie).

Les hépatites virales chroniques tantôt guérissent spontanément, tantôt évoluent vers la cirrhose et la cancérisation ; la greffe hépatique est alors le seul recours, en l'absence de métastases. Les hépatites chroniques médicamenteuses peuvent également déboucher sur une cirrhose. Les hépatites auto-immunes, graves, évoluent souvent vers la cirrhose et nécessitent un recours aux corticostéroïdes et aux immunosuppresseurs. Là encore, la greffe constitue à long terme le seul recours.

Hépatite virale

Inflammation du foie liée à une infection virale.

Les lésions du foie au cours des hépatites virales sont dues à 2 types d'atteinte qui se conjuguent : une atteinte directe par le virus et une atteinte indirecte par réaction immunitaire, les anticorps du patient, produits pour défendre l'organisme contre le virus, attaquant également son foie.

VIRUS RESPONSABLES

Deux sortes de virus sont en cause : les virus hépatotropes, qui atteignent presque exclusivement le foie, et ceux pour lesquels l'atteinte hépatique ne constitue qu'un élément de la maladie. Parmi les premiers, on distingue les virus A, B, C, D et E.

■ **Le virus A** cause l'hépatite A, la plus anodine, qui n'évolue pas vers la chronicité. La contamination se fait par voie digestive

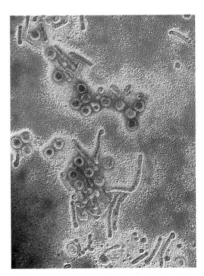

Hépatite virale. *Le virus de l'hépatite B, de forme arrondie, peut être mis en évidence par l'examen au microscope électronique.*

par l'eau, les matières fécales et la consommation de fruits de mer.

■ Le virus B cause l'hépatite B, qui évolue aussi le plus souvent de façon favorable, le passage à la chronicité ne s'observant que dans 3 à 5 % des cas. Le mode de transmission est sexuel, sanguin (lors de transfusions ou de l'utilisation de seringues usagées par des toxicomanes notamment) ou fœtomaternel (de la mère au fœtus).

■ Le virus C, d'individualisation plus récente, est responsable de l'hépatite C, qui semble plus grave que les formes A et B, avec passage à la chronicité dans près de 10 % des cas. La transmission se fait surtout par les transfusions et aussi par les piqûres (drogués, blessures accidentelles).

■ Les virus D, E et G sont d'individualisation encore plus récente.

■ Les autres virus atteignant le foie – l'hépatite n'étant alors qu'un des pôles de l'infection – sont le virus d'Epstein-Barr, agent de la mononucléose infectieuse, et le cytomégalovirus, qui infecte les cellules sanguines. Divers virus (grippe, rubéole ou arbovirus) peuvent aussi entraîner, entre autres atteintes, des hépatites. Le virus du sida n'est pas responsable d'atteintes directes du foie, mais il favorise la survenue d'hépatites à germes opportunistes (Cryptococcus neoformans, mycobactéries).

SYMPTÔMES ET SIGNES

Les périodes d'incubation sont variables : de 15 à 45 jours pour l'hépatite A et de 45 à 160 jours pour l'hépatite B. La période dite d'invasion, qui dure de 2 à 6 jours, se caractérise par un syndrome pseudogrippal : fièvre, douleurs articulaires et musculaires, parfois éruption cutanée et souvent grande sensation de fatigue. La phase dite ictérique se traduit par l'apparition d'une jaunisse d'intensité variable avec urines foncées et selles décolorées, fatigue persistante, perte d'appétit, nausées. Certaines hépatites virales passent totalement inaperçues ; le risque, dans ces cas, est que les sujets infectés contaminent leur entourage à leur insu.

DIAGNOSTIC

Le diagnostic repose sur des dosages sanguins. Certains signes sont communs à toutes les hépatites : élévation massive des transaminases (enzymes hépatiques), témoignant de la destruction des cellules du foie, augmentation des phosphatases alcalines, etc. D'autres orientent vers une infection virale : augmentation du nombre des lymphocytes sans augmentation d'autres globules blancs, les polynucléaires. Enfin, les sérologies spécifiques permettent d'identifier le virus en cause, directement ou indirectement. Ainsi, la disparition dans le sang de l'antigène HBs, protéine du virus B, signe la guérison de l'hépatite B. Lorsque l'hépatite persiste plus de six mois, une biopsie du foie permet de déterminer l'importance de l'atteinte hépatique (cirrhose).

ÉVOLUTION ET TRAITEMENT

La plupart des hépatites virales sont bénignes, avec guérison complète et spontanée en un ou deux mois ; seules quelques formes sont graves, soit d'emblée (rares formes fulminantes), soit le plus souvent lorsqu'elles évoluent vers la chronicité avec risque de cirrhose et de cancérisation.

■ Dans les formes habituelles, la phase de régression est inaugurée par une augmentation importante du volume urinaire. Tous les symptômes disparaissent spontanément sans aucune séquelle. Le traitement repose essentiellement sur des mesures d'hygiène et de diététique (repos au lit ; aucune consommation d'alcool) ; la fatigue générale peut cependant persister quelques mois. Un traitement précoce de l'hépatite aiguë liée au virus de l'hépatite C par l'interféron diminue le risque du passage à la chronicité.

■ Les hépatites graves, voire fulminantes, entraînent dans environ 4 cas sur 1 000, et notamment en ce qui concerne les virus B et C, une évolution sévère avec signes d'insuffisance hépatique (confusion mentale, encéphalopathie, hémorragies) nécessitant le transfert dans un service de réanimation, voire la greffe hépatique en urgence en cas de destruction totale du foie.

■ Les hépatites chroniques persistantes ont une évolution plus longue, les symptômes subsistant pendant plus de 6 mois. Elles demandent une surveillance particulière des fonctions hépatiques et des marqueurs sanguins des virus. La guérison est néanmoins possible. Tout traitement est inutile ; boissons alcoolisées et médicaments métabolisés par le foie sont interdits.

■ Les hépatites chroniques actives, définies par une évolution sur plus de 6 mois et par des caractéristiques histologiques, à virus B et C essentiellement, représentent de 3 à 10 % des hépatites virales. Le risque est la survenue d'une insuffisance hépatique et l'apparition, avec le temps, d'un cancer du foie. Les formes actives de l'hépatite chronique C sont traitées par l'interféron. La réponse est évaluée après 3 mois de traitement : si elle est favorable, le traitement est poursuivi 1 an. La greffe peut être nécessaire à long terme.

PRÉVENTION

Le vaccin contre l'hépatite A est recommandé aux voyageurs. Celui contre l'hépatite B est conseillé aux personnes à risque (personnels de santé, polytransfusés, drogués, hémodialysés, homosexuels, etc.).

Le dépistage de l'hépatite B est devenu obligatoire chez la femme enceinte à 6 mois de grossesse à cause du risque de transmission à l'enfant : au besoin, celui-ci pourra ainsi être pris en charge dès la naissance (administration de gammaglobulines spécifiques, vaccination). Le respect strict de règles d'hygiène permet également de prévenir l'apparition des hépatites virales : lavage soigneux des mains, vérification de la fraîcheur des fruits de mer pour les hépatites A et E ; utilisation de préservatifs, de seringues à usage unique chez le drogué, pour les hépatites B et D. Enfin, le chauffage préalable des produits sanguins et la recherche des anticorps chez les donneurs de sang ont fortement réduit le risque de transmission sanguine de l'hépatite C.

Hépatocyte

Principale cellule du foie.

Le foie contient 300 millions d'hépatocytes doués d'une grande capacité de régénération, ce qui explique l'évolution le plus souvent favorable d'une maladie nécrosante (qui détruit les tissus) comme une hépatite virale. L'hépatocyte assure de multiples fonctions métaboliques grâce à son équipement enzymatique : détoxication (des médicaments), épuration (de l'urée), synthèse (du cholestérol) et mise en réserve (du glucose sous forme de glycogène).

Des tests fonctionnels biologiques (dosage de l'albumine sérique, des protéines de la coagulation, du cholestérol plasmatique, de la bilirubine conjuguée, produit de l'hémoglobine après sa liaison avec l'albumine dans le foie, et des transaminases sériques) permettent d'étudier le fonctionnement de l'hépatocyte. Sa structure peut être analysée par étude histologique, après biopsie hépatique, dans certains cas précis (diagnostic d'une hépatite chronique, d'une cirrhose ou recherche d'un déficit enzymatique).

Hépatoentérostomie

Opération chirurgicale consistant à relier directement à l'intestin grêle les canaux biliaires situés dans le foie.

Une hépatoentérostomie se pratique chez le tout petit enfant atteint d'atrésie des canaux biliaires (malformation qui empêche les canaux biliaires extrahépatiques de se développer et de conduire la bile du foie vers l'intestin grêle).

Hépatolenticulaire (dégénérescence)

→ VOIR Wilson (maladie de).

Hépatologie

Spécialité médicale qui étudie le fonctionnement et les maladies du foie et des voies biliaires, principalement les hépatites, les cyrrhoses et les cancers.

Les plus récents progrès thérapeutiques sont l'utilisation de l'interféron, la cœloscopie et la greffe du foie.

Hépatomégalie

Augmentation du volume du foie.

Une hépatomégalie s'observe dans de très nombreuses circonstances : tumeur bénigne ou maligne, maladie infectieuse ou parasitaire du foie avec réaction inflammatoire, cirrhose, insuffisance cardiaque droite (stagnation anormale du sang dans le foie). Une hépatomégalie peut être douloureuse, sauf dans le cas d'une cirrhose. La taille du foie s'apprécie d'abord par la palpation abdominale sous les côtes droites, par la percussion abdominale et thoracique puis par l'échographie ou le scanner.

Hépatonéphrite

Inflammation sévère simultanée du foie et du rein.

Ce terme, désuet, ne correspond à aucune maladie déterminée. Une hépatonéphrite peut être d'origine infectieuse (septicémie, leptospirose ictéro-hémorragique) ou toxique. Elle associe une hépatite, souvent accompagnée d'ictère, et une insuffisance rénale. Le traitement fait appel, en général, à l'antibiothérapie ; le traitement de l'insuffisance rénale s'y ajoute.

Hépatoprotecteur

Substance médicamenteuse susceptible d'améliorer le fonctionnement du foie.
SYN. *hépatotrope*.

Les hépatoprotecteurs sont prescrits dans les dyspepsies (mauvaise digestion, « crise de foie »). Le citrate de bétaïne, présenté sous forme de granulés ou en solution buvable, en est le principal représentant.

Hépatosplénomégalie

Augmentation simultanée du volume du foie et de la rate.

Une hépatosplénomégalie s'observe essentiellement en cas d'hypertension portale, due à un obstacle sur la veine porte et souvent rencontrée lors d'une cirrhose, d'une maladie infectieuse ou du sang. Une telle augmentation s'explique par un engorgement de sang dans ces organes ou par un phénomène inflammatoire. Elle n'est pas toujours douloureuse.

Herbicide

Produit minéral ou organique utilisé comme désherbant.

Il peut être responsable d'intoxications.

EFFETS INDÉSIRABLES

Les herbicides atteignent l'organisme par absorption accidentelle (chez l'enfant), par inhalation ou par pénétration à travers la peau. Quelques grammes suffisent à provoquer des manifestations toxiques aiguës, qui dépendent de la composition de l'herbicide : vomissements, gêne respiratoire, troubles du rythme cardiaque, insuffisance rénale, convulsions, parfois coma. Le médecin provoque une évacuation du produit par vomissements ou pratique un lavage gastrique chez les patients conscients ; il adresse les cas les plus graves en réanimation (ventilation assistée, remplissage vasculaire) ; il administre parfois un antidote spécifique. En fonction de la substance et de la dose absorbées, l'évolution peut être bénigne, mais aussi rapidement mortelle (intoxication par borates, chlorate de soude ou phénols). La prévention repose sur la réglementation de la fabrication et de la distribution des herbicides, sur l'information des professionnels exposés et des utilisateurs, sur le strict respect du mode d'emploi ; ces produits doivent être conservés dans des endroits inaccessibles aux enfants et fermant à clef. En cas d'intoxication, il est primordial de noter le nom du produit, d'estimer la quantité absorbée et de prévenir d'urgence un médecin. Dans certains pays, les industriels sont tenus de déposer la composition de chaque produit auprès des centres antipoison.
→ VOIR Intoxication.

Hérédité

Transmission des caractères génétiques des parents à leurs descendants.

HISTORIQUE

Les premières lois de l'hérédité ont été établies par le moine botaniste autrichien Gregor Mendel en 1866. Il démontra que les caractères héréditaires sont transmis indépendamment les uns des autres et découvrit l'existence de caractères dominants et récessifs chez une plante potagère, le petit pois. Au début du XXᵉ siècle, l'Américain Walter Stanborough Sutton (1877-1916) et l'Allemand Theodor Boveri (1862-1915) avancèrent l'idée de la localisation chromosomique des caractères héréditaires. En 1910, le biologiste américain Thomas Hunt Morgan montra que le sexe est déterminé par une paire de chromosomes particuliers. Par ses expériences sur la drosophile (mouche du vinaigre), il établit que l'information génétique est fragmentée en milliers de gènes, qui peuvent subir des mutations. Il publia, en 1915, un exposé complet de la théorie chromosomique de l'hérédité et de ses lois.

CHROMOSOMES AUTOSOMES ET CHROMOSOMES SEXUELS

Chez l'être humain, le noyau de chaque cellule contient 44 chromosomes homologues (regroupés par paires), appelés chromosomes autosomes, et deux chromosomes sexuels : les chromosomes sexuels de la femme sont identiques et traditionnellement désignés par les lettres XX. Les chromosomes sexuels de l'homme sont différents et désignés par les lettres XY.

LA MOLÉCULE DE L'HÉRÉDITÉ

Un chromosome est constitué par deux molécules d'A.D.N. en forme d'hélice, associées à des protéines. L'A.D.N. est le support de l'hérédité. Sa molécule comporte des segments correspondant chacun à un caractère héréditaire déterminé (la couleur des yeux, par exemple). Cet élément du chromo-

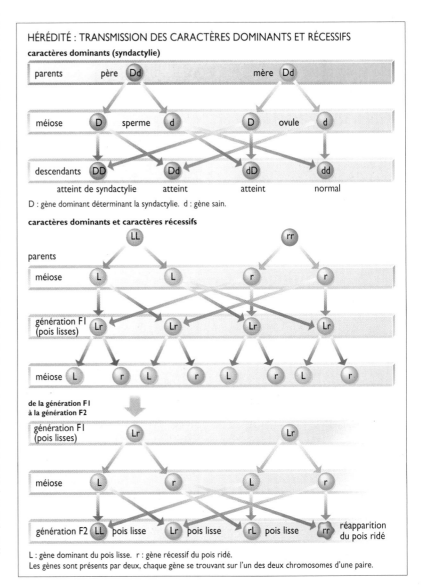

HÉRÉDITÉ : TRANSMISSION DES CARACTÈRES DOMINANTS ET RÉCESSIFS

caractères dominants (syndactylie)

D : gène dominant déterminant la syndactylie. d : gène sain.

caractères dominants et caractères récessifs

L : gène dominant du pois lisse. r : gène récessif du pois ridé.
Les gènes sont présents par deux, chaque gène se trouvant sur l'un des deux chromosomes d'une paire.

some, porteur d'un caractère héréditaire, s'appelle un gène. Chaque chromosome contiendrait environ 10 000 gènes. Toutes les cellules d'un même organisme contiennent exactement les mêmes gènes car elles sont issues d'une même cellule qui provient de la réunion d'un ovule et d'un spermatozoïde lors de la fécondation.

CARACTÈRES RÉCESSIFS ET CARACTÈRES DOMINANTS
Selon les lois de l'hérédité, un caractère génétique est dominant ou récessif.
■ Un caractère dominant (tel le caractère « yeux bruns ») se manifeste chez l'enfant même s'il n'est transmis que par un seul des deux parents. Il s'exprime même s'il existe un autre caractère (« yeux bleus ») sur le chromosome homologue.
■ Un caractère récessif (le caractère « yeux bleus », par exemple) doit être transmis par les deux parents pour se manifester chez l'enfant. Il ne peut s'exprimer que s'il est porté par les deux gènes homologues.

L'hybridation réalisée par Gregor Mendel entre des variétés de pois illustre cette différence : le croisement entre pois lisses et pois ridés donne toujours à la première génération (F1) des pois lisses exclusivement. Ce n'est qu'à la deuxième génération (F2) que le caractère ridé réapparaît. Le caractère lisse est un caractère dominant, le caractère ridé, un caractère récessif.

HÉRÉDITÉ ET REPRODUCTION DES CELLULES
Les cellules de notre corps, comme les êtres vivants les plus simples, telles les bactéries, se reproduisent par division cellulaire. Mais le mécanisme de la division n'est pas le même pour les cellules sexuelles que pour les autres cellules de l'organisme.

Une cellule mère non sexuelle se divise selon un processus appelé mitose et donne ainsi naissance à deux cellules filles qui ont un nombre de chromosomes et de gènes identique à celui de la cellule mère.

La cellule sexuelle, ou gamète, résulte d'un processus de division particulier, la méiose. Celle-ci, qui ne se produit que dans les ovaires et les testicules, conduit à la formation de cellules qui ne contiennent chacune que la moitié du matériel génétique présent dans les autres cellules, soit 23 chromosomes, dont un chromosome sexuel : X pour l'ovule, X ou Y pour le spermatozoïde.

La rencontre d'un ovule et d'un spermatozoïde lors de la fécondation forme une cellule qui contient à nouveau 46 chromosomes, 23 provenant du père et 23 de la mère. Les deux chromosomes sexuels seront soit XX (une fille), soit XY (un garçon).

HÉRÉDITÉ AUTOSOMIQUE ET HÉRÉDITÉ LIÉE AU SEXE
Certains caractères et certaines maladies peuvent être transmis par les parents aux enfants soit par les chromosomes non sexuels, ou autosomes - on parle alors d'hérédité autosomique -, soit par les chromosomes sexuels : on parle alors d'hérédité liée au sexe.
■ Le principe de l'hérédité autosomique d'un caractère dominant se manifeste par exemple dans la syndactylie, malformation héréditaire à transmission autosomique qui se manifeste chez un sujet par la fusion de

doigts ou d'orteils. Le gène D porteur du caractère « syndactylie » est dominant. Lors de la fécondation, selon le spermatozoïde et l'ovule en présence, les chromosomes concernés, pouvant chacun porter le gène D ou le gène d (récessif), se réunissent selon une combinaison donnée parmi quatre possibilités : gène D du père et gène D de la mère (DD) ; gène D du père et gène d de la mère (Dd) ; gène D de la mère et gène d du père (Dd), gène d de la mère et gène d du père (dd). Seul le descendant présentant l'association dd ne porte pas le gène D de la maladie. La syndactylie des parents se retrouvera chez trois descendants sur quatre, ce qui prouve qu'il suffit d'un seul gène D dans le chromosome pour que l'anomalie s'exprime chez l'individu.
■ Le principe de l'hérédité liée au sexe peut être illustré par l'hémophilie.

X et Y sont les chromosomes sexuels sains transmis à un garçon. Le chromosome x' est le chromosome sexuel porteur du gène récessif de l'hémophilie.

Lors de la fécondation, selon le spermatozoïde et l'ovule en présence, les chromosomes sexuels associés formeront l'une des quatre combinaisons possibles suivantes : chromosome X du père et chromosome x' de la mère (Xx') ; chromosome X du père et chromosome X de la mère (XX) ; chromosome x' de la mère et chromosome Y du père (x'Y) ; chromosome X de la mère et chromosome Y du père (XY).

Seuls les descendants ayant les chromosomes XX (femme saine) et XY (homme sain) ne sont pas porteurs de la maladie. Le gène de l'hémophilie est présent chez les descendants Xx' et x'Y, qui peuvent le transmettre. Cependant, sauf très rares exceptions, la maladie ne se développera pas chez le sujet Xx' (une femme porteuse de l'hémophilie), car le chromosome x', récessif et porteur de la maladie, ne pourra s'exprimer en présence d'un chromosome homologue X, dominant et sain. En revanche, le sujet x'Y (un homme hémophile) développera la maladie : les deux chromosomes homologues étant des chromosomes sexuels ne portant pas le même caractère, l'un ne peut empêcher l'autre de s'exprimer.

LES MALADIES HÉRÉDITAIRES
Les maladies héréditaires sont dues à la mutation d'un gène, c'est-à-dire à l'altération de l'information qu'il porte. Cette information regroupe les instructions qui définissent l'élaboration et le rôle d'une protéine. Lorsque le gène mute, la protéine élaborée est modifiée, elle s'écarte de sa fonction normale ou ne peut pas jouer son rôle, ce qui cause une pathologie particulière transmissible de génération en génération.

Victor Almon Mac Kusick, généticien américain né en 1923, a répertorié plus de 5 000 maladies génétiques.
→ VOIR Génétique, Génie génétique.

Hermaphrodisme
Anomalie caractérisée par la présence, chez un même individu, de tissu ovarien et de tissu testiculaire. SYN. *intersexualité*.

L'hermaphrodisme est une affection congénitale exceptionnelle due à une anomalie de l'embryogenèse. Cette définition regroupe des sujets dont l'aspect extérieur peut être très différent : purement féminin, ambigu ou purement masculin. Chez les nouveau-nés, l'aspect des organes génitaux externes est souvent ambigu, mais la présence d'un pénis permet d'attribuer à ces enfants un sexe masculin. Toutefois, on peut constater la présence d'un utérus dans la majorité des cas. Lors de la puberté, sous l'effet de la stimulation des hormones sexuelles, les seins se développent et les règles apparaissent dans la moitié des cas. La production de spermatozoïdes est très rare, mais la survenue d'ovulations ne l'est pas. Une grossesse est possible lorsque le caryotype est celui d'une femme normale.

TRAITEMENT
L'attitude thérapeutique consiste tout d'abord à choisir, en accord avec les parents, le sexe le plus adapté pour chaque cas, suivant l'aspect physique extérieur et l'état des organes génitaux internes. Si le diagnostic n'a pu être établi à la naissance, c'est l'éducation déjà reçue qui est prise en compte. Ensuite, il s'agit de renforcer le sexe choisi par l'ablation chirurgicale des organes inappropriés et par l'apport d'hormones si cela est nécessaire.

Hernie
Saillie d'un organe ou d'une partie d'organe, hors de la cavité dans laquelle il est normalement contenu, à travers un orifice naturel ou accidentel.

Les principales hernies concernent soit le diaphragme (hernies diaphragmatiques, dont la hernie hiatale), soit le disque compris entre deux vertèbres (hernie discale), soit encore les viscères abdominaux (hernie de la paroi abdominale).

Hernie diaphragmatique
Saillie d'organes ou de parties d'organes abdominaux dans le thorax à travers un orifice du diaphragme.

Il existe deux types de hernies diaphragmatiques, de gravité très différente : la hernie diaphragmatique congénitale et, chez l'adulte, la hernie hiatale.

Hernie diaphragmatique congénitale
Une hernie diaphragmatique congénitale est due à la montée, à travers une brèche du diaphragme liée à une malformation congénitale, des viscères abdominaux, qui viennent comprimer plus ou moins fortement les poumons et le cœur. Elle se traduit par une hypoplasie des poumons (ceux-ci sont insuffisamment développés) et par des malformations cardiaques. L'échographie permet de diagnostiquer une hernie diaphragmatique congénitale pendant la grossesse et d'assurer au mieux sa prise en charge en période postnatale.

À la naissance, cette hernie se manifeste par une détresse respiratoire (insuffisance grave et aiguë de la respiration). Le traitement comporte en général une réanimation immédiate, surtout respiratoire, suivie d'une

Une hernie de la paroi abdominale apparaît comme une grosseur anormale faisant saillie sur l'abdomen ou sur une région voisine. Dans certaines formes encore peu volumineuses, la hernie se manifeste par intermittence et reste à peine perceptible. Les localisations les plus fréquentes sont l'aine (hernies inguinales), le nombril (hernies ombilicales), le haut de la cuisse (hernies crurales). La principale complication d'une hernie est l'étranglement, avec occlusion intestinale, qui nécessite une intervention chirurgicale d'urgence.

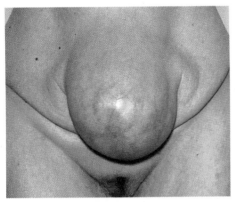

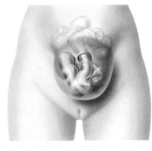

Une hernie ombilicale se traduit par une saillie fréquemment volumineuse, déformant une paroi abdominale souvent déficiente.

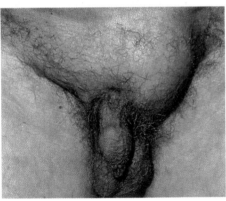

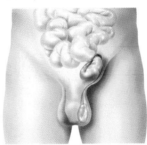

La hernie inguinale, plus fréquente chez l'homme, fait saillie au pli de l'aine, près des bourses, dans lesquelles elle peut descendre.

suture chirurgicale du diaphragme. Mais le pronostic des formes qui sont diagnostiquées seulement au moment de la naissance reste assez sévère.

Hernie hiatale
Une hernie hiatale est due à la montée, à travers l'orifice du diaphragme normalement réservé à l'œsophage, du pôle supérieur de l'estomac. Sa cause est inconnue, mais l'obésité est un facteur favorisant. La hernie elle-même ne provoque pas de symptômes. Cependant, elle peut être une cause de reflux gastro-œsophagien, se traduisant parfois par des brûlures remontant plus ou moins haut vers la bouche, déclenchées par la position penchée en avant ou couchée et risquant d'évoluer vers une œsophagite (inflammation) puis un rétrécissement de l'œsophage. Elle peut se compliquer d'ulcérations responsables de saignements aigus ou chroniques, en particulier au niveau de l'orifice œsophagien du diaphragme, et, plus rarement, de troubles cardiorespiratoires.
TRAITEMENT
C'est celui du reflux : ne pas s'allonger trop tôt après les repas, éviter les plats trop riches, l'alcool. Le traitement chirurgical n'est envisagé qu'en cas d'échec d'un traitement

médical ou en cas de graves complications. Dans les formes les plus sévères, on peut réaliser une reposition chirurgicale de l'estomac.

Hernie discale
Saillie du disque intervertébral en dehors de ses limites normales.

La hernie discale, un peu plus fréquente chez l'homme que chez la femme, survient le plus souvent entre 20 et 30 ans. Elle concerne le disque intervertébral, qui est constitué de deux parties : un noyau gélatineux central *(nucleus pulposus)* et un anneau de fibres périphériques attachant les deux vertèbres l'une à l'autre. Si l'anneau est fissuré, le noyau s'y engage et fait saillie à l'extérieur de la colonne vertébrale, comprimant le plus souvent une racine nerveuse, voire la moelle épinière. Les hernies surviennent généralement au niveau lombaire, entre la quatrième et la cinquième vertèbre lombaire ou entre la cinquième lombaire et la première sacrée ; elles atteignent plus rarement les vertèbres cervicales.

La cause de la destruction du disque peut être un surmenage modéré, mais répété (travailleurs manuels), ou bien le soulèvement d'une lourde charge, voire une brusque torsion du tronc.

SYMPTÔMES ET DIAGNOSTIC
Une hernie discale se manifeste par une douleur aiguë et une raideur de la colonne vertébrale. La compression d'une racine nerveuse provoque une névralgie (sciatique, névralgie cervicobrachiale) associée à des fourmillements, voire à une paralysie. La compression de la moelle épinière provoque des paralysies des membres. Les hernies lombaires entraînent parfois une paralysie des sphincters. Le diagnostic est confirmé par un scanner ou, plus rarement, par une saccoradiculographie.
TRAITEMENT
Il vise d'abord à atténuer les douleurs vertébrales et les névralgies : repos au lit, analgésiques et anti-inflammatoires non stéroïdiens (en injections au début), au besoin infiltrations péridurales de corticostéroïdes. Pour diminuer les douleurs persistantes et limiter les rechutes, on peut prescrire des massages, des séances de kinésithérapie et le port d'un lombostat (corset abdominal) ou d'un collier cervical. En cas d'échec, on a recours à la chimionucléolyse (destruction du noyau du disque par injection d'une enzyme, la papaïne), voire à la chirurgie. Les paralysies et, plus particulièrement, les compressions de la moelle imposent un traitement chirurgical en urgence.

Hernie de la paroi abdominale
Saillie d'une petite partie du contenu de l'abdomen à travers la paroi de celui-ci.

La hernie contient le plus souvent du tissu adipeux, un fragment d'intestin grêle ou parfois de côlon, exceptionnellement l'appendice ou un ovaire.
DIFFÉRENTS TYPES DE HERNIE
Les hernies sont distinguées les unes des autres d'après leur localisation.
■ **La hernie crurale**, plus fréquente chez la femme obèse, est caractérisée par la saillie d'une portion de l'intestin sous l'arcade par laquelle l'artère et la veine fémorales passent de l'abdomen à la cuisse. Elle est souvent petite et un peu douloureuse.
■ **La hernie inguinale**, fréquente et touchant surtout l'homme, est caractérisée par la saillie d'une partie de l'intestin par le canal inguinal, qui livre passage au cordon spermatique chez l'homme, au ligament rond (ligament suspenseur de l'utérus) chez la femme. Elle peut être congénitale ou acquise, liée à l'affaiblissement des muscles de la paroi abdominale (surtout chez les sujets âgés). La hernie siège à l'extrémité interne de l'aine et, chez le garçon ou l'homme, descend plus ou moins vers la bourse : on parle alors de hernie inguinoscrotale.
■ **La hernie ombilicale** de l'adulte, fréquente chez les femmes et les sujets obèses, est caractérisée par une saillie souvent volumineuse d'une portion de l'intestin au niveau du nombril. Chez l'enfant, elle est souvent petite et a tendance à disparaître spontanément.
CAUSES
Une hernie de la paroi abdominale est due à une déhiscence (écartement des fibres) des muscles de l'abdomen, par laquelle s'extério-

rise un sac, dit sac herniaire, formé de péritoine et recouvert de peau, dont la base s'appelle le collet. Les causes de cette déhiscence sont soit congénitales (malformation), soit acquises, provoquées par un effort intense ou répété (soulèvement de charges), une toux chronique, une prise de poids importante ou une intervention chirurgicale.

SYMPTÔMES ET SIGNES

La hernie forme une tuméfaction plus ou moins volumineuse sur l'abdomen ; elle peut être à peine visible ou ne faire saillie qu'à certains moments. Elle sort ou augmente de volume quand la pression abdominale augmente (efforts de toux). Elle est réductible : on arrive facilement à la rentrer. Souple au toucher, elle est le plus souvent indolore.

La hernie risque cependant de se compliquer brutalement par un étranglement ; la compression des tissus et des vaisseaux au niveau du collet peut alors provoquer une occlusion intestinale (arrêt du transit, vomissements, ballonnement) si la hernie est formée par un fragment d'intestin. La hernie, dans ce cas, sort en permanence, ne peut plus être réduite et demeure dure et sensible à la palpation, signes auxquels s'ajoutent ceux d'une occlusion intestinale (vomissements d'aliments, puis de bile verdâtre, ballonnement, arrêt des selles).

TRAITEMENT

Les bandages herniaires sont presque toujours déconseillés car ils empêchent rarement la hernie de sortir et ne font jamais obstacle à son étranglement. L'intervention chirurgicale, appelée herniorraphie, est le seul traitement de la hernie. Elle consiste à rentrer son contenu et à suturer la paroi abdominale ou à en fermer l'orifice à l'aide d'une prothèse en matière synthétique.

Herniorraphie

Traitement chirurgical d'une hernie de la paroi abdominale.

La herniorraphie est le seul traitement efficace des hernies de la paroi abdominale. Elle se déroule en deux temps. La première étape consiste à réintégrer le contenu de la hernie, généralement un petit segment d'intestin, dans l'abdomen et à procéder à l'ablation du sac herniaire (fragment de péritoine qui est sorti en même temps). La seconde étape consiste à retendre la paroi abdominale : le chirurgien suture les muscles qui étaient relâchés ou bien ferme l'orifice de la hernie avec une prothèse si celui-ci est trop large ou la paroi trop altérée par des interventions antérieures. L'opération, qui se déroule sous anesthésie locale, locorégionale (péridurale) ou générale, ne nécessite qu'une hospitalisation de courte durée, entre 1 et 5 jours. Le résultat est définitif dans 95 % des cas ; en cas de récidive, on procède à une nouvelle intervention.

Héroïne

Produit de synthèse obtenu à partir de la morphine (elle-même dérivée de l'opium) et utilisé comme stupéfiant.

L'héroïne, ou diacétylmorphine, est une poudre blanche qui peut être fumée, inhalée ou dissoute dans des diluants plus ou moins toxiques pour être injectée en piqûre intraveineuse, selon le mode choisi par les toxicomanes. L'héroïne agit sur le système nerveux central. Immédiatement après la prise, ce produit provoque une perte de contact avec l'extérieur pendant 2 à 6 heures. Les états confusionnels peuvent s'accompagner de crises de délire. Ils sont suivis par une phase de torpeur. En quelques semaines apparaissent une dépendance psychique (obligation de recommencer), une accoutumance (obligation d'augmenter les doses et la fréquence des prises) et une dépendance physique (apparition d'un syndrome de sevrage, parfois grave, en cas d'arrêt). Divers autres problèmes sont fréquemment liés à l'héroïnomanie : cicatrices aux points d'injection, kératinisation de la peau (durcissement à l'endroit des piqûres), perte de poids et impuissance. Les complications sociales sont la désinsertion et la délinquance, du fait du prix du produit. Lors d'échanges de seringues déjà utilisées, des infections (dont l'hépatite B et le sida) peuvent être transmises. La surdose est le plus souvent fatale.

Quand une femme enceinte se drogue à l'héroïne, ce produit passe directement la barrière placentaire, et le fœtus absorbe autant d'héroïne que sa mère. Pour le bébé devenu ainsi toxicomane, le danger se situe après la naissance : le sevrage entraîne un état de manque identique à celui de l'adulte et nécessite une hospitalisation du bébé en service spécialisé avec une surveillance attentive et des traitements adaptés.

Un sevrage brutal produit de nombreux symptômes (tremblements, crampes abdominales, diarrhée, vomissements, insomnie, agitation, etc.). Une désintoxication est toujours possible, mais elle dépend de la volonté du sujet.

→ VOIR **Sevrage**.

Herpangine

Pharyngite vésiculeuse aiguë contagieuse due au virus coxsackie A (entérovirus).

L'herpangine touche le plus souvent les enfants de moins de 3 ans. Elle se traduit par une angine bénigne et passagère : le patient souffre de maux de tête, de douleurs musculaires et de douleurs abdominales, accompagnés de vomissements ; sa gorge est rouge ; des vésicules y apparaissent, augmentant de volume, puis éclatent, formant des ulcérations.

La maladie guérit spontanément en une semaine ; elle ne nécessite qu'un traitement des symptômes par analgésiques et bains de bouche antiseptiques.

Herpès

Maladie infectieuse, contagieuse et récurrente, due au virus *Herpes simplex*.

Herpes simplex (HSV) appartient à la famille des *Herpesviridæ*, comme le virus de la varicelle et du zona, le virus d'Epstein-Barr, agent de la mononucléose infectieuse, le cytomégalovirus, parfois responsable d'une maladie grave de l'enfant et de l'adulte, et le virus Herpes 6, agent d'une maladie infantile, l'exanthème subit. *Herpes simplex* touche la peau et les muqueuses, d'une part, le système nerveux, d'autre part. Deux sous-espèces sont en cause : HSV1, responsable de l'herpès buccal, et HSV2, agent de l'herpès génital.

CONTAMINATION

Le virus se transmet par contact direct avec les lésions. La primo-infection (premier contact avec le virus) engendre des réactions inflammatoires (rougeurs suivies de la formation de vésicules). Le virus reste ensuite présent dans les ganglions nerveux, ce qui entraîne des résurgences de la maladie, toujours au même endroit. Cet herpès récurrent peut récidiver à diverses occasions : les règles et la grossesse chez la femme, les expositions au soleil, une maladie infectieuse, un choc émotionnel, etc.

Herpès buccal

Cette maladie infectieuse est due au virus *Herpes simplex 1*. La première contamination a lieu dans l'enfance.

SYMPTÔMES ET SIGNES

La primo-infection n'engendre généralement aucun symptôme ; elle peut cependant se traduire par une sensation de cuisson, suivie d'une rougeur qui se surmonte d'un bouquet de vésicules douloureuses remplies d'un liquide transparent. Cette éruption se localise le plus souvent autour de la bouche et du nez (bouton de fièvre), mais elle peut toucher les joues ou les doigts (panaris herpétique). Les vésicules s'ouvrent puis laissent une croûte jaunâtre, qui tombe en moins d'une semaine sans laisser de cicatrice. Les épisodes récurrents sont toujours apparents ; ils sont cependant moins visibles que la primo-infection. Enfin, une primo-infection purement muqueuse (gingivostomatite herpétique) peut se rencontrer.

TRAITEMENT

Le traitement consiste avant tout en l'application, 2 fois par jour, d'antiseptiques locaux, qui assèchent l'éruption. L'application, dès les premiers signes, d'aciclovir, peut raccourcir l'évolution.

Herpès génital

Cette maladie infectieuse, due au virus *Herpes simplex 2*, est une maladie sexuellement transmissible. Sa fréquence est croissante dans le monde entier. La primo-infection est l'épisode le plus intense : elle se manifeste par la survenue, sur les organes génitaux et, parfois, dans la région anorectale, d'une sensation de brûlure, suivie par l'éclosion de vésicules qui éclatent en laissant des ulcérations : la douleur est vive, exacerbée par le contact avec l'urine. Le liquide suintant des ulcérations est très contagieux et celles-ci constituent en outre une porte d'entrée pour toute autre maladie sexuellement transmissible. C'est pourquoi il convient de s'abstenir de toute relation sexuelle pendant une poussée d'herpès. Cette première poussée dure 2 ou 3 semaines. Les épisodes récurrents sont plus courts et moins intenses.

L'atteinte virale, qui se manifeste par une première infection et des récidives, peut prendre plusieurs formes : elle est soit bénigne (inflammation de la bouche, des organes génitaux), soit grave (kératite). La primo-infection herpétique est même parfois inapparente.

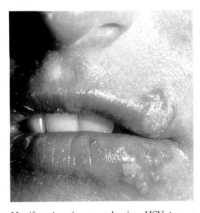

Manifestation récurrente du virus HSV 1 : sur le visage, l'éruption débute souvent avec une fièvre et dure moins de dix jours.

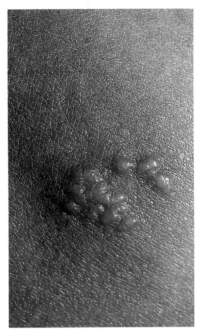

La forme récurrente du virus HSV 2, quant à elle, se manifeste sur les organes génitaux, chez l'homme comme chez la femme.

COMPLICATIONS

L'herpès génital et, dans une moindre mesure, l'herpès buccal sont surtout redoutables chez les sujets immunodéprimés : enfants qui présentent à la naissance une carence immunitaire ou malades dont le système immunitaire est affaibli soit par un traitement immunosuppresseur (après une transplantation d'organe), soit par la maladie même dont ils souffrent (certains cancers, sida). L'herpès génital se manifeste alors par des groupes de vésicules étendus entraînant des destructions tissulaires et par des hémorragies touchant les appareils digestif et respiratoire. Il peut devenir chronique et s'accompagner d'ulcérations labiales, génitales et anales traînantes ou de vésicules disséminées sur tout le corps. Le traitement antiviral par l'aciclovir est alors très utile.

En cas de grossesse, l'herpès génital de la mère est dangereux pour l'enfant au moment de l'accouchement, la contamination risquant de se produire lors de l'expulsion. Plus l'infection est importante, plus le risque d'atteinte fœtale est grand : c'est pourquoi une primo-infection herpétique ou un épisode intense d'herpès récurrent peuvent justifier une césarienne lorsque la date de l'accouchement est proche. L'herpès du nouveau-né contracté au moment de l'expulsion peut être extrêmement grave. Il provoque une éruption généralisée, une encéphalite, un ictère et une coagulation intravasculaire. Il se traite avec l'aciclovir par voie intraveineuse.

DIAGNOSTIC ET ÉVOLUTION

Le diagnostic de l'herpès génital repose sur l'examen clinique du patient et, si besoin, sur l'isolement du virus des lésions vésiculeuses par culture spéciale ; la recherche des anticorps antiviraux spécifiques dans le sérum n'a qu'une valeur secondaire.

TRAITEMENT

Les soins antiseptiques locaux suffisent pour assécher les lésions minimes et éviter les surinfections ; mais, lors de récidives fréquentes, en particulier génitales ou anorectales, un traitement antiviral par l'aciclovir peut être prescrit.

Herpès circiné

Mycose cutanée due à un champignon du type *Trichophyton*.

Cette affection cutanée se manifeste par des taches rouges, à bord net, circulaires et squameuses. Leur extension est rapide.

Herpes gestationis

Dermatose bulleuse survenant chez la femme enceinte.

Cette affection, de nature immunologique, survient vers le 4e ou le 5e mois de la grossesse et débute par des démangeaisons souvent très marquées autour de l'ombilic. Ensuite apparaît l'éruption, faite de placards rouges en relief, bien limités, surmontés de vésicules dans la périphérie. Ces vésicules sont parfois isolées.

La biopsie cutanée montre l'existence d'une bulle sous-épidermique. Dans le sang existe une immunoglobuline particulière, l'*herpes gestationis factor*.

TRAITEMENT ET PRONOSTIC

Le traitement repose sur la prise de corticostéroïdes par voie orale, poursuivie jusqu'au moment de l'accouchement, où elle sera augmentée pour ensuite être abaissée progressivement. La maladie peut récidiver lors des grossesses ultérieures. Le nouveau-né est parfois porteur de lésions vésiculobulleuses, qui régressent spontanément. Le risque d'accouchement prématuré, voire de mort in utero, quoique faible, rend nécessaire une surveillance attentive de la grossesse.

Herxheimer (réaction de)

Troubles parfois provoqués par le traitement de la syphilis.

La réaction de Herxheimer serait due à la libération, dans l'organisme du malade, du contenu des germes détruits par les antibiotiques (pénicilline), qui provoquerait des phénomènes toxiques ou immunologiques. Elle se traduit à la fois par une réaction générale (fièvre, douleurs musculaires) et par une exacerbation des symptômes de la syphilis (lésions cutanées ou viscérales). Le pronostic peut être sévère pour les syphilis anciennes. Dans ce cas, les troubles peuvent être prévenus par l'augmentation progressive des doses d'antibiotiques, qu'on associe à des corticostéroïdes.

Par extension, on généralise parfois l'expression de réaction de Herxheimer à toutes les réactions provoquées par le traitement d'une infection bactérienne ou parasitaire.

Hétérochromatine

Composant du noyau des cellules particulièrement condensé et capable de fixer fortement les colorants.

■ L'hétérochromatine constitutionnelle est présente dans toutes les cellules et reste toujours condensée. Elle se situe près du centromère (partie centrale du chromosome) et contient des séquences d'A.D.N. fréquemment répétées.
■ L'hétérochromatine facultative, dont la répartition varie selon le type de cellule, se trouve juxtaposée à l'euchromatine (région du noyau fixant peu les colorants et correspondant aux parties peu compactes, zones de localisation des gènes fonctionnels).

Hétérochromie de l'iris

Différence de coloration des deux iris.

L'hétérochromie peut être partielle ou complète. Elle peut être congénitale (œil « vairon ») ou résulter d'une affection constitutionnelle comme la cyclite hétérochromique de Fuchs, caractérisée par une atrophie de l'iris, la présence de fins précipités sur la cornée, l'existence d'une cataracte et d'un glaucome. Elle peut aussi être acquise, consécutive à un traumatisme (corps étranger métallique dans l'œil) ou à une inflammation chronique.

Le glaucome et la cataracte de la cyclite de Fuchs répondent bien au traitement classique de ces affections. Dans les formes acquises d'hétérochromie, il faut enlever le corps étranger ou traiter l'inflammation.

Hétérogénéité génétique

Caractère d'une maladie héréditaire dans laquelle différentes anomalies des segments d'A.D.N. présents dans les chromosomes peuvent conduire à une même pathologie.

Les maladies génétiques étant causées par la mutation (modification) de gènes, l'hétérogénéité génétique peut résulter de différents mécanismes : le polyallélisme, différentes mutations altérant un même gène ; le non-allélisme, une mutation pouvant affecter différents gènes ; le multiallélisme, plusieurs gènes participant au processus pathologique.
→ VOIR Allèle.

Hétérogreffe

Greffe dans laquelle le donneur et le receveur appartiennent à deux espèces différentes. SYN. *xénogreffe.*

L'hétérogreffe consiste à prélever un greffon sur un animal et à le greffer sur un malade. Hormis quelques cas exceptionnels (situations particulièrement graves), elle n'est utilisée que pour des tissus (greffe d'une valvule du cœur, par exemple), jamais pour des organes entiers. Toutefois, les hétérogreffes d'organes pourront se développer dans l'avenir si l'on découvre de nouvelles manières de préparer le greffon et des immunosuppresseurs empêchant le système immunitaire du malade de le rejeter.

Hétérophorie

Déviation pathologique des globes oculaires n'apparaissant que lorsque la vision des deux yeux est dissociée.

L'hétérophorie, à la différence de l'hétérotropie, ou strabisme, n'est pas une déviation permanente. Elle peut être divergente (exophorie), convergente (ésophorie) ou dirigée vers le haut (hyperphorie).

Il s'agit d'un trouble relativement fréquent, dû à l'atonie d'un ou de plusieurs muscles oculomoteurs.

SYMPTÔMES ET DIAGNOSTIC

L'hétérophorie peut entraîner une fatigue visuelle (rougeur de l'œil, maux de tête) lors de la fixation prolongée, par exemple lors d'un travail sur écran. Un bilan orthoptique (qui étudie les troubles oculomoteurs et ceux de la vision binoculaire) permet de la mettre en évidence. Pour cela, on fait fixer au sujet un point précis en interposant un cache devant chacun des deux yeux alternativement. Lorsqu'on enlève le cache, on constate la déviation temporaire de l'œil caché, qui récupère très vite le point de fixation.

TRAITEMENT

Les hétérophories mal tolérées peuvent être traitées par une rééducation orthoptique (exercices des muscles oculaires).

Hétérotropie

→ VOIR Strabisme.

Hétérozygote

Se dit d'un individu dont les allèles (gènes de même fonction, situés au même niveau et portés sur les chromosomes d'une même paire) sont différents.
→ VOIR Homozygote.

Hiatus

Tout orifice anatomique de forme étroite et allongée.

L'hiatus œsophagien est, dans le diaphragme, l'orifice par lequel l'œsophage passe du thorax dans l'abdomen.

Hidradénome

Tumeur de la peau, le plus souvent bénigne, qui se développe aux dépens des glandes sudoripares.

Un hidradénome forme un nodule souscutané de moins de 2 centimètres pouvant laisser s'écouler du liquide. Il siège le plus souvent sur le cuir chevelu ou au visage. L'ablation chirurgicale, suivie d'un examen de la tumeur au microscope, permet de confirmer le diagnostic. Une récidive, éventuellement cancéreuse, étant possible, la surveillance de la cicatrice s'impose.

Hidrocystome

Tumeur cutanée bénigne des glandes sudoripares.

Un hidrocystome forme une petite élevure plate ou un petit nodule ne dépassant pas 15 millimètres de diamètre, siégeant surtout au visage et sur le cuir chevelu. Son aspect peut être translucide, jaunâtre, bleuté ou noirâtre. Son traitement, qui est facultatif, repose sur la destruction par électrocoagulation ou au laser à gaz carbonique ou bien sur l'ablation chirurgicale.

Hidrosadénite

Inflammation aiguë ou chronique des glandes sudoripares.

Une hidrosadénite existe sous deux formes. La forme aiguë, due au staphylocoque doré, ressemble à un furoncle situé à l'aisselle, à la face interne de la cuisse ou dans la région génitale. La forme chronique, appelée maladie de Verneuil ou suppuration ano-périnéo-fessière, entraîne la formation, le plus souvent sur l'aine, la fesse ou le périnée de placards fibreux irréguliers. L'affection évolue par poussées douloureuses, chroniques, sur plusieurs mois, voire plusieurs années, laissant des cicatrices en brides souvent rétractiles. Le traitement des hidrosadénites, difficile car les antibiotiques sont inefficaces, consiste essentiellement en applications locales d'antiseptiques ; les lésions, lorsqu'elles sont importantes, peuvent en outre nécessiter une ablation chirurgicale large, enlevant le tissu fibreux.

Hile

Zone d'un organe constituant le point d'entrée ou de sortie de ses vaisseaux sanguins et lymphatiques et de ses nerfs. (P.N.A. *hilus*)

Il existe notamment un hile dans le foie, à sa face inférieure ; il en existe un dans le rein, à sa face interne, du côté de la colonne vertébrale, et un dans le poumon, à sa face interne, du côté du cœur.

Hippocrate

Médecin grec (île de Cos v. 460 – Larissa, Thessalie, v. 377 av. J.-C.).

Considéré comme le plus illustre des médecins de l'Antiquité, Hippocrate fut le premier à prôner l'examen clinique et l'établissement du diagnostic à partir de l'observation objective du malade. Il préconisait des traitements simples, des régimes bien équilibrés. Son enseignement contribua à libérer la médecine des pratiques magico-religieuses alors en usage.

Serment d'Hippocrate

Un code des règles morales concernant l'art médical fut établi par Hippocrate lui-même ou par son école.

Le serment d'Hippocrate, tel qu'il est encore prêté dans les facultés de médecine lors de la soutenance de thèse, est le suivant : « En présence des maîtres de cette École et devant l'effigie d'Hippocrate, je promets et je jure d'être fidèle aux lois de l'honneur et de la probité dans l'exercice de la médecine. Je donnerai mes soins gratuits à l'indigent et n'exigerai jamais un salaire au-dessus de mon travail. Admis dans l'intérieur des maisons, mes yeux ne verront pas ce qui s'y passe, ma langue taira les secrets qui me seront confiés, et mon état ne servira pas à corrompre les mœurs ni à favoriser le crime. Respectueux et reconnaissant envers mes maîtres, je rendrai à leurs enfants l'instruction que j'ai reçue de leurs pères. Que les hommes m'accordent leur estime si je suis fidèle à mes promesses ! Que je sois couvert d'opprobre et méprisé de mes confrères si j'y manque ! »

Hippocratisme digital

Déformation de l'extrémité des doigts et, parfois, des orteils.

L'hippocratisme digital peut être héréditaire. Le plus souvent, cependant, il apparaît à la suite d'une maladie chronique pulmonaire (dilatation des bronches, tuberculose, fibrose, cancer) ou cardiaque (endocardite, malformation). Les ongles prennent un aspect bombé et les tissus sous-jacents sont hypertrophiés ; le doigt, parfois douloureux, a la forme d'une baguette de tambour ou d'une spatule. On observe parfois un épaississement des os de la dernière phalange ainsi que de ceux de la main et du pied (ostéoarthropathie hypertrophiante). Il n'existe pas de traitement de l'hippocratisme digital, si ce n'est, dans les formes non héréditaires, celui de la maladie en cause.

Hirschsprung (maladie de)

Maladie congénitale liée à l'absence, dans certaines zones, des ganglions nerveux qui contrôlent les muscles lisses de l'intestin (côlon). SYN. *mégacôlon aganglionnaire.*

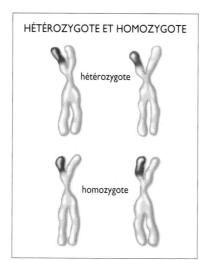

HÉTÉROZYGOTE ET HOMOZYGOTE

hétérozygote

homozygote

La fréquence de la maladie de Hirschsprung est peu élevée : 1 cas pour 5 000 naissances environ. L'anomalie se rencontre quatre fois plus fréquemment chez les garçons que chez les filles.

SYMPTÔMES ET SIGNES

La maladie de Hirschsprung se manifeste chez les jeunes nourrissons (entre 3 et 5 mois), et même parfois chez les nouveau-nés, par une distension abdominale importante. En effet, lorsqu'ils parviennent au segment d'intestin atteint, les selles et les gaz ne progressent plus normalement, ce qui entraîne une dilatation du côlon en amont. Les troubles sont d'autant plus sévères que la zone dépourvue de ganglions est plus étendue. Dans la plupart des cas cependant, cette zone se limite au côlon sigmoïde (terminal). Les selles, rares, difficiles à évacuer, ont souvent la dureté de la pierre. Il n'y a pas d'émission incontrôlée des selles et l'anus est propre. La constipation peut être entrecoupée de quelques épisodes de diarrhée témoignant parfois d'une entérocolite (inflammation des muqueuses de l'intestin grêle et du côlon).

DIAGNOSTIC

La palpation de l'abdomen, distendu, permet d'identifier une rétention de selles dures alors que le toucher rectal ne relève pas de matières dans l'ampoule rectale ; le sphincter de l'anus est normal. Cette association d'une masse fécale abdominale et d'un rectum vide caractérise la maladie.

Un examen radiologique par lavement baryté (opacification de l'intestin par de la baryte) montre un rétrécissement du segment atteint, situé en général au niveau du rectum ou du côlon sigmoïde. Contrairement à ce que l'on observe normalement, la distension de l'ampoule rectale à l'aide d'un ballonnet gonflé d'eau ne provoque pas le relâchement réflexe du sphincter interne ni la contraction consécutive du sphincter externe. Le réflexe anal inhibiteur est donc absent. Seule une biopsie de la muqueuse rectale – le plus souvent réalisée chirurgicalement – permet de confirmer le diagnostic en révélant l'absence de cellules ganglionnaires dans le segment atteint ainsi que la longueur de l'atteinte.

TRAITEMENT

Il est chirurgical et consiste à retirer le segment de l'intestin non innervé et à relier le côlon sus-jacent innervé au rectum afin de rétablir la continuité digestive anatomique et fonctionnelle.

Hirsutisme

Développement chez la femme d'une pilosité excessive et d'aspect masculin.

L'hirsutisme est souvent lié à des facteurs génétiques mais il peut aussi être provoqué par la prise de médicaments stéroïdes anabolisants ou d'hormones œstroprogestatives ayant des effets androgéniques trop marqués. Dans d'autres cas, il révèle une trop forte sécrétion d'hormones androgènes par les ovaires (dystrophie polykystique, tumeur) ou par la glande corticosurrénale (hyperplasie surrénale congénitale, tumeur).

L'hirsutisme se déclare souvent lors des premières règles et s'accentue avec le temps. Il se manifeste par des poils drus, longs, épais et pigmentés, apparaissant dans des zones inhabituelles chez la femme : menton, joue, moustache, aréole des seins, région située entre les seins, ligne médiane de l'abdomen, haut des cuisses. D'autres signes d'excès en hormones androgènes peuvent s'y associer, réalisant parfois un véritable virilisme : acné, chute des cheveux, irrégularité des règles, voix masculine, hypertrophie des muscles et du clitoris. Tous ces éléments différencient l'hirsutisme de l'hypertrichose, qui est une hyperpilosité généralisée, le plus souvent d'origine familiale.

TRAITEMENT

L'hirsutisme peut être révélateur d'une maladie, qu'il faut alors chercher et traiter. Sinon, son traitement fait appel aux hormones antiandrogènes (acétate de cyprotérone), complétées par des soins cosmétiques (épilation électrique).

His (faisceau de)

Groupe de fibres myocardiques différenciées qui se situe dans la cloison interventriculaire du cœur.

STRUCTURE

Le faisceau de His doit son nom à l'anatomiste suisse Wilhem His (1863-1934). Élément essentiel du tissu nodal du cœur, il prend naissance au nœud d'Aschoff et Tawara et se prolonge en se divisant en deux branches, une dans chaque ventricule.

FONCTIONNEMENT

Les fibres du faisceau de His conduisent rapidement à l'intérieur des ventricules l'influx nerveux responsable de la contraction cardiaque.

EXAMENS

L'électrocardiographie intracardiaque (à l'aide d'une sonde intraveineuse) permet d'explorer le faisceau de His avec précision.

PATHOLOGIE

Une interruption (anatomique ou fonctionnelle) de ce faisceau provoque un ralentissement ou un arrêt de la conduction de l'influx nerveux et entraîne des blocs (ralentissement ou arrêt) auriculoventriculaires ou des blocs de branche de gravité variable.

Histamine

Amine provenant de la transformation d'un acide aminé, l'histidine.

L'histamine se fixe sur des récepteurs situés à la surface des cellules. Elle joue un rôle de médiateur chimique dans plusieurs phénomènes : augmentation de la sécrétion gastrique, transmission des messages nerveux dans le cerveau, vasodilatation, allergie, voire choc anaphylactique. De nombreux médicaments antihistaminiques sont utilisés dans le traitement des affections allergiques.

Histidine

Acide aminé essentiel, composant important de la carnosine (constituant du muscle). L'histidine se transforme en acide glutamique (un autre acide aminé) et surtout en histamine (médiateur chimique).

Histiocyte

Cellule phagocyte (possédant la capacité de faire pénétrer dans son cytoplasme des germes et des débris divers et de les digérer).

Les histiocytes naissent dans la moelle osseuse et sont véhiculés par le sang. Ils jouent un rôle considérable, notamment au cours du processus inflammatoire. Ils interviennent en particulier dans l'épuration des débris exogènes (introduits accidentellement dans l'organisme) et endogènes (débris cellulaires, foyers de nécrose) et lors du déclenchement et de la modulation de la réponse immunitaire en transmettant l'information antigénique aux lymphocytes et en sécrétant diverses cytokines. En tant qu'agents de la phagocytose, les histiocytes sont appelés macrophages.

Histiocytofibrome

Tumeur bénigne de la peau. SYN. *dermatofibrome*.

Un histiocytofibrome, très fréquent, apparaît comme un nodule de moins de 2 centimètres de diamètre, mobile, ferme, de couleur rosée ou brunâtre, siégeant surtout à la face antérieure et interne des membres inférieurs. Il existe aussi des formes pigmentées (noirâtres), géantes ou multiples. Le traitement de l'histiocytofibrome consiste à le détruire par cryothérapie (application de froid) ou à l'enlever chirurgicalement, mais il est d'autant plus facultatif qu'il risque de laisser une cicatrice inesthétique.

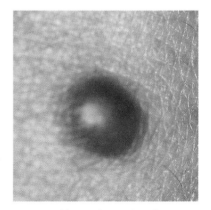

Histiocytofibrome. Il apparaît sur la peau sous la forme d'une petite boule ferme, rosée, indolore, parfois peu esthétique.

Histiocytose

Affection localisée ou diffuse, caractérisée par la prolifération bénigne ou maligne de cellules dérivées des globules blancs.

Une histiocytose est une maladie des histiocytes, cellules provenant de la transformation de globules blancs sanguins du type monocyte et disséminées dans les tissus dont elles assurent la défense. Ces cellules peuvent prendre des noms différents : cellule de Langerhans dans l'épiderme, histiocyte dans le tissu conjonctif basal, etc.

Histiocytoses bénignes de l'enfant

Plusieurs variétés d'histiocytose apparaissent avant l'âge de 1 an sous forme d'éruption cutanée prédominant au visage. Elles disparaissent spontanément au bout d'une période allant de quelques mois à 5 ans.

Histiocytoses des cellules de Langerhans

Autrefois appelées histiocytoses X, elles regroupent trois affections.

■ La maladie de Letterer-Siwe, aiguë, atteint l'enfant de 6 mois à 2 ans ; elle se manifeste par une éruption cutanée, une fièvre, un amaigrissement et des atteintes viscérales (poumon, foie, système nerveux, tube digestif). Le traitement repose sur la corticothérapie générale et la chimiothérapie, mais il n'empêche pas les récidives de cette maladie, de pronostic grave.

■ La maladie de Hand-Schüller-Christian, ou xanthomatose craniohypophysaire, atteint l'enfant de 2 à 6 ans ; elle se traduit par une éruption cutanée, des lacunes (trous) dans les os du crâne et des troubles hormonaux (diabète insipide). Malgré ces signes parfois inquiétants, le pronostic de la maladie est favorable. Son traitement, qui fait appel aux corticostéroïdes, est en effet efficace.

■ Les histiocytoses localisées atteignent soit la peau, soit un seul organe (granulome éosinophile des os). Leur traitement repose sur l'ablation, quand elle est possible, de la tumeur ou sur la radiothérapie.

Histiocytose maligne

C'est une maladie de l'adulte provoquant une éruption cutanée, une fièvre, un amaigrissement et des atteintes viscérales multiples. La chimiothérapie anticancéreuse n'obtient que des rémissions transitoires.

Histochimie

Identification par diverses réactions chimiques des constituants de la cellule.

L'histochimie complète les techniques histologiques simples (étude microscopique des tissus vivants). Elle permet de mettre en évidence certains constituants chimiques des tissus comme les substances glucidiques, les lipides, le collagène, le fer, le calcium, etc. Ces techniques, relativement simples à mettre en œuvre, ont permis une connaissance des tissus et des lésions dépassant les seules données morphologiques.

Histocompatibilité

Compatibilité de tissus d'origine différente reposant sur des caractéristiques antigéniques dont dépend le succès d'une greffe.
SYN. *système HLA.*

Les bases de l'histocompatibilité ont été découvertes en 1958 par le médecin français Jean Dausset (qui obtint le prix Nobel de médecine en 1980). Celui-ci démontra l'existence d'antigènes particuliers sur les globules blancs du sang et sur toutes les cellules nucléées de l'organisme. Ces antigènes ont la propriété d'être différents d'un individu à un autre, si bien qu'ils constituent une marque d'identité biologique.

Dans un premier temps, ces antigènes ont été nommés antigènes de transplantation car ils conditionnent le rejet ou la prise d'une greffe. Par la suite, ils ont été nommés antigènes d'histocompatibilité.

DIFFÉRENTS TYPES D'ANTIGÈNE

Les gènes qui gouvernent la synthèse de ces antigènes sont situés sur le chromosome 6 et sont connus sous les noms de complexe majeur d'histocompatibilité (C.M.H.) ou de système HLA *(Human Leucocyte Antigens).* Les gènes du système HLA sont répartis en deux classes : les gènes de classe I codent les antigènes d'histocompatibilité présents sur toutes les cellules nucléées de l'organisme et sont classés en 3 groupes (A, B et C) ; les gènes de classe II commandent la synthèse des antigènes présents seulement sur certaines cellules du système immunitaire (monocytes, macrophages, lymphocytes B) et sont également répartis en 3 groupes (DR, DQ et DP). On connaît actuellement plus de 120 gènes différents du système HLA.

INTÉRÊT EN MÉDECINE

Chaque individu possède donc différents groupes HLA. Les parents transmettent la moitié de leurs gènes à chacun de leurs enfants. À l'intérieur d'une même famille, les enfants peuvent avoir hérité de groupes identiques en totalité (ils sont dits HLA identiques), de la moitié des gènes (ils sont dits semi-identiques) ou n'avoir aucun groupe commun (ils sont alors HLA différents). Chez deux sujets non apparentés, la probabilité d'avoir tous les groupes HLA en commun est faible.

Le succès d'une greffe repose en grande partie sur le système d'histocompatibilité. Plus les différences HLA sont grandes, plus les réactions de rejet sont intenses. En outre, lorsqu'un sujet a été en contact avec des antigènes d'histocompatibilité qu'il ne possède pas, par exemple lors d'une transfusion sanguine, d'une greffe antérieure ou d'une grossesse, il peut développer des anticorps, dits lymphocytotoxiques, dirigés contre les antigènes qui lui sont étrangers : on parle d'immunisation anti-HLA. La présence de tels anticorps rend plus difficile la réalisation de la greffe.

Le système HLA a été associé à des maladies. Le lien le plus fort connu est celui de HLA B27 avec la spondylarthrite ankylosante, où il est présent dans 90 % des cas (8 à 9 % de la population européenne). Mais 98 % des porteurs de HLA B27 sont indemnes de la maladie.

Histogenèse

Ensemble des étapes aboutissant à la constitution d'une lésion tissulaire.

La connaissance de l'histogenèse repose sur l'étude de lésions d'âge différent, la corrélation avec les données cliniques et biologiques, la comparaison avec un modèle animal aussi proche que possible de la maladie humaine et l'analyse de l'enchaînement des lésions élémentaires. Ces différentes données permettent une approche théorique de la constitution de la lésion.

Histologie

Étude microscopique des tissus vivants.

L'histologie permet de connaître la structure des tissus, d'en comprendre le fonctionnement et d'y découvrir éventuellement des anomalies (histopathologie).

Elle s'applique à des tissus qui ont été au préalable fixés dans des liquides (formol) supprimant toute activité enzymatique, et inclus dans un milieu d'enrobage (paraffine). Des coupes de quelques microns d'épaisseur sont colorées, puis examinées au microscope.

Histopathologie

Utilisation des techniques de l'histologie (étude au microscope des tissus vivants) pour étudier les tissus prélevés par biopsie ou sur une pièce opératoire, ou encore au cours d'une autopsie.

L'histopathologie identifie les lésions des cellules et des tissus et permet le plus souvent d'établir un diagnostic précis indispensable à la mise en œuvre de certains traitements (chirurgie, radiothérapie, chimiothérapie). Elle est nécessaire pour établir la nature cancéreuse d'une lésion car elle permet d'en préciser le type exact et de formuler un pronostic d'évolution. L'histopathologie s'applique également aux lésions non tumorales, malformatives ou inflammatoires, par exemple.

Histoplasmose

Maladie infectieuse provoquée par deux champignons, *Histoplasma capsulatum* et *Histoplasma duboisii.*

Il existe donc deux histoplasmoses, qui diffèrent par leurs aires de répartition géographique et leurs symptômes.

Histoplasmose américaine

Connue aussi sous le nom de maladie de Darling, l'histoplasmose américaine, ou histoplasmose à petites formes, est due à *Histoplasma capsulatum,* champignon capable d'infecter de nombreux animaux domestiques et rongeurs. Ce champignon est présent dans les tissus sous forme de levures ; dans le sol ou en culture (laboratoire de mycologie), il existe sous forme filamenteuse.

L'histoplasmose américaine sévit aux États-Unis et en Amérique du Sud. Des cas sont signalés en Afrique, en Asie, en Europe. La maladie est dite cosmopolite.

CONTAMINATION

L'homme se contamine par voie pulmonaire en inhalant des spores de champignon contenues dans les poussières de ferme ou de pigeonnier, ou dans les grottes à sol humide et souillé par des déjections animales (chauves-souris, oiseaux). Dans l'organisme, le champignon se multiplie à l'intérieur des cellules du système réticuloendothélial (cellules capables d'absorber des particules étrangères comme les levures).

SIGNES ET SYMPTÔMES

L'histoplasmose américaine peut revêtir trois formes différentes : une forme de primo-infection, de très loin la plus courante, sans symptômes particuliers dans 90 % des cas ou se présentant comme un état grippal ; une

Les adénopathies (augmentation de volume des ganglions lymphatiques) sont le signe le plus typique et le plus précoce de la maladie de Hodgkin (envahissement tumoral des organes lymphoïdes). Les ganglions superficiels sont facilement palpables au cou, à l'aisselle et à l'aine. Une radiographie simple permet de voir les ganglions du thorax. L'examen, au microscope, d'un prélèvement ganglionnaire est nécessaire à la détermination du diagnostic.

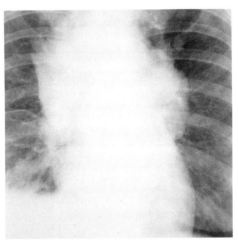

Volumineux ganglions (en blanc) au-dessus du cœur.

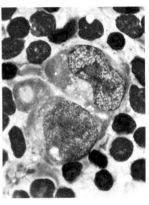

Dans les ganglions prolifèrent des cellules géantes comme celle que l'on voit ici (au centre), entourée de lymphocytes.

forme pulmonaire chronique (pseudotuberculose) ; une forme généralisée grave, fréquente chez les sujets atteints du sida.

DIAGNOSTIC ET TRAITEMENT

Le diagnostic est fondé sur la recherche et l'identification du champignon dans les sécrétions, le pus, sur les biopsies d'organes (bronches, foie, poumon). Les nouveaux triazolés (médicaments antifongiques) permettent une guérison rapide.

Histoplasmose africaine

Appelée aussi histoplasmose à grandes formes, cette maladie est due au champignon *Histoplasma duboisii,* présent à l'état de levures dans les tissus humains et sous forme filamenteuse, en culture, dans un laboratoire de mycologie.

L'histoplasmose africaine sévit de façon sporadique dans les États de l'Afrique subsaharienne intertropicale.

CONTAMINATION ET SYMPTÔMES

Le mode de contamination (muqueuse ou cutanée) est mal connu.

Cette mycose atteint surtout la peau, les os, les ganglions, où elle développe des nodules, des abcès, des ulcérations. Les formes disséminées sont rares mais d'une extrême gravité.

DIAGNOSTIC ET TRAITEMENT

Le diagnostic repose sur la recherche du champignon dans les lésions. Le traitement par des médicaments antifongiques est en général efficace, mais la guérison est plus lente que pour l'histoplasmose américaine. Dans les cas graves non traités, la maladie peut être mortelle.

Historadiographie

→ VOIR Autohistoradiographie.

HIV

→ VOIR Sida.

HLA (système)

→ VOIR Histocompatibilité.

Hodgkin (maladie de)

Affection cancéreuse touchant essentiellement les ganglions lymphatiques et les autres organes lymphoïdes (rate, foie) sous forme de lymphome. SYN. *lymphogranulomatose maligne.*

La maladie de Hodgkin est rare chez l'enfant et touche habituellement les personnes de moins de 30 ans et de plus de 60 ans. Ses causes sont encore très mal connues. Des arguments de plus en plus nombreux soulignent l'importance du virus d'Epstein-Barr, également responsable de la mononucléose infectieuse, même si d'autres éléments sont probablement en cause.

SYMPTÔMES ET SIGNES

L'affection apparaît d'abord aux ganglions lymphatiques (cou, aisselle, aine, médiastin [espace entre les poumons]), augmentés de volume (adénopathies) et où l'on observe une prolifération de cellules géantes à noyaux multiples caractéristiques de cette maladie, les cellules de Sternberg. L'affection s'étend de proche en proche aux chaînes

ganglionnaires et à la rate, qui augmente de taille. Plus tardivement, d'autres organes, comme le foie, le poumon ou la moelle osseuse, sont touchés. La maladie s'accompagne, plus fréquemment à un stade avancé, de signes généraux tels que fièvre, démangeaisons et amaigrissement, avec des signes biologiques d'inflammation (augmentation de la vitesse de sédimentation sanguine).

DIAGNOSTIC

Il repose exclusivement sur l'examen microscopique d'un ganglion prélevé chirurgicalement, qui montre un bouleversement de son architecture tissulaire et la présence de cellules de Sternberg. Cette étude doit permettre de différencier la maladie de Hodgkin des autres lymphomes, dits non hodgkiniens. Le diagnostic établi, il faut estimer le degré d'extension de la maladie, dont dépend la conduite du traitement. L'étendue de l'atteinte des ganglions superficiels est évaluée à l'examen clinique, celle des ganglions profonds par échographie ou scanner. On distingue quatre stades de l'affection, la présence de signes généraux définissant les formes évolutives.

TRAITEMENT

Il fait appel à une polychimiothérapie et à la radiothérapie. Différents types de traitements chimiothérapiques sont possibles, dont les principaux sont le MOPP (associant moutarde azotée, vincristine, procarbazine et prednisone) et le ABVD (associant adriblastine, bléomycine, vinblastine et dacarbazine). La radiothérapie est habituellement effectuée par grands champs, notamment de type « mantelet » (incluant le médiastin, le cou et les aisselles) ou en « Y inversé » (incluant l'abdomen et les aines). Dans certaines formes localisées, il est parfois possible de proposer une radiothérapie sans

chimiothérapie ; dans ce cas, on effectue souvent au préalable une ablation de la rate, seule méthode possible pour vérifier si elle est atteinte, estimer ainsi le degré d'extension de la maladie et le traitement à suivre.

Un dépistage précoce de la maladie devrait permettre de guérir la majorité des cas. Il implique la pratique d'un examen devant le moindre ganglion superficiel suspect et une radiographie du thorax en cas de symptômes respiratoires persistants.

PRONOSTIC

Constamment mortelle jusqu'au début des années 1960, la maladie de Hodgkin est un des cancers qui a le plus bénéficié de l'introduction de la polychimiothérapie. On peut donc guérir, à présent, une majorité de patients.

Holter (enregistrement)

Enregistrement de l'activité cardiaque d'un sujet menant sa vie habituelle, pendant 24 ou 48 heures.

L'enregistrement Holter, qui ne nécessite ni alitement ni hospitalisation, laisse au malade la possibilité de se déplacer et de vaquer à ses occupations.

INDICATIONS

Cet examen sert à analyser, sur l'ensemble d'une journée, les cycles du rythme cardiaque ainsi que la propagation de l'influx nerveux dans le système cardiaque pour y détecter une éventuelle anomalie.

Il est indiqué pour surveiller le rythme des battements du cœur chez les personnes qui portent un stimulateur cardiaque ou qui suivent un traitement, notamment contre l'arythmie cardiaque (irrégularité du rythme cardiaque) ou contre l'angor.

Il est également utilisé pour détecter une anomalie du nœud sinusal (région du myocarde où prennent naissance les influx provoquant les contractions du cœur), un bloc auriculoventriculaire (ralentissement ou interruption de la propagation de l'influx nerveux entre les oreillettes et les ventricules) ou encore une insuffisance coronaire (mauvaise irrigation du myocarde).

PRÉPARATION ET DÉROULEMENT

Cet examen s'effectue au moyen d'un enregistreur à cassette de la dimension et du poids d'un baladeur. Des électrodes sont collées sur la poitrine du patient. Elles captent les battements et l'activité électrique du cœur et transmettent les données par un câble à l'enregistreur qui est placé autour de la taille. L'enregistrement est effectué sur une bande magnétique à très faible vitesse de déroulement. Un système de lecture accélérée de cette bande, qui contient environ 100 000 complexes cardiaques (un complexe correspond à un « battement » cardiaque), permet de déceler rapidement les passages anormaux sur le tracé. Sur une fiche, le malade doit signaler les événements de la journée (heures des repas, différentes activités, prise de cigarettes ou de médicaments, etc.) et ceux qui pourraient modifier le rythme cardiaque (émotions, efforts, etc.). En confrontant ceux-ci avec les anomalies enregistrées sur la bande, le médecin parvient à un diagnostic précis.

Une technique identique permet de surveiller l'hypertension. La pression artérielle est alors mesurée à intervalles réguliers pendant 24 heures.

→ VOIR **Monitorage.**

Homéopathie

Méthode thérapeutique consistant à prescrire à un malade, sous une forme fortement diluée et dynamisée, une substance capable de produire des troubles semblables à ceux qu'il présente.

HISTORIQUE

L'homéopathie a été découverte et codifiée par Christian Friedrich Samuel Hahnemann. En 1790, ce médecin allemand est intrigué par d'apparentes contradictions concernant l'action du quinquina, couramment prescrit dans le traitement des fièvres périodiques. Après avoir effectué sur lui-même une expérimentation, il écrit : « Les substances qui provoquent une sorte de fièvre coupent les diverses variétés de fièvre intermittente. » Aidé de ses premiers élèves, Hahnemann affine, enrichit et met au point sa méthode ; il publie en 1810 *l'Organon de l'art de guérir,* exposé de la théorie homéopathique.

PRINCIPES

Le principe fondamental de l'homéopathie tient au fait que toute substance capable de provoquer chez un individu sain un certain nombre de symptômes est susceptible de guérir un sujet malade présentant un ensemble de symptômes semblables. Face à un germe microbien, contrairement à l'allopathie, qui cherche à juguler l'action de l'agent agresseur, l'homéopathie cherche à stimuler les réactions de défense de l'organisme agressé afin que celui-ci puisse lutter contre l'agent pathogène dans les limites de ses possibilités. Ainsi, le traitement des signes

cliniques provoqués par une piqûre d'abeille (œdème, brûlure, etc.) fera appel à *Apis mellifica,* remède homéopathique préparé à partir du corps entier de l'abeille.

Le second principe de l'homéopathie consiste à diminuer progressivement la dose d'une substance médicamenteuse jusqu'aux doses infinitésimales dans le dessein de renforcer la sphère d'action de celle-ci tout en diminuant ses effets toxiques. Le médicament homéopathique se prépare à partir de principes actifs d'origine minérale, animale ou végétale. Il s'obtient après une série de dilutions et d'agitations (dynamisation). Les médicaments se présentent sous la forme soit de solutions, soit de granules, soit de globules à base de lactose ou de saccharose, imprégnés de la substance active et administrés par voie perlinguale (placés sous la langue pour être résorbés par la muqueuse linguale) en prises plus ou moins répétitives. Toutes ces préparations peuvent être établies à des degrés de dilution variés.

INDICATIONS

L'homéopathie est surtout indiquée en cas de maladie fonctionnelle (due au mauvais fonctionnement d'un organe, sans lésion de la structure de celui-ci). Elle est notamment utilisée dans les affections où les causes psychologiques ou psychosomatiques sont prédominantes ou importantes. Dans les autres cas, on n'y a recours que si le malade ne peut bénéficier d'un traitement plus efficace (chirurgie, antibiotiques, etc.) et si l'affection n'est pas trop grave : eczéma, asthme, spasmophilie, colite, anxiété, insomnie, maux de tête, douleurs articulaires. En revanche, les urgences (infarctus), les affections graves (cancer, sclérose en plaques), dues à la défaillance d'un organe ou d'un système (diabète) ou pour lesquelles il existe un traitement moderne réputé efficace, ne doivent pas faire l'objet d'un traitement homéopathique.

Un traitement par homéopathie ne doit, de toute façon, jamais faire arrêter sans avis médical un traitement non homéopathique antérieur. En outre, les tenants de la médecine classique s'interrogent sur la présence matérielle, dans les dilutions utilisées, de la moindre quantité de substance capable d'exercer une action véritable.

PRATIQUE

Elle débute par un entretien méticuleux visant à apprécier les signes cliniques et le contexte de leur apparition, la morphologie du patient, son comportement général (tempérament extraverti ou introverti, agitation, colère, prostration), ses désirs et ses aversions, etc. L'homéopathie ne nécessite pas de diagnostic au sens strict du terme puisque le médicament est choisi pour un ensemble de symptômes et non pour une maladie spécifique.

Homéostasie

Processus de régulation par lequel l'organisme maintient les différentes constantes du milieu intérieur (ensemble des liquides de l'organisme) entre les limites des valeurs normales.

Le physiologiste français Claude Bernard a, en 1866, défini le milieu intérieur et donné les caractéristiques des liquides organiques (lymphe, sang, liquide céphalorachidien) et des liquides interstitiels qui entourent et irriguent les divers éléments cellulaires.

L'activité permanente des organes concourt au maintien de cet équilibre : le rein excrète certains produits du catabolisme (ensemble des réactions de dégradation des composés organiques) et régule le métabolisme de l'eau et le pH (acidité ou alcalinité) du sang ; le poumon élimine le gaz carbonique et un peu d'eau ; l'intestin évacue les résidus des aliments ingérés et des sécrétions digestives. Par ailleurs, pour de nombreuses substances (ions en particulier, tels que le calcium, le potassium, le sodium), cet équilibre est assuré par l'action d'hormones antagonistes ; il fait intervenir souvent un mécanisme de contrôle rétroactif, selon lequel, par exemple, un taux sanguin excessif d'une substance inhibe la stimulation hormonale de sa production.

Parfois, les mécanismes homéostatiques fonctionnent mal. Dans le cas du diabète par exemple, c'est le mauvais fonctionnement de la production d'insuline qui entraîne une augmentation du taux de sucre dans le sang.

Homéothermie

Constance de la température du corps indépendamment de celle qui existe à l'extérieur de l'organisme.

L'homéothermie dépend d'une régulation physiologique (thermorégulation) qui ajuste exactement la production de chaleur et la déperdition thermique, quelles que soient la saison ou l'activité physique.

La thermorégulation est assurée par l'hypothalamus. Celui-ci commande, en cas de baisse de la température corporelle, un frisson et une vasoconstriction des capillaires cutanés et, en cas de hausse de la température corporelle, une transpiration et une dilatation des capillaires cutanés.

La température normale de l'organisme varie entre 37 °C et 37,8 °C au repos.

Hommes de verre (maladie des)

→ VOIR **Ostéopsathyrose.**

Homocystinurie

Maladie héréditaire rare causée par un déficit en bêtacystathionine synthétase (enzyme intervenant dans le métabolisme des acides aminés).

L'homocystinurie se transmet exclusivement par les chromosomes autosomes (non sexuels) sur un mode récessif (le gène porteur doit être reçu du père et de la mère pour que l'enfant développe la maladie).

La maladie associe un retard mental, des troubles des tissus conjonctifs et osseux, une luxation du cristallin et parfois des troubles vasculaires, comme des thromboses. Elle est confirmée par les examens biologiques, montrant une augmentation de la concentration en méthionine et en homocystéine dans le sang et les urines.

L'homocystinurie ne peut être guérie, mais l'administration de vitamine B6 associée à un régime alimentaire riche en cystine est susceptible d'en atténuer les effets.

Homogreffe
→ VOIR Allogreffe.

Homozygote
Se dit d'un individu dont les allèles (gènes de même fonction, situés au même niveau et portés sur les chromosomes d'une même paire) sont identiques.
→ VOIR Hétérozygote.

Hood
Enceinte close de plastique rigide, en forme de cube, reliée à un tuyau d'adduction d'air ou d'oxygène et à un tuyau d'évacuation du gaz carbonique. (Terme emprunté à l'anglais, littéralement « capuchon ».)

Utilisé en cas de détresse respiratoire ou de malformation cardiaque du nourrisson (jusqu'à douze mois), le hood se place soit en couveuse, soit dans un lit et ne recouvre que la tête. Il n'emprisonne pas le corps et permet d'effectuer les soins quotidiens sans compromettre l'oxygénation. Sa taille réduite permet d'obtenir rapidement une concentration élevée d'oxygène.

Hôpital
Établissement destiné à dispenser au malade des soins spécifiques qui ne peuvent être donnés à domicile.

Un hôpital offre, en général, au malade la possibilité de bénéficier dans un même lieu de soins relevant de différentes spécialités. En effet, l'hôpital regroupe le plus souvent plusieurs unités : services de médecine et de chirurgie générales, consultations externes, soins dentaires, services spécialisés de radiologie, de maternité, de pédiatrie, etc.

DIFFÉRENTS TYPES D'HÔPITAL
Les hôpitaux publics multidisciplinaires, militaires ou non, côtoient les hôpitaux spécialisés (hôpital pour enfants, hôpital psychiatrique, etc.).

Il existe des hôpitaux privés et des hôpitaux publics, même si certains pays, comme le Danemark, possèdent presque exclusivement des hôpitaux publics. Beaucoup d'hôpitaux publics sont associés à des facultés de médecine.

Selon les pays, les hôpitaux confessionnels peuvent ou non appartenir au service public ou passer des accords avec lui.
→ VOIR Hospitalisation.

Hoquet
Contraction spasmodique subite et involontaire du diaphragme, accompagnée d'une constriction de la glotte avec vibration des cordes vocales et émission d'un bruit guttural.

Les crises de hoquet sont courantes et peuvent durer de quelques minutes à plusieurs heures. Elles surviennent le plus souvent sans cause précise et cessent spontanément. Dans des cas plus rares, le hoquet provient d'une irritation du diaphragme ou du nerf phrénique (nerf qui innerve le diaphragme), notamment au cours des pleurésies ou des pneumonies, ou encore de certaines affections gastriques ou pancréatiques (compression nerveuse par une tumeur, bénigne ou maligne).

Certains remèdes populaires (inspirer à fond et garder l'air le plus longtemps possible dans les poumons) permettent habituellement d'interrompre le hoquet. Il est parfois nécessaire d'utiliser des médicaments antispasmodiques (qui calment les spasmes) lorsque les crises deviennent intolérables, durent plusieurs heures, se répètent plusieurs fois par semaine et ont donc des conséquences sur l'alimentation et le sommeil. Exceptionnellement, un produit anesthésique peut être injecté au moment des crises au lieu de pénétration du nerf phrénique dans le diaphragme.

Hormone
Substance sécrétée par une glande endocrine, libérée dans la circulation sanguine et destinée à agir de manière spécifique sur un ou plusieurs organes cibles afin d'en modifier le fonctionnement.

On divise les hormones en trois grands groupes selon leur structure : les hormones polypeptidiques (formées de plusieurs acides aminés), par exemple l'insuline ; les hormones stéroïdes (dérivées du cholestérol), comme le cortisol et ses dérivés ; les hormones dérivées d'un acide aminé, comme les hormones thyroïdiennes.

Les hormones sont sécrétées principalement par les glandes endocrines, à savoir l'hypophyse, la thyroïde, les parathyroïdes, les surrénales et les glandes génitales, mais également par diverses formations cellulaires disséminées dans l'organisme. En outre, certaines cellules du pancréas et du rein ainsi que l'hypothalamus, ou encore le placenta chez les femmes enceintes, synthétisent des hormones spécifiques. Les hormones régissent de nombreuses fonctions corporelles, notamment le métabolisme des cellules, la croissance, le développement sexuel, les réactions du corps au stress.

L'hormone est libérée dans le sang et circule le plus souvent liée à une protéine qui régule son action. Elle se fixe ensuite sur des récepteurs portés par les organes cibles, avec une spécificité comparable à celle d'une clef dans une serrure, afin d'adapter l'organisme aux besoins du moment, par exemple pour stimuler la sécrétion d'insuline quand l'ingestion d'aliments entraîne une augmentation du taux de glucose dans le sang. La production de l'hormone est elle-même stimulée ou freinée par un processus régulateur, dit de rétrocontrôle, qui peut être hypothalamique ou métabolique : ainsi, la baisse de la glycémie inhibe la sécrétion d'insuline par le pancréas.

UTILISATION THÉRAPEUTIQUE
On peut fabriquer synthétiquement des hormones dont la structure chimique est identique à celle des hormones naturelles ou en est voisine. Ces substances peuvent être utilisées en thérapeutique pour pallier une carence hormonale. C'est, par exemple, le cas de la cortisone, anti-inflammatoire puissant, qui est un dérivé du cortisol élaboré par les glandes surrénaliennes. On peut également utiliser des hormones naturelles, extraites du sang ou des urines et purifiées.

Hormonothérapie
Utilisation des hormones pour compenser un défaut de sécrétion endocrinienne ou modifier une fonction de l'organisme.

COMPENSATION D'UN DÉFICIT HORMONAL
Les hormones sont sécrétées par les glandes à sécrétion interne, dites endocrines, dont les principales sont l'hypophyse, la thyroïde, les parathyroïdes, les glandes surrénales, les glandes génitales (ovaires et testicules) et le pancréas. Les hormones utilisées pour compenser une insuffisance de sécrétion sont soit naturelles, d'origine humaine ou animale, soit obtenues par synthèse chimique ou par génie génétique.

■ Le déficit en insuline, hormone dont la déficience entraîne un diabète sucré, est le plus fréquent. Il se traduit par un trouble du métabolisme des sucres. L'injection sous-cutanée d'insuline, obtenue par génie génétique, corrige ce trouble. Il s'agit d'un traitement substitutif vital.

■ Le déficit en hormone thyroïdienne entraîne une hypothyroïdie marquée par une fatigue, une faiblesse musculaire, une perte des cheveux, une sécheresse de la peau et une bouffissure du visage. Chez l'enfant, il provoque des troubles de la croissance. L'administration orale de thyroxine, obtenue par synthèse, corrige ces troubles. Il s'agit d'un traitement substitutif vital.

■ Le déficit en hormones surrénaliennes provient essentiellement d'une insuffisance de sécrétion de corticotrophine par l'hypophyse et provoque une asthénie et une hypotension artérielle. L'hormonothérapie, en apportant les hormones manquantes (hydrocortisone et 9-alpha-fluorohydrocortisone), corrige les manifestations de cette insuffisance. Il s'agit d'un traitement substitutif vital.

■ Le déficit testiculaire, qui peut entraîner chez l'homme un retard de la puberté et, plus tard, un manque d'appétit sexuel et une modification de l'apparence physique, est corrigé par l'administration d'hormone mâle, la testostérone, dont il existe des dérivés synthétiques.

■ Le déficit ovarien, physiologique après la ménopause mais responsable chez la jeune fille et la femme en période d'activité génitale d'un retard pubertaire et d'une stérilité, peut être dû à une insuffisance de développement des ovaires ou à une défaillance de la stimulation hypophysaire. Dans le premier cas, la prise d'œstrogènes et de progestérone (progestatifs de synthèse) remplace la sécrétion ovarienne et, dans le second, la prise de gonadotrophines la déclenche.

MODIFICATION D'UNE FONCTION DE L'ORGANISME
■ Dans le cadre d'une contraception, la pilule dite combinée contient une association d'œstrogènes et de progestérone, qui inhibe l'ovulation.

SOURCES ET EFFETS DES PRINCIPALES HORMONES

Glandes	Hormones
Hypophyse	Appendue au cerveau, elle est formée de l'antéhypophyse en avant et de la posthypophyse en arrière.
Antéhypophyse	Elle synthétise la somathormone, l'hormone de croissance, la prolactine, qui assure notamment la lactation, et les stimulines, activatrices des autres glandes.
Posthypophyse	Elle stocke l'ocytocine et l'hormone antidiurétique provenant de l'hypothalamus.
Hypothalamus	Cette région du cerveau sécrète l'ocytocine (déclenchant les contractions utérines pendant l'accouchement), l'hormone antidiurétique (provoquant une rétention d'eau dans l'organisme) et les libérines (activant les stimulines de l'antéhypophyse).
Ovaires	Situés de part et d'autre de l'utérus, ils sécrètent les œstrogènes, hormones de la féminité, et la progestérone, hormone de la grossesse.
Pancréas endocrine	Il s'agit de cellules disséminées dans le pancréas, synthétisant l'insuline (diminuant la concentration sanguine de glucose) et le glucagon (augmentant cette concentration).
Parathyroïdes	Au nombre de quatre, et attachées à la thyroïde, elles produisent la parathormone, qui augmente la concentration sanguine du calcium.
Surrénales	Chacune des deux surrénales, située sur un rein, est formée d'une corticosurrénale en périphérie et d'une médullosurrénale au centre.
Corticosurrénales	Cette portion externe des glandes surrénales sécrète les glucocorticostéroïdes, qui influent sur les réactions chimiques des glucides, les minéralocorticostéroïdes, qui retiennent le sodium dans l'organisme, et les androgènes surrénaliens, virilisants.
Médullosurrénales	Elles produisent l'adrénaline et la noradrénaline, hormones d'activation générale de l'organisme en cas de stress.
Testicules	Situés dans le scrotum, ils synthétisent la testostérone, hormone de la virilité.
Thyroïde	À la base du cou, elle sécrète la triiodothyronine et la thyroxine, indispensables au développement des os et du cerveau chez l'enfant et activatrices des réactions chimiques de l'organisme.

■ **Dans le traitement de la stérilité**, les méthodes d'induction de l'ovulation font appel aux gonadotrophines hypophysaires qui provoquent des ovulations multiples (normalement, il n'y en a qu'une par cycle), nécessaires aux inséminations intra-utérines ou à la fécondation in vitro.

■ **Dans le traitement de la ménopause**, l'hormonothérapie de substitution, qui consiste à rétablir un cycle menstruel par l'administration d'œstrogènes et de progestatifs, prévient la plus grande partie des troubles causés par le déficit en œstrogènes (bouffées de chaleur, sécheresse vaginale, ostéoporose et problèmes cardiovasculaires).

Hormonothérapie anticancéreuse
Traitement hormonal du cancer.

L'hormonothérapie anticancéreuse exploite l'effet, sur les cancers dits hormonodépendants ou hormonosensibles, de certaines hormones stéroïdiennes. Ainsi, les œstrogènes naturels, sécrétés par l'ovaire, ont une influence sur les cancers du sein et de l'utérus, et les androgènes, sécrétés par le testicule, sur le cancer de la prostate. En effet, les cellules cancéreuses possèdent des récepteurs sensibles aux hormones. Ceux-ci réagissent aux messages hormonaux en déclenchant des divisions cellulaires, donc la croissance de la tumeur. L'hormonothérapie a pour but de bloquer le signal de prolifération donné par les hormones aux cellules cancéreuses.

DIFFÉRENTS TYPES D'HORMONOTHÉRAPIE
L'action de l'hormonothérapie peut s'exercer à plusieurs niveaux.

■ **La suppression de la source des hormones** en cause par la chirurgie ou la radiothérapie des glandes endocrines stoppe définitivement le message hormonal : les ovaires sont retirés chirurgicalement (ovariectomie) ou détruits par radiothérapie pour le cancer du sein et, pour le cancer de la prostate, on pratique l'ablation des testicules (orchidectomie).

■ **L'administration d'une substance analogue à l'hormone hypothalamique** libérant l'hormone hypophysaire lutéinisante entraîne un blocage de la sécrétion de celle-ci, donc une réduction de la synthèse des œstrogènes et des androgènes. Une « castration chimique » s'ensuit.

■ **La substitution aux œstrogènes et aux androgènes naturels d'antiœstrogènes ou d'antiandrogènes**, qui se fixent à leur place sur les récepteurs cellulaires, empêche la transmission du message de division cellulaire.

■ **L'administration d'hormones naturelles** inhibe la prolifération tumorale : œstrogènes dans le cancer de la prostate, progestérone à fortes doses dans le cancer du sein ou du corps utérin.

■ **Les médicaments antiaromatase**, en s'opposant à une enzyme, l'aromatase, nécessaire à la synthèse des androgènes par les glandes surrénales et à la conversion des androgènes en œstrogènes dans le tissu adipeux et musculaire de la femme ménopausée et dans les cellules cancéreuses mammaires, permettent une inhibition plus complète de la synthèse des œstrogènes.

INDICATIONS ET RÉSULTATS
L'hormonothérapie est prescrite seule ou associée à la chimiothérapie et à la radiothérapie anticancéreuses. Elle peut constituer le traitement d'un cancer primitif ou lutter contre les métastases.

■ **Dans le cancer du sein**, le degré d'hormonodépendance est établi par un dosage des récepteurs pour les œstrogènes et la progestérone. La moitié de ces cancers possède les deux types de récepteurs, et 30 % d'entre eux sont sensibles à l'hormonothérapie, leur sensibilité étant d'autant plus grande que leur taux de récepteurs est plus élevé. Ce taux croît progressivement après la ménopause. Le traitement repose sur la prise orale d'antiœstrogènes (tamoxifène) et de progestatifs à forte dose.

■ **Dans le cancer du corps utérin**, les médicaments progestatifs à forte dose sont efficaces dans 20 % des cas.

■ **Dans le cancer de la prostate**, le traitement hormonal par les antiandrogènes ou par les analogues de la gonadolibérine, hormone hypothalamique, permet, par suppression de l'activité des androgènes, de réduire le volume de la tumeur dans 75 % des cas. Les œstrogènes sont très efficaces, mais leur emploi est limité par le risque cardiovasculaire (phlébite, insuffisance coronarienne).

■ **Dans les cancers des organes lymphoïdes** (ganglions lymphatiques, par exemple), l'hormonothérapie fait appel aux corticostéroïdes (médicaments anti-inflammatoires).

PERSPECTIVES
Des études portent actuellement sur l'application de l'hormonothérapie à des cancers considérés comme non hormonodépendants mais dont les cellules sont pourvues de récepteurs pour les hormones stéroïdiennes et peptidiques. Ainsi, dans certains cancers bronchiques, les cellules cancéreuses synthétisent la bombésine, peptide qui participe à la sécrétion d'une hormone digestive, la gastrine, et l'utilisent comme facteur de croissance. Les études portent sur l'utilisation d'anticorps antirécepteurs de bombésine. L'action thérapeutique d'une autre hormone, la somatostatine, qui bloque la sécrétion par l'hypophyse de l'hormone de croissance (somathormone), est aussi étudiée pour son action de blocage de l'hormone de sécrétion lactée (prolactine), qui est un facteur de croissance du cancer du sein. La somatostatine pourrait aussi s'opposer à la croissance d'autres cancers (tumeurs carcinoïdes du tube digestif) par inhibition du facteur de croissance insulinique impliqué dans de nombreux cancers.

Horton (maladie de)

Inflammation d'une artère temporale, ou des deux artères temporales, à la partie supérieure des tempes. SYN. *artérite temporale, maladie de Forestier.*

La maladie de Horton, relativement rare, touche les personnes âgées et plus souvent les femmes. Elle peut atteindre d'autres artères (celles de la tête, du cou, artères coronaires, branches de l'aorte). Sa cause est inconnue ; toutefois, la maladie est souvent associée à une pseudopolyarthrite rhizomélique (atteinte inflammatoire des épaules et des hanches).

SYMPTÔMES ET SIGNES

La maladie de Horton se manifeste par des maux de tête intenses, localisés à une tempe ou aux deux et dus à l'inflammation de la paroi artérielle. Parfois, ces douleurs sont accompagnées d'une fièvre et d'un mauvais état général.

DIAGNOSTIC ET ÉVOLUTION

Le diagnostic repose sur un examen sanguin révélant une vitesse de sédimentation élevée, signe de l'inflammation, et sur l'examen histologique du tissu artériel après biopsie de l'artère temporale, effectuée à l'hôpital sous anesthésie locale. Le principal risque de la maladie réside dans l'extension rapide de l'inflammation à l'artère ophtalmique, entraînant une oblitération des vaisseaux de la rétine ou de la papille et la cécité.

TRAITEMENT

Un traitement d'urgence par les corticostéroïdes à fortes doses doit être entrepris. Ce traitement est poursuivi à doses lentement décroissantes pendant plusieurs années sous surveillance régulière de la vitesse de sédimentation.

Hospitalisation

Admission et séjour dans un établissement hospitalier.

DIFFÉRENTS TYPES D'HOSPITALISATION

■ L'hospitalisation habituelle, ou « traditionnelle », se fait, selon les pays, à la demande du médecin traitant, d'un spécialiste ou du patient, qui est envoyé à l'hôpital pour faire l'objet d'un diagnostic et d'un traitement. Elle conduit à la prise en charge des malades les plus sévèrement atteints, la majorité des décès survenant à l'hôpital dans les pays développés.

■ L'hospitalisation autoritaire se pratique parfois dans le domaine psychiatrique pour des patients qui sont susceptibles de porter atteinte à leur vie ou de menacer l'ordre public en commettant des agressions.

■ L'hospitalisation programmée de court séjour se justifie par la possibilité d'accomplir certains actes diagnostiques et thérapeutiques dans des délais prédéterminés. On distingue, d'une part, l'hospitalisation de jour, d'autre part l'hospitalisation de semaine. Dans l'intervalle entre deux séjours, le patient rentre chez lui.

■ L'hospitalisation de long séjour est surtout destinée aux personnes âgées.

■ L'hospitalisation à domicile (H.A.D.) recouvre un système de soins hospitaliers assurés par des équipes pluridisciplinaires qui comprennent notamment le médecin traitant, un service infirmier et différents spécialistes (pédiatres, puéricultrices, sages-femmes, orthophonistes, diététiciens, kinésithérapeutes, ergothérapeutes, etc.). Ce système a été mis en place pour assurer des soins qui nécessitent un suivi médical sans cependant exiger l'entrée à l'hôpital : suivi des chimiothérapies, suivi des cas de sida déclaré, surveillance après une intervention chirurgicale (greffe, opération en orthopédie, colectomie avec anus artificiel).

L'hospitalisation à domicile se pratique également en gynécologie obstétrique pour surveiller une grossesse à risque (femme diabétique ou devant surveiller sa tension, grossesse multiple, risque d'accouchement prématuré). La femme enceinte bénéficie alors de l'aide d'une sage-femme qui peut pratiquer une surveillance de la mère et du fœtus. L'analyse du rythme cardiaque fœtal peut être ainsi effectuée par un enregistrement à domicile et un relais par téléphone. Après l'accouchement, une hospitalisation à domicile est possible pour les femmes qui souhaitent une sortie précoce de la maternité ou qui ont vécu un accouchement difficile.

ÉVOLUTION ET TENDANCES

En Allemagne, en France, en Suisse, au Luxembourg et en Grande-Bretagne, l'activité hospitalière augmente. Elle est stable en Belgique et au Canada. Dans tous ces pays, la durée des séjours tend à diminuer.

En Europe (sauf en Suisse, en Belgique et au Luxembourg) et aux États-Unis, on note une tendance à maintenir les soins lourds dans le cadre d'hospitalisations de long séjour. Une tendance parallèle à décharger les hôpitaux des soins plus légers, grâce au développement de diverses alternatives à l'hospitalisation (centres de soins ou surveillance à domicile), s'observe aux États-Unis et en Europe.

Hospitalisme

Altération du développement psychomoteur chez le très jeune enfant, provoquée par un placement prolongé en institution (établissement de cure, hôpital, crèche, etc.) ou par une carence affective grave.

L'hospitalisme a été décrit par le psychiatre américain René A. Spitz en 1945. Comparant un groupe d'enfants élevés en prison par leur mère et un groupe d'enfants élevés en orphelinat, il constata que ces derniers, privés du contact maternel, finissaient par présenter des signes de dépression : tristesse, agitation, anorexie, insomnie puis retard de croissance et difficultés scolaires, enfin épuisement général. Cependant, si l'enfant peut bénéficier à temps d'un substitut maternel, ces troubles régressent.

À l'autre extrémité de la vie, un sujet âgé peut, à l'occasion d'une hospitalisation, qui le sépare de son environnement et de ses habitudes matérielles et affectives, être victime des mêmes troubles (dépression, anorexie, insomnie), souvent appelés syndrome de glissement et qui demandent une prise en charge énergique, tant physique que psychologique, par l'équipe de soins.

Hôte définitif

Être vivant, vertébré ou invertébré, dans l'organisme duquel vit un parasite à l'état adulte, mature sexuellement.

L'homme est l'hôte définitif de l'ascaris ; le moustique femelle est l'hôte définitif des parasites du paludisme, le chien est l'hôte définitif du ténia échinocoque.

Hôte intermédiaire

Être vivant, vertébré ou invertébré, dans l'organisme duquel un parasite se développe à l'état larvaire ou dans une phase d'immaturité sexuelle et peut cependant se multiplier.

L'homme est l'hôte intermédiaire des parasites du paludisme. Certains mollusques sont des hôtes intermédiaires des bilharzies.

Howell (temps de)

Mesure du temps de coagulation du plasma.

Le temps de Howell est facile à déterminer : un peu de plasma est placé dans un tube citraté, dans lequel on ajoute du calcium. Dans les conditions définies par ce test, le temps de coagulation est normalement compris entre 1 min 30 s et 2 min 30 s.

Cette méthode, peu sensible, n'explore que la coagulation globale. Elle permet de dépister une anomalie majeure de la coagulation et sert aussi à la surveillance des patients traités par l'héparine (médicament anticoagulant). On tend toutefois à lui préférer une méthode plus précise, le temps de céphaline, ou le dosage chromogénique de l'héparine.

HTA

→ VOIR Hypertension artérielle.

HTLV

Oncovirus à A.R.N. de la famille des rétrovirus, responsable de leucémies à cellules T (leucémies à tricholeucocytes) et de lymphomes cutanés.

Le HTLV (de l'anglais *Human T-cells Leucemia/Lymphoma Virus*) infecte les lymphocytes et en modifie le métabolisme. Sa répartition géographique, très variable, semble plus importante dans certaines populations du Japon, aux Caraïbes et en Afrique. La transmission de ce virus se fait par le sang et par voie sexuelle, seuls les hommes pouvant contaminer les femmes.

Huhner (test postcoïtal de)

Examen de la glaire cervicale prélevée sur le col de l'utérus après un rapport sexuel afin d'analyser la composition de celle-ci et d'évaluer le nombre et la mobilité des spermatozoïdes présents.

Le test de Huhner complète le spermogramme (analyse du sperme) lors de l'étude des causes d'une stérilité. En effet, la glaire cervicale permet aux spermatozoïdes de remonter progressivement vers l'ovule et de le féconder. La date optimale pour pratiquer le test est le 14e ou le 15e jour d'un cycle menstruel naturel ou d'un traitement stimulant l'ovulation. Le prélèvement est fait 8 heures après un rapport sexuel, au cabinet du gynécologue ou à l'hôpital, à l'aide d'un spéculum et d'une pipette. Il dure, au plus, quelques minutes et n'entraîne aucun effet secondaire. Les résultats sont connus au bout de un ou deux jours.

Huile alimentaire

Matière grasse végétale, animale ou minérale.

Les huiles alimentaires ont des propriétés diététiques différentes selon leur composition en acides gras et leur teneur en vitamines, mais leur valeur calorique est toujours identique : 900 kilocalories pour 100 grammes. Pour la prévention des maladies cardiovasculaires liées à l'athérome (dépôt de cholestérol sur la paroi des artères, responsable de l'athérosclérose), l'usage des huiles comprenant des acides gras insaturés (huiles de soja, d'olive, de pépins de raisin, de noix, de tournesol et de germe de maïs) et des huiles de poisson dites « oméga », également insaturées, est conseillé.

Exclure totalement l'huile de l'alimentation au cours d'un régime hypocalorique est une erreur nutritionnelle susceptible de provoquer, entre autres choses, une carence en certaines vitamines (vitamine E, notamment) et en acides gras essentiels. Quant au remplacement des huiles alimentaires par de l'huile de paraffine, d'origine minérale, il ne doit pas se faire sans précautions, car cette huile empêche l'absorption de certains nutriments (vitamines et minéraux).

Humage

Inhalation thérapeutique d'une vapeur ou d'un gaz thermal.

Le humage est essentiellement indiqué dans le traitement des affections chroniques des voies respiratoires. Il est pratiqué dans les stations thermales.
→ VOIR Pulvérisation.

Humérale (artère, veine)

Vaisseau situé dans le bras, dont il assure la vascularisation. (P.N.A. *arteria brachialis, venæ comitantes*)

Artère humérale

L'artère humérale fait suite à l'artère axillaire (de l'aisselle), chemine à la face interne du bras et se divise, au pli du coude, en 2 artères : l'artère radiale et l'artère cubitale, qui irriguent l'avant-bras et la main.

Veine humérale

La veine humérale naît, au pli du coude, de la réunion des veines radiale et cubitale, chemine au côté de l'artère humérale et se prolonge par la veine axillaire (de l'aisselle).

Humérus

Os constituant le squelette du bras. (P.N.A. *humerus*)

L'humérus est un os long qui permet l'insertion de nombreux muscles. Il s'articule en haut avec l'omoplate, en bas avec le cubitus et le radius. La tête de l'humérus, recouverte de cartilage, est séparée par un sillon (le col anatomique) de deux tubérosités (le trochin et le trochiter) et s'articule avec la cavité glénoïde de l'omoplate pour

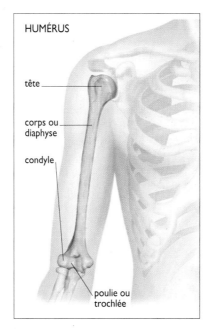

HUMÉRUS

tête

corps ou diaphyse

condyle

poulie ou trochlée

constituer l'articulation de l'épaule. À l'extrémité inférieure de l'humérus, la trochlée, interne, prolongée en dedans par l'épitrochlée, a la forme d'une poulie et s'articule avec la cavité sigmoïde du cubitus. Le condyle, externe, prolongé en dehors par l'épicondyle, est une éminence arrondie, articulée avec la cupule du radius. La face postérieure de l'humérus est traversée obliquement par la gouttière radiale, où passe le nerf radial ; ce dernier peut donc être facilement lésé lors de certaines fractures.

PATHOLOGIE

■ **Les fractures de l'extrémité supérieure de l'humérus** affectent essentiellement les femmes âgées, le plus souvent lors d'une chute sur le bras ou le coude. L'immobilisation du membre dans un bandage pendant 3 ou 4 semaines ainsi qu'une rééducation précoce constituent les deux phases du traitement. Les fractures entraînant un déplacement important des fragments osseux doivent être réduites et réunies par ostéosynthèse (à l'aide de vis ou d'un clou). Les fractures du trochiter, dues à un arrachement du tendon du muscle sus-épineux, doivent être immobilisées après une éventuelle réduction et une ostéosynthèse.

■ **Les fractures de la diaphyse de l'humérus** s'observent surtout chez l'adulte ; elles sont dues à un choc direct sur le bras ou indirect par chute sur le coude ; parfois elles ont même pour cause une contraction musculaire au cours d'un exercice de lancer. Leur traitement est avant tout orthopédique : bandage avec attelle ou plâtre. L'appareillage doit être gardé de 6 semaines à 2 mois, parfois davantage. La rééducation sera entreprise aussitôt cet appareillage retiré. Le traitement chirurgical n'est indiqué que dans les fractures transversales, irréductibles orthopédiquement. En cas de paralysie de la région de l'avant-bras et de la main commandée par le nerf radial, le traitement sera le

même, car il s'agit d'une simple contusion nerveuse. Ce n'est qu'au bout de 4 mois, si aucun signe de récupération n'est survenu, qu'une réparation chirurgicale du nerf (suture, par exemple) sera décidée.

■ **Les fractures de l'extrémité inférieure de l'humérus** touchent surtout l'enfant. La fracture supracondylienne (fracture de l'extrémité inférieure de l'humérus n'atteignant pas l'articulation du coude) est la plus fréquente. Elle survient à la suite d'une chute sur la paume de la main, le coude étant à demi fléchi. Le traitement, entrepris en urgence, consiste à réduire la fracture par manœuvres externes puis à immobiliser le coude en maintenant le poignet contre la partie supérieure du thorax à l'aide d'une bande. La pose de broches percutanées est souvent nécessaire. On a rarement besoin d'ouvrir chirurgicalement le foyer de fracture. Les fractures du condyle externe et de l'épitrochlée nécessitent, suivant l'importance du déplacement osseux, un traitement orthopédique ou chirurgical. Chez l'adulte, la fracture sus- et intercondylienne (fracture touchant l'articulation du coude) est la plus fréquente. Provoquée par un traumatisme important, elle est souvent grave. Son traitement, chirurgical, repose sur sa réduction et sur une ostéosynthèse solide afin de permettre une rééducation aussi précoce que possible.

Humeur aqueuse

Liquide physiologique contenu dans la chambre antérieure de l'œil (entre la cornée et le cristallin).

L'humeur aqueuse est sécrétée par le corps ciliaire (élément de la tunique vasculaire, situé au pourtour de l'iris, en arrière). Elle chemine entre l'iris et le cristallin, passe dans la chambre antérieure de l'œil par la pupille puis s'évacue par l'angle iridocornéen (formé par l'iris et la cornée), filtrée par le trabéculum. Ensuite, le canal de Schlemm la draine jusqu'aux veines qui circulent à la surface de la sclérotique. L'humeur aqueuse contribue à réguler la pression intraoculaire tout en nourrissant les structures de l'œil et en éliminant leurs déchets.

PATHOLOGIE

Une augmentation de la sécrétion d'humeur aqueuse ou une entrave à son excrétion peuvent provoquer une élévation de la pression intraoculaire (en cas d'uvéite, de glaucome à angle large, d'affection veineuse orbitaire). Pour faire baisser la pression intraoculaire, on peut agir soit en diminuant la sécrétion à l'aide de collyres bêtabloquants, par exemple, soit en facilitant l'écoulement grâce à la chirurgie ou au laser.

Humoral

Qui se rapporte à l'ensemble des liquides de l'organisme (sang, lymphe, liquide céphalorachidien).

La voie humorale est l'une de celles par lesquelles les substances circulent dans l'organisme. C'est par elle que les hormones sécrétées par les glandes endocrines gagnent les organes cibles pour y exercer leur effet.

Hunter (maladie de)

Maladie héréditaire liée au sexe, se transmettant sur un mode récessif et caractérisée par l'accumulation de composés glucidiques (mucopolysaccharides) dans les viscères et par un déficit en iduronate-sulfate sulfatase, une enzyme contenue dans les lysosomes (formations intracellulaires).

La maladie de Hunter se transmet par l'un des deux chromosomes X de la mère et seuls les garçons sont atteints.

Elle se signale par une surcharge des urines en polysaccharides, par des altérations osseuses visibles sur un faciès en forme de gargouille, par un foie et une rate anormalement gros, par des troubles cardiaques et un retard mental.

La maladie de Hunter peut être diagnostiquée avant la naissance par dosage de l'activité de l'enzyme responsable.

On ne connaît pas de traitement, mais l'espérance de vie est plus longue que dans certaines autres mucopolysaccharidoses.
→ VOIR Mucopolysaccharidose.

Huntington (chorée de)

Affection neurologique héréditaire de l'adulte caractérisée par l'association de mouvements anormaux (chorée), de troubles mentaux et de détérioration intellectuelle.

La chorée de Huntington est une maladie génétique très rare, à transmission autosomique dominante. Le gène responsable est situé sur un chromosome non sexuel, le chromosome 4, et il suffit qu'il soit reçu de l'un des parents pour que la maladie se développe chez un individu.

SIGNES ET SYMPTÔMES

Les mouvements d'un sujet atteint de chorée sont involontaires, amples, rapides, saccadés. Des troubles psychiques sévères (anxiété, irritabilité, dépression) s'accompagnent d'une détérioration intellectuelle qui progresse jusqu'à la démence.

Les premiers symptômes apparaissent entre 35 et 50 ans. Du fait de la survenue tardive des symptômes, une personne atteinte peut avoir des enfants avant de savoir qu'elle souffre de cette maladie.

DIAGNOSTIC

Jusqu'à ces dernières années, le diagnostic reposait sur l'étude des antécédents familiaux ; depuis février 1993, un diagnostic par étude des gènes de l'individu est possible.

ÉVOLUTION

La maladie va en s'aggravant progressivement pendant environ 20 ans jusqu'à la perte totale d'autonomie. Dans certaines formes atténuées, l'espérance de vie peut être beaucoup plus longue.

TRAITEMENT

Le seul traitement actuellement connu est la prescription de médicaments neuroleptiques, qui améliorent les mouvements. De récentes découvertes sur le gène de Huntington laissent un espoir d'aboutir à un traitement de la maladie.

Hurler (maladie de)

Maladie héréditaire à transmission autosomique récessive, provoquée par l'accumu-

lation anormale de composés glucidiques (mucopolysaccharides) dans les viscères et résultant d'un déficit en une enzyme, l'alpha-iduronidase.

La maladie de Hurler se transmet exclusivement par les chromosomes autosomes (non sexuels), sur un mode récessif (c'est-à-dire que le gène porteur de la maladie doit être reçu du père et de la mère pour que l'enfant développe la maladie).

Les enfants atteints peuvent paraître normaux à la naissance, les symptômes de la maladie se manifestant entre 6 et 12 mois et s'aggravant avec le temps. On observe des opacités cornéennes, des altérations osseuses visibles sur un faciès en forme de gargouille, un foie et une rate anormalement gros, un retard mental et, parfois, des troubles cardiaques.

L'évolution est rapide et le pronostic, sévère. La maladie peut être diagnostiquée avant la naissance par dosage de l'activité de l'enzyme responsable.
→ VOIR Mucopolysaccharidose.

Hyalin

Qualifie l'aspect homogène et vitreux que peuvent prendre une cellule ou un tissu.

Une cellule subit une transformation hyaline par apparition dans son cytoplasme d'inclusions homogènes : accumulation dans les cellules du foie de virus au cours de l'hépatite, ou de particules volumineuses, les corps de Mallory, au cours de l'alcoolisme chronique ; présence d'exsudats riches en fibrine à la surface de l'épithélium respiratoire au cours de la maladie des membranes hyalines.

Hyaline vasculaire

Forme particulière de sclérose des vaisseaux liée, le plus souvent, à l'hypertension artérielle ou au diabète.

Hyalinose cutanéomuqueuse

Affection de la peau et des muqueuses, infiltrées progressivement par une substance hyaline anormale (vitreuse et inerte). SYN. *lipoïdoprotéinose, maladie d'Urbach-Wiethe*.

La hyalinose cutanéomuqueuse, extrêmement rare, est héréditaire et se manifeste dès les premiers mois de la vie. La peau perd sa souplesse et s'épaissit, la voix devient rauque (atteinte de la muqueuse du larynx), la déglutition difficile (atteinte de la muqueuse du pharynx). Plus tard peuvent survenir des convulsions et une arriération mentale. Le traitement ne peut que soulager certains symptômes (antiseptiques cutanés).

Hyalinose segmentaire et focale

Maladie rénale caractérisée par une atteinte chronique des glomérules.

Sans cause connue, la hyalinose segmentaire et focale survient à tout âge mais plus fréquemment chez l'enfant. Elle se manifeste par un syndrome néphrotique caractérisé par des œdèmes, une présence très abondante de protéines dans les urines et un taux sanguin d'albumine anormalement faible. Son diagnostic repose sur la biopsie rénale.

TRAITEMENT ET PRONOSTIC

Le traitement fait appel aux corticostéroïdes, parfois associés aux immunosuppresseurs. Dans les cas les plus favorables, les symptômes disparaissent en quelques semaines, des rechutes étant possibles. Mais, le plus souvent, ils persistent et l'évolution se poursuit inéluctablement vers une insuffisance rénale chronique, requérant un traitement par hémodialyse puis une transplantation rénale. Même sur le rein transplanté, la maladie peut récidiver.

Hyaluronidase

Enzyme diminuant la viscosité des milieux riches en acide hyaluronique.

La hyaluronidase est présente dans les venins, le sperme et certaines bactéries (pneumocoques, streptocoques). Elle a pour fonction de détruire l'acide hyaluronique, un constituant du tissu conjonctif, permettant ainsi aux bactéries et autres agents agresseurs d'y pénétrer plus facilement. En thérapeutique, elle est utilisée pour faciliter la diffusion de certains principes actifs dans la peau et dans le tissu conjonctif.

Hybridation cellulaire

Formation d'une cellule unique (hybride) à partir de la fusion de 2 cellules provenant d'espèces différentes.

Hybridation in situ

Méthode d'exploration détectant des séquences spécifiques d'acides nucléiques, utilisée soit en virologie (A.D.N. viral), soit en génétique (localisation d'un gène sur un chromosome, dans le noyau d'une cellule, dans une bactérie, etc.).

Cette technique repose sur la possibilité de réaliser une hybridation entre 2 brins d'acides nucléiques. Leur appariement indique en effet que les séquences des bases des 2 fragments sont complémentaires, c'est-à-dire que la séquence des bases d'une des chaînes détermine précisément la séquence des bases de l'autre chaîne. Ce phénomène fonde la méthode d'hybridation in situ, qui permet de localiser les gènes et, par suite, d'étudier l'expression d'un gène, par exemple au cours de l'embryogenèse, ou de repérer (par cytogénétique) ses altérations éventuelles, caractéristiques de diverses pathologies héréditaires.

Hybridation moléculaire

Appariement de 2 molécules.

L'hybridation moléculaire désigne plus particulièrement l'appariement de 2 chaînes d'acides nucléiques (A.D.N. ou A.R.N.) dont les séquences sont complémentaires, au cours duquel les bases, substances chimiques fixées à chaque élément de la chaîne, s'associent entre elles, deux à deux, selon des règles précises.

Hybridome

Entité biologique composée de toutes les cellules (clone) provenant de la fusion expérimentale d'une cellule myélomateuse (cellule tumorale développée aux dépens de

L'hydroa vacciniforme, provoqué par l'exposition à la lumière, touche le visage et le dos des mains. De petites cloques apparaissent, qui se rompent puis se recouvrent de croûtes avant de laisser place à des cicatrices.

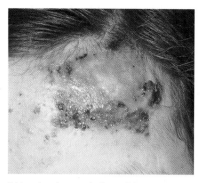

Lésion étendue sur le front. L'aspect croûteux peut prédominer, notamment sur le visage.

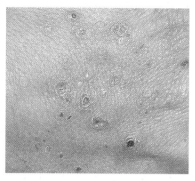

Lésions disséminées sur le dos d'une main. Certaines cloques sont rompues.

la moelle osseuse) et d'un lymphocyte B (cellule sanguine ne possédant qu'un seul noyau et produisant des anticorps), stimulé par un antigène donné.

Un hybridome fabrique un anticorps spécifique (dit monoclonal) et possède des propriétés particulières : la capacité de division et de multiplication de la cellule tumorale et la faculté des lymphocytes B de produire un anticorps spécifique contre un antigène également spécifique.

Les hybridomes servent à produire en grande quantité des anticorps monoclonaux. Ceux-ci sont principalement utilisés comme réactifs dans la recherche et pour l'établissement d'un diagnostic. Dans les années à venir, ils pourraient être employés en thérapeutique, par exemple en cancérologie, pour aider l'organisme à lutter contre la prolifération des cellules cancéreuses, et dans le traitement de certaines infections.

Hydarthrose

Épanchement de liquide séreux à l'intérieur d'une articulation.

Le liquide séreux sert à lubrifier l'intérieur de l'articulation. Il est sécrété par la synoviale (membrane tapissant la face interne d'une capsule articulaire). L'hydarthrose, improprement appelée dans le langage courant épanchement de synovie, peut être due à une lésion traumatique vieille de quelques jours (fracture articulaire, entorse grave, lésion méniscale), à une arthrose ou à une maladie inflammatoire de l'articulation (polyarthrite rhumatoïde, spondylarthrite ankylosante, chondrocalcinose articulaire).

L'hydarthrose du genou, la plus fréquente, se traduit par un gonflement de l'articulation et, à la palpation, par une sensation de résistance élastique au-dessus de la rotule. Le patient ressent une gêne, parfois des douleurs. La percussion de la rotule entraîne aussi, en retour, une sensation tactile de choc sec et rapide, appelée choc rotulien. La radiographie du genou complète l'examen.

Une ponction de l'articulation permet de soulager le patient et de déterminer la cause de l'hydarthrose (par analyse du liquide séreux ainsi prélevé), qui sera alors soignée.

Hydatidose

→ VOIR Échinococcose uniloculaire.

Hydramnios

Augmentation anormale de la quantité de liquide amniotique.

CAUSES

Un hydramnios, rencontré dans environ 0,5 % des grossesses uniques et 10 % des grossesses multiples, peut être dû à une mauvaise circulation sanguine entre le fœtus et le placenta, à un diabète sucré de la mère ou à une malformation fœtale (anencéphalie, hydrocéphalie, spina-bifida, atrésie de l'œsophage). La cause d'un hydramnios n'est pas toujours retrouvée.

SYMPTÔMES ET SIGNES

Le plus souvent, l'hydramnios se constitue peu à peu durant la seconde moitié de la grossesse et se manifeste par un excès de volume et une tension du ventre, une gêne abdominale, parfois par un essoufflement et un gonflement des chevilles. Le risque le plus important est un accouchement prématuré. L'hydramnios aigu, qui s'installe brutalement et provoque une augmentation très rapide du volume de l'abdomen, est beaucoup plus grave car, outre la menace plus sévère d'accouchement prématuré, le retentissement sur la mère est souvent majeur et peut entraîner des difficultés respiratoires et des œdèmes des jambes, ces derniers traduisant la compression par l'utérus de la veine cave inférieure.

DIAGNOSTIC ET TRAITEMENT

L'examen clinique est complété par l'échographie et une amniocentèse, destinée à établir le caryotype (carte chromosomique) du fœtus afin de rechercher une anomalie.

Le traitement se borne parfois au repos et à la surveillance médicale. Certains anti-inflammatoires peuvent être proposés. La ponction d'une certaine quantité de liquide amniotique peut soulager la patiente mais comporte le risque de déclencher l'accouchement.

Hydrargyrisme

Intoxication par le mercure. SYN. hydrargyrie.

L'hydrargyrisme est surtout une maladie professionnelle (ouvriers employés à l'extraction et à la métallurgie du mercure, à la fabrication d'explosifs, etc.), contractée par absorption (maladie de Minamata), inhalation, injection ou application cutanée de mercure. Les signes sont principalement neurologiques (troubles psychiques, atteinte du cervelet avec tremblements, détérioration intellectuelle) et rénaux (insuffisance rénale), parfois digestifs et sanguins (anémie). On commence par rechercher la cause de la contamination pour arrêter celle-ci puis, à l'hôpital ou dans un centre antipoison, le médecin administre par injection un antidote (dimercaprol, D-pénicillamine), médicament qui capte et élimine le mercure.

Hydratation

Introduction thérapeutique d'eau dans l'organisme, par voie orale ou en perfusion intraveineuse, afin de prévenir ou de corriger une déshydratation en maintenant ou en rétablissant un équilibre normal de l'eau.

Hydratation cutanée

Maintien ou augmentation de la quantité d'eau dans la peau grâce à l'emploi de produits cosmétiques.

L'hydratation cutanée est l'un des moyens de lutte contre le vieillissement cutané, mais cette protection relative ne peut pas être chiffrée. Depuis plusieurs années, l'efficacité de nombreux produits cosmétiques fait l'objet de tests. Ceux d'entre eux qui ont une action sur l'hydratation cutanée font appel à divers types de substances dont les propriétés diffèrent.

■ Les agents freinant la perspiration (évaporation normale, sans sueur) sont des corps gras qui se présentent sous forme d'émulsion.

■ Les agents humectants, tels que l'acide pyrrolidone carboxylique, l'acide lactique ou l'urée, ont des propriétés hygroscopiques (ils retiennent l'eau).

■ Les agents renforçant la cohésion des cellules entre elles sont à base de lipides épidermiques naturels, comme les céramides.

Hydrate de carbone

→ VOIR Glucide.

Hydroa vacciniforme

Photodermatose (affection cutanée favorisée par la lumière) de l'enfant.

L'hydroa vacciniforme, extrêmement rare, se traduit par une éruption de vésicules qui se recouvrent d'une croûte puis laissent place à une cicatrice déprimée blanchâtre, affectant surtout le visage (nez, joues, oreilles), le dos des mains et les avant-bras. Elle s'associe parfois à une conjonctivite. La maladie débute en général avant l'âge de 10 ans puis évolue par poussées, déclenchées par l'exposition au soleil. Elle guérit spontanément en quelques années. Le traitement vise à soigner les symptômes à l'aide d'antiseptiques. La prévention des poussées repose sur la protection contre le soleil ; dans les formes graves, le traitement fait appel aux antipaludéens de synthèse.

Hydrocèle vaginale

Épanchement de liquide séreux situé entre les deux feuillets de la vaginale testiculaire (enveloppe séreuse du testicule).

Une hydrocèle vaginale survient le plus souvent sans cause décelable. Cependant, dans de très rares cas, elle peut révéler un cancer des testicules. Indolore, elle se traduit par une augmentation unilatérale de volume du scrotum.

DIAGNOSTIC ET TRAITEMENT

Le diagnostic repose sur l'échographie du scrotum. Une telle hydrocèle ne se traite que si elle est volumineuse ou gênante. Sa guérison s'obtient par l'excision chirurgicale de la vaginale testiculaire, qui sécrète le liquide séreux. Après l'intervention, la bourse retrouve son volume et sa souplesse en 2 ou 3 mois.

Hydrocéphalie

Augmentation de la quantité de liquide céphalorachidien, provoquant une dilatation des cavités de l'encéphale.

DIFFÉRENTS TYPES D'HYDROCÉPHALIE

L'hydrocéphalie est presque toujours interne et fait gonfler les ventricules (cavités situées en profondeur de l'encéphale). Il en existe une forme externe, chez le nourrisson, dilatant l'espace sous-arachnoïdien situé entre les feuillets des méninges qui isolent l'encéphale du crâne.

C'est généralement un obstacle, souvent une tumeur, qui empêche le liquide des ventricules de s'écouler normalement et de sortir vers les méninges (hydrocéphalie non communicante). Plus rarement, l'hydrocéphalie est due à une hypersécrétion des ventricules ou à un défaut de résorption par les méninges (hydrocéphalie communicante). L'hydrocéphalie diffère selon le développement ou l'âge du sujet.

■ Avant la naissance, l'hydrocéphalie est associée à d'autres éléments pathologiques : malformations, anomalies chromosomiques ou infections (toxoplasmose). L'échographie la dépiste dès la 16e semaine de grossesse. La confirmation du diagnostic s'obtient entre la 20e et la 22e semaine.

■ Chez le nouveau-né, l'hydrocéphalie est due à une anomalie de formation de l'embryon, à une hémorragie cérébroméningée ou à une méningite néonatales. La macrocéphalie (augmentation de volume de la tête) et le bombement de la fontanelle qu'elle cause permettent un diagnostic immédiat.

■ Chez le nourrisson, l'hydrocéphalie peut être due à une infection telle qu'une méningite (à *Hæmophilus influenzæ* ou à pneumocoque), à une malformation, à une tumeur ou encore à une hémorragie. Une croissance trop rapide du périmètre du crâne (normalement de 1 centimètre par mois au cours de la première année) permet de la détecter. Si la fontanelle prend un aspect bombé, si la peau du crâne devient tendue, luisante et parcourue de veines dilatées, si les sutures entre les os crâniens sont disjointes et palpables, le diagnostic est établi. Les yeux sont en « coucher de soleil » (basculés vers le bas, la partie supérieure de l'iris étant seule visible). Le nourrisson refuse de s'alimenter, présente des troubles du comportement et une hypotonie (relâchement musculaire) des membres. L'imagerie médicale (échographie, scanner, imagerie par résonance magnétique) permet de confirmer le diagnostic et aide à rechercher la cause de cette affection.

L'hydrocéphalie externe du nourrisson est à mettre à part. D'évolution bénigne, elle ne menace pas en général le développement psychomoteur de l'enfant ni ne nécessite de traitement.

■ Chez l'enfant de 2 à 15 ans, l'hydrocéphalie est souvent due à une tumeur. C'est sa complication, l'hypertension intracrânienne (augmentation de la pression qui règne dans l'encéphale), qui permet de poser le diagnostic d'hydrocéphalie. Elle se manifeste par des maux de tête et des vomissements.

■ Chez l'adulte, la cause de l'hydrocéphalie peut être tumorale, hémorragique ou traumatique et l'évolution se fait également vers l'hypertension intracrânienne.

■ Chez les sujets de plus de 60 ans, il existe une forme particulière d'hydrocéphalie, de cause inconnue, l'hydrocéphalie à pression normale, se traduisant par des troubles de la marche, une déficience intellectuelle et une incontinence sphinctérienne.

TRAITEMENT

Le premier traitement, au besoin en urgence, concerne les symptômes et consiste en une dérivation ventriculaire chirurgicale : un cathéter (fin tube creux) fait communiquer les ventricules cérébraux avec le thorax ou l'abdomen et permet au liquide ainsi drainé de s'écouler dans des régions où il sera résorbé. Le traitement de la cause, s'il est possible, est réalisé dans un second temps (antibiotiques, ablation d'une tumeur).

HYDROCÉPHALIE

C'est la dilatation des ventricules, ces cavités de l'encéphale emplies de liquide céphalorachidien, qui caractérise l'hydrocéphalie. Dans les formes évoluées, l'augmentation de volume du crâne chez l'enfant ou des complications chez l'adulte orientent le diagnostic, que le scanner ou l'imagerie par résonance magnétique (I.R.M.) permettent de confirmer.

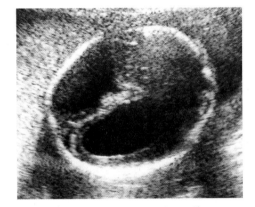

Une échographie fœtale montre un excès de liquide (en noir) dans le cercle clair du crâne.

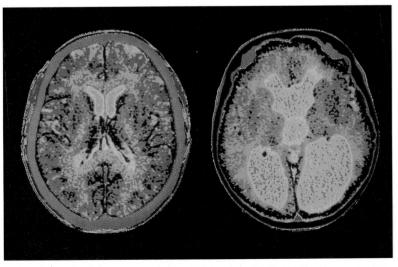

Scanner de cerveau normal, à gauche, hydrocéphale, à droite : le liquide dilate les ventricules (en bleu), comprime les hémisphères (en vert) et a déformé l'os (en rose).

Hydrocholécyste

Distension aiguë de la vésicule biliaire, due à une obstruction du canal cystique (canal reliant la vésicule aux voies biliaires).

Un hydrocholécyste, souvent dû à un calcul vésiculaire, se manifeste par une douleur importante sous les côtes, à droite. Si l'obstacle n'est pas supprimé, la vésicule peut s'infecter (cholécystite aiguë). Le traitement associe les analgésiques, les antispasmodiques et les antibiotiques. Les complications infectieuses et les récidives relèvent de la chirurgie : on pratique alors une cholécystectomie (ablation de la vésicule biliaire et du canal cystique).

Hydrocortisone

Substance médicamenteuse destinée à suppléer à un déficit en cortisol (hormone stéroïde sécrétée par la glande corticosurrénale et participant au métabolisme des glucides et des lipides).

L'hydrocortisone est la forme synthétique du cortisol. La dose habituelle pour remplacer une insuffisance en cortisol complète est de 20 à 30 milligrammes par jour. Cette dose est répartie dans la journée afin de reproduire le plus fidèlement possible le cycle quotidien normal du cortisol : la moitié ou les deux tiers de la dose sont donnés le matin au lever et le reste vers midi. En cas de déficit surrénalien complet, un traitement par 9-alpha-fluorohydrocortisone est également prescrit. Toutefois, la survenue d'un stress ou d'une infection doit faire doubler les doses pour prévenir une insuffisance surrénalienne.

MODE D'ADMINISTRATION

L'hydrocortisone peut être administrée par voie orale, par voie intramusculaire ou par voie veineuse. Lors d'une insuffisance surrénalienne aiguë, où le patient est sujet aux nausées et aux vomissements, l'administration parentérale (par voie intramusculaire ou intraveineuse) est nécessaire, en urgence et à doses très importantes.

EFFETS INDÉSIRABLES

Le traitement substitutif n'entraîne aucun effet indésirable puisqu'il rétablit un équilibre physiologique.

Hydrocution

Syncope réflexe provoquée par une immersion brutale dans l'eau froide.

Ce réflexe prend naissance par le contact de la peau avec l'eau froide, contact qui entraîne une vasoconstriction (diminution du calibre des vaisseaux sanguins) dans le bulbe rachidien. Si ce phénomène est trop brutal, il y a arrêt de la circulation cérébrale et syncope. Le sujet peut dès lors couler à pic et se noyer par asphyxie.

TRAITEMENT

Si le sujet peut être sorti de l'eau dans des délais très rapides, le bouche-à-bouche et, éventuellement, un massage cardiaque entrepris immédiatement ramènent le plus souvent les mouvements respiratoires et cardiaques. Si, au contraire, le sujet a respiré dans l'eau, la respiration artificielle prolongée doit être tentée, comme pour les autres noyés.

PRÉVENTION

Il est préférable de s'abstenir de se baigner après un repas important et après l'absorption de boissons alcoolisées, la digestion utilisant une partie des capacités énergétiques de l'organisme. Il est vivement déconseillé de prendre plusieurs bains consécutifs. Les mécanismes thermorégulateurs de l'organisme se déclenchent en effet rapidement (5 minutes environ après la fin du bain), mais ne rétablissent un nouvel équilibre entre la température extérieure et celle de l'organisme qu'au bout d'une heure environ. Tant que cet équilibre n'est pas atteint, il existe un risque d'hydrocution.

Il faut éviter de pénétrer brutalement dans l'eau froide, notamment après une exposition au soleil ou un grand effort physique. En revanche, il est recommandé de s'asperger la nuque et la face antérieure du thorax d'un peu d'eau pour préparer son corps à la baignade.

Hydrolase

Enzyme intervenant dans les réactions chimiques de l'hydrolyse.
→ VOIR Hydrolyse.

Hydrolyse

Destruction d'une substance chimique par l'eau.

L'hydrolyse est une réaction chimique au cours de laquelle une substance est séparée en deux nouvelles substances, sur chacune desquelles se fixe une partie d'une molécule d'eau. Dans l'organisme, cette réaction est très courante, catalysée par des enzymes appelées hydrolases, qui, en diminuant la taille des grosses molécules constitutives des aliments (sucres, graisses, protéines), facilitent leur assimilation.

Hydronéphrose

Dilatation aiguë ou chronique des calices (conduits rénaux qui recueillent l'urine primitive du rein) et du bassinet (segment collecteur formé par la réunion des calices et se prolongeant par l'uretère).

Une hydronéphrose est la conséquence d'une rétention d'urine due à un rétrécissement ou à une obstruction de l'uretère (conduit qui achemine l'urine jusqu'à la vessie). Le rétrécissement peut avoir pour origine une malformation congénitale de la jonction du bassinet et de l'uretère, l'obstruction peut être due à une maladie obstructive urinaire (tuberculose, calcul, tumeur de l'uretère). L'hydronéphrose est révélée par des douleurs du rein, voire par une colique néphrétique.

DIAGNOSTIC ET TRAITEMENT

Une échographie du rein et une urographie intraveineuse permettent de visualiser la dilatation ainsi que le siège et la nature de l'obstacle. Le traitement de l'hydronéphrose est chirurgical : il repose sur la suppression de l'obstacle responsable de la rétention d'urine. Dans le cas d'une hydronéphrose congénitale, il consiste à pratiquer, par chirurgie conventionnelle, l'ablation du segment d'uretère malformé, puis à relier la

partie restante au bassinet. La chirurgie endoscopique permet également de supprimer un rétrécissement congénital par simple incision ou dilatation. Après le traitement d'une anomalie congénitale, une sonde urétérale de calibrage est laissée en place quelques semaines.

Hydropéricarde

Épanchement de liquide séreux d'origine non inflammatoire à l'intérieur du péricarde (enveloppe du cœur).

Un hydropéricarde se constitue par transsudation du sérum sanguin à travers la paroi des petits vaisseaux qui irriguent les 2 feuillets du péricarde, mais sans que celui-ci soit atteint (cette dernière particularité distingue l'hydropéricarde de la péricardite liquidienne, où l'épanchement péricardique se double d'une inflammation plus ou moins aiguë du péricarde).

CAUSES ET SYMPTÔMES

L'hydropéricarde résulte d'une anasarque (œdème généralisé avec épanchement dans les cavités séreuses), rencontrée essentiellement lors du syndrome néphrotique (perte de protéines dans les urines). L'hydropéricarde n'est pas douloureux. Il se traduit par un certain degré d'essoufflement.

DIAGNOSTIC ET TRAITEMENT

À l'auscultation, les bruits du cœur sont assourdis. La radiographie et l'échographie déterminent le diagnostic. Le traitement est celui de la cause.

Hydrophilie

Affinité chimique avec l'eau.

L'hydrophilie caractérise une substance qui attire l'eau, qui la retient ou qui est attirée par elle. Cette propriété est utilisée en pharmacie pour certains médicaments dits hydrophiles, qui se diffusent dans l'eau de l'organisme, à la différence des médicaments lipophiles (ayant une affinité pour les lipides), qui, eux, se diffusent dans les graisses.

Hydrophobie

Crainte morbide de l'eau, l'un des premiers signes de la rage.

Cette peur panique est consécutive au spasme réflexe extrêmement violent et douloureux que déclenche toute tentative de boire chez les sujets atteints de la rage. Elle est accompagnée d'une gêne respiratoire intense et d'une angoisse extrême. Le bruit de l'eau et celui d'un souffle d'air ont le même effet.

Chez un sujet dont la contamination est certaine, l'existence de l'hydrophobie prouve que la période d'incubation est dépassée, que toute vaccination est inutile et que l'évolution sera rapidement fatale.

Hydropisie

Rétention ou épanchement anormal de sérosité (liquide ayant l'aspect du sérum sanguin) entre les éléments du tissu conjonctif ou dans une cavité.

Le terme générique d'hydropisie n'est plus utilisé aujourd'hui.
→ VOIR Anasarque.

Hydropneumothorax

Épanchement simultané d'air et de liquide séreux, purulent ou non, dans la cavité pleurale.

L'hydropneumothorax est l'association d'un pneumothorax et d'une pleurésie. Il est le plus souvent dû à un traumatisme, parfois à une infection (staphylocoque). Cette affection est visible à l'examen radiologique ; elle y apparaît de manière caractéristique par une opacité limitée horizontalement dans la région inférieure du poumon, traduisant la présence de liquide, et surmontée d'une zone anormalement claire entre la paroi extérieure et le poumon, qui est rétracté.

Le traitement d'un hydropneumothorax consiste généralement en un drainage de la cavité pleurale à l'aide d'un drain mis en place par voie intercostale, associé à des antibiotiques.

Hydrorrhée

Écoulement d'un liquide aqueux par un orifice corporel.

On distingue deux sortes d'hydrorrhée : l'hydrorrhée nasale et l'hydrorrhée vaginale.

■ **L'hydrorrhée nasale, ou rhinorrhée aqueuse,** est un écoulement par les narines d'un liquide clair, comparable à de l'eau, qui provient soit des fosses nasales, soit des sinus. Abondante, elle est typique des rhinites allergiques. Dans des cas exceptionnels, l'hydrorrhée nasale est d'origine méningée : à la suite d'un traumatisme ayant provoqué une fracture de la lame criblée de l'ethmoïde et une plaie des méninges, du liquide céphalorachidien s'écoule par les narines. Il arrive que le liquide ne s'écoule pas par les narines, mais par les orifices postérieurs des fosses nasales vers le pharynx, et qu'il soit dégluti. Le traumatisme risque donc de passer inaperçu et la brèche méningée peut alors favoriser l'apparition d'une méningite.

Le traitement d'une hydrorrhée nasale est celui de la maladie en cause.

■ **L'hydrorrhée vaginale** est un écoulement par le vagin d'un liquide incolore ou peu coloré qui provient de l'utérus. Abondante, elle traduit une pathologie : polype intra-utérin ou cancer de l'utérus. Une hystéroscopie s'impose. Le traitement est celui de la maladie en cause.

Hydrosalpinx

Collection séreuse située dans une trompe utérine, ou dans les deux trompes, dont les parois sont accolées.

Un hydrosalpinx est une complication d'une salpingite (infection d'une ou des deux trompes) non traitée. Lorsqu'il est bilatéral, il est responsable d'une stérilité. Un hydrosalpinx, parfois sans symptômes, peut se traduire par des douleurs liées à la distension de la trompe. Il est visible à l'échographie ; une cœlioscopie (examen des organes génitaux à l'aide d'un tube optique introduit par une incision ombilicale) confirme le diagnostic. Le traitement est chirurgical et consiste en l'ouverture de l'accolement tubaire et en

un drainage du liquide par cœlioscopie. Toutefois, lorsque l'hydrosalpinx a altéré la muqueuse tubaire de façon trop importante, l'ablation de la ou des trompes est nécessaire ; elle est effectuée par cœlioscopie.

Hydrothérapie

Traitement par l'eau.

L'hydrothérapie revêt des formes très diverses : douches (entorses, tendinites, hydrarthroses articulaires ou tendineuses), enveloppements humides froids (maladies inflammatoires) ou chauds (abcès), bains sédatifs (névralgies, rhumatismes), antiseptiques (plaies infectées), émollients (psoriasis), antiprurigineux, etc. Enfin, des bains en piscine facilitent la rééducation chez certains malades (kinébalnéothérapie).
→ VOIR Balnéothérapie, Cure thermale, Thalassothérapie.

Hydroxyprogestérone (17-)

Hormone stéroïde synthétisée par les glandes corticosurrénales et participant au métabolisme des glucides, des lipides et des protéines.

La 17-hydroxyprogestérone, ou 17-OH-progestérone, est l'un des intermédiaires entre le cholestérol et les hormones stéroïdes finales (cortisol, aldostérone, androgènes). Sa structure moléculaire en fait le précurseur des androgènes et du cortisol. Lorsqu'une des enzymes qui permettent la transformation de ce précurseur en une hormone d'une de ces catégories fonctionne mal, la synthèse d'hormones de l'autre catégorie est favorisée. Dans le bloc enzymatique surrénalien, on retrouve fréquemment un déficit en 21-hydroxylase, enzyme qui intervient dans la transformation de la 17-hydroxyprogestérone en cortisol. Il en résulte une augmentation très importante de la 17-hydroxyprogestérone et des androgènes (testostérone, déhydroépiandrosténédione), au détriment du taux de cortisol. Des dosages hormonaux dans le sang permettent de faire le diagnostic de cette maladie et d'en suivre l'évolution sous traitement.

Hydroxyproline

Acide aminé présent en abondance dans le tissu collagène.

L'hydroxyproline est un acide aminé non essentiel, c'est-à-dire que l'organisme peut en faire la synthèse ; il le produit à partir d'un autre acide aminé, la proline. L'hydroxyprolinurie (taux d'hydroxyproline dans les urines) augmente au cours de certaines affections osseuses telles que la maladie de Paget, l'ostéomalacie et le rachitisme, de même que dans l'hyperthyroïdie, et permet donc de confirmer leur diagnostic.

Hygiène hospitalière

Prévention des maladies à l'hôpital et dans les établissements de soins.

L'hygiène hospitalière fait partie intégrante de l'activité et de la qualité des soins des hôpitaux. Elle est tout particulièrement orientée vers la prévention et la lutte contre les infections nosocomiales (infections

contractées en milieu hospitalier), dont sont chargés les médecins et infirmières hygiénistes et les Comités de lutte contre l'infection nosocomiale.
→ VOIR Infection nosocomiale.

Hygroma

→ VOIR Bursite.

Hymen

Membrane qui sépare le vagin de la vulve et qui se rompt lors des premiers rapports sexuels.

L'hymen est normalement perforé au centre pour permettre le passage du sang menstruel. Mais il est parfois de forme différente : réduit à une collerette, fendu ou criblé de petits orifices. C'est une membrane très souple qui se distend aisément ; c'est pourquoi sa valeur comme signe de virginité est relative. Déchiré lors des premiers rapports sexuels (défloration), l'hymen se rétracte en formant à l'entrée du vagin de petites excroissances, les lobules hyménéaux. Après le premier accouchement, ces lobules se modifient et prennent le nom de caroncules myrtiformes.

L'imperforation de l'hymen entraîne une accumulation du sang menstruel dans le vagin, appelée hématocolpos, qui nécessite une perforation chirurgicale de la membrane afin que le sang puisse s'écouler.

Hyperacousie

Trouble rare du sens de l'ouïe, caractérisé par une perception exacerbée des sons.

L'hyperacousie, qui n'a pas de cause connue, engendre une douleur à l'audition de certains sons, en particulier ceux de forte intensité. Phénomène ponctuel, elle ne nécessite aucun traitement mais oblige celui qui en est atteint à éviter de s'exposer à des bruits excessifs.

Hyperaldostéronisme

Sécrétion anormalement élevée d'aldostérone, hormone – sécrétée par la glande corticosurrénale – qui règle la quantité de sodium et

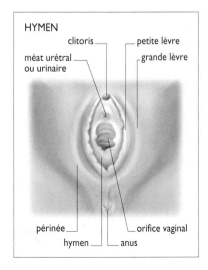

HYMEN

clitoris
petite lèvre
méat urétral ou urinaire
grande lèvre

périnée
orifice vaginal
hymen
anus

de potassium dans l'organisme et contrôle la volémie (volume sanguin circulant).

On distingue l'hyperaldostéronisme primitif de l'hyperaldostéronisme secondaire.

Hyperaldostéronisme primitif

L'hyperaldostéronisme primitif, ou syndrome de Conn, est relativement rare. Il est dû au développement d'un adénome sur une des deux glandes surrénales ou, plus rarement, à une augmentation de volume de ces deux glandes. Il entraîne une hypertension artérielle qui s'accompagne d'une baisse du taux de potassium sanguin et de rénine plasmatique (enzyme d'origine rénale).

TRAITEMENT

Il repose sur l'ablation chirurgicale de la glande surrénale siège de l'adénome. Néanmoins, en cas d'augmentation de volume des deux glandes surrénales, l'intervention chirurgicale n'est pas indiquée et le traitement fait appel à un médicament anti-aldostérone, la spironolactone.

Hyperaldostéronisme secondaire

L'hyperaldostéronisme secondaire survient à la suite de nombreuses situations pathologiques qui ont toutes en commun une hypovolémie (baisse du volume sanguin circulant) : déshydratation, hémorragie aiguë, cirrhose du foie, syndrome néphrotique, complication d'un traitement par diurétiques. Il se manifeste par un effondrement de l'élimination de sodium dans les urines et une augmentation du taux plasmatique de rénine et d'aldostérone.

TRAITEMENT

Il vise avant tout à soigner la maladie en cause. L'administration de spironolactone est parfois utile.

Hyperazotémie

Augmentation anormale de l'azotémie (taux sanguin de substances azotées non protéiniques, dont l'urée notamment).

La notion d'hyperazotémie n'a pas d'application pratique car, pour évaluer la fonction rénale, le dosage de l'urée est supplanté de nos jours par celui du taux sanguin de la créatinine.

Hyperbilirubinémie

Augmentation du taux de bilirubine (pigment jaune-brun provenant de la dégradation de l'hémoglobine) dans le sang.

L'hyperbilirubinémie peut être détectée à l'occasion d'un examen sanguin ou se traduire par un ictère lorsque le taux de bilirubine est supérieur au double du taux normal. Elle peut porter sur la forme conjuguée (bilirubine associée à une protéine de transport) ou sur la forme non conjuguée (bilirubine libre). Dans le premier cas, elle est due à une maladie hépatique avec cholestase (diminution ou arrêt de l'écoulement de la bile). L'autre type s'observe au cours des hyperhémolyses (destruction importante des globules rouges) et dans les défauts constitutionnels (maladie de Gilbert) ou acquis de la conjugaison de la bilirubine.

Hypercalcémie

Augmentation anormale de la calcémie (taux de calcium dans le sang), au-dessus de 2,75 millimoles, soit 110 milligrammes par litre.

Une hypercalcémie est le plus souvent due à une augmentation de la sécrétion de la glande parathyroïde, elle-même liée à un adénome parathyroïdien, mais elle peut aussi être provoquée par un cancer (cancer bronchique, urinaire, mammaire, prostatique, myélome multiple, lymphome), une intoxication par la vitamine A ou D, une insuffisance surrénalienne ou une ostéoporose consécutive en particulier à une immobilisation prolongée.

Elle se manifeste par une fatigue, une soif intense, des douleurs abdominales accompagnées de nausées et de constipation, une dépression. L'évolution de l'hypercalcémie peut être soit aiguë, risquant alors de se compliquer de troubles de la conscience et de troubles du rythme cardiaque, voire d'un arrêt du cœur, soit chronique, ne donnant longtemps aucun symptôme mais provoquant ensuite une ostéoporose ou des complications rénales : néphrocalcinose (dépôt de multiples microcristaux de calcium dans le parenchyme rénal) et calculs des voies urinaires, qui aboutissent parfois à une insuffisance rénale.

TRAITEMENT

C'est celui de la cause : ablation chirurgicale d'un adénome parathyroïdien le plus souvent ; dans les autres cas, régime alimentaire pauvre en calcium et, éventuellement, prise de médicaments (calcitonine, corticostéroïdes). Les formes graves nécessitent une hospitalisation en urgence.

Hypercalciurie

Augmentation anormale de la quantité de calcium excrétée dans les urines.

Une hypercalciurie correspond à une excrétion de plus de 7,5 millimoles, soit 0,30 gramme par 24 heures chez l'adulte. Elle peut être due à une augmentation anormale du taux de calcium sanguin ou à une affection rénale.

Hypercapnie

Augmentation de la concentration de gaz carbonique dans le sang.

L'hypercapnie est un signe d'hypoventilation alvéolaire (diminution des entrées et des sorties d'air dans les alvéoles pulmonaires). L'hypoventilation s'observe en cas d'insuffisance respiratoire et s'associe en général à une diminution de la concentration d'oxygène dans le sang et à une acidose respiratoire (augmentation de l'acidité du sang). Le diagnostic en est fait, à partir d'un échantillon de sang artériel, par un examen des gaz du sang mesurant la pression partielle d'oxygène et de gaz carbonique ainsi que le pH sanguin. On parle d'hypercapnie quand le dosage montre une pression artérielle partielle en gaz carbonique supérieure à 5,6 kilopascals (42 millimètres de mercure) pour une pression atmosphérique normale.

Hyperchlorhydrie

Excès de sécrétion d'acide chlorhydrique par la muqueuse de l'estomac.

La sécrétion d'acide chlorhydrique est normalement rythmée par les repas en raison de son rôle dans la digestion des aliments. Une hyperchlorhydrie est l'un des principaux facteurs responsables d'un ulcère gastroduodénal, qui sera traité par des médicaments antiulcéreux, dits antisécrétoires, inhibant la sécrétion gastrique. On distingue les sujets hypersécréteurs d'acide chlorhydrique grâce à l'étude quantitative de leur sécrétion d'acide gastrique (mesure du pH du suc gastrique prélevé par tubage).

Hypercholestérolémie

Augmentation anormale de la cholestérolémie (taux de cholestérol dans le sang).

L'hypercholestérolémie est, comme l'hypertriglycéridémie (augmentation du taux sanguin de triglycérides), au nombre des hyperlipidémies (affections caractérisées par une augmentation du taux sanguin de lipides). Pour établir le diagnostic, il faut effectuer au moins deux dosages de cholestérol dans le sang à un mois d'intervalle. On parle d'hypercholestérolémie à partir de 6,5 millimoles, soit 2,5 grammes par litre. Au-dessous de ce taux, on n'estime un sujet hypercholestérolémique que s'il présente deux facteurs de risque associés (sexe masculin, hypertension artérielle, tabagisme, diabète, antécédents familiaux, taux de HDL cholestérol bas). L'évaluation tient compte d'une augmentation normale de la cholestérolémie avec l'âge d'environ 0,26 millimole (soit 0,1 gramme) par litre pour chaque dizaine d'années de vie à partir de 30 ans.

Même si elle ne provoque à court terme aucun symptôme, l'hypercholestérolémie se complique au fil des années d'athérosclérose (épaississement de la paroi des artères). Entre 6,5 et 7,8 millimoles, soit 2,5 et 3 grammes par litre, le risque cardiovasculaire est moyen. Au-dessus de 7,8 millimoles, soit 3 grammes par litre, le risque est élevé.

Dans les cas limites, on dose séparément les deux variétés de cholestérol : le HDL cholestérol, qui protège contre le risque de maladies coronariennes, et le LDL cholestérol, qui, au contraire, l'accroît.

TRAITEMENT

Il consiste à réduire, voire à supprimer, la consommation d'aliments riches en cholestérol : œufs (le jaune, surtout), abats, viandes grasses, charcuterie et beurre. De plus, il faut diminuer la consommation d'acides gras saturés d'origine animale au profit des acides gras insaturés, contenus dans l'huile d'olive, de tournesol, de maïs, d'arachide, dans la margarine au tournesol ou au maïs et dans les poissons. Si, après un régime de trois mois, la cholestérolémie reste trop élevée, un médicament, en général un fibrate ou un inhibiteur d'une enzyme, l'HMG-CoA réductase, est prescrit.

Hypercorticisme

Affection caractérisée par l'excès de sécrétion de cortisol (principale hormone glucocorticostéroïde) par les glandes corticosurrénales.

L'hypercorticisme est une maladie rare, qui touche surtout les femmes entre 20 et 40 ans. Il est provoqué dans presque tous les cas par la présence d'un adénome sur l'hypophyse (maladie de Cushing). Un hypercorticisme peut aussi être lié à la prise prolongée, à fortes doses, de médicaments corticostéroïdes.

SYMPTÔMES ET SIGNES

Un hypercorticisme se manifeste par l'apparition plus ou moins rapide d'un syndrome de Cushing d'intensité variable. Celui-ci est marqué par une prise de poids progressive touchant surtout la face et le tronc. L'accumulation de graisse sur la nuque forme une protubérance appelée « bosse de bison ». Le visage s'arrondit, devient rouge, bouffi. Les membres au contraire s'amincissent, car les muscles des épaules et des hanches s'atrophient, entraînant une diminution de la force musculaire. La peau se fragilise, s'amincit, se marque plus facilement de pétéchies (ecchymoses) ou d'acné. Il existe parfois des mycoses de la peau ou des ongles. Des vergetures verticales, de couleur pourpre, apparaissent à la taille, sur les épaules et les cuisses. Le sujet se plaint souvent de fatigue et peut présenter des troubles psychiques (dépression, délire). En outre, on constate chez l'enfant un arrêt ou un ralentissement de la croissance, chez la femme une absence de règles et une augmentation de la pilosité et, chez l'homme, une impuissance. Enfin, l'hypercorticisme peut s'accompagner d'une hypertension artérielle, d'un diabète sucré ou d'une ostéoporose.

DIAGNOSTIC ET TRAITEMENT

Le diagnostic repose sur des examens biologiques tels que la mesure du cortisol libre dans les urines de 24 heures et sur un test hormonal dynamique (consistant à administrer des substances qui interviennent dans la régulation de la sécrétion de cortisol) qui précise l'origine hypophysaire du trouble. D'autres examens hormonaux et radiologiques sont nécessaires à la détermination de la cause de la maladie. Le traitement du syndrome de Cushing est essentiellement chirurgical et consiste en l'ablation de la tumeur ; il peut aussi recourir à l'administration d'anticortisoliques. Le traitement d'un hypercorticisme dû à la prise de médicaments corticostéroïdes repose sur la diminution de la corticothérapie.

Hypercorticisme androgénique

Cette affection est caractérisée par un excès de sécrétion d'androgènes par les glandes corticosurrénales, lié à un blocage enzymatique ou à une tumeur surrénalienne.

SYMPTÔMES ET DIAGNOSTIC

L'hypercorticisme androgénique se manifeste, uniquement chez la femme, par un virilisme (pilosité excessive, raucité de la voix). Le diagnostic repose sur le taux d'androgènes sanguin, associé à un examen radiologique complémentaire pour rechercher l'éventuelle tumeur.

TRAITEMENT

Il fait appel à l'ablation de la tumeur ou au traitement du blocage enzymatique.

Hyperémèse

Vomissements continuels.

Une hyperémèse se rencontre notamment au cours du premier trimestre de la grossesse. C'est alors une conséquence de la sécrétion massive de l'hormone de grossesse (hormone chorionique gonadotrophique) par le placenta. Son retentissement rapide sur l'état général nécessite l'hospitalisation de la patiente : cela permet de la réhydrater et de traiter les vomissements.

Hyperglycémiant

Substance capable d'augmenter la glycémie (taux de glucose dans le sang).

Le pancréas sécrète naturellement du glucagon, qui est une substance directement hyperglycémiante. Cette substance est aussi extraite du pancréas de porc ou de bœuf, puis purifiée et diluée, pour être utilisée en thérapeutique au cours des hypoglycémies accidentelles chez les diabétiques.

Certains médicaments (corticostéroïdes, diurétiques, pilule contraceptive) ont un effet hyperglycémiant qu'il faut chercher à limiter par l'adaptation des doses et la surveillance biologique de la glycémie.

Hyperglycémie

Augmentation anormale de la glycémie (taux de glucose dans le sang) au-dessus de 6,7 millimoles, soit 1,2 gramme, par litre.

L'hyperglycémie est caractéristique du diabète. À partir d'un certain niveau, elle provoque une glycosurie (passage du glucose dans les urines). À des concentrations encore supérieures apparaît un syndrome polyuropolydipsique (soif intense avec des urines très abondantes) risquant d'induire une déshydratation.

Le cycle glycémique est un examen que l'on pratique chez les sujets diabétiques pour savoir comment évolue leur glycémie ou leur hyperglycémie au cours de la journée. Il consiste à doser la glycémie toutes les 2 heures pendant 12 heures. Quant aux dosages associés de la glycémie à jeun et 2 heures après la prise orale de 75 grammes de glucose, ils sont indiqués quand la glycémie à jeun n'est que légèrement supérieure à la normale (entre 6,7 et 7,7 millimoles, soit de 1,2 à 1,4 gramme, par litre). Cette technique permet de différencier un diabète où la glycémie à 2 heures est supérieure à 11 millimoles, soit 2 grammes, par litre, d'une simple intolérance au glucose, où la glycémie à 2 heures reste comprise entre 7,7 et 11 millimoles, soit de 1,4 à 2 grammes, par litre. Celle-ci ne comporte pas les mêmes risques que le diabète ; toutefois, dans un quart des cas, elle évolue en un diabète dans les 10 ans qui suivent.

TRAITEMENT

Il repose sur un régime limitant la consommation de glucides et corrigeant un éventuel excès de poids et, dans certains cas, sur l'administration de médicaments hypoglycémiants ou l'injection d'insuline.

Hyperhémie

→ VOIR Congestion.

Hyperhidrose

Augmentation anormale de la sécrétion de sueur par la peau.

Les hyperhidroses peuvent être généralisées ou localisées.

■ Les hyperhidroses généralisées sont le plus souvent sans cause connue. Cependant, elles sont parfois un signe de maladie hormonale (hyperthyroïdie, diabète) ou infectieuse (tuberculose, brucellose) ou encore d'une lésion de l'hypothalamus.

■ Les hyperhidroses localisées sont favorisées par le stress et la chaleur ; les hyperhidroses des aisselles atteignent surtout la femme ; l'hyperhidrose palmoplantaire, qui atteint la paume des mains et la plante des pieds, commence à la puberté et s'atténue après 40 ans.

TRAITEMENT

Le traitement de l'hyperhidrose est tout d'abord celui d'une éventuelle cause. Les autres cas, s'ils sont bénins, ne nécessitent que l'application locale de badigeons de sels d'aluminium ou de préparations à base de formol, toutefois irritants à la longue. Le traitement des cas plus gênants est l'ionophorèse (technique consistant à tremper les mains et/ou les pieds dans de l'eau ordinaire traversée par un courant spécial qui entraîne la diffusion d'ions à travers la peau), pratiquée 3 fois par semaine pendant 2 ou 3 semaines puis, d'une manière plus espacée, pendant quelques semaines, voire quelques mois. Il est possible de poursuivre ce traitement au domicile du patient. Dans le cas de l'hyperhidrose des aisselles, on peut également réaliser un pelage chirurgical des glandes sudoripares (ablation d'une large zone cutanée). D'autres méthodes sont encore possibles, mais d'efficacité variable et à l'origine d'effets indésirables : médicaments anticholinergiques (risque de somnolence, de sécheresse de la bouche, de troubles visuels) ; ablation chirurgicale des nerfs sympathiques responsables du déclenchement de la sueur, provoquant un arrêt de la sudation.

Hyperkaliémie

Augmentation anormale de la kaliémie (taux de potassium dans le plasma) au-dessus de 5 millimoles par litre.

L'hyperkaliémie a pour cause principale l'insuffisance rénale, aiguë ou chronique, mais peut aussi être due à la prise de sels de régime (où le sodium est remplacé par du potassium) sans prescription et sans suivi médical, à la prise de certains diurétiques ou antihypertenseurs hyperkaliémiants, à une insuffisance surrénalienne, à une acidose (acidification des liquides de l'organisme).

Les hyperkaliémies importantes sont source de complications musculaires (fatigue, voire paralysie) et cardiaques (troubles du rythme, voire arrêt cardiaque). Le traitement repose sur le contrôle des apports alimentaires en potassium (légumes et fruits secs ou frais, viandes et volailles, chocolat), associé, au besoin, à des médicaments hypokaliémiants tels que le polystyrène sulfonate de sodium. Dans les formes très graves, seule une hémodialyse (filtration du sang à travers une membrane semi-perméable), pratiquée en urgence, permet de soustraire rapidement une grande quantité de potassium plasmatique.

Hyperkératose

Épaississement anormal de la couche cornée (la plus superficielle) de l'épiderme. SYN. *kératose*.

L'hyperkératose est dite orthokératosique si la couche cornée, en dehors de son épaisseur exagérée, a un aspect normal (il n'y a pas de noyaux à l'intérieur des cellules). Elle est dite parakératosique lorsque la couche cornée est épaissie et que les noyaux cellulaires persistent. Les hyperkératoses s'observent au cours de certaines affections : cors, durillons, verrues, psoriasis. Leurs causes, leurs symptômes et leurs traitements dépendent de chaque cas.

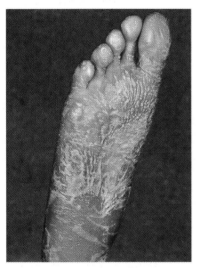

Hyperkératose. La peau est épaisse, dure, sèche, grise ou jaune, et fissurée, parfois uniquement aux mains et aux pieds.

Hyperlipidémie

Augmentation anormale du taux de lipides dans le sang. SYN. *hyperlipoprotéinémie*.

Parmi les classifications existantes des hyperlipidémies, la plus usitée est celle de De Gennes, qui ne tient compte que des augmentations du taux sanguin de cholestérol (hypercholestérolémies) et de triglycérides (hypertriglycéridémies) et comprend 3 groupes d'affection : les hypercholestérolémies, héréditaires ou acquises ; les hypertriglycéridémies, favorisées par une consommation excessive d'alcool, de glucides ou de calories (excès de poids) ; les hyperlipidémies mixtes, association des deux précédentes. Par ailleurs, une hyperlipidémie peut être due à une autre affection : diabète sucré, maladies de la glande thyroïde, maladies rénales, maladies hépatobiliaires ; la pilule contraceptive peut aussi être en cause.

Des symptômes perceptibles par le patient n'apparaissent que dans les formes les plus graves. Le cholestérol peut provoquer des xanthomes (taches jaunes sur la peau) et les triglycérides, une pancréatite aiguë (inflammation aiguë du pancréas). À long terme, il existe, même pour les hyperlipidémies bénignes, un risque d'athérosclérose (épaississement de la paroi interne des artères par dépôt de plaques d'athérome, qui en rétrécissent la lumière).

TRAITEMENT
Il consiste en un régime alimentaire pauvre en cholestérol et/ou en triglycérides, complété, en cas d'inefficacité, par des médicaments hypolipémiants. Si l'hyperlipidémie est la conséquence d'une maladie, celle-ci doit être traitée.

Hyperlipoprotéinémie
→ VOIR Hyperlipidémie.

Hyperlordose
Exagération de la lordose (courbure physiologique de la colonne vertébrale) vers l'avant, au niveau de la région lombaire, formant une cambrure excessive des reins.

L'hyperlordose est fréquemment une courbure « de compensation » consécutive à une cyphose dorsale (déformation de la colonne vertébrale, anormalement convexe vers l'arrière). Elle est surtout marquée en cas de spondylolisthésis (glissement en avant d'une vertèbre par rapport à la vertèbre sous-jacente). Chez la femme cependant, elle est souvent naturelle.

L'hyperlordose, qui, par elle-même, n'est pas douloureuse, peut le devenir par les troubles qu'elle favorise (arthrose, pincement discal). Son traitement repose sur la kinésithérapie.

Hyperlysinémie
Maladie héréditaire dans laquelle on observe une accumulation de la lysine dans l'organisme.

Exceptionnelle, l'hyperlysinémie est probablement due au déficit d'une enzyme, la lysine cétoglutarate réductase, intervenant dans la transformation de la lysine, acide aminé indispensable à la croissance. Elle se manifeste dès l'enfance par un retard de la croissance et du développement psychomoteur de l'individu.

Il n'existe aujourd'hui aucun traitement de cette maladie.

Hypermélanose
Accentuation anormale de la pigmentation de la peau, localisée ou généralisée, par augmentation de la quantité de mélanine qu'elle contient.

Les hypermélanoses sont dues à une anomalie des mélanocytes, cellules de l'épiderme qui synthétisent la mélanine. Si la mélanine se dépose d'une façon très superficielle, il s'agit d'une mélanodermie, qui confère à la peau un aspect brun foncé ; si elle se dépose en profondeur, il s'agit d'une céruléodermie, l'aspect étant alors grisâtre ou ardoisé.

DIFFÉRENTS TYPES D'HYPERMÉLANOSE
Les hypermélanoses sont très nombreuses ; on les regroupe en deux familles.

■ **Les hypermélanoses avec facteurs génétiques** sont les lentigines, petites taches brunâtres apparaissant volontiers dans l'enfance et siégeant n'importe où ; la tache mongolique, fréquente chez les Asiatiques, de couleur gris bleuté, qui siège dans le bas du dos ; les éphélides, ou taches de rousseur, qui sont accentuées par le soleil.

■ **Les hypermélanoses sans facteurs génétiques** peuvent être dues à des affections hormonales telles que la maladie d'Addison (insuffisance surrénalienne chronique) ou l'hyperthyroïdie, à des affections par carence nutritionnelle (pellagre, maladie de Biermer) ou à une insuffisance hépatique. D'autres sont d'origine externe : médicaments (pilule contraceptive, antibiotiques du type tétracycline, antipaludéens, phénothiazines), agents infectieux (paludisme, amibiase, pityriasis versicolor), soleil. Une hypermélanose peut aussi être due à une maladie cutanée : mélanome malin, séquelles de psoriasis ou d'eczéma. Enfin, le chloasma (masque de grossesse) forme des taches brunes sur le visage.

TRAITEMENT ET PRÉVENTION
Le traitement d'une hypermélanose est d'abord celui de sa cause, s'il est possible. Dans les autres cas, il est toujours délicat, les agents dépigmentants (corticostéroïdes, vitamine A acide, hydroquinone) risquant de provoquer des dépigmentations intempestives. Pour éviter toute aggravation, il convient de se protéger du soleil par des filtres solaires.

Hypermétropie
Anomalie de la réfraction oculaire se traduisant par une gêne à la vision de près.

Dans l'hypermétropie, l'œil est « trop court » : l'image se forme en arrière de la rétine. Si l'hypermétropie est légère, l'accommodation du cristallin peut suffire à ramener l'image sur la rétine pour assurer une vision correcte. Mais la vision de près réclame un effort d'accommodation supplémentaire qui n'est pas toujours possible. L'hypermétropie est très fréquente chez les petits enfants en raison de la petitesse de leur œil : un effort d'accommodation trop important peut entraîner dans ce cas un strabisme dit accommodatif.

DIAGNOSTIC ET TRAITEMENT
Le diagnostic repose sur l'examen ophtalmologique et sur l'essai de différentes lentilles convergentes pour déterminer l'importance de l'hypermétropie et savoir de combien de dioptries celle-ci doit être corrigée. La plupart du temps, l'hypermétropie physiologique des enfants se corrige spontanément car l'œil grandit. Elle n'est traitée que lorsqu'elle occasionne un trop grand effort d'accommodation. Une hypermétropie se corrige par le port de verres faisant converger les rayons sur la rétine (verres convergents, ou positifs). Chez l'adulte, le port de verres de contact (lentilles) est possible, mais il est moins satisfaisant cependant que dans la correction de la myopie.

Hypernatrémie

Augmentation de la natrémie (taux de sodium dans le plasma sanguin) à une valeur supérieure à 145 millimoles par litre.

Une hypernatrémie traduit une déshydratation, elle-même due à un apport hydrique insuffisant ou à une perte rénale (diabète insipide, par exemple) ou cutanée (transpiration abondante, brûlures étendues). Normalement compensée par l'absorption de liquide, elle ne s'observe que chez les sujets qui ne peuvent répondre à la sensation de soif (très jeune enfant, malade souffrant d'un traumatisme cérébral ou d'une déficience mentale). Elle entraîne des troubles neurologiques : confusion ou obnubilation mentales, irritabilité neuromusculaire (secousses neuromusculaires, voire convulsions), coma. L'hypernatrémie se corrige par un apport d'eau ; celui-ci doit être très progressif sous peine de provoquer des lésions neurologiques par œdème cérébral (gonflement des cellules cérébrales).

Hypernéphrome

→ VOIR Rein (cancer du).

Hyperœstrogénie

Sécrétion trop importante d'œstrogènes, entraînant leur excès dans l'organisme.

L'hyperœstrogénie était autrefois appelée hyperfolliculinie.

Les œstrogènes (œstradiol, œstriol, œstrone) sont des hormones sécrétées par l'ovaire, le placenta et les glandes surrénales. Leur équilibre avec la progestérone assure le bon déroulement du cycle menstruel. La forme d'hyperœstrogénie la plus fréquente est l'hyperœstrogénie dite relative, car la sécrétion d'œstrogènes est normale ou forte et celle de la progestérone peu marquée. Elle se manifeste par des douleurs des seins et des saignements vaginaux. Ce déséquilibre hormonal est un facteur de risque de cancer du sein ou de l'utérus.

Hyperorexie

→ VOIR Boulimie.

Hyperostose

Production excessive, localisée ou diffuse, de tissu osseux.

Les hyperostoses relèvent de causes multiples, depuis le cal osseux exubérant se développant après une fracture jusqu'aux hyperostoses généralisées d'origine génétique. Par ailleurs, l'os étant un tissu vivant, elles peuvent être définitives ou transitoires, concerner l'ensemble du squelette ou certains os spécifiques (os plats tels que les os du crâne ou du bassin ; os longs tels que le fémur ou le péroné), voire certaines parties d'un os, la diaphyse (partie médiane) d'un os long, par exemple.

Hyperostoses diffuses

■ **L'hyperostose corticale infantile**, ou maladie de Caffey, de cause inconnue mais vraisemblablement génétique, apparaît dans les 6 premiers mois de la vie. Elle se manifeste par un épaississement des os des membres et du maxillaire inférieur, qui se traduit par des douleurs musculaires et osseuses. Elle guérit sans séquelles, spontanément, en quelques mois.

■ **La maladie osseuse de Paget** est de cause inconnue. Elle se traduit par le développement, sur les os de la colonne vertébrale et du crâne, d'un tissu osseux de mauvaise qualité : l'os augmente de volume, devient mou et de forme grossière.

■ **L'ostéopétrose**, ou maladie d'Albers-Schönberg, est une maladie génétique de transmission autosomique (par les chromosomes non sexuels) le plus souvent récessive (le gène porteur de la maladie doit être reçu du père et de la mère pour que l'enfant développe la maladie). Les os apparaissent totalement opaques à la radiographie ; ils sont néanmoins fragiles, avec possibilité de fractures. Cette hyperostose s'associe fréquemment à une anémie et à une grosse rate.

Hyperostoses localisées

■ **Les exostoses**, d'origine génétique, sont des tumeurs bénignes atteignant les os longs des membres à leur partie médiane. Elles apparaissent dès l'enfance et cessent de grandir à la fin de la croissance.

■ **L'hyperostose frontale interne**, de cause inconnue, atteint le plus souvent la femme. Caractérisée par un épaississement progressif des deux os frontaux, elle ne se traduit en général par aucun symptôme, mais s'associe parfois à une obésité ou à un diabète.

■ **L'hyperostose survenant au cours de l'arthrose** est due à l'usure des cartilages, qui entraîne souvent un épaississement osseux localisé au voisinage des articulations.

■ **L'hyperostose vertébrale ankylosante ou engainante** se caractérise par l'apparition d'ossifications entre les vertèbres dorsales inférieures et par le développement d'excroissances osseuses, appelées ostéophytes ou becs-de-perroquet, au niveau des vertèbres lombaires. Ne se traduisant tout d'abord par aucun symptôme, elle finit par entraîner un blocage progressif de la colonne vertébrale.

Hyperparathyroïdie

Affection caractérisée par un excès de sécrétion de parathormone (hormone augmentant le taux sanguin de calcium en favorisant l'absorption intestinale de celui-ci) par une ou plusieurs glandes parathyroïdes.

DIFFÉRENTS TYPES D'HYPERPARATHYROÏDIE

■ **L'hyperparathyroïdie primaire** est liée au dérèglement d'une ou de plusieurs glandes parathyroïdes (adénome parathyroïdien, unique ou multiple, bénin dans 95 % des cas, ou développement anormal des 4 parathyroïdes). L'hyperparathyroïdie primaire est une affection très fréquente, surtout chez la femme après 50 ans.

■ **L'hyperparathyroïdie secondaire** est due à une hypocalcémie (diminution du taux de calcium dans le sang) et/ou à une hyperphosphorémie (augmentation du taux de phosphore dans le sang). L'hyperparathyroïdie secondaire est le plus souvent une complication de l'insuffisance rénale sévère.

SYMPTÔMES ET SIGNES

L'hyperparathyroïdie entraîne une augmentation du taux de calcium dans le sang, qui peut provoquer à la longue la formation de calculs dans le rein et des complications osseuses (déminéralisation osseuse surtout, exceptionnellement fracture ou kyste osseux). Une hyperparathyroïdie aiguë nécessite un traitement urgent.

DIAGNOSTIC

Le diagnostic d'hyperparathyroïdie primaire est aujourd'hui relativement facile grâce au dosage radio-immunologique de la parathormone dans le sang, couplé au dosage du calcium. Lorsque le diagnostic est certain, une échographie cervicale permet, dans un certain nombre de cas, de localiser un ou plusieurs adénomes parathyroïdiens.

TRAITEMENT

Le traitement de l'hyperparathyroïdie primaire, chirurgical, consiste en l'ablation de l'adénome, qui permet la guérison définitive. Le traitement de l'hyperparathyroïdie secondaire est avant tout préventif et repose sur l'administration précoce de dérivés de la vitamine D et de médicaments visant à abaisser le taux de phosphates (dérivés du phosphore) au cours de l'insuffisance rénale.

Hyperphagie

→ VOIR Boulimie.

Hyperplaquettose

→ VOIR Thrombocytose.

Hyperplasie

Augmentation bénigne du volume d'un tissu par multiplication des cellules qui le constituent.

L'hyperplasie est l'une des causes de l'hypertrophie (augmentation du volume d'un tissu ou d'un organe).

Hyperplasie physiologique

L'augmentation du volume d'un tissu peut être un phénomène physiologique visant à réparer une perte tissulaire consécutive à une destruction ou à une blessure. Ainsi, en cas de réduction chirurgicale du volume du foie (hépatectomie partielle), il se produit une hyperplasie du foie restant qui, peu à peu, reconstitue la perte. L'hyperplasie de l'endomètre est un phénomène cyclique consistant en un gonflement de la muqueuse utérine juste avant les règles.

Hyperplasie pathologique

L'augmentation du volume d'un tissu peut être également la réponse à une stimulation pathologique, qu'elle soit d'origine hormonale, infectieuse ou inflammatoire. Les glandes surrénales, la glande thyroïde deviennent hyperplasiques en cas de forte stimulation, respectivement par la corticotrophine et la thyréostimuline. Les facteurs de croissance, qui président à la division cellulaire, suscitent des hyperplasies en cas d'excès. La production excessive de somathormone (hormone de croissance) entraîne une hyperplasie des muqueuses, de la peau et des os (acromégalie). L'hyperplasie de la muqueuse colique par inflammation peut conduire à la formation de polypes. L'hyperplasie des gencives est un gonflement inflammatoire de la gencive, dû à la prise de certains médicaments antidépresseurs ou antiépileptiques ou bien à la grossesse. L'amygdalite est une hyperplasie des amygdales d'origine infectieuse.

Hyperplasie surrénalienne

Augmentation de volume des glandes surrénales, liée à un déficit enzymatique.
→ VOIR Bloc enzymatique surrénalien.

Hyperprolactinémie

Affection caractérisée par une augmentation du taux sanguin de prolactine (hormone sécrétée par l'antéhypophyse et ayant un rôle dans la production de lait chez la femme ainsi que dans la reproduction et la croissance).

CAUSES

La sécrétion de prolactine peut être augmentée dans de nombreuses circonstances. Le plus souvent, il s'agit de la prise d'un médicament (métoclopramide, neuroleptiques, certains antihistaminiques de type H2, œstrogènes). L'hyperprolactinémie disparaît alors dès que le traitement médicamenteux est interrompu. Elle peut également être due à une anomalie métabolique telle que l'insuffisance rénale chronique ou l'hypothyroïdie. Enfin, l'hypophyse peut être le siège d'un adénome ou d'une tumeur. Si la tumeur comprime à la fois l'hypothalamus et l'hypophyse, l'hyperprolactinémie est modérée, due à la levée du contrôle normalement exercé par l'hypothalamus sur la sécrétion de prolactine par l'hypophyse. Il peut également exister un adénome de l'hypophyse sécrétant de la prolactine en excès.

SYMPTÔMES ET SIGNES

L'augmentation du taux sanguin de prolactine diminue de façon variable la sécrétion des gonadotrophines (hormones qui stimulent les cellules sexuelles). Ce phénomène entraîne chez la femme une absence de règles, ou des troubles de la menstruation, et un écoulement de lait par les mamelons ainsi qu'une éventuelle stérilité. Chez l'homme, l'hyperprolactinémie entraîne la survenue d'une impuissance avec baisse de la libido. Dans tous les cas, la compression locale par l'adénome des structures avoisinantes peut entraîner des maux de tête, une réduction du champ visuel ou de l'acuité visuelle, un hypopituitarisme (déficit en hormones hypophysaires) complet ou dissocié se traduisant par une pâleur, une asthénie, une dépilation.

DIAGNOSTIC

Il repose sur le dosage sanguin de la prolactine. Un taux supérieur à 200 nanogrammes par millilitre évoque un adénome hypophysaire ; un taux inférieur à 50 nanogrammes par millilitre évoque une cause médicamenteuse. En cas de doute, l'imagerie par résonance magnétique (I.R.M.) permet de mettre en évidence un adénome, le plus souvent de petite taille. Des dosages hormonaux complémentaires et des examens ophtalmologiques adaptés à chaque cas doivent aussi être réalisés.

TRAITEMENT

Il est surtout médical : arrêt de la prise d'un médicament, traitement d'une hypothyroïdie, prise de médicaments qui diminuent le taux de prolactine et la taille de l'adénome. Le cas échéant, le traitement peut être chirurgical (ablation de l'adénome).

Hyperprotéinémie

Augmentation anormale de la protéinémie (taux de protéines dans le sang) au-dessus de 80 grammes par litre.

Une hyperprotéinémie peut être due à une déshydratation (apport d'eau insuffisant, diarrhées, vomissements, brûlures) ou à la production, par l'organisme, d'une quantité massive d'immunoglobuline anormale, comme cela se produit au cours de certaines maladies (myélome multiple, macroglobulinémie de Waldenström). Son traitement est celui de la maladie en cause.

Hypersensibilité

Réaction immunitaire excessive responsable de troubles et de lésions chez un individu sensibilisé à un antigène.

L'hypersensibilité est une réaction de défense exagérée de l'organisme contre un antigène donné, reconnu par les anticorps car ayant déjà été une première fois en contact avec l'organisme.

DIFFÉRENTS TYPES D'HYPERSENSIBILITÉ

Selon la classification de Gell et Coombs, on distingue quatre types de réaction d'hypersensibilité.
■ Le type I, ou anaphylaxie, ou encore hypersensibilité immédiate, survient quelques minutes après le contact avec l'antigène sous la forme d'un urticaire, d'un asthme, d'un œdème de Quincke ou d'un choc anaphylactique.
■ Le type II, ou hypersensibilité cytotoxique, correspond à la destruction de cellules de l'organisme par des mécanismes autoimmuns ou par des traitements (certains médicaments antibiotiques, antipaludéens ou antihypertenseurs).
■ Le type III, ou hypersensibilité semiretardée, est caractérisé par le dépôt d'anticorps associés à leurs antigènes sur les parois des vaisseaux, où ils créent des lésions (alvéolite allergique, par exemple).
■ Le type IV, ou hypersensibilité retardée, provoque des réactions inflammatoires importantes (eczéma de contact, allergies microbiennes, par exemple allergie tuberculinique).
→ VOIR Allergie.

Hypersialorrhée

Sécrétion excessive de salive. SYN. *ptyalisme*.

Les causes d'une hypersialorrhée sont nombreuses : lésion de la bouche et du pharynx, angine, stomatite, lésion de l'œsophage (tumeurs en particulier), maladies neurologiques (maladie de Parkinson, névralgie faciale), etc. L'hypersialorrhée qui se manifeste pendant la grossesse a un méca-

nisme mal connu. L'hypersialorrhée se traduit par un écoulement de salive trop important et par une fatigue musculaire pharyngée résultant de la nécessité incessante de déglutir. À l'examen clinique, on observe une sécrétion abondante des glandes salivaires.

Le traitement dépend de la cause et comprend l'administration d'atropiniques (qui entraînent une sécheresse des muqueuses), d'un antiémétique comme le métoclopramide et, parfois, de neuroleptiques.

Hypersomnie

Excès de sommeil.
→ VOIR Sommeil (troubles du).

Hypersplénisme

Stockage et destruction excessive des cellules sanguines dans la rate, entraînant une diminution de celles-ci dans le sang.

Un hypersplénisme s'observe en cas de splénomégalie (augmentation du volume de la rate) importante, d'origine infectieuse, hématologique, tumorale ou congestive, c'est-à-dire liée à une hypertension portale. Il se traduit par une diminution d'un certain type de globules blancs, les polynucléaires neutrophiles, et des plaquettes sanguines, le taux d'hémoglobine restant normal. En effet, la rate assure des fonctions d'épuration et de stockage des cellules sanguines ; lorsque son volume augmente, ces deux fonctions sont accrues, les plaquettes et les polynucléaires étant alors captés en très grand nombre. Le traitement d'un hypersplénisme est celui de la maladie en cause.

Hypertension artérielle

Élévation anormale, permanente ou paroxystique, de la tension artérielle au repos.

La pression sanguine s'élève normalement en réponse à l'activité physique. L'hypertension artérielle (H.T.A.) apparaît lorsque, au repos, les chiffres dépassent 16 centimètres de mercure pour la pression maximale, ou systolique, et 9 centimètres pour la pression minimale, ou diastolique. Il n'existe pas d'hypertension lorsque le chiffre de la pression minimale est inférieur à 9 ; les hypertensions purement systoliques sont surtout émotives ou liées au stress. Par ailleurs, ces seuils peuvent être dépassés chez une personne âgée, car la pression sanguine augmente avec l'âge. À l'inverse, chez un enfant, ces chiffres sont inférieurs.

CAUSES

Chez la plupart des sujets hypertendus, on ne retrouve aucune cause évidente ; l'hypertension est alors qualifiée d'essentielle. Elle pourrait être due à une vasoconstriction (réduction du calibre des vaisseaux) fonctionnelle, source d'ischémie rénale (insuffisance d'apport sanguin au rein). Celle-ci aurait pour conséquence la libération en excès dans le sang d'une substance appelée rénine qui, en se combinant pour donner l'hypertensine, ou angiotensine, à une substance plasmatique d'origine hépatique (dite hypertensinogène ou angiotensiogène), serait génératrice d'hypertension. Chez certains sujets, l'excès de sel dans l'alimentation joue un rôle important : une augmentation de la contraction des artérioles entraînant une résistance à l'écoulement du sang est alors observée. L'hypertension artérielle pourrait aussi être liée à un déséquilibre de la sécrétion de prostaglandines ou à des facteurs génétiques. Chez 10 % des patients cependant, l'hypertension a une cause ; elle est alors qualifiée de symptomatique. Elle peut être due, dans ces cas, à une maladie des reins, à une maladie des glandes surrénales ou à une coarctation aortique (rétrécissement congénital de l'isthme de l'aorte). À l'occasion de leur première grossesse, surtout s'il s'agit de jumeaux, certaines jeunes femmes présentent une hypertension, généralement transitoire, appelée hypertension artérielle gravidique. Elle est toujours précédée d'une rétention d'eau et de sel entraînant une forte prise de poids et fait partie des symptômes de la toxémie gravidique ; cette hypertension disparaît après l'accouchement et les grossesses ultérieures ne sont pas troublées. Mais ce sont surtout le tabagisme et l'obésité qui accroissent le risque d'hypertension artérielle. Celui-ci, en outre, s'observe parfois chez les femmes sous contraception orale.

SIGNES ET SYMPTÔMES

Ce sont les symptômes cérébraux qui sont le plus fréquemment révélateurs : maux de tête, surtout pendant la deuxième moitié de la nuit ou au réveil, déséquilibre debout ou à la marche, pertes de mémoire, fatigue, troubles oculaires (éblouissements, perte transitoire de la vue, etc.). Les symptômes cardiaques (gêne respiratoire, angine de poitrine) ou rénaux, tels qu'une polyurie (sécrétion d'urine en quantité abondante) ou une pollakiurie (fréquence exagérée des mictions), sont plus rarement révélateurs. Mais, bien souvent, l'hypertension artérielle ne provoque aucun signe ; elle est en général découverte à l'occasion d'un examen de routine. La découverte d'une hypertension artérielle impose la recherche de son retentissement cardiaque, rénal, cérébral et oculaire. Car, parmi les complications de l'hypertension artérielle non traitée, on trouve l'accident vasculaire cérébral, l'hémorragie méningée, l'insuffisance cardiaque, des lésions rénales et une rétinopathie. Une poussée hypertensive sévère peut entraîner une confusion mentale et des convulsions.

TRAITEMENT

Le traitement doit s'attaquer à la cause toutes les fois que cela est possible. C'est ainsi que sont chirurgicalement curables certaines hypertensions d'origine définie : rétrécissement de l'isthme de l'aorte, affection d'un ou des reins, tumeurs bénignes de la surrénale. Parmi les hypertensions médicalement curables, il faut retenir l'hypertension des néphrites aiguës et l'hypertension des femmes enceintes. Dans tous les cas, une stricte hygiène de vie s'impose : il faut supprimer le surmenage et les efforts importants, s'efforcer de lutter contre le stress, suivre le cas échéant un régime pour perdre du poids, arrêter le tabac. Ces prescriptions

doivent être d'autant plus strictes que l'hypertension est plus sévère et le patient plus jeune. Dans les hypertensions sévères et en cas d'accidents évolutifs (hémorragie méningée, hémiplégie), le repos est nécessaire. Un régime sans sel ou peu salé est généralement indiqué. On peut actuellement contrôler toutes les formes d'hypertension, mais les traitements ne sont efficaces qu'aussi longtemps qu'ils sont poursuivis : dès qu'on les arrête, l'hypertension reprend.

Les bêtabloquants ont, en plus de leur action hypotensive, la propriété de ralentir les battements du cœur. Ils sont contre-indiqués en cas de bradycardie (fréquence cardiaque inférieure à 50 battements par minute) et d'asthme. Les diurétiques éliminent le sodium et l'eau, mais leur action sur le potassium (kaliémie) doit être contrôlée. Les inhibiteurs calciques ont une action vasodilatatrice sur les artères. Les inhibiteurs de l'enzyme de conversion empêchent la formation d'angiotensine et freinent la sécrétion d'aldostérone. Ils peuvent être associés aux diurétiques. Les antihypertenseurs centraux, telle la clonidine, agissent sur le tronc cérébral (siège du centre régulateur de la tension artérielle) et favorisent le sommeil. Les vasodilatateurs périphériques augmentent le calibre des vaisseaux et accroissent les débits cardiaque et rénal. Tous ces médicaments sont prescrits soit isolément, si l'hypertension est modérée, soit diversement associés.

Il importe que le traitement soit poursuivi régulièrement, car un arrêt intempestif expose à une brusque hausse de la tension artérielle (phénomène de rebond) et, éventuellement, à des accidents cardiaques, cérébraux, rénaux, etc.

PRÉVENTION

Pour prévenir l'hypertension artérielle, il est recommandé d'avoir, outre une bonne hygiène de vie et un régime alimentaire convenable (réduction de la consommation de graisses, de tabac, d'alcool et de sel), une ou plusieurs activités physiques ou sportives régulières (compétitions exclues) comme la marche, le vélo, la natation, la gymnastique, la course à pied, sous surveillance du chiffre tensionnel. Et en cas d'hypertension artérielle modérée, traitée ou non, les sports d'endurance (pratiqués sans dépasser ses propres limites) peuvent aider à la normalisation de la tension artérielle.

→ VOIR Hypertension rénovasculaire.

Hypertension artérielle pulmonaire

Augmentation de la pression sanguine dans l'artère pulmonaire.

La pression sanguine normale dans l'artère pulmonaire est de l'ordre de 25 à 30 millimètres de mercure au moment de la systole (contraction cardiaque) et de 13 millimètres de mercure au moment de la diastole. Un sujet a une hypertension artérielle pulmonaire quand la pression sanguine dans son artère pulmonaire dépasse ces chiffres. C'est une anomalie fréquente en cardiologie. Il

existe trois formes différentes d'hypertension artérielle pulmonaire.

Hypertension artérielle pulmonaire secondaire postcapillaire

Cette augmentation de la pression sanguine dans l'artère pulmonaire, qui est la forme d'hypertension artérielle pulmonaire la plus répandue, est consécutive à une autre anomalie, d'origine cardiaque.

CAUSES

Fréquemment, elle est due à une anomalie du cœur gauche. Cela peut être un rétrécissement de la valvule mitrale (valvule entre l'oreillette et le ventricule gauches), une cardiopathie ischémique (diminution de l'apport de sang au muscle cardiaque), une myocardiopathie (affection du myocarde), etc. Dans de tels cas, l'augmentation de la pression sanguine dans l'oreillette gauche se répercute en amont, dans les veines et les capillaires pulmonaires, ce qui provoque une hypertension artérielle pulmonaire.

SYMPTÔMES

Ce sont ceux de la maladie responsable. Le malade se plaint fréquemment d'un essoufflement à l'effort puis au repos.

DIAGNOSTIC

Il repose sur une échographie Doppler cardiaque, qui permet d'apprécier aisément la pression pulmonaire.

TRAITEMENT

L'hypertension artérielle pulmonaire secondaire postcapillaire régresse totalement ou partiellement lorsque sa cause est supprimée, par exemple - si elle est due à un rétrécissement de la valvule mitrale - après une opération chirurgicale.

Hypertension artérielle pulmonaire secondaire précapillaire

Cette augmentation de la pression sanguine dans l'artère pulmonaire est due à une obstruction (caillot, épaississement des parois, etc.) située dans les branches de l'artère pulmonaire ou dans les artérioles pulmonaires. Elle est moins fréquente que l'hypertension postcapillaire.

CAUSES

L'obstruction vasculaire en cause peut être consécutive à une malformation cardiaque congénitale. C'est le cas de la communication interauriculaire (présence anormale d'un orifice entre les 2 oreillettes), de la communication interventriculaire (persistance anormale d'un ou de plusieurs orifices entre les 2 ventricules) ou encore de la persistance du canal artériel, qui, normalement, se ferme à la naissance. Ces affections du cœur peuvent se compliquer d'une maladie vasculaire obstructive pulmonaire qui affecte les artérioles.

Une origine non congénitale de l'obstruction est également possible : une insuffisance respiratoire chronique ou des embolies pulmonaires répétées peuvent créer des obstructions, qui, à leur tour, entraînent une hypertrophie du ventricule droit du cœur et engendrent une pathologie appelée cœur pulmonaire embolique.

SYMPTÔMES ET DIAGNOSTIC

Les symptômes sont ceux de la maladie en cause. Le malade est souvent essoufflé. Le diagnostic d'hypertension artérielle pulmonaire repose principalement sur l'échographie Doppler cardiaque.

TRAITEMENT

C'est celui de la cause. Mais il est rare qu'une suppression de l'obstacle permette d'obtenir une régression de l'hypertension artérielle pulmonaire précapillaire.

Hypertension artérielle pulmonaire primitive

Cette augmentation de la pression sanguine dans l'artère pulmonaire au repos et à l'effort est rare et sans cause connue. Elle est plus fréquente entre 20 et 40 ans, avec une prédominance féminine. Des cas familiaux ont été signalés.

SYMPTÔMES ET DIAGNOSTIC

Un essoufflement plus ou moins important s'associe à une fatigue progressive avec, parfois, des douleurs à l'effort. Le diagnostic repose sur l'absence de toute cause et peut être confirmé par la mesure des gaz du sang et l'échocardiographie, qui révèlent respectivement une discrète hypoxie (diminution de l'oxygénation sanguine) et un retentissement cardiaque droit.

TRAITEMENT ET PRONOSTIC

Cette anomalie justifie une greffe pulmonaire en raison de son mauvais pronostic à très court terme.
→ VOIR Hémodynamique.

Hypertension intracrânienne

Augmentation anormale de la pression dans le crâne, à l'intérieur de l'encéphale.

CAUSES

Un œdème cérébral (infiltration diffuse de liquide provenant du plasma sanguin), une hypertension artérielle grave, une crise d'éclampsie (convulsions associées à une hypertension artérielle) pendant la grossesse, une ischémie (ralentissement de la circulation du sang), un hématome cérébral, une encéphalite herpétique (infection de l'encéphale due au virus de l'herpès) ou une tumeur peuvent déclencher une hypertension intracrânienne.

L'augmentation de pression entraîne une compression des tissus voisins, qui favorise à son tour l'œdème cérébral, gêne la libre circulation du liquide céphalorachidien et entraîne une hydrocéphalie, caractérisée par une accumulation du liquide rachidien dans les cavités intracérébrales : un cercle vicieux extrêmement dangereux s'établit ainsi. En outre, cette augmentation de pression peut provoquer un engagement de tissu cérébelleux dans le trou occipital avec risque de compression bulbaire.

Il existe une forme particulière, de cause inconnue, d'hypertension intracrânienne bénigne, qui touche les femmes jeunes et obèses.

SYMPTÔMES ET SIGNES

Deux signes sont caractéristiques de l'hypertension intracrânienne : les céphalées (maux de tête) et les vomissements.

Les céphalées sont d'abord intermittentes, survenant le matin ou réveillant le malade dans la seconde partie de la nuit. Les vomissements, le plus souvent associés aux céphalées mais parfois isolés, se produisent facilement, en jets. L'examen du fond de l'œil (examen de la rétine à travers la pupille) montre un œdème (gonflement) de la papille optique (petite tache correspondant à l'origine du nerf optique).

ÉVOLUTION

Peu à peu, des troubles de la conscience (somnolence puis coma) apparaissent ainsi que des périodes d'éclipses visuelles pouvant aboutir à la cécité.

TRAITEMENT

Le traitement est celui de la cause, s'il est possible (médicaments antihypertenseurs, ablation d'une tumeur). Il existe des possibilités de traitement de l'œdème cérébral (corticostéroïdes, mannitol).

L'hypertension intracrânienne bénigne est traitée par des ponctions lombaires répétées, contre-indiquées dans les autres cas.

Hypertension portale

Augmentation de la pression sanguine dans le système veineux portal.

La veine porte conduit jusqu'au foie le sang veineux provenant du tube digestif sous-diaphragmatique (estomac, intestin grêle, côlon), de la rate et du pancréas. Après épuration dans le foie, ce sang est ramené au cœur par la veine cave inférieure.

CAUSES

Une hypertension portale est le signe de nombreuses maladies, d'origine hématologique, tumorale ou infectieuse. La cirrhose en est la cause la plus fréquente, mais les compressions extérieures (cancer du pancréas), les invasions tumorales (cancer primitif du foie), les thromboses de la veine porte (syndrome myéloprolifératif, foyer infectieux local), ou encore des maladies rares comme le syndrome de Budd-Chiari ou une occlusion des veines du foie, sont également responsables d'une hypertension portale.

SYMPTÔMES ET SIGNES

Une hypertension portale se traduit par une visibilité anormale des veines sous-cutanées dans la région supérieure de l'abdomen ou dans la région thoracique inférieure. Ces veines correspondent à une circulation collatérale développée à partir de voies de dérivation naturelles, qui sont normalement peu ou pas fonctionnelles mais qui se dilatent en cas d'obstacle sur la circulation portale : cela provoque une anastomose portocave (communication entre le système porte et le système cave) spontanée. Des varices œsophagiennes ou, moins fréquemment, gastriques (tuméfactions bleutées plus ou moins volumineuses dans la partie basse de l'œsophage et sur l'estomac) se forment également. Ces varices n'entraînent aucun trouble fonctionnel. En outre, dans 30 à 40 % des cas d'hypertension portale, on observe une augmentation du volume de la rate, due à la stagnation du sang à l'intérieur de cet organe et parfois accompagnée d'une destruction excessive des cellules sanguines qui s'y trouvent, laquelle est responsable d'une thrombopénie et d'une neutropénie. Enfin, une ascite (épanchement de liquide séreux dans la cavité péritonéale), due à la rétention d'eau et de sel entraînée par l'insuffisance hépatique, peut également se former, notamment chez les sujets atteints de cirrhose, provoquant une importante distension abdominale.

DIAGNOSTIC ET ÉVOLUTION

Le diagnostic repose sur la fibroscopie gastrique, qui met en évidence les varices œsophagiennes. Le risque évolutif est celui de rupture des varices, qui entraîne une hémorragie digestive abondante, nécessitant une prise en charge d'urgence.

TRAITEMENT ET PRÉVENTION

Le traitement de l'hypertension portale est celui de sa cause. La rupture de varices œsophagiennes nécessite une réanimation en urgence, avec transfusion et compression locale par sonde à ballonnet, et la sclérothérapie (injection endoscopique de liquide sclérosant) des varices. En cas d'échec, une intervention chirurgicale en urgence s'impose pour endiguer l'hémorragie.

Trois procédés permettent de prévenir la rupture des varices œsophagiennes ou gastriques : l'administration de médicaments bêtabloquants, qui diminuent la pression portale ; la sclérothérapie répétée jusqu'à disparition complète des cordons variqueux ; l'anastomose portocave chirurgicale, enfin, qui permet la prévention des récidives hémorragiques mais qui entraîne souvent chez le patient atteint de cirrhose sévère une aggravation de l'insuffisance du foie et un risque accru d'encéphalopathie.

Hypertension rénovasculaire

Hypertension artérielle consécutive à une diminution du débit sanguin artériel dans un rein.

L'hypertension rénovasculaire est due à une sténose (rétrécissement) de l'artère rénale, causée en général par la formation d'une plaque d'athérome (dépôt lipidique) sur la paroi interne de l'artère ; dans ce cas, elle atteint le plus souvent des hommes âgés de plus de 50 ans. Plus rarement, cette sténose est due à une dysplasie fibromusculaire (anomalie de la paroi artérielle) ; l'hypertension rénovasculaire affecte alors plutôt la femme jeune.

Outre le déclenchement d'une hypertension artérielle le plus souvent sévère, la sténose de l'artère rénale, si elle interrompt totalement l'apport de sang artériel au rein, entraîne la perte fonctionnelle de celui-ci.

TRAITEMENT

Il consiste à corriger la sténose, chirurgicalement ou par angioplastie endoluminale, c'est-à-dire en dilatant l'artère rénale à l'aide d'une sonde à ballonnet, introduite sous contrôle radiographique. Si de telles interventions sont impossibles (personnes âgées ou inopérables), on recourt à des médicaments hypotenseurs comme les inhibiteurs de l'enzyme de conversion, qui bloquent la formation d'angiotensine à l'origine de l'hypertension artérielle.

Hyperthermie

Élévation de la température du corps au-dessus de sa valeur normale (37 °C chez l'être humain). SYN. *fièvre*.

Une hyperthermie survient lorsque la production de chaleur par le corps, résultant de l'activité métabolique de l'organisme, excède ses capacités d'élimination.

CAUSES

Une hyperthermie peut avoir de multiples origines, outre les causes infectieuses (septicémie), médicamenteuses (neuroleptiques), neurologiques (atteintes cérébrales touchant l'hypothalamus).

■ Une anesthésie peut provoquer, chez des patients souffrant d'une anomalie musculaire génétique, une hyperthermie dite « maligne peranesthésique ». Complication très grave de l'anesthésie, celle-ci se traduit par une fièvre élevée accompagnée de rigidité musculaire.

■ Un coup de chaleur, hyperthermie grave, est une élévation rapide de la température corporelle au-dessus de 40 °C, accompagnée de troubles neuropsychiques, cardiovasculaires, respiratoires et métaboliques. Il peut résulter d'un effort musculaire intense ou, chez le jeune enfant ou le vieillard, de l'exposition à une forte chaleur.

■ Un effort musculaire intense et prolongé provoque toujours une hyperthermie, plus marquée par forte chaleur, lorsque l'humidité ambiante s'oppose à la diminution de la chaleur par évaporation.

SYMPTÔMES ET SIGNES

Une hyperthermie grave s'accompagne de troubles cardiovasculaires, respiratoires, neurologiques et métaboliques, parfois de troubles de la coagulation, de défaillance rénale ou hépatique ou de rhabdomyolyse (destruction des muscles striés). Chez l'enfant, elle peut être source de convulsions.

TRAITEMENT ET PRÉVENTION

Une hyperthermie grave constitue toujours une urgence. Le traitement repose sur l'administration de médicaments antipyrétiques (contre la fièvre), de myorelaxants en cas de rigidité musculaire anormale et sur le refroidissement externe (vessie de glace sur la peau, enveloppements humides à une température plus basse que celle du corps), voire interne (perfusion, lavement).

La prévention consiste, en cas de forte chaleur, à porter des vêtements légers, à limiter les efforts musculaires intenses et prolongés et à boire abondamment.

Hyperthyroïdie

Affection caractérisée par un excès d'hormones thyroïdiennes.

Les causes les plus fréquentes d'une hyperthyroïdie sont la maladie de Basedow, d'origine auto-immune, une surcharge iodée, habituellement d'origine médicamenteuse, et un nodule thyroïdien ou un goitre (phase initiale d'une thyroïdite subaiguë). Beaucoup plus rarement, il s'agit d'une anomalie congénitale (syndrome de résistance aux hormones thyroïdiennes), d'un adénome hypophysaire sécrétant de la thyréostimuline ou de la prise médicamenteuse de

thyroxine (hormone thyroïdienne). Les symptômes comprennent un tremblement des extrémités, une tachycardie, une sensation de chaleur excessive et une perte de poids. Le diagnostic repose sur les dosages d'hormones thyroïdiennes et de leurs précurseurs dans le sang, complétés par des examens variables selon la cause suspectée (scintigraphie, échographie, dosage des anticorps antithyroïdiens).

Le traitement dépend essentiellement de la cause : chirurgie (ablation partielle de la thyroïde), administration d'antithyroïdiens de synthèse, injection d'une dose unique d'iode 131 radioactif.
→ VOIR Thyrotoxicose.

Hypertonie musculaire

Exagération permanente du tonus musculaire (degré de résistance d'un muscle strié au repos), d'origine neurologique.

L'hypertonie est due à une lésion du système nerveux central, dont la cause peut être diverse (tumorale, vasculaire, dégénérative). Elle peut prendre deux formes.

DIFFÉRENTS TYPES D'HYPERTONIE

■ L'hypertonie pyramidale, également appelée hypertonie spastique ou spasticité, est due à une lésion de la voie pyramidale (faisceau de fibres nerveuses commandant les mouvements volontaires). Elle est accompagnée d'autres signes (hémiplégie, etc.) constituant le syndrome pyramidal. C'est une hypertonie élastique : si le médecin essaie, par exemple, de déplier le coude du patient, une résistance s'amorce puis augmente de plus en plus et l'avant-bras revient brusquement à sa position de départ quand on le relâche.

■ L'hypertonie extrapyramidale, ou hypertonie plastique, est due à un mauvais fonctionnement du système nerveux extrapyramidal, qui commande le tonus musculaire et les postures du corps. Elle fait partie d'un ensemble de signes appelé syndrome extrapyramidal, dont la cause typique est la maladie de Parkinson. Cette hypertonie est plastique : si le médecin essaie de déplier le coude du patient, la résistance du bras s'exerce avec une force constante et il n'y a pas de retour de l'avant-bras à la position de départ.

TRAITEMENT

Le traitement est celui de la maladie dont l'hypertonie est un signe. S'il se révèle impossible ou insuffisant, la gêne ressentie par le malade, dans le cas de l'hypertonie pyramidale, est soulagée par les myorelaxants (dantrolène). La kinésithérapie peut également apporter une amélioration.

Hypertonique

Se dit d'une solution exerçant une pression osmotique supérieure à celle d'une autre solution.

Une solution hypertonique a une concentration totale élevée en substances chimiques dissoutes. Elle attire par osmose l'eau d'une autre solution, moins concentrée, lorsqu'on les met toutes deux en communication à travers une membrane semi-perméable (per-

méable uniquement à l'eau et non aux substances chimiques).

Par extension, on qualifie d'hypertonique une solution exerçant une pression osmotique supérieure à celle du plasma sanguin normal. Les solutions hypertoniques doivent être injectées lentement et en volume limité afin d'éviter des modifications de la composition en eau des milieux intracellulaires et extracellulaires de l'organisme.

Hypertrichose

Augmentation de la pilosité, localisée ou généralisée.

À la différence de l'hirsutisme, l'hypertrichose siège en des endroits normalement pourvus de poils. Les hypertrichoses sont congénitales ou acquises. Les formes congénitales, parfois héréditaires, apparaissent dès l'enfance. Les formes acquises sont dues à des médicaments (minoxidil, ciclosporine, hydantoïnes), à des carences, à des cancers ou à des maladies métaboliques (porphyries). Le traitement est celui de la maladie responsable, s'il est possible, associé éventuellement à une épilation électrique.

Hypertriglycéridémie

Augmentation du taux de triglycérides dans le sérum au-dessus de 2,3 millimoles, soit 2 grammes, par litre.

Les triglycérides circulent toujours dans le sérum sanguin couplés à deux types de protéines spécifiques : les chylomicrons et les VLDL (*very low density lipoproteins,* ou lipoprotéines de très basse densité).

Une hypertriglycéridémie est donc toujours associée à une augmentation soit du taux de chylomicrons (hyperchylomicronémie), soit du taux de VLDL dans le sérum. Elle peut être isolée ou associée à une augmentation du taux de cholestérol dans le sérum.

CAUSES

Une hypertriglycéridémie peut être primitive, due à un trouble de la synthèse ou de la dégradation des lipoprotéines. Tel est le cas de l'hypertriglycéridémie familiale, assez fréquente, qui se caractérise le plus souvent par un diabète, une obésité, une hypertension et un risque accru d'athérosclérose (dépôt lipidique sur les artères). Le déficit familial en lipoprotéine-lipase (enzyme qui dégrade les chylomicrons et les VLDL), beaucoup plus rare, se traduit par un risque accru d'inflammation aiguë du pancréas, des xanthomes éruptifs (dépôts de lipides se présentant sous la forme de placards ou de nodules cutanés jaunâtres), un gros foie et une grosse rate, sans risque d'athérosclérose.

Une hypertriglycéridémie peut aussi être consécutive à une autre affection (diabète sucré, insuffisance rénale, syndrome néphrotique, alcoolisme, hépatite aiguë, etc.) ou induite par le stress.

TRAITEMENT

Le traitement d'une hypertriglycéridémie doit d'abord être diététique : régime normolipidique (diminution des apports alimentaires en triglycérides, présents notamment dans l'alcool et les féculents) dans la majorité des cas, réduction de l'apport en certains sucres, en alcool et en tabac. En cas d'obésité, une perte de poids est indispensable.

Le plus souvent, une activité physique régulière et progressive est conseillée. Le traitement d'une maladie sous-jacente (diabète, etc.) doit également être entrepris.

En dehors de certaines formes primitives (hyperchylomicronémie, par exemple) qui doivent être traitées d'office, un traitement médicamenteux à base d'hypolipidémiants (fibrates, huiles de poisson) ne doit être envisagé qu'après l'échec d'un régime correctement suivi.

Hypertrophie

Augmentation du volume d'un tissu ou d'un organe.

Une hypertrophie est due à une augmentation du volume des cellules ou à leur multiplication (hyperplasie).

Une hypertrophie musculaire peut être liée à des activités physiques intenses ; l'hypertrophie d'un ganglion est parfois provoquée par une maladie infectieuse ou un envahissement par des cellules cancéreuses (métastase).

Hypertrophie prostatique

Augmentation de volume de la prostate, le plus souvent liée à un adénome.
→ VOIR Adénomyome.

Hyperuricémie

Augmentation du taux d'acide urique dans le sang.

L'hyperuricémie est due à une perturbation souvent héréditaire du métabolisme des bases puriques (substances azotées qui entrent dans la composition des nucléotides, éléments constitutifs de l'A.D.N.) ou à un régime alimentaire trop riche en purines, d'où provient l'acide urique (ris de veau, foie, rognons, cervelle, anchois, sardines, harengs). L'hyperuricémie entraîne la formation, dans les articulations, les reins et sous la peau, de dépôts d'urates (sels d'acide urique), qui provoquent des calculs urinaires et la goutte. Son traitement repose, d'une part, sur un régime dépourvu de purines, d'autre part, sur la prise de médicaments hypo-uricémiants.

Hyperventilation

Augmentation de la quantité d'air qui ventile les poumons.

Les causes d'une hyperventilation sont extrêmement variées : exercice physique intense, accès d'anxiété, fièvre, hypoxie (diminution de l'apport d'oxygène sanguin aux tissus), acidose (acidité sanguine excessive), etc. Elle peut se traduire par une augmentation de la fréquence ou de l'amplitude des mouvements respiratoires, une hypocapnie (diminution du taux de gaz carbonique dans le sang), une alcalose (alcalinité sanguine excessive). Chez certains sujets, elle peut constituer un facteur déclenchant un épisode de spasmophilie. Son traitement est celui de l'affection en cause.

Hypervitaminose

Toute affection liée à la présence en excès de certaines vitamines dans l'organisme.

Les principales hypervitaminoses concernent les vitamines A et D. Elles sont principalement dues à des intoxications d'origine médicamenteuse. Il est donc faux d'affirmer que toutes les vitamines sans exception sont « bonnes pour la santé » et il n'est pas souhaitable de prendre sans consultation médicale un composé polyvitaminé parce qu'on est fatigué.

■ L'hypervitaminose A apparaît pour une absorption supérieure à 3 milligrammes de vitamine A par jour pendant 1 à 3 mois chez le nourrisson, à 15 milligrammes chez l'adulte pendant 6 à 12 mois. Elle se traduit par des signes d'hypertension intracrânienne : maux de tête, vomissements, torpeur. Elle peut, à long terme, aboutir à une ossification précoce des os longs et des épiphyses chez le nourrisson et entraîner, chez la femme enceinte, des anomalies de formation du fœtus. Le traitement consiste à arrêter la prise de vitamines.

■ L'hypervitaminose D se manifeste à partir de doses de 0,1 milligramme de vitamine D par jour chez le nourrisson, de 2,5 milligrammes chez l'adulte. Ses signes sont liés à l'hypercalcémie (augmentation anormale du taux de calcium dans le sang) qui en résulte : fatigue, soif intense, douleurs abdominales, calcification des tissus mous (vaisseaux, reins). Une hypervitaminose D sévère peut provoquer des troubles de la vigilance, voire un coma. Son traitement consiste à arrêter la prise de vitamines et à soigner les symptômes de l'hypercalcémie.

Hypervolémie

Augmentation du volume sanguin circulant.

Il existe deux formes principales, toutes deux également rares, d'hypervolémie. La première, d'évolution chronique, survient lors de certaines maladies comme le myélome multiple, au cours desquelles une protéine anormale est présente dans le sang en quantité si élevée que le volume sanguin s'en trouve augmenté. Le second type d'hypervolémie, d'évolution aiguë, est dû à une perfusion excessive de liquide dans les veines, comme cela se produit parfois au cours du traitement d'une hypovolémie. Du fait de l'accroissement du volume sanguin, le travail du cœur, qui doit faire circuler davantage de liquide, augmente, ce qui peut provoquer une insuffisance cardiaque : accélération du rythme cardiaque, gêne respiratoire, voire œdème du poumon. Enfin, une insuffisance rénale chronique peut provoquer une hypervolémie aiguë lorsqu'elle s'accompagne d'une anurie (arrêt de la sécrétion d'urine) et que le sujet a manqué une ou éventuellement plusieurs séances d'hémodialyse.

Le traitement consiste à soigner la maladie en cause ou à ralentir les perfusions.

Hyphéma

Épanchement de sang dans la chambre antérieure de l'œil, entre cornée et iris.

Hyphéma. La tache sombre, au bas de l'iris, est formée par le dépôt de sang.

Les hyphémas sont essentiellement dus à des contusions oculaires, provoquant un saignement de l'iris, qui se rompt à sa base ou au niveau du sphincter commandant sa dilatation ou sa contraction. Ils accompagnent aussi parfois certaines uvéites virales, avec inflammation de la tunique vasculaire de l'œil située entre la choroïde et l'iris, comme celles que peuvent causer un herpès ou un zona.

Un hyphéma se manifeste sous la forme d'un niveau horizontal de sang, visible à travers la cornée. Si l'épanchement recouvre la pupille, il crée une gêne visuelle. Le diagnostic est fait par l'examen clinique. Les complications, rares, consistent essentiellement en une infiltration de sang dans la cornée.

TRAITEMENT

Le plus souvent, un hyphéma se résorbe spontanément. Il est exceptionnel qu'il faille intervenir chirurgicalement pour l'évacuer.

Hypnose

Technique propre à induire un état de sommeil partiel.

L'état obtenu par hypnose préserve certaines facultés de relation, en particulier entre l'hypnotiseur et le patient, mais entraîne une capacité d'abstraction par rapport à la réalité extérieure et une « paralysie de la volonté » (Sigmund Freud). L'hypnose fut dénommée ainsi, d'après le mot grec *hupnos*, « sommeil », par le médecin anglais James Braid qui, en 1843, utilisa cette technique pour anesthésier ses malades. Puis, à la fin du XIXe siècle, ce phénomène fut étudié, en relation avec l'hystérie, par les neurologues français Jean-Martin Charcot et Hippolyte Bernheim. C'est en observant les sujets sous hypnose que Sigmund Freud découvrit l'importance de l'inconscient. Après avoir été délaissée (sauf aux États-Unis), l'hypnose connaît actuellement un regain de faveur : pour favoriser la relaxation, lutter contre la douleur et l'anxiété.

Hypnotique

Substance médicamenteuse capable de provoquer le sommeil. SYN. *somnifère*.

Les hypnotiques sont principalement représentés par les benzodiazépines (produits connus aussi pour leur action contre l'anxiété). Certains hypnotiques sont constitués uniquement d'extraits de plantes (aubépine, passiflore, tilleul, etc.), d'action plus modérée mais beaucoup moins nocifs. Par ailleurs, des antihistaminiques H1, tels que l'alimémazine, sont préférés pour l'enfant, mais leur utilisation doit rester exceptionnelle. Enfin, les hypnotiques barbituriques, tels que le phénobarbital, ne devraient plus être utilisés en raison de leur toxicité élevée.

Il est conseillé de réserver l'emploi des hypnotiques aux insomnies gênant réellement le sujet et pour des durées aussi courtes que possible, ne dépassant pas 4 semaines. La posologie doit être initialement faible et augmentée seulement, si besoin est, en fonction des résultats cliniques.

EFFETS INDÉSIRABLES

Chaque substance a ses propres effets indésirables, mais il existe des risques communs. La somnolence peut provoquer des accidents en cas de conduite de véhicule. Les dangers liés à la prise de ces médicaments sont plus importants en cas d'affection respiratoire (dépression respiratoire) et chez les sujets âgés, qui sont particulièrement sensibles aux hypnotiques (excitation paradoxale, confusion mentale). Il peut se produire une accoutumance et une dépendance, voire une vraie toxicomanie, surtout avec les barbituriques et les benzodiazépines. Un surdosage peut entraîner un coma puis un décès. Les hypnotiques sont à bannir chez le jeune enfant, car on les suspecte d'être responsables de cas de mort subite du nourrisson.

Hypoacousie

Diminution de l'acuité auditive.

Lorsque l'acuité auditive diminue de façon très importante ou disparaît complètement, on parle de surdité.

L'organe de l'audition est constitué de deux parties : un appareil de perception et un appareil de transmission. Il en découle deux formes d'hypoacousie.

Hypoacousie de perception

Il s'agit d'une diminution de l'acuité auditive dans laquelle la transmission est bonne mais la perception, défectueuse.

CAUSES ET SYMPTÔMES

L'hypoacousie de perception est due soit à une lésion de la cochlée (organe de l'audition situé dans l'oreille interne), soit à une atteinte des fibres nerveuses dans le nerf auditif ou sur les voies auditives centrales (qui partent de l'oreille interne et vont jusqu'à l'encéphale).

Une atteinte de la cochlée peut avoir différentes causes : le sujet peut souffrir d'une presbyacousie (hypoacousie par vieillissement), d'une fracture du rocher (partie interne de l'os temporal) ou de la maladie de Menière, qui provoque des sifflements et des vertiges. Les bruits émis à plus de 90 décibels (traumatismes sonores) et la prise de médicaments toxiques (antibiotiques du type aminosides, aspirine, diurétiques) peuvent aussi léser la cochlée.

Quand les fibres nerveuses dans le nerf auditif ou sur les voies auditives centrales sont touchées, il faut rechercher principalement un neurinome de l'acoustique (tumeur bénigne du nerf auditif), une infection (méningite cérébrospinale) ou un accident vasculaire (thrombose artérielle ou spasme).

DIAGNOSTIC

Une hypoacousie de perception se diagnostique sur un audiogramme (évaluation en décibels de la perte auditive). Les techniques d'audiométrie supraliminaire (plusieurs tests, dont l'étude du réflexe stapédien) permettent de différencier les atteintes de la cochlée de celles du nerf auditif.

TRAITEMENT

Si l'hypoacousie de perception est due à un neurinome, l'ablation chirurgicale de celui-ci s'impose du fait même de sa situation contre le tronc cérébral. Pour une fracture du rocher, le traitement peut être chirurgical en cas de paralysie faciale ou de communication entre les méninges et l'oreille. L'essentiel du traitement dû à des médicaments toxiques doit être fondé sur la prévention de tels accidents par un emploi juste et contrôlé de ces médicaments. Une prothèse auditive amplificatrice est posée lorsque l'hypoacousie de perception devient socialement gênante (perte auditive supérieure à 30 décibels). La maladie de Menière, une infection ou un accident vasculaire sont traités par des médicaments. Lorsqu'elle est provoquée par un spasme vasculaire aigu de l'artère auditive interne, l'hypoacousie de perception survient brutalement et nécessite un traitement en urgence sous perfusion.

Hypoacousie de transmission

Il s'agit d'une diminution de l'acuité auditive due à une atteinte du conduit auditif externe, de l'oreille externe ou de l'oreille moyenne (qui contient les osselets).

CAUSES ET SYMPTÔMES

Les causes d'une hypoacousie de transmission sont surtout les otites chroniques, qui peuvent affecter le tympan et/ou des osselets, et l'otospongiose (un des osselets, l'étrier, vibre de moins en moins jusqu'à devenir immobile). Les otites aiguës touchent plutôt les enfants et l'otospongiose, les femmes.

DIAGNOSTIC

Une hypoacousie de transmission se diagnostique par un examen acoustique qui se fait à la voix et au diapason (test de Rinne), complété par une otoscopie (examen du tympan avec un petit appareil muni d'une loupe et d'une source lumineuse), par une tympanométrie (mesure de la souplesse du tympan) puis par un audiogramme. L'audiogramme permet de classer l'hypoacousie de transmission, selon sa gravité, en légère, moyenne ou sévère.

TRAITEMENT

Le traitement de l'otite aiguë, fondé sur des médicaments antibiotiques, est parfois accompagné d'une paracentèse. En cas d'otite moyenne aiguë récidivante, le traitement peut comprendre une ablation des végétations (adénoïdectomie), voire la pose d'aérateur transtympanique (yoyo).

Dans les autres cas, le traitement est souvent chirurgical : tympanoplastie (réparation du tympan et/ou des osselets) pour les otites chroniques ou remplacement de l'étrier par une prothèse pour l'otospongiose, sous anesthésie générale et à l'aide d'un microscope (microchirurgie).

Hypoaldostéronisme

Affection caractérisée par une insuffisance de sécrétion d'aldostérone (hormone sécrétée par les glandes corticosurrénales à partir de la progestérone, destinée à réguler le métabolisme du sodium et assurant le maintien du volume sanguin circulant).

■ L'hypoaldostéronisme primitif, le plus fréquent, est lié à l'atteinte directe de la zone glomérulée des glandes corticosurrénales, comme dans le cas de la maladie d'Addison. Il est responsable d'une perte de sodium dans les urines et de la rétention anormale de potassium dans les tissus, entraînant une déshydratation avec des vomissements et une baisse de la tension artérielle. Le diagnostic repose sur le dosage de l'aldostérone dans le sang et les urines, qui montre un taux très bas, contrastant avec un taux sanguin élevé de rénine (hormone produite dans le rein, qui stimule la sécrétion d'aldostérone). Le traitement consiste en l'administration de 9-alpha-fluodrocortisone.

■ L'hypoaldostéronisme secondaire est dû à un défaut de stimulation de la sécrétion d'aldostérone par la rénine. Cette situation peut s'observer lors de traitements par l'héparine ou par les anti-inflammatoires non stéroïdiens, lors de pyélonéphrites chroniques, de néphropathies diabétiques ou goutteuses. Il se produit alors une hyperkaliémie (augmentation du potassium dans le sang), associée à un taux sanguin très bas d'aldostérone et de rénine. Les symptômes sont une déshydratation, accompagnée de vomissements et d'une baisse de la tension artérielle, ainsi que ceux de l'hyperkaliémie (troubles du rythme cardiaque). Le traitement repose sur la restriction des apports alimentaires en potassium, l'utilisation de résines (médicaments qui, par l'échange d'ions, fixent et éliminent le potassium en excès) et de petites doses d'analogues de l'aldostérone (substances chimiquement voisines de l'aldostérone et qui ont les mêmes effets).

Hypocalcémie

Diminution anormale de la calcémie (taux de calcium dans le sang) au-dessous de 2,26 millimoles, soit 90 milligrammes, par litre chez l'adulte, au-dessous de 1,75 millimole, soit 70 milligrammes, par litre chez le nouveau-né.

L'hypocalcémie est due, chez l'adulte, aux maladies digestives avec défaut d'absorption des aliments (intolérance au gluten), à la carence en vitamine D, à l'insuffisance rénale chronique et, chez l'enfant, au rachitisme par carence en vitamine D. Plus rarement, elle est due à une hypoparathyroïdie (insuffisance de la sécrétion de parathormone par les glandes parathyroïdes).

Les hypocalcémies mineures ne produisent pas de signes. Lorsqu'elles sont plus importantes, elles déclenchent des crises de tétanie : picotements ou fourmillements dans les mains, les doigts, autour de la bouche, crampes et accès de contractures musculaires, pouvant se compliquer de convulsions et d'un laryngospasme (spasme du larynx avec gêne respiratoire), surtout chez l'enfant. À long terme, l'hypocalcémie entraîne des troubles neurologiques (tremblement), une cataracte précoce, des anomalies dentaires. Son traitement comprend la prise orale de calcium et de vitamine D. Il nécessite une surveillance régulière du taux de calcium dans le sang et les urines. Les formes sévères imposent une injection de calcium en urgence.

Hypocalciurie

Diminution anormale de la quantité de calcium excrétée dans les urines.

L'hypocalciurie correspond à une excrétion de calcium dans les urines souvent très basse, de 0,1 millimole, soit 4 milligrammes, par 24 heures (pour une valeur normale de 3,75 à 7,5 millimoles, soit entre 150 et 300 milligrammes). Elle s'observe en cas de stéatorrhée (présence d'une quantité excessive de matières grasses dans les selles), d'hypoparathyroïdie (défaut de sécrétion des glandes parathyroïdes), d'affection rénale chronique et, chez l'enfant, en cas de rachitisme. Son traitement est celui de la maladie responsable.

Hypocapnie

Diminution de la concentration de gaz carbonique dans le sang.

Une hypocapnie est due à une élimination excessive de gaz carbonique, signe d'une hyperventilation alvéolaire (augmentation des entrées et des sorties d'air dans les alvéoles pulmonaires). Celle-ci peut être causée par un exercice intense, par certaines maladies (embolie pulmonaire en particulier) mais aussi par des phénomènes nerveux ou liés au comportement et à l'émotivité.

Lorsque l'hypocapnie survient brutalement, elle est responsable d'une alcalose respiratoire (alcalinité sanguine excessive) et peut même entraîner, dans quelques cas exceptionnels, un ralentissement, voire un arrêt, respiratoire. Le traitement de l'hypocapnie relève de sa cause.

Hypocholestérolémiant

→ VOIR Hypolipémiant.

Hypocondre

Région abdominale antérolatérale, située sous les côtes. (P.N.A. *hypocondrium*)

L'hypocondre droit correspond au foie et à la vésicule biliaire et l'hypocondre gauche correspond à la rate, à l'estomac et à l'angle gauche du côlon.

Hypocondrie

Préoccupation excessive de sa propre santé, avec crainte obsédante d'être malade.

L'hypocondrie est un syndrome très répandu. À des degrés divers, on la rencontre chez les anxieux, les déprimés, les psychasthéniques. Dans ses formes graves, elle revêt un caractère délirant et hallucinatoire. Le traitement de l'hypocondrie dépend de la structure psychologique du sujet. Dans la majorité des cas, il associe la prise de sédatifs à des mesures d'hygiène (relaxation, exercice physique) et à une psychothérapie.

Hypoderme

Tissu graisseux situé entre le derme et le tissu cellulaire sous-cutané.

L'hypoderme, parcouru par des vaisseaux sanguins, contient les glandes sudoripares et les racines des poils les plus longs. Il peut être atteint spécifiquement dans certaines maladies immunologiques telles que l'érythème noueux (d'origine surtout tuberculeuse ou streptococcique) ou la périartérite noueuse : on parle alors d'hypodermite. Lorsque seule la graisse est atteinte, on parle de panniculite.

Hypodermite

Inflammation aiguë de l'hypoderme.

Les hypodermites atteignent principalement les vaisseaux de la graisse sous-cutanée, à la différence des panniculites, inflammations qui, elles, n'atteignent que les adipocytes (cellules graisseuses).

Elles peuvent être dues à une sarcoïdose ou à une maladie infectieuse (tuberculose, infection streptococcique, yersiniose, mononucléose infectieuse, lèpre, mycose). Elles se manifestent par l'apparition de nodules sous-cutanés douloureux et rosés, appelés nouures, souvent symétriques sur les jambes. Le traitement des hypodermites est celui de leur cause, associé au repos au lit et aux anti-inflammatoires.

Hypodermose

Affection sous-cutanée furonculeuse ou à tumeurs mobiles, qui atteint surtout les herbivores et rarement l'homme, par ingestion d'œufs de mouche présents sur la peau.

L'hypodermose, forme particulière de myiase, sévit notamment dans les régions d'élevage de bovins, d'ovins et de chevaux.

Les mouches responsables, diverses espèces d'*Hypoderma,* pondent des œufs sur les poils des animaux. Avalés par ceux-ci (ou par l'homme qui a pu, par exemple, caresser les animaux), les œufs éclosent dans l'intestin et libèrent des larves qui circulent dans l'organisme pendant plusieurs mois avant de perforer la peau pour ressortir.

L'hypodermose provoque d'abord une fièvre, une fatigue, un amaigrissement, des poussées d'urticaire et, rarement, des troubles nerveux ou oculaires ainsi qu'une augmentation importante du nombre des cellules éosinophiles (susceptibles d'être colorées en rouge par des colorants acides comme l'éosine) présentes dans le sang. Lorsque les larves se trouvent sous la peau et s'apprêtent à sortir, elles font apparaître des tuméfactions mobiles et douloureuses ou des pseudofuroncles.

Il n'existe pas de traitement médical très efficace contre la migration des larves dans l'organisme. Il est possible de les extraire au moment où elles se trouvent sous la peau et forment des tuméfactions. Un anesthésique local est susceptible de calmer les douleurs. La guérison intervient lorsque les larves ont quitté l'organisme.

Il n'existe pas de moyens de prévention réellement efficaces.
→ VOIR Myiase.

Hypogastre

Partie centrale du bas de l'abdomen, située sous l'ombilic et entourée par les fosses iliaques. (P.N.A. *regio pubica*)

L'hypogastre renferme essentiellement l'intestin grêle. On peut y palper l'utérus à partir du milieu de la grossesse ainsi que la vessie lorsqu'elle est trop pleine, notamment en cas de rétention aiguë d'urines. Des douleurs de l'hypogastre se rencontrent lors de maladies gynécologiques (salpingite) ou de maladies vésicales (rétention vésicale).

Hypoglycémiant

Substance capable de diminuer le taux de glucose dans le sang (glycémie).

L'effet hypoglycémiant est souvent un effet indésirable d'une substance (essentiellement l'alcool). En revanche, des médicaments hypoglycémiants, comme l'insuline ou les antidiabétiques oraux, sont utilisés pour traiter le diabète (maladie où la glycémie est augmentée).

■ **Les antidiabétiques oraux** comprennent les sulfamides hypoglycémiants (glibenclamide, glibornuride, gliclazide, etc.) et les biguanides (metformine). Ils sont indiqués au cours des diabètes non insulinodépendants, quand le régime alimentaire est insuffisant. Il existe de nombreuses contre-indications, variables selon les produits (insuffisance rénale, hépatique, cardiaque ou respiratoire ; alcoolisme ; grossesse), et des interactions (alcool, anti-inflammatoires, etc.). La prise d'antidiabétiques oraux impose une surveillance étroite en raison des effets indésirables, qui peuvent être graves : hypoglycémie avec les sulfamides, acidose lactique (excès d'acide lactique dans l'organisme) avec les biguanides.

■ **L'insuline** est indiquée principalement au cours du diabète insulinodépendant. Vitale dans ce cas, elle est administrée par injection sous-cutanée.

Hypoglycémie

Diminution anormale et importante de la glycémie (taux de glucose sanguin) au-dessous de 2,4 millimoles, soit 0,45 gramme, par litre.

Une absorption de sucre trop importante et trop rapide peut provoquer une sécrétion excessive d'insuline, à son tour responsable d'une hypoglycémie dite fonctionnelle ; celle-ci survient après les repas, jamais à jeun. Les hypoglycémies organiques (dues à une lésion d'un organe), plus rares, s'observent en cas d'insulinome (tumeur du pancréas sécrétant de l'insuline) ou d'insuffisance surrénale. Elles surviennent à jeun, à distance des repas ou lors d'exercices physiques importants. Enfin, une hypoglycémie peut être due à une intoxication par un médicament (insuline, sulfamides, dextropropoxyphène, aspirine à fortes doses) ou par une absorption excessive d'alcool.

Une hypoglycémie se traduit par des palpitations, des sueurs, une sensation de faim impérieuse, une pâleur, des difficultés de concentration intellectuelle, des troubles de l'humeur et du caractère, des tremblements et des troubles visuels. Plus rarement, elle peut provoquer des troubles de la conscience, voire un coma.

TRAITEMENT

Il repose le plus souvent sur la prise de sucre, sous forme d'aliments sucrés pour les simples malaises ou de glucose par voie intraveineuse dès que l'on constate des troubles de la conscience ; on peut aussi employer le glucagon par voie intramusculaire ou sous-cutanée. Si l'hypoglycémie est due à une maladie, celle-ci doit être traitée. Les hypoglycémies fonctionnelles ont un traitement particulier : fractionnement de l'alimentation en petits repas et suppression des aliments sucrés.

Hypogonadisme

Affection caractérisée par une insuffisance de fonctionnement des gonades (testicules chez l'homme, ovaires chez la femme).

DIFFÉRENTS TYPES D'HYPOGONADISME

L'hypogonadisme peut être congénital ou acquis. En outre, le déficit hormonal peut consister en un défaut soit de la production hypothalamique de gonadolibérine, soit de la production hypophysaire de gonadotrophines, c'est-à-dire des hormones folliculostimulante et lutéinisante, soit encore de la production gonadique d'œstrogènes, de progestérone et de testostérone.

■ Les hypogonadismes congénitaux sont des maladies très rares. L'hypogonadisme hypogonadotrophique congénital (syndrome de Kallman-De Morsier) est dû à un déficit en gonadolibérine (GnRH). La puberté ne survient pas à l'âge habituel. L'absence d'hormones sexuelles (œstradiol ou testostérone) empêche l'apparition des caractères sexuels secondaires (seins, pilosité, mue de la voix) et entraîne une infertilité. L'hypogonadisme hypergonadotrophique (avec augmentation des gonadotrophines) est dû à une anomalie des gonades. Les cas les plus fréquents sont les syndromes de Turner et de Klinefelter. Dans ces cas, les gonadotrophines hypophysaires (hormones folliculostimulante et lutéinisante) augmentent normalement lors de la puberté et stimulent les gonades, mais les ovaires ou les testicules, anormaux, ne produisent pas d'hormones sexuelles.

■ Les hypogonadismes acquis peuvent résulter d'une tumeur (adénome), d'une maladie (hyperprolactinémie) ou d'une irradiation de la zone hypothalamohypophysaire. Ils entraînent une perte des caractères sexuels secondaires et une infertilité.

DIAGNOSTIC ET TRAITEMENT

Le diagnostic repose sur le bilan hormonal avec dosage des hormones stéroïdes urinaires dérivées des hormones sexuelles et des hormones hypophysaires (hormones folliculostimulante et lutéinisante).

Le traitement se substitue à la sécrétion physiologique, mais sans permettre, en général, la fécondité. Chez la femme, les œstrogènes et des dérivés de la progestérone sont administrés de façon cyclique par voie orale, percutanée ou vaginale. Chez l'homme, le remplacement de la testostérone se fait par voie injectable ou orale. Le traitement de l'infertilité n'est possible que dans les cas d'hypogonadisme hypogonadotrophique congénital, par administration de gonadolibérine, de gonadotrophines ou d'hormones sexuelles en fonction de la localisation du déficit.

Hypokaliémiant

Substance capable de diminuer la kaliémie (taux de potassium dans le sang).

Les hypokaliémiants servent à traiter les hyperkaliémies (augmentation du taux de potassium dans le sang). En cas d'hyperkaliémie modérée, des résines « échangeuses d'ions » (polystyrènes) sont administrées par voie orale ; elles échangent dans l'intestin leur ion calcium ou leur ion sodium contre un ion potassium, empêchant ainsi l'absorption du potassium dans l'organisme. Dans les hyperkaliémies sévères, les solutions alcalines (basiques) comme le bicarbonate de sodium sont indiquées et administrées en perfusion dans un service hospitalier de réanimation. Les résines hypokaliémiantes, très bien tolérées, peuvent parfois provoquer une constipation et, en cas de surdosage, une hypokaliémie. Certains diurétiques, surtout de la famille des thiazidiques, sont hypokaliémiants par augmentation de l'élimination urinaire du potassium.

Hypokaliémie

Diminution de la kaliémie (taux de potassium dans le plasma) au-dessous de 3,5 millimoles par litre.

Une hypokaliémie est le plus souvent due à des pertes digestives de potassium, par diarrhée prolongée, vomissements répétés ou abus de laxatifs irritants, mais elle peut aussi être provoquée par la prise de médicaments diurétiques hypokaliémiants, par une maladie hormonale (hyperaldostéronisme, hypercorticisme), une alcalose (alcalinité excessive des liquides de l'organisme). Une hypokaliémie se manifeste surtout par des troubles neuromusculaires, allant de la faiblesse à la paralysie musculaires, et, lorsqu'elle est importante, par des troubles du rythme cardiaque, parfois avec perte de connaissance, plus rarement par des paralysies. Le traitement est un régime alimentaire riche en potassium (légumes, fruits, viandes), au besoin complété par des comprimés, voire par des perfusions, de sels de potassium.

Hypolipémiant

Médicament capable de diminuer une hyperlipidémie (augmentation du taux des lipides dans le sang). SYN. *hypocholestérolémiant, hypolipidémiant, normolipémiant.*

Tous les médicaments hypolipémiants sont actifs, quel que soit l'âge du patient, contre l'excès de cholestérol ; certains d'entre eux sont actifs également contre l'excès de triglycérides (inhibiteurs de l'HMG-CoA réductase, fibrates, tiadénol). Ils se prennent tous par voie orale.

DIFFÉRENTS TYPES D'HYPOLIPÉMIANT

Les hypolipémiants peuvent être classés, selon leurs différents modes d'action, en 4 groupes de produits.

■ **Les fibrates** (ciprofibrate, clofibrate, fénofibrate, gemfibrozil) stimulent la destruction des lipides dans les vaisseaux sanguins et inhibent la synthèse du cholestérol par le foie. Ils sont incompatibles avec les anticoagulants du groupe des antivitamines K car ils augmentent leur action. Contre-indiqués en cas de grossesse et d'insuffisance hépatique, ils provoquent parfois l'apparition de calculs biliaires mais sont bien tolérés dans l'ensemble.

■ **Les inhibiteurs de l'HMG-CoA réductase** (pravastatine, simvastatine) empêchent l'action d'une enzyme intervenant dans la synthèse du cholestérol à partir d'une substance appelée acétyl-coenzyme A (ou acétyl-CoA). Ils sont bien tolérés.

■ **Les résines échangeuses d'ions** (cholestyramine) bloquent le passage des acides biliaires dans le sang par la paroi intestinale. Les acides biliaires contiennent beaucoup de cholestérol ; une réduction de leur concentration dans le sang incite le foie à transformer une plus grande quantité de cholestérol en acides biliaires, entraînant ainsi une réduction de la quantité de cholestérol dans le sang. Les résines sont incompatibles avec de nombreux médicaments pris par voie orale (aspirine, antivitamines K, digitaliques, phénobarbital, etc.) car elles empêchent leur absorption dans le sang. Ces résines peuvent entraîner une constipation.

■ **Le probucol et le tiadénol** ont un mécanisme d'action mal connu et sont moins actifs que les produits précédents. Le probucol est contre-indiqué en cas de grossesse et le tiadénol, en cas d'insuffisance rénale ou hépatique.

Sauf dans certaines hyperlipémies majeures ou familiales, où ils sont prescrits d'emblée, les médicaments hypolipémiants ne le sont qu'après essai infructueux d'un régime alimentaire pauvre en lipides ; ce régime est alors poursuivi en même temps que le traitement.

Hypomanie

État d'excitation passager ou durable se manifestant par une hyperactivité, une humeur exubérante et un flot de paroles.

L'hypomanie se rencontre chez les sujets hypersociables. En tant que manifestation transitoire, elle peut correspondre à la phase expansive de la cyclothymie ou, également, représenter une forme atténuée de la phase de manie dans la psychose maniacodépressive. Enfin, elle peut être due à certaines intoxications (alcool, psychostimulants, corticostéroïdes).

Hypomélanose

Diminution anormale, locale ou généralisée, de la pigmentation de la peau par diminution de la quantité de mélanine qu'elle contient.

Les hypomélanoses sont parfois d'origine génétique, comme l'albinisme ou le piébaldisme (mèche de cheveux frontale blanche). Elles peuvent aussi être acquises : agression par la chaleur, le froid ou une substance chimique, maladie de peau (psoriasis, eczéma), infection (lèpre, syphilis, pityriasis versicolor), maladie hormonale (diabète), carence alimentaire. Le seul traitement est celui de la cause, lorsqu'il est possible.

Hypomélanose idiopathique en gouttes

Dépigmentation cutanée de l'adulte, de cause inconnue.

L'hypomélanose idiopathique en gouttes atteint surtout la femme entre 30 et 40 ans.

Bénigne, elle se traduit par l'apparition sur les jambes et les avant-bras de taches blanches de quelques millimètres de diamètre. Cette anomalie semble être la conséquence d'expositions solaires multiples et nécessite donc un traitement préventif très strict par protection à l'aide d'une crème solaire de type écran total.

Hyponatrémie

Diminution de la natrémie (taux de sodium dans le plasma) à une valeur inférieure à 135 millimoles par litre.

Une hyponatrémie traduit une hyperhydratation, elle-même due à une rétention d'eau (insuffisance rénale, insuffisance cardiaque, cirrhose hépatique, hypersécrétion d'hormone antidiurétique) ou à des pertes en sodium (pertes digestives par vomissements ou diarrhée, pertes cutanées par brûlures ou insuffisance surrénalienne) ; en outre, les hyperlipidémies et les hyperprotéinémies sévères, en entraînant une augmentation importante du volume plasmatique, peuvent provoquer de fausses hyponatrémies.

Une hyponatrémie peut provoquer des troubles digestifs (dégoût de l'eau puis nausées et vomissements) ou surtout neurologiques (allant de la simple confusion mentale au coma). Son traitement dépend de l'affection en cause.

Hypoparathyroïdie

Affection caractérisée par un déficit en parathormone (hormone sécrétée par les glandes parathyroïdes et augmentant le taux sanguin de calcium en favorisant son absorption intestinale).

CAUSES

La cause la plus fréquente de l'hypoparathyroïdie est la chirurgie thyroïdienne. En effet, les 4 glandes parathyroïdes sont attachées à la face postérieure de la glande thyroïdienne et sont même parfois incluses dans la paroi thyroïdienne ; en cas d'ablation totale de la glande thyroïde, l'ablation accidentelle ou la dévascularisation des parathyroïdes peut entraîner un déficit total et permanent en parathormone. Plus rarement, la chirurgie destinée à corriger une hyperparathyroïdie provoque une hypoparathyroïdie. L'hypoparathyroïdie peut également être due à un déficit en magnésium, lui-même causé par une mauvaise absorption ou par un défaut d'apport de cette substance.

Beaucoup plus rare est l'hypoparathyroïdie idiopathique (sans cause connue), à propos de laquelle on évoque un mécanisme auto-immun.

SYMPTÔMES ET SIGNES

Le déficit en parathormone entraîne une diminution du calcium et une augmentation du phosphore dans le sang. Une hypoparathyroïdie se caractérise par des accès de tétanie, l'apparition progressive d'une cataracte et de troubles cutanés (sécheresse de la peau). Dans les cas d'hypoparathyroïdie idiopathique, les symptômes surviennent au cours de l'enfance. Cette maladie peut être associée à une maladie d'Addison, à une hypothyroïdie, à un hypogonadisme, à un diabète sucré ou à une maladie de Biermer, qui sont également des affections auto-immunes.

TRAITEMENT

L'hypoparathyroïdie exige un traitement à vie, qui repose sur l'absorption de vitamine D et de calcium, sauf pour l'hypoparathyroïdie par déficit en magnésium, qui est corrigée par l'apport de magnésium.

Hypopharynx

Partie inférieure du pharynx. (P.N.A. *cavum pharyngis, pars laryngea*)

L'hypopharynx est situé entre l'oropharynx (au fond de la bouche), en haut, et l'œsophage, en bas, et se trouve juste en arrière du larynx. Il comprend deux parties latérales, appelées sinus piriformes, et une partie médiane. L'hypopharynx peut être observé lors d'un examen clinique effectué par un O.R.L., voire parfois en introduisant par le nez un fibroscope (tube souple muni d'un système optique et d'un éclairage) sous anesthésie locale. Le signe caractéristique des maladies du pharynx est une gêne ou une douleur ressenties au moment de la déglutition. La pathologie de l'hypopharynx est représentée surtout par le cancer, dont les causes essentielles sont les intoxications alcoolique et tabagique.

Hypophyse

Petite glande endocrine (sécrétant des hormones) reliée à la partie antérieure du cerveau. SYN. *glande pituitaire*. (P.N.A. *hypophysis*)

DESCRIPTION

L'hypophyse est située sous l'hypothalamus, auquel elle est appendue par une petite tige, la tige pituitaire. Elle repose dans la selle turcique (petite cavité médiane de l'os sphénoïde). Au-dessus et en avant de l'hypophyse se trouve le chiasma optique, contenant des fibres nerveuses venues des deux rétines. La structure interne de l'hypophyse se compose de deux portions, séparées l'une de l'autre et fonctionnant indépendamment : l'antéhypophyse en avant et la posthypophyse en arrière.

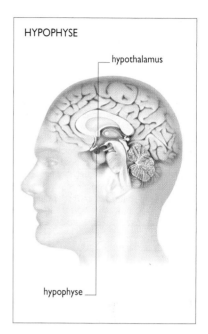

HYPOPHYSE

hypothalamus

hypophyse

FONCTIONNEMENT

L'antéhypophyse produit 5 hormones appelées stimulines : la thyréotrophine, ou TSH, la corticotrophine, ou A.C.T.H., les gonadotrophines (FSH et LH) et la somatotrophine, ou STH (responsable de la croissance chez l'enfant). Ces sécrétions sont elles-mêmes commandées par des hormones de l'hypothalamus. L'antéhypophyse sécrète aussi la prolactine (responsable de la lactation chez la femme). La posthypophyse sert de lieu de stockage provisoire à deux hormones de l'hypothalamus, l'hormone antidiurétique, ou ADH (qui empêche l'eau d'être éliminée par le rein quand il n'y en a pas assez dans l'organisme), et l'ocytocine (qui stimule les contractions de l'utérus chez la femme pendant l'accouchement).

EXAMENS

Pour étudier l'hypophyse, on pratique des dosages sanguins des hormones et des examens radiologiques (scanner, imagerie par résonance magnétique). Une radiographie du crâne peut mettre en évidence un agrandissement de la selle turcique, signe de tumeur.

PATHOLOGIE

L'hypophyse peut être le siège de tumeurs, en général bénignes (adénome de l'hypophyse, craniopharyngiome). Une tumeur peut sécréter exagérément des hormones (hyperprolactinémie avec sécrétion de lait par le sein, acromégalie due à la somatotrophine avec hypertrophie des organes) ; à l'inverse, une tumeur ne produisant pas de sécrétions (adénome chromophobe) peut provoquer une diminution des sécrétions normales - ce que l'on appelle un hypopituitarisme - ou une insuffisance antéhypophysaire, cause de retards de croissance et de déficits en hormones sexuelles. L'hypophyse, lorsqu'elle est le siège d'une tumeur, peut aussi comprimer le chiasma optique et provoquer une hémianopsie bitemporale : le sujet ne voit plus sur les côtés, comme s'il avait des œillères. Le traitement des tumeurs hypophysaires est l'hypophysectomie (ablation de l'hypophyse), par voie transcrânienne ou transnasale, et la radiothérapie.

Hypophysectomie

Ablation chirurgicale de l'hypophyse.

L'hypophysectomie est indiquée en cas de tumeur de l'hypophyse (glande endocrine située à la base du cerveau). Cette intervention neurochirurgicale est faite soit par voie crânienne (volet frontal droit en général), soit par les fosses nasales. L'hypophysectomie a des conséquences endocriniennes : le malade est atteint d'hypopituitarisme (insuffisance de sécrétion des hormones normalement commandées par l'hypophyse) et doit donc prendre à vie un traitement substitutif : glucocorticostéroïdes, hormones thyroïdiennes, œstrogènes (chez la femme) ou androgènes (chez l'homme).

Hypopion

Suppuration dans la chambre antérieure de l'œil, entre la cornée et l'iris.

Un hypopion est une manifestation localisée d'endophtalmie (suppuration intraoculaire), quelle qu'en soit l'origine. Il se rencontre également au cours d'uvéites (inflammation de la tunique vasculaire de l'œil, située entre la choroïde et l'iris), notamment dans la maladie de Behçet. Plus rarement, il peut accompagner certaines tumeurs de l'œil comme les rétinoblastomes.

Un hypopion se manifeste par un niveau horizontal blanc jaunâtre, visible à travers l'œil. Si l'épanchement recouvre la pupille, il crée une gêne visuelle. Le diagnostic est clinique. Une ponction de la chambre antérieure de l'œil confirme le diagnostic et peut révéler quel germe est en cause. Cette affection est traitée par l'administration d'antibiotiques, par voie générale ou locale.

Hypopituitarisme

Affection caractérisée par un déficit global en hormones hypophysaires, essentiellement celles de l'antéhypophyse (corticotrophine, thyréostimuline, somathormone, gonadotrophines et prolactine). SYN. *insuffisance hypophysaire*.

Ce déficit peut atteindre l'ensemble des sécrétions de l'hypophyse (panhypopituitarisme) ou concerner seulement certaines sécrétions (hypopituitarisme dissocié).

L'hypopituitarisme est une maladie rare, dont les causes sont diverses.

CAUSES

La plupart des hypopituitarismes sont acquis. Ils succèdent habituellement à une tumeur ou à une irradiation de l'hypothalamus et de l'hypophyse, à une hémochromatose (surcharge de fer dans l'organisme) ou à un syndrome de Sheehan (nécrose de l'antéhypophyse d'origine vasculaire). La forme congénitale est très rare, souvent marquée par un déficit isolé en somathormone (hormone de croissance), et de cause inconnue.

SYMPTÔMES ET SIGNES

Ils s'installent très progressivement, ce qui rend le diagnostic parfois long à établir.

Le sujet est pâle et fatigable. Les zones normalement pigmentées (mamelons, organes génitaux) se décolorent progressivement. La peau devient fine et ridée, froide et sèche. Les cheveux prennent un aspect fin et soyeux ; le système pileux diminue, avec disparition de la barbe chez l'homme, des poils du pubis et des aisselles pour les deux sexes. Chez l'enfant, on observe une cassure de la courbe de croissance et un arrêt ou une absence du développement pubertaire. Chez la femme, l'hypopituitarisme entraîne une absence de règles. Sur le plan psychique, il apparaît souvent un ralentissement intellectuel, parfois des troubles de la mémoire et toujours une perte de la libido. L'hypopituitarisme s'accompagne d'une hypotension artérielle et d'un ralentissement du rythme cardiaque.

DIAGNOSTIC ET ÉVOLUTION

Les examens biologiques montrent une anémie (diminution de la quantité d'hémoglobine dans le sang) et une hypoglycémie (baisse du taux de glucose dans le sang). Les examens hormonaux décèlent un déficit en hormones antéhypophysaires et un déficit associé en hormones thyroïdiennes, corticosurrénaliennes et gonadiques, qui ne sont plus stimulées. Des examens radiologiques et l'étude du champ visuel sont nécessaires pour rechercher une compression des voies optiques cérébrales par une tumeur.

Non traité, l'hypopituitarisme peut s'aggraver brutalement à l'occasion d'un stress, d'une infection ou d'un acte chirurgical, par exemple. La phase aiguë se traduit par une hypoglycémie, une hypotension artérielle, une diminution de la température corporelle et des troubles de la conscience pouvant aller jusqu'au coma profond.

TRAITEMENT

Il consiste à remplacer les hormones manquantes par des médicaments : thyroxine, hydrocortisone, 9-alpha-fludrocortisone et hormones sexuelles (œstroprogestatifs ou testostérone) ou gonadotrophines (hormones folliculostimulante et lutéinisante). Une tumeur hypophysaire doit être opérée ou irradiée.

Hypoplaquettose

→ VOIR Thrombopénie.

Hypoplasie

Développement insuffisant d'un tissu ou d'un organe. SYN. *hypoplastie*.

L'hypoplasie, souvent d'origine congénitale, se traduit notamment par la diminution de la taille, du poids et du volume d'un organe, comme dans le cas de l'hypoplasie rénale, qui peut affecter les deux reins.

L'hypoplasie dentaire intervient lors de la calcification des tissus dentaires et se traduit par un manque de dentine ou d'émail.

Hypoplasie cardiaque

Développement insuffisant d'une oreillette et/ou d'un ventricule du cœur.

CAUSES

Une hypoplasie cardiaque a pour origine une malformation du fœtus. C'est presque toujours une atrophie de l'oreillette et/ou du ventricule gauches. Elle est généralement associée à une atrésie mitrale (absence de communication entre l'oreillette et le ventricule gauches).

SIGNES ET DIAGNOSTIC

Si le fœtus vient à terme, une grande défaillance cardiaque et circulatoire s'installe dans les quelques jours suivant la naissance. In utero, l'hypoplasie cardiaque est décelable à l'échographie.

ÉVOLUTION

La survie du nouveau-né n'est possible que si le sang rouge, qui arrive dans l'oreillette gauche par les veines pulmonaires, peut gagner l'oreillette droite par l'auricule (prolongement de l'oreillette) et se mélanger avec le sang bleu arrivant par les veines caves. Ce phénomène est malheureusement exceptionnel et l'hypoplasie cardiaque ainsi que l'atrésie mitrale entraînent presque toujours la mort en quelques jours.

TRAITEMENT

Des tentatives de correction chirurgicale ont permis de sauver quelques nouveau-nés, mais la transplantation cardiaque est le seul traitement actuel capable de guérir l'enfant. Cependant, on ne sait encore ce que donnent à long terme ces transplantations chez des nourrissons.

Hypoprotéinémie

Diminution anormale de la protéinémie (taux de protéines dans le sang) au-dessous de 60 grammes par litre.

Une hypoprotéinémie peut être due à une carence alimentaire en protéines (kwashiorkor), à une maladie digestive diminuant l'absorption des aliments (intolérance au gluten), à une insuffisance de la synthèse des protéines (insuffisance hépatique sévère) ou encore à une fuite des protéines (par hémorragie, brûlures étendues, abus de laxatifs irritants, ou en raison d'un syndrome néphrotique). Elle se manifeste par une fonte des muscles et l'apparition d'œdèmes. Son traitement est celui de la maladie en cause.

Hyposialie

Diminution de la production de salive.

→ VOIR Asialie.

Hypospadias

Malformation congénitale dans laquelle le méat urétral (orifice externe de l'urètre) est situé sur la face inférieure de la verge.

Une malformation du prépuce, absent sur la face antérieure, est toujours associée à l'hypospadias.

Le méat urétral peut s'ouvrir à différents niveaux de l'urètre. L'hypospadias est dit balanique quand il s'ouvre sous le gland, pénien quand il s'ouvre au milieu du pénis et pénoscrotal quand il s'ouvre à l'angle du pénis et du scrotum.

TRAITEMENT

Le traitement de l'hypospadias consiste à reconstruire chirurgicalement l'urètre en utilisant la peau du prépuce, du pénis ou du scrotum pour replacer le méat urétral le plus près possible du gland. Cette opération, pratiquée de préférence avant le début de la scolarisation, peut se dérouler en plusieurs temps. La malformation est d'autant plus grave et difficile à traiter que le méat urétral s'ouvre près de la vessie.

Hypotension artérielle

Diminution de la tension artérielle.

L'hypotension artérielle est caractérisée par l'abaissement de la pression systolique au-dessous de 10 centimètres de mercure. Certaines personnes ayant un système cardiovasculaire normal ont cependant une tension artérielle inférieure à la moyenne (celle-ci étant relative à chaque âge de la vie). Le terme d'hypotension artérielle est en général réservé aux cas où la tension artérielle chute au point d'entraîner des symptômes tels que des étourdissements ou des évanouissements.

CAUSES

Une hypotension artérielle s'observe chez de grands malades très amaigris, atteints de dénutrition, alités ou déconditionnés à l'effort. Une hypotension aiguë (survenant brutalement) peut être due à de graves blessures ou à une hémorragie interne avec perte de sang importante entraînant une baisse du volume sanguin circulant, à une déshydratation importante, à une intoxication aiguë (alcool, par exemple) ou à un état de choc. Un infarctus du myocarde, une maladie infectieuse, une allergie majeure (piqûre d'insecte, morsure de serpent, voire médicament) peuvent en être responsables. L'insuffisance surrénalienne aiguë en est une cause rare.

Hypotension orthostatique

C'est un syndrome clinique caractérisé par une impression de vertige et un obscurcissement de la vision, parfois suivis de syncope, et accompagné d'une chute de tension d'au moins 20 millimètres de mercure, survenant au passage de la position couchée à la position debout.

L'affection est attribuée à un trouble de la régulation de la pression artérielle, fonctionnel ou organique.

L'hypotension orthostatique est souvent un effet secondaire d'un traitement par des antidépresseurs ou des antihypertenseurs (utilisés dans le traitement de l'hypertension artérielle). Elle peut survenir aussi chez les diabétiques qui souffrent de lésions du système nerveux autonome perturbant les réflexes qui contrôlent la pression sanguine. Enfin, il peut s'agir d'une affection autonome d'origine inconnue, la maladie de Shy-Drager, survenant habituellement après la cinquantaine, plus souvent chez l'homme.

TRAITEMENT

Si l'hypotension est consécutive à la prise de médicaments, il suffit souvent d'en modifier le dosage pour la corriger. Si la cause est une maladie, un diabète sucré par exemple, le traitement dépend de celle-ci. Si la cause est inconnue, la phényléphrine donne habituellement de bons résultats. Ce traitement doit être poursuivi longtemps. En cas d'hypotension orthostatique au lever, il est conseillé de rester assis de 5 à 10 secondes avant de prendre la position debout.
→ VOIR Shy-Drager (maladie de).

Hypothalamique (hormone)

Hormone sécrétée par l'hypothalamus et destinée à réguler la production des hormones hypophysaires.
→ VOIR Hypothalamus.

Hypothalamus

Région centrale du diencéphale située à la base du cerveau, sous les thalamus et au-dessus de l'hypophyse, qui lui est reliée par une tige, la tige pituitaire. (P.N.A. *hypothalamus*)

L'hypothalamus assure un double rôle de contrôle des sécrétions hormonales hypophysaires et de contrôle de l'activité du système nerveux végétatif.

FONCTIONNEMENT

L'hypothalamus sécrète deux hormones qui sont stockées dans l'hypophyse avant d'être libérées dans le sang : l'hormone antidiurétique, ou vasopressine, qui empêche l'eau de l'organisme d'être perdue en trop grande quantité dans les urines, et l'ocytocyne, qui stimule les contractions utérines au cours de l'accouchement.

L'hypothalamus sécrète aussi des libérines, hormones contrôlant les sécrétions de l'antéhypophyse : la corticolibérine (ou CRF, *corticotrophin releasing factor* [facteur de libération de la corticotrophine]), qui agit sur la sécrétion de corticotrophine ; la thyréolibérine (ou TRH, *thyrotrophin releasing hormone* [hormone de libération de la thyréostimuline]), qui agit sur la sécrétion de thyréostimuline ; la gonadolibérine (encore appelée GnRH, *gonadotrophin releasing hormone* [hormone de libération des gonadotrophines], ou LH-RH, *luteinizing releasing hormone* [hormone de libération de l'hormone lutéinisante]), qui agit sur la sécrétion des gonadotrophines ; la somatocrinine (ou GH-RH, *growth hormone releasing hormone* [hormone de libération de la somathormone]) et la somatostatine (ou GH-RIH, *growth hormone releasing inhibiting hormone* [hormone inhibant la libération de la somathormone]), qui agissent sur la sécrétion de somathormone (hormone de croissance). Enfin, la dopamine, partiellement sécrétée par l'hypothalamus, contrôle la sécrétion de prolactine et celle des catécholamines (adrénaline, noradrénaline), dont elle est le précurseur. La sécrétion des hormones hypothalamiques (sauf de la dopamine) est soumise à un phénomène de rétrocontrôle exercé par les hormones hypophysaires correspondantes.

L'autre rôle de l'hypothalamus consiste à agir sur le fonctionnement des viscères (vie végétative), par exemple en intervenant sur le rythme cardiaque ou respiratoire. L'hypothalamus contrôle aussi les sensations de faim et de satiété, et donc les prises alimentaires, ainsi que la thermorégulation (ensemble des systèmes maintenant la température du corps dans les limites normales).

PATHOLOGIE

La pathologie de l'hypothalamus est liée à celle de l'hypophyse et peut se traduire par des troubles divers du fonctionnement hormonal. L'atteinte de l'hypothalamus par une tumeur ou une irradiation thérapeutique provoque un arrêt des sécrétions hypothalamiques et, par suite, l'interruption des sécrétions hypophysaires – excepté celle des sécrétions de la prolactine. En effet, la prolactine est freinée en permanence par la dopamine hypothalamique : la levée du frein dopaminergique entraîne une hyperprolactinémie modérée.

Les symptômes révélateurs d'un arrêt des sécrétions hypothalamiques sont liés à la taille de la tumeur (maux de tête, troubles du champ visuel, déficit neurologique) ou au déficit hormonal (symptômes d'un hypopituitarisme [insuffisance hypophysaire] tels que pâleur, asthénie, absence de règles, dépilation). Des dosages hormonaux et des examens radiologiques (scanner ou imagerie par résonance magnétique) sont nécessaires pour préciser l'origine des troubles.

Le traitement est rarement chirurgical lorsque l'atteinte hypothalamique est importante, mais plutôt médicamenteux ou radiothérapique. Dans tous les cas, un traitement hormonal substitutif est nécessaire pour corriger l'hypopituitarisme.

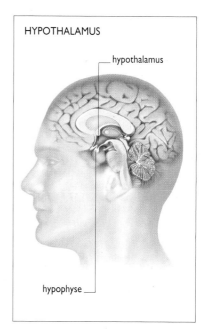

HYPOTHALAMUS

hypothalamus

hypophyse

Hypothénar

Saillie située à la partie interne de la paume de la main, contenant les muscles qui assurent la motricité de l'auriculaire. (P.N.A. *hypothenar*)

Hypothermie

1. Abaissement de la température du corps au-dessous de 35 °C.

On distingue les hypothermies modérées (de 35 à 32 °C), graves (de 32 à 26 °C) et majeures (au-dessous de 26 °C).

L'hypothermie résulte d'une défaillance des systèmes physiologiques de lutte contre le froid chez les sujets fragiles (enfants, vieillards vivant dans des maisons mal chauffées) ou d'une exposition au froid prolongée jusqu'à l'épuisement des mécanismes de défense (naufrage, noyade, sujets sans domicile en hiver, etc.). On la rencontre également chez des personnes intoxiquées (barbituriques ou alcool), l'intoxication inhibant les mécanismes de défense contre le froid. Pendant une infection, une hypothermie peut parfois succéder à une hyperthermie aiguë ou même la remplacer ; c'est un signe de gravité nécessitant le contrôle de la tension artérielle.

SYMPTÔMES ET SIGNES
Les hypothermies accidentelles modérées s'accompagnent d'intenses frissons constituant un moyen de défense de l'organisme par production de chaleur. Au cours des hypothermies majeures, la chute de la température est responsable de troubles de la conscience, voire d'un coma, d'une dépression respiratoire, d'un ralentissement de la fréquence cardiaque et d'une chute progressive de la pression artérielle avec diminution du débit cardiaque. Les cas les plus graves simulent la mort (absence totale de réactions, arrêt de la respiration, rythme cardiaque extrêmement ralenti).

TRAITEMENT
En dehors du traitement d'une cause éventuelle et de mesures liées aux symptômes (oxygénation, ventilation artificielle en cas de coma et d'hypothermie sévère, perfusions, etc.), le traitement est fondé sur le réchauffement externe (couverture, chauffante ou non) ou interne (réchauffement de l'air administré par respirateur artificiel, perfusions tièdes, etc.), qui doit être entrepris d'autant plus prudemment que l'hypothermie a été profonde et prolongée.

PRÉVENTION
À titre préventif, la température des habitations dans lesquelles vivent les personnes âgées ne doit pas être inférieure à 18 °C et celles-ci doivent consommer des repas chauds. Par temps froid, il faut couvrir les enfants et ne pas les laisser exposés immobiles au froid (prohiber le transport à dos de skieur, par exemple).
2. Abaissement provoqué de la température du corps au-dessous de sa valeur normale lors de certaines interventions chirurgicales.

En chirurgie à cœur ouvert et en chirurgie cérébrale, l'hypothermie permet, durant l'anesthésie, de réduire les besoins en oxygène de l'organisme et d'interrompre momentanément la circulation sanguine.

Hypothyroïdie
Affection caractérisée par un déficit en hormones thyroïdiennes (thyroxine et triiodothyronine).

L'hypothyroïdie est assez fréquente chez l'adulte d'un certain âge et touche davantage la femme que l'homme.

CAUSES
L'hypothyroïdie a trois causes principales. D'abord, le tissu thyroïdien peut être absent (ablation de la thyroïde ; très rarement, absence congénitale de celle-ci) ou devenu improductif après une irradiation du cou ; encore plus souvent, il s'agit d'une thyroïdite de Hashimoto. Ensuite, le tissu thyroïdien, normal, peut ne pas être stimulé suffisamment par la thyréostimuline (ou TSH, hormone hypophysaire qui stimule la production des hormones thyroïdiennes) en raison d'une atteinte de l'hypothalamus ou de l'hypophyse. Enfin, le tissu thyroïdien est parfois insuffisamment productif par déficit en aliments iodés, fréquent dans le monde, ou par bloc enzymatique thyroïdien (absence d'une enzyme, qui empêche la formation des hormones thyroïdiennes).

SYMPTÔMES ET SIGNES
L'hypothyroïdie du nouveau-né n'existe plus dans les pays développés car un dépistage systématique est réalisé à la naissance et le déficit thyroïdien est traité avant qu'un retard psychomoteur ne s'installe. Chez l'adulte, l'hypothyroïdie, ou myxœdème, apparaît de façon progressive : épaississement de la peau du visage et du cou, teint pâle, cireux, paume des mains parfois orangée. La peau est sèche et froide (hypothermie à l'origine d'une frilosité), les cheveux sont secs et cassants et les sourcils, clairsemés, perdent leur pointe. Ces signes s'accompagnent d'une prise de poids variable, d'une constipation et d'un épaississement des muqueuses qui provoque une raucité de la voix et une diminution de l'acuité auditive. L'hypothyroïdie peut entraîner la formation d'un goitre. Sur le plan psychique apparaissent un ralentissement intellectuel, des troubles de la mémoire et, dans certains cas, une dépression importante. L'hypothyroïdie se manifeste également par un ralentissement du rythme cardiaque, des signes d'angor parfois (angine de poitrine) et par des troubles des règles et une baisse de la libido chez la femme.

DIAGNOSTIC
Il est établi sur l'abaissement du taux sanguin de thyroxine et de triiodothyronine. En revanche, le taux de thyréostimuline est très élevé, sauf dans les cas d'origine hypophysaire. On constate également une élévation du cholestérol dans le sang et souvent une anémie (diminution de la quantité d'hémoglobine dans le sang).

TRAITEMENT
Le traitement substitutif par L-thyroxine, administrée par voie orale, doit être poursuivi à vie. Chez le sujet âgé, ce traitement débute à doses très progressives, sous surveillance cardiaque, car il risque de réveiller une insuffisance coronarienne.

Hypotonie
1. En neurologie, diminution du tonus musculaire, responsable d'un relâchement des muscles.

L'hypotonie s'observe au début des hémiplégies ou à la suite de l'injection de certaines substances (anesthésiques, curare, etc.).

2. En biochimie, état d'une solution dont la concentration en substances chimiques (ions, par exemple) est inférieure à celle du plasma sanguin.

Ainsi définie, l'hypotonie s'oppose à l'isotonie et à l'hypertonie.
3. En ophtalmologie, diminution anormale de la pression intraoculaire, qui peut notamment intervenir en cas d'uvéite, de décollement de la rétine, d'atrophie des yeux, lorsqu'ils sont très atteints, après chirurgie d'un glaucome ou en raison d'une plaie du globe oculaire.

Le traitement de l'hypotonie varie donc selon les cas.

Hypotrichose
Diminution ou arrêt du développement du système pileux.

La plupart des hypotrichoses font partie de syndromes très rares, souvent de nature héréditaire.

Elles se manifestent par des cheveux raréfiés, souvent crépus, cassants et sont éventuellement associées à des malformations (retard mental par malformation de l'encéphale, etc.).

Le diagnostic, très spécialisé, nécessite un examen complet de la peau et du cuir chevelu et, au besoin, l'établissement d'un arbre généalogique mentionnant les cas familiaux de maladie. Il n'existe pas encore de traitement.

Hypotriglycéridémie
Taux anormalement bas de triglycérides dans le sérum.

Exceptionnelle, l'hypotriglycéridémie est liée soit à un apport alimentaire insuffisant de triglycérides, soit à une abêtalipoprotéinémie (taux anormalement bas de bêtalipoprotéines dans le sang). Elle se manifeste par des troubles neurologiques, une inflammation de la rétine et une malabsorption digestive des lipides. Son traitement repose sur la prescription de vitamine E, administrée par voie orale.

Hypo-uricémiant
Médicament capable de diminuer le taux d'acide urique dans le sang (uricémie).

On distingue trois groupes d'hypouricémiants.
■ Les inhibiteurs de la synthèse de l'acide urique (allopurinol, tisopurine), pris sous forme orale, sont indiqués dans le traitement de fond (à long terme) de la goutte et contre-indiqués en cas de grossesse et d'allaitement. Les troubles digestifs qu'ils provoquent sont atténués si ces médicaments sont avalés à la fin des repas. Leur association avec un antibiotique particulier, l'ampicilline, est déconseillée.
■ Les uricosuriques (probénécide, benzbromarone) augmentent l'élimination urinaire d'acide urique. Ils sont indiqués dans le traitement des hyperuricémies (trop forte concentration d'acide urique dans le sang) provoquées par des médicaments (diurétiques, aspirine). Pris sous forme orale, ils sont contre-indiqués chez les sujets souffrant

d'insuffisance rénale. Ils peuvent déclencher la formation de calculs urinaires. Leur association est déconseillée avec les salicylés et les anticoagulants oraux.

■ Les uricolytiques (urate oxydase) détruisent l'acide urique et sont indiqués dans les hyperuricémies sévères, mais contre-indiqués chez la femme enceinte et chez les sujets ayant un déficit en glucose-6-phosphate déshydrogénase. Ils sont prescrits par voie parentérale en injection, et leurs effets indésirables sont principalement des réactions allergiques.

Hypo-uricémie

Diminution du taux d'acide urique dans le sang.

Une hypo-uricémie peut être due soit à une diminution de la synthèse de l'acide urique, elle-même liée à une insuffisance hépatique grave ou à une xanthinurie (maladie héréditaire liée au déficit d'une enzyme spécifique), soit à une augmentation de l'excrétion urinaire d'acide urique, comme cela se produit au cours du syndrome de Fanconi, de la maladie de Wilson ou de certains cancers. De plus, outre les médicaments hypo-uricémiants utilisés dans le traitement des hyperuricémies, de nombreux autres médicaments ont une action hypo-uricémiante : phénylbutazone, antivitamines K, salicylés (lorsqu'ils sont pris à fortes doses), etc. L'hypo-uricémie est sans conséquence clinique et ne nécessite donc aucun traitement spécifique.

Hypoventilation

Diminution de la quantité d'air qui ventile les poumons.

Une hypoventilation est le plus souvent due à une maladie pulmonaire, à un stade relativement grave d'insuffisance respiratoire ou à une asphyxie.

Elle peut se traduire par une diminution de la fréquence ou de l'amplitude des mouvements respiratoires, par une hypercapnie (augmentation du taux de gaz carbonique dans le sang), par une acidose (acidité sanguine excessive). Son traitement est celui de l'affection en cause.

Hypovolémie

Diminution du volume sanguin efficace, c'est-à-dire de celui qui est physiologiquement nécessaire au maintien d'une fonction circulatoire normale.

On distingue deux types d'hypovolémie. L'hypovolémie vraie est due à des pertes hémorragiques (hémorragie aiguë, extériorisée ou non) ou à une déshydratation (pertes plasmatiques ou hydroélectrolytiques provoquées par des brûlures étendues, une diarrhée, des vomissements, etc.). Dans l'hypovolémie relative, la diminution du retour veineux est due à un abaissement du tonus vasculaire (entraînant une dilatation des vaisseaux) et à une augmentation de la capacitance veineuse (volume de sang que le secteur veineux est capable de contenir), provoqués par un état infectieux sévère, l'emploi d'anesthésiques, la prise de

médicaments vasodilatateurs ou une intoxication par des médicaments psychotropes.

SIGNES ET DIAGNOSTIC

Les signes de l'hypovolémie sont très souvent mêlés à ceux de sa cause. Une hypovolémie se manifeste toujours par une diminution du volume des urines, qui sont concentrées, une insuffisance rénale et une tachycardie (accélération du rythme cardiaque) habituellement associée à une pression artérielle basse ; les veines superficielles sont plates, la peau est froide, marbrée ; le sujet a fréquemment soif. L'hypovolémie se traduit souvent par une respiration accélérée.

L'hypovolémie provoque un défaut de remplissage vasculaire, avec diminution du retour veineux vers le cœur et donc du débit cardiaque. Le cathétérisme cardiaque montre la baisse des pressions de remplissage du cœur, un débit cardiaque bas et, sauf dans les états infectieux sévères, une élévation des résistances artérielles systémiques (résistance opposée à l'écoulement du sang par les vaisseaux de la circulation artérielle gauche). Lorsque les mécanismes d'adaptation de l'organisme à l'hypovolémie (notamment l'accélération du rythme cardiaque pour rétablir un débit cardiaque suffisant) sont dépassés, un choc hypovolémique (insuffisance circulatoire aiguë) survient.

TRAITEMENT

Indépendamment de celui de la cause, il est fondé sur le remplissage vasculaire par des perfusions qui visent à restaurer la volémie : sang, eau et électrolytes ou substituts de plasma, exceptionnellement albumine, plasma seulement en cas de trouble grave de la coagulation associé. Certains médicaments (dopamine, notamment) favorisent le retour veineux au cœur.

Hypoxie

Diminution de la concentration d'oxygène dans le sang.

L'hypoxie est un signe permettant d'estimer la gravité de l'état d'un patient. Elle définit une insuffisance respiratoire ; il existe également une hypoxie dans les maladies cardiaques avancées. On parle d'hypoxie lorsque l'analyse des gaz du sang (oxygène et gaz carbonique) dans les artères révèle une pression partielle en oxygène (ou PaO_2) inférieure à 80 millimètres de mercure (unité traditionnelle), ou 10,6 kilopascals (unité du système international). Sa conséquence est une diminution de l'apport d'oxygène aux cellules de l'organisme, parfois appelée hypoxie cellulaire, qui peut se traduire par un essoufflement et une douleur thoracique et entraîner un dysfonctionnement du cerveau, du cœur et des reins. Le traitement est celui de la maladie, auquel s'ajoute éventuellement l'administration d'oxygène.

Hystérectomie

Ablation chirurgicale de l'utérus.

INDICATIONS

Une hystérectomie est envisagée soit après l'échec du traitement médical de saignements rebelles, soit lorsqu'un fibrome utérin entraîne des symptômes gênants (hémorra-

gies répétées, compression des organes pelviens, douleurs du petit bassin), soit en cas de cancer utérin ou encore après un accouchement lorsqu'une hémorragie se révèle impossible à contrôler.

DIFFÉRENTS TYPES D'HYSTÉRECTOMIE

Il existe deux types d'intervention, pratiqués sous anesthésie générale.

■ L'hystérectomie totale comprend l'ablation du corps et du col de l'utérus. Elle se pratique par voie abdominale (chirurgie classique) ou, chaque fois que c'est possible, vaginale, à cause des avantages de cet accès : risque opératoire plus faible, cicatrice absente, convalescence plus rapide.

■ L'hystérectomie subtotale, qui ne se pratique que par voie abdominale, consiste à enlever le corps de l'utérus en laissant le col utérin en place. Elle permet de conserver toute sa profondeur au vagin, mais le risque de développement d'un cancer sur le col restant (ce risque n'étant pas lié à l'opération) la rend de plus en plus rare.

CONVALESCENCE ET PRONOSTIC

Après une hospitalisation d'une dizaine de jours, en cas d'hystérectomie par voie abdominale, ou de 3 à 5 jours, en cas d'intervention par voie vaginale, et 6 semaines de convalescence, la patiente retrouve une vie normale. Elle n'a plus de règles et ne concevra plus d'enfant, mais elle peut reprendre une vie sexuelle normale un mois après l'opération. Si l'hystérectomie s'accompagne d'une ablation des ovaires, un traitement hormonal substitutif permet par la suite d'éviter les effets liés à l'absence de sécrétion hormonale (ostéoporose, bouffées de chaleur, sécheresse vaginale).

Hystérie

Névrose caractérisée par la conversion corporelle d'un conflit psychique.

L'hystérie tire son nom du mot grec *hustera*, qui signifie « utérus » : dans l'Antiquité, on croyait que cet organe jouait un rôle particulier dans cette affection. L'étude qu'en firent, à la fin du XIXe siècle, Jean Martin Charcot, Josef Breuer et Sigmund Freud a été capitale pour la compréhension de la sexualité et l'élaboration de la première théorie psychanalytique.

Selon la psychanalyse, l'hystérie résulterait du refoulement d'un conflit œdipien non résolu. La personnalité hystérique est très influençable malgré une froideur apparente ; elle se réfugie dans l'imaginaire (tendance au théâtralisme, à la mythomanie), souffre d'insatisfaction sexuelle et joue un jeu ambigu de séduction et de mise à distance. Les crises hystériques, qui surviennent souvent en public, peuvent revêtir des formes très diverses : crise de nerfs, perte de connaissance, paralysie, convulsions, œdème, troubles circulatoires, etc. Elles sont sans cause organique : c'est un « langage corporel » par lequel l'hystérique exprime ses conflits inconscients.

TRAITEMENT

Les anxiolytiques peuvent atténuer les troubles, mais l'essentiel du traitement repose sur la cure psychanalytique.

Hystérographie

Examen radiologique de l'utérus.
→ VOIR Hystérosalpingographie.

Hystérométrie

Mesure de la profondeur de la cavité utérine.

Une hystérométrie est indiquée lors de toute maladie modifiant la taille de l'utérus (fibrome ou cancer utérins) et avant certaines interventions intra-utérines, comme la pose d'un stérilet ou le replacement d'un embryon lors d'une tentative de fécondation in vitro. Elle est toujours contre-indiquée quand une grossesse est soupçonnée. Elle s'effectue au moyen d'une tige graduée – l'hystéromètre –, en métal ou en plastique, introduite par le col utérin jusqu'au fond de l'utérus. La mesure est prise du fond de la cavité à l'orifice externe du col.

Hystéropexie

Fixation chirurgicale de l'utérus.

Une hystéropexie sert à corriger des déplacements de l'utérus (prolapsus, rétroflexion, rétroversion). Elle consiste à fixer celui-ci à un élément stable du petit bassin à l'aide de fil ou de treillis. Deux méthodes sont encore utilisées : la promontofixation, ou fixation à un ligament de la première vertèbre sacrée, et l'hystéropexie ligamentaire, ou ligamentopexie, qui consiste à raccourcir les ligaments ronds qui soutiennent l'utérus. La ligamentopexie peut être réalisée par cœliochirurgie, technique qui permet d'effectuer le geste opératoire sous surveillance endoscopique en introduisant les instruments chirurgicaux par de petites incisions abdominales.

Hystéroptose

Descente anormale de l'utérus dans le petit bassin due à un relâchement des moyens de fixation de cet organe.

Une hystéroptose résulte d'une insuffisance congénitale des ligaments de soutien de l'utérus ou de traumatismes obstétricaux. Elle s'associe le plus souvent, dans un prolapsus génital, à une colpocèle antérieure ou postérieure (descente d'une paroi du vagin). Elle se traduit par une sensation de pesanteur pelvienne et une incontinence urinaire. Son traitement est chirurgical (hystéropexie, par exemple) et s'intègre en général dans celui du prolapsus génital (périnéorraphie, myorraphie des releveurs). Il n'est habituellement pratiqué qu'après le dernier accouchement en raison des risques de récidives du prolapsus après tout nouvel accouchement.

Hystérosalpingographie

Examen radiologique de l'utérus et des trompes de Fallope.

Cet examen associe l'hystérographie (examen radiologique de l'utérus) à la salpingographie (examen radiologique des trompes).

INDICATIONS
Le médecin prescrit habituellement une hystérosalpingographie lorsque la patiente souffre de troubles des règles, de saignements anormaux ou de stérilité et en cas d'avortement spontané.

Cet examen permet de déceler dans l'utérus des anomalies telles que fibromes, polypes, dysplasies (altération dans le développement d'un tissu ou d'un organe), d'observer les adhérences apparues à la suite d'un curetage et d'apprécier la forme et la perméabilité des trompes, dont il montre les éventuels rétrécissements, obstructions ou altérations lésionnelles, conséquences possibles d'infections passées inaperçues.

TECHNIQUE
L'hystérosalpingographie a été employée pour la première fois en 1921 par Sicard et Forestier. Elle consiste à visualiser l'utérus et les trompes par radiographie après avoir injecté dans l'utérus de la patiente un produit de contraste iodé, opaque aux rayons X.

PRÉPARATION ET DÉROULEMENT
Pendant les 3 jours qui précèdent l'examen, la patiente applique localement sur la vulve des antiseptiques afin d'éviter tout risque d'infection. La veille et le jour même, des antispasmodiques et un calmant lui sont prescrits pour limiter les spasmes de l'utérus durant l'injection du produit de contraste.

L'examen est pratiqué, dans un centre de radiologie, entre le 8e et le 12e jour suivant les règles, vessie vide. La patiente est allongée en position gynécologique (genoux pliés et écartés) sur une table de radiologie. Le médecin radiologue pose un spéculum afin de voir le col de l'utérus et d'y placer la canule d'hystérographie qui sert à faire l'injection, indolore, du produit de contraste (de 4 à 10 centimètres cubes de liquide). Une fois injecté, celui-ci opacifie progressivement le col de l'utérus, la cavité utérine puis les trompes de Fallope.

Le médecin réalise 6 clichés radiographiques, 3 de face, un de profil, un 5e cliché de la partie interne du col de l'utérus après retrait de la canule et un dernier cliché, appelé cliché tardif, entre 15 et 20 minutes après l'évacuation du produit de contraste.

Une hystérosalpingographie dure de 25 à 30 minutes. Dès que l'examen est terminé, la patiente peut reprendre ses activités.

Les résultats sont connus immédiatement et communiqués au médecin prescripteur.

EFFETS SECONDAIRES
L'hystérosalpingographie est un examen délicat qui peut être douloureux. Parfois, dans les heures qui suivent, la patiente peut ressentir des douleurs dans le bas-ventre, accompagnées de fièvre. Il s'agit d'une réaction locale au produit de contraste, qui disparaît rapidement.

Il existe aussi parfois quelques signes d'allergie à l'iode (démangeaisons, urticaire sur le corps). Un choc anaphylactique (réaction de sensibilisation au produit) est exceptionnel. Un traitement par corticostéroïdes ou antihistaminiques préviendra ces réactions chez les sujets allergiques prédisposés.

CONTRE-INDICATIONS
L'hystérosalpingographie doit être réalisée en dehors des périodes d'hémorragies (ménorragies ou métrorragies) ou d'infections génitales. Elle est possible chez la jeune fille en utilisant un appareillage adapté.

Cet examen est contre-indiqué en cas d'allergie connue à l'iode, de grossesse ou d'infection connue du vagin et des trompes (salpingite), car on risquerait de disséminer l'infection dans le petit bassin (pelvipéritonite).

Hystéroscope

Fibroscope (tube muni d'un système optique) utilisé pour l'exploration de l'utérus.
→ VOIR Fibroscopie, Hystéroscopie.

Hystéroscopie

Examen qui permet l'exploration de la cavité utérine à l'aide d'un hystéroscope (tube muni d'un système optique) et, éventuellement, le traitement des lésions constatées.

Une hystéroscopie est indiquée lors de la recherche d'anomalies de la muqueuse utérine (synéchies, polype, fibrome, cancer).

DIFFÉRENTS TYPES D'HYSTÉROSCOPIE
Une hystéroscopie est tantôt effectuée pour compléter un examen radiographique de l'utérus et préciser un diagnostic (hystéroscopie diagnostique), tantôt pour permettre certaines interventions chirurgicales (hystéroscopie opératoire).

■ L'hystéroscopie diagnostique utilise un hystéroscope long et mince de 2 millimètres de diamètre, qui transmet l'image captée soit directement à l'œil de l'observateur, soit, par l'intermédiaire d'une caméra et d'un moniteur de télévision, à un écran. Après la mise en place d'un spéculum et la désinfection du col utérin, l'instrument est inséré par l'orifice du col et, sous contrôle visuel, poussé dans l'utérus. Une insufflation de gaz carbonique distend la cavité et facilite l'exploration. Chez la femme non ménopausée, l'examen est pratiqué entre le 10e et le 14e jour du cycle, c'est-à-dire avant l'ovulation. L'hystéroscopie diagnostique est un examen indolore, qui dure quelques minutes et peut être effectué au cours d'une consultation au cabinet du médecin.

■ L'hystéroscopie opératoire utilise un hystéroscope entouré d'une gaine qui permet d'y glisser des instruments opératoires. Une anesthésie est nécessaire, soit générale, soit régionale (rachianesthésie, par injection du produit anesthésique dans le canal rachidien). Le chirurgien enlève alors la lésion utérine, polype ou fibrome, par les voies naturelles. L'intervention ne dure jamais plus d'une heure et la patiente, hospitalisée le matin de l'intervention, peut souvent sortir le soir même.

Hystérotomie

Ouverture chirurgicale de l'utérus.

Une hystérotomie, qui nécessite l'ouverture de l'abdomen, est indiquée essentiellement en cas de césarienne, opération permettant d'extraire de l'utérus un fœtus dont l'expulsion est impossible par les voies naturelles. Une autre indication est la myomectomie (ablation d'un fibrome utérin). Deux techniques sont possibles : l'hystérotomie verticale et l'hystérotomie transversale. Une hystérotomie se pratique soit sous anesthésie locorégionale (péridurale), soit sous anesthésie générale.

I

Iatrogène

Se dit d'une maladie ou d'un trouble provoqués par les thérapeutiques.

Les traitements utilisés actuellement sont très efficaces, mais certains peuvent être responsables d'effets indésirables. Les anti-inflammatoires non stéroïdiens, prescrits fréquemment dans les affections rhumatismales, peuvent par exemple être responsables de troubles digestifs, d'une éruption cutanée, d'une atteinte hématologique. De même, une infiltration intra-articulaire par un dérivé cortisonique peut se compliquer d'une infection de l'articulation (arthrite septique) si les conditions d'asepsie n'ont pas été respectées (cela est d'autant plus grave que la zone des articulations est naturellement totalement aseptique).

De très nombreux médicaments sont souvent incriminés à tort et ne provoquent pas de troubles ou de lésions. Ainsi, c'est bien la maladie infectieuse qui fatigue et non les antibiotiques qui la combattent.

Ichtyose

Maladie cutanée chronique caractérisée par un état sec, épais et rêche de la peau, dont l'aspect rappelle une peau de poisson.

Les ichtyoses correspondent à un épaississement de la couche cornée de l'épiderme. Elles sont dues à l'élimination insuffisante de la couche cornée normale (ichtyose par rétention cornée) ou à une accélération de la vitesse de formation de l'épiderme et de la couche cornée (ichtyose proliférative).

DIFFÉRENTS TYPES D'ICHTYOSE

■ **Les ichtyoses héréditaires** s'étendent à toute la peau, excepté les grands plis. L'ichtyose vulgaire, la plus fréquente (un cas sur 250 à 1 000 naissances), atteint également les deux sexes et se manifeste soit dès la naissance, soit dans l'enfance ; elle ne démange pas. Beaucoup de cas sont mineurs et ne se manifestent que par une peau un peu sèche, qui pèle, surtout à la face externe des bras et des jambes. L'évolution est chronique, avec une amélioration l'été au soleil et une aggravation l'hiver. Il existe de très nombreuses autres formes d'ichtyose héréditaire, plus rares (ichtyose à transmission récessive liée au sexe, érythrodermie congénitale ichtyosiforme), voire exceptionnelles. Certaines ichtyoses sont associées à des anomalies des os (syndrome de Child) ou des graisses de l'organisme (syndrome de Refsum).

■ **Les ichtyoses acquises**, généralisées ou localisées, se manifestent chez l'adulte par la présence d'une peau fine, sèche et rugueuse, non prurigineuse, parsemée de lambeaux cornés plus ou moins adhérents. L'apparition d'une ichtyose acquise peut être liée à la présence d'un cancer sous-jacent (cancer viscéral, lymphome, dysglobulinémie), à une malnutrition, à une sarcoïdose ou à un lupus érythémateux disséminé.

TRAITEMENT

En dehors de celui de la maladie concernée, dans les formes acquises, c'est uniquement celui des symptômes. Il consiste à appliquer des produits kératolytiques (réduisant la couche de kératine) à base d'urée ou d'acide salicylique et, surtout dans les formes sévères d'érythrodermie congénitale ichtyosiforme sèche, à administrer des rétinoïdes par voie générale. Chez l'enfant, le traitement à base d'acide salicylique exige une stricte surveillance afin d'éviter une intoxication liée à un passage trop important de cette substance dans la peau.

Ictère

Coloration jaune de la peau, de la sclérotique (blanc de l'œil) et des muqueuses, due à l'accumulation, dans le sang, de bilirubine (pigment dérivé de l'hémoglobine).

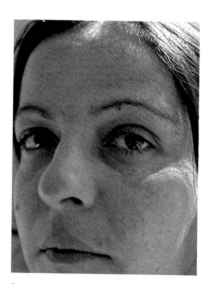

Ictère. Le plus souvent dû à une maladie du foie (hépatite) ou des voies biliaires (lithiase), il se traduit par une coloration jaune.

L'ictère correspond au terme « jaunisse » du langage courant.

Il existe deux types de bilirubine : la bilirubine dite libre ou « non conjuguée », produite lors de la destruction des globules rouges, insoluble dans l'eau et ne passant donc pas dans les urines, se transforme dans le foie, par liaison avec l'albumine, en bilirubine dite « conjuguée », soluble dans l'eau et excrétée dans les urines. On distingue pour cette raison deux grands types d'ictère, selon le type de bilirubine en cause : le premier est lié à une destruction excessive des globules rouges (anémie hémolytique) ou à un déficit enzymatique héréditaire des cellules hépatiques (syndrome de Gilbert) ; le second se manifeste lors de maladies du foie ou des voies biliaires (hépatite virale ou toxique, infection bactérienne, parasitose, cirrhose, fièvre jaune, tumeur maligne, lithiase infectée).

En présence d'un ictère, on recherche donc une maladie du sang si les urines sont claires et une maladie du foie ou des voies biliaires (agent infectieux ou toxique, obstacle mécanique) si les urines sont foncées. Le diagnostic établi, le traitement est celui de la cause sous-jacente.
→ VOIR **Hyperbilirubinémie**.

Ictère du nouveau-né

Coloration jaune de la peau et des muqueuses du nouveau-né, due à l'accumulation dans le sang de bilirubine (pigment biliaire dérivé de l'hémoglobine).

Un ictère s'observe très fréquemment chez le nouveau-né. Cette fréquence est due à différentes raisons : production accrue de bilirubine, deux fois supérieure à celle de l'adulte ; immaturité de la cellule hépatique, qui conjugue et élimine encore imparfaitement la bilirubine ; augmentation de la bilirubine libre, c'est-à-dire non liée à l'albumine, avant sa transformation dans le foie ; libération anormale de la bilirubine - qui se détache de l'albumine -, facilitée à cet âge de la vie par l'hypothermie, l'hypoglycémie et certains médicaments.

On distingue les ictères à bilirubine libre, qui se caractérisent par une augmentation dans le sang de bilirubine avant sa transformation chimique dans le foie, et les ictères à bilirubine conjuguée, qui se traduisent par une augmentation de bilirubine liée à l'albumine. Tous se manifestent par une coloration jaune de la peau, des muqueuses et du blanc des yeux, qui devient visible à partir d'un taux de bilirubine supérieur à 70 micromoles par litre.

Ictères à bilirubine libre

Ces augmentations du taux de pigment biliaire dans le sang sont les plus fréquentes.

■ **L'ictère simple du nouveau-né, dit physiologique,** est fréquent, surtout chez les prématurés, et dû à l'immaturité du foie et au plus faible taux d'albumine de l'enfant. En général peu intense, il apparaît vers le 2e jour après la naissance et disparaît spontanément avant le 10e jour. Sa disparition s'annonce par la coloration des urines, qui, initialement claires, commencent alors à colorer le linge.

■ **L'ictère au lait maternel** est dû à la présence dans le lait maternel d'une substance d'identification encore incertaine qui empêche la conjugaison de la bilirubine. Il apparaît le 5e jour ou le 6e jour après la naissance et diminue lorsque la mère cesse d'allaiter pendant au moins 3 jours ou lorsque le lait maternel est chauffé à 60 °C. Cet ictère, bénin, n'empêche pas la mère d'allaiter.

■ **L'ictère hémolytique du nouveau-né** est un ictère précoce, survenant dans la 24e heure de vie. Il devient rapidement intense et s'accompagne le plus souvent d'une hémolyse (destruction des globules rouges avec anémie) et d'une augmentation du volume du foie et de la rate traduisant la fabrication accélérée de globules rouges. Surtout dû à l'incompatibilité Rhésus, il est devenu plus rare depuis que l'on prévient cette incompatibilité par l'injection de gammaglobulines anti-Rhésus (anti-D) chez les femmes Rhésus négatif qui viennent d'accoucher d'un premier enfant Rhésus positif. Les hémolyses constitutionnelles (déficit en glucose-6-phosphate déshydrogénase, par exemple), ainsi que les infections bactériennes et virales, sont des causes plus rares d'ictère hémolytique.

DIAGNOSTIC

L'ictère du nouveau-né doit être contrôlé par un dosage sanguin, qui détermine la nature de la bilirubine. La précocité de l'ictère (apparition avant la 24e heure de vie), sa durée (plus de 10 jours), la présence de selles décolorées, l'association à des signes cliniques (pâleur, gros foie ou grosse rate) constituent autant d'indices d'un ictère susceptible d'être pathologique.

ÉVOLUTION ET TRAITEMENT

Un ictère à bilirubine libre peut entraîner une atteinte cérébrale par destruction des noyaux gris centraux (ictère nucléaire). Une surveillance rigoureuse des nouveau-nés atteints d'ictère, à l'aide de dosages sanguins répétés de bilirubine, permet d'éviter l'apparition de semblables lésions.

Le traitement symptomatique de ces ictères comporte essentiellement des mesures simples : photothérapie (exposition de l'enfant à la lumière bleue ou blanche, en couveuse), perfusions d'albumine pour « lier » la bilirubine, exsanguinotransfusion dans les formes les plus sévères.

Ictères à bilirubine conjuguée

Ces augmentations du taux de pigment biliaire dans le sang, beaucoup moins fréquentes que les ictères à bilirubine libre, peuvent être liées à des hépatites infectieuses (colibacille) ou virales (cytomégalovirus,

herpès). Dans des cas exceptionnels, elles sont dues à un obstacle sur les voies biliaires, dans le foie ou à l'extérieur (atrésie des voies biliaires extra-hépatiques). On observe alors un gros foie et des selles décolorées blanches. Il existe enfin des maladies très rares, métaboliques (tyrosinémie, galactosémie) ou génétiques (mucoviscidose, par exemple), susceptibles d'entraîner des ictères à bilirubine conjuguée.

DIAGNOSTIC ET TRAITEMENT

Le diagnostic de ces ictères repose sur l'échographie du foie, complétée par des explorations métaboliques appropriées selon la cause suspectée. Leur traitement est celui de leur cause, quand il est possible. Dans le cas d'un obstacle sur les voies biliaires, une intervention chirurgicale permet de rétablir la continuité biliaire.

Ictus amnésique

Amnésie (perte de mémoire) survenant subitement, brève et transitoire.

L'ictus amnésique est la plus fréquente des amnésies transitoires. Sa cause et son mécanisme sont inconnus. Le symptôme apparaît brutalement, chez une personne de 50 à 75 ans dans 75 % des cas ; c'est une amnésie antérograde, c'est-à-dire que les troubles de la mémoire concernent les événements qui se produisent après le début de la maladie : le malade oublie au fur et à mesure, il répète une question alors que l'on vient de lui donner la réponse, il ne se rappelle plus l'heure ni le jour. Il n'y a pas d'autres troubles, le malade peut parler et écrire normalement ou conduire une automobile, par exemple. Le trouble disparaît spontanément en une demi-heure à quelques heures. Seule persiste une amnésie concernant exclusivement la période de l'ictus. Les récidives sont rares et le pronostic excellent.

Identification

Processus par lequel le sujet constitue son identité, sa personnalité depuis l'enfance jusqu'à l'âge adulte.

Les premières relations infantiles jouent un rôle capital dans l'identification. Entre 10 et 20 mois se situe une étape décisive : le stade du miroir (découvert en 1934 par le psychologue français Henri Wallon). C'est le moment où l'enfant prend pour la première fois conscience de son identité en distinguant, dans le miroir, son image de celle d'autrui.

Sur le plan pathologique, l'identification inconsciente à un modèle adulte inadapté (parent tout-puissant ou malade, agresseur, etc.) se retrouve à la base de nombreux états névrotiques.

Idiopathique

Se dit d'une maladie ou d'un symptôme dont la cause est inconnue. SYN. *cryptogénétique, cryptogénique.*

Idiosyncrasie

Disposition particulière de l'organisme à réagir de façon inhabituelle à un médicament ou à une substance.

Les réactions idiosyncrasiques sont différentes des réactions dues aux surdosages ou aux effets indésirables des médicaments, qui sont observées de façon régulière. Certaines d'entre elles sont dues à un mécanisme allergique et, notamment, au phénomène d'anaphylaxie (hypersensibilité immédiate à un antigène déjà connu). D'autres sont liées à une anomalie enzymatique d'origine génétique présente chez le malade et qui perturbe le métabolisme du médicament en cause. L'idiosyncrasie, quel qu'en soit le mécanisme, se manifeste par des réactions allergiques diverses (eczéma, urticaire, rhume des foins, etc.).

Idiotie

Terme utilisé autrefois en médecine pour désigner l'arriération mentale profonde, forme la plus grave de l'arriération.

L'idiotie est une diminution considérable des facultés intellectuelles, affectives, sensitives et motrices, interdisant l'utilisation du langage et la vie de relation.

I.E.C.

→ VOIR Inhibiteur de l'enzyme de conversion.

Iléite

Inflammation de la dernière partie de l'intestin grêle, l'iléon.

DIFFÉRENTES SORTES D'ILÉITE

Une iléite peut être aiguë ou chronique.

■ **Les iléites aiguës** sont dues à des maladies aiguës, bactériennes ou virales, et se traduisent par des signes qui simulent une crise d'appendicite : douleurs abdominales dans la partie inférieure droite de l'abdomen.

■ **Les iléites chroniques** sont principalement représentées par la maladie de Crohn ; la tuberculose et de nombreuses infections opportunistes (ne se déclarant que sur un terrain immunodéprimé) accompagnant le sida peuvent également entraîner une atteinte chronique de l'iléon. Elles se traduisent par des douleurs de même localisation que celles des iléites aiguës, associées à une diarrhée.

DIAGNOSTIC ET TRAITEMENT

Le diagnostic d'une iléite repose sur la radiographie barytée de l'intestin grêle. La coloscopie permet également l'exploration des derniers centimètres de l'intestin grêle. Le traitement, très variable, dépend de la maladie en cause ; de nombreuses iléites aiguës guérissent spontanément.

Iléocæcal

Caractérise ce qui est commun à l'iléon et au cæcum.

Il existe une valvule iléocæcale, appelée valvule de Bauhin, au niveau de l'abouchement de l'iléon avec le cæcum.

Iléocolostomie

Opération chirurgicale consistant à relier l'iléon (partie terminale de l'intestin grêle) au côlon.

L'iléocolostomie permet de rétablir la continuité digestive après une colectomie partielle (ablation d'une partie du côlon) quand celle-ci concerne le côlon droit (partie initiale du côlon, située juste après l'iléon). Après ablation de la portion malade du côlon, le segment d'iléon est suturé au segment de côlon restant avec du fil ou des agrafes. Cette opération, relativement simple, n'entraîne aucun trouble du fonctionnement du tube digestif.

Iléocystoplastie

Opération chirurgicale consistant à remplacer la vessie par une portion d'iléon (dernière partie de l'intestin grêle).

L'iléocystoplastie, pratiquée après une ablation de la vessie, consiste à prélever une portion de l'iléon – les deux segments d'iléon restants étant ensuite suturés l'un à l'autre – et à l'utiliser pour confectionner un réservoir capable de collecter l'urine en remplacement de la vessie originelle. En amont, cette néovessie est reliée aux deux uretères venant des reins. En aval, elle est reliée soit à un orifice pratiqué dans la peau (les urines étant alors recueillies dans une poche), soit au rectum.

L'iléocystoplastie, banale en elle-même, donne des résultats satisfaisants, mais son pronostic dépend surtout de l'affection en cause (une tumeur, le plus souvent).

Iléon

Partie terminale de l'intestin grêle, située entre le jéjunum et le cæcum (début du gros intestin). (P.N.A. *ileum*)

L'iléon assure l'absorption de l'eau, des électrolytes, de la vitamine B12 et des sels biliaires. En cas d'ablation du jéjunum, il peut suppléer à ce dernier.

L'iléon peut être exploré par radiographie barytée, entéroscopie, biopsie. Les derniers centimètres de l'iléon peuvent également être observés lors d'une coloscopie.

La pathologie de l'iléon comprend les iléites (inflammation de l'iléon), les tumeurs primitives (tumeurs se développant aux dépens des cellules de la muqueuse de l'iléon) et les lymphomes. Il est possible de vivre sans iléon à la condition que le jéjunum, lui, soit préservé.

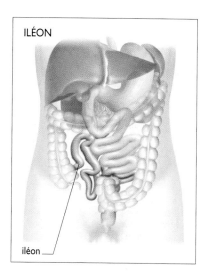

ILÉON

iléon

Iléorectocoloplastie

Opération chirurgicale consistant à remplacer le rectum par une portion d'iléon.

L'iléorectocoloplastie se pratique après une ablation du rectum. Une portion de l'iléon est prélevée – les 2 segments d'iléon restants étant ensuite suturés – et le chirurgien s'en sert pour confectionner un réservoir capable de collecter les matières en remplacement du rectum originel. Ce néorectum est relié en amont à l'intestin. En aval, il est abouché soit à l'anus, soit à un orifice pratiqué dans la peau, qui constitue un anus artificiel, les matières étant recueillies dans une poche. L'iléorectocoloplastie donne en elle-même des résultats satisfaisants, mais son pronostic dépend surtout de l'évolution de la maladie en cause (tumeur, maladie inflammatoire telle qu'une rectocolite hémorragique, etc.).

Iléostomie

Opération chirurgicale consistant à relier l'iléon (partie terminale de l'intestin grêle) à un orifice pratiqué dans la peau.

L'iléostomie se pratique après une colectomie (ablation de tout ou partie du côlon) lorsque l'atteinte du côlon est trop grave pour qu'on puisse le conserver ou quand le chirurgien ne peut pas rétablir dans l'immédiat la continuité digestive (en suturant les 2 segments restants) du fait d'une péritonite par exemple. L'opération permet alors de dériver les matières dans une poche collée sur la peau (anus artificiel). Le plus souvent, il s'agit d'une solution provisoire, la continuité digestive étant rétablie ultérieurement par le raccordement de l'iléon au côlon restant (iléocolostomie), au rectum ou à l'anus. Comme les matières contenues dans l'iléon sont semi-liquides, ce qui risque d'irriter la peau et d'entraîner trop de pertes en eau et en sels minéraux, il faut prévoir des soins cutanés particulièrement réguliers et soigneux et des apports alimentaires importants en eau et en sels minéraux.
→ VOIR Stomie.

Iléus paralytique

Occlusion intestinale due à une paralysie passagère de l'intestin grêle.

Un iléus paralytique est provoqué par le retentissement, sur les nerfs ou les vaisseaux de l'intestin grêle, d'une affection voisine : distension aiguë des voies urinaires (colique néphrétique), abcès intra-abdominal, suites d'une intervention chirurgicale, etc.

Des douleurs abdominales, des nausées et des vomissements, associés à une distension de l'abdomen, en sont les principaux symptômes. L'examen radiologique révèle une dilatation globale de l'intestin sans signes d'obstacle mécanique (tumeur, volvulus, etc.).

Le diagnostic est confirmé par la découverte de la cause et le traitement dépend essentiellement de celle-ci. L'alimentation et la boisson sont remplacées provisoirement par des perfusions intraveineuses. Une aspiration temporaire du contenu gastrique peut être nécessaire.

Iliaque (artère, veine)

Vaisseau proche de la partie supérieure de l'os du bassin. (P.N.A. *arteria iliaca, vena iliaca*)

Artère iliaque

L'artère iliaque naît de la bifurcation de l'aorte, qui se divise en 2 artères iliaques primitives, droite et gauche. L'artère iliaque primitive gagne la fosse iliaque, où elle se divise en artère iliaque externe, laquelle descend jusqu'au pli de l'aine, où elle se prolonge en artère fémorale, et en artère iliaque interne, qui se divise à son tour dans le petit bassin, qu'elle irrigue.

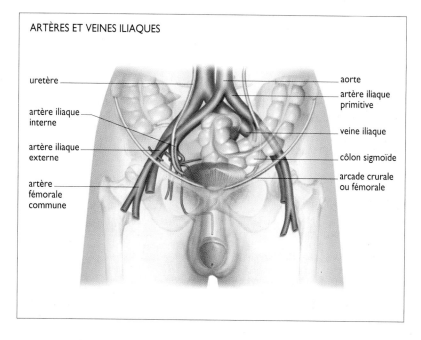

ARTÈRES ET VEINES ILIAQUES

uretère — aorte
artère iliaque primitive
artère iliaque interne — veine iliaque
artère iliaque externe — côlon sigmoïde
artère fémorale commune — arcade crurale ou fémorale

Veine iliaque

Cheminant en sens inverse de l'artère iliaque, la veine iliaque externe, qui fait suite à la veine fémorale commune, et la veine iliaque interne, qui draine le sang du bassin, se rejoignent pour former la veine iliaque commune. Celle-ci, en se réunissant avec la veine du côté opposé, forme la veine cave inférieure, qui remonte le long de l'aorte.

Illusion

Perception erronée d'un objet réel.

Dans l'illusion, le sujet attribue des qualités inexactes à une stimulation sensorielle bien réelle. L'illusion diffère en cela de l'hallucination, qui est une perception sans objet. Elle peut exister chez tous les sujets sains. Elle n'est pathologique que lorsque le sujet refuse, malgré l'évidence, de reconnaître son erreur ou lorsqu'elle sert de point de départ à une construction délirante.

L'illusion pathologique, particulièrement fréquente dans l'hypocondrie, se rencontre aussi dans tous les états d'altération de la conscience (confusion mentale, épilepsie, impression de déjà-vu, intoxication, alcoolisme), les délires chroniques et certaines affections neurologiques ou chirurgicales (illusion du membre fantôme des amputés, par exemple). Son traitement dépend de la maladie en cause.

Imagerie médicale

Ensemble des techniques de mise en images d'organes ou de différentes régions du corps humain vivant.

Cette visualisation a pour objet l'établissement d'un diagnostic et/ou la mise en œuvre d'une thérapeutique (imagerie interventionnelle). L'imagerie médicale se fonde sur la radiologie, qui utilise les rayons X, l'échographie, qui utilise les ultrasons, l'imagerie par résonance magnétique, qui utilise le phénomène de résonance magnétique nucléaire (R.M.N.), et la médecine nucléaire, qui utilise des isotopes radioactifs. Aujourd'hui, la discipline universitaire et hospitalière « radiologie et imagerie médicale » comporte deux spécialités médicales distinctes, intitulées radiologie et imagerie médicale, d'une part, et médecine nucléaire, d'autre part.

Radiologie

La radiologie repose sur l'utilisation des rayons X. Elle s'applique au diagnostic et au traitement des maladies selon différentes modalités techniques.

■ **La radiographie** enregistre sur un film photographique l'image d'une région anatomique. Elle se pratique sans préparation (radiographies osseuses, pulmonaires, de l'abdomen) ou après administration d'un produit de contraste (artériographie, arthrographie, cholangiographie, myélographie, phlébographie, transit œso-gastro-duodénal, urographie intraveineuse, etc.). Les premières radiographies ont été réalisées par le physicien allemand Wilhelm Conrad Röntgen à partir du 20 novembre 1895 : la première radiographie de la main de sa femme, le 22 décembre 1895, est devenue historique. La découverte des rayons X vaudra à son auteur le prix Nobel de physique en 1901.

■ **La radioscopie** permet d'observer les organes sur un écran phosphorescent. L'examen peut être direct (radioscopie conventionnelle, pratiquement abandonnée car trop irradiante) ou se faire par l'intermédiaire d'un amplificateur de brillance et d'une chaîne de télévision (radioscopie télévisée). L'amplificateur de brillance (appareil permettant de transformer une image optique en une image électronique) permet une nette réduction de la dose d'irradiation reçue par le patient.

■ **La tomographie**, radiographie en coupes, permet de préciser une image qui apparaît indistincte sur une radiographie d'ensemble en supprimant les superpositions des autres plans. En prenant une série de coupes, il est possible de reconstruire la silhouette d'un organe qui, sur un film standard, serait cachée par d'autres structures. La tomographie a été inventée en 1917 par le médecin français André Bocage. Le médecin italien Alessandro Vallebona, en 1930, et le radiologue hollandais Georges Ziedses Des Plantes, en 1931, sont à l'origine de développements majeurs de cette technique.

■ **La tomodensitométrie**, ou scanner (scan RX), est réalisée à l'aide d'un appareil appelé scanner à rayons X. Cet examen est plusieurs centaines de fois plus sensible que la radiographie conventionnelle. En effet, des capteurs remplacent le film photographique, et un ordinateur reconstruit l'image point par point. La rotation de l'ensemble autour de l'objet examiné et l'orientation du faisceau de rayons X procurent une coupe tomographique, d'où le nom donné en 1972 au système par son inventeur, l'ingénieur britannique Godfrey Newbold Hounsfield : *computed axial tomography* (tomographie axiale informatisée). L'inventeur partage le prix Nobel de physiologie et de médecine en 1979 avec le physicien américain Allan MacLeod Cormack. Cette technique a permis d'obtenir des images en coupes d'organes jusque-là inaccessibles tels que le cerveau, la moelle et le rachis, le pancréas, les poumons, la rate, les reins, la vessie.

Échographie

L'échographie a été introduite en médecine dans les années 1950. Cette méthode utilise l'émission et la réflexion des ultrasons. Elle étudie essentiellement les organes pleins de l'abdomen, le cœur et tous les organes non masqués par le squelette (globe oculaire, cerveau chez le nouveau-né). Elle a révolutionné la surveillance du fœtus au cours de la grossesse. L'application du phénomène Doppler, mesurant la variation de fréquence entre un faisceau d'ultrasons émis par une sonde et ce même faisceau réfléchi par cette même sonde, lui ajoute une grande efficacité dans le domaine circulatoire. Cette technique est totalement dénuée de danger.

Imagerie par résonance magnétique

L'imagerie par résonance magnétique (I.R.M.) repose sur le phénomène de la résonance magnétique nucléaire (R.M.N.), découvert en 1946 par les physiciens américains Edward Mills Purcell et Felix Bloch (prix Nobel de physique en 1952).

L'application des logiciels de scan RX a permis de reconstruire des images à partir du phénomène de résonance magnétique nucléaire. Les premières images en coupes du corps humain ont été obtenues en 1978. Cette méthode utilise la propriété qu'ont les protons contenus dans le corps humain de résonner dans un champ magnétique très intense. Les organes explorés fabriquent ainsi leur propre image. Les images du cerveau obtenues sont d'une stupéfiante qualité : l'imagerie par résonance magnétique permet de distinguer la substance grise (cortex, ou noyaux gris) de la substance blanche (fibres nerveuses recouvertes de myéline). Le plus grand contraste présenté par les images des tissus qui contiennent de la graisse permet une application de la technique à l'anatomie du corps humain en réalisant des coupes dans tous les plans de l'espace, et cela en toute innocuité tant pour le patient que pour l'opérateur.

La technique permet, enfin, une exploration des organes en mouvement (ciné-I.R.M.), une angiographie par imagerie de résonance magnétique (angio-I.R.M.), la mesure des circulations sanguines, etc. L'application de logiciels de reconstruction permet la reconstitution tridimensionnelle de l'organe, de la tête en particulier, pour des simulations neurochirurgicales.

Médecine nucléaire

La médecine nucléaire (ou isotopique) est issue de la découverte, en 1896, de la radioactivité par le physicien français Henri Becquerel, dont les travaux furent repris par les physiciens français Pierre et Marie Curie (tous trois prix Nobel de physique en 1903). L'introduction d'un isotope à vie brève, fixé sur une molécule à destinée connue, permet un marquage tissulaire électif dans l'organisme. Cette radioactivité temporaire est détectée par un appareillage spécialisé.

■ **La scintigraphie**, sorte de cartographie isotopique, recueille les radiations émises par des substances radioactives (isotopes de l'iode, du technétium, etc.) choisies en fonction de l'organe à visualiser et qui sont introduites dans l'organisme selon différentes voies (intraveineuse, respiratoire). Elle permet de diagnostiquer précocement des anomalies de fonctionnement d'un organe (poumons, os, glande thyroïde). Ces explorations sont sans le moindre danger pour l'organisme du patient.

■ **La tomographie par émission de positons** (T.E.P.) permet des études fonctionnelles (en coupes), notamment du cerveau, de très haute valeur informative. Cette technique reste cependant limitée à quelques centres de recherche et à quelques hôpitaux du fait de sa complexité et de son coût. De nouveaux systèmes, plus légers et moins onéreux, font leur apparition.

Il existe deux sortes d'imagerie. La plus classique, dite morphologique, montre la forme et la structure des organes. La plus moderne, dite fonctionnelle, donne en outre des renseignements sur leur activité en montrant leurs mouvements (radioscopie, échographie) ou les réactions chimiques (scintigraphie et peut-être, à l'avenir, techniques dérivées de l'I.R.M.) dont ils sont le siège.

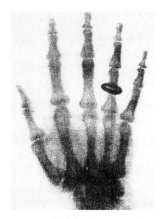

En 1895, Wilhelm Röntgen réalisait la première radiographie, celle de la main de sa femme.

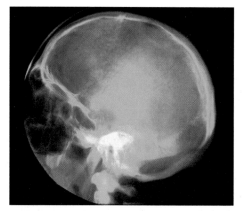

Cette radiographie simple du crâne montre la voûte surmontant la base, les premières vertèbres (en bas), les cavités de la face (à gauche, en noir).

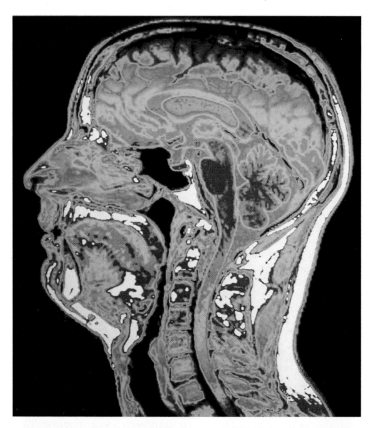

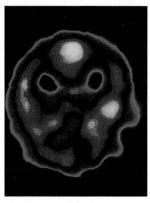

Coupe verticale de la tête. Le scanner permet de voir de haut en bas (en bleu et en vert) les circonvolutions cérébrales, le corps calleux et, en avant du cervelet, le tronc cérébral, prolongé par la moelle épinière.

L'imagerie par résonance magnétique (I.R.M.) [à gauche] montre les mêmes éléments que le scanner, mais avec des contours plus nets. Surtout, elle fournit plus de détails sur la structure interne des organes et des tissus.

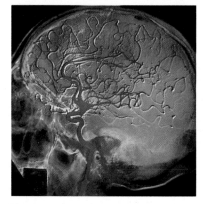

L'artériographie cérébrale montre l'artère carotide interne et ses branches (en rouge) ainsi que les os du crâne (en orange).

La tomoscintigraphie permet d'examiner non seulement l'anatomie mais aussi le fonctionnement du cerveau.

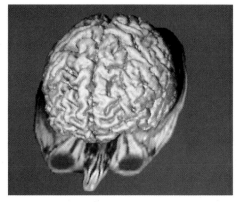

Reconstitution informatique d'un cerveau en trois dimensions à partir de clichés obtenus par imagerie par résonance magnétique (I.R.M.).

Imagerie
par résonance magnétique

Technique d'imagerie radiologique utilisant les propriétés de résonance magnétique nucléaire (R.M.N.) des composants du corps humain.

Le phénomène de résonance magnétique fut découvert en 1946 par Edward Mills Purcell et Felix Bloch, prix Nobel de physique en 1952. La traduction du signal de résonance en une image plane, en 1972, a permis la naissance de l'imagerie par résonance magnétique (I.R.M.) et, depuis les années 1980, son application médicale.

INDICATIONS

L'I.R.M. est principalement indiquée dans le diagnostic des maladies du système nerveux central : les images sont plus précises qu'avec le scanner, surtout dans certaines zones comme la moelle épinière ou pour certaines affections comme la sclérose en plaques. L'I.R.M. représente de nos jours, dans les pays développés, 70 % de l'imagerie neurologique, soit en complément du scanner, soit en première indication. Une seconde indication est le diagnos-tic des maladies osseuses et articulaires, en particulier celles qui atteignent à la fois le squelette et le système nerveux, comme la hernie discale. Parmi les développements les plus récents de cette technique, il faut citer l'angio-I.R.M. et l'imagerie fonctionnelle du cerveau. L'angio-I.R.M. permet d'obtenir, à partir de certaines séquences, des images de vaisseaux. Les anomalies des flux vasculaires sont dès lors plus facilement observables. L'I.R.M. du cerveau permet d'analyser cer-taines fonctions sensorielles ou motrices.

PRINCIPE

Lors de l'examen, les tissus du corps humain sont soumis à un puissant champ magnéti-que. Tous les protons qu'ils contiennent (particules élémentaires situées dans le noyau des atomes d'hydrogène, portant une charge électrique positive et constituant chacun un minuscule aimant) s'orientent alors dans la même direction. Dans un deuxième temps, les protons sont excités en étant soumis à une onde électromagnétique du type onde radio ; ils entrent alors en résonance avec l'onde et basculent tous ensemble selon le même angle. Dans un troisième temps, l'onde radio est brutale-ment interrompue ; les protons retournent à leur point de départ (temps dit de relaxation) en émettant une onde élec-tromagnétique, dite de résonance, recueillie par des récepteurs et enregistrée. L'analyse informatique des ondes recueillies permet de construire une image où la densité de chaque point est fonction des ondes reçues, donc de la densité du tissu en protons à cet endroit. Le tout dure quelques millisecondes.

DÉROULEMENT

L'I.R.M. n'exige ni préparation, ni hospitali-sation, ni repos consécutif, ni jeûne préala-ble. Il est impératif d'ôter tout objet métallique, qui gênerait l'examen (montre, agrafe de soutien-gorge, etc.), et de prohiber tout maquillage, certains cosmétiques conte-nant des métaux. Les plombages dentaires sont susceptibles de déformer l'image.

Le patient s'allonge sur une table que l'on fait glisser dans un tunnel ouvert des deux côtés et occupant le centre d'un électro-aimant (sorte de boyau de 50 à 60 centimè-tres de diamètre sur 2 mètres de long environ) au sein duquel règne un champ

---

IMAGERIE PAR RÉSONANCE MAGNÉTIQUE

L'imagerie par résonance magnétique (I.R.M.) consiste à placer le sujet dans un électro-aimant cylindrique produisant un champ magnétique puissant. Cet examen permet de reconstruire par ordinateur des images en coupe de l'organisme du patient. Indolore, sans risques ni effets secondaires connus, il est particulièrement précieux dans le diagnostic des maladies cérébrales, osseuses et articulaires.

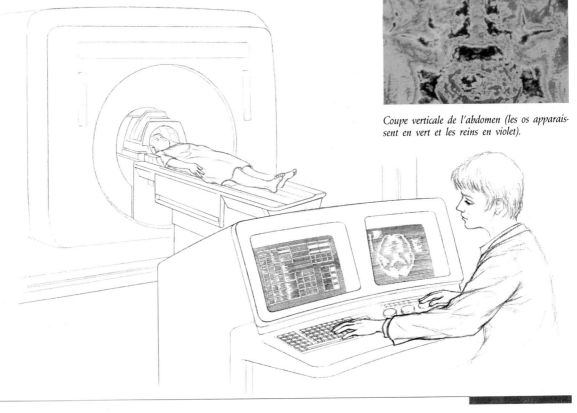

Coupe verticale de l'abdomen (les os apparais-sent en vert et les reins en violet).

magnétique intense. Il ne ressent rien, mais entend un bruit répétitif assez fort, correspondant à l'émission de l'onde de radiofréquence ; il peut demeurer en contact avec le médecin grâce à un microphone. L'examen nécessite une absolue immobilité ; aussi une anesthésie générale est-elle pratiquée chez les personnes claustrophobes et chez les enfants. Il peut être nécessaire d'améliorer les images par une injection intraveineuse de gadolinium. Cette substance ne contient pas d'iode et n'induit pas d'effet secondaire ; cependant, par mesure de prudence, elle n'est pas injectée aux femmes enceintes. L'examen dure de une demi-heure à trois quarts d'heure.

RÉSULTATS

L'I.R.M. est la seule technique donnant des images en coupe dans des plans horizontaux, verticaux et obliques. La réalisation des coupes dans les trois dimensions de l'espace permet de préciser au mieux les rapports et l'extension d'une lésion. Les images sont d'abord traitées sur console informatique. Les résultats sont communiqués le jour même ou le lendemain sous forme de reproductions sur films radiographiques, accompagnées d'un compte rendu.

CONTRE-INDICATIONS ET EFFETS SECONDAIRES

L'I.R.M. est formellement contre-indiquée en cas de présence dans le corps de certains objets en métal aimantable : fragments ayant pénétré par accident, matériel métallique vasculaire ou intracrânien, stimulateur cardiaque. Ces objets, qui ne sont pas toujours connus du patient, sont mis en évidence par une radiographie préalable. L'examen est également impossible à réaliser chez les patients particulièrement corpulents. Il est en revanche compatible avec la présence de prothèses de la hanche, des vis utilisées en orthopédie et du matériel dentaire usuel.

L'I.R.M., examen indolore, ne provoque pas d'irradiation, contrairement au scanner. Aucun risque lié au champ magnétique n'est connu à ce jour, y compris pour la femme enceinte. Malgré cette innocuité et la qualité des images, sa prescription est limitée par le nombre restreint d'appareils et par le coût important des examens.

I.M.A.O.

→ VOIR Inhibiteur de la monoamine oxydase.

Imerslund (maladie d')

Maladie héréditaire caractérisée par une insuffisance d'absorption de la vitamine B12.

Cette maladie, très rare, est liée à une anomalie des récepteurs cellulaires intestinaux du facteur intrinsèque. Celui-ci, sécrété dans l'estomac, permet l'absorption par l'intestin grêle de la vitamine B12. La maladie d'Imerslund se manifeste à partir de l'âge de 2 ans par une anémie importante (anémie mégaloblastique due au déficit en vitamine B12), associée à une présence excessive de protéines dans les urines. Elle est traitée, à vie, par des injections intramusculaires régulières de vitamine B12.

Imipraminique

→ VOIR Tricyclique.

Immobilisation

Procédé thérapeutique consistant à immobiliser une partie malade ou accidentée du corps, voire le corps tout entier.

La plupart des fractures sont soignées par immobilisation au moyen d'appareils orthopédiques, d'attelles, de plâtres ou par ostéosynthèse (réassemblage des fragments osseux à l'aide de vis, de clous, de plaques ou d'autres moyens mécaniques). On traite aussi grâce à ce procédé les entorses, l'arthrite et la tuberculose ostéoarticulaire ainsi que certaines affections de la colonne vertébrale. La durée de l'immobilisation doit être assez longue pour permettre l'arrêt des troubles ou la consolidation mais ne doit pas être prolongée au-delà afin qu'une rééducation puisse être entreprise le plus tôt possible et que soient évitées une fonte musculaire et une raideur de l'articulation.

Immortalisation

Processus permettant à une cellule de se diviser indéfiniment et de produire ainsi une lignée de cellules toutes identiques, appelée clone.

L'immortalisation est l'une des caractéristiques de la transformation maligne d'une cellule lors d'un cancer. Elle peut être en outre réalisée en laboratoire pour obtenir des cultures de cellules, le plus souvent sur des lymphocytes (type particulier de globules blancs du sang et de la lymphe, susceptibles de défendre l'organisme contre les agents infectieux). Elle est obtenue en infectant les lymphocytes avec le virus d'Epstein-Barr, qui leur confère la propriété de se diviser indéfiniment. L'immortalisation de cellules autres que les lymphocytes s'obtient par d'autres moyens.

Immunisation

Ensemble de circonstances ou de procédés qui déclenchent, chez un individu, une réaction immunitaire permettant à l'organisme de se défendre contre un élément étranger (substance, micro-organisme), nommé antigène.

L'immunisation confère, le plus souvent, un état de protection (immunité) à l'égard d'un corps étranger particulier. Cette protection acquise s'obtient grâce à la production d'anticorps spécifiques (réponse immunitaire à médiation humorale) et à celle de cellules de défense spécialisées, essentiellement les lymphocytes T (réponse à médiation cellulaire), ces mécanismes étant responsables de l'élimination de l'antigène.

L'immunisation peut être naturelle lorsque l'organisme est spontanément en contact avec des agents de l'environnement pénétrant par ingestion, par inhalation ou encore par effraction cutanée ou muqueuse. Mais elle peut également être provoquée, comme dans le cas de la vaccination : les agents infectieux, inactivés ou tués, ou seulement certains de leurs constituants, choisis pour leur pouvoir immunogène, sont

alors administrés à l'individu. Cette immunisation contrôlée a pour but de mettre en place des moyens de défense adaptés à la protection contre les agents infectieux pathogènes. La vaccination diffère de la sérothérapie (injection de sérum), dans laquelle on transfère à un malade les produits de l'immunisation (anticorps). La protection n'est alors que transitoire.

Une allo-immunisation, ou iso-immunisation, est une immunisation de type humoral, qui se produit entre individus de la même espèce, par exemple dans le cadre d'une incompatibilité Rhésus entre la mère et son enfant ou d'un rejet de greffe.

Dans certains cas, une auto-immunisation se produit lorsqu'un individu développe des réactions de défense contre des éléments de son propre organisme. Elle conduit à des maladies appelées auto-immunes.

→ VOIR Auto-immunité.

Immunité

Ensemble des mécanismes de défense d'un organisme contre les éléments étrangers à l'organisme, en particulier les agents infectieux (virus, bactéries ou parasites).

L'immunité met en jeu deux mécanismes contre les agressions des agents extérieurs : l'immunité à médiation humorale (par voie sanguine), dans laquelle certains globules blancs, les lymphocytes B, se transforment en plasmocytes qui fabriquent des anticorps, et l'immunité à médiation cellulaire, où d'autres globules blancs, les lymphocytes T, interviennent grâce à la sécrétion de différentes protéines, les cytokines, et en exerçant leurs propriétés cytotoxiques.

→ VOIR Système immunitaire.

Immunocyte

Cellule assurant le fonctionnement du système immunitaire.

Les immunocytes comprennent essentiellement deux catégories de cellules : des globules blancs appelés lymphocytes, qui possèdent des structures membranaires appelées récepteurs, capables de reconnaître les antigènes, et des cellules dont le rôle est de permettre la reconnaissance de l'antigène par les lymphocytes, encore appelées cellules présentant l'antigène, ou macrophages.

La collaboration étroite qui s'instaure entre ces deux grands types de cellules, dites immunocompétentes, est à l'origine de la spécificité de la réponse immunitaire et de son efficacité, c'est-à-dire que cette réponse est toujours dirigée contre un antigène donné. C'est pourquoi les leucocytes polynucléaires ne sont pas des immunocytes, bien qu'ils participent de façon très active à l'élimination des agents pathogènes, car leur mode d'action, essentiellement la phagocytose, n'est pas spécifique d'un agent pathogène particulier.

Immunodéficience

Diminution congénitale ou acquise de l'état d'immunité de l'organisme.

Lorsqu'elle est marquée et durable, l'immunodéficience rend le malade particulièrement sensible aux infections opportunistes (causées par des germes normalement inoffensifs et qui affectent seulement des organismes aux défenses affaiblies).

■ **Les immunodéficiences congénitales** peuvent toucher différents maillons de la réponse immunitaire. Lorsque le déficit immunitaire concerne les lymphocytes, le pronostic est souvent défavorable ; cependant, certaines formes, comme l'agammaglobulinémie de Bruton, sont accessibles à un traitement (injection de gammaglobulines). D'autres immunodéficiences, comme le déficit en immunoglobulines A, sont à la fois fréquentes et très bien tolérées. Les anomalies du complément (ensemble spécifique de protéines participant à la destruction des antigènes) favorisent, selon les cas, les infections ou les maladies auto-immunes.

■ **Les immunodéficiences acquises** sont fréquentes. La première cause, dans le monde, en est la malnutrition. D'autres causes sont plus rares : le syndrome néphrotique (forme de glomérulonéphrite) entraîne une hypogammaglobulinémie (diminution du taux de gammaglobulines dans le sang) favorisant les infections. La chimiothérapie et la radiothérapie dans le traitement des cancers, la corticothérapie dans celui des maladies inflammatoires et les immunosuppresseurs dans la prévention des rejets de greffe induisent des déficits plus ou moins profonds et plus ou moins complets de l'immunité. De nombreux virus sont susceptibles aussi de provoquer des déficits immunitaires, passagers pour la plupart. Le V.I.H. (virus du sida) entraîne une immunodéficience profonde et définitive.

→ VOIR Sida.

Immunodépresseur

→ VOIR Immunosuppresseur.

Immunofluorescence

Méthode de laboratoire qui utilise des anticorps rendus fluorescents pour détecter la présence de diverses substances.

L'immunofluorescence est utilisée pour rechercher et identifier, dans un prélèvement humoral (sang, liquide céphalorachidien, etc.) ou tissulaire, des anticorps sériques ou bien des dépôts d'antigènes et d'anticorps caractéristiques d'une maladie. Cette méthode consiste à utiliser un réactif de laboratoire contenant un anticorps capable de se fixer spécifiquement sur la substance que l'on recherche. Sur l'anticorps du réactif a été fixée une substance fluorescente, en général de l'isothiocyanate de fluorescéine, visible par exemple avec un microscope à lumière ultraviolette. Le réactif est déposé sur le prélèvement qui provient du malade, puis la lame de microscope est rincée, ce qui emporte toutes les substances qui ne sont pas fixées. Si le prélèvement ne contient pas d'antigène, on n'observe rien. Dans le cas contraire, on observe une fluorescence dont la forme et la localisation (petites taches, bâtonnets, inclusions intracellulaires ou extracellulaires) sont fonction de la structure de l'antigène ainsi révélé.

Immunoglobuline

Protéine du sérum sanguin sécrétée par les plasmocytes, issus des lymphocytes (globules blancs intervenant dans l'immunité cellulaire) de type B en réaction à l'introduction dans l'organisme d'une substance étrangère (antigène). SYN. *anticorps*.

À la naissance, le nouveau-né possède certaines des immunoglobulines de sa mère, qui ont traversé le placenta pendant la grossesse et persistent quelques mois. Ensuite, il crée lui-même son immunité au contact des antigènes.

DIFFÉRENTS TYPES D'IMMUNOGLOBULINE

Une immunoglobuline est constituée de 4 chaînes d'acides aminés (ou polypeptides), où l'on distingue deux chaînes dites légères et deux dites lourdes. Pour chaque immunoglobuline, les 2 chaînes lourdes sont identiques, de même que les 2 chaînes légères. La structure des chaînes lourdes définit cinq classes d'immunoglobulines : les immunoglobulines de type G, ou IgG (12 grammes par litre de sang), les IgA (2 grammes par litre), les IgM (1 gramme par litre), les IgD (0,2 gramme par litre) et les IgE (450 nanogrammes par litre).

■ **Les IgA** jouent un rôle important dans la lutte contre les bactéries dans les muqueuses (des voies respiratoires, par exemple).

■ **Les IgD** interviendraient dans la maturation des lymphocytes.

■ **Les IgE** ont un rôle clé dans la défense contre les parasites et dans le mécanisme de l'allergie. Elles sont sécrétées contre les allergènes (certains types d'antigènes) et entraînent dans l'organisme la libération d'histamine, substance responsable de l'apparition des symptômes de l'allergie.

■ **Les IgG** sont produites lors d'un contact avec un antigène qui se prolonge ou lors d'un second contact de l'organisme avec un antigène. C'est la réponse mémoire, principe selon lequel fonctionnent l'immunité acquise et les vaccins.

■ **Les IgM** sont des immunoglobulines sécrétées lors du premier contact de l'organisme avec un antigène.

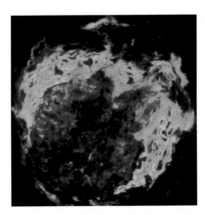

Immunofluorescence. Visibles au microscope, les anticorps fluorescents (en vert) restent fixés sur l'antigène correspondant.

FONCTION

Une immunoglobuline est capable de se fixer spécifiquement sur l'antigène qui a provoqué sa synthèse ; elle prend alors le nom d'anticorps. Ainsi, une immunoglobuline produite contre le virus de la rougeole ne pourra pas reconnaître celui de la poliomyélite. Les immunoglobulines neutralisent les antigènes et les empêchent de se reproduire. Les antigènes sont ensuite détruits par le complément (système enzymatique) ou par des cellules phagocytaires (macrophages, lymphocytes T, polynucléaires neutrophiles, monocytes) qui viennent se fixer à leur tour sur les immunoglobulines.

UTILISATION THÉRAPEUTIQUE

Les immunoglobulines, d'origine animale ou humaine, sont utilisées comme médicaments dans l'immunothérapie. Elles sont indiquées dans la prévention et le traitement de maladies infectieuses (coqueluche, hépatites A et B, oreillons, rage, rubéole, tétanos, varicelle, zona), dans les cas de déficit immunitaire global et dans la prévention de l'incompatibilité Rhésus. Administrées par voie sous-cutanée, intramusculaire ou intraveineuse lente, elles offrent une protection rapide mais de durée limitée.

→ VOIR Anticorps, Gammaglobuline.

Immunoglobuline monoclonale

Anticorps issu d'une seule lignée de cellules (clone), donc trop homogène et en quantité souvent importante.

Les immunoglobulines monoclonales sont mises en évidence par électrophorèse (technique permettant de séparer diverses substances en fonction de leur différence de mobilité). Elles sont retrouvées au cours du myélome multiple, de la maladie de Waldenström, des hémopathies lymphoïdes, des maladies des chaînes lourdes et elles contribuent à établir le diagnostic de ces affections.

Elles sont également présentes de façon isolée, en particulier chez le sujet âgé témoignant d'une gammapathie monoclonale bénigne. Cette maladie sans symptôme requiert seulement une surveillance régulière car, si elle peut rester stable ou même disparaître, elle peut aussi précéder de plusieurs années l'apparition d'un myélome multiple.

Immunohistochimie

Technique de l'histologie (étude de la morphologie des cellules) destinée à mettre en évidence certains constituants cellulaires et tissulaires ayant des propriétés antigéniques (contribuant à la formation d'anticorps). SYN. *immunocytochimie*.

Les anticorps, obtenus par immunisation d'un animal ou par la technique des hybridomes (fusion de cellules génétiquement différentes), sont marqués par un traceur fluorescent puis observés en lumière ultraviolette ou marqués par une enzyme, la peroxydase, révélée par l'ajout d'un substrat coloré lors de l'observation.

Selon les antigènes recherchés ou les anticorps utilisés, la recherche s'effectue, par microscope optique, sur des coupes microscopiques de tissus préalablement inclus dans de la paraffine ou congelés. Elle peut également porter sur des préparations cytologiques (cellules isolées) ou sur des coupes destinées à être observées, fortement grossies, par microscope électronique.

Un nombre croissant d'antigènes (marqueurs de membrane, immunoglobulines, hormones, enzymes, marqueurs tumoraux, etc.) est ainsi décelé.

Immunologie

Spécialité biologique et médicale qui étudie l'ensemble des mécanismes de défense de l'organisme contre les antigènes (agents pathogènes extérieurs).

L'immunologie est née avec les travaux du médecin anglais Edward Jenner, qui réalisa, en 1798, les premières vaccinations antivarioliques. Elle connut des développements importants avec le chimiste français Louis Pasteur et ses recherches sur les agents infectieux et la vaccination. Cette science procède du double constat que tout être vivant est équipé de manière à reconnaître et à tolérer ce qui lui appartient en propre, à reconnaître et à rejeter ce qui lui est étranger et, d'autre part, que la reconnaissance, la tolérance et le rejet procèdent de mécanismes complexes faisant intervenir des organes (thymus, moelle osseuse), des cellules (lymphocytes, macrophages) et des molécules (cytokines, anticorps).

L'immunologie a pour objet la description de ces organes, cellules et molécules assurant le fonctionnement normal du système immunitaire ainsi que l'étude des dérèglements de ce dernier.

→ VOIR Réponse immunitaire, Système immunitaire.

Immunostimulant

Substance stimulant le système immunitaire qui assure les défenses de l'organisme.

Les immunostimulants spécifiques sont les vaccins. Destinés à la prévention des maladies infectieuses, chacun d'eux n'est efficace que contre un germe précis.

Les immunostimulants non spécifiques comprennent des substances identiques à des substances de l'organisme (interleukines, interférons), des substances d'origine bactérienne et des substances diverses (lévamisole). Employés pour traiter les cancers, les infections (respiratoires, etc.), les déficits immunitaires, les maladies auto-immunes (dans lesquelles le système immunitaire attaque l'organisme lui-même), ils stimulent globalement les défenses, mais leur efficacité est souvent partielle.

→ VOIR Immunothérapie anticancéreuse, Vaccin.

Immunosuppresseur

Médicament qui atténue ou supprime les réactions immunitaires de l'organisme. SYN. *immunodépresseur*.

Les immunosuppresseurs se prescrivent essentiellement lors d'une greffe, dans le dessein de limiter les phénomènes de rejet, et dans les maladies auto-immunes.

TRAITEMENT DU REJET DE GREFFE

Les phénomènes de rejet sont provoqués par les antigènes des groupes HLA, appelés aussi antigènes d'histocompatibilité.

Les corticostéroïdes ont été les premiers immunosuppresseurs utilisés et sont indispensables au traitement du rejet.

L'azathioprine est aujourd'hui l'immunosuppresseur le plus utilisé. Il a pour effet de diminuer la prolifération des cellules responsables des phénomènes de rejet (lymphocytes T notamment).

La ciclosporine A, le plus puissant des immunosuppresseurs, est utilisée dans les cas de rejet aigu de greffe et en traitement d'entretien.

Les sérums antilymphocytes détruisent les lymphocytes T directement dans le sang. Ils sont d'une efficacité variable.

Les anticorps monoclonaux, d'utilisation récente, ont une action très sélective. Ils s'opposent à une famille déterminée de lymphocytes, dont ils bloquent une fonction bien précise.

Les immunosuppresseurs s'administrent le jour même de la greffe, à des doses d'abord importantes puis décroissantes. Ils doivent être ensuite prescrits indéfiniment, à de faibles doses, dans un but protecteur.

TRAITEMENT DES MALADIES AUTO-IMMUNES

Les maladies auto-immunes sont des affections déclenchées par les propres anticorps du malade. Parmi les plus connues, on peut citer le lupus érythémateux aigu (affection générale grave), le syndrome de Goodpasture (affection du rein accompagnée d'une atteinte pulmonaire) et certaines glomérulonéphrites (affections caractérisées par une atteinte des glomérules rénaux). Les immunosuppresseurs utilisés sont les corticostéroïdes, plus rarement l'azathioprine et la ciclosporine A. Ils se prescrivent uniquement dans les formes les plus graves de maladies auto-immunes, pour des périodes limitées, en association avec d'autres médicaments.

EFFETS INDÉSIRABLES

En diminuant les réponses immunitaires de l'organisme, les immunosuppresseurs exposent celui-ci à des complications infectieuses virales ou bactériennes et, à plus long terme, au développement d'affections malignes (lymphomes surtout).

Les corticostéroïdes sont responsables d'effets indésirables graves : infections bactériennes ou fongiques, ostéonécrose aseptique (mort d'une zone limitée de tissu osseux), hypertension artérielle.

L'azathioprine favorise les infections virales et les insuffisances de la moelle osseuse. De plus, ce médicament augmente à long terme les risques de cancer.

La ciclosporine A provoque des lésions du rein avec risque d'insuffisance rénale, une hypertension artérielle, un développement exagéré du système pileux, une hypertrophie des gencives, une hyperkaliémie (excès de potassium dans le sang), etc.

Les sérums antilymphocytes et les anticorps monoclonaux déclenchent, en particulier, de la fièvre et des accès de douleurs articulaires.

Une surveillance très régulière des malades traités par immunosuppresseurs est donc indispensable. En cas d'effets indésirables, on peut diminuer les doses, traiter l'affection en cause ou, si ce n'est pas possible, changer d'immunosuppresseur.

Immunothérapie

Traitement des maladies par modification de l'activité du système immunitaire.

Le système immunitaire peut réagir trop faiblement dans les déficits immunitaires et les maladies infectieuses, trop fortement dans les rejets de greffe d'organe ou les états d'hypersensibilité comme l'allergie ou encore mal à propos dans les maladies auto-immunes. L'immunothérapie consiste donc soit à stimuler la réponse immune quand elle est insuffisante (immunostimulation), soit à la juguler quand elle produit des effets excessifs ou indésirables (immunosuppression). Les traitements utilisés peuvent être non spécifiques, c'est-à-dire destinés à corriger le système immunitaire dans son ensemble, ou spécifiques, c'est-à-dire dirigés contre un groupe précis d'antigènes (substances étrangères à l'organisme) ou contre les défenses immunitaires correspondantes (globules blancs, anticorps). La tendance actuelle est d'essayer de recourir à des méthodes de plus en plus spécifiques.

Immunostimulation

Cette stimulation d'un système immunitaire déficient ou « débordé » est indiquée dans le traitement des déficits immunitaires, des infections et des cancers.

MOYENS NON SPÉCIFIQUES

La greffe de moelle osseuse est indiquée dans le traitement des déficits héréditaires de l'immunité cellulaire (lymphocytes T) et humorale (lymphocytes B). Les cellules souches issues de la moelle d'un donneur compatible sont injectées par voie veineuse et colonisent la moelle du malade. La greffe de foie fœtal - lequel stocke les cellules-souches lymphoïdes jusqu'à la naissance - peut être pratiquée chez des enfants pourvus de moelle osseuse mais démunis de thymus (organe situé dans la partie basse du cou et ayant un rôle immunitaire).

L'injection de gammaglobulines polyvalentes (actives sur un grand nombre d'antigènes), par voie intramusculaire ou intraveineuse, est indiquée dans le traitement d'un déficit immunitaire humoral très rare : l'agammaglobulinémie congénitale de Bruton. Ce traitement dure toute la vie.

L'administration d'antigènes produits à partir de bactéries, qui stimulent les défenses immunitaires, a été utilisée comme traitement d'appoint du cancer. Son efficacité est discutée dans les infections bronchiques chroniques, y compris chez l'enfant.

MOYENS PEU SPÉCIFIQUES

Ces méthodes sont encore expérimentales.

L'administration d'hormones thymiques de synthèse est utilisée dans le traitement des déficits immunitaires cellulaires.

L'administration de cytokines (substances ayant un rôle dans la stimulation de l'immunité), fabriquées par génie génétique, est indiquée dans le traitement de certains cancers. L'interféron, antiviral et antitumoral, et l'interleukine 2 sont les plus employés.

MOYENS SPÉCIFIQUES

■ **La vaccination** est le plus classique des procédés d'immunostimulation spécifique d'une bactérie, d'un virus ou d'un parasite, à titre préventif. Elle stimule des lymphocytes mémoire, qui répondront efficacement à l'agression d'une bactérie pathogène.

■ **La sérothérapie** est utilisée en situation d'urgence. Il s'agit de pallier temporairement la carence du sujet en anticorps contre tel ou tel agent infectieux. Cet effet est plus rapide que celui du vaccin correspondant, mais moins prolongé. On dispose d'anticorps actifs contre la coqueluche, le cytomégalovirus, l'hépatite B, les oreillons, la rage, la rougeole, la rubéole, le tétanos, la varicelle et le zona.

Immunosuppression

Appelée aussi immunodépression, cette inhibition des réactions excessives ou anormales du système immunitaire est indiquée globalement dans les allergies, les cancers, les maladies auto-immunes (caractérisées par un dérèglement du système immunitaire, qui attaque l'organisme du sujet lui-même) et les rejets de greffe.

MOYENS NON SPÉCIFIQUES

■ **Les méthodes chimiques** comprennent l'administration de médicaments appelés immunosuppresseurs. Ils appartiennent à 3 catégories : les corticostéroïdes, les antimétabolites (azathioprine) et les alkylants (cyclophosphamide, chlorambucil, melphalan). Les corticostéroïdes sont prescrits en raison de leurs propriétés anti-inflammatoires dans les allergies ou les maladies auto-immunes ou encore, en raison de leurs propriétés immunosuppressives, pour empêcher le rejet d'une greffe ou lutter contre un cancer, par exemple.

■ **Les méthodes physiques** incluent l'irradiation des organes lymphoïdes (moelle osseuse, ganglions lymphatiques) et la plasmaphérèse. Celle-ci consiste à prélever le sang du malade, à séparer les cellules (globules blancs, globules rouges et plaquettes) du plasma, qui contient les anticorps anormaux, et à réinjecter les cellules dans du plasma de substitution. La radiothérapie est indiquée dans le traitement des cancers, et la plasmaphérèse, dans des formes graves de maladies auto-immunes.

■ **Les méthodes chirurgicales** consistent à pratiquer l'ablation du thymus dans la myasthénie (maladie auto-immune s'accompagnant souvent d'une hypertrophie du thymus) ou de la rate dans le purpura thrombopénique, car les plaquettes sont alors détruites en excès dans cet organe.

MOYENS PEU SPÉCIFIQUES

■ **L'administration de ciclosporine A**, médicament immunosuppresseur extrait d'un champignon, a permis de diminuer notablement le nombre de rejets de greffe en neutralisant les lymphocytes T auxiliaires et en réduisant la sécrétion d'interleukine 2.

■ **L'administration d'anticorps monoclonaux peu spécifiques**, fabriqués par génie génétique et obtenus à partir d'une lignée cellulaire unique, appelée clone, remplace aujourd'hui l'injection des sérums antilymphocytes T, fabriqués en immunisant des chevaux et des lapins contre les lymphocytes T humains. Les anticorps monoclonaux sont dirigés contre certains lymphocytes T et B activés ou contre certaines cytokines. Les anticorps anti-CD3 sont parfois prescrits au cours des greffes et les anticorps anti-CD4, au cours de maladies auto-immunes, en particulier de la polyarthrite rhumatoïde.

MOYENS SPÉCIFIQUES

Certains sont encore expérimentaux.

■ **L'administration d'anticorps monoclonaux spécifiques**, qui ne reconnaissent qu'une infime proportion de lymphocytes, ceux qui sont pathogènes, est en cours d'expérimentation. C'est certainement le traitement de l'avenir.

■ **La vaccination du malade contre ses lymphocytes pathogènes** a été pratiquée chez l'homme, notamment dans le traitement de la polyarthrite rhumatoïde.

■ **La désensibilisation** constitue un cas particulier. Ce traitement vise à rendre une personne allergique tolérante à l'antigène qui déclenche habituellement les manifestations allergiques. Cela revient à injecter régulièrement des doses infinitésimales mais croissantes d'antigènes. Le mécanisme par lequel des anticorps « normaux » se substituent à des anticorps « anormaux » reste pour l'instant totalement inconnu.

→ VOIR Chimiothérapie anticancéreuse, Greffe de moelle osseuse, Immunothérapie anticancéreuse, Plasmaphérèse, Radiothérapie, Système immunitaire.

Immunothérapie anticancéreuse

Traitement d'un cancer par stimulation du système immunitaire.

L'immunothérapie anticancéreuse, à l'étude depuis près d'un siècle, demeure aujourd'hui en phase expérimentale. Cependant, elle fait l'objet de nombreux essais thérapeutiques à travers le monde et il s'agit sans doute d'une des grandes voies d'avenir pour traiter et guérir les cancers. Actuellement, on connaît deux grands types de traitement : l'administration de cytokines et l'immunothérapie cellulaire.

Administration de cytokines

Les cytokines sont des substances normalement présentes dans le corps humain, sécrétées par différents types de globules blancs ; les cytokines sécrétées par les lymphocytes T (globules blancs participant à l'immunité cellulaire) sont aussi appelées lymphokines, celles-ci comprenant principalement des interleukines. Le rôle d'une cytokine est de contrôler l'activité d'autres sortes de globules blancs et de participer ainsi à la défense immunitaire contre les cellules cancéreuses.

Les cytokines utilisées en thérapeutique sont produites artificiellement en laboratoire, par génie génétique. L'interleukine 2 est la plus anciennement connue. Elle est injectée par voie intraveineuse, à raison d'une quantité exactement définie et selon un rythme soigneusement établi. L'interleukine 2 active les trois grandes classes de cellules tueuses (globules blancs tuant les cellules cancéreuses) : les lymphocytes T cytotoxiques, les lymphocytes NK, ou *natural killers* (« tueurs naturels »), et les macrophages. Des résultats ont été obtenus dans le traitement du cancer du rein, dans celui du mélanome malin métastasé (cancer de la peau qui s'est étendu à d'autres organes) et dans celui du cancer du côlon, des leucémies et des lymphomes. Mais l'activité de cette substance est variable et transitoire et ses effets indésirables sont importants : fièvre, nausées, diarrhée, confusion mentale, éruptions cutanées, chute de tension artérielle. Pour tenter d'augmenter l'efficacité de l'interleukine 2, on l'associe à d'autres cytokines comme les interférons, qui ont à la fois une action immunostimulante et directement antitumorale. L'interféron alpha est utilisé pour certaines leucémies, pour les myélomes, les cancers du rein ou les mélanomes. L'interféron gamma semble actif dans le traitement de certaines formes de cancer de l'ovaire ou de mésothéliome.

Les interleukines peuvent également être associées à une chimiothérapie ou à une immunothérapie cellulaire.

Immunothérapie cellulaire

Cette stimulation du système immunitaire consiste à prélever des globules blancs du malade et à leur faire subir des transformations en laboratoire avant de les réinjecter au même malade. Les transformations effectuées sont soit une activation par les cytokines, soit une thérapie génique.

■ **L'activation par les cytokines** est, pour l'instant, la méthode de référence. Elle peut produire trois catégories de cellules tueuses, réinjectables, plus efficaces que les cellules d'origine : les LAK, ou *lymphocyte activated killer* (« lymphocyte tueur activé ») ; les MAK, ou *macrophage activated killer* (« macrophage tueur activé ») ; les TIL, ou *tumour infiltrating lymphocyte* (« lymphocyte infiltrant les tumeurs »). Les TIL sont directement prélevés sur un fragment cancéreux du malade car ils sont présents dans les cellules cancéreuses à l'état naturel, les infiltrant et essayant de les détruire. Après activation et réinjection, ils ont la particularité d'être concentrés dans la tumeur d'origine. Mais l'utilisation de TIL nécessite une opération pour prélever la tumeur ainsi qu'une culture en laboratoire, longue (au moins un mois) et de coût élevé. Une voie de recherche parallèle et complémentaire consiste à fixer à la cellule activée par les cytokines un anticorps spécifique du cancer du malade ; quand la cellule ne sait pas reconnaître elle-même ce cancer, comme c'est le cas des LAK et des MAK, l'anticorps lui permet de se fixer à celui-ci. D'autres possibilités existent : injecter les cytokines directement au malade en même temps que les cellules activées pour additionner les effets ; compléter l'activation des cellules en laboratoire par la thérapie génique.

■ **La thérapie génique** a pour principe de modifier le génome (ensemble des gènes portés par les chromosomes) de cellules qui sont ensuite administrées au malade. Dans le cas de l'immunothérapie anticancéreuse, différentes approches sont à l'étude : un fragment tumoral est prélevé, puis on y introduit au laboratoire un gène de cytokine (IL2 par exemple) afin que les cellules tumorales ainsi modifiées stimulent le système immunitaire lorsqu'elles sont réinjectées au malade ; une autre approche consiste à « vacciner » les malades par un virus modifié contenant le gène d'un antigène tumoral, lorsque celui-ci est connu, à condition que ce virus ait une efficacité reconnue pour le tissu concerné, et ne soit pas pathogène.

Impédancemétrie

Étude et mesure de la souplesse du tympan et des osselets de l'oreille moyenne.

L'impédance du tympan caractérise son degré de rigidité : plus le tympan est souple, plus ses qualités sont bonnes. Sa rigidité dépend de trois éléments : la pression dans l'oreille moyenne, qui doit être égale à la pression atmosphérique si la trompe d'Eustache fonctionne bien ; le contenu de l'oreille moyenne : il s'y trouve du liquide au cours des otites ; le fonctionnement des osselets situés derrière le tympan. Si les trois mesures de cette souplesse sont normales, l'oreille moyenne est saine.

TECHNIQUE ET DÉROULEMENT

Un embout est placé dans le conduit auditif et relié à trois petits canaux : l'un pour faire varier la pression sur le tympan ; l'autre pour produire des sons stimulant le tympan ; le troisième pour enregistrer les sons réfléchis par le tympan (ce dernier réfléchit les sons s'il est rigide, il les absorbe pour vibrer s'il est souple). Les canaux sont reliés à un appareil enregistreur. On peut pratiquer une impédancemétrie par deux techniques.

■ **La tympanométrie** consiste à augmenter progressivement la pression et à enregistrer les sons réfléchis à chaque niveau de pression pour apprécier la souplesse du tympan. L'appareil dessine normalement une courbe en triangle, la pointe (vers le haut) représentant le maximum de souplesse quand on impose au tympan une pression égale à celle de l'oreille moyenne. Si la pointe est décalée vers les faibles pressions, il y a une anomalie de la trompe d'Eustache. Si elle est émoussée (en forme de colline et non pas de toit), il y a une otite avec du liquide.

■ **L'étude du réflexe stapédien** consiste à s'assurer de la faculté des osselets et du tympan de se rigidifier lorsqu'un son trop fort est émis. Si ce réflexe est absent, il y a une anomalie des osselets (otospongiose). S'il survient pour des sons trop faibles, c'est l'oreille interne qui est touchée.

L'impédancemétrie, examen indolore et dénué d'effets secondaires, peut être effectuée à tout âge et ne dure que quelques minutes. Elle est de pratique courante en audiologie.

Imperforation

Malformation caractérisée par la fermeture anormale d'un canal naturel.

Les imperforations affectent les voies respiratoires ou digestives. À la naissance, trois types de malformation sont recherchés à l'aide d'une petite sonde : imperforation des choanes (orifices postérieurs des fosses nasales, conduisant au pharynx), du canal anal (entre le rectum et l'anus) et de l'œsophage.

Quand ce dépistage systématique n'était pas fait, on observait de graves troubles respiratoires ou digestifs, mettant la vie de l'enfant en péril. Désormais, le traitement consiste en une réparation chirurgicale en urgence.

Impétiginisation

Survenue d'une surinfection microbienne ressemblant à un impétigo sur une affection cutanée qui n'était pas initialement infectée, telle qu'un eczéma.

Une impétiginisation impose un traitement préalable à celui de la dermatose sous-jacente : nettoyage des lésions, antibiotiques locaux, éventuellement antibiothérapie générale.

→ VOIR **Impétigo.**

Impétigo

Infection cutanée suppurée et contagieuse d'origine bactérienne.

L'impétigo est une affection fréquente. Il s'observe le plus souvent chez l'enfant de moins de 10 ans, parfois sous forme de petites épidémies touchant une école ou une famille. Les germes en cause sont le staphylocoque doré, parfois le streptocoque, qui peuvent pénétrer par la peau à l'occasion d'une coupure ou de lésions d'herpès ou d'eczéma. Lorsque l'infection se déclenche sur une maladie cutanée préexistante, telle que l'herpès ou l'eczéma, on parle d'impétiginisation.

SYMPTÔMES ET SIGNES

Les signes commencent par une petite plaque rouge sur laquelle apparaissent des vésicules (cloques minuscules remplies d'un

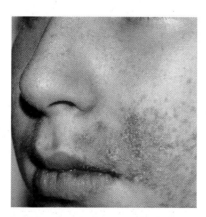

Impétigo. *Il est le plus souvent localisé autour du nez et de la bouche, où il forme des croûtes jaunâtres caractéristiques.*

liquide clair) qui se remplissent de pus. Puis les lésions, très fragiles, font rapidement place à une croûte jaunâtre couleur de miel, recouvrant un enduit purulent. Elles infectent souvent le pourtour des narines, de la bouche ou des yeux, parfois les zones génitales. Une fièvre modérée peut les accompagner. On assiste quelquefois à la multiplication des lésions, le grattage des croûtes transportant le microbe d'un point à un autre. Le grattage favorise de plus la persistance de cicatrices définitives ou prolongées.

TRAITEMENT

Il repose sur la prise d'antibiotiques actifs sur les staphylocoques et les streptocoques, par voie orale, pendant au moins 10 jours. Les soins locaux sont aussi très importants : ramollissement des croûtes par pulvérisations de sérum zinc ou d'eau de Dalibour, application d'antiseptiques deux fois par jour, toilette avec un savon antiseptique. Les taies d'oreiller, les serviettes de table et de toilette doivent être lavées à part dans la mesure du possible. Pour éviter les effets du grattage chez les enfants, on préconise de leur couper les ongles, qu'il faut nettoyer deux fois par jour, et de recouvrir les lésions d'une compresse sèche. De plus, une éviction scolaire s'impose jusqu'à la guérison complète (8 à 10 jours).

Impétigo herpétiforme

Affection caractérisée par une éruption cutanée aiguë fébrile touchant essentiellement la femme enceinte à partir du 6e mois de grossesse.

L'impétigo herpétiforme est une maladie très rare, de cause et de mécanisme inconnus, sans rapport avec l'impétigo ni l'herpès. Il se traduit par de grands placards rouges recouverts de pustules sur les grands plis du tronc, associés à une fièvre très élevée, à des troubles digestifs (vomissements, diarrhée) et neuromusculaires (convulsions, douleurs musculaires) et à une hypocalcémie (diminution du taux de calcium sanguin). Les troubles disparaissent au moment de l'accouchement.

Cette affection nécessite une hospitalisation en urgence. Elle est traitée par administration de corticostéroïdes par voie orale et, en cas de forte hypocalcémie, par injection de gonadotrophine, de vitamine D et de calcium. Le pronostic maternel est favorable, celui du fœtus, réservé. Les lésions cutanées peuvent laisser des cicatrices, surtout si elles ont été grattées.

Implant

Tout matériel naturel ou artificiel inséré dans l'organisme.

Les implants sont destinés à remplacer un organe malade ou à améliorer son fonctionnement, à traiter certaines maladies, à diffuser des médicaments ou des hormones, ou encore à remodeler la silhouette.

Un implant peut être un appareil, miniaturisé ou non, un médicament, un tissu synthétique.

→ VOIR **Greffe, Prothèse.**

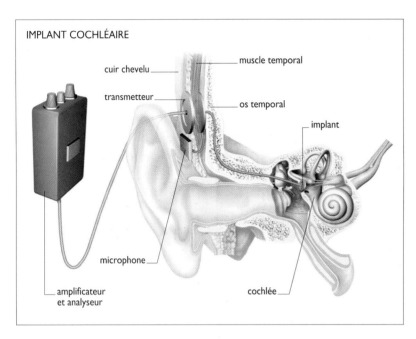

IMPLANT COCHLÉAIRE

cuir chevelu

muscle temporal

transmetteur

os temporal

implant

microphone

amplificateur
et analyseur

cochlée

Implant cardiaque

→ VOIR Stimulateur cardiaque.

Implant cochléaire

Électrodes placées chirurgicalement à l'intérieur de la cochlée, dans l'oreille interne.

La pose d'un implant cochléaire n'est indiquée que dans les cas où les prothèses auditives ne sont pas efficaces, dans les surdités de perception graves soit d'origine congénitale, soit par atteinte toxique de l'oreille interne.

La mise en place se fait, sous anesthésie générale, par une incision pratiquée derrière le pavillon de l'oreille. Les électrodes stimuleront les cellules sensorielles de l'oreille interne et adresseront des impulsions nerveuses au cerveau. Elles sont reliées par un fil à un petit boîtier (microphone) placé à l'extérieur au-dessus du pavillon de l'oreille, qui recueille les sons et les transforme en courant électrique. Cette technique récente de microchirurgie est encore peu employée.

Implant cristallinien

Lentille en plastique qui remplace le cristallin à l'intérieur de l'œil.

Composé de matériau synthétique (polyméthylmétacrylate), un implant cristallinien comprend une partie optique (lentille transparente) entourée d'anses fines qui servent à le maintenir.

La pose d'un implant cristallinien est indiquée après extraction d'un cristallin, en général dans le cas d'une cataracte. C'est une intervention courante et de courte durée, qui nécessite une hospitalisation d'environ trois jours. Sous anesthésie générale, après ablation du cristallin malade, l'implant cristallinien est placé en avant ou, plus souvent, en arrière de l'iris et est maintenu en place par ses petites anses. Sa mise en place en arrière

de l'iris (implant « de chambre postérieure ») est plus délicate, mais la correction optique est idéale, l'implant étant situé dans le plan même du cristallin, ce qui permet de conserver un champ visuel normal.

Après l'opération, le patient doit porter quelques jours un cache sur l'œil pour éviter toute stimulation lumineuse.

Cet implant est posé à vie. Les complications locales sont très rares et les résultats visuels, en général, excellents. Des verres correcteurs de faible puissance peuvent être prescrits pour parfaire la vision de loin et permettre la vision de près.

Implant dentaire

Petit cylindre en métal (titane), fixé chirurgicalement dans l'os maxillaire et destiné à remplacer la racine d'une dent arrachée et à servir de soutien à une prothèse.

INDICATIONS

La pose d'un ou de plusieurs implants dentaires est indiquée chez les personnes qui, à la suite de caries ou de déchaussements, ont perdu une dent, plusieurs dents ou la totalité de leurs dents et pour lesquelles le port d'un dentier est source d'inconfort.

TECHNIQUE

Sous anesthésie locale, le chirurgien incise la gencive et en décolle un lambeau. Il perce un trou dans l'os et insère l'implant. Puis il rabat le lambeau de gencive et le suture. Cette opération est pratiquée pour un seul implant ou pour plusieurs. Le patient peut éprouver des douleurs dues à la cicatrisation des tissus durant une semaine.

Les implants sont laissés tels quels dans l'os pendant environ six mois pour qu'ils s'y intègrent bien. Après cette période, dite de « mise en nourrice », le chirurgien découvre la tête de chacun des implants et les prépare pour qu'ils puissent servir de support à la prothèse. Plusieurs semaines après, le chirurgien prend une empreinte de la mâchoire ou des mâchoires et réalise un appareil dentaire (prothèse) semblable à un bridge. Celui-ci est alors ajusté (par des vis, des clavettes ou des pivots) sur les supports placés sur les implants dentaires.

Suivant leur mode de construction, certaines prothèses ne peuvent être retirées que par le praticien (prothèses fixées) ; d'autres peuvent l'être aussi par le patient (prothèses amovibles).

RÉSULTATS

Cette technique a l'avantage d'éliminer définitivement tout phénomène de rejet et

IMPLANT DENTAIRE

La racine d'une dent manquante peut être remplacée par un implant dentaire, qui, fixé chirurgicalement dans l'os maxillaire, permet ainsi la pose d'une prothèse. Lors de chaque intervention, une anesthésie locale supprime toute douleur.

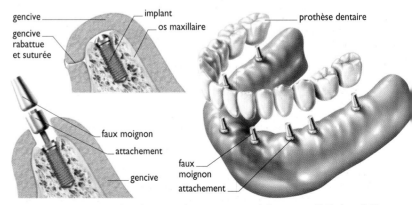

gencive

implant

gencive
rabattue
et suturée

os maxillaire

prothèse dentaire

faux moignon

attachement

gencive

faux
moignon

attachement

On visse un support sur l'implant, une fois celui-ci intégré sous la gencive.

Un appareil dentaire semblable à un bridge est fixé sur les supports.

évite au patient de porter un dentier. Le pronostic (durée de vie de l'implant) est meilleur pour les implants situés sur le maxillaire supérieur que pour ceux situés sur le maxillaire inférieur.

Implant médicamenteux

Médicament radioactif ou non (pellet), introduit chirurgicalement sous la peau dans le tissu cellulaire.

Les implants médicamenteux sont destinés à diffuser leur contenu (localement ou dans l'ensemble de l'organisme) d'une façon régulière et permanente. Leur action s'étend sur une durée propre à chacun, pouvant aller de quelques semaines à plusieurs années. Ils se résorbent lentement.

■ Les implants radioactifs consistent en une substance radioactive placée dans un dispositif (aiguille, fil, tube) ou dans une solution. Le chirurgien pratique sous anesthésie locale une incision à l'endroit du corps où la substance radioactive doit agir et introduit l'implant dans le tissu cellulaire. L'action, intense localement, a l'avantage d'être faible sur les tissus sains voisins. Les implants radioactifs sont indiqués dans le traitement de certains cancers, celui du col de l'utérus en particulier.

■ Les implants non radioactifs comprennent une petite capsule stérile ronde et aplatie (pellet), qui est placée sous la peau à l'aide d'un trocart (aiguille creuse spéciale) ou après une petite incision. Elle contient un médicament ou des hormones qui se libèrent progressivement dans tout l'organisme. Cette technique est utilisée essentiellement comme méthode contraceptive chez les femmes ou à titre thérapeutique dans quelques indications rares (implants de placenta ou d'amnios employés pour accélérer la cicatrisation des ulcères de la jambe ou implants de disulfirame utilisés dans l'aide au sevrage de l'alcool lors des cures de désintoxication alcoolique, par exemple).

Implant pénien

→ VOIR Prothèse pénienne.

Impuissance

Incapacité pour un homme d'obtenir ou de maintenir une érection et, de ce fait, d'avoir un rapport sexuel satisfaisant.

L'impuissance désigne aussi, mais de façon abusive, des troubles tels que l'éjaculation précoce ou retardée. Il ne faut pas non plus la confondre avec la stérilité ou l'anorgasmie (impossibilité de parvenir à l'orgasme), cette dernière restant rare, mais non exceptionnelle, chez l'homme.

CAUSES

L'impuissance, qui peut s'observer à tout âge chez l'homme adulte, est provoquée par des troubles d'origine organique ou psychogène.

■ L'impuissance organique peut être due à des affections vasculaires, neurologiques ou endocriniennes, qui retentissent sur les organes permettant l'érection, en particulier les nerfs, les vaisseaux sanguins et les corps caverneux du pénis : diabète, artériosclérose,

artérite, altération des veines péniennes, insuffisance surrénale, maladie de La Peyronie, alcoolisme, tabagisme, toxicomanie (aux opiacés surtout). L'impuissance peut aussi survenir à la suite d'une intervention chirurgicale (ablation de la prostate, de la vessie ou du rectum) ou d'une lésion de la moelle épinière occasionnant l'interruption des plexus nerveux du bassin. Les médicaments utilisés contre l'hypertension artérielle et les psychotropes en sont parfois responsables.

■ L'impuissance psychogène répond le plus souvent à un ou à plusieurs échecs ressentis comme dévalorisants auprès de la partenaire ou à une trop grande angoisse au moment du rapport amoureux. Dans certains cas, on observe une impuissance sélective (pour telle partenaire, tel mode d'échange érotique). Ailleurs, la défaillance sexuelle vient compliquer un trouble affectif plus profond.

SYMPTÔMES ET SIGNES

L'impuissance se manifeste par l'absence totale ou partielle d'érection. Cependant, lors d'impuissances psychogènes, il existe des érections normales inconscientes, notamment pendant le sommeil, ou conscientes, au réveil notamment, mais en dehors de toute situation amoureuse.

TRAITEMENT

■ Le traitement de l'impuissance organique consiste d'abord à soigner l'affection en cause. Quand cela ne suffit pas, en cas d'artérite par exemple, on recourt à des injections intracaverneuses de papavérine ou de prostaglandines entraînant une érection temporaire ou à la pose d'une prothèse pénienne permettant une érection artificielle.

■ Le traitement de l'impuissance psychogène fait appel à la psychothérapie, voire à la psychanalyse, à la relaxation, à la thérapie comportementale. La présence de la partenaire lors des entretiens médicaux est parfois bénéfique. Le recours aux psychotropes (anxiolytiques, antidépresseurs) ne peut être que mesuré et limité dans le temps (risque d'effets indésirables et d'automédication). Convenablement traitée, l'impuissance psychogène se guérit généralement bien.

■ Quelle que soit la cause de l'impuissance, le sildénafil (Viagra, marque déposée) par voie orale est efficace dans 70 % des cas.

Impulsion

Besoin irrésistible d'accomplir un acte absurde ou antisocial.

On différencie les impulsions réflexes, qui sont automatiques (arriération, épilepsie, confusion), du comportement impulsif, dans lequel le sujet reste conscient. En ce cas, il peut soit rechercher le passage à l'acte (délire passionnel, suicide mélancolique), soit lutter contre lui. On parle alors de compulsion, état qui se rencontre aussi chez des sujets normaux en situation de crise.

TRAITEMENT

Dans les cas aigus, les neuroleptiques et l'hospitalisation visent à inhiber les décharges pulsionnelles. Dans les cas non dangereux, la psychothérapie peut réduire des charges émotionnelles trop intenses, voire dénouer un conflit inconscient.

Inadaptation

Impossibilité pour un sujet d'assumer son rôle normal dans la société.

L'inadaptation peut être due à une déficience physique (infirmité motrice), à un déficit intellectuel, à un déséquilibre affectif. Selon le contexte dans lequel elle se manifeste, on parlera d'inadaptation familiale, scolaire, professionnelle, sociale, etc.

Incidence

« Nombre de nouveaux cas d'une maladie constatés pendant une période déterminée et dans une population donnée » (Organisation mondiale de la santé).
→ VOIR Prévalence.

Incidence radiologique

Angle sous lequel est pris un cliché radiographique.

Cet angle dépend de la position du sujet à radiographier par rapport à la direction du faisceau des rayons X et à la situation du film radiographique.

Il existe 3 incidences fondamentales selon les 3 directions de l'espace. En incidence frontale (de face), le rayon directeur est parallèle au plan sagittal médian (plan de symétrie droite/gauche de l'individu). En incidence sagittale (de profil), le rayon directeur est perpendiculaire à ce plan. En incidence axiale (verticale), le rayon directeur est perpendiculaire au plan horizontal. En complément de ces incidences fondamentales, des incidences tangentielles (obliques) peuvent être pratiquées.

Par ailleurs, les nouvelles techniques d'exploration utilisent aujourd'hui d'autres dimensions et élargissent les capacités initiales de l'incidence radiologique. Ainsi, l'examen au scanner, ou tomodensitométrie (T.D.M.), utilise les rayons X et consiste à mesurer les différences d'absorption d'un étroit faisceau de rayons X par les divers tissus qu'il traverse. Ce faisceau est mobile et tourne autour du corps dans un même plan. Un ordinateur recueille les données obtenues et reconstruit point par point l'image de cette « coupe » sur un écran. L'échographie permet d'obtenir des images de différents plans de coupe en déplaçant une sonde sur la région anatomique à observer. L'imagerie par résonance magnétique (I.R.M.), à la différence du scanner, permet de reconstituer directement les images des régions à examiner, dans n'importe quelle orientation. En outre, grâce à la combinaison de plusieurs incidences, il est également possible d'obtenir par traitement informatique des images en trois dimensions.

Incidentalome

Aspect radiologique anormal ou tumeur d'un organe découverts à l'occasion d'un examen prescrit lors d'une affection d'un autre organe.

Ce terme a été inventé pour décrire les anomalies découvertes fortuitement par les examens radiologiques, qui sont de plus en plus précis (scanner ou imagerie par résonance magnétique). Un incidentalome de la glande surrénale, par exemple, est une anomalie surrénalienne évoquant une tumeur, découverte lors d'un examen radiologique réalisé pour une autre indication que l'examen de la surrénale (problème vésiculaire, pancréatique, etc.), alors qu'aucun symptôme n'évoquait de pathologie surrénalienne avant la prescription de l'examen.

Les hypothèses sur la nature de l'incidentalome sont fondées sur ses caractéristiques radiologiques, sur l'histoire du patient ainsi que sur les résultats des examens biologiques complémentaires. Dans certains cas, une ponction de l'incidentalome, guidée radiologiquement, permet d'en obtenir un fragment pour en étudier la nature.

L'attitude thérapeutique est fonction des résultats : surveillance simple par un examen radiologique ultérieur, exérèse chirurgicale ou traitement médical.

Incision

Coupure chirurgicale d'un tissu, réalisée à l'aide d'un instrument tranchant (bistouri ou bistouri électrique).
→ voir Abord (voie d').

Incisive

Dent aplatie et tranchante, située à l'avant de chacun des deux maxillaires. Les incisives, au nombre de 2 sur chaque maxillaire, permettent la préhension et la coupe des aliments.
→ voir Dent.

Inclusions cytomégaliques (maladie des)

Maladie due au cytomégalovirus, virus de la famille des *Herpesviridæ*.

La maladie des inclusions cytomégaliques se rencontre surtout chez le nouveau-né, qui la contracte par l'intermédiaire de sa mère durant la grossesse. Elle peut se manifester par une anémie hémolytique, un purpura thrombopénique (saignement cutané par insuffisance du nombre des plaquettes), une splénomégalie (augmentation du volume de la rate), une microcéphalie (crâne trop petit) ou une choriorétinite (inflammation de la rétine et de la choroïde) et entraîner des atteintes du cerveau. Chez l'adulte sain, elle peut être contractée lors d'une transfusion et se traduit par une fièvre prolongée. Chez le sujet immunodéprimé, elle est très fréquente et plus grave. L'infection se traite par administration d'un antiviral spécifique, essentiellement le ganciclovir.

Incompatibilité Rhésus

Antagonisme entre le sang d'une femme enceinte et celui du fœtus, ou entre le sang d'un transfusé et celui du donneur, lié à l'un des antigènes du système Rhésus (Rh).

Un mélange de sangs Rh+ et Rh− peut provoquer la formation dans le sang Rh− d'anticorps anti-Rhésus. Une transfusion sanguine doit donc être compatible dans le système Rh « standard », c'est-à-dire D. En cas de transfusions répétées, la compatibilité doit être étendue aux autres antigènes du système Rh (C, c, E, e) pour éviter l'apparition d'anticorps anti-Rhésus et d'accidents lors de transfusions ultérieures ou d'incompatibilité fœtomaternelle.

Une femme Rh− et un homme Rh+ peuvent avoir un enfant Rh− : dans ce cas, il n'y a aucun problème d'incompatibilité Rhésus. Mais ils ont également des chances d'avoir un enfant Rh+. Dans ce cas, pendant la grossesse, tout passage de globules rouges de sang fœtal dans le sang maternel entraînera chez la mère la formation d'anticorps anti-Rhésus. Normalement, il n'y a aucun contact entre le sang de la mère et celui du fœtus. Toutefois, un tel mélange peut avoir lieu à l'occasion d'un épisode pathologique durant la gestation (saignement, grossesse extra-utérine, placenta prævia), d'un examen de dépistage anténatal (ponction de sang fœtal, amniocentèse) ou encore pendant l'accouchement. La première grossesse d'une femme Rh− est ainsi le plus souvent sans danger pour l'enfant. Toutefois, lorsqu'elle attend un second enfant Rh+, il est possible que son sang contienne des anticorps anti-Rhésus. Ceux-ci vont alors traverser le placenta et détruire les globules rouges du fœtus, exposant celui-ci à une anémie grave, la maladie hémolytique du nouveau-né. Les premiers signes de la maladie apparaissent en fin de grossesse et à la naissance. L'hémolyse s'accompagne d'une accumulation de bilirubine libre (issue de l'hémoglobine libérée), qui provoque un ictère. Le nouveau-né ne pouvant éliminer ce produit de dégradation toxique, des lésions irréversibles du cerveau peuvent survenir en l'absence de traitement. Dans sa forme sévère, cette maladie nécessitait naguère une exsanguinotransfusion de l'enfant, à la naissance ou in utero. Aujourd'hui, l'incompatibilité Rhésus est prévenue par des mesures simples.

PRÉVENTION
La prévention consiste à surveiller la grossesse des femmes Rh− enceintes par des dosages régulièrement répétés des anticorps anti-Rhésus maternels. Au moindre événement susceptible de provoquer un passage de globules rouges du fœtus dans le sang de la mère, on injecte à la mère des gammaglobulines anti-Rhésus (essentiellement anti-D), substances qui détruisent les globules rouges du fœtus présents dans le sang maternel avant qu'ils aient déclenché la production d'anticorps anti-Rhésus. On prend en outre la précaution de transfuser exclusivement du sang Rh− aux fillettes et aux femmes Rh−. Ce traitement préventif est très efficace et la maladie hémolytique du nouveau-né est en voie de disparition.

Incompatibilité transfusionnelle

Impossibilité de transfuser le sang d'un individu à un autre en raison d'un conflit entre les antigènes du donneur et les anticorps du receveur.

Une incompatibilité transfusionnelle apparaît le plus souvent lorsque les globules rouges du donneur portent des antigènes reconnus par des anticorps présents chez le receveur, qui détruisent les globules rouges du donneur : c'est ainsi que s'expliquent les incompatibilités entre individus de groupes sanguins différents à l'intérieur du système ABO. Les anticorps en cause peuvent être physiologiques (système ABO) ou acquis ; ils sont appelés dans ce dernier cas agglutinines irrégulières. Un autre phénomène, plus rare mais également possible, intervient dans certains cas d'incompatibilité transfusionnelle : ce sont alors des anticorps du donneur, comme les anticorps anti A et/ou anti B hémolysants, qui peuvent être dangereux et entraîner chez le receveur une destruction des globules rouges.

Ces incompatibilités sont responsables d'accidents de gravité variable : inefficacité de la transfusion, fièvre, frissons, malaise, ictère, insuffisance rénale, état de choc.

PRÉVENTION
La prévention des accidents liés à l'incompatibilité transfusionnelle repose sur le strict respect des règles transfusionnelles. Les groupes sanguins ABO et Rhésus sont systématiquement déterminés et, en règle générale, le groupe ABO du donneur doit être identique au groupe ABO du receveur. La détermination d'un groupe ABO doit toujours être effectuée deux fois, par deux techniciens différents, afin d'éliminer tout risque d'erreur. La recherche d'agglutinines irrégulières est obligatoire. Enfin, les groupes du receveur et du sang à transfuser sont de nouveau systématiquement contrôlés par un test pratiqué au lit du malade immédiatement avant chaque transfusion.
→ voir Groupe sanguin, Incompatibilité Rhésus.

Incongruence

1. Mauvaise adaptation des fragments d'un os fracturé, qui se constate surtout après une fracture ayant entraîné une perte de substance osseuse.
2. Mauvaise adaptation de deux surfaces articulaires entre elles.

L'incongruence articulaire est le plus souvent la conséquence d'une mauvaise réduction des fragments osseux et cartilagineux d'une fracture de l'épiphyse (extrémité d'un os long). Elle est susceptible de provoquer une arthrose, celle-ci se déclarant d'autant plus précocement que la mécanique articulaire aura été plus sévèrement perturbée.

Incontinence fécale

Perte de contrôle du sphincter anal, incapable de retenir les selles.

L'incontinence fécale peut avoir des causes très diverses, certaines mécaniques (destruction du sphincter anal par une infection, une tumeur, une blessure), d'autres nerveuses (section des nerfs commandant le sphincter lors d'une intervention chirurgicale sur un cancer du rectum, paralysie, maladie cérébrale).

La rééducation du contrôle sphinctérien est malaisée ; néanmoins, elle peut, dans certains cas (affaiblissement de l'appareil sphinctérien), apporter une amélioration à l'incontinence.

Incontinence urinaire

Perte involontaire d'urines.

L'incontinence urinaire ne doit être confondue ni avec l'énurésie (perte involontaire d'urine pendant le sommeil) ni avec l'impériosité mictionnelle (miction involontaire lors d'une envie d'uriner trop pressante). L'incontinence urinaire elle-même présente deux formes : elle peut être permanente ou ne survenir qu'à l'effort.

Incontinence urinaire permanente

L'incontinence urinaire permanente est due à une déficience du sphincter de la vessie et de l'urètre provoquée par une maladie neurologique ou un traumatisme altérant les commandes nerveuses de la vessie et des sphincters : spina-bifida (malformation de la colonne vertébrale), sclérose en plaques, fracture de la colonne vertébrale avec lésions de la moelle épinière. Elle peut aussi apparaître après une fracture du bassin accompagnée d'une rupture de l'urètre ou à la suite d'une intervention chirurgicale sur la prostate. L'incontinence urinaire permanente se manifeste par un écoulement incontrôlable d'urine.

TRAITEMENT

Il repose sur la rééducation du sphincter et des muscles du périnée par des mouvements de gymnastique ou à l'aide de stimulateurs musculaires, petites sondes électriques indolores qui, introduites dans le rectum par l'anus, permettent de stimuler ces muscles artificiellement. En cas d'échec, on peut pratiquer une intervention chirurgicale correctrice visant à renforcer le périnée et à soutenir le col de la vessie, voire poser un sphincter artificiel.

Incontinence urinaire d'effort

L'incontinence urinaire d'effort survient surtout chez la femme âgée ou après de nombreux accouchements. Elle peut avoir pour cause soit une atrophie des muscles du périnée qui soutiennent la vessie, soit une descente du col de la vessie, soit encore une faiblesse du sphincter. La perte d'urine survient à la suite de contractions brutales des muscles abdominaux dues, par exemple, au transport d'une charge lourde, à un éclat de rire ou encore à une crise violente de toux ou d'éternuements, qui, en comprimant la vessie, provoquent une fuite, parfois importante, d'urine.

TRAITEMENT

Il fait appel à une rééducation du sphincter et des muscles du périnée. En cas d'échec de la rééducation, le traitement chirurgical donne de très bons résultats.

Incontinentia pigmenti

Affection héréditaire caractérisée par des lésions cutanées associées à des atteintes viscérales. SYN. *maladie de Bloch-Sulzberger.*

L'incontinentia pigmenti est une affection rare, s'observant essentiellement chez les filles. Elle se manifeste dès la naissance par une éruption évoluant en trois phases. La première se présente sous la forme de placards cutanés rouges, légèrement sure-levés, qui démangent et se recouvrent de vésicules et de bulles (cloques), disposées de façon linéaire sur le dos et les membres. La deuxième phase est marquée par l'apparition de papules ressemblant à celles du lichen plan et recouvertes de grosses élevures irrégulières. À la troisième phase apparaissent de petites taches bleues ardoisées, sur le tronc et les membres, prenant une disposition caractéristique « en jets d'eau » ou « en éclaboussures ». Cette pigmentation s'atténue progressivement à la puberté. Les atteintes viscérales sont surtout oculaires (cataracte) et nerveuses (risque de convulsions et de retard mental). Enfin, des déficits immunitaires ont été signalés.

Le traitement est celui des symptômes : ouverture et dessèchement des bulles à la phase initiale et, au besoin, administration de médicaments anticonvulsivants. Il subsiste une hyperpigmentation à l'emplacement des lésions après leur disparition.

Incubateur

→ VOIR Couveuse.

Incubation

Période s'écoulant entre la contamination de l'organisme par un agent pathogène infectieux et l'apparition des premiers signes de la maladie.

La durée de l'incubation est variable selon la nature de l'affection. La connaissance des durées d'incubation caractéristiques des maladies permet de retrouver la date à laquelle la contamination a eu lieu. Elle permet aussi, à l'inverse, de prévoir la date de l'apparition éventuelle des premiers signes (phase d'invasion) de la maladie après un contact potentiellement contaminant.

De nombreuses maladies, comme la varicelle et la rougeole, sont contagieuses dès la période d'incubation.

→ VOIR Contagion.

Indigestion

Indisposition associant douleurs abdominales, nausées et vomissements.

Terme du langage courant, l'indigestion peut désigner une intoxication alimentaire ou les conséquences de l'absorption d'un repas trop riche et trop copieux, encore appelées à tort « crise de foie ». Cependant, de tels symptômes peuvent également être la manifestation d'autres maladies abdominales, voire thoraciques (infarctus du myocarde). Ils doivent donc amener à consulter un médecin.

La guérison d'une indigestion par excès alimentaire est spontanée, favorisée par la diète et le repos.

Indium

Métal dont deux isotopes, l'indium 113m (^{113m}In) et l'indium 111 (^{111}In), sont employés en médecine nucléaire.

L'indium 111 est utilisé comme traceur radioactif afin de visualiser des foyers infectieux ou inflammatoires (abcès profond, infection osseuse). Après prélèvement sanguin, les leucocytes du malade sont marqués avec l'un de ces isotopes puis réinjectés dans l'organisme du patient, où ils permettent de localiser les foyers pathologiques. Le même principe scintigraphique, utilisé avec des plaquettes sanguines, permet de mettre en évidence des caillots. L'indium 111 peut aussi être associé à un anticorps monoclonal ou à d'autres molécules biologiques. Celles-ci se fixent dans l'organisme sur des molécules caractéristiques d'une maladie, en particulier de certains types de cancer (colorectal, ovarien), ce qui permet de les visualiser. Cette technique se révèle particulièrement utile lors de la recherche de récidives.

Inducteur enzymatique

Substance, médicamenteuse ou non, stimulant l'activité des enzymes hépatiques qui interviennent dans le métabolisme (dégradation) d'autres substances médicamenteuses.

Les inducteurs enzymatiques peuvent être des médicaments (phénobarbital, phénytoïne, rifampicine, etc.) ou des produits d'origines diverses (alcool, tabac, etc.).

EFFETS INDÉSIRABLES

En stimulant l'activité des enzymes du foie, un inducteur enzymatique diminue l'efficacité d'un médicament administré en même temps du fait de l'accélération de son métabolisme. Il peut également majorer la toxicité ou les effets indésirables de ce médicament en accélérant et en augmentant la formation des produits de dégradation (métabolites), qui, parfois, sont beaucoup plus toxiques que le médicament lui-même. Ces divers phénomènes constituent donc une forme particulière d'interaction médicamenteuse.

De nombreux exemples peuvent être donnés. Ainsi, l'action contraceptive de la pilule peut être réduite si celle-ci est prise en même temps que des barbituriques (phénobarbital, etc.). Leur association est donc contre-indiquée. Le métabolisme de la digitoxine est accéléré par les barbituriques et autres inducteurs enzymatiques. Leur association doit donc être surveillée (diminution de l'effet de la digitoxine) et la digitoxinémie (concentration sanguine de la digitoxine) doit être contrôlée plus fréquemment. D'autres phénomènes peuvent encore survenir : si un patient reçoit à la fois du phénobarbital (inducteur) et un anticoagulant dont les doses ont été augmentées en raison de cette association médicamenteuse et qu'il interrompe brusquement le phénobarbital, ce patient peut avoir des hémorragies.

La prise d'inducteurs enzymatiques rend donc indispensable une surveillance médicale étroite.

→ VOIR Inhibiteur enzymatique.

Inducteur de l'ovulation

Médicament utilisé pour provoquer une ovulation chez la femme (expulsion d'un ovule de l'ovaire vers la trompe utérine).

Les inducteurs de l'ovulation comprennent trois groupes de produits : le clomifène ; les gonadotrophines humaines provenant de l'urine de femme ménopausée (hormone ménopausique gonadotrophique, ou h.M.G.) ou de femme enceinte (hormone chorionique gonadotrophique, ou h.C.G.) ; les analogues de la gonadolibérine, ou LH-RH (hormone produite par l'hypothalamus), telles que la buséréline, la leuproréline, la triptoréline, qui agissent comme la LH-RF en libérant l'hormone lutéinisante.

Les inducteurs de l'ovulation stimulent les ovaires ou leurs centres de commande cérébraux (hypothalamus, hypophyse) et sont indiqués dans le traitement des stérilités féminines. Ils sont aussi employés pour produire un ovule en vue d'une fécondation in vitro (fécondation artificielle). Par ailleurs, ils stimulent aussi la formation des spermatozoïdes dans le testicule et sont donc indiqués dans le traitement des stérilités masculines. L'administration se fait par voie orale ou par injections.

À la suite de la prise d'inducteurs de l'ovulation, bien souvent l'ovaire expulse simultanément plusieurs ovules, ce qui occasionne une grossesse multiple. Les inducteurs de l'ovulation sont contre-indiqués en cas de grossesse et de tumeur de l'appareil génital ou du cerveau.

Induction

Période initiale d'une anesthésie générale, pendant laquelle commence l'endormissement du patient.

L'induction est obtenue soit par inhalation, soit par injection d'une substance anesthésique. La première technique, employée chez l'enfant, consiste à faire respirer au sujet un gaz de la famille des halogénés, provoquant son endormissement au bout de quelques bouffées. L'induction par injection consiste à administrer dans une perfusion intraveineuse un hypnotique de la famille des barbituriques, actif en moins de 30 secondes. On lui associe fréquemment un analgésique de la famille de la morphine, un anxiolytique de la famille des benzodiazépines et un curarisant (substance relâchant les muscles, injectée avant l'hypnotique, et facilitant ainsi la ventilation artificielle).

Induration

Durcissement anormal d'un tissu.

Une induration est due à l'infiltration d'un tissu par des leucocytes et s'observe dans les cas d'inflammation aiguë (furoncle, chancre syphilitique).

La cicatrisation de certaines lésions peut provoquer la formation d'un tissu fibreux et être ainsi responsable d'une induration.

Une tumeur maligne est également susceptible de créer une induration ; toute induration qui n'est pas de nature inflammatoire et qui ne disparaît pas en quelques semaines est suspecte et doit faire l'objet d'un avis médical.

Inextirpabilité

Caractère d'un organe ou de tissus (tumeur, par exemple) qu'il n'est pas possible d'enlever chirurgicalement du fait de leur adhérence à des organes vitaux ou de leur trop grande extension.

Infarctus

Nécrose (mort tissulaire) survenant dans une région d'un organe et liée à un arrêt brutal de la circulation artérielle.

CAUSES

Un infarctus est dû à l'obstruction de l'artère vascularisant la région nécrosée, par une thrombose (formation d'un caillot sanguin), une embolie (migration d'un caillot ou d'un fragment d'athérome venu d'une autre zone), un spasme de la couche de tissu musculaire de la paroi artérielle diminuant son diamètre. L'atteinte est particulièrement fréquente au niveau du myocarde, du cerveau et des poumons, mais elle s'observe aussi dans d'autres organes (rein, os, rate, intestin).

Il existe deux types d'infarctus selon l'anatomie de la circulation artérielle de l'organe atteint. Lorsque la circulation est terminale, le tissu est irrigué par une seule artère, comme c'est le cas pour le cœur, le rein et le cerveau : l'infarctus est dit blanc, par absence totale de sang. Lorsque la circulation comporte deux réseaux artériels, comme dans le poumon, ou un réseau artériel riche en anastomoses (communications entre les vaisseaux sanguins), comme dans l'intestin, la région nécrosée est envahie par le sang venant des anastomoses ou de la deuxième circulation. On parle alors d'infarctus rouge.

SYMPTÔMES ET DIAGNOSTIC

Les symptômes dépendent de l'organe, de la taille de l'infarctus (donc de celle de l'artère responsable) et de l'état de santé préalable du malade. Il existe cependant certaines caractéristiques générales : on observe le plus souvent une violente douleur et un trouble de fonctionnement de l'organe. Le diagnostic repose sur l'électrocardiographie pour un infarctus du myocarde ainsi que sur la radiographie, le scanner et surtout l'artériographie.

TRAITEMENT ET PRONOSTIC

Le traitement est fondé sur les médicaments thrombolytiques et/ou anticoagulants ou sur la chirurgie par désobstruction de l'artère et ablation de la zone nécrosée.

Un infarctus de l'intestin évolue toujours, en l'absence de traitement, vers le décès, alors qu'un infarctus du myocarde peut guérir spontanément en laissant une cicatrice ou ne provoquer aucun symptôme (infarctus dit « méconnu » ou « ambulatoire »), tous les intermédiaires étant possibles du point de vue du pronostic.

Infarctus cérébral

Nécrose d'une partie plus ou moins importante de l'encéphale, liée à l'obstruction d'une des artères qui l'irriguent. SYN. *ramollissement cérébral*.

L'infarctus cérébral est la forme la plus grave de l'ischémie cérébrale (diminution des apports sanguins artériels au cerveau). La cause la plus fréquemment constatée en est une thrombose (obstruction par un caillot, ou thrombus), favorisée par la présence, à l'intérieur de l'artère, d'une plaque d'athérome (dépôt de cholestérol). Une deuxième cause est l'embolie, migration d'un fragment de thrombus ou d'une plaque d'athérome situés en amont, sur une artère (carotide ou aorte thoracique) ou dans le cœur.

SYMPTÔMES ET SIGNES

Ils dépendent du territoire cérébral de la nécrose, donc de l'artère concernée. L'obstruction d'une branche de la carotide interne provoque une hémiplégie, parfois une aphasie (trouble du langage). L'obstruction d'une branche du tronc basilaire (artère née de la réunion des deux artères vertébrales, à destinée cérébrale postérieure) provoque soit des troubles visuels complexes (perte d'une partie du champ visuel, trouble de la reconnaissance visuelle), soit un syndrome alterne (hémiplégie d'un côté, paralysie du visage de l'autre côté) ou un syndrome cérébelleux et vestibulaire (troubles de la coordination des mouvements, vertiges).

DIAGNOSTIC ET TRAITEMENT

Le diagnostic repose sur un examen au scanner. D'autres examens (échographie du cœur, Doppler des carotides) visent à rechercher la cause de l'infarctus.

Le traitement, à la phase aiguë, est surtout celui des symptômes : il vise à maintenir les fonctions vitales, à éviter l'extension des lésions et les complications liées à l'alitement. À long terme, les médicaments anticoagulants ou antiagrégants évitent les récidives. L'évolution se fait habituellement vers une récupération progressive du ou des déficits neurologiques (motricité, langage) ; elle est aidée par la mise en œuvre d'une rééducation adaptée.

Infarctus mésentérique

Nécrose de l'intestin due à une obstruction vasculaire. SYN. *infarctus entéromésentérique*.

L'infarctus mésentérique peut être artériel (embolie, thrombose d'une artère) ou veineux (thrombose d'une veine) selon l'emplacement de l'obstacle. Dans certains cas (insuffisance cardiaque, spasme très important des vaisseaux, viscosité excessive du sang), l'écoulement du sang se poursuit, mais le débit sanguin est réduit.

Les symptômes comprennent douleurs abdominales violentes, vomissements, parfois diarrhée et état de choc. Le diagnostic repose essentiellement sur les examens radiologiques (artériographie).

Le traitement est chirurgical : résection des segments d'intestin nécrosés, rétablissement de la perméabilité artérielle. L'hospitalisation dans un service de réanimation chirurgicale est indispensable.

Le pronostic, relativement sévère, dépend de l'ancienneté et de l'importance de l'infarctus, et donc de la résection, de sa cause et de l'état général du patient.

Infarctus du myocarde

Nécrose d'une partie plus ou moins importante du myocarde (muscle cardiaque), consécutive à une obstruction brutale d'une artère coronaire.

Lors d'un infarctus du myocarde, l'irrigation du cœur ne se fait plus ; privées de sang et d'oxygène, les cellules du myocarde

INFARCTUS DU MYOCARDE

L'obstruction d'une artère coronaire, qui irrigue le cœur, provoque un infarctus, c'est-à-dire la destruction d'une région du muscle cardiaque (le myocarde).

Atteinte du myocarde après infarctus

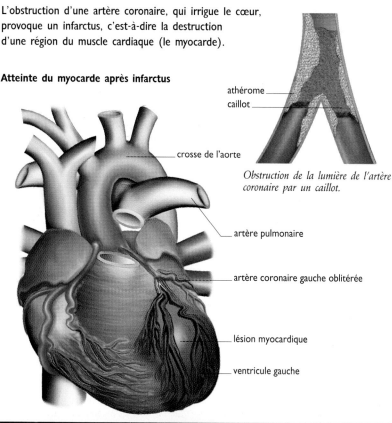

athérome

caillot

crosse de l'aorte

artère pulmonaire

artère coronaire gauche oblitérée

lésion myocardique

ventricule gauche

Obstruction de la lumière de l'artère coronaire par un caillot.

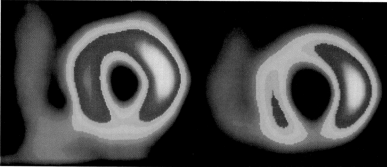

En bleu, les régions du myocarde faiblement irriguées. En rouge, les régions fortement irriguées, considérablement réduites en cas d'infarctus (scintigraphie de droite).

---

meurent, libérant leurs enzymes cardiaques, qui détruisent le tissu environnant.

L'infarctus du myocarde est une affection fréquente (120 000 cas par an en France, 1 500 000 aux États-Unis). Les hommes sont atteints au moins deux fois plus souvent que les femmes, souvent avant 60 ans.

CAUSES

L'obstruction de l'artère coronaire est presque toujours due à la formation d'un thrombus (caillot) sur une plaque d'athérome, constituée de dépôts de cholestérol, contre la paroi artérielle interne. Cette affection survient le plus souvent chez des patients présentant des facteurs de risque tels que tabagisme, hypertension artérielle, taux de cholestérol supérieur à 2,40 grammes, diabète, sédentarité, surmenage professionnel.

SYMPTÔMES ET SIGNES

Dans environ la moitié des cas, l'infarctus du myocarde se produit après une période plus ou moins longue pendant laquelle le sujet souffre d'angine de poitrine (angor), crises douloureuses survenant soit à la marche, en particulier au froid et au vent, soit au repos, de préférence la nuit. Ces douleurs (sensations de serrement, de brûlures, parfois de broiement) sont ressenties derrière le sternum et peuvent irradier dans le bras gauche, vers la mâchoire, parfois dans le dos ; elles disparaissent en 2 ou 3 minutes.

Dans la moitié des cas, l'infarctus est inaugural, c'est-à-dire qu'il n'est précédé d'aucune manifestation douloureuse permettant de prévoir sa survenue. L'infarctus se manifeste par une violente douleur de même type que celle de l'angor, mais habituellement plus intense et plus longue (de plus de 30 minutes à plusieurs heures). Elle irradie souvent plus largement dans les deux bras, dans la mâchoire et dans le dos. Dans certains cas, la douleur s'associe à une hausse de la tension artérielle, suivie de sa baisse persistante. Dans les 24 à 36 heures apparaît une fièvre de moyenne intensité qui diminue progressivement.

Certains infarctus, dits « méconnus » ou « ambulatoires », ne se manifestent par aucun signe clinique ; ils ne sont détectés qu'accidentellement, à l'occasion d'un électrocardiogramme.

DIAGNOSTIC

Il est possible dès les premières heures grâce à deux examens complémentaires : d'une part le dosage, dans le sang, des enzymes cardiaques, qui met en évidence une augmentation de la créatine-kinase, enzyme libérée par les cellules du myocarde lorsqu'elles sont détruites ; d'autre part l'électrocardiogramme, qui montre des signes de souffrance aiguë du myocarde (ondes Q de nécrose) lors de l'arrêt du flux sanguin dans l'une des artères coronaires.

TRAITEMENT

Il a considérablement progressé au cours des quinze dernières années. Dès que l'on suspecte un infarctus, le patient doit être hospitalisé en urgence, mis sous surveillance électrocardiographique permanente et soumis à un traitement thrombolytique (injection d'une substance visant à détruire le caillot, comme la streptokinase ou l'urokinase) ; on lui administre également de la trinitrine, qui exerce un effet vasodilatateur sur les artères coronaires. D'autres médicaments (bêtabloquants, aspirine, héparine) sont associés par la suite afin de diminuer les besoins en oxygène du muscle cardiaque et de prévenir une récidive par formation d'un nouveau caillot.

Aujourd'hui, on insiste sur la précocité du traitement initial thrombolytique, qui peut être commencé au domicile du patient ou dans l'ambulance spécialisée de soins intensifs mobiles.

Parallèlement, une radiographie des artères coronaires (coronarographie) permet de décider d'une désobstruction chirurgicale de l'artère obstruée. Celle-ci est réalisée par angioplastie transcutanée : une sonde à ballonnet est introduite à travers la peau puis poussée dans la circulation artérielle jusqu'à la coronaire, qui est dilatée par gonflement du ballonnet. La coronarographie présente en outre l'avantage de permettre un bilan des lésions ; si elle a révélé des lésions multiples (plusieurs artères rétrécies), un pontage aortocoronarien peut être proposé ; il consiste en la greffe d'un fragment de veine ou d'artère entre l'aorte et l'artère coronaire, en aval de l'obstruction.

Une hospitalisation pour infarctus s'étend, selon la gravité de l'accident, sur une période de 1 ou 2 semaines environ. Elle peut être suivie d'un séjour en maison de repos. La reprise des activités est le plus souvent possible de 6 semaines (pour un petit infarctus) à 3 mois après l'infarctus.

ÉVOLUTION

Elle dépend très largement de l'étendue de l'infarctus ; une mort subite peut survenir surtout pendant les premières heures qui suivent la crise, ce qui justifie une hospitalisation aussi rapide que possible. Des complications apparaissent parfois pendant les premiers jours : insuffisance cardiaque, troubles du rythme cardiaque, rupture d'un des deux piliers de la valvule mitrale ou, beaucoup plus rarement, perforation de la paroi cardiaque nécrosée. Cependant, l'évolution de l'infarctus du myocarde est le plus souvent favorable, le taux de mortalité ne dépassant pas 10 %.

PRÉVENTION
La prévention de l'infarctus du myocarde repose essentiellement sur la suppression des facteurs de risque : arrêt du tabac, traitement de l'hypertension artérielle, du diabète ou de l'hypercholestérolémie. Elle suppose également le traitement immédiat d'un éventuel angor par administration de médicaments bêtabloquants, de dérivés nitrés, d'aspirine, éventuellement d'un anticalcique ; un angor dit « instable », c'est-à-dire se manifestant par des douleurs fréquentes et persistantes, constitue une sérieuse menace d'infarctus et appelle une coronarographie, qui permettra de dresser le bilan nécessaire.

Infarctus osseux
Lésion du tissu osseux due à une obturation de l'artère irriguant la zone osseuse concernée.

Toutes les causes de thrombose (formation d'un caillot dans un vaisseau) artérielle peuvent être à l'origine d'un infarctus osseux. Plus rarement, un tel infarctus peut être dû à une embolie gazeuse, à une drépanocytose ou à une hypertriglycéridémie (augmentation du taux de triglycérides dans le sang), qu'elle soit d'origine familiale ou provoquée par l'abus d'alcool.

L'infarctus osseux peut n'entraîner aucun trouble si le secteur de l'os atteint est réduit ; on le découvre alors seulement par hasard sur une radiographie sous forme d'une image ayant l'aspect d'une condensation nuageuse à l'endroit de la zone atteinte de l'os. Quand l'infarctus osseux se produit au voisinage d'une articulation, sur la tête du fémur ou le condyle du fémur par exemple, il entraîne en revanche une ostéonécrose (nécrose osseuse) provoquant une déformation de l'articulation, qui rend nécessaire la pose d'une prothèse et qui doit donc être traitée par chirurgie orthopédique.

Infarctus pulmonaire
Nécrose d'une partie plus ou moins importante du parenchyme (tissu fonctionnel) du poumon, liée à une obstruction brutale d'une branche de l'artère pulmonaire.

Un infarctus pulmonaire survient dans environ 10 % des cas d'embolie pulmonaire, dont il constitue une complication. Il est provoqué soit par un thrombus (caillot), soit par un embole (caillot ayant migré depuis un autre vaisseau de l'organisme). Les signes qui le caractérisent sont une douleur thoracique, une gêne respiratoire, une hémoptysie (crachats sanglants), associées à une fièvre.

Le traitement repose sur l'administration de médicaments anticoagulants.

Infectiologie
Ensemble des disciplines médicales consacrées à l'étude des maladies infectieuses.

L'infectiologie comprend l'épidémiologie (étude de la fréquence, de la répétition, du mode de contagion) des maladies infectieuses, la pathologie des infections, l'immunologie (étude des relations hôte-agent infectieux), la thérapeutique curative et préventive des infections, la pharmacologie des médicaments anti-infectieux et l'hygiène.

La découverte des vaccins, puis celle des antibiotiques, n'a pas réduit le champ d'action de l'infectiologie : l'amélioration des techniques de détection a permis la découverte de nouveaux agents infectieux (hépatite C) ; de nombreuses bactéries sont devenues résistantes aux antibiotiques et nombreux virus ont continué à se répandre en l'absence de vaccination ou, par défaut de celle-ci, en l'absence de traitement spécifique et, peut-être, en raison d'un déséquilibre dû à la régression de certaines maladies bactériennes ; de nouvelles épidémies ont fait leur apparition, accompagnant les changements du mode de vie : modification des équilibres écologiques, multiplication des voyages intercontinentaux, relations avec les animaux de compagnie, nouveaux matériaux pour les conduites d'adduction d'eau, climatisation, tampons hygiéniques ; les infections nosocomiales (contractées à l'hôpital) et les traitements qui détruisent volontairement les défenses immunitaires (greffes d'organes, chimiothérapie et radiothérapie des cancers, corticothérapie prolongée), entraînant l'apparition d'infections opportunistes (causées par des germes ne s'attaquant qu'à des organismes aux défenses immunitaires affaiblies), ont largement étendu le domaine de l'infectiologie.

Le renouveau le plus actuel de cette discipline se manifeste par de nouvelles techniques comme la biologie moléculaire, qui permet une analyse approfondie de la structure des gènes des agents infectieux et la mise au point de médicaments immunorégulateurs ou de nouveaux vaccins, utilisant des molécules ou des virus recombinants. Le premier vaccin antiparasitaire (contre la bilharziose) sera sans doute mis au point dans un avenir proche.

Infection
Invasion d'un organisme vivant par des micro-organismes pathogènes (bactéries, virus, champignons, parasites).

Lors d'une infection, les micro-organismes pathogènes agissent en se multipliant (virulence) et éventuellement en sécrétant des toxines. Une infection peut être locale ou généralisée, exogène (provoquée par des germes provenant de l'environnement) ou endogène (germe issu du malade lui-même).

CAUSES
Une infection se développe lorsque les défenses naturelles de l'organisme ne peuvent l'en empêcher ; c'est le rapport entre la qualité des défenses immunitaires, plus ou moins compromises pendant un temps variable, et le pouvoir pathogène, plus ou moins marqué, du germe qui détermine l'apparition ou non de la maladie infectieuse.

Une infection opportuniste est une infection due à un micro-organisme ne provoquant pas de maladie chez le sujet bien portant mais devenant pathogène à la faveur d'une immunosuppression (altération des défenses immunitaires).

SYMPTÔMES ET SIGNES
Une infection généralisée se traduit par une fièvre élevée, des frissons et une altération de l'état général. Une infection locale engendre une inflammation de la région infectée, qui se traduit par une douleur, une rougeur, un œdème, la formation d'un abcès rempli de pus (infection à germes pyogènes), parfois une élévation de la température.

TRAITEMENT ET PRÉVENTION
On allie un traitement spécifique (antibactérien, antiviral, etc.) contre le micro-organisme en cause et un traitement des symptômes (fièvre, douleurs) ; dans les formes graves, une réanimation en service hospitalier peut être nécessaire.

La prévention repose sur une bonne hygiène (concernant les bactéries, les champignons, etc.) et sur la vaccination contre certains micro-organismes (bactéries, virus).

Infection hospitalière
→ VOIR Infection nosocomiale.

Infection latente
Épisode d'une infection ne se manifestant par aucun symptôme.

Une phase de latence caractérise toutes les infections à leur début : c'est la période d'incubation ; elle peut se prolonger (infection inapparente) avant de s'exprimer ; c'est le cas, par exemple, dans l'infection à V.I.H. (sida), à cytomégalovirus ou à virus d'Epstein-Barr (famille des herpès virus). Ce phénomène s'oppose à l'infection aiguë résolutive (disparaissant définitivement) et se distingue de l'infection persistante, au cours de laquelle un virus se multiplie de façon active et reste en équilibre avec les réactions immunitaires de l'hôte, qui demeure cependant incapable d'éliminer l'agent infectant. On retrouve alors des anticorps non neutralisants, qui, selon certaines hypothèses, provoqueraient la formation de complexes immuns circulants, eux-mêmes source de lésions de type auto-immun. L'hépatite chronique active B en est un exemple.

Des périodes d'infection latente s'observent lors de certaines infections virales, notamment l'herpès, l'infection à virus VZ (varicelle-zona), à papillomavirus (verrues, condylomes). Les poussées infectieuses apparentes (avec symptômes) seraient, dans ce cas, déclenchées par des modifications locales de l'immunité.

Infection nosocomiale
Infection contractée au cours d'une hospitalisation. SYN. *infection hospitalière*.

Une infection nosocomiale, toutes affections confondues, survient chez environ 5 % des malades hospitalisés.

Le terme recouvre des cas très différents allant de la présence de germes constatée lors de prélèvements bactériologiques (simple contamination) à des états infectieux localisés (infection urinaire ou pulmonaire par exemple) ou, plus exceptionnellement, généralisés (septicémie). La source hospitalière de l'infection n'est pas toujours affirmée. Les principaux critères sont la survenue d'infections dues, dans un même service, à un même germe, la mise en évidence d'une source de contamination précise (matériel de soins, perfusion, etc.) et la nature du germe responsable. Certains caractères sont en effet très évocateurs de l'origine hospitalière d'une infection, en particulier un haut degré de résistance aux antibiotiques de la bactérie en cause, l'emploi intensif des antibiotiques favorisant l'émergence des bactéries les plus résistantes. Les germes de l'infection nosocomiale peuvent être issus du malade lui-même (infection endogène) à partir d'un de ses réservoirs naturels (intestins, peau, etc.) ou provenir de l'extérieur (infection exogène ou croisée) par l'intermédiaire d'un instrument ou d'une personne liée au service des soins.

CAUSES

Les facteurs d'infection nosocomiale sont multiples et en constante évolution. Aujourd'hui, l'hôpital soigne des malades de plus en plus fragiles, exécute des actes chirurgicaux de plus en plus hardis et utilise des techniques de soins de plus en plus lourdes et invasives qui sont autant de portes d'entrée à l'infection (sondes vésicales, cathéters vasculaires, ventilation artificielle, etc.). Ainsi la fréquence d'apparition de ces infections est-elle variable selon le type des soins prodigués (plus élevée dans les services de soins intensifs, de réanimation), la longueur de l'hospitalisation (plus élevée dans les services de long séjour et de rééducation fonctionnelle en raison de la présence d'escarres, de sondes vésicales à demeure, qui les favorisent) et, enfin, selon la vulnérabilité des sujets : maladies aiguës graves, organisme fragilisé par le grand âge ou l'enfance, un cancer, l'alcoolisme chronique, l'immunosuppression liée au sida, aux chimiothérapies anticancéreuses ou aux greffes d'organes.

PRÉVENTION

Dans tous les cas, il importe d'assurer le contrôle et la surveillance des infections hospitalières afin de les ramener aux plus faibles taux possibles selon les secteurs d'activité. Ce taux apparaît effectivement comme un marqueur de la qualité et de la sécurité des soins ainsi que de l'hygiène d'un établissement (hôpital « propre »). Une bonne formation du personnel de soins, une stratégie de prévention et de contrôle des infections hospitalières, le respect des règles d'hygiène hospitalière selon les actes pratiqués (asepsie ou hygiène des soins en milieu septique) sont les pôles de la lutte contre l'infection hospitalière, placée sous l'égide des comités de lutte contre l'infection hospitalière et sous la direction des hygiénistes et des médecins spécialisés.

Infection urinaire

Présence de germes et de pus dans les voies urinaires.

Les infections urinaires sont extrêmement fréquentes. Chez l'enfant, elles sont le plus souvent provoquées par des anomalies congénitales (rétrécissement congénital de l'uretère, méga-uretère, reflux vésicorénal).

SYMPTÔMES ET SIGNES

Tous les organes génito-urinaires peuvent être atteints : testicule et épididyme (orchiépididymite), prostate (prostatite), urètre (urétrite), vessie (cystite), bassinet du rein (pyélonéphrite), etc. Les symptômes des infections urinaires dépendent de l'organe atteint. Le plus souvent, il s'agit de troubles de la miction : brûlures, douleurs, mictions fréquentes, voire, en cas d'infection d'un tissu (prostate, testicule, rein) ou de rétention d'urine infectée (dans la vessie, dans le rein), fièvre élevée, parfois associée à des frissons.

DIAGNOSTIC

Il repose sur l'examen cytobactériologique des urines (E.C.B.U.), qui permet de mettre en évidence le germe responsable - lequel est le plus souvent à Gram négatif (*Escherichia coli,* par exemple) et associé à de nombreux leucocytes altérés (pus) - et d'en effectuer la numération ; le nombre de germes doit être supérieur ou égal à 100 000 par millilitre d'urine pour affirmer la réalité de l'infection. La réalisation systématique d'un antibiogramme permet de connaître les antibiotiques efficaces sur le germe en cause. La recherche du siège de l'infection et d'éventuelles causes favorisantes nécessite des examens radiologiques complémentaires, déterminés en fonction des symptômes : échographie rénale, vésicale, prostatique, testiculaire, urographie intraveineuse, etc.

COMPLICATIONS

Si l'infection n'est pas traitée assez rapidement ou efficacement, des complications apparaissent parfois : abcès du testicule ou de la prostate chez l'homme, abcès du rein, pyonéphrose (suppuration du tissu rénal et des voies urinaires adjacentes), phlegmon périnéphrétique. En outre, l'infection peut être aggravée par un état pathologique préexistant tel que le diabète ou l'immunosuppression (sida).

TRAITEMENT

Il comporte une antibiothérapie choisie en fonction des résultats de l'antibiogramme ainsi que le traitement d'une éventuelle cause favorisante, sous peine de récidive de l'infection urinaire.

Il est possible, en cas de cystites récidivantes, de suivre une antibiothérapie préventive en prenant quotidiennement, ou tous les 2 ou 3 jours, des antibiotiques à faibles doses pendant plusieurs semaines, voire plusieurs mois de suite.

Infibulation

Mutilation sexuelle portant, chez la femme, sur le clitoris et les lèvres vulvaires et, chez l'homme, sur le gland.

L'infibulation féminine est une pratique rituelle de certaines ethnies (Soudan, Somalie) qui consiste, après avoir coupé le clitoris et les petites lèvres des fillettes, à lacérer les grandes lèvres pour faire saigner leur bord interne, puis à réunir les surfaces soit par une couture, soit par la pose d'un système d'agrafes (épines d'acacia, par exemple). Lors du mariage, la désinfibulation s'effectue avec un objet tranchant (silex, couteau). Cette mutilation a des conséquences néfastes sur la vie sexuelle des femmes et entraîne des complications obstétricales majeures. Le retentissement psychologique est, lui aussi, très important.

L'infibulation masculine consiste à baguer la base du gland ou à traverser le prépuce ramené sur le gland avec un anneau de métal. L'érection devient alors impossible.

L'infibulation est illégale ou soumise à répression dans de nombreux pays comme la France, la Belgique, le Canada, la Suisse et le Luxembourg.

Infiltrat

1. Accumulation de cellules ou de substances anormales dans un organe.

On parle, par exemple, d'infiltrats œdémateux et inflammatoires. Le terme d'infiltration est souvent utilisé dans le même sens.

2. Opacité observée lors d'une radiographie du poumon.

■ **L'infiltrat d'Assmann** est une opacité ovale ou arrondie à bords plus ou moins nets ; il s'observe chez les patients atteints de tuberculose pulmonaire à la période de début de la maladie.

■ **L'infiltrat labile du poumon** est une opacité transitoire et mobile s'observant au cours de différentes maladies (connectivites, parasitose, virose, etc.).

Infiltration

1. Accumulation anormale de liquide ou de cellules dans un organe ou un tissu. SYN. *infiltrat.*

2. Extension d'une tumeur maligne en dehors du tissu où elle a pris naissance.

L'infiltration d'une zone par des cellules cancéreuses témoigne du caractère agressif de la prolifération tumorale.

Infiltration lymphocytaire cutanée

Affection caractérisée par la présence dans la peau, en un ou plusieurs endroits, d'amas de lymphocytes (variété de globules blancs).

Les infiltrations lymphocytaires cutanées ressemblent à des lymphomes (amas malins de lymphocytes) et le diagnostic est parfois malaisé, même au microscope. Ce sont des affections rares ; on en distingue trois types.

■ **L'infiltration lymphocytaire de Jessner-Kanoff** forme de petites taches légèrement surélevées, rosées ou rougeâtres, tendant à s'agrandir, sur le visage et sur le tronc ; le traitement repose sur le thalidomide, formellement contre-indiqué chez la femme enceinte ou sans contraception efficace en raison de ses effets tératogènes.

■ **L'infiltration lymphocytaire par piqûre d'insecte** forme une plaque rouge plus ou moins infiltrée (la peau est épaisse et perd sa souplesse), source de démangeaisons,

persistant parfois plusieurs mois ; elle diminue sous l'effet de corticostéroïdes locaux.
■ **Le lymphocytome cutané bénin,** ou **sarcoïde de Spiegler-Fendt,** forme un nodule de 1 à 5 centimètres de diamètre, unique ou multiple, rougeâtre ou brunâtre, sur le nez, les oreilles, les mamelons ou le scrotum ; le traitement fait appel aux corticostéroïdes locaux, voire à la radiothérapie ou à l'ablation chirurgicale si les lésions sont très localisées.

Infiltration thérapeutique

Injection à l'aide d'une aiguille d'une substance médicamenteuse ou anesthésique dans une structure anatomique délimitée.

Une infiltration a pour but de rendre la substance injectée, ainsi concentrée sur la région à traiter, plus efficace que si elle était administrée par voie générale. Certaines substances – comme l'acide osmique ou les substances radioactives, utilisés pour détruire une membrane synoviale malade – ne peuvent être administrées qu'en infiltration.
■ **L'infiltration anesthésique** est une anesthésie locale réalisée par injection de procaïne au contact d'un ou de plusieurs troncs nerveux. L'anesthésie péridurale est un exemple d'infiltration anesthésique.
■ **L'infiltration intra-articulaire** à base de produits anti-inflammatoires (corticostéroïdes) est indiquée en cas de rhumatisme. Ce traitement est d'autant plus utile que le nombre d'articulations douloureuses à infiltrer est réduit.

Les infiltrations sont simples à réaliser lorsque l'articulation est d'accès facile (genou, coude, canal carpien, etc.). Elles ne sont en général pas douloureuses. Une infiltration dans l'articulation de la hanche ou les disques intervertébraux, plus difficiles à atteindre, peut nécessiter un contrôle radiographique, la progression de l'aiguille étant suivie sur écran.

Infirmier

Personne habilitée à donner des soins sur prescription médicale ou en fonction de son rôle propre.

En Europe, les infirmiers reçoivent un enseignement spécifique dispensé en trois ans dans des écoles publiques ou privées et sanctionné par un diplôme d'État.

L'infirmier exerce ses fonctions dans des établissements d'hospitalisation publics ou privés, dans les services médicaux du travail, dans des écoles, des prisons, des dispensaires, des laboratoires et à domicile. En milieu hospitalier, il assure certains soins d'hygiène et de la vie courante avec la participation des aides-soignants placés sous sa responsabilité. Un infirmier peut, par une formation complémentaire, se spécialiser dans différents secteurs (anesthésie, réanimation, puériculture, salle d'opération).

Infirmité

Altération définitive d'une fonction de l'organisme, d'origine congénitale ou acquise.
→ VOIR **Handicap, Infirmité motrice cérébrale.**

Infirmité motrice cérébrale

État pathologique non évolutif et avec une déficience intellectuelle le plus souvent modérée, consécutif à une lésion cérébrale périnatale des centres moteurs.

CAUSES

Une infirmité motrice cérébrale (I.M.C.) survient le plus souvent au cours des derniers mois de la grossesse ou au moment de l'accouchement, parfois en période néonatale (premier mois de la vie). Elle est due aux souffrances périnatales, quelles qu'en soient les causes : infection survenue au cours de la grossesse, hypoxie ou anoxie (diminution ou suppression de l'oxygène dans les tissus) lors de l'accouchement ; infection du fœtus ; malformation cérébrale. Il arrive qu'aucune cause ne soit mise en évidence. Lorsqu'une infirmité motrice cérébrale intervient dans la petite enfance, elle s'explique par des affections acquises : une encéphalite, une méningite (infection des membranes protectrices de l'encéphale) ou un traumatisme crânien, par exemple.

SYMPTÔMES

Une infirmité motrice cérébrale se caractérise par une paralysie (diplégie, hémiplégie ou tétraplégie), des mouvements involontaires et anormaux, une perte de l'équilibre, une absence de coordination dans les mouvements et parfois par des troubles neurologiques, sensitifs, sensoriels, mentaux ou nerveux (troubles de l'audition, crises d'épilepsie). Le degré d'incapacité est extrêmement variable et va d'une légère maladresse dans les mouvements de la main et dans la démarche à l'immobilité complète.

DIAGNOSTIC

Les lésions cérébrales responsables d'une infirmité motrice cérébrale peuvent être mises en évidence par les nouvelles techniques d'imagerie médicale, telle l'imagerie à résonance magnétique (I.R.M.).

Une attention particulière aux anomalies du développement de l'enfant, et notamment aux troubles des réflexes et du tonus musculaire, permet le diagnostic de l'infirmité motrice cérébrale.

TRAITEMENT ET PRONOSTIC

Il n'existe pas actuellement de traitement de cette maladie. Le sujet atteint peut cependant progresser dans le contrôle des muscles et le maintien de l'équilibre grâce à la physiothérapie et dans la maîtrise du langage grâce à l'orthophonie.

Les sujets présentant une infirmité motrice cérébrale peuvent, le plus souvent, mener une vie proche de la normale.
→ VOIR **Handicap.**

Inflammation

Réaction localisée d'un tissu, consécutive à une agression (blessure, infection, irradiation, etc.).

Une inflammation se manifeste par quatre signes principaux : rougeur, chaleur, tuméfaction (gonflement), douleur. Lorsqu'un tissu subit une agression, des cellules spécialisées, les mastocytes, libèrent de l'histamine et de la sérotonine, qui stimulent la vasodilatation dans la partie affectée, ce qui provoque rougeur et chaleur. Les capillaires (petits vaisseaux sanguins), surchargés, laissent échapper du liquide, qui s'infiltre dans les tissus, y entraînant un gonflement et causant une sensation douloureuse, provoquée par la stimulation des terminaisons nerveuses locales.

L'inflammation s'accompagne généralement d'une accumulation de globules blancs qui contribuent à l'assainissement et à la restauration des tissus endommagés. Elle constitue donc une réaction de défense de l'organisme contre les agressions. Lorsque l'inflammation est trop importante pour régresser spontanément, on la combat avec des corticostéroïdes ou des anti-inflammatoires non stéroïdiens.

Inflammatoire

Qui est caractérisé ou causé par une inflammation.
■ **Une anémie inflammatoire** intervient souvent dans certaines maladies (rhumatisme aigu, cancer, connectivite, etc.).

Elle se manifeste par une baisse du taux d'hémoglobine, alors inférieur à 12 grammes pour 100 millilitres (le taux d'hémoglobine se mesure grâce à un examen : la numération formule sanguine).

Une anémie inflammatoire est consécutive à la captation du fer (élément indispensable à la maturation des globules rouges) par les cellules réticulaires (cellules présentant de longues expansions cytoplasmiques en forme d'étoile).
→ VOIR **Syndrome inflammatoire.**

Informativité

Propriété d'un marqueur de la molécule d'A.D.N. permettant de distinguer les deux chromosomes d'une même paire.

Un marqueur informatif s'utilise notamment dans le diagnostic prénatal des maladies héréditaires.

Infraclinique

Se dit d'un trouble ou d'une maladie qui ne provoque pas de manifestation décelable à l'examen du malade, soit parce qu'il s'agit du stade initial de la maladie, soit parce que le trouble est trop minime.

Infrarouge

Rayonnement situé, dans le spectre électromagnétique, immédiatement après la bande rouge du spectre visible de la lumière.

La fréquence du rayonnement infrarouge est inférieure à celle de la lumière rouge visible (sa longueur d'onde, inverse de la fréquence, est par conséquent supérieure).

Les rayons infrarouges sont des radiations de longueur d'onde comprise entre 0,8 (limite du rouge visible) et 343 micromètres (limite des ondes hertziennes). Les rayonnements infrarouges utilisables en médecine sont compris entre 0,8 et 4 micromètres.

TRAITEMENT PAR RAYONNEMENTS INFRAROUGES

Les rayons infrarouges sont utilisés pour leur action thermogène dans le traitement d'appoint de certaines affections : ils calment les douleurs rhumatismales, les lumbagos et les douleurs intercostales, activent la circulation, améliorent les troubles circulatoires cutanés et favorisent le processus de cicatrisation.

Infusion

Préparation liquide buvable, obtenue par l'action de l'eau bouillante sur une substance (souvent une plante) dont les principes solubles actifs se diffusent dans l'eau par macération.

La boisson possède les vertus curatives ou bienfaisantes de la substance qui a infusé dans l'eau pendant cinq minutes. Le tilleul, par exemple, a un pouvoir tranquillisant tandis que la verveine favorise la digestion. Ces deux infusions ont également une action antispasmodique.

Inguinal

Relatif à l'aine, région anatomique située entre l'abdomen et la cuisse.

La pathologie inguinale se compose surtout des hernies, congénitales ou acquises. Une douleur inguinale au repos et à la marche peut également être liée à une lésion du testicule ou de l'épididyme ; une douleur inguinale à la marche peut indiquer une maladie de la hanche.

Une adénopathie (gonflement des ganglions) dans la région inguinale, si elle est de petite taille, non indurée et non inflammatoire, est banale et sans signification ; plus importante, elle peut être le signe de maladies variées : infection ou tumeur du membre inférieur ou des organes génitaux, maladie de Hodgkin, etc.

Inhalation

Absorption de certains médicaments par les voies respiratoires.

DIFFÉRENTS TYPES D'INHALATION
■ L'inhalation d'un aérosol permet l'absorption des particules liquides de la substance thérapeutique, insufflée directement dans le nez et l'arrière-bouche.
■ L'inhalation par fumigation consiste à respirer la vapeur d'eau dégagée par une décoction de plantes comme l'eucalyptus ou par un mélange d'eau bouillante et d'essence balsamique. Les essences balsamiques les plus courantes et les plus efficaces sont le menthol et le benjoin.

INDICATIONS
Une inhalation permet la désinfection et la décongestion du nez et des sinus au cours des rhumes et des sinusites. Dans le cas d'une laryngite, l'inhalation d'un antiseptique complète un traitement anti-inflammatoire.

MODE D'ADMINISTRATION
Un inhalateur ou un bol recouvert d'un cône troué en métal émaillé ou en papier, dans lequel le sujet introduit le nez et la bouche, permettent de réaliser une inhalation. Il est recommandé de ne pas se recouvrir la tête d'une serviette afin d'éviter de provoquer une congestion du visage.

Inhibiteur calcique

Médicament capable de s'opposer à l'entrée du calcium dans les cellules. SYN. *antagoniste du calcium*.

MÉCANISME D'ACTION
Les inhibiteurs calciques agissent en modifiant la contraction musculaire des artères. Ils empêchent le calcium de traverser la membrane bordant les cellules musculaires, celle-ci participant activement au mécanisme de la contraction. Il s'ensuit une vasodilatation (augmentation du diamètre) des artères, coronaires et autres, ce qui améliore l'oxygénation du cœur et diminue la tension artérielle.

Les inhibiteurs calciques ralentissent aussi la transmission de l'influx nerveux vers le muscle cardiaque, ce qui corrige certaines arythmies (troubles du rythme du cœur).

INDICATIONS
Cette classe relativement nouvelle de médicaments est utilisée dans le traitement de l'insuffisance coronarienne (notamment pour l'angine de poitrine et les douleurs cardiaques) et de l'hypertension artérielle. Le diltiazem et le vérapamil sont indiqués en cas d'arythmie cardiaque.

CONTRE-INDICATIONS
Les inhibiteurs calciques sont déconseillés quand le malade souffre d'insuffisance cardiaque et quand il a des troubles de conduction, c'est-à-dire de la transmission des influx électriques entre les oreillettes et les ventricules. Certaines associations avec des médicaments actifs sur le cœur (antiarythmiques, dérivés nitrés, bêtabloquants, digitaliques) sont toujours délicates et étroitement surveillées.

MODE D'ADMINISTRATION
La prescription est presque toujours orale, bien que les injections soient possibles en milieu hospitalier en cas d'urgence ou lorsque la voie orale est impossible.

EFFETS INDÉSIRABLES
Comme les inhibiteurs calciques augmentent le débit sanguin dans les tissus, d'éventuels maux de tête, bouffées de chaleur, vertiges (en station debout) peuvent survenir mais disparaissent souvent avec la poursuite du traitement. Ils entraînent aussi parfois des œdèmes (gonflement) des jambes et une hypotension artérielle.

Inhibiteur de la cholinestérase

Substance, naturelle ou médicamenteuse, réduisant l'action de la cholinestérase (enzyme dégradant l'acétylcholine).

La cholinestérase intervenant dans les synapses, entre deux cellules nerveuses, pour limiter l'action de l'acétylcholine (neurotransmetteur), l'inhibition de son action entraîne un allongement de la durée d'action de l'acétylcholine : ainsi, l'influx nerveux ne s'arrête plus et les muscles restent plus longtemps contractés.

Parmi les inhibiteurs de la cholinestérase, on trouve surtout les produits organophosphorés utilisés comme insecticides, capables de provoquer des intoxications graves.
→ VOIR Anticholinergique, Cholinergique.

Inhibiteur de la coagulation

Substance naturelle ou médicamenteuse susceptible d'arrêter ou de ralentir le processus de coagulation.

La coagulation naturelle est un état instable entre substances procoagulantes et substances anticoagulantes.

DIFFÉRENTS TYPES D'INHIBITEUR DE LA COAGULATION
Parmi les molécules anticoagulantes physiologiques (inhibitrices de la coagulation), on trouve l'antithrombine III, les protéines C et S et l'inhibiteur de la voie extrinsèque. Leur déficit provoque la formation de caillots dans le système veineux (embolie pulmonaire, phlébite) et parfois aussi dans le système artériel.
■ L'antithrombine III inhibe l'activation des facteurs activés qui sont des sérine-protéases. Sa puissance est augmentée par l'héparine. Son déficit est congénital ou acquis, comme dans l'insuffisance hépatique, la coagulation intravasculaire et le syndrome néphrotique.
■ Les protéines C et S sont les inhibiteurs naturels des facteurs V et VIII de la coagulation. Leur déficit congénital ou acquis entraîne un état d'hypercoagulation.
■ L'inhibiteur de la voie extrinsèque est une protéine fabriquée par les parois vasculaires, qui inhibe les facteurs de la voie extrinsèque de la coagulation.

Les effets néfastes dus aux déficits des inhibiteurs de la coagulation sont prévenus par la prise orale d'anticoagulants.

UTILISATION THÉRAPEUTIQUE
Des substances médicamenteuses anticoagulantes (héparine, antivitamines K) sont destinées à empêcher la coagulation chez des patients qui ont des risques de thrombose (phlébite, immobilisation prolongée, port de prothèse valvulaire cardiaque).

Inhibiteur enzymatique

Substance, médicamenteuse ou non, réduisant l'activité des enzymes hépatiques qui interviennent dans le métabolisme (dégradation) d'autres substances médicamenteuses.

En thérapeutique, certains inhibiteurs enzymatiques sont utilisés, par exemple, dans les pancréatites aiguës pour réduire la sécrétion pancréatique.

EFFETS INDÉSIRABLES
En ralentissant l'activité des enzymes du foie, un inhibiteur enzymatique augmente l'activité d'un deuxième médicament pris en même temps et peut augmenter sa toxicité. Il entraîne donc une forme particulière d'interaction médicamenteuse.

C'est ainsi que la cimétidine augmente l'activité des benzodiazépines et de la théophylline et que l'érythrocine active la théophylline et les dérivés de l'ergot de seigle. L'association est donc contre-indiquée ou bien la posologie du médicament associé doit être diminuée.
→ VOIR Inducteur enzymatique.

Inhibiteur de l'enzyme de conversion

Médicament capable de bloquer l'action de l'enzyme qui transforme l'angiotensine I (protéine présente dans le sang), inactive, en une forme active, l'angiotensine II.

MÉCANISME D'ACTION
L'angiotensine II provoque la constriction (resserrement) des vaisseaux sanguins.

Quand un inhibiteur de l'enzyme de conversion intervient, il stoppe le processus de formation de l'angiotensine II. Ainsi, la concentration de l'angiotensine II dans le sang diminue. Cela se traduit par une vasodilatation (augmentation du diamètre des vaisseaux sanguins), une baisse de la tension artérielle et une diminution du travail fourni par le cœur.

INDICATIONS

Les inhibiteurs de l'enzyme de conversion, ou I.E.C., sont utilisés dans le traitement de l'hypertension artérielle et de l'insuffisance cardiaque. Leur intérêt protecteur dans les suites d'un infarctus du myocarde a également été mis en évidence.

CONTRE-INDICATIONS ET MODE D'ADMINISTRATION

Ces médicaments sont contre-indiqués en cas d'allergie au produit et en cas de grossesse. L'administration est orale, parfois associée à la prescription d'un diurétique, ce qui suppose une surveillance de la fonction rénale.

EFFETS INDÉSIRABLES

Ce sont essentiellement des étourdissements, des maux de tête, une fatigue, une toux ; plus rarement des nausées, une diarrhée, des palpitations, des réactions allergiques, une chute brutale de la tension artérielle, une insuffisance rénale, qui peuvent imposer la réduction des doses ou l'arrêt de la prise du médicament.

Inhibiteur de la monoamine oxydase

Médicament utilisé soit comme antidépresseur, soit comme antiparkinsonien.

FORMES PRINCIPALES ET MÉCANISME D'ACTION

Les inhibiteurs de la monoamine oxydase (I.M.A.O.) sont principalement représentés par l'iproniazide, la nialamide et la toloxatone. La monoamine oxydase, dont ils inhibent la synthèse, est une enzyme qui empêche la dégradation des catécholamines du cerveau et du système sympathique (adrénaline, noradrénaline, sérotonine, phényl-éthylamine).

DIFFÉRENTS TYPES

D'INHIBITEUR DE LA MONOAMINE OXYDASE

Il existe deux sortes de monoamine oxydase (M.A.O.) : la monoamine oxydase A et la monoamine oxydase B. L'inhibition de la M.A.O. A empêche la dégradation de la noradrénaline et de la sérotonine ; celle de la M.A.O. B empêche la dégradation de la phényl-éthylamine. Les I.M.A.O. sélectifs de la M.A.O. A (toloxatone) et les I.M.A.O. non sélectifs (iproniazide, nialamide) sont des antidépresseurs, qui stimulent l'activité cérébrale, tandis que les I.M.A.O. sélectifs de la M.A.O. B (sélégiline) sont des antiparkinsoniens. Ces médicaments sont administrés par voie orale.

INDICATIONS ET CONTRE-INDICATIONS

Les inhibiteurs de la monoamine oxydase sont indiqués dans le traitement des dépressions qui résistent aux antidépresseurs imipraminiques, appelés tricycliques (I.M.A.O. A et non sélectifs), et dans celui de la maladie de Parkinson et des syndromes parkinsoniens (I.M.A.O. B).

Ils sont contre-indiqués en cas de délire, d'état maniaque, d'antécédents vasculaires cérébraux - surtout chez les personnes âgées -, d'atteinte hépatique grave, d'anesthésie générale.

EFFETS INDÉSIRABLES

On peut observer une hypotension orthostatique (étourdissements au lever et en position debout) mais aussi des crises hypertensives, des troubles neurologiques (hyperréflexivité, polynévrite, convulsions), des insomnies, voire une forme grave d'hépatite, dite fulminante.

INTERACTIONS ET PRÉCAUTIONS D'EMPLOI

En principe, aucun médicament ne doit être associé aux inhibiteurs de la monoamine oxydase, surtout avec les médicaments non sélectifs (tricycliques). Ils ne doivent pas être administrés avec les amphétamines et leurs dérivés, les anesthésiques volatils halogénés (halothane), les antidépresseurs imipraminiques, les dépresseurs du système nerveux central (barbituriques, benzodiazépines, neuroleptiques), les antitussifs centraux, l'adrénaline, les sympathomimétiques alpha, la fluoxétine, l'heptaminol, la lévodopa, la péthidine, la réserpine et les substances apparentées. Les boissons alcoolisées et les aliments renfermant des amines biogènes (fromages fermentés, banane, foie de volaille, vin rouge, etc.) sont à proscrire en raison du risque d'hypertension qu'ils entraînent.

Inhibiteur de la synthèse de l'acide urique

Médicament hypo-uricémiant, qui diminue la synthèse de l'acide urique dans le foie, le rein et la muqueuse intestinale.

FORMES PRINCIPALES ET MÉCANISMES D'ACTION

Les inhibiteurs de l'acide urique sont l'allopurinol et le thiopurinol. L'allopurinol est un inhibiteur de la xanthine oxydase, enzyme permettant la transformation des bases puriques (substances azotées) et, plus particulièrement, la conversion de l'hypoxanthine en xanthine puis en acide urique. Le thiopurinol exerce un effet inhibiteur rétroactif (après métabolisation) sur les précurseurs de l'hypoxanthine. Ces médicaments sont administrés tous deux par voie orale.

INDICATIONS ET CONTRE-INDICATIONS

Les inhibiteurs de la synthèse de l'acide urique sont indiqués dans le traitement de fond de la goutte et de l'hyperuricémie asymptomatique. Ils sont contre-indiqués en cas de grossesse.

EFFETS INDÉSIRABLES ET PRÉCAUTIONS D'EMPLOI

La lithiase urinaire, rare, des réactions allergiques cutanées, des troubles digestifs, des maux de tête, des vertiges, une gynécomastie (développement des seins chez l'homme) peuvent survenir. L'administration d'un autre médicament antigoutteux, la colchicine, permet de prévenir les accès de goutte en début de traitement.

Inhibition

Suspension d'un acte ou d'une fonction par une force contraire.

L'inhibition psychologique résulte à la fois de facteurs internes (besoin, pulsion) et de facteurs externes (exigences sociales, sécurité physique). Elle met en jeu divers mécanismes tels que le refoulement, le blocage émotif, le scrupule, etc. Le trac, la timidité en sont des manifestations banales. Sur le plan psychopathologique, on rencontre aussi bien un excès (dépression, psychasthénie) qu'une insuffisance (psychose maniacodépressive, psychopathie) d'inhibition.

Le traitement varie selon l'affection en cause : électrochocs, antidépresseurs et psychothérapie en cas de dépression ; anxiolytiques et relaxation en cas de psychasthénie ; neuroleptiques et stabilisateurs de l'humeur (sels de lithium) en cas de psychose maniacodépressive.

Injection

Introduction sous pression d'un liquide ou d'un gaz dans l'organisme.

Une injection se fait avec une sonde, une canule ou une seringue munie d'une aiguille. Elle exige une asepsie ou une antisepsie rigoureuses, la stérilisation du matériel d'injection devant être parfaite. Aujourd'hui, le matériel d'injection utilisé est à usage unique et présenté le plus souvent en conditionnement stérile.

Les injections permettent d'obtenir l'action rapide d'un médicament et aussi d'administrer des produits qui seraient mal tolérés sous une autre forme à des doses importantes.

DIFFÉRENTS TYPES D'INJECTION

■ Les injections dans une cavité naturelle se définissent plus précisément par le lieu d'introduction du liquide : injection vaginale, vésicale, auriculaire, etc.

■ Les injections dans les tissus se classent selon le mode d'introduction du médicament : par voie intradermique, intramusculaire, intraveineuse, intra-articulaire, péridurale, etc.

Seules les injections intramusculaires et intraveineuses diffusent le médicament à tout l'organisme et permettent une action générale (antibiothérapie, chimiothérapie, corticothérapie).

Injection hypodermique

→ VOIR Injection sous-cutanée.

Injection intradermique

Introduction par piqûre, à l'aide d'une aiguille, d'un liquide (médicament, vaccin, allergène, etc.) dans le derme.

INDICATIONS

Une injection intradermique permet de procéder à des vaccinations (B.C.G., contre la tuberculose, par exemple), de déceler une allergie en faisant des tests de sensibilité aux allergènes, de réaliser des intradermoréactions (I.D.R.) utiles au diagnostic de maladies comme la tuberculose, la brucellose, la lèpre, la tularémie, etc.

PRÉPARATION ET DÉROULEMENT

Une injection intradermique exige des précautions d'asepsie : lavage des mains et désinfection du lieu d'injection à l'éther éthylique ou à l'alcool. Elle se fait, à l'aide de seringues jetables, dans la face antérieure

INJECTION

Une substance peut être injectée dans un dessein diagnostique ou thérapeutique. Le choix du type d'injection (intradermique, sous-cutané, intramusculaire, intraveineux) dépend de plusieurs paramètres, notamment de la nature chimique de la substance et de la rapidité d'action désirée, la voie intraveineuse étant la plus rapide. Une technique précise évite les blessures des vaisseaux et des nerfs tandis que le respect des règles d'asepsie empêche l'introduction de microbes dans l'organisme.

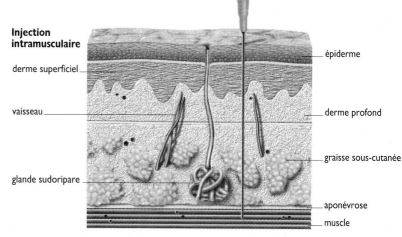

Injection intramusculaire

- épiderme
- derme superficiel
- vaisseau
- derme profond
- graisse sous-cutanée
- glande sudoripare
- aponévrose
- muscle

Les médicaments injectés par voie intramusculaire agissent plus vite que ceux pris par voie orale.

Injection intradermique

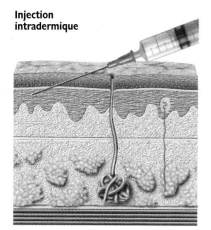

L'injection intradermique est employée pour établir le diagnostic de certaines maladies : tuberculose, brucellose, lèpre, etc.

Injection sous-cutanée

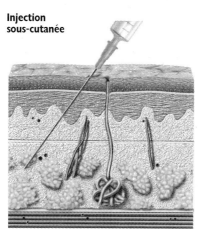

L'injection sous-cutanée permet l'administration d'insuline ou d'héparine. Le malade peut la réaliser lui-même.

Injection intraveineuse

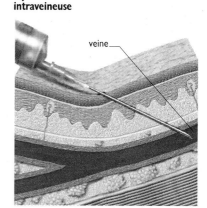

veine

L'injection intraveineuse est employée pour l'administration de solutions médicamenteuses d'effet thérapeutique rapide et intense.

de l'avant-bras, en étirant la peau du patient et en y introduisant l'aiguille sans franchir la limite du derme. La technique d'injection étant assez fine, ce type de piqûre doit être fait par un personnel spécialisé (médecins ou infirmières). Le produit s'injecte lentement avec une seringue d'une contenance de 1 à 2 millilitres, à aiguille courte et à biseau long. La peau se soulève, forme une papule et prend la contexture d'une peau d'orange lorsque l'injection a été bien faite.

Injection intramusculaire

Introduction par piqûre d'un médicament liquide dans l'épaisseur d'un muscle.

INDICATIONS

Une injection intramusculaire, utilisée notamment dans les cas d'administration de produits comme les solutions huileuses (relativement douloureuses), permet une action plus rapide et plus précise du médicament que l'administration par voie orale, mais moins rapide et moins précise que par voie veineuse.

PRÉPARATION ET DÉROULEMENT

Une intramusculaire exige les précautions d'asepsie habituelles : lavage des mains et désinfection du lieu d'injection. Elle se pratique dans une région où les muscles sont

épais, en dehors du trajet des gros vaisseaux et des nerfs importants, le plus souvent dans la fesse. Pour éviter le nerf sciatique, la piqûre doit être faite dans le quadrant supéroexterne de la fesse.

L'injection est réalisée avec des seringues de 5 à 10 millilitres. Les aiguilles, longues de 6 à 8 centimètres — davantage pour les solutions huileuses —, sont fines avec un biseau long. L'utilisation d'un matériel d'injection jetable est devenue habituelle.

L'aiguille est enfoncée perpendiculairement, d'un coup sec, afin d'éviter la douleur. Il importe de vérifier que le sang ne coule pas et donc que l'aiguille n'a pas pénétré dans un vaisseau sanguin. Il est bon d'alterner systématiquement les côtés piqués pour limiter le risque de formation de petits hématomes ou de petites indurations, susceptibles de survenir lors de longues séries d'injections et traitées par application de compresses chaudes plusieurs fois par jour.

Injection intraveineuse

Introduction d'un liquide dans une veine par piqûre.

INDICATIONS

Une injection intraveineuse, en introduisant directement le médicament dans la cir-

culation sanguine, permet une action thérapeutique diffusée à tout l'organisme, plus intense et plus rapide que par les autres voies. Elle s'utilise aussi lorsque les produits prescrits sont irritants et donc peu adaptés à l'injection intramusculaire.

PRÉPARATION ET DÉROULEMENT

Une injection intraveineuse exige des connaissances anatomiques précises (distinction entre veines et artères, localisation des veines, etc.) et ne peut être pratiquée que par un personnel spécialisé, médecins ou infirmières diplômées.

Le personnel soignant se lave préalablement les mains et désinfecte le lieu d'injection. Il s'agit le plus souvent du pli du coude, où les veines sont plus apparentes qu'aux autres endroits du corps, mais l'injection peut aussi être faite dans les veines de l'avant-bras ou du dessus de la main.

L'injection nécessite la pose d'un garrot, destiné à faire saillir la veine et enlevé sitôt la veine piquée, ce dont témoigne l'arrivée de sang dans la seringue. Une injection intraveineuse se fait très lentement avec des seringues de 5 à 10 millilitres et des aiguilles de 4 à 5 centimètres de long, à biseau court. L'injection une fois terminée et l'aiguille retirée, une pression de trois à quatre minutes sur le lieu d'injection se révèle nécessaire afin d'éviter une ecchymose.

Injection oculaire

Introduction d'un produit actif liquide dans les tissus situés autour de l'œil à l'aide d'une aiguille fine.

Les injections oculaires ne provoquent pas de douleur après dissipation de l'effet du produit anesthésique et ne sont pas suivies de troubles de la vue. Elles se distinguent les unes des autres en fonction de la région dans laquelle le liquide est introduit.

Injection sous-conjonctivale

Cette injection introduit un liquide sous la conjonctive bulbaire (muqueuse qui recouvre la face postérieure des paupières et la face antérieure de la sclérotique, ou blanc de l'œil).

PRÉPARATION ET DÉROULEMENT

L'injection se fait au moyen d'une petite aiguille très fine après anesthésie locale par un collyre anesthésique de contact. L'aiguille pénètre sous la conjonctive, à travers laquelle elle reste visible, le biseau de l'aiguille étant dirigé vers la surface de l'œil de manière à ne pas risquer de piquer la sclérotique (membrane externe du globe oculaire, qui forme le blanc de l'œil). Selon l'indication, le produit est injecté en quantité plus ou moins abondante et forme, sous la conjonctive, une bulle qui persiste pendant quelques minutes. L'injection est peu douloureuse et sans risques.

INDICATIONS

Les indications sont variables : injection de produit anesthésiant (notamment lors d'une intervention chirurgicale localisée à la conjonctive), injection d'un produit thérapeutique (anti-inflammatoire ou antibiotique). Les substances ainsi injectées agissent plus longtemps que les produits administrés sous forme de collyre.

Injection péribulbaire

Ce type d'injection se pratique dans des régions situées au-dessus ou en dessous du globe oculaire.

PRÉPARATION ET DÉROULEMENT

On procède parfois en deux étapes, après une instillation de collyre anesthésiant, en utilisant une aiguille fine assez longue pour atteindre la région située derrière le globe oculaire. Une première injection est faite sous le globe oculaire, le long du rebord inférieur de l'orbite (cavité osseuse dans laquelle se trouve l'œil). L'aiguille longe la paroi inférieure de l'orbite pour atteindre la région d'injection du produit anesthésiant, administré en une dose de 4 à 5 centimètres cubes. Une seconde injection du même produit peut être pratiquée au-dessus du globe oculaire, le long du rebord supérieur de l'orbite. Une compression du globe oculaire – parfois manuelle, mais le plus souvent réalisée à l'aide d'un appareil, et maintenue pendant une durée moyenne de 15 minutes – est indispensable pour favoriser la diffusion du produit. Ce mode d'injection est un procédé sûr, les accidents de perforation du globe par l'aiguille étant théoriquement impossibles lorsque le trajet de l'aiguille suit bien la paroi orbitaire.

INDICATIONS

Cette technique d'injection est utilisée pour l'anesthésie du globe oculaire au cours des interventions chirurgicales.

Injection rétrobulbaire

Cette injection permet l'introduction du produit en arrière du globe oculaire.

PRÉPARATION ET DÉROULEMENT

Pratiquée également après instillation d'un collyre anesthésiant, ce type d'injection nécessite une aiguille un peu plus longue que les précédentes.

Le patient regarde en haut et en dedans (du côté de son nez) pendant que l'aiguille est dirigée horizontalement sur une distance d'environ 1 cm, puis obliquement en haut et en dedans.

INDICATIONS

Cette injection particulière s'utilise pour procéder à une anesthésie préalable à une intervention chirurgicale. Il existe cependant des risques de perforation du globe oculaire ou du nerf optique par l'aiguille, dont le trajet est très proche des structures oculaires. C'est pourquoi les chirurgiens préfèrent actuellement l'injection péribulbaire, plus sûre, à ce type d'injection.

L'injection rétrobulbaire d'un mélange d'anesthésique et d'alcool permet d'atteindre et de détruire le ganglion nerveux responsable de la sensibilité du globe oculaire lorsque celui-ci est très douloureux et non voyant.

Elle est également indiquée pour l'injection de produits vasodilatateurs au cours des oblitérations de l'artère centrale de la rétine.

Injection sous-cutanée

Introduction par piqûre d'un liquide sous la peau. SYN. *injection hypodermique.*

INDICATIONS

Une vaccination antitétanique ou antigrippale, une injection d'insuline, d'anticoagulant ou d'anesthésique local se font par une injection sous-cutanée, qui permet une diffusion progressive du produit.

PRÉPARATION ET DÉROULEMENT

Une injection sous-cutanée exige des précautions d'asepsie (lavage des mains, désinfection du lieu d'injection). Elle peut être réalisée par un personnel non médical ou par le patient lui-même. On vérifie auparavant qu'il n'y a pas d'air dans la seringue en chassant quelques gouttes du produit. L'injection se fait dans la face externe du bras ou de la cuisse, dans l'abdomen ou en regard de l'omoplate.

La peau est maintenue entre le pouce et l'index et forme un pli cutané dans lequel l'aiguille est enfoncée rapidement, perpendiculairement à la peau. Le liquide doit être injecté lentement avec des seringues jetables de 2 à 10 millilitres de volume et des aiguilles à biseau long, longues de 2 à 5 centimètres. Après l'injection, l'aiguille est retirée rapidement. En cas de traitements prolongés (traitement à l'insuline pour les diabétiques par exemple), on diversifie les points d'injection afin d'éviter des complications locales (lipodystrophies, c'est-à-dire boules de graisse sous la peau, par exemple). Il existe des boîtes en plastique munies de trous qui permettent de détacher ensuite l'aiguille de la seringue sans risque de se piquer. Dans certains pays, comme la France, les aiguilles doivent ensuite être incinérées.

Inlay dentaire

Bloc s'incrustant exactement dans une cavité dentaire préalablement nettoyée et taillée (zone cariée, par exemple) afin de reconstituer la forme anatomique de la dent.

Un inlay dentaire permet de consolider une dent ou de la restaurer si elle est très délabrée. Le dentiste creuse d'abord une cavité, dont est prise une empreinte. L'inlay est alors réalisé en laboratoire ; il est en métal (or, nickel, chrome) ou constitué d'un matériau de même couleur que la dent (composite, céramique). Après un essayage, il est collé ou scellé.

Innervation

Ensemble des nerfs d'un organe, d'un groupe d'organes ou d'une région du corps.

L'innervation est constituée par des nerfs formés d'axones (prolongements des cellules nerveuses). Les fibres parvenant dans un organe ou un tissu (muscle, glande), à fonction motrice, sont dites afférentes. Les fibres qui en partent, à fonction sensitive, sont dites efférentes. Un nerf peut comporter à la fois des fibres motrices et des fibres sensitives : il est alors dit nerf mixte.

Inoculation

Introduction d'un agent infectieux dans l'organisme.

L'inoculation est le point de départ de la propagation de la maladie. Elle peut se produire par contact direct avec la peau ou les muqueuses (piqûre d'insecte, chancre de maladie sexuellement transmissible, morsure, transfusion ou injection de sang contaminé). Un individu peut également s'autodisséminer le germe, par exemple par grattage (impétigo) ; on parle dans ce cas d'auto-inoculation.

En laboratoire, l'inoculation à des animaux (cobayes, souris) de prélèvements effectués sur un malade (sang, urine, salive) permet d'établir ou de confirmer un diagnostic lorsque l'animal développe la maladie infectieuse suspectée.

L'inoculation se pratique aussi dans le dessein de stimuler le système immunitaire afin de lui faire produire des anticorps contre la substance inoculée ; c'est, par exemple, le principe de la vaccination.

Inopérabilité

État pathologique dans lequel une intervention chirurgicale n'est pas réalisable.

L'inopérabilité peut être fonction soit de l'état du malade, lorsque des défaillances viscérales (insuffisance cardiaque, insuffisance respiratoire) augmentent le risque anesthésique ou opératoire, soit de la maladie elle-même lorsque celle-ci est à un stade tellement avancé que l'opération est assurément vouée à l'échec.

Insecticide

Produit d'origine synthétique ou végétale utilisé pour détruire les insectes.

Les insecticides de synthèse regroupent les organochlorés (dichloro-diphényl-trichloréthane, ou D.D.T.), les organophosphorés (malathion), les carbamates. Les insecticides d'origine végétale sont représentés surtout par la nicotine, les pyréthrinoïdes (dérivés du chrysanthème), la roténone.

Ces produits peuvent être responsables d'intoxications graves par absorption accidentelle, par inhalation ou par contact.

SIGNES

Ils varient selon la famille d'insecticide en cause et peuvent être digestifs (vomissements, diarrhée, douleurs), cardiaques (accélération, ralentissement, irrégularité du rythme), respiratoires (toux, gêne respiratoire), neurologiques (troubles des mouvements, convulsions).

TRAITEMENT ET PRÉVENTION

En attendant le médecin, il ne faut pas tenter de faire boire le malade ni de le faire vomir. Après lavage de la peau ou des yeux à grande eau, ou après lavage gastrique, le traitement est celui des symptômes (assistance respiratoire, anticonvulsivants), car les antidotes sont d'efficacité relative (atropine et pralidoxime contre les organophosphorés). La prévention repose sur la conservation des produits hors de la portée des enfants et sur le strict respect des modes d'emploi.

Insémination artificielle

Technique de procréation médicalement assistée utilisée dans certains cas de stérilité de couple.

DIFFÉRENTS TYPES D'INSÉMINATION ARTIFICIELLE

L'insémination artificielle ne peut être pratiquée que si l'appareil génital de la femme (cavité utérine, trompes de Fallope, ovaires) ne présente pas d'anomalie. La principale condition est la perméabilité des trompes. L'insémination s'effectue avec le sperme du conjoint ou celui d'un donneur. Cette technique de procréation est pratiquée dans de nombreux pays industrialisés.

■ L'insémination avec le sperme du conjoint se pratique dans deux cas : lorsque la glaire cervicale de la femme est défectueuse (absence de glaire ou composition nuisible aux spermatozoïdes) ou lorsque la stérilité est due à un défaut du sperme (manque de mobilité ou nombre insuffisant de spermatozoïdes). Le sperme, recueilli par masturbation, est utilisé frais ou congelé. Diverses techniques permettent de l'améliorer si nécessaire en sélectionnant chacune des fractions les plus mobiles et normales de plusieurs éjaculats, qui sont ensuite additionnées en vue de l'insémination. Dans certains cas aussi, le sperme congelé a été recueilli chez un homme avant qu'il ne subisse une stérilisation (vasectomie), une radiothérapie ou une chimiothérapie anticancéreuse entraînant une stérilité.

■ L'insémination avec donneur (I.A.D.) est indiquée en cas d'altération irréversible de la production de spermatozoïdes du conjoint, de maladie génétique ou transmissible. Elle utilise des paillettes de sperme congelé fournies par une banque de sperme et choisies selon des critères de ressemblance avec le conjoint (type physique, couleur des yeux, des cheveux) et des critères de compatibilité sanguine avec la femme. Les donneurs, dont l'anonymat est absolu dans certains pays (France, Belgique), facultatif dans d'autres (Canada) ou non encore réglementé (Suisse), doivent répondre, dans la plupart des pays, à des critères d'âge, de condition physique et de qualité du sperme. Leur sperme est soumis en outre à un test de résistance à la congélation, car près de 40 % des spermes normaux deviennent inutilisables après congélation.

TECHNIQUE

Elle consiste à injecter ou à déposer le sperme frais ou les paillettes de sperme congelé avec un pistolet d'insémination ou un cathéter, soit au niveau de l'orifice interne du col, dans la glaire cervicale (insémination intracervicale), soit dans la cavité utérine (insémination intracorporéale), durant la période du cycle menstruel la plus favorable à la fécondation. Ce cycle peut être naturel ou stimulé par des injections hormonales. Dans ce dernier cas, le taux de réussite est accru mais il y a un risque plus élevé de grossesse multiple. L'insémination artificielle se pratique dans des centres spécialisés, en consultation et sans hospitalisation.

RÉSULTATS

Les chances d'obtenir une grossesse dans les 6 mois qui suivent l'insémination, au rythme d'un essai par mois, sont d'environ 65 % avec du sperme frais. Elles sont de 55 % avec du sperme congelé.

Insertion

Surface d'attache ou de fixation d'un organe sur un autre organe.

On parle ainsi de l'insertion des fibres musculaires, tendineuses, ligamentaires ou capsulaires sur un os. Par exemple, le tendon d'Achille s'insère sur la face postérieure du calcanéum (os du talon).

In situ

Terme latin signifiant « dans l'endroit même ».

Un cancer in situ est un cancer diagnostiqué à son stade initial et limité au tissu dans lequel il se développe, sans aucun signe d'envahissement ni d'extension, comme le cancer du col de l'utérus.

Insolation

État pathologique consécutif à une exposition trop prolongée au soleil.

Une insolation se traduit par des brûlures de la peau (coup de soleil) ou des yeux et par des symptômes dus à l'élévation de la température dans les centres nerveux (coup de chaleur).

Le coup de chaleur se manifeste, dans les formes bénignes, par une fatigue, une gêne respiratoire, une fièvre importante, un visage très rouge ou bien, au contraire, pâle. Dans les formes graves, la température élevée et le pouls rapide (tachycardie) s'accompagnent de maux de tête et de ventre, de vertiges, de nausées, de vomissements et d'éblouissements. Un délire, des convulsions et même un coma peuvent survenir.

L'étendue des brûlures de la peau – au premier ou au deuxième degré – détermine la gravité du coup de soleil. Les lésions oculaires peuvent aller de la conjonctivite à des altérations de la rétine, qui sont parfois irréversibles.

TRAITEMENT

Le sujet doit être étendu dans un endroit frais et boire, s'il est conscient, une solution d'eau salée (une demi-cuillerée à café de sel par litre d'eau froide). En cas de troubles de la conscience, il sera placé en position latérale de sécurité en attendant les soins médicaux et son réveil. L'évolution conduit en général à la récupération complète en quelques heures.

Insomnie

Insuffisance ou absence de sommeil.
→ VOIR Sommeil (troubles du).

Inspiration

Phase de la respiration pendant laquelle l'air atmosphérique, riche en oxygène, pénètre dans les poumons.

L'inspiration est un phénomène neuromusculaire actif dû à la contraction des muscles respiratoires, notamment du diaphragme, disposé de telle façon qu'il s'abaisse en se contractant, augmentant l'expansion des poumons et des muscles intercostaux. Au cours de la respiration, l'inspiration et son arrêt sont commandés de manière cyclique par l'encéphale au moyen des nerfs qui cheminent jusqu'aux muscles. Dans un cycle respiratoire normal, le temps inspiratoire est plus long que le temps expiratoire.

En cas de gêne respiratoire ou lors d'un effort intense, des muscles inspiratoires accessoires se contractent également, comme le sterno-cléido-mastoïdien, situé sur le côté du cou et s'insérant, en haut, sur le crâne, en bas sur la clavicule et sur le sternum ; cette contraction constitue un signe diagnostique appelé tirage.

Instillation

Méthode thérapeutique consistant à introduire goutte à goutte une solution médicamenteuse dans un conduit naturel (oreille, nez, trachée, urètre) ou dans une cavité de l'organisme (vessie) pour laver, désinfecter et traiter ce conduit ou cette cavité.

L'instillation oculaire consiste à déposer une ou deux gouttes de collyre sur la conjonctive, dans l'angle externe de la paupière inférieure. Le sujet doit rester immobile en attendant que le collyre se répartisse bien sur la surface de l'œil.

Instinct

Impulsion innée, automatique et invariable qui régit le comportement de tous les individus d'une même espèce.

Le rôle des perturbations de l'instinct dans les troubles mentaux, pressenti depuis toujours, a notamment intéressé la recherche au XIXᵉ siècle. La psychanalyse a élargi la notion d'instinct en introduisant la notion de pulsion, force de nature à la fois psychique et physique qui régule les tensions du sujet. On peut citer, par exemple, l'instinct de survie, l'instinct sexuel, l'instinct d'agressivité.

Instrumentiste

Personne chargée de tendre les instruments au chirurgien au cours d'une intervention.

L'instrumentiste prépare également les instruments et le matériel, prévoit à l'avance ceux qui seront nécessaires lors d'une intervention et les compte pour éviter que certains ne soient oubliés dans le champ opératoire. Cette fonction est occupée par une infirmière spécialisée (panseuse).

Insuffisance aortique

Défaut de fermeture de la valvule aortique en diastole qui se traduit par un reflux de sang de l'aorte vers le ventricule gauche.

CAUSES

Elles sont multiples. L'insuffisance aortique peut être consécutive à un rhumatisme articulaire aigu : très fréquent dans les pays en voie de développement, celui-ci tend à se raréfier dans les pays industrialisés.

Parmi les autres causes, on retient l'endocardite bactérienne (infection microbienne atteignant directement la valvule), le syndrome de Marfan (maladie congénitale du tissu conjonctif), la dissection aortique (le sang pénètre anormalement dans l'épaisseur de la paroi aortique, qu'il sépare en deux), l'anévrysme de l'aorte initiale ou bien, plus rarement, la spondylarthrite ankylosante ou l'aortite syphilitique.

Elle peut être associée à un rétrécissement aortique : on parle alors de maladie aortique.

SYMPTÔMES ET SIGNES

L'insuffisance aortique peut ne causer aucun symptôme : parfois, lors d'un examen médical de routine, le médecin entend un souffle diastolique (bruit anormal perçu pendant la diastole, lors de la phase de relaxation, après le 2ᵉ bruit) peu intense, au cœur, un peu à gauche du sternum.

Le cœur compense le reflux de sang dans le ventricule gauche en travaillant plus intensément. Il s'hypertrophie et se dilate progressivement mais, quand ses facultés d'adaptation sont dépassées, sa force contractile diminue et des signes d'insuffisance cardiaque gauche apparaissent.

DIAGNOSTIC

Il est aisément établi lors d'une consultation cardiaque, qui permet d'entendre le souffle diastolique. Une radiographie thoracique montre, en outre, une augmentation de volume du cœur avec une dilatation de l'aorte et, parfois, des calcifications dans la région de l'orifice aortique.

On prescrit aussi, habituellement, une échocardiographie pour vérifier la structure et le diamètre de l'orifice valvulaire ainsi que l'épaississement et la dilatation ventriculaires gauches. L'échocardiographie Doppler montre le reflux sanguin anormal à travers l'orifice aortique en diastole.

Enfin, un cathétérisme cardiaque (insertion d'un tube flexible dans le cœur par voie vasculaire) permet de déterminer le degré de l'insuffisance valvulaire : on injecte alors un produit opaque aux rayons X dans la racine de l'aorte pour observer son reflux dans le ventricule gauche.

TRAITEMENT

Lorsque l'insuffisance aortique est minime ou modérée et sans symptômes, aucun traitement n'est nécessaire. Une simple surveillance cardiologique est requise. Le malade doit suivre un régime hyposodé (peu salé), diminuer les efforts physiques, avoir un rythme de vie plus réglé. Lorsqu'elle est importante, présentant des symptômes ou évolutive, le traitement impose un remplacement de la partie déficiente de l'aorte par une valve mécanique ou une prothèse.

PRÉVENTION

Tout malade atteint d'insuffisance aortique requiert une surveillance accrue, en cas d'opération chirurgicale sur un foyer septique ou de soins dentaires, pour prévenir l'endocardite bactérienne grâce à un traitement antibiotique bref encadrant le geste chirurgical.

Insuffisance artérielle mésentérique

Déficit de l'apport sanguin dans les artères cœliaque et mésentériques irriguant l'intestin grêle et le côlon (gros intestin).

Le tube digestif est vascularisé par trois grosses artères : l'artère cœliaque et ses branches, l'artère mésentérique supérieure et l'artère mésentérique inférieure. Elles sont abondamment reliées entre elles, assurent un débit sanguin important (1 litre par minute) et sont capables de suppléer la baisse de débit sanguin en cas d'obstruction de l'une d'elles. L'insuffisance artérielle mésentérique, peu fréquente, ne se manifeste qu'en cas d'obstruction de deux des trois artères et est essentiellement due à la présence de plaques d'athérome sur leurs parois.

■ Dans l'intestin grêle, l'insuffisance artérielle se manifeste par un angor abdominal (douleurs intenses survenant lors de la digestion) entraînant rapidement une réduction de l'alimentation. Une mauvaise assimilation des nutriments par l'intestin peut survenir. Dans certains cas, l'insuffisance se révèle d'emblée par un infarctus mésentérique (nécrose de la paroi intestinale).

Une artériographie des artères abdominales permet d'établir le diagnostic. Le traitement consiste en un rétablissement chirurgical du calibre vasculaire par angioplastie ou intervention directe sur l'artère.

■ Dans le côlon, l'insuffisance vasculaire se manifeste par des douleurs abdominales accompagnées de diarrhée sanglante. Il peut s'agir d'une colite ischémique (atteinte de la muqueuse) ou d'une gangrène colique (atteinte de toute l'épaisseur de la paroi). Le diagnostic repose sur l'examen radiologique et sur la coloscopie. La colite ischémique évolue en général favorablement sans traitement ; la gangrène colique, en revanche, nécessite une intervention d'urgence (résection chirurgicale du segment atteint).
→ VOIR Infarctus mésentérique.

Insuffisance cardiaque

Incapacité du cœur à assumer sa fonction de pompe et de propulsion du sang.
SYN. défaillance cardiaque.

CAUSES

L'insuffisance cardiaque est la complication d'une maladie cardiaque. Elle peut toucher le cœur gauche, le cœur droit ou les deux.

L'insuffisance cardiaque (ou ventriculaire) gauche peut être consécutive à une hypertension artérielle, à une atteinte valvulaire (rétrécissement ou insuffisance aortique ou mitrale), à une maladie cardiaque congénitale telle que la coarctation aortique (étroitesse de l'isthme de l'aorte), à une cardiopathie ischémique (diminution ou arrêt de la circulation sanguine dans une ou plusieurs artères du cœur), à une myocardiopathie (maladie du muscle cardiaque). Souvent, dans un premier temps, le cœur s'adapte par une dilatation des cavités gauches (essentiellement le ventricule) et/ou un épaississement de leurs parois musculaires ou par une accélération du rythme cardiaque. Mais une fois ces mécanismes compensateurs dépassés, l'insuffisance cardiaque s'installe.

Un trouble du rythme, une anémie profonde, une hyperthyroïdie peuvent aussi favoriser l'apparition d'une insuffisance cardiaque.

L'insuffisance cardiaque gauche comporte une hypertension et une stase du sang dans les poumons (œdème pulmonaire), responsable d'une gêne respiratoire parfois intense à l'effort puis au repos.

L'insuffisance cardiaque (ou ventriculaire) droite est le plus souvent consécutive à une hypertension artérielle pulmonaire (augmentation de la pression dans les artères pulmonaires), elle-même causée par une affection pulmonaire (bronchite chronique avec emphysème, embolie pulmonaire). Elle peut également être due à une cardiopathie congénitale (communication interventriculaire ou interauriculaire, rétrécissement pulmonaire).

Une insuffisance ventriculaire gauche peut se compliquer d'une insuffisance ventriculaire droite et ainsi créer une insuffisance cardiaque globale.

SYMPTÔMES ET SIGNES

La fatigue est un signe fréquent de l'insuffisance cardiaque. L'insuffisance cardiaque gauche provoque une gêne respiratoire (dyspnée). Au début, cette gêne s'observe seulement pendant ou après l'exercice physique (dyspnée d'effort), puis elle s'intensifie et finit par persister même au repos. Le malade dort assis dans son lit pour mieux respirer (dyspnée de décubitus). Il peut être réveillé la nuit par une crise d'œdème aigu pulmonaire (inondation brutale des alvéoles et du tissu interstitiel des poumons par du plasma sanguin) avec gêne respiratoire aiguë, respiration bruyante, sueurs et expectoration mousseuse. Cette crise nécessite un traitement d'urgence.

L'insuffisance cardiaque droite crée une hyperpression dans le système veineux, responsable d'une dilatation des veines jugulaires au cou, d'une augmentation de volume du foie (foie cardiaque), d'œdèmes des chevilles et des jambes, parfois d'une gêne abdominale et de troubles digestifs.

TRAITEMENT

Le traitement est celui des symptômes et, si possible, celui de la cause. Il comprend le repos au lit en position assise et le strict respect d'un régime alimentaire pauvre en sel. Le malade reçoit des diurétiques, destinés à soulager l'organisme de son excès de rétention d'eau et de sel et qui diminuent le volume de sang circulant. Dans certains cas, des vasodilatateurs (facilitant le travail du cœur) ou des digitaliques (tonicardiaques) sont administrés : ils entraînent une nette amélioration en quelques heures.

Une fois l'insuffisance cardiaque contrôlée, il faut s'attaquer à sa cause. Une maladie valvulaire peut être corrigée chirurgicalement, une cardiopathie ischémique traitée par pontage aortocoronaire ou par angioplastie coronaire transcutanée.

De nombreuses autres causes sont également accessibles au traitement : l'hypertension artérielle et les arythmies sont soignées par des médicaments, tandis que les communications interauriculaires et interventriculaires sont fermées par une intervention chirurgicale à cœur ouvert. La prévention est aussi essentielle et consiste à surveiller toute maladie du cœur avant l'apparition de l'insuffisance cardiaque et à mettre en œuvre un traitement aux premiers stades de celle-ci. Toutefois, lorsque l'insuffisance cardiaque est due à une affection du myocarde (muscle du cœur) évoluant depuis longtemps (une myocardiopathie, essentiellement) ou à une maladie pulmonaire chronique, le pronostic est, en général, moins favorable.

Insuffisance coronarienne

Incapacité des artères coronaires à fournir l'apport en sang oxygéné correspondant aux besoins du cœur. SYN. *cardiopathie ischémique, maladie coronarienne.*

DIFFÉRENTS TYPES D'INSUFFISANCE CORONARIENNE

Ce manque d'adaptation entre les besoins et les apports en sang oxygéné peut résulter de deux mécanismes différents. Une insuffisance coronarienne primaire (de cause inconnue) se traduit par une baisse du débit sanguin dans les artères coronaires. Une insuffisance coronarienne secondaire (dont la cause est connue) correspond à une augmentation des besoins en oxygène, au cours d'un effort physique par exemple, et à une impossibilité pour le cœur d'apporter ce supplément d'oxygène.

FRÉQUENCE

Dans les pays industrialisés, l'insuffisance coronarienne est une coronaropathie (affection des artères coronaires) extrêmement répandue. En France, elle représente la première cause de décès. Un grand nombre d'entre eux surviennent brutalement chez des hommes et des femmes d'âge moyen,

par ailleurs en bonne santé, mais la plupart concernent des sujets de plus de 65 ans.

Au cours de ces vingt dernières années, le nombre de décès et d'invalidités dus à l'insuffisance coronarienne a décru. Un meilleur contrôle de l'hypertension artérielle, qui est une des principales causes de l'insuffisance coronarienne, d'une part, les progrès des techniques d'angioplastie et de pontage aortocoronarien des coronaires malades, d'autre part, pourraient en être la raison. En outre, le traitement de l'infarctus du myocarde à la phase aiguë est devenu plus efficace depuis l'amélioration des structures mobiles et hospitalières d'urgence et l'utilisation précoce des thrombolytiques.

CAUSES

L'origine la plus courante d'une insuffisance coronarienne est le développement d'une athérosclérose. Dans ce cas, les artères coronaires sont progressivement obstruées par des plaques d'un dépôt graisseux riche en cholestérol, l'athérome. Un thrombus (caillot sanguin), formé au contact de la surface rugueuse de ces plaques, peut ensuite aggraver le rétrécissement coronarien jusqu'à l'occlusion coronarienne.

Les causes de l'athérome sont nombreuses et liées entre elles. Les principaux facteurs de risque de l'athérosclérose sont les prédispositions génétiques, des maladies comme le diabète sucré, l'hypertension artérielle ou un mode de vie caractérisé par le tabagisme, le manque d'exercice physique, l'excès de poids, enfin une alimentation riche en produits laitiers et en graisses animales, qui provoque une élévation excessive du taux de cholestérol dans le sang.

L'influence de la personnalité, du comportement et du stress est encore controversée. Certains médecins pensent que les infarctus du myocarde sont plus fréquents chez les sujets ayant une personnalité de « type A » (toujours pressés, ils surveillent l'heure, supportent mal les retards et interrompent les autres au milieu de leurs phrases, actifs et entreprenants. On sait, en outre, que les infarctus surviennent plus fréquemment chez les sujets déprimés après la mort d'un parent proche ou après la perte d'un travail, par exemple.

D'autres mécanismes réduisent l'apport d'oxygène au cœur : une atteinte des petits vaisseaux (microangiopathie) coronaires comme dans le diabète, un épaississement des parois cardiaques, une baisse de l'oxygène contenu dans le sang ou une incapacité du muscle cardiaque à extraire cet oxygène par exemple.

SYMPTÔMES ET SIGNES

L'athérome des coronaires reste longtemps sans aucun symptôme. Il peut se révéler soit par une angine de poitrine, soit par un infarctus du myocarde.

L'angine de poitrine (ou angor) est caractérisée par une gêne ou une douleur thoraciques, classiquement déclenchées par l'effort et soulagées par le repos. C'est une douleur sourde, au milieu de la poitrine, ou une sensation de pression pouvant remonter dans le cou ou descendre le long du bras

(le gauche plus souvent que le droit). Dans certains cas, la douleur reste localisée au cou ou au bras. La douleur causée par l'angor est typique, survient souvent après le même niveau d'effort physique (après avoir grimpé un étage, par exemple) et disparaît en 1 ou 2 minutes à l'arrêt de celui-ci.

L'angine de poitrine apparaît quand le myocarde doit fournir un travail plus intense et qu'il ne reçoit pas assez de sang pour l'effort exigé. Si, par exemple, la vascularisation d'une région du myocarde est complètement interrompue par un caillot, un infarctus se produit (thrombose coronarienne ou encore « crise cardiaque »), entraînant la mort (nécrose) de cette partie de myocarde. Le symptôme principal de l'infarctus est une douleur intense qui ressemble à celle de la douleur de l'angine de poitrine mais n'est pas soulagée par le repos ni obligatoirement déclenchée à l'effort. Le malade peut avoir froid, transpirer, se sentir faible et nauséeux, parfois perdre connaissance.

L'angine de poitrine et l'insuffisance coronarienne peuvent entraîner des troubles de conduction cardiaque ou des troubles du rythme tels qu'une arythmie (irrégularité des battements cardiaques), dont les degrés divers vont des extrasystoles (contractions prématurées) à la tachycardie (accélération du cœur) et à la fibrillation ventriculaire (trémulation inefficace du myocarde). Cette dernière entraîne rapidement une perte de conscience et la mort si elle n'est pas corrigée dans les minutes qui suivent par une défibrillation électrique (interruption de contractions anormales, non coordonnées et continues du cœur à l'aide d'un choc électrique appliqué sur le thorax).

DIAGNOSTIC ET EXAMENS

Une insuffisance coronarienne peut se traduire par des symptômes typiques. Le diagnostic ne fait alors aucun doute. Des examens complémentaires le confirment : électrocardiographie, lorsqu'on suspecte un infarctus du myocarde, mesure dans le sang du taux des créatines-kinases et des transaminases ALAT et ASAT (enzymes libérées à partir de la zone de nécrose du myocarde), par exemple. Un malade qui présente des crises intermittentes d'angine de poitrine doit être surveillé par des examens électrocardiographiques pratiqués au repos et à l'effort (épreuve d'effort sur bicyclette ou tapis roulant sous surveillance médicale).

Si l'angine de poitrine est fréquente, invalidante, si ses caractères se modifient ou si elle est d'apparition récente, l'état du patient peut être évalué par l'imagerie cardiaque : l'angiographie coronaire, ou coronarographie (radiographie avec injection d'une substance opaque aux rayons X dans les coronaires), fournit des données précises et détaillées sur le siège des sténoses (rétrécissements ou occlusions) coronaires et les éventuelles lésions myocardiques associées. Ces données permettent de décider du meilleur traitement, qu'il soit médical ou chirurgical.

TRAITEMENT

L'angine de poitrine bénéficie de toute une gamme de médicaments qui améliorent la circulation coronaire et/ou qui réduisent le travail du cœur pendant l'activité physique. Parmi ces médicaments, on trouve la nitroglycérine et d'autres dérivés nitrés, les bêtabloquants, les vasodilatateurs et les inhibiteurs calciques. Les arythmies sont traitées par des antiarythmiques spécifiques. En cas de défaillance cardiaque, des vasodilatateurs ou des digitaliques peuvent renforcer l'action du muscle cardiaque.

En cas d'échec du traitement médical ou de lésions très sévères des artères coronaires, la vascularisation myocardique peut être améliorée par un pontage aortocoronarien ou par une angioplastie transluminale percutanée (dilatation par ballonnet de la coronaire rétrécie).

Un infarctus du myocarde est une urgence qui doit être traitée en milieu hospitalier. Des thrombolytiques peuvent être administrés pour tenter de dissoudre les caillots. Ultérieurement, l'artère responsable de l'infarctus peut être dilatée par angioplastie ou court-circuitée par un pontage. Parfois, le traitement vise simplement à permettre au cœur de cicatriser spontanément.

PRÉVENTION

L'insuffisance coronarienne est une maladie de l'âge mûr et de la vieillesse, mais ses bases se préparent pendant l'adolescence et chez l'adulte jeune.

On peut réduire considérablement les risques en modifiant le style de vie. Ne jamais fumer, faire régulièrement de l'exercice physique, conserver un poids et une tension artérielle normaux, suivre un régime alimentaire sain permettent de moins s'exposer au risque de maladie coronaire jusqu'à un âge avancé.

PRONOSTIC

Une fois les symptômes présents, le traitement peut faire beaucoup pour enrayer leur aggravation. Les études statistiques portant sur les patients traités par pontage aortocoronarien révèlent que 80 à 90 % d'entre eux sont encore vivants cinq ans après l'opération. Le taux de survie est meilleur encore lorsque la maladie est peu évoluée, ne nécessitant qu'un traitement médical. Il est nettement plus élevé chez les patients qui cessent de fumer.

Insuffisance hépatocellulaire

Ensemble des manifestations cliniques et biologiques dues à une diminution importante de la masse des cellules hépatiques.

Dans le langage commun, on parle d'insuffisance hépatique pour désigner des troubles qui n'ont aucun rapport avec le foie : migraines, digestions difficiles, éruptions cutanées.

CAUSES

L'insuffisance hépatocellulaire a des causes variées : hépatites aiguës ou chroniques, cirrhoses, tumeurs détruisant le foie. Les lésions doivent être étendues pour que le déficit apparaisse.

SYMPTÔMES ET SIGNES

■ À un niveau modéré, l'insuffisance hépatocellulaire se traduit par des signes peu spécifiques : asthénie, fatigabilité, somno-

lence, amaigrissement, sensibilité anormale aux médicaments. Sur le plan biologique, l'insuffisance hépatocellulaire est caractérisée par des anomalies du sang dont les plus importantes sont l'élévation de la bilirubine (pigment de la bile), la chute de la sérumalbumine (protéine du sang), l'abaissement des facteurs de la coagulation (baisse du taux de prothrombine, du facteur V).

■ À un stade plus avancé apparaissent une multitude de troubles : ictère, troubles de l'hémostase (petites hémorragies), troubles nerveux allant de la somnolence au coma (encéphalopathie hépatique) avec un tremblement particulier, l'astérixis. Il existe également des troubles endocriniens : dépilation, diminution de la libido, infertilité. Les paumes de la main sont rouges et couvertes de petits angiomes stellaires (taches rouges en forme d'étoile). Les perturbations du fonctionnement rénal se traduisent par une rétention de sel et des troubles de la diurèse. L'atteinte de l'appareil circulatoire se manifeste par une accélération du pouls et une augmentation du débit cardiaque.

■ Dans sa forme la plus sévère, l'insuffisance hépatocellulaire comporte des troubles de la conscience pouvant aller jusqu'au coma et un syndrome hémorragique (saignement diffus). Une hypoglycémie (chute du glucose sanguin) apparaît également dans les formes les plus graves.

TRAITEMENT ET PRONOSTIC

Le traitement, même symptomatique, est difficile et peu efficace. Il n'existe pas, comme pour le rein, de moyen artificiel de suppléance (dialyse) : seule la greffe de foie, quand elle est possible, peut guérir le patient.

Le pronostic de l'insuffisance hépatocellulaire dépend de la maladie causale. Si celle-ci est réversible (hépatite guérissable), il peut être favorable. En cas de maladie irréversible, le pronostic est sévère.

Insuffisance mitrale

Défaut de fermeture de la valvule mitrale (entre l'oreillette et le ventricule gauches) en systole, qui entraîne un reflux du sang du ventricule dans l'oreillette gauche.

L'insuffisance mitrale est parfois associée à un rétrécissement mitral : on parle alors de maladie mitrale.

Dans l'insuffisance mitrale, le cœur gauche doit travailler plus intensément pour éjecter le sang qui a reflué vers l'oreillette. À la longue, une insuffisance cardiaque gauche finit par se constituer et l'accumulation de sang en amont du cœur gauche peut provoquer un œdème pulmonaire. Ultérieurement, une insuffisance du cœur droit peut venir s'ajouter à l'insuffisance cardiaque gauche (insuffisance cardiaque globale).

CAUSES ET FRÉQUENCE

L'insuffisance mitrale s'observe chez les individus jeunes, plus souvent chez l'homme. Elle peut être due à un rhumatisme articulaire aigu, très fréquent dans les pays en voie de développement, mais tendant à se raréfier dans les pays industrialisés. Parmi les autres causes, on trouve le prolapsus valvulaire mitral, une lésion des

piliers de la valvule mitrale (défaut de tonicité et d'accolement des valves mitrales) provoquée par un infarctus du myocarde, et une dilatation de l'anneau de la valvule, entraînée par l'augmentation de volume du ventricule gauche lors d'une cardiopathie dilatée. Plus rarement, l'affection est présente à la naissance ou est due à un syndrome de Marfan (maladie congénitale du tissu conjonctif).

SYMPTÔMES ET SIGNES

L'insuffisance mitrale reste longtemps sans symptômes. Mais son évolution peut être marquée par une gêne respiratoire à l'effort, une fatigue ou des palpitations. Plus tard apparaissent des signes d'insuffisance cardiaque gauche, puis droite (œdème des membres inférieurs), en l'absence de traitement. L'insuffisance mitrale peut aussi se compliquer d'endocardite.

DIAGNOSTIC

Le diagnostic est fondé sur les antécédents médicaux du malade, l'auscultation au stéthoscope, qui permet d'entendre un souffle systolique caractéristique, la radiographie thoracique, l'électrocardiogramme, l'écho-Doppler cardiaque et éventuellement le cathétérisme cardiaque.

L'examen radiologique du cœur montre deux éléments essentiels caractéristiques de l'insuffisance mitrale : la dilatation de l'oreillette gauche, mieux visible après opacification de l'œsophage, et la saillie du ventricule gauche.

À l'électrocardiogramme, on retrouve des signes de surcharge auriculaire et ventriculaire gauche.

TRAITEMENT

Le traitement associe un régime désodé en cas d'insuffisance cardiaque, la limitation des activités physiques et des médicaments.

En cas de dyspnée (gêne respiratoire), un diurétique est prescrit pour lutter contre la surcharge vasculaire pulmonaire (engorgement de sang dans les vaisseaux pulmonaires) et les œdèmes. Des digitaliques sont administrés pour accroître la force des contractions cardiaques et régulariser le rythme ; des anticoagulants, parfois, pour prévenir la formation de caillots. Avant toute intervention sur un foyer septique (de chirurgie dentaire ou autre), un malade atteint d'insuffisance mitrale doit recevoir un traitement antibiotique pour être protégé contre tout risque de libération de bactéries dans le sang, qui pourrait provoquer l'apparition d'une endocardite.

La chirurgie valvulaire mitrale (plastie mitrale ou pose d'une prothèse) n'est envisagée que lorsqu'il existe une gêne à l'effort ou quand le ventricule gauche est nettement dilaté.

PRONOSTIC

L'insuffisance mitrale pure peut être tolérée pendant vingt ans ou davantage sans symptômes gênants. Son pronostic est bon si elle est surveillée régulièrement et traitée avant que ne s'installe une altération irréversible de la fonction ventriculaire gauche car, lorsque celle-ci apparaît, l'espérance de vie risque d'être alors limitée à quelques années.

Insuffisance pancréatique

Déficit d'une ou des deux fonctions sécrétrices du pancréas.

L'insuffisance concerne soit la fonction exocrine (sécrétion dans l'intestin d'enzymes qui assurent la digestion des protéines, des lipides et des glucides), soit la fonction endocrine (sécrétion dans le sang d'hormones dont la principale est l'insuline).

■ **L'insuffisance pancréatique exocrine** est due soit à la destruction du pancréas (pancréatite, cancer, etc.), soit à l'obstruction du canal de Wirsung qui véhicule les sécrétions externes vers le duodénum (cancer). Cette insuffisance se traduit par la présence de graisses dans les selles. En cas d'insuffisance sévère apparaît une diarrhée indolore, graisseuse, accompagnée d'un amaigrissement.

L'analyse des selles révèle un excès de graisses et de protéines. Le traitement comprend, outre celui de la cause, si possible, l'administration d'extraits pancréatiques par voie orale pour suppléer aux enzymes manquantes.

■ **L'insuffisance pancréatique endocrine** correspond à un déficit en insuline, provoqué, dans la majorité des cas, par une atteinte, vraisemblablement immunologique, des îlots de Langerhans, responsables de la sécrétion d'insuline. Ce déficit est à l'origine du diabète sucré.

Insuffisance pulmonaire

État pathologique, congénital ou acquis, caractérisé par un défaut d'étanchéité de la valvule pulmonaire du cœur (entre le ventricule droit et le tronc de l'artère pulmonaire), déterminant un reflux de sang artériel pulmonaire vers le ventricule droit et pouvant entraîner une dilatation de ce même ventricule.

L'insuffisance valvulaire pulmonaire s'observe au cours de l'hypertension artérielle pulmonaire, qu'elle soit primitive, qu'elle complique un rétrécissement mitral, un cœur pulmonaire chronique (complications cardiaques observées lors des maladies chroniques des poumons) ou qu'elle soit consécutive à une cardiopathie (maladie du cœur) congénitale à shunt gauche-droite (où le sang artériel communique avec le sang veineux). Il s'agit d'une insuffisance pulmonaire fonctionnelle qui se traduit par un souffle au cœur en diastole.

Le diagnostic est facilement confirmé par échographie. Compte tenu de la très bonne tolérance, il n'est pas nécessaire, le plus souvent, d'envisager un remplacement chirurgical de la valvule pulmonaire.

Insuffisance rénale

Réduction de la capacité des reins à assurer la filtration et l'élimination des produits de déchet du sang, à contrôler l'équilibre du corps en eau et en sels et à régulariser la pression sanguine.

L'insuffisance rénale, aussi bien chronique qu'aiguë, n'est pas une maladie en soi : elle résulte d'affections qui atteignent les reins, caractérisées par une diminution du nombre des néphrons, ces unités fonctionnelles dont l'élément principal est le glomérule, petite sphère où s'effectue la filtration du sang et où s'élabore l'urine primitive.

Insuffisance rénale chronique

Dans cette insuffisance rénale, autrefois appelée mal de Bright, l'atteinte glomérulaire est irréversible ; son degré de gravité est cependant variable.

CAUSES

Elles sont multiples ; presque toutes les maladies atteignant les reins peuvent évoluer vers une insuffisance rénale chronique. On les range en deux catégories :
– les maladies rénales à proprement parler, qu'elles atteignent exclusivement les reins ou non (diabète) ;
– les maladies des voies excrétrices (calices, bassinet, uretère, vessie), congénitales (malformation, par exemple) ou acquises (tumeur de la vessie, par exemple).

SYMPTÔMES ET SIGNES

Les insuffisances rénales chroniques minimes ou modérées n'entraînent en général que peu de signes. Elles sont souvent diagnostiquées de manière fortuite, par exemple à l'occasion d'un bilan pour hypertension artérielle, protéinurie (présence de protéines dans les urines) ou hématurie (présence de sang dans les urines). Les insuffisances rénales chroniques plus avancées ont, au contraire, des conséquences cliniques et biologiques importantes et complexes. Une insuffisance rénale chronique se complique presque toujours d'une anémie liée à la diminution de la sécrétion d'érythropoïétine (hormone stimulant la production des globules rouges par la moelle osseuse) par le rein et entraînant une fatigue, un essoufflement, des difficultés à réaliser des efforts physiques. En outre, elle peut se traduire par une hypertension artérielle ; des complications osseuses regroupées sous le terme d'ostéodystrophie rénale et provoquant une déminéralisation osseuse et un retard de croissance appelé nanisme rénal chez l'enfant ; des complications nerveuses entraînant notamment des troubles sensitifs, voire une paralysie motrice ; une rétention de sodium à l'origine de conséquences cardiaques graves telles qu'une insuffisance cardiaque gauche se manifestant par un œdème pulmonaire aigu ; une augmentation du taux de potassium dans le sang, parfois à l'origine de troubles du rythme cardiaque.

DIAGNOSTIC

Le diagnostic de l'insuffisance rénale chronique repose sur la mise en évidence de la diminution de la filtration glomérulaire par une élévation du taux sanguin de créatinine. L'examen consiste à mesurer la clairance de la créatinine, c'est-à-dire le nombre de millilitres de plasma que les glomérules peuvent débarrasser de cette substance d'origine musculaire en une minute. La clairance normale de la créatinine est de 130 millilitres/minute. Le suivi régulier des chiffres de clairance permet en outre de surveiller l'évolution d'une insuffisance rénale sous traitement.

TRAITEMENT

Le sujet doit suivre un régime pauvre en protéines et en sodium (sel) ; les aliments riches en potassium (fruits, chocolat) doivent être évités, voire proscrits. Les traitements médicamenteux luttent contre les symptômes de l'insuffisance rénale : antihypertenseurs, dérivés de la vitamine D, calcium, médicaments destinés à abaisser le taux de phosphore et de potassium dans le sang. La dialyse devient indispensable lorsque la clairance de la créatinine est inférieure à 10 millilitres/minute ; il en existe deux types : l'hémodialyse, ou rein artificiel, où le sang est épuré en dehors de l'organisme, au travers d'une membrane artificielle, et la dialyse péritonéale, lors de laquelle le péritoine du malade est utilisé comme membrane de filtration. La greffe de rein est le seul traitement définitif de l'insuffisance rénale. Actuellement largement répandue, elle concerne des patients relativement jeunes (jusqu'à 60 ans en moyenne) et dont la maladie n'est pas susceptible de se reproduire sur le greffon.

Insuffisance rénale aiguë

C'est une insuffisance rénale dans laquelle la perte de la fonction rénale est brutale mais généralement réversible.

Contrairement à l'insuffisance rénale chronique, l'insuffisance rénale aiguë guérit le plus souvent sans séquelles, bien que les circonstances dans lesquelles elle survient soient le plus souvent graves.

DIFFÉRENTS TYPES D'INSUFFISANCE RÉNALE AIGUË

Selon les mécanismes en cause, on distingue trois types d'insuffisance rénale aiguë.

■ **L'insuffisance rénale aiguë fonctionnelle** est due à un choc hypovolémique (diminution brutale et importante du volume sanguin circulant, avec chute de la pression artérielle), entraînant un abaissement du débit de sang irriguant les reins, et non à des lésions anatomiques du tissu rénal. Elle peut être provoquée par une hémorragie aiguë abondante, une défaillance cardiaque, une déshydratation intense, une diarrhée persistante ou des vomissements abondants, un choc allergique, etc.

■ **L'insuffisance rénale aiguë organique** est due à des altérations anatomiques des tubules (nécrose tubulaire aiguë) ou du tissu interstitiel (néphrite interstitielle aiguë) du rein. Ces lésions peuvent être dues à une intoxication (médicaments, produits iodés utilisés pour des examens radiographiques), à une réaction allergique, à un processus infectieux, etc.

■ **L'insuffisance rénale aiguë mécanique** est liée à la survenue brutale d'un obstacle (calcul, tumeur) sur les voies excrétrices (bassinets, uretères, vessie).

SYMPTÔMES ET SIGNES

Le signe clinique le plus révélateur de l'insuffisance rénale aiguë est l'anurie (arrêt de toute production d'urine par les reins). Cependant, le volume des urines peut n'être que diminué, voire rester normal : on parle, dans ce dernier cas, d'insuffisance rénale aiguë à diurèse conservée.

La composition de l'urine est perturbée : urine très concentrée en potassium et pauvre en sodium en cas d'insuffisance rénale aiguë fonctionnelle ou, à l'inverse, pauvre en potassium et riche en sodium en cas d'insuffisance rénale aiguë organique.

DIAGNOSTIC

Comme pour toute insuffisance rénale, il repose sur la mise en évidence de la diminution de la filtration glomérulaire par mesure de l'élévation du taux sanguin de créatinine chez des patients ayant eu auparavant des valeurs normales. En cas d'insuffisance rénale aiguë mécanique, il fait de plus appel à l'urographie, à l'échographie et au scanner afin de visualiser l'obstacle.

TRAITEMENT

■ L'insuffisance rénale aiguë fonctionnelle disparaît rapidement après traitement de sa cause : transfusion massive en cas d'hémorragie, perfusion de sérum salé en cas de déshydratation, etc. Cependant, si ce traitement n'est pas entrepris assez tôt, elle peut se transformer en une insuffisance rénale aiguë organique, plus sévère.
■ L'insuffisance rénale aiguë organique disparaît, en général spontanément, en 2 ou 3 semaines, période pendant laquelle il faut le plus souvent recourir à des méthodes d'épuration extrarénales (hémodialyse ou dialyse péritonéale).
■ L'insuffisance rénale aiguë mécanique est en général rapidement réversible après une intervention chirurgicale consistant à lever l'obstacle ou à dériver les urines de façon à assurer une reprise de la fonction rénale. Cependant, chez certains malades, les désordres sanguins engendrés par l'insuffisance rénale sont tels qu'avant tout geste chirurgical une épuration du sang par hémodialyse est indispensable.

Insuffisance respiratoire

Incapacité, aiguë ou chronique, des poumons à assurer leur fonction, qui se traduit par une diminution de la concentration d'oxygène dans le sang et parfois par une augmentation de la concentration sanguine de gaz carbonique.

Il existe deux formes principales d'insuffisance respiratoire : l'insuffisance respiratoire aiguë et l'insuffisance respiratoire chronique.

Insuffisance respiratoire aiguë

L'insuffisance respiratoire aiguë (I.R.A.) est une faillite brutale et sévère de la fonction respiratoire, compromettant les échanges gazeux entre l'air et le sang et pouvant entraîner la mort.

CAUSES

Une insuffisance respiratoire aiguë peut être due à divers mécanismes.

■ L'insuffisance respiratoire aiguë par hypoventilation peut être provoquée par une obstruction des voies aériennes (bronchopneumopathie chronique obstructive sévère, asthme, tumeur bronchique), un traumatisme thoracique, des déformations rachidiennes importantes (cyphoscoliose) ou une atteinte neurologique centrale (coma) ou périphérique (poliomyélite).

■ L'insuffisance respiratoire aiguë par perturbation de la circulation pulmonaire est due à un apport de sang soit insuffisant par rapport à la quantité d'air reçue (insuffisance cardiaque, embolie pulmonaire), soit excessif par rapport à la quantité d'oxygène disponible (pneumopathie aiguë).

■ L'insuffisance respiratoire aiguë par altération de la membrane alvéolocapillaire (lieu des échanges gazeux air-sang) peut être provoquée par une inhalation de gaz suffocants, une pneumopathie virale, une insuffisance ventriculaire gauche.

■ L'insuffisance respiratoire aiguë par décompensation d'une insuffisance respiratoire chronique est le plus souvent d'origine infectieuse.

SIGNES ET DIAGNOSTIC

Les signes communs à toutes les insuffisances respiratoires aiguës sont la conséquence des altérations des échanges gazeux : troubles du rythme respiratoire, cyanose, tachycardie avec hypertension artérielle, troubles neuropsychiques variés pouvant aller jusqu'au coma. L'absence de certains signes, en particulier des signes de lutte, n'est pas forcément un élément rassurant. Le diagnostic est essentiellement clinique et impose l'hospitalisation d'urgence dans un service de réanimation. Là, l'analyse des gaz du sang permet de quantifier la baisse de la pression artérielle sanguine d'oxygène et l'augmentation de celle de gaz carbonique.

TRAITEMENT ET PRONOSTIC

Le traitement se fait toujours en urgence. Il consiste à suppléer la fonction respiratoire défaillante et simultanément à traiter la cause lorsque c'est possible (antibiotiques, par exemple). Il peut aller de la simple oxygénothérapie (enrichissement en oxygène de l'air inspiré) à l'assistance ventilatoire partielle ou complète à l'aide de respirateurs artificiels, qui sont raccordés au malade par l'intermédiaire d'une sonde d'intubation endotrachéale ou d'une trachéotomie. Le pronostic, une fois la phase aiguë traitée, dépend du terrain respiratoire et de l'origine de la défaillance.

Insuffisance respiratoire chronique

L'insuffisance respiratoire chronique (I.R.C.) est une insuffisance respiratoire permanente résultant de l'évolution de nombreuses affections respiratoires.

CAUSES

La plupart des insuffisances respiratoires chroniques sont liées à une obstruction des voies aériennes par bronchopathie chronique, asthme ou emphysème : ce sont les insuffisances respiratoires chroniques obstructives. D'autres, appelées insuffisances respiratoires chroniques restrictives, sont dues à une diminution des volumes respiratoires liée soit à une atteinte neuromusculaire (poliomyélite, sclérose latérale amyotrophique, myopathie), soit à une atteinte osseuse (cyphoscoliose grave, spondylarthrite ankylosante), soit à des lésions pulmonaires (pneumectomie ou lobectomie pour cancer, tuberculose et ses séquelles, fibrose pulmonaire).

SYMPTÔMES, DIAGNOSTIC ET ÉVOLUTION

Une insuffisance respiratoire chronique se traduit par une respiration difficile avec distension thoracique, tirage (creusement des espaces intercostaux à l'inspiration) et cyanose. Elle peut en outre entraîner une insuffisance ventriculaire droite : tachycardie, augmentation de volume du foie, jugulaires turgescentes, œdème des membres inférieurs.

Les insuffisances respiratoires chroniques évoluent lentement, aggravées par des poussées d'insuffisance respiratoire aiguë. Les séjours hospitaliers en réanimation se répètent et se rapprochent. La gêne respiratoire augmentant, le malade est progressivement confiné chez lui ; dans les cas les plus graves, on est amené à pratiquer une trachéotomie définitive.

Le diagnostic repose sur l'examen des gaz du sang, montrant une hypoxie avec hypercapnie. Un cliché radiographique thoracique précise l'atteinte pulmonaire.

TRAITEMENT, PRONOSTIC ET PRÉVENTION

Le traitement associe l'oxygénothérapie, pratiquée à domicile à raison de plusieurs heures par jour à l'aide d'un extracteur d'oxygène, aux bronchodilatateurs (théophylline), aux antibiotiques (pour traiter la surinfection bronchique), parfois aux corticostéroïdes, aux aérosols et à la kinésithérapie respiratoire. L'arrêt du tabac est impératif, de même que la prophylaxie anti-infectieuse. La prévention est essentiellement celle des bronchopathies chroniques, donc l'arrêt du tabagisme et le traitement antibiotique de toute surinfection.

Insuffisance surrénalienne chronique

Insuffisance de sécrétion des glandes corticosurrénales entraînant un déficit en hormones glucocorticostéroïdes et minéralocorticostéroïdes. SYN. *insuffisance surrénalienne lente.*

CAUSES

Une insuffisance surrénalienne chronique peut être due à une atteinte des deux glandes surrénales (maladie d'Addison) ou à une insuffisance de sécrétion d'une hormone produite par l'hypophyse, la corticotrophine, qui assure normalement une stimulation permanente des corticosurrénales (insuffisance corticotrope). En l'absence de cette stimulation, les glandes s'atrophient et ne fonctionnent plus.

■ La maladie d'Addison est due le plus souvent à une rétraction corticale d'origine auto-immune, rarement aujourd'hui à la tuberculose ou, encore plus rarement, à une hémorragie bilatérale des glandes surrénales ou à un déficit enzymatique du métabolisme des acides gras.

■ L'insuffisance corticotrope, quant à elle, peut être consécutive à une corticothérapie prolongée ou, plus rarement, à une maladie hypophysaire (adénome, nécrose, séquelles de radiothérapie, syndrome de Sheehan). S'y associent souvent les symptômes d'une insuffisance antéhypophysaire globale (fatigue, peau blanche et fine, dépilation, hypotension artérielle).

SYMPTÔMES ET SIGNES

Le principal symptôme de l'insuffisance surrénalienne chronique est un affaiblissement physique et psychique (fatigue, difficultés de concentration, diminution de la capacité de travail), qui s'aggrave au cours de la journée et après l'effort. Il s'y associe souvent une anorexie, un amaigrissement, une hypotension artérielle et une tendance à l'hypoglycémie à jeun. Une pigmentation brunâtre de la peau dans les plis de flexion et une exagération de celle des zones normalement pigmentées (mamelon, par exemple) sont caractéristiques de la maladie d'Addison mais n'existent pas au cours de l'insuffisance corticotrope.

DIAGNOSTIC

Il repose sur les dosages plasmatiques du cortisol et de l'aldostérone, qui sont bas et ne s'élèvent pas après stimulation par la corticotrophine (test au synacthène).

COMPLICATIONS

L'insuffisance surrénalienne aiguë est la complication essentielle de l'insuffisance surrénalienne chronique. Responsable d'une déshydratation sévère, de troubles digestifs et de troubles de la conscience (apathie, coma), elle survient à l'occasion d'un arrêt du traitement de l'insuffisance surrénalienne chronique ou d'un stress (infection, intervention chirurgicale). Le traitement, urgent, est d'une efficacité spectaculaire : corticostéroïdes injectables, réhydratation.

TRAITEMENT

Le traitement de l'insuffisance surrénalienne chronique associe l'administration par voie orale d'hydrocortisone et de 9-alpha-fluorohydrocortisone. Ce traitement, qui restitue un équilibre physiologique, doit être suivi à vie ; les doses sont augmentées par le patient lui-même en cas de stress.

Insuffisance tricuspidienne

Défaut de fermeture de la valvule tricuspide (entre oreillette et ventricule droits) entraînant un reflux de sang du ventricule droit dans l'oreillette droite en systole.

L'incontinence valvulaire tricuspidienne peut diminuer la fonction cardiaque.

CAUSES

Le plus souvent, l'insuffisance tricuspidienne est fonctionnelle. Elle est due à un surcroît de travail imposé au cœur droit par une hypertension artérielle pulmonaire. L'hypertension artérielle pulmonaire entraîne alors la dilatation du ventricule droit et de l'anneau tricuspidien sur lequel s'insère la valvule.

Plus rarement, elle est due à un rhumatisme articulaire aigu ou, chez les toxicomanes qui utilisent des seringues, à une endocardite (inflammation de l'endocarde) bactérienne ou même mycosique (à *Candida* surtout).

SIGNES

L'insuffisance tricuspidienne peut donner lieu à des signes d'insuffisance cardiaque droite, avec œdème (accumulation de liquide puis gonflement) des chevilles et de l'abdomen, gros foie sensible et dilatation des veines du cou.

DIAGNOSTIC

Il repose sur l'observation des symptômes, l'auscultation (souffle systolique caractéristi-

que entendu au stéthoscope) et sur des examens qui peuvent comporter un électrocardiogramme, une radiographie thoracique, une échocardiographie ou, plus rarement, un cathétérisme cardiaque (introduction d'un tube flexible dans le cœur par voie vasculaire) en milieu hospitalier.

TRAITEMENT

Le traitement de l'insuffisance tricuspidienne par des diurétiques et des inhibiteurs de l'enzyme de conversion vient souvent à bout des symptômes. S'ils persistent, une intervention de chirurgie valvulaire peut être envisagée pour réparer ou remplacer la valvule déficiente (pose d'une prothèse), ce qui est rarement nécessaire.

Insuffisance valvulaire

Anomalie de fonctionnement des valvules cardiaques entraînant un reflux du sang dans la cavité cardiaque qu'il vient de quitter.

L'insuffisance valvulaire peut concerner, par ordre de fréquence décroissante, les valvules mitrale, aortique, tricuspide ou pulmonaire.
→ VOIR Rétrécissement valvulaire.

Insufflation

Introduction d'un gaz dans une cavité de l'organisme.

Ainsi, l'insufflation péritonéale est la première étape d'une cœlioscopie (examen de la cavité abdominale à l'aide d'un tube optique introduit par une minuscule incision) et des interventions de cœliochirurgie. En général, l'insufflation de 3 litres de gaz carbonique est suffisante pour permettre l'introduction des instruments chirurgicaux et leur maniement en toute sécurité.

Insuline

Hormone hypoglycémiante (diminuant le taux de glucose dans le sang) sécrétée par le pancréas et dont l'insuffisance provoque le diabète.

L'insuline est produite dans le pancréas par les cellules bêta des îlots de Langerhans sous forme de pro-insuline, une forme inactive de stockage ; selon les besoins de l'organisme, la pro-insuline se divise en deux parties : le peptide C et l'insuline. Cette dernière, libérée dans le sang, se fixe sur des récepteurs spécifiques situés sur les membranes des cellules, dans le foie, les muscles et le tissu adipeux.

L'insuline est la seule hormone de l'organisme à action hypoglycémiante : elle fait entrer le glucose du sang à l'intérieur des cellules, qui s'en servent pour produire de l'énergie. Cependant, lorsqu'elle se fixe dans le foie, l'insuline favorise la mise en réserve du glucose sous forme de glycogène. Par ailleurs, cette hormone favorise la synthèse des protéines et empêche la destruction des lipides. La régulation de la sécrétion d'insuline est directe : une hyperglycémie (augmentation du taux sanguin de glucose) stimule sa synthèse.

TROUBLES DU MÉTABOLISME DE L'INSULINE

Une insuffisance absolue ou relative de la sécrétion d'insuline provoque un diabète sucré. Celui-ci se manifeste principalement par une hyperglycémie.

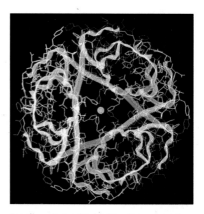

Insuline. La molécule d'insuline est un long filament constitué par la succession d'un très grand nombre d'acides aminés.

UTILISATION THÉRAPEUTIQUE

L'insuline est obtenue traditionnellement par purification d'extraits de pancréas de porc ou de bœuf. Depuis quelques années, on dispose d'insuline fabriquée par génie génétique qui a exactement la même composition que l'insuline humaine. Selon leur durée d'action, on distingue trois formes d'insuline : ordinaire (de 6 à 8 heures), intermédiaire (12 heures), lente (plus de 24 heures). L'insuline est prescrite en cas de diabète, surtout insulinodépendant. Le malade apprend à se faire les injections par voie sous-cutanée, de une à trois fois par jour. Par ailleurs, le médecin peut employer l'insuline ordinaire par voie sous-cutanée ou intraveineuse (au besoin à l'aide d'une pompe électrique assurant une perfusion intraveineuse continue) pour les urgences (hyperglycémie majeure, acidocétose diabétique). Dans le futur, l'administration de l'insuline par voie nasale, déjà à l'essai, pourrait se développer et remplacer l'administration par voie sous-cutanée, plus contraignante.

Insulinome

Tumeur du pancréas, le plus souvent bénigne, sécrétant de l'insuline.

L'insuline, hormone chargée de capter le glucose sanguin, est sécrétée de façon continue par la tumeur, et cela même lorsque la glycémie (taux de glucose dans le sang) est basse, donc de manière autonome, indépendant des variations de la glycémie. Elle entraîne ainsi une baisse pathologique de la glycémie. Lorsque celle-ci tombe au-dessous d'un seuil d'environ 0,40 gramme par litre, le cerveau ne reçoit plus une quantité suffisante de glucose pour fonctionner normalement.

SYMPTÔMES ET SIGNES

Ils sont variables mais généralement toujours identiques chez un même sujet. Sont retrouvés fréquemment une sensation de faim, des sueurs, des tremblements, une diplopie (perception visuelle dédoublée), une sensation de fatigue intense et également des perturbations psychiques (irritabilité, euphorie, somnolence). Tous ces troubles ont la particularité de survenir régulièrement à distance des repas, de façon aiguë, et de céder rapidement et totalement à l'absorption de sucre.

DIAGNOSTIC ET TRAITEMENT

Le diagnostic d'un insulinome nécessite souvent une épreuve de jeûne sous surveillance hospitalière afin de mesurer le rapport insulinémie/glycémie. La tumeur pancréatique, souvent de petite taille, est recherchée par un scanner, une échoendoscopie, voire un cathétérisme veineux dans certains cas.

Le traitement repose sur l'ablation chirurgicale de la tumeur.

Intégration

Introduction d'une séquence d'A.D.N. extérieure dans l'A.D.N. d'un chromosome.

Une intégration est le mode normal d'infection d'une cellule par de nombreux virus, dont le virus responsable du sida.

Si l'intégration d'une séquence d'A.D.N. s'effectue dans le chromosome d'un gamète (cellule sexuelle), cette séquence se transmet de génération en génération et modifie le patrimoine héréditaire de la cellule, ce qui justifie l'interdiction de cette pratique sur les gamètes humains.

La thérapie génique utilise ce phénomène pour modifier les chromosomes d'une cellule somatique (autre que sexuelle) : l'introduction dans la cellule d'une copie saine d'un gène déficient permet de corriger le défaut provoqué par une maladie héréditaire.

Interaction médicamenteuse

Modification des effets d'un médicament par un autre médicament ou par une substance donnée.

Dans bien des cas, l'effet est favorable et les médecins se servent de ces interactions pour accroître l'efficacité d'un traitement. Par ailleurs, un médicament peut être utilisé comme antidote d'un autre en cas d'intoxication. Dans d'autres cas, l'effet est néfaste. Il peut aller du simple blocage de l'effet favorable à une réaction mettant la vie du patient en danger (choc anaphylactique, par exemple). Ainsi, une association entre deux médicaments ou entre un médicament et une substance déterminée (l'alcool, essentiellement) peut être contre-indiquée (interdite), déconseillée (le bénéfice attendu doit l'emporter sur le risque encouru) ou faire simplement l'objet de précautions d'emploi (surveillance plus attentive).

Deux médicaments pris simultanément peuvent agir en synergie (dans le même sens) et, dans ce cas, les effets (bons ou mauvais) sont soit additionnés, soit potentialisés (effet plus fort que par simple addition). Ils peuvent aussi agir d'une façon antagoniste (en sens contraire) et diminuer ou annihiler réciproquement leurs effets.

MÉCANISMES D'ACTION

Une fois absorbé, un médicament (ou une autre substance) circule dans l'organisme (pharmacocinétique) et passe de la circulation sanguine aux tissus, où il se fixe transitoirement et exerce un effet pharmacologique (réaction chimique). Si, par exemple,

ce médicament est un antiacide, un laxatif, un antispasmodique, un antibiotique, du magnésium, de l'aluminium, du calcium ou du charbon, alors l'action d'un autre médicament pris par voie orale sera amoindrie, car ces substances diminuent l'absorption par l'intestin des autres médicaments. C'est pourquoi il est préférable de ne prendre un médicament qu'avec de l'eau (le lait, par exemple, contenant du calcium).

Par ailleurs, les réactions chimiques de l'organisme peuvent être ralenties par des inhibiteurs enzymatiques ou, au contraire, activées par des inducteurs enzymatiques. Par exemple, certains produits, comme les narcotiques, les anticonvulsivants, la rifampicine, l'alcool, le tabac (inducteurs enzymatiques) ou le lait, stimulent la sécrétion des enzymes du foie et diminuent l'efficacité d'un médicament administré en même temps (anticoagulants oraux, bêtabloquants, contraceptifs oraux).

Certains médicaments ont une action sur l'excrétion urinaire. Un médicament (par exemple le probénécide) peut réduire la capacité des reins à excréter un autre médicament, donc provoquer l'élévation du taux de ce dernier dans le sang et accroître son effet. D'autres médicaments ont l'action inverse : ils augmentent dans les reins l'excrétion d'un autre médicament, réduisant le taux de ce dernier dans le sang et ainsi diminuent son effet. Ainsi, les alcalinisants urinaires augmentent l'excrétion urinaire de l'aspirine et des barbituriques.

Des médicaments à effets similaires peuvent être prescrits en même temps, ce qui permet de diminuer les doses, donc les effets indésirables. C'est une pratique courante dans le traitement de l'hypertension artérielle, des cancers, de la douleur. Parfois, deux antibiotiques sont administrés simultanément : les micro-organismes infectants sont alors moins susceptibles de développer une résistance.

C'est pourquoi l'association de plusieurs médicaments ne doit se faire que sous prescription médicale pour éviter les risques d'interaction médicamenteuse.

Intercostal

Qui est situé entre deux côtes adjacentes.

Chaque espace intercostal contient trois muscles intercostaux, un externe, un moyen et un interne, qui relient les côtes sus- et sous-jacentes et interviennent dans la respiration. Entre ces muscles cheminent une artère, une veine et un nerf intercostaux. Une douleur est dite intercostale lorsqu'elle suit le trajet du nerf intercostal. Elle peut être consécutive à un traumatisme (fracture de côtes) ou d'origine rhumatismale.

Interféron

Substance de l'organisme dotée de propriétés antivirales, anticancéreuses et modulatrices du fonctionnement immunitaire.

Les interférons font partie des cytokines, petites protéines sécrétées par différents types de cellules, qui ont une action régulatrice et stimulatrice du système immunitaire.

Il en existe trois types : l'interféron alpha, produit par les monocytes ; le bêta, par les fibroblastes ; le gamma, par les lymphocytes T. Ils agissent en inhibant la synthèse des protéines et des acides nucléiques qui permettent la multiplication des virus.

La synthèse des interférons alpha et bêta se produit dès le début d'une infection virale et permet de mieux résister à l'agression virale. Les interférons gamma sont, en outre, capables d'empêcher le développement des tumeurs malignes.

UTILISATION THÉRAPEUTIQUE

Les interférons, obtenus par génie génétique, sont utilisés dans le traitement du sarcome de Kaposi au cours du sida, dans celui de l'hépatite C aiguë et chronique et de l'hépatite B, de certains cancers (leucémie à tricholeucocytes, mélanome malin, carcinome hépatocellulaire) et de la sclérose en plaques. Ils sont administrés par voie sous-cutanée ou intramusculaire. Leurs effets indésirables dépendent de la dose absorbée, mais ils sont réversibles : syndrome pseudogrippal, troubles digestifs, neurologiques, cardiovasculaires, cutanés, élévation des transaminases, présence de protéines et de sang dans les urines. Les interférons gamma sont jusqu'à 300 fois plus efficaces que les autres types d'interféron, mais ils réduisent la production d'anticorps dans l'organisme, favorisant ainsi les surinfections. En revanche, tous les interférons suscitent la production d'auto-anticorps (anticorps dirigés contre le sujet lui-même).

Interleukine

Molécule sécrétée par les lymphocytes ou par les macrophages et servant de messager dans les communications entre les cellules du système immunitaire.

Les interleukines font partie des cytokines, petites protéines sécrétées par différents types de cellules, qui ont une action régulatrice et stimulatrice dans de nombreux systèmes, dont le système immunitaire. Dans la nomenclature internationale, les interleukines sont notées « IL » suivi d'un numéro. La plus connue, l'interleukine 2 (IL2), anciennement nommée TCGF (T Cell Growth Factor [facteur de croissance cellulaire des lymphocytes T]), est une substance sécrétée par certains lymphocytes T auxiliaires et possédant la propriété de stimuler la croissance des lymphocytes T et la fonction des cellules tueuses.

UTILISATION THÉRAPEUTIQUE

La plupart des interleukines sont disponibles en grandes quantités grâce aux techniques du génie génétique. Leurs propriétés immunostimulantes sont mises à profit dans le traitement de certaines formes de cancers. L'interleukine 2, la plus utilisée, est administrée par voie intraveineuse selon des protocoles très précis. Cependant, en raison de sa forte toxicité, sa prescription reste limitée aux cancers généralisés (mélanome, carcinome rénal) ou est envisagée à faible dose en association avec les interférons.

Interne en médecine

Étudiant en médecine qui se spécialise après plusieurs années d'études, le plus souvent après avoir passé un concours, en exerçant dans un centre hospitalo-universitaire ou un centre hospitalier.

L'interne peut prodiguer des soins médicaux, pratiquer des interventions chirurgicales ou travailler en laboratoire. Il exerce sous la responsabilité du chef de service ou, par délégation, sous celle d'un de ses assistants. Sa formation dure quatre ou cinq ans selon la spécialité choisie.

Intéroceptif

Qui se rapporte à la sensibilité du système nerveux aux stimulations et aux informations venant des viscères.

La sensibilité intéroceptive complète la sensibilité extéroceptive (venant de la peau), la sensibilité des organes des sens et la sensibilité proprioceptive (venant des muscles et des articulations) pour constituer avec elles l'ensemble des modes de sensibilité. La sensibilité intéroceptive est rendue possible par la présence, dans la paroi des organes, de récepteurs microscopiques, les intérocepteurs (ou viscérorécepteurs), sensibles à la dilatation de la paroi.

Interosseux

Se dit de toute structure anatomique située entre deux os.

Par exemple, on parlera des muscles interosseux palmaires et dorsaux de la main, qui se trouvent situés entre les métacarpiens, ou du ligament interosseux de l'avant-bras, qui s'étend du bord interne du radius au bord externe du cubitus et ferme l'espace compris entre ces deux os.

Interruption volontaire de grossesse

Avortement provoqué au tout début de la grossesse pour des raisons non exclusivement médicales.

Un avortement pour raisons médicales porte le nom d'avortement thérapeutique. L'interruption volontaire de grossesse, ou I.V.G., est soumise à une législation qui diffère selon les pays. Elle est généralement autorisée, mais dans un cadre précis (date de la grossesse, motifs justifiés).

TECHNIQUE

Elle varie selon certaines données qui sont l'avancement de la grossesse, l'âge de la femme et certains facteurs (consommation de tabac par exemple).

■ Avant 49 jours d'aménorrhée, le traitement médical (association de RU 486, ou mifépristone, et de prostaglandines) est efficace. Il n'est exclu que pour les grandes fumeuses de plus de 37 ans, à cause des risques cardiovasculaires liés aux prostaglandines. L'aspiration endo-utérine (méthode de Karman), praticable à ce stade, est plutôt réservée aux grossesses plus avancées.

■ Entre 49 et 84 jours d'aménorrhée, l'aspiration endo-utérine, effectuée sous anesthésie locale ou générale, est indiquée. Une fois le col de l'utérus dilaté par une méthode mécanique (pose de bougies ou de laminaires) ou médicamenteuse (RU 486), un cathéter, dont la dimension varie selon le stade de la grossesse, est introduit par le canal cervical dans la cavité utérine. Il est relié à une pompe à vide qui permet d'aspirer le contenu utérin. Un curetage permet ensuite de s'assurer que l'utérus est vide. L'intervention, indolore, dure de 3 à 5 minutes et la patiente peut habituellement repartir chez elle dans la journée.

■ Au-delà de 84 jours d'aménorrhée, une interruption volontaire de grossesse n'est plus autorisée dans la plupart des pays.

SURVEILLANCE ET EFFETS SECONDAIRES

Après une interruption volontaire de grossesse, un saignement minime est normal pendant quelques jours, avec une recrudescence passagère le 3e jour, mais il ne doit y avoir ni pertes vaginales anormales, ni vomissements, ni fièvre et l'endolorissement abdominal doit s'atténuer peu à peu. Le repos, l'absence d'efforts physiques intenses assurent le rétablissement en une dizaine de jours. Il est déconseillé de prendre des bains et d'utiliser des tampons vaginaux pour absorber le saignement. De 8 à 15 jours après l'interruption volontaire de grossesse, une consultation dans le centre où celle-ci a eu lieu est recommandée. Les risques de mortalité liés à ce type d'intervention sont faibles, évalués à 1 pour 100 000.

Le retentissement d'une interruption volontaire de grossesse, minime au plan physique, est parfois important au plan psychologique malgré la précocité de l'intervention et le caractère délibéré de la décision. Il faut à certaines femmes plusieurs semaines, voire des mois, pour s'en remettre ; une aide psychologique se révèle parfois utile.

Les rapports sexuels peuvent reprendre dans la semaine qui suit une telle intervention, mais la femme doit impérativement adopter une méthode contraceptive.
→ VOIR Avortement, Karman (méthode de).

Interstitiel

Se dit du tissu de soutien situé dans les interstices d'un organe.

Le tissu interstitiel est en général formé de vaisseaux sanguins et de tissu conjonctif.

LÉGISLATION SUR L'INTERRUPTION VOLONTAIRE DE GROSSESSE DANS QUELQUES PAYS

Pays	Légalisation	Motif	Délai	Conditions	Assurance sociale
Belgique (1990)	Oui	Requête : "femme en situation de détresse"	12 semaines d'aménorrhée	Délai de réflexion de 6 jours après entretien médico-social Établissement de soins	Non (remboursement partiel par les mutuelles)
Canada (1988)	Oui : Pas de législation fédérale Dépend de chaque province	Pas de requête particulière	Pas de délai légal, mais limite éthique et médicale à 22/24 semaines	Selon les provinces	Couverte par le régime d'assurance maladie en cas de nécessité médicale
France (1975)	Oui	Requête : "femme en situation de détresse"	12 semaines d'aménorrhée	Certificat d'un médecin Centre agréé public ou privé	Oui (70 %)
Luxembourg (1990)	Oui	Requête : "femme en situation de détresse particulière"	14 semaines d'aménorrhée	Rapport d'un médecin agréé Centre agréé	Oui (remboursement partiel selon le régime d'assurance maladie)
Suisse (1942)	Oui	Requête de la femme ou de son représentant légal, ou consentement écrit : "risque pour la santé mentale ou physique" de la femme ; "risque social" dans certains cantons	Jusqu'à 12 semaines d'aménorrhée dans certains cantons	Rapport d'un médecin agréé, précédé d'un examen gynécologique Avis conforme d'un second médecin agréé	Oui (remboursement partiel ou total selon le régime d'assurance maladie)

Il peut contenir des cellules épithéliales, comme dans le testicule (cellules de Leydig). Il entoure, soutient et nourrit les éléments du tissu fonctionnel de l'organe. Dans le rein, par exemple, le tissu interstitiel est disséminé entre les néphrons, unités fonctionnelles élémentaires. Dans le poumon, il est situé sous la plèvre, entre les lobules, autour des bronches, des vaisseaux et des alvéoles pulmonaires.

Certaines maladies atteignent de préférence le tissu interstitiel, comme la néphrite interstitielle du rein ou le syndrome interstitiel pulmonaire. Les lésions inflammatoires et la sclérose sont les atteintes interstitielles les plus fréquentes des viscères.

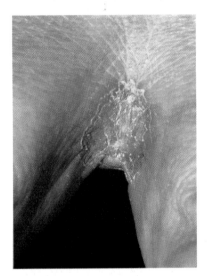

Intertrigo. *Il siège, en général, entre les doigts ou les orteils et se traduit par des placards rouges et humides, très prurigineux et aggravés par la transpiration.*

Intertrigo

Infection cutanée siégeant aux plis de la peau (aine, aisselle, espaces entre les doigts ou les orteils, nombril).

Les intertrigos n'ont pas tous la même origine. Certains sont des mycoses, causées par des champignons microscopiques, dermatophytes ou *Candida*. D'autres sont dus à une bactérie : streptocoque, staphylocoque, parfois colibacille ou encore *Corynebacterium* ; ce dernier donne lieu à un intertrigo spécifique, l'érythrasma. Certaines maladies dermatologiques, telles que le psoriasis, la dermatite atopique, le pemphigus familial, peuvent prendre un aspect trompeur d'intertrigo.

Les signes d'intertrigo sont de grands placards rougeâtres, suintants, symétriques ou non, sources de démangeaisons et bordés d'une collerette blanchâtre lorsqu'ils sont d'origine mycosique. Le traitement fait appel à des applications locales d'antifongiques (en cas de mycose) ou d'antibiotiques (contre les bactéries) et d'antiseptiques.

Intervention chirurgicale

Traitement d'un malade par la chirurgie, en salle d'opération et sous anesthésie.

Une intervention chirurgicale est soumise aux mêmes principes législatifs et déontologiques que les autres actes de la médecine. En particulier, il est nécessaire d'obtenir l'accord du malade, de sa famille ou du tuteur pour un mineur ou un incapable majeur. Cet accord n'a de valeur légale que si le malade ou ses représentants ont reçu des informations objectives et compréhensibles. Toutefois, dans certaines circonstances (malade dans le coma, par exemple), une intervention peut être pratiquée d'office en urgence.

Intestin

Long segment du tube digestif constitué par le duodénum, le jéjunum, l'iléon, le cæcum, le côlon et le rectum.

Le rôle de l'intestin est d'achever la digestion commencée lors de la mastication et poursuivie dans l'estomac. Sa paroi externe est constituée de deux couches de muscle lisse, l'une longitudinale, l'autre transversale. Sa paroi interne, la muqueuse, est recouverte d'épithélium et possède dans sa profondeur des glandes qui sécrètent les sucs digestifs.

En raison de leurs fonctions différentes, on distingue deux segments principaux de l'intestin : l'intestin grêle et le côlon.

■ **L'intestin grêle**, long d'environ 7 mètres, comprend successivement le duodénum, le jéjunum et l'iléon. Le jéjunum et l'iléon forment 15 ou 16 grandes boucles appelées anses intestinales, flottant librement dans la cavité intestinale. La muqueuse de l'intestin grêle est tapissée de villosités à travers lesquelles s'effectue presque toute l'absorption des aliments. L'intestin grêle est relié au cordon ombilical pendant la vie fœtale. Il en reste parfois une trace chez l'adulte : le diverticule de Merckel.

■ **Le côlon, ou gros intestin**, d'une longueur d'environ 1,40 mètre, est abouché à l'iléon par sa portion initiale, le cæcum. Il a pour fonction principale d'absorber l'eau et les électrolytes et de concentrer les matières non digestibles. L'accumulation de ces matières (fèces) dans la dernière partie du côlon, le rectum, déclenche le besoin de déféquer.

EXAMENS ET PATHOLOGIE
L'intestin est exploré soit par radiographie, en particulier au lavement baryté ou à double contraste, soit par endoscopie : l'entéroscopie (jéjunum et iléon), la coloscopie (côlon), la rectoscopie (rectum), qui permettent la biopsie. La pathologie intestinale comprend les maladies infectieuses, parasitaires, inflammatoires (maladie de Crohn, rectocolite hémorragique), les occlusions, les perforations, les syndromes de malabsorption, les tumeurs bénignes et malignes, les ulcères.

Intestin (cancer de l')

Tumeur maligne localisée à l'intestin, grêle ou côlon.
→ voir **Côlon (cancer du), Intestin grêle (cancer de l')**.

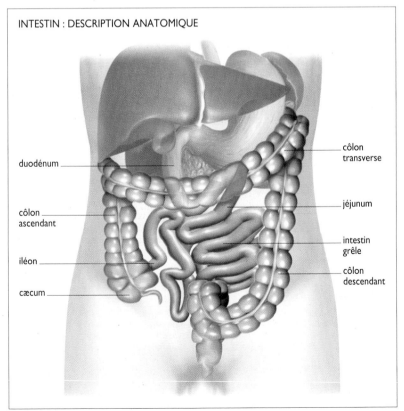

INTESTIN : DESCRIPTION ANATOMIQUE

duodénum

côlon ascendant

iléon

cæcum

côlon transverse

jéjunum

intestin grêle

côlon descendant

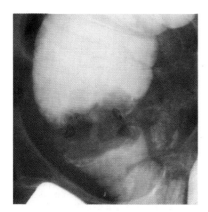

Intestin. Cette radiographie révèle la présence d'une tumeur (en noir) qui gêne le transit de la pâte barytée (en blanc) dans l'intestin.

Intestin grêle (cancer de l')

Tumeur maligne de l'intestin grêle (duodénum, jéjunum et iléon) prenant le plus souvent la forme d'un adénocarcinome.

Les cancers de l'intestin grêle sont rares. Leur cause, quand elle n'est liée ni à la dégénérescence d'un adénome (tumeur bénigne) ni à l'existence d'une maladie cœliaque (intolérance au gluten), est inconnue. Outre les adénocarcinomes, qui se développent à partir des glandes de la muqueuse intestinale, d'autres types de cancer peuvent exister, tels les léiomyosarcomes (développés à partir du tissu musculaire) ou les carcinoïdes (développés à partir des cellules endocrines). L'intestin grêle peut aussi être atteint par le sarcome de Kaposi, associé au sida, ou par des cancers secondaires (notamment métastases de mélanosarcomes).

SYMPTÔMES ET SIGNES

Longtemps sans symptômes, un cancer du grêle peut se manifester par un melæna (émission de sang dans les selles), visible ou non, qui engendre à la longue une anémie. À un stade tardif apparaissent des douleurs et des signes d'obstruction intestinale.

DIAGNOSTIC ET TRAITEMENT

Le diagnostic est malaisé, l'endoscopie de l'intestin grêle étant délicate et rarement pratiquée ; la radiographie barytée révèle des images caractéristiques. Le traitement est essentiellement chirurgical (résection de toute la partie de l'intestin envahie par la tumeur). Le pronostic est fonction du type de tumeur et de la précocité du diagnostic.

Intolérance alimentaire

Réaction pathologique se produisant lors de la prise de certains aliments.

L'intolérance alimentaire est à distinguer de l'intolérance alimentaire absolue, incapacité à ingérer tout aliment au cours de certains états pathologiques aigus (crise d'appendicite, par exemple), s'accompagnant de nausées et de vomissements.

Sous le terme générique d'intolérance alimentaire sont regroupées un certain nombre de réactions pathologiques telles que les diverses allergies alimentaires ou encore des intolérances à certains nutriments par déficit enzymatique de l'appareil digestif ou troubles métaboliques.

■ **L'intolérance au gluten**, constituant du blé, du seigle, de l'avoine et de l'orge, est responsable de la maladie cœliaque. Elle se traduit notamment par un amaigrissement et une diarrhée. Le traitement, efficace, est un régime sans gluten.

■ **L'intolérance au lactose** est due à un déficit congénital ou acquis d'une enzyme spécifique de la muqueuse intestinale, la lactase, nécessaire à l'hydrolyse du lactose (transformation en glucose et galactose), principal glucide du lait. Elle se manifeste par une diarrhée liquide et par des douleurs abdominales à la suite de la consommation de lait ou de produits contenant du lactose. Le traitement repose sur l'exclusion du lactose de l'alimentation.

Intoxication

Ensemble des troubles dus à l'introduction, volontaire ou non, dans l'organisme d'une ou de plusieurs substances toxiques (poisons). SYN. *empoisonnement*.

Les intoxications sont une préoccupation importante de santé publique car leur fréquence augmente régulièrement.

CAUSES

Les substances toxiques pénètrent dans l'organisme par ingestion, par inhalation, par injection ou par absorption à travers la peau ou les muqueuses.

Les intoxications aiguës constituent un pourcentage élevé des hospitalisations, qu'elles soient accidentelles (domestiques ou professionnelles) ou volontaires (toxicomanie, tentative de suicide). Les intoxications par les médicaments, les plus fréquentes, représentent 80 % des intoxications motivant une hospitalisation en urgence. Elles sont en général provoquées par l'association de plusieurs médicaments (65 % des cas chez l'adulte). Par ordre de fréquence décroissante, les médicaments responsables sont les benzodiazépines, les analgésiques, les antidépresseurs, les neuroleptiques, les carbamates, les barbituriques et autres psychotropes, enfin les médicaments actifs contre les troubles cardiaques. Les autres toxiques sont les produits industriels (solvants), les produits ménagers (détergents, eau de Javel), l'alcool, le tabac et les stupéfiants, l'oxyde de carbone, les plantes et les champignons ainsi que les produits utilisés par les agriculteurs (engrais, fongicides, herbicides, insecticides, raticides).

Les intoxications chroniques sont liées plus particulièrement aux activités professionnelles (surtout dans l'industrie) et à la pollution de l'environnement.

La gravité d'une intoxication dépend de la toxicité du produit en cause, du mode d'introduction, de la dose absorbée, de la résistance et de l'âge du sujet. Souvent imprévisible, elle justifie le recours systématique à un médecin. La mortalité due aux intoxications est actuellement inférieure à 1 % chez l'adulte et à 0,5 % chez l'enfant.

SYMPTÔMES

Ils dépendent du ou des toxiques en cause. Compte tenu de la variété de ceux-ci, quasiment toutes les fonctions et tous les organes peuvent être atteints. Cependant, en cas d'intoxication aiguë, un souci commun est de déceler des signes de risque vital immédiat : détresse respiratoire (gêne ressentie par la victime, mouvements thoraciques trop amples ou trop faibles, trop rapides ou trop lents), détresse circulatoire (état de choc avec malaise, pâleur, agitation, pouls faible ou trop rapide, chute de la pression artérielle), convulsions (contractions musculaires généralisées entraînant une raideur ou des secousses), coma (la victime, inconsciente, ne bouge pas, ne parle pas, ne répond pas aux questions).

TRAITEMENT

Après avoir prévenu les services médicaux (centre antipoison local), les proches doivent s'abstenir de toute intervention, en particulier : ne pas bouger la victime, ne pas la faire boire (y compris du lait), ne pas la faire vomir. Une fois sur place puis si besoin à l'hôpital, le médecin effectue un certain nombre de gestes et de vérifications.

■ **La recherche d'un risque vital** immédiat, d'après les symptômes, permet de commencer à traiter ce risque : aide respiratoire, perfusion intraveineuse et mise du malade en position latérale de sécurité (couché sur le côté), en cas de coma, pour éviter que des vomissements éventuels n'aillent dans ses bronches.

■ **La collecte d'informations** est fondamentale pour évaluer le risque encouru, qui dépend de la nature du produit mais aussi du délai écoulé et des doses.

■ **L'élimination du produit** fait intervenir différentes méthodes : lavage abondant à l'eau en cas de contact de produits caustiques avec la peau ou les yeux, lavage gastrique ou vomissements provoqués – formellement contre-indiqués avec certains produits (irritants ou caustiques) et s'il y a trouble de la conscience (somnolence, coma), à cause notamment du risque de passage dans les bronches. L'administration orale de charbon empêche l'absorption intestinale du toxique. Dans certains cas, une diurèse forcée (accélération de l'élimination urinaire) est utile, voire une épuration extrarénale (épuration directe du sang).

■ **L'administration de l'antidote**, quand il existe, ce qui correspond à une minorité de cas, est particulièrement importante.

■ **Les prélèvements** sanguins et urinaires ont pour but de rechercher la substance, de l'identifier, de la doser et de suivre l'évolution de l'intoxication.

■ **L'appel à un spécialiste** de réanimation s'impose s'il y a un risque vital immédiat ou à court terme. L'hospitalisation est fréquente, parfois en service de réanimation.

PRÉVENTION

Les médicaments doivent être rangés hors de la portée des enfants. En cas d'intoxication volontaire, la consultation d'un psychiatre est recommandée.

→ VOIR Intoxication de l'enfant, Toxi-infection alimentaire.

INTOXICATION : PRINCIPAUX PRODUITS TOXIQUES

Produit toxique	Symptômes	Traitement	Conseils
Acétone (dissolvant pour vernis à ongles, colles, enduits, cétones)	Inhalation : irritation bronchique, troubles respiratoires, ébriété, obnubilation Ingestion : ébriété, obnubilation	Vomissements provoqués et traitement des symptômes : assistance respiratoire, oxygène, réanimation	Ne pas laisser à portée des enfants et adolescents (risque de toxicomanie)
Alcool méthylique (méthanol, alcool de bois) Solvants de peinture, vernis, antigel	Maux de tête, fatigue, crampes, vertiges, convulsions, altération de la vision, dépression respiratoire	Antidote : éthanol en perfusion Traitement des symptômes, réanimation, hémodialyse	Très toxique (de 60 à 250 ml sont mortels chez l'adulte, de 8 à 10 ml chez l'enfant). Délai d'apparition des symptômes : de 12 à 18 heures Hospitalisation immédiate. Ne pas laisser à la portée des enfants
Ammoniac	Irritation des yeux et des voies aériennes, toux, douleurs abdominales, suffocation	Traitement des symptômes, assistance respiratoire	Rincer les yeux à grande eau pendant 15 minutes, ne pas faire vomir, pas de lavage d'estomac
Amphétamines (absorbées pour obtenir un effet stimulant)	Hyperactivité, hilarité, insomnie, irritabilité, perte d'appétit, sécheresse de la bouche, troubles cardiaques	Vomissements provoqués ou lavage gastrique, même tardif, sédation, dialyse péritonéale, traitement des symptômes	Éviter de les utiliser (fabrication et distribution réglementées)
Antidépresseurs	Vision trouble, miction difficile, troubles neurologiques et cardiovasculaires, insuffisance respiratoire, hypotension, vomissements, fièvre, sueurs, dilatation des pupilles	Traitement des symptômes et soins intensifs en réanimation : vomissements provoqués, lavage d'estomac, surveillance des fonctions vitales et des complications neurologiques	Hospitalisation immédiate
Arsenic Composés arsenicaux (herbicides, pesticides)	Constriction pharyngée, vomissements, brûlures digestives, diarrhée, déshydratation, œdème pulmonaire, insuffisance rénale et hépatique	Antidotes : dimercaprol, pénicillamine Vomissements provoqués, lavage d'estomac, traitement des symptômes, réhydratation	Hospitalisation immédiate
Aspirine et salicylés (surdosage, absorption massive)	Vomissements, respiration rapide, fièvre, convulsions, dépression respiratoire	Lavage d'estomac, purgation, hydratation, réanimation si nécessaire	Administration orale de liquides en grande quantité (lait ou jus de fruits), hospitalisation immédiate. Ne pas laisser à la portée des enfants
Barbituriques Amobarbital, pentobarbital, phénobarbital, sécobarbital	Confusion, excitation, délire, défaillance respiratoire, coma	Vomissements provoqués, lavage d'estomac, purgation, assistance respiratoire, réhydratation	Hospitalisation immédiate
Baryum Dépilatoires, explosifs (feux d'artifices), raticides	Vomissements, douleurs abdominales, diarrhée, tremblements, convulsions, hypertension artérielle, arrêt cardiaque	Antidote : sulfate de sodium ou magnésium. Vomissements provoqués, lavage d'estomac, traitement des symptômes, assistance respiratoire	Hospitalisation immédiate. Ne pas laisser à la portée des enfants
Benzodiazépines Traitement de l'anxiété (anxiolytiques)	Perte plus ou moins grande de conscience (pouvant aller de l'apathie au coma), surtout grave en cas d'association à l'alcool	Antidote : flumazénil Vomissements provoqués, lavage d'estomac, traitement des symptômes	Hospitalisation immédiate. Ne pas laisser à la portée des enfants
Carbone (tétrachlorure de) Détachants inflammables	Nausées, vomissements, douleurs abdominales, maux de tête, confusion, troubles visuels, dépression du système nerveux central, toxicité pour le cœur, le rein, le foie	Lavage de la peau. Vomissements provoqués ou lavage d'estomac, oxygénothérapie, assistance respiratoire, surveillance du rein et du foie	Hospitalisation immédiate. Ne pas laisser à la portée des enfants
Caustiques (acides et bases forts, acide sulfurique : produits de nettoyage, de débouchage de toilettes, détartrants, détergents, lessive, etc.)	Douleurs intenses, brûlures de l'œsophage, œdème pouvant obstruer les voies aériennes, pouls rapide, respiration superficielle	Dilution immédiate de la substance absorbée en faisant boire de l'eau, après avis médical, pas de lavage d'estomac ni de vomissements provoqués, traitement des symptômes	Enlever les vêtements contaminés et laver la peau. Hospitalisation immédiate. Cause très fréquente d'intoxication accidentelle chez les enfants : ne pas laisser à leur portée
Chlore Chaux chlorée, eau de Javel, gaz lacrymogène	Inhalation : irritation sévère des voies respiratoires et des yeux, spasme de la glotte, toux, état de choc, vomissements, œdème pulmonaire, cyanose Ingestion : irritation et corrosion de la bouche et des voies digestives (ulcération ou perforation possibles), douleurs abdominales, tachycardie, prostration, collapsus circulatoire	Inhalation : oxygénothérapie, assistance respiratoire Ingestion : sirop d'ipéca, lavage d'estomac, traitement des symptômes	Hospitalisation immédiate

SUITE

Produit toxique	Symptômes	Traitement	Conseils
Cyanure Acide cyanhydrique, huile d'amandes amères, nitroprussiate, sirop de cerises sauvages, sirop de laurier-cerise	Tachycardie, maux de tête, somnolence, hypotension artérielle, coma, convulsions. Très rapidement mortel (de 1 à 15 minutes)	Antidote : vitamine B12 ou hydroxocobalamine à fortes doses Vomissements provoqués ou lavage d'estomac immédiat, assistance respiratoire	Retirer le produit des mains du malade (ingestion) ou éloigner celui-ci de la source toxique (inhalation). La rapidité d'intervention est capitale
DDT Insecticides organochlorés	Vomissements, malaises, tremblements, convulsions, œdème pulmonaire, fibrillation ventriculaire, insuffisance respiratoire	Vomissements provoqués, lavage d'estomac, prise de charbon activé à laisser dans l'estomac, surveillance des fonctions rénales et hépatiques	Ne pas laisser à la portée des enfants. Hospitalisation immédiate
Herbicides, pesticides	Fatigue, soif, rougeur, nausées, vomissements, douleurs abdominales, fièvre élevée, tachycardie, perte de conscience, dyspnée, arrêt respiratoire	Vomissements provoqués, lavage d'estomac, purgation, assistance respiratoire	Ne pas laisser à la portée des enfants. Hospitalisation immédiate
Hypochlorites Eau de Javel, décolorants	Douleur modérée, réaction inflammatoire de la bouche et de la muqueuse digestive, toux, dyspnée, vomissements, vésicules cutanées	Traitement des symptômes, exploration de l'œsophage s'il y a eu ingestion de préparations concentrées	Ne pas laisser à la portée des enfants. Hospitalisation immédiate
Insecticides organophosphorés Gaz neurotoxique, parathion, malathion	Nausées, vomissements, crampes d'estomac, maux de tête, hypersalivation et hypersécrétion bronchique, vision trouble, diminution du diamètre de la pupille, confusion mentale, difficultés respiratoires, bouche écumante, coma	Antidote : sulfate d'atropine Oxygénothérapie, assistance respiratoire, traitement des symptômes	Enlever les vêtements, rincer la peau à l'eau, hospitalisation immédiate. Ne pas laisser à la portée des enfants
Morphine et opiacés Codéine, héroïne, méthadone, morphine, opium, péthidine, etc.	Diminution importante du diamètre de la pupille, somnolence, respiration superficielle, tremblements, défaillance respiratoire	Antidote : naloxone Lavage d'estomac, assistance respiratoire, réanimation si nécessaire	Ne pas faire vomir. Hospitalisation immédiate. Risque de toxicomanie
Paracétamol (surdosage, absorption massive)	Nausées, vomissements, jaunisse, atteinte hépatique irréversible	Antidote : acétylcystéine. Vomissements provoqués, lavage gastrique	Hospitalisation immédiate. Cause très fréquente d'intoxication accidentelle chez les enfants : ne pas laisser à leur portée
Paradichlorobenzène Antimites, déodorants de w.-c., insecticides	Douleurs abdominales, nausées, vomissements, diarrhée, convulsions et tétanie	Lavage d'estomac, traitement des symptômes	Hospitalisation immédiate. Ne pas laisser à la portée des enfants
Pétrole (et dérivés) Asphalte, colles pour maquettes, essence minérale, éther de pétrole, fuel, gazole, huiles de graissage, kérosène	Inhalation de vapeur : euphorie, brûlure dans la poitrine, maux de tête, nausées, dépression du système nerveux, confusion, insuffisance respiratoire aiguë Ingestion : brûlure de la gorge et de l'estomac, vomissements, diarrhée	Comme les complications majeures sont liées à l'inhalation et non à l'ingestion, dans la plupart des cas, le lavage d'estomac n'est pas nécessaire ; traitement des symptômes, assistance respiratoire	Tous les vêtements souillés doivent être enlevés immédiatement ; rincer la peau abondamment Hospitalisation immédiate. Cause très fréquente d'intoxication accidentelle chez l'enfant : ne pas laisser à sa portée
Plomb (saturnisme) : ingestion répétée de fragments de peinture, d'objets métalliques, d'aliments stockés dans un conteneur en céramique, etc. ; intoxication chronique professionnelle	Inhalation massive : insomnie, maux de tête, troubles de la coordination des mouvements, démence, convulsions Ingestion massive : soif, brûlures abdominales, vomissements, diarrhée, toxicité neurologique Intoxication chronique : maux de tête, goût de métal dans la bouche, vomissements, constipation, crampes et douleurs abdominales, altération de la conscience évoluant vers des convulsions et le coma	Antidote : calcium édétate de sodium et dimercaprol Traitement des symptômes et diminution de l'exposition au plomb	Hospitalisation immédiate. Cause très fréquente d'intoxication accidentelle chez les enfants : ne pas laisser à leur portée
Strychnine (raticides)	Agitation, hyperacuité de la vision et de l'audition, convulsions déclenchées par une stimulation minime, relâchement musculaire complet entre les crises, transpiration, arrêt respiratoire	Isoler le malade et le soustraire à toutes les stimulations pour prévenir les crises convulsives, prise de charbon activé, assistance respiratoire	Hospitalisation immédiate. Ne pas laisser à la portée des enfants
Térébenthine Solvant pour peinture, vernis	Odeur de térébenthine, brûlures douloureuses buccales et gastriques, toux, étouffement, arrêt respiratoire, toxicité pour le rein	Vomissements provoqués, lavage gastrique, assistance respiratoire, oxygène, traitement des symptômes	Hospitalisation immédiate. Ne pas laisser à la portée des enfants

Intoxication alimentaire
→ VOIR Toxi-infection alimentaire.

Intoxication par l'eau (syndrome d')
Accumulation d'eau en quantité trop importante dans l'organisme.

L'intoxication par l'eau est un phénomène observé au cours du syndrome de Schwartz-Bartter, qui est provoqué par une augmentation de la sécrétion d'hormone antidiurétique (laquelle empêche les reins d'éliminer l'eau). Ce syndrome, de mécanisme encore mal connu, a parfois pour cause un cancer (il appartient au groupe des syndromes paranéoplasiques), souvent localisé aux bronches. L'intoxication par l'eau provoque des troubles digestifs (nausées, essentiellement) et des troubles de la conscience, liés à un œdème cérébral, avec obnubilation allant, dans certains cas, jusqu'à la perte de connaissance, voire au coma. Le traitement consiste à diminuer l'absorption des boissons et à traiter la cause de l'hypersécrétion d'hormone antidiurétique.

Intoxication de l'enfant
Ensemble des troubles dus à l'absorption, par un enfant, d'une substance toxique.

Les intoxications viennent au deuxième rang des accidents de la vie domestique chez l'enfant, après les traumatismes, et elles représentent environ un quart des hospitalisations en pédiatrie. Les intoxications accidentelles touchent le plus souvent des enfants de moins de 5 ans. Elles sont dues soit à l'absorption d'un produit toxique ménager ou industriel à usage domestique (35 % des cas), soit à celle d'un médicament normalement destiné aux adultes et donc trop fortement dosé (55 % des cas).

SYMPTÔMES ET SIGNES
La survenue brutale, chez un enfant jusque-là bien portant, de certains symptômes doit immédiatement alerter les parents : troubles neurologiques s'accompagnant d'une démarche incertaine, somnolence, convulsions sans fièvre, troubles respiratoires, chute brutale de température, coma.

TRAITEMENT
Si l'hypothèse d'une intoxication accidentelle paraît vraisemblable, il faut prendre contact d'urgence avec le centre antipoison ou avec le service des urgences de l'hôpital pédiatrique le plus proche. On indiquera, dans la mesure du possible, la nature du toxique ou du médicament retrouvé près de l'enfant, la quantité ingérée, l'heure supposée de cette absorption, l'heure du dernier repas, l'âge et le poids du jeune malade, son état de conscience. Les renseignements fournis permettront d'évaluer le degré de gravité de l'intoxication et la nature des mesures thérapeutiques à prendre.

En attendant les secours, il est absolument contre-indiqué de faire boire ou manger l'enfant. Contrairement à une opinion largement répandue, on ne doit en aucun cas lui faire prendre du lait. Il ne faut surtout pas non plus essayer de provoquer des vomissements. Toute intoxication potentielle néces-

site une hospitalisation au cours de laquelle pourront être effectuées des tentatives d'évacuation du contenu de l'estomac grâce à l'administration de médicaments ou à un lavage d'estomac.

Les absorptions d'eau de Javel diluée, les plus fréquentes, ne sont généralement pas dangereuses. En revanche, si l'enfant a avalé de l'eau de Javel concentrée ou des caustiques (produits pour lave-vaisselle, détartrants, déboucheurs de canalisation, par exemple), il faut l'hospitaliser d'urgence dans un service d'oto-rhino-laryngologie et rechercher d'éventuelles lésions de l'estomac ou de l'œsophage. Les inhalations de dérivés du pétrole (white-spirit) sont particulièrement dangereuses car elles peuvent provoquer une atteinte pulmonaire. Une surveillance en milieu hospitalier disposant d'un service de réanimation s'impose alors.

PRÉVENTION
Des campagnes de prévention des accidents domestiques sont menées pour informer et éduquer le public. Il appartient aussi au médecin d'informer les familles des dangers potentiels liés à l'absorption excessive des produits qu'ils prescrivent. Enfin, la généralisation, pour les produits dangereux, d'emballages non ouvrables par les enfants et la mise sur le marché, par l'industrie pharmaceutique, de nouveaux conditionnements devraient diminuer le nombre d'intoxications accidentelles de l'enfant.

Intradermoréaction
Injection intradermique d'une petite quantité d'une substance afin d'étudier le degré de sensibilité d'un sujet à l'égard de cette substance.

L'intradermoréaction à la tuberculine, mise au point par le médecin français Charles Mantoux dans les années 1940, est la plus couramment utilisée ; elle constitue un test de sensibilisation au bacille de Koch (agent de la tuberculose). Elle remplace la cutiréaction tuberculinique d'autrefois (effectuée par scarification) en raison de sa plus grande précision. L'intradermoréaction de Mantoux consiste à injecter par voie intradermique 0,1 millilitre de tuberculine sur la face antérieure de l'avant-bras (dans le prolongement de la paume de la main). Chez le sujet non sensibilisé, c'est-à-dire chez celui qui n'a pas été en contact avec le bacille de Koch ou chez qui la vaccination n'a pas été efficace, aucune manifestation n'est observée dans les jours qui suivent l'injection. En revanche, chez un sujet sensibilisé, une rougeur et une surélévation de l'épiderme vont apparaître au point d'injection environ 10 heures plus tard. La lecture du test se fait le 2e ou le 3e jour après l'injection. L'intensité de la réaction est appréciée par la mesure du diamètre de ces manifestations. Chez les sujets à très forte hypersensibilité, la lésion peut évoluer vers une petite ulcération cutanée.

Une intradermoréaction permet également d'étudier le degré d'immunité d'un patient envers différentes infections en utilisant des antigènes divers (diphtérique, streptococcique). Au cours de la sarcoïdose

(maladie caractérisée par des lésions tissulaires granulomateuses multiples), l'intradermoréaction est parfois pratiquée avec un antigène provenant d'un ganglion d'un sujet atteint de la maladie. Appelée intradermoréaction de Kveim, elle permet de diagnostiquer certaines formes de cette affection.

Intraépithélial
Se dit d'un carcinome (épithélioma) dont les anomalies tissulaires sont strictement limitées à l'épithélium sans aucun envahissement des tissus voisins.

Intron
Fraction d'A.D.N. présente dans un gène, intercalée entre les exons (autres éléments du gène), dépourvue d'information relative à la synthèse d'une protéine et dont la fonction est inconnue.

Le gène est entièrement transcrit en A.R.N. prémessager (première copie du message héréditaire). L'A.R.N. prémessager entre ensuite dans un processus de maturation au cours duquel les introns sont éliminés, l'A.R.N. prémessager étant transformé en A.R.N. messager, c'est-à-dire en une copie du message héréditaire chargée de transporter l'information du noyau au cytoplasme de la cellule pour y provoquer la synthèse de la protéine qui en dépend.

Introversion
Attitude d'une personne qui a tendance à s'isoler dans son monde intérieur.

Ce terme a été créé en 1907 par le psychanalyste suisse Carl Gustav Jung. Les sujets introvertis sont méditatifs, rêveurs, peu communicatifs et enclins à l'abstraction. L'introverti préfère les valeurs subjectives de son monde personnel à la réalité extérieure concrète. Selon Jung, ce repli de la libido sur le moi favoriserait la névrose, l'autisme, mais aussi une certaine profondeur et originalité de la pensée. L'opposé de l'introversion est l'extraversion.

Intubation trachéale
Introduction dans la trachée, à partir de la bouche ou d'une narine, d'un tube de 6 à 8 millimètres de diamètre interne, pour un adulte, de 2,5 à 6 millimètres pour un enfant.

Le tube trachéal peut être mis en place à l'aide d'un laryngoscope, appareil permettant de récliner la langue et de visualiser la glotte, qui est l'orifice supérieur du larynx, partie initiale des voies aériennes située au-dessus de la trachée. Un tube trachéal est habituellement pourvu à son extrémité d'un ballonnet externe qui, gonflé, s'applique sur la paroi trachéale, assurant une étanchéité entre le tube et les voies aériennes, ce qui permet d'une part d'éviter l'inhalation bronchique de liquide digestif, d'autre part de réaliser une ventilation artificielle en insufflant périodiquement, de façon manuelle ou mécanique, un mélange gazeux par le tube mis en place. L'intubation trachéale permet aussi de maintenir la trachée en communication avec l'air extérieur, car la voie naturelle peut être obstruée par la langue qui se place en arrière dans certaines circonstances comme les états comateux.

■ **En anesthésie**, l'intubation trachéale est utilisée pour protéger les voies aériennes du sujet et assurer une ventilation artificielle. Après le retrait du tube trachéal surviennent parfois des douleurs du larynx, qui disparaissent spontanément en quelques jours.

■ **En réanimation**, l'intubation trachéale est aussi employée de façon courante pour pratiquer une ventilation artificielle afin de traiter une défaillance respiratoire, que celle-ci soit liée à une altération de la commande respiratoire (coma) ou à une altération de l'appareil respiratoire lui-même (œdème pulmonaire, bronchopneumopathie, etc.). Cependant, lorsque la ventilation artificielle doit être pratiquée sur une longue durée, l'intubation trachéale peut être remplacée par une trachéotomie (ouverture de la trachée par incision du cou pour la mettre en communication avec l'extérieur au moyen d'une canule). La principale complication de l'intubation trachéale est le rétrécissement de la trachée, dû à la formation de granulomes (petites tumeurs d'origine inflammatoire) ou à une fibrose (formation pathologique de tissu fibreux).

Dans le premier cas, le traitement, simple, repose sur l'ablation au laser des granulomes ; dans le second cas, il consiste à pratiquer une ablation de la portion de trachée atteinte par la fibrose puis à aboucher les deux segments restants.

Inuline

Glucide voisin de l'amidon, préparé à partir de tubercules de dahlia et utilisé pour explorer la fonction rénale.

L'inuline est administrée en perfusion intraveineuse. Après des mesures répétées de sa concentration dans le sang et l'urine, on déduit sa clairance (vitesse à laquelle le rein l'extrait du sang) ; en cas d'insuffisance rénale, celle-ci diminue. Ce test est cependant très spécialisé et remplacé, en médecine courante, par la mesure de la clairance de la créatinine.

Invagination intestinale

Pénétration pathologique d'un segment d'intestin dans le segment sous-jacent, à la manière d'un doigt de gant retourné, provoquant une occlusion intestinale.

Invagination intestinale chez le jeune enfant

L'invagination intestinale aiguë en est la forme la plus fréquente. Elle survient inopinément, le plus souvent entre 3 mois et 1 an, chez un nourrisson jusqu'alors en bonne santé, plus fréquemment chez le garçon.

CAUSES

Elle est souvent due à une inflammation aiguë des ganglions abdominaux lors d'une maladie virale, à la présence d'un gros polype ou à une inflammation du diverticule de Merckel.

SYMPTÔMES ET SIGNES

L'invagination intestinale aiguë se traduit par la survenue brutale de cris, de pleurs et d'agitation, qui durent quelques minutes puis disparaissent, pour réapparaître quelques minutes après ; ces signes s'accompagnent d'un refus alimentaire total. Plus tard, du sang peut apparaître dans les selles.

DIAGNOSTIC ET TRAITEMENT

Le diagnostic repose sur l'échographie ou le lavement baryté ; ce dernier examen permet également le traitement précoce de l'invagination : le segment invaginé est remis en place par augmentation douce et progressive de la pression d'injection du lavement. Une surveillance étroite doit cependant être instituée dans les heures qui suivent le traitement, même si l'enfant se montre soulagé, afin de détecter une invagination persistante.

L'invagination doit être traitée en urgence. Elle conduit, si elle persiste, à une déshydratation sévère et à une nécrose de l'intestin invaginé, dont les vaisseaux sanguins se trouvent comprimés, pouvant entraîner une péritonite ou une occlusion intestinale. En cas d'insuccès du lavement ou d'intervention tardive, une intervention chirurgicale (résection de la partie invaginée puis rétablissement de la continuité de l'intestin) peut se révéler nécessaire.

Invagination intestinale chez le grand enfant et l'adulte

Elle est rare et généralement due à une tumeur (polype bénin ou tumeur maligne). Elle se traduit par des signes d'occlusion intestinale (douleur abdominale, arrêt du transit des selles et des gaz) et peut prendre une allure chronique (invagination incomplète, pouvant régresser d'elle-même et se manifester par épisodes). Le diagnostic repose sur l'opacification barytée du côlon, éventuellement sur l'échographie. Une intervention chirurgicale (résection de la portion d'intestin envahie par la tumeur) est toujours nécessaire mais ne constitue pas obligatoirement une urgence.

Invasion

Période succédant à la phase d'incubation d'une maladie infectieuse et caractérisant le début apparent de la maladie.

L'invasion correspond, dans les maladies contagieuses, à la période où la contagion est la plus élevée. Elle est suivie de la phase dite d'état.

Inversion

1. En anatomie, anomalie par laquelle certains organes sont considérablement déviés de leur position normale ou ont une localisation inverse par rapport au plan de symétrie de l'organisme.

Ainsi, dans l'inversion viscérale, également appelée situs inversus, les organes se trouvent du côté opposé à celui qu'ils occupent normalement ; le cœur est alors à droite, le foie et l'appendice à gauche. Cette anomalie n'a aucune conséquence physiologique.

2. Retournement d'un organe creux sur lui-même.

Par exemple, dans l'inversion de l'utérus, l'organe s'invagine sur lui-même à la manière d'un doigt de gant retourné. Cet accident, très rare, survient le plus souvent à la suite d'un accouchement. Il nécessite une remise en place manuelle de l'utérus, pratiquée sous anesthésie générale.

In vitro

Se dit des réactions chimiques, physiques, immunologiques ou de toutes les expériences et recherches pratiquées au laboratoire, en dehors d'un organisme vivant.

On réalise in vitro des cultures de tissus, la synthèse d'hormones, etc.

→ VOIR **Fécondation in vitro**.

In vivo

Se dit des réactions chimiques, physiques ou des interventions pratiquées sur l'être vivant, soit à titre d'expérimentation ou de recherche, soit dans un dessein diagnostique ou thérapeutique.

Une intradermoréaction à la tuberculine est un test réalisé in vivo.

Involution

1. Diminution spontanée ou provoquée d'un tissu, d'un organe ou d'une tumeur.

■ **L'involution tumorale** est la diminution d'une tumeur après traitement par chimiothérapie ou radiothérapie.

■ **L'involution utérine** est la diminution de volume de l'utérus après un accouchement. En 12 à 15 jours, l'utérus retrouve un volume presque égal à celui qu'il avait avant la grossesse. Il faut de 2 à 3 mois pour qu'il soit totalement revenu à ses dimensions antérieures.

2. Régression d'une fonction de l'organisme.

■ **L'involution sénile** est la régression des fonctions supérieures de l'organisme sous l'effet du vieillissement. Elle se manifeste par un affaiblissement psychique progressif, une altération des fonctions intellectuelles, une perturbation des conduites sociales.

3. Régression avec retour à un état antérieur.

■ **L'involution psychique** est un processus psychologique selon lequel intervient une dégradation de la personnalité par régression, dégénérescence, etc.

Iode

Élément chimique nécessaire à la synthèse des hormones de la glande thyroïde et qui a par ailleurs en médecine diverses utilisations, notamment comme antiseptique.

L'organisme obtient l'iode (I) dont il a besoin à l'état de sels minéraux (iodures) grâce aux aliments (eau, produits de la mer, sel). La glande thyroïde capte les iodures et les utilise pour synthétiser les hormones thyroïdiennes. Les carences en iode ne s'observent quasiment plus dans les pays développés du fait des apports alimentaires et de l'enrichissement artificiel du sel de table en iode. Cependant, elles existent encore dans certaines régions de montagne éloignées de la mer. Elles se traduisent par un goitre (augmentation de volume de la thyroïde), voire une hypothyroïdie (activité réduite de la thyroïde) avec un risque de retard mental chez l'enfant.

■ L'iode à usage externe est essentiellement représenté par la polyvidone iodée en solution, pommade, ovule gynécologique et par la solution alcoolique officinale (improprement appelée teinture d'iode), qui est plus irritante et se conserve moins bien. Actif sur des bactéries et des champignons, il est indiqué pour la désinfection du matériel médical, l'antisepsie des plaies cutanées ou de la peau avant une injection, le traitement des inflammations et des infections des muqueuses. Ses contre-indications sont le jeune âge (nourrisson), la grossesse et l'association avec des antiseptiques mercuriels (mercurobutol). Les effets indésirables de l'iode sont des allergies, une coloration anormale de la peau (jaune, brun, aspect sale) et un effet caustique. Des applications trop étendues et trop répétées provoqueraient une hypothyroïdie.

■ L'iode à usage interne est employé en radiologie sous forme de produits de contraste iodés, pour rendre certaines structures telles que les voies urinaires opaques aux rayons X. Le soluté de Lugol (solution iodo-iodurée) est prescrit dans le traitement de certaines affections thyroïdiennes (hyperthyroïdie notamment). Enfin, il peut arriver que d'autres médicaments, comme l'amiodarone, renferment de l'iode dans leur composition. Outre le risque d'hypothyroïdie et d'allergie aiguë, un surdosage en iode peut provoquer une intoxication : larmoiement, salivation, pharyngite, tachycardie, purpura (taches cutanées rouge vif ou violacées), acné, parfois œdème de la glotte ou du poumon. Des doses plus importantes provoquent des troubles digestifs aigus et l'apparition d'une anurie (arrêt de la sécrétion urinaire) qui peut être fatale. Une insuffisance rénale est un facteur de risque. Les dérivés organiques iodés utilisés comme produits de contraste peuvent provoquer un choc anaphylactique. Avant l'examen, le médecin doit donc s'informer des antécédents du sujet et, au besoin, lui prescrire un traitement antiallergique.

Iode radioactif

Isotope radioactif de l'iode.

■ Les dosages radio-immunologiques emploient des traceurs marqués à l'iode 125 pour doser avec précision de nombreuses molécules dans des prélèvements sanguins, principalement des hormones et des marqueurs tumoraux (substances sécrétées par certaines tumeurs).

■ L'imagerie médicale utilise de nombreuses molécules marquées par l'iode 123 ou 131 : traceurs tels que la MIBG (méta-iodo-benzyl-guanidine) ou le norcholestérol, servant à visualiser des tumeurs des glandes surrénales ; acides gras et hippuran, respectivement utilisés pour étudier les fonctions cardiaque et rénale ; anticorps monoclonaux spécifiques, employés pour dépister certaines tumeurs.

■ La radiothérapie métabolique utilise principalement l'iode 131, dont les rayonnements bêta détruisent les cellules qui l'ont fixé. Ce traitement permet de réduire l'activité de la glande thyroïde ou de ses nodules en cas d'hyperthyroïdie, de compléter une ablation chirurgicale de la glande dans le cas d'un cancer ou encore de dépister l'apparition de métastases d'un cancer thyroïdien. Le traitement par des molécules marquées à l'iode 131 est en outre indiqué pour détruire certaines autres tumeurs, surrénaliennes en particulier.

■ La scintigraphie thyroïdienne explore le mécanisme de concentration élective de l'iode radioactif et de fabrication des hormones iodées par la glande thyroïde. Après injection ou ingestion d'iode 123, une gammacaméra donne une image de la glande thyroïde ayant capté ce radioélément. La quantité de rayonnement émis est proportionnelle au fonctionnement de chaque partie de la glande. La scintigraphie thyroïdienne permet de diagnostiquer des anomalies morphologiques de la glande thyroïde, goitre ou nodule. Elle précise si ces nodules sont uniques ou multiples, s'ils sont froids (ne fixant pas l'iode), chauds (hyperfixants) ou extinctifs (empêchant l'iode de se fixer sur le reste de la glande). Elle renseigne aussi sur les anomalies de fonctionnement de la thyroïde. Ainsi, elle permet de rechercher les causes d'une hyperthyroïdie (concentration excessive d'hormones thyroïdiennes) : maladie de Basedow, destruction partielle et transitoire du tissu thyroïdien due à une thyroïdite subaiguë, prise excessive d'iode ou d'hormones thyroïdiennes. Moins indiquée dans les hypothyroïdies, elle est cependant utilisée pour dépister l'absence congénitale de thyroïde chez l'enfant.

L'iode 131 est un produit de fission des métaux de la famille de l'uranium. Lors d'un accident nucléaire, parce qu'il est très volatil, il est libéré dans l'atmosphère et peut contaminer les sols sur une large surface. Soit directement inhalé, soit ingéré par l'intermédiaire d'aliments, l'iode se concentre dans la thyroïde. Les conséquences de l'irradiation de durée brève (quelques semaines) qui en résulte dépendent directement de la quantité d'iode radioactif fixé. Lorsque celle-ci est importante, elle peut entraîner une hypothyroïdie, voire un cancer. La prévention de ces risques est assurée par la prise de comprimés d'iode stable (non radioactif). La thyroïde, saturée en iode stable, ne capte alors plus que des quantités négligeables d'iode radioactif. Cette prévention n'est cependant efficace que dans les toutes premières heures de l'accident et doit être pratiquée sur indication médicale et sous stricte surveillance.

Iodide

Réaction cutanée due à l'absorption d'iode.

Les iodides sont l'une des manifestations d'allergie à l'iode. Elles ont pour cause la prise de médicaments contenant de l'iode, dans le traitement de l'hyperthyroïdie, ou, lors d'examens radiologiques, l'injection ou l'ingestion de produits de contraste iodés opaques aux rayons X. Les iodides se présentent soit sous la forme d'une éruption du visage simulant l'acné, soit comme des bulles (cloques) éventuellement remplies de sang. Ces troubles peuvent s'associer à une fièvre, à des douleurs musculaires et à une irritation oculaire.

L'apparition d'iodides impose l'arrêt de la prise d'iode. Le traitement consiste en la désinfection des lésions. Les signes généraux disparaissent rapidement ; les lésions cutanées disparaissent en deux ou trois mois.

Ion

Atome ou molécule (assemblage d'atomes) portant une charge électrique.

Les ions se divisent en cations, portant une ou plusieurs charges positives correspondant chacune à la perte d'un électron, et en anions, portant une ou plusieurs charges négatives correspondant chacune à la capture d'un électron.

Ionisation

Formation d'ions à partir de substances électriquement neutres.

Les substances appelées électrolytes, telles que le chlorure de sodium (sel de table), se dissocient spontanément en un ion positif et un ion négatif quand elles sont en solution dans l'eau. L'électrolyse consiste à provoquer le même phénomène, ou à l'accélérer et à l'amplifier, en soumettant une solution à un courant électrique. Cette méthode est appelée ionophorèse si la solution contient une substance médicamenteuse et si le courant est appliqué sur la peau.

Les rayonnements ionisants, tels que le rayonnement bêta (faisceau d'électrons) et les rayonnements X et gamma, ionisent les substances qu'ils irradient. La radiothérapie repose sur ce principe. Ces rayonnements sont par ailleurs employés sur certains aliments. Ils permettent notamment de prévenir la germination des légumes (oignons, pommes de terre par exemple), de désinsectiser les céréales et les fruits et de préserver leur fraîcheur.

Ionogramme

Liste des ions contenus dans un liquide organique (sang, urine) et de leur concentration respective en millimoles par litre.

Un ionogramme comprend le dosage des ions positifs (sodium, potassium, calcium, magnésium) et négatifs (chlore, bicarbonates, protéines, phosphates, sulfates, acides organiques) contenus dans le prélèvement étudié. Il peut être prescrit pour diagnostiquer les maladies qui perturbent l'équilibre hydroélectrolytique (composition en ions et en eau) des liquides de l'organisme : diarrhées, œdèmes, insuffisance rénale, déshydratation, hyperhydratation, etc., évaluer leur gravité et suivre leur évolution, mais aussi pour s'assurer qu'un traitement (corticostéroïde ou diurétique) respecte cet équilibre. Un ionogramme urinaire est souvent prescrit en complément d'un ionogramme sanguin pour préciser l'état de la fonction rénale ou surrénalienne.

Ionophorèse

Méthode thérapeutique consistant à faire pénétrer des substances médicamenteuses dans la peau sous l'action d'un courant électrique.

Il existe deux indications principales de l'ionophorèse : l'hyperhidrose (excès de transpiration) et les traumatismes, particulièrement en médecine du sport (entorses, tendinites, contusions, hématomes, accidents musculaires).

L'ionophorèse a pour principe la pénétration dans la peau de substances qui ajoutent leurs effets à ceux du courant. La technique consiste à badigeonner la peau d'une substance ionisée en solution aqueuse (analgésique, anti-inflammatoire, etc.) avant d'appliquer une petite électrode. Dans le cas de l'hyperhidrose des mains et des pieds, on trempe les mains ou les pieds dans les bacs emplis d'eau où passe le courant. Les courants employés sont galvaniques (de basse fréquence) et de faible intensité. Le sujet ressent seulement des picotements plus ou moins désagréables. Il doit préalablement ôter les objets métalliques qu'il porte, le courant électrique pouvant occasionner des brûlures à leur contact ; cette thérapie est contre-indiquée pour les porteurs de stimulateurs cardiaques et de prothèses métalliques. Les séances durent de 15 à 30 minutes et se déroulent dans un centre spécialisé, au cabinet du médecin ou même à domicile. Une cure nécessite en moyenne 5 ou 6 séances suivies d'un traitement d'entretien à un rythme variable. Les résultats, dans le traitement d'attaque, sont excellents (de 90 à 95 % de succès).

→ VOIR Ionisation.

Iridectomie

Ablation chirurgicale d'un fragment d'iris.

Une iridectomie se pratique en cas de glaucome à angle étroit afin de permettre la circulation de l'humeur aqueuse dans l'œil et d'éviter ainsi l'augmentation de la pression intraoculaire par accumulation de l'humeur en arrière de l'iris. Une iridectomie est également indiquée en cas de hernie de

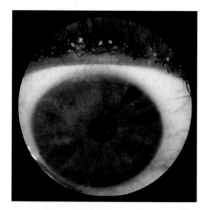

Iridectomie. Un morceau d'iris (petit triangle noir, en haut à droite) a été retiré.

l'iris ou après l'extraction du cristallin afin d'éviter le risque de blocage de la pupille par le corps vitré.

TECHNIQUE

L'iridectomie se fait au moyen d'une petite incision à la périphérie de la cornée, par laquelle on tire l'iris avec une pince. Après avoir coupé la partie voulue avec de petits ciseaux, on le remet en place. On pratique aussi parfois un simple trou dans l'iris grâce au laser : c'est l'iridotomie. Cette dernière ne nécessite ni hospitalisation ni anesthésie, tandis que l'iridectomie chirurgicale se pratique sous anesthésie locale ou générale et impose une hospitalisation d'environ 48 heures.

EFFETS SECONDAIRES

Une iridectomie entraîne une légère inflammation intraoculaire transitoire. La partie incisée de l'iris apparaît sous la forme d'une minuscule encoche noire.

Iridocyclite

Inflammation oculaire touchant l'iris et le corps ciliaire. SYN. *uvéite antérieure.*

Une iridocyclite est une affection relativement fréquente, aiguë ou chronique, qui concerne souvent les deux yeux et a tendance à récidiver.

CAUSES

Elles sont multiples et parfois difficiles à déterminer. Une iridocyclite suit souvent une infection bactérienne (sinusite, abcès dentaire, infection urinaire, tuberculose, syphilis, brucellose, etc.), virale (herpès, zona surtout) ou parasitaire (leptospirose). Mais elle peut aussi être due à une maladie rhumatismale (spondylarthrite ankylosante chez l'adulte, maladie de Still chez l'enfant) ou à une maladie de système, à la maladie de Behçet ou encore à une localisation de la sarcoïdose.

SYMPTÔMES ET DIAGNOSTIC

Une iridocyclite se manifeste par des douleurs oculaires sourdes et modérées et par une baisse variable, généralement limitée, de l'acuité visuelle. L'examen révèle une rougeur de l'œil, des protéines inflammatoires dans l'humeur aqueuse (phénomène de Tyndall), des « précipités » à la face postérieure de la cornée, des adhérences entre le bord de la pupille et le cristallin (synéchies iridocristalliniennes).

TRAITEMENT

C'est à la fois le traitement de la cause, quand on l'a trouvée, et celui du symptôme inflammatoire par des collyres ou des injections sous-conjonctivales anti-inflammatoires, des collyres mydriatiques qui dilatent la pupille pour éviter les synéchies et, parfois, une corticothérapie générale.

Iridologie

Méthode qui permettrait de diagnostiquer des troubles fonctionnels à partir de l'examen de l'iris.

L'iridologie part du principe que les réactions du système neurovégétatif à une lésion ou à un dysfonctionnement se reflètent dans l'iris en modifiant sa forme, son relief, sa couleur, etc. En attribuant aux

différents organes du corps des localisations précises sur l'iris, cette théorie permettrait donc de juger du bon état de santé d'un individu ou de détecter l'existence de troubles fonctionnels de tel ou tel organe d'après l'aspect de l'iris. Cependant, le statut scientifique de l'iridologie reste sujet à controverse et son utilisation comme outil de diagnostic relève à l'heure actuelle des médecines empiriques.

Iris

Membrane circulaire contractile, percée en son centre de l'orifice de la pupille et tendue verticalement en avant du cristallin. (P.N.A. *iris*)

L'iris délimite les deux espaces du segment antérieur de l'œil : la chambre antérieure, qui va jusqu'à la cornée, et la chambre postérieure, qui va jusqu'au cristallin. Sa circonférence extérieure, ou base, s'insère un peu en arrière de la jonction entre la cornée et la sclérotique.

L'iris constitue une sorte de diaphragme qui, par sa possibilité de dilatation ou de contraction, règle la quantité de lumière qui pénètre à l'intérieur de l'œil. Quand la lumière est vive, la pupille se resserre (myosis), quand elle est faible, la pupille se dilate (mydriase) pour permettre au maximum de lumière de pénétrer dans l'œil.

La coloration de l'iris dépend de l'abondance du pigment qu'il contient.

PATHOLOGIE

Les malformations de l'iris incluent les colobomes iriens (encoche ou fente de l'iris), l'albinisme (absence de pigment dans l'iris), les anomalies de la pupille et l'absence totale d'iris (aniridie). Les autres pathologies de l'iris peuvent être de nature inflammatoire (iritis, iridocyclite), tumorale (kyste, mélanome) ou traumatique (plaie, corps étranger, hernie de l'iris à travers une plaie de la cornée).

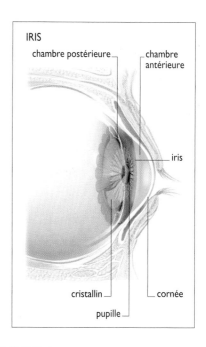

IRIS

chambre postérieure

chambre antérieure

iris

cristallin

cornée

pupille

Iritis

Inflammation de l'iris.

Une iritis est rarement isolée. Elle s'associe en général à une atteinte du corps ciliaire et constitue alors une iridocyclite.

→ VOIR Iridocyclite.

I.R.M.

→ VOIR Imagerie par résonance magnétique.

Irradiation

Exposition de l'organisme à des rayonnements, quelle qu'en soit la nature.

Une irradiation peut être naturelle (rayons du soleil), accidentelle (pollution, accident nucléaire), thérapeutique (radiothérapie) ou diagnostique (radiologie). Lorsqu'une source de rayonnement accidentel est un corps radioactif, et si elle irradie un corps humain, on parle de contamination soit externe (sur la peau), soit interne (pénétration dans les tissus à travers la peau, dans le tube digestif, dans les voies respiratoires).

Irréductibilité

Impossibilité de réaliser par manipulation externe la réduction d'une fracture – c'est-à-dire de réassembler puis de remettre les deux extrémités osseuses fracturées dans un alignement parfait – ou de réduire correctement une luxation articulaire.

L'irréductibilité peut être due soit à l'interposition entre les fragments osseux fracturés de tissu musculaire, soit à un déplacement trop important de ceux-ci. Le praticien doit alors effectuer une réduction chirurgicale « à ciel ouvert » en découvrant la zone à traiter : cette technique peut elle-même se révéler impraticable lorsque la perte de substance osseuse est trop importante ou quand les fragments osseux sont trop nombreux ; dans ces cas, on pose une prothèse ou on réalise une greffe.

Irrigation

Action de verser une solution médicamenteuse sur une partie malade, sur une plaie suintante ou dans une cavité pour nettoyer et désinfecter.

En chirurgie, l'irrigation par une solution antiseptique s'utilise pour détruire les germes des plaies purulentes et nécrosées.

On utilise comme irrigateur, pour une irrigation continue, un ensemble comprenant un réservoir et un tuyau en caoutchouc et, pour une irrigation discontinue, une simple seringue.

Ischémie

Diminution ou arrêt de la circulation artérielle dans une région plus ou moins étendue d'un organe ou d'un tissu.

Une ischémie entraîne un défaut d'apport en oxygène et une altération du métabolisme. Une ischémie modérée, lorsqu'elle concerne un muscle, peut ne se manifester que lors d'un effort, lorsque les besoins du muscle en oxygène augmentent. Les conséquences sont réversibles lorsque l'ischémie est modérée ou transitoire, mais une isché-

mie grave ou persistante peut aboutir à la destruction des tissus, appelée selon les cas infarctus ou gangrène : on parle plus volontiers de gangrène quand il existe une atteinte de la peau, d'infarctus lors d'une atteinte des viscères.

DIFFÉRENTS TYPES D'ISCHÉMIE

■ **Une ischémie du myocarde** (muscle cardiaque) entraîne un angor soit spontané, soit, le plus souvent, à l'effort, à l'exposition au froid, pendant la digestion, ou en présence d'autres facteurs augmentant la consommation du myocarde en oxygène : état fébrile, tachycardie, hyperthyroïdie. Lorsqu'elle ne se signale par aucun trouble (ischémie silencieuse), elle est détectée par l'électrocardiographie, surtout lors d'un enregistrement sur 24 heures (Holter).

■ **Une ischémie cérébrale** survient lorsque la pression artérielle cérébrale chute en deçà d'un certain seuil, qui ne permet plus aux mécanismes d'autorégulation de la circulation cérébrale d'assurer un apport d'oxygène suffisant aux neurones. Il peut s'ensuivre des altérations métaboliques entraînant divers troubles, comme une hémiplégie (paralysie d'une moitié du corps) ou une aphasie (trouble du langage) et une nécrose des tissus appelée infarctus cérébral.

■ **Une ischémie des membres inférieurs** entraîne une artériopathie provoquant éventuellement une claudication intermittente (douleur dans les jambes au cours de la marche). Le traitement fait appel aux médicaments vasodilatateurs.

Ischiojambier (muscle)

Muscle fléchisseur du genou situé à la partie postérieure de la cuisse, qui s'attache en haut au bassin et en bas au tibia et au péroné.

Le corps humain comprend 3 muscles ischiojambiers : le biceps, le demi-tendineux et le demi-membraneux. Les lésions de ces muscles, fréquentes, surviennent le plus souvent lors d'activités sportives intenses et répétées pratiquées sans échauffement suffisant. Elles vont de la simple élongation à la rupture complète en passant par le claquage (déchirure musculaire partielle) et se manifestent par une douleur brutale et un gonflement localisé. Le traitement consiste à mettre au repos le membre atteint. La guérison entraîne la formation d'un cal fibreux qui peut diminuer les propriétés élastiques du muscle.

Isoenzyme

Chacune des différentes formes sous lesquelles peut exister une enzyme.

Les isoenzymes d'une enzyme se différencient par des variations de leur structure chimique. Responsables de la même réaction chimique dans l'organisme, elles se distinguent les unes des autres par des propriétés physicochimiques différentes (affinité pour le substrat, thermostabilité, etc.) et surtout par les organes où elles sont localisées. Cette localisation, de même que l'augmentation de leur concentration dans le plasma, peut être utilisée à des fins diagnostiques. Ainsi, le dosage des isoenzymes cardiaques de la

créatine kinase, par exemple, permet d'affiner le diagnostic d'infarctus du myocarde.

Isolement

Séparation d'un individu - ou d'un groupe d'individus - des autres membres de la société.

En pathologie infectieuse, l'isolement des malades contagieux a pour but d'éviter ou de limiter la propagation d'une infection. Son expression historique était la quarantaine. Certaines maladies graves imposent un isolement strict. Ce sont, par exemple, les fièvres hémorragiques africaines d'Ebola ou de Marburg, la fièvre de Lassa. Dans ces cas, le malade est maintenu dans une chambre individuelle et le personnel hospitalier doit porter un masque, une blouse, un bonnet, des protège-chaussures et des gants stériles, qui sont ensuite détruits ou restérilisés. Ces mesures sont inutiles s'il existe un antibiotique efficace (peste). Lorsque la maladie se transmet de façon plus limitée (coqueluche, impétigo, rubéole), l'isolement peut n'être que partiel (au domicile ou à l'hôpital). L'éviction scolaire est une forme d'isolement qui concerne les enfants malades ou convalescents tant qu'ils sont capables de transmettre la maladie. En cas d'épidémie (choléra), un isolement collectif peut être utile ; il a pour but de contrôler le risque de dissémination du germe (vibrion cholérique) par les selles.

Certains malades, dont la résistance immunitaire (anti-infectieuse) est très diminuée, doivent être isolés, car leur fragilité fait que des infections habituellement bénignes (la varicelle, l'herpès) prennent, chez eux, une gravité inhabituelle. Cet isolement peut aller jusqu'au filtrage de l'air qui entre dans la chambre, ou même jusqu'au placement du malade dans une chambre stérile ou dans un isolateur (tente en plastique dite « bulle »).

ISOLEMENT PSYCHIATRIQUE

L'isolement des malades mentaux, lorsqu'ils sont dangereux pour eux-mêmes, a pour objet de les soustraire au milieu qui a pu provoquer ou qui peut entretenir leur état. Dans certains cas, il sert aussi à protéger la société et le malade lui-même contre les risques que pourrait éventuellement occasionner son état.

Isoprénaline

Substance dérivée de l'adrénaline et possédant des propriétés analogues.

L'isoprénaline est un bêtastimulant. Elle reproduit certaines actions du système nerveux végétatif sympathique.

En raison de son action vasodilatatrice, l'isoprénaline dilate les voies aériennes et donc améliore le passage de l'air et soulage les difficultés respiratoires. Elle est utilisée comme décongestionnant dans le traitement des maladies pulmonaires (asthme, bronchite chronique, emphysème). Administrée par voie sublinguale, parentérale ou en aérosol (asthme, bronchite), elle comporte un risque d'aggravation des troubles après sevrage.

En raison de son action cardiaque inotrope positive (qui modifie la contractilité musculaire en l'augmentant), l'isoprénaline est aussi utilisée dans le traitement d'urgence du bloc auriculoventriculaire (ralentissement anormal des pulsations cardiaques) avant qu'un stimulateur cardiaque ne soit mis en place. Son utilisation par voie intraveineuse est réservée au spécialiste en service hospitalier de réanimation sous surveillance permanente à cause de ses effets indésirables : irrégularité cardiaque, infarctus, chute de tension artérielle, allergie aiguë.

→ VOIR Sympathomimétique.

Isotonique

Se dit d'une solution qui exerce la même pression osmotique qu'une autre.

Deux solutions isotoniques séparées l'une de l'autre par une membrane poreuse particulière, dite semi-perméable, ne donnent lieu à aucun mouvement d'eau par osmose. Par extension, le terme isotonique qualifie toute solution qui exerce la même pression osmotique que le plasma sanguin normal (sérum physiologique, par exemple).

Dans l'organisme, tous les liquides extracellulaires (à l'extérieur des cellules) sont isotoniques aux liquides intracellulaires. Les solutions injectées dans le corps humain doivent être isotoniques au plasma, sauf cas particuliers, afin d'éviter des mouvements d'eau à travers la membrane des globules rouges, qui détruiraient ces derniers.

Isotope

Chacune des différentes compositions d'un même type d'atome (fer, hydrogène, oxygène, etc.), ne différant que par la masse de leur noyau.

Un atome est formé d'un noyau, constitué de protons et de neutrons, autour duquel gravitent des électrons. Chaque atome d'un corps donné contient un nombre caractéristique de protons et un nombre variable de neutrons. Les versions de cet atome, dont la formule comprend un nombre différent de neutrons, sont appelées isotopes. Certains isotopes sont stables tandis que d'autres sont instables et se désintègrent en émettant des rayonnements : on dit alors que ce sont des isotopes radioactifs, ou radio-isotopes. Quelques-uns, comme l'iode 123 ou 131, ont une utilisation diagnostique (dosages ou examens scintigraphiques) ou thérapeutique (radiothérapie) dans les services de médecine nucléaire, parfois aussi appelés services des radio-isotopes. Les isotopes stables (non radioactifs) d'un élément peuvent aussi servir à des analyses ou à des dosages à l'aide d'appareils de détection spécialisés, les spectrographes de masse.

Ivermectine

Médicament antiparasitaire utilisé contre l'onchocercose, filariose tropicale due à *Onchocerca volvulus,* parasite transmis par la piqûre d'insectes nommés simulies et pouvant entraîner de graves lésions oculaires qui évoluent vers la cécité.

L'ivermectine, qui se prend par voie orale en une dose unique, a parfois des effets indésirables sur les yeux : réactions d'hypersensibilité se traduisant par un œdème des paupières, une inflammation de l'iris et du corps ciliaire (iridocyclite), de la conjonctive (conjonctivite), de la cornée (kératite) ou de la choroïde et de la rétine (choriorétinite). Il peut aussi entraîner une somnolence.

I.V.G.

→ VOIR Interruption volontaire de grossesse.

Ivoire

→ VOIR Dentine.

J

Jambe
Segment du membre inférieur compris entre
le genou et la cheville. (P.N.A. *crus*)

Le squelette de la jambe est formé par le
tibia et le péroné. Ces deux os sont unis par
les articulations péronéotibiales, supérieure
et inférieure, et par une membrane interosseuse. En haut, la jambe est reliée à la cuisse
par l'intermédiaire du genou, qui constitue
l'articulation fémorotibiale ; en bas, elle est
reliée au pied par l'intermédiaire de la
cheville, qui constitue l'articulation tibio-
péronéo-astragalienne.

La jambe a trois faces : la face antéro-
interne, où le tibia est directement en regard
de la peau, la face externe, occupée par les
muscles péroniers, et la face postérieure,
occupée par la masse musculaire importante
du mollet : muscles jumeaux et soléaire,
auxquels fait suite le tendon d'Achille.

PATHOLOGIE
Outre les contusions, souvent bénignes,
entraînant parfois la formation d'hématomes, les fractures représentent l'essentiel
des traumatismes importants de la jambe.
Elles peuvent siéger à n'importe quel niveau
de celle-ci. Les causes en sont généralement
des accidents ou des chutes, notamment
d'origine sportive. Le traitement dépend du
type et de la localisation de la fracture : la
pose d'une plaque vissée ou l'introduction
d'un clou dans le canal médullaire de l'os
fracturé peuvent être nécessaires pour en
favoriser la consolidation. L'immobilisation
dure en général entre 45 et 90 jours. La
jambe est, en outre, le siège le plus fréquent
des phlébites (oblitération d'une veine profonde par un caillot). Celles-ci peuvent
survenir après une immobilisation prolongée
(sous plâtre en particulier) ou un traumatisme. On est contraint de pratiquer une
amputation en cas d'obstruction des artères
du pied ou de la partie inférieure de la jambe
ou en cas de perte de substance osseuse,
musculaire et/ou cutanée importante. Une
fois le moignon cicatrisé, on adapte à son
extrémité une prothèse destinée à remplacer
la zone amputée et à permettre la marche.

Jambier
Chacun des deux muscles longs (jambier
antérieur, jambier postérieur) fléchisseurs du
pied sur la jambe. (P.N.A. *musculus tibialis*)

Jambier antérieur
Il s'attache à l'extrémité supérieure du tibia,
s'étend le long de la face externe de cet os
et se termine par un tendon sur le dos du
pied. La contraction du jambier antérieur
entraîne une élévation du pied vers la face
antérieure de la jambe.

Jambier postérieur
Il est situé derrière le tibia et le péroné sur
lesquels il s'insère. Il se termine par un
tendon qui se fixe principalement sur le
scaphoïde tarsien (os situé sur le côté interne
du pied, près de l'astragale). Ce muscle est
adducteur et rotateur du pied en dedans.

Jamot (Eugène)
Médecin militaire français (Saint-Sulpice-lès-
Champs, Creuse, 1870 - Sardent, Creuse,
1937).

Son nom est attaché à la lutte contre la
maladie du sommeil, dont il fit baisser
l'incidence en Afrique noire, notamment en
organisant des « colonnes mobiles de santé »,
chargées de la prévention et des soins de
première nécessité.

Janet (Pierre)
Psychologue français (Paris 1859 - *id.* 1947).

Directeur du laboratoire de psychologie
pathologique à la Salpêtrière puis, à partir
de 1902, professeur au Collège de France,
il se voua à l'étude des maladies mentales.
Selon lui, il ne suffit pas, pour guérir le
patient, d'amener à la conscience les idées
subconscientes, mais il faut aussi les détruire
en les dissociant ou en les transposant. Parmi
ses principaux ouvrages, on relève *Névroses
et Idées fixes* (1898), *les Obsessions et la
Psychasthénie* (1903), *De l'angoisse à l'extase*
(1927-1928).

Jaquette
Prothèse en céramique destinée à recouvrir
une dent abîmée ou inesthétique.

La constitution de la jaquette assure à la
dent une grande solidité et une parfaite
ressemblance avec les dents voisines.

Jaunisse
→ VOIR Ictère.

Jéjunite
Inflammation aiguë ou chronique du jéjunum (portion de l'intestin grêle suivant le
duodénum).

Les causes d'une jéjunite sont variées :
infectieuses (virus, tuberculose), inflamma-

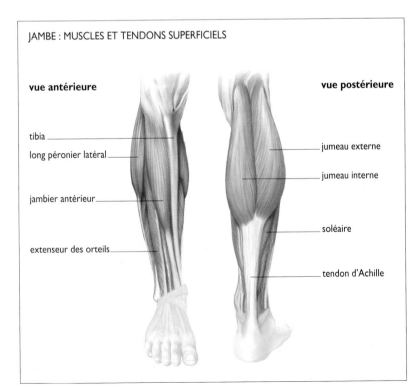

JAMBE : MUSCLES ET TENDONS SUPERFICIELS

vue antérieure

tibia
long péronier latéral
jambier antérieur
extenseur des orteils

vue postérieure

jumeau externe
jumeau interne
soléaire
tendon d'Achille

toires (maladie de Crohn), tumorales (lymphome), vasculaires (entéropathie ischémique ou due à une irradiation). L'inflammation du jéjunum se traduit par des douleurs abdominales associées à une diarrhée. Selon la cause, le traitement repose sur l'administration d'antibiotiques ou d'anti-inflammatoires ou sur une intervention chirurgicale.

Jéjunostomie

Opération chirurgicale consistant à aboucher le jéjunum (deuxième partie de l'intestin grêle) à la peau.

Une jéjunostomie consiste à pratiquer une petite ouverture dans la paroi du jéjunum et à la suturer en regard d'une ouverture pratiquée dans la peau, permettant ainsi de réaliser ultérieurement une nutrition entérale : des produits nutritifs artificiels sont injectés dans l'intestin par une sonde introduite dans l'ouverture. Cette technique est indiquée quand l'alimentation par les voies naturelles et la nutrition par sonde dans l'estomac sont impossibles, en particulier au cours du traitement de certaines pancréatites aiguës. Généralement temporaire, une jéjunostomie peut, exceptionnellement, être définitive (dans le cas d'un cancer, par exemple).

Jéjunum

Segment de l'intestin situé entre le duodénum et l'iléon. (P.N.A. *jejunum*)

Le jéjunum constitue avec le duodénum et l'iléon l'ensemble de l'intestin grêle. Il est disposé dans la partie gauche de l'abdomen et forme des boucles appelées anses intestinales. Il est relié à la paroi abdominale postérieure par le mésentère (l'une des membranes du péritoine), qui contient les vaisseaux sanguins et lymphatiques qui lui sont destinés. Sa paroi est formée de trois couches concentriques : la muqueuse, couche la plus interne directement en contact avec les aliments, la musculeuse et la séreuse.

Cette partie de l'intestin joue un rôle primordial dans la nutrition, notamment dans l'absorption de l'eau et des électrolytes (sodium, potassium, etc.) et dans la digestion

JÉJUNUM

jéjunum

des aliments, des vitamines, du fer et du calcium. Le jéjunum a également des fonctions sécrétoires ; il produit du mucus et des immunoglobulines.

Les pathologies spécifiques les plus fréquentes du jéjunum sont la jéjunite (inflammation), la maladie cœliaque et les lymphomes.

Jenner (Edward)

Médecin anglais (Berkeley, Gloucestershire, 1749 - *id.* 1823).

On lui doit la découverte de la vaccination. Ayant observé que les paysans en contact avec les vaches atteintes d'une maladie du pis, le *cowpox,* ou vaccine, étaient immunisés contre la variole, il eut l'idée d'inoculer du pus de vaccine dans l'organisme humain pour l'empêcher de contracter l'affection. Il procéda à la première vaccination en 1796 et vit sa méthode se répandre rapidement en dépit du scepticisme de nombreux médecins.

Jeu de rôle

Méthode visant à éduquer ou à rééduquer le comportement social d'un sujet par diverses techniques fondées sur le jeu dramatique et sur le psychodrame.

Dans le jeu de rôle, le thérapeute ou l'animateur attribue à chacun des participants un rôle (tiré de la vie quotidienne ou imaginaire) que celui-ci doit interpréter librement. Après quoi les différents partenaires et l'intervenant analysent ce que l'acteur a voulu exprimer et ce que les autres ont réellement ressenti. Cela permet à chacun de prendre, à travers le regard d'autrui, une meilleure conscience de soi-même et de ses possibilités.

Jeûne

Arrêt total de l'alimentation, avec maintien ou non de la consommation d'eau.

Au cours du jeûne, l'organisme ne reçoit plus d'énergie par l'alimentation. En conséquence, ses réserves sont mobilisées dès la sixième heure : d'abord les réserves glucidiques, stockées sous forme de glycogène dans le foie et les muscles, puis les réserves protéiniques des muscles et celles, lipidiques, de la graisse. Par ailleurs, l'organisme s'adapte au jeûne en réduisant ses dépenses énergétiques. Le corps s'appauvrit progressivement en muscle et surtout en graisse, ce qui provoque une perte de poids importante et une dénutrition si le jeûne se poursuit. Le fonctionnement du système hormonal se trouve fortement altéré : arrêt des sécrétions d'hormones sexuelles, diminution des sécrétions d'insuline et d'hormones thyroïdiennes et augmentation des sécrétions de glucagon et de cortisol. Le cœur, les reins, le pancréas et le tube digestif s'atrophient, de même que le système lymphatique, ce qui entraîne une diminution des capacités de résistance aux infections. La mort survient en général au bout de 8 à 10 jours en cas de jeûne complet (sans eau) et au bout de deux mois si la boisson est maintenue.

Ni le jeûne ni même le fait de sauter des repas n'est une bonne méthode pour perdre du poids car l'organisme s'adapte en réduisant ses dépenses et compense les pertes énergétiques sur les repas suivants.

Jolly (corps de)

Élément inclus dans le globule rouge et correspondant à un débris du noyau de la cellule mère (érythroblaste).

Le corps de Jolly est normalement éliminé par des cellules destructrices, appelées macrophages, lors du passage du globule rouge dans la rate. Si celle-ci est absente ou non fonctionnelle, le nombre de globules rouges contenant ce corps augmente. Le même phénomène peut être constaté dans certaines maladies de l'hémoglobine ou dans des maladies caractérisées par une perturbation de la fabrication des globules rouges par la moelle, appelées dysérythropoïèses médullaires primitives.

Joule

Unité de mesure d'énergie (travail, quantité de chaleur, etc.) du système international d'unités équivalant au travail produit par une force de 1 newton dont le point d'application se déplace de 1 mètre dans la direction de la force.

En médecine, en nutrition et en diététique, l'énergie utilisée par l'organisme ou contenue dans les aliments s'exprime en joules (J). Depuis le 1er janvier 1978, en effet, le joule a remplacé officiellement la calorie comme unité d'énergie. Cependant, la calorie (quantité de chaleur nécessaire pour élever de 1 degré la température de 1 gramme d'eau pris à 15 °C sous une pression atmosphérique normale) et son multiple, la kilocalorie (grande calorie, équivalant à 1 000 calories), sont encore fréquemment utilisés pour exprimer la quantité d'énergie absorbée sous forme d'aliments.

Un joule correspond à 0,239 calorie.

Jugulaire (veine)

Chacune des quatre grosses veines du cou. (P.N.A. *vena jugularis*)

Les veines jugulaires sont situées de chaque côté des parties latérales du cou : on distingue la veine jugulaire antérieure, la veine jugulaire externe, la veine jugulaire postérieure et la veine jugulaire interne, la plus volumineuse. Elles ramènent le sang de la tête à la poitrine.

La jugulaire interne recueille le sang provenant du cerveau, d'une partie de la face et de la zone antérieure du cou. Elle naît à la base du crâne puis descend jusqu'à la clavicule, où elle rejoint la veine sous-clavière pour constituer le tronc veineux brachiocéphalique. Située profondément, elle est rarement blessée lors des traumatismes du cou.

La jugulaire externe reçoit le sang drainant les parois du crâne, les parties profondes de la face et les régions latérale et postérieure du cou. Elle prend naissance en arrière de la mâchoire inférieure puis rejoint la base du cou, où elle se jette dans la veine sous-clavière.

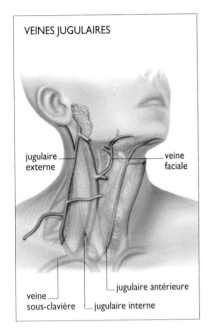

VEINES JUGULAIRES

jugulaire externe

veine faciale

veine sous-clavière

jugulaire interne

jugulaire antérieure

Les veines jugulaires antérieure et postérieure sont de toutes petites veines.

Les pathologies des veines jugulaires sont rares : les thromboses sont exceptionnelles, les compressions externes aussi.

Jumeau

Chacun des enfants nés d'une grossesse gémellaire.

DIFFÉRENTS TYPES DE JUMEAUX

■ **Les vrais jumeaux, dits homozygotes,** proviennent de la fécondation d'un seul ovule par un seul spermatozoïde. Les fœtus sont dans le même sac ovulaire et partagent le même placenta : ils sont dits univitellins. Toujours de même sexe, ils ont un patrimoine génétique identique et se ressemblent beaucoup. Une greffe entre jumeaux homozygotes n'entraîne aucun rejet.

■ **Les faux jumeaux, dits dizygotes,** proviennent de la fécondation de deux ovules par des spermatozoïdes différents. Ils ont chacun leur placenta et leur sac ovulaire : ils sont appelés bivitellins. De même sexe ou de sexe différent, ils ne se ressemblent pas plus que des frères ou des sœurs ordinaires.

GROSSESSE ET ACCOUCHEMENT

Durant la grossesse, la présence de jumeaux est décelée par l'échographie dès 6 ou 7 semaines. Une grossesse gémellaire doit bénéficier d'un suivi clinique et échographique très régulier : une fois par mois jusqu'à la 28e semaine d'aménorrhée (absence de règles), deux fois par mois jusqu'au terme de la grossesse, qui se situe normalement aux alentours de la 37e ou de la 38e semaine d'aménorrhée.

Les naissances peuvent se faire par les voies naturelles, en général sous anesthésie péridurale – celle-ci, en détendant le périnée, accélère et facilite les expulsions successives – et sous monitorage cardiaque des 2 jumeaux. Les jumeaux se présentent soit dans le même sens (2 présentations par la tête, 2 sièges), soit tête-bêche, soit encore transversalement. Une fois le premier jumeau né, si le second se présente transversalement, l'obstétricien s'efforce de l'orienter dans une position favorable à l'engagement, par manœuvre externe ou interne, avant de l'extraire (après rupture de la 2e poche des eaux si elle existe). Le second enfant naît en général de 2 à 5 minutes après le premier.

Après un accouchement gémellaire, le risque d'hémorragie de la délivrance est plus élevé. Les nouveau-nés sont en général plus petits que les enfants uniques. Toutefois, les soins à leur donner ne diffèrent pas de ceux à donner aux autres enfants.

Jung (Carl Gustav)

Psychiatre suisse (Kesswil, Thurgovie, 1875 - Küssnacht, près de Zurich, 1961).

Fils d'un pasteur protestant, il entre, après avoir terminé ses études de médecine, dans un important établissement psychiatrique de Zurich. Il noue en 1906 des relations avec Sigmund Freud, qui le considère un temps comme son successeur à la tête du mouvement psychanalytique. Mais, en raison de divergences théoriques concernant notamment la nature de la libido (Jung publie, en 1912, *Métamorphoses et Symboles de la libido),* les deux hommes rompent (1913). Jung, dès lors, dénomme sa propre méthode « psychologie analytique ».

La théorie jungienne, encore appelée « psychologie des profondeurs », fait intervenir la notion d'inconscient collectif : chaque individu est marqué par des archétypes inconscients (images, mythes, expériences des générations antérieures, etc.) communs à l'humanité. La mise au jour de ces archétypes est aussi importante que celle des désirs refoulés pour comprendre et traiter les troubles mentaux. Jung est également l'auteur de la définition des types de caractère introverti/extraverti.

Jusquiame (Hyoscyamus niger)

Plante herbacée vénéneuse de la famille des solanacées.

En raison de sa toxicité semblable à celle de la belladone, les préparations à base de jusquiame doivent se faire sous contrôle médical strict.

■ **La feuille de jusquiame** sert à préparer une poudre avec laquelle on réalise un extrait alcoolique qui est ensuite mélangé à de l'eau. Riche en alcaloïdes (atropine, hyoscyamine, scopolamine), l'extrait hydroalcoolique de jusquiame est employé pour ses actions antispasmodique, hypnotique et analgésique. La jusquiame est associée avec d'autres substances dans des médicaments contre la nervosité, l'insomnie, les spasmes, la toux, les névralgies. Le surdosage provoque une grave intoxication associée à un délire avec agitation dû à l'atropine.

■ **L'huile de jusquiame** composée est employée en applications locales contre les douleurs rhumatismales.

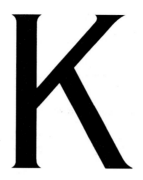

Kahler (maladie de)
→ VOIR Myélome multiple.

Kala-azar
→ VOIR Leishmaniose viscérale.

Kaliémie
Taux de potassium dans le plasma sanguin.

La kaliémie est normalement comprise entre 3,5 et 5 millimoles par litre. Ce taux est maintenu constant grâce à l'action de l'aldostérone, hormone qui régit l'équilibre entre sodium et potassium en modulant leur excrétion rénale.
→ VOIR Hyperkaliémie, Hypokaliémie.

Kaliurie
Taux de potassium dans les urines.

La kaliurie est normalement comprise entre 35 et 80 millimoles par 24 heures. Elle diminue en cas d'insuffisance rénale sévère ou de prise de diurétiques antagonistes de l'aldostérone, une hormone qui régit l'équilibre entre sodium et potassium en modulant leur excrétion rénale. Elle augmente en cas d'hyperaldostéronisme (augmentation de la sécrétion d'aldostérone) ou de prise de diurétiques hypokaliémiants.

Kallman-De Morsier (syndrome de)
Insuffisance congénitale de stimulation des gonades (testicules et ovaires), souvent associée à un déficit de l'odorat.

Le syndrome de Kallman-De Morsier est une affection très rare qui atteint aussi bien l'homme que la femme et dont la transmission familiale est fréquente. Il se caractérise par un déficit en gonadolibérine, hormone hypothalamique stimulant la sécrétion des gonadotrophines hypophysaires (hormone folliculostimulante, ou FSH, hormone lutéinisante, ou LH). En l'absence de stimulation de ces hormones, la maturation pubertaire ne survient pas. Une baisse variable de l'odorat existe également (anosmie congénitale), mais elle est rarement ressentie par le sujet.

DIAGNOSTIC
Le bilan hormonal révèle des taux bas et non stimulables d'hormones folliculostimulante et lutéinisante ainsi que des dosages peu élevés d'hormones stéroïdes sexuelles (testostérone ou œstradiol). Toutefois, seul le temps confirme le diagnostic, aucun élément biologique ou radiologique ne permettant de différencier un retard pubertaire simple d'un syndrome de Kallman-De Morsier.

TRAITEMENT
Les caractères sexuels secondaires apparaissent sous traitement hormonal substitutif (œstroprogestatifs chez la jeune fille et testostérone chez le garçon). Ce traitement dure toute la vie. La fertilité peut être déclenchée soit par l'injection répétée d'hormones folliculostimulante et lutéinisante, soit par l'administration régulière de gonadolibérine. Chez la femme, ce traitement s'effectue à l'aide d'une petite pompe portable accrochée à la ceinture. Celle-ci envoie périodiquement, soit par voie souscutanée, soit par voie intraveineuse, des quantités prédéfinies d'hormone. Ce traitement restaure le cycle menstruel normal et notamment l'ovulation. Il est interrompu dès le début de la grossesse. Chez l'homme, ce même traitement par gonadolibérine entraîne la formation des spermatozoïdes ; sa durée minimale est de plusieurs mois pour permettre à la production des spermatozoïdes de se normaliser.

Kaposi (sarcome de)
Prolifération maligne du tissu conjonctif, développée aux dépens des cellules endothéliales des vaisseaux sanguins ainsi que de certaines cellules du derme, les fibroblastes. SYN. *maladie de Kaposi*.

Identifié en 1872 par le dermatologiste autrichien Moritz Kohn Kaposi, le sarcome de Kaposi s'est longtemps présenté sous deux formes, l'une sporadique, cutanée, ou sarcome de Kaposi classique, l'autre endémique en Afrique centrale, ou Kaposi africain. La maladie affecte également aujourd'hui les malades atteints du sida, chez lesquels elle constitue une affection très agressive, aboutissant rapidement à l'extension des tumeurs. On peut aussi la rencontrer chez des sujets immunodéprimés non atteints par le virus du sida.

DIFFÉRENTS TYPES DE SARCOME DE KAPOSI
■ Le sarcome de Kaposi classique touche des sujets âgés, originaires d'Europe centrale ou du Bassin méditerranéen, plus souvent les hommes. Il se traduit par des placards angiomateux (prolifération de petits vaisseaux sanguins) rougeâtres, d'abord simples macules des extrémités des pieds, des doigts et des oreilles, infiltrant progressivement la peau et prenant une teinte violacée, brunâtre, entourées d'un halo d'ecchymoses. Des lésions cutanées en relief, tumorales, surviennent très progressivement sur ce fond angiomateux. Toutes ces lésions sont indolores, ne démangent pas et s'étendent peu à peu vers le tronc. Elles s'associent à un œdème dur, indolore, touchant surtout les deux membres inférieurs.

■ Le sarcome de Kaposi africain est endémique au Zaïre et en Ouganda et touche des sujets plus jeunes que le sarcome de Kaposi classique. La maladie se traduit par des lésions cutanées en relief qui envahissent rapidement les tissus ; ces lésions s'ulcèrent et s'étendent en profondeur vers les os, les ganglions et les organes digestifs. Il existe des formes généralisées de la maladie, mortelles en quelques mois, ainsi que des formes avec atteinte ganglionnaire multiple chez des enfants de moins de 10 ans.

■ Le sarcome de Kaposi du sida se traduit, au début, par de petits éléments, rosés ou brunâtres, bien limités, non prurigineux, qui apparaissent sur n'importe quelle partie du corps, en particulier sur le visage et le tronc. Les lésions sont indolores mais infiltrent progressivement la peau et s'étendent rapidement sous des aspects variables (extension ou multiplication des lésions). L'atteinte des muqueuses (voile du palais, muqueuses anogénitales) est très fréquente. Les tumeurs s'implantent aussi fréquemment dans les organes, en particulier dans l'appareil digestif, entraînant des hémorragies digestives, et dans les poumons, provoquant une insuffisance respiratoire.

■ Le sarcome de Kaposi des immunodéprimés non atteints du sida apparaît surtout après une greffe de rein, un an après le début du traitement immunosuppresseur, après un traitement prolongé (plus d'un an) par les corticostéroïdes oraux ou les immunosuppresseurs ; également après des leucémies et des cancers viscéraux. Elle se traduit par des lésions cutanées et muqueuses typiques et par des atteintes multiviscérales, en particulier digestives, souvent très graves.

DIAGNOSTIC
Le diagnostic du sarcome de Kaposi repose sur l'examen clinique des lésions et sur la biopsie cutanée. Celle-ci révèle à l'examen au microscope une infiltration des tissus par la tumeur portant, d'une part, sur les vaisseaux, avec la formation de cavités vasculaires nombreuses, d'autre part sur les fibroblastes du derme, qui prennent une disposition caractéristique « en tourbillon ». Un bilan de l'extension de la maladie, examinant soigneusement les ganglions et l'ensemble des viscères, est indispensable, ainsi qu'un examen sanguin.

TRAITEMENT
Le traitement est fonction de l'évolution de la maladie. Dans les formes peu évolutives, il repose sur l'ablation chirurgicale des lésions, si elles sont très localisées, ou sur la radiothérapie. Dans les formes prolifé-

Le sarcome de Kaposi découle souvent d'une déficience immunitaire, due par exemple à l'infection par le virus du sida ou à un traitement immunosuppresseur. Il se manifeste par des plaques et des grosseurs cutanées et par des lésions viscérales (digestives et respiratoires), qui font toute la gravité de la maladie.

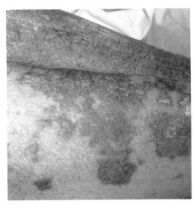

Les plaques cutanées, de couleur violacée, siègent sur les pieds et les chevilles puis s'étendent aux jambes, voire au corps tout entier.

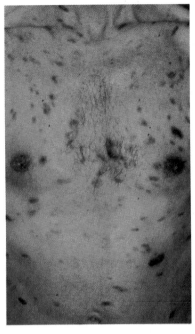

Des taches, de couleur violacée ou brunâtre, peuvent apparaître sur le tronc soit d'emblée, soit après la formation d'autres lésions cutanées.

rantes, on recourt à la chimiothérapie anticancéreuse, simple ou complexe (association de plusieurs substances) ; l'administration d'interférons (cytokines) obtenus par génie génétique est également possible. Dans les cas les plus graves, il peut être nécessaire d'administrer une chimiothérapie plus lourde. Chez les patients atteints du sida, l'association de la chimiothérapie et de médicaments antiviraux est possible à la condition que le patient puisse le supporter sur le plan hématologique, un double traitement pouvant entraîner une diminution importante des plaquettes, globules rouges et globules blancs.

PRONOSTIC
Les lésions cutanées dues au sarcome de Kaposi portent un préjudice essentiellement esthétique. Elles disparaissent en général quelques semaines après le début du traitement. Pour les parties exposées de la peau (visage, extrémités), des solutions de camouflage (bases cosmétiques couvrantes) sont proposées. Cependant, une extension numérique ou topographique des lésions peut laisser supposer l'existence d'atteintes viscérales et nécessite des investigations et, au besoin, la mise en place d'un traitement approprié.

En cas de localisation viscérale du sarcome, le pronostic demeure réservé.

Kaposi-Juliusberg (syndrome de)
Maladie due à la contamination par le virus de l'herpès d'un nourrisson atteint d'un eczéma étendu. SYN. *pustulose varioliforme.*

Le syndrome de Kaposi-Juliusberg se caractérise par des pustules souvent hémorragiques s'étendant rapidement du visage à l'ensemble du corps. Cette éruption s'accompagne de sensations douloureuses ressemblant à des brûlures. L'état général de l'enfant est altéré, la fièvre, élevée ; il peut

y avoir des troubles neurologiques tels que des convulsions et des troubles de la conscience.

TRAITEMENT ET PRÉVENTION
Le traitement est urgent et nécessite l'hospitalisation de l'enfant : médicaments antiviraux (aciclovir), administrés par voie intraveineuse, et surveillance de l'état général. La guérison est rapide. Les pustules laissent de petites cicatrices pigmentées qui disparaissent au bout de quelques mois. La prévention consiste essentiellement à empêcher toute personne atteinte d'un herpès buccal (bouton de fièvre) d'avoir des contacts avec des nourrissons souffrant d'eczéma.

Karman (méthode de)
Méthode d'aspiration du contenu utérin.

La méthode de Karman, utilisée depuis les années 1960, est indiquée pour vider l'utérus soit lors d'une interruption volontaire de grossesse, soit après un avortement spontané incomplet. Elle utilise un instrument spécial, appelé sonde de Karman, introduit par le col de l'utérus dans la cavité utérine puis relié à une pompe à vide. L'intervention, qui dure de 3 à 5 minutes, est sûre et peu agressive pour la paroi utérine. Elle a remplacé le curetage, plus traumatisant pour la muqueuse. La méthode de Karman se pratique en hospitalisation de jour, sous anesthésie locale ou générale. Elle entraîne un saignement vaginal qui dure quelques jours ; elle n'a aucune répercussion sur une grossesse ultérieure.

Kartagener (syndrome de)
Syndrome caractérisé par un dysfonctionnement des cils qui tapissent l'arbre respiratoire et évacuent normalement les poussières, entraînant une accumulation de sécrétions et une dilatation des bronches,

auxquelles s'associent une inversion du cœur (il est à droite au lieu d'être à gauche), une sinusite chronique et une stérilité.

D'une grande rareté, le syndrome de Kartagener est congénital. Son traitement consiste à soigner chaque anomalie. Son pronostic est fonction de l'importance de la dilatation des bronches, qui, dans les cas les plus graves, peut conduire à une insuffisance respiratoire chronique.

Kawasaki (syndrome de)
Maladie inflammatoire fébrile liée à un dysfonctionnement immunitaire. SYN. *syndrome adéno-cutanéo-muqueux.*

Dans 80 % des cas, le syndrome de Kawasaki touche les enfants de moins de 5 ans. Décrit pour la première fois au Japon en 1967, il a été identifié depuis dans le monde entier, notamment aux États-Unis et au Canada, où il sévit par épidémies localisées. L'affection est aujourd'hui connue en Europe, où elle n'est pas rare.

CAUSES
Les causes précises de la maladie sont encore inconnues. La fréquence plus grande du syndrome de Kawasaki chez certaines populations, notamment au Japon, et l'existence de quelques rares cas familiaux ont conduit à la recherche d'un terrain génétique prédisposant et la présence d'épidémies distinctes et saisonnières (fin d'hiver-début de printemps) a pu faire croire à une origine infectieuse, de type viral notamment, mais les recherches n'ont pas encore permis de confirmer ces hypothèses.

SYMPTÔMES ET SIGNES
La maladie se manifeste par une fièvre élevée durant plus de cinq jours, résistant aux antibiotiques et aux antipyrétiques ; par une conjonctivite affectant en général les deux yeux ; par une inflammation des lèvres, saignantes et fissurées, de la bouche et du pharynx ; par une rougeur ou un œdème des doigts ou des orteils, parfois douloureux et suivis d'une desquamation intervenant de 10 à 20 jours après le début de la maladie. Des éruptions diverses apparaissent au cinquième jour de la maladie, essentiellement sur le torse, mais aussi sur les extrémités. À ces diverses manifestations s'associent parfois des ganglions bilatéraux, qui évoluent sans suppuration, des douleurs articulaires, abdominales, des atteintes méningées (maux de tête et nuque raide) et urinaires ainsi que des accidents vasculaires cérébraux pouvant entraîner des paralysies.

DIAGNOSTIC
Il est orienté par les résultats des examens du sang, qui mettent en évidence un syndrome inflammatoire sévère avec élévation importante de la vitesse de sédimentation, par exemple.

ÉVOLUTION
La maladie de Kawasaki peut entraîner des altérations très sévères du cœur et des gros vaisseaux. Durant la phase aiguë apparaît parfois une inflammation du myocarde et du péricarde. Vers la troisième semaine, le patient est exposé à une atteinte des coronaires avec anévrysmes (dilatations).

Enfin, l'élévation du taux des plaquettes sanguines peut être responsable de thrombose causant parfois une mort subite.

TRAITEMENT

Le malade doit être hospitalisé dès les premiers jours et soumis à une surveillance particulièrement stricte. Il faut notamment faire pratiquer des échocardiographies destinées à détecter d'éventuels anévrysmes coronariens. Le traitement a deux objectifs essentiels : durant la phase aiguë, réduire les symptômes inflammatoires et participer à la prévention des complications cardiovasculaires ; durant la phase de convalescence, traiter les anévrysmes coronariens déjà constitués s'il en existe.

Pendant la première phase, il faut administrer durant au moins deux semaines de l'aspirine à hautes doses ainsi que des gammaglobulines par voie intraveineuse. L'élévation du taux des plaquettes sanguines est traitée par des antiagrégants plaquettaires pris oralement. Lors de la convalescence, qui commence en moyenne de 10 à 15 jours après le début de la maladie, le traitement par l'aspirine est poursuivi à faibles doses pendant deux mois si les examens échocardiographiques sont restés négatifs, plus longtemps s'il existe des anomalies coronariennes. Dans ce dernier cas, le patient doit être suivi par un médecin spécialiste.

PRONOSTIC

À long terme et en l'absence d'anomalies coronariennes, l'enfant peut reprendre une activité physique normale. Cependant, il est indispensable de procéder tous les trois ans environ à un examen cardiaque complet. L'immunité que confère le syndrome de Kawasaki est acquise, empêchant habituellement toute récidive.

Kehr (drain de)

Tube destiné à drainer les voies biliaires.

Le drain de Kehr est posé en cas d'intervention chirurgicale sur la voie biliaire principale, qui draine normalement la bile de la vésicule biliaire vers l'intestin grêle. Le drain, souple et en forme de T, est mis en place à la fin de l'opération, la branche horizontale du T dans la voie biliaire et la jambe du T dépassant à l'extérieur à travers la peau. Pendant les quelques jours où il est laissé en place, le drain dérive vers l'extérieur du corps la bile, qui est recueillie dans une poche. Il permet à la voie biliaire principale, encore fragile, de reprendre progressivement ses fonctions. De plus, en injectant dans le drain un produit opaque aux rayons X, on peut pratiquer une cholangiographie (radiographie des voies biliaires) afin de vérifier qu'un calcul n'a pas été oublié.

Keith et Flack (nœud de)

Petite zone du myocarde auriculaire droit, assurant la commande du rythme cardiaque.
SYN. *nœud sinusal, nœud sino-auriculaire.* (P.N.A. *nodus sinuatrialis*).

Le nœud de Keith et Flack doit son nom à l'anatomiste britannique sir Arthur Keith (1866-1955) et au physiologiste britannique Martin Flack (1882-1931).

STRUCTURE

Le nœud de Keith et Flack est un amas de cellules musculaires spécialisées situé dans la paroi de l'oreillette droite. Il a une forme de croissant et est vascularisé par l'artère coronaire droite. C'est là que se situe le point de départ de l'influx électrique.

FONCTIONNEMENT

Ce groupe de cellules émet des impulsions électriques au rythme de 100 par minute (ramené autour de 70 sous l'action du nerf pneumogastrique), qui déclenchent les contractions du cœur. Outre leur automaticité (l'influx est envoyé spontanément et régulièrement), ces cellules ont aussi la capacité de conduire l'excitation de proche en proche aux cellules auriculaires voisines, en direction notamment du nœud de Ashoff-Tawara puis du faisceau de His. Des hormones et l'activité du système nerveux végétatif peuvent influencer ces cellules, qui, en modifiant le rythme de leurs impulsions, ralentissent ou accélèrent celui du cœur.

PATHOLOGIE

Un mauvais fonctionnement du nœud de Keith et Flack peut être responsable de tachycardie supraventriculaire (accélération du rythme cardiaque), d'extrasystoles auriculaires (contractions prématurées de l'oreillette) ou de bradycardie supraventriculaire (ralentissement du rythme cardiaque).

Kératine

Protéine caractéristique de l'épiderme.

La kératine est une très longue chaîne d'acides aminés. On la trouve dans les cellules des épithéliums, tissus formant la couche superficielle de la peau (épiderme) et des muqueuses ; elle est particulièrement abondante dans la couche superficielle de l'épiderme et dans ses annexes, les phanères (poils, cils, cheveux, ongles). Ces structures, très riches en kératine, sont dites cornées. Le rôle de la kératine, fibreuse, très résistante et en même temps très souple, est de participer au cytosquelette, ensemble de filaments et de tubes qui soutiennent la cellule ; dans le cas de l'épiderme, elle assure également une protection efficace contre les agressions extérieures.

PATHOLOGIE

Les dyskératoses sont des affections cutanées où la kératine se développe de façon anormale, entraînant des perturbations locales des fonctions cutanées ; leur nature (cancéreuse, virale) et leur aspect sont très divers. Les kératoses, telles que les durillons et les verrues, sont caractérisées par un épaississement cutané grisâtre, ferme, rugueux, râpeux au toucher de la couche cornée de l'épiderme. Elles sont traitées par application de kératolytiques (médicaments destinés à détruire la kératine).

Kératinisation

Apparition progressive de kératine (substance fibreuse et résistante) dans un tissu.

La kératinisation est un processus physiologique de l'épiderme, permettant à celui-ci de former sa couche la plus superficielle, particulièrement protectrice. Un dérègle-

ment de ce processus peut être imputé à de nombreux facteurs, dont la carence en calcium et en diverses substances hormonales. Il est traité par administration de rétinoïdes et de vitamine D.

Kératite

Affection de la cornée, d'origine inflammatoire ou infectieuse.

DIFFÉRENTS TYPES DE KÉRATITE

Selon leur localisation, on distingue deux formes : les kératites ulcéreuses et les kératites interstitielles.

■ **Les kératites ulcéreuses** se caractérisent par une atteinte des couches superficielles de la cornée. Parmi les multiples causes possibles, les plus fréquentes sont les traumatismes dus à un corps étranger, les phototraumatismes provoqués par les rayons ultraviolets ou l'exposition à un arc à soudure électrique, les infections virales (kératite herpétique), à récidives fréquentes (zona ophtalmique) et les conjonctivites à adénovirus. Par ailleurs, l'insuffisance de sécrétions lacrymales (kératites « sèches ») et une mauvaise occlusion des paupières (par suite d'exophtalmie ou de paralysie faciale) peuvent entraîner des ulcérations plus ou moins importantes de la cornée.

■ **Les kératites interstitielles** concernent les couches plus profondes de la cornée. Leurs causes sont également multiples : essentiellement virales (kératite herpétique ou à adénovirus) ou allergiques.

SYMPTÔMES ET SIGNES

Les kératites se manifestent par des douleurs oculaires importantes (sensation de corps étranger dans l'œil), une gêne à la lumière et un larmoiement. Une baisse de l'acuité visuelle peut s'y ajouter si l'atteinte est centrale. Les kératites ulcéreuses dues à l'exposition à la lumière ou aux conjonctivites à adénovirus entraînent des microulcérations très douloureuses (kératite ponctuée superficielle) qui se manifestent souvent quelques heures après l'exposition. Dans le cas d'adénovirus, ces ulcérations peuvent évoluer lentement vers l'apparition de nodules sous la cornée.

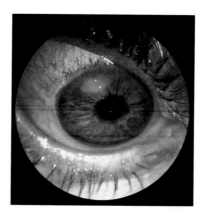

Kératite. *La fluorescéine (en vert) se fixe sur l'ulcération de la cornée.*

DIAGNOSTIC
Il repose sur un examen ophtalmologique, qui décèle une rougeur de l'œil. L'instillation d'une goutte de fluorescéine dans l'œil permet de distinguer les kératites ulcéreuses, car la substance se fixe sur la plaie oculaire.

TRAITEMENT
Le traitement diffère selon le type de kératite. Dans les kératites ulcéreuses, il fait appel, au besoin, à l'extraction du corps étranger à l'aide d'un instrument pointu, sous anesthésie locale, à l'application de collyres cicatrisants et de collyres antibiotiques pour éviter le risque de surinfection. La cicatrisation est rapide. L'emploi de corticostéroïdes locaux est contre-indiqué. Contrairement aux kératites ulcéreuses, les kératites interstitielles peuvent être traitées par les corticostéroïdes (collyres, pommades), qui accélèrent la disparition des troubles.

PRONOSTIC
Il dépend des diverses caractéristiques de l'atteinte : sa profondeur, pour ce qui est du risque d'opacité cornéenne, et sa localisation par rapport à l'axe visuel quant au risque de diminution de l'acuité visuelle ; ce sont les kératites virales dont le pronostic est généralement le plus sévère.

Kératoacanthome

Tumeur cutanée bénigne caractérisée par un cycle évolutif aboutissant à sa régression complète et spontanée.

Un kératoacanthome est une lésion qui survient le plus fréquemment entre 50 et 60 ans. Il forme une tumeur parfaitement délimitée, siégeant sur le visage ou sur le dos d'une main, comprenant un centre en relief grisâtre, ferme, rugueux et une bordure rosée. La lésion s'étend puis se rétrécit pour enfin disparaître en 2 ou 3 mois. Son aspect est très proche, à l'examen clinique et histologique, de celui d'un carcinome spinocellulaire. Il est souhaitable de procéder à son ablation chirurgicale, qui sert en même temps de biopsie (biopsie-exérèse) : l'examen de la tumeur au microscope permet de s'assurer qu'il ne s'agit pas d'un cancer.

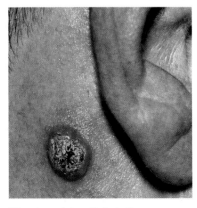

Kératoacanthome. Il s'agit d'une grosseur au centre gris, sec et rugueux.

Kératocône. Au lieu d'être sphérique, la cornée forme une saillie conique.

Kératocône

Déformation en cône de la cornée liée à un amincissement de celle-ci par suite d'une anomalie de son collagène.

Un kératocône se développe en général sur les deux yeux, mais souvent de façon asymétrique. Cette affection, de cause inconnue, présente parfois un caractère héréditaire et peut accompagner d'autres anomalies telles que la trisomie 21 (mongolisme) ou l'atopie (prédisposition à l'allergie).

SYMPTÔMES ET SIGNES
Un kératocône se forme progressivement sous la poussée de la pression intraoculaire, la cornée prenant une forme conique. Il se manifeste par un astigmatisme qui apparaît tardivement, augmente peu à peu et devient de plus en plus irrégulier. Parallèlement, la cornée continue de s'amincir et des opacités peuvent apparaître autour de la zone déformée, entraînant une baisse de l'acuité visuelle. L'évolution est la plupart du temps très lente, s'étalant sur plusieurs années.

DIAGNOSTIC ET ÉVOLUTION
Le diagnostic repose sur l'examen ophtalmologique à la lampe à fente. Le principal danger réside dans la survenue d'une perforation de la cornée, toutefois très rare.

TRAITEMENT
Il fait appel à la simple correction optique de l'astigmatisme par des lunettes puis, quand celui-ci devient trop important, par des verres de contact particuliers. Ces derniers sont bien supportés dans les formes assez peu avancées mais difficiles à adapter dans les formes sévères. Pour prévenir la perforation d'une cornée très amincie, il est nécessaire de procéder à une greffe de cornée, qui donne des résultats très satisfaisants dans la majorité des cas.

Kératoconjonctivite

Inflammation simultanée de la conjonctive et de la cornée.

Une kératoconjonctivite est une complication fréquente d'une conjonctivite.

DIFFÉRENTS TYPES DE KÉRATOCONJONCTIVITE
Selon sa cause, une kératoconjonctivite peut se manifester de façons très diverses.

■ La **kératoconjonctivite à adénovirus** se caractérise par l'apparition, sous la cornée, de petits nodules arrondis et blanchâtres qui ne gênent la vision que s'ils sont situés dans l'axe visuel. Ils régressent habituellement sans laisser de séquelles mais très lentement, en plusieurs mois, voire plusieurs années.
■ La **kératoconjonctivite sèche**, la plus fréquente, surtout chez les personnes âgées, est liée à une insuffisance de sécrétions lacrymales. Cette sécheresse oculaire peut faire partie d'un syndrome de Gougerot-Sjögren. Elle provoque parfois l'apparition de filaments formés par des cellules qui se sont détachées de la cornée. Elle peut s'accompagner d'une sensation douloureuse de corps étranger dans l'œil et entraîner une ulcération de la cornée avec un risque de surinfection et de perforation.
■ La **kératoconjonctivite phlycténulaire**, très rare, se traduit par le développement sur la conjonctive et la cornée de petits nodules grisâtres aboutissant à la constitution de petites vésicules remplies de liquide clair, appelées phlyctènes. Celles-ci se résorbent au bout de plusieurs jours. Cette affection accompagne souvent une primo-infection tuberculeuse.

DIAGNOSTIC ET TRAITEMENT
Le diagnostic d'une kératoconjonctivite repose sur l'examen ophtalmologique. Le traitement est celui de la cause (collyres antibiotiques, voire antiviraux, collyres destinés à compenser l'insuffisance lacrymale et à accélérer la cicatrisation).

Kératodermie

→ VOIR Kératose.

Kératodermie palmoplantaire

Affection cutanée caractérisée par une hyperkératose (épaississement de la peau) de la paume des mains ou de la plante des pieds.

Certaines formes de kératodermie palmoplantaire sont héréditaires et sont manifestes dès la naissance ou apparaissent chez le jeune enfant. Les autres, dites acquises, sont dues à des traumatismes répétés (activités manuelles engendrant des callosités), à une infection (syphilis, gonococcie), à une intoxication (arsenic), à une maladie dermatologique (eczéma, lichen, psoriasis).

Les signes sont un épaississement diffus ou en plusieurs petites plaques, grisâtre ou jaunâtre, rugueux, d'odeur aigre. Le traitement est, pour les kératodermies acquises, celui de la maladie en cause et, pour toutes les formes, l'application de kératolytiques (médicaments à base d'urée ou d'acide salicylique) et éventuellement l'administration de rétinoïdes par voie orale, qui cependant n'empêchent pas la récidive de l'affection lorsque celle-ci est héréditaire.

Kératolytique

Se dit d'un médicament qui décolle et élimine la kératine de la peau.

Les médicaments kératolytiques sont représentés par l'acide salicylique, l'acide benzoïque, la résorcine, les réducteurs tels que le goudron et par les rétinoïdes. Ils sont indiqués dans les affections où la couche cornée de l'épiderme produit un excès de kératine (verrues, psoriasis, certaines formes d'acné, etc.), car ils permettent d'en assurer le décapage. On les emploie surtout en applications locales (crèmes, solutions). Parfois, ils peuvent provoquer des allergies ou des irritations, surtout si on les applique par erreur sur les yeux, sur les muqueuses ou sur des lésions où la peau est ouverte (plaie, eczéma aigu). Les rétinoïdes sont tératogènes (à l'origine de malformations du fœtus).

Kératomalacie

Mort progressive de la cornée provoquée par un dessèchement extrême de la conjonctive et de la cornée.

Cause fréquente de cécité dans les pays où sévit la malnutrition, la kératomalacie est liée à une carence majeure en vitamine A. Elle se manifeste par la vascularisation et l'opacification de la cornée, qui devient très progressivement insensible. L'évolution se fait sur plusieurs années. La kératomalacie peut aboutir à une nécrose et à une perforation cornéenne avec souvent une surinfection et la perte de l'œil.

Le traitement est avant tout préventif : administration de vitamine A dès les premiers stades et établissement de programmes d'éducation alimentaire.

Kératomileusis

Opération chirurgicale consistant à diminuer l'épaisseur de la cornée afin de modifier son pouvoir de réfraction et de corriger ainsi la myopie ou l'hypermétropie.

Pour corriger la myopie, on diminue l'épaisseur de la cornée centrale, comme si l'on retirait une lentille convergente de l'œil du patient. Pour corriger l'hypermétropie, on diminue l'épaisseur de la périphérie de la cornée afin d'accentuer la courbure de la

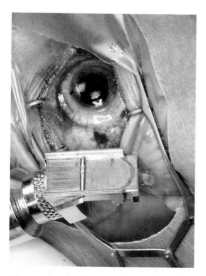

Kératomileusis. Un appareil permet de diminuer l'épaisseur de la cornée tandis que les paupières sont maintenues par un écarteur.

Les lésions kératosiques sont épaisses, sèches, rugueuses et irrégulières au toucher, souvent grises mais parfois brunes ou roses.

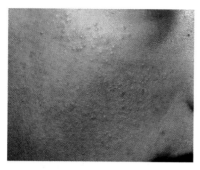

La kératose sénile apparaît sur les zones du corps exposées au soleil et peut se transformer en cancer de la peau.

La kératose pilaire est une affection bénigne très courante, qui s'observe surtout sur les bras et les cuisses des sujets jeunes.

cornée centrale. L'intervention a lieu sous anesthésie générale et nécessite une hospitalisation de 4 à 8 jours. La kératomileusis est une technique complexe, peu utilisée en raison de résultats parfois insuffisants.

Kératopathie

Affection de la cornée d'origine dégénérative.
■ La kératopathie « en bandelettes », la plus fréquente, se rencontre dans les hypercalcémies (excès de calcium dans le sang) ou comme séquelle d'affections oculaires graves telles que les uvéites sévères. Elle se traduit par la formation de dépôts calcaires à la surface de la cornée et se manifeste par l'apparition sur la bordure externe de celle-ci, le limbe, d'opacités blanchâtres irrégulières qui gagnent progressivement le centre le long des méridiens horizontaux (divisions fictives de l'œil). En l'absence de traitement, une bandelette horizontale finit par se former dans l'aire d'ouverture des paupières, provoquant une cécité.

Le traitement d'une kératopathie varie selon sa cause. Dans la kératopathie « en bandelettes », les opacités peuvent être grattées chirurgicalement, mais elles ont tendance à réapparaître.

Kératoplastie
→ VOIR Greffe de cornée.

Kératose

Épaississement localisé de la couche cornée (couche la plus superficielle de l'épiderme). SYN. *kératodermie*.

Le terme de kératose désigne toute augmentation de la couche cornée, quelle que soit sa nature (cors et durillons des orteils, verrues, etc.) ; on parle aussi dans ce cas d'hyperkératose. Le terme de kératose se rapporte également à des maladies précises, dont les principales sont les kératoses pilaire, sénile et solaire.
■ La kératose pilaire touche surtout l'adolescent sous forme de petites élevures rougeâtres, rugueuses comme des croûtes, sur les bras et les cuisses. Elle se traite par applications de médicaments kératolytiques à base d'urée ou d'acide salicylique.

■ La kératose sénile et la kératose solaire (ou actinique) sont des lésions précancéreuses ayant l'aspect de petites élevures un peu rugueuses, rosées, grisâtres ou brunâtres, qui s'étendent en surface, et en épaisseur jusqu'à deux centimètres, formant alors une corne cutanée. La forme solaire se développe chez des sujets plus jeunes exposés pendant des années à un fort ensoleillement. Le traitement est la destruction par le froid (cryothérapie), par le courant électrique (électrocoagulation) ou le laser à gaz carbonique. La prévention des kératoses solaires consiste à se protéger du soleil.

Kératotomie
Incision de la cornée.

La kératotomie est le premier temps de diverses opérations oculaires, dont celle de la cataracte : il faut en effet inciser la cornée afin de retirer le cristallin.
■ La kératotomie radiaire, destinée à corriger des myopies de faible importance (de 2 à 5 dioptries), consiste à réduire la courbure de la cornée pour améliorer la réfraction. Opérant sous anesthésie locale, après mesure de l'épaisseur cornéenne et repérage de l'axe optique, le chirurgien pratique, avec une lame diamant, plusieurs incisions en rayons de roue (souvent huit) allant de la zone optique centrale, en respectant une zone optique plus ou moins large, vers la périphérie (limbe). L'intervention ne nécessite qu'une hospitalisation de jour. Un pansement est gardé 24 heures sur l'œil, qui retrouve ses facultés en quelques jours. Les complications postopératoires sont rares : perforation, infection, défaut de cicatrisation. Mais la cornée demeure fragile, plus sensible aux traumatismes, et il est encore souvent difficile d'assurer l'exacte correction voulue.

Kérion
Infection suppurée du cuir chevelu due à un champignon microscopique. SYN. *kérion de Celse, teigne suppurative*.

Le kérion est une forme de teigne. Il apparaît comme un placard arrondi, épais et ferme, à surface croûteuse, parsemé

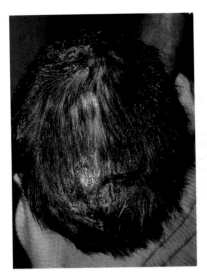

Kérion. Le cuir chevelu infecté est rouge et tuméfié. Traitée, l'inflammation s'atténue en 6 à 8 semaines.

d'orifices folliculaires d'où sortent du pus et du sang ; les cheveux parasités s'arrachent facilement. Le traitement est fondé sur l'application locale et l'administration par voie orale d'antifongiques (médicaments contre les champignons) tels que la griséofulvine et le kétoconazole.

Après traitement, les cheveux tombés repoussent au bout de six mois à un an. L'affection peut cependant laisser des cicatrices et une chevelure plus clairsemée.

Kerley (lignes de)
Présence anormale, sur une radiographie thoracique, de petites lignes blanches horizontales à la base des deux poumons.

Les lignes de Kerley sont caractéristiques du syndrome interstitiel pulmonaire radiologique. Elles s'observent essentiellement en cas d'œdème pulmonaire consécutif à une insuffisance cardiaque ventriculaire gauche.

Killian (polype de)
Tumeur bénigne qui se développe dans un sinus et dans la fosse nasale correspondante.

Le polype de Killian, d'origine inflammatoire, atteint le sujet jeune. Il se développe sur la muqueuse du sinus maxillaire, s'étend d'abord dans le sinus puis dans la fosse nasale du même côté en passant par le méat moyen (orifice du sinus) ; il forme alors deux renflements latéraux séparés par une portion rétrécie.

SIGNES
Le polype de Killian se traduit par une sensation d'obstruction nasale, comme dans un rhume, mais d'un seul côté. Il peut s'y ajouter une impression de clapet qui s'ouvrirait et se fermerait par moments, provoquée par les déplacements du polype.

DIAGNOSTIC ET TRAITEMENT
Le diagnostic est établi par une rhinoscopie, examen direct des fosses nasales au miroir de Clar, à l'aide d'un spéculum qui dilate la narine et d'un système d'éclairage. Il est confirmé par des radiographies du nez. Le traitement est l'ablation chirurgicale des deux parties du polype.

Kilocalorie
Unité de mesure de la quantité de chaleur égale à 1 000 calories.

La kilocalorie (kcal) n'a pas été retenue par le système international d'unités de mesure, qui utilise le joule, un joule correspondant à 0,239 calorie. En médecine, en nutrition et en diététique, la kilocalorie est cependant encore employée pour mesurer l'énergie utilisée par l'organisme, la valeur énergétique des aliments et les besoins de l'organisme en énergie. En diététique, la kilocalorie est souvent appelée « grande calorie » ou simplement Calorie (Cal), le C majuscule permettant de faire la distinction avec l'unité simple, la calorie.

Kilojoule
Unité de mesure d'énergie (travail, quantité de chaleur, etc.) égale à 1 000 joules.

En médecine, en nutrition et en diététique, l'énergie utilisée par l'organisme ou contenue dans les aliments s'exprime en joules (J) ou en kilojoules (kJ). L'ancienne unité, la kilocalorie, correspond à 4,185 kilojoules et reste très employée. Depuis 1978, le joule a remplacé la calorie dans le système international d'unités de mesure.

Kimmelstiel et Wilson (syndrome de)
→ VOIR Néphropathie diabétique.

Kinébalnéothérapie
Ensemble des techniques de kinésithérapie pratiquées sur un sujet dans l'eau, en bassin ou en piscine.

La kinébalnéothérapie a les mêmes indications générales que la kinésithérapie. Elle est surtout efficace en cas de handicap prononcé. En effet, grâce à la diminution du poids du corps dans l'eau, le malade peut faire des exercices qui, à l'air libre, seraient dangereux pour les articulations, douloureux ou impossibles. De plus, l'eau exerce une résistance aux mouvements des membres, qui remplace les poids et les contrepoids de la kinésithérapie traditionnelle, et permet de développer la force et l'endurance des muscles. Ces techniques peuvent alterner avec celles de l'hydrothérapie (massages au jet d'eau, etc.). On peut aussi les intégrer à la thalassothérapie.

Kinésithérapie
Discipline paramédicale utilisant des techniques passives et actives ou des agents physiques dans un dessein préventif ou thérapeutique (rééducation).

La kinésithérapie est pratiquée par des masseurs-kinésithérapeutes (France) ou des physiothérapeutes (Belgique, Canada, Luxembourg, Suisse). Ils sont titulaires d'un diplôme reconnu par l'État et délivré après trois années d'études.

DIFFÉRENTS TYPES DE TECHNIQUES
La kinésithérapie comporte un large éventail de techniques, que l'on peut regrouper en quatre grands domaines.

■ **Les techniques d'évaluation** des pathologies font appel à des critères subjectifs, comme l'évaluation d'une douleur ou d'un contexte psychologique, par exemple par le remplissage d'une grille d'évaluation (échelle d'intensité). Elles utilisent également des critères objectifs : mesure d'une raideur articulaire, à l'aide d'un rapporteur par exemple, estimation d'un déficit musculaire, notamment grâce à des positions types ou à un ergomètre, évaluation d'un trouble fonctionnel, comme un trouble de la marche, à l'aide d'une plate-forme enregistrant les forces développées par le patient, etc.

■ **La kinésithérapie passive** comprend des techniques manuelles et instrumentales. Elle vise à mobiliser de façon méthodique et spécifique tissus (massages), articulations (mobilisations passives, tractions, postures articulaires) ou muscles (étirements myotendineux) pour leur restituer élasticité, mobilité et plasticité et lutter contre les raideurs, les rétractions ou les déformations, par exemple au décours d'une hémiplégie.

■ **La kinésithérapie active** fait appel à différentes techniques de tonification des muscles, qu'ils soient paralysés ou sidérés (ne répondant plus à la volonté en l'absence de lésion neuromusculaire). Elle utilise des exercices musculaires aidés (par exemple en piscine ou à l'aide de suspensions) ou, au contraire, avec résistance (charges directes, résistance manuelle) ; elle recourt également à des techniques de contrôle de la posture ou du geste (rééducation sensorimotrice ou proprioceptive) consistant à stimuler les récepteurs situés dans les articulations, les tendons ou les muscles pour améliorer de façon automatique une position (sujet atteint de scoliose, par exemple) ou un mouvement anormal (instabilité de la cheville après une entorse, par exemple).

■ **La physiothérapie** consiste à utiliser les propriétés biologiques d'agents physiques tels que des courants électriques, des ondes, des rayons ou des vibrations. Parmi les techniques les plus couramment utilisées, on peut citer les courants d'impulsion de basse fréquence, les courants continus, les ultrasons, les rayons infrarouges, le froid, la chaleur sèche ou humide. Ces techniques sont notamment utilisées dans le traitement de la douleur et, selon le cas, pour la stimulation tissulaire, l'ionisation, la destruction de tissus fibreux, l'amélioration du métabolisme cellulaire ou le traitement des inflammations.

INDICATIONS
Les affections justiciables d'un traitement kinésithérapique appartiennent à trois grands secteurs.

■ **Les affections de l'appareil locomoteur,** après opération ou non (fractures, luxations, pathologies dégénératives ou inflammatoires liées aux rhumatismes), sont traitées afin de restituer au patient une mobilité articulaire et une fonction musculaire optimales pour la marche et/ou la préhension. Les affections rachidiennes de l'enfant (scoliose) ou de l'adulte (douleurs lombaires) relèvent pour une large part d'une rééducation posturale.

■ **Le traitement des maladies neurologiques**, telles que l'hémiplégie ou la paraplégie, permet au patient de récupérer ses capacités motrices ou d'y suppléer.

■ **Le traitement des maladies respiratoires** comprend celui des syndromes obstructifs (bronchite chronique, asthme, emphysème, mucoviscidose), à l'aide de techniques de désencombrement bronchique et d'amélioration de la ventilation, et celui des syndromes restrictifs (interventions thoraco-abdominales, pleurésies, poliomyélite), qui nécessitent un travail de développement de la capacité pulmonaire.

Outre ces champs d'activité, les indications de la kinésithérapie ne cessent de s'étendre : amputés, personnes âgées, sujets souffrant d'affections urologiques et gynécologiques (rééducation post-partum, troubles sphinctériens), de troubles de la déglutition, de l'articulé dentaire, de l'équilibre, médecine du sport, ergonomie, etc.

Kinésithérapie respiratoire

Ensemble des techniques de kinésithérapie visant à maintenir une capacité respiratoire correcte chez des malades souffrant d'une affection bronchopulmonaire (bronchite chronique) ou pleurale (pleurésie), de fractures de côtes ou ayant subi une intervention chirurgicale.

■ **Les techniques de désencombrement** visent à empêcher l'accumulation de sécrétions dans les bronches. Le « clapping », ébranlement de la cage thoracique frappée par la main à plat, cherche à décrocher les sécrétions des parois bronchiques avant les manœuvres d'expectoration. L'expectoration dirigée consiste à provoquer un crachat par une expiration rapide et vigoureuse plutôt que par la toux. Le drainage postural consiste à allonger le malade sur un lit dans une position facilitant le drainage, par la pesanteur, des sécrétions vers la trachée, d'où elles sont ensuite éliminées par la toux.

■ **Les techniques de gymnastique respiratoire** consistent à améliorer la ventilation (succession des inspirations et des expirations) du sujet en lui apprenant à réaliser des mouvements thoraciques corrects (respiration ample et lente) et à les coordonner aux mouvements abdominaux.

Kinesthésique

Qui se rapporte à la perception consciente de la position ou des mouvements des différentes parties du corps. SYN. *cinesthésique*.

La fonction kinesthésique est cette sensibilité particulière que possèdent les muscles et qui donne la notion du mouvement exécuté, de l'effort exercé, de la situation occupée à chaque instant par les membres. Pour l'explorer, le médecin manipule vers le haut ou vers le bas le doigt ou l'orteil du malade. Celui-ci doit dire, les yeux fermés, dans quelle direction le doigt ou l'orteil a été placé. Ou bien encore le malade doit venir saisir, avec la main opposée, le pouce du côté étudié, toujours les yeux fermés. Ces tests peuvent révéler un trouble du système nerveux, mais sans préciser l'endroit des lésions ni leur nature.

Dans la rééducation qui suit ces malades, on essaie de réveiller les sensations kinesthésiques par des stimuli divers : massages, bains, exercices passifs ou exercices aidés.

Klebsiella

Genre bactérien constitué de bacilles à Gram négatif de la famille des entérobactéries.

L'espèce la plus fréquemment isolée chez l'homme, *Klebsiella pneumoniæ*, ou bacille de Friedlander, est responsable de pneumonies chez les sujets fragilisés (diabète, alcoolisme, grand âge). En outre, ces dernières années, cette bactérie s'est révélée être l'hôte privilégié de certains plasmides (éléments génétiques formés d'un fragment d'A.D.N. indépendant du chromosome), qui lui ont conféré la résistance à différents antibiotiques comme les céphalosporines de troisième génération et les aminosides les plus récents. De ce fait, *Klebsiella pneumoniæ* constitue un germe multirésistant à partir duquel se développent des épidémies d'infections (infections urinaires, pulmonaires ou septicémies) acquises en milieu hospitalier (infections dites nosocomiales), dans les services à risque (réanimation, chirurgie, long séjour, etc.). Un traitement par antibiotiques sélectionnés en fonction de l'antibiogramme et un renforcement des mesures d'hygiène permettent d'enrayer ces épidémies.

Klebs-Löffler (bacille de)

Bacille à Gram positif, agent de la diphtérie. SYN. *Corynebacterium diphteriæ*.
→ VOIR **Corynébactérie**.

Kleptomanie

Impulsion maladive poussant à commettre des vols.

La kleptomanie est souvent proche de la névrose obsessionnelle. La psychanalyse y voit en outre une conduite érotique, protégeant paradoxalement le sujet contre une culpabilité inconsciente ou un danger imaginaire. Plus fréquente chez les femmes, elle se caractérise par un désir obsédant de voler, une lutte contre ce désir et un soulagement lors du passage à l'acte, suivi de remords. Les vols kleptomaniaques n'ont jamais un caractère utilitaire et s'apparentent à d'autres conduites compulsives (passion pathologique pour les jeux de hasard, par exemple). Le traitement est basé sur la psychothérapie.

Klinefelter (syndrome de)

Maladie héréditaire caractérisée par une anomalie du développement des tubules séminifères des testicules. SYN. *syndrome XXY*.

Le syndrome de Klinefelter est une affection assez fréquente chez l'homme, liée à une aberration chromosomique consistant en la présence d'un ou de plusieurs chromosomes X surnuméraires. Le caryotype le plus souvent rencontré comprend 44 chromosomes non sexuels et 3 chromosomes sexuels, XXY, mais il est possible d'observer jusqu'à quatre chromosomes X. La cause exacte de cette anomalie n'est pas connue, mais un âge maternel avancé lors de la conception pourrait jouer un rôle.

SYMPTÔMES ET SIGNES

Le sujet est d'apparence normale, de taille plutôt grande. Les premiers caractères apparaissent à la puberté : testicules de petite taille, développement exagéré des seins. En outre, lorsque la sécrétion de testostérone est insuffisante, la musculature et la pilosité peuvent être moins importantes. Sur le plan intellectuel, on note une difficulté des apprentissages.

DIAGNOSTIC

Cette maladie est parfois constatée chez un jeune garçon pubère, au vu de testicules peu développés, de consistance dure, et d'un développement anormal des seins. Plus souvent, c'est ultérieurement que le sujet consulte pour infertilité. Le bilan hormonal met en évidence une élévation des gonadotrophines (hormones hypophysaires stimulant la sécrétion testiculaire), un taux abaissé ou normal de testostérone et une légère augmentation de l'œstradiol. Le spermogramme (analyse du sperme) montre une absence totale de spermatozoïdes. Le diagnostic est établi par l'examen des chromosomes (caryotype).

TRAITEMENT

Le traitement vise à corriger le déficit éventuel en testostérone par des injections de testostérone retard. Une réduction chirurgicale des seins peut être proposée en cas de gêne importante. En revanche, la stérilité est définitive.

Köbner (phénomène de)

Localisation d'une maladie cutanée à un endroit où la peau a été traumatisée.

Le phénomène de Köbner se rencontre fréquemment au cours d'un psoriasis ou d'un lichen plan, qui se développent à l'endroit d'un traumatisme subi auparavant, par exemple sur une cicatrice chirurgicale ou vaccinale, engendrant de vives démangeaisons. Il arrive que ce phénomène représente la première manifestation de la maladie et qu'il ait donc un intérêt diagnostique. Le traitement est celui de la maladie cutanée en cause.

Koch (Robert)

Médecin allemand (Clausthal, Hanovre, 1843 - Baden-Baden 1910).

Poursuivant des travaux de bactériologie, il étudie notamment les germes trouvés dans le sang de moutons morts du charbon et parvient à identifier, en 1882, le bacille de la tuberculose. Il dénombre les modes de transmission de cette maladie et invente une méthode de diagnostic à partir des réactions cutanées à la tuberculine. Il découvre également l'agent microbien du choléra, bacille en forme de virgule, et effectue des recherches sur la maladie du sommeil et sur la peste. En 1905, il reçoit le prix Nobel de médecine pour l'ensemble de ses découvertes.

Le bacille de Koch est l'agent microbien responsable de la tuberculose. Il se transmet par voie aérienne, par l'intermédiaire des gouttelettes de salive (éternuements, toux) propulsées par des malades atteints de tuberculose pulmonaire.

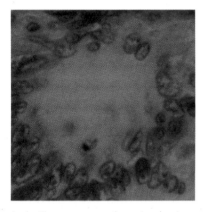

Le bacille provoque une destruction des tissus, appelée nécrose caséeuse ; la lésion (au centre) est entourée de globules blancs.

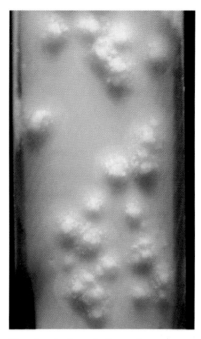

Dans le tube à essai, chaque élevure est une colonie formée par la multiplication d'un bacille de Koch prélevé sur le malade.

Koch (bacille de)

Bactérie responsable de la tuberculose. SYN. *Mycobacterium tuberculosis*.

Le bacille de Koch appartient à la famille des mycobactéries, bacilles acido-alcoolorésistants (dont la coloration résiste à l'action de l'acide et de l'alcool). Il pénètre dans l'organisme par voie aérienne (toux, éternuements). On le recherche soit dans les sécrétions bronchiques (recueillies par tubage gastrique ou fibroscopie bronchique, ou encore dans les crachats), soit dans le liquide céphalorachidien en cas de méningite, soit dans les urines. La positivité de l'examen direct n'est pas systématique et celui-ci est obligatoirement complété par la culture sur milieu de Löwenstein-Jensen incubé 3 mois.

Köenen (tumeur de)

Tumeur cutanée bénigne.

Cette tumeur caractérise la sclérose tubéreuse de Bourneville, maladie héréditaire comportant des tumeurs d'origine cutanée et nerveuse. En général multiples, ces tumeurs, indolores, forment de minuscules grosseurs, de la couleur de la peau, sur les côtés de l'ongle d'un ou de plusieurs orteils. Elles n'appellent pas de traitement mais assurent le diagnostic de la maladie.

Koenig (syndrome de)

Syndrome caractérisé par une douleur abdominale localisée et dû à une affection de l'intestin grêle.

Le syndrome de Koenig traduit la distension de l'intestin grêle, qui résiste à un obstacle qui le rétrécit. Ce dernier peut être d'origine inflammatoire (maladie de Crohn), infectieuse (tuberculose), tumorale (lymphome) ou ischémique (rétrécissement consécutif à une radiothérapie). Le syndrome de Koenig se manifeste par une douleur fixe, brutale, autour de l'ombilic, qui dure de quelques secondes à quelques minutes et cède en même temps que le patient perçoit un gargouillement abdominal. La palpation abdominale révèle un ballonnement localisé au siège de la douleur et des ondulations traduisant des contractions intestinales amplifiées.

Le traitement dépend de la cause : administration de médicaments antituberculeux ou anti-inflammatoires, chimiothérapie anticancéreuse ou ablation chirurgicale de la partie rétrécie.

Koïlonychie

Anomalie des ongles, caractérisée par une forme concave ou par des fissures.

La koïlonychie chez un jeune enfant peut n'avoir aucune signification pathologique ou provenir d'anomalies héréditaires. Chez

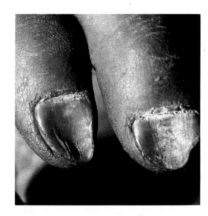

Koïlonychie. Les ongles sont déformés et prennent une forme concave. Ils sont fragiles et fissurés.

l'adulte, elle peut être due soit à des traumatismes physiques ou chimiques répétés (elle touche alors les ménagères et les coiffeurs), soit à une maladie dermatologique (sclérodermie, lichen, pelade), sanguine (anémie, polyglobulie) ou hormonale (maladie de l'hypophyse, de la thyroïde), ou bien encore provenir d'une carence en vitamine B ou d'une anomalie du métabolisme du fer (hémochromatose). On observe soit une déformation d'un ou de plusieurs ongles en cuvette, soit une ligne ou une fissure médiane longitudinale séparant l'ongle en deux moitiés. Le seul traitement est celui de la cause.

Koplick (signe de)

Signe avant-coureur de la rougeole.

Le signe de Koplick apparaît vers la 36e heure de la phase d'invasion avant les symptômes caractéristiques de la maladie. Il se traduit par un semis de taches blanc bleuâtre, reposant sur un fond érythémateux (rougeur du tégument) et apparaissant à la face interne des joues au niveau des prémolaires. Ce signe, associé à un encombrement respiratoire avec toux, précède l'éruption caractéristique de la rougeole.

Korsakoff (syndrome de)

Ensemble de troubles psychiques caractérisé par la perte de la mémoire de fixation, une désorientation temporelle, de fausses reconnaissances et une fabulation.

Le syndrome de Korsakoff est dû à une atteinte bilatérale d'une région du cerveau (le circuit hippocampo-mamillo-thalamique), en général consécutive à une carence en vitamine B1 (thiamine), causée par un alcoolisme chronique. Le syndrome de Korsakoff peut aussi être dû à une encéphalite herpétique ou à une ablation chirurgicale de l'hippocampe.

SYMPTÔMES ET SIGNES

Ce syndrome se développe en deux temps : l'encéphalopathie de Gayet-Wernicke et la psychose de Korsakoff. Les symptômes consistent en une amnésie grave (perte de mémoire), une apathie et une désorientation. Le signe principal est une déficience de la mémoire. La mémoire immédiate est plus affectée que la mémoire des faits anciens, les malades étant souvent incapables de se souvenir de ce qu'ils ont fait quelques minutes auparavant. Les autres signes sont une absence de conscience du trouble, des fabulations (quand on lui demande ce qu'il a fait aujourd'hui, le sujet invente) et de fausses reconnaissances (le sujet croit reconnaître des personnes qu'il n'a jamais vues) cherchant à compenser l'amnésie.

TRAITEMENT ET PRONOSTIC

L'encéphalopathie de Gayet-Wernicke constitue une urgence médicale. Même si le diagnostic n'est que présumé, on donne immédiatement de fortes doses de thiamine par voie intraveineuse. Grâce à ce traitement, les symptômes sont réversibles en quelques heures. En l'absence de traitement rapide, le sujet sombre dans la psychose de Korsakoff, généralement irréversible, qui provoque un handicap permanent du fait d'importantes pertes de mémoire entraînant l'obligation d'une surveillance continuelle. L'évolution est très lente et le pronostic reste réservé.

Kraske (opération de)

Opération qui permet d'accéder au rectum par l'ablation des dernières vertèbres sacrées et du coccyx.

L'opération de Kraske est indiquée pour enlever les tumeurs bénignes siégeant sur la paroi postérieure de l'ampoule rectale et qui sont inaccessibles par voie endoscopique. Pratiquée sous anesthésie générale, elle nécessite une hospitalisation d'une dizaine de jours. C'est une intervention de moyenne gravité, dont le risque principal est une mauvaise cicatrisation cutanée.

Kraurosis de la vulve

Localisation aux organes génitaux externes de la femme d'une affection dermatologique, le lichen scléro-atrophique.

Le kraurosis de la vulve survient dans la plupart des cas après la ménopause et semble lié à des anomalies de sécrétion des hormones ovariennes (œstrogènes, progestérone). Il se caractérise par des lésions blanchâtres qui provoquent l'atrophie des petites lèvres et un rétrécissement de l'orifice vulvaire. Ces lésions sont responsables de démangeaisons et de fissures qui rendent les rapports sexuels douloureux. L'évolution d'un kraurosis vers le cancer de la vulve est rare mais possible.

Le traitement par l'hormonothérapie locale (crèmes et pommades aux hormones androgènes et aux corticostéroïdes) est efficace. Une petite intervention chirurgicale spécialisée, la vulvopérinéoplastie, consistant à élargir l'orifice vulvaire, permet la normalisation des rapports sexuels.

Krebs (cycle de)

Enchaînement de réactions chimiques dans la cellule ayant pour effet la production d'énergie à partir des glucides.

Le cycle de Krebs, du nom de sir H.A. Krebs, biochimiste anglais qui le découvrit (1937), est aussi appelé cycle citrique ou cycle tricarboxylique. Il fait essentiellement suite à la glycolyse (début de la dégradation du glucose). Il commence par la réunion de deux substances, l'acide acétique et l'acide oxaloacétique, qui forme de l'acide citrique. Ce dernier subit alors une suite de réactions chimiques qui aboutissent à la formation d'acide oxaloacétique. Lors du cycle de Krebs se libèrent, d'une part, des atomes d'hydrogène (présents initialement dans l'acide citrique), d'autre part deux atomes de carbone. Tandis que les premiers se lient à des substances appelées cytochromes durant une nouvelle série de réactions productrices d'énergie, les seconds se transforment chacun en une molécule de gaz carbonique.

Krukenberg (tumeur de)

Tumeur maligne de l'ovaire qui correspond à une métastase d'un cancer de l'estomac.

La tumeur de Krukenberg, très rare puisqu'elle représente de 1 à 2 % des cancers de l'ovaire, touche la femme entre 35 et 50 ans. Cette tumeur, le plus souvent sans symptôme, est découverte, par examen clinique et par échographie, après la mise en évidence d'un cancer de l'estomac.

TRAITEMENT ET PRONOSTIC

Le traitement, chirurgical, consiste en une hystérectomie totale (ablation de l'utérus) et en une annexectomie bilatérale (ablation des trompes utérines et des ovaires). À l'inverse, si l'analyse d'une tumeur ovarienne révèle une tumeur de Krukenberg, il faut rechercher un cancer de l'estomac grâce à une fibroscopie digestive avec biopsie. Le traitement chirurgical peut être complété par une chimiothérapie. Le pronostic demeure réservé.

Kupffer (cellule de)

Cellule du foie participant à l'absorption des nutriments.

Les cellules de Kupffer forment 30 % de toutes les cellules hépatiques. Situées en bordure des capillaires sinusoïdes (petits vaisseaux drainant le sang dans le foie), elles font partie des cellules dites réticuloendothéliales, dotées de capacités macrophagiques, c'est-à-dire d'absorption des nutriments. Les cellules de Kupffer peuvent être lésées dans le cadre de maladies de surcharge comme l'hémochromatose.

Kuru

Maladie du système nerveux à prion.

Cette infection du cerveau, progressive et mortelle, affectait certaines populations de Nouvelle-Guinée qui pratiquaient autrefois le cannibalisme.

CAUSES

Le kuru est dû à un agent infectieux particulier, un prion (ni bactérie ni virus), qui infecte le cerveau. Il se transmet aux individus qui mangent des cerveaux humains infectés. Le kuru est également transmissible au chimpanzé.

SYMPTÔMES ET SIGNES

Il s'agit d'un virus lent : aucun signe de maladie n'apparaît pendant des mois ou des années après la pénétration dans le corps. L'incubation peut durer 30 ans. La maladie se manifeste par un syndrome cérébelleux (atteinte du cervelet), des troubles de la marche, une absence de coordination des mouvements, un tremblement du corps et, finalement, par une démence. L'évolution est mortelle en quelques mois.

TRAITEMENT ET PERSPECTIVE

Le traitement est inconnu. Le kuru a presque disparu car la consommation rituelle de cerveau humain a cessé d'être pratiquée.
→ VOIR Creutzfeldt-Jakob (maladie de).

Kveim (test de)

Test servant au diagnostic de la sarcoïdose, maladie caractérisée par la dissémination de granulomes (amas inflammatoires microscopiques) dans l'organisme.

Le test de Kveim consiste à injecter au sujet, par voie sous-cutanée, une substance provenant d'organes d'un malade atteint de sarcoïdose. Cinq semaines plus tard, on pratique une biopsie de la peau au point d'injection afin d'y rechercher des granulomes caractéristiques. Le test de Kveim n'a cependant qu'une efficacité relative.

Kwashiorkor

Forme de malnutrition de l'enfant résultant d'une alimentation pauvre en protéines, les besoins caloriques globaux pouvant être par ailleurs couverts.

Le kwashiorkor sévit dans tous les pays en voie de développement, en particulier en Afrique tropicale et équatoriale, et touche les enfants entre 6 mois et 3 ans, au moment du sevrage. En effet, le lait maternel apporte une alimentation équilibrée, riche en protéines. Après le sevrage, l'enfant adopte la nourriture des adultes, essentiellement végétale (bouillie de céréales, de tubercules ou de bananes plantains) et pauvre en protéines. Or, à cette période de sa vie, l'enfant a de gros besoins en protéines, nécessaires à sa croissance et à son développement musculaire. Le kwashiorkor s'associe souvent à une déficience en certains minéraux (fer, zinc) et en vitamines.

SYMPTÔMES ET DIAGNOSTIC

Le kwashiorkor se manifeste par une apathie et une anorexie, une pâleur, un œdème des membres inférieurs, un retard de croissance, une fonte musculaire, un ballonnement abdominal avec augmentation de volume du foie par stéatose (surcharge graisseuse), des troubles psychomoteurs et des lésions cutanées. Le diagnostic repose sur l'examen de l'enfant ; les dosages sanguins révèlent une anémie et un déficit en albumine.

ÉVOLUTION ET TRAITEMENT

En l'absence de traitement, l'évolution est mortelle ; de plus, l'enfant est particulièrement sensible aux infections (tuberculose, paludisme, diarrhée infectieuse). Le traitement fait appel à la réintroduction progressive des protéines dans l'alimentation et à la surveillance de l'enfant. Toutefois, la mortalité des enfants atteints de formes avancées de la maladie n'est pas négligeable.

Kyasanur (maladie de la forêt de)

Maladie infectieuse, du groupe des arboviroses, due à un *Flavivirus,* observée dans le sud de l'Inde.

La maladie de Kyasanur est une fièvre hémorragique transmise à l'homme par une piqûre de tique ou de moustique. Elle provoque une fièvre et un état grippal et peut entraîner une encéphalite ou prendre une forme hémorragique (hématomes, saignements de nez, vomissements de sang, hémorragies digestives). Il n'existe pas de traitement en dehors de celui des symptômes (transfusion). Le pronostic est réservé.

Kyste

Cavité pathologique située dans un organe ou dans un tissu, contenant une substance liquide, molle ou plus rarement solide, et limitée par une paroi qui lui est propre.

Tous les organes peuvent renfermer des kystes dus à une malformation ; ces kystes,

Les kystes sont des tumeurs bénignes, congénitales ou acquises, contenant le plus souvent de l'air ou du liquide. Visibles à l'œil nu lorsqu'ils sont superficiels, ils apparaissent sur les clichés radiologiques ou échographiques lorsqu'ils sont profonds. Le cas échéant, une ponction confirme le diagnostic.

souvent uniques, parfois multiples, prennent volontiers l'aspect d'une grosseur (kyste bronchogénique du poumon, polykystose rénale). Il existe également des kystes qui apparaissent au cours de la vie, comme les kystes du rein ou les kystes de l'ovaire. Certains kystes se développent dans le foie, le cerveau ou la paroi intestinale à l'occasion de maladies parasitaires comme l'échinococcose uniloculaire (kyste hydatique).

Les kystes peuvent perturber le fonctionnement d'un organe, en comprimant celui-ci, ou entraîner un préjudice esthétique. Généralement, ils sont traités soit par une ponction à l'aiguille, soit par l'ablation chirurgicale.

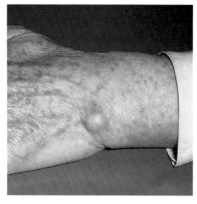

Le kyste synovial, bénin, se forme aux dépens de la gaine synoviale qui entoure les tendons et facilite leur glissement.

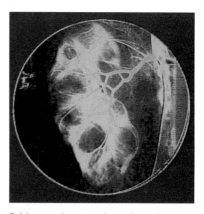

Polykystose du rein : de nombreux kystes (en bleu foncé) se développent dans le tissu rénal (en bleu clair).

Kyste branchial

Malformation congénitale siégeant sur le cou, résultant d'un défaut de comblement des arcs branchiaux (replis de tissu à l'origine des mandibules et du cou) de l'embryon. SYN. *kyste du cou.*

Le défaut de comblement peut se traduire par une fistule mettant en relation la peau et le pharynx, par des fistules borgnes (se terminant en cul-de-sac) et par un ou plusieurs kystes se développant sur le trajet de la fistule. Un kyste branchial forme une masse ronde de quelques millimètres, localisée assez superficiellement pour que l'on puisse la sentir à la palpation.

■ **Sur les côtés du cou**, le kyste provient de la deuxième poche branchiale ; l'absence de fermeture se traduit par une fistule se dilatant par endroits pour former des kystes. Ceux-ci augmentent souvent de volume lors d'une infection du pharynx.

■ **Sur la face antérieure et sur la ligne médiane du cou**, le kyste a pour origine une dilatation du canal thyréoglosse, organe situé entre la glande thyroïde et la base de la langue ; cette dilatation, normalement, disparaît à la naissance. Ce kyste est mobile lors de la déglutition.

Le traitement d'un kyste branchial est l'ablation chirurgicale, réalisée dès que le kyste a été diagnostiqué, le plus souvent dès la naissance.

Kyste hydatique

→ VOIR Échinococcose uniloculaire.

Kystectomie

Ablation chirurgicale d'un kyste.

Kystoduodénostomie

Opération chirurgicale consistant à aboucher un faux kyste du pancréas (poche ressemblant à un kyste et due à une pancréatite - inflammation du pancréas - aiguë ou chronique) au duodénum (première partie de l'intestin grêle).

Une kystoduodénostomie est destinée à écarter les divers risques liés à l'existence d'un faux kyste : celui-ci peut être source de douleurs, comprimer le tube digestif, voire se rompre brutalement en se vidant dans l'abdomen. L'opération consiste à suturer une petite ouverture pratiquée dans le faux kyste à une autre pratiquée dans

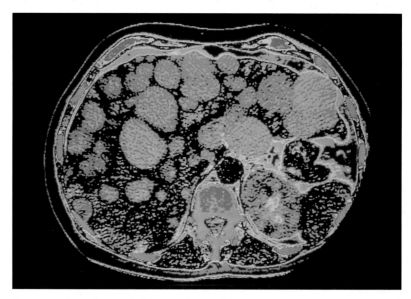

De nombreux kystes (en vert) du foie et du rein sont visibles, au scanner, sur cette coupe transversale de l'abdomen.

le duodénum. Elle permet de drainer le faux kyste dans l'intestin et d'empêcher qu'il ne se reforme. Intervention peu courante du fait de la rareté des faux kystes pancréatiques, la kystoduodénostomie ne donne jamais lieu par elle-même à des complications digestives.

Kystogastrostomie

Opération chirurgicale consistant à aboucher un faux kyste du pancréas à l'estomac.

La kystogastrostomie a les mêmes indications et les mêmes principes techniques que la kystoduodénostomie, à cette différence près que le faux kyste du pancréas est, dans ce cas, drainé dans l'estomac.

Kystojéjunostomie

Opération chirurgicale consistant à aboucher un faux kyste du pancréas au jéjunum (deuxième portion de l'intestin grêle).

La kystojéjunostomie a les mêmes indications que la kystoduodénostomie et applique les mêmes principes techniques, à cette différence près que le faux kyste du pancréas n'est pas, dans ce cas, drainé dans le duodénum mais dans le jéjunum.

Kystostomie

Opération chirurgicale consistant à aboucher un kyste à la peau.

Une kystostomie se pratique pour traiter certains kystes abdominaux que le chirurgien n'arrive pas à enlever. Elle consiste soit à suturer directement à la peau une petite ouverture pratiquée dans le kyste, soit à relier le kyste à la peau à l'aide d'un drain. En permettant de drainer le kyste, dont le contenu est recueilli dans une poche, elle empêche que celui-ci ne se reforme. À la longue, un kyste ainsi traité finit par se résorber et par disparaître.

L

Labile

Susceptible de subir des modifications. SYN. *fluctuant, instable*.

En psychologie, une humeur labile désigne un état d'instabilité émotionnelle.

En cardiologie, une hypertension artérielle labile est une pression artérielle qui varie et est tantôt normale, tantôt supérieure aux limites admises pour une tension normale.

Labyrinthe

Ensemble de cavités situées dans le rocher (partie profonde de l'os temporal) et constituant l'oreille interne. (P.N.A. *labyrinthus*)

Le labyrinthe comprend le vestibule, organe de l'équilibre, et la cochlée, organe de l'audition.

Labyrinthite

Inflammation d'une cavité de l'oreille interne, le labyrinthe.

CAUSES

Une labyrinthite est le plus souvent due à une infection virale (oreillons, rougeole, grippe ou mononucléose infectieuse) ou bactérienne (otite mal traitée). L'infection peut aussi atteindre l'oreille interne par voie sanguine. Plus rarement, une labyrinthite peut compliquer un traumatisme crânien.

SIGNES ET SYMPTÔMES

Une labyrinthite provoque surtout des vertiges, car l'oreille interne contrôle l'équilibre. Elle peut se manifester aussi par des nausées, des mouvements involontaires des globes oculaires, des sifflements et des bourdonnements d'oreille, une baisse de l'audition.

TRAITEMENT

Une labyrinthite virale guérit spontanément, mais ses symptômes sont atténués par le traitement de sa cause. Une labyrinthite bactérienne demande un traitement médical rapide et énergique (antibiotiques) ou chirurgical, sinon des complications graves (surdité définitive, méningite) pourraient survenir.

Lacan (Jacques)

Médecin et psychanalyste français (Paris 1901 - *id.* 1981).

Après sa thèse de doctorat en médecine, *De la psychose paranoïaque dans ses rapports avec la personnalité* (1932), il prend rang dans la psychanalyse française. Il prône le retour à Freud, dont il interprète l'œuvre à la lumière de la linguistique contemporaine. Enseignant pendant dix ans à l'hôpital Sainte-Anne à Paris, puis à l'École pratique des hautes études, il démissionne de la Société psychanalytique de Paris et devient l'un des fondateurs de la Société française de psychanalyse. Il crée en 1963 l'École freudienne de Paris, qu'il dissout en 1980 devant l'échec de sa tentative. Il a publié des *Écrits* et son *Séminaire*.

Lacet (test ou signe du)

Examen permettant une évaluation de la résistance ou de la fragilité des vaisseaux capillaires sanguins.

Le test du lacet consiste à appliquer une pression de 100 millimètres de mercure au niveau du bras, pendant 5 minutes, à l'aide d'un sphygmomanomètre (brassard de prise de tension artérielle), en bloquant la circulation veineuse mais sans entraver la circulation artérielle. L'accumulation de sang qui en résulte (stase sanguine) provoque l'apparition de pétéchies (petites taches rouges) traduisant l'épanchement de globules rouges hors des vaisseaux, consécutif à l'augmentation de la pression intravasculaire. En comptant le nombre de ces pétéchies au pli du coude, sur l'avant-bras et sur la main, on évalue le degré de fragilité des capillaires. Un nombre élevé peut être le signe d'une fragilité anormale des capillaires ou indiquer une diminution du nombre des plaquettes.

Lacrymal (appareil)

Ensemble des organes qui sécrètent et excrètent les larmes et le film lacrymal.

STRUCTURE

▨ **L'appareil lacrymal sécréteur** comporte la glande lacrymale principale, qui est située en arrière du bord supérieur de l'orbite, à l'angle externe, et qui assure la sécrétion lacrymale réflexe (larmes), provoquée par une vive émotion ou une irritation (vent, lumière trop forte) ; et les glandes lacrymales accessoires, situées dans la conjonctive, qui participent à l'élaboration du film lacrymal destiné à nourrir la cornée. Les glandes lacrymales sécrètent larmes et film lacrymal à partir du sang qui les alimente. Le film lacrymal qui tapisse la cornée se compose de trois couches : une couche superficielle lipidique, qui prévient l'évaporation, sécrétée par les glandes de Meibomius, situées dans les paupières ; une couche moyenne aqueuse, qui transporte l'oxygène et les éléments nutritifs sécrétés par les glandes lacrymales accessoires ; une couche profonde de mucus, sécrétée par des glandes de la conjonctive, qui répand uniformément le film lacrymal.

▨ **L'appareil excréteur** comprend les points lacrymaux, petits orifices situés sur le bord libre des paupières, à l'extrémité interne de celles-ci, et les canalicules lacrymaux qui leur font suite et se dirigent en dedans, vers le sac lacrymal, situé entre l'angle interne de l'œil et la paroi nasale et relié à la cavité nasale par le canal lacrymonasal.

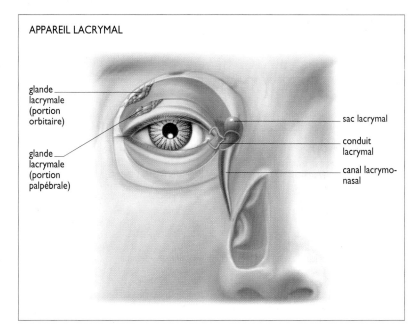

APPAREIL LACRYMAL

glande lacrymale (portion orbitaire)

glande lacrymale (portion palpébrale)

sac lacrymal

conduit lacrymal

canal lacrymo-nasal

FONCTIONNEMENT

Les larmes protègent la cornée en lui apportant les éléments indispensables à sa nutrition et à l'élimination des corps étrangers. En la lubrifiant, elles l'empêchent de s'ulcérer. Le clignement des paupières, qui étale le film lacrymal sur l'œil, entretient aussi la lubrification des conjonctives.

EXAMENS

L'appareil lacrymal peut être exploré de plusieurs manières. L'examen au biomicroscope permet d'observer les deux points lacrymaux et de découvrir une anomalie à leur niveau (imperforation, occlusion, malposition). La perméabilité des voies lacrymales est vérifiée grâce au test à la fluorescéine (quelques gouttes de colorant dans le cul-de-sac conjonctival) et au cathétérisme lacrymal (injection de sérum physiologique dans les points lacrymaux à l'aide d'une canule). Le test de Schirmer (mesure de la longueur d'humidification d'une bandelette de papier-filtre dont une extrémité est posée sur la conjonctive) sert à déterminer le degré d'humidité de la cornée et de la conjonctive. Enfin, on peut également mesurer le temps que met le film lacrymal à se rompre sur la cornée lorsque le patient ne cligne pas des yeux.

PATHOLOGIE

L'appareil lacrymal s'altère avec l'âge, et la sécrétion de larmes diminue. Certains médicaments atropiniques (surtout les benzodiazépines), une hyperthyroïdie ou une connectivite sont également susceptibles de tarir la sécrétion lacrymale. Une diminution de l'excrétion des larmes peut aussi se rencontrer en cas de maladie auto-immune (syndrome de Goujerot-Sjögren), d'éversion du point lacrymal par anomalie de position de la paupière inférieure ou en raison d'un obstacle sur la voie lacrymale, d'origine congénitale (imperforation du canal lacrymonasal), traumatique (rétrécissement cicatriciel, brûlure), tumorale ou inflammatoire (dacryocystite).

Lactarium

Lieu où est collecté le lait maternel. SYN. *banque de lait*.

Des lactariums sont organisés dans diverses maternités pour recueillir le lait de femmes qui viennent d'accoucher et ne nourrissent pas leur enfant ou le lait de femmes qui en ont trop. Le lait ainsi obtenu est réservé aux nourrissons prématurés ou fragiles que leur mère ne peut nourrir. Les lactariums fournissent aux femmes tout le matériel nécessaire (tire-lait, biberons vides) et leur donnent des conseils pour la conservation du lait. La collecte est faite une ou deux fois par semaine.

Lactase

Enzyme sécrétée par la muqueuse intestinale, permettant l'assimilation du lactose. SYN. *galactosidase*.

La lactase décompose le lactose (sucre du lait) en glucose et en galactose. Son activité varie au cours de la vie de l'individu : maximale à la naissance, elle décroît progressivement au cours de l'enfance pour disparaître presque complètement chez l'adulte. Cependant, certains adultes gardent une activité enzymatique suffisante pour pouvoir digérer le lactose des aliments, consommé en petites quantités (par exemple, pas plus d'un quart de litre de lait à la fois).

Lactase déshydrogénase

→ VOIR Lacticodéshydrogénase.

Lactation

Sécrétion et excrétion du lait chez la femme.

La lactation est un phénomène physiologique à commande hormonale. La montée de lait se produit environ 3 jours après l'accouchement et fait suite à la sécrétion de colostrum, déclenchée peu avant l'accouchement par deux hormones, l'ocytocine et la prolactine. La montée de lait s'accompagne de douleurs et d'une congestion des seins. La lactation, qui obéit à la sécrétion de prolactine par l'hypophyse, est stimulée et entretenue par la succion du nouveau-né. La production de lait est assurée par la glande mammaire ; puis le lait est conduit au mamelon par les canaux galactophores.

La lactation peut durer plusieurs mois. Des incidents peuvent la marquer : l'absence de sécrétion de lait, rare (agalactie), son insuffisance (hypogalactie) ou, au contraire, l'engorgement mammaire, fréquent les premiers jours, traité en vidant complètement les seins après la tétée et en les décongestionnant à l'aide d'un jet d'eau chaude.

Les incidents infectieux sont rares : une lymphangite (infection des vaisseaux lymphatiques) du sein mal soignée peut provoquer un abcès du sein nécessitant un traitement antibiotique et chirurgical.

Lorsqu'une mère ne veut pas allaiter, un traitement hormonal par voie générale ou locale tarit la lactation. Deux modes d'action sont possibles : on peut soit inhiber la sécrétion de prolactine, soit empêcher la stimulation de la glande mammaire par la prolactine (œstrogènes). La lactation entretient un taux élevé de prolactine, ce qui inhibe l'activité des ovaires ; une femme qui allaite est donc théoriquement moins fertile, mais l'allaitement ne constitue en aucun cas une méthode contraceptive.

→ VOIR Allaitement, Lait maternel.

Lacticodéshydrogénase

Enzyme participant à la dégradation du glucose. SYN. *lactase déshydrogénase*.

La lacticodéshydrogénase (L.D.H.), synthétisée par les cellules, est présente dans les organes et dans le sérum sanguin. Il en existe cinq isoenzymes (variantes chimiques) numérotées de 1 à 5, la 1 et la 2 étant majoritaires dans le cœur, les reins et les globules rouges, la 3 dans les plaquettes sanguines, la 4 et la 5 dans le foie et les muscles squelettiques. L'augmentation de la concentration sanguine d'une isoenzyme révèle une destruction des cellules du tissu correspondant ; en pratique, on se sert surtout de la L.D.H.1 dans le diagnostic de l'infarctus du myocarde.

Lactose

Glucide caractéristique du lait.

Le lactose est un disaccharide (association de deux sucres simples) formé par l'union d'une molécule de glucose et d'une molécule de galactose. Le lait de femme en comprend un peu plus (7 %) que le lait de vache (5 %). Les cellules de la muqueuse de l'intestin grêle contiennent une enzyme, la lactase, ou galactosidase, qui décompose le lactose en glucose et en galactose, lesquels passent ensuite dans le sang.

INTOLÉRANCE AU LACTOSE

Il existe plusieurs types d'intolérance au lactose. Très rare est l'intolérance à caractère héréditaire, due à un déficit congénital en lactase. Elle se manifeste dès la naissance par une diarrhée et des vomissements déclenchés par le lait. Cette intolérance est définitive et son traitement consiste à exclure le lait de l'alimentation du sujet et à le remplacer par des aliments industriels spéciaux, sans lactose. Une intolérance au lactose peut aussi survenir plus tard, vers l'âge de 5 ans. Elle est alors due à une diminution ou à l'abolition de l'activité lactasique mais n'impose généralement pas une exclusion définitive du lait, dont de petites quantités (moins de un quart de litre) sont parfaitement tolérées, de même que les yaourts. Enfin, une intolérance au lactose peut être transitoire, liée à une affection digestive, le plus souvent une diarrhée aiguë infectieuse ; elle guérit alors en même temps que celle-ci. La réintroduction du lait se fait progressivement en quatre ou cinq jours.

Lactotransferrine

Protéine contenue dans les larmes et ayant un rôle de protection de l'œil.

La lactotransferrine est, avec le lysozyme, la protéine la plus importante des larmes. Elle protège l'œil contre les agressions microbiennes en privant de fer les bactéries et en empêchant ainsi leur croissance. Son dosage s'effectue par l'électrophorèse des larmes (technique permettant de séparer des substances, en fonction de leurs différences de mobilité, sous l'influence d'un champ électrique). En effet, le taux de lactotransferrine est moins élevé dans les cas de kératoconjonctivites sèches (inflammation de la cornée et de la conjonctive) et permet de confirmer le diagnostic de ces affections.

Lacune

Perte de substance d'un tissu, quelle qu'en soit la cause.

Lacune cérébrale

Petite zone du tissu nerveux détruite à l'intérieur du cerveau.

Une lacune cérébrale a l'aspect d'une cavité de moins de 15 millimètres de diamètre. Elle siège dans les régions profondes du cerveau.

CAUSES

Les lacunes cérébrales sont la conséquence d'accidents vasculaires cérébraux. Une lacune cérébrale résulte d'un minuscule infarctus cérébral (destruction du tissu cérébral par interruption de la circulation artérielle). La cause principale est l'hypertension artérielle non traitée ou mal contrôlée par le traitement. Une autre cause possible est l'embolie, migration d'un fragment de caillot sanguin venant du cœur ou d'un fragment de plaque d'athérome provenant d'une des artères qui se rendent au cerveau.

SYMPTÔMES ET SIGNES

Une lacune cérébrale passe souvent inaperçue. Si elle entraîne des troubles, tels qu'une diminution de la force musculaire dans une moitié du corps ou une sensation d'engourdissement, on parle alors de syndrome lacunaire. Si les lacunes se multiplient, elles entraînent la constitution de « l'état lacunaire » se traduisant par un ensemble de signes appelé syndrome pseudobulbaire : le malade marche à petits pas, s'étouffe en mangeant, souffre d'incontinence, se met brusquement à rire ou à pleurer sans raison. Une raideur musculaire, une exagération des réflexes, une paralysie de certains muscles, caractéristiques du syndrome pyramidal, peuvent être associées au syndrome pseudobulbaire.

Ultérieurement, on peut observer une dégradation des fonctions intellectuelles, annonciatrice d'une démence.

DIAGNOSTIC

Il se fonde sur le scanner cérébral ou, si possible, sur l'imagerie par résonance magnétique (I.R.M.), où les lacunes se traduisent par des images hypodenses (trous noirs).

TRAITEMENT

Une fois la ou les lacunes localisées, le traitement est uniquement celui des symptômes (rééducation d'une paralysie, etc.), mais son efficacité reste limitée. En revanche, si le diagnostic est établi assez tôt, un traitement par des antihypertenseurs, ou par des antiagrégants en cas d'embolie d'origine carotidienne, empêche l'apparition de nouvelles lacunes cérébrales.

Lacune métaphysaire

Zone de tonalité anormalement claire, plus ou moins délimitée, qui apparaît sur l'image radiologique des os longs à la jonction (métaphyse) du corps de l'os et de l'un des renflements articulaires, traduisant l'existence d'un fibrome osseux (tumeur bénigne fréquente chez l'adolescent).

Laennec (René)

Médecin français (Quimper 1781 - Kerlouanec, Finistère, 1826).

Il s'initie très jeune à la chirurgie puis, en 1806, devient médecin de l'hôpital Necker à Paris. Il invente en 1816 le stéthoscope. Professeur au Collège de France et professeur de clinique médicale à l'hôpital de la Charité à partir de 1822, il meurt à 45 ans de tuberculose, maladie qu'il a décrite le premier avec précision. Il est le véritable fondateur de la médecine anatomoclinique, qui s'appuie sur des signes précis tirés de l'examen du malade pour identifier les lésions de l'organisme. Il a également conduit des travaux sur les affections pulmonaires, le cœur, la cirrhose du foie et les péritonites.

Lait maternel

Liquide sécrété par les glandes mammaires de la mère, dont la production débute environ 3 jours après l'accouchement.

Le lait maternel a une teneur en protéines, en glucides, en lipides et en minéraux particulièrement adaptée aux besoins du nourrisson, pour qui il constitue un aliment complet jusqu'à l'âge de 3 ou 4 mois. Il contient approximativement la même quantité de lipides que le lait de vache mais presque deux fois plus de lactose et moitié moins de protéines. Particulièrement riche en anticorps, il protège l'enfant contre les infections pendant les premières semaines de sa vie. En outre, le lait maternel est anti-allergisant et d'une très grande digestibilité : le fer qu'il contient est plus facilement absorbable par l'intestin du nourrisson que celui contenu dans le lait de vache.

CONTRE-INDICATIONS À L'ALLAITEMENT

Un certain nombre de substances toxiques (alcool, tabac, héroïne, cocaïne, plomb, mercure, etc.) ou médicamenteuses qui passent dans le lait, de même que certaines affections locales (abcès, par exemple) ou générales (sida), peuvent constituer des contre-indications à l'allaitement maternel. En cas de doute (prise de médicaments, maladie infectieuse, etc.), il est nécessaire de demander l'avis d'un médecin avant d'allaiter un enfant au sein.

→ VOIR Allaitement, Lactation.

Lait pour nourrisson

Aliment lacté diététique utilisé en remplacement du lait maternel dans la première année de l'enfant.

DIFFÉRENTS TYPES DE LAIT POUR NOURRISSON

On distingue les aliments lactés diététiques (A.L.D.) 1er âge, utilisables de la naissance à 4 mois, et les aliments lactés diététiques 2e âge, destinés aux nourrissons de plus de 4 mois. Les premiers comprennent les laits adaptés ou modifiés et les laits maternisés, dont les principales différences tiennent à la nature et au rapport des protéines entre elles et à la teneur en glucides : au moins 70 % de lactose pour les laits adaptés et 100 % pour les laits maternisés. En Europe, les termes de préparation pour nourrissons pour les 4 à 6 premiers mois (ou laits pour nourrissons) et de préparation de suite pour nourrissons de plus de 4 mois (ou laits de suite) devraient, à partir de 1994, remplacer les appellations d'A.L.D. 1er âge et 2e âge.

La composition des laits pour nourrisson, fabriqués à partir de lait de vache, tend à être la plus proche possible de celle du lait maternel et à s'adapter à la physiologie du nourrisson. Ces produits, très réglementés, possèdent des variantes dans leur composition, mais ils se caractérisent tous, par rapport au lait de vache, par une diminution de la teneur en protéines et une modification de leur nature, une modification de la nature des acides gras composant les lipides, une modification de la teneur en minéraux (en particulier, diminution du sodium, ajout en fer dans les laits 2e âge), un ajout en vitamine D. Certains présentent une modification de la nature de leurs glucides. Leur teneur en oligoéléments et en vitamines (sauf cas particulier de la vitamine D) est, quant à elle, au moins égale à celle du lait de femme.

Lait de vache

Liquide sécrété par les glandes mammaires de la vache.

La composition du lait conditionné et distribué industriellement est relativement constante. Sa valeur calorique est de 62 kilocalories pour 100 grammes de lait entier, de 45 kilocalories pour 100 grammes de lait demi-écrémé, de 33 kilocalories pour 100 grammes de lait écrémé. Très riche en protéines (3,2 %) et en calcium (1 200 milligrammes par litre), le lait est un aliment recommandé à tous les âges de la vie et particulièrement en période de croissance. Le lait entier contient 3,6 % de lipides et 5 % de glucides (lactose), les laits écrémé et demi-écrémé ont une teneur réduite en lipides. Les laits entier et demi-écrémé contiennent également de la vitamine A, alors que les vitamines du groupe B (B2 et B12, surtout) sont présentes dans tous les types de lait (entier, demi-écrémé, écrémé).

→ VOIR Aliment.

Lambeau musculocutané

Fragment composé de peau, de tissu cellulaire sous-cutané, de muscle, déplacé d'une zone intacte de l'organisme sur une zone blessée, qu'il est destiné à recouvrir.

Certains lambeaux dits composites comportent également un segment osseux et un fragment de périoste (membrane conjonctive qui entoure les os). Ainsi, un lambeau formé d'un segment de péroné (os de la jambe), de muscle soléaire (muscle de la face postérieure de la jambe) et de peau de la face externe d'une jambe peut réparer une partie blessée de l'autre jambe.

INDICATIONS

Un lambeau musculocutané s'utilise en chirurgie réparatrice pour combler des pertes de substances complexes : il permet, par exemple, de réparer les dégâts causés par un obus ou un accident de la route sur une jambe touchée en profondeur. Les blessures ainsi réparées sont souvent situées sur des membres qui, jadis, auraient été amputés.

TECHNIQUE

Afin de préserver les vaisseaux nourriciers, la peau est prélevée - avec le muscle auquel elle est rattachée - sur une partie intacte de l'organisme (aine, partie latérale du dos, aisselle), refermée ensuite chirurgicalement. La détermination des zones de prélèvement tient compte de la surface de muscle indispensable sur le site donneur et est étudiée de façon à ne pas créer de déficit fonctionnel. Le lambeau prélevé est ensuite appliqué sur la zone blessée. Si la partie du corps où a été prélevé le lambeau est proche de la partie mutilée qui doit le recevoir, le lambeau reste attaché à son implantation d'origine par un pédicule vascularisé (formé d'une artère, de veines et de nerfs), qui sert de pivot. Si la zone à soigner est éloignée de la partie du corps où le lambeau a été prélevé, le pédicule est sectionné et l'application du lambeau se fait par des techniques microchirurgicales. Ce dernier procédé est plus rarement utilisé.

ÉVOLUTION

La cicatrisation s'effectue en une quinzaine de jours et le lambeau s'intègre en trois semaines environ sur la zone à réparer qui l'a reçu.

PRONOSTIC

Le taux de réussite de l'opération est de l'ordre de 90 % : le lambeau appliqué survit alors sur son lieu d'implantation. Une nécrose ou une infection, rares, peuvent cependant provoquer des séquelles inesthétiques sur le site receveur ou sur le site donneur. Si le lambeau n'a pas survécu, l'opération est renouvelée.

Lambliase

Maladie parasitaire provoquée par la présence dans l'intestin grêle d'un protozoaire flagellé, *Giardia lamblia*. SYN. *giardiase*.

FRÉQUENCE

La lambliase se manifeste dans le monde entier mais est surtout fréquente dans les pays tropicaux.

CONTAMINATION

Le parasite, présent sous forme de kyste (c'est-à-dire dans une coque) sur le sol, dans l'eau et les aliments ou sur les mains sales, se transmet tel quel d'un individu malade à un individu sain. Une lambliase se propage facilement lors du partage d'un repas, par exemple, entre les membres d'une famille ou d'un groupe : personnes vivant en institution, enfants fréquentant les crèches ou les garderies, etc.

Le parasite résiste plus facilement aux agressions extérieures, comme la pluie, sous sa forme de kyste. Il existe néanmoins dans l'intestin sous deux formes : une forme kystique et une forme végétative mobile, susceptible de sécréter une coque et de se transformer en kyste.

SYMPTÔMES ET SIGNES

La majorité des malades infectés ne présentent aucun symptôme particulier. Lorsqu'ils se manifestent, les symptômes apparaissent de un à trois jours après la pénétration du parasite dans l'organisme. Le malade a des diarrhées nauséabondes, fréquentes et mousseuses, accompagnées de gaz intestinaux, de brûlures d'estomac ; on observe aussi un amaigrissement, plus fréquent chez les enfants.

DIAGNOSTIC

C'est sous sa forme végétative mobile que le parasite tapisse la muqueuse de l'intestin grêle et se reproduit par division. Sous sa forme kystique, il est présent dans l'intestin. Le parasite est éliminé sous ces deux formes dans les matières fécales et peut donc être identifié grâce à l'examen au microscope d'un prélèvement des selles. Dans de rares cas, lorsqu'il est à l'origine de troubles importants ou lorsque le traitement se révèle peu efficace, une biopsie du jéjunum (prélèvement d'un fragment de tissu dans la partie de l'intestin qui suit le duodénum) peut être pratiquée afin de confirmer le diagnostic.

TRAITEMENT

La lambliase aiguë guérit habituellement sans traitement, le parasite étant éliminé dans les matières fécales. Cependant, des médicaments comme les nitro-imidazolés sont susceptibles de supprimer rapidement les symptômes et d'empêcher la propagation de l'infection. Le traitement s'applique en outre à tous les proches des personnes contaminées. Il est important de vérifier la guérison quelques semaines après le traitement par un nouvel examen parasitologique des selles.

PRÉVENTION

L'infection peut être prévenue en évitant le contact avec de l'eau ou des aliments contaminés et en se lavant très consciencieusement les mains avant les repas.

Laminectomie

Ablation chirurgicale d'une partie d'une lame vertébrale.

Une vertèbre a deux lames qui se rejoignent pour constituer l'arc vertébral, région postérieure de la vertèbre, arrondie en demi-cercle, qui ferme en arrière le canal rachidien, dans lequel se trouve la moelle épinière.

INDICATIONS

Une laminectomie est indiquée quand le canal rachidien est trop étroit. Enlever une partie d'une ou de plusieurs lames redonne un calibre satisfaisant au canal rachidien. Cette technique permet au chirurgien d'accéder à la moelle épinière, par exemple pour en retirer une tumeur, ou bien pour empêcher une compression médullaire (compression de la moelle par une tumeur osseuse, par une arthrose vertébrale, etc.).

TECHNIQUE

Le chirurgien pratique sous anesthésie générale une incision dans le dos. Puis il retire une partie de la lame ou des deux lames d'une ou de plusieurs vertèbres, sur un ou plusieurs étages rachidiens, principalement à l'étage cervical ou lombaire de la colonne vertébrale. Si besoin, il excise une tumeur. Il immobilise les vertèbres avec des tiges métalliques ou des greffons osseux. Enfin, il referme l'ouverture. L'opération dure quelques heures ; c'est une intervention assez délicate dans la mesure où les racines nerveuses doivent être bien protégées, mais qui est pratiquée couramment.

CONVALESCENCE ET PRONOSTIC

Une convalescence d'un ou deux mois est à prévoir. Le port d'un corset n'est pas toujours nécessaire. En général, le sujet ne ressent plus de douleurs et retrouve ses capacités physiques. La prudence est toutefois conseillée dans le choix des activités sportives.

Lampe à fente

→ VOIR Biomicroscope.

Lancaster (test de)

Examen qui a pour but d'étudier le fonctionnement des six muscles dits oculomoteurs, qui régissent les mouvements du globe oculaire. SYN. *test de Hess-Lancaster*.

INDICATIONS

Le test de Lancaster permet de déterminer l'origine d'une paralysie, même partielle, des globes oculaires ou celle d'un manque de coordination de leurs mouvements.

TECHNIQUE

Le sujet est placé à un mètre d'un écran mural quadrillé, le menton reposant sur une mentonnière. Il porte des lunettes dont le verre droit est rouge et le verre gauche, vert. L'examinateur prend une torche dispensant une ligne lumineuse rouge et donne une torche dispensant une lumière verte au patient. Il projette alors le faisceau lumineux rouge dans différentes positions sur les lignes de l'écran quadrillé. À l'aide de sa torche, le patient doit superposer son rayon lumineux vert au trait de lumière rouge projeté. L'œil droit, porteur du verre rouge, voit l'image rouge de la torche du médecin : c'est l'œil fixateur. L'œil gauche, porteur du verre vert, voit l'image verte de la torche tenue par le patient lui-même : c'est l'œil localisateur. Le médecin répète ensuite l'examen en inversant les torches, ce qui permet d'étudier chaque œil. En même temps, il trace un graphique représentant les positions de chaque trait projeté.

RÉSULTATS

■ En cas de vision normale, le relevé graphique est un carré régulier, superposé à celui du quadrillage, de forme et de taille identiques pour les deux yeux.

■ En cas de trouble de la vision des deux yeux, les tracés sont égaux mais décalés par rapport au cadre.

■ En cas de paralysie des muscles oculomoteurs, les tracés obtenus pour chacun des deux yeux sont inégaux. Le plus petit indique le côté où siège la paralysie, le carreau le plus petit du tracé indiquant quel muscle est paralysé. À l'inverse, le tracé du carreau correspondant à l'autre œil est trop grand, l'œil valide « compensant » par une amplitude musculaire trop importante.

Landry (syndrome de)

Inflammation aiguë de la gaine de myéline entourant les fibres nerveuses et destruction de cette gaine, responsables de paralysies particulièrement rapides. SYN. *paralysie ascendante*.

Le syndrome de Landry est la forme aggravée et rapide du syndrome de Guillain-Barré. C'est une polyradiculonévrite (inflammation de la racine des nerfs, à l'endroit où ceux-ci se détachent de la moelle épinière ou de l'encéphale) qui se caractérise par des paralysies bilatérales, symétriques et ascendantes : celles-ci commencent par les membres inférieurs, gagnent rapidement le tronc, les membres supérieurs puis le cou et les nerfs crâniens. La maladie évolue en s'aggravant au cours de la crise. Le malade perd en quelques jours toute force musculaire, et cette paralysie s'installe pour plusieurs semaines, puis le patient recouvre progressivement ses forces. Une ponction lombaire et un électromyogramme confirment le diagnostic. Le traitement est identique à celui du syndrome de Guillain-Barré et s'adresse aux symptômes (assistance respiratoire en service de réanimation). Sans traitement, le décès peut survenir si la paralysie atteint les muscles respiratoires. Un malade peut avoir plusieurs crises dans sa vie.

Langage (troubles du)

Modification anormale de la façon de parler, de la voix et de la communication.

Le langage traduit l'activité psychique au moyen du système verbal (les mots) et de ses composantes (intonation, rythme, débit, cohérence).

Selon leur cause, on distingue 3 types de troubles du langage.

■ Les troubles neurologiques résultent d'une atteinte organique et peuvent se traduire par l'aphasie (difficulté à parler), la logorrhée (flux intarissable de paroles), l'incohérence du discours, etc.

■ Les troubles psychobiologiques sont à la fois d'origine psychologique et organique : bégaiement, dysphonie (perturbation de la voix), etc.

■ Les troubles psychopathologiques sont dus à une affection mentale (manie, psychose, schizophrénie, etc.). Ils peuvent se traduire de multiples manières : logorrhée, mutisme, coprolalie (tendance à proférer des mots orduriers), glossolalie (production d'un vocabulaire inventé, incompréhensible pour autrui), blocage, etc.

Langerhans (cellule de)

Cellule cutanée jouant un rôle de défense immunitaire.

Les cellules de Langerhans sont disséminées au sein des autres cellules de l'épiderme (kératinocytes). Elles sont capables de phagocytose (ingestion et destruction de particules étrangères et de micro-organismes ayant pénétré dans la peau). Leur fonctionnement est intégré à celui du reste du système immunitaire : elles sont activées par les anticorps et activent elles-mêmes les globules blancs du type lymphocyte T auxiliaire, qui jouent un rôle immunitaire majeur. Elles interviennent également dans les réactions allergiques cutanées.

PATHOLOGIE

Les rayons ultraviolets et certains médicaments dermatologiques (corticostéroïdes en pommade) inhibent l'action des cellules de Langerhans et, par conséquent, les défenses immunitaires cutanées. Cette altération peut engendrer un certain nombre de maladies réunies jusqu'ici sous le terme d'histiocytose X et qui comprennent le granulome éosinophile (lacune osseuse), la maladie de Hand-Schüller-Christian (diabète insipide, exophtalmie, xanthomes cutanés et lésions osseuses) et la maladie de Letterer-Siwe (lésions de la peau, du poumon, de la rate et du foie).

Langerhans (îlots de)

Portion endocrine du pancréas sécrétant l'insuline (hormone régulant le taux de glucose dans le sang).

Les cellules sécrétrices d'insuline, dites cellules bêta, sont en effet regroupées en petits amas, ou îlots, disséminés dans le pancréas. L'insuline sécrétée est déversée dans la circulation sanguine pour exercer son effet endocrinien.

PATHOLOGIE

Le diabète sucré insulinodépendant est dû à une insuffisance de sécrétion d'insuline par les îlots de Langerhans ; cette affection est vraisemblablement d'origine auto-immune.

Langue

Organe musculaire recouvert de muqueuse, situé dans la bouche et dans le pharynx. (P.N.A. *lingua*)

STRUCTURE

La langue est formée de deux parties, la base de la langue, dans l'oropharynx (partie moyenne du pharynx, au fond de la bouche), et la partie mobile, dans la bouche. Ces deux parties sont séparées par le V lingual (sillon en forme de V), dont la pointe est en arrière. Le long du V lingual, on observe les saillies des papilles contenant les bourgeons du goût. La langue est rattachée au plancher buccal par le frein, ou filet de la langue. Elle est faite de nombreux muscles, qu'une fine muqueuse enveloppe et qui sont commandés par deux nerfs, les grands hypoglosses, l'un situé à droite et l'autre à gauche.

FONCTIONS

La langue est l'organe de la gustation. Les saveurs sont perçues grâce aux papilles gustatives situées sur sa face dorsale.

Elle joue aussi un rôle dans la déglutition en poussant les aliments et les liquides vers l'arrière de la bouche pour qu'ils pénètrent dans le pharynx.

Par ailleurs, suivant la place qu'elle prend dans la cavité buccale, elle joue un rôle essentiel dans la production des sons, en association avec le pharynx, le larynx, les cordes vocales et les fosses nasales.

LANGUE

pilier du voile du palais
amygdale palatine
orifice laryngé
partie pharyngée
sillon terminal
partie buccale
pointe de la langue
épiglotte
papille caliciforme
papille fongiforme

EXAMENS

L'examen clinique de la langue repose sur l'inspection et la palpation. L'inspection de la base de la langue (au moyen d'un petit miroir muni d'un manche, placé dans le pharynx) permet de vérifier l'état et la couleur de la muqueuse. La palpation, avec le doigt recouvert d'un doigtier, permet de rechercher une tumeur maligne qui apparaîtrait dure et parfois saignante au toucher.

PATHOLOGIE

Les glossites (lésions inflammatoires), qui rendent la langue rouge et douloureuse, peuvent être consécutives à une infection de l'appareil digestif. Les paralysies de la langue, ou glossoplégies, n'affectent le plus souvent qu'un seul côté et entraînent des troubles de la prononciation et une déviation du côté paralysé. Un frein trop court peut provoquer une ankyloglossie (adhérence de la langue).

Les mycoses de la langue sont beaucoup plus fréquentes. Elles se manifestent par un enduit blanchâtre qui recouvre toute la langue. Elles sont souvent consécutives à un traitement antibiotique. Les tumeurs bénignes (kystes, lipomes, papillomes) de la langue sont rares ; les tumeurs malignes (cancer), plus fréquentes.

Langue (adhérence de la)

Malformation mineure dans la bouche, consistant en une attache trop courte du frein de la langue et entraînant une diminution de la mobilité de celle-ci. SYN. *ankyloglossie*.

L'adhérence de la langue est découverte quelque temps après la naissance. Le bébé a une petite gêne à téter. Le diagnostic se fait à l'examen de la langue. Une simple section du frein chez le bébé, sans aucune anesthésie, suffit à redonner une bonne mobilité à la langue. Cette très rapide intervention ne provoque pas de saignement.

Langue (cancer de la)

Tumeur maligne de la langue.

CAUSES ET FRÉQUENCE

Le tabagisme et l'alcoolisme sont des facteurs prédisposants du cancer de la langue, qui se rencontre surtout chez l'homme de 45 à 65 ans. Plus rarement, une affection dermatologique (lichen, maladie de Bowen) est à son origine.

SYMPTÔMES ET SIGNES

Fréquemment négligés par le malade pendant une longue période, les signes comprennent une gêne à la déglutition, des douleurs, des saignements, une haleine fétide, un gonflement des ganglions lymphatiques sous la mandibule ou en haut du cou, une ulcération (perte de substance) à bords irréguliers qui peut saigner.

DIAGNOSTIC

La palpation de la langue peut permettre de localiser la tumeur. Le diagnostic du cancer est confirmé par une biopsie (prélèvement pour étudier les tissus) de la langue.

TRAITEMENT

Le traitement dépend de la situation anatomique de la tumeur, de sa taille et de l'extension au réseau lymphatique. Trois types de traitement sont possibles, soit seuls, soit associés : la chirurgie (ablation de la tumeur ou de la langue, ablation des ganglions lymphatiques), la radiothérapie et la chimiothérapie. Si la langue est enlevée, le malade éprouve des difficultés pour manger et pour parler.

ÉVOLUTION

Ultérieurement, une surveillance est nécessaire sur des dizaines d'années pour dépister d'éventuelles récidives.

PRÉVENTION

S'abstenir de fumer et de boire de l'alcool permet de réduire fortement les risques de cancer de la langue.

Une lésion même minime de la langue qui ne guérit pas d'elle-même en quinze jours nécessite toujours une consultation médicale auprès d'un oto-rhino-laryngologiste.

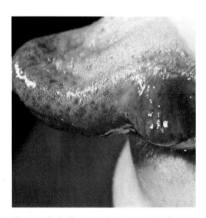

Cancer de la langue. *Après une période assez longue de latence, la tumeur se manifeste par une douleur et des saignements.*

Langue noire

État pathologique de la langue présentant un aspect brun verdâtre.

Une langue noire peut avoir pour origine la prise de certains médicaments (surtout des antibiotiques), le tabagisme, une mycose provoquée par *Candida albicans,* l'utilisation de bains de bouche à base d'eau oxygénée ou de dentifrice oxydant ; certains cas sont d'origine inconnue. Les signes sont une coloration et une augmentation de volume de certaines papilles gustatives, les papilles filiformes situées en avant du V lingual. Le traitement fait appel à des bains de bouche à base de bicarbonate ou de borate de sodium, à des badigeons de vitamine A acide ou de rétinoïdes et, contre les mycoses, à des antifongiques par voie locale et générale.

Lanugo

Duvet recouvrant normalement la peau du fœtus.

Le lanugo est formé de poils très fins, très souples, non pigmentés et souvent très longs. Il disparaît spontanément, tantôt avant la naissance, tantôt quelques semaines après. Il est souvent plus abondant chez les prématurés. Sa présence à la naissance ne doit pas être considérée comme un signe d'excès de pilosité ultérieur.

Laparoscopie

Examen endoscopique de la cavité abdominale et de son contenu.

La laparoscopie est utilisée par les gastroentérologues dans un dessein diagnostique sous le nom de cœlioscopie ou de péritonéoscopie ; la même technique est employée par les gynécologues pour le diagnostic des affections du petit bassin.

TECHNIQUE

Une laparoscopie nécessite habituellement une anesthésie générale. Un appareil rigide muni d'un système optique, appelé laparoscope, est introduit dans la cavité péritonéale par une incision pratiquée dans la paroi abdominale et après insufflation, à l'aide d'une aiguille, d'un gaz inerte (gaz carbonique ou protoxyde d'azote) permettant d'écarter les viscères. On peut alors examiner divers organes (foie, vésicule biliaire, rate, organes génitaux féminins), introduire des instruments (palpeurs, pinces, bistouri) par d'autres incisions cutanées et effectuer des prélèvements de la membrane péritonéale afin de diagnostiquer une tuberculose ou un cancer du péritoine.

PERSPECTIVES

La laparoscopie à visée diagnostique a perdu de son intérêt depuis l'apparition et le développement du scanner et de l'échographie. En revanche, la laparoscopie opératoire, ou cœliochirurgie, s'est beaucoup répandue grâce au perfectionnement du matériel et de la technique : ablation de la vésicule biliaire, de la rate, de ganglions, de kystes du foie, traitement des ulcères, etc. Cette technique permet d'éviter les incisions de paroi et de simplifier les suites opératoires.

→ VOIR Cœliochirurgie.

Laparotomie

Ouverture chirurgicale de l'abdomen par incision de sa paroi. SYN. *cœliotomie.*

INDICATIONS

La laparotomie est la première phase de toute intervention chirurgicale dans l'abdomen. Cependant, elle tend à être remplacée (interventions sur la vésicule biliaire, les ovaires, les trompes utérines) par la cœlioscopie, qui procède en introduisant un système optique et des instruments chirurgicaux par de très petites incisions.

TECHNIQUE

Le site, l'orientation et la longueur de l'incision dépendent, d'une part, de l'organe à atteindre, d'autre part de l'opération à réaliser. L'incision peut être verticale (médiane, c'est-à-dire suivant la ligne médiane de l'abdomen, située au-dessus ou au-dessous du nombril) ou horizontale (dite aussi transverse ou arciforme).

La pénétration dans l'abdomen est facile s'il n'y a pas eu d'opération antérieure. Dans les autres cas, elle peut être gênée par des adhérences (tissu fibreux cicatriciel reliant des organes normalement indépendants).

Après une laparotomie, l'abdomen est toujours refermé, sauf cas exceptionnels (péritonite, par exemple).

La Peyronie (François Gigot de)

Chirurgien français (Montpellier 1678 - Versailles 1747).

Premier chirurgien du roi Louis XV et médecin consultant à partir de 1736, il fut l'un des fondateurs de l'Académie royale de chirurgie. Il étudia notamment les maladies du cerveau et les hernies étranglées compliquées de gangrène.

La Peyronie (maladie de)

Présence de un ou de plusieurs nodules fibreux dans les corps caverneux du pénis, qu'ils déforment. SYN. *induration plastique des corps caverneux du pénis.*

D'origine inconnue, la maladie de La Peyronie survient chez l'homme généralement après 40 ans. Elle est toujours bénigne mais, dans les cas très évolués, elle peut entraîner une impuissance. Les nodules, durs et indolores, sont situés sur le dos et les côtés du pénis, provoquant lors de l'érection une déviation parfois si importante qu'elle empêche tout rapport sexuel.

TRAITEMENT

La maladie de La Peyronie n'est soignée que lorsque la déviation du pénis gêne le patient dans ses rapports sexuels. Il existe de nombreux traitements médicamenteux, peu ou non efficaces : vitamine E, corticostéroïdes, anti-inflammatoires, etc. Le seul traitement efficace est la correction chirurgicale de la déviation, soit par ablation des nodules, ce qui est rarement possible en raison de l'importance de la mutilation que cela entraînerait, soit par une plastie de redressement du pénis sans toucher aux nodules. Dans les cas entraînant une impuissance, la pose d'une prothèse pénienne est nécessaire.

Lapsus

Erreur commise en parlant (*lapsus linguae,* « trébuchement de la langue ») ou en écrivant (*lapsus calami,* « trébuchement de la plume ») et qui consiste à substituer au mot attendu un autre mot.

Le lapsus peut s'expliquer par un trouble de l'attention dû à la fatigue ou à l'excitation. Il dévoile souvent le contenu caché de ce qu'on a l'intention de dire : les psychanalystes le considèrent comme un acte manqué qui traduit un compromis ou un conflit entre l'intention consciente et le désir inconscient.

Larme

Sécrétion aqueuse et salée produite par les glandes lacrymales.

FONCTION

Les larmes servent à humidifier en permanence la conjonctive et la cornée, auxquelles elles permettent de garder souplesse et transparence. Leur sécrétion diminue la nuit. Les larmes jouent également un rôle protecteur : elles chassent les petits corps étrangers et les poussières qui pénètrent dans l'œil. Elles exercent aussi une action bactéricide grâce aux protéines qu'elles contiennent (lactotransferrine et lysozyme).

PATHOLOGIE

La sécrétion lacrymale diminue avec l'âge, ce qui explique la fréquence, chez les personnes âgées, des kératoconjonctivites sèches (inflammation de la cornée et de la conjonctive due à l'absence de lubrification de celles-ci). On pallie alors le manque de larmes par l'instillation régulière de collyre (larmes artificielles). Un larmoiement permanent peut être provoqué soit par une irritation cornéenne ou conjonctivale, soit par l'obstruction du canal d'écoulement des larmes dans les fosses nasales.
→ VOIR Lacrymal (appareil).

Larmoiement

Écoulement de larmes provoqué par une irritation de l'œil ou par un obstacle mécanique à leur évacuation.

CAUSES

La sécrétion de larmes est une réaction réflexe destinée à protéger la cornée irritée (corps étranger, ulcération). Certains troubles ne relevant pas d'une affection de l'œil, par exemple une rhinite allergique (rhume des foins), se manifestent également par un larmoiement excessif.

Un larmoiement peut aussi se produire quand le canal d'écoulement des larmes ne peut remplir ses fonctions ou qu'il est obstrué. Ainsi, en cas d'ectropion (éversion de la paupière inférieure), le point lacrymal inférieur ne peut plus « pomper » les larmes. Chez un nouveau-né, une membranule d'origine embryonnaire peut créer un obstacle sur les voies lacrymales. Si elle ne se résorbe pas naturellement, elle provoque une surinfection. Chez l'adulte, un traumatisme ou une infection du sac lacrymal (dacryocystite) peuvent être à l'origine de la rupture du canal lacrymal. Une paralysie peut également être à l'origine d'un larmoiement, couramment appelé larmes de crocodile, se manifestant lors de la mastication.

SYMPTÔMES ET DIAGNOSTIC

Un larmoiement causé par une irritation cornéenne provoque des douleurs, une gêne à la lumière, une difficulté à ouvrir les paupières. Si le larmoiement est occasionné par une gêne à l'évacuation des larmes, il est généralement clair, mais les surinfections, fréquemment observées, peuvent entraîner des sécrétions purulentes qui collent les paupières le matin au réveil. Lorsqu'il n'y a pas de surinfection, le larmoiement n'est pas douloureux.

TRAITEMENT

Il dépend de la cause du larmoiement. En cas d'ectropion, le lavage des voies lacrymales permet de faire passer le liquide sans difficultés dans les fosses nasales. Chez le nourrisson âgé de 3 à 6 mois, le médecin repousse la membranule en sondant les voies lacrymales, sous anesthésie générale si nécessaire pour prévenir les mouvements intempestifs de l'enfant. En cas de traumatisme ayant provoqué la rupture du canal lacrymal, une intervention chirurgicale permet de rétablir la continuité de celui-ci.

Larrey (Dominique-Jean, baron)

Chirurgien français (Baudéan, près de Bagnères-de-Bigorre, 1766 – Lyon 1842).

Surnommé « la Providence du soldat », ce chirurgien de la Grande Armée de Napoléon organisa le transport rapide des blessés du champ de bataille aux lieux de soins, utilisant des chameaux en Égypte, des mulets dans les Alpes, des traîneaux en Russie. Il mit au point une méthode d'amputation dite à lambeaux circulaires.

Larva migrans cutanée

Maladie parasitaire provoquée par l'infestation par des larves de nématodes (vers ronds) se déplaçant sous la peau, larves qui ne passent pas au stade adulte. SYN. *dermatite vermineuse rampante, dermatitis linearis migrans, larva reptans, pseudomyiase rampante.*

CONTAMINATION

Une larva migrans cutanée se contracte, dans les pays tropicaux, en marchant pieds nus sur le sol ou en s'allongeant sur des plages contaminées. En effet, les larves responsables, qui mesurent quelques centaines de microns de long, se développent sur le sol ; elles proviennent d'œufs d'ankylostomes (variété de nématodes) présents dans les excréments déposés à terre par des animaux (chiens et chats notamment). Les larves pénètrent dans l'organisme par la peau, sous laquelle elles migrent lentement pendant plusieurs semaines.

SYMPTÔMES ET DIAGNOSTIC

Le déplacement des larves sous la peau fait apparaître en relief des cordons sinueux, rougeâtres et provoque une démangeaison intense. Les larves ne deviennent jamais adultes chez l'homme (les parasites adultes vivent dans l'intestin du chien ou du chat) et meurent en quelques semaines sous la peau (on parle d'impasse parasitaire). Une larva migrans cutanée dure quelques semaines au plus (environ deux mois).

Les lésions siègent sur les pieds, les fesses et le dos, plus rarement ailleurs.

TRAITEMENT

Le médecin prescrit en général une pommade pour calmer les démangeaisons. Le traitement par des comprimés d'ivermectine, ou éventuellement de tiabendazole (substance mal tolérée par l'organisme), ne peut se faire qu'à l'hôpital. En règle générale, ces substances tuent la larve. Non traitée, la maladie dure au plus quelques semaines et s'achève avec la mort des larves dans l'organisme. La maladie ne récidive pas, sauf si d'autres larves s'introduisent de nouveau dans l'organisme.

PRÉVENTION

Les mesures de prévention consistent à éviter le contact de la peau avec le sol sur les plages des pays tropicaux.

Larva migrans viscérale

Maladie parasitaire provoquée par l'infestation par des larves d'ascarides (vers parasites de l'intestin grêle) de chiens ou de chats. SYN. *toxocarose.*

La larve d'ascaride, après éclosion de l'œuf dans l'intestin, migre dans le foie, les poumons, parfois le cerveau ou les yeux des hommes et vit de 18 mois à 2 ans. Chez l'homme, elle ne peut évoluer jusqu'au stade adulte : les vers adultes ne vivent en effet que dans l'intestin grêle des chiens ou des chats. La répartition géographique de cette maladie, qui sévit notamment dans les zones chaudes et humides, est très large.

CONTAMINATION

Une larva migrans viscérale se contracte en ingérant des œufs d'ascarides qui, présents dans les excréments des animaux atteints, contaminent l'environnement : eau de boisson dans les pays en voie de développement, fruits et légumes souillés, etc. Le fait de caresser des animaux contaminés et d'omettre de se laver les mains avant un repas, de jouer dans un bac à sable mal entretenu peut aussi contribuer à la transmission de la maladie.

SYMPTÔMES

Une larva migrans viscérale atteint plus souvent l'enfant que l'adulte. Elle se caractérise par une fièvre, une fatigue, une toux, un asthme, un urticaire, des diarrhées, un foie qui grossit et provoque des douleurs diffuses et, parfois, par des convulsions. Exceptionnellement, la larve se loge dans l'œil, pouvant provoquer dans certains cas une cécité.

DIAGNOSTIC

Le diagnostic repose sur une analyse sanguine, la numération globulaire, qui permet de mettre en évidence un nombre très élevé de leucocytes polynucléaires éosinophiles (type de globules blancs) dans le sang.

TRAITEMENT

Le traitement étant peu efficace, les malades sont le plus souvent surveillés régulièrement pendant 2 ans ou plus (des problèmes peuvent en effet apparaître après la mort des larves) et subissent des examens : numération sanguine et contrôle des yeux, notamment. Le traitement se fait à l'hôpital et le médecin prescrit de la diéthylcarbamazine (une substance qui, dans certains cas, semble arrêter la migration de la larve) ou du tiabendazole. Cette dernière substance, mal tolérée par l'organisme, ne peut être prise pendant plus de 2 jours.

PRÉVENTION

Il est recommandé de déparasiter systématiquement les jeunes chiens, de demander aux enfants de se laver les mains avant les repas et d'éviter les bacs à sable peu entretenus.

Laryngectomie

Ablation chirurgicale d'une partie ou de la totalité du larynx.

Une laryngectomie est indiquée surtout dans le cancer du larynx ou de l'hypopharynx (partie inférieure du pharynx, en arrière du larynx). On distingue deux sortes de laryngectomie : la laryngectomie totale et la laryngectomie partielle.

Laryngectomie totale

Cette opération chirurgicale consiste à enlever tout le larynx.

INDICATIONS

Elle est pratiquée quand le cancer en est à un stade avancé.

TECHNIQUE

L'intervention se fait sous anesthésie générale ; le chirurgien incise largement le cou, enlève le larynx ; puis il referme l'incision. La trachée est abouchée à un petit orifice ouvert dans la peau, à l'extérieur, à la base du cou : la respiration se fait définitivement par cet orifice de trachéotomie. Cette opération laisse une dépression à la face antérieure du cou ; en particulier, la pomme d'Adam manque.

La phonation redevient possible grâce à une rééducation apprenant à effectuer des éructations que le malade s'habitue progressivement à moduler. Mais la voix ne retrouve pas entièrement ses qualités antérieures : elle est différente, d'origine œsophagienne. Des canules parlantes peuvent aussi aider le patient : ces prothèses internes sont posées lors de l'intervention ou postérieurement à celle-ci ; elles permettent de contrôler l'air provenant des poumons et, par conséquent, d'avoir une voix de sonorité plus normale que la voix œsophagienne. Le sujet continue à s'alimenter normalement par la bouche : la nourriture passe du pharynx dans l'œsophage.

CONVALESCENCE ET PRONOSTIC

La convalescence est sans souffrance physique. Elle dépend de l'état du sujet et des soins complémentaires que celui-ci doit recevoir (radiothérapie, etc.). Sa durée est au minimum d'un mois. Un soutien psychologique du médecin et de la famille est nécessaire auprès des sujets ayant subi une laryngectomie totale, car il est difficile de supporter la perte de la voix. Le pronostic dépend du stade de la maladie et peut varier considérablement d'un patient à un autre.

Laryngectomie partielle

Cette opération chirurgicale consiste à enlever la portion malade d'un larynx partiellement atteint.

INDICATIONS

Elle est pratiquée quand le cancer est diagnostiqué précocement, ou quand il reste limité, et elle permet de garder le larynx.

TECHNIQUE

Il existe plus d'une vingtaine de techniques différentes de laryngectomie partielle. L'opération est faite sous anesthésie générale. L'ouverture est aussi large que pour la laryngectomie totale. Suivant l'importance de la partie du larynx enlevée et suivant l'endroit où celle-ci se situe, il peut subsister ou non une dépression en dessous de la cicatrice.

Le patient s'alimente normalement. Après une longue rééducation, il peut respirer par les voies naturelles. Il parle avec des troubles de la phonation plus ou moins importants mais conserve partiellement la voix.

CONVALESCENCE ET PRONOSTIC

Le déroulement de la convalescence est très variable d'une personne à une autre ; sa durée, selon les cas, s'étale de un à plusieurs mois. Le sujet peut bénéficier d'une radiothérapie. Le pronostic connaît d'énormes différences suivant le stade d'évolution et la forme du cancer.

Laryngite

Inflammation du larynx.

Les laryngites comprennent des formes aiguës, des formes chroniques et une forme spécifique, la laryngite tuberculeuse.

Laryngite aiguë

C'est une inflammation et un rétrécissement des voies aériennes très fréquents chez le jeune enfant de moins de 5 ans, chez lequel elle peut entraîner une gêne respiratoire, voire une asphyxie par obstruction. La maladie est beaucoup moins grave chez l'adulte, dont les voies aériennes sont trop larges pour pouvoir être obstruées.

DIFFÉRENTS TYPES DE LARYNGITE AIGUË

On distingue la laryngite sous-glottique, la plus fréquente, et l'épiglottite.

■ **La laryngite sous-glottique** est une inflammation de la région des cordes vocales. Elle est d'origine virale, apparaissant généralement à l'occasion d'une rhinopharyngite (association d'une rhinite et d'une inflammation du pharynx). L'enfant respire bruyamment, a surtout du mal à inspirer. Il a une toux rauque, aboyante. La voix est enrouée.

La plupart des cas sont bénins et guérissent rapidement. Les parents doivent surtout s'employer à réconforter l'enfant et, si possible, à lui apporter un air plus humide (par exemple en amenant le malade dans la salle de bains et en laissant couler l'eau chaude de la douche). En revanche, toute gêne respiratoire de l'enfant est une urgence médicale. Une fois sur place, le médecin injecte des corticostéroïdes et surveille le malade jusqu'à ce qu'il ait retrouvé une respiration normale. Si la gêne respiratoire persiste, il fait hospitaliser l'enfant.

Dans les formes immédiatement alarmantes, ou qui s'aggravent, l'enfant doit être conduit d'urgence à l'hôpital, où il sera placé sous tente à oxygène. On peut être amené, quand la gêne respiratoire est grave, à pratiquer une intubation. Dans ce cas comme dans le précédent, le traitement pourra en général être interrompu dans les 24 heures. L'enfant guérit quelques jours après.

■ **L'épiglottite** est une inflammation qui se situe au-dessus de la glotte. D'origine bactérienne, elle est plus grave que la précédente. L'enfant n'arrive pas à avaler sa salive et bave. Sa fièvre est élevée. La gêne respiratoire est intense : elle oblige l'enfant à prendre une position particulière, penché en avant, qu'il faut respecter, car il y a un risque d'arrêt respiratoire si on allonge le malade. Le transport à l'hôpital doit être immédiat et assuré par un spécialiste de la réanimation. Le traitement est fondé sur l'intubation et sur l'injection par voie intraveineuse d'antibiotiques, qui amènent rapidement la guérison.

Laryngite chronique

C'est une inflammation de la muqueuse du larynx très fréquente chez l'adulte. Une laryngite chronique se déclare lors d'un

---

LARYNGITE

La laryngite est assez courante chez les jeunes enfants, chez lesquels elle peut provoquer une asphyxie par rétrécissement du larynx, et nécessite donc l'hospitalisation à la moindre alarme. Elle est moins grave chez les adultes, dont le larynx, plus large, ne peut être obstrué par l'inflammation.

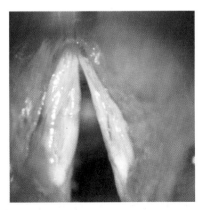

Laryngite chronique : on observe un enduit blanchâtre dessinant un V renversé sur la muqueuse des cordes vocales.

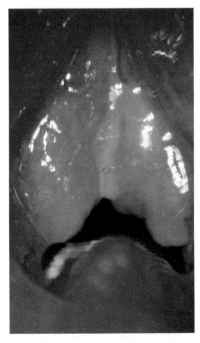

Certaines laryngites se compliquent d'un œdème gonflant les parois du larynx et gênant de façon plus ou moins importante le passage de l'air.

surmenage de la voix (souvent professionnel : chanteurs, professeurs, etc.), d'une infection locale (angine, infection dentaire, rhinopharyngite, sinusite, etc.) mais, le plus fréquemment, elle se trouve liée à une intoxication par le tabac. Certaines de ces laryngites sont des états précancéreux. Une laryngite chronique se manifeste par une voix enrouée, sourde, trop aiguë ou trop grave, parfois traînante. Le diagnostic est établi par une laryngoscopie indirecte (examen qui permet de visualiser le larynx à l'aide d'un miroir et d'un éclairage). Le traitement est celui de la cause : des médicaments pour l'infection, une rééducation de la voix pour le surmenage et un sevrage pour le tabagisme. Une laryngite chronique doit être surveillée régulièrement pour dépister le plus tôt possible une éventuelle apparition d'un cancer du larynx.

Laryngite tuberculeuse

C'est une affection rare, toujours associée à une tuberculose pulmonaire. Elle se manifeste par une altération de la voix, voire une gêne respiratoire. Pour établir le diagnostic, le médecin pratique une laryngoscopie indirecte et fait rechercher le bacille de Koch dans la salive, l'expectoration ou les urines. Par ailleurs, une radiographie thoracique permet de détecter la tuberculose pulmonaire. Le traitement consiste à prendre des médicaments antituberculeux.

Laryngocèle

Hernie du larynx.

Un laryngocèle est une petite poche emplie d'air. Il peut être consécutif à une déformation de la paroi laryngée, en saillie à l'intérieur du larynx ou bien à l'extérieur sous la peau. Il peut aussi provenir d'une malformation congénitale. Un laryngocèle n'engendre ni douleur ni gêne. Si, en raison d'une forme particulière de la poche, des aliments y stagnent, l'haleine peut être fétide et il est possible alors qu'un phénomène de régurgitation apparaisse. Le laryngocèle est découvert en général par hasard, au cours d'un examen, et ne se traite pas. Les formes trop volumineuses peuvent être opérées.

Laryngopharyngographie

Examen radiologique des voies aérodigestives supérieures, larynx (laryngographie) et pharynx (pharyngographie).

INDICATIONS

Le médecin propose une laryngopharyngographie à un patient quand il suspecte une anomalie, une tumeur, un rétrécissement du larynx, une inflammation ou la présence d'un diverticule dans la région du larynx ou du pharynx.

PRÉPARATION ET DÉROULEMENT

Un produit de contraste iodé hydrosoluble est pulvérisé sur les muqueuses. Une fois que ce produit a bien imprégné les muqueuses, le radiologue prend plusieurs clichés. Ceux-ci sont pris sous différents angles, le patient, debout ou assis, ayant tantôt la bouche ouverte, tantôt la bouche fermée.

LARYNGOSCOPIE

Il est possible d'observer le larynx par laryngoscopie indirecte, à l'aide d'un petit miroir introduit au fond de la bouche. La laryngoscopie directe consiste, quant à elle, à introduire dans la gorge du patient un fibroscope, tube semi-rigide muni d'un système optique et parfois d'instruments chirurgicaux, ce qui permet non seulement d'examiner le larynx mais aussi, le cas échéant, de réaliser immédiatement des actes chirurgicaux.

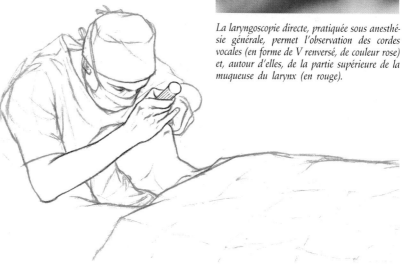

La laryngoscopie directe, pratiquée sous anesthésie générale, permet l'observation des cordes vocales (en forme de V renversé, de couleur rose) et, autour d'elles, de la partie supérieure de la muqueuse du larynx (en rouge).

CONTRE-INDICATIONS

Si le patient est allergique à l'iode, un traitement antihistaminique (contre l'allergie) et des corticostéroïdes sont prescrits trois jours avant l'examen afin d'éviter toute irritation locale ou un éventuel choc anaphylactique.

RÉSULTATS ET EFFETS INDÉSIRABLES

Les clichés sont développés tout de suite et les résultats sont connus immédiatement. Aucun effet secondaire n'est à redouter.

La laryngopharyngographie peut être complétée par le scanner et par l'imagerie par résonance magnétique (I.R.M.).

Laryngoscopie

Examen permettant de visualiser le larynx.

INDICATIONS

La laryngoscopie est un examen pratiqué en cas de dysphonie (modification anormale du timbre de la voix : voix rauque, cassée, etc.), de troubles de la déglutition, de douleurs du pharynx ou de difficultés respiratoires.

TECHNIQUES

Il existe deux types de laryngoscopie : la laryngoscopie indirecte et la laryngoscopie directe.

■ La laryngoscopie indirecte est la technique de visualisation du larynx la plus simple. Elle se fait lors d'une consultation chez le médecin. Le patient est assis, le médecin est placé en face de lui, un éclairage sur le front. Le patient ouvre la bouche et le médecin lui fait tirer la langue. Il introduit un petit miroir au fond de la bouche et regarde la base de la langue, le pharynx, l'épiglotte, les cordes vocales et les premiers anneaux de la trachée. Il demande au patient de prononcer une voyelle pour faire vibrer les cordes vocales.

■ La laryngoscopie directe est une technique de visualisation du larynx beaucoup plus complexe, sous anesthésie générale. Un fibroscope, c'est-à-dire un tube contenant un système optique et un éclairage, est introduit par la bouche jusqu'au larynx. Des instruments miniaturisés à l'extrémité du laryngoscope ou un rayonnement laser permettent de réaliser immédiatement des actes chirurgicaux si l'examen en révèle la nécessité. Si l'appareil est fixé à une table afin de laisser à l'examinateur ou au chirurgien les deux mains libres, on parle alors de laryngoscopie en suspension.
→ VOIR Fibroscopie.

Laryngospasme

Contraction brusque des muscles du larynx, provoquant son occlusion par accolement des cordes vocales. SYN. *spasme du larynx.*

Un laryngospasme peut apparaître au cours d'une affection du larynx (laryngite) ou d'une crise de tétanie, particulièrement chez le jeune enfant. Il est responsable d'une gêne respiratoire aiguë, aboutissant parfois au coma. En attendant le médecin ou les services d'urgence, les parents peuvent ventiler l'enfant en pratiquant le bouche-à-bouche, le jeune patient étant couché sur le dos, le cou en hyperextension. Le traitement en urgence est celui des symptômes (oxygénothérapie, assistance respiratoire), associé à celui de la cause. En raison de la gravité que revêt le laryngospasme, toute maladie de la sphère O.R.L. qui pourrait le provoquer doit être prise en charge et soignée.

Laryngotomie

Ouverture chirurgicale du larynx, sur tout ou partie de sa hauteur. SYN. *thyrotomie.*

Une laryngotomie est pratiquée sous anesthésie générale. Elle permet d'explorer le larynx et d'établir un diagnostic. C'est souvent le premier temps d'une opération chirurgicale plus complexe sur le larynx (ablation d'une tumeur, etc.).

Larynx

Organe de la phonation, situé dans le cou, entre le pharynx et la trachée. (P.N.A. *larynx*)

STRUCTURE

■ **Dans sa forme extérieure,** le larynx est une sorte de cylindre creux, situé en avant de l'hypopharynx (partie inférieure du pharynx), relié aux organes voisins par des muscles. Onze cartilages, dont les principaux sont au nombre de cinq, lui confèrent sa forme et sa rigidité.

Le cartilage thyroïde est le plus volumineux d'entre eux. Il est formé de deux lames symétriques, chacune en forme de quadrilatère, qui s'unissent en avant, dessinant un angle saillant visible sous la peau et communément appelé pomme d'Adam. L'épiglotte, ou cartilage épiglottique, est une lamelle de cartilage élastique à peu près verticale, située au-dessus du cartilage thyroïde, en arrière de la langue. Le cartilage cricoïde a la forme d'une bague à chaton, étroit devant, plus large à l'arrière. Les aryténoïdes sont deux petits cartilages mobiles posés sur le cartilage

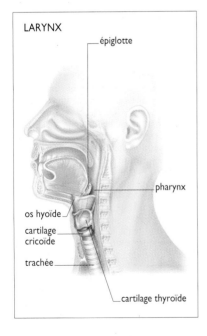

LARYNX

épiglotte

pharynx

os hyoïde

cartilage cricoïde

trachée

cartilage thyroïde

cricoïde, un à droite, un à gauche, en forme de petite masse triangulaire. Sur eux s'attachent, en arrière, les deux replis des cordes vocales, qui font aussi partie intégrante du larynx.

■ **Dans sa forme intérieure,** le larynx comprend trois parties, ou étages. L'étage supérieur, ou sus-glottique, est à la hauteur de l'épiglotte et sa cavité s'appelle le vestibule du larynx. L'étage moyen se situe au niveau de la glotte (cavité entre les cordes vocales). L'étage inférieur est la partie sous-glottique. La paroi du larynx est tapissée de muscles recouverts d'une fine muqueuse.

FONCTIONNEMENT

Lorsqu'on émet un son, l'air expiré par la trachée fait vibrer les cordes vocales, produisant un son laryngien : les cavités de résonance du nez et du pharynx en assurent la modulation. Dans la déglutition, les deux cordes vocales se ferment, l'épiglotte se rabat en arrière pour boucher l'accès à la trachée afin que la nourriture passe de la cavité buccale à l'œsophage sans pénétrer dans les voies pulmonaires. Dans la respiration, les cordes vocales s'écartent et le cartilage épiglottique se relève, permettant le passage de l'air inspiré dans les bronches et de l'air expiré vers le pharynx, puis vers les fosses nasales ou la cavité buccale. Les mouvements du larynx sont assurés par des muscles, commandés par le nerf laryngé inférieur, ou nerf récurrent. Sa sensibilité est assurée par le nerf laryngé supérieur.

EXAMENS

La laryngoscopie indirecte (au miroir) et la laryngoscopie directe, ou fibroscopie (utilisant un appareil optique introduit par une narine), permettent de visualiser le larynx lors d'une consultation. D'autres examens complémentaires comme la laryngopharyngographie, le scanner ou l'imagerie par résonance magnétique (I.R.M.) sont parfois pratiqués.

PATHOLOGIE

Les affections du larynx sont fréquentes. Généralement, les signes en sont un enrouement, caractéristique de troubles du fonctionnement des cordes vocales, des douleurs, une gêne respiratoire, une toux. Le larynx peut être le siège de maladies infectieuses ou virales (laryngite, essentiellement), de paralysies (soit par maladie neurologique, soit par compression des nerfs par une tumeur) ou de maladies chroniques.

Les maladies chroniques les plus fréquentes sont dues à des tumeurs. Celles-ci peuvent être bénignes (polypes, kystes, nodules développés sur les cordes vocales, etc.) ou malignes (cancer du larynx).

Larynx (cancer du)

Tumeur maligne se développant sur la paroi du larynx.

CAUSES ET FRÉQUENCE

Le cancer du larynx est le cancer des fumeurs. Il résulte d'une intoxication prolongée par le tabac, facteur cancérigène direct. Les personnes qui sont atteintes d'un cancer du larynx ont fumé en moyenne dans leur vie 380 kilogrammes de tabac. Si le sujet boit

aussi de l'alcool, le risque est considérablement augmenté. Les hommes sont beaucoup plus touchés que les femmes. Le cancer du larynx se déclare généralement à un âge situé entre 40 et 60 ans.

SYMPTÔMES ET DIAGNOSTIC

Le signe le plus précoce est une altération de la voix : la voix est cassée ou enrouée. Puis apparaissent une gêne respiratoire et un gonflement d'un ou de plusieurs ganglions lymphatiques du cou. Le cancer est parfois découvert lors d'une consultation pour une laryngite chronique. Le diagnostic est suspecté par la laryngoscopie indirecte (examen du larynx à l'aide d'un miroir) puis confirmé par les biopsies effectuées sous laryngoscopie directe.

TRAITEMENT

Il se module en fonction du siège de la tumeur, de sa taille et de l'atteinte éventuelle des ganglions. Trois traitements sont employés soit séparément, soit en association : la chirurgie, la radiothérapie et la chimiothérapie dans les cas les plus avancés. L'acte chirurgical est la laryngectomie (ablation du larynx), partielle ou totale, qui entraîne des perturbations dans l'alimentation (le malade avale différemment), la respiration et la phonation, nécessitant une rééducation. La surveillance doit être poursuivie pendant des dizaines d'années après le traitement.

PRONOSTIC

Il est généralement bon quand le cancer du larynx est dépisté à temps. Aussi toute altération persistante de la voix doit-elle conduire à une consultation médicale et à un examen spécialisé par un oto-rhino-laryngologiste.

Laser

Appareil produisant un faisceau étroit de rayonnement lumineux spatialement et temporellement cohérent. De l'anglais *laser,* acronyme de *Light Amplification by Stimulated Emission of Radiation* (amplification de lumière par émission stimulée de rayonnement). Le rayonnement électromagnétique (libération de photons) est obtenu par stimulation d'atomes soit de gaz (CO_2, argon), soit de terres rares en solution (yttrium).

■ **Le laser à gaz carbonique,** ou laser CO_2, volatilise les tissus sur lesquels il est appliqué. Il peut agir de deux manières sur les lésions : les volatiliser par effet thermique pur ou les découper soigneusement, comme avec un bistouri à lame ; dans ce cas, on les laisse ensuite se cicatriser ou bien on les suture. La rapidité du traitement par laser à gaz carbonique et l'absence de saignement en sont les principaux avantages.

■ **Le laser argon** agit par photocoagulation au moyen de petites brûlures localisées. Il émet une lumière rouge qui est absorbée par les structures vasculaires de la peau. Très utilisé en dermatologie pour le traitement des angiomes plans, des angiomes stellaires, de la couperose et des télangiectasies, il l'est également en ophtalmologie (prévention du décollement de rétine, glaucome chronique à angle ouvert, dégénérescences maculaires). Le laser argon présente une faible puissance, ce qui restreint son utilisation.

Technique récente, le laser a de multiples utilisations médicales. Utilisé seul ou couplé à un biomicroscope, il permet notamment, grâce à l'énergie condensée de son faisceau lumineux, de détruire des tumeurs sans léser les tissus proches, de couper des tissus tout en les cautérisant, de supprimer des anomalies cutanées, de pulvériser des calculs ou encore de traiter de nombreuses affections oculaires (décollement de rétine surtout).

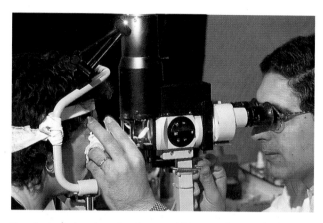

En ophtalmologie : réparation de zones rétiniennes présentant des dégénérescences ou des déchirures afin de prévenir le décollement de la rétine.

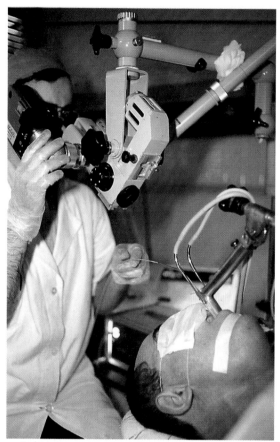

En oto-rhino-laryngologie : ablation d'une tumeur maligne des cordes vocales sous laryngoscopie.

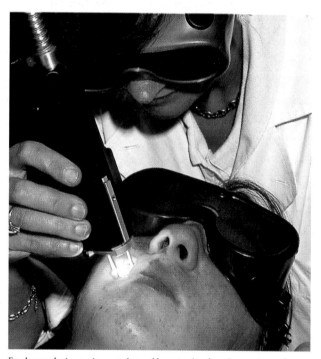

En dermatologie : traitement de troubles cutanés tels qu'un angiome plan ou, comme ici, coagulation de petits vaisseaux dilatés dus à la couperose.

■ **Le laser YAG** agit en sectionnant. Il émet des impulsions très brèves (inférieures au milliardième de seconde), ne produisant que peu de chaleur mais à effet mécanique de bistouri. Il s'utilise en ophtalmologie, après la chirurgie de la cataracte, pour les opacifications secondaires, en pneumologie et en gastroentérologie pour détruire des tumeurs obstructives.

■ **Le laser Excimer**, beaucoup plus récent, agit par photoablation. Il est utilisé dans le traitement de la myopie et de certaines opacités cornéennes superficielles.

INDICATIONS

Les applications du laser sont très diverses.

■ **En dermatologie**, il sert à détruire certaines tumeurs cutanées et des taches pigmentées.

■ **En gastroentérologie**, le laser est utilisé pour pulvériser des calculs du canal cholédoque ; pour frayer un passage rétablissant le circuit digestif dans les tumeurs évoluées de l'œsophage et du rectum ; pour coaguler des vaisseaux qui saignent à l'intérieur du tube digestif (ulcères, angiomes).

■ **En gynécologie**, il est surtout employé pour détruire les lésions précancéreuses du col de l'utérus.

■ **En neurologie**, il permet de détruire certaines lésions tumorales.

■ **En ophtalmologie**, le laser est utilisé tout d'abord, dans la prévention et le traitement du décollement de rétine, pour faire adhérer la rétine et les membranes sous-jacentes au niveau des déchirures ou des lésions dégénératives de la rétine ; ensuite, pour détruire des petites lésions rétiniennes ; enfin, pour photocoaguler les microanévrysmes rétiniens dus au diabète.

■ **En oto-rhino-laryngologie**, le laser permet de traiter certaines lésions des cordes vocales et du larynx.

■ **En pneumologie**, le laser permet de détruire des tumeurs obstruant les grosses bronches et donc gênant la respiration ; il permet également de soigner des obstacles non tumoraux comme les rétrécissements consécutifs à la formation d'une cicatrice après intubation ou trachéotomie ; en cas de tumeur maligne, le laser peut servir à améliorer le confort respiratoire du malade.

■ **De nouvelles indications** sont actuellement à l'étude : destruction des plaques d'athérome sur les parois artérielles, tumeurs prostatiques, etc.

Lassa (fièvre de)

Maladie infectieuse grave et très contagieuse due au virus Lassa (*Arenavirus*, à A.R.N.).

La fièvre de Lassa appartient au groupe des fièvres hémorragiques africaines. Elle est apparue en 1969 au Nigeria puis en Afrique de l'Ouest, où elle est endémique (Sierra

Leone, Liberia, Mali, Côte d'Ivoire). Le réservoir du virus est un rat, *Mastomys natalensis*. La contamination de l'homme se fait par les urines du rongeur ; la transmission interhumaine, par voie sanguine ou aérienne (inhalation de gouttelettes de salive expectorées par un sujet infecté), est possible.

SYMPTÔMES ET SIGNES

L'incubation est de 10 jours, puis apparaît un état grippal avec douleurs musculaires et maux de tête, parfois angine et douleurs digestives. Des signes plus graves se manifestent vers le 6e jour de la maladie, accompagnant ou non une éruption cutanée : hémorragies superficielles et digestives, état de choc, myocardite (inflammation du myocarde), diarrhée sévère et vomissements. Une guérison spontanée est possible en une quinzaine de jours et laisse le malade dans un état de grande fatigue et d'amaigrissement. La mortalité est importante en l'absence de traitement (de 30 à 40 % des cas de l'épidémie de 1969-1972).

DIAGNOSTIC ET TRAITEMENT

La fièvre de Lassa est diagnostiquée par des analyses sanguines (sérodiagnostic, culture). Les sujets infectés doivent être isolés. Ils sont traités par des injections de médicaments antiviraux, en particulier de ribavirine, et, à défaut, par sérothérapie (sérum contenant des anticorps actifs contre ce virus). Le traitement est d'autant plus efficace que la maladie est soignée tôt, ce qui permet de lever rapidement les consignes d'isolement liées au risque de contagion. Un vaccin devrait être mis au point dans les prochaines années.

Latence

État de ce qui existe de manière non apparente mais peut, à tout moment, se manifester par l'apparition de symptômes.

En cas d'intoxication par un champignon, par exemple, le temps de latence qui sépare le moment de l'ingestion de l'apparition des premiers symptômes est très variable et dépend de la variété de champignon ingérée.

En psychologie, la période de latence signifie le laps de temps écoulé entre le stimulus et la réaction qu'il suscite.

En psychanalyse, la période de latence est la période du développement de l'enfant qui succède à celle du complexe d'Œdipe ; elle s'étend de l'âge de 5 ans à la puberté et se caractérise par des investissements sociaux, moraux et intellectuels ainsi que par un désintérêt sexuel.

Latéralisation

→ VOIR Latéralité.

Latéralité

Fait d'utiliser plus facilement une moitié du corps (la droite ou la gauche).

La latéralité se manifeste particulièrement dans l'utilisation des mains. La majorité des individus préfère se servir de la main droite. Mais la latéralité se retrouve aussi dans l'usage préférentiel d'un pied, d'une oreille ou d'un œil.

La latéralité est l'expression directe de la prédominance d'un des hémisphères cérébraux sur l'autre : l'hémisphère gauche chez les droitiers et l'hémisphère droit chez les gauchers. Cette asymétrie est appelée latéralisation.

→ VOIR Gaucher.

Latéralité
(mouvements oculaires de)

Mouvements synchrones des yeux vers la droite ou vers la gauche.

Les mouvements oculaires de latéralité représentent une fonction complexe des yeux et de l'encéphale. Ils font intervenir notamment le cortex cérébral et les centres nerveux de l'équilibre.

La paralysie des mouvements oculaires de latéralité est due, en général, à un accident vasculaire cérébral avec atteinte soit d'un ou des deux hémisphères, soit du tronc cérébral (syndrome de Foville). Le sujet ne peut plus tourner volontairement un œil ou les deux yeux vers la droite ou vers la gauche. Le traitement de cette paralysie est celui de l'accident vasculaire. Parfois, lors de séances de rééducation, la gymnastique oculaire peut améliorer l'état du sujet.

Laudanum

Préparation médicamenteuse liquide à base d'opium, utilisée autrefois pour ses propriétés apaisantes et analgésiques (contre la douleur) ainsi que dans le traitement des diarrhées.

→ VOIR Opiacé.

Laugier (maladie de)

Affection cutanée bénigne, caractérisée par des petites taches brun foncé ou noirâtres qui siègent sur les lèvres ainsi que dans la région de l'anus.

La maladie de Laugier est de cause inconnue. Il n'existe pas encore de traitement, mais l'affection est sans gravité, en dehors parfois d'un préjudice esthétique.

Laurence-Moon-Bardet-Biedl (syndrome de)

Syndrome héréditaire caractérisé par l'association d'une rétinite pigmentaire (inflammation de la rétine), d'une obésité, d'anomalies des doigts et des orteils, d'un retard mental et d'une insuffisance des ovaires ou des testicules, auxquels s'associent parfois des anomalies rénales et une diminution de la force musculaire des membres inférieurs.

La cause de ce syndrome est encore inconnue ; il serait transmis selon le mode autosomique (par les chromosomes non sexuels) récessif (le gène porteur de la maladie doit être reçu du père et de la mère pour que l'enfant développe la maladie). Une consanguinité est fréquemment retrouvée dans la famille des malades.

SYMPTÔMES ET SIGNES

La maladie est constatée dès l'enfance. La rétinite se traduit par une baisse précoce de l'acuité visuelle évoluant rapidement vers la cécité. L'obésité est constante, débute dès l'enfance et prédomine au tronc et à la partie supérieure des membres. La polydactylie (doigts en surnombre) n'est pas toujours présente ; la brachydactylie des pieds (orteils très courts) est beaucoup plus fréquente. La fréquence du retard mental est mal évaluée ; en outre, il faut tenir compte des troubles visuels pour le mesurer. L'insuffisance testiculaire, très fréquente, est responsable d'infertilité. Son origine peut être hypothalamo-hypophysaire ou testiculaire. Chez la femme, il existe souvent une hypofertilité sans véritable insuffisance ovarienne. Les anomalies rénales, rares, peuvent évoluer vers l'insuffisance rénale. La diminution de la force musculaire des jambes est plus rare.

DIAGNOSTIC ET TRAITEMENT

Le diagnostic repose sur l'examen du patient. Le traitement, difficile, fait appel essentiellement à un régime alimentaire amaigrissant et à l'administration éventuelle d'hormones de substitution.

L.A.V.

Ancien nom du V.I.H. (virus de l'immunodéficience humaine). (Abréviation de l'anglais *Lymphoadenopaty Associated Virus*.)

Lavage auriculaire

Introduction d'eau bouillie ou de sérum physiologique dans le conduit auditif externe afin de le nettoyer.

TECHNIQUE

Le praticien redresse le conduit auditif externe en tirant sur le pavillon de l'oreille. Il introduit ensuite l'extrémité d'une grande seringue ou d'une poire à double entrée dans le conduit. Il y injecte le liquide, décolle ainsi le corps étranger ou le bouchon de cérumen qui s'y trouvait et évacue le tout. Un lavage auriculaire doit être effectué par un médecin ou une infirmière afin d'éviter des manœuvres dangereuses pour le tympan. L'eau ou le sérum physiologique introduits doivent être à la température du corps (37 °C) pour pallier les risques de vertiges.

Lavage bronchioloalvéolaire

Technique permettant de recueillir et d'analyser, à l'aide de sérum, les éléments contenus dans les bronchioles et les alvéoles pulmonaires.

Porté à la température du corps (37 °C), le sérum - sérum physiologique ou sérum bicarbonaté - est introduit dans les bronchioles et les alvéoles puis aspiré. L'analyse au microscope des éléments ramenés par le liquide sert au diagnostic de maladies infectieuses, parasitaires, inflammatoires, de maladies de système et de maladies de surcharge.

Parmi ces éléments se trouvent des cellules de la muqueuse respiratoire et, éventuellement, des particules minérales (silice chez les mineurs, fibres d'amiante chez les couvreurs qui posent de la laine de verre, par exemple), des agents infectieux (parasites comme *Pneumocystis carinii* chez les malades du sida) ou des globules blancs en quantité ou en répartition anormales dans le cas d'une alvéolite (sarcoïdose, fibrose, allergie).

TECHNIQUE

Un lavage bronchioloalvéolaire a lieu à l'hôpital ou en clinique, soit dans le cadre d'une consultation, soit, plus souvent, lors d'une hospitalisation. L'injection et l'aspiration se font au moyen d'un fibroscope bronchique (instrument souple permettant d'observer les bronches et d'y opérer des prélèvements), introduit par la bouche ou le nez. Au préalable, le patient absorbe une pâte destinée à anesthésier la gorge.

Le lavage bronchioloalvéolaire est généralement bien toléré et n'induit que rarement une réaction fébrile passagère.

Lavage gastrique

Nettoyage de l'estomac.

Le lavage gastrique est indiqué pour évacuer des toxiques non caustiques (médicaments) du sang (avant de pratiquer une endoscopie haute) ou encore le contenu de l'estomac (résidus alimentaires) en cas de rétrécissement du pylore.

Le lavage gastrique se pratique en introduisant dans l'estomac une sonde de fort calibre, qui permet dans un premier temps de verser dans cet organe plusieurs litres d'eau tiède salée, puis d'en évacuer tout le contenu. Les voies aériennes doivent être protégées pour éviter l'inhalation d'un vomissement : si le sujet est conscient, il « avale » la sonde, sinon la trachée est intubée (on y introduit un tube qui permet au patient de respirer et prévient une fausse-route).

Un lavage gastrique n'est pas douloureux, tout au plus désagréable. Il ne nécessite pas d'hospitalisation et n'induit aucun effet secondaire.

Lavage vésical

Introduction d'un médicament ou de sérum physiologique dans la vessie dans un dessein préventif, thérapeutique ou pour évacuer des caillots sanguins.

TECHNIQUE

Couramment pratiqué en urologie, le lavage vésical se fait en introduisant une sonde dans la vessie par le canal urétral. Le canal de la sonde est alimenté en liquide par une seringue ou une poche de perfusion. Le liquide injecté est ensuite évacué soit également par le canal de la sonde, soit au cours d'une miction.

DIFFÉRENTS TYPES DE LAVAGE VÉSICAL

■ L'instillation vésicale d'un médicament doit permettre d'éviter la récidive d'une tumeur de la vessie ou d'une inflammation : injection d'un médicament chimiothérapique, par exemple, pour prévenir la récidive d'une tumeur, ou de nitrate d'argent contre la récidive d'une cystite.

■ Les perfusions vésicales continues de sérum physiologique empêchent la formation de caillots de sang dans la vessie après une opération de la prostate (par exemple résection endoscopique) ou d'une tumeur vésicale (ablation endoscopique de fragments de tissu tumoral, qui se fait en passant par la voie naturelle, l'urètre).

■ Les lavages vésicaux à la seringue permettent d'évacuer des caillots sanguins ou des fragments lithiasiques (calculs).

→ VOIR Instillation.

Lavement baryté

Examen radiologique qui permet de visualiser le gros intestin (côlon).

INDICATIONS

On pratique cet examen, en cas de troubles du transit (alternance de constipation et de diarrhée), pour diagnostiquer d'éventuels polypes ou diverticules ou encore un cancer du côlon.

DIFFÉRENTS TYPES DE LAVEMENT BARYTÉ

Il existe deux types de lavement baryté : le lavement simple et le lavement en double contraste.

■ Le lavement baryté simple consiste à administrer sous faible pression dans le côlon une solution de baryte fluide (à base de baryum) à l'aide d'une canule anorectale.

■ Le lavement baryté en double contraste utilise de la baryte plus épaisse. En outre, une insufflation d'air a lieu après l'introduction du lavement, permettant d'écarter des parois du côlon la majeure partie de la baryte en laissant simplement la fine couche opaque qui épouse la muqueuse. Cette technique permet la visualisation d'éventuels polypes. La baryte peut, en cas de suspicion de perforation colique, être remplacée par des produits iodés hydrosolubles et résorbables.

PRÉPARATION ET DÉROULEMENT

L'examen nécessite que le gros intestin soit vide. Un régime sans résidus (suppression des légumes verts, des fruits crus, de la viande rouge, du pain frais) doit être suivi durant les 3 jours qui précèdent l'examen. Le matin de l'examen, un purgatif et un lavement à l'eau, distinct du lavement baryté, sont administrés. Après introduction du lavement baryté, la progression de la baryte dans le côlon est surveillée sur écran radioscopique, tandis que des clichés radiographiques sont effectués sous des angles divers. En cas de lavement en double contraste, de l'air est insufflé à l'aide d'une canule après évacuation d'une partie de la baryte. Tout le côlon doit être visualisé.

Pratiqué chez le radiologue, cet examen n'est pas douloureux, bien que long et inconfortable. Le lavement baryté a diminué de fréquence depuis la généralisation de la coloscopie.

Lavéran (Alphonse)

Médecin et bactériologiste français (Paris 1845 - id. 1922).

En 1878, il part comme médecin militaire pour l'Algérie, où il étudie le paludisme. Il découvre en 1880 l'hématozoaire, microorganisme parasite responsable de cette maladie. En 1897, il entre à l'Institut Pasteur pour se consacrer à ses travaux sur les protozoaires pathogènes, qui lui valent le prix Nobel de médecine en 1907.

Laxatif

Médicament utilisé dans le traitement de la constipation.

Un régime alimentaire riche en fibres (légumes verts, son, etc.), l'absorption d'eau en quantité suffisante, des horaires réguliers de repas, une gymnastique abdominale

soulagent habituellement une constipation. Si, néanmoins, celle-ci persiste, le médecin peut prescrire des laxatifs.

Les laxatifs comprennent différents types de médicaments, classés en plusieurs groupes d'après leur mode d'administration et leur mécanisme d'action.

Les laxatifs pris par voie orale

■ Les laxatifs de lest (mucilage, son) doivent être avalés avec beaucoup d'eau. Ainsi gonflés, ils augmentent le volume et la consistance du contenu de l'intestin. Les selles sont rendues plus molles et donc plus faciles à éliminer. Parfois, ils entraînent une sensation de ballonnement abdominal. L'effet peut n'être obtenu qu'après 2 ou 3 jours de traitement.

■ Les laxatifs lubrifiants (huile de paraffine) ramollissent les selles, facilitant ainsi leur passage. Leur délai d'action est de 8 à 24 heures. En cas de surdosage, ils peuvent recouvrir la paroi intestinale et empêcher l'absorption des vitamines ; des fuites huileuses anales sont possibles.

■ Les laxatifs osmotiques (sorbitol, lactulose, mannitol) retiennent l'eau du corps dans l'intestin et augmentent ainsi le volume et l'hydratation des selles. Leur délai d'action est de 24 à 48 heures. Ils peuvent provoquer des crampes intestinales ou une flatulence.

■ Les laxatifs stimulants, notamment ceux à base de plantes (aloès, boldo, bourdaine, séné), agissent en irritant l'intestin, dont les mouvements et les sécrétions se trouvent stimulés. Les selles séjournent alors moins longtemps dans l'intestin et y sont maintenues molles grâce à une meilleure hydratation. L'effet irritant de ces laxatifs ne doit les faire utiliser que de façon épisodique et en cure très brève, car, même pris sous forme de tisane, leur usage régulier entraînerait des douleurs, une inflammation de l'intestin et une accoutumance. Ce sont des purgatifs (laxatifs puissants).

Les laxatifs utilisés par voie rectale

Quand les laxatifs pris par voie orale n'ont pas d'effet ou quand la constipation se situe sur la portion terminale du transit (fin du côlon, ampoule rectale), des lavements ou des suppositoires (glycérine) sont employés. Selon leur composition, ils agissent soit par osmose (ils attirent l'eau de l'organisme), soit par dégagement de gaz, soit par irritation de la muqueuse, de façon à stimuler mouvements et sécrétions de l'intestin. Ils provoquent une évacuation rapide des selles : leur délai d'action est de quelques minutes. Leur utilisation prolongée est déconseillée.

L'utilisation d'un laxatif, par voie orale ou rectale, doit être arrêtée dès le rétablissement d'un transit intestinal normal pour éviter une diarrhée ou des troubles plus graves.

Laxatifs (maladie des)

Affection liée à la prise massive de laxatifs (phénolphtaléine ou anthraquinolones).

La maladie, rare, survient chez des personnes, généralement des femmes, obsédées par le besoin d'aller sans arrêt à la selle, par exemple par désir d'amaigrissement ou par phobie de la constipation.

Elle se manifeste par un état de maigreur chronique, associé à une déshydratation et à une sécheresse des muqueuses, ainsi que par une pigmentation sombre de la peau. Les analyses biologiques montrent une déperdition de sodium et surtout de potassium, cette dernière carence pouvant être à l'origine de troubles cardiaques et rénaux graves. Le diagnostic repose sur le comportement du malade et la présence de laxatifs dans les selles, déterminée par analyse chimique.

Le traitement consiste en l'arrêt des laxatifs, en l'apport de potassium et en la mise en route d'un léger traitement de la constipation, quand elle existe. Une prise en charge psychiatrique est souvent nécessaire pour éviter les récidives. Le pronostic est relativement sévère.

Laxité

Possibilité pour une articulation d'effectuer des mouvements soit d'une amplitude anormale, soit n'existant pas à l'état naturel.

Une laxité peut être constitutionnelle, existant depuis la naissance – on parle alors plus volontiers d'hyperlaxité –, due notamment à des maladies du tissu conjonctif (comme la maladie de Marfan), ou post-traumatique, survenant à l'occasion d'une entorse avec déchirure ligamentaire. Elle peut entraîner des troubles importants de la mécanique articulaire et, par conséquent, des douleurs et une sensation d'instabilité de l'articulation atteinte. Cependant, une articulation laxe ne présente pas nécessairement de signes d'instabilité.

TRAITEMENT
La laxité constitutionnelle, qui entraîne rarement une gêne fonctionnelle, ne nécessite aucun traitement ; seuls les cas provoquant une réelle instabilité requièrent une intervention chirurgicale (retente des ligaments). En revanche, toute entorse grave d'une articulation entraîne une laxité immédiate, qui disparaît normalement après le traitement approprié de l'entorse et un temps de rééducation. Si cette laxité persiste, il convient de suivre une rééducation des muscles entourant l'articulation, d'entreprendre un traitement orthopédique avec pose d'un plâtre, voire d'envisager une intervention chirurgicale.

L.C.R.

→ VOIR Céphalorachidien (liquide).

L.D.H.

→ VOIR Lacticodéshydrogénase.

LDL cholestérol

Fraction du cholestérol sanguin transportée par des lipoprotéines (molécules associant des lipides et des protéines) du type LDL (de l'anglais *low density lipoproteins,* protéines de basse densité). SYN. *cholestérol LDL.*

Le taux sanguin de LDL cholestérol, communément appelé « mauvais cholesté-rol », est un indicateur du risque de maladies coronariennes plus précis que le taux de cholestérol total. Une augmentation de ce taux au-delà de 1,6 gramme par litre représente une augmentation du risque coronarien.

Leber (maladie de)

Affection héréditaire du système nerveux optique, transmise par la mère. SYN. *atrophie optique héréditaire.*

La maladie de Leber est due à l'altération de l'information portée par un gène de l'enzyme NADH déshydrogénase. Ce défaut génétique étant connu, un conseil génétique est possible avant la conception.

La maladie de Leber se manifeste en général entre 20 et 30 ans et se traduit par une baisse rapide de la vision chez le jeune adulte et par des lacunes (trous) centrales dans le champ visuel, c'est-à-dire que le sujet atteint ne voit pas au centre mais voit à la périphérie du champ visuel. Les deux yeux sont touchés soit simultanément, soit l'un après l'autre et le sujet peut devenir aveugle.

Lécithine

Lipide complexe présent dans l'organisme (cerveau, foie, pancréas, sang). SYN. *phosphatidyl-choline.*

La lécithine est un phospholipide (lipide comprenant un acide phosphorique) contenant un aminoalcool, la choline. On la trouve dans les aliments, notamment le jaune d'œuf, le foie et l'huile de soja ; elle est aussi utilisée dans l'industrie alimentaire comme émulsifiant et stabilisateur des corps gras (margarine, matières grasses allégées, chocolat). Dans l'organisme, elle participe à la constitution des lipoprotéines.

L.E.D.

→ VOIR Lupus érythémateux disséminé.

Legg-Perthes-Calvé (maladie de)

Maladie nécrosante de la tête du fémur, qui atteint l'enfant entre 5 et 10 ans. SYN. *ostéochondrite primitive de la hanche.*

La maladie de Legg-Perthes-Calvé n'atteint le plus souvent qu'une seule hanche. Elle est probablement due à une interruption locale de la circulation sanguine, mais les raisons de sa survenue sont encore mal connues. L'enfant atteint par cette affection souffre de la hanche et marche en boitant. À l'examen, les mouvements de l'articulation sont douloureux et limités. Au début de la maladie, dont l'évolution est très lente, la radiographie peut être normale ; une scintigraphie osseuse est alors nécessaire pour confirmer le diagnostic. Plus tard, on observe sur la radiographie des anomalies de la densité osseuse de la tête du fémur.

TRAITEMENT ET PRONOSTIC
Le but du traitement étant de conserver la sphéricité de la tête du fémur, fragilisée par la maladie, la guérison implique un repos complet de la hanche, au lit le plus souvent ; des tractions et le port d'un plâtre sont souvent nécessaires. La reprise de la marche est en général possible de 12 à 18 mois après le début de la maladie, quand la tête du fémur est cicatrisée. La maladie de Legg-Perthes-Calvé guérit habituellement dans les 3 ans, mais elle peut parfois favoriser l'apparition d'une arthrose de la hanche.

Légionellose

→ VOIR Légionnaires (maladie des).

Légionnaires (maladie des)

Pneumopathie aiguë grave, due à un bacille à Gram négatif, *Legionella pneumophila.* SYN. *légionellose.*

La maladie des légionnaires a été observée en 1976 chez les membres d'un congrès d'anciens combattants de l'*American Legion,* d'où son nom. *Legionella pneumophila* survit dans l'environnement aquatique, notamment dans l'eau de condensation des systèmes de climatisation et dans l'eau de distribution urbaine. L'infection est consécutive à l'inhalation de gouttelettes d'eau très contaminées.

SYMPTÔMES ET SIGNES
Après une incubation de 2 à 10 jours, la maladie se déclare sous la forme d'un syndrome pseudogrippal associant céphalées, douleurs musculaires et abdominales, diarrhée, toux sèche, petite fièvre et sensation de malaise général. En quelques jours, la fièvre s'élève et les douleurs musculaires s'intensifient. La pneumonie se manifeste par une douleur thoracique, une difficulté respiratoire et une toux avec peu d'expectoration. Cette période dure environ une semaine, puis l'évolution se fait soit vers la guérison, soit vers une aggravation des désordres respiratoires, rapide en l'absence de traitement.

DIAGNOSTIC ET TRAITEMENT
La recherche de *Legionella pneumophila* est réalisée dans l'expectoration ou dans le liquide recueilli par endoscopie bronchique. Une antibiothérapie adaptée et précoce, généralement administrée par voie intraveineuse, permet une évolution favorable et une guérison le plus souvent très rapide. Le traitement est toutefois prolongé au moins pendant 15 jours, voire 3 semaines. Dans les formes graves, une assistance respiratoire peut être nécessaire.

PRONOSTIC
La guérison est en général complète chez les malades jeunes non immunodéprimés.

PRÉVENTION
La surveillance régulière et, au besoin, la désinfection des installations de climatisation et de distribution d'eau potable sont les mesures de prévention les plus sûres.

Légume

Plante potagère dont les feuilles, les tiges et/ou les racines sont comestibles.

Les légumes ont des propriétés communes : teneur en eau importante (90 % en moyenne), faible valeur énergétique, richesse en sels minéraux, en vitamines et en fibres (cellulose). Les principaux minéraux qu'ils contiennent sont le calcium (de 40 à 50 milligrammes pour 100 grammes, en moyenne), le potassium, le cuivre ; certains sont riches en sodium (poireau, bette, céleri). Les légumes contiennent également des vitamines B1 et B2, des provitamines A (carotènes) ; la vitamine C est surtout présente dans les légumes de couleur rouge, orange ou verte. Pour conserver l'essentiel de leurs qualités nutritives, il est conseillé de cuire ces légumes dans très peu d'eau et de préférence non épluchés, entiers ou en gros morceaux. La cuisson à la vapeur limite elle aussi la destruction des vitamines. Il est également recommandé de bien laver les légumes, à l'eau potable, pour éviter la transmission de maladies parasitaires (toxoplasmose, par exemple) et pour éliminer les résidus de produits phytosanitaires (pesticides, engrais). Les légumes, en raison de leur faible valeur calorique, tiennent souvent une place prépondérante dans les régimes amaigrissants. → VOIR Aliment.

Légumineuse

Plante dicotylédone dont le fruit est une gousse.

De nombreuses variétés de légumineuses sont comestibles : fèves, haricots secs, lentilles, pois divers, etc. Ce sont des légumes secs, qui se distinguent des légumes frais par leur richesse en protéines (25 % en moyenne) et par leur valeur calorique plus élevée (de 120 à 340 kilocalories pour 100 grammes). Les légumineuses contiennent une forte proportion d'amidon (de 55 à 60 %) et de fibres végétales. Ces fibres peuvent être irritantes pour la muqueuse intestinale, ce qui fait déconseiller la consommation de légumes secs aux personnes ayant un côlon irritable ; les purées de légumineuses sont toutefois mieux tolérées. La teneur des légumineuses en vitamines du groupe B est importante, bien que celles-ci soient en partie détruites au cours de la cuisson. De plus, elles sont riches en phosphore, en iode, en calcium, en fer. L'absorption du fer et du calcium est toutefois médiocre. Ces différentes propriétés nutritives font d'elles un aliment indispensable à l'équilibre alimentaire, notamment pour les personnes suivant un régime végétalien (ne comportant que des produits d'origine végétale). → VOIR Aliment.

Leiner-Moussous (maladie de)

Affection dermatologique bénigne du nourrisson touchant essentiellement le visage et le siège. SYN. *dermatite séborrhéique du nourrisson, érythrodermie desquamative.*

La maladie de Leiner-Moussous s'observe habituellement chez le tout jeune enfant entre le 2e et le 4e mois. La cause en est le plus souvent inconnue ; dans certains cas, on suspecte une origine mycosique.

L'éruption débute le plus souvent par une rougeur des plis et des zones convexes du siège (fesses, organes génitaux) ainsi que par une atteinte du cuir chevelu, faite de squames grasses, épaisses, jaunâtres ou brunâtres sur une peau rouge (croûtes de lait). Les lésions se propagent ensuite rapidement à l'ensemble du corps en formant des

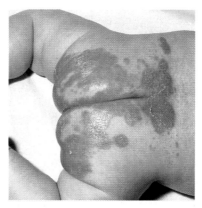

Maladie de Leiner-Moussous. *La maladie débute sur le cuir chevelu et le siège puis s'étend rapidement à l'ensemble du corps.*

squames. Cette éruption est habituellement bien supportée par l'enfant, qui ne ressent pas de démangeaisons.

ÉVOLUTION ET TRAITEMENT

Les symptômes régressent spontanément à partir du 6e mois. Le traitement repose sur les antiseptiques locaux : bains de permanganate de potassium ou d'antiseptiques non colorés, dilués en solution aqueuse, qui doivent être suivis de l'application de solutions ou de pommades antifongiques et de vaseline sur le cuir chevelu. Un traitement antifongique par voie générale n'est utile qu'en cas de localisation digestive d'une mycose, précisée par l'examen des selles.

Léiomyome

Variété de tumeur bénigne se développant aux dépens des fibres musculaires lisses.

Le léiomyome, de cause inconnue, siège de préférence dans la paroi de l'utérus et dans la peau.

■ Le léiomyome de l'utérus, improprement appelé fibrome ou fibromyome, peut provoquer des saignements et se traite, au besoin, par des hormones ou par l'ablation chirurgicale.

■ Les léiomyomes cutanés forment de petits nodules plus ou moins saillants, uniques ou disséminés sur tout le corps, de couleur variée (blancs, jaunâtres, rosés, bleutés). Ils se traitent soit par électrocoagulation, soit au laser, soit par l'ablation chirurgicale.

Léiomyosarcome

Tumeur maligne rare développée à partir des muscles lisses.

Les léiomyosarcomes apparaissent essentiellement sur le tube digestif, surtout sur l'estomac et l'intestin grêle, rarement sur le côlon. Les symptômes sont ceux de toutes les tumeurs digestives : douleurs, troubles du transit intestinal (constipation, diarrhée) et hémorragies. Le diagnostic repose sur la radiographie et l'endoscopie ; il est confirmé par l'étude au microscope de la tumeur après son ablation chirurgicale. Celle-ci peut être

suivie d'une chimiothérapie dans les formes étendues. Le pronostic dépend de l'étendue de la tumeur et de son évolution (métastases ganglionnaires et pulmonaires).

Leishmaniose cutanée

Maladie parasitaire provoquée par l'infestation des cellules de la peau par différentes espèces de protozoaires flagellés du genre *Leishmania.* SYN. *bouton d'Alep, bouton de Bagdad, bouton ou clou de Biskra, bouton de Bouchir, bouton de Bouma, bouton de Delhi, bouton de Gafsa, bouton de Jéricho, bouton de Kantara, bouton du Nil, bouton d'Orient, bouton d'un an, bouton des Zibans, chancre du Sahara, mal des dattes.*

FRÉQUENCE

La maladie sévit en Afrique du Nord et de l'Est, en Amérique tropicale, en Inde et sur le pourtour du Bassin méditerranéen ; elle touche chaque année, avec les leishmanioses cutanéomuqueuses, environ 12 millions de personnes. On dénombre de 1 à 1,5 million de nouveaux cas par an.

CONTAMINATION

Le parasite est hébergé par les chiens et les rongeurs et se transmet par de petits insectes, les phlébotomes (des genres *Phlebotomus* ou *Lutzomiya*), dont les femelles piquent aussi bien l'homme que les rongeurs sauvages, les fourmiliers, les paresseux ou les chiens.

SYMPTÔMES

La leishmaniose cutanée se caractérise par un ou plusieurs ulcères de quelques millimètres à un centimètre de diamètre sur la peau des parties du corps non couvertes par les vêtements et, notamment, sur le visage ou sur les membres. Ces ulcères ne sont pas douloureux et cicatrisent en quelques mois. Dans certains cas de leishmaniose cutanée recensés en Amérique tropicale, l'ulcération peut être plus étendue.

TRAITEMENT

La leishmaniose cutanée guérit spontanément mais lentement. Il est donc préférable de prescrire au malade des médicaments (antimoniate de méglumine, lomidine, amphotéricine B), injectables directement dans l'ulcère et qui accélèrent sa guérison. Selon toute vraisemblance, ces substances empêchent la multiplication des leishmanies et permettent aux cellules sanguines de phagocyter (manger) les parasites, mais il est difficile de déterminer exactement leur effet dans l'organisme.

PRÉVENTION

L'utilisation de vêtements couvrants et d'insecticides, dont on peut imprégner les moustiquaires, protège des piqûres d'insectes, qui demeurent difficiles à éviter à l'extérieur en raison, notamment, de leur petite taille et de leur vol silencieux.

Leishmaniose cutanéomuqueuse

Maladie parasitaire due à l'infestation des cellules de la peau et des muqueuses (en particulier celles de la face) par des protozoaires flagellés du genre *Leishmania.* SYN. *bouton de Bahia, espundia, leishmaniose forestière sud-américaine, pian-bois, ulcère des chicleros, ulcère des gommiers, uta.*

Les leishmanies sont des parasites hébergés par les chiens et les rongeurs et transmis à l'homme par la piqûre d'un insecte, le phlébotome femelle. La maladie peut n'atteindre que la peau et les muqueuses ou prendre une forme beaucoup plus grave, appelée leishmaniose viscérale ou kala-azar, qui touche aussi les viscères, notamment le foie, la rate, les ganglions lymphatiques et le tube digestif. La leishmaniose, particulièrement répandue dans certaines régions d'Asie, en Afrique, en Amérique du Sud et dans les pays méditerranéens, peut se manifester jusqu'à 2 ans après la piqûre initiale.

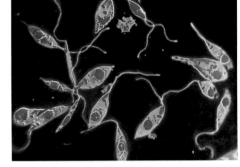

Leishmania est un protozoaire muni d'un flagelle.

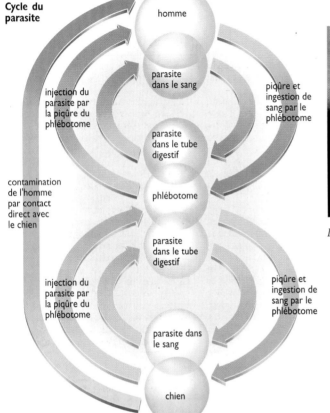

Cycle du parasite

homme

parasite dans le sang

injection du parasite par la piqûre du phlébotome

piqûre et ingestion de sang par le phlébotome

parasite dans le tube digestif

contamination de l'homme par contact direct avec le chien

phlébotome

parasite dans le tube digestif

injection du parasite par la piqûre du phlébotome

piqûre et ingestion de sang par le phlébotome

parasite dans le sang

chien

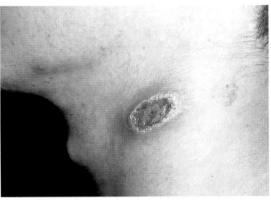

La leishmaniose cutanée se traduit par la formation d'un ulcère.

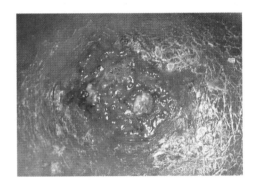

Parfois, la maladie débute par une papule rouge sombre.

FRÉQUENCE

Les leishmanioses cutanéomuqueuses sévissent surtout en Amérique centrale et en Amérique du Sud et touchent chaque année, avec les leishmanioses cutanées, 12 millions de personnes environ. On dénombre quelques milliers de nouveaux cas de leishmanioses cutanéomuqueuses par an.

CONTAMINATION

Le parasite, qui mesure quelques microns de diamètre, est hébergé par les animaux et se transmet par la piqûre de petits insectes des genres *Phlebotomus* ou *Lutzomiya* - non seulement à l'homme, mais aussi à des rongeurs sauvages, à des fourmiliers, à des paresseux, à des chiens et à de nombreux marsupiaux (mammifères à poche ventrale), en Amérique tropicale et en particulier dans la forêt amazonienne. La piqûre des insectes femelles est douloureuse (les insectes mâles ne piquent pas).

SYMPTÔMES

Les leishmanioses cutanéomuqueuses se manifestent par des ulcérations sur le visage – le nez et la bouche sont atteints aussi –, qui peuvent laisser des cicatrices, voire des mutilations importantes. La durée d'évolution de la maladie est variable et peut s'étendre sur plusieurs années.

DIAGNOSTIC

Le diagnostic s'établit par l'étude et l'identification des parasites au microscope dans des prélèvements obtenus par grattage de l'ulcération ou extraction au bistouri de fragments de la paroi de l'ulcère.

TRAITEMENT

L'injection directe dans l'ulcère du malade de médicaments comme l'antimoniate de méglumine, la lomidine, l'amphotéricine B ou le stibiogluconate de méglubine accélère la guérison. Ces substances ont probablement pour effet d'empêcher la multi-

plication des leishmanies et de permettre aux cellules sanguines de phagocyter les parasites. Si l'efficacité de ces substances est reconnue, le mécanisme de leur action dans l'organisme est difficilement descriptible.

PRÉVENTION

Le risque d'infection est réduit par le port de vêtements protégeant des piqûres de phlébotomes et par l'utilisation d'insecticides imprégnant les moustiquaires.

Leishmaniose viscérale

Maladie parasitaire de l'homme et du chien, provoquée par l'infestation par un protozoaire flagellé du genre *Leishmania*. SYN. *fièvre épidémique d'Assam, kala-azar* (ou *maladie noire*), *fièvre doum-doum, maladie de Sahib, ponos, splénomégalie tropicale.*

Les leishmanies vivent et se multiplient dans certaines cellules du sang et de la moelle osseuse et détruisent ces cellules.

FRÉQUENCE

La leishmaniose viscérale est fréquente dans les régions tropicales et méditerranéennes (dont le sud de la France) et atteint plus souvent l'enfant que l'adulte. On dénombre environ 500 000 nouveaux cas par an.

CONTAMINATION

Une leishmaniose viscérale se transmet à l'homme et au chien par la piqûre de petits insectes, les phlébotomes. Ceux-ci, après avoir piqué un homme ou un animal atteints, sont porteurs du parasite, qui se développe et se multiplie dans leur organisme. C'est parfois le chien de la famille qui est à l'origine du déclenchement d'une leishmaniose viscérale.

SYMPTÔMES

La durée d'incubation est très variable, de quelques semaines à quelques mois, voire plusieurs années, selon l'état immunitaire du porteur. Les symptômes apparaissent progressivement : amaigrissement, fatigue, pâleur, essoufflement et surtout fièvre irrégulière persistante avec, dans une même journée, des pics de température à 40-41 °C et des chutes plus ou moins rapides. Le volume du foie et de la rate augmente. De gros ganglions apparaissent parfois au cou et aux aisselles. Le malade souffre également de diarrhée et, au stade avancé de la maladie, des taches sombres se forment sur la peau.

DIAGNOSTIC

L'analyse sanguine révèle une diminution des globules rouges, des globules blancs et des plaquettes. La vitesse de sédimentation des globules rouges est accélérée ; la quantité de protéines du sérum sanguin (qui abonde en anticorps spécifiques) augmente de façon importante.

Une ponction de moelle osseuse ou de foie permet d'identifier le parasite et d'éviter la confusion avec une leucémie aiguë.

TRAITEMENT

Le médecin prescrit de la lomidine, de l'antimoniate, du stibiogluconate de méglumine et de l'amphotéricine B. L'action de ces substances consiste vraisemblablement à empêcher la multiplication des leishmanies et à permettre aux cellules sanguines de phagocyter les parasites. Ce traitement est efficace, sauf dans les cas de sida, et ne s'applique pas à un chien contagieux, qui doit souvent être sacrifié. Cette maladie est grave et doit absolument être soignée, car elle peut être mortelle.

PRÉVENTION

Par temps chaud et humide, il est recommandé d'utiliser des insecticides pour tuer les phlébotomes et de dormir sous une moustiquaire imprégnée également d'insecticide (car les insectes de petite taille passent facilement à travers les mailles).

Le vaccin contre la leishmaniose viscérale est destiné aux chiens et doit être administré dans toute région à risque afin d'éviter la contagion de l'homme.

Lente

Œuf du pou.

Les lentes se présentent sous la forme de minuscules masses arrondies, grises, adhé-rant le long des cheveux ou des poils. Pour les éliminer, il faut respecter le mode d'emploi du produit traitant l'infestation. En règle générale, il faut procéder à une deuxième application du produit quelques jours après la première, effectuer des lavages répétés avec un shampooing spécial et surtout passer soigneusement la chevelure au peigne très fin après application du produit. Peignes et brosses à cheveux doivent être nettoyés après utilisation.

→ VOIR Pédiculose.

Lentiginose

Maladie génétique caractérisée par une éruption profuse de lentigos (petites taches cutanées brunes).

Les lentiginoses peuvent être isolées ou s'associer à des atteintes viscérales ou à des malformations regroupant différentes affections dont les signes apparaissent dès l'enfance.

■ La lentiginose péri-orificielle, ou syndrome de Peutz-Jeghers, se déclare en général vers l'âge de 15 ans. Elle se traduit par des lentigos dans la région des lèvres, de l'anus et des organes génitaux et par des polypes de l'intestin, le plus souvent de l'intestin grêle. Ceux-ci peuvent être responsables d'occlusions ou d'hémorragies, ce qui nécessite un traitement chirurgical. Ils comportent en outre un faible risque de cancérisation et doivent être retirés par voie endoscopique au fur et à mesure de leur apparition.

■ La lentiginose centrofaciale neurodystrophique provoque des lentigos du milieu du visage et des malformations du système nerveux avec un retard mental. Il n'existe pas de traitement, en dehors de celui des malformations associées.

■ Le syndrome L.E.O.P.A.R.D. associe des lentigos sur le haut du corps, une petite taille, des malformations cardiaques, oculaires et nerveuses avec un retard mental. Il arrive qu'on puisse traiter certains des troubles (correction chirurgicale d'une malformation).

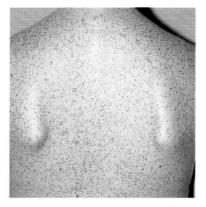

Lentiginose. Le syndrome L.E.O.P.A.R.D. se traduit par une éruption de petites taches brunes (lentigos) sur le haut du corps.

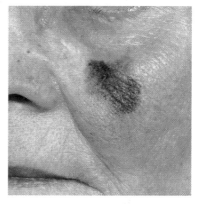

Lentigo. Une tache brune, souvent assez étendue, apparaissant sur le visage d'une personne âgée peut être une lésion précancéreuse.

Lentigo

Petite tache cutanée. SYN. *grain de beauté, lentigine.*

Les lentigos correspondent à une augmentation du nombre des mélanocytes, cellules responsables de la pigmentation cutanée. Ils forment des taches de couleur brune, arrondies, de quelques millimètres de diamètre. Un lentigo peut être très difficile à distinguer d'un autre type de tache pigmentée, le nævus nævocellulaire (petite malformation cutanée qui peut nécessiter une ablation chirurgicale), et, plus accessoirement, des éphélides (taches de rousseur). Parfois, seul l'examen au microscope permet de trancher.

DIFFÉRENTS TYPES DE LENTIGO

Il existe deux formes particulières de lentigo.

■ Le lentigo sénile dessine des taches brunes de quelques centimètres de diamètre sur le dos des mains des personnes âgées. Ce lentigo est dépourvu de signification pathologique et se traite par cryothérapie (neige carbonique ou azote liquide).

■ Le lentigo malin, ou mélanose de Dubreuilh, apparaît chez les personnes âgées et forme une tache de couleur brunâtre, atteignant parfois plusieurs centimètres de diamètre, sur les joues, le front, les paupières ou encore sur le dos des mains et la face postérieure des jambes. C'est une lésion précancéreuse, de pronostic plutôt favorable, traitée par ablation chirurgicale.

→ VOIR Lentiginose, Mélanose.

Lentille de contact

Prothèse optique transparente, très fine et concave, que l'on pose sur la cornée de l'œil pour corriger les défauts de vision. SYN. *lentille cornéenne, verre de contact.*

INDICATIONS

Les lentilles de contact modifient la puissance de la cornée en recouvrant sa surface avec un revêtement de plastique. Elles peuvent corriger la myopie, avec un meilleur résultat que les lunettes, ainsi que l'hypermétropie, l'astigmatisme, quelques cas de presbytie et l'aphakie (absence de cristallin).

La décision de porter des lentilles résulte souvent de considérations d'ordre esthétique ou pratique. Contrairement aux lunettes, les lentilles de contact ne glissent pas, ne tombent pas, ne se couvrent pas de buée ou de pluie. Mais elles nécessitent une adaptation qui doit se faire progressivement, sous contrôle médical, de façon à apprécier la tolérance de la cornée.

DIFFÉRENTS TYPES DE LENTILLE DE CONTACT

Il existe deux sortes de lentilles, qui se distinguent par le matériau dont elles sont composées : les lentilles souples et les lentilles flexibles, ou rigides.

■ Les lentilles souples, ou hydrophiles, en matériau synthétique, nécessitent une bonne humidification de la cornée par le film lacrymal. Elles se plient facilement, s'adaptent à la courbure de la cornée et débordent sur le pourtour conjonctival. Elles ne peuvent être prescrites qu'à des patients qui ont une bonne sécrétion lacrymale et qui ne souffrent d'aucune affection conjonctivale chronique. Elles corrigent la myopie, l'hypermétropie et la presbytie, mais moins bien l'astigmatisme. Bien tolérées dès le début, elles peuvent être portées une grande partie de la journée et sont idéales pour le port occasionnel (au cours d'une activité sportive, par exemple). Elles exigent un entretien rigoureux. Certaines lentilles souples, très fines, peuvent être portées pendant des périodes plus longues, plusieurs semaines par exemple, jour et nuit. Une surveillance régulière est nécessaire pour éviter les risques d'infection.

■ Les lentilles flexibles, dites encore rigides ou semi-rigides, sont en matériau synthétique perméable à l'air, ce qui permet une bonne oxygénation de la cornée. Elles sont indiquées pour corriger l'astigmatisme ainsi que les autres amétropies (myopie, hypermétropie). Leur entretien est plus facile que celui des lentilles souples et leur durée de tolérance, plus longue, mais cette tolérance est médiocre au début (gêne pendant les 15 premiers jours environ).

EFFETS SECONDAIRES

Le port de lentilles peut provoquer chez certaines personnes des ulcérations de la cornée, des inflammations superficielles de la cornée et des conjonctivites allergiques, parfois dues aux produits utilisés pour leur entretien. L'insuffisance de sécrétion des larmes, plus fréquente chez les sujets âgés, entraîne une irritation oculaire chez les porteurs de lentilles. Enfin, il ne faut jamais continuer à porter une lentille si l'œil devient rouge, s'infecte, si la vision se brouille ou si la lentille entraîne une gêne douloureuse.
→ VOIR Lunettes.

Lentivirus

Nom d'un genre de virus à A.R.N. appartenant à la famille des rétrovirus (Retroviridæ).

Les lentivirus sont responsables de maladies d'évolution lente qui touchent le système nerveux central (encéphalites) et le système immunitaire et qui sont non néoplasiques (non cancéreuses), à la différence des maladies provoquées par les oncovirus, autres rétrovirus.

Chez l'homme, on a identifié actuellement deux lentivirus : le V.I.H.1 et le V.I.H.2, responsables du sida.

Léo Buerger (maladie de)

Artérite particulière des membres inférieurs. SYN. thromboangéite oblitérante.

La maladie de Léo Buerger est une maladie rare touchant de préférence les sujets originaires d'Europe centrale (maladie génétique) et les gros fumeurs. Comme le tabac a un effet spastique, c'est-à-dire qu'il rétrécit les vaisseaux, la maladie de Léo Buerger consiste en une obstruction progressive des artères de moyen calibre, qui limite l'apport sanguin aux orteils et aux doigts et entraîne souvent une gangrène. Les symptômes principaux sont des douleurs aux mains et aux pieds. Par temps froid, les mains deviennent successivement blanches, bleues puis rouges. Le système veineux peut également être atteint (phlébites). La maladie évolue par poussées. Les récidives successives entraînent l'amputation des orteils ou des doigts atteints. Quand la cause est le tabagisme, l'arrêt total et définitif du tabac est la mesure la plus efficace pour enrayer l'évolution de la maladie. Les vasodilatateurs ne sont que rarement opérants.
→ VOIR Raynaud (maladie de), Tabagisme.

Lépine (Pierre)

Médecin français (Lyon 1901 - Paris 1989).

Chercheur, puis chef du service de virologie à l'Institut Pasteur, il étudia les virus neurotropes (se fixant de préférence sur le système nerveux) et les lésions cellulaires qu'ils provoquent. On lui doit la mise au point, en 1955, d'un vaccin inactivé contre la poliomyélite, dérivé de celui de Salk.

Lèpre

Maladie infectieuse chronique caractérisée par une atteinte de la peau, des muqueuses et des nerfs. SYN. maladie de Hansen.

La lèpre est encore fréquente dans les régions intertropicales d'Afrique, d'Asie, d'Océanie et d'Amérique latine. Elle touche de 10 à 12 millions de personnes, dont plus de la moitié n'a pas accès à un système de soins. C'est une maladie endémique, c'est-à-dire qu'elle fait en permanence un nombre élevé de victimes. En revanche, la lèpre a quasiment disparu d'Europe occidentale depuis la fin du XVe siècle. Pour les cas actuellement observés dans les pays développés, la contamination a eu lieu au cours d'un séjour dans une zone où la maladie sévit encore de façon permanente.

CAUSES

L'affection est due à une bactérie en forme de bâtonnet, le bacille de Hansen, ou Mycobacterium lepræ. La contagion n'est possible que dans certaines formes de lèpre (lèpre lépromateuse) ; elle s'effectue à partir des sécrétions nasales ou des plaies cutanées d'un malade, qui contaminent la peau ou les muqueuses (muqueuse respiratoire) d'un sujet sain. Elle est donc relativement faible, voire négligeable, dans les pays développés ; mais elle est favorisée par les mauvaises conditions d'hygiène et par la chaleur dans les pays tropicaux.

SYMPTÔMES ET SIGNES

L'évolution de la lèpre est très lente et s'étale sur plusieurs années. Après une incubation d'une durée de un à cinq ans, la maladie débute sous une forme dite indéterminée. Les premières lésions sont de petites taches dépigmentées, en général blanches, de quelques millimètres, où la peau est insensible et ne transpire pas. La maladie prend ensuite soit une forme dite tuberculoïde, soit une forme dite lépromateuse, ou encore une forme intermédiaire.

■ La lèpre tuberculoïde, la plus fréquente, se rencontre chez des sujets ayant des défenses immunitaires relativement efficaces. Elle lèse surtout les nerfs, qui augmentent de volume, notamment dans les régions du coude, de la jambe et du cou, et deviennent palpables sous forme de gros cordons réguliers ou parsemés de renflements et d'étranglements. L'évolution se fait vers une extension des lésions, un dessèchement progressif de la peau, des altérations des muscles et des nerfs entraînant des maux perforants plantaires (ulcérations), des rétractions des tendons et des aponévroses des pieds et des mains.

■ La lèpre lépromateuse, la plus grave, se rencontre chez les sujets aux défenses immunitaires très insuffisantes. Elle se traduit par l'apparition de lépromes, nodules rouge-brun douloureux, qui saillent sous la peau et sont suffisamment nombreux et

---

Entretien des lentilles

Les lentilles s'entretiennent de manière différente selon qu'elles sont souples ou flexibles. Néanmoins quelques règles doivent être respectées dans les deux cas. Les lentilles doivent impérativement être nettoyées et aseptisées chaque jour avec un produit d'entretien adapté à leur nature et prescrit par l'ophtalmologiste. La déprotéinisation, qui permet d'enlever les dépôts protéiques blancs provenant du film lacrymal, doit être réalisée une fois par semaine. Le liquide dans lequel les lentilles sont mises à baigner dès qu'elles sont retirées doit être renouvelé quotidiennement et l'étui qui les contient dans leur liquide est lui-même à changer tous les mois. Il est important d'avoir les mains très propres et les ongles courts lors des manipulations afin d'éviter de déchirer les lentilles souples. Enfin, l'entretien des lentilles doit se faire au-dessus d'une surface propre, lisse et bien éclairée.

Par ailleurs, lorsqu'on porte des lentilles, il est préférable d'utiliser pour les soins du visage des produits hypoallergéniques et d'éviter de farder le rebord interne des paupières. Il est recommandé de procéder au maquillage après la pose des lentilles et au démaquillage après leur placement dans l'étui. Enfin, il faut savoir que la fumée de cigarette jaunit les lentilles.

La lèpre est due à une bactérie présente dans les gouttelettes de mucus nasal. Sa période d'incubation, très longue, dure de 2 à 5 ans. On distingue deux formes principales de lèpre : la forme tuberculoïde, qui se traduit par des déformations importantes des mains et des pieds, et la forme lépromateuse, plus grave, caractérisée par une destruction des tissus du visage, une atteinte des viscères (foie, rate) et des signes généraux tels que fièvre et fatigue importantes.

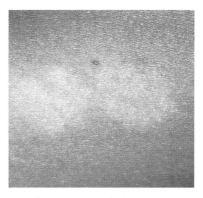

Les taches peuvent se multiplier, provoquant la décoloration de zones entières de la peau.

L'apparition de petites taches dépigmentées permet un dépistage précoce.

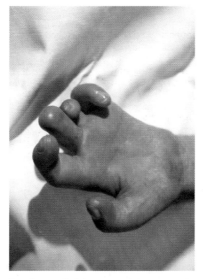

Les formes évoluées se traduisent par des déformations et des mutilations des doigts.

volumineux pour être mutilants ; le visage, lorsqu'il est atteint de telles lésions, est dit léonin (évoquant un lion). Aux lépromes s'associent une rhinite inflammatoire très contagieuse qui peut entraîner un effondrement des cartilages, des atteintes des yeux, de la bouche et des viscères, une fièvre et une importante fatigue générale.

DIAGNOSTIC
L'infection est mise en évidence par une cuti-réaction spécifique (à la lépromine), la réaction de Mitsuda, chez les sujets atteints de lèpre tuberculoïde, et par une biopsie des lésions cutanées ou par l'examen d'un frottis nasal, qui révèlent de nombreux bacilles de Hansen, chez les personnes atteintes de la forme lépromateuse.

TRAITEMENT
La lèpre est traitée par l'administration de sulfones ; cependant, de nombreuses résistances à ce médicament étant apparues ces dernières années, on fait actuellement appel à d'autres produits (sulfamides, rifampicine, clofazimine). Le traitement doit être poursuivi très longtemps, de 6 mois à 2 ans, voire davantage dans les formes évoluées. Il est aussi très onéreux. Il guérit les formes débutantes et empêche l'évolution des formes graves.

ÉVOLUTION
La lèpre est une maladie très mutilante, pouvant laisser après guérison de nombreuses séquelles. La chirurgie orthopédique permet de réduire les déformations mutilantes. Les névrites aiguës sont traitées par des interventions chirurgicales de décompression nerveuse.

Lepréchaunisme
Variété de nanisme caractérisée par un faciès de lutin. SYN. *syndrome de Donohue.*

L'origine d'un lepréchaunisme est intra-utérine ou périnatale. La nature génétique de ce nanisme est probable mais n'a pas été encore éclaircie.

L'espérance de vie d'un enfant atteint de lepréchaunisme est réduite.

Léprome
Tumeur nodulaire caractéristique d'une forme de lèpre, la lèpre lépromateuse.

Les lépromes sont des nodules de taille plus ou moins importante, saillant sous la peau, peu mobiles et de consistance ferme. Ils se situent de préférence sur le visage mais également sur les membres et sur le tronc. Dans les formes avancées de la maladie, où la peau est infiltrée, les nodules cutanés

contribuent à l'aspect léonin du visage du sujet atteint. Le traitement est celui de la lèpre lépromateuse (administration de dapsone, de rifampicine ou de clofazimine).

Lépromine
Suspension de *Mycobacterium lepræ,* agent de la lèpre, inactivé par la chaleur.

La lépromine est utilisée en cuti-réaction, appelée réaction de Mitsuda, pour déterminer l'infection par la lèpre granulomateuse. Au bout d'un mois, on constate la présence ou non d'une induration au lieu de l'injection. La réponse est positive (réaction granulomateuse) chez les sujets atteints de la forme tuberculoïde de la lèpre.

Leptine
Protéine codée par un gène (le gène Ob) qui a une influence sur le développement de l'obésité.

Des recherches montrent que, chez la souris, une mutation du gène Ob supprime la production de leptine et entraîne une obésité majeure. Le traitement des souris obèses par la leptine qui est produite par les adipocytes (cellules graisseuses) et qui induit une satiété est très efficace. À l'opposé, chez l'homme, l'obésité est associée à des taux élevés de leptine, ce qui fait supposer une résistance éventuelle ou une diminution du passage de cette protéine du sang au cerveau ou encore une anomalie du récepteur cérébral de la leptine.

Leptospirose
Maladie infectieuse rare provoquée par une bactérie spiralée du genre *Leptospira.*

La bactérie est hébergée par des animaux sauvages, rongeurs (rats) ou carnivores, et par certains animaux domestiques (chiens) et excrétée dans leurs urines. L'homme se contamine par voie transcutanée (excoriation de la peau) lors de baignades en eau douce (rivières, lacs) ou, plus rarement, par contact direct (morsure). La leptospirose touche certains professionnels (maladie des égoutiers, contaminés par les rats).

SYMPTÔMES ET SIGNES
La leptospirose survient le plus souvent par cas sporadiques. L'incubation dure une dizaine de jours, puis une fièvre élevée s'installe, accompagnée de frissons, de douleurs musculaires importantes et de maux de tête pulsatiles. Un ictère intense, un syndrome méningé (nausées, raideur de la nuque), des hémorragies rénales et polyviscérales peuvent survenir 48 heures après le début des manifestations. La fièvre régresse en 4 à 10 jours, alors que les signes cliniques s'améliorent. Une recrudescence de fièvre élevée, durant environ deux jours, survient entre le 10e et le 15e jour après le début des signes.

DIAGNOSTIC, TRAITEMENT ET PRÉVENTION
Le diagnostic repose sur la recherche de la bactérie dans le sang (hémoculture), dans le liquide céphalorachidien ou dans les urines. La leptospirose est traitée par administration d'antibiotiques pendant deux semaines. Un vaccin efficace contre *Leptospira ictero-hemorragiæ* est proposé aux professionnels exposés.

Leriche (René)

Chirurgien français (Roanne 1879 - Cassis 1955).

Titulaire, à partir de 1937, de la chaire de médecine expérimentale au Collège de France, il fit faire de grands progrès à la chirurgie du système sympathique et à celle des vaisseaux. Il montra que l'altération d'une fonction peut entraîner la lésion d'un organe. Il étudia aussi le phénomène de la douleur (*la Chirurgie de la douleur,* 1937).

Leriche (syndrome de)

Ensemble des troubles provoqués par une thrombose (occlusion complète) de l'aorte abdominale à l'endroit où celle-ci se divise en deux artères iliaques primitives.

CAUSES

Le syndrome de Leriche est presque toujours dû à un dépôt de cholestérol sur la paroi aortique, auquel souvent s'ajoute un caillot, qui achève d'obstruer le passage du sang.

SYMPTÔMES ET SIGNES

Bien qu'une circulation de suppléance se développe alors (les vaisseaux avoisinants grossissent, s'allongent, s'entrecroisent et prennent le relais) entre l'aorte située au-dessus de l'occlusion et les artères des membres inférieurs, évitant ainsi que ceux-ci se gangrènent, cette organisation est en général insuffisante : des douleurs surviennent dans les deux membres inférieurs lors de la marche, lesquelles font boiter le sujet. Quand celui-ci arrête de marcher, les douleurs disparaissent, puis reparaissent lorsqu'il se remet à marcher, entraînant de nouveau une claudication. Cela caractérise la « claudication intermittente ». Chez l'homme, un autre signe particulier du syndrome de Leriche est l'impuissance, provoquée par une insuffisance de l'apport sanguin à la verge.

DIAGNOSTIC

Il est établi par l'imagerie artérielle : échographie Doppler, complétée par une artériographie et une aortographie.

TRAITEMENT

Il est chirurgical et consiste à remplacer par une prothèse synthétique en Dacron, en forme de Y renversé, le segment d'aorte concerné et la fourche faite par les deux artères iliaques primitives.

PRONOSTIC

Les douleurs lors de la marche s'estompent facilement, mais les troubles de l'érection peuvent persister.
→ VOIR Athérosclérose.

Létal

Qui entraîne la mort.

La dose létale est la dose d'un médicament ou d'une substance toxique qui entraîne la mort.

Dans l'expérimentation d'un nouveau médicament sur l'animal, on détermine la dose létale 50 (DL 50), c'est-à-dire celle qui provoque la mort de la moitié des animaux. La dose létale 50 permet de définir les seuils de toxicité d'un médicament et la distance entre les doses thérapeutiques et les doses toxiques avant d'autoriser l'administration d'un médicament à l'homme.

La dose létale 50 est en outre utilisée pour classer les substances chimiques en différentes catégories et sert de dose de référence dans de nombreuses législations.

En génétique, une anomalie est dite létale si elle entraîne la mort de l'embryon ou du fœtus, et un gène est dit létal lorsqu'il a subi une mutation grave responsable de la mort de l'embryon ou du fœtus.

Léthargie

1. État pathologique de sommeil profond et prolongé, sans fièvre ni infection, caractérisé par le fait que le malade est susceptible de parler quand on le réveille mais oublie ses propos et se rendort promptement. Cet état constitue un symptôme de l'hystérie.
2. État de torpeur, d'apathie et d'extrême affaiblissement.

Leucaphérèse

Technique permettant de retirer des globules blancs du sang.

La leucaphérèse permet de transfuser des globules blancs prélevés chez une personne en bonne santé à des receveurs ayant un déficit en globules blancs et une infection grave. Elle est également pratiquée, en association avec la chimiothérapie, pour supprimer les cellules excédentaires chez des malades atteints de leucémie avec hyperleucocytose (surproduction de globules blancs). Au cours de la maladie de Sézary, elle sert à diminuer le nombre de lymphocytes pathologiques. La lymphaphérèse (retrait d'un seul type de leucocytes, les lymphocytes) permet, chez certains malades, de conserver des cellules souches sanguines en vue d'une autogreffe.

TECHNIQUE

Le sang est prélevé dans l'un des deux bras du patient et passe dans un circuit de séparation. Après retrait des globules blancs, il est réinjecté dans l'autre bras.

Leucémie

Prolifération cancéreuse, c'est-à-dire incontrôlée, de cellules précurseurs (blastes) des globules blancs normaux dans la moelle osseuse et le sang. SYN. *leucose.*

Le terme de leucémie s'oppose à celui de lymphome, envahissement des ganglions

---

LEUCÉMIE

Une leucémie est un cancer du sang caractérisé par une prolifération anormale de globules blancs dans la moelle osseuse. Ceux-ci se répandent dans le sang et infiltrent différents organes, dont ils perturbent le fonctionnement. Chez les sujets atteints, infections graves, hémorragies et anémie sont particulièrement fréquentes.

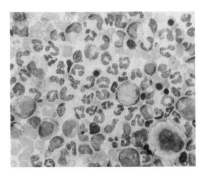

Dans une leucémie myéloïde chronique, le noyau des globules blancs forme une petite tache rose foncé en forme de fer à cheval.

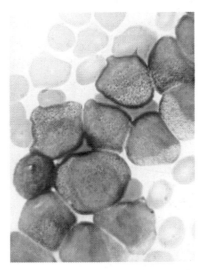

Dans une leucémie aiguë myéloblastique, les précurseurs des globules blancs, au noyau peu visible, sont remplis de granulations.

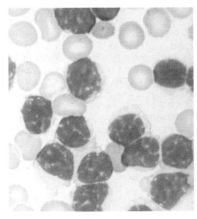

Dans une leucémie lymphoïde chronique, les globules blancs ont un noyau de forme arrondie, assez régulière (en rose foncé).

lymphatiques. Cependant, cette distinction est théorique, les formes évoluées de leucémie pouvant atteindre tous les organes.

Selon les statistiques, il se déclare environ chaque année 8 nouveaux cas de leucémie pour 100 000 personnes.

DIFFÉRENTS TYPES DE LEUCÉMIE

On distingue les leucémies chroniques, où la prolifération ne s'accompagne pas d'un arrêt de maturation des précurseurs présents dans la moelle, des leucémies aiguës, où, à la prolifération de ces précurseurs, s'ajoute un blocage de leur maturation, ce qui a pour conséquence, d'une part, un excès de cellules jeunes, d'autre part l'absence de globules blancs matures. Par ailleurs, la leucémie peut se développer soit aux dépens des précurseurs des cellules polynucléaires (myéloblastes), soit aux dépens des précurseurs des lymphocytes (lymphoblastes).

Ces critères conduisent à classer en quatre grands types les diverses formes que peut prendre la maladie : la leucémie myéloïde chronique (L.M.C.), la leucémie aiguë myéloïde (L.A.M.), la leucémie lymphoïde chronique (L.L.C.), la plus fréquente chez les personnes de plus de 40 ans, et la leucémie aiguë lymphoïde (L.A.L.), la plus courante chez l'enfant. Au sein de chaque catégorie, on distingue en outre des sous-types en fonction du type de cellule en cause (par exemple leucémie lymphoïde à cellules B ou à cellules T).

CAUSES

Mis à part les expositions professionnelles intensives à certaines substances chimiques, comme le benzène, ou aux radiations, qui peuvent entraîner des leucémies aiguës ou des leucémies myéloïdes chroniques, la cause des leucémies reste inconnue dans la majorité des cas. Seul leur mécanisme de développement commence à être appréhendé, notamment dans les cas où l'on constate des anomalies chromosomiques dans les cellules leucémiques. En effet, ces anomalies entraînent l'activation d'oncogènes (gènes du cancer), jouant probablement un rôle dans la survenue de la leucémie, ou la perte de certains gènes suppresseurs de tumeurs.

SYMPTÔMES

Ils sont assez peu caractéristiques et provoqués par l'insuffisance en éléments matures du sang (polynucléaires, globules rouges et plaquettes) ainsi que par l'envahissement des différents organes par les globules blancs. La diminution des globules rouges entraîne une anémie avec pâleur et palpitations. L'absence de plaquettes provoque des phénomènes hémorragiques (saignement des gencives, ecchymoses). Enfin, la diminution des polynucléaires expose à des infections graves comme des septicémies ou des angines sévères. L'envahissement concerne surtout la rate et les ganglions lymphatiques, qui augmentent de volume, plus rarement la peau, se traduisant alors par l'apparition de leucémides (grosses papules rouge-brun), ou le système nerveux, entraînant des maux de tête, une méningite, une paralysie faciale ou des troubles de la conscience.

DIAGNOSTIC

Il repose sur l'analyse du sang et de la moelle. Le sang est le plus souvent anormalement pauvre en globules rouges et en plaquette et contient des leucocytes d'allure normale, mais en nombre excessif (leucémie chronique), ou des leucocytes anormalement jeunes (leucémie aiguë). Le myélogramme (ponction de moelle osseuse) montre un envahissement par des blastes (leucémie aiguë) ou par un nombre excessif de globules blancs plus matures, lymphocytes ou précurseurs de polynucléaires, dans les leucémies chroniques.

TRAITEMENT

Il dépend de l'âge du patient et du type de leucémie. Il est généralement moins intensif chez les patients âgés de plus de 65 ans. Une greffe de moelle osseuse n'est envisagée que chez les sujets de moins de 50 ans.

■ Le traitement des leucémies aiguës, myéloïdes et lymphoïdes, repose sur une chimiothérapie intensive antimitotique (inhibant la division des cellules), associant un grand nombre de substances. Mais ce traitement détruit aussi bien les cellules tumorales que les cellules normales de la moelle. Il a donc pour conséquence une disparition passagère mais marquée des cellules myéloïdes, période pendant laquelle le sujet est particulièrement sujet aux infections, aux hémorragies et à l'anémie, respectivement par manque de polynucléaires, de plaquettes et de globules rouges. La cure nécessite donc une hospitalisation prolongée. Dans la majorité des cas, les blastes disparaissent au cours du traitement. Un traitement de consolidation, fondé sur une chimiothérapie légère, est alors administré soit en cures répétées et assez peu intensives, soit en une ou deux fois mais beaucoup plus intensivement. Le rythme, très variable, est établi en fonction du type de leucémie et de la réponse de l'organisme au traitement d'attaque. Une greffe de moelle osseuse peut également être envisagée (allogreffe ou autogreffe de moelle).

■ Le traitement de la leucémie myéloïde chronique est la greffe de moelle osseuse lorsqu'elle est possible. La chimiothérapie ne permet que de normaliser le nombre des globules blancs sans empêcher l'évolution de la maladie. Toutefois, des progrès thérapeutiques ont été faits grâce à l'interféron.

■ Le traitement de la leucémie lymphoïde chronique est, dans de nombreux cas, inutile, cette maladie n'entraînant aucun symptôme et étant d'évolution très lente. Si nécessaire, on administre une chimiothérapie légère pour diminuer le nombre de globules blancs du sang et pour réduire la taille des ganglions lymphatiques et de la rate.

ÉVOLUTION ET PRÉVENTION

Dans les cas de leucémies aiguës, il existe un risque de rechute, essentiellement dans les trois années qui suivent la maladie. Ce risque est faible pour les leucémies aiguës lymphoïdes de l'enfant, plus important pour les autres variétés de leucémie aiguë.

Une prévention des leucémies ne peut être envisagée que dans les cas, exceptionnels, où la cause est connue : le cas notamment des personnes soumises, du fait de leur profession, à des expositions fréquentes aux radiations (personnel des centrales nucléaires, radiologues, radiothérapeutes, etc.).

Leucémie à tricholeucocytes

Prolifération d'une variété particulière de lymphocytes, les tricholeucocytes (pourvus d'excroissances semblables à des cheveux), dans la rate et la moelle osseuse, beaucoup plus rarement dans le sang.

La leucémie à tricholeucocytes touche le plus souvent les adultes. C'est une forme rare de leucémie (1 % des cas).

SYMPTÔMES ET SIGNES

Ils comportent une splénomégalie (augmentation du volume de la rate) d'importance variable et une pancytopénie, ou diminution de tous les éléments figurés du sang (globules rouges, globules blancs et plaquettes). La baisse des globules blancs se fait surtout aux dépens des polynucléaires et des monocytes ; ces deux types de cellule étant impliqués dans les mécanismes d'immunité anti-infectieuse, la maladie s'accompagne fréquemment d'infections, notamment de légionellose ou de tuberculose. L'envahissement de la moelle osseuse s'accompagne souvent d'une myélofibrose (augmentation des structures fibreuses de la moelle).

DIAGNOSTIC ET TRAITEMENT

Le diagnostic repose sur la mise en évidence des tricholeucocytes, en général dans la moelle osseuse, par ponction ou biopsie médullaire, plus rarement dans le sang.

Le traitement reposait exclusivement, jusque dans les années 1980, sur la splénectomie (ablation de la rate), qui permettait de réduire la quantité de tricholeucocytes de l'organisme et de corriger la diminution des éléments sanguins (globules rouges, globules blancs, plaquettes). Il n'était toutefois pas toujours couronné de succès et les rechutes étaient fréquentes. Depuis une dizaine d'années, on dispose de médicaments très efficaces, dont l'interféron alpha, le plus utilisé. Ce dernier entraîne une réduction de la taille de la rate, une diminution de l'infiltration de la moelle par les tricholeucocytes et une correction de la baisse des éléments sanguins, généralement accompagnées de la disparition des symptômes et des complications infectieuses. Ce traitement doit être administré de façon prolongée, la maladie récidivant lorsqu'il est interrompu, mais il comporte peu d'effets secondaires aux doses où il est administré. De nouveaux médicaments, notamment la 2-chlorodéoxyadénosine, sont actuellement à l'essai.

Leucémoïde

Qualifie une anomalie de formule sanguine évoquant celle d'une leucémie mais due à une autre affection.

Une réaction leucémoïde peut s'observer dans le rachitisme, dans certaines infections et dans les métastases de cancer de la moelle osseuse. Elle s'observe également de façon passagère chez les personnes souffrant d'une trisomie 21.

Leucine

Acide aminé indispensable (qui ne peut être synthétisé par l'organisme et doit donc être fourni par l'alimentation).

Dans l'organisme, la leucine entre dans la constitution des protéines et intervient dans de nombreuses réactions chimiques.

Leucinose

Maladie héréditaire due à la déficience d'une enzyme participant au métabolisme d'acides aminés tels que la leucine et la valine. SYN. *maladie des urines à odeur de sirop d'érable.*

Très rare, la leucinose se traduit par une augmentation des taux sanguin et urinaire de leucine et de valine. Dès la naissance apparaissent des troubles neurologiques (mouvements anormaux du corps et des globes oculaires, altération de la conscience pouvant aboutir à un coma) et un retard mental. Le traitement est un régime très spécialisé excluant ou limitant définitivement les aliments contenant les acides aminés concernés (produits animaux). Quand il est entrepris assez tôt, les résultats sont relativement satisfaisants.

Leucoblaste

Cellule jeune hématopoïétique (participant à la formation des globules du sang), quelle que soit son origine.

Le terme de leucoblaste désigne aussi bien une cellule lymphoïde (lymphoblaste) qu'une cellule myéloïde (myéloblaste) ; surtout utilisé pour désigner les cellules des leucémies aiguës, il est de plus en plus remplacé par le terme général de « blaste ».

Leucocyte

Cellule nucléée du sang humain, dont les diverses variétés jouent pour la plupart un rôle dans la défense contre les agents étrangers à l'organisme. SYN. *globule blanc.*

Les leucocytes se distinguent des hématies (globules rouges) par leur cytoplasme plus pâle, dépourvu d'hémoglobine, et par la présence d'un noyau. Ils sont en outre plus gros (jusqu'à 15 micromètres de diamètre) et moins nombreux (de 4 000 à 10 000 par millimètre cube de sang).

On distingue les polynucléaires (possédant un noyau à plusieurs lobes) neutrophiles, basophiles et éosinophiles, les monocytes et les lymphocytes.
→ VOIR Lymphocyte, Monocyte, Polynucléaire, Sang.

Leucocytose

Nombre de globules blancs du sang.

La leucocytose est évaluée par une numération formule sanguine. Une leucocytose normale est comprise entre 4 000 et 10 000 globules blancs par millimètre cube de sang. On parle de leucopénie si les chiffres sont inférieurs à la norme, d'hyperleucocytose dans le cas contraire.

Une leucopénie se rencontre notamment en cas d'infection virale, d'aplasie médullaire ou après la prise de médicaments responsables d'agranulocytose ; une hyperleucocytose, en cas d'infection bactérienne.

Leucodermie

Diminution, perte ou absence de la pigmentation normale de la peau. SYN. *achromie, dépigmentation.*

Une leucodermie correspond presque toujours à une diminution de la mélanine (pigment de la peau). Elle s'observe au cours de maladies congénitales, présentes dès la naissance sous forme généralisée (albinisme) ou localisée (nævus anémique), ou, le plus souvent, de maladies acquises, essentiellement le psoriasis, la lèpre, la syphilis, le pityriasis versicolor (infection par un champignon) et surtout le vitiligo (taches blanches de cause inconnue) ; par ailleurs, une leucodermie apparaît souvent à l'endroit d'une cicatrice. Le traitement, quand il est possible, est surtout celui de la maladie concernée, par exemple les antibiotiques en cas de syphilis. Certains traitements locaux (cryothérapie à l'azote liquide, greffe de peau) sont proposés à titre expérimental.

Leucodystrophie

Affection caractérisée par la destruction progressive d'une substance du système nerveux, la myéline.

Les leucodystrophies sont des maladies héréditaires rares. Ce sont souvent des lipidoses, affections touchant les lipides (graisses) de l'organisme. Elles lèsent la myéline, riche en lipides, dans le système nerveux central (encéphale et moelle épinière) et parfois aussi dans les nerfs.

CAUSES

Certaines leucodystrophies (maladie de Krabbe, maladie de Pelizaeus-Merzbacher) sont de cause inconnue. D'autres, comme la leucodystrophie métachromatique, sont dues au déficit d'une enzyme, l'arylsulfatase, qui, dans ce cas, n'assure plus normalement les transformations chimiques des lipides.

SYMPTÔMES ET TRAITEMENT

Les leucodystrophies peuvent provoquer des troubles du langage, un manque de coordination dans les mouvements, une cécité, une surdité, une paralysie, des crises d'épilepsie, une démence. Chez l'enfant, les acquis psychiques et moteurs se perdent progressivement. Il n'existe pas encore de traitement des leucodystrophies.

Leucoencéphalite

Inflammation de la myéline (substance blanche du cerveau).

Une leucoencéphalite fait le plus souvent suite à une infection virale (rougeole, par exemple) ; elle se déclenche parfois après une vaccination (contre la rage ou la fièvre jaune notamment) par réaction excessive à l'antigène contenu dans le vaccin ; ce dernier cas est de plus en plus rare grâce à l'amélioration technologique des vaccins.

Les signes d'une leucoencéphalite sont une fièvre et des troubles de la conscience. Les lésions, particulièrement bien visualisées par l'imagerie par résonance magnétique (I.R.M.), apparaissent sous forme de grandes bandes correspondant à la disparition de la substance blanche. Il n'existe pas de traitement spécifique. La durée de la maladie et son évolution sont variables. Il y a souvent, cependant, guérison sans séquelles, la démyélinisation étant un processus réversible et la maladie n'altérant pas la substance grise (neurones) du cerveau – dont l'atteinte est en revanche irréversible.

Leucoencéphalite multifocale progressive

Encéphalite démyélinisante d'installation lente due à l'infection par le polyomavirus, virus de la famille des *Papovaviridæ*, touchant électivement les malades du sida.

LEUCODERMIE

Caractérisée par l'absence ou la disparition de la mélanine, pigment normal de la peau, une leucodermie peut être congénitale (albinisme) ou consécutive à une autre maladie (lèpre, pityriasis versicolor, syphilis, vitiligo).

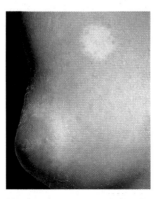

Une leucodermie peut atteindre n'importe quelle région du corps.

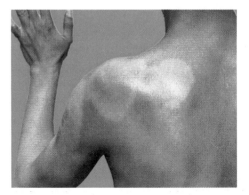

La dépigmentation d'une plaque plus ou moins étendue de peau ne transpirant pas peut être due à un vitiligo.

LEUCOCYTE

Il existe trois types de leucocytes (globules blancs). Les monocytes sont caractérisés par leur grande taille. Les lymphocytes sont de petites cellules au noyau rond et régulier. Les granulocytes sont caractérisés par un cytoplasme granuleux et un noyau à plusieurs lobes ; ils donnent ainsi l'impression d'avoir plusieurs noyaux, d'où leur autre appellation de polynucléaire.

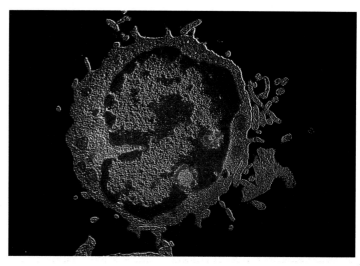

Vu au microscope électronique, le noyau de ce lymphocyte (en jaune, vert et rouge) est très volumineux tandis que son cytoplasme (en rose et bleu) est réduit.

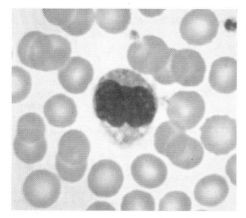

Le monocyte, la plus grande cellule du sang, a un noyau volumineux (en rose foncé), en forme de rein.

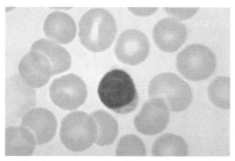

Le noyau (en violet) de ce lymphocyte est de forme arrondie, très régulière.

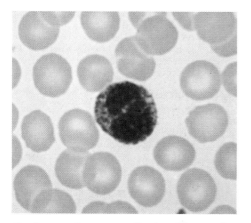

Certains granulocytes sont dits basophiles car leur cytoplasme attire les colorants basiques.

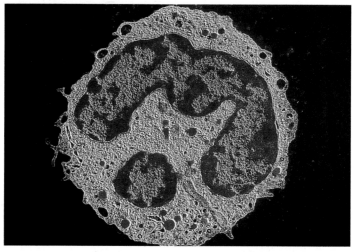

Le microscope électronique permet d'étudier les fines granulations qui caractérisent le cytoplasme (en rose et bleu) de ce granulocyte.

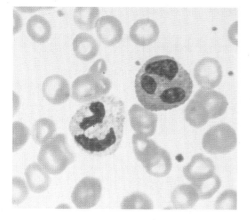

Certains granulocytes sont dits éosinophiles parce qu'ils fixent les colorants acides comme l'éosine.

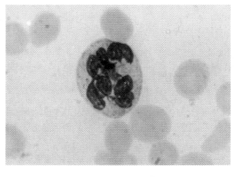

Les granulocytes ont un noyau au contour extrêmement irrégulier.

La leucoencéphalite multifocale progressive (LEMP) touche 4 % des patients atteints du sida. Elle serait due à la réactivation d'une infection latente (affection ancienne inapparente chez le sujet sain). Dans 30 % des cas, les lésions sont imputées à l'action conjointe du virus du sida et du polyomavirus.

L'atteinte de la substance blanche du cerveau se traduit par un déficit neurologique : troubles moteurs, visuels, sensitifs, troubles du langage et/ou de la compréhension. L'évolution de cette maladie est subaiguë et rapidement progressive ou encore, dans de rares cas, chronique.

La leucoencéphalite multifocale progressive est diagnostiquée par imagerie par résonance magnétique (I.R.M.). Il n'existe pas à l'heure actuelle de traitement réellement efficace.

Leucokératose

Lésion blanchâtre, parfois kératosique (avec hypertrophie de la couche cornée), se développant aux dépens d'une muqueuse.

Les leucokératoses sont des lésions bénignes s'observant sous forme de plaques, surtout dans la bouche, à la face interne des joues ou des lèvres ou sur la langue. Elles sont soit congénitales, soit acquises. Dans ce dernier cas, on doit rechercher s'il existe une cause : tic de mordillement, prothèses dentaires et plombages mal adaptés, tabagisme, maladie dermatologique (lichen), éventuellement syphilis. L'examen au microscope d'un prélèvement de la lésion est nécessaire afin de s'assurer que celle-ci n'est pas une leucoplasie (lésion de même aspect mais précancéreuse). Le traitement consiste d'abord à supprimer la cause identifiée (tabac, aliments trop chauds, traumatisme chronique à la suite de soins dentaires), lorsque c'est possible, ce qui se révèle parfois suffisant. Il comporte au besoin la destruction de la lésion par électrocoagulation ou au laser au gaz carbonique.

Leuconychie

Décoloration d'un ou de plusieurs ongles.

Les leuconychies ont des causes extrêmement nombreuses : maladies organiques (cirrhose, insuffisance rénale, infarctus du myocarde, goutte, infections, cancers), maladies cutanées (érythème polymorphe, pelade, vitiligo), carences en zinc ou en vitamine PP, intoxications (arsenic, sulfamides, thallium), mycoses (infections de l'ongle par un champignon), traumatismes physiques ou chimiques de l'ongle (soins de manucure ou contacts avec les salaisons chez les bouchers et les charcutiers, par exemple).

Selon les cas, la leuconychie atteint un ou plusieurs ongles, en totalité ou en partie, ou bien forme des bandes ou des lignes blanches longitudinales de la base de l'ongle vers son extrémité.

En dehors des infections de l'ongle par un champignon, qui justifient l'application d'un vernis antifongique, le traitement des leuconychies est le plus souvent inutile ; on traite directement la maladie en cause.

Leucoplasie

Plaque ou tache blanche apparaissant sur une muqueuse buccale ou génitale.

Leucoplasie buccale

C'est une plaque blanche se développant sur les muqueuses de la bouche, surtout sur les commissures buccales et à la face interne des joues, plus rarement sur la langue, le palais ou les gencives.

Son origine doit être recherchée dans l'intoxication tabagique. Les lésions comportent parfois des levures du type *Candida albicans*. Seule l'évolution sous traitement antifongique révèle si elles sont dues au champignon (en cas de disparition complète des lésions après traitement) ou si celui-ci s'est installé sur une lésion préexistante.

TRAITEMENT

Il repose sur la suppression des facteurs déclenchants (tabac, chique). En cas de surinfection à *Candida albicans,* des bains alcalins de bicarbonate de soude et des antifongiques locaux sont prescrits. Les plages résiduelles peuvent aussi être détruites par chirurgie ou laser au gaz carbonique – une seule séance est nécessaire – afin d'éviter leur évolution en tumeur cancéreuse.

Leucoplasie vulvaire

Ainsi appelait-on une plaque blanche survenant sur la vulve.

Le terme, aujourd'hui abandonné, désignait des lésions dont l'origine n'est pas toujours déterminée (infection à papillomavirus, réaction de la muqueuse à divers agents, etc.).

Il s'agit de lichen scléreux (plaques blanches, atrophiques et vernissées), de dystrophie hyperplasique (lésions saillantes) ou de dystrophie mixte (association de zones atrophiques et hypertrophiques).

Leucorrhée

Écoulement vaginal non sanglant.

DESCRIPTION

Les leucorrhées, connues sous le nom de pertes blanches, ou pertes vaginales, se manifestent par une exagération des sécrétions génitales normales. Elles sont plus ou moins abondantes, fluides ou épaisses (granuleuses, mousseuses), blanches ou teintées (grisâtres, jaunâtres, verdâtres), parfois d'odeur désagréable. Elles s'accompagnent souvent d'une irritation locale, de brûlures, de démangeaisons et de douleurs pendant les rapports sexuels.

CAUSES

Le plus souvent, elles sont d'origine infectieuse : infection de la vulve (vulvite), du vagin (vaginite), du col utérin (cervicite), de l'utérus (endométrite), des trompes de Fallope (salpingite). Les agents responsables sont surtout des champignons (*Candida albicans),* des parasites (*Trichomonas vaginalis),* des bactéries (*Gardnerella vaginalis,* gonocoque, mycoplasme), des chlamydias, des virus (herpès). Plusieurs germes sont parfois associés. Ils se transmettent par voie sexuelle. Les facteurs favorisant les infections à champignons sont les toilettes intimes avec un savon acide, la lingerie de textile synthétique serrée, les pantalons ajustés, la grossesse, le diabète mais aussi les traitements contraceptifs, qui empêchent l'ovulation, la modification de l'équilibre hormonal retentissant sur la composition de la flore vaginale.

DIAGNOSTIC ET ÉVOLUTION

Le diagnostic est fondé sur un frottis (examen au microscope de prélèvements effectués en différents endroits de l'appareil génital et étalés sur une lame). En cas d'atteinte du vagin ou du col, la présence d'un stérilet favorise l'extension de l'infection aux trompes. C'est pourquoi celui-ci doit parfois être enlevé.

Chez la femme enceinte, les leucorrhées peuvent transmettre une infection à l'enfant, surtout à l'occasion de l'accouchement : infections à chlamydia, mycoplasme, gonocoque, surtout responsables de conjonctivites ; leur traitement est délicat, car certains médicaments ne doivent pas être administrés à la femme enceinte.

TRAITEMENT ET PRONOSTIC

Le traitement antibiotique, qui diffère selon l'agent infectieux, doit être suffisamment prolongé, parfois répété. Pour *Candida albicans,* il est le plus souvent local tandis que, pour le trichomonas, il doit être général. L'examen et le traitement simultané du partenaire sexuel sont impératifs.

Les leucorrhées sont sensibles au traitement mais elles récidivent fréquemment. Mal soignées, elles peuvent être responsables d'une stérilité et prédisposent au cancer du col de l'utérus.

Leucose

→ VOIR Leucémie.

Lévocardie

Inversion de la position relative des cavités cardiaques gauches et droites par rapport à la normale bien que la pointe du cœur reste tournée vers la gauche.

La lévocardie est due à une anomalie du développement du cœur pendant la vie fœtale. L'oreillette qui reçoit les 2 veines caves se trouve située à gauche de l'oreillette qui reçoit les 4 veines pulmonaires ; et le ventricule droit, qui donne normalement naissance à l'artère pulmonaire, se trouve situé en arrière et à gauche du ventricule gauche, d'où naît habituellement l'aorte.

Cette anomalie cardiaque s'accompagne presque toujours d'une inversion de tous les viscères, appelée situs inversus (le foie est situé à gauche, l'estomac à droite, etc.).

Généralement, la lévocardie est associée à des anomalies congénitales du cœur, qui en font toute la gravité.

Lèvre

Chacune des deux parties charnues limitant, en haut et en bas, l'orifice externe de la cavité buccale. (P.N.A. *labium*)

STRUCTURE

La lèvre supérieure et la lèvre inférieure se réunissent de chaque côté de la bouche en un angle appelé commissure. Les lèvres sont recouvertes de peau et d'une muqueuse (partie rouge). Elles contiennent deux muscles constricteurs, dont le principal est l'orbiculaire, et de nombreux muscles dilatateurs, dont le plus important est le buccinateur. Sous la muqueuse des lèvres, le tissu conjonctif se compose de glandes labiales. Ce sont de très petites glandes salivaires, que l'on peut sentir en appuyant la pointe de la langue sur la face interne des lèvres.

PATHOLOGIE

La lèvre supérieure peut être le siège d'une malformation, la fente labiale (fente médiane, communément appelée bec-de-lièvre). Les autres affections des lèvres sont les chéilites (inflammations), les tumeurs bénignes et les tumeurs malignes, qui s'observent essentiellement chez les grands consommateurs de tabac.

Lèvres

Les deux grandes lèvres et les deux petites lèvres du sexe de la femme. (P.N.A. *labium majus pudendi, labium minus pudendi*)

Grandes lèvres

Il s'agit des deux replis cutanés de la vulve (ensemble des organes génitaux externes de la femme). La grande lèvre droite et la grande lèvre gauche se réunissent, en avant, sur une saillie médiane de la partie inférieure de l'abdomen, le mont de Vénus, et en arrière, où elles forment, avec les petites lèvres, la fourchette, juste avant le périnée. Épaisses et longues, elles renferment le clitoris et les petites lèvres.

Petites lèvres

Il s'agit des deux minces replis cutanés à l'intérieur des grandes lèvres, de part et d'autre du vestibule de la vulve. La petite lèvre droite et la petite lèvre gauche s'unis-

sent et forment, en avant, le capuchon qui recouvre le clitoris et, en arrière, la fourchette. Les petites lèvres, ou nymphes, bordent le méat urétral et l'orifice du vagin.

Lors d'une excitation sexuelle, les petites lèvres, du fait de leur sensibilité propre, se modifient, se gonflent de sang, exercent alors une stimulation sur le clitoris et participent ainsi à l'orgasme.

Sous couvert de traditions et en dehors de toute loi religieuse, certaines ethnies pratiquent rituellement sur les grandes et les petites lèvres des mutilations sexuelles telles que l'infibulation et l'excision.

Lévulose

→ VOIR Fructose.

Levure

Micro-organisme permettant la fermentation de certains aliments (bière, pain, etc.).

Il existe de nombreuses variétés de levures, dont les plus connues sont les saccharomycètes, qui ont la propriété de transformer le sucre en alcool (levure de bière, levure de boulanger). On les trouve en vente en pharmacie, dans les grandes surfaces, en boulangerie ou encore dans les magasins spécialisés en produits diététiques. À l'état sec, les levures peuvent être consommées comme complément en vitamines B1, B2, B6, B9, B12 et PP, qu'elles renferment en très grande quantité. Leur intense activité de fermentation limite cependant leur utilisation à un maximum de deux cuillerées à soupe par jour.

LH

→ VOIR Lutéinisante (hormone).

LH-RH

→ VOIR Hypothalamique (hormone).

Liaison génétique

Association préférentielle constatée au cours des générations entre deux gènes différents.

Une liaison génétique démontre la proximité de deux gènes sur un même chromosome. Les caractères que portent ces gènes proches les uns des autres se transmettent ensemble à la descendance.

Lichen

Nom donné autrefois à plusieurs maladies dermatologiques présentant certaines similitudes à l'examen clinique.

Cette classification comprenait notamment le lichen plan et le lichen scléro-atrophique, maladies reconnues aujourd'hui comme étant de nature différente. Actuellement, le terme de lichen, employé seul, est synonyme de lichen plan.

Lichen plan

Maladie dermatologique caractérisée par l'apparition de petites taches saillantes.

Le lichen plan s'observe surtout entre 30 et 60 ans.

CAUSES

Elles sont le plus souvent inconnues. Il existerait un terrain psychologique favorisant (stress, traumatisme affectif). Dans certains cas, la maladie est associée à un diabète, à une hypertension artérielle ou à certaines affections du côlon (colites chroniques). D'autres cas sont associés à la prise de médicaments comme les sulfamides ou les sels d'or.

SYMPTÔMES ET SIGNES

Les lésions typiques du lichen plan sont des papules de couleur violine, parcourues de fins réseaux blanchâtres. Ces lésions démangent et apparaissent symétriquement à la face antérieure des poignets (prolongement de la paume), sur le dos des mains et les

---

LICHEN PLAN

Le lichen plan est une maladie cutanée courante, de cause le plus souvent inconnue. Il touche surtout les poignets, le dos des mains et les avant-bras mais aussi parfois le cuir chevelu, le dos, les bras, les chevilles et les muqueuses.

Au début de la maladie, les lésions prennent la forme de petits boutons rouges ou violacés, très prurigineux.

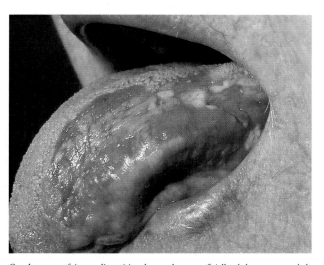

On observe parfois une disparition des couches superficielles de la muqueuse de la langue. Sur cette zone érodée plus ou moins étendue, il n'y a plus de papilles.

avant-bras, parfois dans le dos et sur les chevilles. Dans certains cas, les papules se groupent et forment des bandes ou des anneaux.

Le lichen plan peut atteindre le cuir chevelu, les ongles et les muqueuses à la face interne des joues. Il prend, dans ce dernier cas, l'aspect d'un réseau de lignes blanches ou, parfois, celui d'une épaisse plaque blanche.

DIAGNOSTIC ET TRAITEMENT

Le diagnostic repose essentiellement sur l'examen clinique des lésions. En cas de doute, une biopsie est pratiquée. La maladie est le plus souvent traitée par application locale, durant plusieurs semaines, de corticostéroïdes, souvent associés à des anxiolytiques par voie orale. Des traitements plus puissants, comme la corticothérapie générale (par voie orale) ou la puvathérapie (utilisation conjointe d'une substance stimulant la pigmentation, le psoralène, et de rayons ultraviolets A), sont réservés aux formes très étendues.

Lichen scléro-atrophique

Maladie chronique de la peau et des muqueuses, d'origine inconnue, touchant principalement les zones génitales.

DIFFÉRENTS TYPES DE LICHEN SCLÉRO-ATROPHIQUE

■ Le lichen scléro-atrophique de la vulve, ou kraurosis de la vulve, touche la femme à partir de 50 ans. Il se traduit par des démangeaisons vulvaires, des brûlures à la miction et des douleurs pendant les rapports sexuels, ces symptômes s'associant à une décoloration de la vulve, qui prend une teinte blanc nacré ou ivoire.

■ Le lichen scléro-atrophique de l'homme se traduit par des lésions blanchâtres. Elles peuvent affecter le gland et le méat – et entraîner un rétrécissement urétral – ou le sillon balanopréputial (situé entre le gland et le prépuce) ; les lésions forment dans ce cas des anneaux, provoquant un resserrement pathologique, parfois un phimosis.

■ Le lichen scléro-atrophique de la peau se traduit par de petites papules blanc nacré, isolées ou confluant en placards et touchant le cou, le dos et la racine des membres. Ces lésions peuvent s'associer à un lichen scléro-atrophique génital.

DIAGNOSTIC ET TRAITEMENT

Le diagnostic repose sur l'examen au microscope d'un prélèvement des lésions ; le traitement, sur l'application locale de corticostéroïdes ou d'androgènes (hormones masculines), contre-indiqués chez l'enfant et la femme enceinte. Un traitement chirurgical (circoncision) peut être envisagé dans le cas du lichen scléro-atrophique de l'homme.

ÉVOLUTION

Les lésions dues au lichen scléro-atrophique dégénèrent dans certains cas en tumeur maligne. Cette évolution se signale par l'apparition d'indurations et de petits saignements.

Une surveillance régulière est donc indispensable. En cas de doute, une biopsie est pratiquée, suivie, au besoin, de l'ablation chirurgicale des lésions.

Lichénification

Processus de transformation de la peau qui prend un aspect évoquant certains lichens.

■ Les lichénifications primitives, ou névrodermites, sont des maladies à caractère souvent psychosomatique, qui se manifestent par des placards où la peau est épaissie et parcourue par un quadrillage grossier de sillons, siégeant sur la nuque, le bas du dos, les chevilles.

■ Les lichénifications secondaires sont des lésions provoquées par le grattage répété et prolongé de plaques d'eczéma ou de psoriasis, dont l'aspect se trouve ainsi modifié. Elles prennent l'apparence de placards de couleur violine, mal délimités, souvent prurigineux.

Le traitement fait surtout appel aux applications locales de corticostéroïdes, éventuellement associés aux anxiolytiques par voie orale.

Lien

Relation entre personnes.

La première forme de lien est celle qui s'établit entre la mère et l'enfant. Elle répond à une nécessité pratique (alimentation, soins corporels, etc.) mais aussi, indissociablement, émotionnelle et affective, essentielle dans le développement de l'enfant. Par l'échange souriant ou sévère des mimiques, du regard, de la voix et des gestes s'établit la reconnaissance mère-enfant. Ce premier lien contribue à donner à l'enfant un sentiment de sécurité ou de peur, de réciprocité ou d'indifférence. Et c'est de lui que dépendra sa reconnaissance de soi et du milieu, de même que l'ensemble des autres liens (affectifs, professionnels, etc.) qu'il nouera ultérieurement.

Lifting

Intervention chirurgicale destinée à corriger les effets du vieillissement du visage et du cou par « redrapage » des structures cutanées relâchées.

DIFFÉRENTS TYPES DE LIFTING

■ Le lifting cervicofacial est destiné à corriger l'affaissement des joues (bajoues) et à supprimer le double menton.

■ Le lifting frontal fait disparaître les rides du front et celles qui sont situées entre les sourcils.

L'excédent de peau ou de graisse sur les paupières peut, en outre, être éliminé par une blépharoplastie.

PRÉPARATION ET DÉROULEMENT

Les indications opératoires doivent être rigoureusement sélectionnées, selon des critères physiques et psychologiques, en tenant compte des facteurs de risque (tabagisme).

Les premières consultations de chirurgie esthétique permettent de préciser les motivations du patient, qui est averti des risques que présente l'opération et des difficultés psychologiques éventuelles (déception, par exemple) liées à la modification des traits du visage.

Les photographies préopératoires permettent de déterminer les défauts esthétiques susceptibles d'être corrigés : asymétrie du visage, fanons, bajoues, excédent de peau ou de graisse sur les paupières, etc.

L'opération comporte plusieurs séquences : désinfection systématique du cuir chevelu, liposuccion du cou et des bajoues dans certains cas, incision selon un tracé qui passe dans le cuir chevelu et contourne l'oreille, décollement puis « redrapage » de la peau et des tissus plus profonds, en évitant

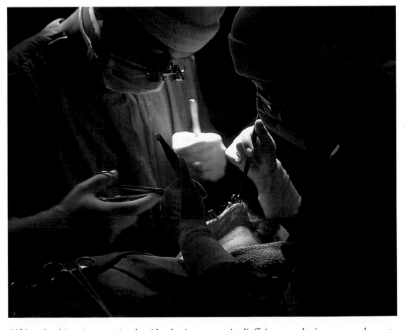

Lifting. *Le chirurgien supprime les rides du visage et corrige l'affaissement des joues en « redrapant » la peau et les tissus plus profonds.*

de figer les traits du visage. Le fragment de peau excédentaire est enlevé à la fin de l'opération. Le contrôle parfait des saignements est impératif afin de prévenir d'éventuels hématomes.

ÉVOLUTION

Le visage demeure gonflé une dizaine de jours ; il conserve une apparence triste et peu expressive pendant environ trois semaines. La sensibilité de la peau décollée revient dans un délai de 4 à 6 mois. Les cicatrices d'un lifting, dissimulées dans le cuir chevelu et derrière le lobule de l'oreille, disparaissent au cours de l'année qui suit l'intervention.

Les résultats esthétiques d'un lifting réussi demeurent stables pendant une période de 7 à 10 ans. Une bonne hygiène de vie favorise la stabilité du résultat. Il est donc recommandé d'éviter le tabac, qui fripe la peau, l'alcool, qui provoque la couperose, et les expositions prolongées au soleil, qui cassent les fibres de la peau.

Un même patient peut subir trois ou quatre liftings au cours de sa vie.

COMPLICATIONS

■ **Un visage figé** est la conséquence d'une mauvaise technique opératoire, le chirurgien ayant tiré les tissus vers les oreilles au lieu de les remonter.

■ **Des cicatrices hypertrophiques** (gonflées, rouges et provoquant une démangeaison) sont exceptionnelles.

■ **Une nécrose** (destruction progressive d'un tissu), due à l'absence de vascularisation des tissus, peut intervenir. Elle est le plus souvent favorisée par le tabagisme des patients ou liée à une erreur technique.

■ **Une infection** ne se produit que dans moins de 1 % des cas et exige un nettoyage de la plaie, la mise en place d'un drainage et un traitement antibiotique.

■ **Une dégradation précoce du résultat** intervient parfois soit en raison d'une atteinte congénitale des fibres élastiques, soit en raison du tabagisme des patients ou d'une exposition solaire excessive.

■ **Des paralysies** partielles du nerf facial, du nerf spinal (qui permet l'élévation de l'épaule) ou de toute la zone opérée restent très exceptionnelles et sont dues à une erreur technique du chirurgien.

Ligament

Bande de tissu conjonctif blanchâtre, très résistant, légèrement élastique, entourant les articulations. (P.N.A. *ligamentum*)

Une articulation comprend souvent de nombreux ligaments ; certains sont individualisables et indépendants, comme les ligaments croisés du genou, d'autres ne sont que de simples renforcements d'une capsule articulaire. Ils maintiennent les surfaces articulaires en contact et limitent les mouvements des articulations à leur amplitude normale.

PATHOLOGIE

Les lésions touchant les ligaments, déchirure ou distension, constituent les entorses. Une entorse est dite bénigne si le ligament n'est que distendu, grave s'il est déchiré ou rompu.

Les entorses sont le plus souvent consécutives à un accident ou à un mouvement forcé. Certains ligaments sont capables de cicatriser sans intervention mais demandent alors une immobilisation, par bandage ou plâtrage, d'une durée de 15 jours (doigt) à 6 semaines (genou) environ. D'autres, comme les ligaments croisés du genou, n'ont aucune possibilité de cicatriser : le plus souvent, la rupture ligamentaire n'entraînant pas de symptômes ou n'en entraînant que peu, on ne les opère pas. Cependant, si une instabilité survient, une reconstruction chirurgicale du ligament est possible en utilisant, par exemple, la partie médiane du tendon rotulien.

Ligamentopexie

Intervention chirurgicale qui consiste à replacer l'utérus dans sa position normale, penchée vers l'avant (antéversion).

La ligamentopexie, en raccourcissant les ligaments ronds qui maintiennent l'utérus, vise à corriger les bascules vers l'arrière de cet organe (rétroversion, rétrodéviation), qui entraînent parfois des douleurs du petit bassin, surtout pendant les règles ou pendant les rapports sexuels, et peuvent être à l'origine d'une stérilité. L'intervention peut s'effectuer par cœliochirurgie, ce qui permet d'éviter l'incision de l'abdomen et les grandes cicatrices. Elle nécessite alors une courte hospitalisation (2 ou 3 jours environ) et est pratiquée sous anesthésie générale. Les instruments et un tube optique sont introduits dans la cavité abdominale par de petites incisions sous-ombilicales, et les gestes opératoires sont contrôlés sur un écran vidéo.

Ligature

Opération chirurgicale consistant à occlure un vaisseau sanguin ou lymphatique, ou encore un canal, à l'aide d'un fil noué.

Les fils de ligature sont aujourd'hui en matériaux synthétiques, à la texture lisse (ils sont alors dits monobrins) ou tressée, et présentent différents diamètres. Quand ils sont résorbables, comme autrefois les catguts, en intestin de chat ou de mouton, ils disparaissent en un laps de temps qui va de 3 semaines à 2 mois. Les fils non résorbables, plus solides, autrefois en crin, en soie ou en lin, sont aussi très variés. Enfin, on peut utiliser des fils métalliques, par exemple pour suturer le sternum après une thoracotomie (ouverture chirurgicale du thorax).

DIFFÉRENTS TYPES DE LIGATURE

■ **La ligature des vaisseaux** peut aujourd'hui, grâce à la microchirurgie, s'appliquer à des vaisseaux de très petit calibre et permet de remarquables résultats, en particulier en ce qui concerne la réimplantation de membre ou de segments de membre sectionnés.

■ **La ligature des trompes utérines** est une intervention gynécologique destinée à rendre une femme stérile sans perturber son cycle hormonal, puisque les ovaires sont conservés. C'est un procédé de stérilisation habituellement irréversible de la femme. Cette « ligature » consiste à sectionner les trompes ou à poser des pinces ou des anneaux, de façon à obturer les cavités tubaires. Elle est souvent pratiquée par cœliochirurgie, les instruments opératoires et optiques étant introduits dans l'abdomen par de petites incisions et manipulés sous contrôle visuel.

■ **La ligature et la section des canaux déférents, ou vasectomie,** assurent la stérilisation masculine. C'est une intervention mineure mais irréversible, nécessitant une hospitalisation de 2 ou 3 jours et une anesthésie générale ou locorégionale.

Limaçon

→ voir Cochlée.

Limbe sclérocornéen

Zone de transition entre la cornée transparente et la sclérotique opaque (blanc de l'œil).

La richesse de sa vascularisation sanguine permet au limbe de bien nourrir la cornée. Celui-ci assure également la régulation de la pression intraoculaire puisqu'il contient les voies de drainage de l'humeur aqueuse.

PATHOLOGIE

Le dermoïde du limbe est une tumeur congénitale bénigne, souvent stable, mais qui peut présenter des poussées évolutives lors de la puberté. Il se traduit par une saillie blanchâtre, non douloureuse, au bord de la cornée. Son traitement est chirurgical.

Lipase

Toute enzyme participant aux transformations chimiques des lipides.

Les lipases, de structure protéinique, agissent sur les lipides du type triglycéride, qu'elles scindent en substances appelées acides gras. La plus importante de ces enzymes est synthétisée par les cellules du pancréas et rejetée dans l'intestin grêle, où elle participe à la digestion des lipides alimentaires. Le taux sanguin de lipases est normalement compris entre 0,2 et 1,5 unité internationale par litre.

UTILISATION DIAGNOSTIQUE

La concentration sanguine de lipases augmente en cas de pancréatite (inflammation du pancréas) aiguë mais également en cas d'obstruction du canal pancréatique (canal de Wirsung) par un calcul ou une tumeur maligne. Sa mesure permet donc de suivre l'évolution de ces maladies.

Lipide

Substance contenant des acides gras.

Les lipides du sérum sanguin comprennent des acides gras libres, des esters du glycérol, ou glycérides, comportant un ou plusieurs acides gras fixés chacun sur un groupe alcool, du cholestérol, libre ou estérifié, ainsi que des phospholipides, lipides complexes qui contiennent de l'acide phosphorique.

L'organisme se procure des lipides à partir des aliments mais peut aussi les synthétiser, notamment par transformation des glucides. Il constitue des réserves énergétiques sous forme de triglycérides accumulés dans les cellules graisseuses. Les lipides sont dégradés par des enzymes appelées lipases ; un gramme de lipides fournit environ 38 kilojoules, soit 9 kilocalories d'énergie. Il existe aussi des lipides circulant dans le sang sous deux formes essentielles : cholestérol et triglycérides, dont l'augmentation peut représenter un facteur de risque de maladie coronarienne.

Certains aliments contiennent des lipides « visibles » (beurre, crème, huile), d'autres des lipides « invisibles » (viande, poisson) ; ils permettent l'absorption des vitamines liposolubles (A, D, E et K).

Dans une alimentation équilibrée, l'énergie fournie par les lipides doit représenter au maximum 35 % de l'énergie totale, avec un apport équilibré en acides gras saturés, mono-insaturés et poly-insaturés. Pour cela, la plus grande variété alimentaire est recommandée : ainsi, l'huile d'olive est particulièrement riche en acides gras mono-insaturés mais contient aussi des acides gras poly-insaturés et saturés, les produits laitiers contiennent des acides gras saturés mais aussi une proportion importante (un tiers des acides gras totaux) d'acides gras mono-insaturés, etc.

→ VOIR **Dyslipidémie.**

Lipoatrophie

Amincissement ou disparition du tissu adipeux sous la peau.

Les lipoatrophies sont une forme de lipodystrophie. Certaines sont localisées et forment des dépressions en cuvette pouvant atteindre un diamètre de plusieurs centimètres. Elles sont souvent dues à des injections répétées de médicaments (insuline, corticostéroïdes) ou à d'anciennes inflammations cutanées. D'autres touchent une grande partie ou la totalité du corps : le syndrome de Barraquer-Simons se caractérise par une lipoatrophie limitée à la partie supérieure du corps. Dans le syndrome de Lawrence, la perte des tissus adipeux sous-cutanés est complète et associée à une croissance exagérée des os. Le traitement, limité aux lipoatrophies localisées, consiste à insérer sous la peau des matériaux synthétiques par une intervention chirurgicale.

Lipodystrophie

Anomalie du tissu adipeux sous-cutané.

DIFFÉRENTS TYPES DE LIPODYSTROPHIE

Les lipodystrophies sont essentiellement de deux types : lipohypertrophies (prolifération du tissu adipeux sous-cutané) ou lipoatrophies (réduction du tissu adipeux sous-cutané). Elles se rencontrent le plus souvent chez le diabétique traité par insuline.

■ **Les lipohypertrophies** sont les plus fréquentes. Elles sont dues aux injections répétées d'insuline au même endroit. Ces lésions forment de légères boursouflures sous la peau et sont source de déséquilibre (mauvaise régulation) du diabète. En effet, la vascularisation anormale liée à la lipodystrophie engendre une diffusion trop rapide ou trop lente de l'insuline.

■ **Les lipoatrophies,** de nature immunologique, se manifestent par de petites dépressions cutanées. Elles sont souvent dues à des injections répétées d'insuline ou de corticostéroïdes ou à d'anciennes inflammations cutanées. Elles se sont raréfiées depuis l'utilisation d'insuline hautement purifiée.

■ **Les autres lipodystrophies** sont rares. Il existe des formes familiales ou acquises, généralisées ou localisées, souvent associées à des anomalies métaboliques, dont la plus fréquente est la résistance à l'insuline.

DIAGNOSTIC ET TRAITEMENT

Le diagnostic repose sur la palpation de boules ou de creux sous la peau. Chez le diabétique, le traitement consiste à ne plus faire de piqûre dans la zone atteinte à et attendre que le tissu se reforme, ce qui peut mettre plusieurs mois.

→ VOIR **Lipoatrophie.**

Lipomatose

Maladie caractérisée par la présence de lipomes (tumeurs bénignes graisseuses) nombreux et disséminés sous la peau.

Les lipomatoses prennent des aspects divers. Le plus fréquent et le plus caractéristique est représenté par la maladie de Launois-Bensaude : de cause exacte inconnue, celle-ci touche surtout l'homme alcoolique vers 50 ans ; les lipomes, relativement symétriques, siègent sur le cou, déformant la nuque en « bosse de bison », au-dessus et au-dessous des clavicules, puis s'étendent vers la poitrine, l'abdomen et les cuisses. Il arrive qu'un des lipomes comprime les organes ou les tissus voisins, provoquant une gêne respiratoire, une difficulté à déglutir, une paralysie. Le seul traitement est chirurgical. Il est malaisé du fait de la délimitation imprécise des lipomes.

Lipome

Tumeur bénigne développée aux dépens des cellules graisseuses.

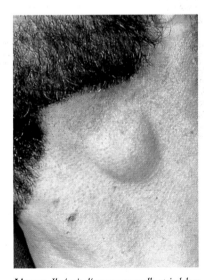

Lipome. *Il s'agit d'une masse molle et indolore siégeant le plus souvent sur le dos, sur l'épaule ou, comme ici, sur le cou.*

Les lipomes affectent l'adulte entre 30 et 60 ans. Ils sont surtout fréquents sur le cou, les épaules, le haut du dos, à la face interne des bras, sur les fesses et à la racine des cuisses. Ils forment des masses molles plus ou moins saillantes, le plus souvent indolores, mobiles, recouvertes d'une peau normale. Ils sont uniques ou multiples et de taille variable. Leur ablation n'est pas indispensable. Lorsqu'ils sont retirés chirurgicalement, l'intervention est pratiquée, suivant les cas, soit par lipoaspiration, soit par incision chirurgicale.

Lipophilie

Affinité chimique avec les lipides.

La lipophilie caractérise en général des substances organiques (non minérales) non chargées électriquement : ainsi, les vitamines A, D, E et K sont lipophiles, à la différence des vitamines de la famille B et des vitamines C, qui sont hydrophiles (elles attirent l'eau).

Lipoprotéine

Substance formée par l'association de protéines (appelées apolipoprotéines) et de lipides (cholestérol, triglycérides).

Les lipoprotéines assurent le transport des lipides dans le sang ; il en existe quatre catégories.

■ **Les chylomicrons** sont essentiellement constitués de triglycérides. Ils représentent une forme transitoire de lipides sanguins.

■ **Les VLDL** (*very low density lipoproteins,* ou lipoprotéines de très basse densité) sont riches en triglycérides.

■ **Les LDL** (*low density lipoproteins,* ou lipoprotéines de basse densité) sont les lipoprotéines les plus riches en cholestérol. Elles transportent le cholestérol dans les cellules de la paroi artérielle et augmentent ainsi le risque d'athérosclérose (dépôt lipidique sur la paroi des artères). On désigne sous le nom de « mauvais cholestérol » le cholestérol lié aux LDL.

■ **Les HDL** (*high density lipoproteins,* ou lipoprotéines de haute densité) représentent la voie d'élimination du cholestérol sanguin : c'est la raison pour laquelle le cholestérol lié aux HDL est souvent appelé « bon cholestérol ».

Liposarcome

Tumeur maligne du tissu adipeux, pouvant prendre des formes très diverses et généralement située en profondeur, dans l'abdomen, dans la cuisse ou à l'épaule.

Un liposarcome forme une masse consistante au palper. Son poids peut atteindre plusieurs kilos.

Le diagnostic est parfois difficile à établir car un liposarcome peut se confondre avec un lipome (tumeur bénigne due à une hypertrophie locale du tissu graisseux). La confirmation du diagnostic dépend alors des résultats d'une biopsie. Les liposarcomes envahissent progressivement les tissus de voisinage et peuvent entraîner des métastases. Leur traitement est l'ablation chirurgicale, éventuellement complétée par une chimiothérapie. Une surveillance est ensuite nécessaire pour éviter les récidives.

Liposome

Sphère artificielle de quelques micromètres dont la paroi est formée de lipides et qui contient une substance active en solution, par exemple un corticostéroïde ou un antifongique (actif contre les mycoses). Cette forme particulière de préparation médicamenteuse est utilisée en application cutanée. La paroi protège la substance active et sert de moyen de transport. Arrivé au contact d'une cellule, le liposome libère à l'intérieur la substance active. Cette technique, encore peu utilisée, pourrait se développer au cours des prochaines années.

Liposuccion

Aspiration chirurgicale, par une petite incision, de la graisse sous-cutanée superficielle ou profonde.

La liposuccion est l'opération la plus fréquente en chirurgie esthétique. Une liposuccion minime ne nécessite pas d'hospitalisation ; une liposuccion importante (retrait de plus d'un kilogramme de graisse) exige une hospitalisation de 48 heures.

INDICATIONS

La liposuccion se pratique lorsqu'une accumulation de graisse résiste à un traitement amaigrissant ou à des techniques de destruction des graisses alimentaires dans l'organisme. Une liposuccion ne constitue pas un traitement idéal de l'obésité. Elle élimine des accumulations de graisse localisées, d'origine génétique ou dues à des tumeurs bénignes acquises, les lipomes.

Elle se pratique le plus souvent dans certaines parties du corps : hanches et haut des cuisses chez la femme, ventre ou face interne des genoux chez les sujets des deux sexes. Une liposuccion est une technique bien adaptée à des parties du corps comme le cou, la face postérieure des bras, le ventre, la face externe des cuisses, les flancs, la taille et la face interne des genoux, mais l'aspiration est plus difficile dans la face interne des cuisses, les chevilles, les mollets, les bajoues.

TECHNIQUE

L'opération se fait sous anesthésie générale ou locale selon l'importance de la liposuccion. Après infiltration de solutions qui liquéfient les graisses, des canules, branchées à un aspirateur et introduites dans une petite incision pratiquée dans la partie adipeuse, éliminent les masses graisseuses.

ÉVOLUTION

Immédiatement après l'opération apparaissent des hématomes importants, des douleurs et un gonflement des zones qui ont été aspirées. Dans les cas de liposuccions minimes, le patient peut mener une vie active dès le lendemain de l'intervention. En cas de liposuccions importantes, un délai de 8 à 10 jours est nécessaire avant une reprise normale d'activité.

Après le quinzième jour, les pertes adipeuses sont visibles. Pour éviter les récidives et les retouches, les patients doivent se soumettre à un régime postopératoire et à des massages qui corrigent les inégalités de la surface de la peau et les irrégularités dues à la rétraction des cicatrices.

COMPLICATIONS

■ **Une infection** est extrêmement rare (un cas sur mille, selon les estimations).
■ **Des bourrelets et des adhérences** en profondeur, liés à des difficultés de cicatrisation, sont difficiles à traiter.

Lipothymie

Sensation de perte de connaissance imminente.

CAUSES

Une lipothymie s'observe volontiers chez les sujets hypersensibles, à l'occasion d'une émotion, d'une contrariété, quand le nerf pneumogastrique (nerf qui ralentit le cœur) est stimulé. Elle peut survenir lors d'une douleur subite, d'une prise de sang, d'un repas copieux pris en atmosphère confinée ou lorsque le sinus carotidien, siège des barorécepteurs, est comprimé (cou trop serré par un col de chemise, par exemple).

SYMPTÔMES ET SIGNES

Une lipothymie est un malaise progressif où le sujet a une impression de tête vide, de flou visuel, a besoin (et souvent est obligé) de s'allonger. Il a des troubles passagers de la conscience, est pâle, en sueur.

DIAGNOSTIC

L'examen s'oriente vers la recherche d'une affection cardiaque, examen se révélant la plupart du temps normal. L'interrogatoire du patient ou de son entourage met fréquemment en évidence des antécédents de symptômes analogues.

ÉVOLUTION

En quelques minutes, le plus souvent, le sujet retrouve un état normal tout en éprouvant, éventuellement, une impression de fatigue. Dans certains cas, la lipothymie peut être suivie d'une syncope (perte de connaissance). Généralement, il s'agit d'un trouble bénin.

TRAITEMENT ET PRÉVENTION

Il faut allonger le sujet, ne pas lui donner de boisson alcoolisée, le soustraire si possible aux circonstances déclenchantes. Si les malaises se reproduisent, il est préférable de consulter un médecin.

Lister (Joseph, baron)

Chirurgien britannique (Upton, Essex, 1827-Walmer, Kent, 1912).

Professeur de chirurgie à Glasgow, il se livre à des recherches sur les infections et les inflammations qui le conduisent à mettre en relief l'importance de l'asepsie, en 1867. Grâce à lui, le phénol, dont il a reconnu les propriétés désinfectantes, est utilisé dans les salles de chirurgie, et la mortalité postopératoire diminue spectaculairement. Il est nommé professeur de chirurgie au King's College, à Londres, en 1877, et anobli en 1897 par la reine Victoria.

Listériose

Maladie infectieuse dont l'agent est un bacille à Gram positif, *Listeria monocytogenes*, responsable d'avortements et d'infections neuroméningées.

La listériose est fréquente chez l'animal (bovins, porcins, volailles), beaucoup plus

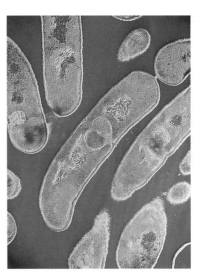

Listériose. *L'agent responsable de la maladie,* Listeria monocytogenes, *est une bactérie en forme de bâtonnet (bacille).*

rare chez l'homme, qui se contamine le plus souvent par voie digestive en consommant des aliments contenant le bacille (lait cru, fromages au lait cru, viande crue ou mal cuite, végétaux crus, charcuterie). Les femmes peuvent transmettre le bacille à leur enfant durant la grossesse par l'intermédiaire du placenta ou lors de l'accouchement.

SYMPTÔMES ET SIGNES

Chez l'adulte, la listériose se manifeste par une fièvre et des douleurs généralisées. Elle peut également prendre une forme plus grave, en particulier chez les sujets dont les défenses immunitaires sont affaiblies, et provoquer une méningite (listériose neuroméningée) ou une septicémie.

Les nouveau-nés atteints de la maladie souffrent d'une septicémie grave associée à une méningite, à une atteinte du foie ou à une pneumonie. La contamination du fœtus par la mère au cours du deuxième ou du troisième trimestre de grossesse peut causer une naissance prématurée, la mort du fœtus in utero ou une souffrance fœtale.

DIAGNOSTIC

Il repose sur l'identification du bacille dans le sang, le liquide céphalorachidien, le pus ou les lochies prélevées dans le vagin en cas d'avortement. Après l'accouchement, l'examen du placenta, qui révèle de petits abcès jaunâtres, constitue un élément important du diagnostic et fait l'objet d'une culture.

TRAITEMENT ET PRÉVENTION

La listériose est traitée par administration de deux types d'antibiotique, dont la pénicilline, durant une période de trois semaines.

Certaines précautions alimentaires, impératives en cas de grossesse, permettent d'éviter l'infection : il faut proscrire les légumes crus ou peu cuits, préférer la charcuterie préemballée à celle vendue à la coupe, recuire les aliments conservés au réfrigérateur, ne pas consommer la croûte des fromages à pâte molle, faire bouillir le lait cru ou pasteurisé avant consommation. Il est en outre conseillé de se laver les mains et de nettoyer les ustensiles de cuisine après la manipulation d'aliments non cuits, de nettoyer et de désinfecter régulièrement (deux fois par mois) le réfrigérateur.

En cas de fièvre survenant sans autres symptômes chez une femme enceinte, la surveillance par des prélèvements systématiques est conseillée.

Lithectomie

Extraction d'un calcul.

La lithectomie est indiquée en cas de lithiase (formation de calculs) du canal cholédoque, canal issu du canal cystique qui provient de la vésicule, ou du canal hépatique, qui conduit la bile au duodénum. Elle l'est souvent aussi en cas de lithiase du canal de Wirsung, lequel relie le pancréas au duodénum. En revanche, elle n'est pas indiquée lors des lithiases vésiculaires en raison du caractère récidivant des calculs ; celles-ci nécessitent l'ablation de la vésicule.

La lithectomie est réalisée sous anesthésie générale. Elle peut se pratiquer soit par extraction chirurgicale, après ouverture de l'abdomen, soit par cathétérisme rétrograde. Dans ce dernier cas, une sonde est introduite à l'aide d'un endoscope dans le canal, par l'intermédiaire de la bouche, de l'estomac et du duodénum, et le calcul est parfois brisé pour permettre son extraction (lithotripsie).

Lithiase

Maladie caractérisée par la présence de calculs dans un organe ou dans son canal excréteur.

La lithiase atteint surtout la vésicule ou les voies biliaires, le rein, les voies urinaires.

Lithiase biliaire

Il s'agit des calculs qui se forment dans la vésicule biliaire (réservoir de bile sous le foie) et qui peuvent migrer dans les voies excrétrices biliaires (les canaux sortant de la vésicule et du foie, qui se réunissent pour former le canal cholédoque).

CAUSES

Suite à une variation de la composition chimique de la bile, des cristaux de matières organiques se réunissent et s'agrègent pour constituer les calculs. Ceux-ci ressemblent à de petites « pierres » de 1 à 25 millimètres. Ils sont composés le plus souvent de cholestérol plus ou moins calcifié. L'hérédité, l'âge avancé, les grossesses multiples chez les femmes, l'obésité, le diabète, certains médicaments (pilule contraceptive, hypolipémiants) sont des facteurs favorisant leur apparition. Les femmes souffrent plus souvent de lithiase biliaire que les hommes.

SYMPTÔMES ET DIAGNOSTIC

La plupart des lithiases biliaires ne provoquent aucun symptôme. Parfois, elles donnent des douleurs sous les côtes en haut et à droite de l'abdomen. Une lithiase biliaire est souvent découverte au cours d'un examen de routine. Le diagnostic se fonde sur l'échographie.

TRAITEMENT

Sans symptômes, la lithiase de la vésicule ne doit pas être traitée car les traitements ont des effets indésirables ou n'ont pas prouvé leur intérêt.

Mais les calculs de la vésicule peuvent être source de complications telles qu'une cholécystite aiguë (inflammation de la vésicule), une colique hépatique (douleur intense par blocage d'un calcul dans le cholédoque), une angiocholite (inflammation grave du cholédoque). En cas de douleur et de cholécystite, le traitement est la cholécystectomie (ablation de la vésicule) ; les médicaments et la lithotripsie donnent des résultats limités. Les calculs du cholédoque doivent être retirés par chirurgie ou par endoscopie (un tube d'endoscopie est introduit par la bouche et poussé jusqu'à l'orifice du canal).

Lithiase salivaire

Il s'agit d'un calcul qui se forme dans un canal excréteur ou à l'intérieur d'une glande salivaire.

Les lithiases de la glande parotide sont moins fréquentes.

CAUSES

La mucine (glycoprotéine), abondante dans la salive, favorise la précipitation des sels calciques et l'apparition de calculs.

SYMPTÔMES ET SIGNES

Le calcul ainsi formé bloque le flux salivaire et provoque un gonflement de la glande en amont de l'obstacle. La salivation, stimulée au moment des repas, produit une plus grande quantité de salive ; pendant ces périodes, le gonflement s'accentue. Un calcul situé dans un canal excréteur peut être très douloureux.

TRAITEMENT

Si le calcul ne se résorbe pas de lui-même, une intervention chirurgicale est nécessaire sous anesthésie locale. Elle consiste à enlever le calcul si celui-ci est situé dans le canal ou à exciser la glande salivaire si le calcul est dans une glande.

Lithiase urinaire

Il s'agit des calculs qui se forment dans les reins et qui peuvent migrer dans les uretères et la vessie. Ils proviennent de la concrétion de substances présentes en solution dans

LITHIASE

Un calcul peut obstruer un canal et venir ainsi perturber le fonctionnement d'un organe en amont (rein, vésicule biliaire), qui n'est plus drainé. Il se signale par des douleurs (colique néphrétique, colique hépatique), des infections récidivantes (pyélonéphrite, cholécystite, angiocholite), voire par des saignements (hématurie). L'examen direct du calcul renseigne sur les causes de sa formation et donc sur une éventuelle maladie à soigner (hypercalcémie, hyperuricémie).

Calcul urinaire de phosphate de calcium (en haut), calcul de la vésicule biliaire (en bas).

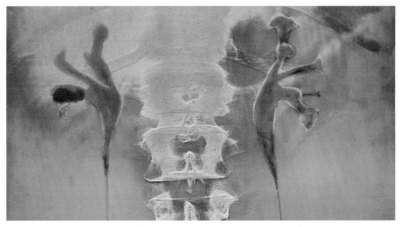

Un calcul (à gauche, en marron foncé) se trouve bloqué dans le calice d'un rein.

l'urine. Les calculs urinaires sont composés le plus souvent d'oxalate de calcium ou de phosphate de calcium ; une minorité est formée d'acide urique.

CAUSES

Quand une cause est retrouvée, il s'agit souvent d'un obstacle à l'écoulement des urines (malformation, adénome de la prostate) ou d'une infection urinaire. Dans d'autres cas, c'est un trouble métabolique de l'organisme, consécutif à des excès alimentaires (surtout en calcium ou en acide urique) ou à des maladies hormonales (hyperparathyroïdie, par exemple).

SYMPTÔMES ET DIAGNOSTIC

Il arrive que les calculs ne produisent aucun symptôme. Mais ils sont parfois douloureux ou source de complications : colique néphrétique (douleur intense par blocage d'un calcul dans un uretère), hématurie (saignement dans les urines), infection grave du rein, insuffisance rénale. Leur diagnostic est possible grâce à la radiologie (échographie, urographie intraveineuse).

TRAITEMENT

Les calculs de moins de cinq millimètres s'éliminent spontanément par les voies naturelles. Les calculs d'acide urique trop gros sont dissous par des eaux minérales ou des médicaments qui rendent les urines alcalines (basiques). Pour les autres calculs, on dispose de plusieurs méthodes : l'ablation chirurgicale est beaucoup moins employée ; la lithotripsie extracorporelle pulvérise les calculs par des ondes de choc produites par un appareil externe (ressemblant à un appareil de radiologie), l'endoscopie (utilisant un tube muni d'un système optique, introduit par l'urètre ou à travers la peau) permet de repérer le calcul, de l'enlever en bloc ou de pratiquer une lithotripsie.

Le traitement préventif des récidives comprend le traitement d'une cause éventuelle. Il faut boire abondamment, sauf en cas de colique néphrétique. Un régime alimentaire évitant les substances présentes dans les calculs du malade (par exemple, les aliments riches en calcium en cas de lithiase calcique) peut être suivi.

Lithium

Métal (Li) dont les sels sont utilisés dans le traitement de troubles psychiques.

Les sels de lithium sont le gluconate et le carbonate de lithium. Ce sont des psychotropes (substances actives sur le psychisme) régulateurs de l'humeur.

Ils sont indiqués dans une maladie psychiatrique, la psychose maniacodépressive, caractérisée par des alternances d'accès de dépression et d'excitation euphorique. Ils sont administrés par voie orale.

Le traitement se prolonge sur plusieurs années et nécessite une surveillance étroite de l'état du malade. En outre, des prises de sang régulières sont prescrites afin de vérifier que la concentration sanguine du lithium (lithémie) reste dans la zone thérapeutique.

Les sels de lithium sont contre-indiqués en cas d'insuffisance rénale et de grossesse. L'association aux diurétiques et aux anti-inflammatoires non stéroïdiens est déconseillée car elle risque d'augmenter la lithémie. Les effets indésirables sont nombreux. Ils sont surtout représentés par des nausées, des tremblements, des troubles de l'équilibre et une sensation de soif.

Lithotomie

Extraction chirurgicale d'un calcul des voies urinaires.

On distingue, suivant la position du calcul, l'urétérolithotomie (le calcul est dans l'uretère), la néphrolithotomie (le calcul est dans le rein) et la pyélolithotomie (le calcul est dans le bassinet).

→ VOIR Néphrolithotomie, Pyélolithotomie, Urétérolithotomie.

Lithotripsie

Opération consistant à broyer ou à pulvériser des calculs urinaires, les fragments étant ensuite éliminés naturellement dans les urines. SYN. *lithotritie.*

L'accès aux calculs se fait par voie et sous contrôle endoscopique (introduction par l'urètre d'un tube muni, notamment, d'un système optique). La pulvérisation des calculs peut se pratiquer au moyen d'une pince (lithotripsie mécanique), d'ultrasons (lithotripsie ultrasonique), d'ondes de choc répétées (lithotripsie électrohydraulique) ou encore à l'aide d'une fibre laser (lithotripsie au laser).

En outre, on recourt aujourd'hui de plus en plus souvent à une technique permettant la pulvérisation du calcul à distance sans aucune intervention chirurgicale (lithotripsie extracorporelle) et la plupart du temps sans hospitalisation ni anesthésie générale. Cette technique consiste à repérer le calcul à l'aide d'un examen radioscopique ou échographique puis à le pulvériser au moyen d'ondes électrohydrauliques, piézoélectriques ou

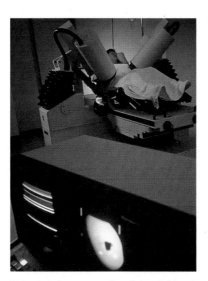

Lithotripsie extracorporelle. On pulvérise le calcul à distance, sous contrôle échographique, à l'aide d'ultrasons.

électromagnétiques, le sable obtenu étant ensuite éliminé spontanément dans les urines. Parfois, cette évacuation s'accompagne de douleurs comparables à celles occasionnées par la migration d'un calcul. Aujourd'hui, l'emploi de cette méthode a été élargi aux calculs rénaux, vésiculaires et aux calculs du cholédoque, les meilleurs résultats étant obtenus pour les calculs du rein de moins de 2 centimètres de diamètre. Certains calculs volumineux ou très durs peuvent nécessiter plusieurs séances.

Little (syndrome de)

Infirmité motrice cérébrale apparaissant dès les premiers mois de la vie, le plus souvent chez des enfants prématurés ou victimes d'un accouchement difficile ayant entraîné une insuffisance de l'oxygénation du cerveau. SYN. *diplégie spastique.*

SYMPTÔMES ET SIGNES

Le syndrome de Little représente environ 40 % des infirmités motrices cérébrales. L'enfant atteint du syndrome de Little a généralement un développement intellectuel normal. Mais il présente une raideur très marquée des membres inférieurs et, parfois, des membres supérieurs. La marche, dite « en gallinacé », se fait sur la pointe des pieds, avec les genoux fléchis et rapprochés. La position assise est difficile.

TRAITEMENT ET PRÉVENTION

Le traitement repose sur un suivi de l'enfant par une équipe pluridisciplinaire comprenant médecin, orthopédiste, kinésithérapeute et spécialiste de la rééducation motrice. Cette assistance très diversifiée est précieuse et permet de faire progresser le jeune enfant. Une prise en charge dans une structure spécialisée est parfois proposée. La prévention de la prématurité fait reculer la fréquence de ce syndrome.

Livedo

Anomalie localisée de la circulation sanguine cutanée.

Un livedo se traduit par une visibilité anormale des veinules superficielles, dessinant le plus souvent sur les membres inférieurs un réseau violet ou rouge, aux mailles plus ou moins régulières. Un livedo physiologique s'observe parfois chez le nouveau-né, l'adolescent ou la jeune femme et s'efface spontanément en quelques jours. Le livedo pathologique est dû à une affection des artères (périartérite noueuse, artériopathie des membres inférieurs), à une augmentation de la viscosité du sang (cryoglobulinémie, polyglobulie), à certains médicaments (anti-inflammatoires, antiparkinsoniens). Lorsqu'un livedo apparaît brutalement chez un sujet âgé, il provient souvent d'embolies de cholestérol se produisant notamment en cas d'artériosclérose. Son apparition brutale chez une jeune femme traduit des troubles vasculaires et doit faire rechercher la prise de contraceptifs oraux pendant une longue période ou certaines anomalies sanguines (présence d'anticorps antiphospholipidiques). Le traitement du livedo est celui de la maladie responsable.

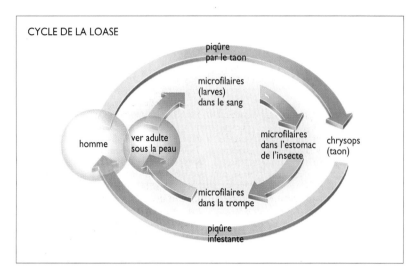

CYCLE DE LA LOASE

piqûre par le taon

microfilaires (larves) dans le sang

homme

ver adulte sous la peau

microfilaires dans l'estomac de l'insecte

chrysops (taon)

microfilaires dans la trompe

piqûre infestante

Loa-loa

→ VOIR Loase.

Loase

Maladie parasitaire africaine due à l'infestation par une filaire parasite, la loa-loa. SYN. *filariose à loa-loa, filariose loa, loasis.*

La loase ne sévit que dans certaines régions d'Afrique tropicale : sud du Nigeria et du Cameroun, République centrafricaine, Gabon, Congo, nord du Zaïre et de l'Angola.

CONTAMINATION

La maladie se transmet par la piqûre d'un taon, le chrysops, qui, en se nourrissant, prélève des larves appelées microfilaires dans la circulation sanguine des sujets atteints. Le taon vit au bord des rivières, dans les régions forestières, et sa piqûre, qui se produit en pleine journée, est difficilement évitable. Les microfilaires grossissent dans l'organisme et deviennent des vers de 2 à 7 centimètres de long, qui se déplacent en permanence sous la peau, où ils sont visibles, et sous la conjonctive de l'œil.

SIGNES ET SYMPTÔMES

Le déplacement du ver dans l'organisme provoque des placards inflammatoires sur le thorax, les mains et les avant-bras, notamment, connus sous le nom d'œdèmes de Calabar. Le malade se plaint de démangeaisons, de gonflements transitoires des bras, des avant-bras, de la face et du thorax. Le passage d'un ver sous la conjonctive de l'œil cause un œdème douloureux mais bénin.

DIAGNOSTIC ET TRAITEMENT

Un examen microscopique du sang permet d'identifier facilement les microfilaires.

Le traitement est généralement réservé aux personnes très gênées par la maladie et qui ne sont plus exposées à une nouvelle infestation. Il n'est pas systématique, la maladie étant bénigne. Il se fait à l'hôpital et le médecin prescrit en général, à des doses progressivement croissantes, de la diéthylcarbamazine. Cette substance tue les microfilaires mais doit être administrée avec précaution, car elle peut déclencher des réactions allergiques parfois graves.

Lobe

Partie individualisée d'un organe. (P.N.A. *lobus*)

Les lobes ne s'observent que dans certains organes : les poumons, le cerveau, le foie, la glande thyroïde, etc. Ils se distinguent nettement les uns des autres par leur anatomie ou leur fonctionnement.

■ **Les lobes des poumons** (2 lobes au poumon gauche, 3 lobes au poumon droit) sont placés côte à côte et restent séparés les uns des autres par des sillons très profonds, mais ils ont tous la même fonction.

■ **Les lobes du foie** sont au nombre de quatre : un lobe gauche, un lobe droit et, au milieu, un lobe carré et le lobe de Spiegel. Leurs fonctions sont identiques.

■ **Les lobes de la glande thyroïde** sont au nombre de deux, un droit et un gauche, reliés par l'isthme de la thyroïde, et ont des fonctions identiques.

■ **Les lobes des hémisphères cérébraux** sont nombreux. On distingue le lobe frontal, le lobe pariétal, le lobe temporal et le lobe occipital. Ce dernier a un fonctionnement particulier et est responsable de la vision, bien que peu séparé des lobes voisins. Au sein de chaque lobe, on distingue des aires corticales correspondant à des zones fonctionnelles individualisées.

Pour un organe, cette répartition en plusieurs lobes a diverses conséquences : quand une maladie (tumeur, infection, etc.) affecte une partie de l'organe, elle peut s'étendre à tout un lobe mais respecte les lobes voisins dans les premiers temps. Cela permet une ablation isolée si cela se révèle nécessaire ; pour endiguer la maladie, le chirurgien retire le lobe atteint (lobectomie), d'autant plus facilement que les lobes sont bien distincts les uns des autres, grâce aux sillons interstitiels, nommés « scissures », qui les séparent.

Lobectomie

Ablation chirurgicale du lobe d'un viscère.

La lobectomie ne concerne que les viscères composés de plusieurs lobes, c'est-à-dire de plusieurs portions nettement séparées les unes des autres : la glande thyroïde, le poumon et le foie. Elle est dite totale ou partielle, selon que le chirurgien retire tout un lobe ou seulement une partie, et n'a aucune conséquence sur le fonctionnement ultérieur du viscère.

■ **La lobectomie pulmonaire** est pratiquée par chirurgie conventionnelle, après ouverture de la plèvre, ou, exceptionnellement, par voie endoscopique (pleuroscopie). Un drain doit ensuite être mis en place pendant 48 heures de façon à évacuer le liquide pleural. Cette intervention, qui nécessite une hospitalisation d'une dizaine de jours, doit être suivie de séances de kinésithérapie respiratoire.

Lobite

Inflammation de l'un des lobes du poumon.

Le terme lobite est actuellement utilisé pour désigner la pneumonie tuberculeuse, forme particulière et rare de la tuberculose pulmonaire.

→ VOIR Tuberculose.

Lobotomie

Incision chirurgicale d'un lobe (d'une portion) d'un viscère.

La lobotomie permet d'accéder aux tissus profonds du viscère, par exemple pour retirer une tumeur.

Le plus souvent, le terme lobotomie s'applique à l'opération chirurgicale consistant à sectionner, dans l'encéphale, une partie des fibres nerveuses reliant le lobe préfrontal (siège de l'idéation - formation et enchaînement des idées) au reste du cerveau. Cette intervention se pratique sur des sujets atteints d'anxiété paroxystique chronique, d'obsessions graves ou sur des malades en état de douleur morale permanente ayant tenté plusieurs fois de se suicider. La lobotomie, du fait de l'extension abusive de sa pratique, de l'appauvrissement affectif du sujet lobotomisé et de la fréquence des rechutes, a suscité de nombreuses réserves. Pour ses défenseurs, son but est autant la suppression d'un symptôme gênant, rebelle à tout autre traitement, que la reconstruction ultérieure de la personnalité du sujet à l'aide d'une psychothérapie.

Lobstein (maladie de)

Maladie héréditaire caractérisée par une fragilité des os. SYN. *fragilité osseuse congénitale, maladie des os de verre, ostéopsathyrose.*

La maladie de Lobstein est une forme d'ostéogenèse imparfaite, c'est-à-dire que le tissu osseux y est de mauvaise qualité du fait d'une anomalie de structure du collagène. La transmission est généralement de type dominant autosomique : il suffit que le gène en cause soit transmis par l'un des parents pour que l'enfant développe la maladie. Celle-ci se manifeste habituellement par des fractures apparaissant dès les premiers pas, mais il existe des formes à expression plus tardive. Cette affection se traduit fréquemment par une coloration bleutée du « blanc des yeux » et par une surdité. Le traitement, difficile, repose sur le redressement chirurgical des os déformés, la pose de clous intra-osseux, etc.

Lochies

Écoulement vaginal survenant normalement à la suite de l'accouchement.

Les lochies sont composées de caillots de sang provenant de la zone d'insertion du placenta, de débris de membranes (caduque utérine) et du suintement des plaies du vagin et du col de l'utérus. L'écoulement est sanglant les premiers jours, puis il diminue, devient rosé vers la fin de la première semaine, brunit et se tarit à partir du 15e jour, parfois après une courte recrudescence de 24 à 48 heures, appelée « petit retour de couches ». Lorsque la femme allaite, le tarissement est plus rapide.

En cas de surinfection, les lochies deviennent très malodorantes.

Locomoteur (appareil)

Ensemble des organes permettant de se déplacer.

L'appareil locomoteur comprend les os et les articulations des membres et de la colonne vertébrale ainsi que les ligaments, les muscles et les tendons qui les relient ou les actionnent.

La locomotion, qui est une fonction complexe, fait intervenir, en plus de ces organes, les organes sensoriels (œil, oreille) et les récepteurs sensitifs (organes microscopiques), qui recueillent des informations sur l'environnement et la position de l'ensemble du corps ainsi que sur la tension des muscles. Le système nerveux intervient également : il analyse ces informations et transmet les ordres vers les muscles, lesquels mettent les os et les articulations en mouvement grâce à leurs contractions successives et coordonnées.
→ VOIR Marche.

Locus

1. Emplacement précis d'un gène sur le chromosome qui le porte.
2. Site anatomique particulier, localisé le plus souvent sur des structures nerveuses et répertorié dans la nomenclature anatomique dite *Parisiensa nomina anatomica* (P.N.A.).

On appelle *locus niger,* par exemple, un des noyaux gris centraux du cerveau.

Löffler (syndrome de)

Association bénigne, passagère et souvent récidivante de différentes manifestations pulmonaires (toux, gêne respiratoire, opacités à la radiologie) et d'une augmentation dans le sang circulant des leucocytes et des polynucléaires éosinophiles.

Le syndrome de Löffler constitue une réaction allergique du poumon, le plus fréquemment à une maladie parasitaire, l'ascaridiase, ou à l'asthme.

APPAREIL LOCOMOTEUR

L'appareil locomoteur assure les déplacements du corps et ses différents mouvements. Il est constitué par le squelette, les muscles dits squelettiques (par opposition aux muscles lisses, qui assurent les mouvements des viscères) et le système nerveux. Sur les os, qui sont à la fois articulés entre eux et unis par de solides ligaments, viennent s'insérer les muscles, soit directement, soit par l'intermédiaire de tendons. La position, la contraction et le degré d'étirement de chaque muscle sont transmis au cerveau, qui, à chaque instant, renvoie des ordres afin de coordonner les mouvements simultanément (contraction des muscles fléchisseurs de la jambe et relâchement des muscles extenseurs, par exemple) et chronologiquement ; le système nerveux intervient également en permanence dans le maintien de l'équilibre.

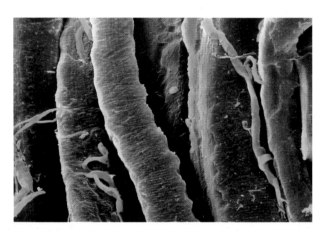

Les cellules musculaires (en rose) sont disposées en faisceau.

Le mécanisme de la locomotion

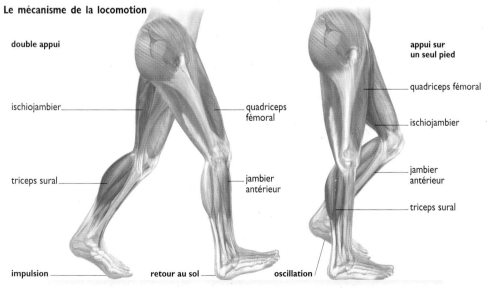

double appui

appui sur un seul pied

ischiojambier

quadriceps fémoral

quadriceps fémoral

ischiojambier

triceps sural

jambier antérieur

jambier antérieur

triceps sural

impulsion — retour au sol — oscillation

Fonctionnement de l'appareil locomoteur

Le squelette

En fournissant une charpente solide à partir de laquelle les muscles peuvent agir de façon efficace et coordonnée, il joue un rôle indispensable dans le mouvement.

Les muscles squelettiques

Ils représentent de 40 à 45 % du poids du corps. Élastiques et très résistants, ils sont constamment maintenus dans un état de tension modérée.

Le système nerveux

Il commande la contraction musculaire et la coordination entre les muscles.

Löfgren (syndrome de)

Syndrome rattaché à la sarcoïdose, caractérisé par l'association de troubles cutanés, articulaires et ganglionnaires.

Le syndrome de Löfgren est l'une des formes de la sarcoïdose, maladie de cause inconnue, caractérisée par la dissémination dans l'organisme de granulomes (amas microscopiques de cellules inflammatoires). Il se traduit par l'apparition, sur les jambes, d'un érythème noueux (boules sous-cutanées rouges et douloureuses), par des douleurs articulaires, une légère fièvre et une augmentation de volume des ganglions lymphatiques situés sur les hiles (autour des vaisseaux destinés aux poumons). Ce syndrome guérit spontanément en quelques semaines.

Loges (syndrome des)

Syndrome dû à un traumatisme, une fracture notamment, ou, plus rarement, au port d'un plâtre ou d'un bandage trop serré, entraînant une compression excessive des muscles d'un membre inférieur (cuisse, jambe) dans leur loge aponévrotique.

Ce même syndrome, lorsqu'il atteint le membre supérieur (bras, avant-bras), prend le nom de syndrome de Volkmann.

Dans les membres, les muscles sont séparés entre eux et enveloppés entièrement par des membranes fibreuses très solides et inextensibles, dites aponévroses, l'ensemble muscle-aponévrose constituant une loge. Un traumatisme (fracture, surtout) peut provoquer un hématome et un œdème ; quand ceux-ci sont très importants, les muscles, enserrés dans les aponévroses, puis les nerfs et enfin les vaisseaux sont soumis à une pression excessive.

SYMPTÔMES ET SIGNES

Le patient se plaint de douleurs violentes du membre touché, de difficultés à remuer ses doigts ou ses orteils, de fourmillements, d'anesthésie de la main ou du pied. Les nerfs étant comprimés, il y a diminution des sensations tactiles, surtout aux extrémités. Les muscles comprimés, non irrigués, peuvent se nécroser, puis se rétracter.

TRAITEMENT

Il doit être entrepris en urgence : retrait du plâtre ou du garrot causant la compression, ou ouverture chirurgicale de la loge par incision de l'aponévrose, pour permettre l'expansion des muscles qui y sont contenus.

Logorrhée

Trouble du langage caractérisé par un abondant flot de paroles débitées rapidement sur de longues périodes.

La logorrhée est un signe particulièrement caractéristique d'un trouble psychiatrique, la manie, ou accès maniaque. Le malade saute d'une idée à une autre, multiplie les jeux de mots. Son attention s'éparpille au gré des sollicitations extérieures, rendant impossibles réflexion et synthèse. Des éléments délirants peuvent être associés.

Une logorrhée s'observe aussi au cours de l'aphasie de Wernicke, affection neurologique du cortex d'un hémisphère cérébral, qui se traduit par la perte de la compréhension du langage et du sens des mots. Dans ce cas, le malade déforme les mots, emploie un mot pour un autre. Parfois, le langage se transforme en un véritable jargon totalement incompréhensible pour autrui, sans que le malade en ait conscience.

Lombaire

Relatif aux lombes.

La région lombaire, située dans le bas du dos, correspond à la zone des cinq vertèbres lombaires et des masses musculaires avoisinantes. Appelée parfois de façon familière « les reins », elle constitue la paroi abdominale postérieure et est localisée, au niveau de la colonne vertébrale, entre la douzième côte et la crête iliaque. Elle comprend, outre les vertèbres lombaires, qui supportent l'essentiel du poids du corps, une partie interne, formée de puissantes masses musculaires vertébrales latérales, et une partie externe, constituée par les masses musculaires de la paroi abdominale postérieure.

PATHOLOGIE

La région lombaire est souvent le siège de douleurs qui peuvent être d'origine vertébrale (lésions du rachis lombaire, des articulations sacro-iliaques, des disques intervertébraux), rénale (lithiases rénales ou urétérales, néphrites chroniques) ou abdominale.

Lombalgie

Douleur de la région lombaire.

Le langage médical réserve le terme de lombalgie aux douleurs de la région ayant pour axe les cinq vertèbres lombaires. Au-dessus, on parle de dorsalgies ; au-dessous, de douleurs fessières ou sacrées.

DIFFÉRENTS TYPES DE LOMBALGIE

Une lombalgie peut être due à des lésions du rachis ou à des affections touchant des viscères de la région lombaire.

■ Les lombalgies rachidiennes sont d'origine inflammatoire ou mécanique :
– les lombalgies inflammatoires peuvent être dues à une inflammation d'une vertèbre et des disques intervertébraux voisins ou à un tassement vertébral ; chez un sujet jeune, à un rhumatisme (spondylarthrite ankylosante) ; chez un sujet âgé, à un tassement ou à une tumeur bénigne ou maligne. La douleur est surtout gênante la nuit et, le matin au réveil, demande un « dérouillage » de plus de 30 minutes ;
– les lombalgies mécaniques sont le plus souvent dues à une arthrose des apophyses articulaires postérieures des vertèbres ou à la dégénérescence d'un ou de plusieurs disques intervertébraux, elle-même provoquée par un traumatisme, une série de microtraumatismes, une épiphysite (inflammation d'une épiphyse) de croissance pour les formes précoces. Le vieillissement en est aussi souvent responsable car, avec les années, les disques intervertébraux perdent de leur souplesse et se fissurent. La douleur se manifeste au cours de la journée ; aggravée par les efforts, le port de charges, la station assise prolongée, elle est soulagée par le repos allongé. Les lombalgies mécaniques peuvent être aiguës – la plus fréquente étant le lumbago –, récidivantes, faisant alterner périodes douloureuses et rémissions, ou chroniques. Elles s'accompagnent parfois de douleurs irradiant dans les membres inférieurs. Selon le trajet de la douleur, on parle de lomboradiculalgie ou de lombosciatique ; lorsqu'une lombalgie chronique n'apparaît qu'à la marche (le sujet ne se déplaçant plus alors que sur quelques centaines de mètres), on parle de lombalgie claudicante.

■ Les lombalgies d'origine viscérale peuvent être dues à une affection touchant le rein, l'appareil urinaire ou génital, à une lésion de l'aorte ou des méninges de la moelle épinière (neurinome, arachnoïdite, méningoradiculite), etc.

DIAGNOSTIC

Pour reconnaître la catégorie précise d'une lombalgie, le médecin fonde son diagnostic, outre l'interrogatoire minutieux du patient, sur un examen clinique approfondi et des examens complémentaires : radiographie, scanner, imagerie par résonance magnétique (I.R.M.), myélographie, scintigraphie osseuse des vertèbres, etc.

TRAITEMENT

Il repose sur la prise d'analgésiques, d'anti-inflammatoires, sur la kinésithérapie, voire sur l'immobilisation temporaire du rachis à l'aide d'un corset en résine. Le traitement des lombalgies chroniques doit être adapté à la gêne fonctionnelle qu'elles entraînent et ne soigner que les lésions dont le diagnostic est confirmé. Ainsi, les lombalgies chroniques dues à une lésion discale unique ont de grandes chances de guérir par une arthrodèse lombaire (intervention chirurgicale consistant à faire fusionner deux vertèbres entre elles afin de supprimer le jeu articulaire). En revanche, quand la dégénérescence affecte plusieurs disques, le succès de cette intervention devient plus aléatoire.

Lombalisation

Anomalie de la première vertèbre sacrée, qui, au lieu d'être normalement soudée aux autres pour constituer le sacrum, se trouve séparée de lui soit complètement, soit partiellement.

La lombalisation, habituellement latente, peut être découverte fortuitement lors d'un examen radiographique. Cependant, des douleurs peuvent la révéler. Le traitement fait appel à la gymnastique corrective ou, plus rarement, au port d'un corset orthopédique.

Lombarthrose

Arthrose du rachis lombaire.

La lombarthrose affecte surtout les sujets âgés, mais aussi ceux dont la profession entraîne un surmenage lombaire (port de lourdes charges). Ses lésions dégénératives touchent surtout les apophyses postérieures des articulations situées entre la 4e et la 5e vertèbre lombaire ainsi que celles situées entre la 5e lombaire et la 1re sacrée.

Elle se manifeste soit de manière aiguë (lumbago déclenché par un effort de soulèvement important ou par une torsion du rachis), soit de manière plus chronique, à l'occasion d'efforts, de port de charges, de station assise prolongée ; la douleur lombaire n'irradie pas dans les membres inférieurs, sauf lorsqu'elle s'associe à des lésions des disques intervertébraux ; elle est soulagée par le repos allongé. Le diagnostic est confirmé par la radiographie simple du rachis, au besoin par le scanner RX ou l'imagerie par résonance magnétique (I.R.M.).

TRAITEMENT
Il fait appel aux analgésiques, aux anti-inflammatoires et à la kinésithérapie. Le port temporaire d'un corset en résine peut atténuer les douleurs.

Lombosacré

Qui se rapporte à la région de transition entre le rachis lombaire (4e et 5e vertèbre lombaire) et le sacrum.

La région lombosacrée est fréquemment le lieu de différentes affections vertébrales. Par ailleurs, l'articulation entre la dernière vertèbre lombaire et la première vertèbre sacrée fait partie d'une zone charnière (charnières lombosacrée, dorsolombaire, etc.) particulièrement mobile et fragile et soumise à de fortes contraintes mécaniques.
■ **Les malformations transitionnelles** regroupent la lombalisation de la première vertèbre sacrée (celle-ci n'est plus soudée à la deuxième vertèbre sacrée) et la sacralisation de la cinquième vertèbre lombaire (celle-ci se soude à la première vertèbre sacrée). Elles provoquent parfois des douleurs, que la rééducation fait disparaître.
■ **Le spina-bifida** est une malformation caractérisée par une absence de fermeture des vertèbres en arrière, parfois compliquée de douleurs, voire de paralysies. Le spina-bifida est en général traité par la rééducation.
■ **Les affections liées à la dégénérescence** et aux contraintes mécaniques sont la hernie discale et le spondylolisthésis (glissement d'une vertèbre en avant). Elles sont traitées dans les formes communes, au besoin, par des analgésiques et la rééducation.
■ **Les infections** sont les spondylodiscites, infections de deux vertèbres et du disque situé entre elles, traitées en urgence par antibiotiques.
■ **Les traumatismes** provoquant parfois des fractures vertébrales, qu'on opère ou qu'on soigne par immobilisation.

Lombosciatique

Association d'une lombalgie et d'une sciatique.
→ VOIR Sciatique.

Lombostat

Corset porté sur la région lombosacrée, destiné à en limiter la mobilité.

Dans les lombalgies aiguës dues à l'inflammation d'une vertèbre et des disques intervertébraux voisins, à un tassement vertébral récent, à une lombalgie discale aiguë, la mise au repos de la zone du rachis à l'origine des douleurs contribue à la réparation des lésions ; l'immobilisation est alors provi-

soire. Le lombostat est un corset moulé, en plâtre ou en résine, destiné à assurer une immobilisation rigoureuse de la région lombosacrée. Dans les lombalgies chroniques dues à des lésions multiples des disques intervertébraux, les scolioses, les tassements vertébraux multiples dus à l'ostéoporose (décalcification osseuse), le port d'un lombostat en coutil baleiné, plus souple, fait sur mesure, permet de soulager les douleurs du patient.

Contrairement à une opinion répandue, le port d'un lombostat ne favorise pas l'atrophie des muscles du rachis. Au contraire, en leur permettant de travailler dans des conditions plus favorables, il facilite fréquemment chez son utilisateur la reprise d'une activité professionnelle. Il est même souvent conseillé au patient qui porte un lombostat d'entreprendre une rééducation appropriée en se soumettant à quelques exercices de kinésithérapie précis (accroupissements, pompes obliques), qui seront bénéfiques pour le rachis lombosacré.

Lombotomie

Incision chirurgicale de la paroi abdominale dans la région lombaire.

Une lombotomie se pratique pour accéder aux organes qui se trouvent en arrière du péritoine, membrane qui enveloppe de ses replis le tube digestif. Le chirurgien peut ainsi traiter les maladies des reins et des uretères (ablation de calculs ou d'une tumeur, réparation d'une malformation ou d'un traumatisme, évacuation d'un abcès), les maladies des glandes surrénales (ablation d'une tumeur) ou encore enlever un de ces organes, par exemple un rein. La technique consiste à inciser la paroi abdominale postérieure obliquement, parallèlement aux dernières côtes ; il est parfois nécessaire d'enlever la 11e ou la 12e côte. Après l'opération, des douleurs intercostales persistantes peuvent apparaître dans la région de l'incision ; la prise d'analgésiques permet de les soulager.

Lombroso (Cesare)

Médecin et criminologue italien (Vérone 1835 - Turin 1909).

Il fut successivement chargé de cours à l'université de Pavie, directeur de l'hôpital psychiatrique de Pesaro et professeur de psychiatrie à l'université de Turin. L'un des premiers, il soutint la thèse selon laquelle les criminels sont, avant tout, des malades qui ne peuvent être rendus entièrement responsables de leurs actes. Ils présentent généralement, selon lui, des caractéristiques physiques typiques de la délinquance. Ses ouvrages l'*Homme criminel* (1875) et le *Crime, causes et remèdes* (1899) ont eu une grande influence sur l'évolution de la criminologie.

Longiligne

Caractérise le type morphologique des individus de grande taille, aux membres allongés et minces, avec peu de tissu graisseux.
SYN. *ectomorphe, leptosome.*

Les individus longilignes paraissent prédisposés au pneumothorax spontané.

Looser-Milkman (stries de)

Fissures multiples des os, en général disposées de façon symétrique (par exemple, sur l'humérus droit et sur l'humérus gauche), correspondant à une zone de tissu osseux déminéralisé.

Les stries de Looser-Milkman s'observent sur les radiographies sous la forme de lignes claires transversales. Elles apparaissent chez des sujets atteints d'ostéomalacie (maladie des os entraînant une décalcification et due à un déficit en vitamine D).

Lordose

Courbure physiologique de la colonne vertébrale se creusant vers l'avant.

Chez chaque sujet, il existe normalement deux lordoses modérées : la lordose cervicale, située au cou, et la lordose lombaire, ou « creux des reins », située dans la région lombaire ; cette dernière est plus importante chez la femme que chez l'homme. Ces deux lordoses sont compensées par une courbure normale inverse (cyphose) du rachis dorsal.

Une lordose lombaire excessive est appelée hyperlordose. Elle est le plus souvent consécutive à une cyphose dorsale (déformation du rachis dorsal, anormalement convexe en arrière).

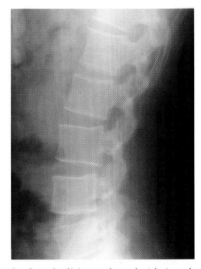

Lordose. *La légère courbure physiologique de la partie inférieure du rachis (rachis lombaire) est visible à la radiographie.*

Loupe

→ VOIR Peau (kyste de la).

Lowe (syndrome de)

Maladie congénitale associant une atteinte rénale à des anomalies neurologiques et oculaires.

Le syndrome de Lowe est une maladie rare, à transmission récessive liée au sexe : le gène responsable est porté par l'un des deux chromosomes X de la mère ; aussi l'affection se manifeste-t-elle seulement chez les garçons.

SYMPTÔMES ET SIGNES

L'atteinte rénale se manifeste par un rachitisme tandis que les anomalies oculaires consistent généralement en une cataracte et que l'atteinte neurologique est révélée par une arriération mentale considérable. Ces troubles s'accompagnent très souvent d'une altération grave de l'état général, de malformations du crâne et de la face ainsi que d'affections cutanées.

ÉVOLUTION ET TRAITEMENT

L'évolution du syndrome de Lowe est variable et peut s'étendre sur de nombreuses années. Il n'existe pas de traitement spécifique de cette maladie ; on peut toutefois soigner les symptômes de l'atteinte rénale et opérer la cataracte.

Löwenstein-Jensen (milieu de culture de)

Milieu de culture solide spécifique de la culture des mycobactéries - entre autres du bacille de Koch, responsable de la tuberculose -, constitué notamment d'œuf, de vert malachite (antiseptique) et de glycérine.

Le milieu de culture de Löwenstein-Jensen est ensemencé directement avec les prélèvements présumés stériles (ponction pleurale, ganglionnaire, etc.). On procède préalablement à l'éradication des germes autres que les mycobactéries pour les prélèvements bronchopulmonaires, normalement contaminés par la flore bactérienne de la bouche et du pharynx. Les délais d'apparition des colonies sur ce milieu, leur aspect (colonies lisses ou rugueuses), leur pigmentation éventuelle permettent une identification présomptive de la souche, confirmée par des caractères biochimiques et/ou génotypiques.

LSD

→ VOIR Lysergide.

Lucite

Affection cutanée déclenchée par l'exposition de la peau au soleil.

DIFFÉRENTS TYPES DE LUCITE

Le terme de lucite recouvre trois affections distinctes.

■ La lucite estivale bénigne provoque des petites taches rouges, légèrement saillantes, ressemblant parfois à de l'urticaire, ou de très petites « cloques », associées à de vives démangeaisons. Elle touche surtout la femme entre 25 et 40 ans, après la première exposition solaire brutale ou prolongée de l'année, et respecte habituellement le visage.

■ La lucite polymorphe, plus grave, atteint l'homme ou la femme adulte et débute entre 12 et 24 heures après la première exposition solaire du printemps. Elle prend la même forme que la lucite estivale bénigne mais peut se compliquer d'eczéma, d'urticaire, de lichen ou de prurigo. Les lésions démangent fortement.

■ La lucite hivernale bénigne est une éruption du visage touchant les sujets jeunes, le plus souvent fillette ou jeune fille de moins de 15 ans, survenant après une exposition brutale au soleil au-dessus de 1 500 mètres d'altitude. Elle se traduit par des plaques

rouges et violacées souvent gonflées, semblables à de l'urticaire, qui apparaissent sur le front, les tempes, les pommettes, les oreilles et qui démangent.

TRAITEMENT ET PRÉVENTION

Ces affections sont traitées par les antihistaminiques, par voie orale, et par des applications locales d'anti-inflammatoires. Les lésions disparaissent en quelques jours. La prévention comprend, d'une part, la protection contre le rayonnement solaire (crèmes), d'autre part des médicaments administrés par voie orale (antipaludéens de synthèse, caroténoïdes) et des séances de puvathérapie (association d'une exposition aux rayons ultraviolets A et de psoralènes) avant d'exposer la peau au soleil.

Ludothérapie

Méthode de traitement des maladies mentales par le jeu.

On connaît l'importance du jeu non seulement dans les activités sociales et culturelles de l'adulte mais aussi dans le développement de l'enfant. Selon la psychanalyste autrichienne Melanie Klein (1882-1960), pionnière de la psychanalyse des enfants, le jeu sert à maîtriser les situations d'angoisse en recréant symboliquement les conditions d'un traumatisme ou d'un conflit. Aujourd'hui, la ludothérapie est à la base de toutes les psychothérapies infantiles. Elle vise à sortir le sujet de son enfermement en lui faisant prendre conscience de ses conflits intérieurs. Les techniques peuvent être individuelles ou collectives (spectacles, sports, psychodrames).

Luette

Appendice musculo-muqueux suspendu au bord postérieur du voile du palais, au fond de la cavité buccale. SYN. uvule. (P.N.A. uvula)

La luette est un organe charnu de 10 à 15 millimètres de long, qui peut bouger et se contracter. Elle joue un rôle essentiel dans la déglutition et l'émission des sons en contrôlant l'écoulement de l'air à l'entrée du pharynx. La luette peut gêner la respiration pendant le sommeil et provoquer des ronflements. Quand ceux-ci sont exagérés, elle peut être retirée chirurgicalement sous anesthésie locale ou générale : c'est l'uvulo-palatoplastie, ou uvulectomie. Cette opération connaît, en facilitant le passage de l'air, des résultats satisfaisants.

Lugol

Solution aqueuse d'iode et d'iodure de potassium diluée dans une proportion de 15 grammes par 100 millilitres d'eau.

■ En endocrinologie, le lugol est utilisé en raison de l'affinité de l'iode pour le tissu de la glande thyroïde. À forte dose, l'iode inhibe la sécrétion des hormones thyroïdiennes. Il est donc employé dans le traitement des hyperthyroïdies, associé aux médicaments antithyroïdiens de synthèse. Il est aussi utile dans les soins précédant l'opération d'un goitre, car il diminue la vascularisation de la thyroïde. Le lugol sert également dans la protection contre la radioactivité en cas

d'accident nucléaire (il sature la thyroïde et empêche ainsi les radioéléments de venir se fixer sur elle) et, beaucoup plus couramment, dans certains examens utilisant des radioéléments comme l'iode radioactif (scintigraphie surrénalienne).

■ En gynécologie, le test au lugol, ou test de Schiller, est un examen permettant de vérifier la présence d'une anomalie cellulaire (dysplasie) prédisposant au cancer du col de l'utérus. Il est indolore et pratiqué par le gynécologue en cabinet. Après introduction d'un spéculum dans le vagin, le col utérin est badigeonné avec un tampon imbibé de lugol. Le col de l'utérus est tapissé d'un épithélium riche en glycogène (dérivé du glucose) : au contact de l'iode, les granulations de glycogène prennent une teinte acajou, la coloration étant d'autant plus marquée que les granulations sont plus nombreuses ; un épithélium anormal prend mal la couleur et révèle des zones non colorées dites iodonégatives. À l'examen, le contour de ces taches révèle une variation brusque de structure de l'épithélium, qui traduit des anomalies cellulaires.

Dans ce cas, il est nécessaire de pratiquer une biopsie à l'endroit exact où l'anomalie a été constatée.

Lumbago

Douleur lombaire aiguë, d'apparition brutale, survenant après un faux mouvement et due à un microtraumatisme touchant un disque intervertébral.

Chaque disque intervertébral est formé d'une partie périphérique, l'annulus, puissant réseau de fibres qui assure la stabilité de la colonne vertébrale, et d'une partie centrale, le nucleus pulposus, qui absorbe et répartit les chocs. Un lumbago, plus communément appelé « tour de rein », est dû à une fissure de l'annulus par laquelle s'infiltre une partie du nucleus pulposus.

En cas de lumbago, les mouvements du rachis sont très limités, souvent plus dans une direction que dans l'autre, et le blocage entraîne pendant quelques jours une attitude incorrecte appelée « attitude antalgique ». Un lumbago guérit généralement en quelques jours. Le repos au lit, la kinésithérapie, les infiltrations (de cortisone par exemple), la prise d'analgésiques et d'anti-inflammatoires permettent d'abréger sa durée.

Lumière

Espace occupant l'intérieur d'un organe tubulaire (vaisseau ou autre canal de l'organisme).

Ce terme désigne fréquemment la cavité des artères ou des intestins.

Lunettes

Verres correcteurs destinés à améliorer la vue ou à protéger les yeux et placés dans une monture adaptable reposant sur le nez et prenant appui sur les oreilles.

DIFFÉRENTS TYPES DE LUNETTES

Le type et la puissance des verres optiques convenant à une personne sont déterminés au cours de l'examen ophtalmologique.

Avantages comparés des lunettes et des lentilles de contact

Le principal avantage des lunettes est d'être simples à porter et de se retirer facilement en cas de port intermittent (myopie, hypermétropie ou astigmatisme faibles, ou encore presbytie). Elles sont préférées aux lentilles chez les professionnels qui travaillent dans la poussière, la chaleur ou l'humidité.

Les lentilles, ou verres de contact, quant à elles, peuvent être d'une plus grande commodité dans la pratique des sports (y compris la natation avec des lunettes de protection) ou l'exercice de certains métiers, tels les métiers sportifs ou ceux nécessitant une activité physique. Elles peuvent également être préférées pour des raisons esthétiques. En outre, elles épousent la courbure de la cornée et permettent d'avoir un champ visuel plus complet. Cependant, elles impliquent des règles d'hygiène et d'entretien (nettoyage quotidien, déprotéinisation hebdomadaire).

Le choix des lunettes ou des lentilles dépend également du défaut visuel à corriger. Les lentilles sont conseillées en cas de myopie moyenne et forte car, en supprimant la distance entre le verre et l'œil, elles suppriment aussi les déformations que celle-ci peut occasionner. Elles sont également recommandées dans les hypermétropies fortes, car elles permettent de supprimer des lunettes parfois lourdes. Enfin, l'aphakie (absence de cristallin) unilatérale sans implant cristallinien ne peut être corrigée que par le port d'un verre de contact afin de réduire la différence de taille des images perçues par chaque œil. En revanche, les lentilles sont moins systématiquement prescrites en cas d'astigmatisme ou de presbytie. Dans ce dernier cas, le port de lunettes permettant la vision de près doit être associé à celui des lentilles corrigeant le défaut initial. Les lentilles multifocales qu'on a fabriquées comme équivalents des verres progressifs sur les lunettes ne sont jusqu'à présent pas encore efficaces.

Selon les cas à traiter, les verres correcteurs sont sphériques ou cylindriques : sphériques convexes incurvés vers l'extérieur pour l'hypermétropie et la presbytie, sphériques concaves incurvés vers l'intérieur pour la myopie ; cylindriques pour l'astigmatisme.

La puissance des verres s'exprime en dioptries (unité de mesure d'optique). En cas d'hypermétropie ou de presbytie, les dioptries sont positives ; en cas de myopie, elles sont négatives ; en cas d'astigmatisme, elles sont positives ou négatives. Enfin, pour les cas où une amétropie (myopie, hypermétropie ou astigmatisme) se trouve associée à une presbytie, il existe des verres progressifs, dont la puissance se modifie graduellement de haut en bas, et des verres à double ou triple foyer, qui permettent une vision nette à différentes distances.

Les verres correcteurs peuvent être teintés ou se teinter à la lumière afin de filtrer certains rayonnements du spectre solaire, notamment les ultraviolets et le rouge. Ils peuvent être minéraux (en verre) ou organiques (en plastique). Les verres organiques sont obligatoires pour les enfants et recommandés pour les adultes. Ils se rayent plus facilement que les verres minéraux mais sont beaucoup plus légers. De plus, ils se cassent rarement, minimisant ainsi les risques d'éclats pouvant provoquer des blessures à l'œil. Les verres teintés sont indispensables dans un certain nombre d'affections (kératite, albinisme). Ils le sont également lors de l'exposition aux lumières très vives (neige, réverbération du soleil sur la mer) ; ils sont en outre recommandés dans la vie courante en cas d'ensoleillement important. En effet, l'exposition des yeux à une lumière trop vive peut favoriser l'apparition d'une cataracte précoce ou une dégénérescence maculaire (lésion de la zone centrale de la rétine).

Après examen chez l'ophtalmologiste, la réalisation des lunettes doit être confiée à un opticien compétent, s'assurant du centrage correct des verres et du choix judicieux de la monture ; celle-ci doit correspondre aux activités du patient. Un examen ophtalmologique annuel permet de vérifier que les verres correcteurs sont toujours adaptés.

Lupus érythémateux chronique

Dermatose chronique caractérisée par une éruption cutanée en forme de loup (masque sur le visage). SYN. *lupus discoïde*.

Le lupus érythémateux chronique est la localisation cutanée du lupus érythémateux disséminé, maladie inflammatoire d'origine auto-immune. Dans certains cas, il constitue la première atteinte de cette maladie. Il survient chez l'adulte, plus fréquemment chez les femmes, à la suite d'expositions solaires répétées.

SYMPTÔMES ET SIGNES

Le lupus forme des lésions cutanées rouges comportant des croûtes qui ne provoquent pas de démangeaisons. Ces lésions débutent par de simples plaques, d'extension limitée, parfois parcourues par de petits vaisseaux dilatés. Par la suite, elles sont le siège d'une hyperkératose (augmentation excessive de la couche cornée de la peau) d'importance variable. Les lésions se développent de façon relativement symétrique sur le nez, les joues, les oreilles, le front et le menton. Elles peuvent atteindre le cuir chevelu, entraînant une chute des cheveux, ainsi que les muqueuses buccales. Dans ce dernier cas, la maladie se traduit par un liseré blanchâtre sur les lèvres et par des plaques rouges à la face interne des joues.

DIAGNOSTIC ET ÉVOLUTION

Le diagnostic repose sur l'aspect clinique des lésions. Un examen histologique (au microscope) des tissus (par biopsie cutanée) met en évidence des altérations cellulaires entre le derme et l'épiderme.

L'évolution se fait par poussées successives, souvent déclenchées par une nouvelle exposition au soleil. Dans certaines formes, le lupus peut s'étendre largement, entraînant des lésions peu esthétiques.

TRAITEMENT ET PRÉVENTION

Le traitement fait appel aux dermocorticostéroïdes d'action locale, prescrits en simples massages ou en pansements. Les lésions fortement kératinisées peuvent être supprimées par cryochirurgie ou par le laser au gaz carbonique. Toutefois, un traitement général est souvent nécessaire : administration orale d'antipaludéens ou, lorsque ces derniers sont inefficaces, de sulfones, de rétinoïdes ou de thalidomide.

La prévention du lupus érythémateux chronique consiste à éviter le soleil et à protéger sa peau à l'aide de crèmes solaires à écran total.

Lupus érythémateux disséminé

Maladie inflammatoire d'origine auto-immune touchant un grand nombre d'organes. SYN. *lupus systémique, maladie lupique*.

Le lupus érythémateux disséminé, ou L.E.D., fait partie des maladies systémiques ou connectivites. C'est une maladie à forte prédominance féminine (8 femmes pour 2 hommes), dont la fréquence maximale se situe entre 20 et 30 ans. Il apparaît, estime-t-on, de 2 à 5 nouveaux cas annuels pour 100000 femmes. Cette affection est probablement causée par de multiples facteurs, mais le terrain génétique est sans doute le plus important. En effet, elle est plus fréquente chez les personnes porteuses des groupes HLA *(Human Leucocyte Antigen)*, DR2 et DR3, caractérisés par la présence d'antigènes spécifiques sur les globules blancs du sang, et chez les sujets atteints d'un déficit congénital des fractions C2 ou C4 du complément (système enzymatique intervenant dans la réponse immunitaire participant à la destruction des antigènes).

SYMPTÔMES ET SIGNES

Ils varient beaucoup d'un malade à un autre. Les signes généraux, présents pendant les

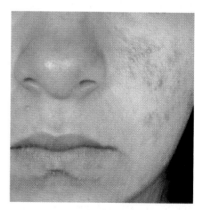

Lupus érythémateux disséminé. Les lésions se développent sur les joues, la racine du nez, les oreilles, le front et le menton.

poussées de la maladie, associent une fièvre, une perte de l'appétit et un amaigrissement. Les manifestations articulaires (arthrite aiguë, subaiguë ou chronique, ou encore simples douleurs articulaires) se retrouvent chez 90 % des malades. En revanche, une ostéonécrose (nécrose osseuse) ne se développe que chez 5 % d'entre eux. Les manifestations cutanées sont très diverses : érythème du visage en ailes de papillon, lésions de lupus érythémateux chronique (plaques rouges comportant des croûtes), vascularite, urticaire, sensibilité à la lumière, chute des cheveux, lésions de type engelure, augmentation ou diminution de la pigmentation. L'atteinte rénale est une complication fréquente (plus de 50 % des cas) ; elle se manifeste soit par des anomalies urinaires simples (protéinurie, hématurie microscopique), soit par un syndrome néphrotique et correspond à une destruction des glomérules (glomérulonéphrite) ; elle peut évoluer vers une insuffisance rénale. La biopsie rénale est souvent utile pour préciser les lésions. Le système nerveux peut aussi être touché : crises convulsives, paralysie, migraine, troubles du comportement. Enfin, on observe également des troubles cardiovasculaires (péricardite, myocardite, endocardite, thrombose artérielle ou veineuse, hypertension), respiratoires (pleurésie) et hématologiques (leucopénie, thrombopénie, anémie hémolytique, voire hypertrophie ganglionnaire, augmentation de volume de la rate). La grossesse et la période suivant l'accouchement favorisent les poussées de la maladie. Les avortements spontanés sont fréquents.

DIAGNOSTIC ET ÉVOLUTION

L'établissement du diagnostic repose sur l'association de manifestations cliniques et d'anomalies immunobiologiques telles que la présence d'anticorps antinucléaires (dirigés contre les noyaux des cellules), d'anticorps anti-A.D.N., ou encore une diminution des taux plasmatiques des fractions C3 et C4 du complément. On retrouve parfois des anticorps (antiphospholipides) dirigés contre les facteurs de la coagulation et qui favorisent les thromboses et les avortements spontanés. Une biopsie des lésions cutanées ou une biopsie rénale peuvent également contribuer au diagnostic.

L'évolution est lente, pouvant se poursuivre sur plusieurs années. Elle procède spontanément par poussées entrecoupées de rémissions complètes de durée variable (de plusieurs mois à plusieurs années).

TRAITEMENT ET PRONOSTIC

Le lupus érythémateux disséminé nécessite une prise en charge globale du malade. Le repos est utile pendant les poussées de la maladie et l'exposition au soleil, contre-indiquée. Les indications thérapeutiques sont adaptées en fonction des symptômes. Les formes bénignes (essentiellement cutanées, articulaires et pleurales) sont traitées par des anti-inflammatoires non stéroïdiens ou par l'aspirine, associés à des antimalariques de synthèse. Parfois, une courte corticothérapie est nécessaire. Les formes les plus sévères (atteinte du système nerveux central ou atteinte rénale grave) sont traitées par de fortes doses de corticostéroïdes, parfois associées à des médicaments immunosuppresseurs. Certains cas de néphropathies lupiques graves ayant évolué vers l'insuffisance rénale obligent à un traitement par hémodialyse, voire à une transplantation rénale. Toute grossesse chez une femme souffrant de lupus doit être considérée comme à haut risque et nécessite une surveillance particulière.

Les progrès dans les traitements permettent une augmentation constante de l'espérance de vie.

Lupus tuberculeux

Localisation cutanée de la tuberculose.

Le lupus tuberculeux est devenu très rare depuis la pratique systématique de la vaccination par le B.C.G. Son évolution est lente ; il est peu contagieux.

SYMPTÔMES ET SIGNES

Le lupus tuberculeux est caractérisé par des lésions cutanées bien délimitées, de couleur rouge violacé, dont la surface est parsemée de squames et le centre marqué par une dilatation des petits vaisseaux. La vitropression (examen de la peau par pression avec un verre de montre) révèle des lupomes, grains jaunâtres caractéristiques de l'affection. Les lésions sont généralement localisées au visage, parfois sur d'autres régions du corps. Elles peuvent présenter différentes variations morphologiques.

■ Le lupus pernio est caractérisé par un simple placard rouge jaunâtre, non squameux, à la pointe du nez.
■ Le lupus myxomateux touche plus volontiers les oreilles avec des lésions jaunes de consistance molle.
■ Le lupus ulcéreux se manifeste à la partie moyenne du visage sous la forme d'une ulcération centrale.
■ Des atteintes muqueuses sont également possibles avec une perforation de la cloison nasale, une atteinte des gencives, de l'œil et de la face interne des joues.

DIAGNOSTIC

Il repose sur l'aspect clinique des lésions ; la biopsie cutanée révèle l'existence de follicules tuberculeux caractéristiques. Pourtant, la recherche dans les lésions du bacille de Koch, responsable de la tuberculose, est le plus souvent négative, ce stade de la maladie ne correspondant pas à une phase de diffusion du bacille.

TRAITEMENT

Il fait appel à l'association de trois médicaments antituberculeux (isoniazide, rifampicine, éthambutol) pendant 3 mois, relayée par l'association de deux d'entre eux pendant 9 mois. Les lésions laissent souvent des cicatrices importantes.

Lutéinisante (hormone)

Hormone hypophysaire intervenant dans la synthèse des androgènes ovariens chez la femme et de la testostérone chez l'homme.
SYN. *lutéotropine*.

L'hormone lutéinisante, ou LH, est, avec l'hormone folliculostimulante (FSH), une gonadotrophine hypophysaire : elle stimule les glandes génitales (ovaires ou testicules). Sa présence dans le sang obéit à la sécrétion d'une hormone hypothalamique spécifique, la gonadolibérine (GnRH ou LH-RH). Chez la femme, la production d'hormone lutéinisante varie au cours du cycle menstruel : c'est une augmentation importante, rapide et transitoire du taux de celle-ci, décelable par des tests urinaires, qui provoque l'ovulation, au milieu du cycle. Le taux de cette hormone augmente également lors de la ménopause puis reste élevé. Chez l'homme, la sécrétion d'hormone lutéinisante se fait par décharges régulières. L'hormone se fixe sur le testicule, qui sécrète alors la testostérone.

PATHOLOGIE

Un taux sanguin anormal d'hormone lutéinisante ne reflète une maladie que lorsqu'il est accompagné d'autres dosages hormonaux anormaux. Ainsi, l'élévation des hormones lutéinisante et folliculostimulante, associée à un taux de stéroïdes sexuels (testostérone, œstradiol) bas, évoque une insuffisance gonadique (des testicules ou des ovaires), responsable d'une stérilité. La baisse simultanée des gonadotrophines et des stéroïdes sexuels chez un sujet pubère évoque une atteinte de l'hypothalamus ou de l'hypophyse (adénome hypophysaire, syndrome de Kallmann-De-Morsier).

Le déficit en hormone lutéinisante peut être compensé par l'administration intramusculaire d'hormone chorionique gonadotrophique (h.C.G.).

Luxation

Déplacement des 2 extrémités osseuses d'une articulation entraînant une perte du contact normal des 2 surfaces articulaires.

CAUSES

Les articulations le plus souvent atteintes sont celles des membres supérieurs (épaule, coude, doigts) ; cependant, le genou, les vertèbres ou la hanche peuvent aussi être luxés lors d'un accident violent. Une luxation est due à un choc ou à un mouvement forcé, beaucoup plus rarement à une malformation (luxation congénitale de la hanche). On parle de luxation partielle, ou subluxation, quand l'os déplacé a glissé sur le côté mais reste encore en contact sur une certaine surface avec le second os de l'articulation. On parle de luxation complète si les deux os ne sont plus du tout en contact. Lorsque le déplacement osseux est important, certains ligaments voisins de la capsule articulaire peuvent être lésés.

SYMPTÔMES ET SIGNES

Les symptômes d'une luxation sont caractéristiques : douleur, déformation et impossibilité de bouger l'articulation. La radiographie permet de confirmer le diagnostic. Une luxation peut être associée à une fracture d'un des deux os. Par ailleurs, elle peut se compliquer à court terme d'une compression des artères ou des nerfs voisins, ou de la moelle épinière dans le cas des vertèbres. Une luxation ancienne peut réapparaître à l'occasion de traumatismes, voire de mouvements de plus en plus minimes : on parle alors de luxation récidivante.

TRAITEMENT

Il repose sur une réduction (remise en place) en urgence, à l'hôpital, des deux os ; cette opération peut être orthopédique (par manœuvres externes) ou, parfois, chirurgicale. L'articulation est ensuite immobilisée le temps que la capsule et les ligaments se cicatrisent : pendant 2 à 3 semaines pour une petite articulation, un mois pour une luxation de la hanche, celle-ci nécessitant en outre une mise en traction de la jambe. Beaucoup plus rare et plus grave, la luxation du genou, qui entraîne une rupture de tous les ligaments de l'articulation, nécessite une réparation chirurgicale et une immobilisation du membre inférieur pendant environ 6 semaines. Le malade peut ensuite marcher en s'aidant de cannes puis, dans un délai de 2 mois environ après l'accident, sans appui. Des séquelles telles qu'une raideur ou au contraire une instabilité du genou sont fréquentes.

Luxation congénitale de la hanche

Malformation de l'articulation coxofémorale caractérisée par le fait que la cavité cotyloïde de l'os iliaque, qui reçoit la tête du fémur, englobe incomplètement celle-ci.

La luxation congénitale de la hanche est une maladie héréditaire que l'on observe principalement dans certaines régions (Bretagne, Massif central). Plus courante chez la fille, elle est fréquemment bilatérale. L'articulation est alors soit simplement luxable, soit luxée en permanence, ce qui se manifeste par une certaine laxité, voire une instabilité de la hanche.

SYMPTÔMES ET SIGNES

Le dépistage d'une luxation congénitale de la hanche doit faire partie de l'examen clinique de tout nouveau-né. Le médecin recherche le signe du ressaut, qui correspond à la réduction brutale de la luxation, lorsqu'il rapproche la cuisse de l'axe du corps. L'imagerie médicale moderne facilite grandement le diagnostic des cas difficiles. L'échographie des hanches permet de visualiser la morphologie de l'articulation. Elle est pratiquée de façon systématique dès qu'il existe une anomalie de l'examen clinique ou un facteur prédisposant : origine bretonne, accouchement par le siège notamment.

TRAITEMENT

Le dépistage, de plus en plus précoce, a permis de limiter le traitement chirurgical de la malformation. Quand celle-ci est détectée à la naissance, une technique particulière de langeage suffit à remettre en place définitivement la hanche. Le traitement peut aussi faire appel à des appareillages (culotte d'abduction, harnais de Pavlik) qui permettent de réduire la luxation puis de stabiliser progressivement la hanche. La prescription, effectuée par des chirurgiens orthopédistes spécialisés, nécessite des contrôles cliniques, échographiques ou radiographiques très réguliers pour vérifier l'efficacité des appareillages en place. Si des séquelles subsistent, un bilan effectué après l'âge de la marche permet d'envisager une correction chirurgicale afin de parfaire les résultats obtenus. Certaines luxations non traitées dans l'enfance sont, à l'âge adulte, la cause d'une forte claudication. À ce stade, une nouvelle articulation s'est créée, plus ou moins haut dans l'aile iliaque. Le seul traitement possible est alors chirurgical avec pose d'une prothèse de la hanche.

Luxation dentaire

Déplacement anormal de la dent dans son alvéole.

Une luxation dentaire est due à une lésion du ligament alvéolodentaire provoquée par un choc. Elle se traduit par une mobilité anormale, parfois associée à un déplacement de la dent, qui s'enfonce dans son alvéole ou au contraire en ressort anormalement. Le traitement, entrepris en urgence, consiste à remettre la dent en place et à la fixer temporairement aux dents voisines avec un appareil. En cas de déplacement, le praticien, après avoir replacé manuellement la dent dans la bonne position, la dévitalise et injecte dans le canal radiculaire un produit alcalin à base d'hydroxyde de calcium afin de prévenir la résorption de la racine.

Luxation temporomandibulaire

Déplacement vers l'avant du maxillaire inférieur (mandibule) au niveau de son articulation avec l'os temporal.

La luxation temporomandibulaire, plus couramment appelée décrochement de la mâchoire, peut atteindre une seule des articulations temporomandibulaires ou les deux : dans le premier cas, elle est le plus souvent due à un choc dont le point d'impact se trouve en bas de la joue ; dans le second, elle peut être provoquée par un bâillement, une ouverture forcée de la bouche (chez le dentiste, par exemple). Les sujets atteints d'hyperlaxité ligamentaire (exagération constitutionnelle de l'élasticité du système ligamentaire, qui se rencontre fréquemment chez les femmes) y sont prédisposés. Enfin, une première luxation a souvent tendance à récidiver.

SYMPTÔMES ET SIGNES

Le sujet entend un craquement en avant de l'oreille, auquel s'associe rapidement une douleur. Il ne peut plus fermer complètement la bouche.

TRAITEMENT

Il est manuel et tente de replacer le maxillaire inférieur en position correcte. Pour cela, le médecin ou une personne habituée à ce geste se place face au patient et prend son maxillaire inférieur entre le pouce et l'index puis lui imprime une pression douce vers le bas (la bouche a tendance à s'ouvrir davantage) et ensuite vers l'arrière (la bouche se ferme), cette manœuvre ayant pour effet de réduire la luxation.

Lyell (syndrome de)

Affection dermatologique grave caractérisée par un décollement de tout l'épiderme.
SYN. *nécrolyse épidermique aiguë.*

LUXATION

Une luxation, déboîtement de deux surfaces articulaires, l'une par rapport à l'autre, gêne ou empêche tout mouvement de l'articulation et provoque en général une douleur violente. Elle s'accompagne souvent d'une déchirure des ligaments et de la capsule articulaire (membrane entourant l'articulation).

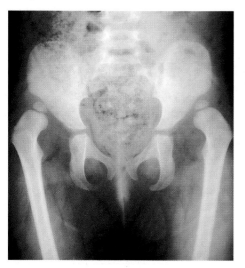

La luxation congénitale de la hanche est due à un déplacement de la tête du fémur hors de la cavité de l'os iliaque, qui la recouvre incomplètement.

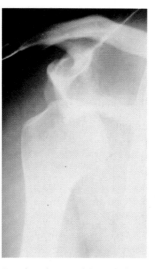

Lors d'une luxation de l'épaule, la tête de l'humérus se déboîte et sort de la cavité glénoïde de l'omoplate.

Le syndrome de Lyell survient chez l'adulte, lors de la prise de certains médicaments (anti-inflammatoires, antibiotiques, antiépileptiques), ou chez l'enfant à la suite d'une infection à staphylocoque.

Ce syndrome se traduit par la survenue brutale d'une rougeur cutanée généralisée, sur laquelle apparaissent des « cloques » remplies de liquide, qui se rompent très rapidement, laissant les tissus sous-jacents à nu et donnant au malade un aspect ébouillanté caractéristique. Ces lésions atteignent toute la peau, les muqueuses des lèvres, des joues et des organes génitaux externes ainsi que les conjonctives. On observe aussi une fièvre, des douleurs articulaires, une déshydratation, une fatigue intense. Des complications sont possibles : infection de la peau et des poumons, hémorragies digestives, insuffisance rénale.

TRAITEMENT

Il est réalisé en urgence, de manière intensive, dans un service de réanimation spécialisé. En dehors des antibiotiques pour prévenir tout risque de surinfection, il consiste à enrayer les symptômes : soins cutanés répétés (nettoyage, antisepsie), alimentation artificielle, réhydratation par perfusion intraveineuse.

ÉVOLUTION ET PRONOSTIC

Des séquelles peuvent survenir : pigmentation de la peau, altération de la cornée, voire cécité, altération des ongles, séquelles muqueuses.

La guérison se produit habituellement en une quinzaine de jours. Cependant, malgré les efforts thérapeutiques, le décès survient par surinfection ou atteintes viscérales dans environ un tiers des cas.

Lyme (maladie de)

Maladie infectieuse articulaire, neurologique et cardiaque, dont l'agent est une bactérie de la famille des spirochètes, *Borrelia burgdoferi*. SYN. *borréliose*.

Borrelia burgdoferi est transmise à l'homme par une piqûre de tique. Plusieurs mammifères, dont les daims, constituent les réservoirs de la bactérie. La maladie de Lyme sévit en Europe, en Amérique et en Australie.

PHASES D'ÉVOLUTION DE LA MALADIE

La maladie de Lyme évolue en trois phases :
■ La phase primaire se manifeste par une lésion appelée érythème chronique migrateur, survenant entre trois jours et un mois après la piqûre de tique. C'est une rougeur cutanée initialement papuleuse et inflammatoire centrée sur le point de piqûre, qui s'étend de façon concentrique, formant un anneau. Il s'accompagne d'une fièvre de faible intensité, de douleurs articulaires et musculaires. La lésion cutanée disparaît en trois semaines.
■ La phase secondaire se manifeste par des poussées d'érythème, des manifestations neurologiques (radiculite, méningite), des manifestations cardiaques (syncopes, douleurs thoraciques) et des douleurs articulaires d'origine inflammatoire. Elle dure de quelques semaines à plusieurs mois.

MALADIE DE LYME

Il s'agit d'une infection non contagieuse transmise par une morsure de tique. La maladie débute par une rougeur cutanée au point de piqûre. Plus tard apparaissent des douleurs articulaires, des poussées érythémateuses et des troubles neurologiques et cardiaques.

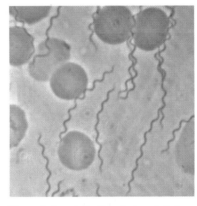

L'agent de la maladie, Borrelia burgdoferi, *est une bactérie en forme de spirale. On observe autour des globules rouges.*

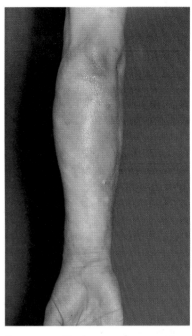

La rougeur s'étend par cercles concentriques autour du point de piqûre : on parle d'érythème chronique migrateur.

■ La phase tertiaire survient plusieurs années après la piqûre ; elle associe une acrodermatite chronique atrophiante (érythème associé à une atrophie progressive de la peau), un pseudo-lymphome (lymphome cutané bénin), des rhumatismes chroniques d'une ou de plusieurs articulations et des atteintes cérébrales.

DIAGNOSTIC ET TRAITEMENT

L'isolement bactériologique est difficile. La sérologie par immunofluorescence indirecte et par technique ELISA confirme le diagnostic clinique dans les stades secondaire et tertiaire. Le traitement repose sur l'antibiothérapie, qui traite les manifestations cliniques débutantes et prévient les manifestations neurologiques tardives. La maladie de Lyme peut laisser des séquelles de nature variée, notamment neurologiques (paralysie faciale périphérique) ou cutanées (atrophie).

PRÉVENTION

Elle consiste éventuellement en un traitement antibiotique après une piqûre de tique si la région est concernée par la maladie.

Lymphadénectomie

Ablation chirurgicale d'une petite partie du système lymphatique.

Une lymphadénectomie se pratique le plus souvent en cas de cancer d'un organe (du sein, par exemple) pour enlever les métastases ganglionnaires. Elle consiste à ôter les ganglions et les vaisseaux lymphatiques qui drainent l'organe ainsi que le tissu graisseux qui les entoure. Cette opération est pratiquée soit isolément, soit en même temps que l'ablation de l'organe. En cas de cancer de l'utérus, par exemple, le chirurgien peut réaliser simultanément une ablation de l'utérus et une lymphadénectomie des vaisseaux lymphatiques du bassin, qui drainent cet organe. Une lymphadénectomie peut

entraîner une accumulation de lymphe en amont de l'intervention, entraînant par exemple un œdème du bras en cas de lymphadénectomie de l'aisselle.

Lymphadénopathie angio-immuno-blastique

Localisation cutanée d'une forme de cancer, le lymphome à cellule T.

La lymphadénopathie angio-immuno-blastique, rare, s'observe surtout après 60 ans. Elle se caractérise par une augmentation, parfois très importante, du volume des ganglions lymphatiques, qui deviennent fermes mais restent indolores, sur l'ensemble du corps, y compris les ganglions profonds du médiastin et de l'abdomen, que détecte le scanner. Il s'y associe une fièvre, une fatigue, un amaigrissement, des démangeaisons et des lésions cutanées localisées ou généralisées (taches rouges, plaques violacées épaisses).

Le diagnostic repose sur la biopsie cutanée et sur celle des ganglions. Le traitement repose sur l'administration de corticostéroïdes par voie orale ou sur la chimiothérapie anticancéreuse. Le pronostic est réservé, l'affection ayant tendance à récidiver.

Lymphangiectasie

Dilatation localisée, acquise ou congénitale, des vaisseaux lymphatiques.

CAUSES

Une lymphangiectasie peut être congénitale, consécutive à une anomalie des vaisseaux lymphatiques. Elle siège alors surtout sur les membres.

Le plus souvent, la lymphangiectasie est acquise, causée par un obstacle situé dans un des gros canaux lymphatiques entraînant une dilatation en amont des petits vaisseaux lymphatiques. Cette obstruction peut être due à une inflammation chronique des vaisseaux lymphatiques, à une thrombose veineuse (formation d'un caillot dans une veine), à une compression par une tumeur maligne (métastase) et, dans certains pays, souvent tropicaux, à des parasites (filaires) cheminant dans le réseau lymphatique.

SYMPTÔMES ET SIGNES

Si la lymphangiectasie est congénitale, des œdèmes fermes, parfois importants, apparaissent, responsables d'une difficulté à marcher. La peau s'épaissit : c'est l'éléphantiasis congénital, qui peut lui-même se compliquer de surinfection et de lymphangite (inflammation des vaisseaux lymphatiques). Si la lymphangiectasie est acquise, et plus particulièrement si elle est située dans les vaisseaux lymphatiques intestinaux, elle engendre des douleurs, des diarrhées et une mauvaise absorption des lipides (graisses), laquelle se traduit par des selles graisseuses.

TRAITEMENT

Il est celui de la cause et des symptômes et consiste à aider le retour de la lymphe par une kinésithérapie dite de drainage lymphatique (les mains drainent la lymphe de bas en haut). Par ailleurs, le port de bandes de contention, ou « bas à varices », augmente la tonicité des vaisseaux.

Lymphangioléiomyomatose

→ VOIR Lymphangiomyomatose.

Lymphangiome

Tumeur bénigne du réseau vasculaire lymphatique.

Le lymphangiome fait partie des angiomes, tumeurs bénignes constituées de vaisseaux (sanguins ou lymphatiques). Il est en général le résultat d'une malformation, existe dès la naissance et augmente de volume pendant l'enfance.

Un lymphangiome forme une petite masse molle, de 1 ou 2 centimètres de diamètre, localisée surtout sous la peau, dans la région de la tête, du cou ou des aisselles, plus rarement en profondeur, dans ou entre les organes. Dans certaines formes rares, appelées caverneuses, le lymphangiome est beaucoup plus grand et risque de comprimer les tissus. Les lymphangiomes caverneux de la langue sont souvent le siège de poussées inflammatoires qui peuvent être dangereuses chez l'enfant à cause d'un risque d'asphyxie. Le traitement consiste en l'ablation chirurgicale de la tumeur.

Lymphangiomyomatose

Affection diffuse des poumons atteignant la femme jeune. SYN. *lymphangioléiomyomatose*.

Très rare, la lymphangiomyomatose n'a pas de cause certaine ; elle serait liée aux hormones féminines de la famille des œstrogènes. Due à la prolifération de cellules musculaires lisses dans les poumons et dans les ganglions voisins, la maladie se traduit surtout par un essoufflement ou par un pneumothorax (épanchement brutal d'air dans la cavité pleurale), voire par un chylothorax (épanchement de liquide lym-

phatique dans la plèvre), volontiers récidivants. La lymphangiomyomatose aboutit en une dizaine d'années à une insuffisance respiratoire chronique.

TRAITEMENT

Il repose sur la pleurectomie (ablation d'une partie de la plèvre) ou sur la symphyse pleurale (injection dans la cavité pleurale d'une substance irritante, le plus souvent du talc, provoquant une inflammation, puis un accolement des deux feuillets de la plèvre), qui a pour but d'empêcher les récidives de pneumothorax et de chylothorax. En ce qui concerne le traitement de la maladie elle-même, des médicaments anti-œstrogènes et une greffe de poumon ou une greffe cœur-poumon, dans les cas les plus graves, sont à l'étude.

Lymphangite

Inflammation des vaisseaux lymphatiques, consécutive à un processus mécanique, infectieux ou tumoral.

■ Une lymphangite réticulaire se caractérise par une induration érythémateuse (durcissement rouge) de la peau qui entoure une lésion. Ainsi, au cours de l'allaitement, un sein peut être atteint d'une lymphangite. Cette affection bénigne mais douloureuse s'accompagne d'une fièvre qu'un traitement antipyrétique fait baisser. L'allaitement, bien que douloureux, n'est pas contre-indiqué.

■ Une lymphangite tronculaire, c'est-à-dire qui touche un vaisseau lymphatique de gros calibre, se caractérise par une induration érythémateuse qui forme un placard rouge plus long que large. L'induration se propage de la lésion primitive au ganglion le plus proche, qui s'infecte, gonfle et devient sensible. Une plaie infectée de la main, par exemple, peut être responsable d'une lymphangite de tout le membre supérieur, accompagnée d'un gonflement douloureux des ganglions axillaires (de l'aisselle).

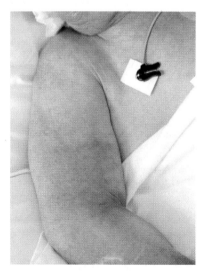

Lymphangite. *L'inflammation provoque un gonflement, une rougeur et une douleur.*

Une lymphangite dure de 8 à 10 jours en moyenne. L'infection entraîne généralement une fièvre et une sensation de malaise.

Un traitement d'urgence par antibiotiques s'impose pour faire disparaître rapidement la lymphangite et éviter les complications.

Lymphe

Liquide organique translucide jouant un rôle important dans le système immunitaire.

La composition de la lymphe est proche de celle du plasma (protéines, lipides) ; elle comporte également des cellules qui sont normalement de petits lymphocytes, essentiellement des lymphocytes T.

La lymphe est issue du sang ; elle s'accumule dans le secteur interstitiel (secteur de passage entre les tissus et les capillaires sanguins) puis circule dans les vaisseaux lymphatiques vers le canal thoracique.

Lymphoblaste

Cellule de la lignée lymphoïde (à l'origine des lymphocytes, globules blancs mononucléés de petite taille) ayant les caractéristiques d'une cellule jeune.

Le lymphoblaste est une cellule d'environ 15 micromètres de diamètre. Il constitue l'une des étapes de la différenciation normale dans la lignée lymphoïde. Cette étape fait suite à l'activation de petits lymphocytes par un antigène. On trouve donc des lymphoblastes dans les ganglions stimulés par une agression.

Un lymphoblaste peut également être une cellule maligne. De tels lymphoblastes s'accumulent dans la moelle ou les ganglions au cours de leucémies ou de lymphomes, alors qualifiés de lymphoblastiques.

Lymphocyte

Cellule du système immunitaire, responsable des réactions de défense de l'organisme contre les substances qu'il considère comme étrangères.

Les lymphocytes appartiennent à la famille des leucocytes (globules blancs) ; ils représentent environ de 20 à 30 % des leucocytes du sang. Ils se distinguent morphologiquement par leur petite taille (entre 7 et 9 micromètres de diamètre), par leur noyau, arrondi ou ovoïde, ainsi que par leur cytoplasme, peu abondant et pauvre en granulations.

Il existe plusieurs types de lymphocyte, définis à la fois par leurs fonctions et leurs marqueurs membranaires, désignés selon la nomenclature CD (*cluster of differenciation*, ou classe de différenciation) suivie d'un numéro. Ces marqueurs sont des molécules définissant un groupe de lymphocytes ayant des propriétés communes. Ces différents types dérivent des mêmes précurseurs, les cellules souches lymphoïdes de la moelle osseuse hématopoïétique.

Lymphocytes B

Ces cellules du système immunitaire représentent environ 10 % des lymphocytes circulant dans le sang et se développent dans la moelle osseuse. Les lymphocytes B, ainsi nommés par référence à la Bourse de Fabricius, qui en est l'organe producteur chez les oiseaux, sont responsables de la réponse immunitaire humorale : ils sont spécialisés dans la production d'anticorps, qu'ils sécrètent après s'être transformés en plasmocytes et qui diffusent dans les « humeurs » (liquides) de l'organisme. Leur activation s'effectue en plusieurs étapes : les lymphocytes B portent des immunoglobulines - ou récepteurs d'antigène - sur leur membrane cytoplasmique, chaque lymphocyte possédant un type d'immunoglobuline qui lui est propre. Lorsque l'un d'entre eux rencontre un antigène circulant, complémentaire de son immunoglobuline, c'est pour lui le signal qu'il doit produire des anticorps (immunoglobulines identiques à celles de sa membrane mais sous forme soluble) afin de lutter contre cet antigène étranger. Tous les lymphocytes issus des divisions d'un tel lymphocyte B forment un groupe appelé clone et gardent la même spécificité et la même mission.

Lymphocytes T
Il s'agit de cellules du système immunitaire dont la maturation s'effectue dans le Thymus - d'où leur nom -, glande située en haut de la poitrine, derrière le sternum. Les lymphocytes T se différencient en deux populations responsables de la réponse immunitaire de type cellulaire.

■ Les lymphocytes T CD4 auxiliaires, ou T « helper », ou T4, sont spécialisés dans la sécrétion de cytokines, ou interleukines, molécules leur permettant de coopérer avec d'autres cellules, qui sont chargées de l'élimination des antigènes.

■ Les lymphocytes T CD8 comprennent deux types de cellule, les lymphocytes cytotoxiques, capables de tuer les cellules infectées par un virus, et les lymphocytes T suppresseurs, dont le rôle est de contrôler les réponses immunitaires.

Comme les lymphocytes B, les lymphocytes T possèdent des molécules de membrane - récepteurs d'antigène - adaptées à la reconnaissance de l'antigène contre lequel ils doivent lutter. Mais celui-ci doit leur être présenté par une cellule spécialisée telle qu'un macrophage, qui dégrade l'antigène et l'apprête en l'associant à des molécules dites de présentation, les molécules du complexe majeur d'histocompatibilité (C.M.H.).

■ Les cellules NK (de l'anglais *natural killer*, tueur naturel) sont des cellules apparentées aux lymphocytes T, avec lesquels elles partagent certains marqueurs membranaires. Ces cellules sont douées d'une activité cytotoxique naturelle, qu'elles exercent de façon spontanée pour détruire des cellules infectées par des virus ou des cellules cancéreuses. Leurs propriétés peuvent être augmentées par des interleukines sécrétées par les lymphocytes T ; on parle alors de cellules LAK (*lymphokine activated killer,* tueur activé par les lymphokines) ; ces cellules sont aujourd'hui utilisées dans le traitement de certains cancers.

EXPLORATION
Les lymphocytes sont explorés quantitativement par la numération formule sanguine ; l'étude de leur répartition entre différents types (CD - classe de différenciation) est fondée sur l'existence de molécules membranaires mises en évidence par des techniques d'immunofluorescence. Il existe en outre des méthodes d'exploration plus complexes, permettant notamment d'étudier la capacité de réponse des lymphocytes à des signaux d'activation.

PATHOLOGIE
Les lymphocytes peuvent proliférer (leucémie), décroître en nombre ou présenter des anomalies fonctionnelles (déficit immunitaire congénital ou acquis, comme le sida). Il existe en outre de nombreuses maladies liées à divers dysfonctionnements des lymphocytes, comme les maladies auto-immunes (sclérose en plaques, diabète insulino-dépendant, lupus érythémateux disséminé, etc.) ou allergiques (rhume des foins).

Lymphocytose
Augmentation des lymphocytes sanguins de morphologie normale au-dessus de 4 500 unités par millimètre cube.

Une lymphocytose s'oppose à une lymphopénie (diminution du nombre de lymphocytes). Elle peut être aiguë ou chronique. Dans le premier cas, elle se rencontre au cours des infections virales (oreillons, varicelle, hépatite, rubéole, infection par le V.I.H., maladie de Carl Smith, etc.) et d'une infection bactérienne, la coqueluche. Dans le second cas (durée supérieure à 2 mois), elle constitue généralement l'un des signes d'une maladie primitive de la moelle osseuse, la leucémie lymphoïde chronique.

Lymphœdème
Accumulation anormale de lymphe dans les tissus.

Un lymphœdème provoque le gonflement d'un membre. Il peut être modéré, caractérisé par un simple gonflement des pieds après une station debout, ou monstrueux (on parle alors d'éléphantiasis), dans le cas d'une filariose, par exemple, lorsque le membre est infecté par un ver parasite.

FRÉQUENCE
Les lymphœdèmes les plus fréquents siègent dans les membres inférieurs et touchent plus volontiers les femmes.

DIFFÉRENTS TYPES DE LYMPHŒDÈME
Il existe deux types de lymphœdème :

■ Les lymphœdèmes primitifs, d'origine inconnue, revêtent trois formes : les formes congénitales, qui représentent 10 % des cas ; les formes précoces, qui sont les plus fréquentes et apparaissent avant 35 ans, souvent au moment de la puberté ; les formes tardives, qui se manifestent après 35 ans. Un lymphœdème est très difficile à résorber.

■ Les lymphœdèmes secondaires sont consécutifs à d'autres affections : tuberculose, sarcoïdose, cancer, obstruction des voies lymphatiques par accumulation de cellules cancéreuses ou par un ver parasite

(filaire), infection par un érysipèle récidivant (maladie cutanée). Ils peuvent aussi être consécutifs à une destruction du réseau lymphatique liée à des actes chirurgicaux, en cancérologie, en orthopédie ou après une chirurgie vasculaire. Ainsi, 10 % des femmes ayant subi une mastectomie (ablation partielle ou totale d'un sein) avec curage ganglionnaire ou une radiothérapie d'un cancer du sein voient se développer un lymphœdème dans le bras situé du côté opéré.

TRAITEMENT
Le traitement comporte, si l'importance du lymphœdème le commande, un drainage lymphatique, manuel ou pneumatique (c'est-à-dire opéré grâce à des attelles pneumatiques qui font compression). Les massages, le port de bandages, de bas ou de collants de contention (élastiques), la prise de diurétiques et les exercices physiques sont indiqués pour éviter les récidives. La surélévation des jambes lors de l'alitement est recommandée. Les aggravations dues à une surinfection par des bactéries, les streptocoques, peuvent être prévenues par un traitement antiseptique local. Quand le volume du lymphœdème en fait un véritable handicap (en cas d'éléphantiasis, par exemple), un traitement chirurgical destiné à réduire l'enflure peut être envisagé : pontage entre le système lymphatique et le système veineux, par exemple.

Lymphogranulomatose
Maladie associant la prolifération de différents types de globules blancs lymphoïdes (à l'origine des lymphocytes), de polynucléaires neutrophiles et de macrophages.

Une lymphogranulomatose peut être observée dans des affections bénignes (maladie de Nicolas-Favre, ou lymphogranulomatose vénérienne) comme dans des affections à caractère malin (maladie de Hodgkin).

Lymphogranulomatose vénérienne
Maladie sexuellement transmissible due à une bactérie du genre *Chlamydia.* SYN. *maladie de Nicolas-Favre.*

Après une incubation de trois semaines en moyenne apparaît un chancre, dit « chancre mou », sur le sillon à la base du gland chez l'homme, sur la partie postérieure de la vulve chez la femme, sur l'anus (avec propagation ultérieure dans le rectum) chez les homosexuels, formé d'une tache de quelques millimètres de diamètre, qui peut s'ulcérer rapidement. Parallèlement, les ganglions de l'aine augmentent de volume ; ils donnent naissance à de multiples fistules, qui se terminent à la peau avec un aspect en pomme d'arrosoir et laissent s'écouler un pus (épais, jaune ou vert) mêlé de sang. Des complications articulaires, nerveuses et cutanées sont possibles. Le diagnostic est confirmé par la présence de *Chlamydia* dans les prélèvements et par un sérodiagnostic (mise en évidence de certains anticorps dans le sang). Le traitement par les antibiotiques, surtout les tétracyclines, amène la guérison. Cependant, les lésions sont longues à guérir et laissent des cicatrices inesthétiques.

Un produit de contraste, injecté dans un petit canal, est entraîné dans la circulation lymphatique, qui devient visible sur les radiographies.

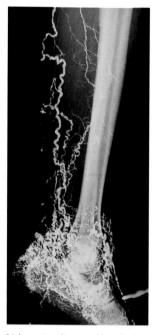

Lymphographie

Examen radiologique des vaisseaux et des ganglions lymphatiques de l'abdomen après injection d'un produit de contraste iodé.

INDICATIONS

Inventée par Kinmonth en 1952, la technique de la lymphographie a été pendant longtemps le seul mode d'exploration radiologique du système lymphatique. Aujourd'hui, des techniques plus directes, comme le scanner et l'imagerie par résonance magnétique (I.R.M.), mettent également en évidence les ganglions lymphatiques anormaux et ont remplacé la lymphographie.

Cet examen permet surtout d'apprécier l'évolution de certains types de cancer, tels que celui des testicules ou du col de l'utérus, pour planifier un traitement et surveiller la régression de la maladie, car les ganglions lymphatiques ont la propriété de retenir les cellules cancéreuses.

Il donne aussi des renseignements précieux dans le diagnostic des adénopathies profondes (gonflement des ganglions) consécutives à une hématopathie maligne (maladie du sang ou des cellules sanguines) : maladie de Hodgkin, leucémies lymphoïdes, lymphoréticulosarcomes.

Enfin, la lymphographie permet également l'étude physiopathologique des affections lymphatiques non tumorales : œdèmes, épanchements lymphatiques pleuraux et péritonéaux.

PRÉPARATION ET DÉROULEMENT

Une lymphographie se déroule sur deux jours. Il n'est pas nécessaire que le patient soit à jeun. Le premier jour, le radiologue injecte à l'aide d'une petite aiguille, à chaque pied et dans un des espaces interdigitaux, un colorant bleu qui s'achemine rapidement dans les fins vaisseaux lymphatiques du pied, habituellement invisibles. Puis le radiologue pratique une anesthésie locale et choisit, sur chaque pied, celui des vaisseaux lymphatiques rendus visibles qui est le plus adéquat pour introduire un petit cathéter. Ce dernier est ensuite relié à une tubulure en Y et à un système d'injection lente et uniforme, qui diffuse un produit de contraste souvent huileux dans les voies lymphatiques des jambes, dans l'aine et dans l'abdomen. Les voies lymphatiques des jambes sont visibles à la quinzième minute, celles des cuisses à la trentième ; il faut deux heures environ pour opacifier le canal thoracique. Au fur et à mesure de la lente progression du colorant dans le réseau lymphatique, le radiologue prend une série de clichés à hauteur du bassin et de la racine des membres inférieurs puis de l'abdomen et du thorax, sous différents angles. Ces clichés dits du premier jour sont destinés à visualiser le réseau des canaux lymphatiques et à repérer d'éventuelles voies de contournement d'un obstacle. Le cathéter est ensuite retiré et l'incision, refermée.

Le deuxième jour, le médecin effectue de nouveaux clichés de l'abdomen et du thorax sous différents angles. Ces clichés, dits tardifs, sont souvent plus lisibles que ceux

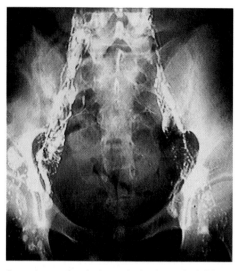

Les vaisseaux lymphatiques du bassin et de l'abdomen apparaissent sous la forme d'un fin réseau blanc semé de petites taches blanches (les ganglions).

L'obstruction d'un canal lymphatique de la jambe entraîne une dilatation des canaux en amont.

de la veille car des évacuations partielles ont fait disparaître des superpositions gênantes, et l'image est plus nette. Ils sont surtout destinés à montrer les ganglions lymphatiques profonds et la qualité de leur opacification.

La lymphographie est parfois pratiquée dans les bras pour mettre en évidence les ganglions lymphatiques de la partie supérieure du corps.

CONTRE-INDICATIONS

L'injection du produit de contraste iodé peut provoquer chez certains sujets une réaction allergique (nausées, vomissements, éruptions cutanées). Avant de pratiquer l'examen, le médecin s'assure que le patient n'a jamais présenté d'allergie (asthme, eczéma, allergie à l'iode, etc.). S'il en est autrement, il prescrit un traitement anti-allergique à suivre durant quelques jours avant l'examen et exerce une surveillance particulière pendant et après la lymphographie.

Cet examen est également contre-indiqué chez les sujets qui souffrent d'une insuffisance respiratoire grave ou chez ceux qui ont des jambes enflées, ce qui rend difficile le repérage des canaux lymphatiques.

RÉSULTATS

Ils sont connus immédiatement après la lymphographie et adressés sous forme de clichés radiologiques au médecin qui a prescrit l'examen.

EFFETS SECONDAIRES

Il arrive que certains patients éprouvent une sensation douloureuse lors de l'injection du produit de contraste iodé. Plus généralement, celle-ci s'accompagne d'une impression de chaleur dans tout le corps. Pendant les jours qui suivent l'examen, le colorant, en se diffusant dans l'organisme, peut modifier le teint du patient. Il est peu à peu éliminé par des urines bleutées.

Lymphome

Toute prolifération cancéreuse prenant naissance dans le tissu lymphoïde et, en particulier, dans les ganglions lymphatiques.

On distingue la maladie de Hodgkin, caractérisée par la présence de certaines cellules anormales, les cellules de Sternberg, des lymphomes malins non hodgkiniens (anciennement appelés lymphosarcomes), qui regroupent toutes les autres affections malignes du tissu lymphoïde, que celles-ci soient développées dans le ganglion lymphatique ou en dehors de lui.
→ VOIR Hodgkin (maladie de).

Lymphome cutané

Tumeur maligne développée aux dépens du tissu lymphoïde et naissant dans la peau.

Les lymphomes forment des plaques rouges, épaisses, lisses ou des nodules de taille variable, plus ou moins saillants, rouges, violacés ou bruns ; ces lésions prédominent sur le visage, le cuir chevelu et le thorax. Ils sont classés en deux groupes selon leur tendance plus ou moins grande à envahir l'épiderme. Ainsi, les lymphomes épidermotropes sont représentés par le syndrome de Sézary et le mycosis fongoïde. Les lymphomes non épidermotropes sont plus volontiers tumoraux et dus, selon les cas, soit à une prolifération de lymphocytes T, soit à une prolifération de lymphocytes B. Le diagnostic repose sur l'examen histologique des tissus avec immunomarquage ; un bilan d'extension de la maladie est indispensable, notamment par échographie abdominale et prélèvements, afin de vérifier que les cellules cancéreuses n'ont pas envahi le sang ou des organes. Le traitement des lymphomes repose sur la radiothérapie, la chimiothérapie ou la simple ablation chirurgicale pour les formes très localisées. Des cicatrices peuvent persister. Le pronostic et l'évolution dépendent du degré de malignité du lymphome.

Lymphome malin non hodgkinien

Toute prolifération cancéreuse autre que la maladie de Hodgkin prenant naissance dans le tissu lymphoïde et, en particulier, dans les ganglions lymphatiques.

DIFFÉRENTS TYPES DE LYMPHOME MALIN NON HODGKINIEN

Le terme de lymphome malin non hodgkinien recouvre des maladies très hétérogènes quant au mécanisme de la transformation maligne, à la morphologie des cellules malignes, à l'évolution et au pronostic de la maladie. Plusieurs classifications, proposées dans l'intention d'identifier les formes dont le traitement et le pronostic sont voisins, reposent essentiellement sur des caractéristiques de taille, de maturité des cellules, d'aspect du noyau et sur le caractère nodulaire ou diffus de l'envahissement du ganglion par les cellules malades. Les groupes ainsi distingués sont eux-mêmes répartis en lymphomes de faible et de grande malignité. D'une manière générale, les lymphomes à petites cellules évoluent lentement sur plusieurs années, même en l'absence de traitement, et les formes comportant des cellules de grande taille ont une évolution plus rapide, sur quelques mois.

CAUSES

Les lymphomes malins non hodgkiniens sont des proliférations malignes ayant pour origine des lymphocytes T ou B. Les proliférations sont généralement issues d'une cellule unique.

La cause des lymphomes est encore inconnue, mais certains facteurs ont un rôle manifeste dans le développement de la tumeur. Le virus d'Epstein-Barr joue un rôle dans l'apparition du lymphome de Burkitt, qui sévit chez les enfants, en Afrique équatoriale. Les désordres immunitaires sont tous capables d'entraîner une hyperplasie (hyperdéveloppement) de la moelle osseuse et, dans un certain nombre de cas, de donner naissance à une véritable prolifération tumorale lymphoïde. Les déficits immunitaires congénitaux, les maladies auto-immunes, les traitements immunosuppresseurs, les syndromes d'immunodéficience acquise (sida) peuvent aussi faciliter l'apparition d'un lymphome non hodgkinien.

SYMPTÔMES ET SIGNES

La maladie se révèle le plus souvent par un gonflement douloureux d'un ou de plusieurs ganglions lymphatiques superficiels. À la différence de la maladie de Hodgkin, un lymphome non hodgkinien peut également assez souvent se révéler par une localisation prédominante en dehors des ganglions, par exemple dans la thyroïde, l'estomac, le mésentère, le côlon, le rectum, le rein, l'os, l'œil ou le système nerveux central. Il se forme alors une tumeur sur ou dans la partie atteinte. La maladie peut aussi se révéler par une fièvre avec altération de l'état général, les ganglions atteints étant, dans ce cas, à l'intérieur de l'abdomen. Certains lymphomes de faible malignité se révèlent ou se compliquent par le passage dans le sang de cellules cancéreuses ; d'autres entraînent la sécrétion dans le sang d'immunoglobulines anormales et/ou en excès.

DIAGNOSTIC

Il repose sur la biopsie d'un ganglion atteint ou de l'organe touché. Les classifications modernes nécessitent des techniques sophistiquées (marquage à l'aide d'anticorps), qui justifient que le tissu prélevé soit préparé avec beaucoup de soin.

TRAITEMENT ET PRONOSTIC

Le traitement repose sur la chimiothérapie et dépend du type de lymphome et de l'extension de la maladie. Les formes localisées, même agressives, ont de très bonnes chances de guérison. Pour les formes étendues peu agressives, l'espérance de vie est de plusieurs années et le traitement n'est indispensable que lorsque la maladie progresse ; on utilise alors des polychimiothérapies. Le pronostic des formes étendues et agressives a été transformé par les chimiothérapies modernes, qui permettent d'espérer une guérison durable dans de nombreux cas.

Lymphoréticulose bénigne d'inoculation

Maladie infectieuse se déclarant après une griffure ou une morsure de chat. SYN. *maladie des griffes du chat*.

L'agent de la lymphoréticulose bénigne d'inoculation est une bactérie, *Rochalimæa henselæ*. L'affection se traduit par une tuméfaction des ganglions dans la zone de la griffure avec tendance à la suppuration. De rares complications nerveuses ou osseuses peuvent survenir.

Le diagnostic est établi par une intradermo-réaction réalisée avec un antigène spécifique, issu du pus des lésions ganglionnaires, complétée par un sérodiagnostic (mise en évidence de certains anticorps dans le sang).

Le traitement consiste en l'administration d'antibiotiques (macrolides). La ponction ou le drainage de l'adénopathie est parfois nécessaire pour hâter la guérison.

Lymphorragie

Écoulement de lymphe en dehors des vaisseaux lymphatiques.

Une lymphorragie peut être consécutive à un traumatisme, à une intervention chirurgicale pratiquée dans une région riche en vaisseaux lymphatiques (aisselle, aine) ou encore à une lymphadénectomie (ablation chirurgicale de vaisseaux lymphatiques). Elle se traduit soit par l'apparition d'une poche de lymphe sous la peau, soit par un écoulement de lymphe à l'endroit de l'incision. La lymphorragie se tarit en règle générale spontanément mais lentement.

Lymphosarcome

Tumeur maligne du tissu lymphoïde dont les cellules sont des lymphocytes.

Le terme de lymphosarcome est aujourd'hui abandonné au profit de celui de lymphome non hodgkinien.

Lyophilisation

Élimination de l'eau d'un produit par congélation rapide, suivie d'un procédé d'évaporation de la glace formée.

La lyophilisation est une technique de conservation qui comprend trois phases : une congélation, une déshydratation et une sublimation. Au moment de l'emploi, le produit retrouve ses qualités initiales par simple addition d'eau.

La lyophilisation connaît aujourd'hui des applications dans de nombreux domaines : en alimentation (légumes, poissons, jus de fruits, préparations culinaires, fruits, etc.), en microbiologie (souches bactériennes, vaccins, sérums, etc.), en thérapeutique (prépa-

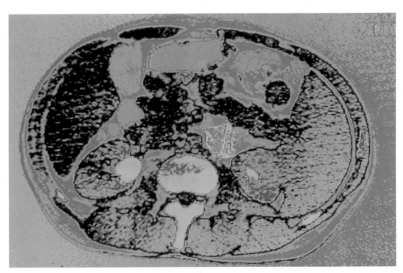

Lymphome abdominal. *Sur une coupe horizontale de l'abdomen au scanner, le lymphome apparaît en rose, les corps vertébraux, eux, apparaissent en jaune.*

rations injectables, notamment les antibiotiques, les vaccins, quelques comprimés, le lait de femme, etc.). La conservation des substances lyophilisées se fait dans des récipients parfaitement clos, à l'abri de l'humidité et des pollutions atmosphériques, souvent sous gaz inerte ou même sous vide, comme pour le café et le thé.

Lyse

Fragmentation et désintégration de la structure moléculaire des tissus, ou des cellules bactériennes, exercées par des agents physiques, chimiques ou biologiques.

Une lyse microbienne, qui désintègre la structure moléculaire des cellules bactériennes, peut être due à l'action d'un antibiotique. C'est une lyse du microbe. Lorsque ce sont des cellules de l'organisme qui sont détruites (lyse cellulaire, ou cytolyse) et que l'agent est un virus, on parle de lyse virale. C'est un phénomène de ce type qui, au cours des hépatites virales, atteint les cellules du foie (hépatocytes) contenant les virus, entraînant une élévation du taux sanguin des transaminases (enzymes de la cellule hépatique).

Lysergide

Substance hallucinogène utilisée par les toxicomanes. SYN. *diéthylamide de l'acide lysergique (LSD)*.

Le lysergide provoque une modification des perceptions sensorielles, des hallucinations visuelles, un état ressemblant au rêve et un délire. Deux complications sont fréquentes : le « mauvais voyage », en anglais *trip* (angoisse intolérable, sentiment de panique, acte violent, tentative de suicide, nausées, vertiges, etc.), et le déclenchement,

à long terme, d'une psychose. Le lysergide est extrêmement dangereux car il altère les chromosomes.
→ VOIR Dossier Toxicomanie, Stupéfiant.

Lysine

Acide aminé essentiel (qui ne peut être synthétisé par l'organisme et doit donc être fourni par l'alimentation, principalement par les protéines animales).
→ VOIR Hyperlysinémie.

Lysosome

Élément sphérique d'une cellule, entouré d'une membrane et contenant des enzymes (hydrolases) participant au métabolisme de la cellule.

Les lysosomes sont de petites vésicules produites par un autre élément cellulaire, l'appareil de Golgi. Il existe des lysosomes primaires, formés sur l'une des faces de l'appareil de Golgi, et des lysosomes secondaires, issus des premiers. Ils débarrassent le cytoplasme cellulaire par phagocytose (capture et ingestion de particules externes par la cellule) des micro-organismes, telles les bactéries, qui ont pu y pénétrer. Les lysosomes participent également au métabolisme de la cellule en dégradant divers nutriments cellulaires.

Lysotypie

Technique de laboratoire qui permet de différencier des souches bactériennes de même espèce en fonction de leur sensibilité particulière à certains bactériophages virulents (virus qui sont capables de se fixer sur la bactérie, de pénétrer dans son cytoplasme et de s'y multiplier, entraînant l'éclatement de la cellule bactérienne).

Lors d'études épidémiologiques, la comparaison du lysotype des souches isolées chez différentes victimes de l'épidémie avec celui des souches retrouvées dans la source présumée de l'épidémie (eau, air, aliment contaminé, porteur sain) permet d'affirmer l'origine de l'épidémie et d'en supprimer la cause. Des systèmes de lysotypie ont été mis au point pour de nombreuses espèces bactériennes, notamment *Staphylococcus aureus, Pseudomonas æruginosa, Listeria monocytogenes* et certaines *Salmonella*.

Lysozyme

Enzyme présente dans les sécrétions nasales, la salive, le sérum sanguin et le lait maternel, qui s'attaque aux bactéries en détruisant leur paroi. SYN. *muramidase*.

Le lysozyme, de structure protéique, est synthétisé par les globules blancs et participe aux défenses immunitaires de l'organisme. Le dosage du taux de lysozyme dans le sang, bien que très rarement pratiqué, permet de contrôler l'efficacité du traitement de certaines leucémies ; de même, cette mesure est utile dans le diagnostic de certaines maladies rénales ou lors d'un rejet de greffe.

Lytique

Qui provoque la lyse, c'est-à-dire la destruction d'un tissu.

Ainsi, les enzymes contenues dans les lysosomes (hydrolases) exercent une action lytique sur les micro-organismes que la cellule a ingérés par phagocytose.

Un cocktail lytique est un mélange de drogues (analgésique central, antihistaminique, neuroleptique) utilisé en anesthésiologie pour provoquer une perte de conscience et diminuer la souffrance du malade.

M

Mac Ardle (maladie de)

Maladie héréditaire due au déficit d'une enzyme particulière, la phosphorylase, dans les cellules musculaires. SYN. *glycogénose de type V, maladie de Mac Ardle-Schmid-Pearson, déficit en myophosphorylase.*

La maladie de Mac Ardle se transmet par les chromosomes autosomes (non sexuels) sur un mode récessif, c'est-à-dire que le gène en cause doit être reçu à la fois du père et de la mère pour que l'enfant développe la maladie. Celle-ci atteint plus souvent les hommes que les femmes, mais la raison de ce phénomène n'est pas connue.

Cette affection se manifeste le plus souvent entre 20 et 30 ans par des crampes douloureuses et une fatigue musculaire intense, pendant et après un effort physique important. Sur le plan biologique, la maladie se traduit par une myoglobinurie (présence dans l'urine de pigment des cellules musculaires) anormale et par une lactacidémie (concentration d'acide lactique dans le plasma sanguin) normale, alors que, en cas d'effort musculaire sur un muscle sain, la lactacidémie devrait être élevée.

Il n'existe pas actuellement de traitement de cette maladie, dont les symptômes peuvent cependant être atténués par la prise de glucose ou de fructose avant un effort physique.

Mac Burney (incision de)

Variété de laparotomie (incision chirurgicale de la paroi de l'abdomen).

L'incision de Mac Burney est habituellement utilisée pour pratiquer une appendicectomie (ablation de l'appendice). Elle s'effectue dans la fosse iliaque droite (en bas et à droite de l'abdomen) et s'étend obliquement ou horizontalement.

Mac Leod (syndrome de)

Anomalie d'un poumon, donnant sur les clichés radiographiques une image trop claire unilatéralement.

Le syndrome de Mac Leod est dû à une infection des petites bronches survenue dans l'enfance, à la suite de laquelle les alvéoles et les vaisseaux d'un des deux poumons se sont mal développés. L'anomalie est le plus souvent découverte par hasard sur une radiographie faite au cours d'un bilan et montrant un poumon trop clair. Rarement, le syndrome se traduit par des poussées d'infection et une gêne respiratoire à l'effort. Il n'y a pas de traitement connu du syndrome lui-même.

Mâchoire

→ VOIR Maxillaire inférieur, Maxillaire supérieur.

Macrobiotique

Se dit d'un régime végétarien composé essentiellement de céréales, de légumes et de fruits.

La macrobiotique est née de la pensée chinoise, pour laquelle, dans le monde, toute manifestation est régie par un rythme à deux temps, celui du temps passif et celui du temps actif (le jour/la nuit, l'été/l'hiver), selon la loi du yin et du yang, le yin représentant l'inertie et le yang, la force. Partant de là, la méthode macrobiotique se veut un moyen de trouver, par l'alimentation, un équilibre physique et psychique et d'être en harmonie avec l'environnement. La nourriture se répartit en aliments yang (céréales, saveurs salées) et en aliments yin (fruits, saveurs acides et sucrées, potassium) : l'alimentation macrobiotique comporte plusieurs paliers introduisant des restrictions successives (élimination des produits animaux, puis des légumes et des fruits) ; un rapport du yin au yang de 5/1 constitue l'équilibre parfait, le régime « idéal » (correspondant au dernier palier) étant composé exclusivement de céréales (riz brun).

Ce type d'alimentation, très carencé, est déconseillé.

→ VOIR Végétalisme.

Macrocéphalie

Augmentation anormale du volume de la tête par rapport au volume de la tête des individus de même âge et de même sexe.

Plus précisément, on parle de macrocéphalie quand le périmètre crânien est supérieur de 3 écarts types à la valeur donnée par la courbe de croissance normale établie en fonction de l'âge et du sexe.

CAUSES

Une macrocéphalie peut être la conséquence de plusieurs maladies ou anomalies : hydrocéphalie, hématome sous-dural, mégalencéphalie, épanchements péricérébraux ou maladies métaboliques. L'échographie transfontanellaire et le scanner permettent de distinguer l'hydrocéphalie des autres causes.

■ **L'hydrocéphalie** est une dilatation des ventricules intracérébraux, liée à une augmentation de la pression du liquide céphalorachidien.

■ **L'hématome sous-dural** est un épanchement de sang entre la dure-mère (méninge la plus proche de l'os) et l'arachnoïde (méninge sous-jacente), d'origine essentiellement traumatique.

■ **La mégalencéphalie** est une augmentation de volume du cerveau, d'origine probablement héréditaire.

■ **Les autres causes de macrocéphalie** sont les épanchements péricérébraux du nourrisson, c'est-à-dire l'accumulation de liquide céphalorachidien dans les espaces sousarachnoïdiens. Leur cause est inconnue. À l'origine d'une macrocéphalie modérée, ces épanchements régressent spontanément entre 2 et 3 ans, le périmètre crânien se stabilisant autour de + 2 déviations standards. Des maladies métaboliques telles que les mucopolysaccharidoses (trouble héréditaire du métabolisme d'une variété de glycoprotéine) peuvent également entraîner une macrocéphalie.

PRONOSTIC

L'appréciation de la gravité d'une macrocéphalie se fait sur :

- sa rapidité d'installation ; lorsque la macrocéphalie est stable ou d'évolution lente, parfois même familiale, son pronostic est souvent favorable ; en revanche, lorsqu'elle est d'origine traumatique ou tumorale, elle évolue rapidement et le pronostic est alors plus réservé ;

- son caractère isolé ou non ; il peut s'agir ainsi d'une macrocéphalie sans aucun autre symptôme, de bon pronostic, ou, au contraire, d'une macrocéphalie accompagnée de signes d'hypertension intracrânienne (veines superficielles du crâne ou de la rétine dilatées, vomissements matinaux, fontanelle bombée, voire convulsions).

→ VOIR Hématome sous-dural, Hydrocéphalie, Mégalencéphalie, Mucopolysaccharidose.

Macrochéilite

Augmentation de volume d'une ou des deux lèvres.

Les macrochéilites peuvent être d'origine infectieuse (infection d'une dent, de la gorge, des fosses nasales, des sinus) ou glandulaire (par dilatation des glandes salivaires). Parfois, leur cause reste inconnue. Les lèvres, d'abord simplement gonflées, sont déformées par un œdème qui découvre la muqueuse ; elles sont quelquefois le siège d'érosions, de fissures, voire d'une inflammation. Les macrochéilites entraînent une sensation de gêne, de tension sans être vraiment douloureuses.

Leur traitement est souvent décevant. Il repose sur les antibiotiques par voie générale dans les formes infectieuses ou bien sur la corticothérapie générale. On peut aussi procéder à une ablation chirurgicale de la zone hypertrophiée en incisant la lèvre par sa face interne, ce qui permet d'éviter les cicatrices visibles.

Macrocyte

Érythrocyte (globule rouge) de taille anormalement grande.

La taille d'un macrocyte peut être appréciée sur un frottis sanguin et comparée aux valeurs standards. Actuellement, elle est surtout mesurée automatiquement à l'aide d'un appareillage indiquant le volume globulaire moyen ; on parle de macrocytose (présence de macrocytes) lorsque ce volume est supérieur à 98 micromètres cubes.

L'existence de macrocytes s'observe notamment au cours de carences en vitamine B12 ou en folates et au cours de toutes les maladies des tissus myéloïdes. Une macrocytose peut aussi résulter de l'effet toxique sur la moelle osseuse de certains médicaments et, tout particulièrement, de ceux utilisés en chimiothérapie anticancéreuse et immunosuppressive.

Macrodontie

Présence de dents anormalement volumineuses sur une mâchoire ou sur les deux.

La macrodontie est une anomalie héréditaire. À la différence de la microdontie (dents anormalement petites), elle concerne toujours tous les groupes de dents (canines, incisives, molaires, prémolaires).

La macrodontie entraîne de mauvaises positions et des chevauchements de dents, rendant le brossage malaisé ; elle se complique donc souvent de caries ou d'inflammation des gencives. Son traitement repose sur le port, pendant de 1 à 3 ans, d'un appareil dentaire visant à déplacer les dents par pression ou par traction après avoir libéré la place nécessaire en extrayant les quatre prémolaires.

Macroglobuline

Anticorps appartenant à la catégorie des immunoglobulines monoclonales (élaborées par des cellules issues d'une même cellule, donc toutes identiques) de type IgM.

La présence de macroglobulines dans le sang révèle un processus pathologique plus ou moins malin. Les macroglobulines peuvent exister dans le sang de façon isolée (immunoglobuline monoclonale bénigne) ou être associées à une maladie des lignées lymphocytaires du sang, en particulier la maladie de Waldenström. Dans ce dernier cas, son taux est souvent très élevé (supérieur à 5 g/l) et responsable d'une augmentation de la viscosité sanguine, qui peut se traduire par des maux de tête, des troubles visuels proportionnels au taux de macroglobuline. Son traitement est la chimiothérapie.

L'alpha-2-macroglobuline est une macroglobuline dont la structure est proche des macroglobulines IgM ; elle joue un rôle important dans le phénomène de fibrinolyse.

Macroglobulinémie

→ voir Waldenström (maladie de).

Macroglossie

Augmentation du volume de la langue.

■ Une macroglossie congénitale correspond à une malformation des vaisseaux sanguins ou des vaisseaux lymphatiques, à un kyste ou à une ectopie thyroïdienne (un fragment de la glande thyroïde se trouve anormalement à l'intérieur de la langue). Elle peut accompagner des aberrations chromosomiques telles que la trisomie 21 (mongolisme). Une macroglossie congénitale entraîne une gêne générale à la déglutition, à la mastication, à la parole et à la respiration. Elle se voit dès la naissance. Elle peut engendrer une augmentation anormale de la mandibule (prognathisme) et de l'arcade dentaire qui y est implantée. Une biopsie permet de confirmer le diagnostic et de déterminer la cause de l'anomalie. Le traitement consiste en une glossectomie partielle (ablation d'une partie de la langue) soit par opération chirurgicale, soit par rayons laser. Un traitement de la prognathie mandibulaire y est souvent associé. Les résultats sont satisfaisants.

■ Une macroglossie acquise apparaît à l'âge adulte. Si elle se développe progressivement sur plusieurs années, elle peut résulter d'un trouble hormonal qu'une insuffisance de la glande thyroïde (myxœdème) ou une acromégalie (hypertrophie des extrémités : tête, mains, pieds). Si elle apparaît brusquement en quelques jours, elle traduit une inflammation des veines linguales. Ses symptômes sont identiques à ceux de la macroglossie congénitale. Le traitement est celui de la cause et fait appel à la prise de médicaments. En cas d'hypothyroïdie, des hormones thyroïdiennes sont prescrites ; en cas de phlébite des veines de la langue, les anti-inflammatoires sont indiqués.

Macrognathie

Développement exagéré des maxillaires.

La macrognathie peut être une malformation héréditaire ou la conséquence d'une macroglossie (développement excessif de la langue). Lorsqu'elle touche la mâchoire inférieure, la lèvre inférieure peut venir surplomber la lèvre supérieure : le sujet est dit prognathe.

Le traitement de la macrognathie est le plus souvent chirurgical : il consiste à remodeler le maxillaire. Lorsque la prognathie est associée à une macroglossie, on pratique également une ablation partielle de la langue. Son pronostic est généralement bon et les résultats esthétiques sont très satisfaisants.

Macrolide

Médicament antibiotique actif contre certaines bactéries.

La famille des macrolides regroupe les macrolides vrais (clarithromycine, érythromycine, josamycine, midécamycine, roxithromycine, spiramycine, troléandomycine) et les macrolides apparentés (clindamycine, lincomycine, pristinamycine, virginiamycine). Ce sont des antibiotiques capables d'arrêter la croissance des bactéries en les empêchant de synthétiser leurs protéines. Ils sont efficaces sur de nombreuses espèces bactériennes, notamment sur les entérocoques, les gonocoques, sur quelques bacilles à Gram positif, sur les leptospires, les méningocoques, les pneumocoques, les rickettsies, les streptocoques, les tréponèmes.

INDICATIONS
Les macrolides sont indiqués dans le traitement de nombreuses infections oto-rhinolaryngologiques, stomatologiques, bronchopulmonaires, cutanées, génitales (surtout prostatiques) et osseuses ainsi que, pour certains d'entre eux, dans le traitement de la toxoplasmose (maladie dangereuse pour le fœtus) et dans le traitement local de l'acné juvénile (érythromycine). Ils sont également indiqués dans la prévention de la méningite à méningocoque, chez les sujets ayant été en contact avec un malade, et dans celle des rechutes du rhumatisme articulaire aigu. Les principaux critères de choix entre les différents macrolides sont leur tolérance par le sujet et les interactions médicamenteuses.

MODE D'ADMINISTRATION
Les macrolides sont administrés par voie orale, par injection si une action sur un ou plusieurs organes profonds est nécessaire, ou en application locale.

EFFETS INDÉSIRABLES
Les macrolides sont responsables de quelques effets indésirables rares. Ils peuvent en effet provoquer des allergies, des nausées, des vomissements, des diarrhées, des douleurs abdominales. Parfois, l'érythromycine et la troléandomycine sont aussi toxiques pour le foie, font augmenter le taux des transaminases et, exceptionnellement, sont la cause d'une hépatite cholestatique (qui arrête toute sécrétion biliaire). Les formes injectables comportent également un risque de toxicité cardiaque se traduisant par un bloc auriculoventriculaire, des extrasystoles, une torsade de pointes (brève tachycardie ventriculaire).

Les macrolides ne doivent pas être associés aux dérivés de l'ergot de seigle car ils risquent de provoquer des troubles nerveux ou psychiques et des troubles vasculaires pouvant entraîner une gangrène des membres (ergotisme). Il est également déconseillé de les associer à de nombreux autres médicaments tels que la carbamazépine, la ciclosporine, les pilules contraceptives (ils peuvent alors favoriser l'apparition d'un ictère), le disopyramide, la terfénadine, la théophylline et ses dérivés, le triazolam (cette association serait à l'origine de somnolence) et la warfarine. Aucune interaction médicamenteuse n'existe lorsque les macrolides utilisés sont la midécamycine et la spiramycine.

Macrophage

Grande cellule ayant la propriété d'ingérer et de détruire de grosses particules (cellules lésées ou vieillies, particules étrangères, bactéries) par phagocytose.

Les macrophages constituent le premier mécanisme de défense cellulaire contre les agents infectieux. On les rencontre dans tous

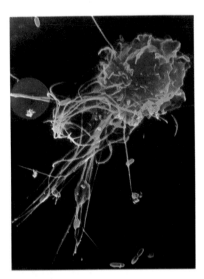

Macrophage. Grâce à ses prolongements (les pseudopodes), la cellule (en rouge-orangé) capture les bactéries (bâtonnets verts).

les tissus, en particulier le thymus, la rate, les ganglions lymphatiques, les muqueuses ; en fonction de leur localisation, ils sont connus sous différentes appellations (histiocyte dans le tissu conjonctif, cellule de Kupfer dans le foie, ostéoclaste dans le tissu osseux, etc.).

ORIGINE ET FONCTION

Les macrophages sont issus des mêmes cellules souches de la moelle osseuse que les globules blancs appelés polynucléaires neutrophiles, qui sont doués, eux aussi, de propriétés phagocytaires. Ces cellules souches donnent naissance aux monocytes du sang, qui se transforment dans les tissus en macrophages.

Les macrophages, dotés d'une très grande mobilité, se déplacent spontanément vers les sites où sont localisés les agresseurs, lorsque les besoins s'en font sentir, sous l'effet de diverses protéines, dont les cytokines. Comme les polynucléaires neutrophiles, ils participent à la réaction inflammatoire, qui consiste à nettoyer et à remettre en état les tissus altérés par l'agression de germes étrangers. La capture de ces germes est facilitée par des molécules appelées opsonines (anticorps et complément). En exposant à leur surface, après les avoir digérées, les protéines étrangères, les macrophages jouent un rôle essentiel dans le développement de la réponse immunitaire : ils « présentent » ainsi aux lymphocytes T les antigènes contre lesquels ils doivent réagir (réponse immunitaire).

PATHOLOGIE

Sous l'influence d'agressions extérieures ou internes, les macrophages peuvent être à l'origine de désordres variés. Ainsi, l'emphysème consécutif à l'inhalation de la fumée de tabac augmente le nombre de macrophages alvéolaires et modifie leurs activités, ce qui aboutit à une destruction

du tissu fonctionnel du poumon. À l'opposé, une diminution de l'activité des macrophages, liée à une anomalie métabolique congénitale, réduit les défenses de l'organisme et l'expose aux infections.

Macula

Petite zone déprimée située au centre de la rétine et où l'acuité visuelle est maximale. SYN. *fovea, macula lutea, tache jaune.* (P.N.A. *fovea centralis, macula*)

La macula est plus jaune que le reste de la rétine et ne comporte aucun vaisseau. Elle est irriguée par les vaisseaux de la rétine en périphérie et, en profondeur, par ceux de la choroïde. La macula apparaît sous la forme d'une dépression car elle est moins épaisse que le reste de la rétine. En son centre se trouve la foveola.

EXAMENS

L'étude de l'acuité visuelle et du champ visuel central (espace que perçoit l'œil immobile fixant droit devant lui) ainsi que l'examen du fond d'œil (rétine et choroïde) sont les principaux moyens d'évaluer l'état de la macula. Parmi les examens complémentaires, l'angiographie oculaire, qui rend visible la circulation du sang dans l'œil, permet de visualiser toute la rétine et particulièrement la macula.

PATHOLOGIE

La macula peut être le siège d'un décollement de rétine, qui menace alors la vision et constitue une urgence ; de troubles vasculaires, notamment au cours d'une obstruction veineuse de la rétine ; d'ischémie par défaut d'irrigation ; d'inflammation de la choroïde, provoquée en particulier par la toxoplasmose (infection parasitaire) ; de traumatismes causés par un choc violent sur le globe oculaire, et ayant pour conséquence un œdème maculaire, ou par une brûlure survenue en observant par exemple une

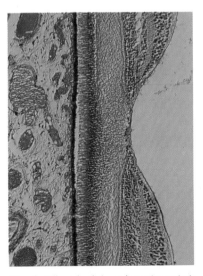

Macula. Elle est localisée sur la portion amincie de la rétine (au centre, à droite), qui repose sur la choroïde (à gauche).

éclipse de soleil sans protection efficace ; enfin, d'une dégénérescence liée à l'âge, à l'hérédité ou à une forte myopie. Certains médicaments tels que les antipaludéens de synthèse peuvent également avoir une incidence sur la macula. Leur prise prolongée rend donc indispensable une surveillance ophtalmologique.

Les traitements des lésions maculaires sont très limités : tout au plus peut-on essayer d'enrayer la progression d'un œdème par le laser, tout en respectant la foveola, ou de favoriser la résorption d'un œdème inflammatoire à l'aide d'anti-inflammatoires par voie orale ou intraveineuse.

Macule

Toute tache cutanée non saillante.

Le plus souvent, les macules sont rouges ; elles peuvent être de sortes différentes : érythème (rougeur s'effaçant à la pression), dû, par exemple, à une rougeole ; purpura (rougeur ne s'effaçant pas à la pression), provoqué par une ecchymose ; télangiectasies (dilatations des vaisseaux). D'autres macules sont dues à une augmentation ou à une diminution de la pigmentation normale. Les macules peuvent être grandes ou petites, uniques ou multiples.

Maduromycose

→ VOIR Mycétome.

Magendie (François)

Physiologiste français (Bordeaux 1783 - Sannois 1855).

Après avoir exercé la médecine à l'Hôtel-Dieu de Paris, François Magendie devint professeur au Collège de France. C'est lui qui établit la distinction entre nerfs sensitifs et nerfs moteurs. Ses travaux sur la strychnine et sur l'émétine, ses expériences concernant le mode d'action et les effets des médicaments font de lui l'un des pères de la pharmacologie moderne.

Magnésium

Oligoélément indispensable à l'organisme, qui intervient dans de nombreuses et importantes réactions physiologiques (métabolisme des glucides, des lipides et des protéines, excitabilité neuromusculaire, activités enzymatiques, perméabilité cellulaire, coagulation sanguine, etc.).

Le corps d'un adulte renferme environ 25 grammes de magnésium (Mg) : plus de la moitié de celui-ci se trouve dans les os, un quart est dans les muscles, le reste se répartissant principalement dans le cœur, le foie, les reins, le tube digestif et le plasma. Les apports recommandés sont de 5 milligrammes par kilogramme de poids corporel et par jour. Les besoins de la femme enceinte sont multipliés par 2, ceux de l'enfant par 3. Les meilleures sources alimentaires de magnésium sont les céréales complètes, les fruits oléagineux (amandes, noix), les légumes secs, le chocolat, certains fruits de mer (bigorneaux) et quelques eaux minérales. Une carence peut s'observer en cas d'alimentation trop pauvre en magnésium (régime hypocalorique, dénutrition), d'augmentation des besoins (grossesse, allaitement), de fuite rénale, de malabsorption digestive (trouble de l'absorption intestinale des nutriments) ainsi que dans l'alcoolisme chronique. Elle se traduit principalement par des troubles neuromusculaires, dont la spasmophilie et la tétanie sont les expressions les plus courantes. Une surcharge en magnésium peut être la conséquence d'une insuffisance rénale sévère.

UTILISATION THÉRAPEUTIQUE

Le magnésium peut être administré par voie orale (comprimé, gélule, sachet de poudre, ampoule buvable) ou par voie injectable (intramusculaire ou intraveineuse). Il est indiqué pour prévenir et traiter d'éventuelles carences. Certains sels de magnésium (carbonate, oxyde ou hydroxyde) sont utilisés comme pansements gastriques. L'action du magnésium peut interférer avec celle des tétracyclines et du calcium. Lors d'un traitement associant ces deux types de médicament, il faut donc décaler les prises de magnésium d'au moins 2 heures.

EFFETS INDÉSIRABLES

Généralement très bien toléré, le magnésium peut entraîner une diarrhée lorsqu'il est absorbé à forte dose par voie orale, une dilatation généralisée des vaisseaux lorsqu'il est pris par voie intraveineuse et/ou des douleurs au point d'injection lorsque son administration est faite par voie intramusculaire. Il est contre-indiqué en cas d'insuffisance rénale sévère.

Maimonide (Moïse)

Médecin, théologien et philosophe juif (Cordoue 1135 - Fustāt, aujourd'hui quartier du Caire, 1204).

Fuyant la persécution subie par les Juifs, il quitta l'Espagne, s'installa à Fès, en Palestine, puis en Égypte, où il devint médecin à la cour des Ayyubides. Très cultivé, il laissa une œuvre abondante écrite en arabe et en hébreu, dans laquelle figurent notamment un traité de philosophie inspiré de la pensée d'Aristote, plusieurs traités de médecine, qui furent traduits en latin et utilisés en Occident, et une célèbre pharmacopée. Il bénéficia d'un immense renom dans les communautés juive et chrétienne.

Main

Extrémité du membre supérieur, articulée avec l'avant-bras par le poignet et terminée par les doigts. (P.N.A. *manus*)

STRUCTURE

Le squelette de la main, organe de la préhension, est formé par les os du carpe, qui entrent dans la constitution du poignet, par ceux du métacarpe (les métacarpiens), au nombre de 5, et par les phalanges, qui, elles, sont au nombre de 3 par doigt, excepté le pouce, qui n'en a que 2.

De nombreux muscles concourent à la réalisation des mouvements de la main et des doigts. Les muscles extrinsèques, situés dans l'avant-bras, transmettent les mouvements par l'intermédiaire de leurs tendons, qui cheminent soit sur la paume, soit sur

le dos de la main. Les muscles de la main même, ou muscles intrinsèques, sont de petits muscles qui permettent certains mouvements précis des doigts : muscles interosseux, muscles lombricaux, muscles thénariens pour le pouce, muscles hypothénariens pour l'auriculaire.

La vascularisation de la main se fait par l'intermédiaire des artères radiale et cubitale. Son innervation, très riche, est assurée par 3 nerfs principaux : le médian, le cubital et le radial. Chacun d'eux a une zone cutanée spécifique et un rôle à la fois moteur et sensitif, assurant à la pulpe des doigts une perception très fine.

PATHOLOGIE

■ **Les plaies et les brûlures** de la main sont très fréquentes. Elles se situent le plus souvent sur la paume ou sur les doigts et peuvent avoir des séquelles irréversibles lorsqu'elles atteignent des éléments fonctionnellement indispensables comme les tendons, les nerfs, les vaisseaux.

■ **Les infections** (panaris, phlegmon) peuvent être graves lorsqu'elles atteignent les gaines des tendons fléchisseurs ou que leur traitement n'est pas entrepris assez tôt.

■ **Les fractures** peuvent siéger sur n'importe quel os de la main. Elles nécessitent parfois une chirurgie spécialisée.

■ **Les paralysies**, très handicapantes, ont de nombreuses causes : atteinte cérébrale, atteinte du plexus brachial ou des nerfs au niveau du membre supérieur. En outre,

certaines affections neurologiques, comme la maladie de Parkinson, peuvent gêner les mouvements de la main sans entraîner de paralysie réelle.

■ **Les maladies tendineuses**, comme la maladie de Dupuytren (rétraction des tendons fléchisseurs des doigts et de l'aponévrose palmaire), sont responsables de la flexion irréductible de certains doigts, qui s'installe progressivement. Elles bénéficient d'un traitement chirurgical.

■ **L'arthrose** peut atteindre la main, particulièrement à la base du pouce.

■ **Les maladies rhumatismales** (telles que la polyarthrite rhumatoïde) peuvent avoir pour conséquence des déformations importantes de la main, quand elles en détruisent les articulations, dont la plus caractéristique est la déviation latérale des doigts, dite « en coup de vent ».

→ VOIR **Tendon.**

Main-pied-bouche (syndrome)

Infection contagieuse bénigne due à un virus coxsackie.

Le syndrome main-pied-bouche s'observe surtout chez l'enfant lors de petites épidémies estivales. Après une incubation de 3 à 5 jours apparaît une fièvre modérée, suivie d'une éruption de cloques minuscules à l'intérieur de la bouche, puis sur les mains et les pieds. Le traitement comporte des soins locaux antiseptiques. Ce syndrome guérit spontanément en une semaine.

MAIN

La main, organe de la préhension, met en jeu un grand nombre de nerfs, de muscles et de tendons, coordonnés par le système nerveux central.

Le squelette de la main est formé de cinq métacarpiens, prolongés par les phalanges.

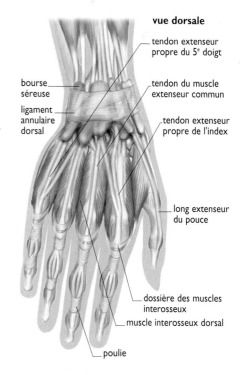

vue dorsale

tendon extenseur propre du 5e doigt

tendon du muscle extenseur commun

tendon extenseur propre de l'index

bourse séreuse

ligament annulaire dorsal

long extenseur du pouce

dossière des muscles interosseux

muscle interosseux dorsal

poulie

Mains (arthrose des)

Atteinte chronique, déformante et non inflammatoire des articulations de la main.

L'arthrose de la main atteint dans 80 % des cas les femmes. Elle survient le plus souvent après 50 ans, avec la ménopause.

SYMPTÔMES ET SIGNES

L'arthrose de la main se manifeste par des douleurs vives, qui apparaissent lors des mouvements et limitent leur amplitude. Elle peut atteindre plusieurs articulations.

■ **Les nodosités de Bouchard** sont des déformations se développant entre la 1re et la 2e phalange.

■ **Les nodosités d'Heberden** sont leur équivalent entre la 2e et la dernière phalange.

■ **La rhizarthrose du pouce** limite et rend douloureux les mouvements de pince entre le pouce et l'index. Elle atteint souvent les deux mains.

TRAITEMENT

Il n'existe pas de traitement spécifique de l'arthrose des mains. Lorsque les douleurs sont trop importantes, on peut immobiliser temporairement les articulations touchées à l'aide d'un appareil d'immobilisation plâtré, en cuir ou en plastique. Des bains de boue chaude sont parfois efficaces.

Malabsorption (syndrome de)

Trouble de l'absorption intestinale des nutriments (glucides, lipides, protéines, etc.) lié à une atteinte de la paroi de l'intestin grêle.

Un syndrome de malabsorption peut être global ou partiel, dû à une atteinte de la totalité ou d'une partie de l'intestin grêle ; il peut également être d'intensité variable et porter sur tous les nutriments ou sur un seul.

CAUSES

Elles sont nombreuses : atrophie de la muqueuse intestinale, en particulier maladie cœliaque, infection ou inflammation de l'intestin grêle (maladie de Crohn, tuberculose), infiltration tumorale (lymphome), parasitose (lambliase).

SYMPTÔMES ET SIGNES

Un syndrome de malabsorption se manifeste souvent, mais pas obligatoirement, par une diarrhée graisseuse et, toujours, par plusieurs carences dues à une mauvaise assimilation des aliments. En effet, l'intestin grêle joue un rôle fondamental dans l'absorption du fer, du calcium, des protéines, de l'acide folique et des vitamines K et B12. Ces carences se traduisent par un amaigrissement, des œdèmes des membres inférieurs, une anémie, des troubles du métabolisme du phosphore et du calcium avec crises de tétanie et douleurs osseuses et, enfin, des hémorragies.

DIAGNOSTIC

Certains examens permettent de contrôler la fonction de l'intestin grêle : dosage des graisses dans les selles (stéatorrhée) – un taux élevé témoignant alors d'un défaut d'absorption –, test au D-xylose et test de Schilling, qui permettent de situer le niveau de l'atteinte dans l'intestin grêle. D'autres examens permettent de préciser la cause exacte de la malabsorption : examen parasitologique des selles, dosage des immuno-globulines dans le sang, radiographie de l'intestin grêle, prélèvement de la muqueuse intestinale lors d'une fibroscopie digestive.

TRAITEMENT

Le traitement consiste à remédier aux différentes carences nutritionnelles et à traiter la cause des troubles, par exemple par un régime sans gluten pour la maladie cœliaque, par l'administration d'un médicament antiparasitaire pour la lambliase et par chimiothérapie en cas de lymphome.

Mal de mer

→ VOIR Mal des transports.

Mal des montagnes

Ensemble de troubles liés à une mauvaise adaptation de l'organisme à la raréfaction de l'oxygène en altitude. SYN. *mal d'altitude.*

CAUSES

Le mal des montagnes est dû à la diminution de la pression atmosphérique, et donc à la raréfaction de l'oxygène en altitude, avec pour conséquence une baisse de la teneur en oxygène (hypoxie) des hématies (globules rouges). L'hypoxie se répercute sur les poumons, le cœur, les muscles et le système nerveux. Les fréquences ventilatoire et cardiaque sont accélérées ; la perméabilité vasculaire augmente, avec risque d'œdème pulmonaire ou cérébral. Le phénomène peut se manifester à partir d'une altitude de 2 000 mètres.

SYMPTÔMES ET SIGNES

Les troubles surviennent en général dans les quatre premiers jours qui suivent l'arrivée en montagne. Les symptômes les plus fréquents sont des maux de tête associés à des vertiges, des bourdonnements d'oreille, des insomnies, des nausées, des vomissements, des ballonnements abdominaux et une perte d'appétit. Ils sont le plus souvent bénins. Des troubles plus sérieux peuvent se produire : toux et expectoration mousseuse, traduisant un début d'œdème pulmonaire ; céphalées, troubles de l'équilibre, annonciateurs d'un œdème cérébral. La manifestation des troubles est favorisée par la jeunesse du sujet, une ascension trop rapide, un état de fatigue général, un manque d'entraînement préalable, un exercice physique trop intense dès le début du séjour.

TRAITEMENT

Le repos atténue les troubles, qui disparaissent au bout de quelques jours d'adaptation. S'ils persistent, la descente à une altitude inférieure permet leur disparition. En cas d'œdème cérébral ou pulmonaire, le retour en urgence dans la vallée, avec hospitalisation, s'impose, précédé si possible de l'administration d'oxygène.

PRÉVENTION

L'adaptation à l'altitude, favorisée par une bonne condition physique préalable, doit être progressive : après une ascension de 600 à 900 mètres, un repos d'une journée est recommandé. Les enfants de moins de 4 mois ne doivent pas être conduits à des altitudes supérieures à 1 000 mètres. Entre 4 mois et 2 ans, il est préférable de ne pas dépasser 1 800 mètres d'altitude. Si la montée en voiture est rapide, des arrêts sont recommandés. Le téléphérique est déconseillé pour des enfants très jeunes.

Mal perforant plantaire

Ulcération chronique de la peau, localisée à la plante des pieds.

Un mal perforant plantaire est dû, le plus souvent, à une diminution ou à une abolition de la sensibilité cutanée par atteinte des fibres nerveuses. Cette anomalie survient au cours d'un diabète ancien (plus de 10 ans) et mal équilibré par le traitement et, dans une moindre mesure, au cours de la lèpre (dans sa forme tuberculoïde) ou de certaines maladies neurologiques (syringomyélie) ainsi qu'en cas d'alcoolisme.

Sur une zone d'appui de la plante du pied apparaît un durillon, qui finit par laisser place à un ulcère puis à un creusement de la peau et des tissus sous-jacents. Les os peuvent être atteints. Les lésions tendent à s'infecter très rapidement et l'infection aggrave à son tour l'ulcère.

Le traitement est avant tout celui de la maladie causale, associé aux soins locaux de désinfection et de cicatrisation et au port de chaussures orthopédiques adaptées. La vaccination antitétanique s'impose.

Mal des transports

Ensemble des troubles ressentis par certains sujets lors d'un voyage en bateau, en train, en voiture ou en avion. SYN. *cinépathie, cinétose.*

Le mal de mer, ou naupathie, et le mal de l'air sont des manifestations du mal des transports. Très fréquent dans l'enfance, celui-ci cède le plus souvent pendant l'adolescence.

CAUSES

Le mal des transports est dû à la stimulation inhabituelle du labyrinthe, organe de l'équilibre de l'oreille interne, provoquée par les mouvements amples ou brusques du véhicule (accélération, roulis, tangage, etc.). Les facteurs sensoriels – une atmosphère plus ou moins confinée, la chaleur, les odeurs – ou psychologiques, comme l'appréhension du voyage, interviennent également dans l'apparition du mal des transports.

SYMPTÔMES ET SIGNES

Le mal des transports se manifeste par une anxiété, une sensation de vertige, des sueurs, des lipothymies (malaises sans perte de connaissance), des nausées ou des vomissements, voire par une attitude de prostration. Les symptômes disparaissent après le voyage, parfois en quelques heures.

TRAITEMENT

Il fait appel aux antihistaminiques de synthèse (antinaupathiques), qui, absorbés avant le départ, ont une action préventive assez efficace.

Maladie

Altération de la santé d'un être vivant.

Toute maladie se définit par une cause, des symptômes, des signes cliniques et paracliniques, une évolution, un pronostic et un traitement.

IDENTIFICATION D'UNE MALADIE

Une maladie se reconnaît à un ou à plusieurs critères réunis qui permettent son identification formelle. Ceux-ci sont déterminés par les sociétés savantes et les grands organismes sanitaires internationaux et peuvent être modifiés en fonction des progrès des connaissances. Un exemple récent en est l'évolution de la définition du sida : la définition du stade intermédiaire entre séroconversion pure et sida confirmé s'est trouvée modifiée quand le sida a été défini comme stade clinique de la maladie, réunissant des critères cliniques et biologiques précis.

Le diagnostic formel d'une maladie peut reposer sur l'isolement d'un agent causal (le bacille tuberculeux, par exemple), sur la constatation et la localisation d'une lésion macroscopique (ulcère duodénal) ou microscopique (tissu cancéreux) ou encore sur la détection d'une anomalie biochimique (diabète sucré). Dans certains cas, il n'existe pas de critères formels. Le diagnostic est alors porté d'après un ensemble d'anomalies cliniques, biologiques, morphologiques mais peut rester incertain, par exemple dans le cas d'un lupus (éruption localisée aux ailes du nez et aux joues) ou d'une psychose maniacodépressive. Dans de tels cas, les anomalies sont souvent classées en critères majeurs et mineurs de diagnostic, le malade devant en présenter un nombre minimal dans chaque catégorie pour que le diagnostic puisse être retenu. Certains patients ne réunissent en effet qu'une partie des critères de la maladie ; ils sont dits porteurs possibles ou probables de la maladie.

NOMENCLATURE DES MALADIES

Il n'existe pas de règle universelle pour l'établissement de la nomenclature des maladies. Les plus fréquentes et les plus anciennement identifiées ont gardé des noms forgés par le langage courant : peste, goutte, diarrhée, etc.

Le nom du découvreur présumé est souvent utilisé (maladie de Dupuytren, maladie d'Osler, par exemple) – on parle alors d'éponyme – et, dans ce cas, des disputes de paternité peuvent s'élever.

Beaucoup de noms font référence à des caractères marquants de la maladie : périodicité (maladie périodique), organe touché (maladie de l'oreillette), agent causal (une spirochétose, par exemple, est une infection due à des bactéries, les spirochètes).

Beaucoup de noms, enfin, viennent de circonstances anecdotiques des premières descriptions : nom d'une localité (maladie de Lyme) ou nom de la collectivité où la maladie fut reconnue (maladie des légionnaires), par exemple.

Le progrès des connaissances conduit parfois à une nouvelle définition des pathologies, à un nouveau classement des critères de définition, à la disparition et à la création de noms de maladies.

Maladie auto-immune

Maladie caractérisée par une agression de l'organisme par son propre système immunitaire.

Les maladies auto-immunes, fréquentes, concernent surtout la femme en période d'activité génitale. Leur cause précise est inconnue.

DIFFÉRENTS TYPES DE MALADIE AUTO-IMMUNE

Les maladies auto-immunes sont classées en deux catégories selon qu'elles sont ou non spécifiques d'un organe.

■ **Les maladies spécifiques d'organes** sont diverses : thyroïdite d'Hashimoto, dans laquelle la glande thyroïde est infiltrée par des lymphocytes qui la détruisent ; myasthénie, où des anticorps dirigés contre le récepteur de l'acétylcholine empêchent ce médiateur de franchir l'espace entre la terminaison nerveuse et la plaque motrice et rendent donc impossible une contraction normale du muscle ; diabète juvénile insulinodépendant, au cours duquel les cellules bêta des îlots de Langerhans du pancréas ne peuvent plus produire d'insuline. L'offensive du système immunitaire contre un organe peut être la conséquence d'une modification des cellules de cet organe sous l'effet d'un virus ou d'un médicament, mais l'agression ne peut se produire que dans un contexte génétique précis.

■ **Les maladies non spécifiques d'organes** appartiennent au groupe des connectivites, ou maladies systémiques, et comprennent le lupus érythémateux disséminé, la polyarthrite rhumatoïde et la dermatopolymyosite. Au cours de ces maladies, des autoanticorps, dirigés contre les constituants du noyau de n'importe quelle cellule, apparaissent. Ces anticorps antinucléaires sont particulièrement importants dans le lupus érythémateux disséminé. On peut également observer des anticorps dirigés contre les immunoglobulines de classe G. Ces derniers constituent les facteurs rhumatoïdes de la polyarthrite. En s'associant avec leurs cibles, les anticorps forment des complexes immuns circulants, qui se déposent dans les vaisseaux et provoquent d'importantes lésions.

TRAITEMENT

Le traitement de la plupart des maladies auto-immunes ne peut agir que sur les symptômes et fait actuellement appel, principalement, aux corticostéroïdes et aux immunosuppresseurs ainsi que, parfois, aux plasmaphérèses (échanges plasmatiques consistant à extraire les substances indésirables du sang). Des recherches sont en cours dans le domaine de l'immunothérapie qui portent, en particulier, sur l'utilisation de cytokines (substances sécrétées par des cellules sanguines immunitaires et ayant un rôle de régulation du système immunitaire) telles que les interférons.

Maladie bleue

Cardiopathie congénitale cyanogène.
→ VOIR Cardiopathie.

Maladie cœliaque

Maladie héréditaire caractérisée par une atrophie des villosités de la muqueuse de l'intestin grêle et favorisée par l'absorption de gluten (protéine présente dans le blé, le seigle et l'orge). SYN. *atrophie villositaire primitive, intolérance au gluten, sprue nostras*.

La maladie cœliaque touche surtout les enfants, parfois les adultes entre 40 et 60 ans. Le rôle pathogène du gluten sur la muqueuse intestinale est vraisemblablement lié à un mécanisme immunologique.

SYMPTÔMES ET SIGNES

Chez le nourrisson, les symptômes apparaissent environ 6 mois après l'introduction du gluten dans l'alimentation : perte de poids, selles graisseuses, pâles et nauséabondes, pâleur et fatigue signalant une anémie. Chez l'adulte, la maladie se révèle progressivement sous la forme d'une diarrhée chronique et de carences diverses provoquant une anémie, des douleurs osseuses (dues à la carence en vitamine D et en calcium), un amaigrissement, une fatigue, une anorexie.

DIAGNOSTIC ET ÉVOLUTION

Le diagnostic repose sur l'étude de la muqueuse de l'intestin grêle, en général celle du duodénum, dont un fragment est prélevé par biopsie lors d'une fibroscopie gastrique. L'absorption intestinale du début de l'intestin grêle (duodénum et jéjunum) peut être évaluée chez l'adulte au moyen du test au D-xylose. Celui-ci n'est pas pratiqué chez le petit enfant.

Chez environ 10 % des patients, la maladie cœliaque dégénère en cancer : dans une moitié de ces cas, il s'agit de cancers de l'épithélium, notamment de l'œsophage, du pharynx et des premiers segments de l'intestin grêle (duodénum et jéjunum) ; l'autre moitié est représentée par des lymphomes.

TRAITEMENT

Le traitement est diététique : régime sans gluten, excluant les farines de blé, de seigle et d'orge et tous les aliments qui en contiennent (pain, biscottes, pâtes, etc.). Ce régime, contraignant, doit être poursuivi à vie, mais il apporte une amélioration rapide : réduction de la diarrhée en quelques jours, reprise de poids en quelques semaines. La repousse des villosités, plus lente, demande quelques mois. On la contrôle, à la fin de la première année de régime sans gluten, par une biopsie de la muqueuse intestinale.

Maladie coronarienne

→ VOIR Insuffisance coronarienne.

Maladie familiale

Toute maladie retrouvée avec une fréquence inhabituelle chez les membres des différentes générations d'une même famille.

Les maladies familiales comprennent par définition les maladies héréditaires, puisque celles-ci sont transmises aux descendants. Une maladie familiale peut être ou non congénitale, c'est-à-dire présente à la naissance (microcéphalie, par exemple). Certains troubles, enfin, sont également dits familiaux sans pourtant être congénitaux ou héréditaires au sens strict. Comme exemples de ces affections, on peut citer l'hypertension artérielle essentielle et le diabète non insulinodépendant. Les recherches actuelles s'orientent vers la mise en évidence d'une forme de transmission génétique de ces maladies (maladies polygéniques).

Maladie fibrokystique

→ VOIR Mucoviscidose.

Maladie hémolytique du nouveau-né

Destruction des globules rouges d'un nouveau-né causée par une incompatibilité sanguine entre sa mère et lui.

L'anticorps en cause est le plus souvent l'anti-D (enfant Rhésus positif né d'une mère Rhésus négatif), mais les anticorps d'autres groupes ou systèmes sanguins peuvent aussi être impliqués dans cette maladie.

→ VOIR Incompatibilité Rhésus.

Maladie héréditaire

Altération de l'état de santé transmissible aux descendants par les gamètes (cellules reproductrices) et résultant de la mutation (modification pathologique) d'un ou de plusieurs gènes.

DIFFÉRENTS TYPES DE MALADIE HÉRÉDITAIRE

Les maladies héréditaires peuvent être classées selon leur type de transmission, selon leur degré de gravité, selon l'organe essentiel ou la fonction physiologique principale qu'elles touchent.

DIFFÉRENTS TYPES DE TRANSMISSION

La transmission des maladies héréditaires se fait soit par les chromosomes non sexuels (autosomes) - c'est par exemple le cas de la maladie de Hurler -, soit par les chromosomes sexuels : il en est ainsi pour l'hémophilie et la maladie de Hunter notamment. De plus, les maladies héréditaires se transmettent soit sur un mode récessif, pouvant alors sauter plusieurs générations (c'est le cas de la mucoviscidose ou de l'homocystinurie), soit sur un mode dominant, comme pour la chorée de Huntington : dans ce dernier cas, la probabilité de transmettre la maladie est de 50 % pour chacun des parents atteints.

FONCTIONS ET ORGANES ATTEINTS

Les fonctions physiologiques et les organes essentiels peuvent aussi servir de support au classement des maladies héréditaires, même si ces dernières sont souvent responsables d'atteintes qui touchent plusieurs organes ou fonctions. Parmi les exemples de maladies les plus significatifs, on peut citer :
- pour l'appareil digestif, la mucoviscidose, l'ictère chronique non hémolytique ;
- pour la peau, l'albinisme, la dysplasie hypodermique, l'ichtyose, le xeroderma pigmentosum ;
- pour les yeux, l'aniridie, la rétinite pigmentaire, le daltonisme, certaines cataractes ;
- pour l'appareil génito-urinaire, le syndrome de Fanconi ou le diabète insipide néphrogène ;
- pour le sang, la drépanocytose, l'elliptocytose, les thalassémies, la maladie de Willebrand, la thrombasthénie de Glanzmann ou encore le déficit en facteur Stuart (facteur X) de la coagulation ;
- pour les nerfs, la maladie de Friedreich et certaines variétés d'épilepsie ;
- pour le système endocrinien, le diabète insipide hypophysaire ou l'hyperplasie surrénalienne virilisante congénitale ;

Forme des maladies héréditaires

Parmi les maladies héréditaires, certaines ont une issue fatale, tandis que d'autres, les intolérances héréditaires à certaines substances médicamenteuses par exemple, ne s'expriment que dans des conditions particulières et peuvent même passer totalement inaperçues. Selon les cas, une même maladie peut d'ailleurs revêtir des formes légères ou très graves : transmise par un seul des deux parents, une anomalie de l'hémoglobine est souvent bénigne, mais la même anomalie transmise par les deux parents peut être très grave. À côté des maladies héréditaires bien définies, il existe une hérédité de terrain, plus floue sur le plan scientifique : terrain allergique favorable à l'asthme ou à l'eczéma, terrain propice à la goutte, prédisposition aux maladies infectieuses, aux affections cardiovasculaires ou aux proliférations tumorales.

- pour l'appareil musculosquelettique, des maladies myotoniques, des paralysies périodiques et diverses dystrophies ;
- comme troubles du métabolisme, le diabète insulinodépendant, l'intolérance au fructose et au lactose, la cystinose, la lithiase oxalique, les hyperlipidémies, la phénylcétonurie ou les maladies lysosomales.

PERSPECTIVES

La connaissance détaillée de l'ensemble des gènes humains transmis aux descendants a pour objectif la prévision des maladies génétiques, le conseil génétique aux couples susceptibles de transmettre une maladie héréditaire à leur enfant et le diagnostic prénatal des maladies héréditaires.

Par ailleurs, les thérapies géniques sont susceptibles de corriger ou de remplacer le gène altéré par la maladie.

→ VOIR Handicap, Hérédité, Malformations congénitales, Thérapie génique.

Maladie hyperostosante

Tendance à fabriquer de l'os en excès au niveau de l'enthèse (zone d'un os où s'insèrent muscles, tendons et ligaments), qui s'observe le plus souvent sur la colonne vertébrale, mais aussi aux hanches, aux épaules, aux genoux, etc.

La maladie hyperostosante affecte le plus souvent les personnes âgées mais peut aussi atteindre des sujets encore relativement jeunes. Ses causes sont mal connues. On sait toutefois qu'une prise prolongée de vitamine A peut favoriser son apparition chez des sujets jeunes.

SYMPTÔMES ET TRAITEMENT

La maladie hyperostosante, le plus souvent sans symptôme, n'est gênante que si une excroissance osseuse blesse un ligament ou un tendon, ce qui arrive parfois à l'épaule, ou quand elle contribue à rétrécir le canal rachidien ; on pratique dans ce cas, sous anesthésie générale ou locorégionale, l'ablation chirurgicale de l'excroissance.

Les volumineuses excroissances osseuses, appelées ostéophytes ou « becs de perroquet », engendrées par la maladie hyperostosante, sont source d'inquiétudes injustifiées. Au contraire, les sujets chez lesquels s'installe avec l'âge une hyperostose sont généralement à l'abri de l'ostéoporose (raréfaction du tissu osseux). Il n'existe pas de traitement spécifique de cette maladie.

Maladie immunitaire

Maladie ayant pour origine un dysfonctionnement du système immunitaire.

On distingue 3 types de maladie immunitaire. Si la réponse du système immunitaire est excessive, elle provoque une réaction d'hypersensibilité, qui varie selon son mécanisme (hypersensibilité de type I à IV) ; celle-ci est à l'origine de nombreuses manifestations telles que l'urticaire, l'œdème de Quincke, etc. Lorsque la réponse du système immunitaire est insuffisante, on parle d'immunodéficience. Ces déficiences peuvent être innées (agammaglobulinémie congénitale) ou acquises (dénutrition, sida). Enfin, la réponse du système immunitaire peut se dérouler de façon anormale en se retournant contre l'individu lui-même, comme dans les maladies auto-immunes (thyroïdite de Hashimoto, lupus érythémateux disséminé).

Maladie infantile

Toute maladie contractée pendant l'enfance.

L'usage réserve ce terme aux maladies infectieuses de l'enfance : coqueluche, oreillons, roséole infantile, rougeole, rubéole, scarlatine, varicelle. Certaines d'entre elles, comme la coqueluche, les oreillons, la rougeole et la rubéole, peuvent être prévenues par la vaccination.

Maladie lysosomiale, ou lysosomale

Maladie héréditaire résultant du dépôt de molécules spécifiques non détruites ou de germes dans les lysosomes (petits réservoirs d'enzymes contenus dans les cellules).

Une maladie lysosomiale se transmet le plus souvent par les chromosomes autosomes (non sexuels) sur un mode récessif, c'est-à-dire que le gène porteur de la maladie doit être reçu du père et de la mère pour que l'enfant développe la maladie. La maladie de Hunter de type II et la maladie de Fabry, liées au chromosome X, font exception et ne se transmettent pas sur un mode autosomique mais sont liées au sexe.

Les maladies lysosomiales constituent un ensemble de plus de trente maladies qui atteignent surtout les tissus nerveux.

La maladie de Gaucher est la plus fréquente des maladies lysosomiales, parmi lesquelles on peut citer aussi la maladie de Sandhoff, la maladie de Tay-Sachs, la mannosidose et la mucolipidose.

CAUSES

L'absence ou le déficit d'une enzyme utilisée par les lysosomes pour détruire et évacuer les substances étrangères et certaines molécules provoque une maladie lysosomiale. L'enzyme, en effet, ne remplit pas sa fonction et les substances non évacuées (lipides et glycoprotéines notamment) s'accumulent. À chaque enzyme déficitaire ou absente correspond une maladie donnée.

SYMPTÔMES ET SIGNES

Les symptômes des maladies lysosomiales varient avec le type de maladie, chacune possédant des signes spécifiques. Ils apparaissent dès la naissance ou progressivement. On rencontre des atteintes de l'œil, une augmentation de la taille des viscères (rate et reins), des douleurs osseuses et articulaires, des modifications du squelette associées à des altérations métaboliques (comportant un risque d'hémorragie et d'infections répétées).

Les atteintes les plus graves, celles du tissu nerveux, qui se caractérisent par une perte des acquisitions et par un retard mental plus ou moins profond, aboutissent à la destruction irréversible du système nerveux.

DIAGNOSTIC

Il repose sur l'identification des signes et des symptômes de la maladie et s'établit définitivement à l'aide de dosages enzymatiques précis du sérum, des globules blancs ou à partir de cultures du tissu cutané du patient.

ÉVOLUTION ET TRAITEMENT

La maladie apparaît généralement de manière progressive, les substances non détruites par les enzymes s'accumulant plus ou moins lentement. L'évolution de certaines affections lysosomiales est fatale. Toutefois, certains malades atteints de formes à évolution lente ont pu vivre jusqu'à plus de 80 ans.

Il n'existe pas actuellement de traitement spécifique des maladies lysosomiales. Les soins qui peuvent être apportés concernent essentiellement les symptômes et demeurent palliatifs. Un traitement par administration d'enzymes manquantes a été mis au point pour la maladie de Gaucher, mais son coût est extrêmement élevé.

Dans certains cas, la transplantation d'organes (rein, dans la maladie de Fabry ; rate, dans la maladie de Gaucher) peut apporter une amélioration.

PERSPECTIVES

La thérapie génique a montré par des expérimentations sur les souris qu'il était possible d'introduire dans un être vivant des cellules génétiquement modifiées qui sécrètent l'enzyme déficiente. Il s'agit de la technique des organoïdes.

Une autre méthode consiste à utiliser un virus vecteur (adénovirus), rendu inoffensif, susceptible de pénétrer dans le noyau d'une cellule. Un gène sain, destiné à remplacer le gène défectueux de la cellule-cible, est incorporé au virus, lequel s'introduit dans la cellule et élabore l'enzyme déficitaire.

Ces deux techniques en sont encore au stade de l'expérimentation.

Maladie mentale

Troubles de la personnalité, d'origine psychique.

Selon leur gravité, on distingue différents types de maladie mentale. Les plus graves sont les psychoses, qui altèrent profondé-ment la perception de la réalité ainsi que le comportement affectif et social du sujet ; les névroses sont, à la différence des psychoses, des affections moins profondes, au cours desquelles le sujet reste conscient du caractère pathologique de ses troubles. Entre les deux se situent les états limites (borderline), les troubles du comportement (psychopathie) et les affections psychosomatiques.

Maladie musculaire congénitale

→ VOIR Myopathie.

Maladie périodique

→ VOIR Fièvre méditerranéenne familiale.

Maladie polykystique du foie

Maladie héréditaire du foie caractérisée par la présence sur cet organe de plusieurs kystes (formations remplies de liquides et entourées par un épithélium biliaire). SYN. *polykystose du foie.*

La maladie polykystique du foie est transmise sur le mode autosomique (par les chromosomes non sexuels) dominant (c'est-à-dire qu'il suffit que le gène porteur de la maladie soit transmis par l'un des deux parents). Souvent, elle s'associe à une maladie polykystique des reins de l'adulte.

SYMPTÔMES ET DIAGNOSTIC

Il n'y a en général pas de symptômes. Dans certains cas rares, la maladie se révèle par une augmentation de volume du foie, qui apparaît bosselé à la palpation. Parfois, le volume important des kystes entraîne des douleurs ou un ictère.

Le diagnostic se fonde sur l'échographie, qui met les kystes en évidence et confirme leur contenu liquide. Le scanner n'apporte pas de renseignements supplémentaires. Il n'y a pas d'évolution de cette maladie vers la malignité.

TRAITEMENT

La plupart du temps, la maladie ne requiert pas de traitement. Dans les cas de douleurs ou d'ictère, une intervention chirurgicale, consistant en l'ablation du kyste responsable de la compression ou de la douleur, ou une ponction percutanée des kystes, guidée par échographie, peuvent être pratiquées. Dans ce dernier cas, le liquide évacué est remplacé par de l'alcool, qui détruit l'épithélium du kyste et l'empêche de sécréter du liquide.

Maladie polykystique des reins

Maladie héréditaire caractérisée par la présence de nombreux kystes dans le cortex (partie périphérique) des deux reins, compromettant à plus ou moins long terme leur bon fonctionnement. SYN. *polykystose rénale.*

La maladie polykystique des reins peut atteindre l'adulte ou, beaucoup plus rarement, l'enfant. Elle ne doit pas être confondue avec des maladies kystiques des reins, caractérisées par l'existence de quelques kystes rénaux, sans facteur génétique connu et sans incidence sur la fonction rénale.

Maladie polykystique des reins de l'adulte

C'est une maladie à transmission autosomique (par les chromosomes non sexuels) dominante : il suffit que le gène de la maladie soit transmis par l'un des parents pour que celle-ci se manifeste chez l'enfant.

SIGNES ET DIAGNOSTIC

Pendant longtemps, la maladie ne se traduit par aucun signe. Ceux-ci débutent généralement entre 25 et 30 ans : douleurs lombaires, présence de calculs dans les voies urinaires, infections urinaires, présence de sang dans les urines et surtout hypertension artérielle. Les kystes des reins, nombreux et multiples, sont souvent associés à des kystes du foie (on parle alors de polykystose hépatorénale), voire du pancréas. De plus, la maladie peut se compliquer de malformations extrarénales (anévrysmes des vaisseaux cérébraux, anomalies des valvules cardiaques). À l'examen clinique, on retrouve deux gros reins bosselés ; l'urographie intraveineuse, l'échographie ou le scanner permettent de visualiser les kystes.

TRAITEMENT ET PRONOSTIC

Il n'existe pas de traitement spécifique de cette maladie. Les kystes, microscopiques à la naissance, augmentent progressivement de volume avec l'âge et finissent par détruire l'ensemble du tissu rénal fonctionnel, entraînant une insuffisance rénale nécessitant un recours à l'hémodialyse. La greffe rénale constitue le seul espoir à terme, la maladie ne récidivant pas sur le greffon.

Maladie polykystique des reins de l'enfant

La maladie polykystique peut se déclarer dès la naissance ou, plus souvent, vers l'âge de six mois, voire plus tard. C'est une maladie à transmission autosomique (par les chromosomes non sexuels) récessive : le gène de la maladie doit être transmis par les deux parents pour que celle-ci se manifeste chez l'enfant. La maladie polykystique des reins est beaucoup plus grave chez l'enfant que chez l'adulte, car l'atteinte rénale y est alors associée à une fibrose hépatique (épaississe-

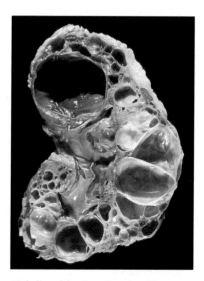

Maladie polykystique des reins. L'organe est envahi par une multitude de kystes.

621

ment pathologique du tissu hépatique), à l'origine de nombreuses complications (hypertension portale, hémorragies digestives). La greffe rein-foie constitue le seul traitement efficace.

Maladie polykystique des voies biliaires

Maladie héréditaire caractérisée par la présence de kystes dans les voies biliaires.

Les maladies polykystiques des voies biliaires sont au nombre de trois. Ce sont des affections transmises sur le mode autosomique (par les chromosomes non sexuels) récessif (le gène de la maladie doit être reçu des deux parents pour que la maladie se développe).

DIFFÉRENTS TYPES DE MALADIE

■ La maladie de Caroli est une dilatation kystique des voies biliaires intra-hépatiques. L'affection se manifeste par des épisodes d'angiocholite (inflammation aiguë, d'origine bactérienne, des canaux biliaires). Le traitement fait appel à l'antibiothérapie dans les formes bénignes et à la greffe du foie dans les formes graves.

■ La fibrose hépatique congénitale se caractérise par la présence dans les voies biliaires intra-hépatiques de kystes microscopiques. Elle évolue vers l'hypertension portale, responsable d'une dilatation des veines situées en amont du foie et éventuellement d'hémorragies digestives. Le traitement repose sur l'anastomose porto-cave (intervention consistant à court-circuiter les veines du foie lésées en créant une circulation parallèle) pour éviter les hémorragies.

■ Les kystes du cholédoque sont des dilatations ou des diverticules du canal cholédoque. Ils se révèlent par un ictère. Le traitement, chirurgical, consiste à retirer ces kystes et à reconstruire la voie biliaire.

Maladie professionnelle

Altération de la santé d'une personne consécutive à l'exercice ou aux conditions d'exercice de certains métiers.

Selon un comité d'experts de l'O.M.S., « on peut considérer comme maladie professionnelle toute manifestation morbide liée, d'une manière ou d'une autre, à la profession ou aux conditions de travail » (O.M.S., *Epidémiologie des maladies et des accidents liés à la profession*). Les maladies professionnelles, une fois reconnues, font l'objet d'une protection légale dans les pays développés. Selon l'O.M.S., les deux tiers environ des personnes qui, dans le monde, exercent une activité professionnelle travaillent dans des conditions inférieures aux normes minimales fixées par l'O.M.S.

DIFFÉRENTS TYPES DE MALADIES PROFESSIONNELLES

Des enquêtes de l'O.M.S. ont permis de recenser et de classer les principales maladies professionnelles.

■ Les baisses de l'acuité auditive affectent de très nombreuses professions exposées au bruit, particulièrement les secteurs de la métallurgie et du textile.

■ Les cancers sont, par exemple, les cancers de la plèvre causés par l'amiante.

■ Les dermatoses sont représentées par le rossignol des tanneurs, dû à l'action caustique du chrome, et par la gale du ciment.

■ Les maladies infectieuses et parasitaires, comme les rickettsioses ou les amibiases, concernent les personnes travaillant au contact d'animaux.

■ Les maladies respiratoires, comme les pneumoconioses (par exemple, la silicose, due à l'inhalation de particules contenant de la silice), touchent particulièrement les mineurs (mines de charbon).

■ Les troubles musculosquelettiques (tendinites du genou, par exemple), dus à la répétition plusieurs milliers de fois par jour de gestes identiques, touchent surtout les manutentionnaires.

■ Les troubles neurologiques dus à des agents chimiques à toxicité neurologique concernent notamment les personnes travaillant dans les industries chimiques.

Maladie psychosomatique

Maladie caractérisée par la transformation (dite conversion) d'un trouble psychologique en un trouble somatique (organique).

Le terme de maladie psychosomatique est issu des travaux et notamment des hypothèses formulées par le psychiatre allemand Georg Groddeck (1866-1934) et le psychanalyste américain Franz Alexander (1891-1964).

Certains sujets présentent une prédisposition constitutionnelle aux maladies psychosomatiques avec une sensibilité accrue à certains stress. La maladie apparaît à la suite d'un conflit ou d'un traumatisme souvent inconscient ; elle est due à un manque de moyens psychiques de défense contre l'angoisse (fantasmes, rêves, sublimation). Les maladies psychosomatiques peuvent toucher tous les appareils de l'organisme : systèmes digestif (ulcère, colite), endocrinien (hyperthyroïdie, diabète), génito-urinaire (impuissance, énurésie), cardiovasculaire (infarctus du myocarde), respiratoire (asthme, tuberculose pulmonaire), peau (eczéma), etc.

Le traitement d'une maladie psychosomatique passe d'abord par celui du trouble physique. Ensuite, la psychothérapie développe et raffermit les mécanismes de régulation du moi afin d'aider le patient à mieux utiliser ses ressources mentales face à ses problèmes : enrichissement de la vie imaginaire, épanouissement émotionnel et affectif, meilleur rapport au corps. Cependant, une surveillance médicale doit rester associée, surtout en cas de « balancement somatopsychique » (alternance de manifestations psychiques et organiques).

Maladie sérique

Ensemble des manifestations allergiques dues à la pénétration dans l'organisme de sérum ou d'allergènes médicamenteux. SYN. *maladie du sérum*.

La maladie sérique est consécutive à l'injection de sérum ou, plus rarement, à la prise d'antibiotiques (pénicillines, tétracyclines, sulfamides, antituberculeux), d'anti-inflammatoires, de barbituriques ou d'hormones (insuline). Elle est due à la

sécrétion, par le système immunitaire du malade, d'anticorps dirigés contre ces substances étrangères (antigènes), qui se fixent ensuite sur elles, dans le sang, pour former des complexes immuns, lesquels se déposent sur les parois artérielles, dans les organes et les tissus.

Après 7 à 10 jours apparaissent des manifestations cutanées (urticaire, petites taches rosées avec un bourrelet périphérique), une fièvre, des douleurs articulaires, auxquelles peuvent s'associer des douleurs abdominales avec nausées et vomissements ; une atteinte inflammatoire des glomérules rénaux est également possible.

TRAITEMENT ET PRÉVENTION

Les formes graves sont traitées par les antihistaminiques et les corticostéroïdes, les autres guérissent spontanément en quelques jours. La prévention consiste à supprimer toute nouvelle administration du médicament concerné et, plus généralement, à limiter, autant que possible, les prescriptions de sérum et d'anticorps d'origine animale.

Maladie sexuellement transmissible

Maladie infectieuse qui peut être contractée ou transmise lors des rapports sexuels. SYN. *maladie vénérienne*.

Les maladies sexuellement transmissibles (M.S.T.) atteignent surtout les sujets ayant de nombreux partenaires sexuels. Il y a un quart de siècle, elles se réduisaient pratiquement à la syphilis, à la blennorragie, au chancre mou, à la lymphogranulomatose vénérienne. De nos jours, ces quatre maladies ne représentent que 10 à 15 % des cas de M.S.T. connus des centres spécialisés. Au cours des années 1970 et au début des années 1980, la plupart des malades atteints d'une M.S.T. pouvaient être guéris grâce aux antibiotiques. Vers la fin des années 1970, cependant, on assista à la multiplication des M.S.T. et, en particulier, au développement des infections à chlamydia et à mycoplasmes ; l'herpès et l'hépatite B furent reconnus comme agents viraux responsables de M.S.T. Avec le sida, la plus grave et la plus récente des maladies sexuellement transmissibles, identifié en 1982, les M.S.T. redevenaient une cause de mortalité.

Les plus fréquentes des M.S.T. sont les infections à chlamydia, la trichomonase, l'herpès génital, la phtiriase pubienne, les condylomes génitaux, le sida.

CAUSES

Les agents des M.S.T. sont très nombreux. Les bactéries sont responsables, entre autres affections, de gonococcies (blennorragie, ou chaude-pisse), de certaines vaginites (inflammations du vagin), du chancre mou, de la syphilis (vérole) et de la lymphogranulomatose vénérienne, ou maladie de Nicolas-Favre. Des levures (champignons) causent les candidoses, qui provoquent des pertes vaginales (pertes blanches, ou leucorrhées), ou des balanites (inflammations du gland). Les virus sont responsables d'affections telles que l'herpès, l'hépatite B, les papillomatoses, les condylomes (crêtes-de-coq), la mononucléose infectieuse et le sida. La trichomonase est causée par un protozoaïre (parasite microscopique), et la pédiculose et la gale sont dues, respectivement, au pou du pubis (morpion) et au sarcopte de la gale (variété d'acarien), tous deux parasites de la peau. Parmi les autres micro-organismes responsables de M.S.T., on trouve aussi les chlamydiae et les mycoplasmes.

Les risques liés aux M.S.T. sont multiples : une salpingite (inflammation des trompes de Fallope) se complique souvent d'une stérilité ; les papillomatoses aggravent les risques de cancer (celui du col utérin en particulier) ; l'hépatite B et le sida mettent directement la vie en danger.

DIAGNOSTIC ET TRAITEMENT
Ils sont établis dans des centres et des services spécialisés. Le traitement fait surtout appel, selon la cause, aux antibiotiques, aux antiseptiques ou aux antimycosiques (fongicides). Une fois les symptômes disparus, des tests sont effectués pour vérifier si le patient est encore contagieux.

PRÉVENTION
Pour empêcher la propagation de l'infection, le traitement est proposé à tous les récents partenaires sexuels du malade. Leur identification et leur traitement, confidentiels, relèvent de la lutte contre les M.S.T. Le dépistage le plus précoce et le plus rapide possible, surtout chez les sujets appartenant à des groupes à risque (toxicomanes utilisant des seringues mises en commun, prostitués, personnes à nombreux partenaires sexuels, etc.), participe aussi à la prévention.

Si l'on peut persuader les sujets ayant eu un contact avec un malade de se faire examiner et soigner, l'expansion de la maladie peut être ralentie. En fait, beaucoup ne sont pas atteints ; d'autres sont infectés sans qu'apparaisse aucun symptôme.

Dans les services hospitaliers, on informe le patient, une fois le diagnostic posé, de la nature de sa maladie, du mode de transmission de celle-ci et des complications possibles en l'absence de traitement. On lui demande, sous le sceau du secret, de faire en sorte que les personnes avec lesquelles il a eu des contacts consultent un médecin. Ces personnes peuvent être des contacts primaires (qui ont pu lui transmettre la maladie) ou secondaires (qui ont pu être contaminés par lui).

La prévention individuelle repose, en outre, sur la diminution du nombre des partenaires sexuels et, surtout, sur l'utilisation du préservatif masculin.

Maladie de système
→ VOIR Connectivite.

Maladie systémique
→ VOIR Connectivite.

Maladies transmises par les animaux
Maladies virales, bactériennes ou parasitaires, transmises des animaux à l'homme, que ce soit directement (morsure, griffure, piqûre) ou indirectement (piqûre avec la carcasse ou une arête d'un animal mort). SYN. *anthropozoonose, zoonose.*

Les maladies transmises par l'animal sont très nombreuses : maladies virales (rage, fièvre jaune, dengue), bactériennes (brucellose, charbon, leptospirose, tularémie, psittacose, lymphoréticulose bénigne d'inoculation, etc.), parasitaires (babésiose, filariose, paludisme, trypanosomiase). Les animaux interviennent de deux manières différentes dans la transmission des maladies à l'homme.
■ **Les animaux réservoirs** (petits rongeurs, oiseaux, primates, bovins, chèvres, porcs, fruits de mer, etc.) assurent la survie d'un agent infectieux (bactérie, parasite ou virus). L'homme se contamine indirectement, par exemple en absorbant du lait cru ou par contact avec des urines, des déjections ou du sang contenant l'agent infectieux.
■ **Les animaux vecteurs** (chiens, chats, moustiques, mouches, tiques, acariens, etc.) sont responsables d'une inoculation directe de l'agent infectieux.

Certains professionnels sont plus exposés : bouchers, équarrisseurs, égoutiers, éleveurs, vétérinaires, laborantins.

Il existe des vaccins contre la brucellose, la fièvre jaune, la leptospirose et la rage. → VOIR Zoonose.

Maladies transmises par les insectes
Maladies infectieuses transmises à l'homme par l'intermédiaire des insectes.

Les insectes sont des arthropodes à 6 pattes ; ils sont à distinguer des arachnides (tiques, acariens, araignées, scorpions), qui sont des arthropodes à 8 pattes.

PRINCIPALES MALADIES TRANSMISES PAR LES INSECTES

Insectes	Maladies transmises	Signes cliniques	Répartition géographique
Mouche tsé-tsé (glossine)	Trypanosomiase africaine (maladie du sommeil)	Adénopathie, atteintes graves du système nerveux	Afrique intertropicale
Moustique Culex (cousin), Ædes	Filariose lymphatique Dengue	Éléphantiasis Fièvre hémorragique	Zones intertropicales Extrême-Orient tropical, Afrique noire, Caraïbes, îles du Pacifique
Anophèle	Fièvre jaune Paludisme	Ictère Fièvre, anémie	Afrique et Amérique tropicales Zones intertropicales (sauf îles du Pacifique) Bassin méditerranéen
Phlébotome	Leishmaniose cutanée	Ulcérations de la peau	Bassin méditerranéen, Afrique noire, Amérique tropicale
	Leishmaniose cutanéomuqueuse	Ulcérations de la peau, des muqueuses, du nez, de la bouche	Amérique tropicale
	Leishmaniose viscérale	Anémie, grosse rate, fièvre grave	Bassin méditerranéen, Chine, Amérique tropicale
	Fièvre des trois jours	Fièvre, éruption	Bassin méditerranéen
Pou	Typhus	Fièvre, éruption, atteinte cardiaque	Cosmopolite
	Fièvre récurrente cosmopolite (borréliose)	Fièvre, grosse rate	
Puce	Typhus murin Peste	Fièvre, éruption Fièvre, bubons, pneumonie	Cosmopolite
Simulies	Onchocercose	Nodules, prurit, cécité	Afrique noire, Yémen, Amérique centrale
Triatome	Trypanosomiase américaine (maladie de Chagas)	Fièvre, atteinte cardiaque, atteintes de l'intestin et de l'œsophage	Amérique du Sud tropicale

MODES DE CONTAMINATION

Certains insectes parasitent l'homme, comme la chique ou le pou ; d'autres piquent, entraînant des démangeaisons temporaires ou induisant, plus rarement, des réactions allergiques (insectes hyménoptères comme l'abeille ou la guêpe).

Dans la transmission des maladies infectieuses, les insectes jouent le plus souvent le rôle de vecteur, transportant les agents infectieux, dans ou sur leur corps, d'un individu à un autre. Certains sont des réservoirs, leur organisme, notamment pour la fièvre jaune, assurant sur une longue durée la survie d'un agent pathogène.

Les maladies sont transmises soit lors de la piqûre de l'insecte, qui régurgite de la salive infectante, soit par ses déjections, qui pénètrent à travers une excoriation cutanée, ou par simple portage de l'agent infectieux.

DIFFÉRENTS TYPES DE MALADIE

Les insectes transmettent des arboviroses (maladies à virus), comme la fièvre jaune ou la dengue (moustiques), des maladies à bactéries, comme la peste (puces), des maladies à rickettsies, comme le typhus (poux et puces), des maladies à protozoaires (parasites monocellulaires), comme le paludisme, la trypanosomiase (maladie du sommeil) ou la leishmaniose (moustiques, mouches tsé-tsé, phlébotomes), ou des filarioses (maladies causées par des vers parasites, les filaires), comme la loase, l'onchocercose ou la filariose lymphatique (taons, simulies, moustiques). La borréliose à pou (fièvre récurrente) est transmise lors de l'écrasement d'un pou, non par sa piqûre.

PRÉVENTION

La lutte contre les insectes (utilisation de répulsifs insectifuges), la protection des aliments, le port de vêtements appropriés font partie des mesures d'hygiène préventive. Dans certains cas (typhus, peste), ces mesures sont capables de faire disparaître la maladie. Elles doivent parfois être complétées par d'autres : ainsi, dans les régions où sévit le paludisme, la prise de médicaments antipaludéens est, en outre, indispensable.
→ VOIR Piqûre d'insecte.

Maladies transmises par les mollusques

Altérations de la santé causées directement ou indirectement par les mollusques.

Les mollusques peuvent transmettre différents types de maladie.

L'ingestion de mollusques contenant un germe pathogène (bactérie, virus, parasite) est susceptible, dans certains cas, de provoquer une maladie infectieuse.

■ **Les maladies infectieuses non parasitaires** sont transmises par ingestion de mollusques d'eau douce ou de mer (comme les huîtres) et de certains coquillages (comme les moules). Ces animaux, qui se mangent crus ou cuits, sont susceptibles de retenir des particules diverses, des bactéries et des virus. Le virus de l'hépatite A (et sans doute de l'hépatite E), les virus de Norwalk et des gastro-entérites infectieuses sont les plus fréquemment en cause.

Les mollusques hôtes intermédiaires

Les mollusques hébergent dans leur organisme des parasites qui s'y multiplient, s'y transforment, quittent le corps du mollusque et nagent dans l'eau. Certaines larves sont ensuite prêtes à parasiter directement l'homme, comme les bilharzies, responsables des bilharzioses ; d'autres, comme les larves de douves, doivent auparavant séjourner dans l'organisme d'un autre animal ou se fixer sur une plante aquatique.

Une huître, par exemple, filtre quelque 300 litres d'eau par jour et peut contenir, avec d'autres particules, divers germes : bactéries du genre *Vibrio* (le vecteur du botulisme) ou *Helicobacter,* salmonelles, shigelles, colibacilles.

■ **Les maladies parasitaires transmises par les mollusques** n'atteignent directement l'homme (ingestion d'un mollusque infesté par un parasite) que dans un cas : celui de l'angiostrongylose, méningite parasitaire bénigne transmise par l'achatine. Ce mollusque terrestre de grande taille sert d'hôte intermédiaire à un ver, l'angiostrongylus (c'est-à-dire qu'il héberge le parasite dans son organisme). Dans aucun autre cas, la consommation de mollusques infestés par des parasites n'est dangereuse pour l'homme.

Les mollusques sont cependant indirectement responsables d'autres maladies parasitaires ; en effet, ils contribuent au développement de parasites en leur servant d'hôte intermédiaire : les parasites se transmettent à l'homme lorsqu'il se baigne, boit ou consomme crus certains animaux ou certaines plantes aquatiques.

SYMPTÔMES, SIGNES ET TRAITEMENT

Ils varient en fonction des maladies transmises, dont l'éventail est large.

Les divers germes en cause peuvent provoquer une diarrhée, parfois accompagnée d'une fièvre et d'une hépatite A.

Le traitement des infections bactériennes nécessite la prescription d'antibiotiques ; les maladies d'origine virale ne comportent pas de thérapeutique spécifique. Les maladies parasitaires sont traitées par des médicaments spécifiques à chacune.

PRÉVENTION

Les moyens de prévention des maladies transmises par les mollusques varient selon le type de maladie.

■ **La prévention des maladies infectieuses non parasitaires** repose sur le respect des conseils d'hygiène publique (interdiction de pêche et de consommation, retrait de la vente), qui doivent être scrupuleusement suivis lorsqu'ils sont édictés. Il faut éviter de pêcher soi-même des mollusques dont les qualités sanitaires ne sont pas garanties.

La fraîcheur des mollusques et leur conservation au froid dans des conditions satisfaisantes sont importantes pour éviter la multiplication des bactéries et réduire les risques de contamination.

Une bonne cuisson des mollusques, et en particulier des moules, est indispensable avant consommation. En effet, les moules sécrètent des toxines qui leur sont propres, les mytilotoxines, qui peuvent être responsables de paralysies mais sont détruites sous l'influence de la chaleur lors de la cuisson.

■ **La prévention des maladies parasitaires** transmises par les mollusques s'appuie sur l'hygiène individuelle, l'apport d'eau potable et l'évacuation des eaux polluées.

La lutte chimique contre les mollusques se heurte à de nombreuses difficultés pratiques et psychologiques : les molluscicides (substances destinées à tuer les mollusques) destinés à traiter les étendues d'eau, dans les pays en voie de développement notamment, ne doivent être toxiques ni pour l'homme ni pour d'autres animaux que les mollusques. Il est difficile de les répandre dans tous les points d'eau utilisés et ils sont peu appréciés des populations.

La lutte biologique utilise l'introduction dans l'eau de gros mollusques qui mangent les espèces vectrices (celles qui hébergent les parasites). L'élevage de canards, qui se nourrissent en partie d'escargots, est aussi un moyen de lutter contre les mollusques terrestres et aquatiques.

Dans les pays en voie de développement, le fait de cimenter les canaux d'irrigation permet la raréfaction des herbes nécessaires à l'existence des mollusques, qui s'y accrochent et s'en nourrissent.

Maladie vénérienne

Maladie infectieuse contagieuse, transmissible par voie sexuelle.

Ce terme, vieilli, désignait naguère des maladies comme la syphilis, la gonococcie, le chancre mou et la lymphogranulomatose vénérienne. On dit aujourd'hui maladie sexuellement transmissible (M.S.T.).

Malaise

État d'inconfort, de degré variable.

Ce mot désigne une sensation pénible, qui peut aller de l'indisposition à l'évanouissement. Il n'est pas utilisé dans le langage médical, qui utilise le terme de syncope ou de lipothymie selon qu'il y a ou non perte de connaissance. Si un malaise se reproduit, il faut consulter un médecin.

Malaria

→ VOIR Paludisme.

Malentendant

Personne dont l'acuité auditive est diminuée.
→ VOIR Hypoacousie.

Malformation

Anomalie morphologique congénitale d'un organe ou d'une partie du corps, décelable dès la naissance ou qui se manifeste dans la petite enfance.

Les malformations sont diverses et de gravité très variable, allant du simple angiome cutané, qui disparaît en cours de croissance, à la malformation sévère, qui rend l'enfant non viable. Elles résultent d'un trouble du développement embryonnaire, c'est-à-dire d'un accident remontant à une période comprise entre la fécondation et le 40e jour de la grossesse (période de formation de la majorité des organes).

De 1,5 à 3 % des nouveau-nés sont porteurs d'une malformation. Celle-ci peut se manifester d'emblée (malformation des membres, malformation cardiaque, par exemple) ou plus tardivement (malformation digestive ou urinaire) ; c'est dire l'importance d'un examen physique approfondi de tout nouveau-né par un pédiatre dans les trois jours qui suivent la naissance.

DIFFÉRENTS TYPES DE MALFORMATION

Tous les organes peuvent être concernés. Les malformations peuvent être isolées ou associées. On en distingue différents types.

■ Les malformations craniosquelettiques (micro- ou macroencéphalie, pied-bot, absence d'un segment de membre, etc.) sont les plus faciles à diagnostiquer.

■ Les malformations neurologiques (spinabifida, sténose de l'aqueduc de Sylvius, responsable d'hydrocéphalie, etc.) bénéficient aujourd'hui d'un diagnostic précoce, voire prénatal.

■ Les malformations cardiovasculaires (communications interventriculaires ou interauriculaires, transposition des gros vaisseaux, coarctation de l'aorte, etc.) peuvent engendrer une insuffisance cardiaque sévère.

■ Les malformations digestives (absence d'un segment plus ou moins important de l'œsophage, sténose du pylore, imperforation anale, etc.) sont souvent à l'origine d'occlusions précoces.

■ Les malformations pulmonaires s'expriment parfois tardivement dans la vie et sont souvent associées à des malformations diaphragmatiques.

■ Les malformations urogénitales (imperforation vaginale chez la fille, valves de l'urètre postérieur chez le garçon) sont à dépister systématiquement le plus tôt possible.

CAUSES

Les causes sont incertaines dans 50 à 70 % des cas. Les autres cas relèvent principalement de trois origines.

■ Les anomalies chromosomiques, dont le risque s'accroît en général avec l'âge de la mère, notamment en ce qui concerne la trisomie 21 (mongolisme), sont les anomalies les plus précoces dans le développement de l'œuf ; elles existent parfois déjà dans le noyau de l'ovule ou du spermatozoïde ou bien surviennent lors des toutes premières divisions cellulaires. On distingue les anomalies de nombre (chromosome surnuméraire ou manquant) et les anomalies de morphologie chromosomique (par exemple, délétion du bras court du 5e chromosome, causant la maladie dite du cri du chat). Toutes les cellules de l'enfant peuvent être atteintes, ou seulement un groupe cellulaire ; on parle alors de mosaïque.

Les malformations entraînées sont en général complexes, associant le plus souvent un certain degré de déficience mentale.

■ Les anomalies héréditaires peuvent être liées à l'anomalie d'un seul gène (hérédité

monofactorielle) ou de plusieurs gènes (hérédité multifactorielle). La transmission du gène anormal peut se faire selon un mode récessif (le gène devant être reçu des deux parents pour que l'anomalie se manifeste chez l'enfant), comme pour la maladie de Friedreich, ou selon un mode dominant (il suffit que le gène en cause soit transmis par l'un des deux parents pour que la maladie se développe chez l'enfant), comme dans le cas du syndrome de Marfan ; le gène anormal peut se situer sur les chromosomes sexuels ou sur les autosomes (chromosomes non sexuels). La fréquence de ce type d'anomalie augmente en cas de consanguinité (enfants issus de deux membres d'une même famille).

■ Les anomalies liées à la grossesse sont multiples. Les substances toxiques ingérées ou inhalées par la mère pendant la grossesse, notamment l'alcool, sont responsables d'une augmentation statistique du nombre des malformations (atteinte en particulier du bassin et des membres inférieurs). Certains médicaments peuvent provoquer des malformations (anticancéreux, thalidomide, certains antibiotiques). Aussi la prise de tout médicament en cours de grossesse ne doit-elle se faire qu'après avis médical. Certaines infections de la mère pendant sa grossesse peuvent également être à l'origine de malformations. Elles sont généralement d'autant plus dangereuses qu'elles surviennent au début de la grossesse, notamment au cours du développement embryonnaire ; la rubéole est responsable de malformations oculaires, cardiaques et auditives, la toxoplasmose (infection parasitaire due à un protozoaire, *Toxoplasma gondii*), d'atteintes oculaires et d'hydrocéphalie, tandis que l'infection à cytomégalovirus peut provoquer une atteinte du cerveau (microcéphalie, calcifications cérébrales) et des anomalies du globe oculaire (microphtalmie) et de la rétine (choriorétinite). Des maladies du métabolisme, tel un diabète mal équilibré chez la mère, l'exposition à des radiations (retombées radioactives, radiographies) augmentent également le risque de malformation.

TRAITEMENT

Lorsqu'il est possible, le traitement est le plus souvent chirurgical (par exemple, dérivation du liquide céphalorachidien en cas d'hydrocéphalie, chirurgie esthétique en cas de fente labiopalatine, chirurgie cardiovasculaire en cas de malformation cardiaque, etc.). Dans un petit nombre de cas, il peut reposer sur la prévention : ainsi, une culotte en abduction (cuisses écartées) ou un harnais prévient la survenue d'une luxation congénitale de la hanche.

DÉPISTAGE

Grâce aux moyens de dépistage apparus depuis quelques années, la fréquence des anomalies congénitales graves chez l'enfant devrait diminuer.

■ L'échographie obstétricale permet d'étudier la morphologie du fœtus dès le 2e trimestre de la grossesse et de dépister les principales malformations (squelettiques et faciales, neurologiques, cardiaques, digestives et urinaires).

■ L'amniocentèse, prélèvement du liquide amniotique, permet le dépistage des anomalies chromosomiques (en particulier celui de la trisomie 21), la détermination du sexe de l'enfant, pour les malformations liées au sexe, et le dosage de certaines substances telles que l'alpha-fœto-protéine, dont le taux est particulièrement élevé dans le spinabifida. L'amniocentèse est devenue quasi systématique lorsque la mère a dépassé l'âge de 38 ans.

■ Le prélèvement du sang fœtal dans le cordon ombilical, sous échographie, permet également le dépistage de certaines malformations, en particulier la détection des aberrations chromosomiques.

■ Le dosage sanguin des hormones de la mère est un indicateur de certaines malformations ; un taux trop important d'hormone chorionique gonadotrophique, par exemple, indique une possibilité de trisomie 21.

■ Le conseil génétique peut être sollicité par un couple ayant déjà un enfant malformé ou atteint d'une maladie génétique, ou encore avant la naissance d'un premier enfant dans le cas d'antécédents familiaux de maladies héréditaires.

Un syndrome malformatif identifié après la naissance d'un enfant impose à l'équipe médicale de regrouper les données cliniques, radiographiques et celles du caryotype en vue d'évaluer les causes possibles du syndrome. Cette démarche vise à identifier un syndrome connu, éventuellement héréditaire, afin d'offrir la possibilité d'un conseil génétique ultérieur. Dans tous les cas, une prise en charge médico-psycho-sociale de l'enfant et de sa famille doit être assurée.

Malherbe (épithélioma calcifié de)

Variété de tumeur cutanée bénigne.

L'épithélioma calcifié de Malherbe est de nature non cancéreuse, contrairement à ce que suggère son nom, impropre mais consacré par l'usage. D'origine vraisemblablement pilaire, il forme un nodule souscutané très ferme, très mobile, indolore, recouvert d'une peau rosée ou bleuâtre. Il faut procéder à une ablation chirurgicale.

Malin

Se dit d'une tumeur cancéreuse susceptible d'infiltrer les tissus voisins et de se généraliser et aussi, plus rarement, d'une affection qui présente un caractère grave et insidieux, par opposition à bénin.

Mallory-Weiss (syndrome de)

Déchirure superficielle et longitudinale de la muqueuse située à la jonction de l'œsophage et de l'estomac.

Le syndrome de Mallory-Weiss survient généralement après d'importants efforts de vomissements et se manifeste par une hémorragie digestive haute (vomissements de sang rouge), qui peut être massive. Plus souvent, le saignement est modéré et évolue favorablement sans traitement. Le diagnostic se fait par endoscopie (fibroscopie œso-gastro-duodénale). Le traitement est presque toujours médicamenteux (antiémétiques, antisécrétoires) et peut faire appel aux transfusions en cas d'hémorragie massive. Une intervention chirurgicale peut être pratiquée en cas d'hémorragie non contrôlée par le traitement médical.

Malocclusion dentaire

Mauvaise imbrication de l'ensemble des dents d'un maxillaire par rapport à l'autre lorsque la bouche est fermée.

Une malocclusion peut être à l'origine de migraines, de craquements articulaires (situés en avant de l'oreille), de spasmes musculaires gênant l'ouverture de la bouche. La plupart du temps, il est possible de la traiter par meulage léger des dents, par pose d'une prothèse ou d'un appareil dentaire, ces trois techniques pouvant être associées.

→ VOIR Occlusion dentaire.

Malpighi (Marcello)

Médecin italien (Crevalcore 1628 - Rome 1694).

Après avoir été professeur à l'université de Bologne, il devint, en 1691, médecin particulier du pape Innocent XII. Il fut parmi les premiers à utiliser le microscope pour l'étude de la matière vivante. On lui doit notamment la découverte des glomérules du rein, qui portent son nom, celle du corps muqueux, qui constitue la couche profonde de l'épiderme, et celle des manchons de tissu lymphoïde situés autour des artérioles de la rate. Il a laissé plusieurs ouvrages d'anatomie.

Malrotation rénale

Anomalie congénitale du rein, dans laquelle le bassinet (partie de l'appareil excréteur du rein), normalement situé sur le bord interne du rein, est placé sur sa face antérieure.

La malrotation rénale peut toucher un seul rein ou les deux. Les reins, qui se trouvent au bas de l'abdomen pendant la vie fœtale, effectuent, au fur et à mesure de la croissance de la colonne vertébrale, une remontée vers les fosses lombaires, où ils se situent définitivement. Cette remontée s'accompagne d'un mouvement de rotation, qui peut ne pas se faire normalement. Dans ce cas, le rein adulte est dit malroté. Cette malformation est le plus souvent découverte à l'occasion d'une urographie intraveineuse. Elle n'a aucune conséquence pathologique et ne nécessite aucun traitement.

Malte (fièvre de)

→ VOIR Brucellose.

Malvoyant

Personne dont la vue est diminuée.

→ VOIR Amblyopie, Cécité.

Mamelon

Saillie centrale du sein.

Le mamelon est cerné par l'aréole, surface annulaire plus ou moins pigmentée et d'étendue variable. À son sommet s'ouvrent des pores où débouchent les canaux galactophores (excréteurs du lait). Le mamelon est entouré de fibres musculaires, lisses, circulaires et radiées, qui assurent sa mobilité. Richement vascularisé et innervé, il est érectile et très sensible (toucher, douleur).

PATHOLOGIE

Chez la mère qui allaite, une invagination du mamelon empêche le nourrisson de téter et nécessite l'emploi d'un tire-lait. La macération peut causer des crevasses (fissures) douloureuses. Des soins d'hygiène et l'utilisation temporaire d'une téterelle (appareil facilitant la tétée) assurent habituellement la guérison.

La maladie de Paget du mamelon est une lésion superficielle qui précède la survenue d'un cancer mammaire chez la femme âgée.

Un mamelon malformé ou insuffisamment saillant peut être traité chirurgicalement (mamilloplastie).

Mamelon surnuméraire

Petite malformation arrondie ou ovale présentant en son centre un élément saillant qui rappelle l'aspect du mamelon du sein.

Les mamelons surnuméraires, au nombre de un ou de deux, siègent sur une ligne à peu près verticale qui part du mamelon normal et va jusqu'à l'aine. Bénins, ils ne nécessitent aucun traitement.

Mamilloplastie

Intervention chirurgicale consistant à corriger une malformation ou une déformation du mamelon et de l'aréole du sein.

Une mamilloplastie se pratique, par exemple, quand le mamelon n'est pas suffisamment saillant, pour permettre l'allaitement ou pour des raisons esthétiques. Elle est réalisée au moyen d'un lambeau cutané et n'entraîne aucune séquelle, sauf, exceptionnellement, une nécrose de ce lambeau.

Mammaire

Qui concerne le sein.

La physiologie mammaire étudie la fonction de la glande mammaire ; la pathologie mammaire regroupe les maladies touchant le sein (infection, tumeur, kyste et abcès, par exemple) ; la chirurgie mammaire comporte toutes les interventions concernant le sein : ablation (mastectomie), reconstruction (mammoplastie), interventions esthétiques modifiant son volume ou corrigeant une ptôse (affaissement).

→ VOIR Sein.

Mammectomie

→ VOIR Mastectomie.

Mammographie

Examen radiologique des seins.

La mammographie permet le dépistage de lésions précancéreuses de petite taille, non encore décelables à la palpation, et rend donc possible un traitement précoce.

MAMELON

Vers le mamelon convergent les canaux galactophores, issus des glandes qui sécrètent le lait après l'accouchement.

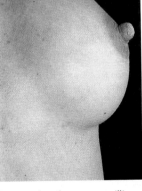

Le mamelon forme une saillie au centre de l'aréole.

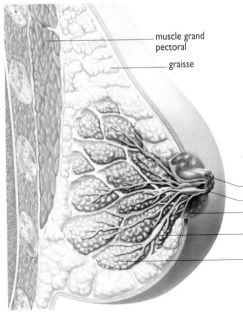

- muscle grand pectoral
- graisse
- mamelon
- orifice d'un conduit galactophore
- aréole
- canal galactophore
- lobule renfermant les alvéoles

Mammographie

La mammographie, recommandée tous les deux ans à partir de l'âge de 50 ans en l'absence de facteur de risque, permet le dépistage des lésions précancéreuses et cancéreuses des seins.

DÉROULEMENT

L'examen doit être de préférence réalisé durant la première moitié du cycle. Il est toujours bilatéral et comporte au moins deux clichés (face et profil) de chaque sein, parfois trois (un cliché de biais permettant l'exploration du creux axillaire). Le radiologue place la patiente, qui a préalablement dénudé le haut de son corps, devant l'appareil et, avant chaque cliché, il comprime le sein entre le plateau porte-film et une plaque transparente. L'examen dure environ 20 minutes et, le développement étant immédiat, des clichés complémentaires sont effectués si c'est nécessaire.

Aucune préparation n'est requise, sauf lorsqu'un écoulement par le mamelon a été constaté, auquel cas une opacification préalable des canaux galactophores par injection d'un produit de contraste est effectuée (galactographie). L'examen ne s'accompagne d'aucun effet secondaire.

INDICATIONS

Une mammographie systématique est conseillée tous les 2 ans chez les femmes à partir de 50 ans. Elle est aussi effectuée sur avis médical lorsqu'une femme présente un risque accru de cancer du sein (famille à risque, antécédents personnels, mastose fibrokystique). Elle ne dispense ni de l'autopalpation des seins ni de la consultation médicale effectuée régulièrement.

La mammographie est un examen aux rayons X, qui emploie de faibles doses de rayonnements mais qui, néanmoins, doit être évité chez la femme enceinte.

La flèche (en haut) signale une petite lésion bénigne sur le sein.

Mammoplastie

Intervention chirurgicale destinée à modifier l'apparence des seins. SYN. *mastoplastie, plastie mammaire*.

INDICATIONS

Une mammoplastie se justifie par des difficultés physiques, psychologiques (complexe, frustration) et sociales (gêne vestimentaire) causées par l'apparence de la poitrine féminine et, parfois, masculine. Les indications de l'opération sont variées :
- hypertrophie mammaire (seins très volumineux) pouvant avoir des répercussions sur la statique de la colonne vertébrale en raison du poids des seins ;
- gynécomastie (développement anormal des glandes mammaires chez l'homme), parfois due à une tumeur du sein ou à une anomalie endocrinienne ;
- ptôse mammaire (seins très tombants), d'origine congénitale ou acquise (grossesse, allaitement, amaigrissement important) ;
- hypotrophie mammaire (seins très petits), congénitale ou survenue après une grossesse ou un régime amaigrissant, qui donne au sein une forme glandulaire ;
- asymétrie mammaire ;
- absence d'un sein ou des deux seins, consécutive, dans la majorité des cas, à une ablation à la suite d'un cancer du sein.

PRÉPARATION ET DÉROULEMENT

L'intervention doit être précédée d'un entretien avec le chirurgien, qui s'assure du bien-fondé de la demande, en évalue le retentissement psychologique et choisit avec les patients la meilleure solution technique parmi les différents procédés possibles pour chaque type d'intervention.

L'opération se pratique à tous âges sous anesthésie générale, après un bilan préopératoire complet, et dure environ deux heures, sauf dans les cas d'une gynécomastie traitée par liposuccion (aspiration de la graisse). Le chirurgien incise le sein de façon à ne laisser qu'une cicatrice aussi petite que possible, en ayant le souci de préserver le mamelon et l'aréole. La taille de la cicatrice varie selon les cas et peut parfois être limitée au pourtour de l'aréole. La durée d'hospitalisation est de 2 à 5 jours.

■ En cas d'hypertrophie ou de ptôse mammaire, la patiente est opérée en position assise afin de faciliter le travail de « sculpture » effectué par le praticien. L'incision se fait le plus souvent autour de l'aréole puis descend verticalement sur une longueur de 4 à 6 centimètres jusqu'au sillon sous-mammaire, qu'elle suit brièvement. Le chirurgien retire une partie de la glande mammaire, de la graisse et de la peau. Le tissu restant est remodelé en un cône, sur lequel le chirurgien drape la peau. Le mamelon et l'aréole sont placés à la fin de l'opération, en tenant compte de la légère retombée du sein, prévisible dans les mois suivant l'intervention. La patiente doit porter un pansement de protection pendant une dizaine de jours. Les fils sont enlevés entre le 4e et le 12e jour après l'opération.

■ La gynécomastie se traite par ablation de la glande mammaire, pratiquée grâce à une incision le long de l'aréole. Des gynécomasties essentiellement graisseuses peuvent être traitées par liposuccion (aspiration de la graisse). Le patient ressent des douleurs pendant 21 jours.

■ En cas d'hypotrophie mammaire ou d'absence de sein(s), le chirurgien reconstruit le sein en implantant une prothèse, qui se place devant ou derrière le muscle pectoral. La prothèse est constituée le plus souvent d'une enveloppe en silicone solide gélifiée, qui est remplie de silicone liquide ou gonflée par du sérum physiologique. La mise en place d'une prothèse se fait soit par incision dans l'aisselle, ce qui permet de placer la prothèse derrière le muscle pectoral, soit sur le pourtour de l'aréole – la prothèse étant alors placée derrière la glande mammaire. En cas d'insuffisance de peau après une ablation du sein motivée par un cancer, il peut être nécessaire de pallier le manque de tissu par l'utilisation d'une surface de peau complémentaire (lambeau musculo-cutané prélevé sur une autre partie du corps, flanc, dos ou abdomen, par exemple).

CONVALESCENCE

La convalescence dure entre une semaine et un mois.

En cas d'opération pour hypertrophie ou ptôse mammaire, la glande mammaire est le siège d'un œdème postopératoire qui disparaît progressivement au bout d'une période allant de six semaines à deux mois environ. Si l'on a posé une prothèse pour augmenter le volume du sein, des massages postopératoires maintiennent un « flottement » de celle-ci. Les sensations douloureuses dues à la mise en place des prothèses disparaissent au bout de quelques jours. Lorsque l'incision a été faite dans l'aisselle, les douleurs postopératoires sont plus intenses, la mise en place définitive de la prothèse étant alors plus difficile et plus longue. Selon les types de peau, les cicatrices évoluent de manière plus ou moins rapide. La sensibilité mammaire est diminuée pendant quelques mois puis se rétablit peu à peu. Il est préférable de porter un soutien-gorge pendant les premiers mois.

COMPLICATIONS

Un hématome peut se former. S'il ne se réduit pas spontanément, il devra être évacué chirurgicalement.

Une infection se produit dans moins de 1 % des cas. Selon son degré de gravité, elle consiste en un simple rejet des fils ou en un véritable abcès du sein, qui devra être drainé chirurgicalement.

Des cicatrices rouges et épaisses ou des cicatrices assez larges sont parfois visibles après l'opération, la capacité de cicatrisation des téguments mammaires étant très variable d'une patiente à l'autre. Ces cicatrices peuvent être reprises lors d'une seconde opération, entre six mois et un an après la première.

En cas de mammoplastie réalisée pour traiter une hypertrophie mammaire sur des seins anormalement fibreux et de mauvaise qualité lactifère (la glande mammaire étant peu fonctionnelle), l'allaitement peut n'être plus possible, car certains des canaux qui conduisent le lait sont coupés au cours de la mammoplastie.

La récidive de l'hypertrophie mammaire est possible mais représente moins de 5 % des cas et apparaît surtout chez les jeunes femmes opérées avant d'avoir eu leur premier enfant.

La qualité de la peau n'étant pas évaluable avant l'opération, les seins opérés peuvent retomber si la trame élastique de la peau qui soutient le sein est de mauvaise qualité. Une seconde opération est également envisageable dans ce cas.

Les prothèses mammaires gonflables peuvent éventuellement se dégonfler. Le sérum physiologique se répand alors dans l'organisme. Le phénomène est sans danger mais l'opération doit alors être recommencée.

Les prothèses mammaires en silicone, qui ne sont plus mises en place dans le cadre de la chirurgie esthétique, peuvent provoquer, autour de la prothèse, des « coques », ou cicatrices fibreuses, entraînant un durcissement du sein. Mais l'amélioration de la qualité des prothèses a permis de diminuer considérablement ce risque : environ 5 % seulement des opérations entraînent aujourd'hui la formation de coques.
→ VOIR Chirurgie esthétique, Mastectomie, Sein (cancer du).

Mandibule

→ VOIR Maxillaire.

Mandrin

Tige cylindrique amovible en métal ou en plastique qui, adaptée à la lumière d'une aiguille, d'un cathéter ou d'un trocart, est susceptible de l'obturer.

Le mandrin peut avoir une extrémité droite ou biseautée. Placé dans une aiguille, un cathéter ou un trocart, il est retiré lorsque ces instruments sont en place et laisse ainsi s'écouler le liquide : sang ou pus lors de prélèvements ou d'évacuation d'épanchements ; produit de lavage, vaccin ou médicament lors d'une injection. En cas de prélèvements répétés, le mandrin peut rester dans le trocart et fait alors fonction d'obturateur entre deux prélèvements.

Manganèse

Oligoélément indispensable à l'organisme, qui intervient dans diverses réactions enzymatiques (synthèse du collagène, construction des os et des articulations, métabolisme des glucides, des stéroïdes et de certaines hormones protéiniques).

Le corps d'un adulte contient environ 20 milligrammes de manganèse (Mn), répartis dans les os, le foie et les reins. Les apports journaliers recommandés sont de l'ordre de 4 milligrammes. Seuls les légumes verts, les céréales et les légumes secs sont relativement riches en manganèse. Un excès de calcium, de fer ou de phosphore diminue son absorption. Les risques de carence sont extrêmement réduits, sauf dans les régions où les sols en contiennent peu. La toxicité du manganèse est faible et ne s'observe que dans des circonstances particulières (intoxication professionnelle).

Manie

État d'agitation caractérisé par une exaltation de l'humeur et une surexcitation psychomotrice permanente.

Une manie peut survenir en cas de sénilité, d'intoxication (amphétamines, corticostéroïdes, antituberculeux), de psychose maniacodépressive, d'affections neurologiques (tumeur, encéphalite, traumatisme crânien) ou endocriniennes (hyperthyroïdie). Elle se traduit par une hyperactivité, une accélération de la pensée, un flux intarissable de paroles, un sentiment d'euphorie, de puissance et d'infatigabilité, une tendance à la boulimie et à l'insomnie. La majorité des maniaques ne sont pas dangereux, mais certains peuvent se laisser entraîner à des actes antisociaux (rixe, scandale public, etc.).

TRAITEMENT

Il repose sur l'administration de neuroleptiques et nécessite souvent l'hospitalisation du sujet. Il est en général efficace à court terme. Le traitement de fond de la manie dépend de sa cause.

Manipulation

Mouvement forcé manuellement d'une partie du corps, le plus souvent une articulation ou un muscle.

Une manipulation doit pousser à l'extrême les limites physiologiques de la partie du corps en cause, mais sans jamais les dépasser. Elle peut être pratiquée par un membre du corps médical pour réduire manuellement une luxation – c'est-à-dire remettre en place les deux extrémités osseuses luxées –, mobiliser sous anesthésie une épaule bloquée ou un genou devenu raide à la suite d'une polyarthrite, d'une immobilisation de longue durée, etc.

Dans le langage courant, le terme « manipulation » est souvent employé comme synonyme de vertébrothérapie ou de chiropractie, une méthode de traitement paramédicale consistant à manipuler les vertèbres et sujette à de nombreuses controverses. En effet, ces manipulations ne sont jamais sans danger, car à proximité de la vertèbre traitée se trouvent les racines nerveuses commandant la sensibilité et la motricité de tout un étage de l'organisme, dont la lésion peut provoquer une paralysie motrice et une anesthésie sensitive. Une manipulation vertébrale est donc un acte médical devant être effectué avec la maîtrise d'une expérience technique et d'une bonne connaissance anatomique.

Manipulations génétiques

→ VOIR Génie génétique.

Mannosidose

Maladie héréditaire de la famille des mucolipidoses, causée par un déficit en une enzyme particulière, l'alpha-mannosidase.

Une mannosidose est une maladie rare qui se transmet par les chromosomes autosomes (non sexuels) sur un mode récessif, c'est-à-dire que le gène en cause doit être reçu du père et de la mère pour que l'enfant développe la maladie.

Cette affection se traduit par un retard mental et psychomoteur, par des déformations osseuses, visibles notamment sur le visage, et par une grosse langue, une cataracte particulière, dite en roue de charrette, un gros foie et une rate volumineuse.

Il est possible de proposer aux couples à risque un conseil génétique avant la conception et un dépistage de la maladie *in utero,* mais il n'existe, en l'état actuel des connaissances, aucun traitement.

Manométrie

Méthode de mesure et d'enregistrement des pressions qui règnent à l'intérieur d'un segment du tube digestif, essentiellement d'un sphincter.

La manométrie permet de détecter un certain nombre de maladies, organiques ou fonctionnelles. Elle représente un moyen d'étude important du fonctionnement du tube digestif. La technologie des appareils est complexe : un capteur perçoit des variations de pression à l'extrémité d'une sonde, puis l'information est conduite jusqu'à un appareil enregistreur. Le choix des capteurs et des modes d'enregistrement dépend des organes explorés.

DIFFÉRENTS TYPES DE MANOMÉTRIE

■ **La manométrie anorectale** explore les troubles de la défécation : incontinence, constipation grave, et aide à diagnostiquer la maladie de Hirschsprung (mégacôlon congénital). Une sonde comportant plusieurs ballonnets est introduite par voie basse. Certains de ces ballonnets, gonflables, servent à stimuler la paroi du rectum. Les autres captent les pressions et permettent d'explorer les contractions anorectales. L'examen, qui dure de 30 à 45 minutes, entraîne un léger inconfort. Il ne nécessite pas d'être à jeun mais un lavement préalable est demandé.

■ **La manométrie œsophagienne** sert à diagnostiquer l'achalasie (défaut de relâchement d'un sphincter de l'œsophage) ainsi que d'autres troubles, plus rares, de la motricité digestive, tels que des spasmes douloureux pouvant faire croire à un angor. Une sonde-manomètre est introduite dans l'œsophage et les pressions sont enregistrées au cours des mouvements de déglutition. Cet examen requiert le jeûne préalable mais ne nécessite pas d'anesthésie. Sa durée est de 30 à 45 minutes.

■ **La manométrie de l'intestin grêle** permet de dépister certaines maladies rares de cet organe. L'examen comporte le passage par le nez, puis l'ingestion d'une sonde-manomètre. On attend ensuite que les mouvements spontanés de l'estomac et de l'intestin conduisent l'extrémité de la sonde dans l'intestin grêle. Les variations de pression liées aux mouvements de l'intestin grêle sont alors longuement enregistrées. L'examen est déplaisant et fastidieux, mais non douloureux. Il ne nécessite ni jeûne, ni préparation, ni anesthésie et dure plusieurs heures.

Marasme

État pathologique dû à un apport énergétique insuffisant. SYN. *athrepsie*.

Le marasme s'observe surtout, à l'état endémique, dans les pays en voie de développement. Dans les pays développés, il résulte le plus souvent d'un défaut d'absorption digestive, d'une anorexie ou encore d'une maladie provoquant un accroissement très important des dépenses énergétiques (cancer en particulier). Le marasme se traduit par une maigreur extrême. La perte de poids est progressive : fonte des réserves adipeuses, suivie d'une fonte plus lente des réserves protéiniques, notamment des muscles. À la différence du kwashiorkor, il n'y a pas d'œdème.

En l'absence de traitement, l'issue du marasme est fatale. Son traitement repose sur une renutrition progressive et prudente.

→ VOIR Dénutrition.

Marburg (virus de)

Virus à A.R.N. appartenant à la famille des *Filoviridæ*, responsable d'une fièvre hémorragique africaine, et dont le réservoir est un cercopithèque, le singe vert africain.

Le virus de Marburg a été mis en évidence en 1967, à l'occasion d'une épidémie survenue dans un laboratoire médical de Marburg (Allemagne) utilisant les singes verts africains.

Le tableau clinique de l'infection est proche de celui dû au virus *Ebola,* responsable d'épidémies très contagieuses, caractérisées par un syndrome pseudogrippal avec état de choc et hémorragies abondantes.

Il n'existe pas de traitement en dehors de celui des symptômes.

Marche

Mouvement acquis, en général, au cours de la deuxième année de la vie, permettant le déplacement du corps sur les deux pieds dans une direction déterminée.

TROUBLES DE LA MARCHE

Les troubles de la marche constituent l'un des principaux motifs de consultation médicale. Leurs origines comme leurs aspects sont multiples : oscillations anormales, temps d'appui allongé ou raccourci, modification de la longueur d'un pas ou mauvais appui sur le pied. Chez certains sujets âgés, la marche peut être perturbée (petits pas, tendance à la chute, perte d'équilibre vers l'arrière) sans raison identifiable.

■ **Une atteinte ostéoarticulaire** (affection du pied, du genou, de la hanche, séquelles d'un traumatisme, raccourcissement d'un membre par rapport à un autre) peut entraîner une claudication, causant elle-même un trouble plus ou moins important de la marche.

■ **Une atteinte neurologique,** qu'elle soit d'origine cérébrale (hémiplégie) ou périphérique (poliomyélite), entraîne une altération importante de la marche et de l'équilibre.

■ **Une atteinte d'ordre plus général** (essoufflement, fatigue intense, dénutrition) peut troubler le mécanisme de la marche.

→ VOIR Locomoteur (appareil).

Marche
(retard à l'apprentissage de la)

Absence de marche autonome passé l'âge de 18 mois.

L'âge d'apparition de la marche est variable ; cependant, 90 % des enfants marchent à 15 mois.

CAUSES

■ **Les retards simples,** les plus fréquents, sont souvent familiaux, sans doute liés à la maturation du système nerveux. L'enfant se déplace en général à quatre pattes, sur le ventre ou sur le siège. Son développement psychomoteur est par ailleurs normal.

■ **Les retards psychologiques** sont dus à un cadre affectif ou social perturbé de l'enfant, qui peut engendrer un manque de confiance en soi se traduisant par des difficultés lors de l'apprentissage de la marche.

■ **Les retards avec anomalies neurologiques** correspondent à une infirmité motrice cérébrale, ensemble des conséquences motrices d'une lésion cérébrale survenue pendant la grossesse, l'accouchement ou lors de la période néonatale. Ils peuvent comporter un trouble de la marche de gravité très variable, de la simple maladresse à une paralysie des membres.

■ **Les anomalies des muscles et du squelette** (pied-bot, luxation congénitale de la hanche) peuvent entraîner d'importantes perturbations motrices, la marche se révélant difficile ou impossible.

TRAITEMENT

Les retards simples ne nécessitent aucun traitement, les enfants finissant par marcher spontanément après un délai variable ; des exercices (déplacement en position verticale en poussant un tabouret, jeu tel que le chariot avec poignée poussé par l'enfant) peuvent favoriser l'apprentissage de la marche. De même, les retards psychologiques évoluent favorablement, pourvu que le contexte socio-affectif s'améliore.

Les autres causes sont de pronostic variable ; une consultation pédiatrique s'impose, avec avis d'un neuropédiatre, pour rechercher une origine infectieuse, inflammatoire, métabolique, dégénérative ou héréditaire. La rééducation est un élément très important, notamment pour les infirmités motrices cérébrales.

Marchiafava-Micheli (maladie de)

Maladie très rare de la moelle osseuse, d'évolution chronique, caractérisée par des crises intermittentes d'hémolyse (destruction pathologique des globules rouges). SYN. *hémoglobinurie paroxystique nocturne*.

La maladie de Marchiafava-Micheli résulte de l'absence acquise, sur quelques cellules souches myéloïdes, de certaines protéines qui protègent les cellules contre l'activité destructrice du complément (système de protéines sériques intervenant dans les réactions de défense immunitaire). En l'absence de ces protéines, les cellules, tout particulièrement les globules rouges, deviennent anormalement sensibles à son action. Les cellules souches myéloïdes, en se multipliant, donnent naissance à une population de plus en plus nombreuse de cellules sensibles. La maladie de Marchiafava-Micheli se déclenche à l'occasion d'une infection ou d'une transfusion. Elle s'accompagne souvent de thromboses (obturation par des caillots) des artères ou des veines. On observe également une diminution des autres cellules sanguines (plaquettes, globules blancs).

TRAITEMENT

Il repose sur la transfusion de globules rouges lavés (prélevés, puis débarrassés du plasma et ensuite placés dans un liquide physiologique avant d'être réinjectés), pour réduire les risques d'hémolyse, lorsque l'anémie le justifie. Un apport de fer peut être nécessaire en cas de carence. Si la maladie évolue vers une aplasie (disparition des cellules hématopoïétiques de la moelle osseuse), une greffe de moelle doit être envisagée, sous réserve de trouver un donneur compatible et si l'âge du patient le permet.

La maladie de Marfan est une anomalie génétique localisée sur le chromosome 15 et transmise héréditairement. Les signes les plus visibles proviennent de l'atteinte du squelette : le sujet est anormalement grand et mince, ses membres sont allongés (surtout leurs extrémités, mains et pieds), son thorax est déformé par un renfoncement à la base du sternum. Toutefois, ce sont les malformations du cœur et des vaisseaux qui font la gravité de la maladie.

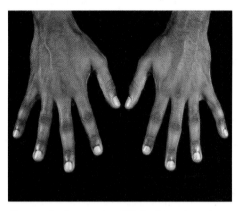

L'aspect plus long et plus effilé des doigts des mains et des pieds, appelé arachnodactylie, fait partie des anomalies morphologiques caractéristiques de la maladie de Marfan. Il s'y associe une hyperlaxité articulaire. Le diagnostic de la maladie peut être établi durant l'enfance au vu de telles déformations.

Dès les premières années de sa vie, le malade est trop grand pour son âge et présente une déformation rachidienne caractéristique, ses membres sont démesurément allongés et son thorax est creusé.

Marey (Étienne Jules)
Physiologiste et inventeur français (Beaune 1830 - Paris 1904).

Créateur, en 1887, de la chronophotographie, procédé dont dérive le cinématographe, Étienne Marey perfectionna l'emploi des appareils graphiques destinés à l'étude des phénomènes physiologiques, permettant ainsi de grands progrès dans la connaissance du fonctionnement d'organes tels que le cœur et les poumons.

Marfan (maladie de)
Affection héréditaire du tissu conjonctif entraînant des anomalies du cœur, du squelette et des yeux. SYN. *Syndrome de Marfan*.

La maladie de Marfan est une maladie génétique qui se transmet sur un mode autosomique (par les chromosomes non sexuels) dominant (il suffit que le gène en cause soit reçu de l'un des parents pour que la maladie se développe). Le gène responsable a été localisé en 1990 sur le chromosome 15. Le défaut du tissu conjonctif est dû à une anomalie des microfibrilles qui participent à la cohérence de ce tissu. Le développement intellectuel des enfants atteints de la maladie de Marfan est normal.

SYMPTÔMES ET SIGNES
L'affection est en général diagnostiquée après l'âge de 10 ans. Les sujets atteints sont maigres, très grands ; leur tonicité musculaire est réduite. Ils peuvent présenter l'ensemble des anomalies propres à la maladie ou seulement certaines d'entre elles, et cela à des degrés variables.

■ **Les anomalies du squelette** comportent un allongement des membres et une arachnodactylie (doigts en patte d'araignée). Les articulations sont lâches (hyperlaxité), ce qui favorise de fréquentes luxations. L'avant du thorax est déformé en entonnoir (une dépression se creuse à la partie basse du sternum). Les sujets atteints présentent souvent aussi une scoliose et une accentuation de la cyphose dorsale (dos rond). Le visage et le palais sont étroits.

■ **Les anomalies cardiovasculaires** sont d'intensité très variable. Elles se manifestent par une dilatation avec ou sans anévrysme de l'aorte ascendante, plus rarement de l'aorte thoracique ou abdominale et de l'artère pulmonaire, ou par un prolapsus valvulaire mitral.

■ **L'anomalie oculaire** la plus fréquente est une ectopie (déplacement) du cristallin, due à une fragilité de ses ligaments suspenseurs. Elle engendre une myopie.

TRAITEMENT ET PRONOSTIC
Outre la correction éventuelle des différents signes, il n'existe pas de traitement de la maladie elle-même. Le pronostic dépend essentiellement de l'atteinte cardiovasculaire, les patients devant être surveillés régulièrement par échographie cardiaque pour évaluer l'évolution des lésions et pratiquer à temps une intervention chirurgicale sur l'aorte (prothèse). Une attention particulière doit être accordée à la prévention de la scoliose.

Il est possible, pour les familles des sujets atteints, de recourir à un conseil génétique.

Margarine
Corps gras alimentaire constitué par une émulsion stabilisée de matières grasses et d'eau.

La partie grasse (ou phase grasse) de la margarine se compose soit d'un mélange d'huiles végétales (tournesol, colza, arachide, soja, coprah), soit d'un mélange d'huiles végétales et animales (saindoux, huiles de poisson) ou encore d'une huile dominante (margarine au tournesol, au maïs). Elle est additionnée d'émulsifiants et de conservateurs, auxquels peuvent être également ajoutées des vitamines A et E. La partie aqueuse (ou phase aqueuse) se compose d'eau et/ou de lait.

La margarine contient au moins 82 % de lipides, au plus 16 % d'eau et apporte autant de calories que le beurre, soit 760 kilocalories pour 100 grammes. La margarine allégée contient de 41 à 65 % de matières grasses, les pâtes à tartiner à teneur en lipides réduite, de 20 à 41 %. La teneur de la margarine en vitamine E et en acides gras varie selon son mode de fabrication et les matières grasses utilisées. Certaines fabrications font apparaître une quantité plus ou moins importante d'acides gras dits « trans » (acides gras entraînant une augmentation du taux sanguin de cholestérol LDL – mauvais cholestérol – et une diminution du taux sanguin de cholestérol HDL – bon cholestérol), qui augmentent les risques de maladies cardiovasculaires.

Marisque
Petit nodule ferme du pourtour de l'anus, de la couleur de la peau.

Séquelle d'une thrombose (formation d'un caillot) hémorroïdaire externe, une marisque est indolore, ne comporte aucun risque et ne nécessite aucun traitement.

Marmorisation
Augmentation excessive de la densité de l'os, dont l'aspect devient proche de celui du marbre. SYN. *éburnation*.

Une marmorisation peut être localisée ou généralisée, témoignant alors d'une maladie générale du squelette.

■ **Les marmorisations localisées** affectent le plus souvent les vertèbres. Elles sont dues aux métastases ostéocondensantes de certains cancers (cancer de la prostate, notamment), à des maladies hématologiques malignes (maladie de Hodgkin) ou encore à des affections osseuses (maladie de Paget).

■ **Les marmorisations généralisées** sont généralement dues à l'ostéopétrose, une affection génétique connue aussi sous les noms de maladie des os de marbre et de maladie d'Albers-Schönberg, dans laquelle les os sont très fragiles malgré leur aspect dense à la radiographie. Plus rarement, une fluorose (affection liée à une intoxication chronique au fluor d'origine hydrotellurique ou industrielle), si elle est massive, peut provoquer une marmorisation du squelette.

DIAGNOSTIC ET TRAITEMENT

La marmorisation se traduit sur les radiographies par une opacité excessive des os atteints généralisée à tout le squelette en cas d'ostéopétrose et de fluorose ; son traitement dépend de sa cause.

Marqueur

Substance chimique utilisée pour étudier un phénomène, une maladie ou une autre substance. SYN. *traceur.*

Certains marqueurs sont présents dans le corps humain, à l'état normal ou pathologique. Les marqueurs tumoraux, en particulier, sont des substances biologiques synthétisées par des cellules cancéreuses ou saines de l'organisme en réponse à la présence d'une tumeur.

D'autres types de marqueur sont utilisables : substances radioactives pour des examens en médecine nucléaire (scintigraphie), désignées par l'expression de traceur radioactif ; substances fluorescentes pour réaliser des examens de laboratoire (immunofluorescence [utilisation d'anticorps fluorescents anti-immunoglobulines humaines pour mettre en évidence celles-ci sur des cellules examinées au microscope]).

Marqueur génétique

Séquence d'A.D.N. variable selon les individus mais dont la localisation est parfaitement connue. SYN. *indicateur, traceur.*

Une séquence d'A.D.N. est un enchaînement de bases (substances alcalines). Cet enchaînement est à peu près semblable chez tous les individus, sauf à certains endroits, qui, une fois repérés, sont appelés marqueurs génétiques. Ils peuvent être mis en évidence par les techniques de la biologie moléculaire et sont utilisés pour le dépistage prénatal de maladies comme l'hémophilie ou certains cas de mucoviscidose. Les marqueurs génétiques permettent également de repérer des gènes inconnus (responsables de certaines maladies) sur les chromosomes dans le dessein de les isoler ultérieurement.

Si, sur un échantillon de population, un marqueur génétique est transmis en même temps qu'une maladie héréditaire, on peut en déduire que le marqueur génétique est à côté du gène de la maladie, voire à l'intérieur. La place du marqueur génétique sur le chromosome étant connue, le gène responsable de la maladie peut être localisé puis isolé.

Marqueur radioactif

→ VOIR Traceur radioactif.

Marqueur tumoral

Substance sécrétée par des cellules cancéreuses ou par des tissus sains en réponse à la présence d'une tumeur.

■ **Les substances sécrétées par les cellules cancéreuses** comprennent elles-mêmes plusieurs catégories : les antigènes oncofœtaux, normalement présents uniquement chez le fœtus, comme l'antigène carcinoembryonnaire, ou A.C.E. (cancers du côlon, du rectum), et l'alpha-fœto-protéine, ou A.F.P. (cancer du testicule) ; des enzymes telles que la phosphatase acide, d'origine prostatique (cancer de la prostate), et l'énolase neurospécifique (tumeur d'origine neuro-endocrinienne) ; des hormones, représentées par la thyrocalcitonine et la thyréoglobuline (cancer de la glande thyroïde), les catécholamines (neuroblastome), l'hormone gonadotrophique chorionique (cancers de l'ovaire et du testicule) ; des protéines antigéniques comme l'antigène spécifique prostatique, ou PSA, le CA 15-3 (cancer du sein), le CA 19-9 (cancers du pancréas et de l'estomac), le CA 125 (cancer de l'ovaire), le CA 50 (cancers du côlon, du rectum et du foie).

■ **Les substances sécrétées par des cellules normales de l'organisme,** en réponse à la présence du cancer, sont observées en cas de dissémination du cancer soit dans le foie (bêta-2-microglobuline, 5'-nucléotidase, phosphatases alcalines), soit dans les os (phosphatases alcalines, hydroxyproline).

UTILISATION DIAGNOSTIQUE

Les marqueurs tumoraux sont décelables dans le tissu cancéreux prélevé par des techniques histologiques et peuvent être également dosés dans le sang, les épanchements séreux, les urines et le liquide céphalorachidien par méthode biochimique ou immunologique. Ils sont utilisés principalement pour suivre l'évolution d'un cancer et l'efficacité d'un traitement. Ils ont aussi un intérêt diagnostique, mais uniquement lorsque leur dosage est associé à d'autres techniques telles que la radiologie, l'échographie, la ponction-biopsie, etc. En ce qui concerne le dépistage précoce des cancers, leur intérêt est minime et limité à quelques types de cancer pour lesquels il existe un caractère familial (cancer médullaire de la thyroïde, par exemple). En outre, il n'existe actuellement pas de marqueur de la maladie cancéreuse qui soit totalement spécifique et assez sensible pour être utilisé dans le dépistage de la maladie cancéreuse. L'intérêt de la recherche et du dosage des marqueurs tumoraux réside dans la surveillance du cancer après traitement : la réapparition ou la nouvelle augmentation du marqueur peut témoigner d'une récidive locale ou à distance (métastase) et incite à la rechercher pour faire un nouveau traitement. Enfin, des utilisations thérapeutiques sont également à l'étude (anticorps dirigés contre des marqueurs tumoraux et porteurs de médicaments anticancéreux).

Marsupialisation

Technique chirurgicale de drainage d'un abcès, que l'on ouvre vers l'extérieur.

Une marsupialisation se pratique surtout pour drainer un abcès superficiel, par exemple l'abcès d'une des deux glandes de Bartholin (situées de part et d'autre de l'entrée du vagin). Le chirurgien incise l'abcès puis suture les berges de l'ouverture ainsi créée à la peau pour que la poche communique directement avec l'extérieur. Les points de suture sont retirés au bout de quelques jours. Cette technique empêche l'abcès de se refermer et le pus de se reformer.

Marteau

Osselet de l'oreille moyenne. (P.N.A. *malleus*)

Le marteau fait partie, avec l'enclume et l'étrier, de la chaîne des osselets située dans la caisse du tympan. Ceux-ci sont articulés entre eux et rattachés aux parois du conduit auditif par des ligaments. Le marteau est formé, de haut en bas, d'une tête, d'un col, de deux apophyses (extrémités) et d'un manche. La tête est située dans l'attique (étage supérieur de la caisse du tympan) et le manche est accolé au tympan.

Le marteau transmet les vibrations du tympan, produites par les sons, aux autres osselets et à l'oreille interne.

Le marteau est visible au travers du tympan lors de l'examen otoscopique (examen direct par le conduit auditif externe) : son apophyse la plus longue est enchâssée dans le tympan.

Les pathologies du marteau apparaissent surtout au cours des otites chroniques : le marteau s'altère ou l'articulation entre enclume et marteau se luxe. Lors d'un traumatisme important, le marteau peut aussi se fracturer : on le reconstruit par une opération chirurgicale.

Masochisme

Perversion consistant à tirer son plaisir sexuel de souffrances subies volontairement.
→ VOIR Sadomasochisme.

Masque de grossesse

→ VOIR Chloasma.

Massage

Ensemble des techniques utilisant les mains (pétrissage, pressions, vibrations, etc.) et s'exerçant sur différentes parties du corps dans un dessein thérapeutique.

Un massage médical est prescrit par un médecin et relève de la compétence exclusive du masseur-kinésithérapeute, par opposition au massage « esthétique », qui a pour objectif de procurer au sujet une sensation de confort ou de détente.

INDICATIONS

Le massage s'associe à la rééducation pour traiter des affections d'ordre trophique (concernant la nutrition des tissus), vasculaire, réflexe ou sensitif, mais aussi différentes douleurs.

■ **En dermatologie,** le massage concerne particulièrement les zones en voie de cicatrisation, après intervention chirurgicale ou brûlure, ou les régions où risquent de se développer des escarres en raison d'un alitement prolongé. Il permet d'améliorer la circulation sanguine et le métabolisme des tissus. Des massages peuvent également être prescrits en cas de stase lymphatique (arrêt ou ralentissement de la circulation de la lymphe) entraînant un œdème.

■ **En neurologie,** le massage permet de réduire les contractures au cours d'affections comme les hémiplégies, les paraplégies ou la maladie de Parkinson, mais également en cas de troubles neurovégétatifs localisés (raideurs articulaires associées à des douleurs sourdes).

■ **En rhumatologie,** des massages peuvent être prescrits pour traiter un lumbago, un torticolis, une arthrose ou des douleurs lombaires.

■ **En traumatologie,** le massage est indiqué en cas d'entorse, de tendinite et de fracture, préalablement à une rééducation musculaire active.

■ **Les autres indications du massage,** très nombreuses, comprennent notamment l'encombrement pulmonaire (fluidification des sécrétions bronchiques afin de faciliter leur expectoration), les insuffisances veineuses mais également les troubles de la posture et la stimulation musculaire (avant une compétition sportive par exemple).

BILAN PRÉALABLE

La prescription de massages doit être précédée de l'évaluation de l'état du sujet. Celle-ci repose sur la parfaite connaissance de sa maladie (histoire de celle-ci, risques évolutifs, contre-indications, examen des radiographies du patient) et sur un examen clinique systématique.

Le praticien recherche des douleurs localisées en palpant le corps du patient de la superficie à la profondeur. Il évalue les troubles et les modifications de la texture ou de la consistance de différentes parties de l'organisme :
- la peau et les tissus sous-cutanés (recherche de cicatrices fibreuses ou adhérentes par exemple) ;
- les tendons (recherche de tendinites, de ténosynovites) ;
- les tissus d'enveloppe du muscle (recherche d'adhérences ou cordes aponévrotiques) ;
- les muscles (recherche de contractures, d'hématomes enkystés) ;
- les capsules articulaires et les ligaments (recherche d'épaississements fibreux, d'épanchements intra-articulaires).

TECHNIQUE

Selon la pathologie en cause, le masseur-kinésithérapeute utilise différentes manœuvres de massage, qui se distinguent par la position de la main vis-à-vis des tissus à traiter mais aussi par l'intensité, la profondeur et le sens des manœuvres.

■ **Les frictions localisées** consistent à mobiliser les différentes couches de tissus les unes par rapport aux autres. Exercées transversalement par rapport à l'axe des muscles, des tendons ou des ligaments – on parle dans ce cas de massage transversal profond – et utilisées en cas de lésion musculaire, de tendinite ou d'entorse, ces manœuvres exercent un effet analgésique (supprimant la douleur), trophique (favorisant la nutrition des tissus), mécanique et défibrosant.

■ **Les percussions manuelles** consistent à frapper alternativement les tissus avec l'extrémité des doigts (tapotement), le bord de la main (hachures) ou la main en cuillère (claquades). Elles sont utilisées pour stimuler les muscles.

■ **Les pétrissages superficiels** consistent à former un pli de peau et à lui imprimer des contraintes en torsion, tension et cisaillement pour lutter contre les adhérences fibreuses et les infiltrats sous-cutanés.

■ **Les pétrissages profonds** permettent de saisir des masses musculaires et de leur imprimer des mouvements de torsion et d'allongement pour décontracturer.

■ **Les pressions glissées superficielles,** ou **effleurages,** consistent à glisser la main sur la peau sans entraîner ni déprimer les tissus sous-jacents. Cette manœuvre, qui sert souvent de prise de contact et d'évaluation, possède essentiellement un effet superficiel d'analgésie cutanée.

■ **Les pressions glissées profondes** déplacent et entraînent la peau et les tissus sous-cutanés. Lorsqu'elles s'exercent de la périphérie vers la racine d'un membre, elles permettent d'augmenter la circulation de retour par dépression veineuse.

■ **Les pressions statiques** consistent en un appui de la main ou d'un doigt sans déplacement par rapport à la peau.

■ **Les vibrations manuelles,** séries de pressions-dépressions mécaniques obtenues par tétanisation des muscles de l'avant-bras du thérapeute, favorisent le désencombrement pulmonaire.

CONTRE-INDICATIONS ET EFFETS INDÉSIRABLES

Les massages sont contre-indiqués en cas de maladie inflammatoire, infectieuse ou tumorale en poussée. Ils n'entraînent normalement aucun effet secondaire et, à l'exception de certaines manœuvres précises (massage transversal profond), ne sont pas douloureux s'ils sont correctement pratiqués.

Massage cardiaque externe

Étape capitale de la réanimation cardiorespiratoire, pratiquée en cas d'arrêt cardiaque (état se traduisant par une perte de conscience et une abolition du pouls dans les grosses artères – artère carotide au cou, artère fémorale à l'aine).

Le massage cardiaque externe, associé au maintien de la liberté des voies aériennes et à la ventilation artificielle, assure une activité circulatoire minimale par la technique des compressions thoraciques intermittentes au niveau du sternum. Son mécanisme repose sur la mise en jeu de la pompe cardiaque (en comprimant le cœur entre le sternum et le rachis, on le vide de son contenu sanguin avant qu'un nouveau remplissage cardiaque ait lieu du fait de la seule levée de la compression), à laquelle vient s'ajouter l'effet de la pompe thoracique (liée aux variations de pression thoracique dues à l'alternance compression/relâchement du thorax), qui assure l'expulsion du sang vers la grande circulation.

TECHNIQUE

Le sauveteur exerce sur la moitié inférieure du sternum du malade, qui est allongé sur le dos et sur un plan dur, des compressions brèves et régulières (de 80 à 100 par minute chez l'adulte et l'enfant, 120 chez le nourrisson) à l'aide de la partie postérieure de la paume de ses deux mains placées l'une sur l'autre, les bras tendus verticalement pour transmettre le poids de son corps. Chez l'enfant, ces compressions peuvent être effectuées à l'aide d'une seule main, voire de deux doigts chez le nourrisson.

Parallèlement, une ventilation artificielle est pratiquée, notamment par la technique du bouche-à-bouche. La fréquence des insufflations est de deux toutes les quinze compressions sternales, s'il n'y a qu'un seul sauveteur, de une toutes les cinq compressions s'il y en a deux. Le massage cardiaque externe doit être relayé dès l'arrivée des moyens de réanimation par tous les traitements de l'arrêt cardiaque, variables selon sa cause.

Masse sanguine

Mesure du volume occupé par les globules rouges (volume globulaire total) et le plasma (volume plasmatique). SYN. *volémie.*

La masse sanguine s'évalue par le volume sanguin total (somme du volume plasmatique et du volume globulaire) et s'exprime en millilitres par kilogramme. Sa valeur moyenne est d'environ 76 chez l'homme, 68 chez la femme.

La masse sanguine est estimée par le marquage isotopique (fixation d'un isotope radioactif sur un type de cellules permettant leur repérage), utilisant le technétium ou l'indium radioactif pour marquer les globules rouges et mesurer le volume globulaire, l'iode pour marquer l'albumine et mesurer le volume plasmatique. La mesure de ces volumes permet notamment de distinguer une vraie anémie (diminution du volume globulaire total) d'une fausse anémie (augmentation du volume plasmatique) ou une vraie polyglobulie (augmentation du volume globulaire total) d'une fausse polyglobulie (diminution du volume plasmatique).

Mastectomie

Ablation chirurgicale de la glande mammaire. SYN. *mammectomie.*

Une mastectomie est essentiellement pratiquée dans le cas de cancer du sein.

DIFFÉRENTS TYPES DE MASTECTOMIE

Une mastectomie peut être totale ou partielle.

■ **La mastectomie totale** peut revêtir deux formes : élargie ou simple. Dans la mastectomie élargie, ou intervention de Halstedt, le sein malade, les ganglions de l'aisselle et le muscle pectoral sont enlevés par une large incision elliptique. On lui préfère actuellement une intervention moins mutilante, qui respecte le muscle pectoral : la mastectomie simple, ou intervention de Patey, à laquelle est fréquemment associé un curage des ganglions de l'aisselle.

■ **La mastectomie partielle** concerne un seul des 4 quadrants (portion de sein délimitée par deux lignes perpendiculaires partant du mamelon) ; avec la simple ablation de la tumeur, elle respecte davantage l'anatomie et la silhouette féminines.

DÉROULEMENT ET EFFETS SECONDAIRES

Les mastectomies sont effectuées sous anesthésie générale et nécessitent une hospitalisation de quelques jours. La reconstruction du sein a parfois lieu en même temps que son ablation. Elle fait appel soit à la pose d'une prothèse, soit à des techniques de reconstruction utilisant les muscles adjacents de la

Le massage cardiaque externe permet de rétablir la fonction cardiaque et circulatoire d'un malade victime d'un arrêt cardiaque avant l'arrivée des secours d'urgence. Il est souvent associé au bouche-à-bouche, destiné à maintenir la respiration.

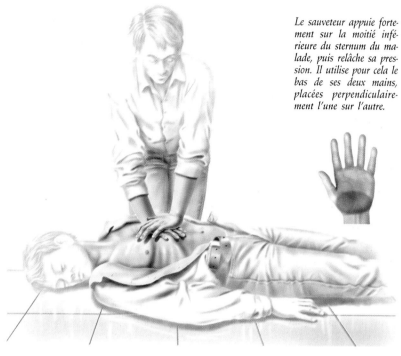

Le sauveteur appuie fortement sur la moitié inférieure du sternum du malade, puis relâche sa pression. Il utilise pour cela le bas de ses deux mains, placées perpendiculairement l'une sur l'autre.

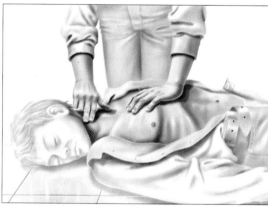

Après quelques compressions brèves et régulières, l'efficacité du massage cardiaque externe est contrôlée par la palpation, au cou de la victime, des battements de l'artère carotide. Ce contrôle est régulièrement répété.

le virus des oreillons, être la première manifestation d'un cancer du sein ou avoir une origine hormonale (nouveau-né ou adolescent, garçon ou fille, à la puberté). Chez le nouveau-né et l'adolescent, les signes d'inflammation (douleur, sensibilité, gonflement) disparaissent spontanément en quelques semaines. Lors de l'allaitement, la mastite aiguë est due à une infection bactérienne qui s'introduit par une crevasse du mamelon. Le sein est rouge, chaud, dur, douloureux et la fièvre est élevée. Si du pus s'écoule par le mamelon, l'allaitement doit être interrompu. Le traitement antibiotique local et général de la femme qui allaite entraîne la guérison mais, lorsqu'un abcès du sein se forme, il doit être opéré.

Mastite chronique

Due à des infections bactériennes à répétition ou à des modifications hormonales, une mastite chronique se traduit par une pesanteur du sein et par l'existence de grosseurs multiples, avec parfois un écoulement séreux par le mamelon. Ces signes sont plus nets lors de la deuxième moitié du cycle menstruel. La mammographie, l'échographie et la biopsie d'une des grosseurs permettent de faire le diagnostic et d'écarter un cancer. Si les symptômes sont intenses, ils peuvent être soulagés par l'administration de progestérone, de danazol ou de bromocriptine.

Mastocyte

Cellule du tissu conjonctif qui sécrète des substances chimiques participant aux réactions de défense de l'organisme.

Les mastocytes, localisés dans la plupart des organes à l'exception du cerveau, contiennent des granulations riches en substances telles que l'héparine, l'histamine, la sérotonine ainsi que de nombreuses enzymes. Ces substances sont libérées dans le sang lors d'une réaction antigène-anticorps, mais aussi sous l'action de médicaments ou de produits d'origine animale (toxine bactérienne, venin de serpent). Elles agissent de plusieurs façons : elles stimulent la vasomotricité (histamine), activent d'autres cellules du système immunitaire (polynucléaires éosinophiles et neutrophiles, lymphocytes) et des enzymes ; enfin, elles participent à la coagulation sanguine (héparine). La mise en jeu des mastocytes entraîne, d'une part, une dilatation et une augmentation de la perméabilité des vaisseaux sanguins de la peau - ce qui provoque un œdème - et, d'autre part, un appel de cellules (essentiellement des polynucléaires éosinophiles) intervenant dans le phénomène de l'inflammation et responsables de l'allergie par libération d'histamine.

PATHOLOGIE

Sous l'influence de substances allergènes, les mastocytes peuvent faciliter la libération des immunoglobulines de type E, responsables des phénomènes allergiques (urticaire, rhinite allergique, asthme). Par ailleurs, une prolifération anormale des mastocytes entraîne une mastocytose (affection de la peau semblable à l'urticaire).

paroi thoracique ou abdominale (muscle grand dorsal, muscle grand droit). Lorsque l'intervention est suivie d'un traitement complémentaire du cancer (radiothérapie ou chimiothérapie), la reconstruction du sein se fait dans un second temps.

Le curage des ganglions de l'aisselle peut entraîner un œdème du bras. Aussi est-il souhaitable de ménager, dans les mois qui suivent l'intervention, le membre correspondant au sein opéré. La limitation du mouvement d'abduction du bras (éloignement du corps), liée elle aussi au curage ganglionnaire, est corrigée par une kinésithérapie adaptée.
→ voir Mammoplastie.

Mastication

Action de broyer des aliments à l'aide des dents, considérée comme la première étape de la digestion.

La mastication s'effectue grâce aux mouvements du maxillaire inférieur, seul os mobile de la face. Celui-ci est actionné par de puissants muscles, les muscles masséters, qui, lors de leur contraction, prennent appui sur les os fixes du crâne. Les aliments sont coupés par les incisives, déchirés par les canines puis écrasés et broyés par les prémolaires et les molaires. Une mauvaise mastication due à la perte des dents de même qu'une mastication trop rapide entraînent souvent une digestion laborieuse.

Mastite

Inflammation, aiguë ou chronique, de la glande mammaire.

Mastite aiguë

Une mastite aiguë, généralement sans gravité, s'observe le plus souvent au début de l'allaitement, mais peut aussi être causée par

Mastocytose

Maladie caractérisée par une prolifération diffuse de mastocytes (cellules du tissu conjonctif qui sécrètent l'histamine, substance en partie responsable des symptômes d'allergie, mais aussi la sérotonine et diverses enzymes), atteignant souvent la peau.

Sans cause connue, la mastocytose existe sous deux formes, parfois associées.

■ **La forme cutanée** atteint le plus souvent l'enfant. Ces mastocytoses, en général bénignes, se traduisent par des taches planes jaune chamois, qui deviennent saillantes et rouges quand on les frotte avec une pointe mousse (signe de Darier). D'évolution chronique, elles s'atténuent ou disparaissent spontanément avec l'âge. Le traitement vise uniquement à faire disparaître les symptômes à l'aide d'antihistaminiques.

■ **La forme systémique** touche d'une manière diffuse les viscères. Affectant surtout l'adulte, ces mastocytoses se manifestent par des atteintes osseuses – des os longs et du rachis surtout –, digestives (douleurs abdominales, nausées, vomissements, diarrhée) et hématologiques (élévation du taux sanguin de globules blancs, augmentation de volume du foie, de la rate et des ganglions lymphatiques). L'évolution, chronique, aboutit parfois à une affection cancéreuse. Le traitement est le même que celui des formes cutanées.

Mastodynie

Sensation de tension douloureuse des seins.

Une mastodynie est fréquente avant les règles (syndrome prémenstruel) ou au début de la grossesse ; elle est accrue par les contraceptifs hormonaux. En l'absence de tout autre signe, elle est considérée comme un symptôme de dérèglement hormonal et traitée par des médicaments progestatifs durant la 2e partie du cycle menstruel.

Mastoïde

Base de l'os temporal, située derrière l'oreille. (P.N.A. *processus mastoideus*)

Dans sa portion inférieure, la mastoïde se termine par une saillie triangulaire dont

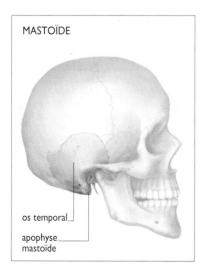

MASTOÏDE

os temporal

apophyse mastoïde

la pointe est en bas. On peut sentir au toucher, derrière l'oreille, l'extrémité de cette saillie. La mastoïde est creusée de cavités, ou cellules, remplies d'air, en plus ou moins grand nombre et de taille plus ou moins importante suivant l'anatomie de chaque personne. Toujours présente, la plus vaste de ces cavités est l'antre, qui communique avec l'air contenu dans la caisse du tympan, dans l'oreille moyenne, par un court canal, l'*aditus ad antrum*. Grâce à ces cavités, la mastoïde joue le rôle de résonateur.

La mastoïde est proche du nerf facial (qui chemine dans la paroi antérieure de l'antre), du sinus veineux latéral (voie de drainage veineux du cerveau), du lobe temporal de l'hémisphère cérébral et des méninges qui l'enveloppent. La principale pathologie de la mastoïde est la mastoïdite.

Mastoïdite

Inflammation de la mastoïde (base de l'os temporal).

Il existe deux formes de mastoïdite, la mastoïdite chronique, qui est l'extension à la mastoïde de l'inflammation due à une otite chronique, prolongée dans le temps, et la mastoïdite aiguë, dont on distingue deux sortes : la mastoïdite masquée, ou mastoïdite décapitée, la plus fréquente aujourd'hui, et la mastoïdite extériorisée.

Mastoïdite masquée

Il s'agit d'une mastoïdite aiguë qui se développe au cours d'une otite dont le traitement antibiotique est mal adapté.

SYMPTÔMES ET SIGNES
Malgré la prise d'antibiotiques, le sujet, le plus souvent un enfant, a toujours de la fièvre ; l'otite persiste et l'examen otoscopique (examen direct par le conduit auditif externe) ne montre aucune amélioration de l'aspect du tympan. Mais surtout, l'état général de l'enfant s'altère : celui-ci perd l'appétit et ne prend plus de poids.

DIAGNOSTIC
Au moment du diagnostic, l'enfant est soigné pour une otite mais celle-ci ne guérit pas. Le diagnostic est difficile à établir car les antibiotiques pris pour combattre l'otite, même s'ils ne sont pas tout à fait adaptés au germe, atténuent d'une manière trompeuse la maladie, qui continue d'évoluer. Dans ce cas, il convient d'effectuer une paracentèse, au cours de laquelle on prélève dans l'oreille infectée un peu de pus, soumis ensuite à des examens bactériologiques avec antibiogramme.

TRAITEMENT
Le traitement antibiotique est modifié en fonction des données de l'antibiogramme. S'il échoue de nouveau, une mastoïdectomie (incision chirurgicale sous anesthésie générale de la mastoïde et nettoyage des cavités mastoïdiennes visant à éliminer les foyers infectieux) est le plus souvent réalisée. En effet, les complications apparaissent vite : l'infection peut se propager aux organes voisins et provoquer une méningite, une labyrinthite (inflammation du labyrinthe de l'oreille interne), un abcès du cerveau, une

encéphalite (inflammation de l'encéphale), une thrombophlébite cérébrale (formation d'un caillot à l'intérieur d'une veine cérébrale ou inflammation de cette veine) ou une paralysie du nerf facial. Désormais, les mastoïdites masquées sont rares.

Mastoïdite extériorisée

Il s'agit d'une inflammation aiguë de la mastoïde, qui s'extériorise dans la peau derrière l'oreille.

CAUSES
Une mastoïdite extériorisée constitue une complication d'une otite aiguë, l'infection de l'oreille moyenne se propageant aux cavités mastoïdiennes.

SYMPTÔMES ET SIGNES
L'enfant a de la fièvre, des frissons, des maux de tête, est fatigué, a mal à l'oreille et entend moins bien. Il existe une réaction inflammatoire à la hauteur de la mastoïde, située derrière le pavillon de l'oreille : la peau est rouge et sensible, parfois elle est gonflée par un abcès sous-cutané.

DIAGNOSTIC
Au moment du diagnostic, l'enfant a une otite non soignée, qui a évolué et enflammé la mastoïde. Le diagnostic, étayé par les radiographies, est confirmé par la découverte d'un microbe, en général une bactérie comme le pneumocoque, au cours d'examens sanguins.

TRAITEMENT
Le traitement repose sur la prise d'antibiotiques adaptés et, souvent, sur une mastoïdectomie (curage chirurgical des cavités mastoïdiennes).

Mastopathie

Affection de la glande mammaire.

Le terme de mastopathie désigne aussi bien une congestion prémenstruelle de la glande mammaire qu'une mastite (inflammation aiguë ou chronique de la glande) ou une maladie fibrokystique du sein.

Mastoplastie

→ VOIR Mammoplastie.

Mastose

Toute affection bénigne non inflammatoire du sein.

Une mastose se présente le plus souvent sous la forme d'une zone indurée, localisée, à l'intérieur de laquelle se trouvent associés kystes et foyers de dystrophie (anomalie liée à un trouble nutritionnel tissulaire).

→ VOIR Sein (tumeur bénigne du).

Matelas

Pièce de literie utilisée pour l'alitement.

DIFFÉRENTS TYPES DE MATELAS
Différents types de matelas sont utilisés dans les hôpitaux dans un dessein préventif et thérapeutique.

■ **Le matelas à eau** est confortable mais exige un contrôle régulier d'étanchéité.

■ **Le matelas pneumatique à gonflement alternatif**, rattaché à un moteur électrique, est composé de plusieurs boudins cylindriques parallèles, qui se gonflent et se dégonflent en alternance. La surface d'appui change donc suivant ce rythme, le poids du malade portant sur la partie du corps qui repose sur les boudins gonflés.

■ **Le matelas à air pulsé** possède une soufflerie d'air tiède, reliée à un moteur, qui permet de mettre en mouvement des microbilles. Très onéreux, il est plus particulièrement réservé aux grands brûlés, dont il atténue les douleurs.

Tous ces matelas sont utilisés pour les malades grabataires (hémiplégiques par exemple), les grands blessés (accidentés de la route) et les grands brûlés, car ils massent les zones d'appui du corps. Ils donnent aussi d'excellents résultats dans la prévention et le traitement des escarres provoquées par un alitement prolongé.

Matité

Sensation auditive perçue à la percussion (du thorax le plus souvent, mais aussi de l'abdomen) et qui rend un son anormalement assourdi.

Le plus souvent localisée, une matité thoracique est due à une pleurésie, c'est-à-dire à un épanchement de liquide dans la plèvre (enveloppe du poumon), ou à des lésions du tissu pulmonaire (pneumonie, foyer pulmonaire).

Une matité abdominale peut correspondre à droite à un gros foie, à gauche à une rate volumineuse. Ces déformations sont également sensibles à la palpation.

Maxillaire inférieur

Os en forme de fer à cheval formant le squelette de la mâchoire inférieure. SYN. *mandibule*. (P.N.A. *mandibula*)

Le maxillaire inférieur porte les dents inférieures. C'est le seul os mobile du crâne : de chaque côté de la mâchoire, il s'articule avec l'os temporal par l'articulation temporomandibulaire ; sa mobilité est également assurée par les muscles masticateurs, qui s'insèrent sur les os du crâne et permettent la phonation, la mastication, la déglutition et la respiration.

Maxillaire inférieur (fracture du)

Rupture traumatique du maxillaire inférieur.

Une fracture du maxillaire inférieur est due en général à un choc violent et direct, dont le point d'impact se situe le plus souvent à la hauteur du menton. Le malade se plaint de douleurs et a du mal à parler et à déglutir. Le menton est déplacé, en principe du côté de la fracture, et la bouche reste fermée ou entrouverte. Le diagnostic repose sur les examens radiologiques effectués sous différents angles ainsi que sur les tomographies (coupes radiologiques) et le scanner.

TRAITEMENT

La réduction de la fracture est généralement orthopédique. Cependant, en cas de déplacement, les extrémités osseuses fracturées doivent être remises chirurgicalement en bonne position sous anesthésie générale. On immobilise le maxillaire inférieur pendant 6 semaines environ à l'aide d'une mentonnière ou en le fixant au maxillaire supérieur

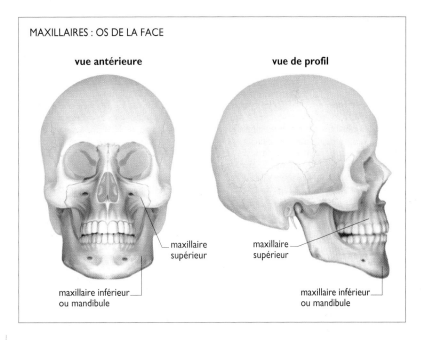

MAXILLAIRES : OS DE LA FACE

vue antérieure

vue de profil

maxillaire supérieur

maxillaire inférieur ou mandibule

au moyen de fils métalliques ; dans ce dernier cas, le blessé doit recevoir une alimentation liquide pendant l'immobilisation.

Maxillaire supérieur

Os très richement vascularisé, formant la partie osseuse centrale de la face. (P.N.A. *maxilla*)

Le maxillaire supérieur, à la base, est le lieu d'implantation des dents supérieures : il porte alors le nom d'os alvéolaire et s'atrophie avec la perte des dents, entraînant un affaissement important des lèvres et une diminution de la distance séparant le nez du menton ; seul le port d'un dentier remplaçant la totalité des dents perdues permet de rendre au visage son aspect normal. À son sommet, le maxillaire supérieur forme le plancher des orbites. De chaque côté, il est creusé d'une cavité remplie d'air, le sinus maxillaire, en communication avec les fosses nasales. À ce niveau, il forme une proéminence qui dessine les pommettes.

Maxillaire supérieur (fracture du)

Rupture traumatique affectant le maxillaire supérieur.

Une fracture du maxillaire supérieur est due en général à un choc violent et direct (accident de voiture ou de deux-roues). Elle peut atteindre les pommettes, les os du nez, les dents, le plancher des orbites, etc. Du fait de la vascularisation importante de cette région, elle entraîne presque toujours des hématomes importants. Le diagnostic repose sur les examens radiologiques, complétés par les tomographies et le scanner.

TRAITEMENT ET COMPLICATIONS

Le traitement dépend du type et de la localisation des lésions. En cas de déplacement des fragments osseux, ceux-ci doivent être remis en place chirurgicalement sous anesthésie générale. Le maxillaire supérieur

étant un os immobile, aucune immobilisation n'est ensuite nécessaire. Les complications précoces des fractures du maxillaire supérieur peuvent être d'une particulière gravité : atteinte nerveuse ou oculaire, lésions cérébrales. Dans un deuxième temps surviennent parfois des atteintes infectieuses ainsi que des troubles de la consolidation osseuse. L'état de ces malades ne doit donc jamais être pris à la légère ; un praticien doit être consulté en urgence en cas de vomissements, de troubles de la vision, de vertiges, de migraines, etc.

May-Grünwald-Giemsa (coloration de)

Association d'une technique de fixation (May-Grünwald) et d'une technique de coloration (Giemsa) pour étudier les frottis de sang, de moelle osseuse ou de ganglions.

La coloration de May-Grünwald-Giemsa est l'une des techniques participant au diagnostic de nombreuses maladies du sang. Son avantage est de faire apparaître en couleurs vives les différents éléments des cellules lors de l'examen des frottis au microscope optique. D'autres techniques, comme la coloration de Wright, donnent des couleurs voisines mais plus ternes.

Méat

Orifice d'un conduit. (P.N.A. *meatus*)

Le terme méat s'applique le plus souvent à l'uretère ou à l'urètre.

■ **Le méat urétéral** est situé à la jonction de l'uretère et de la vessie ; il permet l'écoulement dans la vessie de l'urine venant du rein.

■ **Le méat urétral** est situé à l'extrémité de l'urètre (au niveau du gland pénien chez l'homme, de la vulve chez la femme) ; il permet l'écoulement de l'urine contenue dans la vessie à l'extérieur de l'organisme.

Méatotomie

Incision chirurgicale d'un méat rétréci afin d'en élargir l'ouverture.

En règle générale, une méatotomie est pratiquée pour remodeler le méat urétral. En effet, celui-ci peut être rétréci de façon congénitale ou à la suite d'une infection, de la mise en place prolongée d'une sonde urinaire, etc. L'intervention, qui se déroule sous anesthésie locale, locorégionale ou générale, nécessite une hospitalisation de 24 à 48 heures. La principale complication de la méatotomie urétrale est la récidive du rétrécissement méatique, le plus souvent due à une fibrose cicatricielle (formation pathologique de tissu fibreux).

Mèche

Bande de tissu ou de gaze mise en place dans une cavité.

Une mèche est le plus souvent utilisée pour drainer une poche de liquide organique (abcès, hématome). Après avoir incisé la poche et évacué son contenu, le chirurgien pose la mèche afin qu'elle draine par capillarité les sécrétions purulentes ou les saignements, qui finissent par se tarir. La mèche doit être enlevée au plus tard dans un délai de 8 jours après sa pose ; on peut ensuite replacer une petite mèche pour quelques jours afin d'éviter une cicatrisation trop rapide des tissus.

Meckel (diverticule de)

Cavité en forme de doigt de gant de l'intestin grêle due à la persistance après la naissance du canal omphalomésentérique (canal embryonnaire reliant la région ombilicale au mésentère, membrane abdominale).

De dimensions variables, le diverticule de Meckel est observé chez environ 2 % de la population. Ce diverticule unique se trouve vers la fin de l'intestin grêle, à proximité de la jonction de l'iléon et du cæcum. Il est recouvert normalement de muqueuse digestive et a une vascularisation propre.

COMPLICATIONS

Le plus souvent sans symptômes, le diverticule de Meckel se révèle parfois chez l'enfant ou l'adulte jeune par des complications : occlusion, infection appelée diverticulite, hémorragie rectale de sang rouge. Cette dernière s'explique par la présence anormale, à l'intérieur du diverticule, de muqueuse de type gastrique, qui sécrète de l'acide gastrique, responsable d'ulcérations hémorragiques de la muqueuse iléale voisine.

DIAGNOSTIC ET TRAITEMENT

Le diagnostic repose sur la radiographie de l'intestin grêle et sur la scintigraphie au technétium ; cependant, ces examens ne permettent pas toujours de mettre en évidence le diverticule.

Le traitement, en cas de complications, consiste en l'ablation chirurgicale du diverticule de Meckel.

Méconium

Matières fécales épaisses et collantes excrétées par le nouveau-né pendant les tout premiers jours de sa vie.

De couleur verdâtre, le méconium est composé de bile, de sécrétions digestives et de cellules intestinales desquamées. Dans la majorité des cas, il commence à être excrété au cours des 12 premières heures après la naissance. Des matières fécales normales lui succèdent dès que le nouveau-né commence à s'alimenter.

PATHOLOGIE

L'expulsion du méconium dans le liquide amniotique, avant l'accouchement, est anormale et témoigne d'une souffrance fœtale. Le risque est l'inhalation par le bébé du liquide amniotique « méconial », conduisant à une détresse respiratoire ; le méconium peut en effet obstruer les voies aériennes et léser les poumons. À l'inverse, un retard d'élimination du méconium après l'accouchement doit faire rechercher une occlusion intestinale, due à une malformation (rétrécissement ou absence d'un segment digestif), à une obstruction (méconium trop épais, mucoviscidose) ou à une anomalie fonctionnelle (paralysie intestinale localisée ou diffuse de la maladie de Hirschsprung). Quelle que soit la cause, un retard d'élimination nécessite des examens réalisés en milieu néonatalogique hospitalier.

Médecin

Personne titulaire d'un diplôme de docteur en médecine reconnu par l'État.

Un docteur en médecine peut pratiquer la médecine générale (on parle alors d'omnipraticien ou de généraliste) ou exercer une spécialité (chirurgie ou dermatologie, par exemple) dans différentes situations : hôpital civil ou militaire, cabinet privé, service de médecine du travail, etc. La loi sanctionne l'exercice illégal (sans diplôme) de la médecine.

La législation permet à certains médecins titulaires d'un diplôme étranger d'exercer dans d'autres pays. Des conventions d'équivalence sont en cours d'achèvement.

Médecine

Ensemble des connaissances concernant les maladies, les traumatismes, les infirmités et les moyens de les traiter.

La médecine se préoccupe aussi bien des causes des maladies, de leurs modes de contamination que de leur fréquence, de leur diagnostic, de leur évolution, de leur prévention et de leur traitement.

La médecine se subdivise en de nombreuses branches qui correspondent à différentes fonctions dans la société (médecine scolaire, médecine du travail, médecine sociale, médecine militaire), à différents modes d'exercice (médecine libérale, ou privée, médecine hospitalière, médecine salariée) ou à différentes spécialités : médecine physique ou rééducation, médecine aérospatiale, médecine nucléaire, médecine tropicale, etc.

À ces différentes formes de la médecine se juxtaposent différentes cultures médicales : à côté de la médecine scientifique « occidentale », née au XIXe siècle, il existe des médecines hétérodoxes, ou parallèles, représentées par des praticiens des médecines dites douces. Certaines cultures nationales ou régionales comportent en outre une branche médicale : médecine chinoise, médecine indienne, médecines africaines, etc.

Médecine (histoire de la)

Pendant des millénaires, la médecine s'est identifiée partout à la magie et à la religion. Les techniques médicales se limitaient à la thérapeutique par les plantes et à quelques pratiques chirurgicales simples telles que la trépanation et la réduction des fractures.

En Mésopotamie, on sait par le code d'Hammourabi (1792-1750 environ av. J.-C.) qu'il existait déjà un embryon de législation médico-sociale. Dans l'Égypte pharaonique, des dispositions régissaient l'activité des médecins, dont les connaissances étaient relativement étendues.

En Chine, la médecine traditionnelle considérait que la maladie résulte d'une perturbation entre deux forces opposées, le yin et le yang. Pour restaurer cet équilibre, on préconisait le recours à l'acupuncture et à toutes sortes de traitements empiriques.

En Inde, la médecine et surtout la chirurgie étaient, selon les traités médicaux, très développées : on pratiquait couramment certaines interventions de chirurgie plastique comme la réfection du nez.

L'ANTIQUITÉ GRÉCO-ROMAINE

C'est en Grèce, au Ve siècle av. J.-C., qu'apparaît la première observation objective des phénomènes pathologiques. Le médecin Hippocrate (vers 460 – vers 377 av. J.-C.) rejette en effet toute référence au sacré, considérant que les maladies relèvent de causes naturelles ; il prône divers procédés d'examen tels que la palpation, la percussion ou l'observation des excrétions. Les Romains édictent certaines règles de santé publique et fondent, pour les vétérans et les infirmes de guerre, les premiers hôpitaux connus. Galien (vers 131-vers 201 apr. J.-C.) fait d'importantes découvertes en anatomie.

LA MÉDECINE AU MOYEN ÂGE

Les Arabes sont, avec les Byzantins, pratiquement les seuls à perpétuer la tradition médicale de l'Antiquité. Dans l'Occident chrétien, la chute de l'Empire romain inaugure une longue période de stagnation durant laquelle la médecine est entre les mains des clercs. La dissection à cette époque est interdite ; les grandes épidémies, qui causent des ravages considérables, sont attribuées à des forces maléfiques. Cependant, un renouveau des études médicales s'amorce à partir du XIe siècle avec la fondation de l'école de Salerne, en Italie du Sud. Puis, au XIIIe siècle, l'école de Montpellier et les grandes universités européennes de Bologne, d'Oxford, de Paris et de Padoue prennent le relais : la médecine fait désormais l'objet d'un enseignement régulier au même titre que la théologie.

DE LA RENAISSANCE AU XVIIIe SIÈCLE

À la Renaissance, l'anatomie connaît un éclatant renouveau. Le Bruxellois André Vésale (vers 1514-1564) est l'un des premiers à pratiquer la dissection du corps humain, jusqu'alors interdite par l'Église, et rectifie bien des erreurs perpétuées depuis l'Antiquité. D'autres grands anatomistes (Sylvius, Eustache, Fallope entre autres) donnent leur nom aux organes qu'ils décrivent. Fracastoro (1483-1553), qui étudie la syphilis, pressent que la transmission des maladies contagieuses s'opère par des micro-organismes invisibles. Paracelse (vers 1493-1541) ouvre la voie à la thérapeutique chimique. La chirurgie est largement dominée par Ambroise Paré (vers 1509-1590), qui, dans les amputations, substitue la ligature des artères à la cautérisation. La profession médicale se dote de statuts et l'enseignement se développe. Mais la médecine proprement dite avance peu, les « soins » se limitant aux mêmes actes (clystères, saignées, etc.) et à l'administration de drogues plus souvent néfastes qu'utiles.

Aux XVIIe et XVIIIe siècles, la physiologie prend son essor. L'Anglais William Harvey (1578-1657) découvre la circulation du sang. L'Italien Malpighi (1628-1694), qui décrit les capillaires pulmonaires, est l'un des fondateurs de l'histologie, étude des tissus vivants. Morgagni (1682-1771) montre l'intérêt de confronter les lésions organiques visibles à l'autopsie avec les symptômes cliniques. Tout à la fin du XVIIIe siècle, le Britannique Edward Jenner (1749-1823) met au point la vaccination antivariolique, qui préfigure le développement d'une médecine préventive efficace. En dépit de ces innovations, on ne « soigne » toujours pas véritablement le malade. L'examen clinique reste très élémentaire et la thérapeutique, fantaisiste. La médecine proprement scientifique n'apparaîtra qu'au XIXe siècle.

LE XIXe SIÈCLE

Dans la première moitié du siècle, l'école française de médecine (Laennec, Bretonneau, Trousseau) met au point la méthode anatomoclinique, fondée sur la comparaison des résultats des examens cliniques avec les données anatomiques ; cette méthode permet de mieux comprendre le développement et les mécanismes des maladies. De nombreux travaux effectués pour isoler les principes actifs des plantes aboutissent à l'obtention de produits tels que la morphine, la quinine, l'atropine ou la digitaline. La découverte de l'anesthésie générale à l'éther (1846) et au chloroforme (1847) va ouvrir à la chirurgie d'immenses possibilités. Dans la seconde partie du XIXe siècle, les progrès s'accélèrent. On doit à Claude Bernard (1813-1878) d'importantes découvertes sur les phénomènes chimiques de la digestion, sur les glandes à sécrétion interne et à sécrétion externe, sur le système nerveux ; dans son *Introduction à la médecine expérimentale* (1865), il fixe les règles de la médecine expérimentale qui présideront aux travaux de ses successeurs. Le chimiste Louis Pasteur (1822-1895) établit la nature microbienne ou virale de plusieurs maladies, met au point le vaccin contre la rage et montre que les micro-organismes sont en médecine les agents des maladies contagieuses et, en

chirurgie, les propagateurs de l'infection. En 1928, le Britannique sir Alexander Fleming (1881-1955) découvre la pénicilline, dont les propriétés bactéricides sont mises à profit à partir de la Seconde Guerre mondiale. L'Allemand Robert Koch (1843-1910) découvre le bacille de la tuberculose, auquel son nom reste attaché (bacille de Koch). Les progrès de la parasitologie permettent d'élucider les mécanismes de transmission de nombreuses maladies tropicales (paludisme, maladie du sommeil, fièvre jaune, etc.) et donc de les faire reculer.

LE XXe SIÈCLE

La première moitié du XXe siècle est marquée par l'utilisation de plus en plus poussée en médecine des techniques et des méthodes de la physique, de la chimie et de la biologie. Il en résulte une extension considérable des moyens d'investigation, de diagnostic et de traitement. Ainsi, la découverte des corps à radiations ionisantes comme l'uranium et le radium, la mise au point de l'électrocardiographie et de l'électroencéphalographie contribuent au perfectionnement des procédés d'exploration anatomique et fonctionnelle. On enregistre aussi des progrès de la prophylaxie (mesures prises pour prévenir ou empêcher la propagation des maladies) et de l'immunologie bactérienne ou virale, la mise au point de sérums antitétanique et antidiphtérique ainsi que de divers vaccins, dont celui de la tuberculose. Entre les deux guerres apparaissent les sulfamides, premiers moyens de lutte vraiment efficaces contre les infections bactériennes.

Après la Seconde Guerre mondiale, la multiplication des antibiotiques permet de couvrir progressivement presque toutes les espèces microbiennes. Grâce aux progrès de l'endocrinologie (étude des glandes endocrines), on traite avec succès le diabète. Les hormones sont elles-mêmes employées à des fins thérapeutiques (par exemple, les dérivés de la cortisone pour traiter les rhumatismes ou l'asthme). Le vaccin contre la poliomyélite, mis au point dans les années 1950, fait considérablement reculer cette maladie. L'emploi des tranquillisants en psychiatrie, les progrès remarquables de la chimiothérapie, les perfectionnements de la radiothérapie, de nouvelles techniques d'investigation (échographie, scanner X, imagerie par résonance magnétique) ou de traitement (laser), les progrès remarquables de la chirurgie et de la microchirurgie, l'utilisation de l'informatique, les récentes avancées en matière de génie génétique sont quelques-unes des données qui bouleversent radicalement la médecine de la fin du XXe siècle et suscitent d'immenses espoirs.

Parallèlement, de redoutables problèmes de santé continuent à se poser. Dans les pays économiquement forts, les maladies liées au vieillissement de la population (cancer, maladies cardiovasculaires) font toujours des ravages, et une nouvelle affection, le sida, est apparue au début des années 1980. Dans les pays économiquement faibles, la dénutrition, le manque d'eau potable, l'absence d'hygiène et de soins se traduisent par des flambées

épidémiques meurtrières, par des maladies virales ou de carence, par des parasitoses résistant aux médicaments et difficiles à vaincre.

Médecine interne

Branche de la médecine hospitalière qui embrasse l'ensemble des maladies.

Le médecin spécialisé en médecine interne, ou interniste, exerce le plus souvent à l'hôpital. Sa culture médicale lui permet de prendre en charge la majorité des malades qui présentent des symptômes n'appartenant pas à une spécialité précise (maladie de Horton, par exemple) ou participant de plusieurs spécialités : connectivites (lupus érythémateux disséminé, par exemple), maladies immunitaires. De plus, les services hospitaliers de médecine interne ont charge de former les futurs médecins généralistes.

Médecine nucléaire

Spécialité médicale utilisant l'administration d'éléments radioactifs à des fins diagnostiques ou thérapeutiques.

La médecine nucléaire est fondée sur la propriété qu'ont certains radioéléments ou certaines molécules marquées de se concentrer naturellement dans un organe, dont on peut ainsi étudier la physiologie et les déviations pathologiques. Cette discipline s'est développée depuis une trentaine d'années grâce, d'une part, à la possibilité de produire des radioéléments – depuis la découverte, en 1934, de la radioactivité artificielle par les physiciens français Irène et Frédéric Joliot-Curie – et, d'autre part, à la mise au point de moyens de détection appropriés permettant de suivre et d'enregistrer le cheminement d'un corps radioactif dans l'organisme humain.

TECHNIQUE

En pratique courante, les services de médecine nucléaire utilisent des radioéléments émettant des rayonnements gamma, de nature semblable aux rayons X, qui sont détectés par des appareils appelés gammacaméras ; le traitement des données ainsi recueillies permet d'obtenir des scintigraphies, documents qui représentent sur un plan, le plus souvent un film radiologique, la répartition de la radioactivité dans l'organe examiné. Depuis 1980, des systèmes de traitement informatique permettent, par un procédé de reconstruction comparable à celui utilisé dans les scanners, d'obtenir des séries de coupes tomographiques.

Dans les centres de recherche, les radioéléments les plus utilisés sont le carbone 11 (^{11}C), l'oxygène 15 (^{15}O), l'azote 13 (^{13}N) et le fluor 18 (^{18}F), qui se désintègrent tous en émettant des positons. Ils peuvent être incorporés à la plupart des molécules organiques pour procéder, notamment, à des investigations du cerveau et du cœur. Dans ce cas, l'appareillage de détection est le tomographe à positons, un matériel très onéreux essentiellement réservé pour l'instant à la recherche.

UTILISATION DIAGNOSTIQUE

La médecine nucléaire permet d'explorer la plupart des organes. Des molécules phosphorées marquées au technétium 99m permettent d'explorer le squelette. On peut ainsi détecter d'éventuelles métastases osseuses ou établir le diagnostic de nombreuses maladies ostéo-articulaires. En cardiologie, les radio-éléments qui permettent d'étudier l'irrigation et la contraction du muscle cardiaque (thallium 201, technétium 99m) sont utilisés dans le diagnostic et le suivi des maladies coronariennes (angor, infarctus, etc.). En pneumologie, le xénon 133 et le technétium 99m servent à l'étude de la ventilation et de l'irrigation du poumon, notamment pour le diagnostic de l'embolie pulmonaire. L'iode 131 et 123 et le technétium 99m sont utilisés dans le diagnostic des atteintes de la thyroïde, du cerveau, des reins, du foie, des glandes surrénales ou parathyroïdes. En cancérologie, une nouvelle technique, appelée immunoscintigraphie, paraît très prometteuse : elle utilise des anticorps marqués par un radio-isotope, lesquels, après injection intraveineuse, se fixent sur des sites antigéniques spécifiques, présents dans les cellules tumorales. Ces méthodes de diagnostic et d'investigation sont non agressives et dépourvues d'effets secondaires, l'irradiation subie par le patient étant très faible, transitoire et sans danger pour lui ou son entourage.

UTILISATION THÉRAPEUTIQUE

Des molécules marquées ou des radio-éléments émetteurs de rayonnements bêta moins peuvent se fixer sur des cellules malades et entraîner leur destruction : on parle alors de radiothérapie métabolique. L'iode 131 est ainsi utilisé dans le traitement des hyperthyroïdies et dans celui de certains cancers thyroïdiens.

→ VOIR Imagerie médicale.

Médecine prédictive

Partie de la médecine qui s'attache à rechercher les risques génétiques que présente un individu d'être victime au cours de son existence d'une maladie.

La médecine prédictive étudie les facteurs de risques d'apparition des maladies au stade le plus précoce possible, néonatal ou même prénatal. Elle est donc intimement liée à la génétique.

Ainsi, la mise en évidence chez un individu d'un antigène du système d'histocompatibilité HLA, témoignant d'une prédisposition à certaines affections par rapport à une population témoin (par exemple, HLA B27 pour les spondylarthropathies, ou HLA B5 pour la maladie de Behçet), appartient au domaine de la médecine prédictive. De même, le dépistage prénatal de maladies monogéniques (dont l'apparition dépend de la modification d'un seul gène), qui permet d'avertir les parents avant la naissance de l'enfant - dépistage d'une trisomie 21, par exemple -, entre dans ce cadre.

Cependant, le véritable domaine de cette branche médicale concerne les maladies polygéniques (dont l'apparition dépend de la modification de plusieurs gènes), comme l'hypertension artérielle essentielle ou le diabète non insulinodépendant. L'étude du caryotype (carte des chromosomes), aidée

par la mise au point récente du génome (détermination de l'ensemble des gènes humains), permet d'envisager le repérage plus précoce de sujets prédisposés à développer, à l'âge adulte, de telles maladies.

L'objectif est de mettre en œuvre des mesures préventives, dans les cas où on en connaît, afin d'empêcher ou de retarder au maximum la survenue des maladies (par exemple, de lutter contre une tendance familiale à l'hypercholestérolémie).

Deux objections ont cependant été faites à la médecine prédictive : premièrement, elle implique l'annonce à un individu, longtemps avant l'apparition de la maladie, sinon d'une « fatalité », d'une forte prédisposition dont la conscience risque de perturber son existence, normale encore pour de nombreuses années au moins autant que l'affection en cause ; deuxièmement, si le but des déterminations génétiques de cet ordre est scientifiquement justifié, elles soulèvent quelques interrogations, par exemple dans le domaine du diagnostic préimplantatoire (contrôle du caryotype d'un embryon avant sa sélection pour une procréation médicalement assistée), et risquent de dériver vers des pratiques proches de l'eugénisme (théorie préconisant l'application de méthodes visant à améliorer le patrimoine génétique des êtres humains).

Médecine du sport

Branche de la médecine regroupant la prévention, le diagnostic et le traitement des maladies liées au sport ainsi que les conseils et les mesures destinés au maintien et à l'amélioration de la condition physique des sportifs de tous âges et de tous niveaux.

La médecine sportive intervient dans toutes les étapes de la vie sportive et offre différents services.

■ Le bilan d'aptitude sportive est un examen préalable permettant de déceler d'éventuelles contre-indications à la pratique sportive. Toute activité sportive régulière

nécessite un contrôle médical annuel de l'aptitude à cette activité.

■ Le conseil médical aide au choix de sports adaptés aux capacités physiques d'un sujet, à son âge et à ses aspirations sportives ; il offre également des indications sur la durée et l'intensité souhaitables de l'entraînement afin d'éviter tout déséquilibre susceptible de mettre en jeu la santé du sportif.

■ Le suivi médical de l'élite sportive (équipes professionnelles, sections sport-études des établissements scolaires) consiste à contrôler les capacités physiques du sportif par des bilans réguliers, à contribuer à l'élaboration des protocoles d'entraînement, à vérifier que ces protocoles sont bien adaptés et bien supportés et à intervenir éventuellement en cas de traumatisme.

■ Le traitement des accidents liés au sport, entrepris après avoir déterminé le siège de la lésion, a pour objet d'obtenir rapidement la guérison du sujet en préservant ses capacités physiques.

■ La surveillance des compétitions permet de vérifier la conformité de l'aire de sport aux règles de sécurité, d'organiser les soins, d'assurer de bonnes conditions d'évacuation vers un centre spécialisé et de procéder à d'éventuels contrôles antidopage.

→ VOIR Croissance de l'enfant.

Médiacalcose

→ VOIR Artériosclérose.

Médiastin

Région médiane du thorax. (P.N.A. *mediastinum*)

Le médiastin est compris entre les deux poumons, latéralement, le rachis dorsal, en arrière, et le sternum, en avant. Il contient le cœur et ses vaisseaux (aorte, artère pulmonaire, veines caves) sur tout ou partie de leur trajet, la trachée et les bronches les plus grosses, la plus grande partie de l'œsophage, des nerfs, des vaisseaux et des ganglions lymphatiques.

Récupérer après un effort sportif

Les mécanismes de récupération mis en jeu après une activité sportive de longue durée permettent à l'organisme de retrouver son équilibre et d'éliminer les toxines apparues pendant l'effort. L'élimination des toxines est favorisée par différents processus.

La récupération active consiste à ne pas interrompre brutalement les mouvements après l'effort : il est conseillé par exemple de trottiner après une course à pied, de continuer à pédaler, plus lentement, après une course cycliste. La récupération active permet de maintenir un débit de sang assez important dans les muscles qui ont travaillé et donc de favoriser l'élimination des toxines.

Les massages contribuent également à éliminer les toxines.

L'absorption d'eau participe aussi au processus de récupération. L'eau gazeuse est particulièrement recommandée, car les bulles de gaz carbonique luttent contre l'acidose sanguine.

Les méthodes permettant de reconstituer les stocks énergétiques et de restaurer les fibres musculaires lésées sont inconnues.

La diminution de l'intensité de l'entraînement permet un repos relatif.

Une alimentation de récupération, adoptée après un effort de longue durée, se compose de légumes, de fruits, de produits lactés, d'aliments riches en glucides rapides (confiture ou sucre, par exemple) et lents (pâtes, riz ou féculents, etc.). La consommation de viande est déconseillée immédiatement après l'effort mais peut être reprise après un délai de 24 heures.

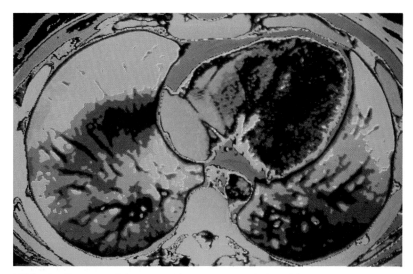

Médiastin. Cœur entouré des poumons (scanner en coupe horizontale).

EXAMENS

Les organes du médiastin peuvent être explorés par la radiographie, l'échographie, la médiastinoscopie, le scanner et l'imagerie par résonance magnétique (I.R.M.).

PATHOLOGIE

Le médiastin peut être le siège d'une médiastinite (inflammation du médiastin) ou d'une adénopathie inflammatoire (tuberculose) ou maligne (métastases ou lymphome).

Médiastinite

Inflammation aiguë ou chronique des tissus du médiastin.

La médiastinite aiguë, presque toujours d'origine infectieuse, est le plus souvent une complication des opérations de chirurgie à cœur ouvert ; dans ce cas, l'antibiothérapie, associée à l'ablation chirurgicale des tissus infectés, permet en général de la guérir. La médiastinite chronique peut aussi être due à une infection (tuberculose, histoplasmose), à une silicose (affection pulmonaire chronique causée par l'inhalation de poussières de silice) ou encore à une radiothérapie anticancéreuse. Les médiastinites n'ont de traitement spécifique que lorsqu'elles sont d'origine infectieuse ; ce traitement repose alors sur les antibiotiques, administrés en service hospitalier de réanimation dans les cas aigus.

Médiastinoscopie

Technique d'exploration du médiastin utilisant un endoscope (tube muni d'un système optique).

La médiastinoscopie est le plus souvent indiquée chez des malades atteints d'un cancer bronchopulmonaire pour examiner et prélever des tissus, surtout ganglionnaires, afin de vérifier s'ils sont cancéreux. Elle est effectuée sous anesthésie générale et nécessite une incision de 4 centimètres au-dessus du sternum, par laquelle le médecin introduit l'endoscope. Elle demande une hospitalisation de 2 ou 3 jours.

Médiateur

Substance chimique par laquelle une cellule exerce ses effets.

Il existe différents types de médiateur. Certains sont contenus dans les cellules avant leur activation tandis que d'autres sont fabriqués en cas de besoin. Parmi les premiers figure l'acétylcholine, neurotransmetteur contenu dans les terminaisons des cellules nerveuses et favorisant la transmission de l'influx nerveux. Parmi les seconds se trouvent les cytokines, protéines sécrétées par certaines cellules (lymphocytes, monocytes ou macrophages) et participant à la régulation du système immunitaire. Enfin, d'autres médiateurs sont présents dans le milieu extracellulaire et doivent être activés pour agir. C'est le cas, par exemple, du complément, système enzymatique présent dans le sérum sanguin et jouant un rôle essentiel dans les réactions de défense de l'organisme. De très nombreux médiateurs participent aux phénomènes d'hypersensibilité ou d'inflammation, comme l'histamine ou les prostaglandines.

Médicament

Préparation utilisée pour prévenir, diagnostiquer, soigner une maladie, un traumatisme ou pour restaurer, corriger, modifier les fonctions organiques.

Longtemps, les médicaments n'ont été préparés qu'à partir des végétaux (alcaloïdes tels que la digitaline ou la morphine), des animaux (vaccins) ou des minéraux (aluminium). Aujourd'hui, l'ensemble des médicaments est fabriqué par l'industrie pharmaceutique, ce qui permet une plus grande précision et une plus grande sécurité d'emploi. Parallèlement, la pharmacie (science de la préparation des médicaments) propose de plus en plus de produits synthétiques, qui copient plus ou moins fidèlement des substances naturelles ou sont entièrement originaux (benzodiazépines). L'insuline, par exemple, médicament antidiabétique auparavant d'origine animale, peut maintenant être synthétisée par des procédés de génie génétique (manipulation des gènes de certaines bactéries visant à leur faire produire une substance donnée).

Actuellement, la recherche de nouveaux médicaments passe par la modification et la dérivation systématiques d'une molécule reconnue active (criblage pharmacologique), par l'application d'un médicament au traitement d'une maladie pour laquelle il n'était pas jusqu'ici utilisé et par l'ethnopharmacologie (étude des médicaments utilisés par les différents peuples).

L'introduction sur le marché de nouveaux médicaments obéit à des directives administratives complexes, variables suivant chaque pays. Les nouveaux médicaments doivent subir des tests (sur des animaux de laboratoire, sur des volontaires humains sains en milieu hospitalier puis sur des malades) destinés à évaluer l'efficacité et les effets secondaires de leurs principes actifs avant que les pouvoirs publics (le ministère de la Santé en France, l'Office intercantonal de contrôle des médicaments en Suisse, Santé et Bien-Être social au Canada, Food and Drug Administration aux États-Unis, etc.) ne délivrent une autorisation de mise sur le marché. Cette dernière, désignée par le sigle A.M.M. en France et en Belgique, est appelée « attestation d'enregistrement » en Suisse, « avis de conformité » au Canada et peut être, par la suite, retirée à un médicament dans l'intérêt de la santé publique. Des contrôles de fabrication doivent avoir lieu régulièrement pendant la période de production.

Les médicaments peuvent être en vente libre ou n'être délivrés que sur présentation d'une ordonnance. Le renouvellement d'une ordonnance, c'est-à-dire la délivrance d'un médicament sur présentation d'une ordonnance ayant déjà servi une ou plusieurs fois, est réglementé ; il dépend du classement légal du médicament en question.

Action des médicaments

Certains médicaments apportent des substances de substitution (sels minéraux, hormones, vitamine D contre le rachitisme, insuline contre le diabète sucré) et soignent les maladies de carence, c'est-à-dire les maladies dues à l'absence ou à l'insuffisance de ces substances.

De nombreux médicaments modifient le fonctionnement cellulaire en le stimulant ou en l'inhibant, souvent par l'intermédiaire du système de transmission neuronal par lequel les messages sont envoyés aux divers points du corps, en se fixant dans la synapse (liaison entre deux cellules nerveuses).

Les médicaments anti-infectieux inhibent la reproduction des microbes ou les tuent (antiseptiques, antibiotiques).

D'autres médicaments détruisent les cellules anormales, telles les cellules cancéreuses (antinéoplasique).

Indépendamment de leur but, tous les médicaments n'agissent pas dans les mêmes délais. Certains ont un effet très rapide ou quasi immédiat (trinitrine contre l'angine de poitrine, adrénaline contre la crise d'asthme). D'autres, à l'opposé, ont parfois besoin de plusieurs semaines pour atteindre leur plein effet (antidépresseurs).

Effets secondaires des médicaments

Les effets secondaires d'un médicament sont les effets, habituels ou non, qui s'ajoutent à l'effet thérapeutique recherché.

Un effet secondaire peut être indésirable dans une utilisation donnée d'un médicament et recherché dans une autre utilisation du même médicament ; il peut même devenir un effet principal. L'effet indésirable peut être lié à l'effet principal du médicament. Par exemple, des médicaments anticancéreux attaquent aussi bien les cellules saines que les cellules cancéreuses, des anticoagulants peuvent provoquer une hémorragie si le traitement est prolongé ; les médicaments ototoxiques peuvent léser le système auditif, les médicaments néphrotoxiques ou hépatotoxiques peuvent altérer le rein ou le foie, allant jusqu'à provoquer des lésions, réversibles ou permanentes. Dans tous ces cas, l'effet indésirable est prévisible et inévitable.

Dans d'autres cas, l'effet indésirable est imprévisible ; il apparaît chez un malade présentant des facteurs de risque (absence d'une enzyme spécifique de la dégradation du médicament, réaction allergique, etc.), en cas de tolérance ou d'accoutumance au médicament ou encore de dépendance envers lui (pharmacodépendance ou toxicomanie), de persistance ou d'accumulation du médicament dans l'organisme ; il varie aussi avec l'importance de la consommation et le type du médicament.

Les effets indésirables mineurs ne demandent pas d'hospitalisation ni de traitement ; les effets modérés demandent un traitement ou une hospitalisation ; les effets graves, qui mettent en danger la vie du malade, comme lors des intoxications volontaires ou accidentelles, exigent un traitement intensif et peuvent laisser des séquelles importantes.

Formes médicamenteuses

La forme sous laquelle se présente le médicament est différente selon le mode d'administration : voie orale, rectale ou parentérale (par injection).

VOIE ORALE

Les médicaments que l'on avale sont préparés soit sous une forme liquide, d'absorption facile, soit sous une forme solide, de meilleure conservation. Ils se présentent en doses multiples (sirops, poudres), à mesurer lors de la prise, ou en doses unitaires (comprimés, ampoules).

■ **Les ampoules** de soluté buvable contiennent le plus souvent des fortifiants, ou antianémiques. Le soluté doit être bu dès l'ouverture de l'ampoule, car sa conservation n'est plus alors assurée.

■ **Les cachets,** au sens strict, sont composés de deux cupules de pain azyme contenant un médicament en poudre. Ils sont mainte-

nant rarement utilisés. Le langage courant use volontiers du mot « cachet » pour désigner un comprimé. Cet emploi non technique n'est pas admis par les spécialistes.

■ **Les comprimés** sont des préparations solides de substances médicamenteuses et d'excipients (base neutre dans laquelle sont incorporés les principes actifs), additionnées ou non d'adjuvants (base active qui accroît l'efficacité du médicament). La moitié des médicaments actuellement administrés le sont sous la forme de comprimés, d'emploi facile et de dosage précis.

Le comprimé à sucer, ou tablette, a une action locale (par exemple antiseptique ou anesthésique, contre les maux de gorge).

Il existe des comprimés à sucer, des comprimés effervescents, des comprimés multicouches, ce qui permet d'inclure plusieurs principes actifs, autrement incompatibles, dans le même comprimé ou de ne les libérer qu'à des vitesses ou à des moments différents ; des comprimés à libération modifiée, fabriqués de façon à retarder ou à prolonger dans le tube digestif la libération des substances médicamenteuses ; enfin, des comprimés sublinguaux, maintenus sous la langue afin de permettre la libération du principe actif et son absorption directe grâce à la vascularisation dense de la muqueuse locale, ce qui lui épargne l'action des sucs gastriques.

■ **La dragée** est un comprimé enrobé ; on l'appelle aussi comprimé dragéifié. L'enrobage peut avoir une action thérapeutique propre, servir à masquer un goût ou une odeur désagréable ou servir à protéger le principe actif, par exemple contre sa destruction par les sucs gastriques.

■ **L'élixir** est une préparation liquide de substances médicamenteuses (calmant de la toux ou des douleurs de l'estomac, par exemple) dissoutes dans l'alcool (20 % d'alcool et 20 % de sucre ou de glycérine).

■ **Une émulsion** est un liquide contenant en suspension des gouttelettes très fines d'un autre corps, avec lequel il ne peut pas se mélanger (à la différence des solutés).

■ **Les essences, ou huiles essentielles,** sont des produits volatils et aromatiques extraits, le plus souvent par distillation, des plantes. Leur administration par voie orale se fait en général en solution dans l'alcool (eau de mélisse, alcool de menthe).

■ **Les extraits** se préparent par dissolution d'une substance - végétale ou animale - puis par évaporation du solvant jusqu'à obtention de la consistance recherchée (extrait fluide, mou ou sec). Ils servent à confectionner divers médicaments, par exemple l'extrait concentré d'orange amère pour sirop.

■ **Les gélules ou les capsules** sont de petits récipients de gélatine contenant un médicament liquide ou en poudre. Leur forme permet l'absorption de médicaments au goût ou à l'odeur désagréable (essences végétales). Certaines sont conçues pour libérer leur contenu dans l'estomac, d'autres pour les libérer seulement dans l'intestin grêle. Les capsules à action prolongée contiennent en général un médicament sous la forme de plusieurs grains dont les enrobages sont de

nature différente, ce qui permet une durée de libération prolongée et/ou programmée dans le tube digestif.

■ **Les granulés** sont des préparations solides constituées principalement par du sucre et renfermant divers principes médicamenteux. Ils peuvent être absorbés après dissolution ou désagrégation dans l'eau ou pris à la cuillère et avalés directement.

■ **Les pilules** sont des préparations ayant la forme de petites masses sphériques. Elles sont rarement utilisées de nos jours.

■ **La potion** est un médicament aqueux et sucré qui s'administre à la cuillère. Elle doit être consommée dans les jours qui suivent sa préparation par le pharmacien - de préférence dans les 24 heures.

■ **Les poudres** peuvent être simples ou composées, les principes actifs (antibiotiques, levures, pansements gastriques) étant répartis ou non dans une poudre inerte (lactose, par exemple). Elles sont, en général, absorbées après dissolution ou mises en suspension dans de l'eau.

■ **Les sirops composés** peuvent renfermer des principes actifs variés (sirops contre la toux, sirops sédatifs ou hypnotiques). La forte concentration en sucre du sirop assure sa conservation. Il existe aussi des sirops sans sucre pour les diabétiques.

■ **Les solutés** sont toutes les solutions médicamenteuses homogènes. Ils proviennent de produits extraits des végétaux et dilués (dans de l'alcool, par exemple) ou de produits naturels (plantes, etc.) que l'on dissout dans un solvant. L'alcoolat est une forme de soluté.

■ **Une suspension** médicamenteuse est un liquide contenant un principe actif sous la forme de particules solides non dissoutes. Cette forme est choisie quand le principe actif est insoluble dans l'eau (antibiotiques destinés aux enfants). Les suspensions doivent être agitées manuellement juste avant d'être administrées pour que toutes les cuillerées contiennent la même quantité de principe actif.

■ **La teinture** est un soluté alcoolique résultant de l'action dissolvante de l'alcool sur des substances végétales, animales ou chimiques (teinture d'iode, par exemple). Les teintures sont des produits stables et facilement dosables.

VOIE RECTALE

La vascularisation de la muqueuse rectale permet l'absorption et le transfert rapide dans la circulation sanguine des principes actifs. Par ailleurs, les médicaments pris par voie rectale ne subissent pas l'action des sucs digestifs. Enfin, dans certains cas (personnes ayant des difficultés à s'alimenter, enfants), la voie rectale est plus pratique que la voie orale. Cependant, la perméabilité de la muqueuse rectale doit inciter à la prudence dans l'utilisation de médicaments très actifs, surtout chez l'enfant.

■ **La pommade** a une action principalement locale.

■ **Le suppositoire** est une préparation, molle ou solide, de beurre de cacao, de gélatine glycérinée ou d'une autre substance ad hoc contenant un ou plusieurs principes actifs ou bien constituant le principe actif. Les suppositoires peuvent avoir une action locale (suppositoires à la glycérine utilisés comme laxatif) ou une action générale (antibiotiques, sédatifs, hypnotiques).

■ Le lavement est utilisé pour une action évacuatrice ou pour l'administration locale de médicaments.

FORMES INJECTABLES

Les préparations injectables sont des liquides purs, des solutions, des suspensions ou des émulsions liquides destinés à être administrés par voie parentérale. La nature des solvants varie : eau pour préparations injectables, huiles végétales, hydrocarbures (huile de vaseline), alcools (éthanol), lanoline, etc. Ces préparations doivent être stériles. En général, elles sont neutres quant à l'équilibre acidobasique et ont la même tension osmotique que le plasma sanguin (isotonie), bien que des préparations hypertoniques puissent être administrées dans certaines conditions par voie intraveineuse. Elles sont apyrogènes, c'est-à-dire qu'elles ne provoquent pas de réaction fébrile.

La dénomination des médicaments

Un médicament contient un ou plusieurs principes actifs. Généralement, le principe actif essentiel donne le nom au médicament. Et chaque principe actif essentiel est identifié de trois façons différentes suivant que l'on se place d'un point de vue scientifique, législatif ou commercial.

La dénomination scientifique est le nom chimique exact du principe actif. Elle est généralement peu employée par les médecins et par les pharmaciens en raison de sa complexité.

La dénomination commune internationale (D.C.I.) est établie par l'Organisation mondiale de la santé (O.M.S.). Plus simple que la dénomination scientifique, elle correspond au nom générique du principe actif en médecine. C'est cette dénomination d'usage courant qui est utilisée dans ce dictionnaire.

La dénomination commerciale est donnée par les laboratoires pharmaceutiques, qui découvrent de nouveaux médicaments en modifiant les structures moléculaires des substances originelles de façon à augmenter leur efficacité thérapeutique et à diminuer les effets secondaires. Un même principe actif pouvant être commercialisé par deux laboratoires différents, deux noms commerciaux peuvent correspondre exactement à la même substance, éventuellement avec des présentations (comprimés, gélules, etc.) et/ou des dosages différents. Les noms commerciaux sont signalés par leur initiale en majuscule ou par la lettre R (de l'anglais *registered*, qui signifie « marque déposée ») entourée et placée en exposant à la fin du nom ®.

Les préparations injectables sont contenues dans des ampoules, en verre ou en P.V.C., ou dans des flacons de tailles diverses allant jusqu'aux grands flacons à perfusion d'un litre. Il existe aussi des seringues auto-injectables. Tous ces récipients sont hermétiques, inertes et stériles ; ils doivent assurer la conservation de leur contenu sans altération.

Les voies d'administration des préparations injectables sont la voie intraveineuse, la voie intramusculaire, la voie intradermique (dans la peau, entre l'épiderme et le derme), la voie sous-cutanée (sous la peau, dans le tissu conjonctif), la voie intra-artérielle, la voie intracardiaque, la voie intrarachidienne (entre la moelle épinière et la colonne vertébrale : le médicament se mélange au liquide céphalorachidien) et la voie épidurale (dans le canal sacré).

L'implant n'est pas une injection ; c'est un comprimé introduit sous la peau (disulfirame, etc.), libérant le produit actif en plusieurs jours ou plusieurs semaines.

VOIE EXTERNE

Il n'existe pas de voie strictement externe puisque les médicaments appliqués sur la peau, qui est perméable, se diffusent au moins partiellement, à plus ou moins grande profondeur, dans l'organisme.

■ L'alcoolat est une solution alcoolique d'essence de plantes (alcoolat de mélisse).

■ Le cataplasme est une préparation à base de poudre, enveloppée dans un tissu, à action locale, calmante ou révulsive (farine de moutarde). Étant donné le risque d'infection, il ne faut pas appliquer un cataplasme sur une blessure.

■ Le collutoire est un liquide visqueux à base de glycérine, destiné à être appliqué sur les muqueuses buccales par pulvérisation ou à l'aide d'un badigeon stérile (antiseptique, anesthésique local).

■ Le collyre est une préparation aqueuse, isotonique aux larmes, destinée à être appliquée sur la muqueuse de l'œil (antibiotique, vasoconstricteur, vitamine). Les collyres s'utilisent en bain ou en instillation, avec un compte-gouttes. Il faut conserver les collyres multidoses dans le réfrigérateur et ne pas les garder plus de dix jours après leur ouverture pour éviter les risques d'infection oculaire.

■ La crème est une préparation molle à base d'eau et d'huile. Les crèmes servent à protéger la peau (crème solaire) ou sont les véhicules de nombreux principes actifs.

■ Le gel est un liquide gélifié grâce à de la gomme, à de l'amidon, à de la paraffine, contenant des principes actifs qui traverseront plus ou moins l'épiderme ou la muqueuse selon les qualités de l'excipient.

■ La lotion est une préparation aqueuse ou alcoolique à appliquer en friction.

■ L'onguent est une préparation à base de résines et de corps gras, de consistance semi-molle.

■ La pommade est une préparation semi-solide à base de graisse végétale, animale ou minérale, à action protectrice adoucissante ou transportant divers principes actifs à

action locale ou plus ou moins générale (antibiotiques, anti-inflammatoires, analgésiques). Les pommades ophtalmiques (pommades destinées à être appliquées sur la muqueuse de l'œil), moins liquides que les collyres, maintiennent plus longtemps les principes actifs au contact de l'œil.

Passage du médicament dans l'organisme

Une fois administré, un médicament suit trois phases : la résorption, la distribution et l'élimination. Leur étude est nommée pharmacocinétique.

RÉSORPTION

La résorption est le passage du médicament de son site d'administration vers la circulation générale. Une fraction seulement de la dose administrée atteint la circulation générale (biodisponibilité, ou disponibilité biologique, sauf en cas d'injection intraveineuse). La biodisponibilité doit être assez grande pour que le médicament soit absorbé en quantité suffisante et assez rapidement pour avoir l'efficacité souhaitée. Elle dépend des propriétés physicochimiques du médicament (solubilité, vitesse de dissolution du principe actif, etc.).

La chronopharmacologie joue aussi un rôle : un médicament est plus ou moins efficace suivant l'heure à laquelle il est administré, en particulier en raison des variations cycliques d'activité des enzymes qui le dégradent dans le foie. Enfin, il y a intérêt à prendre certains médicaments avant, d'autres pendant, d'autres encore après les repas.

DISTRIBUTION

Après son entrée dans la circulation générale, un médicament se distribue dans tout l'organisme. Sa répartition entre les différents tissus est inégale, du fait des différences de perméabilité, de volume ou d'irrigation sanguine de ces tissus. Le fait que le médicament commence à être métabolisé (transformé physicochimiquement) dès son entrée dans l'organisme rend le processus de distribution instable et complexe.

ÉLIMINATION

L'organisme tente d'éliminer le plus rapidement possible toute substance étrangère et/ou toxique qui y a été introduite. L'élimination se fait par excrétion directe (élimination sans transformation du médicament) ou par excrétion des métabolites (produits résultant de la transformation du médicament dans l'organisme) grâce aux divers organes servant à évacuer à l'extérieur de l'organisme les déchets du métabolisme : rein, foie, poumon, intestin, etc.

PRESCRIPTION ET SURVEILLANCE

Beaucoup de facteurs influençant le comportement des médicaments dans l'organisme doivent être pris en compte dans la prescription : l'âge et le poids du patient, l'existence éventuelle d'une maladie, les interactions médicamenteuses, la voie d'introduction du médicament dans l'organisme. Une fois la prescription établie, il faut continuer à surveiller le comportement des médicaments dans l'organisme, en particulier leur concentration dans le plasma.

Enfants et médicaments

Chez l'enfant, les médicaments ont des effets différents de ceux observés chez l'adulte.

L'absorption par l'estomac et l'intestin des médicaments pris par voie orale peut être retardée ou prolongée, car les capacités digestives de l'enfant sont encore incomplètement développées. L'absorption par voie intramusculaire est imprévisible chez le nouveau-né en ce qui concerne la vitesse d'absorption ou le pourcentage de produit absorbé. Par voie cutanée, l'absorption est très augmentée chez les jeunes enfants. Ce phénomène est le plus souvent indésirable et d'autant plus fréquent que la surface d'application est grande, que l'administration est prolongée, que la peau est lésée (eczéma) et qu'il existe une occlusion (pansement ou couches). Ainsi, les dermocorticostéroïdes, utilisés dans le traitement de lésions cutanées, ont facilement chez l'enfant les mêmes effets indésirables que s'ils étaient donnés par voie orale (fragilité osseuse, tendance aux infections, diabète, hypertension artérielle). Par ailleurs, certaines pommades peuvent contenir un mélange de produits dont certains sont très toxiques (camphre, mercure, plomb).

La diffusion des médicaments, qui suit leur absorption, se fait dans l'eau de l'organisme. Or la quantité d'eau, proportionnellement au poids, diminue avec l'âge : de 80 % du poids du corps chez le nouveau-né, elle descend jusqu'à 55 % chez l'adulte. C'est pourquoi on donne parfois au jeune enfant des posologies, par kilogramme de poids corporel, plus élevées qu'à l'adulte afin que les concentrations restent à un niveau suffisant.

Le métabolisme des médicaments est différent chez l'enfant, c'est-à-dire que les réactions chimiques qu'ils subissent dans l'organisme ainsi que leur élimination sont diminuées en raison de l'immaturité d'organes tels que le foie et les reins. Le risque d'accumulation des médicaments dans les tissus est donc plus élevé.

Les précautions d'emploi générales sont plus strictes que chez les adultes. Un médicament n'est jamais anodin (même l'aspirine) et ne doit être donné que sur avis du médecin. On ne doit pas faire prendre de sa propre initiative un médicament à un enfant, y compris lorsqu'il s'agit de donner, sans avis médical, un produit antérieurement prescrit. Les formes pharmaceutiques destinées à l'enfant, ou adaptées à chaque tranche d'âge, doivent être préférées lorsqu'elles existent. Il est conseillé aux parents de vérifier sur la notice les contre-indications, le mode d'emploi, les posologies et les indications en fonction de l'âge avant d'utiliser le médicament.

Doivent être particulièrement surveillés les taux sanguins des digitaliques dans le traitement de l'insuffisance cardiaque, des théophyllines dans le traitement de l'asthme, du lithium dans le traitement de la psychose maniacodépressive, des anticoagulants, surtout au long cours, et de divers médicaments antiarythmiques et hormonaux.

→ VOIR Dossier Chronobiologie, Interaction médicamenteuse, Pharmacodépendance, Résistance aux médicaments.

Médine (filaire de)
→ VOIR Dracunculose.

Médullaire
1. Relatif à la moelle épinière.

En neurologie, une atteinte médullaire est une lésion qui touche la moelle épinière. Une paraplégie (paralysie des deux membres inférieurs) par compression de la moelle épinière est un exemple d'atteinte médullaire.
2. Relatif à la moelle osseuse jaune (graisseuse).

Le canal médullaire est la partie centrale des os longs qui contient la moelle jaune.
3. Relatif à la moelle osseuse rouge, présente surtout dans les os plats, dans laquelle sont formées les cellules souches des cellules sanguines (tissu hématopoïétique).

On parle, par exemple, d'insuffisance médullaire, d'aplasie médullaire.

Médullaire rénale
Partie profonde du tissu rénal, par opposition au cortex rénal, qui en constitue la partie superficielle.

La médullaire rénale est constituée par les pyramides de Malpighi, dont les sommets internes, appelés papilles, permettent l'écoulement de l'urine dans le fond des calices. Elle contient la plus grande partie du tube urinifère, notamment les anses de Henle et les canaux collecteurs, ainsi que les vaisseaux sanguins et lymphatiques adjacents. Ces différentes structures font suite aux glomérules, où se forme l'urine primitive et qui, eux, sont situés dans le cortex rénal.

Médullaire surrénale
Partie centrale des glandes surrénales (médullosurrénale), responsable de l'élaboration des catécholamines (adrénaline, noradrénaline, dopamine).
→ VOIR Médullosurrénale (glande).

Médulloblastome
Tumeur maligne de la région postérieure de l'encéphale.

Le médulloblastome est assez fréquent parmi les tumeurs malignes cérébrales de l'enfant, chez lequel il représente un tiers des tumeurs de la fosse postérieure (région du crâne située en arrière et immédiatement au-dessus du cou). Il se développe dans le vermis (partie centrale du cervelet) avant de s'étendre aux deux hémisphères cérébraux ; il tend à faire saillie dans le quatrième ventricule (cavité liquidienne située en avant du cervelet), et les cellules cancéreuses se disséminent alors dans le reste du système nerveux central en empruntant la voie liquidienne. La tumeur se traduit le plus souvent par des chutes fréquentes, des maux de tête et des vomissements dus à une hypertension intracrânienne (augmentation de la pression du liquide céphalorachidien). Elle est diagnostiquée par scanner et imagerie par résonance magnétique (I.R.M.). Son pronostic est sévère, mais l'ablation chirurgicale et la radiothérapie peuvent permettre des rémissions prolongées.

Médullosurrénale (glande)
Zone centrale de la glande surrénale.

La glande médullosurrénale a une origine différente de celle de la glande corticosurrénale (partie externe de la glande surrénale) : elle est issue de cellules primitives de la plaque neurale qui ont migré et sont venues coloniser la corticosurrénale fœtale vers la 8e semaine de gestation. La glande médullosurrénale fait donc partie du système nerveux sympathique. Elle synthétise et sécrète les catécholamines (substances qui favorisent la transmission de l'influx nerveux) : adrénaline principalement, noradrénaline et dopamine à un moindre degré.

EXAMENS

L'exploration biologique de la glande médullosurrénale repose sur les dosages urinaires des dérivés des catécholamines : métanéphrines (dérivés méthylés des catécholamines) et catécholamines libres. Son exploration morphologique fait appel au scanner, à l'imagerie par résonance magnétique (I.R.M.) et à la scintigraphie.

PATHOLOGIE

La glande médullosurrénale peut être le siège de tumeurs appelées phéochromocytomes, responsables d'une augmentation de la sécrétion de catécholamines qui provoque une hypertension artérielle sévère. Ces tumeurs sont traitées par ablation chirurgicale.

Mégacaryocyte
Cellule souche de grande taille dont dérivent les plaquettes sanguines.

Le mégacaryocyte constitue l'une des principales lignées de différenciation des cellules de la moelle. Il est caractérisé par une succession de divisions cellulaires classiques (mitoses) puis d'endomitoses (division du noyau sans division du cytoplasme). Le mégacaryocyte est donc une cellule contenant plusieurs noyaux (cellule plurinucléée) et ayant un cytoplasme très étendu. Les plaquettes dérivent des mégacaryocytes par simple fragmentation du cytoplasme et ne contiennent pas de noyau.

Mégacôlon
Dilatation permanente du côlon, accompagnée généralement d'une hypertrophie des parois de l'organe et, parfois, de son allongement.

DIFFÉRENTS TYPES DE MÉGACÔLON

Un mégacôlon peut être soit congénital, soit acquis.

■ Le mégacôlon congénital, également appelé maladie de Hirschsprung, est dû à un déficit de l'innervation du côlon, qui entraîne un trouble de l'évacuation rectale avec constipation sévère. L'affection se révèle en général à la naissance, mais le diagnostic peut aussi n'être porté qu'à l'âge adulte si aucun trouble ne survient pendant l'enfance. La chirurgie permet l'ablation du segment anormal.

■ Le mégacôlon acquis peut se rencontrer soit en amont de lésions organiques (rétrécissement lié à un cancer, par exemple), soit au cours de maladies neurologiques, endocriniennes ou iatrogènes (dues à la prise de médicaments, comme celle, prolongée, de neuroleptiques). Le diagnostic est établi d'après la radiographie du côlon et la coloscopie. Le traitement est celui de la cause.
→ VOIR Hirschsprung (maladie de).

Mégalencéphalie

Augmentation congénitale significative du volume du cerveau se traduisant par un crâne de périmètre supérieur à la moyenne.
SYN. *encéphalomégalie*.

La transmission de la mégalencéphalie semble s'effectuer selon un mode autosomique (par les chromosomes non sexuels) dominant (il suffit que le gène en cause soit reçu de l'un des parents pour que l'anomalie se manifeste chez l'enfant). Le développement intellectuel de tels sujets est strictement normal ; aucune anomalie (kyste, tumeur, hydrocéphalie) n'est décelable.

Dans quelques cas, la mégalencéphalie peut être l'un des signes d'une affection rare, le gigantisme de Sotos, et s'associer alors à des modifications du visage, à un développement excessif des pieds et des mains, à une épilepsie et à une dilatation des ventricules cérébraux.

Mégalérythème épidémique

Maladie bénigne due à un entérovirus (virus se transmettant par voie digestive), le parvovirus B19, caractérisée par une éruption cutanée. SYN. *cinquième maladie éruptive, érythème infectieux aigu*.

La maladie se manifeste généralement en hiver ou au printemps, tous les 4 ou 5 ans, sous forme d'épidémies successives, par petites vagues. Elle est plus fréquente chez la fille et survient en moyenne entre 8 et 15 ans. La contagion s'effectue par voie digestive (salive, matières fécales, mains sales, etc.).

SYMPTÔMES ET SIGNES

Après une incubation de 4 à 14 jours survient une éruption cutanée caractéristique : plaques rouges parfois légèrement surélevées, débutant sur les joues mais épargnant le menton, et dites alors en forme d'« ailes de papillon ». Les plaques confluent et gagnent les membres en quelques jours, respectant les paumes et les plantes des pieds et prenant un aspect également caractéristique en réseau ou en carte de géographie. L'affection est peu fébrile, parfois associée à des ganglions ou à des douleurs articulaires, surtout quand elle survient chez l'adulte.

ÉVOLUTION ET TRAITEMENT

L'évolution est bénigne, l'éruption disparaissant spontanément en une dizaine de jours, mais pouvant cependant réapparaître les semaines suivantes, notamment à l'occasion d'un stress, d'une variation de température extérieure ou d'une exposition au soleil. Aucun traitement spécifique n'est nécessaire ; des médicaments anti-inflammatoires (aspirine) sont parfois prescrits.

Mégaloblaste

Érythroblaste (cellule de la moelle osseuse, précurseur des globules rouges) de grande taille, observé dans les carences en acide folique et en vitamine B12 (maladie de Biermer).

Outre cette grande taille, la forme très régulière de l'ensemble de la cellule et du noyau caractérise le mégaloblaste. La chromatine du noyau se différencie de celle des érythroblastes normaux par une apparence anormalement jeune, décrite comme « perlée ». La richesse en A.R.N. messagers du cytoplasme explique la coloration bleue (basophile) de ce dernier.

Les mégaloblastes disparaissent rapidement de la moelle après administration de la vitamine manquante.

Mégalomanie

Conviction excessive de sa supériorité. SYN. *délire de grandeur*.

La mégalomanie va de la suffisance, chez un sujet doué mais orgueilleux, à l'expansion délirante du moi avec des idées de toute-puissance, de science infuse, etc. Elle s'accompagne souvent d'un délire de persécution. La mégalomanie se rencontre épisodiquement dans la manie, l'hystérie, la psychopathie. Elle s'observe à l'état permanent dans les délires chroniques (paranoïa, paraphrénie) et les démences.

Mégaœsophage

Dilatation de l'œsophage.

La principale cause de mégaœsophage est l'achalasie de l'œsophage.

Mégaœsophage idiopathique

Dilatation de l'œsophage due à un trouble de la motricité de son segment inférieur.

Dans un mégaœsophage idiopathique, la stagnation des aliments dans l'œsophage entraîne progressivement une dilatation de celui-ci en amont. La cause de cette anomalie est inconnue. Le mégaœsophage se traduit par une difficulté à avaler, des sensations douloureuses de plénitude gastrique, surtout dorsales, et des régurgitations spontanées qui entraînent une perte de poids. Le diagnostic repose sur la radiographie, sur l'endoscopie digestive et sur la manométrie, qui permet de mettre en évidence les anomalies de la motricité digestive. Ces examens servent également à éliminer l'hypothèse d'un mégaœsophage secondaire (consécutif à une lésion organique du cardia, par exemple).

Le traitement comprend essentiellement deux possibilités : dilatations pneumatiques sous contrôle endoscopique (introduction temporaire dans la partie inférieure de l'œsophage d'un ballonnet gonflé d'air) ou opération de Heller (intervention chirurgicale consistant à inciser la couche musculaire de l'œsophage jusqu'à la muqueuse).

Méga-uretère

Dilatation congénitale, plus ou moins étendue, d'un segment d'uretère qui jouxte la vessie.

Un méga-uretère est consécutif à une déficience de la musculature urétérale, d'origine inconnue.

SYMPTÔMES ET SIGNES

Un méga-uretère ne se traduit parfois par aucun symptôme. Cependant, il se signale le plus souvent par des douleurs rénales, éventuellement associées à une infection et à une fièvre (on parle alors de pyélonéphrite). Il est dit refluant lorsqu'il provoque un retour de l'urine de la vessie vers l'uretère pendant les mictions ou en dehors d'elles. À un stade avancé, il peut provoquer une destruction d'un rein ou des deux ; il entraîne alors une insuffisance rénale.

DIAGNOSTIC ET TRAITEMENT

L'échographie, l'urographie intraveineuse et la cystographie rétrograde permettent de visualiser la dilatation. Les méga-uretères peu importants et ne provoquant aucun symptôme ne nécessitent aucun traitement mais seulement une surveillance régulière. Dans le cas contraire, le traitement est chirurgical : on remodèle l'uretère au niveau de la dilatation afin de réduire son calibre, puis on réimplante son extrémité dans une zone saine de la vessie en lui faisant suivre un trajet suffisamment incliné pour que tout reflux ascendant d'urine soit impossible. L'hospitalisation dure une dizaine de jours. La principale complication de cette intervention est le rétrécissement du canal urétéral remodelé, le plus souvent dû à une fibrose cicatricielle (formation pathologique de tissu fibreux). Pendant plusieurs années après l'intervention, les sujets opérés doivent donc subir un contrôle échographique et bactériologique (examen cytobactériologique des urines) régulier.

Meibomite

Inflammation d'origine infectieuse des glandes de Meibomius.

Une meibomite atteint les personnes qui souffrent de blépharite (inflammation du bord libre des paupières).

SYMPTÔMES ET ÉVOLUTION

La paupière s'épaissit, devient rouge et douloureuse. Une petite goutte blanchâtre apparaît à la pression du doigt sur la paupière. Lorsqu'une meibomite devient chronique, elle entraîne souvent la formation d'un chalazion (sorte de kyste douloureux) et de blépharolithes (petites concrétions calcaires bien visibles à travers la conjonctive).

DIAGNOSTIC ET TRAITEMENT

Après avoir effectué un prélèvement pour identifier le germe, le médecin prescrit une pommade antibiotique. Si les chalazions ne se résorbent pas au cours de ce traitement, ils peuvent être enlevés chirurgicalement. Les blépharolithes, eux, ne sont curetés que s'ils gênent le patient.

Meibomius (glande de)

Glande sébacée située dans les paupières et sécrétant des lipides qui se mélangent aux larmes et favorisent la lubrification de la cornée. (P.N.A. *glandula torsalis*)

Les glandes de Meibomius, au nombre de 25 à 30 par paupière, peuvent être le siège d'une inflammation, la meibomite.

Meigs (syndrome de)

→ VOIR Demons-Meigs (syndrome de).

Méiose

→ VOIR Division cellulaire.

Mélancolie

État dépressif grave, marqué par une douleur morale insupportable, un sentiment de faute et une inhibition psychomotrice.

La mélancolie se rencontre dans la psychose maniacodépressive, au début de la schizophrénie, au cours d'affections neurologiques, endocriniennes ou lors de situations difficiles (ménopause, par exemple). Elle se manifeste par une prostration, une angoisse extrême, un sentiment de faute et de damnation, un délire de négation de soi. Le risque majeur en est le suicide.

Le traitement de la mélancolie est donc une urgence, qui nécessite une hospitalisation, l'administration d'antidépresseurs, un soutien psychothérapique, voire des électrochocs. L'évolution à court terme est presque toujours favorable. Le traitement de fond dépend de la cause de la mélancolie.

Mélanine

Substance pigmentaire foncée, présente dans la peau, les cheveux, les poils et les membranes de l'œil.

La mélanine est synthétisée par des cellules spécialisées, les mélanocytes, à partir d'acides aminés (la tyrosine, notamment).

La mélanine détermine la couleur de la peau et donne à l'iris des nuances foncées ; en son absence, on voit les couches profondes de l'iris, dont la couleur est bleue. La mélanine protège aussi la peau contre les rayonnements ultraviolets du soleil, qui favorisent les processus de vieillissement et de cancer cutané. Mais, sous l'influence de ces rayonnements, elle diminue également la synthèse de la vitamine D dans la peau. C'est la raison pour laquelle les enfants noirs, lorsqu'ils vivent dans des pays froids, sont plus exposés que les enfants blancs au rachitisme (maladie due à une carence en vitamine D). La quantité de mélanine présente chez un individu dépend de son hérédité, de la stimulation hormonale de ses mélanocytes et d'un éventuel facteur pathologique (albinisme).

Mélanocyte

Cellule localisée dans l'épiderme ou le derme, responsable de la pigmentation de la peau par la sécrétion de mélanine.

Les mélanocytes sont situés soit entre les kératinocytes (cellules constituant la plus grande partie de l'épiderme), soit dans les follicules pileux (petites structures en forme de sac entourant la base des poils). Ils sécrètent la mélanine, le pigment de la peau, sous forme de petits grains appelés mélanosomes. Ceux-ci sont ensuite transférés dans les kératinocytes voisins ; on appelle unité épidermique de mélanisation l'ensemble constitué par un mélanocyte et par les dizaines de kératinocytes qui en dépendent.

Le nombre de mélanocytes varie selon les régions du corps : 2 300 par millimètre carré au niveau des parties génitales, 2 000 sur le visage, de 900 à 1 700 sur le tronc. Il diminue progressivement avec l'âge.

Mélanome malin

Tumeur maligne provenant des mélanocytes (cellules responsables de la pigmentation de la peau). SYN. *mélanosarcome, mélanome, nævocarcinome.*

Le mélanome malin a une classification et une dénomination discutées : certains emploient le terme de mélanome exclusivement pour désigner une tumeur maligne, tandis que d'autres font la distinction entre mélanome malin et mélanome bénin (ou nævus). Le mélanome malin apparaît le plus souvent sur la peau et les muqueuses, accessoirement dans l'œil.

Mélanome malin de la peau et des muqueuses

Sa fréquence est en progression constante dans le monde. Elle est plus élevée chez les sujets blancs, surtout à la peau claire et aux yeux bleus, que chez les sujets noirs et il existe un facteur héréditaire. Il semble cependant que le facteur déclenchant essentiel soit une exposition excessive au soleil, surtout pendant les 15 premières années de la vie. Les localisations muqueuses (surtout sur la vulve) sont exceptionnelles par rapport aux localisations cutanées.

■ Le mélanome d'apparition spontanée a en général un aspect pigmenté (brun foncé, noir). Le plus fréquent est le mélanome

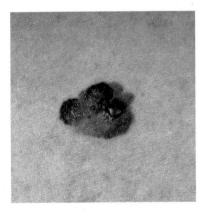

Mélanome malin. Cette tumeur, le plus souvent cutanée, se caractérise par sa polychromie, son relief et ses contours irréguliers.

d'extension superficielle, qui se présente sous la forme d'une petite tache brun foncé, chamois ou polychrome (coexistence de zones rougeâtres, bleuâtres, grisâtres, blanchâtres), légèrement saillante, à surface mamelonnée et un peu rugueuse, aux contours déchiquetés. D'autres formes de mélanome malin existent : mélanome nodulaire (formant une petite boule) et mélanome unguéal (tache noire sous un ongle).

■ Le mélanome par transformation d'un grain de beauté est nettement moins fréquent que le mélanome d'apparition spontanée. Les grains de beauté (nævi mélanocytaires) congénitaux, surtout s'ils font plus de 2 centimètres de diamètre, risquent de se transformer en mélanomes malins. Les autres facteurs de risque sont les suivants : antécédents familiaux de mélanomes malins, sujets à la peau claire souvent exposés au soleil, grains de beauté nombreux ou localisés sur une zone de frottement (ceinture, soutien-gorge, paume des mains, plante des pieds). Un grain de beauté qui grossit, change d'aspect (aspect en dôme) ou de couleur (couleur très foncée, mélange de plusieurs couleurs), saigne, s'ulcère ou entraîne des démangeaisons doit être retiré préventivement. Contrairement à une croyance répandue, cette ablation n'est jamais une cause de cancérisation.

L'évolution d'un mélanome malin reste sévère, étant donné sa forte propension à la récidive et aux métastases (hépatiques, osseuses, pulmonaires, cérébrales).

TRAITEMENT

L'ablation chirurgicale d'un mélanome malin est indispensable. La chimiothérapie anticancéreuse est utilisée en cas de récidive ou de métastases. L'immunothérapie (interféron, interleukine) est en cours d'évaluation. La prévention repose sur l'information sur les dangers du rayonnement solaire, sur l'utilisation d'une crème solaire écran total et sur le dépistage précoce chez les sujets prédisposés.

Mélanome malin de l'œil

Il survient le plus souvent sur la choroïde (membrane sur laquelle repose la rétine), plus rarement sur l'iris, la conjonctive ou la paupière. Le mélanome de la choroïde s'observe surtout après 50 ans et se traduit par une baisse de l'acuité visuelle d'un œil ; le diagnostic est confirmé par l'échographie.

TRAITEMENT

Il varie suivant l'étendue et la localisation des lésions : de l'ablation partielle de la structure atteinte, suivie, lorsque c'est possible, d'une greffe (de paupière, de conjonctive), à l'ablation chirurgicale du globe oculaire, complétée par la pose d'une prothèse esthétique ; un autre traitement, d'apparition plus récente, repose sur une variété de radiothérapie, la protonthérapie.

Mélanose

Toute affection dermatologique caractérisée par une augmentation de la pigmentation.

Les mélanoses sont liées à la prolifération de certaines cellules cutanées spécialisées, les

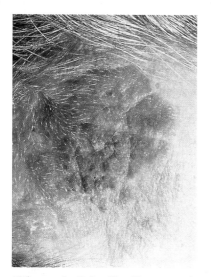

Mélanose de Dubreuilh. C'est une tache étendue, aux couleurs multiples et aux contours irréguliers, souvent localisée au visage.

mélanocytes, se traduisant par une accumulation du pigment (la mélanine) que ceux-ci sécrètent dans le derme. Il existe plusieurs types de mélanose, parmi lesquels on distingue la mélanose de Dubreuilh et la mélanose de Riehl.

Mélanose de Dubreuilh

La mélanose de Dubreuilh, ou lentigo malin, est une tache cutanée précancéreuse qui se manifeste après 60 ans sous la forme d'une plaque associant plusieurs couleurs : brun clair, brun foncé, noir, avec des zones plus claires, notamment rougeâtres ou bleutées. Le contour est net mais irrégulier, voire déchiqueté. Cette tache siège le plus souvent sur le visage, parfois sur le dos des mains ou des jambes. La lésion s'étend très progressivement pour atteindre plusieurs centimètres au bout d'une dizaine d'années ; elle tend à se transformer en une variété de cancer appelée mélanome malin.

Le traitement repose sur l'ablation complète de la tumeur (par électrocoagulation, laser au gaz carbonique, cryochirurgie ou chirurgie), qui est la méthode la plus efficace pour empêcher les récidives.

Mélanose de Riehl

C'est une affection cutanée caractérisée par une pigmentation en réseau du visage et des parties découvertes du corps (cou, décolleté, dos des mains, avant-bras). Habituellement provoquée par l'application de cosmétiques de mauvaise qualité ou par la manipulation d'huiles industrielles, la mélanose de Riehl se traduit par un fin réseau de lignes dont la couleur peut varier du jaune chamois au brun noir.

Les traitements par les agents dépigmentants ne sont pas vraiment efficaces. La protection contre les rayonnements solaires évite l'aggravation des lésions.

Mélanurie

Présence dans l'urine de pigments de même nature chimique que la mélanine (pigment de la peau).

La mélanurie est le signe d'un cancer cutané, le mélanome malin, parvenu à un stade où il s'est disséminé dans l'organisme (dans le foie et le squelette surtout). Elle provoque une coloration noire des urines.

Mélatonine

Hormone dérivée de la sérotonine (hormone sécrétée dans le tissu cérébral et ayant une action vasoconstrictrice et antidiurétique), sécrétée par l'épiphyse du cerveau et jouant un rôle dans la reproduction.

La découverte de la mélatonine est récente (1958). Sa sécrétion est périodique, subordonnée à la lumière ambiante : son taux est très élevé tant que le corps reste dans l'obscurité et baisse dès qu'il est exposé à la lumière. Il semble que cette hormone retentisse sur les mécanismes de la reproduction (spermatogenèse chez l'homme et cycle menstruel chez la femme) par son action sur l'hypothalamus et sur l'hypophyse. La mélatonine peut être utilisée pour combattre le décalage horaire. Ses effets contre le vieillissement sont à l'étude.

Méléna, ou Melæna

Émission par l'anus de sang digéré (de couleur noire) par le tube digestif.

Un méléna traduit une hémorragie digestive haute, c'est-à-dire provenant de l'œsophage, de l'estomac ou du duodénum. Il peut survenir soit isolément, en cas d'hémorragie digestive peu abondante et non extériorisée par voie haute, soit à la suite d'un vomissement de sang rouge (hématémèse).

CAUSES ET SYMPTÔMES

Les causes les plus fréquentes d'un méléna sont la rupture de varices œsophagiennes, dues à l'hypertension portale dans les cas de cirrhose, et les lésions favorisées par la prise de médicaments toxiques pour le tube digestif (aspirine, anti-inflammatoires), tels l'ulcère gastroduodénal et la gastrite hémorragique.

Un méléna se manifeste par des selles noires, poisseuses, d'une odeur nauséabonde caractéristique.

DIAGNOSTIC ET TRAITEMENT

Un méléna impose une hospitalisation en urgence pour apprécier la gravité et le retentissement du saignement digestif. La fibroscopie œsogastrique permet le plus souvent de déterminer la cause du saignement et d'établir en conséquence le traitement qui convient. Celui-ci repose en général sur l'administration de médicaments antiulcéreux et sur la sclérose des varices œsophagiennes ou des ulcères hémorragiques découverts. En cas d'hémorragie non contrôlée ou récidivante, le traitement est chirurgical (traitement de l'hypertension portale, gastrectomie partielle).

Mélioïdose

Maladie infectieuse due au bacille de Whitmore, ou *Pseudomonas pseudomallei*.

La mélioïdose est surtout localisée en Asie du Sud-Est et en Afrique du Sud. Elle atteint les animaux, occasionnellement l'homme.

Les sources habituelles de contamination sont le fumier, l'eau stagnante et la boue exposée au soleil. L'homme peut s'infecter par ingestion d'eau contaminée ou lors du contact d'une plaie avec de la boue contenant les déjections de rongeurs atteints de mélioïdose.

SYMPTÔMES ET SIGNES

Il existe de nombreuses expressions de la mélioïdose, de la forme septicémique foudroyante aux abcès osseux, sous-cutanés, pulmonaires ou hépatiques diffus et multiples d'évolution lente. La localisation pulmonaire de la maladie, la plus fréquente, se traduit par une pneumopathie aiguë (fièvre pouvant atteindre 40 °C, frissons, douleurs diffuses, toux et expectorations).

DIAGNOSTIC ET TRAITEMENT

Le diagnostic repose sur l'examen bactériologique de prélèvements (crachats, pus, sang). Le sérodiagnostic et l'inoculation intradermique d'extraits bactériens permettent de dépister les sujets infectés mais chez lesquels les manifestations cliniques de la mélioïdose restent cependant discrètes. Les antibiotiques administrés sur une durée de plusieurs mois sont efficaces. La convalescence est longue mais le pronostic est favorable si la maladie est correctement traitée.

Melkersson-Rosenthal (syndrome de)

Ensemble de manifestations associant une paralysie faciale récidivante, une inflammation des lèvres (chéilite) et un aspect particulier de la langue, qui est parcourue de profonds sillons longitudinaux (langue plicaturée).

Le syndrome de Melkersson-Rosenthal demeure inexpliqué.

SYMPTÔMES ET SIGNES

La paralysie de la face peut être partielle (unilatérale) ou totale (bilatérale). La langue, plicaturée, est parfois anormalement gonflée. Les lèvres sont tuméfiées et infiltrées de granulomes. Ces signes apparaissent dans l'enfance, plus ou moins rapidement. Le syndrome évolue par poussées et s'accompagne parfois d'une fatigue et d'adénopathies (augmentation de volume des ganglions lymphatiques).

Un rapprochement entre le syndrome de Melkersson-Rosenthal et la sarcoïdose a été fait. L'examen au microscope des tissus touchés par le syndrome de Melkersson-Rosenthal révèle en effet la présence de follicules (formations anatomiques en forme de petits sacs) qui ressemblent aux granulomes (petites tumeurs arrondies) caractéristiques de la sarcoïdose.

TRAITEMENT

Les traitements médicaux contre les symptômes de la maladie se révèlent peu efficaces. Si l'augmentation de volume des lèvres est très importante, on peut discuter de l'opportunité de sa réduction par intervention chirurgicale. Il arrive que la paralysie faciale régresse spontanément.

Membrane

Enveloppe qui limite la cellule ou le noyau cellulaire, un organe ou une partie d'organe ou qui tapisse une cavité du corps.

Le corps humain comporte de nombreuses membranes : les méninges (3 feuillets), qui enveloppent le cerveau et la moelle épinière ; les plèvres (2 feuillets), qui protègent les poumons ; le péritoine (2 feuillets), qui enveloppe les viscères abdominaux ; le péricarde (2 feuillets), qui protège le cœur ; le tympan (1 feuillet), qui se trouve au fond du conduit auditif externe. On appelle aussi membranes les trois tuniques qui enveloppent l'œil.

Une séreuse est une fine membrane tissulaire faite essentiellement de tissu conjonctif recouvert d'un endothélium. Les méninges, les plèvres, le péricarde, le péritoine sont des séreuses.

Membrane ovulaire

Chacune des membranes qui assurent la protection de l'embryon puis celle du fœtus.

Les membranes ovulaires sont au nombre de trois au début (amnios, chorion, caduque ovulaire), mais la caduque ovulaire est peu à peu refoulée par le développement de l'enfant et, à terme, il n'en reste plus que des vestiges, soudés à la caduque utérine, membrane qui tapisse l'utérus.

La membrane ovulaire la plus interne est l'amnios : elle tapisse la cavité remplie de liquide amniotique dans lequel baigne le fœtus. Le chorion, fibreux, transparent, résistant, est plaqué sur l'amnios à l'extérieur. Il se sépare bien de celui-ci, de sorte que des poches (poches amniochoriales) peuvent se former entre eux. L'autre face du chorion adhère à la caduque utérine.

Au terme de la grossesse, la rupture spontanée des membranes (rupture de la poche des eaux) signale le début de l'accouchement. Quand elle est prématurée, cette rupture comporte un risque d'infection pour la mère et le fœtus. Lors des accouchements déclenchés médicalement, elle peut être artificiellement provoquée.

Après la délivrance, il est fait un examen systématique des annexes fœtales (placenta et membranes) pour contrôler leur intégrité et l'absence de rétention membraneuse dans la cavité utérine.

Membranes hyalines (maladie des)

Affection du nouveau-né, surtout du prématuré, due à l'existence de membranes fibrineuses dans les alvéoles pulmonaires et responsable d'une insuffisance respiratoire aiguë. SYN. *détresse respiratoire idiopathique.*

La maladie des membranes hyalines, liée à un défaut de maturité des poumons, survient essentiellement chez les prématurés (enfants nés avant 35 semaines de grossesse). La détresse respiratoire est de gravité variable, mais d'autant plus sévère que l'enfant est né loin du terme.

CAUSES

Outre la prématurité, toute souffrance fœtale, qu'elle se produise au cours de l'accou-chement ou pendant la grossesse, peut favoriser la maladie des membranes hyalines. L'affection est liée à une insuffisance ou à une absence de surfactant, substance lipidique produite par les cellules des alvéoles pulmonaires du fœtus en fin de grossesse. Le surfactant tapisse les parois des alvéoles et empêche leur fermeture totale au cours de l'expiration.

SYMPTÔMES ET DIAGNOSTIC

La détresse respiratoire apparaît le plus souvent au cours des premières heures de la vie, parfois dès les premières minutes. Elle se manifeste par une augmentation de la fréquence respiratoire, des signes de lutte de l'enfant pour respirer (battement des ailes du nez, geignements, creusement du thorax lors de l'inspiration).

Le diagnostic repose sur la radiographie thoracique, qui permet de distinguer quatre degrés de gravité, depuis un fin granité diminuant légèrement la transparence pulmonaire jusqu'à une importante opacité pulmonaire avec visualisation anormale de l'arbre bronchique.

ÉVOLUTION ET TRAITEMENT

L'évolution de la maladie des membranes hyalines est toujours la même : aggravation pendant 24 à 36 heures, phase « en plateau » pendant 24 à 48 heures puis amélioration souvent très rapide à partir du 4e ou du 5e jour de vie, correspondant à l'élaboration de surfactant en quantité suffisante par le poumon du nouveau-né.

Le traitement repose sur la mise sous oxygène de l'enfant : dans les cas modérés, sous *hood* (enceinte close recouvrant la tête du bébé et reliée à un tuyau d'adduction d'air) ; dans les cas plus sévères, par ventilation artificielle permettant, en fin d'expiration, de maintenir ouvertes les alvéoles pulmonaires de l'enfant. La mise au point de surfactants artificiels, administrés par voie trachéale aux grands prématurés, a contribué à l'efficacité du traitement.

PRONOSTIC

Le pronostic à court terme est bon ; le taux de mortalité est faible, de l'ordre de 5 à 10 %, concernant surtout les grands prématurés. Le risque est la survenue de séquelles respiratoires, notamment par dysplasie bronchopulmonaire (destruction de zones de tissu pulmonaire), laquelle semblerait liée à la technique de la ventilation artificielle.

Membre

Chacun des quatre appendices du tronc, servant à la locomotion ou à la préhension. (P.N.A. *membrum*)

La particularité des membres est de ne comporter que des éléments permettant la mobilisation et la sensation (os, articulations, muscles, tendons, vaisseaux, nerfs périphériques).

■ **Le membre supérieur** est composé de l'épaule, par laquelle il est articulé avec le thorax, et du bras, de l'avant-bras et de la main, qui sont articulés entre eux respectivement par le coude et le poignet.

■ **Le membre inférieur,** articulé avec le bassin par la hanche, est composé de la cuisse, de la jambe et du pied, qui sont articulés entre eux respectivement par le genou et la cheville.

Membre (reconstruction d'un)

Intervention chirurgicale, effectuée en un ou plusieurs temps, visant à réparer une lésion grave d'un membre.

INDICATION

Une reconstruction concerne toujours des blessés graves, notamment des accidentés de la route (surtout des deux-roues), et des personnes victimes d'accidents lors d'activités de bricolage. Les membres lésés peuvent être totalement détachés, délabrés (perte de substance, écrasement) ou dévascularisés (encore rattachés au segment proximal) ; le degré d'urgence de ce dernier cas est identique à celui d'une amputation.

DÉROULEMENT

Après l'accident, le membre, s'il est sectionné, doit être ramassé, mis dans un sac en plastique étanche, lui-même mis dans de la glace (le contact direct du membre avec la glace est à prohiber) et transporté avec le blessé en urgence dans un hôpital spécialisé. L'opération est réalisée après un premier temps de réanimation, comportant une transfusion et un bilan préopératoire (consultation d'anesthésie, bilan biologique). Elle comporte différents temps de réparation, effectués autant que possible en une seule intervention : réparation osseuse à l'aide de plaques internes ou de fixateurs externes (broches dépassant de l'os et comportant une attelle externe), réparation des vaisseaux et des nerfs par microchirurgie (chirurgie réalisée à l'aide d'un microscope à fort grossissement) et recours éventuel à des autogreffes veineuses, reconstruction de la couverture cutanée par la technique des lambeaux musculocutanés (rabattement d'un lambeau ayant conservé en un point ses attaches vasculaires et nerveuses). L'opération, très délicate, est généralement longue (de 8 à 24 heures dans certains cas).

COMPLICATIONS ET SURVEILLANCE

La période postopératoire pouvant être marquée par des complications (infection, hémorragie, absence de récupération fonctionnelle), une surveillance médicale importante et une rééducation précoce s'imposent. Des opérations secondaires sont parfois nécessaires dans la semaine ou dans les mois qui suivent pour tenter de récupérer des fonctions non encore rétablies.

La rééducation s'étale sur une période de 18 mois à 2 ans ; le membre est en général un peu moins sensible qu'avant l'accident. Il est susceptible, pendant 2 ans environ après l'opération, d'être le siège de la « maladie du froid » (crises pendant lesquelles le membre bleuit et devient froid et douloureux).

Les amputations secondaires, consécutives à une infection ou à une hémorragie très grave, sont exceptionnelles.

Mémoire

Faculté qu'a le cerveau de conserver une trace de l'expérience passée et de la faire revenir à la conscience.

La mémoire est un processus complexe qui comporte trois phases : apprentissage, stockage de l'information puis restitution (évocation et reconnaissance). Ces phénomènes ne sont pas sous la dépendance d'une région précise et spécialisée du cerveau ; ils se déroulent à la fois au niveau des centres nerveux polyvalents (l'hippocampe, le corps mamillaire et l'hypothalamus) et des fibres nerveuses qui relient ces 3 centres.

Classiquement, on distingue la mémoire à court terme, qui ne dure pas plus de quelques minutes, de la mémoire à long terme. En outre, la psychanalyse décrit une mémoire inconsciente influant sur l'activité psychique. Réciproquement, l'état affectif du sujet exerce sur sa mémoire une action stimulatrice ou inhibitrice.

EXAMENS

Les examens de la mémoire, longs et assez délicats, nécessitent une attention soutenue de la part du sujet. Pour explorer sa mémoire à court terme, on lui fait répéter après quelques minutes des séries très courtes de trois mots. Pour étudier sa mémoire à long terme, on lui pose des questions sur sa vie, celle de son entourage et sur l'actualité.

TROUBLES DE LA MÉMOIRE

■ **Les troubles de la mémoire par défaut** sont les trous de mémoire et les amnésies. Des trous de mémoire « isolés » peuvent être dus à une fatigue, à une dépression latente ou à la prise prolongée de certains médicaments (somnifères, tranquillisants). Les amnésies sont brèves ou prolongées, portent sur la mémoire à court terme ou à long terme, concernent des faits survenus après (amnésie antérograde) ou avant (amnésie rétrograde) le début des troubles : ainsi, un traumatisme crânien provoque parfois une amnésie rétrograde (le malade a oublié ce qui s'est passé pendant les minutes, les heures ou les jours qui ont précédé l'accident), voire une amnésie antérograde de durée variable. Certains troubles métaboliques (hypoglycémie) et l'épilepsie peuvent entraîner une amnésie transitoire. Les principales affections à l'origine d'amnésies prolongées sont les maladies dégénératives (démence sénile, maladie d'Alzheimer), les accidents vasculaires cérébraux, les infections (encéphalites virales), les carences (encéphalopathie de Gayet-Wernicke, syndrome de Korsakoff) et les maladies psychiatriques (dépression, névrose) ; il arrive lors de certaines de ces maladies (confusion, manie, démence, syndrome de Korsakoff) que les sujets émaillent leurs discours de récits imaginaires et de fausses reconnaissances, destinés à combler leurs pertes de mémoire.

■ **Les autres troubles de la mémoire** sont l'ecmnésie (résurgence massive du passé), qui s'observe notamment dans les états passionnels hystériques et délirants et dans l'épilepsie, et l'hypermnésie (hypertrophie de la mémoire), qui n'est pas rare dans la manie ou dans l'arriération mentale et ne doit pas être confondue avec celle de certains sujets prodiges, généralement liée à des aptitudes hors du commun dans un domaine précis (calcul, musique).

Mémoire immunitaire

Capacité d'un organisme à se souvenir d'une substance étrangère appelée antigène (par exemple, un germe), avec laquelle il a déjà été en contact.

La mémoire immunitaire est attribuée aux lymphocytes, qui réagissent différemment s'ils ont déjà été confrontés à un antigène donné : la réponse immunitaire est plus rapide et plus efficace au second contact qu'au premier. La vaccination est une technique de prévention des maladies infectieuses fondée sur ce phénomène de mémoire immunitaire : l'introduction dans l'organisme d'une faible dose d'un microorganisme, sous une forme non pathogène (celui-ci étant inactivé ou tué), ou de certains de ses constituants déclenche une réaction immunitaire, dite primaire, et produit des cellules mémoire qui permettront à l'organisme de réagir efficacement à toute pénétration ultérieure du même agent infectieux.

Le support moléculaire responsable de la mémoire immunitaire n'est pas encore connu ; quant à son mécanisme, ce pourrait être le suivant : le premier contact avec l'antigène conduirait à une activation des lymphocytes spécifiques de celui-ci et provoquerait leur multiplication et donc la naissance de nombreuses cellules filles, dont certains caractères métaboliques seraient modifiés ou à la capacité à adhérer à différentes molécules serait augmentée, de même que leur sensibilité aux messages des autres cellules immunitaires. Ces lymphocytes, répartis dans tout l'organisme, seraient plus aptes à répondre à une nouvelle agression par le même antigène.

Mendel (Johann)

Religieux et botaniste autrichien (Heizendorf, Silésie, 1822 - Brünn [Brnö] 1884).

Il porte en religion le nom de Gregor. Ses expériences sur l'hérédité des végétaux, effectuées de 1856 à 1866 dans le jardin de son monastère, font de lui le père de la génétique : en croisant diverses variétés de pois (lisses ou ridés) par hybridation, il déduisit différentes lois portant sur la transmission des caractères héréditaires et établit la distinction entre caractères dominants et récessifs. Cependant, les travaux de Mendel n'eurent aucune portée de son vivant et ne furent redécouverts qu'au début du XXᵉ siècle.

Ménétrier (maladie de)

Gastrite chronique caractérisée par un épaississement important de la muqueuse gastrique. SYN. *gastropathie hypertrophique géante*.

La maladie de Ménétrier peut être diffuse ou localisée dans la muqueuse de la grande courbure de l'estomac.

SYMPTÔMES ET SIGNES

La maladie se manifeste par un manque d'appétit, des brûlures ou des douleurs gastriques. Elle s'accompagne d'une diminution du taux de protéines dans le sang, due à une fuite anormale de celles-ci dans l'estomac, diminution qui entraîne une altération de l'état général, parfois sévère.

DIAGNOSTIC ET ÉVOLUTION

Le diagnostic repose sur la fibroscopie gastrique, qui permet de visualiser de volumineux plis gastriques, et sur l'examen radiographique du transit œso-gastro-duodénal. Le risque élevé de cancérisation de cette gastrite rend indispensable une surveillance endoscopique régulière.

TRAITEMENT

Le traitement, mal codifié, fait appel à l'administration de médicaments antisécrétoires ou à la chirurgie (ablation de l'estomac dans les cas de dénutrition sévère ou de dégénérescence maligne).

Menière (maladie de)

Affection de l'oreille interne qui se manifeste par un ensemble de troubles comprenant des vertiges, une baisse de l'audition et des bourdonnements d'oreille.

La maladie de Menière atteint l'oreille interne, responsable de l'audition et de l'équilibre. En général, elle ne touche qu'une seule oreille, mais peut aussi être bilatérale. Elle survient, par crises chez des personnes âgées de 20 à 50 ans.

CAUSES

La cause précise de la maladie de Menière n'est pas connue. On rapporte habituellement cette maladie à une augmentation de pression des liquides dans le labyrinthe de l'oreille interne.

SYMPTÔMES ET SIGNES

Entre 30 minutes et 1 heure avant la crise, des signes annonciateurs, tels qu'une sensation d'oreille pleine, permettent au sujet d'arrêter toute activité pouvant devenir dangereuse lors de cette crise. Celui-ci a l'impression de tourner ou que tout tourne autour de lui : il doit s'allonger. À ce vertige s'associent des sueurs, un malaise, des nausées et des vomissements, des maux de tête et une sensation de bourdonnement dans l'oreille. L'acuité auditive baisse, surtout celle des fréquences graves. La crise dure plusieurs heures et laisse le sujet épuisé. La fréquence de ces crises est imprévisible. Au bout de 10 à 15 ans, les crises de vertige s'estompent mais la fonction auditive est alors très altérée.

TRAITEMENT

La cause de la maladie de Menière restant inconnue, le traitement en est difficile. Lors des crises, le sujet doit rester au repos. Des anxiolytiques et des antivertigineux peuvent être pris. Le traitement de fond est permanent et fait appel à plusieurs moyens : une vie équilibrée est recommandée ainsi que le respect d'un régime alimentaire pauvre en sel et l'exclusion du tabac et de l'alcool. Des médicaments sont prescrits : anxiolytiques, diurétiques, antihistaminiques et antivertigineux. Parfois le sujet est amené à suivre une psychothérapie antidépressive. En cas d'échec du traitement médical et devant des formes très invalidantes de la maladie de Menière, des traitements chirurgicaux ont été proposés, qui consistent à décomprimer le sac endolymphatique de l'oreille interne ou encore à sectionner le nerf vestibulaire.

Méningée (artère)

Chacune des artères qui irriguent les méninges. (P.N.A. *artera meningea*)

Les artères méningées sont au nombre de deux : l'artère méningée moyenne et l'artère méningée postérieure.

Artère méningée moyenne

C'est une branche de l'artère maxillaire interne, elle-même issue de la carotide externe. Elle pénètre dans le crâne par un petit trou rond puis se divise en rameaux irriguant la partie latérale de la boîte crânienne.

Artère méningée postérieure

C'est une branche collatérale de l'artère vertébrale, qui se divise dans la cavité crânienne au niveau de la fosse du cervelet. Elle peut aussi naître à partir d'une branche de la carotide externe et entrer dans le crâne par un autre trou avant de se diviser.

Méninges

Enveloppes du système nerveux central, au nombre de trois. (P.N.A. *meninges*)

On distingue la dure-mère, fibreuse et épaisse, qui protège l'encéphale et la moelle épinière et les sépare de l'os ; la pie-mère, fine membrane adhérant à la surface du tissu nerveux ; l'arachnoïde, située entre la dure-mère et la pie-mère, et séparée de celle-ci par l'espace sous-arachnoïdien qui contient le liquide céphalorachidien.

Méningiome

Tumeur bénigne se développant aux dépens de l'arachnoïde, feuillet moyen des méninges (enveloppes du système nerveux central).

Un méningiome survient habituellement entre 20 et 60 ans et forme une tumeur bien délimitée, attachée à la dure-mère (feuillet superficiel des méninges) ; il repousse le tissu nerveux sous-jacent sans l'envahir. L'évolution est très lente et s'étend sur de nombreux mois, voire sur des années.

S'il est dans le crâne, le méningiome provoque des signes spécifiques de l'endroit où il se trouve (par exemple, une paralysie), accompagnés de maux de tête, de vomissements et de crises d'épilepsie. S'il est dans la colonne vertébrale, il provoque une compression de la moelle épinière : douleur, paralysie, abolition de la sensibilité dans une région du corps. Le diagnostic est confirmé par le scanner et l'imagerie par résonance magnétique (I.R.M.), mais également par la radiographie des artères du cerveau ou des méninges de la moelle épinière.

Le traitement consiste à retirer chirurgicalement la tumeur si cela est possible. Dans le cas contraire, les symptômes sont corrigés par administration d'antiémétiques et d'antiépileptiques.

Méningite

Inflammation des méninges et du liquide céphalorachidien qu'elles contiennent entre leurs feuillets.

De nombreuses affections peuvent s'accompagner d'une réaction inflammatoire des méninges, comme les maladies cancéreuses ou les connectivites (lupus érythémateux, sarcoïdose, etc.). Cependant, les méningites les plus fréquentes sont infectieuses et classées en deux groupes selon que le liquide céphalorachidien est purulent ou clair.

Méningites purulentes

Elles sont dues à l'infection par une bactérie, méningocoque, pneumocoque ou *Hæmophilus influenzæ*.

■ **La méningite à méningocoque**, également appelée méningite cérébrospinale, se déclare souvent par épidémies dans les collectivités d'enfants ou d'adultes jeunes. Il existe des porteurs sains du germe (hébergeant le germe dans la muqueuse du pharynx mais ne développant pas la maladie), susceptibles de le disséminer par voie aérienne.

■ **La méningite à pneumocoque** succède souvent à une infection des cavités internes de l'oreille ou des sinus de la face, parfois à une infection respiratoire ; son évolution est souvent très grave.

■ **La méningite à Hæmophilus influenzæ** est surtout sévère chez les petits enfants avant 3 ans.

SYMPTÔMES ET ÉVOLUTION

La maladie se déclare rapidement par une fièvre et un syndrome méningé : association de maux de tête, de vomissements, de douleur et de raideur de la colonne vertébrale et de photophobie (sensation pénible à la lumière). La survenue d'un purpura pétéchial (hémorragies cutanées punctiformes) est caractéristique du méningocoque. En l'absence de traitement, l'infection risque de s'étendre au cerveau (méningoencéphalite) et de provoquer un coma, des troubles du comportement, des paralysies, des convulsions. Le germe peut en outre passer dans le sang, entraînant une septicémie, et se diffuser aux viscères. La dissémination du méningocoque peut se traduire par un purpura fulminans, ou méningococcie fulminante, septicémie foudroyante évoluant en quelques heures.

DIAGNOSTIC ET TRAITEMENT

Une méningite purulente constitue toujours une urgence médicale ; le diagnostic est établi par ponction lombaire. Le traitement repose sur l'antibiothérapie par voie intraveineuse et dure habituellement dix jours pour les méningites à méningocoque, au moins deux semaines pour les méningites à pneumocoque ou à *Hæmophilus influenzæ*.

PRÉVENTION

Dans le seul cas du méningocoque, du fait du mode de contagion et de la possibilité de porteurs sains, une antibiothérapie préventive s'impose chez les sujets ayant été en contact étroit avec un malade ou se plaignant de troubles rhinopharyngés s'ils appartiennent à la même collectivité. Un vaccin contre *Hæmophilus* est maintenant disponible, ainsi qu'un vaccin contre certaines souches de méningocoques.

Méningites à liquide clair

Elles sont exceptionnellement causées par un champignon microscopique, plus souvent par une bactérie (bacille de Koch, *Listeria monocytogenes* [listériose], rickettsie) ou par un virus (méningite virale). Certaines maladies virales, comme les oreillons, la maladie d'Armstrong ou la méningite multirécurrente de Mollaret, dont l'agent reste indéterminé, comportent communément une atteinte méningée.

Une méningite à liquide clair se traduit, comme une méningite purulente, par un syndrome méningé. Une méningite tuberculeuse, due au bacille de Koch, présente une évolution subaiguë et peut se compliquer d'une atteinte du tronc cérébral (atteinte des nerfs oculomoteurs avec troubles de la vision, de la déglutition et coma). L'aspect clinique des méningites à *Listeria* est souvent similaire. L'apparition de signes de souffrance cérébrale (coma, troubles du comportement, paralysies, convulsions) traduit une méningoencéphalite et est généralement le fait d'une méningite due au virus de l'herpès.

Le diagnostic repose sur la ponction lombaire. Le traitement est fonction de la cause infectieuse : antiviral (aciclovir) pour les méningoencéphalites herpétiques, efficace à condition d'être administré précocement et pendant dix à quinze jours ; antibiotique pour la listériose ; antituberculeux pour la tuberculose ; antifongique pour les rares cas de méningite dus à des champignons et observés chez les malades immunodéprimés.

Les mesures de prévention ne concernent que la tuberculose et la listériose en cas d'épidémie.

Méningocèle

Saillie des méninges, recouverte par la peau, à travers le crâne ou le rachis, due à une malformation congénitale de la colonne vertébrale.

Le méningocèle est l'une des formes du spina-bifida, dont il représente 10 % des cas. Il est lié à un trouble embryologique survenant au cours des quatre premières semaines de grossesse et consistant en une fermeture anormale ou incomplète du tube neural (futur système nerveux central).

Un méningocèle, parfois découvert à la naissance, peut également être constaté lors d'une échographie au cours de la grossesse. Il se traduit par une tuméfaction molle, indolore, de taille variable, contenant du liquide céphalorachidien. Le siège le plus fréquent est le bas du dos. Le méningocèle n'est associé à aucun déficit neurologique.

Le scanner permet l'analyse et la mesure de la masse et met généralement en évidence une absence de soudure des arcs vertébraux ou de l'os occipital. Le traitement est chirurgical (ablation de la hernie méningée) et doit être réalisé précocement pour éviter tout risque de myélocèle (saillie à l'extérieur de la moelle épinière, responsable de graves handicaps).

Méningococcie

Infection grave provoquée par le méningocoque, ou *Neisseria meningitidis*.

Une méningococcie se contracte par inhalation de microgouttelettes de salive provenant du pharynx d'un malade ou d'un porteur sain (porteur de la bactérie mais ne développant pas la maladie). Elle se présente soit comme une méningite aiguë (méningite cérébrospinale), soit comme une septicémie qui peut être précédée, accompagnée ou suivie de méningite et dont la gravité est considérable du fait de l'apparition possible d'un choc septique (insuffisance circulatoire grave d'origine infectieuse).

Cette complication, appelée purpura fulminans ou méningococcie fulminante, est la cause de la plupart des décès liés à ce germe. Elle se manifeste par une forte fièvre et se caractérise principalement par l'apparition et l'extension très rapide (en quelques heures) de larges ecchymoses à tendance hémorragique et nécrotique sur la peau. Le microbe est présent dans le liquide des ecchymoses et dans le liquide céphalo-rachidien ; l'affection justifie une hospitalisation en urgence. Le traitement fait appel à l'antibiothérapie par voie intraveineuse.

Les mesures individuelles de protection contre les méningococcies reposent principalement, en cas d'épidémie de méningite à méningocoque, sur la prise d'antibiotiques, la vaccination étant dans ce cas peu efficace.

Méningocoque

→ VOIR Neisseria meningitidis.

Méningoencéphalite

Inflammation simultanée des méninges et de l'encéphale.

→ VOIR Encéphalite, Méningite.

Méningotyphus

Forme méningée de la fièvre typhoïde, constituant une complication nerveuse de cette maladie.

Le méningotyphus est à l'origine de troubles divers : coma, paralysies, convulsions, troubles psychiques et signes méningés. Le trouble de la conscience qu'il provoque est dénommé tuphos : il se caractérise par un état de stupeur et d'indifférence. Le traitement du méningotyphus est le même que celui de la fièvre typhoïde (antibiotiques, corticostéroïdes).

Méniscectomie

Ablation chirurgicale d'une partie ou de la totalité d'un ménisque.

Une méniscectomie se pratique en cas de lésion d'un ménisque, du genou en général, qui peut survenir de façon isolée ou à la suite d'une entorse grave, ou encore du fait d'une laxité chronique du genou.

DÉROULEMENT

Une méniscectomie est le plus souvent effectuée sous arthroscopie : après avoir posé un garrot puis pratiqué une ouverture minime dans l'articulation, le praticien introduit l'arthroscope, tube rigide dont l'extrémité est munie d'appareils optiques et d'instruments qui permettent une microchirurgie intra-articulaire. Le patient peut rentrer chez lui le jour même et est capable de marcher normalement au bout de quelques jours. Beaucoup plus rarement, la méniscectomie est pratiquée sous arthrotomie (ouverture chirurgicale de l'articulation). Pendant environ 3 semaines, le patient doit alors s'aider de 2 cannes pour marcher. La conservation d'une partie du ménisque est préférable : en effet, l'ablation du ménisque, lorsqu'elle est totale, favorise souvent l'apparition d'une arthrose de l'articulation.

Méniscographie

Image radiographique des ménisques, obtenue par arthrographie du genou.

Ménisque

Lame fibrocartilagineuse interposée entre 2 surfaces articulaires pour faciliter leur glissement. (P.N.A. meniscus articularis)

Les ménisques sont présents dans quelques articulations (genou, poignet, articulation temporomaxillaire). Les ménisques du genou sont au nombre de deux : le ménisque interne et le ménisque externe, fixés au tibia par des ligaments. Chacun ressemble à une lame en forme de croissant et comprend trois faces : une face supérieure et une face inférieure, qui sont en rapport avec les surfaces articulaires, une face externe périphérique, qui adhère à la capsule articulaire. Chaque ménisque se termine par deux cornes (antérieure et postérieure).

PATHOLOGIE

Les ménisques sont souvent lésés lors de traumatismes. Généralement, ils se déchirent longitudinalement, cette déchirure allant de la simple fissure à la rupture complète. Ces lésions peuvent entraîner des douleurs, une instabilité, voire un blocage du genou : celui-ci reste immobilisé en flexion avec impossibilité d'étendre la jambe. Ce phénomène dure peu de temps, et le genou se débloque parfois tout seul. Dans les jours qui suivent, une hydarthrose (épanchement de liquide séreux à l'intérieur de l'articula-

MÉNISQUE

fémur

rotule

ménisque externe

péroné

tibia

glène du tibia

ménisque interne

tion) apparaît. Cependant, une déchirure peut aussi ne se traduire que par des douleurs du genou ou, dans d'autres cas, par des hydarthroses répétées. Le traitement des ruptures méniscales repose sur la méniscectomie (ablation d'une partie ou de la totalité du ménisque), qui est pratiquée chirurgicalement ou plus souvent par arthroscopie.

Ménopause

Interruption physiologique des cycles menstruels, due à la cessation de la sécrétion hormonale des ovaires (œstrogènes et progestérone).

La ménopause survient entre 40 et 55 ans (avec un pic à 52 ans). Elle se déroule en deux étapes : la préménopause et la ménopause confirmée.

■ La préménopause, qui dure plusieurs mois ou plusieurs années, est marquée par une succession de cycles avec ou sans ovulation. Les sécrétions hormonales deviennent irrégulières : tandis que la sécrétion d'œstrogènes persiste, la sécrétion de progestérone par le corps jaune (nom donné au follicule ovarien qui a libéré son ovule) diminue. Les règles deviennent irrégulières.

■ La ménopause confirmée succède à la préménopause. La sécrétion hormonale de l'ovaire se tarit. Les règles ont disparu. Le taux de gonadotrophines est très élevé dans le sang et dans les urines.

SYMPTÔMES ET SIGNES

Surtout liés à la baisse du taux des œstrogènes (hypo-œstrogénie), ils varient d'une femme à l'autre.

■ Les bouffées de chaleur affectent de 75 à 85 % des femmes. Leur intensité et leur fréquence sont variables. Au début, elles surviennent la nuit, puis elles se multiplient dans la journée, à la fin des repas ou à l'occasion d'efforts. Causées par une forte vasodilatation, elles se traduisent par une sensation de chaleur dans tout le corps et par une rougeur du visage, qui gagne le cou et le haut de la poitrine. Elles s'accompagnent parfois d'angoisse et d'une impression d'étouffement et se terminent par une transpiration abondante, surtout sur le visage, la nuque et entre les seins.

■ Les troubles sexuels sont à la fois psychiques et physiques. À la baisse du désir sexuel s'ajoutent une sécheresse vaginale et une atrophie vulvaire pouvant rendre les rapports sexuels douloureux. Les infections urinaires et vaginales sont plus fréquentes. Le volume des seins diminue.

■ La fragilité osseuse, ou ostéoporose, est directement liée à l'absence de sécrétion hormonale ovarienne. Cette diminution de la densité osseuse et de la solidité de l'os peut entraîner des fractures, essentiellement des vertèbres et du col du fémur.

■ Les maladies cardiovasculaires (angor, infarctus du myocarde) présentent un plus grand risque d'apparition à partir de la ménopause, les œstrogènes ne jouant plus de rôle protecteur contre l'athérosclérose.

■ Les troubles psychiques sont fréquents. Aux troubles émotionnels tels que sautes d'humeur, irritabilité, insomnie, anxiété peuvent s'adjoindre des vertiges et une fatigue sans cause organique, des troubles de la mémoire, un défaut de concentration mentale ; parfois, la dépression est grave.

TRAITEMENT

En Europe, seul un faible pourcentage de femmes ménopausées (de l'ordre de 10 %) reçoit un traitement, contre 15 à 25 % aux États-Unis. Celui-ci consiste à administrer successivement des œstrogènes et de la progestérone naturelle pour imiter un cycle menstruel de 28 jours (hormonothérapie de substitution). L'administration des œstrogènes peut se faire par la bouche (comprimés) ou par voie locale (crème ou timbre à appliquer sur l'abdomen ou sur le dos et à renouveler régulièrement). La progestérone se présente sous forme de comprimés.

Le traitement agit sur les bouffées de chaleur et sur la baisse du désir sexuel. Il protège contre les fractures et contre les complications cardiovasculaires. Ses avantages et ses inconvénients, ainsi que sa durée, sont évalués pour chaque patiente en fonction d'un bilan de santé préalable et de l'intensité des troubles. Une surveillance de la femme traitée est nécessaire, ce qui permet en outre un suivi gynécologique régulier. Toutefois, il existe des contre-indications relatives à ce traitement : diabète, antécédent de cancer du sein.

Ménorragie

Augmentation de l'abondance et de la durée des règles.

Elle est le plus souvent le signe d'un fibrome utérin (fibrome sous-muqueux, endométriose utérine) ou d'un déséquilibre hormonal. Un stérilet peut également être à l'origine d'une ménorragie. Indépendamment de l'inconfort qu'elle entraîne, une ménorragie peut provoquer une anémie. Elle doit donc amener à consulter un médecin. Pour rechercher la cause, on procède à un examen direct de la cavité utérine par hystéroscopie. Le traitement est celui de la cause ; il est soit médical (hormonothérapie), soit chirurgical (curetage, hystéroscopie opératoire, myomectomie, hystérectomie).

Menstruation

Écoulement périodique par le vagin de muqueuse utérine et de sang survenant chez la femme non enceinte entre la puberté et la ménopause. SYN. *règles*.

La menstruation est la manifestation du cycle ovarien, ou cycle menstruel, qui obéit à la sécrétion cyclique d'hormones (œstrogènes puis progestérone), laquelle prépare la muqueuse utérine à l'éventuelle nidation d'un embryon. Lorsque la fécondation n'a pas eu lieu, le taux de progestérone s'effondre et la muqueuse utérine, gorgée de sang, se détache, déclenchant les règles.

Les règles s'établissent à la puberté, en moyenne entre 13 et 15 ans, et cessent à la ménopause, entre 40 et 55 ans (52 ans en moyenne), avec des variations considérables (les règles peuvent apparaître entre 10 et 18 ans selon les climats). Irrégulier au début,

le cycle se régularise selon une durée très variable d'une femme à l'autre (de 21 à 45 jours avec une moyenne de 28 jours). La durée du saignement varie également selon les femmes (entre 2 et 6 jours, en moyenne 3 ou 4 jours), de même que la quantité de sang perdue (de 20 à 70 millilitres), la perte de sang étant faible le premier jour, maximale le 2e et allant en diminuant pour se tarir au 4e jour. Les règles sont absentes durant la grossesse et l'allaitement.

La menstruation est souvent précédée de troubles psychiques et physiques (appelés syndrome prémenstruel).

Par rapport à la norme, les règles peuvent être trop espacées (spanioménorrhée), trop fréquentes (polyménorrhée), insuffisantes (oligoménorrhée), trop abondantes (ménorragie), douloureuses (dysménorrhée) ou absentes (aménorrhée). Une métrorragie est un écoulement de sang en dehors des règles. La cause majeure d'un retard des règles (aménorrhée) étant la grossesse, toute modification de leur rythme habituel justifie une consultation médicale.

Douleurs liées au cycle menstruel

Une douleur liée au cycle menstruel peut se manifester lors de l'ovulation ; elle traduit l'explosion d'un gros follicule ovarien et est due à l'irritation du péritoine par le liquide folliculaire. Lorsqu'elle récidive, une cause organique doit être recherchée.

Une douleur qui précède les règles (syndrome prémenstruel) s'associe souvent à une douleur et à une modification du volume des seins, parfois à un gonflement de l'abdomen ; elle peut être liée à un déséquilibre hormonal (excès d'œstrogènes) et se traite par administration de progestérone.

Une douleur survenant durant les règles, ou dysménorrhée, peut être associée aux modifications hormonales liées au cycle menstruel ou causée par une affection sous-jacente (endométriose, infection).

Mentonnière

Appareil en plâtre ou en métal emboîtant la partie externe du maxillaire inférieur et prenant appui sur la voûte du crâne.

Une mentonnière est utilisée en cas de fracture du maxillaire inférieur si les os ne sont pas déplacés. Elle est laissée en place jusqu'à ce que les radiographies montrent que la fracture est consolidée. Le patient peut entrouvrir la bouche et donc s'alimenter normalement.

Mère porteuse

Femme qui porte un enfant qu'elle n'a pas conçu naturellement afin de le donner après la naissance.

La mère porteuse, souvent liée au couple demandeur, agit pour des motifs divers (moraux, affectifs, financiers). Elle est parfois proche parente du couple demandeur. Elle peut recevoir un embryon qui a été fécondé artificiellement (ovule et spermatozoïde du couple demandeur) ou se prêter à une insémination artificielle par les spermatozoïdes du père contractuel.

Cette maternité de substitution est interdite dans certains pays (Allemagne, Suède) ; dans certains autres, ce sont les contrats de grossesse qui sont illégaux (Royaume-Uni). D'autres enfin, comme le Canada ou la France, n'ont encore arrêté aucune législation. En France, le Comité consultatif national d'éthique a considéré le recours à cette pratique comme illicite dans un avis de 1984. Mais le droit n'est pas définitivement fixé et la jurisprudence semble hésiter.

Merkel (cellule de)

Cellule cutanée jouant un rôle sensoriel. SYN. *corpuscule de Merkel*.

Les cellules de Merkel sont disséminées dans des régions précises de l'épiderme : paume des mains, pulpe des doigts, plante des pieds, lèvres, palais. Ce sont des mécanorécepteurs, sensibles à certaines stimulations mécaniques de la peau comme la pression ou les vibrations.

Mérycisme

Trouble psychologique de l'enfant consistant en une régurgitation volontaire d'aliments suivie de leur mâchonnement.

Manifestation de type névrotique, le mérycisme est souvent lié à une perturbation des relations affectives entre l'enfant et son entourage. L'affection débute le plus souvent entre le 5e et le 9e mois, souvent précédée de régurgitations ou de vomissements au cours des 3 premiers mois de la vie.

SYMPTÔMES ET SIGNES

Les régurgitations surviennent le plus souvent le matin au réveil, sans effort apparent, lorsque l'enfant est seul. Elles sont de faible abondance mais parfois continues, avec émission quasi permanente de liquide aux commissures des lèvres. Ces régurgitations s'accompagnent de mâchonnements, l'enfant paraissant totalement absorbé, silencieux et indifférent à ce qui l'entoure. Ces manifestations cessent dès que l'on prend l'enfant dans les bras ; l'appétit n'est jamais altéré. Le niveau de développement est le plus souvent normal.

Le mérycisme peut parfois retentir sur la croissance. Une authentique dépression peut y être associée avec indifférence affective, désintérêt pour les objets ou les personnes, contrastant avec le plaisir de rumination.

DIAGNOSTIC ET TRAITEMENT

Le diagnostic consiste surtout à éliminer la possibilité d'un reflux gastro-œsophagien par une mesure de l'acidité gastrique (pH-métrie). À son début, le traitement nécessite souvent une hospitalisation, notamment pour corriger d'éventuelles carences nutritionnelles. L'enfant est rapidement confié à une équipe pédopsychiatrique, les consultations ultérieures ayant lieu avec la famille. Le pronostic est généralement favorable, les symptômes cédant rapidement avec retour à une alimentation normale au plus tard entre 1 et 2 ans.

Mésencéphale

Région centrale de l'encéphale, entre la protubérance annulaire et le diencéphale, reliée au cervelet. (P.N.A. *mesencephalon*)

Le mésencéphale fait partie du tronc cérébral. Il comprend, en avant, les deux pédoncules cérébraux, qui divergent vers les hémisphères cérébraux, et, en arrière, les tubercules quadrijumeaux (relais des voies visuelles et auditives). Il donne naissance à des nerfs crâniens oculomoteurs.

Mésenchyme

Forme jeune du tissu conjonctif.

■ Chez l'embryon, le mésenchyme, dit embryonnaire ou primaire, dérive du 3e feuillet embryonnaire (mésoderme), qui s'insinue entre les ébauches d'organes et tapisse la cavité appelée cœlomique. Il se trouve aussi dans le cordon ombilical, où il forme le mésenchyme extra-embryonnaire. Le mésenchyme est à l'origine des différents tissus conjonctifs, des muscles lisses, du muscle cardiaque, des vaisseaux, de certaines cellules du sang (monocytes) et des tissus (histiocytes).

■ Chez l'adulte, les histologistes appellent aussi mésenchyme, ou tissu mésenchymateux, un tissu conjonctif commun indifférencié, surtout lorsque celui-ci possède le caractère lâche du mésenchyme embryonnaire, tels les tissus conjonctifs sous-pleural ou rétropéritonéal (celui qui se trouve derrière le péritoine, au bas du dos).

Mésentère

Repli du péritoine reliant le jéjunum et l'iléon (portions de l'intestin grêle) à la paroi postérieure de l'abdomen.

Le mésentère est une membrane séreuse plissée ; il est parcouru par les nerfs et les vaisseaux sanguins et lymphatiques destinés à l'innervation et à la vascularisation de l'intestin grêle.

PATHOLOGIE

Le mésentère peut être le siège d'adénites (inflammation des ganglions lymphatiques), d'origine virale, bactérienne ou allergique, et de tumeurs kystiques ou solides. Les kystes sont en général d'origine congénitale tandis que les tumeurs solides, bénignes ou malignes, s'observent surtout chez l'adulte après 40 ans. La complication la plus fréquente de toutes les tumeurs du mésentère est l'occlusion intestinale. Enfin, l'infarctus mésentérique, au pronostic sévère, correspond à la nécrose d'un segment intestinal, due à une oblitération artérielle.

Mesmer (Franz Anton)

Médecin allemand (Iznang, Souabe, 1734 - Meersburg 1815).

Il mit au point une méthode de guérison par passes magnétiques, le mesmérisme, fondée en partie sur le phénomène de l'hypnose ; il se servait pour ses expériences de cuves emplies d'eau et d'un mélange de limaille de fer et de verre pilé, autour desquelles il groupait ses malades. Cette méthode suscita un grand engouement à Paris, où Mesmer était venu s'installer en 1778. En 1884 cependant, une commission de savants démontra que le mesmérisme était dénué de tout fondement scientifique.

Méso

Repli du péritoine qui unit un segment du tube digestif à la paroi abdominale. (P.N.A. *mesenteriolum*)

Le méso contient les artères, les veines, les nerfs et les vaisseaux lymphatiques. Il existe différents mésos : le mésogastre postérieur, qui relie l'estomac à la paroi abdominale, le mésoappendice, qui rattache l'appendice au cæcum, lui-même uni au mésocôlon. Ce dernier relie le côlon à la paroi abdominale et comporte quatre parties : le mésocôlon ascendant, le mésocôlon transverse, le mésocôlon descendant et le mésocôlon sigmoïde.

Mésoderme

Feuillet intermédiaire de l'embryon. SYN. *chordomésoblaste, mésoblaste.*

Le mésoderme est, comme l'ectoderme et l'endoderme, entre lesquels il est situé, l'un des trois feuillets primitifs embryonnaires. Il apparaît au début de la 3e semaine après la fécondation et s'insinue entre les deux premiers feuillets déjà formés. Le mésoderme donne naissance au squelette, aux muscles, au tissu conjonctif, aux systèmes circulatoire (cœur et vaisseaux sanguins), lymphatique et urinaire ainsi qu'au derme et aux organes génitaux.

Mésothéliome

Tumeur bénigne ou maligne se développant aux dépens du mésothélium (tissu tapissant la surface interne de certaines membranes séreuses).

Un mésothéliome est le plus souvent constitué à partir du mésothélium de la plèvre (on parle alors de mésothéliome pleural, ou cancer primitif de la plèvre), beaucoup plus rarement à partir de celui du péricarde ou du péritoine.
→ VOIR Plèvre (cancer de la).

Mésothérapie

Méthode thérapeutique consistant à injecter des médicaments par voie intradermique à des doses minimes (entre 3 et 5 % des quantités nécessaires par la voie habituelle), ce mode d'administration renforçant et prolongeant leur action.

La mésothérapie utilise souvent des médicaments allopathiques (dont l'action lutte contre la maladie, par opposition à « homéopathiques »). Son originalité et son efficacité proviennent de la voie d'introduction des produits : la voie intradermique. La consultation, comme en médecine générale, aboutit à un diagnostic précis (appuyé au besoin sur des examens complémentaires classiques) et au choix d'un traitement adapté. Les médicaments sont alors injectés par le médecin lui-même au moyen d'une seringue munie d'une aiguille fine de 4 millimètres de longueur à usage unique. Presque tous les produits injectables sont utilisables en mésothérapie, à l'exception majeure des corticostéroïdes retard, qui entraîneraient un risque de nécrose cutanée. Des effets mineurs et transitoires aux points d'injection (érythèmes, ecchymoses, douleurs) sont fréquents.

INDICATIONS

Les effets les plus spectaculaires s'observent en traumatologie sportive (tendinites, entorses) et dans les affections circulatoires (artérite, maladie de Raynaud [troubles vasomoteurs des extrémités], etc.), infectieuses (zona) ou allergiques. De bons résultats sont obtenus dans le traitement de la cellulite, de la calvitie et surtout dans celui des affections rhumatismales telles que l'arthrose, où la mésothérapie soulage rapidement la douleur. Cette thérapeutique est de préférence utilisée seule. Lorsque, pour une même affection, on l'associe à un traitement classique, on arrive souvent à diminuer les doses du traitement quotidien, par exemple pour l'arthrose, où les doses d'analgésiques et d'anti-inflammatoires sont nettement réduites ou même supprimées.

En revanche, la mésothérapie ne s'applique pas aux maladies tumorales (cancer), ni aux maladies dégénératives, ni aux affections graves nécessitant une thérapeutique appropriée (diabète, méningite infectieuse, tuberculose, infarctus du myocarde), ni à celles qui relèvent de la chirurgie.

Métabolisme

Ensemble des réactions biochimiques se produisant au sein de l'organisme.

Le métabolisme comprend deux grands processus.

■ L'anabolisme est l'ensemble des réactions aboutissant à une synthèse ou à une fabrication ; il nécessite généralement une consommation d'énergie.

■ Le catabolisme est l'ensemble des réactions aboutissant à une dégradation ; il entraîne généralement une libération d'énergie.

Le terme « métabolisme » peut aussi être employé dans un sens plus restreint : métabolisme des lipides, du sodium, etc. Le métabolisme énergétique est l'ensemble des réactions métaboliques de l'organisme : au cours d'une chaîne de réactions très longue et complexe, appelée cycle de Krebs, l'énergie provenant des nutriments (protéines, glucides, lipides) est d'abord transformée et stockée (anabolisme) sous forme d'adénosine triphosphate (A.T.P.), une molécule présente dans les cellules. Cette énergie est ensuite libérée par la dégradation (catabolisme) de l'A.T.P. pour couvrir les dépenses énergétiques : croissance, activité physique, dépenses d'entretien et de réparation, métabolisme de base (énergie nécessaire pour maintenir la température du corps, le rythme cardiaque, le fonctionnement du poumon et les autres fonctions de base), etc.
→ VOIR Dépense énergétique.

Métacarpe

Partie du squelette de la main comprise entre le carpe (correspondant au poignet) et les doigts. (P.N.A. *metacarpus*)

Le métacarpe forme le squelette de la partie pleine de la main, paume et dos. Il est composé de 5 os longs, les métacarpiens, qui s'articulent en haut avec le carpe et en bas avec les premières phalanges des doigts.

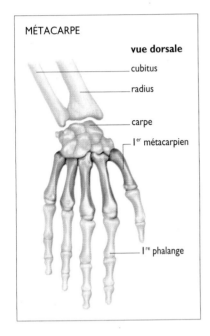

MÉTACARPE

vue dorsale

cubitus

radius

carpe

Ier métacarpien

Ire phalange

Métacarpien

Os long de la main.

Les métacarpiens sont au nombre de 5 ; ils forment le métacarpe. Le premier, correspondant à la base du pouce, est très mobile. Les autres métacarpiens, peu ou pas du tout mobiles, forment le squelette de la paume de la main. La base de chaque métacarpien s'articule avec le carpe (ensemble des os formant le squelette du poignet) par l'intermédiaire de l'articulation carpométacarpienne ; la tête de chaque métacarpien s'articule à son tour avec la première phalange des doigts par l'articulation métacarpophalangienne, qui est très mobile.

Les fractures des métacarpiens sont extrêmement fréquentes, les plus courantes étant celles du 1er et du 5e métacarpien. Il est parfois nécessaire de les réduire chirurgicalement. Elles sont ensuite immobilisées pendant 3 à 6 semaines à l'aide d'une attelle ou d'un plâtre.

Métamère

Segment anatomique résultant de la division temporaire du corps de l'embryon.

Les métamères, au nombre d'environ 40, se forment vers la fin de la 3e semaine après la fécondation à partir du mésoderme situé de part et d'autre de l'axe dorsal. Chaque métamère forme une unité qui comporte un secteur nerveux avec ses ganglions, un secteur cutané et des dérivés vasculaires, viscéraux et musculaires, appelés somites. Par extension, somite est parfois employé comme synonyme de métamère.

Métamorphopsie

Trouble de la vision caractérisé par une déformation des images.

Une métamorphopsie est souvent due à une lésion de la macula (petite zone centrale de la rétine responsable de l'acuité visuelle).

SYMPTÔMES ET SIGNES

Un sujet atteint de métamorphopsie voit les lignes droites ondulées, incurvées ou brisées et les lettres déformées. Lorsque ces symptômes sont associés à d'autres, tels qu'une diminution de la taille des images, une vision des couleurs perturbée, la perception d'une tache grise dans le champ visuel ou une baisse de l'acuité visuelle, il s'agit d'un syndrome maculaire. Celui-ci peut être provoqué par des œdèmes, des exsudats (liquide suintant contenant des globules blancs), des hémorragies, des atrophies et une dégénérescence maculaires.

DIAGNOSTIC ET TRAITEMENT

Le test d'Amsler, qui utilise de fins quadrillages blancs sur fond noir, permet de mettre en évidence les anomalies et les déficits du champ visuel central.

Le traitement d'une métamorphopsie est celui de la lésion de la macula.

Métanéphrine

Dérivé méthylé des catécholamines (neurotransmetteurs tels que l'adrénaline et la noradrénaline).

Les métanéphrines sont obtenues par l'action d'une enzyme qui transforme la noradrénaline en normétadrénaline et l'adrénaline en métadrénaline. Leur intérêt est diagnostique : les métanéphrines peuvent être dosées dans les urines soit par spectrophotométrie, soit plutôt par chromatographie. Leur mesure est très utile pour le diagnostic du phéochromocytome (tumeur de la glande médullosurrénale dont les cellules sécrètent des quantités excessives de catécholamines et qui est responsable d'une hypertension artérielle sévère).

Métaplasie

Modification pathologique d'un tissu en un autre tissu, de structure et de fonction différentes.

La métaplasie est une forme d'adaptation à des conditions anormales ; elle donne naissance à un nouveau tissu, plus résistant que le tissu initial.

Une métaplasie s'observe, par exemple, dans la muqueuse des bronches en cas d'irritation chronique ou d'infection respiratoire virale.

Ce processus est en principe réversible et disparaît lorsque cessent les conditions anormales, sauf dans les cas de métaplasie osseuse du muscle (myosite ossifiante) ou des cartilages bronchiques et trachéaux.

Métastase

Migration par voie sanguine ou lymphatique de produits pathologiques (bactéries, virus, parasites, cellules cancéreuses) issus d'une lésion initiale.

Métastase cancéreuse

Foyer de cellules cancéreuses provenant d'un cancer initial, dit primitif, et développé sur un autre organe.

Les métastases cancéreuses représentent la dernière étape de l'évolution spontanée de la plupart des cancers. La première étape est l'extension locale du cancer initial. La deuxième étape est sa propagation aux ganglions lymphatiques voisins par l'intermédiaire des canaux lymphatiques situés dans les tissus. L'étape métastatique, par le biais de la circulation sanguine, peut aboutir à une dissémination du cancer à grande distance et dans plusieurs organes.

MÉCANISME

Une métastase se développe à la suite de l'expression de certains gènes des chromosomes, qui sont inhibés dans les cellules normales et même dans celles du cancer initial. Chaque modification de l'activité des gènes donne à la cellule de nouvelles propriétés (en particulier la perte de l'adhérence des cellules entre elles) et lui fait franchir une nouvelle étape. Dans un premier temps, les cellules métastatiques deviennent mobiles et sécrètent des enzymes (protéases) qui digèrent les tissus environnants, ce qui leur permet de se déplacer jusqu'à un vaisseau capillaire sanguin. Elles traversent la paroi du capillaire puis se laissent transporter par le courant sanguin. Elles gagnent ainsi l'intérieur d'un autre organe, où elles peuvent rester dormantes, éventuellement de longues années, ou bien proliférer. Tous ces phénomènes sont possibles parce que, en s'entourant de substances qui les masquent et les protègent, les cellules deviennent en même temps plus résistantes à l'attaque des globules blancs.

Les organes d'arrivée sont le plus souvent les poumons, le foie, les os et le cerveau. On parle alors de cancer secondaire de ces organes. Le siège des métastases dépend dans certains cas de la position anatomique de ces organes : les cancers de l'intestin métastasent facilement dans le foie, car le sang passe de l'intestin dans la veine porte, qui se termine dans le foie. Dans d'autres cas, le lieu d'arrivée tient au type de cancer : les sarcomes (tumeurs malignes du tissu conjonctif) métastasent surtout dans les poumons, pour des raisons encore mal connues.

ÉVOLUTION ET PRONOSTIC

Les métastases sont des phénomènes fréquents et précoces : en général, quand on diagnostique un cancer primitif, il est en fait présent dans l'organisme depuis plusieurs années ; le risque qu'il existe des métastases, déjà repérables ou encore invisibles, est donc extrêmement élevé. Cependant, certaines variétés de cancer métastasent peu (cancer de l'ovaire, par exemple) ou pas du tout (épithélioma basocellulaire de la peau). Les métastases, quand elles existent, prolifèrent plus vite que le cancer primitif. Elles sont aussi plus résistantes à la chimiothérapie et à la radiothérapie. Les stratégies thérapeutiques tiennent compte de cette résistance, ainsi que du risque de présence de métastases encore indécelées : le traitement est plus intensif si un cancer est d'une variété connue pour la fréquence de ses métastases.

PRÉVENTION

La précocité du traitement des cancers est actuellement le seul moyen d'enrayer la prolifération des métastases encore invisi-

MÉTASTASE CANCÉREUSE

Lorsqu'on suspecte un cancer, la présence d'éventuelles métastases est toujours vérifiée à l'aide de dosages biologiques et d'examens radiologiques tels que radiographie, échographie, scanner, imagerie par résonance magnétique (I.R.M.), scintigraphie.

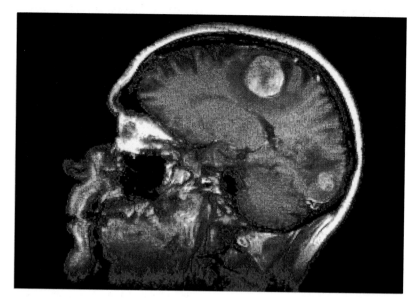

Cette image par résonance magnétique (I.R.M.) du cerveau montre une métastase en cocarde (en jaune, entourée d'un halo rouge) en haut de la région médiane d'un hémisphère.

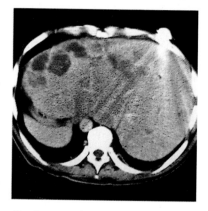

Cette image par résonance magnétique de l'abdomen révèle des métastases (en noir) dans le foie.

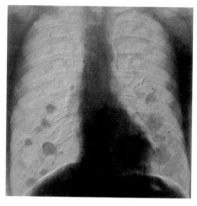

Cette radiographie pulmonaire montre plusieurs métastases (en jaune foncé).

bles. On recherche comment enrayer le phénomène métastatique. Une telle découverte améliorerait beaucoup le pronostic des cancers : leur traitement pourrait se limiter à l'ablation chirurgicale et à la radiothérapie locale, évitant la toxicité de la radiothérapie diffuse et de la chimiothérapie sur les tissus non cancéreux.

Métatarse

Partie du squelette du pied comprise entre le tarse (ensemble d'os qui forme la région postérieure du squelette du pied) et les orteils. (P.N.A. *metatarsus*)

Le métatarse participe à la structure de la voûte plantaire. Il est composé de 5 os longs, les métatarsiens, qui s'articulent, en haut, avec le tarse (le scaphoïde tarsien et les 3 os cuboïdes) et, en bas, avec la première phalange de chacun des orteils.

Métatarsien

Os long du pied.

Les métatarsiens sont au nombre de 5 ; ils forment le métatarse. Le premier métatarsien forme l'arche interne de la voûte plantaire et seule son extrémité repose sur le sol. Le cinquième forme la partie externe de la voûte plantaire et repose entièrement sur le sol. Les métatarsiens sont solidaires les uns des autres grâce à des ligaments puissants, les ligaments intermétatarsiens ; leur mobilité est extrêmement faible.

PATHOLOGIE

Fréquentes, les fractures des métatarsiens peuvent être dues à la chute d'un objet sur le pied ou à une torsion violente de celui-ci. Elles sont douloureuses mais le plus souvent bénignes. Leur réduction est en général orthopédique, parfois chirurgicale. Elles sont ensuite immobilisées à l'aide d'un plâtre pendant 3 à 6 semaines.

Metchnikoff (Élie)

Zoologiste et microbiologiste russe (Ivanovka, près de Kharkov, 1845 – Paris 1916).

Il enseigna d'abord la zoologie à Odessa puis quitta la Russie et se rendit en 1887 à Paris. Il entra à l'Institut Pasteur, dont il fut le sous-directeur. Sa découverte de la phagocytose (absorption par une cellule de particules solides, comme celle des bactéries par les polynucléaires neutrophiles), en 1883, mit en relief l'un des grands modes de défense de l'organisme contre les infections. Il reçut le prix Nobel de médecine en 1908.

Météorisme

Accumulation de gaz dans l'intestin se traduisant par une augmentation du volume de l'abdomen.

Le météorisme se distingue du ballonnement abdominal, qui correspond à une sensation subjective de tension intra-abdominale ne traduisant pas toujours une réelle augmentation des gaz dans l'intestin. Un météorisme peut s'observer aussi bien dans les maladies organiques digestives (occlusion colique, syndrome de Koenig) que dans les maladies fonctionnelles, où seule la fonction digestive, et non l'organe, est détériorée (colopathie spasmodique).

Le diagnostic repose sur la percussion abdominale, qui révèle une sonorité plus importante que la normale, traduisant la distension intestinale gazeuse. Au moindre soupçon d'occlusion, une radiographie de l'abdomen sans préparation s'impose.Le traitement du météorisme est celui de sa cause.

Méthadone

Analgésique de synthèse, voisin de la morphine, proposé pour le sevrage des héroïnomanes.

La méthadone permet d'éviter les symptômes du sevrage (tremblements, transpiration, agitation, sensation de malaise, etc.) chez les héroïnomanes et leur assure une possibilité de réinsertion sociale en dehors de l'utilisation de drogues illégales. Sa délivrance, sa posologie et l'évaluation de l'efficacité du traitement doivent être assurées dans un centre spécialisé. Aux Pays-Bas, la méthadone est distribuée gratuitement, sur prescription médicale, dans des dispensaires spécialisés ; elle y est également en vente, sur ordonnance, dans les pharmacies, de même qu'en Belgique.

Ce traitement exige une importante participation du toxicomane, qui devient en partie dépendant de l'équipe soignante (distribution quotidienne du produit, surveillance d'éventuels effets indésirables ou d'un surdosage, etc.). Il est conduit sur plusieurs mois, voire plusieurs années, et son arrêt dépend de l'évolution psychique du malade.

Les principes et les résultats de ce mode de sevrage sont très controversés, tant du point de vue éthique que pharmacologique (il est possible que les effets secondaires du sevrage de la méthadone soient plus graves que ceux de l'héroïne). Certains y voient cependant un mode de prévention du sida chez les toxicomanes par la réduction de l'emploi clandestin de seringues infectées par le V.I.H.

Méthémoglobine

Molécule d'hémoglobine dont l'atome de fer est à l'état ferrique (oxydé), ce qui la rend inapte au transport d'oxygène.

La méthémoglobine représente de 1 à 2 % de l'hémoglobine totale du globule rouge. Cette proportion est stable, car une enzyme, la méthémoglobine réductase, la transforme au fur et à mesure de sa formation en hémoglobine.

Méthémoglobinémie

Augmentation anormale de la concentration sanguine de méthémoglobine.

Une méthémoglobinémie peut être due soit à une intoxication (à l'aniline, aux nitrates, aux sulfamides, etc.), soit à un déficit héréditaire en une enzyme, la méthémoglobine réductase. Elle se traduit par une cyanose. Le traitement est celui de la cause, associé à l'administration de vitamine C ou de bleu de méthylène.

Méthionine

Acide aminé essentiel (qui ne peut pas être synthétisé par l'organisme et doit donc être fourni par l'alimentation), dont la molécule contient du soufre.

La méthionine entre dans la constitution des protéines de l'organisme et intervient dans la synthèse d'autres substances (adrénaline, créatine, cystéine) ainsi que dans la détoxication des médicaments. Sa concentration dans le sang et l'urine augmente en cas d'insuffisance hépatique sévère ou de maladies enzymatiques telles que l'homocystinurie et la tyrosinose.

Méthylcellulose

Médicament de substitution des larmes, utilisé en ophtalmologie.

Chez les sujets âgés notamment, mais également chez ceux qui sont atteints d'un syndrome de Gougerot-Sjögren, l'insuffisance de sécrétion des larmes rend l'œil sec et entraîne des troubles oculaires plus ou moins sévères. Au moment des symptômes, l'emploi de méthylcellulose – sous forme de collyre ou de gel de suppléance lacrymale – apporte un soulagement appréciable en reconstituant temporairement la phase aqueuse des larmes. Généralement bien tolérée, la méthylcellulose peut cependant provoquer des phénomènes allergiques et, en raison de sa viscosité, un certain degré de brouillard visuel, qui s'estompe rapidement.

Métopirone (test à la)

Examen permettant de vérifier que l'hypophyse joue bien son rôle de régulateur des sécrétions de cortisol (hormone corticostéroïde produite par les glandes surrénales).

La métopirone empêche la transformation du désoxycortisol en cortisol, d'où une chute du taux de cortisol dans le sang et une sécrétion accrue de corticotrophine, hormone stimulant les sécrétions de désoxycorti-

sol. Cette réaction se traduit par une augmentation du taux de désoxycortisol dans le sang et de ses dérivés dans les urines, et de celle d'autres hormones, les 17-hydroxystéroïdes.

INDICATIONS ET CONTRE-INDICATIONS

Ce test est indiqué pour déterminer la cause d'une sécrétion excessive de cortisol ou pour dépister un déficit en corticotrophine. Il est contre-indiqué en cas d'antécédents cardiovasculaires (angine de poitrine, infarctus) et d'insuffisance surrénalienne.

DÉROULEMENT ET EFFETS SECONDAIRES

Le test se déroule en milieu hospitalier et dure 3 jours. On recueille les urines totales pendant toute sa durée pour doser les 17-hydroxystéroïdes. On effectue en outre le 2e jour sur le sujet à jeun un prélèvement sanguin pour doser le cortisol, le désoxycortisol, voire la corticotrophine, et la métopirone est administrée sous forme de comprimés. Le 3e jour, un deuxième prélèvement sanguin est effectué à 8 heures du matin, 4 heures après la dernière prise de métopirone. Durant ce test, le sujet doit rester le plus possible allongé. La métopirone peut provoquer vertiges et nausées, qui cessent en quelques heures.

Métrite

Inflammation des divers tissus de l'utérus, essentiellement de la muqueuse utérine (endométrite) mais aussi du muscle utérin (myométrite ou cervicite).

→ VOIR Cervicite, Endométrite.

Métrorragie

Saignement vaginal survenant en dehors des règles.

Les métrorragies sont toujours anormales et justifient une consultation médicale. Leurs causes diffèrent selon l'âge de la femme.
■ La jeune fille a un cycle menstruel irrégulier les premières années, et, chez elle, les métrorragies ne sont pas rares. Elles doivent néanmoins amener à consulter et peuvent être traitées par une contraception orale précoce. Elles peuvent également s'observer au début d'un traitement contraceptif et cèdent alors à la prise de pilules plus fortement dosées.
■ La femme en période d'activité génitale doit toujours prendre une métrorragie au sérieux. Si elle n'est pas enceinte, la cause peut être un polype, un fibrome, une endométrite, une salpingite, un cancer ; cependant, la majorité des cas sont dus à une anomalie du mécanisme menstruel (kystes développés aux dépens d'un follicule, cycles sans ovulation). En tout début de grossesse, un saignement peut signaler une grossesse extra-utérine, une fausse couche, une môle hydatiforme (tumeur bénigne du placenta) et, plus tardivement, une insertion anormale du placenta (placenta prævia) ou un hématome rétroplacentaire (épanchement de sang sous le placenta).
■ La femme ménopausée, dont les règles sont absentes depuis plus de 6 mois et qui présente des signes nets de ménopause (bouffées de chaleur, sécheresse vaginale), peut avoir des métrorragies, qui doivent faire rechercher un cancer du corps utérin par l'hystéroscopie, le curetage biopsique et le frottis ; le traitement doit être immédiat.

Miasme

Émanation malsaine considérée dans l'Antiquité comme la source de maladies contagieuses.

Microalbuminurie

Augmentation très faible, par rapport à la normale, de la quantité d'albumine éliminée dans les urines.

Une microalbuminurie est le plus souvent un signe précoce d'atteinte des glomérules (unités fonctionnelles du rein). Sa détermination est donc très utile pour diagnostiquer au plus tôt, par exemple chez les sujets atteints de diabète insulinodépendant, des troubles du fonctionnement rénal à un stade où ils sont encore réversibles grâce à un parfait contrôle des taux sanguins de glucose à l'aide de l'insuline.

Microangiopathie

Toute maladie atteignant les vaisseaux sanguins de petit calibre.

CAUSES

La principale cause des microangiopathies est le diabète sucré (excès de sucre dans le sang). Les très petits vaisseaux sont infiltrés par des glycoprotéines (protéines normales du sérum altérées par l'excès de glucose). Il existe probablement une prédisposition génétique à la microangiopathie.

SYMPTÔMES ET SIGNES

Au premier stade de la maladie, une microangiopathie est purement fonctionnelle et se caractérise par une augmentation du débit sanguin et une perméabilité accrue des vaisseaux atteints. Plus tard, la paroi des vaisseaux se détériore et les tissus irrigués sont mal oxygénés.

ÉVOLUTION

Une microangiopathie est un phénomène diffus, mais ses conséquences sont particulièrement sévères sur la rétine, le système nerveux et le rein : rétinopathie diabétique, qui suscite une altération de la rétine et peut aboutir à la cécité, multinévrite (atteinte de plusieurs nerfs périphériques distincts), néphropathie glomérulaire du diabète (atteinte du glomérule, unité de filtration du rein, cause possible d'insuffisance rénale). Une microangiopathie peut également être responsable d'une hypertension artérielle.

La sévérité d'une microangiopathie est liée à l'importance et à la durée de l'hyperglycémie (taux trop élevé de sucre dans le sang).

TRAITEMENT ET PRÉVENTION

Il n'existe pas de traitement spécifique des microangiopathies.

Le seul moyen de prévention efficace consiste en un contrôle strict de la glycémie par le régime ou l'insulinothérapie (traitement par injections d'insuline).

→ VOIR Diabète sucré.

Microbe

Micro-organisme vivant pathogène.

Le terme de microbe désigne aussi bien des bactéries que des virus, des protozoaires que des champignons microscopiques.

Microbiologie

Science et étude des micro-organismes vivants pathogènes, responsables des maladies infectieuses.

La microbiologie regroupe l'étude des bactéries (bactériologie), celle des virus (virologie) et celle des champignons, agents des mycoses (mycologie).

Microcéphalie

Petitesse excessive de la tête par rapport au périmètre crânien moyen des individus de même âge et de même sexe.

Plus précisément, on parle de microcéphalie quand le périmètre crânien est inférieur d'au moins 3 écarts-types, ou déviations standards, par rapport à la mesure normale établie en fonction de l'âge et du sexe.

CAUSES

Les microcéphalies sont le plus souvent pathologiques et associées à une arriération mentale, excepté certaines formes familiales, en général modérées, harmonieuses et sans retentissement intellectuel ni neurologique. Les microcéphalies pathologiques relèvent de deux types de cause, selon qu'il y a atteinte du cerveau ou de la boîte crânienne.

■ Une insuffisance de développement du cerveau est due, dans certains cas, à une agression du fœtus pendant la grossesse par un agent infectieux tel que le virus de la rubéole (cytomégalovirus), ou à un alcoolisme ou une malnutrition maternels. Toute souffrance fœtale prolongée, due généralement à une diminution de l'apport sanguin fœtal, peut également entraîner une microcéphalie, qui s'accompagne le plus souvent d'une hypotrophie globale (enfant de proportions harmonieuses mais trop petit à la naissance). Enfin, une insuffisance de développement du cerveau peut être due à une malformation, le plus fréquemment d'origine génétique, généralement associée à une malformation du squelette, à des troubles neurologiques et à un retard mental.

■ Une anomalie de la boîte crânienne est due à une suture trop précoce des os du crâne (craniosténose), causée, par exemple, par une hypothyroïdie congénitale empêchant le développement harmonieux du cerveau. Le risque est celui d'une hypertension intracrânienne par compression du cerveau, entraînant vomissements, maux de tête et convulsions. Le crâne est déformé de façon typique, d'avant en arrière (scaphocéphalie) ou de haut en bas (oxycéphalie), ou encore est aplati (brachycéphalie).

TRAITEMENT ET PRONOSTIC

En cas d'insuffisance de développement du cerveau, le pronostic est en général réservé, avec un retard de développement mental de degré variable. Il est meilleur en cas de rétrécissement de la boîte crânienne, le développement neurologique et mental étant sensiblement normal ; le crâne reste cependant déformé chez l'adulte. Au besoin, notamment lorsqu'il y a hypertension intracrânienne, on réalise une intervention chirurgicale (découpe des os du crâne) afin de permettre au cerveau de se développer normalement.

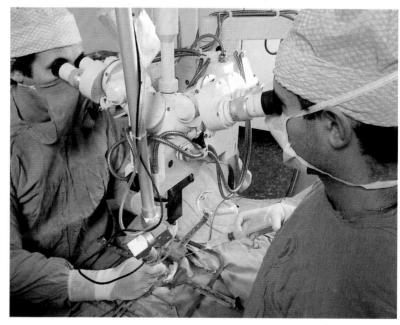

Microchirurgie. *Le chirurgien travaille avec un microscope binoculaire, ce qui lui permet d'opérer des structures anatomiques extrêmement fines.*

Microchirurgie

Chirurgie réalisée à l'aide d'un microscope binoculaire permettant de grossir jusqu'à 40 fois la vision du champ opératoire.

INDICATIONS

La microchirurgie permet d'effectuer des interventions impossibles en chirurgie classique, à l'échelle du dixième de millimètre et au-dessous. Elle possède un très vaste champ d'application.

■ **En chirurgie nerveuse,** elle permet la réparation d'un nerf par suture ou greffe et des opérations délicates de neurolyse (libération de nerfs comprimés par un tissu sclérosé, comme dans le syndrome du canal carpien). Elle est aussi utilisée pour traiter les malformations vasculaires intracrâniennes, les sciatiques et certaines malformations vasculaires de la moelle épinière.

■ **En gynécologie,** elle est utilisée dans le traitement de la stérilité (chirurgie des trompes et des ovaires).

■ **En ophtalmologie,** elle a connu un développement très important avec les opérations de la cataracte (remplacement du cristallin par des implants) et de la rétine.

■ **En oto-rhino-laryngologie,** la microchirurgie est essentiellement utilisée dans l'oreille moyenne pour y reconstituer une chaîne d'osselets ou pour enlever des tumeurs en préservant les nerfs.

■ **En traumatologie,** elle permet la réimplantation de membres ou de doigts sectionnés.

TECHNIQUES

Elles sont variables et dépendent du type de l'opération, mais reposent toujours sur l'utilisation de microscopes, souvent binoculaires, et d'un matériel spécial (instruments extrêmement fins, fils très fins pour les sutures). Lors de l'intervention, le chirurgien ne regarde pas directement ses mains, mais examine le champ opératoire à travers un système optique grossissant, voire par l'intermédiaire d'un écran.

Microcirculation

Circulation sanguine des vaisseaux de moins de 50 micromètres de diamètre.

La microcirculation concerne les artérioles, les veinules et les capillaires. Ces petits vaisseaux, disséminés dans tous les tissus, forment ensemble un réseau, et la régulation de leur circulation est indépendante de celle des vaisseaux de gros et de moyen calibre. On distingue les petits vaisseaux qui irriguent les téguments (peau, etc.), les muqueuses, les séreuses (plèvre, péricarde, péritoine), les tissus mous (tissu adipeux, tissu conjonctif, muscles) et ceux qui irriguent les organes à fonctions spécifiques tels que le cerveau, le cœur, le foie, les reins, les poumons, etc.

La microcirculation permet les échanges de métabolites (produits résultant de la transformation des substances introduites dans l'organisme), de sécrétions chimiques et la production d'énergie. La vie cellulaire dépend de la microcirculation, car celle-ci apporte le sang, donc l'oxygène, aux cellules.

Microcoque

Bactérie de forme arrondie, à Gram positif, appartenant au genre *Micrococcus.*

Le microcoque fait partie de la flore commensale de l'homme (qui vit à ses dépens sans lui nuire) ; on le retrouve dans le tube digestif, sur la peau et dans les cavités naturelles de l'organisme.

Microcornée

Cornée de petite taille (de diamètre inférieur à 10 millimètres).

Une microcornée existe le plus souvent sur un œil atteint de microphtalmie (réduction congénitale de la taille du globe oculaire). Les personnes ayant une microcornée peuvent souffrir de crises d'hypertonie oculaire. Celles-ci se manifestent par des douleurs oculaires, des nausées, des vomissements, des maux de tête et sont traitées par l'application de collyres hypotonisants (qui font baisser la tension intraoculaire) comme les bêtabloquants. Une microcornée ne se traite pas.

Microdactylie

Malformation congénitale caractérisée par la petitesse d'un ou de plusieurs doigts ou orteils.

Une microdactylie résulte d'une anomalie dans la formation de l'embryon (absence ou arrêt de développement de certaines phalanges). La malformation est visible à l'échographie pendant la grossesse.

Microdontie

Présence de dents anormalement petites.

La microdontie est une anomalie héréditaire. On distingue la microdontie totale, qui concerne tous les groupes de dents (incisives, canines, molaires), la microdontie partielle, qui n'en concerne qu'un seul, et la microdontie isolée, qui n'affecte qu'une dent (présence, sur le maxillaire supérieur, d'une incisive latérale, dite « en grain de riz », par exemple).

Le traitement de la microdontie, dont la principale conséquence est d'ordre esthétique, est facultatif : il repose sur le port, pendant une période de 1 à 3 ans, d'un appareil dentaire visant à déplacer les dents par pression ou par traction afin de régulariser les espaces interdentaires. Parfois, on recourt également à la pose d'une couronne en céramique de taille normale sur la ou les dents anormalement petites.

Micrognathie

Développement insuffisant des maxillaires.

Malformation héréditaire, la micrognathie est souvent à l'origine d'un encombrement dentaire, les dents ne disposant pas, sur les maxillaires, d'un espace suffisant pour s'aligner correctement. Elle peut être partielle et ne concerner qu'un seul maxillaire. Lorsqu'elle affecte le maxillaire inférieur, le sujet est rétrognathe.

Chez l'enfant, lorsque le diagnostic est suffisamment précoce, l'extraction d'un groupe de dents (prémolaires, germes des dents de sagesse), suivie du port, pendant une période de 2 à 3 ans, d'un appareil dentaire visant à déplacer les dents par pression ou par traction, permet généralement d'obtenir un développement correct des maxillaires et donc un bon alignement des dents. Chez l'adulte, le traitement de la micrognathie consiste à corriger chirurgicalement le maxillaire puis à réaligner les dents à l'aide d'un appareil orthodontique.

Microphtalmie

Petitesse congénitale d'un œil ou des deux yeux, due à un arrêt de développement au cours de la vie intra-utérine.

CAUSES

Une microphtalmie peut être due au virus de la rubéole ou à un facteur héréditaire.

SYMPTÔMES ET SIGNES

Du fait de sa petitesse, l'œil est enfoncé dans l'orbite. La microphtalmie s'associe souvent à la cécité mais, malgré sa petite taille, l'œil atteint peut être harmonieux et fonctionnel, bien que sa vision soit toujours plus faible que la normale. Souvent, il présente aussi certaines anomalies congénitales telles qu'une cataracte (opacité du cristallin avec cécité complète ou partielle), un colobome (fissure des paupières, de l'iris ou de la rétine) ou une opacité anormale du corps vitré, entraînant une perte de la vision.

DIAGNOSTIC

L'échographie oculaire permet de mesurer la profondeur du globe oculaire, donc de confirmer une microphtalmie et, éventuellement, de déceler d'autres anomalies de l'œil.

TRAITEMENT

À défaut de traitement curatif réel, des prothèses, de dimensions adaptées à la croissance de la cavité orbitaire, permettant d'augmenter peu à peu la taille de cette dernière, orbite et face se développant ainsi plus harmonieusement. Leur mise en place, qui impose parfois l'extraction de l'œil, a lieu dès les premiers mois de l'enfant.

Microsatellite

Succession de motifs (très courtes séquences) d'A.D.N. chromosomique, répétés à l'identique et composés chacun de deux à cinq bases.

Le matériel génétique d'un individu comprend de très nombreux microsatellites. Ceux-ci sont répartis, selon les statistiques, toutes les 10 000 bases environ. Le microsatellite le plus fréquent est constitué d'une répétition du dinucléotide « cytidine-adénosine », ou dinucléotide CA (composé de deux paires de bases).

Les microsatellites servent de repères dans l'étude de l'A.D.N. chromosomique ; ils sont des marqueurs génétiques très utiles pour le diagnostic des maladies génétiques et la recherche en génétique.
→ VOIR Minisatellite.

Microscope

Instrument d'optique ou d'électronique à fort pouvoir grossissant, permettant de voir des objets invisibles à l'œil nu.

Le microscope est indispensable à l'observation et à l'étude - primordiales pour l'établissement des diagnostics - de la structure et de la composition des tissus (histologie), des cellules (cytologie) et des molécules. Avec le développement de la microchirurgie, l'utilisation du microscope en médecine est devenue très importante.

DIFFÉRENTS TYPES DE MICROSCOPE

■ Le microscope optique simple (à lentille unique), mis au point par le naturaliste hollandais Antonie Van Leeuwenhoek (1632 - 1723), a permis, au XVIIᵉ siècle, la découverte des micro-organismes et l'identification de structures du corps humain comme les capillaires. Son utilisation par le médecin italien Marcello Malpighi (1628 - 1694) marque la naissance de l'histologie.

■ Le microscope optique composé classique comporte deux groupes de lentilles : l'objectif, du côté de l'objet à observer, et l'oculaire, du côté de l'œil de l'observateur. Ces lentilles sont montées aux extrémités d'un tube. L'objet à examiner est fixé sur une platine et éclairé par une source lumineuse. Ce type de microscope peut grossir jusqu'à environ 1 500 fois.

■ Le microscope composé opératoire est un microscope optique de faible puissance, sans platine, dont le système d'éclairage est disposé de façon à éclairer la surface à observer, celle qui reste accessible au chirurgien car suffisamment distante de la partie inférieure de la lentille.

■ Le microscope optique binoculaire donne des images en relief et permet la pratique de la microchirurgie.

■ Le microscope électronique utilise un faisceau d'électrons (qui remplace le faisceau lumineux traditionnel) et des lentilles électromagnétiques (qui se substituent aux lentilles en verre). Un microscope électronique peut grossir l'objet observé jusqu'à 5 millions de fois environ. On distingue le microscope électronique à transmission (M.E.T.) du microscope électronique à balayage (M.E.B.), dont le pouvoir grossissant est inférieur au précédent mais qui fournit une image en trois dimensions.

Microsporie

Toute dermatose due à un champignon du type *Microsporum*.
→ VOIR Dermatophytie.

Microtome

Instrument métallique en forme de rasoir, à main ou mécanique, destiné à réaliser des coupes très fines (5 micromètres d'épaisseur) de tissus humains, animaux ou végétaux, observables au microscope.

Avant d'être coupé au microtome, le fragment tissulaire est inclus dans un bloc de paraffine, ce qui lui confère une certaine rigidité et facilite la coupe.

■ Le cryostat est un microtome placé dans une enceinte réfrigérée, ce qui permet de couper des tissus congelés.

■ L'ultramicrotome est un microtome équipé d'un rasoir en verre ou en diamant, qui permet d'effectuer des coupes beaucoup plus fines que le microtome ordinaire, susceptibles d'être observées au microscope électronique.

Miction

Émission naturelle d'urine par évacuation de la vessie.

Le nombre de mictions dépend de la quantité d'urine à émettre et de la capacité physiologique de la vessie du sujet ; il varie de 0 à 1 pendant la nuit, de 4 à 5 dans la journée. La miction est normalement indolore, facile, sans gouttes d'urine précédant ou suivant le jet mictionnel et complète. Des douleurs à la miction peuvent révéler une infection urinaire et nécessitent donc un examen cytobactériologique des urines.

La miction est sous la dépendance d'un mécanisme neurologique pouvant être contrôlé volontairement. Lorsque la vessie est pleine, le sujet ressent un besoin d'uriner ; la vidange de la vessie s'effectue grâce à la contraction du muscle entourant la vessie et à l'ouverture simultanée du col vésical puis du sphincter urétral, qui permettent l'écoulement de l'urine. Lorsque la vessie est complètement vide, le sphincter urétral et le col vésical se ferment et le muscle vésical retourne à l'état de repos, permettant un nouveau remplissage de la vessie par l'urine élaborée par les reins.

TROUBLES DE LA MICTION

■ **La dysurie** est une difficulté à évacuer la vessie. Elle est due à un adénome de la prostate, à un rétrécissement de l'urètre ou à une contraction insuffisante du muscle vésical.

■ **L'énurésie** est une émission d'urine, involontaire et inconsciente, généralement nocturne, chez un enfant ayant dépassé l'âge de la propreté (entre 2 et 4 ans). Elle peut être due à une immaturité neurologique de la vessie. Certains l'attribuent à une cause hormonale ou psychosomatique.

■ **L'impériosité mictionnelle** se traduit par une incapacité à retenir ses urines. Elle révèle une irritation de la vessie.

■ **L'incontinence urinaire** peut être totale ou partielle (le plus souvent sous la forme d'une incontinence urinaire d'effort). Elle est due à une déficience du sphincter de l'urètre.

■ **La pollakiurie** se caractérise par des mictions fréquentes, survenant de jour ou de nuit. Elle traduit une irritation de la vessie (adénome prostatique, cystite, calcul de la vessie) ou une diminution de sa capacité. Chez la femme enceinte, l'utérus, en comprimant la vessie, peut occasionner une incontinence d'effort. Chez la femme ménopausée comme chez la jeune femme, les cystites, fréquentes, se traduisent par une pollakiurie. Enfin, chez l'homme âgé, l'apparition, fréquente, d'un adénome de la prostate est souvent responsable d'une pollakiurie et d'une dysurie.

Mifépristone

Médicament antigestationnel et antiprogestatif. SYN. *RU 486.*

La mifépristone, découverte par le Français Étienne-Émile Baulieu en 1985, est utilisée en France, en Grande-Bretagne, en Suède et aux États-Unis respectivement depuis 1988, 1991, 1992 et 1994. Il s'agit d'un stéroïde de synthèse capable d'inhiber l'action d'une hormone, la progestérone, en se fixant sur ses récepteurs cellulaires.

INDICATIONS

Associée à un analogue synthétique d'une prostaglandine (substance hormonale), la mifépristone est utilisée, par voie orale et en une prise unique, lors d'une interruption volontaire de grossesse (I.V.G.) précoce (avant le 50e jour d'arrêt des règles), pour accélérer l'expulsion ovulaire. L'interruption de grossesse a généralement lieu entre 24 et 48 heures après l'absorption du produit. Si ce n'est pas le cas, un curetage aspiratif est pratiqué.

La prise orale de mifépristone seule peut être prescrite en cas de mort in utero : l'expulsion fœtale se produit, dans 60 % des cas, dans un délai de 72 heures. Au-delà, l'administration de prostaglandines est nécessaire.

La prescription et la prise du médicament doivent être faites dans un établissement hospitalier habilité à réaliser des interruptions volontaires de grossesse.

EFFETS INDÉSIRABLES

La mifépristone peut déclencher une hémorragie (dans 5 % des cas), associée ou non à l'interruption volontaire de grossesse (I.V.G.). Par ailleurs, des douleurs abdominales ou pelviennes, des malaises, des maux de tête peuvent être constatés sans que l'on sache si ces signes sont liés à la grossesse ou à son interruption.

PERSPECTIVES

D'autres indications pourraient apparaître dans l'avenir, en particulier le déclenchement du travail à terme, la contraception du lendemain, les interruptions thérapeutiques de grossesse.

Migraine

Maladie caractérisée par des accès répétitifs de maux de tête.

CAUSES

La migraine, très fréquente, est de cause inconnue. Les douleurs sont probablement provoquées par une dilatation des artères cérébrales ; en outre, il existe certainement un facteur héréditaire, car on observe souvent plusieurs cas de migraine dans une même famille. Selon de récentes études, certains cas de migraine sont imputables à une maladie héréditaire rare, la migraine hémiplégique familiale ; le gène déficient a été localisé sur le chromosome 19. Par ailleurs, les crises sont déclenchées par différents facteurs, mais souvent le même chez un malade donné : stress ou, au contraire, détente physique, aliment particulier ou, au contraire, jeûne, manque ou excès de sommeil, bruit ou odeur, proximité des règles chez la femme. La grossesse et la prise de la pilule contraceptive peuvent augmenter ou diminuer la fréquence des crises selon les femmes.

SYMPTÔMES ET SIGNES

Une migraine peut prendre plusieurs aspects.

■ **La migraine dite commune**, la plus fréquente, comprend des crises de maux de tête qui s'installent progressivement, durent plusieurs heures, voire plusieurs jours, s'étendent à la moitié droite ou gauche du crâne (hémicrânie), au moins au début de la crise, et sont le plus souvent ressenties comme des pulsations. D'autres signes s'y associent : troubles digestifs (nausées, parfois vomissements), intolérance à la lumière (photophobie), intolérance au bruit, exacerbation des maux de tête lors d'un effort physique.

■ **La migraine ophtalmique** est une autre forme de migraine, dans laquelle les maux de tête sont précédés de signes neurologiques visuels : scotome scintillant (points lumineux, perceptibles d'abord au centre du champ visuel puis jusqu'à sa périphérie) ; hémianopsie latérale homonyme (impossibilité pour les deux yeux de voir à droite ou à gauche).

Dans d'autres formes encore, la migraine s'accompagne de troubles neurologiques sévères : vertiges, sensation diffuse de fourmillements, exceptionnellement hémiplégie.

Le diagnostic d'une migraine est purement clinique et ne nécessite a priori aucun examen complémentaire.

TRAITEMENT

Il comprend deux volets, le traitement de la crise et le traitement du fond.

■ **Le traitement de la crise** doit être entrepris le plus tôt possible afin d'avoir une meilleure efficacité. Si les analgésiques usuels ne suffisent pas, on emploie des dérivés de l'ergot de seigle tels que le tartrate d'ergotamine (incompatibles avec les antibiotiques du groupe des macrolides et contre-indiqués en particulier lors d'une grossesse). Le sumatriptan, en cas d'échec des autres traitements, est régulièrement efficace.

■ **Le traitement de fond** est pris tous les jours afin de diminuer la fréquence des crises. Il n'est indiqué qu'en cas de crises à la fois fréquentes (plusieurs par mois) et invalidantes. On utilise principalement les dérivés de l'ergot de seigle, les antisérotonines, les bêtabloquants, les antidépresseurs. En général, chez un patient donné, on trouve le médicament qui convient après en avoir essayé successivement plusieurs autres. On ne peut conclure à l'inefficacité de tel ou tel produit avant un délai d'au moins trois mois.

Mikulicz (drain de)

Grande compresse de gaze en forme de parachute, remplie de mèches et utilisée en chirurgie abdominale.

Le drain de Mikulicz est utilisé en cas de péritonite généralisée et grave. À la fin de l'intervention, le chirurgien le met en place dans la cavité abdominale pour qu'il draine par capillarité les sécrétions et les saignements, qui finissent par se tarir. Chaque mèche est munie d'un fil qui sort de la cavité abdominale et permet ainsi son retrait. L'ablation du drain de Mikulicz se fait progressivement, parfois sous anesthésie générale : on commence à enlever les mèches une par une à partir du 10e jour, la compresse étant enlevée au plus tard aux alentours du 15e jour.

Mikulicz (syndrome de)

Augmentation chronique de volume des glandes salivaires (parotides et sous-mandibulaires) et des glandes lacrymales.

Le syndrome de Mikulicz s'observe dans de nombreuses affections : maladie de Hodgkin, sarcoïdose, leucémie, syndrome de Gougerot-Sjögren. Il se traduit par un gonflement du cou et par une diminution de la sécrétion des glandes atteintes (larmes, salive), entraînant surtout des complications oculaires (uvéite, conjonctivite).

Le pronostic de ce syndrome, qui n'a de traitement que celui de l'affection en cause, est bénin dans l'ensemble.

LA MIGRAINE

La migraine touche environ un adulte sur dix. Mais, parce qu'elle n'est révélée par aucun test biologique ou examen, on l'a souvent considérée comme une affection « psychologique ». Aujourd'hui, si ses mécanismes demeurent en partie méconnus, elle est de mieux en mieux soulagée.

RECONNAÎTRE LA MIGRAINE

Mal de tête parfois insupportable, au point de constituer un véritable handicap dans la vie familiale ou professionnelle, la migraine a pour première caractéristique de survenir par crises. Mais cet unique critère ne suffit pas à la définir. Pour poser son diagnostic, le médecin ne peut se fier qu'à un interrogatoire patient et minutieux.

Diagnostiquer une migraine

Une personne souffrant de maux de tête à répétition peut déterminer si elle est ou non atteinte de migraine en répondant à quelques questions qui se réfèrent à la classification établie par la Société internationale des céphalées. Première question : les maux de tête surviennent-ils par crises, qui durent de 4 à 72 heures, et entre lesquelles le malade ne souffre pas ? Si la réponse est non, le patient devra chercher ailleurs que dans la migraine la cause de ses maux de tête. Deuxième série de questions : pendant les crises, le mal de tête siège-t-il exclusivement d'un côté, ou y prédomine-t-il ? La douleur bat-elle au rythme du cœur ? Est-elle sévère au point d'entraver les activités quotidiennes ? Est-elle aggravée par l'effort physique ? Troisième série de questions : pendant les crises, le malade est-il nauséeux ? Vomit-il ? Le bruit et la lumière lui sont-ils pénibles ? Un patient est atteint de migraine commune (migraine sans aura) s'il a répondu par l'affirmative à au moins deux des quatre questions de la deuxième série et à au moins une question de la troisième série.

Une origine encore obscure

Si l'on peut observer pendant les crises migraineuses des modifications des vaisseaux sanguins, des neurones (cellules nerveuses cérébrales) et des modifications biochimiques, le mécanisme d'action de ces modifications, leur enchaînement et la raison de leur déclenchement restent obscurs, même si les facteurs hormonaux (deux migraineux sur trois sont des femmes) et familiaux paraissent incontestables. De plus, aucun test biologique, aucune technique d'imagerie médicale du cerveau, aussi perfectionnée soit-elle, ne permet d'établir qu'un sujet est ou n'est pas migraineux.

QU'EST-CE QUE LA MIGRAINE ?

Le langage courant utilise souvent, à tort, le terme de migraine pour désigner différents maux de tête, et avant tout le plus banal d'entre eux, la céphalée de tension (liée au stress, à la tension nerveuse). Bien des « fausses migraines » – comme l'algie vasculaire de la face, qui se manifeste par de très vives douleurs centrées sur l'œil, ou la névralgie du trijumeau, qui consiste en de brèves décharges électriques d'un côté du visage – demeurent ainsi non soignées, alors qu'un traitement spécifique serait possible.

La migraine sans aura ou « commune »

C'est la plus fréquente des migraines ; elle se caractérise avant tout par un violent mal de tête, souvent précédé de symptômes annonciateurs, également appelés prodromes, tels que des troubles de l'appétit ou de l'humeur. La douleur est souvent limitée à un seul côté de la tête, mais elle peut aussi être diffuse ou ressentie seulement au front, à la nuque ou aux tempes. Bientôt, elle se renforce à chaque pulsation cardiaque, s'accompagne, chez certains patients, d'une saillie anormale de l'artère le long de la tempe, et le moindre mouvement l'augmente. La lumière, le bruit, les odeurs deviennent insupportables au malade, l'obligeant à rechercher obscurité et silence. Presque toujours, cette forme de migraine perturbe aussi le système digestif, entraînant nausées, vomissements, douleurs abdominales ou diarrhée. Le plus souvent, la crise migraineuse dure un ou deux jours, et s'achève à l'issue d'un sommeil réparateur.

La migraine avec aura ou « accompagnée »

Cette variété, moins fréquente, se distingue par la présence d'une aura migraineuse. On appelle ainsi les troubles neurologiques qui précèdent le mal de tête et s'installent progressivement selon une « marche migraineuse » typique de cette affection. Les plus fréquentes des auras sont des troubles visuels : la vision devient floue, le malade perçoit des formes brillantes ou colorées, une tache noire entourée d'un bord brillant en dents de scie qui grandit de minute en minute (scotome scintillant), ou constate une amputation de son champ visuel. Les troubles peuvent également être des sensations d'engourdissement, de fourmillement, qui affectent en général un seul côté du corps, et qui commencent souvent à la main pour gagner le bras puis le visage. Plus rares sont les troubles du langage ou les troubles moteurs (faiblesse d'une main ou de la moitié du corps, pouvant aller jusqu'à une paralysie passagère).

L'aura dure en moyenne 20 à 30 minutes, puis disparaît progressivement pour laisser place au mal de tête, qui est en général moins long que dans la migraine commune. Il peut même être absent.

Les autres formes de migraine

Plus rares et moins typiques, elles peuvent nécessiter la prescription d'examens complémentaires, en particulier d'un scanner, pour que le diagnostic soit posé. Il s'agit, par exemple, de crises de migraine précédées d'auras atypiques ; d'une migraine s'associant à la paralysie d'un côté du corps (migraine hémiplégique familiale, seule forme dont l'origine génétique a pu être déterminée, et localisée sur le chromosome 19) ; ou encore d'une migraine associée à la paralysie d'un nerf des muscles de l'œil, ou migraine ophtalmoplégique.

LA MIGRAINE AU QUOTIDIEN

Dans 9 cas sur 10, les crises de migraine apparaissent avant l'âge de 40 ans. Elles se raréfient entre 50 et 60 ans, et peuvent disparaître avec le grand âge. Mais, au fil du temps, le type des crises, leur sévérité, leur durée, leur fréquence et les facteurs déclenchants peuvent varier chez un même patient.

Ce qui déclenche la crise

Les facteurs psychologiques tels que contrariété, choc psychologique — heureux ou non —, les aliments, les modifications du mode de vie, les facteurs climatiques ou sensoriels (bruit, odeurs, etc.) sont souvent invoqués, ainsi que les facteurs hormonaux : ainsi, chez les femmes, les crises apparaissent dans la moitié des cas à la puberté ; chez 2 femmes sur 3, elles sont plus fréquentes et plus sévères au moment des règles, alors que la prise d'un contraceptif oral aggrave, améliore ou laisse inchangées les migraines dans des proportions sensiblement égales ; chez 7 femmes sur 10, la grossesse fait disparaître les crises.

TRAITER LA MIGRAINE

S'il n'existe pas encore de traitement permettant de supprimer définitivement la migraine, un large éventail de remèdes permet aujourd'hui de la soulager.

Soulager la crise

Une fois la crise commencée, les traitements doivent être pris le plus tôt possible pour une meilleure efficacité.

Les analgésiques, à base d'aspirine ou de paracétamol par exemple, les anti-inflammatoires et d'autres médicaments plus spécifiques, à base d'ergot de seigle, atténuent le mal de tête en 2 heures dans 50 à 60 % des cas et le suppriment dans 20 à 30 %. Un nouveau médicament, le Sumatriptan, dérivé de la sérotonine, parvient à soulager jusqu'à 80 % des patients lorsqu'il est administré en injection. Ces antimigraineux de crise ne doivent pas être pris trop souvent, car ils peuvent être responsables d'une véritable toxicomanie, avec mal de tête permanent. Un sevrage, souvent pénible, est alors nécessaire pour réduire les maux de tête.

Les traitements de fond

Seuls sont concernés les patients qui souffrent de crises fréquentes. S'il est vrai qu'aucun des produits actuellement proposés n'est efficace à 100 %, une dizaine de médicaments sont bénéfiques dans près des deux tiers des cas : un migraineux peut espérer, en s'astreignant à suivre son traitement de fond au quotidien durant plusieurs mois, voir baisser considérablement la fréquence de ses crises. Les médecines douces, telles que l'acupuncture, la relaxation, peuvent également donner de bons résultats. □

VOIR *Analgésique, Céphalée, Ergot de seigle (dérivés de l'), Névralgie, Scotome.*

Miliaire

1. Éruption cutanée faite de petites élevures, due à une obstruction des pores excréteurs des glandes sudoripares et aboutissant à une rétention d'eau.

On en distingue deux sortes.

■ Les miliaires cristallines, ou sudamina, sont constituées par de nombreuses petites élevures translucides, microvésiculeuses, très superficielles, sans rougeur sous-jacente. Elles surviennent brutalement au cours de grandes poussées de fièvre, ou après un violent coup de soleil, sur les zones exposées du corps et régressent en quelques heures.

■ Les miliaires rouges, ou bourbouille, ou encore gourme, sont de petites élevures rouge vif qui se rencontrent surtout en zone tropicale en milieu chaud et humide. Elles s'accompagnent de sensations de picotement et siègent surtout dans les zones de transpiration telles que la taille, le thorax, les aisselles et le creux des coudes. Ces éruptions sont également fréquentes chez les nourrissons pendant l'été, y compris en milieu tempéré. La suppression des facteurs déclenchants entraîne la guérison.

2. Synonyme de tuberculose miliaire.

3. Nodule arrondi, au contour net, de diamètre inférieur à 1,5 millimètre, souvent à la limite de la visibilité mais qui peut s'observer en grand nombre sur un cliché radiologique en cas d'atteinte pulmonaire diffuse.

La présence de tels nodules, révélée par l'image, est liée à une tuberculose miliaire, à une pneumoconiose, à une sarcoïdose, à une fibrose ou à un poumon cardiaque. D'autres organes peuvent être concernés par la diffusion d'une tuberculose miliaire, notamment le foie.

Milieu intérieur

Ensemble des liquides de l'organisme dans lesquels baignent les cellules vivantes.

Le milieu intérieur est formé des liquides organiques (lymphe, sang, liquide céphalorachidien) et des liquides interstitiels qui irriguent les cellules.

→ VOIR Homéostasie.

Milium

Minuscule kyste blanc situé essentiellement sur le visage et sur les cicatrices et provenant de la dilatation d'un canal sudoripare ou d'un follicule pileux.

Le milium disparaît souvent spontanément. Il peut être traité par l'application locale d'azote liquide.

Millard-Gubler (syndrome de)

Variété d'hémiplégie alterne (association d'une paralysie des membres d'un côté du corps et d'une paralysie d'un ou de plusieurs nerfs crâniens du côté opposé).

Le syndrome de Millard-Gubler résulte d'une lésion de la protubérance annulaire, étage moyen du tronc cérébral. Il se traduit par une hémiplégie de type pyramidal (paralysie associée à une raideur des membres) pour une moitié du corps et par une paralysie faciale de type périphérique (ab-

sence de contraction des muscles de la face) de l'autre côté. Le traitement est celui de la maladie ayant provoqué la lésion, le plus souvent un accident vasculaire cérébral.

Minamata (maladie de)

Maladie neurologique grave due à une intoxication par des déchets industriels riches en mercure déversés dans la mer.

Décrite au Japon dans les années 1950, la maladie de Minamata tient son nom de la baie nippone où on l'observa d'abord.

Cette affection se transmet par l'intermédiaire de poissons et de coquillages contaminés. Elle se manifeste par des troubles neurologiques importants, d'évolution rapide : paralysies, troubles psychiques, etc. Les mères contaminées transmettent la maladie aux enfants à naître. Le diagnostic, clinique, est confirmé par le dosage du mercure dans le sang. Il n'existe pas de traitement efficace de cette maladie.

Minéral

Corps inorganique, solide à la température ordinaire.

Dans l'organisme, les minéraux jouent un rôle de constitution, d'activation et de régulation de réactions enzymatiques, physiologiques, hormonales, etc. Ils représentent entre 4 et 5 % du poids total d'un individu.

■ Les macroéléments, ou éléments minéraux majeurs, constituent plus de 0,005 % du poids corporel : il s'agit du phosphore, du calcium, du sodium, du potassium et du magnésium.

■ Les microéléments, ou oligoéléments, constituent moins de 0,005 % du poids corporel : il s'agit du fer, du zinc, du manganèse, du cuivre, de l'iode, du sélénium, du molybdène, du cobalt, du chrome, du fluor, du soufre, etc.

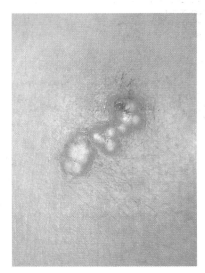

Milium. Petits grains blanchâtres, de la grosseur d'une tête d'épingle, apparus sur une ancienne cicatrice cutanée.

Une alimentation variée, ne descendant pas au-dessous de 1 800 kilocalories par jour, suffit normalement à couvrir les besoins de l'organisme en minéraux, sauf pour le fer dans certaines situations – et particulièrement en cours de grossesse.

Minéralocorticostéroïde

Hormone sécrétée par les glandes corticosurrénales et qui favorise la rétention de sodium et l'excrétion de potassium. SYN. *minéralocorticoïde*.

La principale hormone minéralocorticostéroïde est l'aldostérone. Celle-ci exerce son activité principalement dans le rein, où elle stimule la réabsorption du sodium et la sécrétion du potassium. Elle contrôle de façon précise le dosage du sodium dans le sang et la volémie (volume sanguin circulant). La sécrétion d'aldostérone est ellemême régulée par le système rénine-angiotensine (hormones sécrétées par le rein) et par le taux sanguin de potassium.

PATHOLOGIE

Une augmentation anormale des minéralocorticostéroïdes entraîne une hypertension artérielle avec baisse du taux sanguin de potassium. La principale cause en est le syndrome de Conn, caractérisé par la présence d'un adénome de la glande corticosurrénale ou d'une hyperplasie (augmentation du tissu) de cette glande. En revanche, les déficits en minéralocorticostéroïdes sont surtout retrouvés au cours des insuffisances surrénaliennes et entraînent une fuite de sodium dans les urines ainsi qu'une augmentation du taux de potassium dans le sang.

UTILISATION THÉRAPEUTIQUE

Un dérivé synthétique des minéralocorticostéroïdes, la 9 alpha-fluorohydrocortisone, sert à traiter la maladie d'Addison (insuffisance surrénalienne chronique).

Minerve

Appareil orthopédique en plâtre, en cuir ou en matière synthétique destiné à solidariser parfaitement la tête avec le thorax.

Une minerve ne doit pas être confondue avec un collier, qui permet une légère mobilité du cou. Elle sert à immobiliser les vertèbres malformées (afin d'éviter les complications neurologiques qui, à ce niveau, pourraient être graves) ou le rachis cervical (lorsqu'il faut traiter une fracture sans intervention chirurgicale) ; dans ce dernier cas, elle doit être portée pendant environ 3 mois. On peut aussi mettre une minerve à un accidenté pour empêcher tout mouvement intempestif de son cou avant l'examen médical et radiologique.

Minisatellite

Succession de courtes séquences d'A.D.N. chromosomique répétées à l'identique et composées chacune d'une dizaine à quelques centaines de bases (composants de chacun des brins de la molécule d'A.D.N.).

Les minisatellites sont des marqueurs génétiques très utiles pour le diagnostic des maladies génétiques et la recherche en génétique.

→ VOIR Microsatellite.

Minkowski-Chauffard (maladie de)

Maladie héréditaire caractérisée par une anémie hémolytique (diminution du taux d'hémoglobine sanguin, due à la destruction des globules rouges). SYN. *sphérocytose héréditaire*.

La maladie de Minkowski-Chauffard est la plus fréquente des anémies hémolytiques constitutionnelles. Elle se transmet selon un mode autosomique (par les chromosomes non sexuels) dominant : il suffit que le gène en cause soit reçu de l'un des parents pour que l'enfant développe la maladie.

Le mécanisme précis de l'affection reste inconnu dans la majorité des cas ; celle-ci serait liée à l'anomalie d'une protéine de la membrane entourant le cytoplasme du globule rouge.

SIGNES ET ÉVOLUTION

La maladie de Minkowski-Chauffard se constate habituellement dans l'enfance. Elle est caractérisée par une anémie, qui peut s'aggraver à l'occasion d'épisodes infectieux ou se compliquer d'érythroblastopénie (arrêt brutal de la production par la moelle osseuse d'érythroblastes, cellules précurseurs des globules rouges) après infection par certains virus. On peut également observer une lithiase biliaire (formation de calculs dans les voies biliaires), provoquée par l'excès de bilirubine. Des ulcères peuvent apparaître aux jambes. Des anomalies osseuses sont également constatées dans les formes sévères.

DIAGNOSTIC

Il n'existe pas de critère biochimique formel déterminant la maladie. En conséquence, le diagnostic repose sur un faisceau d'arguments établis à partir de l'analyse sanguine, comme la petitesse anormale des globules rouges et leur forme sphérique (microsphérocytose), ainsi qu'une destruction excessive des globules rouges, constatée par un test de laboratoire.

TRAITEMENT

Il repose sur l'ablation de la rate (splénectomie). Cette intervention est justifiée dans toutes les formes entraînant une hémolyse grave. Toutefois, la rate joue un rôle important dans l'élimination de germes tels que le pneumocoque ou le méningocoque ; la splénectomie est donc une intervention dangereuse si elle est pratiquée avant l'âge de 5 ans, en raison des risques infectieux qu'elle entraîne. Ces risques sont très réduits après cet âge, surtout grâce à la vaccination. Après splénectomie, les symptômes régressent totalement car les globules rouges ne sont plus détruits, même s'ils restent toujours anormaux.

Minoxidil

Médicament ayant de puissantes propriétés vasodilatatrices (de dilatation des vaisseaux).

Le minoxidil est un médicament antihypertenseur lorsqu'il est pris par voie orale. Ce vasodilatateur est indiqué dans le traitement de l'hypertension artérielle sévère et de l'insuffisance cardiaque. Il entraîne une augmentation du flux sanguin rénal et une baisse de la tension artérielle, qui déclenche une tachycardie réflexe. Ses effets indésirables les plus fréquents sont des maux de tête, des nausées et des vomissements, un œdème périphérique, une hypertrichose (développement excessif des poils) ; on observe, beaucoup plus rarement, des effets indésirables d'ordre cardiovasculaire.

Le minoxidil agit sur la pousse des cheveux lorsqu'il est appliqué localement sur le cuir chevelu. Puissant vasodilatateur périphérique, il entraîne un arrêt de la chute des cheveux (alopécie) et un développement du système pileux. Dans cet usage, les effets indésirables sont quelques réactions allergiques, rares et sans gravité, une irritation locale, une rétention aqueuse et un léger essoufflement. Le minoxidil ne semble efficace que chez 30 % des patients environ, et surtout chez les sujets de moins de 35 ans. Ce traitement n'a qu'un effet temporaire : un retour à l'état initial est prévisible dans les 3 ou 4 mois qui suivent son arrêt. Mais rien ne s'oppose à ce qu'il soit poursuivi pendant plusieurs années, par cures de 2 ou 3 mois tous les 4 mois environ.

Mitochondrie

Élément du cytoplasme de la cellule animale ou végétale dont le rôle essentiel est d'assurer l'oxydation, la respiration cellulaire, la mise en réserve de l'énergie par la cellule et le stockage de certaines substances.

Les mitochondries, en grand nombre dans chaque cellule, sont visibles au microscope électronique. Elles ont la forme de sphères ou de bâtonnets, limités par une double membrane et cloisonnés par des crêtes.

Mitose

→ VOIR Division cellulaire.

M.N.I.-test

Test utilisé dans le diagnostic de la mononucléose infectieuse, consistant à mélanger sur une lame un peu de sérum du patient avec une suspension de globules rouges formolés de cheval.

Le M.N.I. (abréviation de mononucléose infectieuse) - test utilise la propriété qu'ont les anticorps d'un malade atteint de mononucléose infectieuse d'agglutiner les globules rouges du sang de cheval. Ce test est réalisable dès les premiers jours de la maladie, mais il existe des « faux positifs ». Aussi doit-il être complété par d'autres tests (réaction de Paul et Bunnell, par exemple), pour que le diagnostic puisse être confirmé ou infirmé.

Mobilisation articulaire

Mise en action d'une articulation pour obtenir un mouvement.

La mobilisation articulaire permet de rendre à un sujet la mobilité d'une articulation, perdue à la suite d'un traumatisme (fracture) ou d'une maladie (arthrose, polyarthrite rhumatoïde), ou encore d'entretenir une amplitude articulaire (lors de paralysies, par exemple).

On distingue deux types de mobilisation. Dans la mobilisation active, le mouvement de l'articulation est obtenu par des contractions musculaires volontaires du sujet. Dans la mobilisation passive, le mouvement est obtenu par des techniques manuelles (kinésithérapie) ou instrumentales (appareils mobilisateurs) sans participation du patient. La mobilisation passive est parfois pratiquée sous anesthésie générale, pour le genou, afin de rompre des adhérences articulaires et de rendre à l'articulation une mobilité satisfaisante.

Moelle épinière

Partie du système nerveux central située dans le canal rachidien que forme l'empilement des vertèbres derrière les corps vertébraux. (P.N.A. *medulla spinalis*)

La moelle épinière est entourée de trois membranes, les méninges : la dure-mère vers l'extérieur, séparée du canal rachidien par l'espace épidural, puis l'arachnoïde et la pie-mère avec, entre elles, du liquide céphalorachidien. Elle forme un cordon blanc d'environ 45 centimètres de long et de 1 centimètre de diamètre en moyenne. Elle présente deux renflements, l'un dans sa partie haute (renflement cervical), l'autre dans sa partie basse (renflement lombaire). Elle se prolonge en haut par le bulbe rachidien (le début de l'encéphale) et en bas par un cordon fibreux d'environ 25 centimètres de long, le filum terminal.

La moelle est parcourue par deux sillons verticaux médians, l'un postérieur, l'autre antérieur, plus profond, et par des sillons secondaires collatéraux. De chaque sillon collatéral part un ensemble de filets nerveux se regroupant en racines : de chaque côté de la moelle naissent 31 racines postérieures et 31 racines antérieures. Chaque racine postérieure s'unit à la racine antérieure de même niveau pour former un nerf rachidien.

L'intérieur de la moelle comprend deux types de tissu nerveux : la substance blanche, située en périphérie, et la substance grise au centre, dessinant grossièrement, en coupe, une forme de H, avec deux cornes antérieures renflées et deux cornes postérieures effilées. La barre horizontale du H est traversée verticalement, en son centre, par le fin canal de l'épendyme, rempli de liquide céphalorachidien.

Les informations sensitives parviennent à la moelle par les racines postérieures des nerfs. Les informations simples sont analysées directement par la substance grise. Les informations complexes montent de la substance blanche jusqu'à l'encéphale. Les ordres moteurs simples proviennent de la substance grise de la moelle ; les ordres complexes, de l'encéphale, par l'intermédiaire de la substance blanche de la moelle ; tous les ordres sont transmis à d'autres nerfs moteurs par les racines antérieures des nerfs.

EXPLORATIONS ET PATHOLOGIE

La moelle épinière peut être explorée par scanner, imagerie par résonance magnétique (I.R.M.), ponction lombaire, électromyographie et myélographie. La pathologie de la moelle épinière comprend les compressions (tumeurs), les infections (méningites),

MOELLE ÉPINIÈRE

Ce long et fin cordon logé dans la colonne vertébrale permet la transmission des informations sensitives et motrices entre les nerfs rachidiens et l'encéphale. Mais la moelle épinière est aussi un centre nerveux autonome, capable d'analyser des informations en provenance des nerfs et de fournir directement une réponse motrice appropriée sans passer par l'encéphale ; c'est le cas des réflexes nociceptifs tels que, par exemple, le retrait automatique de la main en cas de brûlure ou de pincement.

localisation
- cerveau
- cervelet
- renflement cervical
- colonne vertébrale
- moelle épinière
- renflement lombosacré
- racines de la queue-de-cheval

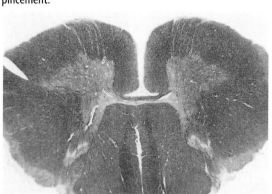

Sur cette coupe horizontale, on voit la substance grise (grossièrement en forme de H, violet clair), d'où partent les nerfs rachidiens, et la substance blanche (en violet foncé).

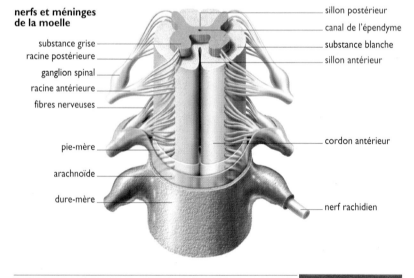

nerfs et méninges de la moelle
- substance grise
- racine postérieure
- ganglion spinal
- racine antérieure
- fibres nerveuses
- pie-mère
- arachnoïde
- dure-mère
- sillon postérieur
- canal de l'épendyme
- substance blanche
- sillon antérieur
- cordon antérieur
- nerf rachidien

les accidents vasculaires (hémorragie, thrombose), les traumatismes, les tumeurs, les carences en vitamine B12 et les affections inflammatoires (sclérose en plaques). Une section de la moelle épinière est irréversible ; elle entraîne une tétraplégie (paralysie des quatre membres) en cas de section à hauteur du rachis cervical, une paraplégie (paralysie des membres inférieurs) en cas de section à hauteur du rachis dorsal.

Moelle osseuse

Tissu présent dans les os, responsable de la production de tous les éléments figurés du sang (globules rouges, globules blancs, plaquettes). SYN. *moelle hématopoïétique.*

La moelle osseuse, à ne pas confondre avec la moelle épinière, qui est un tissu nerveux, est présente dans tous les os à la naissance. Elle contient de nombreuses cellules graisseuses et toutes les lignées qui vont donner naissance aux cellules du sang circulant. Sa fonction de production se concentre, à l'âge adulte, à l'intérieur des os du rachis, du thorax, de l'épaule et du bassin. La moelle osseuse normale permet la régénération des cellules sanguines grâce à une réserve de cellules souches.

PHYSIOLOGIE
La moelle osseuse produit chaque jour des milliards de cellules, par exemple 200 milliards de globules rouges et 10 milliards de polynucléaires neutrophiles. Certaines cellules souches présentes dans la moelle sont totipotentes (aptes à se différencier en n'importe quel type de cellule). Elles se différencient progressivement en cellules plus matures sous l'effet de facteurs de croissance hématopoïétiques, dont seule une partie est actuellement identifiée ; elles se spécialisent et ne fabriquent plus qu'une seule catégorie de globules. Parvenues à ce stade, elles meurent ou se différencient définitivement si elles rencontrent une molécule d'un facteur de croissance spécifique de leur lignée. La concentration des facteurs de croissance détermine donc le nombre des globules amenés à se former définitivement dans la moelle. Le seul signal actuellement connu est la concentration en oxygène dans le tissu rénal, qui influe sur la production d'érythropoïétine, facteur de croissance spécifique de la lignée des globules rouges.

En cas de besoin, la production de cellules par la moelle osseuse augmente considérablement. Ainsi, pour les globules rouges, le nombre peut être multiplié par 10 en cas de perte par hémorragie ou par hémolyse (destruction).

EXPLORATIONS ET PATHOLOGIE
La moelle osseuse est explorée et étudiée par une ponction, réalisée dans le sternum, ou par une biopsie, réalisée au niveau de la crête iliaque postérieure.

Les maladies de la moelle osseuse peuvent être classées en différentes catégories.

■ **Les aplasies,** pauvreté de la moelle osseuse en cellules souches des différentes lignées, sont généralement dues à une lésion des cellules souches. La toxicité de certains médicaments peut être en cause.

■ **Les maladies dues à des toxiques ou à des déficits en vitamines** (médicaments, toxiques industriels comme le benzène ; carence en acide folique, en vitamine B12) empêchent le développement normal des cellules de la moelle.

■ **Les proliférations anormales des cellules** présentes dans la moelle s'observent au cours de différents types de maladie maligne (leucémie, myélome, etc.).

■ **L'envahissement par des cellules normalement absentes dans la moelle** se rencontre en cas de métastases de cancer.

■ **La fibrose de la moelle** s'observe au cours des myélofibroses (augmentation du réseau de collagène situé autour des cellules souches de la moelle osseuse).

Moignon

Partie restante d'un membre amputé.

Lors d'une amputation, l'os doit être coupé plus court que les tissus musculaires afin que ceux-ci recouvrent son extrémité, facilitant ainsi ultérieurement la pose d'une prothèse. Un moignon peut être douloureux du fait de la présence d'un névrome, tumeur bénigne résultant de la cicatrisation des fibres nerveuses sectionnées, lorsque celui-ci se trouve à proximité de la cicatrice. Les amputés peuvent en outre se plaindre de douleurs semblant siéger dans le segment amputé du membre, au-delà du moignon

(« douleurs du membre fantôme »). Celles-ci doivent être traitées le plus tôt possible (analgésiques, psychotropes).

Molaire

Dent placée à la partie moyenne et postérieure des maxillaires. Les molaires, au nombre de 4 sur chaque maxillaire, servent à broyer les aliments.
→ VOIR Dent.

Mole

Unité internationale utilisée pour mesurer la quantité de matière.

Une mole (mol) représente un même nombre de particules élémentaires identiques (atomes, ions, molécules) d'une substance, égal à $6,02 \times 10^{23}$ (nombre d'Avogadro). Ainsi, 2 moles de glucose correspondent à $12,04 \times 10^{23}$ molécules de glucose.

En médecine, quand on parle d'une substance pure dont la structure est bien connue, la mole ou ses sous-multiples (millimole et parfois micromole) doivent remplacer l'ancienne unité, le gramme, chaque fois que c'est possible. Cependant, les laboratoires d'analyses indiquent encore souvent les deux unités.

Môle hydatiforme

Tumeur, le plus souvent bénigne, formée par une dégénérescence des villosités choriales du placenta pendant la grossesse.

La môle hydatiforme, qui se développe lors d'une grossesse sur 2 000 environ dans les pays industrialisés, est une maladie du trophoblaste, couche externe de l'œuf implanté dans la muqueuse utérine, à l'origine du chorion (membrane extérieure) puis du placenta. Elle se développe après la fécondation ; l'anomalie chromosomique qui la provoque est d'origine masculine. La grossesse, alors dite môlaire, n'est jamais menée à son terme.

DIFFÉRENTS TYPES DE MÔLE HYDATIFORME
On distingue deux formes de môle hydatiforme en fonction de leur mode évolutif.
■ Dans la **môle hydatiforme classique**, la dégénérescence porte sur les deux couches cellulaires, interne et externe, du trophoblaste ; les villosités choriales sont dépourvues de vaisseaux ; il n'y a ni embryon ni sac amniotique.
■ Dans la **môle invasive** (environ 3 % des cas), la dégénérescence pénètre dans le muscle utérin et tend à l'envahir. Le choriocarcinome est la forme d'évolution cancéreuse de la môle hydatiforme.

DIAGNOSTIC
La dégénérescence du trophoblaste entraîne une sécrétion élevée d'hormone chorionique gonadotrophique (h.C.G.), responsable de l'apparition de troubles de la grossesse (vomissements, hémorragies). Le taux de cette hormone est mesuré par dosage sanguin. À l'examen, l'utérus paraît trop développé pour l'âge théorique de la grossesse.

TRAITEMENT ET SURVEILLANCE
Le traitement précoce des môles hydatiformes classiques donne d'excellents résultats. Il consiste à retirer le contenu de l'utérus par curetage aspiratif, à surveiller le retour à la normale du taux de l'hormone chorionique gonadotrophique et à instaurer un traitement par chimiothérapie (méthotrexate). Une môle invasive doit être traitée comme un cancer et nécessite souvent une chimiothérapie. Le choriocarcinome est un cancer de bon pronostic car il est très sensible à la chimiothérapie.

Après une grossesse môlaire, des grossesses normales sont possibles. Cependant, la surveillance d'une femme ayant eu une grossesse môlaire doit être poursuivie au moins un an afin de permettre de dépister une éventuelle récidive, révélée par une augmentation du taux d'hormone chorionique gonadotrophique (h.C.G.). Toute nouvelle grossesse est vivement déconseillée pendant cette période afin de ne pas troubler la surveillance.

Molécule

Groupement d'atomes identiques ou différents, unis entre eux par des liaisons chimiques et représentant, pour un corps donné, la plus petite quantité de matière pouvant exister de façon indépendante en gardant ses caractéristiques.

DIFFÉRENTS TYPES DE MOLÉCULE
■ Les **molécules monoatomiques** – c'est-à-dire les molécules qui sont constituées d'un seul atome – sont peu courantes. Parmi ces molécules, on peut citer les gaz rares comme l'argon, l'hélium et le néon.
■ Les **molécules composées de quelques atomes** peuvent être constituées d'atomes identiques comme l'oxygène (O_2) ou d'atomes différents comme l'eau (H_2O) et le dioxyde de carbone (CO_2, ou gaz carbonique).
■ Les **macromolécules**, ou grosses molécules, comme les protéines et l'acide désoxyribonucléique (A.D.N.), sont composées de milliers, voire de millions d'atomes unis entre eux selon une structure spécifique très organisée.

Mollet

Partie postérieure de la jambe, constituée par un groupe de muscles qui s'étendent de la partie postérieure du genou au talon.

Le muscle triceps sural forme la majeure partie du galbe du mollet : il comprend les 2 muscles jumeaux et le muscle soléaire, qui partent de la face postérieure du tibia. Ces muscles se réunissent vers le bas pour former le tendon d'Achille, qui s'insère lui-même sur le calcanéum (os du talon).

Les douleurs du mollet peuvent avoir de nombreuses causes, dont les principales sont la crampe musculaire, le claquage musculaire, la sciatique, la claudication artérielle (elle-même conséquence d'une artériosclérose) et la phlébite.

Molluscum contagiosum

Petite tumeur cutanée bénigne due à un virus de la famille des *Poxviridæ*.

Le molluscum contagiosum affecte surtout les jeunes enfants, mais aussi les sujets adultes immunodéprimés. Il se propage d'un point à un autre du corps lorsque le sujet se gratte et est extrêmement contagieux d'une personne à une autre. C'est une petite formation saillante, hémisphérique, rosée, ferme, de taille très variable, qui siège le plus souvent sur le visage, l'aisselle, l'aine, la région anale ou génitale. Le traitement, un peu douloureux, se fait par destruction locale (grattage à la curette ou application d'azote liquide), mais les récidives sont fréquentes. Il n'existe pas de véritable traitement préventif du molluscum contagiosum ; l'éviction scolaire des enfants qui en sont atteints est recommandée.

Molluscum pendulum

Petite tumeur cutanée bénigne. SYN. *fibrome molluscum, fibrome mou, nævus molluscum*.

Le molluscum pendulum, très fréquent, est vraisemblablement dû à une synthèse accrue de facteurs de croissance (molécules favorisant ou inhibant la multiplication des cellules). Non contagieux, il forme une petite masse de 2 à 10 millimètres, molle, rosée, attachée à la peau par un pédicule et siégeant surtout sur les plis (plis du cou, de l'aine, de l'aisselle). Les lésions sont uniques (alors assez volumineuses) ou, le plus souvent chez les sujets obèses, multiples. Le traitement n'est justifié que dans une minorité de cas, pour des raisons esthétiques ; il consiste à retirer les lésions au bistouri électrique.

Molybdène

Oligoélément indispensable à l'organisme, qui intervient dans certains systèmes enzymatiques, en particulier dans le métabolisme du soufre et des acides aminés soufrés.

Les besoins en molybdène (Mo) sont difficiles à estimer, dans la mesure où ses effets interfèrent avec ceux d'autres éléments apportés par l'alimentation, le cuivre en particulier. L'apport journalier recommandé

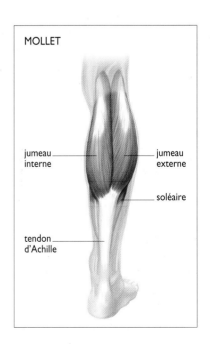

MOLLET

jumeau interne

jumeau externe

soléaire

tendon d'Achille

varie selon les âges : à partir de 11 ans et à l'âge adulte, il est de 75 à 250 microgrammes. Les aliments les plus riches en molybdène sont le foie et les autres abats, les légumes secs, les céréales et la viande. Un déficit en molybdène peut provoquer une intolérance aux acides aminés soufrés, composants des protéines animales. Un apport excessif semble peu toxique chez l'homme.

Monge (maladie de)

Maladie caractérisée par un excès de globules rouges lors d'un séjour prolongé en haute altitude. SYN. *érythrémie des hautes altitudes, maladie des Andes, maladie chronique des montagnes, mal des montagnes chronique.*

La maladie de Monge s'observe chez les sujets qui vivent en haute altitude ; elle existe notamment chez les Indiens des hauts plateaux d'Amérique du Sud.

Elle se manifeste par une fatigue, des maux de tête et une coloration rouge violacé de la peau lors d'un effort.

Le malade guérit spontanément dès son retour en basse altitude.
→ VOIR Mal des montagnes.

Mongolisme
→ VOIR Trisomie 21.

Mongoloïde

Se dit d'un individu normal dont les traits rappellent ceux des personnes atteintes de trisomie 21.

Monilethrix

Maladie congénitale héréditaire du bulbe et de la tige des cheveux. SYN. *aplasie moniliforme.*

Le monilethrix se manifeste progressivement dans la petite enfance par une chute des cheveux, cassés à un ou deux centimètres de leur émergence. L'atteinte prédomine dans la région occipitale. Il n'y a pas de traitement réellement efficace de cette affection, dont les symptômes régressent spontanément à la période de la puberté jusqu'à disparition plus ou moins complète ; une certaine sécheresse des cheveux peut néanmoins subsister.

Moniliase
→ VOIR Candidose.

Moniteur

Appareil de surveillance automatique de malades, utilisé dans le monitorage (en anglais, *monitor*).

Monitorage

Ensemble des techniques utilisées en gynécologie et en obstétrique ainsi qu'en réanimation et consistant à surveiller, d'une manière continue ou répétée, différents paramètres physiologiques ou biologiques au moyen d'appareils automatiques appelés moniteurs (en anglais, *monitoring*).

GYNÉCOLOGIE

Certaines stérilités sont traitées par des médicaments qui facilitent l'expulsion de l'ovule par l'ovaire. Le monitorage consiste à réaliser d'une manière répétée des échographies de l'ovaire et des dosages sanguins hormonaux pour suivre la réponse de l'ovaire et adapter le traitement.

OBSTÉTRIQUE

Le monitorage obstétrical est une méthode de surveillance du rythme cardiaque du fœtus ainsi que de l'intensité et de la fréquence des contractions utérines de la mère. Très utilisé pour la surveillance des femmes enceintes pendant les deux derniers trimestres de la grossesse, il permet de prévoir un accouchement prématuré. En outre, il peut dépister une augmentation du rythme cardiaque du fœtus, témoignant souvent d'une hyperthermie maternelle, ou, au contraire, un ralentissement de ce rythme, caractéristique d'une souffrance fœtale.

Au cours de l'accouchement, on réalise systématiquement un monitorage du cœur de l'enfant pendant le travail de la mère à l'aide d'un petit capteur posé sur l'abdomen de celle-ci et maintenu par une sangle. Ce capteur est relié à un appareil qui indique la fréquence des battements cardiaques par des sons, un indicateur lumineux et, au besoin, par un graphique. Il enregistre aussi la fréquence et l'intensité des contractions utérines. On peut donc, à chaque instant, déceler une anomalie (une souffrance fœtale, notamment), en chercher la cause et la traiter, au besoin par accélération du déroulement de l'accouchement (en pratiquant une césarienne, par exemple).

RÉANIMATION

Le monitorage des fonctions vitales est couramment pratiqué en service de réanimation, chez des malades atteints de troubles sévères, surtout si leur état médical est instable. Il permet de surveiller de nombreux paramètres de presque toutes les fonctions de l'organisme : fréquence et régularité des battements cardiaques, pression dans les artères ou dans les veines, débit cardiaque ; fréquence respiratoire, oxygénation, quantité de gaz carbonique expiré ; activité électrique du cerveau, pression intracrânienne ; température ; concentration de certaines substances dans le sang (glucose, par exemple).

Il existe deux types de monitorage, dits invasif et non invasif. Le monitorage invasif consiste à introduire un fin et long cathéter dans un vaisseau afin de mesurer en permanence la pression veineuse centrale ou la concentration sanguine d'oxygène et de gaz carbonique. Malgré l'efficacité de ce type de surveillance, les risques d'infection (le germe s'introduisant par le cathéter) et de formation de caillots en limitent la durée. Le monitorage non invasif, en revanche, permet sans risque une surveillance prolongée des malades. La plus connue des techniques est celle du cardioscope : un appareil dessine en temps réel, sur un écran et au besoin sur papier, un graphique représentant l'activité électrique du cœur. Il affiche aussi le chiffre de la fréquence cardiaque et déclenche une alarme sonore et visuelle si le rythme cardiaque s'accélère ou se ralentit au-delà de limites prédéterminées dans chaque cas. Les avancées technologiques récentes permettent aujourd'hui de réaliser un monitorage non invasif de la pression artérielle et de la respiration, toutes ces techniques permettant d'améliorer la sécurité des malades.
→ VOIR Télémonitorage fœtal.

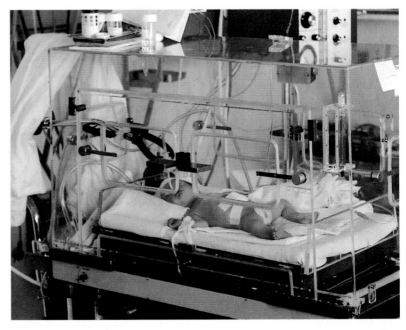

Monitorage. *Dans cet incubateur, le nouveau-né est relié à divers appareils qui contrôlent sa température, ses rythmes cardiaque et respiratoire, sa ventilation (oxygénation), etc.*

Il s'agit d'une infection virale qui touche surtout les adolescents. La maladie, caractérisée par une augmentation du nombre et du volume des lymphocytes, se manifeste par une angine, des maux de tête et une fatigue intense.

Monoallélisme

Identité, chez tous les sujets atteints d'une maladie génétique, de la mutation (altération d'un gène) qui en est responsable.

On parle de monoallélisme dans le cas du déficit en alpha-1-antitrypsine, par exemple, qui favorise l'emphysème pulmonaire : la mutation responsable est identique chez tous les individus atteints.

Monoarthrite

Atteinte inflammatoire qui touche seulement une articulation.
→ VOIR Arthrite.

Monocyte

Cellule produite par la moelle osseuse et ayant un rôle important dans les défenses immunitaires.

Le monocyte est la plus grande cellule du sang. Il se caractérise par son noyau encoché et par son cytoplasme étendu, bleu clair ou gris, parsemé de fines granulations. Il séjourne quelques jours dans le sang avant de gagner les tissus, dans lesquels il se transforme en macrophage (cellule ayant la capacité d'ingérer des particules solides). Sa fonction est proche de celle des polynucléaires neutrophiles, qui dérivent du même précurseur : le monocyte intervient dans l'élimination des bactéries, des particules étrangères ou des globules rouges âgés grâce à une activité de phagocytose (faculté d'absorption des particules) moins spécifiquement antibactérienne que celle des neutrophiles. Il intervient également dans certaines étapes des réactions immunologiques, en particulier en assurant la transformation des particules étrangères en peptides (molécule constituée par l'union de molécules d'acides aminés) antigéniques.

Monod (Jacques)

Biochimiste français (Paris 1910 - Cannes 1976).

Chef du service de biologie cellulaire à l'Institut Pasteur – qu'il dirigea à partir de 1971 –, il a notamment contribué, par ses travaux, à l'élucidation de mécanismes génétiques cellulaires et à la mise en évidence du code génétique. Il reçut le prix Nobel de médecine, avec les Français André Lwoff et François Jacob, en 1965, et publia un ouvrage de réflexion philosophique inspiré par son expérience de biologiste, *le Hasard et la Nécessité* (1970).

Monogénique

Se dit d'une maladie dans laquelle un seul gène est responsable de la pathologie.

Les maladies monogéniques constituent certainement le groupe le plus important de toutes les maladies génétiques. Elles comprennent notamment la mucoviscidose, la myopathie de Duchenne et certains déficits immunitaires.

Mononucléaire

Désigne une cellule du sang dont le noyau n'est pas divisé en lobes, comme l'est celui d'un polynucléaire.

Le frottis sanguin montre des lymphocytes anormalement volumineux.

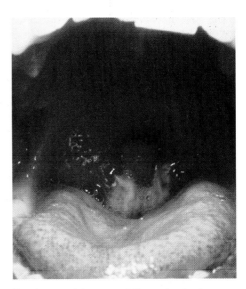

L'angine se traduit par une inflammation du pharynx et parfois par un gonflement des amygdales.

Il existe deux types de mononucléaires, les lymphocytes et les monocytes. L'aspect polylobé du noyau étant une des caractéristiques des cellules âgées, les mononucléaires sont donc, dans l'ensemble, des cellules plus jeunes que les polynucléaires.

Mononucléose infectieuse

Maladie infectieuse aiguë et bénigne due au virus d'Epstein-Barr, virus à A.D.N. de la famille des herpès virus.

Dans les pays occidentaux, la primo-infection survient dans l'enfance et ne se traduit généralement par aucun symptôme ; 80 % des adultes ont déjà contracté le virus et 20 % de ces adultes le sécrètent dans leur salive. La transmission du virus, faiblement contagieux, se fait essentiellement par la voie de la salive, d'où le nom de « maladie du baiser » parfois donné à la mononucléose infectieuse. Celle-ci affecte surtout les adolescents et les adultes jeunes.

Lorsqu'il a pénétré dans l'organisme, le virus se multiplie dans les lymphocytes, globules blancs mononucléaires (une mononucléose est une maladie caractérisée par l'augmentation du nombre des globules blancs mononucléaires dans le sang, appelée hyperlymphocytose).

SYMPTÔMES ET SIGNES

L'incubation dure de 2 à 6 semaines. Le plus souvent, la maladie débute par une fièvre (entre 38 et 39 °C), accompagnée de maux de tête, d'une fatigue intense (asthénie) et d'une angine rouge. Les ganglions lymphatiques des aisselles et de l'aine sont enflés, de même que ceux du cou, qui peuvent gêner la déglutition, voire la respiration ; le volume de la rate augmente. Un ictère se déclare parfois. Des formes plus graves peuvent survenir, comportant des atteintes méningées ou nerveuses.

DIAGNOSTIC ET TRAITEMENT

Le diagnostic se fonde sur l'examen clinique et sur la mise en évidence de l'augmentation du nombre et du volume des lymphocytes par frottis sanguin. On peut confirmer le diagnostic par un examen sérologique (test de Paul-Bunnell-Davidsohn, M.N.I.-test) vérifiant la présence d'anticorps spécifiques.

La guérison intervient en général spontanément, mais l'asthénie peut persister plusieurs mois. L'administration d'ampicilline (pénicilline) peut entraîner une éruption cutanée et l'aggravation des symptômes. Le repos et les antipyrétiques (faisant baisser la fièvre) sont indiqués.

Monophtalmie

Fait de n'avoir qu'un œil ou de ne voir que d'un œil.

L'œil manquant peut être effectivement absent, après ablation chirurgicale (énucléation ou éviscération), par exemple, ou être présent mais non fonctionnel. Dans ce dernier cas, l'œil est apparemment normal, mais ses capacités visuelles ne se sont pas développées ; cela peut provenir d'une anisométropie forte (inégalité de réfraction entre les deux yeux) corrigée trop tardivement. Une monophtalmie fonctionnelle peut également être constatée lors d'un strabisme.

Un sujet atteint de monophtalmie doit éviter les sports dangereux, qui pourraient endommager l'œil restant. Seules les professions qui nécessitent une vision des reliefs et une bonne appréciation des distances (pilote de ligne, conducteur de poids lourds) lui sont interdites.

Monoplégie

Paralysie de l'un des quatre membres.

Une monoplégie est due à une atteinte du système nerveux central (encéphale et moelle épinière) : accident vasculaire céré-bral, tumeur, sclérose en plaques, etc., ou du système nerveux périphérique (nerfs) : traumatisme, sciatique, par exemple.

Monorchidie

Absence congénitale d'un testicule.

À l'examen clinique du patient, on constate qu'une seule bourse est pleine, les examens complémentaires (échographie, scanner) venant confirmer l'absence de second testicule. La monorchidie ne doit pas être confondue avec la cryptorchidie, une autre malformation congénitale dans la-quelle un seul testicule est palpable, l'autre se trouvant le long du canal spermatique (canal inguinal, espace rétropéritonéal, etc.).

La monorchidie n'a aucune conséquence sur la fertilité ni sur la sexualité si le testicule unique présent est normal ; il n'est donc pas nécessaire de la traiter.

Monosaccharide

Glucide simple constitué d'une seule molé-cule. SYN. *ose.*

Les monosaccharides constituent, avec les disaccharides (glucides composés de 2 molé-cules), les glucides simples, plus connus sous le nom de glucides rapides. Les plus courants dans l'alimentation sont les hexoses (ils contiennent 6 atomes de carbone) : glucose, fructose, galactose et mannose. On les trouve dans les fruits et les légumes, dans certains produits laitiers (lait, fromage blanc, yaourts, crèmes desserts), dans les produits sucrés, etc.

Les monosaccharides sont directement absorbables par l'intestin et jouent un rôle fondamental dans le métabolisme : le glu-cose, en particulier, est la principale source d'énergie de l'organisme. Ces glucides ra-pides constituent également l'étape ultime de la digestion des sucres plus complexes, disaccharides et polysaccharides.

Monozygote

Se dit de chacun des jumeaux issus d'un même œuf. SYN. *uniovulaire, univitellin.*

Les jumeaux monozygotes sont couram-ment appelés vrais jumeaux ou jumeaux identiques. Étant issus du même œuf, qui s'est divisé à un stade précoce de son développement, ils ont un patrimoine généti-que rigoureusement identique, sont toujours du même sexe et se ressemblent beaucoup.
→ VOIR Dizygote, Jumeau.

Monteggia (fracture de)

Traumatisme de l'avant-bras associant une fracture du cubitus, souvent à son tiers supérieur, et une luxation du radius à l'articulation du coude.

La fracture de Monteggia est le plus souvent provoquée par une chute sur la main, le coude fléchi, ou parfois par un choc direct. Son traitement est chirurgical : les deux fragments osseux du cubitus sont réalignés et fixés par ostéosynthèse (réunion des fragments d'un os fracturé à l'aide de vis, de fils, de plaques métalliques, etc.), et le radius est replacé en bonne position.

L'immobilisation plâtrée dure 6 semaines, la rééducation, entre 1 et 2 mois. Des complications neurologiques peuvent surve-nir ; le plus fréquemment, il s'agit d'une paralysie radiale (incapacité à redresser la main), qui disparaît spontanément.

Morbidité

1. Caractère relatif à une maladie.
2. Nombre d'individus atteints par une maladie dans une population donnée et pendant une période déterminée.

Morgagni (Giovanni Battista)

Anatomiste et pathologiste italien (Forli 1682 - Padoue 1771).

Il publia en 1761 un volumineux ouvrage intitulé *le Siège et les Causes des maladies démontrés par l'anatomie,* dans lequel il rendait compte de plus de six cents autopsies. Pionnier de l'anatomopathologie, il établit un lien entre les lésions observées sur les cadavres et les symptômes cliniques.

Morgan

Unité de distance utilisée en génétique, correspondant à un segment de chromo-some dont la longueur ne permet, en moyenne, qu'un enjambement (entrecroise-ment des chromosomes entraînant une recombinaison des gènes) par méiose (divi-sion des cellules sexuelles). SYN. *morganite.*

Un morgan se divise en 100 centimorgans. Un centimorgan correspond à 1 000 kilo-bases (1 million de bases) environ.

Le génome (patrimoine génétique) hu-main a une longueur de 60 morgans.

Morphée

Plaque cutanée dure et brillante de scléroder-mie localisée.

Morphine

Médicament extrait de l'opium, capable de calmer des douleurs intenses en agissant sur le système nerveux central (analgésique central) et de provoquer l'endormissement.

La morphine fait partie des stupéfiants. La codéine et l'héroïne en sont des dérivés.

MÉCANISME D'ACTION

La morphine, celle qui est élaborée par le cerveau lui-même (endorphines, enképha-lines, etc.) ou celle qui est absorbée, agit en se fixant sur des récepteurs opioïdes, ou récepteurs morphiniques, situés dans la membrane de certaines cellules du cerveau (thalamus, système limbique, tissu réticulé). De là, elle bloque la transmission des signaux douloureux et annule toute sensation de douleur.

INDICATIONS

La morphine est indiquée pour soulager des douleurs intenses et rebelles aux autres analgésiques - liées à un cancer, à un infarctus du myocarde (crise cardiaque) ou provoquées par des traumatismes graves - et également dans le sevrage d'un nouveau-né dont la mère est héroïnomane.

CONTRE-INDICATIONS

La morphine est contre-indiquée en cas d'insuffisance respiratoire, d'insuffisance hé-

patique sévère, de traumatisme crânien, d'état convulsif, d'intoxication alcoolique aiguë, de delirium tremens.

MODE D'ADMINISTRATION

La morphine est administrée selon les cas par voie orale, sous forme de solutés ou de comprimés à libération prolongée, ou par injection (sous-cutanée, intramusculaire, in-traveineuse, péridurale, intrathécale, intracé-rébro-ventriculaire).

EFFETS INDÉSIRABLES

Les effets indésirables les plus fréquents sont une constipation, des nausées, plus rarement des vomissements, un rétrécissement du calibre des bronches, une dépression respira-toire (diminutions de l'amplitude et de l'efficacité respiratoires) - modérée aux doses thérapeutiques, sévère en cas de surdosage -, une confusion mentale, des vertiges, une hypotension orthostatique (vertige lié à la chute de la tension artérielle lorsque le sujet passe de la position horizontale à la position verticale), une augmentation du tonus des sphincters des muscles lisses, etc.

La morphine et ses dérivés engendrent une dépendance (besoin d'une nouvelle prise) physique et psychique et une accoutumance (nécessité d'augmenter les doses pour obte-nir un effet identique) lors de l'utilisation prolongée. L'arrêt brutal d'un traitement au long cours entraîne l'apparition d'un syn-drome de sevrage. Les manifestations du surdosage sont une dépression respiratoire, un myosis (rétrécissement de la pupille), une hypotension, une hypothermie avec évolu-tion possible vers le coma profond. Le traitement de ce surdosage consiste en l'administration d'antidotes tels que la na-loxone ou la nalorphine et en une réanima-tion cardiorespiratoire.

INTERACTIONS MÉDICAMENTEUSES

Les interactions médicamenteuses sont nom-breuses. La morphine ne doit pas être utilisée en même temps que les médicaments inhibiteurs de la monoamine oxydase (IMAO), employés dans le traitement des états dépressifs. Son association à la bupré-norphine, à la nalbuphine et à la pentazocine est déconseillée car les effets de ces morphi-nomimétiques sont antagonistes, entraînant par conséquent une efficacité analgésique moindre. En outre, l'association de la morphine avec de nombreux autres médica-ments doit être surveillée, notamment son association avec les dépresseurs du système nerveux central, les opiacés (substances dérivées de l'opium), le diphénoxylate, les antidépresseurs tricycliques, etc.

Morphogenèse

Développement des formes d'un organisme.

En embryologie humaine, la formation de l'embryon, ou embryogenèse, comprend plusieurs phénomènes : la morphogenèse (développement des formes), l'organogenèse (formation des organes) et la différenciation cellulaire. Au cours de la morphogenèse, la forme corporelle humaine de l'embryon se modèle, l'axe craniocaudal se définit, les membres se dessinent, la paroi ventrale se forme, le système nerveux central apparaît.

Une perturbation de la morphogenèse par l'action d'un agent physique, chimique ou infectieux peut entraîner une monstruosité corporelle ou une malformation de l'embryon. Celles-ci, qu'elles soient ou non compatibles avec la vie et susceptibles d'entraîner une fausse couche, sont toujours décelables par l'échographie.

Morphologie

Étude de la forme et de la structure externes des êtres vivants dans les différentes sciences biologiques.

L'anatomie est l'étude de la morphologie du corps. L'histologie est celle de la morphologie des tissus et la cytologie, celle de la morphologie des cellules.

Morsure

1. Action de mordre.
2. Plaie que cause avec ses dents un animal ou un être humain qui mord.

Morsures animales

Elles sont dues à des animaux domestiques ou sauvages. La morsure se distingue de la piqûre en ce qu'elle exerce une prise ou un pincement entre deux mâchoires.

MORSURES D'ANIMAUX DOMESTIQUES

Elles sont la cause chaque année d'un certain nombre de décès. Les chiens sont responsables du plus grand nombre d'agressions animales dans le monde, mais les moutons, les vaches et les chevaux, par exemple, peuvent également être dangereux.

MORSURES D'ANIMAUX SAUVAGES

■ Les grands animaux sauvages, terrestres (ours, loups, sangliers, renards, félins, etc.) ou aquatiques (requins, crocodiles, mérous, murènes, congres, etc.), peuvent tuer ou blesser grièvement les hommes.
■ Les petits mammifères, comme les rongeurs, par exemple, occasionnent des blessures moins étendues, mais leur morsure peut aussi provoquer des infections.
■ Les lézards et les serpents sont susceptibles d'injecter une plus ou moins grande quantité de venin (poison) lors de leur morsure.

En Europe, la quasi-totalité des injections de venin sont dues à la morsure des différentes espèces de vipère.

EFFETS SECONDAIRES

Les principaux risques liés aux morsures animales sont les destructions de tissus et les infections. Les dents des gros animaux peuvent broyer les tissus osseux et sectionner ou déchirer les vaisseaux sanguins, provoquant de grosses hémorragies et un état de choc.

Les microbes qui pullulent dans la gueule ou la bouche des animaux sont cause d'infections secondaires, surtout si les lésions tissulaires sont étendues. Les deux risques infectieux majeurs sont ceux du tétanos et de la rage. Dans les pays où la rage est endémique, tout mammifère est potentiellement porteur du virus et risque de le transmettre par sa morsure. Dans le monde entier, les morsures de chien sont la cause la plus fréquente des cas de rage humaine.

TRAITEMENT

Toute morsure doit être traitée. Il faut soigneusement nettoyer la plaie (sous anesthésie, si nécessaire) et ne pas la fermer (la panser plutôt que la suturer), car une blessure fermée favorise le développement des microbes transmis par la morsure. On utilise des antibiotiques à titre préventif et une protection antitétanique (sérum, vaccin).

Les conséquences d'une morsure venimeuse dépendent de l'espèce animale en cause, de la taille de l'animal, de la quantité de venin injecté et de l'âge et de l'état de santé de la victime. Il existe des sérums antivenimeux spécifiques pour combattre les effets des différents venins.

Morsures humaines

Elles peuvent survenir accidentellement ou volontairement.

CAUSES

Les luttes enfantines, les combats ou les jeux érotiques peuvent être la cause de morsures humaines.

EFFETS SECONDAIRES

Les morsures humaines provoquent rarement des lésions tissulaires ou des hémorragies graves, mais le risque infectieux (infection par des virus et des bactéries de la bouche) est plus élevé que dans le cas des morsures animales. Le tétanos et des maladies spécifiquement humaines peuvent être transmis par cette voie.

TRAITEMENT

La plaie provoquée par une morsure doit être nettoyée, laissée ouverte et pansée. Des antibiotiques et une vaccination antitétanique peuvent également se révéler nécessaires.

→ VOIR Piqûre, Rage, Tétanos, Venin.

Mort

Cessation complète et définitive de la vie.

La mort correspond habituellement à l'arrêt de toutes les fonctions vitales, avec cessation définitive de toute activité cérébrale. En fait, avec les progrès de la réanimation et ceux de la transplantation d'organes, la définition de la mort et la constatation de sa réalité sont devenues plus complexes et plus précises.

■ La mort clinique, ou mort apparente, avec arrêt respiratoire, arrêt cardiaque et suspension de la conscience, est une phase initiale qui peut éventuellement faire l'objet d'une réanimation cardiorespiratoire et qui est donc, au moins dans certaines situations, potentiellement réversible. Elle doit être distinguée d'autres situations de coma profond (intoxication, par exemple) et, tout particulièrement, de l'hypothermie profonde.

■ La mort cardiaque ne peut être affirmée qu'en cas d'insuffisance des contractions du cœur par défaillance ventriculaire (asystolie électrocardiographique persistante) après échec de toutes les manœuvres de réanimation cardiorespiratoire et des thérapeutiques médicamenteuses appropriées.

■ La mort cérébrale, ou coma dépassé, correspond à l'arrêt définitif de toute activité cérébrale, tronc cérébral compris, avec sus-

pension de toute activité respiratoire spontanée et électroencéphalogramme plat. Dans un pays comme la France, la mort cérébrale définit la mort légale.

→ VOIR Coma dépassé, Mort subite, Mort subite du nourrisson.

Mort cellulaire

Perte de l'activité coordonnée des organites (éléments constitutifs de la cellule), correspondant à l'altération irréversible d'une cellule.

■ La mort cellulaire physiologique, ou apoptose, concerne un grand nombre de cellules dont la durée de vie est limitée. Les cellules de tous les épithéliums et les cellules sanguines vieillissent, meurent et sont renouvelées à un rythme variable.

■ La mort cellulaire pathologique, ou nécrose, peut être consécutive à une privation d'oxygène entraînant l'asphyxie de la cellule, à des toxines microbiennes, à des cytokines (substances sécrétées par des lymphocytes), etc.

Mort cérébrale

→ VOIR Coma dépassé.

Mort-né

Se dit d'un enfant viable expulsé mort des voies génitales maternelles.

Un fœtus est dit mort-né quand la mort est survenue soit pendant la grossesse, après 180 jours de gestation, soit pendant le travail. Dans le premier cas, on parle de mort ante partum ou de mort in utero ; dans le second, de mort per partum.

CAUSES

Les causes de ces décès sont diverses : elles peuvent être maternelles (hypertension artérielle, diabète, maladie infectieuse, traumatisme, hématome rétroplacentaire, hémorragie) ou ovulaires (tumeur placentaire, terme dépassé, nœud du cordon, transfusion fœtomaternelle, malformation fœtale grave). Dans 5 % des cas cependant, il n'est pas trouvé de cause.

SYMPTÔMES ET DIAGNOSTIC

Si l'enfant meurt au cours de la grossesse, la femme ne perçoit plus ses mouvements. L'auscultation ultrasonique révèle la disparition des bruits du cœur. La mort est confirmée par échographie. La mort per partum est constatée au monitorage du rythme cardiaque fœtal.

SURVEILLANCE DE LA MÈRE

La mort fœtale in utero comporte pour la mère un risque d'hémorragie lié soit à un trouble de la coagulation, soit à une rétention placentaire après la délivrance. Aussi, deux ou trois jours après le diagnostic, est-il généralement proposé à la femme d'accoucher par les voies naturelles, les contractions étant déclenchées à l'aide d'une injection de prostaglandines ou par administration de mifépristone (RU 486). Un bilan complet, maternel et fœtal, est réalisé afin de rechercher les causes de la mort fœtale. Par ailleurs, il ne faut pas négliger le traumatisme psychique et il convient de veiller à ce que la patiente et son conjoint bénéficient d'une assistance psychologique.

Du point de vue légal, l'enfant mort-né doit être déclaré et la cause de la mort portée sur le certificat de décès. Une femme ayant accouché d'un enfant mort-né sera suivie lors d'une grossesse ultérieure comme une patiente à risque afin qu'une éventuelle pathologie puisse être dépistée et un traitement spécifique, proposé.

Mort subite

Décès inattendu, inopiné, survenant chez un sujet apparemment en bonne santé.

La mort subite est à différencier des morts violentes (crimes, etc.) et des morts par accident. Il est nécessaire d'appeler le médecin et de déclarer la mort à la police et à l'état civil.

FRÉQUENCE

La mort subite frapperait plus de 1 000 personnes par an et par million d'habitants, dans les pays développés.

CAUSES

Dans la majorité des cas, un trouble du rythme cardiaque (fibrillation ventriculaire), lié à une maladie des coronaires le plus souvent, ou à une maladie d'une valvule cardiaque, est à l'origine de la mort subite. Celle-ci est généralement provoquée par une altération de la fonction ventriculaire, un obstacle dans le ventricule gauche à l'éjection du sang, une arythmie ventriculaire, une stimulation trop importante du système sympathique au cours d'un effort ou d'une émotion, etc.

Quand la cause n'est pas cardiaque, il faut rechercher une hémorragie cérébro-méningée, une embolie pulmonaire, une rupture d'anévrysme, une dissection aortique, une hémorragie digestive, un choc anaphylactique (réaction allergique), une surdose chez le toxicomane, une hypothermie, etc.

TRAITEMENT

Si un sujet est en état d'arrêt cardiaque et circulatoire, et de mort apparente récente, il convient d'effectuer un bouche-à-bouche et un massage cardiaque et d'appeler d'urgence une unité de soins intensifs mobile possédant un défibrillateur afin de pratiquer le plus tôt possible un choc électrique. Le malade est alors transféré en milieu hospitalier, où, une fois la réanimation effectuée, une enquête concernant la cause de cet accident est menée, et un traitement adapté est mis en œuvre. Il est souvent possible de sauver quelqu'un de la mort subite, mais cela dépend de ce qui l'a provoquée, de la rapidité et de la qualité de l'intervention.

PRÉVENTION

Chez les sujets atteints de maladies cardiaques, certains médicaments sont prescrits pour éviter une mort subite. Chez les sujets présentant des facteurs de risque d'athérosclérose ou chez les sportifs, la prévention repose surtout sur le dépistage et le traitement des cardiopathies.

Mort subite du nourrisson

Décès brutal et inattendu d'un bébé considéré jusque-là comme bien portant ou ayant présenté des symptômes dont ni la nature ni l'importance ne pouvaient laisser présager une issue rapidement fatale.

On parle de « mort subite inexpliquée du nourrisson » lorsque l'enquête clinique, bactériologique, biologique et surtout anatomopathologique (autopsie) ne permet pas de trouver une explication médicale au décès.

FRÉQUENCE

La mort subite du nourrisson représente, dans les pays industrialisés, la principale cause de mortalité infantile au cours de la première année de la vie. Sa fréquence est estimée de 1 à 3 pour 1 000 naissances d'enfants vivants. Elle frappe essentiellement les nourrissons âgés de 2 à 4 mois ; de 80 à 90 % de ces décès se produisent avant l'âge de 6 mois.

FACTEURS DE RISQUE

Les anciens prématurés, les enfants ayant un faible poids de naissance ou ayant présenté des troubles neurologiques ou respiratoires sont plus exposés que d'autres à la mort subite du nourrisson. Celle-ci semble due à plusieurs facteurs présents dans l'environnement habituel du bébé, qui peuvent, à un moment donné, se conjuguer pour aboutir à l'accident mortel. Parmi les plus fréquents figurent les infections virales et bactériennes (la mortalité est multipliée par quatre ou cinq durant la période hivernale), l'élévation brutale de la température corporelle, qu'elle soit d'origine infectieuse ou extérieure à l'organisme (enfant trop couvert, par exemple), le reflux gastro-œsophagien, les apnées (arrêt de la respiration) provenant d'une inflammation ou d'une malformation des voies aériennes supérieures, le tabagisme passif. La position de sommeil à plat dos est actuellement préconisée chez le nourrisson quand il n'y a pas de reflux gastro-œsophagien. Elle a entraîné la diminution de moitié de la fréquence de la mort subite du nourrisson.

Ces facteurs d'agression sont très fréquents dans la première année de vie, mais la quasi-totalité des enfants y résistent bien.

AIDE AUX PARENTS

La mort subite du nourrisson représente un traumatisme majeur pour l'entourage du bébé, qui éprouve toujours un sentiment de culpabilité. Les parents se reprochent soit de n'avoir pas entendu l'appel de leur enfant, soit d'avoir négligé un symptôme qui, rétrospectivement, peut apparaître comme un signal d'alarme. Ils peuvent être amenés à mettre en cause des personnes chargées de surveiller le bébé (nourrice, grands-parents, etc.). Les parents doivent comprendre que la mort subite du nourrisson est, par définition, immédiate. Elle se distingue par là des malaises graves, « bruyants », qui attirent l'attention et pour lesquels des mesures de surveillance et de traitement sont possibles. C'est un accident imprévisible et l'entourage n'a donc aucune part de responsabilité dans sa survenue.

Par ailleurs, l'autopsie de l'enfant est nécessaire, même si elle paraît souvent inutilement « agressive » aux yeux des parents. Elle peut, en effet, permettre de connaître les causes de la mort et donc contribuer à une meilleure prise en charge des enfants à venir dans la famille.

EN CAS DE NOUVELLE GROSSESSE

Le risque de récurrence des morts subites du nourrisson n'est pas plus élevé dans une famille ayant subi ce drame que dans la population générale. Cependant, lors des grossesses suivantes, un accompagnement psychologique s'impose. L'enfant suivant du couple peut également faire l'objet d'examens spécialisés. Ainsi, si les facteurs de risque sont connus et traités, il bénéficiera d'une sécurité accrue. Le recours à un moniteur cardiorespiratoire, appareil permettant de contrôler la fréquence cardiaque et respiratoire, ne saurait se justifier que par l'anxiété de parents traumatisés par un précédent drame. L'appareil est, en effet, souvent mal supporté, car les alarmes se déclenchent trop fréquemment.

Dans tous les cas, une collaboration confiante avec un médecin compétent et expérimenté apparaît souhaitable pour l'accompagnement des enfants à venir. Elle seule permet d'assurer à la famille une assistance médicopsychologique efficace.

Mortalité

1. Rapport entre le nombre de décès et l'effectif moyen de la population dans un lieu donné et pendant une période déterminée. SYN. *létalité*.

Le taux de mortalité est généralement calculé sur une période d'un an et pour une population de 100 000 habitants. Il est établi globalement et pour chaque catégorie de pathologie. La comparaison des taux de mortalité est une manière fiable d'évaluer l'état de santé d'une population donnée, définie selon l'âge des individus qui la composent ou selon des critères géographiques, sociaux, etc. Dans les pays développés, les principales causes de mortalité sont les maladies cardiovasculaires (maladies coronariennes, accidents vasculaires cérébraux) et les cancers (notamment digestifs, bronchopulmonaires et gynécologiques) ; viennent ensuite les causes traumatiques et toxiques (accidents de la circulation et suicides, notamment).

2. Quantité d'êtres vivants qui meurent d'une même maladie.

Mortalité infantile

Nombre d'enfants qui meurent pendant leur première année de vie, rapporté à 1 000 naissances d'enfants vivants.

Dans les pays industrialisés, les deux tiers environ des décès surviennent lors du premier mois de la vie. La plupart des enfants succombent aux complications résultant d'une grande prématurité (terme inférieur à 30 semaines de grossesse), à des malformations congénitales graves ou à une souffrance cérébrale majeure liée à une anoxie (manque d'oxygène) avant ou pendant l'accouchement. Cependant, un tiers des décès, dans cette tranche d'âge (de 0 à 1 an), est dû à la mort subite du nourrisson.

Dans les pays en voie de développement, les maladies infectieuses (rougeole) et parasitaires (paludisme) ainsi que les gastroentérites entraînent une mortalité infantile très importante. La dénutrition exerce également

MORTALITÉ INFANTILE EN 1995-1996	
Pays	*Pour 1 000 naissances*
Japon	4
Suisse	5
Canada	6
Allemagne	6
Royaume-Uni	6
France	7
Espagne	7
Italie	7
Belgique	7
États-Unis	7
Mexique	31
Bangladesh	78

Source : Banque de statistiques de mortalité de l'O.M.S. (1996).

ses ravages en Afrique. La prévention passe d'abord par l'amélioration des conditions d'hygiène, l'organisation de vaccinations systématiques, la mise en œuvre d'une protection maternelle et infantile correcte.

Morton (métatarsalgie de)

Douleur de l'avant-pied due à la présence d'une petite tumeur bénigne sur un filet nerveux du dos du pied, le plus souvent située à la racine de l'espace entre le troisième et le quatrième orteil.

La métatarsalgie de Morton se manifeste par la survenue à la marche d'une douleur intense, souvent intolérable. Le port de chaussures trop serrées ou l'existence d'un type morphologique particulier d'avant-pied (avant-pied rond) sont des facteurs favorisants. L'imagerie par résonance magnétique (I.R.M.) et l'échographie permettent de visualiser la tumeur.

TRAITEMENT

Le traitement médical, parfois suffisant, repose sur le port de chaussures moins serrées et sur les infiltrations locales de corticostéroïdes. Lorsque la douleur persiste, on pratique une ablation chirurgicale de la tumeur et on sectionne le ligament intermétatarsien. Après l'opération, le malade doit, pendant une quinzaine de jours, porter des chaussures spéciales et s'aider d'une canne avant de pouvoir remarcher normalement.

Morula

Œuf fécondé divisé en 12 à 16 cellules.

Le stade de morula est atteint par l'œuf au 3e ou 4e jour après la fécondation, alors qu'il est encore dans la trompe de Fallope avant de déboucher dans la cavité utérine, où il va s'implanter. Il ressemble alors à une sphère pleine, en forme de petite mûre (*morula* en latin), qui se creuse peu après d'une cavité centrale : il prend alors le nom de blastocyste.

Morve

Maladie infectieuse très contagieuse chez les animaux, rare chez l'homme, due à un bacille à Gram négatif, *Pseudomonas mallei*.

La morve a disparu des pays où la médecine vétérinaire est développée, mais sévit encore en Asie, en Afrique, en Europe orientale et au Moyen-Orient.

La principale source de contagion pour l'homme demeure les sécrétions s'écoulant du nez d'animaux atteints de la morve ou de la gourme (jetage nasal), notamment chez le cheval. Le bacille pénètre dans l'organisme par voie cutanée à l'endroit d'une plaie, d'une excoriation ou par voie muqueuse, nasale (inhalation), digestive (ingestion) ou oculaire.

SYMPTÔMES ET DIAGNOSTIC

La morve humaine se présente sous deux aspects : aigu ou chronique.

■ **La forme aiguë** est d'apparition brutale. Elle se traduit par une fièvre, des douleurs diffuses et des sécrétions nasales sanguinolentes puis purulentes, associées à des ulcérations cutanées et à des abcès disséminés. La dissémination et la survenue de troubles respiratoires peuvent aboutir à un décès rapide en l'absence de traitement.

■ **La forme chronique** ne diffère de la forme aiguë que par la moindre intensité des signes et par la longue durée de l'évolution (plusieurs mois). Le diagnostic repose sur la mise en évidence du germe dans le pus par culture et par inoculation à un cobaye.

TRAITEMENT ET PRÉVENTION

Les malades sont efficacement traités par antibiotiques, mais c'est surtout aux méthodes prophylactiques rigoureuses que l'on doit la disparition presque totale de la morve en Europe occidentale : la malléination (cuti-réaction à la malléine, substance extraite d'une culture du bacille de la morve) permet de dépister les bétails porteurs et de les abattre afin d'éliminer la maladie.

Mosaïque

1. Coexistence chez un même individu de populations cellulaires différentes.

Ce phénomène est dû à une ou plusieurs mutations (altérations de gènes) survenues après la fécondation dans une ou plusieurs cellules, lors des premières divisions de l'œuf. Les cellules qui portent les gènes mutés se reproduisent comme les autres par des divisions successives et créent ainsi de nouvelles lignées (populations) cellulaires dans l'organisme. Lorsque les mutations sont exclusivement situées dans les cellules germinales (cellules qui donneront respectivement les ovules ou les spermatozoïdes, dans les ovaires ou dans les testicules), la mosaïque est dite germinale.

2. Se dit d'un individu constitué de populations cellulaires différentes.

Moschcowitz (syndrome de)

Association de symptômes comprenant des dérèglements circulatoires (microthromboses des artérioles) responsables d'insuffisance rénale et cardiaque et de troubles neurologiques, une diminution des pla-

quettes, « consommées » par les thromboses, et une anémie due à la fragmentation des globules rouges dans les artérioles.

La cause du syndrome de Moschcowitz demeure, dans la plupart des cas, indéterminée. De petites épidémies ont été décrites chez l'enfant, ce qui suggère une possible origine infectieuse. Certaines formes récidivantes, parfois pendant des années, observées chez les adultes, laissent supposer une prédisposition éventuelle génétique.

SYMPTÔMES ET SIGNES

Une fièvre et des troubles digestifs inaugurent souvent la maladie. Les manifestations neurologiques (déficits moteurs passagers), rénales (insuffisance rénale souvent associée à un arrêt de l'émission d'urine), hématologiques (anémie hémolytique sévère, diminution du nombre des plaquettes associée à des hémorragies) sont plus ou moins marquées selon les cas.

ÉVOLUTION ET TRAITEMENT

La maladie régresse spontanément en quelques jours, voire en quelques semaines, ce qui rend difficile l'appréciation de l'efficacité des traitements. Le risque principal est celui de l'insuffisance rénale, qui peut être irréversible. Les traitements proposés sont nombreux (corticostéroïdes, ablation de la rate, emploi thérapeutique d'héparine ; actuellement, association d'une plasmaphérèse et d'un traitement antiagrégant plaquettaire comme l'aspirine), mais aucun n'a encore fait la preuve formelle de son efficacité.

Motricité

Ensemble des fonctions nerveuses et musculaires permettant les mouvements volontaires ou automatiques du corps.

La motricité dépend de deux systèmes distincts. Le premier, appelé système de la vie de relation, commande les muscles striés du squelette et assure avec eux les mouvements du corps et ses déplacements. Ce premier système comprend lui-même trois types d'organisation : le système pyramidal (mouvements volontaires), le système extrapyramidal (mouvements automatiques, modifications de la posture du corps) et les réflexes à hauteur de la moelle épinière. Le second type de système nerveux, appelé système végétatif ou autonome, commande les muscles lisses et assure avec eux les mouvements des viscères (motilité). Il est, par exemple, responsable de la motilité du tube digestif (péristaltisme), permettant le brassage et la progression des aliments.
→ VOIR Locomoteur (appareil), Marche.

Motricité digestive
→ VOIR Péristaltisme.

Mouchage

Évacuation des mucosités du nez par une expiration forcée, bouche fermée.

Au cours des rhinopharyngites des nourrissons et des jeunes enfants qui ne savent pas encore se moucher, les parents lavent les fosses nasales en faisant couler du sérum physiologique dans le nez ou en aspirant les sécrétions à l'aide d'un petit appareil spécial.

D'une manière rarissime, un mouchage trop fort peut provoquer une rupture de la fine lame osseuse qui sépare les fosses nasales de la cavité orbitaire, ce qui se traduit par un gonflement indolore des deux paupières et impose un traitement antibiotique et une surveillance.

Le mouchage postérieur est la retombée dans l'arrière-gorge des sécrétions des fosses nasales. Il entraîne une irritation, une toux et parfois une expectoration pouvant faire croire, faussement, à une infection trachéobronchique.

Mouvement anormal

Mouvement le plus souvent involontaire, répétitif, caractérisé par son aspect inhabituel et pouvant gêner la mobilité.

Les mouvements anormaux comprennent de nombreuses variétés : tremblements, tics, myoclonies (secousses musculaires), mouvements lents ou violents de grande amplitude affectant différentes parties du corps (athétose, chorée), etc. Chaque catégorie possède ses caractéristiques propres (rythme, localisation, facteurs favorisants) et ses causes (vieillesse, troubles psychologiques, maladie de Parkinson, démence, intoxication, etc.).

Le diagnostic repose sur un examen clinique soigneux, éventuellement complété par une électromyographie (enregistrement de l'activité électrique des nerfs et des muscles). Le traitement est celui de la maladie en cause, associé, lorsqu'il est insuffisant pour combattre des mouvements anormaux très gênants, à l'administration de médicaments tels que les neuroleptiques.

Moxibustion

Procédé consistant à faire brûler au-dessus de la peau un cône (moxa) composé de plantes ou de feuilles d'armoise afin de cautériser une lésion ou de soulager une douleur interne. SYN. moxation.

La moxibustion soulagerait une douleur profonde par l'irritation des terminaisons nerveuses de la peau.
→ VOIR Acupuncture.

M.S.T.

→ VOIR Maladie sexuellement transmissible.

Mucilage

Substance visqueuse extraite des végétaux (algues), se gonflant au contact de l'eau et utilisée comme laxatif doux.

Mucinose

Toute affection caractérisée par l'accumulation dans la peau de mucine, substance gélatineuse provenant des sécrétions des glandes muqueuses.

Les mucinoses peuvent être dues à de nombreuses maladies cutanées : lucite, lupus érythémateux, dermatomyosite, granulome annulaire, lymphome, mycosis fongoïde. Parfois, surtout lorsqu'elles atteignent des sujets jeunes, elles n'ont pas de cause connue. Leurs symptômes sont assez variables ; il s'agit souvent de taches saillantes ou de papules (lésions saillantes) de couleur rosée ou ivoire, de un à quelques millimètres de diamètre, éventuellement groupées en plaques. Quand ces affections siègent sur des zones pileuses, elles provoquent la chute des poils ou des cheveux. Il n'existe pas de traitement connu des mucinoses.

Mucocèle

Tumeur bénigne due à une accumulation de mucus dans une cavité dont l'orifice est obstrué.

Une mucocèle peut se constituer dans l'appendice cæcal (plus couramment appelé appendice), dans le sac lacrymal ou dans un sinus. Elle augmente de volume, comprimant parfois les organes voisins, et peut être douloureuse. Une mucocèle doit être incisée et vidée chirurgicalement.

Mucolipidose

Maladie héréditaire caractérisée par une accumulation, dans les lysosomes, de mucopolysaccharides acides et de glycolipides, présents surtout dans les viscères.

Une mucolipidose se transmet exclusivement par les chromosomes autosomes (non sexuels) sur un mode récessif, c'est-à-dire que le gène porteur doit être reçu du père et de la mère pour que l'enfant développe la maladie.

Les mucolipidoses constituent un ensemble de maladies qui appartient au groupe des maladies lysosomales. Parmi les mucolipidoses, on peut citer le syndrome de Spranger-Wiedemann, qui se manifeste par un nanisme et un retard psychomoteur, et le syndrome de Leroy-Opitz, caractérisé par un gros foie, une rate volumineuse et des déformations du squelette.

TRAITEMENT ET PERSPECTIVES

Il n'existe pas actuellement de traitement de la mucolipidose. C'est sur les progrès de la thérapie génique que reposent les espoirs thérapeutiques.

Un conseil génétique est possible avant la conception. Un dépistage anténatal peut être fait pendant la grossesse.

Mucopolysaccharide

Glucide de l'organisme localisé dans le tissu conjonctif, les sécrétions digestives et le mucus. SYN. glycosaminoglycane.

À l'état concentré, les mucopolysaccharides (acide hyaluronique, chondroïtine sulfate, etc.) sont gélatineux, visqueux, filants. Ils se fixent souvent sur des protéines pour former des glycoprotéines, appelées mucoprotéines (mucine, etc.).

Mucopolysaccharidose

Toute maladie caractérisée par l'accumulation de mucopolysaccharides dans l'organisme.

Les mucopolysaccharidoses sont des affections héréditaires rares, dues à une déficience en une enzyme provoquant une accumulation de mucopolysaccharides dans les cellules des organes et des tissus (foie, rate, peau, etc.), lesquels augmentent alors de volume et fonctionnent anormalement.

Les mucopolysaccharidoses se manifestent dès la naissance par un épaississement diffus de la peau, l'apparition de nodules volumineux, rosés ou violines, sur les épaules, un visage en gargouille, une grosse langue, une hernie inguinale et ombilicale, des atteintes osseuses des vertèbres et des os du crâne, des troubles oculaires et un retard mental. Parfois s'associent à ces symptômes une augmentation de la pilosité et des dilatations de petits vaisseaux cutanés. Un dépistage anténatal de ces affections peut être pratiqué (prélèvement des villosités choriales, amniocentèse).

TRAITEMENT

Il ne peut que supprimer ou soulager certaines des anomalies provoquées par la maladie : correction chirurgicale d'une malformation, par exemple.

Mucormycose

→ VOIR Phycomycose.

Mucoviscidose

Maladie héréditaire caractérisée par une viscosité anormale du mucus que sécrètent les glandes intestinales, pancréatiques et bronchiques. SYN. fibrose kystique du pancréas, maladie fibrokystique.

FRÉQUENCE ET CAUSE

La mucoviscidose touche surtout les sujets blancs, parmi lesquels elle atteint un enfant sur 2 000 à 2 500. Il s'agit d'une maladie à transmission autosomique (le gène porteur est situé sur les chromosomes non sexuels) récessive (le gène doit être reçu du père et de la mère pour que la maladie se développe). Le gène en cause, isolé en 1989, se trouve sur le chromosome 7. Le mécanisme biochimique exact demeure indéterminé.

SYMPTÔMES ET SIGNES

Comme les sécrétions muqueuses, trop visqueuses, s'écoulent mal dans les conduits naturels, il se produit des dilatations kystiques, voire des obstructions.

Les manifestations peuvent débuter dès la naissance par une occlusion intestinale du nouveau-né, un retard de l'évacuation du méconium, un ictère (dû à une obstruction des voies biliaires) ou une obstruction des petites bronches qui peut conduire à une détresse respiratoire. Mais ce sont généralement des problèmes respiratoires chez le nourrisson qui attirent d'abord l'attention : toux persistante, bronchites à répétition, emphysème évoluant vers une insuffisance respiratoire précoce. Quelques années plus tard apparaissent un encombrement mucopurulent permanent, puis une distension du thorax, un hippocratisme digital (ongles élargis et recourbés en griffe) et une cyanose des extrémités. La gravité des manifestations respiratoires est liée à la surinfection pulmonaire par différents germes, tels le staphylocoque doré et le bacille pyocyanique.

Aux atteintes respiratoires s'ajoutent des manifestations digestives : 85 % des sujets souffrant de mucoviscidose ont une insuffisance pancréatique, qui se traduit en général par une diarrhée chronique, avec émission de selles volumineuses, graisseuses et souvent nauséabondes. Cette diarrhée persistante explique la perte de poids observée chez des enfants dont l'appétit ne faiblit pas, en dehors des épisodes d'infection respiratoire. Si la fibrose pancréatique s'étend aux îlots de Langerhans (petits amas cellulaires responsables de la sécrétion d'insuline par le pancréas), elle peut entraîner un diabète insulinodépendant. On observe plus rarement une atteinte hépatique, conduisant parfois à une cirrhose, une atteinte biliaire (lithiase) ou des myocardiopathies. La stérilité chez les garçons et une hypofertilité féminine sont fréquentes.

DIAGNOSTIC ET ÉVOLUTION

Ces différents symptômes indiquent la probabilité de la maladie. On aura recours, pour confirmer le diagnostic, au test de la sueur, qui révèle un taux anormalement élevé de chlore et de sodium dans celle-ci. Le dosage doit être effectué par un laboratoire très expérimenté, et deux tests sont nécessaires avant de poser définitivement le diagnostic. La maladie évolue vers l'insuffisance respiratoire sévère, souvent mortelle.

TRAITEMENT

En l'état actuel des connaissances, le traitement ne peut agir que sur les symptômes. Une collaboration étroite entre l'équipe hospitalière, le médecin traitant, les kinésithérapeutes et les infirmières à domicile permet à l'enfant de demeurer le plus possible dans sa famille et de supporter au mieux des soins contraignants. Ultérieurement, on s'efforcera de faciliter l'insertion scolaire et professionnelle du malade.

Le premier objectif du traitement est de conserver un état nutritionnel satisfaisant. L'administration d'extraits pancréatiques, un régime hypercalorique et hypolipidique, voire une alimentation par sonde gastrique ou par perfusions, contribuent à suppléer aux déficiences. En période de grande chaleur, l'absorption de comprimés de chlore évite la déshydratation.

Le traitement comporte aussi une prise en charge respiratoire. Celle-ci vise à drainer les sécrétions grâce à la toux, de façon à conserver aux voies aériennes une perméabilité maximale. Des séances de kinésithérapie respiratoire permettent à l'enfant d'obtenir une toux efficace et contrôlée. Le recours aux aérosols ultrasoniques a également pour but de faciliter la respiration. Dans les cas les plus graves, on peut pratiquer une oxygénothérapie de longue durée.

Le troisième grand axe du traitement est une antibiothérapie rigoureusement adaptée aux germes de surinfection bronchique détectés lors des analyses bactériologiques. La greffe pulmonaire (des deux poumons ou du bloc cœur-poumons) est une solution extrême réservée aux patients atteints d'insuffisance respiratoire très sévère.

DÉPISTAGE

Un dépistage anténatal de la maladie, par biopsie des villosités choriales du placenta, est aujourd'hui possible à la 10ᵉ semaine de grossesse, chez les couples qui ont déjà donné naissance à un enfant atteint de mucoviscidose. Les parents d'un enfant malade ont en effet une possibilité sur quatre d'avoir un autre enfant atteint de cette maladie. Les frères et sœurs des sujets malades seront, dans deux cas sur trois, porteurs du gène et donc susceptibles d'avoir plus tard des enfants atteints si leur conjoint a, lui aussi, hérité d'un gène transmetteur.

PERSPECTIVES

Les traitements hautement spécialisés dont bénéficient aujourd'hui les enfants atteints de mucoviscidose permettent une qualité de vie nettement améliorée.

Par ailleurs, les moyens financiers importants mis à la disposition de la recherche ont conduit à des avancées considérables et, en particulier, à l'identification du gène en cause, qui laisse espérer des possibilités de thérapie génique.

Mucus

Substance visqueuse, composée de protéines et de glucides appelés mucines, sécrétée par les cellules mucipares des muqueuses (respiratoires, digestives, génitales).

Le mucus, qui joue un rôle important de protection des muqueuses, possède des propriétés chimiques et mécaniques complexes : il s'écoule comme les liquides visqueux et se déforme comme les corps élastiques. Le mucus contenu dans les poumons comprend également une substance graisseuse appelée surfactant, qui empêche la fermeture des alvéoles pulmonaires au cours de l'expiration.

La mucoviscidose, maladie héréditaire grave, est caractérisée par une viscosité excessive du mucus. La maladie des membranes hyalines, chez le nouveau-né, est due à une insuffisance de surfactant.

Muguet

Affection de la muqueuse buccale due à une levure, *Candida albicans*.

Localisation digestive de la candidose, le muguet s'observe chez le nouveau-né et le nourrisson, mais aussi chez le sujet âgé porteur d'une prothèse dentaire ou chez le sujet immunodéprimé en raison d'un traitement administré pour une autre affection, chimiothérapie, antibiothérapie ou corti-

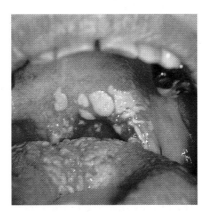

Muguet. *Le palais, la langue et la paroi interne des joues sont enflammés et couverts de petites élevures blanchâtres.*

cothérapie. Le muguet est également fréquent au cours du sida.

SYMPTÔMES ET SIGNES

Le muguet se manifeste tout d'abord par une inflammation diffuse, la muqueuse étant rouge, sèche et cuisante. Puis la paroi interne des joues, la langue et le pharynx se couvrent d'un enduit blanchâtre semblable à du lait caillé. Dans certains cas, le malade ressent une gêne pour avaler, ce qui laisse présager une atteinte de l'œsophage. Chez l'enfant, la maladie peut s'étendre aux plis cutanés et aux ongles.

TRAITEMENT

Le traitement comporte le recours à des applications locales de sérum bicarbonaté et isotonique (de même concentration moléculaire que le plasma du sang) ou de médicaments antifongiques. Un traitement général par voie orale s'impose en cas d'atteinte de l'œsophage.

Chez le nourrisson, tout régime à base de carottes est contre-indiqué tant que l'affection persiste, car il favorise le développement de la levure. Si la maladie principale l'autorise, une réduction des immunosuppresseurs peut être envisagée chez les sujets immunodéprimés.

Multipare

Femme qui a déjà eu un ou plusieurs enfants.

En obstétrique, multipare s'oppose à primipare (femme accouchant pour la première fois). L'accouchement d'une multipare est en général plus rapide et plus facile que celui d'une primipare.

Münchhausen (syndrome de)

Forme grave de pathomimie.
→ VOIR Pathomimie.

Muqueuse

Membrane tapissant la totalité du tube digestif (de la bouche au rectum), l'appareil respiratoire, l'appareil urinaire, les appareils génitaux masculin et féminin ainsi que la face postérieure des paupières et la face antérieure du globe oculaire (conjonctive).

Toute muqueuse se compose d'un épithélium (tissu de recouvrement), de glandes et d'un tissu conjonctif de soutien qui assure la nutrition des éléments épithéliaux (le chorion). La constitution de l'épithélium varie selon sa localisation : épithélium malpighien pluristratifié (bouche, œsophage, vagin), épithélium cylindrique cilié (muqueuse respiratoire), épithélium cylindrique simple (tube digestif sous-diaphragmatique, voies biliaires, endomètre).

Les muqueuses sécrètent du mucus, ce qui assure l'humidité et la lubrification des organes qu'elles tapissent. La nature des glandes et leur sécrétion varient d'une muqueuse à l'autre, en correspondance avec la fonction physiologique particulière à chacun des tissus : les muqueuses du tube digestif et leurs glandes, par exemple, ont un rôle précis dans la digestion et l'absorption des aliments ; dans les voies aériennes, le mucus arrête une partie des poussières inhalées, etc.

Une absence de sécrétion de mucus caractérise le syndrome de Gougerot-Sjögren (maladie auto-immune) et s'observe également au cours de certaines affections dermatologiques et après la ménopause (sécheresse vaginale, corrigée par un traitement hormonal substitutif).

La majorité des tumeurs bénignes et malignes qui se développent dans les organes bordés par une muqueuse se forment dans cette muqueuse.

Muqueuse buccale

Membrane richement vascularisée et innervée, qui tapisse la paroi interne des lèvres, des joues et la partie inférieure des arcades dentaires. (P.N.A. *tunica mucosa*)

La muqueuse buccale sécrète en permanence une substance humidifiante appelée mucus. Celle-ci, de même que la salive, produite par les glandes salivaires, joue un rôle dans l'appréciation du goût des aliments.

PATHOLOGIE

La muqueuse buccale peut être le siège de nombreuses pathologies, le plus souvent douloureuses du fait de la richesse de son innervation.

■ **Les aphtes** sont fréquents et anodins mais douloureux. Nombreux et récidivants, ils peuvent témoigner d'une maladie de Behçet. Un traitement radical de ces ulcérations n'a pas encore été mis au point.

■ **Les atteintes infectieuses** sont liées à la grande quantité et à la diversité des germes qui habitent la cavité buccale.

■ **Les lésions mécaniques** sont aussi fréquentes et peuvent être dues au port d'un appareil dentaire mal adapté, au frottement de dents (le plus souvent mal alignées) contre la muqueuse ou à des produits chimiques introduits accidentellement dans la bouche, etc.

■ **Le syndrome de Gougerot-Sjögren**, caractérisé par une atteinte des glandes salivaires, se traduit par une sécheresse de la muqueuse buccale, qui devient rouge, irritée.

Muqueuse utérine

→ VOIR Endomètre.

Murphy (signe de)

Signe caractéristique de la cholécystite (inflammation de la vésicule biliaire), décelable à l'examen clinique du malade.

Pour rechercher le signe de Murphy, le médecin appuie sa main sur l'abdomen, sous les côtes droites, en regard de la vésicule biliaire, et demande au malade de prendre une grande inspiration, ce qui déclenche, en cas d'inflammation, une vive douleur.

Muscle

Organe doué de la propriété de se contracter et de se décontracter. (P.N.A. *musculus*)

Le tissu d'un muscle est constitué de fibres musculaires ; celles-ci sont composées de cellules appelées myocytes, qui renferment dans leur cytoplasme de nombreux filaments allongés parallèlement au grand axe de la cellule. Ces filaments sont de deux types : les uns, fins, sont faits d'actine ; les autres, épais, sont composés de myosine. C'est grâce à leur interaction que la contraction musculaire s'effectue.

Muscle cardiaque

Également appelé myocarde, il a une structure proche de celle des muscles striés, mais ses contractions sont autonomes et involontaires : elles propulsent la masse sanguine à travers l'appareil cardiocirculatoire.

Muscles lisses

Également appelés muscles blancs, ils sont présents dans la paroi de nombreux organes (utérus, intestin, bronches, vésicule, vaisseaux sanguins, etc.). Leur contraction, bien que semblable à celle des muscles striés, est involontaire, autonome ou assurée par le système nerveux végétatif, qui n'est pas sous le contrôle direct de la conscience.

PATHOLOGIE

Certains muscles lisses peuvent être atteints de spasmes (contractions involontaires). Il s'agit des muscles du tube digestif (œsophage, pylore, côlon), de l'uretère, des voies aériennes supérieures (glotte, larynx), mais surtout des sphincters : sphincter anal, sphincter des voies biliaires (dont le spasme entraîne une colique hépatique), sphincter vésical (dont le spasme a pour conséquence une rétention d'urine).

Muscles striés

Également appelés muscles rouges ou muscles squelettiques, ils unissent les os et permettent la mobilité. Leur contraction est volontaire, soumise au contrôle cérébral : chaque fibre musculaire est connectée à une terminaison nerveuse qui reçoit les ordres en provenance du cerveau ; l'impulsion nerveuse stimule le muscle en libérant un neurotransmetteur chimique (substance sécrétée par certains neurones pour transmettre l'influx nerveux vers d'autres cellules), l'acétylcholine ; celle-ci, par l'intermédiaire d'une chaîne de réactions chimiques, entraîne à son tour la contraction du muscle par l'intermédiaire de la plaque motrice (zone de la cellule musculaire avec laquelle la fibre nerveuse qui la commande entre en contact). Ces muscles sont constamment maintenus dans un état de contraction modérée : le tonus musculaire. Une hypotonie (diminution pathologique du tonus musculaire) peut survenir à la suite d'une chute du taux sanguin de potassium. Une hypertonie (augmentation pathologique du tonus musculaire) peut être due à une chute du taux sanguin de calcium ; lorsqu'elle est particulièrement accusée, on parle de spasticité.

On classe les muscles squelettiques en fonction de leur mode d'action. Un muscle est dit agoniste lorsque son action s'exerce dans le sens du mouvement, antagoniste dans le cas contraire. Un muscle extenseur « ouvre » une articulation ; un muscle fléchisseur la « referme ». Un muscle adducteur ramène un membre vers l'axe central du corps ; un abducteur l'en éloigne. Les muscles qui permettent la mobilité d'une région du corps (main, pied) sont appelés muscles intrinsèques lorsqu'ils sont situés dans cette région, muscles extrinsèques lorsqu'ils sont situés dans une autre région du corps (avant-bras, jambe).

PATHOLOGIE

■ **Le claquage** est dû à la rupture, à la suite d'un effort violent, de quelques fibres d'un muscle : on parle de déchirure lorsque l'atteinte est importante, d'élongation lorsque les fibres musculaires sont seulement distendues. L'atteinte se traduit par une douleur vive, brutale, dont l'intensité dépend de l'importance de la rupture. Le traitement consiste à appliquer de la glace sur la région intéressée et à mettre celle-ci au repos ; des massages peuvent être entrepris. Une intervention chirurgicale n'est nécessaire qu'en cas de rupture très importante, survenant chez un sportif ; elle consiste à réaliser une suture ou à réinsérer le muscle lésé sur le tendon. Par la suite, un nodule cicatriciel gênant et facteur de récidive peut apparaître ; il doit être excisé chirurgicalement.

■ **Les écrasements** provoquent des hématomes qui se résorbent progressivement pour laisser une cicatrice fibreuse. Lorsqu'ils atteignent plusieurs groupes musculaires, ils provoquent une libération massive de substances toxiques qui peuvent entraîner un état de choc (syndrome de Bywaters) nécessitant une réanimation.

■ **Les plaies** entraînent des hémorragies que l'on traite d'abord par compression, puis par une intervention chirurgicale qui consiste à stopper l'hémorragie vasculaire et à régulariser, puis à suturer les bords de la plaie.

■ **Les autres affections** pouvant atteindre le muscle sont la myosite (inflammation), la myasthénie (fatigabilité musculaire intense et rapide par blocage de la transmission de l'influx nerveux au muscle) et les myopathies (maladies congénitales résultant d'une altération des fibres musculaires).

Mutagène

Se dit de tout élément capable de provoquer une mutation au sein d'une espèce.

Les principaux éléments mutagènes sont les radiations et les produits chimiques.

Les radiations comprennent les rayons X, les émissions dues à des explosions nucléaires, les retombées radioactives, les rayons gamma, les radiations des particules alpha et bêta et, à un moindre degré, celles de l'écorce terrestre et les rayons cosmiques.

De nombreux produits chimiques incluent des substances mutagènes. Actuellement, les plus connus sont ceux contenus dans les fumées du tabac.

Mutation

Modification survenant dans l'A.D.N. d'une cellule et pouvant entraîner l'apparition d'un caractère nouveau.

Une mutation résulte de la modification d'un segment plus ou moins étendu d'A.D.N. qui constitue un chromosome. Elle peut concerner une fraction de gène (mutation génétique), parfois un volumineux segment de chromosome (mutation chromo-

On distingue 3 types de muscles :
le muscle cardiaque, ou myocarde, qui
a une structure semblable à celle des
muscles striés mais se contracte spontanément ; les muscles lisses, qui assurent
les mouvements inconscients et involontaires comme la contraction de certains
viscères (tube digestif, voies urinaires,
etc.) ; enfin, les muscles striés, soumis
au contrôle volontaire du cerveau, qui
permettent au corps de se mouvoir.

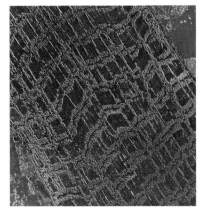

*Les muscles striés sont des faisceaux de fibres
contenant des éléments contractiles.*

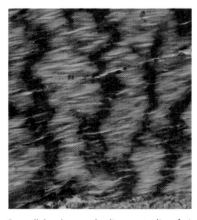

*Les cellules des muscles lisses sont dites fusi-
formes du fait de leur forme très allongée.*

Les muscles squelettiques

face antérieure

face postérieure

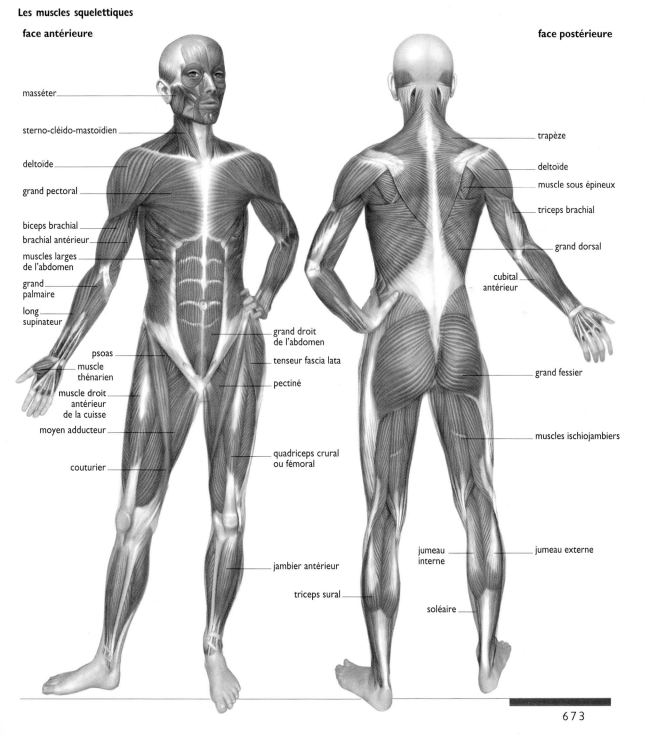

masséter

sterno-cléido-mastoïdien

deltoïde

grand pectoral

biceps brachial
brachial antérieur

muscles larges
de l'abdomen

grand
palmaire

long
supinateur

psoas

muscle
thénarien

muscle droit
antérieur
de la cuisse

moyen adducteur

couturier

grand droit
de l'abdomen

tenseur fascia lata

pectiné

quadriceps crural
ou fémoral

jambier antérieur

triceps sural

trapèze

deltoïde

muscle sous épineux

triceps brachial

grand dorsal

cubital
antérieur

grand fessier

muscles ischiojambiers

jumeau
interne

jumeau externe

soléaire

somique). La modification peut également porter sur des chromosomes entiers et modifier leur nombre et leur structure. Elle se fait alors par délétion (perte d'un fragment de chromosome), insertion, duplication ou translocation (détachement et fixation d'un segment de chromosome sur un autre chromosome).

Les mutations sont des phénomènes stables (transmissibles à la descendance des cellules modifiées), rares, spécifiques (ne touchant le plus souvent qu'un seul des caractères de la cellule) et spontanés ; il existe cependant des substances, dites mutagènes (radicaux libres, par exemple), capables d'augmenter la fréquence des mutations. Elles peuvent donc déclencher un processus de carcinogenèse, aboutissant à un cancer, ou être responsables d'une maladie héréditaire.

Les mutations les plus fréquentes sont les mutations ponctuelles, c'est-à-dire le remplacement d'une base de l'A.D.N. par une autre.

Mutisme

Arrêt prolongé de la communication verbale, indépendamment de toute lésion organique.

Le mutisme va de la simple bouderie à l'inhibition totale en passant par certains comportements d'opposition maniaques, hystériques ou autistiques. Le diagnostic repose sur l'observation de l'expression du visage et du comportement (impassibilité, agitation, distraction, etc.) et sur l'analyse du contexte. Le déblocage peut être facilité par une mise en confiance ou, au contraire, par une mise à l'épreuve (surprise, plaisanteries, tests, etc.).

Mutité

Impossibilité de parler pour une personne.

Les affections qui entraînent une mutité sont soit relatives au larynx, soit d'origine neurologique : les lésions du larynx, congénitales ou acquises (tumeur, paralysie, etc.), certaines opérations chirurgicales (laryngectomie, trachéotomie, etc.) font perdre la voix, de même que les lésions des nerfs moteurs du larynx, une absence de développement des centres nerveux (arriération mentale) ou une lésion du système nerveux (accident vasculaire cérébral).

■ L'audimutité est la mutité de l'enfant qui n'apprend pas le langage oral avant six ans en raison de troubles psychiatriques et sans lésion organique : l'enfant entend mais ne parle pas. Le traitement de l'audimutité, quand il est possible, est celui de sa cause, associé à la rééducation de la voix par l'orthophonie.

■ La surdimutité est liée à une surdité des deux oreilles, congénitale ou acquise avant l'âge de 5 ou 6 ans. Elle n'a pas toujours une cause connue malgré les examens complémentaires effectués. Elle peut être consécutive à une maladie héréditaire de l'oreille, à une infection contractée par la mère pendant la grossesse, à un accouchement difficile, etc. Comme l'enfant n'entend ni les paroles émises par ses parents ni ses propres sons, il n'apprend pas à parler ou, si la

surdimutité survient dans les premières années, il oublie ce qu'il a appris et se trouve partiellement coupé du monde extérieur. Il s'ensuit des troubles de l'affectivité et du comportement (agressivité, indifférence, etc.) et une insuffisance des acquisitions intellectuelles, variable selon l'intensité du trouble et son éventuel traitement. L'enfant ne réagit ni aux bruits qui l'entourent ni à la voix. Il ne tourne pas la tête vers la source d'un bruit. Ainsi, les parents peuvent s'apercevoir de la maladie dès la première année. En revanche, ses autres comportements peuvent être trompeusement normaux : il émet des gazouillis, car cette production de sons est automatique au début de la vie. Ce n'est que vers la deuxième année que ces sons s'appauvrissent.

Les tests médicaux de dépistage de la surdité sont primordiaux. Ils peuvent être pratiqués, au besoin, dès la naissance et répétés plusieurs fois dans la petite enfance, certains par le médecin, d'autres à l'hôpital. On utilise soit des tests simples avec des jouets sonores, soit des tests complexes, appelés « potentiels évoqués », s'il existe des cas semblables dans la famille.

Difficile, le traitement de la surdimutité comprend plusieurs phases et est très spécialisé dans les formes graves. Il peut être celui de la cause éventuelle, consister en un appareillage par une prothèse auditive externe ou un implant cochléaire. En cas de succès, on peut espérer vaincre la mutité. Sinon, il faut faire appel à un apprentissage de la lecture sur les lèvres, du langage des mains, à un entraînement des organes sensoriels non auditifs tels que le toucher et à un soutien scolaire approprié, parfois dans une institution spécialisée. Une information et un soutien psychologique sont dispensés à la famille, d'une part à cause de son rôle indispensable auprès de l'enfant, d'autre part pour expliquer et prévenir les réactions négatives de sa part à la maladie.

Myalgie

Douleur musculaire.

Les myalgies peuvent être dues à une hypertonie musculaire (raideur des muscles) ou à un traumatisme (courbatures d'effort, torticolis, lumbago). On les rencontre aussi dans diverses maladies, aiguës ou chroniques, d'origine infectieuse (grippe, hépatite virale, poliomyélite aiguë, maladie de Bornholm) ou auto-immune (polyarthrite rhumatoïde, lupus érythémateux). Des myalgies très importantes se déclarent également au cours des chocs septiques (faillite aiguë de la circulation sanguine, d'origine infectieuse).

Certaines myalgies peuvent égarer le diagnostic. Ainsi, une forte myalgie des masséters (muscles masticateurs) peut évoquer un tétanos ; une myalgie des muscles abdominaux, une péritonite.

Le traitement est celui de la maladie responsable. En outre, pour soulager la douleur, il est fait appel aux analgésiques locaux ou généraux et aux décontracturants.

Myalgie épidémique

→ VOIR Pleurodynie contagieuse.

Myasthénie

Maladie neurologique caractérisée par un affaiblissement musculaire.

La myasthénie est une affection rare (de 2 à 5 cas par million d'individus) d'origine auto-immune (l'organisme produisant des anticorps contre ses propres constituants). Les anticorps en cause se fixent sur la plaque motrice, zone de contact de la cellule musculaire avec la fibre nerveuse qui la commande, ce qui empêche l'acétylcholine, substance sécrétée par la fibre nerveuse, de s'y fixer et bloque la transmission des messages. Sans en savoir les raisons, on observe diverses affections (anomalies, tumeur) du thymus (glande située devant la trachée) chez 75 % des personnes souffrant de myasthénie.

SYMPTÔMES ET SIGNES

Dans la majorité des cas, la maladie débute avant 40 ans ; les premiers signes sont le plus souvent oculaires, les patients se plaignant d'une diplopie (vision double) ou d'un ptôsis (chute de la paupière supérieure) d'un ou des deux yeux. Mais il peut s'agir également de troubles de la voix (voix nasonnée), de gêne à la mastication, de faiblesse des membres, d'une sensation de fatigue générale. La variabilité des troubles et leur accentuation à la fatigue sont caractéristiques de la maladie. Le plus souvent, la myasthénie s'étend à d'autres muscles dans les trois ans qui suivent son apparition. L'évolution est fréquemment émaillée de poussées susceptibles de mettre la vie du sujet en danger du fait des paralysies des muscles de la respiration et de la déglutition.

DIAGNOSTIC

Il peut être étayé par divers examens : par un test pharmacologique, l'injection intraveineuse d'un anticholinestérasique, qui provoque une régression passagère des signes ; par la recherche d'anticorps antirécepteurs de l'acétylcholine, présents chez 85 à 90 % des patients atteints de myasthénie ; par une électromyographie (enregistrement de l'activité électrique du muscle).

TRAITEMENT

Il se fonde sur l'administration d'anticholinestérasiques, qui favorisent l'action de l'acétylcholine, et souvent sur l'ablation chirurgicale du thymus. Dans la majorité des cas, si le traitement est suivi à long terme, il permet au sujet de mener une vie normale ou tout au moins autonome. Lorsque ce traitement ne conduit pas à une amélioration suffisante, on propose l'administration d'immunosuppresseurs. Un certain nombre de médicaments sont contre-indiqués : des antibiotiques (aminosides notamment), quinidine, anti-épileptiques (hydantoïne, trimethadione), béta-bloquants même en collyre... Car ils peuvent provoquer des poussées de myasthénie.

Mycétome

Tuméfaction inflammatoire tropicale contenant des grains fongiques (champignons) ou actinomycosiques (bactéries filamenteuses), affectant la peau, les tissus sous-cutanés, voire les os. SYN. *pied de Madura*.

MYCOSE

Les mycoses, lorsqu'elles touchent la peau et les muqueuses, sont souvent bénignes et peuvent même passer inaperçues. Leur diagnostic repose sur l'aspect et le siège des lésions, parfois sur la mise en évidence du champignon par un prélèvement examiné au microscope et au besoin cultivé.

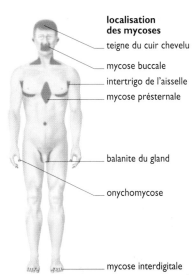

localisation des mycoses
- teigne du cuir chevelu
- mycose buccale
- intertrigo de l'aisselle
- mycose présternale
- balanite du gland
- onychomycose
- mycose interdigitale

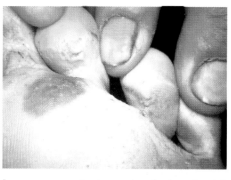

Les mycoses apparaissent souvent sur la plante des pieds et entre les orteils en raison de l'humidité locale.

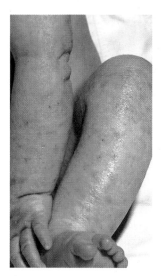

Éruption cutanée provoquée par le champignon Candida albicans.

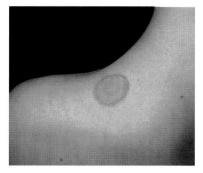

L'herpès circiné se traduit par une plaque ronde qui s'étend concentriquement.

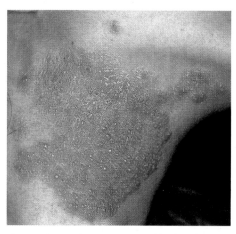

Certains dermatophytes sont responsables de la formation d'une grande plaque rouge et rugueuse.

Cette infection, rare, sévit dans la zone tropicale nord. Elle siège de préférence sur les parties découvertes du corps et se présente comme une tuméfaction dure qui peut déformer le membre atteint et laisse s'écouler du pus, où l'on retrouve des grains dus aux agents infectieux.

DIFFÉRENTS TYPES DE MYCÉTOME
■ Les mycétomes fongiques, surtout localisés aux pieds, évoluent vers une tuméfaction indolore avec des fistules (canaux pathologiques) d'où sortent des grains fongiques.
■ Les mycétomes actinomycosiques, fréquents en Amérique latine, sont des tuméfactions sous-cutanées plus douloureuses d'où sortent des grains actinomycosiques.

CONTAMINATION
L'homme se contamine en se piquant avec des épines ou des échardes infectées par des saprophytes (microbes de la putréfaction, vivant de matières mortes) ou par souillure d'une plaie déjà existante, les saprophytes proliférant également sur le sol.

DIAGNOSTIC ET TRAITEMENT
L'examen microscopique des grains permet d'identifier l'agent pathogène. Les antibiotiques sont susceptibles de guérir les mycétomes actinomycosiques, mais les mycétomes fongiques ne peuvent être éliminés que par une opération chirurgicale.

PRÉVENTION
La désinfection des plaies et le port de chaussures sont les premières précautions à prendre dans les pays tropicaux.

Mycobactérium
Genre de bactéries constitué de bacilles, dont certains sont pathogènes pour l'homme, dits acido-alcoolo-résistants du fait de leur coloration particulière par la technique de Ziehl-Neelsen, qui permet de les différencier des autres germes à l'examen direct.

Il existe de nombreuses espèces de mycobactéries. *Mycobacterium tuberculosis,* ou bacille de Koch, est responsable de la tuberculose ; *Mycobacterium lepræ,* ou bacille de Hansen, de la lèpre. *Mycobacterium bovis* est responsable de la tuberculose bovine et peut éventuellement contaminer l'homme. Le bacille de Calmette et Guérin (B.C.G.) est une souche de *Mycobacterium bovis* de virulence atténuée, utilisée pour la vaccination contre la tuberculose.

D'autres espèces de mycobactéries, appelées atypiques, sont présentes dans l'environnement et habituellement sans danger pour l'homme. Elles sont cependant responsables d'infections opportunistes (ne se déclarant que chez des personnes aux défenses immunitaires affaiblies), comme *Mycobacterium avium-intracellulare,* déclenchant fréquemment des infections généralisées (septicémies) chez les malades atteints du sida.

Mycoplasme
Très petite bactérie (de 0,3 à 0,8 micromètre) dépourvue de paroi.

Les mycoplasmes, contrairement aux virus, ont la capacité de se reproduire en dehors des cellules vivantes. Ils sont présents dans la nature (eau, sol, végétaux), chez les insectes, les animaux et l'homme (surface des muqueuses). Certains sont pathogènes pour l'homme, comme *Mycoplasma pneumoniæ,* cause d'infections respiratoires, ou *Mycoplasma hominis* et *Mycoplasma ureaplasma urealyticum,* responsables d'infections des voies génito-urinaires pouvant entraîner des urétrites, des salpingites, des poussées fébriles après l'accouchement et des anomalies de la grossesse (prématurité et faible poids à la naissance).

Le diagnostic d'une infection par des mycoplasmes repose surtout sur une réaction de fixation du complément, test permettant la mise en évidence d'anticorps spécifiques.

Certains antibiotiques (tétracyclines) permettent de traiter efficacement les infections à mycoplasmes. Comme dans toute maladie sexuellement transmissible, le traitement simultané des partenaires est indispensable.

Mycose
Infection provoquée par un champignon microscopique.

Les champignons microscopiques se répartissent, selon leur morphologie, en levures, en champignons dimorphes et en moisissures. Certains (candida, *Cryptococcus, Torulopsis,* etc.) sont normalement présents sur la peau ou dans l'organisme sans leur nuire. Ils n'engendrent des mycoses profondes que chez des personnes aux défenses immunitaires affaiblies (greffés d'organes, malades du sida, héroïnomanes, patients traités par chimiothérapie, immunosuppresseurs ou corticothérapie). Les mycoses cutanéomuqueuses, moins graves, sont aussi plus fréquentes. Parfois, elles se déclarent en cas de traitement par un antibiotique à large spectre ; une hygiène déficiente favorise également leur apparition.

DIFFÉRENTS TYPES DE MYCOSE

■ **Les mycoses cutanées,** ou cutanéomuqueuses, se manifestent par une atteinte de la peau, des plis (intertrigo), des espaces entre les doigts, du cuir chevelu, des ongles (onychomycose), de la bouche ou du vagin. Ce sont, par exemple, des candidoses (muguet, vulvite, balanite) ou des dermatophytoses (teigne, pied d'athlète, herpès circiné). Les épidermomycoses sont des mycoses touchant l'épiderme, dues aux dermatophytes ou au pityriasis versicolor.
■ **Les mycoses profondes** constituent les formes les plus graves. L'infection à candida peut prendre la forme d'une septicémie avec extension à l'endocarde, aux poumons, aux méninges et aux reins. Une autre levure, *Cryptococcus neoformans,* est responsable de méningoencéphalite et d'atteinte pulmonaire, notamment chez les malades atteints du sida. *Aspergillus fumigatus* est la cause de l'aspergillose, se manifestant sous la forme de tumeurs pulmonaires ou bronchiques (aspergillomes) chez des malades soumis à une chimiothérapie anticancéreuse ou ayant déjà eu une tuberculose, une affection chronique des bronches ou une mucoviscidose.

DIAGNOSTIC ET TRAITEMENT

Le diagnostic des mycoses se fait par l'examen des lésions et par examen, direct et après culture, de prélèvements.

Des traitements locaux spécifiques permettent de guérir la plupart des lésions locales. Les mycoses profondes sont le plus souvent sensibles à l'action des médicaments antimycosiques, mais les traitements sont, dans ce cas, généralement de longue durée. Il existe des risques de rechute.

Mycosis fongoïde

Maladie caractérisée par une prolifération cutanée de lymphocytes.

Le mycosis fongoïde fait partie des lymphomes cutanés (tumeurs cutanées développées aux dépens du tissu lymphoïde). Il atteint surtout l'homme entre 40 et 60 ans et évolue le plus souvent en trois phases.
■ **La première phase** est marquée par l'apparition de plaques cutanées d'une couleur allant du rose clair au rouge violine, plus ou moins squameuses et très prurigineuses.
■ **Dans la deuxième phase,** également appelée phase infiltrée, les lésions s'épaississent, formant des bourrelets de couleur variable, de jaunâtre à rouge foncé. S'y associent une chute des cheveux, des altérations des ongles et une hypertrophie des ganglions lymphatiques.

■ **La troisième phase,** ou phase tumorale, est caractérisée par l'apparition de petits nodules pouvant grossir et former de véritables tumeurs cancéreuses sur la peau. Ils peuvent également s'ulcérer. Tardivement, enfin, la maladie s'étend aux ganglions lymphatiques et aux viscères.

TRAITEMENT

Il repose dans un premier temps sur la chimiothérapie locale (applications de méchloréthamine), la puvathérapie (exposition à des rayonnements ultraviolets en cabine) ou la radiothérapie. Dans les formes plus évoluées avec localisations ganglionnaires ou viscérales, la chimiothérapie permet d'atténuer les symptômes de la maladie.

Mycothérapie

Traitement d'origine fongique.

Dans le sens strict d'utilisation thérapeutique d'une substance issue d'un champignon, la mycothérapie est synonyme d'antibiothérapie. Le terme recouvre aussi l'emploi de levures vivantes pour reconstituer la flore intestinale.

Mycotoxicose

Ensemble des troubles provoqués chez l'homme ou l'animal par la présence de champignons microscopiques dans les aliments.

Les mycotoxicoses sont normalement exceptionnelles chez l'homme dans les pays développés, où l'alimentation est diversifiée et soumise à des contrôles sanitaires rigoureux. Elles sont dues à des moisissures (*Aspergillus, Penicillium, Byssochlamys, Fusarium*) qui contaminent les aliments en y sécrétant des substances toxiques, les mycotoxines. Les aliments concernés sont souvent des céréales moisies (maïs, riz, orge, millet). Les mycotoxicoses ont de très nombreuses manifestations : cancer du foie dû à l'aflatoxine (oléagineux), lésions rénales dues à l'ochratoxine (maïs, fourrages secs) ou à la citrinine (riz, orge), paralysies dues à la patuline (pommes, jus de fruits) ou à la citréoviridine (riz, châtaignes), convulsions dues à l'acide cyclopiazonique (céréales), hémorragies intestinales, diminution du nombre de globules blancs et, surtout, effet immunosuppresseur dû aux trichothécènes (céréales). Le traitement, quand il est possible, vise uniquement à soigner les symptômes (anticonvulsivants en cas de convulsions, etc.).

Mydriase

Dilatation de la pupille.

Une mydriase peut être physiologique, pathologique ou thérapeutique.
■ **La mydriase physiologique** se rencontre notamment lors de l'adaptation naturelle de l'œil à l'obscurité, mais également en cas d'émotion intense.
■ **La mydriase pathologique** s'observe dans plusieurs cas :
- à la suite d'une consommation trop importante d'alcool ;
- à la suite d'une prise de stupéfiants ;
- à la suite d'une paralysie du nerf parasympathique oculaire, d'origine traumati-

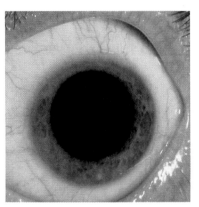

***Mydriase.** La pupille peut être dilatée artificiellement, à l'aide d'un collyre spécial, pour un examen du fond d'œil.*

que, tumorale ou vasculaire, souvent accompagnée d'un ptôsis (chute de la paupière supérieure par paralysie du muscle releveur). La pupille alors ne réagit plus lorsqu'on dirige une source lumineuse sur elle ni lorsqu'on éclaire l'autre pupille ;
- à la suite d'une lésion du globe oculaire ou du nerf optique ayant détruit la majeure partie des fibres optiques ; la pupille dilatée ne se contracte pas lorsqu'elle est directement éclairée, mais seulement lorsque l'autre pupille l'est ;
- à la suite de l'excitation du nerf sympathique, cas plus rarement observé.

Un sujet atteint de mydriase voit flou et est très ébloui. L'application de collyres myotiques (qui provoquent la contraction de la pupille) fait disparaître ces symptômes.
■ **La mydriase thérapeutique** est obtenue en utilisant des collyres tels que l'atropine, qui a une durée d'action de plusieurs jours, ou la néosynéphrine d'action plus courte. D'autres produits provoquent une mydriase de quelques heures, permettant au médecin d'examiner le fond de l'œil.

Mydriatique

Se dit d'une substance capable de provoquer une mydriase (dilatation persistante de la pupille de l'œil).

MÉCANISME D'ACTION

Les médicaments aux propriétés mydriatiques (l'atropine, l'épinéphrine, l'homatropine, l'hyoscyamine, la néosynéphrine, etc.) sont utilisés sous forme de collyre à instiller dans l'œil ou les yeux malades. Ils réduisent la pression intraoculaire par diminution de la sécrétion de l'humeur aqueuse (constituant les larmes) et/ou par augmentation de son élimination. En dehors de ces produits à visée directement ophtalmique, de nombreuses substances actives (la scopolamine et la belladone, les anticholinergiques, les alphastimulants, etc.), administrées par voie générale ou locale, seules ou en association, sont mydriatiques.

INDICATIONS

Les substances mydriatiques sont indiquées dans le traitement du glaucome à angle ouvert, de l'hypertension intraoculaire et de l'hypertonie oculaire. L'atropine est plus particulièrement utilisée dans le traitement des affections inflammatoires de l'œil, comme les kératites, et dans le traitement des uvéites (inflammation du tractus uvéal comprenant la choroïde, le corps ciliaire et l'iris) en général, ainsi que pour déterminer le taux de réfraction de certains strabismes. La néosynéphrine, ou phényléphrine, est utilisée dans l'examen du fond de l'œil et en chirurgie oculaire.

EFFETS INDÉSIRABLES ET CONTRE-INDICATIONS

Les substances à effet mydriatique provoquent une modification de la vue : elles dilatent la pupille et empêchent le diaphragme de se refermer suffisamment pour rendre une image nette. Cet effet secondaire bénin dure quelques heures, le temps que le produit se résorbe.

Parfois, chez des sujets anatomiquement prédisposés, les substances à effet mydriatique peuvent engendrer une crise de glaucome par fermeture de l'angle formé par l'iris et la cornée (angle iridocornéen).

L'épinéphrine, qui contracte les vaisseaux sanguins, est contre-indiquée en cas de glaucome par fermeture de l'angle.

→ VOIR Myotique.

Myéline

Substance composée de lipides et de protéines, gainant certaines fibres nerveuses.

Les cellules de soutien et de protection des cellules nerveuses, oligodendrocytes dans le système nerveux central et cellules de Schwann dans le système nerveux périphérique, sont responsables de la formation de la myéline : durant la vie embryonnaire et la petite enfance, ces cellules se placent les unes à la suite des autres le long d'une fibre nerveuse et s'enroulent autour d'elle en spirale serrée, formant la myéline.

FONCTION

La fonction de la myéline est d'augmenter considérablement la vitesse de conduction des messages (influx nerveux, ou potentiel d'action). Dans les nerfs, les fibres myélinisées sont plus rapides que les autres. Dans le système nerveux central, la myéline constitue la substance blanche, dont le rôle fondamental est la conduction des messages vers les zones de substance grise, où s'effectue le traitement des informations.

PATHOLOGIE

La démyélinisation, lésion des gaines de myéline, s'observe notamment dans le système nerveux central au cours de la sclérose en plaques et dans le système nerveux périphérique au cours des polyradiculonévrites (inflammation de la racine des nerfs).

Myélodysplasie

Ensemble des maladies caractérisées par la présence de cellules souches anormales dans la moelle osseuse. SYN. *syndrome myélodysplasique (S.M.D.)*.

Les myélodysplasies se distinguent des aplasies, dans lesquelles les cellules souches sont normales mais en nombre insuffisant.

L'origine des myélodysplasies est généralement inconnue ; certaines d'entre elles surviennent après exposition professionnelle à des toxiques comme le benzène, après chimiothérapies ou radiothérapies prolongées et étendues. Elles affectent habituellement des personnes de plus de 60 ans.

SYMPTÔMES ET SIGNES

Ce sont ceux du déficit des éléments sanguins : signes de l'anémie par manque de globules rouges (pâleur, essoufflement, fatigue), infections liées au manque de globules blancs, hémorragies dues au manque de plaquettes. La maladie peut également être découverte inopinément à l'occasion d'une numération globulaire.

DIAGNOSTIC

Il repose sur la numération sanguine, qui révèle une baisse plus ou moins importante des globules blancs, des globules rouges et des plaquettes sanguines. Une ponction de moelle dans le sternum montre une richesse plus importante que la moyenne en cellules souches, mais celles-ci ont une morphologie anormale. Dans certains cas, il existe un excès de formes jeunes (blastes) ou de cellules contenant du fer (sidéroblastes). Les cellules de la moelle peuvent avoir perdu leur chromosome 5 ou 7, dans certains cas, ou avoir un chromosome supplémentaire, principalement le chromosome 8, dans d'autres cas.

ÉVOLUTION ET TRAITEMENT

L'évolution est très variable. La maladie peut demeurer stable pendant de nombreuses années ou évoluer progressivement vers une leucémie.

Le traitement ne s'impose qu'à l'apparition des symptômes. L'anémie et la baisse des plaquettes peuvent justifier des transfusions, tandis que les poussées infectieuses imposent des traitements antibiotiques. Lorsque le taux de globules blancs est très faible, l'administration de certains facteurs de croissance est susceptible d'en augmenter la production. Une chimiothérapie peut être envisagée dans les formes leucémiques et on peut proposer une greffe de moelle chez des sujets jeunes.

Myélofibrose

Augmentation pathologique du réseau de collagène situé autour des cellules souches de la moelle osseuse.

La myélofibrose ne constitue pas en elle-même une maladie mais se rencontre au cours de plusieurs types de pathologie. Son mécanisme est mal connu, mais il semblerait que des cellules précurseurs anormales des plaquettes sécrètent une substance à l'origine du développement du collagène.

On distingue les myélofibroses primaires des myélofibroses secondaires, consécutives à une maladie déterminée (cancers, maladie de Hodgkin, lymphomes). La myélofibrose primitive, ou splénomégalie myéloïde, est habituellement une maladie du sujet âgé. Dans cette maladie, la myélofibrose, importante, empêche la formation normale des éléments sanguins par la moelle osseuse ; ceux-ci sont alors en partie formés dans le foie et la rate, qui augmentent de volume et deviennent palpables.

Une forme évoluée de myélofibrose, appelée ostéomyélofibrose, associe la fibrose osseuse à une modification de la trame osseuse et se rencontre surtout dans les formes évoluées de splénomégalie myéloïde.

SYMPTÔMES ET SIGNES

Du fait de la diversité des causes de myélofibrose, il n'existe pas de signes spécifiques. On observe très souvent une anémie avec une déformation des globules rouges (globules en forme de poire). Le nombre de globules blancs est souvent augmenté, celui des plaquettes, variable. L'os est anormalement dur lorsque l'on pratique la ponction médullaire, laquelle ne ramène souvent que très peu de cellules.

ÉVOLUTION ET TRAITEMENT

La myélofibrose évolue sur des mois, voire des années. En s'étendant, elle entraîne une myélosclérose, ou médullosclérose (sclérose de la moelle). Elle est souvent à l'origine d'une anémie récidivante nécessitant des transfusions et peut, dans 20 % des cas, évoluer vers une leucose aiguë. La taille de la rate augmente et peut imposer son ablation (splénectomie). Lorsque le nombre de globules blancs ou de plaquettes augmente, on administre dans certains cas une chimiothérapie à faible dose. On ne dispose pas actuellement de traitement spécifique de la myélofibrose.

Myélogramme

Examen des cellules de la moelle osseuse.

Un myélogramme est réalisé à partir d'un très petit volume de moelle (en général moins de un centimètre cube), prélevé dans le sternum ou à la hauteur de la crête iliaque postérieure. Après une anesthésie locale, un trocart est planté dans l'os, et les cellules sont aspirées à l'aide d'une seringue. Le prélèvement est douloureux mais rapide (quelques secondes). Les éléments prélevés sont étalés sur des lames de verre, séchés, colorés selon divers procédés, comme la coloration de May Grunwald Giemsa, puis observés au microscope. Les résultats sont obtenus en quelques heures. Le patient peut repartir immédiatement après l'examen. Il n'y a pas d'effet secondaire.

Le myélogramme est indispensable pour préciser l'origine de nombreuses formes d'anémie (diminution des globules rouges), de thrombopénie (diminution des plaquettes) et pour expliquer la diminution de certains globules blancs, les polynucléaires neutrophiles ; il est également très utile dans la surveillance des maladies de la moelle (leucémies, par exemple) sous traitement.

Myélographie

Radiographie de la moelle épinière, des racines des nerfs et des méninges.

Un type particulier de myélographie, la myélosaccoradiculographie, explore aussi le cul-de-sac liquidien situé sous la moelle et la queue-de-cheval (groupement de racines nerveuses qui se distribuent aux membres inférieurs).

Une myélographie est indiquée, en particulier avant une intervention chirurgicale intrarachidienne, pour vérifier le bien-fondé de l'opération et pour guider le chirurgien.

Cette maladie est caractérisée par une prolifération maligne de plasmocytes (cellules sanguines spécialisées dans la production d'anticorps) qui, en se répandant dans la moelle osseuse, provoquent la destruction du tissu osseux.

Elle est utilisée, en urgence, quand on suspecte une compression de la moelle, par exemple par une tumeur, ou quand la douleur provenant d'une racine nerveuse (sciatique, par exemple) est invalidante et rebelle au traitement médical.

DÉROULEMENT

La myélographie impose une hospitalisation d'environ 48 heures. Cet examen se déroule sans anesthésie. Il nécessite l'emploi d'un produit de contraste (substance opaque aux rayons X), les lésions du contenu du canal vertébral demeurant le plus souvent invisibles sur des clichés simples de la colonne vertébrale. Le produit diffuse dans le liquide céphalorachidien qui entoure la moelle et la naissance des nerfs et permet de visualiser la cavité liquidienne (ou son obstruction) et d'obtenir un moulage des tissus.

Le patient étant couché sur le côté, la tête plus basse que les pieds, on injecte le produit avec une aiguille soit par voie sous-occipitale (entre le crâne et la colonne vertébrale), soit par voie lombaire (entre deux vertèbres lombaires). Le médecin incline alors la table sur laquelle est couché le patient dans différentes directions, tout en suivant le cheminement du produit sur un appareil de radioscopie dont l'écran fournit une image permanente. Dès qu'il constate une anomalie, il prend un cliché pour conserver l'image. En fin d'examen, le malade reste allongé quelques heures, tête légèrement surélevée.

Dans certains cas, on pratique un scanner aussitôt après la myélographie (myéloscanner) afin de mieux apprécier la forme de la moelle, la taille des espaces sous-arachnoïdiens et la morphologie des racines.

CONTRE-INDICATIONS ET EFFETS SECONDAIRES

Une préparation particulière est nécessaire en cas d'allergie à l'iode du produit de contraste. Les effets secondaires se limitent à quelques maux de tête et à des nausées.

Actuellement, l'imagerie par résonance magnétique (I.R.M.) permet également d'explorer le rachis et la moelle épinière dans toutes les directions et sans injection de produit de contraste, avec une excellente précision des résultats.

Myélome multiple

Prolifération maligne, d'origine inconnue, des plasmocytes dans la moelle osseuse.
SYN. *maladie de Kahler.*

Le myélome multiple se développe généralement chez des personnes âgées de plus de 60 ans.

SYMPTÔMES ET SIGNES

Du fait de la prolifération des plasmocytes, cellules spécialisées dans la sécrétion d'anticorps, on observe dans le sang du malade une augmentation anormale de la production d'un seul type particulier d'immunoglobuline pour un myélome donné. Les plasmocytes sécrètent des substances qui entraînent progressivement une destruction du tissu osseux. La maladie peut être découverte à l'occasion de douleurs osseuses rebelles, d'une anémie, d'une augmentation importante de la vitesse de sédimentation, pouvant dépasser 100 mm à la 1re heure, ou

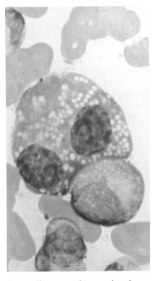

La moelle est envahie par des plasmocytes anormaux (noyau foncé).

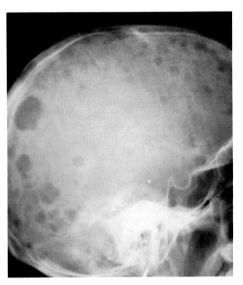

Cette radiographie du crâne montre des lacunes, qui sont des destructions osseuses (petites taches noires).

d'infections à répétitions, pulmonaires notamment.

DIAGNOSTIC ET ÉVOLUTION

Il repose sur l'analyse des protéines du sérum par électrophorèse. Cette technique met en évidence l'excès du type particulier d'anticorps, qui se traduit par un pic se détachant de la courbe, appelé « pic monoclonal ». Le diagnostic est également établi par la ponction de la moelle, dont l'examen révèle des plasmocytes, et par des radiographies des os, qui montrent des zones de raréfaction du tissu osseux de forme sphérique, à limites nettes, appelées géodes.

Il est possible de trouver chez des personnes âgées des sécrétions d'anticorps qui ne résultent pas d'un myélome multiple ; aussi la radiographie et la ponction de la moelle osseuse sont-elles indispensables à l'établissement du diagnostic.

En l'absence de traitement, l'évolution d'un myélome multiple se fait vers un accroissement des destructions osseuses, avec risque de fractures sans traumatisme (fractures spontanées), et vers une augmentation importante de la libération de calcium entraînant une hypercalcémie. De plus, il peut se produire un dépôt d'anticorps dans les reins, responsable d'une insuffisance rénale. Enfin, le développement des plasmocytes dans la moelle peut provoquer une perturbation de la production d'autres lignées sanguines, comme celle des globules rouges, ce qui entraîne une anémie.

TRAITEMENT ET SURVEILLANCE

Le traitement du myélome multiple fait appel à la chimiothérapie, dont le but est de détruire la prolifération plasmocytaire. Dans certains cas, on utilise simultanément plusieurs agents chimiothérapiques (polychimiothérapie). Quand l'affection survient avant 50 ans, on préfère habituellement administrer un traitement plus lourd, pouvant comporter une chimiothérapie intensive et, éventuellement, une greffe de moelle.

La surveillance pendant le traitement et après son arrêt comporte essentiellement la mesure du taux d'anticorps dans le sérum et les urines, la mesure de la fonction du rein et du calcium sanguin ainsi que la surveillance osseuse (radiographies).

Myéloméningocèle

Tumeur kystique, généralement congénitale, siégeant le long de la colonne vertébrale, le plus souvent au niveau lombaire ou lombosacré.

La myéloméningocèle est la forme la plus grave de spina-bifida (malformation congénitale caractérisée par une mise à nu d'une partie de la moelle épinière).

SYMPTÔMES ET SIGNES

De couleur rougeâtre et de volume variable, une myéloméningocèle est recouverte d'une fine pellicule très fragile risquant à tout moment de se rompre pour laisser échapper le liquide céphalorachidien. Elle entraîne généralement une paralysie des membres inférieurs et une incontinence. Une hydrocéphalie et des malformations des jambes peuvent en outre lui être associées.

DIAGNOSTIC

Il peut être porté avant la naissance grâce à l'échographie. Dans ce cas, l'accouchement doit avoir lieu dans une maternité proche d'un centre de chirurgie néonatale. Si le diagnostic est établi à la naissance, le transfert du nouveau-né atteint dans un centre spécialisé s'impose.

TRAITEMENT

Quand il est possible, le traitement est chirurgical et doit être entrepris rapidement après la naissance. Il consiste à réduire la hernie de la moelle épinière et à reconstruire la paroi. Toutefois, l'intervention chirurgicale n'est généralement pas pratiquée dans les formes les plus graves.

PRONOSTIC

Le pronostic est très réservé, notamment si la tumeur occupe une situation haute (région lombaire moyenne), si elle coexiste avec une hydrocéphalie sévère présente dès la naissance, si elle s'accompagne d'une paralysie des membres inférieurs avec atteinte de la plupart des muscles de la hanche et des sphincters.

Myélopathie

Maladie de la moelle épinière.

Les myélopathies dépendent de causes variées : compression (par exemple, par une tumeur), infection (méningite), accident vasculaire (hémorragie, ischémie par défaut d'irrigation), tumeur, carence en vitamine B12, affection dégénérative (sclérose en plaques), etc.

SYMPTÔMES ET SIGNES

Il en existe trois types, diversement associés : diminution (parésie) ou abolition (paralysie) de la force musculaire ; diminution (hypoesthésie) ou abolition (anesthésie) de la sensibilité, pouvant atteindre séparément la sensation tactile, la sensibilité à la température et à la douleur et la sensibilité profonde (conscience de la position du corps) ; troubles vésicaux, comme des envies soudaines et irrésistibles d'uriner, une impossibilité d'uriner ou une incontinence.

La nature des signes dépend de la localisation des lésions dans la moelle.

■ **Une lésion d'une des racines nerveuses** (lésion radiculaire) ou une lésion des fibres nerveuses de la moelle provoque des signes dans une zone limitée du corps, mais tout au long du territoire dépendant de la racine lésée. En cas d'irritation des racines du nerf sciatique, par exemple, les troubles sensitifs et moteurs (syndrome neurogène périphérique) sont quasiment linéaires et descendent selon un trajet bien défini dans le membre inférieur jusqu'au pied.

■ **Une lésion d'un faisceau de fibres nerveuses de substance blanche** provoque des signes dans la région du corps gouvernée par la moelle sous-jacente à la lésion. Un syndrome pyramidal (lésion du faisceau pyramidal, dont la fonction est de transmettre les ordres moteurs de l'encéphale) se traduit par une paralysie. Un syndrome cordonal postérieur (lésion du cordon postérieur, qui transmet à l'encéphale les informations sur le tact et la sensibilité profonde) se traduit par une anomalie des sensibilités correspondantes.

Les myélopathies affectent souvent une portion étendue de la moelle dans un sens horizontal, les signes précédents étant associés entre eux pour donner des symptômes caractéristiques : le syndrome de Brown-Séquard, lésion de toute la moitié droite ou de toute la moitié gauche de la moelle, et la sclérose combinée par carence en vitamine B12 associent un syndrome pyramidal (moteur) et un syndrome cordonal postérieur (sensitif) ; la syringomyélie se traduit par une anesthésie dissociée (tact et sensibilité profonde conservés, sensibilité thermique abolie) et par une paralysie.

DIAGNOSTIC ET TRAITEMENT

Le diagnostic se fonde sur l'exploration radiologique (scanner, imagerie par résonance magnétique), sur la ponction lombaire et sur l'électromyographie (enregistrement de l'activité électrique des nerfs et des muscles).

Le traitement, médical ou chirurgical, est fonction de chaque maladie. Il est souvent limité, surtout si des troubles tels qu'une paralysie sont déjà installés.

Myéloplaxe

Cellule anormale géante à plusieurs noyaux.

Ce terme, peu usité et purement descriptif, caractérise des tumeurs bénignes riches en cellules géantes, comme les tumeurs à myéloplaxes des os, des gaines synoviales et de la gencive, plus fréquemment appelées, respectivement, tumeur à cellules géantes des os, synovite villonodulaire et épulis.

Myélosaccoradiculographie

Forme particulière de myélographie (radiographie de la moelle épinière, des méninges et des racines nerveuses) qui explore le cul-de-sac méningé et les racines nerveuses destinées aux membres inférieurs.

→ VOIR **Myélographie**.

Myiase

Maladie parasitaire due à l'infestation par des larves d'insectes (diverses espèces de mouches), généralement non piqueurs.

Les myiases sont des maladies répandues dans le monde entier mais plus fréquentes dans les régions tropicales.

CONTAMINATION

Les mouches déposent leurs œufs sur la peau, dans les orifices naturels (oreilles, nez, bouche), sur les plaies ou sur des linges humides, par exemple sur des vêtements étendus à l'extérieur pour sécher. Les œufs éclosent, les larves, ou asticots, pénètrent dans la peau ou dans les cavités naturelles et y séjournent environ une semaine (c'est le cas du ver de Cayor) ou plusieurs semaines (ver macaque). Les parasites font ensuite irruption à la surface de la peau.

Des infestations intestinales peuvent survenir après ingestion de nourriture contaminée.

SYMPTÔMES ET SIGNES

Les larves qui ont pénétré dans la peau provoquent un furoncle douloureux. Si elles s'insèrent plus profondément dans les tissus et migrent plusieurs semaines dans l'organisme – comme le font les larves de mouches des genres *Hypoderma* ou *Gasterophilus* –, elles causent des inflammations plus graves.

Les myiases qui atteignent les cavités naturelles de l'organisme, comme l'otomyiase (myiase de l'oreille) ou la nasomyiase (myiase du nez), peuvent provoquer de graves lésions accompagnées de vives douleurs. En l'absence de traitement, l'infestation par les larves, qui peuvent perforer la cloison nasale ou le voile du palais, se double d'une infection bactérienne.

TRAITEMENT

Le traitement des myiases cutanées consiste à extraire les larves au moyen d'une aiguille après les avoir tuées avec un insecticide. Une opération chirurgicale se révèle parfois nécessaire en cas d'infection des tissus profonds. Un laxatif permet de traiter une myiase intestinale.

PRÉVENTION

Il est recommandé d'éloigner les mouches de la nourriture, de couvrir les blessures exposées à l'air et, en Afrique, de repasser les vêtements séchés à l'extérieur.

Myocarde

Muscle du cœur assurant, par sa contractilité et son élasticité, la vidange et le remplissage des cavités cardiaques et donc la circulation sanguine. (P.N.A. *myocardium*)

STRUCTURE

Le myocarde est fait de cellules connectées entre elles. Ces cellules comprennent une membrane limitant un sarcoplasme (substance fluide de l'intérieur des cellules musculaires) riche en petites fibres, les myofibrilles (unités contractiles de la cellule). Chaque myofibrille est constituée de myofilaments (filaments des cellules musculaires) épais de myosine, imbriqués dans des myofilaments fins d'actine. Lors de la contraction, les myofilaments coulissent les uns entre les autres. Lors de la décontraction, le phénomène inverse se produit. La contraction et la décontraction sont liées aux mouvements du calcium au travers de la membrane des cellules musculaires.

PHYSIOLOGIE

La contractilité et la distension dépendent de la pression dans la cavité ventriculaire en amont et de la résistance vasculaire à l'écoulement sanguin en aval, de l'apport d'oxygène par les artères coronaires, de l'apport énergétique, de la fréquence cardiaque, de la stimulation du système nerveux autonome. La variation d'un seul de ces paramètres modifie la fonction de pompe du myocarde.

Les fibres musculaires sont plus abondantes dans le ventricule gauche que dans le droit, plus nombreuses également dans les ventricules que dans les oreillettes. Lors de la contraction ventriculaire, ou systole, le raccourcissement des fibres ventriculaires diminue le volume de la cavité et augmente la pression en son sein, permettant ainsi l'éjection des deux tiers du volume de sang contenu. Lors de la relaxation ventriculaire, ou diastole, l'étirement des fibres augmente le volume de la cavité, qui accueille le sang venant des oreillettes.

PATHOLOGIE

La contractilité du myocarde diminue dans certaines atteintes comme les myocardiopathies (maladies du myocarde), les séquelles d'infarctus du myocarde, au cours ou à la fin de certaines maladies infectieuses, des connectivites (anomalie du collagène, substance disséminée dans les tissus), lors de la prise de toxiques comme l'alcool ou de l'administration de certains médicaments.

Le myocarde se contracte régulièrement, environ 100 000 fois par jour, pour propulser la masse sanguine dans l'appareil circulatoire. Il est essentiellement constitué de cellules musculaires entourées de tissu conjonctif, de vaisseaux et de nerfs riches en myofilaments, petites fibres qui coulissent les unes entre les autres.

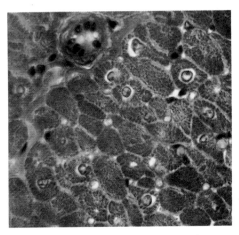

Les cellules musculaires accolées (vues en coupe) assurent au tissu du myocarde une grande force.

Vue en longueur des cellules musculaires (en mauve).

La fonction de distensibilité myocardique est altérée en cas d'hypertrophie (augmentation de l'épaisseur de la paroi) du ventricule gauche, consécutive à une hypertension artérielle, à un rétrécissement aortique, à une myocardiopathie, parfois en cas de cardiopathie ischémique (maladie caractérisée par un apport insuffisant de sang au cœur). La dégradation progressive de la fonction de distensibilité du myocarde est naturelle, mais limitée, chez le sujet âgé.

Myocarde (biopsie du)

Examen médical consistant à prélever des fragments du muscle du cœur pour les étudier au microscope.

INDICATIONS

La biopsie du myocarde est effectuée en cas de myocardiopathie (maladie du muscle cardiaque), de myocardite (inflammation du myocarde), de tumeur cardiaque ou, après une transplantation cardiaque, pour détecter un rejet de greffe ou simplement surveiller l'évolution de la greffe.

TECHNIQUE ET DÉROULEMENT

La veille de l'examen, le patient est hospitalisé dans un service de cardiologie hautement spécialisé et doit être à jeun.

Sous anesthésie locale, le médecin introduit dans l'artère fémorale ou par une veine du cou un cathéter (tube en plastique) muni d'une pince à biopsie de petite taille, appelée « bioptome », et guide l'ensemble jusqu'au cœur à l'aide d'un écran de contrôle. Arrivé à la paroi interne de la cavité cardiaque, le bioptome prélève un fragment du myocarde. Le médecin retire alors le cathéter, comprime la zone de ponction et place un pansement. L'examen dure environ 1 h 30.

SURVEILLANCE

Si le cathéter a été introduit par l'artère fémorale au pli de l'aine, le patient doit rester allongé 24 heures après l'examen afin d'éviter tout risque d'hémorragie locale. Quand la voie d'accès est une veine, la surveillance n'est que de quelques heures.

EFFETS SECONDAIRES

Ils sont rares. Parfois peuvent survenir un petit hématome au point de ponction ou une allergie passagère et bénigne due à l'introduction du cathéter. Si, exceptionnellement, une hémorragie cardiaque se déclare, elle est sans conséquence grave.

Myocardiopathie

Atteinte non inflammatoire du myocarde, sans relation avec une valvulopathie, une atteinte coronaire ou une hypertension artérielle. SYN. *cardiomyopathie*.

Les myocardiopathies sont des maladies du cœur assez peu fréquentes.

DIFFÉRENTS TYPES DE MYOCARDIOPATHIE

C'est le ventricule gauche qui, en règle générale, est atteint. On distingue trois sortes de myocardiopathie par ordre de fréquence.

■ **La myocardiopathie dilatée** est une atteinte du myocarde dans laquelle on observe une baisse de la capacité contractile du cœur et une dilatation – sans augmentation de l'épaisseur – des parois du ventricule gauche et/ou droit.

■ **La myocardiopathie hypertrophique** est une atteinte du myocarde dans laquelle la paroi cardiaque est épaissie, sans dilatation de la cavité. La fonction diastolique (relaxation du cœur) est altérée.

■ **La myocardiopathie restrictive** est une atteinte du myocarde dans laquelle le ventricule se remplit difficilement de sang en période de diastole.

CAUSES

Une myocardiopathie est d'origine infectieuse (virale), métabolique, toxique (alcool, etc.), auto-immune, due au vieillissement ou

à un déficit en vitamine B1 (béribéri) ; elle peut aussi être liée à une myopathie comme la myopathie de Duchenne ou la maladie de Steinert, à une affection congénitale, à une exposition aux rayons X, à une maladie générale comme le diabète, à une maladie de surcharge comme l'hémochromatose (surcharge en fer) ou l'amylose (surcharge en une protéine, la substance amyloïde) ou être de cause inconnue.

SYMPTÔMES ET SIGNES

Le sujet se sent fatigué, essoufflé, a quelquefois des douleurs thoraciques. Parfois, le cœur bat irrégulièrement ou son rythme s'accélère. Des œdèmes (gonflement des chevilles et des pieds) peuvent apparaître. Mais dans bien des cas, au début de l'affection, les symptômes sont absents ou restent discrets.

DIAGNOSTIC

Après l'examen clinique, le médecin complète son diagnostic par une radiographie du thorax (l'image obtenue montre souvent un cœur gros, élargi), une électrocardiographie (éventuellement avec un enregistrement sur 24 heures), qui révèle des anomalies telles que de grandes ondes électriques dues à l'hypertrophie du myocarde, et une échocardiographie, qui précise au mieux le type de myocardiopathie. Parfois, une coronarographie est effectuée, voire une biopsie du myocarde.

TRAITEMENT

Il existe différents traitements en fonction des types de myocardiopathie, de la sévérité de l'atteinte et de l'importance des symptômes. Le traitement peut faire appel à divers médicaments utilisés en cardiologie, voire à la cardioversion (choc électrique externe) ou au stimulateur cardiaque (pacemaker). Lorsqu'une cause est identifiée, elle doit impérativement être traitée. Des restrictions d'activité physique peuvent être recommandées. Dans certaines formes de myocardiopathie mal tolérées (essoufflement, douleurs, etc.) et responsables d'une insuffisance cardiaque sévère, une intervention chirurgicale telle qu'une transplantation cardiaque est souvent nécessaire.

PERSPECTIVES

Les recherches concernant les causes et les mécanismes responsables des myocardiopathies sont actuellement importantes et axées sur les enquêtes familiales et épidémiologiques, l'étude du métabolisme des cellules myocardiques et aussi celle du rôle éventuel des virus et des toxiques.

Myocardite

Inflammation du myocarde (muscle cardiaque).

Une myocardite se traduit par une inflammation des fibres musculaires et du tissu interstitiel, par une altération des myofibrilles et, dans certains cas, par le développement d'un tissu fibreux. C'est une des causes de mort subite chez les sujets jeunes au cours d'un effort violent.

CAUSES

Une myocardite peut être consécutive à différentes maladies telles que les maladies infectieuses bactériennes comme la diphté-rie, les affections dues à des streptocoques, la typhoïde, la psittacose (maladie transmise par des psittacidés comme les perroquets et les perruches), les infections à mycoplasmes, les rickettsioses (typhus), les borrélioses (maladie de Lyme). Les maladies virales sont souvent évoquées (grippe, oreillons, etc.), plus rarement démontrées, mais le virus du sida peut être responsable d'une myocardite. Chez l'enfant, les causes de l'affection sont le plus souvent virales. Plus rarement, le rhumatisme articulaire aigu, des médica-ments (myocardite toxique), la radiothérapie (myocardite radique) peuvent être à l'origine de l'inflammation du muscle du cœur.

SYMPTÔMES ET DIAGNOSTIC
L'inflammation donne parfois de la fièvre. Le rythme du cœur peut être irrégulier, avec extrasystoles (contractions prématurées). Le sujet peut aussi ressentir une gêne respira-toire et présenter des signes d'insuffisance cardiaque.

Le diagnostic est formellement établi grâce à la biopsie du myocarde.

ÉVOLUTION ET TRAITEMENT
Le plus souvent, l'évolution se fait d'elle-même vers la guérison, mais certaines formes peuvent être graves et laisser des séquelles. Le traitement est, avant tout, celui de l'affection en cause et repose sur l'admi-nistration de corticostéroïdes.

PRÉVENTION
Il est préférable, pour un sujet présentant des signes d'infection virale (rhume, mal de gorge, fièvre, etc.), d'éviter les efforts in-tenses et de limiter l'exercice physique pendant la période d'infection afin de prévenir tout risque de myocardite.

Myoclonie
Contraction musculaire brutale et involon-taire due à la décharge pathologique d'un groupe de cellules nerveuses.

Les myoclonies s'observent au cours de différentes maladies du système nerveux central, d'origine infectieuse, inflammatoire, toxique, chimique ou dégénérative. Le siège de l'anomalie est en général le cortex cérébral, parfois le bulbe rachidien ou la protubérance annulaire (à la base de l'encé-phale), plus rarement la moelle épinière. Les myoclonies provoquent de petits mouve-ments brusques et répétés des mains ou des pieds ; on les appelle souvent clonies quand elles atteignent un groupe de muscles et convulsions quand elles sont plus diffuses. Le traitement, outre celui de la maladie en cause, est fondé sur l'administration de médicaments antiépileptiques.

Myofibrille
Filament long et mince, élément constitutif du tissu musculaire.
→ voir Muscle.

Myoglobine
Protéine présente dans les cellules des muscles striés (muscles du squelette et myocarde), jouant un rôle essentiel dans le transport de l'oxygène vers ces muscles.

La myoglobine est formée d'un poly-peptide (longue chaîne d'acides aminés) et d'une molécule d'hème. Elle est libérée dans le sang et dans les urines en cas de lésion des cellules musculaires par traumatisme ou par infarctus (obstruction d'une artère). Son dosage est notamment employé dans le diagnostic précoce de l'infarctus du myocarde.

Myome utérin
→ voir Fibrome utérin.

Myomectomie
Ablation d'un ou de plusieurs myomes (improprement appelés fibromes utérins).

Une myomectomie n'est pratiquée que si le ou les fibromes entraînent des symp-tômes : douleurs pelviennes, métrorragies, ménorragies, augmentation du volume de l'abdomen, troubles urinaires ou digestifs, stérilité. La myomectomie préserve au maxi-mum l'intégrité des organes génitaux de la femme afin de permettre une éventuelle grossesse ultérieure. Elle peut s'effectuer suivant trois techniques.

■ **La myomectomie par voie abdominale** nécessite une incision abdominale et une anesthésie générale ou péridurale. Elle concerne les femmes ayant un fibrome interstitiel (localisé dans la paroi de l'utérus) ou sous-séreux (qui saille dans la cavité abdominale).

■ **La myomectomie par hystéroscopie** traite les fibromes accessibles par la cavité utérine (intracavitaire, sous-muqueux). Prati-quée par voie vaginale, sous contrôle direct, elle consiste à raboter le fibrome avec un résecteur électrique. L'anesthésie est générale ou locorégionale (anesthésie péridurale, ra-chianesthésie). L'hospitalisation peut ne du-rer qu'une journée.

■ **La myomectomie par cœlioscopie** est réservée aux fibromes interstitiels ou sous-séreux, de taille modérée. L'anesthésie est générale et l'hospitalisation ne dure souvent qu'une journée.

Les deux dernières techniques, aux indica-tions précises et limitées, sont plus récentes que la première et en cours d'évaluation.

Myopathie
Toute affection des fibres musculaires.

Myopathies débutant dans l'enfance
Les affections des fibres musculaires surve-nant dans l'enfance sont presque toutes dégénératives.

La variété la plus fréquente est la myopa-thie de Duchenne, qui est transmise par les femmes et n'atteint que les garçons, dès l'âge de 2 ans. D'autres, comme la myopathie de Becker, apparaissent plus tardivement.

SYMPTÔMES ET SIGNES
Les enfants atteints souffrent d'une diminu-tion du tonus musculaire souvent générali-sée mais prédominant aux racines des membres, au cou, au thorax et à l'abdomen. Le visage a un aspect caractéristique : absence de mimique, chute de la paupière supérieure, bouche ouverte en permanence,

lèvre supérieure en accent circonflexe. Les nouveau-nés présentent parfois des rétrac-tions musculaires des pieds et des mains, un torticolis congénital, des déformations des pieds et une luxation de la hanche. Après quelques années, une insuffisance respira-toire peut survenir.

DIAGNOSTIC
Ces anomalies doivent conduire à consulter un pédiatre spécialisé en neurologie, qui fera procéder à des examens complémentaires (dosage des enzymes musculaires, élec-tromyographie, biopsie musculaire, etc.), indispensables pour déterminer le type de maladie en cause.

TRAITEMENT
Actuellement, il n'existe pas de traitement curatif de ces maladies, mais une prise en charge des troubles qu'elles entraînent per-met d'améliorer le confort et l'espérance de vie du malade. La kinésithérapie, voire des interventions de chirurgie orthopédique per-mettent de corriger les rétractions et les déformations musculaires. Des séances de rééducation et une assistance respiratoire sont utiles. À un stade ultérieur d'évolution, une trachéotomie permet de pratiquer, la nuit, une assistance respiratoire. En outre, les enfants myopathes font régulièrement l'objet de courts séjours à l'hôpital afin de bénéficier d'une ventilation assistée, en particulier lorsqu'ils souffrent d'une insuffi-sance respiratoire.

Myopathies débutant à l'âge adulte
Les affections des fibres musculaires débu-tant à l'âge adulte peuvent être d'origine dégénérative ou métabolique, ou encore consécutives à une intoxication, à la prise d'un médicament ou à certaines maladies endocriniennes.

■ **Les myopathies dégénératives** compren-nent notamment la maladie de Steinert, de transmission autosomique - qui se transmet uniquement par les chromosomes non sexuels - dominante (il suffit que le gène en cause soit transmis par l'un des parents pour que le sujet développe la maladie), qui débute entre 20 et 30 ans. Celle-ci se traduit par une faiblesse progressive des muscles associée à une myotonie (décontraction musculaire anormalement lente) et à des manifestations extramusculaires : insuffi-sance génitale (atrophie testiculaire, impuis-sance), calvitie précoce, cataracte, troubles de la conduction cardiaque, etc.

■ **Les myopathies métaboliques** sont dues à une perturbation biochimique entravant le fonctionnement des muscles. Parmi elles, on distingue notamment :
- les paralysies périodiques, liées à des variations excessives du taux sanguin de potassium ; ces affections héréditaires se traduisent par des accès de paralysie des 4 membres ;
- les glycogénoses, liées à un déficit des enzymes qui dégradent le glycogène ; elles se traduisent par des crampes et, parfois, par une insuffisance musculaire à l'effort.

■ **Les myopathies secondaires** sont dues à une intoxication (alcool, héroïne, amphétamines), à la prise d'un médicament (corticostéroïdes, chloroquine, cimétidine) ou liées à une affection endocrinienne (maladie de Basedow ou de Cushing, hypothyroïdie). Elles se traduisent par une faiblesse progressive des muscles.

DIAGNOSTIC

Outre l'examen clinique et la réalisation d'un électromyogramme, le diagnostic repose sur différents examens complémentaires : dosage du taux de potassium sanguin pour les paralysies périodiques, biopsie musculaire pour les glycogénoses, etc.

TRAITEMENT

Le traitement des myopathies secondaires consiste à supprimer leur cause (arrêt d'un traitement par les corticostéroïdes, traitement de la maladie responsable, etc.). En revanche, il n'existe pas de traitement curatif des autres myopathies, dont on peut cependant tenter de corriger les symptômes (prise de quinine ou de procaïnamide pour traiter la myotonie d'une maladie de Steinert, par exemple).
→ VOIR Duchenne (myopathie de).

Myopie

Anomalie de la réfraction oculaire entraînant une mauvaise vue des objets éloignés sans toucher la vision de près.

La myopie résulte de la trop grande longueur du globe oculaire. L'image d'un objet éloigné se forme alors en avant de la rétine, entraînant une vision floue.

DIFFÉRENTS TYPES DE MYOPIE

▪ **La myopie simple** apparaît à la puberté. Elle est en général faible, – 4 ou – 5 dioptries, augmente pendant l'adolescence et se stabilise ensuite. Cette myopie n'a pas de conséquences sur l'œil lui-même.
▪ **La myopie forte** est souvent héréditaire ou due à une maladie de l'œil dans l'enfance. Elle apparaît vers 6 ou 7 ans et progresse rapidement, pouvant aller de – 6 à – 20 dioptries, et oblige à changer souvent les verres correcteurs. Elle s'accompagne de lésions dégénératives du fond d'œil (choroïde, sclérotique et rétine) avec un risque de décollement de la rétine.

DIAGNOSTIC ET TRAITEMENT

La myopie, détectée lors de tests visuels, se corrige par des verres correcteurs ou des lentilles de contact. Les verres correcteurs concaves font diverger les rayons lumineux avant leur pénétration dans le globe oculaire. Les lentilles de contact, en épousant parfaitement la forme de l'œil, assurent une meilleure qualité de vision lorsqu'elles sont bien supportées. La chirurgie ou le laser, pratiques récentes, ne sont pour l'instant indiqués que dans le cas de myopies moyennes. Le laser, par exemple, peut servir à raboter finement la cornée afin de la rendre plus plate.

SURVEILLANCE

Les personnes atteintes de forte myopie doivent se faire examiner régulièrement le fond d'œil afin de prévenir le risque de décollement de la rétine. Toute zone suspecte peut faire l'objet d'une photocoagulation préventive au laser argon.

Myoplastie

Intervention chirurgicale consistant à réparer un muscle ou à effectuer une réparation à l'aide d'un muscle.

La myoplastie consiste soit à reconstituer un muscle (un sphincter, par exemple : on parle alors de sphinctéroplastie) qui a été lésé au cours d'un traumatisme, soit à utiliser un lambeau musculaire pour renforcer une paroi (celle de l'abdomen en cas d'éventration, par exemple) ou pour compenser une fonction manquante (corriger une incontinence anale).

Myorelaxant

Médicament qui favorise la détente musculaire.

INDICATIONS

Les myorelaxants servent à traiter l'exagération du tonus musculaire (spasticité), qui apparaît lors des hémiplégies, des paraplégies et de la sclérose en plaques. Ils sont particulièrement utiles lorsque la spasticité est un obstacle important à la rééducation fonctionnelle.

Certains myorelaxants sont aussi prescrits dans le traitement d'appoint des contractures musculaires douloureuses au cours d'affections vertébrales telles que le torticolis, les douleurs du dos siégeant à la hauteur des vertèbres dorsales (dorsalgies) et des vertèbres lombaires (lombalgies), ou encore au cours d'affections consécutives à un traumatisme ou de menstruations douloureuses.

MODE D'ADMINISTRATION

Le dantrolène, le baclophène, le chlormézanone, l'idrocilamide, le thiocolchicoside, la méphénésine, le méthocarbamol, le tétrazépan et la chlorproéthazine sont administrés par voie orale ou injectable. Plusieurs de ces substances sont également commercialisées sous forme de pommade et conseillées alors pour des massages en rééducation fonctionnelle et dans le traitement local des contractures douloureuses.

EFFETS INDÉSIRABLES

Ils se limitent à une somnolence diurne (surtout à doses élevées) et à d'assez rares troubles neuropsychiques (hallucinations, euphorie, confusion mentale, dépression, obnubilation passagère, asthénie) et gastro-intestinaux (nausées, vomissements, diarrhée, maux d'estomac).

Myorraphie

Intervention chirurgicale consistant à suturer deux muscles l'un à l'autre.

Une myorraphie se pratique notamment dans le traitement du prolapsus génital (« descente d'organes ») chez la femme. Dans ce cas, la suture des muscles releveurs de l'anus (disposés horizontalement en bas du bassin) est réalisée de manière à confectionner une sorte de sangle en avant et en arrière du vagin, destinée à empêcher celui-ci de descendre.

Myosarcome

Tumeur maligne développée aux dépens du tissu musculaire.

On en distingue plusieurs types.
▪ **Le léiomyosarcome**, sarcome du tissu musculaire lisse, se développe chez l'adulte, notamment dans l'utérus, le tube digestif et la peau.
▪ **Le rhabdomyosarcome**, sarcome du tissu musculaire strié, peut prendre des formes très variées. Chez l'adulte, il se développe aux dépens des masses musculaires, le plus souvent celles du bras ou de la jambe. La tumeur grossit rapidement et essaime dans d'autres tissus.

Chez l'enfant et l'adulte jeune, le myosarcome prend l'aspect de bourgeons volumineux (sarcome dit embryonnaire) qui apparaissent dans la gorge, la vessie, la prostate, le vagin ou bien se localise aux membres et dans la région cervicale (sarcome dit alvéolaire).

TRAITEMENT

Il repose sur l'ablation chirurgicale, associée à la radiothérapie et à la chimiothérapie. Une extension à distance de la tumeur (métastases) et des récidives sont possibles. Le pronostic est réservé.

Myosis

Contraction de la pupille.

Un myosis peut être physiologique, quand le nerf parasympathique oculaire est excité par la lumière, ou pathologique, en cas de paralysie du nerf sympathique, notamment dans le syndrome de Claude Bernard-Horner, lié à une atteinte du plexus sympathique et caractérisé par un myosis, un ptôsis (chute de la paupière supérieure) et un enfoncement du globe oculaire dans l'orbite. Un myosis peut aussi résulter d'un traitement : la pilocarpine, qui, en collyre, est myotique, est utilisée dans le traitement de certains glaucomes.

Myosite

Inflammation du tissu musculaire strié.

Les myosites constituent un phénomène rare, du moins dans leurs expressions majeures. Elles ont des causes diverses : cancer (des bronches, du sein, etc.), connectivite (anomalie du collagène, substance disséminée dans le tissu), maladies auto-immunes (dérèglement du système immunitaire), parfois infection des muscles ou effet indésirable d'un médicament. En cas d'origine infectieuse, notamment au cours d'infections à germes anaérobies (gangrène gazeuse), elles peuvent aboutir à une nécrose du muscle ou à une destruction des fibres musculaires striées.

Une myosite entraîne des douleurs et une diminution de la force musculaire, une augmentation du taux sanguin des enzymes provenant des muscles (créatine kinase). L'électromyographie (enregistrement de l'activité électrique du muscle) et la biopsie du muscle sont caractéristiques.

DIFFÉRENTS TYPES DE MYOSITE

Il existe trois variétés de myosite.
▪ **Les polymyosites** touchent l'adulte et se caractérisent par un déficit musculaire prédominant à la racine des membres (difficulté à lever les bras, à se relever d'un siège, à monter les escaliers), symétrique et d'évolution assez rapide.

■ **Les dermatopolymyosites** atteignent les adultes et les enfants avec une prépondérance féminine ; elles associent à l'atteinte musculaire de la polymyosite des signes cutanés : paupières pourpres et gonflées, rougeur de la face, du décolleté, des articulations des membres.

■ **La myosite à inclusions** se distingue des deux autres par sa prépondérance chez les sujets âgés et chez les sujets masculins, et par l'extension du déficit musculaire aux extrémités des membres, une distribution asymétrique et une évolution chronique.

TRAITEMENT ET PRONOSTIC
Le traitement repose sur l'administration de corticostéroïdes, d'immunosuppresseurs et sur les plasmaphérèses (épuration plasmatique). Il permet de ralentir l'évolution de la maladie et d'allonger la durée des rémissions.

Myotique
Se dit d'une substance capable de provoquer un myosis (contraction de la pupille de l'œil).

Les médicaments aux propriétés myotiques (tels que l'acéclidine, la pilocarpine, etc.) sont utilisés sous forme de collyre à instiller dans l'œil ou les yeux malades.

INDICATIONS
Les substances myotiques sont utilisées par voie locale dans le traitement du glaucome chronique à angle large et dans celui du glaucome à angle étroit. Dans ce dernier cas, les instillations répétées d'un collyre myotique contribuent à diminuer la pression intraoculaire (en facilitant l'écoulement de l'humeur aqueuse).

EFFETS INDÉSIRABLES
Les médicaments myotiques peuvent provoquer une modification du champ visuel ou une augmentation de la sécrétion lacrymale. Parfois, on constate des maux de tête ou des clignements de paupières, mais ils sont rares et disparaissent assez rapidement.

Les médicaments à effet myotique interfèrent avec les substances à action paralysante (le curare, par exemple) et les anesthésiques. Il est donc nécessaire de prévenir l'anesthésiste et le chirurgien en cas d'intervention chirurgicale si l'on suit un traitement comprenant de tels médicaments.
→ VOIR Mydriatique.

Myotomie
Section ou incision chirurgicales d'un muscle.

La myotomie a de nombreuses indications. En cas de spasmes d'un muscle circulaire du tube digestif (achalasie de l'œsophage, spasme du pylore de l'enfant), l'incision perpendiculaire du muscle dans la zone concernée empêche le rétrécissement du diamètre du tube digestif et donc la gêne dans le passage des aliments ; lorsque cette opération est pratiquée dans le cardia (orifice supérieur de l'estomac), on parle de cardiomyotomie. Une telle incision permet aussi de favoriser la cicatrisation d'une fistule anale, lorsqu'elle est pratiquée sur le sphincter musculaire qui entoure le canal de l'anus, ou de corriger la rétraction d'un muscle des membres (due à un traumatisme, à une

paralysie) lorsque celle-ci gêne les mouvements. Une myotomie n'entraîne en général pas de séquelles. Cependant, elle peut être incomplète (c'est-à-dire corriger insuffisamment le trouble fonctionnel) ; en outre, une myotomie du sphincter de l'anus peut provoquer une incontinence anale.

Myotonie
Anomalie musculaire caractérisée par une décontraction anormalement lente.

La myotonie se caractérise par le fait que, après une contraction normale, le muscle ne parvient pas à se décontracter et à reprendre l'état de relâchement. Si on demande par exemple au patient de serrer fortement le poing, il ne peut pas le relâcher brusquement. La myotonie est favorisée par le froid. Elle constitue un signe observé dans un groupe de maladies appelées dystrophies musculaires (maladie de Steinert, ou myopathie atrophique avec myotonie ; maladie de Thomsen, ou myotonie congénitale). La quinine et la procaïnamide sont capables de réduire l'intensité de la myotonie. Leur intérêt est toutefois limité par leurs effets indésirables.

Myringite
→ VOIR Otite.

Myringoplastie
→ VOIR Tympanoplastie.

Mythomanie
Tendance systématique, plus ou moins volontaire, à la fabulation et au mensonge.

La mythomanie serait un signe d'immaturité cognitive et psychoaffective, le mythomane ayant du mal à distinguer le vécu de l'imaginaire. Cette tendance existe de façon normale et transitoire chez l'enfant. Chez l'adulte, elle peut être un symptôme d'hystérie ou de perversité.

Myxœdème
Infiltration cutanée entraînant un gonflement de la face et des membres et caractéristique de l'hypothyroïdie (diminution de l'activité de la glande thyroïde).

Le terme est souvent employé comme synonyme d'hypothyroïdie.

Le myxœdème est un œdème ferme et élastique, qu'il faut distinguer de l'œdème mou provenant des rétentions hydriques de l'insuffisance cardiaque, rénale ou hépatique. Le myxœdème survient parfois chez le nouveau-né, beaucoup plus fréquemment chez la femme de 30 à 50 ans.

Myxœdème congénital
Chez le nouveau-né, la cause de cette infiltration cutanée peut être une athyréose (absence de glande thyroïde) ou un bloc enzymatique thyroïdien (trouble de la synthèse des hormones thyroïdiennes, d'origine héréditaire). Toutefois, le myxœdème congénital a disparu dans les pays développés, qui pratiquent le dépistage systématique de l'hypothyroïdie à la naissance. Les signes de myxœdème congénital apparaissent en quel-

ques mois : la prise de poids est normale mais la croissance staturale est insuffisante. Une léthargie psychique et physique donne une impression d'enfant trop sage. La succion et la déglutition sont difficiles, le cri de l'enfant est rauque et sa respiration, bruyante. On constate ultérieurement un retard psychomoteur et une disproportion entre la tête, volumineuse, et les membres, courts. Le traitement repose sur l'administration, le plus tôt possible, d'hormone thyroïdienne. Le traitement, par voie orale, doit être poursuivi durant toute la vie. Pratiqué dès la naissance, il prévient l'apparition de tous les symptômes.

Myxœdème de l'adulte
Chez l'adulte, la cause de cette infiltration cutanée est un mécanisme auto-immun qui peut se déclencher à la suite d'une thyroïdite de Hashimoto, d'une maladie de Basedow, d'une ablation de la thyroïde, d'un traitement par iode radioactif ou, plus souvent, d'une carence en iode.

SYMPTÔMES ET SIGNES
Les symptômes, essentiellement un ralentissement intellectuel et physique, apparaissent lentement : les gestes et le débit de la parole sont ralentis, le cœur bat lentement, le visage paraît figé. La peau du visage et du cou est infiltrée, pâle, froide et sèche. Les cheveux et les sourcils tombent. Un myxœdème entraîne une prise de poids généralement modérée et une raucité de la voix. Le malade se plaint de frilosité, de constipation, de crampes musculaires et manifeste souvent une tendance dépressive.

DIAGNOSTIC ET ÉVOLUTION
Le diagnostic repose sur les dosages sanguins, qui mettent en évidence une diminution du taux de thyroxine (T_4) et de triiodothyronine (T_3) ainsi qu'une élévation de la thyréostimuline hypophysaire (TSH). En cas de maladie hypophysaire, la thyréostimuline est basse. En l'absence de traitement, il existe un risque grave d'évolution vers le coma myxœdémateux.

TRAITEMENT
Le traitement, qui doit être poursuivi à vie, consiste en l'administration quotidienne d'hormone thyroïdienne par voie orale.

Myxœdème circonscrit prétibial
Infiltration cutanée des membres inférieurs qui survient au cours de la maladie de Basedow, caractérisée par une augmentation de l'activité de la glande thyroïde, ou hyperthyroïdie.

Le myxœdème circonscrit prétibial doit être distingué du myxœdème de l'hypothyroïdie.

SYMPTÔMES ET DIAGNOSTIC
Un myxœdème circonscrit prétibial se manifeste par l'apparition sur la face externe des jambes de papules rosées, jaunâtres ou cireuses, qui forment un relief en peau d'orange non prurigineux. Les lésions s'étendent ensuite sur tout le tour des jambes et s'assemblent en nodules plus saillants, isolés, touchant les chevilles et le dos des orteils. Une infiltration donnant un œdème dur se localise sur la moitié inférieure de la jambe.

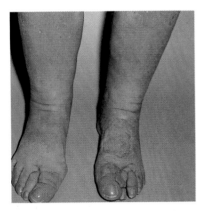

Myxœdème circonscrit prétibial. Des plaques rougeâtres, épaisses et dures apparaissent sur le devant des jambes.

Ces anomalies cutanées peuvent être accompagnées de différentes malformations des membres, constituant ainsi le syndrome de Diamond.

Le diagnostic repose sur un dosage sanguin, qui révèle une élévation importante du taux de l'hormone hypophysaire stimulant la thyroïde (LATS).

TRAITEMENT

Les corticostéroïdes locaux, appliqués en pansements occlusifs, peuvent donner certains résultats, mais le traitement se révèle souvent décevant. Quant au traitement suivi simultanément pour la maladie de Basedow, il est sans aucun effet sur l'évolution du myxœdème circonscrit prétibial.

Myxome

Tumeur bénigne de consistance molle, constituée de fibroblastes (cellules du tissu conjonctif) baignant dans du mucus.

Les myxomes sont souvent isolés et peuvent devenir très gros. Ils se développent, dans la plupart des cas, sous la peau, sur les membres ou le cou, notamment, et en arrière du tissu péritonéal. On les traite par ablation chirurgicale, mais ils ont tendance à récidiver au même endroit.

Myxome de l'oreillette

C'est une masse d'aspect gélatineux qui siège dans l'oreillette gauche du cœur et dont l'origine est généralement thrombotique (transformation d'un caillot sanguin persistant en myxome).

Un myxome de l'oreillette peut être à l'origine d'une insuffisance cardiaque et l'on doit procéder à son ablation chirurgicale. Son pronostic est bon.

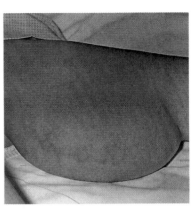

Myxome. Cette tumeur bénigne de la cuisse, de consistance molle, siège le plus souvent sous la peau. Elle peut devenir très volumineuse.

Myxovirus

Famille de virus comprenant les *Orthomyxoviridæ* (*Myxovirus influenzæ* A et B responsables de la grippe) et les *Paramyxoviridæ* (paramyxovirus, responsables d'infections respiratoires, de laryngites et des oreillons ; pneumovirus, responsables de bronchites et de pneumopathies ; morbillivirus, provoquant la rougeole).

N

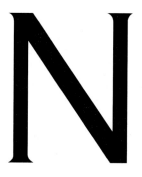

Naboth (œuf de)

Petit kyste du col de l'utérus. SYN. *kyste de Naboth.*

L'œuf de Naboth est issu d'une glande de la muqueuse utérine dont l'orifice excréteur est bouché. La glande, dilatée par sa propre sécrétion, qui ne peut s'écouler, est saillante à la surface de la partie externe du col. L'œuf de Naboth est souvent parcouru de vaisseaux et sa taille varie d'une tête d'épingle à un pois. Ce kyste n'entraîne pas de douleur et seul l'examen gynécologique permet de le voir. Sans aucune gravité, il ne nécessite aucun traitement.

Nævomatose basocellulaire

Maladie héréditaire associant des lésions de la peau, des os, du système nerveux, de l'œil et des glandes endocrines.

La nævomatose basocellulaire se transmet sur le mode autosomique (par les chromosomes non sexuels) dominant : il suffit que le gène porteur de la maladie soit reçu de l'un des parents pour que l'enfant développe la maladie. Les lésions cutanées apparaissent à la puberté, sous forme de nævi basocellulaires, petites taches en saillie de 1 à 10 millimètres de diamètre, rosées, localisées au visage et qui ne démangent pas. Il faut les surveiller de façon à pouvoir dépister précocement une éventuelle transformation cancéreuse (épithélioma basocellulaire). Les lésions osseuses sont le plus souvent des kystes du maxillaire inférieur, parfois des malformations des côtes, des vertèbres et des doigts. S'y associent des atteintes nerveuses (calcifications cérébrales, tumeurs), oculaires, des troubles génitaux endocriniens (fibromes de l'ovaire, hypogonadisme) et, parfois, un retard mental et des tumeurs.

TRAITEMENT

Il repose sur l'ablation des nævi par chirurgie, électrocoagulation ou laser au gaz carbonique, parfois sur l'administration, à titre préventif, de rétinoïdes. Une ablation chirurgicale des kystes du maxillaire inférieur peut être pratiquée.

Nævus

Petite tache cutanée.

Un nævus est dû à un défaut du développement d'une structure anatomique survenu pendant la vie embryonnaire. Il peut apparaître tardivement et, bien qu'au sens strict il n'en soit pas une, on l'assimile couramment à une tumeur bénigne.

Nævus mélanocytaire

Couramment appelé grain de beauté, le nævus mélanocytaire est une petite tache cutanée développée aux dépens des mélanocytes (cellules élaborant la mélanine, pigment de la peau). De taille variable (de quelques millimètres à quelques centimètres de diamètre), d'une couleur allant du chamois clair au brun-noir, il peut être plan ou en relief, lisse ou croûteux, éventuellement surmonté de poils. Les nævi mélanocytaires proviennent d'une migration, effectuée pendant la vie embryonnaire, des mélanocytes, qui quittent le système nerveux pour atteindre la jonction entre épiderme et derme. C'est la raison pour laquelle, jusqu'à la puberté, la plupart des nævi mélanocytaires sont dits jonctionnels. Chez l'adulte, la prolifération cellulaire devient purement dermique, ce qui est un signe de non-évolutivité.

Certains grains de beauté ont une couleur bleu verdâtre foncé, qui correspond à une localisation profonde dans le derme ; ce sont le nævus bleu, le nævus d'Ota et le nævus d'Ito. L'apparition d'une dépigmentation autour d'un grain de beauté (nævus de Sutton) est un signe habituel de bénignité correspondant à une réaction immunologique du patient. Seuls les nævi risquant de se transformer en mélanome malin (nævus congénital d'un diamètre supérieur à 2 centimètres, nævus très noir, en dôme, situé sur une zone de frottement, comme la paume des mains, la plante des pieds, etc.), ceux qui ont grossi et démangent le patient ou ceux qui ont saigné doivent être enlevés chirurgicalement (ablation, puis suture, ou électrodissection au bistouri électrique) ou au laser au gaz carbonique ; ils doivent ensuite faire l'objet d'un examen histologique précisant leur caractère bénin ou malin.

Nævus non mélanocytaire

Il se développe aux dépens d'éléments cellulaires de la peau autres que les mélanocytes. Il en existe de multiples variétés, dont

---

NÆVUS

La plupart des nævi sont bénins. Cependant, un nævus qui saigne, change de forme ou de couleur nécessite une consultation médicale afin d'exclure la possibilité d'un cancer.

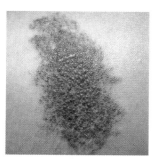

Les contours irréguliers de ce nævus peuvent faire craindre un cancer.

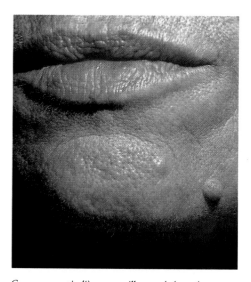

Ce nævus, particulièrement saillant et de la couleur exacte de la peau, ressemble à une verrue.

Ce nævus verruqueux, pigmenté, est dû à une accumulation de mélanocytes.

les principales sont le nævus anémique, le nævus de Becker, les nævi conjonctif, épidermique et sébacé.

■ **Le nævus anémique**, bénin, affecte surtout les femmes. Il se présente sous la forme d'une petite tache de peau dépigmentée, aux limites nettes, souvent irrégulières, parfois parsemée de petites dilatations des vaisseaux en périphérie, siégeant sur le visage, la poitrine et les membres. Il est inutile de l'enlever.

■ **Le nævus de Becker** affecte le plus souvent l'homme jeune, entre 10 et 30 ans. Il apparaît après une exposition solaire sous la forme de taches planes, de couleur chamois, fréquemment recouvertes de poils souvent abondants, siégeant surtout sur les épaules et à la poitrine. Aucun traitement n'est nécessaire.

■ **Le nævus conjonctif**, caractérisé par des anomalies du tissu collagène ou élastique, se traduit par des lésions très variées : petites papules jaunâtres siégeant sur le sternum (nævus élastique prémammaire) ; petites papules blanches ou rosées sur les cuisses et l'abdomen (nævus élastique) ; plaque jaunâtre, recouverte de poils et de comédons sur l'arête du nez (élastome en nappe du nez). La constatation d'une de ces variétés de nævus conjonctif doit faire rechercher des anomalies osseuses par des radiographies systématiques. Le nævus, en revanche, ne nécessite aucun traitement particulier.

■ **Le nævus épidermique** peut prendre 3 aspects : plaques de peau épaissie, de couleur grisâtre ou brunâtre (nævus verruqueux linéaire) ; plaques de peau épaissie, rouges et très prurigineuses, fréquentes chez la femme (nævus épidermique verruqueux inflammatoire linéaire) ; plaques de peau épaissie, brunâtres, légèrement saillantes. Des anomalies osseuses, oculaires, rénales ou nerveuses peuvent s'associer à ces nævi. Le traitement des nævi épidermiques est difficile : qu'il repose sur leur ablation, chirurgicale ou au laser au gaz carbonique, ou sur l'administration de rétinoïdes, les récidives sont fréquentes.

■ **Le nævus sébacé** affecte surtout le nourrisson et le jeune enfant. Il forme sur le crâne une plaque dépourvue de cheveux, bien délimitée, de couleur jaunâtre, à la surface mamelonnée et parsemée de petits orifices dilatés, remplis de kératine, s'épaississant progressivement au cours de la croissance. Chez l'adulte, des complications peuvent survenir sous forme de nodules saillants correspondant à des tumeurs bénignes ou malignes (épithélioma basocellulaire en particulier), auxquelles peuvent s'associer des malformations neurologiques, osseuses et oculaires. L'ablation chirurgicale de ce type de nævus est donc fortement souhaitable dès l'adolescence.

Naissance

« Expulsion ou extraction complète du corps de la mère, indépendamment de la durée de gestation, d'un produit de conception qui, après cette séparation, respire ou manifeste tout autre signe de vie tel que le battement du cœur, la pulsation du cordon ombilical ou la contraction effective d'un muscle soumis à l'action de la volonté, que le cordon ombilical ait été coupé ou non et que le placenta soit ou non demeuré attaché », selon la définition donnée par l'Organisation mondiale de la santé.

Cette définition ne pose aucune condition concernant le poids ou la durée de la gestation (niveau de prématurité).

Toute naissance doit faire l'objet d'une déclaration au service de l'état civil du pays.
→ VOIR **Accouchement, Viabilité.**

Naloxone

Antidote des opiacés (substances dérivées de l'opium).

La naloxone est un médicament qui se fixe sur les cellules nerveuses du cerveau, plus précisément sur les récepteurs d'opiacés, empêchant ces derniers d'agir. Elle est indiquée en cas de dépendance ou d'intoxication due aux opiacés, qu'il s'agisse de surdosage d'un médicament à structure morphinique ou d'une drogue. Son administration se fait sous forme d'injections. Les effets indésirables sont peu fréquents et se traduisent par des vomissements, un état de manque par sevrage trop brutal des opiacés et une hypertension artérielle.

Nanisme

Petitesse anormale de la taille par rapport à la taille moyenne des individus de même âge et de même sexe.

Plus précisément, on parle de nanisme lorsque la taille d'un individu est inférieure de trois écarts-types, ou déviations standards, sur la courbe de croissance normale établie en fonction de l'âge et du sexe. En effet, des tables de croissance, élaborées à partir de grandes populations d'enfants, donnent, pour chaque âge et chaque sexe, une taille moyenne et la valeur d'un écart-type.

CAUSES

Les causes de nanisme sont multiples, la taille étant déterminée par de nombreux facteurs génétiques, hormonaux et environnementaux. Toutefois, la plupart des enfants qui sont amenés en consultation pour petite taille ne relèvent pas de la pathologie : il s'agit d'une petite taille constitutionnelle ou génétique, avec courbe de croissance régulière, ou d'un retard de croissance lié à une puberté tardive ; la taille définitive, bien que parfois petite, sera normale.

Il faut distinguer les nanismes dont les causes sont anténatales et ceux qui débutent (ou se révèlent) après la naissance. Parmi les premiers, on trouve le retard de croissance intra-utérin, les anomalies osseuses constitutionnelles, dont la plus fréquente est l'achondroplasie (maladie génétique touchant le squelette), certaines anomalies chromosomiques conduisant à diverses malformations (trisomie 21, syndrome de Turner). Ces différentes maladies peuvent être dépistées avant la naissance par échographie ou par amniocentèse. Les nanismes à début postnatal comprennent des anomalies endocri-niennes : hypothyroïdie (absence ou déficience de la glande thyroïde), systématiquement recherchée à la naissance car devant bénéficier sans délai d'un traitement substitutif, insuffisance en hormone de croissance ou, plus rarement, hypercorticisme (sécrétion excessive d'une ou de plusieurs hormones corticosurrénales, due essentiellement à la maladie de Cushing). Certaines maladies métaboliques ou viscérales (maladie cœliaque, caractérisée par une malabsorption digestive, maladies rénales, hépatiques, neurologiques ou cardiorespiratoires) sont parfois responsables de nanisme. La malnutrition et la carence affective peuvent également être à l'origine d'un nanisme (nanisme psychosocial). Enfin, dans certains cas, aucune cause n'est mise en évidence (nanisme dit « essentiel »).

DIAGNOSTIC

Le diagnostic de nanisme repose d'abord sur des éléments cliniques simples : l'histoire médicale de l'enfant depuis la grossesse, sa courbe de croissance staturale, compte tenu de la taille des parents, l'existence éventuelle d'une dysmorphie (difformité), la maturation osseuse (radiographie des os du poignet). L'étude de ces différents paramètres, éventuellement complétée par certains examens biologiques, permet de retrouver la cause du nanisme et, le cas échéant, de mettre en place un traitement.

TRAITEMENT

Les insuffisances hormonales sont compensées par des traitements substitutifs : l'hypothyroïdie est compensée par l'administration orale d'hormone thyroïdienne à vie ; l'insuffisance de sécrétion d'hormone de croissance, par l'injection quotidienne de cette hormone, obtenue actuellement par génie génétique, dès le diagnostic établi et jusqu'à l'achèvement de la puberté. Quand un traitement de la cause du nanisme est possible, il est appliqué (maladie cœliaque, malnutrition, maladie de Cushing). Des essais thérapeutiques utilisant l'hormone de croissance sont en cours dans certains cas. Mais ils sont récents et le recul est insuffisant pour qu'on puisse savoir quelle sera la taille définitive de l'enfant.
→ VOIR **Achondroplasie, Croissance de l'enfant.**

Narcissisme

Amour excessif porté à l'image de soi.

Le terme de narcissisme est d'abord introduit par le médecin anglais Havelock Ellis (1859-1939), qui le rattache à l'égoïsme affectif des comportements pervers. Puis il est repris par Sigmund Freud pour expliquer certains mécanismes psychiques. Freud distingue deux types de narcissisme. Le narcissisme primaire, étape normale du développement de la personnalité, résulte de l'intériorisation de l'amour maternel et permet à l'enfant de s'aimer suffisamment lui-même pour investir à son tour le monde extérieur. Le narcissisme secondaire s'observe dans certaines psychoses, principalement la schizophrénie. Le sujet devient alors l'objet de sa propre libido.

Narcoanalyse

Méthode d'investigation du psychisme au cours de laquelle le sujet est mis dans un état de demi-sommeil.

La narcoanalyse s'emploie surtout dans les états névrotico-anxieux consécutifs à un traumatisme et dans les troubles psychosomatiques. Cette méthode consiste à injecter au sujet un hypnotique par voie intraveineuse afin de faciliter l'expression de ses souvenirs et de ses productions inconscientes pour les analyser ensuite avec le thérapeute. La verbalisation d'émotions longtemps réprimées peut ainsi soulager le conflit dont souffre l'individu et lui permettre de modifier son comportement.

Narcolepsie

Trouble pathologique caractérisé par un besoin subit de sommeil dans la journée.

La narcolepsie correspond à une entrée directe dans le sommeil dit paradoxal (pendant lequel se produisent les rêves, avec mouvements des yeux et des membres) sans passer par le sommeil dit lent. L'endormissement survient sans raison précise, sans fatigue particulière, plusieurs fois par jour ; pendant l'accès, on arrive facilement à réveiller le sujet. Cette phase peut durer de quelques secondes à plus d'une heure. Stimulants, antidépresseurs et siestes régulières sont à la base du traitement.
→ voir Gélineau (syndrome de), Sommeil (trouble du).

Narcotique

Substance chimique, médicamenteuse ou non, caractérisée par ses effets sur le système nerveux. SYN. *stupéfiant*.

Les narcotiques provoquent un assoupissement, un relâchement des muscles et une diminution de la sensibilité pouvant aller jusqu'à l'anesthésie. Parmi les narcotiques qui sont des médicaments, on trouve essentiellement les analgésiques (contre la douleur) centraux à base de morphine ou de ses dérivés, certains hypnotiques (favorisant le sommeil) et certains anxiolytiques (qui apaisent l'anxiété). Il est conseillé de ne pas conduire et de ne pas boire d'alcool lorsqu'on prend des médicaments de ce type. Les narcotiques, médicamenteux ou non, sont soumis à la législation sur les stupéfiants, car ils sont susceptibles d'entraîner une pharmacodépendance (toxicomanie).

Nasillement

Modification de la voix due à une suppression de la perméabilité nasale. SYN. *rhinolalie fermée*.

CAUSES

Le nasillement s'observe quand les fosses nasales sont obstruées. Cette obstruction est consécutive à une inflammation ou à une tumeur. Plus l'obstacle est situé en arrière, plus le nasillement est important.

SYMPTÔMES ET SIGNES

Le sujet ne peut plus prononcer correctement les sons nasaux (m, n, gn, an, in, on). Paradoxalement, dans le langage courant, on dit à tort que la personne « parle du nez ».

TRAITEMENT

Il est celui de la cause : prise de médicaments anti-inflammatoires ou ablation chirurgicale de la tumeur.

Nasonnement

Modification de la voix due à une exagération de la perméabilité nasale. SYN. *rhinolalie ouverte*.

CAUSES

Le nasonnement s'observe essentiellement lors des paralysies du voile du palais, consécutives à des affections neurologiques (accident vasculaire cérébral), à des traumatismes (perforation de la voûte ou du voile du palais) ou à des tumeurs de la tête et du cou.

SYMPTÔMES ET SIGNES

Le palais ne remontant plus vers les fosses nasales, le sujet ne prononce plus correctement les sons occlusifs (b, p, d, t, g, k).

TRAITEMENT

Il est celui de la cause.

Nasopharynx

→ voir Cavum.

Natalité

Rapport entre le nombre d'enfants nés vivants et l'effectif de la population dans un lieu donné et pendant une période déterminée.

Le taux de natalité est généralement calculé sur une période de un an et pour une population de 1 000 habitants. Il n'a cessé de baisser à partir des années 1960 dans la plupart des pays industrialisés, notamment en Europe et en Amérique du Nord. Il est actuellement de l'ordre de 13 pour 1 000 en France et au Canada, de 12 pour 1 000 en Belgique et en Suisse, alors qu'il dépasse 50 pour 1 000 dans les pays à fort taux de natalité comme le Malawi, le Mali, le Niger ou la Côte d'Ivoire. Parallèlement, l'indice de fécondité (nombre d'enfants par femme) a également diminué, de sorte que, dans un certain nombre de pays, le remplacement des générations, qui correspond à 2,1, n'est plus assuré. Ainsi, cet indice est de 1,8 pour la France, de 1,7 pour le Canada et de 1,6 pour la Belgique et la Suisse.

Natrémie

Taux de sodium dans le plasma sanguin.

La natrémie reflète l'état d'hydratation globale d'un sujet : hydratation extracellulaire (plasmatique essentiellement) et intracellulaire. Contrôlée et régulée par différentes hormones (hormone antidiurétique, aldostérone), elle est normalement d'environ 140 millimoles par litre. Le dosage de la natrémie est un examen courant qui fait partie du ionogramme plasmatique (dosage des principaux ions du plasma). Une hyponatrémie reflète une hyperhydratation intracellulaire ou globale, tandis qu'une hypernatrémie reflète une déshydratation globale.

Naturopathie

Ensemble de pratiques visant à aider l'organisme à guérir de lui-même par des moyens exclusivement naturels.

La naturopathie repose sur une théorie selon laquelle la force vitale de l'organisme permet à celui-ci de se défendre et de guérir spontanément. Elle consiste donc à renforcer les réactions de défense de l'organisme par diverses mesures d'hygiène (diététique, jeûne, musculation, relaxation, massages, thermalisme, thalassothérapie, etc.), aidées par les seuls agents naturels (plantes, eaux, soleil, air pur, etc.), un traitement médical ne devant intervenir qu'en cas d'urgence. Un naturopathe peut ainsi recommander à un patient de consommer plus de salades et de fruits frais, moins de café et de thé ; il arrive même qu'il le fasse jeûner pendant quelques jours, avec interdiction d'absorber autre chose que de l'eau ou des jus de fruits, afin de mettre au repos son appareil digestif.

Nausée

Envie de vomir.

Une nausée précède souvent un vomissement. Survenant isolément, elle peut révéler une maladie organique du tube digestif (rétrécissement du pylore ou de l'intestin) ou du système nerveux central (hypertension intracrânienne). Elle peut également se produire dans des circonstances non pathologiques : au début d'une grossesse, en raison des modifications hormonales, ou pendant un voyage (en avion, sur mer...) en raison des mouvements des liquides de l'oreille interne. Mais lorsque la nausée se prolonge sans qu'apparaissent d'autres signes organiques, il s'agit d'un symptôme d'ordre psychologique qui traduit une sensation de dégoût, de rejet. La nausée peut être combattue assez efficacement par la prise de médicaments antiémétiques, mais il faut surtout traiter sa cause.

Néarthrose

Nouvelle articulation se formant à côté d'une articulation naturelle.

La néarthrose ne doit pas être confondue avec la pseudarthrose (constitution d'une fausse articulation entre les fragments osseux d'une fracture mal consolidée). Cette nouvelle articulation se développe à la suite d'une luxation qui n'a pas été réduite, qu'il s'agisse d'une luxation congénitale (luxation congénitale de la hanche, par exemple) ou traumatique.

Nébulisation

Administration d'un médicament liquide par pulvérisations nasales ou buccales.

Les nébulisations sont indiquées au cours de certaines maladies respiratoires chroniques : asthme, mucoviscidose, bronchectasie (dilatation des bronches). Les médicaments (antibiotiques, par exemple) sont alors administrés à l'aide d'un appareil, appelé nébulisateur, soit pneumatique, soit à ultrasons. Les nébulisateurs fonctionnent sur le même principe que les aérosols mais, à la différence de ceux-ci, ils pulvérisent le produit (nébulisat) par l'intermédiaire d'un masque que le sujet s'applique sur le visage. Volumineux, ils peuvent se louer en pharmacie. Pendant la nébulisation, la respiration du patient

NÉCROSE

Une nécrose peut être due à une infection ou à un arrêt local de la circulation sanguine (infarctus). Au contraire des tissus osseux ou cutanés, qui se régénèrent rapidement, ceux des organes vitaux nécrosés cessent d'être fonctionnels.

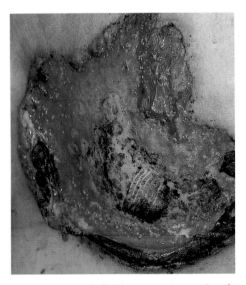

Cette nécrose cutanée d'origine gangreneuse met à nu les tissus sous-jacents, qui sont tuméfiés et purulents.

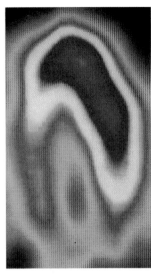

Cette scintigraphie du myocarde montre une nécrose (en bleu-vert).

doit être ample afin que la plus grande quantité possible de produit puisse se déposer sur ses voies respiratoires.

Nécrobiose

Gangrène d'un tissu ou d'un organe provoquée par un arrêt de l'irrigation sanguine, sans infection associée.

Une nécrobiose entraîne un changement d'aspect de l'organe atteint, qui se « momifie » mais peut être longtemps conservé. Les fibromes utérins mal vascularisés peuvent être le siège d'une nécrobiose, totale ou partielle, qui en diminue le volume.

Nécrobiose lipoïdique

Maladie cutanée caractérisée par l'apparition de plaques sur les jambes. SYN. *maladie d'Oppenheim-Urbach.*

Rare, la nécrobiose lipoïdique s'observe surtout chez les malades atteints de diabète. Les plaques sont ovales, constituées d'une zone centrale – où la peau est fine, sans souplesse, blanchâtre ou jaunâtre, parcourue de petits vaisseaux – et d'une zone périphérique surélevée ; elles apparaissent à la face interne des jambes. Dans certains cas, les lésions sont ulcérées ou s'étendent au dos du pied, à la cheville ou aux membres supérieurs. L'évolution de la nécrobiose lipoïdique est chronique ; son traitement, à base de corticostéroïdes locaux, est peu efficace. Certaines formes localisées ou ulcérées sont traitées par ablation chirurgicale suivie de greffe, mais les récidives sont toujours possibles.

Nécrolyse épidermique aiguë

→ VOIR Lyell (syndrome de).

Nécropsie

→ VOIR Autopsie.

Nécrose

Mort d'une cellule ou d'un tissu organique.

Une nécrose se traduit par des altérations du noyau et du cytoplasme de la cellule, suivies, éventuellement, par des modifications des éléments extracellulaires (fibres collagènes, vaisseaux sanguins). Dans la plupart des organes vitaux (cœur, cerveau), un tissu nécrosé cesse d'être fonctionnel et n'est pas remplacé ; en revanche, le tissu osseux et la peau peuvent se régénérer.

DIFFÉRENTS TYPES DE NÉCROSE

On distingue différentes causes de nécrose.
■ **La nécrose ischémique,** dite de coagulation, caractérisée par un arrêt de la circulation sanguine, s'observe lors des infarctus et des brûlures. Elle se traduit par une coagulation du cytoplasme, par une disparition du noyau et par la persistance de cellules réduites à des silhouettes.
■ **La nécrose caséeuse,** caractéristique de la tuberculose, forme une matière grumeleuse, blanche ou grisâtre, homogène à l'examen microscopique.
■ **La nécrose de liquéfaction,** habituelle dans les infections, se traduit par la formation de pus, mélange de débris cellulaires et de polynucléaires (globules blancs) altérés.
■ **La nécrose fibrinoïde** est visible dans les parois des vaisseaux au cours de maladies comme le lupus érythémateux disséminé et la périartérite noueuse. Le tissu nécrosé est composé de fibrine, d'immunoglobulines et de complexes antigènes-anticorps.

Nécrose osseuse aseptique

→ VOIR Ostéonécrose.

Négatoscope

Écran en verre dépoli éclairé par derrière, de manière homogène, par une source lumineuse à éclairage variable.

Un négatoscope se fixe en général verticalement sur un mur. De dimensions variables (jusqu'à un panneau entier), il sert à afficher et à examiner par transparence les clichés radiographiques.

Neisseria gonorrhœæ

Diplocoque (bactérie formée de deux éléments sphériques groupés en grain de café) à Gram négatif, responsable de la gonococcie. SYN. *gonocoque.*

Neisseria gonorrhœæ est un germe pathogène spécifique de l'homme, sexuellement transmissible, ne se développant que dans une atmosphère enrichie en dioxyde de carbone (gaz carbonique). Actuellement, de nombreuses souches sont résistantes à la pénicilline G et doivent être éliminées par d'autres antibiotiques.

Neisseria meningitidis

Diplocoque (bactérie formée de deux éléments sphériques groupés en grain de café) à Gram négatif responsable de la méningite cérébrospinale et de méningococcémies. SYN. *méningocoque.*

Neisseria meningitidis est un germe pathogène spécifique de l'homme, transmis par voie aérienne par l'intermédiaire de porteurs sains (porteurs de la bactérie ne développant pas la maladie) ; la rate joue un rôle dans son élimination. Ce germe peut être responsable d'infections sporadiques (France) ou d'épidémies meurtrières (Brésil, Afrique). Il existe plusieurs variétés de méningocoques, les plus fréquemment isolés étant les sérotypes A, B et C. Il n'existe de vaccin que contre les méningocoques A et C.

Nelson (test de)

Réaction de laboratoire visant à mettre en évidence, dans le sang des patients suspects de syphilis, la présence d'anticorps spécifiques du tréponème pâle. SYN. *test d'immobilisation des tréponèmes (T.I.T.).* En anglais, *Treponema Pallidum Immobilization (TPI).*

Le test de Nelson est le test sérologique de référence de la syphilis. Il utilise des tréponèmes vivants cultivés chez l'animal de laboratoire. Du fait de sa réalisation délicate, il est effectué par des laboratoires spécialisés et n'est prescrit que dans les rares cas où l'interprétation des autres tests (*Venereal Disease Research Laboratory,* ou VDRL, et *Treponema Pallidum Hœmagglutination Assay,* ou TPHA) est difficile.

Néomortalité

Mortalité des nouveau-nés.

La néomortalité recouvre les périodes périnatale et néonatale, la première étant incluse dans la seconde.

■ **La mortalité périnatale** concerne les enfants nés au terme de 28 semaines d'aménorrhée (absence de règles) au moins et n'ayant pas dépassé 8 jours de vie. Cette mortalité précoce résulte généralement d'une maladie grave à la naissance et/ou d'une inadaptation à la vie extra-utérine (malformation, manque d'oxygène pendant la grossesse ou l'accouchement, etc.).

■ **La mortalité néonatale** proprement dite concerne les enfants nés au terme de 28 semaines d'aménorrhée au moins et décédés entre leur 1er jour et leur 28e jour de vie. La mortalité néonatale a pour cause soit des malformations incompatibles avec une survie prolongée, soit une prématurité extrême, soit des infections acquises.

La néomortalité a été réduite dans les pays industrialisés grâce à la qualité de la surveillance de la femme et du fœtus durant la grossesse et grâce au perfectionnement des soins donnés aux nouveau-nés en maternité et dans les unités spécialisées (réanimation néonatale) pour ceux qui sont en état de détresse vitale.

Néonatalogie

Spécialité médicale qui a pour objet l'étude du fœtus et du nouveau-né avant, pendant et après la naissance, jusqu'au 28e jour de vie.

La néonatalogie s'intéresse aussi bien à l'enfant normal qu'à celui atteint de maladies plus ou moins sévères (malformations, anomalies du développement dues à la prématurité ou à d'autres causes). Les nouveau-nés atteints de telles maladies requièrent une prise en charge hospitalière dans des unités spécialisées, une surveillance continue et, pour un faible pourcentage, des soins intensifs de réanimation.

Néoplasie

1. Tissu nouvellement formé d'une tumeur bénigne ou maligne.
2. Tumeur maligne, cancer. SYN. *néoplasme*.

Néoplasie endocrinienne multiple

Maladie héréditaire caractérisée par un fonctionnement anormalement important de plusieurs glandes endocrines touchées par une hyperplasie (augmentation du tissu glandulaire), un adénome ou un carcinome (tumeurs respectivement bénigne et maligne).

Les néoplasies endocriniennes multiples (N.E.M.) sont transmises sur le mode autosomique (par les chromosomes non sexuels) dominant : il suffit que le gène de la maladie soit reçu de l'un des parents pour que l'enfant développe la maladie.

DIFFÉRENTS TYPES
DE NÉOPLASIE ENDOCRINIENNE MULTIPLE

Ces maladies sont classées en trois types : I, IIa et IIb.

■ **La néoplasie endocrinienne multiple de type I, ou syndrome de Werner**, est caractérisée par l'association d'atteintes parathyroïdienne, pancréatique, hypophysaire et surrénalienne. L'augmentation de l'activité des glandes parathyroïdes y est très fréquente (85 % des cas) et entraîne une hypercalcémie. L'atteinte du pancréas est responsable de l'hypersécrétion d'une hormone de l'estomac, la gastrine, qui provoque des ulcères récidivants (syndrome de Zollinger-Ellison), et/ou de celle d'une hormone pancréatique, l'insuline (insulinome), à l'origine d'hypoglycémie. Les lésions pancréatiques sont souvent multiples et peuvent

évoluer vers la malignité. L'atteinte anté-hypophysaire, présente dans 50 à 60 % des cas, se traduit par un adénome sécrétant l'hormone de croissance (responsable d'une acromégalie) et la prolactine (entraînant une aménorrhée et une galactorrhée) ou par un adénome non sécrétant. Enfin, l'atteinte surrénalienne est plus rare (30 % des cas) et le plus souvent sans symptômes car non sécrétante.

■ **La néoplasie endocrinienne multiple de type IIa, ou syndrome de Sipple**, associe un carcinome médullaire (tumeur maligne) de la thyroïde, qui se traduit par un nodule de la thyroïde et des ganglions du cou, à un phéochromocytome (tumeur d'une ou des deux glandes médullosurrénales, généralement bénigne) donnant des accès d'hypertension artérielle sévère avec malaises, sueurs, palpitations et maux de tête et, dans 30 % des cas, à une augmentation de l'activité des glandes parathyroïdes entraînant une hypercalcémie.

■ **La néoplasie endocrinienne multiple de type IIb, ou de type III**, se caractérise par les mêmes symptômes que celle de type IIa, mais sans augmentation de l'activité des glandes parathyroïdes et avec, beaucoup plus rarement, des lésions cutanées et muqueuses, accompagnées d'anomalies morphologiques : lèvres épaisses et négroïdes, aspect longiligne.

DIAGNOSTIC ET TRAITEMENT

Le diagnostic de néoplasie endocrinienne multiple repose sur la reconnaissance du caractère familial de la maladie et sur des tests biologiques mettant en évidence les différentes anomalies endocriniennes. Il n'existe pas de traitement spécifique de ces affections ; seul le traitement successif de chacune des lésions peut être effectué, en commençant toujours par l'ablation chirurgicale du phéochromocytome, le plus grave des symptômes, dans la néoplasie endocrinienne multiple de type IIa ou IIb.

Néovaisseau

Dérivation vasculaire qui se forme spontanément en cas d'occlusion d'une artère.

Un néovaisseau est un vaisseau qui se crée entre une artère saine et la partie de l'artère malade sous-jacente à l'occlusion. Le plus souvent, c'est un lacis de fines artérioles qui se constitue. Celles-ci permettent de fournir à l'artère occluse la quantité de sang nécessaire à l'alimentation en oxygène des tissus qui en dépendent.

Ce type de communication, appelé anastomose, se met en place de façon très rapide.

Néphélémétrie

Technique de laboratoire permettant de doser des substances ou de compter des microbes dans une suspension (liquide dans lequel des particules insolubles sont dispersées).

La néphélémétrie permet notamment d'évaluer la concentration d'une protéine spécifique (albumine, immunoglobuline, transferrine, etc.), précipitée par l'anticorps correspondant du sang, ou le nombre de

bactéries dans un prélèvement. Elle consiste à faire traverser la suspension par un rayonnement laser et à recueillir avec une cellule photoélectrique le rayonnement diffusé, dont l'intensité est proportionnelle à la concentration.

Néphrectomie

Ablation chirurgicale totale ou partielle d'un rein ou des deux reins.

Le rein est composé de trois éléments principaux : les vaisseaux sanguins, qui transportent le sang vers le parenchyme (tissu fonctionnel) du rein, le parenchyme rénal, qui élabore l'urine, et les voies excrétrices, qui permettent son écoulement vers la vessie. Tous trois sont contenus dans une coque fibreuse, la capsule du rein, elle-même entourée d'une membrane graisseuse, la loge rénale.

DIFFÉRENTS TYPES DE NÉPHRECTOMIE

■ **La néphrectomie bilatérale, ou binéphrectomie**, n'est pratiquée qu'exceptionnellement, lorsque les deux reins sont détruits et peuvent être source de complications ou en cas de tumeur maligne, lorsqu'il n'est pas possible de conserver du parenchyme sain.

■ **La néphrectomie élargie** est l'ablation d'un rein, des ganglions lymphatiques qui le drainent et de la loge rénale. Elle est pratiquée, en cas de cancer du rein, pour arrêter la progression cancéreuse et éviter ainsi la survenue de métastases.

■ **La néphrectomie partielle** est l'ablation d'une partie du parenchyme rénal et de la voie excrétrice (calices) correspondante. Cette intervention est indiquée en cas de tumeur du rein (lorsque celle-ci est bénigne, de petite taille, etc.) ou d'infection rénale localisée (due à des calculs, à une tuberculose). La néphrectomie partielle peut entraîner des complications postopératoires (hémorragie locale, fistule urinaire).

■ **La néphrectomie pour prélèvement aux fins de greffe rénale** consiste à retirer les deux reins, les vaisseaux associés et les uretères. Cette intervention est pratiquée sur des patients en état de mort cérébrale irréversible. Chaque rein peut ensuite être transplanté chez un receveur compatible atteint d'une insuffisance rénale chronique traitée par dialyse. Le prélèvement rénal peut être aussi réalisé chez un donneur vivant, consentant et apparenté au receveur. Dans ce cas, après s'être assuré du bon fonctionnement des deux reins du donneur, un seul est prélevé pour la greffe.

■ **La néphrectomie totale simple** est l'ablation totale du rein, de la capsule fibreuse qui l'entoure et de la partie haute de l'uretère, en respectant la loge rénale. Elle se pratique sur un rein détruit (par une pyélonéphrite, par exemple) ou fonctionnellement inutile.

■ **La néphro-urétérectomie totale** est l'ablation totale du rein et de l'uretère. Elle est indiquée en cas de tumeur des voies excrétrices urinaires ou en cas de destruction rénale due à un reflux vésico-urétéro-rénal.

Suivant l'état du malade et le type de néphrectomie pratiquée, la durée d'hospitalisation varie de 5 à 15 jours, la convalescence durant ensuite environ 3 semaines. Lorsque l'autre rein est sain, l'ablation totale ou partielle d'un rein n'a aucune conséquence sur la fonction rénale globale du patient. La néphrectomie bilatérale entraîne en revanche une insuffisance rénale terminale, nécessitant une épuration extrarénale (dialyse, hémodialyse) à vie ou une greffe de rein.

Néphrétique

Qui se rapporte au rein.

Néphrite

1. Maladie inflammatoire d'un rein ou des deux reins.
2. Toute maladie rénale. SYN. *néphropathie*.

Néphrite interstitielle

Maladie caractérisée par une atteinte du tissu rénal interstitiel (tissu de soutien des néphrons). SYN. *néphropathie interstitielle*.

Selon leur mécanisme, on distingue deux grands types de néphrite interstitielle

Néphrites dues à une atteinte du tissu interstitiel par voie urinaire

Appelées également néphrites interstitielles par voie ascendante, ou pyélonéphrites, elles sont dues à une infection ou à une malformation des voies excrétrices (calices, bassinets, uretères, vessie, urètre).

■ Les pyélonéphrites aiguës n'atteignent le plus souvent qu'un seul rein. D'origine bactérienne (dues, par exemple, à un colibacille), parfois favorisées par la présence d'un calcul urinaire, elles affectent généralement des femmes jeunes déjà atteintes d'une inflammation vésicale (cystite) non traitée. Elles se traduisent par des douleurs lombaires vives, accompagnées de frissons et de fièvre. Leur traitement repose sur l'administration d'antibiotiques ; ceux-ci doivent être pris pendant plusieurs semaines afin d'éviter les rechutes.

■ Les pyélonéphrites chroniques peuvent atteindre un seul rein ou les deux. Elles sont la conséquence d'infections urinaires récidivantes, généralement dues à des anomalies congénitales ou acquises des voies excrétrices, qui favorisent ou gênent l'écoulement des urines. Si la pyélonéphrite n'atteint qu'un seul rein, elle n'a pas de conséquence sur la fonction rénale. Si elle est bilatérale, elle entraîne progressivement une insuffisance rénale. Le traitement vise avant tout à juguler l'infection et à soigner, souvent chirurgicalement, l'anomalie en cause.

Néphrites dues à une atteinte du tissu interstitiel par voie sanguine

Elles surviennent lorsque le sang véhicule jusqu'aux reins un agent infectieux (septicémie), toxique (par exemple, une molécule médicamenteuse) ou antigénique ; on parle, dans ce dernier cas, de néphropathie interstitielle immunoallergique. Ces néphrites affectent toujours les deux reins.

■ Les néphrites interstitielles aiguës sont liées à l'absorption de certains toxiques ou dues à des réactions allergiques, notamment à certains médicaments. D'apparition brutale, elles se traduisent généralement par une

insuffisance rénale aiguë. Dans les formes les plus sévères, il faut recourir à une épuration du sang par hémodialyse en attendant la guérison, qui survient le plus souvent spontanément, en quelques jours ou en quelques semaines.

■ Les néphrites interstitielles chroniques sont dues essentiellement à des affections métaboliques (hypercalcémie ou hypokaliémie chroniques, oxalose) ou à l'accumulation dans le rein de substances toxiques (analgésiques, lithium, certains médicaments anticancéreux comme le cisplatine, etc.). Les lésions qu'elles entraînent sont irréversibles et risquent d'aboutir à une insuffisance rénale chronique nécessitant une épuration du sang par hémodialyse à vie, voire une greffe de rein.

Néphroangiosclérose

Sclérose des artères et des artérioles rénales due à une hypertension artérielle.

La néphroangiosclérose est la conséquence d'une hypertension artérielle mal équilibrée ou non traitée, évoluant depuis un certain nombre d'années. Elle se traduit le plus souvent par une protéinurie modérée et évolue à long terme vers une insuffisance rénale nécessitant, dans les cas les plus sévères, une dialyse. Il existe une forme rare, mais particulièrement grave, de néphroangiosclérose, appelée néphroangiosclérose maligne, qui est susceptible de détruire définitivement les reins en quelques semaines ou en quelques mois.

TRAITEMENT

Essentiellement préventif, il consiste à suivre et à soigner toute hypertension artérielle. Le traitement des néphroangioscléroses malignes repose sur l'administration d'antihypertenseurs puissants en milieu hospitalier.

Néphroblastome

→ VOIR Wilms (tumeur de).

Néphrocalcinose

Présence de dépôts de calcium dans le parenchyme (tissu fonctionnel) rénal.

Ces calcifications ne doivent pas être confondues avec les calculs calciques, qui siègent dans les voies excrétrices intrarénales (calices et bassinet) et non dans le parenchyme rénal lui-même.

Une néphrocalcinose peut être la conséquence d'une maladie rénale héréditaire (acidose tubulaire) ou être liée à une élévation du taux sanguin de calcium, notamment en cas de fonctionnement exagéré des glandes parathyroïdes. Dans la plupart des cas, cette affection est indolore et n'a que peu de conséquences sur la fonction rénale ; parfois, cependant, elle peut entraîner des lésions graves à l'origine d'une insuffisance rénale. Son diagnostic est radiographique.

TRAITEMENT

Il n'existe pas de traitement spécifique de la néphrocalcinose, car les dépôts calciques ne peuvent être ni dissous ni extraits chirurgicalement. En revanche, la maladie en cause doit toujours être soignée afin d'empêcher l'extension des calcifications.

Néphrocarcinome

→ VOIR Rein (cancer du).

Néphroépithéliome

→ VOIR Rein (cancer du).

Néphrogramme isotopique

Examen destiné à explorer le fonctionnement rénal au moyen d'un traceur radioactif.

Le néphrogramme isotopique est un examen indolore. D'une durée de quelques heures, il ne nécessite pas d'hospitalisation. Un traceur radioactif (technétium 99, iode 131) est injecté au sujet par voie intraveineuse et l'on observe son élimination de l'organisme par la voie rénale. Un détecteur externe, appelé gamma-caméra, permet d'enregistrer la quantité de radioélément transitant par les reins. Les résultats sont matérialisés sous la forme d'une courbe, dont l'analyse permet d'étudier les différentes phases du fonctionnement rénal : circulation du sang à l'intérieur du rein, activité du tissu rénal, excrétion de l'urine.

Néphrolithotomie

Extraction d'un calcul du rein par ouverture du tissu rénal.

La néphrolithotomie est pratiquée après ouverture chirurgicale de la région lombaire puis du rein ou, le plus souvent, par voie percutanée ; cette dernière technique consiste à introduire un appareil optique dans les cavités rénales par une incision cutanée de 2 centimètres, à repérer le calcul puis à le pulvériser ou à l'enlever. La néphrolithotomie est aujourd'hui de plus en plus fréquemment remplacée par la lithothripsie extracorporelle (procédé consistant à pulvériser les calculs depuis l'extérieur du corps à l'aide d'ondes de choc).

Néphrologie

Discipline médicale qui se consacre à l'étude des reins, à celle de leur physiologie et de leurs maladies.

La néphrologie a vu le jour dans les années 1950 avec, en particulier, la mise au point du rein artificiel et les débuts de la transplantation rénale. Un médecin français, le professeur Jean Hamburger, a été l'un des fondateurs de cette discipline.

Néphron

Unité fonctionnelle élémentaire du rein.

Chaque rein comprend environ 1 million de néphrons, situés dans le cortex (partie superficielle) et dans la médullaire (partie profonde) du tissu rénal.

STRUCTURE

Chaque néphron est constitué de plusieurs segments anatomiques intervenant dans la formation de l'urine.

■ Le glomérule, situé dans le cortex rénal, contient un peloton de capillaires et élabore l'urine primitive par filtration du sang.

■ Le tube urinifère, qui traverse le cortex et la médullaire, élabore l'urine définitive à partir de l'urine primitive. Il se subdivise en 4 segments : le tube contourné proximal, qui fait suite au glomérule, l'anse de Henle, le tube contourné distal puis le tube (ou canal) collecteur, qui s'ouvre au fond des petits calices (conduits se jetant dans les grands calices, lesquels déversent l'urine dans le bassinet) dans une zone appelée papille rénale. Chacun de ces segments a une fonction physiologique précise, qui fait intervenir à la fois des phénomènes de réabsorption (récupération d'une partie de l'eau, du sodium, etc.) et de sécrétion, pour transformer l'urine primitive, formée dans le glomérule, en une urine définitive, dont la quantité et la composition varient afin que le milieu intérieur du corps reste constant.

PATHOLOGIE
La diminution du nombre de néphrons définit l'insuffisance rénale.

Néphronophtise

Maladie héréditaire se traduisant par la présence de petits kystes dans la médullaire (partie profonde) du rein. SYN. *maladie kystique de la médullaire*.

La néphronophtise se transmet, dans la quasi-totalité des cas, selon un mode autosomique (par les chromosomes non sexuels) récessif : le gène porteur doit être reçu du père et de la mère pour que la maladie se développe. La néphronophtise se déclare généralement chez un enfant âgé de quelques années par des mictions fréquentes et abondantes, une soif fréquente et intense et un retard de croissance. L'insuffisance rénale, déjà présente, s'aggrave rapidement : dès l'âge de 10-15 ans, une épuration du sang par hémodialyse est nécessaire. Une transplantation rénale peut être réalisée, la maladie ne récidivant pas sur le greffon.

Néphropathie

Toute maladie rénale.

Les néphropathies sont classées selon leur localisation anatomique initiale.

■ Les néphropathies glomérulaires se caractérisent par une atteinte des glomérules. Leur évolution peut être aiguë (glomérulonéphrite aiguë) ou chronique (diabète, néphrose lipoïdique).
■ Les néphropathies interstitielles, ou néphrites interstitielles, se traduisent par une atteinte du tissu de soutien des néphrons, comme c'est le cas dans certaines intoxications médicamenteuses ou certaines infections (pyélonéphrite).
■ Les néphropathies tubulaires sont liées à une atteinte des tubes urinifères (nécrose tubulaire aiguë).
■ Les néphropathies vasculaires, comme la néphroangiosclérose (sclérose des artérioles rénales), due à une hypertension artérielle chronique mal équilibrée ou non traitée, sont une atteinte des vaisseaux des reins.

Néphropathie des analgésiques

Maladie rénale chronique engendrée par l'usage abusif de certains analgésiques.

Cette néphropathie survient chez des sujets qui ont régulièrement et pendant longtemps consommé de grandes quantités de phénacétine (plusieurs kilogrammes au total). On s'interroge encore actuellement pour savoir si, outre la phénacétine, d'autres analgésiques tels que le paracétamol ou l'aspirine ne pourraient pas être responsables, eux aussi, de néphropathies chroniques ou augmenter les effets toxiques de la phénacétine.

SIGNES ET ÉVOLUTION
En s'accumulant dans la médullaire (partie profonde) du rein, les métabolites toxiques de la phénacétine provoquent des lésions chroniques des reins. La maladie, qui s'installe de façon insidieuse, est souvent découverte par hasard chez un malade souffrant d'insuffisance rénale. Si la prise de phénacétine n'est pas interrompue dès les premiers signes d'atteinte rénale, cette néphropathie s'aggrave, obligeant parfois les malades à subir régulièrement une hémodialyse (technique d'épuration du sang par filtration à travers une membrane semi-perméable). Par ailleurs, certains métabolites de la phénacétine étant cancérigènes, il existe un risque d'apparition d'un cancer des voies excrétrices urinaires (bassinet, uretère, vessie).

TRAITEMENT ET PRÉVENTION
Il n'existe aucun traitement spécifique de la néphropathie des analgésiques. Seules des mesures préventives permettant d'éviter la consommation excessive de phénacétine sont efficaces.

Néphropathie diabétique

Atteinte des petits vaisseaux des reins survenant au cours du diabète sucré. SYN. *glomérulopathie diabétique, glomérulosclérose diabétique*.

Une néphropathie diabétique, autrefois appelée syndrome de Kimmelstiel et Wilson, survient chez 35 à 40 % des malades atteints de diabète sucré, insulinodépendant ou non. Elle se manifeste de 15 à 20 ans après l'apparition du diabète, généralement lorsque celui-ci est mal équilibré, avec des glycémies (taux sanguins de glucose) continuellement trop élevées. La néphropathie diabétique se traduit par une élévation parfois considérable du taux de protéines dans les urines, pouvant entraîner un syndrome néphrotique (chute du taux sanguin de protéines liée à la fuite de celles-ci dans les urines et provoquant l'apparition d'œdèmes). Elle évolue de manière progressive mais inéluctable vers une insuffisance rénale nécessitant une épuration du sang par dialyse ; dans certains cas (malades dont l'état cardiovasculaire est satisfaisant), une double greffe rein-pancréas permet de guérir en une même intervention le diabète et l'insuffisance rénale.

Néphropathie glomérulaire
→ VOIR Glomérulonéphrite.

Néphropathie à IgA
→ VOIR Berger (maladie de).

Néphropathie interstitielle
→ VOIR Néphrite interstitielle.

Néphropathie tubulaire
→ VOIR Tubulopathie.

Néphroscopie

Technique d'endoscopie permettant d'explorer les cavités rénales.

La néphroscopie se pratique en cas d'intervention chirurgicale percutanée. Elle est réalisée à l'aide d'un néphroscope, tube métallique d'environ 1,5 centimètre de diamètre muni d'un système optique. Celui-ci est introduit dans les cavités rénales à travers le tissu rénal par une petite incision cutanée (effectuée au travers de la peau), en regard du rein à traiter.

Néphrose

Maladie atteignant les glomérules du rein et se traduisant par un syndrome néphrotique (chute du taux sanguin de protéines). SYN. *néphrose lipoïdique, syndrome néphrotique à glomérules optiquement normaux, syndrome néphrotique à lésions glomérulaires minimes*.

Il n'existe pas de cause connue de la néphrose, qui est liée à une anomalie de la paroi des capillaires des glomérules ; celle-ci devient perméable aux protéines, qui peuvent quitter le sang et apparaître en grandes quantités dans les urines. Il en résulte un afflux d'eau vers les tissus interstitiels de l'organisme, entraînant l'apparition d'œdèmes.

SYMPTÔMES ET SIGNES
La néphrose peut survenir à tout âge, mais elle est surtout fréquente chez l'enfant, chez lequel elle constitue la première cause de syndrome néphrotique. Le début est généralement brutal : apparition d'œdèmes diffus sous la peau ou dans les membranes séreuses (épanchements pleuraux, péritonéaux ou péricardiques). Les urines sont peu abondantes, foncées. Elles contiennent un taux élevé de protéines, d'albumine en particulier, tandis que la concentration de protéines dans le sang est, elle, très faible. Le taux de lipides (cholestérol et triglycérides) dans le sang augmente, alors que la biopsie rénale ne révèle pas de lésions significatives.

TRAITEMENT
Il repose à la fois sur la prise de corticostéroïdes à fortes doses pendant plusieurs mois, associée à la prise de diurétiques, et sur un régime limitant les apports en sel et en eau afin d'éviter l'aggravation des œdèmes. Généralement, les symptômes disparaissent en quelques jours ou en quelques semaines, mais la diminution des doses de corticostéroïdes doit être très progressive. En effet, des rechutes surviennent parfois lorsque celles-ci sont trop faibles ou à l'arrêt du traitement : ces néphroses, dites corticodépendantes, peuvent nécessiter l'administration d'un immunosuppresseur (ciclosporine, par exemple). Certaines formes particulièrement graves de néphrose, telle la hyalinose segmentaire et focale, résistent aux corticostéroïdes ; ces néphroses corticorésistantes entraînent une insuffisance rénale chronique et peuvent récidiver sur le greffon en cas de greffe.

Néphrostomie

Drainage d'un rein par l'intermédiaire d'une sonde placée dans le bassinet ou dans un calice, traversant le tissu rénal et sortant au niveau de la peau, en regard du rein.

Une néphrostomie permet de dériver, temporairement ou définitivement, les urines afin de faciliter la cicatrisation des voies excrétrices (rein, uretère) après une intervention chirurgicale ou lorsqu'il existe sur la voie urinaire un obstacle empêchant leur écoulement vers la vessie. La sonde peut être placée au cours d'une intervention chirurgicale, sous anesthésie générale, ou par voie percutanée directe sous anesthésie locale ou locorégionale (ponction à travers la peau des voies excrétrices intrarénales sous contrôle radioscopique et échographique).

Néphrotomie

Incision du rein pratiquée pour en extraire un calcul.

La néphrotomie peut se faire, sous anesthésie locorégionale ou générale, après ouverture chirurgicale de la paroi abdominale ou, sous anesthésie locale ou locorégionale, par voie percutanée. Cette dernière technique consiste à introduire, sous contrôle radioscopique ou échographique, une aiguille de ponction à travers la paroi lombaire du malade afin d'extraire le calcul. Les principales complications de la néphrotomie sont hémorragiques et infectieuses ; il arrive - rarement - qu'un organe digestif voisin soit lésé lors de cette intervention.

Nerf

Cordon cylindrique blanchâtre constitué de fibres nerveuses. (P.N.A. *nervus*)

Les nerfs, avec les ganglions nerveux (petits renflements sur le trajet des nerfs), constituent le système nerveux périphérique, par opposition au système nerveux central (encéphale et moelle épinière).

STRUCTURE

Les nerfs sont formés de fibres nerveuses parallèles, qui sont elles-mêmes des prolongements (axones ou dendrites) de cellules nerveuses (neurones). Outre les fibres nerveuses, les nerfs comportent des cellules de Schwann, qui forment une gaine (myéline) autour de certaines fibres ; un tissu de protection (tissu conjonctif) entoure les faisceaux de fibres (périnèvre) et l'ensemble du nerf (épinèvre).

FONCTION

Dans un nerf coexistent deux sortes de fibres : les fibres motrices, qui amènent des informations vers les organes et les tissus, et les fibres sensitives, qui transportent des informations vers le système nerveux central.

Parmi les fibres, on distingue par ailleurs les fibres somatiques (appartenant au système nerveux de la vie de relation, conscient), qui innervent les muscles squelettiques, la peau et les articulations, et les fibres végétatives (appartenant au système nerveux autonome, inconscient), qui innervent la paroi et les muscles des viscères et les glandes.

C'est pourquoi les nerfs se classent selon deux critères, qui sont leur composition en fibres et la partie du système nerveux central à laquelle ils sont rattachés.

■ **Selon leur composition en fibres**, on distingue, d'une part, les nerfs moteurs (allant jusqu'aux muscles) et les nerfs sensitifs (par-

tant des organes des sens) et, d'autre part, les nerfs végétatifs (innervant les viscères et les glandes). En réalité, beaucoup de nerfs sont mixtes, composés de plusieurs types de fibres.
■ **Selon la partie du système nerveux central à laquelle ils sont rattachés**, on distingue les nerfs rachidiens (rattachés à la moelle épinière) et les nerfs crâniens (rattachés à l'encéphale).

PATHOLOGIE

Les nerfs peuvent être lésés au cours de différentes circonstances :
- névrite (atteinte inflammatoire, toxique ou infectieuse) ;
- compression (celle du nerf médian dans le canal carpien du poignet, par exemple) ;
- tumeur (névrome, neurinome) ;
- traumatisme (souvent par une section par une arme blanche ou par balle).

Nerf crânien

Nerf rattaché à l'encéphale. (P.N.A. *nervus cranialis*)

Les nerfs crâniens s'opposent aux nerfs rachidiens, rattachés à la moelle épinière.

On compte 12 paires de nerfs crâniens, numérotées de I à XII : I pour le nerf olfactif (de l'odorat) ; II pour le nerf optique (de la vue) ; III, IV et VI pour le nerf moteur oculaire commun, le nerf moteur pathétique et le nerf oculaire externe (contrôlant les mouvements de l'œil) ; V pour le nerf trijumeau (contrôlant les mouvements de mastication, la sensibilité cutanée de la face) ; VII pour le nerf facial (contrôlant les mouvements des muscles de la face et la sécrétion des larmes et de la salive ; la sensibilité cutanée de l'oreille et le goût pour les deux tiers antérieurs de la langue) ; VIII pour le nerf auditif (de l'ouïe et de l'équilibre) ; IX pour le nerf glossopharyngien (contrôlant les mouvements du pharynx, la sécrétion de la salive, la sensibilité du pharynx et le goût pour le tiers postérieur de la langue) ; X pour le nerf pneumogastrique, ou nerf vague (contrôlant les mouvements et la sensibilité du voile du palais, du larynx, de l'appareil cardiovasculaire, de l'appareil bronchopulmonaire, du tube digestif) ; XI pour le nerf spinal (contrôlant les mouvements des muscles du cou et de l'épaule) ; XII pour le nerf grand hypoglosse (contrôlant les mouvements de la langue).

Les nerfs crâniens se fixent à la partie inférieure de l'encéphale située en bas et en avant du cervelet, à l'exception du nerf olfactif et du nerf optique, attachés à la partie supérieure de l'encéphale. Leur territoire intéresse la tête et une partie du cou, où s'effectue le relais avec les nerfs rachidiens. La constitution interne, les principes de fonctionnement et les critères de classification sont les mêmes que pour les autres nerfs. Les fibres d'un nerf crânien ont leur point de départ ou d'arrivée dans un noyau de substance grise, petit centre de commande situé en profondeur dans l'encéphale.

Nerf auditif

Ce nerf sensitif, responsable de l'audition et de l'équilibre, est aussi appelé « nerf cochléo-vestibulaire ».

STRUCTURE

Le nerf auditif est formé de deux nerfs qui cheminent côte à côte, le nerf cochléaire et le nerf vestibulaire. Le nerf cochléaire va de la cochlée au tronc cérébral. Les informations sont ensuite transmises au centre auditif du lobe temporal de l'encéphale. Le nerf vestibulaire s'étend de l'oreille interne au tronc cérébral. Des connexions nerveuses existent avec le cervelet.

FONCTION

Le nerf cochléaire transmet à l'encéphale les sons perçus par l'oreille. Le nerf vestibulaire conduit les informations destinées au maintien de l'équilibre.

PATHOLOGIE

Sur le nerf auditif peut se développer un neurinome (tumeur bénigne), qui entraîne une perte de l'audition unilatérale et, dans un second temps, des troubles de l'équilibre. Une infection (méningite, encéphalite) ou certains médicaments (les antibiotiques du groupe des aminosides, par exemple, peuvent le léser et engendrer une surdité).

Nerf facial

Né de la protubérance annulaire (partie du tronc cérébral), le nerf facial se divise en plusieurs branches vers la face, le cou, les glandes salivaires et l'oreille externe. Ce nerf à la fois sensitif et moteur a un champ d'action très étendu.

FONCTION

Ses fibres motrices contrôlent les muscles peauciers du front, du visage et du cou, et permettent l'occlusion des yeux et de la bouche. Ses fibres sensorielles transmettent les sensations du goût pour les deux tiers antérieurs de la langue, assurent la sécrétion des larmes et d'une partie de la salive. Ses fibres sensitives innervent la peau du pavillon de l'oreille et le tympan.

PATHOLOGIE

Une lésion du nerf facial (due à une infection, à un accident vasculaire cérébral, à une complication d'une intervention chirurgicale sur la glande parotide, etc.) provoque une paralysie faciale : sur le côté atteint du visage, la peau est flasque, sans rides, sans plis, les paupières ne se ferment pas complètement ; du côté intact, la commissure des lèvres est rétractée. Quelquefois, une lésion du nerf facial peut entraîner une perte du goût.

Nerf glossopharyngien

Ce nerf à la fois sensitif et moteur part du bulbe rachidien et chemine jusqu'à la langue, la glande parotide et le pharynx.

Ses fibres sensitives assurent le goût pour le tiers postérieur de la langue et la sensibilité du pharynx. Ses fibres motrices commandent certains des muscles du pharynx et la sécrétion d'une partie de la salive de la glande parotide.

Nerf grand hypoglosse

Ce nerf moteur part du bulbe rachidien et chemine jusqu'à la base de la langue, dont il contrôle les mouvements.

La paralysie de ce nerf provoque une altération de la motricité de la moitié de la langue ; elle est très rare et souvent consécutive à un accident vasculaire cérébral.

Nerf moteur oculaire commun

Ce nerf moteur naît dans la partie haute du tronc cérébral pour aller innerver certains muscles de l'œil ainsi que le muscle releveur de la paupière et les muscles de la contraction de la pupille.

Une lésion de ce nerf peut entraîner un ptôsis (chute de la paupière supérieure), une déviation anormale de l'axe visuel d'un œil par rapport à l'autre, une diplopie (vision double), une mydriase (dilatation de la pupille), des troubles de l'accommodation (gêne à la vision de près).

Nerf moteur oculaire externe

Ce nerf moteur naît du tronc cérébral et se dirige vers le muscle droit externe de l'œil qui permet le mouvement de l'œil vers l'extérieur.

Il est souvent lésé à la suite d'une fracture de la base du crâne ou comprimé par une tumeur intracrânienne, et les manifestations les plus courantes de son atteinte sont une diplopie (vision double) ou un strabisme (déviation anormale de l'axe visuel d'un œil par rapport à l'autre).

Nerf olfactif

Ce nerf sensitif chemine du cerveau aux fosses nasales. Il est responsable de l'odorat ; cependant, les odeurs ne parviennent au cerveau que si les fosses nasales sont perméables, indépendamment du bon fonctionnement du nerf olfactif. L'atteinte de ce nerf peut provoquer une abolition de l'odorat.

NERFS CRÂNIENS

À la différence des nerfs rachidiens, qui sont reliés à la moelle épinière, les nerfs crâniens émergent directement de l'encéphale. Ils sont au nombre de 24, regroupés en 12 paires. Certains, comme le nerf olfactif ou le nerf optique, véhiculent des stimuli sensoriels au cerveau. D'autres, à l'inverse transmettent les ordres moteurs du cerveau aux différents muscles : ainsi, le nerf moteur oculaire commun contrôle les mouvements de l'œil, des cils et des paupières. Enfin, il existe des nerfs mixtes : c'est le cas du nerf facial, qui commande les muscles du cou et de l'expression du visage, et transmet les sensations du goût.

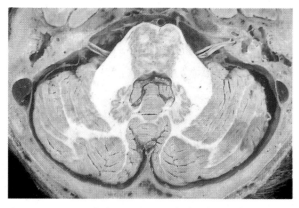

Cette coupe transversale du cerveau montre les deux hémisphères du cervelet (en bas) et la protubérance annulaire (en haut) d'où émergent de chaque côté le nerf auditif et le nerf facial.

Les points d'émergence des nerfs crâniens

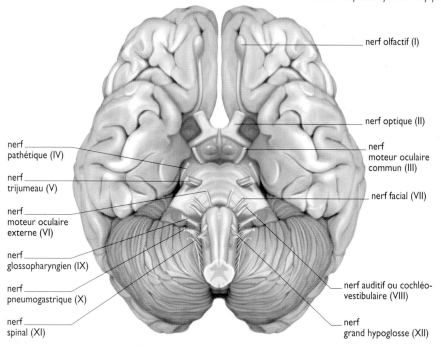

nerf olfactif (I)

nerf optique (II)

nerf pathétique (IV)

nerf trijumeau (V)

nerf moteur oculaire commun (III)

nerf facial (VII)

nerf moteur oculaire externe (VI)

nerf glossopharyngien (IX)

nerf pneumogastrique (X)

nerf auditif ou cochléo-vestibulaire (VIII)

nerf spinal (XI)

nerf grand hypoglosse (XII)

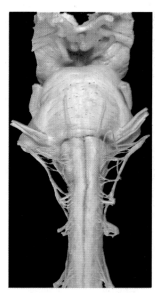

La plupart des nerfs crâniens émergent du tronc cérébral (partie inférieure de l'encéphale).

Nerf optique

Ce nerf sensitif amène au cerveau les informations visuelles de la rétine.

STRUCTURE

Le nerf optique prend naissance dans la papille (petit disque en saillie situé sur la rétine), où de multiples fibres nerveuses visuelles se rassemblent et quittent l'orbite osseuse par un canal. Le nerf ainsi formé continue son trajet dans la cavité crânienne puis rejoint le deuxième nerf optique (issu de l'autre œil) à la hauteur du chiasma optique, où leurs fibres se croisent partiellement.

FONCTION

La disposition des cellules permet de comprendre le rôle exact du nerf optique. Dans l'épaisseur de la rétine se trouvent des cellules nerveuses appelées « récepteurs sensoriels » (cônes et bâtonnets) : celles-ci transforment la lumière en informations nerveuses, qu'elles transmettent aux cellules ganglionnaires. Chacune de ces dernières se prolonge par une fibre nerveuse qui chemine sur la rétine jusqu'à la papille et suit le nerf optique jusque dans le cerveau. Là, la fibre entre en contact avec un troisième type de cellule nerveuse, qui se termine dans le cortex du lobe occipital de l'hémisphère, où l'information visuelle peut alors être traitée par le cerveau et devenir consciente.

EXAMENS

Il est possible d'explorer le nerf optique, au niveau de la papille, par un examen simple, le fond d'œil. Cependant, les segments de ce nerf situés en arrière de la papille ne sont accessibles qu'au scanner et à l'imagerie par résonance magnétique.

PATHOLOGIE

Le nerf optique peut être le siège d'affections inflammatoires (névrites optiques), vasculaires, toxiques, tumorales ou dégénératives. Ces affections sont regroupées sous l'expression de neuropathies optiques.

Nerf pathétique

Ce nerf moteur part du mésencéphale (partie du tronc cérébral) et parvient à l'intérieur de l'orbite.

Il contrôle le muscle grand oblique qui assure la rotation de l'œil vers le bas et vers l'intérieur. Son atteinte peut provoquer une diplopie (vision double) quand le regard se dirige vers l'intérieur.

Nerf pneumogastrique

Le nerf pneumogastrique, ou nerf vague, est le plus long des nerfs crâniens. Il émerge du bulbe rachidien (partie du tronc cérébral) et innerve, par ses fibres volontaires, une partie du voile du palais et le pharynx, et, par ses fibres végétatives, la trachée, les poumons, l'œsophage, le cœur, le foie et une grande partie de l'appareil digestif.

C'est le nerf principal de la partie parasympathique du système nerveux végétatif qui commande les viscères.

FONCTION

Ce nerf à la fois sensitif et moteur est capable de libérer de l'acétylcholine, qui provoque une contraction des bronches ou un ralentissement des battements du cœur. Il peut aussi augmenter les sécrétions gastriques et pancréatiques, agir sur la vésicule biliaire, contrôler les variations de la voix, intervenir dans la déglutition (il assure en partie la motricité du pharynx et du voile du palais), l'éternuement, la toux et le péristaltisme (mouvements des organes creux, en particulier ceux de l'intestin).

PATHOLOGIE

Une suractivité du nerf pneumogastrique peut déclencher une perte de connaissance (syncope vagale) ou, en augmentant les sécrétions d'acide gastrique, engendrer un ulcère gastroduodénal. En outre, toute lésion de ce nerf (par une infection, une tumeur, un accident vasculaire cérébral, etc.) peut troubler une ou plusieurs de ses fonctions : altération, voire perte complète du réflexe de déglutition, enrouement, etc.

Nerf spinal

Ce nerf moteur est un nerf crânien particulier puisqu'il a deux racines, l'une dans l'encéphale, l'autre dans la moelle épinière (racine spinale).

Il innerve, pour sa part crânienne, des muscles du voile du palais et du larynx (nerf laryngé) et, pour sa part spinale, des muscles du squelette : le sterno-cléido-mastoïdien (sur le côté du cou) et le trapèze (en arrière du cou et de l'épaule), qui participent aux mouvements de la tête et du cou.

PATHOLOGIE

Une atteinte de ce nerf peut entraîner une paralysie du sterno-cléido-mastoïdien ou du trapèze. Ces lésions sont très rares.

Nerf trijumeau

Ce nerf moteur et sensitif part de la protubérance annulaire (partie du tronc cérébral) puis se ramifie en trois branches distinctes : le nerf ophtalmique, le nerf maxillaire supérieur et le nerf maxillaire inférieur.

FONCTION

Nerf moteur, il contrôle les muscles de la mastication et gère la production de salive et de larmes. Nerf sensitif, il assure la sensibilité de presque toute la peau du visage, du cuir chevelu, des dents, de la cavité buccale, de la paupière supérieure, des sinus et des deux tiers antérieurs de la langue.

PATHOLOGIE

Au cours de la névralgie faciale, on observe des crises très brèves et très intenses de douleurs qui irradient dans la région de ce nerf.

Nerf rachidien

Nerf rattaché à la moelle épinière.
(P.N.A. nervus *spinalis*)

Il existe 31 paires de nerfs rachidiens : 8 paires de nerfs cervicaux, 12 paires de nerfs dorsaux, ou thoraciques, 5 paires de nerfs lombaires, 5 paires de nerfs sacrés et 1 paire de nerfs coccygiens. Ils constituent avec les nerfs crâniens, qui naissent de l'encéphale, le système nerveux périphérique.

STRUCTURE

Les nerfs rachidiens se caractérisent par leur disposition régulière, sur le versant latéral de la moelle épinière, et par leur constitution identique. Chacun se greffe sur la moelle par deux racines, puis quitte le canal rachidien par le trou de conjugaison situé entre deux vertèbres. On en distingue deux variétés.

■ **Les nerfs intercostaux** sont indépendants, parallèles entre eux. Ils innervent les muscles intercostaux et la paroi abdominale, et interviennent dans la respiration.

■ **Les autres nerfs rachidiens** constituent des plexus. Un plexus est formé par plusieurs nerfs rachidiens, qui s'unissent avant de se diviser en nerfs périphériques destinés aux membres. Il existe trois grands plexus :
– le plexus brachial donne naissance aux nerfs du membre supérieur, en particulier aux nerfs médian et cubital, qui assurent la flexion des doigts, et au nerf radial, qui permet leur extension ;
– le plexus lombaire et le plexus sacré donnent naissance aux nerfs du membre inférieur. La branche la plus importante du plexus lombaire est le nerf crural, qui commande le muscle quadriceps fémoral et permet l'extension de la jambe. Le plexus sacré se prolonge en nerf sciatique.

FONCTION

Les nerfs rachidiens sont mixtes : leur racine postérieure est sensitive et porte le ganglion spinal, leur racine antérieure étant motrice. Leurs fibres sensitives transmettent les informations des récepteurs sensitifs de la peau et des muscles vers la moelle épinière, tandis que leurs fibres motrices transmettent les signaux de la moelle épinière vers les muscles et les glandes.

PATHOLOGIE

Une lésion d'un disque intervertébral (structure anatomique constituée de tissu cartilagineux, réunissant les vertèbres et jouant entre elles le rôle d'amortisseur) peut comprimer une racine d'un nerf rachidien et occasionner de vives douleurs. Un traumatisme d'un nerf rachidien peut engendrer une perte de la sensibilité et de la motricité d'une partie du corps. Une lésion d'un nerf rachidien, une dégénérescence, une infection, un diabète, une carence en vitamines ou une intoxication sont source de douleurs, d'engourdissements ou de contractures.

Nerf phrénique

Les deux nerfs phréniques contrôlent les mouvements du diaphragme et jouent donc un rôle important dans la respiration.

STRUCTURE

Ils sont issus de nerfs cervicaux situés à la base du cou et descendent dans le thorax, l'un à gauche, l'autre à droite, jusqu'au diaphragme où chacun d'eux se divise en plusieurs branches.

PATHOLOGIE

Un traumatisme ou une lésion d'un nerf phrénique peut entraîner une paralysie de la moitié du diaphragme correspondante. L'irritation d'un de ces deux nerfs est à l'origine du hoquet.

Nerf sciatique

Le nerf sciatique est le principal nerf du membre inférieur. Il contrôle les articula-

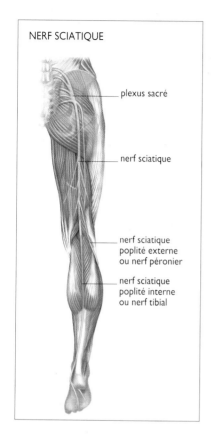

NERF SCIATIQUE

plexus sacré

nerf sciatique

nerf sciatique
poplité externe
ou nerf péronier

nerf sciatique
poplité interne
ou nerf tibial

tions de la hanche, du genou et de la cheville ainsi que de nombreux muscles (notamment les muscles postérieurs de la cuisse et la totalité des muscles de la jambe et du pied) et l'essentiel de la peau de la cuisse, de la jambe et du pied.

STRUCTURE

Ce nerf est le plus long et le plus volumineux du corps humain. Il naît du plexus sacré, essentiellement de la 5e racine lombaire (L5) et de la 1re racine sacrée (S1), et se dirige vers la fesse ; après avoir traversé la région postérieure de la cuisse, il se divise au niveau du genou (région poplitée) en deux branches qui se ramifient jusqu'au pied.

PATHOLOGIE

L'atteinte la plus fréquente du nerf sciatique est la sciatique, douleur irradiant principalement dans la fesse et la cuisse, parfois aussi dans la jambe et le pied. Une luxation de l'articulation de la hanche ou une fracture de la partie supérieure du péroné peuvent aussi léser ce nerf et entraîner des troubles allant de l'engourdissement à la paralysie des muscles qu'il innerve.

Neurasthénie

État de fatigabilité physique et psychique extrême.

La neurasthénie a été décrite pour la première fois par le médecin américain George Beard (1839-1883). Lors de cette affection, le patient a du mal à rassembler ses idées, est incapable de prendre toute décision et, bien qu'il ne présente aucun

trouble organique, se plaint de nombreux troubles corporels : douleurs, troubles digestifs (mauvaise digestion, constipation), hyperémotivité et asthénie intense. Après avoir connu une grande vogue, la neurasthénie est une notion qui tend à tomber en désuétude, renvoyant à des maladies telles que l'hystérie, la dépression et, surtout, la psychasthénie. Selon la personnalité du sujet, le traitement associe psychothérapie, antidépresseurs, sédatifs et règles d'hygiène de vie (activités sportives, diététique, relaxation, etc.).

Neurectomie

Ablation chirurgicale d'une partie d'un nerf.

Une neurectomie peut concerner aussi bien le tronc principal d'un nerf que ses rameaux collatéraux. Elle n'est pratiquée que sur des nerfs appartenant au système nerveux végétatif (responsable du contrôle des fonctions involontaires de l'organisme). La plus courante et la plus connue des neurectomies est la vagotomie (section du nerf pneumogastrique, ou nerf vague), indiquée en cas d'ulcère de l'estomac pour diminuer les sécrétions acides. Elle peut aussi être pratiquée sur les nerfs grand splanchnique et petit splanchnique (splanchnicectomie) pour atténuer des douleurs chroniques du pancréas (cancer, pancréatite).

Neurinome

Tumeur bénigne d'un nerf. SYN. *schwannome.*

Un neurinome se développe à partir des cellules de Schwann, qui élaborent normalement la gaine de certaines fibres contenues dans les nerfs. Il atteint surtout les nerfs crâniens et, dans une moindre mesure, les nerfs rachidiens.

Neurinome des nerfs crâniens

Il s'agit d'une tumeur bénigne d'un nerf rattaché à l'encéphale.

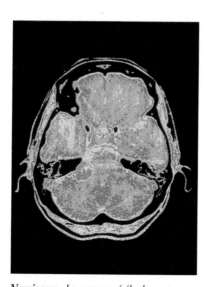

Neurinome. Le scanner cérébral montre une tumeur du nerf acoustique (à gauche, en orange) contre le conduit auditif.

Le plus fréquemment touché est le nerf auditif. Le neurinome atteint les sujets âgés de 40 à 60 ans, les femmes plus souvent que les hommes.

CAUSES ET SYMPTÔMES

La cause du neurinome du nerf auditif reste inconnue. Dans un premier temps, la tumeur se développe dans le conduit auditif interne et provoque des signes discrets : baisse d'audition très progressive et d'un seul côté (souvent le patient ne s'en rend compte qu'au téléphone), bourdonnements d'oreille, vertiges. Dans un deuxième temps, la tumeur grossit dans la cavité crânienne, dans une région appelée angle pontocérébelleux (entre la protubérance annulaire, ou pont, et le cervelet). Le sujet se plaint de fourmillements, de douleurs dans la région du nerf trijumeau (sur la face) et d'une paralysie dans la région du nerf facial (muscles du visage).

DIAGNOSTIC ET TRAITEMENT

Le diagnostic se fait souvent grâce à l'imagerie par résonance magnétique (I.R.M.) et aux potentiels évoqués auditifs (enregistrement de la réponse nerveuse aux stimulations sonores). Le traitement consiste à enlever chirurgicalement la tumeur. L'intervention est beaucoup plus délicate quand celle-ci est à un stade avancé.

Neurinome des nerfs rachidiens

Il s'agit d'une tumeur bénigne d'un nerf rattaché à la moelle épinière, observée à partir de 40 ans. La tumeur peut se développer aux dépens d'une racine sensitive ou motrice et est fréquemment localisée dans le dos.

SYMPTÔMES ET SIGNES

Pendant plusieurs années, les douleurs se limitent à la racine du nerf et surviennent surtout en position allongée. Elles ressemblent beaucoup à celles d'une sciatique. Plus tard, la tumeur, ayant grossi, provoque une compression de la moelle épinière, donc des douleurs plus vives.

DIAGNOSTIC ET TRAITEMENT

Le diagnostic est établi grâce à la myélographie ou à l'imagerie par résonance magnétique (I.R.M.). Le traitement consiste à pratiquer l'ablation chirurgicale de la tumeur. Lorsque celle-ci est effectuée à un stade précoce, le pronostic est excellent.

Neuroblastome

Tumeur maligne de la glande médullosurrénale ou, plus rarement, des ganglions sympathiques du système nerveux autonome. SYN. *sympathome.*

C'est un cancer rare, mais c'est le cancer le plus fréquent chez les enfants, affectant l'embryon ou le jeune enfant (jusqu'à 4 ans), plus rarement l'enfant de 4 à 10 ans.

SYMPTÔMES ET SIGNES

L'enfant perd du poids, est pâle, souffre de douleurs diffuses et est irritable. Un affaiblissement musculaire, voire une paraplégie (paralysie des membres inférieurs), accompagné d'une incontinence urinaire, est le signe d'un neuroblastome se développant au niveau de la moelle épinière. Chez l'adulte, la tumeur peut siéger à l'intérieur d'un des ventricules intracérébraux et peut, de ce fait, atteindre une taille importante avant d'être diagnostiquée.

DIAGNOSTIC

Il repose sur le scanner, qui localise la tumeur, et sur les examens du sang et des urines, qui révèlent de grandes quantités de catécholamines (adrénaline, noradrénaline).

TRAITEMENT ET PRONOSTIC

La rareté de cette tumeur rend difficile, à l'heure actuelle, une attitude thérapeutique fixe. Le meilleur traitement semble être chirurgical et consiste en l'ablation de la tumeur, suivie d'une radiothérapie ou d'une chimiothérapie. Le pronostic est généralement sévère, mais peut varier considérablement selon les cas.

Neurochirurgie

Spécialité chirurgicale consacrée au traitement des maladies du système nerveux.

La chirurgie du système nerveux doit beaucoup aux travaux de l'Anglais Victor Horsley (1857-1916), qui mena à bien d'importantes expériences de vivisection, des interventions nécessitant l'ouverture de la boîte crânienne ainsi que la première excision d'une tumeur de la moelle épinière. L'Américain Harvey Williams Cushing (1869-1939) donna également une impulsion majeure à la neurochirurgie en faisant progresser la chirurgie de l'hypophyse et des tumeurs cérébrales. L'Américain Walter Edward Dandy (1886-1946), un de ses disciples, fut aussi un innovateur, tant dans le domaine du diagnostic que dans celui de la technique chirurgicale.

Depuis ces vingt dernières années, la neurochirurgie a étendu ses indications à des opérations aussi variées que l'ablation de tumeurs ou de malformations vasculaires (anévrysme, angiome), la section de certains nerfs dans le traitement de douleurs chroniques, les interventions destinées à supprimer des mouvements anormaux (tremblements sévères) ou des crises d'épilepsie rebelles aux médicaments. De notables progrès ont été réalisés, en particulier grâce aux développements techniques : intervention sous microscope opératoire (microchirurgie), destruction de lésions par rayonnement laser, méthode radiologique par stéréotaxie (repérage très fin de structures cérébrales profondes dans l'espace à trois dimensions).
→ VOIR Neurologie.

Neurocristopathie

Affection caractérisée par des malformations de tissus et d'organes dérivés d'une même structure embryonnaire, la crête neurale.

La crête neurale est un cordon de cellules qui longe le tube neural (le futur cerveau et la future moelle épinière) de l'embryon. Dans les premiers mois de la grossesse, ces cellules se disséminent et se transforment en d'autres cellules : mélanocytes (cellules qui sécrètent le pigment de la peau), cellules de Schwann (qui forment la gaine de fibres nerveuses dans les nerfs) ou cellules endocriniennes. On distingue ainsi quatre principales formes de neurocristopathie : la maladie de Recklinghausen, ou neurofibromatose, la sclérose tubéreuse de Bourneville, ou

épiloïa, les néoplasies endocriniennes multiples et la phacomatose pigmentovasculaire. Leur mécanisme d'apparition constitue leur seul point commun, leurs symptômes et leurs traitements étant par ailleurs très divers.

Neuro-endocrinologie

Discipline médicale qui étudie les relations entre le système nerveux et les glandes endocrines.

La neuro-endocrinologie s'intéresse aux influences que les hormones exercent sur le système nerveux (les hormones de la glande thyroïde sont indispensables au développement du cerveau pendant l'enfance), au rôle hormonal du système nerveux (la région du cerveau appelée hypothalamus sécrète des hormones qui commandent le fonctionnement des ovaires ou des glandes surrénales) et à leurs interactions pathologiques (une insuffisance des hormones thyroïdiennes non traitée chez l'enfant provoque une arriération mentale ; à l'inverse, un trouble de fonctionnement de l'hypothalamus retentit sur les sécrétions ovariennes).

Neurofibromatose

→ VOIR Recklinghausen (maladie de).

Neurogène

Qui provient du système nerveux, surtout du système nerveux périphérique, constitué par les nerfs.

■ **Le syndrome neurogène**, ou **syndrome neurogène périphérique**, traduit une atteinte de la fibre nerveuse motrice sur son parcours soit dans le système nerveux central (moelle épinière), soit dans les nerfs. Cette affection peut être due à une névrite (inflammation nerveuse), à une compression du nerf par une tumeur, à un traumatisme, etc. Le sujet souffre d'une paralysie avec diminution des réflexes et de la sensibilité. Ces signes sont répartis dans la région correspondant aux nerfs atteints. L'enregistrement de l'activité des nerfs par l'électromyographie permet d'établir le diagnostic. Le traitement est celui de la cause.

Neuroleptanalgésie

Méthode d'anesthésie associant un analgésique (médicament agissant contre la douleur) et un neuroleptique (médicament ayant une action sédative sur le système nerveux).

La neuroleptanalgésie est une méthode qui a été mise au point en 1959. Elle permet la réalisation d'un certain nombre d'interventions chirurgicales sans avoir recours à une anesthésie générale. L'anesthésie obtenue, subconsciente, est dite vigile : le patient est réveillé mais calme et indifférent, insensible à la douleur. Les produits le plus fréquemment employés sont les morphiniques (fentanyl), pour l'analgésie, et le dropéridol pour l'action neuroleptique. Dans certains cas (malade anxieux, douleur trop importante), on leur associe un hypnotique (protoxyde d'azote à haute concentration, barbiturique d'action rapide, benzodiazépine à effet hypnotique) pour endormir le malade : on parle alors de narconeuroleptanalgésie. L'em-

ploi d'un curare permet éventuellement d'obtenir une relaxation musculaire.

INDICATIONS ET CONTRE-INDICATIONS

La neuroleptanalgésie est surtout pratiquée en complément de l'anesthésie générale, lors d'interventions chirurgicales lourdes (chirurgie cardiovasculaire ou abdominale, neurochirurgie, pose de prothèses orthopédiques du rachis). Elle est aussi indiquée lorsque l'état général du patient est précaire (sujets âgés, atteints d'une insuffisance cardiaque ou respiratoire, cancéreux très amaigris). En raison de son temps d'établissement relativement long (15 minutes environ), cette anesthésie ne peut être pratiquée en cas d'urgence ; de même, du fait de la lente élimination du neuroleptique, qui peut être responsable de somnolence après l'opération, elle doit être réalisée en milieu hospitalier. Les autres contre-indications de la neuroleptanalgésie sont la maladie de Parkinson, car cette technique risque d'en aggraver les symptômes ; le phéochromocytome (tumeur de la glande médullosurrénale), car la neuroleptanalgésie peut provoquer dans ce cas une poussée d'hypertension artérielle ; enfin, l'hypovolémie (diminution du volume sanguin), car elle peut entraîner une baisse de la tension artérielle et de la fréquence cardiaque.

Neuroleptique

Médicament actif sur le psychisme, utilisé plus particulièrement dans le traitement des psychoses. SYN. *tranquillisant majeur.*

FORMES PRINCIPALES

Les neuroleptiques font l'objet d'une première classification d'après leur structure chimique : benzamides (amisulpride, sulpiride, sultopride, tiapride), butyrophénones (dropéridol, halopéridol), dibenzodiazépines (clozapine), phénothiazines (chlorpromazine, fluphénazine, lévomépromazine, thioridazine) et substances diverses (flupentixol, loxapine, pimozide, etc.).

Une deuxième classification est fondée sur le type d'effet psychique prédominant : sédatif (calmant l'agitation et l'agressivité) ; antipsychotique ou encore antidélirant (diminuant ou supprimant les idées délirantes et les hallucinations) ; désinhibiteur (combattant un excès de passivité). Cependant, pour certains produits, l'effet psychique passe au second plan au profit d'un autre effet, par exemple un effet antitussif (contre la toux).

INDICATIONS

Les neuroleptiques sont prescrits en cas de psychose (notamment schizophrénie et psychose maniacodépressive), de dépression avec agitation, de confusion mentale, de délire, d'anxiété, d'agitation par trouble psychologique. Les neuroleptiques permettent au malade de mener une vie en société hors des hôpitaux psychiatriques.

Les autres indications sont l'insomnie, la toux, les vomissements, les hoquets rebelles, les douleurs intenses, la préparation à l'anesthésie.

CONTRE-INDICATIONS

Les neuroleptiques sont contre-indiqués en cas d'allergie au produit actif. Il est dangereux de les associer à l'alcool.

Presque tous les neuroleptiques agissent en bloquant la dopamine (neurotransmetteur produit par le cerveau).

EFFETS INDÉSIRABLES
Ils sont d'ordre neuropsychique (somnolence, incoordination des mouvements, syndrome parkinsonien), neurovégétatif (hypotension artérielle, sécheresse de la bouche, constipation, rétention d'urine) ou hormonal (prise de poids, impuissance, frigidité, arrêt des règles).

Neurologie

Spécialité médicale consacrée à l'étude et au traitement des maladies touchant le système nerveux central (cerveau, moelle épinière) ou périphérique (racines et nerfs).

HISTORIQUE
Les médecins français Guillaume Duchenne (1806-1875) et Jean-Martin Charcot (1825-1893) sont considérés comme les fondateurs de la neurologie. Duchenne fut le premier à appliquer à la médecine certaines découvertes de Faraday en utilisant l'électricité pour étudier l'action des muscles. Charcot devint célèbre dans le monde entier par ses travaux sur les maladies nerveuses, en particulier sur l'hystérie, et sur l'hypnose. L'anthropologiste français Paul Broca (1824-1880) a joué, pour sa part, un rôle essentiel dans l'étude de l'aphasie.

TECHNIQUE
Trois étapes sont nécessaires pour parvenir au diagnostic d'une affection neurologique.

La première consiste à étudier les signes indiqués par le malade ou mis en évidence par l'examen du médecin : paralysie, déficit de la sensibilité cutanée ou d'une autre fonction sensorielle, trouble des fonctions supérieures (mémoire, langage).

La deuxième étape, plus développée en neurologie que dans les autres spécialités, a pour but de déterminer le siège des lésions. Par exemple, une paralysie peut être due à une atteinte du cortex pariétal, etc.

La troisième étape cherche à trouver la cause des lésions : traumatique, vasculaire, tumorale, infectieuse, inflammatoire, malformative ou dégénérative.

La première de ces étapes est purement clinique, tandis que la deuxième et la troisième font intervenir des examens complémentaires : enregistrement de l'activité électrique (électromyographie, potentiels évoqués), imagerie radiologique (scanner, imagerie par résonance magnétique).

PERSPECTIVES
Les progrès réalisés en biochimie, en particulier quant à la connaissance du métabolisme du système nerveux et du rôle des agents chimiques (neurotransmetteurs) dans la transmission des messages nerveux au niveau de la synapse (point de liaison entre deux cellules nerveuses), ont permis d'avancer en neurologie d'un point de vue thérapeutique. La découverte de médicaments appropriés a fait évoluer le traitement de maladies telles que l'épilepsie ou la maladie de Parkinson. Les progrès de la génétique moléculaire devraient permettre d'améliorer le diagnostic, la compréhension et le traitement des maladies neurologiques héréditaires.
→ VOIR **Neurochirurgie.**

Neurolyse

Intervention chirurgicale consistant à libérer un nerf lorsque celui-ci est comprimé par une adhérence pathologique, par exemple par du tissu fibreux cicatriciel, afin de lui permettre de récupérer ses fonctions.

La neurolyse est pratiquée après des lésions - en général traumatiques - d'un nerf ou des tissus voisins. Elle s'applique surtout aux gros troncs nerveux à fonction sensitive et motrice, mais aussi aux plexus nerveux, entremêlements de filets qui donnent naissance aux troncs, comme le plexus brachial dans l'aisselle. Il existe deux techniques.
■ **La neurolyse tronculaire** consiste à libérer globalement le nerf, dans toute sa circonférence, lorsqu'il est étouffé par du tissu fibreux dû à une lésion des tissus avoisinants.
■ **La neurolyse fasciculaire**, pratiquée lorsque le nerf a été lésé, consiste à enlever, sous microscope, le tissu fibreux qui étouffe chacun des filets qui le composent.

Neuromédiateur

→ VOIR **Neurotransmetteur.**

Neurone

Cellule nerveuse.

Le système nerveux est formé de neurones, de cellules névrogliques et de cellules

Il existe des milliards de neurones dans l'organisme, qui assurent les fonctions de base du système nerveux, notamment la réception, l'analyse et le transport d'informations. Chaque neurone est constitué d'un corps cellulaire, de multiples prolongements, les dendrites, qui reçoivent les messages, et d'une fibre nerveuse, appelée axone, qui transmet ces messages aux neurones suivants.

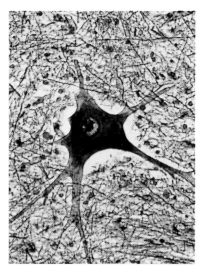

Le corps cellulaire du neurone (lie-de-vin) contient un unique noyau arrondi (rose).

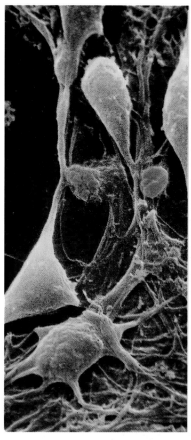

Les multiples liaisons entre les neurones assurent la conduction de l'influx nerveux.

de Schwann ; les neurones ont des fonctions nerveuses, tandis que les deux autres sortes de cellules ont des rôles de protection et de nutrition.

STRUCTURE
Un neurone est constitué d'un corps cellulaire, dans lequel se trouve un noyau, et de prolongements, l'axone d'un côté, les dendrites de l'autre, le tout étant enveloppé d'une fine membrane de protection, la membrane plasmique.
■ **Le corps cellulaire, ou péricaryon,** est relativement massif, souvent sphérique, parfois pyramidal. Il contient le noyau de la cellule.
■ **L'axone, ou prolongement cylindraxile,** est une fibre de longueur variable, au contour régulier. Un neurone ne possède qu'un seul axone.
■ **Les dendrites, ou prolongements protoplasmiques,** sont des fibres ramifiées, ayant un aspect granuleux, aux contours irréguliers.

FONCTIONNEMENT
Comme dans toute cellule, il existe de part et d'autre de la membrane une différence de potentiel électrique (polarisation), appelée potentiel de repos : l'extérieur de la cellule est positif par rapport à l'intérieur, négatif. Mais les cellules excitables telles que le neurone se distinguent des autres par la capacité à créer un autre phénomène électrique, le potentiel d'action, ou influx nerveux : en quelques millièmes de seconde et sur une infime longueur de membrane, un afflux de sodium (ion positif) entre dans

la cellule, ce qui dépolarise la membrane. Ce potentiel d'action se propage spontanément ensuite tout au long de la membrane. Il permet de transmettre un message, information sensitive ou ordre moteur. Les messages arrivent à un neurone donné par ses dendrites. Celles-ci amènent les messages au corps cellulaire (conduction centripète). Le corps cellulaire analyse les messages et en produit de nouveaux, lesquels cheminent le long de l'axone (conduction centrifuge). Un neurone est ainsi relié à d'autres neurones ou à des cellules musculaires. Le point de jonction entre l'axone d'un neurone et les dendrites d'un autre neurone s'appelle la synapse. À ce niveau, la transmission du message d'un neurone à un autre fait intervenir diverses substances appelées neurotransmetteurs.

Neuropathie

Affection du système nerveux. SYN. *neuropathie périphérique*.

Le terme de neuropathie regroupe toutes les affections du système nerveux périphérique, formé des nerfs et des ganglions, par opposition aux encéphalopathies (affections de l'encéphale) et aux myélopathies (affections de la moelle épinière).

Les causes de neuropathie sont très nombreuses : toxiques (alcoolisme, tabagisme), carentielles (déficit en vitamine B1), inflammatoires (névrites), infectieuses (diphtérie, zona), chimiques (organophosphorés, métaux lourds), cancéreuses, héréditaires, etc.

Au cours d'une neuropathie, différents éléments constitutifs de la cellule nerveuse peuvent être atteints, en particulier le corps cellulaire, les prolongements formant les fibres nerveuses, ou encore la gaine de myéline qui entoure ces fibres. Les signes et les traitements, tout aussi nombreux, dépendent de chaque maladie.

Neuropathie optique

Affection atteignant le nerf optique, responsable de la vue. SYN. *névrite optique*.

Le nerf optique peut être atteint soit à son origine, à la papille (petit disque légèrement en relief situé sur la rétine, qui est le point de départ du nerf optique dans le globe oculaire), soit en arrière du globe oculaire.

CAUSES

Nombreuses, les causes d'une neuropathie optique peuvent être vasculaires (athérosclérose, par exemple), inflammatoires (uvéoméningite associant atteinte oculaire et atteinte méningée, etc.), liées à une intoxication médicamenteuse (médicaments antituberculeux, par exemple), à l'alcoolisme, au tabagisme, à une intoxication par des produits industriels, à une maladie de système (telle que le lupus érythémateux disséminé) ou neurologique (comme la sclérose en plaques), au diabète, à un traumatisme. Une inflammation peut aussi être consécutive à une infection par une bactérie (syphilis), un virus, un champignon microscopique (candidose), un parasite (toxoplasmose).

SYMPTÔMES ET SIGNES

Le sujet souffre d'une anomalie du champ visuel, appelée scotome, dans laquelle la vision baisse dans une petite région du champ visuel. Il distingue de moins en moins bien les couleurs.

DIAGNOSTIC ET TRAITEMENT

À l'examen du fond d'œil, la papille est soit normale, soit gonflée (œdème) ; elle peut présenter une hémorragie ou, au contraire, être atrophiée et pâle ; elle peut aussi présenter un creux en son centre. Le réflexe pupillaire (rétrécissement à la lumière) peut disparaître. Le diagnostic est confirmé par l'examen des potentiels évoqués visuels (enregistrement de l'activité électrique des fibres nerveuses de la vision). Le traitement est celui de la cause.

Neuropsychiatrie

Ancienne spécialité médicale regroupant la neurologie et la psychiatrie.

Neurorécepteur

Récepteur situé à la surface d'une cellule (essentiellement nerveuse mais aussi musculaire) et intervenant dans le fonctionnement du système nerveux.

STRUCTURE

Comme les autres types de récepteurs, les neurorécepteurs sont des substances chimiques protéiques, situées dans l'épaisseur de la membrane plasmique qui entoure les cellules nerveuses ou musculaires. Les neurorécepteurs sont localisés dans la synapse (petite zone de jonction entre une cellule nerveuse et une autre cellule nerveuse ou une cellule musculaire).

FONCTIONNEMENT

Quand un influx nerveux est donné, des substances naturelles, appelées neurotransmetteurs, se fixent sur un neurorécepteur de la membrane, afin d'acheminer le message. En réponse, le neurorécepteur déclenche une réaction à l'intérieur du neurone. Par exemple, dans une synapse entre une cellule nerveuse et une cellule musculaire, la cellule nerveuse sécrète un neurotransmetteur, l'acétylcholine, qui se fixe sur les neurorécepteurs de la cellule musculaire et déclenche sa contraction.

Neurosyphilis

Manifestation neurologique de la syphilis survenant au stade tertiaire de cette maladie.

SYMPTÔMES ET SIGNES

Une neurosyphilis apparaît parfois assez tôt (de 1 à 5 ans après une syphilis) et se traduit par une méningite (maux de tête, nausées, vomissements et raideur de la nuque) ou par des troubles de la vigilance. Toutefois, la plupart des neurosyphilis ne surviennent que de plusieurs années à plusieurs dizaines d'années (de 5 à 35 ans) après le début de l'infection, chez les malades non soignés ou peu. Il peut s'agir, dans les 10 premières années, d'accidents vasculaires cérébraux dus à une interruption ou à une diminution de la circulation sanguine. Les manifestations les plus tardives sont une absence de réaction de la pupille aux variations lumineuses, dite aussi signe d'Argyll-Robertson ; un tabès, atteinte de la moelle épinière se traduisant par des douleurs des membres inférieurs et par une incoordination des mouvements aggravée par la fermeture des yeux ; une atteinte du cerveau (encéphalite appelée paralysie générale progressive) se manifestant par des idées délirantes, des troubles de l'humeur et un affaiblissement des facultés intellectuelles ; des troubles neurotrophiques (arthropathies nerveuses, maux perforants, c'est-à-dire une forme d'ulcérations de la plante du pied), fréquents.

DIAGNOSTIC ET TRAITEMENT

Le diagnostic de neurosyphilis est confirmé par des tests sérologiques, pratiqués à partir de sang et de liquide céphalorachidien, en particulier le test de Nelson (test sérologique de référence de la syphilis).

Le traitement de la neurosyphilis – comme le traitement de la syphilis en général – consiste en l'administration massive d'antibiotiques (pénicilline) par voie intraveineuse. À ce stade, il ne permet le plus souvent qu'une amélioration partielle ou une stabilisation des troubles.

PRÉVENTION

La prévention de la neurosyphilis se confond avec le traitement précoce de toute syphilis, à ses stades primaire et secondaire, et avec la prévention de la syphilis en général (utilisation de préservatifs).

Neurotomie

Incision chirurgicale d'un nerf.

Exceptionnelle, une neurotomie est généralement pratiquée en cas de tumeur nerveuse. Il existe deux techniques. Dans la première, l'incision se fait longitudinalement afin de séparer les différents faisceaux du nerf sans les sectionner ; le chirurgien peut ainsi effectuer un geste thérapeutique tel qu'une neurolyse (dégagement du tissu cicatriciel qui enserre des faisceaux nerveux). Dans la seconde, le nerf est sectionné transversalement afin de supprimer toute conduction nerveuse ; cette technique permet notamment de faire disparaître une douleur chronique tenace.

Neurotonie

Trouble bénin caractérisé par un excès de fonctionnement du système nerveux végétatif.

La neurotonie, couramment appelée nervosité ou tension nerveuse, se traduit par une émotivité exagérée, des palpitations, des tremblements, des diarrhées. À l'examen, les réflexes ostéotendineux (rotulien, par exemple) sont exagérés et il peut même y avoir des modifications de l'électrocardiogramme, sans conséquences pathologiques. Si la neurotonie entraîne une gêne trop importante, un traitement consistant à améliorer l'hygiène de vie du sujet est possible : durée de sommeil suffisante, pratique modérée et régulière d'un sport, activités de loisirs, suppression du tabac et de l'alcool, psychothérapie légère, prise de médicaments à base de plantes, homéopathie, acupuncture. Chez certaines personnes, les troubles peuvent être révélateurs de difficultés psychologiques nécessitant un traitement plus important (anxiolytiques, psychanalyse).

Neurotoxine

Substance biologique toxique agissant sur le système nerveux.

Les principales neurotoxines sont celles qui sont élaborées par le bacille du tétanos (*Clostridium tetani*), le bacille du botulisme (*Clostridium botulinum*), le bacille de la diphtérie (*Corynebacterium diphteriæ*) et celles qui sont contenues dans le venin de certains serpents. Les neurotoxines provoquent dans l'organisme l'apparition de signes neurologiques caractéristiques de chaque maladie. Le traitement des atteintes neurotoxiques fait appel à la sérothérapie (administration de sérum contenant des anticorps spécifiques de la toxine en cause).
→ VOIR Toxine.

Neurotransmetteur

Substance chimique de l'organisme permettant aux cellules nerveuses de transmettre leurs messages. SYN. *neuromédiateur*.

Les neurotransmetteurs comprennent de nombreuses substances, dont l'acétylcholine, l'acide gamma-aminobutyrique, l'adrénaline, la dopamine, les différentes endorphines, les différentes enképhalines, la noradrénaline, la sérotonine, etc. Chaque substance chimique est située en des endroits précis du système nerveux et correspond à des fonctions nerveuses bien définies (sensibilité à la douleur, contraction musculaire, coordination des mouvements, etc.).

Le neurotransmetteur est synthétisé par le neurone (cellule nerveuse), qui le libère ensuite au niveau d'une synapse, zone de jonction avec une deuxième cellule (autre cellule nerveuse, cellule d'un muscle ou d'une glande). Le neurotransmetteur se fixe alors sur une substance chimique qui lui est spécifique, le récepteur, situé dans la membrane qui entoure la deuxième cellule. C'est sa fixation qui provoque la réponse (par exemple, la contraction pour une cellule musculaire).

De nombreuses substances, médicamenteuses ou non, ont la même action qu'un neurotransmetteur et sont dites agonistes (adrénergiques, cholinergiques) ; d'autres ont une action contraire et sont dites antagonistes (adrénolytiques, anticholinergiques). Par ailleurs, un déficit en un neurotransmetteur donné peut être responsable d'une pathologie. C'est le cas pour la maladie de Parkinson, où un déficit en dopamine est observé.

Neurotrope

Se dit d'une substance ou d'un microorganisme qui se fixe sur le tissu nerveux.

Neurotropisme

Affinité d'une substance chimique ou d'un microbe pour le système nerveux.

Par exemple, le virus de la poliomyélite se fixe de préférence sur des cellules nerveuses de la moelle épinière et provoque des paralysies des membres. Le virus herpès du zona est aussi un virus neurotrope, comme en témoignent en particulier les douleurs qui persistent après la guérison de l'éruption. La toxine du botulisme, sécrétée par des bactéries dans des aliments en conserve, se localise exclusivement sur des cellules nerveuses et est responsable de paralysies de l'iris de l'œil (dilatation de la pupille) et des muscles de la déglutition.

Neuro-urologie

Spécialité médicale se consacrant aux affections neurologiques de l'appareil urinaire, en particulier celles de la vessie et de ses sphincters.

Les affections neurologiques de la vessie peuvent être dues à des lésions de ses nerfs ou à un traumatisme de la moelle épinière (fracture de la colonne vertébrale, par exemple). Elles sont diagnostiquées grâce à des explorations urodynamiques, qui permettent d'enregistrer les pressions intravésicales et sphinctériennes. Leur traitement, très spécialisé, dépend de l'affection en cause : médicaments, chirurgie conventionnelle ou endoscopique, rééducation vésicale et sphinctérienne.

Neutronthérapie

Radiothérapie utilisant des neutrons provenant d'un cyclotron (accélérateur de particules), afin de détruire des cellules cancéreuses.

La neutronthérapie est une méthode de radiothérapie utilisée pour traiter des tumeurs malignes résistant à la radiothérapie classique ; elle est particulièrement efficace sur certaines tumeurs volumineuses ou mal vascularisées. Cette technique n'est cependant pas très utilisée, car elle nécessite un matériel sophistiqué (notamment un cyclotron) et une équipe de physiciens spécialisés. Le traitement dure en général de 4 à 6 semaines, à raison de plusieurs séances par semaine. Après chacune d'entre elles, les patients traités doivent être isolés pendant quelques minutes dans une enceinte hermétique aux radiations, car il existe un risque de radioactivité transitoire des tissus irradiés.

Neutropénie

Diminution dans le sang du nombre des polynucléaires neutrophiles (globules blancs contribuant à l'élimination des bactéries) par rapport aux valeurs normales.

Une neutropénie s'évalue en nombre absolu et non en pourcentage de globules blancs. Les limites de la neutropénie sont variables d'un type ethnique à l'autre, pour des raisons de différences génétiques. Ainsi, chez les Européens et les Asiatiques, on parle de neutropénie quand le nombre des polynucléaires neutrophiles est inférieur à 1 700 par millimètre cube de sang et, chez les Africains, quand il est inférieur à 800. Lorsque ce nombre s'abaisse à moins de 500, et surtout à moins de 200, les risques de développement d'une infection bactérienne sont importants.

DIFFÉRENTS TYPES DE NEUTROPÉNIE

Les neutropénies sont soit constitutionnelles (agranulocytose congénitale), soit acquises. La plupart des neutropénies acquises sont mineures et n'ont aucune conséquence. La forme la plus fréquente, chronique, est observée en cas de fatigue, principalement chez la femme. En revanche, une neutropénie chronique sévère, avec des infections à répétition, se rencontre au cours de la polyarthrite rhumatoïde, au contact de substances toxiques (chimiothérapie, radiations ionisantes) ou dans les aplasies médullaires et les leucémies. Les neutropénies aiguës s'observent au cours d'infections virales ou bactériennes. Les neutropénies aiguës médicamenteuses ne sont habituellement qu'une étape avant l'agranulocytose, absence complète de polynucléaires neutrophiles particulièrement grave. Une agranulocytose justifie le transfert du malade en service spécialisé et des précautions d'asepsie pour réduire le risque infectieux. Lorsqu'une neutropénie sévère survient au cours d'une chimiothérapie, celle-ci doit être réduite, voire interrompue momentanément.

Neutrophile

Se dit des cellules ayant une affinité pour les colorants à la fois acides et basiques.

C'est le cas, par exemple, des globules blancs dits polynucléaires neutrophiles, capables de phagocytose (absorption et digestion des bactéries) et jouant donc un rôle important dans la lutte contre les infections bactériennes.

Névralgie

Douleur provoquée par une irritation ou par une lésion d'un nerf sensitif.

Une névralgie est localisée sur le trajet d'un nerf ou à l'une des racines par lesquelles celui-ci se rattache au système nerveux central, ou encore dans le territoire qui est sous sa dépendance. La douleur évolue en général par crises assez intenses, mais un fond douloureux peut persister entre les crises.

DIFFÉRENTS TYPES DE NÉVRALGIE

On les classe selon leur localisation.
■ **La névralgie faciale** engendre une douleur suraiguë dans la zone contrôlée par le nerf trijumeau. Elle touche essentiellement la joue, les paupières supérieures et, le plus souvent, le maxillaire supérieur. Elle se produit d'un seul côté et est souvent provoquée par la stimulation d'une zone cutanée particulière de la face.
■ **La névralgie intercostale** siège entre les côtes mais suit le trajet d'innervation cutanée qui croise obliquement les côtes.
■ **Les névralgies par irritation des nerfs des membres** descendent le long d'une bande étroite jusqu'à l'extrémité du membre : névralgie cervicobrachiale au membre supérieur, névralgie crurale et sciatique au membre inférieur.

TRAITEMENT

Il dépend de chaque cas mais comprend souvent une immobilisation temporaire (repos au lit, port d'un corset ou d'un collier cervical), la prise d'analgésiques, d'anti-inflammatoires (par voie injectable ou orale, ou en infiltrations), ou encore des séances de kinésithérapie.

Névraxe

Partie du système nerveux comprenant l'encéphale et la moelle épinière. SYN. *système nerveux central.*

Névrite

Inflammation d'un ou de plusieurs nerfs.

Les névrites font partie des neuropathies périphériques (affections des nerfs en général). La cause de l'inflammation peut être l'alcoolisme, une infection (lèpre, divers virus), un trouble chimique (diabète) ou un traumatisme.

Les signes sont moteurs (faiblesse musculaire ou véritable paralysie) et/ou sensitifs (fourmillements, douleurs). Ils siègent dans la région contrôlée par les nerfs affectés, ce qui permet de distinguer plusieurs cas : la mononévrite (atteinte d'un nerf) ; la multinévrite, qui touche plusieurs nerfs soit successivement, soit simultanément et d'une façon asymétrique entre la moitié droite et la moitié gauche du corps ; la polynévrite (atteinte de plusieurs nerfs simultanément et symétriquement) ; la polyradiculonévrite (atteinte des racines des nerfs). Le traitement est celui de la cause.

Névrite optique

→ VOIR Neuropathie optique.

Névrodermite

→ VOIR Lichénification.

Névroglie

Ensemble de cellules servant à la protection des neurones. SYN. *cellules gliales, glie.*

La névroglie est un tissu de soutien situé à l'intérieur de l'encéphale et de la moelle épinière. Quatre types de cellule la constituent : les cellules épendymaires, les astrocytes, les oligodendrocytes et les cellules microgliales.

Les cellules épendymaires tapissent l'intérieur des cavités contenant le liquide céphalorachidien. Les astrocytes, cellules en forme d'étoile, assurent une fonction de soutien, de protection et d'isolement des neurones, contribuant aussi à la cicatrisation du tissu nerveux. Les oligodendrocytes, petites cellules, sont responsables de la formation des gaines de myéline autour des prolongements des neurones. Les cellules microgliales sont des monocytes (variété de globules blancs) qui sont entrés dans le tissu nerveux et se sont transformés en s'adaptant à leur nouveau milieu. En cas d'agression du tissu nerveux, ces cellules microgliales sont activées et se muent en macrophages (gros globules blancs), capables de nettoyer le tissu par phagocytose (ils ingèrent les fragments étrangers et les détruisent).

Névrome

Tumeur bénigne formée de fibres nerveuses plus ou moins anormales.

Les névromes comprennent deux types de lésion, de causes différentes.

■ Le névrome d'amputation se développe quand un nerf a été sectionné et quand son extrémité est très éloignée de sa racine, ou lorsque la section est due à l'amputation d'un membre. À la racine, des fibres (axones) repoussent, mais, n'étant plus guidées par une gaine nerveuse, elles s'enchevêtrent et forment une petite masse, le névrome.

■ Le névrome plexiforme est dû à une prolifération compacte de fibres nerveuses. Il est superficiel et se traduit par une grosseur palpable sous la peau donnant au doigt la sensation d'un petit paquet de ficelle. Il est caractéristique surtout d'une maladie appelée maladie de Recklinghausen.

Les névromes sont source de douleurs souvent intenses. Leur traitement est difficile ; l'ablation chirurgicale est dans certains cas possible.

Névrose

Trouble mental n'atteignant pas les fonctions essentielles de la personnalité et dont le sujet est douloureusement conscient.

Le terme de névrose a été créé au XVIIIe siècle par le médecin écossais William Cullen.

L'étude de ce type de troubles a joué un rôle déterminant dans l'évolution de la psychiatrie et dans l'émergence de la psychanalyse.

DIFFÉRENTS TYPES DE NÉVROSE

■ Les névroses de transfert sont liées à un conflit ancien : leur mécanisme serait un compromis défensif entre le désir infantile et son interdit. Elles se traduisent par des troubles mentaux (ceux de la névrose obsessionnelle, par exemple) ou des manifestations cliniques (celles de l'hystérie ou de la phobie, par exemple).

■ Les névroses actuelles sont liées à une souffrance narcissique : névrose d'angoisse, hypocondrie (préoccupation excessive de son état de santé), névrose réactionnelle (à un traumatisme, au vieillissement, etc.).

SYMPTÔMES ET SIGNES

Une névrose se traduit habituellement par un sentiment d'angoisse, un infléchissement du jugement par la passion et l'imaginaire (phénomène de compensation), des perturbations de la vie sexuelle (frigidité, impuissance) et sociale (manque d'assurance, agressivité). Cependant, à la différence du psychotique, le névrosé ne perd pas le contact avec le réel et reste relativement adapté à son environnement et à la vie sociale.

TRAITEMENT

Les anxiolytiques peuvent apporter un soulagement dans les moments les plus difficiles mais ne constituent en aucun cas un traitement de fond et ne doivent pas être pris longtemps. Seule la découverte de soi, avec l'aide d'un thérapeute (psychothérapie, psychanalyse, thérapie comportementale, etc.), permet généralement d'obtenir la guérison d'une névrose.

Névrose obsessionnelle

Névrose caractérisée par des obsessions associées à des traits psychasthéniques (tension émotionnelle, fatigabilité).

Décrite au début du XIXe siècle sous le nom de « folie du doute », la névrose obsessionnelle s'installe après 25-30 ans, chez des sujets en majorité de sexe masculin, de caractère à la fois inhibé et perfectionniste. Selon les psychanalystes, elle découle du refoulement d'exigences sexuelles et affectives œdipiennes (attachement à l'un des parents et culpabilité qui s'y rattache), entraînant une régression au stade anal. D'autres explications ont été avancées, d'ordre psychobiologique (perturbation précoce dans l'acquisition de la propreté et de la notion du temps).

SYMPTÔMES ET SIGNES

Une ou plusieurs obsessions assaillent le sujet, qui s'efforce de les chasser par des moyens « magiques » (rites, formules conjuratoires). L'obsessionnel, dont les capacités intellectuelles sont souvent supérieures à la moyenne, peut rester socialement bien adapté ; dans les cas les plus graves, la lutte permanente qu'il livre contre ses obsessions envahit toute son existence, sans qu'il cesse d'être conscient de la nature pathologique de ses troubles, ce qui le conduit parfois à la dépression.

TRAITEMENT

Il repose sur la psychanalyse ou une psychothérapie d'inspiration psychanalytique, complétée par l'administration d'anxiolytiques et d'antidépresseurs.

Névrose phobique

Névrose associant une personnalité voisine de celle de l'hystérique (sujet émotif et sensible, à l'imagination vive) à des crises de phobie.

La névrose phobique a été décrite par le psychanalyste autrichien Sigmund Freud sous le nom d'« hystérie d'angoisse ». Les psychanalystes l'expliquent par une angoisse d'origine sexuelle, comme dans le cas de l'hystérie, à cela près que les malades atteints de névrose phobique ont surtout peur de séduire ou d'être séduits.

SYMPTÔMES ET SIGNES

Cette névrose est caractérisée par des crises de phobie, qui déplacent l'angoisse provoquée par un conflit intérieur sur une situation extérieure précise : peur des espaces clos (claustrophobie), des espaces ouverts (agoraphobie), du regard d'autrui, etc. Le patient lutte contre sa phobie en évitant la situation redoutée ou en se faisant accompagner par une personne proche. Face à un danger réel, il peut en revanche témoigner d'un grand courage physique.

TRAITEMENT

Il repose sur la psychanalyse ou sur une psychothérapie d'inspiration psychanalytique, associée, lorsque la névrose empêche le sujet d'avoir une vie sociale normale, à la prise d'anxiolytiques.

Nez

Organe formant une saillie sur le tiers moyen de la hauteur de la face et constituant la partie initiale des voies respiratoires.

Le nez est composé d'os et de cartilages, qui constituent son squelette. Il contient la partie antérieure des fosses nasales, deux cavités tapissées de muqueuse qui s'ouvrent vers l'avant par deux orifices, les narines.

■ **Le squelette** du nez comprend deux parties, l'une osseuse, en haut, et l'autre cartilagineuse, en bas. La partie osseuse est formée, au milieu, par les os propres au nez et, sur les côtés, par le maxillaire supérieur. La partie cartilagineuse donne au nez son aspect pointu. Les cartilages et les os du nez sont recouverts de muscles.

■ **Les deux fosses nasales** comprennent une partie antérieure et une partie postérieure. La partie antérieure s'ouvre à l'extérieur par les deux orifices des narines. La partie postérieure s'ouvre par deux orifices, les choanes, dans le rhinopharynx (extrémité supérieure du pharynx). La cloison nasale, cartilagineuse en avant et osseuse en arrière, sépare les deux fosses. La paroi supérieure des fosses nasales est tapissée d'une muqueuse, dite muqueuse pituitaire, où se trouvent les cellules sensorielles olfactives ; elle est formée par l'os ethmoïde, lame perpendiculaire, qui sépare les fosses nasales du lobe frontal du cerveau. La paroi externe de chaque fosse nasale porte trois saillies osseuses allongées d'avant en arrière, les cornets inférieur, moyen (sous lequel s'ouvre le méat moyen, orifice de drainage des sinus) et supérieur, qui sont recouverts de muqueuse.

FONCTIONNEMENT

Le nez est l'organe de la respiration. L'air inspiré entre par les fosses nasales, qui l'humidifient, le réchauffent et le purifient grâce au mucus et aux cils qui retiennent les impuretés.

Le nez est aussi l'organe de l'odorat. Dans les parois supérieures des fosses nasales se situent les cellules olfactives, le bulbe et le nerf olfactif. Les odeurs sont captées à ce niveau, et le message sensoriel est transmis au cerveau, ce qui permet à l'individu de les percevoir.

Par ailleurs, les fosses nasales drainent les sinus et les voies lacrymales. En dernier lieu, le nez joue le rôle de caisse de résonance lors de l'émission des sons : ainsi, grâce au nez, on peut élaborer les sonorités nasales.

EXAMENS

L'examen direct du nez est pratiqué à l'aide d'un spéculum qui dilate les narines ou par fibroscopie (endoscopie utilisant des fibres optiques). La biopsie permet de diagnostiquer tumeurs bénignes et malignes.

PATHOLOGIE

Par sa forme en saillie, le nez est sujet aux traumatismes (y compris les fractures), source de douleurs et de déformations, que l'on traite chirurgicalement. Les septoplasties corrigent les déviations de la cloison nasale.

Les fosses nasales sont le lieu d'infections telles que les rhinites (inflammation), d'épistaxis (saignements d'origine nasale), de tumeurs bénignes (polypes, parfois volumineux au point d'obstruer une fosse nasale) ou malignes (mélanome, sarcome, cancer de l'ethmoïde). Les enfants, surtout entre 2 et 4 ans, y introduisent parfois des corps étrangers, ce qui provoque une rhinorrhée (écoulement nasal) unilatérale ou un saignement de nez. Tout corps étranger introduit dans les fosses nasales doit être retiré, parfois sous anesthésie générale en raison des risques d'inhalation, et donc d'obstruction bronchique.

N.F.S.

→ VOIR Numération formule sanguine.

Nicolas-Favre (maladie de)

→ VOIR Lymphogranulomatose vénérienne.

NEZ

Organe de l'odorat, le nez participe aussi à la respiration et à la phonation (ensemble des facteurs qui concourent à la production de la voix et, d'une façon plus générale, à celle de la parole). Il est soutenu par une charpente osseuse et cartilagineuse, et sa base est percée de deux orifices, les narines, faisant communiquer les fosses nasales avec l'extérieur. Celles-ci se prolongent en arrière, où elles sont bordées par trois saillies osseuses recouvertes de muqueuse, les cornets.

Structure du nez

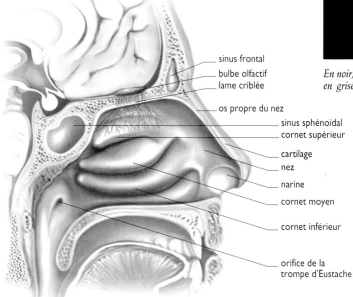

- sinus frontal
- bulbe olfactif
- lame criblée
- os propre du nez
- sinus sphénoïdal
- cornet supérieur
- cartilage
- nez
- narine
- cornet moyen
- cornet inférieur
- orifice de la trompe d'Eustache

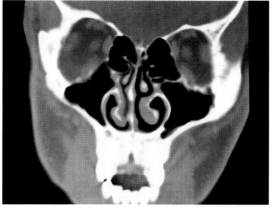

En noir, sur le scanner, apparaissent les fosses nasales (avec, au centre, en grisé, les cornets) et, de chaque côté, les sinus.

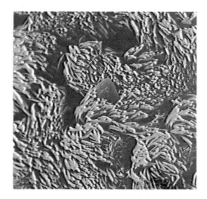

Les cavités nasales sont tapissées par une muqueuse qui capte les molécules odoriférantes.

Nicolle (Charles)

Bactériologiste français (Rouen 1866 – Tunis 1936).

Directeur de l'institut Pasteur de Tunis de 1903 à 1936, il fit beaucoup progresser, par ses recherches, la lutte contre les maladies infectieuses et parasitaires. Il découvrit notamment que le typhus exanthématique se transmet par le pou du corps et révéla l'existence du virus filtrant de la grippe, ainsi que celle des affections inapparentes (pouvant évoluer sans symptômes et pourtant contagieuses). Il mit également en évidence les propriétés préventives du sérum de convalescents de plusieurs maladies, dont la rougeole. Le prix Nobel de médecine lui fut attribué en 1928.

Nicotinamide

Substance dérivée de l'acide nicotinique, réunie avec celui-ci sous le terme générique de vitamine PP.

Le nicotinamide est inclus dans deux substances entrant dans la composition des nucléotides, le nicotinamide-adénine-dinucléotide (N.A.D.) et son dérivé phosphoré (N.A.D.P.). Ce sont des coenzymes : ils aident au fonctionnement d'enzymes de la respiration cellulaire, qui fournissent de l'énergie aux cellules à partir des substances nutritives.

Dans le sang, le nicotinamide se trouve dans les globules rouges ; les dosages doivent donc être effectués sur sang total ou sur les globules rouges par chromatographie liquide haute performance : le taux normal de nicotinamide est de 38 à 58 micromoles par litre dans le sang total, de 93 à 116 micromoles par litre dans les globules rouges.

Nicotine

Substance chimique naturelle extraite des feuilles de tabac.

La nicotine est un alcaloïde huileux jaunissant au contact de l'air, âcre de goût et d'odeur nauséabonde. Elle est présente dans les cigarettes (cigares, etc.), dans certains insecticides et dans les timbres transdermiques.

Une fois inhalée, respirée ou mâchée, la nicotine passe rapidement dans le sang et agit directement sur les synapses (jonctions entre les cellules) du système nerveux végétatif, qui contrôle les activités réflexes de l'organisme.

La nicotine est un poison violent. Les effets indésirables sont nombreux : pâleur, faiblesse, sudation, palpitations cardiaques, tremblements, fourmillements, nausées, vomissements, maux de tête, insomnie, etc. Les maladies liées à la nicotine et au tabagisme sont le cancer du poumon, l'insuffisance coronarienne (angine de poitrine, infarctus), l'hypertension artérielle, des troubles cardiovasculaires, de nombreuses cardiopathies et artériopathies périphériques, etc.

La nicotine entraîne une accoutumance et une dépendance : arrêter de fumer provoque souvent des symptômes liés au sevrage (somnolence, maux de tête, fatigue, difficulté de concentration). Afin d'aider une personne motivée à supprimer le tabac, le médecin peut prescrire un timbre, ou patch, à base de nicotine, qui, progressivement, permet au patient de se sevrer.

Nidation

Pénétration complète de l'œuf fécondé dans la muqueuse utérine. SYN. *implantation.*

La nidation s'effectue normalement dans la muqueuse utérine, préparée à recevoir l'œuf, le 7e jour environ après la fécondation (soit le 21e ou le 22e jour du cycle menstruel). À son arrivée dans la cavité utérine, où il reste libre pendant 2 ou 3 jours, l'œuf fécondé est une masse sphérique à l'intérieur de laquelle se poursuivent des divisions cellulaires. Deux parties se différencient rapidement : le bouton embryonnaire, futur embryon, entouré par une membrane, et le futur trophoblaste, à l'origine du placenta. Pour poursuivre son développement, l'œuf doit tirer sa nourriture des tissus maternels : il pénètre donc dans la muqueuse de l'utérus, grâce au trophoblaste qui fusionne avec les cellules utérines. La nidation s'effectue en général sur la paroi antérieure ou postérieure de l'utérus, près de la ligne médiane. La préparation de la muqueuse à cette éventuelle nidation est assurée, au cours de chaque cycle menstruel, par la sécrétion d'hormones œstrogènes (progestérone).

PATHOLOGIE

La nidation peut se produire hors de l'utérus ; il s'agit alors d'une grossesse extra-utérine soit ovarienne, soit, le plus souvent, tubaire (localisée dans une des trompes utérines). Certaines nidations peuvent également se faire de façon imparfaite, en raison soit d'anomalies de forme de l'utérus, congénitales ou acquises, soit d'insuffisance hormonale. Elles entraînent parfois un avortement spontané.

Nissen (opération de)

Intervention chirurgicale portant simultanément sur l'œsophage et sur l'estomac.

L'opération de Nissen est pratiquée en cas de hernie hiatale (remontée d'une petite portion d'estomac au-dessus du diaphragme) ou de reflux gastro-œsophagien (remontée du contenu gastrique dans l'œsophage) ; elle permet de créer une valve antireflux. Dans un premier temps, le chirurgien remet au besoin à leur place normale l'œsophage et l'estomac et les libère de leurs attaches ligamentaires. Puis, après avoir fait passer la grosse tubérosité de l'estomac derrière les quelques centimètres d'œsophage qui se trouvent sous le diaphragme, il s'en sert pour envelopper l'œsophage sur une longueur de 6 à 8 centimètres, en formant un manchon maintenu par une suture. Cette intervention, délicate, nécessite une hospitalisation d'une huitaine de jours. Son résultat est excellent. Elle peut être pratiquée sous cœlioscopie.

Nitrate

Substance chimique dérivée de l'acide nitrique.

Les nitrates sont soit des sels, soit des esters (par association à une seconde substance, de la famille des alcools) de l'acide nitrique. Les nitrates jouent un rôle important dans l'agriculture, mais, utilisés comme engrais, ils se diffusent dans les eaux souterraines et sont source de pollution. D'autres nitrates polluants se trouvent dans les déjections des animaux domestiques.

Ingérés par absorption d'eau polluée, les nitrates tendent à se transformer en nitrites dans l'organisme humain, où ils provoquent la formation d'une hémoglobine anormale, inapte au transport de l'oxygène (méthémoglobine), et une vasodilatation.

Par ailleurs, le nitrate d'argent, utilisé parfois comme antiseptique et comme cautérisant cutané, est très toxique.

Nitrite

Substance chimique dérivée de l'acide nitreux.

Les nitrites sont utilisés comme engrais dans l'agriculture et comme matière première dans l'industrie.

INTOXICATION

Le risque d'intoxication est lié à l'absorption d'eau contaminée par les nitrites ou à l'inhalation de vapeurs nitreuses dégagées par les nitrites en milieu acide. Ces substances sont méthémoglobinisantes, c'est-à-dire qu'elles transforment l'hémoglobine en méthémoglobine inapte au transport de l'oxygène, et exercent une action vasodilatatrice, c'est-à-dire qu'elles augmentent le diamètre des vaisseaux. En cas d'intoxication, on observe une cyanose, signe d'une insuffisance d'oxygénation, une hypotension avec accélération du rythme cardiaque, des maux de tête, des troubles digestifs (vomissements) et une détresse respiratoire pouvant aboutir, en cas d'intoxication aiguë, à une asphyxie. Le traitement d'une intoxication associe le lavage gastrique, le traitement des symptômes (respiration artificielle, etc.) et l'injection de bleu de méthylène.

Par ailleurs, les dérivés nitreux organiques, ou dérivés nitrés, qui sont de puissants vasodilatateurs, sont utilisés dans le traitement de l'angor (angine de poitrine).
→ VOIR Dérivé nitré, Nitrate.

Nobel (Alfred)

Chimiste suédois (Stockholm 1833 – San Remo 1896).

Inventeur de la dynamite, il disposa par testament de presque toute sa fortune pour la fondation de cinq prix annuels (physique, chimie, médecine et physiologie, littérature, paix). Celui de médecine et de physiologie est décerné par l'institut Karolin de Stockholm. Le premier prix dans cette discipline fut attribué en 1901 à l'Allemand Emil von Behring (1854-1917) pour ses travaux sur la thérapeutique par les sérums.

En 1968, un prix Nobel de sciences économiques fut créé par la Banque de Suède.

Nocardiose

Maladie infectieuse due à des bactéries à Gram positif du genre *Nocardia.*

La nocardiose est une affection rare chez les individus sains, plus courante chez les sujets immunodéprimés. Les principales espèces pathogènes de *Nocardia* sont *Nocardia asteroides* et *Nocardia brasiliensis*, qui pénètrent dans l'organisme par contact cutané (plaie, excoriation) ou par voie aérienne.

SYMPTÔMES ET SIGNES

La maladie se présente comme une infection pulmonaire subaiguë ou chronique, se manifestant par une toux, des crachats purulents et une altération de l'état général. L'infection se propage par la circulation sanguine jusqu'à d'autres parties du corps, allant jusqu'à provoquer des septicémies et des abcès du cerveau.

DIAGNOSTIC ET TRAITEMENT

Le diagnostic repose sur l'examen direct des crachats, sur leur culture ainsi que sur celle du sang. Le traitement consiste en l'administration d'antibiotiques (sulfamides), pendant une période allant de plusieurs semaines à plus de un an. Toutefois, les récidives, fréquentes, peuvent survenir longtemps après la première infection.

Nocebo

Substance pharmacologiquement inactive bien que responsable d'effets indésirables.
■ L'effet nocebo consiste en l'apparition de symptômes indésirables après la prise d'une substance pharmacologiquement neutre ou d'un médicament qui ne peut, théoriquement, produire de tels symptômes. Il est lié au psychisme de certains patients, persuadés que les médicaments rendent malades (qui attribuent, par exemple, lorsqu'ils sont soignés par antibiotiques, la fatigue ressentie à ceux-ci et non à la maladie traitée).

Nodosité

Toute lésion arrondie, bien délimitée et de consistance ferme.

Nodule

1. Lésion cutanée ou muqueuse bien délimitée, de forme approximativement sphérique et palpable.

Les nodules peuvent être soit superficiels, situés dans l'épiderme ou dans le derme (kyste épidermique ou sébacé, fibrome, nodules dus à des maladies générales telles que la lèpre, la sarcoïdose, la syphilis tertiaire), soit profonds, situés dans l'hypoderme (nodules dus à un lipome, à un érythème noueux, à une panniculite, à une vascularite nodulaire).

Nodule des cordes vocales

C'est une petite lésion arrondie, située sur le bord d'une corde vocale, qui résulte le plus souvent d'un surmenage de la voix.

Son traitement repose sur le repos vocal, associé à une rééducation orthophonique de la voix. En cas de récidive, il faut envisager une ablation soit chirurgicale, soit au laser.

Nodule douloureux de l'oreille

Le nodule douloureux de l'oreille est une petite lésion arrondie, d'aspect verruqueux, située sur le pavillon de l'oreille et provoquée par une inflammation du cartilage de ce dernier. Il provoque des douleurs exacer-

bées par la pression. Il doit être ôté chirurgicalement (ablation puis suture) ou par électrocoagulation et curetage.

2. En radiologie thoracique, opacité plus ou moins dense, homogène et ronde, unique ou multiple, visible dans les poumons.

Nodule des trayeurs

Lésion virale des mains, due à un virus du groupe des parapoxvirus.

Le nodule des trayeurs s'observe en milieu rural, sous forme de cas sporadiques ou, parfois, de petites épidémies. Dû au contact des mains d'un trayeur avec les mamelles d'une vache infectée, il se traduit par une ou plusieurs lésions sphériques de 3 à 15 millimètres de diamètre, légèrement saillantes, rouges, parfois recouvertes d'une croûte mais non douloureuses. Le traitement repose sur l'application d'antiseptiques et sur la prise d'antibiotiques du groupe des tétracyclines, par voie orale. Les lésions disparaissent généralement en trois semaines.

Nœud sinusal

→ VOIR Keith et Flack (nœud de).

Noma

Ulcération des tissus de la bouche. SYN. *stomatite gangréneuse.*

Le noma atteint surtout des enfants souffrant de dénutrition en milieu tropical ; il peut aussi survenir à la suite d'une maladie infectieuse (rougeole, scarlatine, fièvre typhoïde). Les ulcérations siègent le plus souvent sur la lèvre ou la joue ; elles tendent ensuite à s'étendre aux tissus voisins et à les détruire.

Le traitement du noma repose sur l'administration d'antibiotiques à large spectre et sur une renutrition intensive. Il doit être entrepris précocement pour éviter une évolution mortelle de la maladie.

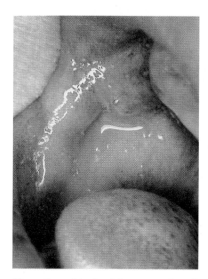

Noma. *Cette ulcération de la muqueuse buccale peut être consécutive à une maladie infectieuse telle que la rougeole.*

Nombril

→ VOIR Ombilic.

Non-disjonction

Non-séparation des chromosomes homologues au moment de la division cellulaire qui conduit à la formation des ovules ou des spermatozoïdes, entraînant une anomalie du nombre des chromosomes de l'œuf fécondé.

Celui-ci comporte, au lieu d'une paire de chromosomes, soit un chromosome unique (monosomie), soit, à l'inverse, trois chromosomes (trisomie).

Noradrénaline

Substance synthétisée essentiellement par les fibres nerveuses périphériques sympathiques, mais également par le système nerveux central et, en faible quantité, par les glandes médullosurrénales ; elle participe surtout à la constriction artérielle.

La noradrénaline est une catécholamine, neurotransmetteur facilitant la transmission de l'influx nerveux. Il s'agit à la fois d'un médiateur (messager) chimique et d'une hormone, qui exerce son action en se fixant sur des récepteurs, dits alpha et bêta adrénergiques, spécifiques de certaines cellules de l'organisme (muscles, parois des vaisseaux).

Une hypersécrétion de noradrénaline par un phéochromocytome (tumeur des glandes médullosurrénales) est responsable d'une hypertension artérielle sévère, traitée par l'ablation de la tumeur.

Northern (technique de)

Procédé de biologie moléculaire permettant d'identifier et d'observer une séquence d'A.R.N. sans l'isoler.

Ce procédé est identique à celui de la technique de Southern, qui identifie les séquences d'A.D.N.

Norwalk (virus de)

Virus à A.D.N. de la famille des parvovirus, dont il existe plusieurs espèces, responsables d'épidémies de gastroentérite, surtout chez les enfants.

Le virus de Norwalk est présent sur toute la surface du globe. Sa transmission se fait par voie orofécale, c'est-à-dire par l'ingestion d'eau ou de coquillages contaminés par les matières fécales des malades.

Nosocomial

Se dit d'une infection contractée à l'hôpital et non directement liée à l'affection pour laquelle le malade est hospitalisé.

Nosologie

Partie de la médecine qui étudie les critères qui servent à définir les maladies afin d'établir une classification.

Les maladies sont classées selon leurs causes (maladies infectieuses, maladies tumorales, etc.), selon leur localisation sur un organe ou un appareil (maladies du cœur, maladies du système nerveux, etc.) ou selon les lésions anatomiques qu'elles provoquent (tumeurs bénignes, tumeurs malignes, etc.).

Dans les heures qui suivent la naissance, la sage-femme, ou, éventuellement, le médecin, pratique systématiquement un examen clinique standardisé. L'appréciation des fonctions vitales du nouveau-né (rythme cardiaque, fréquence respiratoire, etc.), de son tonus musculaire et de sa réaction aux stimulations est complétée par l'examen du système nerveux et des articulations ainsi que par la recherche d'une malformation externe (malformation de la colonne vertébrale, des organes génito-urinaires, etc.) ou interne (obstruction des fosses nasales, de l'œsophage, etc.). Enfin, des tests biologiques permettent de rechercher une phénylcétonurie (maladie caractérisée par un déficit enzymatique) ou une hypothyroïdie (insuffisance de la sécrétion de la glande thyroïde).

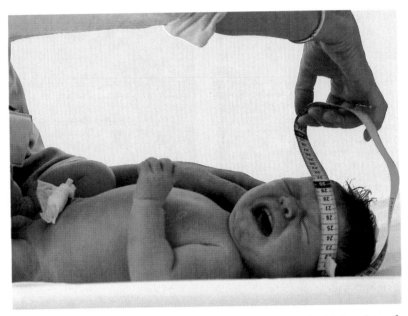

Les mensurations prises à la naissance comprennent notamment une mesure du périmètre crânien afin de dépister une éventuelle anomalie telle qu'une hydrocéphalie (augmentation de la quantité de liquide céphalorachidien provoquant une dilatation des cavités de l'encéphale).

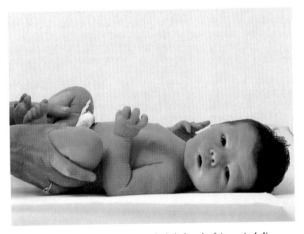

Le dépistage d'une luxation congénitale de la hanche fait partie de l'examen du nouveau-né. Le médecin cherche, en rapprochant la cuisse de l'axe du corps, l'impression du ressaut, propre à cette malformation.

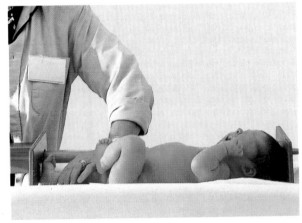

La taille et le poids sont un bon indice de l'état de santé du nouveau-né. En cas d'écart avec les valeurs moyennes, il faudra tenir compte des antécédents maternels et du résultat des examens pratiqués.

Nourrisson

Enfant dont l'âge se situe entre 29 jours (fin de la période néonatale) et 2 ans.
→ VOIR Alimentation du nourrisson, Allaitement, Croissance de l'enfant, Développement de l'enfant.

Nouveau-né

Enfant, depuis le jour de sa naissance jusqu'à son 28e jour de vie.

Adaptation, maturation et développement constituent les grandes caractéristiques de cette phase de l'existence.

SOINS ET INSPECTION À LA NAISSANCE

Dès que l'enfant est né, il est généralement placé sur une table de réanimation chauffante : son cœur est ausculté et ses voies aériennes supérieures (fosses nasales et pharynx) sont doucement désobstruées. Un collyre antibiotique lui est administré pour prévenir tout risque de conjonctivite,

ainsi qu'une ampoule de vitamine K, pour prévenir toute hémorragie. L'adaptation du nouveau-né à la vie extérieure s'évalue grâce à la cotation d'Apgar, qui permet d'apprécier l'état des grandes fonctions vitales dans les minutes qui suivent la naissance. Trois éléments sont essentiels pour cette évaluation : l'état des mouvements respiratoires spontanés, le rythme cardiaque et la couleur de la peau (rosée, pâle ou cyanosée), indice d'une bonne ou d'une mauvaise oxygénation sanguine. Si l'enfant est en bonne santé, il est mis au contact de sa mère, après avoir été lavé et séché. En revanche, s'il est pâle, s'il gesticule peu, s'il a un teint bleuté et ne respire pas immédiatement, il faut sans tarder lui assurer une ventilation efficace (à l'aide d'un masque à oxygène ou, en cas d'échec, par intubation trachéale) et, dans certains cas, procéder à un massage cardiaque.

EXAMEN MÉDICAL DÉTAILLÉ

Pendant sa première semaine de vie, le nouveau-né fait l'objet d'un examen approfondi effectué par un pédiatre. Il est souhaitable qu'une bonne partie de cet examen soit pratiquée en présence des parents.

■ L'auscultation sert à apprécier les fréquences cardiaque et respiratoire, ainsi que l'absence d'anomalies (souffle cardiaque, gêne respiratoire). La palpation des artères fémorales permet de s'assurer qu'il n'existe aucune malformation cardiovasculaire.

■ L'examen de la peau permet de mettre en évidence certaines anomalies cutanées (purpura, angiome) ou une coloration anormale (ictère, cyanose).

■ L'examen morphologique est destiné à éliminer l'éventualité d'une malformation qui aurait pu échapper à l'examen échographique anténatal. Une sonde est introduite dans l'œsophage pour vérifier qu'il n'y a pas d'atrésie (interruption) de cet organe ; une autre sonde est placée dans l'anus afin de dépister une malformation anorectale. Les choanes (orifices postérieurs des fosses nasales conduisant au pharynx) sont également sondés. On recherche une éventuelle division du palais (fente labiopalatine) ou une anomalie du bas de la colonne vertébrale. Les os et les articulations sont, eux aussi, inspectés pour détecter soit une déformation crânienne (céphalhématome, bosse sérosanguine), soit une fracture de la clavicule ou des membres inférieurs (due à une extraction difficile), ou encore des anomalies des doigts, des orteils ou une luxation de la hanche.

■ **L'examen des yeux** a pour but de vérifier que le regard s'oriente spontanément vers la lumière, qu'il suit horizontalement un objet contrasté (blanc et noir), qu'il n'y a pas de reflet dans les pupilles. Une conjonctivite (rougeur de l'œil) est recherchée. Une obstruction du canal lacrymal est suspectée si l'œil de l'enfant est souvent « collé », avec des sécrétions abondantes.

■ **L'examen de l'abdomen** conduit à apprécier l'état du reliquat du cordon ombilical (qui contient 3 vaisseaux) et, par palpation, la taille du foie. Chez le garçon, le pénis doit avoir une longueur minimale de 2 centimètres. Les deux testicules doivent être en place dans les bourses. Chez la fille, l'orifice vaginal doit être bien visible. Les sécrétions vaginales blanchâtres ou parfois hémorragiques qui peuvent survenir vers le 5e jour de la vie sont banales et ne nécessitent aucun traitement.

■ **L'examen neurologique**, primordial, comprend, entre autres, l'observation de la motricité spontanée de l'enfant ; celle-ci se caractérise notamment par une gesticulation asymétrique des membres, l'alternance des mouvements de flexion et d'extension, de l'ouverture et de la fermeture des mains. Le tonus de l'enfant est également apprécié (étude de l'extensibilité musculaire, du redressement de la tête et du tronc) et les réflexes dits primaires ou archaïques, propres au nouveau-né (agrippement, succion, marche automatique, etc.), sont contrôlés.

■ **Des tests biologiques de dépistage** sont pratiqués : le talon de l'enfant est légèrement incisé pour y prélever quelques gouttes de sang. Le test de Guthrie recherche la phénylcétonurie (maladie héréditaire caractérisée par un déficit enzymatique) ; une hypothyroïdie (insuffisance de la sécrétion de la glande thyroïde) est aussi recherchée.

ALIMENTATION ET HYGIÈNE
Les besoins alimentaires du nouveau-né sont de 60 millilitres quotidiens de lait maternel ou maternisé par kilogramme de poids à la naissance et de 150 millilitres quotidiens par kilogramme à la fin de la 1re semaine de vie. Le nouveau-né perd habituellement du poids pendant les trois premiers jours de sa vie, essentiellement en raison de la faiblesse de ses apports alimentaires ; mais il a, dans la plupart des cas, regagné son poids initial dès le 8e jour. La prise pondérale est ensuite, en moyenne, de 25 à 30 grammes par jour.

L'enfant doit être nettoyé et changé après chaque tétée ; s'il a les fesses facilement irritables, on les enduit d'une pâte à l'eau. Le cordon ombilical, qui doit être désinfecté tous les jours, tombe en moyenne vers le 8e jour de vie. Le premier bain n'intervient souvent qu'après la chute du cordon ombilical.

Le nouveau-né doit être couché dans un lit à montants rigides, sur un matelas ferme occupant bien toute la surface libre et sans oreiller. Il peut être placé sur le côté ou sur le ventre, afin qu'il puisse régurgiter sans risque d'étouffement, ou sur le dos s'il est fébrile. Il est préférable de le couvrir avec un surpyjama plutôt qu'avec une couette ou des couvertures, pour lui permettre d'être à l'aise dans ses mouvements sans se découvrir. La première sortie de l'enfant né à terme peut s'effectuer à partir du 15e jour quand les conditions météorologiques sont favorables.

SUIVI MÉDICAL
La plupart des pays ont mis en place des structures médico-sociales permettant aux parents d'accéder à une surveillance médicale régulière de leur enfant.

DÉVELOPPEMENT AFFECTIF
Autant que de soins et de nourriture, le nouveau-né a besoin pour s'épanouir d'un contact précoce avec sa mère et son père. La chaleur et la tendresse qui lui sont prodiguées lui permettent de se développer de façon équilibrée.

→ VOIR Accouchement, Allaitement, Apgar (cotation d'), Guthrie (test de).

Noyade

Asphyxie due à l'immersion dans l'eau.

La noyade est responsable d'environ 140 000 décès par an dans le monde. Paradoxalement, les victimes sont souvent de bons nageurs qui ont surestimé leurs

---

capacités ou n'ont pas tenu compte de la force des courants ; la noyade en piscine menace particulièrement les jeunes enfants. Une noyade est le plus souvent provoquée par la pénétration brutale d'eau, en quantité abondante, dans les voies respiratoires du sujet. Cependant, elle peut aussi être due à un arrêt cardiaque survenu au contact de l'eau, entraînant une perte de connaissance ; ce phénomène, appelé hydrocution, s'observe surtout lorsque l'eau est froide ou après une exposition à la chaleur ou un exercice physique.

Une noyade provoque une hypoxie (diminution de l'apport d'oxygène aux tissus) et une acidose (acidité sanguine excessive), responsables de lésions surtout cérébrales et cardiaques. Une noyade en eau froide déclenche rapidement une hypothermie (abaissement de la température du corps au-dessous de 35 °C). On peut aussi observer un œdème du poumon (le plasma sanguin sort des capillaires et inonde les alvéoles), lié soit à une atteinte directe de la structure et de la fonction des alvéoles pulmonaires, soit, en cas de noyade en eau de mer, à un appel d'eau plasmatique vers les alvéoles, du fait de la concentration en sel de l'eau inhalée, qui est plus élevée que celle du plasma.

SAUVETAGE
Il doit être entrepris immédiatement et par une personne connaissant le secourisme. Il consiste, après avoir libéré la bouche et le pharynx du sujet de tout corps étranger (algues, boue, sable), à pratiquer le bouche-à-bouche en cas d'arrêt respiratoire, le bouche-à-bouche associé à un massage cardiaque en cas d'arrêt cardiaque (absence de pouls), ces manœuvres étant poursuivies jusqu'à l'arrivée des secours médicaux. Le sujet doit ensuite être hospitalisé pendant 24 heures pour une mise en observation (risque d'œdème pulmonaire différé). Les techniques de réanimation appliquées sur les lieux de l'accident et à l'hôpital ont permis de réduire la mortalité jusqu'à près d'un décès pour dix noyades.

Noyau

Partie centrale de la cellule, de forme variable bien que souvent sphérique et de taille proportionnelle au cytoplasme qui l'entoure, qui commande toutes les activités de la cellule, y compris sa division.

Toutes les cellules du corps, sauf les globules rouges et les plaquettes du sang, contiennent un noyau. Limité par une membrane dont les pores assurent la régulation des échanges avec le cytoplasme, le noyau contient la chromatine, faite surtout d'A.D.N., et un ou plusieurs nucléoles, contenant l'A.R.N. Il renferme donc les chromosomes porteurs de toutes les informations génétiques. Le noyau des cellules de l'organisme féminin a une particularité : l'un des chromosomes X est visible au microscope dans la plupart des cellules du corps (en particulier celles de la bouche) sous forme d'une petite masse collée à la membrane nucléaire, appelée corpuscule de Barr.

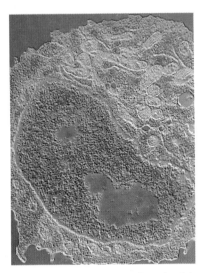

Noyau. Le noyau (rouge et vert) est séparé du cytoplasme (rose et vert) par une membrane permettant de nombreux échanges.

Le noyau commande au cytoplasme la synthèse de protéines, en particulier d'enzymes, selon les informations contenues dans l'A.D.N. des chromosomes.

Noyau gris central

Masse de substance grise située à l'intérieur de l'encéphale. SYN. *noyau gris de la base.*

Au sein de la substance blanche des hémisphères cérébraux, les noyaux gris centraux sont au nombre de deux, symétriquement disposés. Chacun est composé, d'une part, d'un noyau caudé et d'un noyau lenticulaire (on appelle aussi striatum l'ensemble formé par le noyau caudé et la partie externe du noyau lenticulaire – ou putamen –, et pallidum la partie interne du noyau lenticulaire), d'autre part, d'un noyau sous-thalamique (ou corps de Luys), et, enfin, dans le mésencéphale (région juste au-dessous du cerveau), du locus niger. Tous ces noyaux participent au contrôle de la motricité et au mouvement volontaire.

PATHOLOGIE

Une atteinte des noyaux gris centraux s'accompagne toujours d'un déficit en un neurotransmetteur, la dopamine, et se traduit par des mouvements incoordonnés, des tremblements et des troubles mentaux. C'est le cas dans la maladie de Parkinson et dans la chorée.

Nucléole

Corpuscule arrondi situé dans le noyau de la cellule et contenant de l'A.R.N.

Les nucléoles, uniques ou multiples, sont particulièrement nombreux et volumineux dans les cellules sécrétrices et dans les neurones. En effet, c'est dans les nucléoles que se situe la matrice d'A.R.N. qui est dupliquée dans les ribosomes (composants du cytoplasme cellulaire). Ceux-ci sont responsables de la synthèse des protéines élaborées dans la cellule.

Nucléolyse

Destruction thérapeutique ou pathologique du nucleus pulposus (partie centrale, semi-liquide, d'un disque intervertébral).

DIFFÉRENTS TYPES DE NUCLÉOLYSE

■ La nucléolyse thérapeutique, ou chimionucléolyse, est pratiquée pour soulager les douleurs provoquées par une hernie discale (saillie du nucleus pulposus à l'extérieur de la colonne vertébrale, qui vient comprimer une racine nerveuse ou la moelle épinière). Elle consiste à injecter dans le disque intervertébral une enzyme végétale, la papaïne, qui détruit le nucleus sans léser les structures voisines. La chimionucléolyse peut remplacer la chirurgie discale. Cette technique n'est cependant applicable que si le nucleus reste juxtaposé au disque intervertébral ; en outre, elle doit toujours être précédée d'un test d'allergie à la papaïne et d'examens radiologiques (discographie, scanner, myélographie, imagerie par résonance magnétique) confirmant le diagnostic de la hernie discale. La chimionucléolyse, qui nécessite une hospitalisation de 3 ou 4 jours, est pratiquée par un rhumatologue ou un radiologue. La papaïne est injectée par voie postérolatérale, dans l'espace intervertébral, jusqu'au niveau de la hernie discale. L'intervention dure une vingtaine de minutes ; le patient est sous anesthésie légère (analgésiques et neuroleptiques), car il doit être capable de rester couché sur le côté. Dans 40 % des cas, la guérison survient 3 jours après l'opération, mais elle peut aussi avoir lieu plus tardivement ; on considère que la nucléolyse a échoué lorsque, un mois après l'intervention, aucun signe de rémission n'est apparu. Le taux de réussite global de cette technique est de 70 %.

Dans les autres cas, il faut recourir à un traitement complémentaire (chirurgical, notamment).

■ La nucléolyse spontanée est caractéristique des discopathies dégénératives (affections dégénératives des disques intervertébraux). En général, cette évolution se fait sur plusieurs années, mais, lors de certaines discopathies d'évolution rapide, la destruction se fait à une vitesse telle que le disque perd la moitié de sa hauteur en 6 mois, entraînant des lombalgies. L'injection d'un inhibiteur d'enzymes, l'aprotinine, dans le disque intervertébral, associée au port d'un corset pendant 4 à 6 semaines, permet d'arrêter ce processus.

Nucléoprotéine

Protéine résultant de l'association d'une protéine et d'un acide nucléique (A.D.N., A.R.N.).

Les nucléoprotéines sont présentes dans les cellules, en particulier dans le noyau. Elles participent à la synthèse des protéines de l'organisme.

5'-nucléotidase

Enzyme utilisée dans le diagnostic de certaines maladies hépatiques et biliaires.

La 5'-nucléotidase se trouve dans le foie, dans le rein, dans le sperme et dans le sang.

Une augmentation de sa concentration sanguine est un signe de métastase d'un cancer dans le foie ou d'obstruction des voies biliaires, par exemple par un calcul.

Nucléotide

Élément constitutif d'une molécule d'acide nucléique (A.D.N., A.R.N.).

Un nucléotide est formé par la combinaison de trois substances : une base purique (adénine ou guanine) ou pyrimidique (cytosine, thymine ou uracile), un sucre (ribose ou désoxyribose) et un acide phosphorique.

Nucleus pulposus

Partie centrale molle d'un disque intervertébral. SYN. *noyau gélatineux.* (P.N.A. *nucleus pulposu*)
→ VOIR Disque intervertébral.

Nulligeste

Se dit d'une femme qui n'a jamais été enceinte.

Nullipare

Se dit d'une femme qui n'a jamais accouché.

Nullipare s'oppose à primipare (qui accouche pour la première fois) et à multipare (qui a eu un ou plusieurs enfants).

Numération formule sanguine

Examen biologique permettant de comptabiliser les différents éléments figurés du sang (plaquettes, globules rouges, différentes catégories de globules blancs).

La numération formule sanguine (N.F.S.) est l'un des examens biologiques les plus prescrits. Elle est indispensable dans l'évaluation des maladies inflammatoires ou infectieuses et des anémies, et fait partie de tout bilan biologique préopératoire. La numération formule sanguine se pratique sur un prélèvement de 5 millilitres de sang dans une veine, au pli du coude, à jeun. Les résultats sont obtenus en quelques heures.

Les appareils actuels, dont la précision est grande, ne se cantonnent pas au comptage des éléments du sang ; ils sont également capables de mesurer le volume et le contenu en hémoglobine des globules rouges, le volume des plaquettes et de signaler les formes cellulaires anormales. C'est pourquoi la notion d'hémogramme (examen du sang permettant d'étudier la forme des éléments sanguins) devrait progressivement supplanter celle de numération formule sanguine.

Nuque

Région postérieure du cou, courbée et souple, comprenant toutes les parties molles situées en arrière du rachis cervical et limitée latéralement par les bords antérieurs des muscles trapèzes. (P.N.A. *nucha*)

STRUCTURE

La nuque est formée de muscles qui se répartissent en quatre plans, de la superficie à la profondeur : le trapèze, le splénius et l'angulaire ; les complexus et le transversaire ; les muscles obliques de la nuque ; le transversaire épineux.

NUMÉRATION FORMULE SANGUINE (Principaux éléments recherchés)

Taux normal	Principales causes d'augmentation de ce taux	Principales causes de diminution de ce taux
Hémoglobine > 13 g/dl chez l'homme > 12 g/dl chez la femme et l'enfant Hématocrite < 54 % chez l'homme < 47 % chez la femme et l'enfant	Hémoconcentration, polyglobulie	Hémorragie, hémolyse, atteinte de la moelle osseuse (très nombreuses causes)
Leucocytes (globules blancs) de 4 000 à 10 000/mm³		
Polynucléaires neutrophiles de 1 700 à 7 500/mm³	Infection bactérienne, inflammation, tabagisme, certains médicaments, hémopathie	Ethnie (Afrique), infection virale, toxicité médicamenteuse, hémopathie
Polynucléaires éosinophiles de 0 à 500/mm³	Allergie, parasitose	
Polynucléaires basophiles de 0 à 200/mm³		
Lymphocytes de 500 à 4 500/mm³	Maladie virale ou bactérienne (coqueluche), hémopathie	Déficit immunitaire
Monocytes de 0 à 1 000/mm³	Inflammation, hémopathie	
Plaquettes de 150 000 à 450 000/mm³	État inflammatoire, ablation de la rate, stimulation de la moelle osseuse	Atteinte de la moelle osseuse, maladie immunologique, toxicité médicamenteuse

La région de la nuque est traversée par l'artère occipitale, le grand nerf occipital d'Arnold et la branche postérieure du troisième nerf cervical.

FONCTIONNEMENT
La nuque permet d'effectuer les mouvements de flexion de la tête, d'avant en arrière et sur les côtés, ainsi que ceux de rotation.

PATHOLOGIE
La nuque est souvent le siège de furoncles et de lipomes (tumeurs bénignes composées de tissus graisseux), en raison de la présence dans cette région de nombreux follicules pileux et du frottement du col des vêtements. L'exposition prolongée de la nuque au soleil peut être une cause de coup de chaleur. La flexion brutale de la nuque en avant, suivie de l'étirement de la moelle épinière en arrière, constitue ce qu'on appelle le coup du lapin, qui est un traumatisme important. Un traumatisme mineur tel qu'une lésion musculaire peut occasionner un torticolis. Un spasme des muscles du cou et de la colonne vertébrale peut provoquer une raideur de la nuque. Cette rigidité du cou est un des signes essentiels de méningite. Enfin, une dégénérescence des articulations du cou entraîne souvent une arthrose cervicale, avec limitation plus ou moins douloureuse des mouvements.

Nursing
Ensemble des soins d'hygiène et de confort donnés à un malade ayant perdu son autonomie.
→ VOIR Soins infirmiers.

Nutriment
Substance organique ou minérale, directement assimilable sans avoir à subir les processus de dégradation de la digestion.

Les nutriments sont représentés par les acides aminés, les acides gras, les glucides simples, les minéraux, les vitamines, l'eau et l'alcool ; les fibres ne sont pas considérées comme des nutriments, car les éléments qui les composent ne sont pas absorbés par la muqueuse intestinale. Par extension, on emploie également ce terme pour désigner les composants alimentaires tels que les protéines, les lipides et les glucides, constitués eux-mêmes des éléments plus simples cités plus haut. Absorbés par les entérocytes (cellules intestinales), les nutriments passent dans la circulation sanguine et sont utilisés par l'organisme pour satisfaire ses besoins nutritionnels (énergétiques ou spécifiques). En outre, tous les produits ultimes de la digestion, dégradés sous l'action des enzymes digestives, sont des nutriments.
■ **Les nutriments énergétiques** sont les protéines, les lipides, les glucides et l'alcool. Ils fournissent à l'organisme l'énergie dont il a besoin, mais certains, comme les protéines, ont aussi un rôle constructeur.
■ **Les nutriments non énergétiques** sont les minéraux, les vitamines et l'eau ; dans l'organisme, ils jouent un rôle de construction et/ou de protection.

Nutrition
1. Ensemble des processus d'assimilation et de dégradation des aliments qui ont lieu dans un organisme, lui permettant d'assurer ses fonctions essentielles et de croître.
2. Science appliquée, au carrefour de plusieurs disciplines scientifiques (biologie, médecine, psychologie), qui permet de comprendre le fonctionnement du corps humain et de proposer des recommandations alimentaires ou médicales visant à maintenir celui-ci en bonne santé.
→ VOIR Besoin alimentaire, Dépense alimentaire, Ration alimentaire.

Nutrition entérale
→ VOIR Alimentation entérale.

Nutrition parentérale
→ VOIR Alimentation parentérale.

Nyctalopie
Faculté de voir la nuit.

La nyctalopie s'oppose à l'héméralopie, qui traduit un défaut d'adaptation à l'obscurité. Habituellement propre aux chats et aux rapaces nocturnes, la nyctalopie peut également concerner certains êtres humains. Elle est due à un fonctionnement particulièrement performant des cellules à bâtonnets de l'œil.

Nycthémère, ou Nyctémère
Unité physiologique de temps d'une durée de 24 heures, comportant une nuit et un jour, une période de sommeil et une période de veille .

L'homme suit un rythme nycthéméral.

Nycturie
Émission d'urines plus abondante la nuit que le jour.

La nycturie correspond à une inversion du rythme normal de la diurèse. Elle peut résulter d'habitudes particulières, chez des personnes qui boivent abondamment avant de se coucher, mais, dans la plupart des cas, elle est liée au fait que le rein est incapable de concentrer les urines pendant la nuit du fait d'une insuffisance rénale chronique.

Nymphomanie
Exacerbation du désir sexuel chez la femme.

Les causes de la nymphomanie sont variées : conflit œdipien, besoin de se rassurer sur sa féminité dévalorisée, attitude inconsciente de revanche sur les hommes, proche du « collectionnisme » obsessionnel. Elle se caractérise par la recherche impérieuse d'expériences érotiques qui laissent la femme généralement insatisfaite. Elle peut être considérée comme une maladie dans la mesure où elle engendre une frustration chronique. Son traitement, si besoin est, relève le plus souvent de la psychothérapie ou de la psychanalyse.

Nystagmus

Phénomène spontané ou provoqué, congénital ou acquis, caractérisé par des mouvements involontaires et saccadés des yeux, de faible amplitude, le plus souvent horizontaux, mais parfois verticaux ou circulaires.

Un nystagmus peut être de nature physiologique ou pathologique.

Nystagmus physiologique

Le nystagmus optocinétique, appelé aussi nystagmus des chemins de fer, s'observe lorsque les yeux essaient de suivre des images qui défilent. Le nystagmus vestibulaire est dû à une excitation ou à une paralysie transitoire d'un ou des deux labyrinthes de l'oreille interne, due, par exemple, à une rotation sur un fauteuil tournant ou à une injection d'eau froide ou tiède dans l'oreille.

Nystagmus pathologique

Ces mouvements saccadés des yeux peuvent être congénitaux ou acquis.

■ Les nystagmus congénitaux, dus à des lésions oculaires, neurologiques ou sans cause précise, se manifestent dès la naissance ou lors de la petite enfance et s'atténuent parfois avec le temps. Ils peuvent accompagner d'autres maladies oculaires congénitales telles que la cataracte (opacité du cristallin qui produit une cécité complète ou partielle), l'albinisme, le strabisme, les lésions choriorétiniennes (atteintes de la rétine du fœtus). Ils peuvent aussi s'observer au cours de certaines affections neurologiques (hydrocéphalie, toxoplasmose cérébrale) ou apparaître de façon isolée, avec ou sans notion d'hérédité. Le nystagmus à ressort est la forme la plus courante des nystagmus congénitaux : les yeux bougent lentement dans un sens, à l'horizontale, puis rapidement dans le sens contraire. Le nystagmus pendulaire, quant à lui, se manifeste par des secousses rythmiques et horizontales d'égale durée. Les nystagmus congénitaux s'intensifient avec la fatigue, les émotions, les efforts d'attention (pendant la lecture, par exemple). L'enfant peut « bloquer » volontairement ces nystagmus ; il tourne alors fréquemment la tête, toujours du même côté et risque de souffrir d'un torticolis.

■ Les nystagmus acquis peuvent apparaître à l'adolescence ou à l'âge adulte ; ils sont alors le signe d'une affection neurologique, comme la sclérose en plaques, d'une tumeur cérébrale ou vestibulaire s'accompagnant de troubles de l'audition, ou d'une lésion du cervelet.

DIAGNOSTIC ET TRAITEMENT

L'électronystagmographie (enregistrement électrique des mouvements de l'œil) permet d'identifier les différentes formes de nystagmus. Dans le cas des nystagmus congénitaux, le port de verres correcteurs à prismes permet de supprimer la mauvaise position de la tête. En effet, les prismes (qui sont adhésifs lorsqu'ils sont temporaires et incorporés aux verres lorsqu'ils sont définitifs) entraînent une déviation forcée des 2 yeux vers la zone de blocage, évitant ainsi à l'enfant de tourner la tête pour utiliser cette zone. Lorsque ce traitement est efficace, une intervention chirurgicale, variable suivant le type de nystagmus et sa cause, peut permettre une amélioration définitive. Les nystagmus acquis, quant à eux, disparaissent avec le traitement de leur cause, lorsque celui-ci est possible.

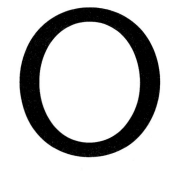

Obésité

Excès de poids par augmentation de la masse de tissu adipeux.

La masse adipeuse représente normalement de 10 à 15 % du poids total chez l'homme, de 20 à 25 % chez la femme. On parle d'obésité lorsqu'elle atteint plus de 15 à 20 % du poids total chez l'homme, plus de 25 à 30 % chez la femme.

L'indice de masse corporelle (I.M.C.) exprime la corpulence : c'est le rapport du poids (en kilogrammes) au carré de la taille (en mètres carrés). L'I.M.C. idéal se situe entre 20 et 25 kilogrammes par mètre carré (entre 20 et 27 après 50 ans). On parle d'obésité lorsqu'il est supérieur à 30.

La méthode la plus connue pour calculer son poids idéal est la formule de Lorentz : poids idéal (en kilogrammes) = taille (en centimètres) - 100 - [(taille - 150)/x], la valeur de x étant 4 pour l'homme et 2 pour la femme.

Un poids supérieur de 20 % à ce poids idéal traduit une obésité. Il faut cependant nuancer ces notions de poids idéal par des critères personnels (taille du sujet, poids de son squelette), familiaux, culturels, ethniques, etc., qui doivent être pris en compte par le médecin suivant le patient, de même que les circonstances et l'état physiologique (croissance, grossesse, etc.) accompagnant la survenue de l'obésité.

CAUSES

L'obésité est due à un apport énergétique supérieur aux dépenses de l'organisme. Cependant, cet excès d'apport alimentaire n'est souvent pas la seule explication, et des facteurs génétiques, métaboliques ou liés à l'environnement sont aussi à considérer.

DIFFÉRENTS TYPES D'OBÉSITÉ

■ **Les obésités androïdes ou abdominales,** où la graisse prédomine à la partie haute du corps et sur l'abdomen, sont typiques de l'obésité masculine.
■ **Les obésités gynoïdes ou fémorales,** où la graisse prédomine à la partie basse du corps (fesses, cuisses), sont caractéristiques de l'obésité féminine.
■ **Les obésités mixtes** combinent les deux formes précédentes d'obésité.

RISQUES ASSOCIÉS À L'OBÉSITÉ

L'obésité est un facteur de risque dans diverses affections : insuffisances coronarienne et cardiaque, hypertension artérielle, diabète, goutte, hyperlipidémies (taux sanguin de lipides excessif), lithiase biliaire, insuffisance respiratoire, maladies rhumatologiques, etc. Schématiquement, les obésités androïdes présentent davantage de complications de type métabolique (diabète, hypertension), alors que les obésités gynoïdes présentent davantage de complications rhumatologiques (problèmes articulaires).

Les risques n'étant cependant pas les mêmes pour tous les sujets obèses, ce qui est valable à l'échelle d'une population ne l'est pas nécessairement pour un individu.

TRAITEMENT

Le traitement de l'obésité repose sur la réduction de l'excès de poids par un régime ; lorsque l'obésité est due à une maladie, celle-ci doit être soignée. Tout régime doit être élaboré par un médecin qui effectuera un bilan clinique, fera une évaluation aussi précise que possible des apports alimentaires habituels du sujet et ordonnera au besoin certains examens (bilan sanguin, dosages hormonaux). Le régime prescrit (avec la participation éventuelle d'un diététicien) sera le plus souvent hypocalorique, mais avec un apport protéinique (viande, poisson, œuf, produits laitiers) suffisant pour éviter une fonte des masses maigres (muscles, notamment) ; il proposera une suppression des produits et des boissons sucrés, une réduction des apports en autres glucides (céréales, féculents, fruits) et en lipides (corps gras, aliments les plus gras) ainsi qu'une suppression ou une diminution très importante des boissons alcoolisées. Réparti en trois ou quatre prises journalières, le régime doit être le plus équilibré possible et comprendre des aliments de tous les groupes. Le poids à atteindre et la durée du traitement font l'objet d'un contrat préalable entre le patient et le praticien, révisable en cours de traitement. Une fois ce poids obtenu, le régime initial est progressivement élargi jusqu'à un retour à une alimentation normale, avec maintien d'un poids stabilisé. Les régimes fantaisistes, qui peuvent entraîner une perte de poids spectaculaire, font surtout fondre la masse maigre et sont donc voués à l'échec. L'alternance de phases d'amaigrissement suivies de phases de reprise de poids semble plus dangereuse pour la santé que l'absence de régime.

Obnubilation

Trouble de la vigilance caractérisé par l'absence de réaction à des stimuli simples tels qu'une secousse, le bruit ou une lumière vive.

L'obnubilation témoigne d'une atteinte du système nerveux central : accident vasculaire cérébral, tumeur, intoxication ou trouble métabolique (diabète), traumatisme crânien. La vigilance du malade est altérée ; il est apathique, ne répond qu'aux questions simples - et lentement -, distingue mal toutes les informations provenant des organes sensoriels. L'obnubilation peut être associée à une désorientation dans le temps et dans l'espace, à une amnésie des faits récents, à des hallucinations, à des troubles du comportement. Elle peut aussi constituer le signe d'un début de coma.

Un sujet en état d'obnubilation doit être hospitalisé sans tarder.

Obsession

Idée répétitive et menaçante, s'imposant de façon incoercible à la conscience du sujet, bien que celui-ci en reconnaisse le caractère irrationnel.

Les thèmes de l'obsession peuvent être religieux (blasphème), moraux (doutes, scrupules), corporels (hantise de la saleté, des microbes) ou parfois plus abstraits (vérifications incessantes et futiles, manie de compter, souci de la symétrie). Le sujet lutte avec angoisse pour chasser son obsession, souvent au moyen de rites conjuratoires (geste à accomplir, formule à réciter, etc.).

On décrit deux types d'obsession : les obsessions phobiques, déclenchées à la seule idée d'un objet ou d'une situation donnés, et les obsessions impulsives, se manifestant par la peur de commettre un acte antisocial (le passage à l'acte étant cependant exceptionnel). L'obsession est le principal symptôme de la névrose obsessionnelle, mais un tel phénomène s'observe également au cours des dépressions, de la psychasthénie, des psychoses larvées. Son traitement est essentiellement psychothérapique, la prise de médicaments psychotropes risquant à son tour d'induire un comportement obsessionnel débouchant sur une pharmacomanie.

Obstétrique

Branche de la médecine qui prend en charge la grossesse, l'accouchement et les suites de couches.

L'obstétrique comprend l'étude anatomique, physiologique et pathologique de l'appareil génital de la femme durant la grossesse, ainsi que l'étude du développement de l'embryon (embryologie) puis du fœtus (fœtologie). Avec la pédiatrie, l'obstétrique recouvre également l'étude du développement normal ou pathologique du nouveau-né. Les médecins spécialistes, les obstétriciens, pratiquent en général simultanément l'obstétrique et la gynécologie (spécialité médicale consacrée à l'étude de l'organisme de la femme et de son appareil génital).

L'OBÉSITÉ

L'obésité est devenue un problème majeur de santé publique, en particulier dans les pays industrialisés. De plus en plus répandue, souvent de plus en plus grave, elle prédispose à nombre de maladies, diminue l'espérance de vie et entraîne des dépenses de soins et de prévention croissantes.

LES DANGERS DE L'OBÉSITÉ

L'obésité entraîne une diminution nette de l'espérance de vie, d'autant plus forte qu'elle est importante et survient plus tôt dans la vie : pour un I.M.C. de 40 entre 25 et 34 ans, elle est multipliée par 12. Les risques les plus graves sont les accidents cardiovasculaires, qui concernent plus les sujets atteints d'obésité androïde ou mixte que les sujets atteints d'obésité gynoïde, plus les hommes que les femmes, et particulièrement les sujets hypertendus, diabétiques et hyperlipidémiques.
À partir d'un certain degré, l'obésité entraîne aussi une insuffisance respiratoire, qui accroît les risques opératoires, et est un facteur d'apnée du sommeil. Le risque de cancer (prostate et côlon chez l'homme, utérus, voies biliaires, seins, ovaires chez la femme) est majoré. Surtout chez la femme et quel que soit l'âge, l'obésité augmente la fréquence des calculs biliaires et aggrave l'arthrose des genoux et des hanches, ce qui renforce la sédentarité.

VICTIMES DE L'« IDÉAL DE MINCEUR »

On sous-estime souvent les complications psychosociales de l'obésité, qui induit rejet social, discriminations, préjudices économiques. La culpabilité et la dépression qui en résultent sont autant de facteurs autoaggravants de l'obésité. L'idéal de minceur entraîne des restrictions alimentaires abusives, sources de troubles du comportement alimentaire, lesquels favorisent en retour la prise de poids. Enfin, l'amaigrissement lui-même, surtout s'il est obtenu par des mesures draconiennes, peut être générateur de troubles psychologiques comme la dépression.

DÉFINIR L'OBÉSITÉ

L'obésité est un excès des graisses stockées dans les cellules du tissu adipeux, ce qui entraîne un poids trop élevé. Différentes techniques, comme la mesure des plis cutanés, celle de la densité du corps ou la résonance magnétique nucléaire (I.R.M.), ainsi que divers indices permettent d'évaluer l'importance de la masse grasse. L'indice le plus couramment utilisé est celui de masse corporelle (I.M.C.), ou indice de Quetelet, égal au poids en kilos divisé par le carré de la taille en mètre.

Quand parle-t-on d'obésité ?

On considère comme « normal » un I.M.C. compris entre 20 et 25. Entre 25 et 30, on parle de surcharge pondérale. Le seuil de l'obésité est en général fixé à 30, stade au-delà duquel les risques de maladies liées au poids croissent franchement. Au-delà de 35, l'obésité est dite « sévère », et, au-delà de 40, « morbide ». Ces définitions demeurent d'ordre statistique ; elles sont arbitraires et pas toujours adaptées aux cas individuels.

LES MULTIPLES FORMES DE L'OBÉSITÉ

L'expansion du tissu adipeux peut être liée à une augmentation des cellules adipeuses soit en taille (obésité hypertrophique), soit en nombre (obésité hyperplasique) ; les obésités morbides sont à la fois hypertrophiques et hyperplasiques. On reconnaît des obésités à début infantile, souvent massives, et des obésités à début adulte, plus associées aux risques métaboliques. Certains obèses présentent manifestement des troubles de conduite alimentaire, d'autres non. Pour certains sujets, une circonstance déclenchante nette peut être repérée, suivie d'une prise de poids rapide ; chez d'autres, l'obésité se constitue très progressivement au fil des années.

Obésités gynoïde, androïde et viscérale

Une autre caractéristique importante est la manière dont se répartit le tissu adipeux.
Une première forme de répartition, de type féminin, est dite gynoïde ; elle n'entraîne guère de risques graves pour la santé. Les dépôts adipeux sont localisés de façon prépondérante à la partie inférieure du corps et aux aires sous-cutanées (fesses, hanches, jambes). Une deuxième forme, dite androïde, est typiquement masculine, mais s'observe également chez nombre de femmes. Les dépôts adipeux sont principalement situés sur le tronc et l'abdomen. Les obésités sévères sont souvent mixtes, à la fois gynoïdes et androïdes. Enfin, l'obésité viscérale, caractérisée par une augmentation de la graisse à l'intérieur de l'abdomen, autour des viscères, est la plus critique en termes de risques métaboliques et cardiovasculaires. Plus fréquente chez les hommes, elle est malaisée à diagnostiquer, car elle peut exister même lorsque l'I.M.C. est normal ou peu élevé.

COMMENT DEVIENT-ON OBÈSE ?

L'excès de masse grasse s'observe lorsque les apports d'énergie alimentaire sont plus élevés que les dépenses énergétiques (bilan d'énergie positif) et lorsque divers processus métaboliques et hormonaux favorisent le stockage des graisses (lipides) aux dépens de la synthèse des protéines et de l'accroissement de la masse maigre (bilan lipidique positif). De tels bilans énergétiques ou lipidiques positifs peuvent être atteints de différentes manières, ce que suggère l'hétérogénéité clinique du symptôme de l'obésité. Celle-ci semble résulter de l'association, en proportions variables, et de l'interaction de perturbations diverses tirant leur origine de facteurs génétiques comportementaux et environnementaux.

Le rôle de l'hérédité

Les enfants de parents obèses ont nettement plus de risques de souffrir de surcharge pondérale que les autres même si, dans un cas sur quatre d'obésité sévère, les personnes concernées sont issues de parents ayant un poids normal ; en outre, les facteurs génétiques déterminent autant la répartition du tissu adipeux que l'importance de la masse grasse elle-même. Différents aspects du métabolisme et du comportement susceptibles de prédisposer l'individu à devenir obèse sont également très probablement d'origine génétique, comme sa capacité à oxyder les graisses ou à les stocker, son adaptabilité aux changements d'environnement alimentaire, ses préférences gustatives, etc.

Les troubles du comportement alimentaire

Pour devenir obèse, il ne suffit pas d'y être prédisposé, il faut aussi manger trop par rapport à ses dépenses énergétiques, ou trop gras par rapport à ses capacités d'oxydation des graisses. Cet excès de nourriture résulte souvent de grignotages ou de compulsions. L'excès de nourriture est favorisé par l'abondance, la variété, la nature des aliments disponibles, mais également par les habitudes familiales et sociales et les conditionnements culturels, qui donnent à l'aliment une dimension affective et symbolique et conduisent à manger sans faim ou au-delà de la satiété. Enfin, l'évolution du mode de vie s'est traduite par une augmentation de la consommation de graisses et de sucres cependant que les acquis du confort moderne (ascenseurs, transports, chauffage) contribuent à diminuer l'exercice physique et les autres dépenses énergétiques.

Facteurs psychologiques, comportementaux et psychosociaux

La dépression, l'angoisse, l'anxiété (découlant, par exemple, d'un choc affectif ou d'un stress) entraînent souvent, par compensation, une tendance à trop manger ou à diminuer son niveau d'activité. De surcroît, l'obésité elle-même, par ses conséquences psychologiques et les comportements de restriction inconsidérés qu'elle peut entraîner, suscite souvent son auto-entretien ou son aggravation. L'agression psychologique peut aussi provoquer une obésité en déréglant le système neurohormonal, qui contrôle notamment le métabolisme des graisses.

Traiter l'obésité

Dans la mesure où il est encore difficile de soigner les causes de l'obésité, le traitement de celle-ci reste malaisé et requiert une prise en charge et un suivi à long terme ainsi que la participation active du patient ; il vise avant tout à prévenir les rechutes, qui sont fréquentes. L'objectif, complexe et variable, peut viser la réduction du poids ou sa stabilisation, l'amélioration des facteurs de risque et des maladies associées, l'amélioration de la qualité de vie du patient. Plutôt qu'un amaigrissement spectaculaire, l'objectif doit être réaliste, compromis entre le souhaitable et le possible, souvent très en deçà du désir des patients. Même modéré, de l'ordre de 10 % à 15 % du poids, parfois moins, cet amaigrissement est très souvent bénéfique pour la santé. Ainsi, une perte de poids même modeste s'accompagne généralement d'une réduction de la tension artérielle, des lipides et lipoprotéines du sang, d'une amélioration de la tolérance au glucose et de la sensibilité à l'insuline. Les procédures les plus souvent utilisées sont les régimes restrictifs équilibrés, appauvris en graisses et en sucres solubles. Ils doivent s'accompagner d'une information et d'une éducation nutritionnelle. Les régimes très sévères, sources d'amaigrissement rapide, ne donnent pas à long terme de meilleurs résultats. Les insuccès du traitement ont donné lieu à une infinité de régimes fantaisistes, présentés comme magiques, mais pour la plupart inefficaces et dangereux. En cas d'obésité sévère ou morbide, diverses techniques chirurgicales modifiant le tractus digestif (notamment l'estomac) et visant à limiter de façon permanente l'alimentation peuvent être pratiquées.

Le paradoxe de l'obésité

Le développement quasi épidémique de l'obésité témoigne de ce que l'équipement génétique et biologique de nombre d'individus (dont les ancêtres ont été sélectionnés en partie pour leur capacité de résistance aux famines périodiques) est devenu inadapté aux conditions de vie moderne. Paradoxalement, la société moderne prône l'élégance de la minceur. Nuisance individuelle et collective, l'obésité ne peut être efficacement combattue que si l'on prend en compte à la fois ses dimensions biologiques, psychologiques et sociales. □

VOIR *Aliment, Alimentation, Boulimie, Dépense énergétique, Poids corporel, Ration alimentaire.*

Obstruction

Engorgement d'un conduit naturel : digestif, urinaire ou vasculaire.

On distingue deux types d'obstruction.
■ **Les obstructions extrinsèques** sont dues à une affection des tissus voisins du conduit (tumeur, infection aiguë, fibrose) comprimant ou enserrant celui-ci.
■ **Les obstructions intrinsèques** sont dues à un obstacle bloqué à l'intérieur du conduit ou développé sur sa paroi : tumeurs digestives et urinaires ; calculs urinaires ; caillots dans les veines ; caillots et plaques graisseuses d'athérome dans les artères.

Les principales conséquences des mécanismes obstructifs sont l'occlusion intestinale, la colique néphrétique, l'ischémie aiguë (interruption complète de la circulation artérielle provoquant une dévascularisation des tissus). Une fois le siège de l'obstruction localisé à l'aide d'examens (radiologiques, notamment), on procède à une désobstruction, presque toujours chirurgicale.

Obturation dentaire

Insertion d'un matériau dans une cavité dentaire.

Obturation endodontique

Ce procédé permet de fermer de façon étanche et durable le canal dentaire, après l'avoir nettoyé, à l'aide d'un film de ciment à base d'eugénol-oxyde de zinc associé à de la gutta-percha.

Obturation coronaire

Ce procédé vise à rendre sa forme normale à une dent traitée pour une carie ou pour une fracture. Lorsque la restauration de la dent est réalisée directement, le matériau d'obturation peut être métallique (amalgame : on parle alors de plombage) ou organominéral (composite, verre ionomère) ; malléable lors de son insertion, il acquiert ensuite sa dureté finale. Il est aussi possible d'utiliser un matériau d'obturation non malléable (or, céramique) : dans ce cas, on parle d'inlay ou d'onlay dentaire. Préparé en laboratoire à partir d'une empreinte de la dent taillée, celui-ci est ensuite collé ou scellé. La longévité des obturations coronaires dépend de l'étendue de la lésion, de l'hygiène dentaire, du matériau choisi et de la façon dont celui-ci est sollicité quotidiennement lors de la mastication.

Occlusion dentaire

Positionnement des dents du maxillaire supérieur par rapport aux dents du maxillaire inférieur lorsque la bouche est fermée.

L'occlusion dentaire permet la mastication des aliments, une déglutition correcte, ainsi que le repos des muscles responsables de la mastication. Lorsqu'elle est normale, incisives et canines supérieures recouvrent légèrement celles du maxillaire inférieur, les cuspides (protubérances situées sur la surface des dents) des prémolaires et des molaires inférieures s'inscrivant dans les sillons correspondants de leurs homologues supérieures.
→ voir Malocclusion dentaire.

Occlusion intestinale

Obstruction partielle ou totale de l'intestin grêle ou du côlon.

CAUSES
Les occlusions intestinales peuvent être mécaniques (liées à un obstacle organique) ou fonctionnelles (par spasme ou paralysie de la musculature lisse intestinale).
■ **Les occlusions mécaniques** comprennent les occlusions par strangulation et les occlusions par obstruction. Les premières se caractérisent par l'existence de lésions vasculaires, liées à l'écrasement ou à la torsion des vaisseaux. La compression entraîne un arrêt de l'irrigation sanguine pouvant conduire à la gangrène. Il peut s'agir de l'étranglement brutal d'une anse intestinale au contact d'une bride (adhérence consécutive à une intervention chirurgicale) ; de l'étranglement d'une hernie inguinale ou crurale ; de la torsion d'une boucle trop longue du côlon sigmoïde sur elle-même, ou volvulus. Les occlusions par obstruction sont, quant à elles, provoquées par le développement d'une tumeur de l'intestin, maligne ou bénigne, qui rétrécit le conduit intestinal, ou par une maladie inflammatoire ou une diverticulite (infection des diverticules intestinaux).
■ **Les occlusions fonctionnelles** se caractérisent par une paralysie de l'intestin déclenchée par une lésion d'un organe voisin : appendicite, abcès, hématome, pancréatite.

SYMPTÔMES ET SIGNES
Dans tous les cas d'occlusion intestinale, les aliments et les sécrétions s'accumulent en amont de l'obstruction ou de la paralysie en créant une importante distension de l'intestin. Les symptômes comprennent des douleurs fortes, évoluant par crises et suivies d'accalmies, des vomissements, l'arrêt des matières et des gaz, et un météorisme (distension localisée de l'abdomen). L'accumulation de liquide en amont de l'obstacle et les vomissements provoquent une déshydratation importante pouvant entraîner un état de choc, avec chute de la tension artérielle et insuffisance rénale.

DIAGNOSTIC ET ÉVOLUTION
Le diagnostic doit être confirmé sans délai par la radiographie sans préparation de l'abdomen, qui montre une clarté gazeuse surmontant un niveau horizontal liquidien. Il faut alors préciser le mécanisme, le siège, voire la cause, de l'occlusion, en tenant compte des antécédents (intervention ancienne), de la brutalité d'installation en cas de strangulation et des signes radiologiques. En effet, une occlusion intestinale est mortelle si elle n'est pas soignée.

TRAITEMENT
Il nécessite une hospitalisation et consiste d'abord à placer une sonde gastrique pour aspirer le liquide en amont de l'occlusion et à rétablir l'équilibre physiologique par perfusion. Une occlusion par strangulation nécessite une intervention chirurgicale rapide (dans un délai de quelques heures). En cas d'occlusion par obstruction, l'intervention est moins urgente et peut attendre 1 ou 2 jours. La continuité intestinale est rétablie soit immédiatement, soit après une colostomie (abouchement du côlon, incisé ou sectionné, à la peau) durant quelques semaines. Le traitement d'une occlusion fonctionnelle consiste à traiter la cause de l'occlusion.

Occlusion du nouveau-né

Obstruction partielle ou totale des voies digestives du nouveau-né se traduisant par une interruption ou une non-apparition du transit intestinal.

CAUSES
Des malformations sont le plus souvent en cause. Certaines d'entre elles doivent être systématiquement diagnostiquées à la naissance (malformations anorectales, atrésie de l'œsophage). D'autres occlusions peuvent être dues à des infections sévères (entérocolite ulcéronécrosante).

DIFFÉRENTS TYPES D'OCCLUSION
On distingue différents types d'occlusion en fonction de leur localisation et de l'anomalie qui les provoque.
■ **Les atrésies de l'intestin grêle et du côlon** sont des interruptions congénitales de ces organes.
■ **L'entérocolite ulcéronécrosante du prématuré** (inflammation de la muqueuse intestinale avec ulcères et plages de nécrose) concerne le plus souvent les enfants nés avant 32 semaines de grossesse ou ayant subi une réanimation difficile à la naissance. L'origine bactérienne ou virale de la maladie est discutée.
■ **L'iléus méconial**, caractérisé par la présence d'un volumineux amas de méconium (première selle du nouveau-né) épaissi, s'observe fréquemment dans le cadre de la mucoviscidose.
■ **La maladie de Hirschsprung** est une affection congénitale caractérisée par une absence d'innervation d'une partie du côlon qui inhibe le péristaltisme et empêche le transit de s'effectuer normalement.
■ **Les occlusions duodénales** concernent le segment supérieur de l'intestin.
■ **Le volvulus total du grêle** est une torsion de l'intestin grêle sur lui-même, qui risque d'entraîner rapidement une nécrose de cette portion de l'intestin.

SYMPTÔMES ET SIGNES
L'abdomen est ballonné lorsque l'obstacle intestinal est bas (occlusions coliques) ; il est plat dans les occlusions hautes, par exemple duodénales. Des vomissements bilieux peuvent se produire (entérocolite ulcéronécrosante). Le retard ou l'absence d'émission du méconium s'observe également dans la maladie de Hirschsprung, la mucoviscidose, une atrésie de l'intestin grêle ou lorsque le côlon est de petite taille. En outre, l'occlusion, souvent douloureuse, provoque des cris chez l'enfant.

DIAGNOSTIC
Il repose sur l'examen clinique de l'enfant. Le toucher rectal est parfois utile pour mettre en évidence un rétrécissement du canal anal ou pour provoquer une émission de méconium, notamment dans la maladie de Hirschsprung.

La confirmation du diagnostic a lieu en milieu chirurgical spécialisé, où sont pratiqués les examens radiologiques complémentaires (radiographie simple de l'abdomen, le plus souvent). Une biopsie rectale est nécessaire au diagnostic de la maladie de Hirschsprung.

TRAITEMENT ET PRONOSTIC

Un traitement médical est souvent immédiatement mis en route : aspiration gastrique, traitement antibiotique, alimentation par perfusion intraveineuse, pose d'une sonde rectale dans certains cas. Le traitement chirurgical est indiqué devant des lésions étendues : détorsion de l'intestin grêle, ablation du segment lésé et abouchement des parties saines du tube digestif, etc. Le pronostic de ces interventions est généralement bon. Seules les suites du traitement chirurgical des occlusions duodénales sont délicates, car elles ne permettent pas toujours la reprise immédiate du transit intestinal.

→ VOIR Atrésie, Hirschsprung (maladie de).

Occlusion de l'œil

Oblitération de l'œil ou obstruction d'une ouverture ou d'un vaisseau de cet organe.

Les occlusions de l'œil peuvent être pathologiques - occlusions des artères ou des veines de la rétine - ou thérapeutiques.

Occlusion artérielle rétinienne

C'est un arrêt de la circulation dans l'artère centrale de la rétine ou dans l'une de ses branches de division.

CAUSES

Cette occlusion est due le plus souvent à la présence, sur la paroi interne d'une artère à destinée céphalique (artère carotide primitive ou interne, aorte thoracique, etc.), d'une plaque d'athérome (dépôt graisseux), favorisée par le diabète, l'hypertension artérielle ou un taux élevé de lipides dans le sang. Un fragment de plaque détaché (ou embole) est alors parfois entraîné par la circulation et obture brusquement l'artère centrale de la rétine. Une embolie peut également se produire dans certaines affections cardiaques (valvulopathie mitrale, fibrillation auriculaire). Plus rarement, la maladie de Horton (inflammation d'une ou des deux artères temporales), qui touche les personnes âgées, peut être responsable d'une occlusion de l'artère rétinienne.

SYMPTÔMES ET SIGNES

Un sujet atteint d'occlusion artérielle de la rétine perd brutalement la vue d'un œil, en quelques secondes. Si l'occlusion touche une branche de l'artère, la perte de la vue est partielle et correspond à la portion de rétine atteinte. Cette perte de la vision est parfois précédée d'épisodes identiques mais brefs. L'occlusion ne provoque aucune douleur ; il n'y a pas de modification de l'aspect extérieur de l'œil, si ce n'est une dilatation de la pupille, qui ne réagit pas à la lumière.

DIAGNOSTIC

L'examen du fond d'œil décèle sur la rétine un œdème blanc, sur lequel ressort la tache rouge de la macula. Les artères sont filiformes.

TRAITEMENT ET PRONOSTIC

Le traitement est urgent car, en quelques heures, l'occlusion de l'artère centrale de la rétine entraîne la cécité définitive du côté atteint. Le traitement d'une occlusion artérielle rétinienne due à une embolie consiste en l'administration de médicaments vasodilatateurs et anticoagulants par voie générale. La maladie de Horton nécessite un traitement par les corticostéroïdes.

Malgré la rapide mise en œuvre du traitement, la vue demeure souvent définitivement perdue.

Occlusion veineuse rétinienne

C'est un arrêt de la circulation dans la veine centrale de la rétine ou dans l'une de ses branches.

CAUSES ET SYMPTÔMES

L'occlusion veineuse rétinienne a pour causes les plus fréquentes l'hypertension artérielle, l'artériosclérose, la thrombose veineuse.

Le sujet constate une baisse rapide et plus ou moins importante de la vision d'un œil. Aucun autre signe n'est décelable.

DIAGNOSTIC ET TRAITEMENT

L'examen du fond d'œil révèle de nombreuses hémorragies disséminées sur toute la rétine avec des veines dilatées et, parfois, de petites taches blanches à contours flous, signes d'ischémie rétinienne (diminution importante de l'irrigation sanguine). L'angiographie oculaire précise si l'occlusion est de type ischémique (arrêt de la circulation sanguine) ou œdémateux.

Selon les cas, un traitement anticoagulant ou antiagrégant plaquettaire peut prévenir l'extension de l'altération visuelle du côté atteint. Cette thérapeutique doit être associée au traitement de la cause de l'occlusion. La vue n'est cependant presque jamais totalement retrouvée.

Occlusion thérapeutique

L'occlusion oculaire est l'opération qui consiste à couvrir un œil pour obliger l'autre à « travailler », en cas d'amblyopie (perte partielle ou relative de la vision d'un œil). Cette occlusion thérapeutique d'un œil s'adresse aux enfants de moins de 6 ans et donne de bons résultats lorsqu'elle est suivie pendant toute la durée du traitement (plusieurs mois). Elle peut être aussi utilisée pour éliminer une des images, en cas de diplopie (perception dédoublée d'un objet).

Ochronose

Maladie héréditaire due à des anomalies du métabolisme de certains acides aminés (phénylalanine, tyrosine).

Très rare, l'ochronose se manifeste par une accumulation d'un dérivé de la tyrosine dans le sang puis dans les urines, ce qui se traduit dès la naissance par une coloration brun foncé des urines, ou alcaptonurie. S'y associe une pigmentation gris bleuté de la peau, fonçant progressivement, en petites taches qui finissent par confluer sur le visage, la poitrine et le dos des mains. Plus tardivement apparaissent des lésions rhuma-

tismales (arthrose vertébrale, ossification des tendons) qui peuvent être invalidantes. Il n'existe actuellement aucun traitement efficace de cette maladie.

Oculomotricité

Mobilité des yeux à l'intérieur des orbites.

L'oculomotricité est assurée grâce à deux types d'organes : les muscles et les nerfs oculomoteurs.

■ **Les muscles oculomoteurs** sont au nombre de 6 par œil : 4 muscles droits (supérieur, inférieur, interne et externe) et 2 obliques (grand et petit).

■ **Les nerfs oculomoteurs**, qui sont 3 par œil, commandant les muscles du même nom : le nerf moteur oculaire commun commande tous les muscles, sauf le droit externe et le grand oblique ; le nerf moteur oculaire externe commande le muscle droit externe ; le nerf pathétique commande le muscle grand oblique.

L'oculomotricité est évaluée par un bilan orthoptique, éventuellement complété par le test de Lancaster.

PATHOLOGIE

L'oculomotricité peut être affectée dans plusieurs cas : traumatismes crâniens et orbitaires, tumeurs comprimant les nerfs oculomoteurs, hypertension intracrânienne, diabète, maladies vasculaires, sclérose en plaques, certaines inflammations et infections cérébrales.

→ VOIR Ophtalmoplégie.

Ocytocine

Hormone polypeptidique (constituée d'une chaîne d'acides aminés) synthétisée par l'hypothalamus et sécrétée par la posthypophyse (partie postérieure de l'hypophyse, glande située à la base du cerveau) qui la stocke, dont la fonction est de stimuler la contraction du muscle utérin et de favoriser l'allaitement.

Découverte en 1954, l'ocytocine a une structure très proche de celle de l'hormone antidiurétique. Il est possible aussi que des substances apparentées soient sécrétées par l'ovaire.

L'ocytocine interviendrait au cours de l'accouchement en stimulant les contractions utérines, mais on ignore toujours le mode de déclenchement de l'accouchement et la physiologie des contractions. Par ailleurs, la sécrétion d'ocytocine est stimulée par l'allaitement et contribue à faciliter celui-ci en provoquant l'éjection du lait par la contraction des cellules myoépithéliales des glandes mammaires. Cependant, un déficit complet en ocytocine n'empêche ni la grossesse, ni le déroulement normal de l'accouchement, ni l'allaitement.

UTILISATION THÉRAPEUTIQUE

L'ocytocine peut être obtenue par synthèse. Administrée par voie intraveineuse lente, elle est souvent utilisée au cours de l'accouchement pour augmenter la fréquence et l'intensité des contractions utérines et diriger le travail, et, éventuellement, après la naissance lors des hémorragies de la délivrance, pour favoriser l'expulsion du placenta.

Ocytocique

Médicament capable de provoquer ou de stimuler les contractions de l'utérus lors d'un accouchement.

Les ocytociques sont représentés par l'ocytocine (analogue synthétique de l'hormone naturelle stockée dans la posthypophyse et sécrétée par l'hypothalamus), la méthylergométrine (dérivé de l'ergot de seigle), la spartéine, les prostaglandines (dinoprost, dinoprostone). Ils ont pour effet d'accroître la force, l'intensité et la fréquence des contractions utérines.

INDICATIONS

L'ocytocine et la spartéine sont indiquées au cours de l'accouchement, en cas de contractions absentes ou trop faibles, ou bien anarchiques. La méthylergométrine est indiquée si l'utérus ne se rétracte pas une fois l'enfant expulsé, ou encore en cas d'hémorragie après un accouchement, un curetage ou un avortement. Les prostaglandines sont utilisées pour provoquer le travail quand l'enfant est mort dans l'utérus.

EFFETS INDÉSIRABLES

Les ocytociques peuvent entraîner des maux de tête, des vertiges, des nausées, une éruption cutanée. Parfois, il existe un risque d'hypertension artérielle, dû à une injection intraveineuse trop rapide (seulement pour la méthylergométrine).

Oddi (sphincter d')

Structure musculaire lisse, située à l'entrée du duodénum, qui ferme le débouché du canal cholédoque (qui conduit la bile) et du canal de Wirsung (qui conduit le suc pancréatique). (P.N.A. *sphincter ampullæ hepato-pancreaticæ*)

Le sphincter d'Oddi peut être le siège d'une inflammation, l'oddite.

Oddite

Inflammation et sclérose du sphincter d'Oddi.

Les causes d'une oddite sont principalement la lithiase du cholédoque, les séquelles de la chirurgie biliaire et, plus rarement, des maladies inflammatoires. Une oddite se manifeste par des douleurs dans la région sous-costale droite. Le diagnostic se fait par cholangiographie rétrograde (injection de produit de contraste dans les voies biliaires).

Le traitement ne s'impose que dans les cas sévères. Il fait appel à la sphinctérotomie (section des fibres musculaires du sphincter), réalisée par voie chirurgicale ou par voie endoscopique.

Odontalgie

Douleur dentaire.

Les odontalgies, fréquentes, sont dues à une atteinte de la dent ou à une affection des tissus voisins.

■ **Les caries et les traumatismes dentaires** (abrasion superficielle, fêlure, fracture) provoquent une inflammation de la pulpe. L'odontalgie se traduit alors par une sensibilité au chaud et au froid, voire, lorsque l'inflammation pulpaire progresse, par des douleurs spontanées (rage de dents). En l'absence de traitement se développe une nécrose de la pulpe, qui peut ne donner aucun signe initialement, puis se manifester par une hypersensibilité lors de la mastication et par la formation d'un abcès.

■ **L'éruption d'une dent** provoque parfois des douleurs, localisées lorsqu'il s'agit d'une dent de lait ou d'une dent définitive, irradiantes lorsqu'il s'agit d'une dent de sagesse incluse.

■ **Une atteinte des tissus de soutien de la dent** (abcès de la gencive, par exemple) provoque des douleurs.

■ **Une atteinte des tissus voisins de la dent** (sinusite maxillaire, otite, affection oculaire, zona, névralgie du trijumeau) peut entraîner une sensation d'odontalgie.

Odontologie

Étude des dents, de leurs maladies et du traitement de celles-ci. SYN. *chirurgie dentaire, dentisterie.*

L'odontologie comporte différentes disciplines qui relèvent toutes de la compétence d'un odontologiste (ou chirurgien-dentiste).

■ **La chirurgie buccale** consiste à extraire les dents.

■ **L'épidémiologie buccale** est l'étude de la prévention et des causes des maladies buccales.

■ **L'implantologie** est la création de piliers prothétiques artificiels.

■ **L'odontologie conservatrice** concerne la reconstitution des dents cariées et le traitement des canaux dentaires.

■ **L'orthodontie** soigne ou prévient les anomalies de position des dents en les réalignant à l'aide de divers appareils orthodontiques.

■ **La parodontie** s'attache au traitement des maladies des tissus de soutien (gencive, os, ligament, cément) de la dent.

■ **La pédodontie** concerne les soins dentaires prodigués aux enfants de moins de 12 ans.

■ **La réalisation et la pose de prothèses,** que celles-ci soient fixes (bridge, par exemple) ou amovibles (dentier), restaurent les dents très abîmées et permettent de remplacer les dents manquantes.

→ VOIR Odontostomatologie, Orthodontie, Prothèse.

Odontostomatologie

Discipline médicale qui se consacre à la prévention, au diagnostic et au traitement des maladies et des anomalies affectant la bouche et les dents.

L'odontostomatologie regroupe les activités attachées à l'odontologie et à la stomatologie.

Odorat

→ VOIR Olfaction.

Œdème

Rétention pathologique de liquide dans les tissus de l'organisme, en particulier dans le tissu conjonctif.

Le corps humain contient environ 60 % d'eau. La pression sanguine pousse le sérum à travers la paroi des vaisseaux capillaires dans les espaces voisins, appelés espaces extracellulaires (pression hémodynamique). Ce phénomène permet la diffusion du liquide dans les tissus. Les protéines du sang, de leur côté, attirent le sérum des tissus vers l'intérieur des capillaires (pression oncotique). Ce mécanisme d'équilibre maintient la constance des quantités de sérum présentes dans le sang et dans les tissus. Les reins participent à cet équilibre : ils permettent l'élimination dans les urines de l'excès de sel contenu dans le sang.

L'équilibre de la répartition de l'eau dans l'organisme peut être perturbé, cette perturbation se manifestant alors par un œdème.

CAUSES

Différents facteurs sont à distinguer.

■ **Des facteurs mécaniques** peuvent entraver l'équilibre hydrique de l'organisme et provoquer des œdèmes. Les obstructions veineuses ou lymphatiques, par exemple, gênent la circulation des liquides dans l'organisme. Ces obstructions peuvent être dues à une phlébite (inflammation d'une veine), à une lymphangite (inflammation d'un vaisseau lymphatique) ou à un lymphome (tumeur ganglionnaire qui comprime les vaisseaux). L'insuffisance cardiaque provoque une augmentation de pression dans les veines et dans les capillaires.

■ **Des facteurs physicochimiques** peuvent également donner lieu à un œdème. Il en est ainsi des affections des reins, comme le syndrome néphrotique, caractérisé par une diminution du taux de protéines dans le sang, ou l'insuffisance rénale, qui se traduit par une rétention de sel dans les reins. Les carences en protéines ou le manque de vitamine B1 (responsable du béribéri), fréquents chez les alcooliques, provoquent également des œdèmes. Certains médicaments (corticostéroïdes, contraceptifs oraux riches en œstrogènes), en augmentant la rétention de sel par les reins, produisent le même effet.

SYMPTÔMES ET SIGNES

L'œdème se manifeste d'abord par une augmentation de poids. Lorsqu'il s'aggrave, on constate un gonflement qui atteint le plus souvent les membres inférieurs. Cette forme d'œdème s'accompagne généralement d'un sentiment de fatigue et se manifeste le plus souvent le soir. Elle peut se limiter aux chevilles ou toucher la totalité des membres. Parmi les œdèmes des membres inférieurs, on distingue l'œdème bilatéral (des deux membres) et l'œdème unilatéral (d'un seul membre), dû souvent à une insuffisance veineuse chez les malades qui ont des varices ou à une phlébite d'une veine profonde : veines du mollet, veine fémorale de la cuisse, veine iliaque du petit bassin. En cas d'œdème lié à une phlébite, une douleur profonde et une sensation de chaleur dans la zone touchée se manifestent également.

L'œdème peut aussi affecter d'autres parties du corps (ventre, poitrine, visage, etc.).

Le tissu cellulaire sous-cutané gonflé par un œdème « prend le godet » lorsqu'on appuie sur la peau avec un doigt (c'est-à-dire

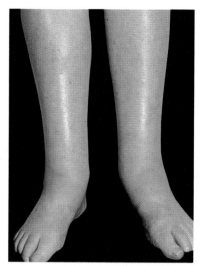

Œdème. La peau est luisante et amincie, les chevilles sont gonflées à cause de l'accumulation d'eau dans les tissus.

que la pression exercée par le doigt laisse momentanément une marque creuse sur la peau). La rétention liquidienne peut gagner la cavité péritonéale, réalisant une ascite, ou la cavité pleurale, formant un épanchement pleural. À ce stade, on parle d'anasarque (le terme a remplacé celui d'hydropisie).

TRAITEMENT
Les œdèmes ne peuvent souvent être traités qu'en stimulant l'évacuation du liquide dans les urines par les reins. La prise de diurétiques et un régime alimentaire hyposodé s'imposent pour parvenir à ce résultat.

Le traitement diffère cependant selon le type d'œdème et selon la cause de l'œdème. Un œdème unilatéral d'un membre inférieur, dû à une phlébite, se réduit grâce à un traitement anticoagulant. S'il est causé par une insuffisance veineuse, il peut être soulagé par le port d'un bas à varice. Un œdème bilatéral des membres inférieurs, imputable à une insuffisance cardiaque, se traite par l'administration de médicaments diurétiques, cardiotoniques et vasodilatateurs.

Œdème aigu hémorragique du nourrisson

Affection caractérisée par un gonflement diffus des tissus sous-cutanés chez un enfant âgé de 5 mois à 2 ans. SYN. *purpura de Seidlmayer, purpura en cocarde avec œdème*.

Cette affection rare de la peau s'observe de 8 à 15 jours après une infection (maladie bactérienne ou virale) ou après la prise d'antibiotiques généraux ou de médicaments contre la toux ou la fièvre.

Si la maladie semble d'origine allergique, bactérienne, virale ou médicamenteuse, sa cause précise demeure inconnue.

SYMPTÔMES ET SIGNES
Un œdème aigu hémorragique du nourrisson se manifeste le plus souvent pendant la saison froide par une poussée de fièvre

(de 38 à 39 °C) et par un gonflement inflammatoire, douloureux et symétrique des jambes, des avant-bras et du visage, qui accompagnent un excellent état général. À ces symptômes s'associe un purpura ecchymotique (taches bleu violacé ressemblant à des bleus et qui ne disparaissent pas à la vitropression, c'est-à-dire lorsque le praticien appuie dessus avec un verre de montre). Ces taches sont très marquées et présentent des éléments en cocarde (éléments au centre inflammatoire, entouré d'une zone rose pâle).

TRAITEMENT
La maladie guérit spontanément en une quinzaine de jours et ne laisse pas de séquelles. Lorsque les symptômes sont très marqués (gonflement important, douleur, ecchymoses, boutons rouges de purpura), un traitement corticostéroïde peut être envisagé.

Œdème aigu du poumon
→ VOIR Œdème pulmonaire.

Œdème angioneurotique
→ VOIR Quincke (œdème de).

Œdème angioneurotique héréditaire

Affection héréditaire qui touche le système d'activation du complément (système enzymatique qui participe à la destruction des antigènes) et se traduit par des crises d'œdème (rétention pathologique de liquide) des tissus sous-cutanés, des muqueuses et de certains viscères.

L'œdème angioneurotique héréditaire se transmet sur le mode autosomique (par les chromosomes non sexuels) dominant : il suffit que le gène responsable soit transmis par l'un des deux parents pour que l'enfant développe la maladie.

Les crises se déclenchent à l'occasion d'infections rhinopharyngées, de chocs nerveux ou affectifs ou, chez la fille, au moment de l'apparition des règles.

SYMPTÔMES ET SIGNES
Les crises touchent le visage et les membres. L'œdème qui apparaît se présente comme un gonflement mou augmentant en quelques heures, puis disparaissant spontanément en 24 ou 48 heures. Ses répercussions sont variables mais, s'il est très marqué (s'il empêche d'ouvrir les yeux, par exemple), il peut constituer une gêne importante.

Lorsque l'œdème atteint la muqueuse du larynx ou des bronches, il peut provoquer une détresse respiratoire et une asphyxie.

L'appareil urinaire et l'appareil digestif peuvent également être touchés. Dans ce dernier cas, le patient souffre de dysphagie (difficulté à déglutir) et de douleurs abdominales.

DIAGNOSTIC
Des œdèmes à répétition chez un enfant ou un adolescent doivent suggérer le diagnostic d'œdème angioneurotique héréditaire.

La baisse, voire l'effondrement, du taux de certaines protéines du sérum sanguin qui composent le complément permettent d'établir le diagnostic. L'examen demandé par le

médecin pour procéder au diagnostic est un dosage du complément, de ses fractions et de ses inhibiteurs. La maladie est prévisible dans certaines familles et peut faire l'objet d'un conseil génétique.

TRAITEMENT
L'administration de produits antifibrinolytiques (qui servent à éviter l'obturation des vaisseaux) et la prescription d'hormones androgènes (y compris chez les hommes) constituent les fondements du traitement. Celui-ci, efficace, est prescrit tantôt de façon permanente, tantôt au moment des crises.

Œdème cérébral

Majoration du volume du cerveau, consécutive à une augmentation de la teneur en eau de ses tissus.

L'œdème cérébral accompagne différentes maladies de l'encéphale : tumeur, traumatisme, infection, inflammation, accident vasculaire cérébral.

Deux mécanismes sont possibles : soit la fuite du plasma en dehors des capillaires sanguins (œdème vasogénique par troubles circulatoires), soit, plus rarement, une accumulation de liquide à l'intérieur des cellules nerveuses elles-mêmes (œdème neurogénique par lésion des parois cellulaires, le plus souvent d'origine ischémique).

Le crâne étant rigide, l'œdème cérébral entraîne une hypertension intracrânienne se traduisant par des signes tels que des paralysies, des vomissements, des maux de tête, un coma, et il peut être mortel.

Le traitement nécessite une hospitalisation en urgence et associe des antiœdémateux cérébraux (macromolécules, corticostéroïdes) au traitement de la cause. Les antiœdémateux ne sont efficaces qu'en cas d'œdème vasogénique.

Œdème oculaire

Infiltration de liquide séreux dans les tissus de l'œil.

Œdème conjonctival

Encore appelée chémosis, cette infiltration de liquide sous la conjonctive peut être due à une contusion, à une brûlure ou à une conjonctivite allergique. Un œdème conjonctival se traduit par un gonflement indolore et souvent translucide de la conjonctive. Visible à l'examen clinique, il est traité par l'application locale de collyres ou de pommades anti-inflammatoires.

Œdème cornéen

Cette infiltration de liquide dans les couches de la cornée peut survenir après un traumatisme (contusion, plaie, brûlure) ou une inflammation (kératite), ou peut encore témoigner d'une aggravation d'une anomalie congénitale. Un œdème cornéen se manifeste par un épaississement de la cornée, qui perd de sa transparence, et entraîne une baisse de l'acuité visuelle. Il est diagnostiqué par l'examen de l'œil au biomicroscope. Le traitement d'un œdème cornéen fait appel à l'application locale de collyres anti-inflammatoires et antiœdémateux.

Œdème maculaire

Cette infiltration de liquide sous la macula (partie de la rétine responsable de l'acuité visuelle) est liée à l'occlusion de la veine centrale de la rétine, ou à une affection de la rétine, causée par un diabète ou par une hypertension artérielle. Un œdème maculaire se traduit par une baisse importante de l'acuité visuelle et peut provoquer des exsudats de plasma dans toute la rétine ou un soulèvement localisé de celle-ci. Un œdème maculaire dit « cystoïde » est composé de petits kystes juxtaposés qui, faute de traitement, peuvent détruire progressivement la rétine, en plusieurs mois ou en plusieurs années. L'angiographie oculaire met en évidence l'œdème maculaire. Le traitement de cet œdème est celui de sa cause.

Œdème palpébral

Cette infiltration de liquide sous la paupière est consécutive à un traumatisme ou à une inflammation (orgelet, par exemple). Un œdème palpébral se manifeste par un gonflement bien visible d'une ou des deux paupières, parfois accompagné d'une rougeur, d'une sensation de chaleur ou d'une douleur. Le traitement fait appel aux anti-inflammatoires locaux ou généraux.

Œdème papillaire

Cette infiltration de liquide dans la papille (tête du nerf optique) peut être due à une hypertension intracrânienne ; elle atteint alors les deux yeux. Si elle est unilatérale, elle peut témoigner d'une inflammation de la papille (papillite) ou d'un défaut d'irrigation sanguine (ischémie papillaire). On la rencontre également lors de la sclérose en plaques. Un tel œdème entraîne une baisse de l'acuité visuelle. Visible à l'examen du fond d'œil, la papille gonflée apparaît plus saillante et ses contours s'estompent. Des hémorragies plus ou moins abondantes peuvent se produire à sa périphérie ainsi qu'une dilatation des capillaires et des veines. Le traitement est celui de la cause. Un œdème papillaire régresse en une période allant de quelques jours à quelques mois. Des séquelles sont possibles : une atrophie optique (caractérisée par une papille plate et blanche) entraîne, si les fibres visuelles sont détruites, une atteinte de la vision pouvant aller de l'amputation du champ visuel à la vision nulle.

Œdème pulmonaire

Envahissement des alvéoles pulmonaires par du plasma sanguin ayant traversé la paroi des capillaires (petits vaisseaux).

L'œdème pulmonaire est la principale manifestation clinique de l'insuffisance cardiaque gauche.

CAUSES

Normalement, le système circulatoire permet l'échange d'eau et de nutriments entre le sang et les tissus à travers la paroi des vaisseaux, grâce à un équilibre subtil entre les forces de la pression hydrostatique (tendant à faire sortir les liquides hors du vaisseau) et celles de la pression oncotique (liée aux protéines, tendant à retenir les liquides à l'intérieur du vaisseau), s'effectuant en sens opposé. L'insuffisance cardiaque gauche provoque des anomalies de la circulation sanguine (débit, pression, vitesse, etc.), et le cœur défaillant ne peut assurer un débit suffisant pour couvrir, au repos ou à l'effort, les besoins de l'organisme. Le sang s'accumule alors dans la circulation pulmonaire, où il entraîne une augmentation de la pression intravasculaire et une fuite du plasma vers les alvéoles pulmonaires. Ces dernières sont ainsi peu à peu inondées et l'oxygénation normale du sang par les poumons ne peut plus s'effectuer.

Un œdème pulmonaire est le plus souvent d'origine hémodynamique, lié à une augmentation des pressions dans la circulation pulmonaire. Celle-ci peut être due à un mauvais fonctionnement du cœur, à une poussée d'hypertension artérielle systémique, ou encore à une hypervolémie (augmentation du volume sanguin). Beaucoup plus rarement, l'œdème pulmonaire peut être dû à une altération de la perméabilité des capillaires pulmonaires par des agents infectieux (virus de la grippe, certaines bactéries) ou toxiques.

SYMPTÔMES ET SIGNES

Dans l'œdème pulmonaire aigu, un essoufflement intense apparaît brutalement chez le malade, l'obligeant à se tenir assis ou debout (orthopnée), ainsi qu'une toux, accompagnée parfois de crachats mousseux rosés caractéristiques. L'apparition plus ou moins rapide des signes (œdème subaigu) dépend du mode évolutif de l'insuffisance ventriculaire gauche.

DIAGNOSTIC

L'auscultation du cœur indique une tachycardie (accélération du rythme cardiaque), celle des poumons des râles secs, dits crépitants, prédominant aux bases. D'autres signes d'insuffisance cardiaque périphérique (augmentation de la taille du foie, turgescence des veines jugulaires) sont plus rares, l'œdème pulmonaire se manifestant surtout lorsque l'insuffisance ventriculaire gauche ne s'est pas encore compliquée d'une insuffisance ventriculaire droite.

La radiographie du thorax montre un gros cœur et une surcharge vasculaire au niveau des poumons, qui se traduit par une augmentation du diamètre des artères pulmonaires et par l'existence d'opacités caractéristiques.

L'analyse des gaz du sang artériel indique une diminution simultanée de la teneur en oxygène et en gaz carbonique. L'électrocardiographie confirme la tachycardie ; elle peut orienter vers l'origine de la maladie et mettre en évidence un facteur déclenchant, comme un trouble du rythme. Enfin, l'échocardiographie prouve l'existence d'une atteinte cardiaque et en précise le type. Associée au Doppler cardiaque, elle permet de préciser les pressions régnant dans la circulation pulmonaire.

TRAITEMENT

Les diurétiques par voie intraveineuse et/ou les vasodilatateurs, en particulier veineux, traitent les symptômes et entraînent une diminution rapide de la pression dans la circulation pulmonaire. Ils ont remplacé la « saignée » historique. L'amélioration de l'oxygénation se fait par inhalation d'oxygène à l'aide d'une sonde ou d'un masque et la correction de la chute du débit cardiaque se traite par des médicaments cardiotoniques.

Le traitement de fond est celui de la maladie en cause et doit être entrepris chaque fois que cela est possible (normalisation d'une hypertension artérielle, par exemple).

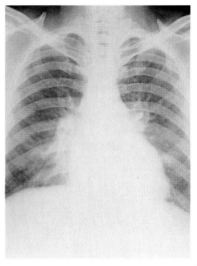

Œdème pulmonaire. *Les branches des artères pulmonaires, qui partent de chaque côté du cœur (au centre), sont anormalement visibles.*

Œdipe (complexe d')

Stade du développement psychologique de l'enfant, caractérisé par un fort attachement affectif pour le parent de sexe opposé.

Le terme de complexe d'Œdipe est créé par Sigmund Freud en 1910, par analogie avec la tragédie de Sophocle *Œdipe Roi*, fondée sur le meurtre du père et sur la consommation de l'inceste avec la mère. Le complexe d'Œdipe revêt une importance cruciale dans la formation de la personnalité tout entière. Il se situe entre 3 et 6 ans et diffère selon le sexe du sujet. Chez le garçon, le père est aimé et craint à la fois (ambivalence), avec peur d'un châtiment (angoisse de la castration). Chez la fille, l'absence de pénis entraîne un sentiment de haine envers la mère, avec envie admirative de posséder le phallus du père (complexe d'Électre).

La sortie du stade du complexe d'Œdipe et le renoncement aux fantasmes qui lui sont liés marquent l'accès au stade génital et à la sexualité adulte. La fixation au stade œdipien serait à la racine de nombreux troubles psychonévrotiques (hystérie, névrose obsessionnelle et phobique). Elle expliquerait aussi certains choix amoureux (attachement pour tel type d'homme ou de femme, homosexualité, perversions).

Œil

Organe de la vue contenu dans l'orbite. SYN. *globe oculaire*. (P.N.A. *oculus*)

Ce terme recouvre souvent aussi les annexes de l'œil : paupières, conjonctive, appareil lacrymal et muscles oculomoteurs.

STRUCTURE

L'œil est un organe sphérique formé d'une coque résistante entourant le contenu proprement dit.

■ La coque oculaire, enveloppe externe de l'œil, se compose de 3 tuniques concentriques : une membrane de protection, une membrane nourricière et une membrane sensorielle. La première, la plus externe, est constituée de la sclérotique (blanc de l'œil), traversée en arrière par le nerf optique et se prolongeant en avant par la cornée, transparente et bombée, très innervée. La cornée est le premier et le plus puissant dioptre (surface optique intervenant dans la réfraction) du système optique de l'œil. La zone d'union entre la sclérotique et la cornée est le limbe sclérocornéen. La deuxième membrane, nourricière, appelée uvée, est la tunique moyenne de l'œil, riche en vaisseaux. Elle se compose, en arrière, de la choroïde, membrane mince et vascularisée, et, en avant, du corps ciliaire et de l'iris, celui-ci étant percé au centre par la pupille, dont le diamètre varie suivant l'intensité de la lumière. La tunique la plus profonde est la membrane sensorielle, récepteur visuel proprement dit, composée uniquement de la rétine, membrane fine et translucide contenant les cônes et les bâtonnets, cellules qui captent la lumière.

■ Le contenu de l'œil est constitué, d'avant en arrière, par l'humeur aqueuse qui nourrit la cornée et passe dans la chambre antérieure (entre la cornée et l'iris) par la pupille, avant d'être éliminée à l'angle formé par l'iris et la cornée ; par le cristallin (lentille biconvexe transparente de 1 centimètre de diamètre), situé en arrière de l'iris, avec lequel il délimite la chambre postérieure, et relié au muscle ciliaire par un ligament annulaire, appelé zonule, lequel est responsable de l'accommodation ; par le corps vitré, ou vitré, gel transparent qui remplit le globe oculaire entre le cristallin et la rétine, et qui assure le maintien du volume de l'œil.

PHYSIOLOGIE

Les deux yeux travaillent de façon conjuguée sous le contrôle du cerveau, prenant la même direction pour fixer un objet afin qu'une image nette se forme sur chaque rétine. Ils font la mise au point en fonction de la distance de l'objet regardé grâce au processus d'accommodation.

Normalement, les mouvements des deux yeux sont parfaitement coordonnés dans toutes les positions du regard, de loin, de près, en convergence. La vision binoculaire permet de percevoir aussi bien les reliefs que les distances.

EXAMENS

L'examen ophtalmologique commence par un examen de la réfraction et de l'acuité visuelle de près et de loin, avec et sans correction. Le spécialiste procède ensuite à

L'œil est un organe complexe, à la fois capable de réfracter des rayons lumineux pour former une image sur la rétine (membrane tapissant le fond de l'œil, particulièrement sensible à la lumière) et de convertir cette image en un influx nerveux, transmis par le nerf optique au cerveau, où elle est interprétée. Comme chaque œil reçoit une image légèrement différente de l'objet regardé, le cerveau compare les informations en provenance de chaque œil pour reconstituer une image en trois dimensions.

L'œil et les muscles oculaires

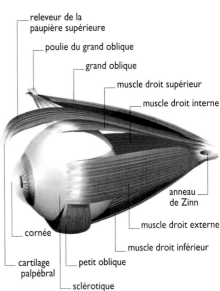

releveur de la paupière supérieure
poulie du grand oblique
grand oblique
muscle droit supérieur
muscle droit interne
anneau de Zinn
muscle droit externe
muscle droit inférieur
cornée
petit oblique
cartilage palpébral
sclérotique

Structure de l'œil

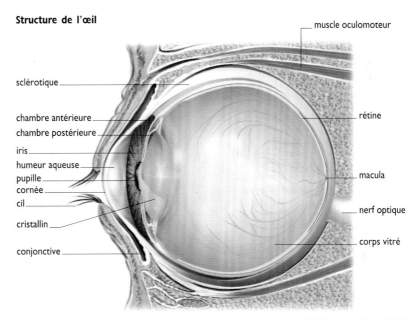

muscle oculomoteur
sclérotique
chambre antérieure
chambre postérieure
iris
humeur aqueuse
pupille
cornée
cil
cristallin
conjonctive
rétine
macula
nerf optique
corps vitré

une étude de l'oculomotricité et de l'équilibre binoculaire ; il observe les paupières, examine le segment antérieur de l'œil (de la cornée au cristallin) au biomicroscope, mesure la pression intraoculaire et procède à un examen du fond d'œil.

Les examens complémentaires éventuels permettent d'évaluer le champ visuel et la vision des couleurs. Des examens électrophysiologiques (électrorétinographie, potentiels évoqués, électro-oculographie) explorent également le bon ou le mauvais fonctionnement des yeux. Le bilan orthoptique, éventuellement complété par le test de Lancaster, évalue l'oculomotricité. L'angiographie oculaire et l'échographie examinent les globes oculaires au plan anatomique. On peut recourir à d'autres examens radiologiques tels que les radiographies simples de l'orbite et les radiographies des voies lacrymales après injection d'un produit de

contraste (dacryocystorhinographie). Enfin, le scanner et l'imagerie par résonance magnétique (I.R.M.) complètent l'exploration de tout l'appareil optique.

PATHOLOGIE

Les maladies de l'œil peuvent atteindre le globe oculaire, le nerf optique ou les annexes de l'œil (conjonctive, paupières, muscles et nerfs oculomoteurs). Elles peuvent être de différents types.

■ Les affections congénitales sont dues à une modification d'origine génétique dans le développement de l'appareil oculaire, ou à une affection contractée pendant la vie intra-utérine (rubéole, par exemple).

■ Les affections inflammatoires atteignent la partie superficielle de l'appareil oculaire (conjonctivite, épisclérite) ou les revêtements internes (uvéite, choroïdite).

■ Le glaucome est une affection au cours de laquelle la pression intraoculaire, trop élevée, s'accompagne d'altérations du nerf optique. Il en existe plusieurs types dont le traitement diffère.

■ **Les maladies vasculaires** sont surtout graves quand elles concernent la vascularisation de la rétine ou du nerf optique (occlusion de l'artère ou de la veine centrale de la rétine).

■ **Les maladies dégénératives** peuvent être liées à des anomalies héréditaires (dégénérescences tapétorétiniennes) ou au vieillissement de l'œil (dégénérescence maculaire liée à l'âge, cataracte dite « sénile »).

■ **Les troubles de l'oculomotricité** sont représentés essentiellement par les paralysies oculomotrices (ophtalmoplégie) et par les strabismes.

→ VOIR Réfraction, Vision.

Œillère

Petite coupe ovale servant à faire des bains d'yeux avec un produit antiseptique.

L'œillère est aujourd'hui très peu utilisée ; elle est remplacée par l'application locale de collyres antiseptiques ou d'une compresse imbibée d'un produit antiseptique.

Œsophage

Conduit musculomembraneux reliant le pharynx à l'estomac. (P.N.A. *esophagus*)

STRUCTURE

L'œsophage est un conduit souple et contractile qui mesure chez l'adulte 25 centimètres de long et 2,5 centimètres de diamètre. Il se divise en trois segments (cervical, thoracique et abdominal) et est constitué de trois tissus de revêtement, ou tuniques (musculeuse, sous-muqueuse et muqueuse).

■ **L'œsophage cervical** fait suite au pharynx en regard de la 6e vertèbre cervicale. Il est en rapport en avant avec la trachée, en arrière avec le rachis, latéralement avec les éléments vasculaires jugulocarotidiens et les lobes de la glande thyroïde.

■ **L'œsophage thoracique** est longé par les deux nerfs pneumogastriques et se termine en traversant le diaphragme.

■ **L'œsophage abdominal** s'abouche à l'estomac en regard de la 12e vertèbre dorsale, après la traversée de l'orifice œsophagien du diaphragme.

FONCTIONNEMENT

La progression des aliments dans l'œsophage est le résultat d'une activité complexe. Quand le bol alimentaire (bouchée d'aliments mâchés et de salive) arrive au fond de la gorge, le sphincter supérieur de l'œsophage, ou bouche de l'œsophage, s'ouvre brièvement. Le bol alimentaire est alors conduit vers l'abdomen par des mouvements coordonnés : c'est le péristaltisme. Le passage dans l'estomac est possible grâce à l'ouverture du sphincter inférieur, le cardia. Un système nerveux propre, situé dans la paroi de l'œsophage, commande le fonctionnement de l'organe.

EXAMENS

L'œsophage peut être exploré soit par la radiographie, pratiquée après absorption d'un produit de contraste (œsophagographie), soit par la fibroscopie, à l'aide d'un

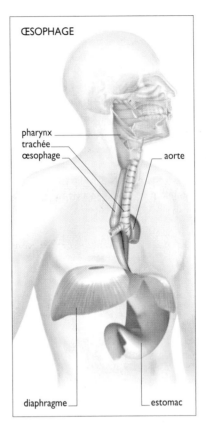

ŒSOPHAGE

pharynx
trachée
œsophage
aorte
diaphragme
estomac

conduit optique souple (œsophagoscopie), soit enfin par manométrie, procédé de mesure de la force et de la fréquence des contractions de l'œsophage.

PATHOLOGIE

L'œsophage peut être le siège de nombreuses affections.

■ **Les brûlures par liquide caustique** conduisent à un rétrécissement du diamètre du conduit œsophagien.

■ **Les diverticules œsophagiens** forment des poches latérales dans lesquelles s'accumulent les aliments.

■ **L'inflammation de la muqueuse œsophagienne** (œsophagite) se traduit par une déglutition difficile et douloureuse.

■ **Les malformations congénitales** sont notamment les fistules œsotrachéales (communications anormales entre œsophage et trachée) et l'atrésie de l'œsophage (absence d'un segment œsophagien).

■ **Les plaies et les ruptures traumatiques** entraînent une médiastinite par infection du médiastin (espace compris entre les 2 poumons).

■ **Les rétrécissements**, d'origine inflammatoire ou tumorale, se manifestent par une dysphagie (difficulté à déglutir). Ils peuvent être la conséquence d'une œsophagite ou d'une tumeur, bénigne ou maligne.

■ **Les troubles de la motricité** comprennent notamment l'achalasie de l'œsophage (perte de la relaxation de cet organe).

■ **Les tumeurs de l'œsophage** sont fréquentes et le plus souvent malignes.

Œsophage (cancer de l')

Tumeur maligne développée dans la muqueuse œsophagienne sous la forme d'un carcinome épidermoïde (dans la partie supérieure) ou d'un adénocarcinome (dans la partie inférieure).

CAUSES

Le cancer de l'œsophage, fréquent, est dû essentiellement à l'intoxication par l'alcool et le tabac. Il peut alors s'associer à un cancer de la gorge (pharynx, larynx) et à un cancer bronchopulmonaire. Plus rarement, il apparaît sur une lésion préexistante : œsophagite peptique (inflammation de l'œsophage due au reflux acide de l'estomac), achalasie (perte de la relaxation de l'œsophage) entraînant un endo-brachy-œsophage (anomalie de situation du point de jonction entre œsophage et estomac).

SYMPTÔMES ET SIGNES

Le cancer de l'œsophage est longtemps sans symptôme et les premières manifestations surviennent souvent à un stade avancé de la maladie. Le premier signe est une dysphagie (difficulté à déglutir), d'abord intermittente, puis permanente et douloureuse. Le déclin de l'état général est rapide.

DIAGNOSTIC

Le diagnostic se fait par la fibroscopie, qui permet de voir la tumeur et de pratiquer une biopsie de la muqueuse pour examen au microscope. Un bilan de l'extension locale et générale de la tumeur et la recherche d'autres fragilités chez le malade (cirrhose, bronchite chronique, etc.) permettent d'établir le traitement le mieux adapté.

TRAITEMENT

La chirurgie constitue le traitement le plus efficace : ablation de la tumeur et des portions de l'œsophage supérieure et inférieure (œsophagectomie). La continuité du tube digestif est le plus souvent rétablie en faisant remonter l'estomac dans le thorax. La radiothérapie permet un soulagement de la dysphagie et peut améliorer l'efficacité de la chirurgie en diminuant le volume de la tumeur. Enfin, la chimiothérapie est parfois utile pour améliorer les résultats des deux précédentes méthodes.

Les traitements palliatifs sont indiqués dans les cancers étendus : la pose d'un tube ou un traitement au laser permettent de rétablir le passage des aliments.

PRONOSTIC ET PRÉVENTION

Le cancer de l'œsophage demeure l'un des plus redoutables. La mortalité élevée semble être liée à un diagnostic trop tardif.

La prévention passe par la lutte contre le tabagisme et l'alcoolisme, et la surveillance endoscopique des patients atteints de maladies prédisposant au cancer (achalasie, œsophagite). En effet, des fibroscopies régulières permettent de détecter de petites lésions précancéreuses ou cancéreuses, contre lesquelles le traitement est alors efficace.

Œsophagectomie

Ablation chirurgicale partielle ou totale de l'œsophage.

L'œsophagectomie est indiquée en cas de tumeur maligne, parfois de tumeur bénigne, beaucoup plus rarement en cas de détérioration de l'œsophage due à une inflammation ou à une brûlure par absorption de produits caustiques. Elle nécessite une hospitalisation de 2 à 3 semaines.

En cas d'œsophagectomie partielle, le chirurgien retire la partie inférieure de l'œsophage, puis relie la partie restante à l'estomac ou à l'intestin grêle. En cas d'œsophagectomie totale, il ne laisse en place qu'un court segment d'œsophage cervical et rétablit la continuité du tube digestif à l'aide d'un segment de côlon (œsophagoplastie). Exceptionnellement, une œsophagostomie est effectuée, l'extrémité supérieure de l'œsophage étant directement reliée à la peau, ce qui nécessite souvent une ouverture chirurgicale de l'abdomen et du thorax, voire du cou. Elle peut également être pratiquée sous thoracoscopie (introduction à travers la paroi du thorax d'un tube muni d'une optique et d'instruments opératoires).

L'œsophagectomie est une opération sérieuse, surtout en cas de tumeur étendue ou chez des sujets âgés ou atteints d'insuffisance respiratoire. Elle nécessite après l'opération un régime alimentaire adapté (repas fractionnés, peu copieux mais riches en calories) et une surveillance médicale ; elle est souvent suivie d'un amaigrissement.

Œsophagite

Inflammation de la muqueuse œsophagienne se traduisant par une dysphagie (déglutition difficile et douloureuse).

Œsophagite caustique

Cette inflammation de la muqueuse œsophagienne, due à l'ingestion accidentelle ou volontaire d'un liquide caustique (soude, acide), provoque des lésions graves de la paroi œsophagienne. En effet, en même temps que la muqueuse détruite se régénère, l'œsophage se sclérose et rétrécit.

Le traitement consiste à pratiquer des dilatations répétées de l'œsophage à l'aide d'appareils dilatateurs (sondes, bougies, ballonnets) ou à aboucher chirurgicalement l'œsophage à l'estomac, ou encore à remplacer une portion d'œsophage par un segment de côlon. Toutefois, de telles interventions (œsophagoplastie) sont délicates.

Œsophagite infectieuse

Cette inflammation de la muqueuse œsophagienne peut être virale (herpès, cytomégalovirus), mycosique (candida) ou, exceptionnellement, bactérienne. Les deux premières causes s'observent au cours du sida. Les œsophagites mycosiques peuvent survenir en outre lors d'un long traitement par les corticostéroïdes ou à la suite d'une antibiothérapie. Les œsophagites mycosiques sont très sensibles aux médicaments antifongiques. Les œsophagites bactériennes, et parfois aussi les œsophagites virales, sont traitées par antibiothérapie.

Œsophagite peptique ou par reflux

Cette inflammation de la muqueuse œsophagienne est due à l'agression de cette muqueuse par le contenu acide de l'estomac. Normalement, le cardia (sphincter situé entre l'œsophage et l'estomac) empêche le reflux du contenu gastrique vers l'œsophage. En cas de dysfonctionnement de ce sphincter, associé ou non à une hernie hiatale, l'étanchéité de l'œsophage n'est plus assurée et le reflux acide l'irrite fortement. Le patient ressent alors une sensation de brûlure remontant de l'œsophage vers le pharynx, appelée pyrosis, que certaines positions aggravent : ainsi, lorsque la personne est penchée en avant ou couchée sur le dos.

DIAGNOSTIC ET ÉVOLUTION

À la fibroscopie, l'œsophage apparaît enflammé et couvert d'ulcérations. Dans certains cas particuliers, la pH-métrie, mesurant le degré d'acidité de l'œsophage, confirme le reflux acide.

L'évolution est marquée par la récidive des sensations de brûlure, de plus en plus fortes, parfois par des hémorragies et par une éventuelle cancérisation.

TRAITEMENT

Il comprend un arrêt de la consommation de tabac, un sommeil en position demi-assise et la prise de médicaments (pansements gastriques, antisécrétoires inhibiteurs de la pompe à protons). En cas d'échec du traitement médicamenteux, on recourt à la chirurgie pour créer un mécanisme antireflux à la jonction de l'œsophage et de l'estomac. Cette intervention peut être pratiquée par laparotomie (ouverture de l'abdomen) ou par cœliochirurgie (au moyen d'instruments introduits par des incisions abdominales, sous contrôle vidéo). Son efficacité est grande.

Œsophagocardiotomie extramuqueuse

→ VOIR Heller (opération de).

Œsophagographie

Examen radiographique de l'œsophage effectué après ingestion de baryte ou d'un produit hydrosoluble.

L'œsophagographie, qui se pratique à jeun, permet de déceler les lésions de l'œsophage. Elle est généralement la première étape d'un transit œso-gastro-duodénal (radiographie de l'estomac). Elle ne nécessite ni hospitalisation ni anesthésie, mais est actuellement souvent remplacée par la fibroscopie œso-gastro-duodénale.

Œsophagoplastie

Technique chirurgicale consistant à rétablir la continuité du tube digestif, après une ablation chirurgicale complète de l'œsophage (ne laissant en place qu'un court fragment d'œsophage cervical).

L'œsophagoplastie se pratique en général en cas de cancer de l'œsophage. Dans une première variante, le chirurgien donne à l'estomac une forme tubulaire et relie directement son extrémité supérieure au segment restant d'œsophage. Dans une seconde variante, il utilise un segment de côlon pour relier le segment restant d'œsophage à l'estomac ou à l'intestin grêle.

COMPLICATIONS ET EFFETS SECONDAIRES

Le principal risque de l'œsophagoplastie est la mauvaise cicatrisation des sutures, qui se produit dans 10 % des cas. Pendant la durée de la cicatrisation, le malade est nourri par perfusion. La reprise du transit intestinal a normalement lieu à partir du 5e jour après l'intervention. Les suites opératoires varient selon le malade : en général, celui-ci doit éviter pendant quelques mois de manger trop vite ou en trop grandes quantités (de 5 à 6 repas par jour). Le pronostic de l'œsophagoplastie dépend de la maladie qui a justifié l'ablation de l'œsophage.

Œsophagoscopie

Examen endoscopique de l'œsophage à l'aide d'un tube muni d'un système optique.

Une œsophagoscopie se pratique avec un fibroscope souple pour la recherche de corps étrangers dans l'œsophage (arêtes de poisson, os de lapin, etc.) et dans tous les cas de dysphagie (gêne à la déglutition), dont elle sert à déterminer la cause (œsophagite ou tumeur). Elle constitue la première étape de la gastroscopie.

→ VOIR Gastroscopie.

Œsophagostomie

Abouchement chirurgical, définitif ou temporaire, de l'œsophage à la peau du cou.

L'œsophagostomie est une intervention très rare. Elle se pratique après une section chirurgicale de l'œsophage, soit que le chirurgien ait retiré le segment sous-jacent (œsophagotomie), par exemple lors d'un cancer, soit qu'il veuille dériver la salive à cause du mauvais état de l'œsophage sous-jacent (brûlure par ingestion accidentelle d'un liquide caustique, fistule).

L'opération se déroule sous anesthésie générale ; l'extrémité supérieure de la section est suturée à un petit orifice pratiqué dans la peau du cou et auquel est fixée une poche, où s'écoule la salive. L'alimentation du malade est assurée soit par perfusions, soit au moyen d'une gastrostomie (abouchement de l'estomac à la peau) ou d'une jéjunostomie (abouchement du jéjunum – deuxième partie de l'intestin grêle – à la peau) permettant de nourrir le malade, de façon définitive ou en attendant que la continuité digestive puisse être rétablie chirurgicalement par œsophagoplastie.

Œstradiol, ou Estradiol

Hormone stéroïde (dérivée des stérols, alcools polycycliques complexes) principalement sécrétée chez le femme par l'ovaire et dont l'augmentation du taux intervient dans l'ovulation. SYN. *17-bêta-œstradiol*.

L'œstradiol est l'un des trois œstrogènes : comme l'œstrone, il est dégradé sous forme d'œstriol. C'est la plus active de ces trois hormones dans l'organisme. L'œstradiol est sécrété, sous l'influence des hormones folliculostimulante et lutéinisante (F.S.H. et L.H.), par la paroi des follicules ovariens. Son taux est très variable au cours de la vie. Avant la puberté, il est très bas chez la fille, s'élève durant la maturation pubertaire puis subit des variations cycliques (croissant dans la première moitié du cycle menstruel, décroissant dans la seconde moitié) et, enfin, retourne à un taux très bas après la ménopause. C'est l'imprégnation en œstradiol qui entraîne l'apparition des caractères sexuels secondaires féminins : les seins, la répartition du tissu adipeux et des muscles, la libido, le bon développement des tissus des organes génitaux externes (vulve, vagin) et internes (utérus, trompes).

Chez la femme enceinte, le taux d'œstradiol augmente dès le début de la grossesse et reste très élevé jusqu'à l'accouchement. À la ménopause, cette hormone est fabriquée en petite quantité, à partir des androgènes, dans le tissu adipeux. Chez l'homme, le taux d'œstradiol demeure normalement très bas, mais peut s'élever en cas de maladie du foie.

UTILISATIONS DIAGNOSTIQUE ET THÉRAPEUTIQUE

L'étude de l'évolution de la concentration sanguine en œstradiol permet de contrôler et de suivre la vitalité du fœtus. Une diminution de ce taux indique une souffrance fœtale. La mesure du taux d'œstradiol est également très utile pour la surveillance des ovaires lors des inductions de grossesse, ainsi que pour le diagnostic des aménorrhées (absence de règles) et des tumeurs de l'ovaire.

En thérapeutique, l'œstradiol de synthèse est utilisé comme composant de la pilule contraceptive, en association avec la progestérone, et dans le traitement substitutif de l'insuffisance ovarienne.

Œstriol, ou Estriol

Hormone stéroïde (dérivée des stérols, alcools polycycliques complexes), sécrétée principalement chez la femme par l'ovaire et ayant un rôle métabolique en tant qu'œstrogène.

L'œstriol est l'un des trois œstrogènes : il est plus précisément le produit de la dégradation de l'œstradiol et de l'œstrone. Il est éliminé dans les urines. Sous l'influence des hormones folliculostimulante et lutéinisante, l'œstriol est sécrété par la paroi des follicules ovariens pendant la période d'activité génitale de la femme. Sa sécrétion croît pendant la première moitié du cycle et décroît pendant la seconde moitié.

UTILISATION THÉRAPEUTIQUE

L'œstriol, obtenu par synthèse, est utilisé comme composant de certaines pilules, associé à la progestérone. Il est employé dans le traitement substitutif de la ménopause.

Œstrogène, ou Estrogène

Hormone sécrétée par l'ovaire et dont le taux sanguin, en augmentant, joue un rôle dans l'ovulation.

Présents naturellement dans l'organisme, les œstrogènes sont aussi synthétisés et utilisés comme médicaments.

Œstrogènes naturels

Il s'agit de trois hormones, l'œstradiol, ou 17-bêta-œstradiol, l'œstrone et l'œstriol. L'œstradiol est le plus actif dans l'organisme. Les œstrogènes sont sécrétés surtout par

l'ovaire (isolément dans la première moitié de chaque cycle menstruel, en association avec la progestérone dans la seconde moitié) et par le placenta au cours de la grossesse. Les glandes surrénales et les testicules en produisent de faibles quantités. Une fois sécrétés, ils passent dans le sang, circulent dans l'organisme puis sont éliminés dans les urines.

Les œstrogènes sont responsables du développement pubertaire et du maintien ultérieur des caractères physiques féminins (organes génitaux internes et externes, seins). Ils assurent la prolifération d'une nouvelle muqueuse utérine pendant la première moitié du cycle (l'ancienne muqueuse ayant été éliminée avec les règles, les premiers jours du cycle). En outre, ils ont une action générale sur l'organisme : ils tendent à y retenir le sodium et l'eau, et favorisent la synthèse des protéines (nécessaire pour constituer notamment la trame des os).

Œstrogènes de synthèse

Les œstrogènes de synthèse ont une structure chimique soit dérivée de celle des œstrogènes naturels, soit semblable à celle-ci.

Ils sont indiqués pour corriger une insuffisance de sécrétion, surtout après la ménopause et pour prévenir l'ostéoporose (fragilité osseuse) : on parle alors d'hormonothérapie substitutive postménopausique. Ils sont dans ce cas associés aux progestatifs (de la même famille que la progestérone) et prescrits par voie orale ou, de préférence, par voie percutanée (le produit gagne le sang à travers la peau), en gel ou au moyen d'un système transdermique (« timbre »).

Une deuxième indication fréquente est la contraception par voie orale ; l'œstrogène est alors associé à un progestatif dans une même spécialité pharmaceutique (la « pilule »).

Beaucoup plus rarement, les œstrogènes sont employés en injection, lors des hémorragies utérines graves, et par voie orale ou injectable en cas de cancer de la prostate chez l'homme. Le traitement est mené sous surveillance médicale très stricte.

CONTRE-INDICATIONS ET EFFETS INDÉSIRABLES

Parmi les contre-indications, certaines sont absolues, tels la grossesse, le cancer du sein ou de l'utérus. Certains effets indésirables (irritabilité, nausées, maux de tête, jambes lourdes, gonflement des seins et de l'abdomen, prise de poids) disparaissent quand on modifie les doses. La surveillance des patientes sous traitement permet de dépister des anomalies cliniques ou biologiques qui témoignent d'une mauvaise adaptation au traitement. La prise d'œstrogènes nécessite donc toujours un suivi médical, même s'il ne s'agit que de la pilule contraceptive.

Œstrone, ou Estrone

Hormone stéroïde (dérivée des stérols, alcools polycycliques complexes) sécrétée principalement chez la femme par l'ovaire, ayant un rôle métabolique en tant qu'œstrogène et dont l'existence après la ménopause témoigne de la conversion des androgènes.
SYN. *folliculine*.

L'œstrone est l'un des trois œstrogènes : elle peut se convertir facilement en œstradiol et est, comme lui, dégradée sous forme d'œstriol. L'œstrone est sécrétée, sous l'influence des hormones folliculostimulante et lutéinisante (F.S.H. et L.H.), par la paroi des follicules ovariens pendant la période d'activité génitale de la femme. Son taux plasmatique croît pendant la première moitié du cycle et décroît pendant la seconde moitié. Après la ménopause, l'œstrone est fabriquée à partir des androgènes sécrétés par les glandes corticosurrénales. Cette synthèse s'effectue dans le tissu adipeux.

UTILISATION DIAGNOSTIQUE

L'œstrone est dosée dans le sang lorsqu'on suspecte un déséquilibre dans la sécrétion des œstrogènes.

Œstroprogestatif, ou Estroprogestatif

Médicament hormonal dans lequel les œstrogènes sont associés aux progestatifs.

En fonction de leurs indications, on distingue les œstroprogestatifs contraceptifs et les œstroprogestatifs donnés pour une autre raison que la contraception.

Œstroprogestatifs contraceptifs

Il s'agit d'hormones œstrogènes et progestatives prises par voie orale, destinées à éviter une grossesse en se substituant au cycle physiologique de la femme. Ces œstroprogestatifs contraceptifs oraux sont couramment désignés par le terme de « pilule ». Dans un tel emploi, l'œstrogène utilisé est l'éthynilestradiol et le progestatif fait partie de la famille des norstéroïdes ou des dérivés dits de 3e génération, dénués d'effets secondaires métaboliques.

DIFFÉRENTS TYPES D'ŒSTROPROGESTATIF
CONTRACEPTIF ORAL

■ **La pilule combinée**, dans laquelle chaque comprimé contient l'œstrogène et le progestatif, se présente sous deux formes, selon que la quantité d'œstrogène est faible (pilule minidosée) ou forte (pilule normodosée). Si les quantités d'hormones sont constantes au cours du cycle, il s'agit d'une pilule monophasique ; avec deux quantités différentes d'hormones, la pilule est dite biphasique ; si trois variations de quantité d'hormones sont prévues, elle est triphasique.

■ **La pilule séquentielle** est une pilule dans laquelle, dans une première phase du cycle (7 ou 14 jours selon les types de pilule), les comprimés ne contiennent que des œstrogènes, alors que, dans une seconde phase (15 ou 7 jours), ils associent un œstrogène et un progestatif.

MÉCANISME D'ACTION

Dans l'hypothalamus, les œstroprogestatifs inhibent la sécrétion de la gonadolibérine (Gn-RH, *gonadotrophin releasing hormone* [hormone de libération des gonadotrophines]), ce qui bloque l'ovulation et les sécrétions d'œstrogènes et de progestatifs par l'ovaire.

PRESCRIPTION

Il faut prendre un comprimé par jour à heure fixe pendant 21 ou 22 jours, suivant les méthodes, puis arrêter les prises pendant

6 ou 7 jours – la chute des quantités d'hormones dans l'organisme provoque alors des saignements comparables aux règles –, avant de commencer un nouveau cycle.

EFFETS INDÉSIRABLES

Les risques encourus sont principalement d'ordre vasculaire (accident vasculaire cérébral, hypertension artérielle, phlébite, diabète, hyperlipidémie, ictère). Aussi la prise d'hormones œstroprogestatives doit-elle s'accompagner obligatoirement d'un contrôle médical sérieux : bilan clinique initial, surveillance régulière du poids, de la tension artérielle, du métabolisme (taux de lipides et de glucides dans le sang), examen périodique des seins et des organes génitaux (frottis cervicovaginal).

Les effets indésirables sans gravité sont des céphalées, des nausées, une prise de poids, une lourdeur des jambes.

CONTRE-INDICATIONS

Les contre-indications absolues des œstroprogestatifs sont la grossesse, l'allaitement, les maladies ou les accidents thromboemboliques (occlusion d'un vaisseau sanguin par un caillot, ou embole), les affections cardiovasculaires, les tumeurs hypophysaires, les tumeurs du sein et de l'utérus, les hémorragies génitales non diagnostiquées, les connectivites (affection du collagène), les porphyries (maladie héréditaire liée à un trouble de l'hémoglobine), les affections hépatiques sévères ou récentes. Les associations entre les œstroprogestatifs et les médicaments inducteurs enzymatiques (barbituriques, rifampicine, griséofulvine, certains anticonvulsivants) sont déconseillées.

Le risque d'accident thromboembolique sous œstroprogestatifs augmente avec l'âge et le tabagisme, ce qui nécessite parfois le recours à un autre moyen de contraception.

Œstroprogestatifs
à visée thérapeutique

Il s'agit d'hormones œstrogènes et progestatives associées pour vaincre certains dysfonctionnements hormonaux féminins.

Ces œstroprogestatifs sont utilisés en cas de stérilité due à une insuffisance hormonale, dans le traitement de troubles gynécologiques tels que l'aménorrhée (absence de règles) et la dysménorrhée (douleur liée aux règles) et dans celui de la carence en œstrogènes au cours de la ménopause : on parle alors d'hormonothérapie substitutive postménopausique. Ils se présentent sous forme orale, percutanée ou transvaginale. Le dosage en œstrogènes et en progestatifs varie selon le motif du traitement.

Les effets indésirables et la surveillance sont les mêmes que pour les œstroprogestatifs contraceptifs.
→ VOIR Contraception.

Œuf

1. Ovule mûr, pondu, mais non encore fécondé. SYN. *œuf vierge.*
2. Cellule résultant de la fusion des cellules sexuelles mâle et femelle avant la première division. SYN. *zygote.*

En embryologie, ce terme désigne cette même cellule après divisions, également appelée œuf embryonné.
3. Ensemble du contenu de l'utérus : embryon ou fœtus et ses annexes, c'est-à-dire les membranes ovulaires, chorion et amnios, le liquide amniotique, le cordon ombilical et le placenta.
→ VOIR Blastocyte, Embryon, Fécondation, Fœtus, Morula, Nidation.

Œuf de poule

Corps organique pondu par la poule, comprenant le jaune (l'œuf proprement dit), entouré du blanc et d'une coquille calcaire poreuse.

Les œufs ont une très grande valeur nutritionnelle. Apportant 156 kilocalories pour 100 grammes, ils contiennent des protéines (12,6 %), des lipides (11,3 %), peu de glucides (1 %), des minéraux, en particulier du fer (2,1 milligrammes), ainsi que des vitamines A, D, E, des vitamines du groupe B et de l'eau ; en revanche, ils sont dépourvus de vitamine C.

Les œufs font partie des aliments les plus riches en cholestérol : un œuf de 50 grammes en apporte près de 250 milligrammes, soit autant que 100 grammes de beurre. Celui-ci est concentré dans le jaune, alors que le blanc en est dépourvu. Cependant, excepté pour les sujets allergiques à l'œuf ou souffrant d'hypercholestérolémie (taux excessif de cholestérol dans le sang), il est inutile de limiter la consommation d'œufs.

Ogilvie (syndrome d')

Dilatation importante du côlon survenant en dehors de tout obstacle sur les voies digestives.

Le syndrome d'Ogilvie apparaît chez des patients en état critique atteints de brûlures étendues, de déshydratation, d'accidents vasculaires cérébraux, d'infections graves, de troubles électrolytiques (essentiellement hypokaliémie, c'est-à-dire diminution excessive du taux de potassium dans le sang). La radiographie du côlon révèle une dilatation anormale de cet organe, prédominant surtout à droite. En l'absence de traitement, il se distend et peut se perforer.

Le traitement du syndrome d'Ogilvie est essentiellement celui de sa cause (réhydratation, administration d'antibiotiques). Localement, on peut pratiquer l'exsufflation du côlon (aspiration des gaz intestinaux par coloscopie). L'opération doit être répétée plusieurs fois. Le pronostic dépend surtout de la maladie d'origine.

Ogino-Knaus (méthode d')

Méthode de contraception naturelle fondée sur la durée du cycle menstruel. SYN. *méthode du calendrier.*

La méthode d'Ogino-Knaus, pratiquée par de nombreux couples dans les années 1960, consiste à s'abstenir de tout rapport sexuel pendant la période de fécondité de la femme. Cette période est calculée d'après différents paramètres : sachant que l'ovulation a lieu le 14e jour du cycle, que les spermatozoïdes

peuvent survivre 3 jours dans la trompe utérine et que l'ovule est fécondable pendant 2 jours, la période fertile, si l'on ajoute une marge de sécurité d'un jour avant et d'un jour après, irait du 10e au 17e jour du cycle. En réalité, les cycles menstruels ne sont pas aussi réguliers et la méthode d'Ogino-Knaus a une efficacité très relative. Sa fiabilité peut être améliorée si elle est associée à d'autres méthodes de contraception naturelle, notamment la méthode des températures.
→ VOIR Contraception.

Olécrane

Protubérance osseuse située à l'extrémité supérieure du cubitus. (P.N.A. *olecranon*)

L'olécrane fait partie du squelette postérieur du coude. Il sert de butée dans les mouvements d'extension de l'avant-bras sur le bras ; sur lui s'insère le muscle triceps, muscle extenseur de l'avant-bras sur le bras.

PATHOLOGIE

■ **La bursite rétro-olécranienne** est une inflammation de la bourse séreuse (coussinet synovial facilitant le glissement entre le muscle et l'articulation) située en arrière de l'olécrane. Parfois consécutive à une tendinite d'insertion du triceps, elle se traduit par une douleur locale, avec gonflement et présence de liquide dans la bourse. Son traitement repose sur la ponction de ce liquide inflammatoire, la prise d'anti-inflammatoires par voie orale et l'immobilisation du coude.

■ **Les fractures de l'olécrane** sont généralement dues à une chute sur la main ou sur l'avant-bras. Leur traitement est le plus souvent chirurgical : il consiste à repositionner parfaitement les surfaces articulaires puis à les immobiliser à l'aide d'un dispositif mécanique (cerclage, longue vis). La rééducation doit être commencée le plus tôt possible, afin d'éviter l'enraidissement de l'articulation du coude.

Oléome

Réaction inflammatoire locale de la peau à la présence d'un corps gras étranger.

Un oléome est dû à l'introduction d'un corps gras (huile, vaseline) ou d'un autre produit (implants siliconés utilisés en chirurgie esthétique) sous la peau. Sur la zone de pénétration du produit apparaît une plaque dure, souvent ulcérée et douloureuse. Le traitement, extrêmement difficile car les lésions sont mal délimitées, repose sur l'ablation chirurgicale de la région lésée, suivie d'une plastie de reconstruction (lambeaux), voire d'une greffe.

Olfaction

Sens permettant de percevoir les odeurs. SYN. *odorat.*

L'organe de l'olfaction est situé dans la muqueuse qui tapisse le plafond des fosses nasales. C'est un neuroépithélium constitué de cellules nerveuses spécialisées, neurones munis à leur sommet d'une touffe de cils et se prolongeant à leur base par une fibre nerveuse (axone). Les fibres traversent l'os ethmoïde, qui forme le plafond des fosses

Les récepteurs de l'olfaction sont des cellules nerveuses spécialisées munies de cils, situées dans une membrane muqueuse qui recouvre la partie supérieure des fosses nasales.

Les voies de l'olfaction

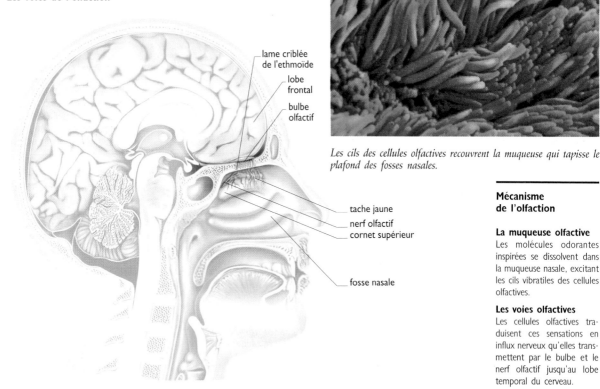

lame criblée de l'ethmoïde
lobe frontal
bulbe olfactif

tache jaune
nerf olfactif
cornet supérieur

fosse nasale

Les cils des cellules olfactives recouvrent la muqueuse qui tapisse le plafond des fosses nasales.

Mécanisme de l'olfaction

La muqueuse olfactive
Les molécules odorantes inspirées se dissolvent dans la muqueuse nasale, excitant les cils vibratiles des cellules olfactives.

Les voies olfactives
Les cellules olfactives traduisent ces sensations en influx nerveux qu'elles transmettent par le bulbe et le nerf olfactif jusqu'au lobe temporal du cerveau.

nasales, par de minuscules orifices et se terminent dans deux renflements logés sous les hémisphères cérébraux, les bulbes olfactifs, d'où part un second neurone qui se termine dans le lobe temporal.

Les molécules odorantes sont d'abord rendues solubles dans le mucus qui recouvre la muqueuse, avant de se fixer sur les récepteurs des cils portés par les neurones. Cette fixation déclenche le message nerveux, qui est ensuite transmis par les voies olfactives jusqu'au cerveau.

PATHOLOGIE
On distingue les altérations de l'odorat quantitatives, partielles (hyposmie) ou totales (anosmie), et qualitatives (parosmie). Elles peuvent avoir différentes origines : défaut du transport des molécules odorantes vers les récepteurs (rhinites, sinusites, tumeurs des fosses nasales) ; atteinte de la muqueuse, en général d'origine virale (grippe), toxique (poussière de métaux, vapeurs de produits chimiques), traumatique (fracture de l'ethmoïde) ou inflammatoire.

Les troubles peuvent régresser spontanément ou après traitement de la cause, mais les séquelles sont fréquentes et ont une incidence sur le sens du goût.

Oligoamnios

Anomalie de la grossesse, caractérisée par une quantité insuffisante de liquide amniotique par rapport à l'état d'avancement de la grossesse. SYN. *oligohydramnios*.

Normalement, la quantité de liquide amniotique augmente progressivement pendant la grossesse jusqu'à la 35e semaine et diminue ensuite jusqu'au terme, où elle est d'environ 0,5 litre.

CAUSES ET DIAGNOSTIC
Un oligoamnios peut avoir diverses causes : une malformation rénale du fœtus, un état de prééclampsie chez la mère (hypertension artérielle, œdèmes, présence de protéines dans les urines) ou la prise par celle-ci de certains médicaments (anti-inflammatoires), un retard de croissance intra-utérin ou un dépassement du terme. Le diagnostic, suspecté au vu d'une hauteur utérine trop petite, est confirmé par l'échographie.

ÉVOLUTION
Un oligoamnios entraîne parfois une insuffisance de développement des poumons du fœtus et des malformations des membres (pied bot, par exemple), dues à la compression exercée par l'utérus. Lors de l'accouchement, la présentation du fœtus par le siège est fréquente.

TRAITEMENT ET PRONOSTIC
Dans certains cas, la cause peut être traitée. Lorsque le terme de la grossesse approche, la poche des eaux peut être remplie avec du sérum physiologique pour éviter une souffrance fœtale par compression du cordon. Cette intervention s'effectue par voie abdominale, sous contrôle échographique et anesthésie locale. Lorsque le terme est dépassé, la constatation d'un oligoamnios

est d'un mauvais pronostic pour le fœtus : un déclenchement artificiel de l'accouchement est alors nécessaire.

Oligodendrocytome

Tumeur généralement bénigne du système nerveux central. SYN. *oligodendrogliome*.

Un oligodendrocytome, tumeur rare, siège le plus souvent à l'intérieur d'un hémisphère cérébral et s'observe surtout entre 30 et 50 ans.

Il est constitué par la prolifération d'oligodendrocytes, cellules de la névroglie (tissu entourant les cellules nerveuses). La tumeur, habituellement bien limitée, est fréquemment le siège de calcifications ou d'hémorragies. Elle se traduit par les signes communs aux tumeurs de l'encéphale : crises d'épilepsie, paralysies, déficits sensitifs, signes d'hypertension intracrânienne (maux de tête, vomissements).

Le diagnostic repose sur le scanner et surtout sur la biopsie. La tumeur est traitée par ablation chirurgicale, par radiothérapie ou en associant l'une et l'autre. Le pronostic est favorable, mais une récidive est possible.

Oligoélément

Substance chimique de structure simple (ions métalliques), présente dans l'organisme en très faible quantité.

Les oligoéléments interviennent dans des réactions chimiques de l'organisme et jouent un rôle indispensable, même s'ils ne représentent que moins de 1 % de la masse du corps humain. Ils doivent être apportés par l'alimentation, car l'organisme ne sait pas les synthétiser. Il s'agit de l'arsenic, du chrome, du cobalt, du cuivre, du fer, du fluor, de l'iode, du manganèse, du molybdène, du nickel, du sélénium, du silicium, du zinc, etc. Les besoins de l'organisme en oligoéléments, exprimés en milligrammes ou en microgrammes, sont variables, de même que leurs sources alimentaires. Une carence peut être responsable d'affections diverses qui varient selon l'oligoélément en cause : anémie en cas de carence en fer, insuffisance de la glande thyroïde en cas de carence en iode, troubles neurologiques en cas de carence en zinc, etc. Par ailleurs, l'alimentation par voie veineuse ou la dialyse (rein artificiel) sur une longue durée engendrent une carence en oligoéléments, que l'on prévient ou que l'on traite en apportant par voie orale ou injectable ceux qui manquent. Actuellement, on connaît mal les risques de toxicité éventuels dus à un apport excessif en oligoéléments.

→ VOIR Oligothérapie.

Oligohydramnios

→ VOIR Oligoamnios.

Oligoménorrhée

Diminution du volume et de la durée des règles.

L'importance des pertes est en rapport avec l'épaisseur de la muqueuse utérine, elle-même liée au taux plasmatique d'œstrogènes. Lorsque ce taux est faible, les règles sont habituellement réduites à un saignement de très faible abondance, dit oligoménorrhéique. La durée des règles, quant à elle, varie entre 3 et 8 jours.

CAUSES

Les causes les plus fréquentes d'oligoménorrhée sont la contraception orale, la préménopause et l'hyperprolactinémie (élévation du taux de prolactine dans le sang). La contraception orale provoque des règles artificielles de faible abondance, qui peuvent se poursuivre quelques mois après l'arrêt du contraceptif. Lors de la préménopause, l'épuisement progressif des follicules ovariens entraîne une faible imprégnation en œstrogènes, responsable d'une oligoménorrhée. Enfin, l'hyperprolactinémie, quelle qu'en soit la cause, peut provoquer une insuffisance de la sécrétion d'œstrogènes, donc une oligoménorrhée, d'intensité variable.

Les autres causes, beaucoup plus rares, sont soit des anomalies congénitales (syndrome de Turner, insuffisance ovarienne primitive, testicule féminisant, pseudohermaphrodisme ou syndrome de Kallmann-De Morsier, caractérisé par une insuffisance de fonctionnement des ovaires), soit des anomalies des autres glandes endocrines (syndrome de Cushing, hyperthyroïdie, hypothyroïdie ou insuffisance antéhypophysaire). L'anorexie mentale entraîne également un déficit en œstrogènes. Enfin, dans le syndrome des ovaires polykystiques, la sécrétion excessive d'androgènes peut être à

l'origine d'une oligoménorrhée. Par ailleurs, la survenue d'une oligoménorrhée après un curetage effectué lors d'une interruption volontaire de grossesse, après une fausse couche spontanée, après l'ablation d'un polype ou encore après un accouchement doit faire suspecter une synéchie (adhérence des parois de l'utérus).

TRAITEMENT

Les synéchies nécessitent une intervention chirurgicale qui peut être réalisée par hystéroscopie (voie vaginale). Les oligoménorrhées dont la cause n'est pas pathologique n'ont pas besoin de traitement.

Oligonucléotide

Courte molécule d'A.D.N. synthétique, ne comportant qu'un brin au lieu de deux, dont les propriétés sont utilisées notamment dans le diagnostic des maladies génétiques.

Oligophrénie

→ VOIR Déficience mentale.

Oligosonde

Oligonucléotide (courte molécule d'A.D.N. fabriquée en laboratoire, ne comportant qu'un brin au lieu de deux) marqué (sur lequel a été fixée une molécule permettant de le repérer), utilisé pour analyser la structure de l'A.D.N.

L'analyse de la structure de l'A.D.N. par une oligosonde permet de dépister une anomalie chromosomique transmissible (mutation) ou de rechercher et d'identifier des virus et des bactéries.

Oligospermie

Insuffisance du nombre de spermatozoïdes dans le sperme (moins de 20 millions de spermatozoïdes par millilitre) pouvant être à l'origine d'une stérilité.

CAUSES

Une oligospermie peut avoir des origines très diverses : varicocèle testiculaire (dilatation des veines du cordon spermatique) ; atrophie testiculaire consécutive aux oreillons, à une localisation anormale d'un testicule, à un déficit hormonal, à une infection chronique de la prostate et des vésicules séminales ; maladie générale telle qu'une grippe ; chimiothérapie ou radiothérapie. Il arrive qu'elle ne soit décelée que tardivement, après la découverte d'une baisse de la fertilité. L'examen biologique permettant d'évaluer la concentration de spermatozoïdes dans le sperme est le spermogramme. Il est réalisé après une abstinence sexuelle de 3 ou 4 jours et doit être répété un mois plus tard au minimum, afin de confirmer une éventuelle anomalie détectée au premier examen. Le traitement de l'oligospermie dépend de sa cause.

Oligothérapie

Méthode thérapeutique reposant sur l'administration d'oligoéléments par voie sublinguale ou intramusculaire, en complément de ceux apportés normalement par l'alimentation.

L'oligothérapie part du principe que les minéraux indispensables au fonctionnement

de l'organisme sont apportés par l'alimentation, sous des formes parfois peu assimilables ou en quantités insuffisantes pour bien jouer leur rôle. Ainsi, certaines associations d'oligoéléments sont présentées comme favorisant les défenses contre les infections (cuivre-manganèse) ou contre les troubles du système nerveux et les états dépressifs (cuivre, or-argent, manganèse-cobalt). Ces rôles présumés restent toutefois souvent à démontrer par les méthodes d'évaluation classiques, d'autant plus que le rôle physiologique de certains oligoéléments est encore mal connu.

Oligurie

Diminution du volume des urines (moins de 500 millilitres par 24 heures).

Une oligurie peut être due soit à une réduction extrême des apports en liquides, soit à une insuffisance rénale. Lorsqu'elle est inférieure à 300 millilitres par jour, elle traduit un dysfonctionnement rénal profond qui s'apparente à l'anurie (arrêt total de la sécrétion d'urine). Son traitement dépend de sa cause.

Ombilic

Dépression cutanée siégeant au milieu de l'abdomen. SYN. *Nombril*. (P.N.A. *umbilicus*)

Avant la naissance, l'ombilic est le lieu de passage des éléments (les 2 artères ombilicales et la veine ombilicale essentiellement) qui relient le fœtus à la mère. Après la naissance, le cordon ombilical est coupé, la partie qui est attachée au fœtus se modifie et tombe, laissant une cicatrice déprimée, l'ombilic.

DESCRIPTION

L'ombilic est formé par un bourrelet de peau périphérique. À sa base se creuse un sillon ombilical, au milieu duquel apparaît un mamelon cutané. À l'intérieur du corps, juste derrière l'ombilic, se trouve le péritoine.

PATHOLOGIE

L'ombilic est une région anatomique fragile. Il peut être le siège de hernies. Certaines hernies sont congénitales : dans ce cas, elles sont liées à un défaut de fermeture des muscles et des aponévroses (membranes qui enveloppent les muscles) qui entourent l'orifice ombilical. D'autres apparaissent juste après la naissance et sont dues aux efforts que produit le nouveau-né en criant. Ces hernies ombilicales disparaissent en général sans traitement vers l'âge de 2 ans. Chez l'adulte, particulièrement chez la femme après une grossesse, les hernies ombilicales sont des hernies de relâchement de la paroi musculaire.

Des tumeurs risquent de se développer autour de l'ombilic. Elles sont parfois consécutives à un cancer du poumon, du côlon, des ovaires ou de l'estomac. Chez la femme adulte ayant eu une ou plusieurs interventions chirurgicales portant sur le petit bassin ou les organes génitaux, une endométriose (tumeur formée de fragments de muqueuse utérine) peut se localiser dans la région de l'ombilic.

Enfin, en cas de mauvaise hygiène, on peut observer une omphalite (inflammation

de la peau autour de l'ombilic), un eczéma ou toute dermatose atteignant les plis, par exemple un intertrigo ou une mycose.
→ VOIR Cordon ombilical.

Omentectomie

Ablation chirurgicale du grand épiploon (membrane graisseuse qui relie l'estomac au côlon transverse en recouvrant la surface des intestins).

L'omentectomie se pratique au cours d'une ablation de l'estomac, de l'utérus ou de l'ovaire, due à un cancer, afin d'empêcher une éventuelle dissémination des cellules cancéreuses.

En effet, c'est dans le grand épiploon que se trouvent les vaisseaux lymphatiques, lieux de fixation préférentielle des cellules cancéreuses.

Omoplate

Os plat, large, mince entrant dans la constitution du squelette de la partie postérieure et supérieure du thorax et de l'articulation de l'épaule. (P.N.A. *scapula*)

L'omoplate constitue, avec la clavicule, la ceinture scapulaire, dont le rôle est d'unir le bras au tronc. Sa partie supérieure comporte trois éléments anatomiques : la cavité glénoïde, dans laquelle vient s'articuler la tête de l'humérus, l'acromion, saillie osseuse qui s'articule avec la clavicule, et la coracoïde, saillie antérieure reliée à l'acromion par un ligament. L'omoplate sert d'attache à de nombreux muscles et tendons du bras, du cou et du thorax.

PATHOLOGIE
Les fractures de l'omoplate, rares, sont traitées par immobilisation du bras à l'aide d'une écharpe pendant trois semaines. Seules les fractures de la cavité glénoïde doivent être opérées pour rétablir une surface articulaire satisfaisante.

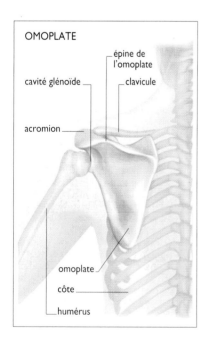

OMOPLATE

épine de l'omoplate
cavité glénoïde
clavicule
acromion
omoplate
côte
humérus

Omphalocèle

Malformation congénitale caractérisée par un défaut de fermeture de la paroi abdominale dans la région ombilicale.

Une omphalocèle est due à une anomalie de la formation de l'embryon à la quatrième semaine de la grossesse, les deux replis latéraux de sa paroi ventrale arrêtant leur progression. Cette absence de fermeture entraîne à la dixième semaine la non-réintégration dans la cavité abdominale de l'ensemble de l'intestin et de ses annexes (foie), dont la croissance s'est effectuée en dehors de la cavité abdominale de l'embryon. Une omphalocèle se manifeste donc par une extériorisation des viscères abdominaux dans leur membrane, le péritoine. Elle accompagne parfois d'autres malformations : aberration chromosomique (trisomie 18), hernie diaphragmatique, cardiopathie.

DIAGNOSTIC
Aujourd'hui, la surveillance échographique anténatale permet de diagnostiquer une omphalocèle avant la naissance. Les éventuelles anomalies chromosomiques associées sont, quant à elles, dépistées par amniocentèse.

TRAITEMENT
Cette hernie ombilicale embryonnaire est traitée dans les premiers jours de vie par une intervention chirurgicale, qui consiste à replacer les viscères à l'intérieur de la cavité abdominale et à refermer la paroi. En cas de complications postopératoires, liées à la non-reprise du transit après remise en place des viscères, l'enfant peut être nourri par perfusion intraveineuse jusqu'au rétablissement d'un transit digestif normal. La guérison survient le plus souvent sans laisser de séquelles digestives.

O.M.S.

→ VOIR Organisation mondiale de la santé.

Onchocercose

Maladie parasitaire provoquée par l'infestation de la peau et des yeux par un ver nématode, *Onchocerca volvulus*. SYN. *cécité des rivières, maladie de Robles*.

FRÉQUENCE
L'onchocercose atteint plus de 20 millions de personnes. Elle est surtout répandue dans de nombreux pays d'Afrique intertropicale comme le Bénin, le Burkina, le Cameroun, la Côte d'Ivoire, le Ghana, la Guinée, l'Ouganda, le Tchad, le Togo, le Mali, le Nigeria, le Zaïre. La maladie constitue l'une des principales causes de cécité en Afrique noire. Il en existe quelques foyers en Amérique centrale, dans le nord de l'Amérique du Sud et au Yémen.

CONTAMINATION
L'onchocercose se transmet par la piqûre d'une simulie, petit insecte qui vit à proximité des cours d'eau.

En piquant une personne infestée (afin de se nourrir de son sang), les simulies ingèrent des microfilaires (embryons de vers), qu'elles transmettent ensuite à une personne saine par une autre piqûre. Une fois présents dans l'organisme de l'homme, ces embryons

deviennent des vers adultes (filaires), qui pondent des microfilaires. Ces dernières circulent sous la peau, dans la cornée, dans la rétine, mais jamais dans le sang.

SYMPTÔMES ET SIGNES
Un malade atteint d'onchocercose présente différents types de lésion :
■ des **lésions cutanées** qui démangent et provoquent un épaississement de la peau ;
■ des **lésions sous-cutanées** (nodules), non douloureuses, situées sous la peau du thorax, des hanches et des épaules ;
■ des **lésions oculaires** (atteinte de la cornée et de la rétine), qui suscitent une baisse de l'acuité visuelle puis une perte totale de la vue, dues à la pénétration, au séjour et à la mort des microfilaires dans les yeux. La cécité n'apparaît cependant qu'au bout de 10 à 15 ans d'infestation.

DIAGNOSTIC ET TRAITEMENT
Une biopsie cutanée exsangue, technique consistant à prélever un petit morceau de peau sans faire saigner, permet de trouver et d'identifier les microfilaires dans la peau.

Les filaires adultes peuvent vivre plusieurs années dans de petits nodules situés sous la peau. Ces nodules doivent être retirés chirurgicalement.

L'ivermectine, substance prise en une seule fois et qui agit pendant plusieurs mois, permet de faire diminuer le nombre de microfilaires présentes dans l'œil et dans la peau. Ce médicament est bien toléré par les malades, et son administration, renouvelée tous les 6 mois environ, ne nécessite pas d'hospitalisation. Cependant, en l'état actuel des connaissances, si le sujet est déjà atteint de cécité, le handicap est définitif.

PRÉVENTION
L'Organisation mondiale de la santé (O.M.S.) a mis en place un dispositif qui associe la lutte contre les simulies et le traitement des populations atteintes à un programme de recherches scientifiques.

Oncogène

1. Qui est impliqué dans l'apparition d'une tumeur cancéreuse. SYN. *cancérogène, oncogénique*.

Beaucoup de substances chimiques (nitrites, particules d'amiante, etc.), de facteurs physiques (rayonnements ionisants) et d'agents biologiques (virus) ont des propriétés oncogènes.
2. Gène localisé dans un virus ou dans une cellule de l'organisme et favorisant la transformation d'une cellule normale en cellule cancéreuse.
→ VOIR Antioncogène.

Oncogène cellulaire

Gène dont l'altération ou l'hyperexpression favorise la transformation d'une cellule normale en cellule cancéreuse. SYN. *gène cancérogène, gène oncogène, proto-oncogène*.

Les oncogènes cellulaires sont des gènes normaux des cellules qui commandent la synthèse de protéines participant à la prolifération des cellules et à leur différenciation (spécialisation progressive). Ces protéines sont responsables de la croissance des tissus chez l'embryon et chez l'enfant, mais aussi de leur renouvellement au cours de la vie et de leur réparation en cas de lésion. Cependant, sous l'influence de plusieurs facteurs dits mutagènes (ultraviolets, amiante, certains virus), un oncogène peut être altéré ou surexprimé, cette mutation génétique pouvant être ensuite transmise aux cellules filles lors de la division cellulaire. Toutefois, un cancer n'apparaît que si plusieurs oncogènes sont altérés ou s'il existe d'autres facteurs qui le favorisent, par exemple la délétion d'un antioncogène (gène assurant l'intégrité de la cellule).

DIFFÉRENTS TYPES D'ONCOGÈNE CELLULAIRE

On regroupe les oncogènes cellulaires en quatre familles, en fonction de la protéine dont la synthèse est stimulée ou modifiée.

▪ **Les facteurs de croissance** sont normalement synthétisés quand les cellules se multiplient. Ils sont également présents dans tous les cancers, qui en fabriquent pour stimuler leur développement. Ainsi, l'oncogène sis correspond à un facteur de croissance normalement sécrété par les plaquettes du sang lors du phénomène de cicatrisation ; cet oncogène est activé dans les tumeurs des os ou du tissu nerveux.

▪ **Les récepteurs de la membrane cellulaire** (oncogène erb B, par exemple) permettent normalement aux facteurs de croissance de se fixer sur les cellules et, par là, d'agir. Lorsque ces derniers subissent certaines mutations, l'activité du récepteur s'en trouve exacerbée, même en l'absence de facteur de croissance.

▪ **Les protéines** qui transmettent l'information entre les récepteurs de la membrane cellulaire et l'intérieur de la cellule (oncogène sarc ou ras, par exemple) peuvent présenter des dysfonctionnements à l'origine de nombreuses tumeurs.

▪ **Certaines protéines contenues dans le noyau de la cellule**, enfin, sont normalement impliquées dans la régulation de la multiplication de la cellule et dans la réplication de l'A.D.N., constituant chimique des gènes. Les protéines récepteurs nucléaires de certaines hormones peuvent se comporter comme des oncogènes.

PERSPECTIVES

L'intérêt pratique lié à la découverte des oncogènes est encore très limité. On sait parfois détecter la présence d'un oncogène sur des prélèvements provenant d'un malade, mais à des fins uniquement pronostiques. Les recherches des futures décennies porteront sur le moyen d'inhiber les oncogènes ou leur produit.

→ VOIR Antioncogène, Carcinogenèse.

Oncogène viral

Gène de certains virus pouvant provoquer l'apparition d'un cancer.

Les premiers oncogènes ont été mis en évidence dans des virus appelés oncovirus, ou virus oncogènes. En effet, certains virus très rares, comme le virus du sarcome de Rous chez la poule, portent un oncogène activé capable de transformer la cellule qu'ils parasitent en cellule cancéreuse. L'inclusion de cet oncogène dans la cellule entraîne le développement d'une tumeur maligne. Chez l'homme, les oncornavirus, qui appartiennent à la famille des rétrovirus (virus HTLV1 et HTLV2), sont responsables de leucémies et de lymphomes.

Oncogenèse

→ VOIR Carcinogenèse.

Oncoprotéine

Protéine dont la synthèse dans l'organisme est commandée par un oncogène, c'est-à-dire par un gène altéré, susceptible d'être impliqué dans l'apparition d'une tumeur.

À une oncoprotéine, version anormale d'une protéine, correspond une protéine qui joue le plus souvent un rôle dans la division et la différenciation cellulaires.

Oncovirus

Virus portant un oncogène viral et capable de provoquer l'apparition d'un cancer.

→ VOIR Oncogène viral.

Ongle

Lame dure recouvrant le dos de la dernière phalange des doigts et des orteils. (P.N.A. *unguis*)

L'ongle est formé d'une racine, postérieure et cachée sous un repli cutané, et d'une partie antérieure visible. Cette dernière comprend une petite zone blanchâtre, la lunule, puis une grande région translucide rosée, cette coloration étant due aux vaisseaux sous-jacents. La peau superficielle forme un repli, la cuticule, fermant hermétiquement les régions profondes. La peau profonde forme la matrice, entourant la base de l'ongle, et le lit, sur lequel repose presque toute sa partie visible.

PHYSIOLOGIE

La matrice produit une variété de kératine (protéine qui est le principal constituant de la peau et des cheveux) qui pousse progressivement l'ongle, lui assurant ainsi une croissance continue. La repousse complète d'un ongle de la main prend environ 6 mois, celle d'un ongle du pied, un an.

PATHOLOGIE

Les modifications de la couleur des ongles sont le plus souvent dues à une infection par un champignon microscopique (dermatophyte, levure, moisissure), à une mauvaise circulation sanguine, à la prise de certains médicaments (neuroleptiques, antibiotiques, sulfamides, anti-inflammatoires non stéroïdiens), voire à la nicotine ou à certains vernis à ongle. En outre, les ongles peuvent être anormalement bombés (hippocratisme) ou concaves (koïlonychie), se décoller de leur lit (onycholyse), se décolorer (leuconychies), présenter des crêtes ou des sillons longitudinaux dus au vieillissement ou à certaines maladies dermatologiques, des sillons transversaux liés à un traumatisme de la matrice ou à une maladie générale, de petites dépressions de la taille d'une tête d'épingle caractéristiques du psoriasis, de l'eczéma ou du lichen. Les ongles secs et cassants sont dus à des soins de manucure agressifs ou

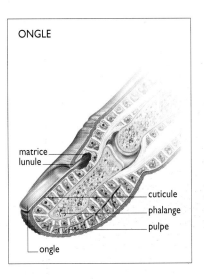

ONGLE

matrice
lunule
cuticule
phalange
pulpe
ongle

trop fréquents, à des traumatismes physiques ou chimiques (travaux ménagers ou professionnels), ou encore à des carences alimentaires (en vitamine C et en fer, notamment). Les petites taches blanches que l'on observe parfois sous un ongle sont dues à un trouble mineur de la kératinisation, à de petites bulles d'air coincées sous l'ongle ou à un champignon superficiel.

Ongle incarné

Ongle dont les bords latéraux s'enfoncent dans les tissus mous voisins.

L'ongle incarné touche le plus souvent le gros orteil. Il est dû en général à des microtraumatismes externes (chaussures trop serrées, par exemple). Au début de son évolution, il se présente sous la forme d'un bourrelet de chair sensible et rouge, recouvrant progressivement le bord latéral de l'ongle. En l'absence de traitement, il peut se transformer en une tumeur inflammatoire bénigne, appelée bourgeon charnu, ou botriomycome. Le traitement doit d'abord être préventif (port de chaussures larges, application de petits coins de bois pour relever les bords latéraux incurvés). À un stade plus avancé, on peut proposer un traitement local anti-inflammatoire (applications de nitrate d'argent en solution aqueuse ou d'une pommade à base de cortisone). Quand ces soins se révèlent inefficaces, la tumeur doit être enlevée chirurgicalement.

Ongles jaunes (syndrome des)

Affection caractérisée par une couleur jaune verdâtre des ongles des doigts et des orteils.

Rare, ce syndrome est lié à une obstruction de la circulation lymphatique, elle-même due à une affection respiratoire chronique (infections bronchopulmonaires répétées, fibrose respiratoire, pleurésie), à une maladie de la thyroïde, à un lymphome ou à un cancer profond. Outre leur couleur inhabituelle, les ongles sont anormalement épais et recourbés ; de plus, leur croissance est nettement ralentie. Seul le traitement de l'affection responsable du syndrome peut entraîner une régression des symptômes.

Onlay dentaire

Bloc s'incrustant exactement dans une cavité dentaire (zone cariée, par exemple) préalablement nettoyée et taillée et recouvrant, en outre, une partie de la dent afin de lui rendre sa forme anatomique.

L'onlay se différencie de l'inlay par son étendue. Plus enveloppant que celui-ci, il restaure également une partie externe de la dent, fragilisée ou détruite par une carie. Il est réalisé en laboratoire à partir d'une empreinte de la dent à restaurer, puis scellé lorsqu'il est en métal ou collé lorsqu'il est en céramique ou en composite.

Onychogryphose

Épaississement anormal d'un ou de plusieurs ongles.

L'onychogryphose relève de causes multiples : vieillissement, traumatismes répétés du pied ou des mains, insuffisance de la circulation veineuse, maladie dermatologique (ichtyose, psoriasis, mycose), maladie neurologique chronique, démence sénile. L'anomalie affecte surtout les gros orteils dont l'ongle devient très épais, courbé en dedans ou en dehors, brun, à surface irrégulière et striée, très difficile à couper. Le traitement repose sur l'application de substances kératolytiques (urée, acide salicylique), qui ramollissent l'ongle, ou, si ce n'est pas suffisant, sur des meulages réguliers de celui-ci. Chez les malades jeunes, on peut aussi enlever chirurgicalement la matrice (zone qui assure la croissance de l'ongle).

Onycholyse

Décollement d'un ou de plusieurs ongles sur une portion plus ou moins importante de leur étendue.

L'onycholyse est le plus souvent consécutive à des traumatismes (travail manuel, soins de manucure trop fréquents, contacts répétés avec des produits chimiques ou cosmétiques), à une maladie dermatologique (psoriasis, eczéma de contact) ou générale (lupus, anémie, maladie endocrinienne, cancer), à la prise de certains médicaments (tétracyclines, immunosuppresseurs) ; beaucoup plus rarement, elle est congénitale. La couleur des ongles est souvent modifiée : jaunâtre, blanchâtre, orangée ou encore, en cas de surinfection par un agent microbien ou une levure, verdâtre ou brunâtre. Le traitement vise, d'une part, à soigner la cause de l'onycholyse, d'autre part, à découper la zone décollée afin de traiter les surinfections. L'ongle repousse ensuite normalement.

Onychomycose

Toute infection d'un ongle par un champignon microscopique (dermatophyte, levure ou moisissure).

Les manifestations des onychomycoses sont très variées : soulèvement de l'extrémité de l'ongle par un dépôt sous-jacent blanc ou gris avec décollement de l'ongle de son lit (onycholyse), petites taches blanches sur la partie superficielle de la lame unguéale, épaississement en bourrelet du repli cutané qui borde l'ongle (périonyxis). Le traitement

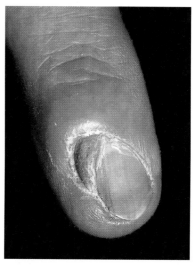

Onychomycose. *Un champignon, le* Candida albicans, *infecte l'ongle et surtout son pourtour, qui est rouge et tuméfié.*

dépend du champignon en cause. Lorsqu'il s'agit d'un dermatophyte, il repose sur l'ablation de l'ongle, par meulage, décapage chimique à l'aide de pansements imbibés de substances kératolytiques ramollissant l'ongle (urée, acide salicylique) ou, plus rarement, par intervention chirurgicale sous anesthésie locale, suivie de l'application locale et de la prise par voie orale d'antifongiques. Lorsqu'il s'agit d'une levure, le traitement associe des bains alcalins, une désinfection locale, des applications locales et la prise par voie orale d'antifongiques. En cas d'atteinte par une moisissure, les vernis à base d'antifongiques sont en général très efficaces, à condition que la matrice (zone assurant la croissance de l'ongle) ne soit pas abîmée. Après guérison, l'ongle repousse normalement.

Onychophagie

Tendance à se ronger continuellement les ongles.

L'onychophagie est particulièrement fréquente pendant l'enfance et l'adolescence. Elle relève d'une instabilité légère (enfant nerveux) et permet de libérer les tensions sur le mode symbolique d'un compromis entre l'agressivité (envie de mordre) et le plaisir oral (succion du doigt).

C'est une habitude le plus souvent passagère et anodine. Mais, lorsqu'elle est associée à d'autres désordres psychomoteurs (tics, manipulation des cheveux, etc.), une psychothérapie peut être utile. Les traitements locaux (vernis amers, par exemple) ont une efficacité variable.

Onyxis

Toute inflammation d'un ongle.

Un onyxis est d'origine soit microbienne (staphylocoque, le plus souvent) - il s'agit d'un panaris -, soit mycosique (champignon

microscopique), et l'on parle alors d'onychomycose. S'y associe souvent un périonyxis (inflammation du pourtour de l'ongle) formant un bourrelet cutané rouge qui laisse parfois sourdre des gouttes de pus. Le traitement vise à soigner l'infection.

Opérabilité

Caractère d'un état pathologique pour lequel une intervention chirurgicale est réalisable. → VOIR Inopérabilité.

Ophtalmie

Affection inflammatoire de l'œil.

Ophtalmie gonococcique

Il s'agit d'une conjonctivite qui atteint le nouveau-né, contaminé lors de son passage par les voies génitales de sa mère, laquelle est infectée par la bactérie *Neisseria gonorrhœæ,* responsable de la blennorragie.

Une ophtalmie gonococcique se traduit par une conjonctivite purulente, avec d'abondantes sécrétions. Le traitement fait appel aux collyres antibiotiques. L'instillation systématique de collyre antibiotique dans les yeux des nouveau-nés a permis de diminuer la fréquence de la maladie.

Ophtalmie des neiges

Encore appelée cécité des neiges, cette affection inflammatoire est une kératoconjonctivite (inflammation de la cornée et de la conjonctive).

CAUSES

L'ophtalmie des neiges est due à l'action des rayons ultraviolets sur des yeux non protégés. Elle se produit quelques heures après l'exposition des yeux à la lumière, qu'il s'agisse de la réverbération des rayons solaires sur la neige en haute montagne ou d'une exposition au rayonnement d'une lampe à ultraviolets.

SYMPTÔMES ET DIAGNOSTIC

L'ophtalmie des neiges est très douloureuse. Elle provoque une photophobie (sensation pénible face à une lumière normale) et un larmoiement intense. Le diagnostic repose sur l'examen de l'œil : l'instillation de fluorescéine dans le cul-de-sac conjonctival met en évidence de petites taches arrondies ou étoilées à la surface de la cornée, qui révèlent une inflammation.

ÉVOLUTION ET TRAITEMENT

Une ophtalmie des neiges disparaît d'elle-même au bout de 2 ou 3 jours, mais des collyres cicatrisants cornéens peuvent en hâter la guérison.

PRÉVENTION

Le port de lunettes protectrices de bonne qualité est impératif en haute montagne, en haute mer et lors de l'exposition au soleil ou aux ultraviolets artificiels. Les verres doivent être foncés et filtrants. Des protections latérales sont nécessaires en cas de réverbération due à la neige.

Ophtalmie sympathique

Il s'agit d'une inflammation de l'uvée (iris, corps ciliaire et choroïde), plus ou moins importante. Elle survient sur un œil, généra-

lement dans un intervalle de 3 mois après un traumatisme de l'autre œil ayant entraîné une plaie de l'uvée. Il s'agit d'une réaction auto-immune, l'organisme produisant des anti-corps contre les cellules lésées de la choroïde, qui circulent dans le sang. Habituellement, ces cellules ne se trouvent jamais dans la circulation générale, ce qui explique la réaction de rejet. Une ophtalmie sympathique est traitée par l'administration locale et générale de corticostéroïdes. L'utilisation systématique des corticostéroïdes à fortes doses par voie générale à la moindre apparition d'une plaie uvéale a fait beaucoup diminuer la fréquence de cette affection.
→ VOIR Panophtalmie.

Ophtalmique (artère)

Branche collatérale de l'artère carotide interne. (P.N.A. *arteria ophtalmica*)

STRUCTURE

L'artère ophtalmique naît de la carotide interne, se dirige vers le canal optique, entre dans l'orbite et se termine par l'artère nasale au bord interne de l'œil ; elle donne de nombreuses branches : lacrymale, palpébrale, ethmoïdales, frontale interne, centrale de la rétine, sus-orbitaire et ciliaires.

FONCTION

Ces rameaux alimentent en sang l'œil et la rétine, la glande lacrymale, les paupières, les muscles responsables des mouvements de l'œil et les muscles du front.

PATHOLOGIE

L'occlusion de l'artère centrale de la rétine entraîne une perte de la vision, qui peut être définitive en l'absence de traitement immédiat et approprié.

Ophtalmodynamométrie

Examen destiné à mesurer la pression sanguine dans l'artère centrale de la rétine.

L'ophtalmodynamométrie était autrefois très pratiquée pour surveiller l'hypertension artérielle. Le Doppler carotidien et l'angiographie oculaire donnent aujourd'hui des résultats plus précis avec des techniques moins traumatisantes pour l'œil.

DÉROULEMENT

Après instillation dans les yeux du patient d'une goutte de collyre anesthésique, le médecin place à l'angle externe de l'œil un appareil à ressort ou à ventouse, appelé ophtalmodynamomètre de Baillart, permettant d'exercer une pression progressive sur l'œil. Dans le même temps, il surveille à travers un ophtalmoscope l'apparition et la disparition des battements de l'artère centrale de la rétine. Si la pression de disparition est élevée, elle témoigne d'une hypertension artérielle ; si elle est basse, d'un rétrécissement de l'artère carotide du même côté.

EFFETS SECONDAIRES

L'ophtalmodynamométrie peut entraîner une baisse temporaire de l'acuité visuelle chez les patients aux vaisseaux fragiles.

Ophtalmologie

Discipline médicale qui se consacre à l'étude de la structure et du fonctionnement des yeux, ainsi qu'aux maladies qui les concernent.

Les ophtalmologues, ou ophtalmologistes, traitent les affections de l'œil et assurent la correction des troubles de la vision. Ainsi, ils prescrivent les lunettes et les lentilles de contact, mais pratiquent également les traitements médicaux et chirurgicaux d'affections comme le glaucome, la cataracte, le décollement de la rétine, le strabisme ou l'obstruction des voies lacrymales.

L'examen du fond d'œil permet à ces spécialistes de détecter et de surveiller les conséquences de certaines affections, comme l'hypertension artérielle, le diabète sucré, l'artériosclérose et l'hypertension intracrânienne. L'étude du champ visuel peut révéler des anomalies liées à une atteinte neurologique, en particulier une tumeur cérébrale.

Ophtalmoplégie

Paralysie des muscles moteurs d'un œil ou des deux yeux, due à une atteinte d'un des nerfs oculomoteurs ou des noyaux d'origine de ces nerfs.

CAUSES

Les traumatismes crâniens et orbitaires, les compressions tumorales et l'hypertension intracrânienne, le diabète, les maladies vasculaires, la sclérose en plaques, la maladie de Behçet, ainsi que certaines inflammations et infections cérébrales sont à l'origine de paralysies des nerfs oculomoteurs, qui peuvent toucher soit le nerf moteur oculaire commun, soit le nerf moteur oculaire externe, soit le nerf pathétique. Les lésions des noyaux et des filets d'origine des nerfs oculomoteurs se produisent généralement en cas d'atteinte du tronc cérébral.

SYMPTÔMES ET SIGNES

Les symptômes diffèrent en fonction du nerf ou des noyaux atteints.

■ **La paralysie du nerf moteur oculaire commun** se traduit par un ptôsis (chute de la paupière supérieure), une déviation de l'œil vers l'extérieur et vers le bas. Les mouvements vers l'intérieur, vers le haut et vers le bas sont impossibles. La pupille est dilatée et ne réagit pas à la lumière. L'accommodation, permettant de former des images nettes sur la rétine, est impossible, et la lecture se révèle difficile.

■ **La paralysie du nerf moteur oculaire externe** se manifeste par la déviation de l'œil vers l'intérieur. Il est impossible pour le sujet de diriger son œil vers l'extérieur.

■ **La paralysie du nerf pathétique** n'entraîne aucun symptôme.

■ **La paralysie des noyaux d'origine des nerfs oculomoteurs**, ou **ophtalmoplégie nucléaire**, se manifeste par une paralysie des mouvements associés des deux yeux (paralysie de l'axe vertical associée à une paralysie du nerf moteur oculaire commun, par exemple). D'autres signes neurologiques sont associés : fièvre, apathie, troubles de la coordination des mouvements.

DIAGNOSTIC ET TRAITEMENT

Le diagnostic repose sur l'examen des yeux, complété par le test de Lancaster, destiné à apprécier de façon précise l'oculomotricité. Le traitement est celui de la cause de l'ophtalmoplégie. Parfois, le port de prismes,

collés sur les verres de lunettes lorsqu'ils sont temporaires ou inclus définitivement en eux, permet de compenser la déviation de l'œil, en replaçant l'image dans le bon axe.

Ophtalmoscopie

→ VOIR Fond d'œil (examen du).

Opiacé

Substance chimique dérivée de l'opium et utilisée en thérapeutique. SYN. *morphinique, morphinomimétique*.

Les opiacés sont obtenus par synthèse ; leur formule chimique est proche de celle des constituants de l'opium (substance laiteuse extraite du pavot, qui provoque un état d'euphorie suivi d'un sommeil onirique).

INDICATIONS

Les opiacés ont des indications diverses. Ils peuvent être utilisés comme anesthésiants (alfentanyl, fentanyl, sulfentanyl), comme antitussifs (codéine, codéthyline, dextrométhorphane, noscapine, pholcodine), comme antidiarrhéiques (diphénoxylate, lopéramide), comme antidotes en cas d'intoxication à l'héroïne (nalorphine, naloxone).

Mais les opiacés sont, avant tout, des analgésiques qui agissent directement sur le système nerveux central (analgésiques centraux). Parmi eux, on distingue les analgésiques mineurs et les analgésiques majeurs.
■ **Les analgésiques mineurs dérivés des opiacés** (codéine, dextropropoxyphène) sont indiqués lorsque les analgésiques ordinaires (paracétamol, aspirine) ne sont pas assez efficaces sur la douleur.
■ **Les analgésiques majeurs dérivés des opiacés** (buprénorphine, dextromoramide, morphine, nalbuphine, pentazocine, péthidine) sont prescrits en cas de douleurs intenses qu'aucun des autres analgésiques existants n'arrive à combattre.

CONTRE-INDICATIONS

Les opiacés sont contre-indiqués en cas d'insuffisance respiratoire ou de convulsions. Ils ne doivent pas être prescrits aux enfants en bas âge ni être associés aux inhibiteurs de la monoamine oxydase (I.M.A.O.), à l'alcool ou aux médicaments dépresseurs du système nerveux central.

MODE D'ADMINISTRATION

Les opiacés sont administrés par voie orale ou sous forme de suppositoire, ou encore par voie injectable : intramusculaire, intraveineuse ou même intrathécale (dans le liquide céphalorachidien), à l'aide de pompes délivrant à la demande des doses répétées, dans le cas de douleurs rebelles (cancer au stade terminal, par exemple).

EFFETS INDÉSIRABLES

Les vomissements, la constipation, les vertiges sont fréquents. Un effet calmant excessif ou, au contraire, une excitation, une dépression respiratoire, une pharmacodépendance sont beaucoup plus rares. L'intoxication se manifeste surtout par une dépression respiratoire (respiration pénible, sensation d'étouffement, etc.) et évolue vers le coma. Le traitement est celui des symptômes (respiration artificielle), et un antidote (nalorphine, naloxone) est injecté.

Opisthotonos

Contracture de tous les muscles postérieurs du corps, donnant à celui-ci une attitude caractéristique : arqué en arrière, le malade, quand on l'allonge sur le dos, ne repose sur sa couche que par les talons et l'occiput.

L'opisthotonos peut être prolongé, mais il se manifeste le plus souvent lors de crises paroxystiques (hystérie, hypertension intracrânienne, tétanos). C'est un signe classique et habituel du tétanos généralisé. Des troubles respiratoires aigus peuvent survenir du fait de l'opisthotonos et entraîner l'asphyxie, par blocage thoracique ou spasme de la glotte. Chez le nouveau-né, du fait de la souplesse du tronc, l'opisthotonos entraîne une attitude caractéristique d'enroulement en arrière.

Le traitement, en cas de tétanos, comporte des sédatifs puissants, voire des curarisants (médicaments ayant les propriétés du curare), pour combattre la contracture, associés à la respiration artificielle après trachéotomie pour combattre l'asphyxie.

Opothérapie

Traitement par des extraits de tissus, d'organes et surtout de glandes hormonales.

L'opothérapie est quasiment supplantée par l'emploi de substances chimiques (par exemple, une hormone), à l'état pur ou obtenues par synthèse.

Opposition

Refus volontaire ou semi-volontaire de répondre à une sollicitation extérieure.

La réaction d'opposition, liée à l'acquisition du sens critique, est en soi saine et indispensable. Elle apparaît chez l'enfant vers l'âge de 3 ans et s'exacerbe généralement durant l'adolescence ainsi que dans les situations conflictuelles graves. Elle ne devient pathologique que lorsque l'individu n'accepte plus les règles sociales et se cantonne dans un comportement de refus systématique.

L'opposition pathologique peut se manifester sous une forme active (fugue, agitation, hostilité systématique) ou passive (mutisme, enfermement, négativisme). La réticence et la dissimulation en sont des formes mineures. Généralement liée à des problèmes éducatifs qui ont, par exemple, empêché l'enfant de résoudre le conflit entre dépendance et autonomie, elle relève surtout de la psychothérapie.

Opsiurie

Retard de l'émission d'urine après ingestion d'eau.

Peu fréquente, l'opsiurie est le plus souvent due à un myxœdème, infiltration œdémateuse des tissus sous-cutanés, caractéristique de l'hypothyroïdie. Elle disparaît avec le traitement hormonal de cette affection.

Opticien

Personne qui vend ou qui fabrique des instruments d'optique et/ou, surtout, des verres correcteurs et des lentilles de contact.

L'opticien exécute la prescription de l'ophtalmologiste, qui indique la puissance, la qualité et le type de verres correcteurs à fournir au patient. L'opticien règle et adapte les verres de façon que les yeux soient centrés et conseille également ses clients sur le choix fonctionnel de la monture, ainsi que sur la coloration éventuelle et l'entretien des verres et des lentilles.

Optique

1. Partie de la physique qui traite des propriétés de la lumière et des phénomènes de la vision.
2. Fabrication et commerce des instruments et des appareils utilisant, notamment, les propriétés des lentilles et des miroirs.
3. Relatif à la vision et aux organes de la vision.

On parle ainsi du nerf optique, des voies optiques (voies nerveuses qui conduisent l'influx nerveux né sur la rétine jusqu'au cerveau) et du canal optique (canal situé à l'arrière de l'orbite et par lequel passe le nerf optique pour pénétrer dans le crâne).

Optométrie

Ensemble des procédés destinés à étudier la réfraction de l'œil, à mesurer les anomalies de cette réfraction (myopie, hypermétropie, presbytie, astigmatisme) et à déterminer la formule des verres destinés à les corriger.

Orbite

Cavité osseuse de la face dans laquelle se trouvent le globe oculaire, le nerf optique, les vaisseaux sanguins ophtalmiques, les muscles et les nerfs oculomoteurs. (P.N.A. *orbita*)

Les deux orbites sont situées de part et d'autre de la naissance du nez. Elles ont la forme d'une pyramide à 4 angles, dont la base est située à l'avant. Les 4 parois osseuses sont constituées par les différents os de la face et de la partie antérieure du crâne : en haut (toit de l'orbite), par l'arcade sourcilière ; vers l'extérieur, par l'os temporal ; vers l'intérieur, par l'ethmoïde ; en bas (plancher de l'orbite), par le sinus maxillaire. Le sommet postérieur correspond à la fente dite sphénoïdale et au trou optique, par lesquels pénètrent le nerf optique, les nerfs oculomoteurs et les vaisseaux ophtalmiques. Les 4 muscles droits oculomoteurs prennent leur insertion postérieure au sommet de l'orbite et sont reliés vers l'avant par une membrane appelée aponévrose de Tenon, formant un cône sur lequel repose le globe oculaire. Dans l'orbite, les éléments de l'œil sont protégés par la graisse orbitaire. La glande lacrymale est située en arrière du rebord supérieur, à la partie externe.

EXAMENS

L'exploration de l'orbite se fait par la palpation des rebords orbitaires, par l'étude de l'oculomotricité (bilan orthoptique, éventuellement complété par le test de Lancaster) et par l'étude du champ visuel, qui permet l'évaluation du nerf optique. Les examens radiologiques, le scanner et l'imagerie par résonance magnétique (I.R.M.) permettent une approche plus précise des parois et du contenu de l'orbite.

PATHOLOGIE

L'orbite peut être le siège d'affections d'origine tumorale, inflammatoire, infectieuse, vasculaire ou traumatique. La manifestation essentielle de ces atteintes est une exophtalmie (saillie excessive du globe hors de l'orbite).

Orbitotomie

Ouverture chirurgicale de la paroi osseuse de l'orbite.

Une orbitotomie est pratiquée afin d'extraire une tumeur orbitaire.

DIFFÉRENTS TYPES D'ORBITOTOMIE

■ L'orbitotomie latérale permet d'aborder l'arrière du globe oculaire. Après avoir effectué une incision cutanée le long du rebord orbitaire externe, le chirurgien sectionne la paroi osseuse. Les organes sont ensuite repoussés pour faciliter l'accès à la région rétro-oculaire. Cette opération chirurgicale est pratiquée sous anesthésie générale.
■ L'orbitotomie antérieure, effectuée à travers la peau ou la conjonctive, permet d'approcher les petites lésions antérieures ou de procéder à leur biopsie. L'anesthésie générale est souvent nécessaire, mais certaines lésions très antérieures peuvent être opérées sous anesthésie locale (injection sous-cutanée ou sous-conjonctivale du produit anesthésique).

EFFETS SECONDAIRES

Une orbitotomie nécessite une hospitalisation d'une semaine à 10 jours. Elle entraîne une gêne locale temporaire.

Orchidectomie

Ablation chirurgicale d'un testicule.

L'orchidectomie se distingue de la castration (ablation des deux testicules). Elle est le plus souvent réalisée en cas de tumeur du testicule. Pratiquée sous anesthésie locorégionale ou locale, elle consiste à retirer le testicule après incision de la paroi du scrotum, s'il s'agit d'une tumeur testiculaire bénigne, ou de la région inguinale s'il s'agit d'un cancer du testicule. Si le testicule restant est sain, l'orchidectomie n'a de conséquence ni sur la libido ni sur la fertilité.

Orchidopexie

Fixation chirurgicale du testicule dans le scrotum.

Une orchidopexie est pratiquée au cours du traitement de l'ectopie testiculaire (localisation anormale d'un testicule). Elle consiste à faire descendre le testicule le long du canal inguinal pour le remettre en place dans la bourse, à la paroi de laquelle on le suture par quelques points pour éviter toute récidive. La cicatrisation se fait généralement en une semaine. Lorsque le traitement chirurgical de l'ectopie testiculaire est réalisé trop tardivement, il se peut que la spermatogenèse soit perturbée, voire qu'elle ne se fasse plus dans ce testicule. Lorsque l'autre testicule est fonctionnel, cela reste cependant sans conséquence sur la fertilité du sujet.

Orchiépididymite

Inflammation, le plus souvent d'origine infectieuse, du testicule et de l'épididyme.

Les causes d'une orchiépididymite sont multiples : infection de la prostate, de l'urètre, de la vessie, complication d'un adénome de la prostate, tuberculose, etc. Elle se traduit par une augmentation de volume d'une bourse, très douloureuse, accompagnée d'une fièvre et de brûlures à la miction. L'examen cytobactériologique des urines (E.C.B.U.) confirme la présence de germes (colibacilles, le plus souvent) et de pus ; il permet en outre d'effectuer un antibiogramme afin de déterminer l'antibiotique le mieux adapté.

TRAITEMENT

Il repose sur la prescription d'antibiotiques, d'anti-inflammatoires et sur le repos au lit pendant la phase aiguë de l'inflammation. Négligée ou insuffisamment traitée, l'orchiépididymite peut devenir chronique, entraînant la formation de nodules dans l'épididyme, qui peuvent être responsables de stérilité si l'atteinte est bilatérale.

Orchite

Inflammation, le plus souvent d'origine infectieuse, du testicule.

L'orchite isolée est une affection rare ; elle est habituellement associée à une épididymite : il s'agit alors d'une orchiépididymite.

DIFFÉRENTS TYPES D'ORCHITE

■ L'orchite ourlienne constitue l'une des principales complications des oreillons. Cette atteinte, douloureuse, entraîne parfois une stérilité par atrophie testiculaire. Le repos au lit est préconisé, ainsi que l'immobilisation des bourses par un suspensoir.

■ L'orchite tuberculeuse est le plus souvent chronique et associée à d'autres atteintes tuberculeuses : elle doit faire rechercher en particulier une tuberculose rénale (urographie intraveineuse, recherche de bacille de Koch dans les urines). Elle peut ne pas être suspectée par le patient car elle n'est généralement pas douloureuse, mais elle provoque parfois une stérilité par atrophie testiculaire ou obturation du canal déférent. Son traitement est celui de la tuberculose.

Ordre des médecins

Organisme officiel chargé de veiller à la stricte observance des devoirs professionnels et des règles de déontologie en vigueur dans la profession de médecin.

L'Ordre des médecins veille en particulier aux relations des médecins entre eux et avec leurs malades. C'est une juridiction interne à la profession, indépendante de la loi au sens général du terme.

De nombreux pays ont un « ordre des médecins » ou un organisme équivalent : l'Allemagne, la Belgique, le Canada, le Danemark, l'Espagne, les États-Unis, la France, la Grèce, l'Italie, le Luxembourg, le Royaume-Uni, la Suisse.

L'Ordre des médecins contribue à réglementer l'exercice de la médecine sur chacun des territoires nationaux et possède une compétence disciplinaire.

Les sons, recueillis et amplifiés par le pavillon et le conduit auditif externe, font vibrer une fine membrane, le tympan. Ces vibrations sont transmises, par l'intermédiaire des osselets, de l'oreille moyenne à l'oreille interne, qui les transforme en influx nerveux destiné au cerveau. L'oreille interne contient en outre le vestibule, organe de l'équilibre.

Anatomie de l'oreille

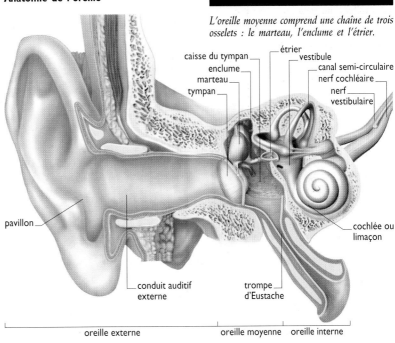

L'oreille moyenne comprend une chaîne de trois osselets : le marteau, l'enclume et l'étrier.

caisse du tympan — étrier — vestibule — canal semi-circulaire — nerf cochléaire — nerf vestibulaire — enclume — marteau — tympan — cochlée ou limaçon — pavillon — conduit auditif externe — trompe d'Eustache

oreille externe — oreille moyenne — oreille interne

Oreille

Organe de l'audition et de l'équilibre. (P.N.A. *auris*)

STRUCTURE

L'oreille comprend trois parties : externe, moyenne et interne.

■ L'oreille externe est formée du pavillon cartilagineux et du conduit auditif externe, cartilagineux dans sa partie externe et osseux dans sa partie interne. La peau qui tapisse le conduit contient des glandes sécrétrices de cérumen.

■ L'oreille moyenne comprend la caisse du tympan, cavité cubique séparée de l'oreille externe par la membrane du tympan et de l'oreille interne par deux petites membranes, la fenêtre ronde et la fenêtre ovale. Entre le tympan et la fenêtre ovale sont situés trois osselets, successivement le marteau, l'enclume et l'étrier. L'oreille moyenne contient en outre de petites cavités creusées dans la mastoïde (os situé derrière l'oreille), et aussi la trompe d'Eustache, canal reliant la caisse du tympan au rhinopharynx (partie du pharynx située en arrière des fosses nasales).

■ L'oreille interne est formée du labyrinthe, ensemble de canaux de forme complexe, comprenant un labyrinthe osseux, creusé dans le rocher (portion de l'os temporal), et un labyrinthe membraneux, situé à l'intérieur du précédent. Le labyrinthe membraneux est rempli d'un liquide, l'endolymphe, et entouré d'un autre liquide, la périlymphe, qui le sépare du labyrinthe osseux.

Le labyrinthe est divisé en deux parties, antérieure et postérieure. Le labyrinthe antérieur (ou cochlée, ou limaçon) est responsable de l'audition, par l'intermédiaire de l'organe de Corti, d'où partent les filets nerveux formant le nerf cochléaire. Le labyrinthe postérieur (parfois appelé vestibule) comprend une zone dilatée, le vestibule proprement dit, sur laquelle s'ouvrent trois canaux en forme de demi-cercle, les canaux semi-circulaires ; ces structures contrôlent l'équilibre. Le nerf cochléaire, qui part du labyrinthe antérieur, et le nerf vestibulaire, qui part du labyrinthe postérieur, se réunissent pour former le nerf cochléovestibulaire, ou nerf auditif, qui chemine dans le conduit auditif interne.

PHYSIOLOGIE

L'oreille comprend deux types de structure, le système auditif et le système vestibulaire.

■ Le système auditif comprend un appareil de transmission, formé de l'oreille externe et moyenne, et un appareil de perception, formé par le labyrinthe antérieur (cochlée de l'oreille interne). L'appareil de transmission filtre et amplifie le message sonore, l'appareil de perception transforme le message en phénomène électrique (potentiel d'action) se propageant aux fibres nerveuses.

■ **Le système vestibulaire** est formé du vestibule, qui renseigne sur l'accélération linéaire de la tête, et des canaux semi-circulaires, qui renseignent sur l'accélération angulaire de la tête. Les informations provenant de ces structures sont transmises au système nerveux central par le nerf vestibulaire, puis intégrées avec les informations visuelles et proprioceptives dans un système complexe intervenant dans le maintien de la posture.

PATHOLOGIE

On distingue les maladies du système auditif et celles du système vestibulaire.

■ **Les maladies du système auditif** peuvent affecter les différentes parties de l'oreille. Le trouble le plus fréquent de l'oreille externe est le bouchon de cérumen, traité par lavage d'oreille. Les infections du conduit auditif externe sont les otites externes, qui se manifestent par des douleurs et des écoulements et qui se traitent par instillation de gouttes antibiotiques dans l'oreille. Les principales maladies de l'oreille moyenne sont les otites aiguës et chroniques, les traumatismes du tympan, notamment par les Cotons-Tiges, et l'otospongiose. Ces affections se traduisent notamment par une baisse de l'acuité auditive ; leur traitement est médical et/ou chirurgical. La pathologie de l'oreille interne est surtout provoquée par le vieillissement, les traumatismes liés au bruit, les médicaments ototoxiques, les traumatismes crâniens et les labyrinthites. Ces affections se traduisent par une baisse de l'acuité auditive, qui peut être corrigée par le port d'une prothèse auditive amplificatrice.

■ **Les maladies du système vestibulaire** sont essentiellement représentées par la maladie de Ménière, qui se manifeste par des vertiges et une baisse de l'audition. Le traitement, malaisé, repose essentiellement sur l'administration de médicaments anti-émétiques et antivertigineux.

Oreillette

Cavité cardiaque recevant le sang avant de le faire passer dans le ventricule correspondant. (P.N.A. *atrium*)

Il existe une oreillette droite et une gauche, chacune étant reliée à un ventricule par une valvule auriculoventriculaire.

■ **L'oreillette droite** reçoit le sang désoxygéné de la grande circulation par les veines caves inférieure et supérieure. Elle communique avec le ventricule droit par la valvule tricuspide, qui s'ouvre durant la diastole (période de repos du cœur) pour permettre au ventricule droit de se remplir de sang. L'oreillette droite comporte un cul-de-sac de forme triangulaire, l'auricule droite. Elle est séparée de l'oreillette gauche par une paroi musculaire commune, le septum interauriculaire. Dans cette zone existe un clapet, le foramen ovale, qui, par son ouverture durant la vie fœtale, laisse

passer le sang oxygéné dans le ventricule gauche par la traversée des 2 oreillettes ; après la naissance, il se referme et est normalement étanche.

■ **L'oreillette gauche** est un peu plus épaisse que l'oreillette droite. Elle reçoit le sang provenant des veines pulmonaires après son enrichissement en oxygène dans les poumons. Le sang oxygéné passe dans le ventricule gauche par la valvule mitrale lors de la diastole. Puis le ventricule gauche propulse ce sang dans l'aorte lors de la systole ventriculaire. L'oreillette gauche possède aussi un prolongement aplati et transversal, l'auricule gauche, qui est plus long et moins large que l'auricule droite.

PATHOLOGIE

Au cours d'une atteinte valvulaire (rétrécissement mitral, insuffisance mitrale ou tricuspide, etc.), les oreillettes peuvent se dilater.

À la naissance, le septum interauriculaire peut rester ouvert : sa fermeture est réalisée par une intervention chirurgicale.

→ VOIR Communication interauriculaire, Myocardiopathie, Valvulopathie.

Oreillette (maladie de l')

Trouble du rythme cardiaque dû à une altération du tissu de l'oreillette en raison d'un fonctionnement anormal du nœud sinusal (qui assure la stimulation électrique du cœur). SYN. *maladie rythmique auriculaire.*

CAUSES

La cause de cette maladie peut être une maladie coronarienne, une myocardiopathie ou une valvulopathie évoluée.

SYMPTÔMES ET DIAGNOSTIC

La maladie de l'oreillette se manifeste par une alternance d'épisodes de bradycardie (rythme cardiaque lent) et de tachycardie (rythme cardiaque rapide) ou de très courts arrêts cardiaques. Les symptômes comprennent des étourdissements, des malaises, des pertes de connaissance, parfois des palpitations.

Le diagnostic est établi après analyse des données d'un Holter (enregistrement du rythme cardiaque sur 24 heures).

TRAITEMENT

Il dépend de la cause de la maladie et fait souvent appel à la pose d'un stimulateur cardiaque (pacemaker).

Oreillons

Maladie infectieuse virale aiguë, extrêmement contagieuse, due à un paramyxovirus et se manifestant principalement par une parotidite (inflammation des glandes parotides, les principales glandes salivaires).

Les oreillons, autrefois appelés ourles, se transmettent par voie aérienne (inhalation de gouttelettes de salive émises par un malade). Ils sévissent surtout en hiver, souvent par épidémies, en particulier dans certaines collectivités (écoles). Ce sont les enfants qui sont le plus fréquemment atteints. Le virus possède une tendance naturelle à se fixer sur les glandes et les nerfs.

SYMPTÔMES ET ÉVOLUTION

L'incubation dure de 17 à 21 jours ; elle est suivie d'une fièvre modérée et de maux d'oreilles pendant 1 ou 2 jours. Le malade

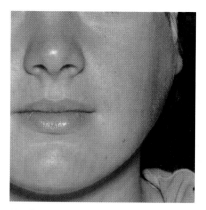

Oreillons. Les glandes parotides, près de l'angle de la mâchoire, sont enflées.

est contagieux de 1 semaine avant l'apparition des symptômes à environ 8 jours après.

L'inflammation des glandes parotides apparaît d'abord d'un côté, puis des deux et se manifeste par une tuméfaction comblant les sillons situés en arrière de la mâchoire. Elle entraîne une douleur à la mastication et lorsque l'on appuie sur les parotides. Il s'y associe parfois une angine et une atteinte des ganglions voisins. Les maux de tête sont fréquents. L'évolution est le plus souvent bénigne, et la maladie régresse spontanément en une dizaine de jours.

COMPLICATIONS

Les oreillons prennent dans certains cas une forme neuroméningée (méningite, encéphalite, atteinte du nerf auditif) ; une pancréatite (inflammation du pancréas) et une orchite (inflammation des testicules) sont également possibles et susceptibles de survenir sans inflammation des parotides.

■ **La méningite ourlienne** apparaît de 4 à 10 jours après la parotidite ; elle n'entraîne le plus souvent aucun symptôme.

■ **L'orchite ourlienne** atteint le garçon après la puberté. Elle se manifeste par une fièvre élevée et par une tuméfaction douloureuse d'un testicule, puis du second dans certains cas. L'inflammation régresse en une dizaine de jours, mais peut être responsable d'atrophie testiculaire et de stérilité en cas d'atteinte des deux testicules.

■ **La pancréatite ourlienne**, beaucoup plus rare, se manifeste par des douleurs abdominales associées parfois à des vomissements. Elle peut laisser, dans de très rares cas, des séquelles (diabète).

DIAGNOSTIC ET TRAITEMENT

Le diagnostic est le plus souvent établi lors de l'examen clinique, suffisamment caractéristique. On peut s'aider de sérologies réalisées à 15 jours d'intervalle, de l'isolement du virus dans la salive ou dans le liquide céphalorachidien, en cas de signes de méningite et de diagnostic incertain.

Le traitement, symptomatique, repose sur l'administration de médicaments combattant la fièvre et, en cas de forte douleur, sur celle d'anti-inflammatoires.

Le repos au lit est de rigueur en cas d'atteinte testiculaire ainsi que l'immobilisation des bourses par un suspensoir. L'éviction scolaire est préconisée pendant une quinzaine de jours en raison du risque contagieux. Après avoir eu les oreillons, le patient est définitivement immunisé.

PRÉVENTION

Il existe un vaccin efficace, proposé aux adolescents et aux jeunes adultes n'ayant pas eu les oreillons (qui entraîneraient potentiellement des malformations chez l'embryon lorsque la mère est atteinte de la maladie) ainsi qu'aux enfants âgés de plus de 1 an. Le vaccin destiné aux jeunes enfants est associé à celui de la rubéole et de la rougeole (vaccin R.O.R.).

Orexigène

Substance capable d'augmenter l'appétit.

Des orexigènes tels que la cyproheptadine ou les extraits de certaines plantes (le fenugrec, par exemple) sont prescrits par voie orale en cas de manque d'appétit sévère. Leur efficacité est relative et ils peuvent provoquer une somnolence, une sécheresse de la bouche ou une constipation.

Par ailleurs, l'effet orexigène est considéré comme un effet indésirable de certains médicaments (corticostéroïdes, insuline, psychotropes, sulfamides, etc.) ou de certaines substances (alcool, hormones thyroïdiennes, etc.), car il favorise la prise de poids.

Orf

Maladie virale bénigne de l'homme et du mouton. SYN. *dermatite pustuleuse contagieuse, ecthyma des ovins.*

L'orf est dû à un virus du groupe des parapoxvirus ; l'homme se contamine au contact du mouton (tonte, traite). Après une incubation de 4 à 8 jours, la maladie se traduit par un petit nodule inflammatoire rouge vif au centre et blanc en périphérie, entouré d'une peau rouge, siégeant en général sur le dos de la main ou des doigts. Un des ganglions de l'aisselle peut aussi augmenter de volume. Ces lésions disparaissent spontanément en quelques semaines. Le traitement, facultatif sauf en cas de surinfection, repose sur les antiseptiques locaux et l'antibiothérapie générale.

Orfila
(Mathieu Joseph Bonaventure)

Médecin et chimiste français d'origine espagnole (Mahón, Minorque, 1787 - Paris 1853).

Il acquit la notoriété par ses cours de chimie et sa participation en tant qu'expert à des procès criminels. Il est l'auteur, entre autres, d'un *Traité des poisons tirés des règnes minéral, végétal et animal* (1813-1815) et d'un *Traité de médecine légale* (1847).

Organe

Partie circonscrite d'un corps vivant, composée d'éléments cellulaires différenciés (tissus), capables de remplir une ou plusieurs fonctions déterminées.

Le larynx, par exemple, est l'organe de la voix ; l'œil celui de la vue.

Organe (don d')

Mise à disposition d'une ou de plusieurs parties du corps d'une personne, par elle-même ou par ses proches, en vue d'une transplantation sur une autre personne du ou des organes donnés.

Le donneur peut être vivant ou en état de mort cérébrale (état caractérisé par l'arrêt définitif de toute activité cérébrale, tronc cérébral compris, avec suspension de toute activité respiratoire spontanée et électroencéphalogramme plat). Le consentement explicite et éclairé du donneur vivant est le préalable indispensable au prélèvement et à la transplantation d'un rein ou de moelle osseuse au bénéfice d'un proche dont l'état nécessite une greffe. Un prélèvement d'organe sur une personne en état de mort cérébrale se fait en général avec l'accord des proches ou de la famille, et si le donneur n'en a pas exprimé le refus par écrit de son vivant. Les organes prélevés dans ce cas peuvent être le cœur, les poumons, le foie, le pancréas, les reins ou la cornée. Pour procéder à l'opération, il faut que la vitalité des organes prélevés soit préservée, c'est-à-dire que le cœur du donneur batte encore et que les poumons soient ventilés par un respirateur artificiel. Les organes du donneur doivent en outre appartenir au même groupe tissulaire (ou groupe H.L.A.) que les organes du receveur, c'est-à-dire que le donneur et le receveur doivent avoir le même type d'antigènes tissulaires. Cette dernière précaution vise à éviter les phénomènes de rejet. Les prélèvements se font en général sur des patients jeunes, victimes d'accidents sur la voie publique, ce qui augmente la probabilité de prélever des organes sains.

Actuellement, la disproportion croissante entre l'augmentation des demandes de transplantation et la pénurie d'organes disponibles risque de conduire, comme cela se pratique malheureusement dans certains pays en développement, à un glissement des pratiques vers la vente d'organes. Les divers comités d'éthique et conseils de l'Ordre des médecins des différents pays sont de plus en plus vigilants à ce sujet.

Organique

1. Relatif aux organes et aux tissus vivants.

Se dit notamment, par opposition à fonctionnel ou à psychosomatique, d'une maladie, d'un trouble ou d'une lésion anatomiquement décelable. Une insuffisance mitrale, par exemple, peut être organique (due à un rhumatisme articulaire aigu qui lèse la valvule mitrale) ou fonctionnelle (due à une insuffisance ventriculaire gauche).

2. Qui provient directement ou indirectement de tissus ou d'organismes vivants, qui contiennent toujours du carbone.

En chimie ou en biochimie, un corps organique est donc un corps qui renferme du carbone. On parle, par exemple, de phosphore organique. La chimie organique, à la différence de la chimie minérale, concerne les substances constitutives des tissus vivants.

Organisation mondiale de la santé

Institution intergouvernementale créée en 1948, sous l'égide de l'Organisation des nations unies (O.N.U.), pour étudier les questions de santé publique.

Le siège de l'Organisation mondiale de la santé (O.M.S.) est situé à Genève, mais un trait caractéristique de l'Organisation est sa décentralisation : il existe 6 bureaux de l'O.M.S. dits « régionaux », ainsi que des « représentants résidents de l'O.M.S. » dans différents pays.

Le but de l'O.M.S. est d'« amener tous les peuples au niveau de santé le plus élevé possible ». Selon sa Constitution, l'O.M.S. doit « agir en tant qu'autorité directrice et coordinatrice, dans le domaine de la santé » et intervenir en faveur de la coopération technique des États membres dans ce secteur. Dans le passé, son action s'est exercée dans la lutte contre des maladies comme le pian, la variole, le choléra ou la fièvre jaune. Parmi les missions actuelles de l'O.M.S., on peut citer la lutte contre le sida et la tuberculose, et, dans les pays en développement, la lutte contre le paludisme, la dengue et la cécité. L'O.M.S. surveille en outre en permanence la pollution de l'eau et de l'air. L'Organisation aide à l'installation de moyens sanitaires élémentaires et veut généraliser l'accès aux soins de santé de base : elle fournit, par exemple, des vaccins destinés à éradiquer la poliomyélite et à immuniser les enfants contre le tétanos, la rougeole, la diphtérie, la coqueluche et la tuberculose. Son action s'oriente également vers le développement des services de secours d'urgence et d'aide humanitaire. Elle poursuit son travail de lancement et de coordination de programmes de recherche à un échelon international (développement de la recherche sur les vaccins ou les maladies tropicales, par exemple). L'Organisation veille à la qualité des aliments et établit des normes internationales pour la dénomination des produits pharmaceutiques et biologiques.

Organisme

1. Ensemble des organes qui constituent un être vivant.
2. Toute entité biologique possédant ou non des organes.

Les micro-organismes (bactéries, virus, champignons) sont responsables chez l'homme de nombreuses maladies infectieuses.

Organogenèse

Formation et développement des différents organes de l'embryon.

L'organogenèse est l'un des aspects de la formation de l'embryon, ou embryogenèse, avec la morphogenèse (développement des formes) et la différenciation cellulaire.

Orgasme

Point culminant et terme de l'excitation sexuelle, caractérisé par des sensations physiques intenses.

L'orgasme se traduit de façon différente chez l'homme et chez la femme.

■ Chez la femme, l'orgasme est la troisième phase du processus d'excitation sexuelle, qui suit la phase d'excitation croissante et la phase dite en plateau. La première phase se caractérise par l'intensité croissante du désir sexuel et des modifications affectant les organes sexuels (turgescence du clitoris, gonflement des lèvres de la vulve, érection des mamelons, durcissement des seins) et diverses fonctions physiologiques (accélération du rythme cardiaque et de la respiration, sensation de chaleur, rosissement de la peau). Au cours de la phase en plateau, les sensations restent intenses, mais le cœur et le souffle ralentissent. La phase orgastique est marquée par le déclenchement incontrôlable, durant quelques secondes, de contractions des muscles du vagin et du périnée, accompagnées d'une sécrétion des glandes vaginales. Elle est suivie par la phase de résolution, caractérisée par une chute de l'excitation.

■ Chez l'homme, à la phase d'excitation correspond le gonflement et l'érection de la verge, assurés par l'afflux de sang dans les corps caverneux. L'orgasme correspond à l'éjaculation : le sperme passe des vésicules séminales dans l'urètre postérieur, où il s'accumule avant d'être expulsé en 5 ou 6 contractions spasmodiques. Après l'orgasme, le pénis redevient flasque, et l'homme traverse une période durant laquelle toute excitation sexuelle est impossible (période réfractaire).

PATHOLOGIE

L'absence d'orgasme, ou anorgasmie, est chez l'homme un aspect de l'impuissance, et chez la femme une composante essentielle de la frigidité.

Orgelet

Petit furoncle situé au bord de la paupière, développé à partir de la glande pilosébacée d'un cil.

Connu dans le langage courant sous le nom de compère-loriot, un orgelet est dû essentiellement à un staphylocoque. De telles infections sont plus fréquentes chez les diabétiques, les sujets immunodéprimés et les personnes qui suivent un traitement par les corticostéroïdes.

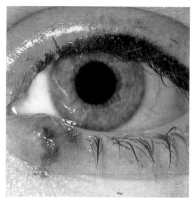

Orgelet. Un petit furoncle, rouge et douloureux, se forme à la base d'un cil.

SYMPTÔMES ET DIAGNOSTIC

À la différence du chalazion, qui ne fait pas souffrir et siège davantage dans l'épaisseur de la paupière, l'orgelet est douloureux et entraîne la formation d'un œdème rougeâtre des paupières, puis d'une tuméfaction laissant place à un bourbillon (suppuration localisée à la base du poil). À l'examen, une forte douleur ressentie à la palpation de la base d'un cil permet de localiser le point central de l'orgelet.

TRAITEMENT

L'application sur l'orgelet de pommades antibiotiques active l'élimination du bourbillon, observée en quelques jours. Les personnes immunodéprimées peuvent prendre des antibiotiques par voie buccale. Par ailleurs, il faut toujours éviter de manipuler un orgelet, car l'infection risque de s'étendre.

O.R.L.

→ VOIR Oto-rhino-laryngologie.

Ornithose

Maladie infectieuse due à la bactérie *Chlamydia psittaci.*

L'ornithose, maladie rare, est transmise à l'homme par les pigeons urbains et par certains oiseaux d'appartement, notamment les colombes. L'homme se contamine en inhalant de la poussière contenant des fientes contaminées desséchées. Les éleveurs de pigeons sont très exposés à cette maladie, qui ne diffère de la psittacose que par l'origine de la contamination, la psittacose étant transmise par les perroquets.

SYMPTÔMES ET TRAITEMENT

L'ornithose provoque une fièvre, une toux et d'intenses maux de tête, plus rarement des difficultés respiratoires (essoufflement dû à une inflammation des bronches). L'infection est traitée par administration d'antibiotiques (tétracyclines). Elle guérit en 2 à 3 semaines et ne laisse pas de séquelles.

Oropharynx

Partie moyenne du pharynx. (P.N.A. *cavum pharyngis, pars oralis*)

L'oropharynx est placé en arrière de la cavité buccale ; il se continue en haut par le rhinopharynx (en arrière des fosses nasales) et en bas par l'hypopharynx (en arrière du larynx).

PATHOLOGIE

Les maladies de l'oropharynx sont essentiellement les infections (angines, dont la plus grave est l'angine pseudomembraneuse de la diphtérie) et les cancers (carcinomes épidermoïdes, directement liés à l'alcoolisme et au tabagisme, ou lymphomes). Elles se traduisent par une sensation de gêne au moment de la déglutition, par l'augmentation de volume des ganglions du cou, éventuellement par des douleurs d'une ou des deux oreilles et par des crachats de sang. Les angines sont traitées par administration d'antibiotiques et par ablation des amygdales en cas de récidives fréquentes. Les cancers de l'oropharynx sont en général traités par association de la chirurgie, de la radiothérapie et de la chimiothérapie.

Orosomucoïde

Glycoprotéine (protéine comprenant une partie glucidique) du plasma sanguin, synthétisée par le foie, faisant partie du groupe des globulines. SYN. *alpha-1-glycoprotéine acide.*

La concentration normale de l'orosomucoïde est de 600 à 1 400 milligrammes par litre de plasma. Elle augmente en cas d'inflammation aiguë, en particulier lorsque celle-ci est d'origine infectieuse, et diminue en cas d'insuffisance hépatique ou de syndrome néphrotique.

Orteil

Chacun des cinq doigts du pied. (P.N.A. *digiti pedis*)

Le squelette de l'orteil est constitué de petits os tubulaires, les phalanges, articulés entre eux, au nombre de 2 pour le gros orteil (pouce), de 3 pour les 4 autres orteils. Les phalanges sont mobilisées par des tendons fléchisseurs et extenseurs. De chaque côté des orteils, il y a une artère fine et un nerf.

PATHOLOGIE

Les orteils peuvent être le siège de nombreuses maladies congénitales ou acquises, en général aggravées par le port de chaussures inadaptées.

■ **Les déformations et malformations des orteils**, fréquentes, témoignent en général d'une déformation globale du pied (pied plat ou creux, avant-pied triangulaire, etc.) :

– l'hallux valgus est une déviation du gros orteil vers le 2e orteil, responsable d'une tuméfaction douloureuse couramment appelée oignon ;

– l'hallux rigidus est une arthrose de l'articulation du gros orteil, qui devient rigide et douloureux ; cette affection de cause inconnue gêne considérablement la marche, en particulier lorsque le pied s'élève sur la pointe ; son traitement est d'abord médical (infiltrations locales et port de chaussures rigides), mais une intervention est en général indispensable dans les formes évoluées ;

– l'exostose sous-unguéale est une tumeur osseuse bénigne siégeant surtout sur la dernière phalange du gros orteil : elle soulève l'ongle, qui devient très douloureux à la marche, et doit être enlevée chirurgicalement ;

– le quintus varus est une déviation du 5e orteil, qui chevauche le 4e. Son traitement est chirurgical ;

– la griffe des orteils se traduit par une flexion exagérée et permanente des orteils en direction de la plante du pied. La déformation peut être corrigée par le port de semelles orthopédiques ou par une intervention chirurgicale ;

– les orteils en marteau sont des déformations d'un ou de plusieurs orteils, excessivement fléchis.

■ **Les fractures des orteils**, très fréquentes, sont le plus souvent dues à un choc direct et s'accompagnent presque toujours de lésions cutanées (contusions, ecchymoses, etc.). Elles sont réduites orthopédiquement ou, plus rarement, chirurgicalement. Les deux extrémités de l'os fracturé sont immobilisées à l'aide d'un bandage élastique fixant l'orteil fracturé à un orteil intact adjacent.

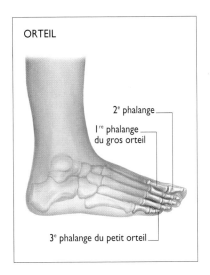

ORTEIL

2ᵉ phalange

1ʳᵉ phalange
du gros orteil

3ᵉ phalange du petit orteil

La reprise de la marche est généralement possible dès le 15ᵉ jour après l'accident.

■ Les lésions cutanées dues aux frottements sont particulièrement fréquentes sur les orteils et sont souvent associées aux déformations osseuses précédemment décrites. Le cor et le durillon sont des épaississements de forme arrondie, légèrement bombés, de la couche cornée de la peau, de consistance dure, se développant sur les zones soumises à des pressions fortes et répétées. L'œil-de-perdrix est une ulcération résultant du frottement de la peau d'un orteil contre la peau de l'orteil voisin, dans un espace mal aéré, où la sueur fait macérer la peau. Il siège surtout entre le 4ᵉ et le 5ᵉ orteil. Son traitement consiste à mettre en place un tampon écartant les orteils. La chirurgie est réservée aux ulcérations chroniques.

Orteil en griffe
→ VOIR Griffe.

Orteil en marteau
Déformation d'un ou de plusieurs orteils dans laquelle l'articulation de la 1ʳᵉ et de la 2ᵉ phalange, ou celle de la 2ᵉ et de la 3ᵉ phalange, se trouve soulevée et fléchie, dessinant la forme d'un petit marteau.

Un orteil en marteau est dû à une traction excessive du tendon, à une rétraction musculaire ou au port prolongé (sur plusieurs années) de chaussures inadaptées (chaussures à talons hauts, par exemple). Son traitement repose sur le port de chaussures orthopédiques, mais, lorsque la gêne est importante, la déformation doit être corrigée chirurgicalement.

Orthèse
Appareillage orthopédique rigide destiné à protéger à immobiliser ou à soutenir un membre ou une autre partie du corps.

L'orthèse est directement fixée au segment de corps à traiter, à la différence, d'une part, de la béquille, d'autre part, de la prothèse, dont la fonction est de remplacer un segment anatomique. On y recourt le plus souvent en cas de maladie musculaire ou

articulaire, de traumatisme (fracture, luxation, etc.) ou de déformation du squelette (scoliose, pieds plats). Parmi les principales orthèses, on peut citer le plâtre, l'attelle, la gouttière, la ceinture, le corset et les chaussures orthopédiques. Le corset orthopédique constitue le traitement initial d'une scoliose de l'enfant ou de l'adolescent ; le port de cette orthèse permet d'attendre une éventuelle correction chirurgicale, réalisée de préférence à la fin de la croissance.

Orthodontie
Spécialité médicale visant à prévenir ou à corriger les anomalies de position des dents.

L'orthodontiste doit, en premier lieu, déterminer si l'anomalie est basale (due à une mauvaise position du maxillaire supérieur et/ou inférieur) ou alvéolaire (due à une déformation de l'os alvéolaire - os superficiel qui entoure la dent -, comme cela se produit chez les enfants qui sucent leur pouce, par exemple). Une telle vérification est pratiquée à l'aide d'empreintes des dents supérieures et inférieures, ainsi que de radiographies du crâne et de la face. Le traitement, qui dure entre 1 et 3 ans, consiste à effectuer des pressions ou des tractions légères sur les dents mal positionnées pour leur rendre un alignement correct. Il varie en fonction du type d'appareillage choisi, de l'anomalie à traiter et de l'âge du patient. Chez l'enfant, il est possible de soigner une anomalie basale en corrigeant les rapports entre les maxillaires. Chez l'adulte, la croissance osseuse étant achevée, l'orthodontiste ne pourra agir que sur la position des dents entre elles.

APPAREILLAGES ORTHODONTIQUES
Ils peuvent être amovibles ou fixes.

■ Dans les appareillages dentaires amovibles, le dispositif qui permet de déplacer les dents (arc, élastique, ressort) est monté sur une sorte de dentier que le sujet peut lui-même enlever et remettre.

■ Dans les appareillages dentaires fixes, ce dispositif est soudé sur de petites bagues métalliques qui sont scellées ou collées sur les dents ; dans ce dernier cas, l'appareillage est moins encombrant et moins visible.

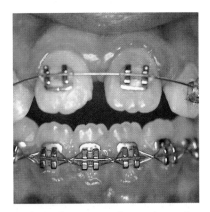

Orthodontie. *Un appareil exerce des pressions sur les dents pour les réaligner.*

Orthogénisme
Ensemble des méthodes de planification et de régulation des naissances.

L'orthogénisme comprend les différentes méthodes de contraception et les interruptions volontaires de grossesse, qui incluent la méthode dite contragestive par administration de mifépristone (RU 486). La ligature des trompes chez la femme, la ligature des canaux déférents ou leur section (vasectomie) chez l'homme en relèvent aussi. Le conseil conjugal et le conseil génétique y participent également.

Orthopédie
Discipline essentiellement chirurgicale qui traite des affections congénitales ou acquises de l'appareil locomoteur et de la colonne vertébrale (os, articulations, ligaments, tendons et muscles).

L'orthopédie connaît un développement très important, d'une part en raison de la fréquence accrue des accidents affectant les muscles et le squelette (généralisation de la pratique sportive, accidents de la route, etc.), d'autre part en raison de la mise au point de prothèses de plus en plus sophistiquées (prothèses « totales » de hanche, de genou, etc.). Ses domaines d'intervention sont multiples : fractures des os des membres ou de la colonne vertébrale, luxations articulaires, claquages musculaires, tumeurs et infections osseuses (ostéites et ostéomyélites), ou arthrose évoluée (hanche, genou) nécessitant un remplacement total ou partiel de l'articulation détruite par une prothèse. Enfin, les appareils orthopédiques servent à soutenir une partie du corps ou à la maintenir dans une position déterminée ; ainsi, les corsets vertébraux permettent de corriger ou d'arrêter l'évolution d'une scoliose ou d'une cyphose, ou encore de soulager des douleurs lombaires chroniques.
→ VOIR Chirurgie orthopédique.

Orthophonie
Discipline paramédicale ayant pour but l'étude et le traitement des troubles du langage oral et écrit.

L'orthophonie concerne les troubles de l'émission vocale, ceux de l'articulation des mots et ceux du langage, de même que les difficultés de l'apprentissage de la lecture et de l'écriture. Elle peut être indiquée aussi bien chez l'enfant que chez l'adulte, après une maladie (affection ou suites de chirurgie du larynx, affections neurologiques, etc.), en cas de surdité, de malformation congénitale du larynx ou du fait d'un retard de l'acquisition du langage.

Les séances sont fondées sur des exercices réalisés par le patient et portant sur l'une ou l'autre des caractéristiques du langage, par exemple l'articulation, la signification des mots ou l'organisation des phrases ; la variété des approches rééducatives est actuellement très grande.

Le résultat est subordonné non seulement à la gravité des troubles, mais aussi à la nécessité d'une bonne compréhension des exercices et à la motivation du patient.

Orthopnée

Essoufflement survenant au repos, lorsque le sujet est allongé sur le dos.

L'orthopnée apparaît en particulier la nuit et oblige le sujet à dormir assis. Elle traduit l'existence d'un œdème pulmonaire : en position allongée, complètement à plat, toutes les alvéoles pulmonaires sont envahies par le plasma, ce qui engendre une gêne respiratoire. En position assise ou debout, l'accumulation du liquide ne se produit que dans la partie basse des poumons, si bien que les alvéoles des régions supérieures peuvent maintenir au repos une oxygénation suffisante pour que l'essoufflement soit faiblement ressenti.

Une orthopnée peut être observée chaque fois qu'il existe une insuffisance cardiaque gauche, quelle qu'en soit la cause (par exemple, un rétrécissement mitral, une myocardiopathie dilatée ou un infarctus du myocarde). Plus rarement, elle peut apparaître au cours de certaines maladies pulmonaires comme les bronchopathies chroniques obstructives (par exemple, la bronchite chronique, l'emphysème pulmonaire) ou la crise d'asthme.
→ VOIR Œdème pulmonaire.

Orthoptie, ou Orthoptique

Spécialité paramédicale ayant pour but d'évaluer et de mesurer les déviations oculaires, puis d'assurer la rééducation des yeux en cas de troubles de la vision binoculaire : strabisme, hétérophorie (déviation des axes visuels) ou insuffisance de convergence.

Bilan orthoptique

Un bilan orthoptique permet de discerner les faiblesses de l'oculomotricité, assurée par les nerfs et les muscles oculomoteurs. Ce bilan est pratiqué à l'aide de différents tests et appareils. L'orthoptiste exerce sous la responsabilité de l'ophtalmologiste.

DIFFÉRENTS TYPES D'EXAMEN

■ L'étude de l'oculomotricité consiste tout d'abord à faire suivre un objet par les yeux du patient, soit ensemble, soit séparément, dans les différentes directions du regard. La tête étant maintenue immobile, les yeux doivent rester parallèles dans toutes les directions. La convergence oculaire est étudiée par la mesure du *Ponctum proximum* de convergence, obtenue en faisant fixer par le patient un point lumineux que l'on rapproche peu à peu des yeux. Les yeux convergent progressivement jusqu'à une distance limite qui est normalement de 5 à 8 centimètres entre le point lumineux et la racine du nez. Si cette distance est plus importante, on parle d'insuffisance de convergence.

■ L'étude de la statique oculaire cherche à mesurer une déviation manifeste de l'axe des deux yeux, à l'aide de prismes, ou une déviation latente, par le test de l'écran. Celui-ci consiste à cacher un œil dans un écran opaque ou translucide, l'autre œil fixant un point situé à 4 mètres d'abord (vision de loin), puis à 30 centimètres. On enlève l'écran et on observe si l'œil caché est ou non resté dans le même axe que l'œil fixant le point. Si l'œil a divergé vers l'extérieur, il s'agit d'une exophorie ; s'il a divergé vers l'intérieur, d'une ésophorie.

■ L'étude de la vision binoculaire repose sur différents procédés qui consistent à associer les images de l'œil droit et celles de l'œil gauche pour permettre l'évaluation des reliefs et des distances. Elle se décompose en trois degrés de qualité croissante : le premier degré, ou vision simultanée, correspond à la capacité de chaque œil de voir deux images différentes ; le deuxième degré, ou fusion, désigne l'association par le cerveau de deux images semblables ; le troisième degré, ou vision stéréoscopique, le plus complet, est fondé sur la vision d'images dissemblables vues sous deux angles différents.

Rééducation orthoptique

Une rééducation orthoptique ne peut être envisagée que quand il existe une vision binoculaire correcte - ce qui est le cas essentiellement au cours des hétérophories (déviations latentes des axes visuels) et de l'insuffisance de convergence - et seulement si ces troubles sont responsables de manifestations fonctionnelles désagréables. Au cours des strabismes, on ne peut y avoir recours que quand il existe de réelles possibilités de vision binoculaire, ce qui est rare. La rééducation orthoptique a pour but essentiel d'augmenter l'amplitude de fusion (qui consiste à superposer les images de chaque œil en une seule), principalement grâce au synoptophore (stéréoscope perfectionné pour la vision de loin). Les exercices oculaires consistent essentiellement à améliorer le pouvoir de convergence et sont pratiqués avec une correction optique adaptée.

Orthostatisme

1. Station verticale.
2. Tout état pathologique provoqué par une station verticale.

Une hypotension artérielle orthostatique, par exemple, est une chute de la pression artérielle qui se produit lors du passage de la position assise ou allongée à la station verticale.

Os

Structure rigide, fortement minéralisée, constituant le squelette de l'homme et des vertébrés. (P.N.A. *os*)

Outre son rôle de soutien, l'os représente l'essentiel des réserves de l'organisme en calcium, élément dont la constance du taux dans le sang est indispensable à de nombreuses fonctions physiologiques.

DIFFÉRENTS TYPES D'OS

On distingue selon leur forme les os plats (os de la voûte du crâne, côtes, omoplates, sternum), les os courts (os du carpe ou du tarse, vertèbres) et les os longs (fémur, tibia, péroné, humérus, cubitus, radius). Les os longs présentent une partie moyenne, la diaphyse, et deux extrémités, les épiphyses, revêtues de cartilage et formant les surfaces articulaires. Entre la diaphyse et l'épiphyse, le diamètre osseux s'élargit progressivement : cette zone de transition est appelée métaphyse. Le cartilage de conjugaison, situé entre la métaphyse et l'épiphyse, matérialise la zone de croissance en longueur des os longs ; il n'existe que chez l'enfant.

STRUCTURE

L'os est un tissu conjonctif de soutien à structure lamellaire. Sa surface est recouverte par le périoste, membrane conjonctive présente chez l'adulte comme chez l'enfant, qui permet la croissance osseuse en épaisseur et la fabrication des cals en cas de fracture. Au-dessous se trouve une lame d'os dense, particulièrement résistante, semblable à de l'ivoire : l'os cortical, ou os compact. Sous cette lame, l'os est beaucoup moins dense : c'est l'os spongieux, ou os trabéculaire ; il contient la moelle osseuse rouge, qui fabrique les cellules sanguines (globules rouges, globules blancs et plaquettes).

Le tissu osseux est constitué par une trame protéique, la zone ostéoïde, essentiellement composée de collagène, par une fraction minérale constituée de calcium et de phosphore et par trois familles de cellules :
- les ostéoblastes et les ostéocytes, qui élaborent la matrice osseuse ;
- les ostéoclastes, qui la détruisent.

PATHOLOGIE

■ Les dystrophies (lésions dues à une déficience de la nutrition de l'os) peuvent être acquises (maladie osseuse de Paget) ou héréditaires (ostéopétrose).

■ Les fractures doivent être réduites et immobilisées de manière orthopédique (plâtre) ou chirurgicale (ostéosynthèse).

■ Les infections des os sont notamment l'ostéomyélite et la tuberculose osseuse.

■ Les maladies osseuses peuvent être liées à une affection extra-osseuse (ostéodystrophie des insuffisances rénales, déminéralisation des hyperparathyroïdies, ostéoporose des hyperthyroïdies, etc.).

■ Les tumeurs des os peuvent être bénignes (chondrome, ostéome, ostéoblastome) ou malignes (ostéosarcome, chondrosarcome, fibrosarcome, sarcome d'Ewing, tumeur secondaire).

Os (cancer des)

Tumeur maligne se développant à l'intérieur d'un os.

Cancer primitif des os

Les cancers primitifs des os sont des cancers siégeant dans l'os ou à sa périphérie immédiate et se développant à partir de tissu osseux, cartilagineux ou fibreux. Ils sont assez rares. Les principaux sont l'ostéosarcome, le chondrosarcome, le sarcome d'Ewing et le myélome multiple.

Cancer secondaire des os

Les cancers secondaires des os sont des localisations à distance, dans l'os, du cancer d'un autre organe : prostate, rein, sein, thyroïde, etc. Ils se traduisent par des douleurs et des fractures spontanées attei-

Os

L'os, organe dur constituant la charpente du corps, est entouré d'une membrane richement innervée et vascularisée, le périoste. Sous celui-ci se trouve une couche de tissu osseux semblable à de l'ivoire, l'os cortical, au-dessous de laquelle le tissu osseux devient beaucoup moins dense : c'est l'os spongieux, dont la trame contient la moelle osseuse.

les trois variétés d'os : os long, os plat, os court

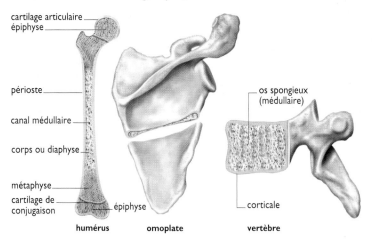

- cartilage articulaire
- épiphyse
- périoste
- canal médullaire
- corps ou diaphyse
- métaphyse
- cartilage de conjugaison
- épiphyse

humérus   **omoplate**

- os spongieux (médullaire)
- corticale

vertèbre

coupe de l'os

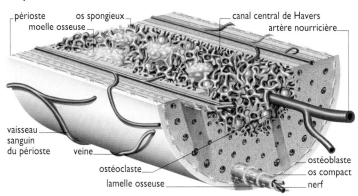

- périoste
- moelle osseuse
- os spongieux
- canal central de Havers
- artère nourricière
- vaisseau sanguin du périoste
- veine
- ostéoclaste
- lamelle osseuse
- ostéoblaste
- os compact
- nerf

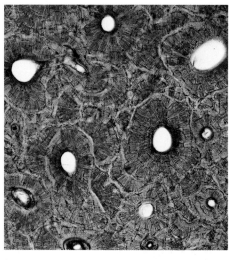

L'os cortical est formé de cylindres de tissu osseux, les canaux de Havers, qui contiennent du tissu conjonctif et des capillaires sanguins (en blanc).

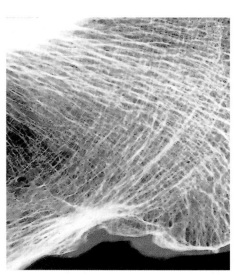

L'os spongieux peut s'organiser en travées plus ou moins courbes, pour s'adapter aux pressions mécaniques qui s'exercent en permanence sur le squelette.

---

gnant le plus souvent des os longs. La radiographie, la scintigraphie osseuse et la ponction-biopsie permettent d'établir le diagnostic. Le traitement des cancers secondaires des os repose sur la radiothérapie, la chimiothérapie, l'hormonothérapie (lorsque le cancer primitif est un cancer de la prostate ou du sein) ; en cas d'atteinte des vertèbres, on peut pratiquer une laminectomie (ablation chirurgicale d'une partie d'une lame vertébrale) pour empêcher la moelle épinière et les racines nerveuses d'être comprimées par la tumeur.

Os de marbre (maladie des)
→ voir Ostéopétrose.

Osgood-Schlatter (maladie d')
Inflammation de l'apophyse tibiale antérieure (protubérance située juste sous le genou, palpable sous la peau, sur laquelle s'insère le tendon rotulien), survenant au cours de la croissance. syn. *apophysite tibiale antérieure de croissance.*

La maladie d'Osgood-Schlatter fait partie des apophysites de croissance ; lors de cette affection, l'apophyse tibiale antérieure, non encore soudée au tibia, se morcelle du fait des tractions répétées exercées par le tendon rotulien. L'affection débute entre 10 et 15 ans par des douleurs locales exacerbées à la marche et à la course. Elle atteint le plus souvent les deux tibias.

DIAGNOSTIC ET TRAITEMENT
La radiographie du genou de profil met en évidence la fragmentation de la tubérosité tibiale antérieure. Le traitement repose sur la prise d'anti-inflammatoires et l'arrêt de l'activité qui est à l'origine de la douleur (course, par exemple) pendant plusieurs mois, parfois pendant un an. Si, malgré cela, les douleurs persistent, on peut avoir recours à une immobilisation plâtrée, pendant 1 mois ou 2. La guérison se fait sans séquelles.

Osler (maladie d')
→ voir Endocardite.

Osmose
Transfert d'eau d'une solution diluée (hypotonique) vers une solution concentrée (hypertonique) au travers d'une membrane semi-perméable (perméable à l'eau, mais non aux grosses molécules en solution).

Dans l'organisme, la membrane plasmique qui entoure chaque cellule est quasiment semi-perméable. Les passages d'eau et d'ions entre l'intérieur et l'extérieur des cellules sont donc réglés par osmose. Le mécanisme d'osmose est aussi à la base des techniques de dialyse rénale.

■ **La pression osmotique**, exprimée en millimètres de mercure, représente la facilité avec laquelle une solution attire l'eau par osmose. Elle est proportionnelle à la concentration de la solution.

Ossification

Ensemble des phénomènes tissulaires et biochimiques grâce auxquels l'os est formé, renouvelé, réparé.

L'ossification commence chez l'embryon et se poursuit tout au long de la vie. Elle peut s'effectuer à partir de tissu fibreux, comme c'est le cas pour les os de la voûte du crâne, ou à partir du périoste (tissu conjonctif entourant les os). La croissance en longueur des os s'effectue par ossification endochondrale, l'os étant formé à partir des cartilages de conjugaison, qui sont situés chez l'enfant entre épiphyse et diaphyse, et qui disparaissent chez l'adulte.

TROUBLES DE L'OSSIFICATION

Une ossification anormale peut affecter des tissus normalement non ossifiés : tendons, cavités articulaires (ostéochondromatose synoviale), bourses séreuses situées autour des articulations (bursite), muscles (séquelles d'hématomes intramusculaires), peau (sclérodermie). → VOIR Ostéogenèse.

Ostéite

Infection d'un os d'origine microbienne, due le plus souvent au staphylocoque doré.

Lorsque la moelle osseuse est atteinte, ce qui est presque toujours le cas chez l'enfant et l'adolescent, alors que l'os est en phase de croissance, on parle d'ostéomyélite. → VOIR Ostéomyélite.

Ostéoarthrite

→ VOIR Arthrite.

Ostéoarthropathie

→ VOIR Arthropathie.

Ostéoblaste

Cellule assurant la formation du tissu osseux.

Les ostéoblastes siègent à la surface du tissu osseux, dont ils sont séparés par un fin liseré. Leur activité est sous dépendance hormonale, stimulée notamment par l'hormone de croissance et par les hormones thyroïdiennes. Les ostéoblastes élaborent la matrice protéique du tissu osseux, qui se minéralise en se chargeant d'un sel de phosphate de calcium : l'apatite. À mesure que le tissu osseux est fabriqué, ils se transforment en ostéocytes (cellules constitutives du tissu osseux, qui ont perdu une grande partie de leur capacité ostéoformatrice).

Ostéoblastome

Tumeur osseuse, très généralement bénigne, du sujet jeune, développée aux dépens des ostéoblastes. SYN. *fibrome ostéogénique des os.*

L'ostéoblastome est une tumeur riche en vaisseaux sanguins, dont les caractéristiques tissulaires sont proches de celles d'une autre tumeur bénigne, l'ostéome ostéoïde, bien qu'il soit en général plus volumineux que celui-ci. Il se développe le plus souvent le long des os longs et de la colonne vertébrale ; il se manifeste dans ce dernier cas par des douleurs

dues à la compression de la moelle épinière ou des racines nerveuses afférentes. Un ostéoblastome doit être enlevé chirurgicalement. Son évolution est bénigne, sa transformation maligne étant exceptionnelle et même discutée.

Ostéochondrite

Épiphysite touchant un cartilage et quelquefois l'os sous-chondral (région osseuse située sous le cartilage articulaire), due à une nécrose (mort tissulaire) localisée. SYN. *ostéochondrose.*

Apparaissant généralement entre 4 et 12 ans, les ostéochondrites affectent surtout les garçons. Elles sont dues à la précarité de la circulation sanguine dans l'os sous-chondral pendant les poussées de croissance et aggravées par les microtraumatismes liés à une activité sportive. Elles touchent le plus souvent l'articulation du genou, de la cheville, de la hanche (maladie de Legg-Perthes-Calvé) ; lorsqu'elles affectent les vertèbres, on les regroupe sous le nom d'ostéodystrophies de croissance (maladie de Scheuermann, par exemple, dans laquelle ce sont les plateaux vertébraux qui sont touchés). Lorsqu'elles touchent le calcanéum (os du pied, formant la saillie du talon), on parle de maladie de Sever.

Si le fragment osseux nécrosé tombe dans la cavité articulaire, il peut être responsable d'une arthrose précoce. Le traitement repose sur l'arrêt de l'activité sportive, sur la mise au repos de l'articulation pendant au moins 2 mois et, éventuellement, sur l'ablation, par chirurgie conventionnelle ou endoscopique (en particulier lorsqu'il s'agit du genou), du fragment osseux nécrosé.

Ostéochondrite primitive de la hanche

→ VOIR Legg-Perthes-Calvé (maladie de).

Ostéochondrodystrophie

Toute maladie caractérisée par des anomalies de la croissance et du développement des os, ainsi que des cartilages articulaires et de conjugaison.

■ **Les ostéochondrodystrophies acquises** sont principalement représentées par le rachitisme, par l'ostéomalacie (par carence en vitamine D), mais aussi par des affections telles que l'ostéodystrophie rénale (troubles osseux consécutifs à une insuffisance rénale) ou par des maladies digestives de l'enfant telles que la maladie cœliaque ou la mucoviscidose.

■ **Les ostéochondrodystrophies d'origine génétique** sont les mucopolysaccharidoses (maladie de Hurler, en particulier), les ostéochondrodystrophies caractérisées par une absence ou une insuffisance de développement des cartilages de croissance des os longs (achondroplasie) et la maladie des exostoses multiples.

Ostéochondrome

→ VOIR Exostose.

Ostéochondrose

→ VOIR Ostéochondrite.

Ostéoclaste

Cellule osseuse à plusieurs noyaux (de la famille des macrophages) chargée de la destruction du tissu osseux vieilli. SYN. *myéloplaxe.*

L'action conjuguée des ostéoclastes, qui détruisent les travées osseuses, et des ostéoblastes, qui les construisent, permet le renouvellement permanent du tissu osseux, indispensable à la croissance des os et à leur réparation en cas de fracture ; il se poursuit tout au long de la vie. Si les processus de construction et de destruction s'équilibrent, le capital osseux reste stable. Si la construction l'emporte sur la destruction, l'os est anormalement dense (marmorisation). Si la destruction l'emporte sur la construction, une ostéoporose se développe. Les ostéoclastes peuvent être à l'origine de tumeurs (tumeurs à myéloplaxes, également appelées tumeurs à cellules géantes) détruisant l'os.

Ostéodystrophie

Toute maladie caractérisée par des anomalies de la croissance et du développement des os.

■ **Les ostéodystrophies acquises** sont notamment la maladie de Paget, les ostéodystrophies de croissance (ostéochondrites et apophysites), le rachitisme, l'ostéomalacie, les ostéodystrophies endocriniennes (notamment celles dues à une hyperparathyroïdie) et celles survenant au cours des insuffisances rénales chroniques.

■ **Les ostéodystrophies d'origine génétique** sont la dysplasie fibreuse des os, les lésions osseuses caractéristiques de la maladie de Recklinghausen et un certain nombre de maladies héréditaires (ostéogenèse imparfaite, ostéoporose, mucopolysaccharidose, maladie de Gaucher).

Ostéodystrophie rénale

Ensemble des anomalies de structure osseuse liées à une insuffisance rénale chronique.

L'ostéodystrophie rénale est due, d'une part, à une sécrétion excessive d'hormone parathyroïdienne, elle-même déclenchée par un abaissement du taux sanguin de calcium (du fait de sa mauvaise absorption intestinale) et par une augmentation du taux sanguin de phosphore (à cause de sa mauvaise élimination par les reins défaillants), d'autre part, à un déficit en vitamine D (lié à une incapacité de transformation de celle-ci en sa forme active par le rein). Elle s'installe très progressivement et s'aggrave au fur et à mesure que la fonction rénale diminue. Elle se traduit par des douleurs et des anomalies radiologiques osseuses révélant une résorption des extrémités des petits os longs (clavicules, phalanges). Chez l'enfant, elle a pour conséquence un retard de croissance important (nanisme rénal).

TRAITEMENT ET PRÉVENTION

Chez des malades souffrant d'une maladie chronique des reins, la prévention et le traitement de l'ostéodystrophie rénale, lorsqu'ils sont mis en place rapidement (apport de calcium, de dérivés actifs de vitamine D, de médicaments abaissant le taux sanguin de phosphore), font régresser les atteintes osseuses. Lorsque l'hyperparathyroïdie est très évoluée, seule une intervention chirurgicale consistant à enlever les sept huitièmes du tissu parathyroïdien permet de contrôler l'ostéodystrophie.

Ostéogenèse

Constitution et développement du tissu osseux.

L'ostéogenèse débute au cours du premier trimestre de la vie fœtale et se poursuit tout au long de la vie.

Les principales cellules impliquées dans l'ostéogenèse sont les ostéoblastes, qui élaborent la matrice osseuse protéique et la calcifient, et les chondrocytes qui élaborent le cartilage de croissance. La substance préosseuse élaborée par ces cellules, faite de fibres collagènes et de mucopolysaccharides, s'ossifie dans un second temps.

L'ostéogenèse est un phénomène complexe qui nécessite du calcium et du phosphore. Leur taux sanguin dépend de facteurs hormonaux (calcitonine, hormone de croissance, parathormone) et alimentaires (apport en calcium, en phosphore, en vitamine D).
→ VOIR Ossification.

Ostéogenèse imparfaite

Fragilité osseuse excessive due à un défaut congénital d'élaboration des fibres collagènes du tissu conjonctif qui forme la trame de l'os. SYN. *fragilité osseuse héréditaire*.

L'ostéogenèse imparfaite caractérise en fait 7 maladies héréditaires, dont la maladie de Lobstein. De transmission autosomique (par un chromosome non sexuel) dominante

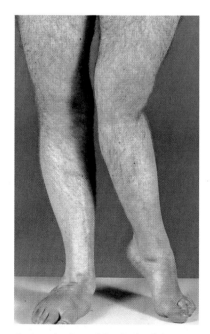

Ostéogenèse imparfaite. La fragilité excessive des os et les séquelles de fractures sont souvent à l'origine de déformations.

OSTÉOMALACIE

Cette maladie due à un déficit en vitamine D est caractérisée par une déminéralisation et un ramollissement osseux. Elle se traduit par des déformations et des fractures qui affectent surtout les os du bassin et des membres inférieurs ainsi que les vertèbres.

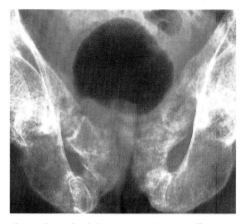

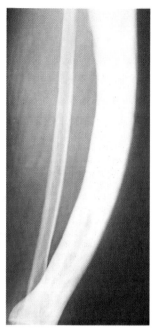

Cette radiographie du bassin montre des os insuffisamment minéralisés (zones trop sombres) et une fracture de la branche supérieure de l'os iliaque.

Le péroné et surtout le tibia sont anormalement arqués du fait du ramollissement osseux.

(il suffit qu'il soit reçu de l'un des parents pour que la maladie s'exprime chez l'enfant), elle se traduit par une coloration bleutée du blanc des yeux, une surdité, une hyperlaxité ligamentaire et des fractures fréquentes, se consolidant mal et entraînant des déformations, qui surviennent parfois avant même le début de la marche. Il n'existe aucun traitement spécifique de cette maladie.

Ostéoïde

Qualifie la matrice osseuse non minéralisée.

À l'état normal, la proportion de tissu ostéoïde est très faible. La vitamine D étant indispensable à la calcification, sa carence se traduit par un rachitisme chez l'enfant et par une ostéomalacie (ramollissement des os) chez l'adulte.

Ostéologie

Branche de l'anatomie relative à l'étude des différentes parties constitutives du squelette.

Ostéolyse

Résorption du tissu osseux.

L'ostéolyse est un phénomène permanent, assuré par certaines cellules osseuses, les ostéoclastes. La résorption libère environ 1 gramme de calcium par jour pour un adulte de 70 kilogrammes (dont le squelette contient environ 1 000 grammes de calcium), l'ostéolyse étant compensée par l'activité d'autres cellules, les ostéoblastes, qui fabriquent de l'os nouveau. Le squelette est donc entièrement renouvelé tous les trois ans environ.

Une ostéolyse pathologique intense se rencontre notamment en cas de myélome multiple ou de métastases osseuses et entraîne une libération excessive de calcium dans le sang ; cette hypercalcémie engage le pronostic vital et nécessite une hospitalisation et un traitement médical en urgence.

Ostéomalacie

Décalcification osseuse de l'adulte et du sujet âgé.

L'ostéomalacie, équivalent chez l'adulte du rachitisme de l'enfant, est due à une minéralisation osseuse de mauvaise qualité, elle-même liée à une carence en vitamine D. Celle-ci peut résulter d'un apport alimentaire insuffisant ou, plus souvent, d'une absorption insuffisante de la vitamine D (maladie du pancréas, intolérance au gluten). En outre, une ostéomalacie peut être due à une intoxication de l'os par certaines substances (fluor, biphosphonates) ou être le fait d'une baisse importante du taux de phosphore dans le sang (insuffisance rénale chronique).

SYMPTÔMES ET DIAGNOSTIC
La maladie se traduit par des douleurs quasi constantes, siégeant dans les hanches et les épaules ; les déformations osseuses, qui affectent essentiellement les vertèbres, les membres inférieurs et le bassin, sont parfois importantes. Le sujet éprouve des difficultés à marcher.

La radiographie met en évidence un aspect déminéralisé et « flou » du squelette, des déformations et des fissures osseuses appelées stries de Looser-Milkmann. Les examens biologiques confirment la diminution des taux de calcium et de phosphore dans le sang, l'effondrement du taux de calcium urinaire, du taux de dérivé sanguin actif de la vitamine D et l'augmentation du taux sanguin de phosphatases alcalines osseuses (enzymes témoignant de l'hyperactivité osseuse). La biopsie osseuse révèle un tissu faiblement minéralisé, dit « ostéoïde », et une hyperactivité des ostéoblastes (cellules formatrices du tissu osseux).

TRAITEMENT
L'administration de vitamine D assure, en général, une guérison rapide de l'ostéoma-

lacie ; on y associe généralement un apport de calcium. Les douleurs et les troubles de la marche disparaissent rapidement ; seules les déformations osseuses persistent quelquefois. Les ostéomalacies dues à une diminution excessive du taux sanguin de phosphore sont, elles aussi, traitées par prescription de vitamine D, mais, dans ce cas, l'amélioration des symptômes est souvent incomplète.

Ostéome

Tumeur bénigne constituée de tissu osseux adulte, affectant une structure anatomique, osseuse ou non (muscle, notamment).

■ **L'ostéome musculaire circonscrit** est une tumeur bénigne résultant de l'ossification d'un hématome intramusculaire. Peu douloureux, il n'entraîne qu'une gêne musculaire modérée. Il n'est possible d'en réaliser l'ablation chirurgicale qu'après s'être assuré, par des examens cliniques et radiologiques répétés, que son évolution paraît stabilisée. Lorsque l'ablation est incomplète, des récidives peuvent survenir ; si l'ostéome siège sur un membre, la mise au repos de celui-ci est conseillée.

■ **L'ostéome ostéoïde** est une tumeur bénigne constituée d'ostéoblastes (cellules produisant le tissu osseux), richement vascularisée, apparaissant dans 90 % des cas entre 5 et 25 ans, avec une nette prédominance masculine. Il siège surtout sur les os longs des membres (fémur, humérus, radius, tibia) et sur les vertèbres et se traduit par des douleurs en général nocturnes, soulagées par l'aspirine. Le diagnostic repose sur la scintigraphie osseuse et la radiographie, qui montre une importante condensation osseuse, avec, en son centre, une zone claire caractéristique, appelée nidus. L'ostéome ostéoïde, dont l'évolution est très lente, doit être retiré chirurgicalement.

Ostéomyélite

Maladie infectieuse grave, chronique ou aiguë, du tissu osseux.

Le microbe responsable de l'ostéomyélite est le staphylocoque doré. Il contamine l'os par la voie sanguine, à partir d'une infection locale (plaie infectée, abcès, fracture ouverte). L'ostéomyélite atteint surtout les os longs (tibia, fémur, humérus) ; elle se déclare plus particulièrement chez les enfants ou les adolescents.

SYMPTÔMES ET SIGNES

L'ostéomyélite se signale par des douleurs intenses de l'os atteint, accompagnées d'une impotence fonctionnelle totale, par une inflammation et un gonflement local, une forte fièvre et une altération de l'état général. Parfois, les symptômes sont moins intenses, semblables à ceux de la grippe.

DIAGNOSTIC ET TRAITEMENT

Le diagnostic repose sur l'hémoculture (culture du sang pour mise en évidence du germe) et sur la scintigraphie osseuse. Le traitement doit être entrepris d'urgence. Il consiste en une antibiothérapie prolongée (plusieurs mois), avec immobilisation de l'os infecté par un plâtre. Une intervention chirurgicale (ablation et greffe osseuse) peut être nécessaire en cas d'ostéomyélite aiguë, pour enlever un séquestre (fragment osseux isolé), ou en cas d'ostéomyélite chronique.

Ostéonécrose

Mort d'un fragment de tissu osseux, due à une interruption de la circulation sanguine, aboutissant à un infarctus osseux. SYN. *nécrose osseuse aseptique.*

Les travées osseuses de l'os mort ne se renouvellent plus et finissent par s'effondrer. Si l'ostéonécrose touche une zone articulaire, l'articulation se déforme et devient douloureuse. Une ostéonécrose peut atteindre toutes les articulations, en particulier la tête du fémur, de l'humérus et le condyle interne (extrémité inférieure) du fémur.

CAUSES

Une ostéonécrose peut survenir à la suite d'un traumatisme (fracture du col du fémur sectionnant ses vaisseaux nourriciers ; fracture du semi-lunaire au poignet) ou d'une hyperpression osseuse (ostéonécrose des plongeurs sous-marins), au cours de certaines affections (diabète, drépanocytose, alcoolisme) ou d'un traitement par les corticostéroïdes. Parfois, surtout chez l'enfant, on ne retrouve pas de cause.

SYMPTÔMES ET DIAGNOSTIC

La douleur entraîne une diminution de la mobilité articulaire. Le diagnostic précoce repose sur la scintigraphie osseuse ou l'imagerie par résonance magnétique (I.R.M.), la radiographie ne donnant des signes que plus tardivement, lorsque l'os nécrosé s'est affaissé.

TRAITEMENT

Si l'os nécrosé n'est pas écrasé, le traitement consiste à le mettre en décharge, le patient devant marcher à l'aide de cannes pendant 3 ou 4 mois. Si, au contraire, l'os nécrosé se trouve dans une zone osseuse supportant le poids du corps (fémur, tibia), une ostéotomie (section de l'os) et, parfois, la pose d'une prothèse articulaire sont nécessaires.

Ostéopathie

1. Toute maladie osseuse.
2. Méthode thérapeutique manuelle utilisant des techniques de manipulations vertébrales ou musculaires.

Fondée aux États-Unis en 1874 par le médecin américain Andrew Taylor Still, l'ostéopathie admet que le bien-être du corps humain est lié au bon fonctionnement de son appareil locomoteur (squelette, articulations, tendons, nerfs et muscles). Elle peut ainsi agir à distance, à partir du système musculosquelettique, sur les principaux organes du corps humain, en utilisant des techniques de torsion, d'élongation et de pression. Les manipulations ostéopathiques sont, normalement, effectuées par un médecin. Brèves, s'accompagnant d'un léger craquement, elles sont, habituellement, indolores. En France, à la différence des États-Unis, certains ostéopathes ne sont pas médecins.

Ostéopériostite

→ VOIR Périostite.

Ostéopétrose

Épaississement et durcissement, généralisé ou localisé, du squelette. SYN. *maladie d'Albers-Schönberg, maladie des os de marbre.*

Dans sa forme la plus fréquente, à transmission autosomique (par un chromosome non sexuel) récessive (il doit être reçu du père et de la mère pour que la maladie se manifeste), l'ostéopétrose apparaît dès les premiers mois de la vie et se traduit par des fractures quasi spontanées, une anémie, une augmentation de volume de la rate et des troubles visuels.

TRAITEMENT

Il n'existe pas de traitement spécifique de l'ostéopétrose. Un régime hypocalcique permet parfois de freiner son évolution ; des greffes de moelle osseuse, méthode encore expérimentale, ont été tentées chez certains malades.

Ostéophyte

Excroissance osseuse développée au pourtour d'une surface articulaire dont le cartilage est altéré par l'arthrose.

Les ostéophytes témoignent des tentatives de réparation de l'organisme. Aux doigts, ils sont à l'origine des nodosités d'Heberden. Sur le rachis, ils forment ce que l'on appelle couramment des « becs-de-perroquet ». Ils sont en outre caractéristiques de la maladie hyperostosante.

Les ostéophytes, extra-articulaires, ne gênent pas le fonctionnement de l'articulation, mais augmentent le volume osseux. Indolores, même lorsqu'ils sont de dimension importante, ils ne nécessitent pas de traitement spécifique.

Ostéoplastie

Intervention chirurgicale consistant à restaurer un os à l'aide de greffons osseux ou d'une prothèse.

En stomatologie, l'ostéoplastie maxillaire permet de régulariser de façon harmonieuse la surface des maxillaires. Elle se pratique surtout lorsque l'on veut réaliser une prothèse amovible et qu'il existe des exostoses (petites tumeurs osseuses bénignes) dont la compression serait douloureuse, des tubérosités ou des crêtes maxillaires volumineuses.

Ostéoporose

Diminution progressive de la trame protéique de l'os, qui reste cependant normalement minéralisé.

L'allègement de la trame protéique osseuse est un phénomène naturel, appelé ostéopénie physiologique, lié au vieillissement du squelette. L'ostéoporose est caractérisée par l'exagération de ce processus, du fait d'un déséquilibre entre l'activité des ostéoblastes (cellules assurant la formation du tissu osseux) et celle des ostéoclastes (cellules assurant la destruction du tissu osseux) : pour un même volume, l'os est moins dense, donc plus fragile. Les causes des ostéoporoses sont multiples. La plus commune est l'ostéoporose postménopausique : à la ménopause, le taux des œstrogènes (hormones protectrices du tissu osseux) chute.

Au cours de cette maladie, l'os se fragilise du fait d'une raréfaction de sa trame protéique. Des douleurs chroniques, des tassements vertébraux, voire des fractures, en résultent. Parfois, cependant, la maladie ne se traduit par aucun symptôme : le diagnostic doit alors être confirmé par biopsie osseuse et grâce à l'imagerie médicale (absorptiométrie biphotonique).

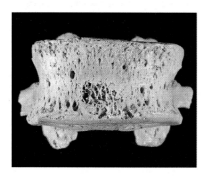

Cette vertèbre ostéoporotique a une trame osseuse moins dense, ce qui la rend plus exposée aux tassements vertébraux.

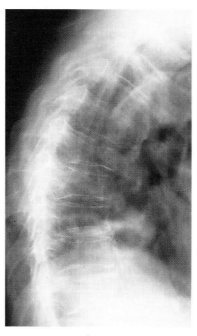

Sur cette radiographie de profil du rachis dorsal, les vertèbres sont presque transparentes et tassées, surtout vers l'avant.

L'ostéoporose sénile s'observe chez les personnes des deux sexes après 70 ans, et sa fréquence augmente avec l'âge ; elle est favorisée par la sédentarité, l'absence d'exposition à la lumière naturelle (qui permet la synthèse de la vitamine D par la peau), un régime pauvre en calcium et en protéines. L'ostéoporose peut aussi être d'origine endocrinienne ou médicamenteuse : excès d'hormones thyroïdiennes (liée à une hyperthyroïdie ou à un traitement mal dosé d'une hypothyroïdie) ou parathyroïdienne (présence d'un adénome sur une des glandes parathyroïdes), de corticostéroïdes (maladie de Cushing, traitement par les corticostéroïdes), etc. Ces ostéoporoses peuvent survenir à tout âge. L'ostéoporose peut également survenir chez l'homme, favorisée par la consommation de boissons alcoolisées et de tabac. Exceptionnelle chez la femme jeune, elle se révèle alors au cours de la grossesse. D'autres sont plus complexes et plus graves : celles qui accompagnent l'urticaire pigmentaire (affection due à une prolifération de certaines cellules, les mastocytes, dans les tissus) ou un diabète phosphoré. Enfin, il existe des ostéoporoses héréditaires, dont l'exemple principal est l'ostéogenèse imparfaite.

SYMPTÔMES ET SIGNES
Les fractures sont les principales manifestations de l'ostéoporose. Leur siège varie selon que la diminution de la densité osseuse affecte l'os cortical ou l'os spongieux.

■ Quand l'ostéoporose touche l'os cortical, les fractures affectent en général l'extrémité inférieure du poignet, la tête de l'humérus et, lorsque le sujet est âgé, le col du fémur. Elles peuvent aussi affecter le bassin et le sacrum sous une forme de fractures de fatigue.

■ Quand l'ostéoporose touche l'os spongieux, particulièrement abondant dans les vertèbres, les fractures se traduisent par des tassements vertébraux qui surviennent brutalement, entraînant une douleur dorsale ou lombaire aiguë souvent prise pour un lumbago. La douleur est vive pendant 10 jours et disparaît progressivement en 3 ou 4 semaines. Le tassement se consolide, mais la vertèbre reste déformée, pouvant être à l'origine de douleurs chroniques n'apparaissant qu'à la station debout.

DIAGNOSTIC
Très souvent, un tassement vertébral ou une transparence excessive à la radiographie permettent de détecter une ostéoporose. L'absorptiométrie le plus souvent aux rayons X mesure la densité osseuse et permet d'apprécier l'importance de l'ostéoporose. Son évolution peut être suivie en mesurant régulièrement la taille du patient. Un tassement vertébral fait perdre entre 1 et 2 centimètres. Une ostéoporose comportant de multiples tassements peut faire perdre de 15 à 20 centimètres.

TRAITEMENT ET PRÉVENTION
Le traitement de l'ostéoporose postménopausique repose sur la prescription d'œstrogènes naturels. Celui des ostéoporoses endocriniennes ou médicamenteuses est celui de leur cause. Parmi les autres traitements médicaux proposés pour lutter contre l'évolution de l'ostéoporose, on peut citer la prise de calcium, de vitamine D et de bisphosphonates (etidronate, alendronate). Après plusieurs années de traitement, les bisphosphonates augmentent la densité osseuse et diminuent le nombre de fractures vertébrales.

La prévention de l'ostéoporose est donc indispensable. L'immobilité favorisant la perte osseuse, l'exercice physique (marche), voire la pratique régulière d'activités sportives, peut être utile ; tout surentraînement a cependant des effets néfastes. Il est recommandé d'avoir une alimentation riche en calcium et en protéines (lait, produits laitiers, viande, poisson) et de limiter la consommation d'alcool et de tabac. Toutes ces mesures visent à diminuer la fréquence des tassements vertébraux chez la femme après 60 ans et des fractures du col du fémur dans les deux sexes après 80 ans.

Ostéopsathyrose
→ VOIR Lobstein (maladie de).

Ostéosarcome
Tumeur maligne de l'os. SYN. *sarcome ostéogénique*.

L'ostéosarcome est la plus fréquente des tumeurs malignes osseuses primitives (elles ne sont pas formées par les métastases issues d'un autre cancer). Dans la majorité des cas, elle survient chez l'enfant et l'adolescent. Sa cause est le plus souvent inconnue, en dehors de certaines formes touchant l'adulte et liées à la cancérisation d'une maladie osseuse de Paget.

SYMPTÔMES ET SIGNES
La tumeur se développe habituellement sur la partie moyenne des os longs se trouvant au voisinage de l'articulation du genou (fémur, tibia) et de l'épaule (humérus). Un ostéosarcome s'étend assez rapidement aux tissus adjacents, détruit l'os sain avoisinant ; on distingue les formes centrales, qui envahissent la médullaire osseuse (partie centrale de l'os), des formes périphériques, qui se développent à partir du périoste (membrane conjonctive qui entoure l'os et assure sa croissance en épaisseur). L'ostéosarcome peut aussi se disséminer par voie sanguine (métastases pulmonaires).

Un ostéosarcome se traduit par une tuméfaction locale légèrement inflammatoire, douloureuse ; à un stade plus avancé, la tuméfaction est grosse et devient très douloureuse. Parfois, il est révélé par une fracture « pathologique », c'est-à-dire survenant spontanément ou après un traumatisme minime. Le diagnostic repose sur la radiographie et sur l'examen histologique de la tumeur après biopsie ; il comprend la recherche d'éventuelles métastases, essentiellement pulmonaires.

TRAITEMENT
Il repose sur la chimiothérapie et sur l'ablation chirurgicale de la tumeur ; celle-ci doit être la plus large possible ; on essaie toutefois de conserver la plus grande partie du membre atteint afin de faciliter la pose d'une prothèse articulaire ; l'amputation, exceptionnelle, est réservée aux tumeurs volumineuses ou aux récidives. Les résultats de l'opération sont largement satisfaisants.

Ostéosclérose
Accroissement de la densité osseuse, souvent en réaction à une lésion de voisinage.

L'ostéosclérose peut être la séquelle d'une fracture (cal osseux) ou d'une ostéite (inflammation de l'os), ou la conséquence d'une arthrose, l'os n'étant plus protégé des à-coups de pression par le cartilage altéré. Elle est visible à la radiographie. Il n'existe pas de traitement spécifique de l'ostéosclérose, qui est souvent irréversible.

Ostéosynthèse

Réassemblage des fragments osseux d'une fracture à l'aide de vis, d'agrafes, de plaques vissées, de clous, de broches ou de tout autre moyen mécanique.

On immobilise surtout par ostéosynthèse les fractures instables ou risquant de léser des éléments anatomiques (artères, nerfs, etc.). Chez des sujets âgés, en cas de fracture du col du fémur notamment, cette technique permet en outre de limiter les conséquences d'un alitement prolongé (escarres, embolie pulmonaire, dénutrition, risque d'infection urinaire et pulmonaire, etc.). En effet, lorsque l'on a recours à l'ostéosynthèse, l'immobilisation est beaucoup plus stricte, et donc moins longue, qu'avec un autre procédé (plâtre, attelle). Souvent, la rééducation peut même commencer dans les jours qui suivent l'intervention, bien qu'il soit préférable de rester prudent et parfois même d'associer à cette ostéosynthèse une immobilisation complémentaire (plâtre, par exemple). Le matériel d'ostéosynthèse, parfois volumineux et gênant, est enlevé au bout de 6 à 18 mois. Les fractures ouvertes, entraînant des dégâts musculaires et cutanés importants, nécessitent une ostéosynthèse par fixateur externe : de grosses broches, reliées et solidarisées entre elles par une ou plusieurs pièces métalliques, immobilisent l'os à travers la peau et les muscles, à distance du foyer de fracture.

Ostéotomie

Section chirurgicale d'un os afin de modifier son axe, sa taille ou sa forme.

Une ostéotomie est en général pratiquée en cas de traumatisme osseux, par exemple pour redresser un os fracturé consolidé en mauvaise position, ou de déformation osseuse (hallux valgus, genu varum, genu valgum). En chirurgie dentaire, on a recours à cette technique pour dégager de l'os une dent fracturée ou très cariée, pour replacer un maxillaire en cas de prognathie ou pour extraire une dent de sagesse incluse.

TECHNIQUE

Lorsque l'ostéotomie est pratiquée sur un os fracturé consolidé en mauvaise position, celui-ci est sectionné sous anesthésie générale de part et d'autre de la zone à laquelle on doit rendre son axe normal ; les deux extrémités sont ensuite réalignées. Selon les modifications d'axe à obtenir, on distingue les ostéotomies de soustraction ou d'addition (soustraction ou addition d'un fragment d'os), les ostéotomies de varisation (déviation d'un axe vers l'intérieur) ou de valgisation (déviation d'un axe vers l'extérieur), de flexion, d'extension, de rotation. Les corrections ainsi obtenues sont le plus souvent maintenues par ostéosynthèse (plaque métallique, clou, etc.) pendant une période allant de 45 jours à 3 mois ou, en chirurgie maxillofaciale, par une gouttière ou des ligatures maintenant solidement les maxillaires pendant 1 mois environ ; l'alimentation doit, dans ce dernier cas, être liquide. En chirurgie dentaire, une ostéotomie se fait habituellement sous anesthésie locale.

Otalgie

Douleur de l'oreille.

Une otalgie peut être liée à une affection de l'oreille (otite) ou avoir une cause neurologique (névralgie du nerf trijumeau, qui innerve le visage), dentaire (carie), articulaire (arthrite de l'articulation temporomandibulaire) ou pharyngolaryngée (angine, cancer du pharynx ou du larynx). Le traitement, outre celui de la cause, repose sur l'administration d'analgésiques pour combattre la douleur.

Othématome

Hématome du pavillon de l'oreille.

Un othématome est causé par un traumatisme ; il survient souvent au cours de la pratique d'un sport (rugby). Il se traduit par une grosseur violacée sur le pavillon et risque d'évoluer vers la fonte du cartilage, qui laisserait des séquelles inesthétiques. Le traitement, impératif, repose sur l'évacuation chirurgicale du sang de l'hématome. La prévention consiste à porter un bandeau maintenant les oreilles au cours de la pratique sportive.

Otite

Inflammation des cavités de l'oreille moyenne, de la muqueuse qui les tapisse et du tympan (myringite). SYN. *otite moyenne.*

Les otites peuvent être aiguës, subaiguës ou chroniques, selon leur évolution.

Otite aiguë

Il s'agit d'une inflammation par infection bactérienne (pneumocoque, hæmophilus, streptocoque, staphylocoque), parfois virale, qui touche le plus souvent les enfants de 6 mois à 2 ans, et particulièrement les enfants élevés en collectivité. L'infection est d'abord pharyngée, puis se propage à l'oreille par le canal de la trompe d'Eustache.

OTITE

Le diagnostic d'une otite repose sur l'examen clinique du malade (fièvre, douleur, troubles digestifs), mais surtout sur l'otoscopie, examen qui consiste à examiner le tympan à l'aide d'un spéculum introduit dans le conduit auditif.

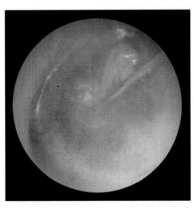

À l'état normal, le tympan est une membrane translucide, de couleur rosée.

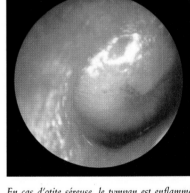

En cas d'otite séreuse, le tympan est enflammé et légèrement bombé.

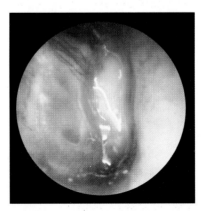

Lors d'une otite purulente, le pus se voit par transparence (en jaune) au travers du tympan.

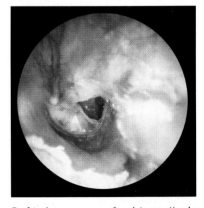

Parfois, le tympan se perfore, laissant s'écouler du pus et des sécrétions.

SYMPTÔMES ET SIGNES

Une otite aiguë se traduit par une douleur violente de l'oreille, associée à une fièvre d'environ 38,5 °C, parfois à des vomissements. Chez le nourrisson, elle se manifeste par des pleurs, des troubles digestifs, une perte d'appétit. En l'absence de traitement, l'otite évolue selon quatre stades : otite congestive, où le tympan est simplement rouge ; otite catarrhale, où le tympan devient lisse et opaque ; otite purulente, où le bombement du tympan témoigne de la présence de pus dans la caisse du tympan ; otite perforée, où une perforation dans le tympan laisse le pus s'écouler à l'extérieur.

Les complications d'une otite aiguë non traitée, aujourd'hui rares, sont l'extension de l'infection à la mastoïde (os situé derrière l'oreille), au labyrinthe (oreille interne), aux méninges ou au nerf facial, entraînant une paralysie de ce nerf.

TRAITEMENT

Il est nécessaire de faire soigner sans délai un enfant qui se plaint des oreilles ou dont la fièvre ne tombe pas. Le traitement d'une otite aiguë est fondé sur l'administration d'antibiotiques, associée ou non à une paracentèse (perforation chirurgicale du tympan) lorsque le tympan est bombé.

Otite subaiguë

Il s'agit en général d'une otite séreuse, inflammation de l'oreille accompagnée d'un épanchement liquidien (sans pus), due à un mauvais fonctionnement de la trompe d'Eustache. Elle se manifeste par des otites aiguës à répétition et/ou par une baisse de l'audition ; l'otite subaiguë constitue la première cause d'audition défectueuse chez l'enfant.

Le diagnostic repose sur l'otoscopie (examen du conduit auditif externe et du tympan) ; la baisse d'audition est estimée par un audiogramme.

Le traitement, malaisé, repose selon les cas sur l'administration d'antibiotiques, sur l'ablation des végétations adénoïdes, sur la pose d'un aérateur transtympanique (yoyo) ou, éventuellement, sur les cures thermales.

Otite chronique

Il existe deux types d'otite chronique : l'otite muqueuse, caractérisée par une perforation du tympan, et l'otite cholestéatomateuse, provoquée par le développement dans l'oreille interne d'un kyste de l'épiderme, le cholestéatome.

Une otite chronique se traduit par une baisse de l'audition et par un écoulement ; l'otite chronique cholestéatomateuse se complique, dans certains cas, de paralysie faciale, de labyrinthite ou de méningite.

Le diagnostic repose sur l'examen clinique ; le traitement est surtout chirurgical et consiste à réparer le tympan ou à pratiquer l'ablation du cholestéatome.

Otite externe

Inflammation de la peau qui tapisse le conduit auditif externe.

Une otite externe est due à une infection par une bactérie ou un champignon micro-scopique. Elle se traduit par une douleur, des démangeaisons et un écoulement. Le traitement consiste à instiller des gouttes d'antiseptique, d'antibiotique ou d'antifongique dans l'oreille.

Otoémission acoustique

Émission d'un son par l'oreille interne.

L'otoémission acoustique est un phénomène normal, uniquement perceptible à l'aide d'un appareil d'enregistrement spécifique.

L'enregistrement de ce son est fréquemment réalisé chez le nouveau-né, en cas de suspicion de surdité ; sa mesure, qui présente l'avantage d'être indolore, rapide et objective, permet en effet de dépister la surdité à un stade très précoce.

Otomycose

Infection par un champignon microscopique de la peau tapissant le conduit auditif externe de l'oreille.

Une otomycose se manifeste par une douleur, des démangeaisons et un écoulement. Le diagnostic repose sur l'examen clinique de l'oreille, complété par un prélèvement. L'otomycose est traitée par application locale de médicaments antifongiques pendant plusieurs jours.

Otoplastie

Intervention chirurgicale consistant à corriger une disgrâce esthétique ou une malformation du pavillon de l'oreille.

L'otoplastie concerne aussi bien des disgrâces mineures - mais sources de complexes - telles que les oreilles décollées et les oreilles trop grandes ou au contraire trop petites, que l'absence totale ou partielle du pavillon, qu'elle soit congénitale ou consécutive à un traumatisme.

Le traitement chirurgical des malformations complexes de l'oreille est très délicat et nécessite plusieurs interventions, en général de 3 à 5. Le principe en est l'utilisation de cartilage et de tissus mous prélevés dans la région temporale et mastoïdienne, puis refaçonnés. En cas d'absence totale de l'oreille, il est possible d'implanter une prothèse en silicone, fixée à la mastoïde par des implants en titane. Une reconstruction totale de l'oreille avec des tissus autologues (prélevés sur le patient lui-même) est également possible.

En revanche, les corrections mineures, notamment celles d'oreilles décollées, requièrent une hospitalisation unique d'environ 48 heures, puis le port d'un pansement compressif pendant quelques jours après l'intervention. Les suites opératoires sont peu douloureuses, la cicatrisation intervenant en 15 jours ; les résultats sont, en général, très bons. Il est conseillé aux parents désireux de faire opérer leur enfant d'attendre que celui-ci en formule lui-même la demande.

Oto-rhino-laryngologie

Spécialité médicale et chirurgicale étudiant la physiologie des oreilles, du nez et de la gorge (larynx et pharynx), la pathologie et le traitement des maladies d'une région anatomique comprise entre la base du crâne et l'orifice supérieur du thorax, excepté les dents et les yeux.

Les principales affections prises en charge en oto-rhino-laryngologie (O.R.L.) sont les infections, les surdités, les vertiges, les tumeurs, les interventions de chirurgie esthétique de la face et du cou, et les interventions chirurgicales des amygdales, des végétations, des glandes parotides et de la thyroïde.

Otorragie

Écoulement de sang provenant de l'oreille.

Une otorragie a des causes traumatiques (blessure ou fracture du conduit auditif externe ou de l'oreille moyenne), infectieuses (otite aiguë ou chronique) ou tumorales. Elle nécessite une consultation rapide ou, si l'on craint une cause traumatique, une hospitalisation.

Otorrhée

Écoulement de liquide provenant de l'oreille.

L'écoulement peut être séreux (fluide et clair), muqueux (plus épais et opaque) ou purulent (épais et jaune ou vert). La cause est souvent une inflammation, d'origine principalement infectieuse, du conduit auditif externe ou de l'oreille moyenne (otite). Il peut s'agir aussi d'un écoulement du liquide céphalorachidien (liquide qui se trouve dans les méninges), après un traumatisme crânien ; cet écoulement est alors limpide, couleur « eau de roche ».

Une otorrhée nécessite une consultation rapide ou une hospitalisation en cas de traumatisme et d'écoulement du liquide céphalorachidien.

Otoscope

Instrument permettant l'examen du conduit auditif du tympan.

L'otoscope comprend un spéculum, petit cône creux introduit dans le conduit auditif, éventuellement muni d'un éclairage et d'une loupe. L'examen est parfois un peu désagréable, mais non douloureux. Il permet notamment d'observer le tympan en cas d'otite ou de surdité.

Otospongiose

Maladie héréditaire de l'oreille moyenne, d'évolution progressive et entraînant une surdité.

L'otospongiose survient après la puberté, le plus souvent chez la femme. C'est une affection entraînant un blocage des mouvements de l'étrier, osselet de l'oreille moyenne qui s'appuie normalement sur le labyrinthe ; cette immobilisation est responsable d'une diminution des vibrations de l'étrier et d'une mauvaise transmission des sons vers l'oreille interne.

Le traitement de l'otospongiose est la stapédectomie (ablation chirurgicale de l'étrier), suivie d'un remplacement de l'étrier par une prothèse en forme de piston. L'intervention, qui connaît un très bon taux de réussite (90 % des cas), entraîne la

Les deux ovaires, glandes génitales féminines, sont situés sous les trompes de Fallope, ou trompes utérines. Ils contiennent les follicules, petites vésicules où les ovocytes se transforment en ovules, et produisent des hormones nécessaires au bon fonctionnement du système de reproduction féminin.

Anatomie et physiologie de l'ovaire

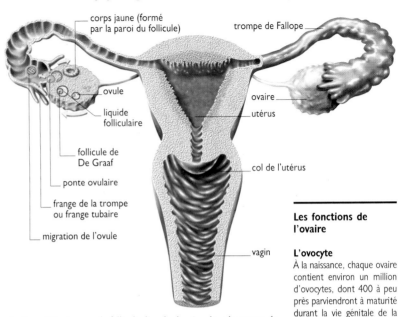

corps jaune (formé par la paroi du follicule)

trompe de Fallope

ovule

liquide folliculaire

ovaire

utérus

follicule de De Graaf

ponte ovulaire

col de l'utérus

frange de la trompe ou frange tubaire

migration de l'ovule

vagin

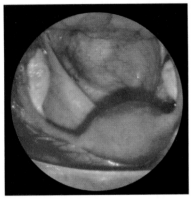

Sur cette cœlioscopie, on distingue l'utérus (en rouge-orangé), d'où partent de chaque côté les trompes de Fallope, et les ovaires (en blanc).

Après sa libération par le follicule, l'ovule chemine dans la trompe de Fallope. S'il est fécondé, l'œuf ainsi formé s'implante dans l'utérus. Dans le cas contraire, il est éliminé lors de la menstruation.

Les fonctions de l'ovaire

L'ovocyte
À la naissance, chaque ovaire contient environ un million d'ovocytes, dont 400 à peu près parviendront à maturité durant la vie génitale de la femme. Chaque ovocyte est contenu dans une minuscule cavité, le follicule.

Le follicule
Le 14e jour de chaque cycle menstruel, un follicule se rompt, expulsant un ovocyte mature, ou ovule, dans les trompes de Fallope : c'est l'ovulation.

L'ovule
C'est la cellule femelle de la reproduction, capable de fusionner avec le spermatozoïde masculin pour former un œuf.

Le corps jaune
Après l'ovulation, le follicule, vide, dégénère en corps jaune et sécrète une hormone féminine, la progestérone.

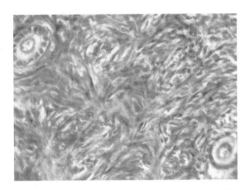

Deux follicules au premier jour du cycle menstruel (visibles, l'un en haut à gauche, l'autre en bas à droite) avec, au centre, l'ovocyte qu'ils contiennent.

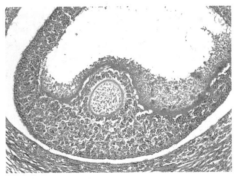

Follicule au 12e jour du cycle : l'ovocyte, mûr et fécondable, est devenu un ovule prêt à être expulsé dans une trompe de Fallope pour y être éventuellement fécondé.

---

récupération définitive d'une bonne partie de l'acuité auditive. Cette intervention comporte un risque de dégradation de l'oreille interne pouvant engendrer une surdité.

Ototoxique
Nocif pour l'appareil auditif.

Certaines substances médicamenteuses (antibiotiques comme les aminosides, les cisplatines, l'aspirine, la quinine, certains diurétiques) ont des propriétés ototoxiques qui peuvent entraîner une baisse de l'audition.

L'administration de ces médicaments implique donc une surveillance régulière de l'audition, reposant sur la pratique d'audiogrammes.

Ouraque
Canal embryonnaire reliant le conduit urogénital à l'ombilic.

L'ouraque dérive de l'allantoïde, cavité embryonnaire dont la partie inférieure évolue pour former la vessie et dont la partie supérieure se transforme en canal aboutissant à l'ombilic. Normalement, ce canal s'obture très tôt chez l'embryon, pour ne persister à la naissance que sous la forme d'un cordon fibreux reliant la vessie à l'ombilic.

Une persistance du canal à la naissance entraîne une fistule urinaire ombilicale (communication anormale par laquelle l'urine s'écoule à l'extérieur par l'ombilic), une fistule borgne (non ouverte sur l'extérieur), qui réalise un diverticule de la vessie, ou un kyste de l'ouraque. Le traitement de ces anomalies est chirurgical, mais n'intervient qu'en cas de complication (infection, par exemple).

Des tumeurs de l'ouraque, bénignes ou cancéreuses, peuvent aussi se former sur la vessie, surtout chez l'adulte. Leur ablation est chirurgicale.

Ovaire
Chacune des deux glandes génitales de la femme. (P.N.A. *ovarium*)

Les ovaires, avec les deux trompes de Fallope et l'utérus, constituent l'appareil génital interne féminin.

STRUCTURE
Chez la femme adulte, les ovaires sont de petites billes de 4 centimètres de longueur, de 2 centimètres de largeur et de 1 centimètre d'épaisseur. Ils sont situés de part et d'autre de l'utérus et leur face interne correspond au pavillon de la trompe. Des ligaments les relient aux organes voisins (utérus, trompes), mais ils restent mobiles. Un ovaire est composé de 2 couches de tissu : au centre, la partie médullaire contient les vaisseaux sanguins assurant l'irrigation ; à la périphérie, la partie corticale, qui occupe les deux tiers de la glande, contient à la naissance tous les follicules qui assureront

au cours de chaque cycle menstruel la maturation d'un ovocyte et l'expulsion d'un ovule, élément femelle de la reproduction.

FONCTION

Le rôle de l'ovaire est double : d'une part, il libère tous les mois chez la femme, de la puberté à la ménopause, un ovule mûri dans le follicule ; d'autre part, il sécrète les hormones sexuelles féminines (œstrogènes). Le follicule ovarien dégénère ensuite en corps jaune, sécrétant œstrogènes et progestérone et régressant en fin de cycle en l'absence de fécondation. La stimulation de l'ovaire obéit à la sécrétion des gonadotrophines hypophysaires, les hormones folliculostimulante (FSH) et lutéinisante (LH).

EXAMENS

La palpation de l'abdomen permet de rechercher des kystes ovariens. Les deux examens principaux des ovaires sont l'échographie et la cœlioscopie (introduction d'une optique par une petite incision abdominale).

PATHOLOGIE

L'ovaire peut être le siège de lésions inflammatoires dans le cadre d'une salpingite (inflammation d'une ou des trompes), de tumeurs bénignes (kystes) ou malignes (cancers), les dysembryomes pouvant être bénins ou malins. Certaines de ces tumeurs sécrètent des hormones féminisantes (œstrogènes) ou masculinisantes (androgènes). L'insuffisance ovarienne entraîne des troubles du cycle menstruel et, souvent, une stérilité.

Ovaire (cancer de l')

Cancer qui atteint l'ovaire, essentiellement sous la forme d'un adénocarcinome (tumeur maligne se développant sur les tissus muqueux ou glandulaires).

Le cancer de l'ovaire est peu fréquent ; il se situe au 4e rang des cancers gynécologiques et survient le plus souvent après la ménopause.

SYMPTÔMES ET DIAGNOSTIC

Les symptômes sont banals : douleurs abdominales et pelviennes, anémie, amaigrissement, fatigue, manque d'appétit.

Le cancer de l'ovaire est diagnostiqué à la palpation abdominale, complétée par l'échographie, le scanner et la biopsie de la tumeur.

TRAITEMENT

Il est chirurgical et consiste à enlever les deux ovaires et les deux trompes (annexectomie bilatérale) ainsi que l'utérus (hystérectomie). Ce traitement est souvent associé à une chimiothérapie et, plus rarement, à une radiothérapie. Une surveillance régulière de la femme est nécessaire après le traitement : en effet, la majorité des cancers de l'ovaire sécrètent des substances appelées marqueurs tumoraux qui, présentes dans le sang, témoignent de métastases pelviennes ou disséminées à distance (foie, par exemple).

PRONOSTIC ET PRÉVENTION

Le diagnostic tardif du cancer de l'ovaire explique son mauvais pronostic. Aussi une surveillance gynécologique régulière (tous les ans) est-elle nécessaire pour permettre un dépistage et un traitement plus précoces.

→ VOIR Krukenberg (tumeur de).

Ovaire (kyste de l')

Collection anormale de liquide, délimitée par une membrane et située à l'intérieur d'un ovaire.

La taille d'un kyste de l'ovaire est très variable (de quelques millimètres à plusieurs centimètres de diamètre). Un ovaire présentant plusieurs kystes est dit polykystique.

DIFFÉRENTS TYPES DE KYSTE DE L'OVAIRE

▪ **Les kystes fonctionnels** représentent 90 % des cas. Ils résultent d'un hyperfonctionnement des hormones qui régulent l'ovaire. On distingue le kyste folliculaire, résultant de l'évolution anormale d'un follicule qui, au lieu d'éclater au 14e jour du cycle, continue à grossir, et le kyste lutéal, dû à une distension du corps jaune (tissu formé par la transformation du follicule après l'ovulation). Ces kystes peuvent changer de volume, disparaissant avec les règles et réapparaissant au cycle suivant.

▪ **Les kystes organiques**, de cause inconnue, sont permanents ; leur morphologie demeure identique quel que soit le moment du cycle. On en distingue différents types : le kyste dermoïde, formé d'une architecture cellulaire identique à celle de la peau, le kyste mucoïde, dû à une sécrétion locale de mucine (substance de consistance pâteuse composée de sucres complexes), et le kyste séreux (de contenu plus fluide).

SYMPTÔMES ET SIGNES

Dans de nombreux cas, un kyste de l'ovaire ne se traduit par aucun signe et est découvert à l'occasion d'un examen gynécologique (toucher vaginal associé à une palpation de l'abdomen) qui révèle une masse indolore et mobile, séparée de l'utérus par un sillon. Dans d'autres cas, le kyste provoque une sensation de pesanteur abdominale, des douleurs pendant les rapports sexuels, une aménorrhée (arrêt des règles) ou un saignement, ou encore une gêne pour uriner. Certains kystes sécrètent des hormones féminisantes (œstrogènes) ou masculinisantes (androgènes). Les premiers sont sans symptômes, les seconds entraînent une raucité de la voix et une pilosité abondante.

Un kyste de l'ovaire est susceptible de se tordre, de s'infecter ou de se rompre, entraînant une violente douleur associée à des nausées et à des vomissements. Une fièvre s'ajoute à ces symptômes en cas d'infection.

DIAGNOSTIC ET TRAITEMENT

Le diagnostic est confirmé par une échographie pelvienne, qui permet de préciser la taille du kyste. Une radiographie du petit bassin aide à en déterminer le type.

Le traitement des kystes fonctionnels fait appel à un médicament comme la « pilule », bloquant l'ovulation ; le kyste disparaît normalement en quelques cycles. Les kystes organiques sont traités par ablation, réalisée le plus souvent par cœlioscopie. Dans la plupart des cas, l'ovaire est conservé et la fécondité préservée.

En cas de torsion du kyste, l'intervention, consistant à détordre puis à enlever le kyste, doit être réalisée en urgence ; tout retard pourrait en effet entraîner la nécrose de la trompe et de l'ovaire et amener à retirer chirurgicalement les deux organes. Cette opération n'entraîne toutefois pas la stérilité puisque la trompe et l'ovaire controlatéraux demeurent fonctionnels.

Ovaires polykystiques (syndrome des)

Affection chronique caractérisée par la présence sur les ovaires de multiples kystes durs de taille variable, par des troubles des règles, une pilosité abondante et un poids excessif. SYN. *dystrophie ovarienne, ovarite sclérokystique, polykystose ovarienne, syndrome de Stein-Leventhal.*

Le syndrome des ovaires polykystiques est de cause encore inconnue. Les troubles menstruels consistent en une absence ou une irrégularité des règles et en des troubles de l'ovulation. Toutefois, certaines femmes ont des grossesses sans problèmes malgré les anomalies de leur cycle menstruel.

DIAGNOSTIC

Le diagnostic par examen gynécologique est souvent difficile et doit être confirmé par des examens hormonaux statiques (le dosage des androgènes dans le sang montre un excès de leur sécrétion par les ovaires) et dynamiques (le test à la gonadolibérine, [Gn-RH] ou [LH-RH], qui consiste à injecter cette hormone à la patiente et à doser l'hormone lutéinisante [LH] avant et après, révèle un excès de sa sécrétion hypophysaire). Ces examens sont complétés par une échographie pelvienne.

TRAITEMENT

Le traitement est celui des symptômes. Il peut consister à induire l'ovulation si la femme désire être enceinte, mais les résultats restent médiocres. Un traitement cœliochirurgical est parfois envisageable ; le laser ou la résection cœliochirurgicale d'une partie de la paroi de l'ovaire permet parfois de produire des ovulations. S'il n'y a pas désir de grossesse, un traitement hormonal par les antiandrogènes sert à régulariser les règles et à faire diminuer la pilosité en quelques mois. La contraception orale permet parfois de faire disparaître les kystes.

Ovariectomie

Ablation chirurgicale d'un ou des deux ovaires. SYN. *oophorectomie.*

Une ovariectomie est pratiquée en cas de tumeur ou de kyste de l'ovaire ; plus rarement, elle est indiquée en cas de cancer hormonodépendant (sensible au taux sanguin d'hormones œstrogènes), comme le cancer du sein. Lorsqu'elle concerne les deux ovaires, on parle de castration.

DÉROULEMENT

L'intervention est réalisée soit par ouverture de la paroi de l'abdomen, soit par cœlioscopie (introduction à travers cette paroi d'un tube muni d'un système optique et d'instruments de microchirurgie), soit par ces deux méthodes combinées. L'anesthésie est générale dans les deux cas. Même s'il persiste une douleur et une sensibilité locales, la patiente peut reprendre la plupart de ses activités moins d'un mois après l'opération.

Si l'ablation concerne un seul ovaire, l'ovulation est préservée, de même que la production hormonale. En revanche, l'ablation des deux ovaires, lorsqu'elle est pratiquée avant la ménopause, provoque une ménopause artificielle, par carence hormonale, et par conséquent une stérilité définitive. On peut supprimer les symptômes de la ménopause (bouffées de chaleur, ostéoporose) à l'aide d'hormones féminines médicamenteuses.

Ovarite

Inflammation d'un ou des deux ovaires, généralement consécutive à une salpingite (inflammation d'une ou des deux trompes).
→ VOIR Salpingite.

Ovarite sclérokystique

→ VOIR Ovaires polykystiques (syndrome des).

Overdose

→ VOIR Surdose.

Ovocyte

Cellule ovarienne précurseur de l'ovule.

L'ovocyte, qui dérive de l'ovogonie, se forme durant la vie fœtale. Les ovaires de la fille contiennent à la naissance environ 300 000 de ces ovocytes, à l'intérieur de follicules dits primordiaux. Seuls 300 ou 400 ovocytes sur 300 000 parviendront à maturité au cours de la vie génitale de la femme et deviendront des ovules susceptibles d'être fécondés.

Ovogenèse

Ensemble des phénomènes qui concourent à la formation des ovules.

L'ovogenèse, qui débute dès la vie intrautérine, comprend deux phases.

■ Entre le 4e et le 7e mois de grossesse, les ovogonies, cellules d'origine des ovocytes, se multiplient, ce qui aboutit à la formation d'environ 300 000 ovocytes dits de premier ordre, contenant chacun 46 chromosomes. Ces ovocytes demeurent dans les follicules ovariens sans y subir de modification jusqu'à la puberté.

■ À partir de la puberté, à chaque cycle menstruel, un ovocyte de premier ordre donne un ovocyte de second ordre, ou ovule, qui ne contient plus que 23 chromosomes, car il a subi une division cellulaire particulière, la méiose. Cet ovule est expulsé chaque mois au moment de l'ovulation. S'il n'est pas fécondé, il dégénère ; s'il est fécondé, il achève sa transformation cellulaire et devient embryon.

Ovogonie

Cellule de l'ovaire dont les transformations successives (multiplication, méiose) conduisent à la formation de l'ovocyte, puis à celle de l'ovule.

Ovulation

Libération d'un ovule par l'ovaire. SYN. ponte ovulaire.

L'ovulation est un phénomène cyclique qui commence à la puberté et cesse à la ménopause. Elle est nécessaire à la fécondité d'une femme et s'inscrit dans le déroulement normal du cycle menstruel.

MÉCANISME

À chaque cycle menstruel, à la surface de l'ovaire, un follicule se distend et se rompt, libérant l'ovule qu'il contient. L'ovule tombe au voisinage du pavillon de la trompe utérine (trompe de Fallope), est happé par les franges tubaires et commence dans la trompe son trajet vers l'utérus. De son côté, le follicule vidé dégénère et se transforme en corps jaune. L'ensemble de ces phénomènes obéit à des sécrétions hormonales hypophysaires et ovariennes, qui dépendent elles-mêmes d'une structure particulière de l'encéphale, l'hypothalamus : au début du cycle, les œstrogènes sécrétés par l'ovaire sous l'influence d'une gonadotrophine hypophysaire, l'hormone folliculostimulante (FSH), s'accumulent et ont, en retour, une double action sur l'hypophyse : ils freinent la sécrétion de l'hormone folliculostimulante, tandis qu'en s'oxydant ils excitent la sécrétion de la seconde gonadotrophine hypophysaire, l'hormone lutéinisante (LH). Quand le rapport entre ces deux hormones atteint un certain équilibre, qui survient en principe le 14e jour du cycle, l'ovulation se produit.

SYMPTÔMES ET SIGNES

L'ovulation n'entraîne généralement aucun symptôme, mais certaines femmes remarquent une légère douleur latérale du bas-ventre ou une petite perte sanglante. Une méthode permet de rechercher la date de l'ovulation : l'étude de la courbe de température au cours du cycle menstruel. Le tracé de la courbe thermique comprend en effet un plateau au-dessous de 37 °C, suivi d'un plateau au-dessus de 37 °C. L'ovulation semble se produire le premier jour de la remontée ou le dernier jour de température basse. Cette mesure permet donc de penser que l'ovulation a eu lieu, mais ne sert en aucune façon à la prévoir.

PATHOLOGIE

Une absence d'ovulation peut avoir plusieurs motifs : une insuffisance hormonale, une contraception orale (œstroprogestatifs), certains médicaments (anticancéreux, par exemple). L'induction artificielle de l'ovulation, par l'administration d'hormones folliculostimulante et lutéinisante purifiées, fait partie du traitement de certaines stérilités. Par ailleurs, une absence d'ovulation ne se traduit pas nécessairement par une aménorrhée (absence de règles).

Ovule

Cellule féminine (gamète) de la reproduction.

L'ovule est le gamète femelle issu de la maturation d'un ovocyte. L'ovule est logé dans une sorte de petit kyste de la paroi du follicule ovarien qui, au 14e jour du cycle menstruel, se rompt pour réaliser l'ovulation. Libéré, l'ovule est happé par les franges du pavillon de la trompe utérine et s'achemine dans celle-ci vers l'utérus, où il sera éventuellement fécondé par un spermatozoïde et deviendra un œuf.

Ovule gynécologique

Substance médicamenteuse compacte, de consistance molle ou dure et de forme ovoïde, que la femme introduit dans son vagin pour traiter une pathologie locale ou pratiquer une contraception.

Les ovules gynécologiques sont essentiellement composés de produits anti-infectieux (antibactériens, antiparasitaires ou antimycosiques) ou de produits contraceptifs (spermicides), mais on trouve aussi sous cette forme des œstrogènes, prescrits après la ménopause pour remédier à une sécheresse vaginale lorsque la voie orale est contre-indiquée (risques cardiovasculaires), et des produits hémostatiques, prescrits après une intervention chirurgicale sur le col de l'utérus, par exemple, pour limiter les risques hémorragiques.

Ovules anti-infectieux

Ces substances médicamenteuses représentent le principal mode de traitement des infections vaginales, qui se traduisent généralement par des leucorrhées (pertes blanches). Les infections ainsi traitées peuvent être soit des infections bactériennes polymicrobiennes, soit des infections mycosiques (candidoses), ou des infections parasitaires (trichomonas).

MODE D'ADMINISTRATION ET EFFETS INDÉSIRABLES

Le traitement consiste à introduire un ovule le soir au coucher ; ce geste peut être répété 3 soirs de suite, ou après les règles suivantes, car celles-ci favorisent dans certains cas les récidives infectieuses. Ce traitement local s'associe à des règles d'hygiène intime et à un traitement du partenaire sexuel. De rares effets indésirables (sensations de brûlure) sont signalés.

Ovules spermicides

Ces substances médicamenteuses, associées au préservatif masculin, sont utilisées comme moyens de contraception locale. Elles contiennent un principe actif, le chlorure de benzalkonium ou le nonoxynol 9, mêlé à un excipient. L'ovule fond à la température du corps et libère une mousse qui forme une barrière stable contre les spermatozoïdes, qui sont également détruits par le principe actif. Outre leur effet contraceptif, les ovules contenant du chlorure de benzalkonium possèdent une action antiseptique.

INDICATIONS

Ce mode de contraception est surtout indiqué en cas de contre-indication temporaire ou définitive à la contraception orale ou au stérilet, ou bien après un accouchement ou une interruption de grossesse, au cours de la préménopause, lors de l'allaitement ou de contraception épisodique. L'utilisation d'ovules gynécologiques est également possible lors d'un oubli ou d'un retard dans la prise d'un comprimé œstroprogestatif (pilule) et doit alors se prolonger tout au long du cycle, accompagnant la prise des pilules suivantes.

MODE D'ADMINISTRATION ET PRÉCAUTIONS D'EMPLOI

La femme, allongée, place l'ovule au fond du vagin, de 5 à 10 minutes avant le rapport.

La protection est efficace entre 2 et 4 heures. Un nouvel ovule doit être introduit avant tout nouveau rapport. Il faut absolument proscrire toute toilette vaginale avant le rapport sexuel et de 6 à 8 heures après, pour conserver une protection maximale. En revanche, la toilette externe est possible avec de l'eau pure immédiatement après.

Oxalate de calcium

Principal composant des calculs urinaires.

La formation des calculs d'oxalate de calcium peut avoir de nombreuses causes : maladie congénitale (oxalose), présence excessive d'acide oxalique ou de calcium dans les urines ou de calcium dans le sang, ou encore simple concentration excessive de l'urine, par consommation insuffisante de boisson. Les calculs siègent dans les voies urinaires (calices, bassinet) ; quand ils s'engagent dans l'uretère et s'y bloquent, ils déclenchent une crise de colique néphrétique. Ils sont visibles à la radiographie ; l'urographie intraveineuse et l'échographie permettent de les localiser très précisément afin de déterminer leurs conséquences sur l'écoulement de l'urine.

TRAITEMENT ET PRÉVENTION

Dans bien des cas, les petits calculs sont expulsés spontanément lors d'une miction. Cependant, on peut aussi les enlever par chirurgie conventionnelle (pyélotomie, urétérotomie, etc.) ou endoscopique, ou encore les détruire à l'aide d'ondes de choc (lithotripsie extracorporelle). La prévention des calculs d'oxalate de calcium repose sur une consommation abondante de boissons (eau faiblement minéralisée) afin d'augmenter en permanence le flux urinaire. Dans certains cas, on fait appel à des régimes alimentaires appauvris en calcium ou en acide oxalique. Des diurétiques, comme l'hydrochlorothiazide, peuvent être prescrits pour diminuer le taux de calcium dans les urines lorsque celui-ci est trop important. → VOIR Lithiase.

Oxalose

Accumulation dans les différents tissus de l'organisme, et notamment dans les reins, de cristaux d'oxalate de calcium, liée à une production excessive d'acide oxalique. SYN. *hyperoxalurie congénitale*.

L'oxalose est une maladie héréditaire à transmission autosomique récessive : le gène en cause, situé sur les chromosomes non sexuels, doit être reçu du père et de la mère pour que l'enfant développe la maladie.

SIGNES ET DIAGNOSTIC

La maladie, qui se révèle généralement dans la petite enfance, se traduit par des coliques néphrétiques (douleurs dues à une obstruction de l'uretère par des calculs d'oxalate de calcium), par la présence de dépôts d'oxalate de calcium dans le tissu rénal et surtout par une insuffisance rénale chronique. Les dosages sanguins et urinaires révèlent des taux très élevés d'acide oxalique.

TRAITEMENT

Lorsque l'insuffisance rénale est encore modérée, le fait de boire beaucoup permet de ralentir la formation des calculs et des dépôts dans les tissus. Lorsque l'insuffisance rénale est à un stade très avancé, une épuration du sang par hémodialyse devient indispensable. La pratique d'une greffe rénale est discutée, la maladie récidivant sur le greffon.

Oxalurie

Taux d'acide oxalique dans l'urine.

Dans l'urine, l'acide oxalique se trouve en général sous forme d'oxalate de calcium, plus rarement sous forme d'oxalate de magnésium ou de sodium. Les quantités normalement excrétées sont inférieures à 35 grammes par 24 heures.

Une hyperoxalurie (présence excessive d'acide oxalique dans les urines) peut être due à une oxalose (maladie héréditaire entraînant une production excessive d'acide oxalique) ou à un régime trop riche en aliments à forte teneur en acide oxalique (thé, café, oseille, épinards, haricots verts). Elle entraîne la formation de calculs rénaux et urinaires. Il est alors recommandé de boire des eaux alcalines et de suivre un régime pauvre en acide oxalique.

Oxydase

Enzyme responsable de réactions chimiques d'oxydoréduction, c'est-à-dire activant l'oxygène (capté initialement dans l'atmosphère) en lui transférant un ou plusieurs électrons et en le fixant sur une substance chimique.

Oxydoréduction

Réaction chimique caractérisée par un transfert d'électrons d'une substance à une autre.

Une oxydoréduction met à la fois en jeu un agent oxydant (dont le plus connu est l'oxygène de l'atmosphère), qui capte des électrons, et un agent réducteur, qui les lui donne. Il se produit en même temps une oxydation du réducteur et une réduction de l'oxydant. Dans l'organisme, différentes substances sont oxydées par des enzymes telles que les oxydases ou les déshydrogénases afin de fournir de l'énergie aux cellules.

Oxygène

1. Élément constitutif fondamental de la matière vivante, au même titre que le carbone, l'hydrogène et l'azote.
2. Gaz incolore, inodore, constitué de deux atomes d'oxygène (O_2), qui forme la partie de l'air nécessaire à la respiration.

L'oxygène représente en volume environ un cinquième de l'air atmosphérique. Dans l'organisme, il est véhiculé dans le sang après fixation sur l'hémoglobine des globules rouges. Cet oxygène est cédé aux tissus, où il intervient dans la « respiration cellulaire » (réactions d'oxydoréduction productrices d'énergie). On définit le taux sanguin d'oxygène par sa pression partielle (la pression partielle d'un gaz dans un mélange gazeux occupant un volume déterminé est égale à la pression qu'exercerait ce gaz s'il occupait seul ce volume). La pression partielle d'oxygène artériel (PaO_2) est normalement de 90 à 100 millimètres de mercure, sachant qu'elle diminue avec l'âge. L'hypoxie (oxygénation insuffisante des tissus) entraîne un trouble de fonctionnement des cellules, pouvant aboutir à leur mort.

Oxygénothérapie

Traitement par enrichissement en oxygène de l'air inspiré.

La fraction d'oxygène inspiré (FiO_2), qui est de 21 % dans l'air atmosphérique, peut ainsi être augmentée jusqu'à 100 %. L'oxygénothérapie constitue l'un des traitements de l'hypoxie (oxygénation insuffisante des tissus) due à une insuffisance respiratoire. Elle est employée aussi bien d'une manière temporaire, dans des affections aiguës (infection, œdème), que d'une manière prolongée et quotidienne, dans des affections chroniques (bronchite chronique évoluée, par exemple). Dans certaines insuffisances respiratoires chroniques, le traitement, effectué à domicile, est quasi continu. Il améliore l'état immédiat et la qualité de vie du sujet, mais aussi, à long terme, le pronostic de sa maladie.

DÉROULEMENT

En milieu hospitalier, l'oxygène peut être délivré par des canalisations aboutissant près des lits des malades (fluides médicaux). Il existe aussi des bouteilles ou des bonbonnes d'oxygène comprimé ou liquide, utilisables n'importe où. Par ailleurs, si le débit nécessaire n'est pas trop élevé, on a recours à des extracteurs concentrant l'oxygène à partir de l'air ambiant.

L'oxygène arrive au patient par voie nasale, à l'aide d'une petite sonde ou d'un masque. Il peut également être délivré par une canule de trachéotomie ou par un respirateur artificiel, lorsque l'état du malade ne lui permet plus d'assurer une ventilation spontanée satisfaisante. Les quantités d'oxygène administrées, très variables selon la maladie en cause et sa gravité, relèvent d'une véritable prescription médicale. Lorsque l'oxygénothérapie est pratiquée à domicile, le malade doit en outre suivre une formation pour apprendre à utiliser les appareils.

Oxygénothérapie de l'enfant

Chez l'enfant, l'enrichissement en oxygène de l'air inspiré est l'un des modes privilégiés de traitement du syndrome de détresse respiratoire (syndrome affectant surtout les prématurés, caractérisé par une difficulté respiratoire progressive).

DIFFÉRENTS TYPES D'OXYGÉNOTHÉRAPIE

■ **La couveuse**, ou incubateur, ne permet qu'une oxygénation très imparfaite, dont la concentration est très difficile à apprécier. Il est donc actuellement tout à fait contre-indiqué d'effectuer une oxygénothérapie « à l'aveugle » dans une couveuse.

■ **Le hood**, sorte de cloche en plastique rigide reliée à un tuyau d'adduction d'oxygène - et parfois d'air - et à un tuyau d'évacuation du gaz carbonique, est le procédé le plus utilisé pour oxygéner les nouveau-nés ; il peut être placé à l'intérieur d'une couveuse. Il est important de balayer l'enceinte avec un débit d'oxygène suffisant (supérieur à 6 litres par minute).

■ L'intubation et la ventilation assistée servent au traitement des formes sévères de détresse respiratoire.

■ Le masque est une excellente méthode d'oxygénation, mais nécessite la présence permanente d'une infirmière auprès de l'enfant.

■ La sonde nasale, comme chez l'adulte, est une méthode d'oxygénation pratique, mais la concentration en oxygène de l'air ainsi délivré ne peut pas dépasser 50 %.

RISQUES ET SURVEILLANCE

L'oxygène comporte, comme tout médicament, une certaine toxicité. Celle-ci est d'autant plus forte que la concentration en oxygène de l'air administré est plus élevée, la durée d'utilisation plus longue, l'organisme du malade plus jeune (risque particulièrement élevé chez les prématurés). Les risques sont surtout cérébraux (convulsions) et rétiniens (lésions d'abord réversibles, puis irréversibles pouvant entraîner une cécité). Dans tous les cas, un nouveau-né ou un nourrisson sous oxygénothérapie doit faire l'objet d'une surveillance particulièrement étroite.

Oxygénothérapie hyperbare

Administration d'oxygène à une pression supérieure à la pression atmosphérique.

L'oxygénothérapie hyperbare est surtout pratiquée en cas d'intoxication par des substances empêchant la fixation de l'oxygène sur l'hémoglobine (surtout l'oxyde de carbone, mais aussi l'acide cyanhydrique, les cyanures, les chlorates, etc.) ou en cas d'embolie gazeuse (migration de bulles de gaz dans les vaisseaux sanguins) accidentelle ou par accident de plongée, plus rarement en cas d'anoxie cérébrale (interruption de l'apport d'oxygène au cerveau) due à un arrêt cardiaque ou en cas d'infection à bactéries anaérobies (gangrène gazeuse, par exemple). L'élévation de pression diminue le volume des bulles gazeuses et augmente la quantité sanguine d'oxygène dissous ; l'oxygène à haute pression a en outre des propriétés bactéricides et cicatrisantes.

DÉROULEMENT ET EFFETS SECONDAIRES

Le traitement s'effectue dans une enceinte fermée étanche, appelée caisson hyperbare, disponible seulement dans quelques centres hospitaliers. L'administration d'oxygène hyperbare obéit à des règles précises pour éviter des complications neurologiques (convulsions) et pulmonaires (œdème du poumon).

Oxyurose

Maladie parasitaire provoquée par l'infestation du côlon par un ver, *Enterobius vermicularis,* couramment appelé oxyure.

FRÉQUENCE

L'oxyurose est une parasitose répandue, qui touche les enfants d'âge scolaire, les vieillards et les personnes placées dans des hôpitaux psychiatriques ou de long séjour. Cette maladie, souvent familiale, est la

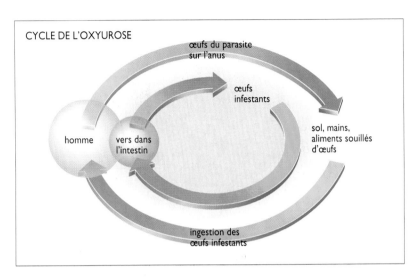

CYCLE DE L'OXYUROSE

œufs du parasite sur l'anus

œufs infestants

homme — vers dans l'intestin

sol, mains, aliments souillés d'œufs

ingestion des œufs infestants

parasitose infantile la plus fréquente dans les pays tempérés. C'est cette maladie qui est évoquée principalement dans l'expression courante « avoir des vers ».

CONTAMINATION

Les parasites adultes ressemblent à de petits filaments blancs de moins de 1 centimètre de long. Ils vivent à la surface de la muqueuse du côlon des êtres humains. Une fois fécondé, le ver femelle parcourt tout le côlon et dépose les œufs embryonnés et infestants sur la peau autour de l'anus, avant de mourir.

Les mouvements du ver femelle provoquent des démangeaisons, qui conduisent à se gratter autour de l'anus. Les œufs se logent alors sous les ongles, et il suffit que la personne porte les doigts à sa bouche, avale les œufs ou les dépose sur des aliments partagés avec d'autres personnes pour que les processus d'auto-infestation et de contamination s'enclenchent. Les enfants peuvent aussi transporter les œufs sur les jouets et sur les couvertures, risquant ainsi de transmettre la maladie.

Les œufs ingérés éclosent dans l'intestin, se transforment en larves et deviennent adultes au bout de 2 à 6 semaines.

SYMPTÔMES ET SIGNES

Les troubles provoqués par une oxyurose sont moins importants chez les adultes que chez les enfants.

Le prurit (démangeaison) anal, vespéral et nocturne, est un signe important de l'oxyurose. Il empêche l'enfant de dormir calmement, et son sommeil peut être entrecoupé de cauchemars. L'enfant, fatigué, est irritable, éprouve des difficultés scolaires et peut présenter des tics (prurit nasal). Chez la petite fille, et plus rarement chez l'adulte, les vers peuvent pénétrer dans l'appareil génital et entraîner une vulvovaginite douloureuse ou une cystite.

DIAGNOSTIC

Les vers sont parfois visibles dans la région anale, à la surface des selles ou dans les slips. En dehors de ces cas, la meilleure méthode diagnostique consiste à prélever des œufs sur le bord de l'anus du patient à l'aide d'une bande de papier adhésif (Scotch-test) et à les examiner au microscope.

TRAITEMENT ET PRÉVENTION

Le traitement, appliqué le même jour à toute la famille, consiste à administrer des médicaments antihelminthiques, à nettoyer le sol des chambres (de préférence à l'aspirateur) et à faire bouillir draps, linge de corps, pyjamas, chemises de nuit, etc.

Des mesures d'hygiène plus générales s'appliquent à titre curatif mais aussi préventif : coupe des ongles, lavage des mains avant chaque repas et après être allé à la selle.

Ozone

Gaz toxique de couleur bleutée, odorant, au pouvoir très oxydant, formé de trois atomes d'oxygène (O_3).

L'ozone peut être obtenu par l'action de décharges électriques sur des molécules d'oxygène à une température d'environ 1 500 °C.

L'ozone existe à l'état naturel dans les hautes couches de l'atmosphère, où il forme une protection contre les radiations ultraviolettes, nocives, du soleil. La pollution industrielle provoque des réactions chimiques qui jouent un rôle dans la destruction de la couche d'ozone.

UTILISATION THÉRAPEUTIQUE

L'ozone s'utilise pour ses propriétés antiseptiques et bactéricides dans le traitement des plaies (ozonothérapie). Il est appliqué en jet ou en solution aqueuse, en une ou en plusieurs fois selon le résultat obtenu.

Il est également employé pour stériliser l'eau, pour purifier l'air dans les atmosphères confinées ou pour opérer la synthèse de certaines essences végétales.

EFFETS INDÉSIRABLES

À partir d'une certaine concentration, l'ozone est irritant pour les poumons, entraînant une toux, une gêne respiratoire, parfois même un œdème pulmonaire. Le traitement après une inhalation importante consiste en un repos strict, surveillé médicalement.

P

Pacemaker

→ VOIR Stimulateur cardiaque.

Pachon (oscillomètre de)

Appareil à oscillations constitué d'un brassard en caoutchouc gonflable et d'un manomètre, mesurant l'amplitude des pulsations des artères des membres inférieurs.

Chez un sujet sain, les pulsations artérielles diminuent progressivement de la racine du membre à son extrémité. L'oscillomètre de Pachon permet d'observer une diminution plus ou moins importante de l'amplitude du battement ou la disparition de tout battement dans la partie du membre se trouvant en aval d'un rétrécissement ou d'une obstruction artérielle.

Ainsi, il permet de préciser le diagnostic des artérites des membres inférieurs, car les renseignements qu'il donne sont plus précis que ceux fournis par la simple palpation des pouls des membres inférieurs. Aujourd'hui, cette technique a été supplantée par l'échographie Doppler.

Pachydermie

Épaississement anormal de toute l'épaisseur de la peau.

Une pachydermie s'observe surtout au cours de la pachydermopériostose ; cette maladie, héréditaire ou consécutive à un cancer du poumon, se traduit par l'apparition de profonds sillons, particulièrement visibles sur le front, et comprend également un hippocratisme digital (incurvation pathologique des ongles, associée à un élargissement des dernières phalanges des doigts) et une périostose (épaississement anormal des os). Il n'y a pas de traitement connu.

Pachyméningite

Inflammation chronique de la dure-mère, la plus superficielle des méninges (membranes entourant le cerveau et la moelle épinière).

Une pachyméningite peut être d'origine infectieuse (tuberculose, syphilis, etc.), tumorale ou constituer la localisation dans les méninges d'une maladie inflammatoire générale (sarcoïdose).

Les symptômes en sont surtout des maux de tête, un état subfébrile, des nausées mais aussi des crises d'épilepsie, des troubles de l'équilibre par retentissement sur le cervelet, la paralysie d'un membre, etc. L'affection est diagnostiquée par la ponction lombaire, le scanner et l'imagerie par résonance magnétique (I.R.M.). Une pachyméningite comporte un risque de blocage du liquide céphalorachidien, et donc d'hydrocéphalie. Le traitement dépend de la cause : administration de médicaments antituberculeux, d'antibiotiques contre la syphilis, ablation chirurgicale d'une tumeur, etc.

Pachyonychie

Épaississement d'un ou de plusieurs ongles des doigts et/ou des orteils.

Une pachyonychie peut constituer l'un des signes d'une affection héréditaire, le syndrome de Jadassohn-Lewandowsky, découler d'une onychomycose (infection de l'ongle par un champignon) ou être liée à un psoriasis ou à un eczéma.

Les ongles atteints sont déformés, épaissis, grisâtres ou verdâtres ; dans certains cas, la pachyonychie s'associe à un épaississement de la couche cornée de l'épiderme sous l'ongle. Le traitement est celui de la maladie en cause.

Paget (maladie cutanée de)

Dermatose caractérisée par la présence sur le mamelon d'une petite plaque d'eczéma croûteuse et suintante, insensible aux traitements locaux.

La maladie cutanée de Paget peut également apparaître dans les régions de la vulve et du pourtour de l'anus. Elle s'observe chez la femme d'une soixantaine d'années et doit être considérée comme potentiellement maligne car elle précède ou accompagne l'apparition d'un cancer du sein. L'analyse d'un prélèvement de tissu confirme le diagnostic.

Le traitement est chirurgical : ablation du sein et des ganglions de l'aisselle en cas de cancer du sein, ablation locale de la lésion cutanée si le cancer n'est pas encore apparu, associée à une radiothérapie de quelques semaines.

Paget (maladie osseuse de)

Maladie osseuse appartenant au groupe des ostéodystrophies et caractérisée par la production anarchique d'un tissu osseux de structure grossière, épaisse et moins résistante.

MALADIE OSSEUSE DE PAGET

Cette maladie de cause inconnue atteint surtout les personnes âgées. Caractérisée par la production, dans un ou plusieurs os, d'un tissu osseux de structure grossière, elle peut ne se traduire par aucun symptôme ou être à l'origine de douleurs et de déformations.

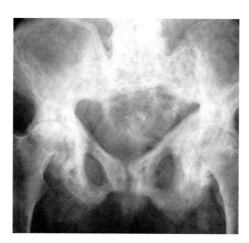

Cette radiographie du bassin montre des os épais, plus ou moins déformés et comportant des zones anormalement condensées, qui apparaissent en blanc.

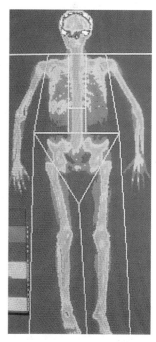

Cette scintigraphie révèle que le métabolisme de certains os (en jaune) est excessif.

D'origine indéterminée, la maladie osseuse de Paget touche surtout les sujets âgés (7 % de la population de plus de 60 ans). Elle atteint un ou plusieurs os, mais jamais l'ensemble du squelette. Elle se caractérise par une destruction et une reconstruction anarchique de l'os, de 2 à 10 fois plus rapide que dans un os sain. Souvent, elle n'entraîne aucune gêne, mais elle peut aussi se traduire par des douleurs, principalement osseuses et nerveuses (sciatique, névralgie cervicobrachiale, etc.), des déformations (tibia arqué, par exemple) et, plus rarement, par une insuffisance cardiaque ou une surdité. Son diagnostic est principalement radiographique. L'hyperactivité osseuse se traduit par une augmentation du taux d'ostéocalcine et de phosphatases alcalines dans le sang.

ÉVOLUTION ET TRAITEMENT

L'évolution est lente : sur un os long, comme le tibia ou le fémur, la maladie progresse en moyenne de 1 centimètre par an. Aussi, dans de nombreux cas, ne nécessite-t-elle pas de traitement. Celui-ci, réservé aux formes évolutives marquées, repose sur la prise de calcitonine et de diphosphonates, médicaments capables de freiner l'évolution de cette affection. La calcitonine a une action rapide mais brève ; son administration n'est possible que par voie intramusculaire, ce qui rend difficile son utilisation prolongée ; de plus, à dose élevée, elle provoque des bouffées de chaleur et des nausées. À l'inverse, les diphosphonates ont une action puissante et prolongée. Les déformations des os longs peuvent être corrigées chirurgicalement.

Pain

Aliment fabriqué à partir de farine, d'eau, de sel et de levure, pétri, fermenté et cuit au four.

Le pain est un aliment essentiellement riche en glucides (entre 49 et 58 %), mais il apporte également des protéines (8 %) et de l'eau (environ 30 %). Il contient en outre des minéraux, des vitamines du groupe B et des fibres, en quantités plus importantes dans le pain complet que dans le pain blanc, fabriqué à partir de farine plus raffinée. Le pain, dont la valeur énergétique varie de 244 à 274 kilocalories pour 100 grammes, ne doit pas être délaissé au profit d'autres aliments, car il contribue à l'équilibre diététique. La quantité moyenne conseillée pour un adulte est de 200 à 350 grammes par jour.

Palais

Paroi supérieure de la cavité buccale. (P.N.A. *palatum*)

Le palais comprend deux parties, l'une antérieure et osseuse, l'autre postérieure, musculaire et membraneuse.

■ Le palais osseux, ou palais dur, situé en avant, est formé par les deux os maxillaires supérieurs et par les deux os palatins. Il sépare la cavité buccale des fosses nasales.

■ Le palais musculomembraneux, ou palais mou, ou encore voile du palais, mobile, se situe dans le prolongement postérieur du palais dur. Il se continue, au centre, par la luette et, de chaque côté, par un pilier antérieur et un pilier postérieur, entre lesquels se trouve une amygdale. Le palais mou intervient dans la déglutition en fermant la cavité buccale. Ainsi, il évite que les aliments et les liquides refluent vers les fosses nasales.

PATHOLOGIE

Il arrive que le palais osseux ne soit pas refermé, les deux os palatins étant séparés par une fente, malformation congénitale faisant partie des fentes labiopalatines. Cette fente se situe sur la ligne médiane du palais faisant communiquer la cavité buccale et les fosses nasales. Elle est corrigée par une intervention chirurgicale.

Un palais mou trop long et/ou une luette trop longue sont parfois responsables d'un ronflement. On parvient à faire diminuer, voire disparaître, le ronflement en réalisant une uvulo-palato-plastie (ablation partielle du palais mou et/ou de la luette).

→ VOIR Fente labiopalatine.

Pâleur

Aspect de la peau et des muqueuses plus clair qu'à l'ordinaire.

Une pâleur peut être due à une diminution de la quantité de sang circulant dans les vaisseaux capillaires de la peau. Cette diminution est elle-même due à une chute de tension, à une réduction du débit du sang (insuffisance cardiaque) ou à un rétrécissement des vaisseaux (vasoconstriction), lié par exemple au froid ou à une émotion, ou encore à une obstruction d'un vaisseau par un caillot (thrombose), qui peut provoquer l'arrêt total de la circulation sanguine (ischémie aiguë).

La pâleur peut aussi être due à une anémie (diminution de la quantité des globules rouges ou du taux d'hémoglobine dans le sang). Une pâleur provoquée par une anémie est chronique et généralisée à toute la peau et aux ongles, ainsi qu'à la conjonctive (intérieur des paupières).

Palilalie

Trouble du langage, caractérisé par la répétition involontaire, par un sujet, d'un mot ou de tout ou partie d'une phrase prononcée par lui.

Une palilalie s'observe au cours de diverses affections neurologiques, comme les syndromes parkinsoniens ou certaines variétés de crises d'épilepsie, ou encore lors de certains troubles psychiatriques.

Le traitement est celui de la maladie responsable : médicaments antiparkinsoniens, antiépileptiques, neuroleptiques, etc.

Palliatif

Qui atténue les symptômes d'une affection sans agir sur sa cause.

→ VOIR Soin palliatif.

Palmaire

Relatif à la paume de la main.

On distingue plusieurs territoires et éléments constitutifs de la paume, en particulier l'aponévrose palmaire, les arcades palmaires (réunion des vaisseaux radiaux et cubitaux), les loges palmaires et les muscles palmaires.

■ L'aponévrose palmaire est une membrane fibreuse blanchâtre, résistante et inextensible, située sous la peau, qui recouvre les muscles du pouce (éminence thénar) et ceux du 5e doigt, ou auriculaire (éminence hypothénar), ainsi que les tendons des muscles fléchisseurs des doigts, les vaisseaux et les nerfs de la main. La maladie de Dupuytren est caractérisée par la rétraction progressive et irréductible de cette membrane, les doigts (principalement l'annulaire et l'auriculaire) ne pouvant plus se tendre totalement.

■ Les arcades palmaires sont au nombre de 2, l'une superficielle, l'autre profonde. Ce sont des vaisseaux décrivant un demi-cercle d'où naissent tous les vaisseaux irriguant la main et les doigts. Les arcades palmaires résultent de la communication entre les vaisseaux issus de l'artère cubitale et de l'artère radiale avec ceux de la main.

■ Les loges palmaires sont des espaces situés dans la paume, comprenant des vaisseaux, des nerfs et des éléments musculotendineux, délimités par l'aponévrose palmaire. En particulier, on distingue la loge palmaire moyenne et la loge palmaire profonde. La loge palmaire moyenne comprend une arcade palmaire (lieu de rencontre des vaisseaux de la main avec les artères de l'avant-bras), les branches terminales des nerfs innervant les doigts et les tendons fléchisseurs des quatre derniers doigts (index, majeur, annulaire et auriculaire). La loge palmaire profonde contient les tendons des muscles palmaires qui comblent les espaces entre les cinq os de la paume (métacarpiens).

■ Les muscles palmaires ont leur origine dans l'avant-bras et se prolongent jusque dans la paume. Ils comprennent le grand palmaire, qui permet de fléchir la main sur l'avant-bras et de stabiliser le poignet, et le petit palmaire, muscle fléchisseur du poignet. Le muscle palmaire cutané est une mince lamelle située sous la peau de l'éminence hypothénar (prolongement de l'auriculaire). Son seul rôle est de permettre le plissement de la peau de l'éminence hypothénar.

→ VOIR Main, Paume.

Palmure laryngée

Anomalie du larynx, consistant en une membrane reliant les deux cordes vocales.

La palmure laryngée est une malformation congénitale rare. Elle se manifeste par une modification de la voix du nouveau-né, dont le cri est rauque (grave et bas), ou par une perte de la voix. Le traitement consiste à enlever chirurgicalement cette membrane. L'ablation se fait dans la petite enfance, par endoscopie : on introduit par la bouche un tube optique contenant une pince qui excise la membrane.

Palpation

Méthode d'examen clinique du malade utilisant les mains et les doigts pour recueillir par le toucher des différentes régions du corps des informations utiles au diagnostic.

Le parasite responsable du paludisme, le plasmodium, est transmis à l'homme par la piqûre d'un moustique, l'anophèle. Il envahit le foie, puis les globules rouges. C'est la rupture de ces derniers qui déclenche les accès de fièvre caractéristiques de la maladie.

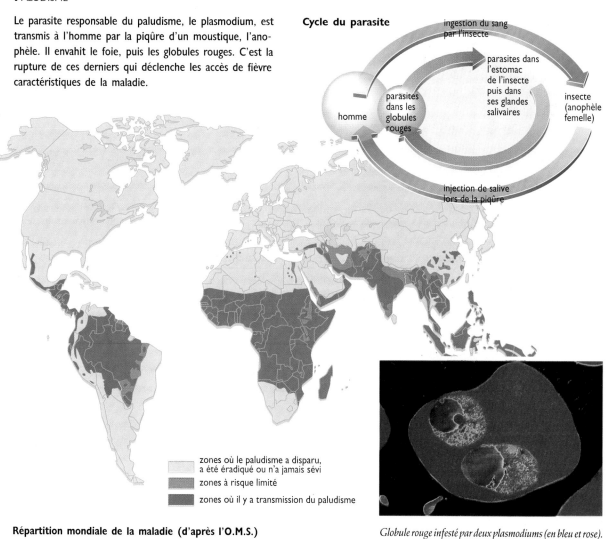

Cycle du parasite

ingestion du sang par l'insecte

parasites dans l'estomac de l'insecte puis dans ses glandes salivaires

insecte (anophèle femelle)

parasites dans les globules rouges

homme

injection de salive lors de la piqûre

zones où le paludisme a disparu, a été éradiqué ou n'a jamais sévi

zones à risque limité

zones où il y a transmission du paludisme

Répartition mondiale de la maladie (d'après l'O.M.S.)

Globule rouge infesté par deux plasmodiums (en bleu et rose).

La palpation s'effectue avec la paume de la main ou des deux mains posée à plat sur la région à examiner, ce qui permet d'apprécier l'emplacement, la forme, le volume et la consistance (molle, ferme, dure, élastique) de la lésion ou de l'organe examinés. La palpation de la région du cœur, par exemple, permet au médecin de percevoir des vibrations inhabituelles, dues au passage anormal du sang dans le cœur en cas de rétrécissement mitral.

Les deux mains concourent à l'examen des organes profonds. Ainsi le volume de l'utérus peut-il être apprécié par le toucher vaginal, associé à la palpation de l'hypogastre (région médiane basse de l'abdomen).

La sensibilité du dos de la main sert à l'appréciation de la température locale de la peau, en cas d'inflammation par exemple.

La palpation peut aussi se faire avec les doigts, plus précis dans l'examen des lésions superficielles (ganglions, par exemple).

Palpitation

Sensation de battement du cœur plus rapide ou moins régulier qu'à l'ordinaire.

Les palpitations peuvent s'observer aussi bien chez les sujets sains que chez les sujets atteints d'une maladie cardiaque.

CAUSES

Les palpitations traduisent généralement l'existence d'un trouble du rythme cardiaque. Mais elles peuvent simplement accompagner un effort violent, une émotion ou une bouffée d'angoisse.

SYMPTÔMES ET SIGNES

Les sensations perçues sont très variables d'un sujet à l'autre. Le patient peut ressentir une impression de coup dans la poitrine ou de pause cardiaque, ou une impression de battements soutenus et rapides évoquant une tachycardie. Les palpitations peuvent s'accompagner de douleurs thoraciques, d'essoufflement, de malaises, de sueurs ou d'angoisse.

DIAGNOSTIC

Le médecin fait préciser au patient le caractère régulier ou non, permanent ou intermittent de ces palpitations, ainsi que leur mode d'installation et de disparition (brutal ou progressif), et l'existence de facteurs déclenchants ou aggravants (effort, alcool, caféine, surmenage, etc.). Le diagnostic repose aussi sur l'analyse du rythme cardiaque au moment du symptôme, que l'on peut réaliser par une électrocardiographie standard, par un enregistrement continu du rythme cardiaque sur 24 heures

par la méthode du Holter électrocardiographique ou, depuis peu, par des enregistreurs portatifs à mémoire avec transmission téléphonique, le signal électrocardiographique étant transformé en signal auditif lorsque le malade applique l'appareil sur son thorax au moment des symptômes.

TRAITEMENT

Il dépend de la présence ou de l'absence d'un trouble du rythme cardiaque, d'une cardiopathie, d'une affection métabolique, etc. Le traitement n'est pas systématique et doit être établi en fonction de chaque cas : il peut faire appel à la prise de médicaments antiarythmiques, mais, souvent, le patient n'a besoin que d'être rassuré.

Paludisme

Maladie parasitaire due à l'infestation par des hématozoaires (organismes unicellulaires, type particulier de protozoaires) du genre *Plasmodium*. SYN. *fièvre des marais, fièvre intermittente, fièvre paludéenne, fièvre paludique, fièvre palustre, fièvre tellurique, malaria.*

Il existe quatre espèces d'hématozoaires du paludisme du genre *Plasmodium*, qui sont parasites de l'homme : *Plasmodium falciparum, Plasmodium vivax, Plasmodium ovale* et *Plasmodium malariæ.* Ces parasites vivent dans le foie de l'homme puis dans ses globules rouges, dont ils provoquent la destruction (hémolyse responsable d'une anémie), ce qui déclenche l'accès fébrile.

FRÉQUENCE

Le paludisme est la maladie la plus répandue dans le monde, en particulier dans les pays tropicaux. Il est responsable de plus de deux millions de décès chaque année et atteint surtout les enfants en bas âge.

CONTAMINATION

Les parasites se transmettent à l'homme par les piqûres d'anophèles (espèce de moustique) femelles infestés, qui pondent leurs œufs dans les eaux stagnantes : les parasites, présents dans la salive du moustique, pénètrent ainsi dans le sang humain. Ils peuvent aussi être transmis lors d'une transfusion sanguine, ou de la mère à l'enfant au cours de la grossesse.

Les parasites envahissent ensuite le foie puis les globules rouges et s'y multiplient. Les globules rouges se déchirent et libèrent les parasites qui infestent alors d'autres globules rouges ou deviennent capables d'infester à leur tour les moustiques lors de la piqûre d'une personne atteinte.

SYMPTÔMES ET SIGNES

Entre la piqûre des moustiques et la manifestation des symptômes, la période d'incubation dure le plus souvent de une à deux semaines, mais peut se prolonger plusieurs mois – voire plusieurs années – si le sujet a pris des médicaments antipaludéens à titre préventif. Dans ce dernier cas, les crises, si elles apparaissent, sont bénignes. Elles peuvent se manifester tardivement, dès l'interruption du traitement. Les médicaments antipaludéens protègent contre les crises de paludisme, mais n'empêchent pas toujours le parasite de survivre dans l'organisme.

Les crises de paludisme comportent toujours un accès de fièvre à 40 ou 41 °C et des frissons, puis une chute de température accompagnée de sueurs abondantes et d'une sensation de froid. À la fin d'une crise de paludisme, le malade est épuisé. Les poussées de fièvre, qui correspondent au moment où les globules rouges parasités se rompent, se produisent en général tous les deux jours (fièvre tierce), plus rarement tous les jours (fièvre quotidienne) ou tous les trois jours (fièvre quarte).

Seul le parasite *Plasmodium falciparum* est cause d'un accès pernicieux (accès de fièvre mortel en l'absence de traitement) et du coma qui peut suivre. Ce parasite est ainsi responsable de la quasi-totalité des décès par paludisme. Par ailleurs, le paludisme provoque une altération de l'état général, avec fatigue, pigmentation jaunâtre de la peau et anémie aiguë ou chronique, fréquente dans les pays tropicaux.

DIAGNOSTIC

La découverte des parasites lors d'un examen microscopique effectué sur un frottis de sang et une goutte épaisse confirme le diagnostic. Des tests sérologiques sont également disponibles pour vérifier le diagnostic de formes chroniques de paludisme.

ÉVOLUTION

Lorsque les crises de paludisme se répètent souvent, durant plusieurs années, et sont mal soignées, un paludisme viscéral évolutif s'installe avec une anémie, un ictère, une rate qui grossit et peut se rompre, et une grande fatigue. Un accès pernicieux peut survenir à tout moment, s'il s'agit d'une infection à *Plasmodium falciparum*.

TRAITEMENT

La quinine, indispensable pendant les accès pernicieux, constitue le traitement habituel de toutes les formes de paludisme, et notamment des formes dues à *Plasmodium falciparum*. Il est aussi possible d'employer l'artémether, ou encore, si le malade n'a pas de troubles digestifs (vomissements), la chloroquine, la méfloquine ou l'halofantrine.

PRÉVENTION

L'utilisation de médicaments antipaludéens est absolument nécessaire dès avant le départ dans un pays où sévit le paludisme, pendant tout le séjour et quelque temps après le retour. Dans la plupart des pays tropicaux, *Plasmodium falciparum* a acquis une résistance à la chloroquine. Il faudra alors utiliser, si le séjour ne dépasse pas 3 mois, de la méfloquine en prise hebdomadaire, le traitement devant être poursuivi pendant 3 semaines après le retour. Il faut également penser à se munir, en cas de séjour dans un lieu isolé, d'une quantité suffisante de médicaments pour un traitement curatif devant tout symptôme évoquant une crise de paludisme. Si la durée du séjour est supérieure à 3 mois, il sera nécessaire de prendre, chaque jour, de la chloroquine et du proguanil, le traitement devant être poursuivi après le retour, pendant 2 mois. L'usage, la nuit, d'une moustiquaire imprégnée d'insecticide, qui permet d'éloigner les moustiques, est fortement recommandé par l'Organisation mondiale de la santé (O.M.S.).

Quiconque est pris d'un accès de fièvre en revenant d'un pays tropical doit consulter rapidement un médecin. Un frottis sanguin sera effectué afin d'infirmer ou de confirmer l'hypothèse d'un paludisme.

PERSPECTIVES

Les recherches pour la mise au point d'un vaccin se poursuivent mais n'ont pas encore abouti. Ce vaccin ne sera probablement pas disponible avant plusieurs années.

Panaris

Infection aiguë d'un doigt de la main ou, plus rarement, d'un orteil.

Un panaris, couramment appelé mal blanc, est une affection fréquente, découlant de l'inoculation dans le doigt d'un germe, le plus souvent un staphylocoque, par une écharde, une piqûre ou une plaie, même minime.

DIFFÉRENTS TYPES DE PANARIS

Deux types de panaris sont à distinguer, selon l'importance des tissus altérés.

■ **Le panaris superficiel**, le plus commun, siège à la pulpe du doigt ou au pourtour de l'ongle (tourniole), parfois aussi à la hauteur de la 1re ou de la 2e phalange. Il se traduit par une inflammation évoluant en quelques heures ou en quelques jours, entraînant une augmentation de volume du doigt, une rougeur, une douleur généralement lancinante et responsable d'insomnie ainsi qu'une fièvre.

■ **Le panaris profond** survient d'emblée, après inoculation directe du germe dans la gaine des fléchisseurs des doigts, ou constitue la complication d'un panaris superficiel. L'infection peut atteindre l'os d'une phalange (ostéite), une articulation entre deux phalanges (arthrite), un ou plusieurs tendons des doigts avec leur gaine (ténosynovite), ou encore toute la main (phlegmon). On observe alors une inflammation intense, éventuellement une impossibilité de bouger les doigts concernés, qui survient lorsque la gaine du tendon fléchisseur est atteinte et qui entraîne la déformation douloureuse du doigt, en crochet.

COMPLICATIONS

En l'absence de traitement, un panaris superficiel peut s'étendre en profondeur, et un panaris profond, entraîner une septicémie (décharges répétées de germes et de leurs toxines dans la circulation sanguine). Chaque décharge provoque alors une poussée fébrile accompagnée de frissons ; le germe est en outre susceptible de pénétrer et de se développer dans un autre point du corps.

TRAITEMENT

Un panaris superficiel débutant est traité par l'application locale d'antiseptiques, éventuellement par l'administration d'antibiotiques par voie orale. Le traitement d'un panaris profond ou superficiel collecté est avant tout chirurgical : en urgence, et sous anesthésie locale ou générale, le chirurgien retire le pus et les tissus nécrosés, pratique un petit curetage de la logette du panaris et procède au nettoyage de la plaie. Des antibiotiques sont administrés par voie générale. La guérison est assurée en quelques jours. Jusqu'à la disparition du panaris, certaines précautions d'hygiène (il faut notamment s'abstenir de faire la cuisine) sont recommandées, afin d'éviter la dissémination du germe.

PRÉVENTION

Elle consiste à éviter certains tics (se ronger les ongles ou mordiller la peau du pourtour des ongles), à porter des gants lors d'activités comportant des risques de piqûres (jardinage, par exemple) et à respecter une hygiène minutieuse au cours des soins de manucure.

Panaris mélanique

Localisation sous ou autour d'un ongle d'un mélanome malin. SYN. *mélanome unguéal*.

Un panaris mélanique peut prendre des aspects variables : tache brune, noirâtre ou bleutée, bande pigmentée longitudinale se transformant en tache noire ou brune, inflammation du pourtour de l'ongle, etc.

Le diagnostic repose sur la biopsie de la lésion ; le traitement consiste en l'ablation de la phalange, voire du doigt. Le pronostic d'un panaris mélanique, comme pour tout mélanome malin, est réservé.

Pancoast-Tobias (syndrome de)

Syndrome dû à une lésion nerveuse provoquée par une tumeur située dans la région supérieure du thorax, elle-même le plus souvent liée à un cancer du poumon.

L'atteinte de fibres du plexus brachial (paquet de fibres nerveuses situées au creux de l'aisselle) provoque d'intenses douleurs de l'épaule et du bord interne du bras et une atrophie des muscles de la main. L'atteinte de fibres innervant l'œil provoque un syndrome de Claude Bernard-Horner (chute de la paupière supérieure, enfoncement de l'œil dans l'orbite et rétrécissement de la pupille). Le traitement du syndrome de Pancoast-Tobias se confond avec celui de la tumeur en cause. Son pronostic est en général défavorable.

Pancolite

Inflammation de la totalité du côlon.

Une pancolite constitue la forme grave de différentes maladies coliques : celle d'une rectocolite hémorragique, d'une maladie de Crohn, d'une colite virale ou encore d'une colite pseudomembraneuse (provoquée par certains médicaments). Le plus souvent, la pancolite se traduit par une diarrhée, fébrile ou non, associée à des douleurs abdominales de type colique.

Le diagnostic est établi lors d'une coloscopie, qui permet également de pratiquer des prélèvements biopsiques pour déterminer la cause de l'inflammation.

Le traitement est le plus souvent médical (anti-inflammatoires, antibiotiques, antiviraux), parfois chirurgical (résection d'un segment plus ou moins étendu du côlon) dans les cas graves.

Pancréas

Glande digestive à sécrétion interne et externe. (P.N.A. *pancreas*)

Le pancréas, de forme conique, est situé en profondeur, presque horizontalement, dans la partie supérieure de l'abdomen et accolé à la paroi abdominale postérieure, en arrière de l'estomac. Il mesure environ 15 centimètres de long et pèse de 70 à 80 grammes.

STRUCTURE

Le pancréas est constitué de quatre parties.
■ **La tête** est la partie la plus volumineuse. Sa face externe est enchâssée dans le duodénum. Elle se prolonge par un crochet appelé petit pancréas, développé derrière le pédicule mésentérique. La tête est traversée par le canal cholédoque, qui est rejoint par le canal de Wirsung, voie d'évacuation du suc pancréatique. Ces canaux forment parfois un canal commun, l'ampoule de Vater. Tête du pancréas et duodénum constituent un ensemble anatomique dénommé bloc duodénopancréatique.
■ **L'isthme**, également appelé col, portion rétrécie et peu épaisse du pancréas, assure la jonction entre la tête et le corps. En arrière de l'isthme chemine la veine porte.
■ **Le corps**, plus épais, est constitué d'un segment de 5 à 8 centimètres.
■ **La queue** effilée du pancréas se termine dans le hile de la rate.

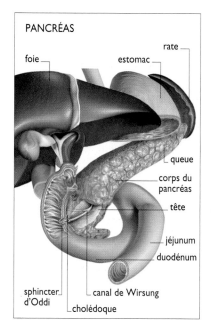

PANCRÉAS

foie — estomac — rate — queue — corps du pancréas — tête — jéjunum — duodénum — canal de Wirsung — sphincter d'Oddi — cholédoque

PHYSIOLOGIE

La glande pancréatique est constituée de deux types de tissu, responsables de deux fonctions distinctes : une sécrétion endocrine et une sécrétion exocrine.
■ **La sécrétion endocrine** est assurée par les cellules endocrines, qui constituent moins de 2 % du volume du pancréas et sont regroupées en îlots (îlots de Langerhans) répartis au sein des cellules acineuses. Il en existe trois types : les cellules bêta, qui sécrètent l'insuline, hormone hypoglycémiante ; les cellules alpha, qui sécrètent le glucagon, hormone hyperglycémiante, et les cellules delta, qui sécrètent la somatostatine, hormone contrôlant localement l'activité des cellules alpha et bêta.
■ **La sécrétion exocrine**, le suc pancréatique, est assurée par les cellules acineuses (petites cavités tapissées de cellules excrétrices, dont le contenu se déverse dans un canalicule). Elle est acheminée vers l'intestin grêle par le canal excréteur principal (canal de Wirsung). Le suc pancréatique est un liquide basique contenant de nombreuses enzymes (lipase, amylase, etc.) nécessaires à la digestion des lipides et des glucides.

EXPLORATION ET PATHOLOGIE

Le pancréas peut être exploré par échographie, endoscopie, scanner, radiographie (pancréatographie) et, quant à la physiologie, par la mesure du taux d'enzymes et du taux de glycémie dans le sang et les urines.

La pathologie du pancréas comprend les pancréatites aiguës et chroniques et les tumeurs : les tumeurs malignes exocrines sont des adénocarcinomes ; les tumeurs malignes endocrines, beaucoup plus rares, sont les insulinomes et rentrent parfois dans le cadre de néoplasies endocriniennes multiples (maladie héréditaire caractérisée par le fonctionnement excessif de plusieurs glandes endocrines). L'atteinte du pancréas exocrine

entraîne des diarrhées graisseuses et une mauvaise absorption des nutriments (éléments de l'alimentation directement assimilés par l'organisme) ; l'atteinte du pancréas endocrine (cellules bêta) est responsable du diabète sucré.

Pancréas (cancer du)

Tumeur maligne se développant aux dépens du pancréas exocrine (c'est-à-dire du tissu glandulaire sécrétant les enzymes digestives), le plus souvent sous la forme d'un adénocarcinome (cancer du tissu glandulaire), beaucoup plus rarement aux dépens du pancréas endocrine (c'est-à-dire du tissu glandulaire sécrétant l'insuline), sous la forme d'un insulinome.

Le cancer du pancréas touche essentiellement l'homme après la cinquantaine et semble favorisé par le tabagisme ou le diabète. Il n'existe cependant pas de facteurs de risque établis permettant une politique de prévention.

SYMPTÔMES ET SIGNES

Un adénocarcinome du pancréas ne se révèle le plus souvent que tardivement par des douleurs épigastriques, parfois avec irradiations dorsales qui peuvent simuler un rhumatisme. L'altération de l'état général est rapide avec amaigrissement, manque d'appétit, fatigue et parfois vomissements. Dans les tumeurs de la tête du pancréas, on observe l'installation d'un ictère, à début insidieux, progressif, assez souvent indolore et sans fièvre, provoqué par la compression de la voie biliaire principale par la tumeur. Le cancer du pancréas peut également être révélé par des métastases hépatiques, par le déséquilibre inexpliqué d'un diabète ancien correctement traité, etc.

DIAGNOSTIC

Le diagnostic repose sur divers examens : échographie, scanner abdominal, échoendoscopie ; éventuellement, une artériographie est réalisée à titre préopératoire. Les examens biologiques peuvent être normaux au stade précoce. On observe parfois une élévation du taux sanguin d'amylase (enzyme pancréatique) et une cholestase (arrêt de l'écoulement de la bile dans les voies biliaires). La recherche dans le sang d'un marqueur tumoral spécifique du pancréas, le CA 19-9 (protéine sécrétée par la tumeur), peut aider au diagnostic.

TRAITEMENT ET PRONOSTIC

Le traitement est chirurgical (ablation totale ou partielle du pancréas). Lorsque l'ablation est impossible, le cancer étant déjà trop évolué, le traitement repose sur l'administration d'analgésiques et d'apports nutritionnels. Le cancer du pancréas a un pronostic sévère. Sa gravité s'explique par son évolution insidieuse, empêchant un diagnostic précoce, et par la rapidité de l'extension régionale de la tumeur.

Pancréatectomie

Ablation chirurgicale de tout ou partie du pancréas.

Une pancréatectomie est le plus souvent pratiquée à la suite d'un cancer du pancréas, plus rarement pour traiter une inflammation aiguë ou chronique, ou une lésion du pancréas consécutive à un traumatisme de l'abdomen. Elle est totale ou partielle ; dans le second cas, elle peut être céphalique, enlevant la partie droite du pancréas (la tête), ou corporéocaudale, enlevant sa partie gauche (le corps et la queue) et, parfois, la rate.

Les pancréatectomies sont des interventions importantes, voire difficiles - à la fois techniquement et à cause de leurs effets secondaires -, qui nécessitent une hospitalisation d'une quinzaine de jours environ. Si la pancréatectomie corporéocaudale n'entraîne aucune séquelle digestive ou biliaire, la pancréatectomie céphalique, en retirant beaucoup de tissu pancréatique exocrine - lequel sécrète et rejette dans l'intestin le suc pancréatique nécessaire à la digestion des graisses -, amène souvent des troubles digestifs chroniques. De même, une pancréatectomie totale entraîne un diabète et une insuffisance pancréatique externe (selles blanches, graisseuses, molles ou même diarrhéiques). Ces troubles sont combattus par l'administration à vie d'insuline et d'extraits pancréatiques. Avec le temps, ils s'atténuent, sans toutefois disparaître : le sujet doit donc continuer à suivre un régime alimentaire équilibré (pauvre en graisses et en sucres d'absorption rapide).

Pancréaticojéjunostomie

→ VOIR Pancréatojéjunostomie.

Pancréatite

Inflammation aiguë ou chronique du pancréas.

Pancréatite aiguë

C'est une inflammation aiguë du pancréas, qui correspond à un œdème et/ou à une nécrose d'intensité et de gravité variables.

La pancréatite aiguë frappe les sujets de tout âge, avec une prédominance pour l'âge moyen de la vie (autour de 40 ans). Les principales causes en sont l'alcoolisme et la migration de calculs dans les voies biliaires.

SYMPTÔMES ET SIGNES
La crise est souvent déclenchée par un repas lourd et copieux. Elle se traduit par une douleur violente et résistant aux calmants, qui siège dans la moitié supérieure de l'abdomen. À la douleur s'associent des troubles digestifs, une altération de l'état général (angoisse, pouls filant, difficulté à respirer, sueurs froides, etc.). Un état de choc peut survenir en cas d'atteinte sévère.

DIAGNOSTIC
Il repose sur la mesure des enzymes pancréatiques (lipase, amylase) dans le sang, leur taux étant alors anormalement élevé, et sur l'échographie et le scanner abdominal, qui étudient le parenchyme (tissu fonctionnel) pancréatique et les voies biliaires.

TRAITEMENT
Il est d'abord médical : arrêt de l'alimentation, réduction des sécrétions pancréatiques par administration d'inhibiteurs enzymatiques, prise d'analgésiques, réhydratation et traitement antibiotique de l'infection. Un

traitement chirurgical peut être nécessaire, par exemple l'ablation de la vésicule biliaire en cas de lithiase biliaire.

Pancréatite chronique

C'est une inflammation chronique du pancréas qui se traduit par une sclérose progressive de la glande pancréatique et entraîne à la longue une destruction complète de celle-ci.

Cette maladie est surtout observée dans les pays développés, où elle a pour cause la plus fréquente l'alcoolisme chronique, la maladie se manifestant après de nombreuses années d'intoxication.

SYMPTÔMES ET SIGNES
Le principal symptôme est une douleur épigastrique, associée à un amaigrissement. Au début, les crises sont intermittentes avec de longues rémissions, puis se rapprochent. Pour lutter contre la douleur, le malade adopte une position assez caractéristique : cuisses fléchies, menton aux genoux. La destruction du pancréas exocrine entraîne un syndrome de malabsorption (diarrhée chronique et amaigrissement) ; celle du pancréas endocrine entraîne un diabète insulinodépendant.

TRAITEMENT
Il n'est chirurgical qu'en cas de complication (ictère persistant, hémorragie digestive, etc.). Le traitement médical comprend la suppression de l'alcool et l'administration d'analgésiques et d'extraits pancréatiques.

Pancréatographie

Radiographie des canaux du pancréas. SYN. *wirsungographie*.

Une pancréatographie est pratiquée pour explorer une tumeur, une malformation ou une pancréatite chronique (inflammation chronique du pancréas). Elle permet d'analyser la morphologie des canaux pancréatiques et d'étudier à l'aide de signes indirects (distorsion d'un canal due à la présence d'une tumeur, par exemple) les zones du pancréas qui leur sont adjacentes.

La pancréatographie est réalisée lors d'une endoscopie digestive, parfois au cours d'une intervention chirurgicale. Elle nécessite l'injection d'un produit de contraste dans le canal de Wirsung, suivie de la prise de plusieurs clichés.

La pancréatographie ne constitue pas l'examen de référence pour l'étude du pancréas. On lui préfère actuellement l'échographie et, surtout, le scanner.

Pancréatojéjunostomie

Abouchement chirurgical du pancréas ou de ses canaux au jéjunum (deuxième partie de l'intestin grêle). SYN. *pancréaticojéjunostomie*.

DIFFÉRENTS TYPES DE PANCRÉATOJÉJUNOSTOMIE
Il existe deux techniques de pancréatojéjunostomie. La première se pratique à la fin d'une pancréatectomie partielle (ablation d'une partie du pancréas) ; la zone de section de la partie restante du pancréas est alors suturée au jéjunum, afin de permettre au suc pancréatique, qui joue un rôle important dans la digestion des graisses, de s'écouler

dans le jéjunum. L'autre variante de pancréatojéjunostomie, appelée wirsungojéjunostomie, se pratique lorsqu'il n'est pas nécessaire d'enlever le pancréas mais seulement de dériver ses canaux, dilatés sous l'effet d'un obstacle (tumeur, pancréatite chronique) : le chirurgien incise les canaux, puis les ouvre largement et suture les lèvres des incisions au jéjunum.

EFFETS SECONDAIRES
La pancréatojéjunostomie est une intervention importante, qui nécessite en général une hospitalisation d'une dizaine de jours. Son risque principal, d'autant plus grand que le pancréas est normal, donc friable et fragile, est l'apparition d'une fistule provoquant un écoulement de suc pancréatique ; celle-ci est toujours grave et difficile à soigner. Une fois l'anastomose cicatrisée, les séquelles digestives (insuffisance pancréatique externe, se traduisant par des selles graisseuses et blanchâtres) dépendent de la quantité de tissu pancréatique enlevé et de la maladie qui a suscité l'intervention. Le pronostic de la pancréatojéjunostomie est fonction de celui de la maladie d'origine.

Pancytopénie

Diminution du nombre des cellules dans les trois lignées de cellules du sang : globules rouges, plaquettes, globules blancs.

Une diminution du nombre des globules rouges est une anémie, une diminution de celui des plaquettes, une thrombopénie ; pour les polynucléaires neutrophiles (type de globules blancs), on parle de neutropénie. Une pancytopénie témoigne généralement d'une insuffisance dans la production des éléments figurés du sang par la moelle osseuse. C'est ce qui se produit lors de l'aplasie médullaire (l'insuffisance est quantitative), lors des dysmyélopoïèses (l'insuffisance est qualitative), au cours des leucémies aiguës myéloïde ou lymphoïde, ou encore lors des métastases médullaires de lymphome ou de cancer. D'autres mécanismes peuvent également intervenir : la destruction des globules rouges et des plaquettes par des anticorps peut entraîner une anémie et une thrombopénie ; le rétrécissement pathologique des vaisseaux capillaires, ou microangiopathie, produit le même effet, l'anémie étant liée à une hémolyse mécanique. Dans la maladie de Marchiafava-Micheli, c'est l'hypersensibilité des éléments figurés du sang au complément (protéines du sérum sanguin, dont l'activation en chaîne déclenche les réactions du système immunitaire) qui entraîne une pancytopénie périphérique, c'est-à-dire dont le mécanisme intervient dans le sang circulant et non dans la moelle osseuse.

TRAITEMENT
Le choix du traitement est fonction de l'origine de la maladie. Dans tous les cas, on supplée aux déficiences constatées : transfusion de globules rouges pour corriger l'anémie ou de plaquettes pour corriger la thrombopénie ; administration d'antibiotiques contre les infections favorisées par une neutropénie profonde.

Cette radiographie montre toutes les dents et les structures voisines. Elle présente des imperfections liées à l'étirement de la structure des maxillaires sur la surface du film, d'où la nécessité de recourir à des clichés plus localisés.

Pandémie

Épidémie étendue à toute la population d'un continent, voire au monde entier.

La grippe espagnole de 1918-1919 fut une pandémie. Le sida ne constitue pas à proprement parler une pandémie ; c'est une maladie endémique procédant, en Occident, par petites épidémies et, en Afrique, en Asie et en Amérique latine, par épidémies plus importantes du fait de l'absence de moyens de prévention.

Panique

Terreur soudaine et incontrôlable, individuelle ou collective, suivie d'une réaction psychomotrice de fuite.

La panique, due à un danger réel ou imaginaire (incendie, séisme, panique par suggestion collective, etc.), peut survenir chez tout sujet sain (par autosuggestion ou conditionnement). En psychopathologie, elle est le propre des crises suraiguës d'anxiété survenant lors d'une névrose d'angoisse ou d'une décompensation névrotique (dépression consécutive à une névrose). Cet état peut aller jusqu'à une peur permanente de tout objet ou de tout événement (pantophobie) et nécessite une hospitalisation et un traitement (neuroleptiques, tranquillisants). Une forme de panique à répétition, désignée par son nom anglais « panic attack », serait une manifestation de dépression, nécessitant un traitement antidépresseur.

Panniculite

Inflammation du tissu adipeux sous-cutané.

Une panniculite peut être due à la prise de médicaments (en particulier, chez de jeunes enfants, à la prise prolongée de corticostéroïdes), à une maladie générale (lupus érythémateux, sarcoïdose, tuberculose) ou à des facteurs locaux : froid, frottements dus au port de vêtements (jeans, gaines) trop serrés, introduction accidentelle ou volontaire de corps étrangers sous la peau (huiles minérales ou végétales).

SYMPTÔMES ET SIGNES

La maladie se manifeste par l'apparition sous la peau de tuméfactions roses ou jaunâtres, généralement chaudes et sensibles, siégeant souvent sur les membres inférieurs. Ces lésions peuvent laisser des cicatrices définitives. Une forme particulière de panniculite, appelée maladie de Weber-Christian, souvent liée à une maladie pancréatique (pancréatite, cancer, etc.) ou, plus rarement, à un déficit en une enzyme, l'alpha-1-antitrypsine, entraîne une nécrose du tissu graisseux hypodermique appelée cyto-stéatonécrose, qui se traduit par des tuméfactions rouges, souvent assez douloureuses, parfois associées à une fistule d'où s'écoule de la graisse liquéfiée.

TRAITEMENT

Il comprend à la fois le traitement des symptômes (repos jambes surélevées, prise de médicaments anti-inflammatoires) et, lorsqu'elle est possible, la suppression de la cause (port de vêtements amples, arrêt des injections sous-cutanées, traitement d'une affection pancréatique, etc.).

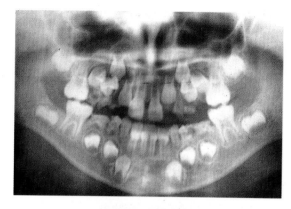

Chez l'enfant, les germes des dents définitives sont visibles dans les maxillaires, en regard des dents provisoires (les « dents de lait », en langage courant).

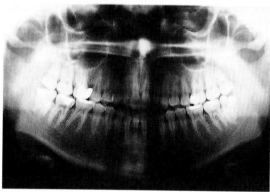

Chez l'adulte, on voit bien l'ensemble des dents et les maxillaires, ce qui permet de dépister de nombreuses anomalies que le dentiste ne peut voir par le seul examen clinique.

Pannus

Nodule inflammatoire du tissu conjonctif.

DIFFÉRENTS TYPES DE PANNUS

■ **Le pannus cornéen** est une lésion caractéristique du trachome.

■ **Le pannus synovial** est caractéristique de la polyarthrite rhumatoïde. Au cours de cette maladie articulaire inflammatoire, la membrane synoviale, qui tapisse à l'état normal les parois internes des articulations, s'épaissit, s'infiltrant de lymphocytes et de macrophages et constituant des pannus synoviaux dont la présence est confirmée par biopsie synoviale. Ces pannus détruisent progressivement cartilages, os et ligaments de voisinage.

Panophtalmie

Infection majeure de l'ensemble des tissus d'un œil. SYN. *ophtalmie purulente.*

CAUSES

Une panophtalmie est provoquée par un microbe provenant d'un autre foyer infectieux (infection gynécologique, digestive, dentaire) et qui s'est propagé dans le sang. Elle peut aussi être consécutive à une effraction (plaie traumatique, ulcère de la cornée, intervention chirurgicale à globe ouvert). Le microbe atteint d'abord l'uvée (iris et choroïde) puis la rétine.

SYMPTÔMES ET SIGNES

Un sujet atteint de panophtalmie ressent en permanence d'importantes douleurs dans l'œil, qui l'empêchent souvent de dormir. La rétine et la choroïde, d'abord enflammées, s'infectent : l'œil se trouble et du pus, en

plus ou moins grande quantité, en envahit la partie antérieure. Le vitré (substance transparente située en arrière du cristallin) ne laisse plus passer la lumière, et la vision diminue en quelques heures. Il se produit aussi un afflux de sang dans la conjonctive, ainsi qu'un œdème de la paupière.

DIAGNOSTIC ET ÉVOLUTION

Un prélèvement d'humeur aqueuse ou de vitré, effectué par ponction sous anesthésie locale, permet d'isoler le germe en cause et de tester sa sensibilité aux différents antibiotiques. En l'absence de traitement, cette infection, grave, peut provoquer rapidement la perte définitive de la vision et même celle du globe oculaire.

TRAITEMENT ET PRONOSTIC

Le traitement fait appel aux antibiotiques, administrés par voie orale ou, surtout, en perfusion intraveineuse. Dans les cas les plus graves, l'action de ces antibiotiques peut être améliorée par un nettoyage de la cavité du vitré après son ablation partielle (vitrectomie). Malgré ces traitements, la vision reste souvent diminuée.

Panoramique dentaire

Radiographie permettant de visualiser sur un seul cliché les arcades dentaires, les maxillaires et les parties inférieures des fosses nasales et des sinus maxillaires.

INDICATIONS

Un panoramique dentaire est utilisé pour dépister les affections des dents, des maxillaires et des sinus ; pour visualiser l'ensemble des germes des dents définitives chez l'enfant, afin d'évaluer son âge dentaire ; pour diagnostiquer des lésions siégeant à l'extrémité des racines des dents (granulome, kyste), une fracture ou des tumeurs des mâchoires, ainsi que les manifestations de certaines affections osseuses (maladie osseuse de Paget) ; enfin, il permet de visualiser, avant la pose d'un implant, l'emplacement des cavités naturelles de la face et du nerf mandibulaire, pour déterminer la localisation des futures racines artificielles.

DÉROULEMENT

Le panoramique dentaire est pris à l'aide d'un film placé dans une cassette et maintenu contre le visage du patient, le tube émetteur de rayons X effectuant une rotation autour de la tête de celui-ci. La radiographie panoramique fournit, sur un seul cliché, une quantité importante d'informations ; cependant, elle présente des imperfections liées à l'étalement de la structure ogivale des maxillaires sur la surface plane du film, qui provoque des déformations importantes. Elle est souvent affinée, dans un second temps, par la prise de clichés plus localisés, et donc plus précis.

→ VOIR Radiographie dentaire.

Pansement

1. Application sur une plaie de compresses maintenues par des bandes ou un sparadrap et destinées à protéger la lésion ainsi recouverte des chocs et de l'infection.
2. Matériel utilisé pour protéger et soigner une plaie.

Il existe différentes sortes de pansements, exerçant, selon le cas, une action cicatrisante, absorbante, désinfectante ou compressive.

Pansement sec

Ce pansement se caractérise par l'utilisation de compresses non imprégnées, maintenues par un sparadrap et qui recouvrent une plaie simple, préalablement nettoyée à l'aide d'une compresse stérile imbibée d'un produit antiseptique.

Pansement humide

Ce pansement peut être de deux sortes.

■ **Le pansement alcoolisé** est constitué de compresses imbibées d'alcool, en général à 70°, et recouvertes d'une épaisse couche de coton puis d'un bandage. Il provoque une vasodilatation locale et a une action anti-inflammatoire et calmante. Il s'applique notamment sur des panaris et des plaies très infectées. Ce pansement doit être renouvelé régulièrement, au moins 4 fois par jour.

■ **Le pansement à base de pâte antiphlogistique** a une action décongestionnante et antiseptique. Il est notamment utilisé en cas de dermatose aiguë et suintante. La pâte, chauffée au bain-marie, se place entre deux épaisseurs de compresses, maintenues si possible par un bandage. Le pansement est appliqué avec soin, afin d'éviter une brûlure sur la zone enflammée. Il doit être renouvelé 2 fois par jour.

Pansement gras

Ce pansement est formé d'une compresse et d'une substance grasse. Il s'utilise notamment en cas de brûlure et d'escarre et doit être renouvelé tous les jours. Le pansement gras favorise la cicatrisation. Il n'adhère pas à la plaie et permet la reconstitution de l'épiderme.

■ **Les pansements gras préenduits** sont faits de gazes préimprégnées d'huile, de camphre, de mélanges de produits à action anti-inflammatoire et antibiotique (tulle gras) ou d'antibiotiques.

■ **Les pansements gras à base de pommade ou de baume** sont recouverts de compresses sèches maintenues par un sparadrap. Les substances utilisées ont des propriétés protectrices et favorisent la régénération de l'épiderme.

Pansement par pellicule

Ce pansement s'obtient par pulvérisation, au moyen d'une bombe aérosol.

Il s'applique sur des plaies en cours de cicatrisation et réalise une protection cutanée invisible, stérile, perméable à l'air, constituée d'un film en matière plastique ou acrylique.

Pansement compressif

Ce pansement, qui exerce une pression sur la plaie, est mis en place lorsque celle-ci saigne. Il est maintenu à l'aide d'une bande élastique adhésive pendant une durée maximale de 20 minutes.

Panseuse

Auxiliaire médicale spécialisée chargée de la préparation, de l'entretien et de la mise à disposition du matériel indispensable aux interventions chirurgicales.

Une panseuse exerce au bloc opératoire et donne au chirurgien, au cours d'une intervention, les instruments nécessaires à l'acte chirurgical. Elle s'occupe également de l'approvisionnement en fils, en compresses et en champs (tissus) stériles.

Papanicolaou (classification de)

Classification des lésions cellulaires observées d'après des frottis cervicovaginaux, en vue du dépistage du cancer du col de l'utérus.

La classification de Papanicolaou (en 4 classes numérotées de I à IV) n'est aujourd'hui plus utilisée. Elle est remplacée par une description précise des lésions cellulaires.

→ VOIR Frottis cervicovaginal.

Papavérine

Médicament dérivé de l'opium, ayant des propriétés antispasmodiques (qui combat les spasmes).

La papavérine est un vasodilatateur qui agit en relâchant les fibres musculaires lisses des vaisseaux sanguins et des organes creux (intestins, bronches, etc.), en particulier lorsque celles-ci sont contractées.

INDICATIONS ET MODE D'ADMINISTRATION

La papavérine est utilisée dans le traitement de la déficience intellectuelle d'origine vasculaire du sujet âgé et dans celui des affections de l'œil et de l'oreille, des accidents

ischémiques cérébraux (interruption brève de la circulation sanguine dans le cerveau), de l'artériopathie (apport insuffisant de sang) des membres inférieurs, des spasmes digestifs, biliaires et urinaires. Elle est alors employée par voie orale essentiellement. La papavérine peut également être administrée en injection lente dans les corps caverneux du pénis au cours du traitement de l'impuissance.

CONTRE-INDICATIONS

La papavérine est contre-indiquée en cas d'affection cardiaque (troubles de la conduction), d'antécédents hépatiques ou d'allergie au produit.

EFFETS INDÉSIRABLES

La papavérine peut provoquer une constipation ou une hépatite chronique, qui sont réversibles, plus rarement des nausées, des maux de tête, des douleurs d'estomac, des vertiges, une somnolence, une tachycardie (augmentation du rythme cardiaque), des bouffées de chaleur, une urticaire.

Les traitements à long terme par injection intracaverneuse risquent d'entraîner une arythmie cardiaque si l'administration est trop rapide, des lésions locales (fibrose) et un priapisme (érection prolongée).

Papille

Petite saillie située à la surface de certains tissus. (P.N.A. *papilla*)

Ainsi, la papille de l'ampoule de Vater est un repli du duodénum (partie initiale de l'intestin grêle) où débouchent le canal cholédoque et le canal pancréatique.

Papille linguale

Petit relief de la muqueuse de la face supérieure de la langue dans lequel sont situées les cellules réceptrices du goût. (P.N.A. *papillæ linguales*)

Selon leur forme, les papilles linguales sont dites filiformes, fongiformes (en forme de champignon) ou caliciformes (en forme de calice). Les plus volumineuses, les papilles caliciformes, sont au nombre de 9 et forment un V dont la pointe est dirigée vers l'avant.

Les papilles linguales sont responsables des 4 sensations gustatives primaires : salé, sucré, amer, acide.

PATHOLOGIE

Le goût peut être altéré par une infection (candidose) sur les papilles linguales ou par un trouble neurologique (atteinte des nerfs glossopharyngien, facial ou lingual).

Papille optique

Origine du nerf optique située sur la rétine, au fond de l'œil, où se réunissent les fibres optiques issues des cellules ganglionnaires de la rétine. (P.N.A. *papilla nervi optici*)

STRUCTURE ET PHYSIOLOGIE

La papille optique a la forme d'un disque de 1,5 millimètre de diamètre, plus pâle que le reste de la rétine et légèrement saillant, surtout du côté nasal. Elle est traversée en son centre par l'artère centrale de la rétine, qui se divise en sortant de la papille en 4 branches, accompagnées par les veines qui se réunissent à leur passage dans la papille pour former la veine centrale.

La papille est vascularisée grâce aux artères ciliaires courtes postérieures, branches de l'artère ophtalmique. Les fibres du nerf optique traversent l'orifice scléral, occupé par une sorte de réseau fibreux appelé lame criblée. Avant ce passage, elles sont soumises à l'influence de la pression intraoculaire, notamment au cours des glaucomes. En outre, l'espace sous-arachnoïdien de la gaine du nerf optique communique avec l'espace sous-arachnoïdien intracrânien : l'élévation de la pression intracrânienne est donc transmise au nerf optique.

La papille est insensible à la lumière, car elle ne contient aucun récepteur visuel.

EXAMENS

L'examen du fond d'œil permet de voir très facilement la papille, même en l'absence de dilatation pupillaire. L'angiographie oculaire, le scanner et l'imagerie par résonance magnétique (I.R.M.) peuvent être nécessaires pour compléter l'étude anatomique de la papille. L'étude du champ visuel et l'enregistrement des potentiels évoqués visuels permettent de mettre en évidence d'éventuels dysfonctionnements de la papille.

PATHOLOGIE

■ **Les anomalies congénitales** peuvent se traduire par un défaut de fermeture de la fente (colobome papillaire), une papille trop petite ou de forme et d'orientation anormales (hypoplasie ou dysversion papillaire). Ces anomalies sont souvent associées à des troubles de la vision. Il n'y a pas de traitement de ces anomalies.

■ **L'atrophie optique de Leber** est une maladie héréditaire (dont le mode de transmission est mal connu) atteignant surtout les hommes jeunes. Une baisse brutale de la vision d'un œil puis de celle des deux yeux en est le premier signe, pouvant évoluer vers la cécité. Il n'y a actuellement pas de traitement efficace de cette affection.

■ **L'ischémie papillaire aiguë** affecte surtout les sujets âgés atteints d'athérosclérose ou de maladie de Horton (inflammation de l'artère temporale). Elle se traduit par une baisse brutale de la vision d'un œil. Le traitement, très urgent, repose sur l'administration de vasodilatateurs et d'anticoagulants ou d'antiagrégants plaquettaires, ou sur la corticothérapie à fortes doses en cas de maladie de Horton.

■ **L'œdème papillaire** est dû à une hypertension intracrânienne et ne s'accompagne habituellement pas de baisse de la vision. Si l'hypertension intracrânienne est traitée, l'œdème régresse en principe sans séquelles.

■ **La papillite** est une inflammation locale de la tête du nerf optique. La sclérose en plaques, une affection virale ou une maladie éruptive peuvent en être à l'origine. Elle provoque une baisse plus ou moins marquée de la vision, des anomalies du champ visuel et parfois des douleurs en arrière de l'œil. Un traitement à base de cortisone est nécessaire.

■ **Les tumeurs de la papille** sont rares et habituellement bénignes. Il peut s'agir d'un mélanocytome (tumeur bénigne des cellules de l'épithélium pigmentaire) ou d'un hamartome astrocytaire (prolifération bénigne des cellules de soutien de la rétine). Un mélanome ou un rétinoblastome (tumeurs malignes de l'œil) peuvent néanmoins se propager et atteindre la papille.

Papillomatose

1. Augmentation de la longueur et de l'épaisseur des bourgeons épidermiques, qui révèle une prolifération cellulaire accrue.

Par extension, le terme de papillomatose désigne plusieurs maladies caractérisées par ce processus : la papillomatose confluente et réticulée, la papillomatose bénigne du mamelon (petite tumeur suintante du mamelon, fréquente chez la femme jeune) et la papillomatose orale et floride (placard verruqueux siégeant sur la muqueuse buccale).

2. Développement sur la peau et/ou sur les muqueuses de papillomes, tumeurs le plus souvent bénignes, dues à des papillomavirus.

Dans les formes les plus fréquentes de papillomatose, les lésions sont des verrues ou des condylomes génitaux.

→ VOIR Condylome génital, Papillomatose confluente et réticulée, Verrue.

Papillomatose confluente et réticulée

Affection cutanée d'origine inconnue siégeant sur le thorax.

La papillomatose confluente et réticulée est une affection rare, survenant chez les femmes entre 15 et 35 ans. Elle se traduit par l'apparition entre les seins de taches très légèrement saillantes, de moins de deux millimètres, rosées, ne démangeant pas. Ces taches s'étendent progressivement à toute la poitrine, dans certains cas au dos, pour former des placards rugueux.

Cette affection est traitée par l'administration de tétracyclines. Les récidives sont possibles.

Papillomavirus

Virus à A.D.N., de la famille des papovavirus, responsable de diverses lésions cutanées.

L'infection par un papillomavirus peut notamment provoquer l'apparition de verrues cutanées et muqueuses, et, sur la vulve, le pénis et le col de l'utérus, de condylomes acuminés, ou crêtes-de-coq. Ceux-ci sont transmissibles par voie sexuelle ; en cas de lésions gynécologiques très importantes chez une femme enceinte, il existe un risque de contamination des voies respiratoires du nouveau-né, responsable de difficultés respiratoires.

Chez les sujets immunodéprimés (sida, maladie de Hodgkin), le papillomavirus provoque des lésions tenaces, récidivantes et étendues.

Papillome

Tumeur bénigne, généralement peu étendue, localisée sur la peau ou sur une muqueuse et caractérisée par le développement excessif des papilles du derme.

→ VOIR Papillomatose.

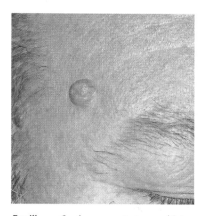

Papillome. Sur la peau, cette tumeur bénigne peut prendre l'aspect d'une petite grosseur sphérique, à la surface régulière.

Papillotomie

Incision de la papille de l'ampoule de Vater, région du duodénum où se terminent la voie biliaire principale et le canal pancréatique. SYN. *sphinctérotomie.*

Une papillotomie est indiquée essentiellement lorsque des calculs biliaires sont bloqués dans la voie biliaire.

Réalisée lors d'une courte hospitalisation, le plus souvent par endoscopie, sous anesthésie locale ou générale, elle est pratiquée soit en tant que traitement médical unique, en cas de contre-indication à la chirurgie (contre-indication aux anesthésiques, altération trop importante de l'état général, etc.) ou en cas de calcul résiduel après une cholécystectomie (ablation chirurgicale de la vésicule biliaire), soit en tant que traitement d'urgence d'une infection biliaire, avant traitement chirurgical.

Papovavirus

Famille de virus à A.D.N. comportant les papillomavirus, responsables de différentes affections cutanéomuqueuses, et les polyo-

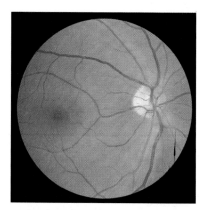

Papille optique. En examinant le fond de l'œil, on voit la papille (en jaune clair), où convergent les vaisseaux sanguins.

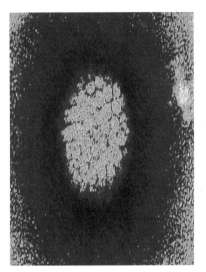

Papillomavirus. *Ce virus, coloré ici artificiellement pour être visible au microscope, provoque diverses lésions cutanées.*

mavirus (virus BK et JC), virus lents caractérisés par leur latence (présence dans l'organisme sans manifestation clinique) et par leur récurrence (capacité à récidiver), et responsables de leucoencéphalite multifocale progressive (encéphalite atteignant les sujets immunodéprimés).

Papule

Variété de lésion cutanée sèche (sans contenu liquidien), plus ou moins saillante, de moins de 5 millimètres de diamètre et de couleur variable.

Les papules sont des lésions cutanées élémentaires : leur caractère saillant les distingue des macules, lésions plates ; leur présence permet d'orienter le diagnostic vers un certain nombre de maladies. Les verrues planes, les boutons de l'urticaire, du lichen, de la syphilis au stade secondaire, par exemple, sont des papules.

■ **La papule fibreuse du gland** est une affection fréquente constituée de petits éléments blanc rosé, disposés à la base du gland et qui correspondent à une prolifération des tissus conjonctif et vasculaire. Ces éléments ne régressent pas spontanément mais ne nécessitent aucun traitement.

■ **La papule fibreuse du nez** est une petite tumeur bénigne arrondie, légèrement saillante, siégeant sur la partie basse de l'arête nasale ou sur les ailes du nez. Elle est traitée par ablation chirurgicale.

Papulose lymphomatoïde

Affection cutanée chronique, caractérisée par l'éruption localisée de petites papules rosées ou rougeâtres se transformant en nodules.

La papulose lymphomatoïde touche l'adulte d'âge moyen, le plus souvent la femme ; les nodules sont localisés sur un membre ou le tronc. À l'examen microscopique, ils sont semblables à un lymphome cutané (infiltration cancéreuse de la peau par des globules blancs), mais il s'agit de lésions bénignes. Toutefois, la transformation en lymphome ou l'association des deux affections se retrouve dans de 10 à 20 % des cas. L'évolution chronique, se fait par poussées.

Le traitement repose soit sur des applications de méchloréthamine, soit sur la puvathérapie (association de l'absorption d'un psoralène et d'une exposition aux rayonnements ultraviolets), éventuellement accompagnée de la prise de rétinoïdes par voie orale. Des rémissions sont obtenues, mais les rechutes sont fréquentes.

Paracelse (Theophrastus Bombastus von Hohenheim, dit)

Médecin et alchimiste suisse (Einsiedeln, près de Zurich, v. 1493 – Salzbourg 1541).

Personnage original se désignant comme « le monarque des sciences secrètes », il allia à des idées novatrices sur la médecine des croyances astrologiques, magiques et mystiques. Rejetant l'enseignement d'Aristote et de Galien, il défendit les méthodes expérimentales, préconisa l'usage de « médicaments chimiques » pour combattre les maladies et, le premier, signala les propriétés anesthésiques de l'« eau blanche », c'est-à-dire de l'éther.

Paracentèse

Création d'un orifice dans le tympan, dans un dessein thérapeutique.

Une paracentèse est indiquée pour le traitement des otites moyennes aiguës, purulentes ou séreuses.

Sous anesthésie locale ou générale, le médecin perfore la membrane du tympan qui ferme l'oreille moyenne avec une aiguille spéciale : en cas d'otite purulente, cela permet au pus de s'évacuer ou d'être prélevé ; en cas d'otite séreuse, on peut mettre en place dans l'orifice un aérateur transtympanique (petit appareil en forme de Yo-Yo, muni d'un canal central), permettant la pénétration de l'air extérieur dans l'oreille moyenne. Le tympan cicatrise de lui-même par la suite.

Cette intervention peut être pratiquée à tout âge, même chez les nourrissons, et répétée au besoin.

Paracétamol

Médicament d'usage courant, utilisé comme analgésique (contre la douleur) et comme antipyrétique (contre la fièvre).

FORMES PRINCIPALES ET MÉCANISME D'ACTION

Le paracétamol est présent dans de très nombreux médicaments, seul ou associé à d'autres principes actifs.

Son activité est d'une intensité et d'une durée comparables à celles de l'aspirine, dont il ne possède toutefois pas les propriétés anti-inflammatoires. Il est métabolisé dans le foie et éliminé par voie rénale.

INDICATIONS

Le paracétamol est efficace contre les maux de tête, les névralgies, les douleurs dentaires, articulaires, musculaires, etc., et contre la fièvre et les symptômes grippaux.

MODE D'ADMINISTRATION

L'administration se fait par voie orale (comprimé, effervescent ou non, poudre, soluté buvable) ou rectale (suppositoire). Par voie injectable, on administre du propacétamol, qui est un précurseur du paracétamol.

EFFETS INDÉSIRABLES

Le paracétamol est bien toléré aux doses recommandées (contrairement à l'aspirine, il ne provoque ni irritation ni saignements gastriques) et est dépourvu d'effets d'accoutumance. Un surdosage, accidentel ou volontaire, peut entraîner une hépatite aiguë avec nécrose tissulaire, dont l'évolution est parfois très grave ; il existe un antidote, la N-acétylcystéine.

Paracoccidioïdomycose

→ VOIR Blastomycose.

Paracousie

Déformation de la perception auditive.

Une paracousie est un signe observé au cours des affections de l'oreille. Le malade perçoit mal la hauteur (son grave ou aigu) des sons, leur intensité ou la localisation de leur source. La forme la plus commune de ce trouble est la paracousie de Willis, habituelle, par exemple, dans l'otospongiose (affection dans laquelle une diminution des vibrations de l'étrier est cause d'une transmission défectueuse des sons de l'oreille moyenne vers l'oreille interne) ; cette paracousie se caractérise par une amélioration de l'audition en ambiance bruyante.

Paracrine

Se dit d'une cellule sécrétrice ou d'un mode de sécrétion qui agit sur les tissus voisins.

Le mode de sécrétion paracrine, dont les effets s'exercent à proximité, s'oppose au mode de sécrétion endocrine, qui agit à distance. Ainsi, les cellules pancréatiques D sécrètent la somatostatine au voisinage des cellules alpha et bêta, ce qui permet d'inhiber les sécrétions - par ces cellules - de glucagon et d'insuline. De la même façon, les prostaglandines agissent localement selon un mode paracrine.

Paraffinome

Tuméfaction inflammatoire due à la présence d'huile de paraffine dans les tissus. SYN. *vaselinome*.

Les paraffinomes mammaires se développaient autrefois fréquemment à la suite de l'injection d'huile de paraffine, destinée à augmenter le volume des seins. Ces injections ne sont cependant plus pratiquées aujourd'hui.

L'inhalation accidentelle d'huile de paraffine, ingérée comme laxatif, peut provoquer un paraffinome dans les poumons.
→ VOIR Oléome.

Paragangliome

Tumeur, bénigne ou maligne, des paraganglions.

Un paragangliome est rare. Il se trouve essentiellement soit dans la partie centrale d'une glande surrénale (médullosurrénale) – il s'agit alors d'un phéochromocytome –, soit dans le glomus carotidien (petite masse arrondie située à la division des artères carotides primitives en carotides internes et externes). Les paragangliomes provoquent des épisodes de tachycardie (battement accéléré du cœur) et une hypertension artérielle paroxystique.

La plupart des paragangliomes guérissent après ablation chirurgicale. Mais certains peuvent récidiver ou se diffuser (métastases) dans l'organisme.

Paraganglion

Amas de cellules dont les propriétés et la structure ressemblent à la fois à des cellules nerveuses et à des cellules glandulaires.

Les glandes médullosurrénales et les glomus carotidiens, situés à la division des artères carotides primitives en carotides internes et externes (artères du cou à destinée respectivement cérébrale et faciale), sont des paraganglions. Les médullosurrénales sécrètent des substances chimiques, comme l'adrénaline, d'action hypertensive et vasoconstrictive ; les glomus carotidiens contiennent des chémorécepteurs (cellules sensibles à la composition chimique et à la teneur en oxygène du sang) qui participent à la régulation de la pression artérielle et de la respiration.

Les paraganglions peuvent être le siège de tumeurs bénignes ou malignes, les paragangliomes.

Parage

Nettoyage chirurgical d'une plaie avant sa réparation et sa suture.

Paragonimose

→ VOIR Distomatose pulmonaire.

Parakératose

1. Kératinisation (maturation anormale de la kératine) de la couche cornée de l'épiderme, caractérisée par la persistance anormale des noyaux dans les cornéocytes (cellules de la couche cornée).

Une parakératose s'observe après des agressions de l'épiderme ou au cours de certaines maladies dermatologiques, par exemple le psoriasis. Elle se traduit par une altération de la fonction de barrière protectrice de la peau.

2. Affection cutanée caractérisée par cette kératinisation pathologique. SYN. *eczématide*.

Les parakératoses constituent un groupe d'affections mal définies ; elles touchent surtout l'adulte et se traduisent par l'apparition de plaques rouges et squameuses démangeant plus ou moins selon les cas. Le traitement est local (bains antiseptiques, application cutanée de colorants en solution alcoolique faible ou de corticostéroïdes) et général (administration d'antihistaminiques en cas de prurit).

Paralysie

Abolition d'origine neurologique de la motricité d'un ou de plusieurs muscles.

Une paralysie peut concerner un petit groupe de muscles, un membre (monoplégie), la partie inférieure du corps (paraplégie) ou toute sa moitié droite ou gauche (hémiplégie). Lorsque la force musculaire est seulement diminuée, et non abolie, on parle de parésie.

CAUSES

Elles sont diverses : virus neurotrope (*Corynebacterium diphteriæ,* responsable de la diphtérie, ou virus de la poliomyélite, par exemple), traumatisme, tumeur bénigne ou maligne, accident vasculaire cérébral (hémorragie, interruption de la circulation), maladies diverses, comme la sclérose en plaques. L'anomalie responsable de la paralysie siège en un point quelconque des voies de la motricité, entre le cortex cérébral et les muscles. On distingue les paralysies centrales, où la lésion siège dans l'encéphale ou la moelle épinière, et les paralysies périphériques, où elle siège sur un nerf, entre ses racines et sa terminaison.

TRAITEMENT

Le traitement de la cause, lorsqu'il est possible (ablation chirurgicale d'une tumeur, par exemple), fait dans certains cas régresser ou disparaître la paralysie. Dans d'autres cas, une régression spontanée est possible, voire fréquente, comme au cours de certains accidents vasculaires cérébraux. Dans les formes de pronostic plus sévère, le traitement repose principalement sur la rééducation, qui permet au malade d'apprendre à utiliser au mieux les muscles restés actifs. Un appareillage adapté peut être proposé (appareil releveur du pied à la marche, par exemple).

→ VOIR Handicap.

Paralysie ascendante

→ VOIR Landry (syndrome de).

Paralysie faciale

Paralysie des muscles innervés par le nerf facial (7ᵉ paire crânienne).

DIFFÉRENTS TYPES DE PARALYSIE FACIALE

Selon le siège de l'atteinte, on distingue les paralysies faciales centrales et les paralysies faciales périphériques.

▪ La paralysie faciale centrale s'observe au cours de lésions vasculaires cérébrales et est souvent associée à une hémiplégie (paralysie d'une moitié du corps). Elle est liée à l'interruption des fibres reliant le cortex moteur et le noyau du nerf facial. Elle affecte la moitié de la face opposée à celle où siège la lésion nerveuse et prédomine dans la partie inférieure du visage : les paupières et le front sont épargnés par la paralysie. Cette paralysie se caractérise par une dissociation automatico-volontaire : elle est particulièrement visible lors de la motricité volontaire, mais les mouvements automatiques et réflexes sont conservés. Le traitement est celui de l'accident vasculaire cérébral (administration, notamment en cas d'embolie, d'anticoagulants).

▪ La paralysie faciale périphérique, ou paralysie de Bell, peut avoir de nombreuses causes : infectieuses (zona du ganglion géni-

culé situé sur le trajet du nerf facial, otite moyenne aiguë, polyradiculonévrite), traumatique (fracture du rocher), tumorale (tumeur de l'angle pontocérébelleux), vasculaire (ramollissement protubérentiel [de la partie moyenne du tronc cérébral]). Elle est consécutive à une altération du noyau d'origine du nerf facial, des racines du nerf ou du tronc nerveux lui-même et affecte la moitié du visage où siègent les lésions nerveuses. Les signes en sont une asymétrie du visage lorsqu'il est au repos, les traits étant déviés du côté sain. Du côté atteint, la face est atone, la commissure des lèvres abaissée, le sillon nasogénien moins profond, les lèvres plus largement ouvertes et les rides frontales abaissées. Il peut exister une diminution des sécrétions salivaires et lacrymales du côté atteint. La variété la plus fréquente de paralysie faciale périphérique est dite « a frigore » ; cette forme, le plus souvent bénigne et récidivant très rarement, apparaît brutalement et est souvent précédée de douleurs mastoïdiennes (derrière le pavillon de l'oreille). Le traitement comprend la rééducation par la kinésithérapie. Si la paralysie est partielle, l'état du patient s'améliore complètement et aucune séquelle ne persiste. Si la paralysie est totale, un traitement par les corticostéroïdes doit être administré en urgence ; cependant, dans la moitié des cas, des séquelles relativement gênantes (hémispasme facial, syndrome des larmes de crocodile [émission incontrôlée de larmes]) peuvent persister.

Paralysie générale progressive

Infection du système nerveux par l'agent de la syphilis.

La paralysie générale progressive, complication très tardive des syphilis non ou insuffisamment traitées, correspond à une encéphalite. Les signes en sont une diminution progressive des fonctions intellectuelles aboutissant à une démence et à un délire, ainsi que le signe d'Argyll-Robertson (la pupille ne se ferme plus en réaction à la lumière).

À ce stade, les antibiotiques ne sont plus d'aucune efficacité.

Paralysie infantile

→ VOIR Poliomyélite antérieure aiguë.

Paramédical

Qui a trait aux professions de santé que l'on peut exercer sans être docteur en médecine et aux soins qui sont délivrés par les personnes qui exercent ces professions.

Les infirmiers, aides-soignants, agents hospitaliers, masseurs-kinésithérapeutes, orthophonistes, pédicures, podologues, diététiciens, manipulateurs d'électroradiologie, opticiens, orthoptistes, audioprothésistes, etc., font partie du personnel paramédical ou des professions paramédicales.

Paramètre

Tissu conjonctif localisé de part et d'autre de l'utérus, sous les ligaments suspenseurs de cet organe. SYN. *mesometrium*. (P.N.A. *parametrium*)

Situés sous les ligaments larges, les ligaments ronds et les ligaments utérosacrés, les paramètres sont traversés par les uretères et les vaisseaux de l'utérus et du vagin. Ils peuvent être le siège d'une inflammation dans le cadre d'une salpingite (inflammation des trompes utérines). Lors d'une hystérectomie (ablation de l'utérus) pour cancer du col, les paramètres sont également enlevés.

Paranoïa

Psychose caractérisée par un délire systématisé, sans diminution des capacités intellectuelles.

La paranoïa apparaît le plus souvent chez des sujets prédisposés : surestimation du moi (orgueil, mégalomanie), rigidité psychique (méfiance, dogmatisme), erreurs de jugement dues à un raisonnement logique, mais reposant sur des a priori purement subjectifs. Le délire de la paranoïa se développe de façon cohérente, parfois plausible, suivant une série d'interprétations et de polarisations affectives : idéalisme passionné, jalousie, revendication pour un préjudice mineur ou imaginaire, érotomanie, etc. Ce délire finit par se constituer en système permanent et inébranlable, le fonctionnement de la pensée, de la volonté et de l'action demeurant clair et ordonné.

SYMPTÔMES ET SIGNES

Le comportement du paranoïaque est revendicatif, combatif. Son désir de vengeance le conduit parfois à réaliser des actes antisociaux (agression) et presque toujours à s'enfermer dans un cercle vicieux persécuté/persécuteur en recourant aux autorités officielles. Il cherche fréquemment à convertir autrui à ses idées.

TRAITEMENT

Il nécessite généralement l'hospitalisation, voire l'internement du malade, surtout lorsque celui-ci désigne une personne comme son persécuteur. Il associe la prise de neuroleptiques à une psychothérapie fondée sur la recherche des contenus émotionnels exprimés par le délire.

Paranoïa sensitive

Cette psychose, décrite par le psychiatre allemand Ernst Kretschmer (1888-1964), constitue une forme particulière de paranoïa, survenant chez des sujets vulnérables, scrupuleux, enclins au doute et dont la sexualité est mal assumée. L'accumulation des frustrations débouche sur un délire, le malade étant persuadé que son entourage le persécute. La paranoïa sensitive est vécue sur un mode dépressif : autodépréciation, sentiment d'impuissance, repli douloureux et angoissé du sujet sur lui-même. Cette affection se soigne en général très bien à l'aide de médicaments antidépresseurs.

Paraparésie

Déficit incomplet de la force musculaire des deux membres inférieurs.

La paraparésie est une forme atténuée de paraplégie (paralysie des membres inférieurs), dont elle partage les causes (lésion de cellules motrices du système nerveux).

Paraphimosis

Étranglement de la base du gland du pénis par un anneau préputial trop étroit.

Le paraphimosis est une complication fréquente du phimosis (étroitesse du prépuce). Douloureux, il provoque un œdème du gland pénien qui empêche le recalottage.

TRAITEMENT

C'est une urgence. Dans un premier temps, il est possible d'essayer manuellement de remettre le prépuce en place sans anesthésie. Cependant, lorsque le paraphimosis date de plusieurs heures, cette réduction manuelle est impossible : il faut inciser l'anneau d'étranglement du prépuce, sous anesthésie locale, pour pouvoir le rabattre sur le gland, puis élargir l'anneau préputial, voire pratiquer une posthectomie (ablation du prépuce) afin d'éviter les récidives.

Paraphlébite

Inflammation d'une veine sous-cutanée.
SYN. *phlébite superficielle.*

Une paraphlébite se développe le plus souvent dans les membres inférieurs, sur les veines saphènes interne et externe (veines qui drainent le sang d'une partie du membre vers sa racine). L'inflammation d'une de ces veines se produit plus fréquemment sur le trajet d'une varice. Elle favorise la constitution d'une thrombose (caillot).

SYMPTÔMES ET DIAGNOSTIC

Le sujet ressent une douleur locale. On peut constater une rougeur et une induration de la veine sur une portion plus ou moins longue de son trajet. Le diagnostic repose sur l'écho-Doppler vasculaire.

ÉVOLUTION ET TRAITEMENT

Le risque d'embolie pulmonaire est très faible dans ce type de phlébite. Il n'existe que lorsque l'atteinte se localise à la hauteur de la crosse de la veine saphène interne, là où celle-ci débouche dans la veine fémorale superficielle. Le caillot qui s'est formé dans la veine saphène peut en effet continuer à grossir dans la veine fémorale superficielle. Il risque alors de se fragmenter, puis de migrer vers le cœur et les poumons.

Généralement, l'évolution d'une paraphlébite est bénigne, mais les récidives sont fréquentes en cas de varices. Le traitement consiste le plus souvent en l'application de pommade anti-inflammatoire sur la portion atteinte de la veine.
→ VOIR Phlébite, Varice.

Paraphrénie

Psychose caractérisée par un délire imaginatif chronique, sans affaiblissement des fonctions mentales.

Un sujet souffrant de paraphrénie semble vivre dans deux mondes : le monde réel et celui de son délire, qu'il ne cesse d'enrichir de ses productions imaginaires. La paraphrénie peut être systématique (le malade se voit au centre de son délire) ou confabulante et fantasmatique (il a l'impression d'assister à un film). Le traitement de la paraphrénie, qui peut rester très longtemps compatible avec une vie normale, est celui des délires chroniques.

Paraplégie

Paralysie des deux membres inférieurs.

Une paraplégie est due à une lésion des cellules motrices du système nerveux, de localisation soit centrale (lésion en profondeur de la moelle épinière), soit périphérique (lésion dans la zone d'émergence des fibres nerveuses de la moelle ou des nerfs). Elle s'associe dans un certain nombre de cas à des troubles sphinctériens (incontinence ou rétention urinaire, par exemple).

■ Les paraplégies centrales peuvent apparaître brutalement (traumatismes, accidents vasculaires) ou progressivement (syndrome de compression de la moelle, sclérose en plaques). On observe alors un syndrome pyramidal, caractérisé par une paralysie spasmodique, c'est-à-dire associée à une hypertonie (raideur musculaire) et à une exagération des réflexes, et par un signe de Babinski (extension du gros orteil lors du frottement du bord externe de la plante du pied), témoignant de la nature centrale de la paraplégie.

■ Les paraplégies périphériques comprennent les atteintes d'une zone de la moelle épinière, appelée corne antérieure, qui peuvent être aiguës (poliomyélite) ou chroniques (maladie de Charcot), et les atteintes aiguës des racines des nerfs (polyradiculonévrite comme le syndrome de Guillain-Barré).

DIAGNOSTIC ET TRAITEMENT

Le diagnostic repose sur l'examen tomodensitométrique, l'imagerie par résonance magnétique (I.R.M.), l'examen du liquide céphalorachidien et les explorations électrophysiologiques (potentiels évoqués somesthésiques [des voies de la sensibilité], électromyographie).

Le traitement, médical ou chirurgical, dépend de l'affection responsable.

Parapsoriasis

Affection cutanée d'origine inconnue ayant un aspect voisin de celui du psoriasis.

Les parapsoriasis n'ont d'autre rapport avec le psoriasis que leur aspect de taches rouges recouvertes de squames.

DIFFÉRENTS TYPES DE PARAPSORIASIS

On en distingue deux types, dont l'identification et la distinction d'avec le psoriasis sont assurées par la biopsie cutanée.

■ Le parapsoriasis en gouttes, ou pityriasis lichénoïde, touche le plus souvent l'homme jeune, sous la forme d'une éruption de taches roses, de 3 à 10 millimètres, qui s'épaississent, foncent et se recouvrent de squames épaisses. L'éruption siège sur les membres et les flancs et dure deux ou trois semaines. Il existe des formes chroniques récidivant par poussées. Le traitement, peu efficace, fait appel aux antihistaminiques ou aux anti-inflammatoires par voie orale, aux applications de corticostéroïdes ou à la puvathérapie (association de l'absorption d'un psoralène et d'une exposition aux rayonnements ultraviolets).

■ Le parapsoriasis en plaques affecte surtout l'homme adulte. Il forme des plaques rouges, rosées ou rougeâtres, recouvertes d'une fine desquamation. Les lésions touchent surtout les cuisses, les fesses et le bas du dos. Elles démangent légèrement. C'est une affection chronique, évoluant sur des mois ou des années et comportant un risque de transformation en mycosis fongoïde, variété de lymphome d'origine cutanée.

TRAITEMENT

Le traitement repose sur les applications de corticostéroïdes ou d'anticancéreux (méchloréthamine, nitroso-urées), ou sur la puvathérapie, éventuellement accompagnée de la prise de rétinoïdes par voie orale.

Parasite

Organisme qui vit ou se développe aux dépens de celui qui l'héberge.

Un parasite se nourrit des tissus, du sang ou des aliments de son hôte. La plupart des parasites sévissent dans les pays tropicaux, où leur présence est liée aux conditions climatiques et souvent à une hygiène déficiente des populations.

DIFFÉRENTS TYPES DE PARASITE

Les parasites sont classés selon le nombre de cellules qui les constituent.

■ **Les parasites unicellulaires,** ou protozoaires, se déplacent grâce à des pseudopodes (expansions du cytoplasme) - c'est le cas des amibes, par exemple - ou, comme les trypanosomes, grâce à des flagelles (filaments mobiles). Ils se multiplient par scissiparité (division en deux parties) et/ou par reproduction sexuée, et vivent soit hors des cellules (dans le plasma), comme les trypanosomes, soit dans les cellules (à l'intérieur du cytoplasme) de l'être vivant qui les héberge, comme les toxoplasmes.

■ **Les parasites pluricellulaires,** ou métazoaires, peuvent être des vers plats de taille variable, munis de ventouses à leur extrémité antérieure et au corps. Ils possèdent soit un corps segmenté ressemblant à une succession d'anneaux pleins, comme les cestodes ou les ténias, soit un corps non segmenté, comme les douves et les bilharzies. Les métazoaires peuvent aussi, comme les nématodes, avoir une forme cylindrique (c'est le cas, par exemple, des ascaris ou des oxyures, vers ronds). Ces parasites vivent sous la peau ou dans l'intestin, le sang, les bronches, le foie, les reins, etc., de leur hôte.

CONTAMINATION

La contamination de l'homme par les protozoaires se fait par absorption du protozoaire, présent dans l'alimentation sous sa forme de kyste (dans une coque), ou par l'intervention d'insectes qui transmettent le parasite dans le sang par une piqûre ou le déposent sur la peau.

La contamination par les métazoaires se produit par absorption des larves ou des embryons fixés sur les aliments, par la pénétration des larves à travers la peau ou par la piqûre des insectes vecteurs.

Parasitisme

1. État d'un organisme qui vit aux dépens d'un organisme d'une autre espèce, que l'on appelle l'hôte.

Le parasitisme est le mode de vie le plus répandu dans le monde vivant. Il peut être durable ou se produire à certains stades du développement du parasite (larvaire ou adulte). Il assure la survie individuelle et la pérennité du parasite, qui trouve chez son hôte nourriture, protection, possibilité de reproduction et même de transfert (d'un insecte à un être humain, par piqûre, comme dans le paludisme).

2. Présence et mode d'existence des parasites dans certains organes ou tissus.

Le parasitisme sanguin et le parasitisme intestinal sont particulièrement fréquents.

Parasitologie

Science naturelle étudiant les parasites.

La parasitologie décrit les parasites, analyse leur morphologie, les étapes de leur évolution, leur mode de vie et leur reproduction, leur rôle dans la genèse et la transmission de certaines maladies. Cette discipline étudie également les divers procédés qui permettent de déceler la présence des parasites dans les organismes vivants et les moyens susceptibles de contribuer à leur disparition. La parasitologie utilise les techniques les plus avancées du génie génétique et de l'immunologie, science qui a fortement progressé grâce à l'étude de la vie parasitaire.

La parasitologie trouve une application particulière dans différents domaines.

■ **La parasitologie médicale** étudie surtout les parasites de l'homme, qu'il s'agisse de champignons, de protozoaires (êtres unicellulaires) ou de métazoaires (êtres pluricellulaires). Elle lutte, avec le soutien de l'Organisation mondiale de la santé (O.M.S.), contre les fléaux que sont le paludisme et les bilharzioses.

■ **La parasitologie vétérinaire** se consacre à l'étude des parasites qui vivent aux dépens des animaux.

■ **La parasitologie végétale** ou agronomique s'intéresse aux parasites des plantes. Elle est particulièrement importante en raison des conséquences humaines, alimentaires et économiques qu'induit le parasitisme des végétaux comestibles.

Parasomnie

→ VOIR Sommeil (troubles du).

Parasympatholytique

→ VOIR Anticholinergique.

Parasympathomimétique

→ VOIR Cholinergique.

Parathormone

Hormone sécrétée par les glandes parathyroïdes, qui assure la régulation de la répartition du calcium et du phosphore dans l'organisme. SYN. *hormone parathyroïdienne.*

STRUCTURE ET FONCTION

La parathormone est une molécule appelée peptide, formée de 84 acides aminés. Elle agit principalement sur trois organes cibles : les reins, les os et l'intestin grêle. Dans les reins, la parathormone favorise la rétention du calcium et l'élimination du phosphore. Elle stimule également l'enzyme rénale qui transforme la vitamine D. Dans les os, la parathormone permet la mobilisation du calcium osseux, participant ainsi au renouvellement permanent du tissu osseux. Dans l'intestin grêle, elle accroît l'absorption du calcium par l'intermédiaire de la vitamine D transformée.

La sécrétion de parathormone est stimulée par l'hypocalcémie (diminution du taux de calcium dans le sang) et inhibée par l'hypercalcémie (augmentation de ce taux). Cette régulation précise permet de maintenir un taux de calcium normal dans le sang.

UTILISATION DIAGNOSTIQUE

Le dosage de la parathormone dans le sang permet de diagnostiquer la cause des désordres du métabolisme calcique et notamment celle des pathologies parathyroïdiennes (hyperparathyroïdie, hypoparathyroïdie).

Parathyroïde (glande)

Glande endocrine située en arrière de la thyroïde, à la hauteur du cou, et assurant la synthèse de la parathormone.

Il existe en général 2 paires de parathyroïdes, mais parfois ces glandes sont au nombre de 5 ou de 6. Les 2 parathyroïdes inférieures sont normalement localisées à la partie inférieure de la face postérieure des lobes thyroïdiens, mais elles peuvent se trouver plus bas, parfois dans le médiastin (région médiane du thorax, comprise entre les poumons). Les 2 parathyroïdes supérieures se situent généralement au niveau de l'isthme thyroïdien (à la jonction entre les 2 lobes).

PATHOLOGIE

L'hyperparathyroïdie, la plus fréquente des affections des parathyroïdes, est due à la présence d'un adénome sur une des glandes, responsable d'une hypercalcémie. Son traitement est chirurgical. Beaucoup plus rare, l'hypoparathyroïdie est généralement consécutive à une ablation chirurgicale de la thyroïde ou, parfois, à une maladie auto-immune. Son traitement repose sur l'administration de vitamine D et de calcium.

Parathyroïdectomie

Ablation chirurgicale d'une ou de plusieurs glandes parathyroïdes.

INDICATIONS

La parathyroïdectomie se pratique en cas d'hyperparathyroïdie (sécrétion exagérée des glandes parathyroïdes provoquant une dégradation du tissu osseux suivie d'une augmentation du taux de calcium sanguin). Il arrive aussi qu'au cours d'une ablation de la thyroïde le chirurgien soit obligé de retirer les parathyroïdes, quand elles sont accolées à cette glande.

DÉROULEMENT ET CONSÉQUENCES

La parathyroïdectomie ne nécessite qu'une hospitalisation courte, de 4 ou 5 jours. Elle entraîne parfois une diminution temporaire ou durable du taux sanguin de calcium nécessitant un traitement à base de calcium et de vitamine D. Pour cette raison, le chirurgien essaie toujours de conserver un fragment de l'une des glandes parathyroïdes, celui-ci étant soit laissé en place, soit réimplanté dans un muscle.

Paré (Ambroise)

Chirurgien français (Bourg-Hersent, près de Laval, 1509 – Paris 1590).

Devenu en 1536 chirurgien militaire, il acquit sur les champs de bataille une renommée qui lui valut d'être successivement chirurgien des rois Henri II, François II, Charles IX et Henri III. Aussi modeste qu'habile, il employait volontiers la formule : « Je le pansai, Dieu le guérit. » Ambroise Paré fut surnommé le « père de la chirurgie », en raison des améliorations qu'il apporta dans cette discipline. À la pratique de la cautérisation des plaies à l'huile bouillante ou au fer rouge, il substitua la ligature des artères après amputation. Il simplifia aussi le traitement des fractures et des luxations, imagina plusieurs opérations nouvelles ainsi que d'ingénieuses prothèses et divers instruments chirurgicaux.

Parenchyme

Tissu dont les cellules ont une activité physiologique, par opposition aux tissus de liaison et de soutien.

Le parenchyme pulmonaire assure la fonction respiratoire ; le parenchyme rénal contribue à l'épuration des déchets de l'organisme. Lorsque le parenchyme est lésé, il laisse place à du tissu conjonctif cicatriciel, qui n'a pas d'activité physiologique. Cependant, le foie, au contraire du poumon ou du rein, est capable de reconstituer un nouveau parenchyme (hépatopoïèse).

Parentéral

Qui s'administre par une voie autre que la voie digestive.

L'administration parentérale d'une substance médicamenteuse peut se faire par injection intraveineuse, intramusculaire ou sous-cutanée, ou par perfusion intraveineuse, par exemple.
→ VOIR Alimentation parentérale.

Parésie

Déficit partiel de la motricité.

Une parésie est une paralysie atténuée, qui peut toucher un groupe musculaire plus ou moins important, les deux membres inférieurs (paraparésie), les quatre membres (tétraparésie) ou la moitié gauche ou droite du corps (hémiparésie). Elle entraîne une gêne à la préhension et/ou à la marche, mais sans disparition totale de la sensibilité et de la motricité des muscles atteints.
→ VOIR Paralysie.

Paresthésie

Sensation anormale, non douloureuse mais désagréable, ressentie sur la peau.

Les paresthésies traduisent une atteinte des fibres nerveuses responsables de la sensibilité discriminative, ou épicritique (c'est-à-dire du tact fin permettant de distinguer la texture d'un objet, par exemple, par opposition au tact grossier permettant de distinguer la forme de l'objet), et s'observent dans différentes affections neurologiques.

Une paresthésie se manifeste par des signes spontanés tels que fourmillements, raideur de la peau (peau cartonnée), engourdissement. Ces sensations surviennent plus ou moins fréquemment ; leur localisation est fonction de l'affection responsable.

Parinaud (échelle de)

Échelle utilisée par l'ophtalmologiste pour étudier la vision de près.

L'échelle de Parinaud se présente sous la forme d'un texte imprimé dont les paragraphes sont écrits en caractères de plus en plus petits.

Le passage dont les caractères sont les plus gros se nomme Parinaud 28 (ou P 28), celui dont les caractères sont les plus petits, Parinaud 2 (ou P 2). Il existe un texte plus petit (P 1,5), mais il est peu utilisé.

Le texte doit être lu à une distance de lecture habituelle de 30 à 35 centimètres. L'acuité visuelle est alors notée de P 2 (meilleure acuité) à P 28, selon les capacités de lecture du sujet. Cette mesure s'effectue d'abord sans correction optique, puis avec lunettes, si le patient en porte habituellement. L'échelle de Parinaud est destinée à dépister un éventuel trouble de la réfraction (myopie, hypermétropie, astigmatisme) ou une difficulté à accommoder en raison de la rigidité du cristallin (presbytie), fréquente à partir de 45 ans. La mesure de la vision selon l'échelle de Parinaud peut déboucher sur la prescription de verres correcteurs.

Parinaud (syndrome de)

Trouble ophtalmologique caractérisé par une paralysie des mouvements verticaux des yeux sans altération des mouvements horizontaux, par une paralysie de la convergence, provoquant une vision double de près, associée parfois à une paralysie de l'accommodation, et par une dissociation des fonctions de la pupille, qui réagit faiblement à la lumière.

CAUSES ET TRAITEMENT

Le syndrome de Parinaud est provoqué par une atteinte de la partie supérieure du tronc cérébral, due le plus souvent à une tumeur de l'épiphyse (glande du cerveau). L'athérosclérose (dépôt de graisse sur les parois artérielles), une embolie (obstruction d'une artère) ou une malformation des vaisseaux peut aussi en être responsable.

Le traitement du syndrome de Parinaud est celui de sa cause.

Parkinson (James)

Médecin anglais (Londres 1755 – id. 1824).

Il est surtout connu pour avoir remarquablement décrit en 1817, sous le nom de *shaking palsy* (en anglais, paralysie agitante), la maladie qui porte aujourd'hui son nom.

Parkinson (maladie de)

Maladie neurologique chronique caractérisée par un tremblement, une raideur et une lenteur des mouvements.

La maladie de Parkinson, décrite dès le début du XIXᵉ siècle, est l'une des maladies neurologiques les plus fréquentes, puisqu'elle touche environ 1 % de la population âgée de plus de 50 ans.

CAUSES ET MÉCANISME

La maladie de Parkinson est classée comme étant une maladie « dégénérative », mais sa cause initiale reste inconnue. On invoque une certaine prédisposition héréditaire qui ne jouerait cependant qu'un rôle mineur, et, depuis peu, des facteurs liés à l'environnement rural (influence de toxiques tels que les pesticides, par exemple).

En revanche, le mécanisme de la maladie est connu depuis plusieurs décennies : il s'agit d'une dégénérescence atteignant les cellules nerveuses d'un noyau gris central (substance grise située à l'intérieur de l'encéphale), le locus niger ; celle-ci entraîne une insuffisance de sécrétion de dopamine, un neurotransmetteur qui agit sur le striatum, ou corps strié (autre noyau gris central qui intervient dans la régulation motrice). Par ailleurs, en étudiant les cellules nerveuses de sujets atteints après leur mort, on a remarqué la présence de corps de Lewy, petites masses localisées à l'intérieur des cellules lésées, de signification incertaine.

SYMPTÔMES ET SIGNES

La maladie commence vers 55 ans environ, parfois immédiatement après un stress (intervention chirurgicale, choc affectif), plus souvent sans raison et d'une manière très progressive et insidieuse. Le premier signe en est souvent une micrographie (écriture en pattes de mouche, avec des lettres très petites). Lorsque la maladie est installée, elle se traduit par un syndrome extrapyramidal, le syndrome parkinsonien, qui associe 3 types de signes : un tremblement quand le malade est au repos ; une akinésie (raréfaction et lenteur des mouvements) ; une hypertonie plastique (augmentation du tonus musculaire). L'un ou l'autre de ces signes peuvent dominer, selon les sujets. On constate également une exagération des réflexes et une dysarthrie (trouble de l'élocution), donnant à la voix un ton monocorde. Le visage est figé, inexpressif (amimie), contrastant avec un regard qui reste présent et vif.

DIAGNOSTIC

Il est exclusivement établi d'après les signes cliniques, car seule une biopsie cérébrale *post mortem* du locus niger permet de découvrir des corps de Lewy et de confirmer le diagnostic.

La caméra à positons permet de visualiser le déficit en dopamine, mais elle n'est utilisée qu'à titre expérimental.

TRAITEMENT

Le traitement est surtout médicamenteux et repose principalement sur l'administration de lévodopa (ou L-dopa), substance transformée en dopamine une fois absorbée. Connue depuis une trentaine d'années, celle-ci est surtout efficace dans les formes où prédominent la lenteur des mouvements et la raideur musculaire. Ce médicament est administré à doses croissantes, jusqu'à ce que soit atteinte la dose minimale nécessaire à la suppression des symptômes ; la prescription est fractionnée jusqu'en 8 prises quotidiennes, afin de répartir l'action du médicament tout au long de la journée. Un phénomène appelé *on-off* apparaît souvent après quelques années (chez 4 patients sur 5 après 10 ans) : réapparition brutale des troubles avec passage, à certains moments, d'un blocage moteur complet à un déblocage avec mouvements anormaux (compulsion de marche rapide, secousses musculaires).

Les autres médicaments antiparkinsoniens sont les agonistes dopaminergiques (agissant comme la dopamine), tels la bromocriptine et le piribédil, et les anticholinergiques.

Des traitements non médicamenteux interviennent également.

■ **La kinésithérapie**, fondamentale contre l'akinésie et la rigidité, consiste en une rééducation globale de la marche et de l'équilibre, et en une mobilisation de chaque groupe musculaire.

■ **La chirurgie avec stéréotaxie** (repérage radiologique en trois dimensions des structures nerveuses) est réservée à certaines formes de tremblement rebelles à tous les médicaments. Elle consiste à provoquer une destruction minime de tissu dans le thalamus, afin de détruire une partie des noyaux gris (striatum).

■ **La greffe**, dans le striatum, de cellules provenant de glandes surrénales fœtales prélevées sur un fœtus avorté est encore du domaine expérimental.

PRONOSTIC

Le traitement a transformé le pronostic de la maladie de Parkinson. Il permet en général au malade de maintenir ses activités et lui assure une durée de vie normale. Cependant, chez certains patients, son efficacité diminue après plusieurs années et les troubles moteurs s'accentuent, en même temps qu'apparaît une altération progressive de leurs facultés intellectuelles.

Parodonte

Ensemble des structures qui assurent la fixation et le soutien de la dent sur les maxillaires.

On distingue le parodonte profond (os alvéolaire, ligament, cément) du parodonte superficiel (gencive).

■ **Le cément** est un tissu minéralisé qui recouvre la racine dentaire.

■ **Le ligament alvéolodentaire**, ou **desmodonte**, est un tissu fibreux et élastique qui relie la dent à l'os et amortit les pressions subies lors de la mastication et de la déglutition des aliments.

■ **L'os alvéolaire** constitue la partie superficielle de la mâchoire ; il est creusé d'alvéoles dans lesquelles sont implantées les racines des dents.

■ **La gencive** est la portion de la muqueuse buccale qui recouvre l'os alvéolaire et entoure le collet des dents. La gencive marginale, qui entoure la dent, est non adhérente sur une profondeur de 1 à 1,5 millimètre et forme autour de la dent un sillon appelé sulcus.

Parodontite

Inflammation du parodonte. SYN. *pyorrhée alvéolodentaire*.

Une parodontite est due à l'action néfaste de la plaque dentaire et du tartre, qui contiennent de nombreux germes, sur les tissus de soutien de la dent (gencive, os alvéolaire, cément).

SYMPTÔMES ET SIGNES

Elle se traduit par une gencive rouge et gonflée qui saigne au moindre contact, notamment lors du brossage. Les parodontites chroniques, très fréquentes, affectent habituellement l'adulte d'une trentaine d'années. Leur évolution est très lente, sur une durée de 20 à 30 ans, parfois entrecoupée d'épisodes aigus. Il existe cependant chez l'adolescent une forme de parodontite d'apparition soudaine et à évolution rapide : la parodontite juvénile aiguë. Celle-ci peut être le signe d'une déficience immunitaire générale. Elle se traduit par des douleurs gingivales aiguës, lancinantes, accompagnées d'une altération de l'état général (fièvre, fatigue). La gencive, violacée et décollée, dégage une odeur fétide. Les dents les plus atteintes sont les incisives du bas et les premières molaires.

TRAITEMENT

Quels que soient l'importance de la destruction du parodonte et le type de la parodontite, le traitement débute par un détartrage-surfaçage (polissage) des racines, afin de ralentir le processus de dépôt du tartre. La pratique d'un brossage correct permettant d'éliminer régulièrement la plaque dentaire est indispensable. Quelques mois plus tard, on procède à une réévaluation de l'état des tissus et, le cas échéant, à un comblement des structures détruites (greffes de gencive, comblement des lésions osseuses à l'aide de corail, d'hydroxyapatite, de phosphates tri-calciques, etc.). En cas de parodontite juvénile aiguë, la prescription d'antibiotiques est souvent nécessaire.

Parodontologie

Discipline consacrée à l'étude des maladies du parodonte.

La parodontologie est une spécialité dentaire peu connue mais très active sur le plan de la recherche. C'est grâce à ses progrès que des dents qui, hier, auraient été extraites peuvent aujourd'hui être soignées efficacement et conservées.

Parodontolyse

Destruction progressive et irréversible du parodonte.

Les parodontolyses sont consécutives à une parodontopathie profonde (atteinte profonde du parodonte). Elles sont précédées par un stade d'inflammation superficielle de la gencive (gingivite). Lors de l'évolution de la maladie, la disparition du support osseux s'accompagne d'un décollement de la gencive autour de la dent (poche), visible sur des clichés radiographiques.

La progression de la maladie est en général indolore, sauf en cas de flambée infectieuse (abcès). La parodontolyse est la cause essentielle de la perte des dents à partir de l'âge de 30 ans. Elle évolue le plus souvent sur un mode chronique ou, beaucoup plus rarement, de façon extrêmement rapide (parodontite aiguë juvénile des adolescents).

TRAITEMENT

Il débute par la suppression de la cause bactérienne de la maladie grâce à l'enseignement d'un brossage minutieux et efficace, et par un détartrage-surfaçage (polissage) des racines. Lorsque la maladie progresse en profondeur, une intervention à lambeau (décollement chirurgical de la gencive) permet de nettoyer et de cureter les lésions et ainsi d'arrêter leur évolution. Le traitement peut aussi éventuellement combler les structures détruites à l'aide de corail, d'hydroxyapatite ou d'autres matériaux.

Parodontopathie

Toute affection caractérisée par une atteinte du parodonte.

Les parodontopathies sont la cause essentielle de la perte des dents à partir de l'âge de 30 ans. La plaque dentaire joue un rôle déterminant dans leur apparition.

DIFFÉRENTS TYPES DE PARODONTOPATHIE

■ **Les parodontopathies superficielles** sont caractérisées par l'atteinte isolée des gencives, qui sont le siège d'une inflammation provoquant des saignements lors du brossage. Cette atteinte est réversible si un détartrage régulier et une bonne hygiène sont instaurés.

■ **Les parodontopathies profondes** sont caractérisées par une inflammation des tissus profonds du parodonte (os, ligament et cément) et entraînent finalement leur destruction. Les dents perdent alors progressivement leur support et deviennent de plus en plus mobiles.

SYMPTÔMES ET TRAITEMENT

Abcès, douleurs et fétidité de l'haleine accompagnent les parodontopathies. Quelle que soit l'importance de l'affection, les traitements débutent tous par un détartrage. Ils visent ensuite à arrêter la maladie et parfois à recréer les structures détruites à l'aide de greffes de gencives, de matériaux de comblement des lésions osseuses (corail, phosphate tricalcique, os), etc. Par ailleurs, la pratique d'un brossage correct permettant d'éliminer régulièrement la plaque dentaire est indispensable.

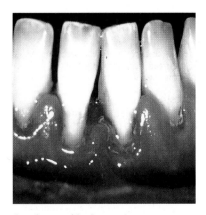

Parodontopathie. *Les gencives sont rouges et gonflées, et les dents se déchaussent.*

Paronychie

→ VOIR Périonyxis.

Parotide (glande)

La plus volumineuse des glandes salivaires, située en arrière de la branche montante du maxillaire inférieur, sous l'oreille.
→ VOIR Salivaire (glande).

Parotidectomie

Ablation chirurgicale de tout ou partie d'une glande parotide.

Une parotidectomie est indiquée en cas de tumeur bénigne (adénome pléiomorphe, notamment) ou maligne de la glande parotide. Dans le premier cas, l'ablation, qui est soit partielle, soit totale, conserve le nerf facial, que l'on s'efforce de ne pas léser. En cas de tumeur maligne, toute la parotide est enlevée, mais on essaie autant que possible de préserver le nerf facial, car son ablation entraînerait une paralysie faciale.

La parotidectomie nécessite une hospitalisation relativement courte, de 5 à 8 jours. Elle provoque parfois une paralysie faciale passagère et peut aussi être suivie d'un trouble généralement temporaire, appelé syndrome de Frey (sensation de chaleur avec sudation de la joue à l'approche des aliments).

Parotidite

Inflammation de la glande parotide (principale glande salivaire).

Une parotidite peut être d'origine virale ou bactérienne.
■ La parotidite virale, la plus fréquente, s'observe principalement au cours des oreillons. Elle provoque une fièvre modérée et se traduit par un gonflement douloureux des deux parotides. Le traitement est celui de la maladie en cause.
■ La parotidite bactérienne, purulente, apparaît en général chez une personne âgée dont l'état buccodentaire est mauvais ou qui souffre d'une maladie provoquant une déshydratation. Les signes sont les mêmes que ceux d'une parotidite virale, mais plus marqués et unilatéraux. Du pus sourd de l'orifice du canal de Sténon (canal excréteur de la glande parotide), à la hauteur des molaires supérieures. Le traitement est celui des symptômes (soins de la bouche), associé à la prise d'antibiotiques par voie orale.

Partogramme

Diagramme permettant de noter le déroulement d'un accouchement.

Le partogramme, systématiquement réalisé dans les maternités, est une courbe sur laquelle le temps est porté en abscisse et la dilatation du col de l'utérus, indiquée en centimètres, en ordonnée. La sage-femme ou le médecin notent tous les événements marquant le déroulement du travail (première étape de l'accouchement) : la dilatation du col de l'utérus, la présentation, le rythme des contractions utérines, la couleur du liquide amniotique après rupture des membranes, le rythme cardiaque du fœtus, ainsi que la température de la femme et, le cas échéant, le traitement prescrit.

Parturition

Accouchement naturel.
→ VOIR Accouchement.

Parvovirus

Virus à A.D.N., de petite taille, de la famille des *Parvoviridæ*.

La famille des *Parvoviridæ* comprend notamment le virus de Norwalk, responsable de gastroentérites, et le parvovirus humain sérique B19, transmis par voie parentérale (transfusion, seringues, tatouage, greffe d'organe) et responsable d'anémies érythroblastopéniques (par raréfaction de la production d'érythroblastes, précurseurs des globules rouges), du mégalérythème épidémique et de diverses manifestations (syndrome respiratoire bénin, gonflement des ganglions lymphatiques, méningite lymphocytaire, hépatite, douleurs abdominales, etc.).

Pasteur (Louis)

Chimiste et biologiste français (Dole 1822 – Villeneuve-l'Étang 1895).

Grande figure de la science universelle, créateur de la microbiologie, Pasteur commença sa carrière par des recherches sur les cristaux. En 1854, il s'engagea dans les études sur les fermentations et montra que celles-ci résultaient de l'activité de micro-organismes et que la génération spontanée n'existait pas. Ses investigations dans ce domaine débouchèrent sur la mise au point d'un procédé de conservation des liquides alimentaires, la pasteurisation. Il étudia ensuite les maladies du ver à soie puis, dans les années 1870, les maladies contagieuses de l'homme et des animaux. Il découvrit divers microbes, dont le staphylocoque et le streptocoque, se battit pour convaincre les chirurgiens et les médecins que les micro-organismes étaient responsables de la propagation des infections et qu'il était indispensable de recourir à l'asepsie.

En travaillant sur le choléra des poules et la maladie charbonneuse des moutons, il mit au point le principe de la vaccination préventive par inoculation de microbes atténués dans leur virulence. Avec le médecin Émile Roux, il obtint un vaccin contre la rage, qui fut pratiqué avec succès sur l'homme à partir de 1885. Cette découverte consacra sa gloire. Il devint en 1888 le directeur de l'Institut Pasteur, centre de recherche et d'enseignement de la biologie, alors nouvellement créé en France.

Pasteurellose

Maladie infectieuse provoquée par une bactérie du genre *Pasteurella*.

La pasteurellose est une maladie touchant l'homme et l'animal (bovins, lapins, porcs, poules, etc.). L'animal constitue le réservoir du germe. L'homme se contamine par inoculation directe de ce germe lors d'une morsure, d'une piqûre ou d'une griffure, ou par inhalation du germe au contact d'un animal malade. Parmi les différentes espèces de la bactérie, *Pasteurella multocida* est le plus fréquemment en cause dans les cas de pasteurellose humaine.

SYMPTÔMES ET ÉVOLUTION

Une inflammation de la plaie survient entre 3 et 6 heures après l'inoculation ; cette rapidité d'apparition est caractéristique de la pasteurellose. La plaie devient douloureuse, rouge et suintante en l'espace de 2 jours. Ces signes s'accompagnent souvent d'une inflammation des vaisseaux lymphatiques et des ganglions voisins de la plaie ainsi que d'une fièvre modérée.

En l'absence de traitement, une inflammation chronique s'installe. La maladie se complique dans certains cas d'arthrite et d'ostéite (inflammation du tissu osseux) à proximité de la plaie, puis d'un syndrome douloureux et invalidant, dit algodystrophique. D'autres complications surviennent exceptionnellement par diffusion septicémique : endocardite, péritonite, méningite, sinusite.

Lorsqu'elle a pour origine une inhalation de la bactérie, la pasteurellose provoque une infection pleuropulmonaire, voire des abcès pulmonaires.

DIAGNOSTIC ET TRAITEMENT

Le diagnostic, évoqué devant la rapidité d'installation des signes après une morsure ou une griffure, repose, s'il est posé précocement, sur la mise en évidence de la bactérie dans un prélèvement de la sérosité de la plaie, dans un échantillon de sang, ou de sécrétion trachéobronchique en cas de localisation pulmonaire. Une intradermoréaction à la pasteurelline (préparation réalisée à partir du germe tué) est utilisée pour établir un diagnostic tardif, car le germe disparaît rapidement et spontanément de la suppuration.

Le traitement consiste en l'administration d'antibiotiques pendant 10 jours ; l'antigénothérapie (injection répétée de pasteurelline) est proposée comme traitement des formes chroniques.

Pasteurisation

Procédé de conservation des denrées alimentaires par la chaleur.

En appliquant les résultats de ses recherches sur les micro-organismes (études sur la transformation du vin en vinaigre par *Mycoderma aceti*) à la conservation des aliments, Louis Pasteur donna son nom à une méthode, la pasteurisation. Celle-ci consiste à maintenir certains aliments (lait, jus de fruits ou de légumes, etc.) à une température élevée pendant une durée déterminée, de façon à détruire les micro-organismes responsables de leur altération (bactéries, moisissures, levures) et les germes pathogènes qu'ils pourraient renfermer : le lait, par exemple, est porté à une température de 72 à 85 °C pendant 15 à 20 secondes.

La pasteurisation ne modifie que très peu la composition nutritionnelle et la saveur du produit. Contrairement à la stérilisation, elle n'assure pas une destruction totale de tous les micro-organismes ; la durée de conservation de l'aliment pasteurisé est donc relativement courte (pour le lait, 7 jours après son conditionnement), et il convient de le maintenir au froid afin de limiter le développement des micro-organismes restants.

Patch

1. Petite pièce prothétique, plate et souple, utilisée en chirurgie.

Un patch peut être confectionné par le chirurgien à partir d'un fragment de tissu du malade (veine, artère, membrane du péricarde, etc.) ou d'un matériau synthétique (polytétrafluoroéthylène). Il permet de refermer une brèche anormale dans un tissu (voie de communication entre deux cavités cardiaques, par exemple) ou d'élargir le diamètre d'une artère : le chirurgien incise l'artère, puis suture le patch sur l'orifice ainsi créé.

2. Petit dispositif adhésif contenant un médicament, destiné à être collé sur la peau. SYN. *système transdermique*.

Les patchs diffusent un médicament localement, dans la peau (patch-test) ou dans l'ensemble de l'organisme, par voie sanguine. Dans le premier cas, ils sont utilisés à des fins diagnostiques : patch-test (ou timbre) à la tuberculine, pour le diagnostic de la tuberculose ou le contrôle de l'efficacité du vaccin ; patch-test (ou épidermotest) contenant un allergène, permettant de savoir si le sujet lui est allergique. La deuxième catégorie de patch permet à un médicament de traverser la peau, de gagner le sang et de se diffuser dans l'organisme : dérivé nitré contre l'angor (angine de poitrine), nicotine pour faciliter l'arrêt du tabagisme, hormones œstrogènes pour compenser une insuffisance de sécrétion des ovaires, etc.

Paternité (recherche de)

→ VOIR Recherche de paternité.

Pathogène

Qualifie ce qui provoque une maladie, en particulier un germe capable de déterminer une infection.

Une bactérie est pathogène du fait de sa virulence, de sa production de toxines ou d'enzymes, ou de leur association.

On distingue les bactéries dites pathogènes spécifiques, qui entraînent une maladie cliniquement définie, comme la tuberculose ou la fièvre typhoïde, des bactéries dites pathogènes opportunistes, qui ne déclenchent d'infection que chez les sujets immunodéprimés. Les bactéries pathogènes spécifiques sont dites obligatoires ou strictes si elles sont incapables de se multiplier en dehors d'un foyer infectieux ; c'est le cas, par exemple, du bacille de la tuberculose. À l'inverse, les bactéries pathogènes dites facultatives sont capables de déclencher une maladie mais peuvent être retrouvées chez des porteurs sains (porteurs du germe ne développant pas la maladie), par exemple *Streptococcus pneumoniæ*.

Pathogénie

Étude du ou des mécanismes responsables du déclenchement et du développement d'une maladie. SYN. *pathogenèse*.

La pathogénie d'un cancer, ou cancérogenèse, fait intervenir plusieurs mécanismes dans lesquels les gènes, les virus ou l'environnement, par exemple, jouent chacun un rôle important.

Pathognomonique

Se dit d'un symptôme ou d'un signe spécifique d'une maladie.

Un symptôme pathognomonique permet par sa seule présence de poser le diagnostic d'une maladie. Le signe de Babinski (extension du gros orteil quand on frotte le bord externe du pied) est, par exemple, pathognomonique d'une atteinte des voies pyramidales et donc de l'origine centrale (moelle épinière ou cerveau) d'une paralysie.

Pathologie

1. Étude du développement des maladies.

La pathologie examine notamment les causes, les symptômes, l'évolution ainsi que les lésions et les complications éventuelles des maladies.

2. Ensemble des manifestations d'une maladie et des effets morbides qu'elle entraîne.

Pathomimie

Besoin morbide d'imiter les symptômes d'une maladie.

Un sujet atteint de pathomimie s'inflige et entretient des lésions, multiplie les examens médicaux et n'hésite pas à subir une ou plusieurs interventions chirurgicales pour accréditer l'existence d'une maladie. La pathomimie se rapproche tantôt de l'hystérie, tantôt de l'hypocondrie délirante. Le syndrome de Münchhausen - ainsi désigné d'après le baron du même nom, officier allemand du XVIIIᵉ siècle, célèbre pour ses fabulations - est une forme grave de pathomimie qui concerne essentiellement les patients simulant des affections réclamant une intervention chirurgicale.

Le traitement de la pathomimie repose sur une prise en charge psychothérapeutique, sans laquelle les rechutes sont inévitables.

Patient

Personne soumise à un examen médical, suivant un traitement ou subissant une intervention chirurgicale.

Paul-Bunnell-Davidsohn (réaction de)

Réaction immunologique spécifique utilisée pour déterminer l'infection par le virus d'Epstein-Barr, responsable de la mononucléose infectieuse.

La réaction de Paul-Bunnell-Davidsohn est une réaction d'agglutination d'anticorps spécifiques, contenus dans le sérum des malades infectés, avec des globules rouges de mouton. Cette réaction est positive à partir du 7ᵉ jour de l'infection et le reste pendant au moins 3 mois.

Paume

Face antérieure de la main, entre le poignet et la racine des doigts. (P.N.A. *palma manus*)

La paume de la main présente une dépression centrale (creux de la main), limitée de chaque côté par l'éminence thénar (saillie formée par les muscles du pouce) et par l'éminence hypothénar (saillie formée par les muscles du 5ᵉ doigt, ou auriculaire). On y remarque enfin 3 plis principaux (appelés couramment lignes de la main) en forme de M majuscule, déterminés par les mouvements des doigts.

PATHOLOGIE

La maladie de Dupuytren est une affection de la main frappant surtout l'annulaire (4ᵉ doigt) et l'auriculaire (5ᵉ doigt). Ceux-ci prennent une position fléchie vers la paume et ne peuvent être étendus ni spontanément ni à l'aide de l'autre main. Cette maladie est due à la rétraction fibreuse de l'aponévrose (membrane conjonctive) palmaire. Des infiltrations locales de corticostéroïdes peuvent retarder l'évolution, mais leur résultat n'est pas toujours durable. Le seul traitement radical est chirurgical et consiste à inciser l'aponévrose palmaire.

Les ténosynovites sont des inflammations des tendons et des gaines synoviales situées dans la paume. Elles surviennent en particulier en raison de l'extension de l'infection d'un panaris.

→ VOIR Main, Palmaire.

Paupière

Voile musculomembraneux recouvrant partiellement en haut et en bas chacun des deux yeux et destiné à les protéger. (P.N.A. *palpebra*)

STRUCTURE

La paupière supérieure, large et mobile, et la paupière inférieure, plus étroite, recouvrent en se rapprochant la totalité de l'œil. En s'écartant, elles délimitent la fente palpébrale. Chaque extrémité est appelée canthus (interne et externe). Les paupières sont bordées de deux rangées de cils recourbés vers l'extérieur. Immédiatement derrière les cils se trouvent les orifices des canaux excréteurs des glandes de Meibomius, sécrétant la partie lipidique du film lacrymal qui assure l'humidification et la lubrification permanentes de la surface de l'œil, notamment de la cornée.

Les paupières sont constituées de lamelles fibroélastiques assez rigides, les tarses, recouvertes par des muscles (orbiculaires pour les 4 paupières, releveurs pour les paupières supérieures et rétracteurs pour les paupières inférieures), puis par la peau. Leur surface intérieure est tapissée par la conjonctive.

FONCTION

Les paupières assurent la protection des yeux. Les cils empêchent les poussières de pénétrer dans l'œil, et un clignement réflexe très rapide se produit dès qu'un objet s'approche de l'œil ou en cas de très forte chaleur. Un clignement permanent étale et renouvelle le film lacrymal à la surface de l'œil. La fermeture des paupières permet de diminuer l'intensité des rayons lumineux en cas de lumière trop forte. En outre, lorsque l'on ferme fortement les paupières, les globes oculaires sont repoussés en arrière dans l'orbite, ce qui accroît leur protection.

PATHOLOGIE

Les paupières peuvent être le siège de déformations, d'inflammations, de traumatismes ou de tumeurs.

■ Les déformations des paupières sont congénitales ou acquises. Les premières peuvent être un épicanthus (repli cutané vertical devant l'angle interne des yeux), fréquent dans la trisomie 21, ou un colobome (fissure des paupières). Les anomalies acquises comprennent l'ectropion (renversement vers l'extérieur du bord de la paupière, en général inférieure) ; l'entropion (enroulement vers l'intérieur du bord de la paupière, en général inférieure) ; le ptôsis (affaissement de la paupière supérieure sur une partie de l'œil), qui peut être d'origine nerveuse (paralysie du nerf moteur oculaire commun), musculaire (myasthénie), mais aussi congénitale ; la rétraction de la paupière supérieure, qui s'observe au cours de l'hyperthyroïdie (activité excessive de la glande thyroïde).

■ **Les inflammations** prennent la forme d'une blépharite (rougeur du bord des paupières provoquant des démangeaisons et parfois des squames blanches), souvent liée à des problèmes allergiques ; d'un chalazion (kyste formé par la sécrétion des glandes de Meibomius, lorsque le canal d'excrétion de l'une d'elles se bouche) ; d'un orgelet (furoncle de la glande sébacée d'un cil).

■ **Les traumatismes** des paupières sont essentiellement les plaies, qui peuvent léser les muscles releveurs ou les canaux lacrymaux et qui nécessitent une réparation chirurgicale.

■ **Les tumeurs** des paupières peuvent être bénignes (kyste dermoïde, papillome, xanthélasma, névrome plexiforme, angiome des paupières) ou malignes (épithélioma des paupières, nævocarcinome).

Pavillon de l'oreille

Partie apparente de l'oreille externe.
(P.N.A. *auricula*)

Le pavillon de l'oreille est constitué de cartilages dessinant des reliefs, recouverts de peau : l'hélix, l'anthélix, l'antitragus, le tragus et la conque.

L'hélix est la bordure périphérique. Il se termine en bas par le lobule (lobe de l'oreille, charnu, mou et arrondi). L'anthélix longe en dedans l'hélix et se termine en bas par le renflement de l'antitragus, juste au-dessus du lobule. La conque est la dépression centrale qui se prolonge par le conduit auditif. Le tragus est une petite saillie triangulaire située en avant, en surplomb de la conque.

PATHOLOGIE

Le pavillon de l'oreille peut être atteint d'infections telles que la chondrite du pavillon (inflammation des cartilages), de traumatismes (plaies, hématomes, etc.) et de malformations (oreilles décollées, par exemple). Le traitement est soit médical (application locale d'antiseptiques essentiellement), soit chirurgical.

Pavlov (Ivan Petrovitch)

Physiologiste russe (Riazan 1849 - Leningrad, auj. Saint-Pétersbourg, 1936).

Ses travaux sur la digestion, menés à partir de 1889, le conduisirent à la découverte à laquelle son nom reste attaché, celle du réflexe conditionné (ou conditionnel). Il reçut le prix Nobel de médecine en 1904.
→ VOIR Réflexe conditionné.

PCR

→ VOIR Amplification génique.

Peak-flow meter

→ VOIR Débitmètre de pointe.

Péan (opération de)

Opération chirurgicale consistant, après ablation d'une partie de l'estomac, à rétablir la continuité du tube digestif en abouchant la partie restante de l'estomac au duodénum (premier segment de l'intestin grêle).

L'intervention de Péan se pratique surtout en cas de tumeur de l'antre gastrique ou d'ulcère gastroduodénal. Elle permet de limiter, voire de supprimer, les conséquences de l'ablation de l'estomac.

Peau

Organe constituant l'enveloppe du corps.
(P.N.A. *cutis*)

La peau est un organe vivant - et non une simple membrane inerte - de grande importance physiologique. Son poids représente environ 10 % du poids corporel total.

STRUCTURE

La peau comprend trois couches superposées, l'épiderme, le derme et l'hypoderme, et forme, avec ses annexes (poils, cheveux, ongles et glandes), le tégument.

■ **L'épiderme** est un épithélium (tissu formé de cellules juxtaposées) comprenant différents types de cellule : les kératinocytes, les plus abondantes, synthétisent une variété de protéine protectrice, la kératine ; les mélano-cytes sécrètent la mélanine, pigment dont la synthèse augmente le bronzage de la peau et la protège des effets pervers du soleil ; enfin, les cellules de Langerhans interviennent dans les mécanismes immunitaires. On entend par barrière cutanée la couche cornée (couche la plus superficielle et la plus kératinisée de l'épiderme) et le film hydrolipidique qui recouvre celle-ci.

■ **Le derme** est un tissu conjonctif (jouant un rôle de nutrition et de soutien), formé de cellules appelées fibroblastes, de fibres collagènes et de fibres élastiques. Entre les fibres et les cellules se trouve une substance faite de mucopolysaccharides acides. Le derme contient les vaisseaux sanguins et les nerfs de la peau. Une fine couche cutanée d'une structure complexe (elle comporte 4 couches), appelée jonction dermoépidermique, sépare l'épiderme du derme et assure la cohésion et les échanges entre ces deux tissus.

■ **L'hypoderme** est une variété de tissu conjonctif, le tissu adipeux. Il est formé de cellules très riches en graisse, les adipocytes, réunies en lobules et séparées par des cloisonnements conjonctifs.

■ **Les annexes** comprennent les phanères (poils, cheveux, ongles), très riches en kératine ; les glandes sudoripares ou sudorales, qui sécrètent la sueur ; les glandes sébacées, qui sécrètent le sébum, lequel forme un film protecteur à la surface de la peau. On appelle follicule pilosébacé l'ensemble constitué d'un poil et de la ou des glandes qui lui sont annexées.

Le vieillissement de la peau

Témoin important de l'ensemble du vieillissement de l'organisme, le vieillissement cutané dépend de trois ordres de facteurs : un facteur génétique, variable d'un individu à l'autre, des facteurs externes, essentiellement représentés par l'exposition solaire - facteur majeur du vieillissement cutané de surface -, et des facteurs environnementaux liés aux conditions socio-économiques, à l'hygiène de vie, à une alimentation trop riche ou, à l'inverse, à une malnutrition, aux intoxications par l'alcool, le tabac, la drogue, et, enfin, à l'état de santé du sujet.

En vieillissant, la peau s'atrophie, s'amincit ; elle se plisse facilement (peau « en feuille de papier à cigarette »), se dessèche, devient râpeuse au toucher. Des taches foncées, particulièrement liées à l'exposition solaire, apparaissent sur le dos des mains, le front et les joues ; des taches rouges hémorragiques, appelées purpura de Bateman, peuvent s'observer sur les avant-bras et les jambes ; elles sont liées à une plus grande fragilité des petits vaisseaux du derme. Des rides surviennent, prédominant d'abord aux sillons qui vont du nez aux lèvres et au front puis s'étendant aux joues. Des plaques jaunes et plus ou moins épaisses peuvent apparaître, surtout sur la nuque.

Les moyens de lutte contre ce vieillissement sont temporaires et, dans l'ensemble, d'efficacité limitée. On peut détruire les taches pigmentées à l'azote liquide, au bistouri électrique ou au laser au gaz carbonique. Les rides sont atténuées à l'aide de courants électriques ou d'injections de collagène dans la peau. Les peelings, applications de substances qui détachent la couche superficielle de l'épiderme, n'ont en général qu'un effet passager. La chirurgie esthétique, enfin, propose de nombreuses solutions (lifting, notamment).

Il est en revanche possible de retarder l'apparition du vieillissement cutané. Le facteur de loin le plus important est la réduction de l'exposition aux rayonnements du soleil, qui doit être entreprise dès l'enfance. Lorsque l'ensoleillement ne peut être évité, la peau doit être protégée par des crèmes ou des laits solaires soigneusement choisis en fonction de la nature de la peau et du degré d'ensoleillement. De nombreux produits sont proposés en application contre le vieillissement, à base de collagène, d'acides gras, de vitamine E, de vasodilatateurs ; certains sont des cosmétiques et d'autres, de véritables médicaments. Leur efficacité n'est pas toujours scientifiquement prouvée.

La peau joue le rôle d'une barrière protectrice entre les organes internes du corps et l'environnement extérieur. Elle est constituée de trois couches : l'épiderme, défense naturelle contre les infections ; le derme, qui contient les follicules pileux, les glandes sudoripares et sébacées ainsi que des nerfs et des vaisseaux sanguins ; et l'hypoderme, riche en tissu adipeux.

Structure de la peau

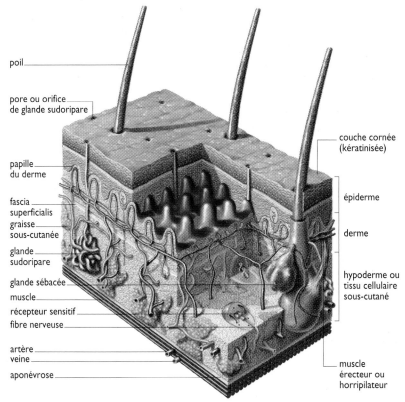

poil

pore ou orifice de glande sudoripare

papille du derme

fascia superficialis

graisse sous-cutanée

glande sudoripare

glande sébacée

muscle

récepteur sensitif

fibre nerveuse

artère

veine

aponévrose

couche cornée (kératinisée)

épiderme

derme

hypoderme ou tissu cellulaire sous-cutané

muscle érecteur ou horripilateur

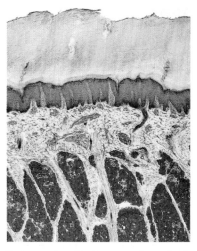

De haut en bas : l'épiderme (vert clair et foncé), le derme (vert clair) et l'hypoderme (orange).

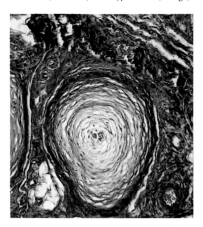

Situé dans le derme, le corpuscule de Pacini transmet les sensations du tact.

FONCTIONS

La peau assure une protection contre les agents physiques et chimiques, renforcée par l'action de la kératine et de la mélanine. Elle joue un rôle sensoriel grâce à ses récepteurs nerveux microscopiques, sensibles au toucher, à la douleur et à la température. Elle intervient aussi dans la thermorégulation (maintien d'une température interne constante) par la dilatation des vaisseaux sanguins cutanés et l'évaporation de la sueur, qui permettent d'évacuer un excès de chaleur.

EXAMENS

L'examen clinique est le plus important, le diagnostic se fondant sur l'observation de lésions élémentaires (taches sur la peau, cloques, etc.), sur la topographie de l'éruption et sur les signes associés (démangeaisons). Les autres examens le plus couramment pratiqués sont notamment la biopsie de peau, les prélèvements effectués pour rechercher des agents pathogènes microscopiques (champignons, bactéries, virus, parasites), et les examens immunologiques généraux (examen sanguin) ou locaux (examen en immunofluorescence).

PATHOLOGIE

On dénombre actuellement plus de 2 000 maladies de peau, susceptibles d'être regroupées en différents groupes en fonction de leur cause.

■ **Les agents extérieurs** (froid, chaleur, soleil, rayons X, médicaments, etc.) sont responsables de nombreux phénomènes (engelures, brûlures, radiodermites, réactions allergiques).

■ **Les facteurs psychologiques** ont un rôle aggravant au cours du prurit, des lichens, de l'eczéma ou du psoriasis.

■ **Les maladies circulatoires** peuvent provoquer des maladies de peau : une atteinte circulatoire des membres inférieurs est responsable de dermite ocre et de troubles trophiques pouvant aller jusqu'à la perte de substance (ulcère de jambe).

■ **Les maladies dues à des agents pathogènes** sont nombreuses, qu'il s'agisse d'infections par des bactéries (infections à streptocoque, à staphylocoque, lèpre, syphilis, etc.), par des champignons microscopiques (mycoses), par des virus (maladies éruptives, comme la rougeole, virales, comme l'herpès ou le zona) ou par des parasites (gale, pédiculose).

■ **Les maladies génétiques** de la peau sont très fréquentes et se traduisent en particulier par des troubles de la kératinisation. Certaines, comme l'épidermolyse bulleuse ou la neurofibromatose, ont un mode de transmission bien connu (autosomique ou lié au sexe, récessif ou dominant). D'autres, notamment le psoriasis et la dermatite atopique, sont identifiées comme étant d'origine génétique, mais leur mode de transmission, qui met en cause plusieurs gènes, n'est pas encore clairement déterminé.

■ **Les troubles endocriniens et métaboliques** sont responsables d'affections cutanées, notamment de l'acné.

■ **Les troubles immunologiques** responsables d'affections cutanées sont notamment représentés par le lupus érythémateux, la sclérodermie, la dermatomyosite et la périartérite noueuse.

■ **Les troubles du système nerveux** ayant une conséquence pathologique sur la peau comprennent essentiellement les neurocristopathies (tumeurs bénignes ou malignes d'un tissu dérivé de la crête neurale de l'embryon).

■ **Les tumeurs cutanées** sont fréquentes et peuvent être bénignes (nævus) ou malignes (épithélioma, mélanome, sarcome).

→ VOIR Dermatologie.

L'innervation de la peau

L'innervation cutanée est assurée par deux types de structure : les terminaisons nerveuses libres, fibres nerveuses présentes dans le derme, et les corpuscules sensitifs, organes microscopiques arrondis du derme. Ceux-ci peuvent être entourés d'une capsule (membrane conjonctive plus ou moins épaisse), comme les corpuscules de Vater-Pacini, de Golgi-Mazzoni, de Krause, de Meissner, ou dépourvus de capsule, comme les corpuscules de Ruffini et les cellules de Merckel, isolées ou regroupées en disques de Merckel. Les nerfs sensitifs se forment à partir des terminaisons nerveuses libres et des corpuscules sensitifs, constituant des plexus nerveux superficiels dans le derme, puis des plexus nerveux profonds dans l'hypoderme. Ils se regroupent alors en nerfs sensitifs, dont le corps cellulaire est situé dans les ganglions rachidiens, et se terminent à la moelle épinière ; les informations sont transmises à partir de celle-ci vers les aires sensitives des hémisphères cérébraux.

Le rôle précis de ces différents éléments demeure controversé. Les terminaisons nerveuses libres jouent un rôle important dans les sensations de la peau ; certains corpuscules seraient sensibles à la pression (peut-être les cellules et les disques de Merckel, et les corpuscules de Meissner et de Vater-Pacini), d'autres, à la chaleur. Il ne semble pas exister de récepteurs spécifiques à la douleur, qui serait due à une augmentation de la stimulation des nerfs sensitifs.

Peau (cancer de la)

Tumeur maligne se développant aux dépens d'une structure constitutive de la peau.

Les cancers de la peau sont actuellement en augmentation. Leur fréquence varie selon le type concerné, les plus fréquents étant les épithéliomas basocellulaires.

CAUSES

Les cancers de la peau sont en grande partie dus à l'exposition solaire, dont le rôle n'est cependant pas exclusif ; d'autres facteurs sont incriminés, notamment l'arsenic par empoisonnement ou inhalation et les dérivés de la houille et du pétrole, comme le goudron (cancer du scrotum des ramoneurs). Enfin, certaines maladies génétiques telles que le xeroderma pigmentosum provoquent des troubles de réparation de l'A.D.N. entraînant des cancers cutanés à répétition.

DIFFÉRENTS TYPES DE CANCER DE LA PEAU

On les classe selon la structure anatomique à partir de laquelle ils se développent.

■ Les cancers de l'épiderme sont les carcinomes (cancers de l'épithélium). On distingue les épithéliomas basocellulaires, les plus fréquents des cancers de la peau, à évolution uniquement locale, qui prolifèrent à partir de la couche basale (la plus profonde) de l'épiderme, et les épithéliomas spinocellulaires, qui s'étendent à partir des cellules de la couche muqueuse de Malpighi et peuvent envahir les ganglions.

■ Les cancers du système pigmentaire de la peau sont les mélanomes, les plus graves des cancers de la peau. Ils surviennent d'emblée dans plus de deux tiers des cas ou se développent à partir de nævi (tumeurs bénignes du système pigmentaire).

■ Les cancers des structures conjonctives sont les sarcomes cutanés : fibrosarcomes (développés à partir des fibroblastes) et angiosarcomes (développés à partir des vaisseaux sanguins).

■ Les cancers des annexes (glandes sébacées, glandes sudorales ou follicules pileux) sont beaucoup plus rares.

TRAITEMENT ET PRÉVENTION

Toute lésion cutanée saillante persistante qui saigne faiblement et réapparaît, ou dont l'aspect se modifie (tache pigmentée comportant différentes couleurs, à contour mal délimité), surtout si elle se trouve sur une partie découverte du corps, doit faire l'objet d'une consultation. Un cancer de la peau doit être retiré chirurgicalement ; une chimiothérapie est associée dans certains cas (épithélioma spinocellulaire ayant entraîné la formation de métastases, mélanome). La prévention consiste à éviter l'exposition au soleil et à protéger la peau par des laits et des crèmes de type écran total, et ce dès le plus jeune âge.

PRONOSTIC

Il est excellent pour les épithéliomas basocellulaires, et également très bon pour les épithéliomas spinocellulaires. Le pronostic d'un mélanome dépend de la précocité du diagnostic : il est meilleur pour les mélanomes superficiels.

→ VOIR Épithélioma basocellulaire, Épithélioma spinocellulaire, Kaposi (sarcome de), Mélanome, Sarcome.

Peau (kyste de la)

Formation arrondie, de contenu liquide ou pâteux, apparaissant sous la peau.

Les kystes de la peau sont dus à une malformation, à un traumatisme ou sont d'origine inconnue. Ils forment une masse de taille variable (de moins de 1 millimètre à plusieurs centimètres). On en distingue trois types.

■ Les kystes épidermoïdes se développent à partir de la zone du follicule pilosébacé située sous l'épiderme et touchent essentiellement les régions séborrhéiques (visage, oreilles, dos, poitrine). Ils peuvent prendre différentes formes (microkystes, ou comédons fermés, qui constituent la lésion élémentaire de l'acné ; grains de milium ; kystes du scrotum, kystes épidermoïdes, etc.). Une loupe est la localisation dans le cuir chevelu d'un kyste épidermoïde. Ces kystes disparaissent d'eux-mêmes ou sont extraits à l'aide d'une aiguille, par électrocoagulation ou par ablation chirurgicale.

■ Les kystes dermoïdes, rares, sont des reliquats embryonnaires de cellules de la peau. Ils contiennent des poils, des glandes sébacées et sudorales, parfois des fragments de cartilage, d'os et même de dents. Ils sont le plus souvent bénins mais portent fréquemment un préjudice esthétique. Certains, situés à hauteur du sacrum, peuvent se compliquer de suppuration et de fistule. Ils font l'objet d'une extraction chirurgicale.

■ Les kystes mucoïdes sont des formations translucides siégeant électivement sur le dos des doigts, dues à la formation locale de mucine (substance composée de sucres complexes, de consistance pâteuse), à un traumatisme (inclusion d'une épine de rosier) ou au développement d'un kyste synovial, formé aux dépens d'une gaine synoviale, celle des tendons par exemple. Ils sont traités par ponction, par application d'une pommade anti-inflammatoire ou détruits par électrocoagulation, cryothérapie ou laser au gaz carbonique. Les cas récidivants nécessitent une ablation chirurgicale.

Pecquet (Jean)

Médecin et anatomiste français (Dieppe 1622 - Paris 1674).

On lui doit la découverte, en 1647, des vaisseaux chylifères (vaisseaux lymphatiques transportant le chyle de l'intestin grêle vers le canal thoracique).

Pectine

Substance gélifiante, mucilagineuse, caractéristique des végétaux.

Les pectines (acide pectique, arabane) sont des glucides présents dans les tissus de soutien des végétaux ; elles sont particulièrement abondantes dans les pommes et les citrons. Leurs propriétés gélifiantes sont utilisées dans l'industrie agroalimentaire et pharmaceutique ; elles entrent, en particulier, dans la composition des laxatifs du type mucilage ; en outre, elles ont une action hémostatique.

Pectoral (muscle)

Muscle situé à la partie antérieure du thorax. (P.N.A. *musculus pectoralis*)

Il existe deux muscles pectoraux : le grand pectoral et le petit pectoral.

■ Le muscle grand pectoral est un muscle large, triangulaire et plat, qui s'attache au sternum et aux cartilages costaux de la 2e à la 6e côte, d'une part, et au col de l'humérus, d'autre part. Il est adducteur et rotateur du bras en dedans, c'est-à-dire que, selon son point d'appui, il permet aux bras de se croiser sur le thorax, ou à ce dernier de se soulever.

■ Le muscle petit pectoral est un muscle plus petit, triangulaire et plat, qui s'attache sur les 3e, 4e et 5e côtes, d'une part, et sur l'apophyse coracoïde de l'omoplate, d'autre part. Selon son point d'appui, il abaisse l'épaule ou soulève le thorax.

Pédiatrie

Branche de la médecine consacrée à l'enfant et à ses maladies.

La pédiatrie est la spécialité qui traite de l'enfant, depuis la vie intra-utérine, en collaboration avec les obstétriciens (médecine anténatale), jusqu'à l'âge adulte (au terme souvent imprécis de l'adolescence).

Les investigations en pédiatrie, longtemps limitées, ont pleinement profité des progrès techniques récents : évolution de la biologie moléculaire et de la génétique, miniaturisation des prélèvements nécessaires aux analyses biologiques, notamment chez les nouveau-nés ; méthodes d'imagerie non invasives (échographies cardiaque et transfon-

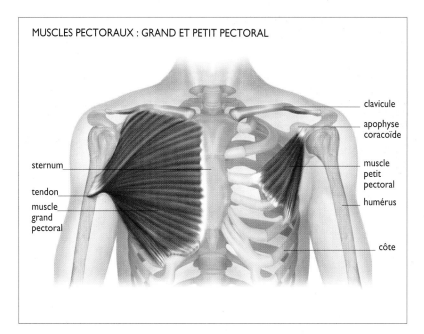

MUSCLES PECTORAUX : GRAND ET PETIT PECTORAL

clavicule

apophyse coracoïde

muscle petit pectoral

humérus

côte

sternum

tendon

muscle grand pectoral

---

déroulent dans une relation triangulaire spécifique entre l'enfant, ses parents et le médecin.

Il est souhaitable qu'un enfant soit examiné par un médecin spécialisé dans les maladies de l'enfant (pédiatre ou généraliste ayant l'habitude des enfants) à un rythme d'une fois par mois les 6 premiers mois, une fois tous les 2 mois de 6 mois à un an et 2 fois par an au-delà.

Pédicule

Structure allongée et fine reliant une structure anatomique (viscère) ou pathologique (tumeur) au reste de l'organisme.

■ **Le pédicule d'un viscère** unit celui-ci à l'organisme et contient son artère, ses veines, ses nerfs et parfois des conduits en relation avec sa fonction : canal biliaire pour le pédicule du foie, bronches pour le pédicule du poumon.

■ **Le pédicule d'une tumeur** est une portion rétrécie (une sorte de « pied ») qui la rattache à la peau ou à une muqueuse. Les tumeurs dépourvues de pédicule sont dites sessiles.

Pédiculicide

Médicament à usage externe utilisé dans le traitement des pédiculoses (affections cutanées dues aux infestations par les poux).

FORMES PRINCIPALES

Les pédiculicides comprennent le clofénate, le D.D.T. (dichlorodiphényl trichloréthane), le lindane, le malathion, les pyréthrines ; ces produits étant employés isolément ou en association. Ils se présentent sous forme de poudre, de solution, de spray, de lotion, de shampooing ou de crème.

INDICATIONS ET CONTRE-INDICATIONS

Les pédiculicides détruisent les poux et les lentes de la tête ou les poux du pubis chez l'être humain.

Ils sont contre-indiqués chez la femme enceinte et chez l'enfant de moins de 30 mois. Ils ne doivent pas être appliqués sur une peau lésée par une plaie ou un eczéma, car les principes actifs du médicament pourraient passer dans la circulation sanguine, ni sur les yeux ou les muqueuses, ces produits étant très irritants.

MODE D'ADMINISTRATION

Après un lavage soigneux, le produit est appliqué et laissé en place de une demi-heure à 24 heures selon le cas, le mode d'emploi exact étant fonction du produit et de la localisation. Quel que soit le type de pédiculose, il est nécessaire, lors du traitement, de laver draps, serviettes et vêtements à plus de 60 °C ou de les traiter à l'aide d'un produit approprié ; il est en outre indispensable de traiter l'entourage de la personne infestée (parents, frères et sœurs, partenaires sexuels en cas de phtiriase [poux du pubis]).

■ **Le traitement de la pédiculose du cuir chevelu** est plus facile sur des cheveux courts ou désépaissis. Après utilisation du produit traitant, les cheveux doivent être soigneusement peignés, mèche par mèche, avec un peigne très fin enduit d'un produit spécial, de façon à éliminer les parasites morts et à décoller les lentes. Une seconde application s'impose, 8 jours après la première.

---

tanellaire chez le nourrisson ; scanner et imagerie par résonance magnétique). De plus, au cours des vingt dernières années, la pédiatrie, qui pouvait être considérée comme la médecine générale des enfants, s'est diversifiée en « surspécialités » : cardiologie (malformations cardiaques et cardiopathies acquises) ; endocrinologie (maladies de la croissance et de la puberté) ; gastroentérologie (pathologie digestive, notamment traitement des diarrhées chroniques de l'enfant) ; hépatologie (atteinte du foie d'origine malformative, infectieuse ou métabolique) ; néphrologie (maladies malformatives du rein et des voies urinaires, néphropathies glomérulaires ou insuffisance rénale, aiguë ou chronique) ; neurologie (lésions d'origine malformative, infectieuse, inflammatoire, métabolique ou neurodégénérative) ; pneumologie (maladies infectieuses pulmonaires, asthme de l'enfant). À ces spécialités, il faut ajouter la prise en charge spécifique du nouveau-né, qui relève de la néonatologie, la pathologie infectieuse, d'une extrême fréquence chez le nourrisson et le petit enfant de moins de 4 ans, et le développement de spécialités telles que la pharmacologie ou la psychiatrie pédiatriques, ainsi que la médecine scolaire.

Dans tous les cas, les spécialités pédiatriques ont en commun l'approche de l'enfant dans sa globalité, avec ses acquis propres, au sein de son environnement familial et social. La pratique et l'expérience pédiatriques se

---

Les priorités de la pédiatrie

Les principaux objectifs de la pédiatrie sont très différents dans les pays industrialisés et dans les pays en voie de développement.

Dans les pays industrialisés, la recherche et le traitement portent sur les causes de mortalité infantile (mort subite du nourrisson, accidents de la route, tumeurs et leucémies). Les maladies infectieuses (respiratoires et digestives), très fréquentes chez le petit enfant de moins de 4 ans, et les maladies héréditaires et/ou chroniques (diabète, mucoviscidose, insuffisance rénale et handicaps), qui nécessitent des structures d'accompagnement spécialisées, sont également prioritaires.

Dans les pays en voie de développement, où les enfants de moins de 15 ans représentent la moitié de la population totale et où la mortalité infantile des enfants de moins de 5 ans peut atteindre de 20 à 50 %, la pédiatrie accorde une place prioritaire à toutes les mesures de prévention : programmes de vaccination contre la rougeole, campagnes d'éducation nutritionnelle pour éviter les maladies de carence comme le kwashiorkor.

La prévention, directe par vaccination ou indirecte par dépistage précoce, est un des grands enjeux de la pédiatrie. Cette dernière peut s'exercer avant la conception (conseil génétique) et se poursuivre pendant la grossesse (dépistage anténatal des maladies héréditaires et des malformations). Elle intervient après la naissance par l'identification précoce de maladies sensorielles (troubles visuels ou auditifs), de malformations ou de maladies métaboliques et se prolonge tout au long du développement de l'enfant pour rechercher d'éventuels signes susceptibles d'altérer son développement physique et psychologique.

PÉDICULOSE

On distingue trois sortes d'infestation par les poux, selon que l'atteinte prédomine aux cheveux, au pubis ou au reste du corps. Ces parasites passent d'un individu à un autre par contact direct ou indirect (vêtements infestés), le manque d'hygiène favorisant la contamination.

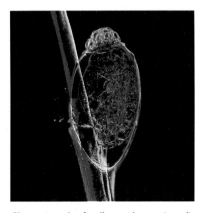

Chaque jour, les femelles pondent environ dix œufs, ou lentes, qui se collent aux cheveux ou aux poils jusqu'à leur éclosion.

Les poux de tête vivent dans les cheveux et se nourrissent du sang de leur hôte. Leurs piqûres sont très prurigineuses.

■ **Le traitement de la pédiculose corporelle** nécessite, avant application du produit traitant, de raser tous les poils et de procéder à un savonnage soigneux de tout le corps. Une seconde application du produit est souvent indiquée 8 jours après la première.
■ **Le traitement de la phtiriase** ne nécessite pas de raser les poils du pubis ; ceux-ci doivent en revanche être peignés soigneusement après traitement pour éliminer poux et lentes. La découverte d'une telle infestation doit faire rechercher par le médecin l'existence d'une autre maladie sexuellement transmissible, chez la personne traitée comme chez son ou ses partenaires sexuels.

EFFETS INDÉSIRABLES

Ils ne se déclarent que lorsque les produits sont mal utilisés, avalés, inhalés ou lorsque les précautions d'emploi ne sont pas respectées. En cas d'application trop prolongée ou trop répétée, surtout chez l'enfant, ou en cas de contact accidentel avec les muqueuses ou les yeux, il peut se produire une irritation cutanée (eczéma, etc.), des rougeurs ou des brûlures, qu'un lavage à grande eau apaise généralement. En cas de passage accidentel dans le sang, les pédiculicides peuvent provoquer un ictère (jaunisse), des convulsions ou un coma, qui imposent une hospitalisation en urgence. Leur usage nécessite une lecture attentive de la notice. Ces produits ne doivent pas être laissés à la portée des enfants.

Pédiculose

Contamination par des poux.

Les poux sont des ectoparasites (parasites vivant à la surface de la peau) hématophages (se nourrissant, par piqûre, du sang de leur hôte). Ils sont noirs, d'environ 3 millimètres de long et s'implantent surtout là où la pilosité est abondante. Leurs œufs, appelés

lentes, sont ovales, blancs ou gris ; ils mesurent environ un demi-millimètre et se collent aux cheveux et aux poils. Les poux se transmettent facilement d'une personne à une autre, par contact direct ou par l'intermédiaire des vêtements.

DIFFÉRENTS TYPES DE PÉDICULOSE

Il existe trois sortes de pédiculose.
■ **La pédiculose du cuir chevelu** est due à *Pediculus capitis,* ou pou de tête. Elle est très fréquente chez les enfants d'âge scolaire et survient par petites épidémies automnales ou hivernales. Sa recrudescence est liée aux conditions d'existence de certaines populations (promiscuité, manque de moyens financiers, d'hygiène).
■ **La pédiculose corporelle** est due à *Pediculus corporis,* ou pou de corps. Elle prédomine aux zones de frottement avec les vêtements (aisselles, poignets, genoux, abdomen, pieds). Elle est liée au manque d'hygiène. Le pou de corps peut transmettre deux maladies : le typhus exanthématique (ou historique) et la fièvre récurrente cosmopolite.
■ **La pédiculose inguinale,** ou **phtiriase,** est due à *Phtirius inguinalis,* ou pou du pubis (plus communément appelé morpion). Elle se localise d'abord aux poils du pubis, puis s'étend progressivement aux poils des aisselles, parfois à ceux de la barbe, lorsqu'elle n'est pas traitée. La phtiriase est plus fréquente chez les sujets jeunes, qui se contaminent surtout au cours des rapports sexuels. Elle est favorisée par le manque d'hygiène.

SYMPTÔMES ET SIGNES

L'infestation par les poux se traduit par une démangeaison localisée et par l'apparition, à l'endroit des piqûres, d'un petit point rouge entouré d'un halo rosé et légèrement saillant. Le grattage des lésions entraîne une érosion de la peau, qui peut s'infecter et se

couvrir de croûtes. En l'absence de traitement, la peau peut prendre une teinte brun bleuâtre (mélanodermie des vagabonds).

TRAITEMENT

Un simple shampooing ou un savonnage sont totalement inefficaces pour venir à bout de l'infestation. Il est nécessaire d'utiliser un pédiculicide (pesticide contre les poux) ; de nombreux produits sont disponibles, sous forme de shampooings, de lotions ou d'aérosols, dont la composition renferme un insecticide, souvent des pyréthrines.
→ VOIR **Pédiculicide.**

Pédicure

Auxiliaire paramédical pratiquant des soins sur les pieds.

Les actes courants réalisés par le pédicure le sont sans ordonnance médicale et consistent à soigner les ongles et les orteils. Les soins prodigués permettent parfois d'éviter une intervention chirurgicale. Le pédicure peut être amené à fabriquer ou à fournir des accessoires et des semelles orthopédiques.

L'exercice de la profession de pédicure est soumis à l'obtention d'un diplôme spécialisé.

Pédieuse (artère)

Vaisseau de gros calibre situé dans le pied et faisant suite à l'artère tibiale antérieure. (P.N.A. *artera dorsalis pedis*)

L'artère pédieuse naît sur la face antérieure du pied, entre les 2 malléoles de la cheville, puis chemine sur le pied jusqu'à l'espace entre les 2 premiers orteils. Là, elle s'unit avec l'artère plantaire externe.

Cette artère est suffisamment superficielle pour que l'on puisse en palper le pouls (pouls pédieux), sur le dos du pied. L'absence de pouls pédieux témoigne de l'interruption de la circulation sanguine dans l'artère pédieuse, qui peut être consécutive à une artériopathie (maladie des artères) des membres inférieurs ou à une embolie (obstruction par un corps étranger, un caillot, par exemple).

Pédopsychiatrie

Branche de la psychiatrie concernant l'étude et le traitement des troubles mentaux chez l'enfant et l'adolescent.

HISTORIQUE

La pédopsychiatrie est une discipline médicale récente, datant essentiellement du XXᵉ siècle. Parmi les précurseurs de cette science médicale, plusieurs noms sont à retenir : au XVIᵉ siècle, le bénédictin espagnol Ponce de Léon, qui s'intéressa à la rééducation des sourds-muets ; au XIXᵉ siècle, le chirurgien français Jean Itard, qui tenta de rééduquer le « sauvage de l'Aveyron » ; le pédagogue suisse Johann Heinrich Pestalozzi, le médecin américain Edouard Seguin, qui mirent au point des méthodes pédagogiques destinées aux enfants déficients. Médecins ou non, ces précurseurs de la pédopsychiatrie s'intéressaient exclusivement à la rééducation des arriérés mentaux.

Au début du XXᵉ siècle, les psychologue et psychiatre français Alfred Binet et

Théodore Simon créèrent une méthode qui bouleversa l'étude psychologique des enfants : ils mirent au point les premières épreuves psychométriques permettant de mesurer l'intelligence et de dépister la débilité. Certains psychiatres, tel le Français Ernest Dupré, s'efforcèrent de décrire chez l'enfant des troubles mentaux comme chez l'adulte, mais c'est surtout le psychanalyste autrichien Sigmund Freud qui apporta un renouvellement total des conceptions en psychiatrie, attira l'attention sur l'existence de troubles mentaux chez l'enfant et insista sur leur poids pour l'avenir du sujet. Il fut aussi le premier à prendre en compte les comportements familiaux dans l'évaluation des troubles mentaux de l'enfant. Des théories de l'enfance virent alors le jour : théories psychanalytiques (Sigmund Freud et sa fille, la psychanalyste britannique Anna Freud, la psychanalyste autrichienne Melanie Klein, le psychanalyste britannique Donald W. Winnicott, le psychanalyste américain René Spitz), théories cognitives et psychogénétiques (les psychologues suisse Jean Piaget et français Henri Wallon), théories béhavioristes et réflexologiques (le psychologue américain John Watson), théories comportementales, en rapport avec le développement neurobiologique (le psychologue américain Arnold Gesell), travaux des neurophysiologistes (développement sensorimoteur, processus de maturation cérébrale décrits par Jean Piaget), sans oublier les travaux récents de Françoise Dolto et du psychanalyste américain d'origine autrichienne Bruno Bettelheim. Peu à peu, la psychiatrie infantile se dégagea de la pédiatrie et de la psychiatrie de l'adulte, et, en 1937, eut lieu à Paris le premier Congrès international de psychiatrie infantile.

MÉTHODES ET STRUCTURES

Actuellement, la pédopsychiatrie est une spécialité médicale à part entière. Elle inclut, dans l'évaluation et le traitement de l'enfant, l'ensemble de la famille et de son entourage, et ne se limite plus aux déficients mentaux, mais s'est étendue au nourrisson et au petit enfant. Le champ d'action de la pédopsychiatrie est vaste, couvrant les relations précoces mère-enfant difficiles comme les états pré-psychotiques de l'adolescence. Le rôle du pédopsychiatre peut aller du choix d'une orientation scolaire à la thérapie familiale.

L'enfant se distingue de l'adulte, car c'est un être sans structure psychologique définitivement fixée. L'interprétation d'un trouble en est rendue plus difficile. Selon le degré d'évolution de l'enfant, un même symptôme peut avoir différentes significations.

La pédopsychiatrie a tiré profit des progrès de la psychiatrie générale : reconnaissance de certains symptômes appartenant à la fois à l'enfance et à l'âge adulte, comme les dépressions ou certaines manifestations d'anxiété. Depuis quelques années, les avancées thérapeutiques qui ont permis d'améliorer le traitement et le pronostic de certaines affections de l'adulte s'étendent peu à peu à l'enfant : administration de médicaments (antidépresseurs, neuroleptiques), mise en

place de psychothérapies, comme les thérapies comportementales (qui consistent à substituer un comportement adapté à un comportement pathologique).

Toutefois, les méthodes thérapeutiques utilisées diffèrent de celles employées pour les adultes par l'importance qu'y occupe le jeu, à la fois substitut de la communication verbale et projection de l'inconscient. Le programme thérapeutique, établi après bilan (tests adaptés à l'âge de l'enfant et entretien avec les parents), associe la psychothérapie – où le jeu, le dessin, les constructions imaginaires tiennent une grande place –, une rééducation si nécessaire (orthophonie, par exemple), des entretiens familiaux, parfois une thérapie familiale dans le cas des « enfants-symptômes » (enfants ayant une maladie autour de laquelle se maintient la cohésion d'un groupe familial conflictuel), ou un traitement médicamenteux. Les hospitalisations s'effectuent dans des services spécialement aménagés, équipés de jouets, disposant de personnel spécialisé (éducateurs, psychologues, enseignants, etc.) et d'activités attrayantes. Il existe en outre des établissements qui prennent en charge les malades jusqu'à l'âge adulte afin d'éviter leur transfert en hôpital psychiatrique classique. Ces hospitalisations de longue durée concernent essentiellement les sujets souffrant d'autisme, de psychose ou de déficience mentale.

Peeling

Procédé chimique de destruction des couches superficielles de la peau, utilisé en dermatologie et en chirurgie esthétique. SYN. *exfoliation*.

DIFFÉRENTS TYPES DE PEELING

Les différentes substances irritantes utilisées pour réaliser un peeling déterminent plusieurs sortes de traitement.

■ **Le peeling simple,** à base de neige carbonique ou d'azote liquide, réalisé par un dermatologue, entraîne surtout des brûlures superficielles de la peau et donne des résultats limités (effet de gommage).

■ **Le peeling à la résorcine** impose un test préalable, effectué sur la peau du cou et destiné à vérifier la bonne tolérance du sujet à ce produit. Des vertiges sans gravité peuvent cependant apparaître à la fin de la séance, qui a lieu chez un dermatologue.

■ **Le peeling à l'acide trichloracétique à 33 %** s'utilise en dermatologie en cas d'allergie à la résorcine. Il est douloureux et « givre » la peau. Délicats à manipuler, les dérivés de l'acide trichloracétique ne donnent pas toujours un résultat régulier ; ils ont cependant l'avantage d'avoir une action douce, de pouvoir être dilués et tamponnés avec des produits susceptibles d'harmoniser leur action.

■ **Le peeling au phénol,** effectué par un chirurgien, est peu pratiqué en raison de sa brutalité et des risques qu'il fait courir aux patients : il peut en effet provoquer des lésions rénales, le phénol absorbé par la peau passant dans la circulation sanguine.

INDICATIONS

Un peeling permet d'estomper les séquelles d'une acné et s'utilise parfois dans le

traitement des ridules, en association avec d'autres procédés thérapeutiques comme une dermabrasion (meulage de la peau avec une fraise tournante) ou un comblement des rides (par injection sous celles-ci de différentes substances).

PRÉPARATION ET DÉROULEMENT

La peau est préparée quelques jours avant la séance avec des dérivés de vitamine A acide. Elle est soigneusement nettoyée avec un savon légèrement acide, destiné à éliminer les particules grasses.

La pâte est ensuite étalée avec une spatule sur le visage. L'application est très prudente, notamment autour de la bouche, des narines et des régions proches de l'œil. Le praticien procède à une ou deux applications au cours de la séance ; le produit agit pendant 10 à 40 minutes avant d'être retiré.

ÉVOLUTION

La brûlure provoquée par un peeling se manifeste par une rougeur qui dure de 24 à 48 heures. Des croûtes apparaissent ensuite pour une période de 10 à 21 jours. Le sujet présente enfin, pendant 2 mois environ, une peau rose pâle, qui se revitalisera totalement et retrouvera un aspect normal en quelques mois.

COMPLICATIONS

Des brides ou des cicatrices de petite taille sont parfois visibles après un peeling. En cas d'échec, des taches colorées ou de petites ridules peuvent réapparaître.

RÉSULTAT

Le résultat est subordonné au respect strict de quelques précautions : interdiction de sortie pendant la semaine qui suit le peeling, absence d'exposition au soleil pendant une durée de 3 mois afin d'éviter des disparités inesthétiques (dyschromie) dans la pigmentation future de la peau.

Si ces précautions sont respectées, le résultat attendu peut être obtenu : diminution des ridules pour une période limitée (de 1 mois à 1 an) et disparition définitive des petites irrégularités de la peau (cicatrices, notamment). Dans certains cas cependant, la réapparition de petites ridules peut conduire à renouveler le traitement. L'action d'un peeling est néanmoins trop superficielle pour avoir un effet sur les cicatrices déprimées et profondes.

Pelade

Maladie dermatologique caractérisée par la chute des cheveux et des poils.

La pelade est une affection relativement fréquente, de cause mal connue. On retrouve un facteur héréditaire chez un quart des patients ; certains cas sont associés à une maladie d'origine auto-immune (thyroïdite, vitiligo, dermatite atopique, maladie de Biermer, myasthénie) ; on invoque également des facteurs psychologiques (comme un choc émotionnel).

SYMPTÔMES ET SIGNES

Le signe de la pelade est une chute des cheveux en plaques arrondies avec, en périphérie, de petits cheveux cassés court. Tous les degrés de gravité sont possibles, jusqu'à la chute de tous les cheveux, des sourcils et de tous les poils. L'évolution se fait par poussées ; la repousse des cheveux et des poils est toujours possible.

TRAITEMENT
Le traitement d'une pelade est long et difficile. Il fait appel à la cryothérapie (traitement par le froid), relativement douloureuse, par application de neige carbonique (une séance tous les 10 jours environ) ainsi qu'à des applications de lotions vasodilatatrices (minoxidil) puis de corticostéroïdes, de médicaments réducteurs (dioxyanthranol), parfois à la puvathérapie (association de l'absorption de psoralène et d'une irradiation par des rayons ultraviolets). Une psychothérapie de soutien est conseillée. Les récidives sont possibles.

Pellagre
Maladie due à une carence en vitamine PP.

La pellagre existe à l'état endémique dans les régions où l'alimentation est riche en maïs et pauvre en protéines animales, particulièrement en tryptophane, précurseur de la vitamine PP. La carence en vitamine PP s'associe assez souvent à une carence en vitamines du groupe B, notamment dans l'alcoolisme chronique. Elle se traduit par des troubles cutanés (rougeurs, démangeaisons, épaississement de la peau), digestifs (aphtes, diarrhée, vomissements), nerveux et mentaux (insomnie, maux de tête, confusion et dépression, troubles de la mémoire, atteinte des nerfs des membres inférieurs). Le traitement repose sur l'administration de vitamine PP et sur un régime suffisamment riche en protéines animales. Non traitée, cette affection peut entraîner une cachexie (affaiblissement profond de l'organisme avec amaigrissement marqué, lié à une dénutrition très importante), voire la mort.

Pellicule
Fine squame blanchâtre issue du cuir chevelu.

Les pellicules constituent le signe d'une localisation au cuir chevelu d'une mycose, la pityrosporose. Cette affection n'est cependant pas contagieuse.

Les pellicules les plus courantes, ou pityriasis simple du cuir chevelu, sont très fines et se détachent spontanément. Une autre forme, appelée pityriasis stéatoïde, est constituée de squames plus épaisses, qui adhèrent au cuir chevelu où elles forment des plaques.

TRAITEMENT
Il consiste à appliquer sur le cuir chevelu des substances réductrices (huile de cade, pyrithione-zinc) ou antifongiques (imidazolés, sulfure de sélénium) en lotion, puis à laver les cheveux en alternant les shampooings doux et les shampooings réducteurs, l'utilisation de ces derniers étant progressivement espacée.

Pelvectomie
Ablation chirurgicale, totale ou partielle, des organes pelviens (vessie, utérus, rectum).

On parle de pelvectomie antérieure (ablation de la vessie [cystectomie] et de l'utérus [hystérectomie]), postérieure (rectum [proctectomie] et utérus) et totale (vessie, utérus, rectum). Les seules indications des pelvectomies sont les tumeurs malignes de la vessie, de l'utérus ou du rectum. Lorsque l'on pratique une ablation de la vessie et/ou du rectum, il est nécessaire d'assurer l'évacuation des urines et/ou des matières fécales (par urétérostomie cutanée, création d'une néovessie, colostomie, etc.). Les pelvectomies nécessitent une hospitalisation d'une quinzaine de jours et une convalescence de plusieurs semaines.
→ VOIR Cystectomie, Hystérectomie, Proctectomie.

Pelvimétrie
Examen clinique permettant l'évaluation des diamètres du bassin de la femme enceinte.

La pelvimétrie fait partie de l'examen gynécologique du 3e trimestre de grossesse. Il est réalisé par un toucher vaginal qui permet de s'assurer que le bassin est suffisamment large pour autoriser l'accouchement par les voies naturelles et ne présente pas d'anomalie osseuse susceptible d'empêcher son bon déroulement. En cas d'anomalie, la patiente peut être orientée vers une radiopelvimétrie (examen radiologique mesurant le diamètre du bassin).

Pelvis
Partie inférieure du bassin osseux. SYN. *petit bassin*. (P.N.A. *pelvis*)

Le pelvis est limité latéralement par la partie inférieure des os iliaques, en arrière par le sacrum et le coccyx, et en avant par le pubis. Il contient les organes pelviens : ceux des appareils génital et urinaire ainsi que la partie terminale du gros intestin (côlon pelvien ou sigmoïde) et le rectum.

Le pelvis peut être mesuré par radiopelvimétrie, examen radiographique pratiqué en fin de grossesse pour vérifier la bonne constitution et la largeur suffisante de l'orifice pelvien, et déterminer la possibilité d'accouchement par les voies naturelles.

PATHOLOGIE
Le pelvis peut être le siège d'anomalies anatomiques (rétrécissement, asymétrie), de fractures ou de tumeurs osseuses.

Pelvispondylite rhumatismale
→ VOIR Spondylarthrite ankylosante.

Pemphigoïde
Maladie dermatologique caractérisée par la présence de bulles naissant sous l'épiderme.

La pemphigoïde est une maladie auto-immune (le système immunitaire du sujet synthétisant des anticorps contre des constituants de sa propre peau). Il peut exister un facteur déclenchant la maladie, tel qu'une prise médicamenteuse (iode, diurétiques du groupe des spironolactones) ou un traitement par puvathérapie (absorption de psoralène et exposition aux rayons ultraviolets).

DIFFÉRENTS TYPES DE PEMPHIGOÏDE
On en distingue deux types.
■ **La pemphigoïde bulleuse** touche des personnes âgées (75 ans en moyenne) sous forme de boutons rouges, semblables à ceux de l'urticaire, sur lesquels se développent de petites cloques (vésicules) ou des cloques plus grandes (bulles), à peu près symétriques, présentes surtout sur les membres et le tronc. Son diagnostic précis nécessite la pratique d'une biopsie spécialement traitée par immunofluorescence, qui montre les dépôts d'anticorps sur la membrane basale de l'épiderme.
■ **La pemphigoïde cicatricielle** apparaît surtout chez les femmes après 70 ans et laisse des cicatrices. Les bulles atteignent le plus souvent les muqueuses, surtout celles de la bouche et des yeux, les cicatrices qu'elles laissent sur la conjonctive pouvant provoquer la cécité. L'atteinte de la peau, plus rare, se traduit par des érosions chroniques et prédomine à la tête et au cou.

TRAITEMENT
Outre des soins locaux (nettoyage et antisepsie des bulles), il consiste en l'administration par voie orale de corticostéroïdes, d'immunosuppresseurs ou d'érythromycine (antibiotique) pour la pemphigoïde bulleuse, et de sulfones ou d'immunosuppresseurs pour la pemphigoïde cicatricielle.

Pemphigus
Maladie dermatologique caractérisée par l'apparition de bulles à l'intérieur de l'épiderme, se rompant pour laisser place à des érosions douloureuses.

CAUSES
Le pemphigus est une affection rare, de cause mal connue. On évoque un mécanisme auto-immun (sécrétion par le système immunitaire du sujet d'anticorps dirigés contre des constituants de sa propre peau). Certains cas sont causés par la prise de médicaments (inhibiteurs de l'enzyme de conversion, D-pénicillamine). Il existe aussi un facteur héréditaire (la fréquence de cette affection est plus élevée dans certaines populations).

DIFFÉRENTS TYPES DE PEMPHIGUS
■ **Le pemphigus vulgaire** débute par des lésions bulleuses sur les muqueuses, surtout celles de la bouche. Les bulles se rompent rapidement, laissant des érosions (pertes de substance superficielle), très douloureuses et gênant l'alimentation. Des localisations cutanées peuvent également survenir sur le visage, la poitrine et les membres. Elles sont caractérisées par l'absence de démangeaison avant la sortie des bulles ; la simple pression des doigts en périphérie de ces bulles donne lieu à un décollement immédiat de la peau.
■ **Le pemphigus foliacé**, encore plus rare, évolue en deux phases. De petites bulles flasques touchent d'abord le visage, la poitrine et le dos. Puis les bulles disparaissent et sont remplacées par de vastes plaques rouges, suintantes, desquamant en grands lambeaux cutanés.

TRAITEMENT ET ÉVOLUTION
Le traitement est local et général. Les soins locaux consistent en l'ouverture des bulles et en bains antiseptiques. Le traitement général a transformé le pronostic de cette maladie autrefois mortelle. Il repose sur l'administration de corticostéroïdes à fortes

doses pendant une période de 6 mois à 1 an. Les immunosuppresseurs, la ciclosporine et les plasmaphérèses ont également été proposés.

L'évolution après traitement est variable : certains patients ne rechutent jamais ; chez d'autres sujets, l'administration constante de faibles doses de corticostéroïdes est nécessaire sous peine de récidive immédiate.

Pénétrance

Pourcentage des membres d'une famille dont le patrimoine génétique comporte une mutation dominante et qui expriment celle-ci dans leur phénotype (ensemble des caractéristiques corporelles et physiques).

La notion de pénétrance implique que, malgré la présence de la mutation dominante dans leurs chromosomes, certains individus ne traduisent pas celle-ci par la maladie qu'elle détermine : la fréquence réelle de la maladie est inférieure à celle théoriquement déterminée par les lois de l'hérédité.

Pénicillamine

Médicament antirhumatismal et chélateur (efficace contre les intoxications). SYN. *D-pénicillamine.*

La pénicillamine est indiquée au cours de la polyarthrite rhumatoïde (rhumatisme inflammatoire chronique) en traitement de fond, en raison de ses effets immunomodulateurs (qui modulent la réponse du système immunitaire), quand les anti-inflammatoires non stéroïdiens se sont révélés inefficaces.

Elle est aussi employée pour permettre à l'organisme d'éliminer certains métaux lourds tels que l'arsenic, le cuivre, le mercure, le plomb, le zinc, en cas d'intoxication.

Ce médicament est prescrit par voie orale.

EFFETS INDÉSIRABLES

La pénicillamine peut provoquer une baisse du taux de globules blancs et de plaquettes dans le sang et des affections cutanées telles que des rougeurs, de l'urticaire, un eczéma, une chute des cheveux ou une hyperpilosité, ou encore, plus sévèrement, un pemphigus (maladie dermatologique caractérisée par l'apparition de bulles sur l'épiderme) ou une glomérulonéphrite (atteinte rénale).

Pénicillinase

Enzyme sécrétée par diverses bactéries et capable d'inactiver certains antibiotiques du groupe des pénicillines.

La pénicillinase est une bêtalactamase. Une bactérie pénicillinase positive devient résistante à l'antibiotique, qui, dégradé par l'enzyme, ne peut plus être utilisé pour combattre l'infection. Cette résistance est dépistée par un antibiogramme. Il est cependant possible, pour préserver l'efficacité de l'antibiotique, d'y associer une substance inhibant l'action de l'enzyme, comme l'acide clavulanique.

Pénicilline

Médicament antibiotique bactéricide (qui tue les bactéries) appartenant à la famille des bêtalactamines.

La pénicilline fut découverte en 1929 par le médecin anglais A. Fleming, qui montra

PÉNICILLINE

La pénicilline peut être fabriquée naturellement, à partir d'une moisissure du genre *Penicillium notatum.* Aujourd'hui cependant, on emploie plutôt des pénicillines de synthèse, qui sont d'utilisation plus facile et surtout plus efficaces que les précédentes.

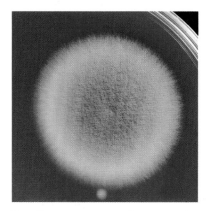

Penicillium notatum *peut être ensemencé et cultivé sur un gel, en laboratoire, et forme alors une colonie visible à l'œil nu.*

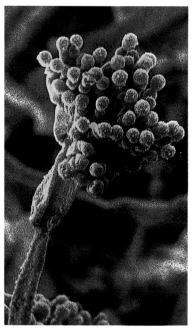

Le microscope électronique montre la structure de Penicillium notatum, *notamment ses spores en bouquet.*

que des colonies de staphylocoques étaient détruites au voisinage d'une moisissure appelée *Penicillium notatum.* La pénicilline est le premier antibiotique connu. Son extraction en quantités significatives à partir de la moisissure fut réalisée dans les années 1940. Plus tard, on réussit à synthétiser de nombreuses substances aux propriétés similaires. Aujourd'hui, les pénicillines sont classées en plusieurs groupes (G, V, etc.) : le groupe G est celui de la pénicilline naturelle.

INDICATIONS

Les pénicillines sont indiquées dans le traitement des infections à germes sensibles telles que la pharyngite, la bronchite, la pneumonie, l'amygdalite, l'endocardite bactérienne (infection d'une des tuniques du cœur, l'endocarde), la syphilis, la blennorragie et l'angine de Vincent, et en prévention des crises de rhumatisme articulaire aigu.

MÉCANISME D'ACTION

Les pénicillines empêchent la paroi protectrice des bactéries de se former complètement. Cette malformation se traduit à terme par l'éclatement de la bactérie.

Le spectre des pénicillines est en général étroit. Les bactéries sensibles à ces médicaments sont peu nombreuses : bacille de la diphtérie, gonocoque, *Listeria,* méningocoque, pneumocoque, staphylocoque, streptocoque, etc. Par ailleurs, les bactéries deviennent de plus en plus résistantes aux pénicillines ; certaines sécrètent une enzyme, la pénicillinase, capable de détruire plusieurs variétés de pénicillines.

MODE D'ADMINISTRATION

L'administration des pénicillines ne peut pas, sauf exception (pénicillines V), se faire par voie orale, car l'acidité gastrique et les pénicillinases des bactéries de l'intestin les

détruiraient ; ces antibiotiques sont donc administrés par voie injectable, intramusculaire ou intraveineuse.

EFFETS INDÉSIRABLES

Les pénicillines sont des médicaments très peu toxiques, même à fortes doses, mais elles peuvent provoquer des accidents allergiques graves, ce qui interdit leur emploi chez les personnes sensibles aux bêtalactamines.

Pénis

Organe génital masculin. SYN. *verge.* (P.N.A. *penis).*

Le pénis est constitué de trois parties cylindriques : deux tubes latéraux, les corps caverneux, et un tube central, composé de tissu spongieux, par où passe l'urètre. À son extrémité se trouve le gland, recouvert par le prépuce ; le méat urétral, extrémité de l'urètre par lequel s'écoulent l'urine et le sperme, s'y ouvre.

PHYSIOLOGIE

Le pénis a deux fonctions principales.

■ La fonction sexuelle s'effectue grâce aux propriétés érectiles des corps caverneux, contenant de nombreux vaisseaux sanguins qui se remplissent de sang lors de l'érection.

■ La fonction urinaire s'effectue lors de la miction grâce à l'urètre et au méat urétral.

PATHOLOGIE

Il existe de multiples anomalies congénitales du pénis : hypospadias (le méat urétral se trouve sur la face ventrale du pénis), épispadias (il se trouve sur sa face dorsale) ; le pseudohermaphrodisme se traduit souvent par un pénis de très petite taille. En outre, le pénis peut être le siège de multiples affections de gravité très variable : balanite (inflammation du gland et du prépuce), phimosis (étroitesse du prépuce), paraphimosis (étranglement du pénis en arrière du gland), principale complication du phi-

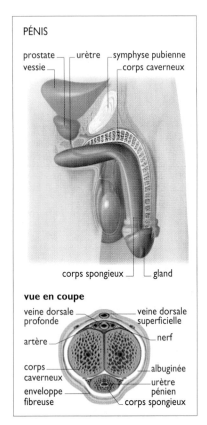

PÉNIS

prostate — urètre — symphyse pubienne
vessie — — corps caverneux

corps spongieux — — gland

vue en coupe

veine dorsale — — veine dorsale
profonde — — superficielle

artère — — nerf

corps — — albuginée
caverneux — — urètre
enveloppe — — pénien
fibreuse — — corps spongieux

mosis, la maladie de La Peyronie (présence d'un ou de plusieurs nodules fibreux dans l'albuginée - enveloppe des corps caverneux), cancer du pénis, maladies sexuellement transmissibles (blennorragie, gonorrhée, syphilis), etc. L'impuissance peut provenir de causes organiques (affections vasculaires, neurologiques ou endocriniennes retentissant sur les organes permettant l'érection) ou psychiques.

Pénis (cancer du)

Cancer qui atteint l'extrémité du pénis sur le gland ou le prépuce, le plus souvent sous la forme d'un carcinome (tumeur maligne développée aux dépens de l'épithélium).

Rare, le cancer du pénis semble favorisé par le tabagisme ou les infections virales. La tumeur, qui se présente sous la forme d'une excroissance indolore ou d'une ulcération douloureuse, saignant facilement, se développe en bourgeonnant. Elle évolue lentement ; cependant, en cas de tumeur très évolutive, l'extension vers les ganglions lymphatiques s'effectue en quelques mois.

Le diagnostic du cancer du pénis repose sur la biopsie de la tumeur. Son traitement fait appel, lorsque la tumeur est peu évoluée, à la curiethérapie locale grâce à des aiguilles d'iridium implantées dans la tumeur ; la curiethérapie n'a aucune conséquence sur la fonction sexuelle ni sur la fertilité. Lorsque les ganglions lymphatiques sont atteints, ils doivent être retirés chirurgicalement. Quand

la maladie est à un stade plus avancé, il faut procéder à une ablation chirurgicale, partielle ou totale, du pénis, souvent associée à une chimiothérapie.

Pénis (coude du)

Déformation du pénis lorsqu'il est en érection.

Les coudes péniens peuvent être congénitaux, liés à un hypospadias (malformation dans laquelle l'orifice externe de l'urètre est situé sur la face ventrale de la verge) ou consécutifs à une rupture traumatique de l'albuginée, enveloppe des corps caverneux ; ils peuvent aussi être causés par la maladie de La Peyronie, qui provoque l'apparition d'un ou de plusieurs nodules fibreux dans l'albuginée. Lorsque le coude pénien empêche tout rapport sexuel, on peut recourir à une plastie chirurgicale. Cette intervention, qui consiste à redresser le pénis en plicaturant (c'est-à-dire en repliant sur lui-même) le corps caverneux, donne en général de bons résultats.

Pepsine

Enzyme de l'estomac, dégradant les protéines alimentaires et permettant ainsi leur absorption intestinale.

La pepsine provient de l'activation du pepsinogène par l'acide chlorhydrique, deux substances sécrétées par la muqueuse de l'estomac qui entrent dans la composition du suc gastrique.

Peptide

Substance chimique constituée d'au moins deux acides aminés.

Les peptides sont formés d'une chaîne d'acides aminés, chacun de ces derniers étant relié au suivant par une liaison chimique particulière appelée liaison peptidique. Les plus petits peptides sont dénommés en fonction de leur nombre d'acides aminés (dipeptides, tripeptides, etc.). À partir d'un certain nombre d'acides aminés, 10 le plus souvent, on parle de polypeptides. Quand le nombre d'acides aminés est très élevé, il ne s'agit plus d'un peptide mais d'une protéine. Dans l'organisme, il existe de très nombreux peptides : hormones (comme la corticotrophine), neurotransmetteurs (comme les endorphines), etc.

Percussion

Méthode d'examen clinique d'organes ou de cavités internes reposant sur l'appréciation de la sonorité ou de la résonance produite par le tapotement de l'extrémité des doigts sur la peau de la région étudiée.

Une percussion se pratique surtout sur le thorax ou sur l'abdomen.

Elle peut être directe (percussion immédiate) ou indirecte (percussion médiate). Dans ce dernier cas, un doigt d'une main est interposé entre la peau et le doigt de l'autre main qui procède à la percussion.

La sonorité produite peut être normale ou, au contraire, pathologique. Ainsi, lors de la percussion du thorax, une matité (diminution de la sonorité) peut indiquer une

pleurésie (maladie caractérisée par une plèvre remplie de liquide), tandis qu'un tympanisme (augmentation de la sonorité) peut signaler un pneumothorax (maladie caractérisée par la présence d'air dans la plèvre).

Percutané

Qualifie un mode d'administration de certaines substances ou médicaments consistant en une application locale sur la peau, le produit diffusant dans tout l'organisme à partir de cette application.

La voie percutanée est utilisée en particulier pour administrer certaines hormones (œstrogènes), dans le sevrage progressif du tabac (patch de nicotine) et dans le traitement de l'insuffisance coronarienne (patch de dérivés nitrés).

Perforation

Ouverture pathologique dans la paroi d'un organe creux.

Les perforations concernent essentiellement le tube digestif : estomac, duodénum, plus rarement côlon ou rectum. Les perforations de l'œsophage sont exceptionnelles, par exemple après traumatisme ou par ingestion suicidaire de produits caustiques, de même que les perforations endoscopiques.

CAUSES

Une perforation peut survenir dans des circonstances variées.

■ **Une perforation spontanée** est, le plus souvent, la conséquence d'un ulcère gastroduodénal, plus rarement d'un diverticule sigmoïdien ou d'un cancer du côlon.

■ **Une perforation d'origine traumatique** peut être due à une plaie de l'abdomen (arme blanche, balle, etc.), à une contusion abdominale, ou, exceptionnellement, constituer la complication d'une coloscopie.

■ **Les perforations dues à d'autres causes,** d'origine infectieuse (fièvre typhoïde), médicamenteuse (acide salicylique, dérivés de la cortisone, permanganate de potassium) ou résultant de maladies du côlon (maladie de Crohn, rectocolite ulcérohémorragique), sont beaucoup plus rares.

SYMPTÔMES ET SIGNES

Ils sont caractéristiques : douleur abdominale brutale et intense, accompagnée d'un arrêt d'émission des matières fécales et des gaz, de vomissements et d'une altération de l'état général (fièvre, état de choc). La palpation de l'abdomen révèle une contracture douloureuse (ventre de bois).

La perforation entraîne l'irruption dans la cavité abdominale de gaz et de liquides digestifs, et une péritonite (inflammation du péritoine). Lorsque la perforation a lieu dans un endroit limité par des adhérences, on observe une péritonite localisée sans pneumopéritoine (présence d'air dans la cavité péritonéale).

DIAGNOSTIC

Il repose essentiellement sur l'examen clinique, les signes d'une péritonite étant caractéristiques ; il est confirmé par un examen radiologique de l'abdomen, qui met en évidence un pneumopéritoine dessinant un croissant clair entre le foie et le diaphragme.

TRAITEMENT

Il constitue une urgence, un traitement différé exposant à une surinfection péritonéale et à une septicémie. Il est essentiellement chirurgical : nettoyage de la cavité péritonéale, traitement de la perforation (suture, résection intestinale, etc.), drainage. L'hospitalisation est généralement assez longue, mais les suites opératoires sont bonnes lorsque l'intervention est réalisée sans délai.

Perfusion

Procédé permettant l'injection lente et continue de liquide dans la circulation sanguine, habituellement dans une veine.

Les perfusions veineuses permettent l'administration de médicaments, de solutions électrolytiques (sodium, potassium, etc.) et/ou glucosées (« sérums »), de dérivés du sang ou de produits de nutrition artificielle (à base de glucides, de lipides et d'acides aminés). Elles sont indispensables dès lors que la voie orale et le tube digestif ne peuvent être utilisés.

DIFFÉRENTS TYPES DE PERFUSION

■ La perfusion veineuse périphérique est habituellement assurée par ponction d'une veine superficielle de l'avant-bras.

■ La perfusion veineuse centrale, qui se fait grâce à un long cathéter poussé par voie veineuse périphérique jusque dans une grosse veine proche du cœur, permet la perfusion de volumes plus importants et peut être maintenue jusqu'à plusieurs semaines ou plusieurs mois.

■ La perfusion des vaisseaux ombilicaux peut se pratiquer chez le nouveau-né pendant 6 à 8 jours.

■ La perfusion des veines superficielles du cuir chevelu est employée aussi bien chez le nourrisson que chez le nouveau-né.

MATÉRIEL

Le matériel de perfusion se compose d'une tubulure plus ou moins complexe, porteuse parfois d'un robinet à 3 voies (ou d'une rampe de robinets permettant des raccords multiples et la perfusion simultanée de produits différents) ; celle-ci relie le flacon ou la seringue à perfuser à un matériel d'accès vasculaire qui varie selon le type de perfusion, son siège, la durée pendant laquelle elle doit rester en place et les besoins du malade : aiguille métallique ou cathéter court en plastique pour les perfusions veineuses périphériques, habituellement de courte durée ; cathéter long pour les perfusions centrales ; certains cathéters longs, dits implantables, sont accessibles de façon intermittente par ponction d'un réservoir sous-cutané, permettant ainsi au patient de conserver une autonomie totale entre deux perfusions (ils sont particulièrement adaptés aux traitements par chimiothérapie). Le débit de perfusion est assuré par gravité et réglé au « goutte à goutte ». Il existe aussi des perfuseurs automatiques, qui permettent de contrôler parfaitement les volumes administrés et les durées de perfusion.

MISE EN PLACE ET ENTRETIEN

La mise en place d'une perfusion veineuse périphérique doit être parfaitement aseptique, après pose d'un garrot et antisepsie de la peau, et le matériel d'accès vasculaire est recouvert d'un pansement stérile. Les perfusions centrales doivent être posées en respectant les règles d'asepsie chirurgicale. Les pansements, refaits à intervalles réguliers, sont remplacés dès qu'ils sont souillés ou décollés. Les tubulures d'accès doivent être changées toutes les 24 ou 48 heures. Ces manipulations, le changement de flacon et l'administration de médicaments par la tubulure de perfusion doivent être faits avec de grandes précautions d'asepsie.

COMPLICATIONS

Les complications locales constituent le principal risque des perfusions. L'inflammation, fréquente, se traduit par des douleurs et une rougeur autour du point de ponction et sur le trajet de la veine, parfois par un œdème. La perfusion doit alors être retirée, car elle risque de se compliquer de thrombose veineuse (formation d'un caillot) et/ou d'infection. L'infection est la plus grave complication à redouter ; elle peut être due à la rupture de la barrière cutanée, à la présence d'un corps étranger dans la veine ou aux manipulations de la ligne veineuse. Au pire, elle peut provoquer une septicémie. La prévention de ces complications consiste à réserver les perfusions aux cas où elles sont indispensables, à réduire leur durée autant que possible et à respecter les règles d'asepsie. Le débit de la perfusion doit être vérifié plusieurs fois par jour ; en outre, une surveillance quotidienne de l'état du patient sous perfusion est nécessaire.

Périadénite

Ensemble constitué par une adénite (inflammation d'un ganglion lymphatique) et la zone inflammatoire qui l'entoure.

Une périadénite est visible (gonflement, parfois rougeur) et palpable quand le ganglion atteint est superficiel. Elle est le plus souvent révélatrice d'une infection qui peut avoir diverses origines (toxoplasmose, tuberculose, syphilis par exemple).

Périartérite noueuse

Inflammation de la paroi des artères de moyen et de petit calibre compromettant l'irrigation des tissus.

La périartérite noueuse est une artérite qui touche diverses artères dont celles qui amènent le sang au cœur, aux reins, à l'intestin, au système nerveux, aux muscles. En évoluant, cette maladie peut atteindre les organes eux-mêmes.

CAUSES

Les causes de la périartérite noueuse ne sont pas complètement connues. Cette maladie, qui appartient au groupe des connectivites, ou maladies systémiques, semble être déclenchée par une infection par le virus de l'hépatite B, dont l'antigène HBs est retrouvé chez la moitié des malades. Le mécanisme des lésions est une réaction auto-immune au cours de laquelle l'organisme s'attaque aux parois des artères. La maladie peut survenir à tout âge, mais touche plutôt l'adulte de sexe masculin.

SYMPTÔMES ET SIGNES

La périartérite noueuse se manifeste souvent au début par des signes généraux : fièvre, amaigrissement, avec des douleurs articulaires et musculaires. Ensuite, l'aspect clinique dépend des localisations de l'atteinte vasculaire : les manifestations peuvent être cutanées (purpura, urticaire, nodules sous-cutanés) ; rénales (glomérulonéphrite avec insuffisance rénale, hypertension artérielle sévère) ; neurologiques (troubles sensitivomoteurs périphériques tels qu'une multinévrite, atteinte du système nerveux central se traduisant par des convulsions, une hémorragie méningée, etc.) ; cardiovasculaires (atteinte des coronaires avec risque d'infarctus du myocarde, vascularite distale avec phénomène de Raynaud, parfois gangrène des doigts) ; digestives (douleurs abdominales, diarrhée fréquente, éventuellement hémorragies digestives).

DIAGNOSTIC ET ÉVOLUTION

Il repose sur l'examen des vaisseaux par biopsie cutanée, musculaire ou rénale et sur l'artériographie mésentérique ou rénale, qui montre l'atteinte vasculaire avec rétrécissements et microanévrismes. La biopsie rénale suppose une hospitalisation de 48 heures et se pratique sous anesthésie locale.

L'évolution de la maladie se fait par poussées successives, le pronostic étant grave en l'absence de traitement.

TRAITEMENT

Il fait appel aux corticostéroïdes et aux immunosuppresseurs, voire à la plasmaphérèse (échange plasmatique). Il permet d'enrayer l'évolution dans la majorité des cas, mais au prix d'un certain nombre de complications liées aux thérapeutiques (modifications cutanées, ostéoporose, infections). Quand la périartérite noueuse est liée à une infection par le virus de l'hépatite B, on peut associer un traitement antiviral (vidarabine ou interféron).

Périarthrite

Toute affection due à une inflammation des tissus au voisinage des articulations.

Les périarthrites, maladies favorisées par le vieillissement des tissus, affectent généralement des sujets âgés ou, plus rarement, des sujets jeunes et sportifs. Elles touchent les bourses séreuses périarticulaires (espaces de glissement), la capsule articulaire (tissu fibreux entourant l'articulation), les ligaments, les tendons et leurs gaines, voire les muscles voisins de l'articulation. Chaque articulation de l'organisme peut faire l'objet d'une périarthrite, mais, du fait de sa complexité anatomique et de l'amplitude des mouvements possibles, c'est l'épaule qui est le plus souvent atteinte.

■ La périarthrite du coude peut être liée à une épicondylite (inflammation des tendons s'insérant sur l'épicondyle, saillie osseuse située à l'extrémité inférieure de l'humérus), fréquente chez le joueur de tennis (tennis-elbow), à une épitrochléite (inflammation de l'épitrochlée, saillie osseuse située sur la partie interne du coude) ou à une bursite rétro-olécranienne (inflammation de la bourse séreuse située derrière l'olécrane, saillie postérieure du cubitus à l'articulation du coude).

■ **La périarthrite du genou** a de multiples causes : kystes poplités, dus à l'inflammation des bourses des muscles jumeau interne et demi-membraneux, et responsables d'une douleur et d'une tuméfaction en arrière du genou ; tendinite des muscles de « la patte d'oie », fréquente chez le sportif et la femme âgée obèse, occasionnant des douleurs du tibia ; maladie de Pellegrini-Sieda, liée à une inflammation calcifiante du ligament latéral interne du genou à son point d'insertion sur le fémur et survenant à la suite d'une entorse mal soignée.

■ **La périarthrite de la hanche** est due en général à une tendinite des muscles fessiers, responsable d'une douleur lorsque le sujet écarte sa cuisse de l'axe du corps, ou à une tendinite des muscles adducteurs, fréquente chez le sportif (rugby, football).

■ **La périarthrite de la main** peut être la conséquence de kystes synoviaux (kystes de la gaine des tendons) apparaissant souvent au dos du poignet et qui sont enlevés chirurgicalement lorsqu'ils deviennent inesthétiques et/ou gênants. Il arrive aussi qu'elle soit due à une ténosynovite (inflammation d'un tendon et de sa gaine synoviale), provoquant parfois des rétractions tendineuses des doigts.

Périarthrite de l'épaule

Toute affection caractérisée par des douleurs dues à une inflammation des tissus au voisinage de l'articulation de l'épaule. SYN. *périarthrite scapulohumérale.*

Une périarthrite de l'épaule est due à une inflammation des tendons de la coiffe des rotateurs (muscles responsables des mouvements de rotation de l'épaule, le plus fréquemment atteint étant le muscle sus-épineux), de la bourse séreuse sous-acromiodeltoïdienne (espace de glissement entre muscle deltoïde et acromion, d'une part, et coiffe des rotateurs, d'autre part) et/ou de la capsule de l'articulation scapulohumérale (entre omoplate et humérus), ces différentes atteintes pouvant être isolées ou associées. Elle est favorisée par des facteurs congénitaux (espace trop étroit entre tendons de la coiffe et voûte osseuse sous-acromiale, par exemple) ou acquis (utilisation professionnelle ou sportive excessive de l'articulation de l'épaule).

SYMPTÔMES ET DIAGNOSTIC

Ils peuvent être plus ou moins accentués :
- douleur de l'épaule, sans que les mouvements de celle-ci soient limités, du fait d'une tendinite du muscle sus-épineux ou du muscle long biceps ;
- douleur aiguë de l'épaule, avec limitation totale des mouvements de celle-ci, liée à une bursite (inflammation de la bourse séreuse) ;
- blocage de l'épaule, ou algodystrophie, dû à une capsulite rétractile (rétraction et épaississement de la capsule articulaire de l'épaule) ; au cours de cette affection très douloureuse, les mouvements de l'épaule sont quasiment impossibles (épaule gelée) ;

- épaule pseudoparalytique, due à une rupture tendineuse, fréquente chez le sportif ; la douleur est faible, mais le sujet est dans l'incapacité de bouger l'épaule.

L'examen radiologique est normal, ou révèle la présence de calcifications sur les tendons de la coiffe ou de la bourse sous-acromiodeltoïdienne, des signes d'usure osseuse due aux frottements répétés, ou un aspect décalcifié de l'os, etc. Il peut être complété par l'échographie, l'imagerie par résonance magnétique (I.R.M.) ou par l'arthrographie.

TRAITEMENT

Il repose, selon le cas, sur les anti-inflammatoires par voie locale (pommade, infiltrations) et/ou générale ainsi que sur la kinésithérapie. Si l'affection devient chronique, différentes interventions peuvent être proposées, notamment réparer chirurgicalement un tendon rompu.

Périarticulaire

Qui se rapporte au voisinage d'une articulation. SYN. *abarticulaire.*

Les structures anatomiques périarticulaires sont les tendons des muscles et leurs enveloppes, les ligaments, les bourses séreuses (espaces de glissement périarticulaires) et la capsule articulaire (tissu fibreux entourant l'articulation).

Péricarde

Tunique externe enveloppant le cœur. (P.N.A. *pericardium*)

Le cœur est constitué de trois tuniques : le péricarde, qui est une sorte de sac enveloppant la totalité du cœur, le myocarde (muscle du cœur), principale tunique cardiaque, et l'endocarde, tunique la plus interne, directement en contact avec le sang.

DESCRIPTION

Le péricarde est formé de 2 structures de nature différente : le péricarde séreux, vers l'intérieur, et le péricarde fibreux, vers l'extérieur. Le péricarde séreux comprend lui-même 2 feuillets accolés : le plus profond adhère au myocarde, le plus superficiel est séparé du précédent par une cavité virtuelle et adhère au péricarde fibreux. Il protège et facilite les mouvements rythmiques de contraction et de relaxation du cœur.

PATHOLOGIE

Le péricarde séreux peut être le siège d'une inflammation (péricardite) provoquant le plus souvent l'apparition de liquide entre ses deux feuillets. Beaucoup plus rarement peut se produire un épaississement très important de l'ensemble des constituants du péricarde, entraînant la formation d'une véritable gangue souvent calcifiée, gênant le remplissage des 2 ventricules (péricardite chronique constrictive).

Péricardectomie

Ablation chirurgicale du péricarde.

Une péricardectomie se pratique en cas de péricardite chronique constrictive, lors de laquelle le péricarde s'épaissit et enserre le cœur, l'empêchant de se remplir complètement. L'opération est complétée par un

traitement à base d'antibiotiques antituberculeux. La péricardectomie est une intervention difficile et hémorragique ; elle n'est plus guère pratiquée de nos jours en raison de l'efficacité des traitements médicamenteux de la péricardite tuberculeuse.

Péricardite

Inflammation des deux feuillets du péricarde.

La plupart des péricardites sont d'origine infectieuse. Certaines peuvent témoigner d'une connectivite (maladie du tissu conjonctif de divers organes) ou parfois d'un cancer. On distingue trois formes de péricardite : la péricardite aiguë, la péricardite sèche et la péricardite chronique constrictive.

Péricardite aiguë

Il s'agit d'une inflammation du péricarde séreux aboutissant le plus souvent à l'apparition de liquide entre ses deux feuillets, dans la cavité virtuelle qui les sépare.

Fréquemment, aucune cause n'est retrouvée. Dans les péricardites aiguës bénignes, on évoque un mécanisme immunologique. Les causes connues sont une infection virale (l'épanchement entre les deux feuillets est clair) ou microbienne (l'épanchement est alors purulent), une tuberculose, un cancer ou un rhumatisme articulaire aigu.

La péricardite aiguë se traduit par une douleur thoracique augmentant à l'inspiration, associée à une fièvre. À l'auscultation, on peut entendre un bruit très particulier, comparable au froissement d'un tissu, rythmé par les bruits cardiaques, appelé frottement péricardique, qui est caractéristique de la péricardite.

Les examens complémentaires qui confirment le diagnostic sont l'électrocardiographie et l'échographie cardiaque.

L'évolution d'une péricardite aiguë bénigne est toujours favorable sans traitement, mais les récidives sont fréquentes. Quand le liquide enfermé dans le péricarde est trop volumineux, au point de comprimer le cœur et de gêner le retour veineux, des ponctions sont pratiquées. Les péricardites tuberculeuses, cancéreuses, microbiennes, rhumatismales et des connectivites nécessitent un traitement spécifique lié à la maladie en cause.

Péricardite sèche

C'est une inflammation du péricarde qui comporte les mêmes signes cliniques que la péricardite aiguë, mais qui ne s'accompagne d'aucun épanchement de liquide.

Elle est consécutive à une péricardite aiguë bénigne ou à une péricardite virale. L'auscultation peut révéler un frottement péricardique, mais l'échographie ne met en évidence aucun épanchement. Une péricardite sèche n'est souvent que le stade initial d'une péricardite aiguë avec épanchement.

Péricardite chronique constrictive

Cette inflammation du péricarde se traduit par un épaississement très important des constituants du péricarde, réalisant une véritable gangue qui enserre le cœur et gêne son remplissage. Il s'agit d'une complication rare d'une péricardite aiguë tuberculeuse, qui peut s'installer en quelques mois ou en quelques années.

De par son caractère constrictif, cette atteinte est à l'origine de signes cliniques analogues à ceux de l'insuffisance cardiaque et réunis sous le terme de « tamponnade » : augmentation de volume du foie, saillie des veines jugulaires, œdème des membres inférieurs. La radiographie thoracique peut montrer, une fois sur deux, un liseré opaque correspondant à la calcification du péricarde.

Le traitement est chirurgical et consiste en une décortication, véritable pelage du péricarde (variante de la péricardectomie), permettant de libérer le cœur de la gangue constrictive qui l'enserre. Les résultats sont le plus souvent excellents et entraînent une véritable guérison. Le traitement antibiotique précoce et efficace des péricardites tuberculeuses a nettement réduit la fréquence des péricardites chroniques constrictives.

Péricardotomie

Incision chirurgicale du péricarde.

Une péricardotomie permet d'évacuer un épanchement de liquide dans le péricarde en cas d'inflammation de celui-ci (péricardite). Dans les autres cas, elle constitue le premier temps d'une intervention de chirurgie cardiaque : elle permet alors au chirurgien d'accéder au cœur sous-jacent et de pratiquer l'intervention prévue.

Péricholangite

Inflammation du tissu hépatique entourant les canaux biliaires.

Une péricholangite survient au cours de maladies hépatiques dues à une atteinte des voies biliaires intrahépatiques ou extrahépatiques, comme une cirrhose biliaire primitive ou une cholangite sclérosante. Le traitement est celui de la maladie en cause.

Périchondre

Membrane conjonctive entourant les cartilages (cartilages de croissance chez l'enfant, cartilages de l'oreille, des côtes, etc.), à l'exception des surfaces articulaires.

Comme le périoste le fait pour l'os, le périchondre assure la nutrition et la croissance du cartilage en épaisseur.

Péridurale

Technique d'anesthésie locorégionale consistant en l'injection d'une solution d'anesthésique dans l'espace péridural (entre les vertèbres et la dure-mère, enveloppe méningée la plus externe). SYN. *anesthésie épidurale, anesthésie péridurale.*

Mise au point au début du siècle, la péridurale est aujourd'hui utilisée sans risque dans différents types de gestes chirurgicaux. Elle peut être réalisée dans la région cervicale, dorsale, lombaire ou sacrée.

INDICATIONS

Dans la région lombaire, la péridurale est indiquée lors des opérations gynécologiques, celles des voies urinaires ou des membres inférieurs, plus rarement celles des voies digestives (appendicite, par exemple). Elle est également utilisée, chez les patients fragiles, pour diminuer la douleur postopératoire pendant les 2 jours qui suivent l'intervention et, lors des accouchements, pour atténuer les douleurs d'un accouchement par les voies naturelles ou pour réaliser une césarienne. Elle permet de normaliser les accouchements « difficiles » : présentation par le siège, jumeaux, antécédents de césarienne. La césarienne sous anesthésie péridurale permet à la mère d'assister à la naissance de son enfant ; elle rend les suites de l'opération moins pénibles pour elle. La péridurale cervicale ou dorsale permet de pratiquer des opérations de la thyroïde, des organes oto-rhino-laryngologiques, des artères carotides et du sein.

CONTRE-INDICATIONS

Les contre-indications absolues sont les troubles de la coagulation et la prise de médicaments anticoagulants, l'hypovolémie (diminution de volume du sang) et l'hémorragie. Les contre-indications relatives sont une fièvre ou tout état infectieux au moment de l'anesthésie, les malformations de la colonne vertébrale, ainsi que certaines maladies cardiaques.

TECHNIQUE

Le produit injecté imprègne les racines nerveuses et anesthésie les nerfs qui conduisent la douleur. Le nombre de nerfs bloqués dépend de la quantité de liquide injecté. Deux techniques sont possibles : soit l'injection d'une dose unique d'un anesthésique de longue durée d'action, soit la mise en place d'un cathéter dans l'espace péridural, permettant de réaliser de façon continue l'injection de l'anesthésique sans renouveler la piqûre. Une péridurale convient pour des opérations de 2 ou 3 heures maximum ; après ce délai, le patient a souvent du mal à supporter l'immobilisation et réclame un sédatif. En revanche, lorsque les doses sont plus faibles (accouchement par les voies naturelles ou analgésie postopératoire), la péridurale peut durer plusieurs heures, voire 1 ou 2 jours.

DÉROULEMENT

La position du patient est choisie en fonction de son état et des habitudes de l'anesthésiste : pour recevoir l'injection, le patient peut être soit en position assise, soit allongé sur le côté, jambes repliées sous le menton. Chez les femmes en train d'accoucher, elle se pratique le plus souvent entre 3 et 5 centimètres de dilatation du col de l'utérus. Une désinfection rigoureuse de l'endroit du point de piqûre est nécessaire, suivie d'une anesthésie locale permettant d'insensibiliser la peau. L'injection est réalisée après mise en place d'une perfusion intraveineuse et sous contrôle de la tension artérielle et du rythme cardiaque. L'aiguille utilisée, appelée aiguille de Tuohy, est montée sur une seringue remplie de sérum physiologique. La progression de l'aiguille s'accompagne d'une résistance à la pression sur le piston de la seringue, ensuite suivie d'une perte de résistance brutale qui annonce la pénétration dans l'espace péridural.

EFFETS SECONDAIRES

Une péridurale peut déclencher une baisse de la pression artérielle et/ou des frissons pendant l'intervention, ainsi qu'une rétention d'urines transitoire après l'intervention, qui nécessite souvent un sondage vésical. Des maux de tête, rares, se traitent par la prise d'analgésiques et le repos. Un hématome péridural, exceptionnel si les contre-indications sont respectées, peut entraîner une paralysie des membres inférieurs et requiert un traitement chirurgical en urgence.
→ VOIR Anesthésie.

Périmètre

Appareil de mesure et d'enregistrement graphique du champ visuel.

Il existe différents types de périmètre, manuels ou automatiques, qui se présentent tous sous la forme d'une coupole dans laquelle le sujet insère la tête. Des spots lumineux de taille et d'intensité variables sont déplacés sur cette coupole, et le sujet doit signaler leur apparition sans tourner la tête. Parmi les périmètres manuels, le périmètre de Goldmann est le plus utilisé. Les périmètres automatiques permettent de programmer les tests à l'avance et donc de les reproduire en enregistrant les résultats. Il est alors possible de comparer les données chiffrées de chaque examen. L'emploi de la coupole permet de mieux étudier le champ visuel périphérique que ne le fait un écran plat, tel l'analyseur de Friedmann.

Périmétrie

Méthode d'évaluation du champ visuel, surtout périphérique.

Une périmétrie est effectuée à l'aide d'un appareil à coupole appelé périmètre.

Périnatalogie

Étude du fœtus à partir de la 28e semaine de grossesse et de l'enfant pendant ses 8 premiers jours de vie.

Spécialité nouvelle née de la collaboration des pédiatres et des obstétriciens, la périnatalogie vit une véritable révolution. En effet, cette spécialité médicale bénéficie de techniques récentes : l'échographie obstétricale, qui permet d'apprécier la morphologie, la physiologie et la croissance de l'enfant à venir, et aussi de repérer certaines malformations anténatales ; l'amniocentèse (prélèvement du liquide amniotique), qui sert à effectuer l'étude des chromosomes du fœtus, à doser les alpha-fœto-protéines (protéines élaborées par le fœtus, permettant de diagnostiquer les anomalies de la colonne vertébrale et de la boîte crânienne) et à mettre en évidence certaines maladies métaboliques et digestives ; enfin, l'abord thérapeutique dès ce stade de certaines anomalies. Ces avancées ont permis de réduire le taux de mortalité et les maladies de la période périnatale.

Périnée

Région constituant le plancher du petit bassin, où sont situés les organes génitaux externes et l'anus. SYN. *plancher pelvien.* (P.N.A. *perineum*)

L'orifice du périnée, de forme losangique, est presque entièrement obturé par des muscles et des aponévroses ; il ne laisse passer que les organes génito-urinaires et le canal anal. Les muscles forment plusieurs plans : muscles profonds (muscles releveur de l'anus et ischiococcygien) ; moyens (muscle transverse profond du périnée et sphincter de l'urètre) ; superficiels (sphincter de l'anus, muscles transverse superficiel, bulbo- et ischiocaverneux, constricteur de la vulve chez la femme).

■ Le périnée de la femme se présente, vu de l'extérieur et en position gynécologique, comme une zone triangulaire avec, d'avant en arrière, la vulve et la marge de l'anus, séparées par un pont cutané. Il comprend les glandes de Bartholin et l'appareil érectile du clitoris, situés sous les aponévroses. Entre la vulve et l'anus, une zone périnéale fibreuse constitue un élément de soutien essentiel des organes génitaux internes. La destruction de cette zone expose au prolapsus (déplacement d'organes). Certaines anomalies du périnée, telles qu'une trop courte distance entre l'anus et le pubis, la mauvaise qualité des tissus ou des œdèmes facilitent sa déchirure lors de l'accouchement. Pour prévenir celle-ci, on procède alors à une épisiotomie (section chirurgicale du périnée). La reconstitution chirurgicale du périnée est appelée une colpopérinéorraphie.

■ Le périnée de l'homme comprend, en avant, l'insertion de la base de la verge, où l'urètre s'engage dès sa sortie du sphincter, le scrotum contenant les testicules, un raphé médian (ligne saillante de peau) et l'anus.

Périnéoplastie

Réfection chirurgicale du périnée (ensemble des parties molles qui ferment le petit bassin vers le bas) effectuée en utilisant des tissus de voisinage (bandelettes de peau, ligament).
→ VOIR Vulvopérinéoplastie.

Périnéotomie

Incision chirurgicale du périnée (ensemble des parties molles qui ferment le petit bassin vers le bas).

Une périnéotomie est la première incision effectuée lors d'interventions chirurgicales telles que la vulvopérinéoplastie (réfection de la vulve et du périnée), pratiquée chez la femme dans les cas de rétrécissement de la vulve. Chez l'homme, elle est indiquée lors des interventions portant sur la portion moyenne de l'urètre et sur la prostate. Une périnéotomie est pratiquée sous anesthésie locale, locorégionale ou générale.
→ VOIR Épisiotomie.

Périnéphrétique

Qui entoure le rein.

Ainsi, le phlegmon périnéphrétique est une inflammation du tissu conjonctif et graisseux qui enveloppe le rein.

Période

Temps nécessaire pour qu'une quantité donnée d'une substance diminue de moitié. SYN. demi-vie.

Selon le mécanisme que cette diminution met en jeu, on parle de période biologique ou de période physique. La période biologique d'une substance (médicament, par exemple) est le temps nécessaire pour que la moitié d'une quantité donnée de cette substance soit éliminée par le corps. La période physique d'une substance radioactive est le temps au bout duquel la moitié de cette substance s'est désintégrée : celle du technétium 99 m, par exemple, utilisé dans la plupart des examens par scintigraphie, est de 6 heures ; celle de l'iode 131, utilisé surtout pour les traitements de médecine nucléaire, est de 8 jours.

Dans le cas de l'introduction dans l'organisme d'une substance radioactive, les deux périodes sont à considérer puisqu'une telle substance est sujette à la fois à la décroissance de sa radioactivité et à une élimination biologique progressive. La période résultant de la conjugaison de ces 2 périodes est donc plus courte que la plus courte des deux.

Périonyxis

Inflammation chronique de la peau autour d'un ongle. SYN. paronychie.

Un périonyxis est le plus souvent dû à une infection par un champignon microscopique du genre Candida. L'inflammation est favorisée par les travaux ménagers et l'exercice de certaines professions (pâtissiers, pêcheurs, plongeurs, employés de l'industrie textile) qui nécessitent un contact prolongé avec l'eau ou avec certaines substances (glucides) favorisant les infections mycosiques. Elle touche surtout l'index et le majeur, et se traduit par un bourrelet rouge autour de l'ongle. Le traitement repose sur l'application d'antifongiques (mycostatine, imidazolés), et la prévention, sur le port de gants pendant les travaux manuels dans les professions à risque.

Périoste

Membrane fibreuse blanchâtre gainant l'os, à l'exception de ses surfaces articulaires. (P.N.A. periosteum)

Le périoste joue un rôle essentiel dans la vascularisation et la croissance de l'os, notamment en épaisseur ; c'est à partir de lui que se constituent les cals osseux lors de la consolidation des fractures. Sa riche innervation lui permet de transmettre les phénomènes douloureux, l'os lui-même étant très peu sensible.

Le périoste, notamment celui des tibias chez les sportifs, peut être le siège d'une inflammation (périostite).

Périostite

Inflammation aiguë ou chronique du périoste (membrane conjonctive qui entoure un os et permet sa croissance en épaisseur) et de l'os adjacent. SYN. ostéopériostite.

CAUSES
Une périostite peut être entraînée par l'extension d'une ostéite (infection microbienne d'un os) au périoste ou par des chocs, responsables de microtraumatismes.

Chez les sportifs, une périostite peut survenir après modification ou intensification de l'entraînement. Elle peut aussi être liée à une reprise trop rapide de l'activité sportive après un arrêt, à une mauvaise maîtrise des gestes, à un changement de surface (pelouse ou sol synthétique, par exemple) ou d'équipement (chaussures).

SYMPTÔMES ET TRAITEMENT
Une périostite se manifeste par un gonflement et une douleur de la zone atteinte. Elle se traite par le repos, par des séances de kinésithérapie, par le port de chaussures qui amortissent les chocs et par la prise de médicaments anti-inflammatoires. Lorsqu'elle est associée à une ostéite, un traitement antibiotique, ou parfois chirurgical, permet d'évacuer la collection purulente.

PRÉVENTION
En médecine sportive, la prévention consiste à s'entraîner régulièrement et progressivement, à porter un équipement adapté, ainsi qu'à corriger une mauvaise technique.

Périostite alvéolodentaire

→ VOIR Alvéolite dentaire.

Péristaltisme

Ensemble des contractions musculaires d'un organe creux, provoquant la progression de son contenu d'amont en aval. SYN. motricité digestive.

Le péristaltisme intestinal, phénomène physiologique, s'observe tout au long du tube digestif. Celui-ci est doué d'une capacité motrice autonome, contrôlée par des mécanismes musculaires nerveux et hormonaux. Cette motricité sert à propulser les aliments du pharynx au rectum et permet par son brassage une meilleure absorption des nutriments.

Les enregistrements électromyographiques de l'intestin grêle et du côlon, par exemple, permettent d'étudier les mouvements péristaltiques digestifs.

PATHOLOGIE
Les anomalies de la motricité digestive peuvent être fonctionnelles (colopathie spasmodique) ou organiques (achalasie de l'œsophage, mégacôlon idiopathique). La maladie de Hirschsprung est une affection congénitale caractérisée par l'absence d'innervation d'un segment du côlon empêchant le péristaltisme dans le segment atteint. La manométrie (étude des pressions à l'intérieur du tube digestif) permet d'identifier ces anomalies de la motricité. Le traitement dépend de la cause et peut être soit médicamenteux (administration d'antispasmodiques, d'inhibiteurs calciques, etc.), soit chirurgical (ablation d'un segment colique dénervé).

Péritoine

Membrane séreuse tapissant les parois de l'abdomen (péritoine pariétal) et la surface des viscères digestifs qu'il contient (péritoine viscéral). [P.N.A. peritoneum]

Le péritoine recouvre complètement le tube digestif et les organes adjacents. Il délimite une cavité virtuelle, la cavité péritonéale, dans laquelle se déplacent les anses intestinales.

La principale pathologie du péritoine est la péritonite (inflammation de celui-ci), le plus souvent d'origine infectieuse. Le péritoine peut également être le siège de tumeurs (carcinome péritonéal).

Péritonisation

Fermeture chirurgicale d'une brèche du péritoine à la fin d'une intervention pendant laquelle le chirurgien a incisé cette membrane pour accéder à un organe sous-jacent.

La péritonisation, qui consiste à suturer les berges de l'incision avec du fil résorbable, est le plus souvent pratiquée après ablation de segments de côlon ou d'intestin. Elle permet d'éviter une occlusion intestinale (obstruction), due à l'apparition d'adhérences fibreuses cicatricielles entre le péritoine et l'intestin, ou à l'inclusion de l'intestin dans la brèche du péritoine.

Péritonite

Inflammation du péritoine.

Une péritonite est presque toujours consécutive à une atteinte d'un organe abdominal : soit un viscère est infecté et les bactéries se propagent ensuite de proche en proche au péritoine ; soit la paroi d'un viscère creux (intestin, par exemple) est perforée, et son contenu, qui peut renfermer des bactéries et des substances chimiques agressives, s'accumule dans le péritoine. Une fois l'inflammation déclenchée, il se produit une occlusion intestinale. Les pertes liquidiennes diminuent en outre le volume sanguin, ce qui explique, en cas de péritonite grave ou prolongée, la souffrance des principaux viscères (poumons, reins). Une péritonite est quelquefois chronique et, dans ce cas, en général d'origine tuberculeuse, mais le plus souvent elle est aiguë.

Péritonite aiguë

Les inflammations aiguës du péritoine ont des origines très diverses : perforation d'un ulcère de l'estomac ou du duodénum ; appendicite, avec propagation de l'infection ou perforation de l'appendice ; cholécystite (inflammation de la vésicule biliaire), avec perforation de la vésicule biliaire ; sigmoïdite (inflammation de la dernière partie du côlon) avec perforation de celui-ci ; plaie d'un viscère creux, survenue au cours d'un traumatisme de l'abdomen ; salpingite (inflammation d'une ou des deux trompes utérines ou pyosalpinx (présence de pus dans une ou dans les deux trompes utérines) ; dans ce dernier cas, la péritonite reste localisée au petit bassin : on parle alors de pelvipéritonite.

SIGNES ET DIAGNOSTIC

Une péritonite aiguë peut être généralisée ou localisée.

■ Une péritonite aiguë généralisée se traduit par une douleur abdominale intense et généralisée, par des signes de paralysie intestinale (vomissements, arrêt de l'évacuation des matières et des gaz), par une altération de l'état général (fièvre, abattement) et parfois par des signes de diminution du volume sanguin (pâleur, anxiété, pouls rapide). Les muscles de la paroi abdominale sont très contractés ; la paroi devient dure, tendue, douloureuse (ventre de bois).

■ Une péritonite aiguë localisée entraîne la formation d'adhérences qui cloisonnent la cavité du péritoine et empêchent le foyer infectieux de s'étendre. Sa localisation dépend de l'organe en cause (en haut et à droite du diaphragme pour l'abcès sous-phrénique, en bas et à droite de l'abdomen pour l'appendicite, en bas et à gauche pour la sigmoïdite). Le diagnostic de la péritonite aiguë localisée, plus difficile que celui de la péritonite aiguë généralisée, nécessite des examens radiologiques complémentaires (échographie, scanner).

TRAITEMENT

En cas de péritonite aiguë généralisée, le malade doit être hospitalisé en urgence dans un service de chirurgie. La réanimation consiste essentiellement à compenser les pertes liquidiennes par des perfusions intraveineuses. L'opération vise à soigner la cause de la péritonite (suture pour fermer un ulcère perforé, ablation de l'appendice, etc.), à nettoyer la cavité abdominale et à mettre en place un drain. Elle est complétée par l'administration d'antibiotiques. L'hospitalisation dure en général de 8 à 15 jours, mais peut s'étendre à plusieurs semaines dans les cas graves (traitement entrepris trop tard, sujet âgé, troubles respiratoires, cardiaques ou rénaux, etc.).

Le traitement de la péritonite aiguë localisée est semblable à celui de la péritonite aiguë généralisée. Les lésions responsables sont traitées en même temps que le drainage de l'abcès ou dans un second temps (de 3 à 6 mois plus tard), une fois terminée la phase aiguë de l'inflammation.

Périviscérite

Inflammation chronique des membranes séreuses qui entourent les viscères (plèvre, péricarde ou péritoine).

Une périviscérite est consécutive à une infection, à une intervention chirurgicale ou à une radiothérapie. Elle provoque le développement d'adhérences fibreuses et de brides soudant les organes entre eux (anses intestinales) ou à une paroi (de la plèvre, du péricarde, du péritoine), et finit par perturber le fonctionnement de l'organe. Elle entraîne parfois des douleurs.

Une périviscérite peut gêner une intervention chirurgicale ultérieure ; en outre, dans l'abdomen, elle est susceptible de provoquer des occlusions. Le traitement est facultatif, sauf en cas de complications ; il consiste à libérer chirurgicalement les adhérences l'une après l'autre, en s'aidant d'irrigations de sérum physiologique.

→ VOIR Péricardite, Péritonite, Pleurésie.

Perlèche

Inflammation cutanée localisée aux commissures des lèvres.

Une perlèche est due soit à un appareil dentaire mal adapté, soit à une infection par une bactérie telle que le streptocoque ou le tréponème (agent de la syphilis), ou par un champignon microscopique tel que le candida. Elle se traduit par l'apparition d'une ou de plusieurs petites fissures à la commissure des lèvres. Elle est souvent bilatérale et indolore ; la peau des commissures peut être rouge (mycose) ou les tissus sous-jacents peuvent être infiltrés (syphilis). La perlèche est très contagieuse en cas de syphilis ; elle l'est peu ou pas du tout dans les autres cas.

En dehors de l'administration de pénicilline en cas de syphilis, le traitement est local : nitrate d'argent et pommade antibiotique contre le streptocoque, pommade antifongique et bains de bouche alcalins contre les mycoses.

Perls (coloration de)

Méthode de coloration du fer par le bleu de Prusse, utilisée en hématologie pour mettre en évidence la présence ou l'absence de fer dans les cellules sanguines (globules rouges, érythroblastes et macrophages).

Les globules rouges porteurs de fer sont appelés sidérocytes, et les érythroblastes (précurseurs des globules rouges) porteurs de fer sont dits sidéroblastes.

La coloration de Perls est utilisée notamment dans le diagnostic de la carence martiale (carence en fer) et des syndromes inflammatoires. L'absence de fer dans les érythroblastes et dans les macrophages est caractéristique de la carence martiale. La présence de fer dans les macrophages et son absence dans les érythroblastes est très évocatrice d'un syndrome inflammatoire. Dans certaines anémies héréditaires ou acquises, dites anémies sidéroblastiques, elle permet de mettre en évidence dans les sidéroblastes (érythroblastes de la moelle osseuse porteurs d'inclusions ferriques) des inclusions de fer de forme caractéristique, disposées en couronne autour du noyau.

Péroné

Os long situé à la face externe de la jambe, dont il constitue le squelette avec le tibia. (P.N.A. *fibula*)

Le péroné s'articule en haut avec le tibia, un peu en dessous du genou (articulation péronéotibiale supérieure), en bas avec le tibia et l'astragale (articulation tibio-péronéo-astragalienne) ; de plus, le péroné et le tibia sont reliés par une lame fibreuse appelée membrane interosseuse. L'extrémité inférieure du péroné, également appelée malléole externe, joue un grand rôle dans la stabilité de la cheville. Si le péroné sert d'attache à de nombreux muscles, son rôle mécanique est peu important, la plus grande partie du poids du corps reposant sur l'os principal de la jambe, le tibia.

PATHOLOGIE

Les fractures du péroné sont assez fréquentes et souvent associées à d'autres fractures.

■ **Les fractures de la partie médiane du péroné**, lorsqu'elles sont isolées, nécessitent une simple immobilisation, plâtrée ou non de la jambe, d'environ 6 semaines. Associées à une fracture du tibia, elles ne nécessitent aucun traitement spécifique : seule la fracture du tibia est traitée, souvent par ostéosynthèse chirurgicale (réunion des fragments osseux à l'aide de vis, de clous ou d'autres moyens mécaniques).

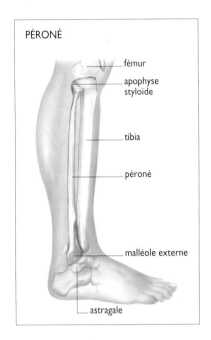

PÉRONÉ

fémur

apophyse
styloïde

tibia

péroné

malléole externe

astragale

■ Les fractures de la malléole externe du péroné sont de deux types : simple arrachement dû à une entorse grave de la cheville, entraînant une désinsertion des ligaments latéraux ; fracture atteignant également l'extrémité inférieure du tibia, ou malléole interne, qui met en cause la stabilité de l'articulation de la cheville et doit souvent faire l'objet d'une ostéosynthèse chirurgicale.
■ Les fractures de l'extrémité supérieure du péroné sont en général associées à des fractures de l'extrémité supérieure du tibia (plateaux tibiaux). On ne soigne alors que la fracture du tibia.

Péronier latéral (muscle)

Chacun des deux muscles (le court péronier latéral et le long péronier latéral) de la face externe de la jambe. (P.N.A. *musculus peroneus*)

Les muscles péroniers latéraux s'attachent en haut sur la face externe du péroné et se terminent par un long tendon qui passe derrière la malléole externe pour s'insérer sur la base du 5e métatarsien pour le court péronier latéral, et du 1er métatarsien et des os environnants pour le long péronier latéral. Ils sont éverseurs de la cheville (écartant le pied vers l'extérieur de l'axe de la jambe).

PATHOLOGIE

Une flexion forcée de la cheville peut luxer les tendons péroniers latéraux. Le traitement consiste, après réduction de la luxation, en une immobilisation plâtrée de 6 semaines. Une réparation chirurgicale de la gaine de ces muscles est parfois nécessaire, surtout lorsqu'un fragment osseux a été arraché.

Péronière (artère)

Artère profonde de la jambe. (P.N.A. *artera peronea*)

DESCRIPTION

L'artère péronière, branche de bifurcation du tronc tibiopéronier (artère qui prolonge l'artère poplitée) sous le genou, descend presque verticalement dans le mollet jusqu'à la partie basse du ligament interosseux situé entre le tibia et le péroné, où elle se divise en deux parties, l'artère péronière antérieure et l'artère péronière postérieure. Ces deux branches rejoignent à la cheville d'autres rameaux artériels, dont l'artère malléolaire externe. L'artère péronière donne de nombreuses petites ramifications destinées aux muscles du mollet ainsi qu'une branche nourricière pour le péroné.

PATHOLOGIE

Cette artère peut être obstruée en cas d'artérite des membres inférieurs ou d'embolie.

Peroxydase

Enzyme présente dans les cellules, captant l'oxygène.

Une peroxydase prend à des substances appelées peroxydes (dont la plus connue est le peroxyde d'hydrogène, ou eau oxygénée [H_2O_2]) un atome d'oxygène, lequel se fixe ensuite sur une autre substance.

Des dosages sanguins de la peroxydase des globules blancs, ou myéloperoxydase, sont utilisés dans le diagnostic de certaines leucémies et pour compter les globules blancs du sang. Par ailleurs, des peroxydases sont contenues dans certains réactifs de laboratoire, notamment ceux qui permettent de doser le glucose dans le sang, l'urine et le liquide céphalorachidien.

Perspiration

Phénomène physiologique d'élimination de l'eau par la peau.

La perspiration participe aux échanges hydriques de l'organisme et augmente avec la température extérieure. Lorsqu'elle devient visible, elle est appelée transpiration.

Perte blanche

→ VOIR Leucorrhée.

Perte de connaissance

Rupture de contact entre la conscience et le monde extérieur. SYN. *évanouissement*.

Une perte de connaissance peut être complète ou partielle, brutale ou progressive, et d'une durée variable (de quelques secondes à une demi-heure). Une perte de connaissance complète est appelée syncope si elle survient brutalement et dure peu de temps ; si elle se prolonge, on parle de coma.

CAUSES

Le trouble du fonctionnement cérébral responsable de la perte de connaissance est d'origine cardiovasculaire ou neurologique.
■ **Les causes cardiovasculaires** comprennent la syncope vasovagale (excès d'activité du système nerveux parasympathique sur le cœur et sur les vaisseaux), qui est la cause la plus fréquente. Elle survient en position debout ou assise, en situation de stress, et commence par un malaise ; elle est bénigne et ne nécessite pas de traitement. L'hypotension orthostatique est également très fréquente ; il s'agit d'une chute de la pression artérielle lors du passage en position debout (orthostatisme) ou après une station debout prolongée ; un médicament (antihypertenseur, antidépresseur) ou une diminution du volume sanguin (déshydratation) en sont parfois responsables. Les autres causes cardiovasculaires de perte de connaissance sont plus rares : trouble du rythme ou de la conduction cardiaque (bloc auriculoventriculaire), cardiopathie (rétrécissement aortique souvent responsable d'une syncope survenant à l'effort), hémorragie méningée, accident vasculaire cérébral, syncope sinucarotidienne (par pression sur les carotides) survenant, par exemple, si l'on porte un col de chemise trop serré.
■ **Les causes neurologiques** sont surtout représentées par les crises d'épilepsie.
■ **Les autres causes** sont les intoxications, principalement par médicaments, les méningites, l'ictus laryngé (perte de connaissance après une quinte de toux intense), les troubles métaboliques (hypoglycémie).

DIAGNOSTIC ET TRAITEMENT

Le diagnostic repose avant tout sur l'interrogatoire du malade et/ou de son entourage. Le médecin fait préciser les circonstances de survenue (position, heure du dernier repas, etc.), les signes précédant éventuellement la perte de connaissance (douleurs, palpitations, etc.), sa profondeur, la durée des troubles, l'existence de convulsions ou d'une morsure de la langue, symptômes caractéristiques d'une épilepsie. Les examens complémentaires sont orientés en fonction de ces renseignements. Le traitement d'une cause éventuelle et la prévention des récidives dépendent de chaque cas.

Perte vaginale

→ VOIR Leucorrhée.

Perthes-Jüngling (maladie de)

Localisation de la sarcoïdose à un ou à plusieurs os des doigts ou des orteils.

La maladie de Perthes-Jüngling se manifeste par une déformation progressive des phalanges, avec parfois gonflement du doigt ou de l'orteil (aspect « en radis » ou « en saucisse ») ; les articulations peuvent être touchées. La douleur n'est pas constante et survient surtout en cas d'atteinte articulaire. Enfin, la peau peut prendre une coloration rouge foncé ou bleuté. La radiographie montre des lacunes arrondies, semblables à de petites bulles claires. Le traitement vise surtout à traiter les symptômes de la maladie, à l'aide d'anti-inflammatoires non stéroïdiens, voire de corticostéroïdes.

Perversion

Recherche d'une satisfaction considérée comme régressive par rapport au développement psychosexuel de l'adulte.

Selon la psychanalyse, la perversion est un retour ou une fixation à des composantes sexuelles primitives, appartenant à la sexualité infantile et qui demeurent chez chaque individu, mais à l'état de survivance : sadomasochisme, fétichisme, voyeurisme, exhibitionnisme, coprophagie, etc.

Pessaire

Instrument permettant de corriger certaines anomalies de position de l'utérus (rétrodéviation, hystéroptôse).

Un pessaire est un anneau de caoutchouc plus ou moins flexible, de dimension adaptée. Introduit dans le vagin de façon que le col de l'utérus fasse saillie au centre, il redresse l'utérus. Le port d'un pessaire est conseillé lorsque l'opération du prolapsus utérin (descente de l'utérus) est contre-indiquée (par exemple chez les femmes âgées, en raison de contre-indications anesthésiques). Il est aussi prescrit comme test lorsqu'une patiente se plaint de douleurs pelviennes et qu'elle présente une rétroversion utérine : la disparition des douleurs pendant le port du pessaire permet d'établir un rapport de cause à effet entre les douleurs et la rétroversion et d'envisager une intervention chirurgicale.

Un pessaire se place manuellement au fond du vagin et nécessite une surveillance médicale régulière.

Peste

Maladie infectieuse et contagieuse grave due à une bactérie, le bacille de Yersin ou *Yersinia pestis*.

La peste fut par le passé responsable d'épidémies meurtrières : à Athènes en 430-427 av. J.-C., en Europe au XIVe siècle (plusieurs millions de morts), à Marseille au XVIIIe siècle, etc. Seules les mesures sanitaires, principalement la lutte contre les rats et les puces, leur destruction dans les bateaux et les ports ainsi que les mesures d'éviction des malades (quarantaine), vinrent à bout de ce fléau en coupant son circuit de transmission jusqu'à l'homme. Des cas isolés en petit nombre sont encore observés au Nouveau-Mexique (sud des États-Unis), au Mexique, en Inde, au Turkestan, etc. Des cas survenant dans les laboratoires ne sont pas exceptionnels.

La peste est une zoonose (maladie touchant l'homme et l'animal). Le réservoir du bacille est le rat, ou, en Asie centrale, le mérione (rongeur sauvage). La maladie se transmet entre animaux et de l'animal à l'homme par l'intermédiaire des puces. L'homme peut en outre contracter la maladie par manipulation de rongeurs infectés ou, dans une forme particulière de la peste (peste pulmonaire), par inhalation de gouttelettes de salive d'un sujet infecté.

SYMPTÔMES ET SIGNES

Les manifestations cliniques de la peste sont de trois types.

■ **La peste bubonique** se contracte par piqûre de puce. Elle se traduit par une fièvre élevée, des frissons et des douleurs diffuses, suivis par un important gonflement des ganglions lymphatiques, en particulier ceux de l'aine, et par leur suppuration (bubon pesteux). La peste bubonique peut évoluer vers une septicémie ou provoquer des hémorragies sous-cutanées se traduisant par des ecchymoses sombres (peste noire).

■ **La peste pulmonaire** se transmet d'homme à homme par voie aérienne et est

très contagieuse. Elle engendre une fièvre élevée et une pneumopathie aiguë asphyxiante, avec des expectorations abondantes et sanguinolentes, très septiques.

■ **La forme septicémique pure** survient directement après la contamination ou après l'apparition de bubons pesteux. Elle se traduit par une fièvre élevée, des frissons, un délire et une prostration ; l'évolution est rapidement fatale en l'absence de traitement.

TRAITEMENT ET PRÉVENTION

Les antibiotiques (streptomycine) traitent très efficacement la peste. Les risques d'extension épidémique sont quasi nuls si la surveillance sanitaire et les mesures officielles sont respectées, ce qui, aujourd'hui, est presque partout le cas.

La peste est une maladie à déclaration obligatoire. Un isolement est requis par les autorités (règlement sanitaire international). Il existe un vaccin recommandé aux professions exposées (techniciens de laboratoire manipulant les bacilles, ouvriers agricoles des zones touchées par la maladie).

Pesticide

Produit minéral ou organique (sels de cuivre, d'arsenic, acide sulfurique, etc.), destiné à protéger hommes, animaux ou végétaux contre divers fléaux (germes, parasites, animaux nuisibles) en les détruisant.

Il s'agit, selon les cas, d'insecticide, d'herbicide, de fongicide, de nématocide (produit détruisant les vers), de raticide, etc. Les pesticides peuvent être responsables d'intoxications par inhalation, par contact cutané ou par ingestion. Il importe donc d'en respecter strictement le mode d'emploi et de les ranger hors de portée des enfants.
→ VOIR Intoxication.

Pétéchie

Petite lésion rouge vif ou bleutée de la peau ou des muqueuses, caractéristique du purpura.

Les pétéchies, dues au passage de globules rouges hors des vaisseaux sanguins, mesurent de 1 à 3 millimètres. La vitropression (pression avec un verre bombé) ne les efface pas. Elles pâlissent avec le temps et peuvent laisser une pigmentation brune due aux dépôts de fer des globules rouges. Elles s'observent dans les thrombopénies (diminution du nombre des plaquettes sanguines), les thrombopathies (altération de la fonction des plaquettes) et les atteintes des vaisseaux sanguins ; on parle, selon le cas, de purpura thrombopénique, de purpura thrombopathique ou de purpura vasculaire.

Petit estomac (syndrome du)

→ VOIR Estomac (syndrome du petit).

Petit mal épileptique

Forme d'épilepsie généralisée (atteignant la totalité du cortex cérébral).

Le petit mal épileptique, appelé simplement petit mal dans le langage courant, regroupe deux types de cette affection.

■ **Les absences épileptiques,** ou **absences,** débutent entre 4 et 6 ans. Elles consistent

en une suspension de la conscience d'une trentaine de secondes ; le malade interrompt ses activités, ne bouge plus, ne répond pas ; le regard reste fixe. Les crises sont favorisées par l'absence d'activité et par les émotions, et leur fréquence est variable. Elles disparaissent le plus souvent à la puberté mais peuvent, dans 40 % des cas environ, être remplacées par des crises de grand mal (autre forme, majeure, d'épilepsie généralisée). Le traitement fait appel aux antiépileptiques, notamment à l'éthosuximide, spécifique de cette forme d'épilepsie.

■ **Le petit mal myoclonique,** plus rare, commence entre 13 et 20 ans et consiste en myoclonies (secousses musculaires) synchrones des deux côtés du corps, affectant surtout les membres supérieurs. Les crises surviennent le matin, peu après le réveil. Le traitement est celui de l'épilepsie (médicaments antiépileptiques). Le pronostic est bon, mais certains patients développent par la suite un grand mal.

Peutz-Touraine Jeghers (syndrome de)

Maladie héréditaire associant une polypose digestive (présence de multiples polypes sur le tube digestif) et une lentiginose de la peau et des muqueuses.

Le syndrome de Peutz-Touraine Jeghers est une affection héréditaire se transmettant sur le mode autosomique (par les chromosomes non sexuels) dominant (il suffit que le gène en cause soit reçu de l'un des parents pour que l'enfant développe la maladie).

Les premiers symptômes de la maladie surviennent généralement vers l'âge de 15 ans. Les anomalies cutanéomuqueuses consistent en l'apparition de petites taches brunes, principalement autour de la bouche et de l'anus. La polypose affecte le plus souvent l'intestin grêle et peut entraîner des complications telles qu'une occlusion ou une hémorragie ; le traitement est alors chirurgical. Les polypes comportant un risque relativement faible de cancérisation, leur ablation par endoscopie est préconisée au fur et à mesure de leur apparition.

pH

Grandeur chimique mesurant le caractère plus ou moins acide ou basique d'une solution aqueuse.

Le pH est égal à 7 pour une solution neutre, inférieur à 7 pour une solution acide, supérieur à 7 pour une solution basique (alcaline).

■ **Le pH sanguin** oscille normalement entre 7,35 et 7,42. Il augmente au cours de l'alcalose (trouble de l'équilibre acidobasique de l'organisme dû à une perte sévère de suc gastrique - lors de vomissements importants, par exemple -, ou à un apport excessif d'alcalins - bicarbonate de soude, par exemple) et diminue au cours de l'acidose (trouble de l'équilibre acidobasique dû à une insuffisance rénale, un diabète sucré, une paralysie respiratoire, etc.).

■ **Le pH urinaire** varie de 5,2 à 6,4 en fonction du régime alimentaire, de la digestion et du travail musculaire. Il diminue au cours de la goutte, du diabète avec acidocétose et des maladies fébriles. Il augmente lors de l'hyperchlorhydrie gastrique, de certaines infections des voies urinaires (cystite, pyélonéphrite) et de l'alcalose métabolique.

pH-métrie œsophagienne (exploration par)

Mesure et enregistrement en continu, pendant plusieurs heures, du pH du bas œsophage.

La pH-métrie est un examen qui contribue à établir le diagnostic du reflux gastro-œsophagien (passage anormal de liquide gastrique acide dans l'œsophage). Elle permet également de contrôler l'efficacité du traitement chirurgical ou médical de celui-ci.

TECHNIQUE

La pH-métrie se pratique à l'aide d'une sonde munie d'une électrode permettant de mesurer l'acidité : la sonde est introduite, après une légère anesthésie locale, par une narine jusqu'au bas de l'œsophage, à environ 4 centimètres au-dessus du sphincter inférieur (ou cardia). L'autre extrémité de la sonde se termine par une fiche reliée à un boîtier extérieur, qui enregistre les mesures. Le boîtier est fixé à la taille du patient, ce qui permet à celui-ci de se déplacer librement.

DÉROULEMENT

L'examen est indolore. Il peut être réalisé sur 3 heures ou sur 24 heures. Le patient doit être à jeun lors de l'introduction de la sonde. Pour un examen de 3 heures, il reste dans la salle d'examen et ingère un « repas test ». Il reste assis pendant la première heure, s'allonge pendant la deuxième et s'assied de nouveau pendant la dernière heure. Pour un examen de 24 heures, le patient peut repartir et reprendre ses activités après la pose de la sonde. Il doit simplement noter soigneusement différentes informations (heure des repas, du coucher, du lever) et se présenter 24 heures plus tard pour l'enlèvement de la sonde. L'examen ne s'accompagne d'aucun effet secondaire. Les résultats (compte rendu écrit) sont connus dans les 24 heures.

pH urinaire (modificateur du)

Substance utilisée en thérapeutique pour rendre les urines plus alcalines ou plus acides.

Les modificateurs du pH urinaire comprennent les alcalinisants et les acidifiants.

■ **Les alcalinisants urinaires** élèvent le pH des urines. Ce sont des aliments (légumes verts et fruits), des eaux minérales, notamment celles qui contiennent du bicarbonate de sodium, ou des médicaments (trométamol) administrés par voie orale ou par injection selon le degré d'urgence. Ils sont indiqués en cas de lithiase rénale quand les calculs sont formés d'acide urique, et quand l'organisme contient un excès d'acides (acidose). Ils sont contre-indiqués dans les alcaloses et dans les acidoses liées à des maladies respiratoires. Leurs effets indésira-

bles possibles sont la formation de calculs phosphocalciques et le déclenchement d'une alcalose (excès de bases dans l'organisme).

■ **Les acidifiants urinaires** diminuent le pH urinaire. Ce sont des aliments (viandes ou autres aliments riches en protéines), ou des médicaments (composés de chlorure d'ammonium ou d'acide phosphorique) administrés par voie orale. Ils sont indiqués en cas de lithiase rénale de nature phosphocalcique et contre-indiqués en cas d'ulcère gastroduodénal et d'insuffisance hépatique grave. Leurs effets indésirables possibles sont la formation de calculs constitués d'acide urique et le déclenchement d'une acidose (excès d'acides dans l'organisme).

Phacomatose

Maladie congénitale, habituellement héréditaire, caractérisée par des malformations et des phacomes (tumeurs de petite taille) affectant les nerfs, les yeux et la peau.

Les phacomatoses atteignent les tissus et organes dérivés d'un tissu embryonnaire appelé ectoderme. Elles comprennent la neurofibromatose de Recklinghausen (tumeurs cutanées et nerveuses multiples), la sclérose tubéreuse de Bourneville (lésions cutanées, épilepsie et arriération mentale), la maladie de Hippel-Lindau (tumeurs du cervelet et de la rétine) et la maladie de Sturge-Weber (tumeurs de la peau du visage et des méninges, épilepsie). Les tumeurs, même quand elles sont bénignes, peuvent se cancériser par la suite. Le traitement est limité à l'ablation de certaines tumeurs et à la correction des symptômes (au besoin par des médicaments antiépileptiques).

Phagédénisme tropical

→ VOIR Ulcère phagédénique.

Phagocyte

Cellule capable d'ingérer et de détruire des particules de taille variable, y compris d'autres cellules.

Les phagocytes sont représentés principalement par les globules blancs dits polynucléaires neutrophiles et par les macrophages. Ces cellules ont la faculté d'émettre des prolongements, dits pseudopodes, qui entourent la particule à ingérer ; celle-ci se trouve progressivement incluse dans le phagocyte, enfermée dans une sorte de sac, la vacuole de phagocytose. Au contact de ce sac, des organes spécialisés de la cellule, les lysosomes, y déversent leur contenu, formé pour l'essentiel d'enzymes lytiques (substances capables de dégrader la matière vivante) qui détruisent la particule ingérée. Les phagocytes ont un rôle actif dans la lutte contre les infections, essentiellement les infections bactériennes.

Phagocytose

Capture, ingestion et destruction par une cellule de particules ou d'autres cellules.

La capacité de phagocytose est propre à certaines cellules, dites phagocytes, telles que les polynucléaires neutrophiles et les cellules macrophages.

Phalange

Petit os tubulaire constituant le squelette des doigts et des orteils.

Les phalanges sont au nombre de 3 pour les doigts dits longs et de 2 pour le pouce et le gros orteil. La première phalange d'un doigt s'articule toujours à un métacarpien de la main ou à un métatarsien du pied ; les autres phalanges s'articulent entre elles.

PATHOLOGIE

Les fractures des phalanges sont fréquentes. Leur traitement est orthopédique (attelle) ou parfois chirurgical (brochage), notamment en cas de lésions associées des nerfs ou des tendons. L'immobilisation dure de 4 à 8 semaines ; elle ne doit pas être prolongée sous peine d'entraîner une raideur articulaire.

Phallus

Pénis en érection, symbole de la virilité.

Phanère

Organe de protection caractérisé par une kératinisation intense.

Les cheveux, les dents, les ongles et les poils sont des phanères. La kératine, protéine fibreuse et principal constituant de la couche superficielle de l'épiderme, est une substance dure, résistante et protectrice.

■ **Les poils** existent sur tout le corps sauf sur la paume de la main, la plante du pied et les organes génitaux externes. Ils poussent, puis cessent de croître et tombent. Environ 80 % des poils sont en phase de croissance et 15 % d'entre eux sont au repos. L'homme adulte perd environ 50 à 100 poils par jour.

■ **L'ongle** est une plaque cornée d'environ 0,5 millimètre d'épaisseur. Formé de kératine (protéine rigide), il protège le bout des doigts et des orteils. Il est constitué d'un corps et d'une racine qui assure sa croissance à la vitesse de 0,14 à 0,40 millimètre par jour. La repousse complète d'un ongle de la main prend environ 6 mois. Les ongles des pieds poussent deux fois plus lentement.

■ **Le tissu phanérophore** est un tissu conjonctif embryonnaire qui forme les papilles des follicules dentaires et pileux (cavités en forme de sac qui contiennent la base de la dent ou celle du poil ou de l'ongle).

Pharmacie

Branche des sciences médicales qui a trait à la conception, à la préparation et à la distribution des médicaments.

La pharmacie est exercée exclusivement sous la responsabilité de pharmaciens diplômés, dans les pharmacies de ville, les hôpitaux, l'industrie pharmaceutique et dans le circuit de distribution des médicaments (grossistes, notamment). Les pharmaciens biologistes réalisent des analyses médicales à visée diagnostique et pronostique.

→ VOIR Pharmacologie.

Pharmacocinétique

1. Ensemble des phénomènes et des réactions qui se produisent après introduction d'un médicament dans l'organisme.

La pharmacocinétique d'une substance active comporte 4 stades : la résorption, la distribution, les transformations chimiques (métabolisme) et l'élimination.

■ **La résorption** est le passage du médicament de son site d'administration vers la circulation sanguine générale. Le principe actif pénètre ainsi dans les liquides de l'organisme, plus ou moins rapidement et en plus ou moins grande quantité en fonction de sa nature chimique et de la forme sous laquelle il est administré (comprimé, solution buvable, suppositoire, ampoule injectable, etc.).

■ **La distribution** est le stade où, après passage dans la circulation sanguine, le médicament se répartit dans l'organisme. La biodisponibilité d'un médicament correspond à la fraction qui atteint la circulation. Il pénètre les différents tissus, le plus souvent de manière inégale en fonction de sa liaison aux protéines plasmatiques qui assurent son transport (la fraction libre gagnant les tissus), de la perméabilité des membranes des cellules, du débit du sang irriguant chaque tissu, du volume de celui-ci, etc. Au fur et à mesure de ce processus, le médicament commence à être éliminé par l'organisme, qui tend à se débarrasser au plus vite des substances étrangères qui y sont introduites.

■ **Les transformations chimiques** (métabolisme) ne s'opèrent pas forcément pour tous les médicaments, mais elles sont très fréquentes. Ces dégradations progressives sont réalisées principalement par les enzymes contenues dans les cellules du foie.

■ **L'élimination** du médicament, assurée par les organes dont c'est la fonction (reins, foie, intestin, poumons), se fait par les urines, la bile, les excréments et, pour certains médicaments, par l'air expiré par les poumons.

De nombreux facteurs influencent les paramètres pharmacocinétiques : âge du patient, poids, facteurs héréditaires, pathologies (notamment insuffisance rénale ou hépatique), interactions avec d'autres médicaments, etc. Ces paramètres ainsi que le rythme (nombre de prises par jour) et la forme, simple ou à libération prolongée (« retard »), de l'administration doivent être pris en compte pour ajuster la posologie d'un médicament.

2. Étude des phénomènes et des réactions qui se produisent après introduction d'un médicament dans l'organisme.

Pharmacodépendance

Tendance à consommer des médicaments qui devient de moins en moins contrôlable dans le temps. SYN. *toxicodépendance*.

La pharmacodépendance est l'une des formes de la toxicomanie, et les deux mots sont fréquemment employés l'un pour l'autre. Néanmoins, l'usage tend à désigner par pharmacodépendance plutôt la toxicomanie ayant trait aux substances médicamenteuses (amphétamines, barbituriques, benzodiazépines, etc.) que celle liée aux autres substances actives sur le psychisme telles que l'alcool et les drogues (héroïne, cocaïne, haschisch, LSD, etc.).

La pharmacodépendance comporte un ou plusieurs des phénomènes suivants.

■ **La dépendance psychique** est une tendance à consommer la substance en cause soit parce qu'elle produit un effet agréable, soit parce qu'elle soulage un trouble tel que l'anxiété.

■ **La dépendance physique** est marquée par un nouvel équilibre de l'organisme, qui exige un apport régulier de la substance toxique. En cas de sevrage, l'état de manque se traduit par un malaise plus ou moins prononcé, accompagné de symptômes souvent douloureux ou angoissants dont l'ensemble constitue le syndrome de sevrage.

■ **L'accoutumance**, ou **tolérance**, est caractérisée par le fait que les doses habituelles perdent peu à peu de leur efficacité et que le sujet doit les augmenter pour obtenir l'effet recherché.

Pharmacodynamie

1. Action des médicaments et des substances chimiques sur l'organisme.
2. Branche des sciences médicales qui étudie cette action.

La pharmacodynamie s'intéresse aux caractéristiques des substances médicamenteuses (par exemple à la propriété d'une substance de se fixer de préférence sur un récepteur), à leurs sites (cerveau, cœur, etc.), à leurs mécanismes d'action et à leurs effets (contraction de cellules musculaires, arrêt du développement de cellules cancéreuses, antagonisme d'une enzyme, etc.).

Elle étudie également leur pharmacocinétique (résorption, distribution, transformation et élimination par l'organisme) et leurs effets. Ceux-ci peuvent être physiologiques (inhibition du système nerveux, ralentissement de la fréquence cardiaque, etc.), morphologiques (accélération de la croissance) ou biochimiques (augmentation de la concentration dans le sang de certaines substances, par exemple).

Pharmacologie

Branche des sciences médicales qui étudie les propriétés chimiques des médicaments et leur classification..

La pharmacologie englobe la pharmacie galénique (fabrication et conservation des médicaments, formes, dosages, modes d'administration), la pharmacodynamie (effets des substances actives sur les êtres vivants), la pharmacocinétique (absorption, distribution, transformation et élimination des médicaments par l'organisme), et les règles de prescription (indications, contre-indications, posologies, etc.). Elle relève à la fois de la compétence du pharmacien en ce qui concerne la préparation et la délivrance des médicaments, et de celle du médecin pour tout ce qui touche à leur prescription.

→ VOIR Pharmacie.

Pharmacopée

Recueil officiel des normes et des renseignements indispensables au pharmacien pour l'exercice de sa profession.

Autrefois appelée Codex, la pharmacopée est un manuel qui renferme la nomenclature, la description des principes actifs et les effets des médicaments simples et composés, des préparations officinales, des matériels et des pansements médicaux et chirurgicaux. S'y ajoutent la description des méthodes d'analyse et de contrôle des médicaments ainsi que les tableaux des doses usuelles et des doses maximales pour l'adulte et pour l'enfant.

Outre les différentes pharmacopées propres à chaque pays, il existe une pharmacopée européenne, résultant d'une convention conclue entre les pays membres du Conseil de l'Europe, ainsi qu'une pharmacopée internationale, élaborée par l'Organisation mondiale de la santé (O.M.S.).

Pharmacovigilance

Branche des sciences médicales qui a trait à la surveillance des effets indésirables des médicaments, ainsi qu'aux connaissances, aux méthodes et aux moyens nécessaires à la mise en œuvre de cette surveillance.

La plupart des effets indésirables sont normalement découverts quand on teste les médicaments, avant leur commercialisation. La pharmacovigilance a été créée pour déceler les effets indésirables les plus rares d'un médicament, qui ne se manifestent en général que lorsque celui-ci est utilisé par une population suffisamment nombreuse.

La collecte des données est assurée par les médecins prescripteurs et par les pharmaciens, à qui il est demandé de signaler les anomalies qu'ils constatent et celles qu'indiquent les malades. Comme dans certains cas douteux, et en l'absence d'éléments de comparaison, il est difficile de trancher, ces prescripteurs et pharmaciens doivent faire état de leurs soupçons, même les plus minimes, auprès des spécialistes chargés de rassembler les informations, de les trier et de les soumettre à un traitement statistique. En cas de nécessité, ces spécialistes déclenchent des enquêtes plus ou moins vastes et, le cas échéant, alertent les autorités sur la nécessité d'interdire un médicament qui se révèle nocif.

Tous les pays industrialisés possèdent des organisations de pharmacovigilance. Celles-ci sont autonomes, mais leur coordination est assurée à l'échelle internationale par l'Organisation mondiale de la santé (O.M.S.).

Pharyngite

Inflammation du pharynx.

Selon que l'évolution est aiguë ou chronique, on distingue deux types de pharyngite.

Pharyngite aiguë

Il s'agit d'une inflammation aiguë de l'oropharynx (partie moyenne du pharynx, à la hauteur de la gorge), appelée aussi angine, due à une infection fréquemment virale, parfois bactérienne ; dans ce cas, les germes en cause sont le streptocoque, le staphylocoque ou une bactérie du genre *Hæmophilus*.

SYMPTÔMES ET SIGNES

La douleur locale est exacerbée à la déglutition et s'accompagne de signes généraux plus ou moins marqués (fièvre, fatigue, malaise). Si les amygdales n'ont pas été retirées, on constate à l'examen qu'elles sont atteintes par l'inflammation (amygdalite).

TRAITEMENT

Il se fonde sur la prise d'antibiotiques, d'analgésiques et de collutoires. En outre, le malade doit se reposer et éviter de s'exposer au froid.

Pharyngite chronique

Il s'agit d'une inflammation persistante du pharynx, dont les causes peuvent être nombreuses : abus de tabac ou d'alcool, rhinite ou sinusite chronique, diabète, contact avec des polluants atmosphériques (poussières industrielles, gaz toxiques, etc.), reflux gastro-œsophagien (remontée anormale du contenu gastrique acide dans l'œsophage jusqu'au pharynx, pouvant irriter ce dernier), etc. Les symptômes sont des douleurs intermittentes dans la gorge et à la déglutition et une sécheresse du pharynx qui oblige le malade à se racler la gorge constamment. À l'examen, on ne distingue qu'une simple rougeur pharyngée. Le traitement des pharyngites chroniques est difficile et associe celui de la cause, quand elle est déterminée, à des soins locaux (aérosols, collutoires, etc.) et à des cures thermales.

Pharyngographie

→ VOIR Laryngopharyngographie.

Pharyngoplastie

Intervention chirurgicale visant à modifier la forme du voile du palais.

INDICATIONS ET TECHNIQUE

La pharyngoplastie, autrefois appelée uvulopalatoplastie, consiste en général à enlever une partie du voile du palais pour traiter les ronflements, qu'ils soient associés ou non à un syndrome d'apnée du sommeil. Plus rarement, elle vise à rallonger le voile du palais à l'aide d'un greffon constitué de muqueuse du pharynx, en cas de malformation (notamment fente labiopalatine).

DÉROULEMENT ET EFFETS SECONDAIRES

La pharyngoplastie se pratique sous anesthésie locale, et il n'est alors pas nécessaire que le sujet soit hospitalisé, ou sous anesthésie générale ; elle nécessite dans ce cas une hospitalisation de 48 heures. Les suites postopératoires sont marquées par des douleurs durant environ une semaine.

COMPLICATIONS ET RÉSULTATS

La complication essentielle de la pharyngoplastie est l'apparition d'un reflux alimentaire par le nez, témoignant d'une ablation trop importante du voile du palais. Ce reflux est souvent associé à une rhinolalie (modification de la voix, le sujet ne parvenant plus à prononcer correctement les sons occlusifs (b, p, d, t, g et k). Plus de 80 % des pharyngoplasties pratiquées pour ronflement donnent de bons résultats ; en cas d'échec, il est possible de répéter l'intervention.

Pharynx

Conduit musculaire et membraneux allant du fond de la bouche à l'entrée de l'œsophage. (P.N.A. *pharynx*)

STRUCTURE

Le pharynx correspond à la gorge. Il comprend trois étages. De haut en bas, on

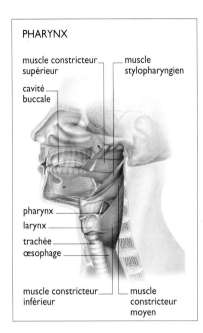

PHARYNX

muscle constricteur supérieur
cavité buccale
muscle stylopharyngien
pharynx
larynx
trachée
œsophage
muscle constricteur inférieur
muscle constricteur moyen

trouve le nasopharynx (également appelé rhinopharynx ou cavum), l'oropharynx et l'hypopharynx.

Le nasopharynx fait partie des voies respiratoires, tandis que l'oropharynx et l'hypopharynx constituent les lieux où les voies aériennes supérieures et les voies digestives supérieures se croisent.

Les muscles du pharynx sont soit constricteurs, soit élévateurs. Ils propulsent aliments et liquides lors de la déglutition, en rétrécissant et en élevant le pharynx.

PATHOLOGIE

Les signes révélateurs d'une maladie du rhinopharynx sont une sensation d'obstruction nasale, une rhinorrhée (écoulement des fosses nasales), des épistaxis (saignements de nez) et, au niveau de l'oropharynx et de l'hypopharynx, une gêne ou une douleur à la déglutition, ainsi que des otalgies (douleurs des oreilles).

Les principales maladies du pharynx sont les inflammations et les tumeurs.

▪ **Les inflammations du pharynx**, ou pharyngites, atteignent, isolément ou en même temps, le nez, le rhinopharynx (rhinopharyngite) et l'oropharynx (angine). Les inflammations aiguës, d'origine infectieuse, se traitent par antibiotiques et par des soins locaux (aérosols, collutoires, etc.). Chroniques, elles sont dues à diverses causes, dont l'alcoolisme et le tabagisme sont les plus fréquentes : le traitement est alors celui de la cause, associé à des soins locaux.

▪ **Les tumeurs du pharynx** sont plus souvent malignes que bénignes (polype, angiome, fibrome nasopharyngien). Celles du rhinopharynx sont dues au virus d'Epstein-Barr, celles de l'oropharynx et de l'hypopharynx à l'alcool et au tabac. Le traitement comprend le plus souvent une ablation chirurgicale des lésions, une chimiothérapie et une radiothérapie.

Phénotype

Ensemble des caractéristiques corporelles d'un organisme.

Le phénotype est l'expression morphologique de certains éléments du génotype, ensemble des caractéristiques inscrites dans le patrimoine génétique. Parmi les caractéristiques du phénotype, on peut citer, par exemple, la couleur des yeux ou des cheveux.

Phénylcétonurie

Maladie héréditaire caractérisée par une accumulation dans l'organisme d'un acide aminé, la phénylalanine, et de ses dérivés (acide phénylpyruvique).

La phénylcétonurie est due à un déficit en une enzyme, la phénylalanine hydroxylase, qui transforme normalement un acide aminé, la phénylalanine, en un autre acide aminé, la tyrosine. Elle provoque, dès les premiers mois de la vie, une dépigmentation de la peau et une atteinte neurologique se traduisant par des crises d'épilepsie puis, progressivement, par une déficience mentale ; la présence d'acide phénylpyruvique dans les urines leur donne une odeur caractéristique. Le dépistage systématique est réalisé chez le nouveau-né entre le 4e et le 10e jour après la naissance (test de Güthrie). S'il est positif, un régime alimentaire spécial, pauvre en phénylalanine (contenue dans les protéines animales), permet de prévenir l'apparition des manifestations cliniques de la maladie.

Phéochromocytome

Tumeur, le plus souvent bénigne, développée dans la glande médullosurrénale ou, plus rarement, dans la chaîne paraganglionnaire sympathique (le long de l'aorte abdominale), et sécrétant des catécholamines (adrénaline, noradrénaline) responsables d'une hypertension artérielle sévère et de troubles du rythme cardiaque.

CAUSES

Un phéochromocytome est une tumeur rare, la plupart du temps isolée. Dans moins de 10 % des cas, il a une origine héréditaire : c'est alors l'un des symptômes d'une néoplasie endocrinienne multiple (affection caractérisée par un fonctionnement exagéré de plusieurs glandes endocrines).

SYMPTÔMES ET SIGNES

Le symptôme caractéristique du phéochromocytome est un accès paroxystique associant des maux de tête, des sueurs, des palpitations et une poussée d'hypertension durant quelques minutes. On peut également observer une hypertension artérielle permanente sévère résistant à un traitement classique par des médicaments antihypertenseurs. Dans d'autres cas, le phéochromocytome est révélé par une complication aiguë : œdème du poumon, collapsus à l'occasion d'une anesthésie ou d'un accouchement.

DIAGNOSTIC

Il repose sur le dosage urinaire des métanéphrines (dérivés de l'adrénaline), qui met en évidence une sécrétion excessive de catécholamines, plus rarement sur l'injection intra-veineuse de tyramine, une substance ayant la particularité de libérer les catécholamines. La tumeur est localisée par le scanner ou l'imagerie par résonance magnétique (I.R.M.). La scintigraphie permet la recherche éventuelle de localisations anormales (thorax, abdomen, petit bassin) ou multiples.

TRAITEMENT

Le traitement, chirurgical, consiste en l'ablation de la tumeur.

Phimosis

Rétrécissement de l'orifice préputial rendant le décalottage du gland pénien impossible.

Un phimosis peut être congénital, décelé alors dès l'enfance ou, parfois, seulement à la puberté, ou consécutif à une affection (diabète, infection, tumeur du pénis). Un phimosis est toujours responsable d'une macération locale (non évacuation des sécrétions, stagnation de l'urine) avec infection ; en outre, il rend les rapports sexuels difficiles. En cas de décalottage forcé, il peut se transformer en paraphimosis (étranglement de la base du gland par un anneau préputial trop étroit).

TRAITEMENT

Lorsque le phimosis est peu important, on peut, après désinfection locale, élargir progressivement l'anneau préputial par des manœuvres douces et répétées de décalottage. Lorsqu'il est très important, il est indispensable d'élargir chirurgicalement l'anneau préputial ou de pratiquer une posthectomie (ablation du prépuce).

Phimosis tubaire

Rétrécissement d'une ou des 2 trompes utérines aboutissant à une obturation tubaire partielle ou totale.

Un phimosis tubaire est souvent consécutif à une salpingite (infection d'une ou des 2 trompes) non traitée. Les franges du pavillon de la trompe s'agglutinent, se resserrent et se collent les unes aux autres, sans que la patiente ressente généralement aucun symptôme. Le phimosis est ainsi le plus souvent découvert à l'occasion d'un bilan de stérilité (cœlioscopie). Le traitement, chirurgical, cherche à rétablir la perméabilité de la trompe et la fertilité de la femme : décollement des parois de la trompe et éversion des franges du pavillon. Cette intervention est généralement pratiquée par cœliochirurgie (introduction d'une optique et des instruments chirurgicaux par de petites incisions abdominales), à la suite de la cœlioscopie diagnostique.

Phlébectomie

Ablation chirurgicale d'une veine, le plus souvent d'un membre inférieur.

Des dysfonctionnements des veines superficielles des membres inférieurs entraînent l'apparition de dilatations veineuses appelées varices, inesthétiques et à l'origine de divers troubles (lourdeurs, œdèmes). La phlébectomie consiste, parfois après les avoir sclérosés, à retirer chirurgicalement, par de petites incisions, ces segments de veines. Cette

intervention bénigne, pratiquée sous anesthésie locale ou générale, nécessite une hospitalisation de 1 à 4 jours. La reprise de la marche est immédiate, mais il est conseillé de porter des bandages élastiques pendant le mois suivant l'intervention.

Phlébite

Constitution d'un caillot à l'intérieur d'une veine, parfois associée à une inflammation de la paroi veineuse. SYN. *thrombophlébite*.

Une phlébite a pour conséquences un arrêt du flux sanguin dans la veine obstruée et une hyperpression vasculaire en amont du caillot.

Elle peut être superficielle ou profonde : la phlébite profonde (située dans une veine profonde) des membres inférieures est la plus fréquente.

CAUSES

Un caillot risque de se former quand une personne reste trop longtemps allongée ou immobile : par exemple à la suite d'une intervention chirurgicale, surtout lorsque celle-ci porte sur le petit bassin ou les membres, ou après un accouchement. Il peut survenir aussi à la suite de l'immobilisation d'un membre par un plâtre ou à cause de la compression plus ou moins longue d'une veine, par exemple chez une femme en fin de grossesse ou après un vol prolongé en avion sans quitter son siège. Un traumatisme, un cathétérisme cardiaque par voie veineuse peuvent aussi entraîner une stase veineuse (débit ralenti ou arrêté) ou une irritation de la paroi de la veine.

Des troubles congénitaux ou acquis de l'hémostase (ensemble des phénomènes

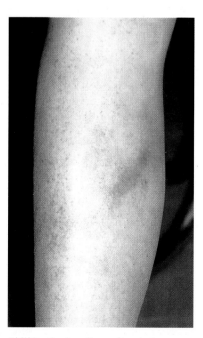

Phlébite. *Sur le mollet gonflé et douloureux, on observe une trace rougeâtre révélant le segment de veine enflammé.*

physiologiques aboutissant à l'arrêt d'un saignement), de la coagulation ou de la fibrinolyse (désagrégation de la fibrine entraînant la dissolution des caillots sanguins) sont parfois aussi à l'origine d'une phlébite. Pilule et traitement substitutif de la ménopause sont également des facteurs favorisants. De même, certaines affections telles qu'un cancer, une maladie du sang (leucémie, polyglobulie, etc.), une maladie du cœur, surtout lorsqu'elle est compliquée d'une insuffisance cardiaque, peuvent entraîner une phlébite.

SYMPTÔMES ET DIAGNOSTIC

En cas de phlébite profonde d'un membre inférieur, le sujet souffre de douleurs spontanées ou provoquées par la palpation dans un mollet et perçoit une sensation locale de chaleur. La jambe atteinte enfle. Ces signes unilatéraux s'associent éventuellement à de la fièvre et à une augmentation du rythme cardiaque. Plus rarement, le caillot peut concerner les veines sous-cutanées. Si celles-ci deviennent dures et sont enflammées sur un de leurs segments, il s'agit d'une phlébite superficielle. Dans les deux cas, le diagnostic est confirmé par un écho-Doppler veineux ou par une phlébographie.

ÉVOLUTION

Le caillot peut s'étendre de proche en proche, entravant la circulation sanguine. Une circulation de suppléance se développe alors progressivement à partir des veines secondaires et draine efficacement le sang arrivant en amont du rétrécissement. La veine bouchée par un caillot peut dans certains cas se désobstruer spontanément.

Une fois constitué, le caillot peut aussi se fragmenter et migrer brusquement vers la veine cave ou les cavités cardiaques droites et se bloquer dans une branche de l'artère pulmonaire, ce qui provoque une embolie pulmonaire. Cette complication se produit lors d'une phlébite profonde négligée ou identifiée avec retard. Enfin, on constate parfois la survenue d'œdèmes, de troubles trophiques (relatifs à la nutrition des tissus), de varices, voire d'un ulcère de jambe, ensemble de symptômes désignés sous le terme de maladie post-phlébitique.

TRAITEMENT

Les phlébites profondes sont des urgences médicales, dont le traitement doit de préférence être conduit en milieu hospitalier. Des anticoagulants sont prescrits (héparine, puis antivitamines K). Une fois la phlébite guérie, le membre atteint est comprimé par une bande élastique dite de contention, de manière à éviter la survenue de varices. Une phlébite superficielle relève d'un traitement anti-inflammatoire et ne revêt pas le même caractère d'urgence.

PRÉVENTION

La prévention des phlébites est essentielle et repose sur des mesures simples : contractions musculaires volontaires et répétées sous plâtre, alitement de durée limitée (par exemple, après une intervention chirurgicale ou un accouchement) et utilisation d'un traitement anticoagulant préventif dans toutes les circonstances à risques.

PHLÉBOGRAPHIE

Cet examen consiste à injecter dans le réseau veineux une substance radio-opaque, qui rend les veines visibles sur les radiographies.

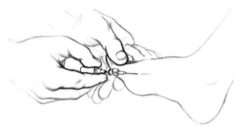

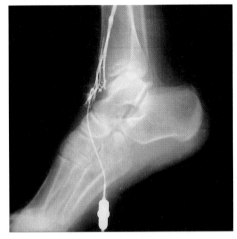

Le produit radio-opaque est injecté dans une veine du dos du pied par l'intermédiaire d'un cathéter.

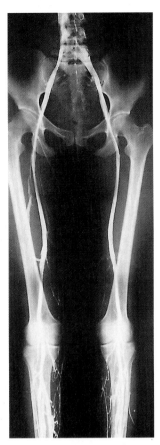

Le produit se diffuse ensuite lentement dans le réseau veineux.

Phlébographie

Examen radiologique des veines après injection d'un produit de contraste iodé.

La phlébographie concerne le plus souvent les membres inférieurs et la veine cave inférieure, car ce sont les localisations les plus courantes des phlébites et des thromboses veineuses.

INDICATIONS

Une phlébographie est indiquée quand le médecin suspecte une phlébite que l'échographie n'a pas vraiment permis de déceler. Elle est aussi généralement indiquée en cas d'embolie pulmonaire (obstruction d'une branche d'une artère pulmonaire par un caillot venu d'une phlébite) et en cas de varices, car celles-ci prédisposent parfois aux phlébites superficielles.

TECHNIQUE

La phlébographie est pratiquée en salle de radiologie. Un produit de contraste iodé, opaque aux rayons X, est injecté afin de pouvoir visualiser les veines profondes du mollet, de la cuisse et de la partie basse de l'abdomen (veine iliaque). Des clichés sont pris et leur lecture permet de déceler la présence d'un éventuel caillot sanguin.

PRÉPARATION ET DÉROULEMENT

Le patient est à jeun depuis la veille au soir ou depuis au moins 12 heures avant l'examen. Le médecin place des garrots à la hauteur de la cheville, du mollet et de la cuisse afin de dilater les veines profondes. Après désinfection du dos de chaque pied,

le médecin pique la peau à l'aide d'une aiguille et injecte le produit de contraste. L'injection est réalisée simultanément à droite et à gauche afin d'établir des comparaisons entre les deux jambes. Le médecin prend régulièrement des clichés pendant l'injection et enlève progressivement les garrots. L'examen dure de 15 à 30 minutes. Aussitôt après, le sujet peut reprendre ses activités.

CONTRE-INDICATIONS

La phlébographie n'est pas pratiquée chez la femme enceinte, en raison des risques que les rayons X pourraient représenter pour le fœtus. Le médecin doit s'assurer que le patient n'est pas allergique à l'iode : si tel est le cas, il lui prescrit un traitement antiallergique à suivre pendant quelques jours avant et après la phlébographie. Les personnes qui souffrent d'insuffisance rénale doivent boire abondamment dans les jours qui précèdent et qui suivent l'examen afin d'éviter l'aggravation de leur insuffisance rénale.

RÉSULTATS

Ils sont connus immédiatement. L'examen permet d'établir le diagnostic de phlébite ou de thrombose veineuse. Il permet en effet de visualiser des caillots, qui attestent le caractère récent de la phlébite et sont visibles sous forme de « lacunes » dans l'opacité de la veine, ou l'absence d'un segment de veine (signe d'occlusion), souvent associée à un réseau de suppléance formé de veines secondaires.

EFFETS SECONDAIRES

Il arrive que certaines personnes ressentent, au moment de l'injection du produit de contraste iodé, des nausées ou des malaises brefs, sans gravité, mais qui doivent être signalés au médecin

Phlébolithe

Concrétion calcaire qui se forme dans une veine.

Un phlébolithe est généralement de petite taille. Il peut s'incruster dans la paroi d'une veine. Il s'agit fréquemment de la calcification d'un petit caillot veineux localisé à la hauteur d'une varice.

Un phlébolithe est souvent découvert fortuitement au cours d'un examen clinique ou radiologique. Il ne nécessite aucun traitement.

Phlébologie

Branche de la médecine qui étudie l'ensemble du système veineux et ses maladies.

La phlébologie s'intéresse principalement aux phénomènes de thrombose (formation de caillots à l'intérieur d'une veine) à l'origine d'une phlébite, ainsi qu'au risque essentiel qui en découle : l'embolie pulmonaire. Ce domaine est celui des maladies thromboemboliques.

La phlébologie étudie également les séquelles de phlébite (maladie post-phlébitique) et les phénomènes de distension veineuse que sont les varices. Moins graves que les phlébites ou les embolies pulmonaires, les varices provoquent une gêne fonctionnelle non négligeable, l'insuffisance veineuse pouvant être responsable de troubles trophiques (œdème chronique, ulcère de jambe). La phlébologie s'occupe également des anévrysmes artério-veineux, communications anormales entre veines et artères.

Phlébothrombose

Occlusion d'une veine par un caillot.

Naguère, le mot phlébothrombose désignait le stade initial d'une phlébite, caractérisé par un risque élevé d'embolie pulmonaire. Actuellement, il est employé comme synonyme de phlébite.

Phlébotonique

→ VOIR Veinotonique.

Phlegmon

Inflammation aiguë ou subaiguë du tissu conjonctif sous-cutané ou profond.

Un phlegmon, d'origine infectieuse, provoque la destruction des tissus et la formation de pus. Il peut rester diffus et continuer à s'étendre ou se transformer en abcès.

Son traitement repose sur la prise d'antibiotiques et, en cas d'abcès, sur son ablation chirurgicale.

Phlegmon des gaines des tendons

Cette inflammation du tissu conjonctif autour des tendons touche le plus souvent les gaines des muscles fléchisseurs du doigt. C'est le plus fréquent des phlegmons. Il est dû à l'infection d'une plaie par une bactérie.

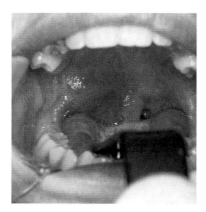

Phlegmon périamygdalien. L'amygdale enflammée (à gauche) est tuméfiée et douloureuse.

Le doigt est chaud, rouge, très douloureux, immobilisé en flexion. Le traitement, conduit en urgence, consiste à enlever chirurgicalement, sous anesthésie générale, les tissus morts, à nettoyer la gaine atteinte, puis à immobiliser le doigt sur une attelle ; on lui associe un traitement antibiotique adapté à la bactérie en cause. Une rééducation est nécessaire. La guérison survient généralement au bout de 15 jours, mais, lorsque le traitement a été entrepris trop tard, il arrive que le doigt atteint perde définitivement sa mobilité.

Phlegmon périamygdalien

Appelé couramment, mais à tort, « phlegmon de l'amygdale », c'est une inflammation du tissu conjonctif sur lequel repose l'amygdale palatine (l'amygdale du langage courant). Cette complication fréquente d'une angine mal soignée se manifeste par un trismus (contracture musculaire empêchant d'ouvrir la bouche complètement) et par une fièvre élevée ; le malade a beaucoup de mal à déglutir. L'examen clinique révèle un gonflement de la luette et une voussure du pilier antérieur du voile du palais, du côté atteint. Le traitement, conduit en urgence, comprend l'incision et le drainage chirurgical du phlegmon, associés à la prise d'antibiotiques par voie intraveineuse ; deux mois plus tard, une amygdalectomie (ablation des amygdales) doit être pratiquée.

Phlyctène

→ VOIR Bulle dermatologique.

Phobie

Crainte angoissante et injustifiée d'une situation, d'un objet ou de l'accomplissement d'une action.

Les phobies les plus communes sont la peur des espaces ouverts et de la foule (agoraphobie), la peur des lieux clos (claustrophobie), la peur de commettre un acte agressif ou choquant (phobie d'impulsion), la peur de rougir (éreutophobie) et la peur, banale chez l'enfant et même chez l'adulte, de certains animaux tels que les serpents ou

les araignées. D'autres phobies sont proches des obsessions, comme la peur des maladies (nosophobie) ou la peur d'être atteint d'une difformité physique (dysmorphophobie), fréquente à l'adolescence.

Les phobies comptent parmi les symptômes les plus répandus des névroses, notamment de la névrose phobique. Parfois, elles témoignent d'un début de psychose. Elles s'expliquent en psychanalyse par un refoulement de la sexualité infantile ou par un conditionnement lié à une éducation répressive, ou encore par les séquelles de traumatismes psychoaffectifs précoces.

Le traitement d'une phobie dépend beaucoup de la personnalité du sujet. Le plus souvent, il repose sur la psychothérapie et sur les thérapies comportementales, très efficaces en cas de phobie stable et isolée. Anxiolytiques et antidépresseurs peuvent constituer un appoint utile.

Phocomélie

Malformation congénitale caractérisée par une insertion directe des pieds et des mains sur le tronc.

La phocomélie évoque les membres du phoque, d'où sa dénomination. Elle est essentiellement due à l'absorption par la mère pendant sa grossesse d'un médicament, le thalidomide (hypnotique et antilépreux) ; ce dernier est aujourd'hui administré plus rarement (dans le traitement de la maladie de Behçet) et sous contraception stricte médicalement contrôlée lorsqu'il s'agit de femmes en âge de procréer.

Les solutions thérapeutiques offertes par l'orthopédie devront être adaptées au handicap de l'enfant, mais aussi et surtout favoriser ses mécanismes d'adaptation à sa malformation.

Phonation

Ensemble des phénomènes qui concourent à la production d'un son par les organes de la voix.

Lors de l'expiration, l'air est modulé par les organes vocaux : le larynx, les cavités du pharynx, les cordes vocales, la cavité buccale, la langue et les lèvres. La phonation est contrôlée par le système nerveux central. L'étude de la voix et des maladies liées à l'élocution est la phoniatrie.

■ **Les dysarthries** sont des troubles de l'élocution liés à une paralysie ou à une incoordination des muscles qui entrent en jeu dans l'articulation. Elles sont d'origine neurologique.

■ **Les dysphonies** sont des anomalies de la qualité de la voix. Par exemple, la raucité peut provenir d'une paralysie, d'un surmenage vocal ou d'une laryngite.

■ **Les aphasies** sont des troubles du langage dus à une lésion du cortex des hémisphères cérébraux. Le patient ne comprend plus le sens des mots ou ne peut plus s'exprimer.

Phonocardiographie

Examen qui a pour but d'enregistrer les bruits normaux ou pathologiques du cœur et de les visualiser par un graphique.

INDICATIONS

Une phonocardiographie est prescrite lorsque le médecin a perçu à l'auscultation au stéthoscope des bruits anormaux tels qu'un souffle (dû à un rétrécissement d'une valvule cardiaque ou à une fuite du sang en amont de la valvule) ou encore un éclat ou un dédoublement d'un bruit (dû à la fermeture retardée d'une des valvules).

TECHNIQUE

La phonocardiographie consiste à placer sur la poitrine du patient, à la hauteur du cœur, un petit microphone qui amplifie les sons et les transforme en courant électrique dont les variations sont enregistrées. On peut simultanément pratiquer une électrocardiographie et comparer les résultats pour établir un diagnostic plus précis.

D'autres examens apportent des précisions complémentaires. Par exemple, le carotidogramme permet d'enregistrer la vitesse et la durée de l'onde de pression qui se propage dans les grosses artères issues de la crosse de l'aorte au moment de la contraction cardiaque.

DÉROULEMENT ET EFFETS SECONDAIRES

Le patient est allongé sur une table d'examen, le haut du corps dénudé. Le médecin place sur la poitrine un petit microphone. Les variations des vibrations dues aux bruits et aux souffles éventuels sont transmises à l'enregistreur. L'examen dure de 10 à 20 minutes. La lecture du tracé étant instantanée, les résultats sont connus immédiatement. Cet examen ne s'accompagne d'aucun effet secondaire.

La phonocardiographie est de plus en plus remplacée par l'échocardiographie et le Doppler cardiaque, qui permettent, en outre, de visualiser directement les anomalies des valvules responsables des bruits et des souffles anormaux. La phonocardiographie précise néanmoins les données de l'auscultation cardiaque.

Phosphatase

Enzyme libérant de l'acide phosphorique, présente dans de nombreux organes et tissus, ainsi que dans le sang.

Les phosphatases, de structure protéique, hydrolysent les esters de l'acide phosphorique, c'est-à-dire qu'elles attaquent un ester (combinaison d'un acide avec un alcool) pour en détacher l'acide phosphorique, lequel est réutilisé ailleurs ou éliminé dans les urines. On distingue, en fonction de leur pH optimal d'action, les phosphatases alcalines, qui agissent en milieu alcalin et sont essentiellement présentes dans le foie et le tissu osseux, et les phosphatases acides, qui agissent en milieu acide.

Le taux sérique de phosphatases alcalines, mesuré dans un prélèvement sanguin, permet d'évaluer les fonctions biologiques du foie ; ce taux est trop élevé en cas de cholestase (manifestations liées à la diminution ou à l'arrêt de la sécrétion de bile), mais aussi au cours d'autres affections, en particulier osseuses. Le taux de phosphatases acides, quant à lui, augmente en cas de cancer de la prostate. Le taux sérique de phosphatases alcalines ne diminue qu'exceptionnellement, en cas d'hypophosphatasie, une maladie héréditaire se traduisant par un rachitisme et des troubles dentaires.

Phosphène

Sensation devant l'œil d'éclairs lumineux, bleutés ou blancs, mieux visibles la nuit et qui se répètent souvent au même endroit.

D'autres phénomènes oculaires lumineux peuvent être confondus avec les phosphènes : les photopsies (points lumineux peu intenses, brillants et mobiles), qui traduisent un décollement du vitré ; le scotome scintillant (lignes brisées lumineuses et mobiles, entourant une tache sombre ou une frange lumineuse en zigzag et mobile), qui survient souvent au début d'une migraine ophtalmique, annonçant la crise.

CAUSES

Un phosphène est dû à une traction du vitré sur la rétine. Il survient principalement chez les personnes âgées et annonce parfois une déchirure de la rétine, qui peut en entraîner le décollement. Certains phosphènes sont également provoqués par un traumatisme du globe oculaire ou par une compression de l'œil, certains enfants non-voyants appuyant par exemple de façon répétée sur leurs yeux, afin d'éprouver des sensations lumineuses.

ÉVOLUTION

Le plus souvent, les phosphènes qui surviennent naturellement ou après un traumatisme disparaissent en quelques jours. Mais l'œil doit être surveillé, car la rétine peut être déchirée, surtout si le malade a perçu brutalement des myodésopsies (petits points noirs mobiles qui tombent comme une pluie de suie).

DIAGNOSTIC ET TRAITEMENT

Un examen du fond d'œil permet d'observer l'état de la rétine. Le phosphène disparaît avec le traitement de sa cause.

Phospholipide

Lipide contenant de l'acide phosphorique.

Les principaux phospholipides (lécithines, céphalines, phosphatidylinositol, etc.) sont des lipides du groupe des triglycérides, comportant un alcool, le glycérol, lié à un acide phosphorique. Ce sont des composants majeurs des membranes qui entourent les cellules de l'organisme auxquelles ils confèrent certaines de leurs propriétés, notamment leur plus ou moins grande perméabilité aux substances chimiques.

Bien que les phospholipides jouent un rôle important dans la structure et le métabolisme des lipoprotéines, en pratique courante leur dosage apporte peu de renseignements dans le diagnostic et le suivi des hyperlipoprotéinémies (taux sanguin excessif de lipoprotéines). Leur taux sanguin diminue lors de certaines malnutritions et augmente au cours de la plupart des perturbations du métabolisme des lipides.

Phosphore

Élément chimique présent dans l'organisme sous forme de phosphate.

Le phosphore (P) est apporté par l'alimentation, puis absorbé par l'intestin. On le retrouve essentiellement dans les os, sous forme minérale, et dans le sang, associé à des substances organiques. Il est aussi présent dans toutes les cellules et participe à leurs activités.

Les principales sources alimentaires de phosphore sont les céréales, les viandes, les poissons et les œufs. L'apport alimentaire quotidien suffit normalement à couvrir les besoins de l'organisme. La phosphorémie (taux de phosphore dans le sang) est régulée par différentes hormones. Elle augmente en cas d'insuffisance rénale, d'insuffisance des glandes parathyroïdes, d'intoxication par la vitamine D, et diminue en cas d'hypersécrétion des parathyroïdes et de carence en vitamine D.

CARENCE ET APPORT EXCESSIF

■ Une carence en phosphore peut être due à un régime alimentaire déséquilibré, à une augmentation des besoins (croissance, grossesse, allaitement), à une malabsorption digestive ou à une utilisation abusive de médicaments antiacides à base d'hydroxyde d'aluminium. Elle se traduit dans les cas les plus graves par une déminéralisation osseuse, des troubles respiratoires, cardiaques et/ou neurologiques. Des sels de phosphore peuvent être prescrits en compensation.

■ Un apport excessif en phosphore peut être dû à une intoxication par des sels de phosphore ou à un régime dissocié riche en phosphore et pauvre en calcium (alimentation à base de riz, de poisson et de farines non blutées, caractéristique des pays asiatiques). Il peut provoquer une hypocalcémie sévère (taux sanguin insuffisant de calcium).

Phosphorylase

Enzyme dégradant les glucides complexes (notamment le glycogène) pour en détacher un glucide simple (glucose), sur lequel elle fixe un acide phosphorique.

Ces réactions jouent un rôle important dans le métabolisme du glucose dans le foie et dans les muscles.

Un déficit en phosphorylase hépatique, dû à une glycogénose (anomalie congénitale du métabolisme du glycogène), se traduit par une hépatomégalie (foie trop gros) et une hypoglycémie (taux de glucose dans le sang anormalement bas).

Photochimiothérapie

→ VOIR Puvathérapie.

Photocoagulation

Procédé thérapeutique consistant à projeter sur la rétine, sur l'iris ou sur les vaisseaux rétiniens un faisceau lumineux intense et étroit produit par un laser, généralement un laser argon.

INDICATIONS

La photocoagulation est utilisée dans le traitement des déchirures rétiniennes et des autres lésions susceptibles de provoquer un décollement de rétine. Le laser provoque une petite brûlure à l'origine d'une inflammation locale. La cicatrisation de ce foyer crée alors une adhérence entre la rétine et la choroïde sous-jacente. Il s'agit d'une technique de prévention du décollement de la rétine et

non d'un traitement ; car, pour qu'il y ait brûlure, le laser doit être arrêté par un pigment foncé, l'épithélium pigmentaire, qui n'est en place que si la rétine n'est pas décollée. La photocoagulation est également employée pour traiter les lésions ischémiques de la rétine (dues à une diminution de son irrigation sanguine), consécutives soit à une occlusion des vaisseaux, soit à une rétinopathie ischémique observée notamment au cours du diabète.

Enfin, en cas de glaucome à angle large (hypertension intraoculaire), la photocoagulation au laser crée de petites brûlures sur le trabéculum (filtre situé à l'angle de l'iris et de la cornée), qui permettent d'en élargir les mailles afin de permettre une meilleure évacuation de l'humeur aqueuse.

DÉROULEMENT

Il n'est pas nécessaire d'être hospitalisé pour subir une photocoagulation au laser ; seuls les jeunes enfants peuvent avoir besoin d'une anesthésie générale. Une bonne dilatation de la pupille doit être obtenue en cas de photocoagulation rétinienne. Un verre de contact à 3 miroirs est posé sur l'œil afin de diriger le rayonnement sur la zone à traiter. En général, le faisceau n'est pas douloureux, mais le patient éprouve parfois une douleur brève et passagère. Il arrive que les sujets diabétiques ressentent des douleurs plus importantes. Le patient peut ensuite rentrer à son domicile sans traitement particulier. Il lui est toutefois déconseillé de conduire dans les heures qui suivent. Les résultats du traitement au laser n'apparaissent qu'après une période de 15 jours à 3 semaines. Une déchirure périphérique de la rétine ne nécessite qu'une seule séance de photocoagulation, tandis que le traitement d'une rétinopathie ischémique chez un diabétique requiert au moins 4 séances.

EFFETS SECONDAIRES

Le laser provoque parfois un œdème rétinien localisé, qui se résorbe généralement en quelques jours. Il peut occasionner quelques maux de tête passagers, surtout chez les sujets diabétiques.

Photodermatose

Maladie cutanée déclenchée ou aggravée par l'exposition au rayonnement solaire.

DIFFÉRENTS TYPES DE PHOTODERMATOSE

Les photodermatoses sont classées en deux grandes variétés.

■ Les photosensibilisations sont dues à un agent chimique qui rend la peau plus sensible aux rayonnements. L'agent peut être exogène (ne provenant pas de l'organisme), qu'il soit externe (produit en contact avec la peau) ou interne (médicament absorbé par la bouche, comme l'amiodarone), ou encore endogène (substance anormale synthétisée par l'organisme au cours de certaines maladies génétiques, comme la porphyrie cutanée). D'autres anomalies génétiques entraînent une photosensibilisation par incapacité des cellules de la peau à assurer une protection suffisante contre les rayonnements solaires (xeroderma pigmentosum, albinisme, piébaldisme). Il arrive que l'agent ne soit pas identifié ; on parle alors de photodermatose idiopathique.

■ **Les maladies de peau aggravées par le soleil** comprennent le lupus érythémateux, le lichen, le pemphigus, le granulome annulaire. Une exposition excessive au soleil, particulièrement chez les sujets à peau claire et pendant les 15 premières années de la vie, constitue en outre un facteur essentiel dans l'apparition d'un mélanome malin.

SIGNES ET TRAITEMENT

Les signes d'une photodermatose ne sont pas spécifiques : rougeur, gonflement des tissus cutanés, petits boutons, cloques. Le traitement est celui de chaque affection mentionnée ; la prévention passe par la protection de la peau contre le rayonnement solaire à l'aide de crèmes de type écran total.
→ VOIR Photoexploration.

Photodermatose printanière juvénile

Photodermatose (maladie cutanée déclenchée ou aggravée par l'exposition au soleil) de cause inconnue, fréquente chez les sujets jeunes.

La photodermatose printanière juvénile touche l'enfant et l'adulte jeune (de 7 ou 8 ans jusqu'à 15 à 20 ans environ), plus souvent le sujet de sexe masculin. Elle se manifeste habituellement au printemps, par temps froid, sous forme d'une éruption localisée aux oreilles. Les lésions, très prurigineuses, sont d'abord œdémateuses, puis vésiculeuses (petits boutons remplis de sérosité) ; des bulles (soulèvements plus importants) apparaissent parfois dans un second temps.

La maladie régresse spontanément et sans séquelles en l'espace de 2 semaines, mais récidive chaque année. Le traitement se limite au besoin à l'ouverture des bulles et à l'application locale d'un corticostéroïde en cas de démangeaisons importantes. La prévention repose sur l'application d'une crème de type écran total protégeant du rayonnement solaire.

Photoexploration

Ensemble de méthodes diagnostiques permettant de déterminer la sensibilité de la peau aux rayonnements ultraviolets.

La photoexploration est indiquée chez les sujets atteints d'une photodermatose, maladie cutanée déclenchée ou aggravée par l'exposition au soleil. Elle permet de vérifier la réalité de la sensibilité au soleil et de déterminer le type et le degré de cette sensibilité. Elle consiste en différents tests.
■ **La détermination du phototype** du sujet consiste à le classer, à partir d'un interrogatoire (capacité de bronzage avec ou sans coups de soleil) et de l'examen de la couleur de ses yeux et de sa peau, dans une des catégories de la classification des phototypes, numérotés de 0 (sujets albinos) à 6 (sujets à peau noire).
■ **Le test de Saidman** consiste à exposer de petites surfaces de peau à des ultraviolets A et à noter la dose de rayonnement minimale qui provoque une rougeur ou un petit gonflement.

■ **Le phototest** consiste à pratiquer différents tests (par exemple en exposant la peau à des ultraviolets A, puis à des ultraviolets B, enfin à des rayonnements reproduisant la lumière du soleil), pour trouver le rayonnement qui provoque un aspect identique aux lésions cutanées spontanées du malade.
■ **Les photo-patch-tests** ne sont indiqués que si l'on veut vérifier la responsabilité d'un agent chimique (parfum, par exemple) dans la photodermatose. On applique un patch contenant l'agent sur la peau, que l'on expose ensuite à des rayons ultraviolets A ou B, afin d'observer la réaction produite deux à trois jours plus tard.

Photophobie

Sensation visuelle pénible produite par la lumière au cours de certaines maladies.

CAUSES

Selon les symptômes qui l'accompagnent, une photophobie peut être due à une affection oculaire ou neurologique. Si elle est associée à des douleurs oculaires intenses, à un larmoiement et/ou à un blépharospasme (contraction involontaire de la paupière), il s'agit vraisemblablement d'une affection de la cornée (inflammation, phototraumatisme, ulcération, corps étranger), parfois d'une iridocyclite (inflammation de l'iris et du corps ciliaire). Dans ce dernier cas, la photophobie est plus modérée. Si des maux de tête accompagnent la photophobie, avec parfois de la fièvre, si le sujet adopte une position « en chien de fusil » (replié sur lui-même) afin de diminuer la douleur et s'il ne souffre d'aucun autre trouble oculaire, mais se plaint, outre les maux de tête, de nausées, elle peut être due à un syndrome méningé (méningite, hémorragie méningée).

DIAGNOSTIC ET TRAITEMENT

Le diagnostic d'une photophobie repose sur l'examen clinique du patient. Le traitement est celui de la cause.

Photoprotection

Protection naturelle ou artificielle de la peau contre les rayonnements solaires, notamment contre les ultraviolets.

Photoprotection naturelle

Elle est assurée par l'épaississement progressif de la couche cornée de la peau et par l'accroissement de sa pigmentation en cas d'exposition fréquente et prolongée à la lumière solaire (hâle ou « bronzage », lié à l'élaboration accrue de mélanine par l'épiderme). Le degré de protection peut être mesuré par la photoexploration, qui consiste, après avoir soumis la peau à un rayonnement, à observer sa réaction.

Photoprotection artificielle

Elle peut être assurée par deux sortes de moyens, externes ou internes.
■ **La photoprotection externe**, utilisée pour la prévention des coups de soleil, du vieillissement et du cancer de la peau, comprend le port de vêtements couvrants et l'application de produits antisolaires,

cosmétiques renfermant des substances protectrices de deux sortes : les écrans et les filtres. Les écrans réfléchissent purement et simplement le rayonnement et l'empêchent de pénétrer profondément sous l'épiderme. Ce sont principalement des substances opaques, comme le dioxyde de titane, qui présentent l'inconvénient de donner à la peau un aspect blanchâtre. Les filtres sont des substances actives qui absorbent le rayonnement et libèrent l'énergie absorbée par échange thermique avec la peau. La plupart de ces substances comportent un noyau aromatique (formule chimique comportant des cycles) et peuvent donc donner lieu à des réactions allergiques.

La plupart des produits antisolaires associent écran et filtre. La combinaison de ces deux types de constituants permet d'obtenir des degrés de protection variés, mesurés par un coefficient de protection : protection faible (coefficient compris entre 2 et 4), moyenne (entre 4 et 8), forte (entre 8 et 15) ou très forte, pour des conditions d'ensoleillement extrêmes (coefficient dépassant 15).
■ **La photoprotection interne** consiste en l'absorption par voie orale de médicaments tels que la vitamine PP, les dérivés du carotène et les antipaludéens de synthèse. Elle est indiquée en cas de photodermatoses, affections de la peau déclenchées ou aggravées par le soleil (urticaire solaire, par exemple).

La vitamine PP présente l'avantage de ne pas être toxique, mais la protection qu'elle confère est assez faible ; néanmoins, elle est suffisante dans nombre de cas. Les dérivés du carotène colorent parfois la peau en jaune orangé et ils présentent, ainsi que les antipaludéens, une toxicité pour les yeux qui nécessite une surveillance attentive et régulière. Certains médicaments photoprotecteurs (l'acide para-aminobenzoïque, en particulier) peuvent provoquer des intolérances cutanées (allergies, notamment).
→ VOIR Filtre solaire.

Photosensibilisation

Augmentation de la sensibilité de la peau aux rayonnements solaires, notamment aux ultraviolets, souvent due à une substance chimique ou médicamenteuse et se traduisant par une éruption cutanée.

Les cas de photosensibilisation sont de plus en plus fréquents, en grande partie en raison d'une modification des comportements (exposition au soleil plus fréquente, utilisation de substances et de médicaments facteurs de photosensibilisation).

CAUSES

Une photosensibilisation peut être idiopathique (sans cause connue), provoquée par un facteur déclenchant externe ou interne, ou d'origine génétique.
■ **Les photosensibilisations d'origine externe** surviennent après application d'une substance sur la peau (parfum) ou après contact de la peau avec différents végétaux (boutons-d'or, panais, moutarde, etc.).
■ **Les photosensibilisations d'origine interne** surviennent après ingestion de substances ou de médicaments exerçant une

action photosensibilisante après s'être déposés dans la peau : psoralènes, certains antibiotiques (notamment les tétracyclines), quinolones, certains antifongiques (griséofulvine en particulier), etc.

■ **Les photosensibilisations d'origine génétique** sont dues à certaines déficiences génétiquement déterminées, qui touchent le système de réparation de l'A.D.N. (xeroderma pigmentosum) ou la répartition des mélanines (albinisme, piébaldisme).

SYMPTÔMES ET SIGNES

Ils varient selon le type de photosensibilisation : plaques rouges surmontées de petites vésicules et démangeant fortement, vésicules ou bulles. Les lésions surgissent soit sur la totalité de la peau exposée au soleil (photosensibilisation d'origine interne), soit de façon plus localisée (photosensibilisation d'origine externe), là où l'agent en cause a été appliqué. Les photosensibilisations d'origine génétique se traduisent par une totale absence de bronzage des zones dépourvues de pigments mélaniques, ou par un érythème puis par une atrophie cutanée (xeroderma pigmentosum).

TRAITEMENT ET PRÉVENTION

Le traitement consiste à appliquer sur les lésions des médicaments antiseptiques, des produits adoucissants ou des corticostéroïdes locaux. L'administration par voie générale de corticostéroïdes ou d'antihistaminiques est réservée aux formes les plus graves. La prévention repose sur la protection de la peau (crème protectrice de type écran total) et surtout sur la suppression de l'agent susceptible de déclencher la photosensibilisation (médicament, manipulation de certains végétaux, etc.). Les photosensibilisations idiopathiques peuvent être prévenues par administration de vitamine PP, d'antipaludéens de synthèse (nivaquine), de caroténoïdes ou par la puvathérapie (exposition aux rayons ultraviolets A, associée à la prise de psoralènes).

UTILISATION THÉRAPEUTIQUE

La photosensibilisation est mise à profit dans le traitement de certaines maladies de peau, en particulier le psoriasis, au cours de la puvathérapie. L'agent photosensibilisant (psoralène) est administré par voie orale ou locale avant une exposition au rayonnement ultraviolet artificiel.

→ VOIR Photodermatose, Photoprotection, Puvathérapie.

Photothérapie

Méthode de traitement utilisant l'action de la lumière sur la peau. SYN. *actinothérapie*.

La source de lumière utilisée peut être la lumière solaire (héliothérapie) ou la lumière artificielle. L'héliothérapie, fondement de la photothérapie, doit être conduite avec prudence, afin d'éviter les accidents qui pourraient résulter d'une exposition brutale ou prolongée à la lumière du soleil. Elle est utilisée pour traiter les lésions acnéiques et favorise, dans la majorité des cas, le traitement du psoriasis (dermatose inflammatoire généralement non douloureuse mais souvent très gênante esthétiquement).

Bien que les rayons infrarouges et les rayons ultraviolets ne soient pas des rayons lumineux, on a l'habitude de considérer leur utilisation thérapeutique comme faisant partie de la photothérapie.

■ **Les rayons infrarouges** agissent sur les douleurs et les troubles circulatoires des extrémités et favorisent le processus de cicatrisation cutanée.

■ **Les rayons ultraviolets**, associés à des médicaments qui sensibilisent la peau à leurs effets, les psoralènes, sont utilisés (puvathérapie) dans le traitement du psoriasis, du vitiligo (défaut de pigmentation de la peau se manifestant par des taches blanches) ou du mycosis fongoïde (tumeurs eczémateuses de la peau).

■ **La luxthérapie**, photothérapie spécifique, est une méthode dont l'efficacité n'a pas été totalement démontrée. Elle repose sur l'exposition du patient à une lumière non colorée intense. Les séances d'exposition, de durée variable, débutent dans un centre spécialisé et peuvent être poursuivies à domicile jusqu'à amélioration de l'état du patient. La luxthérapie est utilisée dans le traitement des dépressions saisonnières (qui se manifestent régulièrement à certaines périodes de l'année). Ces dépressions surviennent surtout en automne et en hiver, en raison de la diminution de la lumière naturelle qui modifie la sécrétion de la mélatonine (hormone sécrétée par l'épiphyse, ou glande pinéale, et qui interviendrait dans la régulation de l'humeur), sécrétion qui dépend aussi des rythmes circadiens (sur 24 heures). Chez les sujets déprimés, on constate une diminution de l'amplitude du rythme nocturne de sécrétion de la mélatonine. L'exposition à la lumière corrige ce phénomène de variation.

■ **L'exposition à la lumière bleue** (l'une des longueurs d'onde de la lumière solaire) s'emploie dans le traitement de l'ictère du nouveau-né.

→ VOIR Ictère du nouveau-né, Puvathérapie.

Phototraumatisme

Lésion des yeux due aux rayonnements lumineux, essentiellement solaires.

DIFFÉRENTS TYPES DE PHOTOTRAUMATISME

La cornée et la macula (partie centrale de la rétine, responsable de l'acuité visuelle) sont plus particulièrement atteintes.

■ **L'ophtalmie des neiges** est une lésion de la cornée provoquée par les rayonnements ultraviolets. Elle est due à l'exposition prolongée au soleil sur les montagnes enneigées ou les glaciers, sans protection suffisante des yeux. Ses manifestations, souvent retardées par rapport à l'exposition, sont des douleurs oculaires intenses, avec photophobie et blépharospasme (spasmes de la paupière). La guérison, rapide et sans séquelles, peut être activée par l'instillation de collyres cicatrisants.

■ **La maculopathie solaire** fait suite à l'observation d'une éclipse solaire sans protection efficace, celle-ci devant être assurée par le port devant les yeux de pellicules photographiques ou de clichés radiologiques, les lunettes de soleil n'offrant pas de protection suffisante. La brûlure des infrarouges provoque un œdème parfois hémorragique de la macula et une baisse de la vision. En général, cet œdème régresse rapidement, mais une cicatrice peut rester sur la macula et provoquer un scotome (amputation totale ou partielle du champ visuel central).

Phrénique

Qui concerne le diaphragme.

Le nerf phrénique innerve le diaphragme.

Phtiriase

→ VOIR Pédiculose.

Phtisie

→ VOIR Tuberculose.

Phycomycose

Infection due à des champignons zygomycètes (moisissures), les mucorales et les entomophtorales. SYN. *zygomycose*.

Les phycomycoses se caractérisent par la présence dans l'organisme de filaments non septés (non cloisonnés).

Mucormycose

Cette phycomycose est due à des mucorales, type particulier de moisissures. Elle est répandue dans le monde entier et est généralement opportuniste, c'est-à-dire qu'elle survient chez des malades immunodéprimés ou sur des organismes déjà affaiblis par une maladie telle que le diabète.

CONTAMINATION

Les mucorales se développent dans les fruits, les graines et les végétaux en décomposition. Elles se transmettent par voie rhinopharyngée, et le champignon se développe d'abord dans la muqueuse nasale ou les sinus pour envahir ensuite le cerveau ; parfois, les poumons sont atteints par dissémination vasculaire. Les mucorales se transmettent plus rarement par voie cutanée (surinfection de lésions préexistantes) et, plus rarement encore, par voie digestive (ingestion d'aliments contaminés, notamment de fruits).

SYMPTÔMES ET SIGNES

Les mucorales provoquent des infections cérébrales, pulmonaires, digestives et, plus rarement, cutanées. Une sinusite chronique maxillaire ou frontale peut se propager au cerveau et entraîner des abcès intracrâniens qui peuvent aboutir à un coma. La forme pulmonaire se traduit par une bronchite, une pneumonie, voire une perforation bronchique qui entraîne des hémoptysies (crachats sanglants). Les manifestations digestives se traduisent par des douleurs abdominales, des diarrhées, des émissions rectales de sang, ou même une péritonite.

TRAITEMENT

Les polyènes, comme l'amphotéricine B, sont les médicaments les plus utilisés pour traiter ce type de phycomycose.

Entomophtoromycose

Cette phycomycose tropicale est une maladie chronique dont une centaine de cas ont été décrits. Elle est due à des champignons tropicaux, les entomophtorales. Le sujet se contamine par inhalation des spores des champignons. Une entomophtoromycose se caractérise par une déformation lente des fosses nasales qui s'obstruent. Le malade a l'impression d'avoir le nez bouché. L'infection peut s'étendre et déformer très visiblement le visage du malade (lèvres tuméfiées, visage gonflé). Un traitement par les triazolés donne de bons résultats.

Basidiobolomycose

Cette phycomycose tropicale rare, due également aux entomophtorales, se transmet probablement par la piqûre de végétaux et se présente comme une tuméfaction chronique, volumineuse et indolore du tronc ou des membres. Le traitement à base de iodure de potassium est efficace. Une basidiobolomycose non traitée guérit généralement spontanément mais lentement.

Physiologie

Étude des fonctions et du fonctionnement normal des organismes vivants.

La physiologie s'intéresse aux processus physiques et chimiques à l'œuvre dans les cellules, les tissus, les organes et les systèmes d'êtres vivants sains.

Le terme est employé en français depuis le début du XVIIᵉ siècle ; le latin *physiologia* semble avoir été utilisé pour la première fois, dans une acception différente, par le médecin Jean Fernel (1497 - 1558) dans son livre *Universa medicina*. La physiologie a été enseignée et a conquis un statut universitaire à partir du XVIIIᵉ siècle, mais c'est au XIXᵉ siècle, avec François Magendie et surtout Claude Bernard, qu'elle est devenue une science indépendante, distincte d'autres sciences, comme la physique ou la chimie.

Physiopathologie

Étude des mécanismes modifiant les fonctions organiques (respiration, circulation, digestion, élimination, reproduction).

La physiopathologie étudie les perturbations de la physiologie, permet de connaître le mécanisme d'action des maladies et de remonter à leurs sources. La physiopathologie explique, par exemple, comment l'asthme retentit sur la fonction respiratoire, comment l'hypertension artérielle est responsable de complications cardiovasculaires, comment un diabète non traité et persistant lèse l'œil ou le rein, ou comment certaines infections sexuellement transmissibles peuvent provoquer une stérilité.

Physiothérapie

Utilisation thérapeutique d'agents naturels tels que l'eau douce ou salée (cures thermales, balnéothérapie, thalassothérapie), la boue (fangothérapie), certaines huiles minérales comme la paraffine (paraffinothérapie), le climat (soleil, altitude), la chaleur et l'électricité (courants continus ou discontinus à basse ou haute fréquence [diathermie, ionisation, ultrasons]).

La physiothérapie, technique de rééducation, est indiquée dans toutes les affections dégénératives du squelette (notamment l'arthrose) et dans les tendinites (périarthrite scapulo-humérale, la plus fréquente, tendinites du coude). Elle permet d'atténuer les douleurs, de prévenir ou de diminuer une raideur articulaire, mais aussi de restaurer la force musculaire autour d'une articulation.

Phytothérapie

Traitement ou prévention des maladies par l'usage des plantes.

La phytothérapie fait partie des médecines parallèles, ou médecines douces. Dans la plupart des pays, notamment en Occident, seuls les médecins ont le droit de pratiquer la phytothérapie sous forme de consultation, et seuls les pharmaciens et les herboristes sont habilités à donner des conseils au moment de l'achat.

HISTORIQUE

L'emploi des plantes dans un dessein thérapeutique remonte à la plus haute antiquité et concerne un grand nombre de civilisations. Des écrits chinois sur ce sujet datent de plusieurs millénaires. D'autres proviennent de la Grèce antique (rédigés par exemple par Hippocrate ou Dioscoride), du Moyen Âge arabe (textes d'Avicenne, essentiellement) ou du Moyen Âge occidental (textes de l'école de médecine de Salerne, en Italie).

Certains de ces anciens traités de phytothérapie ont été créés à partir d'observations faites sur des malades et transmises de génération en génération. D'autres sont inspirés par l'ésotérisme (comme ceux de Paracelse), par la magie, les rites sociaux ou la religion.

Au début du XXᵉ siècle, la phytothérapie est plus ou moins oubliée, concurrencée par l'efficacité des médicaments, dont beaucoup sont d'ailleurs fabriqués à partir de plantes. Elle réapparaît en même temps que se développent l'acupuncture et l'homéopathie.

DIFFÉRENTS TYPES DE PHYTOTHÉRAPIE

De nos jours et dans les pays occidentaux, il existe plusieurs spécialités, éventuellement combinées entre elles, qui utilisent les plantes à des fins médicales.

▪ **L'aromathérapie** est une thérapeutique qui utilise les essences des plantes, ou huiles essentielles, substances aromatiques sécrétées par de nombreuses familles de plantes telles que, par exemple, les astéracées, les laminacées ou les opiacées, et extraites par distillation. Ces huiles sont des produits complexes à utiliser avec précaution et en respectant les doses prescrites, car ils ne sont pas totalement sans danger. La voie d'administration la plus intéressante, car la plus rapide et la moins toxique, est la voie percutanée (à travers la peau).

▪ **La gémothérapie** se fonde sur l'utilisation d'extraits alcooliques et glycérinés de tissus jeunes de végétaux tels que les bourgeons et les radicelles appartenant à environ 60 plantes différentes. Les préparations sont présentées diluées au dixième. Chaque extrait est réputé avoir une affinité pour un organe ou une fonction. Par exemple, le macérat glycériné de bourgeons de *Ribes nigrum,* ou cassis, dilué au dixième, agit en tant que stimulant de la zone corticale des glandes surrénales, c'est-à-dire de la même manière que la cortisone.

▪ **L'herboristerie** correspond à la méthode de phytothérapie la plus classique et la plus ancienne. Après être tombée en désuétude, elle est de nos jours reprise en considération. L'herboristerie se sert de la plante fraîche ou séchée ; elle utilise soit la plante entière, soit une partie de celle-ci (écorce, fleur, fruit, racine). La préparation repose sur des méthodes simples, le plus souvent à base d'eau : décoction, infusion, macération. Ces préparations sont bues ou inhalées, appliquées sur la peau ou ajoutées à l'eau d'un bain. Elles existent aussi sous forme plus moderne de gélules de poudre de plantes sèches, que le sujet avale. Cette présentation a l'avantage de préserver les principes actifs, qui sont fragiles. Pour que le traitement soit efficace en profondeur, les prises doivent s'étaler sur une période allant de 3 semaines à 3 mois.

▪ **L'homéopathie** a recours aux plantes d'une façon prépondérante, mais non exclusive : les trois quarts des souches sont d'origine végétale, le reste étant d'origine animale et minérale. Sont utilisées les plantes fraîches en macération alcoolique. Ces alcoolats sont appelés teintures mères : c'est à partir de ces alcoolats que sont préparées les dilutions qui servent à imprégner les grains de saccharose et de lactose que sont les granules et les globules. La teinture mère la plus utilisée est celle de *Calendula officinalis,* ou fleur de souci.

▪ **La phytothérapie chinoise** fait partie d'un ensemble appelé « médecine traditionnelle chinoise » qui inclut l'acupuncture et la diététique chinoise. Cette phytothérapie vise à modifier les quantités de différentes énergies ou le circuit de ces énergies dans l'organisme.

▪ **La phytothérapie pharmaceutique** utilise des produits d'origine végétale obtenus par extraction et qui sont dilués dans de l'alcool éthylique ou un autre solvant. Ces extraits sont dosés en quantités suffisantes pour avoir une action soutenue et rapide. Ils sont présentés comme toute autre spécialité pharmaceutique sous forme de sirop, de gouttes, de suppositoires, de gélules, de lyophylisats, de nébulisats (extraits de plantes desséchées par la chaleur), etc. Les concentrations sont assez élevées et la non-toxicité de ces médicaments est parfois relative.

UTILISATION THÉRAPEUTIQUE

La phytothérapie se donne un champ d'action sur de nombreux troubles, à titre préventif et curatif, dans des cas aigus ou pour modifier des terrains (tendances générales à être victime d'un type de maladie). Elle s'attache à traiter la cause du mal et non pas seulement ses symptômes. Son emploi s'appuie sur les connaissances traditionnelles, sur l'analyse des principes actifs des plantes et la compréhension de leur mode d'action, ainsi que sur les résultats constatés par les malades. Cependant, la phytothérapie n'a pas les mêmes bases scientifiques que la médecine moderne officielle, et il est impossible de la recommander pour des affections graves ni quand il existe un traitement moderne plus efficace.

EFFETS INDÉSIRABLES
Ils sont rares et en général bénins. Lorsqu'un médecin prescrit une ordonnance comprenant des plantes qui peuvent être toxiques, telles que la digitale ou la belladone, il importe que le patient ne dépasse pas les doses indiquées : les troubles sont souvent liés à une utilisation abusive et trop prolongée de la plante médicinale.

Piaget (Jean)

Psychologue et pédagogue suisse (Neuchâtel 1896 - Genève 1980).

Il commença sa carrière en tant que biologiste, mais s'orienta parallèlement vers la philosophie, la logique et l'épistémologie puis, à travers la recherche d'une théorie scientifique de la connaissance, vers la psychologie de l'enfant aux différents stades de son développement intellectuel. Il montra que ce développement s'effectuait de manière graduelle et continue jusqu'à l'acquisition d'une pensée adulte, avec une conceptualisation de plus en plus abstraite et générale.

Membre de nombreuses académies, docteur honoris causa d'innombrables universités, il a laissé une œuvre considérable, parmi laquelle on peut citer *le Langage et la Pensée chez l'enfant* (1923), *la Naissance de l'intelligence* (1936), *Introduction à l'épistémologie génétique* (1950), *les Mécanismes perceptifs* (1961), etc. On lui doit la création, en 1955, du Centre international d'épistémologie génétique – qu'il dirigea jusqu'à sa mort –, dont l'objectif est l'accroissement des connaissances de l'histoire de la pensée scientifique et du développement de l'enfant.

Pian

Maladie infectieuse endémique due à une variété de tréponème, *Treponema pertenue*. SYN. *frambœsia*.

Le pian s'observe surtout dans les pays chauds et humides (Afrique tropicale, Guyane et Asie). Il entre, avec le béjel, le caraté et la syphilis, dans le groupe des tréponématoses. La transmission se fait souvent dans l'enfance, principalement par contact cutané direct avec une lésion d'un sujet infecté, l'agent responsable, très fragile, ne pouvant vivre longtemps en milieu extérieur. Des cas de contamination par des insectes vecteurs (mouches) ont été rapportés.

SYMPTÔMES ET SIGNES
Le pian évolue en trois phases.
■ **La phase primaire**, qui succède à une incubation de 4 semaines, correspond à l'apparition du chancre pianique d'inoculation, papule d'un diamètre de 1,5 à 2 centimètres, affectant surtout les membres inférieurs. Il peut parfois s'agir d'ulcérations superficielles de la bouche ou de la poitrine. Des ganglions accompagnés de douleurs osseuses, une fièvre et des maux de tête peuvent s'y associer.

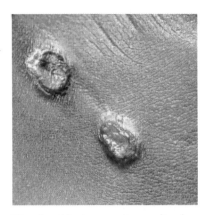

Pian. *Les ulcérations cutanées, appelées chancres pianiques, sont très prurigineuses.*

■ **La phase secondaire** survient de 3 à 6 mois après l'apparition des premiers signes et donne des lésions appelées pianomes, petites élevures boursouflées de couleur rosée, s'érodant facilement et se recouvrant d'une croûte. Ces lésions prédominent sur les membres inférieurs et se groupent en plaques ou en anneaux. Sous les pieds, les pianomes provoquent un épaississement de la couche cornée, s'ulcèrent et entravent la marche (pian-crabe).

Dans un deuxième temps apparaissent des lésions sèches (pianides), groupées en placards sur les épaules et sur les cuisses. Enfin, une atteinte ostéoarticulaire est fréquente à ce stade, accompagnée d'une ostéite nécrosante et mutilante du nez (inflammation des os du nez provoquant une déformation et un grossissement de ce dernier) et des maxillaires supérieurs (goundou retrouvé en Côte d'Ivoire). Peuvent également survenir des tumeurs de la face, une nécrose et une ulcération du rhinopharynx (gangosa).
■ **La phase tertiaire** survient après plusieurs années de latence et se traduit par des gommes avec ulcérations ou des lésions osseuses multiples. Cependant, contrairement à la syphilis, le pian ne provoque ni manifestations viscérales ni lésions nerveuses.

DIAGNOSTIC ET TRAITEMENT
Le diagnostic repose sur la mise en évidence du tréponème dans la lésion primaire et sur les réactions sérologiques positives dans les autres phases. Cependant, la distinction pian et syphilis est sérologiquement impossible, ce qui pose pour l'adulte des problèmes d'interprétation, celle-ci reposant uniquement sur la notion de contamination en zone d'endémie.

Le traitement, efficace, consiste en l'administration de pénicilline à doses élevées par voie intramusculaire. Une injection est suffisante au début de la maladie, mais un traitement d'au moins 15 à 20 jours est nécessaire pour les formes évoluées. Des séquelles cutanées (cicatrices déprimées et pigmentées) et osseuses sont possibles.

Pica

Trouble du comportement alimentaire consistant à ingérer des substances non comestibles.

La pica s'observe chez certaines personnes souffrant de troubles psychiatriques, et parfois chez l'enfant ou chez la femme enceinte de certains pays, en particulier d'Afrique. Il s'agit alors d'une pratique coutumière, au cours de laquelle les enfants et les femmes enceintes mangent de la terre (géophagie). Cette forme de pica est souvent causée par une carence en fer et nécessite un traitement médical.

Pickwick (syndrome de)

Ensemble de troubles associant des épisodes d'apnée nocturne (arrêt respiratoire), une somnolence diurne, une cyanose (lèvres et ongles bleutés) et une obésité.

Le syndrome de Pickwick, de mécanisme mal connu, est caractérisé par une diminution de la concentration d'oxygène associée à une augmentation de la concentration de gaz carbonique dans le sang, témoignant d'une hypoventilation alvéolaire. Il se traduit par un sommeil de mauvaise qualité, des ronflements et une hypersomnolence dans la journée. Cette maladie représente une forme rare du syndrome d'apnée du sommeil.

DIAGNOSTIC
Il repose sur l'examen polygraphique du sommeil. Le malade est hospitalisé pendant une nuit. Pendant son sommeil, on pratique une électroencéphalographie et une électrocardiographie ; en outre, on installe également de petites électrodes sur son thorax et un saturomètre (petit capteur permettant de mesurer la saturation sanguine), au bout d'un doigt.

TRAITEMENT
Les malades doivent suivre un régime amaigrissant. On peut aussi faire appel à la respiration en pression positive continue : cette technique consiste à faire porter au sujet, pendant son sommeil, un masque respiratoire relié à un appareil délivrant une pression positive, afin de maintenir ouvertes ses voies nasales et respiratoires. Lorsque, à l'occasion d'un examen polygraphique du sommeil, on constate une apnée, il n'est pas rare que l'on place le malade en pression positive continue, ce qui permet de voir à quel niveau de pression on arrive le mieux à empêcher la survenue de ce trouble. Parfois, on pratique une ablation chirurgicale de tout ou partie du voile du palais (uvulopalatoplastie), voire, dans quelques cas rebelles, une trachéotomie.

Piébaldisme

Maladie héréditaire rare caractérisée par une absence locale de pigmentation de la peau et des cheveux.

Le piébaldisme se transmet sur le mode autosomique (par les chromosomes non sexuels) dominant (il suffit que le gène en cause soit reçu de l'un des parents pour que l'enfant développe la maladie). Il se traduit par une mèche de cheveux blancs à la hauteur du front et par une dépigmentation de la peau du front, parfois par une décoloration des cils et des sourcils, et par des plaques blanches sur le torse ; le piébaldisme s'associe parfois à des troubles oculaires et auditifs et à un retard mental.

Le traitement est limité à la protection des zones dépourvues de pigmentation, en cas d'exposition solaire, et au camouflage (par des cosmétiques, par exemple).

Pied

Extrémité du membre inférieur, articulée avec la jambe par la cheville (articulation tibio-péronéo-astragalienne) et terminée par les orteils. (P.N.A. *pes*)

STRUCTURE

Le pied a un rôle à la fois statique (il soutient le poids du corps et permet l'équilibre grâce à sa position à angle droit par rapport à l'axe de la jambe) et dynamique (il permet la propulsion du corps en avant). Son squelette est constitué d'arrière en avant par le tarse (astragale, calcanéum, scaphoïde, cuboïde et les 3 cunéiformes), le métatarse et les phalanges, qui forment le squelette des orteils. La plante du pied est le siège d'une concavité appelée voûte plantaire, dont le creusement excessif ou insuffisant caractérise les pieds creux ou les pieds plats.

PATHOLOGIE

Le pied peut être atteint par plusieurs types d'affections, souvent aggravées par le port de chaussures inadaptées.

■ **Les anomalies** du pied sont le plus souvent congénitales : pied plat, pied creux, pied bot, pied équin, metatarsus varus (responsable de l'hallux valgus), etc.

■ **Les principales maladies articulaires** touchant le pied sont l'hallux rigidus, l'arthrose, l'arthrite et surtout la goutte, dont le siège de prédilection est l'articulation métatarso-phalangienne du gros orteil.

■ **Les fractures** du pied touchent le plus souvent le calcanéum, les métatarsiens et les phalanges.

■ **Les principaux troubles de la peau et des os** du pied sont les durillons, les cors, l'œil-de-perdrix, les mycoses, etc.

Pied d'athlète

Maladie cutanée localisée entre les orteils et caractérisée par des fissures ou crevasses plus ou moins profondes.

Le pied d'athlète, également connu sous les termes anglais d'*athletic foot* ou *Hong Kong disease*, est une maladie fréquente due à la prolifération de champignons microscopiques (dermatophytes ou levures) ou de certains germes à Gram négatif. Il se rencontre surtout chez les sportifs, les marins et, en règle générale, chez tous ceux qui portent habituellement des bottes ou des chaussures favorisant la transpiration.

SYMPTÔMES, TRAITEMENT ET PRÉVENTION

Un pied d'athlète se signale d'abord par des rougeurs et des cloques sur les faces latérales des orteils qui se transforment en fissures.

Son traitement consiste en bains d'antiseptiques, en la désinfection à l'alcool iodé et en l'application d'antifongiques (médicaments contre les champignons).

La prévention des récidives repose sur une hygiène rigoureuse des pieds ; il est en particulier nécessaire d'éviter la transpiration et la macération, notamment par le port de chaussettes en fibres naturelles.

Pied bot

Malformation congénitale complexe du pied caractérisée par des rétractions tendineuses et musculaires associées à des malformations osseuses, de sorte que l'appui du pied sur le sol n'est plus normalement réparti sur la région plantaire.

Le dépistage d'un pied bot peut se faire avant la naissance, grâce à l'échographie obstétricale. À la naissance, on peut encore corriger manuellement les déformations, mais, en l'absence de traitement, celles-ci deviennent irréductibles.

TRAITEMENT

D'une manière générale, plus le traitement commence tôt, plus son taux de réussite est élevé. Entrepris dès la naissance, il consiste en des manipulations quotidiennes en vue d'assouplir et de redresser le pied, suivies de la pose de petites attelles ou de plâtres successifs pour maintenir le pied en bonne position. Au bout de 3 mois, on pratique un bilan pour juger de l'efficacité du traitement. En cas de bonne correction, il est poursuivi jusqu'à l'âge de la marche. Sinon, on pratique avant l'âge de la marche une intervention chirurgicale visant à libérer les muscles rétractés, suivie d'une immobilisation plâtrée de 2 à 3 mois. Dans tous les cas, le traitement kinésithérapique et orthopédique (attelles, plâtres) sera poursuivi jusqu'à la fin de la croissance. En fin de croissance, d'autres interventions chirurgicales peuvent être pratiquées en cas de déformations osseuses ou de rétractions musculotendineuses trop importantes.

Pied creux

Creusement excessif de la voûte plantaire du pied donnant à celui-ci un aspect cambré. SYN. *pied cavus*.

Le pied creux peut être dû à une lésion neurologique (une paralysie musculaire par exemple), mais, le plus souvent, sa cause reste inconnue.

SYMPTÔMES ET SIGNES

Un pied creux est caractérisé par diverses déformations du squelette et des muscles du pied, associant une saillie du cou-de-pied vers le haut, une position trop basse de la partie avant de la plante du pied par rapport à sa partie arrière (pied « tombant »), une griffe des orteils et une déviation de l'axe de l'arrière-pied (le plus souvent, le talon est orienté vers l'extérieur). Il en résulte un frottement de la peau à l'origine de cors, de durillons, etc.

TRAITEMENT

Au début, le pied est souple et ses déformations peuvent être facilement corrigées par des semelles orthopédiques et une rééduca-

---

 PIED

Le pied supporte le poids du corps, lui donne son assise et permet la marche. Il est relié aux deux os de la jambe par l'articulation tibiotarsienne.

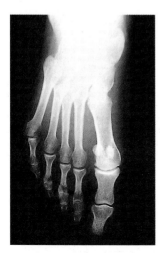

Le squelette du pied comprend, comme la main, trois segments distincts : le tarse, le métatarse et les phalanges.

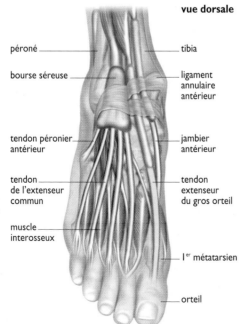

vue dorsale

péroné — tibia
bourse séreuse — ligament annulaire antérieur
tendon péronier antérieur — jambier antérieur
tendon de l'extenseur commun — tendon extenseur du gros orteil
muscle interosseux
— Iᵉʳ métatarsien
— orteil

tion. Plus tard, lorsque le pied est raide et les os déformés, le traitement est chirurgical ; l'intervention la plus fréquente consiste à raccourcir les métatarsiens (tarsectomie) et à bloquer les articulations du sommet de la voûte plantaire (arthrodèse).

Pied équin

Déformation du pied qui, bloqué en hyper-extension, ne peut appuyer que sur la pointe et ne repose jamais sur son talon.

Le pied équin s'observe dans certaines maladies congénitales, mais peut être aussi la conséquence d'une fracture ou d'une immobilisation prolongée en mauvaise position. Une rééducation intensive corrige le plus souvent cette anomalie qui gêne considérablement la marche. Dans quelques cas plus graves, une intervention chirurgicale est nécessaire, soit pour allonger le tendon d'Achille, soit pour bloquer définitivement l'articulation de la cheville en position de fonction, pied à angle droit par rapport à l'axe de la jambe (arthrodèse) ; le sujet, qui reste alors plâtré pendant 3 mois, doit ensuite réapprendre à marcher, parfois à l'aide de béquilles.

Pied plat

Affaissement de la voûte plantaire responsable d'une augmentation de la surface d'appui plantaire au sol.

La majorité des enfants âgés de moins de 6 ans ont les pieds plats ; c'est avec le développement du squelette, des muscles et des tendons du pied que les arches plantaires se creusent, aboutissant à la concavité normale de la voûte plantaire de l'adulte. Cependant, chez certaines personnes, le pied reste plat à l'âge adulte.

SYMPTÔMES ET SIGNES

Dans 95 % des cas, le pied plat est indolore. Cependant, il peut devenir douloureux après la puberté, parfois du fait d'une prise de poids importante. Il est alors contracturé et entraîne une claudication par esquive de l'appui plantaire. Le talon est le plus souvent dévié vers l'extérieur, ce qui donne au sujet une démarche en canard.

TRAITEMENT

Seuls les pieds plats douloureux nécessitent un traitement, qui associe alors le port de semelles orthopédiques creusant la voûte plantaire à une rééducation destinée à renforcer les muscles de la plante du pied. Le traitement chirurgical est réservé aux pieds plats particulièrement douloureux ; il consiste à bloquer les articulations du sommet de la voûte plantaire (arthrodèse).

Piedra

Infection des poils et des cheveux par un champignon microscopique.

Une piedra se traduit par l'apparition de petites boules d'environ un millimètre de diamètre le long des cheveux et des poils. Il en existe deux variétés : la piedra blanche, due à une levure du genre *Trichosporon* (nodosités blanc jaunâtre), et la piedra noire, causée par *Piedraia hortai* (nodosités brun foncé). Le traitement de cette mycose, après

rasage et désinfection, consiste en l'application d'une pommade aux imidazolés (médicaments antifongiques).

Pigeonneau

Ulcération cutanée chronique des doigts ou du dos des mains, due à l'action caustique du chrome ou des sels de chrome sur la peau. SYN. *rossignol des tanneurs.*

Le pigeonneau se rencontre chez les ouvriers de l'industrie métallurgique ou de la construction, les tanneurs, les teinturiers et les imprimeurs. La lésion apparaît sous la forme d'une papule ferme, de couleur rouge, qui s'ulcère rapidement et prend l'aspect d'un cratère central entouré d'une bordure enflammée et indurée. Cette lésion est très douloureuse.

TRAITEMENT

Il n'existe pas de traitement spécifique du pigeonneau. Les lésions doivent simplement être nettoyées à l'aide d'un produit antiseptique. La guérison est le plus souvent longue à survenir, la cicatrisation étant particulièrement difficile.

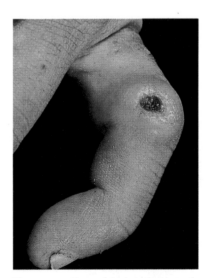

Pigeonneau. Cette ulcération chronique du doigt est ainsi dénommée à cause de sa ressemblance avec un œil de pigeon.

Pigment

Toute substance naturelle colorée.

Dans les sciences médicales et les sciences de la vie, le terme de pigment désigne une substance colorée produite par un être vivant (humain, animal, végétal). Les pigments présents dans les végétaux sont, par exemple, le carotène (orange) et la chlorophylle (verte). Les principaux pigments du corps humain sont l'hémoglobine du sang (rouge), la mélanine de la peau (brun foncé, noire, rouge-orangé), les pigments biliaires (biliverdine, de couleur bleu-vert ; bilirubine, rouge-orangé) et la rhodopsine, ou pourpre rétinien, contenue dans des cellules sensorielles de la rétine.

Pigmentation

Coloration de la peau par les pigments.

DIFFÉRENTS TYPES DE PIGMENT DE LA PEAU

On distingue différents pigments, selon leur spectre d'absorption et leur emplacement dans les divers tissus qui constituent la peau.
■ Les pigments mélaniques siègent dans l'épiderme et sont responsables de la coloration noire ou rouge-orangé (sujets roux).
■ Les pigments caroténoïdes siègent dans l'épiderme et dans le tissu adipeux et sont jaune-orangé ; la vitamine A est élaborée à partir de ces pigments.
■ Les pigments ferriques siègent dans le derme. Ils sont rouge brunâtre et proviennent des dépôts d'hémosidérine (pigment protéique ferrique) et de fer.

PATHOLOGIE

Elle comprend l'augmentation pathologique de la pigmentation, liée ou non à un dysfonctionnement des mélanocytes (cellules responsables de la synthèse des pigments mélaniques, ou mélanines), et la diminution ou l'absence de pigmentation (achromie), qu'elle soit congénitale (albinisme, piébaldisme) ou acquise (vitiligo, pytiriasis versicolor, lèpre, etc.).

Pili

Appendice filamenteux situé à l'extérieur de certaines bactéries à Gram négatif.

Les pili communs, ou *fimbriæ*, jouent un rôle très important dans les phénomènes d'adhésion des bactéries aux muqueuses ; ils contribuent ainsi au pouvoir pathogène de certaines souches de *Escherichia coli* (colibacille) et de *Neisseria gonorrhœæ* (gonocoque).

Les pili sexuels jouent un rôle important dans le passage de matériel génétique, en particulier de plasmides, entre bactéries, lors des phénomènes de conjugaison (contact).

Pilocarpine

Substance extraite des feuilles d'un arbuste d'Amérique tropicale, le jaborandi.

La pilocarpine est un alcaloïde aux propriétés parasympathomimétiques (stimulant le système nerveux parasympathique). En particulier, elle provoque un myosis (rétrécissement de la pupille). Ainsi, elle améliore la circulation de l'humeur aqueuse de l'œil, ce qui fait qu'elle est utilisée en particulier dans le traitement du glaucome (augmentation de la pression à l'intérieur de l'œil). Elle est administrée sous forme de collyre.

La pilocarpine est contre-indiquée en cas d'iridocyclite (inflammation de l'iris et du corps ciliaire). Elle risque de gêner la vision, notamment pendant la conduite d'un véhicule. Prise en quantité trop élevée, elle peut passer dans le sang et induire un excès de salivation, un bronchospasme (rétrécissement des bronches) et une bradycardie (ralentissement cardiaque).

Pilule

→ VOIR Œstroprogestatif.

Pince

Instrument utilisé au cours des interventions chirurgicales ou des soins infirmiers.

Une pince permet notamment de saisir un tissu et de le maintenir en place pendant qu'on le suture, qu'on le dissèque ou encore qu'on dégage des tissus plus profonds. Elle permet également de clamper (pincer) un vaisseau pour arrêter une hémorragie. Il en existe une grande variété, chacune portant souvent le nom du chirurgien qui l'a inventée (pince de Péan, de Kocher, etc.).

Pincement discal

Diminution de la hauteur d'un disque intervertébral (coussinet fibreux, servant d'amortisseur souple entre deux plateaux vertébraux).

Un pincement discal, habituellement détecté après un bilan radiographique de la colonne vertébrale, peut siéger au niveau cervical, dorsal ou lombaire, être unique ou concerner plusieurs disques ; pour un disque donné, il est global ou localisé.

CAUSES

Toute affection d'un disque intervertébral peut être à l'origine d'un pincement discal.
■ **Dans les maladies dégénératives** (arthrose, hernie discale), le pincement est lié à une usure discale ; il est alors souvent localisé et siège à plusieurs niveaux de la colonne vertébrale.
■ **Dans les maladies inflammatoires et infectieuses** (brucellose, infection par le staphylocoque doré, tuberculose), le pincement discal est dû à une inflammation du disque, elle-même associée à une inflammation de l'os adjacent : on parle de spondylodiscite ; le pincement discal est alors global et unique.

SYMPTÔMES ET TRAITEMENT

Selon sa cause, un pincement discal est douloureux ou non. Il peut entraîner une diminution de la taille du malade. Son traitement est celui de la maladie en cause.

Pinel (Philippe)

Médecin français (près de Gibrondes, auj. Jonquières, Tarn, 1745 - Paris 1826).

Médecin-chef à l'hospice de Bicêtre en 1793, puis à la Salpêtrière en 1795, il contribua à la reconsidération du traitement des aliénés en préconisant leur placement dans des établissements spécialisés où on les traiterait non comme des réprouvés mais comme des malades. Il fut l'un des premiers

médecins à avoir « délivré les aliénés de leurs chaînes ». Son *Traité médico-philosophique sur l'aliénation mentale* (1801) exerça tout au long du XIXe siècle une influence notable sur la psychiatrie naissante et sur la réflexion médico-légale concernant la réglementation psychiatrique.

Pinguecula

Petite tache jaunâtre en relief située sous la conjonctive et visible sur le blanc de l'œil.

Cette lésion bénigne, qui s'observe souvent chez les sujets âgés, est la conséquence d'une dégénérescence des fibrilles élastiques de la conjonctive. Elle est favorisée par l'exposition prolongée des yeux au soleil, au vent et aux intempéries. La tache peut s'étendre progressivement, mais elle reste toujours à distance de la cornée et n'altère pas la vue.

Si elle est inesthétique, une pinguecula peut être enlevée chirurgicalement, sous anesthésie locale, mais elle réapparaît souvent quelques mois après l'opération.

Pinta

→ VOIR Caraté.

Piqûre

1. Perforation du revêtement cutané ou muqueux par un objet pointu (aiguille, écharde), un végétal ou un animal.
2. Lésion provoquée par la perforation du tissu cutané ou muqueux par un animal, un objet pointu ou un végétal.
3. Sensation vive et localisée qui suscite une démangeaison.

La piqûre se distingue de la morsure en ce qu'elle n'exerce pas une prise ou un pincement entre deux mâchoires. Une vipère européenne, par exemple, enfonce ses crochets dans sa proie mais ne referme pas sa gueule sur l'organe blessé ; elle pique.

DIFFÉRENTS TYPES DE PIQÛRE

Les différents types de piqûre peuvent être répertoriés selon leur origine.
■ **Les piqûres de plantes** sont provoquées par des épines (rosier, robinier, cactus) ou par des poils urticants (orties). Les épines sont des feuilles lignifiées ou des rameaux, transformés en pointe, droite ou courbe. Les poils urticants sont des aiguilles microscopiques cassantes, tapissant les feuilles ou la tige et qui injectent un venin.

■ **Les piqûres d'animaux** sont dues à différents types d'appareil piqueur : épines (oursin, vive, rascasse), aiguillons ou dards, crochets ou cellules urticantes. Le dard peut se trouver à l'avant (moustique, tique) ou à l'arrière de l'animal (abeille, guêpe, scorpion). Les apiculteurs et certains zoologistes réservent le terme de dard à l'aiguillon des abeilles, car il est barbelé. Les serpents ou les araignées piquent par leurs crochets. Certains acariens (aoûtats, sarcoptes) creusent des galeries dans la peau.

TRAITEMENT

Les morceaux d'une épine cassée restés dans la peau doivent être enlevés. Il ne faut pas enlever avec les doigts ou avec une pince à épiler le dard de l'abeille ou du bourdon, lorsqu'il est accroché à la peau. Ce geste provoquerait en effet la pénétration de la totalité du venin resté dans les sacs à venin, une petite partie seulement du contenu de ces sacs étant injectée lors de la piqûre. Il convient, pour enlever un dard, de passer rapidement une lame de couteau ou un ongle long au ras de la peau. Les tiques doivent être endormies ou tuées, à l'aide d'une compresse d'éther ou, à défaut, d'essence ou de pétrole, avant d'être arrachées, pour éviter que la tête ne demeure accrochée dans la peau. Il est possible d'aspirer le venin inoculé à l'occasion d'une piqûre à l'aide d'une ventouse à piston, disponible dans le commerce avec un jeu d'embouts conçus pour s'adapter à la taille et à la forme de la piqûre. Les venins des abeilles, des bourdons et des guêpes étant détruits sous l'influence de la chaleur, le maintien d'une source de chaleur (chaufferette spéciale, disponible dans le commerce, ou cigarette allumée, par exemple) pendant environ une minute près du point d'inoculation (à distance suffisante pour ne pas se brûler) est efficace. La glace, appliquée sur le point d'inoculation, ralentit l'absorption et la diffusion du venin.

L'eau froide, courante ou en compresse, calme l'urticaire que provoquent certaines piqûres. Des applications de corticostéroïdes, en lotion ou en pommade, font diminuer ou cesser l'inflammation. Les médicaments antihistaminiques permettent de supprimer une éventuelle réaction allergique, qui peut être intense et mettre la vie en danger, ou d'en diminuer l'importance.

LES PIQÛRES DE VÉGÉTAUX

Végétaux	*Pièces piqueuses*	*Effets de la piqûre*	*Maladies transmises*	*Premiers soins*	*Prévention*
Ortie	Poils urticants	Douleur cuisante puis démangeaison persistante, parfois très vive (urticaire), œdème plus ou moins étendu		Apaisement de la douleur (eau fraîche, antihistaminiques) ; anti-inflammatoires	Porter des vêtements longs et des gants
Rosacées : aubépine, prunellier, ronce, rosier, etc. ; cactus ; robinier	Épines	Douleur plus ou moins vive selon l'endroit de la piqûre et la taille de l'épine, démangeaison, kyste	Tétanos, maladie des griffes du chat	Extraction de l'épine, nettoyage, désinfection ; apaisement de la douleur ; ablation des kystes	Porter des vêtements de protection

LES PIQÛRES ET LES MORSURES D'ANIMAUX

Animaux	Appareils piqueurs ou pièces piqueuses	Effets de la piqûre ou de la morsure	Maladies transmises	Premiers soins	Prévention
Arachnides					
Aoûtat (trombidion)	Aiguillon (rostre) ; l'aoûtat creuse des galeries dans la peau	Démangeaison, infection des lésions de grattage		Calmer la démangeaison (vinaigre)	Ne pas se coucher dans l'herbe en été et en automne
Araignées dangereuses : malmignatte, tarentule, mygale, ctène, atrax, phoneutria (en Amérique), loxosceles.	Crochets (chélicères)	Douleur et malaise généralisé (malmignatte), excitation puis prostration (mygale), douleur et malaise (ctène), crampes, nécrose locale, anémie, atteinte du foie, infection, choc douloureux		Nettoyer la morsure avec un désinfectant (alcool). Calmer la douleur avec de l'acide acétylsalicylique en comprimé. Antihistaminiques, anti-inflammatoires	Sérum antitétanique
Sarcopte	Aiguillon (rostre) ; le sarcopte de la gale creuse des galeries dans la peau	Démangeaison (gale), infection des lésions de grattage, eczéma		Traitement acaricide (lotion), désinfection des vêtements et de la literie du sujet et de toutes les personnes de son entourage	Traitement des personnes en contact avec un galeux
Scorpion	Aiguillon	Douleur intense, malaise généralisé, nécrose locale, choc (collapsus), asphyxie		Calmer la douleur avec un glaçon ou en injectant un anesthésique local. Calcium, anti-inflammatoires, sérum spécifique, transport d'urgence à l'hôpital en cas de collapsus	Secouer les vêtements et les chaussures avant de les enfiler ; ne pas marcher pieds nus la nuit
Tique	Aiguillon (rostre)	Pas ou peu de douleur	Borrélioses, arboviroses, rickettsioses	Extraire la tique après l'avoir endormie à l'éther ou à l'essence, nettoyer et désinfecter la piqûre	Vêtements fermés
Insectes					
Chique	Le rostre perfore la peau et la chique entre sous la peau	Démangeaison, infection		Extraction	Port de chaussures
Fourmi	Crochets ou aiguillon	Douleur cuisante		Calmer la démangeaison avec un tampon de vinaigre ou une crème antiprurigineuse	Vêtements fermés
Hyménoptères laissant leur aiguillon dans la piqûre : abeille, bourdon	Aiguillon (dard) [les piqûres de bourdon sont extrêmement rares]	Douleur vive, réaction allergique (œdème pouvant entraîner l'asphyxie), choc		Enlever le dard en passant rapidement un ongle ou une lame de couteau à ras de la peau, chauffer (cigarette, chaufferette) la piqûre ou aspirer le venin. Antihistaminiques, anti-inflammatoires, adrénaline	Vêtements couvrants et épais, camail et gants ; désensibilisation
Hyménoptères ne laissant pas leur aiguillon dans la piqûre : frelon, guêpe	Aiguillon			Antihistaminiques, anti-inflammatoires	
Mouche tsé-tsé	Trompe piqueuse	Démangeaison	Maladie du sommeil	Calmer la démangeaison avec un tampon de vinaigre ou une crème antiprurigineuse	Hygiène, vêtements couvrants, insecticides
Moustique	Trompe piqueuse	Démangeaison	Paludisme transmis par les anophèles, fièvre jaune transmise par les aèdes, filariose transmise par les culex	Calmer la démangeaison avec un tampon de vinaigre ou une crème antiprurigineuse	Vêtements couvrants, moustiquaire, insecticides

SUITE

Animaux	Appareils piqueurs ou pièces piqueuses	Effets de la piqûre ou de la morsure	Maladies transmises	Premiers soins	Prévention
Pou : pou de tête pou de corps pou du pubis	Trompe piqueuse	Démangeaison, infection des lésions de grattage	Typhus historique, fièvre récurrente cosmopolite (pou de corps)		Insecticides, désinfection des vêtements et de la literie
Puce	Trompe piqueuse	Démangeaison, infection des lésions de grattage	Peste, typhus murin	Calmer la démangeaison avec un tampon de vinaigre ou une crème antiprurigineuse	Nettoyage, insecticides, traitement des animaux domestiques
Punaise, triatome	Trompe piqueuse	Démangeaison, douleur, infection des lésions de grattage	Maladie de Chagas (triatome)	Calmer la démangeaison avec un tampon de vinaigre ou une crème antiprurigineuse	Hygiène et insecticides dans la maison, vêtements couvrants à l'extérieur
Taon	Trompe piqueuse	Douleur vive	Filariose (loase) en Afrique noire	Calmer la démangeaison avec un tampon de vinaigre ou une crème antiprurigineuse	Hygiène, vêtements couvrants, insecticides
Myriapodes					
Scolopendre ; iule	Crochets	Douleur vive, œdème, nécrose locale		Calmer la démangeaison avec un tampon de vinaigre ou une crème antiprurigineuse. Calcium, anti-inflammatoires	
Poissons et autres animaux aquatiques					
Cône	Aiguillon	Douleur vive, choc (collapsus) asphyxie		Transport d'urgence à l'hôpital (respiration artificielle, traitement du choc)	Manipuler les coquillages avec des gants
Méduse	Cellules urticantes	Brûlure, choc anaphylactique		Nettoyer avec du sable ou avec un chiffon imbibé d'alcool ou d'huile solaire. En cas de choc anaphylactique, transport d'urgence à l'hôpital	
Oursins	Épines	Douleur, infection		Extraire les piquants avec une pince à épiler	Port de chaussures
Vive, rascasse, poisson-pierre, raie	Épines ou nageoires (arêtes), aiguillons (raie)	Douleur vive, œdème, malaise, choc anaphylactique, infection		Aspirer le venin, désinfecter ; antihistaminiques, anti-inflammatoires, adrénaline	Port de chaussures ; ne pas marcher au fond de l'eau, éviter les fissures de rochers sous-marins
Serpents européens et exotiques					
Cobra (naja ou serpent à lunettes), serpent corail, mamba, serpent tigre, bungare	Crochets	Douleur et œdème peu marqué, paralysie respiratoire, paralysie des muscles de la face, douleurs abdominales, vomissements, maux de tête, perte de connaissance, infection		Sur place : immobiliser le blessé, laver la plaie avec un antiseptique ou de l'eau, poser une bande compressive sur la plaie et immobiliser le membre atteint. Ne pas inciser la plaie, aspirer le venin ou poser de garrot. Transporter d'urgence le blessé à l'hôpital. Traitement des symptômes : prise d'anti-inflammatoires, d'antibiotiques, d'héparine (pour certaines hémorragies), mise sous ventilation artificielle (en cas de paralysie respiratoire)	Administration, sous surveillance médicale, d'un sérum antivenimeux
Vipères européennes (aspic, péliade, ammodyte) et exotiques (vipère à cornes, vipère du Gabon, vipère de Russel, etc.) Crotale (serpent à sonnette)	Crochets	Œdème très douloureux, hémorragies et nécrose locale (selon l'espèce), infection, malaise généralisé : baisse de tension artérielle, vomissements, vertiges, diarrhées, etc.			

Après une première piqûre et le déclenchement d'un processus de sensibilisation, certains sujets allergiques au venin d'hyménoptères (abeilles, guêpes) risquent un choc anaphylactique mortel à la suite d'une nouvelle piqûre. Ces personnes doivent être désensibilisées dans un service de médecine spécialisé et être toujours en possession d'une ampoule d'adrénaline ou d'un antihistaminique à injecter immédiatement en cas de piqûre.

→ VOIR **Allergie, Maladies transmises par les insectes, Morsure, Pédiculose, Venin.**

Pithiatisme

Disposition à présenter des symptômes physiques apparaissant ou disparaissant sous l'effet de la suggestion et ne reposant sur aucune réalité organique.

Ce terme, créé au début du siècle par le neurologue français Joseph Babinski, fait référence à la traduction physique des conflits psychiques, ou conversion hystérique. Il n'est plus guère en usage.

Pituite

Liquide pathologique filant, aqueux, constitué de salive et de sécrétions gastriques et régurgité le matin à jeun. SYN. *gastrorrhée.*

Le rejet de pituite se rencontre surtout chez les sujets atteints de gastrite, notamment les alcooliques. Son traitement est celui de la gastrite.

Pityriasis

Dermatose caractérisée par un érythème (rougeur diffuse) et par une très fine desquamation.

Le terme de pityriasis désigne différentes affections cutanées sans rapport les unes avec les autres.

Pityriasis rosé de Gibert

C'est une maladie cutanée d'origine inconnue, caractérisée par l'éruption d'une plaque unique puis, dans un second temps, de plaques multiples mais plus petites.

SYMPTÔMES ET SIGNES

Le pityriasis rosé de Gibert survient entre 10 et 35 ans, plus fréquemment chez la femme. La plaque initiale, de 2 à 10 centimètres de diamètre, apparaît le plus souvent à la base du thorax, dans certains cas sur l'abdomen ou à l'intérieur des cuisses ou des bras. C'est une lésion de forme ovale, brunâtre et fripée, bordée d'une collerette rose. Puis survient sur le torse une éruption de plaques de même aspect mais de 1 à 2 centimètres de diamètre. Ces lésions ne démangent généralement pas. Il existe de nombreuses variantes du pityriasis rosé de Gibert, dont certaines sont, en revanche, susceptibles de provoquer des démangeaisons.

TRAITEMENT

L'affection régresse spontanément en 6 semaines. Le traitement se limite donc à des applications de préparations amollissant la peau et au lavage avec des savons doux. Des antihistaminiques ou des corticostéroïdes locaux sont prescrits en cas de démangeaison. Dans la majorité des cas, la maladie ne récidive pas.

Pityriasis rubra pilaire

C'est une maladie cutanée chronique caractérisée par l'éruption de petites saillies rugueuses au toucher, roses ou rouges, surmontées d'un cône blanchâtre.

Rare et de cause inconnue, elle s'observe à tout âge, chez les deux sexes, avec deux pics : entre 1 et 10 ans et entre 40 et 60 ans.

SYMPTÔMES ET SIGNES

Les lésions, appelées papules cornées folliculaires, affectent le plus souvent les membres, le tronc ou le dos des mains, tendant parfois à se grouper en plaques orangées couvertes de squames. D'autres localisations et d'autres formes sont possibles, telles que des lésions farineuses sur les coudes et les genoux ou des lésions jaune-orangé, avec épaississement de la couche cornée, sur la paume des mains et la plante des pieds.

TRAITEMENT

Il est local et général. Le traitement local se fonde sur l'application de réducteurs (médicaments empêchant la prolifération des cellules anormales) ou de corticostéroïdes. Le traitement général fait appel aux rétinoïdes ou à la puvathérapie (exposition aux U.V.A. associée à la prise de psoralènes), celle-ci étant toutefois susceptible, dans certains cas, d'aggraver les lésions.

Pityriasis stéatoïde

C'est une infection cutanée due à une levure du genre *Pityrosporum.*

Le pityriasis stéatoïde, appelé eczéma séborrhéique ou pityrosporose, est une affection très fréquente, favorisée par divers facteurs : alimentation déséquilibrée, surconsommation d'alcool, variations saisonnières, stress. Les formes très profuses et rebelles au traitement constituent parfois le signe d'une infection par le virus du sida.

DIFFÉRENTS TYPES DE PITYRIASIS STÉATOÏDE

On en distingue quatre.

■ **La dermite séborrhéique** forme sur le haut du visage (lisière du cuir chevelu, sourcils, ailes du nez) des petites plages rougeâtres ou jaune-orangé symétriques, recouvertes de squames grasses, ne démangeant pas ou peu.

■ **Le pityriasis du cuir chevelu** se traduit par des squames de taille variable (pellicules) susceptibles de démanger.

■ **La dermatose de Brocq** est caractérisée par de petits médaillons rouges à centre plus clair et squameux, plus ou moins prurigineux, touchant surtout la face antérieure de la poitrine.

■ **La folliculite pityrosporique** consiste en petits boutons en saillie sur le dos, démangeant modérément.

TRAITEMENT

Le traitement de ces affections consiste surtout à appliquer des imidazolés (médicaments antifongiques) ou des corticostéroïdes, plus rarement à absorber des médicaments (vitamine A ou rétinoïdes). Le repos et le respect d'une bonne hygiène diététique entrent également dans le traitement.

Pityriasis versicolor

C'est une maladie cutanée fréquente, caractérisée par l'éruption, sur la poitrine et le dos, de petites taches brunâtres (pityriasis versicolor hyperchrome) ou décolorées (pityriasis versicolor achromiant), arrondies et squameuses.

L'agent en est une levure saprophyte (normalement présente à la surface de la peau), *Pityrosporum orbiculare,* encore appelée *Microsporon furfur* ou *Malassezia furfur,* qui prolifère exagérément, surtout chez les sujets jeunes, à la faveur de la chaleur et de l'humidité, d'une transpiration abondante

---

PITYRIASIS

Ce terme recouvre des affections cutanées qui se manifestent toutes par une éruption entraînant un érythème et une fine desquamation de la peau.

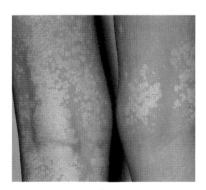

Dans les formes très intenses, le pityriasis versicolor peut s'étendre aux membres.

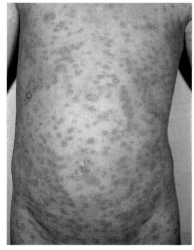

Au 2ᵉ stade, le pityriasis rosé de Gibert forme une multitude de plaques sur le tronc.

PLACENTA

Le placenta, qui relie le fœtus à sa mère pendant la gestation, comprend de multiples villosités, ramifiées et parcourues de vaisseaux sanguins fœtaux : les villosités choriales. Responsable du passage de l'oxygène et des éléments nutritifs dans la circulation fœtale, il permet aussi, en sens inverse, le transport des produits de déchet du sang fœtal vers la circulation sanguine de la mère. Le placenta sécrète également des hormones, qui sont indispensables au bon déroulement de la grossesse et préparent la lactation.

Coupe du placenta

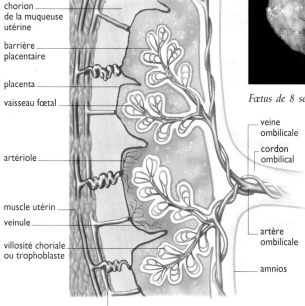

- chorion de la muqueuse utérine
- barrière placentaire
- placenta
- vaisseau fœtal
- artériole
- muscle utérin
- veinule
- villosité choriale ou trophoblaste
- veine ombilicale
- cordon ombilical
- artère ombilicale
- amnios
- branche de l'artère utérine

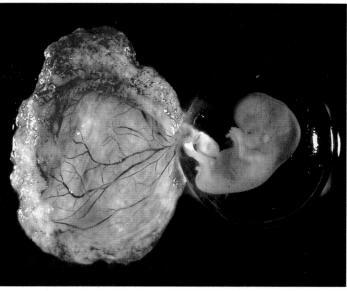

Fœtus de 8 semaines rattaché au placenta par le cordon ombilical.

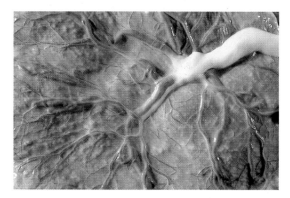

Ramifications des vaisseaux sanguins du placenta.

---

ou de traitements médicamenteux (corticostéroïdes, hormones œstrogènes). Les lésions ne sont pas contagieuses et démangent habituellement peu, voire pas du tout. L'affection, chronique, tend à s'étendre en été et à régresser en hiver.

TRAITEMENT

Il consiste en applications locales de solutions d'imidazolés (médicaments antifongiques), en règle générale 3 fois par semaine pendant 4 semaines puis 1 ou 2 fois par mois pendant les périodes où l'affection est susceptible de reparaître (saisons chaudes). Après traitement du pityriasis versicolor achromiant, la peau reste plus pâle à l'endroit des lésions, présentant un pityriasis versicolor achromique qui disparaît après exposition au soleil, la peau retrouvant alors sa couleur normale.

Pityrosporose

→ voir Pityriasis.

P.L.

→ voir Ponction lombaire.

Placebo

Préparation dépourvue de tout principe actif, utilisée à la place d'un médicament pour son effet psychologique, dit « effet placebo ».

Les placebos revêtent l'apparence d'une préparation médicamenteuse ordinaire : comprimé, pilule, cachet, gélule, potion, etc., et sont en général administrés par voie orale. Ils ne contiennent que des substances dépourvues de toute activité thérapeutique, du sucre, par exemple.

En pratique courante, on ne prescrit pas de placebos, pour des raisons éthiques : ce serait tromper le malade, qui prendrait ainsi un « faux » médicament. Mais, souvent, les vrais médicaments doivent au moins un peu de leur efficacité à un effet placebo, dans la mesure où le malade croit en elle.

En revanche, la recherche médicale est souvent amenée à employer les placebos pour tester les nouveaux médicaments. La méthode consiste à administrer le médicament à l'étude à un groupe de malades et un placebo de même apparence à un autre groupe. On sait, en comparant l'évolution des troubles dans les deux groupes, si la substance étudiée a ou non une efficacité. Les malades, toujours instruits de la méthode d'expérimentation et de la nature de l'expérience, ignorent seulement à quel groupe ils appartiennent. L'expérimentation n'est menée qu'avec leur accord.

→ voir Essai thérapeutique.

Placenta

Organe d'échanges entre le fœtus et la mère, expulsé après l'accouchement au cours de la délivrance.

Le placenta est formé par l'accolement de membranes d'origine maternelle (caduque) et fœtale (trophoblaste), irriguées par des vaisseaux. Il est complètement formé au 5e mois de grossesse, à partir duquel il ne fera que croître sans modifier sa structure. Lorsque le terme de la grossesse est dépassé, le placenta remplit ses fonctions de façon imparfaite et le fœtus est moins bien nourri et moins bien oxygéné.

STRUCTURE

À terme, le placenta normal a la forme d'un disque de 15 à 20 centimètres de diamètre, de 2 à 3 centimètres d'épaisseur. Il pèse de 400 à 600 grammes, soit 1/6 du poids du fœtus. Il se prolonge sur les côtés par les membranes ovulaires (chorion, amnios). La face maternelle, collée à l'utérus, comprend la plaque basale, qui correspond à la muqueuse utérine transformée (caduque), puis la plaque choriale, solidement ancrée dans la muqueuse utérine par des villosités-crampons. D'autres villosités sont situées entre ces deux plaques. Chacune, tapissée par une paroi, contient une artériole et une veinule. La face fœtale, sur laquelle s'insère le cordon ombilical, qui relie le placenta au fœtus, est lisse, luisante, tapissée par l'amnios transparent, sous lequel courent les vaisseaux placentaires.

FONCTION

Le rôle du placenta est triple : il régule les échanges fœtomaternels, sécrète des hormones et protège le fœtus.

■ **Les échanges fœtomaternels** se font à travers les parois des vaisseaux et des villosités ; ainsi, il n'y a pas de communication directe entre la circulation sanguine de la mère et celle du fœtus : les sangs ne se mélangent pas. Le rôle du placenta est à la fois respiratoire et nutritionnel : il permet, d'une part, les échanges d'oxygène nécessaires à la croissance du fœtus et l'expulsion du gaz carbonique et, d'autre part, l'apport des éléments nutritifs de la mère au fœtus et l'expulsion des déchets dans la circulation maternelle.

■ **La sécrétion hormonale** du placenta se produit dès le début de la grossesse : le trophoblaste sécrète l'hormone chorionique gonadotrophique (h.C.G.), nécessaire à la bonne évolution de la grossesse et dont le dosage en permet le diagnostic précoce. Une autre hormone, l'hormone chorionique somatotrophique (h.C.S.), ou hormone placentaire lactogène (h.P.L.), joue un rôle dans la nutrition du fœtus et prépare la lactation. Le placenta sécrète également des hormones stéroïdes (œstrogènes et progestérone) et, dès le 3e mois de la grossesse, il prend le relais de l'ovaire.

■ **Le rôle protecteur** du placenta est inégal. S'il laisse passer les virus jusque vers le 5e mois de grossesse, date à laquelle le fœtus commence à fabriquer ses propres anticorps, il s'oppose en revanche longtemps au passage de nombreuses bactéries. Il laisse passer certains anticorps maternels qui protègent le fœtus contre un grand nombre de maladies, cette protection persistant chez l'enfant pendant environ 6 mois après sa naissance. Certains médicaments passent également la barrière placentaire, avec des effets parfois nocifs sur le fœtus.

PATHOLOGIE

Le placenta est en général inséré dans le fond utérin, c'est-à-dire haut dans l'utérus, mais il peut être placé plus bas et provoquer alors des saignements. Lorsqu'il est inséré très bas, entre le fœtus et le col (placenta prævia), il interdit l'accouchement par les voies naturelles et impose une césarienne.

Une autre pathologie, grave, est le décollement du placenta pendant la grossesse (hématome rétroplacentaire). C'est une urgence obstétricale ; lorsque la date de l'accouchement est proche, une césarienne permet de sauver la vie du fœtus.

Placenta prævia

Anomalie d'insertion du placenta, situé trop bas dans l'utérus.

On distingue le placenta prævia central, qui obstrue complètement l'orifice interne du col de l'utérus et empêche l'accouchement par les voies naturelles, et le placenta

prævia marginal, où le placenta affleure l'orifice interne du col et permet, avec une surveillance accrue, l'accouchement par les voies naturelles.

SYMPTÔMES ET DIAGNOSTIC

Un placenta prævia peut entraîner des saignements d'abondance variable au cours du troisième trimestre de la grossesse. L'examen obstétrical permet alors de découvrir un obstacle entre la partie inférieure de l'utérus et le fœtus. Mais, dans la plupart des cas, le diagnostic est établi à partir du quatrième mois de grossesse, lors d'une échographie prénatale qui met en évidence un placenta placé trop bas.

ÉVOLUTION ET TRAITEMENT

Dans la majorité des cas, l'insertion du placenta se modifie spontanément au cours du troisième trimestre de la grossesse : le placenta remonte progressivement vers le fond de l'utérus. Cette migration est contrôlée par échographie. Toutefois, lorsque le placenta reste inséré dans la partie basse de l'utérus, des mesures préventives, telles que le repos et la réduction d'activités quotidiennes, permettent d'éviter les contractions utérines prématurées et les hémorragies. L'accouchement, lorsqu'il est prévu par césarienne, est déclenché le plus souvent 3 semaines avant le terme.

Plaie

Déchirure des tissus due à un accident (blessure, brûlure) ou à une intervention chirurgicale.

Les plaies accidentelles doivent être examinées attentivement car elles peuvent être souillées par des corps étrangers (terre, fragments de verre) et, dans ce cas, être contaminées par des agents infectieux (risque de tétanos). Cet examen permet aussi d'évaluer l'abondance du saignement et surtout de ne pas laisser inaperçue une lésion profonde, par exemple provoquée par un instrument fin et long tel qu'une arme blanche.

Plaie superficielle

Une plaie est dite superficielle lorsqu'elle n'atteint que le revêtement cutané ou les tissus immédiatement sous-jacents. Le saignement peut être abondant si la zone atteinte est riche en petits vaisseaux superficiels (cuir chevelu). Lorsque la plaie n'est pas infectée par un corps étranger, on peut juguler le saignement en la comprimant légèrement à l'aide d'un linge propre ou, mieux, d'une compresse stérile. Les plaies superficielles, avant d'être éventuellement suturées, sont nettoyées à l'aide d'un antiseptique et d'une compresse, si possible stérile, en frottant doucement du centre vers la périphérie (et non l'inverse, car cela ramènerait les microbes vers le centre de la plaie) ; ensuite, on place une compresse, maintenue par un adhésif ou un bandage.

Plaie profonde

Une plaie est dite profonde lorsqu'elle intéresse des structures « nobles » (artères, nerfs, viscères). Le saignement doit alors être jugulé chirurgicalement (par électrocoagula-

tion, ligature des petits vaisseaux qui saignent, etc.). Si la plaie est très grave, elle est nettoyée chirurgicalement (parage) et éventuellement suturée, sous anesthésie locale, voire sous anesthésie générale. Cependant, si le patient consulte trop tard (après un délai d'environ 6 heures), la plaie est déjà très contaminée et le médecin ou le chirurgien risque de ne pas pouvoir la refermer, une infection pouvant se développer sous la suture ; on se contente alors de la nettoyer et de la panser. Dans les cas les plus graves, les complications infectieuses sont prévenues par antibiotiques.

Plantaire

Relatif à la face inférieure du pied, permettant son appui au sol. (P.N.A. *plantaris*)

On distingue plusieurs territoires plantaires, en particulier la région plantaire, la voûte plantaire et les artères plantaires.

■ **La région plantaire**, ou plante du pied, est épaisse et dure dans les régions qui supportent les pressions. Richement innervée, elle est fine et sensible sur la voûte plantaire.

■ **La voûte plantaire** est l'ensemble des courbures concaves que présente la surface inférieure du pied : une courbure longitudinale (allant du calcanéum à la tête des métatarsiens) et une courbure transversale (maximale à la base des métatarsiens). Un affaissement de la voûte plantaire, par manque de tonicité des muscles, est à l'origine des pieds plats, qui sont parfois douloureux chez l'adulte. La prescription de semelles orthopédiques résout habituellement le problème. Une accentuation de la voûte plantaire et un aspect en griffes des orteils caractérisent les pieds creux. Si l'utilisation des semelles orthopédiques demeure sans résultat probant, une intervention chirurgicale peut être envisagée.

■ **Les artères plantaires**, interne et externe, sont les branches terminales de l'artère tibiale postérieure. L'arcade plantaire est un gros vaisseau qui fait communiquer l'artère pédieuse (branche terminale de l'artère tibiale antérieure) avec la terminaison de l'artère plantaire externe.

Plante médicinale

→ VOIR Phytothérapie.

Plaque

Élément métallique servant à immobiliser un os fracturé, après sa réduction, pendant le temps nécessaire à sa consolidation.

Les plaques sont généralement fabriquées dans un alliage inoxydable (acier, nickel, molybdène), afin de limiter toute corrosion, et percées de plusieurs trous qui permettent de les visser à l'os. Suivant leur destination, elles sont de taille, d'épaisseur et de forme variables, certaines étant même conçues pour s'adapter à une structure anatomique déterminée (plaque d'extrémité supérieure de tibia, par exemple). Les réactions allergiques sont aujourd'hui exceptionnelles et de gravité limitée.

→ VOIR Ostéosynthèse.

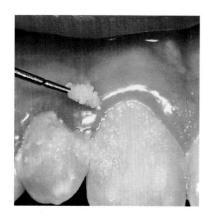

Plaque dentaire. Un dépôt blanchâtre se forme sur les dents et les gencives en cas de brossage insuffisant.

Plaque dentaire

Enduit collant et blanchâtre qui se dépose à la surface des dents et des gencives.

La plaque dentaire est à l'origine de toutes les atteintes des tissus parodontaux (cément, ligament, os alvéolaire, gencive) ; elle est aussi la cause principale des caries. Son rôle néfaste est moins lié à son épaisseur qu'à la nature de ses constituants, une flore microbienne qui comprend certains micro-organismes transformant le sucre en acide lactique, qui ronge l'émail. Lorsque la plaque dentaire persiste trop longtemps à la surface des dents, elle se calcifie, constituant alors le tartre.

Un brossage après chaque repas, effectué correctement (de la gencive vers la dent), permet d'éliminer la plaque dentaire. Celle-ci se dépose sur les surfaces anfractueuses de la dent puis sur ses parties lisses, sur la gencive et le pourtour du collet ; le brossage doit donc intéresser toute la surface des dents et la gencive.

Plaque motrice

Jonction neuromusculaire permettant la transmission de l'influx nerveux de l'extrémité de l'axone (prolongement du neurone [cellule nerveuse]) à la fibre musculaire.

La plaque motrice permet au système nerveux moteur de commander la contraction des muscles striés du squelette. L'influx nerveux se propage le long de l'axone ; parvenu à la plaque motrice, il déclenche la libération d'un neurotransmetteur, l'acétylcholine, qui se fixe sur les récepteurs, substances chimiques responsables de la contraction de la cellule musculaire.

Diverses affections sont en rapport avec un mauvais fonctionnement de la plaque motrice, la plus fréquente étant la myasthénie (affaiblissement musculaire à l'effort).

Plaquette

Cellule sanguine sans noyau, qui joue un rôle important dans les phénomènes de coagulation du sang et d'inflammation. SYN. *thrombocyte*.

Le nombre des plaquettes est normalement compris entre 150 000 et 450 000 par millimètre cube de sang. Elles proviennent de la fragmentation du cytoplasme de grandes cellules de la moelle osseuse, les mégacaryocytes. Leur longévité est de 7 à 10 jours. Elles sont détruites dans la rate.

STRUCTURE

Une plaquette mesure de 2 à 4 micromètres. Elle comporte une membrane sur laquelle sont situés des récepteurs des facteurs de coagulation et des protéines qui jouent un rôle important dans l'adhésion plaquettaire au vaisseau sanguin.

FONCTION

Le premier stade de l'arrêt d'une hémorragie (hémostase primaire) débute avec l'adhésion des plaquettes à la paroi du vaisseau lésé, leur agrégation et la libération de leur contenu. Cela conduit à la formation du clou plaquettaire, sorte de bouchon formé de plaquettes agglutinées, qui colmate la brèche du vaisseau. Dans la coagulation, la membrane des plaquettes favorise l'interaction des facteurs de coagulation.

Dans la réaction inflammatoire, les plaquettes ingèrent certaines particules et peuvent libérer leur contenu en présence de bactéries et de virus, augmentant ainsi la perméabilité vasculaire.

EXAMENS

L'étalement d'une goutte de sang sur une lame de verre (frottis) permet d'observer l'aspect, normal ou non, des plaquettes.

L'étude de leur agrégation et la mesure du temps de saignement renseignent sur leurs capacités fonctionnelles.

PATHOLOGIE

On distingue essentiellement 3 types de pathologie des plaquettes : la thrombopénie (diminution de leur nombre), la thrombocytose (augmentation de leur nombre) et la thrombopathie (anomalie de leur fonction), à l'origine de divers troubles de l'hémostase primaire.

Plasma

Partie liquide du sang dans laquelle baignent les cellules sanguines (globules rouges, globules blancs et plaquettes).

Le plasma est un milieu riche en hormones et en substances nutritives – sels minéraux, vitamines, acides aminés, protéines, glucides, lipides. On y recourt dans différents traitements. Comme ceux de tout produit sanguin, son prélèvement sur le donneur de sang, sa conservation et les indications de sa distribution sont strictement réglementés.

■ **Le plasma liquide** peut se conserver au maximum un an, à – 30 °C et à condition d'être congelé moins de 6 heures après son prélèvement (sur un seul donneur). Il doit être utilisé immédiatement après une décongélation rapide.

■ **Le plasma sec** est obtenu par lyophilisation (dessèchement par le froid) d'un mélange des plasmas de 12 donneurs au plus, prélevés depuis moins de 6 jours. Sa

---

PLAQUETTES

Les plaquettes, également appelées thrombocytes, sont les plus petites des cellules sanguines. Fragments des mégacaryocytes, grosses cellules de la moelle, elles sont impliquées dans le processus d'hémostase (processus naturel d'arrêt d'un saignement) et de coagulation du sang.

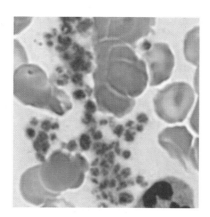

Amas de plaquettes apparaissant, au microscope optique, en bleu marine, entourées de globules rouges, en bleu clair.

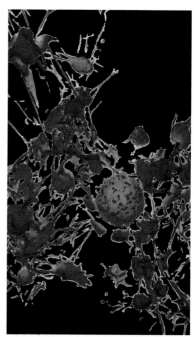

Agglutination de plaquettes lors de l'agrégation plaquettaire (premier temps de l'hémostase), vue au microscope électronique à balayage.

durée de conservation est de 5 ans à température ambiante ; il s'utilise en solution dans un solvant approprié.

UTILISATION THÉRAPEUTIQUE

Le plasma, administré par perfusion, est utilisé (plasmathérapie) pour augmenter le volume sanguin dans certains collapsus (baisse rapide et durable de la pression artérielle) ou pour réhydrater les brûlés et leur apporter des protéines. Son emploi est actuellement limité en raison des risques – même faibles – de transmission de certains virus, en particulier celui de l'hépatite C.

Le plasma peut être fractionné, ce qui permet d'obtenir ses éléments constituants (fibrinogène, globuline, etc.).

Plasmaphérèse

Technique transfusionnelle permettant de prélever du plasma chez un donneur de sang ou chez un malade.

■ **Chez un donneur de sang**, la plasmaphérèse consiste à prélever du sang par l'intermédiaire d'une machine qui en sépare le plasma, le reste étant réinjecté au donneur. Le plasma sert ensuite au traitement de maladies soit tel quel, soit purifié, c'est-à-dire après avoir été traité pour en extraire l'albumine ou des facteurs de la coagulation. L'opération dure environ une heure.

■ **Chez un malade**, la plasmaphérèse a pour but un échange plasmatique qui permet de réduire la concentration dans le sang d'éléments toxiques (protéines, lipides, anticorps et complexes immuns circulants). Cette technique est utilisée dans le traitement de certaines maladies neurologiques (myasthénie, par exemple), de cas d'hyperviscosité sanguine ou de maladies auto-immunes (lupus érythémateux disséminé, par exemple), ainsi que dans l'hypercholestérolémie familiale. L'opération, qui dure environ deux heures, consiste à retirer du sang au malade puis à lui restituer ses globules rouges dans un produit de substitution d'origine humaine (plasma de donneur ou albumine obtenue à partir de plasma purifié) ou artificielle. Plusieurs séances sont généralement nécessaires. En même temps que le produit toxique est soustrait, un traitement visant à éviter le renouvellement de la substance nocive est mis en œuvre.

Plasmide

Molécule d'A.D.N. surnuméraire, retrouvée dans certaines bactéries et dont la réplication est indépendante de celle de l'A.D.N. du chromosome.

Du fait de sa petite taille, un plasmide ne porte qu'un nombre limité de gènes ; les plus étudiés sont les gènes de résistance aux antibiotiques. Un même plasmide peut porter des gènes de résistance à plusieurs antibiotiques et donc assurer la multirésistance de la souche qui l'héberge. De plus, les plasmides peuvent passer par simple contact d'une bactérie à une autre, d'espèce différente, et transmettre ainsi certaines résistances aux antibiotiques, qui prennent par leur extension un caractère épidémique.

Plasmocyte

Cellule qui produit et excrète les anticorps dans le plasma sanguin.

Le plasmocyte est dérivé du lymphocyte B ; c'est la cellule la plus mature de la lignée lymphoïde B. On ne la trouve normalement pas dans le sang mais dans la moelle osseuse, les ganglions lymphatiques et la rate. Elle possède un noyau excentré, une chromatine (chromosomes à l'état non condensé) très compacte, un cytoplasme basophile (qui fixe les colorants basiques) et une zone plus claire autour du noyau, correspondant à l'appareil de Golgi (appareil sécrétoire de la cellule). Une telle structure marque la spécialisation de la cellule dans la fonction de sécrétion, celle, en l'occurrence, d'anticorps.

Plastie

Intervention chirurgicale qui consiste à modifier et à rétablir la forme, l'apparence ou la fonction d'un tissu, d'un organe ou d'une partie du corps.

La plastie proprement dite utilise les tissus voisins de la région traitée, mais doit parfois être complétée par une autre technique (greffe, prothèse). Elle permet de corriger une malformation, une déformation (due au vieillissement, à un traumatisme, à une maladie) ou un dysfonctionnement (conduit naturel obstrué, par exemple), de reconstruire ou de réparer un tissu ou un organe en partie détruit (brûlure cutanée) ou retiré. On parle alors de chirurgie réparatrice. Enfin, des considérations esthétiques peuvent motiver une plastie ; il s'agit alors de chirurgie esthétique.

DIFFÉRENTS TYPES DE PLASTIE

■ **Les otoplasties** corrigent les oreilles décollées.

■ **Les pharyngoplasties, ou uvulo-palatoplasties,** visent à soigner l'apnée du sommeil et à empêcher les ronflements.

■ **Les plasties abdominales** ôtent les excédents de peau et de graisse de la paroi abdominale.

■ **Les plasties cutanées** ont un but esthétique (vieillissement) ou permettent de faciliter la cicatrisation après une brûlure, un accident ou une opération avec perte importante de substance (ablation d'une tumeur).

■ **Les plasties mammaires, ou mammoplasties,** comprennent les corrections de volume des seins ainsi que les réparations après ablation pour cancer.

■ **Les plasties tubaires** consistent à rétablir la perméabilité des trompes utérines obstruées (souvent par séquelles d'infection) dans le traitement des stérilités féminines.

■ **Les plasties du tube digestif** (œsophagoplastie, coloplastie) font en général suite à une opération au cours de laquelle le chirurgien a dû retirer un segment du tube digestif (œsophage ou intestin).

■ **Les rhinoplasties** corrigent les difformités congénitales ou traumatiques du nez. Les septoplasties, en particulier, corrigent les déviations de la cloison nasale.

→ VOIR Chirurgie esthétique, Chirurgie réparatrice, Mammoplastie, Pharyngoplastie, Plastie abdominale, Rhinoplastie.

Plastie abdominale

Opération chirurgicale éliminant l'excédent de peau et de tissu graisseux (parfois appelé « tablier abdominal ») situé entre le nombril et les poils pubiens.

INDICATIONS

Une plastie abdominale s'effectue pour pallier les distensions cutanées abdominales et les accumulations graisseuses qui frappent une femme sur cinq après une maternité et ne cèdent ni à la gymnastique ni aux massages. Une plastie musculaire rapprochant les muscles grands droits de l'abdomen est utile en cas de diastasis (écartement musculaire, plus rarement véritable éventration) et se pratique souvent en association avec la plastie abdominale, parfois indépendamment.

PRÉPARATION ET DÉROULEMENT

L'opération a lieu sous anesthésie générale. L'incision est le plus souvent horizontale et basse ; elle suit la ligne du maillot de bain. L'excédent cutané est enlevé. La peau est décollée des muscles (de l'incision à la hauteur des côtes flottantes) puis retendue et suturée. Si nécessaire, une plastie musculaire est alors effectuée. L'ombilic est remis en place par un petit orifice ouvert à cet effet. Une plastie abdominale permet également de faire disparaître des vergetures sousombilicales ou une cicatrice verticale de césarienne car, lors de la plastie, la peau située au-dessus de l'ombilic est abaissée et remplace la peau sous-ombilicale, marquée par la ou les grossesses. Une liposuccion, souvent associée à une plastie abdominale, en améliore les résultats.

ÉVOLUTION ET COMPLICATIONS

La cicatrisation est obtenue en 21 jours environ et la sensibilité du bas-ventre revient en 4 à 6 mois. L'intervention comporte cependant quelques risques : difficultés de cicatrisation, complications veineuses ou hémorragiques.

Une mauvaise cicatrisation peut être due à différents facteurs : une lymphorrhée, c'est-à-dire un excédent de sécrétion de la lymphe par les canaux lymphatiques (qui ne sont pas cicatrisés) ; une infection causée par un hématome surinfecté ou, dans moins de 2 % des cas, par la nécrose de la graisse en profondeur ; une désunion de la cicatrice, fréquente chez les femmes fortes ou diabétiques ; une nécrose cutanée chez les femmes qui fument, le tabac diminuant la vascularisation cutanée.

Des complications veineuses - comme des phlébites, voire des embolies - se déclarent parfois en raison de la compression de la veine cave inférieure derrière des sutures cutanées et musculaires sous tension.

Les complications hémorragiques éventuelles peuvent exiger une transfusion et doivent faire préalablement mettre en place les moyens d'une autotransfusion. On évite d'associer une plastie abdominale à un autre geste thérapeutique.

PRÉVENTION

Des déformations abdominales importantes s'évitent au cours de la grossesse par la surveillance de la prise de poids, limitée à un kilo par mois, par une bonne hygiène de vie, par des massages réguliers du ventre et par une éventuelle rééducation posturale, qui évite une trop forte distension des muscles.

Plastron

Zone empâtée, aux limites imprécises, perceptible à la palpation de l'abdomen (impression d'une plaque sous la peau) et douloureuse, qui traduit le plus souvent la présence d'une infection de la cavité péritonéale.

Un plastron est le résultat de l'évolution d'une appendicite ou d'une péritonite non opérée ou, plus rarement, d'une autre infection abdominale (sigmoïdite, en particulier). Il nécessite un traitement antibiotique par voie générale, précédant le traitement chirurgical de l'affection causale.

Plâtre

Matériau de moulage employé pour immobiliser un membre, un segment de membre ou une articulation en cas de fracture osseuse ou de lésions ostéoarticulaires.

DIFFÉRENTS TYPES DE PLÂTRE

■ Les plâtres traditionnels se présentent habituellement sous forme de rouleaux de gaze chargés de plâtre sec (plâtre de Paris), prêts à l'emploi après simple mouillage : la prise a lieu en quelques minutes, mais la solidité définitive n'est obtenue que 48 heures après. Leur principal avantage est de s'ajuster parfaitement au membre.

■ Les « plâtres » composites, le plus souvent en résine, sont utilisés de plus en plus fréquemment du fait de leur légèreté et de leur bonne résistance à l'eau. Leur principal inconvénient est que, moins malléables que les plâtres traditionnels, ils assurent une immobilisation moins stricte.

SURVEILLANCE ET COMPLICATIONS

La pose d'un plâtre présente certains risques : déplacement osseux, compression excessive des muscles dans leur loge (on parle de syndrome des loges en cas d'atteinte du membre inférieur, de syndrome de Volkmann en cas d'atteinte du membre supérieur) lorsque le plâtre est trop serré. Un médecin ou un chirurgien doit être consulté en urgence en cas de perte de chaleur ou de sensibilité ou encore de douleur importante des extrémités dans les jours qui suivent la pose d'un plâtre.

Pléthysmographie

Examen permettant d'enregistrer, dans des conditions normales et au cours de différentes affections, les variations de pression régnant dans un organe ou un segment de membre, ou ses variations de volume.

DIFFÉRENTES UTILISATIONS

■ En pathologie vasculaire, la pléthysmographie est utilisée pour étudier les variations de vasomotricité des vaisseaux et permet notamment de suspecter le diagnostic d'une thrombophlébite des membres (inflammation d'une veine associée à la formation d'un caillot). Cependant, elle est aujourd'hui souvent abandonnée au profit de l'écho-Doppler vasculaire.

■ En pneumologie, en évaluant les variations de pression ou de volume du thorax, elle permet de mesurer la capacité pulmonaire et la résistance des voies aériennes. La pléthysmographie se pratique presque toujours chez des patients atteints d'emphysème.

■ En urologie, la pléthysmographie est utilisée pour étudier la survenue, pendant le sommeil de patients se plaignant d'impuissance sexuelle, d'érections nocturnes ; la constatation d'érections nocturnes normales permet d'évoquer l'origine psychique d'une impuissance.

TECHNIQUES

Suivant les indications, le segment de membre à étudier (pathologie vasculaire), voire le patient tout entier (pneumologie), est placé dans une enceinte hermétiquement close.

■ En pathologie vasculaire, on place autour du membre étudié ou de la partie de membre étudiée des anneaux capteurs maintenus par des attaches et connectés à un appareil d'enregistrement ; l'examen dure de 10 à 40 minutes ; il ne nécessite aucune hospitalisation.

■ En pneumologie, on demande au patient de respirer par la bouche dans un tuyau relié à l'appareil d'enregistrement ; l'examen, qui se pratique dans un caisson hermétique, dure entre 15 et 30 minutes et ne nécessite aucune hospitalisation.

■ En urologie, le patient doit être hospitalisé pendant une nuit. Un appareil muni de capteurs est placé autour de son pénis afin d'enregistrer ses variations de pression et de forme. La complexité et le coût de la pléthysmographie l'ont fait abandonner au profit de tests plus simples (écho-Doppler éventuellement associé à une injection intracaverneuse d'un produit permettant d'obtenir une érection).

Pleural

Qui se rapporte à la plèvre (membrane enveloppant les poumons).

Pleurectomie

Ablation chirurgicale d'une petite partie de la plèvre pariétale (membrane tapissant la paroi thoracique).

Une pleurectomie se pratique en cas de pneumothorax (présence d'air ou de gaz entre les deux feuillets de la plèvre) récidivant ou atteignant les deux poumons. Elle se déroule sous anesthésie générale ; après avoir pratiqué une incision entre deux côtes, le chirurgien retire une surface plus ou moins grande du feuillet pariétal (celui qui tapisse l'intérieur de la paroi thoracique) de la plèvre. Le feuillet viscéral (accolé au poumon) se trouve donc directement au contact de la paroi thoracique, devenue irrégulière et enflammée. L'intervention se termine par la pose, pendant 2 à 6 jours, de deux drains qui, introduits par voie intercostale, provoquent par aspiration l'accolement définitif du poumon à la paroi, ce qui empêche toute récidive du pneumothorax, l'air ne pouvant plus s'infiltrer entre les deux feuillets.

L'hospitalisation, qui dure une dizaine de jours, est suivie d'une période de convalescence pendant laquelle une kinésithérapie locale permet, notamment, d'atténuer les douleurs. Les sujets ayant subi ce type d'intervention peuvent pratiquer tous les sports à l'exception de la plongée sous-marine. Il leur est vivement conseillé de supprimer le tabac.

Pleurésie

Inflammation aiguë ou chronique de la plèvre (membrane enveloppant les poumons).

Une pleurésie est le plus souvent due à une infection par une bactérie, à une tuberculose ou à un cancer provenant soit de la plèvre elle-même (mésothéliome), soit d'un autre endroit du corps, par métastase. Il arrive cependant, dans moins de 10 % des cas, qu'on ne retrouve aucune cause. Une pleurésie peut être sèche (on parle aussi parfois de pleurite) ou se traduire, dans la cavité pleurale, par un épanchement liquidien localisé – par exemple entre le poumon et le diaphragme, entre deux lobes du poumon, etc. – ou diffus, voire bilatéral. Ce liquide peut être clair (pleurésie sérofibrineuse), hémorragique ou purulent : dans ce dernier cas, la pleurésie est alors appelée empyème ou pyothorax.

SYMPTÔMES ET DIAGNOSTIC

Une pleurésie se manifeste par une gêne respiratoire, une douleur sur un côté du thorax, une toux sèche et une fièvre en cas d'infection. Le diagnostic est confirmé par la radiographie des poumons et l'examen histologique et bactériologique d'une petite quantité de liquide prélevé par une ponction à l'aiguille. La pleurésie peut régresser spontanément, mais le malade doit être étroitement surveillé pour le cas où la maladie en cause progresserait et deviendrait cliniquement ou radiologiquement décelable.

TRAITEMENT

Il fait appel, selon la cause de la pleurésie, aux antibiotiques, aux antituberculeux ou aux anticancéreux. Si la gêne respiratoire est importante, on peut évacuer le liquide par ponction puis drainer la cavité pleurale.

Pleurite

Inflammation de la plèvre.

Ce terme, qui n'est plus guère employé, désigne en pratique les pleurésies sèches (inflammation de la plèvre sans épanchement liquidien).
→ VOIR Pleurésie.

Pleurodynie

Douleur d'origine pleurale, survenant souvent après une intervention chirurgicale thoracique.

Une pleurodynie peut être de durée extrêmement variable : de quelques jours à quelques années ; le plus souvent, elle s'estompe spontanément en quelques semaines. Il est possible de l'atténuer à l'aide d'analgésiques.

Pleurodynie contagieuse

Affection virale caractérisée par des douleurs du thorax. SYN. myalgie épidémique.

La pleurodynie contagieuse est assez fréquente en été, en Amérique du Nord et dans les pays scandinaves ; elle peut aussi atteindre d'autres régions du monde. Due au virus coxsackie B, elle se propage par épidémies. Elle débute par des douleurs intenses à la base du thorax, sur le côté, avec une gêne respiratoire, un hoquet, de la fièvre et des maux de tête. À l'examen local, les muscles sont douloureux, durs, parfois infiltrés de petits nodules. La maladie guérit spontanément en quelques jours.

Pleuroscopie

Examen qui consiste à visualiser la plèvre (membrane séreuse enveloppant les poumons) en introduisant entre ses deux feuillets un endoscope (tube rigide muni d'un système optique). SYN. *thoracoscopie*.

Une pleuroscopie, pratiquée sous anesthésie locale ou générale, commence par une ponction à l'aiguille entre deux côtes, permettant d'insuffler de l'air qui décolle les deux feuillets de la plèvre. Puis un endoscope est introduit doucement par une petite incision intercostale jusqu'à la cavité ainsi agrandie. La pleuroscopie est en général utilisée pour diagnostiquer une tuberculose ou un cancer de la plèvre ainsi que pour soigner une pleurésie (épanchement de liquide) ou un pneumothorax (épanchement d'air) ; dans ces deux derniers cas, on peut provoquer volontairement une symphyse pleurale (par grattage ou par instillation de talc) afin d'accoler définitivement les deux feuillets de la plèvre.

La pleuroscopie nécessite une hospitalisation de 1 à 3 jours. Après l'intervention, un drain est installé pendant 24 heures tandis que le poumon se remet progressivement en place. Une symphyse pleurale peut provoquer des douleurs thoraciques.

Pleurotomie

Incision de la plèvre pariétale (feuillet de la plèvre qui tapisse l'intérieur de la paroi thoracique) au travers de la paroi thoracique.

Une pleurotomie se déroule sous anesthésie locale ou générale.

■ La pleurotomie a minima permet de pratiquer une ponction-biopsie de la plèvre pariétale ou une pleuroscopie permettant de visualiser les deux feuillets de la plèvre à l'aide d'un endoscope (tube muni d'un système optique). Tandis que le premier type d'intervention se pratique en ambulatoire (sans hospitalisation), le second nécessite une hospitalisation de 1 à 3 jours.

■ La pleurotomie élargie se pratique en cas de pleurésie liquidienne enkystée (épanchement localisé de liquide entre les deux feuillets de la plèvre : le feuillet pariétal, qui tapisse la paroi thoracique, et le feuillet viscéral, qui tapisse le poumon). L'intervention consiste, après avoir incisé la paroi thoracique entre deux côtes et le feuillet pariétal, à évacuer le liquide à l'aide d'un tube relié à un appareil aspirateur, puis à nettoyer la cavité pleurale par lavage-aspiration (injection de sérum physiologique,

suivie d'aspiration). Cette intervention, devenue très rare, demande une hospitalisation de plusieurs semaines, suivie d'un séjour dans un centre de convalescence spécialisé.

Plèvre

Membrane recouvrant presque complètement le poumon, à l'exception du hile (petite région de sa face interne par où passent les vaisseaux et l'arbre bronchique). (P.N.A. *pleura*)

La plèvre comprend deux feuillets qui se rejoignent au niveau du hile : la plèvre viscérale, qui tapisse le poumon, et la plèvre pariétale, qui tapisse la paroi thoracique. Ces feuillets sont séparés par un espace appelé cavité pleurale, contenant un film liquidien. La pression qui y règne est inférieure à celle qui règne dans le poumon, ce qui a pour effet de plaquer le poumon contre la paroi thoracique. De plus, le glissement des feuillets l'un contre l'autre facilite les mouvements respiratoires.

EXAMENS

L'examen clinique de la plèvre repose surtout sur la percussion et sur l'auscultation, qui permet, en cas de pleurésie, d'entendre un frottement pleural (bruit dû au frottement des deux feuillets) ou une diminution du bruit respiratoire normal. On peut aussi effectuer une radiographie du thorax ou une échographie de la plèvre. Parfois, on a recours au prélèvement d'un épanchement liquidien par ponction à l'aiguille, ou à la biopsie de la plèvre, soit par ponction, soit par pleuroscopie (à l'aide d'un tube muni d'un système optique).

PATHOLOGIE

Les maladies de la plèvre, quand leur cause est connue, sont surtout infectieuses (tuberculose, en particulier) ou tumorales (mésothéliome, métastases d'un cancer d'une autre partie du corps). La cavité pleurale peut disparaître par accolement des feuillets (symphyse pleurale) ou, au contraire, augmenter de volume du fait d'un épanchement de liquide (pleurésie) ou d'air (pneumothorax).

Plèvre (cancer de la)

Prolifération de cellules tumorales dans le tissu pleural.

Cancer primitif de la plèvre

C'est le mésothéliome pleural, tumeur maligne dont la fréquence est en augmentation. Il provient dans 70 % des cas d'une inhalation d'amiante (asbestose), à laquelle sont exposés des sujets travaillant dans de nombreux secteurs industriels (extraction et tissage de l'amiante, construction navale, isolation des bâtiments). Les premiers signes apparaissent environ 35 ans après l'exposition, qui est parfois très courte (quelques mois) : douleurs sur un côté du thorax, pleurésie (épanchement de liquide entre les deux feuillets de la plèvre). Son diagnostic repose sur l'interrogatoire du malade, sur la découverte de particules d'amiante dans ses crachats, sur l'aspect radiologique épaissi et irrégulier de la plèvre et sur la biopsie pleurale. Il n'y a pas de traitement vraiment

efficace du mésothéliome, qui envahit progressivement la paroi du thorax et le poumon. Le mésothéliome métastase rarement. Un dépistage précoce des sujets à risque, permettant l'utilisation rapide de nouveaux médicaments tels que l'interféron, devrait, à l'avenir, permettre de ralentir l'évolution de cette maladie.

Cancer secondaire de la plèvre

Beaucoup plus fréquent que le cancer primitif de la plèvre, il est en général dû à des métastases d'un cancer des bronches, du sein, de l'utérus, de l'ovaire ou du tube digestif. Il se manifeste presque toujours par une pleurésie (inflammation de la plèvre avec un épanchement de liquide entre ses deux feuillets, se traduisant par un essoufflement à l'effort et des douleurs thoraciques) et par une altération de l'état général du malade.

DIAGNOSTIC

Il se fonde sur la radiographie thoracique, qui montre une opacité (tache blanche) enveloppant le poumon, et sur la ponction-biopsie pleurale, qui permet de confirmer la nature cancéreuse de l'épanchement et du tissu pleural.

TRAITEMENT

Il repose, d'une part, sur le traitement du cancer primitif (chimiothérapie, hormonothérapie), d'autre part sur l'évacuation du liquide pleural par ponction. Lorsque la pleurésie récidive, on peut effectuer une chimiothérapie locale et une symphyse pleurale en accolant définitivement les deux feuillets de la plèvre par injection d'un produit irritant (talc, notamment).

Plexus

Réseau de filets nerveux ou de vaisseaux anastomosés (réunis entre eux) de façon complexe. (P.N.A. *plexus*)

DIFFÉRENTS TYPES DE PLEXUS

Le corps humain comprend de très nombreux plexus.

■ Le plexus brachial, constitué par les branches antérieures des 5e, 6e, 7e et 8e nerfs cervicaux et du 1er nerf dorsal, donne naissance aux nerfs des épaules et des membres supérieurs (principalement aux nerfs cubital, médian et radial).

■ Le plexus cervical, constitué par les branches antérieures des 4 premiers nerfs cervicaux, innerve essentiellement le cou.

■ Le plexus honteux est formé des ramifications des 2e, 3e et 4e nerfs sacrés. Il innerve notamment l'anus.

■ Le plexus lombaire, formé par la réunion des 4 premiers nerfs lombaires, innerve la paroi abdominale, les organes génitaux externes et les membres inférieurs.

■ Le plexus sacré résulte de l'union du tronc lombosacré des branches antérieures des 4 premiers nerfs sacrés. Il est destiné aux membres inférieurs (nerf sciatique), aux organes génitaux externes et aux viscères du bassin.

■ Le plexus solaire est un plexus nerveux végétatif situé derrière l'estomac et formé des nerfs splanchniques et pneumogastriques. Il innerve les viscères de l'abdomen.

PATHOLOGIE

Les atteintes les plus fréquentes des plexus sont les traumatismes, les compressions, les tumeurs et les effets entraînés par la radiothérapie. Elles se traduisent par des paralysies et par des troubles sensitifs souvent douloureux. Les fractures du sacrum se compliquent souvent de lésions du plexus sacré.

Plexus choroïdes

Petits organes situés à l'intérieur des ventricules intracérébraux responsables de la sécrétion du liquide céphalorachidien. (P.N.A. *plexus choroideus*)

C'est à partir des plexus choroïdes que le liquide céphalorachidien se répand vers les espaces sous-arachnoïdiens, pour entourer l'ensemble des structures nerveuses centrales (cerveau et moelle épinière). Exceptionnellement, les plexus choroïdes sont le siège de tumeurs bénignes, les papillomes choroïdiens, qui peuvent entraîner une compression des centres nerveux adjacents ou être à l'origine d'une hydrocéphalie. Leur traitement est chirurgical. Le pronostic, fonction de la gravité de l'hydrocéphalie et de l'étendue de la tumeur, est généralement bon.

Plicature

Intervention chirurgicale consistant à plier sur lui-même un tissu ou un organe.

Une plicature permet de raccourcir un organe ou de provoquer l'accolement de deux organes. Elle se pratique notamment sur les muscles et sur leurs tendons ou sur le tube digestif. Ces opérations se pratiquent sous anesthésie générale, et leur déroulement dépend de chaque cas. Ainsi, après une occlusion due à un volvulus (torsion des anses intestinales), il est possible de plicaturer celles-ci afin d'éviter toute récidive. Cette intervention, connue sous le nom d'opération de Childs et Phillips, peu efficace et parfois dangereuse, est aujourd'hui pratiquement abandonnée.

Plombage

→ VOIR Obturation dentaire.

Plongée (accident de)

Complication organique liée aux variations de pression lors d'une descente sous la surface de l'eau.

Il existe différents modes de plongée : la plongée en apnée (sans bouteilles, par suspension de la respiration), la plongée avec un équipement de plongeur autonome (combinaison et bouteilles d'air comprimé), la plongée avec des bouteilles à oxygène, limitée à une profondeur de 7 mètres et réservée aux plongeurs de combat de l'armée. Les accidents de plongée peuvent être classés en trois groupes.

Accidents barotraumatiques

Ces accidents, encore appelés accidents mécaniques, touchent les cavités de l'organisme qui contiennent de l'air.

CAUSES

Les accidents barotraumatiques sont dus à la différence entre la pression atmosphérique et la pression sous l'eau, plus élevée : sous l'eau, un volume d'air diminue avec la profondeur, mais la pression de l'air contenu dans ce volume augmente. À la remontée, le volume d'air augmente alors que sa pression diminue.

SYMPTÔMES ET SIGNES

Les accidents barotraumatiques affectent différents organes.

■ L'oreille peut être altérée lors de la descente sous l'eau. En effet, en cas de non-perméabilité de la trompe d'Eustache, le volume d'air contenu dans l'oreille moyenne diminue lors de la descente et ne compense plus la pression exercée par l'eau sur la face externe du tympan. Ce phénomène peut provoquer une rupture ou une altération du tympan, qui se manifeste immédiatement par une douleur brutale et

---

Comment éviter les accidents de plongée ?

La prévention réside dans le respect des règles de sécurité et dans l'arrêt de la plongée au moindre signal anormal (mal d'oreille par exemple). Il ne faut pas plonger lorsqu'on est enrhumé.

Quelques précautions permettent le bon déroulement de la plongée.

Suivre des cours de plongée pour posséder le code de communication des plongeurs, la connaissance des règles de sécurité, la maîtrise de la nage avec le matériel du plongeur.

Se soumettre à des visites médicales régulières.

Ne jamais plonger seul.

Espacer les plongées (deux plongées par jour au maximum, avec un intervalle de 6 heures entre les deux).

Contrôler son rythme respiratoire pour éviter l'essoufflement et veiller à bien souffler pendant la plongée.

Lors de la remontée, expirer pour éviter la surpression pulmonaire, respecter les paliers et, dans la plongée avec équipement autonome, ne pas dépasser une vitesse de 10 mètres par minute. Afin de voir les obstacles éventuels, le plongeur doit remonter en tournant sur lui-même et en fixant la surface de l'eau.

Signaler sa présence par une bouée en cas de plongée en apnée, par un drapeau dit de plongée, fixé sur le bateau qui accompagne les plongeurs, en cas de plongée avec des bouteilles. La plongée en apnée s'apprend également dans un centre de plongée et exige de la part du plongeur une grande prudence et une bonne connaissance de ses capacités et de ses limites. L'hyperventilation, pratiquée avant la plongée par certains plongeurs en apnée et qui consiste à respirer profondément plusieurs fois de suite, est dangereuse, car elle modifie les conditions de déclenchement du réflexe respiratoire.

---

provoque parfois ultérieurement une baisse de l'acuité auditive. La différence de pression entre les deux oreilles, en cas d'atteinte unilatérale, ou l'irruption d'eau dans l'oreille moyenne en cas de rupture d'un tympan, peuvent aussi perturber l'équilibre pendant la plongée et les quelques heures qui suivent la remontée à la surface.

■ Les cavités sinusiennes peuvent également être touchées par les variations du volume d'air qu'elles contiennent, ce qui se manifeste par des douleurs aiguës, qui disparaissent en général à la remontée sans susciter de troubles irréversibles.

■ Les dents mal obturées, sur lesquelles s'exerce la pression de l'air, peuvent être atteintes, ce qui se traduit par de violentes douleurs des racines et des zones sensibles de la dent et parfois même par la rupture des plombages.

■ Le poumon peut être lésé lors de la remontée à la surface. L'augmentation excessive du volume d'air contenu dans les alvéoles pulmonaires lors de la remontée, encore appelée accident de surpression, peut bloquer l'expiration et entraîner une déchirure pulmonaire si le sac alvéolaire est trop distendu. À la gêne respiratoire s'ajoutent alors une hémorragie intrapulmonaire (due à la rupture des alvéoles pulmonaires) et un risque d'embolie, dû à la rencontre entre le sang des vaisseaux et l'air contenu dans les alvéoles. Le risque d'accident est plus important lorsque le plongeur n'expire pas suffisamment lors de la remontée. Les risques encourus sont mortels.

TRAITEMENT

Le traitement des accidents barotraumatiques des oreilles et des sinus repose avant tout sur les décongestionnants et sur les analgésiques. Un accident de surpression pulmonaire impose un traitement d'urgence en centre spécialisé, où l'on procède à une réanimation adaptée à la gravité du cas.

PRÉVENTION

Ces accidents peuvent être évités si le plongeur respecte les règles de plongée.

Accidents biochimiques

Ils se caractérisent par la présence dans l'organisme d'une trop grande quantité de gaz (azote, dioxyde de carbone).

CAUSES

■ L'azote contenu dans l'air se dissout au fur et à mesure de la descente et devient toxique à partir d'un certain taux de dissolution, le plus souvent à partir de 40 mètres de profondeur.

■ Le dioxyde de carbone est produit en excès lors d'efforts physiques et peut être insuffisamment éliminé lors de la respiration.

SYMPTÔMES ET SIGNES

■ L'azote provoque en profondeur des troubles du comportement, une euphorie et une altération des capacités de raisonnement (narcose des profondeurs).

■ Le dioxyde de carbone insuffisamment éliminé est responsable d'un essoufflement.

TRAITEMENT

Les troubles provoqués sont momentanés et disparaissent dès la remontée à la surface.

Accidents de décompression

Les accidents de décompression surviennent lors de la remontée à la surface.

CAUSES

Ils sont dus au non-respect des paliers de décompression, qui sont déterminés par la profondeur à laquelle le plongeur est descendu et par la durée de la plongée, ou au non-respect de la vitesse de remontée (10 mètres par minute).

SYMPTÔMES ET SIGNES

Lorsque la remontée est trop rapide, des bulles se forment dans les tissus et dans les vaisseaux de l'organisme et provoquent diverses manifestations : emphysème (infiltration gazeuse) sous-cutané, démangeaisons, douleurs articulaires violentes, atteintes du système nerveux.

TRAITEMENT

Le transfert du sujet, dès l'apparition des premiers troubles, dans un centre spécialisé où il subira une recompression dans un caisson hyperbare constitue le traitement le plus fréquent. En attendant l'arrivée des secours, les premiers gestes sont effectués par le chef de bord, le chef de palanquée ou un médecin : le plongeur est allongé, débarrassé de sa combinaison, réchauffé, réhydraté et oxygéné.

→ VOIR Barotraumatisme, Caissons (maladie des), Décompression.

Plummer-Vinson (syndrome de)

Association d'une dysphagie (difficulté à déglutir) due à un diaphragme œsophagien (formation de tissu fibreux dans la partie haute de l'œsophage) et d'une anémie par manque de fer. SYN. *syndrome de Kelly-Paterson.*

Le syndrome de Plummer-Vinson, plus fréquent dans les pays nordiques, touche essentiellement la femme jeune. Son origine reste obscure, de même que le lien entre le diaphragme œsophagien et l'anémie.

TRAITEMENT

Il débute par la correction de l'anémie à l'aide d'un régime adapté et d'une administration de fer. Lorsque la dysphagie persiste, des dilatations œsophagiennes par introduction d'une sonde à ballonnet peuvent être nécessaires. Ce syndrome constitue un état précancéreux et nécessite une surveillance régulière par endoscopie.

Plutonium

Élément chimique de numéro atomique 94, dont on connaît une quinzaine d'isotopes, tous radioactifs.

L'utilisation du plutonium (Pu) dans les installations nucléaires civiles et militaires expose au risque de contamination en cas d'accident. La contamination par inhalation d'oxyde de plutonium est la plus dangereuse car elle entraîne la fixation de ce corps dans le tissu pulmonaire. Elle nécessite un traitement immédiat, fondé sur l'administration, par inhalation et par injection intraveineuse, d'acide diéthylène-triamino-pentacétique (DTPA). Cette substance forme avec le plutonium un complexe, qui est éliminé dans les urines.

Pneumallergène

Corps étranger susceptible de pénétrer dans l'organisme par les voies respiratoires et de provoquer une réaction allergique.

Les pneumallergènes sont de nature variée : poussières de maison, débris végétaux, squames, poils d'animaux, micro-organismes, comme les acariens, et poussières diverses d'origine professionnelle, parfois même substances chimiques. Parmi ceux qui sont le plus fréquemment en cause se trouvent les pollens, responsables d'allergies saisonnières et régionales. Les manifestations allergiques (coryza spasmodique [rhume des foins], crise d'asthme) concernent surtout, mais pas exclusivement, l'appareil respiratoire (œdème de Quincke, par exemple).

Pneumatocèle

Toute tuméfaction remplie de gaz.

Une pneumatocèle intracrânienne, par exemple, constatée après un traumatisme crânien, indique une fracture ouverte de la base du crâne. On appelle également pneumatocèle une cavité pulmonaire à paroi fine, ou bulle, comme celle que l'on voit dans les staphylococcies pulmonaires.

Pneumatose kystique

Affection caractérisée par la présence de kystes remplis de gaz dans la paroi de l'intestin grêle, du côlon ou du mésentère.

La pneumatose kystique est une maladie rare d'origine inconnue. Elle se manifeste par des symptômes peu caractéristiques : diarrhée, douleurs abdominales. Le diagnostic repose sur la radiographie de l'abdomen sans préparation, la coloscopie et, éventuellement, le lavement baryté. La maladie est bénigne et les kystes disparaissent spontanément en plusieurs mois. Le traitement est purement symptomatique : administration d'antispasmodiques pour soulager les douleurs, d'antidiarrhéiques pour stopper la diarrhée. Le pronostic de la maladie est excellent.

Pneumaturie

Présence anormale de gaz dans les urines.

Une pneumaturie révèle une infection urinaire à germes anaérobies, elle-même souvent liée à un diabète ou à une fistule vésico-intestinale (communication anormale entre la vessie et le tube digestif, l'intestin grêle ou le côlon contenant de l'air), pouvant résulter d'une tumeur ou d'un abcès colique qui s'est perforé dans la vessie. Le traitement de la pneumaturie est celui de sa cause.

Pneumococcémie

Septicémie à *Streptococcus pneumoniæ,* ou pneumocoque.

Une pneumococcémie est due au passage dans le sang du pneumocoque (bactérie à Gram positif), souvent en raison d'un foyer infectieux initial hébergeant le germe (foyer pulmonaire, par exemple).

Les signes sont ceux d'une septicémie (fièvre, frissons, altération de l'état général, état de choc), la spécificité de cette infection tenant à sa gravité ; celle-ci est due à la virulence et au pouvoir pathogène du pneumocoque, agent de pneumonies et de méningites, à la fragilité des sujets infectés et à la fréquence de la diffusion du germe dans différents organes.

Le diagnostic de pneumococcémie est réalisé par identification du pneumocoque dans le sang par hémoculture. L'infection est traitée par antibiothérapie.

Pneumococcie

Infection due au pneumocoque, ou *Streptococcus pneumoniæ,* bactérie à Gram positif particulièrement virulente et pathogène.

Les pneumococcies sont répandues. Elles constituent notamment les plus courantes des pneumonies d'origine bactérienne. La fréquence des infections à pneumocoque (essentiellement infections respiratoires, méningites purulentes et infections généralisées, ou pneumococcémies) s'accroît chez les personnes dites à risque (enfants de moins de 2 ans, personnes âgées) et chez les sujets immunodéprimés. La mortalité, au cours de telles infections, est importante : pour les méningites à pneumocoque, par exemple, elle est estimée entre 15 et 20 %.

SYMPTÔMES ET SIGNES

Les manifestations d'une pneumococcie sont fonction de l'affection : fièvre, frissons, gêne respiratoire et expectoration jaune-vert pour la pneumonie ; douleur de la gorge, gêne à la déglutition et fièvre pour la pharyngite ; douleurs d'oreilles pour l'otite ; céphalées et vomissements pour la méningite, etc. Cependant, ces manifestations sont surtout caractérisées par la brutalité et l'intensité de leur apparition, notamment dans la pneumopathie franche lobaire aiguë et la méningite purulente.

DIAGNOSTIC ET TRAITEMENT

Le diagnostic est établi par l'isolement du germe dans un prélèvement (sang, pus issu de l'otite ou de la bronchite, liquide céphalorachidien) et par sa culture.

Le traitement repose sur des antibiotiques adaptés au germe et administrés pendant une quinzaine de jours, par voie veineuse dans les formes graves. Un vaccin couvrant 80 % des infections à pneumocoque est proposé aux sujets immunodéprimés et âgés.

Pneumoconiose

Toute affection diffuse des poumons due à l'inhalation prolongée de poussières répandues dans l'atmosphère.

Les pneumoconioses peuvent être dues à des poussières de silice (silicose), d'amiante (asbestose), de schiste (schistose, ou maladie des ardoisiers), de métaux divers tels que le fer ou le titane, de plastiques, de polyvinyles, de quartz, de talc ou de fibres de verre. On distingue deux types d'affection : les pneumoconioses de surcharge, où les poussières n'agissent que par leur accumulation ; les pneumoconioses fibrogènes (silicose, asbestose), plus graves, où les poussières provoquent une fibrose pulmonaire (développement d'un tissu fibreux), celle-ci évoluant même longtemps après la fin de l'exposition aux poussières.

Les premiers signes d'une pneumoconiose, affection le plus souvent liée à des activités professionnelles et qui ne débute qu'après plusieurs années d'exposition aux poussières, sont découverts lors d'examens radiologiques systématiques, pratiqués chez les sujets à risque. Puis apparaît une gêne respiratoire qui peut évoluer jusqu'à l'insuffisance respiratoire.

TRAITEMENT ET PRÉVENTION

Le traitement consiste à interrompre l'exposition aux poussières et à soigner les symptômes de l'insuffisance respiratoire (administration d'oxygène à domicile pour les formes évoluées). La prévention consiste à faire porter un masque aux personnes exposées à ces poussières sur leur lieu de travail et à effectuer une surveillance médicale systématique dans les professions à risque. Parmi les pneumoconioses, plusieurs sont reconnues comme maladies professionnelles, telle la silicose chez les mineurs.

Pneumocoque

→ VOIR Streptococcus pneumoniæ.

Pneumocoqueluche

Complication respiratoire rare et grave de la coqueluche.

La pneumocoqueluche survient au début de la période des quintes. Elle s'accompagne d'une fièvre et d'une dyspnée (gêne respiratoire) pouvant mettre en danger la vie du malade. Signe caractéristique de cette forme de coqueluche, l'augmentation dans le sang du nombre de lymphocytes est très importante. La radiographie montre d'importantes opacités floues bilatérales (poumon coquelucheux). Le traitement en milieu hospitalier est recommandé, la difficulté à respirer pouvant nécessiter une assistance respiratoire. Il repose sur l'administration d'antibiotiques.

Pneumocystose

Infection des poumons provoquée par un micro-organisme, *Pneumocystis carinii*. SYN. *pneumonie interstitielle à Pneumocystis carinii*.

CONTAMINATION

L'agent infectieux, dont la classification est incertaine (parasite ou champignon), vit sur de nombreux animaux sans provoquer chez eux de maladie particulière (il est dit saprophyte) et se rencontre dans toutes les régions du monde. Il semble cependant moins répandu en Afrique.

Il est probable que la maladie se contracte par les voies respiratoires. En effet, l'agent infectieux est retrouvé, sous forme active (dans une coque) ou sous forme végétative, dans les alvéoles pulmonaires des patients atteints de pneumocystose.

La pneumocystose est une infection qui ne survient que chez les sujets dont les fonctions immunitaires (résistance aux microbes) sont altérées, par exemple les malades atteints de sida ou de leucémie, ou suivant un traitement immunosuppresseur (qui freine la production des globules blancs).

Un sujet atteint d'une pneumocystose a une toux sèche, une fièvre et respire avec peine (dyspnée). Après quelques semaines, le malade respire de plus en plus difficilement. Sa peau se cyanose (prend une couleur bleutée). La radiographie des poumons révèle des opacités plus ou moins marquées selon le stade de la pneumopathie.

DIAGNOSTIC

Un lavage bronchioloalvéolaire (au moyen de sérum qu'on introduit dans les bronchioles et les alvéoles pulmonaires à l'aide d'un fibroscope et que l'on aspire ensuite), réalisé sous anesthésie locale, permet de recueillir et d'analyser l'agent infectieux, entraîné avec le sérum lors de l'aspiration.

TRAITEMENT ET PRÉVENTION

L'administration de sulfamides permet la guérison. Un traitement d'attaque doit être administré durant 3 semaines et poursuivi à doses faibles aussi longtemps que subsiste l'immunodépression.

La prévention, chez les sujets immunodéprimés ou atteints de sida, fait appel aux aérosols de pentamidine administrés à intervalles réguliers.

Pneumogastrique (nerf)

Nerf crânien issu du bulbe rachidien et innervant le cœur, les bronches, l'appareil digestif et les reins. SYN. *nerf vague*. (P.N.A. *truncus vagalis*)

STRUCTURE ET FONCTION

Les deux nerfs pneumogastriques sont les plus longs des nerfs crâniens, dont ils forment la dixième paire, et ceux qui possèdent les plus longues ramifications. Ils quittent la boîte crânienne, descendent dans le cou en arrière du pédicule artérioveineux carotidien et jugulaire et suivent l'œsophage jusque dans l'abdomen, où ils se terminent en de nombreux filets nerveux destinés à l'estomac, au foie et aux autres viscères abdominaux. Tout au long de ce trajet, ces nerfs volumineux émettent des filets nerveux pour les organes de voisinage, en particulier les nerfs récurrents responsables de l'innervation motrice des cordes vocales. Ils font partie du système nerveux autonome parasympathique (qui agit sur les viscères) et assurent le transport des neurotransmetteurs tels que l'acétylcholine jusqu'aux récepteurs cellulaires présents à la surface des organes. Ces récepteurs, qui commandent une activité spécifique, sont de deux types : les récepteurs muscariniques, activés par l'acétylcholine et inhibés par l'atropine, et les récepteurs nicotiniques, activés par l'acétylcholine et la nicotine et inhibés par les ganglioplégiques (substances s'opposant à l'action de l'acétylcholine). Les premiers sont responsables de la contraction des muscles gastro-intestinaux (activation du péristaltisme intestinal, contraction des sphincters) et de l'activation des sécrétions digestives (salive, sucs gastrique, pancréatique et intestinal). L'activation des récepteurs nicotiniques provoque une diminution de la fréquence cardiaque et de la pression artérielle, mais aussi des spasmes intestinaux et vésicaux.

PATHOLOGIE

La suractivité des nerfs pneumogastriques entraîne une augmentation de la sécrétion gastrique. Certains ulcères gastriques ou duodénaux, rebelles au traitement médical ou avec complications, sont traités par vagotomie (intervention chirurgicale consistant à sectionner les fibres des nerfs pneumogastriques).

Pneumologie

Spécialité médicale qui se consacre à l'étude et au traitement des maladies des poumons, des bronches, de la plèvre et du médiastin (espace situé entre les poumons).

Les principales maladies traitées en pneumologie sont l'insuffisance respiratoire, les pneumoconioses, les affections de nature infectieuse (abcès du poumon, bronchopneumonie, pleurésie, pneumonie, tuberculose) ou tumorale (cancer bronchopulmonaire, mésothéliome pleural), etc.

Pneumomédiastin

Infiltration d'air dans les tissus du médiastin (espace compris entre les poumons).

Un pneumomédiastin succède généralement à une rupture d'alvéoles pulmonaires (permettant à l'air des poumons de gagner le médiastin), cette rupture étant elle-même liée à un traumatisme du thorax ou provoquée, lors d'une crise d'asthme, par la distension des alvéoles ou encore, lors d'une bronchiolite virale, par l'inflammation des petites bronches et des alvéoles ; l'origine reste parfois inconnue.

Un pneumomédiastin se manifeste par une douleur thoracique centrale et une gêne respiratoire ainsi que par un emphysème sous-cutané à la base du cou (passage d'air dans les tissus sous-cutanés) donnant une sensation de crépitement à la palpation. Le traitement doit être mené en urgence : il vise à soigner les symptômes de la maladie (assistance respiratoire) et parfois à réparer chirurgicalement les lésions.

Pneumonectomie

Ablation chirurgicale d'un poumon.

Une pneumonectomie est en général réalisée en cas de tumeur maligne (cancer bronchopulmonaire) siégeant dans une grosse bronche ou, plus rarement, quand le poumon entier a été détruit par une maladie, notamment une infection. On n'y a recours qu'après s'être assuré par exploration fonctionnelle respiratoire que l'autre poumon est suffisamment sain pour assurer une oxygénation correcte.

L'intervention se déroule sous anesthésie générale ; après avoir incisé le thorax entre la 5e et la 6e côte, le chirurgien retire le poumon. Après l'opération, la cavité ainsi créée se remplit progressivement d'un liquide sérosanguin qui se transforme ensuite en une substance fibreuse. Une pneumonectomie nécessite une hospitalisation d'une quinzaine de jours ; des complications infectieuses sont possibles mais rares. Pendant la convalescence, qui dure de 2 à 3 semaines, les douleurs sont en général atténuées par

Pneumonie

La pneumonie, infection virale ou bactérienne, est une affection fréquente touchant plus volontiers le jeune enfant et le vieillard ainsi que les personnes aux défenses immunitaires affaiblies. Elle se traduit notamment par une forte fièvre et des douleurs thoraciques. La pneumonie est traitée par administration de pénicilline.

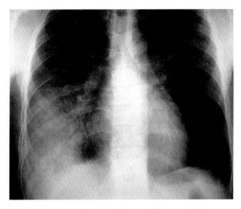

Radiographie révélant un foyer infectieux de la partie inférieure du poumon droit (tache blanche).

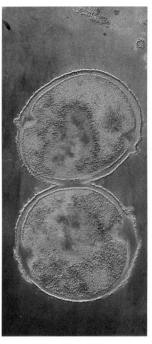

Le pneumocoque est souvent l'agent des pneumonies.

la prise d'analgésiques, des massages de la paroi thoracique et la kinésithérapie respiratoire (pour évacuer les sécrétions bronchiques). Le sujet reprend progressivement ses activités et peut le plus souvent retravailler 1 ou 2 mois après l'opération. Si les efforts trop violents lui sont dès lors déconseillés, il peut cependant pratiquer un sport.

Pneumonie

Infection du poumon provoquée par une bactérie ou par un virus.

Si le terme de pneumonie peut désigner la pneumonie à *Pneumocystis carinii,* ou pneumocystose, il concerne presque toujours en pratique la pneumonie franche lobaire aiguë, due à l'infection du poumon par le pneumocoque. Celle-ci se traduit par une alvéolite, c'est-à-dire une inflammation des alvéoles du poumon, lesquelles sont alors remplies de sécrétions anormales. Les symptômes, d'apparition brutale, associent une fièvre élevée (39-40 °C), des frissons intenses et souvent une douleur thoracique augmentant à l'inspiration.

DIAGNOSTIC

Généralement suggéré, en premier lieu, par l'interrogatoire du malade et par l'auscultation pulmonaire, il est confirmé par la radiographie, qui montre une opacité (zone blanche) d'un lobe ou d'un segment pulmonaire, et par la mise en évidence du pneumocoque dans le sang ou de ses antigènes solubles dans le sang ou les urines. Ces examens sont parfois complétés par une fibroscopie bronchique, notamment chez les patients tabagiques.

TRAITEMENT

Il repose sur la pénicilline ou ses dérivés, administrés à fortes doses par injections dans les premiers jours puis en comprimés pendant une quinzaine de jours. En cas d'allergie à la pénicilline, on peut prescrire d'autres antibiotiques (macrolides). La fièvre disparaît en 24 à 48 heures et la guérison est obtenue en quelques jours. Les anomalies radiographiques persistent encore quelques semaines, mais sans que cela ait de signification particulière.

Pneumopathie

Toute maladie d'un poumon, ou des deux, quelle que soit sa cause.

Les pneumopathies peuvent avoir une origine allergique, toxique, cancéreuse ou immunologique mais, en pratique, le terme est souvent synonyme d'infection pulmonaire (correspondant à ce que l'on appelait autrefois congestion pulmonaire).

Pneumopathie interstitielle

Toute maladie atteignant principalement le parenchyme (tissu fonctionnel) du poumon.

CAUSES

Les pneumopathies interstitielles sont des affections liées à des altérations de la membrane alvéolocapillaire (membrane à partir de laquelle s'effectuent les échanges gazeux - oxygène, gaz carbonique - entre l'air et le sang), qui peut se trouver épaissie, enflammée, œdémateuse ou fibreuse. Nombreuses sont les maladies qui peuvent être à l'origine d'une pneumopathie interstitielle : sarcoïdose, maladie infectieuse (d'origine virale, parasitaire, bactérienne ou mycosique), pneumoconiose, pneumopathie d'hypersensibilité (maladies du poumon des éleveurs d'oiseaux ou du poumon de fermier), lymphangite carcinomateuse, insuffisance cardiaque gauche (œdème pulmonaire), granulomatose, connectivite, etc. La prise de certains médicaments (amiodarone, notamment) peut aussi provoquer une pneumopathie interstitielle.

SYMPTÔMES ET SIGNES

Une pneumopathie interstitielle se traduit par une diminution des échanges gazeux, responsable d'un essoufflement à l'effort.

DIAGNOSTIC

Il repose sur l'interrogatoire et l'examen clinique du malade, sur la radiographie thoracique, qui montre des opacités linéaires ou nodulaires (lignes ou points blancs) souvent diffuses ou bilatérales, sur la fibroscopie bronchique - pratiquée sous anesthésie locale et permettant de réaliser une biopsie bronchique ou transbronchique et un lavage bronchioloalvéolaire - parfois complétée par une biopsie pulmonaire chirurgicale, pratiquée sous anesthésie générale.

ÉVOLUTION ET TRAITEMENT

L'évolution des pneumopathies interstitielles est très variable selon la maladie en cause et la possibilité de la soigner : certaines guérissent spontanément (lorsqu'elles sont dues à une sarcoïdose, notamment) tandis que d'autres continuent à évoluer en dépit de tous les traitements. Dans certains cas, elles entraînent une insuffisance respiratoire chronique, nécessitant une oxygénothérapie.

Pneumopéricarde

Présence d'air dans le péricarde (sac qui enveloppe le cœur).

Le pneumopéricarde est une atteinte très rare qui s'observe s'il existe une communication anormale entre la plèvre et le péricarde et si une bulle d'emphysème ou un kyste contenant de l'air se rompt et passe du poumon dans la plèvre. Le pneumopéricarde provoque une douleur thoracique brutale.

Une radiographie thoracique en permet un diagnostic facile : le cliché montre une clarté entourant le cœur.

Le traitement consiste à drainer l'air présent dans la plèvre à l'aide d'une aiguille ou d'un drain (gros tube souple) intrathoracique relié à un mécanisme d'aspiration, ce qui entraîne par là même la disparition de l'air intrapéricardique.

→ VOIR Pneumothorax.

Pneumopéritoine

Épanchement de gaz provoquant le décollement des deux feuillets de la membrane péritonéale, le feuillet pariétal (qui tapisse la paroi de l'abdomen) et le feuillet viscéral (qui tapisse les viscères).

DIFFÉRENTS TYPES DE PNEUMOPÉRITOINE

■ Le pneumopéritoine pathologique, rare, est le plus souvent dû à la perforation d'un viscère creux (estomac, intestin grêle, côlon), entraînant le passage d'air du tube digestif dans la cavité péritonéale. Il se traduit par une sonorité à la percussion de l'abdomen. Outre l'examen clinique, le diagnostic repose sur la radiographie de l'abdomen sans préparation, faite en position debout : l'air, du fait de sa légèreté, monte et constitue une petite poche sous le diaphragme, en forme de croissant clair, visible sur la radiographie. Le traitement, chirurgical, est celui de la cause du pneumopéritoine.

■ Le pneumopéritoine provoqué est pratiqué lors de la première étape d'une cœlioscopie. Cette intervention, pratiquée sous anesthésie générale à des fins diagnostiques et/ou thérapeutiques, consiste à insuffler dans la cavité péritonéale un gaz, en général du gaz carbonique, à l'aide d'une aiguille traversant la paroi abdominale, tandis qu'un endoscope (tubi muni d'un système optique) est introduit par une petite incision cutanée. Le malade étant couché sur le dos, la tête plus basse que les pieds, il se forme une poche gazeuse distendant l'abdomen, ce qui permet, une fois l'extrémité de l'endoscope introduite dans cette zone, de mouvoir l'appareil sans léser les viscères. À la fin de l'opération, le gaz est évacué par aspiration. On peut aussi pratiquer un pneumopéritoine en cas d'éventration volumineuse, la distension ainsi créée permettant de réintroduire les viscères dans le péritoine.

Pneumothorax

Épanchement d'air dans la plèvre (membrane enveloppant le poumon).

Un pneumothorax est dû à l'introduction d'un certain volume d'air entre les deux feuillets de la plèvre, qui décolle ceux-ci en repoussant le poumon. Ce décollement peut être diffus ou localisé ; il arrive que les deux poumons soient atteints.

DIFFÉRENTS TYPES DE PNEUMOTHORAX

■ Le pneumothorax idiopathique, de cause inconnue, touche les sujets de 20 à 40 ans. Lors de cette affection, de petites bulles d'air situées dans le poumon, à sa périphérie, se rompent brutalement dans la cavité pleurale.
■ Le pneumothorax non idiopathique est dû à la pénétration d'air dans les poumons à la suite d'une ponction, d'une plaie profonde du thorax ou d'une maladie pulmonaire (emphysème, fibrose pulmonaire, histiocytose).

SYMPTÔMES ET DIAGNOSTIC

Un pneumothorax se traduit par une brusque douleur en coup de poignard sur le côté du thorax, une gêne respiratoire, voire une véritable suffocation. L'examen clinique du malade et la radiographie du thorax permettent d'établir le diagnostic.

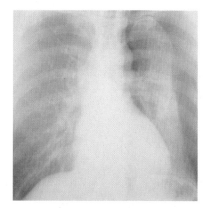

Pneumothorax. Le poumon gauche est décollé de la paroi par une poche d'air, apparaissant en noir foncé à la radiographie.

TRAITEMENT

En cas de pneumothorax idiopathique avec gêne respiratoire modérée, le simple repos au lit permet d'attendre que l'air se résorbe spontanément, le poumon reprenant sa place en 1 ou 2 semaines. Dans les autres cas, un drainage est pratiqué avec une aiguille introduite entre deux côtes, reliée à un appareil aspirateur. Dans 30 % des cas, les pneumothorax idiopathiques récidivent, au bout de quelques mois ou de quelques années. Les autres pneumothorax ne récidivent pas, sauf lorsqu'ils sont dus à une maladie pulmonaire.

En cas de récidive, une symphyse pleurale est pratiquée : on accole définitivement les deux feuillets de la plèvre par injection d'un produit irritant (talc, notamment) ; cette intervention peut être effectuée par chirurgie conventionnelle ou par pleuroscopie (avec un tube muni d'un système optique et d'instruments de petite taille, introduit par une petite incision).

Pneumotomie

Ouverture chirurgicale du poumon.

La pneumotomie est surtout indiquée en cas d'abcès du poumon – quand il est suffisamment superficiel et qu'il a résisté aux antibiotiques et au drainage, ce qui est très rare aujourd'hui – ou de caverne tuberculeuse. L'opération se pratique sous anesthésie générale ; après avoir ouvert le thorax entre deux côtes, le chirurgien incise le poumon (pneumotomie proprement dite) et la paroi de l'abcès ou de la caverne, dont il vide le contenu, puis il suture les berges de l'ouverture ainsi créée à la peau pour que la poche communique directement avec l'extérieur (marsupialisation) ; l'intervention se termine par la pose d'un drain qui permet de nettoyer régulièrement la poche. Une pneumotomie est une intervention extrêmement lourde, qui nécessite une hospitalisation de plusieurs semaines, suivie d'un séjour de 4 ou 5 mois dans un centre de convalescence spécialisé. Une kinésithérapie respiratoire peut être proposée ; elle permet notamment d'atténuer les douleurs.

Poche des eaux

Espace rempli de liquide amniotique, compris entre la membrane ovulaire interne (amnios) et le fœtus.

La poche des eaux joue un rôle capital dans la protection du fœtus contre les traumatismes pendant la grossesse. Lors de l'accouchement, sous la pression des contractions utérines et du liquide amniotique, elle appuie sur le col de l'utérus et favorise sa dilatation.

RUPTURE SPONTANÉE

En général, la poche des eaux se rompt spontanément lorsque la dilatation du col atteint de 2 à 5 centimètres, mais il arrive aussi que cette rupture se produise plus tôt, en tout début de travail, annonçant ainsi l'imminence de l'accouchement. En cours de travail, la rupture des membranes entraîne une intensification et un rapprochement des contractions utérines. Cette rupture se mani-

feste soit par un lent écoulement de liquide, soit par un brusque jaillissement. Elle est indolore. Normalement, le liquide est clair. S'il est teinté de vert foncé, il indique la présence de méconium, première selle du fœtus, et signale une souffrance fœtale nécessitant le déclenchement de l'accouchement. Une rupture de la poche des eaux impose à la femme enceinte de se rendre sans délai à la maternité, car la protection du fœtus est diminuée et les risques d'infection sont plus importants.

Lorsque la rupture de la poche des eaux se produit de façon prématurée, c'est-à-dire avant 8 mois de grossesse, la femme enceinte est hospitalisée et surveillée en raison des complications possibles (infection, risque d'accouchement prématuré), nécessitant parfois le déclenchement de l'accouchement.

RUPTURE ARTIFICIELLE

Si la poche des eaux ne s'est pas rompue spontanément lorsque la dilatation du col atteint 5 centimètres et que la tête du fœtus est bien engagée, le médecin accoucheur ou la sage-femme perce les membranes avec une pince au cours d'une contraction. L'orifice est ensuite élargi avec le doigt. Si le liquide est normal, le travail suit son cours. S'il est anormal, la surveillance du fœtus (monitorage des bruits du cœur) permet de prendre les décisions médicales utiles : accélération de l'accouchement, césarienne.

Poche parodontale

Approfondissement du sillon gingival dû à l'évolution d'une atteinte du tissu de soutien de la dent, le parodonte (cément, ligament, os alvéolaire, gencive).

CAUSES

La gencive marginale, bande gingivale qui entoure la dent, laisse un espace libre d'une épaisseur de 1 à 1,5 millimètre : c'est le sillon gingival. Une fois la poche parodontale constituée, elle entraîne la formation autour de la dent d'un réservoir microbien, véritable foyer inflammatoire chronique dû à la stagnation de la plaque dentaire et du tartre, qui auto-entretient l'évolution d'une parodontopathie. Les forces qui s'exercent sur la dent lors de la mastication et de la déglutition peuvent aggraver cet état, surtout lorsqu'une grande partie des tissus de soutien a été détruite. La principale complication d'une poche parodontale est l'abcès dentaire. En outre, la destruction des tissus de soutien provoque une mobilité importante des dents et, à terme, leur chute.

TRAITEMENT ET PRÉVENTION

Le traitement dépend de l'état de la gencive et de la profondeur de la poche ; on peut pratiquer, tous les 3 mois, un traitement d'entretien : détartrage puis surfaçage (polissage) des racines afin de ralentir le processus de dépôt du tartre ; le cas échéant, une intervention à lambeau (découpage chirurgical de la gencive pour supprimer la poche) permet, en rétablissant des conditions d'hygiène correctes (le brossage, notamment, redevient possible), d'arrêter l'évolution de la parodontite ; les destructions intraosseuses peuvent être comblées notamment avec du corail, de l'hydroxyapatite. La pratique d'un brossage correct permettant d'éliminer la plaque dentaire est indispensable pour éviter la formation d'une poche.

Podagre

Se dit d'un malade souffrant de la goutte.

Podologie

Spécialité orthopédique qui se consacre à l'examen, au diagnostic, au traitement et à la prévention des maladies du pied.

La podologie s'intéresse aussi bien aux déformations du pied de l'enfant et de l'adulte (pied plat, pied creux, etc.) qu'aux affections des orteils, des ongles et de la peau (verrue plantaire, par exemple).

Poids corporel

Somme des poids des divers éléments de l'organisme : masse grasse, ou tissu adipeux, masse maigre (tissu conjonctif, muscles), squelette et eau.

ÉVOLUTION AU COURS DE LA VIE

Le poids (ainsi que son évolution) constitue, en médecine, l'un des indices les plus fiables. Chez l'enfant et l'adolescent, il permet de vérifier que la croissance se déroule normalement. Durant la grossesse, une prise de poids de 10 à 12 kilogrammes pour une femme de corpulence moyenne est fréquemment associée à un poids de naissance normal de l'enfant (supérieur à 2,5 kilogrammes). En règle générale, ce poids de naissance est multiplié par 2 à l'âge de 3 mois et par 3 à 1 an.

À l'âge adulte, le poids tend à s'ajuster autour d'une valeur à peu près stable si les apports énergétiques sont équilibrés. Le poids de chaque individu est largement fonction des caractéristiques génétiques de celui-ci. Les modifications survenant au cours de la vie résultent de l'influence de l'environnement (activité physique, alimentation, effet de certains médicaments, etc.) et de l'âge. Le poids tend à augmenter avec les années, de même que la masse grasse, alors que la masse maigre diminue. Chez les vieillards, cependant, il commence par fléchir régulièrement avant de se stabiliser.

VARIATIONS PATHOLOGIQUES

Toute variation importante de poids (perte ou augmentation) sur une courte période doit inciter à consulter un médecin. Elle peut, en effet, traduire une maladie, de cause organique ou autre (cancer, œdème, troubles du comportement alimentaire, troubles hormonaux). La mesure du poids représente aussi l'un des meilleurs critères de l'état de santé des personnes âgées, chez lesquelles toute chute pondérale rapide doit être corrigée sans délai pour éviter la dénutrition.

CORPULENCE

Au-delà de la seule mesure du poids, la prise en compte de la taille dans le calcul de l'indice de masse corporelle (I.M.C.) permet aussi d'évaluer la corpulence. Selon la valeur obtenue, le sujet entre dans l'une des catégories suivantes : maigre (indice inférieur à 18), mince (de 18 à moins de 20), normal

INDICE DE MASSE CORPORELLE *													
Taille (m)					Poids (kg)								
	46	48	50	52	55	57	59	61	64	66	68	71	73
1,45	22	23	24	**25**	26	27	28	29	30	31	33	34	35
1,47	21	22	23	24	**25**	26	27	28	29	31	32	33	34
1,50	20	21	22	23	24	25	26	27	28	29	30	31	32
1,52	**20**	21	22	23	24	**25**	26	27	28	28	30	31	32
1,55	19	**20**	21	22	23	24	**25**	26	27	27	28	29	30
1,58	18	19	20	21	22	23	24	**25**	26	27	28	28	29
1,60	18	19	**20**	20	21	22	23	24	**25**	26	27	28	28
1,63	18	18	19	**20**	21	21	22	23	24	**25**	26	27	27
1,65		18	18	19	**20**	21	22	23	23	24	**25**	26	26
1,68		17	18	19	19	20	21	22	23	24	24	**25**	26
1,70		17	17	18	19	**20**	20	22	22	23	24	24	**25**
1,73			17	18	18	19	**20**	21	21	22	23	24	24
1,75				17	18	19	19	**20**	21	22	22	23	24
1,78				17	17	18	19	19	20	21	22	22	23
1,80					17	18	18	19	**20**	20	20	21	22
1,83					16	17	18	18	19	20	20	21	22

* L'indice de masse corporelle permet d'évaluer la corpulence d'un individu. Un indice inférieur à 18 signale une maigreur ; un indice de 19 ou 25, une minceur ; un indice de 20 à 25, une corpulence normale ; un indice de 25 à 30, une corpulence forte ; un indice supérieur à 30, une obésité.

(de 20 à 25), fort (de 25 à 30), obèse (supérieur à 30). Il existe, par ailleurs, plusieurs formules de calcul (incluant notamment l'âge) pour définir le poids idéal théorique, qui ne correspond pas nécessairement au poids « de forme » d'une personne (dans lequel celle-ci se sent bien).

MESURE DU POIDS

Elle se fait, pour les nouveau-nés et les nourrissons, avec un pèse-bébé (précision d'environ 10 à 20 grammes) et, dès que la station debout peut être assurée, sur une bascule pèse-personne (précision d'environ 50 grammes). Le poids sera mesuré toutes les semaines pendant le premier mois de la vie, tous les mois jusqu'à 6 mois, tous les 2 mois jusqu'à 1 an, puis de façon plus espacée ensuite.

Les courbes pondérales obtenues permettent, d'une part, d'apprécier le poids de l'enfant par rapport au poids moyen des enfants de son âge et de son sexe et, d'autre part, d'évaluer la courbe de sa croissance.
→ VOIR Croissance de l'enfant, Obésité.

Poignet

Segment du membre supérieur compris entre l'avant-bras et la main. (P.N.A. *carpus*)

STRUCTURE

Le squelette du poignet est constitué de 8 os, appelés os du carpe, répartis en 2 rangées : les 4 os de la première rangée s'articulent avec les os de l'avant-bras ; les 4 os de la seconde rangée s'articulent avec le métacarpe. Les os du carpe sont, de plus, articulés entre eux et maintenus solidaires par un système ligamentaire complexe. Des nerfs et des artères, ainsi que de nombreux tendons prolongeant les muscles de l'avant-bras (muscle petit palmaire, muscle grand palmaire, abducteur du pouce, cubital antérieur) vers les doigts, transitent par le poignet. Il existe ainsi, à la face palmaire du poignet, un tunnel anatomique appelé canal carpien, qui livre passage aux tendons fléchisseurs des doigts et au nerf médian. L'artère radiale (artère du pouls) chemine au poignet, à la base du pouce, le long d'un défilé appelé tabatière anatomique, où elle est superficielle et facilement palpable.

PATHOLOGIE

■ **Les fractures** du poignet sont particulièrement fréquentes, notamment les fractures du scaphoïde et celles de l'extrémité inférieure du radius (fracture de Pouteau-Colles, fréquente chez le sujet âgé).

■ **Les autres traumatismes** sont, d'une part, les entorses et les ruptures ligamentaires, qui

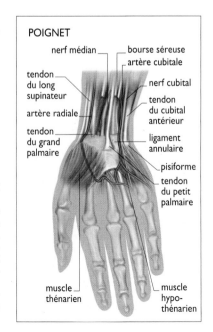

POIGNET

nerf médian — bourse séreuse — artère cubitale — nerf cubital — tendon du cubital antérieur — ligament annulaire — pisiforme — tendon du petit palmaire

tendon du long supinateur — artère radiale — tendon du grand palmaire

muscle thénarien — muscle hypo-thénarien

peuvent entraîner une instabilité chronique du poignet, d'autre part les blessures cutanées, qui endommagent parfois les tendons et les nerfs.

■ **Les principales affections** du poignet sont le syndrome du canal carpien, caractérisé par une sensation d'engourdissement et de fourmillement des doigts, qui survient fréquemment chez la femme à l'âge de la ménopause, et l'arthrose de la racine du pouce (rhizarthrose). Par ailleurs, certains rhumatismes inflammatoires atteignent de façon prédominante le poignet (chondrocalcinose, polyarthrite rhumatoïde, etc.).

Poïkilodermie

Affection cutanée associant une atrophie de l'épiderme, une dyschromie (peau trop ou insuffisamment pigmentée) et des télangiectasies (dilatations des vaisseaux superficiels du derme), les zones touchées étant disposées en plaques ou en réseau.

On distingue deux types de poïkilodermie, l'un congénital, l'autre acquis.

■ **Les poïkilodermies congénitales** se rencontrent au cours de différents syndromes très rares ; elles se manifestent dès l'enfance et peuvent s'associer selon les cas soit à un retard de croissance, soit à une fonte du tissu graisseux du visage, à des malformations des oreilles, à une arriération mentale et à des troubles osseux, neurologiques et oculaires, soit encore à une cataracte, à des anomalies des os et des phanères et à des troubles de la croissance.

■ **Les poïkilodermies acquises** constituent une évolution possible de différentes maladies dermatologiques (dermatomyosite, parapsoriasis).

Il n'existe pas, présentement, de traitement de la poïkilodermie, mais la protection contre le rayonnement solaire prévient son aggravation.

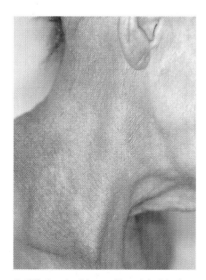

Poïkilodermie. L'aspect bigarré de l'épiderme (plaques rosées, zones dépigmentées) est caractéristique de cette affection.

Le poil comprend une partie visible, appelée tige, et, en profondeur, une racine entourée par un follicule pileux.

Le poil, vu ici au microscope électronique, naît dans le derme et traverse l'épiderme.

Structure d'un poil

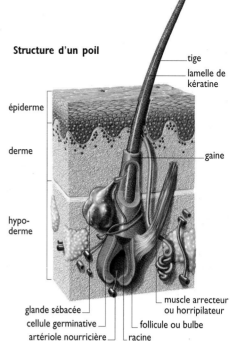

tige
lamelle de kératine
épiderme
derme
gaine
hypoderme
muscle arrecteur ou horripilateur
glande sébacée
cellule germinative
artériole nourricière
follicule ou bulbe
racine

Poil

Élément filiforme très riche en protéines appelées kératines, faisant partie des phanères, annexes de la peau. (P.N.A. *pilus*)

Jusqu'à la puberté, le corps est recouvert d'un fin duvet. À la puberté, les poils croissent, s'épaississent et foncent sous les aisselles, sur le pubis et – chez la plupart des hommes et chez certaines femmes – sur le torse, les membres, dans les narines et les conduits auditifs externes ainsi que sur le visage. Leur morphologie est variable : section ovale chez les Européens et les Noirs, ronde chez les Asiatiques. L'importance et la topographie de la pilosité dépendent, d'une part, des hormones androgènes (abondantes chez l'homme) et, d'autre part, d'un facteur héréditaire. La mélanine est responsable de la couleur du poil tandis que les kératines lui confèrent sa consistance.

STRUCTURE

Les poils et les cheveux ont la même structure. La partie du poil située dans la peau, qui prend naissance dans le derme et traverse l'épiderme, est appelée racine et la partie visible, tige. Racine et tige comprennent 3 cylindres concentriques : la moelle au centre, entourée de l'écorce, riche en mélanine et en kératines, et de la cuticule, riche en kératines. L'épiderme, à hauteur du pore (orifice par lequel le poil sort de la peau), s'enfonce pour former autour de la racine une gaine appelée follicule pileux. Ce follicule se termine par un renflement, le bulbe, présentant à sa base une petite dépression, la papille, par où pénètrent des vaisseaux nourriciers. Un muscle minuscule, appelé arrecteur du poil, ou horripilateur, est tendu obliquement entre le bulbe et l'épiderme ; quand il se contracte, le poil se redresse (chair de poule) : c'est le réflexe pilomoteur. Une glande sébacée est parfois annexée au poil et forme alors avec lui un follicule pilosébacé.

CYCLE PILAIRE

Le cycle de pousse des poils comprend 3 phases. Des cellules d'origine épidermique, situées dans le bulbe, assurent en proliférant la croissance d'un poil, puis donnent naissance à un nouveau poil, qui repousse le précédent jusqu'à ce qu'il chute.

■ **La phase anagène** est celle de la croissance à partir de la racine. Elle dure de 2 à 5 ans.
■ **La phase catagène**, qui lui succède, est celle de l'arrêt de la croissance ; elle dure de 2 à 3 semaines.
■ **La phase télogène**, qui dure de 6 à 7 mois, est celle de l'ascension dans l'épaisseur de la peau puis de la chute du poil, sous la poussée d'un nouveau poil.

DIFFÉRENTS FACTEURS DE CROISSANCE

De nombreux facteurs contribuent à la pousse du poil.

■ **L'hérédité** joue un rôle essentiel, en particulier sur la longueur du cheveu.
■ **Le facteur saisonnier** se traduit par une augmentation du nombre de cheveux en phase télogène l'été, donc par une chute plus importante en automne.
■ **Des facteurs métaboliques**, tels qu'une carence en acides aminés, en sels minéraux, en acides gras et en vitamines, peuvent entraîner soit une chute, soit une dépigmentation ou une finesse excessive du cheveu.
■ **Les facteurs hormonaux** jouent également un rôle important : ainsi, les œstrogènes allongent la phase anagène, et les hormones thyroïdiennes la raccourcissent.

EXPLORATION

Elle se fonde sur l'étude du cycle pilaire, qui permet d'affirmer la réalité d'une chute anormale des cheveux et d'établir un pronostic pour les années ultérieures.

■ **Le trichogramme** consiste à prélever des cheveux en différents points et à compter le pourcentage respectif de chacune des phases. Chez l'adulte sain, il existe environ 85 % de formes anagènes, 1 % de formes catagènes et 14 % de formes télogènes.

■ Le phototrichogramme effectue le même décompte, mais sur une petite zone unique et à l'aide de macrophotographies successives.

■ Le tractiophototrichogramme consiste à ôter sur une petite zone les cheveux en phase télogène et à surveiller par photographie la pousse des cheveux qui les remplacent.

PATHOLOGIE

L'hirsutisme est une pilosité excessive chez la femme, parfois due à un excès d'androgènes. L'alopécie (chute ou absence de poils et de cheveux) peut constituer la conséquence de nombreuses maladies (lupus, lichen, pelade, etc.) ou être congénitale. Elle est le plus souvent liée à un facteur héréditaire et touche beaucoup plus fréquemment l'homme.

Point de côté

Douleur localisée sur le côté du tronc, survenant à l'occasion d'un effort (course à pied, par exemple).

Le point de côté semble dû à une fatigue des muscles de la paroi du tronc et du diaphragme. La douleur, d'apparition brutale, siège en haut de l'abdomen, à droite ou à gauche ; de là, elle peut s'étendre, surtout au thorax. Elle dure quelques minutes ou plus, obligeant le sujet, gêné dans sa respiration, à arrêter l'effort. Le point de côté s'atténue plus rapidement si le sportif reprend une respiration lente et profonde et, dans certains cas, s'il appuie sur la zone douloureuse en se penchant en avant. Ultérieurement, les points de côté surviendront moins souvent si le sportif veille à diminuer l'intensité de ses efforts (ou s'il intensifie le niveau de son entraînement), s'il s'échauffe suffisamment longtemps ou s'il améliore sa technique, par exemple en cherchant à régulariser son rythme s'il fait de la course de fond ou du jogging.

Point de suture

Point de couture effectué à l'aide d'un fil, serti sur une aiguille et maintenu par un nœud, pour rapprocher les lèvres d'une plaie ou d'une incision chirurgicale afin d'en faciliter la cicatrisation.
→ VOIR Suture.

Poire

Appareil déformable en caoutchouc ou en matière plastique, se présentant comme un sac muni d'une canule.

Une poire est destinée à projeter ou à aspirer un liquide ou de l'air dans les cavités du corps.

DIFFÉRENTS TYPES DE POIRE

La forme et la contenance (de 50 à 300 ml) d'une poire, et la longueur de la canule, diffèrent selon la destination de l'instrument.

■ La poire à lavement est utilisée pour administrer des lavements aux enfants car la pression exercée sur le réservoir est modérée. Il faut veiller à injecter le liquide par une pression continue pour éviter que, à la faveur d'une interruption, les liquides septiques ne remontent dans la poire.

■ La poire utilisée en gynécologie, munie d'une canule plus longue que les autres, sert aux injections vaginales.

Poison du fuseau

Substance médicamenteuse utilisée dans le traitement du cancer et qui empêche les cellules, notamment les cellules cancéreuses, de se diviser en gênant la formation et le fonctionnement normal du fuseau.

Le fuseau, plus précisément appelé fuseau achromatique, est une structure qui apparaît dans la cellule au moment de sa division. Il est constitué de filaments le long desquels les chromosomes, une fois scindés en deux, se guident pour migrer aux deux pôles de la cellule au moment de la division cellulaire (mitose). Ainsi, quand la cellule se partage en deux par le milieu, chaque cellule fille se trouve pourvue du nombre de chromosomes qui lui revient. En inhibant ce processus, les poisons du fuseau bloquent la mitose. Ils sont dits pour cette raison « antimitotiques ».

Les poisons du fuseau sont les alcaloïdes de la pervenche et leurs dérivés (vincristine, vinblastine, vindésine) ainsi que les épipodophyllotoxines (étoposide et ténisoposide).

Poisson

Animal vertébré aquatique dont la chair a une composition nutritionnelle proche de celle de la viande.

Le poisson apporte autant de protéines que la viande (de 16 à 20 grammes en moyenne pour 100 grammes). Il contient également de nombreux minéraux (potassium, chlore, sodium, calcium, etc.), des oligoéléments (zinc, fluor, manganèse, iode, etc.) et des vitamines du groupe B. La chair des poissons gras, de même que le foie de tous les poissons, renferme également des vitamines A et D.

La valeur énergétique des poissons varie de 70 à plus de 200 kilocalories pour 100 grammes, en fonction de leur teneur en lipides : moins de 1 % pour les poissons maigres (merlan, sole, cabillaud, lieu) ; de 1 à 5 % pour les poissons mi-gras (bar, rouget, dorade, raie) ; de 5 à 15 % pour les poissons gras (anchois, saumon, maquereau, sardine, thon). Il est recommandé de consommer du poisson au moins 2 fois par semaine.

Polarisation

Apparition ou existence de deux pôles au sein d'une structure ou au cours d'un phénomène.

La polarisation caractérise différents types de cellules de l'organisme, asymétriques tant par leur structure que par leur fonctionnement. Ainsi, les cellules de la muqueuse qui tapisse l'intestin grêle ont un pôle, du côté de la lumière intestinale, qui dégrade et absorbe les aliments ; le pôle opposé sert de point d'attache et fait passer les substances nutritives dans le sang.

Par ailleurs, la membrane qui entoure les cellules vivantes est soumise à une polarisation électrique due à des substances ioniques : elle est positive sur sa face externe et négative sur sa face interne. La dépolarisa-

tion, inversion de cette polarité, caractérise la phase d'activité d'une cellule (contraction d'une cellule musculaire, par exemple).

Polioencéphalite

Inflammation de l'encéphale, d'origine infectieuse et affectant principalement la substance grise.

La polioencéphalite s'oppose à la leucoencéphalite, qui touche la substance blanche. Les lésions motrices et/ou sensitives causées par une polioencéphalite ne sont pas réversibles, les neurones atteints étant définitivement détruits.
→ VOIR Encéphalite.

Poliomyélite

Inflammation de la substance grise de la moelle épinière.

Le terme de poliomyélite est couramment utilisé pour désigner la poliomyélite antérieure aiguë.

Poliomyélite antérieure aiguë

Maladie virale aiguë due à un entérovirus, le poliovirus, qui détruit les neurones moteurs de la corne antérieure de la moelle épinière et les noyaux moteurs des nerfs crâniens, provoquant une paralysie des muscles innervés par ces neurones. SYN. *maladie de Heine-Médin.*

La poliomyélite antérieure aiguë, couramment appelée poliomyélite, touche principalement les enfants, d'où son autre nom de paralysie infantile. Le virus se transmet par ingestion d'eau ou d'aliments contaminés. Cette affection, autrefois très fréquente, est devenue tout à fait exceptionnelle dans les pays occidentaux grâce à la vaccination. L'affection peut toutefois être contractée par un sujet non ou mal vacciné (oubli des rappels) au cours d'un voyage dans un pays d'endémie, où des cas de poliomyélite se déclarent de façon quasiment permanente (pays en développement, Afrique et Extrême-Orient surtout).

SYMPTÔMES ET SIGNES

Le plus souvent, l'infection ne donne lieu à aucune maladie, le poliovirus n'entraînant une poliomyélite paralysante que dans un pourcentage très restreint de cas.

Le début de la maladie est marqué, après une incubation de 8 jours (souvent en été ou à l'automne), par un état infectieux de type grippal (troubles intestinaux, courbatures, fièvre élevée, douleurs musculaires importantes), par de vifs maux de tête qui correspondent à une méningite à liquide clair et parfois par une rétention d'urines.

Dans un délai variant de quelques heures à quelques jours, les paralysies s'installent, toujours pendant la phase fébrile, qui dure environ 5 jours. Elles apparaissent de façon irrégulière et asymétrique, avec absence de réflexes des parties atteintes. Elles peuvent être totales pour certains muscles, partielles pour d'autres et une atrophie des muscles s'installe rapidement. Les paralysies atteignent la motricité des membres, isolément ou en association, le rachis, la musculature abdominale et, dans des cas plus graves et plus rares, elles peuvent s'étendre aux muscles de la respiration et de la déglutition.

ÉVOLUTION

Les séquelles musculaires constituent l'essentiel des préoccupations et font toute la gravité ultérieure de la poliomyélite, notamment chez l'enfant : atrophie des muscles, rétractions, défauts de la croissance d'un ou de plusieurs membres avec troubles trophiques, nécessitant des interventions de chirurgie orthopédique des membres ou de la colonne vertébrale en cas de cyphoscoliose. Les paralysies régressent plus ou moins complètement, le plus souvent partiellement, du quinzième jour suivant leur apparition jusqu'à un maximum de 2 ans.

DIAGNOSTIC ET TRAITEMENT

Le diagnostic repose sur l'examen clinique et sur la ponction lombaire, qui révèle une méningite lymphocytaire.

Il n'existe pas de traitement antiviral spécifique de la poliomyélite, la seule thérapeutique étant la rééducation, qui permet de limiter les déformations du squelette et les rétractions musculaires, conséquences des paralysies. La kinésithérapie doit donc être entreprise précocement, dès la disparition de la fièvre, et de façon continue.

PRÉVENTION

La vaccination est obligatoire dans de nombreux pays. Lorsqu'elle est correctement appliquée (3 injections dans la première année de la vie, suivies d'un rappel l'année suivante puis d'un rappel tous les 5 ans), elle protège contre cette maladie, grave du fait des infirmités qu'elle entraîne. Deux types de vaccins sont utilisés : les vaccins préparés avec des virus tués, qui sont administrés par voie sous-cutanée profonde (à choisir obligatoirement chez les sujets immunodéprimés), et les vaccins préparés avec des virus vivants atténués, administrés par voie buccale.

L'éradication de la poliomyélite est l'un des objectifs retenus par l'Organisation mondiale de la santé (O.M.S.) pour les prochaines années.

Poliose

Blanchiment localisé des cheveux.

Une poliose se traduit par une mèche blanche dans la chevelure. Cette anomalie se rencontre au cours de certaines maladies congénitales de la pigmentation (vitiligo, piébaldisme), de la maladie de Recklinghausen, de la sclérose tubéreuse de Bourneville ou de maladies acquises (pelade, inflammation localisée du cuir chevelu).

Poliovirus

Virus à A.R.N. du genre des entérovirus (famille des *Picornaviridæ*), responsable de la poliomyélite antérieure aiguë.

On distingue trois types de poliovirus, très proches les uns des autres. Le réservoir du virus est l'homme. La transmission se fait par ingestion d'eau domestique ou de boissons et d'aliments contaminés par les excréments des malades ou des porteurs sains du virus. Dans les pays où la maladie est présente de façon permanente, une

immunité naturelle s'installe pendant l'enfance ; en revanche, dans les pays où elle a pratiquement disparu grâce à la vaccination, l'immunité doit être entretenue par des rappels réguliers du vaccin.

Pollakiurie

Augmentation anormale du nombre de mictions.

Le nombre de mictions varie normalement de 0 à 1 pendant la nuit, de 4 à 5 dans la journée. Une pollakiurie peut avoir des causes très diverses : maladie entraînant une irritation de la vessie (cystite, prostatite, tumeur ou lithiase urinaire) ; maladie responsable d'une vidange incomplète de la vessie par obstruction des voies urinaires (adénome ou cancer de la prostate, rétrécissement de l'urètre) ; maladie entraînant une réduction de la capacité vésicale (bilharziose, tuberculose vésicale, etc.). Suivant les caractéristiques chronologiques de son apparition, on parle de pollakiurie diurne, nocturne ou permanente. Elle peut être de gravité variable ; dans les cas les plus graves, le sujet doit uriner toutes les 10 à 15 minutes. Le volume des mictions est faible, car le volume global des urines n'est, en général, pas modifié. Le traitement de la pollakiurie est celui de la maladie en cause.

Pollicisation

Intervention chirurgicale consistant à transformer un des doigts de la main en pouce, après la perte de ce dernier.

Le doigt de remplacement habituellement utilisé est l'index, qui est implanté à la place du pouce absent. Cette intervention nécessite une hospitalisation d'une semaine ; pendant la consolidation, qui dure environ 6 semaines, le doigt est immobilisé par une attelle. La kinésithérapie postopératoire joue un rôle très important dans la réussite fonctionnelle de ce type d'intervention.

Pollinose

Toute affection allergique provoquée par les pollens contenus dans les étamines (organe mâle des plantes à fleurs), disséminés soit par le vent, soit par les insectes.

Les pollens les plus allergisants sont ceux des arbres, des graminées ou des pariétaires. La pollinose, prédominante au printemps, est la plus caractéristique des manifestations de l'atopie (tendance générale à développer des allergies). Elle peut se traduire par un coryza spasmodique (rhume des foins), une conjonctivite, de l'asthme, ces maladies pouvant être associées (surtout le coryza spasmodique et la conjonctivite). Ces troubles ont une évolution saisonnière.

TRAITEMENT

C'est celui des allergies : suppression, si c'est possible, de tout contact avec les allergènes ; prise de médicaments visant à réduire les symptômes (antihistaminiques, antidégranulants, corticostéroïdes locaux, bêtastimulants, anticholinergiques) ; si ce traitement se révèle inefficace, une désensibilisation par administration répétée de doses infimes d'allergènes peut être tentée.

Pollution

Dégradation, due à l'action humaine, de l'environnement par des substances chimiques, des déchets industriels, des nuisances ou contamination insalubre de l'environnement par des micro-organismes pathogènes.

DIFFÉRENTS TYPES DE POLLUTION

La pollution se manifeste sous différentes formes, distinguées par leur origine.

■ **La pollution d'origine agricole** est due essentiellement à l'emploi de pesticides (insecticides, herbicides, fongicides, etc.) et d'azote comme engrais. Selon l'Organisation mondiale de la santé (O.M.S.), « une surexposition aux pesticides [...] entraîne la mort de plusieurs milliers de personnes chaque année ». Les pesticides contribuent également à détruire la flore et la faune. L'azote, transformé en nitrates (engrais), favorise la croissance des plantes mais pollue les eaux de ruissellement et certaines nappes phréatiques. La présence de nitrates en excès dans l'eau de boisson peut provoquer un défaut d'oxygénation du sang par transformation de l'hémoglobine en méthémoglobine (méthémoglobinémie), à l'origine d'accidents chez le nourrisson, notamment dans le cas où la qualité bactériologique de l'eau est mauvaise (réduction des nitrates en nitrites). Enfin, la transformation dans l'organisme des nitrates en nitrosamines pourrait provoquer des cancers du tube digestif.

■ **La pollution atmosphérique d'origine industrielle** peut être acidoparticulaire ou photo-oxydante. La pollution acidoparticulaire atteint l'environnement par la combustion des ressources énergétiques fossiles (divers types de charbon, pétrole, gaz naturel) dans les foyers domestiques et industriels et dans les transports, qui rejettent alors des particules charbonneuses, du dioxyde de soufre, des oxydes d'azote, transformés ensuite en acides sulfurique et nitrique. La pollution photo-oxydante est due à la transformation, en présence d'hydrocarbures et sous l'action des rayons ultraviolets solaires, des oxydes d'azote issus des moteurs à explosion qui fonctionnent à l'essence en ozone et en dérivés organiques oxydants. Elle est également en rapport avec l'émission de métaux (cadmium, fer, mercure, plomb, etc.) et de métalloïdes comme l'arsenic. La pollution atmosphérique est à l'origine de divers phénomènes : pluies acides et excès d'ozone dans la troposphère, dérive de l'effet de serre (due à l'augmentation des teneurs en dioxyde de carbone, en méthane, en protoxyde d'azote, en ozone troposphérique, en chlorofluorocarbures) et affaiblissement de la couche d'ozone dans la stratosphère sous l'action des dérivés chlorés utilisés par les industries du froid et les aérosols, des solvants, des mousses plastiques expansées.

■ **La pollution des mers** survient lors du transport de produits pétroliers par voie maritime et donne lieu à des marées noires, aux conséquences catastrophiques pour la faune et la flore marines notamment.

POLYARTHRITE RHUMATOÏDE

Affection rhumatismale fréquente (elle touche 1 % de la population), à prédominance féminine, cette maladie auto-immune atteint essentiellement les articulations des membres. Celles-ci deviennent douloureuses, se raidissent et se déforment progressivement.

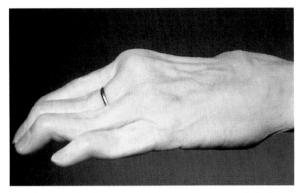

La déformation des doigts « en col de cygne » est typique de l'affection.

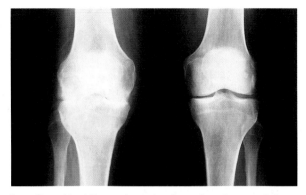

La radiographie révèle une destruction du cartilage du genou droit.

■ **La pollution de nature radioactive** est due à des accidents nucléaires tels que celui de Tchernobyl (Ukraine), en 1986, et à des déchets non traités. Les produits radioactifs provoquent à toute dose, semble-t-il, des brûlures, des cancers (leucémie, cancer bronchopulmonaire), des risques de malformation ou, à fortes doses, la mort.

■ **La pollution d'origine biologique** est provoquée par le rejet, par des hôpitaux ou des industries, de micro-organismes pathogènes, répandus dans l'air, dans l'eau domestique ou dans les aliments. Elle se manifeste par des maladies individuelles ou des épidémies. Les bactéries sont responsables d'intoxications alimentaires aiguës (salmonellose, par exemple) ou de maladies infectieuses telles que la listériose ou la maladie des légionnaires, infection pulmonaire due à une bactérie parfois présente dans les circuits de distribution d'eau des immeubles et dans les systèmes de traitement d'air.

■ **La pollution urbaine et industrielle** atteint les poumons et est susceptible de produire une autre maladies respiratoires chroniques, peut-être de majorer le risque de cancer du poumon. La survenue de crises d'asthme peut être liée à des pics temporaires de pollution.

Des allergènes, présents dans l'environnement domestique et professionnel, représentent une autre forme de pollution : acariens de la poussière de maison, squames et déjections d'animaux familiers, substances chimiques d'origine industrielle, etc. Ils sont responsables de maladies allergiques comme la rhinite ou l'asthme. Leur identification est indispensable afin d'obtenir leur éradication de l'environnement des sujets allergiques.

PRÉVENTION

Préoccupation majeure, elle comporte la réglementation de l'emploi des engrais et des pesticides, le contrôle de la teneur en toxiques de l'eau et de l'air, le stockage et l'élimination, ou le retraitement, des déchets industriels, la limitation de la circulation automobile à certaines périodes dans les grandes villes, des mesures de sécurité et le contrôle des circuits (avec, au besoin, fermeture d'unités) dans les centrales

thermonucléaires, le contrôle vétérinaire des denrées alimentaires, des règles d'hygiène hospitalière, etc.

Polyadénomatose familiale
→ VOIR Polypose rectocolique familiale.

Polyadénome digestif
Lésion caractérisée par l'association de plusieurs tumeurs bénignes développées sur le tissu glandulaire du tube digestif.

Il existe des polyadénomes de l'estomac, de l'intestin grêle, du côlon, du rectum et des voies biliaires, qui peuvent être tubulaires (constitués par la prolifération des cellules épithéliales), villeux (formés par la prolifération du tissu digestif conjonctif), tubulovilleux (de type mixte). À l'œil nu, un polyadénome se présente comme une formation plus ou moins arrondie, parfois pédiculée (rattachée par un segment de tissu) : c'est un polype. Certaines maladies héréditaires, les polyadénomatoses, sont caractérisées par la présence de nombreux polyadénomes digestifs.

SYMPTÔMES ET DIAGNOSTIC
Dans la plupart des cas, les polyadénomes n'entraînent aucun symptôme. Ils sont découverts par hasard lors d'une exploration digestive (échographie, endoscopie).

ÉVOLUTION
Un polyadénome digestif peut dégénérer en adénocarcinome. Le risque de cancérisation, très variable, dépend de la taille, du nombre des tumeurs et du type de polyadénome. Il est plus important lorsqu'il s'agit d'un polyadénome villeux ou tubulovilleux. La notion de dysplasie (transformation du tissu annonciatrice de cancer) est importante. Par ordre de gravité croissante, la dysplasie peut être légère, moyenne ou sévère. Le stade suivant est un cancer digestif localisé.

TRAITEMENT
Il repose sur l'ablation des tumeurs. Le risque de récidive impose une surveillance endoscopique annuelle.

Polyarthrite juvénile
→ VOIR Still (maladie de).

Polyarthrite rhumatoïde
Maladie rhumatismale inflammatoire caractérisée par une atteinte de la synoviale (membrane conjonctive tapissant la face interne des articulations).

La polyarthrite rhumatoïde est une maladie fréquente (1 % de la population), à prédominance nettement féminine (3 malades sur 4 sont des femmes). De cause inconnue, elle fait partie des maladies auto-immunes, au cours desquelles l'organisme produit des anticorps (facteur rhumatoïde) dirigés contre ses propres tissus.

SYMPTÔMES ET ÉVOLUTION
La polyarthrite rhumatoïde débute généralement entre 40 et 60 ans, sans facteur déclenchant connu. Elle touche essentiellement les articulations des membres, en particulier celles de la main, du poignet, de l'avant-pied ; ces atteintes, de gravité très variable, sont en général bilatérales et symétriques. Il est rare que les lésions touchent la colonne vertébrale, à l'exception de l'articulation entre les 2 premières vertèbres cervicales, qui peut être luxée. Les articulations sont gonflées, raides, déformées, douloureuses, surtout la nuit et en début de journée, ce qui nécessite un long dérouillage matinal. Certaines déformations sont caractéristiques de la maladie : doigts et orteils « en coup de vent » (comme emportés par un coup de vent sur le côté) ou « en col de cygne », dos de la main « en dos de chameau », pouce « en Z », etc. La synoviale est enflammée et épaissie. Ces signes articulaires sont isolés (on dit que la polyarthrite est nue) : le malade ne maigrit pas, n'a pas de fièvre et, dans un premier temps, aucun autre organe n'est atteint.

Après quelques années d'évolution, la polyarthrite rhumatoïde peut atteindre d'autres tissus conjonctifs que ceux des articulations : les tendons (ténosynovites) mais aussi la peau (nodules sous-cutanés), le péricarde (péricardite) ou les poumons (pleurésie, infiltrats pulmonaires, etc.). Les artères de petit calibre s'enflamment, provoquant des troubles sensitifs (engourdissement, fourmillements) et moteurs (paralysie d'un nerf) ou une nécrose cutanée. La polyarthrite rhumatoïde s'associe assez souvent au syndrome de Gougerot-Sjögren (yeux secs, bouche sèche), plus rarement au syndrome de Felty (grosse rate, baisse du taux sanguin de globules blancs). La maladie, chronique, évolue de manière assez imprévisible, par poussées entrecoupées de périodes de rémission. En l'absence de traitement, elle entraîne une impotence.

DIAGNOSTIC
Pendant les premiers mois de la maladie, le diagnostic repose sur la distribution et la chronicité des atteintes articulaires. Les dosages sanguins montrent des signes inflammatoires (accélération de la vitesse de sédimentation [V.S.], élévation des taux sanguins de protéine C-réactive) puis des signes immunologiques (facteur rhumatoïde, anticorps antinucléaires, etc.). Si on ponctionne une articulation atteinte, on en retire un liquide inflammatoire, et la biopsie de synoviale révèle une inflammation. Un ou deux ans plus tard, le facteur rhumatoïde peut être décelé dans le sérum de 70 % des patients. La radiographie montre des érosions osseuses et un pincement des interlignes articulaires – espace séparant les deux extrémités osseuses de l'articulation – dus aux pannus synoviaux, nodules inflammatoires formés par un épaississement de la membrane synoviale, qui détruisent peu à peu les cartilages, les os et les ligaments.

TRAITEMENT
Le traitement doit être permanent et associer plusieurs méthodes. Il repose sur les anti-inflammatoires (aspirine, indométacine ou corticostéroïdes en cas d'échec). La prise d'anti-inflammatoires est souvent plus efficace le soir au coucher, le plus tard possible. En traitement de fond sont surtout prescrits des sels d'or, des antipaludéens, de la thiopronine, de la salazopyrine, du méthotrexate. Ces médicaments ont tous une certaine toxicité, et les malades doivent faire l'objet d'une surveillance médicale régulière. Les traitements locaux consistent à prévenir l'apparition des déformations : infiltrations de corticostéroïdes, synoviorthèses (injections intra-articulaires d'une substance – acide osmique, isotope radioactif, etc. – permettant de détruire la synoviale atteinte), ablation de la synoviale par chirurgie conventionnelle ou par voie endoscopique, etc. L'ergothérapie permet de prévenir l'apparition des déformations. Une rééducation peut être nécessaire. Les cures thermales sont contre-indiquées en période évolutive. On observe que la grossesse induit souvent une complète rémission de la maladie, mais l'administration d'hormones ou d'extraits placentaires s'est révélée jusqu'à présent inefficace.

Polychondrite atrophiante
Maladie inflammatoire caractérisée par une atteinte des cartilages.

Rare, la polychondrite atrophiante touche le plus souvent des hommes âgés de 30 à 50 ans. De cause inconnue, elle fait partie des maladies auto-immunes, au cours desquelles l'organisme produit des anticorps dirigés contre ses propres tissus.

SYMPTÔMES ET SIGNES
La polychondrite atrophiante, peu douloureuse, se traduit par un ramollissement, une déformation puis une réduction du volume des cartilages, le tissu cartilagineux étant progressivement détruit et remplacé par un tissu fibreux. La maladie touche principalement les cartilages du pavillon de l'oreille (oreille « en chou-fleur »), du nez (nez « de boxeur ») mais parfois aussi ceux de la trachée (entraînant des difficultés respiratoires pouvant être mortelles), voire les cartilages articulaires. Ces signes s'associent dans certains cas à une épisclérite (inflammation de la sclérotique, enveloppe externe du globe oculaire).

ÉVOLUTION ET TRAITEMENT
La polychondrite atrophiante évolue par poussées entrecoupées de périodes de rémission, pendant lesquelles les déformations persistent. Son traitement repose sur la prise de corticostéroïdes.

Polyclinique
Établissement privé d'hospitalisation et de consultation où exercent des praticiens de spécialités différentes.

Une polyclinique assure la prise en charge diagnostique et thérapeutique de différentes maladies. Elle ne doit pas être confondue avec une policlinique, clinique municipale établie aux frais d'une ville et dans laquelle des médecins exerçant à titre libéral peuvent donner des consultations.

Polycorie
Anomalie de l'iris, caractérisée par la présence de plusieurs pupilles.

DIFFÉRENTS TYPES DE POLYCORIE
■ La polycorie congénitale, rarissime, peut se manifester par plusieurs vraies pupilles entourées chacune d'un sphincter. Mais, le plus souvent, les autres orifices ne suivent pas les mouvements de la pupille normale : ils se ferment, au contraire, quand celle-ci se dilate. Cette polycorie gêne généralement peu la vision.

■ La polycorie acquise est due à un traumatisme ou à une iridectomie (ablation chirurgicale d'une partie de l'iris). Si elle est gênante, entraînant une diplopie monoculaire (vision double provenant d'un seul œil), l'iridectomie peut être suturée.

Polydactylie
Malformation congénitale, généralement héréditaire, caractérisée par l'existence d'un doigt ou d'un orteil surnuméraire, plus rarement de plusieurs.

La polydactylie est le plus souvent un doublement du 4e ou du 5e doigt ou orteil ; sa forme mineure est la bifidité du doigt (doigt dont l'extrémité est divisée en deux). Le doigt ou l'orteil surnuméraire est souvent de petite taille et non fonctionnel.

Le traitement consiste à corriger chirurgicalement la malformation par amputation des organes surnuméraires.

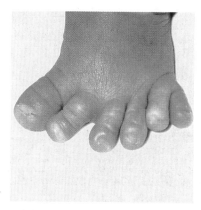

Polydactylie. Il existe ici, en plus des cinq orteils, un orteil supplémentaire.

Polydipsie
Sensation de soif exagérée, calmée par une prise de boisson abondante.

Une polydipsie s'accompagne presque toujours d'une polyurie (excrétion d'un volume d'urine supérieur à 3 litres par 24 heures) ; on parle alors de syndrome polyuropolydipsique. Le plus souvent, la polydipsie est consécutive à la polyurie, elle-même due à un diabète insipide, à un diabète sucré (hyperglycémie) ou à une autre maladie métabolique (hypercalcémie, hypokaliémie) ; plus rarement, elle est due à une affection psychiatrique ou à une lésion des centres cérébraux de la soif. Le traitement de la polydipsie est celui de sa cause : traitement du diabète, des troubles métaboliques, de la lésion cérébrale, etc.

Polygénisme
Intervention de plusieurs gènes dans l'apparition d'une caractéristique corporelle.

Les maladies polygéniques sont celles dans lesquelles l'altération de plusieurs gènes différents est nécessaire pour que la pathologie se manifeste, ce qui s'observe dans certains cas de maladies cardiovasculaires, de cancers ou de maladies mentales.

Polyglobulie
Augmentation de la masse totale des globules rouges de l'organisme, entraînant notamment une augmentation de la viscosité sanguine.

CAUSES
Les polyglobulies relèvent de deux types de mécanisme, liés l'un et l'autre à l'érythropoïétine, hormone produite principalement par le rein, accessoirement par le foie, et qui stimule la production des globules rouges. Dans un cas, les cellules souches qui donnent naissance aux globules rouges présentent une sensibilité anormale à l'érythropoïétine et prolifèrent en excès : c'est la maladie de Vaquez. Dans l'autre, l'érythropoïétine est produite par l'organisme en quantités trop élevées. Cette hypersécrétion a généralement pour origine une oxygénation insuffisante des tissus

(hypoxie tissulaire) pouvant relever d'une insuffisance respiratoire, d'une fibrose pulmonaire, de shunts (courts-circuits) cardio-vasculaires. Une sécrétion inappropriée d'érythropoïétine a été décrite dans des tumeurs rénales bénignes ou malignes, dans des cancers du foie ainsi que dans certaines tumeurs d'organes qui n'en produisent normalement pas (hémangioblastome du cervelet, méningiome) : on parle dans ce dernier cas de sécrétion ectopique.

SYMPTÔMES ET SIGNES
Quelle que soit sa cause, la polyglobulie a pour résultat une augmentation de la viscosité sanguine, provoquant un ralentissement circulatoire et un accroissement du risque de thrombose (formation d'un caillot).

La polyglobulie entraîne en outre une augmentation du volume sanguin total, qui se traduit en particulier par des maux de tête et une hypertension artérielle.

DIAGNOSTIC
Il se fonde sur l'hémogramme (analyse quantitative des cellules sanguines) ainsi que sur la mesure de la masse sanguine par marquage radioactif des globules rouges. Cette technique, qui mesure les volumes globulaire et plasmatique, permet de discriminer les polyglobulies vraies des fausses polyglobulies, dans lesquelles l'augmentation de l'hématocrite (volume total des globules rouges par rapport au volume sanguin) est due à la diminution du volume du plasma.

TRAITEMENT
Le traitement est fonction de l'origine de la maladie. Les saignées, abondantes et répétées, sont utiles si la viscosité sanguine est très élevée et peut faire craindre des thromboses. Lorsqu'il s'agit d'une polyglobulie secondaire, il faut préférer – chaque fois que cela est possible – le traitement de la cause originelle de la maladie. Le traitement de la maladie de Vaquez fait appel aux saignées ainsi qu'à des médicaments myélosuppresseurs.

Polykystique

Qui comporte un grand nombre de kystes (cavités pathologiques contenant une substance le plus souvent molle ou liquide et limitées par une paroi qui leur est propre).

Il existe des maladies polykystiques du foie, des voies biliaires, des reins et des ovaires.

→ VOIR Maladie polykystique du foie, Maladie polykystique des reins, Maladie polykystique des voies biliaires, Ovaires polykystiques (syndrome des).

Polykystose ovarienne

→ VOIR Ovaires polykystiques (syndrome des).

Polykystose rénale

→ VOIR Maladie polykystique des reins.

Polymédication

Fait de prendre en même temps plusieurs médicaments.

La polymédication peut découler de la prescription par un même médecin de plusieurs médicaments pour une ou plusieurs affections. Mais il arrive également qu'un patient consulte plusieurs médecins et omette de signaler à chacun d'eux les prescriptions des autres ; ou bien qu'il prenne, en même temps que les médicaments qui lui ont été prescrits, d'autres médicaments qu'il croit anodins : de l'aspirine pour des maux de tête, par exemple.

Or, les substances actives agissent souvent les unes sur les autres. Un médicament peut en inhiber un autre ou, au contraire, amplifier ses effets et, particulièrement, ses effets indésirables. Aussi l'évaluation des risques d'interaction médicamenteuse exige-t-elle la compétence du médecin ou du pharmacien. Au-delà de trois médicaments, ces interactions deviennent d'ailleurs si complexes qu'elles sont en général impossibles à bien maîtriser dans l'état actuel des connaissances. C'est pourquoi il est tout à fait déconseillé de prendre des médicaments sans avis médical.

En outre, certaines pharmacies ont un équipement informatique qui permet de savoir si les médicaments prescrits n'engendrent pas d'interaction médicamenteuse entre eux et si leurs effets ne se potentialisent ou ne s'antagonisent pas.

→ VOIR Interaction médicamenteuse.

Polyménorrhée

Règles survenant à intervalles trop fréquents (moins de 24 jours).

CAUSES
Une polyménorrhée est due à un raccourcissement du cycle menstruel soit dans la première phase (phase de maturation du follicule ovarien), soit dans la deuxième phase (phase lutéale, correspondant à la dégénérescence du follicule transformé en corps jaune). Le raccourcissement de la phase de maturation du follicule correspond à une hyperactivité ovarienne, qui peut entraîner une absence d'ovulation. Le raccourcissement de la durée de vie du corps jaune, plus fréquent, se rencontre surtout à la puberté et lors de la préménopause. En période d'activité génitale, cette insuffisance lutéale s'observe lors du syndrome des ovaires polykystiques, en cas d'hyperprolactinémie (sécrétion excessive de prolactine) ou encore en cas de prise de micropilules.

DIAGNOSTIC
Pour déterminer laquelle des deux phases est raccourcie, il est nécessaire d'établir une courbe de température sur 3 cycles successifs et de réaliser un bilan hormonal. Ce bilan permet également de savoir si les cycles sont ovulatoires.

TRAITEMENT
Le raccourcissement de la première partie du cycle ne nécessite pas de traitement, sauf s'il n'y a pas d'ovulation : dans ce cas, l'administration d'hormones permet de déclencher celle-ci. Le traitement du raccourcissement de la deuxième phase du cycle (phase lutéale) repose sur l'administration de progestérone naturelle ou de progestatifs de synthèse et sur le traitement de la cause, lorsqu'il est possible.

Polymérase

Enzyme participant à la synthèse des acides nucléiques (A.D.N. et A.R.N.).

Il y a des polymérases dans tous les organismes vivants, des cellules aux virus. Elles permettent la réplication du patrimoine génétique et la synthèse des différents A.R.N. (messager, ribosomique ou de transfert). La transcriptase inverse est une A.D.N.-polymérase, caractéristique des rétrovirus (dont le V.I.H., virus du sida) : elle synthétise une molécule d'A.D.N. à partir d'A.R.N. viral, créant un « provirus » apte à s'intégrer dans le chromosome de la cellule infectée.

Les tests reposant sur la réaction d'amplification génique, ou *Polymerase chain reaction* (PCR), utilisent une polymérase bactérienne pour augmenter l'A.D.N. viral présent dans les tissus malades (sang, liquide céphalorachidien ou tout autre tissu prélevé par biopsie) afin de le rendre plus détectable.

Polymorphisme

Existence au sein d'une population de variations individuelles d'un caractère génétique n'entraînant pas de conséquences pathologiques.

La variété des groupes sanguins est un exemple de polymorphisme.

Polymyosite

Toute maladie inflammatoire auto-immune (lors de laquelle l'organisme produit des anticorps dirigés contre ses propres tissus) caractérisée par une atteinte, isolée ou non, des muscles striés.

De cause inconnue, les polymyosites surviennent à tout âge, avec une fréquence maximale entre 20 et 40 ans et une prédominance féminine. Dans de rares cas, elles s'associent à un cancer : on parle alors de polymyosite paranéoplasique. Elles peuvent aussi faire partie d'une maladie auto-immune diffuse comme le lupus érythémateux.

SYMPTÔMES ET SIGNES
Les symptômes des polymyosites sont très variables. Les muscles atteints, en général ceux des cuisses et des épaules, sont douloureux et manquent de force : le malade a du mal à se lever d'une chaise, à se redresser d'une position allongée, à marcher, à se coiffer puis, enfin, à avaler. À cette atteinte musculaire peuvent s'associer des lésions purpuriques touchant surtout la peau des paupières, des mains, des doigts, des coudes et des genoux (on parle alors de dermatomyosite), des douleurs articulaires, une fièvre parfois élevée, une hypertrophie des ganglions, etc.

DIAGNOSTIC
Outre les signes inflammatoires (augmentation de la vitesse de sédimentation, du taux sanguin de protéine C-réactive), le diagnostic est confirmé par l'augmentation du taux d'enzymes musculaires dans le sang, par l'électromyogramme (enregistrement électrique de l'activité musculaire), qui montre une atteinte musculaire inflammatoire, et par la biopsie musculaire, qui montre une dégénérescence des fibres et une réaction tissulaire inflammatoire.

ÉVOLUTION ET TRAITEMENT

L'évolution peut être aiguë et atteindre le muscle cardiaque ; subaiguë, avec un risque d'atteinte respiratoire ; ou chronique. Le traitement repose sur la prescription d'anti-inflammatoires (corticostéroïdes, notamment) et d'immunosuppresseurs. Les polymyosites paranéoplasiques guérissent en même temps que le cancer.

Polynévrite

Atteinte du système nerveux périphérique caractérisée par des troubles sensitifs et moteurs survenant symétriquement des deux côtés du corps et prédominant à l'extrémité des membres.

L'atteinte des nerfs concerne soit le corps cellulaire, partie principale du neurone (neuronopathie), soit l'axone, prolongement du précédent (neuropathie axonale), ou encore la myéline qui entoure l'axone (neuropathie démyélinisante).

CAUSES

Elles sont diverses : intoxication (alcoolisme), anomalie génétique, carence alimentaire, infection, inflammation, syndrome paranéoplasique (sécrétion par une tumeur cancéreuse d'une substance qui diffuse dans l'organisme et attaque le système nerveux), trouble métabolique (diabète sucré).

SYMPTÔMES ET SIGNES

Lors d'une polynévrite, les atteintes sont simultanées pour tous les nerfs concernés chez un patient donné, les troubles étant dans la plupart des cas à la fois sensitifs et moteurs. L'évolution peut être aiguë ou chronique.

■ Les troubles sensitifs sont des paresthésies (sensations désagréables, telles que des fourmillements ou des picotements, ressenties dans la peau), une altération de la sensibilité à la température et à la douleur et une altération des sensations proprioceptives (relatives aux articulations et aux muscles). La topographie de ces anomalies est dite « en chaussettes » et « en gants ».

■ Les troubles moteurs sont des paralysies débutant généralement aux membres inférieurs et concernant les muscles releveurs du pied, ce qui entraîne une claudication caractéristique appelée steppage (anglicisme évoquant le trot d'un cheval) : pour marcher, le malade soulève très haut le genou puis lève la jambe en avant pour éviter que la pointe du pied n'accroche le sol. Les muscles sont hypotoniques et s'atrophient rapidement, les réflexes sont faibles.

DIAGNOSTIC ET TRAITEMENT

Le diagnostic repose sur l'électromyographie (enregistrement de l'activité électrique du muscle), complétée au besoin par une biopsie neuromusculaire.

Il n'y a pas de traitement spécifique. L'affection peut régresser spontanément. Dans d'autres cas, elle régresse ou disparaît avec le traitement de la cause.

Polynucléaire

Globule blanc caractérisé par un noyau à plusieurs lobes et des granulations spécifiques. SYN. granulocyte.

On distingue trois types de polynucléaires suivant la nature du colorant fixé par leurs granulations : les polynucléaires basophiles retiennent les colorants basiques ; les polynucléaires éosinophiles retiennent les colorants acides ; les polynucléaires neutrophiles retiennent les colorants neutres.

Polynucléaire basophile

Globule blanc caractérisé par de grosses granulations cytoplasmiques présentant une affinité marquée pour les colorants basiques.

Ces granulations sont riches en histamine et contiennent de l'héparine.

Les polynucléaires basophiles sont issus d'une lignée de la moelle osseuse indépendante des lignées des polynucléaires éosinophiles et neutrophiles. Leur fonction exacte, mal connue, est vraisemblablement liée aux mécanismes de l'immunité cellulaire (hypersensibilité retardée). Ils sont très peu nombreux dans la moelle osseuse et dans le sang, où leur absence apparente ne constitue pas une anomalie. Leur excès (basocytose) est rare et se rencontre surtout dans l'hypothyroïdie, les hyperlipidémies sévères et les leucémies myéloïdes.

Polynucléaire éosinophile

Globule blanc caractérisé par un noyau à 2 lobes et par de grosses granulations présentant une affinité marquée pour les colorants acides tels que l'éosine.

Le nombre des polynucléaires éosinophiles dans le sang est normalement compris entre 0 et 500 par millimètre cube. Au-delà, on parle d'hyperéosinophilie.

Les polynucléaires éosinophiles passent brièvement de la moelle osseuse, qui les produit, dans le sang avant de remplir dans les tissus des fonctions liées essentiellement à la défense antiparasitaire et aux réactions allergiques ; ils ne semblent pas remplir de fonction antibactérienne. Comme les polynucléaires neutrophiles, ils sont mobiles et capables de phagocytose. Ils laissent diffuser le contenu de leurs granulations, dont les caractéristiques chimiques expliquent les lésions tissulaires spécifiques de certaines hyperéosinophilies chroniques : endocardites, lésions articulaires, cutanées, nerveuses, vasculaires.

Polynucléaire neutrophile

Globule blanc caractérisé par un noyau présentant plusieurs lobes, 3 le plus souvent, et par de fines granulations du cytoplasme possédant une affinité marquée pour les colorants neutres.

Le nombre de polynucléaires neutrophiles est normalement compris entre 1 700 et 7 500 par millimètre cube de sang. La limite inférieure normale est plus basse dans les populations originaires d'Afrique noire (800 par millimètre cube).

Les polynucléaires neutrophiles naissent dans la moelle osseuse à partir de cellules peu différenciées, les myéloblastes, qui se spécialisent au fur et à mesure de leurs divisions. Leur rôle essentiel est la défense de l'organisme contre les micro-organismes étrangers, bactéries et levures. Les polynucléaires neutrophiles gagnent les tissus par diapédèse, c'est-à-dire en passant entre les cellules endothéliales des vaisseaux capillaires. Ils peuvent assurer leur fonction de défense grâce, principalement, à leur mobilité, à leur chimiotactisme (ils sont attirés par certaines substances d'origine bactérienne et certaines fractions du complément, système enzymatique participant à la destruction des antigènes), à leur capacité d'ingérer des particules étrangères (phagocytose) et à leur pouvoir bactéricide, dû à la libération par leurs granulations de substances antibactériennes. Enfin, leurs fonctions excrétrices favorisent les réactions inflammatoires locales des tissus et contribuent à la défense de ceux-ci.

Polynucléose

Augmentation au-delà des valeurs normales du nombre des globules blancs dits polynucléaires.

Cette anomalie peut toucher les polynucléaires neutrophiles, éosinophiles ou basophiles. La polynucléose neutrophile, la plus fréquente, est généralement le signe d'une inflammation ou d'une infection, mais elle peut être due aussi au tabagisme ou à un traitement par les corticostéroïdes, qui libèrent dans la circulation sanguine les polynucléaires normalement collés le long des parois des vaisseaux et ceux qui sont en réserve dans la moelle osseuse. La polynucléose basophile, ou basophilie, ne s'observe pratiquement jamais sans atteinte des autres polynucléaires. La polynucléose éosinophile, plus volontiers dénommée éosinophilie, ou hyperéosinophilie, s'observe dans les allergies, les parasitoses, diverses dermatoses, la périartérite noueuse et les syndromes apparentés et dans les leucémies.

Polyorexie

→ VOIR Boulimie.

Polype

Tumeur le plus souvent bénigne, généralement pédiculée, qui se développe sur les muqueuses des cavités naturelles de l'organisme.

Les polypes, qui peuvent être uniques ou multiples, font plus ou moins saillie sur la paroi de l'organe : ils sont souvent pédiculés (reliés à l'organe par un axe conjonctif revêtu de muqueuse), plus rarement sessiles (peu saillants). Ils siègent de préférence dans le tube digestif (côlon, estomac, rectum), sur la muqueuse utérine, dans le nez et dans le larynx. Les polypes de la vessie sont improprement appelés polypes : ce sont des papillomes. Les polypes coliques et rectaux sont soit du type dit « juvéniles » et ne dégénérant pas, soit adénomateux et pouvant dégénérer en cancer. Un cancer peut également prendre l'aspect d'un polype.

SYMPTÔMES ET SIGNES

Les symptômes varient suivant la localisation des polypes, qui passent parfois inaperçus et sont révélés par hasard. Les plus volumineux peuvent obstruer un conduit.

■ **Les polypes de la cavité utérine** sont localisés sur le col de l'utérus ou dans l'utérus. Ils peuvent être la cause de saignements.

■ **Les polypes des cordes vocales** se développent dans le larynx sur les bords des cordes vocales et se manifestent par une modification de la voix.

■ **Les polypes digestifs** sont souvent multiples. Ils entraînent des hémorragies peu abondantes. Les plus volumineux peuvent obstruer l'intestin, provoquant une invagination. Ils ont dans certains cas un caractère familial (syndrome de Peutz-Touraine-Jeghers, polypose rectocolique).

■ **Les polypes des fosses nasales** se manifestent par une obstruction nasale, par une rhinorrhée (écoulement de liquide) et parfois par une perte de l'odorat. Les polypes présents dans une seule fosse nasale sont le plus souvent consécutifs à une sinusite chronique ou à une tumeur. Ils sont bénins dans la plupart des cas. La présence de polypes simultanément dans les deux fosses nasales constitue la manifestation d'une polypose nasosinusienne.

■ **Les polypes du méat urétral** surviennent principalement chez la femme âgée. Bénins, ils prennent la forme de saillies rouges, parfois pédiculées, et se manifestent par des douleurs locales au frottement, des saignements et aussi, dans certains cas, par des difficultés à la miction.

DIAGNOSTIC
Certains polypes, tels ceux des fosses nasales, du méat urétral ou du col utérin, peuvent être vus directement. Le toucher rectal permet de sentir la présence de polypes du rectum. La mise en évidence des polypes est effectuée par endoscopie (hystéroscopie pour l'utérus, coloscopie pour le côlon, laryngoscopie pour les cordes vocales, cystoscopie pour la vessie). La biopsie révèle la nature, précancéreuse ou non, du polype.

ÉVOLUTION
Certains polypes sont considérés comme des formations précancéreuses. Les polypes du côlon, en particulier, sont sujets à évolution maligne. Leur risque de cancérisation est directement lié à leur taille, à leur nombre et à la présence de foyers dysplasiques (anomalies du développement du tissu visibles au microscope).

TRAITEMENT
Il consiste en l'ablation chirurgicale des polypes, généralement par voie endoscopique, suivie de leur examen histologique. Certains polypes, comme ceux des fosses nasales, récidivent souvent et doivent faire l'objet d'une nouvelle intervention. L'ablation d'un polype utérin doit être associée à un contrôle de la cavité utérine par hystéroscopie. En effet, celle-ci permet parfois de mettre en évidence un cancer du col utérin. Les polypes intestinaux, quant à eux, sont toujours enlevés sans délai : cette intervention fait partie des mesures de prévention du cancer du côlon.

POLYPE

Tumeurs généralement bénignes, les polypes s'implantent sur les parois muqueuses des cavités naturelles (pharynx, fosses nasales, etc.), qu'ils peuvent obstruer. Leur ablation est la plupart du temps réalisée par endoscopie.

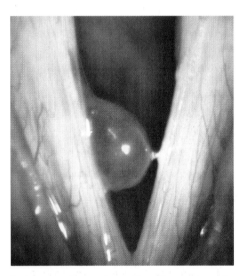

La laryngoscopie montre un polype d'une corde vocale.

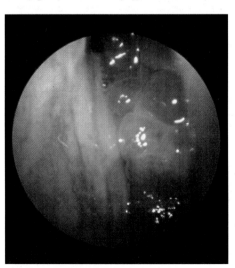

Polype des fosses nasales.

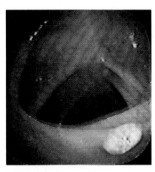

Polype du côlon avant ablation.

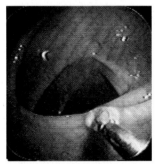

Polype en cours d'ablation.

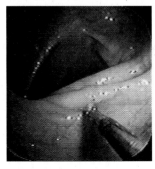

Aspect normal après ablation.

Polypectomie
Ablation chirurgicale d'un polype.

Une polypectomie, pratiquée sous anesthésie locorégionale ou générale, est une intervention bénigne ne nécessitant qu'une courte hospitalisation. Elle s'effectue par voie endoscopique, à l'aide d'un tube muni d'un système optique et d'instruments de petite taille ou, si le polype est très volumineux ou inaccessible à l'endoscopie, par chirurgie conventionnelle.

Les techniques d'ablation, très diverses, dépendent de la localisation du polype : section de la base du polype au bistouri électrique, à la pince coupante ou à l'aide d'un fil qui l'enserre, etc. Les polypes retirés sont examinés au microscope afin de vérifier qu'ils ne contiennent pas de cellules cancéreuses. À la place de la lésion se forme toujours une escarre, qui peut tomber et saigner. En général, les polypes de la vessie et du côlon récidivent, ce qui nécessite des polypectomies répétées.

Polyploïde
Se dit des cellules qui possèdent un ou plusieurs jeux de chromosomes en surnombre.

Les cellules normales possèdent soit un jeu unique de chromosomes (cellules haploïdes : ce sont les cellules reproductrices), soit deux jeux (cellules diploïdes : c'est le cas de toutes les autres cellules) ; les cellules polyploïdes possèdent plus de deux jeux de chromosomes. C'est souvent le cas des cellules cancéreuses.

Polypoïde

Se dit d'une lésion saillante, souvent pédiculée, localisée à la surface d'un revêtement cutané ou muqueux.

Une lésion polypoïde peut être une malformation, une tumeur bénigne ou maligne (polype), ou encore une lésion inflammatoire, et siéger dans différents types d'organe (fosses nasales, intestin, larynx).

Certaines lésions polypoïdes sont identifiables à l'œil nu par fibroscopie oto-rhino-laryngologique ou par coloscopie. Toutes exigent un examen au microscope après biopsie.

Polypose

Affection caractérisée par le développement dans un organe (côlon essentiellement) de plusieurs polypes.

Polypose digestive

Maladie caractérisée par la présence de multiples polypes sur la muqueuse qui tapisse le tube digestif.

Polypose rectocolique familiale

La polypose rectocolique familiale, ou polyadénomatose familiale, est la plus fréquente des polyposes digestives (0,03 % de la population). C'est une maladie héréditaire, de transmission autosomique (par les chromosomes non sexuels) dominante : il suffit que le gène en cause soit reçu de l'un des parents pour que l'enfant développe la maladie. Ce gène a été identifié sur le bras long du chromosome 5. Les polypes sont des adénomes ou des polyadénomes (association de plusieurs adénomes) ; il y en a des centaines, voire des milliers, prédominant dans le côlon et dans le rectum. La maladie se traduit par une diarrhée, des pertes de sang dans les selles et des douleurs abdominales. Elle débute en général autour de l'âge de 15 ans et évolue toujours vers la cancérisation des polypes. Son diagnostic repose sur la coloscopie. Le seul traitement connu est la colectomie totale (ablation du côlon), suivie d'une anastomose (suture des deux segments restants d'intestin). Une surveillance ultérieure s'impose afin de dépister la survenue éventuelle de polypes de l'estomac et de l'intestin grêle. Une coloscopie pratiquée chez les proches (frères, sœurs, enfants) du malade permet de dépister des polyposes non encore manifestées. En outre, il sera probablement possible dans les prochaines années de dépister les sujets porteurs du gène anormal et de les surveiller régulièrement.

Syndrome de Peutz-Touraine-Jeghers

Il a la même transmission héréditaire que la polypose rectocolique. Les polypes sont alors des hamartomes (petites malformations ayant l'aspect d'une tumeur) et prédominent dans l'estomac et l'intestin grêle. Ce syndrome se traduit par des hémorragies digestives, des douleurs, une lentiginose périorificielle : apparition de lentigos (grains de beauté) autour de la bouche, de l'anus et sur le dos des mains. Le risque de dégénérescence cancéreuse étant très faible, l'ablation des polypes, par chirurgie conventionnelle ou endoscopique (à l'aide d'un tube muni d'un système optique et d'instruments de petite taille), est réservée aux polypes volumineux, qui risquent de provoquer une occlusion intestinale.

Polypose juvénile

Très rare, cette maladie est de cause inconnue, bien qu'il en existe des formes familiales. Les polypes sont des hyperplasies (multiplications de cellules non tumorales) prédominant dans le côlon et le rectum. Les symptômes digestifs et le traitement de cette maladie sont identiques à ceux du syndrome de Peutz-Touraine-Jeghers.

Polypose nasosinusienne

Maladie caractérisée par la présence de multiples polypes sur la muqueuse qui tapisse les cavités des fosses nasales et des sinus.

La polypose nasosinusienne traduit une tendance chronique à développer dans ces cavités, parfois durant plusieurs années, des polypes. La cause en est inconnue. Les signes sont une sensation d'obstruction nasale bilatérale permanente, un écoulement venant des fosses nasales, des douleurs du visage et une perte de l'odorat.
■ La maladie de Widal est une forme particulière où la polypose s'associe à un asthme et à une intolérance à l'aspirine : par exemple, une crise d'asthme se déclenche à chaque prise d'aspirine.

TRAITEMENT

Le traitement est fondé sur des cures de corticostéroïdes par voie orale pendant quelques jours et, surtout, sur l'administration locale prolongée de corticostéroïdes. En cas d'échec du traitement médical, on a recours à l'ethmoïdectomie (ablation chirurgicale de la cloison osseuse de l'ethmoïde et donc des polypes).

Polyradiculonévrite

Atteinte diffuse des racines nerveuses et des nerfs périphériques par dysfonctionnement de la myéline (gaine des fibres du système nerveux).

CAUSES

Une polyradiculonévrite se déclare souvent au cours de maladies infectieuses virales (zona, mononucléose infectieuse, hépatite). Il existe également des polyradiculonévrites chroniques inflammatoires, dues, dans certains cas, à une affection générale sous-jacente (maladie auto-immune comme le lupus érythémateux disséminé, cancer, etc.). Le syndrome de Guillain-Barré est une forme de polyradiculonévrite aiguë régressant le plus souvent sans laisser de séquelles.

SYMPTÔMES ET SIGNES

Une polyradiculonévrite se traduit par une paraplégie (paralysie motrice des membres inférieurs) ou par une tétraplégie (paralysie des quatre membres), par une abolition des réflexes ostéotendineux et par des troubles de la sensibilité proprioceptive (sensibilité des os, des tendons, des muscles et des articulations). Des douleurs suivant le territoire d'une ou de plusieurs racines nerveuses peuvent s'associer à ces symptômes.

La gravité d'une telle affection tient à sa possible extension aux racines cervicales supérieures, commandant les muscles respiratoires, ou aux nerfs crâniens ainsi qu'au risque d'une atteinte dysautonomique (touchant le système nerveux végétatif), qui peut entraîner des troubles de la conduction cardiaque.

DIAGNOSTIC

Il repose sur l'examen clinique et est confirmé par l'électromyographie (mesure de l'activité électrique musculaire), qui montre un allongement considérable de la conduction des nerfs, et par une ponction lombaire, qui révèle une dissociation albuminocytologique (augmentation du taux de protéines, sans élévation des éléments cellulaires nucléés).

TRAITEMENT

Il nécessite une hospitalisation et dépend de l'intensité des troubles et de la durée d'évolution de la maladie. Il fait appel aux plasmaphérèses pour les polyradiculonévrites aiguës, à l'administration de corticostéroïdes, voire d'immunosuppresseurs, pour les polyradiculonévrites chroniques. On y adjoint une kinésithérapie active (aide à la récupération) ainsi qu'une aide respiratoire (ventilation assistée) en cas de déficit des muscles respiratoires.

Polysaccharide

Sucre complexe composé de plusieurs molécules de sucres simples. SYN. polyoside.

Les principaux polysaccharides sont l'amidon (réserve glucidique des végétaux), le glycogène (réserve glucidique des animaux, concentrée dans le foie et les muscles), l'inuline (présente dans certains végétaux comme l'artichaut ou le topinambour) ; ils sont transformés en sucres simples (glucose pour l'amidon et le glycogène, fructose pour l'inuline) au cours de la digestion. D'autres polysaccharides, la cellulose, les hémicelluloses ou encore les pectines, constituent les fibres alimentaires, non assimilables par l'organisme humain.

Polysérite

Inflammation simultanée de plusieurs séreuses (enveloppes formées de deux feuillets – le feuillet viscéral et le feuillet pariétal – qui entourent certains organes).

Une polysérite se manifeste au cours de maladies comme la tuberculose dans une forme grave ou comme la fièvre méditerranéenne familiale.

Elle peut atteindre différentes séreuses : les méninges, qui protègent l'encéphale et la moelle épinière, le péricarde, qui enveloppe le cœur, le péritoine, situé autour des viscères abdominaux, la plèvre, qui entoure les poumons.

Une polysérite se traduit par des sécrétions, responsables d'épanchements de liquide entre les deux feuillets. Son diagnostic peut être confirmé par examen du liquide ou biopsie de la membrane séreuse. Son traitement est lié à celui de la maladie dont elle est un signe.

Polytraumatisme

Ensemble des troubles dus à plusieurs lésions d'origine traumatique, dont une au moins menace la vie du blessé.

Un polytraumatisme résulte d'un traumatisme en général violent : accident de la voie publique, chute (défenestration), ensevelissement, explosion, plaie grave par arme à feu. Les lésions sont variées et parfois associées : fractures des membres, du bassin, de la colonne vertébrale ; contusion ou hémorragie du cerveau, des poumons, des viscères abdominaux (rate, foie, etc.).

Les témoins doivent prévenir immédiatement les secours mais s'abstenir d'interventions intempestives susceptibles d'aggraver les lésions. Les polytraumatisés doivent être pris en charge par des équipes entraînées, multidisciplinaires (médecins anesthésistes-réanimateurs, chirurgiens spécialisés, radiologues, biologistes), en milieu hospitalier spécialisé. En cas de catastrophe naturelle ou accidentelle, l'organisation des secours doit se faire à 3 niveaux : sur le lieu même de l'accident, dans les hôpitaux de proximité, dans les grands hôpitaux disposant de services spécialisés. En moyenne, sur 100 victimes d'un polytraumatisme, 50 meurent immédiatement, 15 après quelques heures (notamment à cause d'hémorragies que l'on ne parvient pas à juguler) et 7 au bout d'une semaine (à cause d'infections ou de défaillances viscérales multiples).

Polyurie

Augmentation (au-dessus du seuil de 3 litres) de la quantité des urines émises pendant 24 heures.

Une polyurie peut être due à une prise excessive de boissons, à un diabète insipide, à un diabète sucré mal équilibré, à certaines maladies rénales chroniques, à des perfusions abondantes ou à la prise de certains médicaments (lithium). Parfois, elle est aussi provoquée, par exemple lors d'un traitement par des médicaments diurétiques.

SYMPTÔMES ET SIGNES

La polyurie est en général liée à une polydipsie (sensation de soif exagérée) : il s'agit alors d'une polyuropolydipsie et il faut déterminer si l'augmentation de boisson cause la polyurie ou si, à l'inverse, c'est la polyurie qui engendre une augmentation des volumes de liquides bus pour éviter une déshydratation. La fuite des électrolytes (sodium, potassium) dans les urines peut entraîner une hypokaliémie (diminution du taux de potassium dans le sang) ou une hyponatrémie (diminution du taux de sodium dans le sang).

DIAGNOSTIC

Il repose sur l'évaluation du volume des urines émises pendant 24 heures. Celles-ci sont recueillies pendant un jour et une nuit et l'on note, dans le même temps, le volume de boisson ingéré.

TRAITEMENT

C'est celui de la maladie en cause.

Pomme d'Adam

→ VOIR Adam (pomme d').

Pompe (maladie de)

Affection héréditaire à transmission autosomique récessive, appartenant au groupe des glycogénoses et caractérisée par un déficit en alpha-1-4-glucosidase, l'une des enzymes du métabolisme du glycogène.

La maladie de Pompe se transmet exclusivement par les chromosomes autosomes (non sexuels) sur un mode récessif (le gène porteur devant être reçu du père et de la mère pour qu'elle se développe).

Cette affection se traduit par une faiblesse généralisée et par un accroissement du volume du foie (hépatomégalie) ; à ces symptômes s'associent en général, chez l'enfant, une insuffisance cardiaque et, chez l'adulte, une insuffisance respiratoire.

Le pronostic de la maladie est particulièrement sévère mais, lorsque celle-ci s'est déjà manifestée dans une famille, on peut en évaluer le risque pour les enfants à naître grâce au conseil génétique. Elle peut également être décelée avant la naissance par dosage de l'enzyme responsable sur prélèvement fœtal.

Pompe à insuline

Appareil à débit variable et programmable permettant l'administration continue d'insuline.

La pompe à insuline, utilisée par les diabétiques, permet une bonne surveillance du diabète mais exige que le malade contrôle très exactement sa glycémie. L'emploi d'une telle pompe est réservé au traitement des diabètes instables, qui nécessitent un dosage extrêmement précis d'insuline, et aux épisodes qui réclament un équilibre strict du taux de sucre dans le sang (intervention chirurgicale, par exemple).

Les pompes à insuline les plus courantes sont des dispositifs portables, à la taille ou en bandoulière, qui se présentent sous la forme d'une petite boîte contenant une seringue-réservoir d'insuline et un mécanisme pousse-seringue. Ce système est relié à une aiguille implantée sous la peau par un petit tuyau appelé cathéter. L'insuline est injectée très régulièrement jusqu'à ce que la seringue soit vide. Celle-ci est alors remplacée. Récemment, un modèle de pompe à insuline implantable sous la peau, encore expérimental, est apparu ; il comporte une poche à insuline que l'on remplit par une seringue tous les mois ou tous les 3 mois.

Ponction

Acte consistant à introduire une aiguille ou à pratiquer une ouverture étroite dans un tissu, un organe, une cavité naturelle ou pathologique pour en extraire un gaz, un liquide ou pour en prélever un échantillon.

À l'occasion d'une ponction, on peut également réaliser une injection de produit. Les différentes ponctions s'intègrent le plus souvent à un processus thérapeutique qui nécessite une hospitalisation.

DIFFÉRENTS TYPES DE PONCTION

Les ponctions sont classées selon leur finalité (ponction exploratrice réalisée pour établir ou confirmer un diagnostic, ponction à but thérapeutique, ponction anesthésique) ou selon les parties du corps sur lesquelles elles sont pratiquées.

■ **La ponction artérielle**, réalisée sans anesthésie, a pour but d'analyser les gaz du sang. Elle peut également constituer le premier temps de la montée d'un cathéter (tube fin) pour exploration cardiaque.

■ **La ponction articulaire**, effectuée sous anesthésie locale, est utile dans les cas d'hydarthrose (épanchement articulaire ou « épanchement de synovie ») du genou ou d'une autre articulation. L'évacuation du liquide en permet l'analyse et soulage la douleur. L'injection locale d'un médicament (corticostéroïde ou anti-inflammatoire non stéroïdien, produit détruisant la synoviale) contribue à réduire celle-ci.

■ **La ponction d'ascite**, réalisée sous anesthésie locale dans le cadre d'une hospitalisation pour insuffisance rénale ou cardiaque ou encore pour cirrhose hépatique, consiste à perforer l'abdomen dans la fosse iliaque gauche pour analyser ou évacuer une accumulation de liquide séreux dans la cavité péritonéale. Elle est peu douloureuse et ne comporte pratiquement pas de risque.

■ **La ponction ganglionnaire** se pratique à l'aide d'une aiguille très fine, sans anesthésie locale, généralement lorsqu'un ganglion a augmenté de volume. Elle permet d'étudier l'aspect cytologique du ganglion.

■ **La ponction d'un kyste** (mammaire, hépatique, pancréatique, etc.) ou d'un nodule pulmonaire, peu douloureuse, se pratique sans anesthésie si la lésion est superficielle et sous anesthésie locale si elle est profonde. Elle intervient souvent après repérage par échographie ou scanner et se déroule sous contrôle échographique. Le patient doit être à jeun. Une fois la ponction réalisée, l'injection d'air ou de liquide radio-opaque dans la cavité sert à préciser les contours du kyste, lors d'une mammographie par exemple.

■ **La ponction pleurale** (de la plèvre), ou thoracocentèse, effectuée sous anesthésie locale, sert à analyser et à évacuer le liquide d'un épanchement pleural. L'examen du liquide permet de préciser les causes de l'épanchement (inflammation, maladie cardiovasculaire, tuberculose, autres maladies infectieuses, cancer, etc.). Une ponction pleurale peut être suivie d'injections médicamenteuses. Elle peut également être pratiquée en cas de pneumothorax pour assurer le drainage de l'air par aspiration.

■ **La ponction splénique** (ponction de la rate) n'est plus pratiquée car elle comporte des risques hémorragiques, en raison du caractère friable de la rate, et ne fournit que peu de renseignements utiles.

■ **La ponction sternale, ou médullaire** (ponction de moelle osseuse, généralement effectuée dans le sternum), réalisée sous anesthésie locale, est nécessaire à l'étude de l'hématopoïèse (formation des cellules sanguines dans la moelle).

■ **La ponction veineuse** permet l'analyse du sang (prise de sang), son évacuation en grande quantité (saignée) pour une raison thérapeutique (œdème aigu du poumon, hémochromatose) ou l'injection lente d'un médicament ou d'un soluté (par injection intraveineuse ou perfusion). Elle se pratique sans anesthésie.

■ **La ponction des voies urinaires**, réalisée sous anesthésie locale, peut être utile ou nécessaire pour évacuer l'urine d'une voie excrétrice rénale distendue. Elle peut servir à injecter un médicament ou un liquide radio-opaque pour examen radiographique.

TECHNIQUE
En dehors de la ponction d'un kyste superficiel, de la ponction ganglionnaire, de la ponction sternale ou des ponctions vasculaires, il est préférable de vérifier au préalable que l'hémostase (taux de prothrombine, temps de saignement et de coagulation, numération des plaquettes) est normale, c'est-à-dire que les processus naturels qui permettent l'arrêt des hémorragies éventuelles fonctionnent bien.

Une ponction se pratique avec une aiguille ou un trocart (canule coupante ou perçante). Le site d'entrée, sur la peau, de l'instrument servant à la ponction doit être exactement précisé, grâce à l'examen clinique (examen du patient) et, éventuellement, à la radiographie. La peau est désinfectée et généralement anesthésiée.

L'échantillon prélevé par ponction est analysé, examiné histologiquement (biopsie) ou mis en culture en laboratoire dans un dessein diagnostique.

Les ponctions exploratrices permettent d'établir ou de confirmer un diagnostic. Les ponctions évacuatrices peuvent être suivies de l'injection de produits médicamenteux destinés, par exemple, à soulager la douleur.
→ VOIR Ponction lombaire, Prise de sang.

Ponction-biopsie

Acte consistant à introduire un trocart dans un tissu vivant et à prélever un fragment de celui-ci à des fins d'analyse.

INDICATIONS
Une ponction-biopsie se pratique lorsque le prélèvement à faire est profond.

PRÉPARATION ET DÉROULEMENT
Cette intervention nécessite des examens préalables qui permettent de vérifier que l'hémostase (ensemble des phénomènes naturels responsables de l'arrêt d'une hémorragie) est proche de la normale : processus de coagulation et taux de prothrombine corrects, nombre suffisant de plaquettes. Cette précaution permet d'éviter le risque de saignements locaux. Une courte hospitalisation est souvent indispensable.

Les repères du site de ponction sont généralement pris à l'aide d'une radiographie ou d'une échographie. La ponction-biopsie

se fait sous anesthésie locale avec un trocart (canule coupante ou perçante qui permet de prélever un petit morceau cylindrique – ou carotte – de l'organe ou de la tumeur à étudier). La manipulation de l'instrument est souvent guidée par échographie ou par scanner. Le fragment de tissu extrait est ensuite examiné à l'aide de divers instruments et techniques : microscope optique, microscope électronique, dosages chimiques, mise en culture microbienne ou tissulaire. Une surveillance postopératoire du patient est nécessaire.

Ponction-biopsie hépatique
La ponction-biopsie hépatique se pratique sur le parenchyme hépatique pour aider au diagnostic d'affections comme une hépatite, une cirrhose ou pour obtenir, en cas de cancer, un échantillon de la tumeur.

Ponction-biopsie mammaire
Elle consiste à prélever un fragment d'un nodule suspect après repérage par une mammographie.

Ponction-biopsie ostéomédullaire
La ponction-biopsie ostéomédullaire se fait à la hauteur de la crête iliaque postérieure (face postérieure du bassin). Une carotte osseuse de 1 à 2 centimètres de long et de quelques millimètres de large permet l'examen de l'os et de la moelle hématopoïétique (où s'élaborent les cellules sanguines).

Ponction-biopsie prostatique
Elle permet d'examiner des altérations tissulaires de la prostate, celles notamment que peut causer une tumeur prostatique.

Ponction-biopsie pulmonaire
Elle consiste à introduire un trocart à travers la peau et la plèvre jusqu'à un nodule pulmonaire dont un fragment est prélevé et soumis ultérieurement à des examens histologiques et microbiologiques.

Ponction-biopsie rénale
La ponction-biopsie rénale consiste à prélever un morceau de tissu rénal pour aider au diagnostic d'affections rénales telles que le syndrome néphrotique ou certaines maladies systémiques qui touchent le rein (périartérite noueuse, lupus érythémateux disséminé). Elle se pratique quand les autres moyens d'investigation (échographie, urographie intraveineuse) sont insuffisants. Elle est contre-indiquée en cas d'absence d'un rein ou en cas de reins anormalement petits.

Ponction lombaire

Acte consistant à introduire une aiguille creuse dans le cul-de-sac rachidien lombaire (partie inférieure de la colonne vertébrale) puis à prélever et/ou à évacuer du liquide céphalorachidien et/ou à injecter un médicament ou un produit de contraste.

TECHNIQUE
Le médecin doit s'assurer qu'il n'existe pas de contre-indication à la ponction lombaire (P.L.) et, notamment, que le malade n'est

pas atteint d'une hypertension intracrânienne, dépistable par un examen du fond d'œil. En l'absence de contre-indication, la ponction lombaire ne présente pas de danger. L'introduction d'une seule aiguille assortie d'un système de changement de seringue permet, au besoin, diverses opérations successives : prélèvement de liquide céphalorachidien (L.C.R.) puis introduction d'un produit de contraste. Dans la plupart des cas, une ponction lombaire n'est pas particulièrement douloureuse. Elle est effectuée le plus souvent sans anesthésie dans le cadre d'une hospitalisation pour un syndrome méningé ou une affection dégénérative du système nerveux central, par exemple.

Le patient devra rester allongé 24 heures après l'intervention pour éviter l'apparition de maux de tête.

Ponction lombaire à visée diagnostique
Elle est le préalable d'une analyse du liquide céphalorachidien ou d'une myélographie.
■ **Le prélèvement d'un échantillon de liquide céphalorachidien** (liquide dans lequel baignent les organes du système nerveux central) à des fins d'analyse permet le diagnostic de nombreuses affections neurologiques comme une méningite ou une hémorragie méningée.
■ **L'injection d'un liquide de contraste opaque** aux rayons X permet de réaliser une myélographie (examen radiographique des tissus du canal rachidien) en donnant une image de la moelle épinière.

Ponction lombaire à visée évacuatrice
Elle permet d'éliminer un excès de liquide céphalorachidien, notamment en cas d'hydrocéphalie et, plus particulièrement, en cas d'hydrocéphalie dite à pression normale. Le traitement de cette dernière affection demande en effet une ponction régulière de liquide céphalorachidien.

Ponction lombaire à visée thérapeutique
Elle consiste à injecter des médicaments antibiotiques dans le cas d'une méningite, des médicaments anticancéreux dans le cas d'une leucémie. La ponction lombaire sert également à l'injection d'un anesthésique local ; ce procédé (anesthésie péridurale) a l'avantage de permettre une anesthésie étendue sans perte de conscience.

Pontage

Réunion de deux vaisseaux sanguins par une greffe vasculaire ou par un tube plastique afin de restaurer une circulation normale et de court-circuiter un rétrécissement ou une obstruction artériels.

Les premiers pontages ont été effectués dans la seconde moitié des années 1960 : on pratiquait alors principalement des pontages aortocoronariens, entre l'aorte et une artère coronaire (artère irriguant le cœur). Les progrès réalisés dans ce domaine ont été considérables. Même si ces interventions restent des actes de chirurgie lourde, leur technique est aujourd'hui parfaitement maîtrisée et leur pronostic est bon.

La technique du pontage aortocorona-rien, intervention chirurgicale aujour-d'hui parfaitement maîtrisée, consiste à suturer un greffon de veine, prélevé sur le malade lui-même, entre l'aorte et l'artère coronaire. Cette intervention est indiquée en cas d'insuffisance coronarienne en prévention de l'infarctus du myocarde.

Revascularisation du muscle cardiaque par une greffe veineuse

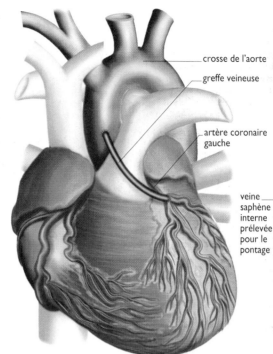

crosse de l'aorte

greffe veineuse

artère coronaire gauche

veine saphène interne prélevée pour le pontage

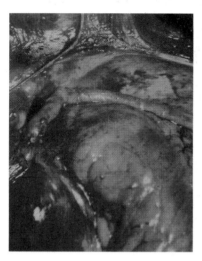

Un segment de veine, prélevé sur une autre partie du corps, a été placé entre l'aorte et l'artère coronaire obstruée, en aval du rétrécissement.

Lorsque le pontage utilise un greffon veineux classi-que, le chirurgien prélève dans un premier temps un segment de veine superfi-cielle, le plus souvent sur la veine saphène interne, en pratiquant une incision le long de son trajet sur la face interne de la jambe ou de la cuisse.

Jusqu'en 1980, les veines qui servaient de greffons étaient les veines saphènes. Puis on a également employé des greffons provenant d'artères, en raison de leur durée de vie plus longue, et cela malgré la plus grande difficulté du geste chirurgical. On utilise aussi des matériaux synthétiques pour les artères de gros calibre.

INDICATIONS
Une artère rétrécie par l'athérome (dépôt graisseux sur la paroi artérielle interne) voit son débit sanguin diminuer au point que le fonctionnement normal des organes qu'elle irrigue est parfois gêné, particulièrement pendant les efforts physiques, qui accrois-sent leurs besoins en apport sanguin. Le pontage permet d'éviter une détérioration de ces organes.

Selon les artères touchées, on effectue diverses sortes de pontage.

■ Le pontage aortocoronarien s'effectue entre une artère coronaire (artère du cœur) et l'aorte.

■ Le pontage carotidien rétablit la circula-tion sanguine dans les carotides (artères du cou).

■ Le pontage iliofémoral se pratique sur les artères iliaques et fémorales (artères des membres inférieurs).

■ Le pontage veineux aussi est pratiqué : il concerne principalement la veine porte, qui draine vers le foie le sang des viscères abdominaux (tube digestif, rate, pancréas), en cas d'hypertension portale, ainsi que les

veines de la partie inférieure de l'œsophage, susceptibles d'être atteintes de varices et qui risquent de saigner.

TECHNIQUE
Quel que soit le lieu où s'effectue le pontage, la technique est identique à celle du pontage aortocoronarien.

Pontage aortocoronarien

Pose d'un greffon entre l'aorte et l'artère coronaire afin de rétablir une circulation sanguine normale dans un tronçon artériel rétréci ou occlus.

INDICATIONS
Il est décidé de pratiquer un pontage aortocoronarien lorsque la coronarographie (examen radiographique permettant de vi-sualiser les artères coronaires après injection d'un produit de contraste) montre une sténose (rétrécissement), lorsque le ventri-cule gauche du cœur a des difficultés à se contracter, lorsque le patient est gêné par un angor (angine de poitrine) ou lorsque les symptômes de l'insuffisance coronarienne ne peuvent être réduits par un traitement médicamenteux. Cette décision est prise afin d'éviter la survenue d'un infarctus du myocarde.

TECHNIQUE
L'opération est effectuée sous anesthésie générale et peut durer jusqu'à 5 heures. Le chirurgien incise verticalement le thorax, au milieu du sternum, puis ouvre le péricarde. Le patient est alors relié à une machine

cœur-poumon qui assure les fonctions car-diaques et respiratoires pendant l'opération sur le cœur. La coronaire est ensuite incisée. Un segment de veine, prélevé sur le corps du patient, est connecté en amont du rétrécissement, tandis que l'autre extrémité est reliée à l'artère en aval de celui-ci. Si l'artère mammaire interne est utilisée, elle est reliée directement à l'artère coronaire en aval du rétrécissement. Quand les rétrécis-sements des artères coronaires sont multiples, le chirurgien effectue plusieurs pontages au cours de la même intervention ; on parle alors de double, de triple ou de quadruple pontage. Le pontage achevé, la circulation sanguine naturelle est rétablie : la machine assurant les fonctions cardiaques et respira-toires est arrêtée. Le péricarde et le thorax sont refermés.

CONVALESCENCE
Après 3 ou 4 jours de surveillance dans un service de soins intensifs, le patient reste à l'hôpital une douzaine de jours. Ensuite, la convalescence avec réadaptation à l'effort dure 6 semaines environ.

PRONOSTIC
Cette technique, très sophistiquée, est d'un pronostic excellent.

Poplitée (artère)

Artère des membres inférieurs faisant suite à l'artère fémorale. (P.N.A. *arteria poplitea*)

L'artère poplitée débute au-dessus du genou puis descend verticalement en arrière de celui-ci dans le creux poplité. Sous le genou, elle se divise en 2 branches terminales : l'artère tibiale antérieure et le tronc tibiopéronier. Elle donne aussi plusieurs branches collatérales : les artères articulaires pour l'articulation du genou, les muscles vastes et les muscles quadriceps ; les artères jumelles pour les muscles jumeaux du mollet.

Le pouls poplité est normalement perceptible dans le creux du genou ; il disparaît si l'artère est obstruée par un embole (corps étranger [caillot, essentiellement] véhiculé par le sang) ou en raison d'une artérite (inflammation de la paroi artérielle avec, souvent, formation d'un caillot) à un stade évolué.
→ voir Creux poplité.

Pore cutané

Minuscule orifice situé à la surface de la peau.

Les pores cutanés constituent les orifices par où s'écoulent les sécrétions des glandes sébacées, sécrétant le sébum et annexées aux poils, et celles des glandes sudoripares, sécrétant la sueur.

Les pathologies spécifiques du pore sont les poromes eccrines (tumeurs très rares se développant dans la partie intra-épidermique du pore excréteur d'une glande sudoripare) et les miliaires sudorales (dermatoses dues à l'obstruction du pore excréteur d'une glande sudoripare).

Porokératose

Maladie cutanée se traduisant par des lésions hyperkératosiques (épaississement de la couche cornée), déprimées en leur centre et bordées d'un bourrelet caractéristique (face interne abrupte et face externe se raccordant en pente douce à la peau voisine).

La porokératose est une maladie familiale ; certains cas sont reconnus comme étant à transmission autosomique (par les chromosomes non sexuels) dominante (il suffit que le gène en cause soit reçu de l'un des parents pour que l'enfant développe la maladie).

DIFFÉRENTS TYPES DE POROKÉRATOSE

La maladie peut prendre différentes formes : placards grisâtres, de grande taille, peu nombreux, touchant de façon symétrique les poignets, les coudes, les chevilles et les jambes ; forme superficielle et disséminée, plus rare, caractérisée par de petites taches brun jaunâtre, réparties sur le tronc, le visage et les membres ; petites plaques de peau atrophiées, de 5 à 10 millimètres de diamètre, bordées d'un très fin bourrelet, touchant les bras et les jambes.

DIAGNOSTIC ET TRAITEMENT

Le diagnostic se fonde sur un examen histologique. Le traitement, peu efficace, repose soit sur l'application de kératolytiques, soit sur la cryothérapie (application de froid), souvent suivies d'une récidive des lésions, ou sur l'administration de rétinoïdes, ou encore sur l'ablation chirurgicale des lésions lorsque cela est possible. Le traitement préventif consiste à protéger la peau du rayonnement solaire (crème de type écran total), qui est un facteur aggravant.

Porome eccrine

Tumeur bénigne de la peau développée à partir du pore excréteur d'une glande sudoripare (glande sécrétant la sueur).

Un porome eccrine forme une petite lésion rougeâtre, saillante, charnue, bien limitée. Elle touche la paume des mains, la plante des pieds, plus rarement le cou ou la poitrine. Elle nécessite une ablation chirurgicale, suivie d'un examen histologique ; celui-ci permet de déterminer qu'il ne s'agit pas d'une autre tumeur (botriomycome, mélanome achromique) d'aspect voisin. Le pronostic est excellent.

Porphyrie

Maladie héréditaire due à un trouble de la synthèse de l'hème (fraction non protéique de l'hémoglobine) et caractérisée par l'accumulation dans les tissus de substances intermédiaires de cette synthèse, les porphyrines.

Les porphyries sont des maladies très rares qui touchent environ une personne sur 10 000 à 50 000. La transmission de ces maladies se fait le plus souvent sur un mode autosomique (par les chromosomes non sexuels) dominant (il suffit que le gène porteur soit reçu de l'un des parents pour que l'enfant développe la maladie).

DIFFÉRENTS TYPES DE PORPHYRIE

Il existe plusieurs formes de porphyrie, correspondant à des mutations des gènes de différentes enzymes de la synthèse de l'hème. L'apparition des symptômes est variable, certains survenant au cours de l'enfance, d'autres à l'âge adulte.

■ La protoporphyrie se manifeste dès l'enfance par de légers troubles cutanés après exposition au soleil.

■ La porphyrie intermittente aiguë se manifeste le plus souvent à l'âge adulte par des douleurs abdominales aiguës, parfois des crampes, une faiblesse musculaire et des troubles psychiques. Les urines deviennent rouges quand on les laisse reposer. De nombreux médicaments, tels que les barbituriques, les contraceptifs oraux, les sulfamides et la phénytoïne, sont à l'origine de ces crises.

■ La porphyrie varietaga, ou mixte, est proche de la porphyrie intermittente aiguë mais le sujet présente, en outre, des bulles sur les régions cutanées exposées au soleil.

■ La coproporphyrie héréditaire, également voisine de la porphyrie intermittente aiguë, peut aussi se traduire par des anomalies cutanées.

■ La porphyrie cutanée tardive, la plus fréquente, se révèle volontiers à l'âge adulte, d'où son nom, et se traduit par des bulles sur la peau après exposition au soleil. En cas de blessure, la cicatrisation est longue. Les urines sont parfois rosées ou marron. Les troubles sont souvent déclenchés par une maladie du foie, parfois d'origine alcoolique.

■ La porphyrie érythropoïétique congénitale, ou maladie de Günther, est la seule porphyrie à transmission autosomique récessive (c'est-à-dire que le gène porteur doit être reçu des deux parents pour qu'elle se développe). Elle se traduit dès la naissance par des éruptions cutanées, une augmentation du volume de la rate, une coloration rouge des dents et par des accidents hémolytiques aigus (destruction subite d'une grande quantité de globules rouges).

DIAGNOSTIC ET TRAITEMENT

Le diagnostic des différentes formes de porphyrie repose sur le dosage des porphyrines dans les urines, complété par des tests biologiques plus spécifiques.

Le traitement, difficile, consiste d'abord à éviter les facteurs déclenchants : exposition au soleil, médicaments. L'administration de glucose ou d'un médicament chimiquement apparenté à l'hème peut être utile pour traiter les crises de porphyrie intermittente aiguë, de porphyrie varietaga ou de coproporphyrie héréditaire. Dans la porphyrie cutanée tardive, une phlébotomie (saignée veineuse) est parfois pratiquée.

Porphyrine

Pigment formé de quatre molécules d'une substance appelée pyrrole, qui sont attachées entre elles.

Dans les tissus qui synthétisent des globules rouges (moelle osseuse), on observe une suite de transformations chimiques aboutissant, à partir d'un acide aminé (le glycocolle) et d'acide succinique, à la formation d'une porphyrine appelée protoporphyrine. Cette dernière, associée à du fer, constitue alors l'hème, la partie de l'hémoglobine qui fixe l'oxygène.

PATHOLOGIE

Une maladie héréditaire due à un trouble de la synthèse de l'hème, la porphyrie, se traduit par l'accumulation de porphyrine dans les tissus.

Porte (veine)

Grande veine de l'abdomen drainant le sang des viscères intestinaux vers le foie. (P.N.A. *vena portæ*)

La veine porte naît à l'union de la veine splénique avec la veine mésentérique supérieure, en arrière du pancréas. Elle se dirige vers le foie et se divise en deux branches terminales, droite et gauche, qui pénètrent dans le foie. Au cours de son trajet, la veine porte reçoit plusieurs autres veines. Elle draine ainsi le sang de l'intestin grêle et du côlon, de l'estomac, de la rate et du pancréas, apportant les deux tiers du débit sanguin du foie, soit environ 1 litre par minute chez l'adulte. Tous les nutriments absorbés par l'intestin, à l'exception des graisses, sont amenés par cette veine au foie, où ils sont transformés en énergie et en constituants des cellules. Les branches terminales de la veine porte recueillent la veine ombilicale (reliquat fœtal) et le sang provenant de la vésicule biliaire par la veine cystique.

PATHOLOGIE

Une augmentation de la pression sanguine dans la veine porte, appelée hypertension portale, peut être provoquée par de nombreuses maladies (maladies hépatiques, cirrhose surtout ; compression ou thrombose de la veine porte), qui créent un obstacle à l'écoulement du sang à cet endroit. Cette élévation de pression provoque la dilatation des veines en amont de l'obstacle et le développement d'un réseau secondaire contournant l'obstacle : ce sont les anastomoses portocaves. Les dilatations veineuses (varices œsophagiennes ou gastriques) peuvent se rompre et entraîner une hémorragie grave.

Porte-coton

Tige métallique munie d'une extrémité filetée sur laquelle on enroule du coton.

Un porte-coton est utilisé pour réaliser des prélèvements, notamment dans l'oreille, le nez, la gorge, le vagin ou sur des plaies. Dès que le prélèvement est achevé, le porte-coton est glissé dans un tube, que l'on obture, pour transport rapide au laboratoire d'analyses médicales.

Porteur

1. Se dit d'un sujet susceptible d'assurer la transmission d'un caractère héréditaire sans nécessairement le manifester et, par extension, des structures biologiques qui, comme le chromosome, véhiculent ce caractère.

Ce terme est le plus souvent utilisé à propos des maladies qui se transmettent sur un mode récessif (par exemple, la mucoviscidose). Dans ce cas, en effet, le gène porteur doit être reçu du père et de la mère pour que l'enfant développe la maladie, qui ne se déclare donc pas systématiquement, à la différence d'une maladie à transmission dominante, qui se déclare chez tous les sujets porteurs du gène responsable.

Dans l'étude des maladies liées au sexe, qui, comme l'hémophilie ou la myopathie de Duchenne, se transmettent par les chromosomes sexuels X, le mot « conductrice » s'utilise de préférence au terme de « porteuse » pour désigner une femme susceptible de transmettre la maladie.

2. Un porteur sain est un sujet hébergeant un micro-organisme pathogène sans développer la maladie, mais capable de provoquer celle-ci chez un individu à qui il aura transmis le micro-organisme.

Position latérale de sécurité

Position dans laquelle on met les blessés et les malades inconscients mais ayant conservé une respiration spontanée satisfaisante.

La position latérale de sécurité permet de protéger les voies respiratoires du sujet : d'une part, les vomissements ou les saignements s'écoulent au sol et ne risquent pas d'être inhalés, d'autre part la position empêche une chute de la langue en arrière et l'obstruction du larynx qui en résulterait. La personne inanimée est placée sur le côté, la jambe du dessus, fléchie ; sa tête est basculée vers l'arrière, la bouche étant orientée vers le sol. Le bras du dessous est glissé derrière son dos, cependant que la main du dessus est placée sous sa joue. Ces manœuvres doivent être réalisées avec douceur, en soutenant la tête de la victime pour ne pas aggraver des lésions éventuelles du rachis cervical.

Positon, ou Positron

Particule élémentaire de même masse que l'électron mais de charge opposée.

Le positon peut être, comme l'électron, le produit de la désintégration d'un grand nombre d'isotopes radioactifs, dont certains sont utilisés en médecine nucléaire.

Posologie

Dose d'un médicament à prendre lors d'un traitement.

Deux indications essentielles figurent sur l'ordonnance du médecin : la dose à prendre pour chaque prise et la dose pour 24 heures. Pour certains médicaments très actifs, comme les aminosides (antibiotiques) ou les digitaliques, qui peuvent être toxiques au-delà d'une certaine quantité, le médecin tient également compte de la dose hebdomadaire ou de la dose totale absorbée au cours du traitement.

La posologie s'exprime le plus souvent en unités de forme pharmaceutique (nombre de comprimés, d'ampoules, de suppositoires, etc.), parfois en unités de masse (milligrammes : nombre de milligrammes de morphine par injection sous-cutanée, par exemple) et, dans certains cas, en unités propres au produit (unités internationales d'héparine, par exemple).

La posologie peut également être rapportée au poids du sujet (nombre de milligrammes de substance active par kilogramme de poids de corps) ou à sa surface corporelle, déterminée par le calcul. Cette manière de procéder, inhabituelle pour l'adulte (sauf en cancérologie), est fréquente dans le cas de l'enfant, pour qui la posologie par tranches d'âge est également utilisée.

FACTEURS DÉTERMINANT LA POSOLOGIE

La posologie est liée surtout à la nature du médicament et à sa puissance d'action (en

POSITION LATÉRALE DE SÉCURITÉ

Cette position, que l'on fait adopter aux blessés inconscients mais respirant par eux-mêmes, est dite de sécurité car elle prévient l'étouffement en empêchant la chute de la langue vers l'arrière et l'obstruction des voies aériennes.

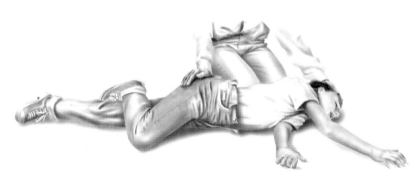

Le sauveteur dégage d'abord ce qui pourrait entraver la respiration du blessé (ceinture, cravate), bascule la tête de celui-ci vers l'arrière et ôte de sa bouche ce qui l'obstrue (sable, vomissements, etc.), puis le couche sur le côté, une jambe fléchie, pour éviter au corps de basculer.

Le sauveteur cale le blessé à l'aide de couvertures. Il doit poursuivre sa surveillance jusqu'à l'arrivée des secours, c'est-à-dire veiller à ce que la bouche du blessé reste dégagée et, surtout si celui-ci est agité, maintenir sa tête en bonne position pour faciliter la respiration.

ordre de grandeur, les quantités prescrites vont, par exemple, du milligramme pour l'œstradiol au gramme pour l'aspirine), au mode d'administration (les doses sont généralement plus élevées par voie orale que par injection, car l'absorption digestive est rarement totale), à l'âge du patient et aux maladies qu'il peut avoir en même temps que la maladie traitée (l'insuffisance rénale, en particulier, rend délicate l'administration des médicaments qui sont moins facilement éliminés par le rein). Il doit également être tenu compte de l'affection traitée (certaines douleurs peuvent être soulagées avec 2 grammes d'aspirine, alors que 5 grammes suffisent à peine dans le traitement des crises de rhumatisme inflammatoire), d'éventuelles interactions avec d'autres médicaments, du sexe, parfois de facteurs héréditaires.

La marge thérapeutique correspond à la différence entre dose thérapeutique et dose toxique. Elle est parfois très faible ; c'est le cas, en particulier, pour les dérivés de la digitaline. Il faut donc se conformer très exactement à la prescription du médecin.

L'oubli d'une prise entraîne une baisse du taux de principe actif dans l'organisme. Les conséquences sont variables suivant les produits. En général, il suffit de prendre le médicament dès que l'on constate l'omission et d'attendre au minimum 2 heures avant de reprendre la suite du traitement. Si l'oubli se répète, il est préférable de demander conseil au pharmacien ou au médecin ayant prescrit le médicament.

Postcure

Période de repos sous surveillance médicale et de réadaptation progressive à l'activité après une longue maladie, une blessure invalidante ou un traitement éprouvant.

À l'époque où la tuberculose était très répandue, la postcure suivait le traitement administré en sanatorium. Actuellement, certains établissements de postcure prennent en charge le suivi d'alcooliques ou de toxicomanes en cours de désintoxication. Au cours de son séjour dans un établissement de postcure, le malade peut se reposer, apprendre un nouveau métier ou poursuivre sa scolarité sous surveillance médicale.

Posthectomie

→ VOIR Circoncision.

Posthypophyse

Partie postérieure de l'hypophyse (petite glande endocrine située sous l'encéphale), reliée à l'hypothalamus (structure cérébrale régulatrice des fonctions de l'organisme) par la tige pituitaire et assurant le stockage d'hormones provenant des neurones hypothalamiques.

FONCTION

Contrairement à l'antéhypophyse, la posthypophyse n'est pas un lieu de synthèse hormonale. Deux types de sécrétion y sont stockés : l'hormone antidiurétique et l'ocytocine. La sécrétion de l'hormone antidiurétique par l'hypothalamus est sous la dépendance de l'osmolarité plasmatique (concen-

tration des particules osmotiquement actives contenues dans le plasma). Lorsque celle-ci augmente, la sécrétion d'hormone antidiurétique est stimulée, ce qui empêche la fuite de l'eau dans les urines et permet une dilution suffisante des éléments contenus dans le plasma. Chez la femme, l'ocytocine favorise les contractions utérines lors de l'accouchement et l'issue du lait lors de l'allaitement. Elle n'a, en revanche, pas de rôle connu chez l'homme.

PATHOLOGIE

Les maladies hypophysaires (essentiellement l'adénome de l'antéhypophyse) ne retentissent habituellement pas sur la sécrétion d'hormone antidiurétique. Après ablation d'un tel adénome, un déficit transitoire de cette hormone peut néanmoins apparaître et entraîner un diabète insipide durant quelques jours ou quelques semaines. L'atteinte de la posthypophyse est fréquente lors des craniopharyngiomes (tumeurs bénignes du cerveau, survenant le plus souvent chez l'enfant) ou de certaines tumeurs gliales (touchant des cellules nerveuses interstitielles). Elle entraîne une absence de sécrétion d'hormone antidiurétique, à l'origine d'un diabète insipide.

Postmaturité

État d'un enfant né après terme (au-delà de 43 semaines d'aménorrhée).

Au-delà du terme normal (41 semaines d'aménorrhée), une grossesse doit faire l'objet d'une surveillance étroite ; l'accouchement est habituellement déclenché après une semaine de retard. C'est pourquoi la postmaturité est très rare. Elle ne doit pas se prolonger car, une fois le terme dépassé, le placenta ne remplit plus parfaitement ses fonctions, et le fœtus est moins bien oxygéné et nourri. En outre, le liquide amniotique est souvent peu abondant après terme, ce qui offre une moindre protection pour le fœtus et peut entraîner un risque de compression du cordon. Ce liquide est parfois teinté de vert foncé par le méconium (substance, composée notamment de bile et de sécrétions digestives, accumulée dans l'intestin du fœtus), ce qui traduit une souffrance fœtale.

À la naissance, l'enfant postmature est plus grand et moins lourd que le nouveau-né à terme. Il est déshydraté et amaigri. Sa peau est fripée et dépourvue de vernix caseosa (enduit blanchâtre protecteur). Les paumes de ses mains et les plantes de ses pieds pèlent. Si un tel enfant est plus fragile in utero, en revanche, sa surveillance après la naissance n'est pas différente de celle d'un enfant né à terme.

Post-partum

Période s'étendant de l'accouchement au retour de couches (réapparition des règles). SYN. *puerpéralité, suite de couches.*

Le post-partum dure environ six semaines lorsque la mère n'allaite pas, plus longtemps si elle allaite. En l'absence d'allaitement, les premières règles (retour de couches) réapparaissent environ 45 jours après l'accouchement. En cas d'allaitement, les règles se

produisent entre 10 et 12 semaines après l'accouchement. Dans les deux cas, le retour de couches est parfois précédé d'une ovulation. La période du post-partum est marquée par d'importantes modifications anatomophysiologiques et psychoaffectives.

MODIFICATIONS ANATOMOPHYSIOLOGIQUES

Ces modifications touchent tout le corps et, en particulier, les organes génitaux. L'utérus, qui pèse entre 1 500 et 1 700 grammes et mesure de 32 à 34 centimètres à la fin de la grossesse, se contracte après la délivrance pour former une boule (globe utérin). Il retrouve ensuite peu à peu sa taille (8 centimètres de hauteur) et son poids (70 grammes) antérieurs à la grossesse. Cette rétraction s'accompagne de tranchées utérines (contractions utérines douloureuses), dont l'intensité augmente avec le nombre des naissances et qui durent de 2 à 6 jours. L'orifice interne du col se ferme aussitôt, mais l'orifice externe demeure plus longtemps ouvert.

Pendant 3 semaines environ, des pertes sanguines, dites lochies, apparaissent. Rouge vif pendant quelques jours, elles rosissent puis brunissent et cessent vers la fin de la 3e semaine.

Le vagin et la vulve reprennent leurs dimensions normales. L'éventuelle épisiotomie cicatrise. Les muscles et les ligaments périnéaux distendus retrouvent leur tonus, précédant en cela les muscles de la paroi abdominale, ramollie après l'accouchement. Les seins se modifient : si la femme allaite, le colostrum (liquide jaunâtre sécrété après l'accouchement) fait place à une montée de lait, qui durcit la poitrine, le 3e jour après la naissance ; si elle n'allaite pas, un traitement permet le tarissement de la sécrétion lactée, et les seins reprennent plus vite leur volume normal.

Le poids diminue progressivement. Aux 5 kilogrammes perdus lors de l'accouchement s'ajoutent, dans les jours qui suivent, 2 ou 3 kilogrammes dus à l'élimination de liquide. En 6 semaines, le volume sanguin redevient normal, l'activité du cœur et des reins ralentit, le travail des articulations et des muscles est allégé.

Des précautions contraceptives doivent être envisagées dès le 25e jour du post-partum car une ovulation peut se produire avant le retour de couches.

MODIFICATIONS PSYCHOAFFECTIVES

Les jours qui suivent l'accouchement sont fréquemment marqués par un état d'hypersensibilité, d'euphorie ou d'irritabilité et par une insomnie. Une légère réaction dépressive passagère, connue sous le nom de « baby blues », peut se produire. Cependant, dans de très rares cas, il arrive que le post-partum soit marqué par une réaction plus intense : psychose puerpérale (caractérisée par un accès de délire confusionnel), dépression mélancolique, généralement curables. Actuellement, les méthodes de psychothérapie visant à la « familiarisation » du rapport mère-enfant préviennent et réduisent considérablement les problèmes psychiques du post-partum. Les femmes ayant présenté un

épisode psychiatrique après un accouchement nécessitent une surveillance particulière lors des grossesses suivantes.
→ VOIR Accouchement.

Posture

1. Position du corps ou d'une de ses parties dans l'espace.

Le passage d'une posture à une autre met en jeu l'action du système nerveux, du squelette, des articulations et des muscles. De nombreuses affections peuvent entraîner des troubles de la posture : maladies neurologiques (sclérose en plaques, maladie de Parkinson), affections ostéoarticulaires (scoliose, polyarthrite rhumatoïde, spondylarthrite ankylosante) ou musculaires (dystrophie musculaire). Parfois, une mauvaise posture est due à la pérennisation d'une attitude incorrecte (tête penchée, dos voûté, épaules tombantes) ou à un excès de poids.

2. Technique de kinésithérapie utilisée pour prévenir ou corriger une mauvaise position.

La posture consiste à maintenir la partie du corps concernée dans la bonne position à l'aide de sangles, d'une gouttière ou d'un lombostat en plâtre ou en résine.

Potassium

Métal alcalin très répandu dans la nature sous forme de sels et qui joue un rôle important dans l'équilibre électrolytique de l'organisme.

Dans la nature, le potassium (K) se rencontre dans la potasse et dans de nombreux sels comme le nitrate de potassium, ou salpêtre. Ces sels sont des électrolytes. Solubles dans l'eau, ils s'y décomposent en formant des ions potassium, porteurs d'une charge positive. Les ions potassium sont présents dans l'alimentation et dans l'organisme.

Le potassium est le principal ion intracellulaire de l'organisme, contenu pour 98 % dans les cellules, principalement les cellules musculaires. Au total, l'organisme d'un adulte de 65 kilogrammes en renferme près de 160 grammes. Il joue un rôle dans les réactions chimiques mettant en jeu les protéines et les glucides, dans la régulation de la pression artérielle et surtout dans les phénomènes d'excitabilité et de contraction, caractéristiques des cellules nerveuses et musculaires. Les principales sources alimentaires de potassium sont les légumes et les fruits, les viandes, le chocolat, etc.

La kaliémie, ou concentration sanguine en potassium, est maintenue constante (entre 3,5 et 5 millimoles par litre), notamment, grâce à une élimination rénale dont la régulation est assurée par des hormones telles que l'aldostérone.

CARENCE

L'hypokaliémie (diminution excessive de la concentration sanguine en potassium) est due, en général, à des pertes de cet ion par des diarrhées ou des vomissements, pertes également provoquées parfois par l'abus de certains médicaments, diurétiques et laxatifs en particulier. Elle est plus rarement due à une insuffisance d'apport alimentaire (man-que de fruits ou de légumes verts), mais elle peut s'observer dans les régimes hypocaloriques ou lors des anorexies. Elle se traduit principalement par des troubles neuromusculaires et des troubles du rythme cardiaque.

APPORT EXCESSIF

L'hyperkaliémie (augmentation excessive de la concentration sanguine en potassium) est plus rare. Elle s'observe surtout en cas d'insuffisance rénale et provoque des troubles du rythme cardiaque.

UTILISATION THÉRAPEUTIQUE

En dehors de l'alimentation courante, le potassium peut être absorbé sous forme de sels (chlorure, gluconate, glucoheptanate), en comprimés, en solution buvable ou en solution pour perfusions intraveineuses. Il est indiqué en cas d'hypokaliémie, en particulier lors de la prise de certains diurétiques, et contre-indiqué en cas d'hyperkaliémie.

Potentiels évoqués (enregistrement des)

Méthode d'étude de l'activité électrique des voies nerveuses de l'audition, de la vision et de la sensibilité corporelle.

INDICATIONS

L'enregistrement des potentiels évoqués est utilisé lorsque l'on veut savoir si une fonction sensorielle est atteinte (évaluation d'une perte auditive, par exemple) ou quand les autres techniques d'examen ne sont pas assez performantes : cas des anomalies à leur début, encore très faibles et donc difficiles à détecter (surtout dans le cas de la sclérose en plaques) ; cas de malades ne pouvant coopérer (jeune enfant, personne dans le coma). Il sert également, lors d'interventions chirurgicales portant sur le système nerveux, pour aider à localiser une anomalie et pour diagnostiquer certaines affections comme un neurinome de l'acoustique (tumeur du nerf auditif). Enfin, cette méthode sert à préciser si un symptôme est anorganique, ne reposant sur aucune lésion anatomique ; les potentiels sont alors normaux.

PRINCIPE

L'organe sensoriel à étudier est stimulé par un choc électrique transcutané de brève durée pour l'étude de la sensibilité somesthésique (d'origine corporelle), par un flash lumineux (pour la sensibilité oculaire) ou par un son (pour la sensibilité auditive). Cette stimulation provoque un influx nerveux, le potentiel évoqué, qui part de l'organe testé, se transmet aux fibres nerveuses et parvient aux centres nerveux. Cette activité électrique est enregistrée par des électrodes placées, avant le début de l'examen, en différents points du corps - selon l'organe testé - et reliées à un appareil qui la transcrit sous forme de courbes. On déduit l'existence d'une anomalie en analysant ces courbes.

DÉROULEMENT

L'examen en lui-même ne requiert pas d'hospitalisation, mais il est souvent pratiqué sur des personnes hospitalisées en raison de ses indications.

■ L'enregistrement des potentiels évoqués auditifs consiste à soumettre le patient à un stimulus sonore appelé click. Les électrodes sont placées sur les oreilles et le cuir chevelu. Une variante, l'électrocochléographie, consiste à introduire une fine électrode en forme d'aiguille dans l'oreille à travers le tympan. On enregistre ainsi l'activité de la cochlée, du nerf auditif et du tronc cérébral.

■ L'enregistrement des potentiels évoqués visuels consiste à stimuler les yeux par un flash lumineux ou par un écran noir et blanc lumineux dessinant un damier, qui est placé dans une cabine et qui constitue la seule source de lumière perceptible par le patient. Les électrodes sont posées sur le cuir chevelu, dans la zone de l'occiput, et enregistrent l'activité du cerveau.

■ L'enregistrement des potentiels évoqués somesthésiques consiste à émettre de brefs chocs électriques, indolores, à l'aide de deux sortes d'électrodes - plates et posées sur la peau ou en forme d'aiguille et enfoncées sous la peau - placées le long du nerf étudié. Les électrodes sont disposées sur les membres du sujet.

Potentiels tardifs (recherche des)

Technique visant à détecter l'existence d'une activité électrique anormale au sein du muscle cardiaque, principalement au niveau des ventricules.

Les potentiels tardifs ventriculaires sont des signaux électriques de haute fréquence mais de basse amplitude, généralement invisibles sur l'électrocardiogramme standard mais qui peuvent être détectés grâce à des techniques d'amplification du signal électrocardiographique.

La présence de potentiels tardifs sur le tracé traduit l'existence, dans les ventricules, d'une zone où la conduction électrique est anormalement ralentie.

Leur recherche est effectuée afin de dépister les malades qui présentent un risque de troubles graves du rythme ventriculaire, principalement à la suite d'un infarctus du myocarde, et ceux qui se trouvent exposés à un risque élevé de mort subite.

Cet examen, comme l'électrocardiographie standard, est indolore et sans risques. Il ne nécessite pas d'hospitalisation.

Potomanie

Besoin irrépressible de boire constamment.

Un potomane boit tout liquide passant à sa portée, principalement de l'eau. On rencontre la potomanie dans les névroses infantiles, où elle serait due à une fixation au stade oral, et parfois chez l'adulte, surtout chez le sujet hystérique. On l'observe également dans certains désordres métaboliques tels que le diabète sucré et le diabète insipide. Enfin, on a émis pour l'expliquer l'hypothèse d'une perturbation des centres cérébraux de la soif. La potomanie ne doit pas être confondue avec la dipsomanie (tendance soudaine et irrésistible à boire de l'alcool). Lorsqu'elle n'est pas d'origine organique, son traitement est principalement d'ordre psychothérapique.

Pott (mal de)

Localisation vertébrale de la tuberculose.

Le mal de Pott débute à n'importe quel niveau de la colonne vertébrale, ou rachis, par une spondylodiscite, infection des disques intervertébraux. L'infection s'étend ensuite aux vertèbres elles-mêmes. Elle est actuellement rare dans les pays développés en raison de la vaccination (B.C.G.). Elle y frappe surtout les personnes âgées, celles présentant des déficits immunitaires ou encore les sujets ayant des antécédents tuberculeux personnels ou familiaux. Le microbe responsable est le bacille de Koch.

SYMPTÔMES ET SIGNES

La maladie débute par des douleurs rachidiennes d'intensité croissante (torticolis, lumbago), exagérées par l'effort ou par la toux ; elles peuvent s'accompagner d'irradiations douloureuses (sciatique). La contracture musculaire, répondant à la douleur, limite la mobilité (difficulté de se pencher en avant ou sur le côté). Ces signes s'associent à une fatigue, à un amaigrissement, à une perte de l'appétit et à une fièvre légère, comme dans toute tuberculose. Si la maladie n'est pas traitée à ce stade, son évolution entraîne des complications graves. L'écrasement des vertèbres et l'effondrement de la colonne vertébrale par télescopage des vertèbres provoquent la formation d'une gibbosité (bosse) permanente et définitive. Les abcès tuberculeux peuvent migrer. La compression de la moelle épinière, due à la déformation de la colonne vertébrale et aux abcès, entraîne, dans certains cas, des complications neurologiques graves, comme une paraplégie (paralysie des membres inférieurs). Les douleurs sont intenses.

DIAGNOSTIC ET TRAITEMENT

Le diagnostic repose sur les examens radiologiques, qui montrent l'atteinte des disques intervertébraux (écrasement) et des vertèbres, et sur une réaction cutanée à la tuberculine positive. Le traitement se fonde sur l'administration d'antibiotiques pendant un an. Il est parfois nécessaire d'immobiliser la colonne vertébrale par une coquille plâtrée. À défaut, le repos strict au lit pendant plusieurs mois peut suffire. On a parfois recours à la chirurgie dans les cas d'abcès (curetage) ou de compression de la moelle épinière ou s'il faut fixer le segment atteint du rachis quand le traitement n'a pas été correctement suivi.

Pou

→ VOIR Pédiculose.

Pouce

Premier doigt de la main. (P.N.A. *digitus I, pollex*)

Le pouce se différencie des autres doigts par plusieurs caractéristiques : il n'a que 2 phalanges et peut, grâce à des muscles et à des articulations spécifiques, s'opposer aux autres doigts, ce qui permet le mouvement de pince, essentiel à la préhension.

PATHOLOGIE

■ Les fractures du pouce sont fréquentes et souvent graves, car elles risquent de retentir sur le fonctionnement de la main. Les fractures des phalanges sont généralement traitées par immobilisation plâtrée ; les fractures de la base du 1er métacarpien nécessitent généralement une ostéosynthèse chirurgicale (réunion des fragments osseux à l'aide d'une broche ou d'une miniplaque).
■ Les plaies du pouce peuvent être graves : atteinte directe du tendon fléchisseur ou plaie du nerf médian au poignet (nerf qui commande notamment le mouvement d'opposition du pouce).
■ Les rhumatismes du pouce (rhizarthrose, polyarthrite rhumatoïde, etc.) peuvent limiter considérablement ses mouvements.
→ VOIR Doigt, Orteil, Pollicisation.

Pouls

Battement rythmique (pulsation) des artères dû au passage du sang propulsé par chaque contraction cardiaque.

Le pouls s'apprécie le plus souvent en appuyant un ou deux doigts sur l'artère radiale, située dans la partie inférieure de l'avant-bras, à la hauteur du poignet. Les battements artériels peuvent également être perçus à l'artère carotide (à la base du cou), à l'artère humérale (à la face interne du bras), à l'artère fémorale (au pli inguinal, à l'aine), à l'artère poplitée (derrière le genou), à l'artère pédieuse (au dos du pied) ou à l'artère tibiale postérieure (derrière la malléole interne, relief osseux de l'extrémité inférieure du tibia, à la hauteur de la cheville).

La prise de pouls, acte médical courant, consiste à évaluer l'intensité et le rythme du pouls.
■ L'intensité des battements donne des indications diagnostiques précieuses. Un pouls très fort peut signaler une insuffisance aortique (défaut de fermeture de l'orifice aortique du cœur) ; un pouls affaibli (ou pouls filiforme) peut marquer le rétrécissement de l'artère en amont ou une insuffisance cardiaque ; un pouls imperceptible peut indiquer l'obstruction de l'artère en amont – du fait d'une embolie (caillot) ou d'une artérite (rétrécissement de la lumière de l'artère par des plaques de cholestérol).
■ Le rythme du pouls est également très important car il traduit la fréquence des battements du cœur, qui est d'environ 70 battements à la minute et peut monter bien au-delà de 100 battements pendant un effort ou une émotion. Une accélération du pouls traduit une tachycardie ; un ralentissement, une bradycardie.

Poumon

Organe de la respiration fournissant l'oxygène à tout le corps et éliminant le gaz carbonique du sang. (P.N.A. *pulmo*)

STRUCTURE

Les poumons, situés dans la cage thoracique, reposent sur le diaphragme et sont entourés chacun par une membrane, la plèvre. Le poumon droit est formé de 3 lobes accolés et le gauche, de 2 lobes. L'air pénètre par

POULS

La palpation du pouls artériel permet de mesurer sa fréquence, son rythme et sa force ainsi que l'état du vaisseau (souple ou durci par une artériosclérose). Cependant, quand le cœur bat trop vite, certains battements ne sont pas perceptibles : dans ce cas, une auscultation cardiaque s'impose.

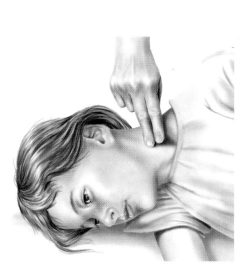 

La palpation du pouls de l'artère carotide est surtout utilisée en urgence et permet de diagnostiquer rapidement un arrêt circulatoire.

La palpation du pouls de l'artère radiale se réalise en appuyant deux doigts au poignet, du côté du pouce.

POUMON

Principaux organes de l'appareil respiratoire, les poumons sont contenus dans la cage thoracique. Ils sont formés de plusieurs lobes et comprennent une multitude de minuscules sacs emplis d'air, appelés alvéoles pulmonaires. C'est à travers la paroi de ces alvéoles, parcourue d'un fin réseau de capillaires sanguins, que se produisent les échanges gazeux (passage de l'oxygène vers le sang et élimination du gaz carbonique) nécessaires à l'oxygénation des tissus.

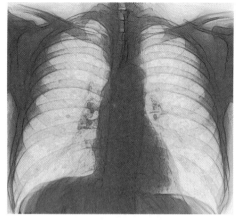

Les poumons apparaissent en bleu ciel à l'intérieur du thorax.

Poumons et bronches

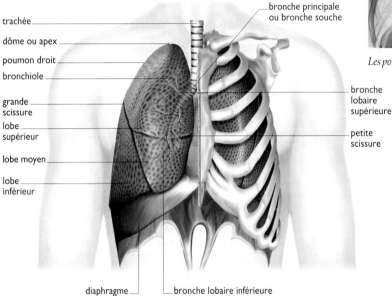

- trachée
- dôme ou apex
- poumon droit
- bronchiole
- grande scissure
- lobe supérieur
- lobe moyen
- lobe inférieur
- bronche principale ou bronche souche
- bronche lobaire supérieure
- petite scissure
- diaphragme
- bronche lobaire inférieure

Aspect au microscope des capillaires des alvéoles.

la trachée puis dans les bronches, qui se divisent en bronches plus petites puis en bronchioles ; à leur extrémité se trouvent de très nombreux sacs microscopiques, les alvéoles ; c'est à travers la très fine paroi de celles-ci, tapissée d'un réseau de capillaires sanguins, que se produit l'hématose : transfert de l'oxygène de l'air vers le sang, élimination en sens inverse du gaz carbonique sanguin.

Un seul poumon suffit à assurer les échanges gazeux nécessaires à la vie, comme le prouve le maintien de la fonction respiratoire chez les sujets ayant subi une pneumonectomie (ablation chirurgicale d'un poumon).

EXAMENS

L'auscultation permet de détecter une diminution des bruits respiratoires normaux par épanchement dans la plèvre (pleurésie, pneumothorax) ou de détecter des bruits anormaux (ronflements de la bronchite, sifflements de l'asthme). La radiographie du thorax suffit la plupart du temps à établir un diagnostic, mais on peut la compléter au besoin par un scanner thoracique.

PATHOLOGIE

Les affections du poumon proprement dit sont appelées pneumopathies (pneumonie, tuberculose pulmonaire, abcès, embolie pulmonaire, pneumoconiose, fibrose, alvéolite, etc.). On parle parfois de bronchopneumopathie lorsque l'atteinte est diffuse et qu'il s'y associe des lésions des bronches (bronchite, asthme, emphysème pulmonaire). Le

poumon peut enfin être le siège de tumeurs bénignes (kystes, abcès) ou malignes (cancer bronchopulmonaire).

Poumon (abcès du)

Collection de pus dans le poumon.

CAUSES ET SYMPTÔMES

Un abcès du poumon est dû à une infection provoquée par une bactérie, le plus souvent de type anaérobie, ou, plus rarement, par la présence d'un corps étranger inhalé dans l'arbre respiratoire ou liée à un foyer infectieux situé dans une autre partie du corps (abcès dentaire). Dans 75 % des cas environ, il existe un facteur favorisant : tabagisme, alcoolisme, cancer (localisé dans le poumon ou ailleurs), dénutrition ou, à un moindre degré, diabète. L'existence de l'abcès se traduit par une douleur thoracique localisée, une altération importante de l'état général (fièvre, amaigrissement, fatigue) et des crachats purulents.

DIAGNOSTIC

La radiographie thoracique montre une cavité hydroaérique. Dans la majorité des cas, une fibroscopie bronchique est nécessaire pour identifier la cause de l'abcès et, éventuellement, la bactérie responsable.

TRAITEMENT

Il repose sur la prise d'antibiotiques, d'abord par voie veineuse et à l'hôpital, puis par voie orale, au moins 6 semaines en tout. Il vise dans le même temps à soigner la cause de l'abcès et à supprimer le ou les facteurs

favorisants ; une kinésithérapie respiratoire peut être proposée. Dans les cas les plus graves, on pratique l'ablation chirurgicale ou le drainage de l'abcès.

Poumon (cancer du)

→ VOIR Bronchopulmonaire (cancer).

Poumon (kyste aérien du)

Cavité gazeuse siégeant dans le parenchyme (tissu fonctionnel) du poumon.

Les kystes aériens peuvent être congénitaux ou acquis et dus à une suppuration pulmonaire, à des bulles d'emphysème ou à des dilatations des bronches en forme de kystes. Ils sont a priori peu invalidants, sauf lorsqu'ils sont multiples, très volumineux et envahissent le poumon entier (maladie kystique du poumon). Ils peuvent alors provoquer des hémoptysies (crachements de sang) ou s'infecter.

Le traitement consiste à pratiquer une ablation chirurgicale d'un kyste unique lorsque celui-ci est volumineux.

Poumon des éleveurs d'oiseaux (maladie du)

Affection pulmonaire d'origine allergique due à l'inhalation de bactéries contenues dans les déjections des oiseaux, surtout ceux de la famille des pigeons. SYN. *maladie des éleveurs d'oiseaux.*

La maladie du poumon des éleveurs d'oiseaux est une alvéolite (inflammation des alvéoles) d'hypersensibilité, qui se traduit par des accès de fièvre et de gêne respiratoire déclenchés par le contact avec les allergènes. Le diagnostic est confirmé par la présence d'anticorps spécifiques (précipitines) dans le sang. Le traitement repose sur la suppression de tout contact avec les allergènes, lorsque c'est possible, et sur les corticostéroïdes par voie générale.

Poumon de fermier (maladie du)

Affection pulmonaire allergique due à l'inhalation de bactéries contenues dans le blé moisi. SYN. *maladie des batteurs en grange*.

La maladie du poumon de fermier, qui fait partie des alvéolites (inflammation des alvéoles) d'hypersensibilité, se traduit par des accès de fièvre et de gêne respiratoire déclenchés par le contact avec les allergènes. Le diagnostic est confirmé par la présence d'anticorps spécifiques (précipitines) dans le sang. Le traitement vise avant tout, lorsque c'est possible, à supprimer tout contact avec les allergènes ; en outre, on a souvent recours aux corticostéroïdes par voie générale.

Pouteau-Colles (fracture de)

Fracture de l'extrémité inférieure du radius, juste au-dessus du poignet.

La fracture de Pouteau-Colles atteint le plus souvent des personnes âgées, sujettes à l'ostéoporose (raréfaction du tissu osseux), et des enfants, généralement à la suite d'une chute sur le poignet. Le poignet est le siège d'une déformation caractéristique « en dos de fourchette ». Le traitement de cette fracture est le plus souvent orthopédique : réduction de la fracture sous anesthésie générale, pose de broches et immobilisation plâtrée pendant 6 semaines. Après consolidation, une raideur du poignet peut subsister.

Poxvirus

Famille de virus à A.D.N. comprenant les *Orthopoxviridæ,* responsables de maladies éruptives (variole, vaccine), et les *Parapoxviridæ,* responsables de lésions cutanées (nodule des trayeurs, orf, molluscum contagiosum).

Les *Orthopoxviridæ* sont également les agents de maladies touchant l'animal (vaccine bovine, ou cow-pox, vaccine du singe, ou monkey-pox) et transmissibles à l'homme, immunisant celui-ci contre la variole en raison de la parenté de ces virus.

Prandial

Relatif aux repas.

Un événement postprandial est un phénomène survenant après le repas, comme la douleur postprandiale, caractéristique de l'ulcère gastroduodénal.

Précancéreux

Se dit d'un état ou d'une lésion caractérisés par une dysplasie (trouble de la multiplication de la cellule et autres anomalies cellulaires), décelée par l'examen au microscope d'un prélèvement et pouvant concerner en particulier les muqueuses génitales, digestives, respiratoires et le sein.

Précipitine

Anticorps dont la présence est révélée par une précipitation (phénomène physico-chimique par lequel un corps insoluble se forme dans un liquide et se dépose au fond du récipient) lorsqu'il est mêlé à l'antigène (substance étrangère à l'organisme) qui lui correspond. SYN. *anticorps précipitant*.

Dans l'organisme, les précipitines sont sécrétées à la suite de l'inhalation d'antigènes qui pénètrent profondément dans l'appareil respiratoire. Elles sont à l'origine de réactions locales d'hypersensibilité dans les alvéoles pulmonaires et les bronchioles, provoquant une alvéolite extrinsèque allergique. Divers antigènes sont en cause : les spores de la bactérie *Micropolyspora fæni* sont responsables de la maladie du poumon de fermier ; les protéines provenant d'oiseaux (sérum et déjections de pigeons, de poules, de perruches) provoquent la maladie du poumon des éleveurs d'oiseaux.

UTILISATION DIAGNOSTIQUE

Les précipitines sont utilisées dans plusieurs techniques de laboratoire car elles sont susceptibles de former des complexes visibles avec tout antigène qui leur correspond. Dans le test de l'anneau (en anglais *Ring Test*), le contact d'une solution contenant un anticorps et d'une autre solution contenant son antigène se traduit par l'apparition d'un anneau de précipitation au point de contact des deux solutions. Ces techniques permettent le diagnostic sérologique des maladies allergiques dues aux précipitines.

Précordialgie

Douleur ressentie dans la région thoracique antérieure gauche.

CAUSES

Les précordialgies peuvent être dues à un rhumatisme, à un traumatisme, à une éruption cutanée : on dit alors que ces douleurs sont pariétales car leur cause est localisée dans la paroi thoracique. Plus rarement, les précordialgies sont pleurales (localisées à la plèvre) ou médiastinales (localisées au médiastin, au milieu de la cavité thoracique). Mais, le plus souvent, elles sont liées à l'anxiété du sujet ou à la prise d'excitants comme le café ou l'alcool.

SYMPTÔMES ET SIGNES

Le terme de précordialgie est utilisé lorsque les douleurs sont différentes de celles d'un angor (angine de poitrine).

Le sujet souffre de douleurs assez localisées, à côté du mamelon, ressemblant à des coups d'aiguilles ou à une gêne peu intense mais prolongée. Ces douleurs ne sont pas liées à un effort. Les mouvements respiratoires ne les provoquent pas et n'ont aucune incidence sur elles. Parfois, une pression de la peau et des tissus adjacents à l'endroit où elles apparaissent habituellement déclenche une douleur identique.

TRAITEMENT

Il vise la cause organique, quand elle existe. Si les douleurs sont dues à la prise d'excitants, la suppression de ceux-ci les fait disparaître. Un sédatif peut être prescrit à un sujet de tempérament anxieux.

Prédisposition à une maladie

Prédisposition d'origine génétique conditionnant la sensibilité particulière d'un organisme à une maladie.

La prédisposition à une maladie a tout d'abord ses origines dans le patrimoine génétique de l'espèce humaine. Ainsi, l'éventuelle absence, à la surface de certaines cellules, d'un récepteur nécessaire au développement d'un germe pathogène (virus, par exemple) empêche la maladie d'apparaître. Par ailleurs, la prédisposition à la maladie, différente d'un individu à un autre, entraîne une inégalité devant l'action des germes pathogènes. En milieu infecté, par exemple en cas d'épidémie, certaines personnes seront atteintes et d'autres, épargnées. La prédisposition est souvent évoquée par les termes de « terrain » ou de « susceptibilité ». Ainsi, telles personnes sont plus exposées que d'autres à certaines maladies selon leur appartenance à un groupe génétique particulier d'histocompatibilité (déterminant la compatibilité des tissus de deux individus lors d'une greffe). Ce fait s'observe notamment pour certaines maladies auto-immunes, tels le psoriasis, le diabète insulinodépendant et le lupus érythémateux disséminé, mais également pour d'autres maladies comme l'hémochromatose génétique, caractérisée par une surcharge en fer, la spondylarthrite ankylosante et la narcolepsie. Enfin, de la même manière que la taille d'un individu est en partie génétiquement déterminée, le système immunitaire de chaque personne est naturellement plus ou moins efficace. Les recherches actuelles portant sur le génome humain permettront, dans les années qui viennent, de préciser le rôle des gènes dans l'apparition d'une maladie.

Cependant, quelle que soit la part génétique dans la prédisposition à une maladie, les manifestations pathologiques ne peuvent survenir que si des facteurs aggravants, internes ou externes, viennent s'y ajouter. → VOIR Histocompatibilité.

Prééclampsie

État pathologique de la femme enceinte apparaissant après la 20e semaine de grossesse et caractérisé par une hypertension artérielle, une protéinurie (présence de protéines dans les urines) et une prise de poids avec œdème.

Autrefois appelée toxémie gravidique, la prééclampsie survient dans 5 % des grossesses. Elle est plus fréquente en cas de grossesse gémellaire et chez les femmes n'ayant encore jamais accouché. Ses mécanismes ne sont pas totalement élucidés.

SYMPTÔMES ET COMPLICATIONS

La prééclampsie se manifeste par des maux de tête, des sensations visuelles anormales (mouches, points lumineux), des bourdonnements d'oreilles, des œdèmes des membres et du visage et une hypertension artérielle importante. Non traitée, elle peut être très grave, tant pour l'enfant que pour la mère.

■ Les complications fœtales sont la souffrance fœtale, la mort in utero ou à la naissance.

■ **Les complications maternelles** sont l'éclampsie (définie par la survenue de convulsions), l'hématome rétroplacentaire (collection de sang entre le placenta et la paroi de l'utérus), l'insuffisance rénale aiguë, l'œdème cérébral, les hémorragies massives et les troubles de la coagulation sanguine.

TRAITEMENT
Une prééclampsie impose une hospitalisation avec repos complet, traitement de l'hypertension artérielle et surveillance étroite de la femme enceinte (par dosage des taux d'urée et de créatinine dans le sang) aussi bien que du fœtus à l'aide d'un monitorage permanent. Afin d'éviter de mettre en danger la vie de l'enfant et de la mère, on peut décider de provoquer un accouchement prématuré.

Prégnandiol

Substance provenant de la dégradation de la progestérone (hormone sécrétée notamment par le corps jaune et le placenta).

Le taux de prégnandiol dans les urines varie suivant le sexe et l'âge du sujet (avant ou après la puberté) et, chez la femme, au cours du cycle menstruel.

UTILISATION DIAGNOSTIQUE
Ce taux diminue lors de certaines stérilités (celles dues à une absence d'ovulation) et augmente au cours de certaines tumeurs des ovaires ou des glandes surrénales (syndrome de Cushing). Pendant la grossesse, les dosages permettent de vérifier et de surveiller le bon état du placenta.

Prégnanetriol

Substance provenant de la dégradation de l'hydroxyprogestérone, elle-même formée à partir de la progestérone.

Le prégnanetriol est éliminé dans les urines, où sa concentration varie selon l'âge et le sexe du sujet et, chez la femme, au cours du cycle menstruel. Elle diminue en cas d'absence d'ovulation et augmente en cas d'hyperplasie surrénalienne (augmentation du volume des glandes surrénales) congénitale due à un déficit enzymatique.

Prélèvement

1. Recueil d'un échantillon biologique d'un organe, d'un tissu ou d'un liquide.
2. Échantillon organique ou liquide recueilli pour examen.
→ VOIR Biopsie, Frottis, Frottis cervicovaginal, Frottis sanguin, Organe (don d'), Ponction, Ponction-biopsie, Ponction lombaire, Prise de sang.

Prématuré

Enfant né avant terme (avant 37 semaines d'aménorrhée, soit avant 8 mois).

DESCRIPTION
Le prématuré diffère en son aspect de l'enfant né à terme : sa taille est plus petite, son poids est inférieur et fonction de la durée de sa gestation. La peau du prématuré est très fine, rouge et recouverte d'un duvet, appelé lanugo, qui n'a pas eu le temps de tomber dans les dernières semaines de grossesse. Le cartilage des oreilles est mou, les membres sont grêles mais l'abdomen est protubérant. Le pouls et la respiration sont plus rapides, la cage thoracique est étroite et le cri faible, parfois absent.

Le prématuré présente une immaturité globale des organes et des fonctions qui peut mettre en jeu sa vie ou son développement. Ainsi, l'immaturité du système nerveux, alliée à celle des poumons, peut être responsable de troubles respiratoires, notamment de l'arrêt momentané de la respiration (apnée), et entraîner une mauvaise oxygénation du sang et des tissus (cyanose). L'immaturité des poumons crée un risque de maladie des membranes hyalines, affection caractérisée par une difficulté des poumons à se déplisser lors de l'inspiration. La fragilité des vaisseaux augmente les risques d'hémorragie cérébroméningée, et l'immaturité cardiovasculaire peut occasionner un souffle au cœur par persistance du canal artériel, qui relie l'artère pulmonaire et l'aorte pendant la vie intra-utérine. L'immaturité digestive rend difficile le réflexe de succion-déglutition : l'enfant est parfois incapable de téter. L'immaturité du foie provoque un ictère souvent plus prononcé que chez le nouveau-né à terme. Le développement non encore achevé de son système immunitaire rend le prématuré plus vulnérable aux infections de toutes sortes. Enfin, l'absence de réserves énergétiques, liée au caractère incomplet de la gestation, peut conduire à une diminution de la température corporelle, à une hypoglycémie ou à une hypocalcémie (respectivement baisse du taux de sucre ou de calcium).

PRISE EN CHARGE
En raison de sa fragilité et des risques qu'il encourt à la naissance et dans les premiers mois de sa vie, le prématuré doit être pris en charge dès les premières minutes. Son accueil en salle de naissance doit être préparé : couveuse, matériel de réanimation respiratoire, présence d'un pédiatre ou d'une sage-femme. L'enfant est maintenu en couveuse à température et oxygénation constantes. Les soins sont pratiqués dans les conditions d'une asepsie rigoureuse, parfois par l'intermédiaire de hublots aménagés dans la couveuse. Le prématuré est alimenté par sonde gastrique en discontinu (toutes les trois heures) ou en continu s'il a un très petit poids ou s'il est hypoglycémique. On utilise de préférence le lait maternel enrichi en protéines et en calcium ou un lait artificiel pour prématuré, adapté aux possibilités digestives de l'enfant. Un supplément en vitamines E, D et C et en acide folique est nécessaire. S'il a été réanimé à la naissance ou s'il présente le moindre signe de détresse respiratoire, l'enfant est nourri par perfusion intraveineuse. Une photothérapie (exposition du nouveau-né à la lumière bleue) peut être pratiquée en cas d'ictère. Enfin, un bilan infectieux s'impose lors d'un accouchement prématuré inexpliqué ou au moindre signe d'infection chez l'enfant. Un traitement antibiotique est prescrit en cas d'infection.

Le grand prématuré (né à moins de 32 semaines d'aménorrhée) doit être pris en charge dans une unité de néonatalogie spécialisée. Cette structure assure des soins lourds tels qu'une assistance respiratoire (oxygénothérapie), une nutrition par voie intraveineuse et une surveillance neurologique intensive (échographie du crâne, électroencéphalographie). Le taux sanguin d'oxygène des enfants est régulièrement contrôlé en raison des risques de lésion de la rétine (rétinopathie).

SURVEILLANCE
Une surveillance constante du prématuré est assurée par monitorage des fonctions cardiaque et respiratoire. Des appareils enregistreurs munis d'une alarme contrôlent l'état respiratoire, la fréquence cardiaque et la pression artérielle des nouveau-nés. La surveillance porte également sur la mesure de la température, l'observation des selles et des résidus gastriques (quantité de lait restant dans l'estomac). Ces examens sont pratiqués une ou deux fois par jour. La glycémie, la calcémie, la formule sanguine et la bilirubinémie font également l'objet d'une surveillance très régulière par dosage sanguin.

À ces moyens techniques mis en œuvre autour du nouveau-né s'ajoute un souci permanent d'intégrer les parents dans l'univers de leur enfant et de préserver leur relation avec celui-ci afin de ne pas compromettre son épanouissement futur. On conseille aux mères de tirer leur lait et de donner elles-mêmes le biberon.

Un prématuré est gardé à l'hôpital jusqu'à ce que son poids atteigne au moins 2,5 kilogrammes.

PRONOSTIC
L'avenir immédiat du prématuré est fonction de son âge gestationnel, de son poids de naissance et de la cause de sa prématurité. Au-dessus de 32 semaines d'aménorrhée, la mortalité est très faible. Les séquelles, notamment neurologiques, sont rares. La survie d'un enfant de moins de 32 semaines pesant moins de 1 000 grammes n'est pas exceptionnelle, mais les séquelles neurologiques et psychomotrices sont plus fréquentes.

Le prématuré garde, pendant quelques mois, un poids plus léger que l'enfant né à terme, et son développement psychomoteur est légèrement en retard. Toutefois, à l'âge de 2 ans, il a généralement rattrapé ce décalage.

Prématurité

État d'un enfant né avant terme (avant 37 semaines d'aménorrhée).

La prématurité se distingue du retard de croissance intra-utérin, ou hypotrophie, caractérisé par un poids de naissance à terme inférieur à 2,5 kilogrammes.

FRÉQUENCE
Le taux de prématurité dans un pays décroît avec la prise en charge des femmes pendant leur grossesse. Dans la plupart des pays industrialisés, il est situé autour de 5 % des naissances. Paradoxalement, le nombre des grands prématurés a augmenté grâce aux progrès conjoints de l'obstétrique et de la

néonatalogie, les obstétriciens et les néonatalogistes (médecins spécialistes des nouveaunés) acceptant de provoquer un accouchement prématuré pour sauver la vie de l'enfant.

DIFFÉRENTS TYPES DE PRÉMATURITÉ

On distingue deux étapes dans la prématurité.

■ La moyenne prématurité concerne les enfants nés entre 32 et 37 semaines d'aménorrhée (à 7 mois ou 7 mois 1/2) ; leur avenir est, dans l'ensemble, excellent.

■ La grande prématurité concerne les enfants nés à moins de 32 semaines ; ils présentent des risques de handicaps et leur avenir est plus menacé. La limite inférieure de la viabilité, fixée officiellement à 28 semaines d'aménorrhée (un peu plus de six mois), est aujourd'hui dépassée. En effet, bien que rare, la naissance à 26 semaines, c'est-à-dire à moins de 6 mois, de prématurés viables est possible. Elle reste exceptionnelle en deçà de ce seuil.

CAUSES

Un accouchement prématuré peut être accidentel (prématurité spontanée) ou consécutif à une décision médicale (prématurité provoquée). Les principales causes de la prématurité sont maternelles (anomalie de l'utérus, infections bactériennes ou virales, grossesses répétées, travail ou trajets pénibles, conditions socio-économiques défavorables) ou ovulaires (grossesse multiple, excès de liquide amniotique). Un accouchement prématuré peut également être déclenché pour sauver la vie du fœtus ou éviter de graves complications : il s'agit essentiellement des cas de prééclampsie (association d'une hypertension artérielle, d'une prise de poids maternel excessive et d'une protéinurie), d'hématome rétroplacentaire (décollement du placenta), de souffrance fœtale, de diabète déséquilibré de la mère ou de maladie maternelle grave et d'incompatibilité Rhésus qui s'aggrave.

PRÉVENTION

En raison des risques encourus par le nouveau-né prématuré, il est souhaitable de prolonger la grossesse au-delà de 37 semaines d'aménorrhée dans la mesure où ni la vie de la mère ni celle de l'enfant ne sont en danger. Des mesures préventives des complications respiratoires prévisibles de l'enfant peuvent être mises en route, en particulier une corticothérapie maternelle, qui a pour effet d'accélérer la maturation pulmonaire du fœtus.

La surveillance médicale de la femme enceinte et le dépistage, voire le traitement, des principales causes de la prématurité permettent d'en réduire la fréquence.
→ VOIR Prématuré.

Prémédication

Administration de médicaments visant à préparer un malade à des soins ou à des examens douloureux ou à une anesthésie.

OBJECTIFS

La prémédication est le plus souvent réalisée par le médecin anesthésiste de une à deux heures avant une intervention chirurgicale nécessitant une anesthésie générale ou locorégionale. Elle a plusieurs objectifs :
- calmer l'anxiété du malade et ses manifestations (palpitations, sensation de gêne respiratoire, etc.) afin qu'il arrive au bloc opératoire calme, détendu, éventuellement somnolent mais facilement réveillable ;
- diminuer l'intensité des réactions chimiques et l'activité des cellules de l'organisme de façon à réduire les quantités d'anesthésiques nécessaires à l'endormissement du sujet et ses besoins en oxygène ;
- diminuer le seuil de perception de la douleur en augmentant l'effet analgésique des anesthésiques ;
- empêcher certains effets induits par les anesthésiques ou l'acte chirurgical lui-même, qui, en stimulant le système parasympathique, peuvent provoquer une hypersécrétion salivaire, des nausées, des vomissements, un spasme laryngé, des troubles du rythme cardiaque.

MÉDICAMENTS UTILISÉS

On emploie cinq types de médicaments.

■ Les anxiolytiques sont les seuls médicaments qui répondent à tous les critères de la prémédication. Parmi eux, les benzodiazépines diminuent l'anxiété, calment le patient, le font parfois sommeiller et empêchent les convulsions ; elles sont administrées par voie orale ou, chez l'enfant, en suppositoires, souvent la veille et deux heures avant l'intervention. L'hydroxyzine a un effet moins puissant que celui des benzodiazépines, mais ce médicament permet en outre de diminuer les sécrétions bronchiques et salivaires et de prévenir les vomissements et les réactions allergiques ; il est administré par voie orale.

■ Les neuroleptiques sont peu employés, notamment parce qu'ils ne calment pas l'anxiété, ne réduisent pas les sécrétions salivaires et n'ont pas d'action anticonvulsivante. Prescrits à très faibles doses, ils permettent néanmoins de prévenir les nausées et les vomissements.

■ Les opiacés, analgésiques centraux, combattent la douleur, permettant de diminuer les doses d'anesthésiques.

■ Les anticholinergiques combattent les effets de la stimulation du système nerveux parasympathique provoquée par l'opération : sécrétion des glandes salivaires et des bronches, spasme du larynx, ralentissement du rythme cardiaque.

■ Les autres médicaments (antihistaminiques H2, antiacides) préviennent la remontée du liquide gastrique et le risque de son inhalation dans les bronches, dû au fait que le sujet est inconscient. Ce risque est particulièrement important en cas d'intervention en urgence, en obstétrique ou chez les obèses, les fumeurs ou encore en cas d'intubation trachéale difficile et prolongée.

La prémédication n'est pas systématique et doit être adaptée au malade. Elle doit être réalisée sous une surveillance particulièrement stricte et à doses très faibles chez les nourrissons de moins d'un an, les personnes très âgées et en cas de chirurgie ambulatoire (sans hospitalisation), de pathologie intracrânienne (tumeur, hémorragie, etc.), d'insuffisance respiratoire ou de pertes liquidiennes importantes (hémorragie, diarrhée).

Prémolaire

Dent située entre les canines et les molaires.

Les prémolaires, au nombre de 4 sur chaque maxillaire, servent à écraser les aliments.
→ VOIR Dent.

Préparation pharmaceutique

Médicament préparé par un pharmacien ou un préparateur en pharmacie.

Une préparation pharmaceutique s'oppose aux spécialités pharmaceutiques, qui sont fabriquées industriellement.

DIFFÉRENTS TYPES DE PRÉPARATION PHARMACEUTIQUE

Il existe deux types de préparation : la préparation magistrale et la préparation officinale.

■ La préparation magistrale est composée par le pharmacien à la demande du médecin, qui, par ordonnance et pour un patient déterminé, en fixe librement la composition. De telles préparations sont aujourd'hui peu employées.

■ La préparation officinale est composée d'avance selon les règles fixées par la Pharmacopée. Elle est présentée sous un conditionnement et avec un étiquetage réglementaires et ne peut être vendue que par la pharmacie qui l'a fabriquée.

Prépuce

Fourreau cutané situé à l'extrémité du pénis et recouvrant le gland. (P.N.A. *preputium*)

Chez certains enfants, le prépuce reste étroit jusqu'à l'âge de 3 ou 4 ans, ce qui rend le décalottage du gland difficile, sinon impossible. Il ne faut pas le rabattre en forçant et, si cela n'entraîne ni infection ni gêne à la miction, l'abstention thérapeutique est de règle ; dans le cas contraire, on peut pratiquer une circoncision.

PATHOLOGIE

Le prépuce peut être le siège de multiples atteintes : malformations congénitales (il n'entoure pas complètement la verge en cas d'hypospadias ou d'épispadias, deux malformations dans lesquelles le méat urétral n'est pas à sa place normale à l'extrémité du gland, mais respectivement au-dessous ou au-dessus), dermatoses, tumeurs, infections (sexuellement transmissibles, en particulier), etc. Le phimosis est un rétrécissement de l'orifice préputial empêchant le décalottage du gland. Le paraphimosis, complication fréquente du phimosis, est un étranglement de la base du gland du pénis par un anneau préputial trop étroit, qui nécessite une intervention chirurgicale rapide.

Presbyacousie

Diminution progressive de l'acuité auditive due au vieillissement du système auditif.

La presbyacousie est liée à la dégénérescence des cellules ciliées de l'organe de l'audition, ou organe de Corti, situé dans le canal cochléaire. Elle se manifeste surtout

Préservatif masculin

Le préservatif masculin, réservoir cylindrique souple en latex que l'homme applique sur son pénis avant les rapports sexuels, est un moyen de contraception mais aussi de protection indispensable contre les maladies sexuellement transmissibles, notamment le seul moyen efficace de prévention sexuelle contre le sida.

La mise en place du préservatif masculin

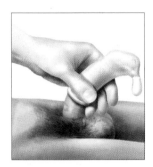

Le préservatif doit répondre aux normes légales. Son mode d'emploi doit être respecté, surtout en ce qui concerne la lubrification : les corps gras (vaseline, huile, savon) peuvent fragiliser le latex.

Pour éviter l'éclatement et les fuites, il faut chasser l'air du petit réservoir à sperme qui se trouve à l'extrémité en le pinçant. Le préservatif est mis seulement quand l'érection est complète.

Le préservatif est mis en place avant tout contact sexuel. Il est déroulé jusqu'au bout sans être trop étiré. En cas de sodomie, il faut utiliser un modèle plus résistant et plus épais (100 micromètres).

Après éjaculation, l'homme se retire aussitôt tout en maintenant le préservatif à sa base pour l'empêcher de glisser et pour éviter les fuites, puis il l'enlève. Un préservatif ne sert qu'une fois.

---

après 60 ans par une diminution bilatérale et symétrique de l'acuité auditive. Elle touche les fréquences aiguës avant de s'étendre peu à peu aux graves. Le diagnostic est confirmé par l'audiogramme, examen qui consiste à faire entendre des sons de différentes intensités à différentes fréquences.

Aucun traitement médical ou chirurgical ne peut actuellement prévenir ni améliorer une presbyacousie. Seul le port d'une prothèse auditive externe amplificatrice permet au sujet d'avoir une meilleure perception auditive.

Presbytie

Diminution progressive du pouvoir d'accommodation de l'œil entraînant une gêne à la vision de près. SYN. *presbyopie*.

CAUSES

La presbytie est due à une perte progressive de la souplesse du cristallin, liée au processus de vieillissement naturel : elle concerne la plupart des personnes de plus de 40 ans.

SYMPTÔMES ET ÉVOLUTION

Une personne atteinte de presbytie, appelée presbyte, voit mal les objets de près et lit difficilement un texte trop proche des yeux. Elle ressent des maux de tête ou des sensations de brûlure oculaire, surtout le soir. Au bout d'un certain temps, elle ne peut plus lire sans lunettes.

La presbytie augmente progressivement avec l'âge, obligeant le sujet à changer régulièrement de verres correcteurs ; vers 60 ans, elle se stabilise.

En cas d'hypermétropie (anomalie de la réfraction caractérisée par une difficulté à voir de près) associée, la presbytie apparaît parfois avant l'âge de 40 ans et augmente plus vite. En cas de myopie (anomalie de la réfraction caractérisée par une difficulté à voir de loin) associée, elle apparaît plus tardivement.

TRAITEMENT

La presbytie est corrigée par des verres convergents dont la puissance est augmentée tous les 4 ou 5 ans pendant 20 ans, jusqu'à ce que la diminution du pouvoir d'accommodation soit entièrement stabilisée.

Si l'emploi de verres correcteurs était déjà nécessaire pour voir de loin, le port de verres demi-lune, de verres à double foyer ou de verres à foyer progressif est recommandé. Ces derniers, de plus en plus employés, permettent une vision nette à toutes les distances. S'y adapter peut demander une quinzaine de jours.

Prescription

1. Ce qui est prescrit par le médecin : traitement, médicament, régime, etc.
2. Document écrit dans lequel est consigné ce qui est prescrit par le médecin. SYN. *ordonnance*.

Toute prescription médicale s'accompagne obligatoirement de mentions fixées par le Code de la santé publique : elles comportent l'identification du médecin (cachet), celle du patient (nom, prénom, âge), la date de la prescription, la désignation en clair des médicaments, la posologie et la durée du traitement, la signature du prescripteur.

La prescription médicale permet l'obtention des médicaments dans une pharmacie, en particulier de ceux qui ne sont délivrés que sur ordonnance, et leur remboursement par le système de l'assurance maladie.

Présentation fœtale

Manière dont se présente le fœtus lors de l'accouchement.

DIFFÉRENTS TYPES DE PRÉSENTATION

La présentation peut être longitudinale (le fœtus se présente par la tête ou par le siège) mais aussi transversale ou oblique.

■ **La présentation par la tête**, ou présentation céphalique, est la plus fréquente - de 95 à 96 % des cas - et la plus favorable. Selon le degré de flexion de la tête sur le tronc, on distingue la présentation du sommet - tête bien fléchie vers le bas -, la présentation du bregma - tête un peu défléchie -, la présentation du front, où la tête est droite, et la présentation de la face, où la tête, complètement défléchie, est renversée en arrière. La présentation du front impose une césarienne. Les obstétriciens subdivisent encore ces présentations selon que le fœtus est tourné vers l'avant ou l'arrière, la droite ou la gauche. Ainsi, dans la présentation occipito-iliaque gauche antérieure (O.I.G.A.), la plus fréquente, sa nuque est dirigée vers l'avant et vers la gauche dans le bassin maternel.

■ **La présentation par le siège** constitue de 3 à 4 % des présentations ; elle est plus fréquente chez les multipares (femmes ayant déjà accouché). Elle se subdivise en siège complet (jambes pliées et ramenées sur le ventre) et siège décomplété (jambes dépliées et relevées le long du tronc). Selon l'orientation du fœtus, les obstétriciens précisent aussi les diverses présentations du siège. Ainsi, la présentation sacro-iliaque gauche antérieure (S.I.G.A.), la plus fréquente, signifie que le sacrum de l'enfant est tourné vers l'avant et vers la gauche dans le bassin maternel. Si les dimensions du bassin de la mère le permettent et si l'enfant n'est pas trop gros, l'accouchement par le siège a lieu par les voies naturelles. Si l'expulsion paraît impossible, une césarienne est pratiquée.

■ **La présentation transversale**, ou par l'épaule, est rare. Le fœtus est placé en travers ou en oblique dans l'utérus. Une classification plus précise tient compte de la position de son dos ou d'une saillie de son omoplate, l'acromion. Toutes les présentations transversales imposent une césarienne. → VOIR Accouchement.

Préservatif

Réservoir cylindrique souple et mince en latex, placé sur la verge ou dans le vagin avant les rapports sexuels pour une raison contraceptive ou hygiénique. SYN. *condom*.

■ **Le préservatif masculin** empêche le passage du sperme dans les voies génitales féminines. En raison de la recrudescence des maladies sexuellement transmissibles (M.S.T.) et du développement du sida, son usage est aujourd'hui indispensable lors des rapports sexuels : en effet, il assure la meilleure protection contre la transmission infectieuse par voie sexuelle en supprimant tout contact direct entre les muqueuses des partenaires. Pour être efficace, un préservatif ne doit pas avoir déjà été utilisé et il doit être correctement appliqué sur le pénis en érection et avant tout contact sexuel. Une crème spermicide appliquée sur le préservatif en place peut également être utilisée pour parfaire la protection. Les préservatifs lubrifiés sont conseillés pour les rapports génitaux et les modèles non lubrifiés lors des relations buccogénitales.

■ **Le préservatif féminin** est un sac en forme de doigt de gant qui s'introduit dans le vagin. De fabrication récente, il est commercialisé dans quelques pays (États-Unis, Espagne, Suisse, Grande-Bretagne). Son efficacité contre le risque d'infection par les M.S.T. (dont le sida) n'est pas totale, notamment pour le partenaire masculin. Le diaphragme peut être assimilé au préservatif féminin, car il empêche la progression des spermatozoïdes dans le col de l'utérus. Comme celui-ci, il est inefficace contre le risque d'infection par les M.S.T.
→ VOIR Contraception.

Pression artérielle

Pression pulsée résultant de la contraction régulière du cœur (environ toutes les secondes) et créant un système de forces qui propulse le sang dans toutes les artères du corps. SYN. *pression sanguine.*
La pression artérielle est souvent appelée, improprement, « tension artérielle ».

DIFFÉRENTES SORTES DE PRESSION ARTÉRIELLE

■ **La pression systolique,** ou maxima, s'observe quand le cœur se contracte. Là, la pression artérielle atteint son maximum.
■ **La pression diastolique,** ou minima, se mesure après l'éjection du sang, pendant la phase de repos du cœur. Là, la pression artérielle descend à son niveau minimal. Cette pression minimale ne devient jamais nulle car, dès la fin de la systole (contraction cardiaque), la valvule aortique, située à la sortie du ventricule gauche, se ferme, ce qui empêche le reflux du sang dans le ventricule.
La pression dans l'aorte et dans ses branches baisse progressivement car le sang s'écoule vers la périphérie du système artériel, diminuant d'autant le volume du sang présent dans l'aorte et dans les artères de gros calibre.

VARIATIONS PHYSIOLOGIQUES

Les chiffres normaux de pression artérielle se situent entre 10 et 14 centimètres de mercure pour la maxima et entre 6 et 9 centimètres pour la minima. Selon l'Organisation mondiale de la santé (O.M.S.), ces chiffres ne doivent pas dépasser 16 pour la pression systolique et 9 pour la pression diastolique. La pression diastolique est en

principe égale à la moitié de la pression systolique augmentée de 1 point. Mais l'écart entre la maxima et la minima (différentielle) peut être modifié dans certaines conditions pathologiques ; on parle alors de pincement ou d'élargissement de la différentielle : un pincement peut être observé si la force contractile du ventricule gauche diminue ; un élargissement, lorsqu'une anomalie de la valvule aortique provoque un reflux de sang de l'aorte dans le ventricule gauche (insuffisance aortique).
Il est habituel de constater une augmentation progressive de la pression artérielle avec l'âge et l'on admet comme normale une pression systolique représentée par le chiffre 10 majoré du nombre de décennies du patient : ainsi, pour une personne de 50 ans, on obtient 10 + 5 = 15 pour la pression systolique et, pour un sujet de 20 ans, 10 + 2 = 12 de pression systolique. Par ailleurs, certains sujets ont, de façon spontanée ou du fait de la prise de certains médicaments, une chute tensionnelle importante, appelée hypotension orthostatique, lorsqu'ils se mettent debout brusquement, ce qui justifie la mesure systématique chez eux de la pression artérielle en position couchée puis en position verticale.
Il est aussi normal que la pression systolique augmente de 4 à 6 centimètres de mercure au cours d'un effort un peu important.

TECHNIQUE DE MESURE

La pression artérielle se mesure à l'aide d'un sphygmomanomètre, ou tensiomètre. La mesure doit être effectuée sur un sujet allongé après 5 à 10 minutes de repos. En effet, chez certaines personnes anxieuses ou nerveuses, le simple fait de leur prendre la pression artérielle suffit parfois à provoquer une montée de pression. Il s'agit de « l'effet blouse blanche ». On ne parlera donc d'hypertension artérielle que si la mesure, effectuée au repos à 3 reprises et à quelques jours d'intervalle, dépasse les chiffres normaux pour l'âge.
C'est pourquoi il est parfois demandé au sujet de porter un appareil de mesure ambulatoire de la pression artérielle (M.A.P.A.), ou Holter tensionnel, qui enregistre pendant 24 heures les variations de pression et permet d'établir une meilleure estimation de la charge tensionnelle du sujet.
→ VOIR Hypertension artérielle, Hypotension artérielle, Valvulopathie.

Pression oncotique

Grandeur exprimant le degré de facilité avec lequel des protéines en solution dans un fluide attirent l'eau.
En pratique, le terme de pression oncotique exprime le degré de facilité avec lequel les protéines du plasma attirent l'eau des tissus de l'organisme.
Si la concentration des protéines plasmatiques diminue (hypoprotéinémie), par exemple à la suite d'une dénutrition, l'eau s'accumule dans les tissus, ce qui provoque la formation d'œdèmes.

Prévalence

Nombre de cas de maladie ou de malades, ou de tout autre événement tel qu'un accident, dans une population déterminée, sans distinction entre les cas nouveaux et les cas anciens (O.M.S., 1966).
La prévalence est un rapport qui s'exprime en nombre de cas pour 100 000 habitants. Elle peut se référer à un moment précis ou se calculer sur un laps de temps donné. Elle permet de définir la fréquence globale d'une maladie ou d'un accident.

Prévention

Ensemble des moyens mis en œuvre pour éviter l'apparition, l'expansion ou l'aggravation de certaines maladies.
La prévention médicale, ou prophylaxie, a été prise en charge par les pouvoirs publics au fur et à mesure que se systématisait la lutte contre la tuberculose (première moitié du XXe siècle).
La prévention est assurée par le médecin de famille, par les spécialistes, mais aussi par la collectivité et les pouvoirs publics. Elle repose sur l'amélioration de l'hygiène, individuelle et collective (adduction et assainissement de l'eau, éducation sanitaire et diététique, etc.), les médicaments, les examens médicaux systématiques (examens radiologiques, dentaires, prénuptiaux, pendant la grossesse et bilans de santé).

DIFFÉRENTS TYPES DE PRÉVENTION

L'apparition ou la non-apparition de la maladie et son degré éventuel d'évolution permettent de distinguer différents stades de prévention.
■ **La prévention primaire** vise à empêcher l'apparition de la maladie par des procédés spécifiques : vaccination contre les maladies infectieuses, vitamine D contre le rachitisme, lutte contre le tabac dans le cas des maladies cardiovasculaires, etc.
■ **La prévention secondaire** tend à dépister et à arrêter le processus pathologique aussitôt après son déclenchement. Ainsi, un examen médical systématique et régulier des seins ainsi qu'une mammographie chez les femmes de plus de 40 ans permettent de dépister précocement un cancer du sein, d'en assurer de meilleures chances de guérison et de prévenir son extension. Le coût de la prévention, parfois considéré comme excessif, doit toujours être considéré par rapport à celui du traitement qu'auraient nécessité autant de cas évolués de la maladie.
■ **La prévention tertiaire** a pour objet d'empêcher les rechutes (administration de pénicilline contre le rhumatisme articulaire aigu) et de réduire les complications ou les séquelles par la rééducation ou la réadaptation, par exemple.
→ VOIR Dépistage.

Priapisme

Érection pénienne indépendante de toute libido, douloureuse, durant au moins deux heures et n'aboutissant pas à l'éjaculation.
Le priapisme est dû à une insuffisance du drainage du sang qui remplit les corps caverneux, maintenant le pénis en érection.

Celle-ci peut être due à diverses causes, psychiques ou médicamenteuses (héparine, certains neuroleptiques), à l'injection intracaverneuse d'une trop forte dose de médicament destiné à provoquer une érection (comme cela peut se produire lors du traitement d'une impuissance) ou à certaines maladies (leucémie, cancer, insuffisance rénale, etc.). Contrairement à ce qui se produit lors d'une érection physiologique, le gland n'est pas gonflé et reste mou.

TRAITEMENT

C'est une urgence, car le priapisme peut entraîner une impuissance définitive par fibrose des corps caverneux, qui perdent leur élasticité. Il consiste à injecter des médicaments permettant une vasodilatation locale dans les corps intracaverneux, à évacuer par ponction le sang qui s'y est accumulé ou à créer chirurgicalement une communication entre les corps caverneux et le système veineux pénien.

Primaire

Qualifie la première manifestation d'un phénomène pathologique ou la première phase d'une maladie.

Ainsi, une aménorrhée primaire est la non-apparition des règles à la puberté ; une aménorrhée secondaire est la disparition des règles après un certain nombre de cycles. L'hémostase primaire désigne le premier temps, vasculaire et plaquettaire, de la réparation d'une brèche vasculaire, avec constitution du « clou plaquettaire ». L'hémostase primaire précède l'hémostase secondaire, qui fait intervenir, en cascade, les facteurs de la coagulation jusqu'à la constitution du caillot de fibrine.

Primigeste

Se dit d'une femme qui est enceinte pour la première fois.

Primigeste se distingue de primipare, qui qualifie une femme qui accouche pour la première fois.

Primipare

Se dit d'une femme qui accouche pour la première fois.

Une femme primipare a toujours un accouchement plus long (en moyenne 12 heures, parfois plus de 24 heures) qu'une multipare (en moyenne 6 heures), la dilatation du col de l'utérus nécessitant davantage de contractions utérines lors d'un premier accouchement. En outre, chez une primipare, l'effacement du col précède sa dilatation tandis que chez la multipare le col s'efface en même temps qu'il se dilate.

Primitif

Qualifie la manifestation initiale d'une affection.

Ce terme s'applique essentiellement à un cancer, par opposition à ses localisations secondaires (métastases).

Primo-infection

Envahissement, pour la première fois, de l'organisme par un agent infectieux.

Le terme s'emploie couramment pour désigner la primo-infection tuberculeuse, infection primaire par le bacille de Koch.

Primo-infection tuberculeuse

Pénétration du bacille de Koch dans un organisme vierge de toute infection tuberculeuse. SYN. *tuberculose primaire*.

Autrefois plus fréquente chez l'enfant et l'adolescent, la primo-infection survient actuellement de plus en plus tardivement, la tuberculose sévissant de moins en moins de façon permanente et la vaccination (B.C.G.), dans les pays médicalement développés, étant obligatoire.

La contamination est le plus fréquemment aérienne, par inhalation de gouttelettes de salive rejetées au moment de la toux ou de l'éternuement d'un sujet contagieux, plus rarement digestive ou cutanéomuqueuse.

SYMPTÔMES ET SIGNES

Une primo-infection se traduit par une lésion pulmonaire appelée chancre de primo-infection et par une augmentation de la taille des ganglions du médiastin (zone du thorax séparant la face interne des poumons). À l'endroit du poumon où a pénétré le bacille de Koch se forme une lésion appelée follicule épithélioïde, riche en bacilles, qui se nécrose (caséum) ; dans un deuxième temps, la paroi de cette lésion se calcifie.

Dans 90 % des cas, l'infection est latente, sans altération de l'état général, et régresse spontanément. Dans moins de 10 % des cas, un syndrome infectieux modéré (toux, fièvre peu élevée, fatigue, perte d'appétit) survient environ deux mois après incubation. Les manifestations sont parfois plus importantes : fièvre brutale, troubles digestifs, érythème noueux (éruption de nodules rouge violacé sur les membres), kératoconjonctivite (inflammation oculaire). L'infection se complique parfois de fistulisation de la lésion aux bronches, de compression des bronches ou de diffusion du bacille à d'autres organes par le sang circulant.

DIAGNOSTIC

Une primo-infection est décelée par cutiréaction, scarification ou intradermoréaction à la tuberculine, le sujet infecté par le bacille présentant un « virage de cuti ». Elle peut également être décelée à la radiographie pulmonaire, qui permet de visualiser la lésion pulmonaire.

TRAITEMENT ET ÉVOLUTION

Dans la plupart des cas, le test tuberculinique positif reste le seul témoin de l'infection, la primo-infection régressant spontanément. Il est cependant indispensable de traiter celle-ci pour éviter l'évolution ultérieure vers la tuberculose. Le traitement fait appel à l'administration, pendant une longue période, de médicaments antituberculeux (isoniazide, rifampicine). La prévention repose sur la vaccination (B.C.G.).

Principe actif

Composant d'un médicament doué d'un pouvoir thérapeutique.

Le principe actif d'une spécialité pharmaceutique s'oppose à l'excipient, substance inactive qui confère au médicament les propriétés permettant son administration (consistance, forme) et sa conservation.

Exploité commercialement, un même principe actif peut avoir plusieurs formes médicamenteuses et plusieurs noms commerciaux.

→ VOIR Médicament.

Prinzmetal (angor de)

Forme d'angor (angine de poitrine) liée à un spasme de l'artère coronaire.

L'angor de Prinzmetal se caractérise par sa survenue, volontiers nocturne, spontanée et non liée à un effort, et par la douleur, qui augmente puis diminue progressivement. L'électrocardiographie, lorsqu'elle peut être pratiquée pendant la crise, montre des altérations caractéristiques, qui s'estompent en même temps que la douleur. Le traitement de ce spasme coronarien fait appel aux inhibiteurs calciques.

Prion

Agent infectieux responsable de maladies par dégénérescence du système nerveux appelées encéphalopathies spongiformes ou démences transmissibles (maladie de Creutzfeldt-Jakob, kuru).

Un prion est une forme aberrante d'une protéine normale, que l'on retrouve dans les plaques amyloïdes, substances pathologiques infiltrant les tissus nerveux et caractéristiques des encéphalopathies spongiformes. La présence de prions, reconnue post mortem par une biopsie cérébrale, permet de distinguer ces maladies d'un autre type de démence caractérisé par une dégénérescence nerveuse, la maladie d'Alzheimer.

Prise de sang

Prélèvement de sang. SYN. *ponction veineuse*.

DIFFÉRENTS TYPES D'INSTRUMENT

Une prise de sang peut se faire à l'aide de différents instruments.

■ Une aiguille montée sur une seringue est l'instrument courant employé pour les prises de sang importantes (plusieurs tubes).

■ Une aiguille à ailettes reliée à une tubulure courte s'utilise couramment. Les ailettes, situées sur la partie supérieure de l'aiguille, permettent une manipulation sans risque de l'aiguille.

■ Un système constitué par une aiguille montée sur un tube sous vide d'air s'emploie couramment dans les hôpitaux. Une fois le tube perforé par l'aiguille, le sang y est directement aspiré grâce au vide qui y règne. Ce système présente l'avantage d'éviter le transfert du sang de la seringue dans le tube et donc le risque d'un contact des mains avec le sang.

INDICATIONS

Une prise de sang se fait soit pour une analyse, soit pour préparer une intervention chirurgicale (autotransfusion) ou pour faire bénéficier un tiers d'un don de sang (transfusion).

PRÉPARATION ET DÉROULEMENT

Afin d'éviter les risques de contamination (notamment par le virus du sida), une prise de sang se réalise à l'aide d'aiguilles et d'instruments jetables, qui ne sont pas réutilisés. Le praticien se lave préalablement les mains, désinfecte le lieu de prélèvement, place un garrot en amont afin de faire saillir la veine. Une prise de sang se fait généralement dans une veine du pli du coude ou, chez les personnes dont les veines sont peu visibles et chez le petit enfant, dans les veines du pied, du poignet ou de la face dorsale de la main. On peut aussi réaliser une prise de sang dans une artère (par exemple pour la mesure des gaz du sang) ou dans des vaisseaux capillaires.

Une fois la prise de sang achevée, le sang est transféré dans un tube si le prélèvement a été fait à l'aide d'une seringue. Selon l'examen demandé, le sang est conservé dans un tube sec ou dans un tube contenant un anticoagulant. Le sang aspiré dans un tube sec, destiné par exemple à déterminer la glycémie (taux de sucre dans le sang), coagule. Pour d'autres examens, par exemple la détermination du groupe sanguin, le sang doit être maintenu à l'état liquide et l'utilisation d'un tube contenant un anticoagulant s'impose.

Privation sensorielle

Absence de stimulations des organes des sens par les agents extérieurs qui les provoquent habituellement, susceptible d'entraîner divers troubles psychologiques.

La privation sensorielle est consécutive à des expériences d'isolement prolongé (vols spatiaux, plongées en sous-marin, exploration spéléologique, séquestration - prison, prise d'otages). Les troubles qu'elle entraîne, parfois favorisés par la personnalité antérieure du sujet, sont une perte de la notion du temps, un dérèglement des rythmes biologiques, un engourdissement intellectuel et un ensemble de troubles comportant irritabilité, dépression et parfois bouffées hallucinatoires. Un isolement sensoriel total a pu être utilisé comme moyen de torture. Chez les personnes très âgées, l'affaiblissement des fonctions sensorielles induit souvent des symptômes comparables. Ces troubles sont réversibles : ils peuvent disparaître spontanément mais nécessitent le plus souvent une rééducation par un psychothérapeute, voire par un kinésithérapeute.

Procidence du cordon

Descente du cordon ombilical avant le fœtus lors de l'accouchement.

CAUSES

La procidence du cordon est un accident rare mais grave, qui survient après la rupture des membranes. Elle est favorisée par un défaut d'adaptation du fœtus au bassin maternel, défaut qui crée un espace par où le cordon peut se glisser : les présentations par l'épaule et par le siège, les grossesses gémellaires, les tumeurs des voies génitales surtout, mais aussi la rupture trop précoce de la poche des eaux, l'excès de longueur du cordon et l'hydramnios (excès de liquide amniotique) peuvent être à l'origine d'une procidence du cordon et menacer la vie du fœtus.

SYMPTÔMES ET DIAGNOSTIC

Une procidence du cordon peut se manifester par l'apparition à la vulve d'une anse du cordon ombilical. Si celui-ci est resté dans le vagin, le toucher vaginal, pratiqué devant tout signe de souffrance fœtale et à l'occasion de la rupture de la poche des eaux, permet d'établir le diagnostic.

ÉVOLUTION ET TRAITEMENT

Une procidence du cordon risque de provoquer une compression du cordon entre les parois osseuses du bassin et le fœtus, arrêtant la circulation du sang et privant le fœtus d'oxygène. La vie du fœtus étant menacée à très brève échéance, l'accouchement doit être pratiqué sans tarder, par extraction de l'enfant si la dilatation du col de l'utérus est complète et, si elle est incomplète, par césarienne.

PRÉVENTION

Cet accident ne survenant qu'au moment de la rupture de la poche des eaux, la prévention consiste à se faire examiner dès cette « perte des eaux ». Il est donc essentiel, lorsqu'un tel événement se produit, même sans contractions, de se placer sous surveillance médicale constante.

Proclive

Qui est incliné vers l'avant.

Une personne est en position proclive lorsque, allongée sur une table inclinable, ses membres inférieurs sont plus bas que sa tête.

Cette position facilite le déplacement de liquide physiologique ou de pus, en particulier dans la cavité abdominale.

Certaines interventions chirurgicales ne peuvent s'effectuer que dans cette position.

Procréation médicalement assistée

Ensemble des techniques permettant à un couple infertile de concevoir un enfant.

Les techniques de procréation médicalement assistée (P.M.A.) se divisent essentiellement en 2 groupes : l'insémination artificielle, qui consiste à déposer le sperme dans l'utérus, et les techniques de fécondation in vitro, qui consistent à réaliser la fécondation dans une éprouvette après recueil des gamètes mâles (spermatozoïdes) et femelles (ovules).

Insémination artificielle

Cette technique, qui consiste à déposer du sperme dans l'utérus d'une femme, peut être réalisée avec du sperme de donneur - on parle d'insémination artificielle avec donneur (I.A.D.) - ou avec du sperme du conjoint : insémination artificielle avec sperme du conjoint (I.A.C.).

L'insémination artificielle avec donneur est employée lorsque la cause de l'infertilité est masculine, par absence ou anomalies des spermatozoïdes, ou lorsque l'homme risque de transmettre une maladie héréditaire grave. L'insémination artificielle avec sperme du conjoint est utilisée lorsque la qualité du sperme est insuffisante : il faut alors, après recueil de ce dernier, l'améliorer par certaines techniques physiques. Elle est également pratiquée lorsque la cause de la stérilité se situe au niveau du col de l'utérus,

le fait de déposer le sperme dans la cavité utérine même permettant de résoudre la cause de l'infertilité.

Fécondation in vitro

Cette technique consiste à réunir dans une éprouvette un ovule (gamète femelle) et un spermatozoïde (gamète mâle) et à réimplanter dans l'utérus, après fécondation, le ou les embryons au stade de 4 à 8 cellules, voire à un stade plus avancé. La fécondation in vitro comporte 4 étapes.

■ **La première étape** consiste à réaliser lors d'un cycle menstruel une stimulation ovarienne à l'aide de traitements médicamenteux qui provoquent le développement de plusieurs follicules et donc de plusieurs ovules par cycle.

■ **La deuxième étape** consiste à recueillir les gamètes. Les gamètes mâles sont obtenus après recueil du sperme par masturbation. Les gamètes femelles sont obtenus par ponction des ovaires stimulés. Cette ponction s'effectue sans anesthésie ou sous anesthésie légère, par voie vaginale, et sous contrôle échographique. Cette ponction dure de 10 à 20 minutes et nécessite une hospitalisation d'une journée.

■ **La troisième étape**, qui se déroule le même jour que le recueil des gamètes, consiste à réaliser la fécondation en mettant en contact dans l'éprouvette les spermatozoïdes et les ovules recueillis. On obtient ainsi un ou plusieurs embryons.

■ **La quatrième étape** consiste à transférer dans l'utérus ce ou ces embryons.

→ VOIR **Dossier Procréation médicalement assistée**.

Proctalgie

Douleur de l'anus ou du rectum. SYN. *algie rectale, proctodynie.*

CAUSE

Sans cause exacte connue, les proctalgies sont plus fréquentes chez les personnes sujettes à des troubles psychosomatiques ou de nature anxieuse, ou soumises à des tensions psychologiques (stress).

SYMPTÔMES ET SIGNES

Une proctalgie se manifeste par une douleur vive et intense semblable à une contracture, qui survient d'une manière imprévisible, par accès de courte durée, disparaît spontanément mais se répète. Elle est souvent associée à une contraction de certains muscles de la région anale.

DIAGNOSTIC

Le diagnostic repose sur l'examen du malade par un proctologue, médecin spécialiste. Ce dernier doit s'assurer, par l'examen clinique, l'anuscopie (examen visuel du conduit anal), la rectoscopie (examen visuel du rectum) et l'échographie, que cette proctalgie n'est pas le symptôme d'une atteinte grave, un cancer par exemple.

TRAITEMENT

Le traitement repose sur l'administration de médicaments sédatifs ou myorelaxants (supprimant la contracture) et sur la relaxation. L'évolution est longue et capricieuse mais le trouble, bénin.

LA PROCRÉATION MÉDICALEMENT ASSISTÉE

La procréation médicalement assistée représente pour certains couples un formidable espoir de traitement de leur stérilité. Même si elle est loin d'être efficace à 100 %, elle permet dans bien des cas à une naissance de survenir là où celle-ci aurait été impossible autrement.

QU'EST-CE QUE LA STÉRILITÉ ?

En médecine, la définition de la stérilité, qui s'oppose à celle de la fécondité (capacité de concevoir), est fondée sur l'absence de grossesse après un délai minimal d'un an de rapports sexuels réguliers non protégés. Elle englobe tous les cas, de l'incapacité totale de concevoir à l'état d'un couple dont la fertilité, quoique inférieure à la normale, n'est pas nulle. Ainsi définie, la stérilité concerne 15 à 20 % des couples. Un tour d'horizon mondial révèle que le taux de stérilité primaire féminine, (incapacité de mettre au monde un premier enfant vivant), est d'un peu plus de 5 % en moyenne en Europe, de 6 % en Amérique du Nord.

LORSQU'UNE CONSULTATION SUFFIT

Selon les données de l'Organisation mondiale de la santé (O.M.S.), environ 15 % des couples qui consultent pour stérilité obtiennent une grossesse au cours de l'évaluation. Les explications de ce phénomène sont multiples : la faible fécondité du couple venu consulter (le délai pour concevoir étant alors simplement plus long que la norme) ; l'information donnée par le médecin ; l'effet « placebo » de la consultation ou des examens réalisés ; l'effet effectivement thérapeutique de certains de ces examens (hystérosalpingographie par exemple).

EN QUOI CONSISTE LA P.M.A. ?

Le terme de procréation médicalement assistée, ou P.M.A., désigne l'ensemble des procédés qui permettent d'aboutir à la fusion d'un ovule et d'un spermatozoïde humains du fait d'une intervention médicale, et non d'une relation sexuelle. Les techniques utilisées sont l'insémination artificielle, qui résulte de l'introduction de sperme, recueilli par masturbation, dans l'appareil génital féminin à l'aide d'un cathéter ou d'un pistolet d'insémination, et la fécondation in vitro suivie du transfert de l'embryon (F.I.V.E.T.E., ou fivette), qui consiste en la fusion, hors de l'organisme, d'un ovule et d'un spermatozoïde, suivie du transfert de l'œuf ainsi obtenu dans l'utérus maternel. Traitement de la stérilité, la P.M.A. permet aussi à certains couples d'éviter de transmettre une grave maladie héréditaire en recourant à un don de sperme ou d'ovules.

L'évaluation du couple stérile

Consulter un service spécialisé pour avoir un enfant ne se justifie que si aucune grossesse n'est survenue après un minimum d'un an de rapports sexuels réguliers non protégés (définition « standard » de la stérilité en médecine), sauf si un facteur évident de stérilité est d'emblée détectable. On propose alors au couple une évaluation, bilan qui permettra de déterminer les causes de la stérilité et de choisir la technique adaptée.

Déroulement de l'évaluation

Après un entretien avec les deux partenaires et leur examen clinique, on effectue un bilan sanguin ainsi qu'un examen de la glaire cervicale et du sperme (sper-mogramme), et on demande à la femme de noter chaque matin sa température, afin d'évaluer les différentes phases de son cycle et de savoir si elle ovule normalement. Les résultats orientent le choix d'examens complémentaires : ainsi, en l'absence d'anomalies importantes du spermogramme, on effectue une radiographie de la cavité utérine et des trompes. Si celle-ci est normale, on procède à d'autres examens qui permettent de déceler une pathologie des ovaires et de l'utérus, comme une échographie du pelvis, et d'évaluer si la déposition du sperme dans le vagin et l'interaction glaire cervicale-sperme s'effectuent normalement (test postcoïtal, examen au microscope d'un prélèvement de sécrétions vaginales après rapport sexuel). En l'absence de résultats anormaux, de nouveaux examens peuvent être requis, comme des dosages sanguins de progestérone, une cœlioscopie ou une hystéroscopie.

L'INSÉMINATION ARTIFICIELLE

La première communication écrite concernant une naissance après insémination artificielle remonte à 1799. Le médecin britannique John Hunter, consulté par un homme atteint d'hypospadias (une malformation de l'urètre), lui conseilla de récolter son sperme dans une seringue chaude au moment du rapport sexuel puis de le déposer dans le vagin de sa femme. Aujourd'hui, l'insémination artificielle est pratiquée avec le sperme du conjoint ou celui d'un donneur. Dans certains cas, elle nécessite un traitement préalable de l'éjaculat par séparation des spermatozoïdes du liquide séminal (lequel contient des substances inhibitrices du pouvoir fécondant des spermatozoïdes), ou par tri et récupération des spermatozoïdes les plus mobiles.

Insémination intravaginale (I.I.V.)

Elle consiste à introduire le sperme du conjoint au fond du vagin de sa femme à l'aide d'une seringue. C'est une méthode rarement employée, indiquée dans certains cas d'impuissance (troubles de l'érection, éjaculation prématurée) après échec d'une sexothérapie. L'I.I.V. peut être pratiquée à domicile par le couple lui-même (auto-insémination).

Insémination intracervicale (I.I.C.)

Cette méthode consiste à déposer le sperme du conjoint au niveau du col utérin à l'aide d'une canule ; le surplus peut être déposé dans une cape cervicale qu'on laisse en place pendant 6 à 8 heures. L'I.I.C. est indiquée en cas de test postcoïtal négatif, si toutefois les spermatozoïdes pénètrent convenablement la glaire cervicale en test de laboratoire, mais aussi en cas d'impuissance, d'hypospadias ou d'anomalie dans la production du sperme (diminution du nombre de spermatozoïdes, par exemple).

Insémination intra-utérine (I.I.U.)

L'I.I.U. consiste à introduire le sperme du conjoint dans la cavité utérine à l'aide d'une canule souple. L'I.I.U. est le type d'insémination le plus utilisé dans les inséminations avec sperme du conjoint. Elle est indiquée en cas de stérilité immunologique (présence d'anticorps antispermatozoïdes dans la glaire cervicale ou dans le sperme), d'éjaculation rétrograde (dans la vessie), de diminution du nombre de spermatozoïdes mobiles dans le sperme, de stérilité liée à une pathologie du col de l'utérus.

L'insémination artificielle avec sperme de donneur (I.A.D.)

L'I.A.D., qui consiste à déposer des paillettes du sperme d'un donneur, à l'aide d'un pistolet, dans la glaire cervicale, permet le plus souvent de pallier une stérilité masculine incurable ; beaucoup plus rarement (dans 5 % des cas), elle est indiquée en cas de risque élevé de maladie grave pour la descendance résultant d'un défaut génétique paternel. Les donneurs sont soigneusement sélectionnés afin d'éviter toute possibilité de transmission d'une maladie héréditaire ou infectieuse. La congélation du sperme dans de l'azote liquide (cryoconservation) pendant au moins six mois avant utilisation permet de prévenir le risque d'utilisation d'un sperme infecté par le V.I.H. (virus du sida). Pour chaque couple, le choix du donneur est fait selon des critères ethniques et morphologiques tels que la couleur des yeux, des cheveux, la taille et le groupe sanguin.

LA FÉCONDATION IN VITRO

Technique complexe et coûteuse, la fivette nécessite que le couple demandeur en accepte préalablement les contraintes, d'autant que les échecs ne sont pas rares et qu'il est souvent nécessaire de procéder à plusieurs tentatives.

L'indication première de la fivette est une stérilité féminine incurable liée à une affection des trompes de Fallope ; mais on peut aussi y recourir en cas de stérilité masculine liée à une production de sperme en quantité insuffisante, ou de mauvaise qualité, alors que les autres traitements ont échoué. Comme l'insémination artificielle, la fécondation in vitro peut être pratiquée avec des ovules et du sperme provenant des conjoints, mais aussi avec ceux de donneurs (don de sperme ou d'ovules).

Les contraintes de la fivette

Dans un premier temps, on stimule les ovaires de la patiente, afin de récolter le plus d'ovocytes possible, en lui administrant des hormones, les gonadotrophines, puis des gonadotrophines chorioniques, qui favorisent la phase finale de maturation des follicules (lesquels contiennent les ovules) ; le développement des follicules est contrôlé par dosages hormonaux et échographies répétées. La deuxième phase consiste en une ponction des ovules. Aujourd'hui, cette ponction est le plus souvent effectuée par voie transvaginale et sous contrôle échographique, ce qui évite ordinairement à la patiente l'anesthésie générale. Le troisième stade, celui de la fécondation in vitro (F.I.V.), peut nécessiter des techniques de « fécondation assistée » consistant en micromanipulations des cellules recueillies afin de faciliter la pénétration d'un spermatozoïde dans l'ovule. Enfin, l'embryon est transféré dans l'utérus par voie transcervicale, à l'aide d'un cathéter contenant le ou les embryons, habituellement deux jours après la ponction alors que les œufs fécondés sont divisés au stade de 2 à 8 cellules. □

LES CAUSES DE STÉRILITÉ

Chez la femme, la stérilité peut être d'origine tubaire, due à une anomalie des trompes utérines (obstruction, adhérence, malformation) ; ovulatoire, due à des règles rares, absentes, ou sans ovulation, ou encore à une insuffisance du corps jaune de l'ovaire ; utérine, consécutive à une anomalie de la matrice (malformation congénitale, infection, fibrome ou polype) ; cervicale (anomalie du col utérin, ou production d'une glaire cervicale anormale) ; vulvovaginale (anomalie de la vulve ou du vagin). Chez l'homme, les causes de stérilité sont l'insuffisance testiculaire, la production insuffisante des hormones chargées de stimuler les testicules, les anomalies des voies séminales, de la prostate ou des vésicules séminales. Les troubles de l'érection et de l'éjaculation sont rarement une cause de stérilité absolue.

PROBLÈMES ÉTHIQUES POSÉS PAR LA P.M.A.

Nombreuses sont les possibilités qu'offre la P.M.A. Cependant, leur utilisation pose, au cas par cas, des problèmes éthiques nombreux qui sont loin d'être résolus. Ainsi, le vœu de femmes célibataires ou homosexuelles désirant procréer par insémination artificielle avec sperme de donneur, ou encore de femmes désirant être inséminées avec le sperme de leur mari après la mort de celui-ci ; la F.I.V.E.T.E. avec don d'ovocytes pratiquée chez des femmes ménopausées et âgées de plus de 50 ans ; la conservation, après fécondation in vitro, d'embryons surnuméraires.

VOIR *Fécondation, Fécondation artificielle, Fécondation in vitro, Ovulation, Sperme, Stérilité.*

Proctectomie

Ablation chirurgicale du rectum et du sphincter anal.

FRÉQUENCE ET INDICATIONS

Les progrès de la chirurgie ont permis de réduire la fréquence des proctectomies : il est ainsi possible, aujourd'hui, de confectionner avec l'intestin grêle un réservoir que l'on suture à l'anus, ce qui permet une défécation proche de la normale. Une proctectomie reste cependant encore indiquée en cas de tumeurs malignes de l'anus ou du rectum, ou encore de lésions inflammatoires très évoluées (maladie de Crohn, rectocolite hémorragique).

DÉROULEMENT ET CONSÉQUENCES

Une proctectomie se déroule en deux étapes. La première consiste, après ouverture de la paroi abdominale, à enlever le rectum et la partie basse du sigmoïde (dernière partie du côlon) ; elle se termine par la confection d'un anus artificiel. La seconde consiste, après ouverture de la région périnéale, à enlever l'anus et son sphincter puis à suturer les muscles du périnée entre eux de façon à former une paroi solide.

Une proctectomie peut avoir pour conséquences des troubles de l'éjaculation, voire une impuissance.

Proctite

→ VOIR Rectite.

Proctologie

Branche de la gastroentérologie spécialisée dans la pathologie du rectum et de l'anus.

Les maladies qui relèvent de la proctologie sont les hémorroïdes et leurs complications, les fissures de l'anus et de son pourtour, les localisations anorectales des maladies sexuellement transmissibles (syphilis, gonococcie, herpès, etc.), les lésions anorectales des maladies inflammatoires (rectocolite hémorragique, maladie de Crohn), les tumeurs bénignes et malignes de l'anus et du rectum. Outre l'aspect diagnostique, la compétence spécifique du proctologue tient à sa capacité, partagée avec certains chirurgiens, d'opérer hémorroïdes, fissures et fistules de l'anus.

Proctopexie

→ VOIR Rectopexie.

Prodrome

Symptôme survenant au début d'une maladie.

Dans certaines affections, un prodrome annonce l'arrivée d'une crise aiguë et permet au sujet averti de prendre des médicaments adaptés. Ainsi, des phosphènes (éclairs lumineux devant les yeux) constituent fréquemment le prodrome d'une crise aiguë de migraine (dite dans ce cas migraine ophtalmique).

Produit de contraste

Substance introduite dans l'organisme du patient, lors de certains examens pratiqués en imagerie médicale, afin d'accentuer le contraste entre la structure ou l'organe que l'on veut étudier sur les images obtenues et les structures avoisinantes.

Certains organes, par exemple, en radiologie, les os ou les poumons, peuvent être visualisés sans préparation car ils induisent naturellement un contraste, dû dans ce cas à la différence de pénétration des rayons X dans les tissus dont ils sont formés et dans les autres tissus. Mais la plupart des organes n'induisent pas un tel effet et l'emploi de produits de contraste est nécessaire pour en obtenir une image.

Les produits de contraste diffèrent selon les techniques d'imagerie médicale : radiologie conventionnelle, tomodensitométrie, échographie et imagerie par résonance magnétique (I.R.M.).

DIFFÉRENTS TYPES DE PRODUIT DE CONTRASTE

En radiologie conventionnelle, un produit est caractérisé par le genre de contraste qu'il permet d'obtenir.

■ **Un produit de contraste radiotransparent** est une substance qui engendre un contraste dit « négatif », car elle n'arrête pas les rayons X et apparaît en noir sur l'image. Les produits de ce type sont des gaz, de l'air le plus souvent. Par exemple, dans l'arthrographie gazeuse, c'est de l'air qui est insufflé dans l'articulation examinée.

■ **Un produit de contraste radio-opaque**, ou opacifiant, est une substance qui engendre un contraste dit « positif » car elle arrête les rayons X et apparaît en blanc sur l'image.

On distingue plusieurs produits de ce type, les plus couramment utilisés étant les produits barytés et les produits iodés.

- Les produits barytés sont des préparations à base de sulfate de baryum, substance non absorbable par le tube digestif. Ils sont administrés par voie orale pour les radiographies de la partie haute du tube digestif (bouche, pharynx, œsophage, estomac, duodénum, intestin grêle) et en lavement (lavement baryté) pour la partie basse du tube digestif (côlon, rectum, canal anal). Ils sont contre-indiqués dans le cas d'une perforation du tube digestif, qui risque de laisser le produit s'échapper vers le péritoine.

- Les produits iodés sont administrés par voie orale, par injection dans la circulation sanguine ou par injection locale. Ils permettent de nombreux examens (arthrographie opaque, artériographie, phlébographie, urographie, etc.). Ils sont contre-indiqués en cas d'insuffisance hépatique ou rénale. Le médecin s'enquiert systématiquement d'une éventuelle allergie à l'iode avant toute injection de produit de contraste. Un traitement destiné à éviter tout choc anaphylactique (réaction allergique violente), à suivre durant quelques jours avant l'examen, est alors prescrit au besoin.

Lors de l'examen radiographique, le produit administré remplit la cavité ou le conduit à étudier et en dessine les contours intérieurs à la manière d'un moulage. Les techniques employées sont la technique du contraste négatif, celle du contraste positif et celle du contraste mixte, ou double contraste, qui combine les deux techniques précédentes. La technique du double contraste améliore en particulier les images de l'arthrographie et du lavement baryté.

En tomodensitométrie, technique fondée comme la radiologie conventionnelle sur le principe du rayonnement X, les mêmes produits de contraste sont utilisés, notamment les produits iodés administrés en injection intraveineuse.

En échographie, l'utilisation de produits de contraste permet de modifier les surfaces de réflexion des ultrasons.

En imagerie par résonance magnétique, les dérivés du gadolinium, un métal rare, sont utilisés en injection intraveineuse. Ils imprègnent les tissus, normaux et pathologiques, dont ils modifient les propriétés magnétiques, améliorant ainsi la qualité de l'image. Ces produits sont contre-indiqués chez la femme enceinte.

Profiloplastie

Intervention de chirurgie esthétique consistant à modifier l'apparence du visage de profil par transformation de plusieurs structures anatomiques.

Une profiloplastie combine le plus souvent des modifications du nez et du menton mais peut aussi consister à transformer le front et les pommettes ou encore à augmenter ou à diminuer le volume du menton.

INDICATIONS

Une profiloplastie est susceptible de corriger un prognathisme (saillie vers l'avant des os maxillaires) ou une déformation faciale due à une malformation congénitale ou consécutive à un traumatisme.

TECHNIQUE

Après étude du visage, le chirurgien utilise différents procédés pour déterminer le type d'opération à effectuer : radiographie du visage de face, radiographie et téléradiographie de profil, panoramique dentaire.

Une profiloplastie se fait en une ou plusieurs séances opératoires ; elle associe plusieurs actes, différents selon les cas.

■ **Une génioplastie** modifie la forme et l'aspect du menton.

■ **Une ostéotomie** peut être pratiquée sur les branches horizontales ou verticales du maxillaire inférieur ou parfois s'appliquer à la totalité du maxillaire supérieur.

■ **Une rhinoplastie** modifie la forme du nez. Elle est souvent associée à une génioplastie.

PERSPECTIVES

L'apparition de l'imagerie tridimensionnelle devrait améliorer la visualisation du visage et l'appréciation du type d'opération à réaliser.

→ VOIR Ostéotomie, Rhinoplastie.

Progestatif

Substance naturelle ou synthétique qui produit sur l'organisme des effets comparables à ceux de la progestérone, l'hormone féminine sécrétée pendant la seconde phase du cycle menstruel et la grossesse.

Les progestatifs, naturellement présents chez la femme sous forme de progestérone, sont également utilisés comme médicaments, naturels ou de synthèse.

La progestérone est le principal représentant des progestatifs naturels. Elle est indiquée pour compenser l'insuffisance de progestérone physiologique.

PROGESTATIFS

Groupe de médicaments	Principes actifs	Propriétés et voies d'administration	Indications	Contre-indications et effets indésirables
Progestérone naturelle et dérivés proches	Hydroxyprogestérone * Progestérone *	Substances non contraceptives, qui respectent l'ovulation et dont la plupart sont utilisables pendant la grossesse Voie orale ou injectable	Gynécologie : insuffisance en progestérone, ménopause, pathologie mammaire bénigne, menace d'avortement par anomalie utérine, trouble des règles	Pas de contre-indication absolue Effets indésirables : saignements intermenstruels, somnolence, vertiges
Substances à noyau prégnane : - Dérivés de la 17 hydroxyprogestérone - Dérivés de la 17 méthylprogestérone - Dérivés de la 19 norprogestérone	Chlormadinone * Médroxyprogestérone * Médrogestone * Démégestone * Nomégestrol * Promégestone *	Substances antiœstrogéniques d'action modérée, qui inhibent l'activité ovarienne et ont peu d'effets androgéniques et métaboliques Voie orale et injectable pour la médroxyprogestérone, voie orale pour les autres	Gynécologie : insuffisance en progestérone, hémorragies utérines, endométriose, ménopause ; (pour les dérivés de la 17 hydroxyprogestérone) puberté précoce Cancérologie : (pour la médroxyprogestérone) traitement complémentaire des cancers hormonaux du sein ou de l'utérus	Contre-indications : grossesse, allaitement, antécédents de phlébite, insuffisance hépatique Effets indésirables : séborrhée, saignements vaginaux, ictère et démangeaisons, aggravation de varices
Dérivés norstéroïdes	Désogestrel Éthynodiol * Gestodène Lévonorgestrel Lynestrénol * Noréthistérone * Norgestimate Norgestrel Norgestriénone	Substances antiœstrogéniques qui inhibent l'activité ovarienne et ont des effets androgéniques et métaboliques Voie orale et injectable pour la noréthistérone, voie orale pour les autres	Gynécologie : (pour l'éthynodiol et le lynestrénol) hémorragies utérines, endométriose, insuffisance en progestérone ; (tous, sauf l'éthynodiol et la noréthistérone) : contraception orale, en association ou non avec les œstrogènes Cancérologie : (pour l'éthynodiol et la noréthistérone) traitement complémentaire des cancers hormonaux du sein ou de l'utérus	Contre-indications : grossesse, allaitement, insuffisance hépatique, antécédents de phlébite Effets androgéniques : acné, séborrhée, augmentation de la pilosité, prise de poids, troubles hépatiques Effets métaboliques et vasculaires : diabète, excès de cholestérol, hypertension artérielle, phlébite et embolie, athérosclérose (infarctus, hémorragie cérébrale)

* En association éventuelle avec les œstrogènes selon les indications

Progestatifs de synthèse

Les produits de synthèse employés se classent en trois groupes : la progestérone et ses dérivés proches, les dérivés contenant une structure chimique dite noyau prégnane et les dérivés norstéroïdes. Chaque groupe – et, à l'intérieur, chaque produit – a ses particularités. Les indications des progestatifs, prescrits seuls ou associés aux œstrogènes, sont l'insuffisance lutéale (insuffisance de sécrétion de progestérone), les métrorragies (hémorragies utérines), les ménorragies (règles trop abondantes), la ménopause, la contraception et les cancers du sein et de l'endomètre (muqueuse de l'utérus). On compte parmi les effets indésirables possibles des troubles hépatiques (ictère), vasculaires (phlébite, athérosclérose) et diabétiques ; aussi la prise de progestatifs doit-elle toujours s'effectuer sous contrôle médical strict et régulier.
→ VOIR Œstroprogestatif.

Progestérone

Hormone stéroïde dérivée du cholestérol, sécrétée par le corps jaune (follicule ovarien ayant expulsé l'ovule) pendant la seconde phase du cycle menstruel, par le placenta pendant la grossesse et, à un moindre degré, par les corticosurrénales et les ovaires.

La sécrétion de progestérone est stimulée par l'hormone lutéinisante (LH). Le taux sanguin de progestérone varie selon l'âge, le sexe, la phase du cycle menstruel et la période de la grossesse. Ainsi, il est d'environ 0,03 nanogramme par millilitre en phase folliculaire (avant l'ovulation) et atteint 15 à 20 nanogrammes par millilitre en phase lutéale (après l'ovulation). Pendant la grossesse, le taux de progestérone est le reflet de l'activité placentaire. Cette hormone est éliminée dans les urines.

FONCTION

Le rôle principal de la progestérone est de favoriser la nidation de l'ovule fécondé et la gestation. La progestérone modifie les caractères vasculaires et chimiques de la muqueuse utérine pour la rendre propice à l'implantation de l'œuf dans l'utérus. Pendant les trois premiers mois de la grossesse, une production suffisante de progestérone par le corps jaune est indispensable, jusqu'au moment où le placenta prend le relais. Pendant la grossesse, la progestérone a un effet relaxant sur le muscle utérin, elle augmente les sécrétions du col de l'utérus, maintient l'importante vascularisation de la muqueuse utérine et prépare les glandes mammaires à la lactation.

En dehors de la grossesse, la progestérone a d'autres actions : elle a un effet sédatif sur le système nerveux central et est responsable du décalage thermique après l'ovulation. Elle s'oppose à l'effet des œstrogènes sur les glandes mammaires et la muqueuse utérine, régulant ainsi leur action. Enfin, sécrétée par les glandes corticosurrénales et par les ovaires, elle y sert d'intermédiaire dans la synthèse des androgènes et des corticostéroïdes.

PATHOLOGIE

Une insuffisance de sécrétion de progestérone entraîne une infécondité (difficulté à obtenir une nidation), traitée par administration de progestérone pendant la seconde phase du cycle.

UTILISATION THÉRAPEUTIQUE

La progestérone naturelle ou ses dérivés de synthèse, dont il existe plusieurs types, sont

utilisés pour prévenir les risques de fausse couche dus à une insuffisance de sécrétion de progestérone ainsi que dans le traitement substitutif de la ménopause et le traitement des troubles menstruels (règles très abondantes ou saignements entre les règles). Enfin, les progestatifs de synthèse de la 3e génération, les plus récents, sont associés aux œstrogènes ou prescrits seuls lors d'une contraception orale.
→ VOIR Progestatif.

Prognathisme

Saillie en avant de la mâchoire inférieure ou supérieure.

Le prognathisme peut être congénital, lié à une anomalie de la croissance d'une ou des deux mâchoires. Il peut aussi être dû à des malpositions qui entraînent une saillie anormale des dents d'une des deux mâchoires : on parle alors de fausse prognathie.

TRAITEMENT

Le choix du type de correction dépend de la cause et de l'importance du prognathisme et de l'âge du patient. Chez l'enfant, on tente de stimuler et/ou de freiner la croissance des maxillaires à l'aide d'appareillages amovibles ou fixes (plaques à vérins) ; plus ce traitement est entrepris tôt (dès l'âge de 3 ans), plus ses chances de succès sont élevées. En cas d'échec, de prognathisme très accentué ou lorsque le sujet est adulte, on a recours à la chirurgie maxillofaciale.

Prolactine

Hormone polypeptidique (composée de plusieurs acides aminés) sécrétée par les cellules lactotropes de l'antéhypophyse (partie antérieure de l'hypophyse, petite glande située à la base du cerveau) et responsable de la lactation.

La sécrétion de la prolactine par l'antéhypophyse est régulée par la dopamine, hormone d'origine hypothalamique, qui inhibe les cellules lactotropes.

FONCTION

Le rôle de la prolactine chez la femme est de favoriser la lactation. La glande mammaire ayant été préparée par la sécrétion abondante d'œstrogènes et de progestérone pendant la grossesse, la montée laiteuse se produit après l'accouchement sous l'action de la prolactine. Chaque tétée stimule ensuite directement la fabrication de prolactine et la sécrétion lactée. Aucun rôle physiologique n'a encore été attribué à la prolactine chez l'homme.

PATHOLOGIE

Une hyperprolactinémie (augmentation du taux sanguin de prolactine, celle-ci étant sécrétée en excès) peut être due à la prise de certains médicaments, dont les plus connus sont le métoclopramide, les neuroleptiques et les œstrogènes, ou à la présence d'un adénome hypophysaire. Cette augmentation de prolactine peut entraîner un hypogonadisme (insuffisance de sécrétion des ovaires ou des testicules), réversible sous traitement. Un déficit en prolactine entraîne une absence de montée laiteuse après l'accouchement et l'impossibilité d'allaiter.

Prolapsus

Chute (ptôse) d'un organe, d'une partie d'organe ou d'un tissu par suite du relâchement de ses moyens de fixation.

Les organes les plus sujets à prolapsus sont l'utérus et les organes pelviens (vessie, rectum, urètre, cul-de-sac de Douglas, vagin).
→ VOIR Colpocèle, Cystocèle, Hystéroptose, Rectocèle, Urétrocèle.

Prolapsus génital

Chute d'une partie d'organe, d'un organe ou de plusieurs organes génitaux par suite d'un relâchement de leurs moyens de fixation.

Un prolapsus génital, également appelé descente d'organes, est une descente progressive, dans le petit bassin, du vagin (ou d'une partie du vagin) et/ou de l'utérus, par relâchement des muscles et du tissu fibreux inextensible du périnée ainsi que des moyens de suspension des organes du petit bassin (ligaments ronds, ligaments larges, ligaments utérosacrés). Un prolapsus d'une paroi du vagin (colpocèle) et un prolapsus de l'utérus (hystéroptose) peuvent s'accompagner d'un prolapsus de la vessie (cystocèle), de l'urètre (urétrocèle), du rectum (rectocèle), du cul-de-sac de Douglas (élytrocèle).

CAUSES

Un prolapsus génital est dû soit à une déficience congénitale des moyens de fixation de l'utérus, soit à la naissance d'un gros enfant (mère diabétique), à un accouchement très rapide ou ayant provoqué des déchirures périnéales ou encore à des accouchements répétés.

SYMPTÔMES ET SIGNES

Un prolapsus génital se manifeste par une sensation de pesanteur pelvienne, des douleurs lombaires, des troubles urinaires (fréquence et difficulté des mictions, parfois incontinence pendant l'effort). Après un effort ou une longue station debout, la vulve peut être tuméfiée.

DIAGNOSTIC

L'examen gynécologique confirme le diagnostic et précise l'importance du prolapsus et les organes en cause.

TRAITEMENT

Il est chirurgical et dépend de la nature du prolapsus, de l'âge de la femme, de la qualité de ses tissus, de l'existence ou non de relations sexuelles et du désir de maternité. Le traitement du prolapsus fait appel à différentes techniques destinées à remettre en place les organes déplacés. L'hystéropexie (fixation des ligaments de l'utérus), la colpopérinéorraphie (réfection du vagin et du périnée) et la myorraphie des releveurs (réfection de certains muscles de l'anus) font partie des méthodes le plus souvent utilisées. Le traitement chirurgical est parfois associé à une hystérectomie (ablation de l'utérus). À toutes ces interventions peut s'adjoindre un traitement de l'incontinence urinaire. Le port d'un pessaire (anneau de caoutchouc placé autour du col utérin et permettant de maintenir les organes) est proposé aux femmes d'un certain âge qui ne peuvent pas ou ne veulent pas être opérées.

Proline

Acide aminé non essentiel (qui peut être synthétisé par l'organisme), présent en abondance dans les protéines.

La proline sert à la synthèse d'acides aminés tels que l'acide glutamique et l'hydroxyproline (un constituant du collagène). Après l'âge de 2 ans, son taux normal est de 90 à 290 micromoles par litre de sang ; on en trouve des traces dans les urines.

PATHOLOGIE

■ L'hyperprolinémie est une maladie héréditaire rare due au déficit d'une enzyme qui transforme normalement la proline. Elle se traduit par une accumulation de celle-ci dans l'organisme, provoquant un retard mental et parfois des lésions rénales.

■ L'iminoglycinurie est une maladie héréditaire très rare, caractérisée par une élimination urinaire excessive de proline, d'hydroxyproline et de glycine. Bénigne, elle n'entraîne aucun symptôme particulier.

Promédicament

Substance médicamenteuse dont le principe actif a besoin d'être transformé par les enzymes situées dans les cellules (du foie, essentiellement) pour avoir une action thérapeutique efficace. SYN. bioprécurseur.

Par exemple, le sulindac est réduit dans l'organisme en disulfure aux propriétés anti-inflammatoires ; la bacampicilline, un antibiotique, est hydrolysée dans le tube digestif en ampicilline active.

Promontoire

Angle obtus formé par l'articulation entre la 5e vertèbre lombaire et le sacrum. (P.N.A. promontorium)

Le promontoire saille vers l'avant dans le bassin et constitue la limite arrière du détroit supérieur (premier orifice osseux dans lequel s'engage le fœtus au début de l'accouchement). Le diamètre à ce niveau (diamètre promonto-rétro-pubien) est en moyenne de 11 centimètres chez la femme. Cette dimension est capitale en obstétrique : son insuffisance (bassin plat) peut empêcher le déroulement naturel de l'accouchement.

Promoteur

Séquence d'A.D.N. qui précède un gène et qui contrôle l'apparition du caractère dont celui-ci est porteur.

Pronation

Mouvement de rotation interne de l'avant-bras, la paume passant du dehors au dedans, opposé à la supination.

La pronation est un mouvement complexe, faisant intervenir plusieurs articulations du coude et du poignet, au cours duquel le radius tourne autour du cubitus : son extrémité supérieure ne bouge pas, tandis que son extrémité inférieure tourne de 180 degrés. Les muscles permettant ce mouvement sont dits pronateurs.

Un mouvement analogue existe pour le membre inférieur, bien qu'il ne soit qu'ébauché ; il permet d'adapter le pied aux irrégularités du sol durant la marche.

Pronation douloureuse de l'enfant

Incapacité fonctionnelle de l'avant-bras due chez l'enfant à une luxation de la tête du radius.

Une pronation douloureuse survient en général chez un enfant de 2 ou 3 ans ayant subi une traction brutale sur l'avant-bras (pour être soulevé, par exemple).

SYMPTÔMES ET DIAGNOSTIC

Le bras pend, immobile, le dos de la main étant collé au corps. Le coude ne présente ni tuméfaction ni œdème mais est douloureux si l'on tente de bouger le bras. La radiographie ne montre aucune fracture.

TRAITEMENT

La guérison est obtenue par une manœuvre de réduction simple, qui associe simultanément une rotation de l'avant-bras amenant la paume de la main en avant et le pouce en dehors et une flexion de l'avant-bras sur le bras. Cette manœuvre provoque un ressaut témoignant du replacement de la tête du radius dans le bon axe et une récupération fonctionnelle immédiate. Une récidive est néanmoins possible si l'on tire de nouveau sur la main de l'enfant.

Pronucléus

Noyau du spermatozoïde (pronucléus mâle) ou de l'ovule (pronucléus femelle).

Les pronucléus mâle et femelle forment par fusion le noyau de l'œuf fécondé.

Prophylaxie

Prévention de l'apparition des maladies et de leur transmission à des tiers. SYN. *prévention primaire*.

Le terme s'applique surtout à la prévention des maladies infectieuses.
→ VOIR Prévention.

Propreté (acquisition de la)

Aptitude d'un enfant à maîtriser ses fonctions de miction et de défécation, de jour comme de nuit.

Étape essentielle de l'autonomie de l'enfant, l'acquisition de la propreté s'effectue en général au cours de la 2e année pour la propreté de jour et entre 2 et 4 ans, selon les enfants, pour la propreté nocturne. Elle relève d'un processus naturel : à un stade de son développement, l'enfant est apte à devenir propre « de lui-même » sans devoir être contraint à un apprentissage.

L'acquisition de la propreté requiert trois facteurs conjugués : une maturation physiologique (maturation des nerfs moteurs qui contrôlent les sphincters et des nerfs sensitifs permettant à l'enfant de sentir que sa vessie est pleine ou que son intestin contient des selles), une maturation intellectuelle (l'enfant doit pouvoir prendre conscience de son besoin et pouvoir communiquer avec l'adulte pour demander son aide), une maturation affective (l'enfant doit désirer s'identifier à l'adulte).

ÉVOLUTION

La maîtrise du sphincter anal s'obtient avant celle du sphincter vésical. Par ailleurs, l'acquisition de la propreté de jour précède celle de la propreté de nuit, plus difficile à contrôler. Cette progression peut être marquée par quelques retours en arrière, notamment à l'occasion de la survenue d'événements à forte charge affective tels que la naissance d'un frère ou d'une sœur ou encore une séparation d'avec les parents.

ÉDUCATION À LA PROPRETÉ

L'éducation à la propreté ne doit pas être entreprise trop précocement ni par la contrainte. On risque en effet de perturber l'enfant, de retarder l'acquisition physiologique normale et même d'obtenir un résultat opposé à celui recherché (énurésie, ou émission nocturne d'urine après 3 ans, refus d'autonomie de l'enfant). L'enfant doit avoir la libre disposition de son pot. On l'aidera à ôter sa couche quand il manifeste un besoin. On lui demandera, lorsqu'il commence à devenir propre, s'il souhaite ou non mettre une couche pour la sieste et on respectera son désir. Il faut le soutenir dans sa volonté de devenir « grand », l'encourager dans chaque étape de l'apprentissage de la propreté et l'accompagner dans les moments difficiles. Il faut aussi dédramatiser tous les petits « accidents » qui pourraient le vexer ou l'humilier. Dans tous les cas, on proscrira les séances de pot à heures fixes, l'usage de la force ou des menaces, les moqueries, les réveils nocturnes imposés, le rationnement d'eau le soir. L'acquisition de la propreté se fait sans contrainte et, en général, rapidement si on laisse à l'enfant la possibilité de « choisir » son moment.
→ VOIR Encoprésie, Énurésie.

Proprioceptif

Qui se rapporte à la sensibilité du système nerveux aux informations provenant des muscles, des articulations et des os.

La sensibilité proprioceptive complète les sensibilités intéroceptive (qui concerne les viscères), extéroceptive (qui concerne la peau) et celle des organes des sens. Elle permet d'avoir conscience de la position et des mouvements de chaque segment du corps (position d'un doigt par rapport aux autres, par exemple) et donne au système nerveux, de façon inconsciente, les informations nécessaires à l'ajustement des contractions musculaires pour les mouvements et le maintien des postures et de l'équilibre.

STRUCTURE

La sensibilité proprioceptive est rendue possible par l'existence de récepteurs microscopiques, les propriocepteurs, situés dans les muscles (fuseaux neuromusculaires) et leurs tendons (organes tendineux de Golgi), dans les ligaments des articulations, dans la peau de la paume des mains et de la plante des pieds (corpuscules profonds de Paccioni). Ces récepteurs sont sensibles à l'étirement ou à la pression. Des fibres nerveuses en partent, qui cheminent dans les nerfs et parviennent à la moelle épinière, où elles forment deux sortes de faisceaux de substance blanche : cordons postérieurs se terminant dans le cortex cérébral (lobes pariétaux) pour la voie consciente, faisceaux spinocérébelleux se terminant dans le cervelet pour la voie inconsciente.

PATHOLOGIE

Différentes affections des nerfs, de la moelle et de l'encéphale peuvent atteindre la proprioception : traumatisme, compression par une tumeur, inflammation, accident vasculaire, trouble métabolique (carence en vitamine B12). Une atteinte de la proprioception entraîne une altération des sensibilités profondes élémentaires : le patient ne peut pas, les yeux fermés, reconnaître la position de ses différents segments de membre. Elle se traduit également par une ataxie (absence de coordination des mouvements), avec une instabilité en position debout, accentuée lorsque les yeux sont clos (signe de Romberg). La marche est également perturbée. L'anesthésie osseuse se traduit, à l'examen clinique, par l'absence de perception de la vibration provoquée par un diapason appliqué sur les os superficiels.

Prostaglandine

Substance dérivée des acides gras, ayant une structure biochimique commune appelée prostanoïde, naturellement produite par l'organisme et servant de médiateur dans un très grand nombre de phénomènes physiologiques et pathologiques.

Les prostaglandines (PG) furent découvertes au début du siècle dans le liquide séminal. On pensait alors qu'elles étaient produites par la prostate (glande sexuelle masculine entourant les premiers centimètres de l'urètre), d'où leur nom. Elles sont en fait synthétisées dans presque tous les tissus ; elles sont très peu libérées dans la circulation sanguine et agissent localement comme médiateurs de l'activité cellulaire au cours de nombreux processus : tonus musculaire, contractilité utérine, circulation sanguine cérébrale, motilité du tube digestif, sécrétion gastrique, agrégation plaquettaire. Elles sont également impliquées dans les processus inflammatoires et dans la réponse immunitaire.

Elles sont classées en différents groupes (PGA, PGE, PGF, PGI, etc.) selon leur structure. Les principales sont le thromboxane A_2, puissant vasoconstricteur et stimulant de l'agrégation plaquettaire, la prostacycline, dont les effets sont opposés, et les leukotriènes.

Certains médicaments, comme l'aspirine et d'autres anti-inflammatoires, inhibent la synthèse des prostaglandines.

UTILISATION THÉRAPEUTIQUE

Il existe des prostaglandines de synthèse ayant diverses indications thérapeutiques.
■ **En cardiologie**, les prostaglandines sont employées dans le traitement de la persistance du canal artériel, et de l'ischémie, pour ne citer que leurs principales indications.
■ **En gastroentérologie**, en raison de leur effet protecteur sur la muqueuse gastrique (cytoprotection adaptative), elles sont utilisées dans le traitement de l'ulcère gastroduodénal, dans la prévention et le traitement des effets indésirables des anti-inflammatoires. Elles protègent la muqueuse gastrique à faible dose et arrêtent la sécrétion d'acide chlorhydrique à forte dose.

■ En gynécologie et en obstétrique, elles sont utilisées, par voie injectable ou sous forme d'ovule, pour provoquer une interruption de grossesse (avortement thérapeutique), l'évacuation du contenu de l'utérus en cas d'avortement incomplet, pour la préparation du col utérin à l'interruption volontaire de grossesse (I.V.G.) et, par voie injectable ou sous forme de gel intracervical, pour déclencher l'accouchement.

■ En néphrologie, les prostaglandines de synthèse sont employées en cas d'insuffisance rénale nécessitant une hémodialyse.

EFFETS INDÉSIRABLES ET CONTRE-INDICATIONS

Les prostaglandines sont susceptibles d'entraîner des diarrhées, des nausées passagères, des douleurs abdominales, des maux de tête et des vertiges. Elles sont contre-indiquées lorsqu'on sait qu'elles provoquent une allergie et en cas d'insuffisance rénale ou hépatique, d'asthme, de glaucome ou d'hypertension artérielle.

Prostate

Glande sexuelle masculine entourant les premiers centimètres de l'urètre (urètre prostatique), située sous le col vésical, juste devant le rectum. (P.N.A. *prostata*)

La prostate a la forme d'une châtaigne et pèse de 15 à 20 grammes. Elle est disposée en lobes autour de l'urètre prostatique et comporte une zone centrale entourant les canaux éjaculateurs, deux lobes latéraux, une zone antérieure et une zone périphérique, qui représente 70 % du volume de la glande.

PHYSIOLOGIE

La prostate, de même que les vésicules séminales, fait partie des glandes séminales accessoires qui fabriquent le plasma séminal, à partir duquel le sperme est formé. Les sécrétions prostatiques, acides, contiennent du zinc, de l'acide citrique et de l'albumine, laquelle favorise la mobilité des spermatozoïdes. Elles sont sous le contrôle des androgènes (hormones mâles, sécrétées principalement par les testicules).

EXAMENS

L'exploration de la prostate est possible grâce à de nombreux examens.

■ Le toucher rectal est un examen très simple et fiable, qui permet de palper la prostate et d'évaluer sa forme, sa consistance, sa régularité et son volume. Il devrait être réalisé annuellement à titre de dépistage de l'adénome ou du cancer de la prostate chez l'homme de plus de 50 ans.

■ Les examens bactériologiques sont l'examen cytobactériologique des urines (E.C.B.U.) et l'examen des sécrétions prostatiques, pratiqué en cas d'écoulement urétral ou après un massage prostatique.

■ Le dosage sanguin du PSA (antigène prostatique spécifique) renseigne sur le volume prostatique et, en cas d'hypertrophie, sur la nature, cancéreuse ou non, du tissu prostatique ; il permet parfois de déceler un cancer de la prostate qui ne s'est pas encore manifesté cliniquement. Ses valeurs varient normalement de 2 à 4 nanogrammes par millilitre de sang.

■ L'échographie prostatique, pratiquée par

PROSTATE

Située sous la vessie, autour de la partie initiale de l'urètre et devant le rectum, la prostate est une glande génitale masculine dont les sécrétions se déversent dans le sperme lors de l'éjaculation. L'adénome de la prostate, plus fréquent que le cancer – lequel atteint surtout les personnes très âgées –, se traduit par une augmentation du volume de la glande prostatique et se développe chez les hommes de 60 à 70 ans.

Localisation de la prostate

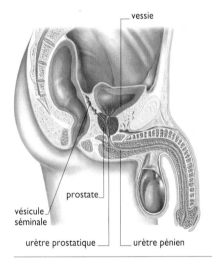

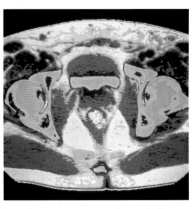

La prostate, en rose, traversée par l'urètre, est bien visible sous la vessie.

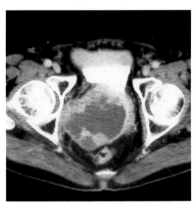

Scanner révélant une volumineuse tumeur maligne de la prostate (adénocarcinome).

voie endorectale, permet d'évaluer très précisément la structure et le volume de la prostate.

■ La biopsie prostatique permet de confirmer le diagnostic d'un cancer de la prostate. Cet examen est réalisé par voie endorectale sous contrôle échographique, ce qui permet de prélever très précisément une zone prostatique suspecte à l'échographie. Il ne nécessite pas d'anesthésie.

■ L'urographie intraveineuse ne permet pas de visualiser la prostate ; en revanche, elle sert à évaluer l'éventuel retentissement sur la miction et sur les reins d'un adénome de la prostate.

PATHOLOGIE

Les principales maladies de la prostate sont l'adénome, le cancer, la prostatite (infection aiguë ou chronique), l'abcès, le kyste et la lithiase, peu fréquente.

Prostate (adénome de la)

Tumeur bénigne de la partie centrale (qui entoure l'urètre) de la prostate.

Un adénome de la prostate apparaît chez 85 % des hommes entre 60 et 70 ans.

SYMPTÔMES ET ÉVOLUTION

Le patient est obligé de se lever plusieurs fois la nuit pour uriner et il a du mal à vider complètement sa vessie (faiblesse du jet urinaire, gouttes retardataires). Dans 30 % des cas, en gênant l'ouverture du col vésical lors de la miction, l'adénome empêche l'évacuation de l'urine. La vessie se vidangeant mal, elle se dilate et est souvent le siège

d'infections urinaires. Il n'y a aucune corrélation entre le volume de l'adénome et le degré de gêne mictionnelle qu'il entraîne.

L'adénome peut, en outre, être à l'origine d'une infection, parfois associée à une épididymite (infection de l'épididyme) ou à une hématurie (présence de sang dans les urines). Lorsqu'il est très gênant, il entraîne parfois une diminution de l'activité sexuelle. Son évolution est souvent imprévisible : l'adénome de la prostate peut n'entraîner que très peu de troubles pendant une longue période ou évoluer par poussées avec des périodes de rémission. Il est parfois à l'origine d'une rétention vésicale aiguë complète, nécessitant un drainage d'urgence de la vessie.

DIAGNOSTIC

Il repose d'abord sur le toucher rectal, mais aussi sur l'échographie endorectale, sur le dosage sanguin du PSA (antigène prostatique spécifique), l'absence d'élévation de celui-ci permettant de vérifier qu'il s'agit bien d'un adénome et non d'un cancer, et, éventuellement, sur l'urographie intraveineuse pour apprécier le retentissement rénal.

TRAITEMENT ET CONSÉQUENCES

Le traitement dépend essentiellement de la gêne due à l'adénome. Si celui-ci n'empêche pas la vidange complète de la vessie, le traitement est médical. Il vise à atténuer les symptômes de l'adénome sans le supprimer : prise de médicaments modifiant la contraction du muscle vésical et des sphincters (alphabloquants, par exemple) ou permettant une diminution progressive du volume tumoral (inhibiteurs de la 5-alpha-réductase, une enzyme qui favorise la croissance de l'adénome). Le malade doit éviter les plats épicés, les boissons gazeuses, surtout celles qui sont alcoolisées (champagne).

On peut aussi avoir recours à des traitements opératoires mais non chirurgicaux, bien que leur réelle efficacité ne soit pas démontrée : dilatation de l'urètre prostatique grâce à une sonde dont le ballonnet est gonflé dans la prostate ; hyperthermie prostatique par l'intermédiaire d'une sonde chauffante placée dans l'urètre prostatique ou dans le rectum, au contact de la prostate. Dans tous les cas, le patient doit être régulièrement surveillé afin de déceler une éventuelle obstruction du col de la vessie ou des complications.

Si, en revanche, l'adénome gêne la vidange de la vessie ou est à l'origine de complications, on peut pratiquer son ablation, par voie endoscopique ou, lorsqu'il est très volumineux, par chirurgie conventionnelle. Ces interventions nécessitent une anesthésie générale ou locorégionale (péridurale) avec hospitalisation du patient.

Ces deux interventions ont pour conséquence une éjaculation rétrograde (le sperme, lors de l'éjaculation, reflue dans la vessie et est éliminé dans les urines) à l'origine d'une stérilité, mais qui n'a aucune incidence sur la qualité des érections. C'est la raison pour laquelle, chez certains patients jeunes présentant un petit adénome, on se contente de réaliser une simple incision endoscopique du col vésical et de la prostate, qui permet des mictions de bonne qualité tout en minimisant le risque d'éjaculation rétrograde.

Enfin, on peut mettre en place, par voie endoscopique, une prothèse (tube métallique amovible) dans l'urètre prostatique de façon à supprimer l'obstacle dû à l'adénome. Cette méthode est surtout utilisée pour des patients âgés qui ne peuvent subir une anesthésie. Actuellement, de nombreux essais sont en cours, visant à pratiquer une ablation de l'adénome de la prostate au laser, par voie endoscopique.

Prostate (antigène spécifique de la)

Glycoprotéine du sérum sanguin, exclusivement synthétisée par la prostate. En anglais, *prostate specific antigen (PSA)*.

Le taux d'antigène spécifique de la prostate dans le sérum est normalement compris entre 2 et 4 nanogrammes par millilitre. Il augmente en cas de prostatite aiguë (inflammation aiguë de la prostate), d'adénome et plus encore de cancer de la prostate. Il peut servir au dépistage de ces affections, et est très utile pour suivre leur évolution.

Ainsi, après une ablation totale de la prostate où s'est développé un cancer (prostatectomie radicale), son taux doit être indétectable ; une élévation est le signe que la tumeur n'a pas été totalement enlevée ou qu'elle réapparaît. Il doit donc être surveillé régulièrement (3 ou 4 fois par an) après ablation.

Prostate (cancer de la)

Tumeur maligne qui atteint la prostate, essentiellement sous la forme d'un adénocarcinome.

Le cancer de la prostate est extrêmement fréquent, atteignant jusqu'à un homme sur deux à partir de 80 ans.

SYMPTÔMES ET SIGNES

Très souvent, ce cancer n'entraîne aucun symptôme. Dans d'autres cas, il se traduit par la présence de sang dans les urines et par une augmentation anormale du nombre de mictions, qui deviennent pénibles, le patient devant forcer pour évacuer sa vessie. Enfin, un cancer de la prostate peut, en cas de métastases, entraîner une fatigue, une anémie, une perte de poids, etc.

DIAGNOSTIC ET ÉVOLUTION

Le diagnostic repose sur la palpation de la prostate par toucher rectal, sur l'échographie par voie endorectale, qui permet d'examiner la structure du tissu prostatique, très souvent modifiée par le cancer, et sur la biopsie prostatique, pratiquée afin d'analyser au microscope plusieurs fragments de tissu suspect. Une fois le diagnostic confirmé, il est nécessaire de déterminer le stade évolutif du cancer, celui-ci pouvant être localisé à la glande prostatique, ce qui permet d'entreprendre un traitement curatif, ou s'être déjà diffusé hors de la glande (les métastases les plus fréquentes atteignent les os et les ganglions lymphatiques), ce qui ne justifie alors qu'un traitement palliatif. Ce bilan repose sur différents examens :
- la radiographie pulmonaire (recherche de métastases dans le poumon) ;
- la scintigraphie osseuse (recherche de métastases osseuses) ;
- le dosage sanguin du PSA (antigène prostatique spécifique) : si les résultats sont très élevés, ils permettent de suspecter la présence de métastases ;
- la biopsie des ganglions lymphatiques pelviens voisins de la prostate : elle est réalisée soit par chirurgie conventionnelle (en même temps que l'ablation de la prostate, si celle-ci est justifiée), soit par voie cœlioscopique.

Tous ces examens ne s'imposent pas pour tout patient présentant un cancer de la prostate. Ils ne sont proposés qu'aux patients suffisamment jeunes, qui ont une espérance de vie d'au moins 10 ans et sont en bon état général. En effet, le cancer de la prostate est une tumeur maligne d'évolution souvent très lente, qui n'est pas la cause principale de décès chez les patients âgés porteurs de cette affection.

TRAITEMENT

Le choix de chaque méthode thérapeutique dépend de l'âge et de l'état général du patient ainsi que du degré d'évolution du cancer (localisé ou métastasique). Lorsque le cancer est localisé dans la prostate, l'ablation totale de la prostate, des vésicules séminales et des ampoules déférentielles, la radiothérapie externe prostatique ou, éventuellement, la curiethérapie permettent d'obtenir dans un grand nombre de cas une guérison. Ces traitements ne sont généralement proposés

qu'à des patients de moins de 70 ans. Lorsque le cancer a entraîné des métastases ou s'il s'agit d'un patient très âgé dont l'état général est mauvais, il n'est pas nécessaire de proposer un traitement curatif agressif : l'hormonothérapie permet d'obtenir une rémission qui dure souvent plusieurs années.

■ **Les méthodes chirurgicales** consistent soit à pratiquer une ablation endoscopique partielle de la prostate, lorsque la tumeur obstrue l'urètre prostatique, ce qui permet d'atténuer les symptômes de la maladie, soit à enlever par chirurgie conventionnelle la totalité de la prostate, des vésicules séminales et des ampoules déférentielles (prostatectomie radicale). Dans ce dernier cas, il s'agit d'une intervention majeure, réservée aux sujets jeunes présentant une tumeur localisée et qui vise à éliminer toute la tumeur et ses prolongements. Elle donne d'excellents résultats : environ 85 % de guérison à 10 ans. Cependant, elle entraîne une incontinence urinaire dans 1 % des cas et une impuissance dans plus d'un cas sur deux.

■ **La radiothérapie externe** de la prostate et des ganglions pelviens vise à guérir le cancer en détruisant toute la tumeur et ses prolongements. Elle peut entraîner une incontinence urinaire, une impuissance (40 % des cas) et/ou une irritation de la vessie ou du rectum. Elle est aussi utilisée, à titre palliatif, pour traiter certaines métastases osseuses douloureuses.

■ **L'hormonothérapie** est réservée aux cancers de la prostate s'accompagnant de métastases. Il s'agit d'un traitement palliatif consistant à supprimer la sécrétion des hormones androgènes par les testicules, qui stimulent la croissance du cancer. Elle repose sur deux méthodes :
- la pulpectomie (ablation chirurgicale du tissu fonctionnel des testicules), en supprimant toute sécrétion hormonale testiculaire, permet d'éviter au patient de suivre un traitement médicamenteux à vie mais entraîne une stérilité et une impuissance ;
- le traitement médicamenteux vise aussi à supprimer la sécrétion androgénique testiculaire ; actuellement, les œstrogènes, qui augmentent les risques de maladies cardiovasculaires (infarctus), sont abandonnés au profit des agonistes de la gonadolibérine (LH-RH) et des antiandrogènes, qui agissent sur l'hypophyse et la prostate. Pris de façon continue et définitive, ils sont aussi efficaces que la pulpectomie mais entraînent comme cette dernière une stérilité et une impuissance.

■ **La curiethérapie** consiste à implanter chirurgicalement des aiguilles radioactives dans la prostate du malade pour détruire la totalité de la tumeur et ses prolongements. Cependant, elle est peu utilisée en raison de ses effets indésirables (brûlure des tissus avoisinant la prostate, notamment ceux de la vessie et du rectum) ; en outre, ses résultats ne sont pas meilleurs que ceux de la radiothérapie externe.

■ **La chimiothérapie** est très peu utilisée en raison de son efficacité très faible sur le cancer de la prostate.

Prostate (kyste de la)

Cavité pathologique située dans le parenchyme (tissu fonctionnel) prostatique, contenant une substance liquide, et limitée par une paroi qui lui est propre.

Dans la majorité des cas, un kyste de la prostate n'entraîne aucun symptôme, sauf s'il est très volumineux, provoquant alors des signes de compression de l'urètre identiques à ceux de l'adénome de la prostate : le patient est obligé de se lever plusieurs fois la nuit pour uriner et il a du mal à vider complètement sa vessie (faiblesse du jet urinaire, gouttes retardataires).

DIAGNOSTIC ET TRAITEMENT

Le diagnostic repose sur l'échographie prostatique. On ne traite un kyste de la prostate que s'il comprime l'urètre : on draine alors le liquide par ponction ou par voie endoscopique.

Prostatectomie

Ablation chirurgicale de la prostate, des vésicules séminales et des ampoules déférentielles. SYN. *prostatectomie radicale, prostatectomie totale*.

Lorsque la prostatectomie est associée à l'ablation de la vessie, on parle de prostatocystectomie.

INDICATIONS

La principale indication de la prostatectomie est le cancer de la prostate lorsqu'il n'a pas encore envahi les tissus voisins et qu'il affecte un sujet jeune. La prostatocystectomie est, quant à elle, réservée aux patients présentant un cancer de la vessie localisé.

DÉROULEMENT

La prostatectomie est une intervention chirurgicale lourde, pratiquée sous anesthésie générale. Elle nécessite de 10 à 15 jours d'hospitalisation. Après avoir enlevé la prostate, le chirurgien abouche l'urètre à la vessie de façon à permettre des mictions normales. En cas de prostatocystectomie, les urines sont soit dérivées vers la paroi abdominale, par anastomose des deux uretères à un segment d'intestin, dont une extrémité est abouchée à la peau (intervention de Bricker), soit émises par les voies naturelles grâce à la confection d'une néovessie à partir d'un segment d'intestin.

COMPLICATIONS

Les principales complications de la prostatectomie sont :
- une impuissance sexuelle, qui survient dans 50 à 70 % des cas et tient au fait que, souvent, au cours de la prostatectomie, les nerfs érecteurs, situés contre la prostate, sont lésés ; il est parfois possible de conserver ces nerfs, ce qui permet de diminuer le risque d'impuissance ;
- une incontinence urinaire, qui survient dans 1 à 5 % des cas ; d'importance variable - de la perte de quelques gouttes d'urines à l'incontinence totale -, elle est très souvent atténuée grâce à des séances de rééducation périnéale ; lorsqu'elle est très invalidante, elle peut nécessiter la pose d'un sphincter artificiel ;
- un rétrécissement dû à une mauvaise cicatrisation de l'anastomose entre l'urètre

et la vessie, qui gêne l'évacuation de celle-ci ; ce rétrécissement peut être traité avec succès par une simple incision, pratiquée sous endoscopie, de l'urètre.

Prostatite

Infection aiguë ou chronique de la prostate.

Une prostatite est une infection génito-urinaire fréquente affectant les hommes de tous âges, avec une fréquence particulière chez les jeunes adultes.

Prostatite aiguë

C'est une infection aiguë du parenchyme prostatique se traduisant par un syndrome infectieux d'installation brutale (fièvre à 40 °C, frissons) et des troubles mictionnels : brûlures à la miction, pollakiurie (mictions trop fréquentes et peu abondantes) pouvant aller jusqu'à la rétention vésicale.

DIAGNOSTIC

L'examen de la prostate par toucher rectal montre que celle-ci est douloureuse et a augmenté de volume. Le diagnostic est confirmé par un examen cytobactériologique des urines (E.C.B.U.), qui permet de mettre en évidence le germe responsable (le plus souvent à Gram négatif), et éventuellement par une échographie vésicoprostatique ; celle-ci montre une augmentation de volume de la prostate ; les clichés révèlent en outre des zones de densités différentes, non homogènes.

TRAITEMENT ET COMPLICATIONS

Le traitement impose le repos et une antibiothérapie avant même de connaître les résultats des examens. Les antibiotiques (fluoroquinolones) doivent être administrés pendant au moins quinze jours afin d'éviter les récidives infectieuses. Ce traitement fait rapidement disparaître la fièvre ainsi que les troubles mictionnels.

Les complications sont rares : abcès de la prostate, orchiépididymite (inflammation du testicule et de l'épididyme), rétention vésicale d'urine.

Prostatite chronique

C'est une infection chronique du parenchyme prostatique due à la présence de microabcès et à une inflammation importante de la prostate. Elle est favorisée par une prostatite aiguë insuffisamment traitée, par des prostatites aiguës récidivantes mais aussi par un rétrécissement de l'urètre ou un adénome de la prostate.

SYMPTÔMES ET SIGNES

Une prostatite chronique entraîne de nombreux signes fonctionnels : douleurs périnéales, brûlures à la miction, écoulement urétral, douleurs à l'éjaculation, baisse de la puissance sexuelle, voire troubles psychiques déclenchés par la chronicité des troubles. L'évolution d'une prostatite chronique est le plus souvent faite de poussées infectieuses successives.

DIAGNOSTIC

Il repose sur l'examen de la prostate par toucher rectal, qui révèle une prostate sensible, à la surface irrégulière. Il est complété par un examen cytobactériologique des urines (E.C.B.U.), qui met en

évidence la présence de germes et de pus, et par une échographie, qui permet de déceler d'éventuels calculs de la prostate. Des clichés radiologiques (urographie intraveineuse, urétrographie) permettent de rechercher une cause favorisante (rétrécissement de l'urètre, adénome prostatique).

TRAITEMENT ET PRÉVENTION

Le traitement est difficile et parfois décevant ; il repose sur la prescription d'un antibiotique pendant plusieurs semaines, et de façon répétée, afin de stériliser les foyers microbiens intraprostatiques. Ceux-ci sont toutefois difficiles à éradiquer. Il est conseillé, pour prévenir les récidives, d'éviter les aliments épicés et l'alcool.

Prostration

État de stupeur et de repli sur soi se traduisant par une immobilité.

Cet état s'observe souvent dans la mélancolie (forme grave de dépression), les états catatoniques (troubles psychomoteurs caractéristiques de la schizophrénie) et au cours des formes graves des fièvres typhoïdes, où la prostration est dénommée tuphos.

Protamine

Antidote de l'héparine.

L'héparine est un médicament utilisé pour ses propriétés anticoagulantes dans le traitement des phlébites et des embolies pulmonaires. En cas de surdosage de ce médicament, on le neutralise en injectant du sulfate de protamine par voie intraveineuse. Les effets indésirables peuvent être un ralentissement du rythme cardiaque, une chute de la tension artérielle, une gêne respiratoire et, chez certains patients, une violente réaction allergique (risque de choc anaphylactique).

Protéase

Toute enzyme qui, en coupant les liaisons chimiques (liaisons peptidiques) entre les acides aminés, assure la dégradation des protéines. SYN. *peptidase*.

Les protéases, présentes dans les sucs digestifs, participent à la digestion des protéines alimentaires ; les principales sont la pepsine, sécrétée par l'estomac, la trypsine et la chymotrypsine, sécrétées par la portion exocrine du pancréas.

Protecteur gastrique

→ VOIR Antiulcéreux.

Protéine

Constituant essentiel des organismes vivants.

Les protéines sont de très longues chaînes d'acides aminés (les chaînes plus courtes ne constituant pas des protéines mais des peptides), attachés les uns aux autres par une liaison chimique, dite liaison peptidique. On distingue les holoprotéines, qui ne comportent que des acides aminés, et les hétéroprotéines, qui comportent en plus une partie glucidique (glycoprotéine), lipidique (lipoprotéine) ou minérale.

Les protéines ont des rôles très divers : certaines font partie d'une structure de soutien (membrane qui entoure les cellules, trame des os, collagène, etc.) tandis que d'autres (hormones, anticorps, enzymes, etc.) interviennent dans divers mécanismes physiologiques. Les protéines des aliments sont fragmentées dans le tube digestif en acides aminés, absorbés dans le sang, puis dans les cellules, qui s'en servent pour élaborer leurs propres protéines. Un gramme de protéines correspond à 17 kilojoules, soit 4 kilocalories. Chez l'adulte, l'apport énergétique en protéines doit idéalement représenter de 12 à 15 % de l'apport énergétique total (soit, en moyenne, un gramme de protéines par kilogramme de poids du sujet et par jour). Chez le nourrisson, les apports conseillés sont plus élevés : 2,2 grammes par kilogramme de poids et par jour. La grossesse, l'allaitement, une fièvre augmentent les besoins.

SOURCES

On distingue deux principales sources alimentaires de protéines. Les protéines animales (fournies par la viande, le poisson, les œufs, les produits laitiers) sont les mieux équilibrées car elles contiennent tous les acides aminés indispensables, en bonne proportion, et sont, en outre, très digestibles. Les protéines végétales (fournies par les légumineuses, les céréales, le soja) ont une valeur nutritionnelle moindre : elles sont carencées en un ou plusieurs acides aminés indispensables, en particulier en lysine pour les céréales et en acides aminés soufrés (dont la méthionine) pour les légumineuses. Leur digestibilité est moindre.

Une alimentation équilibrée doit donc associer protéines animales (au moins 50 % des protéines totales) et protéines végétales. On cherchera aussi à associer des protéines exclusivement végétales, mais qui se complètent du fait de leurs acides aminés manquants différents (semoule et pois chiches, riz et lentilles, etc.). Les aliments les plus riches en protéines sont les produits laitiers (fromages, lait, yaourt), les viandes et les poissons, la farine de soja, les légumineuses et les céréales.

PATHOLOGIE

■ Une hyperprotéinémie (taux sanguin de protéines supérieur à 80 grammes par litre) peut être due à une déshydratation, à un diabète insipide ou à certaines maladies caractérisées par la production excessive de protéines d'un groupe particulier (dysglobulinémie, lupus érythémateux disséminé, myxœdème, etc.). Son traitement est celui de la maladie en cause.
■ Une hypoprotéinémie (taux sanguin de protéines inférieur à 60 grammes par litre) est due soit à une anomalie de la synthèse des protéines (cirrhose, hépatite), soit à une fuite de protéines (brûlure, hémorragie ou certaines maladies rénales telles qu'un syndrome néphrotique, une néphrose lipoïque), soit à une alimentation trop pauvre en protéines. Le traitement consiste à soigner la cause de la maladie et, éventuellement, à assurer une nutrition par perfusions intraveineuses de solutions d'acides aminés.
→ VOIR Protide.

Protéine C-réactive

Glycoprotéine du sang, synthétisée par le foie en réponse à un antigène.

Le rôle exact de la protéine C-réactive (en anglais C-reactive protein, ou CRP) reste mal connu. On sait cependant qu'elle active les défenses immunitaires de l'organisme.

UTILISATION DIAGNOSTIQUE

Le taux de protéine C-réactive dans le sang, normalement inférieur à 20 milligrammes par litre, augmente en cas d'inflammation. Son dosage, souvent associé à la mesure de la vitesse de sédimentation (V.S.), ne constitue cependant qu'une aide au diagnostic car il ne renseigne pas sur la cause de l'inflammation (infectieuse, rhumatismale, etc.) ; en outre, le taux sanguin de protéine C-réactive augmente aussi en cas d'infarctus du myocarde.

La concentration sanguine de protéine C-réactive s'élève rapidement après le début de l'inflammation et revient à la normale dès que l'affection en cause a été traitée, mais elle n'est pas influencée par la prise d'anti-inflammatoires. Sa mesure est utilisée dans le suivi thérapeutique des maladies inflammatoires.

Protéinose alvéolaire

Maladie diffuse des poumons, caractérisée par le dépôt dans les alvéoles pulmonaires d'une substance phospholipoprotéique (lipoprotéine phosphorée).

Rare, la protéinose alvéolaire est une affection de cause mal connue, bien que l'on connaisse des cas familiaux. Plus fréquente chez l'homme que chez la femme, elle se traduit par un essoufflement. Son diagnostic, confirmé par une radiographie montrant des opacités nodulaires diffuses, nécessite un lavage bronchiolo-alvéolaire ; pratiquée sous anesthésie locale, cette intervention consiste à injecter dans un segment pulmonaire du malade, à l'aide d'un fibroscope (tube souple muni d'un système optique) introduit par la bouche ou le nez, de 100 à 250 millilitres de sérum physiologique, que l'on aspire ensuite pour l'analyser. Le traitement repose dans certains cas sur le lavage bronchiolo-alvéolaire, qui est parfois très efficace. Celui-ci peut néanmoins provoquer une poussée de fièvre et une accentuation de l'essoufflement, toutes deux temporaires.

Protéinurie

Présence de protéines dans les urines.

Le taux de protéines dans les urines est normalement très faible, inférieur à 50 milligrammes par 24 heures, et ne peut être détecté par les méthodes de recherche conventionnelles ; aussi dit-on qu'à l'état normal il n'existe pas de protéinurie.

CAUSES

La protéinurie relève de nombreuses causes. Le plus souvent, elle est due à des lésions des glomérules, unités de filtration du rein où s'élabore l'urine primitive et qui ne laissent normalement pas passer les protéines du sang.

SYMPTÔMES ET SIGNES

La protéinurie, autrefois improprement appelée albuminurie, se manifeste, lorsqu'elle est abondante, par un syndrome néphroti-

que (œdèmes des jambes et du visage, diminution du taux de protéines dans le sang). Dans les autres cas, elle ne se traduit par aucun symptôme.

DIAGNOSTIC

■ Des bandelettes réactives que l'on trempe dans les urines fraîchement recueillies permettent de mettre en évidence une protéinurie. La réaction est positive lorsque la coloration de la bandelette passe du jaune au vert. Selon l'intensité du vert, on peut grossièrement évaluer la quantité de protéines présentes dans l'urine.
■ Le dosage en laboratoire permet de quantifier la protéinurie et de l'exprimer en grammes par litre d'urine ou en grammes par jour, quand on connaît le volume d'urine émis pendant 24 heures.
■ L'électrophorèse permet de connaître la nature des protéines présentes dans l'urine. Il s'agit le plus souvent d'albumine : on parle alors de protéinurie sélective ; s'il s'agit d'un mélange d'albumine et d'autres protéines, les globulines, on parle de protéinurie non sélective. Dans certaines maladies comme le myélome multiple, on détecte une protéinurie particulière dite de Bence-Jones ; celle-ci se caractérise par la présence de fragments (chaînes légères) d'immunoglobulines dans les urines.

Des examens complémentaires permettent de préciser la nature exacte de l'atteinte rénale révélée par une protéinurie. Souvent, une biopsie rénale est nécessaire, en particulier quand la protéinurie est très abondante (plusieurs grammes par 24 heures).

TRAITEMENT

Une protéinurie, lorsqu'elle n'entre pas dans le cadre d'un syndrome néphrotique, ne nécessite ni traitement ni régime : il est inutile de réduire les apports alimentaires en protéines. La maladie en cause doit, en revanche, être soignée.

Protéinurie orthostatique

Présence de protéines (albumine, essentiellement) dans les urines uniquement lorsque le sujet est en position debout.

La protéinurie orthostatique, qui ne revêt aucun caractère pathologique, ne s'observe que chez l'enfant et disparaît spontanément vers l'âge de 20 ans. Cette anomalie de cause inconnue n'a aucune conséquence et ne nécessite aucun traitement. Son diagnostic doit être confirmé par plusieurs dosages urinaires effectués dans des conditions particulièrement strictes et bien codifiées (sujet debout/couché) ; de plus, il faut s'assurer que l'enfant est indemne de toute maladie rénale, d'hypertension artérielle et que ses urines ne comportent pas d'autres anomalies (présence de sang, de bactéries, de pus, etc.).

Proteus

Genre bactérien comprenant des bacilles à Gram négatif appartenant à la famille des entérobactéries.

Les bactéries du genre *Proteus* sont présentes, à l'état naturel, dans le sol, les eaux d'égout et, en faible quantité, dans le tube digestif de l'homme. *Proteus mirabilis* est, par ordre d'importance, le deuxième germe responsable d'infections urinaires chez les patients non hospitalisés, après *Escherichia coli*. Ce germe est généralement sensible aux antibiotiques.

Prothèse

Dispositif implanté dans l'organisme pour suppléer un organe manquant ou pour restaurer une fonction compromise.

Prothèse de l'appareil digestif

C'est une prothèse mise en place lors de certaines opérations chirurgicales de l'œsophage et des voies biliaires.

INDICATIONS ET TECHNIQUE

■ **Les prothèses œsophagiennes** servent, en cas de cancer de l'œsophage, à supprimer une obstruction et à soulager la dysphagie (difficulté à déglutir). Leur implantation constitue un traitement palliatif du cancer : sous anesthésie générale et sous contrôle endoscopique et radiologique, on introduit un tube en plastique qui force le rétrécissement tumoral et qui, laissé en place, permet la reprise de l'alimentation.

■ **Les prothèses des voies biliaires** sont utilisées lorsque les tumeurs ne peuvent pas bénéficier d'un traitement chirurgical radical (cancers du cholédoque ou du pancréas). Ce sont des tubes en plastique, percés de nombreux orifices et pourvus d'aspérités qui les fixent dans les tissus. Une prothèse de ce type est le plus souvent implantée par endoscopie. Elle est placée dans le canal cholédoque par un fibroscope introduit dans le duodénum sous anesthésie générale légère. Elle peut aussi être introduite à travers la paroi abdominale sous contrôle échographique ou mise en place lors d'une intervention chirurgicale. Le risque infectieux est prévenu par la prise d'antibiotiques lors de la mise en place. Ce type de prothèse doit, en règle générale, être remplacé tous les quatre à six ans.

PATHOLOGIE

Les différentes prothèses utilisées en gastroentérologie sont indolores mais susceptibles d'être obstruées par des bouchons de fibrine ou d'entraîner une infection. Il est alors nécessaire de les déboucher par fibroscopie ou de les remplacer. Un remplacement est également nécessaire en cas d'évolution de la tumeur (tumeur enserrant la prothèse) ou de déplacement de la prothèse.

Prothèse auditive

C'est un appareil amplificateur permettant de corriger une perte auditive. La plupart des prothèses auditives sont des appareils électroniques constitués d'un embout auriculaire, d'un microphone (pour capter les sons) et d'un amplificateur. Le malade ajuste l'appareil aux conditions extérieures par l'intermédiaire d'un bouton de contrôle du son. La prothèse auditive est prescrite par un oto-rhino-laryngologiste et est délivrée par un audioprothésiste, qui adapte et règle l'appareil en fonction des besoins particuliers à chaque malade.

DIFFÉRENTS TYPES DE PROTHÈSE AUDITIVE

Il en existe deux types.

■ **La prothèse intra-auriculaire**, introduite dans le conduit auditif externe, est presque invisible. La transmission du son se fait par un tuyau qui relie un boîtier électronique, placé derrière l'oreille, au conduit auditif externe. Le mode de fonctionnement de cet appareil, couramment utilisé, est fondé sur l'amplification du son.

■ **L'implant cochléaire** stimule les cellules sensorielles de l'oreille interne par des électrodes. L'indication de pose d'un tel dispositif se réduit actuellement aux surdités bilatérales profondes, d'origine congénitale ou non. Elle implique l'existence de cellules sensorielles saines. Des électrodes sont implantées dans la cochlée (partie de l'oreille interne) du malade en même temps qu'un récepteur est placé sous la peau, derrière l'oreille. Les électrodes sont reliés au récepteur par un fil. L'appareil est complété par un microphone, un amplificateur et un transmetteur externes, portés par le patient. Le coût de l'opération reste très élevé.

Prothèse dentaire

C'est un appareillage destiné à maintenir ou à restaurer les arcades dentaires pour une raison tant esthétique que fonctionnelle.

DIFFÉRENTS TYPES DE PROTHÈSE

■ **La prothèse dentaire amovible**, amarrée à des supports dentaires, muqueux ou à des implants, doit pouvoir être enlevée pour être nettoyée (simple brossage sous l'eau du robinet). Elle est dite partielle lorsqu'il reste dans la bouche des dents sur lesquelles elle est retenue par l'intermédiaire de dispositifs de liaison mécanique (crochets, par exemple), totale lorsqu'il n'y a plus de dents et que sa fixation ne peut plus se faire que sur la muqueuse buccale ou sur des racines restantes. Une prothèse amovible peut être utilisée en cas de délabrements buccaux congénitaux ou dus à un cancer. Un autre type de prothèse amovible, la gouttière, permet de protéger les dents de divers traumatismes (sujet pratiquant un sport violent), des caries ou d'une radiothérapie, ou de relaxer la mâchoire en cas de lésion de l'articulation temporomandibulaire.

■ **La prothèse dentaire fixée** peut être scellée ou collée. Elle permet de rendre son aspect normal et sa fonction à une dent très abîmée (onlay, inlay, couronne), de replacer une ou plusieurs dents (bagues), de les immobiliser (attelle de contention en cas de maladie des tissus de soutien de la dent), voire de les remplacer intégralement (bridge). Son entretien ne diffère pas de celui des dents naturelles (brossage et fil dentaire pour nettoyer les espaces interdentaires).

TECHNIQUE

L'appareillage, élaboré en laboratoire spécialisé, nécessite la prise d'empreintes des arcades dentaires ; ces empreintes doivent être le plus précises possible (elles nécessitent entre 6 et 12 séances, en général), de façon que la prothèse soit parfaitement adaptée à la morphologie du patient. Les matériaux utilisés sont des résines acryli-

ques, des alliages métalliques (précieux ou non), des matériaux dits esthétiques, comme la céramique ou la porcelaine. Lorsqu'on doit extraire une dent chez un malade portant une prothèse, celle-ci est adaptée le jour même de l'intervention, de manière à faciliter la cicatrisation.

Prothèse oculaire

Cette prothèse, couramment appelée œil de verre, est fabriquée en matériau synthétique et remplace un œil énucléé ou atrophique. Il en existe différents types.

INDICATIONS ET TECHNIQUE

Les plus courantes des prothèses oculaires sont mises en place après ablation totale (énucléation) ou partielle (éviscération) du globe oculaire et pose d'un implant sur lequel les muscles sont suturés pour permettre une bonne mobilité de la prothèse. La paroi postérieure de cette dernière est concave et épouse la forme de l'implant intraorbitaire.

La fabrication et l'adaptation de la prothèse sont confiées à un oculariste, qui mesure la cavité orbitaire et détermine les coloris et le matériau les mieux adaptés. La prothèse est mise en place de 20 à 30 jours après l'intervention chirurgicale, selon la cicatrisation et la résorption des phénomènes inflammatoires.

ENTRETIEN

Il se fait avec une périodicité variable selon les cas, en enlevant la prothèse (au besoin à l'aide d'une petite ventouse) et en nettoyant celle-ci avec des produits utilisés pour l'entretien des lentilles de contact, mais jamais avec de l'alcool à 90°, de l'éther ou de l'eau. Avant la remise en place de la prothèse, la cavité orbitaire est nettoyée avec un antiseptique. Cette manipulation est indolore et peut être faite, après un certain temps, par le patient lui-même. Le port d'une prothèse oculaire impose une visite régulière chez l'ophtalmologiste.

Prothèse orthopédique

C'est une pièce de remplacement d'une articulation ou d'un membre.

INDICATIONS

On distingue les prothèses internes et les prothèses externes.

■ **Les prothèses externes** permettent la reprise de la marche et la station debout des personnes amputées d'un membre inférieur. Il existe également des prothèses pour les membres supérieurs, dont le rôle est plus esthétique que fonctionnel ; des recherches sont actuellement menées sur des prothèses permettant la préhension des objets.

■ **Les prothèses internes** remplacent une articulation malade ou détruite et permettent de lui restituer sa mobilité (arthroplastie de la hanche, du genou, de l'épaule). La prothèse peut être unipolaire (ne remplaçant que l'un des pôles de l'articulation) ou totale (remplaçant les deux surfaces articulaires).

TECHNIQUES

Les connaissances acquises sur les matériaux et la mécanique articulaire permettent de fabriquer des prothèses internes capables de

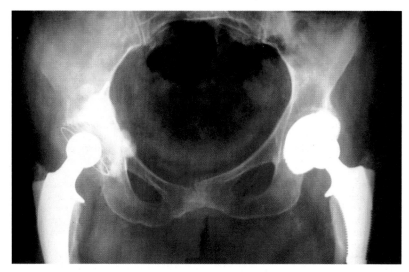

Prothèse. Une prothèse totale – ici bilatérale et visible en blanc – de la hanche remplace les deux parties de l'articulation (cavité cotyloïde et tête du fémur).

reproduire le fonctionnement presque normal d'une articulation ; le problème le plus important demeure celui de l'usure des composants. Les prothèses sont fabriquées en divers matériaux – l'acier, le titane, la céramique ou le polyéthylène –, entre lesquels un choix est possible. Les prothèses les plus fiables et d'une tenue prolongée sont celles de la hanche et du genou. D'autres prothèses articulaires (doigt, coude, poignet, disque intervertébral) sont jusqu'à présent moins fiables.

Prothèse pénienne

Encore appelée implant pénien, c'est une prothèse en silicone permettant, en cas d'impuissance totale et définitive, d'obtenir de façon artificielle une érection rendant les rapports sexuels possibles. Elle est surtout proposée à des sujets jeunes ayant la possibilité de rapports sexuels réguliers.

DIFFÉRENTS TYPES DE PROTHÈSE PÉNIENNE

Il en existe deux types.

■ **Les prothèses rigides** ou **semi-rigides** sont des cylindres de silicone qui entraînent une érection artificielle permanente.

■ **Les prothèses gonflables,** plus perfectionnées, sont constituées de deux cylindres gonflables introduits dans les corps caverneux de la verge et reliés à un réservoir-pompe placé sous la peau abdominale ou dans le scrotum. Le patient active lui-même la pompe, entraînant l'érection.

Les prothèses péniennes sont de plus en plus délaissées au profit de la technique d'auto-injection intracaverneuse de papavérine ou d'un autre vasodilatateur, qui présente l'avantage d'éviter une intervention chirurgicale irréversible.

Prothèse sphinctérienne

C'est une prothèse en silicone utilisée en cas d'incontinence urinaire totale et rebelle à tout traitement.

TECHNIQUE

Un manchon gonflable cylindrique, relié à une pompe, est placé chirurgicalement autour de l'urètre. La pompe est placée soit dans le scrotum chez l'homme, soit sous la peau au-dessus du pubis chez l'homme et la femme ; elle est actionnée par le patient. Quand le manchon est gonflé, il comprime l'urètre et empêche l'incontinence. Dès que la vessie est pleine, le patient dégonfle le manchon et l'urine peut s'écouler hors de la vessie.

Un sphincter artificiel permet de mener une vie normale. Les complications liées à son implantation (infections) affectent moins de 10 % des patients et sont dans leur majorité traitables.

Prothèse testiculaire

C'est une boule de silicone destinée à remplacer le testicule après orchidectomie (ablation du testicule). Sa fonction est purement esthétique.

Prothèse urétérale

C'est une prothèse dérivative permettant l'écoulement normal de l'urine du rein vers la vessie. Elle est également appelée sonde JJ ou double J du fait de la forme en hameçon de ses extrémités. Un tel dispositif est utilisé lorsque l'uretère est obstrué par une tumeur ou par un calcul. La prothèse, constituée par une sonde de fin calibre multiperforée, est mise en place dans l'uretère par voie endoscopique et peut y être laissée de façon définitive (traitement palliatif d'une tumeur) ou temporaire. Il est nécessaire de procéder à son changement tous les deux à trois mois.

Une prothèse urétérale peut entraîner des douleurs à la miction, dues à l'irritation de la vessie par la sonde. On administre dans ce cas des analgésiques au patient.
→ VOIR Mammoplastie, Valvuloplastie.

Protide

Toute substance constituée par un ou plusieurs acides aminés.

Les protides contiennent de l'azote (N) et comprennent les acides aminés, les peptides (constitués par un nombre restreint d'acides aminés) et les protéines (très longues chaînes d'acides aminés).

Protonthérapie

Utilisation thérapeutique des protons.

Les protons sont des particules élémentaires lourdes, de charge électrique positive, qui constituent, avec les neutrons auxquels ils peuvent être associés, les noyaux des atomes. On les produit artificiellement dans des accélérateurs de particules atteignant de hauts niveaux d'énergie, appelés synchrocyclotrons.

La protonthérapie est une méthode de radiothérapie qui permet de délivrer des doses élevées de protons assez profondément dans les tissus tout en épargnant les tissus alentour, qu'ils soient situés au-dessus ou au-dessous de la zone à traiter. Son domaine d'application privilégié est le traitement des tumeurs malignes profondes situées à côté de structures fragiles, tumeurs de l'œil et du système nerveux en particulier. Après les soins, le patient doit rester isolé pendant quelques heures dans une enceinte bétonnée, qui protège l'entourage de la radioactivité que dégage momentanément son corps. La protonthérapie est peu utilisée car elle exige le transport des patients auprès d'installations nucléaires spécialement équipées pour les recevoir.

Proto-oncogène

→ VOIR Oncogène.

Protozoaire

Organisme du règne animal composé d'une cellule unique.

Les protozoaires peuvent être microscopiques ou bien être visibles à l'œil nu. Les plus évolués sont susceptibles de respirer, d'ingérer des particules nutritives et d'excréter.

Ils peuvent être indépendants et vivre dans le milieu extérieur ou vivre dans un autre organisme vivant, parfois au détriment de ce dernier. Il s'agit alors de parasites.

Comme la cellule humaine, le protozoaire est eucaryote : il possède une membrane dite nucléaire (qui sépare le noyau du cytoplasme de la cellule).

DIFFÉRENTS TYPES DE PROTOZOAIRE

Certains protozoaires parasites se rencontrent chez l'homme. Ils appartiennent à trois grands groupes :

■ **Les sporozoaires** (protozoaires capables de former des spores) comprennent les coccidies (responsables des coccidioses intestinales) et le toxoplasme (responsable de la toxoplasmose) ainsi que l'hématozoaire *Plasmodium* (responsable du paludisme).

■ **Les rhizoflagellés** regroupent les amibes intestinales et libres, les flagellés intestinaux et génitaux, les trypanosomes (responsables des trypanosomiases) et les leishmanies (responsables des leishmanioses).

■ **Les ciliés** (protozoaires à cils vibratiles) sont responsables de la balantidiose, maladie parasitaire des intestins.

Protubérance annulaire

Région de l'encéphale située entre les pédoncules cérébraux et le bulbe rachidien. SYN. *pont de Varole.* (P.N.A. *pons*)

La protubérance annulaire est couramment appelée protubérance ou pont. La succession, de bas en haut, du bulbe rachidien, de la protubérance et des pédoncules cérébraux forme le tronc cérébral, sorte de volumineux cylindre vertical qui prolonge la moelle épinière. De chaque côté de la protubérance se trouvent les pédoncules cérébelleux moyens, chacun formant un petit cylindre horizontal se rattachant de chaque côté au cervelet.

On appelle parfois métencéphale l'ensemble formé par la protubérance et le cervelet, car ces derniers dérivent de la même zone du cerveau de l'embryon.

La protubérance contient des faisceaux de fibres nerveuses motrices (envoyant les ordres vers les muscles) et des faisceaux sensitifs (répercutant les informations vers les régions supérieures de l'encéphale). Elle contient également les noyaux de plusieurs nerfs crâniens, notamment de ceux qui sont responsables des mouvements des yeux.

EXAMENS ET PATHOLOGIE

La protubérance annulaire est explorée par le scanner et l'imagerie par résonance magnétique (I.R.M.). Elle peut être le siège de tumeurs, d'accidents vasculaires cérébraux, de lésions dégénératives ou inflammatoires (sclérose en plaques, par exemple).

Provirus

Patrimoine génétique d'un virus, qui s'intègre dans celui de la cellule hôte.

Provitamine

Toute substance chimique précurseur d'une vitamine.

Une provitamine est transformée par l'organisme en vitamine. C'est ainsi que le bêtacarotène et l'ergostérol des végétaux alimentaires se transforment respectivement en vitamine A et en vitamine D.

Proximal

Se dit de la portion d'un élément anatomique la plus rapprochée d'un organe de référence situé en amont de cet élément par exemple, pour un membre, de la portion rattachée au tronc.

Le mot s'emploie par opposition à distal. L'intestin grêle proximal (duodénum, jéjunum) est le segment le plus proche de la bouche, organe de l'appareil digestif situé en amont. La partie de l'aorte (principale artère du corps) rattachée au ventricule gauche du cœur est sa partie proximale. L'épaule est la partie proximale du membre supérieur par rapport au tronc.

Prurigo

Maladie cutanée caractérisée par une éruption et provoquant une vive démangeaison, de petites élevures rougeâtres surmontées de vésicules qui s'ouvrent rapidement sous l'effet du grattage puis se couvrent d'une croûte transitoire.

DIFFÉRENTES SORTES DE PRURIGO

On en distingue plusieurs variétés.

■ **Le prurigo de l'adulte** peut être aigu ; il est dans ce cas le plus souvent d'origine parasitaire ; un prurigo chronique est causé par une infection bactérienne, fongique ou parasitaire, par une allergie (dermatite atopique, allergie déclenchée par un foyer infectieux profond) ou par une maladie générale (diabète).

■ **Le prurigo de l'enfant,** ou prurigo strophulus, est aigu et le plus souvent d'origine parasitaire (acariens) ; il prédomine aux membres, à la ceinture et au ventre.

TRAITEMENT

Il est fonction de l'affection en cause : application de médicaments et de substances antiparasitaires sur la peau et les vêtements, traitement antiallergique par application de corticostéroïdes ou par administration d'antihistaminiques par voie orale.

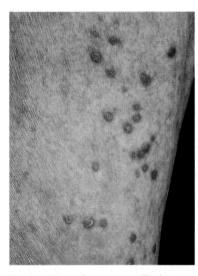

Prurigo. *L'avant-bras est constellé de petites lésions cutanées rouges qui se recouvrent, lorsque le malade les gratte, d'une croûte jaunâtre.*

Prurit

Sensation naissant dans la peau et entraînant une envie de se gratter. SYN. *démangeaison.*

Un prurit est déclenché par la libération dans la peau de différents médiateurs chimiques, notamment l'histamine.

On divise les prurits en deux catégories selon qu'ils sont généralisés ou localisés.

Prurit généralisé

C'est une démangeaison affectant l'ensemble du corps. De nombreuses causes sont capables de la provoquer.

Il peut être causé par une maladie de peau (psoriasis, eczéma, lichen, infestation de la peau par des parasites), parfois à un stade où celle-ci est inapparente (dermatose dite invisible), notamment en cas de lichen, de mycosis ou de gale. La prise de médicaments (antibiotiques, aspirine, barbituriques, sulfamides, etc.) de même que de très nombreuses affections, comme un obstacle dans les voies biliaires (calcul, tumeur), une insuffisance rénale chronique, une affection hématologique (maladie de Hodgkin, polyglobulie), une maladie hormonale (diabète, hyperthyroïdie) ou un cancer d'un viscère, sont également susceptibles d'entraîner un prurit. Lorsque aucune des causes précédentes n'est retrouvée, on évoque un prurit engendré par un trouble psychologique, un prurit sénile dû à un dessèchement de la peau lié à l'âge ou un prurit gravidique, survenant au cours du troisième trimestre d'une grossesse et pouvant être associé à une cholestase.

TRAITEMENT

C'est avant tout celui de la cause. Le prurit lui-même est traité par voie orale (antihistaminiques et, dans certains cas, anxiolytiques) et locale (bains adoucissants, pommades amollissantes, plus rarement corticostéroïdes). Le prurit gravidique cède généralement spontanément après l'accouchement.

Prurit localisé

C'est une démangeaison affectant une partie du corps.

Parmi les prurits localisés, certains se distinguent par leur fréquence :

– le prurit anal peut avoir une cause locale (abus de pommade, infection par un champignon ou une bactérie, hémorroïdes, fissure ou fistule anales) ou générale (affection hématologique ou hormonale, cancer de l'anus, diarrhée chronique) ; chez l'enfant, son origine est fréquemment l'oxyurose (infestation par un ver parasite pondant ses œufs sur la marge anale) ;

– le prurit du cuir chevelu doit avant tout faire rechercher une infestation par les poux, particulièrement chez l'enfant ; il peut également s'agir d'une maladie dermatologique (psoriasis) ou d'une infection par une bactérie ou un champignon (pityrosporose) ;

– le prurit génital peut constituer une réaction à certains produits utilisés pour la toilette (savons trop alcalins, antiseptiques trop agressifs) ou le nettoyage des vêtements, au latex du préservatif, à des sous-vêtements en tissu synthétique, ou être le signe d'une infection (herpès, candidose, infections à chlamydia, à trichomonas, etc.) ; il s'accompagne alors chez la femme de leucorrhées (pertes blanches) ; un prurit de la vulve peut également être causé par une maladie de peau localisée à cette zone ou par une maladie générale (diabète, hyperthyroïdie).

TRAITEMENT ET PRÉVENTION

Comme pour le prurit généralisé, le traitement est d'abord celui de la cause, associé au besoin à celui du prurit lui-même.

Certains prurits anaux et génitaux peuvent être prévenus par le port de sous-vêtements de coton lavés avec du savon de Marseille et par l'usage, pour la toilette intime, de savons non alcalins.

PSA
→ VOIR Prostate (antigène spécifique de la).

Pseudarthrose
Absence complète de consolidation d'une fracture un ou deux mois après les délais habituels.

Lors d'une pseudarthrose, le cal osseux ne se forme pas (pseudarthrose atrophique) ou se forme mal (pseudarthrose hypertrophique), ce qui crée une « pseudo-articulation » entre les 2 fragments osseux fracturés, lesquels sont plus ou moins mobiles l'un par rapport à l'autre : on parle de pseudarthrose lâche ou serrée. Le diagnostic est clinique (le membre est douloureux lorsqu'on prend appui dessus) et surtout radiographique.

DIFFÉRENTS TYPES DE PSEUDARTHROSE
■ La pseudarthrose septique, ou infectée, est en fait une pseudarthrose compliquée d'une ostéite (infection d'un os). Elle est le plus souvent consécutive à une souillure microbienne importante d'une fracture ouverte. Le traitement repose sur la prescription d'antibiotiques, le nettoyage chirurgical du foyer infectieux et la pose d'un fixateur externe ; des greffons osseux peuvent être mis en place dans un second temps.
■ La pseudarthrose aseptique, ou non infectée, survient le plus souvent après une intervention chirurgicale ou après une fracture lors desquelles le foyer de fracture a été largement ouvert et le périoste (membrane assurant la nutrition de l'os) s'est décollé de l'os. L'irrigation sanguine de ce dernier est alors très diminuée : le cal osseux ne se forme pas (pseudarthrose atrophique) ou se forme mal (pseudarthrose hypertrophique). Le traitement, essentiellement chirurgical, consiste notamment à stabiliser le foyer de pseudarthrose à l'aide d'un dispositif mécanique (clou, plaque, fixateur externe), associé le plus souvent à la pose de greffons osseux.

Pseudo-autosomique
Se dit de la région homologue des chromosomes sexuels X et Y, c'est-à-dire de la petite zone retrouvée de part et d'autre de ces deux chromosomes comme s'ils étaient des autosomes.

Pseudochromidrose plantaire
Pigmentation anormale des talons, apparaissant sous forme de taches noires indolores.

La pseudochromidrose plantaire est assez fréquente chez le jeune sportif et constitue le signe de petits traumatismes répétés ; les lésions correspondent à l'évacuation de petits hématomes superficiels du derme.

Cette anomalie bénigne disparaît spontanément et ne nécessite pas de traitement ; un examen par un spécialiste permet de la distinguer d'un mélanome malin, d'apparence très voisine.

Pseudogale
→ VOIR Gale.

Pseudogoutte
→ VOIR Chondrocalcinose.

Pseudohermaphrodisme
Anomalie congénitale caractérisée par la présence, chez un sujet dont les chromosomes sexuels et les gonades (ovaires ou testicules) sont normaux, d'organes génitaux qui ressemblent à ceux de l'autre sexe.

Contrairement aux sujets atteints d'hermaphrodisme, ceux qui sont atteints de pseudohermaphrodisme ont soit du tissu ovarien, soit du tissu testiculaire, mais jamais les deux à la fois.

CAUSES
Il existe deux types de pseudohermaphrodisme : féminin (XX) ou masculin (XY).
■ Le pseudohermaphrodisme féminin (sujets génétiquement féminins) est, en général, d'origine endocrinienne, le fœtus ayant été anormalement imprégné par des androgènes. Dans certains cas, cette imprégnation a une origine maternelle (tumeur surrénalienne ou ovarienne virilisante, prise de progestatifs durant la grossesse) mais, le plus souvent, elle résulte d'un trouble enzymatique des glandes surrénales du fœtus lui-même (hyperplasie surrénalienne congénitale).
■ Le pseudohermaphrodisme masculin (sujets génétiquement masculins) peut être dû soit à une anomalie précoce de la fonction testiculaire avec défaut de sécrétion des hormones masculines, soit à une insensibilité aux androgènes par manque des récepteurs cellulaires spécifiques ou par absence enzymatique.

DESCRIPTION
■ Un enfant atteint de pseudohermaphrodisme féminin, s'il possède deux ovaires bien différenciés, a un clitoris de grande taille semblable à un pénis et des grandes lèvres soudées rappelant le scrotum.
■ Un enfant atteint de pseudohermaphrodisme masculin est porteur de testicules normaux mais ne présente pas d'organes génitaux externes ou bien a des organes génitaux externes très peu différenciés (pénis très petit et scrotum divisé ressemblant aux grandes lèvres).

DIAGNOSTIC ET TRAITEMENT
Les explorations doivent être conduites avec beaucoup de soin afin de pouvoir déterminer le plus précisément possible le sexe de l'enfant : détermination de la chromatine sexuelle (petite masse constituée en grande partie d'A.D.N. et visible dans le noyau de certaines cellules chez la femme), étude du caryotype et génitographie (examen radiologique des organes génitaux après administration d'un produit radio-opaque dans l'orifice génital externe), examens hormonaux et anatomiques précis. Des traitements, hormonaux ou chirurgicaux (plastie du périnée), conduits par des équipes médicales spécialisées, peuvent être mis en route afin de faire concorder sexe génétique et sexe anatomique. Le choix du sexe définitif se révèle parfois très délicat. Si le diagnostic est établi à la naissance, ce choix est fait sur la base des connaissances de l'état hormonal, anatomique et chromosomique. Ainsi, le choix du sexe féminin est toujours souhaitable en cas de pseudohermaphrodisme féminin par hyperplasie surrénalienne ; il s'impose avant la 3e année de l'enfant à moins de refus familial absolu, confirmé après plusieurs entretiens. Dans des cas exceptionnels, liés à un diagnostic tardif, le choix peut se présenter à la puberté : on préfère alors habituellement conserver l'état civil antérieur de l'enfant. Dans certains cas, le traitement permet à l'enfant d'avoir une vie sexuelle normale et même de procréer.

Pseudokaposi
Affection d'origine vasculaire, provoquant des lésions d'aspect et de structure proches de ceux des lésions dues au sarcome de Kaposi (cancer affectant principalement les sujets immunodéprimés et touchant notamment la peau sous forme de plaques infiltrées rouges ou violines).

Un pseudokaposi peut être lié à une insuffisance veineuse importante, à la suite de varices ou de phlébites, ou, chez les sujets jeunes, à une fistule artérioveineuse. Les lésions s'étendent progressivement ; elles sont susceptibles de démanger et d'entraîner des douleurs, surtout en cas de surinfection.

La distinction d'avec le sarcome de Kaposi repose sur différents examens (Doppler, écho-Doppler, artériographie).

Le traitement repose, selon le cas, sur la contention (bande élastique) ou sur une intervention chirurgicale (fermeture de la fistule). Des séquelles (persistance des lésions, dermite ocre des jambes) sont possibles.

Pseudolymphome cutané
Lésion cutanée constituée par une infiltration de la peau par des globules blancs du type lymphocytes, caractérisée par son évolution bénigne, que contredit son aspect histologique proche de celui d'un cancer.

Le terme de pseudolymphome cutané recouvre plusieurs affections que l'on peut regrouper selon le type de lymphocyte en cause : actinoréticulose, papulose lymphomatoïde, eczéma de contact (lymphocytes T) ; lymphocytome cutané bénin, nodules consécutifs à l'infestation par la gale, toxidermies dues à certains médicaments utilisés dans le traitement de l'épilepsie, les hydantoïnes (lymphocytes B). Les lésions sont d'aspect variable (nodules violacés plus ou moins saillants) ; le traitement est celui de l'affection responsable.

Pseudomonas
Genre bactérien de bacilles à Gram négatif comportant un nombre important d'espèces, pour la plupart présentes à l'état naturel sur toute la surface du globe, dans le sol, les eaux et les plantes.

L'espèce de *Pseudomonas* la plus fréquemment responsable d'infections humaines est *Pseudomonas æruginosa*, ou bacille pyocyanique ; *Pseudomonas pseudomallei*, ou bacille de Whitmore, est l'agent de la mélioïdose ; *Pseudomonas mallei*, celui de la morve. *Pseudomonas fluorescens*, *Pseudomonas cepacia* et *Pseudomonas putida* peuvent être isolés chez l'homme comme contaminants, mais aussi parfois comme pathogènes opportunistes.

Les infections à *Pseudomonas* sont traitées par antibiothérapie adaptée aux résultats de l'antibiogramme.

Pseudomonas æruginosa

Bacille à Gram négatif, présent à l'état naturel dans l'eau, parfois sur la peau et dans le tube digestif. SYN. *bacille pyocyanique.*

Pseudomonas æruginosa est responsable de graves infections nosocomiales (acquises à l'hôpital) chez les sujets immunodéprimés ou ayant une affection sévère (cancer, diabète, brûlures, mucoviscidose).

Le principal problème posé par les infections à *Pseudomonas æruginosa* est celui de leur traitement, ce germe étant résistant à de nombreux antibiotiques.

Pseudo-obstruction chronique de l'intestin grêle

Syndrome très rare correspondant à une occlusion intestinale en l'absence d'obstacle dans l'intestin.

CAUSES

Une pseudo-obstruction chronique de l'intestin grêle est due à un dysfonctionnement neuromusculaire qui aboutit à un arrêt du péristaltisme (motricité digestive). Elle peut survenir au cours de diverses maladies : diabète, hypothyroïdie, sclérodermie, maladies musculaires, ou être de cause inconnue et atteindre alors également l'œsophage, l'estomac et le côlon. La maladie évolue par poussées suivies de périodes de rémission.

SYMPTÔMES ET SIGNES

Le syndrome se manifeste par des pesanteurs, des vomissements, un amaigrissement et une distension abdominale. La radiographie de l'abdomen révèle des images hydroaériques (opacité surmontée d'une clarté et séparée d'elle par un niveau horizontal) évoquant une occlusion intestinale.

DIAGNOSTIC ET TRAITEMENT

Le diagnostic se fonde sur l'absence constatée d'obstacle intestinal et sur le résultat d'examens manométriques (mesure de la pression dans le côlon) et électrophysiologiques (réponse du côlon à des stimulations électriques). Le traitement est celui des symptômes : aspiration gastrique, alimentation par perfusion intraveineuse, médicaments favorisant la motricité digestive.

Pseudopelade

Maladie du cuir chevelu caractérisée par une chute définitive, par plaques, des cheveux.

Les pseudopelades sont tantôt dues à une maladie dermatologique (lupus érythémateux, lichen plan, sclérodermie), tantôt n'ont pas de cause connue ; on parle alors de pseudopelade idiopathique de Brocq. À la perte des cheveux correspond une destruction des follicules pilosébacés, normalement responsables de leur repousse ; aussi la pseudopelade, contrairement à la pelade, est-elle irréversible. L'évolution se fait vers une extension progressive des zones d'alopécie. La peau de ces zones est lisse, brillante, atrophique et difficile à plisser.

Le traitement est celui de la maladie en cause lorsque celle-ci est connue, en parti-culier par des corticostéroïdes locaux. Dans certains cas, une greffe localisée de cheveux est possible.

Pseudopode

Prolongement du cytoplasme (partie de la cellule qui entoure le noyau) émis par certaines cellules (globules blancs, amibes) et servant à leur locomotion et à la phagocytose (absorption de particules et de micro-organismes).

Chez l'homme, seule une variété de globules blancs, les polynucléaires neutrophiles, émet des pseudopodes. Ces éléments du sang peuvent ainsi se déplacer et quitter les capillaires en écartant les cellules endothéliales qui les tapissent pour se rendre sur le site d'une infection : c'est la diapédèse. Grâce aux pseudopodes, les polynucléaires peuvent aussi réaliser une phagocytose, c'est-à-dire absorber des particules étrangères ou des microbes pathogènes : ils les entourent de pseudopodes, les incorporent à leur cytoplasme puis les digèrent.

Pseudopolyarthrite rhizomélique

Maladie inflammatoire atteignant les racines des membres et, à un moindre degré, le cou, associée à une altération importante de l'état général. SYN. *syndrome de Forestier.*

La pseudopolyarthrite rhizomélique est une affection du sujet âgé. Elle semble présenter un lien de parenté avec la maladie de Horton, artérite temporale caractérisée notamment par une atteinte inflammatoire oculaire grave, une association de ces deux pathologies étant fréquente.

SYMPTÔMES ET DIAGNOSTIC

Une pseudopolyarthrite rhizomélique se traduit par des douleurs et des raideurs, accentuées la nuit et le matin, de la région du cou, des épaules et du haut des cuisses. Il s'y ajoute une grande fatigue et un amaigrissement. Les radiographies sont normales mais la vitesse de sédimentation du sang, très élevée, révèle un syndrome inflammatoire intense.

TRAITEMENT

Il repose sur l'administration de corticostéroïdes et doit parfois être suivi pendant quelques années. La guérison se fait en général sans séquelles.

Pseudotumeur

Tuméfaction déformant un organe et ayant pour origine une dystrophie (déficience de la nutrition de cet organe), une inflammation ou une malformation, mais non une tumeur.

DIFFÉRENTS TYPES DE PSEUDOTUMEUR

■ **Une pseudotumeur dystrophique** résulte d'un trouble endocrinien ou nutritionnel. Entrent, par exemple, dans cette catégorie un goitre thyroïdien, dû à une carence en iode, une déformation des seins chez la femme ou un développement anormal des seins chez l'homme, provoqués par un déséquilibre hormonal.

■ **Une pseudotumeur inflammatoire,** formée de tissu fibreux et inflammatoire, peut être une cicatrice au développement excessif, une chéloïde (sorte de boursouflure fibreuse de la peau), un pseudopolype des cordes vocales, une lésion autour d'un corps étranger (prothèse, fils de suture, etc.).

■ **Une pseudotumeur malformative** est liée à un trouble du développement embryonnaire d'un organe. Les hamartomes (quantité excessive ou disposition anormale de cellules dans un organe), les kystes du cou, la maladie polykystique des reins sont des exemples de pseudotumeur malformative.

DIAGNOSTIC

Une biopsie (prélèvement d'un fragment) de l'organe concerné est souvent nécessaire afin de procéder à un examen au microscope du tissu prélevé, ce qui permet d'éliminer l'hypothèse d'un cancer et de déterminer l'origine et la nature de la pseudotumeur.

Pseudoxanthome élastique

→ VOIR Élastorrhexie.

Psittacose

Maladie infectieuse due à la bactérie *Chlamydia psittaci.*

Chlamydia psittaci infecte l'homme, certains oiseaux et les mammifères. L'homme se contamine par contact direct avec un animal infecté, le plus souvent un oiseau de la famille des psittacidés (perroquet, perruche) ; les sécrétions nasales et les fèces d'un animal porteur du germe peuvent être source de contamination, même si celui-ci est apparemment sain.

SYMPTÔMES ET SIGNES

Une psittacose se manifeste après une incubation (période initiale silencieuse) de 6 à 15 jours. Il en existe trois formes.

■ **La forme disséminée** se traduit le plus souvent par une encéphalite ou une méningite (inflammation de l'encéphale ou des méninges) associée à une pneumopathie (inflammation diffuse des poumons).

■ **La forme pseudogrippale** se traduit par des frissons et une fièvre élevée ; elle peut évoluer vers une bronchite chronique.

■ **La forme pulmonaire, ou pneumopathie atypique,** s'installe progressivement et se traduit par une fièvre importante, des frissons, des douleurs musculaires et des maux de tête. Une toux sèche s'installe dans les premiers jours et persiste pendant deux semaines. Des complications, notamment cardiaques, sont possibles mais rares.

DIAGNOSTIC ET TRAITEMENT

Le diagnostic repose sur l'examen clinique et l'interrogatoire du patient (contact avec un animal susceptible de transmettre l'infection), sur la radiographie des poumons, qui montre des opacités floues et mal délimitées, et sur une sérologie spécifique (méthode sérologique d'immunofluorescence indirecte), positive vers le douzième jour de la maladie.

Le traitement consiste à administrer des antibiotiques (cyclines) pendant trois semaines. Il est efficace, mais une fatigue peut persister pendant plusieurs mois.

Psoas (muscle)

Muscle épais, allongé, qui s'attache en haut sur la colonne vertébrale lombaire et se termine en bas par un gros tendon commun avec le muscle iliaque sur le petit trochanter du fémur. (P.N.A. *musculus iliopsoas*)

Selon son point d'appui, le muscle psoas permet de fléchir la cuisse sur le tronc ou le tronc sur la cuisse. Certaines affections de l'abdomen, comme l'appendicite, provoquent une contraction involontaire du psoas appelée psoïtis. Ce muscle peut être, en outre, le siège d'un hématome en cas d'hypocoagulabilité (diminution du pouvoir coagulant du sang) importante ou le siège d'un abcès en cas de spondylodiscite (inflammation simultanée d'un disque intervertébral et des vertèbres adjacentes) de la colonne vertébrale lombaire ou en cas d'infection osseuse vertébrale ou discale ; ces deux épanchements peuvent être drainés chirurgicalement.

Psoïtis

Flexion très douloureuse et irréductible (il est impossible de remettre la cuisse en position normale) de la cuisse sur le bassin.

Une psoïtis peut être due à une inflammation à l'intérieur de l'abdomen, comme l'appendicite, ou encore à un épanchement sanguin, à un abcès ou à une tumeur, qui, en comprimant le nerf crural dans le petit bassin sur son trajet dans le muscle psoas, provoque une irritation de celui-ci.

Psoralène

Substance, extraite notamment de la bergamote, utilisée dans le traitement de certaines maladies dermatologiques pour augmenter la sensibilité de la peau aux rayonnements ultraviolets.

Les psoralènes sont photosensibilisants : ils rendent la peau plus sensible à la lumière. Ils sont employés en particulier dans le traitement du psoriasis et du vitiligo par la puvathérapie (ingestion d'un psoralène suivie d'une exposition aux rayons ultraviolets A) car, sous l'action des ultraviolets, les psoralènes se lient à l'A.D.N. et en inhibent la synthèse. Pris par voie orale 2 à 3 heures avant une exposition aux rayons ultraviolets en cabine, ils accroissent notablement l'efficacité de ceux-ci.

Les psoralènes sont contre-indiqués au cours de la grossesse. Si les précautions relatives à la puvathérapie ne sont pas respectées (port de lunettes spéciales, durée d'exposition limitée à chaque séance, espacement des séances, etc.), les psoralènes peuvent favoriser une cataracte, un vieillissement prématuré et des cancers de la peau.

Psoriasis

Maladie cutanée chronique caractérisée par l'éruption de plaques érythématosquameuses (taches rouges couvertes de squames).

Le psoriasis est une affection fréquente puisqu'il atteint environ 2 % de la population du globe.

Sa cause est inconnue mais il existe très probablement un facteur héréditaire, au moins un cas sur deux étant familial.

SYMPTÔMES ET SIGNES

Les plaques sont le plus souvent assez grandes mais surviennent parfois également

PSORIASIS

Affection cutanée fréquente, le psoriasis se caractérise très souvent par l'éruption de plaques rouges recouvertes de pellicules squameuses, blanchâtres et épaisses. Ces lésions, de dimensions et de localisation très variables, tendent à évoluer sur le mode chronique et peuvent s'associer à un rhumatisme touchant les doigts ou le rachis.

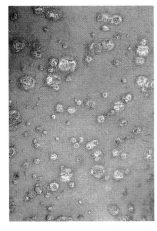

Le psoriasis en gouttes forme de minuscules plaques rouges recouvertes de squames blanchâtres.

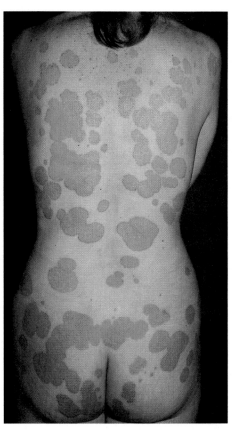

La forme la plus courante de psoriasis se traduit par des plaques rouges, étendues et nombreuses, assez épaisses et bien délimitées, ici étendues à tout le dos.

sous forme de très petites taches (psoriasis en gouttes) ou peuvent avoir la taille et la forme d'une pièce de monnaie (psoriasis nummulaire). Les localisations habituelles sont la face postérieure des coudes, la face antérieure des genoux et le dos. Cependant, le psoriasis peut aussi se localiser soit aux plis cutanés des aines ou des aisselles, soit à la paume des mains ou à la plante des pieds ; dans ce cas, il prend plutôt une forme hyperkératosique (peau sèche, rêche, grise, fissurée). Une autre localisation fréquente en est le cuir chevelu, les cheveux traversant les plaques sans y adhérer.

Des localisations aux phanères sont possibles, notamment aux ongles, qui présentent de petites dépressions en « dé à coudre », s'épaississent, se décollent et se colorent en jaune verdâtre, ou sur les muqueuses tapissant la face interne des joues ou le gland de la verge.

ÉVOLUTION ET COMPLICATIONS

Le psoriasis évolue par poussées avec, souvent, un facteur déclenchant pour chaque poussée : rhinopharyngite, surtout chez l'enfant, surmenage, choc émotif, prise médicamenteuse (lithium, bêtabloquant). Trois complications sont possibles.

■ L'érythrodermie psoriasique est une généralisation du psoriasis au corps entier. Elle s'accompagne d'une altération de l'état général avec fièvre, frissons et perte de poids.

■ Le psoriasis pustuleux, apparition de centaines de petites lésions pustuleuses, de couleur blanc laiteux, ne contenant pas de germes microbiens (pustulose amicrobienne), associées à une fièvre élevée, peut être généralisé ou localisé, le plus souvent aux mains (acrodermatite pustuleuse).

■ Le rhumatisme psoriasique est chronique et peut prendre deux aspects : polyarthrite (inflammation de plusieurs articulations) des doigts, à tendance déformante ; rhumatisme axial (inflammation des articulations de la colonne vertébrale), plus particulièrement des articulations sacro-iliaques, entre le sacrum et l'os iliaque. Il appartient alors au groupe des spondylarthropathies.

TRAITEMENT ET PRONOSTIC

Il existe un traitement local et un traitement général.

■ Le traitement local est surtout valable pour les formes peu étendues. Il consiste en un décapage des lésions par des bains émollients, ou kératolytiques, puis en la réduction de la rougeur sous-jacente à l'aide de produits dits réducteurs (goudrons, dioxyanthranol, dermocorticostéroïdes, dérivés de la vitamine D3).

■ Le traitement général repose sur la puvathérapie (ingestion d'un psoralène suivie d'une exposition aux ultraviolets A), réservée aux patients dont les lésions couvrent plus de 30 % de la surface corporelle. Un traitement d'attaque de 3 séances par semaine pendant 4 à 6 semaines est suivi d'un traitement d'entretien de rythme variable. Le traitement peut également reposer sur l'administration de rétinoïdes, surtout actifs dans les formes de psoriasis pustuleux, ou, exceptionnellement (formes très sévères), d'immunosuppresseurs (méthotrexate, ciclosporine).

Dans tous les cas, la prise en charge psychologique du patient constitue une donnée importante du traitement ; une psychothérapie de soutien peut être conseillée. Des cures thermales sont également prescrites dans certains cas, soit au bord de la mer (en particulier la mer Morte à cause de la grande concentration en sel de l'eau et du fort ensoleillement), soit dans une ville d'eaux (décapage des lésions cutanées à l'aide de douches filiformes [jets d'eau très fins et très puissants]).

PRONOSTIC

Les traitements actuels blanchissent les lésions et contrôlent leur survenue pendant un temps limité sans assurer de guérison définitive. Les plaques réapparaissent souvent après un délai plus ou moins long, obligeant à renouveler le traitement.

Psychanalyse

1. Théorie générale du fonctionnement psychique.

Le terme de psychanalyse a été créé vers 1896 par le neuropsychiatre autrichien Sigmund Freud (1856-1939). La notion d'inconscient n'est alors pas nouvelle mais, pour la première fois, celui-ci est décrit sous un aspect à la fois dynamique (théorie des pulsions) et topique (définition de « lieux » psychiques : conscient, préconscient et inconscient, redéfinis vers 1920 en Ça, Moi et Surmoi). La sexualité y joue un rôle déterminant. Le rêve, le fantasme, le « ratage » d'une conduite (acte manqué, lapsus, oubli), le symptôme névrotique trahissent un fonctionnement mental primitif qui ignore aussi bien l'espace et le temps que l'acquis éducatif.

Dans le développement de l'enfant, la psychanalyse distingue une succession de stades intégrant l'énergie sexuelle (ou libido). Les désirs devenus inacceptables dans la vie réelle sont refoulés dans l'inconscient. Entre 4 et 6 ans survient le complexe d'Œdipe, qui désigne l'amour jaloux pour le parent de sexe opposé, que l'on considère comme le noyau conflictuel autour duquel s'organise toute la personnalité de l'individu. Plus tard, Freud postule la dualité des pulsions de vie et de mort (Éros et Thanatos).

En pathologie, la psychanalyse explique la névrose comme le résultat d'un processus impliquant à la fois la régression et la fixation du malade à un stade précœdipien (ou prégénital) et l'emploi de mécanismes de défense destinés à protéger le Moi contre des pulsions censurées (retournement agressif contre le Moi, par exemple).

2. Méthode thérapeutique reposant sur l'investigation des processus inconscients.

Après avoir été longtemps combattue ou ridiculisée, la psychanalyse a vu son influence s'étendre non seulement en psychiatrie et en médecine (groupes Balint) mais également dans des domaines aussi divers que la philosophie, l'art (mouvement surréaliste, notamment), la publicité, la pédagogie, etc. Cependant, au-delà des effets de mode, le but de la psychanalyse est, selon les termes de Freud, de rendre le sujet « capable d'aimer et de travailler ».

INDICATIONS

La psychanalyse s'adresse surtout aux états névrotiques, aux troubles de la sexualité (impuissance, frigidité), parfois aux psychoses et aux affections psychosomatiques. La décision d'entreprendre une psychanalyse dépend avant tout de la personnalité du sujet et de son désir de guérir (et non seulement de la recherche d'une gratification affective). Les chances de succès sont plus importantes si la psychanalyse est entreprise avant l'âge de 50 ans.

RISQUES

La psychanalyse n'est pas dépourvue de risques (suicide, éclosion d'une psychose, difficultés surgissant avec l'entourage) ; aussi tout psychanalyste doit avoir lui-même suivi une psychanalyse et être affilié à un institut ou à une société psychanalytiques reconnus.

DÉROULEMENT

La cure psychanalytique, sur le plan technique, a plusieurs règles générales : patient allongé sur un divan afin de faciliter la détente physique ; analyste hors de la vue du patient ; trois séances hebdomadaires en moyenne avec horaires et honoraires fixés d'avance. Une cure dure de deux à quatre ans, voire au-delà.

La clé de voûte du traitement est le « transfert », relation ambivalente qui s'instaure entre le sujet et son analyste, qui doit garder une « neutralité bienveillante ». Le malade parle le plus librement possible en ne dissimulant rien de ses pensées (technique des associations libres) ni de ses rêves. Au fur et à mesure s'instaure le transfert, à travers lequel réapparaissent les conflits infantiles, les attitudes face aux parents, etc. Ce transfert sera peu à peu interprété par l'analyste, lequel doit tenir compte de ses propres réactions envers le patient (contre-transfert). Les psychanalyses d'enfants ont débuté vers 1920, avec Anna Freud et Melanie Klein, en substituant le jeu aux associations verbales.

Psychasthénie

Dérèglement fonctionnel de la personnalité, qui se traduit par une difficulté et une appréhension à agir, avec une conscience douloureuse du trouble.

CAUSES ET SYMPTÔMES

Selon le psychiatre français Pierre Janet, qui l'a décrite au début du siècle, la psychasthénie semble résulter d'une baisse de tension psychologique favorisant les fonctions inférieures, instinctives, au détriment des fonctions supérieures de production et de création. L'agressivité inconsciente et les interdits sexuels y ont vraisemblablement leur part. Elle rassemble divers symptômes tels que l'impression d'être épuisé dès le matin, une humeur dépressive, des phobies et des obsessions, une tendance aux scrupules, à la rumination et au doute. Le patient éprouve un sentiment d'incomplétude psychique et une incohérence mentale pouvant aller jusqu'à la dépersonnalisation. Habituellement, l'inhibition cède à l'effort et les troubles s'atténuent souvent avec l'accès à des responsabilités.

TRAITEMENT

En associant à une psychothérapie, généralement d'inspiration psychanalytique, une chimiothérapie légère (antidépresseurs, sédatifs) et des règles de bonne hygiène de vie, le traitement vise à obtenir puis à développer un bon niveau d'activité. D'une manière générale, celui-ci constitue les meilleures chances de guérison du malade.

Psychiatrie

Discipline médicale consacrée à l'étude et au traitement des maladies mentales.

La psychiatrie porte, jusque dans sa pratique actuelle, les traces de son évolution historique. Dès l'Antiquité, les médecins grecs et romains, et, plus tard, les médecins arabes, ont tenté de séparer la folie du magique et du surnaturel. Cette conception, plusieurs fois battue en brèche au cours des siècles - les « fous » passant alors pour des possédés du démon ou des sorciers -, débouche à l'époque de la Révolution française sur l'accès de l'aliénisme au rang de véritable science médicale avec Philippe Pinel (1745-1826), qui propose une classification des maladies mentales, décrit des tableaux cliniques, instaure des thérapeutiques. En Allemagne, Emil Kraepelin (1855-1926) érige une monumentale classification des troubles mentaux, qui fait bientôt autorité. À la suite des travaux sur l'hystérie du neurologue Jean Charcot (1825-1893), le neuropsychiatre autrichien Sigmund Freud (1856-1939) fonde la psychanalyse, première théorie globale du psychisme articulée à une méthode thérapeutique. La découverte des neuroleptiques en 1952, l'apport des sciences fondamentales, des sciences humaines et de la médecine psychosomatique achèvent de donner à la psychiatrie son visage actuel.

En un demi-siècle, l'efficacité de la psychiatrie s'est considérablement accrue, de même que son champ d'action (médecine psychosomatique, psychiatrie transculturelle), grâce aux psychothérapies individuelles et de groupe, à la psychopharmacologie, aux réformes hospitalières, etc.

La majorité des troubles mentaux (névrose, psychose légère, dépression) peuvent aujourd'hui se soigner en ambulatoire (hors du milieu hospitalier), dans le cabinet du thérapeute, sans rupture avec le milieu familial et professionnel. L'hospitalisation elle-même, grâce à la qualité des soins, a diminué tant en durée qu'en fréquence des séjours. L'architecture et les activités hospitalières tentent de se rapprocher de n'importe quel espace communautaire « normal » : bar, réfectoire, salle de jeux, ateliers d'artisanat, terrain de sport, où les soignés et les soignants (presque toujours en costume civil) se rencontrent, discutent, etc., entre les entretiens médicaux. Ainsi, le malade hospitalisé, rassuré par un cadre de vie habituel, se sent moins exclu de la société. À côté de l'hospitalisation à temps complet existent des modalités moins contraignantes d'hospitalisation : hôpital de jour (permettant au patient de rentrer le soir à son domicile), hôpital de nuit (lui permettant de conserver une activité professionnelle). Certains établissements ou services s'adressent à des pathologies spécifiques : alcoolisme, toxicomanie, anorexie mentale, névropathie, etc.

Psychisme

Ensemble des caractères psychiques d'un individu, qui fondent sa personnalité.

Le psychisme est la résultante d'un ensemble complexe de facteurs : satisfaction des besoins vitaux, humeur, émotions, structure affective, intelligence, capacités d'abstraction, activité pratique et créative. Cependant, les composantes du psychisme ne se limitent pas à la perception consciente : elles intègrent également les lois de l'inconscient, les impulsions instinctives, des facteurs génétiques et anatomophysiologiques (malformations cérébrales, hypertrophie du lobe frontal, pariétal, etc.).

Psychoanaleptique

Substance médicamenteuse qui stimule l'activité mentale en cas de troubles psychiques.

On distingue deux groupes de psychoanaleptiques : les nooanaleptiques et les thymoanaleptiques.

■ Les nooanaleptiques, également appelés psychostimulants, psychotoniques ou psychoénergisants, renforcent l'activité intellectuelle quand un processus pathologique l'a fait régresser et stimulent la vigilance (amphétamines). Ils sont de plus en plus rarement prescrits.

■ Les thymoanaleptiques, ou antidépresseurs, normalisent l'humeur (antidépresseurs tricycliques, inhibiteurs de la monoamine oxydase, ou I.M.A.O.).
→ VOIR Psychotrope.

Psychochirurgie

Chirurgie du cerveau destinée à traiter un trouble mental.

La psychochirurgie est une branche de la neurochirurgie. Les interventions les plus connues sont la lobotomie, qui consiste à déconnecter le lobe préfrontal des centres cérébraux sous-jacents (thalamus, hypothalamus) pour le soustraire aux influx émotionnels et neurovégétatifs pathogènes, et les interventions stéréotaxiques, qui consistent à agir, à l'aide d'une aiguille très fine, sur certains centres cérébraux après un repérage précis en trois dimensions.

Psychodrame

Représentation théâtrale, sous la direction d'un thérapeute, d'une scène vécue ou imaginaire, destinée à extérioriser les ressorts d'un conflit que le sujet réactualise dans sa relation avec les autres acteurs de la scène.

Cette méthode psychothérapique, créée par le psychologue américain Jakob Lévy-Moreno (1892-1979), permet l'analyse du comportement par la pratique collective du jeu théâtral. Elle est surtout indiquée en cas de problèmes professionnels ou familiaux.
→ VOIR Jeu de rôle.

Psychodysleptique

Substance qui agit sur le psychisme en provoquant un état hallucinatoire ou délirant. SYN. *psychopsychédélique*.

Le groupe des psychodysleptiques comprend les hallucinogènes (LSD, mescaline, psilocybine), les stupéfiants (opiacés) et les substances enivrantes (alcool, éther, solvants organiques). En raison du danger qu'ils représentent pour la santé mentale, ils n'ont plus aujourd'hui d'indication médicale, à l'exception des dérivés de l'opium (morphine), utilisés comme anesthésiques et analgésiques.
→ VOIR Psychotrope.

Psychogène

Qui est d'origine psychique.

Ce terme qualifie en général une maladie ou un traitement sur lesquels influent des facteurs affectifs.

Une dyspnée psychogène, par exemple, est un essoufflement ne reposant sur aucune altération organique (cardiorespiratoire) décelable et d'origine psychoaffective.

Psychogenèse

Processus psychique à l'origine d'un trouble mental ou organique.

La psychogenèse des troubles mentaux relève de trois grands types de causes : les situations conflictuelles, les carences affectives et éducatives et les traumatismes émotionnels. La psychogenèse des troubles organiques est le fondement de la médecine psychosomatique.

Psycholeptique

Substance qui tend à faire diminuer l'activité psychique. SYN. *sédatif psychique*.

Le terme de psycholeptique regroupe plusieurs substances bien définies : les neuroleptiques, qui combattent les symptômes des psychoses ; les anxiolytiques, qui réduisent l'anxiété ; les hypnotiques (somnifères), qui induisent le sommeil ; les psychorégulateurs tels que les sels de lithium ou le dipropylacétamide, qui sont des stabilisateurs de l'humeur, utilisés pour prévenir les états d'excitation et de dépression de la psychose maniacodépressive.

Les neuroleptiques et les anxiolytiques sont couramment rassemblés sous la dénomination de tranquillisants.
→ VOIR Psychotrope.

Psychologie

Étude de l'esprit humain.

La psychologie étudie le comportement et les motivations de l'être humain d'un point de vue aussi bien intérieur qu'extérieur. Pendant longtemps, elle a constitué une branche de la philosophie. Si le pionnier de la psychologie expérimentale est le psychologue allemand Theodor Fechner (1801-1887), c'est à Sigmund Freud que revient le mérite d'avoir élaboré, avec la psychanalyse, une théorie globale du psychisme et une méthode thérapeutique fondée sur un principe de causalité psychique. Les principales écoles dont s'inspire la psychologie moderne sont la psychanalyse (freudienne, jungienne, adlérienne), la phénoménologie, le béhaviorisme, les théories dites « systémiques » (étudiant les interactions sociales, le mécanisme des relations entre individus, etc.).

Les développements et les applications de la psychologie sont devenus considérables : celle-ci dépasse aujourd'hui largement le cadre de la pathologie pour s'étendre à des activités aussi diverses que la pédagogie, la formation professionnelle, l'art, la publicité ou simplement le désir de mieux se connaître. La formation psychologique du médecin est indispensable.

Psychopathie

État de déséquilibre psychologique caractérisé par des tendances asociales sans déficit intellectuel ni atteinte psychotique.

Selon les psychanalystes, le psychopathe serait soumis à une « morale archaïque » toute-puissante, l'incitant à rechercher un milieu marginal mais coercitif, en conflit avec l'ordre établi.

SYMPTÔMES ET SIGNES
La psychopathie apparaît en général au début de la puberté, mais des signes avant-coureurs peuvent se manifester dès l'enfance : cruauté avec les animaux, brutalité de l'enfant envers ses camarades, etc. Le sujet, qui ne peut surmonter son angoisse qu'en passant à l'acte, manifeste un comportement à la limite de la normalité : style de vie instable, caractère difficile, démêlés avec l'autorité, agressivité ; la délinquance, les conduites perverses, la toxicomanie sont fréquentes. Habituellement, une amélioration spontanée se manifeste après 40-45 ans et le sujet « se range ».

Le psychopathe a souvent un comportement provocant et violent. La famille, dont le rôle est essentiel, doit établir des règles lui permettant de canaliser son agressivité (en précisant les notions de bien et de mal, par exemple). Il ne faut pas se laisser intimider et il faut garder son sang-froid jusqu'à ce que le psychopathe se rende compte que son agressivité ne sert à rien et qu'elle est comprise comme une demande affective. À ce moment-là seulement, une communication verbale peut s'établir.

Psychopathologie

Discipline médicale qui se consacre à l'étude des troubles mentaux.

Les premières conceptions développées par la psychopathologie ont opposé à la notion d'organogenèse, attribuant les troubles mentaux à des facteurs organiques (lésion, trouble fonctionnel cérébral, hérédité), celle de psychogenèse (cause émotionnelle, affective ou institutionnelle). Ces deux tendances apparaissent aujourd'hui complémentaires. La psychopathologie actuelle se réfère à des modèles aussi divers que la psychanalyse, la phénoménologie, le comportementalisme ou les théories issues de la cybernétique, auxquels se sont joints les acquis de la psychiatrie biologique et de la psychopharmacologie.

Psychopharmacologie

Branche des sciences médicales qui étudie les substances naturelles ou synthétiques dont l'effet principal s'exerce sur le psychisme (psychotropes, notamment).

Les drogues sédatives, euphorisantes ou stimulantes sont connues depuis l'Antiquité. La découverte, en 1952, par le psychiatre français Jean Delay du premier neuroleptique, la chlorpromazine, a inauguré l'ère des psychotropes modernes. Aujourd'hui, les techniques expérimentales fondées sur la biologie cérébrale ouvrent à la recherche des perspectives prometteuses.

Psychopsychédélique

→ VOIR Psychodysleptique.

Psychose

Trouble mental caractérisé par une désorganisation de la personnalité, la perte du sens du réel et la transformation en délire de l'expérience vécue.

Avant le début du XXe siècle, on regroupait sous ce terme toutes les atteintes graves du psychisme. Puis on a peu à peu écarté de cet ensemble les maladies résultant de lésions cérébrales (démence) ou d'une intoxication (démence alcoolique). Aujourd'hui, le langage médical courant réserve le terme de psychose aux maladies mentales non lésionnelles, se caractérisant par des symptômes essentiellement psychologiques, que sont les psychoses aiguës (bouffée délirante [accès délirant survenant et disparaissant de façon brusque]), la schizophrénie, les délires chroniques (paranoïa, paraphrénie) et la psychose maniacodépressive.

CAUSES

L'explication des psychoses demeure à l'état d'hypothèses, se référant à la psychanalyse (première étude psychanalytique d'un cas de psychose avec le cas du président Schreber, publié en 1911 par Sigmund Freud), à la phénoménologie et, depuis la mise au point, en 1952, des neuroleptiques, à la psychiatrie biologique, voire à la génétique. Plus récemment, les théories de la communication (école américaine de Palo Alto) ont à leur tour élargi le champ des connaissances. Mais il est certain que l'origine des psychoses ne remonte pas à une source unique mais découle d'un réseau complexe de facteurs, variable selon les individus.

TRAITEMENT ET PRONOSTIC

Dans l'ensemble, les thérapeutiques modernes ont beaucoup amélioré le pronostic des psychoses, autrefois pessimiste. Elles associent un traitement médicamenteux (neuroleptiques, lithium) à une psychothérapie individuelle ou collective dont les modalités sont très variées. Lors de l'entretien, le médecin doit rechercher la bonne distance relationnelle, ni trop proche ni trop lointaine. Dès que le patient admet que ses idées

délirantes sont pathologiques, on peut entrevoir la guérison ou, du moins, une amélioration proche. Quant à l'hospitalisation, lorsqu'elle se révèle nécessaire, il est préférable qu'elle se fasse en accord avec le patient et sa famille. À côté de l'hospitalisation à temps complet, il existe aujourd'hui des structures de soins plus souples : hôpital de jour, hôpital de nuit.

Dans tous les cas, une relation thérapeutique suivie est indispensable : entretiens réguliers avec le thérapeute, existence d'un lieu d'accueil où le patient peut passer certains caps difficiles, dépistage et prévention des rechutes. Le concours de la famille est toujours souhaitable dans la mesure où l'éclosion d'une psychose (surtout chez l'adolescent) est souvent la résultante d'un conflit interne au groupe familial. L'entourage doit s'efforcer de ne pas paraître effrayé et de ne pas raisonner à tout prix le malade. Il s'agit avant tout de lui faire comprendre qu'on a ressenti sa souffrance, en sachant respecter ses convictions délirantes sans y adhérer par complaisance ni les contredire brutalement. Aujourd'hui, la majorité des psychotiques peuvent mener une vie professionnelle et familiale satisfaisante, même si la guérison demande encore du temps et de la persévérance.

Psychose de l'enfant

Trouble mental empêchant l'enfant de reconnaître la réalité pour ce qu'elle est et de devenir autonome. SYN. *psychose infantile.*

CAUSES

Elles restent discutées : perturbation précoce de la relation mère-enfant (l'enfant ne pouvant acquérir une identité stable et restant « fusionné » avec la mère), troubles de la maturation cérébrale (souffrance fœtale pendant l'accouchement, maladie métabolique [phénylcétonurie] ou génétique), etc.

SYMPTÔMES ET SIGNES

Dans tous les cas, l'intelligence de l'enfant psychotique est normale, mais il ne s'en sert pas d'une façon pragmatique. Il supporte très mal le changement, a une attitude de retrait, des jeux stéréotypés (faire tourner un cerceau avec un bâton, lancer une balle contre un mur), un retard de langage, une altération de l'image de soi et d'autrui. Ces symptômes varient selon le degré de développement de l'enfant.

■ **Les psychoses précoces** surviennent avant l'âge de 3-4 ans. On distingue les psychoses autistiques, dans lesquelles, bien que ses fonctions psychomotrices soient normales, l'enfant semble passif, indifférent à la réalité, et les psychoses déficitaires, où l'évolution des fonctions psychomotrices semble anarchique (progression normale dans un domaine, retard ou régression dans un autre), de telle sorte qu'on a pu parler à leur égard de « dysharmonie évolutive ».

■ **Les psychoses de la phase de latence, ou psychoses à expression tardive,** affectent les enfants âgés de plus de 3 ou 4 ans. Elles se traduisent souvent par une anxiété, un refus scolaire, un apragmatisme (incapacité d'agir), des troubles du comportement (rela-

tion inadéquate aux gens et aux objets), des symptômes pseudonévrotiques (obsessions, phobies), une vie fantasmatique pauvre ou envahissant le réel. Des hallucinations et des accès délirants surviennent parfois.

TRAITEMENT

Il associe la psychothérapie (incluant la participation d'un ou de plusieurs membres de la famille), la rééducation (orthophonie, jeu), une chimiothérapie légère en cas d'agitation, d'anxiété ou d'insomnie. L'hospitalisation en milieu spécialisé dépend de la gravité des troubles et des possibilités du milieu familial. Le pronostic est très variable ; souvent, surtout lorsque les troubles sont dépistés suffisamment tôt, l'enfant rattrape bien son retard, surtout intellectuel.

Psychose maniacodépressive

Alternance de crises d'excitation (manie) et d'épisodes dépressifs (mélancolie).

La psychose maniacodépressive se manifeste en général à partir de 30-40 ans. Elle pourrait être déterminée par l'hérédité, la constitution physique (sujet pycnique, c'est-à-dire large et gros), le profil psychologique ou un dérèglement des centres cérébraux de l'humeur. Des bouleversements physiques ou psychiques importants (choc émotionnel ou chirurgical, grossesse, ménopause, etc.), voire les changements de saison peuvent aussi être des facteurs déclenchants.

SYMPTÔMES ET SIGNES

Le sujet passe périodiquement par des crises de manie ou de mélancolie, entrecoupées de phases normales. L'accès se traduit à la fois sur les plans psychique et physique : humeur triste ou euphorique, idées délirantes, troubles du comportement alimentaire et du poids, insomnie et, surtout, tendance suicidaire en phase mélancolique.

TRAITEMENT

Les crises graves nécessitent une hospitalisation, l'administration de neuroleptiques, parfois d'antidépresseurs et, dans certains cas, le recours aux électrochocs. Entre deux crises, le traitement de fond consiste en une psychothérapie associée à la prise régulière d'un stabilisateur de l'humeur (lithium).

Psychosomatique

Se dit d'un trouble organique dont l'origine est psychique.
→ VOIR Maladie psychosomatique.

Psychostimulant

→ VOIR Psychoanaleptique.

Psychothérapie

Méthode thérapeutique utilisant les ressources de l'activité mentale.

La psychothérapie moderne procède des acquis de la psychologie médicale, de l'étude du comportement et de la psychanalyse. Ses techniques sont individuelles (entretien, cure analytique) ou collectives (psychodrame, ergothérapie, thérapie institutionnelle consistant à recréer en milieu hospitalier un environnement communautaire). D'autres méthodes s'adressent au corps (médecine psychosomatique, sexologie, relaxation).

Psychotrope

Substance qui agit sur le psychisme.

Les psychotropes peuvent être ou non des substances médicamenteuses : l'alcool, par exemple, est un psychotrope. On distingue, parmi les psychotropes, les psychoanaleptiques, les psychodysleptiques et les psycholeptiques.

Ptérygion

Épaississement vascularisé de la conjonctive, de forme triangulaire, qui s'étend sur la cornée depuis l'angle interne de l'œil.

Un ptérygion, que favorisent les expositions prolongées au soleil, au vent et aux intempéries, s'observe fréquemment dans les pays tropicaux. Son évolution se fait par poussées plus ou moins rapprochées, mais il n'altère pas la vue tant qu'il reste au bord de la cornée. S'il envahit celle-ci, il provoque un astigmatisme (vision floue). S'il vient trop près de l'axe visuel, il peut entraîner une diminution de l'acuité visuelle. Selon l'importance de la dilatation des vaisseaux qui siègent dans un ptérygion, le médecin peut prévoir son évolution.

TRAITEMENT

Si le ptérygion envahit la cornée, son ablation chirurgicale peut être envisagée, sous anesthésie locale ou générale. Différentes techniques sont possibles : ablation simple avec suture des bords de la conjonctive, ablation avec greffe de muqueuse provenant de la conjonctive ou de la bouche, ablation avec greffe de cornée. Cette intervention requiert une hospitalisation de quelques jours. Une instillation régulière de collyres anti-inflammatoires dans l'œil opéré est ensuite nécessaire. Ces collyres, administrés pendant une période allant de 1 à 3 mois, permettent de limiter la vascularisation de la conjonctive.

Cependant, malgré ces traitements, le ptérygion réapparaît dans 30 à 50 % des cas, dans un délai variable pouvant aller de 1 mois à plusieurs années. Une deuxième opération est réalisable 6 mois au moins après la première.

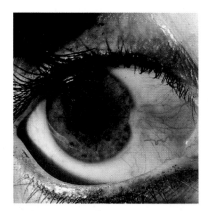

Ptérygion. Un voile de tissu conjonctif se forme sur la sclérotique et peut menacer la vision s'il gagne la cornée et recouvre la pupille.

Ptôse

Descente ou placement anormalement bas d'un organe.

Une ptôse est d'origine congénitale ou due au relâchement des muscles et des ligaments qui ont pour fonction de maintenir un organe en place dans l'organisme. Une ptôse mammaire, par exemple, est caractérisée par des seins très tombants ; elle peut être corrigée par une mammoplastie.

→ VOIR Prolapsus.

Ptôsis

Affaissement permanent, total ou partiel, de la paupière supérieure, d'origine congénitale ou acquise. SYN. *blépharoptose.*

Un ptôsis concerne plus souvent un œil que les deux yeux.

CAUSES ET SYMPTÔMES

Un ptôsis est dû à une faiblesse du muscle releveur de la paupière supérieure ou à une anomalie d'innervation de ce muscle. Il peut apparaître dès la naissance, survenir spontanément au cours de la vie (processus naturel du vieillissement) ou être consécutif à un traumatisme, à une opération chirurgicale des yeux (cataracte) ou à une maladie (syndrome de Claude Bernard-Horner, myasthénie, paralysie du nerf moteur oculaire commun).

Un ptôsis se manifeste par un abaissement de la paupière sur l'œil. Le pli de la paupière est plus ou moins bien marqué. La chute de la paupière peut varier au cours de la journée et s'accentuer avec la fatigue. Si elle est très importante, elle peut gêner la vue par limitation du champ visuel.

DIAGNOSTIC

Un ptôsis est visible à l'œil nu mais l'électromyographie permet de mesurer les capacités du muscle releveur. Des signes associés sont recherchés, comme un strabisme, une dilatation ou un rétrécissement de la pupille ou une énophtalmie (enfoncement de l'œil dans l'orbite), afin de déterminer la cause du ptôsis.

TRAITEMENT

Un ptôsis congénital qui recouvre partiellement ou totalement la pupille doit être opéré rapidement afin d'éviter le développement d'une amblyopie (diminution de l'acuité visuelle) : en effet, l'enfant peut perdre progressivement la vue faute d'utiliser son œil. En revanche, si le ptôsis n'altère pas la vision, mieux vaut différer l'opération jusqu'à ce que l'enfant ait atteint l'âge de 4 ans. Le chirurgien procède habituellement à un raccourcissement du muscle releveur de la paupière. Il s'agit d'une opération délicate, qui nécessite parfois d'intervenir à plusieurs reprises. Un ptôsis consécutif à une opération de la cataracte peut également être réparé chirurgicalement. Les résultats sont habituellement satisfaisants. Un ptôsis résultant du vieillissement naturel des tissus n'est opéré que s'il gêne la vision. Dans les autres cas, le traitement se confond avec celui de la maladie d'origine.

Ptyalisme

→ VOIR Hypersialorrhée.

Pubalgie

Douleur, d'origine inflammatoire, de la symphyse pubienne (articulation médiane et antérieure, fibreuse, entre les deux os iliaques).

CAUSES

Une pubalgie est due à une ostéoarthropathie (combinaison de lésions osseuses et articulaires) pubienne ou, chez les sportifs, au déséquilibre entre les masses musculaires situées au-dessus et en dessous de l'articulation des os iliaques. Chez ces derniers, en effet, les muscles adducteurs de la cuisse (en dessous de l'articulation) sont trop développés par rapport à la musculature abdominale (au-dessus). Une hyperlordose dorsolombaire (exagération de la courbure de la colonne vertébrale à la hauteur des vertèbres lombaires), une raideur du tronc ou un excès d'entraînement favorisent également l'apparition d'une pubalgie.

SYMPTÔMES ET SIGNES

La douleur, localisée dans la région pubienne, est provoquée par l'activité sportive – et notamment par le fait d'écarter la cuisse. Elle s'aggrave progressivement et peut se diffuser vers la région abdominale basse et la face interne des cuisses. Elle est susceptible d'entraver certains mouvements, comme la montée d'escaliers et la marche, et se calme en période de repos.

DIAGNOSTIC ET TRAITEMENT

La présence de la douleur oriente le diagnostic, qui est confirmé par un examen clinique et radiographique.

Le traitement associe la prise d'anti-inflammatoires et la rééducation et, pour les sportifs, une suspension de l'entraînement (repos sportif) pendant 6 semaines à 3 mois. En cas de douleurs persistantes, on peut envisager des infiltrations de corticostéroïdes ou d'anesthésiques locaux ou une intervention chirurgicale (transposition des muscles de la paroi abdominale, parfois avec nettoyage de la symphyse pubienne).

PRÉVENTION

La prévention repose sur le renforcement de la musculature abdominale, les étirements des muscles adducteurs (rapprochant la cuisse de l'axe du corps) et quadriceps (permettant l'extension de la jambe sur la cuisse), la correction du maintien et un entraînement sportif équilibré.

Puberté

Période de transition entre l'enfance et l'adolescence, caractérisée par le développement des caractères sexuels et par une accélération de la croissance staturale, et conduisant à l'acquisition des fonctions de reproduction.

Puberté normale

Cette période de transition, marquée par des modifications physiologiques importantes, débute entre 11 et 13 ans chez la fille et entre 13 et 15 ans chez le garçon. Le phénomène initiateur de la puberté est encore mal compris. On sait toutefois que cette transformation s'effectue sous l'action successive de structures cérébrales (hypothalamus, antéhypophyse), puis des gonades (ovaires et testicules), et enfin de certains tissus de l'organisme. Schématiquement, l'hypothalamus stimule les cellules gonadotropes de l'antéhypophyse par l'intermédiaire d'une hormone, la gonadolibérine (ou LH-RH). Cette stimulation hypophysaire aboutit à l'augmentation de la sécrétion de gonadotrophines (hormone folliculostimulante, ou FSH ; hormone lutéinisante, ou LH), qui induit un développement des gonades. Celles-ci commencent à sécréter les hormones stéroïdes sexuelles (testostérone pour les testicules, chez les garçons, et œstrogènes, puis progestérone, pour les ovaires, chez les filles). Les glandes surrénales interviennent également dans le développement de la pilosité sexuelle en augmentant une sécrétion hormonale, la déhydroépiandrostérone (DHA).

DESCRIPTION

■ **Chez la fille,** le premier signe de la puberté est l'apparition d'une pilosité pubienne et/ou le développement des seins, survenant en moyenne autour de 11 ans et demi. La pilosité des aisselles apparaît de un an à un an et demi plus tard. Les premières règles surviennent en moyenne deux ans après les premiers signes pubertaires, lorsque les pilosités pubienne et axillaire ont atteint leur aspect adulte. Les règles ne deviennent régulières qu'au bout de un an ou deux. Les premiers cycles sont sans ovulation.

■ **Chez le garçon,** la puberté commence par une augmentation du volume des testicules sous l'effet de leur stimulation par les gonadotrophines. La virilisation du garçon (augmentation de la longueur de la verge, développement de la pilosité du pubis puis des aisselles et de la face) résulte essentiellement de la sécrétion de testostérone par les testicules ; ainsi s'explique le délai de quelques mois qui existe entre l'augmentation du volume testiculaire et le développement de la pilosité pubienne. L'augmentation de la sécrétion de testostérone stimule la production des spermatozoïdes, entraîne la maturation des vésicules séminales et de la prostate. Elle provoque les caractéristiques masculines de pilosité du visage, du thorax et de l'abdomen. Le larynx s'élargit, les cordes vocales s'allongent et s'épaississent, la voix mue.

■ **Chez les deux sexes,** la puberté s'accompagne d'une poussée de croissance qui transforme totalement l'aspect physique de l'enfant. Le gain de taille annuel passe de 5 centimètres avant la puberté à 7 à 9 centimètres durant le pic pubertaire. L'âge moyen de ce pic est de 12 ans chez la fille et de 14 ans chez le garçon, mais il existe de grandes variations entre individus : à 14 ans, certains enfants ont totalement terminé leur puberté alors que d'autres ont encore des organes génitaux immatures. On observe également chez les deux sexes une augmentation de poids : celui-ci peut doubler au cours de la période pubertaire en raison surtout de l'accroissement de la masse musculaire chez les garçons et de la masse graisseuse chez les filles.

Anomalies de la puberté

Elles portent sur la date d'apparition des différents signes pubertaires, qui peut être précoce ou retardée.

DÉVELOPPEMENT PRÉMATURÉ DES SEINS

On parle de développement prématuré lorsque les seins apparaissent avant l'âge de 8 ans. Ce phénomène peut s'accompagner d'un accroissement accéléré de la taille ; dans ce dernier cas, on peut penser à une puberté pathologique, d'origine hypophysaire ou ovarienne. Cette éventualité concerne plus volontiers les développements mammaires survenant entre 5 et 7 ans. En revanche, la plupart des développements isolés des seins, sans autre signe de puberté précoce, ne témoignent d'aucune pathologie et ne relèvent d'aucun traitement. Dans tous les cas, cependant, une consultation auprès d'un pédiatre endocrinologue est souhaitable.

PUBERTÉ AVANCÉE

Elle est caractérisée par un début pubertaire se situant entre 8 et 10 ans chez la fille et entre 9 et 11 ans chez le garçon. De telles pubertés ont le plus souvent un caractère non pathologique, mais familial. La recherche d'une tumeur de l'hypothalamus ou de l'hypophyse ne se justifie qu'en l'absence d'antécédents familiaux ou devant une progression pubertaire rapide. On procède alors à un scanner cérébral.

DÉVELOPPEMENT PRÉMATURÉ DE LA PILOSITÉ PUBIENNE

Il survient dans 80 % des cas chez la fille et peut être associé à une pilosité précoce des aisselles ou à de l'acné. Il s'agit d'un désordre bénin. Cependant, pour éliminer toute éventualité d'une situation pathologique (tumeur virilisante de la glande corticosurrénale), des examens endocrinologiques et biochimiques sont nécessaires.

VARIATIONS DANS LA SURVENUE DES PREMIÈRES RÈGLES

Elles peuvent avoir des significations diverses. Chez un très faible pourcentage de filles bien portantes, les règles apparaissent au début de la puberté ; ce phénomène n'a généralement rien de pathologique, mais un examen gynécologique permet d'éliminer l'éventualité d'un fibrome ou d'un polype utérin. À l'inverse, un délai supérieur à 3 ans et demi ou 4 ans entre le début de la puberté et la survenue des premières règles peut être anormal ; il doit conduire à rechercher des causes psychologiques (anorexie mentale) ou nutritionnelles ; parfois, la pratique intensive de certains sports en est responsable. Après l'apparition des premières règles, des irrégularités menstruelles s'observent fréquemment. Des ménométrorragies (saignements importants à intervalles irréguliers) peuvent nécessiter un traitement endocrinien par les œstroprogestatifs. Des douleurs abdominales et pelviennes accompagnent parfois les règles chez les toutes jeunes filles. Une consultation gynécologique s'impose alors pour décider d'un éventuel traitement.

RETARD PUBERTAIRE

Il se définit par l'absence de signes de puberté au-delà de l'âge de 13-14 ans chez la fille, de 15-16 ans chez le garçon. Il est dit « simple » lorsqu'un développement

pubertaire spontané complet se produit ensuite. Chez la fille, le retard est, dans plus de la moitié des cas, lié à une anomalie de développement des ovaires dans le cadre d'un syndrome de Turner. Chez le garçon, le retard pubertaire est le plus souvent « simple » et n'entraîne qu'une gêne pour l'adolescent en raison de sa taille inférieure à celle des autres garçons de son âge. Ce n'est qu'en l'absence de développement des testicules qu'une consultation en milieu spécialisé s'impose ; elle permettra d'éliminer une éventuelle cause endocrinienne (insuffisance testiculaire). Le cas échéant, un traitement par l'hormone de croissance pourra être mis en œuvre afin de corriger un déficit statural mal toléré par l'enfant. → VOIR **Adolescence.**

Pubis

Pièce osseuse composée de deux os et constituant la partie antérieure et inférieure de l'os iliaque (os large et plat qui forme le bassin). (P.N.A. *pubis*)

L'articulation sur la ligne médiane des deux os pubiens s'appelle la symphyse pubienne. Elle est constituée par un cartilage, un ligament et un manchon fibreux. Cette articulation est fixe. Cependant, elle peut s'élargir un peu chez la femme au moment de l'accouchement.

Le pubis est recouvert d'un amas de cellules graisseuses appelé « mont du pubis », ou « mont de Vénus » chez la femme. Cette zone se couvre de poils (pilosité pubienne) à la puberté.

PATHOLOGIE

Le pubis est le lieu d'insertion de nombreux muscles de l'abdomen et de la cuisse, qui peuvent parfois s'enflammer et donner lieu à une tendinite, responsable d'une pubalgie.

Un traumatisme violent peut fracturer le pubis. Très souvent, des lésions viscérales s'y trouvent associées, notamment des lésions de la vessie.

Puériculture

Ensemble de mesures mises en œuvre pour assurer à l'enfant un développement physique et psychique normal.

La puériculture est fondée sur la connaissance de la physiologie, du développement psychomoteur et intellectuel de l'enfant. Elle comporte des prescriptions d'hygiène et d'ordre diététique et elle s'appuie sur la psychologie, la pédagogie et la pédiatrie.

L'enseignement de la puériculture est assuré dans les services de médecine infantile des hôpitaux et dans des écoles spécialisées qui donnent aux sages-femmes, aux infirmières, aux professionnels de la petite enfance, voire aux étudiants en médecine, les connaissances nécessaires dans ce domaine.

Puerpéral

Relatif à la période qui suit l'accouchement (suites de couches).

Une fièvre puerpérale est le signe d'une maladie infectieuse, due habituellement à un streptocoque, qui peut se déclarer à la suite d'un accouchement.

Pulmonaire (artère, veine)

Vaisseau reliant le cœur et le poumon. (P.N.A. *arteria pulmonalis, vena pulmonalis*)

Artère pulmonaire

Ce volumineux tronc artériel conduit le sang du cœur au poumon. L'artère pulmonaire mesure environ 2 centimètres de diamètre. Elle est issue du ventricule droit, dont elle est séparée par la valvule pulmonaire. Elle se dirige vers le haut puis se sépare sous la crosse de l'aorte en 2 branches : l'artère pulmonaire droite, la plus longue et la plus grosse, et l'artère pulmonaire gauche.

Chacune de ces deux artères se dirige vers le poumon correspondant afin que le sang qu'elle véhicule y soit oxygéné avant d'être ramené au cœur par les veines pulmonaires et de regagner la circulation générale.

PATHOLOGIE

L'artère pulmonaire peut se dilater lorsqu'il existe une hypertension artérielle pulmonaire. Dans certaines malformations congénitales, il peut exister un défaut de développement de cette artère, une atrésie (absence de développement) d'une de ses branches ou, exceptionnellement, une artère pulmonaire gauche en position anormale.

Veine pulmonaire

Au nombre de 4 (2 de chaque côté), les veines pulmonaires se jettent dans l'oreillette gauche, dans laquelle elles ramènent le sang préalablement oxygéné dans le poumon ; le sang gagne ensuite le ventricule gauche pour être propulsé dans tout le corps (grande circulation).

En cas de rétrécissement mitral, l'hyperpression sanguine de l'oreillette gauche se propage aux veines pulmonaires puis aux poumons, entraînant un risque d'œdème pulmonaire aigu.

Pulpe dentaire

Tissu conjonctif richement vascularisé et innervé, situé dans la cavité centrale de la dent, l'endodonte. (P.N.A. *pulpa*)

La pulpe dentaire, improprement appelée nerf dentaire, assure la formation de la dentine ainsi que la nutrition, la sensibilité et la défense de la dent. Tout au long de la vie, une calcification lente et progressive réduit son volume. On distingue la pulpe camérale, située au centre de la couronne, de la pulpe radiculaire, localisée au centre de chaque racine.

PATHOLOGIE

Une carie dentaire ainsi que certains traumatismes peuvent déclencher une inflammation plus ou moins marquée de la pulpe.

■ Une inflammation réversible, appelée hyperhémie, provoque une hypersensibilité brève de la dent au contact d'aliments froids. À ce stade, la dent peut être soignée et conservée vivante.

■ Une inflammation irréversible, appelée pulpite, fait suite à la précédente en l'absence de traitement. La dent doit alors être dévitalisée.

■ Une inflammation persistante, qu'il s'agisse ou non d'une pulpite, s'accompagne d'une nécrose progressive de la pulpe, le plus souvent indolore. Peu à peu, les toxines provenant de la pulpe morte envahissent l'os environnant, provoquant la formation d'une lésion (kyste, granulome, abcès) qui devient brutalement douloureuse. Son traitement consiste à nettoyer le canal de la racine de la dent de façon à retirer le nerf abîmé ou mort et les microbes qu'il contient.

Pulpectomie

1. Ablation de la pulpe dentaire. SYN. *dévitalisation*.
2. Ablation chirurgicale du parenchyme (tissu fonctionnel) des testicules.

INDICATIONS

Une pulpectomie est indiquée en cas de cancer de la prostate : autrefois réservée aux cas résistant aux traitements à base d'œstrogènes, elle est aujourd'hui de plus en plus souvent utilisée en début de traitement. En effet, en supprimant toute sécrétion hormonale testiculaire (notamment la sécrétion de testostérone), cette intervention permet de freiner la croissance de ce cancer hormonodépendant, sans véritablement le guérir.

CONSÉQUENCES

La pulpectomie est pratiquement dénuée de tout risque et ne nécessite aucune surveillance à long terme. Comme la castration (ablation chirurgicale des testicules), elle induit une stérilité ainsi qu'une impuissance sexuelle, qui justifient le fait qu'un patient en âge de procréer envisage la conservation de son sperme avant l'intervention. Cependant, à la différence de cette opération, la pulpectomie laisse dans les bourses un reliquat testiculaire qui, en se transformant ultérieurement en granulome (petite masse inflammatoire), évite au patient de ressentir l'atteinte corporelle et psychologique d'une bourse vide.

→ VOIR Dévitalisation.

Pulpite

Inflammation aiguë et irréversible de la pulpe dentaire.

Une pulpite est due à une carie profonde ou à un traumatisme dentaire. Elle se traduit par des douleurs parfois provoquées par le contact avec des aliments chauds, mais souvent spontanées. Celles-ci peuvent être accentuées par l'accélération du rythme cardiaque à l'effort et irradier vers les oreilles et les pommettes. Lorsque la pulpe est inflammatoire, elle se trouve comprimée dans la cavité dentaire du fait de l'augmentation de volume de ses tissus. Il faut alors dévitaliser la dent.

Pulporadiculaire

Relatif à la pulpe contenue dans les canaux des racines dentaires.

Pulpotomie

Traitement consistant à éliminer la pulpe camérale (contenue dans la couronne de la dent) lorsqu'elle est enflammée.

Une pulpotomie partielle constitue la première phase du traitement d'une pulpite (inflammation de la pulpe) ; elle permet de supprimer rapidement la douleur. Elle peut aussi être indiquée en cas de carie des dents de lait ou des dents permanentes. Lorsqu'elle est pratiquée chez l'enfant ou le jeune adolescent, la pulpe radiculaire (contenue dans la racine dentaire), qui, elle, est gardée intacte, pourra par la suite achever l'édification de l'extrémité de la racine de la dent.

TECHNIQUE

La pulpotomie est effectuée sous anesthésie locale. La dent est isolée ; on retire la pulpe camérale après avoir fraisé l'émail et la dentine qui la surplombent, puis on obture hermétiquement (par un amalgame) la cavité dentaire.

Pulsatile

Animé de pulsations rythmées par les contractions cardiaques.

Un anévrysme de l'aorte abdominale se traduit par une tuméfaction intra-abdominale pulsatile à la palpation.

Pulsation

Perception des battements cardiaques au niveau du thorax ou des troncs artériels accessibles à la palpation manuelle.

Les pulsations forment un ensemble rythmique de battements cardiaques à la hauteur du thorax, bien perçus à l'auscultation du cœur avec un stéthoscope. Ces battements sont transmis le long des troncs artériels. Ainsi, les pulsations peuvent être recherchées sur l'artère radiale, à la partie antérieure du poignet, où elles constituent le pouls, ou sur l'artère fémorale, dans le creux de l'aine, afin d'en vérifier le rythme et la puissance tout en contrôlant la souplesse de l'artère.

→ VOIR Pouls, Pression artérielle.

Pulsion

En psychanalyse, poussée d'énergie psychique qui oriente l'activité du sujet vers un but destiné à réduire une tension.

La pulsion, telle que la définit Sigmund Freud, se situe à la limite du psychique et du somatique (de l'esprit et du corps) et constitue l'aspect psychodynamique de l'instinct. Elle dépend du stade de développement du sujet (pulsion orale, anale, génitale) et obéit à un but spécifique (pulsion de voir, de détruire, de se maintenir en vie, de comprendre, etc.). Sa charge énergétique se manifeste par diverses représentations psychiques (affects, sentiments, fantasmes) soumises à des processus tels que le refoulement, le déplacement ou la projection, mais est également à l'origine de manifestations somatiques (hystérie de conversion, maladies psychosomatiques). Ultérieurement, Freud dégagera l'opposition fondamentale entre pulsion de vie et pulsion de mort (Éros et Thanatos).

Pulvérisation

Projection d'un produit réduit en fines particules et mis en suspension dans un gaz propulseur.

En médecine, les produits pulvérisés sont des poudres ou des liquides médicamenteux.

DIFFÉRENTS TYPES DE PULVÉRISATION

■ **Les pulvérisations réalisées en oto-rhino-laryngologie** servent le plus souvent au traitement d'infections buccales ou nasales contre lesquelles des médicaments antibiotiques, anti-inflammatoires, vasoconstricteurs ou balsamiques sont utilisés. Les pulvérisations buccales, réalisées à l'aide d'un spray à embout long, ont remplacé les badigeonnages de collutoires, qui étaient fort désagréables. Il faut éviter de prolonger des pulvérisations nasales sur une longue durée (plusieurs semaines), car elles sont susceptibles d'irriter la muqueuse. En oto-rhino-laryngologie, les médecins pratiquent aussi des pulvérisations profondes de liquides anesthésiques avant certains examens douloureux.

■ **Les pulvérisations cutanées** d'antiseptiques s'utilisent pour désinfecter les plaies, favoriser la cicatrisation et réaliser une anesthésie locale. Elles permettent une application plus uniforme du produit et évitent le contact direct avec la plaie, susceptible d'être douloureux.

Pupille

Orifice circulaire situé au centre de l'iris et permettant, par sa contraction ou sa dilatation, de doser la quantité de lumière qui pénètre dans l'œil. (P.N.A. *pupilla*)

PHYSIOLOGIE

Le diamètre pupillaire est normalement de 3 ou 4 millimètres. Les variations de ce diamètre obéissent à des phénomènes réflexes. Le réflexe photomoteur correspond à la contraction de la pupille sous l'effet de la lumière. Le réflexe d'accommodation-convergence-myosis est sa contraction lors de la vision de près. Ces réactions réflexes sont possibles grâce à deux muscles, le sphincter et le dilatateur de l'iris. Le sphincter de l'iris permet la contraction de la pupille (myosis) pour diminuer la lumière qui entre dans l'œil ou pour la vision de près. Il dépend du système nerveux parasympathique oculaire. Le dilatateur de l'iris, moins actif que le sphincter de l'iris, permet la dilatation de la pupille (mydriase) afin de faire pénétrer plus de lumière jusqu'à la rétine lorsqu'il fait sombre ou lors de la vision de loin. Il dépend du plexus nerveux sympathique oculaire.

Par ailleurs, certains collyres peuvent modifier le diamètre de la pupille ; ils sont utilisés lors de l'examen du fond d'œil ou pour le traitement de certaines affections. Un myosis est obtenu grâce à la pilocarpine et à la réserpine ; une mydriase, grâce à l'adrénaline, à la néosynéphrine ou à l'atropine.

PATHOLOGIE

La pupille peut être le siège de plusieurs anomalies ou lésions, touchant la pupille elle-même ou les variations de son diamètre.

■ **L'anisocorie** se traduit par une différence de taille entre les 2 pupilles, due à une atteinte des voies nerveuses commandant le réflexe photomoteur.

■ **Les anomalies congénitales** de la pupille portent sur sa taille (trop petite), sa forme (irrégulière) et sa localisation (décentrée).

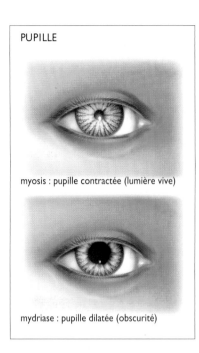

PUPILLE

myosis : pupille contractée (lumière vive)

mydriase : pupille dilatée (obscurité)

L'iris peut aussi présenter un colobome (fente ou segment manquant).

■ **Le signe d'Argyll-Robertson** se manifeste par une pupille petite et irrégulière, qui ne se contracte pas à la lumière mais se rétrécit normalement au cours de l'accommodation. Ce signe s'observe en cas de neurosyphilis ou, plus rarement, lors d'une sclérose en plaques ou d'une syringomyélie (lésion de la moelle épinière).

■ **Le syndrome d'Adie** est caractérisé par l'existence d'une pupille plus grande que l'autre et par une contraction lente à la lumière et une dilatation lente à l'obscurité. Il se rencontre surtout chez les femmes jeunes et n'a pas d'origine précise.

Purgatif

→ VOIR Laxatif.

Purine

Substance chimique de l'organisme entrant dans la constitution de substances appelées bases puriques (adénine, guanine, xanthine et hypoxanthine), dont les deux premières participent à la formation des acides nucléiques (A.D.N., A.R.N.).

Les purines constituent, avec la thymine et la cytosine pour l'A.D.N., l'uracile et la cytosine pour l'A.R.N., l'alphabet responsable du code génétique. Elles sont en partie synthétisées par l'organisme, en partie d'origine alimentaire. Quand elles sont dégradées, elles se transforment en acide urique.

→ VOIR Goutte, Hyperuricémie.

Purpura

Affection caractérisée par l'apparition sur la peau de taches rouges dues au passage de globules rouges dans le derme.

Le purpura constitue le signe de nombreuses affections. Il se distingue aisément de l'érythème (rougeur cutanée), car il ne s'efface pas à la vitropression (manœuvre consistant à appuyer un verre de montre sur la lésion) et évolue vers une couleur brunâtre, due au métabolisme du fer dans la peau. Selon la forme et la taille des taches, on distingue les pétéchies (très petites taches punctiformes), les ecchymoses (en plaques) et les vibices (ecchymoses linéaires).

CAUSES

Un purpura peut avoir diverses causes et mécanismes : la numération formule sanguine (N.F.S.), l'étude des plaquettes et de la coagulation du sang du patient permettent de distinguer deux variétés essentielles de purpura.

■ **Le purpura plaquettaire** est dû soit à une thrombopathie, anomalie de fonctionnement des plaquettes sanguines (thrombasthénie, purpura hémorragique héréditaire, maladie de Willebrand), soit à une thrombopénie, insuffisance du nombre de plaquettes dans le sang. Une telle insuffisance s'observe dans deux types de circonstance : thrombopénie « centrale », par déficit de la formation des plaquettes dans la moelle osseuse, par aplasie médullaire (destruction de la moelle) ou par envahissement cancéreux (leucémie, myélofibrose, métastases, maladie de Hodgkin) ; thrombopénie « périphérique », par destruction des plaquettes dans le sang, par dérèglement immunitaire (après une prise médicamenteuse, une transfusion) ou par infection de l'organisme (purpura infectieux).

■ **Le purpura vasculaire** a pour mécanisme général une altération de la paroi des vaisseaux. La fragilité capillaire est banale mais sa cause initiale, inconnue. Certains cas s'observent au cours de circonstances particulières : dermite ocre sur les jambes, due aux varices ; vascularites (inflammations des vaisseaux) telles que le purpura rhumatoïde

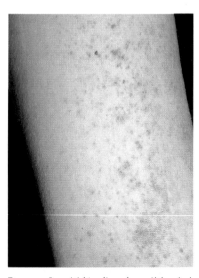

***Purpura.** Les pétéchies, l'une des variétés principales de purpura, forment une multitude de petites rougeurs cutanées persistant à la pression.*

de l'enfant, ou syndrome de Schönlein-Henoch ; vieillesse (purpura de Bateman sur les avant-bras) ; applications prolongées ou prise au long cours de corticostéroïdes ; carence en vitamine C.

Purpura fulminans

Septicémie foudroyante, due à une infection à méningocoque, ou méningococcémie, atteignant surtout les nourrissons et les jeunes enfants.

Un purpura fulminans se traduit par une fièvre élevée, par des lésions cutanées (purpura) nécrotiques et hémorragiques qui s'étendent d'heure en heure, puis par un état de choc (collapsus cardiovasculaire) entraînant souvent la mort. Le traitement nécessite une hospitalisation d'urgence et repose sur l'administration d'antibiotiques par voie veineuse et sur le traitement de l'état de choc. Le syndrome de Waterhouse-Friderichsen associe un purpura fulminans à une insuffisance surrénale aiguë par nécrose hémorragique des glandes surrénales.
→ VOIR Méningococcie.

Purpura infectieux

Affection caractérisée par l'apparition sur la peau de taches rouges telles que des pétéchies ou des ecchymoses, dues à des hémorragies sous-cutanées se déclarant au cours d'une maladie infectieuse.

Un purpura infectieux peut être dû à une thrombopénie (chute du taux des plaquettes) ou à l'éclatement de vaisseaux sanguins. Les maladies infectieuses le plus souvent responsables d'un purpura sont la varicelle, la rougeole, la scarlatine, la mononucléose infectieuse, les vascularites infectieuses, l'angéite (inflammation des vaisseaux sanguins), les méningococcies et les pneumococcies. Dans ces deux dernières affections, le purpura constitue un signe spécifique de l'infection. Les pétéchies sont fréquentes dans les infections streptococciques (scarlatine) ; les ecchymoses, dans les infections staphylococciques (septicémie). Un purpura ecchymotique des extrémités (doigts, plantes des pieds, paumes) accompagné de fièvre doit faire rechercher une endocardite (inflammation du cœur) infectieuse.

Le caractère de gravité de la maladie est en relation avec la rapidité de l'extension du purpura et non avec la seule présence de celui-ci, qui ne nécessite pas de traitement en lui-même.

Purpura rhumatoïde
→ VOIR Schönlein-Henoch (syndrome de).

Purulent

Qui contient ou produit du pus.

Un furoncle, par exemple, est un gonflement inflammatoire purulent. Une plaie purulente révèle une infection des tissus, et des crachats purulents signalent une infection respiratoire bactérienne.

Pus

Liquide pathologique, séreux et opaque constitué de globules blancs, altérés ou non, de cellules des tissus voisins de la suppuration et de bactéries, vivantes ou mortes.

Le pus est plus ou moins épais et grumeleux. Il est susceptible de former un abcès, collection de pus dans une cavité ou dans un tissu, et peut aussi être présent dans un mucopus (exsudat abondant contenant du pus), lors d'une rhinorrhée (écoulement avec infection des voies respiratoires) par exemple.

DIFFÉRENTS TYPES DE PUS

Le pus peut contenir ou non des germes infectieux.

■ **Le pus contenant des germes infectieux** est dû à des microbes dits pyogènes, qui provoquent des infections suppurantes (génératrices de pus). L'examen direct et la mise en culture du pus permettent d'identifier le microbe en cause, à condition que le prélèvement ait été réalisé aseptiquement (par exemple, par une ponction), car le pus qui s'écoule d'une plaie est souvent surinfecté par des microbes étrangers à l'infection étudiée. Les microbes pyogènes responsables d'une suppuration sont divers : staphylocoques (le pus est jaune), streptocoques et pneumocoques (le pus est vert), bacilles pyocyaniques (le pus est bleuté), amibes (responsables d'un pus brun), germes anaérobies (le pus est gris et fétide). Une plaie suppurante doit être désinfectée. L'administration d'antibiotiques qui correspondent au germe isolé permet de contrôler l'infection.

■ **Le pus aseptique** ne contient aucun microbe et se rencontre dans certains cas de maladies auto-immunes ou de tuberculose ou à la suite de l'injection d'un produit mal supporté par les tissus. Ce type de pus n'est pas nécessairement associé à une plaie ; il peut être dilué, par exemple dans les urines, qui contiennent alors des polynucléaires altérés morts. Le traitement de la maladie responsable permet de résorber le pus.

Pustule

Lésion cutanée constituée par le soulèvement de l'épiderme en une zone bien délimitée et circonscrite contenant un liquide purulent.

Les pustules sont souvent entourées d'une zone inflammatoire ; elles sont volontiers fragiles, excoriées par le grattage, formant alors de petites érosions à vif, et peuvent laisser des cicatrices. Ce sont des lésions élémentaires (lésions caractéristiques d'un certain nombre de maladies, dont la présence permet d'orienter le diagnostic).

On observe des pustules au cours de diverses affections : psoriasis pustuleux, acné rosacée, infections bactériennes, impétigo, charbon, vaccine. D'autres affections, où les pustules sont fréquentes et caractéristiques, sont appelées pustuloses. On distingue les pustules folliculaires (pustules localisées à la racine d'un poil), le plus souvent dues au staphylocoque doré, et les pustules non folliculaires (pustules n'ayant aucun lien avec les follicules pilosébacés), qui peuvent être dues à un germe pathogène (bactérie, champignon microscopique) ou s'expliquer par un afflux important de certains globules blancs (polynucléaires neutrophiles), définissant alors les pustuloses amicrobiennes (psoriasis pustuleux, avec pustulose palmoplantaire, par exemple).

Pustulose

Maladie cutanée caractérisée par la présence de pustules (soulèvement circonscrit de l'épiderme contenant un liquide purulent).

Le terme de pustulose qualifie trois types différents d'affections.

Pustulose exanthématique aiguë généralisée

C'est une pustulose résultant dans la plupart des cas d'une prise médicamenteuse (pénicilline, macrolide, inhibiteur calcique) et, parfois, d'une infection virale (virus coxsackie). Elle affecte l'adulte à partir de la seconde moitié de la vie.

SYMPTÔMES ET TRAITEMENT

Les pustules surviennent sur un fond d'érythème (rougeur de la peau) et prédominent sur le visage et les plis de flexion (coude, aine, etc.). Elles disparaissent en général en moins de quinze jours sans laisser de cicatrices. Le traitement est celui des symptômes : antihistaminiques en cas de démangeaisons, antiseptiques locaux appliqués sur les lésions. Des récidives sont possibles.

Pustulose palmoplantaire

C'est une éruption, sur la paume des mains et la plante des pieds, de vésicules (cloques à liquide clair) se transformant en pustules, qui se dessèchent, se couvrent d'une croûte et peuvent entraîner des lésions analogues à des brûlures. L'affection est due à une dysidrose (type d'eczéma), à la présence d'un foyer infectieux profond dans l'organisme ou à un psoriasis. Le traitement est celui de la maladie en cause, associé à l'administration de rétinoïdes et à des soins locaux (antiseptiques, réducteurs, corticostéroïdes). Les pustules disparaissent sans laisser de cicatrices.

Pustulose varioliforme de Kaposi-Juliusberg

Également appelée pustulose varicelliforme, cette pustulose est la surinfection d'une maladie de peau, le plus souvent une dermatite atopique (type d'eczéma affectant les sujets prédisposés aux allergies), par un virus de la famille des herpès virus. La maladie, rare, touche le nourrisson de 5 à 20 mois.

SYMPTÔMES ET SIGNES

Cette pustulose se traduit par une brusque altération de l'état général (fièvre à 40 °C, perte d'appétit, abattement) et une poussée de la maladie cutanée préexistante. Ces signes sont suivis de l'éruption de pustules plus ou moins hémorragiques, qui se couvrent d'une croûte noire. Des complications infectieuses (encéphalite, kératoconjonctivite, pneumopathie interstitielle, diarrhée sanglante) sont possibles.

TRAITEMENT

Le traitement dure une quinzaine de jours et nécessite une hospitalisation en urgence. Il associe des antiviraux (aciclovir) en perfusion intraveineuse, une réanimation et des soins locaux (désinfection des lésions).

PRÉVENTION

Les séquelles possibles sont celles de l'encéphalite (lésions neuro-oculaires). La prévention consiste à ne pas mettre en contact un nourrisson porteur d'une maladie cutanée étendue avec une personne atteinte d'un herpès de la bouche.

Putréfaction

Décomposition de matières organiques par des bactéries et des champignons.

Un processus de putréfaction fait intervenir des bactéries anaérobies (capables de vivre sans oxygène) et produit des gaz malodorants.

Putride

Qualifie ce qui est produit par la putréfaction (décomposition des matières organiques par des bactéries et des champignons avec production de gaz) ou par l'odeur se dégageant des organismes en putréfaction.

Cette odeur est due à la putrescine, produit de décomposition de l'ornithine (produit de dégradation des acides aminés, en particulier de l'arginine).

Puvathérapie

Méthode de traitement des maladies cutanées associant l'administration de psoralènes (substances exerçant une action photosensibilisante) et l'exposition au rayonnement ultraviolet A. SYN. *photochimiothérapie.*

INDICATIONS

La puvathérapie a été mise au point au début des années 1970. Elle est surtout indiquée dans le traitement du psoriasis, mais également dans celui du vitiligo, où elle peut contribuer à la repigmentation de la peau, et dans celui d'autres affections comme le parapsoriasis, le mycosis fongoïde ou les mastocytoses. Elle est aussi utilisée pour prévenir les cas de lucite (éruptions déclenchées par l'exposition au soleil).

Le mécanisme d'action de la puvathérapie est une fixation des psoralènes sur l'A.D.N. des cellules (constituant des chromosomes), qui bloque la division cellulaire des kératinocytes (cellules de l'épiderme) et provoque une photosensibilisation : les cellules deviennent plus sensibles aux rayonnements.

DÉROULEMENT

Le malade absorbe les psoralènes par voie orale avec un peu de laitage 2 ou 3 heures avant la séance. Celle-ci se déroule dans une cabine spéciale et dure selon les cas de 2 à 15 minutes ; le sujet est entièrement dévêtu mais doit porter une protection oculaire (lunettes spéciales) et, si c'est un homme, génitale. Le traitement s'étend sur quelques mois à raison de 3 séances, puis de 1 séance, par semaine.

CONTRE-INDICATIONS

La puvathérapie est contre-indiquée en cas de grossesse (en raison des psoralènes), d'insuffisance hépatique, d'insuffisance rénale, de cataracte (risque de lésions oculaires graves), de cancer de la peau et de lésion cutanée (grain de beauté) susceptible de se

cancériser ; on procède dans ce dernier cas à l'ablation de la lésion avant d'entreprendre le traitement.

Pyélique

Qui se rapporte au bassinet du rein.

Les cavités pyéliques, ou bassinets, sont les parties excrétrices urinaires situées entre les calices et l'uretère.

Pyélite

1. Inflammation aiguë, subaiguë ou chronique des parois du bassinet du rein, le plus souvent d'origine infectieuse.

Une pyélite isolée est exceptionnelle ; en effet, elle est presque toujours associée à une inflammation du tissu interstitiel du rein : on parle alors de pyélonéphrite.
2. En radiologie, aspect anormal (strié, par exemple) du bassinet, révélant le plus souvent une atteinte inflammatoire des parois des cavités excrétrices.

Pyélographie

Examen radiologique des cavités excrétrices rénales (calices, bassinets).

L'opacification de ces cavités peut être obtenue de deux manières : soit par injection intraveineuse (urographie intraveineuse), soit par opacification directe des voies excrétrices (urétéropyélographie rétrograde, ou pyélographie rétrograde).

→ VOIR Urétéropyélographie rétrograde, Urographie intraveineuse.

Pyélographie rétrograde

→ VOIR Urétéropyélographie rétrograde.

Pyélolithotomie

Ouverture chirurgicale d'un bassinet rénal pour en extraire un calcul.

La pyélolithotomie est actuellement remplacée, autant que possible, par la lithotripsie extracorporelle (technique consistant à pulvériser le calcul au moyen d'ondes, le sable obtenu étant ensuite éliminé dans les urines). Elle n'est plus guère employée aujourd'hui que pour des calculs volumineux et très durs. Cette intervention, pratiquée sous anesthésie générale, nécessite une hospitalisation de 7 à 10 jours.

Pyélonéphrite

Infection aiguë, subaiguë ou chronique du bassinet et du tissu interstitiel d'un rein, beaucoup plus rarement des deux.

La plus fréquente des pyélonéphrites est la pyélonéphrite aiguë.

Pyélonéphrite aiguë

Cette infection aiguë du bassinet et du tissu interstitiel du rein atteint le plus souvent la femme jeune.

CAUSES

Une pyélonéphrite aiguë est en général due à une bactérie à Gram négatif (*Escherichia coli,* par exemple). Survenant le plus souvent sur des reins sains, elle peut aussi être favorisée par certaines maladies, telles qu'une lithiase urinaire, ou par des malformations congénitales des voies urinaires, comme une hydro-

néphrose (dilatation du bassinet et des calices) ou un reflux vésico-urétéral. Quand aucune cause n'est retrouvée, on parle de pyélonéphrite idiopathique.

SYMPTÔMES ET SIGNES

Dans un premier temps, le malade se plaint de troubles mictionnels semblables à ceux d'une cystite : brûlures à la miction, pollakiurie (mictions fréquentes et impérieuses), urines troubles. Puis la pyélonéphrite se manifeste de manière brutale : douleurs lombaires unilatérales et d'intensité variable, modérées le plus souvent, fièvre de 39 à 40 °C, frissons, fatigue associée à un mauvais état général.

DIAGNOSTIC

À la palpation, le rein est volumineux et très sensible. Lorsque la pyélonéphrite est d'origine bactérienne, l'examen cytobactériologique des urines (E.C.B.U.) permet d'isoler la bactérie responsable et de prescrire un traitement antibiotique adapté. Dans les cas où l'infection est liée à une anomalie ou à une affection des voies urinaires, l'échographie, l'urographie intraveineuse et, éventuellement, le scanner rénal permettent d'en localiser l'origine.

TRAITEMENT ET PRÉVENTION

Le traitement repose sur l'administration d'antibiotiques par voie veineuse ou intramusculaire pendant quelques jours puis par voie orale pendant 2 ou 3 semaines. Dans les formes simples, au bout de 2 ou 3 jours, la température se normalise, les douleurs disparaissent et les urines ne contiennent plus de germes. En cas d'anomalie des voies urinaires, un traitement chirurgical d'urgence peut être nécessaire, par exemple en cas de calcul bloqué dans l'uretère ou pour corriger une malformation. Les récidives sont fréquentes. La prévention des pyélonéphrites repose sur le traitement des infections des voies urinaires basses (cystites).

Pyélostomie

Abouchement chirurgical, temporaire ou définitif, du bassinet du rein à la peau, soit directement, soit par l'intermédiaire d'une sonde.

Très peu pratiquée aujourd'hui (on lui préfère les interventions portant sur l'uretère, comme l'urétérocolostomie), la pyélostomie permet de dériver les urines élaborées par le rein lorsque celles-ci ne peuvent pas s'évacuer par les voies urinaires naturelles, à cause d'un obstacle (tumeur, calcul, maladie congénitale obstructive, méga-uretère, fibrose rétropéritonéale) ou après une opération. La sonde peut être placée au cours d'une intervention chirurgicale, sous anesthésie locorégionale ou générale, ou par voie percutanée directe (ponction à travers la peau, réalisée sous contrôle radioscopique et échographique), sous anesthésie locale. Elle est reliée à une poche dans laquelle l'urine s'écoule.

Pyélotomie

Ouverture chirurgicale d'un bassinet rénal.

En pratique, une pyélotomie est essentiellement pratiquée afin d'enlever un calcul : on parle alors de pyélolithotomie.

Pylore

Orifice inférieur de l'estomac, assurant la communication entre celui-ci et le duodénum. (P.N.A. *pylorus*)

L'orifice du pylore est entouré d'un sphincter constitué par un muscle circulaire contrôlant le passage du bol alimentaire de l'estomac vers l'intestin grêle, dont le duodénum est la partie initiale. La principale pathologie du pylore est la sténose, due, chez l'enfant, à une hypertrophie congénitale du muscle et, chez l'adulte, à une lésion ulcéreuse ou tumorale.
→ VOIR Sténose du pylore.

Pyloroplastie

Technique chirurgicale visant à élargir le pylore (orifice de communication entre l'estomac et le duodénum).

Une pyloroplastie consiste à pratiquer, sous anesthésie générale, une incision longitudinale du muscle du pylore, suivie de sa suture transversale, ce qui crée une dilatation de l'orifice.

Cette technique est le plus souvent utilisée pour faciliter le drainage du contenu de l'estomac parallèlement à une vagotomie sélective, traitement chirurgical d'un ulcère duodénal qui consiste à sectionner les nerfs pneumogastriques pour diminuer la sécrétion acide de l'estomac.

Pyocyanique (bacille)

→ VOIR Pseudomonas æruginosa.

Pyoderma gangrenosum

→ VOIR Pyodermite phagédénique.

Pyodermite

Maladie cutanée purulente.

Les pyodermites peuvent être aiguës ou chroniques, locales ou diffuses. Ce sont en général des infections à streptocoque ou à staphylocoque. Elles peuvent être contagieuses, par contact direct ou par l'intermédiaire de mains souillées. Le terme de pyodermite désigne par ailleurs deux affections particulières d'origine mal connue.

Pyodermite végétante

C'est une affection chronique caractérisée par des lésions des membres ou du tronc, d'aspect végétant (petites saillies irrégulières). Elle est traitée par des applications locales d'antiseptiques et par l'administration d'antibiotiques.

Pyodermite phagédénique

Cette dermatose chronique, également appelée pyoderma gangrenosum, se trouve souvent associée à une maladie générale (rectocolite hémorragique, maladie de Crohn, leucémie, etc.).

Les lésions de la pyodermite phagédénique, typiques, forment un cratère entouré d'un bourrelet en saillie sur les membres et le tronc et peuvent confluer en vastes plaques. Ces lésions sont stériles, les prélèvements ne mettant ni germes ni champignons en évidence. La pyodermite phagédénique est traitée par administration de corticostéroïdes par voie orale. Les résultats sont bons, mais un tel traitement est limité par les effets indésirables liés aux fortes doses nécessaires et il doit, dans certains cas, être remplacé

par d'autres substances (sulfamides, clofazimine, tétracyclines). Le traitement de la maladie associée est par ailleurs maintenu, voire renforcé.

Pyogène

Qualifie un micro-organisme capable de provoquer une accumulation locale de polynucléaires neutrophiles altérés se traduisant par la formation de pus.

Les staphylocoques et certains streptocoques sont des germes pyogènes responsables d'infections aiguës (furoncle dû au staphylocoque, par exemple). Le traitement de telles infections repose sur une antibiothérapie adaptée au germe en cause.

Pyonéphrose

Suppuration du tissu rénal, des voies urinaires adjacentes (calices, bassinet) et parfois du tissu périrénal.

La pyonéphrose est la conséquence d'une infection des voies urinaires (pyélonéphrite aiguë, par exemple) non traitée. Elle peut en outre être favorisée par un mauvais écoulement des urines dû à un calcul, à une malformation, etc.

SYMPTÔMES ET SIGNES

Ils sont extrêmement graves : altération profonde de l'état général, douleurs du rein, associées à un état infectieux sévère, voire septicémique (fièvre, frissons, chute de tension artérielle).

DIAGNOSTIC

Il repose sur une technique d'imagerie médicale (urographie intraveineuse, par exemple), qui montre un très gros rein non fonctionnel (ne sécrétant pas).

TRAITEMENT

Il repose sur l'administration d'antibiotiques et sur une intervention chirurgicale en urgence. Très souvent, le rein est complètement détruit et doit être enlevé (néphrectomie). Dans les formes moins évoluées, il est quelquefois possible de supprimer l'obstacle en laissant le rein en place, mais les altérations anatomiques du tissu rénal atteint sont définitives.

Pyopneumopéricarde

Présence dans le péricarde (sac séreux entourant le cœur) d'une collection de liquide purulent surmonté d'air.

CAUSES ET SIGNES

Cette atteinte exceptionnelle est consécutive à la présence d'un germe anaérobie (capable de vivre sans oxygène) dans le péricarde. Le patient souffre de douleurs thoraciques plus ou moins permanentes. Il a de la fièvre et, si l'épanchement est important, il peut être essoufflé.

DIAGNOSTIC

Une radiographie thoracique permet d'établir le diagnostic. Elle montre une image bien particulière : le péricarde est opaque là où est présent le liquide purulent et clair au-dessus, là où se situe le gaz.

TRAITEMENT

Cette maladie est aujourd'hui curable grâce au drainage chirurgical et à l'action prolongée des antibiotiques.

PʏLORE

Le pylore constitue la partie terminale de l'estomac, qu'il fait communiquer avec le duodénum, premier segment de l'intestin grêle. Il s'ouvre sous l'action d'un sphincter musculaire, sous l'influence du péristaltisme gastrique, et est responsable du passage du bol alimentaire de l'estomac vers l'intestin grêle.

Localisation du pylore

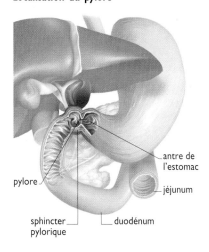

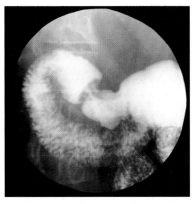

Le pylore apparaît à la radiographie, après ingestion d'un produit de contraste baryté, sous forme d'un canal reliant l'estomac (à droite) et le bulbe duodénal, portion initiale de l'intestin grêle (à gauche).

Pyopneumothorax

Épanchement de pus et d'air dans la plèvre (membrane enveloppant les poumons).

Un pyopneumothorax est l'association d'un pyothorax (épanchement de pus) et d'un pneumothorax (épanchement d'air). Ses causes, ses symptômes et son traitement sont les mêmes que ceux du pyothorax.

Pyorrhée alvéolodentaire

→ VOIR Parodontite.

Pyosalpinx

Présence de pus dans une trompe utérine ou dans les deux.

Un pyosalpinx est la conséquence d'une salpingite (inflammation d'une trompe ou des deux, d'origine infectieuse) non diagnostiquée ou traitée trop tardivement. Il se manifeste par des douleurs pelviennes importantes, rendant l'examen gynécologique difficile. Un pyosalpinx entraîne un risque de stérilité par obturation des trompes.

Le diagnostic est confirmé soit par échographie pelvienne, soit par cœlioscopie.

Le traitement consiste à drainer le pus et à réparer la ou les trompes éventuellement endommagées, voire à les retirer chirurgicalement (salpingectomie). Selon les cas, l'intervention peut faire appel aux techniques de la cœliochirurgie (introduction des instruments chirurgicaux par de petites incisions abdominales) ou nécessiter une laparotomie (ouverture chirurgicale de l'abdomen).

Pyostercoral

Se dit d'une lésion formée de pus et de matières fécales.

Les abcès pyostercoraux se développent le plus souvent autour de lésions de l'intestin grêle et du côlon. Ils sont une complication de tumeurs digestives ou de diverticules rectosigmoïdiens (cavités en forme de doigt de gant de la dernière partie du côlon). Ces abcès provoquent des infections dont le traitement, par drainage du pus et des matières et par antibiothérapie, est difficile ; on procède ensuite à l'ablation de la tumeur ou du diverticule.

Pyothorax

Épanchement de pus entre les deux feuillets de la plèvre (membrane enveloppant les poumons). SYN. *pleurésie purulente*.

Un pyothorax est dû à une infection bactérienne consécutive à une pneumonie, à une plaie profonde du thorax, à une fistule œsophagienne ou trachéale ou à la propagation d'une infection depuis des tissus voisins (péritonite, abcès hépatique). Les premiers symptômes sont une fièvre élevée, une douleur à la base du thorax, qui augmente à l'inspiration, et une altération de l'état général. La radiographie montre un épanchement pleural. La ponction pleurale ramène un liquide purulent ou suspect. Un pyothorax nécessite une hospitalisation pour procéder au drainage de l'épanchement. Celui-ci s'effectue sous anesthésie locale à l'aide d'un drain introduit entre deux côtes ; des antibiotiques et des séances de kinésithérapie respiratoire sont ensuite prescrits.

Pyrexie

→ VOIR Fièvre.

Pyridoxine

→ VOIR Vitamine B6.

Pyrimidine

Substance chimique entrant dans la constitution de substances appelées bases pyrimidiques (cytosine, thymine, uracile, etc.), qui participent à la constitution des acides nucléiques (A.D.N., A.R.N.).

Pyrogène

Qui provoque de la fièvre.

Au cours des infections bactériennes, des substances pyrogènes de nature protéique sont libérées par les bactéries (endotoxines) ou par les globules blancs. Ces protéines agissent sur le tronc cérébral, qui renferme le centre de régulation thermique, ce qui entraîne une élévation de la température du corps.

Dans la préparation des médicaments destinés à être injectés, les plus grandes précautions sont prises pour éliminer toute substance pyrogène.

Pyromanie

Impulsion obsédante qui pousse certaines personnes à allumer des incendies.

La pyromanie véritable est à distinguer des autres conduites incendiaires, criminelles (intérêt, vengeance) ou consécutives à d'autres pathologies (perversité, délire passionnel, arriération, etc.). Elle s'inscrit sur un fond mental particulier comportant des phobies et des obsessions, des troubles sexuels et dépressifs avec, parfois, une tendance suicidaire. Sur le plan symbolique, il s'agirait pour le patient de substituer au jeu sexuel le « jeu avec le feu ». Une fois démasqués, les pyromanes vrais ne récidivent pratiquement jamais.

Pyrosis

Douleur ressemblant à une brûlure, siégeant dans l'épigastre (partie supérieure de l'abdomen), à irradiations ascendantes derrière le sternum et se terminant par une régurgitation de liquide acide dans la bouche.

CAUSES

Un pyrosis peut être dû à un excès d'aliments ou d'alcool ou encore à une nourriture trop riche.

Quand il réapparaît régulièrement, le pyrosis traduit un reflux gastro-œsophagien (reflux de liquide gastrique vers l'œsophage), dû, le plus souvent, à une hernie hiatale (remontée du pôle supérieur de l'estomac à travers l'orifice du diaphragme réservé au passage de l'œsophage). Il est favorisé par certaines positions : position allongée, flexion du tronc vers l'avant, en particulier lors du laçage des chaussures (signe du lacet). Parfois, la douleur est si intense qu'elle évoque un infarctus du myocarde.

TRAITEMENT

Il repose sur une modification du régime alimentaire (suppression de l'alcool, régime moins riche en graisses animales), sur des pansements gastriques et sur la prise de médicaments renforçant le sphincter inférieur de l'œsophage. Le reflux gastro-œsophagien peut être traité chirurgicalement en cas de complication.

Pyurie

Présence de pus dans les urines.

Une pyurie témoigne d'une infection des voies urinaires excrétrices (pyélonéphrite, cystite, urétrite, prostatite aiguë, etc.). Les urines sont troubles et souvent malodorantes. Leur examen cytobactériologique (E.C.B.U.) permet de mettre en évidence de grandes quantités (plus d'un million par millilitre) de leucocytes altérés et, le plus souvent, les bactéries (*Escherichia coli,* par exemple) responsables de l'infection. Lorsque aucun germe n'est décelé, on parle de pyurie aseptique ; celle-ci peut être due à une infection incomplètement traitée par les antibiotiques, mais aussi à une tuberculose urinaire, et impose donc la recherche du bacille de Koch dans les urines.

DIAGNOSTIC ET TRAITEMENT

La localisation de l'infection nécessite un examen clinique complet et surtout des examens complémentaires tels qu'une échographie ou une urographie intraveineuse, qui permettent de retrouver une éventuelle cause ayant pu favoriser l'infection et de préciser les modalités du traitement, qui repose toujours sur l'administration d'antibiotiques.

Q

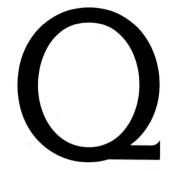

Q.I.
→ VOIR Quotient intellectuel.

Quadriceps crural (muscle)
Muscle de la face antérieure de la cuisse.
SYN. *muscle quadriceps.* (P.N.A. *musculus quadriceps femoris*)

STRUCTURE
Le muscle quadriceps crural, le plus puissant du corps humain, est formé de quatre muscles disposés sur des plans différents. Le plus profond est le muscle crural. Il est recouvert en partie par le muscle vaste interne (en dedans) et le muscle vaste externe (en dehors), auxquels se superpose le muscle droit antérieur (en surface et au milieu).

En haut, le muscle droit antérieur s'attache sur le bassin, les autres s'attachant sur le fémur. En bas, les quatre portions se réunissent en un tendon commun qui se termine sur la rotule et sur le tibia.

FONCTIONNEMENT
Le quadriceps crural est le plus puissant extenseur du genou : il est indispensable au maintien de la station debout car il empêche le genou de fléchir. Accessoirement, il est aussi fléchisseur de la cuisse sur le bassin.

PATHOLOGIE
La lésion la plus courante du quadriceps crural est l'hématome, qui, provoqué par un coup violent porté à la cuisse, se forme sous la peau au bout de quelques jours ; sans gravité, il se résorbe de lui-même. Très rarement, un processus de calcification de l'hématome se déclenche, entraînant une perte de mobilité de la cuisse.

Une déchirure du quadriceps crural peut survenir au cours d'un mouvement brutal et rapide d'étirement, surtout chez les personnes qui n'entretiennent pas ce muscle par des exercices sportifs.

Si le quadriceps crural est immobilisé à la suite d'un traumatisme de la jambe (plâtrée ou non), d'une douleur ou d'un alitement de plus de 48 heures, il s'atrophie rapidement. La rééducation et la kinésithérapie doivent être entreprises le plus rapidement possible pour éviter une fonte musculaire trop importante.

Quadriplégie
→ VOIR Tétraplégie.

Quarantaine
Mesure de police qui, autrefois, imposait un isolement provisoire de 40 jours aux voyageurs provenant d'une zone d'épidémie ou d'endémie avant qu'ils ne puissent circuler librement dans une zone non atteinte.

La quarantaine était censée correspondre à la durée d'incubation des maladies contagieuses. Le délai fut ensuite réduit à un maximum de 14 jours. Aujourd'hui, c'est le règlement sanitaire international qui établit, en fonction de la meilleure connaissance des modes de contagion, la liste des maladies soumises à une surveillance internationale et qui fixe pour celles qui le nécessitent la durée d'isolement.

→ VOIR Règlement sanitaire international.

Quarantenaire
Qualifie une maladie infectieuse contagieuse qui, autrefois, faisait l'objet d'un isolement de 40 jours pour tout sujet en provenance d'un pays où elle sévissait.

La peste, le choléra, la fièvre jaune, la fièvre récurrente, le typhus exanthématique et la variole étaient des maladies quarantenaires. Le délai de 40 jours fut ramené par la suite à 14 jours. Il est aujourd'hui respectivement de 6, 5, 6, 8 et 14 jours ; la variole est éradiquée depuis 1979. Les maladies quarantenaires font, avec d'autres, l'objet d'une surveillance internationale : les foyers en sont signalés à l'Organisation mondiale de la santé (O.M.S.) et leur extension est surveillée dans le cadre du règlement sanitaire international.

Queensland (fièvre du)
→ VOIR Rickettsiose.

Queue-de-cheval
Faisceau de cordons nerveux situés dans la partie inférieure de la colonne vertébrale. (P.N.A. *cauda equina.*)

STRUCTURE
La queue-de-cheval est constituée par les racines des nerfs de la moelle épinière qui se trouvent au niveau des trois dernières vertèbres lombaires, des vertèbres sacrées et des vertèbres coccygiennes. Ces racines sont à peu près verticales ; elles entourent l'extrémité inférieure de la moelle puis se prolongent dans le canal rachidien lombaire avant de se séparer pour sortir de la colonne vertébrale entre les vertèbres. Elles donnent ensuite naissance aux nerfs du bassin et des membres inférieurs.

PATHOLOGIE
Une compression à cet endroit provoque ce qu'on appelle le syndrome de la queue-de-cheval. Celui-ci est consécutif, le plus souvent, à une hernie discale située entre deux vertèbres lombaires, parfois à une tumeur nerveuse telle qu'un épendymome (tumeur développée aux dépens des cellules de l'épendyme, étroit canal au centre de la moelle prolongeant les cavités ventriculaires du cerveau et contenant du liquide céphalorachidien) ou un neurinome (tumeur qui se développe aux dépens d'un nerf) ou à un rétrécissement du canal rachidien lombaire dû à une arthrose. Cette compression entraîne une paraplégie dite périphérique, ou flasque, qui se caractérise par une diminution du tonus musculaire des membres inférieurs, une atrophie des muscles et une abolition des réflexes. Le malade souffre de douleurs irradiant dans la région lombaire, à la hauteur du périnée et des membres inférieurs ainsi que d'une insensibilité de la peau du périnée, des organes génitaux et du haut des cuisses. On observe aussi des signes génitaux (impuissance) et sphinctériens (perte du besoin d'uriner, incontinence ou, au contraire, rétention d'urines). Le diagnostic est établi à la suite d'une ponction lombaire (ponction de liquide céphalorachidien par une aiguille introduite dans le cul-de-sac méningé au niveau lombaire), par scanner ou par imagerie par résonance magnétique (I.R.M.), parfois par myélographie (examen radiologique de la moelle épinière utilisant un produit de contraste). Le syndrome de la queue-de-cheval risque de devenir irréversible rapidement, parfois en quelques heures. Il doit donc être traité en urgence par une intervention neurochirurgicale de décompression (ablation d'une hernie discale ou d'une tumeur, etc.).

Quick (temps de)
→ VOIR Temps de prothrombine.

Quincke (œdème de)
Réaction allergique caractérisée par une éruption œdémateuse sous-cutanée. SYN. *angio-œdème, œdème angioneurotique.*

CAUSES
Comme l'urticaire, l'œdème de Quincke peut être déclenché essentiellement par l'absorption d'aliments (crustacés, fraises, fruits de mer, sardines, etc.), par une piqûre d'insecte ou par la prise de médicaments (antibiotiques, surtout pénicillines, aspirine, etc.). Souvent, aucune cause n'est trouvée.

SYMPTÔMES ET ÉVOLUTION
Un œdème de Quincke touche les muqueuses de la bouche et des voies respiratoires supérieures (lèvres, langue, pharynx, larynx) ainsi que les tissus sous-cutanés lâches du visage (paupières). Il se manifeste par un gonflement bien délimité, ferme, rose pâle, non prurigineux mais produisant une sensation de cuisson.

Du fait de sa localisation possible à la gorge, l'œdème de Quincke entraîne un risque grave d'asphyxie pouvant survenir de plusieurs minutes à quelques heures après la première manifestation. Il peut également provoquer un arrêt circulatoire lorsqu'il est associé à un choc anaphylactique (insuffisance circulatoire aiguë, d'origine allergique).

TRAITEMENT ET PRÉVENTION

Un œdème de Quincke impose un traitement d'urgence, surtout en cas de gêne respiratoire, par des corticostéroïdes injectables à action rapide, associés au chlorhydrate d'adrénaline. Si l'œdème continue à évoluer, le transfert du malade en service de réanimation est impératif.

La prévention de nouvelles crises réside en la suppression des causes qui ont déclenché la réaction, lorsqu'elles ont pu être identifiées.

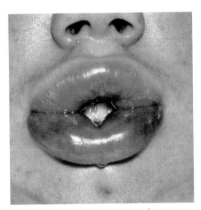

Œdème de Quincke. Le gonflement des tissus sous-cutanés est parfois très important quand l'œdème touche les lèvres.

Quinine

Alcaloïde du quinquina utilisé dans le traitement et la prévention du paludisme.

La quinine est le plus ancien des antipaludéens. Sa première indication est le traitement des formes graves du paludisme, la seconde étant la prévention du paludisme chez les personnes qui voyagent dans les pays où l'on rencontre une chloroquinorésistance (résistance à la chloroquinine, sel de quinine le plus couramment utilisé). La liste de ces pays, de plus en plus nombreux, est mise à jour régulièrement par l'Organisation mondiale de la santé (O.M.S.).

CONTRE-INDICATIONS

La quinine est contre-indiquée en cas d'allergie au produit - celle-ci se traduisant par des palpitations, des réactions cutanées, des diarrhées, des vertiges - et chez les personnes atteintes d'anomalies cardiaques telles que des troubles de la conduction. L'association avec la méfloquine (un autre antipaludéen) produit une interaction médicamenteuse nocive aggravant les effets indésirables.

MODE D'ADMINISTRATION ET EFFETS INDÉSIRABLES

La quinine est administrée par voie orale ou intraveineuse. Les effets indésirables sont des allergies, rares mais parfois graves. À doses accidentellement trop fortes, il peut se produire des troubles de l'appareil digestif (vomissements, diarrhée), de l'oreille interne (bourdonnements, vertiges) et des troubles cardiaques. En outre, par voie intraveineuse, il existe un risque de chute de la tension artérielle ou de la glycémie. En cas d'administration par voie intraveineuse, les veines peuvent s'enflammer avec apparition d'une douleur au point d'injection.

Quinolone

Substance médicamenteuse de synthèse, douée de propriétés antibactériennes.

On distingue les quinolones classiques, non fluorées, et les quinolones fluorées.

Quinolones non fluorées

Appelées aussi quinolones de première génération, ces substances (acide nalidixique, acide pipémidique, acide oxolinique, fluméquine) sont indiquées dans les infections urinaires courantes à germes sensibles, telles que les cystites, quand elles sont dues à des bactéries à Gram négatif.

CONTRE-INDICATIONS

Les quinolones non fluorées sont contre-indiquées chez le prématuré et le nourrisson (acide nalixidique), chez l'enfant de moins de 15 ans, chez la femme enceinte ou qui allaite et chez l'adulte atteint d'insuffisance hépatique sévère.

MODE D'ADMINISTRATION ET EFFETS INDÉSIRABLES

Les quinolones non fluorées sont généralement administrées par voie orale. L'exposition au soleil durant le traitement est déconseillée car elle pourrait entraîner des phénomènes de photosensibilisation (augmentation de la sensibilité de la peau aux rayons lumineux).

Les effets indésirables sont surtout des troubles digestifs (douleurs d'estomac, nausées, diarrhée) et des troubles neurologiques, sensoriels et psychiques (maux de tête, vertiges, somnolence, insomnie, plus rarement hallucinations et convulsions). On observe parfois des signes d'allergie, réversibles à l'arrêt du traitement.

Quinolones fluorées

Appelées aussi fluoroquinolones ou quinolones de deuxième génération, ces substances (ciprofloxacine, norfloxacine, ofloxacine, péfloxacine) sont indiquées dans des infections systémiques sévères à germes sensibles, digestives, respiratoires, cutanées, méningées, etc., et parfois dans des infections urinaires et génitales telles que les urétrites ou les cystites. Leur spectre d'action est plus large que celui des quinolones non fluorées, car il inclut, notamment, le staphylocoque, et les cas de résistance bactérienne sont encore rares.

CONTRE-INDICATIONS

Les contre-indications sont les mêmes que celles des quinolones non fluorées, auxquelles s'ajoute l'insuffisance rénale sévère.

MODE D'ADMINISTRATION ET EFFETS INDÉSIRABLES

L'administration est orale ou intraveineuse. Des tendinites (du talon d'Achille le plus souvent) peuvent survenir dès les premiers jours du traitement ou après la fin. Elles imposent l'arrêt du traitement et le repos pour prévenir le risque de rupture du tendon.

Quinte

Type de toux survenant en particulier au cours de la coqueluche.

Une quinte est une série de secousses expiratoires, en général au nombre de cinq, suivies d'une apnée brève et d'une inspiration bruyante et prolongée (reprise), classiquement appelée « chant du coq » dans la coqueluche. Avant la découverte du vaccin anticoquelucheux, ces quintes étaient la principale cause de mortalité dans la coqueluche du jeune nourrisson, trop épuisé pour expectorer les glaires coincées dans sa gorge. Le traitement consistait à guetter les quintes non suivies de reprise et à procéder à une aspiration mécanique des glaires.

Par extension, on parle de quintes à propos de manifestations de toux découlant d'une inflammation des voies aériennes supérieures, trachéobronchite ou trachéite notamment. Les antitussifs (médicaments contre la toux), dérivés de l'opium ou antihistaminiques, peuvent être prescrits comme sédatifs de ce type de toux.

Quotient intellectuel

Rapport entre l'âge mental et l'âge réel d'un individu, multiplié par 100, l'âge mental étant évalué par une série de tests.

La notion de quotient intellectuel (Q.I.) a été introduite par les psychologues français Alfred Binet et Théodore Simon en 1905 afin de différencier les enfants dits normaux des enfants dits anormaux, puis de déterminer l'âge mental « réel » par rapport à l'âge de l'état civil. Plus tard, plusieurs psychologues américains, dont Louis M. Termann (1870-1956), perfectionnent le test de Binet-Simon en améliorant et en diversifiant le questionnaire (terminer une suite de chiffres, trouver l'intrus parmi une liste de mots, etc.). Par définition, le quotient intellectuel normal est de 100. Inférieur à 70, il traduit une débilité mentale. Supérieur à 140, il indique, chez un enfant, que celui-ci est surdoué.

Le quotient intellectuel a été souvent critiqué parce qu'il ne rend pas compte de la personnalité globale du sujet et que ses résultats peuvent être influencés par l'environnement socioculturel de l'enfant, sa réaction affective vis-à-vis de l'examinateur, etc. Il doit donc être complété par d'autres tests, notamment des tests de personnalité comme celui de Rorschach.

achialgie

Douleur siégeant dans le rachis cervical (cervicalgie), le rachis dorsal (dorsalgie) ou le rachis lombaire (lombalgie).
→ VOIR Cervicalgie, Dorsalgie, Lombalgie.

Rachianesthésie

Anesthésie régionale de l'abdomen et des membres inférieurs par injection d'un anesthésique dans le canal rachidien.

La rachianesthésie est utilisée en chirurgie du bas appareil urinaire (vessie), de l'appareil génital féminin, de l'anus et des membres inférieurs, particulièrement chez le sujet âgé ; on peut aussi y avoir recours en cas de césarienne pratiquée en urgence. La rachianesthésie est d'effet plus rapide que l'anesthésie péridurale mais, à la différence de cette dernière, elle ne peut être pratiquée pour des opérations d'une durée supérieure à 2 heures et demie.

PRINCIPE

On injecte un anesthésique local dans le liquide céphalorachidien, à hauteur des racines nerveuses de la queue-de-cheval. Il en résulte au bout de quelques minutes un blocage sensitif et moteur complet qui intéresse le bas du corps, s'étendant à une région plus ou moins importante mais ne remontant pas plus haut que la partie inférieure de l'abdomen.

DÉROULEMENT

La rachianesthésie est réalisée après mise en place d'une perfusion intraveineuse et sous surveillance de la tension artérielle et du rythme cardiaque. Le malade est assis au bord de la table d'opération ou couché sur le côté et on lui demande de faire le dos rond pour que ses vertèbres s'écartent les unes des autres. Après avoir introduit à travers la peau, entre deux vertèbres lombaires, un trocart (grosse aiguille creuse destinée à servir de guide), on enfonce doucement une fine aiguille jusqu'à ce que le liquide céphalorachidien reflue, puis on injecte l'anesthésique dans l'aiguille à l'aide d'une seringue.

EFFETS INDÉSIRABLES

Ils sont très rares et peuvent survenir pendant l'anesthésie ou dans les heures qui suivent : nausées et vomissements, baisse de la tension artérielle, rétention d'urine passagère, maux de tête. Les accidents neurologiques (paralysies) sont beaucoup plus graves mais rarissimes.

Rachis

Structure osseuse constituée de 33 vertèbres superposées, s'étendant de la base du crâne au bassin, qui entoure et protège la moelle épinière et soutient la tête et le tronc.
SYN. *colonne vertébrale.* (P.N.A. *columna vertebralis*)

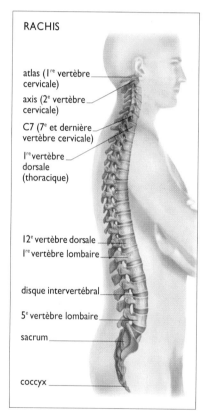

RACHIS

atlas (1re vertèbre cervicale)

axis (2e vertèbre cervicale)

C7 (7e et dernière vertèbre cervicale)

1re vertèbre dorsale (thoracique)

12e vertèbre dorsale

1re vertèbre lombaire

disque intervertébral

5e vertèbre lombaire

sacrum

coccyx

STRUCTURE ET FONCTIONNEMENT

Les 33 vertèbres sont composées des 7 vertèbres cervicales, des 12 vertèbres dorsales, des 5 vertèbres lombaires, des 5 vertèbres soudées du sacrum et des 4 vertèbres soudées du coccyx.

Dans chaque intervalle entre deux vertèbres se trouve un disque formé de cartilage fibreux et dense en périphérie et d'un noyau central élastique, le *nucleus pulposus.* Ces disques jouent le rôle de coussinet élastique entre les vertèbres, recevant, amortissant et transmettant les pressions à chaque mouvement de la colonne, notamment lors d'efforts importants.

Chaque vertèbre présente, derrière son corps, une cavité centrale. Comme les vertèbres sont superposées, ces cavités forment un long canal, appelé canal rachidien. Celui-ci renferme la moelle épinière, de laquelle se détachent les racines des nerfs périphériques. Ces derniers transmettent des informations aux différentes parties du corps et, à l'inverse, en reçoivent de celles-ci.

Les vertèbres sont liées les unes aux autres par 2 ligaments épais et solides qui les enveloppent en avant et en arrière sur toute la longueur du rachis.

De nombreux groupes musculaires s'attachent aux vertèbres pour assurer la stabilité et la mobilité du rachis. La colonne vertébrale présente une double courbure physiologique dont la convexité est dirigée en avant au niveau cervical et lombaire et en arrière au niveau dorsal. Elle est en revanche grossièrement rectiligne dans le plan frontal.

EXAMENS

Le rachis est étudié au moyen de la radiologie : scanner à rayons X, parfois imagerie par résonance magnétique (I.R.M.) et myélographie (examen de la moelle épinière utilisant un produit de contraste).

PATHOLOGIE

Le rachis peut être atteint d'anomalies congénitales, mécaniques ou dégénératives, ainsi que de lésions inflammatoires ou infectieuses.

■ Les anomalies congénitales sont représentées par le spina-bifida (défaut de fermeture du canal rachidien), qui entraîne une paralysie des jambes et une incontinence.

■ Les déformations du rachis peuvent se traduire par une lordose (courbure accentuée au niveau des cervicales ou des lombaires), une cyphose (courbure accentuée au niveau des dorsales) ou une scoliose (déviation latérale). Tous les degrés de gravité existent, de la simple attitude scoliotique ne nécessitant que quelques séances de rééducation à la scoliose complexe demandant une intervention chirurgicale destinée à remettre la colonne vertébrale sur son axe.

■ Les infections les plus fréquentes du rachis sont les ostéomyélites (infections de l'os et de la moelle osseuse). Celles-ci touchent cependant plus volontiers d'autres os que les vertèbres et sont souvent dues à une infection localisée dans une autre partie du corps.

■ Les inflammations des articulations vertébrales telles qu'une spondylodiscite (inflammation simultanée d'un disque intervertébral et des vertèbres adjacentes, souvent d'origine infectieuse) peuvent entraîner une raideur permanente ou une déformation de la colonne.

■ Les lésions telles que déchirure musculaire, entorse ligamentaire, luxation, hernie discale peuvent être provoquées par des gestes excessifs : soulèvement d'objets lourds, mouvements de torsion, etc. Un choc, une chute, un mouvement brusque peuvent entraîner la fracture d'une ou de plusieurs vertèbres.

■ **La dégénérescence** du rachis se caractérise par une arthrose du cartilage articulaire. Elle est due à l'usure et atteint surtout les sujets de plus de 60 ans. Les personnes âgées, les femmes après la ménopause sont exposées à l'ostéoporose (raréfaction du tissu osseux, souvent responsable de fractures ou de tassements vertébraux).

Rachitisme

Maladie de l'enfance et de l'adolescence due le plus souvent à une carence en vitamine D et se traduisant par une minéralisation insuffisante des os.

CAUSES

Le rachitisme est lié à une perturbation du métabolisme phosphocalcique : les os ne parviennent pas à fixer des quantités suffisantes de calcium et de phosphore et subissent des déformations réversibles. La carence en vitamine D peut être due à un déficit alimentaire, surtout dans les pays en développement, mais aussi solaire. Une forme particulière de rachitisme, dite vitaminorésistante, provient non pas d'une carence en vitamine D mais d'une anomalie rénale qui empêche la transformation par le rein du 1-25 (OH)$_2$ cholécalciférol, forme active de la vitamine D.

SYMPTÔMES ET DIAGNOSTIC

Le rachitisme se traduit par des déformations variables du squelette : os des membres inférieurs anormalement courbés, épaississement de l'extrémité des os, perceptible aux poignets et aux chevilles, crâne réagissant à la pression comme une balle de Celluloïd avec fermeture retardée de la fontanelle antérieure, bourrelets au niveau des côtes. Le diagnostic est établi, pour les nourrissons, entre 4 et 12 mois. L'examen radiologique, en particulier celui du poignet, montre des déformations métaphysaires des os, et les dosages sanguins révèlent, dans les cas sévères, une baisse anormale des taux sanguins de phosphore et de calcium et une augmentation des phosphatases alcalines.

TRAITEMENT ET PRÉVENTION

Le traitement repose sur l'administration de vitamine D. Les rachitismes vitaminorésistants peuvent aujourd'hui être traités grâce à la mise au point de 1-25 (OH)$_2$ cholécalciférol de synthèse. L'administration systématique, sur prescription médicale, de vitamine D aux nourrissons ainsi que la supplémentation en vitamine D des laits infantiles permettent de nos jours d'assurer une prévention efficace de la maladie.

Racine

1. Partie initiale d'un organe ou d'une région du corps.
2. Partie par laquelle une structure organique s'attache à un autre organe ou au reste du corps.

On parle de la racine d'un membre (épaule ou hanche), de celle d'une dent (au-dessous de la couronne et dans l'os), de

RACHITISME

Maladie de l'enfance, le rachitisme est le plus souvent dû à une carence en vitamine D par déficit alimentaire et/ou exposition insuffisante au soleil. Cette carence entraîne un trouble de la croissance du squelette par défaut de minéralisation (en phosphore et en calcium) avec des déformations des os du crâne, des membres inférieurs et de la colonne vertébrale. Grâce à la prévention, le rachitisme est aujourd'hui relativement rare dans les pays développés.

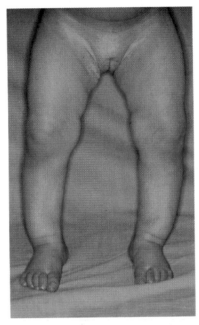

Les membres inférieurs du nourrisson présentent une incurvation à concavité interne, très caractéristique du rachitisme.

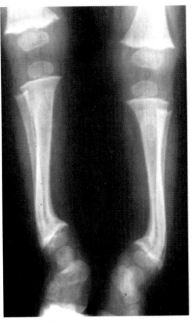

La radiographie révèle une incurvation du fémur et du tibia et une déformation « en toit de pagode » des épiphyses.

celle d'un poil (dans l'épaisseur de la peau) ou encore de celle d'un nerf rachidien (attachée à la moelle épinière).

Racine dentaire

Partie de la dent incluse dans l'alvéole dentaire de l'os de la mâchoire. (P.N.A. *radix dentis*)

C'est de la bonne implantation et du bon état de sa racine que dépend la solidité de la dent. Les incisives et les canines ont une racine, les prémolaires peuvent en avoir une ou deux et les molaires, deux ou trois.

PATHOLOGIE

La résorption de la racine des dents de lait est un phénomène physiologique qui fait partie du processus au cours duquel les premières dents disparaissent. En revanche, la résorption de la racine d'une dent définitive est toujours pathologique, due à un traumatisme ou à une carie qui, en l'absence de traitement, s'est étendue à la racine. La racine dentaire peut aussi être lésée au cours d'une parodontopathie (atteinte de la gencive et de l'os dans lequel la racine dentaire est implantée).

Radiale (artère)

Vaisseau de gros calibre irriguant l'avant-bras et situé sur le côté externe de celui-ci. (P.N.A. *arteria radialis*)

L'artère radiale est, avec l'artère cubitale, l'une des deux branches issues de la division de l'artère humérale. Elle naît au pli du coude

puis parcourt l'avant-bras sur sa partie externe jusqu'à la paume de la main. Là, elle s'unit avec une branche de l'artère cubitale pour constituer l'arcade palmaire profonde.

L'artère radiale donne tout au long de son trajet des rameaux collatéraux destinés à irriguer la peau et les muscles de l'avant-bras et de la main. Au poignet, elle est assez superficielle, aisément palpable, d'où l'utilisation qu'on en fait pour mesurer la fréquence cardiaque (prise du pouls).

En chirurgie, un fragment de cette artère peut servir de matériel pour effectuer un pontage aortocoronarien.
→ VOIR Pulsation.

Radiation ionisante

Particule ou rayonnement énergétique capable de transmettre à la matière irradiée son énergie, de l'ioniser (conférer une charge négative ou positive aux atomes ou aux molécules qui composent cette matière) et d'y entraîner parfois une recombinaison ou une réaction chimique.

La dosimétrie définit des mesures de grandeur telles que le becquerel, le gray, le rad (dose de radiation), le rem (*Röntgen Equivalent Man*) et le sievert (100 rems = 1 sievert), qui permettent de comparer les radiations entre elles, d'évaluer leurs dangers pour l'être humain et de déterminer leur utilité médicale.

DIFFÉRENTS TYPES DE RADIATION IONISANTE

Il existe trois types de radiation ionisante :

les rayonnements de haute énergie, employés en radiothérapie ; les rayons X, utilisés en radiologie conventionnelle ; les rayons gamma, qui sont à la base de la médecine nucléaire.

EFFETS INDÉSIRABLES

Les radiations ionisantes sont susceptibles d'avoir des effets biologiques très divers, immédiats ou retardés, dont l'évaluation est complexe. Certains de ces effets sont liés à la dose de radiations administrée, d'autres au mode d'irradiation (externe, par inhalation, par ingestion, etc.). Ce peuvent être des nausées, des vomissements, une anxiété. Il peut également s'agir de dermites telles que les pétéchies (petites taches hémorragiques sous-cutanées), d'une cataracte, de lésions de la moelle osseuse. Des diarrhées sanglantes, des lésions du tube digestif, une atteinte du système immunitaire, des lésions du système nerveux, un œdème cérébral peuvent aussi survenir.

L'accumulation des doses de radiations ionisantes entraîne d'autres types de lésions, dont des cancers. Une leucémie peut apparaître de 4 à 15 ans après l'exposition ; un cancer de la peau, du poumon, du sein ou des autres organes, 10 à 40 ans après. Le risque de la transmission à la descendance d'une anomalie génétique liée aux radiations ionisantes serait de 1 % environ par sievert ayant atteint l'un des parents.

PROTECTION

La protection contre les radiations ionisantes relève de mesures définies par la réglementation et les lois en vigueur.
→ VOIR **Radioprotection**.

Radical libre

Molécule présente dans certaines cellules et possédant en périphérie un électron célibataire (isolé et se libérant facilement).

Les radicaux libres sont électriquement neutres ou chargés (ioniques) et comprennent l'atome d'hydrogène, le radical hydroxyle, l'anion superoxyde, le peroxyde d'hydrogène (eau oxygénée), etc. Ils proviennent de l'action de rayonnements producteurs d'énergie (lumière, rayons X) et de réactions biochimiques sur l'oxygène. Ils seraient très toxiques pour les cellules s'il n'existait des substances chargées de les neutraliser (catalase, glutathion, etc.).

Des théories tentent d'expliquer certains des phénomènes de vieillissement et quelques maladies (athérosclérose) par l'accumulation des radicaux libres dans l'organisme.

Radiculalgie

Douleur située dans le territoire innervé par une racine nerveuse. SYN. *douleur radiculaire*.

CAUSES

Une radiculalgie est due en général à la compression d'une racine d'un nerf rachidien (rattaché à la moelle épinière) près de la colonne vertébrale. Cette compression peut être consécutive à une arthrose de la colonne vertébrale, à une hernie discale, à une tumeur osseuse ou nerveuse. La lésion de la racine est soit isolée, soit associée à une atteinte de la moelle épinière.

SYMPTÔMES ET SIGNES

Les signes sont localisés sur un trajet linéaire dans le territoire dépendant pour son innervation de la racine nerveuse lésée. Une personne atteinte de radiculalgie souffre de douleurs le plus souvent aiguës, de fourmillements ou d'une anesthésie de la peau. Tousser, éternuer ou faire un effort accentuent la douleur.

Le trajet de la douleur indique la localisation de la lésion. Ainsi, lorsque les racines du nerf sciatique sont lésées au niveau de la 5e vertèbre lombaire, la douleur descend sur la face externe de la cuisse et de la jambe. Par contre, lorsque la lésion est située à la hauteur de la 1re vertèbre sacrée, la douleur descend sur la face postérieure de la cuisse et de la jambe.

De même, l'atteinte de la 8e racine rachidienne cervicale se manifeste par des douleurs, appelées névralgies cervicobrachiales, ressenties sur le bord interne du bras jusqu'à l'auriculaire.

Outre ces troubles sensitifs, on peut observer une faiblesse ou une amyotrophie des muscles innervés par la racine en cause, voire une véritable paralysie.

TRAITEMENT

C'est d'abord celui de la cause : traitement de la lésion si cela est possible. Mais le traitement est souvent celui des symptômes : repos, prise de médicaments (anti-inflammatoires, décontracturants musculaires).

Radioactivité

Émission de rayonnements par les noyaux de certains atomes d'un élément chimique, conduisant à la transformation, ou transmutation, de cet élément en un autre.

La radioactivité est une propriété des corps dont les atomes sont instables du fait d'un déséquilibre entre le nombre de protons (particules lourdes de charge électrique positive) et le nombre de neutrons (particules lourdes de charge nulle) de leur noyau. Celui-ci tend à revenir à la stabilité en libérant de l'énergie. La radioactivité peut être naturelle ou résulter d'une activation des noyaux atomiques par un apport extérieur d'énergie (radioactivité artificielle).

DIFFÉRENTS TYPES DE RAYONNEMENT

Il en existe trois.

■ **Les rayons alpha** sont constitués de particules formées de deux protons et de deux neutrons. Ils n'ont pas d'application directe en médecine.

■ **Les rayons bêta** sont constitués d'électrons (particules légères de charge négative) ou de positons (particules analogues aux électrons, mais de charge positive). Ils sont utilisés pour doser en laboratoire certaines molécules biologiques telles que des hormones au moyen de marqueurs radioactifs (radio-immunologie) ; ils sont également utilisés dans les traitements par des médicaments radioactifs (radiothérapie métabolique) ainsi qu'en imagerie médicale (tomographie à positons).

■ **Les rayons X et gamma** sont de nature électromagnétique, comme la lumière visible. Ils sont utilisés en imagerie médi-

cale (scintigraphie, etc.) et en cobaltothérapie (traitement par le cobalt radioactif).

MESURE

L'activité d'une source de rayonnement est mesurée en becquerels (Bq). Cette unité, valable à l'échelle atomique (elle correspond à une désintégration par seconde), n'est pas adaptée à l'évaluation d'un risque pour l'homme. La quantité de rayonnements reçue par un organisme (dose absorbée) se mesure en grays (Gy). Mais l'effet de ces rayonnements sur un organisme dépend aussi de leurs caractéristiques : la notion d'équivalent de dose, mesurée en sieverts (Sv), permet à la fois de prendre en compte ces données quantitatives et qualitatives. Le gray et le sievert ont remplacé des unités plus anciennes comme le rad (100 rads = 1 gray) et le rem (100 rems = 1 sievert).

Les normes de protection contre les rayonnements ont pour but de limiter leurs risques et de les maintenir à un taux comparable à celui que comporte toute activité humaine. Elles doivent tenir compte du niveau de radioactivité naturelle de l'environnement. Ainsi, en France, le rayonnement cosmique (venant du ciel) et tellurique (venant du sol) correspond à une dose de 2,4 millisieverts par an. Les directives Euratom du Conseil de la Communauté économique européenne fixent la dose annuelle admissible à 50 millisieverts pour les irradiations d'origine non naturelle (industries nucléaires, médecine). À titre d'exemple, l'accident de Tchernobyl d'avril 1986 a augmenté cette dose annuelle de 0,07 millisievert pour la population française (source O.N.U.), ce qui est inférieur à la dose reçue lors d'un cliché radiologique.

EFFETS DES RAYONNEMENTS

Du fait de leur énergie, les rayonnements radioactifs sont susceptibles d'exercer une action néfaste sur l'organisme humain. Les rayons alpha et bêta sont peu pénétrants et ne sont dangereux que s'ils sont introduits dans l'organisme (par exemple, par ingestion de produits alimentaires contaminés). Les rayons gamma, en revanche, pénètrent profondément et peuvent traverser les organes (irradiation).

Les effets des rayonnements sont de deux types : ceux qui affectent directement l'être vivant et ceux qui atteignent sa descendance. Tous ces effets varient selon la dose reçue, la durée de l'exposition et l'étendue de la région exposée au rayonnement. Les effets de doses importantes sont bien connus quand celles-ci sont reçues en une seule fois par le corps entier. À l'inverse, l'effet de petites doses est plus difficile à évaluer.

■ **Les effets précoces** surviennent dans les heures, les jours ou les semaines qui suivent l'exposition à de fortes doses. À partir d'une dose de 0,2 sievert, les premières atteintes des rayonnements portent sur les cellules sanguines, surtout les globules blancs (infections) et les plaquettes (hémorragies). De 1 à 2 sieverts, on observe une radiodermite (rougeur de la peau). De 3 à 5 sieverts apparaissent des troubles digestifs (nausées, vomissements). Pour des doses plus importantes viennent s'ajouter des brûlures étendues et des troubles nerveux (paralysies).

■ **Les effets tardifs** ne sont décelables que pour des doses au moins égales à 1 sievert et après un délai moyen de 4 ans pour les leucémies, de 10 ans pour les autres cancers. Si le risque de développer un cancer est accru, la survenue de celui-ci n'est pas inéluctable. Pour des doses plus faibles, comprises entre 0,1 et 1 sievert, les cancers provoqués par des rayonnements sont plus exceptionnels, survenant surtout chez des enfants dont la mère a été irradiée pendant la grossesse. L'autre conséquence de l'irradiation d'un fœtus est le risque de survenue d'une malformation. L'effet de doses inférieures à 0,1 sievert ne s'est pas révélé significatif, comparé à la fréquence naturelle des malformations chez l'homme. Des irradiations plus importantes peuvent amener à proposer une interruption de grossesse, et cela d'autant plus que la grossesse en est à son début. Un autre effet tardif des rayonnements est la survenue d'une cataracte (opacification du cristallin de l'œil) pour des doses locales supérieures à 1 sievert.

■ **Les effets sur la descendance** ont été décrits chez certains animaux (mutations) ; en revanche, aucune modification transmissible des gènes n'a été observée dans la descendance des populations irradiées d'Hiroshima ou de Nagasaki.

PROTECTION
Quatre grands principes doivent être observés dans la protection contre la radioactivité : s'éloigner autant que possible de la source radioactive ; réduire le temps de séjour à proximité ; utiliser des écrans de protection (en plomb ou en béton contre les rayonnements gamma) ; s'efforcer d'éviter toute absorption accidentelle. L'utilisation de sources radioactives fait l'objet de mesures légales et réglementaires très strictes.

Radioanalyse
Toute technique d'analyse biologique utilisant un marqueur radioactif.
→ VOIR **Radio-immunologie.**

Radiocinéma
Enregistrement cinématographique des images d'un organe en mouvement, obtenues par radiologie.

Ce procédé, fondé sur l'emploi des rayons X et d'un amplificateur de brillance (appareil amplifiant la lumière de l'image radiologique), a surtout été utilisé en cardiologie pour étudier, après injection d'un produit de contraste iodé, l'opacification progressive des cavités cardiaques et des gros vaisseaux du cœur (aorte et ses principales branches, artères et veines pulmonaires, coronaires, etc.). Il permet de visualiser le fonctionnement du muscle cardiaque et le jeu des valvules, et de recueillir ainsi des éléments diagnostiques importants en vue d'une éventuelle intervention chirurgicale. Actuellement, la plupart de ces informations sont apportées par l'échocardiographie (procédé

non invasif et ne nécessitant pas l'injection de produit de contraste) et par le ciné-I.R.M. (la technique la plus moderne, la plus fiable et la plus sensible), ce qui diminue la fréquence du recours au radiocinéma.

Le radiocinéma a également été utilisé en radiologie digestive pour étudier la déglutition et la progression des aliments liquides et solides dans l'œsophage.

Cette technique tend à être supplantée aujourd'hui par l'enregistrement au magnétoscope (enregistrement vidéo), en particulier dans les examens radiologiques des vaisseaux (angiographie, par exemple). Ce dernier type d'enregistrement est également utilisé pour faire apparaître des images en mouvement obtenues par échographie, tomodensitométrie ou imagerie par résonance magnétique (I.R.M.).

Radiodermite
Maladie cutanée provoquée par les rayonnements ionisants.

Les radiodermites sont dues en général à la radiothérapie et surviennent au cours du traitement d'un cancer. Elles sont devenues peu fréquente grâce à une meilleure maîtrise du traitement (réduction des doses de rayonnements et des surfaces d'application, répartition des doses en plusieurs séances, etc.). Elles touchaient également autrefois les radiologues, en particulier aux mains.

DIFFÉRENTS TYPES DE RADIODERMITE
On distingue les formes aiguës et les formes chroniques.

■ **Les radiodermites aiguës** sont classées en quatre degrés, de gravité croissante en fonction de la dose reçue. Le premier degré (irradiation inférieure à 5,5 grays) comprend une rougeur, débutant une semaine après l'exposition aux rayonnements, et éventuellement une chute réversible des poils. Au deuxième degré (de 5 à 12 grays), il s'y ajoute une desquamation et une pigmentation prolongée. Au troisième degré (de 12 à 25 grays), la chute des poils devient définitive et des cloques apparaissent, qui tombent en quelques jours et laissent le

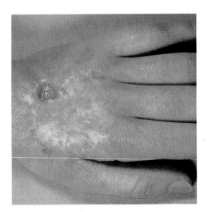

Radiodermite. *Les rayonnements ont entraîné une mise à nu du derme et un ulcère profond (creusement jaunâtre).*

derme à nu. Au quatrième degré (plus de 25 grays), la nécrose complète de la peau (destruction) laisse un ulcère profond, et les séquelles sont importantes.

■ **Les radiodermites chroniques** sont des lésions plus tardives, caractérisées surtout par une atrophie cutanée : la peau est mince, fragile, difficile à plisser, parcourue de télangiectasies (petits vaisseaux dilatés) ; sa pigmentation est anormale. Ces lésions risquent de se compliquer de kératose (petites saillies grisâtres susceptibles d'évoluer vers une forme de cancer cutané, du type épithélioma spinocellulaire).

TRAITEMENT
Celui des formes aiguës est centré sur des soins locaux peu agressifs : toilette au sérum physiologique ou à l'huile d'amande douce, pommades grasses ; des applications de corticostéroïdes, voire une greffe de peau, sont parfois nécessaires. Le traitement des formes chroniques est limité à l'ablation chirurgicale des lésions, quand elle est possible, pour empêcher la cancérisation.

Radiodiagnostic
Diagnostic anatomique et clinique porté à l'aide des techniques de radiologie utilisant les rayons X.

Jusque dans les années 1970, le radiodiagnostic comportait la radiographie (examen à l'aide des rayons X produisant un document sous la forme d'un cliché) et la radioscopie (examen sur écran, sans document fixe, à l'aide des rayons X). Mais, depuis vingt ans, la radiologie s'est enrichie des apports de l'informatique, utilisée par le scanner à rayons X et pour la numérisation des images radiologiques, celle-ci s'appliquant principalement à l'angiographie (radiographie des vaisseaux sanguins). Aux méthodes de radiodiagnostic à proprement parler se sont ajoutées celles utilisant les ultrasons (échographie) puis, fondée sur le phénomène de résonance magnétique nucléaire, l'imagerie par résonance magnétique (I.R.M.). Le radiodiagnostic entre donc aujourd'hui dans un très vaste ensemble, l'imagerie médicale, comprenant la radiologie et les autres procédés.

Le radiologue met en œuvre les moyens techniques appropriés au diagnostic et au malade. Il veille à la sécurité de chaque examen, assure la qualité des images, procède à leur interprétation et rédige un compte rendu. Il a un rôle de conseil auprès des autres médecins, qu'il informe des possibilités techniques et des limites de sa spécialité. Avec d'autres éléments (cliniques, biologiques, etc.), le radiodiagnostic et l'imagerie médicale concourent à l'établissement du diagnostic.

Radioélément
Élément radioactif. SYN. *radio-isotope.*

Les radioéléments peuvent exister à l'état naturel ou être fabriqués artificiellement par bombardement de noyaux atomiques stables par des faisceaux de particules. Leur noyau, en se désintégrant, émet soit un rayonnement électromagnétique (rayons X, rayons

Cet examen radiologique permet d'obtenir, à l'aide d'un faisceau de rayons X traversant le thorax et impressionnant un film radiographique, une image des poumons ainsi que des autres gros organes (cœur et gros vaisseaux) contenus dans la cage thoracique. Grâce à la radiographie thoracique, il est possible de diagnostiquer différentes affections pulmonaires, telles qu'une tuberculose ou un œdème du poumon, des modifications cardiaques ou aortiques, ou encore de déceler des adénopathies du médiastin.

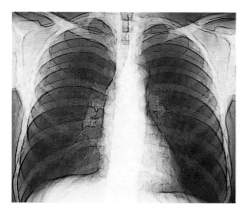

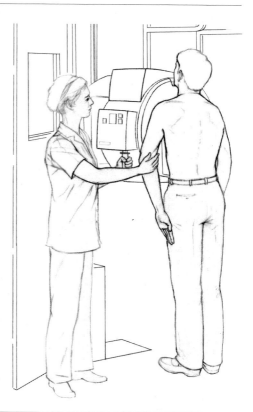

Pour réaliser un cliché radiographique du thorax de face, l'opérateur place le patient, torse nu, épaules basses et coudes en avant, contre un support contenant le film radiographique. Il lui demande alors d'inspirer profondément, pour rendre les poumons plus visibles, puis de bloquer sa respiration pendant la prise du cliché.

Au milieu du cliché, les images superposées du cœur et de la colonne vertébrale (en blanc et jaune), sont entourées par celles des poumons (en noir) et des côtes (en jaune).

gamma), soit un rayonnement constitué de particules (particules alpha, électrons, etc.), soit les deux simultanément.

De nombreux radioéléments sont utilisés en médecine nucléaire. Les plus courants sont le technétium (^{99m}Tc), le thallium (^{201}Tl), l'iode radioactif (^{123}I, ^{125}I et ^{131}I) et l'indium (^{111}In). Un radioélément est parfois utilisé seul mais, le plus souvent, il est lié à une molécule complexe. Il en permet la détection grâce au rayonnement qu'il émet, faisant ainsi fonction de « marqueur » de la molécule, qui est dite « marquée ».

UTILISATION DIAGNOSTIQUE ET THÉRAPEUTIQUE

Les radioéléments sont utilisés en imagerie médicale (scintigraphie), dans les traitements par des médicaments radioactifs (radiothérapie métabolique) et dans certaines techniques d'analyse des prélèvements biologiques (radioanalyse). Ils sont aussi employés dans les dispositifs de traitement par irradiation tels que la cobaltothérapie (souvent improprement appelée bombe au cobalt).

→ VOIR Isotope.

Radiographie dentaire

Image des dents et des maxillaires, obtenue par exposition aux rayons X.

INDICATIONS

Une radiographie dentaire est pratiquée afin de rechercher des anomalies indécelables à l'examen clinique : carie à ses premiers stades, abcès, kyste ou granulome à l'extrémité d'une racine, tumeur ou encore fracture d'une racine ou d'un maxillaire, dent incluse. Elle permet ainsi, précocement, d'établir ou de confirmer un diagnostic et de définir un traitement.

DIFFÉRENTS TYPES DE RADIOGRAPHIE DENTAIRE

Les techniques de radiographie dentaire varient selon ce que le médecin et le dentiste cherchent à visualiser.

■ **La radiographie rétroalvéolaire** utilise un film de haute définition protégé par une enveloppe que le sujet maintient dans la bouche derrière la dent à examiner. Elle peut être réalisée suivant la technique dite « bissectrice » (rayons divergents ou convergents) ou suivant la technique dite « parallèle » ou « long cône » (rayons parallèles). Cette radiographie permet d'obtenir une image détaillée de la dent, de la gencive et de l'os. Dans certaines installations, le film est aujourd'hui remplacé par un capteur qui numérise l'image, ce qui rend possibles sa visualisation directe sur écran et son enregistrement par ordinateur.

■ **La radiographie panoramique dentaire** fournit une image de l'ensemble des arcades dentaires et des maxillaires, mais sa définition est moins bonne que celle du cliché rétroalvéolaire.

■ **La tomodensitométrie** (scanner à rayons X) appliquée aux dents mesure l'os disponible pour des implants éventuels.

EFFETS INDÉSIRABLES

Une radiographie dentaire ne comporte aucun risque car l'irradiation est extrêmement faible. Cependant, il est préférable de faire porter aux femmes enceintes un tablier de plomb.

→ VOIR Panoramique dentaire.

Radiographie thoracique

Image des gros organes (cœur, poumons) contenus dans la cage thoracique, obtenue par exposition du thorax aux rayons X.

La radiographie thoracique est l'un des examens les plus fréquemment prescrits en radiologie et imagerie médicale.

INDICATIONS

Une radiographie thoracique permet de reconnaître la plupart des lésions pulmonaires comme celles de la tuberculose, des pneumopathies infectieuses, pneumonie notamment, ou de l'œdème du poumon. Elle facilite aussi le diagnostic des infections de la plèvre (pleurésie, pneumothorax) ainsi que celui des affections qui modifient la forme du cœur et des vaisseaux (insuffisance cardiaque, anévrysme de l'aorte) ou celle du médiastin (adénopathies).

PRÉPARATION ET DÉROULEMENT

Cette radiographie s'effectue sans préparation, en consultation dans un service de radiologie, à l'hôpital ou en ville. Pour un cliché du thorax de face, le sujet est debout, nu jusqu'à la ceinture, poitrine contre la cassette porte-film, mains sur les hanches, épaules basses et coudes en avant pour éviter la superposition de l'image des omoplates et des bras à celle du thorax. Pour obtenir une image convenablement exposée des deux poumons, l'opérateur règle l'appareillage en fonction de la corpulence du sujet, à qui il demande de prendre une inspiration profonde et de la bloquer pendant l'exposition. Un cliché de profil complète utilement le cliché de face.

Dans l'image thoracique normale prise de face, les parties transparentes aux rayons X apparaissent en sombre, les parties opaques en clair. Les poumons ressortent presque noirs (« transparence », ou « clarté », pulmonaire) ; les organes du milieu du thorax (cœur et gros vaisseaux en particulier), dans des valeurs allant du gris foncé au gris clair. Les os (vertèbres, côtes, sternum, clavicules) apparaissent très clairs, presque blancs (« opacités » squelettiques).

Si la radiographie thoracique ne suffit pas à établir le diagnostic, le médecin peut prescrire un scanner thoracique, qui a remplacé les tomographies. Celui-ci permet de déceler des lésions plus petites du fait de sa sensibilité élevée au contraste entre le tissu des poumons et l'air qu'ils contiennent. L'air, en revanche, rend l'échographie et l'imagerie par résonance magnétique (I.R.M.) impropres à ce type d'examen.

CONTRE-INDICATIONS

Cet examen ne se pratique plus de façon systématique dans le cadre de la médecine scolaire ou de la médecine du travail afin de limiter l'exposition aux rayons X. Ses indications sont également plus limitées lors d'une hospitalisation ou avant une intervention chirurgicale. Il est préférable de l'éviter au cours de la grossesse.

Radio-immunologie

Technique de laboratoire utilisant des composés radioactifs (radio-analyse) conjugués à des antigènes pour doser des anticorps.

Initialement développée pour doser les hormones circulantes, la radio-immunologie est utilisée pour dépister les anticorps présents dans le sang d'un malade lors d'une maladie telle que le lupus érythémateux disséminé ou lors d'une allergie.

Le principe consiste à fixer un isotope radioactif (A.D.N. contenant un fragment radioactif) sur un antigène et à mêler cet antigène marqué au sérum du malade. Après formation des complexes immuns (anticorps et antigène cible), la radioactivité mesurée indique la quantité d'anticorps présents. Par une technique analogue, il est possible de doser les immunoglobulines de type E soit dans leur ensemble, soit en distinguant celles qui sont spécifiques d'un allergène chez un malade allergique.

Radio-isotope

→ VOIR Radioélément.

Radiologie

Branche des sciences médicales qui utilise les rayons X à des fins diagnostiques ou thérapeutiques.

La radiologie est l'une des techniques d'imagerie médicale, laquelle comprend également l'échographie, qui utilise les ultrasons, et l'imagerie par résonance magnétique (I.R.M.), qui utilise le phénomène de résonance magnétique nucléaire (R.M.N.).

L'histoire de la radiologie commence en 1895 avec la découverte des rayons X par un physicien allemand, Wilhelm Conrad Röntgen, de l'université de Würzburg. Röntgen décrit les propriétés principales de ce rayonnement, qu'il assimile à une forme de lumière invisible : ce sont la propagation, la pénétration et l'absorption. Cette découverte sera couronnée en 1901 par le prix Nobel de physique.

À cette époque, il faut plusieurs dizaines de minutes pour obtenir l'image d'une main sur une plaque photographique mais, pour la première fois, on peut voir les os, qui absorbent le rayonnement et se distinguent clairement des chairs, moins absorbantes. L'intérêt médical des rayons X est d'emblée manifeste et suscite l'enthousiasme. Des médecins, parmi lesquels le Français Antoine Béclère, démontrent leur utilité diagnostique, en particulier pour l'examen des poumons et des os et pour l'identification et la localisation des corps étrangers (projectiles métalliques, par exemple). En laboratoire, une nouvelle voie de recherche est ouverte avec l'injection de sels métalliques dans les vaisseaux pour visualiser certains organes.

En revanche, les dangers des rayons X sont d'abord méconnus. Mais l'apparition de radiodermites (ulcérations) sur les mains des premiers radiologues en fait prendre conscience ; c'est alors que sont élaborées les premières règles de sécurité et de radioprotection.

Après la Première Guerre mondiale (1914-1918), les hôpitaux tendent à se doter d'un service de radiologie. Pendant que les premières techniques évoluent, d'autres apparaissent : radioscopie, film photographique puis film radiographique, utilisation des produits de contraste (sels de bismuth, baryum, dérivés iodés). L'appareillage se développe : apparition en 1922 des tomographies (images de plans de coupe obtenues par déplacement coordonné du tube à rayons X et du film), mise au point de sériographes (utilisés pour les artériographies), d'appareils polyvalents ou au contraire spécialisés et destinés à l'étude d'une région anatomique.

UTILISATION DIAGNOSTIQUE ET THÉRAPEUTIQUE

Initialement limitée à l'utilisation des rayons X sans ordinateur, la radiologie a vu ses techniques d'investigation s'élargir considérablement au cours des deux dernières décennies avec, en particulier, la tomodensitométrie (scanner à rayons X, 1972). Elle relève désormais d'une spécialité médicale nouvelle, que l'on nomme « radiologie et imagerie médicale », et comporte des spécialités bien différenciées comme les imageries neurologique (neuroradiologie), cardiovasculaire, gynéco-obstétricale, ostéoarticulaire, pédiatrique (radiopédiatrie), pneumologique, urologique, etc. La « radiologie et imagerie médicale » se distingue de la spécialité appelée « médecine nucléaire », qui utilise les isotopes radioactifs.

Radiologie interventionnelle

Technique d'intervention diagnostique ou thérapeutique contrôlée visuellement au moyen d'un appareillage d'imagerie médicale.

La radiologie interventionnelle permet - sous contrôle visuel échographique ou radiologique - les ponctions et les biopsies d'organes profonds, le drainage d'abcès. Le traitement de certaines hernies discales de la région lombaire par nucléolyse enzymatique (injection d'une enzyme dans le disque) ou par fragmentation percutanée, le traitement de certains cancers par perfusion locale d'antimitotiques (médicaments anticancéreux), préservant ainsi le reste de l'organisme contre leurs effets indésirables, ou la neurochirurgie stéréotaxique sont d'autres exemples de radiologie interventionnelle.

La radiologie vasculaire interventionnelle comporte plusieurs techniques. L'oblitération d'un vaisseau au moyen de particules solides ou d'un caillot sanguin porte le nom d'embolisation. Elle est utilisée pour provoquer l'arrêt d'un saignement consécutif à une lésion ou pour diminuer l'abondance d'une hémorragie lors d'une intervention chirurgicale. Elle est également employée pour faire régresser une lésion vasculaire (anévrysme). Dans d'autres cas, l'image permet de contrôler l'introduction dans les vaisseaux - après oblitération de ceux-ci - de sondes munies à leur extrémité d'équipements que l'on choisit en fonction de la pathologie à traiter : ballonnet détachable pour remplir la poche formée par un vaisseau fragilisé (anévrysme), ou non détachable pour dilater localement une artère rétrécie ; filtre en forme de « parapluie » posé dans la veine cave inférieure pour protéger les poumons du risque d'embolie.

Ces différentes techniques permettent d'éviter les coûts - et parfois, en limitant la voie d'abord, les risques - liés à une intervention chirurgicale classique. Elles nécessitent toutefois une hospitalisation.

Radiologie numérique

Technique d'imagerie médicale fondée sur l'emploi d'une caméra vidéo qui balaie ligne par ligne l'écran d'un amplificateur de brillance (appareil amplifiant la lumière de l'image radiographique).

Le signal en provenance de la caméra est analysé et transformé en une suite de nombres formés de 0 et de 1 (codage binaire). L'image ainsi numérisée peut être enregistrée par ordinateur et traitée : il est possible de moduler son contraste, de l'agrandir, de l'annoter et, plus généralement, d'améliorer sa qualité et sa présentation. Après le scanner à rayons X, l'angiographie numérisée a été la première application de la radiologie numérique.

La radiologie numérique permet le traitement informatisé de l'image : suppression de portions inutiles de l'image, reconstitution en trois dimensions à partir de plusieurs incidences.

Une autre technique, dite « tout numérique », remplace l'écran vidéo par un écran constitué de cristaux spéciaux. Ces cristaux présentent la propriété de conserver en mémoire l'image, qui est révélée et numérisée directement par un faisceau laser. L'écran est alors effacé et prêt pour une nouvelle utilisation.

Il est possible, en outre, de restituer sur divers supports (papiers, films, etc.) l'image numérisée enregistrée dans l'ordinateur.

Radiomanométrie biliaire peropératoire

Examen radiologique, associé à une étude des pressions de la voie biliaire principale (canal cholédoque), pratiqué au cours d'une intervention chirurgicale.

L'examen radiologique biliaire peropératoire est indiqué pendant l'ablation de la vésicule biliaire, nécessitée par une lithiase biliaire (formation de calculs). Cet examen permet de s'assurer que la voie biliaire principale est libre de tout obstacle (calcul ou obstacle fonctionnel). Dans certaines indications, il est complété par une étude manométrique biliaire. Une sonde munie d'un appareil à mesurer les pressions est alors introduite dans le canal cholédoque, directement accessible, suivie d'une autre sonde permettant l'opacification de ce conduit par un produit radio-opaque pour obtenir des images radiologiques.

Radiopelvimétrie

Méthode radiologique qui permet de mesurer les dimensions du bassin chez la femme enceinte.

INDICATIONS

La radiopelvimétrie est indiquée lorsqu'il existe un doute sur la taille du pelvis (bassin), qui doit être suffisamment grand pour permettre le passage de l'enfant à naître, ou lorsqu'on suspecte une anomalie osseuse (anomalie de la colonne vertébrale, luxation de la hanche, antécédent de fracture du bassin). Elle est aussi pratiquée lorsque l'enfant se présente par le siège ou lorsque la femme enceinte a déjà subi une césarienne au cours d'une grossesse précédente. La radiopelvimétrie permet de déterminer si l'accouchement attendu pourra se faire sans risques par les voies naturelles ou si l'on doit prévoir une césarienne.

TECHNIQUE ET DÉROULEMENT

Cet examen utilise les rayons X et se pratique soit en radiologie conventionnelle, soit à l'aide d'un scanner à rayons X. En radiologie conventionnelle, il se réalise le plus tard possible, au 8e ou au 9e mois de grossesse, sans préparation. Il dure environ dix minutes. La vessie doit être vide.

Pour éviter que l'enfant ne soit trop irradié, le radiologue limite le nombre des clichés à trois, un en position semi-assise, un autre en position debout et parfaitement de profil, un dernier en position couchée et localisé sur les épines sciatiques, en veillant à focaliser au maximum sur les dernières le faisceau de rayons X.

En tomodensitométrie (examen au scanner à rayons X), la patiente est allongée sur le dos, les bras derrière la tête. Deux clichés (face et profil) sont réalisés selon une technique de numérisation et complétés par une ou deux coupes scanographiques effectuées dans le plan axial. Les mesures réelles s'effectuent directement sur l'écran de commande du scanner.

La taille du bassin de la femme enceinte est comparée à celle du fœtus, déterminée au préalable lors d'une échographie.

Cet examen est absolument sans douleur. Seuls les changements de position nécessaires peuvent être pénibles pour la patiente dont la grossesse est très avancée.

Radioprotection

Protection des personnes, des biens et de l'environnement contre les rayonnements ionisants.

DIFFÉRENTS TYPES DE RADIOPROTECTION

■ **Des normes législatives et réglementaires** sont établies à l'échelon national et international pour protéger les personnes contre les radiations. Ces normes ont trait notamment aux sources de radiations ionisantes, aux installations (locaux, périmètres interdits), au transport de substances radioactives, à la limitation de l'irradiation de la population dans son ensemble et à la surveillance des personnes professionnellement exposées. Des lésions peuvent survenir quand la dose totale de radiations pour une exposition dépasse le seuil de 1 sievert.

■ **Éviter l'exposition** constitue la meilleure protection. Outre l'irradiation naturelle, d'origine tellurique, solaire et cosmique, et les risques d'irradiation liés aux installations et aux expérimentations nucléaires civiles et militaires, il existe une irradiation liée à l'utilisation médicale des radiations ionisantes. Dans ce domaine, les mesures de radioprotection consistent à contrôler que les installations et les locaux sont conformes aux normes en vigueur et à réduire le nombre des examens radiologiques inutiles ou peu utiles. C'est ainsi qu'ont été abandonnées les radiographies thoraciques systématiques de la médecine scolaire et de la médecine du travail. D'autres mesures, d'ordre incitatif, sont destinées à orienter les prescriptions vers des examens qui limitent l'irradiation ou qui permettent de l'éviter (scanner à rayons X plutôt que tomographie, par exemple, ou cadrage de la partie du corps exposée).

La protection des personnels est également indispensable non seulement dans les services de médecine nucléaire et de radiothérapie, mais également dans les installations radiologiques des diverses spécialités médicales et des blocs opératoires. Des mesures strictes régissent les conditions dans lesquelles ces personnels exercent leurs fonctions : tableaux de commande protégés par des vitres plombées, surveillance à distance de l'image obtenue par écran de télévision, port systématique d'un dosimètre – et parfois d'un tablier de plomb et de gants –, visites pluriannuelles systématiques dans le cadre de la médecine du travail.

■ **Le dosimètre** est un appareil constitué par un film radiographique sensible qui permet de contrôler la quantité de rayonnement reçu. Son port dans les zones à risque est obligatoire.

PRÉVENTION

En cas d'accident nucléaire ou d'exposition à des gaz contenant des isotopes radioactifs, la meilleure prévention contre le risque de captage d'iode radioactif est d'administrer le plus tôt possible de l'iode neutre, qui sature la thyroïde et empêche l'iode radioactif de se fixer à sa place.

SURVEILLANCE

Les personnes exposées accidentellement ou professionnellement à une irradiation excessive doivent être pendant plusieurs années éloignées sans délai du lieu d'exposition aux irradiations. S'il y a contamination, des mesures de décontamination ont lieu dans un bloc médical prévu à cet effet. Puis un contrôle médical clinique et biologique est pratiqué sur-le-champ et ensuite répété à court et à long terme.

Radioscopie

Examen radiologique dans lequel l'image produite par les rayons X est projetée et observée sur un écran fluorescent.

La radioscopie est une technique de radiodiagnostic qui a longtemps été utilisée pour observer les mouvements respiratoires et les mouvements du cœur dans ses différentes phases de contraction et d'ouverture ou de fermeture des valvules. Sous sa forme ancienne, elle délivrait une dose de rayons X jugée aujourd'hui trop importante. La radioscopie est beaucoup moins irradiante aujourd'hui grâce aux améliorations techniques du matériel : utilisation de fibres optiques spéciales, d'amplificateurs de brillance, persistance de l'image sur des écrans de contrôle télévisé, etc. Technique modernisée, la radioscopie permet par exemple, avec un amplificateur de brillance, de contrôler dans les blocs opératoires la réduction d'une fracture. Pour le cœur, l'échographie et l'examen Doppler l'ont aujourd'hui remplacée.

Radiothérapie

Utilisation des rayonnements ionisants dans le traitement de certaines maladies, essentiellement celui des cancers.

Le terme de radiothérapie employé seul fait surtout référence à la radiothérapie externe, encore appelée radiothérapie transcutanée ou téléradiothérapie, dans laquelle la source de rayonnements est extérieure au malade et produit un faisceau qui atteint les tissus profonds après traversée de la peau et des tissus superficiels. La radiothérapie externe fait appel à deux types de rayonnement ionisant : des rayonnements électromagnétiques (rayons X, rayons gamma) et des rayonnements constitués d'infimes particules élémentaires (électrons, protons, neutrons). Elle utilise deux sources de rayonnements : soit les radioéléments euxmêmes (cobalt 60), qui sont souvent des isotopes (variantes chimiques) radioactifs d'une substance ; soit des appareils (accélérateurs de particules) qui mettent en mouvement les particules élémentaires et envoient vers le malade ces particules ou le rayonnement qu'elles produisent.

HISTORIQUE

L'émission de rayonnement X en laboratoire fut découverte en 1895 par le physicien allemand Wilhelm Röntgen. Quelques mois plus tard, elle était déjà appliquée aux premières radiographies en Europe et aux États-Unis, en même temps que l'on commençait à envisager une utilisation thérapeutique de ces rayons. Le physicien français Henri Becquerel découvrit en 1896 la radioactivité d'une substance chimique appelée radioélément, en l'occurrence l'uranium naturel. En 1898, les physiciens français Pierre et Marie Curie découvrirent un autre radioélément naturel, le radium, dont l'utilisation thérapeutique commença dès 1901. Malgré l'intérêt de cette technique, les effets indésirables des rayonnements (brûlures de la peau, par exemple) en limitèrent les indications jusqu'aux années 30. Les techniques modernes de radiothérapie, apparues dès 1950, délaissent les appareils à rayonnement X classique au profit d'appareils à haute énergie et remplacent les radioéléments naturels par des radioéléments artificiels.

INDICATIONS

À faibles doses, la radiothérapie a un effet anti-inflammatoire parfois utilisé dans le traitement du zona ou de chéloïdes (cicatrices pathologiques).

Toutefois, l'indication principale de la radiothérapie est le cancer. Une radiothérapie a pour objectif de délivrer une dose suffisante pour traiter la tumeur tout en épargnant les organes voisins. La dose absorbée est exprimée en grays (unité de mesure quantitative de radioactivité). Les rayonnements ionisants agissent en détruisant les structures chromosomiques responsables de la division cellulaire, ce qui entraîne la mort des cellules cancéreuses. Les cellules saines sont également attaquées, mais elles ont une capacité de restauration plus importante. L'action anticancéreuse des rayonnements est utilisée de façon isolée ou associée à une autre méthode (chirurgie, chimiothérapie). Ainsi, la radiochimiothérapie (administration simultanée de rayonnements et de médicaments) est utilisée en cas de carcinome épidermoïde du pharynx, des bronches, de l'œsophage et du canal anal ; la radiothérapie peropératoire, quant à elle, consiste à irradier une tumeur profonde (rectale, pancréatique, etc.) par électrons au cours d'une intervention chirurgicale après avoir éloigné les organes voisins (intestins, reins, etc.). La radiothérapie a de nombreuses autres applications : la radiothérapie corporelle totale est destinée à préparer une greffe de moelle osseuse pour traiter certaines formes de leucémies ou d'hémopathies ; la radiothérapie cutanée totale utilise des électrons de faible intensité dans le traitement de lymphomes cutanés.

Une radiothérapie est dite conservatrice lorsqu'elle remplace une thérapeutique mutilante : ablation du sein, du larynx, amputation anorectale, etc. Elle peut être employée sur la tumeur elle-même, sur les ganglions voisins ou sur les métastases, dans un but curatif ou parfois palliatif, par exemple pour diminuer l'intensité des douleurs.

DIFFÉRENTS TYPES D'APPAREIL

Les tubes traditionnels produisant des rayons X de faible énergie ne sont plus employés que dans le traitement des cancers cutanés. Les accélérateurs linéaires sont les appareils le plus fréquemment utilisés : ils produisent soit des électrons, actifs en superficie et indiqués dans le traitement des tumeurs superficielles, soit des rayons X de haute énergie, pénétrant très profondément sous la peau et adaptés au traitement des cancers profonds du thorax ou de l'abdomen. Une autre variété d'accélérateurs de particules, les cyclotrons, qui produisent des neutrons ou des protons, est réservée au traitement des cancers rares et de traitement délicat (mélanome de l'œil, sarcome de la base du crâne). Enfin, les appareils contenant du cobalt 60 (la « bombe au cobalt » du langage courant),

qui émettent des rayons gamma traitant les tissus profonds, mais épargnant la peau, sont adaptés aux cancers de la tête et du cou, du sein et des membres.

TECHNIQUE

La radiothérapie moderne suppose un environnement technique important. Un examen préalable au scanner permet de repérer la situation du ou des organes à irradier. Une simulation est réalisée par radiographie simple pour permettre de bien positionner les faisceaux. La dose de rayonnement nécessaire à la destruction des cellules cancéreuses est calculée par informatique (dosimétrie). Pour accroître l'efficacité du rayonnement sans léser les tissus sains, la technique des faisceaux convergents est souvent employée : un faisceau irradie la face antérieure du malade, un deuxième sa face postérieure, un troisième son côté droit et le dernier, son côté gauche : chaque faisceau a une intensité trop faible pour léser les tissus sains sur son trajet, et la somme des quatre a un effet plus important sur la tumeur. Les faisceaux, rectangulaires, peuvent adopter une forme complexe grâce à des caches personnalisés. Une autre technique, la radiothérapie par mini-faisceaux (irradiation par de multiples petits faisceaux convergents), est utilisée dans le traitement de malformations artérioveineuses ou de tumeurs cérébrales limitées mais inopérables.

DÉROULEMENT

Le malade est dévêtu, couché dans une position permettant l'irradiation, et immobile. Le traitement est indolore et ne dure pas plus de quelques minutes. Des repères, peints ou tatoués sur la peau, permettent de positionner de nouveau les appareils lors des séances suivantes. Le traitement est en général quotidien ou, parfois, pluriquotidien pour améliorer l'efficacité du traitement de certains cancers (pharynx, larynx). Il dure de 4 à 8 semaines environ, sans qu'une hospitalisation soit indispensable.

EFFETS INDÉSIRABLES

Ils sont dus à l'atteinte des cellules saines. Les réactions précoces sont réversibles en quelques semaines : radiodermite aiguë (rougeur cutanée, dépilation), radiomucite aiguë (rougeur des muqueuses et douleurs buccales), hypoplasie médullaire (destruction des cellules sanguines de la moelle osseuse). Les réactions tardives, qui se produisent parfois après plusieurs années, sont moins aisément réversibles : radiodermite chronique (peau fine, sèche, couperosée), fibrose pulmonaire (envahissement des poumons par du tissu fibreux), retard de croissance chez l'enfant, apparition d'autres cancers, troubles génitaux (ménopause précoce, stérilité), anomalies des gamètes plus ou moins transmissibles à la descendance.

La prévention, d'efficacité certaine mais partielle, repose sur les précautions techniques : dose de rayonnement et volume corporel irradié les plus faibles possible, diminution de la dose administrée par séance avec augmentation du nombre de celles-ci.

→ VOIR Cobaltothérapie, Curiethérapie, Neutronthérapie, Protonthérapie.

Radiothérapie métabolique

Méthode thérapeutique consistant à administrer un médicament qui contient un élément radioactif destiné à se fixer dans le tissu ou dans l'organe qu'il doit sélectivement irradier pour le soigner.

TRAITEMENT PAR L'IODE 131

L'iode radioactif (iode 131) est utilisé depuis une cinquantaine d'années dans le traitement des maladies de la glande thyroïde.

■ La maladie de Basedow (goitre diffus avec augmentation de la sécrétion d'hormones thyroïdiennes, associée à une exophtalmie d'importance variable) exige parfois un traitement radical. L'ablation chirurgicale d'une partie de la thyroïde peut être remplacée par l'administration orale ou intraveineuse d'une dose d'iode radioactif. La quantité de radioactivité administrée dépend de la taille de la thyroïde et de sa capacité à fixer l'iode. Ce traitement, très simple et efficace, ne nécessite en général pas d'hospitalisation. Toutefois, une insuffisance de sécrétion de la glande thyroïde (hypothyroïdie) imposant la prise d'hormones thyroïdiennes peut survenir précocement ou dans les années qui suivent le traitement, ce qui rend une surveillance obligatoire. Ce traitement est applicable à tout âge, sauf en cas de grossesse en cours (contre-indication absolue).

■ Certains nodules thyroïdiens (adénomes toxiques, goitres hétéronodulaires) ont la propriété de fixer l'iode radioactif plus que le reste de la thyroïde et peuvent donc être traités avec succès par l'iode radioactif. Le risque d'hypothyroïdie est très faible.

■ Les cancers différenciés de la thyroïde, enfin, peuvent bénéficier d'un traitement par une forte dose d'iode 131 en complément de la chirurgie ou en cas de métastases pulmonaires ou osseuses. Une hospitalisation de quelques jours en chambre individuelle protégée est nécessaire pour éviter toute irradiation de l'entourage du malade et pour la protection de l'environnement.

AUTRES TRAITEMENTS

Ils utilisent divers isotopes radioactifs. L'hospitalisation pour des raisons de radioprotection est nécessaire à partir d'un certain niveau de radioactivité. Le phosphore 32 est utilisé dans le traitement des syndromes myéloprolifératifs (production excessive des cellules sanguines par la moelle osseuse), essentiellement la polyglobulie primitive (maladie de Vaquez). Le strontium 89, les phosphonates marqués par le rhénium 186 ou le samarium 153 sont utilisés pour atténuer la douleur des métastases osseuses des cancers de la prostate lorsque l'hormonothérapie n'est plus efficace. L'yttrium 90, le rhénium 186 ou l'erbium 169 sont injectés sous forme de colloïdes dans des articulations afin d'éviter leur destruction par des phénomènes inflammatoires sévères : il s'agit de la synoviorthèse radioactive, principalement utilisée dans le traitement de la polyarthrite rhumatoïde. Enfin, la méta-iodobenzylguanidine marquée à l'iode 131 est employée dans le traitement palliatif de certains phéochromocytomes (tumeurs de la glande médullosurrénale) de nature maligne, avec métastases viscérales ou osseuses, ainsi que dans celui des neuroblastomes inopérables ou résistant à la chimiothérapie.

PERSPECTIVES

La radiothérapie métabolique utilisant des anticorps monoclonaux marqués a fait l'objet d'essais cliniques dans le traitement du cancer de l'ovaire, des cancers digestifs et des lymphomes. Son utilisation reste cependant très limitée. D'autres voies d'administration et d'autres radioéléments sont en cours d'étude.

Radique

Se dit d'une manifestation pathologique provoquée par une radiothérapie.

TROUBLES RADIQUES

Ils peuvent atteindre tous les organes, principalement les poumons.

■ Les troubles radiques du poumon, ou poumon radique, sont une complication fréquente de la radiothérapie thoracique. Ils surviennent parfois directement après l'irradiation (« poumon radique aigu ») mais surtout de 6 à 30 mois plus tard (fibrose radique) :

– le poumon radique aigu est un phénomène rare et sans gravité ; il se manifeste par une toux, des crachats, une gêne respiratoire et une fièvre modérée, qui disparaissent spontanément ou à l'aide d'un traitement à base de corticostéroïdes ;

– la fibrose radique se traduit par le développement d'un tissu fibreux anormal dans le poumon. Elle n'entraîne une gêne respiratoire que si les zones irradiées sont très étendues ou si le malade présentait avant l'irradiation une maladie respiratoire chronique. Elle peut alors entraîner une insuffisance respiratoire majeure.

Radius

Os constituant, avec le cubitus, le squelette de l'avant-bras. (P.N.A. *radius*)

STRUCTURE

Le radius se situe à la partie externe de l'avant-bras, dans le prolongement du pouce. C'est un os long de forme légèrement spiralée, ce qui permet sa rotation autour du cubitus lors des mouvements de pronosupination (permettant l'orientation de la paume de la main vers le haut ou le bas, l'arrière ou l'avant, l'intérieur ou l'extérieur). L'extrémité inférieure du radius (apophyse styloïde), triangulaire, s'articule avec le cubitus et le carpe. Son extrémité supérieure (tête radiale), moins volumineuse, dessine une petite tête de forme discoïde articulée avec l'humérus et le cubitus. Le radius et le cubitus sont de plus reliés sur presque toute leur longueur par une membrane interosseuse les solidarisant.

PATHOLOGIE

Outre les maladies osseuses (tumeurs et infections), le radius est le plus souvent le siège de fractures ; en effet, en cas de chute sur le poignet ou sur la paume de la main, c'est lui qui supporte l'essentiel du choc.

■ Les fractures en « bois vert », spécifiques

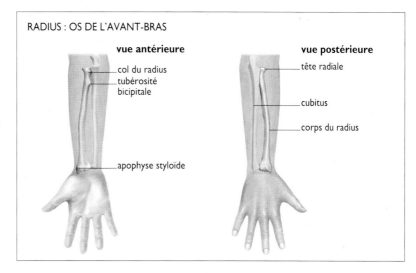

RADIUS : OS DE L'AVANT-BRAS

vue antérieure
col du radius
tubérosité bicipitale
apophyse styloïde

vue postérieure
tête radiale
cubitus
corps du radius

de l'enfant, n'atteignent pas le radius sur la totalité de son diamètre. Leur traitement est orthopédique : immobilisation plâtrée pendant une durée de 3 semaines à 3 mois suivant l'âge de l'enfant.

■ Les fractures de la diaphyse radiale (partie médiane du radius) peuvent être isolées ou associées à une fracture du cubitus. Le déplacement osseux est souvent important, rendant nécessaire une fixation chirurgicale des fragments osseux par ostéosynthèse (à l'aide d'une plaque vissée, par exemple).

■ Les fractures de l'extrémité inférieure du radius sont plus fréquentes chez le sujet âgé (fracture de Pouteau-Colles) et favorisées par l'ostéoporose (raréfaction osseuse). Leur traitement est le plus souvent orthopédique (plâtre).

■ Les fractures de l'extrémité supérieure du radius, fréquentes chez les sportifs, atteignent souvent la cupule radiale (articulation avec l'humérus) ; leur traitement est en général orthopédique (plâtre immobilisant, le moins longtemps possible – de 8 à 15 jours au maximum –, le coude à angle droit) mais, si la tête du radius s'est brisée en plusieurs fragments ou en cas de déplacement important, une intervention chirurgicale peut être nécessaire.

■ Les fractures en « motte de beurre », spécifiques de l'enfant, sont caractérisées par un simple tassement de l'os sans déplacement. Elles peuvent atteindre les cartilages de conjugaison (zones situées aux extrémités de l'os, permettant sa croissance en longueur). Leur traitement est orthopédique : immobilisation plâtrée pendant une durée de 3 semaines à 3 mois suivant l'âge de l'enfant.

Rage

Maladie infectieuse grave transmise des animaux vertébrés à l'homme et due à un virus à A.R.N. de la famille des *Rhabdoviridæ*.

La rage est une zoonose (maladie atteignant l'homme ou l'animal). Le virus, transmis à l'homme par la morsure d'un animal malade ou, plus rarement, simple

réservoir de ce virus, est neurotrope (se fixant de préférence sur le système nerveux) et atteint directement les cellules cérébrales, créant une méningoencéphalite irréversible, fatale en 5 à 20 jours. La vaccination antirabique, découverte par Pasteur en 1885, a transformé le pronostic de la maladie.

CAUSES

Le véhicule de la contamination est la salive, très infectante chez l'animal enragé dès la période d'incubation ; aussi la maladie est-elle parfois contractée par simple léchage d'une plaie. Les animaux responsables sont principalement le loup (Asie), le chien sauvage (Amérique du Sud), le renard (Europe), les chauves-souris carnivores (Amérique), mais tous les mammifères peuvent être eux-mêmes victimes de la maladie et devenir ainsi dangereux pour l'homme (cheval, mouton, chien domestique, etc.). En France, la rage vulpine (causée par le renard) est un réel problème dans toute la partie nord-est du pays.

SYMPTÔMES ET SIGNES

La maladie débute, après une incubation d'environ 3 semaines – mais parfois beaucoup plus longue –, par des douleurs localisées à la zone de la plaie d'inoculation, suivies de troubles de l'humeur : un sentiment d'angoisse et, de manière plus particulière, une hydrophobie (peur de l'eau, le malade rejetant celle que l'on tente de lui faire boire) et une aérophobie (peur des mouvements de l'air). Elle se manifeste également par des accès de fièvre, des tremblements, des contractures, par l'apparition de spasmes douloureux à la moindre excitation, par une modification de la voix et une intense salivation.

La maladie nerveuse débute peu après ; elle peut survenir sous la forme d'une encéphalite rapidement comateuse, consistant en des troubles de la conscience et en des paralysies flasques, qui sont dues à un déficit moteur associé à des troubles du tonus musculaire (rage paralytique) ; elle peut aussi se présenter comme un état d'excitation furieuse (rage furieuse), où les contractures sont exacerbées en crises généralisées précédant la mort ; celle-ci survient dans un délai de 8 jours du fait de troubles respiratoires ou d'une atteinte inflammatoire du myocarde (myocardite virale). Ces signes s'associent à une fièvre généralement très élevée (41 °C) et à une hypersalivation caractéristique.

DIAGNOSTIC

Il est assuré par la recherche du virus dans la salive (culture, microscopie électronique) ou, plus simplement, par la sérologie sanguine comparée à celle du liquide céphalorachidien.

TRAITEMENT

Il n'est efficace que jusqu'à l'apparition des signes cliniques de la maladie, après quoi l'évolution est inéluctablement fatale ; aussi doit-il être entrepris au plus tôt. En cas de morsure suspecte, il faut d'abord nettoyer la plaie avec de l'eau savonneuse ou des solutions antiseptiques, administrer un sérum (ou rappel vaccinal) antitétanique et des antibiotiques. L'animal supposé atteint de la rage doit être mis en observation vétérinaire pendant 15 jours. S'il a été abattu, son cerveau doit être examiné pour déterminer à l'examen microscopique s'il y a présence ou non de corps de Negri (formations arrondies siégeant dans les neurones des sujets atteints de la rage). Si l'animal s'est enfui, il doit être considéré a priori comme suspect de rage : il faut alors s'adresser au centre antirabique le plus proche, qui décide d'effectuer ou non une vaccination antirabique (6 doses injectées sur une période de 3 mois), accompagnée, en cas de morsure grave (à la face), d'une sérothérapie spécifique (sérum antirabique ou immunoglobulines spécifiques humaines antirabiques). Le vaccin initial, obtenu à partir de moelle de lapin, était responsable de complications neurologiques sérieuses ; le vaccin actuellement utilisé est obtenu sur cultures cellulaires et n'entraîne plus aucune complication nerveuse.

PRÉVENTION

Le vaccin antirabique est utilisé à titre préventif dans les professions exposées : vétérinaires, agriculteurs, gardes forestiers, etc. Il s'administre en 2 doses à 1 mois d'intervalle avec rappel 1 et 3 ans après. Il n'y a pas de contre-indication à cette vaccination, même durant la grossesse.

La rage animale se traduit par des modifications du comportement habituel de l'animal : s'il est domestique, il devient anormalement et sans raisons agressif ; s'il est sauvage, il vient vers l'homme. De telles modifications doivent donc attirer l'attention, surtout si elles s'accompagnent de troubles de la marche et d'hypersalivation. La prévention de la rage animale passe par la vaccination de tous les animaux domestiques, et celle des renards devient possible grâce au vaccin oral (boulettes distribuées dans les aires d'activité des animaux). Cette prévention est renforcée par le contrôle sanitaire vétérinaire aux frontières, par l'isolement des bêtes mordues et par le ramassage des animaux errants.

Raideur articulaire

Gêne ou limitation plus ou moins importante des mouvements articulaires au niveau des membres ou de la colonne vertébrale.

Les raideurs articulaires peuvent être mécaniques, et dans ce cas maximales en fin de journée (arthrose), ou inflammatoires, et dans ce cas maximales pendant la fin de la nuit et le matin, disparaissant, après un temps de « dérouillage », dans la matinée (arthrite, notamment polyarthrite rhumatoïde).

Le traitement est celui de la maladie en cause (arthrose, arthrite), associé à des séances de kinésithérapie.

Râle

Bruit respiratoire anormal entendu par le médecin à l'auscultation des poumons.

DIFFÉRENTS TYPES DE RÂLE

Les râles peuvent permettre de préciser le diagnostic de certaines maladies bronchopulmonaires.

■ **Les râles crépitants**, survenant en fin d'inspiration, sont fins, secs, d'égale intensité, comparables au bruit provoqué par le froissement d'une mèche de cheveux ; ils révèlent une atteinte soit localisée (pneumonie), soit diffuse (fibrose pulmonaire, œdème du poumon) des alvéoles et du tissu pulmonaire.

■ **Les râles ronflants, ou ronchus**, perceptibles à l'inspiration et surtout à l'expiration, sont comparables à un ronflement ; ils signalent une accumulation de sécrétions dans les grosses bronches (bronchite).

■ **Les râles sibilants**, qui prédominent aussi à l'expiration, ressemblent à un sifflement ; ils sont un signe de rétrécissement des bronches (asthme).

Ramassage des blessés

Action de déplacer une personne accidentée pour la transporter du lieu de l'accident à un service de soins.

Le ramassage des blessés doit être effectué par des personnes compétentes (pompiers, gendarmes, services d'urgence médicale ou unités de secours des hôpitaux) et ne doit pas être entrepris – sauf cas exceptionnels – par de simples secouristes bénévoles. Le

ramassage des blessés et leur transport en brancard vers une ambulance ou, pour les longues distances, vers un hélicoptère spécialement équipé sont en effet les étapes les plus dangereuses pour le blessé. Les membres fracturés doivent être préalablement immobilisés dans des attelles gonflables. Plus fréquemment encore, le blessé, placé en position latérale de sécurité, est immobilisé dans un « matelas-coquille » avant son déplacement.
→ VOIR Position latérale de sécurité.

Ramollissement cérébral

→ VOIR Accident vasculaire cérébral.

Ramon (Gaston)

Biologiste et vétérinaire français (Bellechaume, Yonne, 1886 - Garches 1963).

Auteur de travaux importants sur l'immunité, il perfectionna le mode d'obtention des sérums thérapeutiques (antidiphtérique, antitétanique, etc.) à partir de l'animal et fut le précurseur des vaccinations associées à la sérothérapie.

Randomisation

Méthode de répartition fondée sur le hasard.

La randomisation (de l'anglais *random*, signifiant hasard) est une méthode qui permet d'introduire un élément aléatoire dans une étude. Utilisée notamment dans les essais thérapeutiques destinés à tester une substance médicamenteuse, elle consiste par exemple à distribuer au hasard un placebo (substance dénuée d'effet) ou la substance médicamenteuse testée. Cette méthode se pratique soit par tirage au sort de la substance à attribuer, soit à l'aide de « tables de nombres au hasard », ou « tables de permutation au hasard ». Le tirage au sort présente l'inconvénient d'induire parfois un déséquilibre numérique entre le groupe de patients qui reçoit un placebo et celui qui reçoit la substance à tester. Les tables, fournies par certains programmes informatiques, permettent d'équilibrer les 2 groupes. Elles comportent un nombre défini d'éléments (8, par exemple). Une table à 8 éléments fournit toutes les combinaisons possibles avec 8 chiffres : 1, 7, 3, 5, 6, 2,

---

Les principes du déplacement d'un blessé

Il faut respecter l'axe horizontal qui passe par la tête, le cou et le tronc, en soutenant le blessé en plusieurs endroits du corps : sous la tête et le cou, en plusieurs points du tronc, en deux points sous les membres inférieurs. Le blessé peut être déplacé à l'aide d'un brancard de fortune : couverture, ensemble de liens larges (écharpes nouées à leurs extrémités pour que les sauveteurs puissent aisément les retenir par les nœuds, par exemple).

Lorsqu'on se trouve seul pour assurer le déplacement d'urgence d'un blessé, la

méthode à suivre consiste à tirer très rapidement la personne accidentée par les membres inférieurs, de sorte que le reste de son corps demeure allongé, en appui sur le sol.

Si la victime se trouve en position assise dans une voiture, il faut la dégager en respectant l'axe tête-cou-tronc : soutien du menton par un bras passé sous l'épaule du blessé (épaule située du côté de la portière), appui de la tête de l'accidenté contre l'épaule du sauveteur, qui passe sa main disponible sous l'autre épaule du blessé, dont il saisit le poignet opposé ou la ceinture avant de le faire pivoter, de le dégager de son siège et de l'allonger lentement sur le sol.

4, 8 ; 7, 1, 6, 4, 2, 8, 5, 3, etc. S'il a été décidé de répartir les traitements de façon équilibrée tous les 8 sujets, 4 chiffres (les chiffres impairs, par exemple) correspondront à l'attribution du placebo et les 4 autres chiffres (pairs), à l'attribution de la substance testée. Les 8 premiers sujets seront traités selon la première combinaison de chiffres, les 8 suivants selon la deuxième combinaison, etc. La randomisation s'utilise le plus souvent pour des études réalisées selon la procédure du double aveugle : pendant toute la durée de l'expérience, le patient ignore laquelle des 2 substances lui a été attribuée (le médicament testé et le placebo sont présentés sous des conditionnements identiques) ; le médecin ne connaît pas non plus la répartition des substances selon les patients. La randomisation garantit la valeur scientifique d'une expérience en évitant les biais, c'est-à-dire l'interférence de facteurs autres que les données scientifiques : réticence à essayer un produit nouveau sur un patient, administration de la substance nouvelle aux malades moins gravement atteints pour étayer une conviction, etc.

Raphé

Entrecroisement de fibres, analogue à une couture, qui réunit des muscles ou fixe un organe au squelette. (P.N.A. *raphe*)

Un raphé est une structure anatomique qui se trouve souvent sur une ligne médiane, car il provient des 2 moitiés (droite et gauche) d'un organe. Le raphé anococcygien, par exemple, fixe l'anus et la partie basse du rectum au coccyx en arrière ; il existe également le raphé du scrotum (enveloppe cutanée des bourses), qui est un relief médian et vertical visible sur la face antérieure des bourses.

Raptus

Violente crise nerveuse accompagnée de perte du contrôle de soi.

Le raptus est plus fréquent chez l'adulte que chez l'enfant. Il revêt diverses formes : raptus anxieux ; attaque de panique masquant une dépression ; raptus épileptique, souvent accompagné d'agitation, de bris d'objets, de fugue. Le raptus qui survient au cours des psychoses (mélancolie, notamment) peut aboutir au suicide ou à l'automutilation. Chez le psychopathe (raptus coléreux) et l'alcoolique (agitation furieuse, dite « crise excitomotrice »), il conduit parfois à un acte antisocial (violence, etc.).

Le raptus constitue une urgence dont l'issue dépend du sang-froid de l'entourage jusqu'à l'intervention d'un personnel médical qualifié ; en général, l'injection de sédatifs calme la crise. À plus long terme, des séances de relaxation peuvent apporter une amélioration. Si nécessaire, on devra imposer une hospitalisation pour protéger le malade du danger qu'il représente pour lui-même et pour son entourage.

Rash

Éruption cutanée de courte durée survenant au cours d'une maladie fébrile, que celle-ci soit d'origine infectieuse (virale, par exemple) ou parasitaire, ou encore au cours d'une intoxication médicamenteuse. (De l'anglais *rash*, éruption cutanée.)

On parle de rash scarlatiniforme quand l'éruption rappelle celle de la scarlatine (multitude de points rouges formant des plaques), de rash morbilliforme quand elle ressemble à celle de la rougeole (taches rouges planes).

Rate

Organe richement vascularisé situé dans l'angle supérieur gauche de l'abdomen, entre le diaphragme et les côtes, et qui, avant la naissance, produit une partie des cellules sanguines et, après la naissance, joue un rôle important dans l'immunité. (P.N.A. *lien*)

STRUCTURE

La rate est une masse spongieuse, de la taille d'un poing, qui pèse environ 200 grammes. Elle est délimitée sur l'ensemble de sa surface par une capsule relativement fragile, interrompue seulement sur la face interne, au niveau du pôle vasculaire. Celui-ci comporte une artère, l'artère splénique, issue de l'aorte, et une veine, la veine splénique, qui rejoint la veine porte, ainsi que des vaisseaux lymphatiques efférents (qui quittent l'organe).

L'examen au microscope permet de distinguer 2 zones de structure différente dans le tissu de cet organe : la pulpe rouge, constituée essentiellement de tissu vasculaire, et la pulpe blanche, formée surtout de tissu lymphoïde.

FONCTIONS

Les fonctions de la rate ne sont pas encore complètement élucidées.

■ **Avant la naissance,** la rate – comme le foie à la même époque – produit des cellules identiques à celles qui se forment dans la moelle osseuse (cellules myéloïdes), c'est-à-dire des globules rouges, des polynucléaires neutrophiles et des plaquettes. À partir du 6e mois in utero, cette activité décroît au profit de l'activité lymphoïde, puis cesse complètement peu avant la naissance.

■ **Après la naissance,** la rate est un organe lymphoïde : elle joue dans l'immunité un rôle important, comparable à celui des ganglions lymphatiques, participant à la lutte contre les infections par la production de lymphocytes, d'anticorps et de phagocytes. Mais, à la différence des ganglions lymphatiques, elle est en communication directe avec la circulation sanguine. Elle se trouve donc, en permanence, en contact avec l'ensemble des antigènes circulants, c'est-à-dire avec l'ensemble des substances présentes dans le sang susceptibles d'induire la production d'anticorps dans l'organisme, quelle que soit leur origine (bactéries, substances toxiques, cellules étrangères).

Outre cette fonction, qui l'apparente aux autres organes lymphoïdes, la rate joue aussi un rôle dans la maturation des globules rouges (élimination des restes de noyaux, par exemple) ainsi que, éventuellement, dans leur élimination, qu'ils soient anormaux (paludisme), recouverts d'anticorps, comme lors des anémies hémolytiques auto-immunes, ou déformés par une hémoglobine anormale (thalassémie). Elle est par ailleurs impliquée dans le déclenchement de la réponse immunitaire du sérum sanguin vis-à-vis de certains agents infectieux tels que le pneumocoque.

Rate

La rate est un petit organe pesant environ 200 grammes, situé dans la partie supérieure gauche de l'abdomen, sous le diaphragme, et drainé par la veine porte. Les principales fonctions de cet organe lymphoïde qui participe au système immunitaire sont de veiller à la qualité des globules rouges et de lutter contre l'infection par la production d'anticorps.

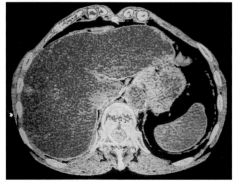

Une coupe horizontale au scanner met en évidence la rate (petite masse bleue, en bas et à droite), à droite d'une vertèbre (en jaune, au milieu) et du foie.

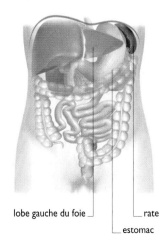

lobe gauche du foie

rate

estomac

EXAMENS

La rate peut être explorée par échographie et scanner. En revanche, il est très rare de pratiquer une ponction de cet organe, car il est particulièrement friable. Une scintigraphie de la rate, réalisée après marquage des globules rouges à l'aide d'un isotope radioactif, permet de mesurer le degré de séquestration des globules rouges par celle-ci.

PATHOLOGIE

Il est possible de vivre sans rate ; une splénectomie (ablation de la rate) est notamment réalisée en cas de blessure traumatique de l'abdomen ayant entraîné l'éclatement de cet organe, dans le traitement de maladies du sang comme la maladie de Minkowski-Chauffard ou l'anémie hémolytique auto-immune, ou encore à titre diagnostique (en cas de splénomégalie [augmentation anormale du volume de la rate] inexpliquée) ou pour préciser l'extension d'une maladie de Hodgkin. Cependant, l'absence de la rate ou son incapacité fonctionnelle peuvent être responsables d'infections graves, surtout chez l'enfant (infections à pneumocoques et à méningocoques, principalement) ; le risque est moindre chez l'adulte, la plupart des souches de pneumocoques ayant été rencontrées lorsque la rate était fonctionnelle, ce qui a permis l'installation d'une immunité sérique solide.

Une splénomégalie peut également survenir en cas de maladie chronique du foie (cirrhose), de kystes, de leucémie, de maladie de surcharge congénitale (maladie de Gaucher), d'infection, en particulier septicémique, de destruction massive des globules rouges, de parasitose (paludisme, kala-azar, kyste hydatique).

La splénomégalie s'accompagne souvent de signes qui témoignent d'une activité anormalement accrue de la rate (hypersplénisme), en particulier d'une diminution des polynucléaires neutrophiles et des plaquettes sans diminution du nombre de globules rouges. L'hypersplénisme s'observe essentiellement lorsque l'augmentation de volume se fait aux dépens de la pulpe rouge de l'organe, comme c'est le cas dans l'hypertension portale, souvent due à une maladie chronique du foie (cirrhose).

Ration alimentaire

Quantité d'aliments permettant de satisfaire les besoins en énergie, en macronutriments (protéines, lipides, glucides), en micronutriments (vitamines, minéraux) et en eau d'un individu ou d'un groupe de personnes.

L'établissement d'une ration alimentaire tient compte de la répartition souhaitable des macronutriments : 12 % environ de l'apport énergétique doit être fourni par les protéines (viandes, poissons, laitages, soja, légumes secs), 30 à 35 % par les lipides (beurre, margarine, huile) et 53 à 58 % par les glucides, dont 10 % au maximum par les glucides rapides (aliments sucrés). Les rations alimentaires sont établies à partir des différents groupes d'aliments (fruits et légumes, corps gras, produits laitiers, céréales, légumes secs et pommes de terre, viandes,

poissons, œufs, etc.) et comptabilisent l'apport éventuel fourni par des boissons alcoolisées (10 % au maximum de l'apport énergétique total). Elles doivent également tenir compte des habitudes de consommation (portion, fréquence, préférences, répartition entre les repas), des contraintes éventuelles (bugdet, approvisionnement) et sont susceptibles de modifications et d'adaptations en fonction notamment de l'activité physique du ou des sujets concernés.

Les rations alimentaires, peu employées à titre individuel, sont en revanche très utiles dans les collectivités, où elles permettent de planifier les repas à servir.

Raucité

Caractère rude, âpre de la voix.
→ voir Dysphonie.

Raynaud (maladie de)

Affection des vaisseaux sanguins, survenant sans cause décelable, qui touche les extrémités et qui se caractérise par une constriction brutale des artérioles des doigts ou des orteils, entraînant une pâleur, un refroidissement et une douleur des doigts concernés.
SYN. *phénomène de Raynaud primitif.*

Ce trouble vasomoteur atteint essentiellement les doigts des mains, de façon bilatérale et symétrique.

Il peut être héréditaire. La maladie de Raynaud est fréquente (5 à 6 % de la population), à prédominance féminine.

SYMPTÔMES ET SIGNES

Toutes les artérioles des doigts se contractent, souvent sous l'effet du froid, parfois sous l'effet d'un choc émotionnel, ce qui interrompt l'arrivée du sang. L'extrémité des doigts (les 2 ou 3 premiers doigts de chaque main ou la totalité des doigts) devient pâle, froide et douloureuse (sensation de picote-

Cette affection, caractérisée par une constriction brutale et douloureuse des petites artères, touche essentiellement les doigts. Elle survient par crises et est, le plus souvent, provoquée par une exposition des mains au froid.

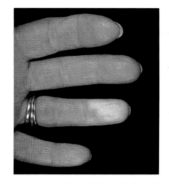

Le doigt atteint, ici l'annulaire, devient brusquement pâle et froid, puis violacé, avant de reprendre son aspect normal.

Cette thermographie, procédé permettant de mettre en évidence les différences de température au sein des tissus, fait apparaître les doigts atteints par la maladie (zones froides) en bleu.

ment, d'engourdissement ou de brûlure). Lorsque le sujet retourne dans un lieu où la température est plus élevée, la crise prend fin et les extrémités se cyanosent (se colorent en bleu) ; les douleurs s'accentuent alors pendant quelques minutes.

Le diagnostic de la maladie de Raynaud se fonde sur l'interrogatoire, qui retrouve la décoloration des doigts liée au froid. Cette maladie (également appelée phénomène de Raynaud primitif) est plus fréquente que le phénomène de Raynaud (dit secondaire, souvent lié à une maladie de système). Différents éléments permettent de confirmer le diagnostic de maladie de Raynaud : l'âge (jeune), l'examen clinique normal, la négativité des examens complémentaires, l'absence d'autres causes (médicaments, causes professionnelles).

ÉVOLUTION

La maladie de Raynaud est habituellement une affection bénigne. Mais, dans ses formes graves, lorsqu'un épaississement des parois artérielles réduit en permanence la circulation sanguine, elle peut occasionner des ulcérations localisées qui se cicatrisent difficilement.

TRAITEMENT

Le traitement de la maladie de Raynaud dépend de son retentissement. Dans les formes peu sévères, des mesures simples (protection contre le froid) peuvent suffire. Si la gêne est plus importante, on peut utiliser des médicaments (vasodilatateurs et inhibiteurs calciques) en période de froid.

Raynaud (phénomène de)

Affection des vaisseaux sanguins qui touche les extrémités et se traduit par des symptômes identiques à ceux de la maladie du même nom (constriction soudaine des petites artères entraînant une pâleur, un refroidissement et une douleur des doigts ou des orteils concernés), mais provoquée par une cause déterminée. SYN. *phénomène de Raynaud secondaire, syndrome de Raynaud.*

Un phénomène de Raynaud unilatéral doit faire rechercher une cause loco-régionale : côte cervicale (côte surnuméraire), compression de l'artère sous-clavière.

CAUSES

Les causes des phénomènes de Raynaud sont nombreuses. Chez la femme, ils sont le plus souvent liés à une maladie de système, la sclérodermie ; chez l'homme, à des artériopathies par athérome ou inflammatoires. Il peut s'agir aussi de médicaments (bêtabloquants, ergotamine, méthysergide) ou de causes professionnelles (maladie des engins vibrants). Les bûcherons et les ouvriers se servant de marteaux piqueurs sont principalement concernés mais aussi, pour une moindre part, les dactylographes et les pianistes.

TRAITEMENT

Il dépend de la cause : arrêt du médicament responsable, traitement de la maladie en cause, reclassement professionnel.

La chirurgie est rarement proposée : ablation d'une côte cervicale, sympathectomie thoracique en cas d'artérite.

Rayons X

Ondes électromagnétiques n'appartenant pas au spectre visible, dont la longueur d'onde est voisine de l'angström, utilisées en médecine pour leurs propriétés de pénétration de la matière vivante et pour leurs propriétés thérapeutiques.

Les rayons X ont été découverts en 1895 par le physicien allemand Wilhelm Conrad Röntgen (prix Nobel de physique en 1901). Röntgen décrivit les principales propriétés des rayons X : invisibilité, propagation rectiligne, pénétration différente selon la matière (carton, verre, plomb, etc.), absorption variable selon l'épaisseur du corps traversé.

UTILISATION DIAGNOSTIQUE

Les applications médicales des rayons X sont du domaine de la radiologie conventionnelle et de la tomodensitométrie (scanner à rayons X) ; elles ont pour fin la visualisation des organes.

UTILISATION THÉRAPEUTIQUE

Les rayons X sont également utilisés en radiothérapie mais, leur capacité ionisante étant réduite, des rayonnements plus énergétiques, comme le rayonnement gamma, qu'utilise la cobaltothérapie, leur sont préférés.

EFFETS INDÉSIRABLES

Une exposition aux rayons X est susceptible, si elle excède les normes admissibles, de produire des effets nocifs très divers, allant, suivant la dose reçue, de la nausée au cancer. Ces effets nocifs justifient une limitation de l'emploi des rayons X, un contrôle des doses administrées ou reçues et des mesures de radioprotection telles que l'homologation et la déclaration obligatoire des appareils utilisés. Des mesures de surveillance élaborées sont aussi instaurées : limitation des clichés du petit bassin en période d'activité génitale chez l'homme et la femme, protection par tablier de plomb chez la femme enceinte, utilisation de procédés d'imagerie médicale non irradiants chaque fois qu'on peut en attendre des renseignements équivalents (échographie, imagerie par résonance magnétique [I.R.M.]), réduction des clichés thoraciques systématiques pratiqués dans le cadre de la médecine du travail, pendant le service militaire ou lors des examens préopératoires, prise en compte du nombre de clichés précédemment réalisés chez un individu avant d'en effectuer de nouveaux.

→ VOIR Radiation ionisante, Radiologie, Radioprotection.

Razi ou Rhazès (Abu Bakr Muhammad ibn Zakariyya al-Rasi, dit)

Médecin, alchimiste et philosophe iranien (Rey, Khorasan, v. 860 - v. 923).

Il écrivit plusieurs ouvrages traitant notamment de la goutte, des « pierres » (calculs), des reins et de la vessie ainsi que des maladies éruptives ; on lui doit les premières descriptions exactes de la variole et de la rougeole. Son œuvre, rassemblée et traduite en latin sous le titre de *Continens*, constitua la base de l'enseignement de la médecine au Moyen Âge.

R.C.H.

→ VOIR Rectocolite hémorragique.

Réaction

Ensemble des phénomènes pathologiques qui surviennent à la suite de l'introduction dans l'organisme d'un élément déclenchant.

On parle ainsi de réaction allergique, de réaction vaccinale, de réaction fébrile.

Réaction biochimique

1. Dans l'organisme, phénomène de transformation chimique d'une substance à l'intérieur d'un être vivant.
2. En laboratoire, technique faisant appel à divers réactifs qui permettent de mettre en évidence, qualitativement ou quantitativement, la présence d'un corps chimique (calcium, potassium, magnésium, chlorure de sodium, substance toxique) ou d'une substance biologique (hormone, enzyme, antigène, anticorps, etc.).

Réaction comportementale

Réponse d'un individu à un événement extérieur.

Les réactions comportementales pathologiques se traduisent par des symptômes, immédiats ou retardés, qui peuvent engager tout l'équilibre psychique et physique du sujet. Une dépression peut être, par exemple, une réaction anormalement persistante à un événement traumatisant tel qu'un décès.

Ces réponses se caractérisent néanmoins par leur réversibilité. Elles réactivent un conflit antérieur et associent presque toujours une composante psychologique (modification de l'humeur, anxiété, etc.) à une composante physiologique (fatigue, modification du rythme cardiaque, troubles digestifs, apparition de maladies psychosomatiques, etc.) dont l'ampleur et la durée, variables, dépendent de la constitution du sujet et de sa vulnérabilité du moment.

Réanimation

Ensemble des moyens mis en œuvre soit pour pallier la défaillance aiguë d'une ou de plusieurs fonctions vitales, dans l'attente de la guérison, soit pour surveiller des malades menacés de telles défaillances du fait d'une maladie, d'un traumatisme ou d'une intervention chirurgicale.

Ces soins sont dispensés par des médecins réanimateurs spécialisés.

HISTORIQUE

Le terme de réanimation est employé pour la première fois en 1953 par le médecin français Jean Hamburger, pour désigner les moyens permettant d'assurer le retour à l'homéostasie (c'est-à-dire à l'équilibre, de l'eau et des électrolytes notamment, dans l'organisme), dans le cadre de travaux qui débouchent un an plus tard sur la mise au point du premier rein artificiel.

La réanimation est également issue des techniques de respiration artificielle élaborées dans les années 1950 au Danemark, puis en France, pour compenser la paralysie respiratoire des malades atteints de poliomyélite. Les progrès de la cardiologie, de l'investigation hémodynamique (cathétérisme cardiaque, échocardiographie, Doppler), de l'anesthésie, de la chirurgie, de la transfusion sanguine, ainsi que la mise au point de techniques de surveillance électronique (grâce aux progrès de l'informatique) ou de nutrition artificielle et la meilleure compréhension de nombreuses maladies, en ont étendu le champ à l'ensemble de la médecine et de la chirurgie dès lors qu'il s'agit de faire face à des situations aiguës mais potentiellement réversibles.

ORGANISATION

La réanimation s'exerce dans des services hospitaliers.

■ La réanimation chirurgicale, très souvent couplée à l'anesthésie, assure la prise en charge des traumatisés et des malades ayant subi ou devant subir une intervention chirurgicale lourde ou à risque élevé et nécessitant une surveillance très étroite.

■ La réanimation médicale assure la prise en charge de patients souffrant de maladies graves (intoxication, insuffisance respiratoire aiguë, coma, maladie cardiaque, rénale ou infectieuse) dont le traitement ne relève pas de la chirurgie.

En fait, pour l'essentiel, les techniques mises en œuvre pour la surveillance et les soins sont comparables, quel que soit le type de réanimation : surveillance clinique et biologique rapprochée, monitorage cardiaque, respiration et nutrition artificielles, épuration extrarénale, etc. Nombre d'unités assurent d'ailleurs une réanimation polyvalente (« soins intensifs » médicochirurgicaux), les dénominations en usage variant selon les pays. Il existe également des unités de réanimation spécialisées dévolues à la prise en charge spécifique de certaines populations ou de certaines pathologies : unités de réanimation pédiatrique ou néonatale, cardiologique, respiratoire, neurochirurgicale, centres de brûlés, etc. Ce qui réunit dans la pratique l'ensemble des unités de réanimation et définit la spécialité est la continuité de la surveillance et des soins (24 heures sur 24) et la présence permanente d'une équipe médicale spécialisée sur place, chargée de répondre immédiatement à toute urgence. Des unités de réanimation mobiles ont été créées dans les pays développés, destinées aux secours et au transport immédiat des blessés, accidentés de toutes sortes et malades atteints gravement.

RISQUES ET RÉSULTATS

La réanimation n'est pas sans risque. Elle comporte notamment pour le malade un risque infectieux, qu'une surveillance rigoureuse et des méthodes de prévention visent à réduire. Parce qu'elle agit souvent aux frontières de la vie et de la mort, cette spécialité s'est intéressée à l'évaluation de son activité et de ses résultats. D'importantes études, souvent internationales, visant à mettre en regard des scores de gravité, des indices d'activité thérapeutique et des taux de survie ont permis de mieux cerner le bénéfice à attendre de la réanimation chez tel ou tel groupe de malades. Les décisions sont cependant prises individuellement selon l'histoire du malade, la nature de sa maladie et ses probabilités de guérison. La réanimation a ainsi suscité de nombreuses réflexions d'ordre professionnel et éthique sur ses limites, la finalité des soins ou la notion d'acharnement thérapeutique.

Réanimation cardiaque

Ensemble des techniques utilisées dans le traitement de l'insuffisance cardiaque aiguë.

INDICATIONS

La réanimation cardiaque est nécessaire quand le cœur n'assure plus suffisamment sa fonction de pompe (trouble hémodynamique) - ce qui se traduit notamment par un collapsus (chute de la pression artérielle) - ou, a fortiori, en cas d'arrêt cardiocirculatoire. Pratiquée chaque fois que possible par des médecins spécialistes, la réanimation cardiaque peut, en cas d'urgence, être mise en route sur les lieux d'un accident par un secouriste (massage cardiaque, bouche-à-bouche).

TECHNIQUE

La réanimation cardiaque dispose de multiples moyens :
- médicaments antiarythmiques (contre les troubles du rythme cardiaque), fibrinolytiques (pour dissoudre un caillot sanguin responsable d'un infarctus) ou inotropes (renforçant les contractions cardiaques) ;
- moyens électriques (choc électrique externe, entraînement électrosystolique) ;
- techniques d'assistance circulatoire (contrepulsion diastolique aortique) ou de revascularisation (angioplastie coronaire, pontage aortocoronaire), etc. La surveillance des malades est réalisée grâce au monitorage, enregistrement plus ou moins permanent de certains paramètres médicaux (rythme cardiaque, pression artérielle, concentration d'oxygène sanguin, etc.).

Rebond

Réactivation d'une manifestation pathologique lors du ralentissement ou de l'arrêt d'un traitement. SYN. *recrudescence*.

Récepteur membranaire

Protéine qui, située sur la membrane entourant les cellules (membrane plasmique), leur permet de recevoir des messages.

Un récepteur membranaire est capable de reconnaître et de fixer une substance spécifique extérieure à la cellule et porteuse d'une information ou d'un signal : hormone, neurotransmetteur, facteur de croissance, etc. Ce faisant, il provoque des modifications chimiques à l'intérieur de la cellule, qui se traduisent par une réponse spécifique. Un récepteur et un messager donné entraîne toujours le même type de réponse, quelle que soit la cellule, mais une cellule peut avoir des récepteurs sensibles à plusieurs messagers.

Dans l'organisme, de très nombreux phénomènes obéissent à ce mécanisme. Ainsi, une augmentation du taux de glucose sanguin déclenche la sécrétion par le pancréas d'une hormone, l'insuline ; celle-ci se fixe sur les récepteurs membranaires qui lui sont spécifiques, sur les cellules des muscles, du foie et du tissu adipeux, qui absorbent alors le glucose provenant du sang et le stockent. De la même façon, certains globules blancs (lymphocytes B) portent sur leur membrane des récepteurs. Quand une substance étrangère à l'organisme (antigène) rencontre son récepteur spécifique, ces globules blancs synthétisent en grandes quantités des anticorps correspondant à l'antigène puis les libèrent dans l'organisme pour qu'ils détruisent l'antigène.

UTILISATION THÉRAPEUTIQUE

Beaucoup de substances chimiques ont le pouvoir de modifier l'action des récepteurs membranaires, nombre d'entre elles étant utilisées comme médicaments. Les produits qui stimulent les récepteurs d'une substance de l'organisme sont appelés agonistes de cette substance (alphastimulants, bêtastimulants, cholinergiques, opiacés). Les produits qui inhibent les récepteurs sont appelés antagonistes (alphabloquants, bêtabloquants, anticholinergiques, antihistaminiques, antisérotonines).

Récepteur sensoriel

Organe permettant la transformation d'un stimulus auditif, gustatif, olfactif, tactile ou visuel en information nerveuse, celle-ci étant ensuite transmise au cerveau.

Il existe pour chacun des cinq sens des récepteurs sensoriels spécialisés.

■ **Les cellules spécialisées des papilles de la langue** permettent la perception des saveurs.

■ **Les cellules sensorielles situées dans la muqueuse des fosses nasales** (cellules de Schultze) assurent la perception des odeurs dans l'air inhalé.

■ **Les cellules sensorielles de la rétine** (cônes et bâtonnets) permettent la réception des impressions visuelles.

■ **Les cellules ciliées sensorielles situées dans l'oreille interne** sont à l'origine des sensations auditives.

■ **Les récepteurs cutanés** (corpuscules de Meissner, de Pacini, de Ruffini) permettent d'apprécier les divers stimuli mécaniques s'exerçant sur la peau et sur les muqueuses.

Récessif

Se dit d'un gène ou d'un caractère héréditaire qui doit être transmis par le père et la mère pour se manifester chez l'enfant.

Dans les cellules, chaque chromosome existe en deux exemplaires, qui forment une paire. Un gène récessif doit se trouver chez l'enfant sur chacun des deux chromosomes homologues (d'une même paire) pour se manifester sous la forme d'un caractère donné ou pour que la mutation (altération) dont il est atteint se manifeste par le déclenchement d'une maladie. Comme, au moment de la fécondation, la moitié des chromosomes provient du père et l'autre moitié de la mère, le gène doit être transmis par les chromosomes des deux parents pour se manifester chez l'enfant. Le gène portant le caractère « yeux bleus », par exemple, doit être reçu des deux parents pour que l'enfant ait les yeux bleus.

Le terme s'emploie par opposition à dominant et qualifie souvent, par extension, le mode de transmission d'une maladie. La mucoviscidose (dysfonctionnement des glandes exocrines responsable d'une gêne respiratoire progressive), par exemple, se transmet sur un mode récessif.
→ VOIR Dominant, Hérédité.

Receveur universel

Sujet qui peut recevoir du sang de n'importe quel groupe.

Seuls les sujets appartenant au groupe AB, le plus rare, sont dits receveurs universels, car ils ne présentent aucun anticorps naturel du système ABO ; leur sérum est donc compatible avec le sang des groupes A, B, AB ou O. Aussi les patients du groupe AB, lorsqu'ils ont besoin d'une transfusion, reçoivent-ils le plus souvent du sang de groupe A ou O, plus facilement disponible. Toutefois, l'expression « receveur universel » ne doit pas abuser : les receveurs « universels » ne sont tels que dans le système ABO, et les règles de sécurité transfusionnelles liées au système Rhésus et aux agglutinines irrégulières leur sont applicables.

Recherche médicale

Ensemble des activités de recherche scientifique, fondamentale et clinique, appliquées à la médecine.

La recherche médicale est une branche de la recherche scientifique. Elle fait appel à des disciplines diverses : chimie, physique, biologie cellulaire, génétique, physiologie, clinique médicale et chirurgicale, pharmacologie, thérapeutique, toxicologie, statistiques, etc. Dans les disciplines fondamentales, elle est surtout exercée par des chercheurs sans activité clinique.

La recherche médicale est aussi bien une activité publique, réalisée dans des organismes d'État, qu'une activité liée au secteur privé : les laboratoires pharmaceutiques consacrent une part de plus en plus importante de leur budget à la recherche. La rapidité remarquable des progrès de la médecine dans ce dernier demi-siècle résulte du développement de cette recherche.

PERSPECTIVES

Aujourd'hui, la recherche médicale se développe selon quelques grands axes.

■ **La biologie cellulaire** précise, à l'échelon moléculaire, les mécanismes d'action, internes à la cellule, des hormones, des cytokines (messagers entre diverses cellules), des neurotransmetteurs, des médicaments.

■ **La cancérologie** étudie les mécanismes de la carcinogenèse (apparition des cancers) et la thérapeutique (oncologie) qui correspond aux différents types de cancer. La notion même de vaccin anticancéreux fait son apparition.

■ **La chirurgie** s'applique à réduire le risque opératoire grâce à la cœliochirurgie, à perfectionner les prothèses et les systèmes d'assistance (rein et cœur artificiels), à miniaturiser les instruments (microchirurgie), à intervenir de plus en plus précocement (chirurgie néonatale et même fœtale).

■ **La génétique** vient de réussir à établir la configuration du génome humain. Les progrès réalisés en ce domaine permettent d'affiner le conseil génétique et le diagnostic prénatal des maladies génétiques et d'envisager le traitement de telles maladies par action directe sur les gènes responsables (thérapie génique), comme en témoignent les efforts portant sur les myopathies.

■ **L'immunologie** s'oriente vers une meilleure compréhension des maladies auto-immunes et des phénomènes de tolérance ou de rejet de greffe. Les progrès des connaissances débouchent sur l'immunothérapie, application thérapeutique des découvertes réalisées en immunologie.

■ **La thérapeutique**, liée à tous les autres domaines de la recherche médicale, est plus méthodique grâce à l'organisation des essais thérapeutiques, qui s'appuie sur l'analyse statistique et l'éthique médicale.

■ **La virologie** oriente ses investigations vers les nouvelles maladies graves que sont les maladies à virus lents ou à prions (par exemple la maladie de Creutzfeldt-Jakob) et surtout le sida.

Recherche de paternité

Recherche conduite pour déterminer si un individu, le plus souvent un enfant, est ou non issu de son père présumé.

Une telle recherche s'appuie aujourd'hui sur des analyses biologiques (principalement sanguines et de biologie moléculaire), qui permettent d'établir si une personne peut être le père d'une autre si toutes deux présentent des caractères qui n'ont pu être transmis que par l'hérédité : groupe sanguin, groupe H.L.A. c'est-à-dire de compatibilité tissulaire (déterminant la possibilité de recevoir ou de donner un organe lors d'une greffe), similitude génotypique (dans la succession des constituants de l'A.D.N. des chromosomes), etc.

Les différentes analyses nécessaires à la conduite de la recherche de paternité sont plus ou moins nombreuses selon les individus, la recherche ne se poursuivant que si la dernière analyse ne suffit pas à établir qu'un individu est le père d'un autre. Il suffit, en principe, de soumettre le père présumé et l'enfant aux analyses nécessaires, mais, le plus souvent, la mère est également sollicitée et subit aussi les analyses.

Rechute

Reprise évolutive d'une maladie qui était en voie de guérison.

En cas de maladie infectieuse, on parle de rechute lorsque les symptômes réapparaissent sans être dus à une nouvelle infection.

Récidive

Réapparition d'une maladie survenant après une guérison.

Dans le cas d'une maladie infectieuse, une récidive implique la notion de nouvelle infection.

Recklinghausen (maladie de)

Affection héréditaire, caractérisée par de nombreuses tumeurs bénignes disséminées dans l'organisme, des taches cutanées pigmentées (taches café au lait) et des malformations nerveuses. SYN. *neurofibromatose*.

La maladie de Recklinghausen se transmet, dans sa variété la plus fréquente, appelée neurofibromatose de type I, sur le mode autosomique (par les chromosomes non sexuels) dominant : il suffit que le gène soit reçu de l'un des parents pour que l'enfant développe la maladie. Le gène responsable a été localisé sur le chromosome 17. Dans une autre forme, appelée neurofibromatose de type II, le gène est localisé sur le chromosome 22.

SYMPTÔMES ET SIGNES

Les troubles se déclarent à un âge très variable, de la première enfance à l'âge adulte.

■ **Les taches café au lait** constituent le signe le plus précoce, parfois présent dès la naissance, de la maladie. Ce sont des taches arrondies, bien délimitées, de couleur beige clair à marron foncé, qui prédominent sur les zones découvertes. Il suffit d'en trouver six de plus de 1,5 centimètre de diamètre pour affirmer le diagnostic.

■ **Les tumeurs** sont des neurofibromes ou des neurinomes et sont presque toujours bénignes. Elles siègent surtout dans le système nerveux (nerfs, racines nerveuses, plus rarement cerveau) et, particulièrement, sur les nerfs auditifs : des neurinomes du nerf acoustique, bilatéraux, sont caractéristiques de la neurofibromatose de type II. Elles peuvent également siéger en d'autres endroits du corps, sur les os, les glandes hormonales ou même sur la peau, où elles forment des grosseurs indolores dont la taille varie de quelques millimètres à plusieurs centimètres de diamètre, rattachées à la peau par un pédicule ou simplement en relief sur celle-ci. Elles prennent, dans certains cas, des dimensions très importantes (la plus grosse étant alors appelée tumeur royale).

■ **Les malformations nerveuses** sont représentées par des dysplasies corticales (modifications de structure du cortex), des hétérotopies (présence d'amas de substance blanche dans la substance grise) et des sténoses de l'aqueduc de Sylvius.

■ **D'autres manifestations** de la maladie sont possibles : ophtalmologiques (phacome de la rétine, glaucome, névrome de la paupière), osseuses (scolioses vertébrales, raréfaction osseuse, pseudarthrose), endocriniennes (phéochromocytome surrénalien), digestives (tumeurs intestinales), etc.

Les signes de la maladie s'associent de façon diverse : certaines personnes par exemple n'ont que quelques taches café au lait alors que d'autres présentent des tumeurs volumineuses et multiples. De même, les complications (surdité, convulsions, retard mental, hypertension artérielle) varient, dépendant de la localisation des malformations et des tumeurs.

TRAITEMENT ET PRÉVENTION

Le traitement est uniquement celui des symptômes et consiste en l'ablation chirurgicale des tumeurs cutanées ; le traitement chirurgical des malformations osseuses et des neurinomes est beaucoup plus délicat.

Il est recommandé aux personnes qui ont des antécédents familiaux ou qui sont atteintes par la maladie de Recklinghausen de consulter un conseil génétique pour déterminer si elles sont susceptibles ou non de transmettre celle-ci.

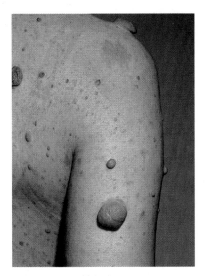

Maladie de Recklinghausen. *Des tumeurs cutanées molles et indolores constituent l'une des manifestations de la maladie.*

Recombinaison génétique

Répartition nouvelle du matériel génétique d'un individu survenant spontanément après un échange de gènes entre différents éléments d'une même molécule d'A.D.N. ou entre deux molécules d'A.D.N. SYN. *recombinaison factorielle*.

DIFFÉRENTS TYPES DE RECOMBINAISON GÉNÉTIQUE

Il existe plusieurs types de recombinaison selon les cellules concernées (sexuelles ou non) et le moment de la recombinaison.

■ Une recombinaison méiotique, encore appelée *crossing-over* ou *enjambement,* est issue d'un échange de gènes dans une cellule sexuelle. Elle intervient entre deux chromosomes d'une même paire au cours de la méiose, ou division, d'une cellule sexuelle à 46 chromosomes en deux cellules nouvelles à 23 chromosomes chacune. Ce processus de recombinaison débouche sur un agencement différent des caractères génétiques et des gènes qui les portent entre la cellule mère et les cellules filles.

■ Une recombinaison entre chromatides sœurs intervient au cours d'une division dans une cellule, sexuelle ou non. Elle résulte d'un échange de gènes entre les deux chromatides sœurs d'un même chromosome (c'est-à-dire entre les deux parties d'un chromosome, qui sont réunies par le centromère avant la division cellulaire).

■ Une recombinaison au sein d'une même molécule d'A.D.N. se produit après une division cellulaire dans les éléments qui formaient auparavant une même chromatide. C'est le cas, par exemple, de la recombinaison de certains gènes de l'immunité (gènes des anticorps et des récepteurs des lymphocytes T) dans les lymphocytes. La recombinaison des gènes des anticorps, par exemple, conduit à leur expression, c'est-à-dire à la production de l'anticorps qui permet à l'organisme de se défendre.

Recombinant

1. Molécule d'A.D.N. créée en laboratoire en « soudant » bout à bout deux ou plusieurs séquences d'A.D.N. à l'aide d'une enzyme appelée A.D.N. ligase.

Les molécules ainsi créées le sont à des fins thérapeutiques (thérapie génique) ou pour faire des expériences en laboratoire.

2. Se dit d'une substance obtenue par génie génétique en utilisant un recombinant.

L'érythropoïétine, produite principalement par le rein, stimule la production des globules rouges par la moelle osseuse. L'érythropoïétine recombinante, obtenue par génie génétique, permet de traiter l'anémie qui atteint les personnes atteintes d'insuffisance rénale et soumises à des séances de dialyse rénale.

Rectite

Inflammation, aiguë ou chronique, de la muqueuse rectale. SYN. *proctite.*

CAUSES

Une rectite peut être d'origine très diverse, notamment infectieuse (gonococcie), parasitaire (amibiase, bilharziose) ou médicale (suppositoires, irradiation). Elle est soit isolée, soit associée à une autre affection inflammatoire (rectocolite hémorragique, maladie de Crohn). Enfin, une rectite s'accompagne souvent de lésions du côlon.

SYMPTÔMES ET SIGNES

La maladie se manifeste par des douleurs rectales, de faux besoins, des émissions anales sanglantes ou purulentes, une diarrhée, une altération plus ou moins marquée de l'état général, une fièvre.

DIAGNOSTIC ET TRAITEMENT

Un examen proctologique (toucher rectal, anuscopie et rectoscopie, c'est-à-dire exploration visuelle directe de l'anus et du rectum à l'aide d'un tube muni d'un système optique), associé, le cas échéant, à une coloscopie, permet d'évaluer l'importance de l'atteinte et de pratiquer des prélèvements pour en établir la cause. Celle-ci détermine le choix du traitement : administration d'antibiotiques, d'antiparasitaires, d'anti-inflammatoires ou, simplement, suppression du facteur favorisant ou déclenchant. Dans la plupart des cas, la rectite est définitivement guérie. Seules la maladie de Crohn, la rectocolite hémorragique et les suites d'une irradiation nécessitent un traitement au long cours.

Rectocèle

Saillie de la paroi antérieure du rectum dans le vagin, due au relâchement des moyens de fixation et de soutien de ce dernier.

Une rectocèle peut être d'origine congénitale, mais elle est, le plus souvent, la conséquence de traumatismes, en particulier ceux liés à un accouchement. Elle est une composante d'un prolapsus génital (affaissement du vagin et/ou de l'utérus). Une rectocèle se traduit par une pesanteur pelvienne, des troubles et des infections urinaires. Le traitement, chirurgical, consiste à fixer à nouveau le vagin ; il comporte, éventuellement, une réfection du périnée. En cas de risque opératoire majeur, en particulier chez la femme âgée, le port d'un pessaire (dispositif de soutien introduit dans le vagin) peut être substitué à l'intervention chirurgicale.

→ VOIR Colpopérinéorraphie.

Rectocolite

Inflammation simultanée du rectum et du côlon.

CAUSES

L'origine d'une rectocolite est très variable : infectieuse (shigellose, salmonellose), parasitaire (bilharziose), vasculaire (colite ischémique, suites d'une radiothérapie), médicamenteuse (laxatifs, antibiotiques) ; elle demeure parfois inconnue, comme dans le cas de la rectocolite hémorragique.

SYMPTÔMES ET SIGNES

Les symptômes sont des douleurs abdominales et une diarrhée parfois sanglante, pouvant s'accompagner d'une perte de poids et de fièvre.

DIAGNOSTIC ET TRAITEMENT

La coloscopie (exploration visuelle directe du côlon à l'aide d'un tube muni d'un système optique) permet d'évaluer l'étendue des lésions et d'opérer des prélèvements pour en préciser la cause. Celle-ci détermine le choix du traitement, qui est en général médicamenteux (administration d'antibiotiques, d'anti-inflammatoires), plus rarement chirurgical (ablation d'un segment du côlon dans certaines colites ischémiques, par exem-

ple). Dans la plupart des cas, la rectocolite est définitivement guérie. Seules la rectocolite hémorragique et les séquelles d'une radiothérapie nécessitent un traitement au long cours.

Rectocolite hémorragique

Inflammation chronique de la muqueuse du côlon et du rectum, d'origine inconnue, caractérisée par des émissions de mucus et de sang par l'anus.

La rectocolite hémorragique (R.C.H.) est une affection rare, touchant surtout la femme jeune. Elle est associée de façon significativement élevée à une spondylarthropathie (affection inflammatoire chronique caractérisée par une atteinte articulaire vertébrale).

SYMPTÔMES ET SIGNES

Le principal symptôme est l'apparition d'émissions rectales, généralement fréquentes (jusqu'à dix selles par jour), de mucus et de sang. Celles-ci s'accompagnent souvent de douleurs abdominales, de troubles du transit digestif, de fièvre et d'une altération de l'état général. Dans quelques rares cas, il existe des manifestations extradigestives, notamment des éruptions cutanées et une uvéite (inflammation oculaire de la choroïde, de l'iris et du corps ciliaire). La spondylarthropathie atteint les grosses articulations des membres, les articulations sacro-iliaques et le rachis.

DIAGNOSTIC

À l'examen radiologique, l'altération de l'image du côlon (bords flous, rétrécissement du volume intérieur, disparition des replis) amène en général à soupçonner la maladie. L'exploration directe du rectum et du côlon par coloscopie (au moyen d'un tube muni d'un système optique) permet de constater une atteinte diffuse, hémorragique ou congestive, de la muqueuse rectale ; la région

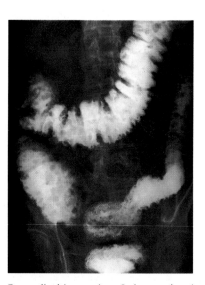

Rectocolite hémorragique. *Le lavement baryté révèle de multiples ulcérations du côlon et des bords coliques irréguliers.*

atteinte remonte plus ou moins haut dans le côlon sans qu'il y subsiste de zone saine. La coloscopie permet d'évaluer l'étendue des lésions et de pratiquer des prélèvements de tissus.

ÉVOLUTION

La maladie évolue par poussées de plus en plus graves et fréquentes. Après une longue évolution (dix ans), il existe un risque de dégénérescence des lésions en cancer du côlon, qui impose un examen clinique et endoscopique annuel. Les complications sont les hémorragies digestives, les perforations du côlon et la colectasie (dilatation gazeuse du côlon). Ces deux dernières complications nécessitent un traitement chirurgical d'urgence.

TRAITEMENT

Le traitement associe un régime alimentaire consistant à éviter les substances irritantes (épices, friture) et les produits fermentés, et à augmenter la consommation d'aliments riches en fibres, à un traitement médicamenteux (antiseptiques intestinaux, anti-inflammatoires par voie générale ou par lavements). La chirurgie est indiquée dans les complications graves ou aiguës (colectasie, perforation), dans les formes sévères résistant au traitement médical et dans les dégénérescences cancéreuses. Le traitement peut comporter l'ablation complète du côlon et, le cas échéant, du rectum.

Rectopexie

Fixation chirurgicale du rectum au sacrum.
SYN. *proctopexie*.

La rectopexie est indiquée en cas de prolapsus du rectum (descente du rectum, qui tend à sortir par l'anus, souvent à la suite d'accouchements répétés ou difficiles ayant affaibli les muscles du périnée). Cette opération, pratiquée sous anesthésie générale, consiste à fixer le rectum sur la colonne vertébrale, plus précisément sur l'articulation entre la dernière vertèbre lombaire et le sacrum, à l'aide de bandelettes synthétiques.

La rectopexie, relativement bénigne, nécessite une hospitalisation d'une huitaine de jours. Ses résultats sont satisfaisants en ce qui concerne le traitement du prolapsus lui-même. Cependant, cette technique n'est pas toujours applicable car, si elle permet de remédier au prolapsus et est sans conséquence sur la fonction du côlon, elle ne corrige pas une incontinence anale préexistante et peut même l'aggraver.

Rectorragie

Émission de sang rouge par l'anus.

CAUSES

Une rectorragie témoigne d'une lésion qui se situe en général dans la partie basse du tube digestif (côlon, rectum, anus), mais qui peut être située dans sa partie haute (ulcère duodénal, par exemple) si l'hémorragie est très abondante. Les rectorragies sont le plus souvent causées par des hémorroïdes, des ulcérations thermométriques (causées par la prise répétée de la température rectale), des tumeurs bénignes ou malignes du rectum ou du côlon sigmoïde, des petites hernies de la muqueuse colique (diverticulose colique) des inflammations du côlon (rectocolite hémorragique).

DIAGNOSTIC

Toute rectorragie, même peu abondante, impose un examen complet du côlon. En effet, même si ce trouble est souvent causé par des hémorroïdes, il convient de s'assurer qu'il n'a pas une cause plus grave, notamment une tumeur. L'examen clinique comporte l'exploration du pourtour de l'anus, la palpation abdominale. Il est complété par l'examen proctologique (toucher rectal, anuscopie, rectoscopie) et par l'exploration de la totalité du côlon, par coloscopie (exploration visuelle directe au moyen d'un tube muni d'un système optique) ou par radiologie (lavement baryté).

TRAITEMENT

Si la rectorragie est très abondante ou si elle entraîne une chute de la tension artérielle ou une accélération du pouls, le sujet doit être hospitalisé d'urgence. Le traitement peut comporter une ou plusieurs transfusions, l'arrêt de toute prise de médicaments favorisant les saignements (anticoagulants, aspirine), parfois un geste local pour arrêter le saignement (sclérose ou ligature par un élastique des hémorroïdes ; électrocoagulation des ulcérations thermométriques). Une intervention chirurgicale s'impose en cas de tumeur rectocolique ou si les saignements hémorroïdaires ne cèdent pas au traitement médical.

Rectoscopie

Examen qui permet d'explorer visuellement les parois du rectum.

INDICATIONS

Les indications de la rectoscopie sont nombreuses : douleurs anorectales, hémorroïdes, hémorragies rectales, troubles du transit intestinal.

TECHNIQUE

Une rectoscopie consiste à introduire par l'anus dans le rectum un endoscope rigide appelé rectoscope (tube de 25 centimètres de long et de 1,5 centimètre de diamètre, muni d'un système optique). Des biopsies (prélèvements de tissu rectal) sont possibles.

PRÉPARATION ET DÉROULEMENT

Le patient doit s'administrer, la veille au soir, un lavement acheté en pharmacie. Deux heures avant l'examen, il effectue un second lavement de façon que le rectum soit vide et net. Il n'est pas nécessaire d'être à jeun. L'examen se pratique sans anesthésie, le patient en position génupectorale (à genoux, coudes sur la table d'examen, tête basse). Après observation visuelle de l'anus, puis toucher anal et rectal à l'aide d'un doigtier lubrifié, le médecin introduit le rectoscope, lubrifié lui aussi, dans le canal anal et le fait progresser dans le rectum. Une rectoscopie dure quelques minutes, n'est pas douloureuse et n'entraîne aucun effet secondaire.

Rectosigmoïdoscopie

Examen qui permet d'explorer visuellement les parois du rectum (rectoscopie), du côlon sigmoïde (sigmoïdoscopie) et de la partie basse du côlon gauche.

Une rectosigmoïdoscopie, parfois appelée sigmoïdoscopie, est indiquée dans la recherche de toute affection du rectum et de la partie basse du côlon : tumeur, infection, inflammation, etc.

Cet examen se pratique avec un coloscope court (tube flexible de 60 centimètres de long, muni d'un système optique). Il est effectué sans anesthésie après administration de deux lavements consécutifs, l'un la veille au soir, l'autre 2 heures avant l'examen. Le patient est allongé sur le côté gauche. Le médecin introduit le coloscope par l'anus et le fait progresser lentement jusqu'au côlon sigmoïde. Par l'intermédiaire de l'appareil, il insuffle de l'air afin de distendre les parois et de faciliter l'observation. Des biopsies (prélèvements de fragments de tissu) peuvent être réalisées. Une rectosigmoïdoscopie dure environ 15 minutes et est normalement bien supportée. Après l'examen, il est nécessaire que le patient aille à la selle pour évacuer l'air insufflé.

Cet examen tend actuellement à être supplanté par la coloscopie totale (exploration, par la même technique, de l'ensemble du côlon), tant pour les examens diagnostiques que pour le dépistage systématique des tumeurs rectocoliques bénignes et malignes.

Rectotomie

Incision chirurgicale de la paroi du rectum.

La rectotomie, pratiquée sous anesthésie générale, permet de procéder à l'ablation de lésions rectales (tumeurs bénignes du rectum, par exemple).

Rectum

Segment terminal du tube digestif, faisant suite au côlon sigmoïde et s'ouvrant à l'extérieur par l'anus. (P.N.A. *rectum*)

STRUCTURE

Le rectum est la portion terminale du tube digestif. Moins sinueux que les autres parties du côlon, il débute au niveau de la 3e vertèbre sacrée et descend en avant du sacrum et du coccyx. Il est constitué, comme le côlon, de 4 couches concentriques, respectivement, de l'intérieur vers l'extérieur, muqueuse, sous-muqueuse, musculaire et séreuse.

Le rectum, long de 15 centimètres, comporte deux segments. Le segment supérieur, dans le pelvis, constitue l'ampoule rectale ; il présente des replis permanents, les valves de Houston. Le segment inférieur, au niveau du périnée, est le canal anal ; il présente des piliers verticaux, les colonnes de Morgagni. Le rectum est en rapport vers l'avant, chez l'homme avec la vessie, la prostate et l'urètre, chez la femme avec l'utérus et le vagin.

PHYSIOLOGIE

Le rectum, par sa fonction de réservoir et grâce à l'appareil sphinctérien de l'anus, assure le contrôle du mécanisme de la défécation et de la continence fécale.

Il est irrigué par les artères hémorroïdales supérieures, moyennes et inférieures, branches, respectivement, de l'artère mésentérique inférieure, de l'artère hypogastrique et de l'artère honteuse interne. Les veines homologues longent les artères et sont en communication en haut avec le système porte, en bas avec le système cave.

EXAMENS

Le rectum peut être examiné par le toucher (toucher rectal), par l'examen visuel direct (rectoscopie), réalisé au moyen d'un endoscope (tube muni d'un système optique), et par la radiologie traditionnelle (lavement baryté), l'échographie (échoendoscopie) et le scanner. Sa fonction peut faire l'objet de diverses explorations fondées sur des mesures de pression (manométrie).

PATHOLOGIE

Le rectum est parfois le siège de tumeurs bénignes (polypes, tumeurs villeuses [de surface filamenteuse]) ou malignes (adénocarcinomes, carcinoïdes). Il peut également être atteint de rectites (inflammations localisées) d'origine infectieuse (maladie vénérienne), parasitaire (amibiase), ischémique ou inflammatoire (rectocolite). Les maladies inflammatoires du côlon (maladie de Crohn) ou certaines affections dégénératives (maladie de Hirschsprung) peuvent s'étendre au rectum. Les prolapsus rectaux (saillie du rectum à travers l'anus) peuvent se produire au cours de maladies hémorroïdaires ou après un traumatisme obstétrical ou une maladie neurologique, par exemple. Enfin, il arrive que le rectum soit le siège de lésions traumatiques : ulcération thermométrique, perforation rectale par un corps étranger ou occasionnée, exceptionnellement, par un examen endoscopique ou radiologique du côlon.

Rectum (cancer du)

Tumeur maligne se développant aux dépens du rectum sous la forme d'un adénocarcinome.

FRÉQUENCE

Le cancer du rectum est l'un des cancers digestifs les plus fréquents. Il représente 60 % des cancers rectocoliques (ensemble des cancers du rectum et du côlon).

CAUSES

Le cancer du rectum se développe le plus souvent à partir de polypes bénins, comme le cancer du côlon, dont il partage les caractéristiques tissulaires : c'est comme lui un adénocarcinome (tumeur maligne développée à partir d'un tissu de revêtement et dont la structure évoque celle d'une glande).

SYMPTÔMES ET SIGNES

Les symptômes révélateurs sont des émissions de glaire ou de sang et des douleurs rectales accompagnées de faux besoins. Lorsque la maladie est déjà évoluée, son extension à l'ensemble du pelvis peut déclencher des douleurs nerveuses évoquant une sciatique. En cas d'extension à distance, une augmentation de volume inhabituelle du foie ou des ganglions rétropéritonéaux, causée par les métastases de la tumeur, peut amener à la découverte de l'affection.

DIAGNOSTIC

Le diagnostic est fondé sur l'examen clinique, comportant un toucher rectal, et sur la rectoscopie (exploration visuelle directe du rectum à l'aide d'un tube muni d'un

RECTUM

Le rectum, partie terminale du tube digestif, fait suite au côlon et comprend une partie dilatée, l'ampoule rectale, et un segment étroit aboutissant à l'anus, le canal anal. Il assure le contrôle du mécanisme de la défécation et de la continence fécale.

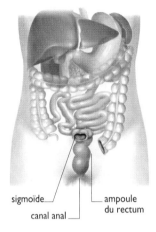

sigmoïde
canal anal
ampoule
du rectum

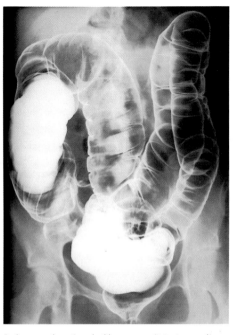

Le lavement baryté en double contraste (injection par l'anus de baryte puis d'air) permet de visualiser de façon très précise les parois du côlon et du rectum.

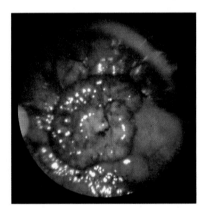

Une tumeur cancéreuse ulcérée de la muqueuse rectale est ici mise en évidence par un examen rectoscopique.

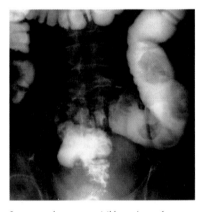

Le cancer du rectum, visible après un lavement baryté, se manifeste ici par un rétrécissement irrégulier au bas du cliché.

système optique) avec prélèvements de tissus et examen microscopique de ceux-ci. Il est également nécessaire de vérifier l'absence de lésion associée du côlon et d'évaluer la profondeur de l'atteinte par un bilan qui s'appuie sur l'examen direct (coloscopie) ou radiologique (lavement baryté) du côlon, sur un scanner du bas de l'abdomen et, souvent, sur une échoendoscopie (échographie couplée à une endoscopie) rectale.

TRAITEMENT

Il est chirurgical et consiste en l'ablation de tout ou partie du rectum. Il peut s'agir d'une proctectomie (ablation du canal anal et du rectum) avec abouchement de l'intestin à la paroi de l'abdomen (création d'un anus artificiel définitif) quand le cancer est bas situé. La résection antérieure, quant à elle, est pratiquée dans les cancers des parties haute et moyenne du rectum, respectant le

bas rectum et le canal anal et permettant le rétablissement immédiat de la continuité digestive. Une radiothérapie pratiquée avant ou après l'intervention réduit les risques de récidive locale. Les traitements palliatifs comprennent la radiothérapie externe, éventuellement associée à la chimiothérapie, la dérivation chirurgicale de l'intestin vers la paroi de l'abdomen en amont de la tumeur (colostomie d'amont) et les traitements endoscopiques (par laser, par exemple).

PRÉVENTION

La prévention du cancer du rectum, comme celle du cancer du côlon, repose sur des examens endoscopiques annuels. Ces examens sont pratiqués chez les patients qui présentent des antécédents personnels, tels que des polypes du rectum ou du côlon ou une rectocolite hémorragique, ou des antécédents familiaux, en particulier une fréquence élevée de polypes ou de cancers du rectum

---

ou du côlon parmi les ascendants. Ils sont également réalisés lorsque la recherche du sang dans les selles par l'hémocult est positive.

Réduction

Remise en place d'un organe.

Le terme de réduction s'applique surtout aux fractures et aux luxations ainsi qu'aux hernies de la paroi de l'abdomen.

Réduction d'une fracture ou d'une luxation

La réduction est indiquée soit en cas de fracture avec déplacement d'un ou de plusieurs fragments osseux, soit en cas de luxation d'une articulation.

TECHNIQUE

On distingue deux méthodes.

■ La technique orthopédique consiste en général à remettre en place à la main, par manipulation externe, les fragments osseux fracturés ou l'articulation luxée. Selon les cas, la réduction est pratiquée sans anesthésie (luxation) ou sous anesthésie locorégionale ou générale (fracture). Une fois la réduction obtenue, on immobilise solidement le membre (bandage, plâtre, fixateur externe) jusqu'à consolidation.

■ La technique chirurgicale est employée quand la précédente n'est pas praticable, plus souvent sur des fractures que sur des luxations. Elle consiste à ouvrir la région lésée sous anesthésie générale, à remettre les fragments osseux en place, puis à les fixer par ostéosynthèse (à l'aide d'une plaque, d'une vis, d'un clou ou de tout autre dispositif mécanique).

SURVEILLANCE

Une fracture réduite chirurgicalement doit être soumise aux mêmes règles de surveillance que toute autre plaie opératoire, compte tenu du risque d'infection. Dans tous les cas, une surveillance radiographique régulière du foyer de fracture s'impose ; on effectue généralement trois radiographies : une en salle d'opération juste après la réduction (ce qui permet de la corriger si nécessaire), une autre au milieu de la période de consolidation et la dernière à la fin de cette période pour vérifier, avant d'enlever le plâtre, les broches ou tout autre moyen de contention de la fracture, que celle-ci est bien consolidée. En cas de luxation, la surveillance radiographique est moins stricte ; on ne prend que deux clichés, un après la réduction et un à la fin de la période de cicatrisation des tissus.

Réduction d'une hernie

La hernie peut être spontanément réductible, c'est-à-dire ne s'extérioriser qu'à certains moments. Dans le cas contraire, le médecin essaie de la réduire momentanément par une pression douce et prudente, permettant de rentrer progressivement le segment d'intestin saillant dans la paroi abdominale. S'il n'y parvient pas, c'est que la hernie est étranglée ; il faut alors l'opérer d'urgence. Dans tous les cas, une herniorraphie s'impose : réduction chirurgicale de la hernie, suivie de la fermeture de l'orifice herniaire et d'une consolidation de la paroi abdominale.

Rééducation

Ensemble des moyens mis en œuvre pour rétablir chez un individu l'usage d'un membre ou d'une fonction.
→ VOIR Kinésithérapie, Orthophonie, Orthoptie, Physiothérapie.

Réflexe

Réponse motrice brève, instantanée et involontaire du système nerveux à une stimulation sensitive ou sensorielle des terminaisons nerveuses.

Les réflexes peuvent être normaux, exagérés, diminués ou abolis. Ils sont contrôlés, s'il y a lieu, par l'examen clinique. Leur étude occupe une place importante en neurologie et en neuropsychiatrie.

Réflexe cutané

C'est une brève réponse motrice provoquée par la stimulation mécanique des récepteurs qui se trouvent dans la peau (sensibilité extéroceptive).

■ Le réflexe crémastérien est une contraction du crémaster (muscle sustenteur du testicule) provoquée par l'excitation cutanée de la face interne de la cuisse, qui entraîne l'ascension du testicule.

■ Le réflexe cutané abdominal s'obtient en stimulant la paroi abdominale, de chaque côté de sa ligne médiane. La réaction normale observée est une contraction des muscles grands droits, sous la paroi cutanée. L'abolition de ce réflexe est un des signes constitutifs d'un syndrome pyramidal.

■ Le réflexe cutané plantaire se recherche en longeant le bord externe de la voûte plantaire avec une pointe mousse, du talon vers le petit orteil. La réponse normale est une flexion du gros orteil. En cas d'atteinte pyramidale, on observe un signe très caractéristique, dit signe de Babinski, qui consiste en l'extension lente du gros orteil.

Réflexe des nerfs crâniens

C'est une brève réponse motrice, obtenue principalement en stimulant l'œil.

DIFFÉRENTS TYPES DE RÉFLEXE DES NERFS CRÂNIENS

Les réflexes des nerfs crâniens font intervenir la sensibilité extéroceptive des nerfs rattachés à l'encéphale.

■ Le réflexe cornéen est provoqué par le contact d'un morceau de coton sur la partie périphérique de la cornée, ce qui entraîne une brusque occlusion de la paupière. Il peut être aboli lors de lésions du nerf trijumeau.

■ Le réflexe photomoteur est exploré par l'éclairage de la rétine de l'un des deux yeux, ce qui entraîne un rétrécissement de la pupille de l'œil éclairé, suivi par un rétrécissement de la pupille de l'autre œil (réflexe consensuel). L'altération de ce réflexe révèle une atteinte du nerf optique ou du nerf oculomoteur (tumeur, anévrysme, etc.).

Réflexe ostéotendineux

Il se caractérise par une brève réaction motrice que l'on recherche en percutant un tendon à l'aide d'un marteau caoutchouté, dit marteau à réflexes.

Cette stimulation provoque une extension du tendon, stimulation sensitive d'abord transmise par les récepteurs tendineux à la moelle épinière (sensibilité proprioceptive), qui y répond automatiquement par la contraction musculaire.

DIFFÉRENTS TYPES DE RÉFLEXE OSTÉOTENDINEUX

Chaque réflexe dépend d'une ou de plusieurs racines nerveuses bien localisées anatomiquement : cervicale, lombaire ou sacrée ; il permet donc, lorsqu'il est modifié, de préciser le niveau de l'atteinte médullaire ou radiculaire.

■ Le réflexe achilléen entraîne à la percussion du tendon d'Achille une extension du pied sur la jambe.

■ Le réflexe bicipital, recherché au pli du coude par percussion du tendon bicipital (lié au biceps), produit une flexion de l'avant-bras sur le bras.

■ Le réflexe cubitopronateur se traduit, à la percussion du tendon tricipital (lié au triceps) au-dessus de l'apophyse styloïde (saillie de la tête osseuse) du cubitus, par une pronation (mouvement de rotation de dehors en dedans) de la main.

■ Le réflexe rotulien entraîne, à la percussion du tendon rotulien, une extension de la jambe sur la cuisse.

■ Le réflexe styloradial s'obtient en percutant le tendon du muscle long supinateur au-dessus de l'apophyse styloïde du radius (sur la face antérieure de l'avant-bras, au-dessus du pouce). Il provoque la flexion de l'avant-bras sur le bras.

■ Le réflexe tricipital, qu'entraîne la percussion du tendon du triceps au-dessus de l'olécrane, donne une extension de l'avant-bras sur le bras.

PATHOLOGIE

Une aréflexie (abolition des réflexes) ou une diminution des réflexes peuvent traduire une lésion du système nerveux périphérique (lésion d'un nerf ou de sa racine) ; ce sont des symptômes que l'on rencontre notamment au cours des sciatiques ou des névrites, beaucoup plus rarement en cas de lésion centrale (lésion de la moelle épinière d'apparition brutale par section ou compression). À l'opposé, l'exagération des réflexes s'associe au syndrome pyramidal (paralysie par atteinte du système nerveux central) et se rencontre en cas de tumeur, d'accident vasculaire cérébral, etc.

Réflexe végétatif

Ce réflexe se rapporte à la sensibilité intéroceptive (sensibilité du système nerveux aux stimulations et informations provenant des viscères).

Il existe de très nombreux réflexes végétatifs. Une baisse aiguë de la pression artérielle, par exemple, est détectée par des récepteurs situés dans la paroi des artères et se traduit par une stimulation du cœur provoquant une tachycardie.

Réflexe archaïque

Automatisme moteur provoqué chez le nouveau-né par divers stimuli et qui disparaît entre 2 et 4 mois d'âge.

Les réflexes archaïques, ou réflexes primaires, sont des mouvements automatiques que l'on observe chez le nouveau-né en réponse à certains stimuli. Ils sont le reflet du développement de son système nerveux, et leur absence peut témoigner d'une lésion cérébrale. La recherche de ces réflexes, qui disparaissent entre 2 et 4 mois d'âge, est systématiquement effectuée lors de l'examen médical qui suit la naissance.

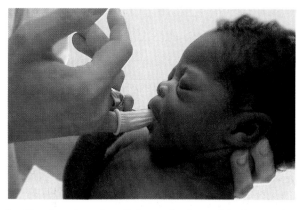

Le réflexe de succion, présent dès les premières heures de la vie, est testé en introduisant un doigt dans la bouche du nouveau-né, qui se met à le téter.

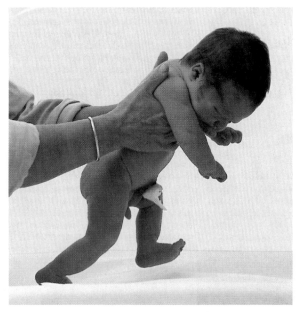

L'étude du réflexe de la marche automatique consiste à maintenir le nouveau-né en position verticale, légèrement penché, ses pieds effleurant une surface plane ; celui-ci esquisse alors quelques mouvements de marche.

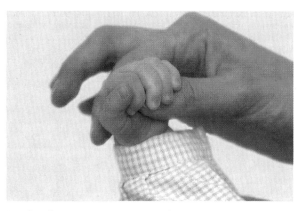

Le réflexe d'agrippement, ou grasping reflex, est déclenché en plaçant un doigt dans la paume du nouveau-né, qui le serre très fort. Comme les autres réflexes archaïques, il disparaît normalement au bout de quelques semaines.

Les réflexes archaïques témoignent de l'intégrité et de la maturation du système nerveux du nouveau-né. Ils sont contrôlés au cours des examens neurologiques auxquels celui-ci est systématiquement soumis dès les premiers jours de la vie.

DIFFÉRENTS TYPES DE RÉFLEXE ARCHAÏQUE

■ **Le réflexe d'agrippement, ou grasping reflex,** se définit par le geste de saisir automatiquement l'un des doigts de l'examinateur ou tout objet qui passe à sa portée.

■ **Le réflexe de Moro, ou réflexe d'embrassement,** est étudié en soulevant la tête de l'enfant de quelques centimètres avant de la lâcher brusquement ; le nouveau-né retombe alors en écartant les membres supérieurs et en étendant les jambes ; ses bras se replient ensuite vers sa poitrine en exécutant un mouvement d'étreinte.

■ **Le réflexe de marche automatique** se produit lorsqu'on met l'enfant en position debout, le corps légèrement penché en avant ; on observe alors des mouvements automatiques et rythmiques de marche.

■ **Le réflexe de succion** se manifeste par la tétée d'un doigt introduit dans la bouche de l'enfant.

■ **Le réflexe des points cardinaux** se déclenche lorsque l'on stimule l'un des coins de la bouche ou la joue de l'enfant : celui-ci oriente sa tête du côté de la zone excitée, en cherchant à téter le « sein » évoqué par la stimulation.

■ **Le réflexe d'extension croisée** est obtenu en stimulant la plante du pied, ce qui provoque le fléchissement puis l'extension du membre inférieur opposé pour tenter de repousser la source de stimulation.

PATHOLOGIE

Une absence de réflexe archaïque peut être révélatrice d'une lésion cérébrale, qu'il faut alors rechercher par des examens complémentaires. Par ailleurs, les réflexes archaïques peuvent persister ou réapparaître dans certains états pathologiques atteignant le système nerveux central.

Réflexe conditionné

Réponse acquise et entretenue sous l'effet d'un premier stimulus auquel on associe un second stimulus, qui est ensuite substitué au premier et qui provoque alors la même réponse que le stimulus initial.

Cette technique de conditionnement fut présentée pour la première fois en 1903 par le médecin et physiologiste russe Ivan Petrovitch Pavlov.

Il existe plusieurs degrés de réflexes conditionnés. Dans le « réflexe excitant » (premier degré), on donne à un chien un morceau de viande, qui le fait saliver en même temps que retentit une sonnerie. Ultérieurement, la sonnerie, perçue isolément, suffit à faire saliver le chien.

Dans le « réflexe d'inhibition » (second degré), on associe à la sonnerie un autre excitant. Si l'on présente au chien de la nourriture en même temps que le nouvel excitant, mais sans lui faire entendre la sonnerie, il ne salive pas. L'Américain Ernest Hilgard, explorant les processus cognitifs, a expérimenté le « conditionnement instrumental » (1941), par lequel l'animal qui a faim doit finalement être capable de reconnaître le seul levier lui permettant d'obtenir à manger.

Pour Pavlov et ses successeurs (Wladimir Bechterev, John Watson et les béhavioristes), le comportement humain est une somme hiérarchisée de réflexes conditionnés, régie par des interactions cérébrales complexes et qui fonde l'unité de la psychologie et de la physiologie. La pathologie mentale serait une pathologie « apprise », comparable à un conditionnement renforcé : plus un sujet phobique craint la foule, par exemple, plus il se trouve de justifications pour l'éviter. Par son côté mécaniste, l'école réflexologique a été souvent critiquée. La réflexologie est cependant à la base des thérapies comportementales, qui consistent à apprendre à un sujet à remplacer un comportement inadapté dû à un conditionnement néfaste par un conditionnement adapté.

Réflexe oculocardiaque

Ralentissement du rythme cardiaque provoqué par la compression des globes oculaires.

Le réflexe oculocardiaque est recherché en appuyant avec les pouces sur les yeux du patient, dont les paupières sont fermées. Cette manœuvre entraîne une stimulation des fibres sensitives du nerf vague, ou nerf pneumogastrique (Xᵉ paire crânienne). La réponse à cette stimulation, enregistrée sur un tracé électrocardiographique, permet parfois de préciser le mécanisme de certaines tachycardies (accélération pathologique du rythme cardiaque) ou même de les soigner (tachycardie jonctionnelle paroxystique, dite de Bouveret).

La stimulation du réflexe oculocardiaque est contre-indiquée en cas d'affection ophtalmologique, en particulier de glaucome ; elle doit être effectuée sous strict contrôle médical du fait du risque de ralentissement excessif du rythme cardiaque et de chute de la tension artérielle qu'elle comporte.

Réflexogramme achilléen
Mesure du temps de décontraction des muscles du mollet (triceps sural) après percussion du tendon d'Achille.

Cet examen était naguère effectué pour diagnostiquer une myopathie, une neuropathie, une hyperthyroïdie ou une hypothyroïdie. En effet, les hormones thyroïdiennes ont une action modulatrice sur la conduction neuromusculaire : lorsqu'elles sont sécrétées en excès, le temps de décontraction est raccourci ; dans le cas inverse, il est allongé.

Le réflexogramme achilléen est aujourd'hui remplacé par des examens ou des tests plus précis (électromyographie, électrodiagnostic, dosage sanguin des hormones thyroïdiennes).

Reflux gastro-œsophagien
Régurgitation du contenu acide de l'estomac dans l'œsophage pouvant entraîner une œsophagite (inflammation de l'œsophage).

CAUSES
Un reflux gastro-œsophagien est dû à une incontinence du sphincter inférieur de l'œsophage dont la cause la plus fréquente est une hernie hiatale, c'est-à-dire le passage, à travers le diaphragme, d'une partie de l'estomac dans le thorax.

SYMPTÔMES ET SIGNES
Le reflux gastro-œsophagien provoque ordinairement une sensation de brûlure au creux de l'estomac, irradiant derrière le sternum. La douleur survient après les repas ; elle est déclenchée par la flexion du corps vers l'avant et disparaît lorsque le sujet se redresse : c'est le signe dit « du lacet de soulier ». En cas de hernie hiatale, les brûlures apparaissent également dans la position couchée ou lors des efforts de poussée abdominale.

TRAITEMENT
Le traitement du reflux œsophagien sans œsophagite consiste tout d'abord à éviter les repas copieux, le café, les boissons effervescentes, à réduire si nécessaire une obésité existante et à combattre l'acidité gastrique au moyen de médicaments antiacides. Si le reflux résiste au traitement médical, et reste

très gênant, il est possible de recourir à une technique chirurgicale. Celle-ci consiste à enrouler le fundus, partie supérieure de l'estomac située immédiatement sous le diaphragme, tout autour du bas œsophage pour créer une valve antireflux entre œsophage et estomac.

Reflux gastro-œsophagien du nourrisson
Régurgitation du contenu de l'estomac dans l'œsophage, survenant chez le nourrisson et liée le plus souvent à la maturation inachevée de son tube digestif (béance du sphincter inférieur de l'œsophage).

SYMPTÔMES ET SIGNES
Les manifestations habituelles du reflux gastro-œsophagien sont des rejets gras ou des vomissements, souvent abondants, survenant vers la fin du repas et que le moindre mouvement déclenche. Ils sont à distinguer des petits rejets accompagnant les rots, qui sont tout à fait normaux chez le nourrisson après les repas.

COMPLICATIONS
L'œsophagite (inflammation de l'œsophage) est la complication la plus gênante du reflux gastro-œsophagien. Elle est liée à l'agression de l'œsophage par les liquides acides de l'estomac. Cette inflammation entraîne parfois des vomissements de lait, contenant des filets de sang, et une anémie. Les pleurs, les tortillements de l'enfant pendant les repas, la prise de mauvaise grâce du biberon, associés ou non à des vomissements, en sont des signes évocateurs.

Certains troubles des voies respiratoires (toux spasmodique survenant surtout la nuit ; bronchites et affections pulmonaires répétées) semblent pouvoir être mis sur le compte du reflux gastro-œsophagien de même que certaines manifestations oto-rhino-laryngologiques (sinusites, otites, rhinopharyngites et surtout laryngites répétées).

Le reflux gastro-œsophagien est également soupçonné d'intervenir dans la survenue des malaises graves du nourrisson avec arrêt de la respiration, cyanose et perte du tonus musculaire. De tels signes, surtout s'ils surviennent à des heures régulières par rapport aux repas ou chez un enfant présentant déjà un reflux gastro-œsophagien, doivent conduire à consulter un pédiatre, qui prescrira, le cas échéant, des examens complémentaires dans un service spécialisé.

ÉVOLUTION ET TRAITEMENT
Le reflux gastro-œsophagien évolue spontanément vers la guérison, facilitée lorsque l'enfant commence à marcher ; la majorité des reflux gastro-œsophagiens sont guéris à cet âge. Néanmoins, un traitement est nécessaire pour réduire les symptômes, souvent préoccupants, pour empêcher les complications et pour faciliter la maturation physiologique du sphincter du bas œsophage. Outre les médicaments destinés à augmenter la pression de ce sphincter, il consiste à coucher l'enfant en position inclinée (à 30 degrés environ par rapport à l'horizontale), à lui donner une alimentation plus épaisse (poudres épaississantes mélan-

gées au lait), à fractionner ses repas, à ne pas lui mettre des vêtements qui serrent le ventre et à ne pas l'exposer à une atmosphère enfumée.

Si ce traitement s'avère insuffisant ou si des complications sont à craindre, des examens complémentaires (fibroscopie, mesure de l'acidité gastrique, examens radiologiques) doivent être effectués à l'hôpital dans un service de pédiatrie de manière à pouvoir modifier la prescription médicamenteuse en connaissance de cause.

Reflux vésico-urétéro-rénal
Remontée d'urine de la vessie vers l'uretère et le rein.

Un reflux vésico-urétéro-rénal, plus couramment appelé reflux d'urine, est dû à une malformation du dispositif anti-reflux urétérovésical, sorte de valve située sur l'orifice vésical de l'uretère, qui permet normalement à l'urine contenue dans la vessie de ne pas refluer vers l'uretère.

SYMPTÔMES ET SIGNES
Un reflux vésico-urétéro-rénal se traduit par des douleurs lombaires ascendantes lors de la miction ; il prédispose aux infections urinaires (cystites, pyélonéphrites, etc.). Non traité, il peut entraîner une atrophie rénale avec risque d'insuffisance rénale chronique en cas d'atteinte des deux reins.

DIAGNOSTIC
L'examen permettant de mettre en évidence un reflux vésico-urétéro-rénal est la cystographie rétrograde (le produit de contraste est injecté dans l'urètre, puis on le fait remonter vers la vessie) ou suspubienne (le produit de contraste est injecté directement, à l'aide d'une aiguille, dans la vessie) ; en cas de reflux, ce produit est visible dans l'uretère et les voies excrétrices du rein.

TRAITEMENT
Il est le plus souvent chirurgical, consistant soit à réimplanter, par chirurgie classique, l'uretère dans la vessie avec pose d'un dispositif antireflux (urétérocystonéostomie), soit à injecter, par endoscopie vésicale, une pâte non résorbable obstruant en partie l'orifice urétéral afin de constituer une sorte de valve artificielle.

Réfractaire
1. Se dit d'une personne qui résiste à une infection microbienne.
2. Se dit d'une affection qui résiste à un traitement.
3. En physiologie, se dit d'une période ou d'une phase pendant laquelle un nerf ou un muscle ne peut être stimulé efficacement.

Cette période (ou cette phase) succède immédiatement, d'ordinaire, à une stimulation efficace. On distingue une phase réfractaire absolue, pendant laquelle une fibre musculaire ou nerveuse ne réagit absolument pas à une stimulation, d'une phase réfractaire relative, pendant laquelle une fibre réagit peu à une stimulation.

Réfraction oculaire
Changement de direction d'un rayon lumineux qui traverse, dans l'œil, des milieux différents avant de converger sur la rétine.

La réfraction oculaire résulte de la déviation du trajet lumineux par 4 dioptres successifs : les faces antérieure et postérieure de la cornée et les faces antérieure et postérieure du cristallin. L'emmétropie désigne la vision normale de l'œil, lorsque les images d'objets situés à plus de 5 mètres viennent se former juste sur la rétine sans intervention de l'accommodation : l'image obtenue est nette. En vision rapprochée, le pouvoir de convergence du cristallin permet, grâce à l'accommodation, la mise au point des images sur la rétine.

EXAMENS
L'étude de la réfraction oculaire peut se faire soit de façon subjective, soit de façon objective.

■ **L'étude subjective de la réfraction** consiste à faire passer au sujet des tests d'acuité visuelle (lecture de textes, de signes) et à lui faire essayer différents verres correcteurs. Toutefois, ce procédé peut être source d'erreurs liées à l'accommodation et n'est pas réalisable avec les jeunes enfants qui ne savent pas lire.

■ **L'étude objective de la réfraction** consiste à mesurer la réfraction de l'œil par la skiascopie (projection sur l'œil d'un faisceau lumineux) ou la réfractométrie automatique. Ce dernier examen, plus récent, nécessite un ordinateur permettant une mesure plus rapide et plus fiable.

PATHOLOGIE
L'amétropie est une anomalie du système optique entraînant un trouble de la réfraction. On distingue 3 types d'amétropie : la myopie, l'hypermétropie et l'astigmatisme. La réfraction sphérique (la même quel que soit l'axe de l'œil) est modifiée en cas de myopie et d'hypermétropie et la réfraction cylindrique (dont l'orientation est fonction de l'axe de l'œil), en cas d'astigmatisme.

Réfractométrie automatique
Examen destiné à mesurer la réfraction de la lumière par l'œil.

La réfractométrie automatique est indiquée pour le diagnostic des troubles de la réfraction (myopie, hypermétropie, astigmatisme). Elle utilise un appareil informatisé appelé réfractomètre automatique : le patient y pose le front et le menton ; trois mesures successives de chaque œil sont prises. Cet appareil permet de mesurer la réfraction sphérique (la même quel que soit l'axe de l'œil), modifiée en cas de myopie et d'hypermétropie, et la réfraction cylindrique (dont l'orientation dépend de l'axe de l'œil), modifiée en cas d'astigmatisme. Un réfractomètre automatique peut aussi mesurer les rayons de courbure de la cornée dans le but de prescrire les verres de contact les mieux adaptés. Dans les deux cas, la mesure peut être rendue plus précise par l'instillation préalable de collyres cycloplégiques (qui suppriment le phénomène d'accommodation). Cette instillation est indispensable, afin de ne pas troubler le diagnostic, chez les petits enfants, dont l'accommodation est très forte et qui ont tendance à ne pas fixer longtemps leur regard au loin.

Régime
Modification de l'alimentation habituelle à des fins thérapeutiques (en cas de diabète, de goutte, d'obésité, etc.) ou pour satisfaire des besoins physiologiques spécifiques (femmes enceintes, sportifs, personnes âgées, etc.).

Prescrire un régime consiste à établir une liste des aliments ou des nutriments (glucides, lipides) interdits au patient et des aliments qui lui sont permis, assortie de conseils concernant la préparation, la cuisson, la répartition de ceux-ci, etc. Un régime ne peut être suivi, sur une longue période et avec succès, que s'il est parfaitement expliqué au patient, adapté à son mode de vie et à ses préférences alimentaires tout en respectant les indications médicales. Le diététicien joue ici un rôle essentiel.

INDICATIONS
Grâce aux progrès réalisés dans la connaissance des maladies et en pharmacologie, la prescription des régimes thérapeutiques a évolué : le nombre des affections pour lesquelles ils sont réellement indispensables a diminué et de nombreux régimes autrefois très sévères, tels que le régime sans sel ou le régime du diabétique, sont actuellement plus souples. Aujourd'hui, les régimes les plus fréquemment prescrits sont les régimes hypocaloriques (ou hypoénergétiques) pour le traitement de l'obésité, les régimes des dyslipidémies (hypercholestérolémie, hypertriglycéridémie) et du diabète. Certaines maladies métaboliques rares, comme les intolérances à un acide aminé (leucinose, phénylcétonurie) ou à un sucre (galactosémie), et certaines allergies (intolérance au gluten, aux protéines du lait de vache) nécessitent des régimes très stricts. Il est aussi extrêmement fréquent de prescrire à un sujet venant de subir une opération de chirurgie digestive un régime caractérisé à la fois par une modification de la texture des aliments (liquide, mixée, solide) et un élargissement progressif du choix des aliments autorisés (régime plus ou moins riche en fibres, notamment). Certaines affections rénales (syndrome néphrotique, insuffisance rénale, etc.) imposent aussi un contrôle de certains nutriments comme l'eau, les protéines, le sel, le potassium, etc.

DÉROULEMENT ET EFFETS INDÉSIRABLES
En toute circonstance, le régime, qui fait partie du traitement médical global, reste sous la responsabilité du médecin. Tout régime doit d'ailleurs, au préalable, faire l'objet d'un bilan : si les régimes apportent en général une aide efficace dans le traitement des maladies, ils peuvent parfois être plus dangereux qu'utiles (risque potentiel de dénutrition chez une personne âgée, par exemple). Il faut noter également qu'un grand nombre de femmes sont très attentives au nombre de calories qu'elles ingèrent et qu'elles absorbent souvent moins de 1 500, voire moins de 1 200 kilocalories par jour. Si ces régimes se prolongent, il apparaît alors des carences en certains nutriments ; de plus, l'amaigrissement escompté n'est plus obtenu, l'organisme finissant par s'adapter à des apports énergétiques moindres.

Régime hyposodé
Régime fondé sur une diminution plus ou moins importante des apports alimentaires en sodium.

La principale source alimentaire de sodium est le chlorure de sodium ($NaCl$), ou sel de table. En moyenne, un individu en consomme de 7 à 8 grammes par jour (un tiers inclus dans les aliments et deux tiers dans l'assaisonnement) alors que 3 à 5 grammes seulement sont nécessaires à l'organisme. Celui-ci s'adapte en régulant par l'élimination urinaire la teneur en sodium des différents tissus et liquides. La natrémie (taux de sodium dans le sang) se maintient ainsi normalement de façon stable entre 135 et 145 millimoles par litre.

INDICATIONS ET CONTRE-INDICATIONS
Les régimes hyposodés, souvent appelés de façon erronée « régimes sans sel », sont prescrits en cas d'affections entraînant une rétention sodée (hypertension artérielle, insuffisance cardiaque, ascite [accumulation de liquide dans la cavité péritonéale], syndrome néphrotique) ou de traitement par corticostéroïdes à fortes doses. Certains médicaments contenant du benzoate de sodium doivent alors impérativement être évités, de même que certains aliments particulièrement riches en sodium : charcuterie, conserves, fromages, pain, pâtisserie, potages en boîte, boissons gazeuses (certaines eaux minérales, sodas, etc.). Les régimes hyposodés stricts ne sont pratiquement plus appliqués aujourd'hui en raison des nombreuses autres possibilités thérapeutiques (diurétiques, équilibre diététique, etc.).

Un régime hyposodé est contre-indiqué en cas de grossesse, d'insuffisance surrénalienne ou de traitement par le lithium.

Région lombosacrée
Partie anatomique située de part et d'autre de l'articulation entre la dernière vertèbre lombaire et la première vertèbre sacrée.

La région lombosacrée est fréquemment le lieu d'affections vertébrales diverses : lombalisation de la première vertèbre sacrée (celle-ci n'est plus soudée à la deuxième vertèbre sacrée), sacralisation de la cinquième vertèbre lombaire (celle-ci se soude à la première vertèbre sacrée), spina-bifida (absence de soudure des arcs postérieurs et de l'apophyse épineuse d'une ou de plusieurs vertèbres), hernie discale, spondylolisthésis (glissement d'une vertèbre en avant), spondylodiscite (infection de deux vertèbres et du disque intermédiaire), fracture, etc.

Par ailleurs, l'articulation entre la dernière vertèbre lombaire et la première vertèbre sacrée constitue une zone charnière particulièrement mobile et fragile, soumise à de fortes contraintes mécaniques.

Règlement sanitaire international
Réglementation édictée par l'Organisation mondiale de la santé (O.M.S.) et concernant la déclaration de certaines maladies contagieuses (choléra, fièvre jaune, peste) et les mesures à prendre pour en éviter la propagation de pays à pays.

La plupart des États membres de l'O.N.U. se plient plus ou moins rigoureusement à cette réglementation grâce à leur législation et à leurs réglementations nationales. Les mesures prescrites par le règlement sanitaire international (présentation obligatoire d'un certificat de vaccination contre la fièvre jaune, désinfection, isolement, éviction scolaire, etc.) ont remplacé les mesures de quarantaine (isolement strict) dans la plupart des cas. Les mesures d'isolement strict ne concernent que les cas où la maladie s'est déclarée : pour la peste, isolement de tout le groupe (passagers) même si une seule personne est atteinte ; pour la fièvre jaune et le choléra, isolement de la seule personne atteinte.

→ VOIR Voyages (conseils pour les).

Règles

→ VOIR Menstruation.

Régression

Retour à un stade antérieur du développement psychique.

Lors d'une régression, une conduite primaire se substitue à une conduite plus évoluée, progressivement ou d'un seul coup. Ce phénomène répond souvent à une importante frustration affective : ainsi, de jeunes enfants, séparés de leur mère, refusent de se nourrir seuls et n'acceptent plus que des aliments semi-liquides ; de la même façon, le langage « bébé » ou l'énurésie survenant à la naissance d'un frère ou d'une sœur sont des conduites régressives. Chez l'adulte, la régression manifeste un besoin de protection contre la réalité (dans les psychoses notamment).

TRAITEMENT

Il dépend de la cause de la régression : lorsqu'il s'agit d'enfants, on tente de les sécuriser en les maternant et en les distrayant (jeux collectifs). Chez l'adulte, on recourt plutôt à la communication verbale (entretiens avec un psychiatre ou un psychologue, sociothérapie - jeux de groupe par exemple). Dans les deux cas, il est possible de faire appel à des médicaments désinhibiteurs (certains neuroleptiques, par exemple).

Régurgitation

Rejet du contenu alimentaire de l'estomac par la bouche sans effort de vomissement.

La régurgitation est à distinguer du reflux, dit gastro-œsophagien, des liquides gastriques acides vers l'œsophage, dû à une incontinence du sphincter inférieur de celui-ci.

Normale dans les premiers mois de la vie, où elle accompagne parfois l'émission d'air qui suit les repas, la régurgitation traduit chez l'adulte la présence d'un obstacle à la progression des aliments au niveau de l'œsophage ou de l'estomac. Elle est le plus fréquemment causée par un rétrécissement du conduit digestif, un trouble moteur de l'œsophage ou une tumeur de l'estomac. Elle disparaît avec le traitement de sa cause.

Réimplantation

Intervention chirurgicale consistant à remettre en place un organe (uretère, muscle) ou une partie du corps sectionnée (bras, jambe) ou extraite (dent).

Réimplantation d'une dent

On y a recours dans deux cas de figure.

■ **La réimplantation d'une dent extraite par accident de son alvéole** consiste à la replacer dans celle-ci en appuyant doucement, sans forcer. Elle doit être pratiquée dans la demi-heure qui suit son extraction, faute de quoi la réussite de l'opération devient très aléatoire. En attendant l'arrivée chez le dentiste, la racine de la dent ne doit être ni grattée ni désinfectée mais rincée à l'eau tiède. La dent doit être conservée dans la bouche de la victime ou, si celle-ci est un enfant, dans la bouche d'un adulte afin qu'elle soit au propre, irriguée ou conservée par la salive ; on peut aussi la mettre dans un verre d'eau, de lait ou de sérum physiologique. Une fois réimplantée, la dent est immobilisée à l'aide d'un appareil en attendant la consolidation, qui dure une semaine. Par ailleurs, il faut vérifier systématiquement que la vaccination antitétanique du sujet est à jour.

■ **La réimplantation du germe d'une dent de sagesse** n'est quasiment pratiquée que chez l'enfant. Sous anesthésie locale, le dentiste, après avoir extrait une molaire très délabrée à cause d'une carie, enlève le germe d'une dent de sagesse dont la racine n'est pas encore formée et le réimplante à la place de la molaire extraite pour qu'il donne naissance à une nouvelle dent.

PRONOSTIC

Le pronostic d'une réimplantation dépend surtout du temps pendant lequel la dent est restée hors de la bouche. Chez l'adulte, il peut arriver que le système immunitaire attaque la racine comme s'il s'agissait d'un corps étranger et provoque sa résorption, entraînant à terme la perte de la dent.

Réimplantation d'un membre

Elle se pratique en cas d'amputation accidentelle d'une portion plus ou moins longue d'un membre ou d'une partie de membre (doigt). Le segment sectionné doit être manipulé le moins possible, entouré dans une compresse stérile et placé dans un sac en plastique posé sur de la glace en attendant l'arrivée à l'hôpital ; il peut être conservé environ 6 heures. La réimplantation se déroule sous anesthésie générale à l'aide d'instruments spéciaux et sous microscope (microchirurgie). Après fixation des os (ostéosynthèse), le chirurgien suture les artères, les veines et les nerfs.

PRONOSTIC

Le pronostic dépend de la précocité de la réimplantation mais aussi du type et de la gravité des blessures et du segment réimplanté (la récupération de la fonction d'un doigt est en général meilleure que celle d'un pied ou d'une main). La rééducation joue un rôle essentiel dans la réussite de ce type d'intervention. Les séances de kinésithérapie doivent être entreprises dès les premières semaines de façon à entretenir la mobilité des articulations en attendant la récupération de la motricité du membre. Elles durent plusieurs mois, voire plusieurs années.

Les résultats dépendent de la rapidité de la cicatrisation cutanée (une quinzaine de jours) mais surtout de la récupération fonctionnelle des nerfs, qui demande de 12 à 18 mois. D'une façon générale, même quand l'intervention réussit, elle ne permet jamais de récupérer en totalité l'usage du membre. Le plus souvent subsiste un handicap plus ou moins important, une raideur, une insensibilité, voire des douleurs parfois très violentes. C'est pourquoi certaines réimplantations ne sont pas tentées, par exemple lorsqu'une récupération de l'innervation du membre semble impossible, la gêne risquant alors d'être plus importante que celle due à l'absence de membre.

Rein

Organe élaborant l'urine. (P.N.A. *ren*)

STRUCTURE

Les reins, au nombre de deux, sont situés dans les fosses lombaires à la hauteur des premières vertèbres lombaires et des deux dernières côtes - sous le foie pour le rein droit, contre la rate pour le rein gauche -, en arrière de la cavité péritonéale. Chacun, long de 12 centimètres environ et en forme de haricot, est enveloppé d'une capsule fibreuse résistante et inextensible qui contient le parenchyme (tissu fonctionnel) rénal, les branches de division des vaisseaux rénaux, les voies excrétrices intrarénales (les calices et une partie du bassinet), que prolongent les voies excrétrices extrarénales (l'autre partie du bassinet, l'uretère, la vessie, l'urètre).

Le parenchyme rénal est constitué de deux zones : le cortex, en périphérie, et la médullaire, au centre. La fonction essentielle de ce tissu, où se trouvent les néphrons (formés chacun d'un glomérule et d'un tube urinifère), est l'élaboration de l'urine. Le parenchyme rénal est abondamment vascularisé par une ou deux artères (selon les sujets), qui naissent directement de l'aorte, et par une ou deux veines, qui se jettent dans la veine cave inférieure.

PHYSIOLOGIE

Les principales fonctions du rein sont :
- l'élaboration de l'urine à partir du sang, ce qui permet d'éliminer les déchets et de maintenir constant le milieu intérieur du corps (équilibre acidobasique du sang) ;
- la sécrétion d'érythropoïétine, une hormone qui permet la maturation des globules rouges dans la moelle osseuse ;
- la sécrétion de rénine, une enzyme servant à réguler la pression artérielle ;
- la transformation de la vitamine D en sa forme active.

Un seul rein, pourvu qu'il soit sain, suffit à assurer la fonction rénale, ce qui explique la bonne qualité de vie des sujets ayant subi une néphrectomie (ablation d'un rein).

EXAMENS

■ **Les examens de la fonction rénale** sont nombreux. Il s'agit de dosages de certaines substances (créatinine, urée, protéines, etc.) dans le sang et l'urine.

REIN

Situés dans l'abdomen – l'un à droite, sous le foie, et l'autre à gauche, contre la rate –, les reins filtrent le sang et éliminent les déchets azotés grâce aux très nombreux néphrons qu'ils contiennent. Ils assurent également la régulation de la tension artérielle et contrôlent l'équilibre acidobasique du corps.

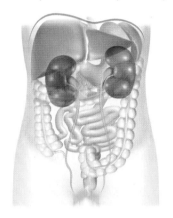

Structure du rein

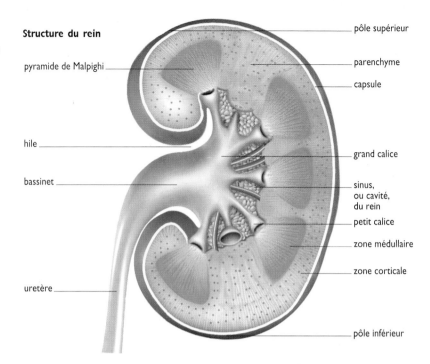

pyramide de Malpighi

hile

bassinet

uretère

pôle supérieur

parenchyme

capsule

grand calice

sinus, ou cavité, du rein

petit calice

zone médullaire

zone corticale

pôle inférieur

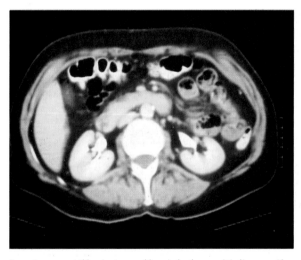

Les reins sont visibles (croissants blancs) de chaque côté d'une vertèbre.

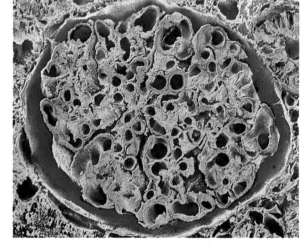

L'urine (en bleu) se forme dans les glomérules à partir du sang des capillaires.

■ **La morphologie rénale** est explorée par échographie, urographie intraveineuse, scanner, imagerie par résonance magnétique (I.R.M.), artériographie et scintigraphie.

■ **La ponction-biopsie rénale** n'est indispensable que pour confirmer le diagnostic de certaines maladies du parenchyme rénal.

PATHOLOGIE

Les reins peuvent être le siège de malformations (malrotation rénale, duplicité rénale, hydronéphrose congénitale, rein en fer à cheval) ainsi que de nombreuses affections : maladies du parenchyme rénal (glomérulonéphrite, périartérite noueuse), lithiase, infections (pyélonéphrite, tuberculose), tumeurs bénignes (kyste, maladie polykystique des reins) ou malignes (adénocarcinome, néphroblastome). L'arrêt du fonctionnement des deux reins provoque une insuffisance rénale aiguë ou chronique pouvant nécessiter une hémodialyse.

Rein (cancer du)

Tumeur maligne du rein développée à partir du tissu rénal. SYN. *adénocarcinome du rein, hypernéphrome, néphrocarcinome, néphroépithéliome.*

Le cancer du rein survient chez l'adulte, le plus souvent après 50 ans.

SYMPTÔMES ET SIGNES

Il se révèle par la présence de sang dans les urines, parfois par une douleur du rein atteint par la tumeur. Plus rarement, il se traduit par une fatigue avec perte de poids, une fièvre et/ou une polyglobulie (excès de globules rouges).

DIAGNOSTIC

Actuellement, le cancer du rein est le plus souvent découvert fortuitement lors d'un examen échographique systématique de l'abdomen prescrit pour une autre raison. L'examen de l'abdomen et de la fosse lombaire permet de déceler un gros rein tumoral. Outre l'écho-

graphie rénale, les examens radiologiques permettant de confirmer le diagnostic sont l'urographie intraveineuse et le scanner rénal. On n'a recours aux autres méthodes d'imagerie, telles que l'artériographie ou à l'imagerie par résonance magnétique (I.R.M.) rénale, que lorsque le diagnostic est particulièrement difficile.

ÉVOLUTION

Elle est parfois très lente, même en cas de métastases. Celles-ci sont en général osseuses, veineuses, pulmonaires ou hépatiques.

TRAITEMENT

En l'absence de métastases, le meilleur traitement du cancer du rein est la néphrectomie élargie (ablation du rein, de sa loge et des ganglions lymphatiques adjacents). Les métastases peuvent nécessiter un traitement spécifique : ablation chirurgicale si la métastase est unique ; immunothérapie, associée ou non à une chimiothérapie dans le cas contraire.

Le pronostic du cancer du rein, lorsque celui-ci est traité avant l'apparition de métastases, est habituellement favorable. Une surveillance régulière des malades, deux ou trois fois par an, est néanmoins nécessaire.

Rein (kyste du)

Cavité pathologique située dans le rein, de contenu fluide, limitée par une paroi qui lui est propre.

Les kystes peuvent s'observer dans le cadre d'une maladie génétique, telle que la maladie polykystique des reins ou la néphronophtise, ou survenir de façon isolée : alors appelés kystes simples, ils peuvent être uniques ou multiples et leur mécanisme d'apparition est inconnu.

SYMPTÔMES ET SIGNES
Les kystes du rein peuvent ne se traduire par aucun symptôme ou, lorsqu'ils sont très volumineux, provoquer des douleurs lombaires. Lorsqu'ils entrent dans le cadre d'une maladie génétique, ils sont très nombreux, augmentent progressivement de volume et détruisent le tissu rénal, provoquant une insuffisance rénale chronique.

DIAGNOSTIC
Il repose sur l'urographie intraveineuse et, surtout, sur l'échographie et le scanner. Les antécédents du malade, les examens cliniques et biologiques ainsi que les données d'imagerie médicale permettent de préciser la nature des kystes.

TRAITEMENT
Les kystes simples ne nécessitent aucun traitement sauf s'ils sont très volumineux ; dans ce dernier cas, on peut soit procéder à l'ablation chirurgicale du kyste, soit ponctionner celui-ci par voie transcutanée pour le vider (mais les récidives sont alors fréquentes).

Rein artificiel

Appareil épurant le sang de ses déchets à la place des reins en cas d'insuffisance rénale.
→ VOIR Hémodialyse.

Rein en éponge

→ VOIR Cacchi et Ricci (maladie de).

Rein en fer à cheval

Malformation caractérisée par une fusion des deux reins.

Les reins sont normalement séparés et situés chacun de part et d'autre de la colonne vertébrale. En cas de rein en fer à cheval, ils sont reliés entre eux, le plus souvent à leur pôle inférieur, par un isthme qui passe devant la colonne vertébrale. Cette anomalie est souvent associée à une autre malformation (hydronéphrose congénitale, par exemple). En général, elle est découverte fortuitement, lors d'examens radiologiques. Lorsqu'elle est isolée, elle n'a pas de conséquence pathologique et ne requiert pas de traitement.

Relaxation

1. Détente physique et mentale résultant d'une diminution du tonus musculaire et de la tension nerveuse.

2. Méthode visant à obtenir cette détente par le contrôle conscient du tonus physique et mental afin d'apaiser les tensions internes et de consolider l'équilibre mental du sujet.

La relaxation fait appel soit à des techniques dérivées de l'hypnose et de la suggestion, soit à un apprentissage de la détente musculaire proche du yoga. Elle permet, en utilisant les interactions du physique et du psychique, d'atteindre un état de bien-être et de plénitude. La médecine y a de plus en plus souvent recours. Anxiété, phobies, névroses, stress, douleurs, troubles psychosomatiques, grossesse, préparation sportive sont devenus aujourd'hui autant d'indications de la relaxation. Celle-ci peut néanmoins être contre-indiquée dans les psychoses et dans certaines affections physiques telles que les maladies cardiovasculaires.

Rémission

Atténuation ou disparition temporaire des symptômes d'une maladie.

Rémittent

Dont l'évolution comporte des rémissions.

Une fièvre rémittente procède par accès très rapprochés, non séparés par des phases d'apyrexie (absence de fièvre) complète. La brucellose peut avoir une courbe thermique de ce type.

Remplacement valvulaire

Ablation chirurgicale d'une valvule cardiaque défectueuse suivie de la pose d'une prothèse.

Chacune des quatre valvules cardiaques (valvules aortique, mitrale, pulmonaire, tricuspide) peut bénéficier de cette opération.

DIFFÉRENTS TYPES DE PROTHÈSE
Cette intervention utilise soit des prothèses mécaniques soit des bioprothèses.

■ **Les prothèses mécaniques** sont en métal et/ou en carbone et possèdent une collerette en tissu synthétique permettant leur fixation sur le pourtour de l'orifice (anneau valvulaire). Il en existe plusieurs formes, désignées par le nom de leur inventeur : la valve de Starr comprend une bille qui se déplace dans une petite cage. La valve de Bjork est munie d'un disque capable de s'incliner à 70 degrés en position ouverte. La valve de Saint-Jude est à ailettes (deux hémi-disques pouvant s'incliner à 90 degrés en position ouverte). Leur fonctionnement est de longue durée mais elles nécessitent un traitement anticoagulant à vie pour éviter la formation d'un thrombus (caillot sanguin) au contact de la prothèse susceptible d'être à l'origine d'une embolie (obstruction) dans la grande circulation.

■ **Les bioprothèses** sont des valvules hétérogreffes (qui ont été prélevées sur un animal, le porc ou le veau), traitées pour qu'il n'y ait pas de rejet, stérilisées puis montées sur armature ou sur tuteur métallique. Leur longévité est inférieure à celle des prothèses mécaniques - caractéristique qui doit être prise en compte avant de pratiquer l'opération sur des sujets jeunes ou d'âge moyen.

Elles ne nécessitent un traitement anticoagulant que durant quelques semaines.

INDICATIONS
Un remplacement valvulaire s'effectue lorsqu'une valvule est très altérée, qu'elle ne parvient plus à remplir correctement son rôle et qu'elle entraîne des symptômes alarmants (gêne respiratoire, essoufflement) ou qu'elle peut donner lieu à de graves complications. Le remplacement valvulaire est indiqué notamment dans le cas de maladies valvulaires congénitales ou acquises à la suite d'un rhumatisme articulaire aigu, d'une ischémie (arrêt de l'apport sanguin), etc.

Le choix entre valve mécanique et bioprothèse dépend de l'âge du patient, de la valvule à remplacer et d'une éventuelle contre-indication à un traitement au long cours par les anticoagulants.

TECHNIQUE
Cet acte de chirurgie lourde se pratique sous anesthésie générale et dure de deux à quatre heures.

La peau du thorax est incisée puis le sternum est sectionné. Le patient est alors relié à une machine cœur-poumon et son cœur est « arrêté » (mis en fibrillation ventriculaire, par exemple par refroidissement). Le chirurgien ouvre le cœur, repère la valvule déficiente, l'enlève et la remplace par la valve de substitution choisie en fixant celle-ci par une vingtaine de points sur l'anneau valvulaire. Puis il referme le cœur et le défibrille électriquement. La machine cœur-poumon est débranchée, la paroi thoracique suturée.

SURVEILLANCE
Après l'opération, l'hospitalisation dure quelques jours en l'absence de complications.

La surveillance postopératoire est stricte et comporte une convalescence avec rééducation de quelques semaines. Elle porte sur l'état général de l'opéré et le bon fonctionnement de la valve, apprécié notamment par écho-Doppler cardiaque. La surveillance ultérieure, régulière, comporte la pratique de cet examen une fois par an.

En cas d'intervention dentaire, le malade doit prévenir son dentiste de son état : un traitement antibiotique préventif lui est alors administré afin d'éviter tout risque d'endocardite (inflammation de l'endocarde d'origine infectieuse). Enfin, pour les porteurs de prothèses mécaniques, il faut, en outre, surveiller à vie l'efficacité du traitement anticoagulant. Un sujet ayant bénéficié d'une telle opération peut en règle générale reprendre une existence et des activités normales si l'intervention a eu lieu avant que la lésion valvulaire n'ait retenti de façon significative sur la fonction cardiaque.

Rénale (artère)

Vaisseau de gros calibre conduisant le sang de l'aorte aux reins. (P.N.A. *arteria renis*)

Les deux artères rénales, droite et gauche, naissent de l'aorte abdominale au niveau de la première vertèbre lombaire. Chacune se dirige vers le rein correspondant et se divise près de son hile (endroit du rein par où pénètrent et sortent les vaisseaux et les nerfs) en deux branches, antérieure et postérieure.

Les reins interviennent dans la régularisation de la pression artérielle. Lorsqu'il existe un rétrécissement important d'une des deux artères rénales – soit par athérome, soit par dysplasie fibromusculaire (épaississement de la paroi artérielle) –, une hypertension artérielle s'installe. Le rétrécissement est diagnostiqué à l'aide d'une artériographie rénale. Le traitement comporte, selon les cas, soit des médicaments, soit une dilatation du segment artériel rétréci par angioplastie, soit un pontage chirurgical.

Rendu-Osler (maladie de)

Maladie héréditaire caractérisée par de petites malformations vasculaires disséminées.
SYN. *angiomatose hémorragique familiale, télangiectasie hémorragique héréditaire.*

La maladie de Rendu-Osler se transmet sur le mode autosomique (par des chromosomes non sexuels) dominant (il suffit que le gène en cause soit reçu de l'un des parents pour que la maladie se développe). Elle se caractérise par des télangiectasies (petits vaisseaux dilatés) et des angiomes (petits amas de vaisseaux sanguins) qui touchent surtout la face, mais aussi les extrémités, les muqueuses du nez et de la bouche, l'ensemble des muqueuses digestives, le cerveau et la rétine.

SYMPTÔMES ET SIGNES

La maladie commence généralement entre 10 et 20 ans par des saignements répétés du nez et des gencives. Après la puberté apparaissent des télangiectasies, qui prédominent sur la peau du visage, le dos des mains et les muqueuses de la bouche, du nez et du pharynx. L'évolution se fait par poussées, parfois accompagnées d'hémorragies répétées responsables d'anémie par carence en fer. De graves hémorragies digestives peuvent survenir, parfois non contrôlables en raison de la diffusion des angiomes tout le long du tube digestif, ainsi que des hémorragies cérébrales.

TRAITEMENT ET PRONOSTIC

Le traitement est purement palliatif et comprend, outre le traitement en urgence des hémorragies digestives et cérébrales, la correction de l'anémie par prescription de fer et la destruction des lésions hémorragiques, au fur et à mesure de leur apparition, par électrocoagulation. Le pronostic est essentiellement fonction de la localisation des hémorragies.

Rénine

Enzyme sécrétée par une zone du rein située près des glomérules et nommée appareil juxtaglomérulaire.

La rénine n'a pas d'effets physiologiques directs, mais elle fait partie de ce qu'on appelle le système rénine-angiotensine-aldostérone : elle permet la formation de l'angiotensine I, elle-même transformée à son tour, grâce à l'enzyme de conversion, en angiotensine II, une protéine qui a pour effet principal la constriction des parois des artérioles (vasoconstriction), ce qui élève la pression artérielle. L'angiotensine II active la sécrétion de l'aldostérone par les glandes surrénales ; cette hormone, en permettant à l'organisme de retenir du chlorure de sodium et de l'eau, provoque une augmentation du volume sanguin circulant et, par ce biais, de la pression artérielle. La rénine est sécrétée sous l'influence de différents stimuli, notamment lorsque l'irrigation sanguine du rein est anormalement basse.

PATHOLOGIE

Le taux de rénine dans le sang augmente lors de certaines hypertensions, lors d'insuffisances rénales ou cardiaques. Au contraire, son taux diminue lors de certains troubles hormonaux d'origine surrénalienne (hypercorticisme, syndrome de Conn). S'il est actuellement impossible de modifier la synthèse de la rénine, on peut freiner la transformation de l'angiotensine I en angiotensine II à l'aide de médicaments appelés inhibiteurs de l'enzyme de conversion. Ceux-ci sont notamment utilisés dans le traitement de l'hypertension artérielle.

Réplétion

État d'une cavité ou d'un organe creux que remplit un fluide (gaz ou liquide) ou un solide.

La réplétion gastrique se manifeste, après un repas suffisant, par la disparition de la faim et une sensation de bien-être. La réplétion vésicale déclenche le besoin d'uriner. La réplétion vaginale participe au mécanisme de l'orgasme.

Une sensation de réplétion peut être le signe d'un état pathologique. C'est le cas, par exemple, de la sensation de réplétion vésicale qui survient alors que la vessie est vide : elle peut signaler une cystite ou une prostatite.

Réplication

Duplication de la molécule d'A.D.N. en vue d'une division cellulaire.

La réplication est un phénomène physiologique réalisé par une enzyme, l'A.D.N. polymérase, qui utilise chacun des brins de la molécule d'A.D.N. comme matrice. Les réplications peuvent aussi être réalisées en laboratoire, dans un tube à essai, dans le but d'augmenter le nombre des copies d'une séquence d'A.D.N. C'est la technique de la PCR *(Polymerase Chain Reaction).*

Réponse immunitaire

Ensemble des mécanismes permettant à un organisme de se défendre contre une substance étrangère (antigène) menaçant son intégrité.

DIFFÉRENTS TYPES DE CELLULE IMMUNOCOMPÉTENTE

La réponse immunitaire met en jeu plusieurs types de cellules, dites immunocompétentes, appartenant à la famille des leucocytes. Elles interviennent en cas d'échec des premières lignes de défense de l'organisme, constituées par les cellules phagocytaires (les polynucléaires et les macrophages), chargées d'absorber et de détruire les micro-organismes, et par les molécules (système du complément) dont les différents composants facilitent la captation de ces micro-organismes par les cellules phagocytaires.

■ **Les lymphocytes B**, issus de la moelle osseuse, ont pour mission de produire des anticorps, ou immunoglobulines, en très grande quantité après s'être transformés en plasmocytes sous l'influence de cytokines (molécules solubles permettant aux cellules de communiquer entre elles). Ils possèdent à leur surface des éléments de reconnaissance des antigènes sous la forme d'immunoglobulines ancrées dans la membrane cellulaire. Le lymphocyte B, capable de reconnaître un antigène grâce à ses immunoglobulines de membrane, sécrète alors des anticorps ayant les mêmes propriétés de se lier à l'antigène et donc de le neutraliser ou de faciliter son élimination. Certains d'entre eux conservent cette propriété des mois, voire des années après leur rencontre avec l'antigène : ils sont appelés pour cette raison lymphocytes « mémoire ».

■ **Les lymphocytes T**, produits par le thymus, représentent la majorité des lymphocytes du sang (80 %). On distingue plusieurs sous-populations de lymphocytes T : les lymphocytes T auxiliaires (T CD4 ou T4) assurent la coordination entre les différentes cellules jouant un rôle dans la réponse immunitaire ; les lymphocytes T cytotoxiques (T CD8) ont pour fonction de détruire sélectivement les cellules infectées. Les lymphocytes T possèdent également des structures de reconnaissance, ou récepteurs, leur permettant d'identifier les antigènes. Il existe en outre des lymphocytes T dits suppresseurs dont le rôle est de contrôler la réponse immunitaire. Dans la mesure où toute l'information nécessaire au bon déroulement d'une réponse immunitaire dépend des lymphocytes T auxiliaires, leur destruction sélective dans l'infection par le V.I.H. (virus de l'immunodéficience humaine) conduit inéluctablement à un déficit immunitaire caractéristique du sida (syndrome d'immunodéficience acquise).

■ **Les macrophages** sont des cellules phagocytaires, capables comme les polynucléaires d'absorber et de détruire les antigènes, mais qui possèdent en outre une fonction essentielle : celle d'informer les lymphocytes T de la présence d'une substance étrangère dont l'élimination nécessite la mise en œuvre d'une réponse immunitaire spécifique et adaptée. Ils jouent le rôle de cellules présentatrices d'antigène aux autres éléments du système immunitaire.

DÉROULEMENT DE LA RÉPONSE IMMUNITAIRE

Une substance étrangère déclenche une réaction immunitaire lorsqu'elle est présentée aux lymphocytes T par une cellule, le plus souvent un macrophage, qui la phagocyte, la digère et en sélectionne des fragments (peptides antigéniques), qu'elle expose sur sa membrane, associés à des molécules de « présentation », les molécules HLA du système d'histocompatibilité. Les lymphocytes T auxiliaires, qui reconnaissent l'antigène ainsi apprêté, sont alors activés et sécrètent des cytokines, qui se comportent à la fois comme des facteurs de croissance, à l'origine de la multiplication des lymphocytes T et B spécifiques de l'antigène, et comme des facteurs de différenciation, permettant la production d'anticorps (réponse immunitaire humorale) ou l'activation de cellules (réponse immunitaire cellulaire). Certains d'entre eux constituent une population de cellules dites « mémoire », support d'une protection acquise contre une agression ultérieure par le même antigène.

■ **La réponse immunitaire humorale**, qui repose sur les lymphocytes B, est dirigée contre des antigènes libres, toxines ou micro-organismes. Elle aboutit à la production de grandes quantités d'immunoglobulines, qui se diffusent dans le sang (IgM), dans les tissus (IgG) et dans les muqueuses (IgA) et dont la synthèse et la nature dépendent de certaines cytokines, notamment les interleukines IL4 et IL5, sécrétées par les lymphocytes T auxiliaires. Ces immunoglobulines sont aptes à neutraliser les toxines, à empêcher l'infection par de nouveaux virus et à faciliter la capture de tous les agents infectieux par les cellules phagocytaires, qui les détruiront.

■ **La réponse immunitaire cellulaire** fait intervenir soit des lymphocytes T cytotoxiques, ayant acquis la capacité de détruire des cellules de l'organisme vues comme étrangères lorsqu'elles hébergent des agents infectieux (virus), soit des macrophages, dont les capacités d'élimination des micro-organismes sont amplifiées. Ces deux types cellulaires sont sensibles à des cytokines, comme l'interleukine IL2 et l'interféron gamma (IFNγ), qui sont synthétisées par les lymphocytes T auxiliaires et qui vont leur permettre d'acquérir ces propriétés, dites effectrices.

Résection

Ablation chirurgicale, par chirurgie conventionnelle ou par voie endoscopique, d'un fragment d'organe ou de tissu.

Les résections ont des indications très diverses : infection, traumatisme, tumeur, obstruction d'un organe creux (par un caillot, par exemple), etc. Elles se distinguent de l'amputation car elles sont généralement suivies d'une réparation : la résection du rectum est suivie d'un abouchement des deux segments d'intestin restants alors que son amputation sacrifie sa portion basse (anus et ampoule rectale) et nécessite une colostomie (abouchement du segment supérieur du côlon à la peau).

Résection antérieure du rectum

Ablation chirurgicale, partielle ou totale, du rectum ainsi que d'une portion plus ou moins importante du côlon gauche.

INDICATIONS

La résection antérieure du rectum est pratiquée essentiellement pour des tumeurs de l'ampoule rectale dont le pôle inférieur se situe à plus de 6 ou 7 centimètres de la marge anale. Ce sont généralement des tumeurs malignes ou de grosses tumeurs bénignes susceptibles de se cancériser.

DÉROULEMENT ET COMPLICATIONS

La continuité digestive est assurée en abouchant les segments restants de côlon et de rectum ou, si la totalité du rectum a été enlevée, en abouchant le segment restant de côlon à la partie supérieure du canal anal : on parle dans ce cas d'anastomose colorectale basse ou d'anastomose coloanale. Une résection antérieure du rectum est dite protégée lorsque l'on crée avec le segment de côlon restant un anus artificiel destiné à dériver temporairement le passage des matières fécales ; la continuité digestive est ensuite rétablie, dans un délai allant de 1 à 3 mois. La perturbation transitoire de la fonction vésicale nécessite souvent le maintien d'une sonde dans les jours qui suivent l'intervention. L'avantage de la résection antérieure du rectum est de permettre la conservation du canal anal et de l'appareil sphinctérien et, par conséquent, de respecter les fonctions naturelles.

Lorsque cette intervention est pratiquée à cause d'un cancer, tout le tissu cellulograisseux entourant le rectum ainsi que les lymphatiques sont enlevés, ce qui a pour effet d'interrompre de nombreux filets nerveux destinés à l'innervation de la prostate, des vésicules séminales et de la vessie. Il en résulte souvent une perte de la fonction génitale chez l'homme, en particulier une impuissance ou des troubles de l'éjaculation. En revanche, lorsque la résection antérieure du rectum est pratiquée pour des tumeurs bénignes, il est possible de conserver les structures nerveuses et d'éviter cette complication.

Résection cunéiforme périphérique du poumon

Ablation chirurgicale d'un fragment pulmonaire de petite taille. En anglais, *wedge resection*.

Une résection cunéiforme périphérique du poumon se pratique pour de très petites tumeurs bénignes ou malignes (cancer bronchopulmonaire) quand une ablation plus large (segmentectomie, lobectomie) est impossible pour des raisons fonctionnelles respiratoires ou du fait de tumeurs multiples.

DÉROULEMENT

L'intervention est pratiquée sous anesthésie générale par chirurgie conventionnelle ou par pleuroscopie (en introduisant entre les deux feuillets de la plèvre un endoscope, tube muni d'un système optique et d'instruments chirurgicaux). Pendant les 48 heures qui suivent, un drain est laissé en place de façon à permettre l'évacuation du liquide pleural. Des séances de kinésithérapie respiratoire sont prescrites dans les jours suivant l'opération. Bien que les suites opératoires soient assez douloureuses (gêne respiratoire, douleurs que l'on peut atténuer à l'aide d'analgésiques), la récupération est rapide, de l'ordre de quelques semaines. L'intervention n'a aucun retentissement sur les capacités respiratoires du sujet.

Réserpine

Substance chimique agissant contre l'hypertension artérielle.

La réserpine est extraite d'une plante appelée *Rauwolfia serpentina*. Elle n'est quasiment plus employée du fait de ses nombreux effets indésirables : induction d'une dépression nerveuse, cauchemars, symptômes extrapyramidaux, augmentation de la sécrétion de prolactine, effet sédatif, congestion nasale, crampes abdominales, diarrhée, augmentation de la sécrétion d'acide gastrique, impuissance sexuelle, etc.

Réservoir

Être vivant qui héberge et assure la survie prolongée d'un agent pathogène transmissible à l'homme.

On parle ainsi d'homme, d'animal, de parasite ou de bactérie réservoir.

Résine

Substance synthétique utilisée dans la confection d'appareils d'immobilisation des membres ou des articulations ainsi qu'en chirurgie dentaire.

Légère, solide, résistante, la résine tend actuellement à remplacer le plâtre traditionnel. Bien que, à la différence de celui-ci, elle ne se détériore pas lorsqu'elle est mouillée, elle ne doit pas être trempée dans l'eau (risque de macération des tissus). Cependant, elle présente l'inconvénient d'être moins malléable que le plâtre, ce qui ne permet pas de réaliser un moulage intime sur le segment de membre à immobiliser.
→ VOIR **Composite dentaire.**

Résistance aux médicaments anti-infectieux

Capacité que possède un agent infectieux pathogène (bactérie, virus, parasite) de s'opposer à l'action d'un médicament (antibiotique, antiviral ou antiparasitaire).

Par définition, une souche bactérienne est dite résistante à un antibiotique si la concentration minimale de cet antibiotique capable d'inhiber sa croissance est supérieure aux concentrations obtenues dans le sérum d'un malade traité à doses standards par cet antibiotique.

Les mécanismes de résistance aux médicaments sont variés et peuvent coexister dans un même germe en superposant leurs effets : sécrétion d'enzymes inactivant le médicament, absence ou modification de la cible sur laquelle agit le médicament, absence ou modification de pénétration du médicament dans l'agent infectieux.

DIFFÉRENTS TYPES DE RÉSISTANCE AUX MÉDICAMENTS ANTI-INFECTIEUX

On en distingue deux sortes : la résistance naturelle et la résistance acquise.

■ **La résistance naturelle**, ou résistance intrinsèque, est celle que développe un agent infectieux contre un médicament donné sans jamais avoir été en contact avec celui-ci. Elle concerne toutes les souches d'une même espèce et constitue une caractéristique génétique de cette espèce.

■ **La résistance acquise** est la résistance développée par un agent infectieux contre un médicament auquel il était auparavant sensible. Elle ne touche que certaines souches au sein d'une espèce normalement sensible au médicament concerné, peut être due à une mutation ou être le fait de l'acquisition par l'agent infectieux de matériel génétique facultatif (plasmides, transposons). La sélection en milieu hospitalier de souches bactériennes virulentes et multirésistantes fait toute la gravité des infections, dites nosocomiales, provoquées par ces bactéries. Une résistance acquise peut apparaître chez un malade en cours de traitement, mais aussi progresser au sein d'une population d'agents infectieux : le parasite du paludisme, par exemple, devient actuellement résistant aux antipaludéens traditionnels tels que la chloroquine.

Résolution

1. Retour progressif d'un tissu inflammatoire à l'état normal, sans suppuration.
2. État de relâchement des muscles.

Une résolution musculaire complète est nécessaire au repos. Elle peut également être pathologique et due à une paralysie ou être artificiellement provoquée, dans le cas d'une anesthésie par exemple.

Résonance magnétique nucléaire

Phénomène physique d'orientation des noyaux d'hydrogène sous l'effet d'un champ magnétique intense, qui est à la base de la technique d'imagerie par résonance magnétique.
→ VOIR Imagerie par résonance magnétique.

Résorption dentaire

Disparition progressive, physiologique ou pathologique, de la couronne et/ou de la racine d'une dent.

Résorption de la couronne d'une dent

C'est la carie, atteinte évolutive des constituants durs de la dent (émail et dentine). Le diagnostic repose sur l'examen de la dent, à l'œil nu ou au miroir. Le traitement consiste en un nettoyage à la fraise, suivi de l'obturation de la dent.

Résorption de la racine d'une dent

Lorsqu'elle touche la racine d'une dent de lait, c'est un phénomène physiologique qui aboutit à la disparition de celle-ci et à son remplacement par une dent définitive. Lorsqu'elle touche la racine d'une dent définitive, c'est un phénomène pathologique consécutif à un choc violent ou à une carie non traitée. Le diagnostic repose sur la radiographie, qui montre des lacunes révélant les zones où la racine de la dent se résorbe. Lorsque celles-ci s'étendent de proche en proche, il est généralement nécessaire d'extraire la dent. À un stade moins avancé, on peut encore arrêter le processus de résorption en dévitalisant la dent puis en plaçant dans les canaux radiculaires de l'hydroxyde de calcium pour une durée de 6 mois à un an ; ensuite, après avoir retiré cette substance, on obture la dent.

Respirateur

Appareil insufflant un mélange d'air et d'oxygène dans les poumons d'un patient qui ne peut plus par lui-même inspirer suffisamment l'air extérieur en raison d'une insuffisance respiratoire.

Les respirateurs comprennent différents types d'appareils mais leur principe de base est toujours identique. Une source délivre un gaz dont le débit est fractionné en volumes élémentaires prédéterminés. Chaque volume élémentaire est administré, par l'intermédiaire d'une sonde d'intubation (tube introduit dans la trachée), avec une pression suffisante pour dilater la poitrine du sujet et provoquer une inspiration ; l'expiration est spontanée, car l'élasticité de la cage thoracique lui permet de retrouver son volume initial. On obtient, dans le sang artériel, des concentrations d'oxygène et de gaz carbonique voisines de la normale par le réglage de plusieurs paramètres : durée de l'inspiration et de l'expiration (l'expiration est habituellement deux fois plus longue que l'inspiration), fréquence des cycles respiratoires (environ vingt par minute), proportion d'oxygène dans le mélange administré. Le volume des poumons est maintenu proche de la normale par une pression expiratoire positive (égale ou supérieure à la pression atmosphérique).

Les respirateurs disposent d'une souplesse d'emploi qui leur permet de s'adapter à toutes les situations. Il existe des appareils très élaborés, réservés à l'usage hospitalier, et des appareils plus simples, adaptés au transport en ambulance ou à l'usage à domicile (malades souffrant d'insuffisance respiratoire chronique). Le respirateur peut être utilisé en permanence ou une partie du temps seulement (la nuit, par exemple).

SEVRAGE

Dès que les lésions pulmonaires ou les paralysies s'atténuent ou que le coma s'allège, le sevrage est envisagé. Il doit être progressif et peut être pratiqué selon différentes modalités :
- en ventilation assistée contrôlée, le patient commande chaque cycle ventilatoire : il lui suffit de commencer à inspirer pour que le respirateur se déclenche ;
- en ventilation assistée contrôlée intermittente, le patient respire par lui-même, mais le respirateur compense un éventuel déficit ; à intervalles réguliers, la machine fournit au malade le complément nécessaire à une ventilation suffisante ;
- avec l'aide inspiratoire, la ventilation est spontanée, mais le travail respiratoire est partagé entre les muscles du patient et le respirateur, du gaz injecté sous pression permettant de diminuer l'effort inspiratoire ;
- la ventilation spontanée permet de faire bénéficier le patient qui respire de nouveau spontanément du système de surveillance du respirateur (contrôle de la composition des gaz, de la ventilation et de sa fréquence) avant de le libérer de l'appareil.

Respiration

Ensemble des fonctions assurant les échanges d'oxygène et de gaz carbonique entre l'atmosphère et les cellules de l'organisme.

Ce sont les poumons qui permettent aux globules rouges du sang de récupérer l'oxygène de l'air. La respiration pulmonaire est sous le contrôle de centres respiratoires situés dans le cerveau : s'il n'est pas besoin d'efforts conscients pour inspirer et expirer l'air, la profondeur et le rythme de la respiration peuvent, en revanche, être modifiés volontairement.

La respiration se déroule en plusieurs temps. L'oxygène de l'air inspiré pénètre dans les alvéoles pulmonaires (ventilation) puis se diffuse dans les vaisseaux sanguins qui les entourent (hématose). Le sang ainsi enrichi en oxygène est transporté des poumons vers la partie gauche du cœur puis, par la grande circulation, vers les différents tissus de l'organisme, où il délivre son oxygène aux cellules. Commence alors la respiration cellulaire : les cellules se servent de l'oxygène apporté par le sang pour fournir par oxydation l'énergie qui leur est nécessaire, mais elles produisent aussi des déchets (gaz carbonique, eau) qui sont à leur tour éliminés dans le sang. Celui-ci, par les veines, rejoint les cavités cardiaques droites, qui le propulsent vers les poumons, où il est débarrassé du gaz carbonique en excès, éliminé lors de l'expiration.

TROUBLES RESPIRATOIRES

Les principales affections pouvant entraîner des troubles respiratoires sont la bronchite chronique obstructive, l'asthme, l'emphysème, la dilatation des bronches, la mucoviscidose, les maladies infectieuses (tuberculose), les maladies de la paroi des alvéoles (fibrose, sarcoïdose, pneumoconiose, pneumopathie d'hypersensibilité), les déformations thoraciques, les maladies neuromusculaires (myopathie, poliomyélite), l'embolie ou l'œdème pulmonaires, le cancer bronchopulmonaire et l'apnée du sommeil.

Leur évaluation repose d'abord sur l'interrogatoire du patient et son examen clinique : sensation de gêne respiratoire, à l'effort ou au repos, fréquence et amplitude des mouvements respiratoires, cyanose (coloration bleutée des lèvres, du lobe des oreilles, des ongles). Le diagnostic est précisé par des examens complémentaires : mesure des volumes et des débits pulmonaires (spirométrie), mesure des concentrations sanguines d'oxygène et de gaz carbonique (examen des gaz du sang), etc.

Respiratoire (appareil)

Ensemble des organes assurant les premières étapes de la respiration, c'est-à-dire la ventilation (mouvement de l'air dans les poumons) et l'hématose (transformation du sang veineux chargé de gaz carbonique en sang artériel chargé d'oxygène).

STRUCTURE

L'appareil respiratoire comprend les voies respiratoires (c'est-à-dire les voies aériennes supérieures – fosses nasales, cavité buccale, pharynx, larynx –, la trachée et les bronches) et les poumons, enveloppés de la plèvre. Le thorax, par sa cage osseuse et ses muscles, participe aussi à son fonctionnement.

L'appareil respiratoire est constitué des voies respiratoires (fosses nasales, pharynx, larynx, trachée), des bronches et des poumons. Il assure la ventilation, ensemble des phénomènes mécaniques permettant les mouvements de l'air dans les voies respiratoires (grâce aux muscles intercostaux et surtout au diaphragme), et l'hématose, transformation du sang veineux chargé de gaz carbonique en sang artériel chargé d'oxygène, qui apportera aux cellules l'énergie nécessaire à leur activité.

Inspiration

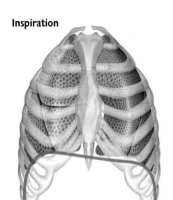

À l'inspiration, le diaphragme (ligne rouge) se contracte et s'aplatit.

Expiration

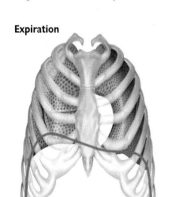

À l'expiration, il reprend sa position de repos « en dôme ».

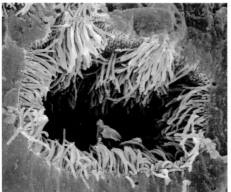

Sur la paroi de la trachée, les cellules sécrétant le mucus (en jaune) sont entremêlées à des cellules ciliées (en vert), qui dispersent celui-ci.

Structure de l'appareil respiratoire

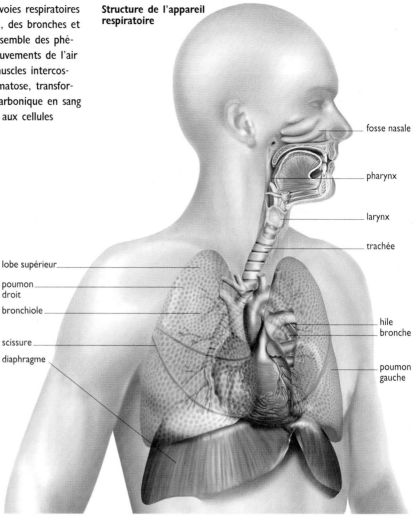

fosse nasale

pharynx

larynx

trachée

lobe supérieur

poumon droit

bronchiole

scissure

diaphragme

hile

bronche

poumon gauche

Échanges gazeux

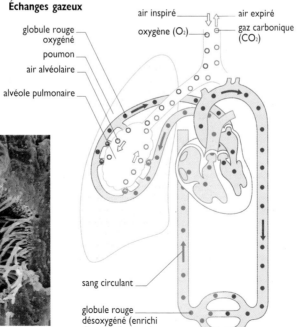

air inspiré

oxygène (O₂)

air expiré

gaz carbonique (CO₂)

globule rouge oxygéné

poumon

air alvéolaire

alvéole pulmonaire

sang circulant

globule rouge désoxygéné (enrichi de gaz carbonique)

muscle

Appareil respiratoire et respiration

Ventilation
L'air contenu dans une alvéole pulmonaire est riche en oxygène, à l'inspiration, et en gaz carbonique à l'expiration.

Échanges gazeux
L'oxygène et le gaz carbonique traversent dans l'un ou l'autre sens la paroi de l'alvéole et celle des capillaires sanguins qui l'entourent.

Transport sanguin
Pour être transporté, l'oxygène se fixe sur l'hémoglobine des globules rouges sous forme d'oxyhémoglobine.

Respiration cellulaire
L'utilisation des gaz par les tissus fournit l'énergie nécessaire aux cellules ; la respiration cellulaire consiste en réactions chimiques complexes faisant intervenir le glucose et l'oxygène.

PHYSIOLOGIE

L'appareil respiratoire permet à l'organisme de s'enrichir en oxygène et d'éliminer le gaz carbonique produit par le fonctionnement des cellules. L'air pénètre dans les voies respiratoires grâce à la contraction musculaire, qui, lors de l'inspiration, abaisse le dôme diaphragmatique, augmentant le volume de la cage thoracique et provoquant ainsi une dépression intrathoracique.

■ **La ventilation** comporte deux temps : un temps actif, l'inspiration, qui permet à l'air de pénétrer dans la cage thoracique, et un temps passif, l'expiration, pendant lequel l'air est rejeté vers l'extérieur :
– l'inspiration est assurée par les muscles respiratoires, notamment le diaphragme, dont la contraction est assurée par les nerfs phréniques ;
– l'expiration, plus longue que l'inspiration, est assurée par le retour en position de repos des structures élastiques mobilisées à l'inspiration.

■ **Les échanges air-sang** se font dans les alvéoles par l'intermédiaire d'une membrane très fine et très étendue (environ 80 mètres carrés), la barrière alvéolocapillaire, au travers de laquelle se diffusent les gaz : l'oxygène se dirige des alvéoles vers le sang et le gaz carbonique, du sang vers les alvéoles. Le sang provenant du système veineux, pauvre en oxygène et riche en gaz carbonique, vient du cœur droit par les artères pulmonaires, qui se ramifient en un très fin réseau de capillaires revêtant les alvéoles ; une fois enrichi en oxygène et débarrassé du gaz carbonique, il repart par les veines pulmonaires vers le cœur gauche.

EXAMENS

Différents moyens permettent de diagnostiquer les maladies de l'appareil respiratoire.

■ **Les méthodes d'imagerie** : radiographie – clichés thoraciques standards, de face et de profil –, scanner ou, plus rarement, imagerie par résonance magnétique (I.R.M.), angiographie pulmonaire, artériographie bronchique et bronchographie. D'autres méthodes d'imagerie sont réservées à des pathologies bien précises : échographie en cas d'affection pariétale (de la paroi thoracique) ou pleurale ou encore scintigraphie en cas d'embolie, de thrombose ou pour apprécier la ventilation et l'irrigation du poumon.

■ **L'endoscopie** : laryngoscopie et bronchoscopie (servant à visualiser les voies aériennes – larynx, trachée et bronches principales – et à effectuer des prélèvements biopsiques), médiastinoscopie (servant à visualiser le médiastin), pleuroscopie (servant à visualiser la cavité pleurale), angioscopie (servant à visualiser les vaisseaux), etc.

■ **L'exploration fonctionnelle respiratoire** sert à diagnostiquer la plupart des maladies du poumon, à en apprécier la gravité et à contrôler l'efficacité de leur traitement. Elle regroupe de très nombreux examens : spirométrie, tests pharmacodynamiques, pléthysmographie, manométrie intraœsophagienne, mesure de la concentration des gaz du sang, mesure de la compliance (élasticité des poumons), etc.

■ **Les examens anatomopathologiques** très importants pour l'étude de cet appareil aux structures et aux pathologies variées, portent sur des prélèvements de nature diverse : crachats, liquide pleural, fragments de tissu pulmonaire, pleural ou bronchique.

PATHOLOGIE

L'immense surface de contact de l'appareil respiratoire avec le milieu extérieur et sa situation de carrefour expliquent la fréquence et la variété des pathologies observées.

■ **Les affections tumorales** sont le cancer bronchopulmonaire primitif (presque exclusivement dû au tabac) et le cancer bronchopulmonaire secondaire, dû à une métastase d'un cancer situé dans une autre région de l'organisme et qui peut atteindre les poumons, la plèvre ou, plus rarement, les bronches. Les tumeurs primitives de la plèvre et du médiastin sont plus rares.

■ **L'immunopathologie** regroupe des affections aussi variées que l'asthme, les alvéolites allergiques, la sarcoïdose ou les manifestations pulmonaires des connectivites.

■ **Les maladies infectieuses** sont la tuberculose, les infections des voies aériennes supérieures (rhinite, sinusite, pharyngite, angine, laryngite), la bronchite, la bronchopneumonie, la pneumonie, les pneumopathies atypiques, les suppurations pulmonaires ou pleurales liées à la pénétration de l'organisme par un agent microbien, etc.

■ **La pathologie vasculaire** comprend l'œdème et l'embolie pulmonaire.

Responsabilité médicale

Obligation pour le médecin d'éviter tout dommage à son malade et, dans le cas contraire, de le réparer.

La responsabilité médicale est morale et juridique, le contrat qui lie le médecin à son malade comportant une obligation non de résultat mais de moyens.

On distingue la responsabilité civile (obligation de réparer le dommage causé), la responsabilité pénale (obligation de répondre devant la société de la violation de la loi pénale) et la responsabilité disciplinaire (obligation de répondre devant les juridictions disciplinaires de l'Ordre des médecins, en France, ou des organismes correspondant, dans les autres pays, de la violation d'une règle déontologique).

■ **La responsabilité civile** est mise en jeu lorsque le médecin n'a pas donné au patient les soins que réclamait son état. C'est au patient de prouver cette faute, le préjudice dont il se plaint et la relation de causalité entre la faute et le préjudice. Il existe cependant des cas où l'existence du seul préjudice ouvre droit à une indemnisation (infection par le virus du sida, par exemple).

■ **La responsabilité pénale** concerne le plus souvent des blessures ou des homicides par imprudence mais aussi de nombreuses autres infractions : non-assistance à personne en danger, infraction à la législation sur les stupéfiants, etc.

■ **La responsabilité disciplinaire**, ou responsabilité ordinale, est mise en jeu par la violation d'une règle déontologique.

Restauration collée

→ VOIR Collage dentaire.

Retard de croissance intra-utérin

Retard de croissance du fœtus pendant la grossesse aboutissant à un poids de naissance inférieur au 10e percentile (grandeur statistique correspondant à la division d'une population en 100 groupes d'un nombre équivalent de personnes) d'une courbe de référence, c'est-à-dire inférieur à 2,5 kilogrammes pour un nouveau-né à terme. SYN. *hypotrophie*.

10 % des nouveau-nés sont atteints d'un retard de croissance intra-utérin (R.I.U.).

DIFFÉRENTS TYPES
DE RETARD DE CROISSANCE INTRA-UTÉRIN

En fonction du retard pondéral, on distingue les retards de croissance intra-utérins modérés et des retards sévères. Par ailleurs, selon qu'ils s'accompagnent ou non d'autres retards (taille, périmètre crânien), ils sont dits harmonieux ou dysharmonieux.

■ **Le retard de croissance modéré** se signale par un poids de naissance situé entre le 3e et le 10e percentile de la courbe de référence, c'est-à-dire entre 2 et 2,5 kilogrammes lorsque l'enfant est né à terme.

■ **Le retard de croissance sévère** s'observe quand le poids de naissance est inférieur au 3e percentile, soit lorsqu'il est inférieur à 2 kilogrammes à terme.

■ **Le retard de croissance dysharmonieux** se manifeste par un poids faible, mais par une taille et un périmètre crânien normaux. L'enfant est long et maigre, sans tissu graisseux sous-cutané ; la tête paraît grosse par rapport au reste du corps. Un tel retard a une cause généralement nutritionnelle et ne débute pas avant la 28e semaine de grossesse.

■ **Le retard de croissance harmonieux** affecte toutes les mensurations de l'enfant (poids, taille, périmètre crânien) et s'installe habituellement plus tôt que le précédent.

CAUSES

Les principales causes, lorsqu'elles sont retrouvées, sont liées à l'environnement du fœtus. Il peut s'agir de facteurs d'origine maternelle : maigreur, régime déséquilibré (insuffisant en calories, notamment), tabagisme, alcoolisme, prise de drogues « lourdes » (cocaïne, héroïne), anomalies gynécologiques, maladies survenues au cours de la grossesse (hypertension artérielle, prééclampsie). Il peut aussi s'agir d'une pathologie de l'œuf (anomalie du placenta) ou du cordon (en cas de grossesse multiple). D'autres causes sont liées au fœtus lui-même : prédisposition familiale ou ethnique, anomalie chromosomique, nanisme, malformation, infection embryonnaire ou fœtale (cytomégalovirus, rubéole, toxoplasmose).

DIAGNOSTIC

Il est porté à la naissance mais peut, grâce à l'échographie, être établi plus tôt. Les mesures permettant de surveiller le développement harmonieux du fœtus sont le diamètre abdominal transverse, la longueur du fémur et le diamètre bipariétal. Tout dépistage anténatal de retard de croissance intra-utérin conduit à rechercher une cause et à proposer éventuellement à la mère un traitement adapté.

RISQUES

L'absence de réserves, commune à tous les enfants atteints de retard de croissance intra-utérin, est source de diverses complications : chute de la température, hypoglycémie (chute du taux de glucose sanguin, élément nécessaire aux besoins énergétiques du cerveau), hypocalcémie (chute du taux de calcium sanguin, élément nécessaire à la formation des os). Certains risques sont plus spécifiques du retard de croissance intra-utérin lié à une mauvaise nutrition sanguine ou à une insuffisance d'oxygénation du fœtus : il s'agit de la souffrance fœtale aiguë et de la prématurité.

PRISE EN CHARGE

Les enfants nés à terme qui présentent un retard de croissance intra-utérin modéré et qui n'ont pas subi de souffrance fœtale aiguë peuvent rester auprès de leur mère en maternité. Le nouveau-né est parfois aussi placé quelques heures ou quelques jours en couveuse pour y être réchauffé et alimenté de façon précoce afin de prévenir ou de traiter une hypoglycémie, le taux de glucose sanguin étant alors régulièrement contrôlé. Les enfants qui souffrent d'un retard de croissance intra-utérin sévère, qui sont nés avant terme ou qui sont porteurs d'une anomalie sont transférés dans des unités de néonatalogie, où ils font l'objet de soins intensifs. Ainsi, la prématurité et la souffrance fœtale aiguë nécessitent des mesures immédiates de réanimation et d'assistance.

PRONOSTIC

D'une façon générale, les taux de mortalité et de morbidité (séquelles) sont plus élevés chez les enfants présentant un retard de croissance intra-utérin que chez ceux de poids normal nés au même terme. Le pronostic dépend du type et de la cause du retard de croissance intra-utérin, d'une éventuelle prématurité et surtout de la présence ou non à la naissance d'une souffrance fœtale aiguë. Ainsi, les retards de croissance dysharmonieux ont, en l'absence de souffrance fœtale aiguë et de prématurité importante, un pronostic favorable : l'enfant rattrape habituellement son retard de poids. En revanche, les retards de croissance harmonieux ont un pronostic beaucoup plus réservé, notamment en ce qui concerne la qualité du développement intellectuel ultérieur.

Rétention

Persistance dans l'organisme d'un produit solide, liquide ou gazeux qui devrait normalement être éliminé.

Ainsi, la rétention sodique est la rétention dans le sang de chlorure de sodium par défaut de fonctionnement des reins ; la rétention dentaire est l'arrêt de l'évolution d'une dent et son inclusion, partielle ou totale, dans le maxillaire. Toutefois, le terme de rétention est surtout employé en gynécologie (rétention intra-utérine) et en urologie (rétention d'urine).

Rétention intra-utérine

Retenue dans l'utérus, après une fausse couche ou une interruption volontaire de grossesse (I.V.G.), ou encore après un accouchement, de débris ovulaires ou du tout ou partie des annexes embryonnaires (placenta, vésicule ombilicale, amnios, allantoïde).

Dans le cas d'une fausse couche, on parle aussi de rétention ovulaire, et de rétention placentaire après un accouchement. Une rétention placentaire nécessite une délivrance artificielle par révision utérine. Toutefois, si la rétention est partielle, la présence de débris placentaires n'est pas toujours décelée. Elle empêche alors l'utérus de se rétracter complètement et peut entraîner des hémorragies (métrorragies) et parfois une infection (endométrite, salpingite) provoquant fièvre et douleurs.

Le traitement d'une rétention intra-utérine est le plus souvent chirurgical (curetage aspiratif) mais peut également faire appel à des médicaments qui provoquent des contractions utérines et permettent alors l'expulsion des débris utérins.

Rétention d'urine

Impossibilité de satisfaire le besoin de vider sa vessie.

DIFFÉRENTS TYPES DE RÉTENTION D'URINE

La rétention d'urine est complète ou incomplète selon que l'évacuation vésicale est impossible ou partielle.

■ **La rétention d'urine complète** est le plus souvent due, chez l'homme, à un adénome de la prostate et, chez la femme, à un trouble neurologique ou sphinctérien. Elle se révèle brutalement : le besoin d'uriner est intense, la vessie est tendue, douloureuse et palpable (globe vésical). Cette rétention impose un sondage vésical évacuateur par voie urétrale ou la pose d'un cathéter vésical sus-pubien, puis la recherche de la cause à l'aide de divers examens : examen clinique neurologique approfondi, examen urodynamique, examens échographiques et radiologiques.

■ **La rétention d'urine incomplète** est d'une origine parfois neurologique (liée à un diabète ou consécutive à une rachianesthésie), le plus souvent obstructive (rétrécissement du col vésical, calcul ou cancer de la vessie, rétrécissement de l'urètre, adénome ou cancer de la prostate, fibrome utérin). Elle se révèle de façon progressive par des troubles de la miction : mictions rapprochées, jet d'urine faible, sensation de vidange vésicale incomplète, parfois incontinence ou infection urinaire. La vessie est souvent distendue, son dôme étant palpable au-dessus du pubis.

TRAITEMENT

Le traitement de la cause de la rétention d'urine entraîne la disparition de celle-ci.

Réticuline (fibre de)

Fibre conjonctive, extrêmement fine, servant de soutien aux endothéliums (tissus qui tapissent les parois internes du cœur et des vaisseaux) et aux épithéliums (tissus qui tapissent la surface externe du corps et la plus grande partie des surfaces internes).
SYN. *fibre réticulaire, fibre réticulée.*

Les fibres de réticuline forment également la charpente des ganglions lymphatiques, de la moelle osseuse et du foie. Elles sont dites argyrophiles car elles sont mises en évidence par les sels d'argent, qu'elles fixent. Leur composition diffère légèrement de celle des fibres de collagène ; les fibres de réticuline forment de fins réseaux et ne se groupent pas en faisceaux.

PATHOLOGIE

Les fibres de réticuline peuvent augmenter en nombre, caractérisant une sorte de fibrose, la fibrose réticulinique.

Réticulocyte

Globule rouge jeune.

Le réticulocyte se distingue du globule rouge mature par une membrane plus grande et légèrement festonnée et par des restes intracellulaires d'A.R.N. qui subsistent après la perte du noyau. La coloration fait apparaître ces restes d'A.R.N. sous forme de filaments formant un réseau irrégulier, auquel la cellule doit son nom.

Ces deux particularités (membrane caractéristique et reliquats d'A.R.N. intracellulaires) sont éliminées en 48 heures environ, dont 24 heures passées dans la moelle osseuse et la rate et 24 heures dans le sang. La durée de vie moyenne du globule rouge étant de 120 jours et son passage dans le sang à l'état de réticulocyte durant environ 24 heures, les réticulocytes représentent à peu près 1 % des globules rouges. La mesure de la réticulocytose (taux de réticulocytes dans le sang) est donc un indicateur assez précis de la production de globules rouges par la moelle osseuse. Ainsi, une anémie est imputable à une anomalie de la production des globules rouges par la moelle si le nombre des réticulocytes est normal ou bas. Si, au contraire, leur nombre est élevé, elle est due à une hémorragie ou à une hémolyse (destruction des globules rouges dans la circulation sanguine).

Réticulosarcome

Lymphome malin non hodgkinien de type immunoblastique, selon l'ancienne nomenclature.

Ce terme désignait des maladies tumorales des ganglions lymphatiques, considérées comme résultant de la transformation maligne d'un « tissu réticulaire » dont l'existence est maintenant récusée.

Rétine

Membrane tapissant la face interne de l'œil et contenant les cellules qui permettent de capter le signal lumineux. (P.N.A. *retina*)

La rétine est une membrane mince et transparente dont la face postérieure est en contact avec la choroïde, par l'intermédiaire de l'épithélium pigmentaire, et la face antérieure avec le corps vitré. Le signal lumineux est transmis au cerveau par le nerf optique. La vascularisation de la rétine est assurée par l'artère centrale de la rétine, qui pénètre dans le globe oculaire par la papille (lieu de départ du nerf optique) et se divise en 2 branches, une supérieure et une inférieure, qui elles-mêmes se divisent en 2 branches, l'une temporale, l'autre nasale ;

La rétine est une membrane photosensible tapissant le fond de l'œil, sur laquelle parviennent les images transmises par la cornée et le cristallin. Les cellules qui la constituent transforment les influx lumineux en impulsions nerveuses, lesquelles gagnent les fibres nerveuses du nerf optique, assurant ainsi le transport des informations visuelles jusqu'au cerveau.

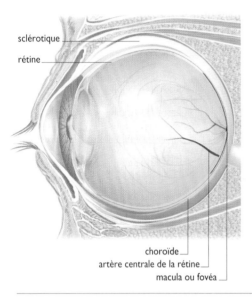

sclérotique

rétine

choroïde
artère centrale de la rétine
macula ou fovéa

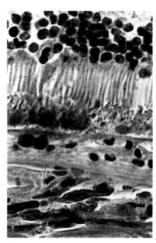

Les cônes et les bâtonnets, cellules photoréceptrices de la rétine, sont ici visibles en coupe.

le drainage veineux est assuré par la veine centrale de la rétine. Les cellules photoréceptrices sont irriguées par la choroïde à travers l'épithélium pigmentaire.

STRUCTURE

La rétine est constituée de plusieurs types de cellules, les cellules de la vision étant disposées en 3 couches superposées, qui sont, de l'arrière vers l'avant de l'œil, les cellules photoréceptrices (cônes et bâtonnets), les cellules bipolaires et les cellules ganglionnaires.

■ **Les cônes**, sensibles à la qualité des rayons lumineux et responsables de l'acuité visuelle et de la vision des couleurs, sont très majoritaires sur la macula (dépression de la rétine où l'acuité visuelle est maximale) et seuls présents dans la fovéola (centre de la macula).

■ **Les bâtonnets**, sensibles à la quantité de la lumière et à son intensité, et responsables de la vision dans des conditions de faible éclairage, se distribuent sur l'ensemble de la rétine et permettent l'élargissement du champ visuel, ou vision périphérique.

■ **Les cellules bipolaires** mettent en relation les cellules photoréceptrices et les cellules ganglionnaires.

■ **Les cellules ganglionnaires** se prolongent par les fibres optiques, qui se réunissent dans la papille pour former le nerf optique.

EXAMENS

L'exploration de la rétine se fait par l'examen du fond d'œil, associé ou non à la dilatation pupillaire. Certains examens complémentaires permettent d'étudier le fonctionnement de la rétine (électrorétinographie, électro-oculographie) ou sa structure (angiographie oculaire).

PATHOLOGIE

Les maladies de la rétine peuvent avoir différentes origines.

■ **Le décollement de la rétine** est relativement fréquent, surtout chez les myopes ou chez les sujets âgés pour lesquels il existe des antécédents familiaux. À titre préventif, la photocoagulation des lésions de la rétine est très efficace.

■ **Les maladies dégénératives de la rétine**, souvent héréditaires, touchent plus particulièrement les cellules photoréceptrices et/ou l'épithélium pigmentaire (rétinopathie pigmentaire, dégénérescence tapétorétinienne). Parmi les dégénérescences rétiniennes acquises, la dégénérescence maculaire liée à l'âge (D.M.L.A.) est la plus fréquente.

■ **Les maladies inflammatoires de la rétine** sont rares. Elles sont surtout provoquées par l'inflammation de la choroïde (choriorétinite due au toxoplasme, notamment).

■ **Les maladies vasculaires de la rétine** sont les occlusions artérielles ou veineuses dues à l'arrêt de la circulation du sang dans l'artère centrale ou la veine centrale de la rétine. La microcirculation peut également être atteinte, notamment lors du diabète ou de l'hypertension artérielle.

■ **Les tumeurs de la rétine** sont dominées par le rétinoblastome, tumeur maligne qui atteint les enfants très jeunes et conduit parfois à l'ablation de l'œil.

Rétinite

Inflammation de la rétine, due à une infection ou à une inflammation des tissus voisins (choroïde).

Rétinites d'origine infectieuse

Ces inflammations de la rétine sont rares. Le micro-organisme en cause peut être une bactérie, un virus ou un champignon.

■ **Une infection bactérienne** (tuberculose, notamment miliaire, maladie d'Osler) peut produire des microabcès rétiniens, qui se manifestent par une baisse de l'acuité visuelle s'ils sont localisés au pôle postérieur. Le traitement fait appel aux antibiotiques antituberculeux à fortes doses par voie générale. Néanmoins, il peut subsister des séquelles visuelles.

■ **La rétinite aiguë nécrosante**, très rare, est sans doute due à un virus de la famille des herpès virus et aboutit à la destruction de la rétine. Le traitement par perfusion d'antiviraux a parfois des résultats favorables.

■ **La rétinite à cytomégalovirus**, qui atteint habituellement les sujets immunodéprimés, se manifeste par des foyers rétiniens blancs entourés d'hémorragies, responsables d'une baisse de la vision seulement lorsqu'ils atteignent la macula. L'administration d'antiviraux par voie générale permet d'enrayer la progression de l'infection.

■ **La rétinite mycosique** à *Candida albicans* s'observe chez les sujets immunodéprimés, toxicomanes ou porteurs de cathéters intraveineux de longue durée. Le traitement antifongique est généralement efficace, associé à une vitrectomie (ablation chirurgicale du corps vitré), pour ôter définitivement le foyer infectieux.

■ **La rétinite rubéolique**, due au virus de la rubéole contractée par la mère pendant sa grossesse, se manifeste chez l'enfant à la naissance par des zones de modification pigmentaire mais n'entraîne pas en général de baisse de l'acuité visuelle. D'autres anomalies oculaires lui sont ordinairement associées : microphtalmie, uvéite, cataracte. Il n'y a pas de traitement de cette rétinite.

Rétinites consécutives à une inflammation de la choroïde

Ces inflammations de la rétine, appelées choriorétinites, sont assez fréquentes. Elles sont essentiellement dues à la toxoplasmose, maladie parasitaire contractée par la mère pendant la grossesse et qui atteint l'enfant. Les choriorétinites toxoplasmiques acquises sont plus rares et se rencontrent chez les sujets immunodéprimés (sida). La maladie de Behçet, la toxocarose, la pseudohistoplasmose ou une uvéoméningite (maladie de Harada) peuvent également en être responsables. Le symptôme principal est une baisse de l'acuité visuelle, qui apparaît souvent à la puberté dans le cas de la toxoplasmose.

TRAITEMENT

Le traitement d'une choriorétinite est celui de sa cause (administration d'antiparasitaires en cas de toxoplasmose). Des anti-inflammatoires corticostéroïdiens peuvent ensuite être utilisés à fortes doses.

Rétinite pigmentaire

→ VOIR Rétinopathie pigmentaire.

Rétinoblastome

Tumeur maligne développée aux dépens des rétinoblastes, cellules précurseurs des photorécepteurs de la rétine. SYN. *gliome de la rétine*.

Le rétinoblastome est une tumeur rare, bien que venant au second rang des tumeurs intraoculaires, après le mélanome de la choroïde. Il touche plus particulièrement les enfants vers l'âge de 18 mois (à raison de 1 sur 20 000 environ).

CAUSES

Un rétinoblastome peut être sporadique (sans terrain familial) ou d'origine héréditaire. Dans le premier cas, il ne concerne en général que un œil. Dans le second cas, il atteint souvent les deux yeux et se transmet sur le mode autosomique (par les chromosomes non sexuels) dominant (il suffit que le gène porteur soit reçu de l'un des parents pour que l'enfant développe la maladie) ; le gène responsable est le gène Rb, localisé sur le chromosome 13.

SYMPTÔMES ET SIGNES

Un rétinoblastome se manifeste souvent par une leucocorie (pupille blanche) témoignant d'une tumeur très étendue supprimant la vision. Plus rarement, il provoque un strabisme ou une buphtalmie (augmentation du volume de l'œil).

DIAGNOSTIC

Un examen du fond d'œil, pratiqué après dilatation de la pupille et sous anesthésie générale chez l'enfant, précise l'existence d'une ou de plusieurs tumeurs et note leur localisation par rapport notamment au nerf optique. Le scanner et l'échographie oculaire permettent de préciser la nature de la tumeur et de déterminer son extension éventuelle à d'autres parties de l'œil ou, en profondeur, le long du nerf optique.

TRAITEMENT ET PRONOSTIC

Le traitement consiste à enlever l'œil atteint (énucléation), si la tumeur est importante, et à le remplacer par une prothèse oculaire. La radiothérapie peut être utilisée soit pour éviter une énucléation des deux yeux, soit en complément du traitement si la tumeur a envahi la papille. La chimiothérapie n'est indiquée que si la choroïde est envahie. Dans tous les cas, l'enfant doit être régulièrement suivi. Ce cancer a un bon pronostic.

Rétinographie

Photographie, généralement en couleurs, du fond d'œil et, notamment, de la rétine.

Une rétinographie permet de surveiller certaines lésions du fond d'œil. Cet examen peut, si nécessaire, être complété par une angiographie oculaire (examen radiologique des vaisseaux de la rétine).

La rétinographie est effectuée au cours d'un examen du fond d'œil après dilatation de la pupille grâce à des collyres dits mydriatiques. Les clichés sont pris à l'aide d'appareils photographiques fixés sur un biomicroscope ou portatifs.

Rétinoïde

Médicament dérivé du rétinol (vitamine A), utilisé dans le traitement de certaines maladies cutanées.

Les rétinoïdes sont principalement représentés par l'isotrétinoïne et l'étrétinate, employés par voie orale, et la trétinoïne, utilisée en applications locales.

INDICATIONS

Les rétinoïdes sont indiqués dans les formes graves d'acné et de psoriasis.

CONTRE-INDICATIONS ET PRÉCAUTIONS

Ces médicaments sont formellement contre-indiqués chez la femme enceinte en raison de leur effet tératogène (qui provoque des malformations chez le fœtus) important. La prescription de rétinoïdes chez une femme en période d'activité génitale nécessite un test de grossesse préalable, qui doit être négatif, et la prise d'une pilule contraceptive commencée un mois avant le traitement et poursuivie longtemps après son arrêt : au moins deux mois lorsque le médicament prescrit est l'isotrétinoïne et au moins deux ans lorsqu'il s'agit de l'étrétinate.

EFFETS INDÉSIRABLES

Ils dépendent de la dose et de la durée du traitement. Les principaux sont des troubles hépatiques et lipidiques, des troubles osseux (ostéoporose [soudure des cartilages de conjugaison]), une calcification des ligaments, des troubles cutanés et muqueux tels qu'une chéilite (inflammation des lèvres) ou une sécheresse de la bouche, un arrêt de croissance chez l'enfant, etc.

SURVEILLANCE

Chez l'enfant, les rétinoïdes sont réservés à des maladies dermatologiques au pronostic très sévère et administrés à des doses minimales sous une surveillance médicale stricte de la croissance.

Rétinol

→ voir Vitamine A.

Rétinopathie

Toute affection de la rétine, quelle que soit sa cause.

Ce terme désigne plus spécifiquement les affections d'origine vasculaire et dégénérative.

Rétinopathie diabétique

Cette affection est due à une dégénérescence des capillaires qui irriguent la rétine chez des personnes atteintes de diabète depuis au moins une dizaine d'années. La maladie est favorisée par l'hypertension artérielle. Elle se manifeste par différents signes : des microanévrysmes (petites dilatations de la paroi des capillaires prenant la forme de petits points rouges) ; des hémorragies d'intensité et de forme variables ; des exsudats cotonneux blancs, larges et superficiels ou des exsudats secs, jaunes, plus petits et plus profonds. Une baisse de la vision peut survenir dans les formes évoluées.

DIAGNOSTIC ET TRAITEMENT

Le diagnostic repose sur l'examen du fond d'œil, complété par l'angiographie oculaire (examen radiologique des vaisseaux de la rétine). Le traitement fait appel à l'équilibration du diabète et à la photocoagulation au laser de certaines lésions rétiniennes. Cependant, malgré ces traitements, la baisse visuelle peut persister.

Rétinopathie hypertensive

Cette affection de la rétine est due à une hypertension artérielle qui atteint la circulation rétinienne. Les artères ont un calibre rétréci alors que les veines sont souvent dilatées. La plupart du temps, il n'y a pas de symptôme. Parfois, un saignement dans le corps vitré entraîne l'apparition de mouches volantes dans le champ visuel.

RÉTINOPATHIE

Le terme de rétinopathie comprend aussi bien les maladies affectant directement la rétine que celles qui retentissent sur elle. Le diabète, qui entraîne une dégénérescence des capillaires irriguant la rétine et qui est souvent cause de cécité, ainsi que l'hypertension artérielle, lorsqu'elle retentit sur la circulation rétinienne, comptent parmi les plus fréquentes des rétinopathies.

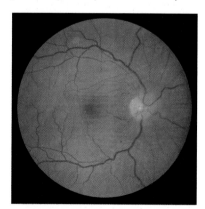

Au cours de la rétinopathie diabétique exsudative, l'examen du fond de l'œil révèle des taches hémorragiques (rouge foncé) et des exsudats (zones blanches).

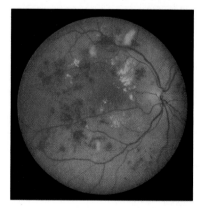

La rétinopathie hypertensive, due à une hypertension artérielle affectant la circulation de la rétine, se manifeste sur ce cliché du fond de l'œil par une finesse anormale des artères.

La complication de cette rétinopathie consiste en un œdème rétinien ou papillaire.

DIAGNOSTIC ET TRAITEMENT

Le diagnostic repose sur l'examen du fond d'œil, éventuellement complété par l'angiographie oculaire. Le traitement consiste à normaliser la tension artérielle par des antihypertenseurs.

Rétinopathie pigmentaire

Maladie héréditaire dégénérative des cellules visuelles réceptrices de la lumière (cônes et bâtonnets). SYN. *rétinite pigmentaire*.

La rétinopathie pigmentaire est une maladie qui touche l'enfant et se transmet selon deux modes : un mode récessif et lié au sexe (l'anomalie est transmise par l'un des deux chromosomes X de la mère et seuls les garçons en sont atteints) et un mode autosomique (par les chromosomes non sexuels) dominant (il suffit que le gène porteur soit reçu de l'un des deux parents pour que la maladie se développe). Dans ce dernier cas, les gènes responsables sont localisés sur les chromosomes 8 et 13.

SYMPTÔMES ET SIGNES

Une rétinopathie pigmentaire se manifeste par un défaut d'adaptation à l'obscurité et un rétrécissement du champ visuel qui s'accentue au fil des années. Une baisse de l'acuité visuelle est souvent perçue après quelques années, pouvant évoluer jusqu'à une vision faible et un rétrécissement du champ visuel.

DIAGNOSTIC ET TRAITEMENT

L'examen du fond d'œil révèle une atrophie de la papille, des artères très grêles et des amas de pigments noirâtres correspondant aux zones rétiniennes atteintes. L'électrorétinogramme, éteint (enregistrement plat), confirme le diagnostic. Actuellement, il n'y a pas de traitement de cette maladie.

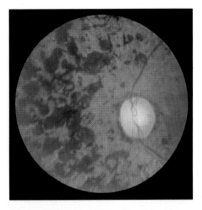

Rétinopathie pigmentaire. La rétine est couverte d'amas de pigments noirs et les vaisseaux sanguins sont peu visibles.

Rétinopathie des prématurés

Affection de la rétine du nouveau-né prématuré soumis à une oxygénothérapie intensive et prolongée. SYN. *fibroplasie rétrolentale*.

Les progrès de la réanimation néonatale ont dans un premier temps entraîné une plus grande fréquence de cette maladie, mais le meilleur contrôle de l'oxygénothérapie permet actuellement de la diminuer.

CAUSES ET SYMPTÔMES

Chez l'enfant prématuré, les artères de la rétine ne sont pas encore entièrement développées et sont très sensibles à une augmentation de la concentration en oxygène du sang. Une rétinopathie peut apparaître dans ces conditions. Celle-ci se développe progressivement et passe par plusieurs stades, dont les plus sévères se caractérisent par la formation sur la rétine de voiles fibreux susceptibles d'entraîner un décollement de celle-ci. Au stade final de la maladie, la rétine, totalement fibreuse et rétractée, apparaît comme une masse blanchâtre juste en arrière du cristallin, provoquant la cécité.

TRAITEMENT ET PRÉVENTION

Lors des premiers stades, le processus peut s'arrêter spontanément en cas d'interruption de l'oxygénothérapie et évoluer vers une cicatrisation sans séquelles visuelles. La prolifération de voiles fibreux peut être enrayée par cryothérapie (traitement par le froid). En revanche, le stade de rétinopathie avérée offre peu de possibilités de traitement. Il faut donc surveiller attentivement tout nouveau-né soumis à une oxygénation importante : contrôle de la concentration d'oxygène délivré, fond d'œil pratiqué pendant la durée du traitement. L'administration de vitamine E peut également jouer un rôle préventif, mais il n'y a aujourd'hui aucun moyen de prévention efficace à cent pour cent de la maladie.

Rétraction

Raccourcissement pathologique d'un organe ou d'un tissu.

DIFFÉRENTS TYPES DE RÉTRACTION

Les rétractions s'observent dans différentes circonstances.

■ **Les rétractions de l'appareil locomoteur** (ligaments, capsules articulaires, muscles, tendons, aponévroses) sont responsables d'une diminution de l'amplitude normale d'une articulation pouvant aller jusqu'à l'ankylose (enraidissement complet).

■ **Les rétractions cutanées** causées par une cicatrice peuvent entraîner, surtout au niveau des orifices de la face, des plis de flexion des membres et des mains, une gêne fonctionnelle majeure.

CAUSES

Une rétraction peut être la conséquence d'un traumatisme (contusion, entorse, fracture, syndrome des loges par compression des muscles), d'une maladie neurologique (paralysie) ou simplement d'une immobilisation prolongée. Après une lésion cutanée, en particulier après une brûlure, certaines cicatrices sont rétractiles par sclérose cutanée. Des rétractions surviennent également au cours de la maladie de Dupuytren (rétraction de l'aponévrose palmaire de la main, entraînant une flexion irréductible d'un ou de plusieurs doigts).

TRAITEMENT ET PRÉVENTION

Une rétraction installée ne peut être combattue que par une kinésithérapie soutenue. Le recours à une intervention chirurgicale est parfois nécessaire (ablation complète de la structure rétractée ou simple section permettant d'augmenter l'amplitude articulaire). Les rétractions cutanées peuvent être traitées chirurgicalement par section des brides cicatricielles et, dans certains cas, par greffe de peau.

La prévention d'une rétraction au cours des affections neurologiques responsables de rigidité repose sur la mobilisation quotidienne (kinésithérapie) et, au besoin, sur le port d'orthèses (appareils destinés à corriger une déficience du système locomoteur).

Rétraction du caillot

Diminution du volume d'un caillot sanguin qui se consolide en laissant exsuder le sérum.

Lorsqu'un vaisseau sanguin est lésé, les plaquettes forment un caillot, le clou plaquettaire, qui colmate la brèche. Une fois formé, celui-ci se rétracte, ce qui rapproche les bords de la plaie et tend à rétablir la continuité du vaisseau. Ce processus, initié par l'adhésion des plaquettes à la fibrine, est causé par l'interaction de protéines plaquettaires contractiles, dont l'actine, la tubuline et la myosine.

En laboratoire, la rétraction du caillot est évaluée en fonction de la quantité de sérum exsudée en plaçant du sang dans une éprouvette à 37 °C pendant 4 heures. Le résultat est fonction de la quantité et de la qualité des plaquettes, de la quantité de fibrinogène et de l'hématocrite (pourcentage du volume des globules rouges par rapport à celui du sang).

Rétrécissement

→ VOIR Sténose.

Rétrécissement aortique

Diminution du calibre de la valvule aortique, qui conduit le sang, au sortir du cœur, vers l'aorte et la circulation générale.

CAUSES

Un rétrécissement aortique est fréquemment dû à un processus dégénératif aboutissant à une calcification de la valvule. Parfois, la cause est une maladie congénitale comme, par exemple, une bicuspidie (la valvule ne comporte que 2 valves au lieu de 3). Plus rarement aujourd'hui, le rétrécissement aortique peut être consécutif à un rhumatisme articulaire aigu (maladie qui provoque une inflammation des articulations et des atteintes cardiaques) ou encore, plus exceptionnellement, à une endocardite bactérienne (végétation obstructive développée sur l'orifice aortique).

SYMPTÔMES ET SIGNES

Un rétrécissement aortique est souvent sans symptômes. Quand ceux-ci existent, ils apparaissent à l'effort et se traduisent par un essoufflement, une douleur thoracique, une fatigue et des syncopes. Le pouls au poignet est faible.

DIAGNOSTIC

Le rétrécissement aortique est souvent découvert lors d'un examen médical de routine. À l'auscultation au stéthoscope, le médecin entend un souffle qui peut remonter jusque dans le cou. Un écho-Doppler cardiaque confirme le diagnostic. Un cathétérisme cardiaque (insertion d'un tube fin et souple dans un vaisseau sanguin jusqu'au cœur) peut, le cas échéant, mettre en évidence la différence de pression de part et d'autre de la valvule lorsque celle-ci est ouverte. Ainsi, on peut estimer l'importance de la sténose et son degré.

TRAITEMENT

Il est chirurgical et consiste à enlever la valvule aortique déficiente et à la remplacer par une prothèse.

Rétrécissement mitral

Diminution du calibre de la valvule mitrale, située entre l'oreillette et le ventricule gauches du cœur.

Un rétrécissement mitral oblige l'oreillette gauche à se contracter plus violemment pour envoyer le sang dans le ventricule, ce qui peut entraîner une arythmie par fibrillation auriculaire (contractions rapides et irrégulières du muscle cardiaque).

FRÉQUENCE ET CAUSES

Plus fréquent chez la femme que chez l'homme, le rétrécissement mitral est presque toujours consécutif à un rhumatisme articulaire aigu.

SYMPTÔMES ET SIGNES

Plusieurs années après la maladie en cause, un essoufflement, qui n'apparaît d'abord qu'à l'effort, s'installe progressivement jusqu'à être présent au repos : cette gradation traduit la progression du rétrécissement mitral. Le sujet souffre également de palpitations ou de fibrillation auriculaire. L'augmentation de pression dans l'oreillette peut avoir un retentissement sur les poumons. Le patient peut cracher du sang.

DIAGNOSTIC

L'examen clinique au stéthoscope, qui fait entendre, en regard de la pointe du cœur, un éclat des deux bruits du cœur et un roulement caractéristique pendant la diastole, conduit au diagnostic d'un rétrécissement mitral, qui peut être ensuite précisé par radiographie thoracique, écho-Doppler et cathétérisme cardiaque.

TRAITEMENT

Il est à base de médicaments diurétiques et digitaliques, voire anticoagulants. Comme pour toute valvulopathie, des précautions sont à prendre pour écarter tout risque d'endocardite (infection de la valvule), en particulier lors de soins dentaires. Lorsque le rétrécissement mitral est serré et mal toléré, il y a lieu d'envisager soit une valvuloplastie percutanée (à l'aide d'une sonde munie d'un ballonnet), soit une intervention chirurgicale, commissurotomie ou remplacement valvulaire.

Rétrécissement pulmonaire

Diminution du calibre de la valvule pulmonaire, par laquelle le sang désoxygéné est éjecté du ventricule droit du cœur et passe dans l'artère pulmonaire, qui le conduit jusqu'aux poumons.

CAUSES

Il s'agit en règle générale d'une malformation congénitale. Exceptionnellement, une tumeur appelée carcinoïde peut se développer aux dépens de la valvule pulmonaire et provoquer son rétrécissement.

SYMPTÔMES ET SIGNES

■ Dans les cas les plus graves, c'est à la naissance que les signes se manifestent : une insuffisance cardiaque se développe rapidement au moment où les poumons commencent à fonctionner et le nouveau-né est essoufflé. Il faut pratiquer en urgence une valvuloplastie par ballonnet (introduction dans un vaisseau sanguin d'un cathéter muni d'un ballonnet que l'on guide jusqu'au cœur, suivie du gonflage du ballonnet, destiné à écarter les parois de la valvule) ou remplacer chirurgicalement la valvule pulmonaire.

■ Dans les cas moins graves, l'essoufflement ne se manifeste que lorsque l'enfant grandit et devient plus actif.

■ Dans les cas légers, aucun symptôme ne traduit le rétrécissement pulmonaire.

DIAGNOSTIC

À l'auscultation au stéthoscope, le médecin entend un souffle cardiaque. Une radiographie thoracique et un écho-Doppler confirment le rétrécissement pulmonaire.

TRAITEMENT

Il fait appel soit à la valvuloplastie par ballonnet, soit à l'ouverture chirurgicale du rétrécissement sous circulation extracorporelle.

Rétrécissement tricuspide

Diminution du calibre de la valvule tricuspide, située entre l'oreillette et le ventricule droits.

CAUSES ET SYMPTÔMES

Le rétrécissement tricuspide est le plus rare des rétrécissements valvulaires. Il s'observe chez les personnes ayant eu un rhumatisme articulaire aigu. Les signes sont proches de ceux de l'insuffisance tricuspidienne : insuffisance cardiaque droite, œdèmes des chevilles et de l'abdomen, augmentation de volume du foie et dilatation des veines du cou.

DIAGNOSTIC ET TRAITEMENT

Le diagnostic s'établit d'abord par un examen au stéthoscope, grâce auquel le médecin entend un souffle systolique ; il est précisé par une radiographie thoracique, un écho-Doppler ou un cathétérisme cardiaque.

Le traitement médicamenteux comprend des diurétiques et des digitaliques. En cas de rétrécissement tricuspide serré et mal toléré, la valvule peut être réparée ou remplacée lors d'une intervention chirurgicale sous circulation extracorporelle.

Rétrécissement valvulaire

Diminution du calibre d'une valvule cardiaque.

Les 4 valvules cardiaques (aortique, mitrale, pulmonaire et tricuspide) fonctionnent à la façon d'un clapet, livrant passage au sang en position ouverte puis se fermant et empêchant son reflux en position fermée. Lors de la systole (période de contraction des ventricules du cœur pendant laquelle ceux-ci éjectent le sang), les valvules aortique et pulmonaire sont ouvertes et les valvules mitrale et tricuspide, fermées. Lors de la diastole (période de relâchement des ventricules pendant laquelle ils se remplissent de sang), c'est le contraire qui se produit.

Chacune des 4 valvules peut être atteinte d'un rétrécissement valvulaire.

Rétrocontrôle

Technique grâce à laquelle un sujet prend conscience des modalités de fonctionnement d'une ou de plusieurs fonctions de son corps et en acquiert la maîtrise. SYN. action en retour, contrôle en retour, rétroaction, rétrorégulation. En anglais, biofeedback.

Un rétrocontrôle permet d'agir consciemment sur des fonctions inconscientes telles que la fréquence des battements du cœur (marquée par le pouls) ou la tension artérielle.

INDICATIONS

La technique du rétrocontrôle est utilisée dans le traitement des maladies liées au stress, comme certaines formes d'hypertension artérielle, par exemple.

TECHNIQUE

La maîtrise du rétrocontrôle s'acquiert grâce à un appareillage qui enregistre et transcrit (sur un écran, par exemple) les fonctions à contrôler et à modifier : tension artérielle, pouls, tonus musculaire, ondes cérébrales, etc. À l'usage, le sujet associe ses sensations aux indications reçues, ce qui lui permet, peu à peu, de mieux connaître et de maîtriser les fonctions à contrôler. Au terme de l'apprentissage, le sujet pourra agir sur ces fonctions sans l'aide de l'appareillage.

Rétrocontrôle hormonal

Mécanisme naturel de régulation des hormones par le système hormonal lui-même. SYN. rétroaction hormonale.

Le rétrocontrôle hormonal est le processus par lequel les hormones circulantes agissent sur les tissus des glandes qui les élaborent ou qui stimulent leur production. Ainsi, l'hypophyse est capable de mesurer le taux sanguin d'une hormone et, en retour, d'agir sur la glande responsable de la sécrétion de l'hormone en cause pour en ajuster la production aux besoins du moment (qui dépendent notamment du stress, du degré d'activité, de la position du corps et de l'état nutritionnel du sujet, de la température ambiante, etc.) et, plus largement, sur tout le système endocrinien pour réguler le taux des hormones qui participent à la même fonction.

DIFFÉRENTS TYPES DE RÉTROCONTRÔLE

Le mécanisme de rétrocontrôle induit une diminution ou une augmentation des taux d'hormones dans le sang.

■ Le rétrocontrôle négatif aboutit à une diminution du taux d'une hormone dans le sang. Ainsi, l'augmentation du taux sanguin de cortisol, au-delà d'un certain seuil, freine la sécrétion, par certaines cellules de l'hypophyse, dites corticotropes, de corticotrophine, une hormone qui accroît la sécrétion de cortisol par les glandes surrénales.

■ Le rétrocontrôle positif aboutit à une augmentation du taux d'une hormone dans le sang. Le mécanisme se déclenche lorsque le taux sanguin d'une hormone donnée atteint un certain seuil. L'œstradiol, par exemple, est une hormone sexuelle produite par l'ovaire sous l'action d'une autre hormone, l'hormone lutéinisante. Lorsqu'il se maintient plus de 48 heures au-delà d'un certain seuil, il peut provoquer une augmentation de la sécrétion de lutéotropine par les cellules hypophysaires. Cette sécrétion plus importante de lutéotropine a pour conséquence d'augmenter encore le taux d'œstradiol dans le sang.

Rétrolisthésis

Glissement vers l'arrière d'une vertèbre par rapport à la vertèbre sous-jacente.

Un rétrolisthésis peut être d'origine traumatique (entorse, fracture), rhumatismale (arthrose), infectieuse (mal de Pott [localisation vertébrale de la tuberculose]) ; parfois, il est dû à une lyse isthmique (rupture d'un segment osseux étroit de la partie postérieure d'une vertèbre), déformation d'origine congénitale ou acquise (à la suite de microtraumatismes répétés). Il s'observe surtout au niveau de la partie supérieure de la région lombaire chez des personnes âgées présentant un excès de poids et une hyperlordose (exagération de la courbure physiologique de la colonne vertébrale vers l'avant au niveau de la région lombaire). L'importance du glissement se mesure sur une radiographie de profil. Un rétrolisthésis, lorsqu'il comprime la moelle épinière ou une racine nerveuse, peut entraîner une paralysie.

TRAITEMENT

Selon la cause du rétrolisthésis, il est médical (kinésithérapie, traitement médical de l'affection causale) ou chirurgical (réalignement des vertèbres avec fixation soit par prothèse métallique, soit par greffe osseuse). Le traitement d'une compression, notamment, est chirurgical.

Rétropéritoine

Espace situé dans l'abdomen, en arrière du péritoine (membrane séreuse tapissant les parois de l'abdomen et les viscères que celui-ci contient), dont il est séparé par une membrane graisseuse.

Le rétropéritoine s'arrête, en haut, à la hauteur du diaphragme ; en bas, il s'ouvre dans le petit bassin. Les organes rétropéritonéaux sont les gros vaisseaux (aorte, veine cave inférieure), les reins, les glandes surrénales, le pancréas, la plus grande partie du duodénum (premier segment de l'intestin grêle), l'uretère et les vaisseaux spermatiques ou utéro-ovariens.

EXAMENS

Les principaux examens permettant d'explorer le rétropéritoine sont le scanner et parfois l'imagerie par résonance magnétique (I.R.M.).

PATHOLOGIE

Le rétropéritoine peut être le siège d'une grande variété de tumeurs développées aux dépens soit des organes rétropéritonéaux, soit de la membrane graisseuse qui sépare

péritoine et rétropéritoine. La fibrose rétropéritonéale est une inflammation d'origine infectieuse ou médicamenteuse du rétropéritoine entraînant, en l'absence de traitement, une compression des organes rétropéritonéaux (en particulier des uretères, avec un risque de retentissement rénal).

Rétropéritonéal

Qui est situé en arrière du péritoine (membrane séreuse tapissant les parois de l'abdomen et les viscères que celui-ci contient).
→ VOIR Rétropéritoine.

Rétroposon

Variété de transposon (séquence d'A.D.N. susceptible, dans un noyau donné, de changer de localisation sur un même chromosome ou de passer d'un chromosome à un autre dont le changement de localisation, ou transposition, nécessite une rétrotranscription de l'A.R.N. qu'il code (fabrication d'une molécule d'A.D.N. par copie de l'information contenue dans l'A.R.N.).

La transposition d'un rétroposon peut produire des mutations (altérations) dans n'importe quel gène de la cellule et être à l'origine de pathologies héréditaires (certains cas d'hémophilie, de maladie de Recklinghausen ou de déficit en acétylcholinestérase).

Rétrotranscription

Phénomène naturel de fabrication d'une molécule d'A.D.N., dite complémentaire, par copie de l'information contenue dans la molécule d'A.R.N.

C'est une enzyme appelée transcriptase inverse et codée par un gène commun à tous les rétrovirus (virus des cancers, du sida ou de certaines leucémies) qui réalise cette opération. La rétrotranscription permet au rétrovirus de s'introduire dans les gènes de la cellule hôte et de proliférer.

La rétrotranscription est l'opération inverse de la transcription : dans la transcription, l'information portée par le segment d'A.D.N. que constitue un gène est copiée en un A.R.N. prémessager puis en un A.R.N. messager, susceptible de passer du noyau au cytoplasme de la cellule, où il dirige la synthèse d'une protéine ; dans la rétrotranscription, c'est l'inverse : à partir de l'A.R.N. messager qui gouverne la fabrication d'une protéine, il est possible de fabriquer le gène qui correspond à cette protéine.

La reproduction artificielle de ce phénomène est très utilisée en laboratoire, pour les besoins de la recherche, mais n'a pas d'application thérapeutique directe.

Rétrovirus

Virus à A.R.N. de la famille des rétroviridés.

Les rétroviridés sont connus depuis le début du XXe siècle chez l'animal et, depuis 1980, chez l'homme. Cette famille comporte les oncovirus, les lentivirus et les spumavirus. Le nom de rétrovirus vient du fait que ces virus utilisent une enzyme appelée transcriptase inverse pour transformer leur A.R.N. en A.D.N. et, ainsi, se multiplier dans les cellules.

■ Les lentivirus sont la cause, chez l'homme comme chez l'animal, de maladies à évolution lente, comme le sida (V.I.H. 1 et V.I.H. 2, c'est-à-dire virus de l'immunodéficience humaine 1 et 2).
■ Les oncovirus, ainsi nommés parce qu'ils portent un oncogène, gène favorisant l'apparition d'un cancer, sont responsables, chez l'homme et chez l'animal, de cancers comme la leucémie (V.L.T.H. 1 et V.L.T.H. 2, c'est-à-dire virus lymphotropiques des cellules T humaines 1 et 2).
■ Les spumavirus sont généralement considérés comme non pathogènes, encore qu'on évoque leur rôle éventuel dans certaines pathologies, notamment dans la maladie de Basedow.

Rett (syndrome de)

Ensemble de troubles neurologiques autistiques touchant exclusivement l'enfant de sexe féminin.

Le syndrome de Rett est probablement d'origine génétique (lorsqu'une jumelle monozygote, ou « vraie » jumelle, est atteinte, l'autre l'est aussi). Il est caractérisé par l'apparition, parfois brutale, vers l'âge de 8 à 18 mois, d'un syndrome autistique (attitude de repliement sur soi) rapidement accompagné de stéréotypies manuelles constantes (répétition des mêmes gestes, en particulier celui de se frotter les mains) ; surviennent ensuite une régression des acquisitions psychomotrices, une scoliose et des accès d'hyperventilation (respiration forcée, rapide). Vers l'âge de trois ou quatre ans apparaissent des signes d'épilepsie.

Le syndrome de Rett n'ayant été individualisé que récemment, l'espérance de vie n'en est pas encore connue, pas plus que le traitement.

Revascularisation

Intervention chirurgicale consistant à rétablir la circulation sanguine dans un organe ou une partie du corps où l'apport sanguin a été interrompu en partie ou en totalité (ischémie).

Une revascularisation peut constituer le traitement d'une obstruction d'une artère d'un membre par un caillot. Elle peut être réalisée soit par désobstruction (extraction du caillot), soit par pontage (court-circuitage de l'obstacle à l'aide d'un tube synthétique ou d'un segment veineux). Lorsque l'arrêt de la circulation sanguine est total, la revascularisation doit intervenir dans un délai de 6 à 8 heures, faute de quoi elle risque d'entraîner un syndrome dit de levée d'obstacle ou de revascularisation (libération de substances toxiques accumulées dans le membre, par exemple), se traduisant par une atteinte des reins avec anurie (arrêt total de la production d'urine). C'est une intervention importante qui requiert une surveillance étroite du fait du risque de récidive postopératoire de l'ischémie, d'où la nécessité d'une hospitalisation suffisamment longue (de 10 à 15 jours).

De la même façon, en cas de prélèvement d'organes (cœur, foie, rein), ceux-ci, placés dans une solution spéciale, ne peuvent être conservés que quelques heures. Au cours de la greffe, leurs vaisseaux sont abouchés, puis suturés à ceux du receveur.

Rêve

Suite plus ou moins organisée et cohérente d'images, de représentations et d'états psychiques caractéristiques du sommeil et de certains états d'affaiblissement de la conscience (onirisme).

Les rêves durent de 10 à 15 minutes et apparaissent fréquemment au début ou à la fin de la nuit, durant les phases dites de sommeil léger. Ils occupent environ un quart du temps de sommeil. Tout le monde rêve, même les personnes qui, faute de se rappeler leurs rêves, croient ne pas rêver.

Le contenu des rêves est en relation avec l'état affectif et les souvenirs du rêveur. Sigmund Freud, dans l'*Interprétation des rêves* (1900), a souligné que le langage imagé des rêves (contenu manifeste) recouvre toujours un sens profond (contenu latent), que l'on peut comprendre à partir d'associations d'idées. L'étude des divers mécanismes en jeu dans la production du rêve a marqué une étape fondamentale dans l'élaboration de la pensée psychanalytique et dans l'exploration de l'inconscient, à laquelle celle-ci a ouvert la voie.

→ VOIR Dossier Sommeil.

Révulsif

Procédé thérapeutique visant à provoquer une irritation cutanée locale afin de retenir le sang près de la peau.

Parmi les révulsifs, on trouve les sinapismes (cataplasmes à la farine de moutarde), les ventouses, les frictions à l'alcool, les fomentations (applications de serviettes chaudes). Les révulsifs étaient autrefois indiqués pour faire cesser une inflammation ou un état congestif dans une partie du corps. Leur usage a fortement régressé grâce à l'apparition des antibiotiques et des anti-inflammatoires.

Reye (syndrome de)

Maladie caractérisée par une atteinte cérébrale non inflammatoire et une atteinte hépatique et survenant à la suite d'un épisode viral aigu.

Le syndrome de Reye, décrit en 1963, touche essentiellement les enfants, le plus souvent vers l'âge de 3 ans, mais concerne parfois le nourrisson à partir de 3 mois.

CAUSES

Les causes de ce syndrome sont encore inconnues. Toutefois, plusieurs études réalisées aux États-Unis ont mis en évidence un lien entre la prise d'aspirine et l'apparition de ce syndrome chez des enfants ayant une maladie virale (grippe, infection respiratoire, varicelle).

SYMPTÔMES ET SIGNES

Au début, les signes (fièvre, abattement) peuvent être confondus avec ceux de la maladie virale initiale. Après quelques jours de latence apparaissent brutalement des vomissements fréquents et abondants auxquels succèdent des troubles du comportement (somnolence, apathie, irritabilité), des troubles du tonus ou des troubles de la conscience pouvant aller jusqu'au coma. Des convulsions sont fréquentes.

DIAGNOSTIC ET ÉVOLUTION

Le diagnostic clinique est complété par des examens biologiques du sang, qui révèlent l'atteinte hépatique : élévation du taux de certaines enzymes appelées transaminases, taux d'ammoniaque trois fois supérieur aux chiffres normaux. L'examen d'un prélèvement du foie par ponction-biopsie, qui met en évidence une stéatose hépatique (dégénérescence graisseuse), confirme le diagnostic. L'évolution de ce syndrome est souvent fatale, surtout si l'atteinte cérébrale est importante.

TRAITEMENT ET PRÉVENTION

Le traitement de la maladie dans ses formes graves nécessite une hospitalisation dans un service de réanimation. La prévention repose, notamment aux États-Unis et en Grande-Bretagne, sur la mise en garde relative à la prescription d'aspirine comme médicament antipyrétique chez l'enfant ou sur la suppression d'une telle prescription. Dans d'autres pays comme la France, où la maladie est très rare, l'administration de ce médicament est maintenue sauf, par mesure de prudence, au cours du traitement des enfants ayant la varicelle.

RFLP

Variation de longueur d'un fragment d'A.D.N., coupé par une enzyme de restriction (protéine présente dans une bactérie et capable de reconnaître une séquence spécifique dans une chaîne d'A.D.N. étranger puis de la cliver). (Abréviation de l'anglais *Restriction Fragment Length Polymorphism*, polymorphisme de longueur de fragment de restriction.)

La variation de longueur des fragments d'A.D.N. (coupés et libérés de la chaîne d'A.D.N. par une même enzyme de restriction) s'explique par la présence ou l'absence, sur un site donné de la chaîne d'A.D.N., d'une séquence spécifique reconnue par l'enzyme. Lorsque la séquence identifiable est présente sur un site donné, l'enzyme coupe la chaîne d'A.D.N. ; lorsque la séquence est absente sur un site donné, l'enzyme ne coupe pas la chaîne d'A.D.N. sur ce site mais sur un site plus éloigné, qui présente la séquence qu'elle reconnaît. Le fragment libéré de la chaîne d'A.D.N. est alors plus long que le précédent.

Les RFLP sont des marqueurs génétiques du chromosome : ils déterminent en effet les endroits où une séquence d'A.D.N. varie selon les individus. Ils permettent notamment d'effectuer un diagnostic prénatal.

Rh (facteur)

→ VOIR Rhésus (système).

Rhabdomyolyse

Destruction du tissu des muscles striés, entraînant la libération dans le sang d'un pigment musculaire toxique, la myoglobine.

CAUSES

Elles sont nombreuses : traumatisme important avec écrasement (syndrome de Bywaters) ou, plus rarement, exercice musculaire intense, crises convulsives prolongées, électrocution, interruption de la circulation sanguine dans un membre, etc.

SYMPTÔMES ET SIGNES

Une rhabdomyolyse se traduit par des douleurs des muscles atteints et une coloration foncée des urines. La myoglobine est éliminée par les reins, entraînant une insuffisance rénale aiguë.

DIAGNOSTIC ET TRAITEMENT

Les examens biologiques permettent l'établissement du diagnostic : présence de myoglobine dans le sang et les urines et élévation dans le sang du taux d'une enzyme normalement présente en grandes quantités dans les cellules musculaires, la créatine phosphokinase (C.P.K.). Le traitement de la rhabdomyolyse est celui de sa cause. En cas d'insuffisance rénale aiguë, un traitement par dialyse peut être nécessaire jusqu'à ce que les lésions rénales se réparent d'elles-mêmes, ce qui survient généralement au bout de quelques jours ou de quelques semaines.

Rhabdomyosarcome

Tumeur maligne développée aux dépens du muscle strié.

Un rhabdomyosarcome est une tumeur très rare pouvant se développer chez l'enfant ou la personne âgée. Il est parfois douloureux lorsqu'il comprime les tissus environnants (nerfs, vaisseaux).

ÉVOLUTION ET TRAITEMENT

Un rhabdomyosarcome grossit souvent très rapidement et peut entraîner des métastases. Son traitement repose sur son ablation chirurgicale large, associée à une radiothérapie et à une chimiothérapie.

Rhésus (système)

Système de groupes sanguins composé de différents antigènes.

Le système Rhésus est, avec le système ABO, le principal système de groupes sanguins. Il doit son nom à un singe d'Asie du Sud-Est, *Macacus rhesus*, qui servit d'animal d'expérience à la fin des années 1930 dans les recherches sur le sang.

Les antigènes appartenant au système Rhésus, parfois appelés à tort « facteurs Rhésus », sont nombreux mais, dans la pratique, 5 seulement sont réellement importants (susceptibles d'entraîner la formation d'anticorps lorsqu'ils sont transfusés à un sujet ne possédant pas l'antigène en cause) : les antigènes D, C, c, E et e.

Les sujets qui possèdent l'antigène D sont dits Rhésus positif, ceux qui ne le possèdent pas sont dits Rhésus négatif. Certaines personnes présentent une forme affaiblie de l'antigène D, dite D faible. Les globules rouges sont en outre porteurs des antigènes C, E, c et e, différemment associés selon des lois déterminées : tout globule rouge ne portant pas l'antigène C est nécessairement porteur de l'antigène c et réciproquement. Il en va de même pour les antigènes E et e.

En revanche, il n'existe pas d'antigène d : un individu non porteur du D ne porte donc rien à la place.

FORMATION D'ANTICORPS

Dans certaines circonstances, le corps humain fabrique des anticorps dirigés contre les antigènes du système Rhésus.

■ **Au cours d'une transfusion,** les anticorps apparaissent dans deux cas. Soit lors d'une transfusion de sang d'un sujet Rhésus positif à un sujet Rhésus négatif, par exemple dans une situation d'urgence ou de pénurie : dans ce cas, l'anticorps en cause est le plus souvent dirigé contre l'antigène D. Soit, et c'est le cas le plus courant, à la suite d'une transfusion de sang imparfaitement compatible avec les autres antigènes du système Rhésus. Les anticorps sont alors dirigés contre les autres antigènes : E, c, e ou C. La formation d'anticorps n'entraîne aucun symptôme particulier, mais une seconde transfusion d'un sang de même type peut provoquer chez le patient un accident transfusionnel de gravité variable (fièvre, frissons, état de choc, ictère, etc.).

■ **Au cours d'une grossesse,** le fœtus peut porter des antigènes du système Rhésus différents de ceux de sa mère. Il arrive alors, dans certaines circonstances (traumatisme, hémorragie, etc.), que celle-ci produise des anticorps (anticorps anti-Rhésus) dirigés contre les antigènes (antigènes Rhésus) de l'enfant qu'elle porte et qui détruisent les globules rouges de ce dernier. Ce phénomène est à l'origine de la maladie hémolytique du nouveau-né, qui n'atteint pas le premier enfant (cette immunisation ne survenant qu'en fin de grossesse) mais peut affecter les enfants à venir s'ils sont porteurs des mêmes antigènes.

→ VOIR Incompatibilité Rhésus, Incompatibilité transfusionnelle.

Rhinencéphale

Partie du cortex comprenant les structures nerveuses de l'olfaction (bulbe olfactif, bandelettes olfactives) et la circonvolution limbique. (P.N.A. *rhinencephalon*)

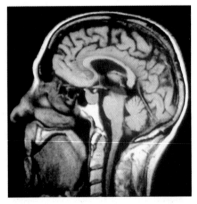

Rhinencéphale. *Cette région du cortex forme un anneau (bleu pâle, ouvert en bas) visible sous les circonvolutions sinueuses du cortex.*

La circonvolution limbique dessine un cercle sur la face interne de l'hémisphère cérébral ; sa portion la plus connue s'appelle circonvolution de l'hippocampe, ou cinquième circonvolution temporale. Elle joue un rôle dans les phénomènes psychiques et comportementaux (émotions). Le rhinencéphale, très développé chez les mammifères primitifs, perd beaucoup de son importance, en taille et en fonction, chez l'homme. Il est responsable de l'odorat et intervient dans la vie végétative (commande des viscères).

Le rhinencéphale est exploré par scanner et imagerie par résonance magnétique (I.R.M.). Les lésions de cette zone (lésions vasculaires, tumorales, etc.) peuvent notamment entraîner une perte ou une modification de l'odorat.

Rhinite

Inflammation de la muqueuse des fosses nasales.

Il existe deux formes de rhinite : la rhinite aiguë, communément appelée rhume de cerveau ou coryza, et la rhinite chronique, qui comprend la rhinite non allergique et la rhinite allergique.

Rhinite aiguë

Il s'agit d'une inflammation infectieuse des fosses nasales, survenant par épidémies.

CAUSES ET SYMPTÔMES

Elle est en général virale dans un premier temps, mais se complique souvent d'une infection bactérienne. Après une incubation de quelques jours, le nez se met à couler. L'écoulement est clair et fluide ; en cas de complication (surinfection), il devient épais et jaune. Le nez est alors bouché ; la personne éternue et éprouve une sensation de brûlure dans les fosses nasales.

TRAITEMENT

Il n'existe pas de traitement permettant de stopper l'évolution de la maladie ; celle-ci guérit le plus souvent spontanément en quelques jours. Le traitement ne sert qu'à soulager les symptômes et reste surtout local : lavages des fosses nasales au sérum physiologique, pulvérisations de vasoconstricteurs (médicaments qui rétrécissent les vaisseaux sanguins de la muqueuse) dans le nez.

Rhinite chronique

Il s'agit d'une inflammation récidivante ou plus ou moins permanente des fosses nasales. Son origine peut être allergique ou non.

■ **La rhinite chronique non allergique** n'a pas de cause bien définie. Elle est favorisée par divers facteurs : fragilisation de la muqueuse par des rhinites aiguës à répétition, tabagisme, exposition à la pollution aérienne, abus de médicaments locaux vasoconstricteurs.

Parmi les différentes variétés, on distingue les rhinites atrophiques, encore fréquentes dans les pays en voie de développement et en particulier en Afrique du Nord : certaines sont consécutives à une autre maladie (syphilis, tuberculose, syndrome de Gouge-

rot-Sjögren), d'autres non, telles que l'ozène (rhinite atrophique primitive), caractérisé par l'apparition de croûtes et la perception par le malade d'une odeur fétide.

Le traitement des rhinites chroniques non allergiques est difficile. Il comprend la prise de médicaments locaux, soigneusement choisis en fonction de la variété de rhinite – dans certains cas, les vasoconstricteurs sont contre-indiqués –, des applications de substances sur la muqueuse par le médecin spécialiste et des cures thermales.

■ **La rhinite chronique allergique** se manifeste par un écoulement nasal, une obstruction nasale et des salves d'éternuements qui surviennent par crises.

On distingue les rhinites saisonnières – dont une variété est le coryza spasmodique, ou rhume des foins –, qui se produisent tous les ans à la même date et qui sont dues à des pollens, et les rhinites perannuelles (l'influence de la saison étant nulle ou peu marquée), dues aux acariens et à la poussière des maisons ou aux phanères (poils, plumes, etc.) des animaux domestiques.

Le diagnostic peut être confirmé par des dosages d'anticorps sanguins et par des tests cutanés appelés épidermotests. Le traitement repose, si possible, sur la suppression de tout contact avec l'allergène, sur la prise de médicaments antihistaminiques par voie orale et parfois sur une désensibilisation à l'allergène en cause.

Rhinofibroscopie

Examen des fosses nasales, du pharynx et du larynx à l'aide d'un fibroscope.

INDICATIONS

La rhinofibroscopie est indiquée dans certaines affections des fosses nasales quand les autres méthodes de rhinoscopie n'ont pas permis d'établir un diagnostic. Elle est réalisée en consultation chez les adultes comme chez les enfants.

DÉROULEMENT ET RÉSULTATS

Le médecin introduit dans une narine du patient assis en face de lui un fibroscope nasal (tube court de 3 millimètres de diamètre muni d'un système optique et de fibres de verre pour l'éclairage) qu'il fait progresser dans les fosses nasales pour visualiser les cornets, le cavum, le pharynx et le larynx. Il pratique de la même façon pour la seconde narine. Cet examen ne dure que quelques minutes. Si le médecin désire explorer les zones étroites des fosses nasales, il effectue une petite anesthésie locale afin d'éviter d'éventuelles sensations désagréables dues aux frottements du fibroscope sur les muqueuses. Les résultats sont connus immédiatement.

EFFETS SECONDAIRES

Une rhinofibroscopie ne génère aucun traumatisme. Mais, lorsque le fibroscope touche la paroi postérieure du cavum, le patient peut ressentir une sensation douloureuse, accompagnée de nausées qui disparaissent rapidement.

Rhinolalie fermée

→ VOIR Nasillement.

Rhinolalie ouverte

→ VOIR Nasonnement.

Rhinopharyngite

Inflammation de la partie supérieure du pharynx.

C'est une maladie qui touche surtout le jeune enfant âgé de 6 mois à 4 ans. Une rhinopharyngite est souvent d'origine virale et se manifeste par une rhinorrhée (écoulement nasal) purulente, une obstruction nasale et une fièvre autour de 38,5 °C. L'évolution est habituellement favorable en une semaine. Néanmoins, une rhinopharyngite peut avoir des complications : otite, laryngite, bronchite.

Le traitement est celui des symptômes et comprend des soins locaux tels que des lavages du nez au sérum physiologique et un médicament contre la fièvre (paracétamol, aspirine). En cas de récidives trop fréquentes, le médecin peut proposer une adénoïdectomie (ablation chirurgicale des végétations), car les végétations peuvent constituer un foyer d'infection chronique.

Rhinopharynx

→ VOIR Cavum.

Rhinophyma

Affection dermatologique du nez, caractéristique de la rosacée (acné se traduisant par la dilatation des petits vaisseaux cutanés et la formation de papulopustules sur le visage).

SYMPTÔMES ET SIGNES

Un rhinophyma se traduit par une hypertrophie du nez, parfois très importante, irrégulière et déformante. Il peut aussi entraîner un épaississement de la peau, associé à une dilatation des pores, d'où sourd du sébum (rhinophyma sébacé), ou provoquer une coloration rouge violine de la peau, qui est parcourue de petits vaisseaux sanguins (rhinophyma vasculaire).

TRAITEMENT

C'est celui de la rosacée (antiseptiques locaux, antibiothérapie locale et/ou générale). Un rhinophyma très important peut

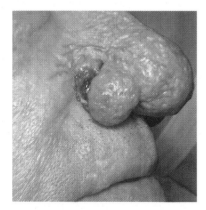

Rhinophyma. Le nez est hypertrophié et déformé, la peau épaissie et parcourue de petits vaisseaux sanguins dilatés.

nécessiter, en outre, une intervention de chirurgie esthétique (ablation des tissus mous au bistouri ou au laser au gaz carbonique).

Rhinoplastie

Opération chirurgicale consistant à modifier la forme du nez.

Une rhinoplastie peut se faire en même temps qu'une septoplastie (opération de la cloison nasale) ou qu'une génioplastie (remodelage du menton). L'association d'une génioplastie et d'une rhinoplastie constitue une profiloplastie.

INDICATIONS

Une rhinoplastie se pratique en cas de déformation inesthétique du nez, parfois susceptible de poser des problèmes respiratoires, ou à la suite d'un traumatisme (coup ayant « enfoncé » le nez, par exemple).

PRÉPARATION

Un bilan psychologique (voire psychiatrique) est essentiel avant de procéder à une opération du nez à visée esthétique. L'opération doit être décidée avec prudence car elle modifie l'aspect du visage d'une façon difficile à imaginer avant l'opération, d'où l'utilité des photographies et des vidéosynthèses, qui aident à prévoir les résultats. Le praticien observe d'abord les caractéristiques de l'arête osseuse (large, bossue, déviée ou ensellée à la suite d'un traumatisme), celles de la pointe du nez (épaisse, asymétrique, recouverte d'une peau épaisse ou fine) ainsi que la forme du visage dans son ensemble et de chacune de ses parties. Ces observations sont importantes pour déterminer la technique chirurgicale à utiliser en fonction du résultat désiré et des caractéristiques morphologiques du visage. En cas de nez ensellé (creusé à la manière d'une selle), le chirurgien devra procéder le plus souvent à une greffe d'apposition (ajout d'os ou de cartilage). L'observation s'appuie sur des photos préopératoires et, éventuellement, sur un scanner destiné à évaluer l'état de la cloison nasale.

DÉROULEMENT

La durée d'hospitalisation est de 48 heures. L'intervention se fait sous anesthésie générale, le malade étant intubé. Le ballonnet de la sonde d'intubation obture la trachée et évite l'inondation des bronches par le sang. L'opération est réalisée par les narines. Le chirurgien procède selon le cas à la suppression de la bosse nasale, au rapprochement des os, à l'affinage de la pointe du nez, par exemple. La muqueuse est ajustée en fin d'intervention. À la fin de l'opération, des mèches spéciales sont placées à l'intérieur du nez afin de tamponner la plaie. Elles restent en place pendant 4 jours. Dans certains cas, de petits tubes creux en silicone sont utilisés pour maintenir la cloison nasale en place, éviter que les narines ne se bouchent et faciliter la respiration. Un plâtre, ou une attelle extérieure, est ensuite posé pour une dizaine de jours.

ÉVOLUTION

Un œdème postopératoire est visible après le retrait du plâtre ou de l'attelle. Le nez

opéré reste sensible pendant une période de 21 jours et retrouve un aspect naturel après 2 mois, mais son aspect définitif n'est fixé qu'après 1 an.

COMPLICATIONS

Moins de 1 % des opérations effectuées donnent lieu à des complications : bec de Corbin (saillie de la partie basse du nez) ; nez trop court dû à une ablation trop importante de tissu osseux ; déviation résiduelle du nez ; obstruction du nez, gênante pour la respiration, par des synéchies muqueuses (adhérences de la cloison du nez avec un cornet [lamelle osseuse du squelette des fosses nasales]) ou par une hypertrophie des cornets. Les défauts sont repérables 2 mois après l'opération, mais une nouvelle intervention ne peut avoir lieu qu'après un certain laps de temps (de 6 mois à 1 an), c'est-à-dire à l'issue du processus de cicatrisation.

Rhinopoïèse

Opération de chirurgie réparatrice consistant à reconstruire totalement le nez.

INDICATIONS

Une rhinopoïèse se pratique le plus souvent à la suite d'un traumatisme, d'une brûlure, d'une morsure, d'une gelure ou d'une mutilation, lorsque le nez est détruit, amputé totalement ou partiellement.

TECHNIQUE

L'opération fait appel à des techniques parfois sophistiquées de microchirurgie. Quelle que soit la méthode employée, une reconstruction muqueuse et ostéocartilagineuse est indispensable. L'os et le cartilage nécessaires sont pris dans l'os iliaque de préférence. L'opération principale dure environ 1 heure ; des retouches (deux ou trois) sont nécessaires et le nez reste sensible environ 6 mois.

Trois grandes techniques sont utilisées pour reconstruire la structure cutanée.

■ **La méthode du lambeau scalpant, ou méthode indienne,** est la plus ancienne et celle qui donne les meilleurs résultats. Elle consiste à utiliser la peau du front pour reconstruire le nez en le retournant à partir d'un pédicule (formé d'un fragment d'artère, de veine et de vaisseaux lymphatiques) situé soit entre les deux yeux, soit au-dessus d'une oreille. La peau est « drapée » sur la structure ostéocartilagineuse en une seule épaisseur sur l'arête du nez, en plusieurs épaisseurs sur les narines. Le front, quant à lui, bénéficie d'une greffe de peau prise à l'intérieur de la cuisse. Il peut également être reconstruit plus esthétiquement par la méthode des expandeurs cutanés (ballonnets posés sous la peau, qui, remplis progressivement de sérum physiologique, la distendent et permettent de gagner ainsi un excédent de peau et d'obtenir une fermeture linéaire de la plaie).

■ **La méthode des lambeaux à distance, ou méthode italienne,** consiste à détacher de la face interne de l'avant-bras un morceau de peau, qui y demeure cependant relié par un pédicule. Le fragment de peau est appliqué à l'emplacement du nez, sur lequel l'avant-bras du patient est maintenu en contact pendant 21 jours à l'aide de bandes collantes ou d'un pansement plâtré. La section du pédicule intervient le 21e jour. De multiples petites opérations de modelage sont ensuite nécessaires. Elles exigent chacune 2 ou 3 jours d'hospitalisation, durent environ 1 heure et se font dans les 6 mois qui suivent l'intervention principale.

■ La méthode par microchirurgie est la plus récente. Le nez est préconstruit sur l'avant-bras avec la peau de la face antérieure de celui-ci, puis transporté avec un pédicule vasculaire (un fragment de l'artère radiale) qu'il faut anastomoser (rattacher) sur des vaisseaux récepteurs de la face, du cou ou de la tempe.

En cas d'échec de l'opération, des prothèses spéciales (épithèses) sont collées à l'emplacement du nez ou maintenues par des lunettes.

Rhinorrhée

Écoulement de liquide provenant des fosses nasales ou des sinus.

Le liquide peut être clair et fluide tout comme il peut être purulent, fait de sécrétions plus épaisses, jaunâtres ou verdâtres.

DIFFÉRENTS TYPES DE RHINORRHÉE

On distingue deux types de rhinorrhée : la rhinorrhée antérieure et la rhinorrhée postérieure.

■ La rhinorrhée antérieure se caractérise par un écoulement vers les narines, rendant le mouchage nécessaire.

■ La rhinorrhée postérieure se reconnaît à un écoulement passant en arrière des fosses nasales. Dans ce cas, le liquide est soit dégluti, soit expectoré. S'il est avalé, le sujet ne s'aperçoit pas toujours de sa présence, mais le médecin peut voir l'écoulement en examinant le fond de la gorge.

CAUSES ET TRAITEMENT

Une rhinorrhée est souvent d'origine infectieuse. Elle apparaît lors d'une rhinite (inflammation des fosses nasales) ou d'une sinusite (inflammation des sinus). Les autres signes et le traitement dépendent de la variété exacte de l'affection.

Rhinoscopie

Examen instrumental des fosses nasales et du pharynx.

La rhinoscopie se pratique lors d'une atteinte des fosses nasales et des sinus (rhinite, sinusite, polypose nasosinusienne, etc.) selon deux méthodes : la rhinoscopie antérieure et la rhinoscopie postérieure.

■ La rhinoscopie antérieure consiste à placer successivement dans chaque narine un petit spéculum en forme de cône creux, souvent formé de deux valves écartables à l'aide d'une vis, et qui permet d'observer la partie antérieure des fosses nasales.

■ La rhinoscopie postérieure se pratique à l'aide d'un miroir de Clar (petit miroir incliné tenu le haut et monté sur un manche). Le médecin pousse doucement le miroir jusqu'au fond de la gorge et regarde l'image du cavum (partie du pharynx située en

arrière des fosses nasales) et des choanes (orifices postérieurs des fosses nasales).

Si les résultats fournis par ces deux techniques se révèlent insuffisants pour diagnostiquer une maladie, le médecin peut les compléter par une rhinofibroscopie.

Rhinovirus

Virus à A.R.N. de la famille des *Picornaviridæ*, agent du rhume, ou coryza, et d'atteintes respiratoires bénignes.

La transmission du rhinovirus s'effectue par voie aérienne, à courte distance (70 centimètres). Le virus, très contagieux, est responsable d'épidémies le plus souvent hivernales. Il existe plus de cent variants antigéniquement différents connus actuellement qui ne confèrent pas d'immunité croisée (l'infection par l'un des variants ne confère pas d'immunité contre les autres). Une infection est donc peu immunisante.

Il n'existe pas de traitement réellement efficace des infections à rhinovirus, qui régressent spontanément dans la plupart des cas ; un traitement local peut en atténuer les signes (écoulement, obstruction du nez).

Rhizarthrose

Arthrose localisée à la racine d'un doigt ou d'un membre.

En pratique, le terme de rhizarthrose est réservé à l'arthrose du pouce, affection atteignant l'articulation entre le trapézoïde (os du carpe participant au squelette du poignet) et le premier métacarpien (os faisant partie du squelette de la main), qui intervient notamment dans les mouvements d'opposition du pouce (pince pouce-index). La rhizarthrose est le plus souvent bilatérale, favorisée par une utilisation intensive du pouce (serveurs, bijoutiers, sportifs). Elle se manifeste par des douleurs et une raideur, voire, lorsqu'elle est parvenue à un stade avancé, par des déformations (pouce en Z).

DIAGNOSTIC ET TRAITEMENT

Le diagnostic d'une rhizarthrose est radiographique. Son traitement est essentiellement local (attelle, infiltrations de corticostéroïdes, physiothérapie) et parfois, si l'affection reste douloureuse, chirurgical, par arthroplastie ou arthrodèse (soudure chirurgicale d'une articulation).

Rhizomélique

Qui est localisé à la racine des membres.

Les articulations rhizoméliques sont les hanches et les épaules.

Rhombencéphale

Partie inférieure du tronc cérébral. SYN. *cerveau postérieur*. (P.N.A. *rhombencephalon*)

Le terme de rhombencéphale est parfois employé pour désigner l'ensemble formé par le bulbe rachidien, situé au-dessus de la moelle épinière, la protubérance annulaire (au-dessus du bulbe) et le cervelet (en arrière du bulbe et de la protubérance). Dans ce cas, le bulbe est appelé myélencéphale, la protubérance et le cervelet formant le métencéphale. Le rhombencéphale dérive du cerveau postérieur de l'embryon. Il est situé

sous le mésencéphale (constitué par les pédoncules cérébraux et les tubercules quadrijumeaux).

Le rhombencéphale est exploré par scanner et/ou par imagerie par résonance magnétique (I.R.M.). Une lésion de cette zone entraîne un syndrome cérébelleux (perte de la coordination des mouvements), des troubles sensitifs et moteurs des membres et, en cas de lésion des nerfs crâniens, du visage (audition, motricité oculaire, etc.).

Rhumatisme

Toute affection douloureuse, aiguë ou - le plus souvent - chronique, qui gêne le bon fonctionnement de l'appareil locomoteur.

DIFFÉRENTS TYPES DE RHUMATISME

Dans le langage courant, mais aussi dans le langage médical, ce terme recouvre des maladies très diverses. On peut répartir les rhumatismes en 6 groupes principaux.

■ Les rhumatismes infectieux sont dus à la présence d'un germe dans l'articulation : arthrite gonococcique ou arthrite tuberculeuse, par exemple.

■ Les rhumatismes inflammatoires s'observent le plus souvent dans le cadre de maladies de système telles que le rhumatisme articulaire aigu, la polyarthrite rhumatoïde, la spondylarthropathie, l'arthrite psoriasique, le lupus érythémateux disséminé, la pseudopolyarthrite rhizomélique, le syndrome de Schönlein-Hénoch, les angéites.

■ Les rhumatismes microcristallins sont dus à la présence de cristaux dans l'articulation ou les tendons : goutte, chondrocalcinose articulaire, maladie des calcifications tendineuses.

■ Les rhumatismes dégénératifs et/ou mécaniques sont dus soit à la dégénérescence et à l'usure d'une articulation (arthrose des membres), soit à des causes mécaniques (par exemple un effort exagéré pour soulever un poids, en cas de hernie discale), soit à une combinaison de ces facteurs (syndrome de rétrécissement du canal carpien).

■ Les atteintes périarticulaires les plus fréquentes sont souvent dans les tendinites, les bursites et les périarthrites.

■ Les affections hématologiques ou tumorales s'exprimant par des douleurs de l'appareil locomoteur sont principalement représentées par le myélome multiple et les métastases cancéreuses osseuses.

→ VOIR Angéite, Arthrite, Arthrose, Bursite, Calcifications tendineuses (maladie des), Canal rachidien (syndrome de rétrécissement du), Chondrocalcinose articulaire, Goutte, Hernie discale, Lupus érythémateux disséminé, Métastase cancéreuse, Myélome multiple, Périarthrite, Polyarthrite rhumatoïde, Pseudopolyarthrite rhizomélique, Rhumatisme articulaire aigu, Schönlein-Hénoch (syndrome de), Spondylarthropathie, Tendinite.

Rhumatisme articulaire aigu

Maladie inflammatoire due à l'action des toxines d'un streptocoque, qui provoquent une inflammation des grosses articulations et du cœur. SYN. *maladie de Bouillaud*.

RHUMATISME

Le terme de rhumatisme regroupe toute maladie aiguë ou chronique entraînant une réaction inflammatoire et douloureuse d'une ou de plusieurs articulations. Les causes d'un rhumatisme sont nombreuses : infection (arthrite), maladie de système, dépôt de cristaux (goutte), usure de l'articulation (arthrose), neuropathie, etc.

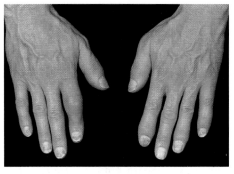

Le rhumatisme psoriasique, qui affecte plus particulièrement les doigts, est l'une des complications d'une affection cutanée, le psoriasis.

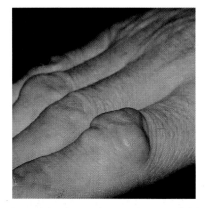

Les nodules rhumatoïdes, caractéristiques de la polyarthrite rhumatoïde, forment des lésions sous-cutanées arrondies.

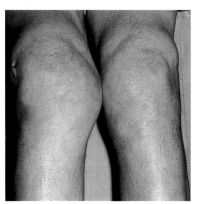

La polyarthrite rhumatoïde entraîne souvent une atteinte symétrique des articulations des membres, ici des genoux.

Le rhumatisme articulaire aigu (R.A.A.) s'observe chez les enfants de 4 à 15 ans. Il survient toujours après une angine à streptocoque du groupe A, non soignée par antibiotiques, et est encore fréquent dans certains pays en développement. La virulence du germe n'est pas responsable des lésions survenant au cours de la maladie, dans lesquelles il n'est pas retrouvé ; on incrimine un processus auto-immun.

SYMPTÔMES ET SIGNES

Le rhumatisme articulaire aigu survient 2 à 3 semaines après l'apparition d'une angine le plus souvent non diagnostiquée et donc non traitée. Il se traduit par une polyarthrite (rhumatisme atteignant plusieurs articulations) et par une fièvre élevée. Ce sont les grosses articulations (genoux, coudes) qui sont atteintes ; elles sont chaudes, douloureuses et augmentées de volume. Ces arthrites sont caractérisées par leur aspect fugace et mobile ; elles régressent sans laisser de séquelles. Des signes cutanés tels que des maculopapules (taches légèrement saillantes) ou des nodosités de Meynet (nodules sous-cutanés apparaissant dans la zone des articulations atteintes) sont possibles mais rares. Une atteinte cardiaque, appelée cardite rhumatismale, survient dans 75 % des cas au cours de la première semaine. Elle prend la forme d'une inflammation du péricarde, du myocarde ou de l'endocarde (valves). Cette inflammation peut entraîner la formation de tissu cicatriciel, responsable à long

terme d'un rétrécissement ou d'une insuffisance valvulaires, mitraux ou, plus rarement, aortiques.

COMPLICATIONS

Elles peuvent survenir de nombreuses années après la première atteinte de la maladie. Le malade peut alors présenter une défaillance hémodynamique avec insuffisance cardiaque. On assiste parfois aussi à la migration des germes, à l'occasion d'une infection, sur les valvules du cœur (parce que celles-ci ont été lésées), ce qui entraîne une endocardite, et parfois à la reprise de la poussée rhumatismale.

Les formes actuelles de la maladie se manifestent surtout par des arthrites localisées à une seule articulation ou encore par des inflammations isolées du cœur.

DIAGNOSTIC

Une infection récente par le streptocoque est mise en évidence par la recherche dans le sang de certaines protéines : antistreptolysines (ASLO), antistreptokinase et antistreptodornase. Le processus inflammatoire est confirmé par l'étude de la vitesse de sédimentation (V.S.), plus élevée que la normale.

TRAITEMENT ET PRÉVENTION

Le traitement nécessite le repos au lit, une antibiothérapie prolongée et une corticothérapie. La prévention des récidives repose sur l'administration d'antibiotiques par voie orale tous les jours ou par voie intramusculaire à intervalles réguliers pendant au moins 5 ans.

La prévention du rhumatisme articulaire aigu repose sur l'administration d'antibiotiques à tout sujet jeune ayant une angine érythémateuse.

Rhumatisme cardiaque
→ VOIR Cardite rhumatismale.

Rhumatisme psoriasique
→ VOIR Arthrite.

Rhumatologie

Discipline consacrée aux maladies rhumatismales et ostéo-articulaires.

Ces maladies ont pour seul point commun d'entraver, à cause de la douleur ou de l'enraidissement qu'elles entraînent, le bon fonctionnement de l'appareil locomoteur. Il s'agit notamment des affections du squelette (ostéoporose, ostéomalacie, rachitisme, maladie osseuse de Paget), des affections articulaires, dégénératives (arthrose, hernie discale) ou inflammatoires (polyarthrite rhumatoïde, chondrocalcinose, spondylarthrite ankylosante), des affections périarticulaires (tendinites, périarthrites, pseudopolyarthrite rhizomélique) et des affections musculaires (claquages, myosite).

Rhume

Affection qui entraîne une toux et un écoulement nasal.
→ VOIR Coryza, Rhinite.

Riboflavine
→ VOIR Vitamine B2.

Ribosome

Petite formation sphérique riche en A.R.N. et constituant un élément essentiel du cytoplasme de la cellule.

Les ribosomes, présents en nombre variable dans les cellules, jouent un rôle dans la lecture de la séquence des bases de l'A.R.N. cytoplasmique pour traduire celle-ci en synthèse des protéines.

Ribozyme

Molécule d'A.R.N. possédant une activité de type enzymatique.

Un acide nucléique comme l'A.R.N. n'a normalement pas d'activité enzymatique. Le ribozyme fait exception en ce qu'il a des propriétés comparables à celles des enzymes et notamment une activité autocatalytique, c'est-à-dire la capacité d'agir sur l'A.R.N. lui-même, par exemple en le coupant. Cette faculté pourrait être mise à profit par le génie génétique pour opérer des coupures spécifiques sur l'A.R.N., mais elle n'est pas encore couramment utilisée.

Richet (Charles)

Médecin et physiologiste français (Paris 1850 - id. 1935).

Il mena de nombreux travaux sur la physiologie du système nerveux ainsi que sur la sérothérapie. Avec Paul Portier, il découvrit, en 1902, le phénomène du choc anaphylactique (manifestation la plus sévère de l'allergie, se traduisant par une grave défaillance de la circulation sanguine), ce qui lui valut le prix Nobel de médecine en 1913. Charles Richet est également l'auteur d'importants travaux dans le domaine de la « métapsychique » (parapsychologie) et le fondateur de l'Institut métapsychique international.

Richter (syndrome de)

Affection caractérisée par l'apparition d'un lymphome non hodgkinien (tumeur maligne des ganglions lymphatiques) de type « à grandes cellules immunoblastiques » au cours d'une leucémie lymphoïde chronique ou d'une maladie de Waldenström.

CAUSES

Le syndrome de Richter est une complication rare (de 1 à 2 % des cas) de la leucémie lymphoïde chronique et de la maladie de Waldenström. Ces deux maladies résultent l'une et l'autre d'une prolifération lente des cellules souches dont proviennent les lymphocytes, globules blancs spécialisés dans certains mécanismes spécifiques de la défense immunitaire. Le syndrome de Richter correspond à une accélération de la prolifération des cellules souches, qui s'accompagne d'une modification cellulaire : les cellules produites ont une morphologie différente de celles issues de la prolifération initiale. Cette transformation semble liée à l'activation d'oncogènes (gènes susceptibles de provoquer une cancérisation) ou à l'inactivation d'antioncogènes (gènes suppresseurs de tumeurs).

SYMPTÔMES ET SIGNES

Le syndrome de Richter se manifeste souvent par l'apparition d'une forte fièvre, par une augmentation marquée et asymétrique de la taille des ganglions lymphatiques (alors que les ganglions tuméfiés le sont de façon symétrique et gardent une taille modérée dans la leucémie lymphoïde chronique et dans la maladie de Waldenström) et par l'augmentation du taux d'une enzyme sanguine, la lacticodéshydrogénase (L.D.H.), qui est alors sécrétée en excès.

DIAGNOSTIC

Le diagnostic ne peut être affirmé que par l'analyse au microscope, après son ablation, d'un ganglion apparu récemment ou de la moelle osseuse si la nouvelle prolifération l'envahit. Ces examens mettent en évidence l'apparition de cellules différentes, plus grandes (grandes cellules immunoblastiques) que celles observées jusqu'alors.

TRAITEMENT ET PRÉVENTION

La prolifération cellulaire étant plus rapide dans le syndrome de Richter que dans les deux maladies au cours desquelles celui-ci survient, le traitement est également plus intensif. C'est une polychimiothérapie, c'est-à-dire une association de plusieurs médicaments inhibiteurs de la multiplication cellulaire (anticancéreux).

La prévention de cette complication est impossible car le mécanisme qui préside à la transformation de la leucémie lymphoïde chronique et de la maladie de Waldenström en syndrome de Richter demeure actuellement inconnu.

Rickettsia

Genre bactérien comprenant de très petits bacilles à Gram négatif, dont la reproduction nécessite une cellule hôte à l'intérieur de laquelle ils se multiplient, responsables de maladies infectieuses appelées rickettsioses.

Rickettsial pox

Maladie infectieuse de la famille des rickettsioses, due à *Rickettsia akari*. SYN. *rickettsiose varioliforme*.

Rickettsiose

Maladie infectieuse due à une bactérie du genre *Rickettsia,* ou rickettsie.

Les rickettsies vivent en parasites de certains insectes et arachnides (poux, puces, tiques, acariens) et sont transmises à l'homme par l'intermédiaire de la salive (piqûre, morsure) ou des excrétions d'un animal vecteur, spécifique de chaque espèce. Les rickettsioses sont pour la plupart géographiquement localisées et surviennent par cas isolés ; certaines (notamment le typhus exanthématique) peuvent atteindre de larges communautés. Ce sont des maladies d'évolution souvent grave, pouvant entraîner le décès en l'absence de traitement.

DIFFÉRENTS TYPES DE RICKETTSIOSE

On classe les rickettsioses en plusieurs groupes.

■ **Les typhus** comprennent notamment le typhus exanthématique, ou historique, dû à *Rickettsia prowazeki* et transmis par le pou du corps (localisé au nord de la Russie, en Turquie, en Arabie saoudite et en Australie) ; le typhus murin, dû à *Rickettsia mooseri* et transmis par la puce du rat (Tchad, Cameroun, Gabon, Madagascar, Chili, côte ouest des États-Unis, Mexique, Inde, Mongolie) ; le typhus des broussailles, ou fièvre fluviale du Japon, dû à *Rickettsia tsutsugamushi* (Extrême-Orient).

■ **Les fièvres boutonneuses** sont transmises par les tiques. On distingue la fièvre boutonneuse méditerranéenne, due à *Rickettsia conorii* (Europe méditerranéenne, Turquie, Roumanie) ; la fièvre pourprée des montagnes Rocheuses, due à *Rickettsia rickettsii* (côte ouest des États-Unis) ; le typhus de São Paulo, dû à *Rickettsia brasiliensis* (Brésil) ; la rickettsiose varioliforme, ou rickettsial pox, due à *Rickettsia akari* (cosmopolite).

Sont également des rickettsioses la fièvre des tranchées, transmise par le pou et due à *Rickettsia quintana,* et la fièvre Q, ou fièvre du Queensland, transmise par le pou et la tique ou par ingestion de lait ou inhalation de poussière, due à *Coxiella burnetii*.

SYMPTÔMES ET TRAITEMENT

Les rickettsioses se caractérisent généralement par leur début brutal et par une fièvre élevée associée à des maux de tête et à un état de prostration. Rapidement survient une éruption cutanée caractéristique associée à une rougeur de la peau (les lésions sont maculopapuleuses [taches planes, semblables à celles de la rougeole]), qui traduisent une vascularite (inflammation des vaisseaux sanguins). La fièvre dure de quelques jours à quelques semaines. En l'absence de traite-

ment, une rickettsiose peut évoluer vers une septicémie, une insuffisance cardiaque ou rénale ou encore une pneumonie. L'isolement du germe peut être fait à partir du sang ou de biopsies ; c'est cependant la recherche d'anticorps par immunofluorescence indirecte qui est le plus souvent utilisée pour poser le diagnostic de la maladie.

Ces affections sont traitées par antibiothérapie. Le pronostic est très bon si le traitement est administré précocement. La prévention consiste à détruire les poux et les tiques.

Ride

Crevasse cutanée.

DIFFÉRENTS TYPES DE RIDE

Il existe deux types de ride.

■ **Les rides d'expression** apparaissent très tôt. Elles sont liées à l'activité des muscles mimiques reliés à la peau (muscles peauciers).

■ **Les rides de vieillesse** sont constantes après 50 ans.

CAUSES

Une ride est due à une rupture des fibres élastiques du derme et à une atteinte du reste du tissu conjonctif sous l'influence du vieillissement, de l'amaigrissement ou d'un froncement expressif de la peau. Elle peut être accentuée sous l'influence du soleil, du vent ou du tabac.

DIAGNOSTIC

Il se fait facilement par l'observation. Il est possible de prendre des empreintes des rides à l'aide d'un matériau plastique qui ressemble à de la cire et s'étend à l'aide d'une spatule. Les empreintes ainsi obtenues peuvent être agrandies et examinées au microscope.

TRAITEMENT

Il existe différents traitements des rides.

■ **Une dermabrasion** est effectuée à l'aide d'une meule ou d'un papier de verre très fin, qui permettent d'atténuer les reliefs de part et d'autre des ridules.

■ **Un lifting** peut faire disparaître des rides, sur le front notamment, par « redrapage » des structures cutanées relâchées.

■ **Un peeling** est réalisé à l'aide de substances comme la neige carbonique, l'azote liquide, la résorcine, l'acide trichloro-acétique, le phénol ou l'acide glycocollique.

■ **Un relèvement des ridules** se fait soit à l'aide d'inclusions en profondeur de fragments dermiques, extraits le plus souvent de la partie supérieure et intérieure de la cuisse (pli inguinal), soit à l'aide de collagène injectable destiné à soulever les ridules. Les injections de silicone sont plus rarement employées en raison des risques de migration du silicone, qui, sous l'effet de la gravité, s'accumule fréquemment au bord de la lèvre et l'épaissit. Des pommades à pénétration transcutanée sont actuellement en cours d'expérimentation.

PRÉVENTION

Le nombre et l'importance des rides augmentent avec l'âge. L'évolution des rides s'accompagne de l'amincissement de l'épiderme et du fractionnement des fibres élastiques

du derme. Seule une excellente hygiène de vie permet de retarder l'apparition des rides.
→ VOIR Dermabrasion, Lifting, Peeling.

Rifampicine

Antibiotique actif sur de nombreuses bactéries.

INDICATIONS ET CONTRE-INDICATIONS

La rifampicine est employée principalement dans le traitement de la tuberculose, mais elle permet aussi de soigner la lèpre, certaines endocardites ou ostéomyélites. Elle est également prescrite à des sujets sains porteurs de méningocoques, germes responsables de méningites.

La rifampicine, inducteur enzymatique, risque de diminuer l'efficacité de nombreux médicaments - en particulier la pilule contraceptive - en accélérant leur métabolisme dans le foie.

MODE D'ADMINISTRATION

Elle se prend par voie orale, souvent en association avec un ou plusieurs autres antibiotiques, ou par voie parentérale.

EFFETS INDÉSIRABLES

Elle colore en rouge-orangé les urines, la salive et les autres sécrétions de l'organisme, ce qui est sans gravité. En revanche, elle présente une certaine toxicité pour le foie (risque d'hépatite) et provoque parfois des réactions allergiques cutanées.

Rift (fièvre de la vallée du)

Maladie infectieuse, d'origine virale, due à un virus de la famille des arbovirus, sévissant en Afrique orientale et en Égypte.

La fièvre de la vallée du Rift atteint l'homme, les ovins (moutons) et les rongeurs. La transmission s'effectue soit par les piqûres de moustiques (culex, *Aedes*, anophèle), soit par contact direct avec les carcasses d'animaux infectés, soit par voie aérienne, d'individu à individu.

Cette arbovirose était autrefois une maladie professionnelle atteignant les éleveurs ou les vétérinaires.

SYMPTÔMES ET SIGNES

La fièvre de la vallée du Rift débute brutalement après une incubation de 3 jours. La fièvre, élevée, s'accompagne de maux de tête, de douleurs musculaires et de nausées. Des complications, graves mais peu fréquentes, peuvent survenir : hémorragies à la fin de la première semaine de l'infection, douleurs rétro-oculaires et encéphalite par dissémination du virus dans le système nerveux central.

DIAGNOSTIC ET TRAITEMENT

Le diagnostic est réalisé par la recherche d'anticorps spécifiques dans le sang. Il n'existe pas de traitement spécifique. Des séquelles (rétinite vasculaire) peuvent subsister. L'évolution est en principe favorable, mais des décès par encéphalite ou hépatite sont possibles. La vaccination reste expérimentale.

Rigidité

Raideur des membres ou de la colonne vertébrale ayant pour cause une augmentation du tonus musculaire.

La rigidité est la conséquence d'une atteinte d'un ou de plusieurs muscles ou du système nerveux (tumeur, accident vasculaire, traumatisme, intoxication ou infection telle que le tétanos).

Au cours des comas, on peut voir apparaître parmi les autres signes une rigidité dite de décortication ou de décérébration. Dans la rigidité de décortication, le cortex cérébral ne fonctionne plus ; les membres sont fixés en permanence en flexion et résistent aux mouvements qu'on essaie de leur imposer. Dans la décérébration, c'est l'ensemble du tronc cérébral qui ne fonctionne plus, et les membres supérieurs sont fixés en extension et en pronation. Ces troubles constituent un indice de gravité immédiate (profondeur du coma) ; ils ne sont cependant pas nécessairement irréversibles.

Rigidité cadavérique

C'est une raideur des membres due à des phénomènes chimiques (coagulation de la myosine), qui commence de 1 à 6 heures après la mort et persiste jusqu'au début du processus de putréfaction. Ce signe est surtout utilisé en médecine légale pour déterminer le moment où s'est produite la mort.

Rinne (épreuve de)

Test auditif permettant d'évaluer le degré d'atteinte de l'oreille moyenne ou interne en comparant l'audition par voie osseuse et l'audition par voie aérienne.

Ce test fait partie de l'acoumétrie, ensemble d'examens permettant de tester l'audition d'un sujet sans utiliser de matériel sophistiqué ; il est réalisable lors d'une consultation.

INDICATIONS

L'épreuve de Rinne permet de distinguer les hypoacousies de perception (diminution de l'acuité auditive due à une atteinte de l'oreille interne) et les hypoacousies de transmission (diminution de l'acuité auditive due à une atteinte de l'oreille moyenne).

DÉROULEMENT

Le médecin fait vibrer un diapason à quelques centimètres de l'oreille du patient afin de faire apprécier à ce dernier la transmission des sons par voie aérienne, puis il pose le diapason contre l'os mastoïde du patient afin de tester la transmission osseuse et demande à chaque fois au malade s'il perçoit quelque chose.

RÉSULTATS

■ À l'état normal, l'épreuve est dite positive. La transmission aérienne est plus longue que la transmission osseuse : le sujet ne perçoit plus le diapason sur le crâne alors qu'il l'entend encore quand le diapason est devant le conduit auditif.

■ En cas d'hypoacousie de perception, l'épreuve est également dite positive. La transmission aérienne est toujours la plus longue, les deux types de transmission sont raccourcis - à cause de l'anomalie des récepteurs de l'oreille interne - mais dans les mêmes proportions.

■ En cas d'hypoacousie de transmission, l'épreuve est dite négative. La transmission aérienne est raccourcie, signe d'anomalies de l'oreille moyenne, du tympan ou des osselets. La transmission osseuse n'est pas atteinte - les vibrations stimulent directement l'oreille interne en passant par les os - et peut même devenir plus longue que la transmission aérienne.

RIPA

Technique de laboratoire permettant de mettre en évidence une infection virale chez un malade. (Abréviation de l'anglais *Radio-immunoprecipitation Assay,* technique de radio-immuno-précipitation.)

Le RIPA est une technique longue et coûteuse, essentiellement utilisée comme test supplémentaire à la réaction de Western-Blot (mise en évidence d'anticorps spécifiques de l'infection) dans le diagnostic des infections par le virus du sida.

TECHNIQUE

La méthode consiste en une réaction entre le sérum d'un malade présumé et une composante antigénique purifiée et radioactive du virus étudié, obtenue par culture cellulaire de celui-ci en présence de composants radioactifs. Le mélange de la solution antigénique avec le sérum sanguin du malade, qui contient des anticorps, entraîne la formation de molécules (complexe antigène-anticorps), qui précipitent. Le complexe est alors soumis à une électrophorèse (utilisation d'un champ électrique pour séparer les différentes substances) sur film radioactif et se révèle sous la forme de différentes taches radioactives.

R.M.N.

→ VOIR Résonance magnétique nucléaire.

Rocher

Partie inférieure de l'os temporal, situé sur le côté du crâne. (P.N.A. *pars petrosa, os temporale*)

DESCRIPTION

Le rocher, qui ressemble à une pyramide quadrangulaire, forme la partie interne et horizontale de l'os temporal. Il se prolonge à sa base par la mastoïde. Au-dessus de lui se trouve la deuxième partie, verticale, du temporal, appelée écaille. En avant se situe l'os tympanal, qui forme le conduit auditif externe. Le rocher est creusé par les cavités osseuses de l'oreille interne, le limaçon et le labyrinthe. Il contient l'oreille moyenne : caisse du tympan et chaîne des osselets. Il est traversé par le nerf facial.

TRAUMATOLOGIE

Un traumatisme crânien provoque parfois une fracture du rocher. Celui-ci peut être bénin et ne donner aucun signe. Il peut aussi être suivi de complications, n'apparaissant, dans certains cas, que plusieurs années après : surdité par lésion de l'oreille moyenne ou interne, paralysie des muscles de la face, méningite. Le traitement comprend des soins locaux (drainage, antibiotiques en prévention de la méningite). Une réparation chirurgicale est parfois possible pour le tympan, les osselets, l'oreille interne et le nerf facial.

Rogers (Carl)

Psychopédagogue américain (Oak Park, Illinois, 1902 – La Jolla, Californie, 1987).

Il prôna une méthode psychothérapique originale, fondée sur l'écoute confiante et compréhensive du malade et une participation active du praticien sans la traditionnelle distanciation médicale et/ou psychanalytique. Cette « approche non directive » suscita beaucoup d'intérêt à la fin des années 1960 mais valut aussi à Carl Rogers de nombreuses critiques.

Rolando (scissure de)

Sillon profond du cortex cérébral, situé à la surface de chacun des hémisphères cérébraux et séparant le lobe frontal du lobe pariétal. (P.N.A. *sulcus centralis*)

Les scissures de Rolando partent du bord supérieur de chacun des deux hémisphères, un peu en arrière de son milieu, et se dirigent vers le bas, presque verticalement, un peu obliquement vers l'avant. Elles délimitent des zones spécialisées fonctionnellement : en arrière de chaque scissure se trouve l'aire somatosensitive (sensibilité consciente) du lobe pariétal ; en avant se trouve l'aire somatomotrice (motricité volontaire) du lobe frontal. Ces zones peuvent être explorées par scanner et par imagerie par résonance magnétique (I.R.M.).

PATHOLOGIE

Une affection, quelle qu'elle soit (tumeur, accident vasculaire, etc.), qui atteint une des scissures de Rolando se traduit par des signes moteurs (le plus souvent hémiplégie touchant le bras et la face ou paralysie d'un bras ou d'une jambe), sensitifs (anesthésie de la peau) et épileptiques, qui touchent la moitié du corps opposée au côté lésé. Les crises d'épilepsie, dites alors bravais-jacksoniennes, sont caractéristiques, consistant en secousses musculaires qui débutent à l'extrémité d'un membre et remontent vers l'épaule ou la hanche puis s'étendent à toute une moitié du corps.

Romberg (signe de)

Perte de l'équilibre pouvant entraîner une chute, apparaissant ou s'accentuant lorsque le patient ferme les yeux.

Le signe de Romberg s'observe au cours de différentes maladies du système nerveux central. Il fait partie des troubles de la coordination des mouvements par atteinte de la sensibilité profonde et est causé par l'absence des perceptions qui informent normalement le cerveau sur la position des articulations et sur la tension musculaire.

Signe de Romberg labyrinthique

Cette perte de l'équilibre est due à une atteinte de l'oreille interne (responsable de l'équilibre).

Le signe de Romberg labyrinthique est ainsi nommé par analogie avec le signe de Romberg. Dans ce cas, cependant, le sujet ne perd son équilibre que plusieurs secondes après avoir fermé les yeux, et le déséquilibre est latéralisé : le malade tend à tomber toujours du côté du vestibule atteint.

Ronflement

Bruit respiratoire émis pendant le sommeil.

Tout obstacle entravant une bonne circulation de l'air entre le nez et le larynx peut être cause de ronflements : hypertrophie des amygdales ou des végétations, déviation de la cloison nasale, rhinite ou, plus fréquemment, anomalie anatomique des voies respiratoires, etc. Parfois, au cours d'un coma profond, un sujet peut respirer bruyamment et ronfler intensément : ce ronflement spécifique est nommé « stertor ». De plus, on distingue du ronflement ordinaire le ronflement avec apnée durant le sommeil.

Ronflement ordinaire

Ce ronflement se traduit par un bruit d'intensité variable, mais parfois considérable, pouvant atteindre 80 décibels.

TRAITEMENT

On réussit parfois à diminuer la puissance du ronflement en évitant de se coucher sur le côté, ou surtout sur le dos, quand on s'endort ou quand on se réveille. On peut aussi obtenir une amélioration en supprimant l'alcool et le tabac, en humidifiant l'atmosphère, en s'abstenant de prendre des somnifères. Dans les cas les plus gênants, seule la pharyngoplastie (ablation chirurgicale d'une partie du voile du palais) est efficace.

Ronflement avec apnée durant le sommeil

Ce ronflement se caractérise par un bruit interrompu par de brefs arrêts respiratoires répétés, suivis par une reprise brusque de la respiration, qui provoquent le réveil du dormeur.

SYMPTÔMES ET SIGNES

Le sujet peut ne garder aucun souvenir de ces réveils et n'avoir qu'une sensation de sommeil de mauvaise qualité. Il se plaint de maux de tête le matin, de difficultés à se concentrer, d'une somnolence pendant la journée. Au fil des ans, l'évolution peut se compliquer d'une insuffisance respiratoire chronique et de troubles cardiovasculaires (accident vasculaire cérébral, par exemple).

DIAGNOSTIC

Difficile à confirmer, il nécessite des enregistrements du rythme cardiaque et des mouvements respiratoires pendant le sommeil à l'aide de capteurs placés sur la peau, dans un centre spécialisé.

TRAITEMENT

Il est fondé sur la ventilation en pression positive : pendant la nuit, le patient porte un masque relié à un appareil qui fournit une pression d'air supérieure à la normale pour élargir les voies respiratoires. Parfois est pratiquée une septoplastie (intervention chirurgicale sur la cloison nasale), une pharyngoplastie (ablation chirurgicale d'une partie du voile du palais) ou une amygdalectomie (ablation des amygdales).

→ VOIR Apnée, Pickwick (syndrome de).

Röntgen (Wilhelm Conrad)

Physicien allemand (Lennep 1845 – Munich 1923).

Il découvre en 1895 des rayons de nature inconnue pouvant pénétrer à travers des enceintes métalliques et produisant une ionisation de l'air. À l'aide de ces rayons, bientôt appelés rayons X, il réalise les premiers clichés des os à l'intérieur du corps humain. Le prix Nobel de physique lui est attribué en 1901 pour cette découverte, qui ouvre la voie à la radiologie et connaît une rapide diffusion à travers toute l'Europe.

Rorschach (test de)

Test psychologique d'exploration de la personnalité fondé sur l'interprétation de

Test de Rorschach. *Le sujet commente successivement 10 taches d'encre noire.*

dessins ressemblant à des taches d'encre, le sujet étant invité à s'exprimer en laissant libre cours à ses associations d'idées.

Ce test, inspiré de la psychanalyse, a été créé en 1921 par le psychiatre suisse Hermann Rorschach (1884-1922). Il a suscité d'importants travaux de recherche et des essais de standardisation à l'usage des psychiatres et des psychologues (diagnostic, tests de sélection, etc.). L'interprétation des réponses permet en effet de préciser, de façon relativement fiable, la structure affective profonde du sujet.

Rosacée

Maladie cutanée du visage associant un érythème (rougeur de la peau), une couperose et des papulopustules (soulèvement de l'épiderme contenant un liquide purulent).

La rosacée, parfois appelée acné rosacée, touche surtout la femme de 30 à 50 ans. Elle fait intervenir de multiples causes : facteur circulatoire local, endocrinien, digestif, nerveux et environnemental.

SYMPTÔMES ET SIGNES

Ils s'installent progressivement et débutent par une rougeur du visage, d'abord ponctuelle, favorisée par les émotions, les repas, l'exposition au soleil ou au froid, qui devient ensuite permanente. Dans un second temps apparaissent une couperose (petits vaisseaux cutanés dilatés) puis la rosacée proprement dite, qui consiste en l'éruption de petites papulopustules sur le nez, le front, les joues et le menton.

TRAITEMENT

Il associe des soins locaux et généraux.

▧ **Les soins locaux** consistent en nettoyage de la peau avec des produits doux, en pulvérisations d'eau minérale, en applications d'antiseptiques peu irritants ou d'antiparasitaires locaux (métronidazole) et en protection contre le soleil (crème de type écran total) et le froid (crème grasse).

▧ **Le traitement général**, souvent indispensable, est fondé sur l'administration d'antibiotiques du groupe des tétracyclines. En cas d'échec, on a parfois recours à des antiparasitaires imidazolés (métronidazole), voire à des dérivés de la vitamine A (isotrétinoïne, formellement contre-indiquée en cas de grossesse).

D'autres traitements sont possibles : médicaments anxiolytiques ou antihistaminiques, correction d'un déséquilibre alimentaire, cures thermales, psychothérapie.

Rose (tétanos céphalique de)

Tétanos généralisé (maladie infectieuse du système nerveux central due à une bactérie à Gram positif, *Clostridium tetani*) au cours duquel on observe une paralysie faciale périphérique (due à l'atteinte du nerf facial par la toxine tétanique).

Le tétanos céphalique de Rose survient quand le bacille a pénétré, par une plaie située à la face, dans le territoire dépendant du nerf facial. La paralysie n'affecte en général qu'un côté du visage, sauf lorsque la plaie se situe au milieu de celui-ci.

→ VOIR **Tétanos.**

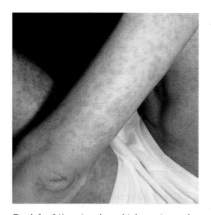

Roséole. *L'éruption de multiples petites taches arrondies, rose très pâle, est parfois à la limite de la visibilité.*

Roséole

Éruption cutanée de taches roses.

La roséole est un signe observé lors de différentes maladies infectieuses dues à des bactéries, comme la syphilis secondaire (deuxième phase de la syphilis non traitée), au cours de laquelle l'éruption prédomine sur le thorax, le cou (collier de Vénus) et l'abdomen, et la typhoïde, ou à des virus, comme la roséole infantile et le sida ; une autre cause possible est une intoxication par un médicament ; dans ce dernier cas, l'éruption s'associe à un prurit (démangeaisons).

La roséole consiste en petites taches planes, arrondies, souvent si pâles qu'elles sont à peine visibles. Le traitement est celui de la cause. L'éruption disparaît spontanément en un temps variable (de quelques jours à plusieurs mois) selon la maladie qui l'a provoquée.

Roséole infantile

→ VOIR **Exanthème subit.**

Rotavirus

Virus à A.R.N. de la famille des *Reoviridæ*, responsable de gastroentérites infectieuses bénignes chez l'enfant.

Les gastroentérites à rotavirus, fréquentes en hiver, ont une transmission orofécale (des fèces à la bouche par l'intermédiaire des mains). Elles ne requièrent pas de traitement spécifique, hormis une réhydratation et une correction de la diarrhée, le plus souvent simplement par une alimentation adaptée (riz, carottes).

Rotule

Os de forme triangulaire, qui participe à la constitution du squelette de la partie antérieure du genou et permet les mouvements de flexion-extension de l'articulation de celui-ci. (P.N.A. *patella*)

STRUCTURE

La rotule est un os superficiel, palpable sous la peau. Située entre le tendon du quadriceps en haut, qui la maintient en place, et le tendon rotulien en bas, qui la relie au tibia,

elle s'articule en arrière avec l'extrémité inférieure du fémur (trochlée) pour former l'articulation fémoropatellaire.

PATHOLOGIE ET TRAUMATOLOGIE

▧ **Le syndrome fémoropatellaire,** fréquent, est le signe d'une atteinte cartilagineuse de la rotule. Le genou est alors douloureux, surtout en flexion prolongée et lors de la descente des escaliers. Le traitement repose le plus souvent sur la rééducation.

▧ **Les fractures de la rotule** sont fréquentes chez l'adulte, souvent consécutives à un choc direct. Le genou est alors douloureux et gonflé par l'hémarthrose (épanchement sanguin dans l'articulation). Si les deux fragments osseux ne sont pas déplacés, une immobilisation plâtrée suffit ; dans le cas contraire, une ostéosynthèse s'impose (un cerclage, en général). L'immobilisation dure 6 semaines, pendant lesquelles le sujet peut marcher en s'aidant de béquilles et en portant une attelle destinée à maintenir son genou en extension. Les principales séquelles d'une fracture de la rotule sont l'arthrose et le syndrome fémoropatellaire.

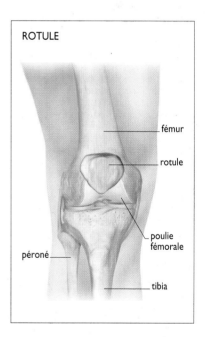

ROTULE

fémur

rotule

poulie fémorale

péroné

tibia

Rougeole

Maladie éruptive contagieuse touchant surtout les enfants et due au virus morbilleux, du genre *Paramyxovirus.*

La rougeole est une maladie infectieuse de l'enfance sévissant de façon quasi permanente et donnant souvent lieu à des épidémies. Celles-ci sont particulièrement meurtrières dans les pays dont la population souffre de malnutrition. En Afrique tropicale, par exemple, la rougeole est l'une des principales causes de mortalité chez les enfants de moins de 4 ans.

CAUSES

Le virus de la rougeole vit exclusivement sur l'homme : il se transmet de manière directe, pénétrant dans l'organisme par les voies respiratoires ou par les yeux (conjonctive), lors de la toux ou de l'éternuement d'un sujet atteint. C'est une maladie très contagieuse durant la période d'incubation (installation du virus dans l'organisme), qui dure environ 10 jours, et pendant la période d'invasion (déclenchement de la maladie), d'une durée de 4 jours.

SYMPTÔMES ET SIGNES

La maladie se déclenche brutalement par une fièvre élevée, une rhinite (inflammation de la muqueuse des fosses nasales) et une conjonctivite (inflammation de la conjonctive) avec écoulement (catarrhe oculonasal) et toux. Le visage est bouffi ; l'intérieur de la bouche est le siège d'un énanthème (éruption muqueuse) caractéristique de la maladie et appelé signe de Köplik (semis de points blanchâtres à la face interne des joues). À ces signes succède une éruption cutanée de macules rouges, qui débute sur la face et s'étend rapidement à tout le corps. Les macules peuvent confluer en grandes plaques rouges. La fièvre et l'éruption régressent en moins d'une semaine mais la toux peut persister une à deux semaines.

COMPLICATIONS

Les plus fréquentes sont les surinfections respiratoires : rhinite purulente, laryngite, pharyngite, otite ou bronchite. Chez les malades au système immunitaire affaibli peut survenir une pneumonie interstitielle, ou bronchite capillaire, de pronostic très sévère. Des complications neurologiques (encéphalite) sont également possibles mais rares. Elles peuvent débuter dès les premiers jours de l'éruption ou plus tardivement et laisser des séquelles neuropsychiques. La survenue d'une rougeole chez une femme enceinte peut provoquer un avortement au 1er trimestre, un accouchement prématuré aux 2e et 3e trimestres et constitue, durant toute la grossesse, un risque de malformation pour le fœtus.

TRAITEMENT

Outre le traitement spécifique des complications, il fait appel au repos, aux médicaments

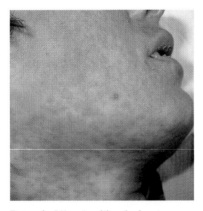

Rougeole. *L'éruption débute le plus souvent sur le visage et sur le cou sous forme de taches rouges légèrement en relief.*

diminuant la fièvre et calmant la toux et à la désinfection des voies respiratoires et des yeux (antiseptiques et antibiotiques). L'éviction scolaire est préconisée pendant toute la durée de la maladie.

ÉVOLUTION ET PRÉVENTION

La rougeole ne survient qu'exceptionnellement une seconde fois, l'infection par le virus conférant une immunité durable et permanente contre cette maladie.

La prévention de la rougeole repose essentiellement sur la vaccination, contre-indiquée pendant la grossesse ou chez les personnes immunodéprimées. Le vaccin est généralement injecté en association avec ceux de la rubéole et des oreillons (vaccin R.O.R.) et administré après l'âge de un an, plus tôt cependant si l'enfant vit en collectivité.

Une séroprévention (administration de gammaglobulines contenant des anticorps spécifiques des antigènes du virus) est possible chez les personnes fragiles et les femmes enceintes ayant été en contact avec des malades atteints de rougeole ; elle n'est toutefois efficace que si elle est pratiquée avant le cinquième jour suivant le contact avec le virus et son efficacité n'est durable que si elle est suivie d'une vaccination effectuée moins de trois mois plus tard.

Rouget du porc
→ VOIR Érysipéloïde.

Roulement

Souffle diastolique pathologique (perçu pendant le temps de relaxation du cœur) existant lors d'un rétrécissement de la valvule mitrale ou, beaucoup plus rarement, de la valvule tricuspide.

Le roulement est provoqué par les vibrations du sang dans la colonne sanguine, elles-mêmes engendrées par le rétrécissement de la valvule. C'est un souffle de tonalité grave, facilement reconnaissable, et que l'on distingue très nettement du souffle diastolique dû à un défaut de fermeture de la valvule aortique.
→ VOIR Rétrécissement valvulaire.

Roux (Émile)

Bactériologiste français (Confolens 1853-Paris 1933).

Collaborateur de Pasteur, avec qui il travailla sur le choléra des poules, la rage et la vaccination préventive, il fut l'un de ses plus brillants continuateurs. Il découvrit avec Yersin la toxine diphtérique et mit au point un sérum antidiphtérique ainsi qu'un sérum contre le choléra. Il dirigea l'Institut Pasteur de 1904 à sa mort.

RU 486
→ VOIR Mifépristone.

Rubéfaction

Rougeur de la peau due à une congestion passagère.

Une rubéfaction peut être provoquée par des médicaments rubéfiants, par exemple par des cataplasmes à la farine de moutarde.

Rubéole

Maladie éruptive contagieuse due à un virus à A.R.N. du genre *Rubivirus* (famille des *Togaviridæ*), touchant surtout l'enfant et l'adolescent.

La rubéole sévit de façon quasi permanente en hiver et au printemps en Europe et sous forme d'épidémies dans les pays anglo-saxons. Les malformations qui peuvent toucher le fœtus, lorsque la rubéole atteint une femme au cours de ses quatre premiers mois de grossesse, font toute la gravité de la maladie.

CONTAMINATION

Le virus de la rubéole vit exclusivement sur l'homme. Il pénètre dans l'organisme par les voies respiratoires. La maladie est très contagieuse pendant les quelques jours qui précèdent l'apparition des signes et pendant toute la durée de ceux-ci.

SYMPTÔMES ET SIGNES

L'incubation silencieuse (sans signes apparents) du virus dure une quinzaine de jours. La période d'invasion (déclenchement de la maladie), longue de deux jours environ, se signale par une fièvre légère et un gonflement des ganglions lymphatiques du cou ; elle peut rester totalement inapparente. Une éruption cutanée maculopapuleuse (petites taches rosées légèrement surélevées) lui succède. Elle débute à la face, s'étend ensuite à tout le corps, principalement au thorax et aux membres supérieurs, et peut prendre un aspect scarlatiniforme (peau entièrement rouge). L'éruption s'associe parfois à une légère angine. Ces signes disparaissent au bout du troisième jour. Les formes atypiques de la maladie (absence d'éruption cutanée) sont actuellement les plus fréquentes.

COMPLICATIONS

Chez l'adolescent ou l'adulte, la rubéole peut être plus grave que chez l'enfant et entraîner des maux de tête, une fièvre et une polyarthrite (inflammation de plusieurs articulations), régressant en une dizaine de jours. Un purpura thrombopénique (affection caractérisée par l'apparition d'hématomes punctiformes) ou une méningoencéphalite sont également possibles.

DIAGNOSTIC ET TRAITEMENT

Le diagnostic de la rubéole repose sur la mise en évidence dans le sang d'anticorps spécifiques. Il n'existe pas de traitement de la maladie ; des médicaments (paracétamol) peuvent être administrés en cas de fièvre. La rubéole ne peut pas survenir une seconde fois, l'infection par le virus conférant une immunité complète et durable.

PRÉVENTION

Elle repose essentiellement sur la vaccination. Le vaccin est le plus souvent associé à ceux de la rougeole et des oreillons (vaccin R.O.R.) et est administré vers l'âge de 15 mois. Il est préconisé aux adolescentes non immunisées.

RUBÉOLE DE LA FEMME ENCEINTE

Chez la femme enceinte non immunisée, une rubéole survenant dans les quatre premiers mois de la grossesse peut être à l'origine de malformations congénitales ou d'une fœtopathie évolutive. Celle-ci traduit l'infection

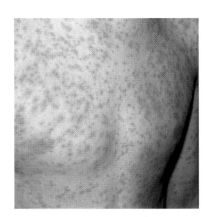

Rubéole. *De petites taches roses, faisant parfois légèrement saillie, se généralisent à la presque totalité du corps.*

d'organes déjà formés, infection diffuse et massive qui persiste au-delà de la naissance. Si la fœtopathie peut régresser, les malformations, en revanche, sont définitives.

Le fœtus est contaminé par l'intermédiaire du trophoblaste puis du placenta. Les malformations concernent les yeux (cataracte, microphtalmie), le système auditif (surdité), le système cardiorespiratoire (persistance du canal artériel, sténose pulmonaire) ou le système nerveux (microcéphalie, retard mental). Ces anomalies ne sont pas toujours décelées à la naissance et peuvent donc se manifester bien après, ce qui justifie une surveillance pendant les premières années de la vie. La rubéole évolutive entraîne un retard de croissance intra-utérin, avec faible poids à la naissance et difficultés de développement ultérieur, ou une atteinte polyviscérale. Les décès (environ 20 % des enfants contaminés meurent dans les premières années de la vie) et les retards psychomoteurs sont fréquents. Une rubéole diagnostiquée dans le premier trimestre de la grossesse permet-elle d'envisager un avortement thérapeutique s'il est démontré, en réalisant une ponction de sang fœtal, que le fœtus est atteint.

La recherche de l'infection par le virus de la rubéole, par réaction sérologique, doit être effectuée chez toutes les femmes enceintes non immunisées chaque mois pendant les quatre premiers mois de grossesse. En outre, celles-ci doivent éviter tout contact avec des personnes contagieuses – en particulier avec des enfants. On peut pratiquer une immunisation passive (injection intramusculaire d'immunoglobulines) chez une femme enceinte non immunisée qui a été en contact avec une personne atteinte de la rubéole ; cependant, cette immunisation n'est efficace que si elle est pratiquée dans les 48 heures qui suivent le contact.

Rugine

Instrument tranchant, servant à dénuder l'os de la membrane qui l'entoure, le périoste, et de ses attaches musculaires.

Une rugine permet de dégager un foyer osseux de fracture pour en pratiquer la réduction par ostéosynthèse.

Rupture tendineuse

Déchirure d'un tendon.

Un tendon peut se rompre à la suite d'une contraction trop brusque ou violente (traumatisme, sprint, saut), d'une plaie (couteau, éclat de verre), de frottements répétés, notamment chez des personnes âgées, ou du fait d'une maladie tendineuse préexistante : tendinite (inflammation d'un tendon) récidivante, polyarthrite rhumatoïde, etc.

SYMPTÔMES ET TRAITEMENT

Une rupture tendineuse se traduit par une douleur violente et une impotence de la région mobilisée par le tendon. Elle doit être soignée sous peine de séquelles fonctionnelles. En cas de plaie, le tendon doit être suturé chirurgicalement ; si ses extrémités sont très éloignées l'une de l'autre, il est parfois nécessaire d'utiliser un greffon tendineux. En l'absence de plaie, le traitement est le plus souvent orthopédique (plâtrage), la chirurgie étant en général réservée aux sportifs de haut niveau. La cicatrisation est assez rapide (6 semaines environ, de 2 à 3 mois pour le tendon d'Achille). Un tel tendon n'aura plus la résistance ni les qualités mécaniques d'un tendon intact : il peut donc empêcher la reprise d'une activité sportive ou professionnelle le sollicitant particulièrement. De la même façon, la reprise d'une activité sportive ne sera autorisée que 6 à 8 mois après une rupture du tendon d'Achille.

Rutoside

Médicament veinotonique et vasculoprotecteur (utilisé dans le traitement des troubles des veines et des capillaires). SYN. *rutide*.

Les rutosides sont des substances d'origine végétale également appelées flavonoïdes, ou vitamine P. Ils sont employés par voie orale contre les symptômes des varices des jambes (lourdeurs, crampes), ceux des hémorroïdes (surtout dans les crises aiguës douloureuses) et ceux de la fragilité capillaire (tendance aux ecchymoses, aux saignements de nez, etc.). Les effets indésirables sont quasiment inexistants : chez certains sujets, on peut noter quelques rares troubles digestifs bénins.

Rythme (trouble du)
→ VOIR Arythmie cardiaque.

Sabouraud (milieu de)

Milieu de culture, consistant en une gélose peptonée (adjonction de protéines) et sucrée, utilisé pour isoler et cultiver des champignons microscopiques responsables de mycoses chez l'homme.

Ce milieu est ensemencé avec un prélèvement effectué sur le patient afin de rechercher le micro-organisme en cause. On y adjoint un ou plusieurs antibiotiques antibactériens (tifomycine) ainsi qu'un produit spécifique, l'actidione, pour empêcher la pousse de bactéries et de champignons saprophytes (n'induisant pas de maladie chez l'homme), qui viendraient perturber celle du champignon cultivé. La culture de certains champignons nécessite un appauvrissement (diminution des glucides et peptides) ou, au contraire, un enrichissement (adjonction de sang, par exemple) du milieu.

Saburral

Qualifie une langue recouverte d'un enduit blanchâtre, la saburre.

Une langue saburrale accompagne un certain nombre de maladies digestives associant infection et troubles digestifs, comme l'appendicite. Elle s'observe également au lendemain d'excès alimentaires ou de boisson et peut même exister en dehors de toute maladie. Quand il s'agit d'un phénomène isolé, la langue saburrale n'appelle aucune investigation.

Saccharine

Substance synthétique sans valeur nutritive, utilisée en remplacement du saccharose pour édulcorer les médicaments et les aliments.
→ VOIR Édulcorant.

Saccoradiculographie

Examen radiologique explorant le contenu du canal rachidien lombaire et sacré et, plus spécialement, les racines des nerfs rachidiens destinés aux membres inférieurs. SYN. *myélographie dorsolombaire, radiculographie lombaire*.

INDICATIONS

La saccoradiculographie est une forme de myélographie. Elle explore la terminaison de la moelle épinière, les racines nerveuses qui en sont issues et le cul-de-sac méningé. Elle permet de mettre en évidence la compression d'un nerf lors d'une sciatique prolongée ou comprimée par une hernie discale, une tumeur d'une racine nerveuse, un rétrécissement du canal osseux, une lésion directe ou indirecte de la moelle en cas de paralysie des membres inférieurs, de perte de contrôle des sphincters et, surtout, de localiser le côté et l'étage de la lésion.

Elle permet aussi d'effectuer des prélèvements de liquide céphalorachidien afin que celui-ci soit analysé en laboratoire.

CONTRE-INDICATIONS

La saccoradiculographie n'est pas pratiquée chez la femme enceinte en raison des dangers que les rayons X présentent pour le fœtus.

TECHNIQUE

L'injection, par ponction lombaire, d'un produit de contraste iodé hydrosoluble permet d'opacifier le liquide céphalorachidien qui circule dans l'espace sous-arachnoïdien. On peut ainsi observer les limites du canal rachidien (parois latérales et cul-de-sac inférieur) et son contenu. Celui-ci apparaît en négatif dans l'opacité : partie inférieure de la moelle épinière (cône terminal) et racines nerveuses des membres inférieurs (queue-de-cheval).

PRÉPARATION ET DÉROULEMENT

Une saccoradiculographie demande une hospitalisation de 48 heures. Le jour de l'examen, le patient doit avoir pris un petit déjeuner léger, sans être totalement à jeun, afin d'éviter les malaises. La ponction lombaire est un geste simple et peu désagréable : le médecin fait pénétrer une aiguille à travers la peau entre les apophyses épineuses de la 4e et de la 5e vertèbre lombaire. Il fait ensuite progresser l'aiguille jusque dans le sac dural. Là, il prélève quelques millilitres de liquide céphalorachidien puis injecte le produit de contraste iodé, qui diffuse à l'intérieur du sac méningé entourant la moelle épinière et les racines nerveuses. Cette injection est indolore.

Le médecin prend alors des clichés radiographiques de face, de profil et de trois quarts, centrés sur le rachis lombaire, en position assise, debout et, en dernier lieu, en position couchée, la tête en bas : le produit de contraste progresse vers le haut du canal rachidien sous l'effet de la pesanteur et le praticien peut observer la moelle de la colonne dorsale et en faire des clichés. L'examen dure au total entre 45 minutes et une heure. Les résultats sont connus dès que les clichés sont développés.

Quand la saccoradiculographie est terminée, le patient doit rester au repos, en position semi-assise, pendant 12 heures, pour éviter la diffusion du produit de contraste dans la tête, ce qui causerait nausées et céphalées. Durant ce temps de repos, il reste sous surveillance médicale et doit boire beaucoup d'eau pour prévenir les maux de tête. Un médicament calmant lui est souvent prescrit.

EFFETS SECONDAIRES

Le produit de contraste iodé peut provoquer une réaction transitoire : nausées, vomissements, éruption cutanée de type urticaire ou encore baisse de la tension artérielle. Si le patient est allergique à l'iode du produit de contraste, le médecin lui prescrit un traitement antiallergique trois jours avant l'examen.

La saccoradiculographie était, il y a peu, un examen de prescription courante. Mais, en raison de leur caractère plus simple et plus efficace, le scanner et, aujourd'hui, l'imagerie par résonance magnétique (I.R.M.) lui sont désormais préférés.
→ VOIR Myélographie.

Sacralgie

Douleur de la région sacrée.

Une sacralgie peut avoir différentes causes : atteinte de l'os du sacrum (fracture, fissure de fatigue, tumeur osseuse bénigne ou maligne, ostéomalacie) ; compression des racines nerveuses sacrées (qui sortent du canal rachidien par les trous sacrés) par des tumeurs de voisinage (kystes arachnoïdiens, tumeur osseuse) ; localisation d'une arthrite (spondylarthrite ankylosante, par exemple) à l'articulation sacro-iliaque ou irradiation vers la région sacrée d'une douleur lombaire (hernie discale) ou provenant du petit bassin (tumeur).

Sacralisation

Malformation mineure de la jonction entre rachis lombaire et sacrum dans laquelle la dernière vertèbre lombaire est soudée à la première vertèbre du sacrum.

À l'inverse, la lombalisation caractérise l'individualisation de la première vertèbre sacrée, réalisant une vertèbre libre supplémentaire.

La sacralisation peut être partielle ou totale, unilatérale (c'est-à-dire toucher la moitié droite ou gauche de la vertèbre : on parle alors d'hémisacralisation) ou bilatérale. Elle peut s'associer à une autre anomalie rachidienne, le plus souvent un spina-bifida occulta (petite ouverture vertébrale postérieure sans conséquence clinique). La sacralisation est une malformation fréquente qui ne se traduit habituellement par aucun symptôme. Elle favoriserait une usure plus précoce du disque intervertébral sus-jacent.

Sacro-iliite

Arthrite de l'articulation sacro-iliaque.
SYN. *sacrocoxite*.

Une sacro-iliite peut être due à n'importe quelle forme d'arthrite (spondylarthrite ankylosante, en particulier). Elle entraîne des douleurs fessières, dites à bascule (affectant tantôt le côté droit, tantôt le côté gauche), qui irradient vers la face postérieure de la cuisse. Le traitement d'une sacro-iliite est fonction de sa cause.

Sacrum

Os constitué par la soudure des cinq vertèbres sacrées, qui réunit le rachis au bassin. (P.N.A. *sacrum*)

STRUCTURE
Le sacrum s'articule latéralement avec les os iliaques (articulation sacro-iliaque) et, par une facette appelée auricule située sur sa face supérieure, avec la dernière vertèbre lombaire du rachis (articulation lombosacrée). Son extrémité inférieure s'articule avec le coccyx (articulation sacrococcygienne). Il est percé de trous, les trous sacrés, qui donnent passage aux nerfs sacrés.

PATHOLOGIE
■ **Une anomalie de position ou de forme du sacrum**, chez la femme, peut avoir une incidence importante sur le déroulement de l'accouchement, surtout si l'enfant se présente par le siège. Ainsi, une césarienne peut être indiquée en cas de présentation par le siège lorsque cet os est anormalement plat ou en forme d'hameçon.

■ **Les fractures du sacrum** sont rares ; elles n'entraînent pratiquement jamais de déplacement osseux mais se compliquent souvent de lésions du plexus sacré.

■ **La lombalisation** est une anomalie congénitale de la première vertèbre sacrée, qui, au lieu d'être normalement soudée aux quatre autres vertèbres qui forment le sacrum, s'en trouve séparée et constitue une vertèbre libre supplémentaire.

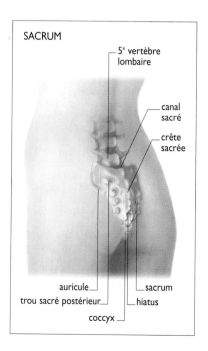

SACRUM

5e vertèbre lombaire

canal sacré

crête sacrée

auricule

trou sacré postérieur

sacrum

hiatus

coccyx

■ **Les tumeurs sacrococcygiennes** sont congénitales mais peuvent ne se révéler qu'à l'âge adulte. Chez le nouveau-né et le nourrisson, elles sont dénommées tératomes et sont bénignes ou malignes, formées de tissu épidermoïde, osseux, muqueux ou nerveux ; chez l'adulte, il s'agit de tumeurs parfois malignes, appelées chordomes.

Sadisme

Perversion qui consiste à chercher le plaisir dans la domination et la souffrance (physique ou morale) d'autrui.
→ VOIR Sadomasochisme.

Sadomasochisme

Obtention du plaisir sexuel par le biais de la souffrance (physique ou morale).

On ne parle de sadomasochisme que lorsqu'une relation conduit systématiquement l'un des partenaires à exprimer un désir de soumission (masochisme) et l'autre à le satisfaire par la domination (sadisme). Bien qu'il s'agisse d'une forme régressive d'échange amoureux, les sexologues ne voient qu'un intérêt relatif à vouloir guérir, au nom de la « normalité », un état de fait dans lequel le couple trouve son équilibre.

Il n'en va pas de même du sadisme psychopathique (agression, viol, etc.), qui relève d'un désordre grave de la personnalité. Certains malades, dont la structure mentale est de type névrotique, sont susceptibles de s'améliorer. D'autres, d'une immaturité affective profonde, sont incapables de contrôler leurs pulsions agressives et nécessitent un suivi médical régulier.

Sage-femme

Personne ayant pour rôle la surveillance, les soins et le conseil des femmes tout au long de leur grossesse, pendant l'accouchement et dans les suites de couches.

Le diplôme de sage-femme est obtenu, selon les pays, au terme d'une formation spécifique ou d'études d'infirmière spécialisée. Le rôle de la sage-femme consiste essentiellement à effectuer les examens nécessaires pendant la grossesse, à surveiller le déroulement de l'accouchement et à pratiquer les soins avant et après l'accouchement. Dans certains pays (la Belgique, la Suisse, la France par exemple), la sage-femme est habilitée à pratiquer seule les accouchements (y compris les épisiotomies), sauf dans les cas de dystocie (accouchement difficile nécessitant, par exemple, une césarienne ou un forceps), pour lesquels elle doit faire appel à un médecin obstétricien. Pendant la grossesse, la sage-femme peut également assurer la préparation à l'accouchement en proposant diverses méthodes : préparation « classique » à l'accouchement sans douleur, sophrologie (méthode aidant à surmonter les sensations douloureuses par la relaxation), préparation aquatique à la maternité (exercices de relaxation et de respiration pratiqués en piscine), haptonomie (méthode qui utilise le toucher pour faire communiquer précocement l'enfant et ses futurs parents), etc.

La sage-femme peut exercer en hôpital, en clinique privée ou de façon libérale.

Saignée

Méthode thérapeutique consistant à retirer une certaine quantité de sang de l'organisme.

Autrefois, la saignée était très utilisée et elle représentait une des rares thérapeutiques existantes. Aujourd'hui, elle est parfois employée en cas d'hypervolémie (augmentation du volume sanguin circulant) ou dans le traitement de fond des polyglobulies, en particulier dans celui de l'insuffisance respiratoire chronique, affection au cours de laquelle l'organisme compense l'insuffisance respiratoire en fabriquant davantage de globules rouges, qui finissent par provoquer une augmentation anormale de la viscosité du sang : la saignée sert alors à diminuer le nombre des globules rouges.

DÉROULEMENT
Une saignée se pratique dans une artère ou, de la même façon qu'une prise de sang, dans une veine de l'avant-bras : elle est alors dite générale. Lorsque le sang provient des capillaires (saignée par ventouses, scarifications, sangsues), elle est dite locale. Selon les cas, on prélève de 250 à 500 millilitres de sang, en une seule fois ou en plusieurs séances espacées de 24 à 48 heures.

Saignement de nez
→ VOIR Épistaxis.

Saint-Guy (danse de)

Mouvements brusques du visage et des membres, propres à la chorée de Sydenham.
→ VOIR Sydenham (chorée de).

Salivaire (glande)

Organe constitué d'une multitude de cellules spécialisées dont la fonction est de sécréter la salive et de la libérer dans la cavité buccale.

Les glandes salivaires sont des glandes exocrines (déversant leur sécrétion vers l'extérieur du corps), qui comprennent deux glandes parotides, deux glandes sous-maxillaires, une glande sublinguale et de nombreuses glandes accessoires.

■ **Les glandes parotides**, situées derrière la branche montante du maxillaire inférieur, sont les plus volumineuses des glandes salivaires. Traversées par le nerf facial, elles rejettent la salive dans le canal de Sténon, qui s'ouvre à la face interne de la joue, en regard de la première molaire supérieure ;
– les oreillons provoquent une augmentation de volume des glandes parotides, qui deviennent visibles et palpables ;
– l'adénome pléiomorphe est une tumeur bénigne de la parotide, qui augmente de volume jusqu'à déformer le visage ; le traitement consiste à retirer chirurgicalement toute la glande, intervention rendue délicate par la nécessité de respecter le nerf facial et ses branches ;
– le syndrome de Gougerot-Sjögren peut également provoquer une augmentation de volume de la parotide.

■ **Les glandes sous-maxillaires**, situées dans le plancher de la bouche, rejettent la salive

dans le canal de Wharton, qui s'ouvre sous la langue en regard des incisives inférieures ;
– la lithiase du canal de Wharton est la formation d'un calcul, par précipitation de sels de calcium, obstruant le canal. Au cours d'un repas, la glande atteinte est stimulée mais ne peut rejeter la salive, ce qui provoque son gonflement ou une douleur, les symptômes disparaissent entre les repas. Il arrive que le calcul s'expulse spontanément ; il peut aussi devoir être extrait chirurgicalement.

■ La glande sublinguale est une glande médiane, localisée dans le plancher de la bouche et comportant deux canaux excréteurs, les canaux de Rivinus et de Walther.

■ Les glandes salivaires accessoires se situent dans la muqueuse des lèvres. Elles peuvent faire l'objet d'une biopsie pour confirmer le diagnostic d'une sarcoïdose ou d'un syndrome de Gougerot-Sjögren.

Salive

Liquide physiologique sécrété dans la cavité buccale par les glandes salivaires (parotides, sous-maxillaires, sub-linguale).

STRUCTURE ET FONCTION

La salive contient de l'eau, des électrolytes (sodium, chlore, potassium), du mucus ainsi qu'une enzyme digestive, la ptyaline, responsable de la transformation de l'amidon en maltose. Sa principale fonction est d'humecter les muqueuses de la bouche (langue, joues, pharynx), facilitant ainsi la phonation, la mastication et la déglutition. La salive possède également un rôle antiseptique. Le volume de la sécrétion (de 0,7 à 1 litre par jour) et sa concentration sont régulés par l'activité des nerfs sympathiques et parasympathiques. Continuellement sécrétée, la salive est déglutie une à trois fois par minute en dehors des repas ; au cours de ceux-ci, sa sécrétion est renforcée.

EXAMENS

Nombre de substances naturelles (hormones), de médicaments (stupéfiants, par exemple) ou de toxiques (plomb, mercure) sont éliminés par la salive ; il est possible de les doser en faisant l'analyse de celle-ci.

PATHOLOGIE

La diminution du flux salivaire, lequel protège la muqueuse œsophagienne, se traduit par une sensation de « bouche sèche ». Cette sensation peut être due aux émotions, à la prise de certains médicaments (atropine) ou à des maladies (syndrome de Gougerot-Sjögren). On y remédie par la vaporisation de liquides de substitution. Une production trop importante de salive, ou hypersialorrhée, peut être notamment liée à une affection dentaire (carie, gengivite, ulcère buccal) ou à une maladie neurologique (maladie de Parkinson, rage).

Salk (Jonas Edward)

Bactériologiste américain (New York 1914 – La Jolla 1995).

Il entama en 1947 des recherches sur la poliomyélite qui corroborèrent l'existence de trois souches distinctes du virus. Il démontra que le virus tué ne déclenchait pas la poliomyélite, mais entraînait la formation d'anticorps : le vaccin antipoliomyélitique qu'il mit au point en 1953 contribua à un recul très important de cette maladie.

Salle d'opération

Local où s'effectuent les interventions chirurgicales.

La salle d'opération est l'un des locaux du bloc opératoire. Elle peut être affectée soit à un type général d'intervention (par exemple les interventions comportant un risque viscérale, chirurgie cardiaque, etc.).
→ VOIR Bloc opératoire.

Salmonellose

Maladie infectieuse due à une salmonelle, bactérie à Gram négatif qui parasite le tube digestif des vertébrés.

CAUSES

Les salmonelloses, dont il existe de nombreuses variétés, sont transmises par voie digestive (toxi-infection alimentaire) soit par ingestion d'eau – provenant souvent d'un puits –, soit par ingestion d'aliments contenant la bactérie (fruits de mer crus ou insuffisamment cuits, lait, œufs, viande, volailles). Dans certains cas, la bactérie est transportée sur la nourriture par l'intermédiaire de mouches, à partir de matières fécales infectées ; la nourriture peut également être infectée lorsqu'elle est manipulée par des porteurs du germe.

Les salmonelloses frappent des individus par cas isolés ou prennent la forme d'épidémies, en particulier dans les collectivités (cantines, foyers, hôpitaux). Il existe des porteurs sains (porteurs du germe ne développant pas la maladie) de salmonelles.

SYMPTÔMES ET SIGNES

Ils varient selon le germe responsable : gastroentérite fébrile, survenant de 24 à

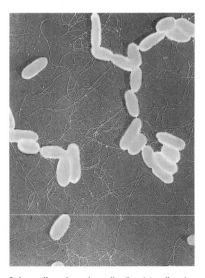

Salmonellose. *Les salmonelles (bactéries allongées en forme de bâtonnet) peuvent provoquer divers troubles digestifs : gastroentérites, diarrhées, etc.*

48 heures après l'ingestion de l'aliment contaminé et responsable de diarrhées et de vomissements, ou infection généralisée (fièvres typhoïde et paratyphoïde, respectivement dues à *Salmonella typhi* et *Salmonella paratyphi*). Chez les malades aux défenses immunitaires affaiblies, des septicémies, compliquées d'infections pulmonaires, méningées, urinaires ou osseuses, peuvent survenir.

TRAITEMENT ET PRÉVENTION

Le traitement consiste à administrer des antibiotiques ; les porteurs sains doivent également être traités.

La prévention nécessite le contrôle bactériologique des denrées alimentaires et des eaux de boisson ainsi que le dépistage et l'éviction des collectivités des porteurs du microbe. Dans les pays où les contrôles sanitaires sont insuffisants, l'ingestion de certains aliments, lorsqu'ils sont crus ou peu cuits (notamment crustacés, lait et glaces), est déconseillée.

Salpingectomie

Ablation chirurgicale d'une trompe utérine ou des deux.

Une salpingectomie est indiquée dans le traitement d'une infection des trompes (hydrosalpinx, ou accumulation de sérum dans la trompe ; pyosalpinx, ou accumulation de pus dans la trompe) ou pour traiter une grossesse extra-utérine tubaire. Elle peut être pratiquée par laparotomie (ouverture chirurgicale de l'abdomen) ou par cœliochirurgie (introduction d'instruments par une petite incision abdominale). L'anesthésie est toujours générale et l'hospitalisation varie entre 4 et 7 jours, dans le premier cas, et entre 24 et 72 heures dans le second.

Une salpingectomie d'une trompe n'entrave en aucune façon la fertilité de la femme si l'autre trompe est fonctionnelle ; en revanche, une salpingectomie des deux trompes entraîne une stérilité définitive.

Salpingite

Inflammation d'une trompe utérine ou des deux.

CAUSES ET SYMPTÔMES

L'origine d'une salpingite est infectieuse, les germes responsables étant ceux des maladies sexuellement transmissibles (chlamydia, gonocoque, mycoplasme). Cette inflammation se manifeste en général par des douleurs pelviennes, des saignements vaginaux, une fièvre plus ou moins élevée, des pertes vaginales anormales ; parfois, cependant, elle ne se traduit par aucun signe et est découverte au cours d'un examen motivé par une stérilité. L'inflammation peut s'étendre aux organes voisins : vagin, paramètres (membranes de soutien situées de part et d'autre de l'utérus), ovaires. La salpingite aiguë est une urgence thérapeutique car du bon fonctionnement des trompes dépend la fécondité de la femme. En effet, lorsqu'elle n'est pas traitée, une salpingite risque d'entraîner une obstruction tubaire responsable d'une stérilité définitive.

TRAITEMENT ET SURVEILLANCE

Le traitement repose sur la prise d'antibiotiques adaptés au germe durant une période

Le sang est un liquide rouge et visqueux circulant dans les vaisseaux (artères et veines) pour irriguer les tissus de l'organisme. Il comprend deux parties : une partie liquide, le plasma, et des éléments figurés, hématies, leucocytes et plaquettes. Les hématies assurent le transport de l'oxygène et du gaz carbonique ; les leucocytes interviennent dans la défense anti-infectieuse (polynucléaires) et immunitaire (lymphocytes) ; les plaquettes, dans la coagulation.

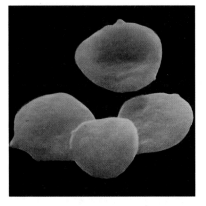

Les plaquettes non activées du sang circulant ont la forme d'un disque.

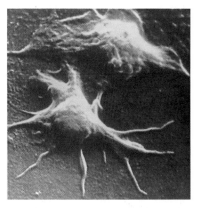

Les plaquettes, activées par la lésion d'un vaisseau, libèrent leur contenu.

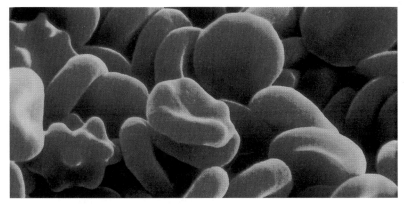

Les globules rouges sont des cellules dépourvues de noyau, à l'aspect d'un disque déprimé au centre. Ils doivent leur coloration à l'hémoglobine qu'ils contiennent.

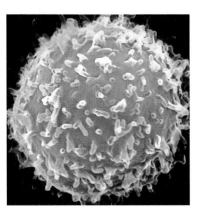

Les lymphocytes T sont des globules blancs responsables de l'immunité cellulaire.

---

allant de 10 jours à 3 semaines. Un traitement antibiotique du partenaire est aussi nécessaire. En raison des risques de récidive, une surveillance gynécologique régulière est souhaitable. Une consultation médicale est recommandée à la moindre infection génitale basse (pertes blanches abondantes), surtout si la femme porte un stérilet.

Salpingographie

Examen radiologique des trompes utérines.
→ VOIR Hystérosalpingographie.

Salpingoplastie

Opération chirurgicale visant à rétablir la perméabilité de trompes utérines obstruées.

Une salpingoplastie est indiquée lorsqu'une femme désire avoir un enfant alors qu'une inflammation de ses trompes, d'origine infectieuse, ou des adhérences postchirurgicales ont provoqué une obturation de celles-ci, responsable d'une stérilité.

DIFFÉRENTS TYPES DE SALPINGOPLASTIE

La méthode peut varier selon la localisation de l'obstruction.

■ La salpingoplastie proximale est pratiquée lorsque l'obstruction est proche de l'abouchement des trompes dans l'utérus : les zones lésées sont sectionnées et l'extrémité du segment sain de chaque trompe est abouchée à la place. La salpingoplastie proximale est réalisée sous anesthésie générale, par laparotomie (ouverture chirurgicale de l'abdomen) ou par cœliochirurgie (intro-

duction des instruments par une petite incision abdominale). Une hospitalisation de 4 à 7 jours, dans le premier cas, et de 24 à 72 heures, dans le second, est requise.

■ La salpingoplastie distale est effectuée lorsque le rétrécissement est placé plus près du pavillon de la trompe : la trompe est alors ouverte et ses bords sont évasés vers l'extérieur. La salpingoplastie distale est maintenant presque toujours pratiquée par cœliochirurgie. L'hospitalisation dure de 24 à 72 heures.

■ La salpingoplastie par cathétérisme sélectif, actuellement en cours d'évaluation, consiste à déboucher la trompe obstruée par un cathéter relié à un ballonnet et introduit par les voies naturelles, qui sert à provoquer une dilatation du rétrécissement tubaire. Cette opération a lieu sous anesthésie générale et nécessite une hospitalisation de quelques jours.

Sanatorium

Établissement spécialisé dans le traitement de la tuberculose et de certaines maladies pulmonaires infectieuses chroniques (aspergillose, par exemple).

Depuis l'apparition de médicaments antituberculeux efficaces, les sanatoriums tendent progressivement à disparaître ou à changer d'activité. Cependant peuvent encore y séjourner des malades atteints de formes graves ou très contagieuses de tuberculose, ou des malades appartenant à des milieux particulièrement défavorisés, qui

poursuivent ainsi leur traitement dans les meilleures conditions d'hébergement et de surveillance.

Sang

Liquide rouge, visqueux, circulant dans les artères et dans les veines sous l'action de la pompe cardiaque.

Grâce à sa composition complexe et à sa circulation rapide, le sang, en irriguant tous les tissus, assure de multiples fonctions. Il permet notamment, par l'intermédiaire du réseau capillaire interposé entre la circulation artérielle et la circulation veineuse, le transport des gaz (oxygène et gaz carbonique), celui de substances nutritives (glucides, lipides, protides), celui des éléments nécessaires aux défenses de l'organisme contre les bactéries, parasites et virus (anticorps, éosinophiles, lymphocytes, monocytes, polynucléaires neutrophiles).

La circulation sanguine est assurée par les contractions du muscle cardiaque. Celui-ci envoie à chaque contraction environ la moitié du sang vers les poumons, où le gaz carbonique est évacué dans l'air expiré, alors que l'oxygène est absorbé par les globules rouges. L'autre partie du sang est envoyée par l'aorte vers les différents tissus, d'où il revient par les veines caves.

COMPOSITION

Le volume sanguin est constitué par des cellules, pour près de sa moitié (érythrocytes, encore appelés hématies ou globules rouges ;

ÉLÉMENTS FIGURÉS DU SANG

	Principales causes de diminution	*Nombre par millimètre cube*	*Principales causes d'augmentation*
Hématies (globules rouges)	Anémie	de 4 000 000 à 6 200 000 (selon l'âge et le sexe)	Polyglobulie
Leucocytes (globules blancs)	Infections virales, hémopathie, chimiothérapie	de 4 000 à 10 000	État infectieux, hémopathie maligne
Formule leucocytaire Polynucléaires			
neutrophiles	Ethnie (Afrique), infection virale, toxicité médicamenteuse, hémopathie	de 1 700 à 7 500	Infection bactérienne, inflammation, tabagisme, certains médicaments, hémopathie
éosinophiles		de 0 à 500	Allergie, parasitose
basophiles		de 0 à 200	
Mononucléaires lymphocytes	Déficit immunitaire	de 500 à 4 500	Infection virale et bactérienne, hémopathie
monocytes		de 0 à 1 000	Inflammation, hémopathie
Thrombocytes (plaquettes)	Atteinte de la moelle osseuse, maladie immunologique, toxicité médicamenteuse	de 150 000 à 450 000	État inflammatoire, ablation de la rate, stimulation de la moelle osseuse

PRINCIPAUX CONSTITUANTS DU PLASMA SANGUIN

	Dénomination du taux sanguin	*Principales causes de diminution*	*Valeurs normales par litre (1) en unités conventionnelles*	*Valeurs normales par litre (1) en unités internationales*	*Principales causes d'augmentation*
Éléments minéraux, électrolytes					
Sodium	Natrémie	Hyperhydratation, traitement diurétique	de 3,10 à 3,45 g	de 135 à 150 mmol	Déshydratation
Potassium	Kaliémie	Diarrhée, syndrome de Conn, traitement diurétique	de 136 à 196 mg	de 3,5 à 5 mmol	Insuffisance rénale
Calcium	Calcémie	Déficit en vitamine D (rachitisme)	de 96 à 104 mg	de 2,4 à 2,6 mmol	Hyperparathyroïdie, cancer des os, myélome
Magnésium	Magnésémie	Alcoolisme, diarrhée, insuffisance hépatique	de 15 à 27 mg	de 0,6 à 1,15 mmol	Insuffisance rénale
Fer	Sidérémie	Grossesse, allaitement, état infectieux	de 0,6 à 1,3 mg	de 11 à 23 μmol	Hémochromatose
Chlore	Chlorémie	Diarrhée, vomissements, traitement diurétique	de 3,4 à 3,9 g	de 95 à 110 mmol	Insuffisance rénale
Phosphore minéral	Phosphorémie	Déficit en vitamine D (rachitisme), hyperparathyroïdie	de 25 à 40 mg	de 0,8 à 1,3 mmol	Insuffisance rénale, hypervitaminose D
Réserve alcaline		Acidose métabolique, alcalose gazeuse	de 45 à 60% vol.	de 22 à 30 mmol	Alcalose
Glucides et lipides					
Glucose	Glycémie	Coma hypoglycémique, jeûne, insuffisance surrénalienne	de 0,8 à 1,2 g	de 4,4 à 6,7 mmol	Diabète, hypercorticisme
Triglycérides	Triglycéridémie	Insuffisance hépatique, malnutrition	de 0,5 à 1,4 g	de 0,6 à 1,5 mmol	Diabète, excès alimentaires, facteurs génétiques
Cholestérol	Cholestérolémie	Hyperthyroïdie, malnutrition, insuffisance hépatique	de 2 à 2,5 g	de 5,2 à 6,5 mmol	Facteurs génétiques, hypothyroïdie

(1) Valeurs chez l'homme adulte à jeun, ces chiffres pouvant légèrement varier d'un laboratoire à l'autre
mmol = millimole
μmol = micromole
U.I. = unité internationale

leucocytes, ou globules blancs ; thrombocytes, ou plaquettes), et par le plasma.

■ **Les érythrocytes** contiennent essentiellement l'hémoglobine, pigment dont le rôle fondamental est de transporter l'oxygène des poumons vers les tissus. L'oxygène y est alors relâché et les globules rouges se chargent en retour de gaz carbonique, produit de déchet du métabolisme cellulaire, qu'ils transportent par le système veineux jusqu'aux poumons, où il est éliminé dans l'air expiré.

■ **Les leucocytes** comprennent différents types cellulaires : les polynucléaires neutrophiles et les monocytes, qui jouent un rôle essentiel dans la défense non spécifique contre les infections bactériennes, les champignons et les parasites ; les lymphocytes, supports cellulaires de l'immunité spécifique ; les polynucléaires éosinophiles, dont l'augmentation témoigne d'une allergie ou

d'une parasitose ; les polynucléaires basophiles, dont le rôle est encore incertain.

■ **Les plaquettes** jouent un rôle essentiel, avec les facteurs de coagulation, dans la formation du caillot sanguin et donc dans l'hémostase (arrêt des hémorragies).

■ **Le plasma** est un liquide jaune paille, composé à 95 % d'une eau légèrement salée (9 ‰) et de nombreux autres éléments en quantité variable, dont des éléments nutritifs, des déchets et des protéines. Ses propriétés physicochimiques sont remarquablement constantes, en particulier son pH (degré d'acidité), à 7,42, stabilisé par des substances tampons, et sa concentration en divers ions (sodium, potassium, chlore, phosphate, etc.), dont la constance dépend d'une régulation faisant intervenir les poumons, les reins et diverses hormones.

– Les éléments nutritifs du plasma sont les sucres, notamment le glucose, les graisses

(cholestérol, triglycérides, acides gras), les acides aminés, les sels minéraux et les vitamines. Absorbés par voie intestinale, ces éléments nutritifs sont transportés vers les tissus ou un lieu de stockage comme le foie, d'où ils seront libérés selon les besoins de l'organisme.

– Les déchets du plasma sont principalement l'urée et la bilirubine. L'urée, produit final de dégradation des substances azotées, est transportée par le plasma vers les reins, où elle est éliminée dans les urines ; son taux est élevé en cas d'insuffisance du fonctionnement rénal. La bilirubine provient de l'hémoglobine et résulte de la destruction physiologique des globules rouges par les macrophages ; la bilirubine normale du sang n'est pas encore passée par le foie et est dite « libre » (par opposition à la bilirubine « conjuguée », qui résulte de sa transformation chimique dans le foie et est excrétée

PRINCIPAUX CONSTITUANTS DU PLASMA SANGUIN (suite)

	Dénomination du taux sanguin	Principales causes de diminution	Valeurs normales par litre (1) en unités conventionnelles	Valeurs normales par litre (1) en unités internationales	Principales causes d'augmentation
Enzymes					
Transaminases (A.S.A.T., A.L.A.T.)	Transaminasémie		de 2 à 50 U. Wroblewski	de 2 à 20 U.I.	Infarctus du myocarde, hépatite aiguë, cirrhose
Protides et autres constituants azotés					
Acide urique	Uricémie	Hépatite aiguë	de 20 à 70 mg	de 120 à 420 μmol	Goutte, insuffisance rénale, hémopathie
Bilirubine conjuguée (directe)		Sans cause significative	inférieure à 2,3 mg	inférieure à 4 μmol	Hépatite, obstruction biliaire
Bilirubine non conjuguée (indirecte)		Sans cause significative	de 2 à 10 mg	de 3,4 à 17 μmol	Hémolyse, maladie de Gilbert
Créatinine	Créatininémie	Cachexie	de 7 à 13,6 mg	de 50 à 120 μmol	Insuffisance rénale
Fibrinogène	Fibrinémie	Insuffisance hépatique aiguë, coagulation intravasculaire disséminée	de 2 à 4,5 g		État inflammatoire
Protéines totales, dont :	Protidémie	Malnutrition, syndrome néphrotique, insuffisance hépatique	de 60 à 80 g		Déshydratation, état de choc
Albumine	Albuminémie	Malnutrition, syndrome néphrotique, insuffisance hépatique	de 33 à 49 g		Déshydratation, état de choc
Globulines totales, dont :	Globulinémie	Hypogammaglobulinémie	de 20 à 24 g		Cirrhose, myélome, état de choc
Alpha 1-globulines		Syndrome néphrotique	de 2 à 4 g		Infections
Alpha 2-globulines		Sans cause significative	de 3 à 7 g		État inflammatoire
Bêta-globulines		Sans cause significative	de 5 à 10 g		Cirrhose
Gamma-globulines		Déficits immunitaires	de 6 à 12 g		Cirrhose, myélome, état inflammatoire et infectieux
Urée	Urémie	Insuffisance hépatique, cachexie	de 0,25 à 0,45 g	de 4,2 à 7,5 mmol	Insuffisance rénale

(1) Valeurs chez l'homme adulte à jeun, ces chiffres pouvant légèrement varier d'un laboratoire à l'autre
mmol = millimole
μmol = micromole
U.I. = unité internationale

dans la bile). Un excès de bilirubine dans le plasma s'observe en cas d'hyperdestruction des globules rouges ou en cas de maladie hépatique.

– Les protéines du plasma sont extrêmement nombreuses. Ce sont en particulier toutes les protéines de la coagulation, dont le fibrinogène (un plasma dont la fibrine a été éliminée prend le nom de sérum) ; l'albumine, protéine quantitativement la plus importante du plasma à l'état normal, qui joue un rôle essentiel de transport d'hormones et de vitamines ; les alphaglobulines, qui comportent diverses protéines (alpha-1-antitrypsine, par exemple, dont le déficit est responsable de troubles respiratoires) ayant une activité inhibitrice d'enzyme protéolytique (destruction sélective des protéines) ; les alpha-2-globulines, qui comprennent différentes protéines dont le taux s'élève en cas d'inflammation ; les bêtaglobulines, qui comprennent des anticorps (immunoglobulines) mais aussi d'autres protéines comme la transferrine et le complément ; les gammaglobulines, qui sont constituées exclusivement d'immunoglobulines. Les protéines du plasma comprennent, en outre, les hormones et certains facteurs de croissance, messagers chimiques transportés par le sang pour réguler la production des diverses cellules de l'organisme (érythropoïétine, par exemple, qui stimule la synthèse des globules rouges par la moelle osseuse).

La grande taille des protéines les empêche de passer du sang vers les tissus et permet au plasma de retenir l'eau. Ce mécanisme, appelé pression oncotique, tend à maintenir constant le volume sanguin.

ANALYSE DU SANG

Elle permet d'obtenir des informations sur sa composition en globules, en protéines, en antigènes, en anticorps et en gaz. Il existe 3 principaux types d'analyses sanguines.

Le sang est recueilli dans une veine du pli du coude à l'aide d'une seringue après pose d'un garrot au-dessus du point de ponction. Dans certains cas, lorsque quelques gouttes suffisent, on le prélève en piquant le bout du doigt. Les résultats des tests sont comparés à des normes standards qui peuvent varier en fonction de l'âge et du sexe du patient, mais aussi en fonction du laboratoire, selon la méthode employée.

■ **Les examens hématologiques**, dont les plus importants sont l'hémogramme et les tests de coagulation (temps de saignement, temps de coagulation, taux de prothrombine, temps de céphaline activée, numération des plaquettes), permettent l'étude des composants du sang (forme, nombre, taille des globules) et des facteurs de la coagulation.

■ **Les examens biochimiques** étudient les différentes substances chimiques du plasma (sodium, urée, vitamines, etc.). Les protéines du sérum sanguin peuvent être étudiées par l'électrophorèse des protides.

■ **Les examens microbiologiques**, et notamment l'hémoculture, consistent à rechercher dans le sang différents micro-organismes (antigènes, bactéries, champignons microscopiques, virus) ainsi que les anticorps qui se sont formés contre eux.

PATHOLOGIE

Chacun des composants du sang peut présenter différentes anomalies.

■ **Les maladies touchant les hématies** peuvent résulter de déficits, nutritionnels ou par malabsorption, principalement en fer (anémie ferriprive), acide folique (anémie mégaloblastique) et vitamine B12 (maladie de Biermer), ou d'anomalies génétiques (thalassémie et drépanocytose, par exemple), qui peuvent être dominantes (il suffit que le gène déficient soit reçu de l'un des parents pour que l'enfant développe la maladie) ou récessives (ne se développant que si le gène responsable est reçu du père et de la mère), ou encore liées au chromosome X (chromosome sexuel). Elles peuvent encore découler de mutations acquises aboutissant à une prolifération anormale (polyglobulie) ou d'infections parasitaires (destruction des globules rouges en cas de paludisme, par exemple).

■ **Les maladies touchant les leucocytes** sont avant tout les leucémies, affections malignes de la moelle osseuse entraînant une production de globules blancs anormaux et la destruction de la moelle saine. Par ailleurs, les maladies infectieuses du sang peuvent être favorisées par un manque de polynucléaires neutrophiles et de monocytes (infections bactériennes) ou par un déficit en lymphocytes (infections virales et mycosiques).

■ **Les maladies retentissant sur la composition du plasma** résultent d'anomalies de la synthèse ou du catabolisme des composants génétiques de celui-ci (en particulier anomalies des facteurs de la coagulation, responsables d'hémophilie) ou sont acquises (synthèse d'une immunoglobuline anormale, responsable de myélome multiple ou de maladie de Waldenström). Les affections retentissant le plus sur la composition du plasma sont celles du foie (cirrhose) et du rein (syndrome néphrotique du diabète). Ainsi, la diminution de la production d'albumine par le foie ou la perte excessive d'albumine par le rein peuvent entraîner une carence en albumine associée à des œdèmes ; l'insuffisance rénale fonctionnelle accroît le taux d'urée, de créatinine et de potassium dans le plasma.

TRANSFUSION SANGUINE

Les différents produits sanguins sont indispensables au traitement de nombreuses affections. Ces produits sont pour la plupart prélevés sur des donneurs volontaires, le sang étant un liquide beaucoup trop complexe pour qu'il soit actuellement possible de le produire artificiellement. Toutefois, certains de ses composants comme l'eau, le sodium, le potassium, le calcium, le glucose, les lipides, les acides aminés, les vitamines peuvent être produits comme des médicaments et administrés comme tels. Quelques protéines, comme le facteur VIII, intervenant dans le processus de coagulation, commencent à être obtenues par des techniques de génie génétique. En revanche, la plupart des autres protéines, y compris l'albumine, les globules rouges, les plaquettes, les polynucléaires neutrophiles, ne peuvent être obtenues qu'à partir de sang biologique.

Les thérapeutiques transfusionnelles sont devenues de plus en plus sûres grâce à la sélection des donneurs et aux divers tests pratiqués pour éliminer le sang de ceux qui sont contaminés par certains virus (virus des hépatites B et C, V.I.H.).

Les différents produits sanguins obtenus à partir de sang biologique sont :

– l'albumine (traitement de l'hypoalbuminémie), protéine relativement simple mais non encore produite par génie génétique ;

– les facteurs de la coagulation (traitement des patients présentant un déficit de ces facteurs provoquant des hémorragies ou risquant d'en provoquer lors d'une intervention chirurgicale), desquels les techniques modernes de traitement permettent d'éliminer les virus connus, en particulier celui du sida ;

– les globules rouges (traitement des anémies mal tolérées), qui, après avoir été séparés du plasma, peuvent être conservés et transfusés sous forme de culots globulaires. À la température de conservation habituelle de 4 °C, les globules rouges peuvent être conservés jusqu'à 42 jours après le prélèvement. Pour les groupes sanguins très rares, il est possible de les congeler et de les conserver ainsi pendant beaucoup plus longtemps ;

– les immunoglobulines (traitement de certains déficits immunitaires ou, à très forte dose, de certaines maladies auto-immunes). On peut également utiliser le sérum de sujets ayant un taux élevé d'anticorps vis-à-vis de certains virus ou ayant été récemment vaccinés contre le tétanos, par exemple, pour éviter d'utiliser des anticorps d'origine animale. Les immunoglobulines sont encore utilisées dans la prévention de la maladie hémolytique du nouveau-né ; on utilise dans ce cas des immunoglobulines ayant une activité contre l'antigène D du système Rhésus, obtenues à partir du sang de sujets volontairement immunisés contre cet antigène ;

– les plaquettes (traitement de certains troubles de la coagulation), qui sont soit obtenues à partir d'un don de sang total, formant alors une unité plaquettaire, soit transfusées à partir d'un don de plasmaphérèse ou de cytaphérèse ;

– le plasma frais congelé (remplissage vasculaire), qui n'est plus utilisé qu'à titre exceptionnel en raison des risques de transmission virale. Il a l'avantage, par rapport au plasma conservé, beaucoup plus sûr, de contenir encore certains facteurs de la coagulation, détruits par les manœuvres de conservation. Le plasma frais congelé sécurisé est un plasma dont les sérologies sont vérifiées plusieurs mois après le prélèvement afin de s'assurer de l'absence d'apparition d'anticorps contre les virus, en particulier le V.I.H., et qui n'est distribué qu'après ce contrôle.

Le sang total n'est pratiquement plus utilisé ; même en cas d'hémorragie massive, il est préférable de transfuser, d'une part, des globules rouges, d'autre part du plasma.

→ VOIR Circulation sanguine, Hématie, Hémopathie, Leucocyte, Lymphocyte, Monocyte, Plaquette, Plasma, Polynucléaire, Transfusion sanguine.

Sangsue

Ver hématophage de l'embranchement des annélides, parasite des vertébrés et, en particulier, de l'homme.

La sangsue, ou *Hirudo,* se rencontre dans les forêts tropicales (sangsue terrestre) et dans les eaux douces et les mers chaudes (sangsue aquatique). À chaque extrémité de son corps, une ventouse lui permet de se fixer sur la peau, et sa bouche est armée de trois mâchoires avec lesquelles elle pratique une incision puis suce jusqu'à 60 grammes de sang ; l'hémostase (coagulation du sang) de sa victime est prévenue par une substance sécrétée par l'animal, appelée hirudine, aux propriétés anticoagulantes.

Lorsqu'une sangsue s'est fixée sur le corps, on la détache en la mettant en contact avec de l'alcool, du sel ou du vinaigre, ou en la brûlant avec le bout incandescent d'une cigarette. On l'ôte alors délicatement pour éviter que ses organes buccaux ne restent fichés dans la peau.

UTILISATION THÉRAPEUTIQUE

Les sangsues étaient autrefois utilisées pour les saignées locales et dans le traitement des phlébites. Cette utilisation est aujourd'hui abandonnée ; en revanche, l'hirudine qu'elles élaborent fait actuellement l'objet d'études en tant que produit anticoagulant.

Santé

État de bon fonctionnement de l'organisme.

La santé, selon la définition de l'O.M.S., se caractérise par un « état de complet bien-être physique, mental et social ne consistant pas seulement en une absence de maladie ou d'infirmité ».

La santé mentale se caractérise par l'absence de troubles mentaux, une bonne adaptation au milieu social et une bonne tolérance des aléas de l'existence privée et professionnelle.

Santé publique

1. Ensemble des actions et des prescriptions relatives à la préservation et à la protection de la santé des citoyens, à l'échelon d'un groupe donné de population ou à celui de la nation, et dépendant de la collectivité.

Les responsables de la santé publique étudient les différents facteurs qui interviennent dans l'apparition des maladies et les caractéristiques de leurs manifestations : fréquence, répartition, mode de contamination, évolution. Ils édictent les règles de dépistage des facteurs de risque et déterminent les modalités éventuelles de la prévention et du traitement de ces maladies. Ils s'appliquent à améliorer l'organisation de la prise en charge publique des maladies et le rapport coût-efficacité des diverses modalités de cette dernière.

Ils s'intéressent notamment aux maladies qui, par leur gravité et leur fréquence, perturbent sévèrement la vie de la société :

maladies contagieuses et épidémiques, toxicomanies, maladies mentales graves, maladies et traumatismes néonataux, accidents domestiques ou routiers (polytraumatismes), etc.

2. Étude de la santé d'une population soit à l'échelon national, soit à un autre échelon (mondial, groupe social, par exemple).

La santé publique est une discipline enseignée à l'université. Elle repose sur l'étude des rapports entre la santé et la collectivité.

Saphène (veine)

Vaisseau superficiel de petit calibre assurant le retour du sang des membres inférieurs jusqu'au cœur. (P.N.A. *vena saphena*)

Il existe deux veines saphènes, l'une externe, l'autre interne, dans chacun des membres inférieurs.

■ **La veine saphène externe** prend naissance au niveau de la malléole externe puis se dirige en arrière du mollet et monte jusqu'au creux poplité du genou. Là, elle s'abouche dans la veine poplitée après avoir formé une crosse.

■ **La veine saphène interne** débute en dedans de la cheville puis monte le long du bord interne de la jambe et de la cuisse. Elle se jette dans la veine fémorale sous le pli de l'aine après avoir décrit une crosse.

Ces deux veines communiquent entre elles et avec le réseau veineux profond. Elles peuvent être atteintes de varices, se dilater et motiver pour des raisons thérapeutiques ou esthétiques des injections sclérosantes ou un geste chirurgical (stripping).

Saphénectomie

Ablation chirurgicale d'une veine saphène.

La saphénectomie est indiquée en cas d'insuffisance veineuse à l'origine de lourdeurs, de douleurs, d'œdèmes ou de varices des membres inférieurs.

La veine retirée, la circulation continue de s'effectuer normalement, essentiellement grâce aux troncs veineux profonds.

DÉROULEMENT ET EFFETS SECONDAIRES

La saphénectomie utilise généralement la technique appelée « stripping », qui nécessite une anesthésie générale ou locorégionale. C'est une intervention bénigne qui peut être pratiquée en ambulatoire (sans hospitalisation). Après incision des tissus superficiels, la saphène est sectionnée à ses deux extrémités. Par l'incision inférieure, on introduit un tuteur (sorte de fil) dans la veine, que l'on fait remonter jusqu'à ce qu'il ressorte par l'incision supérieure, au niveau de laquelle on le fixe à la veine. En tirant progressivement sur le tuteur à l'autre extrémité, on retire la veine en même temps que le tuteur. La saphénectomie entraîne parfois quelques douleurs postopératoires, mais le sujet peut marcher normalement après l'opération. Sur le trajet de la veine apparaît un hématome, qui disparaît en quelques jours.

RÉSULTAT

Le résultat de la saphénectomie doit être jugé aux alentours du 3e mois après l'interven-

tion. En général, il est bon, aussi bien en ce qui concerne le traitement des troubles veineux que l'aspect esthétique de la jambe ; de petites varicosités subsistent parfois, que l'on peut être amené à scléroser.

S.A.P.H.O. (syndrome)

Association de diverses affections cutanées (acné, pustulose) et ostéo-articulaires (synovite, hyperostose, ostéite).

Le syndrome S.A.P.H.O. (acronyme de synovite, acné, pustulose, hyperostose, ostéite) est une affection de cause inconnue qui semble présenter un lien de parenté avec les spondylarthropathies (groupe de 4 affections inflammatoires chroniques caractérisées par une atteinte articulaire vertébrale) ; en effet, les limites entre la pustulose palmoplantaire, caractéristique du syndrome, et le psoriasis, qui accompagne certaines spondylarthropathies, ne sont pas nettes, et les lésions du bassin dues à l'ostéite ressemblent à celles qui surviennent au cours d'une spondylarthropathie, la spondylarthrite ankylosante. Cependant, l'antigène HLA B 27, présent dans 75 % des cas de spondylarthropathies, n'est retrouvé que chez 30 % des malades atteints par le syndrome S.A.P.H.O.

SYMPTÔMES ET ÉVOLUTION

■ **La synovite** (inflammation de la synoviale, membrane tapissant l'intérieur de la capsule des articulations mobiles) est responsable d'arthrites aiguës d'allure infectieuse ou microcristalline (douleur, rougeur, gonflement articulaire, fièvre) ; cependant, aucun germe n'est mis en évidence dans les prélèvements de liquide articulaire.

■ **L'acné** est grave, chronique (acné conglobata) ; elle se traduit par une suppuration cutanée étendue.

■ **La pustulose** (maladie cutanée caractérisée par la présence de pustules, soulèvements circonscrits de l'épiderme contenant un liquide purulent) atteint la paume des mains et la plante des pieds.

■ **L'hyperostose et l'ostéite aseptique** (respectivement prolifération osseuse et inflammation osseuse d'origine non infectieuse) atteignent le plus souvent le sternum, les clavicules, les os du bassin et les vertèbres. Sur les radiographies, on observe une condensation associée à une augmentation de volume des os.

Le syndrome S.A.P.H.O. est chronique, évoluant par poussées plus ou moins invalidantes selon les cas.

TRAITEMENT

Le traitement du syndrome S.A.P.H.O. est essentiellement celui de ses symptômes ; il fait appel aux anti-inflammatoires locaux et généraux, aux antibiotiques en cas de lésions cutanées surinfectées.

Saprophyte

Bactérie ou champignon microscopique vivant dans la nature aux dépens de matières organiques qu'ils contribuent à dégrader.

Certaines espèces bactériennes comme *Staphylococcus aureus* (staphylocoque doré) sont à la fois des saprophytes, que l'on peut isoler dans la nature, des commensaux, présents sur les muqueuses de nombreux sujets sains, et des agents pathogènes, potentiellement responsables d'infections spécifiques, comme la furonculose.

Sarcoïde

Nodule arrondi ou ovale, de taille variable, caractéristique de la sarcoïdose et d'une variété d'hypodermite (inflammation aiguë de l'hypoderme), appelée érythème induré de Bazin, qui est le plus souvent due à la tuberculose.

Une sarcoïde est un élément ferme et mobile à la palpation, qui peut se présenter sous différentes formes :
- lésions de très petite taille, d'abord rose jaunâtre puis rouge brunâtre, non prurigineuses, qui peuvent prendre une disposition en anneaux et laissent des cicatrices blanches et parsemées de petits vaisseaux dilatés, ou télangiectasies ;
- nodules de la taille d'un pois à une noisette, peu nombreux, d'un rouge jaunâtre ou violacé, apparaissant surtout sur le visage, les épaules et les fesses et ne démangeant pas, qui évoluent très lentement vers une dépression de leur centre et la formation de cicatrices ;
- placard de consistance molle, appelé angiolupoïde, qui touche surtout l'angle interne de l'œil et le nez ;
- lupus pernio, variété diffuse de sarcoïde qui affecte principalement le nez et le dos des mains sous forme de nappes rouges et violacées, infiltrées et pâteuses, dont la surface est parcourue de veinules dilatées.

Le traitement est celui de la maladie responsable.

Sarcoïdose

Maladie généralisée du système réticulo-endothélial (tissu disséminé dans l'organisme, formé de cellules disposées en réseau), caractérisée par l'existence d'une lésion typique mais non spécifique, le granulome épithélioïde (amas de cellules épithélioïdes - globules blancs modifiés - au centre non nécrosé), et qui est susceptible de toucher successivement ou simultanément un grand nombre d'organes ou de tissus (ganglions, poumons, peau, os et articulations). SYN. *maladie de Besnier-Boeck-Schaumann.*

L'origine de la sarcoïdose est inconnue.
SYMPTÔMES ET SIGNES
Une sarcoïdose est fréquemment dépourvue de symptômes ou de signes visibles. Dans les autres cas, la maladie peut être révélée par différentes manifestations :
■ **Les lésions thoraciques** sont les plus fréquentes et se classent selon quatre stades : au stade 0 de la maladie, les lésions n'apparaissent pas à la radiographie ; au stade 1, on observe des adénopathies (inflammation des ganglions lymphatiques) volumineuses du médiastin (région comprise entre les deux poumons) ; au stade 2, les adénopathies médiastinales s'accompagnent d'infiltrations nodulaires du poumon ; au stade 3, la radiographie révèle une infiltration pulmonaire évoluée.

■ **Les lésions cutanées** touchent surtout les adultes jeunes et les Noirs et sont fréquemment représentées par un érythème noueux, caractérisé par des nodules rougeâtres, symétriques, sensibles, qui siègent sur la face interne des jambes. Cet érythème, même s'il constitue une atteinte fréquente lors d'une sarcoïdose, n'est pas une manifestation spécifique de cette maladie, contrairement aux sarcoïdes, lésions de taille et de forme variables : petits éléments hypodermiques disposés en anneaux, gros nodules, lupus pernio, qui est une variété diffuse de sarcoïde. Ces lésions cutanées typiques s'accompagnent de manifestations plus rares et non spécifiques : chute des cheveux, érythrodermie (rougeur et desquamation de la peau), ichtyose (peau sèche couverte de squames fines), démangeaisons.

■ **Les autres symptômes** ou signes d'une sarcoïdose peuvent être une hypertrophie des ganglions superficiels (axillaires, inguinaux), une arthrite, des douleurs diffuses, des anomalies oculaires (uvéite antérieure, par exemple), des atteintes du foie et des glandes salivaires. On constate plus rarement une splénomégalie (augmentation du volume de la rate) et des atteintes myocardiques, rénales, musculaires et nerveuses.
DIAGNOSTIC
En l'absence de sarcoïdes, la sarcoïdose est souvent de diagnostic difficile. Insidieuse, latente et fréquemment asymptomatique, elle est souvent découverte à l'occasion d'une radiographie thoracique de routine, qui détermine un bilan complet mettant en évidence différents signes de la maladie : existence d'une hypercalcémie (taux anormalement élevé de calcium dans le sang), disparition de l'allergie à la tuberculine, augmentation, en cas d'atteinte pulmonaire, du taux d'angiotensine convertase (enzyme de conversion de l'angiotensine) dans le sérum sanguin. L'analyse du liquide d'un lavage broncho-alvéolaire et l'examen au microscope de prélèvements réalisés sur différents tissus (peau, foie, ganglions, glandes, notamment salivaires) contribuent à l'établissement du diagnostic, plus aisé chez les sujets porteurs de symptômes aisément décelables et caractéristiques, comme les sarcoïdes.
ÉVOLUTION
Une sarcoïdose évolue par poussées successives sans que l'on connaisse bien les facteurs de leur déclenchement.
TRAITEMENT
Le traitement dépend du bilan général. En cas d'atteinte viscérale - notamment pulmonaire - ayant un retentissement fonctionnel, des corticostéroïdes sont prescrits. Dans les formes cutanées, on administre soit des traitements généraux comme l'isoniazide ou les antipaludéens de synthèse, soit des traitements locaux comme l'infiltration d'un corticostéroïde ou la destruction par l'azote liquide des lésions isolées.

Sarcome

Variété de cancer se développant aux dépens du tissu conjonctif.

Les sarcomes sont des tumeurs malignes rares puisqu'ils représentent environ 2 % des cancers. Ils surviennent souvent chez les sujets jeunes, y compris les enfants, et sont caractérisés par leur propension à envahir les tissus voisins, à disséminer à distance par métastases et à évoluer rapidement. On en distingue deux types selon qu'ils se développent dans un tissu conjonctif commun ou dans un tissu spécialisé.

Sarcomes des tissus conjonctifs communs
Ce sont des tumeurs cancéreuses se développant aux dépens des tissus de soutien. Les plus fréquents sont les fibrosarcomes et les histiocytofibromes malins.

Ces tumeurs surviennent le plus souvent dans les coulées conjonctives des membres, dans la zone située derrière le péritoine et dans la peau. Elles envahissent les tissus de voisinage, les compriment et disséminent souvent rapidement par voie sanguine, donnant des métastases pulmonaires. Le traitement repose sur l'ablation chirurgicale, la radiothérapie et la chimiothérapie.

Sarcomes des tissus conjonctifs spécialisés
Ce sont des tumeurs développées aux dépens de différents tissus conjonctifs, leur structure rappelant le tissu où elles ont pris naissance.
■ **Les angiosarcomes** se développent à partir des éléments vasculaires. Ils peuvent être primitifs, touchant le sujet âgé, et sont en général très évolutifs, avec atteinte rapide des ganglions, du foie et du poumon.
■ **Les chondrosarcomes** sont des tumeurs du cartilage. Ils atteignent l'adulte, chez lequel ils se développent souvent sur une tumeur bénigne préexistante.
■ **Les léiomyosarcomes** se développent à partir des cellules des muscles lisses, en particulier celles de l'utérus et du tube digestif. Touchant l'adulte, ils peuvent entraîner l'apparition de métastases, essentiellement pulmonaires.
■ **Les liposarcomes** prolifèrent à partir des cellules graisseuses. Ce sont des tumeurs qui évoluent surtout localement, mais qui sont capables de donner des métastases, surtout dans les poumons.
■ **Les ostéosarcomes** prolifèrent à partir du tissu osseux. Ils frappent surtout les adolescents et les adultes jeunes ; ils sont localisés le plus souvent aux membres inférieurs.
■ **Les rhabdomyosarcomes** prolifèrent à partir des fibres des muscles striés. Ils touchent surtout l'enfant et sont extrêmement évolutifs avec de nombreuses métastases.
■ **Le sarcome de Kaposi** prolifère aux dépens des cellules endothéliales, des vaisseaux sanguins et des fibroblastes du derme. Actuellement, il touche surtout les malades atteints du sida.
SYMPTÔMES ET TRAITEMENT
Ils sont très variés puisqu'ils dépendent non seulement du type exact du sarcome mais aussi de la région du corps ou de l'organe atteints. Ces tumeurs étant extrêmement virulentes, leur traitement (ablation chirurgicale, radiothérapie, chimiothérapie) est sou-

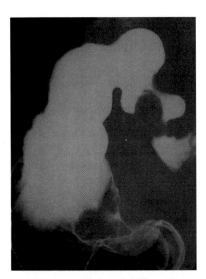

Sarcome. *La tumeur est ici visible en haut et à gauche de l'estomac sous forme d'une tache noire de contours irréguliers.*

vent d'efficacité limitée. Cependant, les exceptions sont nombreuses : certains sarcomes cutanés sont traités de façon satisfaisante par ablation chirurgicale ; le pronostic d'une variété de sarcome osseux, le sarcome d'Ewing, est beaucoup moins sombre depuis l'apparition de la chimiothérapie.

Sarcopte

Parasite de l'ordre des acariens responsable de la gale.
→ VOIR Gale.

Satiété

État d'une personne complètement rassasiée.

La satiété, état d'inhibition de la prise alimentaire, se distingue du rassasiement, processus dynamique caractérisé par la diminution progressive de l'absorption d'aliments au cours du repas jusqu'à son interruption. La satiété, de même que la faim, est régulée par de nombreux facteurs métaboliques et neurohormonaux intervenant sur le système nerveux central et sur d'autres organes, en particulier les organes du tube digestif. La satiété survient alors que les aliments n'ont pas encore été digérés et que les nutriments qu'ils apportent ne sont pas parvenus aux cellules de l'organisme. Elle peut donc se décomposer en deux phases : dans un premier temps, une satiété psychosensorielle, qui amène l'interruption du repas et détermine ainsi son volume ; puis une satiété métabolique, liée aux informations découlant de l'absorption et de l'utilisation des nutriments par l'organisme, cette seconde phase déterminant l'intervalle entre les repas.

L'hypothalamus joue un rôle fondamental dans le contrôle de la prise alimentaire, en centralisant les informations sensorielles (olfactives, visuelles) et métaboliques (hormonales, digestives). Certains médicaments

peuvent aussi influer sur la prise alimentaire : ainsi, la sérotonine, les antagonistes de la morphine (médicaments ayant une action contraire à celle de la morphine), la cholécystokinine, etc., favorisent la satiété, mais leur emploi n'est pas totalement maîtrisé. Le succès, dans l'avenir, de l'utilisation thérapeutique (en cas d'obésité, de boulimie, d'anorexie, etc.) de telles substances dépend également de la prise en compte de divers facteurs (environnement, état psychique, etc.) susceptibles de perturber la prise alimentaire.

Saturnisme

Ensemble des manifestations dues à une intoxication par le plomb ou par les sels de plomb.

L'absorption d'aliments ou de boissons acides cuits dans des récipients à revêtement de plomb, celle d'alcools distillés dans les alambics à tuyaux de plomb (tous procédés aujourd'hui interdits), l'absorption d'eau du robinet dans un immeuble aux canalisations plombées défectueuses furent autrefois à l'origine de nombreux cas de saturnisme. Aujourd'hui, le saturnisme touche le plus souvent les employés des mines de plomb, les soudeurs, les étameurs, les émailleurs, les peintres (décapage d'anciennes peintures au plomb), les fabricants d'accumulateurs au plomb et les garagistes (la calamine contenant du plomb tétraéthyle). Les enfants peuvent aussi s'intoxiquer en léchant ou en ingérant d'anciennes peintures au plomb.

SYMPTÔMES ET SIGNES

Comme l'élimination du plomb est très lente, celui-ci s'accumule, d'abord dans les os puis dans les autres tissus.

■ **L'intoxication aiguë** se traduit par des douleurs abdominales intenses avec diarrhées et vomissements, ou « coliques de plomb », par une polynévrite (atteinte du système nerveux périphérique) puis par des convulsions qui peuvent être mortelles si le traitement n'est pas entrepris assez tôt.

■ **L'intoxication chronique** ajoute à ces symptômes des troubles du comportement, des pertes de mémoire, des maux de tête, une cécité définitive, une hypertension artérielle ; en outre, les gencives du sujet sont recouvertes d'un liseré bleuté. Parfois, ces symptômes surviennent de façon isolée.

DIAGNOSTIC

Les examens sanguins révèlent une anémie avec des globules rouges « ponctués » (contenant des granulations basophiles [qui attirent les colorants basiques]). Le diagnostic peut être confirmé par le dosage du taux sanguin de plomb, qui est supérieur à 0,8 milligramme par litre.

TRAITEMENT ET PRONOSTIC

Le traitement consiste à éliminer le plomb à l'aide de chélateurs (E.D.T.A. calcique), administrés de préférence en milieu hospitalier par cures discontinues d'environ une semaine. Le traitement dure jusqu'à ce que le plomb fixé sur les os soit éliminé. Si l'on obtient en général une régression des lésions dans les formes aiguës, le pronostic est

beaucoup plus sombre dans les formes chroniques de saturnisme.

PRÉVENTION

La prévention, fondamentale, repose sur diverses dispositions réglementaires : interdiction de l'emploi de céruse en peinture, de tuyauteries en plomb ; protection des sujets professionnellement exposés, associée à une surveillance médicale régulière et systématique ; protection de la population générale par des mesures telles que l'introduction d'essence sans plomb.

Savon

Substance utilisée pour son pouvoir nettoyant, obtenue en faisant agir une substance basique (alcaline), comme la soude ou la potasse, sur un corps gras tel qu'un ester ou un acide du glycérol.

Les acides libérés se mélangent à la base et donnent un sel moussant et détergent qui est le savon. Cette transformation est appelée saponification.

DIFFÉRENTS TYPES DE SAVON

■ **Les savons antiseptiques** renferment, en plus d'une substance basique et d'un corps gras, une substance de synthèse qui détruit les germes pathogènes : formol, crésol, alcool. Ces savons, liquides ou solides, servent au lavage des mains avant la réalisation des pansements.

■ **Les savons surgras** sont à base de lanoline ou d'acides gras libres.

■ **Les savons acides, ou pseudosavons,** sont constitués d'émulsions aqueuses à base d'alcools gras sulfonés, acidifiés par l'acide tartrique, benzoïque ou lactique et contenant des huiles naturelles ou des glycérides. Les savons acides, de même que les savons surgras, permettent à l'épiderme de conserver son pH : ils sont bien supportés et évitent la prolifération bactérienne.

■ **Les pains dermatologiques** contiennent une substance détergente non basique. Ils sont utilisés pour la toilette quand la personne a une peau fragile ou irritée par une affection. Certains pains dermatologiques sont à base de substance médicamenteuse, comme le goudron ou l'huile de cade, et sont prescrits comme adjuvants dans diverses affections dermatologiques telles que le psoriasis.

Scalp

Arrachement d'une surface plus ou moins grande du cuir chevelu.

Un scalp peut nécessiter une intervention chirurgicale : suture microchirurgicale (couture des vaisseaux sanguins de la peau), en cas d'arrachement complet, après repositionnement du lambeau arraché, greffe ou expansion cutanée. Cette dernière technique consiste à distendre une partie saine du cuir chevelu, durant plusieurs mois, à l'aide d'un ballonnet gonflable placé sous la peau, la partie distendue excédentaire servant ensuite à recouvrir la zone traumatisée.

Scanner à rayons X

Appareil d'imagerie médicale composé d'un système de tomographie (qui donne des images en coupe d'un organe) et d'un ordinateur et qui effectue des analyses de densité radiologique point par point (voxel) pour reconstituer ces images en coupes fines, affichées en gammes de gris sur un écran vidéo. SYN. *tomodensitomètre*.

Le scanner à rayons X permet de réaliser un examen appelé tomodensitométrie.
→ VOIR Tomodensitométrie.

Scanographie
→ VOIR Tomodensitométrie.

Scaphoïde carpien
Os constituant la partie supéro-externe du carpe (squelette du poignet), qui s'articule avec l'avant-bras. (P.N.A. *scaphoideum*)

Le scaphoïde carpien fait partie du squelette du pouce. Il présente sur sa face externe une petite bosse, le tubercule du scaphoïde.

TRAUMATOLOGIE

■ La fracture du scaphoïde carpien est assez fréquente et survient en général lors d'une chute sur la paume de la main. Elle entraîne une douleur du bord externe du poignet ainsi que du bord du pouce lorsqu'il est comprimé. La radiographie précise le trait de fracture, qui peut n'apparaître qu'au bout de quelques semaines s'il n'y a pas de déplacement osseux. Le traitement d'une fracture du scaphoïde carpien repose sur un plâtrage du pouce, du poignet et du coude pendant 6 à 12 semaines (avec un plâtre traditionnel ou en résine). Cette immobilisation très stricte et prolongée est nécessaire en raison de la mauvaise vascularisation de cet os, qui rend la consolidation plus difficile. En cas de déplacement osseux, il faut effectuer un brochage ou un vissage chirurgical. Des séances de kinésithérapie permettent de récupérer une bonne mobilité du poignet. Cependant, dans 10 % des cas, le scaphoïde est le siège d'une pseudarthrose (formation d'une nouvelle articulation, anormale, due à l'absence complète de consolidation osseuse), qui nécessite la pose de broches ou de vis, voire une greffe osseuse.

Scaphoïde tarsien
Os constituant la partie interne du tarse (squelette de la partie postérieure du pied), qui s'articule avec l'astragale. (P.N.A. *os naviculare*)

TRAUMATOLOGIE

La fracture du scaphoïde tarsien, peu fréquente, est traitée orthopédiquement (plâtre) ou, en cas de déplacement osseux important, chirurgicalement (immobilisation à l'aide d'un dispositif mécanique - broches, vis, etc.), voire par blocage de l'articulation entre le scaphoïde et l'astragale, associé ou non à une greffe osseuse. L'immobilisation dure de 5 à 6 semaines, puis le patient recommence à marcher à l'aide de cannes. Des séances de kinésithérapie sont nécessaires.

Scapulalgie
Douleur de la région de l'épaule, quelle que soit sa cause.

Ainsi, une scapulalgie peut témoigner d'une atteinte des articulations entre l'omo-plate et l'humérus ou entre l'omoplate et la clavicule - que celle-ci soit d'origine mécanique (arthrose) ou inflammatoire (arthrite) -, d'une affection osseuse (fracture, tumeur, algodystrophie, etc.), d'une affection périarticulaire (périarthrite scapulohumérale, pseudopolyarthrite rhizomélique).

Scarification
Incision superficielle de la peau à l'aide d'un bistouri ou d'un vaccinostyle.

Les scarifications sont utilisées pour pratiquer certains tests cutanés et certaines vaccinations, dans le traitement des ulcères de jambe, afin de raviver la cicatrisation des bourrelets périphériques entourant l'ulcère, ainsi que dans celui de certaines rosacées très rebelles.
→ VOIR Cuti-réaction.

Scarlatine
Maladie infectieuse contagieuse, aujourd'hui rare, due à la diffusion dans l'organisme des toxines sécrétées par le streptocoque du groupe A.

La scarlatine touche presque exclusivement les enfants. Elle se transmet par inhalation de gouttelettes de salive émises par un sujet infecté par le streptocoque du groupe A. La toxi-infection se développe à partir d'un foyer purulent de localisation pharyngoamygdalienne (angine).

SYMPTÔMES ET SIGNES

La maladie se déclare brutalement, après une période d'incubation de 4 jours environ, sous forme d'une fièvre élevée (39 °C), d'un gonflement douloureux des ganglions du cou et d'une angine érythémateuse (avec rougeur de la gorge). La toxine sécrétée par le streptocoque diffuse dans l'organisme et déclenche une éruption cutanée 2 jours après l'apparition de l'angine. Le malade demeure

---

La scarlatine fait suite à une infection du pharynx (angine) par un streptocoque. Les toxines sécrétées par cette bactérie sont responsables des symptômes de la maladie et de ses complications rénales et cardiaques.

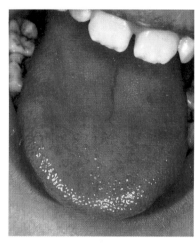

Après quelques jours, la langue devient « framboisée », rouge vif et granuleuse.

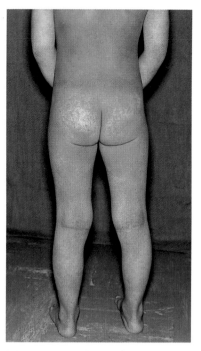

L'éruption qui succède à l'angine est faite d'une multitude de points rouges.

---

contagieux tant que dure l'angine. L'éruption cutanée, ou exanthème, se traduit par une multitude de points rouges ; elle débute au thorax puis s'étend à tout le corps en 48 heures (érythème en nappes), sauf aux paumes des mains et aux plantes des pieds. L'éruption muqueuse, ou énanthème, se caractérise par un enduit blanc, recouvrant la langue, qui laisse la place, au 5e jour d'évolution, à une rougeur écarlate à granulation dite framboisée. Au bout d'une semaine environ, la fièvre tombe, l'énanthème disparaît et l'exanthème est remplacé par une desquamation en petites écailles sur le corps ; la paume des mains et la plante des pieds desquament en lambeaux.

COMPLICATIONS

Ce sont celles des angines à streptocoque non traitées : néphrite (inflammation des reins) et rhumatisme articulaire aigu et subaigu.

DIAGNOSTIC ET TRAITEMENT

Le diagnostic repose essentiellement sur l'examen clinique. Il peut être complété par des analyses recherchant le streptocoque dans un prélèvement de gorge. La scarlatine est traitée par administration d'antibiotiques (pénicilline, érythromycine) et par le repos.

PRÉVENTION

Il est possible de rechercher le streptocoque chez les personnes ayant été en contact avec un malade atteint de scarlatine afin de les traiter préventivement. Il n'existe pas de vaccin ; une personne ayant été atteinte de la scarlatine acquiert une immunité durable contre cette maladie.

Scarlatiniforme
Qualifie une éruption érythémateuse (rougeur diffuse) de tout ou partie du corps dont la disposition en nappes uniformes rappelle celle de la scarlatine.

Certaines réactions allergiques aux médicaments, par exemple, prennent l'aspect d'une éruption scarlatiniforme.

Scarpa (triangle de)

Partie supérieure de la cuisse, en forme de triangle dont la pointe est tournée vers le bas, contenant la plupart des vaisseaux et des nerfs du membre inférieur. (P.N.A. *trigonum femorale*)

DESCRIPTION

Le triangle de Scarpa est limité en dehors par le muscle couturier, en dedans par le muscle moyen adducteur. Son bord supérieur est formé par l'arcade crurale, sa limite inférieure, en dedans, par le muscle psoas iliaque et, en dehors, par le muscle pectiné.

Cette partie de la cuisse contient la veine fémorale commune, l'artère fémorale commune et les branches du nerf crural. Les éléments vasculaires et nerveux du triangle de Scarpa sont séparés de la peau par une lame ganglionnaire.

PATHOLOGIE

Dans le triangle de Scarpa, des adénopathies (ganglions volumineux) peuvent se développer. En cas d'artérite (inflammation d'une artère), les battements de l'artère fémorale, habituellement palpables à cet endroit, sont altérés. Les hernies crurales sont visibles sur la partie haute de cette même zone.

Dans ce triangle se termine la crosse de la veine saphène interne. C'est à ce niveau que celle-ci est ligaturée dans le traitement des varices.

Scheuermann (maladie de)

Atteinte des cartilages des corps vertébraux (partie antérieure des vertèbres) survenant au cours de la croissance.

Affection fréquente, la maladie de Scheuermann est une ostéochondrite de croissance (lésion des cartilages vertébraux due à un apport sanguin insuffisant). Sa cause est inconnue mais sa fréquence augmente dans les cas où le rachis est surmené pendant la croissance (obésité, port de charges trop lourdes, pratique intensive d'un sport, poussée de croissance).

SYMPTÔMES ET SIGNES

■ Lorsque la maladie affecte le rachis dorsal, elle provoque une cyphose (dos rond) qui, non traitée, devient irréductible une fois la croissance terminée.
■ Lorsqu'elle affecte le rachis lombaire, elle ne se traduit en général par aucun symptôme pendant l'adolescence mais provoque une fragilisation des plateaux vertébraux responsable de douleurs lombaires et d'arthrose précoce chez des adultes jeunes.

DIAGNOSTIC

Les radiographies montrent des déformations vertébrales d'importance variable : aspect « feuilleté » des plateaux vertébraux, aspect tassé de la partie antérieure des vertèbres, dépression centrale du plateau supérieur traduisant une hernie intraspongieuse, par exemple.

ÉVOLUTION ET TRAITEMENT

Si la cyphose est peu marquée, la kinésithérapie active est conseillée ; il faut également

arrêter le sport et ne pas porter de charges trop lourdes. Si elle est marquée et que la croissance n'est pas terminée, il faut la réduire à l'aide de corsets plâtrés. Si la croissance du sujet est terminée, des séances de gymnastique peuvent être utiles.

Schiller (test de)

Test utilisé en gynécologie, permettant la mise en évidence de dysplasies (modifications précancéreuses) du col de l'utérus à l'aide d'un badigeon de lugol.

Schilling (test de)

Test permettant d'étudier le taux d'absorption de la vitamine B12 et, lorsqu'il existe un déficit en cette vitamine, d'en préciser le mécanisme.

La vitamine B12 est apportée par l'alimentation et se lie normalement à une protéine sécrétée par l'estomac, le facteur intrinsèque, avant d'être absorbée par l'iléon. Elle est indispensable à la maturation des cellules sanguines dans la moelle osseuse.

DÉROULEMENT

L'examen, qui nécessite de recueillir les urines pendant 48 heures, se pratique dans un service de médecine nucléaire. Il consiste à administrer au patient, par voie orale, d'une part, de la vitamine B12 libre (non associée à une autre substance) marquée par un isotope et, d'autre part, de la vitamine B12 liée au facteur intrinsèque, marquée par un autre isotope, puis à mesurer la quantité de vitamine B12 éliminée dans les urines. Ce test est indolore et sans danger.

INTERPRÉTATION DU TEST

Si l'absorption de la vitamine B12 se fait mal faute de facteur intrinsèque, la vitamine B12 marquée libre, insuffisamment absorbée, est retrouvée en trop grande quantité dans les urines, à la différence de la vitamine B12 associée au facteur intrinsèque ; cela s'observe surtout dans la maladie de Biermer. Si l'absorption est déficitaire du fait d'une anomalie intestinale (ablation de l'iléon terminal, maladie d'Imerslund), ni la vitamine B12 liée au facteur intrinsèque ni la vitamine B12 marquée libre ne sont retrouvées en quantité normale dans les urines.

Schirmer (test de)

Examen destiné à mesurer la quantité de larmes sécrétée par les glandes lacrymales.

INDICATIONS

Le test de Schirmer est pratiqué pour diagnostiquer un syndrome sec (syndrome de Gougerot-Sjögren) ou, chez les personnes qui désirent porter des lentilles, pour évaluer la sécrétion lacrymale, qui doit être bonne.

TECHNIQUE ET DÉROULEMENT

Le test de Schirmer consiste à placer dans le cul-de-sac conjonctival inférieur, près de l'angle externe de l'œil, une bandelette de papier de 5 millimètres de large et de 5 centimètres de long, graduée tous les 5 millimètres. Celle-ci va s'imprégner des larmes sécrétées par l'œil. Au bout de 3 minutes, on mesure le nombre de graduations humidifiées. En cas de séche-

resse oculaire importante, le patient ressent une sensation de brûlure pendant l'examen.

Ce test peut être pratiqué sans aucune préparation – c'est le test de Schirmer total – ou après instillation d'un collyre anesthésique, qui permet théoriquement de supprimer la sécrétion réflexe. Il est dans ce cas appelé test de Schirmer basal.

RÉSULTATS

Les résultats sont habituellement d'au moins une graduation par minute, soit 3 graduations (15 millimètres) en 3 minutes.

Schistose

Affection pulmonaire secondaire à l'inhalation de poussières d'ardoise. SYN. *maladie des ardoisiers.*

La schistose est une pneumoconiose fibrosante (maladie consécutive à l'inhalation de poussières minérales entraînant une fibrose du tissu interstitiel pulmonaire). Cette maladie professionnelle rare est due à l'accumulation de poussière d'ardoise dans les poumons et, notamment, des silicates, qui entrent dans la composition de l'ardoise.

SYMPTÔMES ET TRAITEMENT

La maladie se traduit par un essoufflement qui s'installe très progressivement. La fibrose interstitielle reste modérée et l'évolution est généralement bénigne ; il n'existe pas de traitement spécifique, sinon ne plus s'exposer au risque (protection des voies respiratoires lors de la manipulation de l'ardoise).

Schistosomiase

→ VOIR Bilharziose.

Schizocyte

Globule rouge déformé, de forme triangulaire ou coupé en deux.

Un schizocyte provient de la fragmentation d'un globule rouge sur un obstacle : caillot obstruant un petit vaisseau, prothèse métallique remplaçant une valvule cardiaque – et pouvant traumatiser les globules directement ou par les turbulences qu'elle provoque dans le courant sanguin –, foyer de cellules cancéreuses, par exemple.

La présence de schizocytes dans le sang est observée à l'examen microscopique du frottis sanguin. Elle indique l'existence d'une destruction mécanique des globules rouges, dont il importe d'estimer la gravité (nombre de schizocytes, degré d'hémolyse) et de déterminer précisément la cause pour la supprimer (remplacement d'une prothèse cardiaque, par exemple).

Schizoïdie

Caractère marqué par le repli sur soi, avec indifférence apparente aux événements du monde extérieur.

Ce terme a été introduit par le psychiatre allemand Ernst Kretschner en 1921. Il désigne au sens large un individu s'isolant facilement de la réalité ambiante jusqu'à sembler perdre le contact avec elle ; cependant, ce détachement n'est que superficiel et masque au contraire une hypersensibilité très vive. Une tendance schizoïde est ainsi fréquente et normale chez certains savants et créateurs (mathématiciens, philosophes, artistes). Plus accentuée, avec fuite d'autrui, refuge dans la rêverie, affectivité froide et abstraite, la schizoïdie peut revêtir ou annoncer une pathologie sous-jacente. La schizophrénie vient souvent se greffer sur ce type de caractère.

Schizophrénie

Psychose caractérisée par la désagrégation de la personnalité et par une perte du contact vital avec la réalité.

Le terme de schizophrénie a été créé par le psychiatre suisse Eugen Bleuler (1857-1939), qui le substitua à celui de démence précoce. La schizophrénie affecte le plus souvent l'adolescent ou l'adulte avant l'âge de 40-45 ans.

CAUSES

Les causes de cette affection complexe demeurent très controversées : perturbation de la relation mère-enfant, dysfonctionnement des circuits et médiateurs cérébraux, disposition constitutionnelle (sujet grand et mince, caractère schizoïde - introverti, abstrait, avec repli sur soi). On a décrit un blocage mental dû à une injonction paradoxale (telle que : « Sois spontané », par exemple) rendant la résolution des conflits interpersonnels, familiaux notamment, impossible. Chacune de ces hypothèses a été partiellement validée par l'expérience clinique, sans pour autant que l'on soit en mesure de fournir une explication globale de l'affection. Dans les faits, il n'est pas rare que le sujet schizophrène apparaisse comme le « symptôme » d'un groupe malade, presque toujours une famille dans laquelle la communication est très perturbée.

SYMPTÔMES ET SIGNES

Selon Bleuler, la schizophrénie est caractérisée par une dissociation mentale, ou « discordance », accompagnée d'un envahissement chaotique de l'imaginaire, se traduisant par des troubles affectifs, intellectuels et psychomoteurs : sentiments contradictoires éprouvés vis-à-vis d'un même objet (amourhaine), incapacité d'agir, autisme, sentiment de ne plus se reconnaître, délire, catatonie (ensemble de troubles psychomoteurs caractérisé par une absence de réaction aux stimulations extérieures, une immobilité absolue, un refus de parler, de manger).

On distingue plusieurs formes de schizophrénie : schizophrénie simple (inhibition, bizarrerie, marginalité) ; schizophrénie paranoïde (délire flou, peurs insolites s'organisant autour de certains thèmes - peur d'effectuer certains gestes, peur de certaines couleurs -, le malade ayant en outre l'impression que sa pensée est manœuvrée de l'extérieur) ; hébéphrénie et hébéphrénocatatonie (catatonie, répétition immotivée et automatique de mots, de gestes ou d'attitudes, pseudo-déficit intellectuel).

TRAITEMENT

Il bénéficie du vaste éventail thérapeutique de la psychiatrie moderne (psychanalyse, médicaments psychotropes, psychothérapie institutionnelle, etc.) et permet au patient de retrouver un certain équilibre, sinon de guérir, grâce à une prise en charge adaptée. Face à un schizophrène, il convient d'adopter une attitude de très grande écoute, de le rassurer, d'essayer de lui faire développer peu à peu son discours, afin de le ramener progressivement à la réalité, et de valoriser son activité sociale (aide aux personnes âgées, participation à la préparation des repas, par exemple).

Schönlein-Henoch (syndrome de)

Affection caractérisée par une atteinte, le plus souvent bénigne, des petits vaisseaux (vascularite) et par des manifestations cutanées, digestives et articulaires. SYN. *purpura rhumatoïde*.

FRÉQUENCE ET CAUSES

Ce syndrome, aussi appelé maladie ou syndrome de Schönlein, touche surtout les enfants, avec une plus grande fréquence entre 4 et 7 ans, et les adultes jeunes. Son origine est probablement immunoallergique.

SYMPTÔMES ET SIGNES

La maladie se manifeste par un purpura, éruption de taches pourpres (pétéchies, ecchymoses) légèrement en relief, siégeant de préférence sur les membres inférieurs. Les membres supérieurs et le visage sont très rarement atteints. L'éruption peut s'accompagner de douleurs articulaires et de troubles digestifs (vomissements, par exemple), et l'évolution se faire par poussées.

COMPLICATIONS

La gravité de la maladie tient au risque de complications digestives, au premier rang desquelles une invagination intestinale aiguë (repli d'une portion d'intestin), ou de complications rénales. Parmi celles-ci, les moins sévères consistent en une hématurie (présence de sang dans les urines) ou en une protéinurie (présence de protéines dans les urines). Les formes graves se caractérisent par une glomérulonéphrite sévère, parfois suivie de l'apparition d'un syndrome néphrotique (formation d'œdèmes et diminution du taux de protéines dans le sang), qui évolue rapidement vers une insuffisance rénale chronique.

DIAGNOSTIC ET TRAITEMENT

Dans la plupart des cas, les symptômes cliniques permettent d'établir le diagnostic.

Les formes bénignes ne nécessitent pas de traitement particulier. Autrefois, il était classique de proposer l'alitement tant que les lésions cutanées étaient en évolution. Aujourd'hui, on sait que ce traitement n'a aucune incidence ni sur les poussées ni sur l'évolution du syndrome. La plupart des enfants et des jeunes adultes guérissent en quelques semaines ou en quelques mois. Des récidives peuvent survenir dans les mois, voire les années, qui suivent la première manifestation.

En cas d'atteinte rénale sévère, confirmée par une biopsie du rein, on peut avoir recours aux corticostéroïdes ou à des immunosuppresseurs. L'insuffisance rénale nécessite un traitement par dialyse, dans certains cas une greffe de rein.

Schwartz-Bartter (syndrome de)

Ensemble de troubles caractérisés par une augmentation de la sécrétion posthypophysaire d'hormone antidiurétique, destinée à retenir l'eau dans l'organisme, et une diminution de l'osmolarité (concentration en grosses molécules d'une solution, s'opposant à la fuite de l'eau).

CAUSES

Les causes du syndrome de Schwartz-Bartter sont multiples : tumorales, neurologiques, bronchopulmonaires ou médicamenteuses. Parmi les premières, les cancers bronchiques sont le plus souvent observés. Les causes neurologiques incluent les traumatismes crâniens, les méningites, les encéphalites, les tumeurs cérébrales et les accidents vasculaires cérébraux. En pneumologie, ce sont les pneumopathies infectieuses et l'insuffisance respiratoire aiguë qui sont responsables. Enfin, les effets indésirables d'un médicament hypolipémiant, comme le clofibrate, ou hypoglycémiant, comme le chlorpropamide, peuvent provoquer un syndrome de Schwartz-Bartter.

SYMPTÔMES ET DIAGNOSTIC

Le symptôme essentiel est une diminution de la concentration plasmatique de sodium (hyponatrémie), qui peut ne se manifester par aucun signe ou, au contraire, se traduire par des troubles neurologiques (obnubilation, confusion mentale, crises convulsives, coma) ou digestifs (nausées, vomissements).

Le diagnostic repose sur le dosage du sodium dans le sang et sur l'élimination des autres causes possibles d'hyponatrémie : insuffisances cardiaque, hépatique ou rénale, marquées par un œdème, insuffisance surrénalienne, caractérisée par une déshydratation, hypothyroïdie.

TRAITEMENT

Le traitement repose essentiellement sur la limitation des boissons, tout en respectant les apports sodés. Des recherches portent sur les médicaments inhibant l'action de l'hormone antidiurétique.

Schweitzer (Albert)

Médecin, théologien et musicologue français (Kaysersberg 1875 - Lambaréné 1965).

Après avoir enseigné la théologie à la faculté de théologie protestante de Strasbourg, il décida, en 1905, de devenir médecin afin de se consacrer à des œuvres philanthropiques. Docteur en médecine en 1913, il partit avec sa femme, Hélène Bresslau, pour le Gabon (alors partie de l'Afrique-Équatoriale française) ; avec l'aide des habitants de Lambaréné et de sa région, il éleva à la lisière de la forêt équatoriale un hôpital destiné à lutter contre des fléaux tels que la lèpre et la maladie du sommeil. Emprisonné en France en tant que ressortissant allemand pendant la Première Guerre mondiale, il revint au Gabon en 1924. Il y bâtit un nouvel hôpital, qu'il finança en partie grâce à ses récitals d'orgue et qui connut un rayonnement international.

Albert Schweitzer reçut le prix Nobel de la paix en 1952. Il a laissé de nombreux ouvrages de théologie et de musicologie.

Scialytique

Dispositif d'éclairage intense, sans ombre portée, utilisé en chirurgie. (Nom déposé.)

Le Scialytique est d'un usage général en salle d'opération. Suspendu au-dessus de la table d'opération, il permet un éclairage très précis du champ opératoire. Il existe aussi de petits Scialytiques sur pied, mobiles, qui sont utilisés dans les salles de soins pour de petites interventions (sutures, par exemple).

Sciatique

Douleur irradiant le long du trajet du nerf sciatique et/ou de ses racines.

Le nerf sciatique naît de la réunion de deux racines issues de la moelle épinière, L5 (émergeant du rachis entre la 4e et la 5e vertèbre lombaire) et S1 (émergeant du rachis entre la 5e vertèbre lombaire et la 1re vertèbre sacrée). Il descend verticalement à la face postérieure de la cuisse avant de se diviser, au creux poplité, en nerf sciatique poplité interne, qui descend à la face postérieure de la jambe, et nerf sciatique poplité externe, qui descend à sa face externe.

CAUSES

Une sciatique est généralement due à une compression des racines nerveuses L5 ou S1, le plus souvent due à une hernie discale (saillie d'un disque intervertébral en dehors de ses limites normales), plus rarement à une compression osseuse - liée à une arthrose, à une fracture du petit bassin, à une luxation de la hanche ou à une étroitesse du canal rachidien lombaire -, tumorale (tumeur osseuse vertébrale, neurinome [tumeur de la racine du nerf], tumeur du petit bassin) ou de nature inflammatoire (spondylodiscite).

SYMPTÔMES ET SIGNES

Ils dépendent de la localisation de la lésion. Si seule la 5e racine lombaire est touchée, la douleur atteint la face postérieure de la

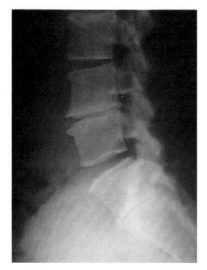

Sciatique. *La radiographie met en évidence le pincement du disque intervertébral entre les 4e et 5e vertèbres lombaires.*

cuisse, la face externe de la jambe, le dos du pied, le gros orteil ; si la 1re racine sacrée est touchée, la douleur atteint le mollet, le talon, la plante et le bord externe du pied. Si les deux racines nerveuses sont touchées, la douleur s'étend de la fesse au pied.

Souvent précédée par des douleurs lombaires aiguës (lumbago) ou chroniques, accentuée par la toux et la station debout, la douleur peut être minime ou intense, empêchant parfois le sujet de dormir (sciatique hyperalgique). Lorsque la sciatique est due à une hernie discale, il n'existe pas de corrélation entre l'importance de celle-ci et l'intensité de la douleur. Une forme particulière de sciatique, appelée sciatique paralysante, se traduit par une paralysie de la flexion dorsale du pied.

DIAGNOSTIC

L'examen radiographique du rachis lombaire peut être normal ou mettre en évidence un pincement discal ou un bâillement discal localisé. La saccoradiculographie ou, actuellement, plutôt le scanner et l'imagerie par résonance magnétique (I.R.M.) permettent de visualiser la lésion et d'évaluer son retentissement sur les racines nerveuses. La discordance entre les symptômes et les images n'étant pas rare, le diagnostic doit s'appuyer avant tout sur la douleur.

TRAITEMENT

Le traitement d'une sciatique dépend de sa cause. Dans le cas d'une sciatique paralysante, il est chirurgical. Dans le cas d'une hernie discale, il doit rester médical pendant les 8 premières semaines car, quelle que soit la sévérité des douleurs initiales, la sciatique guérit médicalement dans 90 % des cas. Le but du traitement médical est de rendre cette période la moins pénible et la plus courte possible ; il repose sur l'administration d'analgésiques, d'anti-inflammatoires, de corticostéroïdes généraux ou locaux en infiltrations, sur le repos au lit si la douleur est trop vive ou sur le port d'un corset en résine pendant 6 semaines. Dès que les douleurs le permettent, le rachis étant encore maintenu par le corset, on peut commencer à remuscler les membres inférieurs par des accroupissements. Le rachis lui-même ne sera rééduqué qu'une fois la sciatique guérie, pour prévenir les récidives. Si, après 2 mois de traitement médical, la sciatique reste invalidante, entravant l'activité quotidienne du sujet, on traite la hernie discale par nucléolyse (destruction du nucleus pulposus - partie centrale, semi-liquide, d'un disque intervertébral - par injection d'une enzyme végétale, la papaïne) ou chirurgicalement.

Les autres types de sciatique sont traités par radiothérapie ou chimiothérapie en cas de tumeur maligne osseuse du rachis lombaire, ablation de la tumeur en cas de neurinome ou de tumeur du petit bassin, antibiotiques en cas de spondylodiscite.

→ VOIR **Nerf sciatique.**

Scintigraphie

Technique d'imagerie médicale fondée sur la détection des radiations émises par une substance radioactive (radioélément) introduite dans l'organisme et présentant une affinité particulière pour un organe ou un tissu. SYN. *cartographie isotopique, exploration radio-isotopique.*

INDICATIONS

La scintigraphie permet de déceler de nombreuses affections, touchant tant la structure que le fonctionnement des organes, et certains processus pathologiques : inflammation, infection, saignement, tumeur.

■ **La scintigraphie thyroïdienne** peut mettre en évidence des nodules de la glande thyroïde. Elle apporte également des renseignements sur le fonctionnement de la glande : sécrétion insuffisante (hypothyroïdie) ou excessive (hyperthyroïdie).

■ **La scintigraphie osseuse** explore le métabolisme du squelette. Qu'elles soient d'origine infectieuse, traumatique, inflammatoire ou tumorale, la plupart des affections qui touchent le squelette se traduisent par une accélération de l'élaboration de la trame osseuse. La scintigraphie met précocement ce trouble en évidence, quelques semaines à quelques mois avant que n'apparaissent les premiers signes radiologiques.

■ **La scintigraphie pulmonaire** comprend deux volets : étude de la perfusion (irrigation) des poumons, notamment pour rechercher une embolie ; exploration de la ventilation à l'aide de gaz ou d'aérosols radioactifs, mettant en évidence les troubles des échanges gazeux dans les bronches et les alvéoles pulmonaires.

■ **La scintigraphie cérébrale** étudie l'irrigation du cerveau et son métabolisme. Elle permet également de visualiser le liquide céphalorachidien, dans lequel baignent le cerveau et la moelle épinière.

■ **La scintigraphie rénale** permet d'observer le fonctionnement des reins, ensemble ou séparément, en étudiant comment une substance radioactive est captée par le tissu rénal puis éliminée par les voies urinaires.

■ **La scintigraphie cardiaque** comporte deux types d'examen : la scintigraphie myocardique, souvent réalisée après une épreuve d'effort, explore les parois du muscle cardiaque et met en évidence le manque d'apport sanguin en cas d'angine de poitrine ou d'infarctus du myocarde, par exemple ; la scintigraphie cavitaire permet d'évaluer l'efficacité de la pompe cardiaque, notamment par la mesure de la quantité de sang expulsée à chaque battement par les ventricules. Des examens scintigraphiques des artères, des veines et des vaisseaux lymphatiques sont également réalisables.

■ **D'autres examens scintigraphiques** sont pratiquables pour l'oreille, l'œil, l'orbite, les glandes lacrymales et salivaires, les parathyroïdes, la rate, la moelle osseuse et les ganglions lymphatiques, le foie et la sécrétion biliaire, le pancréas, les glandes surrénales, l'œsophage, l'estomac, l'intestin grêle, le côlon, les gonades (glandes sexuelles) et les muscles.

TECHNIQUE

Le principe de la scintigraphie consiste à administrer au patient une substance radio-

Cette technique diagnostique repose sur la mesure des radiations émises par l'organe étudié (thyroïde, rein, cœur, poumon, etc.) après introduction dans l'organisme d'une substance radioactive (radioélément) ayant une affinité pour cet organe. La scintigraphie présente l'intérêt, outre sa faible nocivité, de permettre à la fois l'exploration de la forme, de la structure et des fonctions de l'organe.

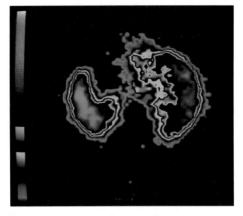

Le rayonnement émis par les organes (ici la rate, à gauche, et le foie, à droite) se traduit en une gamme de couleurs reflétant le degré de captation du radioélément.

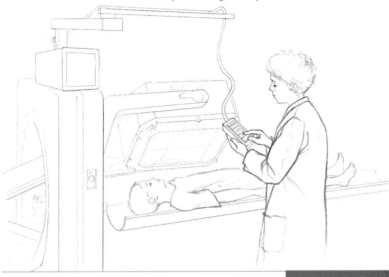

active qui se fixe électivement sur l'organe ou le tissu à explorer. Une caméra spéciale (caméra à scintillation, ou gammacaméra) enregistre ensuite le rayonnement émis par l'organe ou par le tissu. L'image de la région explorée est alors obtenue sur l'écran de l'ordinateur de la gammacaméra. En enregistrant la succession dans le temps de plusieurs images, il est possible de visualiser une transformation, une évolution, un mouvement.

Le radioélément à administrer est choisi en fonction de l'organe ou de la pathologie à étudier. Il peut être soit employé seul (technétium 99m ou iode 123 pour la glande thyroïde, thallium 201 pour le muscle cardiaque, gallium 67 en cas de réaction inflammatoire), soit fixé sur une molécule plus complexe ou sur une cellule dont le métabolisme est spécifique d'un organe ou d'une fonction ; en raison de ses propriétés physiques et chimiques, c'est alors le technétium 99m qui est le plus souvent utilisé ; il sert notamment à marquer des molécules de diphosphonate pour l'examen du squelette, des particules d'albumine pour l'étude de la perfusion (irrigation) des poumons, des globules rouges pour l'évaluation de l'efficacité des ventricules cardiaques, des globules blancs destinés à mettre en évidence une

maladie inflammatoire de l'intestin. Selon l'organe et la pathologie, le tissu malade apparaîtra comme un foyer de fixation augmentée par rapport au tissu sain (zone « chaude ») ou, à l'inverse, diminuée, voire nulle (zone « froide »). Lorsqu'il n'existe pas de molécule spécifique d'un organe, on a parfois recours à deux traceurs différents : ainsi, les glandes parathyroïdes sont visualisées en comparant les images obtenues au moyen de thallium 201, qui se fixe sur la thyroïde et les parathyroïdes, à celles obtenues au moyen de technétium, qui ne se fixe que sur la thyroïde.

PRÉPARATION ET DÉROULEMENT

En général, aucune préparation n'est nécessaire. Rares sont les examens qui doivent s'effectuer à jeun. Les produits sont injectés en très petite quantité, le plus souvent dans une veine du bras. Certains examens sont réalisés après inhalation ou ingestion du traceur radioactif, qui peut également – dans de rares cas (examen de la vessie) – être introduit au moyen d'une sonde. Selon le type d'examen, la prise des clichés se fait immédiatement après l'introduction du produit dans l'organisme ou dans un délai de quelques minutes à plusieurs jours ; elle dure de 5 à 30 minutes environ. Le patient est assis ou allongé sur un lit d'examen ; la

gammacaméra est placée devant la région à étudier ou bien tourne autour du patient à la manière d'un scanner (tomoscintigraphie).

Les examens scintigraphiques ne peuvent être réalisés que dans les services de médecine nucléaire, seuls autorisés à détenir des radioéléments en vue de leur administration à l'homme.

CONTRE-INDICATIONS

La dose de rayonnements reçue est très faible, comparable à celle d'une radiographie des poumons, et n'augmente pas avec le nombre de clichés réalisés. Les quantités de radioélément injectées sont toujours minimes et adaptées à chaque patient ; en outre, les radioéléments choisis ont une durée de vie très courte. Aussi tous les patients, quel que soit leur âge, peuvent-ils bénéficier d'une scintigraphie. La grossesse et la période d'allaitement sont habituellement les seules circonstances où des précautions particulières sont observées. Celles-ci varient en fonction du radioélément employé ; ainsi, pour le technétium 99m, on demandera à une patiente qui allaite d'arrêter de nourrir son enfant au sein pendant 24 heures alors que, si on utilise le gallium 67 ou l'iode 131, la durée d'arrêt de l'allaitement sera plus longue.

EFFETS SECONDAIRES

Le produit n'entraîne aucune allergie, somnolence ou malaise. Le patient peut reprendre ses activités immédiatement après l'examen.

PERSPECTIVES

Une nouvelle application de la scintigraphie, l'immunoscintigraphie, consiste à administrer au patient un anticorps spécifique marqué. Celui-ci se fixe dans l'organisme sur les molécules caractéristiques d'anomalies liées à certaines maladies, en particulier de certains types de cancer (cancer du côlon et du rectum, cancer de l'ovaire). L'immunoscintigraphie est souvent utilisée pour dépister les récidives de ces cancers. Elle donne dans certains cas des résultats sensiblement meilleurs que les traceurs classiques et paraît extrêmement prometteuse.

Scintillation

Émission de lumière par certains composés sous l'effet de rayonnements X ou gamma.

C'est sur le principe de la scintillation qu'est fondé le fonctionnement des détecteurs de radioactivité dits détecteurs à scintillation. La partie utile des détecteurs employés en médecine nucléaire le plus souvent constituée d'un cristal d'iodure de sodium auquel ont été ajoutés quelques atomes de thallium. La lumière émise par le cristal, de très faible intensité, est amplifiée plusieurs millions de fois par un appareil approprié appelé photomultiplicateur. Ce dispositif équipe les compteurs et les caméras (gammacaméras, ou caméras à scintillation employées en scintigraphie) qui détectent les rayons gamma. Il est également tiré parti du phénomène de scintillation, en radiologie, pour améliorer la détection des rayons X par les films radiographiques et réduire ainsi les doses de rayonnement nécessaires.

Maladie auto-immune de gravité très variable, la sclérodermie atteint le plus souvent la femme. On en distingue deux formes, l'une localisée, qui n'atteint que la peau, et l'autre systémique, qui touche également différents viscères.

Scissure

Sillon creusé à la surface d'un organe.

Il existe notamment des scissures dans le cerveau et les poumons.

■ Les scissures cérébrales sont les plus profonds des nombreux sillons visibles sur le cortex, à la surface de chaque hémisphère, y délimitant les circonvolutions cérébrales.

- La scissure de Rolando est verticale et sépare le lobe frontal, en avant, du lobe pariétal, en arrière.

- La scissure de Sylvius est horizontale et sépare le lobe frontal et le lobe pariétal, en haut, du lobe temporal, en bas.

- D'autres scissures se développent au sein même d'un lobe cérébral, comme la scissure calcarine, dans le lobe occipital.

- La scissure interhémisphérique - verticale, médiane et orientée d'avant en arrière - sépare l'un de l'autre les deux hémisphères cérébraux.

■ Les scissures pulmonaires divisent les poumons en lobes. Le poumon droit comprend trois lobes superposés, séparés par deux scissures : la petite scissure entre le lobe supérieur et le lobe moyen, la grande scissure entre le lobe moyen et le lobe inférieur. Le poumon gauche ne possède que deux lobes, un supérieur et un inférieur, séparés par une unique scissure. Les scissures pulmonaires sont parfois visibles sur une radiographie thoracique en cas d'insuffisance ventriculaire gauche ou d'épanchement pleural.

Sclère

→ VOIR Sclérotique.

Sclérème

Maladie cutanée très rare du nouveau-né, d'évolution sévère, consistant en une induration de la peau débutant aux membres inférieurs et pouvant se généraliser.

Le sclérème est de cause inconnue ; il pourrait être lié à une dénutrition et à diverses carences. Il survient entre le 2e et le 10e jour après la naissance chez un enfant prématuré. La peau perd sa souplesse et prend une teinte cireuse ou violette. Il n'existe pas de traitement.

Sclérite

Inflammation de la sclérotique, tunique externe du globe oculaire formant le blanc de l'œil.

Les sclérites sont relativement rares car la vascularisation de la sclérotique est peu importante. Les lésions se localisent surtout près du limbe sclérocornéen (zone de jonction entre la cornée et la sclérotique).

Une telle affection peut survenir au cours d'une maladie de système (sarcoïdose, polyarthrite rhumatoïde, par exemple) ou constituer une manifestation allergique.

DIFFÉRENTS TYPES DE SCLÉRITE

On distingue trois types de sclérite en fonction de la localisation de l'inflammation.

■ Les épisclérites (inflammation de l'épisclère, membrane qui recouvre la sclérotique) se manifestent par une rougeur visible à travers la conjonctive, dont les vaisseaux

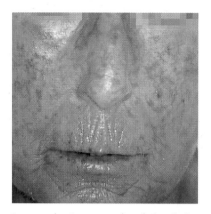

La peau du visage se tend et devient épaisse et rigide, impossible à plisser, conférant au visage un aspect « en masque ».

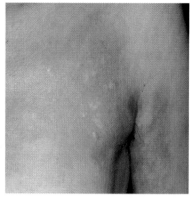

L'une des formes cutanées se traduit par l'apparition de plaques, qui s'étendent, durcissent et prennent une couleur ivoire.

sont souvent dilatés. Cette affection, transitoire, très peu douloureuse et bénigne, ne nécessite qu'un traitement par collyres anti-inflammatoires, mais elle peut récidiver. Parfois s'y associent des nodules violacés de la taille d'une lentille, d'évolution plus prolongée mais tout aussi bénigne. Une épisclérite accompagne souvent une polychondrite atrophiante (maladie inflammatoire caractérisée par une atteinte des cartilages).

■ Les sclérites antérieures, plus rares, se localisent sur la partie antérieure, visible, de la sclère. Le patient ressent des douleurs oculaires, augmentées par les mouvements de l'œil et la lecture, craint la lumière et larmoie. La corticothérapie locale permet de faire régresser la maladie en quelques semaines ou en quelques mois. Un amincissement scléral localisé peut toutefois persister et des récidives sont possibles (sclérite migratoire).

■ Les sclérites postérieures, très rares, se manifestent par une inflammation de l'orbite. Douleurs derrière l'œil, maux de tête, parfois diplopie (vision double) et exophtalmie (saillie du globe oculaire hors de son orbite), avec œdème des paupières et de la conjonctive, en sont les symptômes. La sclérite postérieure régresse en quelques semaines sous corticothérapie locale. Toutefois, des adhérences des muscles oculomoteurs peuvent se produire.

Sclérodermie

Maladie auto-immune caractérisée par une sclérose progressive du derme et, dans certains cas, des viscères.

La sclérodermie est une maladie rare, le nombre de nouveaux cas chaque année étant d'environ 2 à 16 par million d'adultes. Elle est plus fréquente chez la femme et débute le plus souvent entre 40 et 50 ans.

MÉCANISME

La cause de la sclérodermie est inconnue mais son mécanisme est en partie élucidé : il consiste en une altération du tissu conjonctif, dont les faisceaux de fibres de collagène augmentent en taille, et en une atteinte des artérioles et des capillaires, ce qui entraîne une fibrose, ou sclérose. Il existe deux grands types de sclérodermie, la forme localisée et la forme systémique.

Sclérodermie localisée

C'est une fibrose atteignant essentiellement le derme, dans certains cas les tissus sous-jacents (aponévroses et muscles), mais respectant les viscères.

DIFFÉRENTS TYPES DE SCLÉRODERMIE LOCALISÉE

Cette affection peut prendre des aspects variés.

■ La sclérodermie en bandes forme des bandes bien limitées de tissu scléreux, ferme et induré, d'un blanc nacré limité par une fine bordure lilas, qui siègent surtout sur les membres, le visage ou le cuir chevelu ; on parle dans ces derniers cas de sclérodermie en coup de sabre. Les lésions peuvent laisser d'importantes séquelles esthétiques et fonctionnelles (limitation des mouvements articulaires).

■ La sclérodermie en gouttes se traduit par de petits éléments arrondis, d'un blanc nacré, qui touchent surtout la nuque, le cou, les épaules et le haut du thorax.

■ La sclérodermie en plaques forme des plaques cutanées ou morphées, de couleur et de consistance identiques aux lésions de la sclérodermie en bandes. Les plaques peuvent persister durant plusieurs années avant de guérir en laissant des cicatrices peu marquées.

DIAGNOSTIC

Il repose essentiellement sur l'examen clinique, les examens biologiques étant normaux. L'examen histologique confirme le diagnostic, montrant l'amincissement de l'épiderme et surtout la sclérose du derme.

TRAITEMENT

Il est assez peu efficace, qu'il s'agisse des corticostéroïdes locaux ou des traitements par voie générale visant à lutter contre la sclérose (vitamine E, extraits d'huile d'avocat, corticostéroïdes dans les formes extensives). Une rééducation active (kinésithérapie) est nécessaire en cas de séquelles fonctionnelles (rétractions musculaires, retard de croissance) occasionnées par les lésions aponévrotiques et musculaires.

Sclérodermie systémique

Elle associe, à des signes cutanés variables mais tous caractérisés par un épaississement induré du tégument, des manifestations viscérales multiples.

SYMPTÔMES ET SIGNES

La première manifestation en est presque toujours un syndrome de Raynaud : par temps froid, les vaisseaux sanguins irriguant les doigts se contractent brusquement ; les doigts deviennent alors blancs comme le marbre, puis violets, avant de revenir à leur couleur normale. L'évolution se fait ensuite vers deux formes différentes, la forme limitée ou la forme diffuse.

■ La forme limitée associe au syndrome de Raynaud une ou plusieurs autres anomalies : sclérodactylie (sclérodermie des doigts) – la peau devient lisse, rigide, impossible à pincer, les doigts prennent une forme effilée et se fixent progressivement en flexion irréductible ; télangiectasies (dilatation des petits vaisseaux sanguins cutanés) siégeant sur le visage, les mains et les pieds ; calcinose (petites masses dermiques calcifiées favorisant l'ulcération de la peau sus-jacente) sur les mains et les pieds ; atteinte motrice de l'œsophage, confirmée par la manométrie œsophagienne, altérant la motricité de cet organe et entraînant une dysphagie (gêne à la déglutition). L'ensemble de ces troubles est parfois dénommé C.R.E.S.T. syndrome (abréviation anglo-saxonne de calcinose, Raynaud, atteinte œsophagienne, sclérodactylie, télangiectasies). Des arthralgies et une péricardite s'observent dans certains cas. Le pronostic est assez favorable, mais un passage vers la forme diffuse est possible.

■ La forme diffuse se caractérise par l'extension de la sclérodermie à un ou plusieurs viscères, principalement les reins, ce qui entraîne deux fois sur trois une hypertension artérielle de pronostic sévère. Cette forme atteint aussi le péricarde et, plus rarement, le myocarde, les poumons (fibrose interstitielle gênant la respiration) et le tube digestif, avec œsophagite et malabsorption des aliments. Le diagnostic, essentiellement clinique, peut s'aider de la capillaroscopie unguéale et de la recherche dans le sang de certains auto-anticorps (anticorps sécrétés par l'organisme contre un de ses propres constituants). Cette forme est grave mais son évolution peut se stabiliser après quelques années.

TRAITEMENT

Il est essentiellement celui des symptômes et donc adapté à chaque cas : inhibiteurs calciques contre le syndrome de Raynaud et la sclérodactylie ; inhibiteurs de l'enzyme de conversion contre l'hypertension ; régime alimentaire adapté, pansements digestifs, antihistaminiques ou cures d'antibiotiques (tétracyclines) contre les troubles digestifs.

Indépendamment des symptômes, des corticostéroïdes (prednisone) sont prescrits de manière très prolongée. Ce traitement a une efficacité certaine mais partielle et variable d'un malade à un autre ; il est réservé aux formes graves de la maladie en raison de ses effets indésirables potentiels. De nombreuses autres substances peuvent être prescrites, notamment la D-pénicillamine et la colchicine.

Sclérœdème

Affection cutanée rare, caractérisée par l'infiltration de la peau par une substance mucopolysaccharidique et se traduisant par des œdèmes épais et ligneux (ayant la consistance du bois).

■ Chez l'enfant et l'adolescent, le sclérœdème apparaît 4 à 6 semaines après une infection bactérienne par un streptocoque ; il débute sur la nuque et sur le cou et s'étend en tache d'huile sur le dos et les membres, puis régresse en quelques mois, voire un an. Le traitement repose sur l'administration d'antibiotiques (pénicillines) à forte dose et/ou de corticostéroïdes.

■ Chez l'adulte diabétique, la plaque débute sur la nuque puis s'étend progressivement vers les extrémités. L'amélioration du contrôle du diabète s'impose.

Dans certains cas, le sclérœdème constitue le premier signe d'une sclérodermie (maladie auto-immune caractérisée par l'induration progressive du derme et des viscères).

Sclérolipomatose

Infiltration pathologique du tissu adipeux qui entoure un organe par des fibres conjonctives épaisses et dures.

Cette infiltration se localise le plus souvent à la hauteur des dernières vertèbres lombaires, déterminant une fibrose (formation pathologique de tissu fibreux) rétropéritonéale.

Scléromalacie

Amincissement progressif et indolore de la sclérotique, tunique externe du globe oculaire formant le blanc de l'œil.

La scléromalacie est une affection très rare. Elle résulte d'un processus dégénératif et s'associe presque toujours à une polyarthrite rhumatoïde grave ou à d'autres maladies de système (granulomatose de Wegener, maladie de Crohn).

SYMPTÔMES ET DIAGNOSTIC

Une scléromalacie s'accompagne souvent d'une ulcération de la conjonctive et parfois d'un ulcère de la cornée. Le diagnostic fait appel à l'examen de l'œil au biomicroscope.

ÉVOLUTION

Une scléromalacie peut durer de nombreuses années sans s'aggraver ni guérir vraiment. Des complications risquent de survenir : uvéite, infection de l'œil, perforation ou atrophie du globe oculaire, entraînant une altération de la vision ; des séquelles telles qu'une atteinte rétinienne ou une opacification du cristallin peuvent également apparaître. Le risque majeur consiste en une perforation de la sclérotique, parfois indo-

lore, laissant apparaître la choroïde (membrane vascularisée située entre la rétine et la sclérotique).

TRAITEMENT

Il repose sur la prise d'anti-inflammatoires locaux ou généraux. Plus récemment pratiquée, l'administration de ciclosporine A semble permettre une cicatrisation satisfaisante. La perforation de la sclérotique n'est pas réparable et rend l'œil plus fragile.

Sclérose

→ VOIR Fibrose.

Sclérose combinée de la moelle

Atteinte simultanée, dans la moelle épinière, de deux zones de substance blanche, le cordon postérieur (faisceau véhiculant la sensibilité proprioceptive, ou profonde [muscles, tendons, os, articulations]) et le cordon latéral (contenant le faisceau pyramidal qui véhicule la motricité).

CAUSES

La sclérose combinée de la moelle peut être secondaire à une carence en vitamine B12 – c'est une complication possible de la maladie de Biermer non traitée – ou à une dégénérescence spinocérébelleuse, notamment rencontrée au cours de la maladie de Friedreich (maladie dégénérative de la moelle épinière).

SYMPTÔMES ET TRAITEMENT

La sclérose combinée entraîne des troubles mixtes (ou combinés), en particulier des troubles de la sensibilité profonde associés à des contractions musculaires involontaires. Ces troubles affectent surtout les membres inférieurs et se traduisent, notamment, par une marche ataxospasmodique (mouvements brusques de pantin désarticulé).

En cas de sclérose combinée par carence en vitamine B12, des injections de cette vitamine font disparaître tous les troubles si elles sont pratiquées précocement. La sclérose combinée due à une dégénérescence spinocérébelleuse évolue lentement vers l'immobilisation du malade.

Sclérose latérale amyotrophique

→ VOIR Charcot (maladie de).

Sclérose en plaques

Maladie démyélinisante (entraînant la disparition de la myéline, substance lipidique entourant les fibres nerveuses de la substance blanche) du système nerveux central, se traduisant par une sclérose (durcissement dû à un dépôt anormal de tissu conjonctif), apparaissant sous forme de plaques, de la substance blanche.

La sclérose en plaques atteint principalement les adultes jeunes avec une prédominance féminine (60 % des cas). On dénombre de 3 à 5 nouveaux cas par an pour 100 000 habitants en Europe et aux États-Unis.

CAUSES

Elles ne sont pas connues avec certitude, mais l'intervention conjointe de plusieurs facteurs est probable, dont des facteurs génétiques. On pense qu'il s'agit d'une

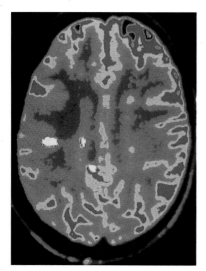

Sclérose en plaques. Les lésions se traduisent, sur ce scanner du cerveau (coupe horizontale), par de petites plaques jaune vif.

maladie auto-immune (le système immunitaire de l'organisme attaquerait la myéline comme si celle-ci était un corps étranger). La maladie est plus fréquente dans les régions tempérées du globe ; en dehors de ces dernières, elle est aussi plus répandue chez les gens ayant passé leur enfance dans ces mêmes régions, ce qui peut laisser supposer des origines liées à l'environnement ; toutefois, la nature du facteur environnemental est controversée et il n'existe actuellement aucune preuve d'une origine virale.

SYMPTÔMES ET SIGNES

Les plaques empêchent les fibres nerveuses atteintes de conduire l'influx nerveux, ce qui entraîne des troubles d'intensité et de localisation très variables, en fonction de la zone où elles apparaissent. La maladie se manifeste habituellement sous forme de poussées de courte durée, suivies d'une régression des signes.

Les premières manifestations de la sclérose en plaques peuvent concerner les fonctions sensitives (fourmillements, impressions anormales au tact), motrices (paralysie transitoire d'un membre), la vision (vision floue, baisse brutale de l'acuité visuelle d'un œil), l'équilibre ou encore le contrôle des urines (incontinence).

DIAGNOSTIC

Il repose principalement sur l'observation des signes. L'apparition brutale de troubles témoignant d'une atteinte multifocale (plusieurs foyers) et leur régression rapide en quelques jours ou en quelques semaines, chez un adulte jeune, sont très caractéristiques de la maladie. L'imagerie par résonance magnétique (I.R.M.) est actuellement le procédé permettant le mieux de visualiser les plaques démyélinisées, à bords plus ou moins réguliers. L'examen du liquide céphalorachidien, recueilli par ponction lombaire, peut montrer la présence de lymphocytes, ou

globules blancs, une légère augmentation du taux de protéines et une élévation du pourcentage des gammaglobulines (anticorps). Les potentiels évoqués (enregistrement de l'activité électrique du cerveau) permettent de rechercher des atteintes encore latentes, établissant le caractère multifocal des plaques et donc des lésions neurologiques.

TRAITEMENT

Le traitement des poussées se fonde sur la corticothérapie à fortes doses, administrée de préférence par perfusion pendant quelques jours en milieu hospitalier, mais aussi par injections intramusculaires et par voie orale. Par ailleurs, on utilise l'interféron bêta qui peut diminuer le nombre et la durée de poussées et l'apparition de nouvelles lésions. D'autres traitements sont à l'étude (anticorps monoclonaux, copolymer). On peut utiliser, dans certains cas, des immunosuppresseurs. Les troubles sont également traités spécifiquement : traitement médicamenteux de l'incontinence urinaire, rééducation par kinésithérapie visant à renforcer la musculature, etc.

PRONOSTIC

Il est très variable. La forme la plus courante se caractérise par une succession de poussées entrecoupées de rémissions d'une durée très variable avec, lors des premières manifestations de la maladie, une régression totale des signes, puis leur persistance croissante, ce qui aboutit à une invalidité progressive. Il existe également des formes immédiatement invalidantes (poussées initiales non suivies de rémission), des cas où l'évolution est progressive et continue, mais également des formes bénignes, qui se traduisent par un petit nombre de poussées et une rémission très longue ou définitive.

Sclérotique

Membrane fibreuse blanchâtre, très résistante, qui enveloppe l'œil sur presque toute sa surface. SYN. *sclère.* (P.N.A. *sclera*)

STRUCTURE

Épaisse de 1 millimètre, la sclérotique, appelée couramment blanc de l'œil, se prolonge en avant par la cornée, transparente et de forme plus bombée. À l'arrière se situe l'orifice de sortie du nerf optique, en regard de la papille. La sclérotique est également percée, à l'avant, par les orifices des vaisseaux ciliaires.

La sclérotique est recouverte de l'épisclère, membrane fibro-élastique vascularisée qui joue le rôle d'une gaine synoviale facilitant les mouvements du globe oculaire. Sa face interne est en contact avec la choroïde. Elle est peu vascularisée, ce qui explique la lenteur de sa cicatrisation.

EXAMENS

La partie antérieure de la sclérotique est visible, à l'examen au biomicroscope, à travers la conjonctive et l'épisclère. Le scanner et l'échographie oculaire permettent une approche de sa portion postérieure.

PATHOLOGIE

En dehors des traumatismes, la sclérotique peut être le siège d'affections dégénératives (scléromalacie) et surtout inflammatoires (sclérite). Toutefois, en raison de sa structure

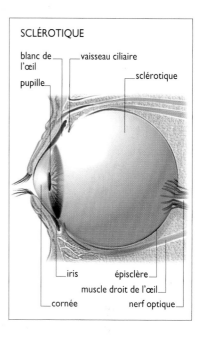

SCLÉROTIQUE

blanc de l'œil — vaisseau ciliaire
pupille — sclérotique
iris — épisclère
muscle droit de l'œil
cornée — nerf optique

fibreuse et de sa faible vascularisation, elle est assez rarement atteinte par un processus pathologique.

Scoliose

Incurvation latérale pathologique de la colonne vertébrale (rachis).

Une scoliose peut être permanente ou non, c'est-à-dire présente ou non dans toutes les positions du rachis. Lorsqu'elle affecte le rachis dorsal, elle entraîne parfois des déformations (gibbosités) importantes.

DIFFÉRENTS TYPES DE SCOLIOSE

Il en existe trois, de gravité diverse.

■ **Les attitudes scoliotiques** sont caractérisées par une incurvation latérale droite ou gauche du rachis, visible en position debout, qui se corrige lorsque le sujet se penche en avant. Elles sont le plus souvent dues à une inégalité de longueur des jambes, phénomène fréquent au cours de la croissance mais qui peut persister à l'âge adulte. Elles nécessitent une surveillance particulière chez les sujets en période de croissance.

■ **Les scolioses antalgiques**, particulièrement douloureuses, accompagnent un lumbago ou une sciatique lombaire. En principe, elles se corrigent lorsque leur cause est traitée, mais elles peuvent persister, voire se transformer en scoliose vraie, avec rotation des corps vertébraux. Elles nécessitent donc une surveillance régulière.

■ **Les scolioses vraies**, également appelées **scolioses osseuses** ou **scolioses structurales**, se subdivisent en trois catégories différentes. Les scolioses par malformation congénitale d'une vertèbre (la moitié seulement d'une vertèbre s'est développée) existent dès la naissance et sont souvent évolutives. Les scolioses par déformation acquise d'une ou de plusieurs vertèbres (séquelles d'un mal de Pott, par exemple) peuvent être très importantes. Les scolioses

La scoliose est une déviation latérale anormale de la colonne vertébrale vers la droite ou la gauche, qui survient souvent pendant l'enfance ou l'adolescence. Elle peut être consécutive à une malformation congénitale ou à une déformation d'une ou de plusieurs vertèbres, à l'inégalité de longueur des jambes ou encore survenir sans cause décelable (scoliose dite idiopathique).

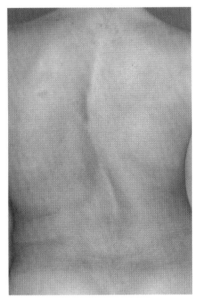

Une déviation dorsale (en haut du dos) est souvent compensée par une déviation lombaire (en bas du dos) en sens contraire.

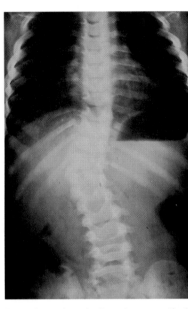

La radiographie de la colonne vertébrale confirme le diagnostic de scoliose et permet de mesurer l'importance de celle-ci.

idiopathiques, caractérisées par une rotation des vertèbres, débutent dans l'enfance et s'aggravent pendant toute la croissance sans entraîner de douleur.

DIAGNOSTIC
Il repose sur l'examen clinique, sur certaines mesures prises sur l'axe vertébral et affinées d'après les clichés radiologiques. La scoliose est ainsi définie par son siège précis (dorsal, lombaire) et par l'importance en degrés de l'angulation observée entre les vertèbres.

TRAITEMENT
Les courbures scoliotiques doivent être mesurées périodiquement. Si elles sont modérées, elles relèvent d'une gymnastique appropriée et d'un traitement orthopédique (corset, plâtre).

Seules les scolioses évolutives ou importantes doivent être opérées mais, dans la mesure du possible, pas avant la fin de la croissance osseuse du rachis. Le plus souvent, le traitement consiste, après avoir corrigé du mieux possible les courbures anormales, à souder les vertèbres atteintes par une greffe osseuse (arthrodèse). Ce geste, presque toujours associé à une ostéosynthèse postérieure et/ou antérieure (pose d'une plaque ou d'une tige), permet de redresser la colonne vertébrale, au prix cependant d'une certaine raideur. Les lombostats sont d'une grande utilité pour traiter certaines scolioses lombaires qui deviennent douloureuses et évolutives à l'âge adulte : altération des disques intervertébraux, voire compression de racines nerveuses ou de la moelle épinière, ayant pour conséquence des complications neurologiques graves.

Scorbut

Maladie aiguë ou chronique due à une carence en vitamine C d'origine alimentaire.

Le scorbut se rencontrait autrefois à l'état endémique dans les prisons, sur les bateaux et, de façon générale, chez toutes les personnes ayant une alimentation pauvre en légumes et en fruits frais.

Cette maladie se traduit par des hémorragies, des troubles de l'ossification, des altérations des gencives, une grande fatigabilité, une moindre résistance aux infections. Elle se guérit par l'administration de vitamine C. Actuellement, la qualité et la diversification de l'alimentation rendent peu probable l'apparition d'un scorbut, d'autant que la quantité de vitamine C nécessaire à sa prévention est très faible, de l'ordre de 10 milligrammes par jour.

Scotch-test

Examen dermatologique permettant de déterminer une infection par certains champignons microscopiques ou l'infestation par certains vers intestinaux.

Le Scotch-test, très simple, est particulièrement utilisé dans le diagnostic des mycoses superficielles de l'épiderme, notamment du pityriasis versicolor et, surtout chez l'enfant, de l'oxyurose (infestation par un ver parasite, l'oxyure). Il consiste à appliquer un fragment de papier collant transparent (Scotch) sur une lésion de la peau ou des muqueuses (marge anale en cas de suspicion d'oxyurose). Le Scotch est ensuite fixé sur une lame de verre puis examiné au microscope afin de rechercher les éléments qui s'y sont collés.

Ce test n'entraîne pas d'effets secondaires. Les résultats sont connus le jour même, dès l'identification de l'agent responsable.

Scotome

Amputation partielle du champ visuel, perçue ou non par le patient.

DIFFÉRENTS TYPES DE SCOTOME
Il existe des scotomes négatifs, non perçus par le patient mais qui sont mis en évidence par l'étude du champ visuel, et des scotomes positifs, que le patient perçoit comme une tache plus sombre dans son champ visuel, tache qu'il peut dessiner sur une feuille quadrillée, appelée grille de Amsler. Selon l'intensité du scotome, on distingue les scotomes absolus, sans perception lumineuse, et les scotomes relatifs, au niveau desquels la perception lumineuse est affaiblie mais persiste.

Par ailleurs, la localisation du scotome permet de donner des indications sur la lésion d'origine et conditionne la baisse de la vision centrale.

■ Les scotomes centraux, situés autour du point de fixation, qui correspond au point central du champ visuel lors d'un test, traduisent une atteinte des fibres provenant de la macula, dans le nerf optique ou dans les voies optiques. L'atteinte peut être unilatérale ou bilatérale. Les scotomes centraux sont responsables d'une baisse plus ou moins profonde de l'acuité visuelle.

■ Les scotomes cæcocentraux traduisent une atteinte de la papille optique (point de départ dans l'œil du nerf optique). Ils sont situés dans les 10 degrés centraux du champ visuel, du côté extérieur. Ils résultent souvent de névrites optiques dues surtout à une consommation excessive d'alcool et/ou de tabac et touchent en général les deux yeux.

■ Les scotomes paracentraux, situés dans les 30 degrés centraux du champ visuel, sont dus, le plus souvent, au glaucome (hypertension intraoculaire).

TRAITEMENT
Le traitement d'un scotome est celui de la maladie causale.

Scotomisation

Mécanisme psychique par lequel le sujet évacue de sa conscience un événement ou un souvenir traumatisant.

Ce terme a été emprunté par la psychologie à l'ophtalmologie : par analogie avec le scotome, amputation partielle ou totale du champ visuel, la scotomisation désigne un mécanisme inconscient et sélectif par lequel le sujet fait disparaître – ou écarte – du champ de sa conscience certains faits ou souvenirs dont la résonance affective est douloureuse et traumatisante. Ce type de défense contre la perception d'une réalité pénible correspond à ce que Sigmund Freud a décrit sous le nom de « déni de la réalité ».

Scrotum

Enveloppe cutanée superficielle des bourses et de leur contenu, les testicules et les épididymes. (P.N.A. *scrotum*)

PATHOLOGIE

Le scrotum peut être le siège de diverses affections.

■ Un abcès épididymotesticulaire (collection de pus dans l'épididyme et le testicule) peut se fistuliser au scrotum, provoquant un écoulement externe de pus.

■ Une hernie inguinoscrotale, hernie inguinale au cours de laquelle un segment d'intestin fait saillie sur le scrotum, entraîne une augmentation de volume de celui-ci.

■ Une hydrocèle vaginale (épanchement de liquide séreux situé entre les deux feuillets de la vaginale testiculaire, enveloppe séreuse du testicule) se traduit par une augmentation du volume du scrotum.

■ Une tumeur du testicule, lorsqu'elle est volumineuse, entraîne une déformation locale du scrotum.

En outre, toutes les pathologies cutanées peuvent siéger sur le scrotum : allergies, mycoses, infections de follicules pilosébacés, abcès, etc.

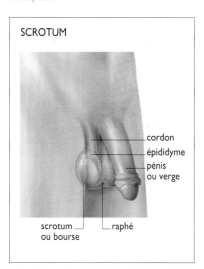

SCROTUM

cordon
épididyme
pénis
ou verge

scrotum
ou bourse — raphé

Scrubtyphus
→ VOIR Fièvre fluviale du Japon.

Scybales
Selles de petite taille, rondes et desséchées (comme celles des chèvres ou des moutons).

L'émission de scybales est un simple signe de constipation. Elle n'indique pas d'état anormal et ne requiert aucun traitement.

Sébacée (glande)
Glande annexe de l'épiderme, sécrétant le sébum. (P.N.A. *glandula sebacea*)

Les glandes sébacées sont présentes sur toute la surface de la peau, sauf sur la paume des mains et la plante des pieds, mais elles sont plus abondantes dans certaines régions : visage, dos, cuir chevelu. Ces glandes sont le plus souvent dépendantes de follicules pileux, leur taille variant en fonction inverse de la taille du poil ; elles sont ainsi uniques et petites en cas de longs poils épais et multiples et très développées si le poil est court. Les glandes sébacées indépendantes

d'un follicule pileux, plus rares, sont situées dans les paupières (glandes de Meibomius), dans la lèvre supérieure (grains de Fordyce), dans les aréoles des seins ; chez l'homme, dans le prépuce (glandes de Tyson) et, chez la femme, dans les muqueuses génitales.

DESCRIPTION

Une glande sébacée se compose de deux parties : une partie sécrétrice (la glande sébacée proprement dite) entourée par une membrane, en forme de petit sac, et un canal, dit sébacé, qui rejoint la tige d'un poil pour former un canal pilosébacé. On y distingue deux parties, l'une sous-épidermique, l'autre traversant l'épiderme jusqu'à la surface de la peau.

PHYSIOLOGIE ET PATHOLOGIE

La sécrétion du sébum est activée par les hormones androgènes (testostérone). D'autres facteurs l'influencent : âge (avec un léger pic avant l'âge de trois mois et un autre, plus important, à la puberté), « dégraissage » excessif de la peau par des cosmétiques, hormones médicamenteuses du type œstrogène ou progestatif (activation ou inhibition), affections neurologiques (maladie de Parkinson). L'augmentation pathologique de la sécrétion de sébum est la séborrhée.

Séborrhée
Augmentation pathologique de la sécrétion de sébum par les glandes sébacées.

Une séborrhée confère à la peau un aspect gras ; elle favorise l'apparition d'une acné ou d'une dermatite séborrhéique.

CAUSES

La séborrhée est fréquente à l'adolescence. Elle peut également survenir au cours d'une maladie neurologique (maladie de Parkinson, par exemple) ou d'un traitement hormonal (œstrogènes).

TRAITEMENT

Il consiste en un nettoyage biquotidien de la peau à l'aide de produits doux non décapants ; dans certains cas, on y associe l'application locale de progestérone, voire, dans les cas rebelles, l'administration à très faibles doses de rétinoïdes (isotrétinoïnes). Ceux-ci sont formellement contre-indiqués chez les femmes enceintes ou ne disposant pas d'une contraception efficace, car ils entraînent des malformations chez le fœtus. L'application locale de produits à base d'hormones antiandrogènes est actuellement à l'étude.

Sébum
Produit de sécrétion des glandes sébacées.

Le sébum est un produit blanc jaunâtre, pâteux, d'odeur alliacée. Il est constitué essentiellement de lipides, en majorité du type des triglycérides. Il se répand à la surface de l'épiderme et participe à la protection contre certains microbes (bactéries et champignons microscopiques). En outre, il lubrifie la peau, la protège de l'humidité et de la sécheresse et entretient sa souplesse.

EXAMENS

L'estimation du débit d'excrétion du sébum est possible mais délicate à réaliser ; l'examen, qui n'est pas de pratique courante,

consiste à effectuer des prélèvements de sébum sur trois parties différentes du front, toujours à la même période du cycle menstruel chez la femme, à la même heure, après les mêmes conditions de nettoyage et à la même température. Le débit moyen varie chez l'homme de 1 à 1,5 microgramme par centimètre carré à la minute et, chez la femme, de 0,75 à 1 microgramme.

PATHOLOGIE

Elle est représentée par la séborrhée, hypersécrétion de sébum fréquente à l'adolescence, prédisposant à l'acné et à la dermatite séborrhéique.

Secondaire
Se dit d'une maladie ou d'une manifestation pathologique consécutives à une autre.

Le terme est, par exemple, utilisé pour caractériser les lésions métastatiques d'un cancer primitif. Ainsi, le cancer du côlon se complique souvent de lésions hépatiques secondaires. Il peut arriver qu'un cancer primitif soit asymptomatique et ne soit diagnostiqué qu'après la découverte du cancer secondaire, qui se révèle, par exemple, par des métastases pulmonaires.

Secourisme
Ensemble des méthodes pratiques et des techniques thérapeutiques mises en œuvre pour porter assistance à des personnes en danger (victimes d'accidents, par exemple) et leur dispenser les premiers soins.

Ces gestes sont pratiqués par des secouristes, personnes qui, souvent, n'appartiennent pas à une profession de santé, mais qui ont reçu une formation spéciale (organisée, par exemple, par la Croix-Rouge), sanctionnée par un diplôme, ou brevet.

Les premiers secours ont pour but d'éviter la mort de la victime, ou l'aggravation de son état, jusqu'à ce que des soins médicaux puissent lui être dispensés par un personnel spécialisé, sur place puis à l'hôpital. En cas d'accident, ils servent aussi à empêcher un nouvel accident (traumatisme consécutif à un déplacement intempestif du blessé, par exemple).

Le secouriste doit, le cas échéant, écarter la foule des badauds, tenter de supprimer les facteurs d'accident (dégager la route, signaler le lieu de l'accident, couper le gaz ou l'électricité, etc.) et prévenir ou faire prévenir les services d'urgence compétents (pompiers, services hospitaliers d'urgence).

Les premiers soins consistent à dégager la victime, s'il est possible de le faire sans danger pour elle, et, si elle est consciente, à lui parler afin de la rassurer et de se renseigner sur les circonstances de l'accident et sur son état. Si la victime est inconsciente et respire, il faut la mettre, si on ne craint pas une atteinte de la colonne vertébrale, en position latérale de sécurité (position réduisant ou éliminant les risques mécaniques d'asphyxie) et la surveiller pour vérifier si la respiration se maintient (mouvements respiratoires, couleur des lèvres, pouls). Si la victime ne respire plus, il faut immédiatement entreprendre une respiration artificielle après avoir desserré si nécessaire les vêtements gênants (chemise, col, cravate, ceinture) et dégagé la bouche et la gorge d'obstacles éventuels (vomissements, terre, etc.). En cas d'arrêt cardiaque, un massage cardiaque externe doit être pratiqué sans attendre par une personne compétente.

Les hémorragies externes doivent être arrêtées, par compression du vaisseau sanguin avec le pouce ou le poing en amont de la plaie ou par compression de la plaie elle-même (pansement compressif).

Les membres fracturés doivent être immobilisés par des attelles, une écharpe ou des vêtements.

→ VOIR Bouche-à-bouche, Massage cardiaque externe, Position latérale de sécurité, Ramassage des blessés.

Sécrétine

Hormone sécrétée lors du passage du chyme (liquide résultant de la digestion des aliments) par les cellules neuroendocrines de la muqueuse digestive et, en particulier, du duodénum.

La sécrétine déclenche la sécrétion de bile et de suc pancréatique et inhibe la sécrétion gastrique acide et les mouvements du tube digestif. Des tests recourant à des injections de sécrétine permettent d'étudier la sécrétion pancréatique et de dépister des tumeurs qui sécrètent de la gastrine, hormone ordinairement produite dans l'antre de l'estomac (syndrome de Zollinger-Ellison).

Sécrétion

Production et libération par un groupe de cellules, une glande ou un organe, de produits (enzymes, hormones) nécessaires à la vie de l'organisme.

MÉCANISME

Le mécanisme des sécrétions est variable : les sécrétions des glandes endocrines (thyroïde, hypophyse, surrénales, etc.) sont déversées dans le sang. Les sécrétions des glandes exocrines (salivaires, par exemple) sont libérées par l'intermédiaire de canaux excréteurs. Les sécrétions sont stimulées ou inhibées par des signaux biologiques (ainsi, l'augmentation de la glycémie stimule la sécrétion d'insuline mais inhibe celle de glucagon). Le débit de chaque sécrétion hormonale est constamment modulé par un ou plusieurs rétrocontrôles (processus par lequel la variation de la sécrétion d'une glande endocrine inhibe ou déclenche celle de la glande qui la commande).

La cellule qui sécrète peut avoir synthétisé elle-même le produit de sécrétion : les cellules bêta du pancréas, par exemple, synthétisent et sécrètent l'insuline ; dans d'autres cas, elle ne fait que le stocker (cas des cellules de la posthypophyse, qui stockent la vasopressine, par exemple).

→ VOIR Endocrine, Exocrine.

Secret médical

Respect par le médecin de la confidentialité des informations - médicales ou non - qu'il est amené à connaître dans le cadre de ses relations professionnelles avec un malade.

Le secret médical est un principe fondamental de l'exercice de la médecine, appartenant à la déontologie et à l'éthique médicales. Il figure en toutes lettres dans le serment d'Hippocrate. Toutefois, il peut - et doit - être rompu si le médecin estime avoir connaissance d'un cas d'enfant maltraité. Il peut l'être également dans le cadre de certaines enquêtes juridiques.

Le secret médical doit également être respecté par toute personne exerçant une profession paramédicale. En revanche, le fait de délivrer en main propre un certificat médical descriptif (mentionnant la maladie) au malade lui-même ne constitue pas une dérogation au secret médical.

Sédatif

Médicament qui calme l'activité d'un organe ou du psychisme.

Les sédatifs forment un ensemble médicamenteux assez hétérogène, comprenant, par exemple, les antitussifs (sédatifs de la toux), les analgésiques (sédatifs de la douleur), les anxiolytiques (qui modèrent l'anxiété). Ces derniers sont indiqués dans les anxiétés invalidantes ou insomniantes et en prémédication anesthésique.

Sédation

Utilisation de moyens en majorité médicamenteux permettant de calmer le malade en vue d'assurer son confort physique et psychique tout en facilitant les soins.

DIFFÉRENTS TYPES DE SÉDATION

■ Les principaux médicaments de la sédation (sédatifs) sont les neuroleptiques (contre l'agitation et le délire des psychoses), les anxiolytiques (contre l'anxiété ordinaire, l'anxiété névrotique, l'émotivité), les hypnotiques (contre l'insomnie), les analgésiques communs et les opiacés (contre la douleur). La sédation est largement utilisée en réanimation : elle permet de lutter contre la douleur, l'anxiété et le manque de sommeil, de contrôler l'agitation, d'assurer certains soins et l'adaptation à un respirateur artificiel. Des produits curarisants peuvent être associés aux sédatifs pour obtenir un relâchement musculaire total, par exemple chez des malades sous ventilation artificielle pour insuffisance respiratoire aiguë grave. La sédation profonde et prolongée place les malades dans un état de dépendance totale qui suppose une surveillance et des soins extrêmement attentifs. Les effets psychologiques d'une sédation prolongée sont encore mal connus.

■ Les méthodes psychologiques comprennent les entretiens psychothérapeutiques et diverses méthodes essentiellement fondées sur la relaxation et l'autosuggestion (relaxation proprement dite, yoga médical, hypnose, sophrologie).

■ Les méthodes physiques comprennent les massages (par un masseur-kinésithérapeute) et la physiothérapie (ultrasons, laser, courants électriques).

Sédiment urinaire

→ VOIR Culot urinaire.

Segmentectomie pulmonaire

Ablation chirurgicale d'un segment pulmonaire.

Les poumons droit et gauche sont respectivement formés de trois et de deux lobes, eux-mêmes divisés en deux, trois, quatre ou cinq segments. La segmentectomie est indiquée en cas de tumeur bénigne ou, plus rarement, en cas de cancer bronchopulmonaire peu étendu. Elle est pratiquée sous anesthésie générale, par chirurgie conventionnelle ou pleuroscopie (à l'aide d'un tube muni d'un système optique et d'instruments chirurgicaux introduits par une petite incision à travers la plèvre).

Dans le premier cas, elle nécessite une hospitalisation d'une dizaine de jours ; dans le second, celle-ci est plus courte, de l'ordre de 3 ou 4 jours. Un drain doit être laissé en place pendant les 48 heures qui suivent l'opération de façon à permettre l'évacuation du liquide pleural. Du fait de la faible quantité de tissu pulmonaire retiré, la segmentectomie pulmonaire n'a aucun retentissement sur les capacités respiratoires. Des séances de kinésithérapie respiratoire sont prescrites après cette intervention.

Sein

Glande mammaire. SYN. *mamelle*. (P.N.A. *mamma*)

STRUCTURE

■ Chez la femme, les seins sont centrés par un mamelon, lui-même entouré d'une zone pigmentée, l'aréole. La peau de l'aréole, très fine, est légèrement déformée par les orifices des glandes sébacées, des glandes sudoripares et des follicules pileux. La glande mammaire est constituée d'une vingtaine de lobes glandulaires noyés dans du tissu graisseux. Les canaux excréteurs de ces lobes, appelés canaux galactophores, débouchent sur le mamelon. Les seins reposent en arrière sur le muscle pectoral. Les moyens de fixation du sein sont la peau et les structures fibreuses qui pénètrent la glande mammaire pour la soutenir.

■ Chez l'homme, les seins demeurent immatures et ne contiennent pas de glande mammaire.

PHYSIOLOGIE

Le développement des seins est le premier signe de la puberté féminine. Il se fait sous l'influence des œstrogènes, de la progestérone et des hormones hypophysaires (hormone folliculostimulante, ou FSH, hormone lutéinisante, ou LH, prolactine). Les seins acquièrent alors un volume variable selon les femmes. La glande mammaire réagit aux variations hormonales au cours du cycle menstruel et augmente de volume en période prémenstruelle sous l'effet des œstrogènes. À la ménopause, la production ovarienne d'œstrogènes s'effondre, ce qui entraîne une diminution du volume des seins.

La principale fonction biologique du sein est la production du lait. Pendant la grossesse, les œstrogènes sécrétés par l'ovaire et la progestérone sécrétée par le corps jaune, puis par le placenta, provoquent le développement des glandes mammaires

Le sein est un organe glandulaire qui repose sur les muscles pectoraux. Il contient de 15 à 25 lobes glandulaires responsables de la sécrétion du lait. Celui-ci est conduit par les canaux galactophores vers le mamelon.

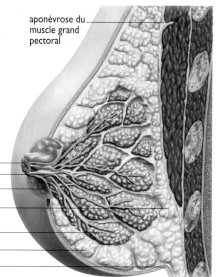

aponévrose du muscle grand pectoral

Structure du sein

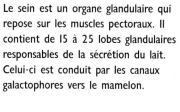

mamelon
canal galactophore
aréole
graisse rétromammaire
glande mammaire
graisse prémammaire
sillon sous-mammaire

ainsi que l'élargissement des mamelons. Juste après l'accouchement, les seins produisent un liquide aqueux, le colostrum. Celui-ci fait place au lait maternel, au bout de 3 jours, sous l'influence de la prolactine.

Outre sa fonction alimentaire, le sein féminin a un rôle esthétique et sexuel. L'érection du mamelon est la première manifestation de l'excitation sexuelle, suivie d'une turgescence de l'aréole puis d'un gonflement de toute la glande mammaire.

EXAMENS ET PATHOLOGIE

La palpation des seins doit être pratiquée systématiquement au cours d'un examen gynécologique. En outre, toute femme doit régulièrement réaliser un « autoexamen des seins » afin de dépister elle-même, le plus tôt possible, des lésions bénignes du sein et de pouvoir, le cas échéant, consulter un spécialiste. La femme se met torse nu devant une glace et évalue la symétrie de sa poitrine, l'existence d'une éventuelle rétraction de la peau. En mettant les bras en l'air, elle apprécie l'élévation des seins et une éventuelle dissymétrie d'élévation. Puis elle palpe chaque sein avec la main du côté opposé. Avec sa main à plat écrasant le sein contre le thorax, elle recherche l'existence d'un nodule ou d'une zone indurée. La femme vérifie également l'absence de petites croûtes sur le mamelon ainsi que l'absence de déformation ou de rétraction de ce dernier. Elle presse enfin chaque mamelon ; si une goutte de liquide apparaît sur un sein, elle le signale à son médecin.

Parmi les autres examens du sein, la mammographie (radiographie du sein) doit être pratiquée tous les 3 ans à partir de l'âge de 50 ans. Une biopsie du sein peut enfin être réalisée pour analyser une zone suspecte découverte lors d'un autre examen.

En dehors des périodes d'allaitement, lors duquel le sein peut faire l'objet d'une inflammation (lymphangite) évoluant parfois vers un abcès, les principales pathologies du sein sont tumorales : nodule, kyste, cancer.

Sein (abcès du)

Cavité emplie de pus se développant aux dépens de la glande mammaire.

Un abcès du sein peut découler d'un traumatisme ou constituer la localisation secondaire d'un autre foyer infectieux. Le plus souvent, c'est une complication de l'allaitement ; il survient alors dans les 10 à 15 jours qui suivent le début de celui-ci et se traduit au début par un placard rouge, dur et douloureux d'une partie du sein. En l'absence de traitement (antibiotiques, anti-inflammatoires), le placard se surinfecte et se gonfle de pus, constituant l'abcès à proprement parler. Le traitement repose sur un drainage chirurgical. La cicatrisation nécessite de 2 à 3 semaines.

Sein (cancer du)

Cancer touchant la glande mammaire de la femme, principalement sous la forme d'un adénocarcinome (cancer du tissu glandulaire), parfois sous la forme d'un sarcome (cancer du tissu conjonctif).

Autoexamen du sein

Debout ou assise, la femme inspecte ses seins dans un miroir, bras levés pour tendre la peau. Elle observe l'aspect du mamelon et regarde s'il existe de petites zones de peau déprimées ou faisant saillie. Elle vérifie aussi la forme globale des seins ainsi que leur symétrie.

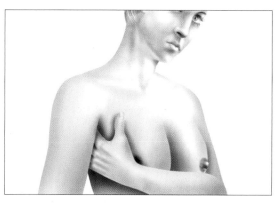

Les doigts légèrement recourbés, la femme recherche un ganglion hypertrophié au creux de chaque aisselle. La découverte d'une grosseur constitue un motif de consultation, mais non d'inquiétude injustifiée : de telles anomalies ont le plus souvent une origine bénigne.

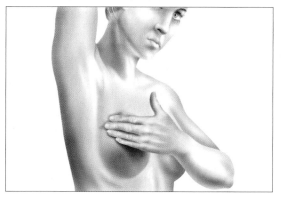

Assise ou couchée, la femme recherche une éventuelle grosseur en palpant toute la surface du sein avec la main opposée. Elle ne doit pas pincer la peau mais appuyer fermement du plat de la main en effectuant sur chaque zone de petits mouvements circulaires.

Le cancer du sein atteint une femme sur treize, la tranche d'âge la plus touchée étant celle de 50 à 60 ans ; seules 5 % des patientes ont moins de 35 ans lors du diagnostic. C'est le plus fréquent des cancers de la femme et le nombre de cas augmente régulièrement.

FACTEURS FAVORISANTS

Le risque de survenue de cette maladie est plus important lorsqu'il y a des cas de cancers du sein dans la famille : mère, sœur ou tante. On a identifié des gènes de susceptibilité (BRCA1 et BRCA2) qui sont présents dans 5 % des cas. Chez les porteuses de ces gènes, le risque est de 85 %. Il existe aussi des facteurs hormonaux, caractérisés par une puberté précoce (avant 10 ans), une ménopause tardive (après 55 ans), une première grossesse après 30 ans. Les femmes ayant eu un kyste ou une tumeur bénigne du sein, traités ou non, doivent être régulièrement surveillées en raison d'un risque plus élevé. Ni le rôle cancérogène des pilules œstroprogestatives ni le rôle protecteur de l'allaitement n'ont été prouvés.

SYMPTÔMES ET SIGNES

Un cancer du sein peut se manifester par une grosseur (nodule), un écoulement de liquide clair ou sanglant par le mamelon, une déformation du galbe du sein ou du mamelon (rétraction), plus rarement par une douleur. Il ne présente parfois aucun signe et est mis en évidence par une mammographie (examen radiologique du sein).

DIAGNOSTIC

Un cancer du sein est découvert soit à l'occasion d'un examen systématique par le gynécologue, soit par la patiente elle-même au cours d'un autoexamen du sein. Le diagnostic est confirmé par une mammographie, éventuellement complétée par une échographie mammaire et par une ponction du kyste ou du nodule (biopsie), dont le liquide ou les cellules prélevées sont examinés au microscope afin de rechercher des cellules tumorales.

ÉVOLUTION

Comme la plupart des cancers, le cancer du sein évolue d'abord localement, avec extension aux organes de voisinage et aux ganglions lymphatiques axillaires, puis se propage par voie sanguine (métastases), surtout aux os, au cerveau, au foie et aux poumons. Ces métastases peuvent apparaître tardivement, jusqu'à 10 ans après la découverte du cancer initial.

TRAITEMENT

Quatre traitements peuvent être entrepris, parfois isolément, parfois en association : la chirurgie, la chimiothérapie, la radiothérapie, l'hormonothérapie.

■ La chirurgie est généralement le premier traitement envisagé. Elle consiste le plus souvent, aujourd'hui, en l'ablation de la tumeur (tumorectomie), associée à l'examen histologique immédiat (dit extemporané) de celle-ci, la femme étant toujours sous anesthésie générale : si l'examen histologique confirme la nature maligne de la tumeur, l'ablation des ganglions de l'aisselle (curage ganglionnaire axillaire) est réalisée, l'accord pour cette éventuelle extension de l'acte chirurgical devant avoir été préalablement obtenu. Pour les tumeurs volumineuses ou multiples, la mastectomie (ablation du sein) est encore pratiquée.

■ La radiothérapie, pratiquée après une tumorectomie, consiste à irradier le sein et le pourtour de la zone retirée pour éviter les récidives locales. Le traitement comprend généralement de six à douze séances, à raison de une ou deux séances par semaine pendant six semaines. Une autre technique de radiothérapie, la curiethérapie, consiste à implanter dans le sein, près de la tumeur, des aiguilles creuses dans lesquelles est glissé un fil radioactif, laissé quelques jours.

■ La chimiothérapie est utilisée, après une tumorectomie ou comme seule méthode thérapeutique, lorsque la tumeur évolue rapidement, chez les femmes jeunes, ou lorsque des métastases ont été constatées. Le traitement s'étend sur une période de 2 à 6 mois et comprend plusieurs cures espacées de une ou de plusieurs substances anticancéreuses (mono- ou polychimiothérapie).

■ L'hormonothérapie, très souvent associée aux autres traitements, consiste à prendre par voie orale des antiœstrogènes lorsque le cancer est hormonodépendant, c'est-à-dire que la tumeur contient des récepteurs hormonaux (éléments situés à la surface de certaines cellules et destinés à recevoir les messages hormonaux).

PRONOSTIC ET DÉPISTAGE

Lorsque le cancer du sein est traité tôt, son pronostic est bon. La surveillance régulière d'une femme ayant eu un cancer du sein et la reprise du traitement au moindre signe de récidive améliorent encore ce pronostic. Par ailleurs, une femme ayant subi le traitement d'un cancer du sein peut envisager d'avoir un enfant : une période de 2 ans après la fin du traitement doit être respectée afin de surveiller l'évolution de la maladie. L'allaitement maternel est néanmoins déconseillé.

L'amélioration du pronostic du cancer du sein passe par le dépistage précoce : examen gynécologique régulier (tous les ans), mammographie systématique (tous les 3 ans à partir de 50 ans), autoexamen des seins par la femme et consultation médicale à la moindre anomalie constatée.

Sein (chirurgie du)

→ VOIR Mammoplastie, Mastectomie.

Sein (tumeur bénigne du)

Formation nodulaire bénigne dans le tissu du sein.

DIFFÉRENTS TYPES DE TUMEUR

Une tumeur bénigne du sein est le plus souvent un kyste (cavité remplie de liquide), un adénofibrome (nodule arrondi, parfois volumineux, roulant sous le doigt), un lipome (tumeur graisseuse), un papillome intracanaliculaire (prolifération de tissu dans un canal galactophore, qui provoque un écoulement de liquide clair ou sanglant par le mamelon) ou encore une tumeur phyllode (tumeur mammaire volumineuse et bosselée). Ces deux dernières tumeurs peuvent devenir cancéreuses.

SYMPTÔMES ET SIGNES

Les tumeurs bénignes du sein sont parfois senties à la palpation.

DIAGNOSTIC ET TRAITEMENT

Le diagnostic précis d'une tumeur bénigne du sein est confirmé par des examens complémentaires, avant tout la mammographie (radiographie du sein), l'échographie et la ponction ou la biopsie de la tumeur, suivie d'un examen au microscope des tissus prélevés. Une fois le diagnostic établi, le traitement est instauré. Un kyste est vidé, un nodule fibreux ou un lipome sont ôtés lorsqu'ils sont trop volumineux. Les papillomes et les tumeurs phyllodes sont systématiquement enlevés à cause de leur risque d'évolution maligne.

Sel

1. Substance chimique résultant de la réaction entre un acide et une base en solution dans l'eau.

Un sel est un électrolyte, substance formée par deux ions réunis, qui se séparent quand ils sont dans l'eau ; l'un est positif (sodium, potassium, magnésium) et provient d'une base ; l'autre est négatif (chlorure, bicarbonate, nitrate, sulfate) et vient d'un acide. Les ions constitutifs des sels peuvent être séparés par électrophorèse. Les sels sont très répandus dans la nature (chlorure de sodium, bicarbonate de potassium, par exemple) ; ils entrent dans la composition de nombreux médicaments.

2. Substance blanche ou grise, composée en majeure partie de chlorure de sodium, cristallisée, friable, soluble dans l'eau et employée pour l'assaisonnement ou la conservation des aliments.

La consommation moyenne de sel par individu est de 7 ou 8 grammes par jour, comprenant le sel naturellement présent dans

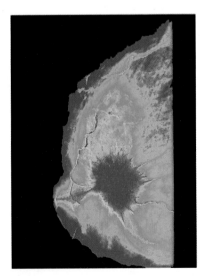

Cancer du sein. À la mammographie, la tumeur (en rouge et jaune) forme une masse aux bords irréguliers, en forme d'étoile.

les aliments (1 ou 2 grammes), le sel utilisé pour assaisonner les plats (3 ou 4 grammes) et le sel contenu dans les préparations alimentaires industrielles (3 ou 4 grammes).

Le sel iodé et/ou fluoré joue un rôle dans la prévention du goitre (iode) et de la carie dentaire (fluor). Le sel ne semble pas, ou peu, influencer la pression artérielle, excepté chez certains sujets plus sensibles (chez 30 à 40 % des personnes souffrant d'hypertension, par exemple). Les régimes hyposodés, c'est-à-dire restreints en sel (ils sont souvent appelés à tort « régimes sans sel »), sont moins sévères que par le passé. Ils ne se justifient d'ailleurs que dans très peu de cas (affections rénales, insuffisance cardiaque, cirrhose aggravée) et peuvent même être dangereux (chez la femme enceinte, notamment).
→ VOIR Sodium.

Sel biliaire

Substance dérivée du cholestérol, produite par les cellules hépatiques et sécrétée dans la bile, permettant la dégradation et l'absorption des graisses.

PHYSIOLOGIE

Les sels biliaires (taurocholates et glycocholates) sont des substances tensioactives (modifiant la tension superficielle du liquide dans lequel elles sont dissoutes) qui permettent de maintenir en suspension dans la bile des produits qui, sans eux, précipiteraient. Ils solubilisent les graisses et permettent leur digestion (aussi existe-t-il une malabsorption des graisses lorsque ces sels font défaut) puis sont réabsorbés par l'iléon et retournent au foie, réalisant ainsi ce qu'on appelle le cycle entéro-hépatique.

Le prurit (démangeaisons) observé au cours d'une cholestase (arrêt de l'élimination biliaire) est vraisemblablement dû à la rétention des sels biliaires.

Sélectif

Se dit d'un procédé chirurgical consistant à sectionner les fibres d'un nerf destinées à un organe ou à une partie d'organe.

Les opérations sélectives permettent de ne pas modifier le fonctionnement des autres organes, dont les fibres nerveuses sont laissées en place. La principale intervention de ce type est la vagotomie sélective, qui consiste à sectionner les fibres des deux nerfs pneumogastriques à destination de l'estomac. On y a recours pour diminuer les sécrétions acides de celui-ci en cas d'ulcère, tout en évitant la diarrhée chronique que provoquerait une section complète des nerfs vagues.

Sélénium

Oligoélément indispensable à l'organisme, aux propriétés antioxydantes.

Le sélénium n'est pas synthétisé par l'organisme et doit être apporté par l'alimentation ; les apports quotidiens recommandés sont d'environ 50 à 70 microgrammes. On trouve cet oligoélément surtout dans les produits de la mer et les abats (foie, rognons). Dans l'organisme, le sélénium entre notamment dans la composition d'enzymes qui agissent sur le glutathion, une

substance qui protège les cellules contre le pouvoir oxydant des radicaux libres. Les carences en sélénium sont exceptionnelles, elles ne surviennent que dans quelques régions du monde ou chez des malades nourris par perfusion. Elles se traduiraient par une augmentation du risque de maladies cardiovasculaires et de cancers.

Selle turcique

Gouttière osseuse profonde, située à la face supérieure de l'os sphénoïde, à la base du crâne, et contenant l'hypophyse. (P.N.A. *sella turcica*)

La selle turcique est facilement visible sur les radiographies simples du crâne, surtout sur celles prises de profil. Une selle turcique agrandie ou érodée est un signe aisément décelable d'une tumeur de l'hypophyse.

Selle turcique vide (syndrome de la)

Refoulement et parfois aplatissement de l'hypophyse contre la paroi de sa loge osseuse, empêchant de visualiser cette glande sur les radiographies.

CAUSES

Le syndrome de la selle turcique vide n'a pas de cause connue avec certitude. On pense qu'il proviendrait d'une hernie (petite saillie) de l'arachnoïde (feuillet moyen des méninges) dans l'espace intrasellaire, de nature malformative, qui repousserait l'hypophyse au fond de la gouttière osseuse et la comprimerait.

Certains facteurs favoriseraient ce syndrome : les grossesses multiples, l'obésité, l'hypertension artérielle et l'hypertension intracrânienne bénigne.

SYMPTÔMES ET SIGNES

Même les examens radiographiques les plus perfectionnés comme le scanner ou l'imagerie par résonance magnétique (I.R.M.) montrent une selle turcique vide : l'hypophyse est invisible bien que présente.

Le plus souvent, le sujet ne ressent aucun trouble car il ne s'agit pas d'une maladie. Parfois, il se produit des maux de tête, des anomalies de la vision, l'hypophyse étant très proche des nerfs optiques. Les sécrétions hypophysaires sont généralement normales, sauf la sécrétion de prolactine, dont le taux augmente de façon modérée. Ce syndrome est à distinguer d'une selle turcique vidée en raison d'un processus pathologique : nécrose d'un adénome hypophysaire, syndrome de Sheehan, chirurgie ou radiothérapie hypophysaire, etc.

TRAITEMENT

Les formes sans complication ne nécessitent pas de traitement, mais les troubles visuels peuvent justifier une opération chirurgicale, ce qui est cependant très exceptionnel.

Selles

→ VOIR Fèces.

Semi-lunaire

Os médian du carpe (squelette du poignet) situé entre le scaphoïde et le pyramidal. (P.N.A. *os lunatum*)

Le semi-lunaire, maintenu en place par de puissants ligaments, est un os pratiquement immobile.

PATHOLOGIE

■ Les luxations du semi-lunaire sont des lésions graves qui se produisent à la suite d'un traumatisme du poignet déchirant tout le système ligamentaire du carpe ; elles peuvent s'accompagner d'une fracture du semi-lunaire, voire du scaphoïde carpien. Ces atteintes doivent être traitées en urgence par réduction manuelle puis par immobilisation à l'aide d'un plâtre ou d'un brochage percutané (sans ouverture chirurgicale). Cependant, en cas d'échec du traitement orthopédique ou de fractures associées, le traitement doit être chirurgical.

■ La nécrose du semi-lunaire, ou maladie de Kienböck, résulte d'une mauvaise vascularisation de l'os, due à une fracture ou à une luxation. Le traitement chirurgical peut consister en l'ablation des os de la première rangée du carpe, en la mise en place d'un implant prothétique ou en une arthrodèse (blocage de l'articulation) du poignet.

Séminome testiculaire

Tumeur maligne du testicule, développée aux dépens de ses cellules germinales. SYN. *séminogoniome*.

Le séminome testiculaire affecte le plus souvent l'homme d'une trentaine d'années.

SYMPTÔMES ET DIAGNOSTIC

Cette tumeur se traduit par une masse indolore, palpable, contenue dans le scrotum, qui semble solidaire du testicule et le déforme. Le diagnostic est confirmé par une échotomographie scrotale.

TRAITEMENT ET SURVEILLANCE

Le traitement repose dans un premier temps sur l'ablation chirurgicale du testicule atteint (orchidectomie), suivie par un examen au microscope de la tumeur, qui permet de confirmer sa nature maligne. Une radiothérapie abdominale et thoracique et, parfois, une chimiothérapie lui sont très souvent associées. Le dosage sanguin des marqueurs tumoraux (alphafœtoprotéines et bêta-h.C.G.) permet de surveiller l'efficacité du traitement. Une guérison est obtenue dans plus de 90 % des cas. La chimiothérapie peut provoquer une stérilité temporaire ou définitive, qui justifie qu'un patient en âge de procréer envisage la conservation de son sperme avant le début du traitement.

Sénescence

→ VOIR Vieillissement.

Sénilité

Détérioration pathologique des facultés physiques et psychiques d'une personne âgée. SYN. *vieillissement pathologique*.

Le terme de sénilité est employé dans le langage courant pour décrire, chez une personne âgée, une atteinte simultanée des facultés physiques et psychiques.

CAUSES ET SYMPTÔMES

La sénilité est la résultante de pathologies chroniques invalidantes dont l'incidence croît avec l'âge.

■ **Les affections psychiatriques** les plus fréquentes sont la dépression (dont la mélancolie délirante pseudo-démentielle est la forme majeure) et les délires.

■ **Les cancers** touchent le plus souvent le côlon, le rectum, l'estomac, le sein, la prostate, la vessie et la peau.

■ **Les maladies dégénératives** affectent surtout le cerveau (maladie d'Alzheimer, maladie de Parkinson) ainsi que les os et les articulations (arthrose, ostéoporose [raréfaction du tissu osseux]).

■ **Les maladies vasculaires** les plus fréquentes sont l'insuffisance coronarienne, l'infarctus du myocarde, l'artériopathie des membres inférieurs, l'insuffisance cardiaque, les troubles du rythme cardiaque, les accidents vasculaires cérébraux et les démences vasculaires.

■ **Les troubles sensoriels visuels** sont essentiellement la cataracte, le glaucome chronique et la dégénérescence de la macula (petite zone située au centre de la rétine et où l'acuité visuelle est maximale).

■ **Les troubles sphinctériens** sont l'incontinence urinaire et fécale.

DIAGNOSTIC

L'interrogatoire du sujet et de ses proches permet de préciser la nature des troubles, la façon dont ils ont débuté (brutalement ou non) et la durée de leur évolution. Une liste exhaustive des médicaments retrouvés chez la personne âgée (et non pas seulement de ceux prescrits sur ordonnances) doit être établie : les pathologies dues à la prise excessive de certains médicaments sont fréquentes. Une évaluation des conditions de vie du sujet est indispensable : logement insalubre, déménagement récent, rupture des aides habituelles ou modification de l'environnement familial (décès du conjoint), etc.

L'examen clinique doit être minutieux et complet, surtout sur les plans cardiovasculaire, neurologique, urologique et digestif. Une évaluation du fonctionnement cérébral est nécessaire, à l'aide de tests simples, réalisables en consultation, étudiant la mémoire immédiate du sujet, sa mémoire à court terme, ses mécanismes opératoires, sa capacité à reproduire une figure géométrique, etc. Au besoin, on la complète par une évaluation neuropsychologique spécialisée. Cet examen consiste en une batterie de tests permettant une analyse qualitative et quantitative des différentes fonctions cérébrales (mémoire immédiate, mémoire autobiographique, capacités d'analyse, de synthèse et de classification, exploration visuospatiale, etc.). Il doit être systématique lorsque le sujet se plaint de troubles de la mémoire, est désorienté dans l'espace ou dans le temps ou encore lorsqu'il présente un syndrome dépressif ou d'autres troubles psychiatriques : délire de persécution, troubles du comportement, etc. Le choix des examens complémentaires dépend des hypothèses diagnostiques.

PRÉVENTION

L'ensemble des progrès thérapeutiques et la mise en place de campagnes de sensibilisation du public devraient permettre d'abaisser encore le nombre de sujets atteints de maladies responsables de sénilité dans les prochaines décennies. Un certain nombre de facteurs de risque de ces maladies sont bien connus : hypertension artérielle, surpoids, tabagisme, anomalies métaboliques majeures (diabète, hypercholestérolémie), stress, etc. La diminution de l'incidence des accidents vasculaires cérébraux et des démences vasculaires durant les dix dernières années peut ainsi s'expliquer en grande partie par la maîtrise de ces différents facteurs de risque.

En outre, une surveillance médicale régulière permet de dépister plus tôt et donc de traiter plus efficacement certaines affections dont la fréquence augmente avec l'âge. Ainsi, le traitement de l'hypertension artérielle permet de diminuer l'incidence des accidents vasculaires cérébraux, des infarctus du myocarde, des insuffisances cardiaques, de la même façon que le traitement hormonal de la ménopause permet de diminuer l'incidence des fractures du col du fémur.

→ VOIR **Dossier Vieillesse.**

Sénologie

Spécialité médicale qui étudie les affections du sein.

Sens

Fonction physiologique de relation avec le monde extérieur, permettant d'apporter au cerveau des informations sur celui-ci et de les rendre conscientes.

Il existe cinq sens : l'ouïe, le goût, l'odorat, le toucher et la vue.

Fonction auditive

Elle fait intervenir deux processus successifs : l'un, mécanique, est un processus de transmission vibratoire où interviennent l'oreille externe et l'oreille moyenne et, plus précisément, le tympan et les osselets ; l'autre est de l'ordre de la perception nerveuse et commence au moment de la réception neurosensorielle, dans l'oreille interne, ou cochlée, et se termine par l'intégration du message auditif au niveau du cortex cérébral.

PATHOLOGIE

Les troubles de l'audition ont deux manifestations : l'hypoacousie (surdité) et les acouphènes (bourdonnements d'oreille). On parle de surdité de transmission en cas de lésions de l'oreille externe ou moyenne, de surdité de perception cochléaire en cas de lésions de l'oreille interne, de surdité de perception rétrocochléaire en cas de lésions du nerf cochléaire ou des voies centrales.

Fonction gustative

Elle permet la perception des saveurs grâce à des cellules spécialisées de la muqueuse de la langue, sur lesquelles se déposent les substances absorbées. Les sensations gustatives élémentaires sont au nombre de quatre : le salé, le sucré, l'acide et l'amer. L'odorat interfère avec le goût et joue un rôle important dans l'analyse des saveurs complexes. Aussi les troubles isolés du goût sont-ils rares.

Fonction olfactive

Elle permet la perception des odeurs des corps en phase gazeuse. Le système olfactif est constitué chez l'être humain par un appareil récepteur situé dans la muqueuse nasale ; les fibres nerveuses qui en partent gagnent le bulbe olfactif, où elles font relais, puis se terminent dans le cortex cérébral.

PATHOLOGIE

Les troubles de l'olfaction sont plus souvent dus à une maladie oto-rhino-laryngologique qu'à une maladie neurologique.

Fonction tactile

Elle permet d'apprécier les divers stimuli mécaniques qui s'exercent sur la peau et les muqueuses grâce à d'infimes terminaisons nerveuses situées sur les téguments. La fonction tactile donne lieu à la sensation corporelle consciente.

Le sens du toucher peut être exagéré (hyperesthésie) ou diminué (hypoesthésie), voire aboli (anesthésie) lors de lésions nerveuses touchant les voies sensitives.

Fonction visuelle

Le système visuel est constitué d'un appareil optique sophistiqué. L'œil perçoit l'espace et l'analyse. La vue est rendue possible grâce aux milieux transparents de l'œil, la cornée et le cristallin, qui fonctionnent comme une lentille et concentrent les rayons lumineux sur la rétine, celle-ci assurant la traduction des impressions lumineuses en message nerveux. Les voies optiques assurent ensuite la transmission des influx visuels vers les centres de perception du lobe occipital. Un système moteur complexe (les muscles oculomoteurs assurant les mouvements associés des globes oculaires) permet en outre de fixer ou de suivre les objets.

PATHOLOGIE

Les troubles de la vue sont très fréquents au cours des affections neurologiques. Toute atteinte des voies visuelles entraîne une baisse de l'acuité visuelle et/ou un déficit du champ visuel.

Sensation

Perception par la conscience d'informations provenant d'un des organes des sens.

Un stimulus extérieur, par exemple un rayon lumineux, un son ou une substance chimique, atteint un organe sensoriel (œil, oreille, nez, bouche, peau). Celui-ci transforme le stimulus en information nerveuse, ensuite transmise au cerveau.

Les sensations assurent le contact avec le monde extérieur et permettent de communiquer ou de produire des réponses adaptées, réflexes ou conscientes, par exemple des mouvements.

Sensibilisation

État d'un organisme qui, après un premier contact avec un antigène, acquiert à son égard des capacités de réaction.

Le premier contact avec un antigène (bactérie, virus, grain de pollen, etc.) déclenche une réponse immunitaire dite primitive. Lors d'un second contact avec le même antigène, la réponse immunitaire de l'organisme sensibilisé, dite secondaire, sera plus rapide et plus intense.

Dans certains cas, la sensibilisation est excessive (hypersensibilité) et se caractérise par une réaction immunitaire exagérée, responsable des symptômes de l'allergie (rougeurs cutanées, œdèmes, diminution du calibre des bronches, choc anaphylactique, etc.).

Sensibilité

Fonction du système nerveux lui permettant de recevoir et d'analyser des informations.

DIFFÉRENTS TYPES DE SENSIBILITÉ

On distingue plusieurs sortes de sensibilité.

■ **La sensibilité extéroceptive** est celle de la peau au contact – que celui-ci soit grossier ou fin et discriminatif (permettant la différenciation), à la température et à la douleur. Les organes des sens autres que la peau ont chacun une perception spécialisée (goût, odorat, ouïe, vue), qui n'entre pas dans le cadre de la sensibilité pris dans le sens strict et habituel de somesthésie (faculté de percevoir les stimuli d'origine corporelle, à l'exception des organes des sens).

■ **La sensibilité proprioceptive** est celle de la position et du mouvement des muscles et des articulations. Elle peut être consciente ou inconsciente.

■ **La sensibilité intéroceptive** est celle des viscères. Elle est inconsciente.

STRUCTURE ET FONCTIONNEMENT

Pour que les informations arrivent au cerveau, elles doivent passer par les fibres sensitives des nerfs. Celles-ci ont à l'une de leur extrémité une terminaison nerveuse libre ou bien elles disposent d'un récepteur, sorte d'organe microscopique, sensible spécifiquement à un type de stimulation, par exemple à la pression dans le cas du toucher ou à l'étirement dans le cas des muscles. L'autre extrémité de la fibre nerveuse sensitive s'attache à la moelle épinière (ou à l'encéphale pour les nerfs crâniens) par des racines munies d'un ganglion nerveux sensitif contenant le corps cellulaire du premier neurone (cellule nerveuse) sensitif. Arrivées dans la moelle épinière, les fibres des neurones se regroupent pour former des faisceaux de substance blanche, qui suivent un parcours vertical vers l'encéphale. Sur le trajet, les fibres provenant de la partie gauche du corps passent à droite et inversement pour les fibres issues de la partie droite. Tout au long du trajet, les neurones se relaient les uns les autres grâce à des zones de jonction appelées synapses.

Suivant le type d'information sensible, il existe deux trajets possibles.

■ **La voie lemniscale** est la voie qu'emprunte l'information sensible très précise. Elle est constituée par les fibres responsables du tact discriminatif, ou épicritique, et par celles responsables de la sensibilité proprioceptive consciente, relative à la position et aux mouvements. La vitesse de transmission est très rapide car les fibres sont entourées d'une épaisse gaine de myéline. La voie lemniscale commence dans la moelle épinière par un faisceau contenu dans le cordon postérieur.

Elle traverse plus loin le bulbe rachidien et la protubérance annulaire, où elle croise la ligne médiane et forme le lemniscus médian – qui lui donne son nom –, puis gagne le thalamus, au centre du cerveau. Enfin, elle se termine dans le cortex pariétal, à la surface de l'hémisphère cérébral, où la sensibilité devient consciente.

■ **La voie extralemniscale** est la voie qu'emprunte l'information sensible peu précise. Elle est constituée par les fibres responsables du tact grossier, par celles de la sensibilité thermique et par celles qui conduisent la douleur. La vitesse de transmission est lente.

La voie extralemniscale commence dans la moelle épinière, après relais dans la corne postérieure, par un faisceau ayant croisé la ligne médiane, dit faisceau spinothalamique, et situé entre le cordon antérieur et le cordon latéral. Elle reste ensuite à peu près parallèle à la voie lemniscale et se termine aussi dans le cortex pariétal.

PATHOLOGIE

Les troubles de la sensibilité comprennent des signes subjectifs, dont le malade se plaint, et des signes objectifs, découverts à l'examen par le médecin.

■ **Les signes subjectifs** sont essentiellement des douleurs (brûlure, déchirure, striction, etc.) et des paresthésies (fourmillements, piqûres).

■ **Les signes objectifs** s'étudient de différentes façons : on repère les anomalies de la fonction tactile en touchant la peau en divers endroits ; celles de la sensibilité douloureuse en piquant doucement la peau avec une aiguille ; celles de la sensibilité thermique en appliquant un tube rempli d'eau chaude, puis un tube rempli d'eau froide sur la peau ; celles de la sensibilité profonde en demandant au patient de reconnaître, les yeux fermés, les mouvements que l'on imprime à ses doigts ou à ses orteils et la position de ceux-ci.

Les troubles constatés peuvent être une anesthésie (insensibilité), une hyperesthésie (exagération de la sensibilité), une hyperpathie (toute stimulation, même légère, est ressentie comme une douleur), une astéréognosie (le sujet, yeux fermés, ne reconnaît plus les objets par la palpation).

La localisation des troubles et leur association éventuelle à d'autres signes neurologiques (déficit de la force musculaire ou anomalies des réflexes ostéotendineux, par exemple) permettent de déduire s'ils sont dus à une lésion des nerfs, des racines nerveuses, de la moelle épinière, du tronc cérébral ou du cortex et de guider les explorations complémentaires (examen électrique du fonctionnement des nerfs et des muscles par électromyographie, exploration neuroradiologique par scanner ou imagerie par résonance magnétique).

Septicémie

État infectieux généralisé, dû à la dissémination d'un germe pathogène (c'est-à-dire pouvant provoquer une maladie) dans tout l'organisme par l'intermédiaire du sang.

Contrairement à une bactériémie (simple présence passagère de bactéries dans le sang,

sans décharges répétées à partir d'un foyer septique), une septicémie est toujours grave.

CAUSES

Les germes pyogènes (provoquant la formation de pus) tels que les streptocoques ou les staphylocoques se développent à partir d'un foyer infectieux primitif et se répandent par voie veineuse. Il entraîne dans certains cas la formation d'un second foyer infectieux suppurant (septicopyohémie). Un foyer infectieux persistant (dentaire, par exemple) peut entretenir une septicémie.

Lorsque le foyer infectieux initial est une endocardite gauche (infection du cœur gauche), la diffusion microbienne est artérielle et les foyers infectieux secondaires sont localisés dans le cerveau, la rétine, les reins ou la peau. D'autres germes, comme les salmonelles, se disséminent par voie lymphatique.

SYMPTÔMES ET SIGNES

Ce sont une fièvre élevée, en clocher (avec des pics correspondant aux décharges infectieuses) ou en plateau (sans variations) en cas de diffusion par le système lymphatique, des frissons et un malaise général.

DIAGNOSTIC ET TRAITEMENT

Le diagnostic repose sur la mise en évidence, par hémoculture, de la présence du microbe dans le sang, notamment lors des pics thermiques.

Les antibiotiques ont transformé le pronostic de ces affections. Ils sont administrés pendant au moins quinze jours, un antibiogramme permettant de choisir l'antibiotique adapté. La collection de pus est évacuée chirurgicalement si nécessaire.

→ VOIR Salmonellose, Staphylococcémie, Streptococcémie.

Septicopyohémie

État infectieux généralisé dû à un microbe pyogène (entraînant la formation de pus) et caractérisé par la présence de foyers d'infection secondaires.

Une septicopyohémie se développe à partir d'une thrombophlébite (inflammation des petites veines au contact du foyer infectieux d'origine avec formation d'un caillot septique) ; les foyers secondaires siègent dans les zones que drainent les veines enflammées, principalement dans le foie et les poumons.

Le diagnostic (isolement du germe par hémoculture) et le traitement (administration prolongée d'antibiotiques par voie veineuse) sont ceux des septicémies.

Septique

Qualifie tout objet, milieu ou organe porteurs de germes, par opposition à aseptique.

En chirurgie, le terme de bloc septique désigne la salle d'opération où sont pratiquées les interventions portant sur des foyers infectieux.

Septoplastie

Modification chirurgicale de la forme de la cloison nasale.

Une septoplastie est indiquée essentiellement en cas de déviation de la cloison nasale, quand celle-ci provoque une obstruction gênante. L'opération se déroule sous anes-

thésie générale. Le plus souvent, le chirurgien pratique une incision intranasale qui n'entraîne pas de cicatrice visible extérieurement, remet la cloison nasale en place ou en retire une petite partie. Un méchage postopératoire est parfois laissé en place pendant quelques jours. Cette intervention nécessite de 3 à 6 jours d'hospitalisation.
→ VOIR Rhinoplastie.

Septum

Cloison anatomique. (P.N.A. *septum*)

DIFFÉRENTS TYPES DE SEPTUM

Il existe dans l'organisme un grand nombre de septums.

■ Le **septum alvéolaire** est la paroi osseuse qui sépare les racines de deux dents voisines.

■ Le **septum interauriculaire** est situé entre les deux oreillettes du cœur.

■ Le **septum interventriculaire**, parcouru par le faisceau de His (groupe de fibres nerveuses du cœur), est la membrane qui sépare les deux ventricules cardiaques, droit et gauche.

■ Le **septum lingual** est la lame fibreuse médiane et verticale de la langue.

■ Le **septum lucidum** est la membrane qui sépare les ventricules latéraux du cerveau des cornes antérieures.

■ Le **septum nasal** est le cartilage de la cloison médiane du nez.

Séquelle

Manifestation pathologique ou lésion qui persiste après la guérison d'une maladie ou d'une blessure.

Une fracture mal consolidée d'un membre inférieur peut avoir pour séquelles une déformation, des douleurs et une boiterie. Les séquelles d'une varicelle consistent en des cicatrices inesthétiques.

Séquestre

Fragment osseux non irrigué et dévitalisé siégeant dans un os ou dans un tissu périosseux.

Un séquestre peut provenir soit d'une fracture au cours de laquelle certains éclats osseux se sont incrustés dans les masses musculaires, soit de l'évolution d'une ostéomyélite (infection de l'os par le staphylocoque doré). Dans ce dernier cas, il se comporte comme un véritable corps étranger, entretenant une suppuration chronique qui impose son ablation.

Séreuse

Fine membrane tissulaire entourant les viscères et formée de deux feuillets, le feuillet viscéral et le feuillet pariétal. SYN. *membrane séreuse*.

Les séreuses sont représentées, pour le cœur, par le péricarde ; pour le poumon, par la plèvre ; pour l'appareil digestif, par le péritoine. Le feuillet viscéral d'une séreuse est celui qui adhère au viscère ; le feuillet pariétal, celui qui adhère à la cavité creuse de l'organisme (thorax ou abdomen) où se trouve le viscère. Les deux feuillets sont mobiles l'un par rapport à l'autre et délimitent une cavité virtuelle. Celle-ci peut

se remplir de liquide ou de gaz en cas d'inflammation des feuillets. Ainsi, le pneumothorax est un épanchement de gaz entre les deux feuillets de la plèvre ; la péricardite est un épanchement de liquide entre les deux feuillets du péricarde ; la péritonite, qui signale la perforation d'un organe creux de la cavité abdominale (appendice cæcal, estomac, diverticule intestinal, etc.), est un épanchement de liquide entre les deux feuillets du péritoine.

Sérine

Acide aminé non indispensable (c'est-à-dire synthétisable par l'organisme), contenant un groupe chimique alcool.

La sérine peut être transformée en d'autres substances, telles que le glucose ou la glycine (un autre acide aminé), ou entrer dans la composition de certaines protéines (phosphoprotéines) et de certains lipides (phospholipides). De plus, elle fait partie de la structure de nombreuses enzymes (phosphatases alcalines, par exemple). Chez un sujet âgé de plus de 2 ans, les concentrations usuelles de sérine varient de 55 à 150 micromoles (soit de 5,8 à 15,8 milligrammes) par litre de plasma ; quant aux excrétions urinaires, elles sont comprises entre 200 et 630 micromoles (soit entre 21 et 68 milligrammes) par 24 heures.

PATHOLOGIE

Le métabolisme de la sérine est lié à celui de la glycine : ainsi, une élévation du taux sanguin de sérine révèle une hyperglycinémie (augmentation du taux de glycine dans le sang), maladie héréditaire qui se traduit par un retard mental et des troubles neurologiques.

Seringue

Instrument constitué d'un piston et d'un corps de pompe cylindrique muni d'un embout où s'adapte une aiguille et servant à injecter ou à prélever des liquides dans les tissus, les vaisseaux ou les cavités naturelles.

Le corps d'une seringue est parfois gradué et se termine par un embout central ou excentré, qui peut être lisse ou muni d'un pas de vis destiné à y adapter une aiguille. La capacité des seringues varie selon l'usage pour lequel elles sont conçues. Ainsi, les seringues utilisées pour les injections d'insuline ont une capacité de 0,25 millilitre, alors que les plus grosses seringues (dites de Guyon), utilisées pour les injections vésicales, peuvent contenir jusqu'à 150 millilitres. Les seringues les plus courantes ont une capacité de 5 millilitres, 10 millilitres et 20 millilitres.

Les seringues en verre sont réutilisables après stérilisation ; les seringues en plastique sont jetables (à usage unique). Il existe aussi des seringues en métal, stérilisables, utilisées pour les anesthésies locales.

Les seringues jetables sont conditionnées dans des sachets stériles. Avec le développement du sida, qui se transmet par le sang, leur usage se généralise et des règles d'utilisation strictes s'imposent : ces seringues doivent être détruites après usage.

Séroconversion

Apparition, dans le sérum d'un malade, d'un anticorps spécifique, ce qui se traduit par le passage de la négativité à la positivité du test sérologique, permettant de mettre cet anticorps en évidence.

La séroconversion s'observe au cours d'une infection virale ou bactérienne. Elle permet de diagnostiquer l'infection après le temps nécessaire à l'organisme – et en particulier à certains globules blancs, les lymphocytes B – pour fabriquer des anticorps qui seront détectables par une méthode immunologique sérologique. Il existe donc un décalage d'une durée très variable – la plupart du temps une dizaine de jours – entre le moment de l'infection et celui où cette infection pourra être diagnostiquée par des tests sérologiques.

Sérodiagnostic

Technique de laboratoire à visée diagnostique permettant d'identifier, dans le sérum d'un malade, les anticorps spécifiques d'un agent pathogène.

Le sérodiagnostic a été utilisé pour la première fois dans le but de mettre en évidence la fièvre typhoïde (test d'agglutination de Widal et Félix, en 1896). Depuis, la technique s'est largement diversifiée et pratiquement toutes les maladies infectieuses ou parasitaires peuvent être diagnostiquées à l'aide d'un ou de plusieurs sérodiagnostics : brucellose, paludisme, rubéole, sida, syphilis, etc. La technique diffère selon le germe recherché. Toutefois, le sérodiagnostic n'est qu'un test de diagnostic indirect, dont la sensibilité, la fiabilité et la spécificité ne sont pas absolues. Il n'a donc pas autant de valeur que l'isolement ou l'identification de l'agent pathogène ou la mise en évidence d'un de ses composants (antigène présent à la surface du germe, acide nucléique).

RÉSULTATS

Les résultats du sérodiagnostic doivent être interprétés en fonction de la phase de la maladie et en tenant compte de la vitesse d'apparition des anticorps au cours des différentes maladies.

DIFFÉRENTS TYPES DE SÉRODIAGNOSTIC

On fait appel à des techniques aussi diverses que l'agglutination, l'hémagglutination, la précipitation en milieu gélifié, l'immunoélectrophorèse, l'immunosynérèse, la fixation du complément, la neutralisation, l'immunofluorescence indirecte, les différentes formes de tests immunoenzymatiques, de radioimmunologie ou d'immunotransfert (réaction de Western-Blot).

■ **Dans les maladies virales**, la règle consiste à rechercher la présence d'anticorps spécifiques dans deux prélèvements de sérum réalisés à 8-10 jours d'intervalle, le premier prélèvement étant effectué le plus tôt possible au cours de la maladie. Cela permet de mettre en évidence soit une conversion sérologique, ou séroconversion, lorsque le premier sérum est dépourvu d'anticorps et que le second en contient à un titre (concentration) plus ou moins élevé, soit une élévation significative du titre des anticorps, lorsque ce titre est multiplié par 4 ou plus entre les deux prélèvements. Si les deux prélèvements sont faits trop tardivement par rapport au début de la maladie, les titres observés peuvent être identiques dans les deux sérums, rendant l'interprétation des résultats difficile. Il est alors indispensable de faire appel à d'autres techniques telles que la recherche des anticorps de type M (IgM) spécifiques.

■ Dans les maladies bactériennes et parasitaires, il est difficile d'obtenir des résultats précis avec deux prélèvements rapprochés, en particulier lorsqu'il s'agit d'infections chroniques, comme c'est souvent le cas en parasitologie. On recherche alors des profils sérologiques, plus ou moins caractéristiques de l'ancienneté et de l'évolution de la maladie. Ceci s'applique également au diagnostic de certaines viroses (virus d'Epstein-Barr).

Sérologie

Étude des sérums, de leurs propriétés (notamment de leurs particularités immunitaires) et des différentes modifications qu'ils subissent sous l'influence des maladies.

Les techniques sérologiques servent à diagnostiquer une maladie infectieuse (sérodiagnostic) ou à révéler la présence de types particuliers d'anticorps comme ceux des groupes sanguins ou les autoanticorps (anticorps produits par un organisme contre ses propres cellules). Elle fait appel à des techniques très diverses (immunofluorescence, immunoenzymologie, dosage radioimmunologique, etc.). L'automatisation des diverses manipulations a largement facilité son emploi. Selon les techniques mises en jeu et les buts poursuivis, on parle de sérologie bactérienne, virale, parasitaire, des maladies auto-immunes, etc.

Séronégatif

Se dit d'un sujet dont le sérum sanguin ne contient aucun des anticorps recherchés.

Ainsi, un malade atteint de polyarthrite rhumatoïde est dit séronégatif si son sérum sanguin ne contient pas de facteur rhumatoïde. Toutefois, ce terme est couramment utilisé à propos des personnes qui n'ont pas d'anticorps contre le V.I.H. (virus du sida) et à propos des personnes qui donnent un organe. Dans le cas du virus du sida, le test sérologique est négatif si le sujet n'est pas infecté ou si le test est effectué trop tôt après la contamination. En cas de transplantation d'organe, le donneur doit être séronégatif pour tous les agents infectieux recherchés, afin d'éviter les risques de contamination du receveur par le greffon.

Séropositif

Se dit d'un sujet dont le sérum contient des anticorps spécifiques.

Par exemple, un malade atteint de polyarthrite rhumatoïde est dit séropositif si son sérum contient des facteurs rhumatoïdes.

Depuis le début de l'épidémie du sida, ce terme s'applique dans le langage courant aux personnes porteuses du V.I.H. (virus de l'immunodéficience humaine).

Lorsqu'un sujet séronégatif lors des tests précédents se révèle séropositif lors d'un test ultérieur, on parle de séroconversion. Un test sérologique positif signifie que les anticorps recherchés ont été mis en évidence par le test. Dans le cas du sida, la séropositivité témoigne de la présence d'anticorps dirigés contre le V.I.H. Une personne séropositive peut être dans une phase asymptomatique de la maladie si elle est encore en bonne santé, ou dans une phase symptomatique si elle est malade.

Séroprophylaxie

Utilisation préventive d'un sérum contenant des anticorps spécifiques, après une contamination certaine ou présumée par un germe infectieux.

Les propriétés protectrices immédiates mais temporaires de ce sérum ont pour effet d'empêcher la survenue de la maladie. La séroprophylaxie est notamment utilisée dans la prévention du tétanos chez une personne non ou incorrectement vaccinée, en cas de plaie suspecte.
→ VOIR Sérothérapie.

Sérosité

1. Liquide présent dans une cavité séreuse (plèvre, péricarde, péritoine), susceptible de coaguler.

La composition d'une sérosité est proche de celle du sérum et son aptitude à coaguler rappelle celle de la lymphe.
2. Liquide constituant un épanchement pathologique.

Les œdèmes et les phlyctènes sous-épidermiques (soulèvement de l'épiderme) contiennent une sérosité.

Sérothérapie

Utilisation thérapeutique de sérums animaux ou humains riches en anticorps spécifiques et capables de neutraliser un antigène microbien, une toxine, une bactérie, un venin ou un virus.

La sérothérapie est notamment utilisée dans le cas d'une intoxication ou d'une envenimation par piqûre de scorpion ou de serpent.

La sérothérapie est née à la fin du XIXᵉ siècle avec le traitement de la diphtérie par des injections de sérum de cheval hyperimmunisé avec de faibles doses de toxine diphtérique : l'injection au cheval, dans des conditions déterminées, du germe ou de la toxine antigénique suscitait l'apparition d'anticorps dans son sang, à partir duquel on préparait le sérum. Le cheval est longtemps resté la principale source des sérums utilisés en thérapeutique antidiphtérique, antitétanique, antibotulique et antigangréneuse. Ce type de sérum, dit hétérologue car provenant d'une autre espèce, a été abandonné du fait des accidents allergiques (choc anaphylactique, maladie sérique) qu'il risque de provoquer. Il est remplacé par les immunoglobulines (gammaglobulines) purifiées, d'origine humaine, utilisées notamment contre les hépatites virales A et B et les maladies contagieuses de l'enfance (oreillons, rubéole, varicelle). Les immunoglobulines peuvent être polyvalentes ou spécifiques et sont obtenues par séparation du plasma des globules du sang (plasmaphérèse) chez des convalescents ou chez des donneurs immunisés.

INDICATIONS

La sérothérapie est un apport passif d'anticorps spécifiques, puisqu'elle n'agit que par les anticorps du donneur n'amène pas le receveur à en fabriquer ; elle permet un effet de neutralisation, donc de protection contre l'agent pathogène pendant un temps relativement court : deux semaines avec le sérum hétérologue et un mois ou plus avec le sérum humain. Son avantage est d'être immédiatement efficace ; aussi permet-elle d'attendre, lorsque l'incubation de la maladie en cause est prolongée, que le malade fabrique lui-même des anticorps obtenus par une vaccination pratiquée simultanément (sérovaccination).

On distingue la sérothérapie préventive, ou séroprophylaxie, et la sérothérapie curative, selon que le sérum est administré avant ou après l'infection. Néanmoins, après une plaie supposée tétanigène, le sérum est dit préventif et devant une angine supposée diphtérique, le sérum est dit curatif.

Les immunoglobulines spécifiques ont perdu de leur intérêt thérapeutique du fait des progrès de la vaccination et de l'antibiothérapie, mais elles sont encore utilisées dans le traitement de la diphtérie, du botulisme et des envenimations ; en Europe, il s'agit essentiellement de sérums préparés contre le venin des vipères.

Les immunoglobulines polyvalentes peuvent, quant à elles, rendre de grands services dans la prévention des infections en cas de brûlures étendues, en complément d'une antibiothérapie.

ADMINISTRATION DU SÉRUM

Une sérothérapie est d'autant plus efficace qu'elle est précoce ; elle doit être administrée aussitôt que le diagnostic de la maladie est établi ou immédiatement après l'envenimation (piqûre de serpent, par exemple). Le sérum est généralement injecté par voie sous-cutanée ou intramusculaire.

Sérotonine

Substance dérivée d'un acide aminé, le tryptophane, synthétisée par les cellules de l'intestin et ayant par ailleurs un rôle de neurotransmetteur du système nerveux central.

La sérotonine est transportée par les plaquettes sanguines et stockée dans la plupart des tissus où elle transmet les informations du système nerveux central (mouvements musculaires, par exemple). Localement présente dans l'hypophyse, elle stimule la sécrétion d'hormones telles que la somathormone, la prolactine et la thyréostimuline.

PATHOLOGIE

Certaines études mettent en relation les fluctuations du taux plasmatique de la sérotonine et l'apparition des migraines.

C'est pourquoi des médicaments antimigraineux, comme le méthysergide ou le sumatriptan, sont des antisérotoninergiques. La sérotonine est également une des substances libérées par les tumeurs carcinoïdes du tube digestif. Elle est responsable de bouffées de chaleur. Son dosage permet d'établir le diagnostic de syndrome carcinoïde.

Sérotype

Ensemble des caractéristiques antigéniques de certains micro-organismes (bactéries, virus, champignons), permettant de différencier des souches appartenant à une même espèce. SYN. *serovar*.

La détermination du sérotype consiste à mettre en évidence en laboratoire, à l'aide de sérums immuns préparés sur un animal, les différents antigènes du micro-organisme. On dénombre ainsi 3 types de poliovirus, aux antigènes de capside différents. Les 90 sérotypes de *Streptococcus pneumoniæ* se différencient par des antigènes portés par la capsule de la bactérie. Chez *Salmonella,* les différents antigènes retrouvés sur le corps de la bactérie (antigènes somatiques O) et sur les cils responsables de sa mobilité (antigènes flagellaires H) font distinguer plus de 2 000 sérotypes dont, par exemple, *Salmonella typhi,* responsable de la fièvre typhoïde, et *Salmonella enteritidis,* responsable d'épisodes de diarrhée.

En cas d'épidémie d'origine bactérienne, l'identité des souches isolées est soupçonnée, dans un premier temps, d'après l'existence de sérotypes identiques, puis confirmée à l'aide de diverses techniques : lysotypie (différenciation des souches de même espèce en fonction de leur sensibilité à certains bactériophages), électrophorèse de divers constituants de la bactérie (protéines totales ou enzymatiques, A.D.N. chromosomique ou plasmidique) ou techniques de biologie moléculaire réservées à des laboratoires spécialisés (ribotypes, pulsotypes).

Sérovaccination

Immunisation, contre un germe ou une toxine, par une injection associant un sérum immun et un vaccin.

Le sérum immun, ou antisérum, apporte, par les anticorps qu'il contient, une immunité immédiate ou quasi immédiate, mais de courte durée, contre le microbe ou la toxine, alors que le vaccin confère une immunité de longue durée, mais s'établissant plus tardivement.

La sérovaccination s'utilise principalement pour prévenir le tétanos dans le cas d'une plaie souillée chez un blessé qui n'est pas vacciné ou qui n'a pas reçu ses injections de rappel.

Serpigineux

Qualifie une lésion cutanée irrégulière, dessinant des cercles ou des ondulations, et susceptible de migrer (cicatrisation sur une zone suivie d'une récidive en un autre endroit du corps).

L'angiome serpigineux d'Hutchinson, par exemple, est une dermatose touchant la femme, dès l'enfance, surtout sur les membres inférieurs et les fesses, qui forme des lésions vasculaires de couleur pourpre, lesquelles dessinent des cercles ou des anneaux.

Sérum antilymphocytaire

Sérum sanguin (plasma sans fibrinogène) contenant des anticorps, administré pour ralentir l'activité du système immunitaire.

FORMES PRINCIPALES ET MÉCANISMES D'ACTION
Pour obtenir du sérum antilymphocytaire, on injecte des lymphocytes humains (variété de globules blancs) à un animal (par exemple un cheval). Celui-ci sécrète alors lui-même des anticorps contre les lymphocytes humains qui sont présents dans son sang. Puis, on prélève du sang de l'animal, dont on utilise soit la partie liquide (sérum proprement dit), soit, de préférence, les anticorps à l'état pur.

Après injection intraveineuse, les anticorps attaquent les lymphocytes du type T du receveur et les empêchent d'agir.

INDICATIONS
Le sérum antilymphocytaire est utilisé en milieu hospitalier spécialisé pour prévenir les rejets de greffe par les lymphocytes du receveur.

EFFETS INDÉSIRABLES
Ce sont éventuellement une douleur au point d'injection, une diminution de la quantité de plaquettes sanguines et une réaction allergique (choc anaphylactique, maladie sérique).

Sérum sanguin

Partie liquide du sang qui, à la différence du plasma, ne contient pas de fibrinogène (protéine abondante dans le sang, l'un des principaux facteurs de la coagulation).

Le sérum sanguin ne renferme ni cellules sanguines (globules rouges, globules blancs, plaquettes), ni fibrinogène. Il contient de faibles quantités de certaines autres protéines (une partie de la prothrombine, ou facteur II de la coagulation, le facteur V et le facteur VIII). Le sérum est soit issu de la formation d'un caillot, soit séparé des globules du sang défibriné (dont le fibrinogène a été éliminé) par centrifugation. Dépourvu de fibrinogène, il se prête mieux que le plasma (sang dont on a seulement ôté les globules) au dosage et à l'analyse de certaines protéines restantes, le fibrinogène gênant l'interprétation de l'électrophorèse des protéines (séparation des protéines du sérum sous l'effet d'un champ électrique, utilisée en particulier pour les recherches d'anticorps).
→ VOIR Maladie sérique, Sérothérapie.

Sésamoïde

Petit os arrondi, intercalé dans le trajet d'un ligament articulaire dont il facilite le jeu. (P.N.A. *os sesamoida*)

Les sésamoïdes sont en nombre variable selon les sujets et les articulations. On les trouve surtout sur les pieds et les mains, en particulier sur l'articulation métacarpophalangienne du pouce et métatarsophalangienne du gros orteil. La rotule est un sésamoïde particulier.

PATHOLOGIE
Les sésamoïdes sont susceptibles de subir les mêmes traumatismes que les autres os constitutifs du squelette : luxations, fractures. Ils ne nécessitent en général pas de traitement ; cependant, lorsqu'ils sont douloureux (sésamoïde du gros orteil, notamment), ils peuvent nécessiter une immobilisation plâtrée de 3 semaines, voire être enlevés chirurgicalement.

Sessile

Qui a une large base d'implantation.

Une tumeur sessile s'oppose à une tumeur pédiculée, c'est-à-dire rattachée à son support par une structure allongée et fine (une sorte de « pied »). Si elle siège dans un organe creux comme le tube digestif, il est difficile de retirer une telle tumeur par endoscopie (avec un tube muni d'un système optique et d'instruments chirurgicaux, introduit par les voies naturelles) ; il faut alors, en général, recourir à la chirurgie conventionnelle.

Séton

Faisceau de crins introduit sous la peau, traversant une cavité à drainer (abcès, hématome) et ressortant par un autre orifice cutané.

Par extension, on appelle « plaie en séton » une plaie faite par une balle ou par une arme blanche, entrée puis ressortie sans léser les tissus profonds. Malgré la bénignité apparente d'une plaie de ce type, une fois son trajet superficiel vérifié, la prévention d'une éventuelle infection (nettoyage par application d'antiseptiques), voire du tétanos (sérothérapie, vaccination), est indispensable.

Seuil

Niveau d'intensité ou de concentration d'un élément, nécessaire à la production d'un effet donné.

DIFFÉRENTS TYPES DE SEUIL
▨ Le seuil d'excitation, ou seuil d'excitabilité, d'une fibre nerveuse est l'intensité minimale de la stimulation nécessaire pour la faire passer du repos à l'activité. Le seuil d'excitation d'une fibre nerveuse varie en fonction de l'activité de cette dernière. Après l'excitation, ce seuil devient très élevé, et la fibre ne répond plus à de nouvelles excitations (période réfractaire).
▨ Le seuil d'élimination, ou seuil rénal, d'une substance est la concentration minimale nécessaire de cette substance dans le plasma pour que celle-ci passe dans l'urine. Par exemple, le seuil rénal du glucose est de 1,6 gramme par litre, c'est-à-dire que tout le glucose filtré par le glomérule est réabsorbé par le tube contourné proximal jusqu'au seuil de 1,6 gramme par litre ; au-delà, la réabsorption n'est plus totale et du glucose apparaît dans l'urine.

Sevrage du nourrisson

1. Passage de l'allaitement au sein à l'allaitement au biberon.

Le sevrage du nourrisson devrait, dans l'idéal, intervenir au moment qui apparaît aux parents comme le plus favorable, aussi bien pour eux-mêmes que pour le nourrisson : la mère peut avoir envie de vivre un nouveau mode de relation, moins fusionnel, avec son enfant ; elle peut aussi percevoir que celui-ci est prêt à renoncer au plaisir du sein en faveur d'autres expériences nutritives. Dans les faits, le moment du sevrage, qui intervient souvent avant l'âge de 3 mois, répond le plus souvent à des impératifs économiques (reprise du travail de la mère) ou à la diminution de la quantité de lait maternel (par suite de surmenage ou d'angoisse, notamment).

Le passage au biberon doit s'effectuer progressivement, au rythme de la mère et de l'enfant. Il est conseillé de remplacer une tétée – de préférence la moins abondante – par un biberon de lait premier âge. Dès que le nourrisson commence à s'habituer au biberon, on peut introduire un deuxième biberon par jour et ainsi de suite jusqu'au complet remplacement des tétées au sein par les repas au biberon. Le sevrage peut s'étendre sur une semaine ou plus. Ainsi la mère diminue progressivement sa sécrétion lactée et l'enfant s'habitue à ce nouveau mode de relation, plus autonome.

2. Passage d'une alimentation exclusivement lactée (par allaitement maternel ou artificiel) à une alimentation plus diversifiée.

Ce second sevrage intervient généralement entre l'âge de 3 mois et celui de 6 mois. Il doit, lui aussi, être progressif afin que l'enfant ait le temps de se familiariser avec de nouvelles sensations gustatives et de vérifier qu'il ne présente pas d'intolérance ou d'allergie à certains aliments. Ainsi, on pourra introduire peu à peu dans les biberons de lait : de la farine sans gluten, aux goûts multiples, des légumes et des fruits cuits et mixés. Les jus de fruits peuvent être donnés à part, en petite quantité, à la cuillère.

Sevrage d'un toxique

Arrêt progressif ou immédiat de la consommation d'une substance toxique dont le sujet est dépendant.

Quelle que soit cette substance (alcool, tabac), le sevrage ne peut être programmé qu'en accord avec la personne concernée, en choisissant la ou les méthodes les plus adaptées à son cas. Il se pratique dans des centres de cure, hospitaliers ou non. Les associations d'anciens intoxiqués et les campagnes publiques d'information contribuent à en favoriser l'entreprise, souvent longue et pénible.

Sevrage de l'alcool

Le traitement n'est possible que si le sujet est motivé. La prise en charge peut nécessiter une hospitalisation pour lutter contre les divers symptômes de manque : agitation, agressivité, insomnie, delirium tremens. Un contrôle biologique et un soutien psychiatrique sont généralement nécessaires, associés à une réhydratation et à la prise de tranquillisants, d'antidépresseurs, de vitamines du groupe B (B1 et B6), ces dernières afin d'éviter les polynévrites (atteintes des

nerfs périphériques, surtout ceux des membres inférieurs). À long terme, on utilise encore certains médicaments, dits dissuasifs, comme le disulfirame, qui provoque des nausées et des vomissements à la moindre absorption d'alcool.

Cette prise en charge, qui peut durer plusieurs mois, voire plusieurs années, nécessite un suivi très régulier.

Sevrage d'une drogue

C'est l'un des temps du traitement de la toxicomanie. Le sevrage se déroule en deux phases consécutives, mais très intriquées : le sevrage physique, qui met en jeu l'abstinence et ses conséquences psycho-organiques (douleurs viscérales, malaises, angoisse intense, « impatiences » dans les jambes), et évolue en quelques jours ; le sevrage psychologique (affranchissement de tout besoin toxique), long, pénible, qui marque la fin de la toxicomanie. La méthode de sevrage diffère peu selon la drogue utilisée. À la réduction progressive des doses, on préfère aujourd'hui soit un sevrage brutal, avec le soutien temporaire d'anxiolytiques, d'analgésiques ou d'antidépresseurs, soit un sevrage progressif, mené à l'aide d'une substance de remplacement, la méthadone.

Le sevrage s'effectue le plus souvent en milieu hospitalier, mais il est parfois possible d'éviter l'hospitalisation, ce qui nécessite alors une adhésion totale du sujet et des soins plus vigilants. Les récidives sont nombreuses, souvent suivies de nouvelles demandes thérapeutiques, qui doivent à chaque fois être considérées avec le même sérieux.

Un nouveau-né dont la mère est toxicomane nécessite au même titre que sa mère un sevrage. Celui-ci ne met pas sa vie en jeu, mais peut perturber son développement psychomoteur.

Sevrage du tabac

Là aussi, le désir de sevrage doit venir du fumeur, les méthodes proposées servant avant tout de soutien à la volonté du fumeur. Parmi elles, on peut citer l'acupuncture, la psychothérapie de groupe, ainsi que toutes les formes de soutien dans lesquelles le médecin de famille a une place privilégiée. Certains substituts contenant de la nicotine (gomme à mâcher, timbre transdermique), délivrés sur prescription médicale, ont une efficacité démontrée chez les grands fumeurs en atténuant les symptômes du manque (nervosité, agressivité, insomnie). L'arrêt du tabac entraîne souvent une prise de poids, contre laquelle l'ancien fumeur devra être prévenu et traité (diététique). Les tentatives d'arrêt sont l'indice d'une forte motivation et précèdent souvent un arrêt définitif.
→ VOIR Alcoolisme, Dossier Toxicomanie, Tabagisme.

Sevrage (syndrome de)

Ensemble des troubles organiques sévères dont souffre un sujet toxicomane en état de dépendance physique quand il est privé de sa drogue ou d'un médicament dont il fait un usage abusif.

Le syndrome de sevrage s'observe essentiellement avec les opiacés (ou morphiniques), les hypnotiques, les anxiolytiques (barbituriques, carbamates, benzodiazépines) et l'alcool.

■ Avec les opiacés, le syndrome de sevrage débute par une sudation, un larmoiement, un écoulement nasal ; puis apparaissent des crampes intenses, un tremblement, des nausées, des vomissements, une diarrhée, des hallucinations.

■ Avec les hypnotiques, les anxiolytiques et l'alcool, il se produit une anxiété, des contractions musculaires involontaires, un tremblement, parfois des convulsions, des hallucinations et une fièvre. Dans le cas de l'alcool, on parle de delirium tremens.

TRAITEMENT

■ Avec les opiacés, un produit de substitution, la méthadone, peut être utilisé à doses dégressives.

■ Avec les hypnotiques, les anxiolytiques et l'alcool, l'administration de substances neuroleptiques peut être utile. En cas de surdosage de benzodiazépines, un antidote peut être administré, en même temps que des mesures de désintoxication (lavage d'estomac, notamment) sont entreprises.

Sexe

Ensemble des caractères qui permettent de distinguer deux genres, mâle et femelle, qui assurent la reproduction sexuée.

Chez l'être humain, les deux genres sont représentés par l'homme et la femme qui, lorsqu'ils atteignent l'âge adulte, s'unissent sexuellement pour assurer la reproduction de l'espèce. La détermination du sexe génétique se produit dès la fusion des cellules reproductrices, le spermatozoïde et l'ovule, tandis que la différenciation sexuelle organique commence au 3e mois de la vie embryonnaire. On distingue ainsi le sexe génétique, porté par les chromosomes sexuels, du sexe phénotypique, défini par la présence de caractères sexuels masculins ou féminins (gonades ou glandes sexuelles, organes génitaux externes, morphologie, gamètes ou cellules reproductrices). La concordance entre sexe génétique et sexe phénotypique assure la normalité de l'individu.

■ Le sexe gamétique est défini par la production de spermatozoïdes chez l'homme ou d'ovules chez la femme.

■ Le sexe génétique différencie le garçon, qui possède un chromosome X et un chromosome Y, de la fille, dotée de deux chromosomes X.

■ Le sexe génital externe est défini par la présence des organes génitaux externes masculins (pénis et testicules) ou féminins (vulve et vagin) et il détermine la déclaration de sexe masculin ou féminin à l'état civil.

■ Le sexe gonadique est caractérisé par la présence de testicules chez le garçon ou d'ovaires chez la fille.

■ Le sexe somatique correspond à la forme générale du corps (morphologie) : taille, poids, pilosité, répartition des graisses, caractères sexuels secondaires.

PATHOLOGIE

Des anomalies peuvent porter sur le sexe génétique : il s'agit alors d'anomalies du nombre des chromosomes sexuels X ou Y (syndrome de Klinefelter, caractérisé par l'existence de trois chromosomes, XXY ; syndrome de Turner, défini par la présence d'un seul chromosome sexuel, X). Les anomalies du sexe gonadique sont à l'origine d'un hermaphrodisme (présence simultanée de tissu ovarien et testiculaire chez un individu). Les anomalies concernent aussi parfois le sexe génital externe : pseudohermaphrodisme (présence chez un individu d'organes génitaux externes de l'autre sexe) ou malformations des organes génitaux externes. Des anomalies portant sur la morphologie peuvent accompagner les autres types d'anomalies sexuelles. Enfin, les anomalies portant sur les gamètes entraînent chez l'homme une azoospermie (absence de production de spermatozoïdes) et chez la femme une anovulation (absence d'ovulation), responsables de stérilité.

Sexologie

Étude de la sexualité et de ses troubles.

La sexologie est une spécialité associant plusieurs disciplines (biologie, sociologie, anthropologie, etc.), qui étudie les comportements amoureux sous toutes leurs formes et sous tous leurs aspects : psychologie, formes sociales des rapports sexuels, rapports entre la sexualité et la culture, étude des déviations sexuelles. Elle s'efforce en outre de trouver l'origine des troubles sexuels, de les soigner (sexothérapie) et d'en assurer la prévention. La sexologie s'attache aussi à informer et à conseiller dans des situations telles que la grossesse, la contraception, l'interruption volontaire de grossesse, la stérilité, la ménopause ou les maladies sexuellement transmissibles.

Sexothérapie

Traitement psychologique des troubles sexuels.

La sexothérapie repose sur un ensemble de techniques médicalement codifiées (psychothérapie, thérapie comportementale, relaxation, etc.), afin de restaurer la qualité du rapport sexuel et de la fonction érotique, notamment chez les couples en difficulté. Tout sexothérapeute, qu'il soit médecin ou psychologue, doit nécessairement avoir suivi une formation spécifique.

Sexualité

Ensemble des phénomènes rattachés à la vie sexuelle.

La sexualité intéresse à la fois le corps (ensemble des organes et des caractères liés à la fonction sexuelle) et l'esprit (érotisme, sensualité, sentiment amoureux). La vie sexuelle débute dès la première enfance. Dans la première année de la vie, la zone buccale est la source de toutes les satisfactions (succion du sein maternel). Dès la 2e et la 3e année, l'intérêt de l'enfant se déplace sur la zone anale (apprentissage de la propreté). Puis, entre 3 et 5 ans, les organes

génitaux deviennent prédominants. Enfin, à l'âge de 6 ans s'installe une apparente mise en sommeil de la poussée sexuelle (période de latence) qui se trouve brutalement réactivée à la puberté.

TROUBLES DE LA SEXUALITÉ

Une sexualité satisfaisante est l'un des facteurs nécessaires à l'épanouissement de l'individu. L'harmonie sexuelle est vulnérable à de nombreux facteurs, le plus souvent psychologiques (anxiété, surmenage, complexe d'ordre esthétique, etc.), mais parfois également socioculturels, qui peuvent se traduire par des symptômes fonctionnels (impuissance, éjaculation précoce, anorgasmie, vaginisme) et comportementaux (peur, inhibition sexuelle, donjuanisme, fétichisme, nymphomanie). L'étude et le traitement de ces troubles constituent l'objet de la sexologie, de la psychanalyse, ainsi que de nombreuses recherches en psychobiologie.

Sézary (syndrome de)

Prolifération maligne diffuse envahissant l'épiderme (couche superficielle de la peau).

Le syndrome de Sézary est une variété de lymphome malin non hodgkinien, tumeur formée du même tissu que les ganglions lymphatiques, mais proliférant anarchiquement. Il est dû à des cellules anormales provenant des lymphocytes T, globules blancs jouant un rôle fondamental dans les défenses immunitaires de l'organisme.

La maladie touche les adultes, habituellement après 50 ans.

SYMPTÔMES ET SIGNES

Les symptômes sont principalement cutanés. La peau, inflammatoire, est le siège d'une érythrodermie (rougeur diffuse) laissant des intervalles de peau saine, et s'accompagnant de démangeaisons souvent très importantes. Sous les rougeurs cutanées apparaissent des zones pigmentées qui régressent parfois avec le traitement. Il y a habituellement des adénopathies (augmentation de la taille des ganglions lymphatiques).

ÉVOLUTION ET DIAGNOSTIC

En l'absence de traitement, l'infiltration cutanée peut croître et s'étendre aux ganglions lymphatiques, au sang, à la moelle osseuse, parfois à d'autres organes, notamment aux poumons. Le diagnostic du syndrome de Sézary est confirmé par l'étude au microscope d'un prélèvement cutané. Celui-ci montre une infiltration massive de la peau, et plus particulièrement de l'épiderme, par des cellules lymphocytaires T, groupées en amas d'aspect caractéristique. Les cellules lymphocytaires constituant la prolifération, dites cellules de Sézary, se caractérisent par un noyau d'aspect cérébriforme (marqué de circonvolutions évoquant le cerveau). Elles sont en général présentes en petit nombre dans le sang.

TRAITEMENT

Le traitement est fondé sur des agents dont l'action s'exerce au niveau de la peau : médicaments (en particulier cytostatiques) appliqués sur toute l'étendue des lésions ; puvathérapie (exposition aux rayons ultraviolets associée à l'absorption de psoralènes) ; bains

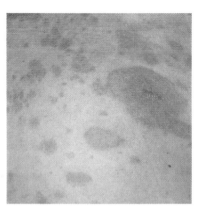

Syndrome de Sézary. La peau est peu à peu envahie de plaques rouges souvent très prurigineuses, séparées par de la peau saine.

d'électrons sur toute la surface de la peau. Son efficacité est plus ou moins grande et plus ou moins durable selon les sujets. Elle est généralement bonne, mais il est parfois nécessaire, pour un même patient, de recourir successivement à plusieurs traitements. Certains médicaments administrés par voie orale (rétinoïdes, interféron alpha, combinaison des deux) peuvent également s'avérer très efficaces.

Lorsque l'atteinte des ganglions, de la moelle osseuse et du sang est très prononcée, une polychimiothérapie (association de plusieurs médicaments) est nécessaire. Une technique nouvelle, la photochimiothérapie extracorporelle, consiste à retirer de la circulation sanguine les lymphocytes du patient et à les exposer aux rayons ultraviolets A en présence d'une substance sensibilisante, le psoralène. Cette technique, très lourde, est mise en œuvre dans les cas les plus graves. Elle est en cours d'évaluation et semble donner de bons résultats.

PRONOSTIC

Le syndrome de Sézary évolue très vite et son traitement n'est pas toujours complètement efficace. Son pronostic, dans les cas les plus graves, demeure réservé.

Sharp (syndrome de)

Association chez un même patient des signes d'au moins deux connectivites (maladies chroniques d'origine auto-immune caractérisées par une atteinte du collagène). SYN. *connectivite mixte.*

Le syndrome de Sharp touche surtout la femme, vers l'âge de 35 ans.

SYMPTÔMES ET SIGNES

Ils varient d'un malade à l'autre, mais ce sont le plus souvent les signes du lupus érythémateux disséminé et de la sclérodermie systémique, plus rarement ceux de la dermatomyosite et de la polyarthrite rhumatoïde. Les atteintes touchent différentes parties de l'organisme.

■ Les atteintes articulaires, inflammatoires, touchent surtout les petites articulations, évoquant une polyarthrite rhumatoïde.

■ Les atteintes cutanées comprennent dans

90 % des cas un syndrome de Raynaud (contraction des vaisseaux sanguins des doigts en cas d'exposition au froid), parfois associé à une sclérodactylie (sclérodermie de la peau des doigts, qui devient rigide et impossible à pincer). On peut observer aussi une rougeur des joues, parfois de petits nodules multiples à hauteur des tendons des avant-bras, des mains et des pieds, plus rarement une chute des cheveux, une sensibilité excessive au rayonnement solaire, des télangiectasies (dilatation des petits vaisseaux cutanés), des ulcérations buccales, des troubles de la pigmentation.

■ **Les atteintes glandulaires** sont représentées par un syndrome sec, ou syndrome de Gougerot-Sjögren (sécheresse buccale, oculaire et vaginale).

■ **Les atteintes viscérales** sont également possibles : atteinte de l'œsophage avec hypotonie, du poumon (fibrose pulmonaire), du cœur (myocardite, péricardite), du système nerveux (névralgie du trijumeau, méningite).

DIAGNOSTIC ET TRAITEMENT

Le diagnostic repose sur l'étude de la vitesse de sédimentation (V.S.), dont l'accélération révèle le processus inflammatoire, et sur la recherche d'anticorps antinucléaires spécifiques, dits solubles (anti-ENA, de l'anglais *Extractable Nuclear Antibodies*). Le traitement des formes bénignes repose sur les antiinflammatoires non stéroïdiens ou les antipaludéens de synthèse, ou l'association des deux ; celui des formes sévères requiert l'administration de corticostéroïdes et parfois d'immunosuppresseurs, ou encore des échanges plasmatiques (plasmaphérèses).

Sheehan (syndrome de)

Insuffisance hormonale antéhypophysaire (du lobe antérieur de l'hypophyse) consécutive à un choc obstétrical (insuffisance circulatoire aiguë survenant chez la femme qui accouche) provoqué par une hémorragie de la délivrance.

La fréquence de ce syndrome a fortement diminué dans les pays industrialisés, grâce à la médicalisation de l'accouchement.

CAUSES

Au cours de la grossesse, l'hypophyse est richement vascularisée. Lors de l'accouchement, si une hémorragie brutale entraîne une chute de la tension artérielle, une nécrose hypophysaire peut survenir, provoquant une diminution définitive de la sécrétion des hormones antéhypophysaires : corticotrophine, gonadotrophines (hormones lutéinisante et folliculostimulante), thyréostimuline, somathormone et prolactine.

SYMPTÔMES ET SIGNES

Le premier symptôme, en dehors d'une grande fatigue et d'une anémie, est une absence de montée laiteuse. Ensuite, le retour des règles ne se produit pas et on constate l'installation progressive de signes d'hypothyroïdie (faiblesse musculaire, crampes, rythme cardiaque lent, peau sèche et dépilée, chute des cheveux) et d'un déficit en glucocorticostéroïdes (fatigue, hypotension artérielle, hypoglycémie).

DIAGNOSTIC

Le diagnostic peut n'être établi que plusieurs mois ou années après l'accouchement, devant les symptômes décrits plus haut. Le bilan hormonal révèle des taux sanguins d'hormones antéhypophysaires, surrénaliennes, thyroïdiennes et ovariennes anormalement bas. Le scanner ou l'imagerie par résonance magnétique (I.R.M.) met en évidence une hypophyse de petit volume ou une selle turcique (dépression osseuse à la base du cerveau, dans laquelle est logée l'hypophyse) vide.

TRAITEMENT

Un traitement substitutif à base d'hydrocortisone, de thyroxine, d'œstrogènes et de progestérone permet de corriger les troubles. Il doit être prescrit à vie.

Shigellose

Maladie infectieuse causée par une bactérie à Gram négatif du genre *Shigella*, entraînant une inflammation importante de la muqueuse du côlon.

Plusieurs espèces de *Shigella* sont en cause : *Shigella dysenteriæ, Shigella flexneri, Shigella boydii* et *Shigella sonnei*, qui provoquent de vastes épidémies dans les pays où l'hygiène est défectueuse. Elles sont propagées par l'eau ou les mains, souillées des déjections des malades, ou par les mouches.

SYMPTÔMES ET SIGNES

L'incubation (période qui précède l'apparition des signes de la maladie) dure de 2 à 5 jours. Elle est suivie par un syndrome dysentérique : diarrhée liquide, glaireuse et sanglante sans ou avec peu de matières fécales. Lorsque la diarrhée persiste, elle peut entraîner une déshydratation. Dans les cas les plus graves, une bactériémie (présence de bactéries dans le sang circulant) peut s'installer, avec des signes toxiques (dus à la toxine sécrétée par les shigelles), en particulier neurologiques (délire). La maladie dure de une à plusieurs semaines.

DIAGNOSTIC ET TRAITEMENT

Le diagnostic se fonde sur la mise en évidence des germes dans les selles des

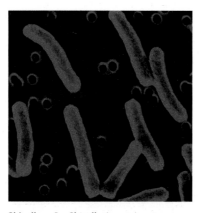

Shigellose. *Les* Shigella (*en rose*) *sont responsables de diverses infections intestinales, dont la principale est la dysenterie bacillaire.*

malades, mais également des porteurs chroniques sains du germe, par coproculture. Le traitement associe les antibiotiques à la réhydratation par voie orale ou intraveineuse dans les cas graves.

PRÉVENTION

Elle consiste en l'amélioration de l'hygiène individuelle et publique (en particulier eaux de boisson non souillées par les selles des sujets contaminés). Il n'existe pas de vaccin.

Shumway (Norman Edward)

Chirurgien américain (Kalamazoo, Michigan, 1923).

Il réalisa, en 1968, à Stanford (Californie), la première transplantation cardiaque chez l'homme aux États-Unis et la quatrième dans le monde (la première intervention de ce type avait été réalisée en 1967 par le Sud-Africain Christiaan Barnard). Shumway lança en 1969 un programme de transplantations cardiaques ; la législation californienne, la première aux États-Unis à autoriser le prélèvement d'un cœur battant encore sur un patient en état de mort cérébrale, contribua à son succès. Norman Shumway s'est également distingué dans les opérations à cœur ouvert, en particulier dans les interventions sur les valvules du cœur.

Shunt

Passage anormal de sang d'une cavité à une autre. (De l'anglais *shunt*, dérivation.)

Il existe aussi des shunts chirurgicalement créés entre une artère et une veine de l'avant-bras pour permettre l'épuration extrarénale (dialyse) chez les personnes atteintes d'insuffisance rénale chronique.

CAUSES

Un shunt est la conséquence d'une malformation de naissance. Il peut consister en une communication interauriculaire (entre les 2 oreillettes), une communication interventriculaire (entre les 2 ventricules) ou une communication entre l'aorte et l'artère pulmonaire, appelée persistance du canal artériel.

SYMPTÔMES ET SIGNES

Ils dépendent de la direction du shunt. Les pressions qui règnent dans les cavités cardiaques gauches et dans l'aorte sont normalement très supérieures aux pressions enregistrées dans les cavités cardiaques droites et dans l'artère pulmonaire. L'existence d'une communication anormale est responsable d'un shunt gauche-droite, c'est-à-dire du passage du sang rouge de la gauche vers la droite. Ce passage provoque une augmentation de la quantité de sang qui traverse les poumons et une dilatation des cavités du cœur pouvant aboutir à une insuffisance cardiaque. Les signes de ces phénomènes sont essentiellement une fatigue et une dyspnée (gêne respiratoire).

Plus rarement peut s'observer un shunt droite-gauche, dû à la présence d'un obstacle sur la voie pulmonaire élevant les pressions en amont à un niveau au moins égal aux pressions gauches, ce qui permet au sang bleu de passer à travers la communication anormale entre les 2 oreillettes ou les 2 ventricules. Ce passage du sang bleu de la droite vers la gauche est responsable d'une coloration bleutée des lèvres et des ongles (cyanose), d'où le nom de maladie bleue souvent donné au shunt droite-gauche. La plus fréquente de ces maladies bleues est la tétralogie de Fallot.

DIAGNOSTIC ET TRAITEMENT

L'échocardiographie permet d'établir le diagnostic. Il est nécessaire de fermer chirurgicalement la communication anormale chaque fois que celle-ci a une taille importante afin de supprimer le risque de complications évolutives ou tout simplement de permettre la survie. De même, en cas de tétralogie de Fallot, une intervention à cœur ouvert doit être effectuée.

→ VOIR Canal artériel (persistance du), Cardiopathie, Communication interauriculaire, Communication interventriculaire.

Shy-Drager (maladie de)

Affection dégénérative du système nerveux central, caractérisée par l'association de troubles neurovégétatifs et extrapyramidaux.

FRÉQUENCE ET CAUSE

La maladie de Shy-Drager, rare, atteint les sujets âgés d'environ 60 ans, plus fréquemment les hommes que les femmes. La cause en est inconnue.

SYMPTÔMES ET SIGNES

La maladie débute progressivement : l'hypotension orthostatique (au lever et en position debout) en est habituellement la première manifestation ; elle est importante, pouvant être à l'origine de syncopes. D'autres signes d'atteinte végétative peuvent s'observer, tels qu'une anisocorie (inégalité de diamètre des deux pupilles) ou des troubles génitosphinctériens (incontinence urinaire, impuissance). Le syndrome extrapyramidal (syndrome parkinsonien) survient généralement plus tardivement et peut rester au second plan. Un syndrome cérébelleux (instabilité à la marche, incoordination motrice discrète), un syndrome pseudobulbaire (difficultés à parler et à déglutir), une paralysie oculomotrice peuvent s'y associer. Les signes pyramidaux (signe de Babinski, vivacité anormale des réflexes ostéotendineux) sont plus rares.

ÉVOLUTION ET DIAGNOSTIC

Cette maladie évolue sur plusieurs années. Elle entraîne des risques de complications graves : pneumopathie de déglutition, fausse-route alimentaire. Le diagnostic repose principalement sur l'examen clinique, aucun examen complémentaire ne permettant de le confirmer avec précision.

TRAITEMENT

Le traitement de cette affection est double. Les médicaments antiparkinsoniens (lévodopa essentiellement) peuvent avoir une certaine efficacité, mais leur effet hypotenseur aggrave l'hypotension orthostatique préexistante et empêche leur prescription à fortes doses. Le traitement de l'hypotension orthostatique fait appel à des moyens physiques (port de bas à varices) et à des moyens médicamenteux (administration d'un vasoconstricteur, la dihydroergotamine, et d'un corticostéroïde, la 9-alpha-fluorocortisone).

Sialadénite

Inflammation localisée au parenchyme d'une glande salivaire.

La sialadénite concerne le parenchyme glandulaire, c'est-à-dire les cellules qui sécrètent la salive, et non les canaux excréteurs. C'est un cas particulier de sialite (inflammation des glandes salivaires en général).

Sialagogue

Médicament utilisé pour augmenter une sécrétion salivaire insuffisante.

L'anétholtrithione est le seul sialagogue existant. Il est indiqué dans l'hyposialie (diminution de la quantité de salive sécrétée), notamment si ce symptôme, très gênant, est dû à un médicament (neuroleptique, antidépresseur, antiparkinsonien, anticholinergique). Une fois l'hyposialie corrigée, on peut poursuivre la prise du médicament responsable. L'anétholtrithione est aussi un cholérétique : il augmente la sécrétion de bile, d'où un risque de diarrhée légère et une coloration plus foncée des urines. L'anétholtrithione se prend par voie orale. Il est contre-indiqué en cas d'obstruction des voies biliaires et de cirrhose du foie.

Sialite

Inflammation d'une glande salivaire.

Une sialite concerne soit le corps de la glande – et dans ce cas, il s'agit d'une sialadénite –, soit les canaux excréteurs aboutissant dans la bouche. L'inflammation peut atteindre soit la glande parotide, provoquant une parotidite, soit la glande sous-maxillaire, engendrant alors une sous-maxillite.

Cette inflammation est causée par une infection ou une lithiase calcique (dans ce cas, un calcul est bloqué dans un canal excréteur). La glande gonfle et devient douloureuse.

Le traitement comprend des bains de bouche et une prise par voie orale d'antibiotiques, si la cause est infectieuse, ou une ablation chirurgicale du calcul, si la sialite est due à une lithiase.

Sialographie

Examen radiographique des canaux excréteurs d'une glande salivaire.

Une sialographie peut être pratiquée sur une glande parotide (glande située derrière la branche verticale du maxillaire inférieur) ou sur une glande sous-maxillaire (glande située derrière la branche horizontale du même maxillaire).

INDICATIONS

Une sialographie sert essentiellement à visualiser une lithiase (présence d'un calcul) salivaire dans un canal excréteur, le canal de Wharton pour la glande sous-maxillaire ou le canal de Sténon pour la glande parotide. Elle peut également être pratiquée en cas de sécheresse buccale.

PRÉPARATION ET DÉROULEMENT

Le médecin introduit un fin tube creux dans l'orifice naturel du canal excréteur de la glande salivaire. Par celui-ci, il injecte lentement un produit de contraste iodé, opaque

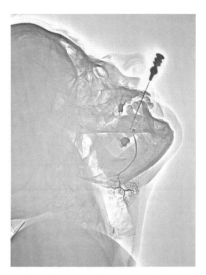

Sialographie. *Un produit opaque aux rayons X est injecté dans le canal de la glande sous-maxillaire et se diffuse dans ses ramifications.*

aux rayons X, qui se répand dans le canal puis dans toutes ses ramifications. Plusieurs clichés sont pris pendant ce temps. Un dernier cliché est pris lors de l'évacuation du produit par la glande, environ 45 minutes après. Cet examen dure à peu près une heure. Les résultats sont connus au bout de 24 heures.

CONTRE-INDICATIONS

La quantité de rayons X reçus pendant une sialographie est minime. Cependant, en raison des risques que présentent ces rayons pour le fœtus, on fait porter aux femmes enceintes, durant l'examen, un tablier de plomb qui protège tout le ventre. En cas d'allergie à l'iode contenue dans le produit de contraste, le médecin prescrit un traitement préventif que le sujet suit pendant les trois jours qui précèdent l'examen.

EFFETS SECONDAIRES

Cet examen est indolore. L'injection du produit de contraste s'accompagne d'une sensation de chaleur et de dilatation de la glande, qui s'estompe rapidement. Un léger gonflement de la glande, rendant celle-ci plus sensible, peut persister pendant quelques heures.

Sialorrhée

Écoulement de salive hors de la bouche.

Une sialorrhée ne doit pas être confondue avec l'hypersialorrhée (sécrétion excessive de salive). Elle s'observe chez les personnes atteintes d'une paralysie faciale (les lèvres ne retenant alors plus la salive), que celle-ci soit centrale ou périphérique, ou d'une gêne à la déglutition, comme cela se produit en cas d'épiglottite (inflammation aiguë de l'épiglotte).

Dans le premier cas, la sialorrhée est très gênante, mais il n'existe pas de traitement. Dans le second, c'est le symptôme d'une maladie qui doit être traitée.

Siamois (frères, sœurs)

Jumeaux ou jumelles rattachés l'un à l'autre par deux parties symétriques de leur corps.

Une telle malformation s'observe au cours de grossesses gémellaires à jumeaux monozygotes (issus d'un seul œuf fécondé divisé en deux). Elle est rare, touchant une grossesse sur 100 000 et se produisant dans 0,5 à 1 % des grossesses gémellaires dont les embryons sont monozygotes. Il s'agit de filles dans 90 % des cas.

L'œuf fécondé se divise tardivement en 2 et les embryons restent donc rattachés par certaines parties de leur corps – le plus souvent la paroi abdominale et thoracique – les organes communs étant alors le foie, le péricarde, le cœur et le tube digestif. Dans la plupart des cas, les enfants ne sont pas viables.

Le diagnostic est porté avant la naissance grâce à l'échographie dans les premières semaines de la grossesse. Dans de très rares cas, lorsque le diagnostic est tardif ou lorsque l'accolement est très minime, l'accouchement a lieu par césarienne, et on peut alors envisager une intervention chirurgicale permettant de séparer les enfants.

Sida

Phase grave et tardive de l'infection par le virus d'immunodéficience humaine (V.I.H.1 et V.I.H.2). [Abréviation de syndrome d'immunodéficience acquise.]

Les V.I.H. 1 et 2 détruisent certains globules blancs, les lymphocytes T4, ou CD4, qui constituent la base active de l'immunité anti-infectieuse. Cette destruction provoque donc une déficience du système immunitaire. On réserve le nom de sida, ou de sida déclaré, aux formes majeures de cette déficience immunitaire : baisse du taux de lymphocytes T4 au-dessous de 200 par millimètre cube de sang, – le taux normal étant de 800 à 1 000 lymphocytes T4 par millimètre cube –, ou développement d'une des formes majeures de la maladie. Une personne séropositive au V.I.H. (dont le sang contient des anticorps spécifiquement dirigés contre le virus du sida, ce qui témoigne de son infection par ce virus) ne présente pas nécessairement

les signes du sida. Elle est néanmoins porteuse du virus, et donc susceptible de le transmettre.

HISTORIQUE

Isolé en 1983 à l'Institut Pasteur de Paris par l'équipe du Pr Luc Montagnier, le V.I.H. fait partie de la famille des rétrovirus (virus à A.R.N., capables de copier celui-ci en A.D.N. proviral grâce à une enzyme qu'ils contiennent, la transcriptase inverse) ; un premier rétrovirus humain, responsable de leucémies chez l'homme, avait été isolé dès 1979 par le Pr Robert Gallo aux États-Unis. Cependant, l'existence du virus remonte à une date largement antérieure à sa découverte : des sérums sanguins contaminés par le virus et stockés en 1954 aux États-Unis, en 1959 au Zaïre et au Royaume-Uni, en 1963 en Ouganda et en 1973 en France ont été retrouvés.

En 1986, des chercheurs français ont démontré l'existence d'un deuxième virus, baptisé V.I.H.2, de structure proche du V.I.H.1, dont l'origine géographique se situerait essentiellement en Afrique de l'Ouest. Il n'y a à ce jour aucune certitude quant à l'origine du V.I.H.1, même si sa prévalence (nombre de cas par rapport à la population totale) est très importante en Afrique centrale.

PROGRESSION DU SIDA

Les premières manifestations diagnostiquées de sida remontent à 1981. Il s'agissait de maladies graves et habituellement rares (pneumonies à *Pneumocystis*, sarcome de Kaposi), ne pouvant se développer que sur un organisme aux défenses immunitaires fortement amoindries. Les groupes de population dans lesquels ces maladies sévissaient alors (transfusés, toxicomanes utilisateurs de seringues, personnes ayant de nombreux partenaires sexuels, et particulièrement homosexuels masculins) ont permis de reconnaître les deux principaux modes de transmission de cette maladie, la voie sexuelle et la voie sanguine.

Actuellement, on estime que plus de 30 millions de personnes vivent avec le V.I.H./Sida, dont 21 millions en Afrique. Le nombre de nouveaux cas d'infection dans le monde, en 1997, est évalué à près de 5,8 millions. La proportion, parmi ces malades, des sujets « à risque », longtemps considérés

comme les seuls exposés à l'infection (homosexuels masculins, toxicomanes utilisateurs de seringues, transfusés), tend à baisser alors que celle des hétérosexuels augmente. La maladie touche aujourd'hui davantage les femmes, qui peuvent la transmettre à leur enfant lorsqu'elles sont enceintes, ce qui a pour conséquence une augmentation du nombre de cas de sida chez les enfants. Selon des prévisions récentes de l'Organisation mondiale de la santé (O.M.S.), le nombre de séropositifs et de malades du sida confondus s'élèverait, en l'an 2000, à plus de 40 millions.

Contamination

La transmission du virus du sida se fait selon trois modes principaux : par voie sexuelle (au niveau des muqueuses génitales, à partir des sécrétions génitales, que ce soit le sperme, le liquide prostatique ou les sécrétions vaginales) ; par voie sanguine (transfusion de sang ou de produits sanguins contaminés, utilisation de seringues infectées) ; par voie transplacentaire (de la mère séropositive à l'enfant, lors de la grossesse) et lors de l'allaitement maternel. Le virus étant également présent dans les larmes et la salive, une contamination par morsure est donc possible, ainsi qu'une contamination lors d'un baiser profond, en cas de lésions de la muqueuse buccale. Néanmoins, aucun cas de transmission de ce type n'a été rapporté.

VOIE SANGUINE

C'est un mode de transmission hautement contaminant, le risque étant évalué à 90 %, que ce soit lors de transfusions ou lors d'injections de drogues par voie veineuse. Aussi les hémophiles, qui nécessitent de fréquentes injections de produits sanguins, ont-ils été particulièrement frappés par le sida jusqu'à ce que des mesures préventives (vérification de l'inocuité et chauffage des produits transfusés) mettent un terme à cette contamination. La réutilisation du matériel médical (seringues en plastique, aiguilles) sans stérilisation, liée à la pénurie, est un facteur sous-estimé de contamination, dont l'importance reste à évaluer et qui justifie la plus grande vigilance, au moins individuelle.

LE SIDA DANS LE MONDE *(Sources : O.M.S./ONUSIDA 1997 ; INED 1997.)*

Région	Début de l'épidémie	Personnes séropositives ou atteintes du sida	Personnes infectées par le V.I.H. en 1997	Population
Afrique	fin des années 1970 – début des années 1980	21 010 000	4 019 000	743 000 000
Amérique du Nord	fin des années 1970 – début des années 1980	860 000	44 000	298 000 000
Amérique latine/Caraïbes	fin des années 1970 – début des années 1980	1 610 000	227 000	489 000 000
Asie et Pacifique	fin des années 1980	6 440 000	1 480 000	3 558 900 000
Europe de l'Est et Asie centrale	début des années 1990	150 000	100 000	308 000 000
Europe occidentale	fin des années 1970 – début des années 1980	530 000	30 000	420 000 000
Australie et Nouvelle-Zélande	fin des années 1970 – début des années 1980	12 000	600	22 100 000
TOTAL		30 600 000	5 800 000	5 840 000 000

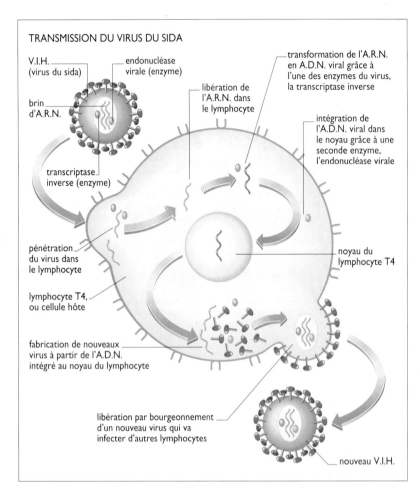

TRANSMISSION DU VIRUS DU SIDA

V.I.H. (virus du sida)

endonucléase virale (enzyme)

brin d'A.R.N.

transcriptase inverse (enzyme)

transformation de l'A.R.N. en A.D.N. viral grâce à l'une des enzymes du virus, la transcriptase inverse

libération de l'A.R.N. dans le lymphocyte

intégration de l'A.D.N. viral dans le noyau grâce à une seconde enzyme, l'endonucléase virale

pénétration du virus dans le lymphocyte

noyau du lymphocyte T4

lymphocyte T4, ou cellule hôte

fabrication de nouveaux virus à partir de l'A.D.N. intégré au noyau du lymphocyte

libération par bourgeonnement d'un nouveau virus qui va infecter d'autres lymphocytes

nouveau V.I.H.

En revanche, le taux de transmission par des piqûres accidentelles d'aiguilles souillées par du sang contaminé (personnel soignant) est estimé au maximum à 0,5 %. Le risque est d'autant plus faible que des mesures simples de prévention sont prises immédiatement après la piqûre : nettoyage des plaies à l'alcool à 70 % ou à l'eau de Javel diluée.

La transmission par aiguilles d'acupuncture ou de tatouage et par lames de rasoir est théoriquement possible.

VOIE SEXUELLE

C'est la voie de contamination la plus répandue, toutes les pratiques sexuelles pouvant être contaminantes à des degrés divers. Dans les pays occidentaux, elle concerne encore principalement les homosexuels masculins, mais la maladie progresse au sein de la population hétérosexuelle, plus particulièrement lors de rapports sexuels avec des toxicomanes déjà contaminés. Dans les pays en développement, la propagation se fait majoritairement par la voie hétérosexuelle. La transmission de l'infection est favorisée par les microtraumatismes des muqueuses et par les maladies sexuellement transmissibles qui entraînent des ulcérations au niveau des organes sexuels, par des rapports pendant les règles (période la plus contaminante chez la femme séropositive),

et par la sodomie, en raison de la fragilité relative de la muqueuse rectale.

Le risque de transmission hétérosexuelle est moins important que celui lié à l'homosexualité. Il n'en demeure pas moins qu'un seul rapport peut être contaminant. Il existe une disparité dans la transmission de l'homme à la femme et de la femme à l'homme, le risque semblant être plus important pour une femme d'être contaminée par l'homme que l'inverse.

TRANSMISSION DE LA MÈRE À L'ENFANT

Le taux de transmission du virus à l'enfant durant la grossesse varie suivant la gravité de l'état clinique de la femme enceinte. Selon des études menées en Europe, moins de 20 % des enfants nés d'une mère séropositive mais n'ayant pas développé les symptômes de la maladie seraient à leur tour contaminés. En Afrique, le taux de transmission constaté est de l'ordre de 30 à 40 % ; ce fait est probablement lié aux affections sexuellement transmissibles non traitées, plus fréquentes en Afrique, et qui favorisent la pénétration virale.

Tous les enfants nés de mère séropositive sont séropositifs à la naissance, car ils portent les anticorps de leur mère. Lorsqu'ils ne sont pas infectés, ils deviennent séronégatifs vers l'âge de 15 à 18 mois. On peut,

cependant, tenter de vérifier si le virus lui-même est présent dès l'âge de 3 mois, grâce à des techniques de culture virale. La maladie évolue lentement (une dizaine d'années) chez environ 75 % des enfants et très rapidement (moins de 5 ans) dans environ 20 % des cas.

Il existe un risque de transmission du V.I.H. par le lait maternel. Bien qu'il n'ait pas encore été possible de le mesurer avec précision, l'Organisation mondiale de la santé (O.M.S.) estime que, chez les enfants nourris au sein par des mères séropositives, jusqu'à 15 % des infections par le V.I.H. pourraient être occasionnées par l'allaitement, aussi déconseille-t-elle celui-ci aux femmes séropositives ou malades du sida, dans les pays occidentaux. Dans les pays en développement, l'allaitement maternel reste recommandé, les risques liés à son abandon (allaitement artificiel avec utilisation d'eau porteuse de germes, absence d'alimentation alternative) étant jugés plus grands que les risques présentés par ce mode de propagation du virus.

Différentes étapes de l'infection par le virus

Une fois entré dans les lymphocytes, le V.I.H. se diffuse très rapidement dans l'organisme. Celui-ci produit en réaction des anticorps anti-V.I.H. spécifiques, qu'on peut mettre en évidence dans le sérum sanguin à la fin de la période de séroconversion (moment où les anticorps apparaissent chez une personne contaminée), c'est-à-dire au bout de 3 mois avec certitude ; il existe donc une période de 3 mois, qui fait suite à la contamination et pendant laquelle l'individu est porteur du virus sans que cela soit décelable par les tests.

Une fois infectée, la personne est dite séropositive pour le V.I.H. L'usage, devenu courant, de dire non pas séropositivité ou séronégativité pour le V.I.H., mais seulement séropositivité ou séronégativité, est un abus de langage.

Les anticorps anti-V.I.H. témoignent de la réaction de l'organisme à l'infection par le virus, mais sont incapables de le détruire ; en effet, le V.I.H. modifie sa structure pour leur échapper. Dans les semaines qui suivent l'infection, un certain nombre de patients souffrent de troubles passagers regroupés sous le nom de primo-infection ; chez d'autres, l'infection passe totalement inaperçue. Après une période de latence d'une durée très variable – en moyenne 7 à 11 ans après la séroconversion –, pendant laquelle le virus continue à se multiplier, les manifestations cliniques du sida apparaissent chez la majorité des patients, sous une forme qui peut être soit mineure, soit majeure. Le pourcentage de patients développant la maladie n'est encore qu'approximativement connu ; certaines études de populations homosexuelles font état, 13 ans après la séroconversion, de 60 % de sujets ayant développé des troubles majeurs, 20 %, des troubles mineurs, 20 % n'ayant pas présenté de symptômes. Chez certaines personnes, la période de latence est très courte (de 1 à 3 ans). Il existe également des sujets séropositifs, dits survivants de longue durée (*Long Term Survivors,* ou LTS) chez lesquels le sida ne s'est pas déclaré au bout d'une quinzaine d'années.

Chez l'enfant, l'évolution est généralement plus rapide et plus grave que chez l'adulte. Deux évolutions sont possibles : une forme sévère, de pronostic sombre, se déclarant avant l'âge de 6 mois, qui se traduit par des signes neurologiques graves et un déficit immunitaire très important ; une forme moins grave, d'évolution chronique.

PHASE AIGUË DE PRIMO-INFECTION

Elle survient chez 20 à 50 % des personnes infectées, quel que soit le mode de contamination, dans les 15 jours à 3 mois qui suivent celle-ci. Cette primo-infection prend l'aspect d'une mononucléose infectieuse : fièvre pouvant durer jusqu'à un mois, tuméfaction des ganglions lymphatiques, courbatures, douleurs articulaires, éruption cutanée évoquant la rougeole – ou parfois l'urticaire –, dysphagie (difficulté à déglutir) douloureuse. Des candidoses aiguës affectant les muqueuses et des ulcérations buccales ont également été décrites au cours de cette phase. Beaucoup plus rarement surviennent des manifestations neurologiques : méningite aiguë lymphocytaire, paralysie faciale, myélopathie, neuropathie périphérique, encéphalite. Cette primo-infection disparaît spontanément en un mois environ.

PHASE D'INFECTION CHRONIQUE ASYMPTOMATIQUE

Elle dure de 1 à 7 ans (ou plus) et correspond à une phase de multiplication du virus. Cette période peut ne se traduire par aucun symptôme. Dans 20 à 50 % des cas, elle se manifeste par des adénopathies (gonflement des ganglions lymphatiques) généralisées et persistantes. Celles-ci sont généralement symétriques et touchent plus fréquemment les régions cervicale, maxillaire, sous-maxillaire ou occipitale.

FORMES MINEURES DE L'INFECTION

Elles signalent une atteinte encore modérée du système immunitaire.

■ **Les infections cutanées ou muqueuses mineures,** virales ou mycosiques, ne sont pas spécifiques de l'infection à V.I.H. mais prennent chez les sujets qui en sont atteints une forme chronique ou récidivante : candidoses buccales (muguet) ou anogénitales, dermite séborrhéique de la face, folliculites, prurigo, verrues, zona.

■ **Les maladies auto-immunes** sont relativement peu fréquentes. On peut observer une parotidite (inflammation de la glande parotide), un syndrome de Raynaud (vasoconstriction affectant les mains lors de l'exposition au froid et entraînant un arrêt de la circulation artérielle, puis une cyanose locale), un syndrome sec (sécheresse excessive de la bouche et des yeux et, chez les femmes, du vagin), des manifestations articulaires inflammatoires et douloureuses, des myosites (inflammation douloureuse des tissus musculaires).

■ **Les signes généraux** sont une altération de l'état général, une forte fièvre prolongée, des sueurs, un amaigrissement,

une diarrhée persistante. L'appellation de syndrome apparenté au sida (ARC) pour désigner ces signes a été abandonnée.

SIDA DÉCLARÉ

Les formes majeures de l'infection, ou sida déclaré, sont également très variables. Lorsque l'immunodépression est majeure, le risque d'infections opportunistes est important ; on appelle infection opportuniste une infection liée à un micro-organisme (bacille de Koch responsable de la tuberculose, par exemple) qui « profite » de l'état défaillant des défenses immunitaires pour se développer. On distingue les infections endogènes (le germe est habituellement présent dans l'organisme sans y entraîner d'infection) et les infections exogènes (le germe est présent dans l'environnement). Ces infections sont très souvent liées entre elles, au sein d'un même organe, ce qui peut compliquer leur diagnostic et leur traitement. D'autre part, ces infections tendent à récidiver, compte tenu à la fois de leur persistance dans l'environnement ou dans l'organisme et de la non-amélioration, voire de la dégradation progressive, de l'immunité du patient. Outre les infections opportunistes, la seconde grande manifestation du sida est le développement de certaines tumeurs cancéreuses.

■ **Les infections bactériennes** sont fréquentes au cours de l'infection par le V.I.H.

- La tuberculose touche particulièrement les patients vivant dans des conditions défavorables (toxicomanes, pays en développement). Elle s'observe dans 5 à 40 % des cas. La localisation de la maladie est plus souvent extrapulmonaire chez les patients infectés par le V.I.H. que chez les sujets séronégatifs et peut survenir à un stade précoce ou non de l'infection. Des formes multirésistantes aux traitements habituellement utilisés ont été décrites aux États-Unis, la principale cause étant la situation précaire des patients, qui interrompent les traitements prématurément.

- Les infections à mycobactéries non tuberculeuses se manifestent lorsque le système immunitaire est très affaibli. L'infection à *Mycobacterium avium-intracellulare* est la plus fréquente et prend généralement une forme disséminée aux organes profonds.

- Les infections à bactéries pyogènes (pneumocoque, staphylocoque, mycoplasme, *Hæmophilus,* etc.) peuvent être responsables de septicémie, surtout lors de traitements utilisant une voie veineuse (cathéter).

- Les salmonelloses, le plus souvent dues à *Salmonella typhi murium,* sont responsables de septicémies récidivantes et de diarrhée.

■ **Les infections fongiques** comptent parmi les infections opportunistes les plus fréquentes au cours du sida.

- La cryptococcose est assez fréquente aux États-Unis et en Afrique. Due à *Cryptococcus neoformans,* levure présente dans l'environnement et pénétrant dans l'organisme par inhalation, elle provoque une pneumopathie et, après dissémination, une atteinte du système nerveux (méningite ou méningo-encéphalite) d'évolution souvent insidieuse et chronique.

- La candidose, due à un champignon du genre *Candida,* affecte essentiellement la muqueuse buccale et le pharynx, et provoque un muguet ou une glossite érosive (langue rouge, dont les papilles ont disparu). L'infection peut s'étendre à l'œsophage, entraînant une œsophagite avec douleurs à la déglutition.

■ **Les infections parasitaires** affectent les malades du sida sont au nombre de quatre.

- La cryptosporidiose est due à un parasite de la muqueuse gastro-intestinale, qui entraîne chez l'immunodéprimé une diarrhée massive responsable d'une altération de l'état général, d'une grande déshydratation, avec fièvre et douleurs abdominales.

- La microsporidiose, reconnue depuis peu chez l'homme, pourrait être responsable de 20 à 30 % des diarrhées inexpliquées.

- La pneumocystose, ou pneumonie à *Pneumocystis carinii,* qui constitue l'infection inaugurale du sida dans 15 à 50 % des cas si un traitement préventif n'est pas institué, se révèle par une toux sèche et croissante, et peut conduire à l'insuffisance respiratoire.

- La toxoplasmose, due à *Toxoplasma gondii,* procède, au cours du sida, de la réactivation d'une infection ancienne, souvent passée inaperçue. Elle entraîne des troubles neurologiques majeurs en cas de localisation cérébrale.

■ **Les infections virales** observées au cours du sida concernent essentiellement des infections à virus latents, intégrés dans le génome de certaines cellules et qui sont réactivés du fait du déficit immunitaire. Elles touchent de 20 à 50 % des patients.

- Le virus *Herpes simplex* est responsable d'herpès cutanéomuqueux. Les poussées de réinfection herpétique entraînent des lésions génitales et périanales ulcérées, profondes, extensives, souvent surinfectées et récidivantes. Exceptionnellement, le virus peut atteindre des organes profonds (poumon, cerveau).

- Le virus varicelle-zona est latent dans certaines cellules nerveuses et est fréquemment réactivé chez les sujets séropositifs. Cette réactivation entraîne une éruption correspondant à un territoire innervé par un nerf sensitif ; c'est par les ramifications de ce nerf que le virus gagne la peau. Ce zona ne présente pas de signes cliniques particuliers, mais sa survenue chez un sujet séropositif peut être la première manifestation clinique du sida.

- Le papovavirus est responsable d'une leuco-encéphalite multifocale progressive (L.E.M.P.), forme grave d'encéphalite entraînant une démyélinisation de la substance blanche. Cette affection touche environ 5 à 8 % des malades du sida.

■ **Les tumeurs** touchant les malades du sida sont le sarcome de Kaposi et les lymphomes malins.

- Le sarcome de Kaposi a une prévalence plus élevée chez les patients séropositifs homosexuels que chez les autres, ce qui suggère la responsabilité d'un agent transmissible par voie sexuelle qui semble être le virus herpès 8. La forme cutanée, avec lésions planes, violacées, indolores, en

est l'expression la plus fréquente. Des localisations viscérales sont possibles, surtout en cas d'immunodépression majeure.
– Les lymphomes malins sont dus à une prolifération cancéreuse des précurseurs des lymphocytes, les lymphoblastes T et B.

Diagnostic

Le diagnostic d'infection par le V.I.H. se fait par la mise en évidence dans le sang des anticorps dirigés contre le virus. Les anticorps ne sont détectés que 3 mois après le moment de l'infection. L'antigène p24 qui est associé au V.I.H. et la présence du virus dans le sang peuvent être détectés plus précocement. Il fait appel à deux tests spécifiques, les tests ELISA et Western-Blot. Le test ELISA, que l'on utilise en premier lieu, donnant parfois des résultats faussement positifs, est contrôlé à l'aide du test Western-Blot. Le dépistage est obligatoire pour les donneurs de sang ou d'organe. Il est fortement conseillé aux femmes enceintes et aux personnes désireuses de concevoir un enfant, ainsi qu'aux sujets particulièrement exposés (toxicomanes, prostituées, etc.). En revanche, de nombreux médecins sont défavorables à un dépistage obligatoire de toute la population ; les arguments qui plaident contre un tel dépistage sont liés aux risques de discrimination des individus séropositifs et au fait qu'il n'existe pas de traitement curatif efficace à ce jour.

Dans la plupart des pays, le sida est une maladie à déclaration obligatoire, c'est-à-dire qu'un médecin est tenu de déclarer aux autorités sanitaires tout cas de sida avéré parvenu à sa connaissance. Cette déclaration n'est pas nominative ; ainsi, l'anonymat du malade est respecté.

Traitement

Il comporte deux volets : les traitements d'inhibition du virus et les traitements préventifs ou curatifs des différentes maladies développées. Par ailleurs, un certain nombre de règles de vie sont conseillées aux personnes séropositives, afin de freiner l'évolution vers le sida déclaré et la transmission de la maladie.

▪ Le traitement contre le virus repose sur les médicaments inhibant la réplication virale, tels que la zidovudine (A.Z.T.) ou la didanosine (D.D.I.). On emploie aussi les antiprotéases, les protéases étant les enzymes qui permettent au virus de fabriquer des protéines nécessaires à sa survie. Il est utile d'associer entre eux jusqu'à trois de ces médicaments (trithérapie), afin d'augmenter l'efficacité globale. Ces différentes méthodes de traitement entraînent une amélioration provisoire de l'état du malade. En outre, la prise d'A.Z.T. par une femme enceinte contaminée diminue de 50 % le risque de contamination du fœtus. En cas de risque de contamination récent, professionnel ou autre, un traitement très précoce est conseillé. Cependant, aucune thérapeutique ne permet actuellement d'envisager une éradication du virus de l'organisme, puisqu'il est intégré au génome (ensemble des gènes

portés par les chromosomes) des lymphocytes qu'il infecte.

▪ Les traitements préventifs ou curatifs des conséquences du déficit immunitaire (infections opportunistes, tumeurs) reposent sur l'administration d'antibiotiques, d'antifongiques et d'antimitotiques (chimiothérapie, interféron), ainsi que sur la radiothérapie et la chirurgie.

▪ Les conseils d'hygiène de vie comportent les précautions que doit prendre une personne séropositive pour ne pas se recontaminer. En effet, des contaminations multiples, par les apports répétés de virus qu'elles entraînent, précipitent l'évolution de la maladie, donc le passage au sida déclaré. Il est également conseillé au séropositif de s'assurer un suivi médical régulier : des médicaments administrés préventivement ou précocement et associés à une bonne hygiène de vie (alimentation correcte, propreté corporelle, repos, abstention de médicaments ou de drogues pouvant déprimer davantage l'immunité, abstention d'activités risquant de provoquer des blessures) retardent très efficacement l'évolution de la maladie.

Prévention

La prévention du sida est la prévention de la contamination par le V.I.H. Toute personne contaminée peut immédiatement transmettre le virus, même pendant la période précédant la séroconversion, c'est-à-dire alors que sa contamination ne peut pas encore être constatée.

▪ La prévention de l'infection par contamination sanguine repose sur l'analyse systématique des produits sanguins avant leur utilisation. Il subsiste néanmoins un risque lié à la période muette de 3 mois, risque évalué à 1/300 000 ; il est donc recommandé de limiter les indications de transfusion et, lorsque cela est possible (intervention chirurgicale non réalisée en urgence), de procéder de préférence à des autotransfusions (transfusion au malade de son propre sang prélevé avant l'intervention). Dans l'entretien qui précède chaque don du sang, le médecin cherche à exclure les donneurs qui pourraient présenter un risque d'infection par le virus du sida. Les piqûres et les coupures accidentelles faites avec des outils contaminés ou soupçonnés de l'être doivent être immédiatement désinfectées. Les déchets médicaux doivent être emballés dans des récipients étanches et incinérés.

Le pourcentage des contaminations nouvelles augmentant de plus en plus chez les toxicomanes qui partagent leurs seringues, les mesures de prévention doivent porter sur la toxicomanie même : programmes de drogues de substitution, incitation à désinfecter les seringues, programmes de fourniture de matériel neuf. Le V.I.H. est détruit ou inactivé par un contact de 15 minutes avec de l'eau de Javel fraîche à 12° (n'ayant pas dépassé la date de péremption indiquée sur l'emballage) et diluée à 10 % (soit 1 volume d'eau de Javel pour 9 volumes d'eau). Il est également détruit par un

contact de 4 minutes avec de l'alcool à 70°, de 30 minutes avec de l'eau oxygénée à 6 % ou de 15 minutes avec de l'eau bouillante. Ces mesures garantissent en outre du risque d'infection par d'autres germes, dont le virus de l'hépatite B.

▪ La prévention de la transmission par voie sexuelle consiste, lors des rapports sexuels, à utiliser le préservatif masculin. Celui-ci constitue en effet à ce jour la seule protection efficace contre le sida et contre les maladies sexuellement transmissibles en général. Le préservatif doit être utilisé quelles que soient les pratiques sexuelles. Toute restriction quant à son usage favorise l'extension de la maladie. Toute personne infectée ayant des relations sexuelles non protégées, qu'elles soient hétérosexuelles ou homosexuelles, doit être bien consciente des risques qu'elle fait courir à ses partenaires. L'apparence ou la classe sociale des partenaires ne présage en rien du fait qu'ils soient ou non porteurs du virus.

Le préservatif doit être utilisé selon son mode d'emploi (mise en place avant toute pénétration, pas de lubrification à la vaseline, retrait avant la détumescence). Les rapports buccogénitaux ou buccoanaux doivent être évités, car ils ne sont pas sans risque. L'utilisation des crèmes ou des gelées spermicides n'a montré son efficacité qu'en laboratoire et non en situation réelle ; celles-ci ne peuvent donc constituer qu'un complément au préservatif au cas où il serait mal utilisé (fuites) ou se déchirerait.

▪ La prévention de la contamination par voie transplacentaire repose sur l'information des femmes concernées : la conception est déconseillée aux femmes contaminées, qui peuvent transmettre le virus à l'enfant, mais également aux hommes contaminés, susceptibles de contaminer la mère, et donc l'enfant. D'autre part, même si l'enfant à naître n'est pas contaminé pendant la gestation, il risque, une fois né, de devenir orphelin à plus ou moins brève échéance. Si une femme apprend au cours de sa grossesse qu'elle est séropositive, elle doit pouvoir bénéficier d'un avortement thérapeutique à sa demande.

▪ La prévention de la contamination par le lait maternel consiste à pratiquer un dépistage des virus (V.I.H. 1 et V.I.H. 2) chez les femmes enceintes désireuses d'allaiter elles-mêmes leur enfant (dépistage effectué quelques semaines avant l'accouchement) et chez les donneuses de lait pour les lactariums (banques de lait).

Perspectives

Il n'existe pas encore, à l'heure actuelle, de médicament permettant d'interrompre totalement et définitivement la progression de la maladie.

Les difficultés de concevoir un vaccin résident notamment dans l'utilisation de « modèles » animaux (chimpanzé), dont la réaction à l'infection par le virus est différente de celle de l'homme ou inexistante. Dans l'hypothèse où un vaccin serait mis au point chez l'animal, l'essai chez l'homme se heurterait à des difficultés majeures : à titre expérimental, on considère qu'il faut suivre pendant plus de 10 ans 4 000 personnes vaccinées pour s'assurer de l'inocuité et de l'efficacité d'un vaccin. En outre, un éventuel vaccin devrait prendre en compte la variabilité du virus : on estime à près de 1 000 le nombre de variétés du V.I.H. existant de par le monde. En pratique, pour réaliser un vaccin universel, il serait quasiment nécessaire de mettre au point un vaccin pour chaque groupe de virus. Il est également difficile de réaliser des vaccins contre les maladies sexuellement transmissibles, l'immunité des muqueuses étant encore mal connue. Toutefois, en dépit de ces handicaps, un grand nombre de laboratoires ont réussi à répondre partiellement à ces interrogations.

En dehors des modes de contamination mentionnés (sang, rapports sexuels, grossesse, allaitement), il n'existe pas de possibilité de transmission du virus du sida d'une personne séropositive à son entourage. C'est donc la prévention qui, à l'heure actuelle, demeure la meilleure arme contre cette infection redoutable. Les réactions d'exclusion vis-à-vis des personnes séropositives et des malades du sida tendent à disparaître lorsqu'une information correcte est diffusée dans la population générale, même si les malades du sida se heurtent encore régulièrement à l'incompréhension.

Ce qui ne transmet pas le virus du sida

La plupart des actes de la vie quotidienne ne comportent absolument aucun risque d'infection par le virus du sida ; il est donc parfaitement injustifié de craindre ou d'éviter la fréquentation de personnes porteuses de ce virus. Une poignée de main, un baiser sur la joue sont inoffensifs, de même que la fréquentation de lieux publics (locaux de travail, école, piscine, transport en commun, cinéma), le contact avec des objets tels que poignée de porte, toilettes publiques ou téléphone, ou encore une piqûre d'insecte (moustique, pou). Seuls les ustensiles pouvant couper la peau (aiguilles pour acupuncture, injections, perçage d'oreilles, tatouages, lames de rasoir, matériel de soins dentaires et de manucure) doivent faire l'objet d'une stérilisation soigneuse avant chaque utilisation.

Par ailleurs, les donneurs de sang ne courent rigoureusement aucun risque de contracter la maladie, le matériel utilisé étant stérile et à usage unique.

Sidérocyte

Globule rouge contenant des grains de fer, dont la présence en grand nombre dans la circulation sanguine est la conséquence d'un mauvais fonctionnement de la rate ou de l'absence de cet organe.

Les grains de fer du sidérocyte sont décelables à l'examen microscopique, au moyen de la coloration de Perls, à base de bleu de Prusse.

À l'état normal, certains globules rouges sont chargés en fer, mais ils en sont très rapidement débarrassés par la rate ; celle-ci reconnaît les grains de fer et les extrait du globule rouge sans léser ce dernier.

Dans le sang circulant, la présence de sidérocytes parmi les globules rouges n'a pas de conséquences pathologiques.

Sidéropénie

Déficit en fer de l'ensemble de l'organisme.
SYN. *carence martiale, déficit martial*.

La sidéropénie se distingue de l'hyposidérémie, insuffisance de la quantité de fer contenue dans le plasma sanguin.

CAUSES

Une sidéropénie peut être la conséquence d'une malabsorption intestinale, d'un apport insuffisant en fer ou d'hémorragies chroniques. Le déficit retentit sur toutes les molécules dans lesquelles le fer joue un rôle, dont les cytochromes, enzymes qui interviennent dans la respiration cellulaire, et surtout sur la production de l'hémoglobine des globules rouges, molécule qui contient 4 atomes de fer. L'anémie ferriprive en est la conséquence.

Sidérose

Maladie provoquée par l'inhalation de poussières ou de fumée contenant de l'oxyde de fer, lequel s'accumule dans les alvéoles pulmonaires.

CAUSES ET SYMPTÔMES

La sidérose fait partie des pneumoconioses, groupe d'affections pulmonaires dues à l'inhalation prolongée de substances minérales. Elle atteint en général les ouvriers de l'industrie sidérurgique. Les symptômes ne se manifestent qu'au bout de plusieurs années d'exposition : toux, crachats, gêne respiratoire, voire fibrose pulmonaire (développement de tissu fibreux dans le tissu fonctionnel des poumons).

DIAGNOSTIC ET TRAITEMENT

Le diagnostic, qui repose dans un premier temps sur la radiographie des poumons, doit être confirmé par un lavage bronchioloalvéolaire, effectué par fibroscopie bronchique (à l'aide d'un tube muni d'un système optique, introduit par la bouche ou le nez), destiné à rechercher des particules de fer dans les alvéoles. Il n'existe pas de traitement de la sidérose. Sa prévention repose sur la protection des ouvriers (port de masque, par exemple).

Sifflement respiratoire

Bruit anormal produit par la respiration, perçu par le médecin à l'auscultation, ou parfois à distance du malade.

Un sifflement respiratoire est le signe d'un rétrécissement d'une portion des voies respiratoires et peut révéler diverses affections : rétrécissement des voies respiratoires par une tumeur ou une inflammation (laryngite, bronchite aiguë, bronchiolite) - on parle alors de wheezing ; anomalie de fonctionnement des bronches (bronchopathie chronique obstructive) ; insuffisance cardiaque gauche. Les sifflements caractéristiques de la crise d'asthme, surtout perceptibles à l'expiration, sont appelés râles sibilants.

Sigmoïde

Dernière partie du côlon, précédant le rectum.
→ VOIR Côlon.

Sigmoïdectomie

Ablation chirurgicale du sigmoïde (dernière partie du côlon).

Une sigmoïdectomie est indiquée en cas de sigmoïdite (inflammation du sigmoïde) à répétition, de volvulus (variété d'occlusion intestinale) ou de tumeur bénigne ou maligne du sigmoïde.

DÉROULEMENT

L'opération se déroule sous anesthésie générale, par incision de la paroi abdominale ou, dans certains cas, par cœlioscopie (à l'aide d'un tube muni d'un système optique et d'instruments chirurgicaux, introduit à travers la paroi abdominale). Après l'ablation, si le côlon restant est sain et bien vascularisé, le chirurgien peut rétablir la continuité digestive en suturant bout à bout les segments d'amont et d'aval. Dans les autres cas, il pratique une colostomie provisoire (abouchement du côlon restant à la peau) créant un anus artificiel, la continuité digestive étant rétablie 3 à 6 mois plus tard.

COMPLICATIONS

La principale complication de la sigmoïdectomie est la fistule digestive (désunion de la suture due à une mauvaise cicatrisation), qui survient dans 2 à 3 % des cas et peut provoquer un abcès profond, voire une péritonite. En revanche, cette intervention n'a aucune conséquence sur le fonctionnement du côlon : le malade n'a pas à suivre de traitement ni de régime particulier après l'intervention.

Sigmoïdite

Inflammation du sigmoïde (dernière partie du côlon).

La cause principale d'une sigmoïdite est l'inflammation et l'infection d'un ou de plusieurs diverticules.

SYMPTÔMES ET DIAGNOSTIC

La maladie se traduit par une douleur située dans la fosse iliaque (partie latérale inférieure de l'abdomen) gauche, accompagnée ou non de fièvre. Les troubles du transit, constipation ou diarrhée, sont fréquents. Des complications telles qu'un abcès, une occlusion intestinale ou une péritonite par perforation peuvent survenir.

Le diagnostic repose sur l'examen clinique, qui révèle un sigmoïde dur et douloureux ; il peut être aidé par une radiographie du côlon après administration d'un lavement baryté ou par une rectosigmoïdoscopie. L'infection est mise en évidence par des examens sanguins (vitesse de sédimentation [V.S.] élevée, augmentation du nombre de globules blancs).

TRAITEMENT

Il fait appel à l'administration d'antibiotiques. Si les crises se répètent, il est préférable de procéder à l'ablation du sigmoïde, ou sigmoïdectomie. La continuité digestive est

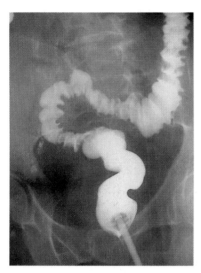

Sigmoïdite. *Sur cette radiographie, le sigmoïde, au-dessus du rectum (en blanc), a un aspect dentelé, révélateur de l'inflammation.*

alors rétabli par anastomose (abouchement des deux segments restants), soit au cours de l'intervention, soit de 3 à 6 mois plus tard ; dans ce dernier cas, on pratique une colostomie provisoire (anus artificiel).

Sigmoïdoscopie

→ VOIR Rectosigmoïdoscopie.

Sigmoïdostomie

Intervention chirurgicale consistant à aboucher à la peau un segment du sigmoïde (dernière partie du côlon), de façon à créer un anus artificiel.

La sigmoïdostomie, variante de la colostomie qui consiste à aboucher une région du côlon, quelle qu'elle soit, à la peau, est le plus souvent pratiquée en urgence pour permettre l'évacuation des matières fécales en cas d'occlusion intestinale aiguë, ayant en général pour origine un cancer du rectum. L'opération, pratiquée sous anesthésie générale, vise à dériver les matières fécales en amont de l'obstacle, en attendant que le patient puisse être opéré, quelques semaines plus tard. La sigmoïdostomie est alors supprimée, de façon à rétablir la continuité digestive.

→ VOIR Colostomie.

Signe

Toute manifestation d'une affection ou d'une maladie contribuant au diagnostic et plus particulièrement, phénomène observé objectivement par un médecin.

DIFFÉRENTS TYPES DE SIGNES

Les signes d'une maladie peuvent être identifiés par le médecin, mais également ressentis par le malade.

■ **Les signes fonctionnels, ou symptômes subjectifs,** couramment appelés symptômes, sont les manifestations ressenties par le patient (douleur, essoufflement, anxiété,

courbatures, maux de tête, etc.). Ces signes peuvent être interprétés et exprimés différemment selon la personnalité du malade.

■ **Les signes généraux** désignent les manifestations de la maladie (fièvre, amaigrissement, etc.) qui affectent l'ensemble de l'organisme.

■ **Les signes physiques,** couramment appelés signes, sont décelés lors de l'examen clinique par le médecin (pression artérielle anormale, augmentation de volume du foie, souffle sur un trajet artériel, etc.).

■ **Les signes radiologiques** sont les anomalies décelées en imagerie médicale et caractérisant une maladie donnée.

Silicone

1. Médicament utilisé au cours des maladies digestives.

FORMES PRINCIPALES ET MÉCANISME D'ACTION

Les silicones sont des polymères (molécules « géantes ») obtenus par synthèse ; elles sont essentiellement représentées par la diméticone, ou diméthylpolysiloxane. On emploie aussi dans les mêmes indications des silicates (trisilicate de magnésium, ou talc, silicate d'aluminium, ou kaolin), substances très voisines. La silicone se présente sous la forme de pansements, ou topiques, digestifs, qui se prennent par voie orale et n'agissent que localement en formant une couche protectrice qui tapisse la muqueuse.

INDICATIONS

Les silicones sont indiquées pour diminuer les douleurs des colopathies fonctionnelles (couramment appelées colites), des excès de gaz, des inflammations (œsophagite, gastrite, duodénite).

INCOMPATIBILITÉS

Comme tout pansement digestif, les silicones diminuent l'absorption des autres médicaments : les prises de ces médicaments doivent donc être éloignées d'au moins deux heures.

2. Matériau entrant dans la composition des prothèses telles que, par exemple, les prothèses mammaires (remplaçant un sein ou gonflant une poitrine jugée trop plate) ou articulaires (remplaçant une articulation ou un tendon).

La silicone n'est ni cancérogène ni allergisante. Elle peut cependant entraîner des cicatrices fibreuses autour de la prothèse.

→ VOIR Mammoplastie.

Silicose

Maladie due à l'inhalation prolongée de poussières de silice, qui s'accumulent dans les poumons.

La silicose atteint essentiellement les ouvriers travaillant dans les mines de charbon. Elle se développe après plusieurs années d'exposition aux poussières et se manifeste par une toux, une expectoration anormalement abondante, une tendance aux infections bronchiques, puis par une gêne respiratoire à l'effort et enfin par une fibrose pulmonaire (développement de tissu fibreux dans les poumons). L'évolution de la maladie est très lente, et les premiers symptômes peuvent n'apparaître que de nombreuses

années après l'arrêt de l'exposition. Les complications sont fréquentes : insuffisance respiratoire, emphysème, maladies infectieuses (tuberculose, aspergillose).

DIAGNOSTIC

Il repose sur une radiographie des poumons, qui révèle des anomalies (opacités nodulaires) et sur une spirométrie (mesure des volumes et des débits respiratoires).

TRAITEMENT ET PRÉVENTION

Il n'existe pas de traitement curatif de cette maladie, dont certaines complications peuvent, en revanche, être soignées (antibiotiques contre les infections, par exemple). La prévention de la silicose est primordiale et comprend deux volets : un examen médical d'embauche permet de refuser un emploi exposé à une personne présentant déjà des altérations bronchiques ou pulmonaires ; des mesures techniques de protection doivent être appliquées sur les lieux de travail (port de masque ou de cagoule, ventilation adéquate des locaux, etc.).

Simulation

Imitation volontaire ou semi-volontaire d'un trouble mental ou physique.

Au même titre que le mimétisme animal, la simulation est une réaction naturelle, permettant de s'adapter et de se protéger, mais facilement détournable de son usage légitime, par fraude ou inclination morbide (pathomimie [besoin morbide d'imiter les symptômes d'une maladie], pithiatisme [disposition à présenter des symptômes physiques apparaissant ou disparaissant sous l'effet de la suggestion], sinistrose [conduite pathologique d'un sujet qui, après une maladie ou un accident, refuse de reconnaître sa guérison]). La simulation peut revêtir une forme complète, surtout dans certains milieux (armée, prison) ou simplement exagérée (par amplification d'un trouble réel). On parle de simulation persévératrice lorsque le malade imite obstinément le même symptôme. Les simulateurs pathologiques ont pour trait commun une fragilité narcissique (ils n'acceptent pas l'image qu'ils ont d'eux-mêmes), comme cela se produit en cas d'immaturité affective, d'hystérie ou de psychopathie. L'attitude médicale consiste donc, si c'est possible, à identifier, puis à soigner la cause psychique de la simulation.

Sinapisme

Cataplasme à base de farine de moutarde.

→ VOIR Cataplasme.

Sinistrose

Conduite pathologique d'un sujet, qui après une maladie ou un accident, refuse de reconnaître sa guérison ou amplifie le préjudice subi.

Le sujet est le plus souvent de bonne foi, mais sa sincérité est celle d'un hypocondriaque ou d'un névrosé pris à son propre jeu, par autosuggestion ou influence de l'entourage. La sinistrose est traitée par différentes thérapies, telles que l'hypnose ou la psychothérapie.

De chaque côté du visage se trouvent quatre cavités remplies d'air, creusées dans les os entourant les fosses nasales : les sinus. Le sinus maxillaire, situé sous l'orbite, et le sinus frontal, au-dessus du nez, sont les deux plus importants. Le sinus sphénoïdal est localisé en arrière de la fosse nasale, à l'intérieur du corps de l'os sphénoïde. Quant au sinus ethmoïdal, il est en réalité constitué de plusieurs petites cavités, logées dans l'os ethmoïde entre une orbite et la fosse nasale correspondante.

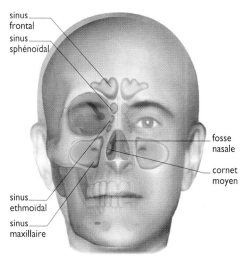

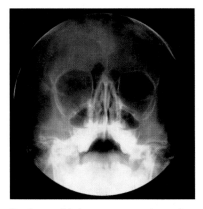

De chaque côté du nez, on aperçoit un sinus maxillaire, sous l'orbite, et un sinus frontal, au-dessus de l'orbite.

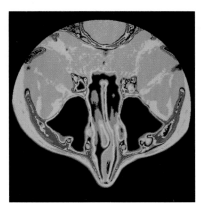

Cette coupe horizontale du crâne, vue au scanner, montre les sinus maxillaires (grosses taches noires), de part et d'autre du nez.

des sinus. Ces orifices se situent dans le méat moyen, cavité bordée par le cornet moyen.

■ **Le sinus frontal** est creusé dans l'os frontal, au-dessus de l'orbite. De taille et de dimension variables, il s'ouvre dans le méat moyen par le canal frontonasal.

■ **Le sinus maxillaire** est creusé dans l'os maxillaire supérieur, sous l'orbite. Par sa face inférieure, il est en rapport avec les racines de la deuxième prémolaire et des deux premières molaires. Il s'ouvre par un orifice situé dans le méat moyen.

■ **Le sinus sphénoïdal** est creusé dans le corps de l'os sphénoïde qui ferme en arrière la fosse nasale. Son ouverture se fait dans la paroi postérieure de la fosse nasale.

PATHOLOGIE

Les maladies des sinus sont inflammatoires et tumorales.

■ **Une sinusite** est une inflammation des sinus de la face.

■ **Un adénocarcinome de l'ethmoïde** est une tumeur qui se développe chez des sujets ayant été, durant de longues années, au contact du bois. Il est dû aux tanins des bois, en particulier des bois exotiques. Les signes révélateurs de ce cancer sont une obstruction nasale, des saignements de nez peu abondants mais répétés et une rhinorrhée (écoulement nasal). L'extension locale de la tumeur est évaluée à l'aide d'un scanner de la face, couplé à l'imagerie par résonance magnétique (I.R.M.). Le traitement associe le plus souvent une chimiothérapie, une ablation chirurgicale de l'ethmoïde et une radiothérapie. Cette maladie professionnelle peut être prévenue par le port d'un masque respiratoire pour les ébénistes, les menuisiers, les bûcherons, etc., chez lesquels des examens cliniques et radiographiques annuels et systématiques doivent être pratiqués.

■ **Un carcinome épidermoïde** est une tumeur cancéreuse qui se développe aux dépens du sinus maxillaire et dont les cellules ont un aspect proche de celles de l'épiderme. Son apparition est favorisée par le tabagisme. L'extension locale de la tumeur est évaluée à l'aide d'un scanner de la face. Son traitement est essentiellement chirurgical.

■ **Un polype** peut apparaître à la suite de n'importe lequel de ces processus pathologiques.

Sinus

Nom donné à certaines cavités de l'organisme. (P.N.A. *sinus*)

Sinus carotidien

Portion dilatée de l'artère carotide (artère de la tête et de la partie supérieure du cou). (P.N.A. *sinus carotideus*)

STRUCTURE

Le sinus carotidien, partie terminale de l'artère carotide primitive, est situé à l'extrémité supérieure de celle-ci sur le côté du cou, là où elle se divise en ses deux branches terminales, la carotide interne, qui irrigue le cerveau, et la carotide externe, qui irrigue la face.

FONCTIONNEMENT

La paroi du sinus carotidien contient des barorécepteurs, petits organes sensibles à la pression sanguine. En cas de pression artérielle trop forte ou trop faible, ces barorécepteurs, dits sinocarotidiens, stimulent les fibres nerveuses auxquelles ils sont reliés. Ces fibres aboutissent au système nerveux central qui déclenche la réponse adaptée (changement de la fréquence des battements cardiaques, modification du diamètre des artères de l'organisme) afin de rétablir la pression habituelle.

Sinus coronaire

Portion terminale dilatée de la circulation veineuse de surface du cœur. (P.N.A. *sinus coronarius*)

Le sinus coronaire parcourt le sillon situé entre les oreillettes, en arrière, et les ventricules, en avant, puis se jette dans l'oreillette droite. Il draine le sang désoxygéné du myocarde. Certains troubles du rythme auriculaire, appelés rythme du sinus coronaire, naissent à hauteur de cet abouchement.

Sinus de la face

Cavité remplie d'air, creusée dans les os de la tête et s'ouvrant dans les fosses nasales. (P.N.A. *sinus paranasalis*)

Ces sinus sont symétriques, de chaque côté de la ligne médiane du visage, et tapissés d'une muqueuse semblable à celle des fosses nasales. Leur rôle est mal connu.

DIFFÉRENTS TYPES DE SINUS DE LA FACE

■ **Le sinus ethmoïdal** est formé de plusieurs cavités, ou cellules, communiquant entre elles. Il est creusé profondément dans la masse latérale de l'ethmoïde, en arrière de la racine du nez et entre les faces internes des orbites. Les cellules ethmoïdales s'ouvrent dans la fosse nasale par des orifices par lesquels entrent l'air et s'évacuent les sécrétions

Sinus veineux crânien

Conduit drainant le sang de l'encéphale vers le système des veines jugulaires. (P.N.A. *sinus duræ matris*)

Les sinus veineux crâniens contiennent du sang veineux, mais leur structure diffère de celle des veines. Ils peuvent être le siège de thrombophlébites cérébrales compliquant une infection locorégionale (sinusite, mastoïdite).

Sinusal (nœud)

→ VOIR Keith et Flack (nœud de).

Sinusite

Inflammation des sinus de la face.

Une sinusite atteint un sinus isolément ou l'ensemble des sinus ; dans ce dernier cas, on parle de pansinusite. L'inflammation se développe dans la muqueuse qui tapisse les sinus. Elle peut être aiguë ou chronique.

Sinusite aiguë

Il s'agit d'une inflammation des sinus de la face due soit à la propagation d'une infection venant des fosses nasales, soit, dans le cas du sinus maxillaire, à une infection de la racine d'une dent supérieure.

SYMPTÔMES ET SIGNES

Les signes sont souvent unilatéraux et consistent en une rhinorrhée (écoulement nasal) purulente qui peut être postérieure et passer dans le pharynx sans s'extérioriser, une altération de l'état général avec fatigue et fièvre aux environs de 38,5 °C et une douleur locale de la face.

La sinusite maxillaire est douloureuse au-dessous de l'œil, la sinusite frontale, au-dessus de l'œil, la sphénoïdite (sinusite sphénoïdale), en arrière de l'œil. L'ethmoïdite (sinusite de l'ethmoïde), surtout fréquente chez l'enfant, se caractérise par un gonflement, une rougeur et une douleur de l'angle interne de l'œil.

Les sinusites peuvent se compliquer d'une accumulation de pus par blocage de l'écoulement (sinusite dite bloquée, l'orifice étant obstrué par les sécrétions et l'inflammation de la muqueuse), d'une extension de l'infection à l'œil ou d'une méningite, qui impose un traitement en urgence.

TRAITEMENT

Le traitement des formes peu douloureuses et peu fébriles se limite aux pulvérisations locales de médicaments vasoconstricteurs, aux inhalations chaudes et mentholées et aux analgésiques. Le traitement des formes plus avancées associe des antibiotiques et des anti-inflammatoires pris par voie orale. Dans les formes très douloureuses, une ponction par trocard puis un lavage du sinus sont parfois nécessaires.

Sinusite chronique

Il s'agit d'une inflammation des sinus de la face qui dure plus de trois mois.

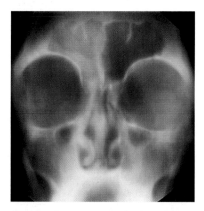

Sinusite. Le pus s'accumule dans le sinus frontal droit (au-dessus du nez et de l'orbite), qui apparaît opaque à la radiographie.

Les sinusites chroniques peuvent être unilatérales (elles sont alors souvent liées à une infection dentaire, parfois à une malformation des cornets ou de la cloison nasale) ou bilatérales ; dans ce cas, l'origine est mal connue et peut résulter d'une maladie diffuse de la muqueuse pituitaire qui tapisse les fosses nasales.

SYMPTÔMES ET SIGNES

Le malade se plaint en général d'une rhinorrhée (écoulement nasal) plus ou moins purulente, d'une sensation d'obstruction nasale et de toux chronique pendant la nuit.

DIAGNOSTIC ET TRAITEMENT

L'examen clinique des fosses nasales par endoscopie et le scanner de la face permettent d'établir un bilan exact des lésions. Le traitement associe des antibiotiques, des anti-inflammatoires et des décongestionnants des fosses nasales. En cas d'échec, un traitement chirurgical (nettoyage des sinus réalisé le plus souvent par endoscopie) peut être proposé.

Sismothérapie

→ VOIR Électrochoc.

Situs inversus

Anomalie congénitale lors de laquelle certains organes sont situés du côté opposé à celui qu'ils occupent normalement.

→ VOIR Inversion.

Sixième maladie

→ VOIR Exanthème subit.

Skiascopie

Examen servant à déterminer objectivement la réfraction de l'œil.

Une skiascopie est indiquée essentiellement pour mesurer les anomalies de la réfraction (surtout la myopie et l'hypermétropie).

TECHNIQUE

La skiascopie consiste à projeter sur l'œil un faisceau lumineux provenant soit d'une lampe située à côté de la tête du patient et qui se reflète dans un miroir, soit d'un appareil, le skiascope, dans lequel la source de lumière est incorporée. Ce faisceau lumineux est déplacé par de petits mouvements latéraux ou verticaux, provoquant une ombre dans l'orifice pupillaire : si l'ombre se déplace dans le même sens que le faisceau, le sujet est hypermétrope ; si l'ombre se déplace en sens inverse, il est myope ; si la pupille s'obscurcit totalement, le sujet ne présente pas d'anomalie de l'œil.

L'ophtalmologiste intercale ensuite entre la source lumineuse et l'œil du patient des verres correcteurs de puissance variable, jusqu'à obtenir un obscurcissement uniforme de la pupille. Ces mesures lui permettent de déterminer la puissance des verres à prescrire.

Les enfants ont tendance à accommoder leur vue ; il est donc nécessaire de leur instiller préalablement un collyre dit cycloplégique, permettant d'empêcher cette accommodation.

Sludge biliaire

Présence dans la bile d'un microprécipité de cholestérol. (De l'anglais *sludge*, boue.)

Le sludge ne se manifeste par aucun trouble et est découvert lors d'une échographie. Disparaissant en général spontanément, il peut cependant évoluer vers la formation de calculs de cholestérol.

Smegma

Substance blanche et pâteuse qui se trouve dans le sillon balanopréputial chez l'homme et sur le clitoris et les petites lèvres chez la femme.

Le smegma provient de la desquamation normale des cellules épithéliales des organes génitaux. Il ne doit pas être confondu avec une sécrétion infectieuse.

Sodium

Substance minérale jouant un rôle important dans l'état d'hydratation de l'organisme.

Le sodium (Na) est très abondant dans les liquides extracellulaires de l'organisme tels que le plasma sanguin, mais peu abondant dans les cellules. Le rein, notamment grâce à un mécanisme hormonal faisant intervenir, entre autres, l'aldostérone, régule son élimination dans les urines en fonction des quantités présentes dans l'organisme et des apports. Les besoins quotidiens en sodium, d'environ 1 à 3 grammes, sont largement couverts par l'alimentation : sel de table et de cuisson (chlorure de sodium), sodium contenu naturellement dans les aliments.

PATHOLOGIE

La natrémie (taux de sodium dans le plasma) reflète l'état d'hydratation des cellules.

■ Une hypernatrémie (taux de sodium dans le plasma anormalement élevé) peut être causée par un déficit de l'organisme en eau dû à un apport hydrique insuffisant ou à une perte rénale ou cutanée.

■ Une hyponatrémie (taux de sodium dans le plasma anormalement bas) survient quand les pertes de sodium sont supérieures aux pertes d'eau ou quand il y a défaut d'excrétion d'eau : diarrhée, vomissements répétés, insuffisance surrénalienne, abus de médicaments diurétiques, insuffisance rénale ou cardiaque, cirrhose hépatique ou hypersécrétion d'hormone antidiurétique.

UTILISATION THÉRAPEUTIQUE

Les sels de sodium (chlorure, bicarbonate) sont très utilisés pour rendre certains médicaments (solutions injectables, collyres) isotoniques aux liquides de l'organisme, c'est-à-dire pour qu'ils ne modifient pas par osmose l'hydratation des cellules. À l'inverse, des régimes hyposodés (pauvres en sodium) peuvent être prescrits en cas d'hypertension artérielle, d'insuffisance cardiaque ou rénale avec œdèmes, de traitement prolongé par les corticostéroïdes.

→ VOIR Hypernatrémie, Hyponatrémie, Sel.

Sodoku

Maladie infectieuse due à une bactérie spiralée à Gram négatif, *Spirillum minus*.

Le sodoku (mot japonais, de *so*, rat, et *doku*, poison) est une zoonose transmise par la morsure d'un rat ou d'une souris, plus rarement par celle d'autres mammifères (chat, chien, belette).

SYMPTÔMES ET SIGNES

À l'endroit de la morsure se développe une ulcération ainsi qu'un ganglion douloureux ; dans un second temps apparaissent une fièvre élevée et des frissons, d'intenses maux de tête et, fréquemment, des douleurs articulaires et musculaires diffuses. Ces signes disparaissent en trois à sept jours. Ils sont suivis d'une éruption cutanée généralisée, faite de taches rouges à contours irréguliers, qui se déclare vingt jours environ après la morsure puis disparaît rapidement à son tour. En l'absence de traitement, la fièvre et l'éruption resurgissent par accès pendant plusieurs mois. L'évolution est le plus souvent bénigne.

DIAGNOSTIC ET TRAITEMENT

Le germe n'étant pas cultivable, le diagnostic est confirmé par l'observation directe de la bactérie au microscope, dans un prélèvement de sang ou de ganglion du patient, ou dans ceux d'un animal de laboratoire, infecté avec un prélèvement du patient.

Le traitement, très efficace, repose sur l'administration d'antibiotiques (pénicilline) pendant une semaine.

Soif

Désir de boire.

CAUSES

La sensation de soif se manifeste grâce à la stimulation de certains récepteurs nerveux lorsqu'un sang trop concentré (c'est-à-dire trop riche en sels, en sucres et en certaines autres substances) traverse l'hypothalamus. Le phénomène se produit lorsque le sujet ne boit pas suffisamment et laisse son organisme se déshydrater, lorsque l'alimentation est déséquilibrée (trop riche en sels, par exemple) ou lorsque des vomissements importants, une diarrhée, une transpiration abondante, une hémorragie, des brûlures étendues, un traitement diurétique provoquent une perte liquidienne excessive.

MÉTABOLISME

La soif apparaît, en même temps qu'une sensation plus ou moins marquée de sécheresse de la bouche et du pharynx.

C'est grâce à la soif - et à la régulation du volume des urines - que l'organisme adapte les apports d'eau aux pertes d'eau, de façon à maintenir son équilibre hydroélectrolytique.

PATHOLOGIE

L'absence de soif, qui peut être due à une lésion de l'hypothalamus (à la suite d'une blessure, par exemple), entraîne une déshydratation.

La potomanie (soif permanente et inextinguible) peut signaler un diabète insipide ou sucré, un trouble psychique (polydipsie psychogène [sensation de soif exagérée, due à une affection psychiatrique]), une insuffisance rénale traitée par la prise de médicaments comme les phénothiazines ou une hémorragie grave.

Soins infirmiers

Ensemble des activités assurées par le personnel infirmier et les auxiliaires de santé.

DIFFÉRENTS TYPES DE SOINS

■ Les soins d'hygiène et de confort, ou nursing, sont réalisés par l'infirmière ou, sous son contrôle, par des aides-soignantes ou des auxiliaires de puériculture ;
- les soins d'hygiène consistent à assurer la toilette complète ou partielle du malade et incluent, chez les personnes dans le coma, la désinfection de la bouche et des yeux ;
- les soins de confort participent à l'amélioration de l'état du malade et consistent notamment à l'aider à s'installer dans un lit ou un fauteuil et à changer de position.

■ Les soins à visée préventive sont indispensables chez toute personne alitée, temporairement ou définitivement, pour prévenir les complications d'une immobilisation (escarres, phlébites, infections) ;
- la prévention des escarres associe les soins de propreté, le respect d'un équilibre alimentaire et la diversification des points d'appui du corps par changements fréquents de position du patient ;
- la prévention des phlébites, parfois dues à un alitement prolongé (notamment les phlébites des membres inférieurs, qui comportent un risque grave d'embolie pulmonaire), nécessite des soins attentifs : le malade doit être incité à contracter les muscles de ses jambes plusieurs fois par jour ; s'il n'en est pas capable, c'est le personnel infirmier qui mobilise les membres du patient ; cette mobilisation des membres inférieurs, associée à un massage léger des mollets et parfois à l'utilisation de matelas à gonflement alternatif ou à eau, permet de stimuler la circulation veineuse et diminue le risque de ralentissement ou d'arrêt de la circulation veineuse par formation de caillots ; enfin, un traitement par des médicaments anticoagulants peut être prescrit pour compléter la prévention ;
- la prévention des infections bronchiques consiste à faire tousser le malade, à le stimuler pour qu'il expectore, à l'installer quelques heures par jour en position demi-assise pour diminuer le risque d'encombrement des bronches.

■ Les soins à visée curative prescrits par le médecin au domicile du malade, en cabinet ou à l'hôpital sont dispensés par l'infirmière. Celle-ci réalise une très grande variété d'actes : elle pratique les prélèvements (de gorge, de sang, d'urine), administre les médicaments - par voie orale, par injection ou perfusion (installation du cathéter ou de l'aiguille, surveillance du bon déroulement de la perfusion) ; elle fait les pansements, surveille l'état des plaies, ôte fils et agrafes ; elle assure les soins pré- et postopératoires, et ceux exigés par une réanimation ; elle prend en charge les soins de dialyse rénale, à l'hôpital ou au domicile du malade (mise en marche et contrôle de l'appareil), etc.

■ Les soins à visée éducative concernent aussi bien les malades (malades hémodialysés, par exemple) et leur entourage que des personnes en bonne santé (éducation diététique de groupes de jeunes enfants, de femmes enceintes, etc.).

Soins intensifs coronariens

Ensemble des soins requis par la surveillance et le traitement de patients menacés ou atteints d'infarctus du myocarde dans une unité de soins intensifs spécialisés.

HISTORIQUE

Les unités de soins intensifs coronariens ont été créées vers 1960.

Cette initiative reposait sur diverses constatations. On avait remarqué que, à la phase initiale de l'infarctus du myocarde, de fréquents troubles du rythme cardiaque apparaissaient et que ces troubles avaient une forte incidence sur la mortalité, même en cas d'infarctus limité. Dans le même temps, il était devenu possible de surveiller le rythme cardiaque d'une façon permanente. Des solutions thérapeutiques d'urgence comme le choc électrique et l'entraînement électrosystolique avaient aussi été découvertes. C'est pourquoi on décida de regrouper des équipes de personnel médical et paramédical spécialisées dans la prise en charge de l'infarctus du myocarde à sa phase aiguë dans une structure moderne possédant le matériel adapté à la surveillance et à l'intervention d'urgence.

DÉVELOPPEMENT

Depuis les années 1960, les possibilités se sont étendues, et l'on peut aujourd'hui agir directement sur les artères coronaires par fibrinolyse, coronarographie et angioplastie, protéger ou soutenir la fonction cardiaque par médications ou procédés d'assistance circulatoire, prévenir et traiter les complications ou la survenue d'un infarctus ou d'un angor instable (angor d'effort aggravé, angor spontané, angor prolongé).

Les soins intensifs coronariens ont permis d'abaisser très significativement la mortalité résultant de l'infarctus du myocarde et, souvent, d'éviter l'évolution vers l'infarctus constitué.

Soins palliatifs

Ensemble des actions destinées à atténuer les symptômes d'une maladie dont, en particulier, la douleur qu'elle provoque, sans cependant la guérir.

Les soins palliatifs sont notamment dispensés aux malades pendant la phase terminale d'une maladie incurable. Outre les cancers, les maladies le plus souvent prises en charge par les unités de soins palliatifs sont les maladies neurologiques dégénératives (sclérose latérale amyotrophique, chorée de Huntington) et le sida.

■ Les soins physiques ont pour but d'assurer la fonction respiratoire, d'éviter la déshydratation et la survenue d'escarres (ulcérations de la peau qui atteignent les zones d'appui chez les malades immobilisés) et d'infections urinaires, de prévenir les nausées et les vomissements, et de lutter contre la douleur. Ils consistent à donner des soins d'hygiène, à changer le malade de position, à lui administrer des médicaments et, éventuellement, à pratiquer des interventions chirurgicales de confort. La lutte contre la douleur intense et continuelle que provoquent, par exemple, certains cancers en phase terminale repose sur l'administration d'analgésiques majeurs (opiacés), parfois administrés sur demande par petites doses intrarachidiennes (dans le liquide céphalorachidien). Le blocage chirurgical, par section d'un ou de plusieurs nerfs, de l'influx nerveux qui transmet la douleur peut également être envisagé.

■ L'accompagnement psychologique permet de lutter contre l'anxiété, la dépression, la peur, la colère ou le regret liés à l'approche de la mort, ou contre la honte causée par le sentiment d'impuissance ou de déchéance.

SURVEILLANCE

Les soins palliatifs peuvent être donnés dans des unités spécialisées, lorsqu'il en existe, lorsque l'état du malade nécessite l'emploi de techniques lourdes ou une surveillance constante, mais aussi à domicile, par un personnel formé à cet effet, et en collaboration étroite avec la famille et le médecin traitant.

Solarium

Établissement de traitement de certaines affections par héliothérapie (par la lumière solaire).

Le traitement de certains psoriasis, par exemple, se déroule en solarium (cures de la mer Morte, entre autres, associant des bains fortement salés à une exposition contrôlée aux rayons ultraviolets A).

Soleil (maladies provoquées par l'exposition au)

Toute affection, le plus souvent cutanée, survenant après une exposition aux rayons solaires.

→ VOIR Érythème solaire, Peau (cancer de la), Photodermatose, Ultraviolet.

Soluté

1. Substance contenue à l'état dissous dans une solution.
2. Tout liquide aqueux contenant une ou plusieurs substances chimiques à l'état dissous. SYN. *solution*.
3. Solution obtenue par dissolution d'une ou de plusieurs substances médicamenteuses dans un solvant.

INDICATIONS

Les solutés sont utilisés dans différentes spécialités médicales, notamment en réanimation. Ce sont dans ce cas des liquides stériles constitués d'eau et d'électrolytes (sodium, potassium, chlore, calcium) ou de composés nutritifs (glucose, lipides, acides aminés) administrés par perfusion intraveineuse. Préparés industriellement, ils sont présentés en flacons de verre ou en poches plastiques souples. Les solutés dits isotoniques ont une concentration en particules dissoutes équivalente à celle du plasma. Les solutés dits hypertoniques ont une concentration plus élevée, et leur perfusion doit se faire lentement, avec prudence et sous surveillance régulière.

DIFFÉRENTS TYPES DE SOLUTÉ

Les solutés les plus utilisés sont les suivants :
- les solutés glucosés, contenant du glucose à des concentrations variables dans de l'eau (solutés glucosés à 5, 10, 20 ou 30 %) ;
- le soluté de chlorure de sodium à 0,9 %, appelé aussi sérum physiologique ;
- le soluté de Ringer-lactate, dont la composition en eau et en électrolytes est proche de celle du plasma ;
- les solutés nutritifs pour perfusions, qui apportent du glucose, des lipides et des acides aminés, séparément ou associés dans des proportions très diverses.

Enfin, les solutés les plus couramment employés (soluté glucosé à 5 ou 10 % et sérum physiologique) servent souvent de véhicule à des médicaments qui doivent être administrés par perfusion.

Solution

Liquide contenant un corps à l'état dissous.

Une solution est dite vraie ou cristalline si elle constitue un ensemble homogène : le corps dissous (sucre, sel), divisé autant qu'il est possible jusqu'à l'état de molécules ou d'ions, semble avoir disparu dans le solvant (eau, alcool). En revanche, une solution est dite colloïdale si le corps dissous s'agglomère pour former des particules plus grosses, appelées micelles, visibles avec certains microscopes (ultramicroscopes) et ne traversant pas certains filtres aux pores très fins (membranes dialysantes).

UTILISATION THÉRAPEUTIQUE

Certains médicaments sont administrés sous forme de solutions (aqueuses, huileuses, etc.). Celles-ci peuvent être buvables, injectables, applicables sur la peau, utilisables comme collyre, etc.

Somathormone

Hormone sécrétée par l'antéhypophyse (lobe antérieur de l'hypophyse, glande située à la base du cerveau), qui assure la croissance des os longs et intervient dans le métabolisme des glucides, des lipides et des protéines. SYN. *hormone de croissance, hormone somatotrope*. En anglais, *growth hormone (GH)*.

STRUCTURE ET PHYSIOLOGIE

La somathormone est un polypeptide présentant d'importantes analogies avec la prolactine. Sa sécrétion est stimulée par des facteurs divers tels que l'hypoglycémie (diminution du taux de glucose dans le sang), le stress (infection aiguë, choc psychologique, intervention chirurgicale) ou l'effort, tandis qu'elle est freinée par l'hyperglycémie (augmentation du taux de glucose dans le sang). Dans le foie, la somathormone provoque en particulier la synthèse de somatomédine C. Le dosage de celle-ci dans le sang témoigne de l'activité biologique de la somathormone.

PATHOLOGIE

En cas de maladie hypophysaire ou hypothalamique, un déficit en somathormone survient parfois ; chez l'enfant, il se traduit par une petite taille ; chez l'adulte, il se manifeste par une déminéralisation osseuse. Il peut être compensé par des injections intramusculaires quotidiennes de somathormone de synthèse. En revanche, une sécrétion excessive de somathormone due à un adénome (tumeur bénigne) de l'hypophyse entraîne une acromégalie (développement exagéré des os de la face et des extrémités des membres) chez l'adulte et un gigantisme chez l'enfant.

Somatique

Qui se rapporte au corps.

Une maladie somatique congénitale, par exemple, est souvent une malformation (coarctation de l'aorte, fente labiopalatine, etc.). Ce terme s'entend par opposition à psychique (qui se rapporte au psychisme). L'adjectif « psychosomatique » qualifie toute maladie organique (ulcère de l'estomac, hypertension artérielle, par exemple) à l'origine de laquelle se trouve une cause psychique.

Somatomédine

Facteur de croissance sécrété par le foie, sous l'action de la somathormone (hormone de croissance), et transporté dans le sang, lié à des protéines.

On distingue les somatomédines A et C (également appelées IGF 1 et 2). La plus active, la somatomédine C, stimule le développement des cartilages de croissance et favorise donc la croissance des os longs (fémur, tibia, humérus) chez les enfants et les adolescents. Lorsque la somathormone est sécrétée en excès, le taux plasmatique de somatomédine C augmente de façon parallèle, provoquant une acromégalie (développement exagéré des os de la face et des extrémités des membres).

PATHOLOGIE

Le plus souvent, le déficit en somatomédine C est consécutif à celui de la somathormone, qui peut survenir lors d'une insuffisance globale de sécrétion de l'antéhypophyse. Lorsqu'on traite un individu par la somathormone de synthèse, on rétablit la synthèse normale de la somatomédine C par le foie.

L'insuffisance congénitale de production de somatomédine C, exceptionnelle, se traduit par un nanisme, dit de Laron, où la petitesse de la taille s'associe à un taux très élevé de somathormone. La somatomédine C de synthèse est actuellement disponible, mais l'étude de ses utilisations thérapeutiques est encore en cours.

Somatostatine

Hormone sécrétée par l'hypothalamus, le système nerveux central, certaines cellules neuroendocrines du tube digestif et par le pancréas.

La somatostatine a pour rôle d'inhiber la sécrétion de nombreuses hormones : thyrolibérine et corticolibérine (sécrétées par l'hypothalamus), thyréostimuline, somathormone (sécrétées par l'hypophyse), gastrine (sécrétée par l'estomac), insuline et glucagon (sécrétés par le pancréas). Elle diminue également les mouvements des muscles digestifs.

UTILISATION THÉRAPEUTIQUE

Des substances analogues à la somatostatine, synthétisées et modifiées pour que leur durée d'action soit plus longue, sont administrées par voie injectable pour corriger l'hypersécrétion de somathormone, pour diminuer la diarrhée et la déperdition en eau en cas de vipome (variété de tumeur du pancréas), ainsi que l'hypersécrétion de corticotrophine ou de sérotonine dont sont responsables les carcinoïdes (tumeurs bénignes ou malignes de l'appareil digestif). La somatostatine est également utilisée pour tarir de multiples sécrétions digestives, en cas de pancréatite ou de fistule postchirurgicale, ou encore pour limiter la croissance de certaines tumeurs malignes de l'appareil digestif.

Sommeil

État physiologique temporaire, immédiatement réversible, reconnaissable par la suppression de la vigilance et le ralentissement du métabolisme.

On distingue depuis les années 1960 deux types de sommeil, le sommeil à ondes lentes (ou sommeil lent), ainsi appelé car l'électroencéphalogramme y montre une prédominance des ondes cérébrales lentes, et le sommeil paradoxal, ainsi appelé car l'électroencéphalogramme y montre une intense activité cérébrale (ondes rapides, comme dans l'état de veille). Ces deux types de sommeil se succèdent environ cinq à huit fois par nuit. On pense que la plupart des rêves ont lieu pendant le sommeil paradoxal.

Le besoin de sommeil survient tous les jours (rythme circadien) à peu près à la même heure, sous l'effet de mécanismes internes et d'influences externes très complexes. La fonction du sommeil n'est pas établie avec certitude. Il ne permet pas seulement de se remettre de la fatigue physique et nerveuse de la journée. Il a peut-être aussi pour fonction, entre autres, de permettre d'assouvir le besoin de rêve.
→ VOIR Dossier Sommeil.

Sommeil (troubles du)

Toute perturbation de la durée ou de la qualité du sommeil.

Les troubles du sommeil sont de trois sortes : insomnie (insuffisance de sommeil), hypersomnie (excès de sommeil), parasomnie (comportement anormal pendant le sommeil) ; par ailleurs, certains troubles du sommeil sont propres à l'enfant.

Hypersomnie

L'hypersomnie peut être d'origine psychologique (anxiété, dépression) ou due à la prise d'anxiolytiques, à une maladie neurologique (sclérose en plaques, tumeur intracrânienne), à un traumatisme crânien, à une intoxication ou à une infection. La somnolence simple en est la forme la plus courante. Les autres formes d'hypersomnie sont rares, voire exceptionnelles. Parmi elles, la narcolepsie est caractérisée par la survenue, pendant la journée, de brusques accès de sommeil et de chutes brutales du tonus musculaire (syndrome de Gélineau).

TRAITEMENT
Hormis le traitement d'une maladie causale, il est assez limité ; les antidépresseurs, voire les amphétamines, sont parfois indiqués. Une nouvelle molécule, le modafinil est également proposée depuis peu. Mieux tolérée et efficace chez plus de patients que les autres substances, elle n'entraîne en outre pas d'effets secondaires psychiques ni cardiovasculaires.

Insomnie

Pour juger de la réalité d'une insomnie, on se fie peu à la durée de sommeil, trop variable d'une personne à l'autre ; en revanche, on tient compte d'une modification récente de la durée de sommeil et de ce que ressent le patient (fatigue au réveil, impression subjective de mal dormir).

DIFFÉRENTS TYPES D'INSOMNIE
■ L'insomnie aiguë, très banale, dure de quelques jours à quelques semaines. Elle est liée à des circonstances ou à un événement extérieur précis : choc ou tension émotionnelle, soucis professionnels, douleur, etc.
■ L'insomnie chronique regroupe un grand nombre de troubles : difficultés d'endormissement, souvent liées à une anxiété ; réveils nocturnes trop fréquents, souvent liés, quant à eux, à une dépression s'ils se produisent au cours de la deuxième moitié de la nuit et si le sujet se rendort difficilement ou pas du tout ; insomnie complète, rare en dehors de maladies psychiatriques graves (manie, mélancolie, confusion mentale, démence). Il existe, de plus, des insomnies méconnues, au cours desquelles le sommeil semble normal alors qu'il est en fait entrecoupé de réveils et de cauchemars.

TRAITEMENT
Il comprend des mesures simples : se coucher seulement lorsque l'on a sommeil, s'abstenir de stimulation intellectuelle ou émotionnelle (lecture, film violent) de 30 minutes à une heure avant le coucher, se lever et avoir une activité simple lorsque le sommeil ne vient pas plutôt que de rester couché, s'abstenir de repas trop riches le soir, etc. Les médicaments (hypnotiques, anxiolytiques, voire antidépresseurs) constituent un appoint, mais de préférence en cure courte (quelques semaines au maximum). Si les précautions d'emploi ne sont pas respectées, ils peuvent induire somnolence le matin, accoutumance – des doses de plus en plus élevées devenant nécessaires –, dépendance – le malade ne pouvant plus trouver le sommeil sans médicaments.

Parasomnie

Le somnambulisme, forme la plus fréquente de parasomnie, s'observe principalement chez l'enfant entre 6 et 12 ans. De mécanisme mal connu, il persiste souvent plusieurs années, puis disparaît en général spontanément au fil du temps, mais peut aussi réapparaître chez l'adulte au cours d'une période de tension émotionnelle. Ses manifestations consistent en un « réveil » apparent au cours des premières heures de la nuit, suivi d'une succession de comportements complexes : le sujet peut se lever, s'habiller, marcher, ouvrir des portes, avant de se réveiller ou de regagner son lit au bout de quelques minutes. Il est difficile et inutile de le réveiller ou d'essayer de le faire.

TRAITEMENT ET PRÉVENTION
Le somnambulisme est un trouble bénin du sommeil, qui ne justifie un traitement par antidépresseurs (aminéptine) que dans de très rares cas. La prévention d'éventuels accidents est primordiale ; elle consiste à

fermer les portes et les fenêtres, et à ranger les objets dangereux.

Sommeil chez l'enfant (troubles du)

Toute perturbation, chez l'enfant, de la durée ou de la qualité du sommeil.

Chez l'enfant, les troubles du sommeil présentent certaines particularités.

Hypersomnie de l'enfant

La plupart du temps, les troubles débutent à l'adolescence, bien que certaines formes d'hypersomnie puissent se déclarer avant.
■ La narcolepsie atteint le plus souvent l'enfant entre l'âge de 10 et 20 ans, avec un pic vers la 14e année. Comme chez l'adulte, elle se traduit par une somnolence diurne excessive, des chutes brutales du tonus musculaire, des hallucinations hypnagogiques (qui se produisent au moment de l'endormissement) et des paralysies du sommeil.
■ L'hypersomnie idiopathique commence entre 10 et 20 ans, et se caractérise par des épisodes de sommeil diurne de 1 à 4 heures. Son traitement comprend la prise de psychostimulants et l'adoption d'un nouveau rythme de sommeil (siestes, par exemple).
■ L'hypersomnie récurrente, plus rare, se caractérise par des épisodes de sommeil de 18 à 20 heures par jour pendant 3 à 10 jours, au cours desquels le sujet ne se lève que pour manger. Son traitement repose sur la prise préventive de lithium, pour éviter les récidives.
■ Le syndrome d'apnée (arrêt de la respiration de durée variable) peut atteindre l'enfant chez qui les infections oto-rhino-laryngologiques ou les végétations adénoïdes sont susceptibles d'obstruer les voies aériennes supérieures. Il se traduit par des réveils répétés, qui peuvent être responsables de somnolences diurnes.
■ Le syndrome de retard de phase concernerait près de 7 % de la population, plus particulièrement des adolescents et de jeunes adultes. Il se traduit par l'incapacité de ces sujets à respecter les horaires de coucher et de lever conventionnels (retard de 2 ou 3 heures). Son traitement repose sur la chronothérapie (qui consiste à resynchroniser les sujets en avançant leur horaire de coucher, de façon à rendre leurs rythmes compatibles avec une vie scolaire normale).

Insomnie de l'enfant

On distingue les insomnies extrinsèques, causées par des facteurs environnementaux (hygiène de vie, alimentation, etc.), des insomnies intrinsèques.
■ Les insomnies extrinsèques peuvent survenir dans des occasions très diverses :
– lorsque les habitudes d'endormissement du jeune nourrisson (bercement, biberon, partage du lit) ont été trop prolongées et que l'enfant n'a pas appris à s'endormir seul. Cette forme d'insomnie, la plus courante, concerne jusqu'à 20 % des enfants entre 6 mois et 3 ans ;
→ Voir suite de l'article pages suivantes.

LE SOMMEIL

Longtemps considéré comme une simple suspension de l'activité physique et mentale, le sommeil joue en fait un rôle actif et complexe chez l'homme. Mais, si l'on sait aujourd'hui parfaitement décrire les différentes phases dont se composent nos nuits, le « pourquoi » du sommeil reste encore mystérieux.

LES MÉCANISMES DU SOMMEIL

Le sommeil humain est le résultat d'une très longue évolution, au terme de laquelle l'organisme a intégré trois mécanismes fondamentaux. Le premier est une « horloge interne », dite circadienne (c'est-à-dire d'environ 24 heures), responsable de l'apparition régulière du sommeil. Cette horloge est localisée dans la région centrale du cerveau (plus précisément dans les noyaux suprachiasmatiques qui se trouvent dans l'hypothalamus). Le deuxième mécanisme est celui de l'économie d'énergie : plus la veille est longue, plus le sommeil qui suit est long et profond ; il existe donc une adaptation du sommeil — pendant lequel les dépenses énergétiques sont moindres — à la durée et à l'intensité de la veille.

Un mécanisme « oscillateur »

Le troisième mécanisme est responsable, d'où son nom, d'une interruption périodique du sommeil toutes les 90 minutes, alors remplacé par un état appelé sommeil paradoxal. Ce mécanisme — qui n'existe pas chez les animaux à sang froid, apparaît avec les oiseaux et se retrouve chez tous les mammifères — dépend de cellules nerveuses situées dans le tronc cérébral, mais dont le fonctionnement intime demeure mystérieux.

UNE NUIT DE SOMMEIL

Le sommeil comprend deux phases (sommeil lent et sommeil paradoxal), d'une durée globale d'environ 110 minutes, qui se répètent en général 4 ou 5 fois au cours de la nuit. Chaque cycle de sommeil s'accompagne de la libération de différentes hormones dans le sang : l'hormone de croissance est surtout libérée pendant le sommeil lent profond des premiers cycles ; la sécrétion de rénine augmente pendant le sommeil lent et diminue pendant le sommeil paradoxal. Pour enregistrer les activités des cellules nerveuses et des muscles du dormeur, obtenir leurs tracés (électroencéphalogramme et électromyogramme) et déterminer ainsi les phases de son sommeil, on utilise un appareil muni d'un amplificateur, appelé polygraphe, et des électrodes fixées sur le cuir chevelu, le pourtour des globes oculaires et les muscles du menton.

Le sommeil lent

Il est divisé en quatre stades de profondeur croissante et d'une durée totale d'environ 90 minutes. L'endormissement (stade 1) correspond à une période très courte, au cours de laquelle peuvent se produire des hallucinations. Il est suivi du stade 2, puis des stades 3 et 4, qui constituent le « sommeil lent profond » et se traduisent à l'électroencéphalogramme par des ondes lentes, de grande amplitude, appelées ondes delta.

Le sommeil lent est une période de faible activité mentale, de ralentissement de la fréquence cardiaque et de diminution de la tension artérielle.

Le sommeil paradoxal

À chaque période de sommeil lent succède un épisode d'environ 20 minutes, appelé sommeil paradoxal car il allie une activité cérébrale proche de celle de la veille à une abolition du tonus musculaire. Pendant cette phase, des mouvements oculaires rapides, horizontaux ou verticaux, se manifestent, de même que, parfois, de très discrets mouvements des doigts et des petits muscles de la face. La respiration est irrégulière et s'interrompt souvent avant de s'accélérer.

LES RÊVES

Tout le monde rêve — même si aucun souvenir n'en subsiste —, presque toujours au cours du sommeil paradoxal, beaucoup plus rarement pendant le sommeil lent. Une période de sommeil paradoxal peut être occupée par un seul rêve mais, le plus souvent, elle comporte des rêves nombreux, dont il n'est pas possible de se rappeler le début et la fin. Un sujet réveillé au milieu d'un rêve se rappelle habituellement les événements de ce songe avec une grande précision et en couleurs. Les personnes aveugles de naissance n'ont, bien sûr, pas de rêves visuels, mais seulement des rêves auditifs, olfactifs ou sensitifs. En revanche, un sujet devenu aveugle après l'âge de sept ans peut continuer à rêver avec des images pendant 10 à 20 ans.

Certaines personnes sont, occasionnellement ou habituellement, conscientes de rêver, comme si elles assistaient à un « film » : c'est ce qu'on appelle le rêve lucide. Certains rêveurs lucides parviennent même — mais plus rarement — à contrôler les images de leur rêve.

Pourquoi rêve-t-on ?

En 1900, Sigmund Freud révolutionnait l'approche du rêve en publiant *l'Interprétation des rêves*. Selon Freud, le rêve révèle à travers son contenu manifeste un contenu latent, expression de la réalisation de désirs refoulés. Mais sa théorie est loin d'expliquer la fonction biologique du rêve : pourquoi rêve-t-on ? et pourquoi le sommeil paradoxal est-il proportionnellement plus important chez le nourrisson ? Selon Freud, le rêve permettrait de stabiliser la mémoire à long terme, de revivre ou d'oublier des moments de la journée écoulée ou encore de reprogrammer génétiquement le cerveau et de retrouver la part innée de sa personnalité.

LES TROUBLES DU SOMMEIL

Sommeil peu réparateur, insuffisant, entrecoupé de réveils, éveils précoces, l'insomnie est multiple et constitue le plus fréquent des troubles du sommeil. Cependant, il en existe bien d'autres, en particulier ceux qui sont liés à des problèmes respiratoires ou qui surviennent pendant la journée (somnolence).

Les insomnies

L'insomnie d'endormissement, la plus fréquente — une personne qui se couche vers 23 h, par exemple, ne trouvera le sommeil que vers 1 h ou 2 h du matin, — est souvent la conséquence d'un état anxieux ou d'une mauvaise hygiène de vie (consommation de tabac, d'alcool). En revanche, une insomnie survenant

dans la seconde partie de la nuit — le sujet se réveille, souvent après un rêve, vers 3 h du matin, rumine des pensées obsédantes et retrouve un sommeil peu réparateur en fin de nuit — constitue parfois le premier signe d'un état dépressif. L'insomnie se traduit pendant la journée par des maux de tête, une irritabilité, une diminution de la vigilance ou des performances ainsi que par une somnolence. On évalue sa gravité en fonction de son retentissement sur la qualité de vie pendant la journée : une insomnie qui n'entraîne pas de troubles de la veille doit être considérée comme bénigne ; il est inutile de la traiter par des médicaments hypnotiques.

Somnolences diurnes et narcolepsie

Somnoler pendant la journée peut être la conséquence d'un sommeil trop court, d'une grave insomnie, d'horaires de sommeil irréguliers ou de la prise de médicaments hypnotiques. Dans certains cas, la somnolence découle d'arrêts respiratoires (apnées) survenant pendant le sommeil. Beaucoup plus rarement, certaines personnes qui pensent souffrir de somnolence sont, en fait, atteintes d'une maladie appelée narcolepsie, ou syndrome de Gélineau. Cette affection, qui se soigne aujourd'hui très bien, se caractérise par l'association de deux signes majeurs : des accès de « sommeil invincible » et une cataplexie — sous l'influence d'une émotion, le patient perd le contrôle de son tonus musculaire, sent ses jambes devenir molles et peut s'effondrer.

Les troubles respiratoires

Certaines personnes, plus souvent lorsqu'elles sont obèses et ronflent, se plaignent d'un mauvais sommeil entrecoupé de réveils fréquents, de maux de tête en fin de nuit, parfois d'une importante transpiration nocturne. Elles souffrent en fait d'un syndrome d'apnée du sommeil, ou S.A.S., qui consiste en arrêts respiratoires à répétition de 20 à 30 secondes survenant au cours du sommeil paradoxal ou du stade 2 du sommeil lent ; ce syndrome entraîne une diminution, parfois très importante, de la quantité d'oxygène dans le sang. Un traitement est alors nécessaire et consiste dans certains cas en une ablation chirurgicale de la partie basse du palais et de la luette, ou uvulo-palato-pharyngoplastie. Parfois, il est indiqué de faire respirer au patient de l'air par pression positive à travers un masque pendant le sommeil. □

LE SOMNAMBULISME

Déambulation nocturne, inconsciente et ne laissant aucun souvenir, le somnambulisme ne doit pas être considéré comme une maladie. Si certains adultes sont somnambules, ce trouble atteint le plus souvent les enfants (6 % d'entre eux avant l'âge de 15 ans) pour disparaître à l'adolescence.

Le somnambulisme, qui survient au cours du sommeil à ondes lentes (stades 3 ou 4), est actuellement interprété comme étant un « éveil incomplet » du cerveau, avec blocage des mécanismes de mémorisation, laquelle s'effectue normalement en parallèle lorsque nous sommes réveillés.

LE RONFLEMENT

80 % des hommes et 60 % des femmes ronflent. Le ronflement, ou roncopathie, est dû à la vibration du voile du palais. Dormir couché sur le dos entraîne un relâchement musculaire : l'air se fraye alors un passage en provoquant un tremblement sonore du voile. Le ronflement peut être responsable d'un syndrome d'apnée du sommeil et entraîner des troubles de l'oxygénation ; il doit alors être traité, chirurgicalement ou par inspiration d'air sous pression pendant la nuit. Lorsque le ronflement est bénin, il suffit parfois, pour l'éviter, d'empêcher le ronfleur de dormir sur le dos — par exemple en cousant un tissu du type Velcro à l'intérieur du dos de son pyjama.

Voir *Gélineau (syndrome de), Hypnothique, Rêve, Ronflement, Sommeil (troubles du).*

– en cas de gavage nocturne excessif, l'enfant se réveille plusieurs fois dans la nuit et est incapable de se rendormir sans prise alimentaire ; il s'agit d'une variété d'insomnie qui concerne environ 5 % des enfants âgés de 6 mois à 3 ans ;

– en cas d'allergie alimentaire (allergie au lait de vache, par exemple), l'enfant peut avoir du mal à s'endormir et se réveiller la nuit ;

– lorsque les parents n'arrivent pas à fixer des limites à l'enfant, une opposition au coucher survient, vers l'âge de 2 ou 3 ans, l'enfant se mettant alors à rechercher des prétextes pour ne pas aller au lit.

■ Les insomnies intrinsèques sont principalement représentées par l'insomnie idiopathique, rare, qui peut se manifester dès la naissance. Elle serait due à une anomalie neurologique du système de contrôle veille/sommeil (hyperactivité du système d'éveil, hypoactivité du système de régulation du sommeil).

TRAITEMENT

Il peut faire appel à l'administration de médicaments (antihistaminiques, phénothiazines), qui ne doit pas excéder 3 semaines, et à la thérapie comportementale.

Parasomnie de l'enfant

Les parasomnies, troubles caractérisés par un comportement anormal pendant le sommeil, sont classées en fonction du moment de leur survenue au cours du cycle du sommeil. On distingue ainsi les parasomnies en rapport avec le sommeil paradoxal (cauchemar) des parasomnies en rapport avec un trouble de l'éveil (éveil confusionnel, somnambulisme ou terreurs nocturnes). Dans ce dernier cas, l'enfant semble se réveiller brusquement, en proie à une grande frayeur, mais ne reconnaît pas son entourage ; il est inutile d'essayer de le réveiller. Ce trouble, habituellement bénin, ne nécessite que rarement un traitement.

DIAGNOSTIC ET TRAITEMENT

Une consultation spécialisée s'impose en cas de troubles nocturnes fréquents ou d'allure inhabituelle. Il est indispensable en effet d'établir un diagnostic précis, aidé au besoin par l'enregistrement des phases du sommeil, une parasomnie ne devant surtout pas être confondue avec une autre maladie telle que l'épilepsie. En dehors du traitement d'une maladie sous-jacente, il est rare que l'on ait recours à la prescription de médicaments, sauf dans les cas les plus graves (antidépresseurs dans certains somnambulismes ou terreurs nocturnes, benzodiazépines en cas de rythmie d'endormissement – mouvements de balancement de la tête ou d'un membre, se produisant lorsque l'enfant s'endort). Les thérapies comportementales (relaxation) et le rétrocontrôle biologique (thérapie qui vise à obtenir du sujet le contrôle de lui-même par le conditionnement d'un certain nombre de fonctions physiologiques) se révèlent parfois efficaces.

Somnambulisme

→ VOIR Dossier Sommeil, Sommeil (troubles du).

Somnifère

→ VOIR Hypnotique.

Somnolence

État intermédiaire entre la veille et le sommeil.

La somnolence n'est le plus souvent qu'un simple trouble du sommeil. Cependant, lorsqu'elle est prolongée ou qu'elle survient dans des moments où l'attention est normalement renforcée (cours, conduite automobile, etc.), elle peut aussi révéler une maladie sous-jacente (tumeur intracrânienne, encéphalite, dépression).

Sondage vésical

Introduction d'une sonde dans la vessie.

La sonde peut être retirée immédiatement ou laissée en place un certain temps ; dans ce dernier cas, elle est reliée à un sac plastique destiné à recueillir les urines.

INDICATIONS

Un sondage vésical permet d'évacuer le contenu de la vessie en cas de rétention d'urines, d'instiller dans la vessie un produit thérapeutique ou encore d'évaluer le volume d'un résidu postmictionnel. Toutes les maladies de l'urètre, de la prostate et de la vessie peuvent nécessiter un sondage : rétrécissement urétral, adénome ou cancer de la prostate, rétrécissement du col vésical, vessie neurologique (défaut de l'innervation de la paroi vésicale entraînant une paralysie du muscle de la vessie), tumeur vésicale, etc.

TECHNIQUE

Il en existe deux.

■ Le sondage urétrovésical consiste à introduire une sonde dans le méat urétral et à la remonter jusque dans la vessie. Il est possible de pratiquer une légère anesthésie locale, en introduisant un gel anesthésique dans l'urètre. Cette technique, plus ancienne et plus simple que le sondage par cathétérisme vésical sus-pubien, est la plus couramment utilisée chez la femme. En cas de vessie neurologique, on a recours au sondage intermittent, qui consiste à vider la vessie 2 ou 3 fois par 24 heures ; celui-ci peut être fait par une tierce personne ou par le malade lui-même (autosondage intermittent), après qu'ils aient suivi une formation.

■ Le sondage par cathétérisme vésical sus-pubien doit être effectué par un médecin ; il consiste à introduire une sonde directement dans la vessie à travers la peau du bas-ventre à l'aide d'un trocart (grosse aiguille creuse). Cette technique, qui nécessite une anesthésie locale, est employée en cas d'obstacle urétral chez la femme et, le plus souvent possible, chez l'homme, afin d'éviter l'inconfort et le traumatisme urétral du sondage urétrovésical.

Sonde

Instrument cylindrique en forme de tige ou de tube fin et long, introduit à l'intérieur du corps dans un dessein diagnostique ou thérapeutique.

Les sondes sont introduites par une voie naturelle (narine, œsophage, rectum, urètre, etc.) ou pathologique (fistule), ou encore à travers la peau. Elles servent à explorer le trajet d'un canal pathologique, à prélever ou à évacuer un produit (pus, salive, suc gastrique, urine), à administrer un médicament, de l'oxygène ou des aliments (nutrition artificielle), à dilater un canal rétréci (urètre, uretère), à enlever un calcul ou encore à enregistrer ou à produire une activité électrique dans le cœur (entraînement électrosystolique).

La mise en place d'une sonde nécessite parfois une anesthésie locale. Quand elle n'emprunte pas une voie naturelle, par exemple lorsque l'on veut drainer un abcès du foie, la sonde doit être introduite par ponction, à l'aide d'un trocart (grosse aiguille creuse) que l'on retire ensuite.

DIFFÉRENTS TYPES DE SONDE

Il existe une grande variété de sondes. Elles sont habituellement faites d'une matière souple (caoutchouc, vinyle, silicone), parfois de métal. Les cathéters sont des sondes particulières, creuses et de petit calibre.

■ Les sondes pour évacuation ou administration d'un produit, utilisées surtout en gastroentérologie et en urologie (sonde rénale, sonde vésicale), sont souples, creuses, portant un orifice central à une extrémité ou des orifices latéraux, qui se bouchent moins facilement ; elles peuvent être munies à leur extrémité d'un ballonnet que l'on gonfle après leur mise en place, de façon à les immobiliser.

■ Les sondes pour exploration d'un trajet, souvent appelées stylets, sont plus petites et métalliques. Elles peuvent être recourbées (béquillées) à une extrémité ou cannelées (munies d'une rigole sur toute leur longueur).

■ Les sondes destinées à dilater un canal, ou bougies, sont courtes et pleines ; on obtient la dilatation en introduisant successivement des sondes de calibre croissant.

■ La sonde panier, ou sonde de Dormia, est utilisée pour l'ablation de calculs des voies urinaires. Elle est munie à son extrémité de mailles métalliques permettant d'emprisonner les calculs et de les retirer.

Sondes en réanimation

Les soins particuliers à la réanimation nécessitent des sondes spéciales.

■ La sonde endotrachéale est mise en place par la bouche ou le nez. En plastique, de calibre adapté à celui de la trachée du malade, elle est le plus souvent (sauf chez le petit enfant) munie à son extrémité d'un ballonnet dont le gonflage garantit l'étanchéité entre la sonde et la paroi de la trachée. Elle assure la liberté des voies respiratoires aériennes (pharynx, larynx, trachée), évite l'inhalation de liquides (salive, sang, vomissements), permet l'aspiration des sécrétions bronchiques et peut être raccordée à tout matériel de ventilation artificielle.

■ Les sondes de cathétérisme sont des tubes de plastique, longs et fins, formés d'un ou de plusieurs canaux, que l'on introduit dans une veine ou une artère. Elles permettent de mesurer les pressions intravasculaires et intracardiaques, la température centrale, le débit cardiaque et le taux d'oxygénation du sang du malade.

■ **Les sondes endocavitaires**, dont une extrémité est placée dans une cavité cardiaque et l'autre reliée à un appareil d'enregistrement ou de stimulation – externe (électrocardiographe) ou implanté dans le corps (stimulateur interne : pacemaker, par exemple) –, servent à mesurer l'activité électrique du cœur et permettent le diagnostic et/ou le traitement d'arythmies cardiaques dues à un trouble de l'excitabilité du cœur ou de la conduction électrique intracardiaque.

Sonde nucléique

Fragment d'A.D.N. ou d'A.R.N. naturel ou synthétique, reproduisant une petite partie d'A.D.N. ou d'A.R.N. humain ou de tout autre organisme, utilisé dans des examens de laboratoire. SYN. *sonde génétique, sonde moléculaire.*

INDICATIONS

Les sondes nucléiques permettent de dépister des maladies génétiques telles que la mucoviscidose, avant ou après la naissance, d'identifier des parasites, des bactéries ou des virus, d'effectuer des recherches de paternité ou d'identifier un individu en médecine légale. Néanmoins, elles supposent des techniques coûteuses et difficilement applicables en pratique courante.

TECHNIQUE

Un marqueur, par exemple une substance radioactive, est fixé sur la sonde nucléique, qui est mise en contact avec l'A.D.N. étudié (provenant, par exemple, de cellules prélevées sur un malade). La sonde s'attache alors électivement à la partie de l'A.D.N. étudié qui lui correspond, si celle-ci existe : ainsi, une sonde reproduisant un gène responsable d'une maladie se fixe sur les gènes des personnes atteintes de cette maladie, et non sur les gènes des personnes indemnes. La localisation est ensuite mise en évidence grâce au marqueur. L'A.R.N. s'utilise de façon analogue.

Sophrologie

Méthode fondée sur l'hypnose et la relaxation, utilisée en thérapeutique et pour la préparation à l'accouchement.

Le terme de sophrologie a été forgé en 1960 par un médecin colombien, Alfredo Caycedo. La sophrologie est actuellement une synthèse de l'hypnose, de la relaxation et de l'imagerie mentale ; elle comporte en outre certains aspects issus de la psychanalyse. Les médecins qui la pratiquent la recommandent essentiellement en dentisterie et en petite chirurgie, où elle se substitue aux anesthésiques. En obstétrique, elle permet à la patiente d'aborder l'accouchement dans un état de concentration maximale des forces mentales et psychiques. Les autres indications thérapeutiques sont l'angoisse, certains cas de dépression et d'obsession, les maladies psychosomatiques, les troubles sexuels, les toxicomanies.

DÉROULEMENT

La pratique de la sophrologie est proposée en séances individuelles ou collectives, animées par un médecin ou une sage-femme. Dans le cadre de la préparation à l'accouchement, il est souhaitable que la femme enceinte commence l'apprentissage à 5 mois de grossesse. La séance débute par une relaxation musculaire permettant d'atteindre un état modifié de conscience. Le thérapeute peut se servir de la parole incantatoire, du rythme, de la musique. Puis interviennent les suggestions : images positives, souvenirs heureux, projections dans le futur. Le retour à l'état de conscience ordinaire clôt la séance. Chacun des participants peut emporter une cassette d'exercices à pratiquer chaque jour, ainsi qu'un enregistrement musical.

Souffle

Bruit entendu à l'auscultation, ressemblant au son que produit l'air en sortant d'un soufflet.

Un souffle est produit par l'accélération ou le ralentissement brusque de la circulation d'un fluide dans les voies organiques (sang dans le système cardiovasculaire, air dans l'appareil respiratoire).

DIFFÉRENTS TYPES DE SOUFFLE

Les différents souffles, audibles à l'auscultation de diverses parties du corps, sont des signes caractéristiques de pathologies.

■ **Les souffles cardiaques**, communément appelés « souffles au cœur », sont perçus dans l'aire d'auscultation du cœur ; ils signalent le plus souvent une anomalie des valvules, une communication entre les deux oreillettes ou entre les deux ventricules, ou la persistance du canal artériel (canal qui, chez le fœtus, permet au sang de l'artère pulmonaire de se rendre dans l'aorte sans passer par les poumons). Par exemple, un souffle systolique (pendant la contraction du cœur) perçu à la pointe du cœur (partie basse latérale gauche du thorax) signale une insuffisance mitrale, résultant d'un mauvais fonctionnement de la valvule mitrale (valvule située entre l'oreillette et le ventricule gauches). Après la découverte d'un souffle cardiaque, une échocardiographie est souvent nécessaire pour préciser le diagnostic. Chez l'adolescent, plus souvent lorsqu'il est maigre, longiligne et sportif, l'auscultation révèle parfois un souffle systolique discret, localisé et variable, ne correspondant – comme le confirme l'échocardiographie – à aucune anomalie organique : ce souffle est dit fonctionnel, ou innocent.

■ **Le souffle tubaire** est perçu au cours de l'auscultation du thorax au stéthoscope ; il signale une maladie des poumons (pneumonie, par exemple). Il est aigu et assez fort, surtout à l'inspiration. Une radiographie permet de préciser le diagnostic.

■ **Le souffle vasculaire** est perçu à l'auscultation d'une artère (par exemple, artère carotide au cou, artère fémorale au pli de l'aine) ; il indique le rétrécissement, par des plaques d'athérome (dépôts graisseux), du diamètre de celle-ci, ou la compression par une cause mécanique à déterminer. On a recours pour cette recherche à l'écho-Doppler vasculaire.

Souffrance fœtale

Diminution de l'oxygénation et de l'alimentation du fœtus pendant la grossesse ou l'accouchement.

DIFFÉRENTS TYPES DE SOUFFRANCE FŒTALE

La souffrance fœtale peut être chronique ou aiguë.

■ **La souffrance fœtale chronique** se traduit, au cours de la grossesse, par un ralentissement de la croissance du fœtus, pouvant aboutir à un retard de croissance intra-utérin. Elle est due à un défaut qualitatif des apports nutritionnels, dont les causes sont diverses : maladie cardiovasculaire ou hypertension artérielle de la mère, toxémie gravidique, lésions du placenta. Un retard de croissance se dépiste, à partir du 4e mois de grossesse, par la mesure de la hauteur utérine et par la mesure échographique de certains paramètres du fœtus. Une souffrance fœtale importante oblige parfois à interrompre la grossesse pour sauver l'enfant, lorsqu'il est viable.

■ **La souffrance fœtale aiguë** s'observe le plus souvent au moment de l'accouchement. Ses causes sont multiples : compression du cordon, décollement du placenta avec constitution d'un hématome rétroplacentaire, contractions utérines trop rapprochées. Une souffrance fœtale aiguë se traduit par une modification des bruits du cœur du fœtus, enregistrés par monitorage. Le rythme cardiaque ralentit et peut descendre jusqu'à 60 battements par minute. Ces ralentissements se produisent en même temps que les contractions utérines, ou juste après. Parfois, le liquide amniotique se colore en vert, le fœtus éliminant trop tôt le méconium, substance contenue dans son intestin. Si la mesure du pH sanguin, prise in utero grâce à une petite incision du crâne du fœtus pratiquée par voie vaginale, révèle une acidose (pH inférieur à 7,20), la souffrance fœtale est confirmée. La privation d'oxygène (anoxie) à laquelle est soumis le fœtus peut avoir des conséquences graves sur son fonctionnement cérébral et justifie l'accélération de l'accouchement, parfois par l'utilisation des forceps en fin de travail ou par le recours à une césarienne si l'accouchement par voie naturelle doit être trop long.

Sourd-muet

Sujet qui, en raison d'une surdité congénitale ou acquise dans sa petite enfance, n'a pu apprendre à parler par lui-même.

Un sujet atteint de surdimutité peut apprendre à prononcer des mots grâce à l'orthophonie, sans pour autant pouvoir se dispenser de la lecture sur les lèvres ni du langage des signes.
→ VOIR Hypoacousie, Mutité, Surdité.

Sous-clavière (artère, veine)

Vaisseau situé dans la région de la clavicule. (P.N.A. *arteria subclavia, vena subclavia*)

Artère sous-clavière

C'est un gros vaisseau qui amène le sang oxygéné du cœur aux membres supérieurs.

Il existe deux artères sous-clavières. La gauche naît directement de la crosse de l'aorte, alors que la droite est issue de la division du tronc artériel brachiocéphalique. Ces deux artères cheminent en arrière de la clavicule et au-dessus des poumons avec un trajet en courbe, se prolongeant pour devenir les artères axillaires. Elles donnent de nombreuses branches dont les artères vertébrales, qui irriguent le cerveau avec les artères carotides internes, et les artères mammaires internes, utilisées en chirurgie pour effectuer les pontages coronariens.

Veine sous-clavière

C'est un vaisseau qui transporte le sang désoxygéné des membres supérieurs jusqu'au cœur. Il existe deux veines sous-clavières, la droite et la gauche. Chaque veine sous-clavière prolonge la veine axillaire correspondante, reçoit les veines jugulaires externe et antérieure, puis s'unit avec la jugulaire interne pour former le tronc veineux brachiocéphalique.

Sous-maxillaire (glande)

Glande salivaire située dans le plancher de la bouche.
→ VOIR Salivaire (glande).

Southern (technique de)

Procédé de biologie moléculaire permettant d'identifier et d'observer une séquence d'A.D.N. ou un gène sans l'isoler.

Cette méthode, mise au point par le Britannique Edward Southern en 1975, comporte plusieurs temps. Elle consiste d'abord à procéder à une extraction d'A.D.N. des noyaux cellulaires à partir d'un prélèvement biologique (sang ou trophoblaste, par exemple). L'A.D.N. est coupé par une enzyme de restriction en segments de tailles différentes, qui sont ensuite soumis à une électrophorèse, laquelle les sépare sous l'action du champ électrique. Les deux brins d'A.D.N. de chaque segment sont ensuite dissociés par réaction alcaline puis transférés sur un support solide. Une sonde nucléique (brin d'A.D.N. marqué permettant de mettre en évidence par hybridation la séquence complémentaire) est ensuite utilisée pour identifier la séquence d'A.D.N. à étudier. Cette séquence et les gènes qu'elle porte peuvent ensuite être visualisés par autoradiographie (un film radiographique placé contre le gène le rend visible en en révélant la radioactivité). Cette méthode permet en quelques jours d'observer n'importe quel gène chez n'importe quelle personne, sans faire appel à l'isolement du gène par la technique du clonage (multiplication et isolement artificiels des gènes). Elle est utilisée dans un but diagnostique pour constater l'altération d'un gène ou vérifier son intégrité, ou comme technique de recherche pour analyser les gènes.
→ VOIR Northern (technique de).

Spallanzani (Lazzaro)

Biologiste italien (Scandiano, près de Modène, 1729 - Pavie 1799).

Formé par les jésuites (il reçoit les ordres mineurs), il se tourne assez jeune vers les sciences naturelles. Expérimentateur éminent, il se fait connaître par ses travaux sur la digestion, la respiration et la circulation du sang (notamment, sur le rôle de la systole cardiaque). Il met aussi en évidence le rôle du sperme dans la fécondation et il est le premier à réaliser une fécondation artificielle, sur une chienne, en 1777.

Spanioménorrhée

Allongement progressif de l'intervalle qui sépare les règles.

Les cycles menstruels durent habituellement de 21 à 45 jours, avec une moyenne de 28 jours. Généralement réguliers, ils peuvent toutefois se décaler. La spanioménorrhée se définit par un espacement des cycles de plus de 6 à 8 semaines. Elle peut aboutir à une absence totale de règles, ou aménorrhée.

CAUSES

Elles sont diverses. Il peut s'agir d'une grossesse avec persistance de saignements trompeurs, d'un stress (infection aiguë, choc psychologique, intervention chirurgicale), d'une augmentation de la sécrétion de prolactine due à certains médicaments (métoclopramide, neuroleptiques, certains antihistaminiques de type 2, œstrogènes), d'un syndrome des ovaires polykystiques (associant règles espacées, prise de poids et pilosité excessive), d'une maladie hypothalamique ou hypophysaire, d'une anorexie mentale ou d'un entraînement physique intense. Une spanioménorrhée peut survenir aussi en période préménopausique.

TRAITEMENT

Il dépend de la maladie causale et de la demande formulée par la patiente : contraception hormonale pour réguler les cycles menstruels en l'absence de désir de grossesse ; traitement de la pilosité excessive par les antiandrogènes ; en cas de désir de grossesse, stimulation de l'ovulation par les inducteurs de l'ovulation ou administration de progestérone naturelle en cas de sécrétion insuffisante du corps jaune.

Sparadrap

Bande adhésive de tissu, de papier ou de matière plastique utilisée comme pansement ou pour le maintien d'un pansement.

Le sparadrap se présente sous la forme d'une bande de largeur variant de 1 à 20 centimètres. Les plus grandes largeurs sont faites de sparadrap perforé.

DIFFÉRENTS TYPES DE SPARADRAP

■ Le sparadrap classique est constitué d'un mélange d'oxyde de zinc et de produit adhésif appliqué sur une bande de tissu. Imperméable, il protège la plaie, mais peut, en même temps, favoriser la macération ou irriter les peaux sensibles.
■ Le sparadrap élastique est formé d'une bande de tricot. Il est destiné à maintenir un pansement mais sa tension ne doit pas être modifiée lors des mouvements.
■ Le sparadrap microporeux, anallergique (ou hypoallergique), permet d'éviter toute irritation et macération de la plaie en raison de sa perméabilité à l'air. Il est constitué de fibres artificielles. D'utilisation très courante, il convient à tous les types de peau et particulièrement à l'épiderme fragile des nourrissons.

Spasme

Contraction involontaire, non rythmée, d'un muscle isolé ou d'un groupe musculaire.

Les spasmes surviennent isolément ou par séries et peuvent être douloureux ou non.

DIFFÉRENTS TYPES DE SPASME

Les spasmes s'observent au cours d'un certain nombre de maladies, en particulier neurologiques, mais peuvent aussi survenir spontanément, en dehors de toute affection sévère (hoquet, crampes).
■ Le spasme en flexion, ou syndrome de West, est une forme particulière de crise épileptique qui affecte les nourrissons avant l'âge de un an.
■ Le spasme médian de la face, ou blépharospasme, est une contraction involontaire et intense des paupières qui empêche, pendant quelques instants, l'ouverture des yeux. Il est dû à la prise de neuroleptiques ou, dans certains cas, demeure de cause inconnue.
■ Le spasme du sanglot est un arrêt respiratoire, sans gravité, survenant chez l'enfant de 6 à 18 mois lors d'une crise de sanglots.
■ Les spasmes du côlon font partie des troubles fonctionnels intestinaux (colopathie fonctionnelle, ou syndrome de l'intestin irritable) ; d'origine inconnue, ces troubles associent notamment aux spasmes des troubles du transit et un ballonnement.
■ Les spasmes étagés de l'œsophage constituent une maladie de l'adulte d'âge mûr. Ils sont sans cause organique et entraînent une dysphagie (difficulté à avaler) douloureuse. Leur traitement est malaisé, mais ils n'occasionnent pas de complications graves. Un examen endoscopique permet de s'assurer de l'absence de cause organique.
■ Les spasmes de l'œsophage peuvent bloquer la déglutition pendant quelques instants. Ils surviennent le plus souvent en dehors de tout trouble organique, mais constituent parfois le signe révélateur d'un cancer.

Spasme en flexion

Crise épileptique du nourrisson, associée à des anomalies électroencéphalographiques caractéristiques. SYN. spasme infantile, syndrome de West.

SYMPTÔMES ET DIAGNOSTIC

Le spasme en flexion se manifeste chez les nourrissons, avant l'âge de un an, par un raidissement brutal du tronc, des membres et du cou, suivi de leur fléchissement ou, au contraire, mais plus rarement, de leur extension. Le tracé de l'électroencéphalogramme est profondément désorganisé avec un mélange anarchique d'ondes lentes, d'ondes aiguës et de pointes de grande amplitude, les hypsarythmies, dont la fréquence, l'aspect et la topographie varient d'un instant à l'autre. Il faut ensuite rechercher une éventuelle lésion cérébrale sous-jacente, par scanner ou imagerie par résonance magnétique (I.R.M.) et/ou un retard de développement avec arrêt, voire régression, des acquisitions psychomotrices.

TRAITEMENT ET PRONOSTIC
La maladie est le plus souvent rebelle aux antiépileptiques. Si le cerveau n'a pas subi de lésion, le trouble est bénin et un traitement par les corticostéroïdes permet de contrôler très rapidement le spasme épileptique et de guérir l'enfant. En revanche, si les données fournies par l'imagerie cérébrale confirment la présence de lésions du cerveau et si l'enfant souffre d'un retard mental préexistant, le pronostic dépend de la lésion et de ses possibilités de traitement.

Spasme infantile
→ VOIR Spasme en flexion.

Spasme du sanglot
Bref arrêt respiratoire survenant chez le petit enfant lors d'une colère, d'une peur, d'une contrariété ou d'un traumatisme bénin.

On estime que 5 % environ des enfants de 6 à 18 mois présentent des spasmes du sanglot. Ceux-ci sont souvent attribués à une hypertonie vagale (excès d'activité des nerfs pneumogastriques, qui contrôlent les viscères et la tension artérielle).

SYMPTÔMES ET SIGNES
En fonction de leur aspect, on distingue deux formes de spasme du sanglot.
■ **Dans la forme la plus habituelle, dite bleue,** le bébé pleure violemment pendant quelques secondes, puis sa respiration se bloque en expiration ; il devient légèrement cyanosé avant de reprendre des couleurs et une respiration normale.
■ **Dans la forme dite blanche,** l'enfant devient très pâle pendant la période d'arrêt de la respiration qui suit les pleurs. Il s'agit, en fait, d'une forme de syncope (perte brusque et brève de connaissance), et les facteurs déclenchants sont plus la peur ou un autre traumatisme que la colère.

Les deux formes peuvent s'accompagner de quelques convulsions ou de quelques secousses des membres.

TRAITEMENT
Malgré leur caractère impressionnant, les spasmes du sanglot sont bénins et ne nécessitent aucun traitement. Si les récidives sont fréquentes avec les mêmes causes déclenchantes, elles ne doivent pas inquiéter les parents ni les conduire à une attitude trop permissive vis-à-vis de l'enfant. En cas d'accès fréquents et mal tolérés (brève perte de connaissance), des dérivés de l'atropine sont parfois prescrits pendant quelques mois.

Spasmophilie
Syndrome lié à un état d'hyperexcitabilité neuromusculaire chronique.

CAUSES
On ne connaît pas les raisons de la spasmophilie. Celle-ci pourrait être liée à une carence en calcium ou en magnésium. Selon une autre hypothèse, la crise de spasmophi-

lie révélerait un trouble des échanges des ions de calcium et de magnésium entre l'intérieur (secteur intracellulaire) et l'extérieur (secteur extracellulaire) des cellules. Elle serait également due à une hyperventilation (augmentation de la ventilation pulmonaire) et constituerait donc la manifestation d'un état d'anxiété ou d'angoisse.

SYMPTÔMES ET SIGNES
Une spasmophilie se manifeste par des crises de tétanie : spasmes, hyperventilation, paresthésies (troubles de la sensibilité) des extrémités et du visage avec sensation de paralysie, et malaise, accompagné parfois, d'une sensation de mort imminente. L'électromyographie (enregistrement graphique de l'activité électrique qui accompagne la contraction musculaire) révèle de multiples contractions des muscles.

TRAITEMENT
Selon les causes que le thérapeute attribue à la spasmophilie, le traitement consiste soit à administrer du calcium, du magnésium ou de la vitamine D, soit à prescrire des médicaments anxiolytiques (qui apaisent l'anxiété) ou myorelaxants (qui favorisent la détente musculaire).
→ VOIR Tétanie.

Spasticité
→ VOIR Hypertonie musculaire.

Spécialité pharmaceutique
Médicament fabriqué industriellement et commercialisé par un laboratoire pharmaceutique.

Une spécialité pharmaceutique possède un nom commercial, fixé librement par le laboratoire qui la fabrique. Cette dénomination commerciale est indépendante des dénominations scientifique et courante du ou des principes actifs contenus dans le médicament. Par exemple, l'aspirine, dont le nom scientifique est acide acétylsalicylique, est commercialisée par les laboratoires (fabricants) sous divers noms. Il en va de même pour les spécialités à base de trinitrine.

Une spécialité pharmaceutique est présentée sous un conditionnement qui mentionne la composition et la date de péremption du médicament, et qui contient une notice d'information. Aucune spécialité pharmaceutique ne peut être délivrée au public si elle n'a pas reçu une autorisation officielle de mise sur le marché, émanant de l'organisme décisionnaire de chaque pays.

Les spécialités pharmaceutiques se distinguent des préparations fabriquées dans l'officine au fur et à mesure des demandes des clients ou des prescriptions des médecins, les préparations étant aujourd'hui beaucoup moins employées qu'autrefois.
→ VOIR Médicament.

Spectrophotométrie
Technique de laboratoire permettant de doser une substance chimique en solution (hémoglobine, calcium sanguin) en faisant traverser la solution étudiée (provenant d'un prélèvement effectué sur un malade, par exemple) par un rayon d'une lumière

artificielle, de longueur d'onde définie. SYN. *spectrométrie d'absorption moléculaire.*

En effet, selon la loi de Beer, l'intensité de la lumière transmise après passage de la solution à doser est fonction de la concentration de cette substance.

Spectroscopie par résonance magnétique
Technique de mise en évidence des spectres de certaines molécules composant la matière vivante.

La spectroscopie par résonance magnétique (S.R.M.) se sert d'une propriété des atomes, la résonance magnétique nucléaire (R.M.N.). Le principe de base est le même que pour l'imagerie par résonance magnétique (I.R.M.) : la région anatomique ou le matériel (échantillon) étudiés, placés dans un champ magnétique intense et soumis à un courant de radiofréquence, réémettent celui-ci. Dans le cas de la spectroscopie, les ondes émises sont représentées sous la forme d'un spectre, chacune des ondes dessinant une raie verticale. Par un procédé informatique complexe, on peut d'une part doser la substance émettrice, d'autre part vérifier si la composition chimique du matériel étudié est normale.

PERSPECTIVES
En médecine, la spectroscopie par résonance magnétique en est encore à ses débuts. En neurologie, elle permet de doser la créatinine, la N-acétylaspartate et les glutamates, par exemple, dans la substance blanche du cerveau. Appliquée au corps humain, elle sert, en complément de l'imagerie par résonance magnétique, à étudier le cerveau, les muscles, le foie, les reins. Par exemple, une anomalie du spectre des atomes de phosphore contenus dans le cœur contribue au diagnostic de certaines maladies cardiaques. En laboratoire, la technique permet de doser des substances dans des échantillons de sang ou d'urine.

Spéculum
Instrument en métal ou en plastique permettant de maintenir béants et d'éclairer un conduit ou une cavité du corps, ouverts sur l'extérieur par un orifice naturel.

DIFFÉRENTS TYPES DE SPÉCULUM
Il existe plusieurs spéculums, adaptés à l'examen de différentes parties du corps.
■ **Le spéculum auriculaire,** en forme d'entonnoir, sert à l'examen du conduit auditif externe et du tympan.
■ **Le spéculum nasal,** à valves mobiles, permet d'observer les fosses nasales.
■ **Le spéculum vaginal** permet d'examiner les parois du vagin et le col de l'utérus, de faire des prélèvements destinés à rechercher un germe infectieux, de pratiquer des frottis cervicovaginaux (c'est-à-dire du col de l'utérus et du vagin), de rechercher la cause d'un saignement ou encore de mettre en place ou de retirer un stérilet.

Spermatocèle
Petit réservoir créé chirurgicalement dans l'épididyme testiculaire.

Une spermatocèle se pratique en cas de stérilité ayant pour origine une absence congénitale de canal déférent, ou encore un rétrécissement ou une obturation de celui-ci, empêchant les spermatozoïdes d'être véhiculés jusque dans les vésicules séminales et les ampoules déférentielles. La spermatocèle constitue un réservoir dans lequel les spermatozoïdes peuvent s'écouler et être stockés. Ils sont ensuite recueillis par ponction en vue d'une insémination artificielle. Si la spermatocèle n'est pas utilisée, les spermatozoïdes se résorbent naturellement au bout d'un certain temps.

Spermatogenèse

Élaboration des spermatozoïdes par le testicule.

La spermatogenèse débute à la puberté sous l'influence des gonadotrophines, hormones sécrétées par l'hypophyse, et se ralentit, sans disparaître, à un âge avancé.

PHYSIOLOGIE

L'élaboration des spermatozoïdes se produit à l'intérieur des tubes séminifères par multiplication et transformation des cellules germinales souches : les spermatogonies. Celles-ci deviennent spermatocytes puis spermatides et, enfin, spermatozoïdes. Au cours de cette dernière transformation a lieu la méiose, division cellulaire pendant laquelle la cellule perd la moitié de ses chromosomes. Le spermatozoïde n'est donc pourvu que de 23 chromosomes ; en s'unissant à l'ovule qui en contient également 23, il forme un œuf contenant à nouveau 46 chromosomes. La maturation d'une spermatogonie dure un mois ; elle donne naissance à environ 50 spermatozoïdes.

ANOMALIES DE LA SPERMATOGENÈSE

De nombreuses pathologies peuvent altérer, voire arrêter, la spermatogenèse et entraîner une stérilité : maladie du testicule atteignant les tubes séminifères (tuberculose, fièvre de Malte, oreillons, infection testiculaire, ectopie testiculaire), maladie génétique (syndrome de Klinefelter), blennorragie mal traitée, déséquilibre hormonal hypothalamique ou hypophysaire. L'arrêt de la spermatogenèse n'a, en revanche, aucune incidence sur la fonction sexuelle, sauf si celle-ci est due à des troubles hormonaux.

Spermatorrhée

Écoulement de sperme par l'urètre, en dehors de toute éjaculation.

Une spermatorrhée est consécutive à une inflammation, le plus souvent d'origine infectieuse, de la prostate. Elle n'est pas douloureuse, et son traitement est celui de la maladie en cause.

Spermatozoïde

Cellule reproductrice mâle.

STRUCTURE

Le spermatozoïde est un filament microscopique de 50 micromètres de long, composé d'une tête, d'une pièce intermédiaire et d'un flagelle (queue). La tête, ovale, pointue vers l'avant et aplatie vers l'arrière, mesure 3 micromètres d'épaisseur. Elle est presque entièrement formée par le noyau qui contient le génome (matériel génétique, support de l'hérédité). La pointe de la tête est coiffée d'un petit sac, l'acrosome, rempli d'enzymes qui dissolvent les structures rencontrées par le spermatozoïde, en particulier l'enveloppe de l'ovule, ce qui permet

la pénétration de celui-ci. À la tête fait suite la pièce intermédiaire, qui assure la production d'énergie, elle-même directement reliée au flagelle, grêle, long et flexible, qui, lui, assure le déplacement. Le flagelle propulse la tête du spermatozoïde, qui progresse en oscillant à droite et à gauche, ce qui lui permet de contourner les obstacles.

PHYSIOLOGIE

La production des spermatozoïdes, ou spermatogenèse, commence à la puberté pour ne cesser qu'à la mort. Elle a lieu dans les tubes séminifères des testicules et comporte plusieurs étapes. Les spermatozoïdes terminent leur genèse dans l'épididyme, canal coiffant le testicule, où se forment les flagelles, puis ils gagnent les vésicules séminales, d'où ils sont chassés, mélangés au liquide séminal sous forme de sperme, par l'éjaculation. Un éjaculat normal, de 2 à 6 millilitres, en contient de 30 à 150 millions par millilitre. Un spermatozoïde peut survivre de 24 à 48 heures dans les voies génitales féminines, où il se déplace, à raison de 3 millimètres par minute, à la rencontre de l'ovule, qu'il féconde dans une des trompes utérines.

PATHOLOGIE

Des anomalies des spermatozoïdes peuvent entraîner une stérilité : anomalies de forme, de nombre ou de mobilité, constitutionnelles ou acquises (blennorragie non traitée, obstruction des canaux déférents, etc.). Elles sont mises en évidence par l'étude du sperme, appelée spermogramme.

Sperme

Liquide opaque, blanchâtre, légèrement filant et collant, produit lors de l'éjaculation et contenant les spermatozoïdes.

SPERMATOZOÏDE

Les spermatozoïdes sont les cellules mâles de la reproduction, responsables de la fécondation de l'ovule de la femme. Ils sont produits, dès la puberté et jusqu'au terme de la vie, dans les tubes séminifères des testicules, notamment sous l'action de la testostérone, hormone sexuelle mâle.

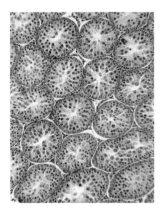

Dans le testicule, les tubes séminifères élaborent les spermatogonies, cellules souches des spermatozoïdes.

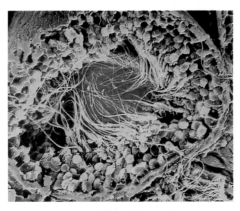

Cette coupe transversale d'un tube séminifère montre que la maturation des spermatozoïdes, ou spermatogenèse, s'effectue de la périphérie vers le centre.

Les spermatozoïdes sont composés d'une tête, d'une pièce intermédiaire et d'un long flagelle qui leur permet de se propulser dans le liquide séminal.

Chaque millilitre de sperme contient entre 30 et 150 millions de spermatozoïdes en suspension dans le liquide séminal. Celui-ci est en outre constitué de nombreuses protéines, de fructose (élaboré par les vésicules séminales), de phosphatases acides (formées par la prostate) et de carnitine (sécrétée par l'épididyme). Le sperme est normalement stérile, c'est-à-dire sans germes.

L'excrétion se fait au moment de l'orgasme, grâce à une contraction des différents muscles lisses qui entourent les glandes et les conduits génitaux. Chaque éjaculation contient de 2 à 6 millilitres de sperme.

EXAMEN

L'examen permettant d'étudier le sperme est le spermogramme.

ANOMALIES

De nombreuses pathologies peuvent atteindre la qualité du sperme, dont la conséquence principale est un risque de stérilité.

■ **Une absence de sperme**, ou aspermie, peut correspondre à une éjaculation rétrograde (reflux du sperme vers la vessie).

■ **Une absence totale de spermatozoïdes**, ou azoospermie, peut révéler une obturation des canaux déférents, empêchant le transport des spermatozoïdes, ou un arrêt de la spermatogenèse (processus de formation des spermatozoïdes).

■ **Une agglutination des spermatozoïdes** dans le sperme peut résulter d'une immunisation antispermatozoïde (réaction produisant des anticorps antispermatozoïdes qui empêchent les cellules sexuelles masculines de féconder l'ovule).

■ **Une proportion trop importante de spermatozoïdes anormaux** peut être en rapport avec une maladie chromosomique (syndrome de Klinefelter, par exemple).

■ **Un volume de sperme trop important** peut révéler une infection des vésicules séminales et de la prostate.

Spermicide

Contraceptif local qui agit en détruisant les spermatozoïdes.

Les spermicides se présentent sous forme de crèmes, d'ovules ou d'éponges et sont composés essentiellement de benzalkonium, de benzéthonium, d'hexylrésorcinol ou de nonoxynol. Ces substances peuvent aussi enduire certains préservatifs masculins.

MÉCANISME D'ACTION

Les spermicides immobilisent ou tuent les spermatozoïdes à leur contact en altérant leur membrane cellulaire.

INDICATIONS ET CONTRE-INDICATIONS

Les spermicides sont surtout utilisés en cas de rapports sexuels irréguliers ou de contre-indication à la pilule. Leur emploi ne se conçoit qu'en association avec un préservatif ou, pour les crèmes, un diaphragme.

Ils sont contre-indiqués en cas d'hypersensibilité aux différents produits.

MODE D'ADMINISTRATION ET PRÉCAUTIONS D'EMPLOI

L'efficacité des spermicides dépend de leur bonne utilisation. Une crème spermicide doit être placée au fond du vagin, à l'aide d'une poire ou d'une seringue, avant chaque rapport sexuel avec pénétration masculine. Il est nécessaire de répéter l'application à chaque nouveau rapport. Les crèmes spermicides ont une action immédiate. Les éponges sont placées avec les doigts dans le fond du vagin, en contact avec le col de l'utérus. Une fois mises en place, elles assurent une protection immédiate, qui dure 24 heures.

L'effet contraceptif est inhibé par les savons et de nombreux antiseptiques. Seule une toilette uniquement externe, à l'eau pure, est acceptable dans les 6 à 8 heures précédant l'application et immédiatement après les rapports.

EFFETS INDÉSIRABLES

Une sensation de brûlure ou une irritation peuvent se manifester chez l'un ou l'autre partenaire, mais rares sont les réactions allergiques locales.

→ VOIR Ovule gynécologique.

Spermogramme

Examen du sperme ayant pour but d'étudier le nombre et la mobilité des spermatozoïdes, ainsi que le pourcentage de spermatozoïdes anormaux.

INDICATIONS

Un spermogramme est effectué lorsqu'un couple vient consulter pour infertilité. Il est alors important de déterminer l'existence éventuelle d'anomalies du sperme et de savoir si cette stérilité est transitoire ou définitive. En effet, la fièvre ou la prise de certains médicaments peuvent diminuer de façon passagère le nombre des spermatozoïdes. En cas d'anomalie constatée, le médecin prescrit toujours au moins un autre spermogramme avant d'établir un diagnostic définitif.

TECHNIQUE

Le spermogramme analyse 3 caractéristiques des spermatozoïdes.

■ **Le nombre des spermatozoïdes** doit être au minimum de 30 millions par millilitre dans un éjaculat normal (de 2 à 6 millilitres). Une concentration inférieure traduit une oligospermie, tandis que l'absence de spermatozoïdes constitue une azoospermie.

■ **La mobilité des spermatozoïdes** est également étudiée : 30 % doivent être mobiles durant la première heure et le rester 4 heures après l'éjaculation. Au-dessous de ces seuils, on parle d'asthénospermie primitive ou secondaire.

■ **L'analyse des formes anormales** repose sur le spermatocytogramme (frottis permettant d'examiner 100 spermatozoïdes). Un sperme est considéré comme suffisamment fécondant lorsque plus de 30 % des spermatozoïdes sont de forme normale. On considère comme anormaux les spermatozoïdes trop petits (hypotrophiques), à tête double (bicéphales), à flagelle double (bifides). Au-dessous de ce pourcentage (soit moins de 30 % de formes normales), on parle de tératospermie.

Une association de ces trois anomalies constitue une oligo-asthéno-tératospermie.

PRÉPARATION ET DÉROULEMENT

Un spermogramme se pratique dans un laboratoire d'analyses médicales, sur rendez-vous. Avant l'examen, le patient doit s'abstenir de toute relation sexuelle durant 3 à 5 jours, afin que la quantité de sperme émis corresponde aux critères de référence. Le jour de l'examen, après avoir uriné pour éliminer les germes toujours présents dans le canal de l'urètre, l'homme recueille son sperme par masturbation. Celui-ci est immédiatement analysé et les résultats sont obtenus en 24 heures.

Sphacèle

Tissu nécrosé à la suite d'une interruption de la circulation artérielle.

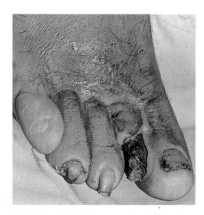

Sphacèle. *Privés d'apport sanguin, les tissus deviennent insensibles et noircissent.*

Cette dévascularisation peut être due à une section, à une compression ou à une torsion du pédicule d'un organe (structure anatomique reliant l'organe au reste de l'organisme), à un écrasement du tissu ou à une infection. Le traitement d'un sphacèle est l'ablation chirurgicale des tissus nécrosés.

Sphénoïde

Os appartenant à la partie moyenne de la base du crâne, situé en arrière de la racine du nez, derrière l'ethmoïde et l'os frontal, devant l'occipital, et entre les deux os temporaux. (P.N.A. *os sphenoidale*)

STRUCTURE

L'os sphénoïde a l'apparence d'une aile de chauve-souris. Il est formé d'une masse centrale, ou corps médian, creusée par le sinus sphénoïdal, qui se loge derrière les fosses nasales et qui renferme de l'air. De chaque côté du corps médian se détachent trois apophyses (saillies osseuses) : la grande aile, la petite aile et l'apophyse ptérygoïde. La face supérieure du corps du sphénoïde forme une dépression arrondie, appelée selle turcique, dans laquelle se loge l'hypophyse, l'une des glandes endocrines.

PHYSIOLOGIE

L'os sphénoïde contribue à former la base de la boîte osseuse où se loge le cerveau. Une partie du lobe temporal du cerveau repose sur ses ailes latérales. Celles-ci participent aussi au contour des orbites. Creusé de plusieurs canaux et de trous, le sphénoïde livre passage aux nerfs optiques ainsi qu'à d'autres nerfs crâniens (par exemple, les nerfs moteurs oculaires).

PATHOLOGIE

Il n'existe quasiment pas de pathologie spécifique du sphénoïde. Il est très rare, mais possible, que le sinus sphénoïdal soit atteint d'une inflammation nommée sphénoïdite. L'os peut être le siège d'une fracture en cas de traumatismes de l'orbite. Lors des tumeurs de l'hypophyse, la selle turcique est parfois plus ou moins érodée et déformée.

Sphénoïdite

Inflammation du sinus sphénoïdal. SYN. *sinusite sphénoïdale*.

Très rare, une sphénoïdite est provoquée par une infection. Les signes en sont peu caractéristiques. Le sujet souffre, en arrière de l'orbite, de douleurs qui irradient jusqu'à la nuque et d'une rhinorrhée postérieure (écoulement allant des fosses nasales vers le pharynx). Le scanner permet de poser le diagnostic. Généralement, le traitement médical, qui consiste à administrer des antibiotiques, vient à bout de l'infection. Dans le cas contraire, un nettoyage chirurgical endonasal (qui se pratique en passant par les fosses nasales) est effectué, sous anesthésie générale, afin d'éviter une méningite, complication fréquente d'une sphénoïdite non traitée.

Sphérocytose héréditaire

→ VOIR Minkowski-Chauffard (maladie de).

Sphincter

Dispositif musculaire entourant un orifice ou un canal naturel et permettant son ouverture et sa fermeture. (P.N.A. *sphincter*)

DIFFÉRENTS TYPES DE SPHINCTER

Un sphincter est une structure musculaire circulaire constituée, selon le cas, de muscle lisse (non soumis à la volonté) ou de muscle strié (contrôlé par la volonté).

■ **Les principaux sphincters de l'appareil digestif** sont le sphincter supérieur de l'œsophage, situé au fond de la gorge, le sphincter inférieur de l'œsophage, ou cardia (à l'entrée de l'estomac), la valvule iléocæcale, le sphincter d'Oddi (abouchement des voies biliaires et pancréatiques dans le duodénum) et le sphincter anal.

■ **Les principaux sphincters de l'appareil urinaire** sont le sphincter du col vésical, constitué de fibres musculaires lisses qui encerclent le col, et le sphincter urétral, situé en aval de la prostate chez l'homme et au 2e tiers de l'urètre chez la femme, et constitué de fibres striées. Ce dernier constitue l'élément le plus important du contrôle de la continence urinaire.

PATHOLOGIE

Un dysfonctionnement sphinctérien peut être d'origine traumatique ou neurologique. Il est responsable, selon la localisation, d'incontinence (anale ou vésicale), de spasmes (spasme du pharynx empêchant l'alimentation) ou de reflux gastro-œsophagien (béance du cardia).

Le traitement, selon la gravité, va d'une simple rééducation à une intervention chirurgicale : en cas d'incontinence urinaire complète, par exemple, la mise en place d'une prothèse sphinctérienne urétrale (sphincter artificiel, constitué d'un manchon de silicone gonflable placé autour de l'urètre et relié à une pompe) peut être proposée.

Une fissure anale et la présence de calculs dans le canal cholédoque peuvent nécessiter une sphinctérotomie (section chirurgicale d'un sphincter), respectivement du sphincter anal et du sphincter d'Oddi.
→ VOIR Sphinctéroplastie.

Sphinctéroplastie

Reconstitution chirurgicale d'un muscle sphinctérien lésé afin de lui rendre son fonctionnement normal.

La sphinctéroplastie est une variété de myoplastie (réparation chirurgicale d'un muscle).

Sphinctéroplastie anale

Cette sphinctéroplastie, pratiquée sous anesthésie générale, vise à reconstituer le sphincter du canal de l'anus, lésé le plus souvent à la suite d'un traumatisme, en particulier lors d'un accouchement difficile. Elle nécessite une hospitalisation d'une dizaine de jours environ.

TECHNIQUE

Il en existe deux.

■ **La sphinctérorraphie** est indiquée lorsque le sphincter a subi des lésions relativement peu importantes. Elle consiste à disséquer le sphincter anal, à le retendre et à le suturer.

■ **La seconde technique** consiste à utiliser un muscle prélevé à un autre endroit. Ainsi, l'opération de Pickrell consiste à déplacer le muscle droit interne (qui s'attache sur le pubis et descend à la face interne de la cuisse), après en avoir sectionné l'attache inférieure, pour l'enrouler autour du sphincter anal lésé.

Il s'agit là d'interventions délicates dont les taux de succès sont très variables. Leur principal risque est un défaut de cicatrisation, qui peut venir aggraver l'incontinence anale préexistante.

Sphinctérorraphie

→ VOIR Sphinctéroplastie.

Sphinctérotomie

Section chirurgicale partielle ou totale d'un sphincter.

La sphinctérotomie concerne essentiellement le sphincter d'Oddi, couche circulaire de tissu musculaire située à la terminaison du canal cholédoque, qui conduit la bile du foie et de la vésicule biliaire vers l'intestin grêle, et le sphincter anal, couche circulaire de tissu musculaire située autour du canal de l'anus.

■ **La sphinctérotomie oddienne** est indiquée quand un calcul bloqué dans le canal cholédoque gêne l'écoulement de la bile. Elle consiste à inciser le cholédoque à hauteur du sphincter, pour retirer le calcul. Elle peut se pratiquer soit par la voie classique, sous anesthésie générale et en ouvrant la paroi abdominale, soit sous anesthésie locale et par endoscopie (à l'aide d'un tube muni d'un système optique et d'instruments chirurgicaux, introduit par la bouche et poussé jusqu'à l'intestin).

■ **La sphinctérotomie anale** est surtout indiquée en cas de fissure anale (ulcération de la peau voisine de l'anus, due à un spasme ou à une sclérose – envahissement par du tissu fibreux – du sphincter sous-jacent). Pratiquée sous anesthésie générale, elle consiste à pratiquer une section totale ou partielle du sphincter. Cette intervention peut provoquer une incontinence fécale.

Sphingolipide

Lipide complexe, comprenant une molécule appartenant à la famille des alcools, abondant dans le système nerveux.

La sphingomyéline, présente dans les gaines de myéline qui entourent les fibres nerveuses, est un sphingolipide.

PATHOLOGIE

Les sphingolipidoses sont des maladies dites de surcharge, caractérisées par un déficit en plusieurs enzymes responsables des transformations chimiques des sphingolipides.

Sphingolipidose

Maladie héréditaire caractérisée par un déficit en plusieurs enzymes nécessaires à la dégradation des sphingolipides, ce qui provoque leur accumulation dans le système nerveux.

Il existe un grand nombre de sphingolipidoses (maladie de Niemann-Pick, de Tay-

Sachs, etc.). Elles se transmettent sur un mode autosomique (par les chromosomes non sexuels) récessif : le gène porteur doit être reçu des deux parents pour que l'enfant développe la maladie. Les troubles sont surtout neurologiques (convulsions, déficits moteurs, retard mental). Il n'existe pas encore de traitement des sphingolipidoses, dont le pronostic est le plus souvent sévère.

Sphygmomanomètre
→ VOIR Tensiomètre.

Spina-bifida
Malformation congénitale de la colonne vertébrale, caractérisée par l'absence de soudure des arcs postérieurs et de l'apophyse épineuse d'une ou de plusieurs vertèbres, le plus souvent au niveau lombosacré.

FRÉQUENCE ET CAUSES
Le spina-bifida est plus fréquent dans les pays anglo-saxons, où son taux varie entre 10 et 46 pour 10 000 naissances. En France, ce taux est seulement de 0,5 pour 10 000 naissances.

Le spina-bifida est dû à une anomalie de formation de la structure embryonnaire appelée tube neural, dans les 3 premiers mois de grossesse. On constate qu'un enfant dont l'un des parents est porteur d'une anomalie du tube neural et dont un frère ou une sœur est atteint de spina-bifida présente un risque plus élevé. Cette malformation a donc un caractère familial.

DIFFÉRENTS TYPES DE SPINA-BIFIDA
■ Le spina-bifida occulte, ou spina-bifida occulta, est une malformation fréquente et généralement bénigne. Il n'est pas comptabilisé dans les chiffres mentionnés plus haut. Il s'agit, le plus souvent, d'une simple fissure de la colonne vertébrale, sans hernie de tissus nerveux et avec un revêtement cutané normal. L'anomalie ne se manifeste par aucun symptôme, et sa découverte est fortuite, lors d'une radiographie de la région lombaire basse où elle se situe habituellement. Dans certains cas, toutefois, le nouveau-né présente une anomalie cutanée en regard de la colonne vertébrale (fossette, fistule, déviation du pli fessier, plus rarement touffe de poils). Par précaution, des explorations radiologiques et urologiques, éventuellement complétées par un scanner ou un examen par imagerie par résonance magnétique (I.R.M), sont alors pratiquées afin de détecter une éventuelle malformation sousjacente nécessitant un traitement chirurgical.
■ Le spina-bifida ouvert, ou spina-bifida aperta, dont la forme la plus habituelle est le myéloméningocèle, se caractérise par une hernie des éléments contenus dans le canal rachidien (méninges, liquide céphalorachidien, moelle épinière). Cette malformation s'accompagne souvent d'une hydrocéphalie et de désordres neurologiques sévères tels qu'une paraplégie (paralysie des membres inférieurs), une incontinence sphinctérienne, une insensibilité des membres inférieurs. Le pronostic, grave, dépend du type de malformation et de la possibilité ou non d'une intervention chirurgicale.

DIAGNOSTIC PRÉNATAL
Le diagnostic prénatal du spina-bifida est aujourd'hui possible grâce à l'échographie, réalisée entre la 16e et la 20e semaine, qui permet de reconnaître la malformation dans 70 % des cas, et au dosage, après amniocentèse, du taux de l'alpha-1-fœtoprotéine, qui s'élève à partir de la 15e semaine dans 79 % des cas lorsqu'il y a ouverture persistante du tube neural. L'association de ces deux techniques chez les femmes ayant donné naissance à un enfant atteint – ou elles-mêmes porteuses – d'une anomalie du tube neural accroît la fiabilité du diagnostic.

Spirillum
Bactérie spiralée, responsable du Sodoku.

Spirochétose
Maladie infectieuse causée par un spirochète, bactérie de forme hélicoïdale particulièrement mobile grâce à son appareil locomoteur interne.

Trois genres de spirochètes sont pathogènes pour l'homme.
■ Le genre *Borrelia* comprend des bactéries responsables de fièvres récurrentes transmises par les tiques et l'agent de la maladie de Lyme.
■ Le genre *Leptospira* comprend les agents de la leptospirose, également connue sous le nom de maladie des égoutiers.
■ Le genre *Treponema* regroupe l'agent de la syphilis et ceux d'infections appelées tréponématoses non vénériennes, qui sévissent exclusivement dans certaines régions chaudes (pinta ou caraté, béjel et pian).

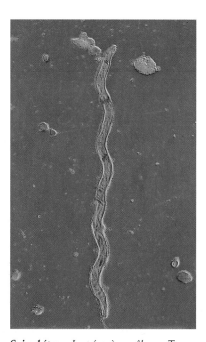

Spirochétose. Le tréponème pâle, ou Treponema pallidum, agent de la syphilis, est une bactérie du groupe des spirochètes.

Les spirochètes sont de culture difficile, voire impossible pour les tréponèmes (qui ne se multiplient pas en milieu artificiel) ; aussi le diagnostic des spirochétoses repose-t-il principalement sur la sérologie (recherche d'anticorps dans le sérum des patients), encore que celle-ci ne permette pas de distinguer les différentes variétés de tréponématoses. Ces germes sont sensibles aux antibiotiques.

Spirométrie
Examen servant à mesurer les volumes et les débits pulmonaires.

La spirométrie fait partie de l'exploration fonctionnelle respiratoire (ensemble des examens destinés à évaluer la fonction respiratoire).

INDICATIONS
Elle est utilisée pour diagnostiquer diverses affections chroniques des bronches et du poumon (asthme, bronchopathie chronique obstructive, pneumopathie interstitielle, emphysème), pour évaluer leur gravité et pour suivre leur évolution ; elle permet en outre de juger de l'opérabilité sous anesthésie générale (qui nécessite une intubation et une ventilation artificielle) d'un sujet avant certaines interventions chirurgicales, thoraciques ou non.

TECHNIQUE
Une séance de spirométrie dure au plus quelques dizaines de minutes. Le sujet est assis, le nez bouché par une pince. Il place dans sa bouche un embout relié par un tuyau à un appareil de mesure, le spiromètre. Le patient respire d'abord normalement, puis inspire et expire à fond. Les volumes d'air contenus dans ses poumons à différents moments de la respiration sont mesurés puis corrélés aux débits d'air inspirés ou expirés, pour tracer un graphique appelé courbe débit-volume ; il est également possible de mesurer la capacité vitale forcée (volume total d'air expiré après une inspiration profonde) ainsi que le V.E.M.S., volume expiratoire maximal par seconde (volume d'air expiré au cours de la première seconde d'expiration forcée suivant une inspiration profonde). L'adjonction au spiromètre d'un circuit complémentaire utilisant de l'hélium permet de calculer la capacité pulmonaire totale (volume d'air maximal que peuvent contenir les poumons).

RÉSULTATS
Les anomalies constatées sont classées en syndrome obstructif (débits anormalement faibles), syndrome restrictif (volumes anormalement faibles) et syndrome mixte (association de ces deux perturbations).
→ VOIR Exploration fonctionnelle respiratoire.

Spitz (mélanome juvénile de)
Petite tumeur cutanée isolée, bénigne, apparaissant sur le visage ou sur un membre.

Le mélanome juvénile de Spitz apparaît chez l'enfant ou l'adulte jeune. C'est une tumeur de quelques millimètres de diamètre, rosée ou brunâtre, de surface lisse. Elle disparaît spontanément dans certains cas ou

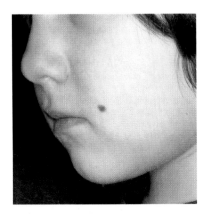

Mélanome juvénile de Spitz. Cette tumeur cutanée bénigne prend la forme d'une tache brun clair de quelques millimètres de diamètre.

se transforme en nævus (grain de beauté). Dans les autres cas, la lésion est traitée par ablation chirurgicale, ce qui permet, après analyse, de confirmer le diagnostic et assure la guérison.

Splanchnicectomie

Section chirurgicale des nerfs splanchniques, qui innervent les viscères abdominaux.

La splanchnicectomie est indiquée en cas de douleurs abdominales intenses et chroniques, en particulier celles dues à une maladie du pancréas (pancréatite chronique, cancer) ; elle est donc souvent associée à un autre geste opératoire (ablation d'une tumeur, par exemple). L'intervention, réalisée sous anesthésie générale, consiste à sectionner les nerfs splanchniques (grand et petit) entre le thorax et l'abdomen, au contact des piliers (attaches musculaires sur le rachis) du diaphragme. Elle n'entraîne aucun effet secondaire.

Splénectomie

Ablation chirurgicale de la rate.

INDICATIONS

La splénectomie a différentes indications. On peut retirer la rate à cause de son rôle dans une maladie hématologique (purpura thrombopénique d'origine auto-immune, anémie hémolytique) ou parce qu'elle a été lésée lors d'un traumatisme ou d'une intervention de chirurgie abdominale. On peut aussi la retirer en même temps qu'un organe voisin (estomac, pancréas) - en général atteint d'un cancer -, soit pour des raisons de technique chirurgicale, soit pour être sûr que l'on enlève toutes les cellules cancéreuses. Enfin, on peut pratiquer une ablation de la rate en cas de splénomégalie (hypertrophie de la rate) inexpliquée ou pour connaître le degré d'extension d'une maladie apparemment locale comme la maladie de Hodgkin.

DÉROULEMENT

L'opération se déroule sous anesthésie générale, après incision sus-ombilicale (entre le sternum et l'ombilic) ou sous-costale gauche de la paroi abdominale. L'ablation est généralement totale. Cependant, en cas de traumatisme, on essaie de conserver et de réparer une partie de la rate par suture, enrobement avec treillis ou collage avec une colle biologique. L'hospitalisation dure une huitaine de jours.

CONSÉQUENCES

La splénectomie est une intervention relativement bénigne, qui comporte peu de risques immédiats. En revanche, elle a, à terme, deux conséquences importantes : d'une part, une augmentation du nombre de plaquettes dans le sang avec un risque de formation de caillots dans les vaisseaux, d'autre part, une diminution de la résistance du système immunitaire à certaines infections, particulièrement celles à pneumocoque, d'autant plus marquée que le sujet est plus jeune (surtout s'il a moins de 6 ans). Cela justifie la vaccination anti-pneumococcique systématiquement pratiquée avant l'intervention et le traitement vigoureux de tout début d'infection, chez les sujets aspléniques (qui n'ont plus de rate).

Splénique

Qui concerne la rate.

L'artère qui irrigue la rate est l'artère splénique.

Splénomégalie

Augmentation du volume de la rate.

CAUSES

Différentes maladies ou infections peuvent causer une splénomégalie :
- les affections hépatiques comme une cirrhose du foie ;
- les infections bactériennes : septicémies, fièvres typhoïdes et paratyphoïde, brucellose, tuberculose, etc. ;
- les maladies dites de système : lupus érythémateux disséminé, sarcoïdose ou amylose, par exemple ;
- les maladies hématologiques : leucémie ou splénomégalie myéloïde, par exemple ;
- les maladies parasitaires comme le paludisme ;
- les maladies virales : mononucléose infectieuse, par exemple.

L'origine d'une splénomégalie peut aussi rester indéterminée, notamment en zone tropicale, où différentes maladies infectieuses et parasitaires, répandues dans ces régions, peuvent être en cause.

SYMPTÔMES ET TRAITEMENT

Une splénomégalie peut rester silencieuse, sans symptômes cliniques. Elle provoque parfois une sensation de pesanteur dans l'hypocondre gauche (région supérieure gauche de l'abdomen) et des douleurs. Elle est détectée par la palpation de l'abdomen, sous les côtes gauches, qu'elle déborde plus ou moins. L'échographie abdominale peut la confirmer et en préciser l'importance. Le traitement d'une splénomégalie dépend de la maladie à laquelle elle est due.

Splénoportographie

Examen radiologique vasculaire permettant de visualiser le système veineux porte qui conduit le sang de la rate au foie.

L'intervention consiste à piquer la rate à l'aide d'une fine aiguille puis à y injecter un produit iodé opaque aux rayons X, avant de prendre des clichés radiologiques.

La splénoportographie, examen douloureux et comportant un risque de rupture de la rate, est aujourd'hui abandonnée au profit d'autres techniques plus performantes et moins dangereuses : échographie, scanner, artériographie sélective des artères digestives.

Spondylarthrite ankylosante

Affection chronique caractérisée par la survenue d'une arthrite touchant principalement les articulations sacro-iliaques et celles du rachis. SYN. *pelvispondylite rhumatismale*.

La spondylarthrite ankylosante, affection appartenant au groupe des spondylarthropathies, n'a pas de cause connue, mais on retrouve dans 10 % des cas une prédisposition familiale. Les malades sont en grande majorité de sexe masculin, l'affection débutant généralement entre 15 et 30 ans.

SYMPTÔMES ET SIGNES

La spondylarthrite ankylosante débute par des douleurs siégeant le plus souvent aux fesses, derrière les cuisses et à la partie moyenne du dos, qui s'accentuent à la fin de la nuit et le matin, et s'aggravent à nouveau le soir. L'affection progresse généralement de bas en haut, du bassin vers le rachis cervical. Les articulations des membres sont plus rarement touchées, à l'exception des hanches, dont l'atteinte peut gêner la marche, et, à un moindre degré, des genoux et des épaules. Le tendon d'Achille peut aussi être atteint, avec destruction osseuse localisée du calcanéum (os du talon).

DIAGNOSTIC

Il repose, comme pour les autres spondylarthropathies, sur divers critères cliniques (caractère des douleurs et sensibilité au traitement) et génétiques (présence de l'antigène HLA B 27) plutôt que radiologiques (sacro-iliite [atteinte des articulations sacro-iliaques], existence de ponts osseux, appelés syndesmophytes, entre les vertèbres).

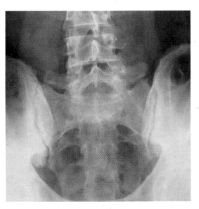

Spondylarthrite ankylosante. Sur la radiographie, les articulations sacro-iliaques ont un aspect dense et flou, révélant l'inflammation.

ÉVOLUTION

La spondylarthrite ankylosante progresse lentement, par poussées, sur dix ans, vingt ans ou même davantage. L'évolution de la maladie, en l'absence de traitement, est variable selon les sujets, marquée environ chez la moitié des malades par une raideur de tout ou partie de la colonne vertébrale. L'atteinte des articulations costovertébrales peut être responsable d'une insuffisance respiratoire.

TRAITEMENT

Il repose sur les anti-inflammatoires non stéroïdiens, pris de préférence le soir, avant le coucher.

→ VOIR Spondylarthropathie.

Spondylarthropathie

Affection inflammatoire chronique caractérisée par une atteinte articulaire vertébrale.

Le terme de spondylarthropathie regroupe quatre affections inflammatoires :
- la spondylarthrite ankylosante, ou pelvispondylite rhumatismale ;
- le syndrome oculo-urétro-synovial, aussi appelé syndrome de Fiessinger-Leroy-Reiter (F.L.R.) ;
- certaines formes de rhumatisme psoriasique, ou arthrite psoriasique ;
- les rhumatismes accompagnant les maladies inflammatoires chroniques de l'intestin (notamment la rectocolite hémorragique et la maladie de Crohn).

De nombreuses voies de passage sont possibles d'une affection à l'autre : ainsi, un individu initialement atteint d'un syndrome oculo-urétro-synovial pourra développer une spondylarthrite ankylosante ou des signes cutanés de psoriasis.

FRÉQUENCE

Les spondylarthropathies touchent environ 5 sujets sur 1 000, surtout des adultes jeunes (entre 18 et 26 ans). Elles affectent davantage les hommes que les femmes. Des facteurs environnementaux jouent probablement un rôle dans leur survenue : les formes graves ont considérablement diminué, depuis quarante ans, dans les pays industrialisés, du fait, semble-t-il, de la généralisation de la distribution d'eau courante qui a permis de réduire la fréquence des infections bactériennes intestinales.

SYMPTÔMES ET SIGNES

Ces différentes affections présentent toutes, à des degrés divers, des caractères communs, cliniques, biologiques et thérapeutiques, qui ont permis de les regrouper sous le terme de spondylarthropathies : douleurs nocturnes et/ou raideur matinale lombaire ou dorsale, oligoarthrite asymétrique ; douleurs fessières ; douleur du talon ; inflammation de l'iris ; survenue d'une urétrite ou d'une cervicite (respectivement, inflammation de l'urètre ou du col de l'utérus) non gonococcique, ou encore d'une diarrhée moins d'un mois avant le début d'une arthrite ; présence ou antécédents de psoriasis, de balanite (inflammation de la muqueuse du gland pénien) et/ou d'affection chronique du côlon ou de l'intestin grêle ; sacro-iliite (inflammation des articulations sacro-ilia-

ques ; présence de l'antigène HLA B 27 (le système HLA – *Human Leucocyte Antigen* – est une classification des tissus de l'organisme en différents groupes d'histocompatibilité) ; atténuation des douleurs en 48 heures par administration d'anti-inflammatoires non stéroïdiens ou/et rechute rapide dès l'arrêt de la prise, etc. Chaque spondylarthropathie présente cependant des caractères spécifiques.

■ **La spondylarthrite ankylosante** progresse généralement de bas en haut, du bassin vers le rachis cervical.

■ **Le syndrome oculo-urétro-synovial** se manifeste notamment par une atteinte inflammatoire du rachis et des articulations sacro-iliaques, mais aussi des hanches, des genoux, des coudes, des poignets et des articulations interphalangiennes.

■ **Le rhumatisme psoriasique** se distingue de la spondylarthrite ankylosante par l'atteinte fréquente des grosses et petites articulations des membres (celles des phalanges, notamment), et parce que ses atteintes ne sont pas symétriques.

■ **Les spondylarthropathies liées à une maladie inflammatoire chronique de l'intestin** (rectocolite hémorragique, maladie de Crohn) se traduisent par des arthrites qui évoluent souvent parallèlement aux manifestations digestives ; là encore, elles atteignent les grosses articulations des membres, les articulations sacro-iliaques et le rachis.

ÉVOLUTION

Elle est favorable dans la majorité des cas, bien que des traitements anti-inflammatoires non stéroïdiens soient nécessaires lors des poussées de la maladie. Il existe cependant des formes sévères de spondylarthropathie – notamment lorsque la maladie débute très tôt, entre 13 et 18 ans – dont la gravité est due à l'ankylose de la colonne vertébrale et des hanches, qui s'enraidissent.

TRAITEMENT

Il repose sur les anti-inflammatoires non stéroïdiens, pris de préférence le soir, avant le coucher. Les spondylarthropathies s'accompagnant de signes biologiques d'inflammation (vitesse de sédimentation élevée) ou de signes, même mineurs, d'inflammation intestinale chronique bénéficient souvent d'un traitement de fond par la salazopyrine. Quand la hanche est gravement atteinte, une synoviorthèse (destruction de la synoviale, tissu tapissant les parois des cavités articulaires) à l'acide osmique peut stopper l'évolution de l'arthrite, permettant ainsi d'éviter la pose d'une prothèse.

Spondylite

Inflammation d'une vertèbre.

La spondylite est en fait une ostéomyélite (inflammation d'un os) vertébrale. Elle est très souvent associée à une inflammation du disque intervertébral adjacent : on parle alors de spondylodiscite.

DIFFÉRENTS TYPES DE SPONDYLITE

Il en existe deux.

■ **La spondylite septique** peut être due à une infection osseuse bactérienne (tuberculose, brucellose, staphylococcie), parasitaire (échinococcose) ou mycosique.

■ **La spondylite aseptique**, c'est-à-dire non infectieuse, peut survenir dans le cadre d'une spondylarthrite ankylosante ou d'un syndrome S.A.P.H.O. (synovite-acné-pustulose-hyperostose-ostéite).

SYMPTÔMES ET SIGNES

■ **La spondylite septique** se traduit par des douleurs si vives qu'elles empêchent le malade de marcher. En l'absence de traitement, elle peut être mortelle (septicémie).

■ **La spondylite aseptique**, beaucoup moins grave, se traduit par des douleurs lombaires moins violentes.

TRAITEMENT

Le traitement d'une spondylite est fonction de sa cause : antibiothérapie de longue durée en cas d'infection ; anti-inflammatoires, le plus souvent non stéroïdiens, en cas de spondylite aseptique. Une immobilisation du rachis (repos au lit, puis port d'un corset) est indispensable, surtout en cas de spondylite septique.

Spondylodiscite

Inflammation simultanée d'un disque intervertébral et des vertèbres adjacentes, le plus souvent d'origine infectieuse.

CAUSES

Une spondylodiscite peut être d'origine infectieuse, due au passage de germes dans le sang au cours d'une septicémie, d'une infection dentaire, cutanée, intestinale, tuberculeuse, ou encore au cours d'une contamination survenue lors d'une intervention chirurgicale, par exemple pour une hernie discale, ou à l'occasion d'une injection médicamenteuse intradiscale. Plus rarement, une spondylodiscite est d'origine non infectieuse, liée à une spondylarthropathie ou à un syndrome S.A.P.H.O. (synovite-acné-pustulose-hyperostose-ostéite).

SYMPTÔMES ET DIAGNOSTIC

Dans sa forme habituelle, une spondylodiscite entraîne de vives douleurs rachidiennes qui, très vite, empêchent le malade de se déplacer et s'accompagnent de fièvre et de frissons. Son diagnostic repose sur la scintigraphie osseuse et surtout sur l'imagerie par résonance magnétique (I.R.M.), la radiographie classique étant souvent normale au début de la maladie. La mise en évidence du germe responsable peut se faire par hémoculture en cas de septicémie ou par ponction-biopsie du disque intervertébral, le trajet de l'aiguille étant guidé radiologiquement sur écran.

TRAITEMENT

Le traitement repose sur l'immobilisation plâtrée pendant 6 semaines environ et sur une antibiothérapie suivie pendant 3 mois en cas de germe banal, pendant 12 à 18 mois en cas de tuberculose. Une raideur rachidienne peut subsister au niveau du disque intervertébral infecté.

Spondylolisthésis

Glissement vers l'avant d'une vertèbre par rapport à la vertèbre sous-jacente, affectant le plus souvent les vertèbres lombaires inférieures, notamment la 5e, qui glisse alors sur le sacrum.

CAUSES

Un spondylolisthésis peut être consécutif à une spondylolyse (rupture entre le corps et l'arc postérieur de la vertèbre), à une détérioration progressive de la vertèbre et de son disque, à un traumatisme ou à une infection (mal de Pott).

SYMPTÔMES ET DIAGNOSTIC

L'atteinte est souvent latente, découverte fortuitement à la radiographie. Dans certaines conditions, en particulier en position debout prolongée (piétinement), des douleurs lombaires peuvent apparaître et devenir progressivement permanentes. Elles peuvent aussi s'accompagner d'une sciatique due à l'étirement des racines nerveuses lombaires. Seul l'examen radiographique permet de confirmer le diagnostic et de mesurer l'importance du déplacement vertébral.

TRAITEMENT

Lorsque le spondylolisthésis n'entraîne aucune douleur, l'abstention thérapeutique est de règle. Dans les autres cas, son traitement comprend le repos au lit, associé à la prise d'analgésiques et d'anti-inflammatoires. En dehors des crises aiguës de lombosciatique, on prescrit une gymnastique de rééducation vertébrale et le port d'un lombostat. Quand ce traitement s'avère inefficace, on peut recourir à l'arthrodèse du rachis lombaire, intervention chirurgicale consistant à solidariser la vertèbre déplacée aux vertèbres sus et sous-jacentes ; parfois, on tente de réduire auparavant le déplacement, cette manœuvre comportant cependant un risque neurologique (impuissance chez l'homme, troubles sphinctériens).

Spondylolyse

Rupture entre le corps d'une vertèbre et son arc postérieur, survenant au niveau d'une portion rétrécie appelée isthme vertébral.

La spondylolyse siège en général à la hauteur de la 5e vertèbre lombaire. Elle atteint le plus souvent les personnes âgées souffrant d'arthrose lombaire, mais elle peut aussi s'observer chez un sujet jeune présentant une insuffisance ou une absence d'ossification de l'isthme vertébral ou, plus rarement, apparaître après un traumatisme ayant entraîné une fracture.

Le risque d'une spondylolyse est un glissement vers l'avant de la vertèbre, appelé spondylolisthésis.

Sporadique

Qualifie ce qui touche seulement quelques individus au sein d'une population, cas par cas, sans qu'il se forme une chaîne de transmission continue.

Ainsi, la lèpre n'est plus aujourd'hui, en France, qu'une maladie sporadique.

Spore

1. Élément reproducteur de certains organismes inférieurs, susceptible de se disséminer.

La spore est un élément reproducteur des protozoaires, de certains végétaux marins (algues, par exemple) et terrestres (fougères, par exemple), et des champignons. Diverses mycoses peuvent être contractées par l'inhalation de spores externes : la coccidioïdomycose, l'histoplasmose, la blastomycose, la mucormycose, etc. Certains champignons peuvent aussi se développer dans l'organisme sous forme de spores (candida, par exemple).

2. Forme végétative de certaines bactéries.

Les bactéries placées dans des conditions défavorables (grande chaleur, présence de solvants) meurent ou, pour certaines, se transforment en une cellule plus résistante, la spore, susceptible de subsister très longtemps dans la terre ou dans l'intestin en conservant ses propriétés. Les bacilles du tétanos (Clostridium perfringens) et du botulisme (Clostridium botulinum), par exemple, sont susceptibles de sporuler, c'est-à-dire de se conserver sous la forme de spores et de reprendre leur cycle évolutif lorsque les conditions extérieures leur sont à nouveau favorables.

Sporotrichose

Maladie chronique due à un champignon microscopique appelé Sporotrix schenkii.

Sporotrix schenkii est présent dans le sol et les débris végétaux. La sporotrichose sévit sur toute la surface du globe ; elle est actuellement endémique en Amérique centrale, en Afrique du Sud et au Japon, rare en France. Cette mycose se contracte souvent à l'occasion d'un traumatisme mineur : le champignon est inoculé lors d'une piqûre par une épine ou lors d'une blessure par un morceau de bois.

SYMPTÔMES ET SIGNES

Il existe deux formes cliniques : une forme primaire, correspondant au développement d'une lésion à partir du site d'inoculation, et une forme secondaire, due à la dissémination du champignon dans l'organisme par voie sanguine et lymphatique. Les formes primaires sont essentiellement cutanées et cutanéomuqueuses, plus rarement pulmonaires, oculaires, osseuses ou articulaires. Elles se traduisent par l'apparition, en quelques jours ou en quelques mois, de nodules indolores évoluant en ulcérations douloureuses. Ces lésions siègent sur les parties découvertes du corps. Les ulcérations se nécrosent (chancre sporotrichosique), ce phénomène s'accompagnant d'une dissémination lymphatique du germe.

TRAITEMENT ET PRONOSTIC

Le traitement des formes cutanées de la sporotrichose repose sur l'administration d'iodure de potassium. Les antifongiques par voie orale ou en perfusion sont généralement réservés aux cas de dissémination par voie lymphatique et aux formes secondaires. Le pronostic est bon.

Spray

Médicament liquide mélangé à un gaz, contenu dans une bombe sous pression, de façon à pouvoir être administré sous forme de gouttelettes.

Il existe de nombreux sprays, par exemple des solutions ou des lotions pour la peau (antiseptiques, anesthésiques locaux, etc.) ou des collutoires pour les voies respiratoires (anti-inflammatoires, bêtastimulants, corticostéroïdes, etc.).

Le médicament est contenu dans un matériel comprenant un cylindre métallique ou un flacon spécial muni d'une valve et d'un gicleur. En appuyant sur le poussoir de la valve, on provoque la projection du liquide en un brouillard. Le produit agit alors par contact direct sur la peau, par pénétration dans le réseau capillaire à travers les muqueuses ou par insufflation dans les voies respiratoires.

Sprue nostras

→ VOIR Maladie cœliaque.

Sprue tropicale

Maladie de cause inconnue associant une atrophie de la muqueuse de l'intestin grêle, responsable d'une mauvaise digestion et d'un défaut d'assimilation des nutriments.

La sprue tropicale frappe les habitants des pays tempérés vivant depuis longtemps dans les pays tropicaux d'Asie et d'Amérique - pratiquement jamais d'Afrique - et épargne toujours les populations originaires de ces régions.

SYMPTÔMES ET SIGNES

La malabsorption chronique entraîne une diarrhée graisseuse, un amaigrissement et des carences multiples provoquant des ulcérations buccales.

DIAGNOSTIC ET TRAITEMENT

Le diagnostic est confirmé par une biopsie intestinale. Le traitement comprend l'administration d'antibiotiques, d'acide folique et de vitamine B12 et, si nécessaire, d'autres vitamines et de sels minéraux. La maladie peut récidiver à l'arrêt du traitement. Le retour en pays tempéré assure généralement la guérison.

Squame

Fragment de substance cornée s'éliminant de la surface de la peau.

Les squames sont principalement constituées de kératine. La desquamation très fine des couches superficielles kératinisées de la peau est un phénomène normal et permanent de renouvellement des téguments.

Les squames sont également caractéristiques de différentes affections comme la pityrosporose (« pellicules » du langage courant) ou la scarlatine en fin d'évolution. Elles sont dites pityriasiques lorsqu'elles sont très fines, psoriasiques quand les lamelles sont plus épaisses.

Squelette

Charpente solide et calcifiée du corps humain, constituée par l'ensemble des os.

STRUCTURE

On distingue :
- une colonne médiane, la colonne vertébrale, ou rachis, composée de vertèbres ;
- les côtes, qui s'articulent en arrière avec la colonne vertébrale, en avant avec le sternum, l'ensemble constituant le thorax ;
- le crâne, qui s'articule avec l'extrémité supérieure de la colonne vertébrale ;

Le squelette compte environ 200 os. Il est constitué de deux parties principales : le squelette du tronc, qui comprend le crâne, la colonne vertébrale, les côtes et le sternum, et le squelette des membres supérieurs et inférieurs et de leurs racines (épaule, bassin). Les os du squelette jouent un rôle indispensable dans le mouvement, en formant une charpente solide et stable, à partir de laquelle les muscles peuvent agir de manière efficace et coordonnée. En outre, ils servent de réserve de calcium à l'organisme. Enfin, le squelette protège les viscères, notamment le cerveau, la moelle épinière (respectivement logés dans le crâne et la colonne vertébrale), le cœur et les poumons (protégés par les côtes).

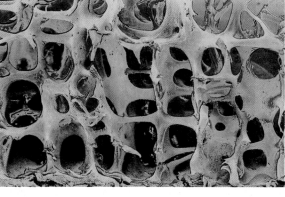

Le microscope électronique permet de distinguer le détail de la trame d'un os, solide et calcifiée, dessinant des travées.

Les os du squelette

face antérieure

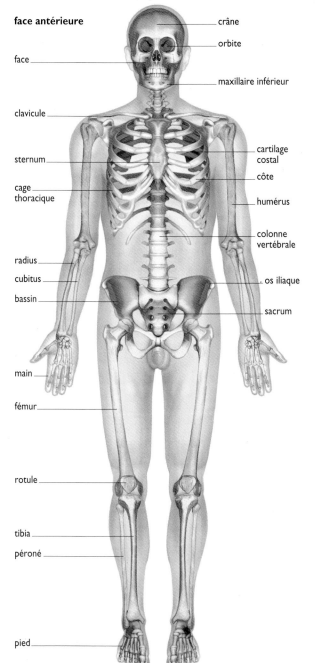

crâne
orbite
face
maxillaire inférieur
clavicule
cartilage costal
sternum
côte
cage thoracique
humérus
colonne vertébrale
radius
cubitus
bassin
os iliaque
sacrum
main
fémur
rotule
tibia
péroné
pied

face postérieure

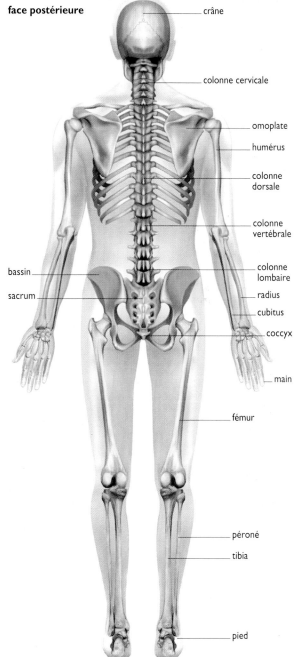

crâne
colonne cervicale
omoplate
humérus
colonne dorsale
colonne vertébrale
bassin
colonne lombaire
sacrum
radius
cubitus
coccyx
main
fémur
péroné
tibia
pied

- les membres supérieurs (bras, avant-bras, main), rattachés au thorax par la ceinture scapulaire (clavicule et omoplate) ;
- les membres inférieurs (cuisse, jambe, pied), rattachés à la colonne vertébrale à la hauteur du sacrum par la ceinture pelvienne (formée des deux os iliaques) ;
- le bassin, constitué par la ceinture pelvienne et le sacrum ;
- en haut et en avant du cou, au-dessus du larynx, un os isolé, l'os hyoïde.

Les os du squelette sont au nombre de 200, sans compter les osselets de l'oreille, les sésamoïdes (petits os arrondis, intercalés dans le trajet d'un ligament articulaire dont ils facilitent le jeu) et les os wormiens (petits os surnuméraires se développant entre les os de la voûte crânienne).

PATHOLOGIE

Les os du squelette peuvent être le siège de tumeurs, d'infections (ostéomyélite), de lésions dégénératives (arthrose) ou inflammatoires (arthrite), de traumatismes (fracture, luxation). Ils peuvent être malformés ou absents, anormalement soudés (lombalisation, sacralisation), raccourcis. Ils peuvent enfin s'agencer les uns par rapport aux autres de façon anormale (cyphose, scoliose).

Squirre ou Squirrhe

Tumeur maligne dont le stroma (tissu conjonctif vascularisé) est particulièrement abondant et très riche en fibres collagènes.

Le terme de squirre est essentiellement utilisé pour caractériser certains cancers du sein de la femme âgée, de consistance dure et d'évolution lente, et qui sont remarquables par l'abondance de leur tissu fibreux et le faible nombre de leurs cellules cancéreuses. Le traitement des squirres est celui du cancer du sein.

Stade

1. Période de l'évolution d'une maladie.

Les maladies infectieuses sont presque toutes caractérisées par les stades (ou périodes) d'incubation, d'invasion, d'état, quelquefois de complications, et de guérison. Les stades d'une maladie cancéreuse se définissent par la présence ou non de ganglions malins et de métastases. La classification en stades permet de mieux définir une stratégie thérapeutique.

2. Phase du développement psychosexuel d'un individu.

La psychanalyse décrit 4 stades fondamentaux : le stade oral, de 0 à 1 an, lié au plaisir de la succion et des sensations buccales ; le stade anal, entre 2 et 3 ans, qui procède de l'apprentissage de la propreté (contrôle des sphincters) ; le stade phallique, entre 3 et 5 ans, lié à la découverte de la différenciation sexuelle ; et le stade génital, avec la puberté, qui est le moment où la sexualité apparaît sous sa forme adulte.

Stapédectomie

Ablation chirurgicale de l'étrier (un des osselets de l'oreille moyenne).

Une stapédectomie est indiquée au cours de l'otospongiose. Cette maladie osseuse se caractérise par une ankylose, voire une immobilité de l'étrier se traduisant dans ce dernier cas par une hypoacousie (surdité).

Suivant les cas, l'opération se déroule sous anesthésie locale ou générale. Le chirurgien retire l'étrier, puis le remplace par une prothèse en matière plastique qui a la forme d'un piston.

Une stapédectomie est une intervention délicate dont le risque essentiel est une altération de l'oreille interne, pouvant conduire à une surdité de perception.

Stapédien

Relatif à l'étrier (l'un des trois osselets de l'oreille moyenne).

■ **Le réflexe stapédien** met en jeu un petit muscle qui, lorsque l'oreille est soumise à un son particulièrement intense, se contracte par un réflexe de protection et bloque les mouvements de l'étrier, isolant ainsi l'oreille de vibrations trop importantes. Ce réflexe est altéré au cours de l'otospongiose et dans certaines surdités de perception (qui traduisent une atteinte de l'oreille interne, de la voie auditive ou du cerveau).

L'étude du réflexe stapédien, ou test de Metz, consiste à émettre des stimuli sonores d'intensité croissante dans l'oreille examinée pour vérifier si le réflexe se produit, à l'aide d'une sonde équipée d'un microphone et placée dans le conduit auditif externe ; celle-ci est reliée à un potentiomètre, qui permet de déterminer le seuil de déclenchement du réflexe.

Staphylococcémie

Septicémie (état infectieux généralisé) à staphylocoque, bactérie à Gram positif.

Les staphylococcémies à staphylocoque doré *(Staphylococcus aureus)* sont les plus fréquentes des septicémies.

CAUSES

Le passage des germes dans le sang, responsable de la septicémie, se fait à partir d'un foyer infectieux généralement cutané, dentaire ou urinaire. En milieu hospitalier, les staphylococcémies sont souvent consécutives à une intervention chirurgicale sur un foyer infectieux suppuré.

SYMPTÔMES ET SIGNES

L'infection peut être fulminante (staphylococcie maligne de la face), subaiguë ou plus lente, ou encore se développer sur plusieurs semaines. Les signes sont ceux d'une septicémie : fièvre élevée, frissons, maux de tête, parfois choc septique grave.

COMPLICATIONS

Elles sont liées à la virulence du germe et consistent en métastases septiques polyviscérales (foyers infectieux secondaires dans les viscères). La staphylococcémie du nourrisson est particulièrement redoutable par les infections secondaires qu'elle entraîne dans les os, la peau et les poumons (avec formation de bulles d'air rapidement extensives).

DIAGNOSTIC ET TRAITEMENT

Le diagnostic repose sur la mise en évidence du staphylocoque par hémoculture. Le traitement doit être entrepris précocement et repose sur l'administration, par voie veineuse et en milieu hospitalier, d'antibiotiques choisis en fonction d'un antibiogramme – certaines souches, surtout en milieu hospitalier, étant résistantes à divers antibiotiques. La durée du traitement est de plusieurs semaines.

Staphylococcie

Infection par un staphylocoque, bactérie à Gram positif.

Les staphylocoques sont présents dans l'air, l'eau et sur toutes les surfaces ; l'homme les héberge dans les fosses nasales, l'intestin, les glandes sudoripares et sur la peau. Le staphylocoque est un germe pyogène (susceptible de provoquer la formation de pus). L'espèce le plus souvent responsable d'infections est *Staphylococcus aureus,* ou staphylocoque doré.

Les infections à staphylocoque peuvent être contagieuses et se transmettent directement (par contact avec des foyers cutanés infectés) ou indirectement (par l'intermédiaire des mains). Elles sont favorisées par l'alcoolisme, la dénutrition, le diabète sucré, l'affaiblissement qui suit une intervention chirurgicale, l'introduction dans l'organisme de corps étrangers (prothèse, aiguille pour injection), et apparaissent plus fréquemment chez les jeunes enfants et les personnes très âgées. Le staphylocoque est souvent en cause dans les infections nosocomiales (hospitalières). Il existe deux types de staphylococcie, suppurative et non suppurative.

Staphylococcie suppurative

C'est une infection à staphylocoque entraînant la formation d'une collection purulente.

Différents tissus peuvent être atteints, mais surtout la peau et les muqueuses. L'infection prend, selon les tissus, des noms différents : impétigo (plaque cutanée infectée), panaris (infection d'un doigt), onyxis (infection d'un ongle), folliculite (infection de la base des poils), furoncle (folliculite profonde sévère), orgelet (infection de la paupière). Ces infections sont fréquentes.

COMPLICATIONS

En l'absence de traitement, l'infection peut s'étendre aux tissus avoisinants (phlegmon), dans les tissus sous-cutanés (infection des tissus sous-cutanés, ou cellulite au sens médical du terme), dans le sang (septicémie). Ces infections peuvent devenir chroniques ; des récidives multiples sont également possibles, particulièrement pour les furoncles (furonculose), ce qui doit faire rechercher une déficience des défenses immunitaires et, notamment, un diabète sucré mal équilibré.

TRAITEMENT ET PRÉVENTION

Les staphylococcies cutanées ne nécessitent souvent que de simples applications d'antiseptiques. Les formes graves sont traitées par antibiothérapie par voie générale ; certains abcès nécessitent une intervention chirurgicale (curetage d'un panaris, par exemple). La prévention de telles infections repose sur la désinfection et l'éradication des gîtes microbiens et sur l'antibiothérapie préventive avant toute intervention chirurgicale.

Staphylococcie non suppurative

C'est une infection à staphylocoque au cours de laquelle le germe n'agit pas directement mais par l'intermédiaire d'une toxine qu'il sécrète.

DIFFÉRENTS TYPES DE STAPHYLOCOCCIE NON SUPPURATIVE

L'atteinte peut être cardiovasculaire, cutanée ou digestive.

■ L'atteinte cardiovasculaire est le choc toxique staphylococcique, qui comprend des signes infectieux (fièvre élevée) et une chute de la tension artérielle. De nombreux cas, dus au port de certains tampons hygiéniques probablement souillés par des staphylocoques sécréteurs de toxines, se déclarèrent dans les années 1970 et 1980.

■ Les atteintes cutanées, fréquentes chez l'enfant, comprennent l'impétigo bulleux, le syndrome de Lyell (décollement généralisé de l'épiderme) ainsi que la scarlatine staphylococcique.

■ Les atteintes intestinales correspondent à des toxi-infections (intoxications) alimentaires et sont caractérisées par leur courte durée d'incubation - quelques heures - et par leur relative bénignité.

DIAGNOSTIC ET TRAITEMENT

Le diagnostic repose sur l'isolement du germe dans un prélèvement du foyer infecté ou par hémoculture. Le traitement consiste à administrer des antibiotiques, en milieu hospitalier et par voie intraveineuse dans les formes graves. Le staphylocoque étant dans de nombreux cas un germe résistant, plusieurs antibiotiques, sélectionnés d'après un antibiogramme, sont souvent associés.

Staphylocoque

Genre bactérien constitué de cocci à Gram positif groupés en amas, dont de nombreuses espèces sont commensales (vivant sur un hôte sans lui nuire) de la peau et des muqueuses de l'homme et des animaux.

Certaines espèces de staphylocoque sont néanmoins susceptibles de provoquer des maladies chez l'homme, la plus virulente étant *Staphylococcus aureus,* ou staphylocoque doré. Cette bactérie est susceptible de sécréter différentes toxines (hémolysines, leucocidine, toxines épidermolytiques, entérotoxines, toxine du syndrome de choc toxique, ou TSST-1) et des enzymes (coagulase, fibrinolysine, hyaluronidase), qui entraînent des lésions suppuratives et nécrotiques ainsi que différentes maladies appelées staphylococcies et staphylococcémies.

Parmi les nombreuses autres espèces de staphylocoque, regroupées sous le terme de staphylocoques à coagulase négative (car ils ne sécrètent pas de coagulase), *Staphylococcus epidermidis, Staphylococcus hominis* et *Staphylococcus saprophyticus* (à l'origine, notamment, d'infections urinaires basses chez la femme) sont celles qui sont le plus souvent responsables de maladies. Ces staphylocoques, dont la virulence pour l'homme est bien moindre que celle de *Staphylococcus aureus,* se comportent souvent comme des bactéries opportunistes (septicémies sur matériel étranger, notamment sur cathéter).

Staphyloplastie

Réparation chirurgicale du voile du palais. SYN. *palatoplastie.*

Une staphyloplastie consiste à combler une division, congénitale ou acquise, du voile du palais. Cette intervention est réalisée sous anesthésie générale et est essentiellement indiquée en cas de fente labiopalatine (malformation caractérisée par une fente de la lèvre supérieure et/ou du palais). Elle comporte le plus souvent une staphylorraphie, suture bord à bord des deux moitiés du voile du palais, supprimant l'anomalie.

Stase

Ralentissement prononcé ou arrêt de la circulation d'un liquide dans l'organisme.

Une stase du sang dans les pieds peut être due à des varices des membres inférieurs.

Statistique médicale

Donnée chiffrée utilisée à des fins médicales, pour comprendre l'évolution des maladies, ou pour décrire l'état de santé, d'une population.

On utilise également les statistiques médicales pour analyser et décrire le système de soins.

■ Dans le domaine économique, les statistiques permettent d'estimer la consommation, les dépenses et le financement des activités médicales.

■ Dans le domaine de l'épidémiologie (science étudiant l'évolution des maladies dans les populations), les statistiques servent d'abord à décrire les phénomènes morbides à partir de données diverses telles que les chiffres de mortalité, les informations issues des organismes de soins, les déclarations d'accidents, etc. Elles sont aussi utilisées pour estimer les facteurs de risque d'une population et pour évaluer les succès diagnostiques, thérapeutiques et de prévention.

■ Dans le domaine de la santé publique, les statistiques permettent d'établir le taux de morbidité (nombre de sujets atteints) et de mortalité (nombre de sujets décédés) propre à chaque maladie. Elles permettent également d'établir l'incidence d'une maladie (nombre de nouveaux cas par an, dans une population déterminée) et sa prévalence (nombre de cas de maladie).

Stéatomérie

Amas de graisse localisé et profond.

CAUSES

Les stéatoméries sont d'origine génétique, à la différence des graisses de surface dues à un excédent alimentaire.

SYMPTÔMES ET SIGNES

Les amas de graisse modifient la silhouette et se situent à la hauteur des seins, des flancs, des cuisses, du ventre, à la face postéro-externe des bras, à la face interne des genoux mais aussi sur le visage (poches sous les yeux, double menton).

DIAGNOSTIC

L'observation de la silhouette et la palpation de la zone graisseuse permettent d'établir le diagnostic. La graisse de surface

---

STAPHYLOCOQUE

Le staphylocoque est un genre bactérien regroupant différentes espèces qui vivent normalement dans la nature et sur la peau. La variété appelée staphylocoque doré peut être responsable de diverses infections : furoncle, panaris, abcès du poumon, septicémie.

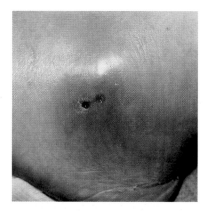

L'infection d'une plaie par un staphylocoque doré se traduit par une rougeur et un gonflement, ainsi que par la formation de pus.

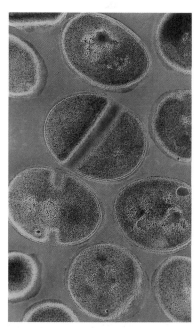

Cette image prise au microscope électronique montre une colonie de staphylocoques dorés, dont deux sont en train de se diviser.

apparaît sous la forme de « peau d'orange »,constituée de petites boules visibles car emprisonnées par des fibres d'amarrage profondes, situées entre les différentes aponévroses (membranes conjonctives qui enveloppent les muscles et dont les prolongements fixent les muscles aux os) et le derme cutané.

ÉVOLUTION
Les stéatoméries augmentent avec l'âge et au fur et à mesure de la prise de poids. Elles sont surtout fréquentes après la quarantaine. Les régimes alimentaires sont sans effet sur cette évolution, fortement prédéterminée génétiquement.

TRAITEMENT
Le seul traitement actuellement efficace est la liposuccion, qui permet d'aspirer les graisses profondes et superficielles.

PRÉVENTION
Les restrictions alimentaires et l'exercice physique permettent de retarder l'apparition des stéatoméries mais non de l'empêcher.

PERSPECTIVES
L'utilisation des ultrasons, qui feraient éclater les cellules graisseuses profondes pour les rendre plus accessibles à la liposuccion, est une voie de recherche récente. Il semble cependant que seul un traitement génétique soit susceptible, dans l'avenir, d'empêcher l'apparition des stéatoméries.

Stéatorrhée
Présence d'une quantité anormale de graisses dans les selles.

Une stéatorrhée peut être suspectée par l'aspect graisseux des selles, mais seul le dosage chimique des graisses dans les selles lors d'un fécalogramme permet d'établir le diagnostic : une stéatorrhée se définit par l'élimination fécale de plus de 6 grammes de graisses par 24 heures.

CAUSES
Une stéatorrhée traduit une malabsorption intestinale et se retrouve dans diverses maladies : insuffisance du pancréas exocrine (cancer, pancréatite), maladies de l'intestin grêle (maladie cœliaque, maladie de Crohn, sprue tropicale), insuffisance de sécrétion biliaire (cirrhose), obstruction des voies biliaires (calcul du cholédoque, cancer du pancréas). Elle s'accompagne généralement d'un amaigrissement.

TRAITEMENT
Outre le traitement de la cause, un régime pauvre en graisses est prescrit dans tous les cas ; il peut être compensé par certaines graisses de synthèse (graisses à chaîne moyenne), assimilables malgré les troubles de l'absorption.

Stéatose
Accumulation de graisses à l'intérieur de cellules qui, à l'état normal, n'en contiennent que de très faibles traces.

Les graisses accumulées sont en général des triglycérides. Le foie, qui joue un rôle majeur dans leur métabolisme, est le siège le plus habituel de cette surcharge. La stéatose rénale, exceptionnelle, accompagne une stéatose hépatique très importante.

Également très rares, les stéatoses myocardiques sont liées à une souffrance des cellules musculaires du cœur au cours d'une anoxie (interruption de l'apport d'oxygène aux tissus).

CAUSES
L'intoxication alcoolique est l'une des causes principales des stéatoses hépatiques dans les pays développés. Dans les pays en développement, la maladie est liée à la malnutrition chronique (kwashiorkor). Un diabète gras, une obésité, un régime hypercalorique ou des intoxications au tétrachlorure de carbone, au trichloréthylène ou au chloroforme, entre autres, peuvent également causer une stéatose hépatique. Certaines maladies métaboliques peu fréquentes, dites dyslipidoses, donnent lieu à l'accumulation de graisses rares dans le foie.

SYMPTÔMES ET SIGNES
Une stéatose hépatique ne se manifeste par aucun symptôme extérieur particulier, mais se caractérise le plus souvent, à la palpation de l'abdomen, par une augmentation du volume du foie qui est lisse, indolore et de consistance molle.

DIAGNOSTIC
Une échographie permet de confirmer l'augmentation de volume du foie, perceptible à la palpation, mais seule l'étude d'un fragment de parenchyme hépatique, prélevé par ponction-biopsie, permet d'établir un diagnostic sûr. Des examens biologiques hépatiques révèlent souvent une hypertriglycéridémie (taux excessif de triglycérides dans le sang).

TRAITEMENT ET PRONOSTIC
Le traitement est celui de l'affection responsable. La stéatose est une lésion réversible, qui guérit sans laisser de séquelles lorsque les conditions d'un métabolisme normal ont été rétablies.

Stein-Leventhal (syndrome de)
→ VOIR Ovaires polykystiques (syndrome des).

Sténose
Rétrécissement pathologique, congénital ou acquis, du calibre d'un organe, d'un canal ou d'un vaisseau.

Les sténoses sont nombreuses et variées, et peuvent affecter le tube digestif, les voies biliaires, la trachée et les bronches, les voies urinaires, les veines et les artères, ainsi que le canal médullaire (canal osseux situé derrière le corps des vertèbres et contenant la moelle épinière).

CAUSES
Leur origine est soit extrinsèque (développement d'une tumeur de voisinage, évolution d'une sclérose), soit intrinsèque (épaississement de la paroi par hypertrophie musculaire, dépôt pathologique de cholestérol ou de calcaire, ou épaississement inflammatoire ou cicatriciel).

SIGNES
Une sténose empêche le transit normal des aliments, des matières fécales, de la bile, du sang, des urines, etc., et provoque une dilatation du segment organique sus-jacent.

Sténose de l'appareil digestif
Rétrécissement pathologique du calibre d'un des organes de la digestion.

CAUSES
Une sténose peut être la conséquence d'un cancer (sténose de l'œsophage, du pylore, de l'intestin grêle, du côlon, du canal cholédoque ou du canal de Wirsung), d'un ulcère (sténose du pylore), de la maladie de Crohn (sténose de l'intestin grêle), d'une inflammation de l'œsophage (sténose de l'œsophage) ou du pancréas (sténose du canal de Wirsung) ; elle peut également constituer la complication du traitement radiothérapique d'un cancer ou découler de l'abcès d'un diverticule (sténose du côlon).

SYMPTÔMES ET SIGNES
Ils diffèrent selon la localisation de la sténose : dysphagie (difficulté à déglutir) en cas de sténose de l'œsophage ; constipation, distension abdominale, lorsqu'il s'agit du côlon ; nausées, sensation de ballonnement cédant à l'occasion de gargouillements en cas de sténose de l'intestin grêle ; diminution de l'excrétion des enzymes pancréatiques, et particulièrement de la lipase, vers le duodénum et mauvaise absorption des graisses lors d'une sténose du canal de Wirsung ; ictère, colique hépatique par distension biliaire en cas de sténose du canal cholédoque.

DIAGNOSTIC ET TRAITEMENT
Le diagnostic est établi grâce à un examen radiologique. Le traitement dépend de la nature de la sténose et de sa localisation. Il peut recourir à une dilatation instrumentale, à la résection suivie de la suture des deux extrémités saines, à la création d'une dérivation. En cas de cancer inopérable, la pose d'une prothèse permet le rétablissement de la continuité digestive.

Sténose du pylore
C'est un rétrécissement du sphincter situé entre l'estomac et le duodénum. Elle se rencontre chez les nouveau-nés, plus souvent chez les garçons, et est due à une hypertrophie congénitale du sphincter pylorique. Chez l'adulte, elle est consécutive à une lésion ulcéreuse ou tumorale de la zone du pylore.

SYMPTÔMES ET SIGNES
■ Chez le nouveau-né, les principales manifestations, caractéristiques, débutent entre la 3e et la 6e semaine. Ce sont des vomissements en jet survenant à distance des repas. L'enfant conserve son appétit, mais souffre d'une tendance à la constipation ; il perd progressivement du poids.

■ Chez l'adulte, la sténose du pylore se traduit par des troubles digestifs (vomissements postalimentaires), par des douleurs et une perte de poids.

DIAGNOSTIC
Lors de l'examen clinique, lorsqu'il est pratiqué au moment du repas, il est possible de percevoir des ondulations péristaltiques (mouvements de l'estomac butant sur l'obstacle du pylore) et de palper l'« olive pylorique » (muscle hypertrophié du sphincter). Le diagnostic est confirmé par une radiographie de l'estomac, opacifié à l'aide d'un produit baryté administré par la bou-

che ; elle révèle un allongement du canal pylorique et une hypertrophie du sphincter. L'échographie permet également de confirmer l'hypertrophie de l'olive pylorique.

TRAITEMENT

Le traitement de la sténose hypertrophique du pylore est chirurgical. L'intervention, appelée pylorotomie extramuqueuse, consiste à inciser le muscle épaissi dans le sens de la longueur. Elle est pratiquée après réhydratation et rénutrition de l'enfant. La guérison est rapide et définitive.

Chez l'adulte, le traitement est le plus souvent chirurgical en cas de tumeur (ablation de la tumeur), et médical (administration d'antihistaminiques H2, notamment) en cas d'ulcère.

Sténose génito-urinaire

Rétrécissement pathologique d'un orifice (méat urétral ou urétéral, col vésical) ou d'un canal (urètre, uretère, canal déférent) de l'appareil génital ou urinaire.

Sténose du canal déférent

C'est un rétrécissement du canal qui conduit normalement les spermatozoïdes de l'épididyme à la prostate.

CAUSES ET SYMPTÔMES

Le rétrécissement du canal déférent peut être congénital (agénésie déférentielle) ou acquis et, dans ce cas, consécutif à une maladie infectieuse (tuberculose). Une sténose bilatérale a pour conséquence une stérilité.

TRAITEMENT

Il est chirurgical et comprend l'ablation du segment rétréci, puis l'abouchement des deux segments sains restants. Il s'agit d'une intervention délicate réalisée par microchirurgie (chirurgie nécessitant l'emploi d'un microscope).

Sténose du col vésical

La sténose du col vésical, ou dysectasie, est un rétrécissement congénital ou acquis (causé par une infection [tuberculose, notamment] ou une tumeur) du col de la vessie, responsable d'une difficulté à uriner, et parfois d'une rétention d'urine.

SYMPTÔMES ET SIGNES

Elle entraîne une dysurie (difficulté à évacuer la vessie) avec une rétention vésicale.

TRAITEMENT

Il est dans la majorité des cas réalisé par endoscopie, et consiste alors en une incision du col vésical destinée à obtenir une large ouverture de celui-ci. Plus rarement, l'incision du col vésical est effectuée par voie chirurgicale ouverte.

Sténose urétrale

C'est un rétrécissement de l'urètre, qui peut être d'origine congénitale, inflammatoire (gonococcie, par exemple) ou traumatique (traumatisme direct ou consécutif à un sondage urétral).

SYMPTÔMES ET SIGNES

Cette sténose entraîne une difficulté à uriner, parfois associée à une infection urinaire et à une rétention vésicale. Elle est mise en évidence par un examen radiographique, l'urétrographie rétrograde.

TRAITEMENT

Plusieurs traitements peuvent être utilisés : dilatation urétrale simple à l'aide de sondes calibrées (introduction successive de sondes de calibre croissant), urétrotomie interne endoscopique (ouverture de la zone rétrécie pratiquée lors d'une endoscopie), urétroplastie chirurgicale, mise en place par voie endoscopique d'une prothèse temporaire ou définitive. Les sténoses urétrales ayant un caractère récidivant, le traitement doit souvent être répété.

Sténose des voies aériennes

Rétrécissement congénital ou acquis (par compression ou infiltration des parois) survenant dans l'arbre respiratoire (bronches, trachée).

CAUSES

Chez l'enfant, la sténose des voies aériennes est fréquemment la conséquence de l'inhalation d'un corps étranger ; chez l'adulte, elle est le plus souvent due à une tumeur trachéobronchique ou constitue la conséquence d'une intubation ou d'une trachéotomie, surtout lorsque celles-ci ont été prolongées plusieurs jours.

SYMPTÔMES ET TRAITEMENT

Lorsque le rétrécissement est important et touche la trachée ou les bronches principales, il peut provoquer une gêne respiratoire, surtout à l'inspiration. Ce symptôme exige l'examen du pharynx et du larynx, ainsi qu'une bronchoscopie, après un cliché thoracique. Le traitement est celui de la cause (extraction du corps étranger, par exemple).

Steppage

Démarche particulière des malades atteints de paralysie des muscles extenseurs des orteils et du pied.

Cette paralysie peut être d'origine nerveuse (lésion du nerf sciatique, par exemple) ou musculaire (syndrome des loges, par exemple). Ne pouvant relever correctement le pied, ces malades sont obligés, à chaque pas, de lever très haut le genou pour éviter que la pointe du pied, qui est constamment baissée, ne heurte le sol.

TRAITEMENT

Dans la mesure du possible, il repose d'abord sur le traitement de la maladie en cause. On a parfois recours à la pose d'une attelle (pour maintenir le pied en bonne position), voire à une transposition tendineuse (intervention chirurgicale consistant à remplacer l'action du muscle paralysé par celle d'un muscle voisin, en modifiant le point d'insertion du tendon de celui-ci).

Stercoral

Relatif aux matières fécales.

Par exemple, une péritonite stercorale est une péritonite avec présence de matières fécales dans l'abdomen.

Stéréotaxie

Technique d'imagerie permettant de repérer dans l'espace les structures anatomiques intracérébrales.

La stéréotaxie est employée en neurochirurgie pour délimiter très précisément les contours d'une anomalie intracérébrale (lésion, région physiologiquement déficiente) sans devoir recourir à l'ouverture chirurgicale du crâne par un trou de trépan. Utilisée avant d'opérer, elle offre aussi la possibilité de pratiquer une biopsie de la zone repérée, de traiter les tumeurs cérébrales par radiothérapie (en évitant d'irradier les tissus voisins) ou d'aspirer les hémorragies cérébrales. En outre, elle est actuellement très utilisée en neurochirurgie fonctionnelle pour traiter certaines douleurs chroniques, rebelles au traitement médical, par stimulation chronique du thalamus, pour soigner les tremblements parkinsoniens par greffe neuronale, etc.

DÉROULEMENT

La stéréotaxie consiste à prendre des clichés par des techniques d'imagerie médicale (scanner, imagerie par résonance magnétique), mais après avoir fixé la tête du sujet dans un cadre spécial qui sert de repère. Un ordinateur calcule ensuite, d'après les clichés, la position dans l'espace des structures sélectionnées par les médecins, de façon à ce qu'elles puissent être opérées sans que des structures voisines soient lésées.

Stéréotypie

Répétition d'une attitude, d'un geste, d'un acte ou d'une parole, sans but intelligible.

Une stéréotypie se rencontre surtout dans les psychoses et les démences. À l'origine, elle pouvait revêtir une signification, qui s'est perdue pour ne laisser place qu'à un automatisme, apparemment stérile et vide de contenu. Une stéréotypie généralisée du comportement constitue la catatonie (ensemble de troubles psychomoteurs caractérisés par le maintien ou la répétition indéfinie du même geste ou de la même posture), caractéristique de la schizophrénie.

Stérile

1. Qui est exempt de germe, que ce soit à l'état naturel ou après stérilisation. SYN. *aseptique*.

Le sang, l'urine, le liquide céphalorachidien sont normalement des milieux stériles, dont la mise en culture ne produit aucun germe.

2. Qui ne peut pas concevoir d'enfant.
→ VOIR Asepsie, Stérilisation, Stérilité.

Stérilet

Appareil contraceptif placé dans l'utérus. SYN. *dispositif intra-utérin (D.I.U.)*.

DIFFÉRENTS TYPES DE STÉRILET

Les stérilets sont de petits appareils en matière plastique, de forme et de taille variables, de 3 ou 4 centimètres de long, prolongés dans le vagin par un fil qui signale leur présence et permet de les retirer. Il en existe deux grands types : les stérilets dits passifs, ou inertes, en polyéthylène, et les stérilets dits actifs, auxquels ont été ajoutés du cuivre ou de la progestérone pour accroître leur efficacité. Ces derniers modèles sont actuellement les plus utilisés.

FONCTIONNEMENT

Placé dans la cavité utérine, un stérilet entraîne une réaction locale qui empêche la nidation de l'œuf dans l'utérus en modifiant la muqueuse utérine. Il doit être mis en place par un médecin, dans les 10 premiers jours d'un cycle menstruel. La plupart des stérilets actuellement disponibles peuvent être gardés pendant quelques années.

CONTRE-INDICATIONS ET EFFETS INDÉSIRABLES

Le stérilet est contre-indiqué chez les femmes n'ayant jamais eu d'enfant et celles qui ont un fibrome ou des antécédents d'infection des trompes, en raison du risque d'infection génitale (salpingite) qu'il comporte. Il n'évite ni ne favorise la survenue d'une grossesse extra-utérine.

Excellent moyen contraceptif, le stérilet est efficace à près de 100 %. Néanmoins, son action contraceptive peut être diminuée par la prise d'anti-inflammatoires. Un stérilet n'impose aucune contrainte, sinon une hygiène génitale rigoureuse, un nombre de partenaires sexuels limité en raison du risque infectieux et une surveillance médicale régulière pour contrôler son positionnement et l'état de la muqueuse utérine. Il peut provoquer des douleurs pelviennes, des hémorragies et des infections utérines ou tubaires. Il entraîne parfois des règles plus longues en raison d'une irritation de la muqueuse.

→ VOIR Contraception.

Stérilisation

Méthode permettant de détruire divers micro-organismes (bactéries, virus, champignons, parasites) présents sur un support matériel.

La stérilisation est indiquée pour tout le matériel médical et chirurgical devant être utilisé dans des conditions d'asepsie stricte : compresses, mèches, matériel servant à l'injection de médicaments, à l'instillation de collyres ou à l'incision de la peau, etc. On emploie soit des méthodes physiques (utilisation de la chaleur, sèche ou humide, comme dans l'étuve de Poupinel ou l'autoclave, emploi de rayonnements ultraviolets, de rayons gamma ou d'électrons accélérés), soit des méthodes chimiques (application d'un produit chimique liquide ou gazeux, tel le formol). La stérilisation se distingue de la désinfection (pour les objets) et de l'antisepsie (pour la peau) par son caractère plus poussé : après stérilisation, la probabilité de trouver un objet demeuré non stérile doit être de 1 pour 1 million.

Une fois qu'un objet a été stérilisé, il est dit aseptique, ou stérile. Il doit alors être placé dans un emballage hermétique, ne laissant pas passer les micro-organismes : ainsi, certains instruments chirurgicaux sont placés avant stérilisation dans un emballage transparent contenant un petit tube témoin, dont le changement de couleur indique que la stérilisation a été efficace.

En outre, certaines précautions sont nécessaires pour que l'asepsie dure suffisamment longtemps après ouverture de l'emballage : le médecin ou l'infirmière ne manipule les objets stériles qu'avec des gants eux-mêmes stérilisés ; l'air des salles d'opération est stérilisé par passage sur des filtres très fins, capables de retenir bactéries et virus.

Aujourd'hui, l'emploi de seringues, aiguilles et autres instruments à usage unique dispense pratiquement d'avoir recours à domicile à des méthodes de stérilisation.

Stérilisation des aliments

Procédé de conservation des aliments qui détruit les micro-organismes et les spores (éléments reproducteurs de certains végétaux).

La stérilisation des aliments fait appel à la chaleur ou à l'irradiation, appelée également ionisation. La technique, la température et la durée de l'opération varient suivant les produits. La stérilisation, en particulier la stérilisation U.H.T. (ultra haute température), préserve les qualités nutritionnelles des aliments traités (lait, par exemple).

Stérilisation féminine

Opération qui rend une femme incapable de concevoir un enfant.

INDICATIONS

La stérilisation féminine peut être réalisée en cas de contre-indications formelles à la pilule et au stérilet (maladies cardiovasculaires, risques infectieux graves). Dans la plupart des pays, c'est au chirurgien d'en évaluer le bien-fondé. Elle est interdite en l'absence d'indication médicale, car il s'agirait d'une mutilation volontaire.

TECHNIQUE

La stérilisation féminine s'effectue par interruption de la continuité des trompes utérines, qui interdit la rencontre de l'ovule et des spermatozoïdes sans modifier le processus hormonal. Elle est souvent réalisée par cœliochirurgie (grâce à une petite incision de l'abdomen permettant l'introduction des instruments optiques et chirurgicaux). Des anneaux, appelés anneaux de Yoon, ou des clips, appelés clips de Hulka, sont posés sur les trompes. Cette technique n'est habituellement pas réversible : une lourde intervention chirurgicale – consistant en l'ablation de la zone opérée et la réimplantation des deux extrémités de chacune des trompes – peut être tentée pour rendre à la femme sa fécondité, mais son succès n'est pas constant.

D'autres procédés, plus aisément réversibles, sont actuellement à l'étude, comme l'introduction dans la trompe, par hystéroscopie, d'un matériel obstructeur, suivie, le moment venu, par l'enlèvement de ce matériel. En revanche, une stérilisation définitive est obtenue par salpingectomie bilatérale (ablation des trompes utérines).

Stérilisation masculine

Opération qui rend un homme incapable de concevoir un enfant.

INDICATIONS

La stérilisation masculine, lorsqu'elle est effectuée pour des raisons non médicales, fait l'objet d'un contrôle dans la plupart des pays.

TECHNIQUE

La stérilisation masculine s'effectue par vasectomie (section et ligature des canaux déférents). Cette opération prive le sperme de spermatozoïdes mais ne modifie ni le comportement sexuel, ni l'érection, ni l'éjaculation. Une vasectomie est théoriquement réversible : une nouvelle opération peut permettre de réaboucher les segments de canaux déférents, mais son succès n'est pas constant.

→ VOIR Vasectomie.

Stérilité

Incapacité pour un couple de concevoir un enfant. SYN. *infertilité.*

À partir d'enquêtes statistiques, le pourcentage de couples réellement stériles s'établit entre 1 et 5 %. On ne parle de stérilité qu'après 2 ans de tentatives régulières infructueuses pour obtenir une grossesse. En effet, 80 % des grossesses surviennent dans un intervalle de 18 mois après le premier rapport. Après 2 ans, un couple venu consulter pour infécondité a un risque sur deux d'être stérile. S'il ne l'est pas, ses chances de concevoir un enfant sont faibles, et des examens médicaux sont indiqués.

La fécondité d'un couple est calculée, selon des méthodes statistiques, à l'échelle d'une population : elle varie autour de 25 % par cycle menstruel. Le rôle de l'âge sur la fertilité est certain : la baisse de la fécondité, très faible avant 40 ans, tant chez la femme que chez l'homme, s'accélère ensuite. La fréquence des rapports sexuels est un facteur de fécondité, de même que leur date : les chances de conception sont maximales durant la période qui débute 4 jours avant l'ovulation et se termine 2 jours après.

La cause d'une stérilité se recherche à quatre niveaux : sperme, ovulation, voies génitales féminines et masculines, et incompatibilité entre le sperme et le milieu génital féminin.

Stérilités d'origine masculine

Elles constituent de 10 à 20 % de l'ensemble des stérilités, les autres étant liées à la femme ou à des facteurs inexpliqués (10 %).

CAUSES

Les stérilités d'origine masculine ont des causes très diverses, parmi lesquelles l'aspermie (absence de sperme), l'azoospermie (absence de spermatozoïdes), les anomalies des spermatozoïdes, une réaction auto-immune et la varicocèle (varice testiculaire).
■ L'aspermie (absence de sperme), quand elle a une cause hormonale, s'associe à une petitesse des testicules, à une absence des caractères sexuels secondaires (pilosité en particulier). L'absence de sperme peut aussi être causée par l'absence d'érection, d'origine psychologique ou due à la prise de médicaments, au diabète, à des lésions neurologiques traumatiques ou à des troubles de l'éjaculation (éjaculation rétrograde en particulier).
■ L'azoospermie (absence de spermatozoïdes) est soit sécrétoire, due à un défaut de production de spermatozoïdes, soit excré-

toire, causée par un obstacle situé dans les voies excrétrices, qui gêne l'écoulement du sperme.

■ **Les anomalies du sperme** sont diverses : oligospermie (moins de 30 millions de spermatozoïdes par millilitre), asthénospermie primitive ou secondaire (moins de 30 % de spermatozoïdes mobiles respectivement une heure et quatre heures après l'éjaculation), tératospermie (moins de 30 % de spermatozoïdes de forme normale). Leurs causes sont variées : maladies aiguës ou chroniques, surtout rénales ou endocriniennes, tabagisme, alcoolisme. Les toxicomanies (marijuana, cocaïne, héroïne) sont souvent associées à une diminution de la sécrétion testiculaire d'hormone mâle (testostérone) et à une altération du sperme.

■ **Une réaction auto-immune** de l'organisme masculin contre ses propres spermatozoïdes est possible. Les anticorps antispermatozoïdes alors produits empêchent les gamètes masculins de féconder l'ovule.

■ **La varicocèle** (varice testiculaire indolore) entraîne parfois une diminution de production du sperme.

DIAGNOSTIC

L'aspermie, l'azoospermie et les anomalies du sperme sont mises en évidence par le spermogramme (étude du sperme et des spermatozoïdes qu'il contient). L'azoospermie doit être contrôlée par deux spermogrammes successifs, pratiqués à 2 mois d'intervalle. La qualité de pénétration des spermatozoïdes à travers la glaire cervicale est estimée grâce au test de Hühner (examen d'un prélèvement de glaire quelques heures après un rapport sexuel), éventuellement complété par le test de pénétration croisée in vitro (comparaison entre un échantillon de sperme de l'homme et un échantillon témoin, tous deux mis en contact avec la glaire cervicale de la femme). Une réaction auto-immune est révélée par des agglutinats de spermatozoïdes repérés dans le spermogramme ; les anticorps antispermatozoïdes sont alors recherchés dans le sperme. Enfin, le diagnostic de la varicocèle repose sur l'examen clinique, confirmé par l'échographie et le Doppler testiculaires.

TRAITEMENT

Les stérilités d'origine masculine par anomalie du sperme peuvent être compensées par l'insémination artificielle entre conjoints et, parfois, par la fécondation in vitro. L'aspermie et l'azoospermie nécessitent le recours à une banque de sperme et à l'insémination artificielle avec donneur. La stérilité d'origine immunologique nécessite une préparation du sperme avant tentative d'insémination artificielle ou de fécondation in vitro. Enfin, le traitement de la varicocèle est chirurgical, mais il ne rétablit pas toujours la normalité de la fonction spermatique.

Stérilités d'origine féminine

Elles constituent de 70 à 80 % de l'ensemble des stérilités.

CAUSES

La grande majorité des stérilités d'origine féminine relèvent de causes anatomiques, biochimiques (réaction immunologique) ou physiologiques (troubles de l'ovulation).

■ **Les stérilités d'origine anatomique,** les plus fréquentes, sont surtout d'origine tubaire. Plus rarement, des malformations utérines, une tumeur (fibrome sous-muqueux), une infection chronique (endométrite) peuvent empêcher l'implantation de l'œuf dans la muqueuse. Il existe aussi des stérilités liées à une anomalie du col de l'utérus ou de la composition de la glaire cervicale (mucus sécrété par le col utérin). Les stérilités d'origine tubaire sont dues à une obstruction des trompes, en général à la suite d'une salpingite liée, par exemple, à une maladie sexuellement transmissible. Mais une stérilité tubaire peut aussi provenir des suites infectieuses d'un accouchement, d'un avortement, de la pose d'un stérilet ou de la pratique d'une hystérosalpingographie. Une stérilité tubaire est définitive en cas d'hydrosalpinx (obstruction de l'extrémité des trompes, qui se remplissent alors d'un liquide séreux) ou en cas d'adhérences (tissu cicatriciel s'interposant entre les ovaires et les pavillons tubaires). D'autres affections (tuberculose, endométriose), une malformation congénitale des trompes ou des séquelles d'intervention chirurgicale peuvent aussi entraîner une stérilité définitive. La ligature des trompes ou leur ablation, en raison de grossesses extra-utérines par exemple, ont le même effet.

■ **La stérilité d'origine immunologique** est, chez la femme, une forme d'allergie au sperme de l'homme. La femme fabrique alors des anticorps antispermatozoïdes, que l'on met en évidence dans la glaire cervicale ou dans le sang.

■ **La stérilité d'origine ovulatoire** peut être due à une absence d'ovulation au cours du cycle menstruel, à une irrégularité ou à un ralentissement de cette ovulation. L'absence ou l'irrégularité de l'ovulation résultent de troubles hormonaux (insuffisance ovarienne, maladie surrénalienne ou thyroïdienne) ou d'une affection de l'ovaire (kyste, tumeur). Enfin, un trouble de l'ovulation peut être dû au stress.

DIAGNOSTIC

Celui des stérilités d'origine utérine fait appel à l'hystérographie (radiographie de l'utérus), à l'hystéroscopie (examen endoscopique de l'utérus, par les voies naturelles) et à la cœlioscopie (examen direct des organes génitaux grâce à un tube muni d'un système optique introduit par une petite incision de l'abdomen). La qualité de la glaire est contrôlée par le test de Hühner (examen d'un prélèvement de glaire quelques heures après un rapport sexuel), éventuellement complété par un test de pénétration croisée in vitro (comparaison entre un échantillon de glaire de la femme et un échantillon témoin, mis tous deux en contact avec le sperme du conjoint). Le diagnostic des stérilités d'origine tubaire repose sur l'hystérosalpingographie ou sur la cœlioscopie. La stérilité d'origine immunologique repose sur un prélèvement de glaire cervicale qui met en évidence des anticorps antispermatozoïdes. Enfin, les troubles de l'ovulation peuvent être révélés par la lecture de la courbe de température prise chaque matin par la femme. Cette lecture est complétée par les dosages sanguins des hormones folliculostimulante (FSH) et lutéinisante (LH), ainsi que de la prolactine entre le 3e et le 5e jour du cycle, et par celui de la progestérone après l'ovulation.

TRAITEMENT

Le traitement est chirurgical ou médicamenteux, en fonction de l'origine de la stérilité. Le traitement chirurgical est indiqué lors des stérilités d'origine tubaire. Il vise à rétablir la perméabilité des trompes ou à libérer le petit bassin des adhérences afin de permettre aux pavillons des trompes, parfois reconstitués par salpingoplastie, de capter à nouveau les ovules libérés par l'ovaire. La nature de l'intervention varie en fonction de la localisation de la lésion (partie de la trompe proche de l'utérus ou du pavillon, par exemple). Les résultats sont souvent plus satisfaisants lorsque la lésion est proche de l'utérus. Les fibromes utérins et certaines malformations utérines peuvent également être opérés avec succès.

Le traitement médical est indiqué en cas de défaut de la glaire cervicale ou de trouble de l'ovulation. Dans le premier cas, il fait appel à la prise orale d'œstrogènes du 6e au 13e jour du cycle, la qualité de la glaire étant ensuite jugée grâce au test postcoïtal de Hühner. Dans le deuxième cas, il repose sur l'administration orale, pendant la première partie du cycle, de citrate de clomiphène, médicament neurotrope qui stimule l'ovulation. Ce traitement peut être prescrit seul ou associé à la prise d'œstrogènes et/ou d'hormone gonadotrophique ménopausique (h.M.G.), mélange d'hormones folliculostimulante et lutéinisante recueilli à partir des urines purifiées de femmes ménopausées. L'hormone gonadotrophique ménopausique stimule directement les ovaires. Une hormone folliculostimulante de synthèse, produite par génie génétique, est actuellement expérimentée dans cette indication. Enfin, lorsqu'elle est nécessaire, une injection d'hormone chorionique gonadotrophique (h.C.G.), hormone sécrétée par le placenta pendant la grossesse, permet de déclencher l'ovulation. Un soutien en progestérone est ensuite souvent nécessaire pendant la 2e phase du cycle.

Le traitement inducteur de l'ovulation nécessite une surveillance étroite du cycle : dosages hormonaux sanguins portant sur les œstrogènes, l'hormone lutéinisante et la progestérone et pratiqués soit séparément, soit simultanément autour de la période ovulatoire ; échographie mesurant la taille du ou des follicules ovariens et précisant leur nombre exact ; étude de la glaire cervicale, pratiquée lors d'un examen gynécologique.

Quel que soit le trouble de l'ovulation traité, il existe un risque plus élevé de grossesse multiple ou extra-utérine. Si le traitement, chirurgical ou médical, ne suffit

Le bilan de stérilité

Évaluer la ou les causes de la stérilité d'un couple consiste à pratiquer, après un interrogatoire commun et un examen clinique de chacun des 2 membres du couple, un certain nombre d'examens. L'interrogatoire permet d'obtenir des données chronologiques sur la stérilité du couple, d'évaluer sa vie sexuelle et d'éclaircir les antécédents médicaux et gynécologiques. L'examen clinique sert à préciser la bonne morphologie des appareils génitaux féminin et masculin. Les examens complémentaires, qui peuvent être pratiqués en l'espace de 2 ou 3 mois, portent sur 4 axes : la fonction ovarienne (courbe de température, dosages hormonaux, échographie pelvienne) ; les voies génitales de la femme (hystérosalpingographie, cœlioscopie, hystéroscopie) ; le sperme de l'homme (spermogramme) ; la glaire cervicale (test de Hühner, test de pénétration croisée). Ils permettent de déterminer si la stérilité est d'origine masculine ou féminine et de proposer un traitement.

– La courbe de température est établie par la femme sur 3 mois : celle-ci prend sa température rectale tous les matins, au lever et avant tout effort. Cette courbe permet de diagnostiquer la survenue et le jour de l'ovulation, et d'évaluer la durée de la 2e phase du cycle.

– Un bilan hormonal (dosage dans le sang des hormones folliculostimulante [FSH] et lutéinisante [LH] ainsi que de l'œstradiol, de la testostérone, de la progestérone et de la prolactine) est effectué en début de cycle chez la femme.

– Des échographies pelviennes sont parfois pratiquées, du 8e au 14e jour du cycle, pour diagnostiquer une rupture folliculaire, témoignant de l'ovulation.

– Une hystérosalpingographie, complétée le cas échéant par une cœlioscopie et une hystéroscopie, permet de vérifier la normalité des trompes et de la cavité utérine.

– Un examen du sperme (spermogramme) est pratiqué. Si le résultat est anormal, le spermogramme est répété et les investigations ultérieures sont en rapport avec le type d'anomalies du sperme : bilan hormonal, prélèvement testiculaire, test de migration et de survie des spermatozoïdes.

– Un test postcoïtal de Hühner, souvent complété par un test de pénétration croisée, permet d'évaluer à la fois les spermatozoïdes, la glaire cervicale et l'interaction sperme-glaire.

pas à obtenir une grossesse, une insémination artificielle ou une fécondation in vitro peut être envisagée. Dans le cadre d'une stérilité d'origine immunologique, l'insémination artificielle doit être intra-utérine pour court-circuiter la glaire cervicale.

Sternberg (cellule de)
Cellule pathologique caractéristique de la maladie de Hodgkin.

Cette cellule, décrite en 1898 par le médecin autrichien Carl Sternberg, est constamment retrouvée dans les proliférations cellulaires envahissant les ganglions lymphatiques dans la maladie de Hodgkin. Elle ne représente toutefois qu'une petite partie des cellules anormales présentes dans ces proliférations.

À l'examen microscopique d'un prélèvement de ganglion hodgkinien, la cellule de Sternberg apparaît comme une cellule de grande taille, dotée d'un gros noyau bourgeonnant et d'aspect boursouflé. Le noyau contient plusieurs nucléoles (éléments arrondis) bleutés, très visibles, évoquant des yeux.

L'origine de la cellule de Sternberg est controversée. Elle pourrait dériver du macrophage, grosse cellule spécialisée dans l'ingestion des agents infectieux et des corpuscules étrangers à l'organisme. Plusieurs éléments concordants ont accrédité l'hypothèse selon laquelle elle proviendrait des lymphocytes (variété de globule blanc jouant un rôle important dans les mécanismes immunitaires), peut-être à la suite d'une transformation provoquée par le virus de la mono-

nucléose infectieuse. Mais aucune de ces hypothèses n'est clairement établie et l'origine de la cellule de Sternberg reste indéterminée.

Sterno-cléido-mastoïdien ou sternomastoïdien (muscle)
Muscle de forme allongée, situé obliquement de chaque côté du cou. (P.N.A. *musculus sternocleidomastoideus*)

Les muscles sterno-cléido-mastoïdiens, au nombre de deux - un de chaque côté du cou -, ont plusieurs chefs (points d'insertion) : en bas, ils s'attachent d'une part sur le bord supérieur du sternum, d'autre part sur la partie interne de la clavicule. Puis ils montent obliquement vers l'arrière pour s'insérer sur l'apophyse mastoïde (pointe osseuse derrière l'oreille) et sur l'os occipital (derrière la tête). Très superficiels et facilement visibles, surtout quand ils se contractent, ils permettent à la tête de s'incliner en avant et sur le côté.

PATHOLOGIE

En cas de troubles respiratoires, les muscles sterno-cléido-mastoïdiens servent de muscles inspirateurs accessoires en soulevant les clavicules ; leur contraction, devenue trop apparente (il se forme notamment un creux au-dessus du sternum à l'inspiration), constitue alors un signe diagnostique de gêne respiratoire, appelé tirage. Le torticolis congénital, dû à une rétraction d'un muscle sterno-cléido-mastoïdien, doit être opéré car il peut entraîner à terme des déformations irréductibles de la face et du cou.

Sternotomie
Ouverture chirurgicale du sternum.

La sternotomie est la première étape d'une intervention chirurgicale pratiquée sur le cœur, sur les gros vaisseaux (aorte, veine cave supérieure), sur les artères coronaires ou pour retirer une tumeur du médiastin, le thymus ou un goitre plongeant (hypertrophie de la glande thyroïde s'étendant dans le thorax).

DÉROULEMENT ET COMPLICATIONS

Pratiquée sous anesthésie générale, la sternotomie consiste à scier le sternum verticalement sur sa ligne médiane et à en écarter les deux moitiés avec les côtes pour que le chirurgien puisse accéder aux régions sousjacentes. À la fin de l'intervention, les deux bords de la section sont remis en position normale et suturés avec des fils d'acier. Les suites opératoires sont souvent douloureuses. Le risque principal des interventions par sternotomie est l'infection du sternum (ostéite) ou de la cavité thoracique (médiastinite).

Sternum
Os plat situé à la partie antérieure et médiane du thorax, articulé par ses bords avec les sept premiers cartilages costaux et avec les clavicules. (P.N.A. *sternum*)

Le sternum est constitué de trois pièces unies entre elles : le manubrium, le corps et l'appendice xiphoïde. Il participe à la constitution de la cage thoracique. Le cœur est en grande partie situé derrière lui.

PATHOLOGIE

■ Les fractures isolées du sternum, dues par exemple à un choc sur la face antérieure du thorax (volant de voiture, par exemple), sont simplement immobilisées par un bandage pendant 3 à 4 semaines. Elles sont assez douloureuses, en particulier à chaque mouvement respiratoire.

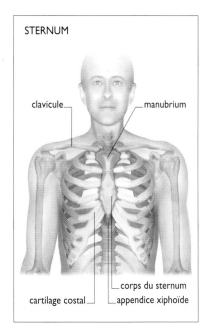

STERNUM

clavicule — manubrium

cartilage costal — corps du sternum — appendice xiphoïde

■ **Les fractures du sternum associées à un écrasement thoracique** sont en revanche des urgences chirurgicales en raison des fréquentes atteintes respiratoires ou cardiaques qui les accompagnent ; le malade doit être placé sous ventilation assistée à pression positive pendant plusieurs semaines, afin d'éviter une dépression thoracique expiratoire, et suivre ensuite des séances de kinésithérapie respiratoire.

Stéroïde hormonal

Substance dérivée du cholestérol et sécrétée par certaines glandes endocrines (glandes corticosurrénales, placenta, ovaires et testicules). SYN. *hormone stéroïde.*

DIFFÉRENTS TYPES DE STÉROÏDE HORMONAL

Les principaux stéroïdes surrénaliens sont les glucocorticostéroïdes, dont le plus connu est le cortisol, les minéralocorticostéroïdes, représentés par l'aldostérone, et les androgènes surrénaliens. Le placenta sécrète les œstrogènes et la progestérone. Les stéroïdes ovariens sont les œstrogènes et la progestérone, et, à un moindre degré, les androgènes. Les testicules synthétisent essentiellement la testostérone.

FONCTION

Les stéroïdes hormonaux ne sont pas stockés mais sécrétés rapidement après leur synthèse. Dans le plasma, ils sont en grande partie liés à des protéines de transport. Seules les molécules libres sont actives.

Les stéroïdes ont un mode d'action commun : ils pénètrent passivement (sans dépense d'énergie) dans la cellule et se lient à un récepteur spécifique. Le complexe hormone-récepteur activé va ensuite pénétrer dans le noyau pour exercer son action. La plupart des stéroïdes peuvent être dosés dans le plasma ou les urines.

Stérol

Substance chimique du groupe des alcools.

Les stérols ont une structure complexe, faite d'une longue chaîne d'atomes repliée sur elle-même pour former plusieurs cycles. Dans l'organisme et dans l'alimentation, il existe de nombreux stérols et de nombreuses substances dérivées, appelées stéroïdes : cholestérol, vitamine D, acides biliaires, stéroïdes hormonaux (hormones de la glande surrénale, comme les corticostéroïdes, de l'ovaire et du testicule).

Stertor

Respiration bruyante et intense, accompagnée d'un ronflement.

Un stertor est fréquent pendant un coma profond ou une agonie. Le sujet respire la bouche ouverte, le voile du palais étant paralysé.

Stéthoscope

Appareil acoustique amplifiant les sons, utilisé pour l'auscultation.

HISTORIQUE

L'invention du stéthoscope est attribuée à René Laennec (1816). Le stéthoscope de Laennec était un cône en bois, dont le médecin appliquait le pavillon sur la zone du corps à ausculter, appuyant ensuite son oreille sur une plaque métallique située à l'autre extrémité de l'appareil.

FONCTIONNEMENT

Le capteur de sons du stéthoscope courant est formé de deux capsules métalliques accolées, l'une fermée par une membrane mobile, pour l'audition des sons aigus, l'autre percée d'un trou pour l'audition des sons graves (souffles vasculaires). Cette double capsule est reliée à une lyre dont les branches sont deux tubes de caoutchouc flexible, dont le médecin place les extrémités, munies d'un embout, dans ses oreilles.

DIFFÉRENTS TYPES DE STÉTHOSCOPE

Il existe des stéthoscopes de différentes tailles, pour adultes, pour enfants et pour nourrissons.

Des stéthoscopes électroniques à amplificateur, d'utilisation récente, assurent une meilleure audition et permettent l'enregistrement sur bande magnétique des sons.

Le stéthoscope obstétrical actuel est assez proche du stéthoscope de Laennec, mais il est le plus souvent en métal. Il sert à écouter le cœur du fœtus à travers la paroi abdominale de la mère. Il est beaucoup moins utilisé depuis l'introduction de l'échographie fœtale.

→ VOIR Auscultation.

Still (maladie de)

Arthrite inflammatoire débutant avant l'âge de 16 ans et d'une durée d'au moins 3 mois. SYN. *arthrite chronique juvénile (ACJ).*

Souvent appelée improprement arthrite rhumatoïde juvénile ou polyarthrite juvénile, l'arthrite chronique juvénile est une affection d'origine inconnue, qui prend trois formes principales.

■ **La forme oligoarticulaire** (50 % des cas) se traduit par une atteinte de 4 articulations au plus ; il n'y a pas de fièvre. Chez les filles, elle s'associe souvent à une uvéite (inflammation de l'uvée) latente - sans symptôme clinique -, d'évolution chronique, et, chez les garçons, à une enthésiopathie (inflammation de l'enthèse, zone d'un os où s'insère un tendon ou un ligament).

■ **La forme polyarticulaire** (30 % des cas) affecte surtout les filles. Elle se manifeste par une atteinte articulaire symétrique et diffuse (touchant de nombreuses articulations) ; la fièvre est modérée ou absente. Dans 10 % des cas, il s'agit d'une polyarthrite rhumatoïde.

■ **La forme systémique** (20 % des cas) atteint surtout les enfants de moins de 5 ans. Elle se traduit par une fièvre très élevée et cyclique (un pic par jour), une éruption, une inflammation des ganglions lymphatiques, une rate hypertrophiée et, parfois, une inflammation du péricarde.

TRAITEMENT

Il vise surtout à soigner les symptômes de la maladie. Il repose sur l'aspirine et les corticostéroïdes locaux (surtout dans les formes oligoarticulaires) et généraux (plutôt dans les formes polyarticulaires et systémiques). Du fait des effets indésirables importants des corticostéroïdes généraux (prise de poids, retard de croissance), l'emploi de corticostéroïdes locaux (par injections), qui, eux, n'ont aucun effet indésirable chez l'enfant, représente un progrès considérable. Les traitements de fond habituels des maladies rhumatismales (sels d'or, D-pénicillamine, etc.) doivent être utilisés avec prudence et essentiellement dans les formes polyarticulaires. Les uvéites latentes nécessitent un traitement corticostéroïde local (collyres), souvent très long (de plusieurs semaines à plusieurs mois), qui requiert une surveillance ophtalmologique très étroite. Parfois, la chirurgie est utile : synovectomie, réalignement articulaire, voire, ultérieurement, pose d'une prothèse.

PRONOSTIC

Le pronostic des arthrites chroniques juvéniles est très variable : assez bon pour les formes oligoarticulaires, il est beaucoup plus aléatoire pour les formes systémiques, médiocre pour les formes polyarticulaires.

Stimulateur cardiaque

Appareil électronique implanté dans le corps et qui délivre au myocarde (muscle du cœur) des impulsions électriques régulières. SYN. *pacemaker, stimulateur artificiel.*

DESCRIPTION

Un stimulateur cardiaque est constitué d'une pile, qui génère des impulsions, et d'un circuit électronique, qui en permet l'émission et le contrôle. Ces impulsions sont transmises au myocarde par l'intermédiaire d'un fil conducteur, ou sonde d'entraînement, qui est introduit par voie veineuse jusqu'aux cavités cardiaques droites. L'implantation est effectuée sous anesthésie locale : le boîtier de stimulation est enfoui dans une loge préparée entre la peau du thorax et le muscle grand pectoral, l'implantation ne nécessitant qu'une hospitalisation de quelques jours. La présence du boîtier n'entraîne qu'une gêne locale minime.

L'utilisation de piles au lithium et la miniaturisation des circuits électroniques permettent à un stimulateur de fonctionner plusieurs années.

RÔLE ET INDICATIONS

Le stimulateur cardiaque est indiqué dans tout cas de défaillance des voies de conduction électrique naturelles du cœur (nœud sinusal, nœud auriculoventriculaire, tronc et branches du faisceau de His), en particulier lorsque celles-ci ne permettent plus d'obtenir des contractions à fréquence normale.

Les troubles de la conduction cardiaque, responsables de malaises et de syncopes, nécessitent en général des stimulateurs qui fonctionnent à la demande (stimulation sentinelle) et ne délivrent une impulsion qu'en cas de déficience du rythme cardiaque spontané. Ce mode de stimulation permet ainsi, par rapport à la stimulation fixe (continue, quel que soit le rythme cardiaque propre du malade), d'allonger la durée de vie de la pile en réduisant au minimum la consommation d'énergie.

Les progrès technologiques permettent aujourd'hui de se rapprocher des conditions physiologiques en stimulant à la fois l'oreil-

STIMULATEUR CARDIAQUE

Un boîtier contenant une pile au lithium et relié par une sonde aux cavités droites du cœur est implanté sous la peau du thorax. Ce dispositif est employé pour délivrer au myocarde des impulsions électriques qui déclenchent ses contractions dès que la fréquence cardiaque spontanée descend au-dessous d'un seuil prédéterminé.

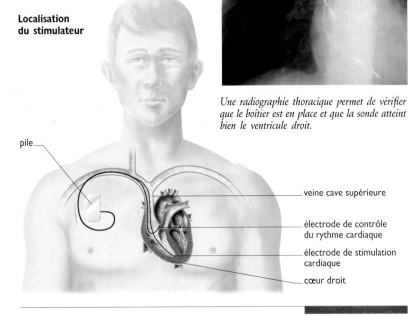

Localisation du stimulateur

pile

veine cave supérieure

électrode de contrôle du rythme cardiaque

électrode de stimulation cardiaque

cœur droit

Une radiographie thoracique permet de vérifier que le boîtier est en place et que la sonde atteint bien le ventricule droit.

lette et le ventricule (stimulateur « double chambre ») et en accélérant le rythme cardiaque au cours d'un effort.

SURVEILLANCE

Le port d'un stimulateur cardiaque nécessite un suivi médical régulier en raison des risques qu'il comporte. Le bon fonctionnement du stimulateur et l'état de santé du malade doivent être vérifiés par un spécialiste deux fois par an. Les résultats sont consignés dans un carnet que tout porteur de stimulateur cardiaque doit garder sur lui.

■ **Le risque électrique** réside dans l'épuisement de la pile. Le remplacement de celle-ci, en temps et en heure, se fait au prix d'une réintervention minime.

■ **Le risque électronique** doit être contourné en évitant la proximité de toute source de courant électromagnétique puissant (imagerie par résonance magnétique [I.R.M.], portiques de contrôle des aéroports, etc.) qui pourrait créer des interférences.

■ **Le risque mécanique** existe lorsqu'il y a mise en tension du système sonde-boîtier, par traumatisme direct ou mouvement d'extension extrême des membres supérieurs, par exemple.

Stimulation cardiaque

Excitation électrique artificielle du ventricule droit destinée à assurer la contraction régulière du cœur et réalisée techniquement à l'aide d'un stimulateur cardiaque ou d'une sonde d'entraînement.

INDICATIONS

La stimulation cardiaque est réalisée à des fins thérapeutiques lorsque les voies de conduction électrique naturelles du myocarde sont déficientes et ne permettent plus d'obtenir une contraction cardiaque à une fréquence suffisante.

CONTRE-INDICATIONS

L'âge, quelquefois, mais surtout le mauvais état général du malade peuvent représenter une contre-indication à l'implantation d'un stimulateur cardiaque.

DIFFÉRENTS TYPES DE STIMULATION CARDIAQUE

La stimulation cardiaque peut être définitive ou temporaire.

■ **Une stimulation définitive** est indiquée lorsque les troubles sont fixes. Il peut s'agir de pauses-arrêts cardiaques ou d'un syndrome d'Adams-Stokes (pouls lent permanent), d'une maladie de l'oreillette (alternance d'épisodes de tachycardie et de bradycardie supraventriculaire), etc. Cette stimulation est réalisée grâce à un stimulateur cardiaque, ou pacemaker, dispositif implanté entre la peau et le muscle pectoral.

■ **Une stimulation temporaire** est une manœuvre de réanimation nécessaire lorsque le trouble de la conduction cardiaque est réversible, comme à la phase aiguë d'un infarctus du myocarde. Elle repose alors sur l'utilisation d'une sonde d'entraînement, sorte de fil conducteur introduit dans une veine périphérique (à l'aine ou au bras) et poussé jusqu'au ventricule droit, où il est

fixé. Cette sonde est reliée à un boîtier de stimulation externe, réglé par le médecin, qui commande la fréquence des impulsions.

Stimulus

Tout élément physique, chimique ou biologique capable de déclencher des phénomènes dans l'organisme, notamment des phénomènes nerveux, musculaires ou endocriniens.

Le froid, la chaleur, les traumatismes sont des stimuli pour les récepteurs cutanés ; l'allongement d'un muscle (comme celui que le médecin provoque lorsqu'il examine les réflexes) est un stimulus entraînant la contraction de ce muscle ; une augmentation du taux de glucose dans le sang constitue un stimulus déclenchant la sécrétion d'insuline.

Stockholm (syndrome de)

Lien de sympathie s'installant entre la victime d'une séquestration et son ravisseur.

Ce syndrome a été décrit en août 1973 à Stockholm, au cours d'une attaque de banque ayant dégénéré en prise d'otages ; à la longue, un fort courant de sympathie était apparu entre certains captifs et leurs agresseurs. Par la suite, ce phénomène fut remarqué plusieurs fois dans des circonstances similaires. Le syndrome de Stockholm semble être une réaction de défense du psychisme contre un traumatisme de séquestration prolongée, qui entre dans le cadre général des névroses traumatiques.

Stomatite

Toute inflammation de la muqueuse buccale.

Le terme de stomatite correspond à des lésions très diverses, de signes et d'évolution variables.

CAUSES

Les stomatites peuvent être dues à de multiples causes : atteinte infectieuse, d'origine virale (herpès, varicelle, zona, etc.) ou bactérienne, allergie (à un appareil dentaire en résine, par exemple), ulcération mécanique (frottement des dents sur la gencive, appareil dentaire mal adapté), mycose (muguet), cancer buccal, etc. Elles sont favorisées par un mauvais état général (convalescence, immunodépression, tuberculose, alcoolisme ou malnutrition).

SYMPTÔMES ET SIGNES

Ils dépendent de la cause de la stomatite : douleur de la cavité buccale, exacerbée par la déglutition et la prise d'aliments, augmentation de la salivation, etc. La muqueuse buccale peut présenter des vésicules, un ou plusieurs aphtes ou une rougeur diffuse.

TRAITEMENT

Le traitement local d'une stomatite repose sur des bains de bouche ; le traitement général vise à soigner sa cause.

→ VOIR Chéilite, Gingivite, Glossite.

Stomatologie

Spécialité médicale qui se consacre à l'étude des maladies de la cavité buccale ainsi qu'à leur traitement.

→ VOIR Odontostomatologie.

Stomie

Technique chirurgicale consistant à aboucher l'un à l'autre deux organes creux (par exemple l'estomac et l'intestin grêle) ou un organe creux (côlon, uretère) à la peau.

Dans ce dernier cas, le terme de stomie désigne alors aussi, par extension, le résultat de l'intervention, c'est-à-dire l'orifice d'écoulement des matières fécales ou de l'urine.

DIFFÉRENTS TYPES DE STOMIE

La stomie consiste le plus souvent à aboucher un segment d'intestin à la peau : on parle alors d'iléostomie, s'il s'agit de l'iléon (dernière partie de l'intestin grêle), ou de colostomie s'il s'agit du côlon. Cette dernière intervention peut être pratiquée sur n'importe quel segment du côlon : elle se nomme cæcostomie quand le cæcum est abouché à la peau, colostomie transverse quand il s'agit du côlon transverse et colostomie gauche quand il s'agit du côlon gauche, ou côlon descendant. Une stomie peut aussi concerner les uretères, pour créer, après une ablation de la vessie, une dérivation des urines ; on parle alors d'urétérostomie ; l'uretère est abouché soit à la peau (urétérostomie cutanée), soit dans un viscère creux, par exemple le côlon (urétérocolostomie).

Une stomie peut être temporaire, pratiquée en attendant que la cicatrisation des lésions permette un rétablissement du circuit digestif ou urinaire normal, ou définitive si, en aval, les voies digestives ou urinaires sont détruites, obstruées ou enlevées.

DIFFÉRENTS TYPES D'APPAREILLAGE

Il en existe 3 types :
- les appareillages dits « une pièce », constitués par une poche adhésive sur laquelle est intégré un anneau de matière adhésive, l'ensemble devant être renouvelé à chaque changement de poche ;
- les appareillages dits « deux pièces », où la poche est assujettie au support adhésif par deux joints qui assurent une fixation solide et étanche tout en permettant d'enlever la poche à tout moment. Il est ainsi possible de laisser le support en place plusieurs jours (tandis que la poche est changée ou vidée au fur et à mesure des besoins) en évitant des arrachages trop fréquents, parfois mal tolérés par la peau ;
- les tampons et les bouchons sont utilisés uniquement par les sujets ayant subi une colostomie gauche. Ils sont autoadhésifs. Les tampons ont la propriété de s'expanser au contact de la muqueuse colique, ce qui bloque les matières fécales pendant un certain temps.

Avant de définir le meilleur appareillage, des essais sont indispensables. Le choix dépend de la morphologie du sujet, de la sensibilité de sa peau, de l'emplacement de l'orifice d'évacuation des selles ou de l'urine, de la consistance des selles ou de la nature de l'urine. L'ajustement des poches est actuellement parfait et les appareillages n'émettent ni bruits ni odeurs désagréables.

Certaines colostomies gauches sont si bien tolérées que le patient ne porte pas de poche, se contentant de vider son intestin tous les 2 ou 3 jours par une irrigation colique, lavement d'eau tiède administré par l'orifice de la stomie. Cette technique, en évacuant complètement le côlon, dont la vacuité se maintient ensuite pendant près de 48 heures, permet au patient de se passer totalement d'appareillage pendant cette période ou d'utiliser un matériel plus « léger » (simple compresse ou minipoche).

ENTRETIEN DES POCHES

La poche doit être changée tous les jours si elle n'est pas dégrafable de son support ou, si elle l'est, lorsque le besoin s'en fait sentir. Dans ce dernier cas, les supports peuvent rester en place de 4 à 8 jours et les poches de 3 à 4 jours pour les urétérostomisés, de 1 à 2 jours pour les iléostomisés ; elles sont à jeter après chaque remplissage pour les colostomisés.

Il est préférable de changer la poche le matin ou le soir, au moment où l'écoulement d'urine ou de matières fécales est le moins important. Décoller les feuillets de la poche avant de la poser permet de laisser entrer un peu d'air et de faciliter l'écoulement des selles et des urines. Une fois appareillé, le sujet doit vérifier que la poche tient bien en place en la tirant légèrement vers le bas.

Le pourtour de l'orifice d'écoulement des selles ou de l'urine doit être lavé à l'eau tiède et au savon de Marseille, avec un gant de toilette réservé à cet effet, ou éventuellement des mouchoirs en papier ou des compresses. Il faut éviter de le frotter trop fort ou de l'irriter avec d'autres produits, et le sécher soigneusement avant de fixer la poche.

ÉVOLUTION

En règle générale, dans les mois qui suivent l'intervention, la taille de l'orifice diminue légèrement. Elle évolue aussi en fonction des fluctuations de poids. Le choix d'un appareil n'est donc pas définitif : il est possible d'en changer suivant les activités du sujet ou l'évolution de sa stomie.

COMPLICATIONS

Un changement de taille, de forme ou de couleur de l'orifice et de la peau qui l'entoure, un saignement persistant doivent faire l'objet d'une consultation médicale, de même que toute modification durable de la consistance des selles ou tout changement de l'odeur ou de l'aspect des urines.

HYGIÈNE ALIMENTAIRE

Il est important de manger à intervalles réguliers en mastiquant bien et de boire abondamment (1,5 litre par jour).

■ Les sujets ayant subi une colostomie ou une iléostomie n'ont pas à suivre de régime particulier ; il est seulement préférable qu'ils consomment avec modération certains aliments qui peuvent constiper ou provoquer une diarrhée (salsifis, haricots verts, asperges, poireaux, prunes, melons, oranges, raisins, café, alcool, thé) ou bien donner des gaz (choux, oignons, ail, artichauts, légumes secs, poissons et viandes grasses, plats en sauce, fromages fermentés, boissons gazeuses).

■ Les sujets ayant subi une urétérostomie peuvent conserver une alimentation normale. Selon le type de stomie, il est possible de réduire le risque d'infection urinaire en acidifiant les urines, c'est-à-dire en privilégiant la consommation d'acidifiants (airelles, rhubarbe, jus de pruneaux ou de myrtilles, choux-fleurs, persil, poivrons, broccolis, céréales, viandes, poissons, œufs) et en réduisant la consommation d'alcalinisants (agrumes, lait, eau de Vichy ou de Badoit).

Stomatite

Une stomatite peut avoir des causes très diverses : maladie infectieuse (varicelle, herpès), irritation (tabac, épices, appareil dentaire), etc. L'inflammation touche en général la muqueuse de la bouche (langue, lèvres, palais) et les gencives.

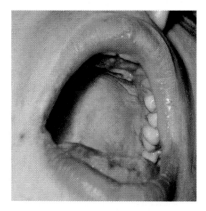

La langue, les lèvres et les gencives sont recouvertes d'aphtes, petites ulcérations superficielles entourées d'un anneau rouge.

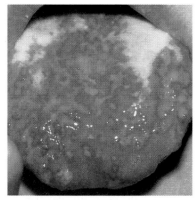

Cette stomatite herpétique se traduit par la formation, sur la langue, de petites vésicules et d'un enduit blanchâtre.

VIVRE AVEC UNE STOMIE

En dépit de la qualité du matériel actuel, l'adaptation psychologique à l'appareillage peut être difficile. Il est important que les patients apprennent à répondre eux-mêmes aux contraintes découlant d'une stomie, si possible avec l'aide d'une association de malades.

Après une stomie, la pratique du sport est tout à fait possible. S'il est préférable d'éviter les sports violents ou de contact, tous les sports individuels peuvent se pratiquer sans restriction. Douches et bains en piscine ou dans la mer sont également possibles car les appareillages résistent à l'eau, même salée ou chlorée ; il suffit ensuite de les essuyer soigneusement.

Strabisme

Défaut de parallélisme des axes visuels, caractérisé par une déviation de l'axe d'un œil par rapport à l'autre et associé à un trouble visuel.

Le strabisme est une affection fréquente qui touche essentiellement les enfants dans les premières années de leur vie.

DIFFÉRENTS TYPES DE STRABISME

■ Le strabisme convergent, ou ésotropie (déviation d'un œil vers l'intérieur), est couramment observé chez les petits enfants. On le rencontre en cas d'anisométropie (différence de réfraction entre les 2 yeux, ce qui entraîne une différence de taille entre les images perçues par chacun des yeux), en cas d'hypermétropie forte, de paralysie partielle d'un muscle oculomoteur ou de maladie visible du globe oculaire (cataracte, rétinoblastome, ptôsis).

■ Le strabisme divergent, ou exotropie (déviation d'un œil vers l'extérieur), est

moins fréquent. Il atteint les enfants plus âgés ou les adultes et résulte souvent d'une myopie forte ou d'une perte tardive de la vision.

SYMPTÔMES ET SIGNES

La perturbation de la vision peut se manifester de deux manières différentes. Si les deux images reçues par le cerveau sont trop différentes, celui-ci peut annuler la moins bonne des deux. Ainsi, l'œil dévié perd progressivement ses capacités visuelles et ne transmet plus d'image au cerveau, faute d'entraînement : c'est l'amblyopie. Dans les petits strabismes, au contraire, le cerveau peut essayer de faire concorder deux images peu différentes, reçues par deux points rétiniens non correspondants : il s'agit alors d'une correspondance rétinienne anormale, plus difficile à détecter.

DIAGNOSTIC

Le diagnostic de strabisme est établi après trois examens réalisés par l'ophtalmologue : l'étude des reflets cornéens, qui, à l'aide d'une lumière projetée sur l'œil, révèle des reflets non symétriques des yeux par rapport aux pupilles ; le test de l'écran, qui consiste à cacher alternativement chaque œil pour connaître le sens de la déviation ; enfin, l'étude de la motilité oculaire dans les différentes directions du regard, qui est habituellement normale et témoigne du bon fonctionnement des muscles oculomoteurs.

TRAITEMENT

Plus le traitement est précoce, plus il est efficace. Aussi est-il nécessaire de déceler un strabisme convergent dès le plus jeune âge (cela est possible à partir de 6 mois). En revanche, non traité après 6 ans, le strabisme est plus difficile à guérir.

■ La correction de l'amétropie (trouble de la réfraction), à l'aide de verres correcteurs, peut être entreprise dès l'âge de 8 mois. Les lunettes doivent être portées en permanence.

■ Le traitement de l'amblyopie doit également commencer tôt et se réalise en cachant l'œil fonctionnel pendant de longues périodes (de 2 heures par jour à toute la journée pendant plusieurs jours de suite). Cette occlusion se pratique le plus souvent à l'aide d'un pansement posé sur l'œil non atteint ; elle a pour but d'obliger l'autre œil à développer sa fonction visuelle. Si le traitement est précoce et complet, il est couronné de succès dans 90 % des cas. Dans les autres cas, une rééducation orthoptique, destinée à apprendre aux yeux à travailler ensemble, peut être envisagée vers l'âge de 5 ans, quand l'enfant est suffisamment coopératif. Une diminution de l'angle de déviation peut également être obtenue par l'application d'adhésifs sur les verres des lunettes, le plus souvent sur les parties nasales (strabisme convergent), ce qui oblige les yeux à fixer droit devant eux. Des verres à double foyer peuvent contribuer à diminuer la convergence en vision de près en cas d'hypermétropie marquée par un effort d'accommodation trop important. Enfin, des prismes collés sur la partie interne du verre de chaque lunette permettent de maintenir l'œil dans le bon axe, le plus souvent dans l'attente d'un traitement chirurgical.

■ Le traitement chirurgical n'intervient qu'en dernier recours. Il consiste à déplacer l'insertion de certains muscles oculomoteurs (par exemple, à reculer le point d'insertion des muscles droits internes en cas de strabisme convergent) et/ou à en raccourcir d'autres. Cette opération est pratiquée sous anesthésie générale. L'hospitalisation dure 2 ou 3 jours. Après l'intervention, le port de verres correcteurs est souvent nécessaire ainsi qu'une rééducation orthoptique.

Strangulation

Resserrement par pression circulaire autour du cou, autour d'un organe ou autour du pédicule de celui-ci.

La strangulation d'un organe entraîne son ischémie (ralentissement ou arrêt de la circulation). Une hernie d'une partie de l'intestin grêle au travers d'une zone de faiblesse de la paroi abdominale, par exemple, peut se compliquer d'une strangulation du viscère, appelée hernie étranglée. Lorsqu'elle concerne le cou soit par pendaison, soit par accident (avec une écharpe ou une cravate), la strangulation provoque une asphyxie par écrasement de la trachée, ou une ischémie cérébrale par compression des artères carotides ; en cas de pendaison, il peut s'y ajouter une fracture ou une luxation des vertèbres cervicales avec lésion de la moelle épinière, paralysie des muscles respiratoires et troubles neurovégétatifs. Lors de l'accouchement, l'enfant peut être victime de strangulation si le cordon ombilical entoure son cou.

Strapping

→ VOIR Contention.

STRABISME

Le strabisme est un défaut de parallélisme des deux axes visuels. Le cerveau, pour éviter de voir double, ne conserve alors plus que l'image de l'œil dont l'axe n'est pas modifié, supprimant automatiquement l'image de l'œil dont l'axe est dévié, qui ne peut ainsi se développer normalement. Le traitement doit donc être entrepris le plus tôt possible, dès l'âge de 6 mois. Il consiste le plus souvent à cacher l'œil non dévié, de manière à forcer l'autre œil à travailler.

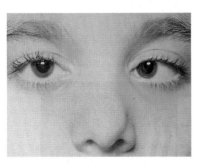

Le strabisme convergent (déviation de l'œil vers l'intérieur), qui touche souvent de très jeunes enfants, peut être dû à une maladie du globe oculaire ou à une paralysie musculaire.

Le strabisme divergent (déviation de l'œil vers l'extérieur), moins fréquent, apparaît surtout chez les grands enfants et l'adulte. Il est parfois la conséquence d'une forte myopie.

Streptococcémie

Septicémie (état infectieux généralisé) à streptocoque (coccus [bactérie de forme arrondie] à Gram positif).

CAUSES

Les streptococcémies sont dues au passage dans le sang de streptocoques à partir d'un foyer d'infection initial. De telles infections sont rares. Elles sont consécutives à une endocardite (infection des valvules cardiaques), à une streptococcie néonatale (streptocoque B) ou encore proviennent d'un foyer infectieux initial cutané (streptocoque A, B, C ou G), oropharyngé, utérin ou, plus fréquemment, digestif ou urinaire (streptococque D, entérocoque).

Une septicémie à streptocoque peut entraîner la formation d'un foyer infectieux suppuré de localisation hépatique, pulmonaire ou ostéoarticulaire.

DIAGNOSTIC ET TRAITEMENT

L'infection par le streptocoque est mise en évidence par hémoculture. Le traitement repose sur l'administration précoce d'antibiotiques tels que les pénicillines, pendant quelques semaines.

Streptococcie

Infection due à un streptocoque.

Les streptocoques, bactéries à Gram positif, sont des germes pyogènes (susceptibles d'entraîner la formation de pus) ; on distingue, selon qu'il y a ou non formation de pus, des streptococcies suppuratives et des streptococcies non suppuratives.

Streptococcie suppurative

C'est une infection à streptocoque entraînant la formation de pus et qui est le plus souvent contractée par voie aérienne.

DIFFÉRENTS TYPES DE STREPTOCOCCIE SUPPURATIVE

Le mécanisme de cette infection est soit la multiplication du germe, soit une toxi-infection (infection par une toxine sécrétée par la bactérie).

■ Les infections suppuratives à streptocoque, fréquentes chez l'enfant, atteignent notamment les voies aériennes supérieures (angine, sinusite, adénite) et les oreilles (otite). Une atteinte cutanée (impétigo, érysipèle, cellulite [inflammation du tissu sous-cutané]) est également possible. La septicémie à streptocoque (dissémination du germe par la circulation sanguine), rare, découle le plus souvent d'un foyer infectieux initial urinaire ou digestif.

■ Les toxi-infections à streptocoque sont représentées par la scarlatine : le germe est localisé à la gorge et provoque une angine, mais sa toxine se diffuse dans tout l'organisme et déclenche les autres signes de l'affection (éruption cutanée, notamment).

DIAGNOSTIC ET TRAITEMENT

Les streptococcies suppuratives sont diagnostiquées par prélèvement bactériologique effectué dans l'organe infecté (gorge, plaie cutanée, etc.). Le traitement repose sur l'administration d'antibiotiques du groupe des pénicillines. De telles infections peuvent récidiver : les angines streptococciques à répétition ne sont pas rares chez l'enfant.

Streptococcie non suppurative

C'est une complication, dite post-streptococcique, d'une infection à streptocoque, provoquée par un dérèglement du système immunitaire.

Ces streptococcies peuvent apparaître plusieurs semaines après l'infection initiale, alors même que les germes ont disparu de l'organisme. Elles entraînent un important syndrome inflammatoire. Le rhumatisme articulaire aigu (inflammation des grosses articulations et du cœur), la glomérulonéphrite aiguë (atteinte des reins se traduisant par des œdèmes et une hypertension artérielle), la chorée de Sydenham (atteinte neurologique se manifestant par des mouvements anormaux), l'érythème noueux (plaques cutanées douloureuses) sont des streptococcies non suppuratives.

DIAGNOSTIC ET TRAITEMENT

Le diagnostic repose sur la recherche d'antigènes streptococciques (antistreptolysines, antinucléases, antiDNases) dans le sang. Le traitement fait appel aux antibiotiques du groupe des pénicillines et aux corticostéroïdes. Des séquelles sont possibles, telles qu'une valvulopathie cardiaque consécutive à un rhumatisme articulaire aigu.

Streptococcus pneumoniæ

Bactérie à Gram positif responsable d'infections bronchopulmonaires et oto-rhino-laryngologiques, susceptibles de se compliquer de méningites. SYN. pneumocoque.

Ces bactéries sont des cocci (bactéries de forme arrondie), le plus souvent groupés par deux, formant un « 8 » ou de longues chaînettes lorsqu'ils sont cultivés en laboratoire. Ce sont des bactéries fragiles, incapables de survivre dans le milieu extérieur, commensales (vivant sur un hôte sans lui nuire) du rhinopharynx chez le sujet sain.

PATHOLOGIE ET TRAITEMENT

Les infections bronchopulmonaires à Streptococcus pneumoniæ sont des pneumonies (pneumonie franche lobaire aiguë), des bronchites et des pleurésies ; les infections oto-rhino-laryngologiques sont des otites, des sinusites et des mastoïdites se compliquant souvent de méningites. Ces affections touchent plus fréquemment les personnes très âgées et les enfants, les sujets souffrant d'insuffisance respiratoire ou cardiaque, de drépanocytose ainsi que les personnes ayant subi une ablation de la rate. Elles sont traitées par administration de pénicillines. Cependant, la sensibilité des souches bactériennes à ces antibiotiques doit systématiquement être testée par antibiogramme, car le nombre de souches résistantes est en augmentation constante – jusqu'à 10 % dans les otites.

Streptocoque

Famille bactérienne regroupant plusieurs genres de cocci (bactéries de forme arrondie) à Gram positif, disposés en chaînettes.

Les deux genres retrouvés chez l'homme sont le genre Streptococcus proprement dit – dont une espèce particulière appelée Streptococcus pneumoniæ, ou pneumocoque – et le genre Enterococcus, ou entérocoque.

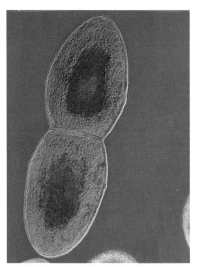

Streptocoque. Photographie, prise au microscope électronique, d'un streptocoque, ou Streptococcus, en train de se diviser.

DIFFÉRENTS STREPTOCOQUES

Les streptocoques sont classés en fonction des propriétés antigéniques d'un constituant de leur paroi, le polyoside C, en différents groupes (dénommés A, B, C, etc.), ou bien en fonction de leurs propriétés biochimiques lorsqu'ils ne possèdent pas de polyoside C et ne sont pas groupables. On en distingue plus de 20 groupes, les plus virulents étant ceux des groupes A, en raison d'une capsule et d'un antigène superficiel appelé protéine M, puis, dans une moindre mesure, ceux des groupes B et D.

■ Le streptocoque du groupe A, ou Streptococcus pyogenes, sécrète de nombreuses substances responsables de manifestations cliniques variées (angine, érysipèle, infection cutanée, scarlatine) et de complications survenant à la suite de ces affections (rhumatisme articulaire aigu, glomérulonéphrite aiguë, érythème noueux).

■ Les streptocoques du groupe B, qui colonisent l'intestin et les organes génitaux féminins, sont à l'origine de septicémies et de méningites néonatales.

■ Les streptocoques du groupe D (Streptococcus bovis) et les espèces du genre Enterococcus (Enterococcus fæcalis, Enterococcus fæcium) sont des hôtes normaux de l'intestin, parfois responsables de septicémies et d'endocardites. Les entérocoques sont, en outre, fréquemment responsables d'infections urinaires et de suppurations à point de départ digestif ; ils se caractérisent par leur résistance aux antibiotiques.

■ Les streptocoques non groupables, ou streptocoques oraux, sont des bactéries commensales (vivant sur un hôte sans lui nuire) de la cavité buccale de l'homme ; ils contribuent à l'apparition des caries dentaires et sont également responsables de la plupart des endocardites d'évolution lente (maladie d'Osler).

Streptodornase

Enzyme antigénique synthétisée par le streptocoque du groupe A, *Streptococcus pyogenes,* induisant la sécrétion par l'organisme d'anticorps, les antistreptodornases. SYN. *désoxyribonucléase streptococcique.*

Le dosage des antistreptodornases dans le sérum sanguin permet, au même titre que celui des antistreptolysines, de diagnostiquer et de suivre l'évolution des affections poststreptococciques (complications survenant au cours d'infections par le streptocoque A) comme le rhumatisme articulaire aigu et la glomérulonéphrite aiguë.

Streptokinase

Enzyme sécrétée par les streptocoques des groupes A, C et G.

La streptokinase possède la propriété de dégrader la fibrine, substance protéique intervenant dans la formation du caillot lors du processus de coagulation du sang. Aussi est-elle utilisée à ce titre, comme thrombolytique, dans le traitement des thromboses artérielles ou veineuses (oblitération d'un vaisseau sanguin par un caillot), en particulier à la phase aiguë d'un infarctus du myocarde.

→ VOIR Fibrinolytique.

Streptolysine

Enzyme hémolytique (provoquant in vitro la destruction des globules rouges) antigénique sécrétée par les streptocoques du groupe A et, éventuellement, ceux des groupes C et G, entraînant la sécrétion d'anticorps, les antistreptolysines.

Le dosage de ces antistreptolysines dans le sérum sanguin, au même titre que celui des antistreptodornases, permet de diagnostiquer les affections post-streptococciques (complications survenant à la suite d'infections par le streptocoque, comme le rhumatisme articulaire aigu et la glomérulonéphrite aiguë) et d'en suivre l'évolution.

Stress

État réactionnel de l'organisme soumis à une agression brusque. (De l'anglais *stress,* effort intense.)

Le terme de stress fut introduit en 1936 par le physiologiste canadien Hans Selye.

CAUSES

Les sources d'agression constituant des facteurs de stress sont innombrables : traumatisme, choc émotionnel, opération chirurgicale, intoxication, froid et, de façon générale, astreintes de la vie quotidienne (bruit, appels téléphoniques multiples, surmenage, transports urbains, etc.).

L'agression déclenche au niveau cérébral (hypophyse) une « réaction d'alarme », stimulant la sécrétion de corticotrophine (ACTH) et donc d'hormones surrénaliennes (cortisol) qui modifient l'équilibre psychophysiologique du sujet et entraînent notamment une tachycardie, une hyperventilation respiratoire et une vasoconstriction artérielle. Lorsque le stress reste mineur, il joue un rôle positif en améliorant les capacités d'adaptation à l'agression. Il n'en va pas de même

lorsque l'agression est trop intense ou qu'elle se prolonge.

TROUBLES LIÉS AU STRESS

Le stress met en œuvre des facteurs neurovégétatifs, endocriniens et tissulaires. Il provoque des symptômes dont la localisation varie selon les individus. Le plus connu est l'ulcère gastrique : un stimulus répété entraîne la contraction du réseau artériel irriguant la muqueuse de l'estomac. Si le stress persiste, une ischémie (insuffisance circulatoire causant une altération ou une nécrose des tissus) survient, responsable d'hémorragies ou de perforation de la paroi gastrique. Parmi les autres maladies liées au stress figurent les affections cardiovasculaires (angor, infarctus du myocarde, hypertension artérielle), digestives (troubles du transit, colites, ulcères), dermatologiques (eczéma, alopécie ou chute des cheveux), endocriniennes (risque de décompensation grave d'une insuffisance surrénalienne chronique), gynécologiques (troubles de l'ovulation et/ou des règles). Le stress peut également être la source de douleurs et de malaises d'origine neurovégétative (palpitations, bref malaise sans perte de connaissance, syncope), d'états de fatigue rebelle, de dépression, d'insomnie, d'anorexie, voire de confusion mentale.

TRAITEMENT

Il est avant tout préventif et repose sur l'acquisition d'une meilleure résistance au stress ; c'est le mode global de vie du patient qu'il faut examiner et remanier. On peut recourir à la relaxation, au sport, au yoga, à l'acupuncture. En cas de maladie dont le stress constitue la cause ou un facteur de risque, le traitement consiste à soigner la maladie et à lutter contre le stress.

L'étude du stress a considérablement fait progresser la compréhension des maladies psychosomatiques, en montrant l'existence d'interactions neurologiques, hormonales et psychiques dans leur genèse.

Striction

Resserrement pathologique d'un organe.

Une striction permanente d'un organe creux provoque une sténose (rétrécissement de l'organe) ; une striction d'un vaisseau entraîne une ischémie (insuffisance circulatoire) dans les tissus qu'il irrigue.

Stridor laryngé

Bruit respiratoire anormal, aigu et perçant, du nouveau-né, survenant à l'inspiration et causé par une affection du larynx.

Un stridor laryngé est un phénomène très fréquent et habituellement bénin. Le plus souvent, il est lié à une laryngomalacie (invagination respiratoire de la margelle laryngée) due à une rigidité insuffisante du larynx : à chaque inspiration, celui-ci s'affaisse vers l'intérieur, ce qui déclenche un bruit respiratoire, le stridor proprement dit. La laryngomalacie et le stridor guérissent spontanément en quelques mois. S'ils se compliquent d'une gêne respiratoire, une réparation chirurgicale du larynx peut s'imposer, réalisable par voie endoscopique (à l'aide d'un tube introduit par la bouche).

Striduleux

Qualifie un bruit respiratoire d'origine laryngée, sifflant, aigu et de timbre musical, perçu à l'inspiration.

Une laryngite striduleuse, par exemple, se rencontre au cours d'infections rhinopharyngées de l'enfant (rougeole, notamment) et peut entraîner des troubles respiratoires.

Stripping

Technique de saphénectomie (ablation de la veine saphène), pratiquée en cas d'insuffisance veineuse des membres inférieurs.

→ VOIR Saphénectomie.

Stroma

Tissu nourricier et de soutien d'une tumeur maligne.

Constitué par un tissu conjonctif vascularisé, le stroma se forme en réponse à la présence des cellules tumorales sans être lui-même tumoral. Son rôle est ambigu : d'une part, il permet à la tumeur de croître en assurant sa nutrition ; d'autre part, il constitue une réaction de défense de l'organisme, dont le but est de freiner le développement du cancer. En effet, il contient souvent de nombreuses cellules inflammatoires (polynucléaires, cellules lymphoplasmocytaires ou granulomes). Il peut être riche en fibres collagènes ou contenir des dépôts particuliers : calcifications, substance amyloïde, ossifications.

Strongyloïdose

→ VOIR Anguillulose.

Strontium

Corps simple de numéro atomique 38, doué de propriétés comparables, du point de vue physiologique, à celles du calcium, c'est-à-dire présentant une affinité marquée pour le tissu osseux.

Lorsqu'il est administré à un sujet, le strontium (Sr) tend à se concentrer dans les parties du squelette où se forme le tissu osseux. Deux isotopes radioactifs du strontium, le strontium 87m et le strontium 85, étaient naguère utilisés en scintigraphie osseuse pour étudier l'état fonctionnel du squelette : en effet, les lésions osseuses fixent ces substances radioactives en beaucoup plus grande quantité que l'os normal, ce qui permet souvent de les détecter bien avant qu'elles ne soient décelables par la radiologie classique. Ces isotopes présentant des inconvénients, on préfère aujourd'hui utiliser les polyphosphates marqués au technétium 99m, radioélément particulièrement bien adapté à la scintigraphie osseuse.

Un autre isotope radioactif du strontium (89Sr) commence à être utilisé avec succès en traitement palliatif pour soulager les douleurs trop intenses chez les patients atteints d'un cancer avec métastases osseuses, quand la radiothérapie externe devient inefficace.

Strümpell-Lorrain (syndrome de)

Affection neurologique héréditaire caractérisée par une paraplégie (paralysie des membres inférieurs) spasmodique. SYN. *paraplégie spasmodique familiale, paraplégie spasmodique familiale de Strümpell-Lorrain, paraplégie spastique familiale type Strümpell-Lorrain.*

CAUSES

Le syndrome de Strümpell-Lorrain est une affection rare dont le mode de transmission est variable, mais le plus souvent autosomique (il se transmet par les chromosomes non sexuels) dominant : il suffit que le gène porteur soit reçu de l'un des deux parents pour que l'enfant développe la maladie. Dans 20 % des cas environ, le syndrome se transmet sur le mode autosomique récessif : le gène doit être reçu des deux parents pour que l'enfant développe la maladie. Il existe aussi des cas de transmission récessive et liée au sexe, dans lesquels le syndrome se transmet par le chromosome X de la mère et n'atteint que les enfants de sexe masculin. Le syndrome se manifeste parfois dans des familles sans antécédent connu.

Plusieurs gènes mutés (altérés) sont sans doute à l'origine de la maladie. L'un de ces gènes a été localisé sur le bras long du chromosome 14.

Une lésion des faisceaux pyramidaux (nerfs de la motricité volontaire) provoquant une paralysie caractérise le syndrome de Strümpell-Lorrain.

SYMPTÔMES ET SIGNES

Les formes précoces de la maladie se manifestent dès l'âge de 2 ou 3 ans ; les formes tardives ne se révèlent parfois qu'après 35 ans.

L'affection se manifeste par une démarche raide et des difficultés à se déplacer qui s'accentuent progressivement. Le malade a du mal à décoller ses pieds du sol ; il avance en basculant le bassin et en faisant effectuer à ses membres inférieurs un déplacement en demi-cercle. Le déficit de la force musculaire est modéré dans la plupart des cas. La cambrure des pieds est souvent exagérée (pied creux). Le gros orteil s'étend lentement lorsque le médecin frotte le bord externe du pied (signe de Babinski). Les réflexes ostéotendineux sont vifs.

TRAITEMENT ET PRONOSTIC

Il n'existe pas, à l'heure actuelle, de traitement permettant de guérir le syndrome de Strümpell-Lorrain. Cependant, la rééducation permet d'éviter les rétractions tendineuses, et l'usage de chaussures orthopédiques est parfois utile ; souvent, des médicaments visant à diminuer la raideur musculaire sont prescrits. La plupart des malades parviennent à marcher encore, 30 ans ou plus, après le début des troubles.

PERSPECTIVES

L'identification des gènes en cause dans ce syndrome est la condition préalable indispensable à un éventuel diagnostic prénatal et à une thérapie génique.

Stupéfiant

Substance, médicamenteuse ou non, dont l'action sédative, analgésique, narcotique et/ou euphorisante provoque à la longue une accoutumance et une pharmacodépendance (toxicomanie).

Certains stupéfiants, comme les analgésiques opiacés (morphine, opium, etc.), qui font partie de la catégorie des narcotiques, peuvent avoir un usage thérapeutique. Ils agissent contre la douleur, mais leur utilisation prolongée entraîne une dépendance physique et/ou psychique. Leur emploi est soumis à une législation sévèrement réglementée. Parmi les autres stupéfiants, couramment appelés « drogues », on trouve des dérivés du chanvre indien (cannabis), de la cocaïne et de l'opium, auxquels s'ajoutent l'héroïne et le LSD. Ces stupéfiants sont responsables d'une diminution de l'activité intellectuelle, de la motricité et de la sensibilité. Leur emploi est illégal.
→ VOIR Dossier Toxicomanie.

Sturge-Weber-Krabbe (maladie de)

Syndrome congénital associant un angiome plan (tache de vin) - qui s'étend sur tout un côté du visage avec une prédilection pour la région de la paupière supérieure et du pourtour de l'œil -, un angiome (tumeur bénigne) situé à la face externe du cerveau et, parfois, un angiome situé sur la choroïde (membrane nourricière de la rétine). SYN. *angiomatose encéphalotrigéminée.*

SYMPTÔMES ET SIGNES

La maladie de Sturge-Weber-Krabbe est le plus souvent bénigne et sans symptôme. Dans certains cas cependant, elle peut entraîner au cours des années une hémiplégie, une arriération mentale et une épilepsie ; en outre, un glaucome (hypertension intraoculaire) risque de se développer dans l'œil atteint, provoquant une perte partielle ou totale de la vue de cet œil.

DIAGNOSTIC

La constatation d'un angiome étendu sur le visage d'un nouveau-né doit conduire à faire

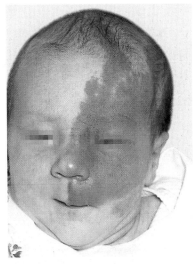

Maladie de Sturge-Weber-Krabbe. *Ce syndrome congénital se traduit par un angiome plan qui s'étend sur presque toute une moitié du visage, à laquelle il donne une coloration rouge violacé.*

pratiquer des examens radiologiques (scanner cérébral et imagerie par résonance magnétique cérébrale) pour détecter un éventuel angiome méningé. L'examen de l'œil est également systématique.

TRAITEMENT

L'angiome peut être soigné par les techniques modernes de traitement des angiomes (notamment celle du laser pulsé). Dans les cas graves, une intervention chirurgicale sur les parties du cerveau atteintes est nécessaire. Dans d'autres cas, un traitement anticonvulsivant préventif peut être proposé, par des neurologues pédiatres, aux jeunes enfants présumés atteints, dans le but d'éviter la survenue de crises épileptiques prolongées.

Stylet

Petite tige métallique fine, rigide ou flexible, à pointe émoussée, d'usage chirurgical.

Un stylet sert à sonder les fistules et les plaies sans provoquer de traumatisme.

Styloïde

Se dit d'une apophyse (partie saillante d'un os) en forme de stylet (allongée et pointue).

Il existe plusieurs apophyses styloïdes : apophyse styloïde radiale, cubitale, etc.

Styloïdite

Inflammation d'une apophyse styloïde.
→ VOIR Apophysite.

Subaigu

Se dit d'un état pathologique ou d'une maladie dont les symptômes sont de faible intensité mais se prolongent et ne s'atténuent que faiblement.

Le stade subaigu – ou la forme subaiguë – d'une maladie se situe entre l'aigu et le chronique. Il n'a pas de rapport avec le degré de gravité d'une affection.

Subintrant

Se dit de manifestations ou de symptômes d'une maladie dont la succession est si rapide que les uns commencent avant la cessation complète des autres.

Une migraine se manifeste parfois par des accès subintrants. Un angor subintrant correspond à des crises d'angine de poitrine répétées et rapprochées et doit faire craindre la survenue à brève échéance d'un infarctus du myocarde.

Sublinguale (glande)

→ VOIR Salivaire (glande).

Subluxation

Luxation incomplète, par déplacement partiel des deux extrémités osseuses d'une articulation.
→ VOIR Luxation.

Submersion

Fait d'être recouvert d'eau.

La submersion prolongée d'un sujet vivant entraîne la mort par deux mécanismes différents : la noyade (asphyxie mécanique des voies respiratoires par l'eau) et l'hydrocution (arrêt cardiorespiratoire brutal, dû au

contact de l'eau froide sur la peau et les muqueuses). Les lésions anatomiques retrouvées à l'autopsie sont différentes selon le mécanisme de la mort.
→ VOIR Hydrocution, Noyade.

Substance blanche

Tissu nerveux d'aspect blanchâtre, faisant partie du système nerveux central. (P.N.A. *substantia alba*)

La substance blanche, située dans la moelle épinière et dans l'encéphale, contient essentiellement les axones - prolongements des cellules nerveuses, très fins et très longs, entourés chacun d'une gaine d'une substance particulière, la myéline - mais aussi des cellules non nerveuses constituant un tissu interstitiel, appelé névroglie, qui nourrit et protège les cellules nerveuses. La substance blanche assure la conduction de l'influx nerveux soit d'un centre nerveux à un autre, soit entre un centre nerveux et un nerf.

PATHOLOGIE
Une maladie, la sclérose en plaques, se caractérise par la démyélinisation des fibres nerveuses de la substance blanche.

Substance fondamentale

Substance ayant la consistance d'un gel, située autour des cellules du tissu conjonctif et dans laquelle baignent les fibres et se déplacent les cellules mobiles.

Formée d'eau, de sels minéraux, de protéines et de molécules complexes (les glycosaminoglycanes), la substance fondamentale joue un rôle de lubrifiant du tissu conjonctif, absorbe les chocs et facilite la diffusion de nombreux éléments à travers ce tissu.

Substance grise

Tissu nerveux d'aspect grisâtre, faisant partie du système nerveux central. (P.N.A. *substantia grisea*)

La substance grise est située dans la moelle épinière et dans l'encéphale, soit dans la profondeur du cerveau, où elle forme de petits amas, les noyaux gris, soit en surface (cortex du cervelet et des hémisphères du cerveau). Elle contient surtout les corps cellulaires des cellules nerveuses, mais aussi d'autres cellules, non nerveuses, formant un tissu interstitiel appelé névroglie, qui apporte les éléments énergétiques aux cellules nerveuses et assure leur protection.

La substance grise assure la fonction de centre nerveux : réception des messages, analyse complexe des informations, élaboration des réponses. Elle se caractérise par l'importance et la complexité de ses connexions intercellulaires. Comparée à la substance blanche, elle est ainsi en quelque sorte la partie « noble » du système nerveux.

PATHOLOGIE
Une dégénérescence de la substance grise du cortex est à l'origine de démences telles que la maladie d'Alzheimer.

Substance réticulée

Ensemble de cellules nerveuses disposées en réseaux denses le long du tronc cérébral (du bulbe rachidien à l'hypothalamus), à l'intérieur de l'encéphale. (P.N.A. *formatio reticularis*)

La substance réticulée est constituée de très nombreuses cellules nerveuses qui communiquent entre elles par de multiples jonctions appelées synapses. Son rôle demeure pour une grande part inconnu. On sait cependant qu'il existe un système réticulaire ascendant, qui mettrait le cortex cérébral en état de veille ou d'alerte (il s'agit donc d'un système activateur), et un système réticulaire descendant, dont une partie serait inhibitrice et l'autre activatrice de la motricité involontaire et qui jouerait un rôle important dans le contrôle du tonus musculaire.

Substitut volémique

Produit naturel ou synthétique utilisé par voie intraveineuse pour augmenter un volume sanguin anormalement diminué. SYN. *soluté de remplissage*.

Les substituts volémiques sont indiqués pour corriger une hypovolémie (diminution du volume sanguin) consécutive, par exemple, à une hémorragie et provoquant un collapsus (chute de la tension artérielle), voire un état de choc (malaise, pâleur, gêne respiratoire). Ils sont injectés par voie veineuse et comprennent deux types de produits.

DIFFÉRENTS TYPES DE SUBSTITUT VOLÉMIQUE
■ **Les produits d'origine humaine,** obtenus grâce à des donneurs volontaires, sont collectés et préparés par les centres de transfusion sanguine. Ils sont traités pour éliminer tout risque de transmission de maladies (hépatite virale, sida, etc.). Il s'agit soit de sang dans sa totalité (sang « total »), soit d'éléments du sang.

Le sang dans sa totalité est conservé dans des poches ou des flacons. Il est indispensable si un malade manque de globules rouges, à cause d'une hémorragie par exemple. Le sang donné doit être compatible avec le groupe sanguin du receveur.

On emploie également le plasma, sous forme de plasma frais congelé ou de poudre à reconstituer, en poches ou en flacons, et, plus rarement, l'albumine en flacons, avec ou sans sodium.

■ **Les succédanés du plasma,** naturels ou synthétiques, sont soit des colloïdes (formés de grosses molécules retenant l'eau par osmose, c'est-à-dire en l'empêchant de sortir des vaisseaux sanguins vers les tissus : gélatine dénaturée - préparée à partir des protéines de l'os -, polyvinyl-pyrrolidone, dextrans, etc.), soit des cristalloïdes (solutions ioniques en général osmotiques : chlorure de sodium à 0,9 %, soluté de Ringer, etc.). Il existe, avec ces produits, un risque de réactions allergiques et parfois de troubles de la coagulation.

Substrat

Substance sur laquelle agit une enzyme, qui en accélère la transformation chimique.
→ VOIR Enzyme.

Sucre

Produit alimentaire fabriqué industriellement à partir de betterave ou de canne à sucre.

Le sucre, glucide constitué de saccharose (disaccharide composé de glucose et de fructose), est une source alimentaire d'énergie très importante : 400 kilocalories pour 100 grammes. Il contribue à l'apport alimentaire en glucides et ne devrait pas fournir plus de 10 % de la ration calorique totale. Compte tenu du sucre contenu dans de nombreux produits (chocolat, confitures, boissons, pâtisseries), cela représente au total environ 65 à 70 grammes (13 à 14 morceaux de sucre standards) pour un adolescent ou un adulte, entre 45 et 55 grammes (9 à 11 morceaux) pour un enfant. Sa consomma-

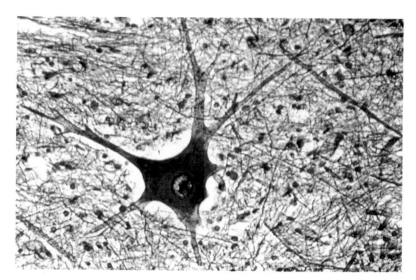

Substance grise. *Partie « noble » du système nerveux, elle contient les corps cellulaires des neurones (« étoile » lie-de-vin), mais aussi des cellules ayant un rôle de nutrition et de soutien.*

tion doit être particulièrement contrôlée, voire supprimée, en cas de diabète, d'obésité, de dyslipidémie glucodépendante (certaines hypertriglycéridémies, par exemple), d'intolérance au fructose ou au saccharose. Le sucre contenu dans le sang est le glucose.
→ VOIR Glucide.

Sudamina

→ VOIR Miliaire.

Sudeck-Leriche (atrophie de)

Déminéralisation osseuse douloureuse, survenant à la suite d'un traumatisme.
→ VOIR Algodystrophie.

Sudorale (glande)

→ VOIR Sudoripare (glande).

Sudoripare (glande)

Glande exocrine annexe de l'épiderme et sécrétant la sueur. SYN. *glande sudorale*. (P.N.A. *glandula sudorifera*)

DIFFÉRENTS TYPES DE GLANDE SUDORIPARE

Il en existe deux sortes : les glandes apocrines et les glandes eccrines.

■ Les glandes sudoripares apocrines sont présentes dans les régions anale et génitale ainsi qu'aux aisselles. Elles sont toujours rattachées à un follicule pileux, où s'abouche leur canal sécréteur. Elles se caractérisent par l'évacuation de la sueur apocrine, qu'elles sécrètent, et d'une partie du matériel cellulaire, proche de la partie terminale du canal excréteur de la glande. La sueur apocrine, visqueuse et d'odeur particulière, a un rôle mal connu chez l'homme ; chez les animaux, elle contient des phéromones, substances odorantes influençant le comportement social et sexuel.

■ Les glandes sudoripares eccrines, beaucoup plus nombreuses que les apocrines, prédominent à la paume des mains et à la plante des pieds. Elles possèdent un canal excréteur qui débouche à la surface de la peau par une ouverture, le pore. La sueur eccrine, riche en eau et en chlorure de sodium (sel), participe à la régulation de la température du corps : lorsque la température extérieure tend à augmenter, le système nerveux végétatif commande la sécrétion de sueur, dont l'évaporation fait perdre de la chaleur ; d'autres facteurs, tels que le stress et certains agents pharmacodynamiques (acétylcholine, adrénaline), peuvent également déclencher cette sécrétion.

PATHOLOGIE

L'hyperhidrose est une sécrétion de sueur trop abondante, constituant même parfois un handicap social et professionnel. Elle se traite par application locale de produits antiperspirants (sels d'aluminium), par électrolyse (courant électrique), voire par ablation chirurgicale des glandes.

L'hidrosadénite est un petit abcès d'une glande sudoripare, que l'on traite par antibiothérapie ou ablation chirurgicale.

Suette

Maladie épidémique, aujourd'hui disparue, sans doute due à un virus ou à une rickettsie (sorte de bactérie), caractérisée par une forte fièvre, des sueurs abondantes et une éruption cutanée. SYN. *suette anglaise, suette miliaire*.

La suette est apparue au XVe siècle, dans les îles Britanniques, sous forme d'épidémies. D'autres épidémies ont ensuite été observées, notamment en France, jusqu'au XIXe siècle ; les derniers cas ont été reconnus en France en 1906.

Sueur

→ VOIR Transpiration.

Suffusion

Épanchement d'un liquide organique (sang, sérosité) hors du vaisseau qui le contient vers les tissus voisins.

Le purpura est une suffusion spontanée de sang à travers les capillaires de la peau ou des muqueuses. Il se traduit par des pétéchies (petites taches rougeâtres sous la peau) ou par une ecchymose.

Suicide

Acte de se donner volontairement la mort. SYN. *autolyse*.

Le suicide est un phénomène complexe, dépassant le cadre psychiatrique auquel on le réduit fréquemment, dans la mesure où il pose la question de la liberté humaine et de ses choix (y compris celui de mourir). Le suicide, quatrième cause de mortalité générale, deuxième cause de mortalité chez les adolescents (après les accidents de la route), demeure un problème social grave, dont les mécanismes et les limites sont souvent difficiles à cerner.

Chez l'adolescent, le suicide est souvent précédé d'une longue préparation silencieuse, mais l'acte en lui-même est impulsif, et, de ce fait, il existe un risque d'échec plus ou moins conscient.

En psychopathologie, une graduation s'établit entre l'idée de mort (imprécise et brève, propre aux crises de « cafard »), l'idée de suicide (avec une représentation concrète de l'acte) et la tentative de suicide, correspondant à une forme extrême de retournement agressif contre soi-même. Le suicide constitue la complication majeure des psychoses, des dépressions, de la schizophrénie, des bouffées délirantes, des délires chroniques et, surtout, de la mélancolie. Il peut également intervenir dans l'épilepsie, l'alcoolisme et certains raptus (violente crise d'anxiété, accompagnée d'une perte de contrôle de soi). L'évocation d'idées de suicide, généralement sans suite, émaille fréquemment les dépressions dites mineures (névrotiques ou réactionnelles). Cependant, même lorsque ces idées de suicide revêtent la forme d'un chantage affectif (chez l'hystérique notamment), il ne faut jamais les sous-estimer. Par ailleurs, une tendance destructrice latente peut se traduire par un comportement mettant en danger la vie du sujet : recherche inconsciente du risque (sport, conduite automobile), alcoolisme, toxicomanie, qui sont autant de « flirts avec la mort ». Mais il existe également de nombreux cas de suicide sans origine psychopathologique apparente, par exemple à l'occasion d'une catastrophe collective (invasion, guerre, désastre naturel), de la faillite d'un idéal, d'une menace de déshonneur, d'une maladie incurable, etc.

DIAGNOSTIC ET PRÉVENTION

Devant une éventualité suicidaire, le médecin devra préciser le diagnostic et évaluer les signes d'alarme imposant l'hospitalisation : insomnie rebelle, autoaccusation, absence d'espoir de guérison, anxiété sévère avec repli sur soi ou impulsivité excessive. Dans la majorité des cas, la tentative de suicide représente un message vis-à-vis de l'entourage, un ultime essai d'affirmation de soi et d'action sur le monde, lorsque toutes les possibilités d'adaptation semblent épuisées. Paradoxalement, la volonté de mourir abrite alors un désir de vivre, qu'il faut savoir entendre et consolider sans moralisme ni psychiatrisation abusive. Toute tentative de suicide est grave et doit imposer une réflexion sociale et psychiatrique, destinée à évaluer les possibilités de prévention, l'accompagnement thérapeutique du sujet et de son entourage. En effet, le nombre des suicides réussis après une ou deux tentatives vaines est important. Sans exagérer la surveillance de ces sujets, il faut savoir anticiper les raisons ou les circonstances

NOMBRE DE SUICIDES PAR PAYS*	
Hongrie	41
Finlande	29
Autriche	25
Danemark	24
Suisse	22
France	21
Luxembourg	20
Suède	19
Tchécoslovaquie	18
Allemagne	17
Japon	17
Norvège	16
Bulgarie	15
Canada	14
Nouvelle-Zélande	14
Australie	13
États-Unis	13
Pologne	13
Pays-Bas	10
Portugal	9
Grande-Bretagne	8
Irlande	8
Italie	8
Espagne	7
Israël	7
Islande	6
Grèce	4

Pour 100 000 habitants
Source : O.M.S. (1987-1990).

favorisantes, qu'elles soient d'ordre social, thérapeutique ou familial. L'appréciation régulière de la qualité de la relation, de minimes changements de comportement ou de fréquentation amicale demeurent la plus efficace des préventions.

Suivi thérapeutique

Ensemble des moyens mis en œuvre pour surveiller l'efficacité et la bonne tolérance d'un traitement.

Un suivi thérapeutique est effectué quand un sujet prend des médicaments présentant un faible index thérapeutique (médicaments dont le seuil toxique est proche du seuil thérapeutique) et prescrits pour des périodes plus ou moins longues, parfois même en traitement chronique : ceci concerne surtout les digitaliques, les anticonvulsivants (diazépam, phénobarbital, valproate de sodium, etc.), la théophylline et ses dérivés, le lithium, les aminosides, la ciclosporine, etc.

Les méthodes utilisées sont l'interrogatoire du malade, l'examen clinique par le médecin et les examens complémentaires radiologiques et biologiques (dosage périodique du médicament dans le sang, détermination de constantes biologiques permettant de détecter l'apparition d'un effet indésirable donné, etc.). Quand un traitement est connu pour ses effets indésirables fréquents et potentiellement graves, le suivi est plus ou moins standardisé ; c'est ainsi qu'on surveille systématiquement la fonction rénale par dosage de la créatinine sanguine lorsque le traitement comprend des antibiotiques du groupe des aminosides.

Quand les données recueillies ne sont pas satisfaisantes, le médecin peut être amené à modifier les doses, à traiter l'effet indésirable pour lui-même tout en continuant le traitement principal tout ou, en dernier lieu, à changer de médicament ou de type de traitement.

Sulfamide

Substance médicamenteuse à large spectre d'action.

Il existe trois catégories de sulfamides, dont les indications diffèrent.

Sulfamides antibactériens

Il s'agit de substances soufrées qui aident à lutter contre les infections. Classées naguère séparément des antibiotiques, elles leur sont aujourd'hui assimilées. Les sulfamides antibactériens comprennent le para-aminobenzène-sulfamide et de nombreux corps voisins.

MÉCANISME D'ACTION

Les sulfamides antibactériens empêchent la synthèse de l'acide folique, substance nécessaire au métabolisme des bactéries. Ainsi, ils diminuent la prolifération des bactéries mais ne les tuent pas.

En théorie, ces médicaments sont actifs sur les gonocoques, les méningocoques, les pneumocoques, les staphylocoques et les streptocoques. En réalité, les résistances bactériennes sont devenues fréquentes et les effets indésirables (allergies sévères, destruc-

tion des cellules sanguines de la moelle osseuse, etc.) sont potentiellement graves, ce qui explique leur relatif abandon.

Sulfamides diurétiques

Ce sont des substances qui stimulent la sécrétion d'urine par le rein en éliminant l'eau contenue dans le sang. Encore appelés diurétiques thiazidiques, ils ont été les premiers diurétiques oraux d'action puissante. Ils comprennent de nombreux produits : benzothiazide, chlorothiazide, cyclothiazide, hydrochlorothiazide, hydrofluméthiazide, méthyclothiazide, polythiazide, trichlorométhiazide. Ces sulfamides sont couramment employés dans le traitement de longue durée de l'hypertension artérielle.

Sulfamides hypoglycémiants

Ce sont des substances qui agissent essentiellement en stimulant la sécrétion d'insuline par le pancréas, ce qui diminue la glycémie (concentration du glucose dans le sang).

La plupart sont dérivés de la sulfonylurée : carbamide, chlorpropamide, glibenclamide, glibornuride, glicazide, glipizide, tolbutamide. Leur indication est le diabète sucré non insulinodépendant. Avec les biguanides, ils forment les antidiabétiques oraux.

Contre-indications des sulfamides

Il s'agit de la grossesse, des insuffisances hépatique et rénale, du déficit en glucose-6-phosphate-déshydrogénase et de l'allergie aux sulfamides. Ces médicaments sont aussi contre-indiqués chez les nouveau-nés.

Effets indésirables des sulfamides

Il peut se produire des manifestations digestives (nausées et vomissements), rénales (colique néphrétique, surtout avec les sulfamides diurétiques, néphrite allergique), cutanées (allergie), hématologiques (anémie hémolytique en cas de déficit en glucose-6-phosphate-déshydrogénase, diminution du nombre de globules blancs ou de plaquettes).

Sulfate

Substance chimique dérivée de l'acide sulfurique.

Les sulfates sont soit des sels (obtenus par réaction de l'acide sulfurique avec une base), soit des esters (obtenus par réaction de cet acide avec un alcool). De nombreux médicaments sont des sulfates, mais ce caractère est souvent accessoire, le rôle important revenant à la base ou à l'alcool.

Le sulfate de cuivre est un antiseptique cutané. Le sulfate de sodium et le sulfate de magnésium sont des laxatifs. Le sulfate de fer est utilisé pour lutter contre certaines anémies. Le sulfate de gentamicine est prescrit pour les propriétés antibiotiques de la gentamicine.

Sulfite

Substance chimique dérivée de l'acide sulfureux.

Les sulfites sont des sels, obtenus par réaction de l'acide sulfureux avec une base.

Ces produits sont essentiellement utilisés comme conservateurs dans de nombreux médicaments : par exemple, le bisulfite de calcium est employé dans les pommades et les gelées. Le sulfite neutre de calcium sert à empêcher la fermentation des sucres. Les bisulfites de potassium et de sodium sont des antiseptiques et des désinfectants. Le sulfite monosodique entre dans la composition des solutions injectables d'adrénaline, de chlorhydrate d'apomorphine et de procaïne.

Sumatriptan

Médicament antimigraineux.

Le sumatriptan est indiqué dans le traitement des migraines, par voie orale, et dans celui des algies vasculaires de la face par voie sous-cutanée. Il agit en se fixant sur les mêmes récepteurs cellulaires que la sérotonine (hormone sécrétée par certaines cellules du tube digestif et du tissu cérébral et qui possède une action vasoconstrictive). En cas d'échec des autres traitements de la crise migraineuse, le sumatriptan est régulièrement efficace.

Le sumatriptan est contre-indiqué en cas d'hypertension artérielle non contrôlée, d'antécédent d'infarctus du myocarde, d'angor de Prinzmetal (spasme des artères coronaires) et de cardiopathie ischémique. Par précaution, il est déconseillé chez l'enfant et le sujet âgé ainsi que chez les conducteurs en raison des risques de somnolence qu'il provoque.

EFFETS INDÉSIRABLES

Le sumatriptan peut entraîner des vertiges, une fatigue, des douleurs thoraciques et une douleur à l'injection.

Supination

Mouvement de rotation externe de l'avant-bras, amenant la paume de la main de l'arrière vers l'avant (quand le bras est vertical) ou du bas vers le haut (quand le bras est horizontal), par opposition à la pronation.

La supination est un mouvement complexe, faisant intervenir plusieurs articulations du coude et du poignet. Un mouvement équivalent, mais juste ébauché, existe au niveau du pied, permettant son adaptation aux inégalités du terrain lors de la marche.

Supplément vitaminique

Apport de vitamines, généralement sous forme médicamenteuse, prescrit en cas d'alimentation insuffisante pour satisfaire les besoins nutritionnels.

Une supplémentation vitaminique se justifie surtout en cas d'alimentation restreinte (régimes amaigrissants) ou déséquilibrée (malnutrition), en cas d'augmentation des besoins (grossesses multiples et/ou rapprochées, petite enfance, personne âgée en hiver, etc.) ou au cours de certaines pathologies (alcoolisme chronique, anorexie, dénutrition, femme enceinte risquant d'engendrer un enfant malformé, etc.).

Dans tous les cas, la supplémentation vitaminique reste un acte médical, compte tenu de l'éventuelle toxicité de certaines vitamines, lorsqu'elles sont prises à fortes doses (vitamines A et D), et des interactions possibles des vitamines entre elles ou avec certaines substances médicamenteuses (par exemple, vitamine B6 et lévodopa, vitamine B9 et anticonvulsivants).

Suppuration

Production et écoulement de pus.

CAUSES

Une suppuration est due à l'évolution spontanée d'une infection à germes pyogènes (qui provoquent une suppuration). Elle provient ou non d'une collection purulente (abcès), qui peut être superficielle, comme dans le cas d'un furoncle (inflammation d'un follicule pilosébacé produite par un staphylocoque) ou d'un abcès de la gencive, ou profonde et localisée alors dans un viscère : foie, poumon, cerveau, rein. Une suppuration s'écoule d'un abcès soit spontanément, par l'intermédiaire d'une fistule (canal pathologique), soit par ouverture chirurgicale.

SYMPTÔMES ET SIGNES

Les caractères de l'écoulement de pus dépendent de la nature des germes responsables de l'infection et du nombre de leucocytes (globules blancs) qui interviennent dans la défense locale de l'organisme.

TRAITEMENT

Le traitement d'une suppuration superficielle consiste à désinfecter la plaie. Celui d'une suppuration profonde nécessite le plus souvent un geste chirurgical destiné à évacuer le pus ainsi qu'une antibiothérapie par voie générale.

Supraclusion

Recouvrement excessif des incisives inférieures par les incisives supérieures.

Bien que pouvant apparaître à n'importe quel âge, les supraclusions concernent en majorité des adultes. Elles sont dues à un développement insuffisant du maxillaire inférieur et/ou supérieur au niveau des prémolaires et des molaires.

SYMPTÔMES ET SIGNES

Une supraclusion s'accompagne de divers symptômes : douleurs, tuméfaction de la gencive, impossibilité pour le patient de refermer correctement la bouche. Parfois, le recouvrement est si important que les incisives inférieures entrent en contact avec le palais et le blessent. Non traitée, une supraclusion s'aggrave en général avec le temps.

TRAITEMENT

Il vise dans un premier temps à soigner les symptômes de la supraclusion par le port d'un appareil empêchant le contact des dents inférieures avec le palais. Le traitement de fond de la supraclusion consiste à corriger le rapport entre les mâchoires inférieure et supérieure à l'aide d'un bridge fixé (par exemple, une prothèse en or ou en céramique qui recouvre les molaires de façon à augmenter artificiellement leur hauteur et, donc, à supprimer la supraclusion) ou au moyen d'un appareil orthodontique.

Suralimentation

Alimentation quantitativement supérieure à celle qui est habituellement conseillée.

La suralimentation peut résulter d'un trouble du comportement alimentaire (boulimie) ou se justifier médicalement pendant une convalescence ou pour compenser une perte de poids due à une maladie, à une intervention chirurgicale, etc. Dans ce deuxième cas, on peut avoir recours à des produits spécifiques de réalimentation, riches en énergie et en protéines (liquides en boîtes de conserve ou en packs U.H.T., préparations solides sous forme de purées, potages enrichis, etc.), ou à des suppléments médicamenteux, mais il est toujours préférable de privilégier une alimentation traditionnelle à base de préparations faisant intervenir plusieurs aliments - entremets, potages, purées enrichies en œufs et en produits laitiers (beurre, crème) -, en augmentant le nombre et le volume des repas.

Surdimutité

État d'un sujet sourd et muet.
→ VOIR Sourd-muet.

Surdité

Diminution très importante ou inexistence totale de l'audition, qu'elles soient congénitales ou acquises.
→ VOIR Hypoacousie.

Surdosage

Prise d'une quantité excessive d'un médicament pouvant entraîner des effets toxiques.

Les effets toxiques peuvent intervenir après la prise unique d'un médicament ou après un certain nombre de prises. Dans ce dernier cas, c'est l'accumulation du médicament dans l'organisme qui provoque la réaction. En effet, une élimination rénale trop faible ou une mauvaise métabolisation du médicament dans le foie peuvent empêcher l'élimination de ses principes actifs hors de l'organisme.

La sévérité de la réaction est généralement fonction de la dose administrée et spécifique du médicament absorbé. Si les symptômes sont très sévères, le traitement est celui d'une intoxication.

Surdose

Dose excessive d'un stupéfiant ou d'un médicament psychotrope, susceptible d'entraîner la mort. SYN. *overdose*.

Surdoué

Enfant possédant des capacités d'apprentissage supérieures à celles des enfants du même âge.

Est défini comme surdoué un enfant dont le quotient intellectuel (Q.I.) dépasse 140 et qui manifeste par ailleurs des aptitudes créatrices dans un ou plusieurs domaines. L'épanouissement d'un tel potentiel semble dépendre de facteurs héréditaires et d'un milieu investissant fortement le domaine de la connaissance.

Les enfants surdoués posent un problème éducatif particulier : les mêler à d'autres élèves risque de les démotiver, mais la création de « classes de surdoués » les expose à se désocialiser.

Sur le plan psychologique, la notion d'enfant surdoué pose le problème de la définition de l'intelligence : son développement passe-t-il uniquement par l'acquisition de connaissances ou également par une prise en compte de tout le domaine de l'affectivité, avec le temps de maturation propre à chaque enfant ? Certains enfants surdoués souffrent de difficultés (désintérêt, isolement, conduite d'échec) dues surtout à ce décalage existant entre leur rapidité d'apprentissage et une maturation affective plus lente. La prévention de ces troubles passe par un enseignement à la fois souple et enrichissant, conforme aux aspirations de l'enfant, qui ne devra être ni freiné ni poussé à se transformer en « bête à concours ».

Surentraînement

Excès d'exercices physiques, souvent lié à la préparation d'une compétition sportive.

SYMPTÔMES ET SIGNES

Un surentraînement se manifeste par une fatigue et une baisse des performances, accompagnées d'autres troubles : insomnie, perte d'appétit, irritabilité, état dépressif.

DIAGNOSTIC ET TRAITEMENT

Il est parfois difficile de faire la distinction entre la fatigue liée à l'entraînement et celle qui annonce l'installation d'un surentraînement. Le diagnostic repose essentiellement sur l'interrogatoire du sportif et met en évidence un changement de comportement et une baisse des performances. Des examens biologiques peuvent être utiles pour orienter le diagnostic et aider à suivre l'évolution. Ainsi, un dosage fait à partir d'une prise de sang peut révéler un déficit en sels minéraux (magnésium, calcium) et une baisse des taux d'hormones (testostérone, par exemple), caractéristiques d'un surentraînement. L'interprétation des résultats ne se fait pas dans l'absolu mais en fonction de dosages réalisés sur la même personne en période de bonne forme.

Le traitement consiste en une diminution ou en un arrêt temporaire de l'entraînement.

Surfactant

Substance tapissant l'intérieur des poumons.

Le surfactant, essentiellement constitué de phospholipides, est sécrété par des cellules alvéolaires spécialisées, les pneumocytes 2. Il forme un film très mince recouvrant la totalité de la surface intérieure des alvéoles pulmonaires et est donc directement en contact avec l'air inspiré dans les poumons. Le surfactant est tensioactif, c'est-à-dire que, en diminuant les tensions qui s'exercent sur la paroi des alvéoles, il empêche la survenue d'un collapsus alvéolaire au cours duquel les alvéoles s'effondreraient sur elles-mêmes en se vidant de leur air ; de plus, il favorise les échanges gazeux.

Surinfection

Infection par un nouveau germe d'un organisme déjà infecté.

Les glandes surrénales sont constituées de deux parties fonctionnellement indépendantes. Leur partie externe, ou corticosurrénale, sécrète des hormones qui interviennent notamment dans le métabolisme des protéines et des glucides. Leur partie interne, ou médullosurrénale, sécrète des hormones favorisant la circulation sanguine.

Localisation des glandes surrénales

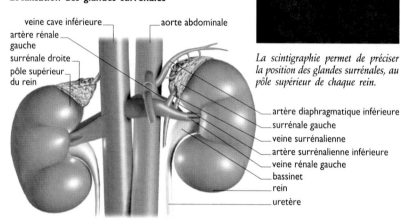

veine cave inférieure — aorte abdominale
artère rénale gauche
surrénale droite
pôle supérieur du rein
— artère diaphragmatique inférieure
— surrénale gauche
— veine surrénalienne
— artère surrénalienne inférieure
— veine rénale gauche
— bassinet
— rein
— uretère

La scintigraphie permet de préciser la position des glandes surrénales, au pôle supérieur de chaque rein.

Une surinfection peut être spontanée (due à une infection virale devenant virobactérienne, telle la grippe) ou consécutive à des soins en milieu hospitalier (surinfection nosocomiale).

Surrénale (glande)

Glande endocrine située au pôle supérieur de chacun des deux reins. (P.N.A. *glandula suprarenalis*)

STRUCTURE ET PHYSIOLOGIE

De couleur jaune chamois, pesant environ 5 grammes, les deux glandes surrénales sont formées chacune de deux parties : la corticosurrénale et la médullosurrénale.

■ La glande corticosurrénale (partie périphérique de la surrénale) est formée de trois couches, chacune spécialisée dans la synthèse de certaines hormones stéroïdes. La zone glomérulée fabrique l'aldostérone, la zone fasciculée, le cortisol et la zone réticulée, des androgènes (delta-4-androsténedione, déhydroépiandrostérone, ou D.H.A., et testostérone). La sécrétion de la corticosurrénale dépend globalement de la corticotrophine hypophysaire, sauf pour la zone glomérulée, qui se trouve sous le contrôle du système rénine-angiotensine (enzyme rénale).

■ La glande médullosurrénale (partie centrale de la surrénale) est formée de cellules produisant des catécholamines (neurotransmetteurs), principalement l'adrénaline. La sécrétion de la médullosurrénale dépend du système nerveux autonome.

PATHOLOGIE

Un équipement enzymatique incomplet de la corticosurrénale (déficit congénital en 21- ou 11-hydroxylase) se manifeste par un bloc enzymatique surrénalien entraînant une hyperplasie (augmentation quantitative du tissu surrénalien), responsable chez la femme d'une stérilité et d'un hirsutisme (pilosité excessive). L'insuffisance surrénalienne chronique, ou maladie d'Addison, est d'origine auto-immune ou consécutive à une tuberculose. Les tumeurs bénignes peuvent causer une production excessive d'un ou de plusieurs des stéroïdes, le plus souvent de cortisol (syndrome de Cushing), mais aussi d'aldostérone (syndrome de Conn). Les tumeurs de la médullosurrénale (phéochromocytomes) provoquent une hypersécrétion de catécholamines, responsable d'accès d'hypertension artérielle. Enfin, les tumeurs malignes de la glande surrénale sont très rares, mais de mauvais pronostic malgré le traitement chirurgical.
→ VOIR Cushing (syndrome de), Insuffisance surrénalienne chronique.

Surrénalectomie

Ablation chirurgicale d'une glande surrénale ou des deux glandes.

INDICATIONS

Une surrénalectomie est pratiquée en cas d'hypercorticisme (sécrétion excessive d'hormones corticostéroïdes). Lorsque l'hypercorticisme est dû au syndrome de Cushing, lié à un adénome (tumeur bénigne) d'une surrénale, il ne nécessite qu'une surrénalectomie unilatérale ; en revanche, la maladie de Cushing (stimulation excessive des deux glandes par un adénome de l'hypophyse) nécessite une ablation de l'hypophyse puis, en cas d'échec, des deux glandes surrénales. La surrénalectomie constitue aussi le traitement d'autres tumeurs surrénaliennes (adénome sécrétant de l'aldostérone - responsable d'un syndrome de Conn -, corticosurrénalome, phéochromocytome).

DÉROULEMENT ET PRONOSTIC

L'opération se déroule sous anesthésie générale et par voie lombaire, postérieure ou abdominale. C'est une intervention délicate car les sujets qui en font l'objet sont généralement fragilisés par leur maladie. Le pronostic dépend de l'affection traitée, notamment de la nature bénigne ou maligne de la tumeur. Quand les deux surrénales sont retirées, le malade doit suivre à vie un traitement à base de corticostéroïdes.

Sus-épineux (syndrome des)

→ VOIR Coiffe des rotateurs (syndrome de la)

Suspension

Liquide en général aqueux, contenant des substances chimiques ou des corps dispersés à l'état de minuscules particules solides.
Une suspension comprend des particules assez grosses pour être vues au microscope ordinaire et qui peuvent même rendre le liquide trouble. Elle se distingue de l'émulsion, dans laquelle les corps dispersés ne sont pas à l'état solide mais à l'état de gouttelettes liquides, et de la solution, qui contient des particules infiniment petites (molécules, atomes).
Les suspensions ne sont pas stables, car les particules sédimentent facilement, sauf si un facteur extérieur intervient (agitation mécanique, par exemple).

Dans les liquides de l'organisme, notamment le plasma, on trouve de nombreuses particules en suspension : cellules (globules rouges), agrégats de substances chimiques (lipoprotéines), etc. Celles-ci sont trop grosses pour passer telles quelles à travers les filtres de l'organisme : ainsi, elles ne traversent pas le filtre rénal et ne peuvent être éliminées dans les urines.

UTILISATION THÉRAPEUTIQUE

Certains médicaments insolubles dans l'eau (certains antibiotiques notamment) sont administrés par voie orale sous forme de suspensions. Celles-ci doivent être agitées manuellement avant emploi de façon à répartir uniformément le principe actif.

Suspension (appareillage en)

Appareillage destiné, chez un malade en position couchée, à maintenir un membre inférieur soulevé.
Utilisé en cas de traumatisme osseux ou articulaire, et souvent associé à une traction, l'appareillage en suspension est composé d'un portique, fixé à la tête et au pied du lit, sur lequel sont adaptées des mâchoires de fixation et des poulies. Dans ces dernières coulissent des cordelettes qui relient une attelle maintenant le membre à des poids de traction.
Ses avantages sont nombreux : confort de l'opéré, qui peut changer de position plus facilement, prévention des complications liées à un alitement prolongé (escarres, phlébite, surinfection bronchopulmonaire), mobilité articulaire possible, etc.

Suspensoir

Bandage muni de sangles, destiné à maintenir les bourses et à les remonter.
Un suspensoir est utilisé lorsque les bourses sont gonflées et douloureuses, dans

les cas d'orchite (inflammation d'un testicule, causée par exemple par le virus des oreillons) ou de varicocèle (dilatation variqueuse des veines du testicule), et lors des suites opératoires d'interventions sur le scrotum et les testicules. Les sangles, nouées autour du bassin, servent à maintenir le suspensoir en place.

Suture

1. Rapprochement chirurgical des deux berges d'une plaie.

Une suture est un geste médical qui permet de refermer une plaie accidentelle (coupure) ou une incision chirurgicale et de favoriser ainsi la cicatrisation. Il en existe plusieurs types : la suture à bords affrontés consiste à accoler exactement les deux berges de la plaie ; la suture inversante retourne les deux berges vers la profondeur (suture digestive) ; la suture éversante retourne les deux berges vers la surface, qui forment alors une saillie visible (suture vasculaire).

Le matériel utilisé est soit du fil monté sur une aiguille (suture proprement dite), soit des agrafes montées sur un petit appareil automatique. Dans le premier cas, la suture peut être continue (surjet) ou en plusieurs points séparés (points de suture). Selon le tissu réparé et le type de plaie, on se sert soit de fil résorbable, qui se désagrège spontanément dans un délai allant de quelques jours à quelques mois, soit de fil non résorbable, qui est retiré une fois la cicatrisation obtenue.

2. Variété d'articulation entre deux os, crâniens le plus souvent.

Les sutures font partie des articulations immobiles (synarthroses). Les deux os sont attachés l'un à l'autre par du tissu fibreux, et leurs bords dentelés s'engrènent parfois l'un dans l'autre, ce qui rend tout mouvement impossible.

Sweet (syndrome de)

Association d'une éruption aiguë fébrile faite de papulonodules (élevures arrondies et de consistance ferme), d'un œdème très important dû à l'infiltration dans le derme de certains globules blancs, les polynucléaires neutrophiles, et d'une augmentation dans le sang de ces polynucléaires neutrophiles. SYN. *dermatose aiguë fébrile neutrophilique.*

Le syndrome de Sweet affecte la femme de 30 à 50 ans.

SYMPTÔMES ET TRAITEMENT

La maladie se déclare de une à trois semaines après une infection des voies aériennes supérieures. Les papulonodules apparaissent sur le visage, le cou et les membres supérieurs et se disposent en « chaîne de montagnes ». Les lésions, causant une douleur de type tension ou cuisson, s'étendent progressivement pour former des plaques.

Le traitement repose sur la prise de corticostéroïdes par voie orale pendant un à trois mois. L'évolution est généralement favorable. Les récidives sont possibles et dépendent de l'affection sous-jacente ; une surveillance sanguine prolongée est nécessaire du fait de la possibilité d'une survenue ultérieure de syndromes myéloprolifératifs.

Sycosis

Inflammation des follicules pilosébacés, localisée à la zone de la barbe.

Un sycosis est dû à une infection soit bactérienne (staphylocoque doré), soit

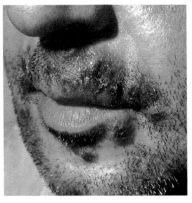

Sycosis. *L'inflammation des follicules pileux de la barbe se traduit par la formation d'une plaque croûteuse couverte de pustules.*

mycosique (due à un champignon du groupe des dermatophytes).

SYMPTÔMES ET TRAITEMENT

Un sycosis se traduit par une plaque de quelques centimètres, rouge, suppurante et douloureuse. Le traitement, qui repose sur une hygiène rigoureuse et sur des applications de produits antiseptiques, doit être poursuivi pendant plusieurs semaines. Si l'infection est due à un champignon, on associe un médicament antifongique par voie orale. Cette affection peut laisser des cicatrices déprimées.

Sydenham (chorée de)

Affection neurologique consécutive à une streptococcie (infection par un streptocoque).

Le mécanisme de la chorée de Sydenham, couramment appelée « danse de Saint-Guy » est sans doute lié à un trouble immunitaire au cours duquel des anticorps antistreptococciques sécrétés par le système immunitaire attaquent le tissu nerveux (auto-anticorps). La maladie atteint les enfants de 8 à 10 ans, deux fois plus souvent les filles que les garçons.

SYMPTÔMES ET SIGNES

La chorée débute par des troubles du caractère. Au bout de plusieurs semaines apparaissent des mouvements involontaires, brusques, brefs, survenant à intervalles irréguliers, du visage et des membres et une diminution de la tonicité musculaire.

TRAITEMENT ET PRÉVENTION

Les mouvements anormaux régressent avec les médicaments neuroleptiques. La prévention par traitement antibiotique des infections à streptocoque (angines) a pratiquement fait disparaître cette affection dans les pays développés.

Sylvienne (artère)

Branche terminale de l'artère carotide interne. SYN. *artère cérébrale moyenne.* (P.N.A. *arteria cerebri media*)

L'artère sylvienne est issue de la terminaison de la carotide interne sous le cerveau, dans sa partie médiane. De là, elle se dirige

---

SUTURE

Une suture consiste à rapprocher les deux bords d'une plaie pour faciliter la cicatrisation et faire en sorte que la déformation des tissus soit la plus minime possible. Elle est pratiquée sous anesthésie générale ou locale.

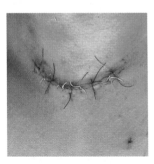

La suture peut être continue (surjet) ou, comme ici, en plusieurs points séparés (points de suture).

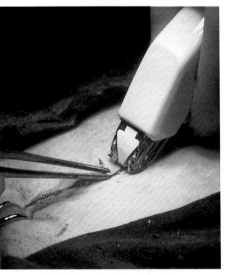

Les bords de la plaie sont soulevés à l'aide d'une pince, et des agrafes métalliques sont posées à intervalles réguliers à l'aide d'un appareil automatique.

vers l'extérieur puis monte le long du cerveau dans la scissure de Sylvius. Il existe une artère sylvienne droite et une artère sylvienne gauche.

RÔLE

L'artère sylvienne assure la vascularisation de certaines parties profondes du cerveau (les capsules interne et externe et la plus grande partie des noyaux striés) mais aussi, en superficie, celle d'une grande partie de la face externe de l'hémisphère cérébral, celle de la face inférieure externe du lobe frontal et celle de la substance blanche sous-jacente à ces deux territoires.

PATHOLOGIE

Une plaque d'athérome ou un caillot peut boucher une artère sylvienne et entraîner, selon le niveau de l'oblitération, une hémiplégie, éventuellement associée à des troubles de la sensibilité (anesthésie cutanée, le plus souvent), de la vue (amputation de la moitié du champ visuel), du langage (aphasie).

Sylvius (scissure de)

Sillon profond du cortex cérébral, dirigé d'avant en arrière sur la face latérale de chacun des hémisphères cérébraux et séparant les lobes frontal et pariétal du lobe temporal. (P.N.A. *sulcus lateralis*)

Chaque scissure de Sylvius part du bord supérieur du lobe temporal et se dirige presque horizontalement vers l'arrière, un peu obliquement vers le haut, délimitant plusieurs zones fonctionnelles importantes. Au fond se trouve la région dite du carrefour pariéto-temporo-occipital, essentielle pour les échanges entre les différents lobes de chaque hémisphère. Au-dessus se situe la partie inférieure des aires somatosensitives (relatives à la sensibilité consciente) et somatomotrices (relatives à la motricité volontaire), séparées par la scissure de Rolando. À la partie inférieure se situe l'aire auditive. La principale artère destinée au cerveau, l'artère sylvienne, ou artère cérébrale moyenne, court dans la scissure de Sylvius. Enfin il s'y trouve, enfoui dans le fond, un petit lobe, dit « de l'insula », qui joue un rôle important dans l'intégration des fonctions neurovégétatives (relatives au fonctionnement des organes). Toutes ces zones peuvent être explorées par scanner et par imagerie par résonance magnétique (I.R.M.).

PATHOLOGIE

Une lésion (tumeur, accident vasculaire, etc.) située dans une des scissures de Sylvius se traduit de manière variable selon son extension : vers le haut, par des troubles sensitivomoteurs (épilepsie, paralysie, anesthésie) ; vers le bas, par des troubles de l'audition. L'occlusion de l'artère sylvienne entraîne un déficit sensitivomoteur qui touche la moitié du corps opposée à celle de la lésion et qui est associé à une aphasie en cas d'atteinte de l'hémisphère dominant.

Symbiose

Association biologique de deux ou plusieurs êtres vivants d'espèces différentes, qui leur est réciproquement profitable.

La flore bactérienne du tube digestif, par exemple, vit en symbiose avec l'homme ; elle est constituée de symbiotes (organismes vivant en symbiose) dont la présence est indispensable à la digestion.

Symblépharon

Adhérence entre la conjonctive palpébrale, qui tapisse l'intérieur de la paupière, et la conjonctive bulbaire, qui recouvre l'œil, pouvant créer une bride qui limite la mobilité du globe oculaire.

Un symblépharon est en général provoqué par une brûlure due à une substance chimique, la soude caustique par exemple. Exceptionnellement, il peut être congénital.

Le traitement fait appel à une opération chirurgicale, effectuée sous anesthésie locale ou générale, qui consiste à supprimer la bride et à l'empêcher de se reformer : on peut mettre en place entre les deux conjonctives un conformateur (coque en plastique trouée à l'emplacement de la pupille et s'insérant sous les paupières pour empêcher les feuillets conjonctifs de s'accoler), ou pratiquer une greffe de conjonctive.

Sympathectomie

Ablation chirurgicale d'un nerf ou de ganglions appartenant au système nerveux sympathique (contrôlant le tonus des vaisseaux et agissant sur le fonctionnement des viscères), de façon à dilater les artères dans leur territoire d'innervation.

Une sympathectomie peut être pratiquée à la hauteur du cou, du thorax ou de la région lombaire.

INDICATIONS

Effectuée au niveau lombaire, cette intervention permet, par exemple, d'augmenter la vascularisation d'un membre atteint d'une maladie des artères (artérite des membres inférieurs) ou de soulager une douleur chronique par un effet de vasodilatation. Elle limite en outre les sécrétions de sueur des glandes cutanées, ce qui explique qu'on y a recours pour soigner certaines hyperhidroses (sécrétion excessive de sueur) de la plante des pieds lorsque tous les autres traitements se sont montrés inefficaces.

DÉROULEMENT ET CONSÉQUENCES

La sympathectomie se pratique par une petite incision rétropéritonéale, éventuellement sous cœlioscopie (à l'aide d'un tube optique muni d'instruments de petite taille), ou par injection de phénol sous contrôle radiologique. Elle nécessite une anesthésie générale ou une neuroleptanalgésie. Elle entraîne un réchauffement des tissus mais n'a pas d'effet réel sur la circulation profonde. Chez l'homme, une sympathectomie lombaire bilatérale peut entraîner des troubles de l'éjaculation. Cette intervention est beaucoup moins pratiquée qu'autrefois du fait de l'apparition d'autres techniques (pontage, désobstruction artérielle).

Sympatholytique

Substance chimique, médicamenteuse ou non, qui bloque l'action du système nerveux sympathique. SYN. *adrénolytique*.

Les sympatholytiques inhibent le fonctionnement du système nerveux végétatif dans sa partie sympathique (stimulatrice de l'organisme). Les principaux produits de ce type sont les alphabloquants, qui se fixent sur les récepteurs alpha des cellules du système sympathique, et les bêtabloquants, qui se fixent sur les récepteurs bêta des cellules. Ils empêchent ainsi les cellules d'être activées par la voie naturelle.

Sympathome

→ VOIR Neuroblastome.

Sympathomimétique

Substance chimique, médicamenteuse ou non, qui stimule le système nerveux sympathique. SYN. *adrénergique*.

Les sympathomimétiques imitent l'activation naturelle du système nerveux végétatif (commandant les viscères) dans sa partie sympathique (stimulatrice de l'organisme).

Les produits les plus importants de ce groupe sont les alphastimulants, qui se fixent sur les récepteurs alpha des cellules du système sympathique, et les bêtastimulants, qui se fixent sur les récepteurs bêta des cellules et les activent.

Symphyse

1. Connexion étroite entre deux os par une articulation très peu mobile (amphiarthrose) ou par une union complète avec ossification. (P.N.A. *symphysis*)

■ La symphyse mentonnière est une arête verticale de la face antérieure du maxillaire inférieur, témoin de l'union des deux pièces dont est formé cet os.

■ La symphyse pubienne unit entre elles par des ligaments les deux lames du pubis (extrémité antérieure des deux os iliaques). Elle se relâche naturellement au moment de l'accouchement, mais peut aussi être arrachée lors d'un traumatisme violent ; si le déplacement osseux est important, il doit être réduit chirurgicalement, la symphyse étant immobilisée à l'aide d'une plaque.

2. Accolement anormal des deux feuillets d'une membrane séreuse (plèvre, péricarde), qu'il soit pathologique, et dans ce cas essentiellement d'origine inflammatoire, ou pratiqué dans un but thérapeutique (symphyse pleurale).

Symphyse pleurale

Méthode thérapeutique consistant à accoler les deux feuillets de la plèvre.

Une symphyse pleurale est indiquée dans le traitement d'un pneumothorax, lorsqu'il s'agit d'une récidive ou dans des cas très précis (pneumothorax atteignant les deux poumons, bulles importantes, impératifs socioprofessionnels - plongeur, musicien jouant d'un instrument à vent, etc.), ou encore en cas de pleurésie chronique ou récidivante.

DÉROULEMENT

La symphyse pleurale nécessite une hospitalisation d'au moins 4 à 8 jours. Elle peut être réalisée soit par une intervention chirurgicale classique, après une large incision de la paroi thoracique, soit sous pleuroscopie (à l'aide d'un tube muni d'un système optique et d'instruments de petite taille, introduit à travers une incision). Dans le premier cas, elle nécessite une anesthésie générale ; dans le second, elle peut être pratiquée sous anesthésie locale.

La symphyse pleurale a pour but de provoquer une irritation de la plèvre, dont les feuillets, en cicatrisant, vont s'accoler définitivement. Celle-ci peut être obtenue de 3 manières : en abrasant avec une éponge spéciale les tissus autour de la plèvre (avivement) ; en pratiquant l'ablation d'une partie de la plèvre (pleurectomie) ; en déposant du talc entre les feuillets (talcage). Elle est toujours suivie d'un drainage de la cavité pleurale pour en évacuer les sérosités. Celui-ci, d'une durée minimale de 48 heures, est parfois douloureux et peut nécessiter la prescription d'analgésiques.

RÉSULTATS
Cette technique permet dans 80 à 90 % des cas d'éviter le renouvellement de l'épanchement et, donc, de diminuer largement l'essoufflement du malade.

Symptôme
Toute manifestation d'une affection ou d'une maladie contribuant au diagnostic, et plus particulièrement tout phénomène perçu comme tel par le malade.

Les symptômes subjectifs, ou signes fonctionnels, sont couramment appelés symptômes. Il s'agit de phénomènes perçus par le malade, qui révèlent une lésion ou un trouble fonctionnel. Ils sont décrits par le patient lors de l'interrogatoire par le médecin, premier temps de l'examen. L'interrogatoire doit être le plus précis et le plus chronologique possible, et éviter les questions qui conduiraient le malade à privilégier une réponse. Dans un second temps, le médecin procède à l'examen physique du patient pour rechercher et identifier les signes objectifs d'une maladie. La confrontation des symptômes et des signes permet d'orienter le diagnostic.
→ VOIR Signe, Syndrome.

Synacthène (test au)
Examen sanguin destiné à évaluer les capacités de sécrétion des glandes corticosurrénales (cortisol ou androgènes, principalement), réalisé par dosage après injection d'un produit de synthèse, le tétracosactide, commercialisé sous le nom de Synacthène, imitant l'action de la corticotrophine (hormone hypophysaire commandant la sécrétion des glandes corticosurrénales).

INDICATIONS
La mesure de la sécrétion de cortisol, la plus importante, est indiquée pour vérifier, à l'issue d'un traitement plus ou moins long par des corticostéroïdes (lors d'un asthme, d'une maladie inflammatoire rhumatismale, etc.), que celui-ci n'a pas provoqué un freinage excessif de l'axe hypophysosurrénalien, responsable d'une insuffisance surrénalienne, ou pour confirmer le diagnostic de maladie d'Addison (insuffisance surrénalienne chronique). La réponse de la sécrétion

des androgènes et de certains de leurs précurseurs au Synacthène permet de diagnostiquer un bloc enzymatique surrénalien (absence de synthèse des hormones surrénaliennes par suite de l'absence d'une enzyme). Le Synacthène induit également une élévation du taux d'aldostérone mais ne permet que d'évaluer la synthèse de cette hormone, car son stimulant le plus puissant n'est pas la corticotrophine mais la rénine.

DÉROULEMENT
Avant l'examen, le sujet doit être à jeun et n'avoir ni bu ni fumé depuis 12 heures. À 8 heures du matin (heure de sécrétion maximale du cortisol), un premier prélèvement veineux est effectué pour réaliser le dosage de base du cortisol. Le Synacthène est ensuite injecté par voie intramusculaire ou intraveineuse ; il stimule l'activité des corticosurrénales de façon aiguë, la réponse maximale intervenant entre trente minutes et une heure après l'injection. Les corticosurrénales sécrètent, sous son action, du cortisol, de l'aldostérone et des androgènes. Un second dosage hormonal, pratiqué dans un prélèvement sanguin, est effectué une heure après l'injection.

RÉSULTATS
Une sécrétion normale du cortisol, en réponse au Synacthène (taux au moins doublé par rapport au taux de base), permet d'affirmer que l'axe hypophysosurrénalien fonctionne bien. En revanche, une réponse insuffisante laisse supposer une atteinte surrénalienne ou une lésion de l'hypothalamus et/ou de l'hypophyse. La présence dans le sang de tous les androgènes et de leurs précurseurs, dans leurs rapports normaux, témoigne de la présence normale des enzymes.

Synalgie dentofaciale
Douleur faciale provoquée par une dent malade.

La douleur est un signal d'origine nerveuse envoyé à partir d'un organe malade. Elle provoque une synalgie lorsque, par un mécanisme de « court-circuit » nerveux, le signal envoyé est intercepté par un autre nerf. La douleur est alors ressentie par un autre organe, à distance de la zone lésée. La très riche innervation de la zone de la tête et du cou est à l'origine de fréquentes synalgies.

SYMPTÔMES ET SIGNES
La synalgie dentofaciale peut apparaître comme une douleur de l'oreille semblable à celle que provoquerait une otite mais être due, en réalité, à une atteinte d'une molaire ; elle peut également se manifester sous la forme d'une douleur provenant des sinus, de l'œil ou des prémolaires inférieures, et avoir pour véritable cause une atteinte d'une prémolaire ou d'une molaire supérieure.

DIAGNOSTIC ET TRAITEMENT
Le diagnostic d'une synalgie dentofaciale repose sur l'examen clinique, la radiographie et une série de tests dont le plus courant est le test « d'anesthésie sélective », qui consiste à vérifier qu'une anesthésie de la dent en cause supprime effectivement la

douleur. Le traitement est celui de la cause de la synalgie (extraction dentaire, par exemple).

Synapse
Zone située entre deux neurones (cellules nerveuses) et assurant la transmission des informations de l'une à l'autre.

Un neurone est dit présynaptique lorsqu'il est situé en amont de la synapse, postsynaptique dans le cas contraire.

C'est le neurone présynaptique qui agit sur le postsynaptique en sécrétant une substance appelée neurotransmetteur (noradrénaline, par exemple). Le neurone postsynaptique intègre les messages reçus par ses synapses, en fait la synthèse à chaque instant et en déduit le message qu'il envoie lui-même.

DIFFÉRENTS TYPES DE SYNAPSE
On distingue les synapses excitatrices, qui excitent le neurone postsynaptique, et les synapses inhibitrices, qui entraînent l'effet inverse.

Une synapse peut exercer son action entre un axone (prolongement du neurone) et un corps cellulaire (synapse axosomatique), entre une terminaison axonale et une dendrite, terminaison attachée au corps de la cellule nerveuse (synapse axodendritique), ou entre deux axones (synapse axoaxonique) ; un neurone postsynaptique intègre les messages de façon différente selon qu'ils arrivent sur ses dendrites, sur son corps cellulaire ou son axone.

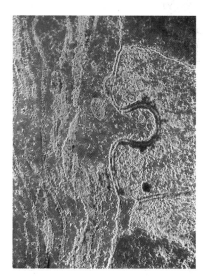

Synapse. *L'influx nerveux est transmis d'un neurone à l'autre par l'intermédiaire d'une synapse (ligne violette dessinant une boucle).*

Syncinésie
Contraction involontaire d'un groupe de muscles apparaissant quand le sujet effectue un mouvement, que celui-ci soit réflexe ou volontaire, mettant en jeu un autre groupe de muscles.

CAUSES

Une syncinésie s'observe au décours de différentes maladies neurologiques. Elle constitue une séquelle de lésions de la voie pyramidale (fibres nerveuses reliant le cortex cérébral à la moelle épinière), du thalamus (partie de l'encéphale située à la base du cerveau) ou du striatum (zone des hémisphères cérébraux jouant un rôle majeur dans la motricité).

DIFFÉRENTS TYPES DE SYNCINÉSIE

■ **Les syncinésies de coordination** se manifestent par l'apparition de mouvements involontaires dans une zone atteinte lorsque le patient effectue un mouvement volontaire ou réflexe avec un groupe musculaire synergique dans un autre territoire (en cas d'hémiplégie, par exemple, augmentation de la flexion du membre supérieur du côté atteint lors de la marche). Ces syncinésies s'observent au cours de lésions de la voie pyramidale.

■ **Les syncinésies globales** se traduisent par une contracture survenant dans un membre paralysé quand le malade fait un mouvement avec le membre sain du côté opposé. Elles sont également le signe d'une lésion de la voie pyramidale.

■ **Les syncinésies d'imitation** consistent en un mouvement involontaire d'un membre, qui reproduit les mouvements volontaires d'un autre membre : un mouvement de flexion de la main, par exemple, provoque l'apparition involontaire du même mouvement avec le pied. Les syncinésies d'imitation se rencontrent en cas de lésions du thalamus et du striatum.

TRAITEMENT

Il consiste à diminuer l'hypertonie pyramidale à l'aide de médicaments antispasmodiques (anticholinergiques, par exemple).

Syncope

Perte de connaissance brève, complète, brutale et réversible, consécutive à une diminution de l'oxygénation cérébrale.

Une syncope se distingue du vertige, de la lipothymie (malaise accompagné de nausées et de sueurs), de l'évanouissement et de la crise d'épilepsie.

CAUSES

La syncope est due à une anoxie ou à une ischémie cérébrale (absence d'oxygénation ou diminution de l'apport sanguin), le plus souvent par arrêt cardiocirculatoire ou trouble du rythme cardiaque, plus rarement par asphyxie ou vasodilatation brutale.

Une syncope peut donc être liée à une cardiopathie (rétrécissement aortique, angor, infarctus du myocarde, myocardiopathie obstructive, tétralogie de Fallot, hypertension artérielle pulmonaire), à un trouble du rythme ou de la conduction cardiaque (tachycardie paroxystique, syndrome d'Adams-Stokes ou autres bradycardies), à une embolie pulmonaire, à une asphyxie, à une électrocution, au passage brutal de la position couchée à la position debout, à une hypokaliémie (diminution du taux sanguin de potassium). Mais, souvent, la syncope, alors dite « vagale », est due à une action excessive des nerfs pneumogastriques qui commandent certains viscères (poumons, vaisseaux, cœur, estomac). Une telle syncope se produit en cas de douleur intense, d'émotion, de compression du cou (sur le sinus carotidien), voire en cas de miction ou de déglutition. La cause d'une syncope n'est pas toujours retrouvée.

SIGNES

La perte de connaissance débute brusquement et se traduit par une décontraction musculaire complète, occasionnant dans la grande majorité des cas une chute. On constate une pâleur, une absence de réaction aux bruits et au pincement, éventuellement un pouls absent. On observe parfois une perte d'urines et des mouvements convulsifs. La durée de la perte de connaissance est minime, le plus souvent inférieure à une minute. Lorsqu'elle se prolonge, on parle de coma. La reprise de conscience est spontanée, totale, très rapide et précédée d'une recoloration du visage. Lorsqu'il se réveille, le patient a totalement repris ses esprits.

DIAGNOSTIC

Souvent, les données obtenues en interrogeant le patient et son entourage présent au moment de la syncope, associées à un examen clinique, à une électrocardiographie et à un dosage du potassium dans le sang, suffisent à établir le diagnostic de la cause de la syncope. Parfois, il est néanmoins nécessaire de pratiquer un Holter électrocardiographique (enregistrement du rythme cardiaque sur 24 heures), une exploration électrophysiologique de la conduction intracardiaque (celle du faisceau de His), un test d'inclinaison (consistant à placer le patient sur une table inclinable et à le faire passer de la position horizontale à la position verticale en contrôlant sa tension artérielle et sa fréquence cardiaque).

TRAITEMENT

Le traitement d'une syncope, qui vise aussi à prévenir toute récidive, est celui de sa cause : traitement chirurgical d'un rétrécissement aortique ou d'une tétralogie de Fallot, pose d'un stimulateur cardiaque en cas de syndrome d'Adams-Stokes, traitement d'un trouble du rythme cardiaque, d'un angor, d'une embolie pulmonaire, correction d'une hypokaliémie, et aussi éducation du malade afin de l'aider à éviter les circonstances de survenue de la syncope (lever progressif en cas de syncope posturale, par exemple).

PRONOSTIC

Le pronostic est étroitement lié à la cause de la syncope, lorsqu'elle est connue. Hormis les conséquences possibles du traumatisme dû à la chute, le pronostic d'une syncope vagale est bon.

→ VOIR **Perte de connaissance**.

Syncytium

Amas de cytoplasme (partie de la cellule située entre la membrane et le noyau) contenant plusieurs noyaux. SYN. *cellule géante, cellule syncytiale, plasmode, polycaryocyte.*

La plupart des syncytiums résultent de divisions nucléaires sans division du cytoplasme. Il peut s'agir de cellules normales, comme les cellules musculaires striées, certaines cellules du placenta ou les ostéoclastes (cellules situées le long des travées osseuses et responsables de la résorption de l'os). Certaines cellules pathologiques peuvent aussi être syncytiales : cellules des tumeurs des os et des synoviales, cellules de Langhans des granulomes tuberculoïdes, cellules de Müller qui se développent localement en réaction à un corps étranger.

Syndactylie

Malformation congénitale caractérisée par la fusion plus ou moins complète de deux ou de plusieurs doigts ou orteils.

CAUSES

Cette malformation, qui concerne plus souvent les mains que les pieds, provient d'un développement incomplet des bourgeons digitaux soit à un stade précoce de la formation de l'embryon - dans ce cas, le pouce peut aussi être impliqué -, soit plus tardivement s'il y a eu une anomalie du développement du fœtus (maladie des brides amniotiques).

SIGNES ET DIAGNOSTIC

Dans les cas bénins, les doigts ou les orteils en cause ne sont reliés que par de la peau (doigts palmés). Dans les cas plus complexes, il y a accolement osseux. Dans tous les cas, la fonction de la main, notamment la préhension, peut être compromise.

Le diagnostic repose sur l'examen clinique du membre, éventuellement complété par la radiographie.

TRAITEMENT

Le traitement, chirurgical, a principalement pour objet de permettre à l'enfant d'utiliser sa main dans les meilleures conditions possibles. Différentes interventions peuvent se révéler nécessaires si l'atteinte porte sur plusieurs doigts et si le trouble est bilatéral. Une greffe de peau peut être pratiquée dès la première année de l'enfant.

Les syndactylies des pieds ont des conséquences uniquement esthétiques et ne nécessitent pas d'intervention, sauf quand l'enfant présente une polydactylie (existence d'un ou

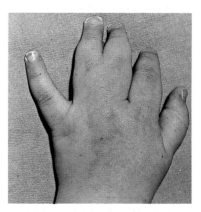

Syndactylie. *Cette malformation congénitale peut être partielle (doigts palmés) ou totale (accolement osseux et cutané).*

de plusieurs doigts surnuméraires). Dans ce cas, la gêne qui en résulterait pour lui rend nécessaire une intervention chirurgicale avant l'âge de un an.

Syndesmophyte

Pont osseux pathologique qui se forme entre deux vertèbres voisines et les soude entre elles.

Les syndesmophytes se voient dans les spondylarthropathies, notamment la spondylarthrite ankylosante, et doivent être distingués des simples ostéophytes de l'arthrose, où les excroissances osseuses de deux vertèbres adjacentes sont simplement superposées et non soudées. Ils s'observent aussi dans la maladie hyperostosante. Les syndesmophytes se traduisent par une rigidité rachidienne. Leur diagnostic est radiologique et leur traitement se confond avec celui de l'affection responsable.

Syndrome

Ensemble clinique de symptômes et/ou de signes, observable dans plusieurs états pathologiques différents et sans cause spécifique.

Un syndrome dépressif, par exemple, se rencontre notamment au cours de dépressions réactionnelles (deuil, divorce, etc.) et dans certaines psychoses (mélancolie) ; il associe une tristesse, une inhibition, des troubles du sommeil et des manifestations physiques, associés ou non à des idées suicidaires. Un syndrome méningé (céphalées, raideur de la nuque, vomissements) peut aussi bien correspondre à une méningite qu'à une hémorragie méningée.

L'absence de cause spécifique différencie, en théorie, syndrome et maladie, mais l'application pratique de cette distinction est dans certains cas sujette à caution (emploi de syndrome pour maladie ou le contraire).

Syndrome abdominal aigu

Ensemble de symptômes et de signes révélant une affection aiguë d'un viscère abdominal.

Un syndrome abdominal aigu doit faire l'objet d'un examen attentif visant à en trouver la cause, afin qu'elle soit traitée, éventuellement en urgence.

DIAGNOSTIC

On s'attache particulièrement à décrire la douleur, principal symptôme d'un syndrome abdominal aigu, suivant différents critères :

- son siège : au niveau de l'épigastre (au-dessus de l'ombilic), des hypochondres droit et gauche (de part et d'autre de l'ombilic), de l'hypogastre (sous l'ombilic) ou des fosses iliaques droite et gauche (de part et d'autre de l'hypogastre) ;
- son type : crampe, broiement, brûlure, torsion, etc. ;
- son irradiation : en arrière, vers les bourses, etc. ;
- son horaire par rapport aux repas : douleur préprandiale ou postprandiale (douleur survenant respectivement avant ou après le repas) ;
- sa durée ainsi que sa date d'apparition ;
- sa périodicité (mensuelle, saisonnière, biannuelle) ;

- les facteurs qui la déclenchent ou la calment (l'intensité de la douleur peut augmenter lorsque le sujet se tient debout ou diminuer lorsqu'il se couche « en chien de fusil ») ;
- ses signes d'accompagnement, qui peuvent être digestifs (nausées, vomissements, diarrhées, constipation), extra-digestifs (brûlures à la miction, pertes gynécologiques) ou généraux (fièvre, fatigue, jaunisse).

Après avoir interrogé le patient, le médecin procède à son examen clinique. Par la palpation, il cherche une grosseur (abcès, tumeur), une contraction des muscles de la paroi abdominale (péritonite). Par la percussion (le médecin frappe légèrement l'abdomen avec ses doigts), il met en évidence une augmentation de la sonorité par excès de gaz (météorisme) ou, au contraire, une matité due à un épanchement de liquide dans le péritoine (ascite). La palpation du pouls et la mesure de la tension artérielle permettent d'évaluer le retentissement de l'affection sur la circulation sanguine ou de déceler une hémorragie intra-abdominale (saignement d'un ulcère, rupture d'un organe après un traumatisme).

Les examens complémentaires sont choisis en fonction des résultats de l'entretien avec le malade et de l'examen clinique : examens biologiques sanguins (mesure de la vitesse de sédimentation, décompte du nombre de globules blancs) et radiographiques (radiographie de l'abdomen sans préparation, échographie). Si un doute persiste quant au diagnostic, soit le malade est mis sous surveillance dans un service hospitalier de chirurgie, soit on procède à des explorations plus poussées, par exemple à un lavage du péritoine.

Syndrome appendiculaire

Dû à une appendicite, il se traduit par une douleur sourde de la fosse iliaque droite augmentant rapidement d'intensité, souvent accompagnée de fièvre et de nausées, plus rarement de vomissements. La paroi de la fosse iliaque droite se contracte à la palpation (défense abdominale). Dès confirmation du diagnostic, le traitement chirurgical s'impose.

Syndrome d'hémorragie intra-abdominale

Dû à une hémorragie à l'intérieur de l'abdomen, qu'elle soit spontanée ou consécutive à un traumatisme abdominal ou extra-abdominal, il se traduit par une douleur d'apparition progressive, d'abord localisée puis généralisée, accompagnée surtout de signes généraux : diminution de la pression artérielle, tachycardie, sensation de soif, sueurs. Si ceux-ci sont graves, une intervention chirurgicale s'impose en urgence. Si un doute persiste, une échographie de l'abdomen peut permettre de confirmer le diagnostic. Dans les cas les plus difficiles, on met en place dans l'ombilic une aiguille par laquelle du sérum physiologique est injecté dans l'abdomen puis récupéré ; l'analyse du liquide ainsi recueilli permet de vérifier la présence d'une hémorragie intra-abdominale.

Syndrome péritonéal aigu

Ce syndrome est la manifestation d'une péritonite aiguë, dont les causes les plus fréquentes sont, chez les sujets jeunes, la péritonite appendiculaire et la perforation d'un ulcère duodénal, et, chez les sujets âgés, une perforation diverticulaire ou cancéreuse du côlon.

SYMPTÔMES ET SIGNES

Un syndrome péritonéal aigu se traduit par une douleur abdominale vive, d'apparition brutale ou progressive, sans irradiation, accompagnée de fièvre, de nausées et de vomissements, quelquefois d'une diarrhée ou d'un arrêt du transit intestinal. L'examen clinique montre une contraction douloureuse des muscles de la paroi abdominale (contracture). Les radiographies de l'abdomen peuvent signaler la présence d'air dans l'abdomen (pneumopéritoine), caractéristique d'une perforation du tube digestif. Dans tous les cas, ce syndrome nécessite une intervention chirurgicale en urgence.

Syndrome adéno-cutanéo-muqueux

→ VOIR Kawasaki (syndrome de).

Syndrome alvéolaire

Ensemble de signes, visibles à la radiographie, traduisant la disparition de l'air contenu dans les alvéoles pulmonaires, lequel est remplacé par un liquide (sang, pus) ou par des cellules (cellules en provenance des capillaires, par exemple).

Le syndrome alvéolaire s'observe au cours de différentes affections telles qu'une pneumopathie, un œdème ou une hémorragie pulmonaire. Il se traduit par des opacités radiographiques présentant une ou plusieurs des caractéristiques suivantes : répartition dans l'ensemble d'un lobe ou d'un segment pulmonaire, limites floues, tendance à la confluence, visibilité d'une bronche au sein des opacités.

Syndrome bulbaire

Ensemble de signes traduisant une atteinte du bulbe rachidien (portion inférieure du tronc cérébral, en continuité avec la moelle épinière).

CAUSES

De nombreuses affections peuvent entraîner un syndrome bulbaire : accident vasculaire cérébral, tumeur, infection, inflammation, syringomyélie (malformation du bulbe rachidien).

SYMPTÔMES ET SIGNES

Il existe en fait plusieurs syndromes bulbaires, qui regroupent différents signes. Ceux-ci témoignent d'une lésion des différentes structures nerveuses contenues dans le bulbe rachidien et varient selon les structures nerveuses touchées. Ce sont notamment :
- une hémiplégie, ou paralysie d'une moitié du corps, épargnant la face (atteinte du faisceau de fibres nerveuses motrices dites pyramidales) ;
- une hémianesthésie, ou perte de la sensibilité d'une moitié du corps, épargnant égale-

ment la face (atteinte du faisceau de fibres sensitives) ;
– un syndrome cérébelleux (troubles de l'équilibre, tremblements, mouvements désordonnés) avec troubles de la coordination (atteinte du pédoncule cérébelleux, rattachant le bulbe au cervelet) ;
– une douleur ou anesthésie de la face (atteinte du noyau de substance grise à l'origine du nerf trijumeau) ;
– des bourdonnements d'oreille et des vertiges (atteinte du nerf cochléovestibulaire) ;
– des troubles de la déglutition par paralysie du pharynx (atteinte du nerf glossopharyngien) ;
– un syndrome de Claude Bernard-Horner, associant un rétrécissement de la pupille, un renfoncement pathologique du globe oculaire dans l'orbite et une chute de la paupière supérieure (atteinte des voies orthosympathiques) ;
– une paralysie de la moitié du voile du palais et du larynx, associée à une hémianesthésie du voile du palais (atteinte du nerf pneumogastrique) ;
– une paralysie des muscles trapèze et sterno-cléido-mastoïdien (atteinte du nerf spinal externe) ;
– une paralysie d'une moitié de la langue (atteinte du nerf grand hypoglosse).

Le syndrome bulbaire le plus fréquent est appelé syndrome latéral du bulbe, ou syndrome de Wallenberg. Il est consécutif à une obstruction artérielle, débute par un grand vertige et se traduit du côté atteint par un syndrome cérébelleux, des troubles de la sensitivité de la face avec insensibilité de la cornée, une paralysie du pharynx, du larynx et du voile du palais, un syndrome vestibulaire (vertiges) et un syndrome de Claude Bernard-Horner.

TRAITEMENT

Le traitement est celui de l'affection en cause. Il est souvent limité en cas d'accident vasculaire et de malformation ; toutefois, une lente régression spontanée est possible.

Syndrome canalaire

Ensemble des manifestations neurologiques liées à la compression d'un nerf dans un canal inextensible.

FRÉQUENCE ET CAUSES

Les syndromes canalaires, fréquents, sont dus soit à un canal trop étroit (os déformé par une ancienne fracture, tumeur, arthrose, épaississement des tissus fibreux lié à l'âge, étroitesse congénitale), soit, plus rarement, à une maladie entraînant une augmentation de volume du nerf (lèpre) ou à une ténosynovite (inflammation de la gaine synoviale entourant une articulation).

DIFFÉRENTS TYPES DE SYNDROME CANALAIRE

■ Le syndrome du canal carpien, au cours duquel le nerf médian est comprimé au poignet par le ligament annulaire du carpe, entraîne des fourmillements et des douleurs des doigts à prédominance nocturne, avec diminution de la force musculaire du pouce.
■ Le syndrome du canal tarsien, au cours duquel le nerf sciatique poplité interne est comprimé sous la cheville, se traduit par des douleurs et un engourdissement de la plante du pied avec diminution de la sensibilité de la pulpe des orteils.
■ Le syndrome du défilé costoclaviculaire, au cours duquel le plexus brachial est comprimé par une côte surnuméraire cervicale ou à cause d'un espace trop étroit entre les muscles scalènes, se traduit par des douleurs dans l'annulaire et l'auriculaire, accentuées par certaines positions du bras (élévation, port de poids abaissant l'épaule, etc.) ; il peut aussi provoquer une thrombose (formation d'un caillot).
■ Le syndrome du nerf sus-scapulaire, au cours duquel celui-ci est comprimé au niveau de l'épaule par le ligament coracoïdien, provoque des douleurs postérieures de l'épaule avec fonte des muscles adjacents.

TRAITEMENT

Il consiste en des infiltrations de corticostéroïdes dans la zone des points de compression de façon à diminuer l'œdème nerveux. Dans les cas particulièrement invalidants, on peut pratiquer une neurolyse (intervention chirurgicale consistant à libérer un nerf comprimé par du tissu fibreux) ou la section chirurgicale du canal fibreux trop étroit.

Syndrome cérébelleux

Association de troubles de la station debout, de la marche et de l'exécution des mouvements, liés à une lésion du cervelet ou des voies cérébelleuses.

Toutes les affections touchant le cervelet ou ses fibres de connexion peuvent entraîner un syndrome cérébelleux : affection vasculaire, tumeur, infection (encéphalite cérébelleuse), intoxication (alcool).

SYMPTÔMES ET SIGNES

Lorsque le patient est debout, il oscille et est obligé d'écarter les pieds pour maintenir son équilibre ; ces oscillations ne s'aggravent pas lorsqu'il ferme les yeux. Il marche en faisant des écarts à la manière d'un homme ivre. Au cours de l'exécution des mouvements (par exemple attraper un objet), le geste commence avec retard, il dépasse son but tout en conservant sa direction et peut s'accompagner d'un tremblement.

Lorsque la lésion touche la partie centrale du cervelet, le syndrome prédomine à la station debout et à la marche ; lorsqu'elle touche les parties latérales du cervelet, c'est le mouvement qui est perturbé.

DIAGNOSTIC ET TRAITEMENT

Le syndrome cérébelleux est diagnostiqué à l'examen clinique. Le traitement est celui de sa cause, associé à la kinésithérapie.

Syndrome extrapyramidal

→ VOIR Syndrome parkinsonien.

Syndrome de fatigue chronique

→ VOIR Fatigue chronique (syndrome de).

Syndrome hémolytique et urémique

Affection associant une atteinte rénale aiguë, une anémie et une thrombopénie (diminution du nombre de plaquettes dans le sang). SYN. *syndrome de Moschcowitz.*

Le syndrome hémolytique et urémique concerne surtout l'enfant jeune, mais il existe aussi chez l'adulte.

Chez l'enfant, il survient généralement quelques jours après une gastroentérite avec diarrhée sanglante ; le rôle d'une endotoxine, la vérotoxine, sécrétée par certaines souches de colibacilles, a été invoqué. Chez l'adulte, les formes sans causes sont les plus fréquentes ; c'est parfois une complication de certains cancers, de leur traitement par chimiothérapie et aussi de l'infection par le V.I.H. (virus du sida).

CAUSES ET SYMPTÔMES

Le syndrome est dû à des altérations de l'endothélium, tissu qui tapisse l'intérieur des artérioles et des capillaires, dans le rein et souvent dans d'autres organes, provoquant la coagulation du sang dans les petits vaisseaux. Les microcaillots ainsi formés sont à l'origine d'une anémie par fragmentation mécanique (avec des hématies d'aspect particulier, déchiqueté, appelées schizocytes), associée à une insuffisance rénale aiguë entraînant souvent une anurie (arrêt de la sécrétion urinaire), et d'une thrombopénie par consommation des plaquettes lors de la constitution des microcaillots, provoquant un purpura (hémorragies sous-cutanées). Celui-ci se manifeste par l'apparition de petites taches rouges cutanées.

TRAITEMENT ET PRONOSTIC

Le traitement du syndrome hémolytique et urémique vise essentiellement à soigner ses symptômes : traitement de l'insuffisance rénale par dialyse et de l'anémie, quand elle est grave, par transfusion. Le traitement à visée curative fait actuellement appel aux médicaments inhibiteurs des fonctions des plaquettes et aux perfusions de plasma frais ou aux échanges plasmatiques (procédé d'épuration du plasma sanguin). Le pronostic, assez mauvais chez l'adulte, est meilleur chez l'enfant, chez lequel le syndrome évolue souvent vers une guérison complète.

Syndrome hyperkinétique de l'enfant

Trouble du développement qui associe une hyperactivité motrice à un comportement impulsif et à un trouble de l'attention. SYN. *instabilité psychomotrice, syndrome de l'enfant hyperactif.*

FRÉQUENCE ET CAUSES

Le syndrome hyperkinétique de l'enfant est très fréquent puisqu'il touche près de 3 % des enfants d'âge scolaire, avec une nette prépondérance masculine (de six à neuf garçons pour une fille). Le syndrome serait dû à un dysfonctionnement cérébral (maturation retardée, éventuellement liée à des anomalies du métabolisme cérébral).

SYMPTÔMES ET SIGNES

L'enfant atteint de ce syndrome ne tient pas en place. Il s'agite perpétuellement sur sa chaise, ne peut rester assis à table, se lance dans des activités physiques dangereuses, a des gestes maladroits. Chez lui comme à l'école, il a un comportement généralement impulsif et indiscipliné, n'attend pas son tour dans les jeux. Il passe rapidement d'une activité, qu'il laisse inachevée, à une autre, se montrant incapable de fixer longtemps son attention et de se concentrer durablement sur une tâche. Il est mal toléré par son entourage en raison de ses fluctuations d'humeur, de son intolérance aux frustrations, de ses accès de colère.

Les troubles débutent généralement avant l'âge de 4 ans et durent pendant toute l'enfance, s'atténuant souvent à la puberté. Ils s'accompagnent dans certains cas de problèmes spécifiques d'apprentissage tels que la dyslexie ou la dysorthographie.

DIAGNOSTIC ET TRAITEMENT

Afin d'éviter l'échec scolaire et l'inadaptation sociale, il est nécessaire de faire examiner l'enfant au plus tôt par une équipe médicale spécialisée (pédiatre, psychologue pour enfants, orthophoniste). Celle-ci évaluera l'importance du handicap en fonction d'un bilan global (existence éventuelle de troubles associés).

Le traitement comporte des mesures psychothérapiques et éducatives (thérapie comportementale, rééducation orthophonique, entretiens familiaux), parfois la prescription de médicaments (psychostimulants, antidépresseurs). Il peut aider l'enfant à suivre une scolarité normale.

Syndrome d'immunodéficience acquise

→ VOIR Sida.

Syndrome inflammatoire

Ensemble de perturbations biologiques traduisant la présence d'une inflammation dans l'organisme.

CAUSES

Les maladies infectieuses (infection respiratoire ou urinaire, endocardite, septicémie, tuberculose, etc.) représentent la principale cause des syndromes inflammatoires. Ceux-ci peuvent également être provoqués par un cancer, le plus souvent déjà évolué ; seuls le cancer du rein et le lymphome sont susceptibles de provoquer une réaction inflammatoire précoce. Dans d'autres cas encore, ils constituent le signe d'une connectivite comme la polyarthrite rhumatoïde ou le lupus érythémateux disséminé, d'une maladie de Horton, d'un myélome multiple ou d'une autre hémopathie.

SYMPTÔMES ET SIGNES

Dans certains cas, le syndrome inflammatoire s'associe à une altération de l'état général (asthénie, fièvre, anorexie, amaigrissement) et/ou aux signes de la maladie en cause. Dans d'autres cas, il peut être découvert fortuitement chez un patient ne présentant aucun signe de maladie.

Le constat d'un syndrome inflammatoire repose essentiellement sur les analyses sanguines. Celles-ci révèlent une augmentation de la vitesse de sédimentation (V.S.) et la présence de marqueurs de l'inflammation comme la protéine C réactive - surtout au cours d'infections bactériennes -, l'haptoglobine - surtout au cours d'inflammations chroniques -, le fibrinogène et l'alpha-2-globuline. Par ailleurs, les inflammations

chroniques entraînent souvent une modification du nombre et de l'aspect des éléments sanguins : augmentation du nombre de plaquettes et de polynucléaires neutrophiles (variété de globules blancs), diminution de la taille des hématies (globules rouges).

DIAGNOSTIC

Il consiste à rechercher la cause du syndrome inflammatoire par des examens, choisis en fonction de l'interrogatoire du malade ; le médecin s'enquiert de ses antécédents, de la prise de certains médicaments, d'un voyage récent dans un pays à risque infectieux ainsi que de symptômes permettant d'orienter le diagnostic. Un examen physique, le plus complet possible en l'absence de symptômes ou orienté par l'interrogatoire du malade, permet de confirmer le diagnostic lorsqu'il est déjà suspecté lors de l'entretien ou d'orienter vers des investigations complémentaires.

■ Les examens et analyses demandés en première intention sont notamment l'électrophorèse des protéines, le dosage sanguin des phosphatases alcalines et des transaminases, l'examen cytobactériologique des urines (E.C.B.U.), une radiographie du thorax de face et de profil, une radiographie panoramique dentaire, une radiographie des sinus.

■ Les examens et analyses demandés en fonction du contexte sont notamment les sérologies virales (mononucléose infectieuse, cytomégalovirus, virus de l'immunodéficience humaine, des hépatites B et C), les sérologies bactériennes (mycoplasmes, chlamydiæ), les sérologies parasitaires (toxoplasmose), la recherche d'un facteur rhumatoïde, un scanner ou une échographie de l'abdomen et du pelvis.

■ Les examens et analyses réalisés en cas de négativité du bilan préalable sont des hémocultures, une fibroscopie gastrique, une coloscopie, une radiographie de l'intestin grêle, une biopsie de l'artère temporale, un myélogramme, une biopsie hépatique.

TRAITEMENT

Un syndrome inflammatoire ne se traite pas en lui-même ; les symptômes du syndrome, en revanche, peuvent être soignés, lorsqu'ils deviennent gênants (douleurs, raideurs articulaires, fièvre), par des anti-inflammatoires.

Syndrome intermenstruel

Douleur pelvienne survenant au moment de l'ovulation. SYN. *syndrome ovulatoire*.

Ce syndrome, rare et bénin, dure en moyenne de 2 à 4 heures et s'accompagne parfois d'un saignement minime. Il correspond à la rupture du follicule ovarien et à la libération de l'ovule, qui sera ensuite capté par les franges d'une des trompes utérines. La prise d'analgésiques ou d'antispasmodiques permet d'atténuer la douleur.

Syndrome interstitiel pulmonaire

Ensemble de signes, visibles à la radiographie, témoignant d'une atteinte du tissu interstitiel des poumons.

Le tissu interstitiel pulmonaire, tissu conjonctif de soutien des poumons, est invisible, car trop fin, sur une radiographie

de poumons sains. Il n'apparaît sur les clichés que lorsque, du fait d'un œdème, d'une infiltration cellulaire ou d'une fibrose, la taille des éléments qui le composent devient plus grande que le pouvoir séparateur du film radiologique.

CAUSES

Le syndrome interstitiel pulmonaire s'observe au cours de différentes maladies comme l'œdème pulmonaire, la lymphangite carcinomateuse (atteinte cancéreuse des vaisseaux lymphatiques), les pneumopathies interstitielles ou la sarcoïdose.

DIAGNOSTIC

Des opacités, variables selon le type d'affection, apparaissent à la radiographie : petites opacités linéaires horizontales, fines lignes souvent disposées en réseau, nodules, etc. Un examen au scanner permet d'affiner l'exploration radiographique.

Syndrome intestinal des homosexuels

Ensemble de troubles intestinaux survenant chez les homosexuels masculins à partenaires multiples. En anglais, *gay bowel* (littéralement, « intestin gay »).

Le syndrome intestinal des homosexuels a pour origine une infection par différentes bactéries (salmonelles, shigella, campylobacters), parasites (giardias, amibes pathogènes, cryptosporidies) et virus (cytomégalovirus, V.I.H.), ces germes étant principalement inoculés par sodomie.

SYMPTÔMES ET DIAGNOSTIC

Ce syndrome se traduit par une diarrhée accompagnée de douleurs abdominales. Il est diagnostiqué par un examen bactériologique et parasitologique des selles ; la mise en évidence de l'ensemble des agents pathogènes est parfois malaisée.

TRAITEMENT ET PRÉVENTION

Le traitement est fonction des germes retrouvés et repose sur l'administration d'antibiotiques et de médicaments antiparasitaires. La prévention consiste, outre le port de préservatifs lors des rapports sexuels, à réduire les pratiques de sodomie et à limiter le nombre de partenaires. Le pronostic dépend de l'existence ou non d'une immunodéficience (sida).

Syndrome lacunaire

Atteinte neurologique liée à la survenue d'une « lacune » dans le cerveau, c'est-à-dire d'un accident vasculaire cérébral ischémique de petite taille (moins de 2 centimètres).

SYMPTÔMES ET SIGNES

Étant donné le caractère limité de la lésion, ce syndrome s'exprime habituellement par l'atteinte d'une seule fonction neurologique : hémiplégie (déficit moteur d'une moitié du corps), hémianesthésie (déficit sensitif d'une moitié du corps), etc.

TRAITEMENT ET PRONOSTIC

Le traitement est essentiellement préventif et consiste à réduire les facteurs de risque (hypertension artérielle) susceptibles d'entraîner des lacunes cérébrales.

Le pronostic des syndromes lacunaires est habituellement favorable, ceux-ci s'améliorant en quelques mois. Cependant, lorsque de multiples lacunes se sont développées dans le cerveau, les troubles tendent à persister définitivement et à entraîner un état, dit lacunaire, qui associe un syndrome pseudo-bulbaire (atteinte laryngopharyngée due à une lésion des 2 faisceaux pyramidaux), une marche à petits pas et des troubles intellectuels.

Syndrome méningé

Ensemble de symptômes traduisant une irritation des méninges (membranes entourant le cerveau et la moelle épinière).

Un syndrome méningé se rencontre au cours des méningites (inflammation des méninges) et des hémorragies méningées (saignement entre deux feuillets des méninges).

SYMPTÔMES ET SIGNES

Ce syndrome associe des maux de tête rebelles, une douleur et une raideur de la colonne vertébrale, et des vomissements. Il risque d'évoluer à court terme vers le coma.

■ **Les maux de tête** sont diffus, intenses, accentués par le bruit et la lumière (photophobie) et parfois soulagés temporairement par les vomissements.

■ **La raideur de la colonne vertébrale** oblige le malade, dans les cas les plus typiques, à se coucher sur le côté et les jambes repliées, en chien de fusil, afin de diminuer la tension des muscles du dos. Dans certains cas, la raideur se localise surtout à la nuque et n'est parfois décelée qu'en recherchant deux signes : le signe de Kernig (le patient ne peut pas passer de la position allongée sur le dos à la position assise sans plier les genoux) et le signe de Brudzinski (lorsque le médecin fléchit en avant la nuque du patient, celui-ci ne peut s'empêcher de fléchir les genoux).

■ **Les vomissements** sont dits en jet ou en fusée, c'est-à-dire qu'ils sont émis brutalement et sans effort.

DIAGNOSTIC ET TRAITEMENT

Le diagnostic, à établir en urgence, repose sur l'examen clinique ; le syndrome méningé s'associant à une fièvre uniquement en cas de méningite, ce dernier signe permet d'en préciser la cause. Une ponction lombaire en détermine la nature : liquide trouble ou purulent en cas de méningite, rosé ou sanglant en cas d'hémorragie méningée.

Le traitement des symptômes (perfusion intraveineuse, assistance respiratoire, etc.), prioritaire dans les cas graves, est associé à celui de la cause (antibiotiques en cas de méningite d'origine bactérienne, par exemple).

Syndrome mixte

Association de troubles respiratoires obstructifs (diminution du calibre des bronches) et restrictifs (diminution des volumes respiratoires).
→ VOIR Syndrome obstructif, Syndrome restrictif.

Syndrome mononucléosique

Infection virale ou allergique au cours de laquelle on observe dans le sang des lymphocytes stimulés, aussi appelés lymphocytes hyperbasophiles ou grands mononucléaires bleutés, caractérisés par leur grande taille et un cytoplasme étendu fixant les colorants basiques.

Un syndrome mononucléosique s'observe au cours de maladies telles que la mononucléose infectieuse (primo-infection causée par le virus d'Epstein-Barr), la primo-infection par le V.I.H. (virus du sida), les infections par le cytomégalovirus ou les hépatites virales, et au cours de réactions allergiques importantes, en particulier aux antibiotiques. Ce dernier cas peut engendrer des formes de syndrome mononucléosique si sévères qu'elles sont parfois confondues avec les signes d'une leucémie. Le syndrome mononucléosique régresse en général spontanément en une ou deux semaines.

Syndrome myéloprolifératif

Maladie caractérisée par une prolifération excessive du tissu myéloïde (tissu formant la moelle des os). SYN. *syndrome myéloprolifératif chronique.*

Un syndrome myéloprolifératif se caractérise par une prolifération, dans la moelle osseuse, de cellules matures, donnant des cellules myéloïdes (issues de la moelle), morphologiquement et fonctionnellement normales, par opposition aux leucémies aiguës myéloïdes, qui se caractérisent par une prolifération de cellules myéloïdes immatures non fonctionnelles.

DIFFÉRENTS TYPES DE SYNDROME MYÉLOPROLIFÉRATIF

Les syndromes myéloprolifératifs sont au nombre de quatre.

■ **La leucémie myéloïde chronique** est liée à une anomalie chromosomique, dite chromosome Philadelphie, consistant en une translocation (transposition d'un segment de chromosome sur un autre) entre les chromosomes 9 et 22. Cette affection se caractérise par une augmentation notable du nombre de cellules granuleuses neutrophiles (cellules appartenant à la même lignée que certains globules blancs, les polynucléaires neutrophiles) dans la moelle et le sang.

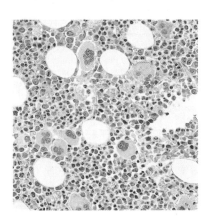

Syndrome myéloprolifératif. Il peut se traduire par une production excessive d'érythroblastes (en mauve), cellules souches des globules rouges.

■ **La maladie de Vaquez**, ou polyglobulie primitive, est caractérisée par un excès de production des globules rouges.

■ **La splénomégalie myéloïde** est marquée par une prolifération de tous les éléments figurés du sang (globules rouges, globules blancs, plaquettes), par une augmentation souvent très importante du volume de la rate et par un envahissement de la moelle osseuse par du tissu fibreux (myélofibrose).

■ **La thrombocytémie primitive** se caractérise par une augmentation notable du nombre de plaquettes sanguines.

SYMPTÔMES ET SIGNES

Les syndromes myéloprolifératifs ont en commun cinq caractéristiques :
– l'augmentation, dans le sang, du nombre de cellules appartenant à l'une au moins des souches issues de la moelle osseuse ;
– la prolifération des cellules de la moelle osseuse ;
– l'augmentation fréquente du volume de la rate, qui recommence à produire des cellules myéloïdes comme elle le faisait au cours de la vie fœtale ;
– l'augmentation du taux sanguin d'acide urique, résultant de la dégradation du noyau des cellules myéloïdes produites en excès ;
– une tendance aux thromboses, liée au ralentissement de la circulation sanguine, lui-même causé par l'augmentation du nombre de cellules myéloïdes dans le sang.

TRAITEMENT ET ÉVOLUTION

Le traitement fait appel, selon le cas, à une chimiothérapie qui diminue la multiplication cellulaire, à une élimination des éléments sanguins en surnombre par cytaphérèse, à des saignées régulières (maladie de Vaquez) ou encore, lorsque c'est possible, à une greffe de moelle.

L'évolution de ces syndromes, habituellement chronique, se fait sur plusieurs années, souvent sur plusieurs décennies.

Syndrome néphritique

Ensemble de symptômes accompagnant toute glomérulonéphrite aiguë (maladie rénale caractérisée par une atteinte aiguë des glomérules).

Le syndrome néphritique, en général d'apparition brutale, se traduit par la présence de sang et de protéines dans les urines, par des œdèmes et une hypertension artérielle. Son diagnostic doit être confirmé par une biopsie rénale.

TRAITEMENT

Outre la maladie en cause, il vise à soigner les symptômes du syndrome : régime hyposodé, restriction en eau, traitement de l'hypertension.

Syndrome néphrotique

Ensemble de symptômes accompagnant un très grand nombre de glomérulonéphrites (maladies rénales caractérisées par une atteinte chronique des glomérules).

Le syndrome néphrotique résulte d'une augmentation de la perméabilité de la paroi des capillaires glomérulaires, qui laissent fuir dans l'urine les protéines du plasma sanguin.

CAUSES

Presque toutes les glomérulonéphrites peuvent provoquer un syndrome néphrotique, qu'elles soient sans cause connue ou consécutives à un diabète, à une amylose, à un lupus érythémateux aigu, etc.

SYMPTÔMES ET SIGNES

■ **La protéinurie** (présence de protéines dans les urines) est très abondante, toujours supérieure à 4 grammes par 24 heures, mais pouvant atteindre des taux de 15 à 20 grammes par 24 heures, voire plus.

■ **L'hypoprotéinémie** (taux de protéines anormalement bas dans le sang) qui en résulte est toujours inférieure à 60 grammes par litre. La perte de protéines portant principalement sur l'albumine, il existe toujours une hypoalbuminémie (taux anormalement bas d'albumine dans le sang) inférieure à 30, voire à 15 ou à 10 grammes par litre.

■ **Les œdèmes** sont dus à l'hypoalbuminémie. Ils sont sous-cutanés, blancs, mous, indolores. Souvent très importants, ils apparaissent sur les membres inférieurs, sur l'abdomen, sur la face et dans la région lombaire et se traduisent par une prise de poids de plusieurs kilogrammes. Parfois, ils se diffusent dans les membranes séreuses (péritoine, plèvre, péricarde) : c'est l'anasarque.

■ **D'autres anomalies biologiques** caractérisent ce syndrome : augmentation dans le sang du taux de cholestérol (hypercholestérolémie) et de triglycérides (hypertriglycéridémie), troubles portant sur certains facteurs sanguins de la coagulation.

COMPLICATIONS

Indépendamment de sa cause, un syndrome néphrotique peut entraîner un certain nombre de complications : fréquence accrue des infections bactériennes, thrombose (formation de caillots sanguins dans les vaisseaux), phlébite, embolie pulmonaire, dénutrition protéinique, fuite de calcium et de vitamine D dans les urines, se traduisant chez l'enfant par un retard de croissance. À plus long terme, les troubles lipidiques peuvent favoriser la formation de plaques d'athérome sur la paroi des artères.

DIAGNOSTIC

On a très souvent recours à une ponction-biopsie rénale pour préciser la nature des lésions glomérulaires et la cause du syndrome néphrotique.

TRAITEMENT ET PRONOSTIC

Les symptômes du syndrome néphrotique doivent toujours être traités : régime hyposodé, restriction en eau, diurétiques (furosémide, spironolactone) pour lutter contre les œdèmes ; traitement anticoagulant pour éviter les complications thrombotiques ; hypolipidémiants pour lutter contre l'hypercholestérolémie et l'hypertriglycéridémie, etc.

Le pronostic d'un syndrome néphrotique dépend de sa cause. Dans certains cas, des traitements spécifiques, par exemple par les corticostéroïdes, peuvent le guérir complètement. Dans d'autres cas, ces traitements ne sont d'aucune efficacité et la maladie glomérulaire peut évoluer vers une insuffisance rénale chronique.

Syndrome obstructif

Affection caractérisée par une diminution du calibre des bronches.

CAUSES

Un syndrome obstructif est dû à un trouble de la ventilation (circulation de l'air dans les voies respiratoires) provoqué par l'asthme ou par une maladie liée au tabagisme (bronchite chronique obstructive, emphysème). Lorsqu'il est associé à un syndrome restrictif (affection caractérisée par une diminution du volume total d'air contenu dans les poumons), on parle de syndrome mixte.

SYMPTÔMES ET DIAGNOSTIC

La spirométrie (enregistrement de la respiration) montre une diminution des débits d'air, plus particulièrement du V.E.M.S. (volume expiratoire maximal par seconde), et des anomalies de la courbe débit-volume dans le cas où les bronchioles (petites bronches) sont atteintes. Un essoufflement à l'effort apparaît dans les formes évoluées.

TRAITEMENT

Le traitement d'un syndrome obstructif, confondu avec celui de sa cause, repose sur la prise de bronchodilatateurs (bêtastimulants, corticostéroïdes, théophylline).

Syndrome oculo-urétro-synovial

Affection chronique caractérisée par l'association d'inflammations oculaire, urétrale ou digestive et articulaire. SYN. *syndrome de Fiessinger-Leroy-Reiter*.

Le syndrome oculo-urétro-synovial fait partie des arthrites réactionnelles : dans un premier temps, un foyer infectieux apparaît dans l'organisme ; il provoque une réaction du système immunitaire, qui agresse ensuite différents organes, en particulier les articulations. Le foyer infectieux est soit urétral (urétrite provoquée par une chlamydia ou par un mycoplasme), soit digestif (diarrhée due à une shigella, à une yersinia, à une salmonelle ou à un campylobacter).

SYMPTÔMES ET SIGNES

Le syndrome oculo-urétro-synovial se traduit par une diarrhée, suivie par une conjonctivite, une urétrite (inflammation de l'urètre) et enfin une arthrite affectant surtout le rachis et les articulations sacro-iliaques, mais aussi les hanches, les genoux, les coudes, les poignets et les articulations interphalangiennes. Plus rarement, des lésions cutanées (kératodermie et pustules) apparaissent sur la paume des mains et la plante des pieds.

ÉVOLUTION ET TRAITEMENT

La maladie évolue par poussées, généralement sur quelques mois ou sur une année, laissant fréquemment des séquelles articulaires ou oculaires.

Le traitement fait appel aux anti-inflammatoires non stéroïdiens.

→ VOIR Spondylarthropathie.

Syndrome paranéoplasique

Ensemble de manifestations associées à un cancer et évoluant en même temps que lui.

Les syndromes paranéoplasiques sont présents chez 7 à 15 % des patients ayant un cancer. Ils apparaissent soit dans les analyses sanguines (dosages hormonaux, numération formule sanguine, etc.), soit à l'examen du malade ; ils peuvent être les premiers symptômes du cancer ou apparaître après son diagnostic. Certains de ces syndromes sont dus à la diffusion dans l'organisme d'une substance sécrétée par une tumeur maligne.

DIFFÉRENTS TYPES DE SYNDROME PARANÉOPLASIQUE

Les anomalies peuvent atteindre différents appareils ou tissus.

■ **Les syndromes dermatologiques** sont très nombreux, le lien avec le cancer d'origine étant plus ou moins étroit. Certaines dermatoses sont toujours en rapport avec un cancer : ce sont l'acanthosis nigricans malin (plaques pigmentées et épaisses), associé le plus souvent à un cancer digestif ; l'acrokératose paranéoplasique de Bazex (plaques rouges recouvertes de squames très épaisses, touchant le dos des mains, les oreilles et le dessus des pieds), toujours liée à un cancer des voies aériennes supérieures ; l'érythème nécrolytique migrateur, ou syndrome du glucagonome, lié à un glucagonome du pancréas. D'autres dermatoses peuvent être liées, mais pas de façon systématique, à un cancer, comme la dermatomyosite (inflammation de la peau et des muscles), pouvant révéler un cancer génital, digestif ou bronchopulmonaire mais aussi exister isolément (formes idiopathiques) ; l'ichtyose acquise, pouvant accompagner un cancer bronchopulmonaire ou un lymphome ; les anomalies des ongles (hippocratisme digital, syndrome des ongles jaunes), révélant parfois un cancer bronchopulmonaire. Enfin, une maladie bulleuse (pemphigus paranéoplasique) n'est que rarement liée à un cancer profond.

■ **Les syndromes endocriniens** sont liés à des sécrétions hormonales anormales produites par la tumeur, surtout si elle est neuroendocrinienne (phéochromocytome). On peut observer un syndrome de Schwartz-Bartter (accumulation d'eau dans l'organisme par excès de sécrétion d'hormone antidiurétique), une sécrétion excessive des hormones corticostéroïdes (hypercorticisme) ou thyroïdiennes (hyperthyroïdie), une augmentation du taux de calcium dans le sang (hypercalcémie) ou une diminution du taux de glucose dans le sang (hypoglycémie). La fièvre, l'anorexie et la cachexie, qui accompagnent le cancer, sont liées à la sécrétion par la tumeur de cachectine (hormone normalement produite par les macrophages).

■ **Les syndromes hématologiques** concernent soit les cellules sanguines, soit la coagulation. Dans le premier cas, le cancer sécrète des facteurs de croissance des cellules de la moelle osseuse, provoquant une augmentation du nombre de globules rouges (polyglobulie), de plaquettes (thrombocytémie) ou de globules blancs (hyperleucocytose). Dans le second cas, la sécrétion par la tumeur de facteurs de la coagulation provoque des thromboses (formation de caillots) et des embolies (migration de ces caillots dans la circulation) ou, au contraire, des hémorragies par coagulation intravasculaire disséminée (destruction locale des facteurs de la coagulation et des plaquettes).

■ **Les syndromes neurologiques** ont un mécanisme inconnu. Ils atteignent l'ensemble de l'encéphale, sous la forme d'une encéphalopathie, ou une partie de l'encéphale seulement, par exemple le cervelet, ou encore les nerfs – il s'agit alors d'une neuropathie périphérique. Les signes sont moteurs (ataxie [absence de coordination des mouvements], paralysie) et/ou sensitifs (augmentation ou diminution locale de la sensibilité tactile ou profonde). Le syndrome de Lambert-Eaton ressemble à une myasthénie, maladie neurologique caractérisée par une fatigabilité à l'effort.

■ **Les syndromes osseux** ont également un mécanisme inconnu. Le plus caractéristique est celui de Pierre Marie, également connu sous le nom d'ostéoarthropathie hypertrophiante. Le plus souvent consécutif à un cancer du poumon, il associe une hypertrophie des doigts (hippocratisme digital), une inflammation des articulations et un épaississement du périoste (membrane fibreuse qui recouvre l'os, sauf au niveau des surfaces articulaires) visible à la radiographie.

TRAITEMENT

Un syndrome paranéoplasique fait parfois l'objet d'un traitement isolé : ainsi, une hypercalcémie ou une hypoglycémie doivent être traitées en urgence. Mais le seul vrai traitement est celui du cancer en cause : la disparition du syndrome suit l'éradication du cancer ; de même, sa réapparition doit faire rechercher une récidive, locale ou à distance (métastase).

Syndrome parkinsonien

Association d'une akinésie (rareté et lenteur des mouvements), d'une hypertonie (rigidité) et d'un tremblement au repos. SYN. *syndrome extrapyramidal.*

CAUSES

Le syndrome parkinsonien s'observe au cours de la maladie de Parkinson, mais aussi lors d'autres affections neurologiques dégénératives comme l'atrophie olivo-ponto-cérébelleuse (maladie héréditaire atteignant le système nerveux central). Il peut également être provoqué par la prise de neuroleptiques sur une longue période.

SYMPTÔMES ET SIGNES

Le tremblement du syndrome parkinsonien, d'une fréquence de 4 à 8 oscillations par seconde, est régulier et touche le plus souvent l'extrémité des membres supérieurs (mouvements d'émiettement). Il est favorisé par le calcul mental et disparaît au cours des mouvements volontaires.

L'akinésie parkinsonienne est particulièrement visible sur le visage : le clignement des paupières est rare, la mimique réduite. Elle entraîne également une perte du ballant des bras au cours de la marche, qui s'effectue à petits pas, et une difficulté à exécuter des mouvements alternatifs rapides, avec une tendance permanente à l'économie des gestes. La parole est monocorde et l'écriture micrographique.

L'hypertonie parkinsonienne des membres, dite plastique, se caractérise par le maintien de la position dans laquelle le membre est placé, ce qui la différencie de l'hypertonie élastique du syndrome pyramidal. Elle prédomine sur les muscles fléchisseurs, ce qui tend à donner au patient une attitude fléchie et penchée en avant. La rigidité cède par à-coups lorsque le membre est mobilisé, réalisant le phénomène dit « de la roue dentée ».

TRAITEMENT

Il consiste à traiter la maladie en cause ou à suspendre la prise de neuroleptiques lorsque le syndrome est d'origine médicamenteuse ; celui-ci persiste toutefois souvent plusieurs semaines après l'arrêt du traitement neuroleptique.

→ VOIR Parkinson (maladie de).

Syndrome postprandial tardif

Trouble survenant à la suite de certaines gastrectomies (ablation de l'estomac) et caractérisé par une chute brutale de la glycémie (taux de glucose dans le sang) une ou deux heures après les repas. SYN. *hypoglycémie tardive.*

CAUSES

Le syndrome postprandial tardif est dû à l'arrivée très rapide, en cas de gastrectomie, du bol alimentaire dans l'intestin ; la conséquence en est une absorption trop rapide des nutriments et une montée également trop rapide de la glycémie. La réponse du pancréas est alors une sécrétion brutale d'insuline, ce qui entraîne une chute anormale de la glycémie.

SYMPTÔMES ET DIAGNOSTIC

Les troubles surviennent de une à deux heures après le repas. Ce sont ceux de l'hypoglycémie : malaise, sueurs, vertiges, tremblements, crampes gastriques, voire troubles de la conscience. Le dosage du glucose dans le sang montre des taux très bas. Une hyperglycémie provoquée par voie orale confirme le diagnostic : le taux de glucose monte très haut puis descend très bas.

TRAITEMENT

Il fait appel à un régime pauvre en sucres rapides (sucres rapidement absorbés) et riche en fibres, qui ralentissent l'absorption intestinale des sucres. Le syndrome postprandial tardif disparaît progressivement avec le temps, grâce à une adaptation des organes digestifs.

Syndrome post-traumatique

Ensemble de troubles observés chez certains patients à la suite d'un accident, en l'absence de toute cause organique.

SYMPTÔMES ET SIGNES

Ce syndrome, qu'il ne faut pas confondre avec les séquelles d'un accident, consiste en douleurs constantes ou irrégulières, d'intensité et de localisation variables. Chez certains patients, les douleurs ne surviennent que dans des circonstances particulières (changement de saison ou de climat, par exemple). Elles s'associent à des déficits sensoriels ou psychiques (baisse de l'acuité visuelle ou auditive, perte de mémoire). Le syndrome post-traumatique peut être intense, au point

d'interdire au malade le retour à une activité professionnelle normale, et amener celui-ci à développer une sinistrose (refus de reconnaître sa guérison ou amplification du préjudice subi).

Le plus fréquent des syndromes post-traumatiques se rencontre chez les victimes d'un traumatisme crânien léger et se traduit par des maux de tête, des vertiges, des troubles de l'attention et de la mémoire, une insomnie ou une asthénie (grande faiblesse).

Les examens cliniques et paracliniques (scanner, imagerie par résonance magnétique) ne révèlent aucune lésion organique.

TRAITEMENT

Il repose sur la psychothérapie et sur l'administration de médicaments tranquillisants ou antidépresseurs.

Syndrome prémenstruel

Ensemble de troubles physiques et psychologiques survenant avant les règles.

Le syndrome prémenstruel est assez fréquent, touchant de 10 à 20 % des femmes. Ses causes, encore mal élucidées, semblent, entre autres, hormonales.

SYMPTÔMES ET SIGNES

Le syndrome prémenstruel apparaît toujours chez une femme à la même période du cycle menstruel, entre le 14e et le 2e jour précédant les règles. Il est d'intensité variable et s'interrompt au déclenchement des règles.

■ **Les signes physiques** sont un gonflement des chevilles et une bouffissure des paupières, qui traduisent une rétention d'eau. Un gonflement des seins, un ballonnement abdominal, une pesanteur pelvienne, parfois même une prise de poids peuvent s'accompagner de troubles cutanés, de douleurs articulaires, de maux de tête, de migraines, de vertiges et de fatigue.

■ **Les signes psychologiques** sont avant tout une tension nerveuse, qui provoque une raideur musculaire, des douleurs et une maladresse, ainsi que des sautes d'humeur, une irritabilité, un état dépressif caractérisé par des crises de larmes et parfois une anxiété excessive.

TRAITEMENT

Lorsque les signes ne sont pas très accusés, le traitement reste personnel, et chaque femme découvre à la longue les meilleurs moyens de surmonter son malaise : relaxation, exercice physique, régime alimentaire. Le traitement, très efficace en cas de syndrome prémenstruel important, consiste à prendre par voie orale de la progestérone naturelle ou de synthèse, ou encore de l'huile d'onagre ou des médicaments veinotoniques, du 15e au 25e jour du cycle.

Syndrome radiculaire

Ensemble des symptômes liés à l'atteinte (inflammation, infection, compression) d'une racine nerveuse.

Un syndrome radiculaire est principalement caractérisé par une radiculalgie (douleur sur le trajet des fibres nerveuses issues de la racine affectée). L'atteinte de chaque racine donne lieu à une douleur précise : une sciatique (inflammation du nerf sciatique) de la 5e racine lombaire, par exemple, se traduit par une douleur à la partie externe et postérieure de la cuisse, et à la face externe de la jambe jusqu'au dos du pied. Si la 1re racine sacrée est atteinte, le trajet suit la face postérieure de la cuisse et de la jambe, jusqu'à la plante du pied.

Dans certains cas, la douleur radiculaire est permanente. Elle peut aussi être exacerbée par la toux, la défécation, la mobilisation du rachis, les manœuvres qui étirent la racine nerveuse. À la douleur s'associent chez certains sujets des sensations anormales (brûlure, picotement, sensation d'avoir une peau cartonnée, engourdissement, etc.) provoquées par l'effleurement du dermatome (bande cutanée innervée par les fibres sensitives des nerfs rachidiens). Lorsque l'atteinte est importante, un déficit moteur peut s'y ajouter, affectant exclusivement les muscles innervés par la racine lésée, et les réflexes ostéotendineux peuvent disparaître.

Syndrome restrictif

Affection caractérisée par la diminution de la capacité pulmonaire totale (volume d'air total contenu dans les poumons à la fin d'une inspiration maximale).

CAUSES

Un syndrome restrictif est dû à un trouble de la ventilation (circulation de l'air dans les voies respiratoires). Il peut être consécutif à une pneumonectomie (ablation chirurgicale d'un poumon), à une paralysie des muscles respiratoires (poliomyélite), à une maladie détruisant une partie importante du tissu pulmonaire (fibrose, par développement de tissu fibreux), à un blocage ou à une déformation importante du thorax (spondylarthrite ankylosante, scoliose, etc.). Lorsqu'il est associé à un syndrome obstructif (diminution du calibre des bronches), on parle de syndrome mixte.

SYMPTÔMES ET DIAGNOSTIC

Ce syndrome se traduit à la spirométrie (mesure des volumes et des débits pulmonaires) par une diminution des volumes d'air inspirés et expirés. Il se manifeste par un essoufflement à l'effort d'importance variable.

TRAITEMENT

Le traitement d'un syndrome restrictif vise à soigner sa cause, lorsque c'est possible ; dans les formes sévères, il consiste à traiter ses symptômes (oxygénothérapie, par exemple).

Syndrome rotulien

Ensemble des symptômes liés à une atteinte des cartilages de la rotule et des cartilages du fémur se trouvant en regard (trochlée), parfois associée à une désaxation de la rotule.

CAUSES

Divers facteurs prédisposent au syndrome rotulien. Celui-ci peut être lié par exemple à une anomalie morphologique de la rotule ou de la trochlée ; à une malposition rotulienne congénitale ou acquise par déséquilibre musculaire ; à une utilisation inhabituelle ou excessive de la rotule ; à une poussée de croissance ; à une augmentation de la pratique sportive ; à une surcharge

pondérale imposant des contraintes mécaniques importantes au cartilage.

SYMPTÔMES ET DIAGNOSTIC

Le patient ressent une gêne douloureuse pendant l'effort d'abord, puis dans la vie courante (descente d'escaliers, position assise prolongée). Cette douleur s'accompagne quelquefois d'une sensation d'instabilité ou de blocage du genou. Une radiographie, éventuellement une arthroscopie (examen de l'intérieur de la cavité articulaire à l'aide d'un endoscope) ou un scanner de l'articulation, peut être nécessaire.

TRAITEMENT

En vue de calmer la douleur, le traitement médical impose l'arrêt des activités sportives, la prise d'anti-inflammatoires non stéroïdiens et une physiothérapie (ionisations, ultrasons). Une rééducation permet, en outre, de recentrer la rotule en renforçant la musculature de certaines parties du quadriceps. Un traitement chirurgical ne s'impose que dans le cas d'anomalies morphologiques confirmées et n'est envisagé qu'après l'échec du traitement médical.

Syndrome sec

→ VOIR Gougerot-Sjögren (syndrome de).

Syndrome urétral aigu

Douleur brutale ressentie dans l'urètre en l'absence de toute infection de l'appareil génito-urinaire.

Le syndrome urétral aigu atteint essentiellement la femme. C'est un syndrome mal défini, probablement d'origine psychique puisque les examens cliniques ne révèlent aucune cause pouvant expliquer les douleurs ; il s'accompagne parfois de troubles mictionnels (envie fréquente d'uriner). Le traitement repose sur les analgésiques ; comme dans toutes les maladies psychosomatiques, une aide psychologique s'avère souvent utile.

Synéchie

Accolement par du tissu fibreux pathologique de deux tissus ou de deux parties d'un organe qui sont normalement séparés.

Les synéchies ne constituent pas une simple modification anatomique, mais une véritable affection, particulièrement dans le cas de l'utérus.

■ Les synéchies utérines sont consécutives soit à une infection, soit à un traumatisme (aspiration pratiquée pour une interruption volontaire de grossesse). Au cours de la cicatrisation apparaît un tissu fibreux tapissant la paroi interne de l'utérus et des trompes et formant des brides tendues d'un côté à l'autre. Les synéchies utérines, en empêchant la nidation de l'œuf, provoquent une stérilité. Le traitement consiste à les sectionner au laser par hystéroscopie (à l'aide d'un tube optique et d'instruments chirurgicaux introduits par le col de l'utérus) sous anesthésie locale.

Synergie médicamenteuse

Interaction de deux ou plusieurs médicaments ayant des modes d'action semblables

et dont l'effet thérapeutique est égal ou supérieur aux effets additionnés de chacun d'eux pris isolément.

On parle de synergie additive lorsque l'effet thérapeutique obtenu est égal à la somme des effets de chacun des médicaments pris isolément, et de synergie potentialisatrice lorsque cet effet thérapeutique lui est supérieur.

Le terme de potentialisation s'applique lorsque les médicaments ont des modes d'action différents et que l'effet thérapeutique de leur association est supérieur à la somme des effets particuliers de chacun d'eux, quand il est pris séparément.

UTILISATION THÉRAPEUTIQUE

Une synergie médicamenteuse est recherchée dans certains domaines médicaux. Dans le traitement de l'hypertension artérielle, on associe dans certains cas les médicaments antihypertenseurs entre eux. Dans le traitement des maladies infectieuses, on recherche une synergie entre deux antibiotiques pour obtenir un effet bactéricide en cas d'infection grave (septicémie ou endocardite, par exemple). Dans le traitement des cancers, un malade peut recevoir plusieurs médicaments anticancéreux ensemble (polychimiothérapie) afin de diminuer les effets indésirables de chacun d'eux.

EFFETS INDÉSIRABLES

Il peut être dangereux d'associer plusieurs médicaments si l'on ne connaît pas les effets potentiels d'une telle association. Certaines interactions médicamenteuses se traduisent par une augmentation de la toxicité de l'un ou de plusieurs des médicaments pris simultanément. Par exemple, l'aspirine et les antivitamines K (variétés d'anticoagulants) ont chacune un pouvoir hémorragique, qui augmente si un sujet les prend en même temps. De même, les sulfamides hypoglycémiants (variétés d'antidiabétiques) associés aux bêtabloquants (médicaments employés en cardiologie) peuvent provoquer des hypoglycémies sévères (chute du taux de glucose sanguin).

Synostose

Union complète de deux os par ossification de la zone fibreuse ou cartilagineuse qui les sépare. (P.N.A. *synostosis*)

Une synostose peut être physiologique (entre deux os du crâne, par exemple) ou pathologique, affectant deux os, comme le radius et le cubitus, mis accidentellement en contact à l'occasion d'une fracture mal ou non réduite. Dans ce dernier cas, elle devient parfois douloureuse, notamment en cas de rupture du pont osseux joignant les deux os. On doit alors supprimer chirurgicalement ce pont, en interposant entre les deux os un tissu mou de voisinage (lambeau graisseux ou musculaire, par exemple). Les récidives sont néanmoins fréquentes.

Synovectomie

Ablation chirurgicale, partielle ou totale, d'une synoviale (membrane tapissant la cavité des articulations mobiles) atteinte par une affection articulaire.

INDICATIONS

Une synovectomie peut être pratiquée en cas d'atteinte inflammatoire de l'articulation (polyarthrite rhumatoïde, par exemple) ayant résisté aux traitements classiques ou en cas d'atteinte infectieuse (arthrite septique, par exemple) ou d'hémarthrose (épanchement de sang dans une articulation, le plus souvent dans celle du genou) à répétition, fréquente chez les sujets atteints d'hémophilie. On y a recours lorsque les autres méthodes thérapeutiques locales (corticostéroïdes, isotopes radioactifs, antibiotiques, etc.) ont fait la preuve de leur inefficacité et que l'articulation reste douloureuse et invalidante.

TECHNIQUE

La synovectomie se pratique sous anesthésie locorégionale ou générale après ouverture chirurgicale large de l'articulation ou sous arthroscopie. Dans les deux cas, le malade doit être hospitalisé. L'arthroscopie ne permet pas une synovectomie aussi complète que la chirurgie conventionnelle, mais elle est moins lourde et autorise, lorsque l'opération concerne une articulation du membre inférieur, une reprise plus rapide de la marche. Une synovectomie doit toujours être suivie de séances de rééducation pour éviter que l'articulation ne s'ankylose. La récupération de la mobilité articulaire survient généralement au bout d'un mois. En cas de récidive, on peut pratiquer une nouvelle synovectomie.

Synoviale

Membrane qui tapisse l'intérieur de la capsule des articulations mobiles. (P.N.A. *membrana synovialis*)

La synoviale est entourée par la capsule articulaire et par des ligaments. Elle contient et produit un liquide lubrifiant appelé synovie, qui facilite le glissement des surfaces articulaires.

Lorsque la synoviale est abîmée, par exemple en raison d'une maladie inflammatoire (polyarthrite rhumatoïde), d'une infection, d'une tumeur, etc., on peut pratiquer

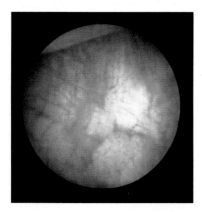

Synoviale. *Cette arthroscopie du genou montre la face articulaire de la membrane synoviale, qui sécrète un liquide lubrifiant l'articulation.*

une synovectomie (ablation de la synoviale) ou une synoviorthèse (injection intra-articulaire d'une substance visant à détruire la synoviale).

■ **Les franges de synoviale** sont des déformations physiologiques faisant saillie dans la cavité articulaire et comblant les vides qui se forment au cours de certains mouvements. Elles peuvent aussi être pathologiques, hypertrophiées à cause, par exemple, d'un conflit mécanique ou consécutives à une prolifération de la synoviale, d'origine tumorale ou inflammatoire.

Gaine synoviale

C'est une mince membrane séreuse qui entoure les tendons (notamment ceux des muscles fléchisseurs et extenseurs des doigts et des orteils), permettant leur glissement.

Synovie

Liquide incolore transparent et filant, sécrété par la synoviale, qui lubrifie les surfaces articulaires, facilitant leur glissement lors des mouvements.

La synovie est constituée d'eau, de sels minéraux et de protéines ; à l'état normal, elle ne contient pas de cellules.

PATHOLOGIE

L'expression « épanchement de synovie », souvent employée pour désigner l'hydarthrose, est impropre, car le liquide de ces épanchements peut être de nature inflammatoire et contenir dans ce cas des cellules, par exemple des leucocytes nécrosés (pus).

Synovie (épanchement de)

→ VOIR Hydarthrose.

Synoviorthèse

Injection intra-articulaire d'une substance ayant pour but de détruire une synoviale (membrane tapissant l'intérieur de la capsule des articulations mobiles) pathologique.

Une synoviorthèse se pratique lorsqu'une synoviale est enflammée du fait d'une arthrite ; cette technique fait notamment partie du traitement de la polyarthrite rhumatoïde, maladie au cours de laquelle la synoviale s'épaissit, constituant de véritables nodules inflammatoires (pannus) qui détruisent progressivement cartilages, os et ligaments.

Les substances utilisées sont l'hexacétonide de triamcinolone pour les petites articulations des doigts, l'acide osmique pour les grosses et moyennes articulations des membres inférieurs (genou, cheville) ; enfin, compte tenu du risque d'irradiation des glandes génitales (testicules, ovaires), les isotopes radioactifs (yttrium, rhénium, erbium) ne sont pas employés chez des sujets jeunes, sauf indications particulières (par exemple, chez des sujets hémophiles atteints d'hémarthroses [épanchements de sang dans une articulation] récidivantes). Après une synoviorthèse, l'articulation, légèrement douloureuse, doit être laissée 3 jours au repos ; la prise d'analgésiques peut se révéler utile. La synoviale se reconstitue en 2 mois. En cas de résultats incomplets, avec récidive

inflammatoire et invalidante, on peut pratiquer une nouvelle synoviorthèse.

Synovite

Inflammation de la synoviale (membrane tapissant l'intérieur de la capsule des articulations mobiles).

Une synovite peut notamment se trouver liée à une infection intra-articulaire (arthrite septique), à une maladie de système (lupus érythémateux disséminé), à une arthrite inflammatoire (polyarthrite rhumatoïde, spondylarthrite ankylosante) ou microcristalline (goutte, chondrocalcinose articulaire). Toutes les articulations sont susceptibles d'être atteintes.

SYMPTÔMES ET SIGNES

La synoviale enflammée s'épaissit, pouvant éroder l'os sous-jacent, avec parfois apparition de véritables nodules inflammatoires (pannus synovial de la polyarthrite rhumatoïde, par exemple). Elle sécrète un liquide synovial abondant, dont une ponction permet de préciser le caractère inflammatoire. La synoviale étant richement innervée, l'articulation est douloureuse. Une forme particulière de synovite, appelée synovite villonodulaire, est une affection de cause inconnue au cours de laquelle les nodules inflammatoires se chargent de dépôts ferreux (hémosidérine) ; elle se traduit par des hémorragies intra-articulaires répétées.

TRAITEMENT

Le traitement de la synovite repose sur les anti-inflammatoires locaux (pommades, infiltrations) et sur le traitement de la maladie en cause. Lorsque la synovite est chronique, on peut pratiquer une synoviorthèse (injection dans l'articulation d'une substance visant à détruire la synoviale).

Syphilis

Maladie infectieuse sexuellement transmissible due à une bactérie, *Treponema pallidum* (tréponème pâle). SYN. *vérole*.

Le tréponème pâle est un spirochète, bactérie de forme hélicoïdale, particulièrement mobile grâce à son appareil locomoteur interne. Sa découverte date de 1905.

HISTORIQUE

L'origine de la syphilis est controversée. Une tradition veut qu'elle soit issue d'Amérique centrale et ait été rapportée en Europe au XVe siècle lors du retour des expéditions de Christophe Colomb ; cependant, la découverte de stigmates osseux de la syphilis sur des squelettes néolithiques de Russie centrale et de Haute-Égypte plaide en faveur d'une nature endémique très ancienne de cette maladie. En progression constante dans les années 1980 à 1990, la syphilis semble marquer un certain recul depuis deux ans.

CAUSES

Dans plus de 95 % des cas, la transmission se fait par la voie sexuelle. Le microbe pénètre dans l'organisme par des écorchures de la peau ou des muqueuses. Cela explique que des rapports sexuels avec une personne infectée puissent ne pas être contaminants si la muqueuse du partenaire est saine. La syphilis est une porte d'entrée du V.I.H.

Cette maladie sexuellement transmissible se traduit par l'apparition d'un chancre 3 ou 4 semaines après le contact infectant. Après quelques mois ou, parfois, quelques années apparaît l'éruption cutanée. L'atteinte viscérale survient en général beaucoup plus tard.

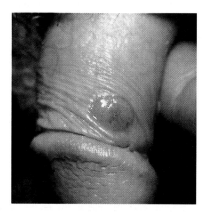

Le chancre est une petite ulcération, souvent localisée sur les organes génitaux (ici, sur le pénis), plus rarement sur l'anus ou sur les lèvres.

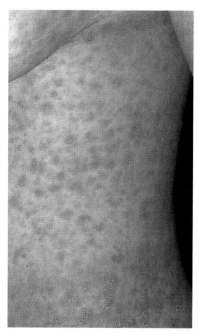

Une éruption de taches rosées, appelée roséole, qui s'accompagne parfois d'élevures plus rouges, constitue le deuxième stade de la maladie.

(virus du sida), du fait des érosions ou des ulcérations anogénitales qu'elle provoque. Les autres cas de contamination concernent principalement le personnel soignant. Ils sont dus à des contacts cutanés, à des piqûres ou à des coupures accidentelles. La contamination fœtoplacentaire (du fœtus par la mère, par l'intermédiaire du placenta) se produit en général au cours de la deuxième moitié de la grossesse, exceptionnellement avant le 4e mois. La contagiosité dépend alors du stade de la maladie : pratiquement constante s'il s'agit d'une syphilis primaire récente, elle est d'environ 1 cas sur 2 lorsque la syphilis est plus ancienne.

SYMPTÔMES ET SIGNES

Après la contamination, le tréponème se multiplie très rapidement dans l'organisme. L'incubation (période pendant laquelle cette bactérie s'installe dans l'organisme et qui précède l'apparition des signes de la maladie) dure de deux à six semaines. L'infection évolue ensuite en trois stades.

■ **Le stade primaire** est caractérisé par l'apparition d'un chancre, petite ulcération de 3 à 5 millimètres de diamètre, la plupart du temps indolore, reposant sur une base indurée (très ferme à la palpation). La lésion, très contagieuse car fourmillant de bactéries, siège au point d'inoculation, le plus souvent sur les organes génitaux (gland, corps de la verge, scrotum, col de l'utérus, vulve, anus), parfois dans une zone extragénitale (lèvres, langue, gencives, amygdales, etc.). À cause de sa petite taille ou de sa localisation, le chancre passe souvent inaperçu. Il s'associe à une adénopathie (gonflement des ganglions lymphatiques) indolore dans la même zone. Il disparaît en un à trois mois et, sous traitement, en une à trois semaines ; l'adénopathie et l'induration persistent en revanche pendant plusieurs mois.

■ **Le stade secondaire** consiste en éruptions cutanées associées à un syndrome grippal (fièvre, fatigue, courbatures, maux de tête) et à une polyadénopathie (gonflement généralisé des ganglions lymphatiques). Il survient de deux mois à quatre ans après le début de la maladie. Une première éruption (première floraison, ou syphilis secondaire précoce) est une roséole (taches rosées) souvent peu visible. Cette roséole s'accompagne parfois de lésions muqueuses faites de taches rouges érosives, bien délimitées, très contagieuses, et d'une chute des cheveux par plaques, « en clairière ». Une deuxième éruption (deuxième floraison, ou syphilis secondaire tardive) consiste en syphilides, petites élevures brun rougeâtre infiltrées, souvent macérées, voire suintantes lorsqu'elles siègent dans les plis. Les syphilides, également très contagieuses, prédominent au visage, aux paumes et aux plantes des pieds, et au pourtour des orifices ; elles évoluent par poussées successives. Leur survenue s'associe souvent à des signes généraux (fièvre, maux de tête, fatigue), à une atteinte hépatique avec ictère, à des douleurs osseuses. Pendant cette période, une atteinte rénale (glomérulonéphrite) ou oculaire (baisse de l'acuité visuelle) est également possible, de même qu'une atteinte cutanée (alternance de taches foncées pigmentées et de taches décolorées autour du cou, appelées collier de Vénus). Au stade secondaire succède une période pendant laquelle le sujet infecté ne présente aucun signe d'infection. Cette période de latence peut durer jusqu'à plusieurs dizaines d'années. Dans certains cas, la syphilis est latente d'emblée, c'est-à-dire qu'elle ne se manifeste ni par le chancre, ni par aucun des autres symptômes habituels des syphilis primaire et secondaire.

■ **Le stade tertiaire** consiste en gommes, nodosités molles évoluant vers l'ulcération. Elles peuvent toucher le derme, sous forme de petites élevures arrondies, ou l'hypoderme ; elles sont alors volumineuses et siègent sur les jambes, les bras, le visage, le cuir chevelu et la poitrine. Lorsqu'elles sont localisées aux muqueuses, les gommes sont susceptibles d'entraîner d'importantes destructions ostéocartilagineuses. Elles peuvent également toucher les os et les viscères : la syphilis cardioaortique entraîne dans certains cas une insuffisance aortique ; l'atteinte des coronaires est responsable d'angine de poitrine, voire d'infarctus. Des complications neurologiques sont possibles : syndrome psychiatrique définissant la paralysie générale (diminution de toutes les facultés intellectuelles ou, au contraire, exaltation de ces facultés accompagnée d'hyperactivité psychomotrice), tremblements, difficultés à l'élocution, absence de contraction des pupilles (signe d'Argyll Robertson). Plus tardivement peuvent survenir un tabès, atteinte de la moelle épinière se traduisant par des troubles de la sensibilité profonde, une incoordination motrice (démarche ataxique) et des douleurs viscérales fulgurantes. Chez les personnes séropositives au V.I.H. ou malades du sida, l'évolution de la syphilis peut être accélérée avec, entre autres, l'apparition précoce d'atteintes nerveuses, du fait de la diminution des défenses immunitaires.

■ **La syphilis congénitale** concerne les enfants nés syphilitiques, la maladie leur ayant été transmise par leur mère pendant la grossesse ; elle peut évoluer de deux manières différentes. La syphilis congénitale précoce se manifeste, au cours des deux premières années de la vie, par des atteintes de la peau et des muqueuses, des os, du foie, de la rate, des reins, des poumons et des yeux. La syphilis congénitale tardive apparaît entre cinq et dix ans et se traduit par des atteintes de la peau et des muqueuses (perforation du palais), des yeux, des oreilles, des dents, des articulations et du système nerveux.

DIAGNOSTIC

Il doit être confirmé par une preuve formelle, qui peut être la mise en évidence soit du tréponème dans les lésions (examen direct au microscope de la sérosité du chancre ou des plaques muqueuses), soit d'antigènes spécifiques aux tréponématoses dans le sérum sanguin. Dans le second cas, on utilise actuellement des réactions d'immunofluorescence et d'hémagglutination passive (TPHA) ; le test classique d'immobilisation des tréponèmes, ou test de Nelson, n'est plus guère pratiqué du fait de son coût. Il existe encore d'autres réactions (Bordet-Wassermann, VDRL), qui permettent de détecter des antigènes cardiolipidiques mais peuvent être positives au cours d'autres affections (maladies auto-immunes).

TRAITEMENT

Il se fonde sur l'administration de pénicilline ou, en cas d'allergie à la pénicilline, de tétracycline. Si la maladie est traitée précocement, une dose unique, massive, de pénicilline suffit à la guérison. Dans le cas contraire, il peut être nécessaire de poursuivre le traitement pendant plusieurs semaines. Celui-ci doit être entrepris le plus tôt possible afin de briser la chaîne de contamination et d'éviter la constitution de lésions viscérales tertiaires, ces dernières étant particulièrement graves. Une recontamination est possible.

PRÉVENTION
Les malades syphilitiques ne peuvent transmettre la maladie que pendant les périodes primaire et secondaire. La prévention repose sur le dépistage systématique et sur le traitement des partenaires sexuels des malades. La syphilis est une maladie à déclaration obligatoire.

Syringome

Très petite tumeur cutanée bénigne, développée aux dépens du canal excréteur d'une glande sudoripare eccrine (glande présente sur toute la peau, sécrétant la sueur).

On distingue deux variétés de syringome : les syringomes des paupières, petites papules blanc rosé, localisées, touchant surtout la femme vers 40 ans, qui s'étendent très progressivement, et les syringomes éruptifs du thorax, petites lésions rosées ou pigmentées, capables de provoquer des démangeaisons locales.

Le traitement est facultatif, un syringome n'étant pas susceptible d'évoluer vers une forme maligne, et repose sur la destruction des lésions par électrocoagulation, par laser au gaz carbonique ou par dermabrasion superficielle.

Syringomyélie

Maladie rare caractérisée par la présence dans la moelle épinière d'une cavité liquidienne pathologique indépendant du canal de l'épendyme.

La cavité est localisée dans la substance grise, au centre de la partie haute de la moelle ; elle détruit les fibres nerveuses qui véhiculent la sensibilité de la peau à la température et à la douleur.

CAUSES
On distingue deux mécanismes.
■ **Les syringomyélies dites hydrodynamiques** sont dues à un blocage de la circulation du liquide céphalorachidien à la jonction des compartiments ventriculaires et extraventriculaires (canal épendymaire), et proviennent soit d'une malformation congénitale du système nerveux central appelée malformation d'Arnold-Chiari, soit, plus rarement, d'une lésion acquise (méningite, traumatisme, tumeur).
■ **Les syringomyélies dites non hydrodynamiques** consistent en la formation d'une cavité liquidienne pathologique à l'intérieur de la moelle épinière et sont la conséquence d'une lésion traumatique, tumorale ou vasculaire.

SYMPTÔMES ET SIGNES
La syringomyélie se caractérise par des troubles sensitifs dits « dissociés » (la sensibilité profonde et la sensibilité tactile fine ne sont pas atteintes) et « suspendus » (seuls les membres supérieurs sont affectés).

Un des signes les plus évocateurs d'un début de syringomyélie est l'incapacité du patient à ressentir les brûlures sur les mains (insensibilité à la température) ; une douleur ou un déficit moteur des mains peuvent également survenir et, plus rarement, des troubles de la marche. Les autres signes varient en fonction de l'extension de la cavité : paralysies en cas d'extension horizontale, dysarthrie (troubles de l'élocution), glossoplégie (paralysie de la langue), troubles de la déglutition en cas d'extension vers le haut lésant le bulbe rachidien (syringobulbie). La maladie évolue en général très lentement ; elle se stabilise même parfois spontanément.

DIAGNOSTIC ET TRAITEMENT
Le diagnostic de la syringomyélie repose sur l'imagerie par résonance magnétique (I.R.M.), qui permet de mettre en évidence la cavité syringomyélique et, éventuellement, une malformation d'Arnold-Chiari. Le traitement est très limité ; une intervention neurochirurgicale, consistant à placer un cathéter de dérivation depuis la cavité pathologique jusqu'au liquide céphalorachidien entourant la moelle épinière, est parfois indiquée en cas de syringomyélie évolutive et invalidante.

Système

Ensemble d'organes liés entre eux par une fonction commune, mais non nécessairement par une continuité anatomique.

Le système endocrinien, par exemple, se définit par une même fonction, la fonction hormonale, assurée par les glandes (hypothalamus, hypophyse, thyroïde, parathyroïdes, surrénales, pancréas endocrine, ovaires, testicules) qui déversent dans la circulation sanguine des substances, les hormones, agissant à distance sur d'autres organes.
→ VOIR Appareil.

Système (maladie de)
→ VOIR Connectivite.

Système endocrinien

Ensemble des glandes endocrines.
Structure et formation du système endocrinien
Le système endocrinien est composé de plusieurs glandes, dont certaines sont contrôlées par l'hypophyse, laquelle est elle-même une glande endocrine, et par l'hypothalamus, les autres ayant un mode de fonctionnement plus autonome. Les premières sont la glande thyroïde, les glandes corticosurrénales et les gonades (ovaires et testicules), dont les sécrétions dépendent étroitement des hormones hypophysaires, elles-mêmes sous le contrôle de l'hypothalamus. Les autres glandes endocrines sont les glandes parathyroïdes, les glandes médullosurrénales et le pancréas endocrine.

Le système endocrinien a dans l'organisme une fonction de régulation du métabolisme, de la croissance et de la fonction sexuelle. Il a cela de particulier qu'il est autorégulateur : le taux de sécrétion de chaque hormone est régulé, d'une part, par

celui de la substance dont elle règle la concentration sanguine (concentration du glucose pour l'insuline, par exemple), d'autre part grâce à un rétrocontrôle de la sécrétion des hormones hypothalamohypophysaires correspondantes (ainsi, l'excès d'hormones thyroïdiennes dans le sang freine la sécrétion de thyréostimuline hypophysaire, qui, à son tour, freine celle de la thyréolibérine hypothalamique).

GLANDES DU SYSTÈME ENDOCRINIEN
■ **L'hypophyse** (petite glande endocrine située à la base du cerveau) est contenue dans une cavité osseuse du sphénoïde, appelée selle turcique. Elle est constituée de deux parties : l'antéhypophyse en avant, qui sécrète 6 hormones antéhypophysaires (corticotrophine, thyréostimuline, les deux gonadotrophines, prolactine, somatotrophine) ; la posthypophyse en arrière, qui stocke l'hormone antidiurétique et l'ocytocine. L'hypophyse est contrôlée par l'hypothalamus, structure du système nerveux central, auquel elle est rattachée par la tige pituitaire. L'hypothalamus assure ce contrôle en sécrétant des facteurs stimulant ou inhibant les sécrétions hypophysaires. Ce sont la corticolibérine (ou CRF, *corticotrophin releasing factor* [facteur de libération de la corticotrophine]), qui agit sur la sécrétion de corticotrophine ; la thyréolibérine (ou TRH, *thyrotrophin releasing hormone* [hormone de libération de la thyréostimuline]), qui agit sur la sécrétion de thyréostimuline ; la gonadolibérine (encore appelée Gn-RH, *gonadotrophin releasing hormone* [hormone de libération des gonadotrophines] ou LH-RH, *luteinizing releasing hormone* [hormone de libération de l'hormone lutéinisante]), qui agit sur la sécrétion des gonadotrophines ; la somatocrinine (ou GH-RH, *growth hormone releasing hormone* [hormone de libération de la somathormone]) et la somatostatine (ou GH-RIH, *growth hormone releasing inhibiting hormone* [hormone inhibant la libération de la somathormone]), qui agissent sur la sécrétion de somathormone (hormone de croissance). Enfin, la dopamine, partiellement sécrétée par l'hypothalamus, contrôle la sécrétion de prolactine. La sécrétion des hormones hypothalamiques (sauf la dopamine) est soumise à un phénomène de rétrocontrôle exercé par les hormones hypophysaires correspondantes.
■ **La glande thyroïde**, située à la face antérieure du cou, devant la trachée, est stimulée par la thyréostimuline hypophysaire. Elle produit les hormones thyroïdiennes : thyroxine (T4) et triiodothyronine (T3), ainsi que la calcitonine.
■ **Les glandes corticosurrénales**, portion superficielle des surrénales, situées aux pôles supérieurs des deux reins, sont stimulées par la corticotrophine hypophysaire. Elles assurent la synthèse des hormones glucocorticostéroïdes (dont la principale est le cortisol) et minéralocorticostéroïdes (essentiellement l'aldostérone).
■ **Les glandes médullosurrénales**, portion centrale des surrénales, sécrètent les catécholamines (adrénaline, noradrénaline) à partir de leur précurseur, la dopamine.

Le système endocrinien, ou système hormonal, comprend l'hypothalamus, l'hypophyse et d'autres glandes, dites périphériques (pancréas, ovaires, testicules, glandes surrénales, thyroïde et parathyroïdes). L'hypothalamus et l'hypophyse sont capables de mesurer le taux sanguin d'une hormone et, en retour, d'agir sur la glande périphérique responsable de la production de l'hormone en cause pour en ajuster la sécrétion aux besoins du moment : c'est le rétrocontrôle hormonal.

Localisation des glandes endocrines

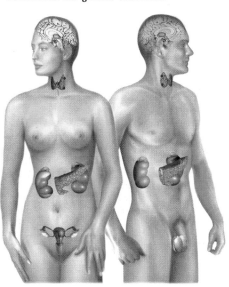

■ Les glandes parathyroïdes, situées à la face postérieure de la thyroïde, sécrètent la parathormone.

■ Les gonades (ovaires, testicules) sont stimulées par les gonadotrophines hypophysaires. Elles assurent la sécrétion des hormones sexuelles féminines (œstrogènes) et masculines (testostérone) et, donc, l'ovulation et le cycle menstruel chez la femme, la spermatogenèse chez l'homme.

■ Le pancréas endocrine est formé par des amas de cellules endocrines alpha et bêta, regroupées en îlots au sein du pancréas. Les cellules bêta sécrètent l'insuline ; les cellules alpha, le glucagon.

HORMONES DU SYSTÈME ENDOCRINIEN

■ Les catécholamines (adrénaline, noradrénaline, dopamine), sécrétées par les glandes médullosurrénales, provoquent la constriction des parois des vaisseaux (effet vasoconstricteur) et ont un effet stimulant sur le muscle cardiaque. Elles agissent à un moindre degré sur de nombreux autres muscles : bronchique, intestinal, vésical, utérin, etc. Certaines de leurs actions sont favorisées par les corticostéroïdes et des hormones thyroïdiennes.

■ La corticotrophine, ou hormone corticotrope (ACTH, adrénocorticotrophine), sécrétée par l'antéhypophyse, stimule les glandes corticosurrénales. Son taux dans le sang varie en fonction de l'heure, du stress et du taux sanguin de cortisol.

■ Les gonadotrophines (hormone folliculostimulante, ou FSH [*folliculostimulating hormone*], et hormone lutéinisante, ou LH [*luteinizing hormone*]), sécrétées par l'antéhypophyse, assurent le fonctionnement des gonades (ovaires et testicules). Chez la femme, leur taux sanguin varie au cours du cycle menstruel.

■ L'hormone antidiurétique, ou vasopressine, sécrétée par l'hypothalamus et stockée dans la posthypophyse, a un mode de sécrétion et de contrôle totalement différent et autonome. Elle régule la concentration des urines dans le rein.

■ Les hormones glucocorticostéroïdes (cortisol) et minéralocorticostéroïdes (aldostérone), sécrétées par les glandes corticosurrénales, forment les corticostéroïdes. Ceux-ci ont un rôle important sur le tonus vasculaire et les différents métabolismes glucidiques, protéiques et lipidiques. Ces deux types d'hormone sont sous le contrôle de la corticotrophine hypophysaire. Les minéralocorticostéroïdes, qui permettent la rétention de sodium par les reins, sont également sous contrôle du système rénine-angiotensine (enzymes rénales). La sécrétion des glucocorticostéroïdes est augmentée par le stress, la fièvre, en cas d'infection ou de traumatisme et par la prise d'une pilule œstroprogestative.

■ Les hormones thyroïdiennes (thyroxine, ou T4, et triiodothyronine, ou T3), sécrétées par la glande thyroïde, stimulent la consommation d'oxygène et le muscle cardiaque, participent au métabolisme glucidique et lipidique et sont indispensables à la croissance et au développement de l'organisme. Elles ont une influence sur les catéchola-

Régulation hormonale

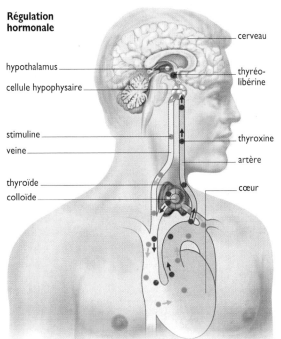

cerveau

hypothalamus

cellule hypophysaire

thyréo-libérine

stimuline

veine

thyroxine

artère

thyroïde

colloïde

cœur

Fonctionnement des glandes endocrines

Les glandes périphériques
Elles sécrètent directement leurs hormones dans le sang, qui les véhicule jusqu'aux organes-cibles.

La commande centrale.
L'hypothalamus et l'hypophyse (axe hypothalamo-hypophysaire) contrôlent les sécrétions de certaines glandes périphériques. Ils sécrètent par ailleurs leurs propres hormones.

La régulation.
Un taux sanguin excessif ou anormalement bas d'une hormone donnée est immédiatement décelé par l'axe hypothalamo-hypophysaire, qui inhibe ou stimule en retour la glande périphérique concernée pour ramener la situation à la normale.

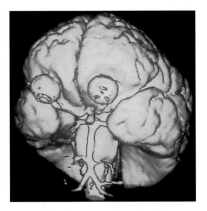

Ce scanner cérébral montre l'hypophyse (en rouge), la plus importante des glandes endocrines, située à la base du cerveau.

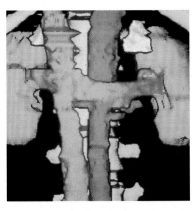

Vue postérieure des deux glandes surrénales (en blanc), ainsi dénommées parce qu'elles sont situées au-dessus des reins (en vert).

mines. Leur taux dans le sang est anormalement élevé en cas d'hyperthyroïdie, anormalement bas en cas d'hypothyroïdie.

■ **L'insuline et le glucagon**, sécrétés respectivement par les cellules bêta et alpha du pancréas endocrine, agissent avec le cortisol surrénalien, l'hormone de croissance hypophysaire et les catécholamines – sécrétées par les glandes médullosurrénales – pour assurer de façon très précise la régulation de la glycémie (taux de glucose sanguin). L'insuline est une hormone hypoglycémiante (elle abaisse le taux de glucose sanguin), tandis que le glucagon a une action hyperglycémiante (il élève ce taux).

■ **L'ocytocine**, synthétisée par l'hypothalamus et stockée par la posthypophyse, stimule les contractions de l'utérus gravide à terme et favorise l'allaitement.

■ **Les œstrogènes et la testostérone** sont sécrétés, les premiers, surtout par les ovaires, la seconde principalement par les testicules. Les œstrogènes agissent sur les voies génitales (lubrification vaginale, épaisseur de la muqueuse utérine) et sur l'apparition des caractères sexuels féminins à la puberté. La testostérone, principal androgène, agit sur les caractères sexuels masculins (pilosité, musculature, raucité de la voix) et stimule la synthèse des protéines. Elle peut se trouver en excès chez la femme lors d'affections des ovaires ou des glandes surrénales (tumeur, kystes).

■ **La parathormone**, sécrétée par les glandes parathyroïdes, a une action sur les os et sur les reins et concourt ainsi, en étroite liaison avec la vitamine D, au contrôle très précis du taux de calcium sanguin. Son propre taux plasmatique se trouve augmenté en cas d'hyperparathyroïdie et d'hypocalcémie.

■ **La prolactine**, sécrétée par l'antéhypophyse, a un rôle dans la production de la caséine du lait durant la lactation. Son taux sanguin s'élève en cas de grossesse, au cours de diverses affections (insuffisance rénale, hypothyroïdie, etc.) ou sous l'effet de certains médicaments.

■ **La somatotrophine, ou hormone de croissance** (GH, *growth hormone*), sécrétée par l'antéhypophyse, assure la croissance osseuse par l'intermédiaire de facteurs de croissance. Son taux sanguin, variable, s'élève sous l'effet du stress et durant le sommeil ; il est plus faible que la normale en cas d'insuffisance hypophysaire, plus élevé en cas d'acromégalie.

■ **La thyréostimuline, ou hormone thyréotrope** (TSH, *thyroid stimulating hormone* [hormone stimulant la thyroïde]), sécrétée par l'antéhypophyse, a pour rôle de stimuler la croissance et la sécrétion hormonale thyroïdienne. Son taux sanguin s'abaisse en cas d'hyperthyroïdie et s'élève dans certaines formes d'hypothyroïdie.

Examens du système endocrinien

Ils sont de deux types : les dosages biologiques des hormones et les examens morphologiques des glandes.

■ **L'exploration biologique** permet de mettre en évidence une anomalie de la sécrétion hormonale. On peut doser les hormones elles-mêmes (dans le sang, les urines et, parfois, dans la salive) et/ou l'élément qu'elles contrôlent (par exemple, la glycémie ou la calcémie). Selon l'hormone étudiée, l'interprétation des résultats doit tenir compte de différents facteurs (heure du prélèvement, taux d'une autre hormone, traitement en cours, etc.).

■ **L'exploration morphologique** sert à visualiser la glande elle-même et fait appel aux techniques d'échographie, de scanner, d'imagerie par résonance magnétique (I.R.M.) et parfois de scintigraphie.

Pathologie du système endocrinien

Elle recouvre les dysfonctionnements hormonaux et/ou les anomalies morphologiques des glandes, ces deux phénomènes n'étant pas toujours associés.

■ **Les dysfonctionnements de sécrétion hormonale** sont les insuffisances ou les excès de sécrétion. Les premières touchent une ou plusieurs glandes, et leurs causes sont diverses (nécrose hémorragique, ablation chirurgicale, déficit enzymatique congénital, anomalie génétique) : hypopituitarisme, nanisme d'origine hypophysaire, diabète insipide, insuffisance surrénalienne, hypothyroïdie, hypogonadisme, hypoparathyroïdie, diabète insulinodépendant. Les excès de sécrétion hormonale sont dus le plus souvent à un adénome (tumeur bénigne) sécrétant ou, plus rarement, à une hyperplasie (développement du tissu de la glande) diffuse ; il s'agit de l'hyperprolactinémie, de l'acromégalie ou du gigantisme, de l'hypercorticisme, de l'hyperaldostéronisme, de l'hyperthyroïdie, de l'hyperparathyroïdie. Le traitement des insuffisances endocriniennes est dit substitutif, apportant quotidiennement l'hormone manquante ou une substance analogue ayant les mêmes effets. Le plus souvent, il doit être suivi à vie. Les hypersécrétions hormonales peuvent être corrigées par la prise de médicaments inhibant la synthèse hormonale (par exemple, antithyroïdiens de synthèse), par l'ablation chirurgicale de tout ou partie d'une glande ou encore par sa destruction isotopique (radiothérapie externe en cas de maladie hypophysaire, absorption d'iode 131 en cas d'atteinte thyroïdienne).

■ **Les anomalies de morphologie des glandes** comprennent l'hyperplasie (augmentation de volume de la glande, dont le goitre fait partie) et les tumeurs, bénignes ou malignes (kyste, nodule, adénome, phéochromocytome). Leur traitement est soit chirurgical, soit médicamenteux.

Système extrapyramidal

Ensemble des structures du système nerveux central qui participent au contrôle des postures du corps et des mouvements.

STRUCTURE

Le système extrapyramidal comprend d'une part des centres nerveux, d'autre part des faisceaux de fibres nerveuses reliant ces centres entre eux et au reste du système nerveux central en suivant des circuits très complexes. Les principaux centres sont les noyaux gris centraux, amas de substance grise situés en profondeur dans le cerveau (noyau caudé, pallidum, putamen et thalamus). Une zone du cortex cérébral, située dans la région du lobe frontal en avant du centre de la motricité volontaire (dite aussi pyramidale), intervient également. Le système extrapyramidal est lui-même soumis à un contrôle par le locus niger et les noyaux sous-thalamiques.

FONCTIONNEMENT

Le système extrapyramidal a un rôle moteur, influençant l'état de contraction de chaque muscle squelettique. Il intervient ainsi dans le maintien des différentes postures prises par le corps et dans les changements de posture. Il aide le mouvement volontaire, par exemple en maintenant en permanence l'épaule et le coude en position correcte quand on fait un mouvement volontaire avec la main. Il joue aussi un rôle important au cours des mouvements automatiques, tels que la marche.

PATHOLOGIE

L'atteinte du système extrapyramidal se traduit par un syndrome extrapyramidal, ou syndrome parkinsonien, associant une akinésie (rareté et lenteur des mouvements), un tremblement au repos et une hyperkinésie, ensemble de signes observés dans différentes affections, la maladie de Parkinson surtout, mais aussi l'athétose, la dystonie, la chorée, l'hémiballisme. L'hypertonie (rigidité) extrapyramidale est très caractéristique : quand on veut déplier le bras du sujet, par exemple, il résiste avec une force constante comme un tuyau de plomb (et non pas comme un élastique), souvent en cédant par à-coups comme une « roue dentée ». Les autres signes et le traitement dépendent de l'affection concernée.

Système immunitaire

Système grâce auquel l'organisme se défend contre l'infection par les agents pathogènes de l'environnement (bactéries, virus, champignons microscopiques).

Ce système comprend des cellules, dites immunocompétentes, les organes lymphoïdes qui les produisent (moelle osseuse, thymus) et ceux qui les hébergent (ganglions lymphatiques, tissu lymphoïde satellite du tube digestif, rate, sang circulant), ainsi que les différentes molécules que ces cellules sont susceptibles de produire. Il peut être divisé en deux principaux sous-systèmes, dont l'association est nécessaire pour lutter efficacement contre les infections : le système immunitaire naturel et le système immunitaire adaptatif.

Système immunitaire naturel

Il vise à empêcher la pénétration des germes et les attaque lorsqu'ils ont franchi les barrières externes de l'organisme, provoquant une inflammation aiguë.

Le système immunitaire naturel est constitué, outre de barrières physiques, de différentes cellules présentes dans le sang circulant ainsi que de deux types de protéines spécialisées, le complément et les cytokines.

■ **Les barrières physiques** comprennent les couches superficielles de cellules mortes de l'épiderme, ainsi que les substances antibactériennes recouvrant la peau et présentes dans la sueur, telles que le lysozyme. Le mucus épais sécrété par des cellules situées sur les orifices du corps est capable de retenir les microbes. Une autre forme de protection est assurée par les acides forts de l'estomac et par des substances, comme la lactoferrine, qui se fixent sur des éléments vitaux comme le fer et empêchent ce dernier d'intervenir dans la multiplication de nombreuses bactéries.

■ **Les cellules du sang circulant** sont les phagocytes, comprenant les macrophages et les polynucléaires, qui incorporent et tuent les germes ; les cellules « natural killer », qui reconnaissent les cellules infectées par des virus, s'y fixent et les tuent en y faisant pénétrer des substances chimiques létales ; les mastocytes, qui contiennent de grosses granulations de substances chimiques libérées dès qu'elles reçoivent une stimulation appropriée.

■ **Le complément** est un système enzymatique comprenant une série d'au moins 20 protéines différentes qui enveloppent les germes lorsqu'ils s'introduisent dans l'organisme. L'une des protéines se fixe à la surface du germe, les autres composants du complément s'y attachant en cascade. Cette réaction a pour fonction d'attirer les phagocytes hors de la circulation sanguine vers le germe (processus dénommé chemotaxis), de rendre celui-ci « attirant » pour que le phagocyte s'y attache et l'ingère et de faire une brèche dans sa membrane extérieure, ce qui entraîne son éclatement (lyse).

■ **Les cytokines** comprennent surtout les interférons, molécules sécrétées par des cellules en réponse à une infection d'origine virale, qui protègent les cellules voisines en « interférant » avec le relâchement de nouvelles particules virales à partir de la cellule infectée. D'autres cytokines favorisent le développement d'un tissu neuf à la suite de lésions tissulaires d'origine microbienne et aident les cellules à éliminer les germes qu'elles contiennent.

Système immunitaire adaptatif

Il intervient lorsque le système immunitaire naturel ne suffit pas à éliminer un germe.

Les cellules de ce système comprennent les lymphocytes T et B et les substances que ces derniers élaborent : les anticorps. À la différence du système immunitaire naturel, le système adaptatif se modifie à chaque infection afin de réagir plus efficacement contre les microbes qu'il a déjà rencontrés.

■ **Les lymphocytes** comportent à leur surface des molécules, les récepteurs, qui leur permettent de reconnaître les antigènes des germes qu'ils rencontrent.

- Les lymphocytes T ont deux fonctions principales. Ils facilitent l'activité des autres cellules appartenant au système immunitaire : les lymphocytes dits T helper (facilitant), par exemple, aident les macrophages

à tuer les microbes qu'ils ont phagocytés, les lymphocytes B, à fabriquer les anticorps, les lymphocytes natural killer, à tuer des cellules infectées par des virus. Leur autre fonction principale consiste à tuer directement des cellules infectées par des virus (lymphocytes T cytotoxiques).

- Les lymphocytes B, produits par la moelle osseuse, ont pour fonction principale d'élaborer des anticorps avec l'aide des lymphocytes T.

- Les plasmocytes sont la forme mature des lymphocytes B et le lieu principal d'élaboration des anticorps. On les retrouve principalement dans les différents organes et tissus lymphoïdes de l'organisme.

■ **Les anticorps** sont des protéines spécialisées spécifiques ; certains ne passent que dans la circulation sanguine, comme les immunoglobulines de grande taille ; d'autres, en revanche, pénètrent dans tous les tissus de l'organisme, comme les immunoglobulines IgG. Ces dernières jouent également un rôle important dans la protection du nouveau-né contre l'infection. D'autres anticorps, produits par les plasmocytes situés dans les muqueuses des organes appartenant aux appareils respiratoire, génito-urinaire et digestif, les IgA, protègent ces appareils de l'infection.

Examens et pathologie

Un prélèvement sanguin permet l'étude quantitative et fonctionnelle (numération formule sanguine, électrophorèse et immunoélectrophorèse des protéines) des différentes populations de lymphocytes et des différents anticorps. En cas d'anomalie, cette étude permet éventuellement d'orienter vers des examens complémentaires comme une ponction de moelle osseuse ou de ganglion.

La pathologie du système immunitaire comprend les déficiences immunitaires, l'hypersensibilité et les maladies auto-immunes.

■ **Les déficiences immunitaires** peuvent être la conséquence d'anomalies génétiques congénitales (agammaglobuline de Bruton [absence d'immunoglobulines dans le sang], syndrome de Di George [défaut de production des lymphocytes T]), d'une infection par un virus (en particulier virus du sida), d'irradiations ou d'un traitement immunosuppresseur.

■ **L'hypersensibilité** est une hyperactivité du système immunitaire, telle qu'elle existe en réponse à certaines substances chimiques ou à certains pollens (allergie).

■ **Les maladies auto-immunes**, comme le lupus érythémateux disséminé ou la polyarthrite rhumatoïde, sont dues à une altération du phénomène de tolérance (incapacité naturelle du système immunitaire à tolérer les constituants ou les produits de ses propres cellules).

→ voir Immunosuppresseur, Immunothérapie, Réponse immunitaire.

Système limbique

Ensemble de structures cérébrales situées dans la région médiane et profonde du

cerveau, jouant un rôle majeur dans la mémoire et les émotions, de même que dans l'élaboration des comportements.

STRUCTURE

Le système limbique forme une sorte d'anneau situé à la face interne de chaque hémisphère cérébral et comporte cinq structures principales : les voies olfactives, des formations nerveuses appelées amygdale temporale, hippocampe et septum ainsi que le cortex limbique, lui-même composé de deux circonvolutions, la circonvolution du corps calleux et la circonvolution parahippocampique.

Le système limbique fonctionne en association avec d'autres zones du cerveau, en particulier l'hypothalamus et le cortex frontal. Les principaux comportements alimentaires, sexuels et sociaux sont sous la double dépendance de l'hypothalamus et du système limbique.

EXAMENS ET PATHOLOGIE

Le système limbique est exploré par scanner et imagerie par résonance magnétique (I.R.M.).

Les lésions du système limbique peuvent être d'origine vasculaire, tumorale, traumatique, infectieuse (encéphalite herpétique nécrosante, en particulier) ou dégénérative. Des lésions bilatérales de l'hippocampe peuvent être responsables d'un syndrome de Korsakoff, caractérisé par des troubles de la mémoire de fixation.

Système lymphatique

Ensemble des ganglions et des vaisseaux lymphatiques, qui, d'une part participent à la défense immunitaire de l'organisme et, d'autre part, ont un rôle circulatoire (drainage de la lymphe vers le courant sanguin).
(P.N.A. *systema lymphaticum*)

STRUCTURE

Les ganglions lymphatiques sont des nodules situés sur le trajet des vaisseaux lymphatiques. Ces vaisseaux drainent le tissu interstitiel. Un ganglion comprend une capsule et de nombreux globules blancs, ou lymphocytes, qu'il produit. Il existe des ganglions superficiels, dont les plus importants sont situés au pli de l'aine, sous l'aisselle et de chaque côté du cou, et des ganglions profonds, localisés dans le pelvis, le long de l'aorte et dans les hiles pulmonaires. Nés de toutes les parties du corps, les vaisseaux lymphatiques convergent vers les ganglions lymphatiques puis se réunissent en vaisseaux de calibre croissant. Ils sont en général satellites des vaisseaux sanguins. Le principal vaisseau lymphatique est le canal thoracique, qui naît dans l'abdomen puis chemine jusqu'au sommet du tronc, où il se jette dans le confluent veineux jugulo-sous-clavier gauche, à la base du cou.

PHYSIOLOGIE

Les ganglions lymphatiques permettent la multiplication des lymphocytes T et B parvenus à maturité après leur formation dans la moelle osseuse et le thymus. Ils ont un rôle important de relais lors de la réponse immunitaire. Les vaisseaux lymphatiques assurent la circulation de ces cellules en les

Le système lymphatique est constitué de ganglions superficiels (cou, aisselles, aines) et profonds (région prévertébrale, médiastin) qui élaborent des lymphocytes. Ceux-ci gagnent la circulation sanguine par les vaisseaux lymphatiques augmentant les défenses immunitaires.

Cette lymphographie révèle un gonflement des ganglions prévertébraux (taches blanches ovoïdes).

Structure d'un ganglion lymphatique

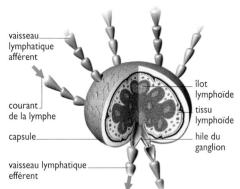

vaisseau lymphatique afférent

courant de la lymphe

capsule

vaisseau lymphatique efférent

îlot lymphoïde

tissu lymphoïde

hile du ganglion

Le système lymphatique

ganglion sus-épitrochléen

ganglion cervical

vaisseau lymphatique

ganglion axillaire

ganglion sous-maxillaire

ganglion sous-mental

crosse du canal thoracique

ganglion bronchique

canal thoracique

citerne de Pecquet

ganglion aortique

ganglion iliaque

ganglion inguinal

---

déversant dans la circulation veineuse. Ils drainent également les cellules sanguines et les grosses protéines récupérées après leur sortie des vaisseaux capillaires et transportent les graisses absorbées par l'intestin lors de la digestion.

EXAMENS

Les ganglions superficiels sont accessibles à la palpation. Leur examen histologique peut se faire par ponction à l'aiguille ou après ablation. Les ganglions profonds sont explorés aujourd'hui par échographie et surtout par scanner et imagerie par résonance magnétique (I.R.M.), beaucoup moins souvent par lymphographie (radiographie du système lymphatique après injection d'un produit de contraste).

PATHOLOGIE

Une augmentation de volume d'un ganglion, ou adénopathie, peut être d'origine infectieuse (ganglions mous et sensibles) ou tumorale (ganglions durs, immobiles et indolores). L'envahissement des ganglions à partir d'un cancer est une forme de métastase. Dans ces cas, l'ablation chirurgicale du cancer s'accompagne de celle des gan-

glions de voisinage : ainsi, dans un cancer du sein, la mastectomie est parfois associée à un curage des ganglions de l'aisselle.

Les vaisseaux lymphatiques peuvent être le siège d'une lymphangite (inflammation), qui disparaît sous traitement antibiotique si une infection bactérienne est à son origine. Certains vaisseaux lymphatiques peuvent se dilater et former une lymphangiectasie et/ou un lymphœdème en raison d'un obstacle à l'écoulement lymphatique, d'origine parasitaire ou tumoral. Enfin, il arrive que le système lymphatique soit le siège d'une tumeur maligne, le lymphome.

Système lymphoïde

Ensemble des cellules, des organes et des structures tissulaires assurant la défense immunitaire.

STRUCTURE ET PHYSIOLOGIE

Les organes composant le système lymphoïde peuvent être répartis en trois unités.

■ **Les organes lymphoïdes primaires, dits centraux,** sont la moelle osseuse et le thymus (glande située à la base du cou). Les

précurseurs des cellules immunocompétentes (lymphocytes, macrophages) sont produits par la moelle osseuse hématopoïétique. Certains lymphocytes y poursuivent leur maturation pour donner naissance aux lymphocytes B. D'autres migrent vers le thymus et deviennent les thymocytes, qui se différencient en lymphocytes T.

■ **Les organes et formations secondaires, dits périphériques,** sont les ganglions lymphatiques, le réseau de tissu lymphoïde des muqueuses (amygdales palatines, tube digestif, tractus génito-urinaire, etc.) et, dans la rate, la pulpe blanche située autour des ramifications artérielles. Ils sont peuplés de lymphocytes qui ont émigré des organes lymphoïdes centraux après avoir atteint leur maturité. Au sein de ces organes et formations, les lymphocytes T et B côtoient d'autres cellules immunocompétentes, comme les macrophages, avec lesquelles ils échangent des informations nécessaires au bon déroulement de la réponse immunitaire, et se multiplient. La cohérence du système est assurée par la circulation de ces cellules par voie sanguine et lymphatique.

▨ Le système lymphoïde tertiaire est composé de tous les autres emplacements où peuvent se localiser les lymphocytes à la suite d'une migration. Un tel déplacement peut se faire à l'occasion d'une réaction inflammatoire déclenchée par une lésion ou par une infection. Cette capacité de migration est particulièrement importante pour les lymphocytes « à mémoire », responsables de la protection de l'organisme contre les antigènes déjà rencontrés.

EXAMENS

Un prélèvement sanguin permet l'étude quantitative et fonctionnelle des différentes populations lymphocytaires. En cas d'anomalie constatée, cet examen permet éventuellement d'orienter la recherche de la cause vers d'autres examens complémentaires : radiographie du thymus, ponction de moelle osseuse ou de ganglion.

PATHOLOGIE

Il peut y avoir atteinte du système lymphoïde dans les déficits immunitaires, soit congénitaux, dus à des anomalies de production ou de maturation des lymphocytes comme l'agammaglobulinémie de Bruton (absence d'immunoglobulines dans le sang) ou le syndrome de Di George (défaut de production des lymphocytes T), soit acquis, comme le sida, maladie consécutive à l'infection par un virus, le V.I.H., responsable d'une destruction progressive des lymphocytes T 4 et d'une désorganisation du système lymphoïde périphérique. Les autres maladies pouvant toucher le système lymphoïde sont les cancers du sang (lymphomes, leucémies).
→ VOIR Réponse immunitaire.

Système nerveux

Ensemble des centres nerveux et des nerfs assurant la commande et la coordination des viscères et de l'appareil locomoteur, la réception des messages sensoriels et les fonctions psychiques et intellectuelles.
(P.N.A. *systema nervosum*)

Le système nerveux est en place dans l'embryon humain dès la cinquième semaine de gestation.

Structure du système nerveux

Sur le plan anatomique, le système nerveux est formé de deux ensembles distincts, le système nerveux central et le système nerveux périphérique.

SYSTÈME NERVEUX CENTRAL

Encore appelé névraxe, le système nerveux central (S.N.C.) est formé de milliards de neurones (cellules nerveuses) connectés entre eux et d'un tissu de soutien interstitiel (névroglie). Il comprend l'encéphale (cerveau, cervelet, tronc cérébral), protégé par le crâne, et la moelle épinière, long cordon blanchâtre d'environ 40 à 45 centimètres de long enveloppé dans une gaine méningée et logé dans la colonne vertébrale.

SYSTÈME NERVEUX PÉRIPHÉRIQUE

Prolongement du système nerveux central, le système nerveux périphérique comprend l'ensemble des nerfs et de leurs renflements (ganglions nerveux). Les nerfs, rattachés par une extrémité au système nerveux central, se ramifient à l'autre extrémité en une multitude de fines branches innervant l'ensemble du corps. Il existe des nerfs crâniens et des nerfs rachidiens. Ces derniers, au nombre de 31 paires, se divisent en une branche postérieure et une branche antérieure. Les branches antérieures peuvent rester indépendantes (nerfs intercostaux) ou s'anastomoser en plexus (brachial, lombaire, sacré).

Fonctionnement du système nerveux

Selon leur organisation et leur fonctionnement, on distingue le système nerveux somatique, qui met l'organisme en communication avec l'extérieur, et le système nerveux végétatif, ou autonome, qui régule les fonctions viscérales.

Le fonctionnement du système nerveux fait intervenir une chaîne de neurones, qui s'articulent entre eux par des synapses. Le neurone assure la conduction de l'influx nerveux et la synapse assure la transmission de cet influx soit d'un neurone à l'autre, soit d'un neurone à l'organe-cible, par exemple le muscle dans le cas d'une synapse neuromusculaire. Cette transmission est réalisée par l'intermédiaire d'une substance chimique appelée neurotransmetteur (acétylcholine, adrénaline, noradrénaline). L'acétylcholine est le neurotransmetteur du système nerveux volontaire et du système parasympathique, qui commande la contraction des fibres musculaires lisses et les sécrétions glandulaires. L'adrénaline et la noradrénaline sont les neurotransmetteurs du système sympathique, qui, entre autres fonctions, assure la contraction de la paroi des artères et intervient dans la sécrétion de la sueur.

SYSTÈME NERVEUX SOMATIQUE

Le système nerveux somatique commande les mouvements et la position du corps et permet de percevoir par la peau diverses sensations (toucher, chaleur, douleur) et de découvrir par les autres organes des sens le milieu environnant (vision, audition, olfaction). Il est constitué de neurones sensitifs et de neurones moteurs.

▨ Les neurones moteurs comprennent, d'une part, le système pyramidal, faisceau de fibres nerveuses formé par les cellules pyramidales du cortex moteur (circonvolution frontale ascendante, lobe frontal) et responsable de la motricité volontaire ; d'autre part le système extrapyramidal, une des structures responsables du maintien des attitudes, de la motricité involontaire et des mouvements associés. L'ordre, pour le système pyramidal, va du cortex moteur à la plaque motrice des fibres musculaires, dont il déclenche les contractions.

▨ Les neurones sensitifs comprennent les faisceaux véhiculant les sensations tactile, thermique et douloureuse, à partir des récepteurs cutanés, par la moelle épinière et jusqu'au cortex sensitif, circonvolution pariétale située en arrière de la scissure de Rolando. Les sensations venant des autres organes des sens (audition, olfaction, goût, vue) gagnent, chacune par un nerf spécifique, un territoire particulier du cortex.

SYSTÈME NERVEUX VÉGÉTATIF

Encore appelé système nerveux autonome, il est complémentaire du système nerveux somatique et régule notamment la respiration, la digestion, les excrétions, la circulation (battements cardiaques, pression artérielle). Ses cellules dépendent de centres régulateurs situés dans la moelle épinière, le tronc cérébral et le cerveau, lesquels reçoivent les informations par les voies sensorielles provenant de chaque organe.

Le système nerveux végétatif est divisé en système nerveux parasympathique et système nerveux sympathique, dont les activités s'équilibrent de façon à coordonner le fonctionnement de tous les viscères.

▨ Le système nerveux parasympathique est en règle générale responsable de la mise au repos de l'organisme. Il agit par l'intermédiaire d'un neurotransmetteur, l'acétylcholine, et ralentit le rythme cardiaque, stimule le système digestif et limite les contractions des sphincters.

▨ Le système nerveux sympathique, ou système nerveux orthosympathique, met l'organisme en état d'alerte et le prépare à l'activité. Il agit par l'intermédiaire de deux neurotransmetteurs, l'adrénaline et la noradrénaline. Il augmente l'activité cardiaque et respiratoire, dilate les bronches et les pupilles, contracte les artères, fait sécréter la sueur. En revanche, il freine la fonction digestive.

Examens du système nerveux

Les examens permettant d'explorer le système nerveux central sont principalement le scanner, l'imagerie par résonance magnétique (I.R.M.), l'enregistrement des potentiels évoqués (méthode d'étude de l'activité électrique des voies nerveuses de l'audition, de la vision et de la sensibilité corporelle), l'électroencéphalographie et l'analyse du liquide céphalorachidien recueilli par ponction lombaire. Le système nerveux périphérique est plus particulièrement exploré par l'électromyographie.

Pathologie du système nerveux

On distingue les lésions du système nerveux central et celles du système nerveux périphérique.

▨ Les lésions du système nerveux central relèvent de différentes causes :
– la compression du cerveau ou de la moelle épinière par un hématome (dû à un traumatisme crânien), un abcès, une tumeur bénigne ou maligne, un œdème cérébral ;
– la destruction du cerveau ou de la moelle épinière par un traumatisme (section de la moelle par fracture vertébrale), une infection (méningite, encéphalite), une intoxication ou une insuffisance de vascularisation (artérite cérébrale) ;
– l'excitation anormale de certaines zones du cortex (épilepsie) ;
– la dégénérescence des neurones : sclérose en plaques, maladie de Parkinson, maladie d'Alzheimer, chorée de Huntington.

▨ Les lésions du système nerveux périphérique sont soit des mononeuropathies (atteinte d'un seul nerf) dues à la section d'un nerf, à la compression d'une de ses racines

Il comprend deux parties : le système nerveux central et le système nerveux périphérique. Le premier est constitué par l'encéphale et la moelle épinière, tandis que le second inclut l'ensemble des nerfs reliant le système central au reste du corps. Le système nerveux central recueille les informations provenant des organes et des récepteurs sensoriels. Après les avoir analysées, il élabore des réponses, que le système nerveux périphérique achemine jusqu'aux organes concernés, par exemple les muscles, provoquant une réponse adaptée. Ainsi, en cas de brûlure d'un doigt, un récepteur transmet un message douloureux à la moelle épinière ; celle-ci génère aussitôt un influx, acheminé par un nerf vers un muscle, qui se contracte pour éloigner le doigt de la source de chaleur.

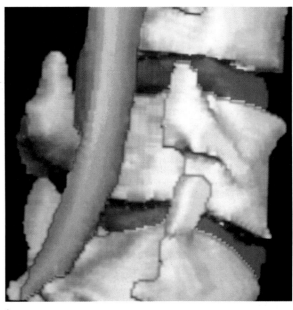

À l'intérieur du rachis, derrière les corps vertébraux (en bleu), le canal rachidien contient la moelle épinière (en jaune) et la protège.

Les principaux nerfs et plexus nerveux

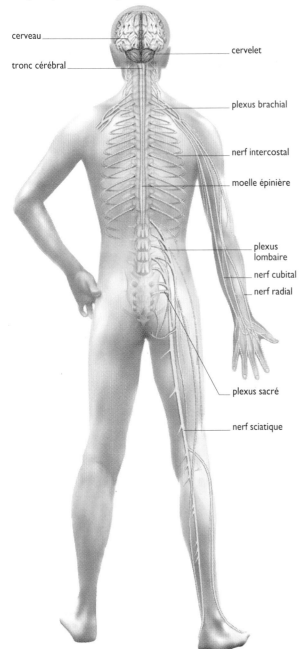

- cerveau
- tronc cérébral
- cervelet
- plexus brachial
- nerf intercostal
- moelle épinière
- plexus lombaire
- nerf cubital
- nerf radial
- plexus sacré
- nerf sciatique

Le plexus brachial

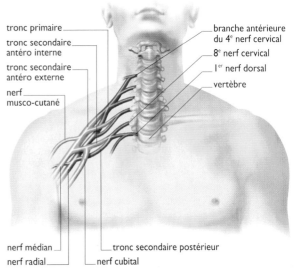

- tronc primaire
- tronc secondaire antéro interne
- tronc secondaire antéro externe
- nerf musco-cutané
- branche antérieure du 4e nerf cervical
- 8e nerf cervical
- 1er nerf dorsal
- vertèbre
- nerf médian
- nerf radial
- tronc secondaire postérieur
- nerf cubital

Nerfs périphériques sortant du canal rachidien

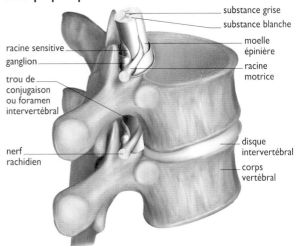

- racine sensitive
- ganglion
- trou de conjugaison ou foramen intervertébral
- nerf rachidien
- substance grise
- substance blanche
- moelle épinière
- racine motrice
- disque intervertébral
- corps vertébral

(sciatique par hernie discale) ou à une infection (zona), soit des polyneuropathies (atteinte de plusieurs nerfs) d'origine virale, immunologique (polyradiculonévrite, par exemple), carentielle (déficit en vitamines) ou encore toxique (alcoolisme, par exemple). Outre les traumatismes, de nombreuses autres affections sont également responsables d'une atteinte des nerfs, comme le diabète sucré, la diphtérie, la lèpre ou le lupus érythémateux disséminé. Lorsque plusieurs nerfs sont successivement touchés, on parle de multinévrite.

Système porte

Système formé par les capillaires, veinules et veines provenant de l'appareil digestif et rejoignant la veine porte ainsi que par les ramifications de celle-ci à son autre extrémité dans le foie. (P.N.A. *vera portæ*)

Le système porte fonctionne parallèlement à la circulation systémique, ou grande circulation, qui distribue le sang oxygéné à tout l'organisme, sauf aux poumons.

La quasi-totalité du sang veineux provenant de l'appareil digestif (estomac, intestin grêle, côlon, pancréas) et de la rate arrive dans le foie par la volumineuse veine porte. Celle-ci se ramifie en une multitude de branches aboutissant à de petits vaisseaux intra-hépatiques. Le sang ainsi transporté est épuré par le foie d'un grand nombre de substances et repart vers la veine cave inférieure par les veines sus-hépatiques.

PATHOLOGIE

Lorsque le sang ne peut pas circuler normalement (en raison d'un caillot obstruant la veine porte, par exemple), une hypertension portale peut survenir. Le sang emprunte alors des voies de dérivation, ou anastomoses portocaves : veines sous-muqueuses de l'œsophage, veine ombilicale et veine rénale gauche, qui en se dilatant deviennent des varices. Le traitement fait appel à la chirurgie (anastomose portocave chirurgicale) ou à des médicaments qui réduisent la pression portale (bêtabloquants).

Système transdermique

→ VOIR Patch.

Systole

Phase du cycle cardiaque correspondant à la contraction des oreillettes puis à celle des ventricules du cœur.

La systole alterne avec une phase de repos appelée diastole et se produit environ 70 fois par minute.

La systole auriculaire chasse le sang des oreillettes aux ventricules. À l'état normal, elle se traduit par une activité électrique décelable sur l'électrocardiogramme sous la forme d'une onde qui précède de très peu la contraction mécanique. Puis survient la systole ventriculaire, contraction simultanée des 2 ventricules, précédée elle aussi sur le tracé électrocardiographique par une déflexion caractéristique. Cette contraction expulse le sang vers la petite circulation (poumons) et la grande circulation (reste du corps).

T

T4

→ voir Lymphocyte, Réponse immunitaire. Système immunitaire.

Tabagisme

Intoxication par le tabac.

Le tabac est principalement consommé sous forme de cigarettes, mais aussi de cigares ; il est également prisé, chiqué ou fumé à la pipe. La fumée de tabac contient de la nicotine (alcaloïde toxique pour l'appareil cardiovasculaire et présumé responsable du phénomène de dépendance) et aussi d'autres substances dangereuses pour la santé, notamment celles qui résultent de la combustion du tabac, du papier et des additifs incorporés à la cigarette. Les plus dangereuses sont les goudrons cancérigènes et l'oxyde de carbone.

Le tabagisme est à l'origine d'affections très graves, en particulier de cancers, de maladies cardiovasculaires et de maladies respiratoires chroniques. On estime qu'il est la cause de 2 millions de morts par an dans les pays industrialisés, dont environ la moitié avant 65 ans. Autrefois essentiellement masculin, la consommation de tabac tend à gagner la population féminine et à toucher des sujets de plus en plus jeunes.

PATHOLOGIE

■ **Les affections respiratoires** touchant les fumeurs sont principalement représentées par la bronchite chronique. Celle-ci peut évoluer vers l'emphysème et l'insuffisance respiratoire chronique.

■ **Les cancers du fumeur** sont représentés avant tout par le cancer du poumon, dont l'apparition suit l'évolution de la consommation de tabac avec un décalage d'une vingtaine d'années. Le risque de cancer du poumon croît avec l'intensité du tabagisme, la durée en années du tabagisme étant cependant plus déterminante encore que la quantité fumée par jour dans l'apparition de cette maladie : plus le début d'un tabagisme a été précoce, plus le risque d'apparition du cancer du poumon est grand. La notion répandue de « petit fumeur ne courant aucun risque » est donc erronée : il n'existe pas de seuil au-dessous duquel le risque d'être atteint par un cancer du poumon serait nul. Les cancers de la bouche (fumeurs de pipe, chiqueurs), du rhinopharynx, du larynx et de l'œsophage sont également, dans de très nombreux cas, provoqués par la consommation de tabac.

Enfin, une association entre certains cancers (cancer du col de l'utérus, cancer de la vessie) et le tabagisme a été démontrée.

■ **Les maladies cardiovasculaires** sont dues à la nicotine et à l'oxyde de carbone, qui perturbent l'oxygénation des tissus, entraînant une élévation du risque de maladies coronariennes (angor, infarctus du myocarde), d'athérosclérose de l'aorte (anévrysme) et d'artérite des membres inférieurs. Le risque cardiaque augmente si le tabagisme s'associe à d'autres facteurs de risque vasculaire tels que les contraceptifs oraux (pilule). Le risque d'artérite est plus élevé chez les diabétiques. Lorsque la sclérose vasculaire engendrée par le tabagisme touche le cerveau, elle peut entraîner un accident vasculaire cérébral.

■ **Les autres affections** liées à la consommation de tabac sont principalement l'ulcère duodénal, l'ulcère gastrique, la maladie de Crohn, l'ostéoporose et les hernies (liées à la toux du fumeur). Il est par ailleurs à noter que le poids corporel des fumeurs est inférieur à celui des non-fumeurs.

SEVRAGE DU TABAC

L'arrêt de la consommation de tabac diminue les risques d'apparition des maladies liées au tabagisme : il est donc toujours

---

Femmes et tabagisme

L'organisation mondiale de la santé (O.M.S.) estime que, dans les pays industrialisés, une proportion croissante des 2 millions de morts annuelles liées à l'usage du tabac atteint les femmes en raison « des conséquences spécifiques du tabagisme sur la santé de la femme et de ses enfants ». On estime en effet que le risque de mortalité cardiovasculaire est multiplié par 10 chez les femmes qui fument et utilisent la pilule contraceptive.

Lorsque la femme est enceinte, le tabagisme accroît en outre le risque d'avortement spontané et de retard de croissance de l'enfant. Enfin, à la ménopause, les fumeuses sont exposées à un risque accru d'ostéoporose (raréfaction du tissu osseux).

TABAGISME

Les principaux effets nocifs du tabac viennent de la nicotine et de l'oxyde de carbone, qui affectent l'appareil cardiovasculaire, ainsi que des goudrons, responsables de maladies bronchopulmonaires (bronchite chronique, cancer).

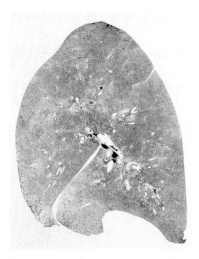

Sur cette coupe d'un poumon normal, le tissu pulmonaire est homogène, de couleur rosée.

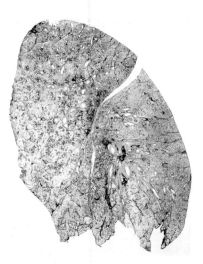

Sur cette coupe d'un poumon de fumeur, les taches noires signalent des dépôts de goudron.

NOMBRE DE DÉCÈS ATTRIBUÉS À LA CONSOMMATION DE TABAC PAR RAPPORT À LA TOTALITÉ DES DÉCÈS (EN POURCENTAGE)

Pays	Hommes			Femmes		
	1985	1990	1995 (projection)	1985	1990	1995 (projection)
Allemagne	23	22	23	2	3	5
Belgique	33	31	28	3	2	2
Canada	25	27	28	11	14	17
Espagne	20	23	25	< 1	< 1	< 1
États-Unis	25	26	26	13	17	21
France	20	21	22	< 1	1	1
Grande-Bretagne	32	28	15	13	26	17
Italie	26	26	28	3	4	4
Japon	14	15	17	5	5	5
Luxembourg	29	27	28	< 1	< 1	< 1
Suisse	23	21	20	2	4	6

Source : Organisation mondiale de la santé (O.M.S.)

temps pour un fumeur non malade de s'arrêter. Sans motivation forte, il est illusoire d'espérer un arrêt durable. Différentes méthodes peuvent aider le fumeur au cours du sevrage. Certaines, qui font appel à des substituts du tabac (gomme et timbre transdermique à la nicotine) délivrés uniquement sur prescription médicale, permettent aux grands fumeurs d'arrêter de fumer sans ressentir les troubles que peut occasionner le manque. Toutefois, cet apport nicotinique ne doit pas être présenté comme un remède miracle et doit s'accompagner d'un soutien par le médecin, faute duquel les chances d'un arrêt durable sont nulles. Une personne désireuse de se désaccoutumer du tabac peut également faire appel à l'acupuncture, à l'auriculothérapie ou à la psychothérapie de groupe, bien que ces méthodes n'aient pas fait l'objet d'une évaluation rigoureuse.

Une prise de poids peut accompagner le sevrage. Elle est due, d'une part, à un phénomène de compensation, d'autre part à l'interruption de l'apport de nicotine (celle-ci diminuant l'épaisseur et les sécrétions de la muqueuse gastrique, l'appétit de l'ancien fumeur a en effet tendance à augmenter) et nécessite des mesures diététiques adaptées.

PRÉVENTION

Compte tenu de la difficulté d'arrêter de fumer, il est essentiel de réduire l'initiation au tabagisme, qui se produit habituellement vers l'âge de 10-12 ans. Les pays qui ont mis en place une politique publique de réduction du tabagisme (Norvège, Grande-Bretagne, France, Canada, Australie) ont obtenu des résultats significatifs (chute de la consommation de tabac puis réduction de la fréquence des maladies liées au tabagisme, notamment du cancer du poumon). Un tel programme doit être conduit sur plusieurs dizaines d'années et associer les quatre types de mesures suivants :
- interdiction de toute forme de publicité, qu'elle soit directe ou indirecte (parrainage

d'événements sportifs tels que les courses automobiles de formule 1) ;
- interdiction du tabagisme dans les lieux collectifs clos de façon à protéger les non-fumeurs ;
- augmentation du prix des cigarettes ;
- programmes d'information et d'éducation du public.

TABAGISME PASSIF

Il concerne les personnes non fumeuses vivant ou travaillant dans l'entourage d'un ou de plusieurs fumeurs. Ainsi, les enfants soumis au tabagisme des parents peuvent être victimes d'affections respiratoires (rhinopharyngites, bronchites, asthme) ainsi que de conjonctivites ou d'otites. Chez l'adulte, le tabagisme passif se traduit par un risque accru de cancer du poumon et d'affections cardiovasculaires.

Tabatière anatomique

Fossette limitée par les deux tendons extenseurs du pouce (court et long extenseur) lorsque ces muscles se contractent et que le pouce est en extension.

Elle doit son nom au fait que, pour priser, la pincée de tabac y était déposée avant d'être aspirée. Au fond de la tabatière anatomique cheminent l'artère radiale et les tendons des muscles radiaux, qui permettent l'extension du poignet.

Tabès

Manifestation neurologique tardive de la syphilis.

Le tabès, très rare de nos jours, fait partie de la syphilis tertiaire non traitée ou insuffisamment traitée, qui apparaît de 10 à 20 ans après le contact avec le tréponème (bactérie responsable de la syphilis). Les lésions dégénératives atteignent les racines postérieures des nerfs rachidiens, qui rattachent ces derniers à la moelle épinière, et les deux cordons postérieurs de la moelle, constitués de fibres nerveuses transmettant au cerveau les informa-

tions de la sensibilité profonde consciente (perception de la position des articulations) et du tact discriminatif (sensibilité tactile fine).

SYMPTÔMES ET SIGNES

On observe une ataxie (absence de coordination des mouvements), se traduisant par une démarche peu assurée, « talonnante », ainsi qu'une instabilité en position debout (signe de Romberg) et un trouble du repérage, yeux fermés, de la position des segments de membre. En revanche, la sensibilité à la chaleur et à la douleur est conservée. Par ailleurs, des douleurs en éclairs parcourent les membres inférieurs. Il existe également des troubles trophiques (liés à une insuffisance de stimulation nerveuse des tissus) : destruction indolore d'articulations, de la peau (ulcère, appelé mal perforant s'il est localisé à la plante des pieds). S'y ajoute fréquemment une abolition du réflexe photomoteur (rétrécissement de la pupille à la lumière).

TRAITEMENT

Le traitement par antibiotiques (pénicilline) est peu efficace, car trop tardif. Il permet néanmoins une régression partielle des troubles ou leur stabilisation.

Table d'opération

Table qui permet au chirurgien d'opérer tout patient à la bonne hauteur et dans la position voulue.

À chaque type de chirurgie correspond un type de table particulier selon que le malade doit être couché sur le dos (chirurgie abdominale), couché sur le ventre (chirurgie rachidienne), à demi assis (neurochirurgie, otorhino-laryngologie) ou avoir les membres inférieurs posés sur des supports (orthopédie).

La table d'opération est composée d'un plateau divisé en deux ou trois parties, posé sur un socle central et recouvert d'un fin matelas amovible muni d'une housse lavable. Grâce à un système de commande mécanique, le chirurgien peut à volonté modifier la hauteur ou l'inclinaison des plateaux, qui sont articulés les uns par rapport aux autres.

Un certain nombre d'accessoires sont annexés à la table afin de maintenir solidement l'opéré sans le blesser ni comprimer un nerf, un drap vertical séparant le champ opératoire de l'aire anesthésique. Sur les côtés sont disposés des longerons destinés à fixer de nombreuses pièces amovibles : épaulières, brassards, jambières, pieds à flacon de perfusion, etc. Les plateaux sont constitués d'une matière qui laisse passer les rayons X, de façon que des radiographies puissent être prises pendant l'opération. Un système de tiroirs à glissière permet de passer les films et de prendre les clichés sans soulever ni bouger l'opéré. Parfois, l'appareil de radiologie est incorporé à la table.

Actuellement, on utilise des plateaux amovibles, détachables d'un chariot mobile, ce qui permet de transférer directement les patients à opérer du chariot au socle de la table d'opération.

Table de radiologie

Appareil électromécanique destiné à la pratique d'examens radiologiques.

Une table de radiologie comprend un plateau, sur lequel s'installe le malade, une potence portant le tube émetteur de rayons X et un système destiné à recevoir la cassette du film (tiroir automatique logé sous le plateau). Un centreur lumineux, annexé au tube radiogène, permet de réaliser les incidences radiologiques en matérialisant le point d'entrée du faisceau de rayons X ; souvent, enfin, un amplificateur de brillance (tube permettant de transformer l'image en image électronique) est adapté sur l'appareil pour permettre une radioscopie télévisée, qui diminue l'irradiation (centrage et études dynamiques).

Le plateau peut être fixe et horizontal, ou mobile, commandé soit manuellement, soit par télécommande ; il permet alors de mettre le malade dans différentes positions et de pratiquer des tomographies (radiographies en coupe des organes).

Tache café au lait

Tache de couleur chamois clair, arrondie et plane. SYN. *tache hépatique.*

Les taches café au lait sont dues à une hypermélanose (excès de mélanine, le pigment de la peau) d'origine génétique. Parfaitement bien délimitées, non prurigineuses, elles prédominent sur le thorax et la région lombaire. Souvent, surtout si elles sont petites et nombreuses, elles ne sont pas pathologiques. Cependant, elles constituent parfois l'un des symptômes d'une affection héréditaire : maladie de Recklinghausen, sclérose tubéreuse de Bourneville, syndrome de Bloom (variété de nanisme congénital), ataxie-télangiectasie, etc. Il n'existe pas de traitement de ces taches, qui sont le plus souvent esthétiquement peu gênantes.

Tache mongolique

Tache pigmentée, de couleur non homogène, mais à dominante bleu ardoise, située en général dans le bas du dos.

La tache mongolique, particulièrement fréquente chez les nourrissons ou les jeunes enfants asiatiques et noirs, est due à une hypermélanose (excès de mélanine, le pigment de la peau). Elle n'est pas pathologique et disparaît souvent spontanément pendant l'enfance. Elle ne nécessite pas de traitement.

Tache rubis

Nodule bénin formé d'un amas de minuscules vaisseaux sanguins cutanés. SYN. *angiome cerise, angiome nodulaire.*

Les taches rubis touchent l'adulte à partir de la quarantaine. Ce sont de petites saillies hémisphériques de 1 à 5 millimètres de diamètre, de couleur rouge ou violine, très bien délimitées et comme posées sur la peau. Elles siègent surtout sur le tronc et à la racine des membres. Parfois associées à une insuffisance hépatique ou, chez la femme, à un excès d'hormones œstrogènes (grossesse, prise de pilule contraceptive), ces taches n'ont le plus souvent aucune signification pathologique.

TRAITEMENT

Bien qu'une tache rubis ne nécessite aucun traitement, on peut, pour des raisons esthétiques, la détruire par électrocoagulation ou au laser au gaz carbonique ; il reste alors parfois une petite marque.

Tachycardie

Accélération de la fréquence des battements du cœur au-delà de 90 pulsations par minute.

Le rythme cardiaque normal varie chez la plupart des sujets de 60 à 90 pulsations par minute, avec une moyenne de 70 à 80.

CAUSES

■ **Une accélération de l'activité électrique du nœud sinusal**, stimulateur physiologique du cœur, entraîne une tachycardie sinusale. Elle peut être soit naturelle, comme au cours d'un exercice musculaire, après une émotion ou une consommation de café ou de tabac, soit pathologique ; c'est le cas lorsqu'elle accompagne une fièvre, une anémie, une hypovolémie (diminution du volume sanguin due à une hémorragie ou à une déshydratation importante), une hyperthyroïdie, une hypoxie (diminution du taux d'oxygène dans le sang) comme celle entraînée par une embolie pulmonaire, une péricardite ou la plupart des maladies cardiaques ou pulmonaires dans leur phase d'aggravation. Certains médicaments, comme les sympathomimétiques utilisés dans le traitement de l'asthme, peuvent également induire une tachycardie sinusale.
■ **Un trouble du rythme** peut être à l'origine d'une tachycardie, aux caractéristiques différentes suivant l'endroit du cœur où elle prend naissance :
– les tachycardies atriales débutent dans les oreillettes, ces dernières pouvant battre à une fréquence de 200 pulsations par minute en cas de tachysystolie auriculaire, de 300 pulsations par minute en cas de flutter auriculaire, voire de 400 à 600 pulsations par minute en cas de fibrillation auriculaire ; ces impulsions électriques ne sont heureusement pas toutes transmises aux ventricules, car le nœud auriculoventriculaire joue un rôle de filtre préservant ceux-ci ; aussi les tachycardies atriales sont-elles souvent bénignes ;
– les tachycardies jonctionnelles, généralement dues à un court-circuit au niveau du nœud auriculoventriculaire ou par l'intermédiaire d'un faisceau de conduction anormal, peuvent atteindre un rythme de 200 pulsations par minute ; il s'agit le plus souvent de formes bénignes évoluant par crises paroxystiques (maladie de Bouveret) ;
– les tachycardies ventriculaires peuvent atteindre 300 pulsations par minute ; elles sont souvent graves et mal tolérées, car le ventricule ne peut plus remplir ses fonctions d'éjection sanguine ; elles dégénèrent parfois en fibrillation ventriculaire, qui s'accompagne d'un arrêt cardiorespiratoire et d'un état de mort apparente.

ÉVOLUTION

Une tachycardie peut évoluer de façon totalement silencieuse, sans symptômes, ou se traduire par des palpitations, des malaises et des syncopes.

TRAITEMENT

Il dépend de l'origine et du type de trouble du rythme responsable de la tachycardie. S'il existe une cause favorisante (café, tabac, par exemple), il faut la supprimer ; par ailleurs, les traitements médicamenteux antiarythmiques sont parfois appropriés. Les techniques ablatives (surtout par utilisation de courant de radiofréquence) consistent à détruire par voie endocavitaire (montée d'une sonde jusqu'au cœur) la zone du myocarde responsable (par exemple, foyer d'hyperexcitabilité ventriculaire, responsable d'une tachycardie ventriculaire rebelle).

Tachyphylaxie

Phénomène de tolérance rapide de l'organisme vis-à-vis d'un médicament dont l'efficacité décroît au fur et à mesure des prises, obligeant à en augmenter les doses.

La tachyphylaxie se distingue de l'accoutumance, car cette dernière est un phénomène constant, qui peut n'apparaître qu'après plusieurs mois et qui disparaît si l'on augmente un peu les doses.

La tachyphylaxie est un phénomène rare, dont le mécanisme est mal connu (saturation des récepteurs du médicament, épuisement de la libération du médiateur nécessaire à son action). Elle est observée chez certaines personnes en réaction à plusieurs catégories de médicaments : sympathomimétiques comme l'éphédrine ou les amphétamines, corticostéroïdes en application cutanée. Elle apparaît très rapidement, parfois dès la deuxième administration du produit. L'augmentation des doses n'est pas toujours efficace, ni même possible en raison du seuil de toxicité rapidement atteint. Toutefois, la tachyphylaxie finit par disparaître après un certain délai, dont il faut tenir compte dans le rythme d'administration : deux applications de corticostéroïdes cutanés doivent ainsi être séparées par un intervalle de 12 heures ou, mieux, de 24 heures.

Tachypnée

Accélération anormale de la fréquence respiratoire.

La tachypnée est de loin, surtout chez l'enfant, la forme la plus fréquente de dyspnée (gêne respiratoire). Elle est le plus souvent due à une cause pulmonaire : bronchopneumopathie aiguë infectieuse (bronchopneumonie du langage courant), inhalation ou ingestion de substances toxiques, fausse-route alimentaire, etc. Cependant, elle peut aussi être due à une insuffisance cardiaque, à un trouble des centres nerveux commandant la respiration (coma), à une lésion de la paroi thoracique (fractures multiples de côtes), à une crise de tétanie ou à une simple angoisse.

Tacrine

Médicament myorelaxant (décontractant musculaire).

La tacrine agit en augmentant l'action de l'acétylcholine (neurotransmetteur chimique provoquant une vasodilatation et un ralentissement du rythme cardiaque). Elle est utilisée comme myorelaxant pour prolonger l'action des curarisants, autres substances myorelaxantes, ou comme stimulant respiratoire. Elle est employée dans le traitement des troubles de la mémoire chez les malades souffrant de la maladie d'Alzheimer et a permis pour la première fois d'obtenir un certain degré d'amélioration.

D'apparition récente, la tacrine est distribuée depuis 1993 aux États-Unis et depuis 1994 en France. Ce médicament peut entraîner des effets indésirables liés à l'excès d'acétylcholine : nausées, vomissements, diarrhées, crampes abdominales, sécrétion excessive de salive. Il semble en outre que la prise de doses très importantes de tacrine soit toxique pour les cellules du foie ; aussi un suivi régulier du taux sanguin de transaminases (enzymes hépatiques) est-il indispensable chez les personnes prenant ce médicament.

Tact

Faculté de percevoir et d'analyser les objets par contact avec la peau. SYN. *sensibilité tactile.*

Le tact est une propriété du système nerveux. Il fait partie de la sensibilité extéroceptive, dans laquelle le stimulus vient de l'extérieur. Une pression sur la peau stimule des récepteurs (corpuscules de Meissner pour une pression légère et corpuscules de Pacini pour une pression plus appuyée) qui transmettent les informations aux extrémités des fibres nerveuses de la peau. Dans ces nerfs, puis dans le système nerveux central (moelle épinière, encéphale), il y a deux sortes de fibres, responsables chacune d'une variété de tact : tact épicritique, ou discriminatif (fin, précis) ; tact protopathique (grossier).

PATHOLOGIE

Une absence de sensibilité tactile se rencontre en cas d'atteinte neurologique soit périphérique (polynévrite, par exemple), soit centrale (hémiplégie, par exemple), interrompant les voies sensitives.

Tænia, ou Ténia

Ver de la classe des cestodes, parasite de l'intestin grêle.
→ VOIR Téniase.

Taie

Opacité plus ou moins étendue de la cornée, souvent cicatricielle.

Les opacités les moins denses sont appelées néphélions, alors que les plus denses, qui masquent les structures sous-jacentes, sont appelées leucomes.

CAUSES

Une taie peut être consécutive à une destruction de la membrane de Bowmann (membrane située derrière l'épithélium cornéen, première couche de la cornée), provoquée elle-même par un traumatisme de la cornée (plaie ou brûlure) ou par une kératite infectieuse (herpès, abcès de la cornée).

SYMPTÔMES ET DIAGNOSTIC

Une taie se manifeste sous la forme d'une tache généralement blanche, visible ou non sur l'œil, suivant sa taille. Cette tache entraîne une baisse d'acuité visuelle si elle est située au centre de la cornée, dans l'axe visuel. La taie, en principe stable, s'étend dans de rares cas par poussées inflammatoires. L'examen au biomicroscope met en évidence toutes les taies, quelles que soient leur étendue et leur densité.

TRAITEMENT

Le traitement, chirurgical, consiste en une kératoplastie (greffe de la cornée). L'opération est assez longue (une heure) et délicate ; elle a d'autant plus de chances de réussir que la taie est petite et éloignée du limbe sclérocornéen, situé à la périphérie de la cornée. En effet, dans le cas contraire, le risque de rejet du greffon est plus grand, en raison de l'envahissement du tissu greffé par les vaisseaux de la sclérotique et de la conjonctive. Si la taie est consécutive à un herpès, des récidives peuvent également avoir lieu sur le greffon. Une deuxième opération peut être tentée, au moins 6 mois après la première. Les suites opératoires comportent un léger astigmatisme temporaire, se traduisant par une absence de netteté de la vision.

Talalgie

Douleur du talon.

Une talalgie peut être due à une atteinte du calcanéum (os du talon), du tendon d'Achille ou de l'aponévrose plantaire (structure fibreuse renforçant les muscles de la plante du pied).

Selon l'âge du sujet, les principales causes de talalgie diffèrent.

■ **Chez l'enfant de moins de 13 ans**, elle peut être causée par une ostéochondrite du talon, ou maladie de Sever (lésion du calcanéum due à un défaut d'apport sanguin).

■ **Entre 13 et 20 ans**, elle est en général liée à une maladie inflammatoire rhumatismale comme la spondylarthrite ankylosante, provoquant une inflammation du tendon d'Achille à son point d'insertion avec le calcanéum (enthésopathie).

■ **Chez l'adulte**, elle est le plus souvent provoquée par une inflammation du calcanéum (calcanéite), du tendon d'Achille (tendinite) ou, chez un sportif, de l'aponévrose plantaire.

■ **Chez le sujet âgé et parfois chez le sujet jeune**, elle trouve son origine dans une fracture de fatigue du calcanéum, favorisée par l'ostéoporose (raréfaction du tissu osseux) et les frottements répétés.

■ **À tout âge**, le port de chaussures inadaptées, un surmenage de l'appui talonnier ou une anomalie de la voûte plantaire (pied plat, par exemple) peuvent entraîner une talalgie.

Talamon (Charles)

Médecin français (La Nouvelle-Orléans 1850 – Paris 1929).

On lui doit de remarquables travaux sur le pneumocoque et la pneumonie ainsi que sur l'appendicite, dont il a décrit les formes cliniques et le traitement chirurgical.

Talc

Substance poudreuse obtenue par pulvérisation de silicate de magnésium naturel.

UTILISATION THÉRAPEUTIQUE

Le talc est une poudre blanche et légère, utilisée pour les soins de la peau (assèchement des petites lésions du siège chez le nourrisson, protection et soulagement de certaines éruptions cutanées, en particulier varicelle et zona). Il permet également de réaliser une symphyse pleurale (accolement des deux feuillets de la plèvre enveloppant le poumon) dans le traitement de certaines pleurésies cancéreuses et de pneumothorax (épanchement d'air entre les deux feuillets de la plèvre) récidivants : la pulvérisation de talc provoque localement une réaction inflammatoire qui colle les deux feuillets l'un contre l'autre.

PATHOLOGIE

La talcose est une pneumoconiose (maladie des poumons par inhalation prolongée de poussière) due à l'inhalation de talc. Elle s'observe chez les employés de certaines industries (talc, papier, peinture, caoutchouc, cosmétiques). Elle ne provoque que de discrets symptômes (toux), relativement bénins, et son traitement n'est pas connu. Cependant, la talcose est souvent associée à d'autres maladies plus graves telles que l'asbestose (due à l'inhalation d'amiante) ou la silicose (due à l'inhalation de silice).
→ VOIR Symphyse.

Talon

Partie postérieure du pied. (P.N.A. *calx*)

Le squelette du talon est constitué par le calcanéum, os recouvert d'un tissu cutanéograisseux épais sur la plante du pied (sole plantaire). Il forme le point d'appui postérieur du pied.

PATHOLOGIE

Les atteintes du talon peuvent être le fait d'une atteinte soit du calcanéum (calcanéite, ostéochondrite du calcanéum chez l'adolescent, fracture, etc.), soit du tendon d'Achille, qui s'insère sur le calcanéum, ou encore être la conséquence d'une fonte de la sole plantaire, par exemple en cas d'immobilisation prolongée. Dans tous les cas, un excès de poids ou un trouble statique du pied (mauvaise orientation de l'axe du calcanéum, notamment) peuvent aggraver les symptômes.

Talus

Flexion dorsale irréductible du pied, celui-ci formant avec l'axe de la jambe un angle aigu.

Chez le nouveau-né, le pied est naturellement en talus, mais cette position est le plus souvent passagère. Chez l'adulte, le talus se rencontre au cours de certaines affections neurologiques, notamment en cas de paralysie des muscles fléchisseurs des orteils.

Tampon

Substance chimique qui, présente dans une solution, maintient constant le pH de celle-ci quand un acide ou une base y est ajouté. SYN. *substance tampon.*

Les principaux tampons de l'organisme, contenus dans le plasma sanguin, sont l'acide carbonique (dérivé du gaz carbonique) et le bicarbonate de sodium (sel de l'acide carbonique). Ces substances protègent l'organisme contre l'excès d'acides (acidose) ou de bases (alcalose) et jouent ainsi un rôle essentiel dans l'équilibre acidobasique.

Tamponnade

Ensemble des troubles provoqués par la présence de liquide sous pression à l'intérieur du péricarde (enveloppe séreuse du muscle cardiaque).

CAUSES

Le liquide contenu dans le péricarde est le plus souvent formé de sang répandu au décours d'une intervention de chirurgie cardiaque. Plus rarement, il s'agit d'un épanchement séreux lors d'une péricardite liquidienne.

SYMPTÔMES ET SIGNES

La constitution rapide d'un épanchement liquidien entre le péricarde séreux et le péricarde fibreux crée une compression cardiaque et gêne le remplissage des deux ventricules pendant la diastole. Cette stagnation du sang en amont du cœur se traduit par l'apparition de signes d'insuffisance cardiaque droite : saillie des veines jugulaires de chaque côté du cou, augmentation de volume du foie, découverte à la palpation de l'abdomen, diminution du débit cardiaque provoquant une chute de la pression artérielle. Le patient ressent un malaise général et une gêne respiratoire. Une tamponnade nécessite une hospitalisation d'urgence du malade, car l'insuffisance cardiaque risque de s'aggraver rapidement.

DIAGNOSTIC ET TRAITEMENT

L'échocardiographie confirme le diagnostic. Le traitement consiste en une ponction immédiate du péricarde, sous anesthésie locale et avec contrôle échographique, qui améliore provisoirement la situation. En fonction de la gravité de l'atteinte, on est amené, le plus souvent, à compléter ce geste par un drainage chirurgical, sous anesthésie locale ou générale.

Tamponnement

Technique thérapeutique permettant d'arrêter une hémorragie par compression de la région qui saigne.

Un tamponnement est réalisé par tassement de compresses, de mèches (pièces de tissu très allongées) ou de champs (pièces larges). En cas de saignement de nez abondant, le médecin pratique un tamponnement antérieur à l'aide d'une mèche introduite dans les narines et tassée dans la fosse nasale, voire un tamponnement postérieur, en introduisant la mèche par le pharynx puis par les choanes (orifices postérieurs des fosses nasales). Ce dispositif est laissé en place durant 48 heures puis retiré par le médecin.

Tarse

Squelette de la partie postérieure du pied. (P.N.A. *tarsus*)

Le tarse se compose de 2 parties.

■ Le tarse antérieur forme le squelette d'une partie du dos du pied ; il comprend 5 os courts juxtaposés : le cuboïde, le scaphoïde et les 3 os cunéiformes. Il participe à la constitution de la voûte plantaire et s'unit au tarse postérieur par l'articulation médiotarsienne de Chopart.

■ Le tarse postérieur comprend 2 os superposés : le calcanéum (os du talon) et, au-dessus, l'astragale, unis par 2 surfaces articulaires et par un puissant ligament.

Le tarse s'articule au tibia et au péroné par l'articulation tibio-péronéo-astragalienne (articulation de la cheville), et aux métatarsiens par l'articulation tarsométatarsienne de Lisfranc. Ces différentes articulations confèrent au tarse une grande solidité mais une faible mobilité.

PATHOLOGIE

■ Les fractures de l'astragale et du calcanéum surviennent au cours de traumatismes violents ou de chutes importantes. Leur traitement, parfois chirurgical, est souvent difficile, car il faut reconstituer des surfaces articulaires correctes. La nécrose de l'os fracturé (en particulier de l'astragale) ou la survenue d'une arthrose post-traumatique en constituent les principales complications.

■ Les fractures des cunéiformes, plus bénignes, sont traitées comme les fractures des métatarsiens par une immobilisation plâtrée de 6 à 8 semaines.

■ Les fractures du scaphoïde tarsien peuvent se compliquer d'une luxation rendant nécessaire une intervention chirurgicale.

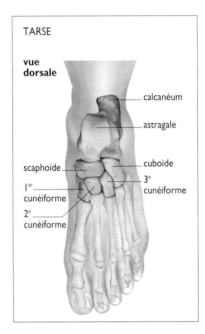

TARSE

vue dorsale

calcanéum

astragale

cuboïde

scaphoïde

3e cunéiforme

1er cunéiforme

2e cunéiforme

Tarse palpébral

Cartilage de la paupière. (P.N.A. *tarsus palpebræ*)

STRUCTURE

Les tarses palpébraux, au nombre de un par paupière, sont formés de lamelles résistantes (collagène) et élastiques (élastine), dont la forme peut s'adapter à la courbure du globe oculaire, conférant aux paupières rigidité et souplesse et permettant leur plissement et leur éversion (retournement). Ils contiennent les glandes de Meibomius, qui produisent une partie de la sécrétion lacrymale.

EXAMENS

Recouverts en avant par la peau et en arrière par la conjonctive, ils ne peuvent être explorés qu'indirectement, à travers la conjonctive : en retournant la paupière supérieure pour le tarse supérieur ; en faisant regarder le sujet vers le haut tout en tirant sur la paupière inférieure pour le tarse inférieur.

PATHOLOGIE

Elle est dominée par les chalazions (petites tumeurs dues à l'inflammation d'une glande de Meibomius) et par le trachome (infection chronique de la conjonctive).

Tarsectomie

Ablation d'un fragment osseux plus ou moins important du tarse antérieur (qui fait partie du squelette du dos du pied) en vue de corriger une déformation du pied.

La tarsectomie est le plus souvent pratiquée en cas de pied creux, lorsque celui-ci est particulièrement handicapant. La taille du fragment osseux à retirer est calculée pour que le pied retrouve un appui correct sur le sol. Cette opération nécessite une immobilisation plâtrée d'environ 45 jours, le malade pouvant normalement reprendre appui sur son pied aux alentours du 90e jour.

Tarsorraphie

Opération chirurgicale consistant à suturer temporairement l'un à l'autre les bords des paupières supérieure et inférieure. SYN. *blépharorraphie*.

Une tarsorraphie est indiquée afin de protéger une cornée exposée, soit lorsqu'une paralysie faciale empêche le réflexe de clignement le jour et la fermeture de l'œil la nuit, soit en cas d'exophtalmie importante (saillie antérieure du globe oculaire), ou encore, plus rarement, lors d'un syndrome de Gougerot-Sjögren grave ou d'un zona de l'œil.

La tarsorraphie est effectuée par suture du seul coin externe de l'œil, le plus souvent, ou par suture des deux coins, interne et externe : elle est alors complète. Elle est pratiquée sous anesthésie locale ou générale et nécessite quelques jours d'hospitalisation. La suture est laissée en place de 15 jours à 6 mois.

Tartre

Dépôt dur, calcifié ou en voie de calcification, se déposant sur les collets des dents et sous la gencive.

Le tartre se forme à partir de la plaque dentaire. Il est composé à 75 % de matières minérales, notamment de cristaux de calcium et de magnésium apportés par les glandes salivaires (parotides et sous-maxillaires). Les surfaces dentaires les plus exposées au tartre sont celles qui se trouvent en regard des canaux excréteurs des glandes salivaires, c'est-à-dire les faces internes des incisives du bas et les faces externes des molaires du haut.

DIFFÉRENTS TYPES DE TARTRE

■ Le tartre sous-gingival adhère au cément de la surface radiculaire des dents. Sa couleur brune provient des produits de dégradation du sang.

■ Le tartre supragingival se trouve sur la dent, surtout en bordure du collet. À l'origine de couleur semblable à celle de la dent, il se colore avec le temps sous l'action des colorants alimentaires (thé, café, réglisse, etc.) et du tabac.

TRAITEMENT

Le détartrage des dents est indispensable, car le tartre, de même que la plaque dentaire, favorise la survenue de caries et de gingi-

Tartre

La salive, les débris d'aliments et les bactéries forment un premier type de film, collant et gélatineux, qui se dépose à la surface des dents : c'est la plaque dentaire. En se calcifiant, celle-ci se transforme en tartre, un matériau dur dont la surface poreuse se prête particulièrement à l'invasion bactérienne.

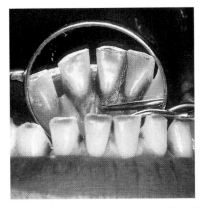

Une fois formé, le tartre ne peut être éliminé par simple brossage. Un détartrage régulier est donc indispensable.

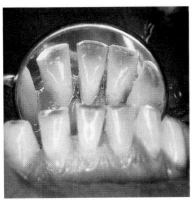

Après un détartrage, seule une bonne hygiène dentaire permet d'éliminer la plaque et, donc, de ralentir la formation du tartre.

vites ; il doit être pratiqué une fois par an. La pratique d'un brossage correct, complété par l'utilisation d'un fil dentaire, permet d'éliminer la plaque dentaire, au fur et à mesure qu'elle se forme.

Tatouage

Dessin indélébile pratiqué sur la peau.

Un tatouage est le plus souvent réalisé pour des raisons de goût personnel, mais il peut aussi s'agir d'une réparation esthétique pratiquée par un médecin spécialiste, consistant, par exemple, à redessiner l'aréole d'un sein après une intervention chirurgicale.

TECHNIQUE
Différents pigments peuvent être introduits dans le derme, soit par piqûres, à l'aide d'aiguilles manipulées à la main ou montées sur un appareil électrique, soit par dépôts dans des incisions cutanées, qui cicatrisent en emprisonnant le pigment ; on peut également faire passer un fil coloré dans un tunnel creusé dans l'épiderme.

RISQUE
Le risque principal du tatouage est la contamination par des agents infectieux tels que le virus du sida ou celui de l'hépatite virale, transportés par les instruments d'une personne contaminée à une personne indemne. La probabilité de ces incidents est élevée pour les tatoueurs non professionnels qui ne respectent pas les règles d'asepsie, de stérilisation et d'utilisation de matériel jetable (à usage unique). En outre, les tatouages réalisés par les amateurs sont en général plus profonds, plus irréguliers et plus difficiles à effacer que ceux réalisés par des professionnels.

MÉTHODES DE DESTRUCTION D'UN TATOUAGE
Elles sont nombreuses, mais aucune n'est véritablement satisfaisante, car toutes sont longues (plusieurs mois) et exposent à un risque de cicatrice, en particulier hypertrophique (par formation d'un bourrelet fibreux).
■ **L'ablation chirurgicale** reste toujours un excellent moyen de destruction. Les techniques varient selon la dimension du tatouage

à retirer : ablation simple avec points de suture ou, en cas de tatouage très étendu, plastie, voire greffe cutanée. Elle nécessite une anesthésie locale, locorégionale (anesthésie tronculaire) ou parfois générale.
■ **L'ablation au laser au gaz carbonique** permet une destruction sélective, couche par couche, des diverses strates de la peau. La cicatrisation survient au bout de 1 ou 2 mois.
■ **La cryothérapie et la cryochirurgie à l'azote liquide** provoquent une réaction bulleuse, puis une nécrose. La cicatrisation se fait en 1 ou 2 mois.
■ **La destruction par des agents chimiques** (permanganate de potassium en microcristaux, par exemple) provoque une nécrose superficielle qui peut effacer le tatouage mais laisse toujours une cicatrice.
■ **Les procédés mécaniques** sont souvent utilisés. La dermabrasion, ou meulage, de pratique courante, ne suffit parfois pas à faire disparaître le pigment, situé trop profondément dans la peau. Elle doit alors être complétée par une salabrasion (pose de pansements salés).
■ **Les procédés physicochimiques** font appel au trempage dans de l'eau salée ou dans de l'eau de mer, suivi de frottements répétés : il s'agit d'une technique douloureuse mais qui présente l'avantage de rarement laisser de cicatrice.

Tay-Sachs (maladie de)

Maladie du système nerveux central, de nature génétique, due à une accumulation de graisses dans le cerveau.

La maladie de Tay-Sachs fait partie des sphingolipidoses. C'est une maladie très rare, touchant surtout les populations d'Europe du Centre et du Nord.

CAUSES ET SYMPTÔMES
La maladie de Tay-Sachs est due à un déficit en hexosaminidase A, une enzyme qui permet la dégradation des gangliosides (variété de sphingolipides). Ces graisses s'accumulent alors dans l'encéphale et entraînent des lésions cérébrales. Le déficit

enzymatique est d'origine génétique, et le gène responsable a été localisé sur le chromosome 15 (une variante de la maladie fait intervenir un gène situé sur un autre chromosome, le chromosome 5).

La maladie commence dès la première année par un arrêt puis une régression des acquisitions psychiques, intellectuelles et motrices. On peut également observer une cécité et des crises convulsives. À un stade évolué, il se produit une mégalencéphalie (augmentation du volume de la tête).

DIAGNOSTIC ET TRAITEMENT
Le diagnostic repose sur l'examen clinique de l'enfant, sur l'examen du fond d'œil, qui révèle une tache rouge cerise caractéristique, et sur l'électroencéphalographie. Il n'existe actuellement aucun traitement de cette maladie.

Technétium

Métal de numéro atomique 43, dont un isotope radioactif, le technétium 99m, est le traceur le plus utilisé en médecine nucléaire (plus de 80 % des scintigraphies).

Plusieurs raisons expliquent cette prépondérance : le technétium (Tc) n'émet que des rayons gamma donnant une bonne qualité d'image et il s'élimine très rapidement (en particulier, sa période physique est de 6 heures) ; en outre, il est facilement disponible et son prix de revient est bas.

UTILISATION
Le technétium peut être employé soit directement comme radioélément, soit comme marqueur d'autres molécules.
■ **Comme simple radioélément**, injecté par voie intraveineuse sous forme d'une solution de pertechnétate de sodium, il est très souvent utilisé dans les scintigraphies de la thyroïde, pour explorer les anomalies morphologiques de celle-ci. Il sert aussi à l'étude des glandes salivaires et à l'exploration des vaisseaux sanguins artériels ou veineux.
■ **Comme marqueur de nombreuses molécules plus complexes ou de cellules**, le technétium est employé pour l'exploration de presque tous les organes. Suivant les cas, il est injecté par voie intraveineuse, inhalé (aérosols) ou inclus dans des aliments. Parmi les composés les plus fréquemment utilisés, on peut citer, par ordre décroissant de fréquence :
– les diphosphonates, employés pour le diagnostic précoce des métastases osseuses des cancers du sein, de la prostate et du poumon, pour le bilan de nombreuses affections rhumatologiques et pour la mise en évidence de petites fractures non détectées par la radiographie ;
– l'H.M.P.A.O. (hexa-méthyl-propylène-amine-oxime), qui sert à étudier les accidents vasculaires cérébraux, l'épilepsie partielle, certains états démentiels et la souffrance cérébrale de l'enfant ;
– le sesta-M.I.B.I. (méthoxy-iso-butyl-isonitrile), utilisé pour le diagnostic de l'ischémie myocardique (arrêt ou insuffisance de l'apport de sang et d'oxygène au muscle cardiaque) ;
– les globules rouges, employés pour étudier la contraction des ventricules cardiaques ;

- les microparticules d'albumine, qui servent à étudier la vascularisation des poumons, en particulier dans le diagnostic des embolies ;
- le DMSA (acide di-mercaptosuccinique), le DTPA (acide diéthylène-triamino-pentacétique) ou le M.A.G.3 (mercapto-acétyl-triglycine), utilisés pour l'évaluation fonctionnelle séparée de chaque rein dans de nombreuses pathologies rénales, le bilan préchirurgical de l'ablation d'un rein et l'exploration des malformations rénales congénitales ;
- l'IDA (acide imino-diacétique), qui sert à visualiser les voies biliaires, en chirurgie digestive ;
- les aérosols, utilisés pour étudier la ventilation des poumons ;
- les globules blancs, employés pour localiser les sites inflammatoires ou infectieux, principalement digestifs ou osseux.

Enfin, des aliments marqués au technétium servent à explorer le transit digestif (œsophage, estomac, voire intestin grêle et côlon).

Le technétium est aussi souvent utilisé dans les scintigraphies en double marquage, qui permettent, par soustraction d'image, d'étudier un organe n'ayant pas de traceur spécifique : ainsi, les glandes parathyroïdes sont visualisées en comparant les images obtenues en utilisant du thallium 201, qui se fixe sur la thyroïde et les parathyroïdes, à celles obtenues en utilisant du technétium, qui ne se fixe que sur la thyroïde.

PERSPECTIVES

Des recherches actives sont menées pour que l'on puisse marquer au technétium de nouvelles substances, telles que les anticorps monoclonaux ou les peptides.

Technique d'ablation intracardiaque

Procédé d'altération des propriétés électriques d'une zone limitée du myocarde à l'aide d'un courant électrique, utilisé dans le traitement de certains troubles du rythme cardiaque.

INDICATIONS

Une technique d'ablation intracardiaque est indiquée avant tout lors de certains troubles du rythme supraventriculaire graves (tachycardie compliquant un syndrome de Wolf-Parkinson-White) ou invalidants en raison des palpitations ou des malaises qu'ils entraînent, souvent après échec d'un traitement antiarythmique médicamenteux. Cette méthode est plus rarement utilisée dans le cadre de certains troubles du rythme ventriculaire (tachycardies ventriculaires rebelles et récidivantes, par exemple).

TECHNIQUE ET DÉROULEMENT

La neutralisation des propriétés électriques d'une zone limitée du myocarde est effectuée par l'intermédiaire de cathéters spéciaux, introduits par une veine ou une artère fémorale jusque dans les cavités cardiaques, sous contrôle radioscopique et sous anesthésie locale. Il est ensuite nécessaire de procéder à un repérage très précis de la zone de myocarde à détruire, par détection de l'activité électrique spontanée des cellules du myocarde (cartographie endocardique). Une fois repérée, la voie de conduction anormale est détruite par application d'un courant électrique. Le plus souvent, on utilise un courant de radiofréquence, qui détruit la zone pathologique en la chauffant à des températures de 55 à 75 °C pendant quelques dizaines de secondes. Plus rarement, et généralement en cas d'échec du courant de radiofréquence, on a recours à la fulguration, qui consiste à produire par l'intermédiaire du cathéter endocavitaire un choc électrique de haute énergie en regard de la zone pathologique. Cette technique est moins précise que la précédente. Un nouvel enregistrement de l'activité électrique du myocarde est ensuite effectué afin de vérifier la disparition des signaux de la zone anormale.

L'intervention, qui nécessite une hospitalisation dans un centre hospitalier spécialisé, dure en moyenne de 1 à 4 heures. Cette méthode est très efficace et, surtout lorsque l'on utilise le courant de radiofréquence, peu traumatisante.

Tégument

Tissu ou ensemble de tissus recouvrant et enveloppant un organisme vivant. SYN. *appareil tégumentaire*.

Chez l'homme, le tégument est formé par la peau et ses annexes, les phanères (poils, cheveux, ongles) et les glandes (glandes sébacées, glandes sudoripares).

Teigne

Infection du cuir chevelu par un champignon microscopique du groupe des dermatophytes.

Les teignes sont contagieuses et transmissibles soit de l'animal à l'homme, soit d'un malade à une personne saine (par un peigne contaminé, par exemple).

DIFFÉRENTS TYPES DE TEIGNE

■ Le kérion est causé par un dermatophyte du genre *Trichophyton*. Il se traduit par un macaron surélevé parsemé de petits « puits » d'où sortent du pus et des cheveux abîmés.
■ La teigne favique, ou favus, a également pour origine un dermatophyte du genre *Trichophyton*. On observe de petites plaques de pus recouvertes d'une croûte, au centre desquelles se trouve un cheveu.
■ Les teignes tondantes sont soit de type microsporique, soit de type tricophytique. Les formes microsporiques, provoquées par un dermatophyte du genre *Microsporon*, se manifestent par de grandes plaques sans cheveux, peu nombreuses, recouvertes de squames (sortes de pellicules) grises et portant en bordure des cheveux blancs coupés à 4 ou 5 millimètres de leur point d'émergence. Les formes tricophytiques, dues à un *Trichophyton*, comportent des plaques plus petites (moins de 2 centimètres de diamètre), plus nombreuses et recouvertes de cheveux très courts, cassés.

DIAGNOSTIC ET TRAITEMENT

Le diagnostic des teignes nécessite un prélèvement pour examen mycologique. Leur traitement comprend le rasage des zones atteintes et la prescription, pendant 1 ou 2 mois, d'antifongiques (griséofulvine, imidazolés) par voie orale, jusqu'à ce que le résultat des prélèvements soit négatif. En cas de teigne due à un dermatophyte du genre *Microsporon*, une éviction scolaire de 15 jours est obligatoire.

TEIGNE

Due à une infection du cheveu par un champignon de la famille des dermatophytes, la teigne est une maladie contagieuse, qui atteint souvent les enfants. Elle se traduit par la formation, sur le cuir chevelu, de plaques chauves ou couvertes de cheveux abîmés, parfois suppurées.

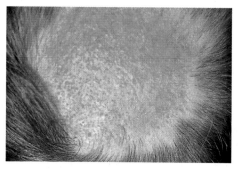

La teigne tondante à Microsporon *forme sur le cuir chevelu une ou plusieurs plaques de grande taille, sur lesquelles les cheveux sont cassés.*

Le champignon Trichophyton violaceum *(en mauve) est l'un des agents de la maladie.*

Teinture

Préparation médicamenteuse obtenue par dissolution des principes actifs d'une ou de plusieurs substances, d'origine végétale ou minérale, dans un liquide tel que l'eau, l'alcool ou l'éther.

La teinture d'iode, par exemple, est une préparation officinale aqueuse utilisée comme antiseptique cutané. Cependant, elle tache la peau, et son association avec les antiseptiques à base de mercure (mercurochrome) provoque une réaction qui retarde la cicatrisation.

Télangiectasie

Dilatation permanente d'un petit vaisseau (artériole, capillaire sanguin, veinule) situé dans le derme.

Les télangiectasies forment de fines lignes rouges ou violettes, de quelques millimètres à quelques centimètres de long, rectilignes ou sinueuses ; elles dessinent souvent des réseaux, parfois de minuscules étoiles (angiomes stellaires).

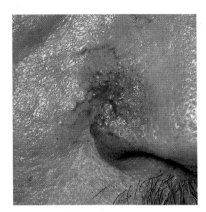

Télangiectasie. Cette dilatation des petits vaisseaux touche surtout les joues et les ailes du nez.

DIFFÉRENTS TYPES DE TÉLANGIECTASIE

On distingue des formes acquises et des formes congénitales.

■ Les télangiectasies acquises sont de loin les plus fréquentes. Certaines ont une cause locale : traumatisme, application trop prolongée de corticostéroïdes, radiothérapie. D'autres sont consécutives à une maladie, qui peut être générale (sarcoïdose, nécrobiose lipoïdique, tuberculose cutanée, sclérodermie, lupus érythémateux) ou non (couperose, angiome stellaire, insuffisance veineuse chronique des membres inférieurs). D'autres enfin sont totalement isolées, sans cause connue : on parle alors de télangiectasies généralisées essentielles si elles atteignent tout le corps, de télangiectasies nævoïdes unilatérales (ou *NUT syndrome*) si elles n'en affectent qu'une moitié.

■ Les télangiectasies congénitales constituent un symptôme secondaire d'une affection héréditaire complexe : syndrome de Rendu-Osler, ataxie-télangiectasie, etc.

TRAITEMENT

Il ne se justifie qu'en cas de gêne esthétique et repose sur la destruction locale, par électrocoagulation ou par le laser argon, des télangiectasies. Les résultats sont bons dans l'ensemble, mais moins satisfaisants pour les télangiectasies des membres inférieurs.

Télémonitorage fœtal

Système d'enregistrement à distance des bruits cardiaques du fœtus. SYN. *monitorage à distance du cœur fœtal, télésurveillance de la grossesse.*

Le télémonitorage fœtal est indiqué au cours des grossesses à risques qui ne nécessitent pas une hospitalisation de la femme (retard de croissance intra-utérin modéré, hypertension artérielle modérée, menace d'accouchement prématuré, grossesse multiple à partir de 28 semaines d'aménorrhée). La patiente pose sur son abdomen un capteur relié à une mallette contenant un appareil qui enregistre les bruits du cœur du fœtus. Elle place ensuite un récepteur téléphonique sur la mallette, qui transmet directement par voie électronique les informations à l'imprimante du central du service d'obstétrique ou d'hospitalisation à domicile assurant le suivi de la grossesse. Le télémonitorage dure une demi-heure par jour. En cas d'anomalie ou de trouble du rythme, la femme est hospitalisée pour contrôle.

→ VOIR Monitorage.

Téléradiographie

Examen radiographique obtenu par éloignement de la source de rayonnement (tube à rayons X) et de l'organe examiné (tête, par exemple).

INDICATIONS

La téléradiographie est fréquemment utilisée en neurochirurgie stéréotaxique (repérage géométrique intracérébral en 3 dimensions), à l'hôpital, et en orthodontie (correction de la disposition des dents), en cabinet médical. La technique procure une égalisation des contrastes et/ou une absence de déformation de l'image obtenue. Cela permet une mesure directe, en grandeur réelle, des structures observées. Ainsi, une téléradiographie de la tête donne une image du crâne et du massif faciodentaire adaptée aux mesures de distance et d'angulation (céphalométrie) nécessaires à la mise en place puis à la surveillance du traitement orthodontique.

DÉROULEMENT

Le patient, assis, est maintenu de profil dans la bonne position par un dispositif simple de contention de la tête (céphalostat) au voisinage de la cassette qui contient le film radiographique. La source de rayons X, éloignée de 4 mètres, donne une projection des images à la fois squelettiques et cutanées de la tête. En effet, un procédé d'atténuation du rayonnement (filtration) permet d'obtenir sur le même film le squelette de la tête et l'image des arcades dentaires ainsi que le profil cutané nécessaire à l'estimation esthétique.

Télomère

Extrémité d'un chromosome.

Température

Degré de chaleur du corps.

La température corporelle est maintenue constante (homéothermie) par une régulation physiologique en dépit des variations de la température ambiante ou de la propre production de chaleur de l'organisme, résultant de la combustion des glucides, des protéines et des lipides. La température du corps humain a une valeur moyenne de 37 °C. Elle varie normalement de 36,5 °C (vers 3 heures du matin) à 37,2 °C (vers 6 heures du soir). Elle varie aussi d'un individu à l'autre et, chez un même individu, en fonction de l'activité physique, de l'alimentation ou de la quantité de boisson. De plus, chez la femme, la température varie normalement au cours du cycle menstruel : une phase de température minimale s'observe des règles à l'ovulation, une phase de température maximale suit l'ovulation.

PHYSIOLOGIE

La régulation thermique, ou thermorégulation (maintien de la température corporelle à sa valeur optimale), dépend d'une zone du cerveau située dans l'hypothalamus. Quand la température s'abaisse, l'hypothalamus envoie des influx nerveux stimulant l'activité musculaire sous forme d'horripilation (chair de poule) et, surtout, de frissons et de vasoconstriction cutanée (rétrécissement du calibre des vaisseaux sanguins de la peau) pour réduire la perte de chaleur. Quand la température s'élève, l'hypothalamus envoie des influx nerveux stimulant la transpiration et dilatant les vaisseaux sanguins de la peau (vasodilatation), pour accroître la perte de chaleur.

PATHOLOGIE

La température du corps peut être affectée ou déréglée par les infections, les affections thyroïdiennes, certaines tumeurs, ou par une trop longue exposition au froid ou à une chaleur excessive. Ces différents facteurs se traduisent, selon les cas, par une fièvre, par une hypothermie ou par une hyperthermie maligne.

COURBE DE TEMPÉRATURE

La variation de la température, relevée quotidiennement à heure fixe et matérialisée sous la forme d'une courbe thermique, ou courbe de température, permet de surveiller l'évolution de certaines maladies infectieuses. En gynécologie, la courbe de température peut aider à repérer la période de l'ovulation, donc à connaître la période de fécondité d'une femme.

→ VOIR Contraception, Fièvre, Hyperthermie, Hypothermie, Ogino-Knaus (méthode).

Temporal (os)

Os latéral du crâne, comprenant essentiellement l'écaille et le rocher. (P.N.A. *os temporale*)

L'écaille, partie mince et fragile, appartient à la voûte crânienne. Le rocher fait partie de la base du crâne ; il contient les éléments essentiels de l'audition (caisse du tympan, cochlée) et de l'équilibre (canaux semicirculaires).

L'écaille est parfois le siège de fractures pouvant se compliquer d'hématomes.

Temporale (artère)

Vaisseau qui irrigue certains éléments de la face. (P.N.A. *arteria temporalis*)

Les artères temporales sont soit superficielles, soit profondes.

■ **Les artères temporales superficielles,** au nombre de deux, sont l'une des branches des artères carotides externes. Elles prennent naissance au-dessus de la mâchoire inférieure et cheminent de chaque côté du visage, vers le sommet de la tête ; leur trajet devient superficiel à la hauteur des tempes, où elles se divisent en une branche frontale, qui irrigue la glande parotide, l'oreille, la joue, les paupières, certains muscles de la face, et une branche pariétale, qui vascularise la peau du crâne. Elles sont parfois le siège d'une inflammation (maladie de Horton).

■ **Les artères temporales profondes,** au nombre de deux, sont des branches collatérales des artères maxillaires internes. Elles se divisent en deux branches, antérieure et postérieure, et irriguent le muscle temporal.

Temps de céphaline

Temps de coagulation du plasma sanguin en présence d'un substitut lipidique des plaquettes, la céphaline (extrait chloroformé de tissu cérébral), et d'un activateur (kaolin, en particulier). SYN. *temps de céphaline activé (T.C.A.), temps de céphaline kaolin (T.C.K.).*

INDICATIONS

La mesure du temps de céphaline, pratiquée en laboratoire sur un prélèvement sanguin du malade, permet d'évaluer globalement l'activité des facteurs de la coagulation de la voie intrinsèque (coagulation déclenchée par le seul contact du sang avec une surface, celle des fibres collagènes des parois des vaisseaux ou d'un tube à essai). Cet examen sert à dépister les déficits des facteurs de cette voie, dont les facteurs VIII et IX (responsables des hémophilies A et B), à détecter l'anticoagulant lupique (anticorps pathologique retrouvé parfois dans le lupus érythémateux disséminé et responsable de thromboses et d'hémorragies) et à surveiller les traitements anticoagulants par l'héparine. Il peut être utilement complété par la mesure du temps de prothrombine, qui évalue l'activité des facteurs de la coagulation de la voie extrinsèque.

RÉSULTATS

Les résultats sont exprimés en secondes et comparés à un témoin (plasma normal). Un temps allongé signifie une coagulation altérée, d'origine pathologique ou thérapeutique. Dans le cadre de la surveillance d'un traitement anticoagulant, la modification ou non des dosages de l'héparine non fractionnée dépend des résultats de ce test.

Temps de prothrombine

Temps de coagulation du plasma sanguin en présence d'un extrait de tissu d'origine humaine, animale ou synthétique, la thromboplastine. SYN. *temps de Quick.*

INDICATIONS

La mesure du temps de prothrombine (T.P.), pratiquée en laboratoire sur un prélèvement sanguin du malade, permet d'évaluer globalement l'activité des facteurs de la coagulation de la voie extrinsèque (coagulation déclenchée par le contact avec la thromboplastine normalement libérée par les cellules). Ce test sert à rechercher une tendance hémorragique congénitale ou acquise, causée par un déficit en facteurs II, V, VII ou X, une atteinte hépatique ou une avitaminose K, et à surveiller les traitements anticoagulants par les antivitamines K. Il peut être utilement complété par la mesure du temps de céphaline, qui évalue l'activité des facteurs de la coagulation de la voie intrinsèque.

RÉSULTATS

Les résultats sont exprimés en secondes, en pourcentage du temps obtenu par rapport à un témoin ou, mieux, en indice INR (*International Normalized Ratio* ou rapport international normalisé), qui tient compte de la sensibilité des réactifs. Un temps de prothrombine allongé indique une coagulation altérée, d'origine pathologique ou thérapeutique. Dans la surveillance d'un traitement anticoagulant, la modification ou non des doses des antivitamines K dépend des résultats de ce test.

Temps de saignement

Durée nécessaire pour qu'une incision de dimension standardisée, pratiquée à des fins d'examen, cesse de saigner.

INDICATIONS

La mesure du temps de saignement (T.S.), méthode sensible d'évaluation de l'hémostase primaire (agrégation des plaquettes entre elles, aboutissant à la formation d'un caillot dit « clou plaquettaire »), permet la recherche d'une tendance hémorragique due à une anomalie de cette phase de la coagulation (avant une intervention chirurgicale, par exemple) et la surveillance de traitements antiagrégants plaquettaires.

TECHNIQUE

Le temps de saignement peut être mesuré de deux manières. La méthode d'Ivy, qui est la plus employée, consiste à pratiquer sur l'avant-bras une incision de 1 millimètre de profondeur sur 1 centimètre de longueur, sous une pression de 40 millimètres de mercure maintenue par un tensiomètre (brassard servant à mesurer la pression artérielle). L'incision est calibrée afin d'assurer des conditions d'examen identiques à chaque fois. L'épreuve de Duke, plus ancienne, consiste à inciser horizontalement le lobe de l'oreille à l'aide d'un vaccinostyle, mais elle est moins précise.

RÉSULTATS

Le temps de saignement est normalement inférieur à 10 minutes. Ce temps est plus élevé en cas de thrombopénie (diminution du nombre des plaquettes dans le sang), de thrombopathie (anomalie de fonctionnement des plaquettes), congénitale ou acquise, et de maladie de Willebrand.

Temps de thrombine

Temps de coagulation du plasma sanguin en présence de thrombine.

INDICATIONS

La mesure du temps de thrombine permet d'évaluer globalement la fibrinoformation, étape de la coagulation au cours de laquelle, sous l'action d'une enzyme, la thrombine, l'un des constituants du sang, le fibrinogène, se transforme en fibrine, substance protéique dont les filaments renforcent le clou plaquettaire. Cet examen court-circuite toutes les étapes précédentes de la coagulation, mesurées par le temps de prothrombine et le temps de céphaline. Il sert à diagnostiquer les dysfibrinogénémies (affections altérant la qualité du fibrinogène), à établir la présence de produits de dégradation du fibrinogène, confirmant ainsi une fibrinolyse, ou à rechercher une protéine myélomateuse, dont la mise en évidence suggère un myélome multiple.

RÉSULTATS

Le temps de thrombine, mesuré en laboratoire sur un prélèvement sanguin du malade, est évalué en secondes et comparé à un témoin (plasma normal). Un temps de thrombine allongé indique un trouble de la coagulation ou la présence d'héparine (médicament anticoagulant).

Tendinite

Inflammation d'un tendon.

Un tendon, tissu fibreux unissant un muscle à un os, peut s'enflammer soit à la jonction musculotendineuse, soit à son point d'insertion sur l'os (enthésopathie), soit dans sa partie médiane.

CAUSES

Les tendinites ont des causes multiples, souvent associées. Elles peuvent être dues à des microtraumatismes répétés, professionnels ou sportifs notamment (épicondylite chez les joueurs de tennis, tendinite des adducteurs chez les danseurs, etc.), ou être d'origine dégénérative, le vieillissement des tissus entraînant une usure, voire une rupture, des fibres de collagène qui constituent le tendon (périarthrite scapulohumérale, par exemple). Enfin, une tendinite peut être liée à une maladie articulaire inflammatoire, par exemple à une spondylarthrite ankylosante (notamment au niveau de l'insertion du tendon d'Achille) ou à une polyarthrite rhumatoïde.

SYMPTÔMES ET ÉVOLUTION

La douleur est le symptôme dominant : souvent présente au repos, elle s'accentue à la palpation et lorsque l'on sollicite les articulations adjacentes au tendon enflammé. Le principal risque des tendinites non traitées est la rupture tendineuse.

TRAITEMENT

Il est fondé sur le repos, la prise d'anti-inflammatoires sous forme de pommades ou de gels, par voie orale, voire par infiltrations, et sur la physiothérapie (ionisations, ultrasons). En cas de tendinite chronique ou de rupture tendineuse, on a parfois recours à la chirurgie.

Tendon

Tissu fibreux par l'intermédiaire duquel un muscle s'attache à un os. (P.N.A. *tendo*)

STRUCTURE

Les tendons sont formés de fibres de collagène disposées parallèlement ou en spirale,
nourries par de fins vaisseaux sanguins.
Certains (ceux des mains, des poignets, des
pieds) possèdent de plus une enveloppe, la
gaine synoviale, de même nature que la
membrane synoviale qui tapisse la capsule
des articulations mobiles. Elle sécrète un
liquide lubrifiant qui permet un meilleur
glissement dans ces régions anatomiques
soumises à des frottements importants.

Les tendons peuvent être cylindriques,
comme ceux des muscles des membres, ou
plats et larges, comme ceux des muscles
abdominaux : on parle alors de tendons
aponévrotiques. Ils peuvent être très courts –
le muscle s'insérant presque directement sur
l'os –, comme pour les tendons des muscles
de la racine de la cuisse, ou très longs,
comme pour ceux des muscles extenseurs
et fléchisseurs des doigts.

PHYSIOLOGIE

Flexible mais peu élastique (c'est le muscle
qui joue ce rôle), le tendon est très résistant ;
le tendon d'Achille peut ainsi supporter une
traction de près de 300 kilogrammes.

PATHOLOGIE

■ Les **ruptures tendineuses** peuvent survenir à la suite d'une tendinite chronique, du
fait de la fragilisation du tendon, ou sur un
tendon préalablement sain, par exemple en
cas d'effort violent sans échauffement ou de
plaie cutanée profonde.

■ Les **tendinites** sont des inflammations
d'un tendon, d'origine traumatique ou
rhumatismale.

■ Les **ténosynovites** sont des inflammations
de la gaine synoviale, membrane séreuse
entourant certains tendons.

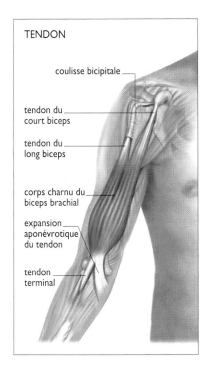

TENDON

coulisse bicipitale

tendon du
court biceps

tendon du
long biceps

corps charnu du
biceps brachial

expansion
aponévrotique
du tendon

tendon
terminal

TÉNIASE

On distingue 4 grands types de téniases,
dont les 3 principales se contractent
en mangeant de la viande ou du poisson
cru ou mal cuit, contenant des larves
de ténia. Un sujet infecté peut aussi
contaminer un autre sujet par contact
avec des doigts souillés par des matières
fécales. Hormis quelques troubles digestifs (maux de ventre, diarrhée), les
symptômes sont souvent modérés et de
toute façon non spécifiques, sauf si l'on
observe dans les selles des fragments ou
des œufs de ver.

*La « tête » du ver est munie de ventouses qui
se fixent à la muqueuse de l'intestin.*

Cycle du parasite

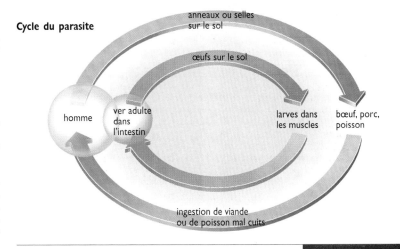

anneaux ou selles
sur le sol

œufs sur le sol

homme

ver adulte
dans
l'intestin

larves dans
les muscles

bœuf, porc,
poisson

ingestion de viande
ou de poisson mal cuits

Ténesme

Douleur anale, accompagnée d'une contracture du sphincter anal, qui précède ou suit
une évacuation rectale, le plus souvent
composée de glaires, de sang ou de pus.

Un ténesme s'observe lors du syndrome
dysentérique (atteinte du rectum d'origine
inflammatoire, parasitaire, infectieuse ou
tumorale), où il s'associe à des épreintes
(douleurs abdominales accompagnant
l'émission des selles) et à de faux besoins.
Tout ténesme nécessite donc un examen
proctologique (examen clinique et endoscopique de l'anus et du rectum).

Téniase, ou Tæniase

Maladie parasitaire due à l'infestation par
des vers adultes, les ténias. SYN. *tæniasis,
téniasis.*

Les ténias, dont certains types sont couramment appelés vers solitaires, sont des vers plats
(cestodes) de taille variable, de quelques millimètres à plusieurs mètres de long. Leur extrémité antérieure, appelée scolex, porte des ventouses et parfois des crochets, servant d'organes de fixation sur la muqueuse de l'intestin
grêle. Le corps est formé de segments plus ou
moins rectangulaires contenant les organes
génitaux mâles et femelles (les vers sont her-
maphrodites). Le nombre de segments est
variable suivant les ténias.

DIFFÉRENTS TYPES DE TÉNIASES

On en distingue quatre, selon l'espèce de
ténia en cause.

■ *Tænia saginata,* très fréquent en France,
est transmis par l'ingestion de viande de
bœuf.

■ *Tænia solium* est transmis par l'ingestion
de viande de porc.

■ *Diphyllobothrium latum,* agent de la bothriocéphalose, est transmis par l'ingestion
de poissons d'eau douce.

■ *Hymenolepis nana,* responsable de l'hymé-
nolépiose, parasitose fréquente chez les
enfants, est un petit ténia transmis par
l'ingestion d'insectes (puces, vers de farine)
ou, surtout, des œufs du ver dans les pays
tropicaux.

CONTAMINATION

Les ténias - sauf *Hymenolepis nana* - se
transmettent à l'homme par des aliments
contenant les larves et insuffisamment cuits.

SYMPTÔMES ET SIGNES

Une téniase se manifeste par une fatigue, un
manque d'appétit ou, moins fréquemment,
par un gros appétit, des maux de ventre,
parfois par une diarrhée, des démangeaisons.
Les dosages sanguins révèlent une augmentation du nombre des globules blancs appelés
éosinophiles. Une personne infestée par le
ténia du bœuf élimine spontanément par
l'anus des fragments de ver ayant l'aspect
de nouilles plates, rosées ou blanchâtres,
mobiles.

TRAITEMENT ET PRÉVENTION

La prise d'une purge est aujourd'hui inutile,
l'administration orale d'un médicament antiparasitaire actif contre le ténia étant efficace

en une ou deux prises. Le parasite est tué et éliminé entièrement par fragments digérés. La prévention repose sur une cuisson suffisante de la viande et du poisson.
→ VOIR Bothriocéphalose.

Tennis elbow
→ VOIR Épicondylite.

Ténodèse
Intervention chirurgicale consistant à transformer un tendon en une sorte de ligament.

Une ténodèse est employée lorsqu'un muscle commandant le jeu d'une articulation devient inactif, par exemple à la suite d'une paralysie. Elle consiste à utiliser le tendon de ce muscle de telle manière qu'il oppose une résistance à l'action des muscles non paralysés dits antagonistes - qui « tirent » le segment de membre en cause du côté opposé à la paralysie - afin d'empêcher la survenue de déformations irréversibles.

Ténolyse
Libération chirurgicale d'un tendon dont la mobilité est entravée par des adhérences.

Ces adhérences peuvent être consécutives à un traumatisme, à une opération chirurgicale, à une tendinite ou à une ténosynovite (inflammation, respectivement, d'un tendon ou de sa gaine synoviale). La ténolyse consiste à décoller le tendon de toutes ses adhérences afin de lui rendre un jeu normal. Elle donne de bons résultats à condition que la rééducation soit entreprise suffisamment tôt, parfois le jour même. Les suites opératoires étant assez douloureuses, des anti-inflammatoires et des analgésiques sont souvent prescrits après cette intervention.

Tenon (Jacques René)
Chirurgien français (Sépeaux, Yonne, 1724 - Paris 1816).

Il fut chargé par Louis XVI, en 1785, de faire un rapport sur les hôpitaux et publia, en 1788, un ouvrage sur ce sujet. Il dénonça les défauts et les insuffisances des hôpitaux parisiens, en particulier le manque total d'hygiène. Après la Révolution française, il apporta son concours à la réorganisation, sur des bases nouvelles, des établissements hospitaliers.

Ténorraphie
Suture chirurgicale d'un tendon sectionné.
INDICATIONS
Une ténorraphie est indiquée quand un tendon a été sectionné par accident ou rompu soit du fait d'une activité sportive trop violente, soit par usure, par exemple après une tendinite chronique.
TECHNIQUE
La ténorraphie, pratiquée sous anesthésie locorégionale ou générale, utilise des fils métalliques ou synthétiques. La suture peut être directe, par affrontement des bords, comme pour une plaie cutanée, ou utiliser un laçage en forme de 8 (une boucle du 8 passe dans un des bouts du tendon, l'autre boucle passe dans l'autre bout, le croisement du huit correspondant à la ligne de section).

Dans le procédé de Sterling-Bunnel, le fil est passé à travers la peau de telle façon que le sommet de chaque boucle du 8 se trouve à la surface de la peau (seul le croisement du 8 passe à travers le tendon) ; après cicatrisation, il suffit de couper le fil à la surface de la peau et de tirer dessus avec précaution pour le retirer. Après une ténorraphie, un plâtre immobilise le membre jusqu'à cicatrisation. Celle-ci se fait en 6 à 8 semaines, au terme desquelles des séances de rééducation doivent être entreprises ; souvent, il est même préférable de commencer une rééducation plus tôt, afin d'éviter la formation d'adhérences.

Ténosynovite
Inflammation de la gaine synoviale (membrane séreuse qui entoure certains tendons et facilite leur glissement).

Les principaux tendons munis d'une gaine synoviale sont ceux des muscles extenseurs et fléchisseurs des doigts et des orteils.
CAUSES
Les ténosynovites peuvent être dues au surmenage d'une articulation, à un rhumatisme inflammatoire (polyarthrite rhumatoïde, notamment), à une infection bactérienne (staphylococcie, tuberculose) ou à une maladie inflammatoire locale : c'est le cas de la ténosynovite crépitante, qui atteint la gaine des tendons extenseurs des doigts au niveau du poignet, et de la ténosynovite sténosante de De Quervain, qui atteint la gaine commune à certains tendons des muscles du pouce et des autres doigts.
SYMPTÔMES ET SIGNES
Les symptômes sont les mêmes que ceux d'une tendinite : gonflement, douleur accentuée à la palpation et lorsque le tendon est mobilisé.
TRAITEMENT
Lorsque la ténosynovite est infectieuse, un nettoyage chirurgical (lavage de la gaine synoviale avec du sérum physiologique si le liquide est seulement inflammatoire, ablation de la gaine s'il y a du pus), associé à une antibiothérapie adaptée, est nécessaire ; le principal risque de ces ténosynovites est la rupture du tendon. Dans les autres cas, le traitement est fondé sur le simple repos de la zone douloureuse et sur la prise d'anti-inflammatoires.

Tensiomètre
Instrument de mesure de la pression artérielle. SYN. sphygmomanomètre.

Le tensiomètre permet une évaluation de cette pression en millimètres de mercure (mmHg). Il donne deux chiffres correspondant aux pressions systolique (valeur maximale) et diastolique (valeur minimale). Chez l'adulte, on parle d'hypertension au-delà de 160/95 millimètres de mercure en position couchée et au repos. La pression artérielle systolique augmente physiologiquement avec l'âge en raison d'une perte de souplesse de l'appareil vasculaire.
DESCRIPTION
Un tensiomètre se compose d'un brassard gonflable, placé autour du bras du patient,

d'une poire en caoutchouc, utilisée pour insuffler de l'air dans le brassard, et d'un système de mesure qui peut être, selon le cas, une colonne de verre remplie de mercure, une jauge à ressort ou, plus récemment, un écran à affichage digital.
UTILISATION
La pression artérielle est couramment mesurée lors des visites médicales. Le brassard est gonflé jusqu'à ce que le pouls huméral ou radial ne soit plus perçu. Un stéthoscope est appliqué au niveau de l'artère humérale, au-dessus du pli du coude, puis le brassard est lentement dégonflé. La pression artérielle systolique correspond au moment où l'on perçoit à nouveau, à l'auscultation et à la palpation, les ondes du pouls, et la pression artérielle diastolique, au moment où les battements systoliques, ou bruits de Korotkoff, ne sont plus perçus à l'auscultation.

Il existe un procédé d'enregistrement sur 24 heures de la pression artérielle, appelé mesure ambulatoire de la pression artérielle (M.A.P.A.). Conservé pendant ce laps de temps, le brassard est relié à un boîtier contenant une pompe qui le gonfle automatiquement à intervalles réguliers et qui enregistre les valeurs mesurées, généralement sur un support informatique à mémoire solide. Il est également possible de se procurer dans le commerce un tensiomètre manuel ou automatique, permettant de contrôler chez soi sa propre pression artérielle.

Tension artérielle
→ VOIR Pression artérielle.

Tension oculaire
Pression qui règne à l'intérieur du globe oculaire. SYN. pression intra-oculaire (P.I.O.).
PHYSIOLOGIE
La régulation de la tension oculaire dépend de la sécrétion et de l'élimination de l'humeur aqueuse, liquide nutritif de la cornée et du cristallin. En effet, la tension oculaire est maintenue à un niveau normal grâce à l'équilibre entre la sécrétion et l'excrétion de l'humeur aqueuse.

Sécrétée de façon continue par le corps ciliaire (partie intermédiaire de la membrane uvéale, située à la limite de la choroïde et de l'iris), l'humeur aqueuse est éliminée en permanence dans l'angle iridocornéen, où elle passe par une sorte de filtre, le trabéculum (tissu translucide formé de fibres enchevêtrées). Elle s'écoule ensuite dans le canal de Schlemm, qui prolonge celui-ci, et elle sort de l'œil dans les veines épisclérales. La plus grande résistance à l'écoulement de l'humeur aqueuse se trouve dans le trabéculum.
EXAMEN
La tension oculaire est mesurée essentiellement à l'aide d'un appareil appelé tonomètre à aplanation, appuyé sur l'œil. Elle est évaluée en millimètres de mercure. Sa valeur normale varie entre 10 et 20 millimètres de mercure, augmente avec l'âge du sujet et peut être différente selon les heures du jour ou de la nuit, en particulier chez les sujets atteints d'un glaucome (augmentation de la pression intra-oculaire).

PATHOLOGIE

■ L'élévation de la tension oculaire, caractéristique du glaucome, peut être due à des modifications de l'angle iridocornéen (débris, sclérose du réseau trabéculaire, accolements entre l'iris et la cornée, augmentation de la pression veineuse épisclérale), qui empêchent l'humeur aqueuse d'être évacuée. L'augmentation de la sécrétion d'humeur aqueuse, par exemple au cours des uvéites, est plus rarement à l'origine d'une élévation de la tension oculaire.

■ La diminution de la tension oculaire, ou hypotonie, est essentiellement le symptôme d'une uvéite. Plus rarement, elle apparaît de façon temporaire après une opération chirurgicale sur l'œil (glaucome, cataracte, etc.) et de façon définitive en cas d'atrophie de l'œil (consécutive à un traumatisme ou à une pathologie sévère). Cette diminution de la tension oculaire se manifeste par des douleurs. Son traitement est celui de sa cause.

Tente du cervelet

Expansion membraneuse de la dure-mère, tendue horizontalement, en arrière du tronc cérébral. (P.N.A. *tentorium cerebelli*)

La tente du cervelet sépare le crâne en deux compartiments : l'étage supratentoriel, contenant le cerveau, et l'étage sous-tentoriel, comprenant le tronc cérébral et le cervelet.
→ VOIR Cervelet.

Tente à oxygène

Enceinte qui permet l'oxygénothérapie d'un malade.

Une tente à oxygène est faite d'une toile ou d'un tissu synthétique, souple, léger,

Tente à oxygène. Une enceinte étanche, reliée à une tubulure assurant l'apport d'oxygène, recouvre la tête et le thorax du malade.

transparent, ininflammable, supporté par un cadre métallique. D'une capacité de 200 litres, elle recouvre le thorax et la tête du malade, qui peut bouger librement. La tubulure d'arrivée d'oxygène est reliée à un manodétendeur, lui-même relié à une bonbonne ou à un tuyau d'arrivée d'oxygène. L'oxygène traverse un bac de glace, qui l'humidifie, ce qui permet de rafraîchir l'intérieur de la tente. Le débit d'oxygène est réglé de 8 à 12 litres par minute. Un appareil, nommé oxymètre, permet de mesurer la concentration d'oxygène sous la tente.

Après avoir suivi un apprentissage, un patient ou un membre de sa famille peut se servir d'une tente à oxygène à domicile.

Pour l'oxygénothérapie du nourrisson, on utilise le hood, une cloche en matière plastique qui recouvre seulement la tête de l'enfant.

Tératogenèse

Formation et développement in utero d'anomalies aboutissant à des malformations. SYN. *tératogénie*.

Un médicament tératogène est un médicament qui entraîne une perturbation du développement embryonnaire ou fœtal lorsqu'il est administré à une femme enceinte. C'est le cas, par exemple, du thalidomide, utilisé dans le traitement de certaines maladies auto-immunes.
→ VOIR Malformation.

Tératologie

Science qui traite des anomalies et des malformations liées à une perturbation du développement embryonnaire ou fœtal.

La tératologie expérimentale étudie l'action de différents facteurs sur l'embryon d'un animal.

PERSPECTIVES

Les nouvelles orientations de la tératologie recouvrent notamment les risques transplacentaires de formation de cancers, le retentissement fonctionnel des facteurs de risque sur divers viscères (foie, rein, appareil génital) et les phénomènes susceptibles d'entraîner des anomalies de développement intra-utérin.

Tératome

→ VOIR Dysembryome.

Térébrant

Qui creuse profondément.

Un ulcère profond est dit térébrant s'il tend à s'aggraver en creusant profondément le tissu sur lequel il se trouve (par exemple, la peau).

Par extension, on appelle douleur térébrante une douleur profonde, pareille à un coup de poignard.

Terminal

Qui arrive à sa fin.

Le stade terminal d'une maladie est son ultime phase, avec évolution vers la mort sans que l'on puisse empêcher celle-ci.

En anatomie, une artère est dite terminale lorsqu'elle ne se ramifie plus.

Terrain

Ensemble des facteurs génétiques, physiologiques, tissulaires ou humoraux qui, chez un individu, favorisent la survenue d'une maladie ou en conditionnent le pronostic.

On parle, par exemple, de terrain allergique chez un patient lorsqu'il possède des antécédents personnels ou familiaux d'asthme, d'eczéma ou d'allergie, et montre, à la numération formule sanguine (N.F.S.), une tendance à l'hyperéosinophilie (augmentation dans le sang du nombre d'un type de globules blancs, les polynucléaires éosinophiles) et à l'élévation du taux d'immunoglobulines de type E (IgE).

Terreur nocturne

Trouble du sommeil de l'enfant se manifestant par un cri ou par des pleurs perçants, accompagnés de signes d'angoisse majeure.

Contrairement au cauchemar, qui se produit durant le sommeil paradoxal (au cours duquel se forment les rêves), la terreur nocturne intervient pendant le sommeil lent profond (sommeil à ondes lentes), qui est, en principe, celui de la première partie de la nuit.

FRÉQUENCE

Ce trouble touche environ 3 % des enfants (contre moins de 1 % des adultes). Plus fréquent chez le garçon que chez la fille, il survient de préférence entre 4 et 12 ans, et peut se retrouver chez plusieurs membres d'une même famille.

CAUSES

La terreur nocturne est une parasomnie (comportement anormal pendant le sommeil) et, à ce titre, traduit une activité anormale du système nerveux central, par l'intermédiaire du système musculaire squelettique ou du système nerveux végétatif. Son mécanisme, mal connu, fait intervenir l'immaturité des systèmes d'éveil.

On peut cependant rechercher une cause éventuelle telle qu'une maladie infectieuse, une prise médicamenteuse ou un facteur psychologique (conflits affectifs avec l'entourage, par exemple).

SIGNES

En général, 2 à 3 heures après le coucher, l'enfant se dresse brusquement sur son lit, en proie, semble-t-il, à une peur intense. Ses yeux, grands ouverts, ont un aspect « vitreux ». Son corps est parcouru de tremblements et couvert de sueur. Il marmonne quelques mots, pleure ou crie. En général, il ne reconnaît ni ses parents ni son entourage et se montre incapable de préciser la cause de son épouvante. La durée de l'épisode, variable, peut aller jusqu'à une vingtaine de minutes. L'enfant finit par se rendormir. Au réveil, il aura le plus souvent tout oublié.

La terreur nocturne s'accompagne parfois d'une forme de somnambulisme, appelée « somnambulisme terreur », qui se manifeste par une déambulation pouvant associer un réflexe de fuite ou de lutte si le sujet est contraint ou maintenu par une tierce personne. De tels comportements risquent d'être à l'origine d'accidents (chute dans un escalier, passage au travers d'une porte vitrée, etc.). En règle générale, il ne faut pas tenter de réveiller un enfant lors d'un accès de somnambulisme ou de terreur nocturne.

ÉVOLUTION ET TRAITEMENT

Comme pour le somnambulisme, l'évolution est en général favorable, les terreurs nocturnes tendant à disparaître spontanément et persistant rarement à l'adolescence.

Il n'y a pas de traitement spécifique. La conduite appropriée consiste à empêcher l'enfant de se blesser lors des accès. Le traitement médicamenteux (benzodiazépines, amineptine) est réservé aux cas graves par leur fréquence et leur intensité.

Test

1. Examen, ou épreuve standardisée et étalonnée, permettant d'évaluer des aptitudes physiques ou psychologiques chez un individu donné.
2. Examen complémentaire pratiqué pour orienter ou confirmer le diagnostic d'une maladie.

Ces tests sont utilisés dans des domaines très variés, tels que la bactériologie (test d'immobilisation des tréponèmes, ou test de Nelson, par exemple, qui permet de détecter une syphilis) ou l'allergologie, où l'on utilise des tests cutanés pour déterminer la sensibilité de l'organisme à certains antigènes comme la tuberculine ou la candidine.

Test d'acuité visuelle

Examen destiné à mesurer l'acuité visuelle.

Le test d'acuité visuelle comprend deux épreuves, l'une mesurant l'acuité visuelle de près, l'autre de loin. Il se déroule chez un ophtalmologiste.

DÉROULEMENT

Les épreuves font appel à différentes échelles selon qu'elles s'adressent à un adulte, à un enfant ou à un sujet illettré.

■ **Chez l'adulte**, l'échelle d'acuité la plus utilisée pour la vision de loin est celle de Monoyer, qui présente des lettres de taille décroissante inscrites sur un tableau lumineux ou projetées au mur à l'aide d'un projecteur de test. Le sujet étant placé à 5 mètres de l'échelle afin d'éliminer le facteur accommodatif, on lui fait lire le test œil par œil, sans correction, puis avec les verres correcteurs qui paraissent les plus appropriés pour lui. Les plus grosses lettres correspondent à une acuité de 1/10, les plus petites à une acuité de 10/10. L'acuité est notée, sans correction puis avec correction, et exprimée en dixièmes. Pour la mesure de l'acuité visuelle de près, le test le plus utilisé est celui de Parinaud. Lu à 33 centimètres, œil par œil, d'abord sans correction puis avec une correction adaptée, il fait appel à la lecture de fragments d'un texte écrit de plus en plus petit. Les plus grands caractères sont notés Parinaud 20 (P20) ou Parinaud 14, selon les tests ; les plus fins, P2 ou P1,5.

■ **Chez les enfants avant l'âge scolaire et chez les sujets illettrés**, la mesure de l'acuité visuelle de loin est identique à celle de l'adulte, mais utilise des dessins, des chiffres ou des « E » orientés dans différents sens

et dont le sujet doit indiquer l'orientation. Les tests de près (tests de Rossano-Weiss) font appel à des dessins, à des chiffres ou à des « E » différemment orientés. Ils sont numérotés de la même manière (de R14 à R2) que les tests destinés à l'adulte sachant lire.

Test au bleu de toluidine

Examen visant à mesurer l'extension d'une lésion sur les muqueuses buccales ou génitales.

Ce test est indolore. Il consiste simplement à nettoyer préalablement la zone de peau étudiée avec du sérum physiologique, à l'enduire d'une solution diluée d'acide acétique puis à la badigeonner avec un colorant, le bleu de toluidine. Lorsqu'il existe des cellules anormales, elles fixent le colorant.

La coloration bleue disparaît rapidement après l'examen ; les résultats sont immédiatement connus.

Test épicutané

→ VOIR Épidermotest.

Test de freinage

Examen permettant d'étudier la dynamique d'une sécrétion hormonale chez un sujet en lui administrant un produit analogue à celui qui exerce normalement sur ladite sécrétion une action de freinage (ralentissement de la sécrétion).

Lors d'un test de freinage, plusieurs mesures (taux dans le sang ou dans les urines de l'hormone étudiée) sont effectuées, avant et après administration du produit freinateur. Le test de freinage surrénalien à la dexaméthasone (glucocorticostéroïde de synthèse ayant la propriété de freiner la sécrétion d'hormone adrénocorticotrophique [ACTH], laquelle stimule la sécrétion de cortisol), par exemple, permet notamment de dépister une sécrétion excessive de cortisol par les glandes surrénales grâce à l'administration de dexaméthasone.

Test d'intelligence

Épreuve standardisée permettant d'évaluer les capacités intellectuelles d'un sujet par comparaison avec une moyenne établie pour l'ensemble des individus ayant subi la même épreuve.

Parmi les tests d'intelligence, deux surtout sont utilisés.

■ **Le test de Binet-Simon** mesure l'âge mental réel par rapport à l'âge biologique. Il a ensuite été perfectionné en test de performance, ou quotient intellectuel (Q.I.), par les psychologues allemand et américain William Stern et Lewis M. Terman, respectivement en 1910 et en 1917.

■ **Le test de Weschler-Bellevue**, élaboré au Bellevue Psychiatric Hospital de New York par le psychologue américain David Weschler et publié en 1956, est destiné à explorer l'ensemble du fonctionnement psychique du sujet. Il consiste en une batterie de tests mettant en jeu différentes opérations intellectuelles : mise en ordre d'images, association de différents éléments, reconstitution de figures géométriques, etc.

Test de Lancaster

→ VOIR Lancaster (test de).

Test de pénétration croisée in vitro

Examen consistant à étudier en laboratoire le contact entre la glaire cervicale et le sperme.

Ce contact intervient normalement lors des rapports sexuels au niveau du col de l'utérus.

INDICATIONS

Un test de pénétration croisée in vitro peut être réalisé en cas de stérilité. Il permet de déceler si la glaire cervicale est la cause de l'infertilité, même lorsqu'un traitement œstrogénique a été préalablement prescrit pour l'améliorer. Il peut également dépister une stérilité immunologique (fabrication d'anticorps antispermatozoïdes par la femme, gênant la pénétration des spermatozoïdes dans les organes génitaux internes féminins). Il permet enfin de confirmer la nécessité d'une insémination artificielle.

TECHNIQUE

Le test de pénétration croisée in vitro consiste à examiner, chez le couple infertile, d'une part un prélèvement de sperme (éjaculat), d'autre part un prélèvement de glaire cervicale, puis à mettre les deux prélèvements en contact. Parallèlement, un sperme témoin et une glaire témoin sont aussi utilisés pour apprécier la différence de comportement des spermatozoïdes de l'homme présumé infertile avec une glaire cervicale normale, et celle d'un sperme normal au contact de la glaire de la femme présumée infertile. Après 30 minutes, on apprécie la profondeur et l'intensité de pénétration des spermatozoïdes, ainsi que la qualité de leurs mouvements dans la glaire. Après 4 heures, on contrôle de nouveau la survie et la persistance de la mobilité des spermatozoïdes.

DÉROULEMENT

Le test se déroule en laboratoire et consiste simplement en un prélèvement simultané du sperme (par masturbation) et de la glaire (prélèvement effectué en position gynécologique). Une abstinence sexuelle préalable de 2 à 4 jours est demandée. Toute toilette vaginale interne doit par ailleurs être évitée, afin de ne pas modifier la glaire cervicale avant l'examen. Très souvent, un traitement œstrogénique a été préalablement prescrit à la femme pour améliorer la qualité de la glaire. Les résultats sont connus le lendemain de l'examen.

Test de personnalité

Épreuve standardisée permettant d'étudier le caractère d'un sujet ou de déterminer, sur le plan psychiatrique, son état ou ses tendances pathologiques.

■ **Le test d'aperception thématique (T.A.T.)**, inventé par le psychologue américain Henry Alexander Murray en 1935, utilise des planches d'images qui vont inspirer au sujet des scénarios, des réactions à propos des scènes représentées.

■ **Le test du bonhomme**, conçu en 1921 par la psychologue argentine Florence Goodenough, s'adresse aux jeunes enfants. Il consiste à leur faire dessiner un bonhomme : vers l'âge de 4 ans, le « bonhomme-têtard », où tête et corps ne font qu'un, fait place à une représentation plus différenciée témoignant d'un développement psychoaffectif normal.

■ Le test de Rorschach (1921), inspiré au psychiatre suisse Hermann Rorschach par la méthode des associations libres de Carl Gustav Jung, consiste à faire commenter au sujet une série de taches d'encre.

■ Le MMPI (Minnesota Multiphasic Personality Inventory, ou *test multiphasique d'évaluation de la personnalité du Minnesota*), qui date de 1949, comporte plusieurs questionnaires dont le score révèle le caractère et les tendances affectives profondes du sujet.

Depuis 1970, l'informatique a accru l'intérêt des tests à la fois en facilitant leur application et en assurant une meilleure fiabilité des résultats. En clinique comme en psychopharmacologie, les échelles d'évaluation de symptômes sont de plus en plus employées ; les plus connues sont l'échelle de Hamilton, qui évalue le degré d'anxiété et de dépression, et le DSM III (troisième édition du *Manuel diagnostique et statistique* publié par l'Association américaine de psychiatrie en 1981), qui repose en partie sur des critères descriptifs et quantifiables et représente une tentative de renouvellement de la classification des maladies mentales. Le champ d'application des tests est devenu considérable. On les utilise en psychiatrie (notamment pour confirmer le diagnostic de l'arriération mentale et de la détérioration sénile), en psychologie, en médecine du travail ainsi que pour la sélection et l'orientation professionnelles. Ils ont également un rôle important dans la recherche pharmacologique. Toutefois, les tests de personnalité ne sont qu'une technique d'appoint et ne peuvent remplacer l'évaluation de l'individu au cours d'une relation interpersonnelle.

Test postcoïtal
→ VOIR Hühner (test de).

Test à la potasse
Examen permettant de mettre en évidence, dans les sécrétions vaginales, un petit bacille à Gram négatif, *Gardnerella vaginalis,* responsable d'infections génitales.

DÉROULEMENT
La patiente s'installe en position gynécologique (genoux pliés et écartés), afin de permettre un prélèvement de sécrétions vaginales. Après les avoir recueillies, le médecin les dépose sur une lame de verre et les mélange à une solution de potasse. La présence de *Gardnerella vaginalis* entraîne une réaction spécifique, avec émanation d'une forte odeur caractéristique.

Test respiratoire
Examen qui permet d'apprécier le fonctionnement intestinal par l'analyse de l'air expiré. En anglais, *breath test*.

Le test respiratoire le plus utilisé est le test à l'hydrogène, qui consiste à mesurer la teneur en ce gaz de l'air expiré après avoir fait ingérer au patient une quantité déterminée de sucres (xylose, lactose, glucose, etc.), que digèrent les micro-organismes intestinaux. Une concentration anormale en hydrogène révèle soit une malabsorption du sucre par l'intestin grêle, soit une infection digestive. En effet, les éventuels déséquilibres microbiens de l'intestin grêle entraînent une production accrue d'hydrogène dissous dans le sang et exhalé par les poumons.

DÉROULEMENT
Le patient doit avoir cessé tout traitement antibiotique au cours du mois précédant l'examen et ne pas avoir subi de purge (préparation pour examen radiologique de l'intestin, par exemple) dans les 15 derniers jours précédant le test. Le matin de l'examen, il doit être à jeun.

Le patient expire profondément dans un long tuyau en plastique ; dans un embranchement de celui-ci, le gaz est prélevé à l'aide d'une seringue et analysé. Plusieurs prélèvements sont pratiqués : un ou plusieurs avant ingestion du sucre, et ensuite un toutes les demi-heures pendant 4 heures.

L'examen dure de 5 à 8 heures. Il n'entraîne aucun effet indésirable. Ses résultats sont immédiatement connus.

Test de Schilling
→ VOIR Schilling (test de).

Test de Schirmer
→ VOIR Schirmer (test de).

Test de stimulation
Examen permettant d'étudier la dynamique d'une sécrétion hormonale en administrant un produit analogue à un stimulant physiologique connu de cette sécrétion puis en mesurant la réponse à cette stimulation.

Une seule mesure statique ne permettant pas d'apprécier finement le caractère pathologique ou non d'une sécrétion, plusieurs mesures (dosage du taux sanguin ou urinaire de l'hormone étudiée) sont effectuées, avant et après injection du produit de stimulation. Le test au Synacthène est un exemple de cette méthode : une réaction négative (faible sécrétion de cortisol) à l'injection de ce produit de synthèse, qui stimule normalement la sécrétion de corticostéroïdes par les glandes corticosurrénales, oriente le diagnostic vers une insuffisance surrénalienne.

Test de la sueur
Examen ayant pour but la mise en évidence d'une sécrétion de sueur anormalement riche en chlorure de sodium.

Un taux trop élevé de chlorure de sodium dans la sueur constitue l'un des signes de la mucoviscidose, maladie héréditaire principalement caractérisée par un trouble de la sécrétion muqueuse, responsable d'atteintes respiratoires et pancréatiques graves. Le test est donc pratiqué, en général chez le nourrisson, pour dépister cette maladie.

DÉROULEMENT
Le test de la sueur est indolore et ne nécessite aucune préparation particulière. Il se pratique au cours d'une hospitalisation. En général, le nourrisson reste dans sa chambre, et l'examen est réalisé à son chevet. La chambre doit être au préalable un peu surchauffée de façon à stimuler la sécrétion de sueur. On applique alors sur l'avant-bras de l'enfant, au moyen d'une bande, une électrode de recueil, réalisant un dosage automatique du chlorure de sodium, constituée par une membrane perméable à la sueur et reliée à un appareil de mesure. La durée totale de l'examen est de 5 à 7 minutes. Le résultat est connu immédiatement ; il est pathologique au-delà d'une concentration en chlore de 60 millimoles par litre. Toutefois, cette valeur doit être retrouvée lors de deux examens successifs, pratiqués à quelques jours d'intervalle, pour que le diagnostic soit posé avec certitude.

EFFETS INDÉSIRABLES
Le surchauffage de la pièce peut être à l'origine d'un léger inconfort pour le nourrisson. Cependant, le risque de déshydratation est inexistant, compte tenu de la brièveté de l'examen.

Test au Synacthène
→ VOIR Synacthène (test au).

Test à la TRH
Épreuve utilisant la TRH (abréviation de l'anglais *Thyrotropin Releasing Hormone,* hormone libérant de la thyrotropine) afin d'étudier la réponse d'hormones hypophysaires, dont la sécrétion est normalement stimulée par la TRH, au cours de maladies touchant l'hypothalamus ou l'hypophyse.

La TRH est élaborée par certaines cellules nerveuses de l'hypothalamus ; elle se fixe sur les récepteurs de certaines cellules de la partie antérieure de l'hypophyse, responsables de la sécrétion d'hormone thyréotrope, ou TSH, dont le rôle est de stimuler le fonctionnement de la glande thyroïde, et de la sécrétion de prolactine (hormone assurant la montée laiteuse en fin de grossesse). La TRH stimule ainsi la production hormonale de ces cellules.

TECHNIQUE
Ce test consiste à injecter au patient, par voie veineuse, de la TRH synthétique identique au produit naturel, puis à effectuer des dosages de TSH ou de prolactine dans des prélèvements successifs de sang veineux afin de mesurer la réponse (sécrétion de TSH ou de prolactine) à cette stimulation.

DÉROULEMENT
Le test se déroule en laboratoire spécialisé ou à l'hôpital, le matin entre 8 et 9 heures, la sécrétion des hormones étudiées étant très sensible au stress et à l'activité physique. Il dure selon le cas de 25 minutes à 2 heures. Le patient doit être à jeun et rester allongé pendant la durée de l'examen. On installe dans une de ses veines un cathéter qui permettra de réaliser des prélèvements successifs de sang veineux.

■ Le test à la TRH étudiant la sécrétion de prolactine nécessite le plus souvent 6 prélèvements réalisés à 0, 15, 30, 45, 60 et 120 minutes de l'injection de TRH. Chez un patient souffrant d'une sécrétion excessive de prolactine, un test positif oriente vers une cause non hypophysaire, un test négatif vers une lésion de l'hypophyse (adénome).

■ Le test à la TRH étudiant la sécrétion de TSH nécessite 3 prélèvements sanguins réalisés à 0, 15 et 30 minutes de l'injection. Chez un sujet hypothyroïdien, une réponse positive mais faible oriente le diagnostic vers une lésion de l'hypophyse. Dans ce cas, la réponse peut être retardée, et il est parfois nécessaire de prolonger le test et d'effectuer des prélèvements supplémentaires à 60, 90 et 120 minutes de l'injection.

EFFETS INDÉSIRABLES

Dans certains cas, le patient ressent au moment de l'injection une bouffée de chaleur ou un léger malaise passager. Le test à la TRH n'entraîne qu'exceptionnellement des accidents allergiques.

Le patient peut immédiatement reprendre ses activités une fois l'examen terminé.

Testicule

Gonade (glande sexuelle) mâle. (P.N.A. *testis*)

Les testicules sont au nombre de deux. Chez le fœtus, ils sont situés dans l'abdomen, mais ils descendent dans les bourses avant la naissance en général, parfois un peu plus tard. Ils restent de petite taille jusqu'à la puberté, puis augmentent alors de volume pour atteindre peu à peu leur taille adulte.

STRUCTURE

Le testicule est un ovoïde de 4 à 5 centimètres de longueur, de 2 à 3 centimètres de largeur et de 2,5 centimètres d'épaisseur. Il pèse une vingtaine de grammes. C'est un organe à la consistance ferme, enveloppé par une membrane fibreuse lisse, l'albuginée. Il est divisé en lobules et contient des canalicules, les tubes séminifères, et des cellules dites de Sertoli, qui assurent l'élaboration des spermatozoïdes, ou spermatogenèse. Les tubes séminifères se réunissent pour former un réseau de canaux, le *rete testis*, à partir duquel 10 à 12 canaux efférents gagnent l'épididyme, petit organe allongé sur le bord postérieur du testicule. C'est de l'épididyme que part le canal déférent, qui transporte les spermatozoïdes vers les vésicules séminales et l'urètre. L'ensemble constitue les voies spermatiques. Les tubes séminifères sont enrobés dans du tissu conjonctif contenant les cellules de Leydig, qui sécrètent l'hormone mâle, la testostérone.

FONCTION

Le testicule possède deux fonctions, déclenchées à la puberté et contrôlées en permanence par un système de régulation neuroendocrinien, lequel est assuré par une glande située à la base du cerveau – l'hypophyse – et par une formation cérébrale – l'hypothalamus – obéissant elle-même à un rétrocontrôle hormonal.

■ La fonction exocrine est la spermatogenèse, condition préalable à toute reproduction, qui peut être assurée par un seul testicule.

■ La fonction endocrine est la sécrétion hormonale de testostérone, qui non seulement induit la spermatogenèse mais est responsable des importantes modifications

Les deux testicules, glandes génitales masculines, sont logés dans un sac situé sous le pénis, les bourses. Contrairement aux ovaires, ils ont une activité continue (et non cyclique) : ils contiennent les tubes séminifères, où s'élaborent les spermatozoïdes, et produisent en outre une hormone sexuelle, la testostérone, indispensable au bon fonctionnement du système de reproduction masculin.

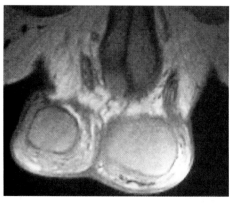

L'imagerie par résonance magnétique (I.R.M.) permet de voir les deux testicules à l'intérieur de leur enveloppe, les bourses, ou scrotum.

Localisation du testicule

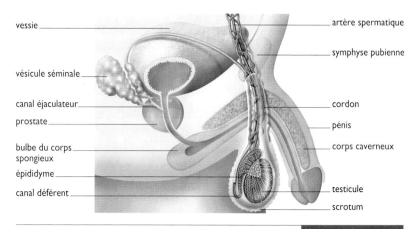

- vessie
- vésicule séminale
- canal éjaculateur
- prostate
- bulbe du corps spongieux
- épididyme
- canal déférent
- artère spermatique
- symphyse pubienne
- cordon
- pénis
- corps caverneux
- testicule
- scrotum

pubertaires et du développement des caractères sexuels secondaires masculins (pilosité, mue de la voix, répartition musculaire, etc.).

EXAMENS

L'examen clinique (observation, palpation) est complété, si nécessaire, par l'échographie, le spermogramme (analyse du sperme), la biopsie, les dosages hormonaux (testostérone, hormones folliculostimulante [FSH] et lutéinisante [LH]) et l'étude de marqueurs tumoraux, tels que l'alpha-fœtoprotéine et l'hormone chorionique gonadotrophique, permettant d'évaluer le type histologique de certains cancers.

PATHOLOGIE

Avant la puberté, la descente des testicules depuis la cavité abdominale jusque dans les bourses, par le canal inguinal, est nécessaire, car la température interne du corps est trop élevée pour permettre la spermatogenèse. L'absence de descente des testicules dans les bourses, ou cryptorchidie, peut appeler un traitement chirurgical. D'autres anomalies concernent les tubes séminifères, dont l'atrophie entraîne une stérilité. Une insuffisance de développement testiculaire peut être d'origine chromosomique (syndrome de Klinefelter) ou hypophysaire (syndrome de Kallmann-De Morsier). La varicocèle (dilatation variqueuse des veines du testicule), le plus souvent anodine, entraîne parfois une stérilité, et l'hydrocèle (épanchement de sérosité autour du testicule et de l'épididyme) peut nécessiter un traitement chirurgical. Enfin,

le testicule peut être le siège d'une tumeur, bénigne ou maligne, d'une torsion, d'une rupture due à un traumatisme, d'une infection bactérienne ou virale (en particulier tuberculose, oreillons, lèpre, etc.). Par ailleurs, l'alcoolisme chronique a un effet toxique direct sur le tissu testiculaire et sur sa double fonction.

Testicule (cancer du)

Cancer qui se développe le plus souvent aux dépens des cellules germinales du testicule, sous la forme d'un séminome, d'un dysembryome (ou tératome), d'un choriocarcinome ou d'un carcinome embryonnaire.

Le cancer du testicule atteint les hommes de 15 à 45 ans. Une cryptorchidie (localisation anormale du testicule) en multiplie le risque de survenue par 48.

SYMPTÔMES ET DIAGNOSTIC

Le cancer du testicule se traduit par une augmentation de volume indolore de la bourse. Le diagnostic repose sur l'échographie du testicule, puis sur le dosage de certains marqueurs sanguins comme l'alpha-fœto-protéine et la fraction bêta de l'hormone chorionique gonadotrophique. Une radiographie pulmonaire et un scanner de l'abdomen et du petit bassin permettent de dépister d'éventuelles métastases, en particulier ganglionnaires.

TRAITEMENT

Il repose sur l'orchidectomie (ablation chirurgicale du testicule) et sur un traitement radiothérapique ou chimiothérapique complémentaire, qui dépend du stade d'évolution et de la nature histologique de la tumeur. Les séminomes sont en général traités par irradiation des aires ganglionnaires abdominales et thoraciques. Les autres tumeurs germinales sont simplement surveillées lorsqu'elles ne présentent aucune métastase ou sont traitées par chimiothérapie si des métastases sont décelées. Ces traitements n'ont aucune incidence sur la qualité de l'érection mais ils sont très agressifs pour les cellules germinales du testicule sain restant et peuvent entraîner une stérilité. Pour cette raison, on propose aux patients qui le désirent de conserver leur sperme avant le début du traitement.

PRONOSTIC

Le pronostic des cancers du testicule est le plus souvent excellent (entre 80 et 95 % de guérisons), excepté celui du choriocarcinome, à évolution particulièrement maligne.

Testicule (ectopie du)

→ VOIR Cryptorchidie.

Testicule (torsion du)

Enroulement du cordon spermatique sur lui-même, provoquant un arrêt de la vascularisation du testicule. SYN. *torsion du cordon spermatique*.

La torsion est favorisée par une mobilité anormale du testicule dans sa bourse, par exemple parce que celui-ci est mal attaché aux membranes qui l'entourent (membrane vaginale testiculaire, notamment).

SYMPTÔMES ET ÉVOLUTION

La torsion testiculaire survient le plus souvent chez l'enfant, plus rarement chez l'adulte jeune. Elle se manifeste par la survenue brutale d'une douleur testiculaire unilatérale, irradiant vers l'aine et l'abdomen, avec nausées. Le testicule est brutalement et rapidement très douloureux. Il n'y a pas de signes d'infection, en particulier pas de fièvre, ni de douleurs mictionnelles. En l'absence de traitement, le testicule, qui n'est plus vascularisé, peut se nécroser, ce qui entraîne une perte irréversible de ses fonctions hormonales et de l'élaboration des spermatozoïdes. Cependant, lorsque le testicule restant n'est pas atteint, cela n'a aucune incidence ni sur la fertilité ni sur la puissance sexuelle du sujet.

TRAITEMENT

La torsion du testicule est une urgence. L'ouverture chirurgicale de la bourse permet de détordre le pédicule spermatique. Si le testicule semble bien vascularisé, il est fixé à la paroi scrotale afin d'éviter toute récidive ; si, en revanche, il est nécrosé, son ablation s'impose. Dans tous les cas, le testicule opposé, qui présente presque toujours les mêmes anomalies, doit être fixé à titre préventif soit pendant l'intervention, soit au cours d'une intervention ultérieure.

Testicule féminisant

Anomalie congénitale caractérisée par l'absence plus ou moins complète des organes génitaux mâles externes.

CAUSES

Le testicule féminisant est une forme de pseudohermaphrodisme masculin (caractérisée par l'absence d'organes génitaux externes ou par la présence d'organes plus ou moins féminins), due à une insensibilité des organes aux androgènes (essentiellement à la testostérone). Le mécanisme en cause est un déficit quantitatif ou qualitatif des récepteurs cellulaires aux androgènes, dont le rôle est de permettre à la testostérone de se fixer dans la cellule pour y porter son message. Les sujets atteints ont un caryotype masculin XY normal et une sécrétion de testostérone normale, mais la testostérone reste inefficace, ce qui entraîne l'absence totale ou partielle de masculinisation (pénis absent ou plus ou moins bien formé et testicules dont la localisation est interne).

DIFFÉRENTS TYPES DE TESTICULE FÉMINISANT

On distingue deux formes cliniques de cette anomalie.

■ La forme complète est une maladie héréditaire très rare, transmise sur un mode récessif et liée au sexe (la maladie se transmet par l'un des deux chromosomes X de la mère, et uniquement aux garçons). Elle entraînerait un déficit complet (absence ou non-fonctionnement) des récepteurs aux androgènes et se caractérise par l'absence totale de différenciation masculine durant l'embryogenèse et par l'absence de caractères virils à la puberté. L'aspect physique est purement féminin, sans ambiguïté à la naissance : vulve formée, mais vagin court et utérus absent. Le diagnostic est parfois porté dans l'enfance à la suite de la découverte de testicules intra-abdominaux ou inguinaux. À la puberté, les seins se développent, mais il existe une aménorrhée (absence de règles) et une absence de pilosité axillaire et pubienne. L'orientation psychosexuelle est féminine. Le traitement implique une ablation des testicules après la puberté –car ceux-ci risquent de dégénérer en tumeurs malignes –, suivie d'un traitement œstroprogestatif substitutif afin d'entretenir les caractères sexuels secondaires féminins.

■ La forme incomplète, exceptionnelle, est une anomalie familiale qui serait due à un dysfonctionnement des récepteurs aux androgènes. Elle se traduit par une ambiguïté sexuelle à la naissance ou, le plus souvent, par une masculinisation incomplète à la puberté (développement des seins, verge de petite taille, anomalie de position des testicules, pilosité peu abondante). Le traitement à la naissance peut faire appel à la chirurgie après choix du sexe. Plus tard, on peut favoriser la masculinisation en prescrivant des doses massives d'androgènes.

Testostérone

Principal androgène (hormone mâle), sécrété par les testicules chez l'homme et par les ovaires et les glandes surrénales chez la femme.

STRUCTURE ET PHYSIOLOGIE

La testostérone est une hormone stéroïde (dérivée d'un stérol), sécrétée chez l'homme par les cellules de Leydig des testicules sous la stimulation d'une hormone hypophysaire, l'hormone lutéinisante (LH). Elle circule dans le plasma sanguin, liée à des protéines, plus particulièrement à la *Sex Binding Protein* (SBP). La sécrétion masculine de testostérone débute dans la vie in utero puis s'interrompt presque complètement après la naissance pour reprendre lors de la puberté. La testostérone est nécessaire à la spermatogenèse (production des spermatozoïdes) et au développement des organes génitaux, donc à la fertilité. La testostérone a aussi un rôle anabolisant dans le métabolisme des protéines et favorise ainsi le développement des muscles. Elle est responsable de l'apparition et du maintien des caractères sexuels secondaires masculins (répartition de la musculature, de la pilosité, mue de la voix et libido). Elle est nécessaire au développement des os et intervient également dans le métabolisme des lipides et des glucides.

Chez la femme, cette hormone est synthétisée en faible quantité par les ovaires et les glandes surrénales. Elle sert de précurseur aux œstrogènes.

PATHOLOGIE

Les déficits en testostérone sont observés chez l'homme en cas d'insuffisance testiculaire, hypophysaire ou hypothalamique. La testostérone physiologique peut alors être remplacée par des injections de testostérone retard ou par la prise de comprimés. Chez la femme, un taux élevé de testostérone, accompagné d'hirsutisme (développement excessif de la pilosité), peut être le signe d'une tumeur ovarienne ou surrénalienne.

Tétanie

État pathologique caractérisé par des crises de contractures musculaires.

CAUSES

Une tétanie correspond à deux formes d'affections. La première, la plus rare, peut être due à une diminution de la concentration du calcium sanguin (hypocalcémie), comme dans les rares cas observés d'hypoparathyroïdie, mais également à une diminution du magnésium ou du potassium (hypokaliémie), ou encore à une alcalose, c'est-à-dire à un excès de bases (substances alcalines) dans l'organisme. La seconde forme de tétanie, plus fréquente, à laquelle on réserve en général le nom de spasmophilie et qui est aussi appelée parfois tétanie normocalcémique, n'a pas de cause précise : déficits en magnésium ou en calcium trop faibles pour être mesurés, facteurs psychologiques. L'existence de la spasmophilie, en tant qu'affection autonome, n'est pas unanimement reconnue.

Le mécanisme en jeu est une hyperexcitabilité neuromusculaire, les nerfs et les muscles qu'ils commandent devenant trop sensibles aux diverses stimulations, ce qui provoque l'apparition des symptômes. L'hyperexcitabilité, surtout dans le cas de la spasmophilie, peut être la conséquence d'une hyperventilation (respiration trop ample ou trop rapide) causée par un effort physique ou par l'anxiété ; il se produit alors une petite alcalose, qui favorise les troubles du calcium et leur expression.

Le tétanos est dû à l'infection d'une plaie ou parfois même d'une piqûre par une bactérie, le bacille de Nicolaier, qui sécrète une toxine agissant sur les nerfs contrôlant l'activité musculaire. Dans les pays en développement, le tétanos atteint fréquemment les nouveau-nés par contamination du moignon ombilical.

SYMPTÔMES ET SIGNES

La tétanie comprend habituellement des crises épisodiques et des symptômes permanents, mais l'un de ces deux éléments peut être atténué ou absent.

■ **Les crises de tétanie,** fréquentes, sont caractérisées par des contractures musculaires (contractions fortes et prolongées) des mains (doigts serrés en cône), parfois des pieds, plus rarement du visage. Le signe de Trousseau, caractéristique, associe des crampes de la main et un raidissement des doigts, qui se resserrent en « main d'accoucheur ». Le malade se plaint en même temps de fourmillements dans les mains, dans les pieds et autour de la bouche. Il existe des crises graves, mais uniquement dans la forme due à une hypocalcémie, le risque étant lié au spasme du larynx, qui entraîne une gêne respiratoire aiguë. La spasmophilie, parfois gênante, est toujours bénigne : les crises, moins accentuées, se limitent à une sensation de malaise et à quelques fourmillements. Elles ont tendance à s'atténuer avec l'âge. Il n'y a pas de perte de connaissance pendant la crise, qui cesse spontanément.

■ **Les symptômes permanents,** persistant entre les crises, sont des crampes, des fourmillements, une anxiété, une insomnie ou une fatigue.

DIAGNOSTIC

La percussion du nerf facial près de l'angle de la mâchoire peut provoquer une contraction des lèvres. L'application d'un garrot au bras peut déclencher le signe de Trousseau (accès de contracture). Si le dosage du calcium sanguin ne révèle pas de déficit, il est probable qu'il s'agit d'une spasmophilie.

TRAITEMENT

Le traitement dépend de la forme de tétanie.

■ **La forme due à une cause précise** est obligatoirement traitée, au besoin en urgence (injection intraveineuse de calcium).

■ **La spasmophilie** est parfois traitée par la prescription de calcium, de magnésium ou de vitamine D, éventuellement associés, bien qu'il n'y ait pas de preuve scientifique de l'efficacité de ce traitement. On recommande souvent de respirer dans un sac plastique quand la crise commence, l'ouverture du sac étant plaquée le plus longtemps possible autour de la bouche, ce qui empêcherait l'alcalose due à l'hyperventilation. En traitement de fond, une psychothérapie ou l'administration d'un anxiolytique peuvent également être indiquées.

Tétanisation

État pathologique caractérisé par une contraction spontanée et prolongée des fibres musculaires sous l'influence d'une succession de stimuli.

Une tétanisation se produit en cas de tétanie ou de spasmophilie.

Tétanos

Maladie infectieuse due à une bactérie à Gram positif, le bacille de Nicolaier, ou *Clostridium tetani.*

Le bacille de Nicolaier vit sous forme de spores dans la terre et dans l'intestin des

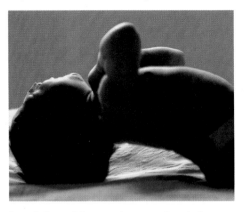

La maladie se déclare par des contractions douloureuses des muscles de la mâchoire, puis de ceux du cou et du tronc, donnant au corps une attitude caractéristique.

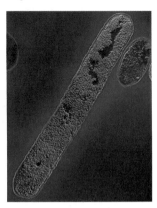

L'agent du tétanos, Clostridium tetani, *ou bacille de Nicolaier, est une bactérie en forme de bâtonnet.*

mammifères. Il est retrouvé avec une fréquence particulière dans le sol des écuries ou dans les sols souillés par du crottin de cheval. Environ 500 000 personnes par an sont atteintes du tétanos dans le monde.

CAUSES

Le tétanos est transmis à l'homme à la faveur d'une lésion cutanéo-muqueuse (blessure, morsure), que la plaie soit profonde ou au contraire très légère, voire infime, telle une égratignure, une piqûre de rosier, une écharde, etc. Dans ces conditions, la plaie peut très bien passer inaperçue. Ce peut aussi être une lésion chronique qui n'attire pas l'attention à ce titre, comme un ulcère variqueux de la jambe.

Le tétanos survient parfois, chez les personnes non vaccinées contre cette maladie, après une intervention chirurgicale sur un foyer septique, notamment en cas de réintervention sur le tube digestif, sur un foyer de fracture ou après un avortement (tétanos *post abortum*). Le nouveau-né peut contracter la maladie à partir de la plaie ombilicale lorsque, selon une coutume propre à certains pays en voie de développement, on applique de la terre sur le moignon ombilical. Le tétanos se déclare dans ce cas dès la première semaine de la vie, dès lors que la mère n'a jamais été vaccinée et n'a donc pas pu transmettre à l'enfant ses propres anticorps.

SYMPTÔMES ET SIGNES

Les symptômes du tétanos sont déterminés par l'action de la toxine du germe, exotoxine (toxine libérée dans le milieu extérieur) neurotrope (se fixant électivement sur le tissu nerveux) qui déclenche des effets neuromusculaires (contractures). Cette fixation est irréversible, l'action de la toxine s'épuisant lentement en 3 semaines.

Après une incubation de 3 à 30 jours, le premier signe, toujours très évocateur, est un trismus (constriction des mâchoires due à la contracture involontaire des muscles masticateurs). La mastication devient douloureuse en quelques jours, parfois plus

rapidement ; le malade n'est pas fiévreux et conserve toute sa lucidité. Le trismus s'accompagne d'une contracture des muscles peauciers du visage, ce qui donne au faciès un aspect particulier : yeux étonnés ou plissés, rire sardonique.

Le tétanos est dit généralisé lorsque le trismus s'accompagne de la contracture, également permanente, des muscles du cou puis du tronc, parfois très intense surtout lors de paroxysmes, qui sont très douloureux. Cette contracture entraîne des attitudes caractéristiques comme celle du tronc en arc de cercle, ou opisthotonos. Cette phase, dite d'extension, dure un ou deux jours, et sa durée constitue le meilleur indice de gravité de la maladie. Lors des paroxysmes, la fièvre s'élève et s'accompagne d'une transpiration abondante et d'une accélération du rythme cardiaque. Une asphyxie peut survenir soit par spasme du larynx, soit par blocage de la cage thoracique.

Le tétanos peut rester localisé à un membre ; il est alors d'une gravité moindre. Le tétanos de Rose est une forme particulière de la maladie, consécutive à une plaie de la face et toujours généralisée.

DIAGNOSTIC ET TRAITEMENT

Le diagnostic repose sur l'examen clinique du malade. Le traitement du tétanos généralisé nécessite une hospitalisation dans un service de réanimation et consiste, en dehors des soins à apporter à la plaie si elle est encore repérable (désinfection, antibiothérapie), à administrer à forte dose du sérum antitétanique humain (gammaglobulines spécifiques) et surtout à faire céder les contractures par des myorelaxants : barbituriques ou benzodiazépines à haute dose, voire curare dans les cas très graves. Le but est d'éviter l'asphyxie en attendant la cessation spontanée des effets de la toxine. Ces drogues entraînent, à ces posologies, une altération de la conscience, recherchée pour minimiser les effets de la douleur et de l'angoisse, mais aussi une dépression respiratoire, qui impose souvent une assistance respiratoire mécanique nécessitant une intubation trachéale ou même une trachéotomie.

ÉVOLUTION

La guérison est obtenue dans plus de 80 % des cas, les séquelles n'étant pas rares : blocages articulaires, ruptures tendineuses et musculaires. Le fait d'avoir eu le tétanos ne confère aucune immunité ultérieure.

PRÉVENTION

La complexité et la longueur (3 à 5 semaines) de ce traitement contrastent avec l'efficacité et la simplicité de la vaccination. Celle-ci est obligatoire et assure une prévention parfaite si elle est bien pratiquée : 3 injections à 1 mois d'intervalle avec rappel 1 an après, puis tous les 10 ans (délai maximum), sans aucune contre-indication. Cette vaccination est souvent associée à la vaccination contre la diphtérie, la coqueluche et la poliomyélite (vaccin DTCP).

En cas de plaie supposée tétanigène, il faut rapidement pratiquer un rappel de vaccin et, en cas de non-vaccination antérieure, une injection de sérum antitétanique humain.

Tête (mal de)

→ VOIR Céphalée.

Tétracycline

Médicament antibiotique actif contre de nombreuses bactéries et certains parasites.

La famille des tétracyclines comprend plusieurs médicaments apparentés à la substance dénommée tétracycline : doxycycline, métacycline, minocycline, oxytétracycline, rolitétracycline. Les tétracyclines agissent en inhibant la synthèse des protéines par les bactéries ; elles sont bactériostatiques, c'est-à-dire qu'elles interrompent la multiplication des bactéries sans les tuer, permettant aux défenses naturelles de l'organisme (polynucléaires) de les éliminer. En raison de leur spectre d'action large, elles sont indiquées dans le traitement de nombreuses infections bactériennes et dans celui de certaines parasitoses (amibiase, oxyurose, infection à trichomonas). Elles sont administrées par voie orale, mais aussi en application cutanée et en injection.

CONTRE-INDICATIONS ET EFFETS INDÉSIRABLES

Les tétracyclines sont contre-indiquées chez la femme enceinte ou allaitant et chez l'enfant de moins de 8 ans (risque de coloration brune définitive des dents).

Les effets indésirables peuvent être des nausées et des vomissements, une diarrhée, un muguet (infection de la bouche par un champignon) dû au déséquilibre de la flore buccale, une toxicité hépatique ou rénale réversible à l'arrêt du traitement, une coloration brune et tenace des dents.

Tétrahydrocannabinol

Principe actif du cannabis.
→ VOIR Cannabis.

Tétraplégie

Paralysie touchant simultanément les quatre membres. SYN. *quadriplégie*.

Une tétraplégie est une perte complète des mouvements des membres ; si la paralysie n'est que partielle (parésie), on parle de tétraparésie ou de quadriparésie. Les causes et le traitement d'une tétraparésie s'apparentent à ceux d'une tétraplégie.

DIFFÉRENTS TYPES DE TÉTRAPLÉGIE

La tétraplégie prend une forme différente selon la localisation des lésions nerveuses, qui sont soit centrales, situées dans la profondeur de la moelle épinière, soit périphériques, siégeant dans les nerfs ou juste avant la sortie des nerfs de la moelle.
■ **Les tétraplégies centrales** font suite à une compression ou à une section de la moelle épinière cervicale par une arthrose vertébrale ou un traumatisme (accident de la circulation avec « coup du lapin »). L'examen clinique révèle un syndrome pyramidal (associant la paralysie à une raideur des muscles, qualifiée de spastique).
■ **Les tétraplégies périphériques** sont constatées habituellement dans les polyradiculonévrites comme la maladie de Guillain-Barré (inflammation des racines des nerfs). La paralysie est alors qualifiée de flasque, du fait d'un relâchement des muscles et d'une abolition des réflexes.

TRAITEMENT

Le traitement est celui de la cause quand il est envisageable et que les lésions nerveuses ne sont pas irréversibles. Par ailleurs, il existe certaines possibilités de traitement symptomatique ou palliatif, comme la rééducation, pour diminuer les conséquences du handicap. La prise en charge est complexe et spécialisée, les résultats variant selon la maladie causale.

Thalamus

Structure du cerveau participant à la réception des informations nerveuses. SYN. *couche optique*. (P.N.A. *thalamus*)

Les deux thalamus, situés de part et d'autre du troisième ventricule, dans la région centrale du cerveau, sont les plus volumineux des noyaux gris cérébraux. Chaque thalamus est subdivisé en plusieurs petits noyaux, dont les plus importants sont

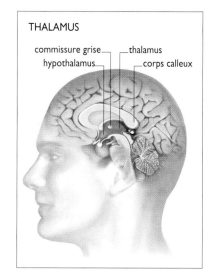

THALAMUS

commissure grise — thalamus
hypothalamus — corps calleux

le pulvinar (extrémité postérieure du thalamus) et les deux corps genouillés, externe et interne, suspendus au pulvinar.

Le thalamus est un centre nerveux qui joue un rôle d'intégration dans la plupart des fonctions nerveuses. Il reçoit les informations sensitives et sensorielles provenant des autres centres nerveux et les analyse avant de les transmettre au cortex cérébral. Plus précisément, les pulvinars interviennent dans le schéma corporel (conscience globale du corps), et les corps genouillés sont des relais le long des voies nerveuses visuelles et auditives.

PATHOLOGIE

Le thalamus peut être le siège d'accidents vasculaires cérébraux, responsables d'un syndrome thalamique : hémiparésie (paralysie unilatérale minime), déficit sensitif global, trouble sensitif dans lequel toute stimulation est ressentie comme douloureuse, hémianopsie (amputation d'un côté du champ visuel).

Thalassémie

Maladie héréditaire caractérisée par un défaut de synthèse de l'hémoglobine, qui se traduit par une microcytose (diminution de la taille des globules rouges) et souvent par une anémie.

FRÉQUENCE

La thalassémie est très répandue sur tout le pourtour de la mer Méditerranée, ainsi qu'au Proche-Orient, en Afrique subsaharienne, en Inde, dans tout le Sud-Est asiatique et dans le sud de la Chine, toutes régions où sévit le paludisme. La thalassémie a en effet pour caractéristique de protéger contre le paludisme, ce qui explique la concentration dans ces zones des personnes qu'elle atteint. Elle se transmet sur un mode autosomique (par les chromosomes non sexuels) et le plus souvent récessif (le ou les gènes en cause devant être reçus du père et de la mère pour que l'enfant développe la maladie).

DIFFÉRENTS TYPES DE THALASSÉMIE

Les thalassémies sont des anomalies génétiques caractérisées par le défaut de synthèse de l'une des chaînes de globine, constituant essentiel de l'hémoglobine. L'hémoglobine comporte, chez l'adulte, deux sortes de chaînes de globine, la globine alpha et la globine bêta, dont la synthèse est sous la dépendance de gènes correspondants. On distingue en conséquence deux grands types de thalassémie, les thalassémies touchant les gènes alpha, ou alphathalassémies, et les thalassémies touchant les gènes bêta, ou bêtathalassémies.

Alphathalassémie

Cette maladie génétique causée par un défaut de synthèse des chaînes de globine alpha a quatre formes : comme il existe deux gènes alpha par chromosome, une alphathalassémie peut résulter du défaut de 1 à 4 de ces gènes.

SYMPTÔMES ET SIGNES

L'atteinte d'un ou de deux gènes alpha n'entraîne qu'une forme mineure de la maladie, sans anémie. L'atteinte de 3 gènes sur 4 entraîne une hémolyse (destruction des

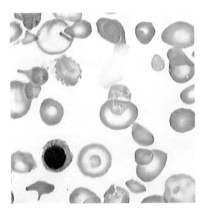

Thalassémie. *Sur ce frottis sanguin, la déformation des globules rouges et la présence anormale d'un de leurs précurseurs (en violet) sont évocatrices de la maladie.*

globules rouges) chronique, qui constitue un handicap plus ou moins sévère. Le pronostic est beaucoup plus sombre dans le cas d'une atteinte des 4 gènes alpha : l'enfant meurt soit avant soit juste après la naissance.

Bêtathalassémie

Cette maladie génétique due à un défaut de synthèse des chaînes de globine bêta a deux formes principales. En effet, il existe normalement un gène bêta par chromosome. Les thalassémies peuvent donc être liées soit à l'un de ces deux gènes (thalassémie hétérozygote), soit aux deux (thalassémie homozygote, ou anémie de Cooley).

SYMPTÔMES ET SIGNES

La bêtathalassémie hétérozygote se caractérise dans les formes les plus sévères par une anémie modérée. L'anémie de Cooley se traduit par une importante anémie, une déformation des os du crâne conférant un faciès mongoloïde, un retard de croissance et une splénomégalie (rate hypertrophiée).

Diagnostic et traitement des thalassémies

Le diagnostic repose sur l'examen du frottis sanguin, qui révèle une poïkilocytose (déformation d'une partie des globules rouges) et la présence d'érythroblastes (précurseurs des globules rouges normalement présents dans la moelle osseuse), et sur l'électrophorèse (séparation des composants d'une solution sous l'effet d'un champ électrique) de l'hémoglobine, qui permet de mettre en évidence des anomalies quantitatives des différentes sortes d'hémoglobine du sujet. Les formes hétérozygotes ne requièrent aucun traitement. Les formes homozygotes justifient des traitements spécialisés.

Dépistage des thalassémies

La gravité de la maladie justifie le dépistage des hétérozygotes en vue d'un conseil génétique, comportant éventuellement la proposition d'un diagnostic prénatal (par biopsie de trophoblaste) lorsque les deux parents sont porteurs d'un gène thalassémi-

que, préalablement mis en évidence dans un prélèvement sanguin.
→ VOIR Cooley (anémie de).

Thalassothérapie

Application à des fins thérapeutiques des propriétés du climat marin, de l'eau de mer, des boues marines, du sable de mer et des algues marines.

L'eau de mer est une eau salée (environ 35 grammes de sel par litre) qui abrite de nombreux éléments vivants, végétaux (phytoplancton) et animaux (zooplancton), qui jouent un rôle primordial dans son équilibre en détruisant certaines bactéries ou en sécrétant des substances antibiotiques ou bactériostatiques.

INDICATIONS ET CONTRE-INDICATIONS

Les principales indications de la thalassothérapie sont les rhumatismes dégénératifs (arthrose), les douleurs vertébrales chroniques, certains troubles gynécologiques d'origine fonctionnelle (congestion du petit bassin, règles difficiles et douloureuses ou irrégulières, rapports sexuels douloureux), des troubles gingivaux (irritation ou congestion des gencives, déchaussements) ou dermatologiques (psoriasis), les retards de croissance, les états de fatigue physique ou psychique, les convalescences, les suites de grossesse, les séquelles de traumatismes de membres et de chirurgie orthopédique.

Les contre-indications concernent les maladies infectieuses en période aiguë, les troubles cardiovasculaires, l'hyperthyroïdie ou l'allergie à l'iode, l'hypertension artérielle, les affections oto-rhino-laryngologiques (otite, sinusite, laryngite, etc.), les cancers et certaines maladies de peau suintantes.

DÉROULEMENT

La durée idéale d'une cure de thalassothérapie est de 7 à 12 jours, de façon que l'organisme ait le temps d'assimiler les oligo-éléments. Le jour de son arrivée, le sujet doit passer une visite médicale qui déterminera d'éventuelles contre-indications à la cure et précisera la nature, le rythme et l'intensité des soins. Pour une remise en forme, quatre soins sont en général proposés parmi les suivants : bains, hydromassages, douches, enveloppements ou bains de boues marines ou d'algues, rééducation en piscine, etc. ; ils sont alternés entre le matin et l'après-midi. Des programmes plus spécialisés (stage antitabac, rééducation du dos, soins spécifiques pour se remettre d'une grossesse éprouvante, etc.) peuvent être prévus. Enfin, un séjour en centre de thalassothérapie peut aussi être l'occasion de démarrer un programme d'amaigrissement (régime basses calories, gymnastique aquatique, etc.).

TECHNIQUES

Les soins dispensés dans un centre de thalassothérapie sont voisins de ceux procurés dans les établissements thermaux.
■ **Les algues marines** s'emploient sous forme de poudre ou d'extrait liquide, en bains ou en applications locales (enveloppements, par exemple).
■ **Les boues marines** sont soit mélangées aux bains d'eau de mer, soit utilisées en applications locales (enveloppements) à une

température de 34 à 35 °C rendue constante à l'aide d'une feuille d'aluminium ou d'une irradiation infrarouge. La peau est préalablement bien humidifiée et frictionnée pour ramollir la couche cornée et augmenter la température du corps.
■ **Les climats marins** (air pur, riche en iode) sont, selon les pays ou les régions, calmants ou stimulants, voire vivifiants.
■ **L'eau de mer** ne doit être ni reconstituée ni transportée, ni ne doit avoir subi de traitement physique (rayonnements) ou chimique (ajout de chlore). Elle s'utilise à une température de 20 à 40 °C, par voie externe (bains, douches) ou interne (irrigations buccales ou vaginales, aérosols, boissons, injections sous-cutanées). Le bain d'eau de mer, individuel, à une température de 34 °C est l'élément de base de la cure. Pour des raisons de densité, le corps est moins lourd dans l'eau salée que dans l'eau douce. La sensation d'apesanteur qui en résulte facilite les mobilisations et la gymnastique aquatique. D'une durée de 20 minutes environ, le bain doit être suivi d'une période au moins égale de repos. La douche au jet, ou « grande douche », se prend en position debout ou assise. Elle est tonique si elle est appliquée à une température basse – de 20 à 30 °C – et à forte pression, sédative si elle est appliquée à une température élevée – de 36 à 38 °C – et à basse pression, avec un jet très large (douche baveuse). La douche affusion, ou « douche horizontale », se prend couché sur le ventre ou sur le dos. Elle peut être associée à un massage manuel permettant un drainage des tissus graisseux sous-cutanés.
■ **Le sable de mer** est habituellement employé en plein air sous la forme de bains associés à des bains de soleil (héliothérapie).

RÉSULTATS

Le sujet peut ressentir une certaine fatigue, tout à fait normale, vers le cinquième jour. Il connaît une sensation de bien-être dès les premiers jours, mais c'est surtout au bout de 15 à 20 jours qu'il commence à ressentir les effets bénéfiques de la cure, qui persistent ensuite pour une durée pouvant aller jusqu'à 6 mois.

Thalidomide

Médicament utilisé pour ses propriétés anti-inflammatoires et immunosuppressives.

Le thalidomide était employé dans les années 1960 comme hypnotique (contre l'insomnie). Prescrit à de nombreuses femmes enceintes, il a provoqué, chez les nouveau-nés, des phocomélies (malformations des membres, les mains et les pieds étant directement rattachés au tronc).

INDICATIONS

Actuellement, le thalidomide est indiqué principalement dans le traitement de la lèpre, du lupus érythémateux disséminé, des aphtes multiples compliquant le sida. Il est également prescrit lors des réactions de rejet de greffe. Sa distribution, rigoureusement réglementée, est assurée exclusivement par les pharmacies hospitalières.

CONTRE-INDICATIONS

Le thalidomide est formellement contre-indiqué chez la femme enceinte, et les femmes en âge de procréer à qui il est prescrit doivent s'engager à suivre un traitement contraceptif efficace pour éviter tout risque de grossesse.

Thallium

Métal de numéro atomique 87 dont un isotope radioactif, le thallium 201, est employé en médecine nucléaire.

Le thallium (Tl) sert principalement à l'exploration scintigraphique du myocarde (muscle cardiaque). Injecté par voie intraveineuse, il se répartit proportionnellement au débit sanguin dans les cellules musculaires cardiaques, via les artères coronaires. La sténose (diminution de calibre) ou la thrombose (obstruction par un caillot) d'une artère coronaire provoque une ischémie (arrêt transitoire ou insuffisance de l'apport de sang et d'oxygène dans un tissu) qui se traduit sur la scintigraphie par une fixation plus faible du thallium dans le territoire mal irrigué que dans les territoires sains. Comme l'ischémie n'est souvent pas décelable à l'état de repos, l'injection du thallium se fait au cours d'un test dit « de provocation ». Ce test peut consister en une épreuve d'effort (sur bicyclette ou tapis roulant) ou, quand celle-ci est irréalisable ou contre-indiquée, en l'administration d'un vasodilatateur (dipyridamole). La scintigraphie du myocarde ainsi obtenue est comparée à celle réalisée, habituellement quatre heures plus tard, dans les conditions de repos.

Cet examen simple et non traumatisant remplace de plus en plus la coronarographie pour le dépistage de l'angor (angine de poitrine). Il permet notamment de différencier les zones d'infarctus non récupérables des zones ischémiques encore viables, qui pourraient bénéficier d'un pontage ou d'une dilatation de l'artère coronaire qui les vascularise.

D'autre part, en raison de l'affinité du traceur pour certaines cellules, la scintigraphie au thallium sert aussi au dépistage de tumeurs cérébrales, pulmonaires ou thyroïdiennes ainsi qu'à la localisation des adénomes parathyroïdiens.

Thénar

Saillie arrondie située sur la paume de la main, dans le prolongement du pouce, correspondant au relief des muscles du pouce. SYN. *éminence thénar*. (P.N.A. *thenar*)

PATHOLOGIE

Le thénar peut s'aplatir lorsque les muscles qui le constituent s'atrophient, par exemple au cours de certaines maladies neurologiques (polynévrite, poliomyélite, sclérose latérale amyotrophique) ou après une section du nerf médian.

Théophylline

Médicament utilisé dans le traitement de l'asthme.

MÉCANISME D'ACTION

La théophylline est incluse dans le groupe des xanthines, auquel appartiennent également la caféine et la théobromine. Elle a des propriétés neurostimulantes, bronchodilatatrices et spasmolytiques.

INDICATIONS

La théophylline et ses dérivés (acéfylline, aminophylline, bamifylline, diprophylline) sont indiqués en cas d'asthme, dans le traitement des crises aussi bien que pour le traitement de fond.

MODE D'ADMINISTRATION

L'administration se fait par voie orale (gélule, comprimé, sirop), par voie rectale (suppositoire) et, dans les urgences, par voie intraveineuse, à l'hôpital.

SURVEILLANCE

La concentration sanguine de théophylline (théophyllinémie) est régulièrement vérifiée, en raison de la faible marge thérapeutique (intervalle entre la dose efficace et la dose toxique) du médicament.

EFFETS INDÉSIRABLES ET INTERACTIONS

Des vomissements, des maux de tête, une excitation et une insomnie, le réveil d'une épilepsie (convulsions), une accélération du rythme cardiaque, des douleurs et des troubles gastriques sont parfois observés. L'association avec certains médicaments comme la troléandomycine (antibiotique) peut augmenter les effets de la théophylline et aboutir à un surdosage. Celui-ci est grave, particulièrement chez l'enfant, car il crée une perturbation du système nerveux (convulsions) ; l'emploi de ce produit est donc toujours prudent et même contre-indiqué avant l'âge de 30 mois.

Thérapeutique

Partie de la médecine qui s'occupe des moyens - médicamenteux, chirurgicaux ou autres - propres à guérir ou à soulager les maladies.

→ VOIR Traitement.

Thérapie comportementale

Méthode de traitement des troubles mentaux reposant sur le déconditionnement et l'apprentissage afin de remplacer un comportement inadapté (une peur panique déclenchée par une situation inoffensive, par exemple) par un comportement adapté.

Les thérapies comportementales ont été inspirées par le béhaviorisme et la réflexologie pavlovienne, qui définissent un symptôme comme un comportement inadapté, lié à un contexte plus large, par exemple à un conditionnement socio-éducatif néfaste. Une fois acquis, ce comportement se renforce : ainsi, plus le sujet phobique a peur, plus il trouve de raisons d'avoir peur.

INDICATIONS

Ce sont les névroses (phobie, hystérie de conversion), les troubles sexuels (éjaculation précoce, impuissance, vaginisme, frigidité), les perversions et certains états psychotiques. Les thérapies comportementales se sont également montrées efficaces dans les problèmes conjugaux et familiaux.

DIFFÉRENTS TYPES DE THÉRAPIE COMPORTEMENTALE

Les thérapies comportementales proposent un certain nombre de techniques.

■ L'immersion, ou « flooding », plonge le patient dans une situation fortement anxiogène, suffisamment longtemps pour que sa réponse anxieuse s'épuise.

■ L'inhibition réciproque, ou désensibilisation, consiste à soumettre le sujet à des stimuli anxiogènes d'intensité croissante, de façon à lui apprendre peu à peu à maîtriser sa phobie ou son inhibition (grâce à la relaxation, par exemple).

■ La thérapie par aversion vise à inhiber le comportement pathologique (tic, bégaiement, symptôme névrotique, alcoolisme) à l'aide d'un stimulus désagréable : secousse électrique, médicament dissuasif, etc.

■ La thérapie par conditionnement opérant s'applique surtout aux sujets atteints de troubles sexuels, d'une névrose ou d'une psychose. Elle consiste à les « récompenser » par un stimulus agréable chaque fois qu'ils reproduisent le comportement désiré par le thérapeute.

■ La thérapie par inhibition conditionnée consiste à demander au sujet de reproduire son comportement pathologique (tic, par exemple), jusqu'à ce que celui-ci disparaisse.

EFFETS SECONDAIRES

On a longtemps craint que la disparition du symptôme ne provoque l'apparition d'un autre symptôme, plus grave encore, mais cette crainte ne semble plus guère fondée aujourd'hui.

Thérapie génique

Méthode thérapeutique utilisant les gènes et l'information dont ils sont porteurs pour traiter une maladie génétique ou pour modifier un comportement cellulaire. SYN. *génothérapie*.

La thérapie génique est aussi envisagée comme une technique thérapeutique applicable à des maladies non héréditaires telles que le cancer ou le sida. Dans ces cas, la stratégie consiste à faire entrer dans les cellules malades (et dans aucune autre) un gène capable de les tuer.

HISTORIQUE

La thérapie génique a été appliquée pour la première fois à l'homme en 1989, aux États-Unis, mais c'est en 1990 seulement que la première expérience à visée véritablement thérapeutique a eu lieu, dans le même pays, au bénéfice d'un enfant atteint d'une maladie héréditaire rarissime, le déficit en adénosine désaminase. Peu après, cette nouvelle méthode gagne l'Europe ; elle est expérimentée pour la première fois en France en 1993.

Au total, dans le monde, près d'une centaine de demandes d'autorisation d'expérimentation utilisant la thérapie génique ont actuellement reçu l'accord des autorités sanitaires ; plus de 80 % concernent le traitement du cancer. Les tentatives de thérapie génique de maladies héréditaires sont encore extrêmement peu nombreuses.

INDICATIONS

La thérapie génique n'a pas d'indications, au sens habituel du terme, puisqu'elle n'est encore qu'au début de sa phase expérimentale : un médecin qui ne participe pas à un travail de recherche ne peut proposer à ses patients de les soigner par thérapie génique. On peut cependant citer les maladies qui ont donné lieu à des expériences thérapeutiques chez l'homme ou qui semblent sur le point d'en faire l'objet : maladies héréditaires (déficit en adénosine désaminase, hémophilie, hypercholestérolémie familiale, mucoviscidose), cancers (leucémie, mélanome malin, cancer des bronches, du cerveau, du côlon, de l'ovaire, du rein, du sein), maladies infectieuses (hépatite virale grave, sida), maladie de Parkinson, etc.

DIFFÉRENTS TYPES DE THÉRAPIE GÉNIQUE

La thérapie génique utilise un gène qu'elle introduit dans des cellules du malade. Selon la nature des cellules touchées, on distingue deux méthodes.

■ **La thérapie génique germinale, ou thérapie génique sexuelle,** consisterait à appliquer la thérapie génique à un embryon, au stade où celui-ci est formé d'un amas de cellules, ou aux cellules germinales (ovules, spermatozoïdes) d'un adulte. Le gène introduit serait alors transmis à toutes les cellules filles des premières cellules embryonnaires, c'est-à-dire à toutes les cellules du futur individu : il y aurait donc modification du patrimoine génétique de l'espèce humaine. De plus, les cellules germinales du futur individu étant touchées comme les autres, le nouveau patrimoine serait transmis héréditairement à toutes sa descendance. Une telle approche thérapeutique viole le principe qui veut qu'on ne touche jamais au patrimoine héréditaire d'un individu et est donc formellement interdite, de peur qu'elle ne soit progressivement utilisée pour des indications non justifiées (par exemple pour corriger des défauts non invalidants mais simplement disgracieux), puis à des fins d'eugénisme. Outre ces problèmes éthiques, la thérapie génique germinale ne peut être pratiquée en raison des dangers qu'elle comporte. En effet, quels que soient les mesures de sécurité prises et les progrès techniques à venir, elle pourrait provoquer une maladie encore plus grave que celle que l'on souhaitait traiter et qui, le patrimoine héréditaire ayant été touché, serait définitivement transmise à tous les descendants du sujet traité.

■ **La thérapie génique somatique** consiste à introduire les gènes exclusivement dans des cellules somatiques (non sexuelles). C'est à cette technique que se limite actuellement le champ d'activité et de recherche en thérapie génique.

PRINCIPES GÉNÉRAUX

La thérapie génique somatique consiste à remplacer dans les cellules du malade le « gène défectueux » (qui est responsable de la maladie) par un gène normal ; dans certains cas, il suffit d'introduire le gène normal sans qu'il soit nécessaire de retirer le gène qui ne fonctionne pas. Ainsi, une greffe d'organe peut être considérée comme un exemple de thérapie génique, au sens large, car l'organe ainsi modifié contient des gènes provenant d'un autre individu (le donneur), destinés à remplacer ceux qui sont défectueux chez le malade.

La thérapie génique somatique repose sur le fait que, dans l'organisme, chaque cellule est spécialisée et ne possède que quelques fonctions qui lui sont propres : ainsi, une cellule du foie peut éliminer certaines substances toxiques (produites par l'organisme ou d'origine alimentaire, comme l'alcool) ou fabriquer de l'albumine mais est incapable de fabriquer des anticorps (ceux-ci étant exclusivement fabriqués par les lymphocytes). Pour soigner une maladie héréditaire, il n'est donc pas nécessaire de corriger le défaut génique dans toutes les cellules de l'organisme mais simplement dans celles des organes touchés : ainsi, en cas de myopathie, maladie congénitale résultant d'une altération des fibres musculaires, la correction du défaut n'est nécessaire que dans les muscles.

TECHNIQUE

Dans la pratique, la technique à employer dépend entièrement de l'organe (ou des organes) en cause. Plus il est difficile d'accès (comme par exemple le cerveau), plus la thérapeutique sera techniquement difficile.

Le cas le plus simple est celui où le défaut se manifeste dans le sang, comme cela se produit dans l'hémophilie, maladie caractérisée par l'absence d'une protéine (le facteur VIII) qui participe au mécanisme de la coagulation. Il suffit alors d'introduire le « bon » gène, produit en laboratoire, soit dans une cellule du sang de très longue durée de vie (lymphocyte, par exemple), soit dans les cellules qui constituent les parois des vaisseaux. Les cellules qui auront reçu le bon gène liront l'information qu'il porte, fabriqueront en conséquence la protéine manquante et la rejetteront dans le sang : le défaut sera ainsi corrigé.

Le problème est plus complexe lorsque le défaut est situé dans une partie très difficilement accessible du corps. Dans le cas de la myopathie, le « bon » gène doit être introduit dans toutes les cellules de tous les muscles. À cette fin, il est indispensable de le confier à un vecteur, élément capable de l'apporter à toutes les cellules qui en ont besoin.

Dans l'état actuel de la technique, les vecteurs les plus utilisés sont des virus rendus inoffensifs par un traitement en laboratoire. Les virus sont en effet capables d'infecter les cellules en s'introduisant en elles. Si le bon gène leur a été ajouté, la cellule infectée le recevra simultanément. Le virus ayant été rendu inoffensif, il n'aura aucun effet, mais la cellule, qui aura ainsi récupéré le bon gène, verra son défaut corrigé.

Dans la pratique, plusieurs stratégies ont été imaginées et commencent à être utilisées. Aucune n'est cependant tout à fait satisfaisante et la thérapie génique restera pour quelques années encore purement expérimentale. Peut-être même les techniques de l'avenir ne sont-elles pas encore découvertes. Aujourd'hui, toutes les tentatives qui ont abouti à un résultat positif sont trop complexes et trop peu efficaces, sur une longue durée, pour être envisagées à grande échelle. Elles permettent cependant, d'une part, de démontrer que la génothérapie n'est pas une utopie mais un grand espoir pour l'avenir et, d'autre part, de mettre en évidence tous les problèmes pratiques qui n'avaient pas été imaginés, compte tenu de l'extrême complexité du corps humain.

Jusqu'à présent, deux stratégies différentes sont en cours de mise au point.

■ **La technique in vitro** consiste à recueillir des cellules de l'individu à traiter (par exemple des lymphocytes, par une simple prise de sang) et à y introduire les bons gènes soit par transfection (technique de laboratoire qui permet d'introduire de l'A.D.N. dans une cellule à noyau), soit grâce à des virus. Ces cellules, qui possèdent alors le bon gène, sont réintroduites dans le sang par une injection intraveineuse. La première expérience de thérapie génique (thérapie du déficit en adénosine désaminase) a été réalisée ainsi. Cette stratégie ne peut être utilisée que pour des défauts génétiques se manifestant dans le sang ou localisés dans des cellules que le sang peut atteindre.

■ **La technique in vivo** consiste en général à associer le bon gène à un vecteur (un virus par exemple), qui sera capable de le transporter là où sa présence est nécessaire. Pour être efficace, il faut que celui-ci soit capable d'accéder spécifiquement à toutes les cellules qui doivent être corrigées et d'y pénétrer. Cette technique reste encore plus théorique que pratique.

Dans certains cas particuliers, il est possible de corriger le gène sans utiliser de virus. Ainsi, le symptôme le plus invalidant de la mucoviscidose est l'augmentation de la viscosité des sécrétions des bronches, à l'origine de difficultés respiratoires ; pour le supprimer, il suffit de corriger les cellules qui constituent les parois des bronches. La solution consiste à fabriquer des microgouttelettes, composées du bon gène que l'on veut apporter et de certaines graisses, et à les mélanger à de l'air pour constituer un aérosol que l'on donne à respirer au malade : les microgouttelettes se déposent sur les cellules qui tapissent les parois des bronches, qui de ce fait captent le bon gène et sont ainsi corrigées. Une autre possibilité de traitement in vivo consiste à créer en laboratoire un minuscule organe artificiel, appelé organoïde, constitué de cellules contenant le gène qui fait défaut au malade. Pour cela, un petit morceau de Téflon est déposé sur une culture de fibroblastes (cellules constituant l'essentiel du tissu conjonctif de l'organisme), qui se fixent spontanément sur lui et prolifèrent, l'ensemble formant alors un tout petit organe artificiel. Comme chacune des cellules qui le constituent contiennent le bon gène, celles-ci peuvent utiliser l'information qu'il porte pour fabriquer la protéine qui manque au malade : cet organoïde est donc comme une petite usine fabriquant la protéine manquante. Il est alors greffé là où celle-ci est nécessaire.

Une dernière possibilité, particulièrement simple, consisterait à introduire le bon gène dans l'organisme du malade par une simple piqûre intramusculaire. Il a en effet été montré que le gène ainsi injecté est capable de pénétrer spontanément dans les cellules musculaires, puis de se propager hors de ces cellules, par exemple dans le sang.

Ces techniques ne peuvent s'appliquer qu'aux maladies héréditaires à transmission récessive ou dues à un défaut d'un seul gène : il « suffit » alors de pallier la fonction manquante en apportant le gène qui pourra l'assurer. Mais, parfois, le problème à résoudre est plus complexe. C'est le cas notamment des maladies polygéniques (où plusieurs gènes sont en cause, le défaut de chacun d'entre eux devant être corrigé) et des maladies héréditaires à transmission dominante, dont les symptômes ne sont pas liés à la perte d'une fonction dont un gène était responsable, mais au fait que le gène altéré conduit à la fabrication d'une substance toxique ; il faut alors non seulement apporter le gène manquant, mais détruire de surcroît le gène défectueux.

Enfin, il est parfois trop tard pour agir. Ce cas se présente principalement lors de maladies neurologiques caractérisées par une destruction ou une altération des cellules nerveuses, qui ne se renouvellent pas. Apporter le bon gène ne sert alors à rien puisque les dégâts sont irréversibles, les cellules ne pouvant être remplacées.

Limites de la thérapie génique

Il est actuellement difficile de parler des résultats de la thérapie génique, puisque celle-ci n'est encore qu'en phase expérimentale. Même si l'on connaissait un pourcentage global d'efficacité, il serait seulement indicatif et n'aurait aucune valeur statistique, étant donné le nombre infime de malades traités. On peut néanmoins indiquer que certaines expériences ont été interrompues à cause d'effets indésirables, et que l'on parle pour l'instant, pour les expériences en cours ou terminées, davantage d'amélioration des symptômes que de guérison.

En outre subsistent deux inconnues notables : l'efficacité à long terme et les effets indésirables probables de cette technique.

EFFICACITÉ À LONG TERME

Le principe général de la thérapie génique est d'introduire le bon gène dans une cellule, qui lira l'information qu'il contient et fabriquera la protéine manquante. Si cette cellule meurt, la correction qui avait été obtenue disparaît donc avec elle. Or, à quelques exceptions près (cellules nerveuses par exemple), les cellules ne vivent pas très longtemps et sont constamment remplacées par de nouvelles. Dans l'état présent de la technique, l'effet thérapeutique obtenu ne peut donc être que transitoire.

Pourtant, dans la phase actuelle des recherches, il s'agit d'un avantage et le maximum est fait pour que les cellules corrigées ne vivent pas trop longtemps. En effet, pendant toute cette période expérimentale, les risques d'échec et d'effets secondaires graves ne peuvent être exclus. Il est donc préférable que la correction ne soit que brève : cela oblige à renouveler fréquemment le geste thérapeutique, mais le gain de sécurité est considérable.

Dans l'avenir, lorsque tous les effets secondaires possibles seront connus et corrigés, le problème de la longévité de la correction sera fonction de la pathologie à traiter. Dans le traitement du cancer ou du sida, une faible durée d'efficacité ne poserait pas de problème car, une fois la tumeur ou les cellules infectées par le V.I.H. détruites, la maladie est guérie. Par contre, en cas de maladie héréditaire, la correction doit persister tout au long de la vie. Il conviendra pour cela de trouver des cellules à durée de vie particulièrement longue et de renouveler périodiquement la thérapie.

EFFETS INDÉSIRABLES

La complexité extrême des gènes et de leur fonctionnement est encore très mal connue. On craint notamment que la thérapie génique ne perturbe de subtiles relations entre gènes. Ainsi, des animaux traités par thérapie génique pour grossir (à des fins de recherche ou d'amélioration de la production agricole) sont devenus stériles pour des raisons encore obscures. C'est pourquoi cette technique est encore réservée à des maladies graves (souvent mortelles) et incurables.

Perspectives de la thérapie génique

En dépit de ces restrictions, il semble que la thérapie génique puisse constituer, dans quelques années ou dizaines d'années, une avancée médicale au moins comparable à la découverte des antibiotiques ou du rayonnement X.

Les techniques de génétique peuvent aussi être utilisées pour produire des médicaments ou des vaccins, même s'il ne s'agit pas à proprement parler de thérapie génique. Ainsi, le traitement du diabète consiste à injecter au patient plusieurs fois par jour l'insuline qui lui fait défaut. Cette hormone, obtenue à partir de pancréas d'animaux, est parfois reconnue comme étrangère par l'organisme du patient. Celui-ci fabrique alors des anticorps qui la détruisent immédiatement. La solution qui consisterait à injecter de l'insuline humaine est irréalisable car il faudrait disposer de milliers de pancréas humains. Il est possible en revanche d'introduire le gène humain permettant la fabrication de l'insuline dans des cellules en culture (bactéries), qui produiront alors de l'insuline humaine qu'il ne reste plus qu'à purifier. La méthode est applicable aussi dans d'autres cas. Par exemple, la protéine qui manque dans le sang des hémophiles (le facteur VIII de la coagulation) peut être extraite du sang humain, mais la substance ainsi obtenue est dangereuse car elle peut contenir des virus (hépatite B ou C, sida). Une solution consiste à la faire produire par des cultures de cellules dans lesquelles le gène humain du facteur VIII a été introduit. Quelques dizaines de protéines sont actuellement fabriquées de cette manière (insuline, facteur VIII, érythropoïétine, TNF ou facteur nécrosant les tumeurs, etc.) : on les appelle protéines recombinantes. À terme, toutes les maladies qui peuvent être soignées par injection d'une protéine manquante pourront bénéficier de cette technique.

Thermalisme

Utilisation thérapeutique des eaux minérales.
SYN. *crénothérapie.*

Il existe différentes eaux minérales, qui se distinguent par leurs composants : résidu sec (ce qui demeure après évaporation de l'eau) associant des éléments minéraux de concentration forte (sulfures, sulfates, chlore, bicarbonates sodique et calcique) ou faible (arsenic, fer, sélénium, éléments radioactifs), gaz (gaz carbonique, hydrogène sulfuré), boues naturelles abritant des micro-organismes. La température à la source (au « griffon ») est variable : de plus de 50 °C à moins de 20 °C ; selon leur température, les eaux sont dites hyperthermales, thermales ou hypothermales.

INDICATIONS ET TECHNIQUES

La composition d'une eau oriente son utilisation thérapeutique : les eaux sulfurées, par exemple, sont principalement connues pour leur effet chez les patients souffrant de maladies respiratoires, oto-rhino-pharyngées ou de rhumatismes ; les eaux bicarbonatées sont très indiquées en pathologie digestive. On reconnaît en France une indication précise pour chaque type d'eau ; dans les autres pays d'Europe, cette disposition n'est pas suivie avec la même rigueur.

Le thermalisme est indiqué dans différentes affections chroniques, en dehors des poussées aiguës, les eaux étant utilisées sous différentes formes :
- dans l'artériopathie des membres inférieurs au stade de douleurs à la marche, sous forme de bains, douches, exercices en piscine et injections de gaz thermal ;
- dans le traitement des maladies digestives et métaboliques (colopathies, obésité, suites

---

Les applications de la thérapie génique aux maladies non héréditaires

Les principales maladies actuellement concernées par la thérapie génique sont le cancer et le sida, mais les indications pourraient s'étendre avec le développement des techniques. Dans l'état présent des recherches, il n'est pas envisageable de guérir les cellules malades. La stratégie consiste au contraire à les détruire sans altérer les cellules saines, ce qui est impossible avec la chimiothérapie classique. Trois principales techniques sont actuellement envisagées :

- modifier, par les techniques de génétique, des cellules du patient (lymphocytes, par exemple), afin qu'elles détruisent les cellules malades (cellules tumorales, par exemple), en faisant en sorte qu'elles fabriquent des substances toxiques pour ces cellules ;
- introduire spécifiquement dans les cellules malades un gène qui, lorsqu'elles le liront, conduira à la fabrication d'un produit toxique qui les tuera ;
- introduire un gène capable de stimuler les défenses immunitaires du patient (dont la déficience a permis le développement de la tumeur).

---

d'hépatite), sous forme de boissons, bains, douches, cataplasmes de boue, exercices en piscine et lavements ;

- en neurologie, sous forme de bains, douches, mouvements en piscine et cataplasmes de boue ;

- dans le traitement des maladies de la peau et des muqueuses (eczéma, psoriasis, couperose, cicatrices, gingivite et glossite, brûlures), sous forme de bains de bouche, bains, douche filiforme sous forte pression, compresses, exercices en piscine ;

- en phlébologie (suites récentes de phlébite, maladies vasculaires), principalement sous forme de bains ;

- dans le traitement des affections psychosomatiques (névroses, dépressions bénignes), le plus souvent sous forme de bains ;

- dans le traitement des affections rénales et du métabolisme, sous forme de boissons et de bains ;

- dans le traitement des maladies respiratoires (sinusites, otites, asthme, bronchites), sous forme de boissons, inhalations, gargarismes, bains et irrigations nasales sous pression, associées à la rééducation respiratoire, au drainage postural et à l'insufflation tubaire ;

- en rhumatologie (arthrose, lombalgies, rhumatisme inflammatoire en dehors des poussées, séquelles de traumatismes), sous forme de bains, douches, mobilisations en piscine, bains et cataplasmes de boue.

DÉROULEMENT

Une cure dure environ deux à trois semaines, davantage dans certains pays, et peut être renouvelée autant que nécessaire. Au cours du traitement, l'eau est utilisée au lieu d'émergence, ou griffon, sous différentes formes (boissons, inhalations, etc.), dont plusieurs sont associées pour traiter une même affection. L'eau est, au besoin, refroidie ou réchauffée avant utilisation. Le climat du site, associé au changement de vie et à l'éloignement du domicile habituel que suppose la cure, contribue aux effets bénéfiques de celle-ci.

Les résultats ne se voient que plusieurs semaines après la cure, voire au bout de plusieurs mois. Le thermalisme permet, dans les affections chroniques, une diminution du nombre et de l'intensité des poussées ainsi qu'une réduction de la consommation médicamenteuse.

CONTRE-INDICATIONS

Les insuffisances hépatiques, rénales et cardiaques graves ainsi que les cancers en évolution constituent autant de contre-indications au thermalisme.

Thermocoagulation
→ VOIR Électrochirurgie.

Thermographie
Examen consistant à visualiser et à enregistrer la chaleur émise par certaines régions de l'organisme.

La thermographie est surtout utilisée pour rechercher les lésions cancéreuses du sein. La technique repose sur la détection de chaleur locale liée à la forte vascularisation des zones atteintes par une tumeur maligne. Les modifications de chaleur sont captées par une caméra à infrarouges placée devant le sein. Cet examen, anodin, sert au diagnostic, au pronostic et à la surveillance des cancers du sein.

La thermographie est aujourd'hui le plus souvent abandonnée en raison de la grande fiabilité des examens radiographique (mammographie) et échographique.

Thermomètre
Instrument destiné à mesurer la température du corps.

Un thermomètre est le plus souvent formé d'un réservoir en verre contenant du mercure, prolongé par une tige creuse et fine disposée devant une échelle graduée de 32 à 44 °C, chaque degré étant subdivisé en dixièmes de degré. Il existe également des thermomètres, dont l'échelle est graduée de 20 à 35 °C, destinés à mesurer la température de personnes en hypothermie (abaissement de la température du corps au-dessous de 36 °C).

Avant chaque prise de température, il est indispensable de secouer brusquement le thermomètre de haut en bas pour faire redescendre le mercure dans le réservoir. La température peut être prise dans le rectum, dans le creux de l'aisselle ou dans la bouche, sous la langue. Le thermomètre doit être laissé en place 1 minute dans le rectum, de 3 à 5 minutes dans les autres cas. Les températures rectale et buccale sont celles qui sont le plus proches de la température centrale du corps ; la température axillaire lui est inférieure de 0,5 degré, qui doivent être ajoutés. La température buccale est plutôt en usage dans les pays anglo-saxons.

L'utilisation du thermomètre est généralement sans danger. Cependant, la prise trop fréquente de la température rectale peut provoquer une ulcération, voire une rectorragie (émission de sang par l'anus). On s'oriente aujourd'hui, pour des raisons d'hygiène, vers l'emploi de thermomètres à usage unique (cutanés, par exemple) ou de sondes thermosensibles. Il est prévu d'arrêter en France l'utilisation du thermomètre à mercure.

ENTRETIEN

Un thermomètre doit être nettoyé à l'eau et au savon ou à l'alcool ; dans ce dernier cas, il faut l'essuyer soigneusement ensuite, car l'alcool irrite les muqueuses et la peau.

Thermophobie
Crainte de la chaleur avec sensation permanente d'avoir trop chaud.

La thermophobie doit être distinguée des bouffées de chaleur de la ménopause, qui sont paroxystiques et s'accompagnent de rougeurs du visage et de sueurs, et aussi des crises sudorales, très fugaces, du phéochromocytome (tumeur, bénigne ou maligne, des glandes médullosurrénales, responsable d'hypertension artérielle) et de l'acromégalie (hypertrophie du crâne, des mains et des pieds due à une hypersécrétion d'hormone de croissance par l'hypophyse).

Une thermophobie est un signe caractéristique d'hyperthyroïdie, les hormones thyroïdiennes stimulant la consommation d'oxygène et donc la libération de chaleur. Elle disparaît avec le traitement de sa cause.

Thermorégulation
Maintien par l'organisme de sa propre température.

La thermorégulation est une fonction complexe, régulée par le système nerveux central, essentiellement par l'hypothalamus (ensemble de formations grises situées dans le troisième ventricule, au centre du cerveau), en coopération avec le système limbique (au centre du cerveau) et la substance réticulée (dans la moelle épinière).

La température du corps est le résultat des phénomènes conjugués de production et de déperdition de chaleur. La chaleur produite, qui s'ajoute à la chaleur reçue de l'extérieur, résulte des réactions chimiques intracellulaires et des contractions musculaires. La déperdition se fait spontanément à travers la peau ; elle est favorisée par la vasodilatation superficielle (dilatation des vaisseaux sanguins de la peau) et par la sudation, suivie de l'évaporation de la sueur. Le maintien d'une température à peu près constante (homéothermie) dans une étroite fourchette de valeurs (de 36,5 °C à 37,3 °C de température rectale) permet aux cellules de l'organisme de vivre dans un milieu équilibré malgré les variations de température du milieu extérieur.

Thiamine
→ VOIR Vitamine B1.

Thoraco-phréno-laparotomie
Incision chirurgicale du thorax, du diaphragme et de l'abdomen.

La thoraco-phréno-laparotomie est une voie d'abord permettant d'opérer, sous anesthésie générale, des organes thoracoabdominaux, par exemple de pratiquer l'ablation des tumeurs, bénignes ou malignes, du foie, de la rate, des glandes surrénales ou de l'extrémité inférieure de l'œsophage, lorsqu'elles sont volumineuses.

Thoracoplastie
Ablation chirurgicale de 3 à 8 côtes.

La thoracoplastie était autrefois employée dans le traitement de la tuberculose pulmonaire par collapsothérapie, technique consistant à provoquer un collapsus (affaissement) d'une zone du poumon pour priver le bacille de Koch de l'oxygène indispensable à sa vie. Lourde de conséquences respiratoires (insuffisance respiratoire) et rachidiennes (déformations scoliotiques), cette intervention est aujourd'hui abandonnée.

Thoracoscopie
→ VOIR Pleuroscopie.

Thoracotomie
Ouverture chirurgicale du thorax.

La thoracotomie, intervention pratiquée sous anesthésie générale, est le premier temps des interventions chirurgicales portant sur les organes du thorax, notamment les poumons et le cœur. Il en existe deux variantes, latérale et antérieure.

■ Dans la thoracotomie latérale, le chirurgien fait une incision entre deux côtes, sous le creux de l'aisselle ; il peut étendre l'incision plus ou moins loin sous le sein ou sous l'omoplate ; il écarte ensuite les deux côtes pour continuer l'opération.

■ Dans la thoracotomie antérieure, le chirurgien fait une incision verticale dans le sternum, puis écarte les deux fragments de cet os ; à la fin de l'opération, le sternum est remis en place et suturé solidement par des fils métalliques.

CONSÉQUENCES

Une thoracotomie peut entraîner des douleurs thoraciques d'une durée très variable, allant selon les sujets d'une dizaine de jours à plusieurs mois, voire plusieurs années, qui rendent souvent nécessaires la prise d'analgésiques et des séances de kinésithérapie respiratoire (massages de la cicatrice, exercices, etc.).

Thorax

Partie supérieure du tronc, séparée de l'abdomen par un muscle appelé diaphragme, contenant les principaux organes de la respiration et de la circulation. (P.N.A. *thorax*)

STRUCTURE

Le thorax s'étend de la racine du cou à la partie haute de l'abdomen. Il s'articule avec les deux membres supérieurs par les articulations scapulohumérales. Il est composé d'une enveloppe cutanée et musculaire, d'un squelette osseux, la cage thoracique, qui contient les deux poumons, l'œsophage, le cœur et les gros vaisseaux qui y parviennent ou s'en détachent.

■ La cage thoracique est formée des 12 vertèbres dorsales, la première s'articulant avec la 7e vertèbre cervicale et la dernière avec la première vertèbre lombaire. Des côtes, au nombre de 12 paires, partent des vertèbres et viennent s'insérer en avant, grâce aux cartilages costaux, sur un os plat et allongé, le sternum. Les deux côtes les plus basses sont libres. Le sternum se compose d'une pièce supérieure, le manubrium, et d'une pièce inférieure, plus grande, prolongée par l'appendice xiphoïde. La cage osseuse ainsi formée est souple et mobile, les côtes s'horizontalisent à l'inspiration et s'abaissent lors de l'expiration.

■ Le diaphragme, limite inférieure du thorax, est un muscle aplati, essentiel pour la fonction respiratoire. Il se compose de deux parties : une partie centrale fibreuse, appelée centre phrénique, et une partie latérale musculaire qui s'insère latéralement sur les côtes et en arrière sur le rachis. En se contractant pendant l'inspiration, le diaphragme augmente le volume du thorax et permet l'expansion des poumons, qui se remplissent d'air.

■ Le médiastin, partie centrale du thorax, contient le cœur, enveloppé par le péricarde ; les gros vaisseaux qui en émergent (aorte et ses branches, artère pulmonaire) ou s'y rendent (veines caves supérieure et inférieure, azygos et veines pulmonaires) ; l'œsophage, le canal thoracique et de nombreux

ganglions lymphatiques. De part et d'autre se trouvent les deux cavités pleurales, à l'intérieur desquelles sont situés les poumons, chacun étant rattaché au médiastin par la bronche principale, droite ou gauche, l'artère et les deux veines pulmonaires.

EXAMENS

L'examen clinique (inspection, palpation, percussion et auscultation) du thorax permet notamment d'étudier cœur et poumons. La prise du pouls et de la tension artérielle renseignent sur la circulation. Les examens complémentaires sont soit globaux (radiographie thoracique, scanner, imagerie par résonance magnétique [I.R.M.]), soit sélectifs :
— pour le cœur, l'échographie, l'électrocardiographie, la scintigraphie myocardique et la coronographie ;
— pour les vaisseaux, l'angiographie (en particulier l'artériographie pulmonaire) ;
— pour les poumons, la scintigraphie, les épreuves fonctionnelles respiratoires, l'examen des gaz du sang et l'endoscopie bronchique ;
— pour la plèvre, la ponction pleurale et la pleuroscopie ;
— pour l'œsophage, l'endoscopie, la manométrie et la radiographie après opacification à l'aide de produits de contraste ;
— pour le médiastin, la médiastinoscopie.

PATHOLOGIE

La paroi thoracique peut être le siège de plaies ou de fractures de côtes. Les principales pathologies affectant les organes du thorax sont les suivantes :

— pour le cœur, l'insuffisance coronarienne, l'infarctus du myocarde, les valvulopathies, les myocardopathies, les péricardites ;
— pour les vaisseaux, les malformations congénitales (coarctation, ou rétrécissement, de l'aorte, persistance du canal artériel, transposition des gros vaisseaux, communication interauriculaire ou interventriculaire), l'anévrysme aortique, l'embolie pulmonaire ;
— pour les poumons, la tuberculose, les pneumopathies, l'asthme, la bronchectasie, l'emphysème, la fibrose, le cancer bronchopulmonaire ;
— pour la plèvre, les pleurésies, les pneumothorax, plus rarement le cancer ;
— pour l'œsophage, l'œsophagite, le reflux gastro-œsophagien, le cancer ;
— pour le médiastin, les adénopathies, les lymphomes, les médiastinites.

Thréonine

Acide aminé indispensable (c'est-à-dire non synthétisable par l'organisme, qui doit le recevoir de l'alimentation), ayant une fonction alcool.

La thréonine entre dans la structure des protéines indispensables à la croissance et à l'entretien des tissus. En outre, elle participe à des réactions chimiques, notamment à la synthèse du glucose par les cellules et à l'utilisation des graisses par le foie.

SOURCES ET BESOINS

La thréonine se trouve dans les protéines alimentaires, celles d'origine animale essen-

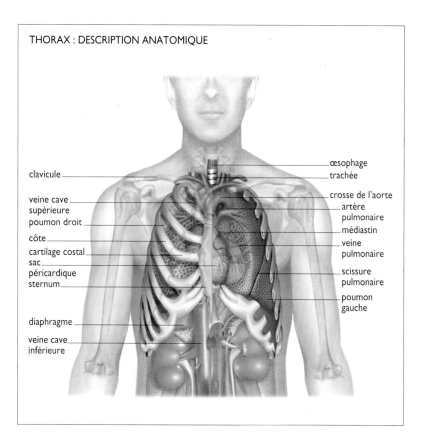

THORAX : DESCRIPTION ANATOMIQUE

clavicule

veine cave supérieure
poumon droit

côte

cartilage costal
sac péricardique
sternum

diaphragme

veine cave inférieure

œsophage
trachée
crosse de l'aorte
artère pulmonaire
médiastin
veine pulmonaire
scissure pulmonaire
poumon gauche

tiellement. Chez l'adulte, les besoins journaliers sont de l'ordre de 0,5 gramme.

DOSAGE

Le taux sanguin de thréonine est ordinairement compris entre 56 et 185 millimoles, soit 7,5 et 22 milligrammes, par litre. Son excrétion urinaire varie entre 125 et 450 millimoles, soit 15 et 53 milligrammes, par 24 heures ; elle augmente normalement en cas de grossesse.

PATHOLOGIE

La maladie de Hartnup est une maladie héréditaire liée à une anomalie du transport de certains acides aminés, dont la thréonine.

Thrill

→ VOIR Frémissement.

Thrombectomie

Traitement chirurgical visant à extraire un thrombus (caillot sanguin) d'un vaisseau.

INDICATION

L'indication la plus fréquente est l'ischémie aiguë d'un membre par interruption (occlusion localisée ou embolie) de la circulation artérielle qui lui est destinée. La thrombectomie est devenue exceptionnelle dans le traitement des embolies pulmonaires massives ou des phlébites.

PRÉPARATION ET DÉROULEMENT

Une thrombectomie nécessite une hospitalisation d'urgence du malade. Le thrombus est localisé une artériographie (radiographie des artères) préopératoire. L'intervention, pratiquée sous anesthésie, consiste en son ablation directe, suivie éventuellement par le passage d'une sonde particulière, la sonde de Fogarty, permettant d'extraire des thrombus situés à distance. La thrombectomie est complétée par un traitement médical à base d'anticoagulants.

COMPLICATIONS

Des saignements, une infection, la formation d'un nouveau thrombus peuvent apparaître après l'intervention.

Thrombine

Enzyme dont l'action principale est de transformer le fibrinogène en fibrine, étape finale de la coagulation plasmatique.

La thrombine dérive de l'activation de l'un des facteurs de la coagulation dont la synthèse dans le foie requiert la présence de vitamine K : la prothrombine. Celle-ci est transformée en thrombine par le facteur de coagulation X activé en présence de calcium et le facteur V activé, qui joue un rôle de catalyseur. Le taux sanguin de prothrombine diminue lors de certains déficits congénitaux et surtout acquis (maladies du foie et obstruction des voies biliaires) ou en cas d'administration d'anticoagulants oraux. Cette diminution est corrigée par l'apport de vitamine K ou de concentrés riches en facteurs II, VII, IX et X.

UTILISATION DIAGNOSTIQUE ET THÉRAPEUTIQUE

La thrombine sert, dans l'examen appelé temps de thrombine, à évaluer la formation de la fibrine lors de la coagulation. Par ailleurs, une solution de thrombine est utilisée localement pour interrompre les

saignements de nez prolongés et les hémorragies locales en cas de greffe de peau.

→ VOIR Temps de thrombine.

Thromboangéite oblitérante

→ VOIR Léo Buerger (maladie de).

Thrombocyte

→ VOIR Plaquette.

Thrombocytémie

Affection caractérisée par une augmentation anormale du nombre des plaquettes sanguines sans cause déterminée. SYN. *thrombocytémie essentielle, thrombocytémie primitive.*

La thrombocytémie, qui fait partie des syndromes myéloprolifératifs, est relativement fréquente et touche en général des sujets âgés d'au moins 20 ans.

SYMPTÔMES ET DIAGNOSTIC

Une thrombocytémie peut se manifester par la thrombose (obstruction par un caillot) d'une ou de plusieurs petites artères ; les veines sont moins souvent touchées. Elle occasionne parfois des douleurs aux mains et aux pieds, souvent calmées par la prise d'aspirine, et une légère augmentation du volume de la rate. Très souvent, il n'y a aucun symptôme et l'anomalie est découverte de façon fortuite à l'occasion d'une prise de sang. Plus rarement, la maladie est révélée par des hémorragies.

Le diagnostic se fonde sur une augmentation considérable du nombre des plaquettes (de 500 000 à plusieurs millions par millimètre cube, alors que le chiffre normal se situe entre 150 000 et 450 000), constatée en l'absence de tout trouble (inflammation, hémorragie, carence en fer, insuffisance fonctionnelle de la rate) pouvant expliquer ce phénomène. La biopsie de la moelle ne met pas en évidence de fibrose.

TRAITEMENT ET PRONOSTIC

En cas d'augmentation modérée du nombre des plaquettes, le traitement consiste à administrer des antiagrégants plaquettaires (aspirine) à petites doses. Si l'augmentation est très forte, ou en cas de risque vasculaire particulier, il est nécessaire de réduire la production de plaquettes au moyen de médicaments dits myélosuppresseurs, comme l'hydroxyurée. Un contrôle régulier du nombre des plaquettes (tous les 3 à 6 mois) est nécessaire. Le pronostic de cette affection est très bon.

Thrombocytose

Affection caractérisée par une augmentation du nombre des plaquettes sanguines, liée à une cause pathologique déterminée. SYN. *thrombocytose réactionnelle.*

Une thrombocytose est une anomalie fréquente, qui s'observe principalement en cas d'inflammation (infection, rhumatisme inflammatoire, cancer avec inflammation), d'hémorragie aiguë, de carence en fer. Elle peut être observée également après une ablation de la rate, le plus souvent de manière transitoire, parfois de manière définitive. Le nombre des plaquettes augmente moins que dans les thrombocytémies

(affections caractérisées par une augmentation du nombre des plaquettes sanguines sans cause déterminée) et reste compris dans la plupart des cas entre 500 000 et 1 million par millimètre cube (le chiffre normal se situant entre 150 000 et 450 000). Il régresse au fur et à mesure que l'affection en cause évolue vers la guérison.

TRAITEMENT

Pour prévenir le risque de thrombose (obstruction d'un vaisseau sanguin par un caillot), un traitement antiagrégant plaquettaire, sous la forme d'aspirine à petites doses, est prescrit jusqu'au retour du nombre des plaquettes à la normale.

Thromboélastographie

Examen consistant à étudier la coagulation du sang total ou du plasma au moyen d'un appareil, le thromboélastographe, qui permet d'enregistrer les phases de la coagulation et d'apprécier la qualité du caillot final.

La thromboélastographie est réalisée à partir d'un prélèvement sanguin du malade. Le sang est placé dans une cuve qui oscille faiblement. Un cylindre y est plongé, sur lequel se forme un caillot. Le thromboélastographe, qui enregistre les étapes de la formation du caillot, permet d'établir un diagramme évoquant, par sa forme, un diapason. Deux paramètres sont pris en compte : le temps de coagulation et l'amplitude maximale (distance maximale entre les deux branches du diapason), qui dépend du nombre des plaquettes, de leur activité et du taux de fibrinogène. En cas de diminution de la capacité du sang ou du plasma à coaguler, les deux branches du diapason se rapprochent et les paramètres sont allongés ; elles s'écartent dans le cas contraire et les paramètres sont raccourcis. Cet examen est aujourd'hui rarement pratiqué.

Thrombolyse

Méthode thérapeutique consistant en l'injection d'une substance thrombolytique (appelée également fibrinolytique), c'est-à-dire capable de dissoudre un caillot sanguin.

INDICATIONS

■ **Les embolies pulmonaires massives** exigent, lorsque la vie du patient est en danger, qu'une thrombolyse soit tentée.

■ **L'infarctus du myocarde** en voie de constitution est l'indication principale. Il est dû, le plus souvent, à l'obstruction d'une artère coronaire par un caillot formé au contact d'un rétrécissement athéromateux.

■ **L'occlusion d'une artère d'un membre,** lorsqu'un caillot s'est formé dans l'artère elle-même ou lorsqu'il a migré à partir de l'oreillette ou du ventricule gauche, peut nécessiter une thrombolyse.

DÉROULEMENT

Le malade est hospitalisé en urgence. Après examen du sang (groupes sanguins ABO et Rhésus, numération-formule sanguine et examens spécifiques selon les cas), la substance destructrice (rt-PA [protéine obtenue par génie génétique], streptokinase [protéine d'origine bactérienne] ou urokinase [enzyme isolée à partir d'urine humaine]) est injectée par voie intraveineuse dans le bras. La durée de la thrombolyse varie en fonction de l'indication. Lors d'un infarctus, par exemple, la perfusion dure environ une heure. Pour une embolie pulmonaire, elle peut durer de 24 à 48 heures. La durée de l'hospitalisation dépend également de la maladie à traiter et des complications éventuelles.

EFFETS SECONDAIRES

Des allergies aux thrombolytiques utilisés, un collapsus (état de choc), des complications hémorragiques, des troubles du rythme liés à la désobstruction du vaisseau endommagé peuvent apparaître.

CONTRE-INDICATIONS

Cette méthode est contre-indiquée en cas d'opération chirurgicale datant de moins de 7 jours, d'accident vasculaire cérébral récent, de lésion susceptible de saigner (comme un ulcère digestif), de ponction artérielle récente ou si le patient est trop âgé.

RÉSULTATS

Ils sont d'autant meilleurs que la thrombolyse aura pu être entreprise tôt, dans les premières heures suivant la constitution du caillot. La coronarographie effectuée dans les heures suivant la thrombolyse a montré que cette dernière désobstruait l'artère dans 50 à 70 % des cas. Globalement, la thrombolyse a diminué la mortalité due à l'infarctus du myocarde de plus de 25 %, ce qui justifie son utilisation systématique chaque fois qu'il y a des arguments suffisants en faveur du diagnostic d'infarctus du myocarde et surtout en l'absence de contre-indications.

Thrombolytique

→ VOIR Fibrinolytique.

Thrombopathie

Affection caractérisée par un trouble de fonctionnement des plaquettes sanguines, sans diminution de leur nombre.

DIFFÉRENTS TYPES DE THROMBOPATHIE

Les thrombopathies peuvent être congénitales ou acquises.

■ Les thrombopathies congénitales relèvent d'anomalies génétiques, classées selon leur localisation : défaut de la membrane des plaquettes, provoquant des troubles de l'adhérence et de l'agrégation plaquettaire (syndrome de Bernard-Soulier, thrombasthénie de Glanzmann) ; trouble de la sécrétion des facteurs de la coagulation par les granulations des plaquettes (syndrome des plaquettes grises, maladie du pool vide) ; absence de synthèse des thromboxanes, substances favorisant l'agrégation plaquettaire.

■ Les thrombopathies acquises s'observent dans diverses pathologies : insuffisance rénale ; affections de la moelle osseuse (syndrome myéloprolifératif, syndrome myélodysplasique, myélome multiple et maladie de Waldenström) ; insuffisance hépatique ; réaction à certains médicaments (aspirine, anti-inflammatoires non stéroïdiens, certains antibiotiques comme la pénicilline lorsqu'ils sont administrés à fortes doses).

SYMPTÔMES ET TRAITEMENT

Les symptômes sont proches de ceux des thrombopénies (affections caractérisées par une diminution du nombre des plaquettes) :

taches hémorragiques sous la peau et les muqueuses (pétéchies et ecchymoses), saignements de nez, règles anormalement abondantes chez la femme ; parfois, mais plus rarement, tendance à la thrombose (obstruction d'un vaisseau par un caillot).

Le traitement d'une thrombopathie se confond avec celui de sa cause : apport de plaquettes dans les thrombopathies congénitales et les syndromes myélodysplasiques, administration de desmopressine (hormone antidiurétique) dans les insuffisances rénale et hépatique.

Thrombopénie

Affection caractérisée par un nombre de plaquettes sanguines au-dessous de la normale, compris entre 150 000 et 400 000 par millimètre cube.

CAUSES

Les causes de thrombopénie peuvent être regroupées en 3 catégories.

■ Les troubles de la production des plaquettes peuvent être consécutifs à une anomalie congénitale (syndrome de Fanconi), à une carence en vitamine B12 ou en acide folique, à une aplasie (destruction de la moelle osseuse par des radiations, par des infections comme la tuberculose ou l'hépatite virale, ou par l'absorption de toxiques variés, dont l'alcool), à une infiltration de la moelle osseuse par une leucémie ou tout autre cancer, enfin à une myélofibrose (transformation fibreuse de la moelle).

■ La destruction excessive des plaquettes peut être soit d'origine non immune, comme dans les coagulations intravasculaires disséminées (formation de microcaillots constitués de fibrine et de plaquettes) et chez les porteurs d'une prothèse cardiaque provoquant une agression mécanique des cellules sanguines, soit d'origine auto-immune : production d'anticorps antiplaquettaires au cours du purpura thrombopénique idiopathique ou des syndromes lymphoprolifératifs, et également chez les porteurs du V.I.H. (virus du sida), ingestion de certains médicaments comme la pénicilline, les sulfamides ou la quinidine, transfusion sanguine ou purpura néonatal survenant en fin de grossesse.

■ Les troubles de la distribution des plaquettes surviennent par suite d'une séquestration de celles-ci dans la rate lors d'un hypersplénisme dû à une hypertension portale (augmentation de la pression sanguine dans le système veineux portal) ou à certaines maladies de la rate. Une thrombopénie par dilution des plaquettes peut être consécutive à des transfusions massives.

SYMPTÔMES ET SIGNES

Dans les formes les plus sévères, on observe des hémorragies de la peau et des muqueuses se traduisant par des taches rouge violacé (pétéchies) ou des ecchymoses, parfois des saignements de nez, plus rarement des saignements digestifs ou cérébraux.

DIAGNOSTIC ET TRAITEMENT

Le diagnostic repose sur la numération des plaquettes, le frottis sanguin, qui donne des résultats plus précis, le temps de saignement

(examen qui consiste à mesurer la durée d'agrégation des plaquettes), qui augmente si le nombre de plaquettes est inférieur à 100 000 par millimètre cube. L'examen de la moelle osseuse oriente le diagnostic : lorsque le nombre des mégacaryocytes (cellules précurseurs des plaquettes) est inférieur à la normale, c'est le mécanisme de production des plaquettes qui est altéré. Lorsque ce nombre, au contraire, est supérieur à la normale, cela implique soit que les plaquettes sont détruites dans la circulation sanguine, soit que les mégacaryocytes ne se transforment pas en plaquettes. Le traitement des thrombopénies dépend de leur cause.

Thrombophlébite

→ VOIR Phlébite.

Thrombose

Phénomène pathologique consistant en la formation d'un thrombus (caillot sanguin, formé de fibrine, de globules blancs et de plaquettes) dans une artère ou une veine.

DIFFÉRENTS TYPES DE THROMBOSE

■ La thrombose d'une artère coronaire peut provoquer une occlusion et, par suite, la survenue d'un infarctus du myocarde, causant une douleur vive, constrictive et prolongée dans la poitrine et l'épaule gauche.

■ La thrombose d'une artère de la jambe entraîne une ischémie aiguë, c'est-à-dire la suppression de l'irrigation de toute une partie du membre, qui aboutit parfois à une gangrène pouvant nécessiter l'amputation. On constate une absence de pouls, une douleur vive, un refroidissement et un pâleur. Les thromboses artérielles du bras sont rares.

■ La thrombose d'une veine, qui survient le plus souvent au niveau du membre inférieur, est responsable d'une phlébite et peut entraîner une embolie pulmonaire en cas de migration du caillot vers le cœur puis vers le poumon. On constate une douleur du mollet, un œdème et une augmentation de la chaleur du membre.

■ Les thromboses de l'appareil digestif peuvent atteindre différents organes, par exemple l'intestin grêle (entraînant une ischémie intestinale) ou le côlon (entraînant une colite ischémique), mais aussi la veine porte (la thrombose étant alors d'origine tumorale ou infectieuse) ou l'anus, en cas de thrombose hémorroïdaire. Des douleurs abdominales aiguës, un syndrome pseudo-occlusif, des hémorragies digestives sont les symptômes de ces thromboses ; ils nécessitent une hospitalisation d'urgence.

■ La thrombose d'une artère à destinée cérébrale (artère carotide primitive ou interne, artère vertébrale ou tronc basilaire) peut être responsable d'un accident vasculaire cérébral ischémique et se manifeste par un déficit sensitif ou moteur correspondant au territoire cérébral atteint. La thrombose d'une veine cérébrale peut se révéler par des maux de tête et des crises d'épilepsie et avoir pour conséquence des accidents vasculaires cérébraux ischémiques d'origine veineuse.

Lorsqu'un thrombus, ou caillot, obstrue une veine, il entraîne une accumulation de sang en amont. Lorsqu'il adhère à la paroi d'une artère, il empêche le sang de parvenir à l'organe ou aux tissus normalement irrigués par celle-ci.

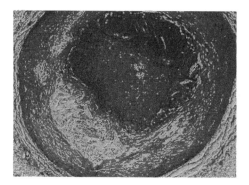

Une fois formé, le caillot (rouge-orangé) active la coagulation, devenant parfois si volumineux qu'il empêche presque complètement le passage du sang (bleu-vert).

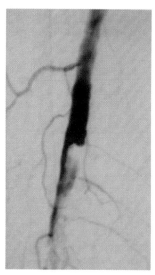

Cette angiographie montre un volumineux caillot obstruant l'artère fémorale (en noir).

CAUSES

Une thrombose peut être favorisée par une plaque d'athérome (dépôt graisseux), par un ralentissement circulatoire (stase sanguine de l'insuffisance cardiaque ou de la polyglobulie) ou par une altération de l'hémostase provoquant un état d'hypercoagulation (déficit en antithrombine III, en protéines C et S). La grossesse, les suites d'une intervention chirurgicale, la prise de contraceptifs oraux ainsi que le tabagisme sont des facteurs favorisants.

TRAITEMENT

Divers médicaments sont utilisés dans le traitement préventif ou curatif de la thrombose : les antiagrégants plaquettaires, tels que l'acide acétylsalicylique et la ticlopidine, les anticoagulants comme l'héparine et les antagonistes de la vitamine K, les thrombolytiques. Une thrombectomie (ablation du thrombus) est pratiquée en cas d'urgence.

Thrombus

Caillot sanguin formé dans un vaisseau (artère, veine) et provoquant une thrombose.
→ voir Thrombose.

Thymectomie

Ablation chirurgicale du thymus (glande située dans la partie antérieure haute du thorax, au-dessus du cœur).

La thymectomie est indiquée en cas de tumeurs bénignes ou malignes du thymus, de myasthénie (maladie neurologique caractérisée par un affaiblissement musculaire) ou d'adénome parathyroïdien ectopique (localisation anormale de l'une des glandes parathyroïdes, qui, au lieu de se trouver derrière la thyroïde, est située sur le thymus). Pratiquée sous anesthésie générale, cette intervention consiste à enlever le thymus après avoir sectionné le sternum. La thymectomie n'a aucune incidence en raison du rôle très atténué du thymus chez l'adulte. En revanche, elle n'est pas pratiquée chez l'enfant, chez lequel elle assure la production des lymphocytes T.

Thymocyte

Cellule du thymus (glande située dans la partie antérieure haute du thorax, au-dessus du cœur).

Les thymocytes sont issus de cellules de la moelle osseuse. Véhiculés par le sang, ils ont migré du thymus essentiellement pendant la vie fœtale et l'enfance. Ils y subissent une différenciation (maturation) au cours de laquelle ils acquièrent la propriété de reconnaître des antigènes. Au terme de cette maturation, ils prennent le nom de lymphocytes T (variété de globules blancs), circulant dans le sang et le système lymphoïde périphérique. Par ailleurs, le thymus est le lieu d'une sélection cellulaire qui aboutit à la « tolérance immunitaire » : y sont éliminés les lymphocytes potentiellement dangereux, ceux qui attaqueraient les constituants de l'organisme. Seules survivent les cellules possédant des récepteurs adaptés à la reconnaissance des substances étrangères à l'organisme, les antigènes.

Thymome

Tumeur bénigne ou maligne développée aux dépens des thymocytes (cellules du thymus).

Un thymome est une tumeur rare qui ne se traduit le plus souvent par aucun symptôme. Seuls les thymomes évolués et volumineux, en comprimant des éléments anatomiques voisins, se traduisent par une douleur thoracique, une gêne respiratoire, un syndrome cave supérieur (dilatation des veines de la partie supérieure du corps). Dans d'autres cas, un thymome peut être révélé par une myasthénie (affaiblissement musculaire).

DIAGNOSTIC ET TRAITEMENT

Le plus souvent, un thymome est découvert de façon fortuite au cours d'une radiographie du thorax. Le scanner thoracique permet de localiser plus précisément cette tumeur et d'en préciser les possibilités d'ablation.

La chirurgie permet d'enlever la tumeur ou au moins d'en faire un prélèvement pour confirmer sa nature maligne ou bénigne.

Cependant, la malignité étant difficile à affirmer d'après le seul examen histologique, cet acte vise plutôt à confirmer le caractère localisé ou invasif (étendu aux tissus de voisinage) de la tumeur. Les résultats de la radiothérapie ou de la chimiothérapie sur les formes invasives sont encore limités.

Thymus

Petite glande située dans le thorax, devant la trachée et dont la fonction est de produire des lymphocytes T (type de globules blancs ayant un rôle essentiel dans la réponse immunitaire de l'organisme). [P.N.A. *thymus*]

FONCTION

Le thymus est un organe lymphoïde dit primaire, constitué d'un réseau de cellules épithéliales dans lesquelles s'insinuent les thymocytes, cellules qui représentent tous les stades de maturation entre les cellules souches lymphoïdes venues de la moelle osseuse et les cellules matures, les lymphocytes T, que l'on trouve dans le sang et qui peuplent les organes lymphoïdes secondaires (ganglions, rate, tissu lymphoïde muqueux). Le thymus assure la production des lymphocytes T à partir de la 8e semaine de la vie embryonnaire. Son activité diminue avec l'âge : il commence à s'atrophier à la puberté et cette involution se poursuit à l'âge adulte, où seule une faible production de lymphocytes T serait maintenue, leur renouvellement étant assuré dans les organes lymphoïdes périphériques.

Le thymus peut être visualisé grâce à la radiographie du thorax.

PATHOLOGIE

Une anomalie congénitale du thymus, rare, entraîne chez le nouveau-né un déficit immunitaire sévère (hypoplasie ou aplasie thymiques [syndrome de Di George]). Elle peut être corrigée par la greffe d'un thymus d'embryon. Par ailleurs, une atrophie thy-

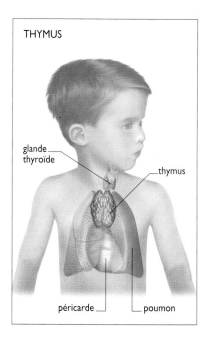

THYMUS

glande thyroïde

thymus

péricarde

poumon

mique pathologique peut être provoquée soit par une augmentation du taux des hormones corticostéroïdes dans le sang, soit pendant une grossesse, soit sous l'influence du stress. Cette atrophie peut être induite par un traitement immunosuppresseur dans le cadre d'une maladie auto-immune. À l'inverse, un certain nombre de cas de myasthénie (maladie auto-immune caractérisée par un affaiblissement musculaire) s'accompagne d'une tumeur du thymus, qu'il faut alors retirer chirurgicalement.

Thyréostimuline

Hormone sécrétée par l'antéhypophyse (partie antérieure de l'hypophyse, petite glande endocrine située à la base du cerveau) et destinée à stimuler la synthèse des hormones thyroïdiennes ainsi que la croissance et la prolifération des cellules thyroïdiennes. SYN. *hormone thyréotrope*.

La thyréostimuline est connue sous le nom de TSH (*Thyroid Stimulating Hormone,* hormone stimulant la thyroïde) ; sa production est stimulée par une hormone hypothalamique, la thyrolibérine (ou TRH), et régulée par les hormones thyroïdiennes : toute élévation du taux sanguin de thyroxine ou de tri-iodothyronine freine la sécrétion de thyréostimuline, et la diminution du taux de ces hormones augmente sa sécrétion.

EXAMENS

La thyréostimuline peut être mesurée dans le sang par une méthode ultra-sensible, extrêmement précise. Ce dosage est très utile pour la surveillance des traitements par les hormones thyroïdiennes. Le taux sanguin normal varie entre 0,2 et 3 micro-unités par millilitre.

PATHOLOGIE

Une élévation du taux sanguin de thyréostimuline traduit presque toujours une hypothyroïdie (diminution de la sécrétion des hormones thyroïdiennes) d'origine thyroïdienne ; sa diminution est souvent le reflet d'une hyperthyroïdie (augmentation de la sécrétion des hormones thyroïdiennes). Ce taux est interprété en fonction de celui de la thyroxine. Un taux de thyréostimuline bas peut aussi révéler un déficit des cellules hypophysaires responsables de la sécrétion de cette hormone, mais le résultat est alors d'interprétation difficile.

Thyroglobuline

Protéine, précurseur des hormones thyroïdiennes, synthétisée par les cellules thyroïdiennes et stockée dans la glande thyroïde.

Une fraction de la thyroglobuline passe dans la circulation sanguine, où il est possible de la mesurer. Son taux reflète la masse et l'activité de la glande thyroïde : élevé en cas de goitre, dans la plupart des hyperthyroïdies et les thyroïdites, il est nul dans les hyperthyroïdies factices par prise abusive d'hormones thyroïdiennes. Le dosage peut cependant être faussé par la présence d'anticorps antithyroglobuline. Son intérêt majeur réside dans la surveillance des cancers thyroïdiens traités par la chirurgie ou l'iode radioactif. En effet, après destruc-

tion totale de la thyroïde, le taux de thyroglobuline doit être nul. La persistance de thyroglobuline dans le sang traduit une récidive locale ou la présence de métastases. C'est donc un marqueur simple et très utile dans le suivi thérapeutique des cancers de la thyroïde.

Thyroïde (cancer de la)

Cancer qui atteint la glande thyroïde sous la forme d'un adénocarcinome (cancer du tissu glandulaire), d'un carcinome (cancer de l'épithélium) ou d'un lymphome (prolifération maligne des lymphocytes).

DIFFÉRENTS TYPES DE CANCER DE LA THYROÏDE

■ Les adénocarcinomes différenciés sont dits de type papillaire ou vésiculaire d'après leur aspect au microscope.

■ Les cancers anaplasiques indifférenciés surviennent plutôt chez les porteurs d'un goitre ancien qui augmente soudain de volume et comprime les structures voisines.

■ Les cancers médullaires de la thyroïde se développent aux dépens des cellules C de la thyroïde.

■ Les lymphomes thyroïdiens, rares, font parfois suite à une thyroïdite de Hashimoto (maladie familiale d'origine auto-immune).

SYMPTÔMES ET SIGNES

Les signes révélateurs peuvent être un nodule thyroïdien perceptible à la palpation, mais qui ne se manifeste par aucun autre symptôme, ou qui entraîne une compression de la glande thyroïde, une augmentation de volume des ganglions du cou ou des métastases pulmonaires ou osseuses, celles-ci précédant parfois la découverte du cancer de la thyroïde.

DIAGNOSTIC ET ÉVOLUTION

La scintigraphie met en évidence un nodule qui fixe moins l'iode que le tissu environnant (nodule « froid ») ; l'échographie, un nodule solide. Le cancer est parfois fortement suspecté devant les résultats de la cytoponction du nodule. L'examen anatomopathologique de la tumeur après son ablation permet de confirmer le diagnostic.

TRAITEMENT ET PRONOSTIC

■ Le traitement des adénocarcinomes différenciés associe le plus souvent la chirurgie (ablation totale de la thyroïde) et, quelques semaines plus tard, l'administration d'une dose d'iode radioactif pour détruire les reliquats thyroïdiens. Pour compenser l'absence de sécrétion des hormones thyroïdiennes, un traitement substitutif par la thyroxine est administré à vie. La surveillance de ce traitement est clinique et biologique (dosage sanguin de la thyroglobuline, notamment).

■ Le traitement des cancers anaplasiques indifférenciés repose sur la chirurgie et la radiothérapie.

■ Le traitement des lymphomes thyroïdiens fait appel à la chimiothérapie et/ou à la radiothérapie, le plus souvent très rapidement efficaces.

Le pronostic des cancers différenciés est très bon dans les formes papillaires et dépend du degré de différenciation et de l'âge du patient dans les formes vésiculaires. En revanche, le pronostic du cancer anaplasi-

que indifférencié est généralement plus réservé. Celui du lymphome thyroïdien dépend de son degré d'évolution.
→ VOIR Thyroïde (cancer médullaire de la).

Thyroïde (cancer médullaire de la)

Cancer de la glande thyroïde développé aux dépens des cellules C de cette glande, qui sécrètent la calcitonine (hormone diminuant le taux de calcium dans le sang).

FRÉQUENCE ET CAUSES

Le cancer médullaire de la thyroïde, rare, ne représente que 3 à 10 % des cancers de la thyroïde. C'est un adénocarcinome (cancer du tissu glandulaire).

Chez 30 % des malades, il est familial et, dans ce cas, soit isolé, soit intégré dans une néoplasie endocrinienne multiple (maladie héréditaire caractérisée par un fonctionnement anormalement important de plusieurs glandes endocrines). Dans tous les autres cas, il survient sans prédisposition familiale et est isolé.

SYMPTÔMES ET SIGNES

Les symptômes révélateurs peuvent être la présence d'un nodule thyroïdien perceptible à la palpation, une diarrhée, des bouffées de chaleur ou encore des métastases pulmonaires ou osseuses, dont la découverte peut précéder celle du cancer médullaire de la thyroïde.

DIAGNOSTIC

L'échographie ou la scintigraphie peuvent mettre en évidence un nodule qui fixe moins l'iode que le tissu environnant (nodule « froid »). Mais le diagnostic repose surtout sur le dosage sanguin de la calcitonine, qui révèle un taux bien plus élevé que la normale, parfois après épreuve de stimulation par la pentagastrine (dérivé synthétique de la gastrine, hormone sécrétée par l'estomac). Par ailleurs, un taux élevé d'antigène carcino-embryonnaire, autre marqueur sanguin, traduit l'extension extrathyroïdienne du cancer. Le diagnostic est confirmé par l'examen anatomopathologique de la tumeur après son ablation et, surtout, par la mise en évidence dans la tumeur de calcitonine, faisant appel à une méthode immuno-histo-chimique.

TRAITEMENT ET PRÉVENTION

Le traitement, chirurgical, consiste en l'ablation de la thyroïde et en un curage des ganglions lymphatiques du cou. Un traitement substitutif par administration de thyroxine et de thyréostimuline est mis en place à vie et surveillé une fois par an par des dosages sanguins.

Dans les familles atteintes de néoplasie endocrinienne multiple, le dépistage d'un cancer médullaire thyroïdien peut être pratiqué dès la naissance, au stade d'hyperplasie des cellules C, grâce à l'épreuve de stimulation par la pentagastrine. Un traitement chirurgical préventif peut être mis en œuvre chez l'enfant.

Thyroïde (glande)

Glande endocrine située à la base de la face antérieure du cou, responsable de la synthèse et de la sécrétion des hormones thyroïdiennes, sous le contrôle de l'hypophyse. (p.n.a. *glandula thyroidea*)

STRUCTURE

La glande thyroïde est un organe de faible volume, pesant moins de 30 grammes à l'état normal. Elle a la forme d'un papillon dont les deux ailes, les lobes, latéralement symétriques, sont situées contre les anneaux de la trachée et reliées en avant par un isthme. La thyroïde est un organe très superficiel, facilement accessible à l'inspection et à la palpation. Derrière les lobes thyroïdiens se trouvent les glandes parathyroïdes et, sur les côtés, les deux nerfs récurrents qui commandent les muscles du larynx.

PHYSIOLOGIE

La thyroïde est richement vascularisée et se compose de deux types de cellules : les cellules C, qui sécrètent la calcitonine (hormone diminuant le taux de calcium), et les cellules thyroïdiennes, les plus nombreuses, qui se regroupent en vésicules. Celles-ci captent l'iode circulant dans le sang et le transforment en préhormone thyroïdienne, qu'elles stockent dans les vésicules. Lorsqu'une stimulation par la thyréostimuline hypophysaire (TSH) parvient à la thyroïde, les vésicules libèrent une partie de leur stock hormonal sous forme de triiodothyronine, ou T3 (environ 20 %), et de thyroxine, ou T4 (environ 80 %).

PATHOLOGIE

La thyroïde peut augmenter de volume et former un goitre comprenant un ou plusieurs nodules. Cette augmentation de volume est parfois due à un apport d'iode insuffisant ou excessif, à un bloc enzymatique thyroïdien (déficit d'une enzyme sur la voie de la synthèse des hormones thyroïdiennes), à une hyperthyroïdie, mais n'est le plus souvent liée à aucune cause précise. En outre, la thyroïde peut présenter un défaut de fonctionnement (hypothyroïdie) ou un excès de fonctionnement (hyperthyroïdie), qui se traduisent par une variation du taux des hormones thyroïdiennes dans le sang et par des symptômes caractéris-

tiques : tachycardie, tremblement, thermophobie, amaigrissement en cas d'hyperthyroïdie ; ralentissement du rythme cardiaque, ralentissement psychique, épaississement de la peau du visage et du cou, teint pâle en cas d'hypothyroïdie.

Thyroïde (nodule de la)

Tuméfaction localisée de la glande thyroïde.

La présence d'un ou de plusieurs nodules de la thyroïde est très fréquente, surtout chez la femme. Ils sont dans la plupart des cas bénins.

SYMPTÔMES ET SIGNES

Un nodule de la thyroïde n'entraîne le plus souvent aucun symptôme ; plus rarement, il provoque une gêne cervicale ou des signes de dysfonctionnement de la glande thyroïde (hypothyroïdie ou hyperthyroïdie).

DIAGNOSTIC ET TRAITEMENT

L'échographie peut être utile pour préciser la nature solide, kystique ou mixte (semi-liquidienne) du nodule. Elle permet surtout de mettre en évidence d'autres petits nodules impalpables. La scintigraphie, toujours nécessaire, apprécie la fixation de l'iode sur le ou les nodules palpés et l'aspect du reste du parenchyme (tissu fonctionnel thyroïdien). Un nodule qui fixe moins bien l'iode que le tissu environnant est dit froid ; à l'inverse, un nodule qui fixe mieux l'iode est dit chaud.

■ **Un nodule froid, solide ou mixte** est le plus souvent bénin, mais se révèle malin dans environ 10 % des cas. L'examen microscopique du nodule après cytoponction permet le diagnostic. L'ablation chirurgicale n'est pas systématique pour tout nodule froid et dépend de son caractère, malin ou non.

■ **Un nodule chaud** entraîne un risque d'hyperthyroïdie (augmentation de la sécrétion des hormones thyroïdiennes, se traduisant par une tachycardie, un tremblement, une thermophobie [sensation permanente d'avoir trop chaud] et un amaigrissement). Le traitement est systématique : ablation du nodule, radiothérapie métabolique (administration d'une dose unique d'iode 131).

SURVEILLANCE ET PRONOSTIC

La surveillance clinique ou échographique du nodule est régulière (annuelle). Le pronostic des nodules, traités ou non, est excellent.

Thyroïdectomie

Ablation chirurgicale de tout ou partie de la glande thyroïde.

INDICATIONS

La thyroïdectomie est une intervention chirurgicale fréquente, indiquée dans plusieurs maladies thyroïdiennes : hyperthyroïdie (augmentation pathologique de la production d'hormones thyroïdiennes), dont la forme la plus courante est la maladie de Basedow, nodule isolé, goitre nodulaire (hypertrophie de la glande associée à plusieurs nodules), cancer thyroïdien.

DÉROULEMENT

L'opération se déroule sous anesthésie générale ; après une incision horizontale de la base du cou, le chirurgien enlève soit une petite tumeur isolée (énucléation), soit la moitié

d'un ou des deux lobes qui forment la glande (lobectomie dite partielle ou subtotale), soit un lobe entier (lobectomie), soit encore la glande entière (thyroïdectomie totale) ; il peut aussi retirer les structures voisines, en particulier les chaînes ganglionnaires : on parle alors de thyroïdectomie avec curage.

CONSÉQUENCES ET COMPLICATIONS

La thyroïdectomie est une opération bénigne, mais techniquement délicate, car elle doit préserver les nerfs récurrents, qui passent au contact de la glande et sont responsables du fonctionnement de la voix, ainsi que les petites glandes parathyroïdes, accolées à la face postérieure des lobes thyroïdiens, qui contrôlent le métabolisme du phosphore et du calcium. Les complications de cette opération (hémorragies, infections locales) sont très rares. En cas d'ablation totale, un traitement de suppléance par l'hormone thyroïdienne doit être suivi à vie.

Thyroïdienne (hormone)

Hormone synthétisée par la glande thyroïde et utilisée dans le traitement de dysfonctionnements thyroïdiens.

PHYSIOLOGIE

Les hormones thyroïdiennes comprennent deux substances contenant toutes deux de l'iode, la thyroxine (aussi appelée tétra-iodothyronine, ou T4) et la tri-iodothyronine (ou T3). La synthèse de T3 et de T4 s'effectue grâce à l'iode apporté par les aliments (en particulier le sel marin et les produits de la mer, coquillages, algues, etc.) sous forme d'iodures. Les cellules hormonales thyroïdiennes captent les iodures du sang et les oxydent grâce à une enzyme, la peroxydase. La thyroïde stocke ensuite les hormones et les libère dans le sang en fonction des besoins. La T4 est de loin la plus importante, quantitativement ; mais, une fois dans les tissus, elle est transformée en T3, forme la plus active des hormones thyroïdiennes.

La sécrétion des hormones thyroïdiennes est commandée par une hormone de l'hypophyse (petite glande endocrine située à la base du cerveau), la thyréostimuline (TSH). La sécrétion de thyréostimuline est elle-même commandée par une hormone de l'hypothalamus (au centre du cerveau), la thyréolibérine (TRF). La régulation hormonale se fait par un phénomène de rétrocontrôle négatif : quand les hormones sont abondantes dans le sang, elles inhibent l'hypophyse et l'hypothalamus, qui interrompent leur stimulation thyroïdienne.

Les hormones thyroïdiennes stimulent la consommation d'oxygène tissulaire et les cellules de l'organisme. De plus, elles sont indispensables à la croissance et à la maturation du squelette et du système nerveux. Elles participent également au métabolisme des lipides et des glucides.

PATHOLOGIE

L'hyperthyroïdie (augmentation de la sécrétion des hormones thyroïdiennes) se traduit par une accélération du rythme cardiaque et des palpitations, un tremblement, un amaigrissement, une thermophobie (sensation permanente d'avoir trop chaud).

THYROÏDE

muscle sous-hyoïdien

cartilage thyroïde

lobe latéral de la thyroïde

isthme

trachée

L'hypothyroïdie (diminution de la sécrétion de ces hormones) entraîne un ralentissement du rythme cardiaque, un ralentissement psychique, un teint pâle, un épaississement de la peau du visage et du cou. Chez l'enfant, une hypothyroïdie non traitée peut entraîner un nanisme et une arriération mentale.

UTILISATION THÉRAPEUTIQUE

Les hormones thyroïdiennes sont utilisées en cas d'hypothyroïdie : elles permettent de supprimer les conséquences de cette affection sans agir sur sa cause et doivent donc en général être prises à vie. On prescrit surtout la thyroxine par voie orale ; la tri-iodothyronine est réservée à une action brève et rapide.

EFFETS INDÉSIRABLES

Un surdosage provoque une thyréotoxicose, sorte d'hyperthyroïdie aiguë et grave caractérisée par des troubles cardiaques, une diarrhée, un amaigrissement. Chez le sujet âgé, le traitement, même à doses normales, peut engendrer des troubles cardiaques (angine de poitrine, infarctus) ; il doit donc être commencé prudemment, à doses progressives, et à l'hôpital de préférence.

Thyroïdite

Inflammation de la glande thyroïde.

DIFFÉRENTS TYPES DE THYROÏDITE

Les différentes formes de thyroïdite se distinguent essentiellement par leur origine, leurs symptômes, leurs caractéristiques anatomopathologiques et leur évolution. Le diagnostic repose principalement sur l'examen clinique et la scintigraphie.

■ **La thyroïdite lymphocytaire chronique, ou thyroïdite de Hashimoto,** est la plus fréquente. D'origine auto-immune, elle est caractérisée par un goitre très ferme, la présence d'anticorps antithyroïdiens et l'évolution possible vers l'hypothyroïdie (diminution de la sécrétion des hormones thyroïdiennes se traduisant par un ralentissement du rythme cardiaque, un ralentissement psychique, un épaississement de la peau du visage et du cou, un teint pâle). Le traitement fait appel à la prise quotidienne de thyroxine. Dans de très rares cas, cette thyroïdite se complique d'un lymphome.

■ **La thyroïdite subaiguë de De Quervain** est probablement d'origine virale. Elle est marquée par de vives douleurs à l'avant du cou, souvent associées à un syndrome grippal (fièvre, fatigue), et par une hyperthyroïdie (augmentation de la sécrétion des hormones thyroïdiennes) transitoire. La thyroïde est enflée, dure et douloureuse à la palpation. Le goitre est variable d'un sujet à l'autre et d'un examen à l'autre. Cette affection évolue spontanément vers la guérison en six semaines environ.

■ **La thyroïdite indolore du post-partum,** probablement d'origine auto-immune, est rare et se caractérise par l'apparition, après un accouchement, d'une hyperthyroïdie modérée avec goitre et d'une absence de fixation de l'iode par la glande thyroïde. La guérison se produit spontanément en 2 à 4 mois avec parfois une phase d'hypothyroïdie transitoire.

■ **La thyroïdite aiguë d'origine infectieuse** est très rare. Elle est consécutive à une infection par un staphylocoque, un streptocoque ou le bacille de Koch (agent de la tuberculose). Elle se traduit par un abcès de la thyroïde, douloureux, qu'il est nécessaire de drainer chirurgicalement et de traiter par antibiothérapie.

■ **La thyroïdite fibreuse de Riedel,** d'origine inconnue, est exceptionnelle et peut évoluer vers l'asphyxie (par compression de la trachée) en l'absence de geste chirurgical (ablation de la zone de compression).

Thyrotoxicose, ou Thyréotoxicose

Ensemble de symptômes dus à une hyperthyroïdie (sécrétion excessive d'hormones thyroïdiennes).

Une thyrotoxicose regroupe plusieurs des symptômes suivants, dont l'intensité est très variable d'un sujet à l'autre : un tremblement des extrémités au repos, une tachycardie, une sensation de chaleur avec sudation abondante, un amaigrissement malgré une alimentation normale et un appétit augmenté, une diarrhée qui suit les repas, une nervosité et une anxiété pouvant entraîner des troubles de l'humeur, une insomnie, une fonte musculaire, une augmentation de la soif et de l'excrétion des urines.

CAUSES

La cause est en général une maladie de Basedow (maladie d'origine auto-immune touchant la femme jeune), plus rarement une surcharge en iode (liée au traitement médical d'un sujet cardiaque par un antiarythmique tel que l'amiodarone, par exemple), un nodule ou un goitre toxiques (sécrétant de façon excessive des hormones thyroïdiennes), parfois une thyroïdite.

DIAGNOSTIC

Il repose sur le dosage sanguin des hormones thyroïdienne et hypophysaire : celui de la thyroxine (T4) révèle une valeur élevée et celui de la thyréostimuline (TSH) une valeur anormalement basse. D'autres constantes biologiques peuvent être perturbées, ces perturbations étant également réversibles sous traitement : enzymes hépatiques, métabolisme calcique, numération globulaire (tendance à l'anémie avec globules rouges de petite taille), baisse des polynucléaires neutrophiles. L'examen clinique permet souvent de trouver la cause de la thyrotoxicose : inflammation oculaire, œdème des paupières ou exophtalmie (saillie anormale des globes oculaires) dans la maladie de Basedow, prise d'un produit contenant beaucoup d'iode, palpation d'un nodule ou d'un goitre. La scintigraphie et l'échographie thyroïdiennes, le dosage des anticorps antithyroïdiens, l'iodurie des 24 heures (dosage de l'iode dans les urines), un bilan de la fonction cardiaque peuvent aussi être utiles.

ÉVOLUTION

L'évolution dépend du sujet : généralement bénigne chez un adulte jeune, elle peut être grave chez une personne cardiaque, dénutrie, chez une femme enceinte ou chez un nouveau-né en raison de l'augmentation du métabolisme que la thyrotoxicose entraîne.

TRAITEMENT

Le traitement est d'abord symptomatique : repos, administration de bêtabloquants ou de sédatifs, en attendant l'effet retardé des antithyroïdiens de synthèse, efficaces dans la maladie de Basedow et les nodules toxiques. Le traitement varie ensuite selon la cause : prise d'antithyroïdiens de synthèse pendant 18 mois, ablation totale ou partielle de la thyroïde, ablation du nodule toxique, administration d'iode radioactif, etc.

Thyroxine

Hormone iodée sécrétée par la glande thyroïde. SYN. *tétra-iodothyronine (T4).*

La thyroxine circule dans le plasma sanguin soit associée à une protéine, notamment la TBG *(Thyroid Binding Globulin),* soit sous une forme libre (on parle alors de thyroxine libre, ou T4 L). Dans ce dernier cas, elle se transforme en général en une autre hormone, la tri-iodothyronine (T3), avant d'agir sur les cellules. La sécrétion de thyroxine est stimulée par une hormone hypophysaire, la thyréostimuline, et obéit à un phénomène de rétrocontrôle (un taux sanguin excessif de thyroxine freine la sécrétion de thyréostimuline). Le taux sanguin de thyroxine est normalement compris entre 8 et 19 picogrammes par millilitre.

UTILISATION DIAGNOSTIQUE

Le taux sanguin de thyroxine varie avec l'âge. Très élevé chez le nouveau-né, il décroît ensuite progressivement. Il augmente en cas d'hyperthyroïdie (hypersécrétion thyroïdienne) ou de surcharge en iode et diminue en cas d'hypothyroïdie (insuffisance thyroïdienne) ou de carence en iode.

→ VOIR Thyroïdienne (hormone).

Tibia

Os long, volumineux, situé à la face interne de la jambe, dont il constitue le squelette avec le péroné. (P.N.A. *tibia)*

Le tibia supporte la quasi-totalité du poids du corps. Il s'articule en haut avec le fémur pour former le genou, en bas avec l'astragale et le péroné (articulation de la cheville) ; de plus, le tibia, longé par le péroné, est relié à celui-ci par une lame fibreuse appelée membrane interosseuse.

PATHOLOGIE

Les fractures du tibia sont fréquentes, parfois isolées, mais le plus souvent associées à une fracture du péroné. Leur traitement est très différent suivant leur siège. Ainsi, une fracture de l'extrémité supérieure (fracture des plateaux tibiaux) ou inférieure (fracture de Dupuytren) du tibia, qui touche une articulation, nécessite une réduction chirurgicale de façon à obtenir une reconstitution anatomique parfaite des surfaces articulaires, tandis que, en cas de fracture de la diaphyse (partie médiane) du tibia, souvent associée à une fracture du péroné, la réduction peut être manuelle ; dans ce dernier cas, l'efficacité du traitement repose sur l'immobilisation de la fracture, qui doit être très stricte.

Le traitement des fractures du tibia peut donc être orthopédique, par immobilisation plâtrée, ou bien chirurgical, par ostéosynthèse (réassemblage des fragments osseux à l'aide d'un clou ou d'un autre moyen mécanique). La consolidation de l'os est obtenue selon les cas entre 45 jours (fracture isolée de l'extrémité supérieure ou inférieure) et 3 mois (fracture de la diaphyse). Lorsque l'ostéosynthèse est solide, le malade peut s'appuyer sur sa jambe avant la consolidation complète de l'os, au bout d'un mois ou d'un mois et demi. Les principales complications des fractures du tibia sont l'infection, en cas de fracture ouverte, et surtout la pseudarthrose (absence de consolidation normale de l'os) et le cal vicieux (consolidation en mauvaise position).

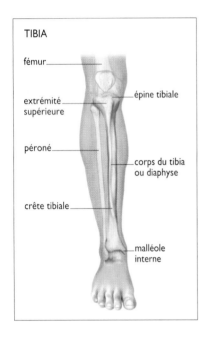

TIBIA

fémur
extrémité supérieure
épine tibiale
péroné
corps du tibia ou diaphyse
crête tibiale
malléole interne

Tibiale (artère)

Artère destinée à l'irrigation des loges (compartiments occupés par les groupes musculaires) antérieure et postérieure de la jambe. (P.N.A. *arteria tibialis*)

PHYSIOLOGIE

Il existe 2 artères tibiales, l'artère tibiale antérieure et l'artère tibiale postérieure, nées de la division de l'artère poplitée en arrière du genou. Elles donnent naissance à de nombreux rameaux qui irriguent les muscles.
■ L'artère tibiale antérieure passe entre le tibia et le péroné puis descend le long de la partie antérieure et externe de la jambe vers la cheville, où elle devient l'artère pédieuse.
■ L'artère tibiale postérieure chemine profondément dans le mollet puis passe derrière la malléole interne, où son pouls est palpable.

PATHOLOGIE

Ces artères peuvent être lésées par une artérite ou par une embolie.

Tic

Mouvement anormal involontaire et répétitif, de survenue soudaine et de durée brève.

Les tics apparaissent le plus souvent dans l'enfance. Ils sont 3 à 4 fois plus fréquents chez les garçons, et leur caractère familial n'est pas rare. Entre 6 et 8 ans apparaissent parfois des tics sans gravité, qui s'estompent spontanément.

CAUSES

Aucune lésion du système nerveux n'a jamais été mise en évidence chez les patients souffrant de tics. Une cause psychologique est parfois évoquée. Dans certains cas, on constate des troubles psychologiques nets : agressivité contenue, narcissisme fragile (le sujet n'a pas assez confiance en lui).

DESCRIPTION

Un tic peut être suspendu temporairement par la volonté, à la différence des autres mouvements anormaux : tremblements, dyskinésies (perturbation des mouvements ou de la mobilité d'un organe) et myoclonies (contractions brèves, rapides et involontaires d'un ou de plusieurs muscles). Le tic est stéréotypé (toujours identique à lui-même) et répété par salves. Sa fréquence croît avec l'émotion et l'anxiété, diminue avec le repos. Certains tics, simples, ne mettent en jeu qu'un ou quelques muscles, d'autres, complexes, prennent l'aspect d'une véritable gesticulation. Les tics concernent surtout la face (clignement des paupières, plissement du front, sourire, hochement de tête, contraction des muscles des maxillaires), le cou (mouvement de flexion ou d'inclinaison sur le côté), les épaules (haussement, abaissement), les muscles du larynx (vocalisation, grognement, toux). Il en existe une forme grave mais rare, appelée syndrome de Gilles de La Tourette, caractérisée par une écholalie (répétition involontaire par le malade des mots prononcés devant lui) et une coprolalie (émission incontrôlée de termes grossiers et scatologiques), sans détérioration des facultés intellectuelles.

TRAITEMENT

Si les tics sont trop gênants, on peut proposer un traitement destiné à diminuer leur fréquence : prescription de neuroleptiques ou thérapie comportementale.

Tick fever

→ VOIR Fièvre pourprée des montagnes Rocheuses.

Tietze (syndrome de)

Douleur de la partie haute du thorax à proximité du sternum, à hauteur de la 2e ou de la 3e côte.

Le syndrome de Tietze peut être lié à un traumatisme (« faux mouvement » en secouant un tapis ou en rattrapant une portière), à une usure ou à une inflammation du cartilage (polychondrite atrophiante, par exemple) ; cependant, sa cause reste le plus souvent inconnue. La zone douloureuse correspond au cartilage costal, à l'articulation entre celui-ci et le sternum ou à la jonction entre la partie osseuse et la partie cartilagineuse de la côte.

DIAGNOSTIC

Les douleurs dues à un syndrome de Tietze ne doivent pas être confondues avec celles d'une angine de poitrine ; leur reproductibilité à la pression de la jonction sternocostale permet de confirmer le diagnostic.

ÉVOLUTION ET TRAITEMENT

La douleur disparaît en général spontanément ; sinon, on a recours à une infiltration de cortisone. Les récidives sont possibles.

Tiffeneau (rapport de)

Rapport, parfois exprimé en pourcentage, du volume expiratoire maximal par seconde (V.E.M.S., volume maximal que le patient peut expirer en une seconde) sur la capacité vitale (C.V., volume maximal que le sujet peut inspirer après une expiration maximale), utilisé pour évaluer la fonction pulmonaire. SYN. *coefficient d'utilisation de la capacité vitale, fréquence optima.*

Le rapport de Tiffeneau, d'usage très courant, se calcule d'après les résultats de la spirométrie (examen consistant à mesurer les volumes et les débits pulmonaires). Sa valeur normale est d'environ 0,75 (soit 75 %). Un abaissement net de ce rapport, au-dessous de 0,65, révèle un trouble respiratoire de type obstructif (dû à une diminution du calibre des bronches), comme l'asthme ou l'emphysème.

Tinea nigra

Infection bénigne de la peau par un champignon microscopique, *Cladosporion werneckii.*

Le tinea nigra est une affection très rare observée dans les pays chauds. Très faiblement contagieux, il se traduit par l'apparition, sur la paume des mains, d'une plaque de couleur hétérogène à dominante brun foncé, chamois ou bleu ardoise ; celle-ci n'est ni squameuse ni prurigineuse. Le traitement repose sur la prise d'antifongiques imidazolés pendant 20 jours.

Tirage

Dépression anormale de la paroi thoracique, visible soit au-dessus du sternum (tirage sus-sternal), soit au-dessous, à la hauteur des espaces intercostaux (tirage sous-sternal), au cours des fortes inspirations.

Le phénomène du tirage s'observe lorsque l'entrée d'air dans les bronches est gênée par un obstacle mécanique, par exemple en cas d'insuffisance respiratoire aiguë ou de poussée aiguë d'une insuffisance respiratoire chronique.

Tire-lait

Appareil destiné à tirer le lait du sein.

Un tire-lait est une pompe en forme de seringue ou de globe, dont le fonctionnement est manuel ou électrique. Son utilisation est indiquée dans divers cas : lorsque l'enfant est prématuré et trop faible pour téter au sein, le lait lui étant ensuite administré au biberon ; lorsque la mère doit s'absenter ; lorsque l'allaitement maternel est rendu difficile ou douloureux par des crevasses du mamelon, une lymphangite, un abcès du sein ou un engorgement mammaire (excès de sécrétion lactée). Le lait, une fois tiré, doit être conservé au réfrigérateur ; il peut être utilisé pendant 48 heures.

Tissu

Ensemble de cellules ayant une même morphologie et/ou remplissant une même fonction. (P.N.A. *tela*)

STRUCTURE ET PHYSIOLOGIE

Un tissu comprend de une à plusieurs variétés de cellules caractéristiques : le tissu musculaire comprend des cellules musculaires, les myocytes ; le tissu nerveux comprend des cellules spécialisées dans la conduction de l'influx, les neurones, etc.

Après la naissance, la grande majorité des cellules se différencient alors que les cellules du jeune embryon étaient encore indifférenciées (immatures).

Une cellule dite différenciée, ou mature, ou encore spécialisée, a une forme et une structure spécifiques, et accomplit une ou plusieurs fonctions qui lui sont propres. Ainsi, le tissu qui constitue la muqueuse respiratoire comprend une majorité de cellules ciliées (portant en surface des cils mobiles qui font remonter les impuretés) mêlées à des cellules à mucus (sécrétant une couche de mucus sur laquelle se collent les impuretés). C'est l'addition des fonctions élémentaires de ces deux sortes de cellules qui permet au tissu de réaliser sa fonction globale : l'épuration de l'air.

Les cellules cancéreuses sont des cellules différenciées qui perdent leur différenciation, retournant ainsi à un état indifférencié (immature).

DIFFÉRENTS TYPES DE TISSU

Il existe quatre grandes variétés de tissu de base :
– l'épithélium, spécialisé soit dans le revêtement, soit dans la sécrétion glandulaire ;
– le tissu conjonctif commun, tissu de soutien assurant le remplissage des interstices entre les autres tissus et la nutrition de ceux-ci ;
– le tissu musculaire, spécialisé dans la contraction ;
– le tissu nerveux, spécialisé dans le recueil, l'analyse et la production d'informations.

Le sang et le tissu osseux sont considérés soit comme des tissus à part, soit comme des formes très spécialisées de tissu conjonctif. Le tissu hématopoïétique, fabriquant les cellules du sang, est complexe, formé de plusieurs tissus de base : il contient notamment les cellules sanguines et un tissu conjonctif de soutien.

ÉTUDE DES TISSUS DE L'ORGANISME

L'histologie est la discipline qui étudie l'aspect des tissus au microscope, après la naissance ; l'embryologie étudie les tissus de l'embryon. L'anatomopathologie est la spécialité médicale qui étudie les altérations organiques des tissus provoquées par la maladie. Les tumeurs provenant d'un même type de tissu, comme l'épithélium (carcinome, adénocarcinome) ou le tissu conjonctif (sarcome), présentent des caractéristiques communes (degré de gravité, sensibilité à un traitement), même lorsqu'elles siègent dans des organes très différents.

Tissu conjonctif

Tissu servant de soutien aux autres tissus du corps, assurant leur nutrition et participant aux mécanismes de défense immunitaire de l'organisme. (P.N.A. *tela conjunctiva*)

Les tissus conjonctifs sont disséminés à l'intérieur des organes et entre eux. Leurs cellules (fibrocytes, cellules adipeuses, globules blancs) sont dispersées dans une matrice extracellulaire plus ou moins fluide, contenant de l'eau et des fibres constituées d'une protéine (le collagène ou l'élastine).

DIFFÉRENTS TYPES DE TISSU CONJONCTIF

■ Le tissu adipeux, ou tissu gras, se caractérise par une abondance de cellules adipeuses. Il constitue la plus grande partie de la réserve énergétique (95 %) de l'organisme : un kilogramme de tissu adipeux renferme environ 7 000 kilocalories, sous forme de graisse. On distingue le tissu adipeux brun, principalement situé autour des gros vaisseaux et des organes thoraciques, et qui sert à produire de la chaleur, du tissu adipeux blanc, qui sert de réserve énergétique.

■ Le tissu conjonctif banal, le plus abondant, se trouve essentiellement dans les organes (il forme notamment le derme de la peau) et entre eux.

■ Le tissu fibreux collagène, très dense et riche en fibres de collagène, se caractérise par sa solidité. Il forme des enveloppes et des cloisons entre les organes ; c'est en outre le constituant des tendons des muscles et des ligaments articulaires.

■ Le tissu fibreux élastique est très riche en fibres d'élastine. On le trouve presque uniquement dans la paroi de certaines grosses artères telles que l'aorte.

■ Le tissu osseux et le sang sont considérés par certains comme des tissus conjonctifs particulièrement spécialisés.

■ Le tissu réticulé est un fin réseau de fibres de collagène soutenant les précurseurs des cellules sanguines, dans la moelle osseuse et les ganglions lymphatiques.

Tissu interstitiel rénal

Tissu fonctionnel servant de tissu de soutien aux néphrons (unités fonctionnelles du rein) et contenant également les vaisseaux sanguins, les nerfs et les vaisseaux lymphatiques du rein. SYN. *interstitium rénal*.

STRUCTURE

Le tissu interstiel rénal est formé de fibres conjonctives (collagène, élastine) et de cellules de soutien (fibroblastes, par exemple) ainsi que de cellules sécrétant des substances hormonales à action locale, comme les prostaglandines, qui ont pour effet de dilater les artères intrarénales.

PATHOLOGIE

Les maladies du tissu interstitiel rénal sont appelées néphrites interstitielles. Elles peuvent être aiguës ou chroniques.

TNF

→ VOIR Facteur nécrosant les tumeurs.

Tocographie

Enregistrement des contractions utérines pendant l'accouchement.

La tocographie est un examen systématique qui renseigne sur la force, la durée et la fréquence des contractions, et permet de dépister les anomalies de la contractilité du muscle utérin qui peut être soit trop importante (hypercinésie), soit trop faible (hypocinésie). Souvent associée à un enregistrement des bruits du cœur du fœtus (monitorage du cœur fœtal), cette technique permet aussi de mettre en évidence des signes de souffrance fœtale liée aux anomalies de la contraction utérine. Elle est réalisée au moyen d'un capteur de pression maintenu sur l'abdomen par une ceinture de caoutchouc.

Tocophérol

Substance ayant une activité vitaminique E. → VOIR Vitamine E.

Tolérance

1. Capacité de l'organisme à supporter, sans manifester de signes d'intoxication, des doses d'une substance donnée.

2. Phénomène caractérisé par une diminution des effets sur l'organisme d'une dose fixe d'une substance chimique, au fur et à mesure que l'on répète son administration.

La tolérance conduit à accroître les doses prises pour obtenir un effet de même intensité. Elle concerne l'alcool, les drogues au sens usuel du terme (stupéfiants) et certains médicaments, dont les amphétamines et les barbituriques (peu prescrits désormais), les opiacés (ou morphiniques), les anxiolytiques de la classe des benzodiazépines, les laxatifs. C'est un des aspects, avec la dépendance physique et la dépendance psychique, de la pharmacodépendance (ou toxicomanie).

Tolérance immunitaire

Capacité du système immunitaire de l'organisme à supporter la présence d'antigènes sans manifester de réaction immunitaire de défense. SYN. *anergie*.

La tolérance immunitaire concerne spécifiquement un antigène donné, substance chimique de nature très variée provoquant normalement une réaction immunitaire de la part des organismes vivants. Dans un premier temps, l'organisme doit entrer en contact avec l'antigène. Dans un second temps, sa réponse normale doit être annulée, et cela par élimination (destruction ou inactivation) des lymphocytes (certains globules blancs) qui reconnaissent l'antigène et qui normalement élaborent des anticorps contre lui.

Le système immunitaire d'un organisme est normalement tolérant à ses propres constituants (auto-antigènes), alors qu'il reste sensible aux antigènes étrangers. La rupture de la tolérance aux auto-antigènes provoque des maladies dites auto-immunes, tel le lupus érythémateux disséminé, au cours desquelles les tissus sont attaqués par le système immunitaire du sujet lui-même.

Tomodensitométrie

Examen radiologique utilisant le tomodensitomètre, ou scanner à rayons X, qui permet d'obtenir, sous forme d'images numériques,

Le sujet est placé dans l'anneau d'un appareil appelé scanner, où un faisceau de rayons X balaie un plan donné de son corps. Des détecteurs mesurent alors la quantité de rayons absorbés par les tissus et transmettent ces informations à un ordinateur, qui construit une image en coupe de la région étudiée, parfois rendue plus lisible à l'aide de couleurs choisies arbitrairement. La tomodensitométrie, qui donne des informations plus détaillées que la radiographie classique, est devenue un examen courant mais commence à être concurrencée par l'imagerie par résonance magnétique (I.R.M.), qui ne fait pas intervenir de rayonnement X.

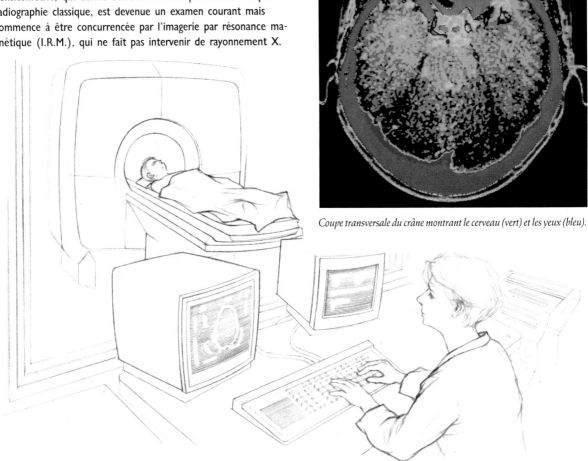

Coupe transversale du crâne montrant le cerveau (vert) et les yeux (bleu).

des coupes très fines des organes examinés. SYN. *scanographie, tomographie axiale assistée par ordinateur, tomographie axiale computérisée (T.A.C.), Scan RX.*

HISTORIQUE
Le premier scanner à rayons X, inventé par l'ingénieur britannique Godfrey Newbold Hounsfield, fut présenté en 1972. Grâce à la sensibilité de ce type d'appareil, il devint possible de distinguer, coupe par coupe, des éléments jusqu'alors confondus sur les clichés radiographiques. Les premières images tomodensitométriques ont été réalisées sur le cerveau. Elles montrent nettement ses cavités ventriculaires et les espaces liquidiens qui l'entourent. La technique a été ensuite étendue à la tête entière puis aux autres parties du corps.

INDICATIONS
La tomodensitométrie (T.D.M.) permet de rechercher des affections siégeant dans la tête (cerveau, hypophyse, œil et voies optiques, cavités sinusiennes et rhinopharyngées), le rachis et la moelle épinière, le thorax, l'abdomen, le bassin et les membres (squelette).
■ **La tomodensitométrie cranio-encéphalique**, ou **scanner cérébral**, permet de mettre en évidence des malformations cérébrales, certaines affections vasculaires (malformation artérioveineuse, hémorragie cérébrale, ischémie artérielle) et les tumeurs du cerveau. Cet examen est essentiel pour évaluer les conséquences d'un traumatisme crânien. Il permet par ailleurs d'étudier avec précision l'oreille (externe, moyenne et interne), le globe oculaire, le nerf optique et l'hypophyse (glande située à la base du cerveau).
■ **La tomodensitométrie orbitocéphalique**, ou **scanner orbitaire**, explore les parois de l'orbite, le globe oculaire, le nerf optique, les muscles oculomoteurs, la glande lacrymale ainsi que certains vaisseaux, après injection d'un produit de contraste iodé.
■ **La tomodensitométrie rachidienne**, ou **scanner rachidien**, est destinée à étudier la colonne vertébrale (squelette et structure des vertèbres, disques intervertébraux) et les éléments nerveux que les vertèbres protègent (moelle épinière, nerfs rachidiens).
■ **La tomodensitométrie thoracique**, ou **scanner thoracique**, permet d'analyser les différentes structures anatomiques du thorax : cœur et cavités cardiaques, vaisseaux (aorte et vaisseaux pulmonaires), bronches, poumons, médiastin (zone située entre les deux poumons), avec une plus grande précision que la radiologie classique et une reconstruction spatiale tridimensionnelle.
■ **La tomodensitométrie abdominale**, ou **scanner abdominal**, est utilisée pour étudier les organes de la cavité abdominale : le foie, le pancréas, les reins, la rate, l'aorte, la veine cave inférieure, le tube digestif, la vessie essentiellement.
■ **La tomodensitométrie pelvienne**, ou **scanner pelvien**, a des indications différentes chez l'homme et chez la femme. Chez la femme, elle sert à explorer la cavité du petit bassin, son contenu et les organes génitaux (vagin, utérus, ovaires et trompes). Chez l'homme, elle permet de visualiser la paroi du rectum, les muscles du bassin et les organes urogénitaux.

TECHNIQUE
La tomodensitométrie consiste à mesurer les différences d'absorption d'un étroit faisceau de rayons X par les divers tissus qu'il traverse au moyen de détecteurs sensibles placés en

couronne dans l'appareil. La quantité de rayons X délivrée étant connue, il est possible de calculer à partir de chaque détecteur, diamètre par diamètre de rotation, la quantité de rayons X absorbée par les structures anatomiques examinées. Le faisceau de rayons X est mobile et tourne autour du corps dans un même plan. Un ordinateur recueille point à point les informations obtenues, les transcrit sous forme d'image par affichage en gamme de gris et restitue une coupe anatomique sur un écran. Les coupes sont perpendiculaires au grand axe du corps. Certains logiciels permettent actuellement la construction d'images en trois dimensions à partir des coupes obtenues. Les images sont ensuite reproduites sur un film photographique.

PRÉPARATION ET DÉROULEMENT

Un produit de contraste iodé est souvent nécessaire pour mieux visualiser les organes. Ce produit est soit injecté dans une veine du pli du coude par un fin cathéter, soit avalé. Le patient doit être à jeun et n'avoir ni bu ni fumé depuis au moins six heures. Il peut ressentir une impression de chaleur lors de l'injection du produit de contraste.

Le scanner à rayons X forme un grand cadre, au centre duquel se trouve une ouverture circulaire permettant le passage d'un lit. Le patient est allongé sur ce lit coulissant qui se déplace dans l'axe de l'appareil. Le faisceau de rayons X tourne autour de la région à examiner et chaque coupe est réalisée séparément en quelques secondes, pendant lesquelles le malade doit être tout à fait immobile et éventuellement suspendre sa respiration. Entre 2 coupes successives, le lit se déplace de un à quelques millimètres, suivant les organes à examiner. Les systèmes les plus modernes fournissent une coupe par seconde. Quand toutes les coupes jugées utiles à l'établissement d'un diagnostic ont été prises, le radiologue fait coulisser le lit hors de l'appareil et le patient peut se lever et partir.

L'examen dure de 15 à 45 minutes. Les résultats sont connus dans les 24 heures : ils se présentent sous forme de clichés (photographies de l'écran vidéo) et d'un compte rendu du radiologue.

CONTRE-INDICATIONS ET PRÉCAUTIONS

La tomodensitométrie n'est pas pratiquée chez la femme enceinte en raison des dangers que les rayons X présentent pour le fœtus.

Si l'examen nécessite l'injection d'un produit de contraste iodé et que le patient a déjà présenté auparavant des manifestations allergiques (crise d'asthme, eczéma, allergie à l'iode, etc.), le médecin prescrit à celui-ci un traitement antiallergique, à suivre pendant les 3 jours précédant l'examen.

Les personnes qui souffrent d'insuffisance rénale doivent boire beaucoup pendant les jours qui précèdent et qui suivent la tomodensitométrie, ou être mises sous perfusion afin d'être bien hydratées.

Le sujet ne devant pas bouger pendant l'examen, le médecin peut être amené à pratiquer une sédation profonde chez les enfants et les sujets anxieux.

EFFETS SECONDAIRES

La tomodensitométrie est tout à fait indolore et ne s'accompagne d'aucun effet secondaire.

Tomographie

Examen radiologique permettant de visualiser des structures anatomiques sous forme de coupes.

■ **Au sens restreint,** la tomographie utilise le rayonnement X et des films radiographiques ordinaires. Le tube producteur de rayonnement, situé au-dessus du malade, et la cassette contenant le film, placée au-dessous, sont animés d'un mouvement horizontal, de sens contraire. L'ensemble tube-cassette effectue ainsi une sorte de déplacement, appelée homothétie, autour d'un point fixe qui apparaît net sur le film ; les autres points situés dans le même plan horizontal sont également nets ; en revanche, les points situés au-dessus et au-dessous sont flous et effacés. On obtient donc une coupe de l'organe. La variation du réglage des appareils permet d'obtenir successivement plusieurs coupes parallèles entre elles, et de profondeur variable. Cet examen est beaucoup moins employé qu'autrefois, car il est de plus en plus remplacé par la tomodensitométrie.

■ **Au sens large,** on parle de tomographie chaque fois qu'on produit une image en coupe, comme avec les techniques modernes de tomographie par émission de positons, de tomodensitométrie (ou scanner), de tomoscintigraphie et d'échotomographie (échographie en coupes, seule variété courante d'échographie).

Tomographie par émission de positons

Technique d'imagerie médicale fondée sur la détection, par un appareillage approprié, des rayonnements associés aux positons (particules élémentaires légères de même masse que l'électron, mais de charge électrique positive) émis par une substance radioactive introduite dans l'organisme, et permettant d'obtenir des images en coupe

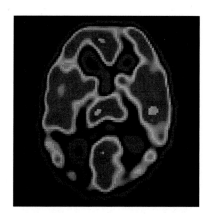

Tomographie par émission de positons. Cet examen fournit des images en coupe reflétant l'activité métabolique des tissus de l'organe étudié (ici, le cerveau).

(tomographies) de certains organes. En anglais, *Positrons Emission Tomography* (PET).

INDICATIONS ET CONTRE-INDICATIONS

La tomographie par émission de positons (T.E.P.) permet d'obtenir en quelques secondes une image en coupe, ce qui en fait un outil particulièrement bien adapté pour l'observation de phénomènes physiologiques tels que le débit ou le volume sanguins, le métabolisme du glucose ou de l'oxygène, la synthèse des protéines, etc. Cette technique est principalement utilisée pour l'examen du cœur et du cerveau, mais des études des os, des reins et des poumons sont également possibles.

Les principales contre-indications de la tomographie par émission de positons sont la grossesse et l'allaitement.

TECHNIQUE

La tomographie par émission de positons permet de mesurer la concentration d'un élément radioactif, ou « traceur radioactif », dans chaque volume élémentaire, ou voxel, d'un organe. En incorporant un tel traceur radioactif émetteur de positons à une molécule ayant des propriétés biochimiques spécifiques, il est possible de visualiser la répartition dans l'organisme de cette molécule à l'aide d'une caméra à positons couplée à un ordinateur et d'effectuer des coupes dites « tomographiques » à partir desquelles l'ordinateur reconstruit une représentation en trois dimensions.

DÉROULEMENT

On injecte par voie intraveineuse ou on fait inhaler le traceur radioactif au patient, qui est allongé sur un plan coulissant placé dans l'anneau cylindrique d'un appareil où une caméra balaie un plan donné de son anatomie et enregistre les rayonnements radioactifs émis. L'examen dure de 10 à 30 minutes.

AVANTAGES ET INCONVÉNIENTS

Les avantages de la tomographie par émission de positons par rapport aux autres techniques utilisées en imagerie nucléaire sont liés à la nature des traceurs radioactifs utilisés. En effet, ceux-ci (oxygène 15, azote 13, carbone 11) sont des isotopes des atomes constituant la plupart des molécules de la matière vivante (contrairement à des radio-éléments comme l'iode, le technétium ou le thallium, utilisés en scintigraphie ou en tomoscintigraphie) ; ils peuvent en conséquence être utilisés comme traceurs de n'importe quelle molécule, sans modifier ses propriétés biologiques. Par ailleurs, ces éléments ont des durées de vie courtes et disparaissent rapidement de l'organisme. Enfin, la tomographie par émission de positons permet d'obtenir des images d'une plus grande précision que les autres techniques d'imagerie nucléaire.

Les inconvénients de la tomographie par émission de positons résident surtout dans son coût et dans la difficulté de sa mise en œuvre, liée en partie à la courte durée de vie des radio-isotopes. Ces derniers sont produits par un cyclotron médical qui doit se trouver à proximité de la caméra, ce qui, au minimum, double le coût de l'équipement. En outre, la préparation du traceur radioactif avant son administration au patient doit être réalisée rapidement et requiert en pratique plusieurs équipes de spécialistes travaillant en bonne coordination.

PERSPECTIVES

À l'heure actuelle, la tomographie par émission de positons est donc essentiellement un outil de recherche fondamentale et clinique. Elle commence toutefois à être reconnue en tant qu'outil d'investigation clinique, notamment en cardiologie (recherche des zones de tissu musculaire cardiaque encore viables après un infarctus), en neurologie (épilepsie) et neuropsychiatrie (démence sénile, maladie d'Alzheimer) ainsi qu'en cancérologie (détection, avec une très grande sensibilité, de certaines tumeurs).

Tomoscintigraphie

Technique d'imagerie médicale fondée sur la détection, par une caméra spéciale, des radiations gamma émises par une substance radioactive introduite dans l'organisme (scintigraphie), ce qui permet d'obtenir des images en coupe (tomographies) de différents organes. SYN. *tomographie d'émission à photon unique*. En anglais, *Single Photon Emission Computed Tomography (SPECT)*.

INDICATIONS

Les deux applications majeures de la tomoscintigraphie sont l'exploration du cœur et celle du cerveau.

■ **La tomoscintigraphie des cavités cardiaques** permet de visualiser celles-ci, en particulier le ventricule gauche. Synchronisée à un électrocardiogramme, elle détecte les anomalies de la contraction cardiaque, en particulier dans les régions proches de la base du cœur, ces anomalies étant difficiles à évaluer par la scintigraphie classique. Toutefois, la complexité et la quantité des informations à traiter limitent encore son emploi.

■ **La tomoscintigraphie du myocarde** est utilisée pour détecter et localiser les anomalies de l'irrigation du muscle cardiaque par les artères coronaires, en appréciant leur importance. Habituellement couplée à une épreuve d'effort ou à l'administration d'un agent vasodilatateur, la tomoscintigraphie a maintenant largement supplanté dans ce domaine la scintigraphie classique.

■ **La tomoscintigraphie du cerveau** autorise aujourd'hui l'étude fonctionnelle, et non plus seulement anatomique, du cerveau grâce à la mise au point récente de traceurs spécifiques. Elle permet la découverte d'anomalies très localisées du métabolisme cérébral au cours d'affections comme les démences ou les accidents vasculaires.

■ **La tomoscintigraphie de nombreux autres organes** est également possible, en particulier celle des poumons et des os. La tomoscintigraphie du poumon améliore la localisation des anomalies de la perfusion sanguine dans le tissu pulmonaire (recherche d'une embolie pulmonaire). La tomoscintigraphie osseuse permet de localiser plus précisément et à un stade plus précoce que les autres techniques d'imagerie médicale les

anomalies du métabolisme du tissu osseux (détection des métastases cancéreuses en particulier).

CONTRE-INDICATIONS

Comme pour toute scintigraphie, des précautions particulières doivent être prises en cas de grossesse ou d'allaitement.

TECHNIQUE

La tomoscintigraphie consiste en la représentation en trois dimensions d'une partie du corps, à partir de coupes dites tomographiques, elles-mêmes obtenues par la combinaison de nombreuses images prises sous des angles variés. Ces dernières sont des images scintigraphiques, obtenues par enregistrement du rayonnement gamma émis par une substance radioactive (traceur radioactif) introduite dans l'organisme.

DÉROULEMENT

Le dispositif le plus couramment employé est un tomographe, constitué d'une gamma-caméra (caméra spéciale sensible aux rayonnements gamma) assujettie à un support capable de tourner autour du corps du patient et d'enregistrer ainsi des images sous des angles multiples. L'ordinateur associé à la gamma-caméra détermine la radioactivité contenue dans chaque volume élementaire, ou voxel, de l'organe étudié.

Le patient, auquel on a injecté par voie intraveineuse, ou fait absorber ou inhaler le traceur radioactif, est allongé. Le détecteur de la gamma-caméra est placé face à l'organe à étudier, perpendiculairement à l'axe principal du corps, puis commence à tourner lentement autour de cet axe en un mouvement soit continu, soit fractionné (mouvement « pas à pas »). La rotation peut, selon les cas, être complète ou consister seulement en un demi-tour. Sa durée est de 10 à 20 minutes en fonction de la quantité de radioactivité concentrée dans la région étudiée. À l'issue de la phase d'enregistrement (phase dite « d'acquisition »), les informations entrées dans la mémoire de l'ordinateur sont traitées pour fournir, après calcul, des images de coupe.

AVANTAGES ET INCONVÉNIENTS

Comparées aux images de la scintigraphie classique, qui donnent une représentation en deux dimensions de la structure étudiée, les images en coupe de la tomoscintigraphie permettent de repérer avec une précision accrue les anomalies de répartition du traceur, facilitant ainsi la localisation de la lésion. En outre, contrairement aux images en coupe du scanner à rayons X, les tomoscintigraphies sont jointives, ce qui permet de reconstruire les images selon des angles différents afin de faciliter le repérage des anomalies.

Le principal inconvénient de cette technique réside dans le fait que l'étude d'un phénomène est difficile lorsqu'il évolue lentement, impossible lorsqu'il évolue vite. Pour le cœur, on peut cependant contourner cette difficulté en synchronisant la prise des images avec les contractions cardiaques au moyen d'un électrocardiogramme. La tomoscintigraphie peut ainsi réaliser des coupes représentant les temps successifs de la contraction cardiaque.

Tonicardiaque

→ VOIR **Cardiotonique**.

Tonométrie

Examen qui a pour but de mesurer la tension oculaire, c'est-à-dire la pression qui règne à l'intérieur de l'œil.

INDICATIONS

La tonométrie oculaire permet de mettre en évidence les augmentations anormales de la tension oculaire (glaucome) susceptibles de faire baisser la vision en l'absence de traitement.

TECHNIQUE

L'appareil le plus utilisé est le tonomètre à aplanation de Goldmann, installé sur un biomicroscope ; le tonomètre à aplanation de Perkins, qui a l'avantage d'être portable, est également employé. Ces appareils comportent un petit cône dont l'extrémité antérieure plate est mise en contact avec la cornée. Ils sont reliés par un bras à une molette graduée que l'on tourne de façon à appuyer le cône sur la cornée, l'examen consistant à aplanir la surface cornéenne, normalement bombée, par une force égale à la pression régnant à l'intérieur du globe oculaire.

PRÉPARATION ET DÉROULEMENT

Après instillation sur la cornée d'une goutte de collyre anesthésique teintée de fluorescéine, le sujet est installé devant le biomicroscope. Il doit garder les yeux grands ouverts sans cligner des paupières au moment de la prise de tension. L'examen est indolore et peut être répété plusieurs fois, notamment au cours de l'établissement des courbes de tension oculaire sur 24 heures, la tension étant alors mesurée toutes les 2 ou 3 heures. Dans ce cas, le patient est hospitalisé.

CONTRE-INDICATIONS

La tonométrie n'est pas pratiquée en cas de conjonctivite ou de kératite, pour éviter les risques d'infection.

Tonus

État de tension permanente dans lequel se trouvent normalement les muscles du squelette.

Le tonus est une légère contraction musculaire, déclenchée par les nerfs grâce à un réflexe particulier, le réflexe myotatique. Il est permanent, bien que son intensité puisse varier, diminuant pendant le sommeil, augmentant avant et pendant un effort physique. Le tonus donne au muscle une certaine consistance à la palpation, et aux articulations une certaine rigidité indispensable au maintien des postures du corps. L'hypotonie (baisse du tonus) et l'hypertonie (son accentuation) sont des signes diagnostiques importants au cours des paralysies et des comas.

Lors de l'examen neurologique du nouveau-né, le tonus passif et le tonus actif sont évalués : le premier est estimé par la flexion des segments des membres supérieurs et inférieurs les uns par rapport aux autres lorsque le nouveau-né est en position « fœtale », le deuxième par le redressement de la tête et la tenue sur les jambes lorsqu'on le tient sous les bras, debout et bien appuyé sur la plante des pieds.

Tophus

Dépôt de cristaux d'acide urique, formant sous la peau des tuméfactions blanchâtres.

Les tophus se forment en cas d'élévation prolongée du taux sanguin d'acide urique, le plus souvent chez les malades atteints de goutte, parfois aussi, mais plus rarement, chez des sujets suivant depuis plusieurs années un traitement par les diurétiques. Ce sont des nodules sous-cutanés de quelques millimètres à plusieurs centimètres de diamètre, de consistance molle lorsqu'ils sont de formation récente, dure s'ils sont plus anciens. Non douloureux, ils siègent en général sur les coudes, les doigts, le gros orteil et le pavillon des oreilles. Non traité, un tophus peut s'ulcérer, laissant s'échapper un contenu pâteux ou crayeux.

TRAITEMENT
Le traitement des tophus est celui de l'hyperuricémie (augmentation du taux sanguin d'acide urique) par la prise de médicaments hypo-uricémiants, le plus souvent l'allopurinol. S'ils gênent trop le patient, ils peuvent être enlevés chirurgicalement.

Topique

Se dit d'un médicament qui agit uniquement à l'endroit où il est appliqué, sur la peau ou sur une muqueuse.

Torsion

Mouvement de rotation d'un organe sur lui-même.

Une torsion peut atteindre presque toutes les structures anatomiques, normales (intestin, testicule) ou pathologiques (pédicule d'un kyste), ayant un certain degré de mobilité : la torsion d'une anse intestinale, ou volvulus, est une cause d'occlusion intestinale ; la torsion du cordon spermatique, improprement appelée dans le langage courant torsion du testicule, est l'enroulement sur lui-même du cordon auquel le testicule est suspendu ; l'enroulement de la base d'un kyste (de l'ovaire, par exemple) est un autre exemple de torsion.

SYMPTÔMES ET SIGNES
Une torsion se traduit en général par une douleur brusque et intense. L'un de ses principaux dangers est la nécrose (mort tissulaire) de l'organe touché, du fait de la constriction de ses vaisseaux sanguins nourrissiers. Outre ses conséquences locales (par exemple la perte de la fonction d'un testicule), une torsion retentit parfois sur l'état général du sujet ; ainsi, la nécrose d'un segment d'intestin peut provoquer une déshydratation aiguë et une péritonite.

TRAITEMENT
Il est urgent, uniquement chirurgical, et doit être réalisé si possible dans les six heures, sous peine de lésions irréversibles de l'organe concerné. L'opération consiste à détordre l'organe ou le pédicule, puis à juger de la vitalité de l'organe en cause. En cas de nécrose irréversible, on pratique son abla-

tion. Dans le cas contraire, on conserve l'organe et, éventuellement, on le fixe définitivement par suture (colopexie, orchidopexie) afin d'éviter toute récidive.
→ VOIR Testicule (torsion du), Volvulus.

Torticolis

Contracture plus ou moins douloureuse des muscles du cou, limitant les mouvements de rotation de la tête.

DIFFÉRENTS TYPES DE TORTICOLIS
Il existe différentes variétés de torticolis, classées selon leurs causes.
■ **Le torticolis banal** apparaît parfois après un mouvement brutal et forcé du cou. Plus souvent, on le constate le matin au réveil, sans doute à cause d'une mauvaise position du cou pendant le sommeil. Les symptômes disparaissent en moins de 3 jours grâce au repos et aux médicaments analgésiques et myorelaxants (décontracturants musculaires), en pommade ou par voie orale.
■ **Le torticolis congénital**, présent dès la naissance, est dû au développement insuffisant d'un des muscles sterno-cléido-mastoïdiens (situés sur le côté du cou). Dans ce cas, le torticolis est permanent et indolore. Une correction chirurgicale, qui consiste à rallonger les tendons trop courts, doit être effectuée dès les premières années.
■ **Le torticolis spasmodique**, de cause inconnue, est classé parmi les dystonies (maladies au cours desquelles des contractures provoquent des positions anormales du corps). On observe des accès de douleur et de raideur du cou, pendant lesquels surviennent des contractures successives. La tête peut être en rotation (torticolis), en inclinaison sur le côté (latérocolis), en flexion vers l'avant (antécolis) ou en extension vers l'arrière (rétrocolis). Le traitement repose sur la kinésithérapie, qui vise à renforcer les muscles antagonistes des muscles atteints. On y adjoint le même traitement de base que pour le torticolis banal ou des injections locales, à doses infimes, de toxine botulinique (le botulisme étant une intoxication alimentaire caractérisée par des paralysies) : on obtient ainsi la paralysie des muscles trop actifs.
■ **Le torticolis symptomatique** n'est que l'un des symptômes d'une maladie causale. Beaucoup de lésions de la colonne vertébrale cervicale ou de la région de la nuque peuvent provoquer un torticolis. Ainsi, lors de l'atteinte, spontanée ou post-traumatique, d'un disque intervertébral, le torticolis constitue un phénomène analogue à celui du lumbago par atteinte du rachis lombaire ; il risque d'évoluer vers des douleurs chroniques ou une névralgie cervicobrachiale (douleurs dans le bras ou dans la jambe, analogues, dans ce dernier cas, à celles qu'occasionnerait une sciatique). Un syndrome de Grisel est un torticolis symptomatique de l'enfant, dû à une subluxation (déplacement modéré) de la première vertèbre sur la deuxième ; il se traduit par une position de la tête penchée sur le côté, d'une manière prolongée. Le traitement est celui de la douleur et de la contracture, comme pour

le torticolis banal, complété par le traitement, parfois chirurgical, de la cause, si elle est connue.

Torulose

→ VOIR Cryptococcose.

Toucher

Sens par lequel sont reçues les informations sur l'environnement qui sont perçues par contact cutané direct.

Les récepteurs du toucher sont des corpuscules, c'est-à-dire de minuscules organes sensoriels situés dans la peau, sous l'épiderme. Les informations nerveuses sont transmises de ces récepteurs au cerveau par un triple relais de neurones. Le corps cellulaire du premier neurone est localisé dans un ganglion rachidien. Il rejoint la corne postérieure de la moelle épinière. De là, le second neurone emprunte le cordon latéral de la moelle pour la sensibilité tactile grossière et les sensibilités thermique et douloureuse, et le cordon postérieur pour la sensibilité fine. Après avoir croisé la ligne médiane, toutes ces voies convergent vers le noyau opposé du thalamus, d'où part le troisième neurone, dont le corps se trouve dans les centres du toucher, situés dans le cortex du lobe pariétal.

EXAMENS
L'examen de la bonne qualité du toucher passe par l'exploration de ses diverses modalités : la sensibilité tactile est contrôlée par des attouchements légers (avec du coton), la sensibilité thermique par le contact avec des objets plus ou moins chauds ou froids, la sensibilité douloureuse par la perception d'excitations telles que le pincement ou la piqûre.

PATHOLOGIE
Il existe des altérations du toucher quantitatives, partielles (hypoesthésie, hyperesthésie) ou totale (anesthésie), et des altérations qualitatives (dysesthésie). Toutes ces altérations peuvent se rencontrer en cas d'atteinte des nerfs périphériques (anesthésie par section d'un nerf, névralgie sciatique ou dentaire) ou des organes centraux du système nerveux (moelle épinière, cerveau). Les causes sont extrêmement variées, selon la localisation de l'atteinte : traumatique, toxique (alcoolisme), métabolique (diabète), inflammatoire. Les capacités de récupération d'un toucher normal dépendent directement de cette cause. Toutefois, même lorsque celle-ci peut être combattue, il persiste souvent une petite altération de la qualité de la perception sensitive, notamment quand les zones de toucher fin sont lésées (pulpe des doigts).

Toucher médical

Examen d'une cavité naturelle du corps humain pratiqué avec un ou deux doigts.
DIFFÉRENTS TYPES DE TOUCHER MÉDICAL
■ **Le toucher rectal**, qui se pratique avec l'index, muni d'un doigtier lubrifié, permet l'exploration de l'anus, de la partie basse du rectum, du bas-fond de la cavité péritonéale (cul-de-sac de Douglas) et de la prostate. Il

donne des indications diagnostiques en cas de tumeurs, bénignes ou malignes, de l'anus, du rectum et de la prostate. Il met également en évidence les anomalies du cul-de-sac de Douglas (épanchement, abcès), les saignements du tube digestif (méleana, rectorragie), l'accumulation de matières fécales formant un obstacle au transit intestinal (fécalome). Cet examen est pratiqué spécialement à partir de 50 ans lors des visites médicales de routine afin de dépister d'éventuelles lésions prostatiques ou rectales.

■ **Le toucher vaginal**, fait par un gynécologue ou un généraliste, se pratique avec deux doigts, l'index et le médius, recouverts d'un gant lubrifié. Associé à la palpation abdominale, il permet l'examen du col de l'utérus, de l'utérus lui-même et de ses annexes (trompes, ovaires). Un toucher vaginal permet ainsi de dépister une anomalie de position ou une augmentation de taille de l'utérus, la présence d'une masse sur l'utérus, les ovaires ou les trompes (fibrome utérin, kyste de l'ovaire ou pyosalpinx, c'est-à-dire présence de pus dans les trompes), une augmentation de volume ou une anomalie de consistance du col utérin (cancer). Pratiqué chaque mois au cours de la grossesse, il renseigne sur l'état du col et peut faire dépister une menace d'accouchement prématuré.

■ **Le toucher bidigital**, qui associe le toucher rectal et le toucher vaginal, renseigne sur l'état de la cloison rectovaginale. Il est beaucoup plus rarement pratiqué.

EFFETS SECONDAIRES

Ces examens, pratiqués en décubitus dorsal (le patient est allongé sur le dos, jambes relevées), sont normalement indolores ou peu douloureux : toute douleur provoquée par le toucher constitue donc un important élément diagnostique.

Tour de rein
→ VOIR Lumbago.

Toux
Expiration brusque et bruyante, réflexe ou volontaire, assurant l'expulsion de l'air contenu dans les poumons.

CAUSES

Une toux peut avoir des origines très diverses : bronchopulmonaire (bronchite, trachéite, asthme, cancer bronchopulmonaire, inhalation d'un corps étranger, dilatation des bronches, tuberculose), mais aussi oto-rhino-laryngologique (otite, rhinopharyngite, sinusite), pleurale (pleurésie, pneumothorax), cardiaque (insuffisance cardiaque gauche) ou encore digestive (reflux gastro-œsophagien).

SYMPTÔMES ET SIGNES

On distingue deux sortes de toux : la toux grasse, qui est suivie d'expectoration, et la toux sèche, qui ne l'est pas. Une toux peut être aiguë ou, lorsqu'elle dure plusieurs semaines, chronique.

TRAITEMENT

La toux n'étant que le symptôme d'une maladie, on ne la traite pour elle-même, par des médicaments antitussifs, que si elle est sèche et très gênante. En revanche, les antitussifs sont contre-indiqués en cas de toux grasse, car, en supprimant la toux, ils seraient susceptibles de provoquer une accumulation de sécrétions dans les bronches et les poumons et d'aggraver la gêne respiratoire.

Toxémie gravidique
Toute complication rénale survenant au cours de la grossesse.
→ VOIR Éclampsie, Prééclampsie.

Toxicodépendance
Dépendance physique et psychique engendrée par la consommation régulière de drogues.
→ VOIR Dossier Toxicomanie.

Toxicologie
Discipline médicale ayant pour objet l'étude des poisons.

La toxicologie s'intéresse à la composition des substances chimiques toxiques, médicamenteuses ou non, aux effets de ces substances sur l'organisme, au diagnostic et au traitement des intoxications.

Dans chaque ville importante, il existe un centre antipoison, capable de fournir par téléphone les renseignements nécessaires sur une substance éventuellement toxique, d'organiser les soins d'urgence et d'assurer les traitements.

Toxicomanie
Habitude de consommer de façon régulière et importante des substances susceptibles d'engendrer un état de dépendance psychique et/ou physique.

Selon les recommandations officielles de l'Organisation mondiale de la santé (O.M.S.), le terme de pharmacodépendance est préférable à celui de toxicomanie.

La toxicomanie se manifeste par un besoin incoercible de consommer certaines substances (drogues), recherchées pour leurs effets euphorisants (cannabis, cocaïne, opium), enivrants (alcool), excitants (tabac, amphétamines) ou hallucinogènes (mescaline).

La plupart de ces substances permettent au toxicomane de s'évader momentanément d'une réalité qui lui est insupportable. La toxicomanie ne peut se combattre par de simples interdits ou en faisant appel à la raison du sujet car, même si celui-ci a réellement le désir de sortir de cette dépendance, la thérapeutique se heurte au problème majeur du sevrage, l'arrêt de la prise de drogue entraînant une douleur morale et physique extrême (état de manque, à l'origine de nombreuses rechutes).
→ VOIR Dossier Toxicomanie.

Toxidermie
Trouble cutané et/ou muqueux dû à l'ingestion ou à l'injection d'un médicament.

Les toxidermies représentent entre 10 et 25 % des hospitalisations dues aux effets indésirables des médicaments. Elles sont plus fréquentes chez les personnes âgées soumises à une consommation médicamenteuse importante et chez les femmes. En revanche, elles sont rares chez les enfants.

CAUSES

Les médicaments le plus souvent mis en cause sont les antibiotiques, les sulfamides, les produits de contraste iodés, les anesthésiques généraux, les sels d'or et la D-pénicillamine. Pour ce qui est des digitaliques, des opiacés, des benzodiazépines, de la codéine, des bêtabloquants, des antihistaminiques et des contraceptifs oraux, ils induisent plus rarement des toxidermies.

DIFFÉRENTS TYPES DE TOXIDERMIE

Le mécanisme en jeu permet de classer les toxidermies en deux grandes catégories.

■ **Les toxidermies immuno-allergiques** sont dues à une hypersensibilité (« allergie » du langage courant).

■ **Les toxidermies non immuno-allergiques** sont dues à diverses causes : dépôt du médicament sous la peau (argyrie), surdosage (élimination insuffisante du médicament par le foie ou les reins, interaction entre divers médicaments), effet secondaire d'un médicament (chute de cheveux consécutive à la prise de certains anticancéreux, par exemple), perturbation de la flore microbienne (développement de champignons du type *Candida albicans* après une antibiothérapie par voie générale), réaction phototoxique (déclenchement, après exposition au soleil, d'une éruption rouge ou bulleuse, consécutivement à la prise d'un médicament), etc.

SYMPTÔMES ET SIGNES

Certains cas de toxidermie sont aigus et graves, voire mortels en l'absence de traitement. De simples démangeaisons, une urticaire, un œdème de Quincke (gonflement du visage), un malaise ou une érythrodermie (rougeur généralisée), si on ne leur trouve pas une autre cause et si le patient prend des médicaments, sont donc à considérer comme un signe d'alarme important, parfois suffisant pour nécessiter une hospitalisation en urgence. Une toxidermie peut aussi se traduire par un érythème pigmenté fixe (rougeurs apparaissant toujours aux mêmes endroits, à chaque prise de médicament), un eczéma, une éruption bulleuse, un purpura (rougeurs hémorragiques par extravasation des globules rouges en dehors des vaisseaux sanguins), une acné, un choc anaphylactique (défaillance circulatoire), une maladie sérique, une vascularite allergique, un lupus érythémateux, un pemphigus vulgaire, un pseudo-lymphome, une photo-allergie médicamenteuse, des troubles de la pigmentation ou des problèmes pilaires (chute de cheveux, hypertrichose [développement anormal de poils dans une région qui normalement n'en a pas ou ne présente qu'un fin duvet]), etc.

DIAGNOSTIC

Il repose sur le caractère souvent symétrique des lésions, les démangeaisons très vives qu'elles provoquent, le fait que le début de l'éruption coïncide, à quelques heures ou quelques jours près, avec la prise d'un nouveau médicament. Enfin, la disparition des lésions avec l'arrêt du médicament et

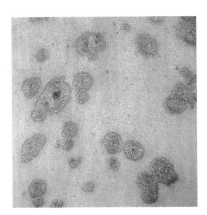

Toxidermie. La prise de certains antibiotiques peut provoquer une réaction cutanée (ici, une éruption de papules dans le dos).

leur récidive éventuelle en cas de nouvelle prise constituent aussi des arguments diagnostiques très importants.

TRAITEMENT ET PRÉVENTION

Le traitement consiste à suspendre la prise du médicament en cause et à soigner les symptômes : soins cutanés, prescription d'antihistaminiques (contre les démangeaisons), voire réanimation dans les cas les plus graves. Un essai de réintroduction du médicament doit toujours être conduit avec la plus grande prudence et en milieu hospitalier, car il peut se révéler dangereux.

Toxi-infection

État infectieux provoqué par une toxine microbienne (substance toxique élaborée par un micro-organisme).

Une toxi-infection est un état infectieux grave se traduisant principalement par une altération de l'état général, des signes nerveux et cardiovasculaires (collapsus).

■ Le choc toxi-infectieux, aussi appelé choc infectieux ou choc septique, est lié aux effets de certaines bactéries et de leur endotoxine (toxine élaborée dans la bactérie et libérée dans l'organisme quand celle-ci est détruite), mais aussi à l'action des cytokines (molécules protéiques sécrétées par les lymphocytes, les monocytes ou les macrophages) libérées en cas d'inflammation.

■ Les toxi-infections proprement dites, au cours desquelles la maladie se confond avec les effets de la toxine microbienne, sont le tétanos, la diphtérie et le botulisme. Parfois appelées toxinoses, elles sont dues à une exotoxine (toxine sécrétée par la bactérie vers l'extérieur) neurotrope (se fixant électivement dans le système nerveux). Alors que le germe du tétanos ou de la diphtérie est présent dans l'organisme et y sécrète la toxine, dans le botulisme, le sujet n'ingère que la toxine, produite par le germe dans l'aliment contaminé.

■ Les toxi-infections liées à l'action d'une entérotoxine agissent sur l'épithélium de l'intestin grêle, les signes de la maladie étant d'ordre digestif (diarrhée, vomissements). Le

choléra et les infections à colibacille entérotoxigène, fréquentes chez le nourrisson, en constituent des exemples : leur gravité tient à l'importance des pertes en eau et en électrolytes (sodium, potassium).

■ Les toxi-infections alimentaires regroupent toutes les infections digestives collectives, contractées à partir de l'ingestion d'aliments souillés, que ce soit par un germe ou par la toxine d'un germe. Les salmonelloses en sont un exemple.

■ Les toxi-infections à germes anaérobies, comme la gangrène gazeuse, constituent des affections graves du fait de la pullulation microbienne, de la nécrose putride des tissus et des toxines microbiennes libérées in situ.

Toxi-infection alimentaire

Infection digestive contractée par ingestion d'aliments souillés par différentes bactéries et leurs toxines.

CAUSES

Les toxi-infections alimentaires surviennent le plus souvent dans les collectivités. L'aliment en cause est principalement l'œuf, ou une préparation contenant des œufs (pâtisserie, crème glacée), ou encore les laitages crus ou mal cuits, la charcuterie et les coquillages. Les germes le plus souvent responsables sont les salmonelles dites mineures *(Salmonella enteritidis),* plus rarement des shigelles, *Campylobacter, Clostridium perfringens* et *Yersinia.*

Il arrive que l'infection soit due à des aliments souillés par l'entérotoxine (toxine agissant sur l'intestin) d'un staphylocoque, le plus souvent à partir d'une lésion cutanée de la main (panaris) du cuisinier.

SYMPTÔMES ET TRAITEMENT

Les symptômes, qui surviennent environ 18 heures après l'ingestion, consistent en une fièvre, des douleurs abdominales, une diarrhée et une fatigue qui durent quelques jours. L'évolution est le plus souvent rapidement bénigne et la maladie disparaît spontanément.

Une toxi-infection alimentaire ne nécessite qu'une réhydratation, et dans certains cas, des médicaments antispasmodiques et ralentisseurs du transit, parfois des antiseptiques intestinaux. Des antibiotiques peuvent être prescrits aux sujets immunodéprimés, aux jeunes enfants et aux vieillards.

PRÉVENTION

Elle repose sur le contrôle de la filière de production des œufs, ainsi que sur le respect des règles d'hygiène, des conditions de préparation, de conservation et de distribution des aliments et sur le contrôle de ceux-ci. Par ailleurs, il est recommandé aux personnes souffrant d'un panaris de s'abstenir de cuisiner.

Toxine

Substance toxique élaborée par un micro-organisme et responsable de la capacité de celui-ci à provoquer une maladie.

Le pouvoir pathogène d'un germe est fonction de sa virulence (pouvoir de multiplication) et/ou de sa capacité à sécréter des toxines (endotoxines ou exotoxines).

DIFFÉRENTS TYPES DE TOXINE

■ Les endotoxines sont produites à l'intérieur de certaines bactéries à Gram négatif et libérées lors de la destruction de celles-ci. De nature glucido-lipido-protéique, elles peuvent être responsables d'états de choc survenant au cours de septicémies.

■ Les exotoxines sont sécrétées vers l'extérieur par des germes à Gram positif et diffusent dans l'organisme. De nature protéique, elles sont responsables de maladies qui diffèrent selon le tropisme (lieu de fixation électif) de la toxine :

- tropisme cutané (affinité pour la peau) pour la toxine érythrogène du streptocoque du groupe A, responsable de l'éruption de la scarlatine ;

- tropisme entérotrope (affinité pour le tissu digestif) pour *Staphylococcus aureus, Escherichia coli, Shigella, Vibrio choleræ ;*

- tropisme neurotrope (affinité pour le tissu nerveux) pour *Clostridium botulinum* et *Clostridium tetani.*

UTILISATION THÉRAPEUTIQUE

Les exotoxines servent à la préparation de vaccins sous forme d'anatoxines (toxines ayant perdu leur toxicité mais conservé leur pouvoir immunogène) ; elles permettent aussi la préparation d'antitoxines (sérums Hyperimmuns obtenus par injections répétées d'anatoxines à l'animal) utilisées en sérothérapie, aujourd'hui remplacées par l'injection d'immunoglobulines.

Toxique

Produit ou substance nocifs pour l'organisme.

DIFFÉRENTS TYPES DE TOXIQUE

■ Certains médicaments sont toxiques en cas de surdosage accidentel ou volontaire (tentative de suicide). Il s'agit en particulier des analgésiques (opium, morphine et leurs dérivés, salicylés, pyrazolés, paracétamol), des antigoutteux (colchicine), des hypnotiques (barbituriques, benzodiazépines), des antidépresseurs (tricycliques, inhibiteurs de la monoamine oxydase), des adrénergiques (alpha et bêta), des adrénolytiques (alpha et bêta), des anticholinergiques (atropiniques), des antiparkinsoniens, des antihistaminiques, des antiarythmiques (quinidines, digitaliques), des hypoglycémiants (insuline, sulfamide), des anticoagulants (héparine, antivitamines K), des substances organométalliques (argent, aluminium, arsenic, bismuth, mercure), etc.

■ De nombreux produits domestiques entraînent une intoxication en cas d'ingestion : lessives, produits de nettoyage caustiques, cosmétiques, produits d'entretien (encaustiques, détachants, produits antigel, sels de machines à laver, etc.).

■ D'autres substances toxiques sont produites par les animaux (venins, reçus par morsure [serpents] ou par piqûre [insectes ; arachnides : araignées, scorpions]), par les plantes (surtout belladone, colchique, digitale), par les champignons (amanite phalloïde, par exemple) ou diffusées par l'activité humaine : produits industriels ou agronomiques (pesticides, organophosphorés, etc.). → VOIR Intoxication.

LA TOXICOMANIE

Haschisch, cocaïne, héroïne, autant de substances dont les consommateurs sont aussi, par la dépendance qu'elles peuvent engendrer, les victimes. La lutte contre les narcotrafiquants mais aussi la vigilance et l'écoute de l'entourage sont de rigueur pour éviter tentations et dérives.

LES DROGUES ET LEURS EFFETS

La toxicomanie se définit par la consommation de substances susceptibles d'entraîner une dépendance physique et/ou psychique. Ces substances, habituellement nommées « drogues », ont pour effet de modifier le psychisme. Si l'on circonscrit habituellement la notion de toxicomanie à l'usage de drogues illégales (haschisch, cocaïne, héroïne), il est important de souligner que d'autres substances, légales et relativement bien intégrées socialement, peuvent, selon l'usage qui en est fait, engendrer, à l'instar des drogues, un état de dépendance. Il en est ainsi de l'alcool, du tabac et de certains médicaments tels que les tranquillisants (anxiolytiques, hypnotiques) ou les stimulants (amphétamines).

Quatre grandes familles de drogues

On peut classer les drogues, en fonction de l'effet qu'elles induisent, en quatre groupes et, au sein de ces groupes, les substances en « dures » ou « douces » – ou majeures et mineures – selon que la dépendance qu'elles entraînent est plus ou moins forte. Le premier groupe comprend les substances dites « psychodépressives », qui exercent une action calmante, parfois soporifique, et combattent l'anxiété ; ce sont l'alcool, les opiacés (héroïne), les barbituriques, les tranquillisants (sédatifs et hypnotiques), mais aussi les solvants tels que l'éther et la térébenthine. Le deuxième groupe est formé des substances dites « psychostimulantes » : la cocaïne et son dérivé le crack, les amphétamines ainsi que l'ecstasy et, dans une moindre mesure, la nicotine, la caféine, le khat (extrait d'un arbuste africain). La troisième famille est celle des substances dites « psychodysleptiques », qui exercent des effets hallucinogènes ; elle comprend le LSD et la psylocybine (extraite d'un champignon mexicain), ainsi que le haschisch. Enfin, la quatrième famille de drogues est composée de certains médicaments (atropine, antihistaminiques) qui peuvent exercer des effets particuliers sur le psychisme (calmants ou, au contraire, stimulants) et entraîner une dépendance.

EXPÉRIENCE ET DÉPENDANCE

La prise de drogues débute souvent à l'adolescence. La grande majorité de ceux qui, à l'âge adulte, continuent à en consommer se marginalisent socialement. D'autres adultes, moins nombreux, évoluant dans des milieux aisés, s'adonnent plus occasionnellement à la drogue, et particulièrement à des psychostimulants comme la cocaïne.

Chez les jeunes, la prise occasionnelle de drogues traduit la recherche de sensations nouvelles, le désir d'imiter les autres. Elle peut aussi correspondre à un usage récréatif ou représenter la transgression d'interdits. Ainsi, sur une population d'adolescents scolarisés de 12 à 18 ans, des enquêtes réalisées en Europe et aux États-Unis révèlent que l'héroïne a été essayée par 1 % d'entre eux, les amphétamines, les substances volatiles et les médicaments sédatifs par 3 à 5 %, le haschisch par 5 à 15 %.

Les dangers d'une consommation régulière

Certains adolescents, après ces premières expériences, deviennent des consommateurs réguliers de drogue. Trois facteurs peuvent y contribuer : la fréquentation d'autres jeunes qui se droguent déjà ; un dialogue insuffisant avec les parents ; enfin, des problèmes psychologiques personnels tels qu'anxiété, timidité, dépression et mal-être général. Il faut ici souligner le rôle des revendeurs, qui cherchent, en se rendant sur les lieux de fréquentation privilégiés des jeunes (écoles, boîtes de nuit, etc.), à entraîner ceux-ci à consommer de la drogue.

Un des effets pernicieux de l'usage de drogues est qu'il engendre une dépendance psychologique, c'est-à-dire l'envie de prendre cette drogue régulièrement pour retrouver, sous son effet, un état plus satisfaisant que l'état normal.

LES MAUX DU TOXICOMANE

La consommation répétée de drogues induit une accoutumance physique de l'organisme. En effet, les drogues interfèrent avec des mécanismes neurobiologiques, en particulier avec les neurotransmetteurs (substances chimiques qui transmettent les messages dans les cellules du système nerveux), et se fixent sur des récepteurs spécifiques du cerveau. Ces récepteurs accueillent, à l'état normal, des substances sécrétées par l'organisme, les endorphines, qui ont des propriétés analgésiques et induisent une sensation de plaisir. Si, comme c'est le cas chez l'héroïnomane, l'organisme est régulièrement saturé par des morphiniques d'origine extérieure à l'organisme, la production interne d'endorphines diminue, et les sensations de plaisir ne peuvent plus provenir, à un certain stade, que de l'apport extérieur d'héroïne.

Les troubles physiques

L'usage des drogues produit de multiples effets toxiques sur la santé, surtout si elles sont consommées régulièrement et à doses élevées : troubles nerveux, digestifs, cardiaques, infections diverses, risques d'embolie, intoxication aiguë et parfois décès à l'occasion d'une surdose (overdose), confusion mentale, délire, hallucinations, comportement particulièrement agressif. Les toxicomanes qui utilisent des seringues risquent en outre de contracter de graves maladies virales (hépatites B ou C, sida) s'ils les échangent entre eux. Une fois dépendant, le toxicomane évolue, pour se procurer l'argent nécessaire à l'achat de sa drogue, dans des milieux de plus en plus marginaux où violence, prostitution et trafic sont la règle.

Le manque

En cas de diminution de la consommation de drogue, l'organisme réagit par des signes de sevrage : anxiété, transpiration, nausées, vomissements, tachycardie, douleurs musculaires, parfois confusion mentale ou encore hallucinations. La prise de drogue atténue, voire fait disparaître ces symptômes de manque, ce qui incite le toxicomane à continuer à en consommer régulièrement.

GUÉRIR ET PRÉVENIR LA TOXICOMANIE

Un consommateur occasionnel ne nécessite pas de traitement médical : l'entourage familial et scolaire doit l'avertir du risque d'accoutumance et d'escalade. Celui qui use plus régulièrement de drogues peut être aidé par un soutien psychologique qui lui permettra de comprendre quelle difficulté d'existence il essaie de compenser et par quels comportements il peut remplacer la drogue. Enfin, si une dépendance physique est installée, un sevrage s'impose avant la prise en charge psychologique. Il est pratiqué sous contrôle médical et associé à l'administration temporaire de médicaments de substitution. La prise en compte des toxicomanies comprend également la prévention et/ou le traitement de problèmes de santé découlant de la prise de drogues : pour éviter la propagation de maladies virales, certains pays mettent à l'essai des mesures comme la mise en vente libre de seringues stériles.

Des rechutes fréquentes

Les rechutes sont liées à des mécanismes biologiques, mais aussi psychologiques, le souvenir de l'effet « agréable » de la drogue persistant dans le psychisme. Aussi sont-elles fréquentes ; ce n'est souvent qu'après plusieurs rechutes que le toxicomane se stabilise, lorsqu'il se découvre une passion qui « l'accroche » plus que la drogue. La recherche de cet intérêt de substitution constitue l'objectif des programmes de réadaptation réalisés par des centres spécialisés ou des groupes d'entraide, mais doit également être soutenue par l'entourage du malade.

Éduquer et prévenir

Limiter l'accès aux drogues par des mesures de contrôle du trafic, de répression de la distribution et de la consommation constitue une mesure efficace pour prévenir la toxicomanie. Cependant, l'attrait financier, pour les vendeurs de drogue, et celui de la transgression, pour les consommateurs, sont tels qu'une éradication est illusoire. Aussi doit-on souligner l'importance, dans cette prévention, de l'éducation : plus que d'une prévention de l'usage de drogues, il s'agit de la préparation à un mode d'existence où la drogue n'exerce pas d'attrait parce que l'on a pu développer une personnalité qui trouve en elle-même suffisamment de ressources. ☐

Voir *Alcoolisme, Cocaïne, Dépendance, Héroïne, Sevrage d'un toxique, Tabagisme.*

Toxocarose

→ VOIR Larva migrans viscérale.

Toxoplasmose

Maladie parasitaire due à l'infestation par un protozoaire (parasite unicellulaire), le toxoplasme, ou *Toxoplasma gondii,* parasite de l'intestin du chat et de diverses autres espèces animales.

DIFFÉRENTS TYPES DE TOXOPLASMOSE

■ **La toxoplasmose congénitale,** assez rare, est transmise par la femme enceinte au fœtus. Le taux de contamination au cours de la grossesse est variable, mais les risques encourus par le fœtus sont plus importants au début de la gestation (il y a 4 % de risques de contamination fœtale lors du premier trimestre de la grossesse avec des conséquences importantes pour le fœtus, 30 % pendant les deux derniers trimestres de la grossesse, avec des conséquences moindres). La toxoplasmose peut être responsable d'un avortement spontané ou provoquer des anomalies cérébrales, oculaires et hépatiques chez l'enfant. Les plus fréquentes, celles de l'œil, se manifestent par une choriorétinite (inflammation de la choroïde et de la rétine) survenant souvent à l'adolescence.

■ **La toxoplasmose acquise** est une maladie fréquente dans tous les pays développés. Elle est presque toujours bénigne chez les enfants, les adolescents et les adultes sains. Chez les malades atteints du sida, en revanche, elle atteint le cerveau (toxoplasmose cérébrale) et se manifeste par un abcès pouvant occasionner des paralysies définitives.

CONTAMINATION

Toxoplasma gondii est un parasite unicellulaire en forme de croissant de lune qui se multiplie dans les cellules de l'intestin du chat. Les œufs (oocytes) sont déposés sur le sol dans les excréments de l'animal.

La contamination s'effectue de diverses façons : par les mains transportant des aliments souillés par les matières fécales du chat (des légumes, par exemple) ; par l'ingestion de viande peu cuite (mouton, bœuf) et contenant des amas de toxoplasmes ; par transmission transplacentaire : la femme enceinte ingère le parasite et le transmet au fœtus à travers le placenta.

SYMPTÔMES ET SIGNES

Dans la plupart des cas, le système immunitaire fournit une protection suffisante contre le protozoaire, de telle sorte que l'infection ne provoque aucun symptôme. Chez certains sujets, la toxoplasmose peut entraîner une fièvre, des adénopathies et une fatigue.

DIAGNOSTIC

La présence d'anticorps spécifiques dans le sang permet de diagnostiquer une toxoplasmose ; une ponction de liquide amniotique ou de sang fœtal est effectuée en cas de doute chez la femme enceinte.

TRAITEMENT

La guérison spontanée est habituelle et il est préférable, s'il s'agit d'une fillette ou d'une jeune fille en bonne santé, qu'elle ne suive pas de traitement afin d'acquérir des anticorps qui pourront la protéger au cours de ses futures grossesses. Le traitement fait appel à l'administration d'antibiotiques et de corticostéroïdes ; il n'est nécessaire que chez la femme enceinte, les enfants nés porteurs de symptômes graves, les sujets immunodéficients et les personnes atteintes de choriorétinite.

TOXOPLASMOSE

La toxoplasmose est due à un parasite dont la multiplication s'effectue dans l'intestin du chat. C'est une maladie fréquente et habituellement bénigne, sauf chez la femme enceinte (risque de fausse couche ou d'anomalies de l'enfant à naître) et chez les sujets immunodéprimés (lésions inflammatoires du cerveau).

Cycle du parasite

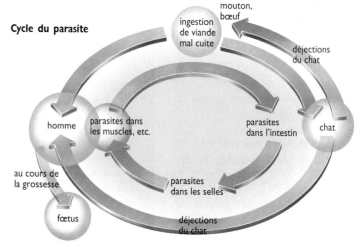

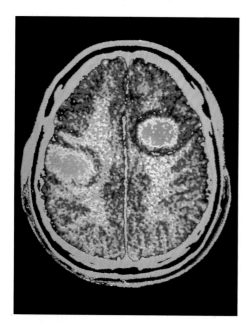

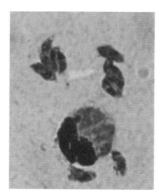

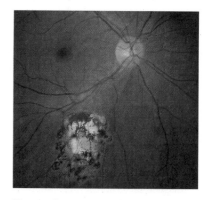

En cas de déficit immunitaire (sujet atteint du sida, par exemple), le parasite peut atteindre le cerveau, où il provoque la formation d'abcès (taches rose-orangé).

Ce frottis sanguin révèle la présence de l'agent de la maladie, Toxoplasma gondii (petits croissants violets).

Une toxoplasmose peut induire une inflammation de la rétine et de la choroïde (réseau noir sur fond blanc), visible à l'examen du fond d'œil.

PRÉVENTION

Le dépistage des anticorps antitoxoplasmes n'est obligatoire qu'en France et en Autriche chez toute femme enceinte, dès le début de sa grossesse. Il doit même être pratiqué, si possible, avant la grossesse afin d'assurer une surveillance régulière de la future mère et de prescrire au besoin un traitement dès que les anticorps apparaissent dans le sang.

Outre cette surveillance, une femme enceinte doit prendre la précaution de manger de la viande très cuite, éviter de changer les litières de chats, se laver soigneusement les mains après tout contact avec les excréments de l'animal si néanmoins elle le fait, comme après toute manipulation de terre ou d'aliments pouvant contenir des oocytes de toxoplasme. Il n'existe pas de vaccin contre la toxoplasmose.

TPHA

Test sérologique de laboratoire permettant de mettre en évidence une infection par le tréponème pâle, ou *Treponema pallidum,* agent de la syphilis. (Abréviation de l'anglais *Treponema Pallidum Haemagglutination Assay,* test d'hémagglutination de *Treponema pallidum.*)

Le TPHA est une réaction d'hémagglutination passive utilisant des tréponèmes tués fixés sur des globules rouges de mouton. Ce test doit toujours être couplé à une deuxième technique sérologique afin d'établir le diagnostic avec certitude.

Trabéculectomie

Intervention chirurgicale permettant de créer une petite fistule sur le trabéculum (tissu translucide formé de fibres enchevêtrées qui filtrent l'humeur aqueuse quand elle s'écoule hors de l'œil).

INDICATIONS

La trabéculectomie est indiquée dans le traitement d'un glaucome chronique (à angle ouvert) ne cédant pas aux traitements médicaux, d'un glaucome à angle fermé persistant après traitement par iridectomie, ou d'un glaucome congénital. Elle peut être associée à une opération de la cataracte.

TECHNIQUE

La trabéculectomie consiste à ouvrir la chambre antérieure de l'œil (espace compris entre la cornée et l'iris) jusqu'à l'espace sous-conjonctival et à protéger cette ouverture par un volet scléral. Cette technique de microchirurgie se déroule sous anesthésie locale ou générale selon les cas, sous contrôle du microscope opératoire. La conjonctive est décollée de manière à bien exposer la sclérotique sous-jacente. Un carré de 1 millimètre d'épaisseur sur 4 millimètres de côté est taillé dans la sclérotique, permettant d'ouvrir la chambre antérieure. Puis un fragment d'iris est enlevé (iridectomie). Le volet scléral est ensuite rabattu et suturé, et la conjonctive, reposée et suturée. Pendant un mois au moins après l'opération, des collyres anti-inflammatoires sont prescrits au patient, ainsi que des collyres d'atropine, destinés à favoriser le passage de l'humeur aqueuse dans la chambre antérieure. L'hospitalisation dure de 5 à 10 jours.

EFFETS SECONDAIRES

Il se peut que la filtration de l'humeur aqueuse soit insuffisante ou que la fistule se bouche. Dans ce cas, un traitement médical, voire une seconde intervention sont nécessaires. Par ailleurs, le risque de cataracte (opacification du cristallin produisant une baisse de vision complète ou partielle) est plus élevé pour les personnes ayant subi une trabéculectomie.

Trabéculoplastie

Méthode de traitement du glaucome chronique consistant à élargir les mailles du trabéculum (tissu qui filtre l'humeur aqueuse s'écoulant hors de l'œil, à l'angle de l'iris et de la cornée) à l'aide du laser argon. SYN. *trabéculorétraction.*

Le laser argon provoque de minuscules brûlures régulièrement espacées sur le trabéculum, créant des cicatrices rétractiles qui facilitent l'écoulement de l'humeur aqueuse à travers ses mailles et contribuent à normaliser la pression intraoculaire.

DÉROULEMENT ET EFFETS SECONDAIRES

Une trabéculoplastie se pratique au moyen d'un verre de contact posé sur l'œil après anesthésie de surface. Ce verre comporte un miroir incliné qui permet de visualiser l'angle iridocornéen. Totalement indolore, cette méthode nécessite souvent deux séances par œil, espacées d'un mois. Après une trabéculoplastie, la vision reste parfois floue pendant quelques heures. Il est important de vérifier la pression intraoculaire les jours suivants l'intervention car un accès de tension oculaire survient parfois, qui doit être contrôlé par un traitement hypotonisant (collyres bêtabloquants ou acétazolamide). Des collyres anti-inflammatoires sont prescrits pendant une à deux semaines. Une trabéculoplastie ne nécessite pas d'hospitalisation.

RÉSULTATS

Malgré l'innocuité et l'absence habituelle de complications de cette méthode, ses résultats sont inconstants et son efficacité, souvent limitée (allant de quelques mois à quelques années). La trabéculectomie lui est préférée chez les sujets jeunes.

Trabéculotomie

Ouverture chirurgicale du trabéculum (tissu qui filtre l'humeur aqueuse s'écoulant hors de l'œil, à l'angle de l'iris et de la cornée), pratiquée dans le traitement de certains glaucomes congénitaux.

TECHNIQUE

Une trabéculotomie consiste à introduire une sonde à travers la sclérotique, à la jonction de l'iris et de la cornée, puis à la faire pénétrer dans le canal de Schlemm, qui draine l'humeur aqueuse vers la circulation veineuse après son passage par le trabéculum. Une rotation imprimée à la sonde permet de percer le trabéculum afin de faciliter le passage de l'humeur aqueuse et de normaliser la pression intraoculaire.

DÉROULEMENT ET COMPLICATION

L'intervention, assez délicate, se pratique sous anesthésie générale, avec l'aide du microscope opératoire. Elle nécessite une hospitalisation de quelques jours et l'instillation, dans les jours qui suivent, de collyres anti-inflammatoires et souvent de collyres myotiques (qui entraînent une contraction de la pupille et dégagent l'angle iridocornéen). Une coque de protection est placée quelques jours sur l'œil.

La principale complication de la trabéculotomie est le risque de survenue d'une hémorragie entre l'iris et la cornée.

PERSPECTIVES

En raison des difficultés de sa réalisation et de l'inconstance de son effet sur la pression intraoculaire, la trabéculotomie tend de plus en plus à être abandonnée au profit de la trabéculectomie (ouverture chirurgicale du trabéculum par création d'une fistule).

Trabéculum

Tissu translucide formé de fibres enchevêtrées qui filtrent l'humeur aqueuse quand elle s'écoule hors de l'œil. SYN. *trabéculum cornéoscléral.* (P.N.A. *trabecula*)

Le trabéculum tapisse l'angle iridocornéen, formé par l'insertion du pourtour de l'iris sur la couche profonde de la cornée.

EXAMEN

La gonioscopie permet d'étudier l'angle iridocornéen au moyen d'un verre conique, à l'intérieur duquel se trouve un miroir, appliqué sur l'œil. Cet examen sert à distinguer les différentes formes de glaucome (hypertension intraoculaire) selon le degré d'ouverture de cet angle et l'apparence du trabéculum. Celui-ci est visible sous forme d'une bande translucide chez le sujet jeune, plus pigmentée chez le sujet âgé.

PATHOLOGIE

Une sclérose (durcissement anormal) du trabéculum, une obturation de ses mailles par un pigment de l'iris, une adhérence entre l'iris et la cornée sont à l'origine de glaucomes. Au lieu de s'évacuer, l'humeur aqueuse s'accumule alors dans la chambre antérieure de l'œil, provoquant une élévation de la pression intraoculaire. La trabéculoplastie, ou trabéculorétraction, au laser argon a pour but de créer sur le trabéculum de petites cicatrices qui, en se rétractant, permettent d'élargir autour d'elles les mailles du réseau fibreux et de favoriser l'évacuation de l'humeur aqueuse. La trabéculectomie est une petite fistule réalisée chirurgicalement sur le trabéculum pour permettre à l'humeur aqueuse de s'écouler hors de l'œil.

Traceur

→ VOIR Marqueur.

Traceur radioactif

Substance radioactive dont la présence ou le trajet dans un tissu, un organe ou un organisme vivant peuvent être facilement détectés par un dispositif approprié. SYN. *marqueur radioactif.*

Les traceurs radioactifs sont des substances que l'on peut introduire en très petites quantités dans un organisme afin d'y suivre leur répartition à des fins expérimentales, notamment biologiques ou médicales. Ils présentent l'avantage, à la différence de beaucoup de traceurs non radioactifs, de ne pas perturber le métabolisme étudié en raison des très faibles quantités nécessaires.

Un traceur radioactif peut être un radio-élément pur ou une molécule dont l'un des atomes est radioactif. Selon ses propriétés physiques ou chimiques, il permet d'explorer des phénomènes aussi différents que l'utilisation du glucose par les cellules cérébrales, la fonction de la pompe cardiaque ou le développement de cellules cancéreuses.

L'évolution actuelle des techniques conduit à l'utilisation, diagnostique ou thérapeutique, de traceurs de plus en plus spécifiques. Ainsi, les anticorps monoclonaux (anticorps marqués spécifiques d'un antigène) sont utilisés dans le diagnostic de l'infarctus, du rejet de greffe et de certains cancers (de l'ovaire, du côlon, etc.), et les peptides (protéines formées par l'union d'un petit nombre d'acides aminés) servent au diagnostic de certaines tumeurs bénignes ou malignes.

Trachée

Conduit qui fait communiquer le larynx avec les bronches et sert au passage de l'air. (P.N.A. *trachea*)

La paroi de la trachée est formée d'une superposition d'anneaux cartilagineux horizontaux en forme de fer à cheval, qui, en arrière, sont fermés par un tissu musculaire. La trachée est située en avant de l'œsophage, auquel elle adhère étroitement. Elle fait suite au larynx, puis se divise à la hauteur de la cinquième vertèbre dorsale en deux bronches principales, donnant respectivement naissance aux arbres bronchiques droit et gauche. La bifurcation trachéale s'appelle la carène, ou éperon trachéal.

EXAMENS ET PATHOLOGIE

La trachée est explorée principalement par la fibroscopie, le scanner et l'imagerie par résonance magnétique (I.R.M.).

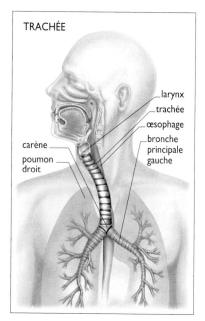

TRACHÉE

larynx
trachée
œsophage
bronche principale gauche
carène
poumon droit

La trachée peut être le siège d'une infection (trachéite, trachéobronchite), d'une tumeur (cancer de la trachée) ou d'une sténose (en cas d'intubation trachéale prolongée) ; en outre, certaines maladies se traduisent par une atteinte de la trachée : trachéomalacie (ramollissement), trachéopathie ostéoplastique (ossification), polychondrite atrophiante (dégénérescence), etc.

Trachéite

Inflammation aiguë ou chronique de la muqueuse tapissant l'intérieur de la trachée.

CAUSES

Une trachéite est en général d'origine infectieuse (bactérienne ou virale), parfois irritative (provoquée, par exemple, par l'inhalation de substances toxiques – produits chlorés notamment). La forme la plus couramment rencontrée est la trachéite aiguë virale, qui se répand par épidémies printanières et automnales et guérit spontanément en quelques jours. Une trachéite est le plus souvent associée à une rhinopharyngite, à une laryngite ou à une bronchite (inflammation, respectivement, du rhinopharynx, du larynx ou des bronches ; dans ce dernier cas, on parle de trachéobronchite).

SYMPTÔMES ET SIGNES

Une trachéite se manifeste par des quintes de toux tenaces, éveillant une douleur thoracique. Cette toux est sèche dans un premier temps, puis accompagnée d'expectoration en cas d'extension de l'inflammation aux bronches.

TRAITEMENT

C'est avant tout celui des symptômes de la trachéite (médicaments antitussifs) ; les antibiotiques ne sont prescrits qu'en cas d'infection bactérienne. La persistance d'une toux pendant plusieurs semaines impose la réalisation d'une radiographie thoracique.

Trachéobronchite

Inflammation simultanée de la muqueuse trachéale (trachéite) et des bronches (bronchite).
→ VOIR Bronchite, Trachéite.

Trachéomalacie

Ramollissement de la trachée.

Une trachéomalacie est due à l'altération ou à la disparition des anneaux cartilagineux de la trachée, conséquence d'une intubation trachéale prolongée, d'un goitre (hypertrophie de la glande thyroïde) volumineux ou d'un emphysème pulmonaire évolué (elle est alors associée à une atteinte de la paroi des grosses bronches). Il en résulte une faiblesse de la paroi trachéale, qui tend à s'effondrer sur elle-même et provoque une gêne respiratoire. Il n'existe pas de traitement spécifique de la trachéomalacie, hormis la pose d'une prothèse trachéale. Après une intubation trachéale prolongée, une trachéoplastie (reconstruction chirurgicale de la trachée) peut être tentée.

Trachéostomie

Intervention chirurgicale consistant à aboucher la trachée à la peau.

Une trachéostomie se pratique après une laryngectomie totale (ablation de la totalité du larynx, conduit situé au-dessus de la trachée). À la fin de l'intervention, le chirurgien suture la trachée à une incision cutanée ouverte sur le cou. Une canule en plastique ou en métal est alors posée dans la trachée. Elle est laissée en place pendant au moins un an afin d'éviter tout risque de sténose (rétrécissement) ; le sujet doit la retirer chaque jour pour la nettoyer à l'eau et au savon.

CONSÉQUENCES

Du fait de la disparition de ses cordes vocales (situées dans le larynx), le patient doit suivre des séances d'orthophonie pour apprendre à parler avec une voix œsophagienne (à la manière des ventriloques).

Trachéotomie

Intervention chirurgicale consistant à pratiquer une ouverture de la face antérieure de la trachée cervicale – entre le 3e et le 4e anneau cartilagineux – et à y placer une canule pour assurer le passage de l'air.

Par extension, ce terme désigne aussi le résultat de l'intervention.

INDICATIONS

La trachéotomie court-circuite les voies aériennes supérieures (fosses nasales, pharynx, larynx) lorsque celles-ci sont obstruées, par exemple par un œdème ou une tumeur. Elle facilite aussi le renouvellement des gaz respiratoires (oxygène, gaz carbonique) dans les alvéoles pulmonaires, chez certains sujets atteints d'insuffisance respiratoire chronique, en diminuant le volume des voies respiratoires qui ne servent pas directement aux échanges gazeux. De plus, en réanimation et chez les sujets souffrant d'une insuffisance respiratoire, elle prévient l'encombrement bronchique en facilitant l'aspiration des sécrétions.

MATÉRIEL ET DÉROULEMENT

La trachéotomie est réalisée sous une anesthésie générale légère, éventuellement complétée par une anesthésie locale. Elle est suivie de la mise en place de la canule, dont il existe divers types, de longueur et de diamètre variables, adaptés aux différentes indications de la trachéotomie.

■ Les canules sans ballonnet, en argent ou en matière plastique plus ou moins souple, ne permettent pas de pratiquer une ventilation artificielle, sauf chez le petit enfant, chez qui la pose d'une canule à ballonnet est impossible ; certains types de canule sont munis d'une fenêtre et peuvent être fermés par un bouchon ou un clapet : ils permettent ainsi le passage de l'air par la filière laryngée, de manière que le sujet puisse parler (canules « parlantes ») et respirer normalement.

■ Les canules à ballonnet, en plastique plus ou moins souple, assurent l'étanchéité du circuit respiratoire lorsque la trachéotomie s'accompagne d'une ventilation artificielle.

Une trachéotomie peut être définitive ou temporaire. Dans ce dernier cas, l'orifice se ferme spontanément et cicatrise quelques jours après le retrait de la canule.

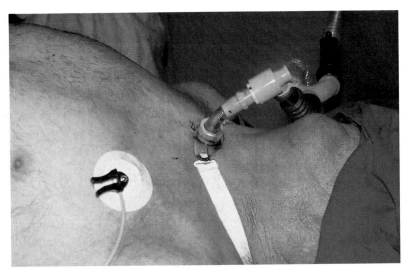

Trachéotomie. Si le patient ne peut respirer seul, la canule de trachéotomie est reliée temporairement à un système de ventilation artificielle.

Lorsque la trachéotomie a un caractère définitif, après quelques semaines passées en milieu hospitalier ou dans un centre de convalescence, le sujet peut regagner son domicile.

ENTRETIEN
Une trachéotomie nécessite des aspirations bronchiques ; de plus, l'hygiène de la canule, entretenue par un lavage quotidien à l'aide d'une petite brosse et d'une solution antiseptique, et le maintien de sa perméabilité doivent être scrupuleusement surveillés. Les sujets atteints d'une insuffisance respiratoire chronique et porteurs d'une trachéotomie à demeure doivent être capables de réaliser ces soins eux-mêmes à domicile. Par ailleurs, ils peuvent s'alimenter normalement et la trachéotomie, en leur permettant notamment de s'essouffler moins vite, leur assure une meilleure autonomie.

COMPLICATIONS
Habituellement bien tolérée après un temps d'adaptation de quelques semaines, une trachéotomie peut cependant entraîner diverses complications, dont les principales sont les hémorragies, survenant soit lors du geste chirurgical, à la suite d'une lésion d'un petit vaisseau, soit du fait d'une infection ou de manœuvres brutales ou maladroites lors d'un changement de position du malade ou d'un changement de canule (mauvaise position, voire expulsion de la canule chez un malade agité) ; l'obstruction de la canule par des sécrétions ou des caillots sanguins ; une infection localisée au pourtour de l'orifice ; les infections bronchopulmonaires ; les lésions de la paroi trachéale et le risque d'apparition d'une fistule trachéo-œsophagienne (canal pathologique mettant en communication la trachée et l'œsophage) ou d'une sténose trachéale (rétrécissement cicatriciel de la trachée) ; cette dernière complication peut être traitée au laser, voire chirurgicalement.

Trachome
Conjonctivite (inflammation de la conjonctive) granuleuse due à un germe du genre *Chlamydiæ, Chlamydia trachomatis,* et pouvant évoluer vers la cécité.

FRÉQUENCE
Le germe du trachome, très contagieux, est particulièrement répandu dans les pays d'Afrique, notamment ceux d'Afrique du Nord, et en Asie. Il atteint plus de 500 millions d'individus et représente la première cause de cécité dans le monde.

CONTAMINATION
Le germe, strictement humain, se transmet par l'intermédiaire de mains sales portées au visage ou de poussières apportées par le vent. Le manque d'hygiène corporelle augmente également le risque de surinfection. La contagion est fréquente au sein d'une même famille.

SYMPTÔMES ET SIGNES
Au début, le trachome prend la forme d'une conjonctivite folliculaire (formée de surélévations translucides), surtout observable sous la paupière supérieure, provoquant de petites lésions qui passent souvent inaperçues. Puis la conjonctivite devient granuleuse (constituée de reliefs plus importants et plus vascularisés) en raison du nombre croissant des follicules et il se forme, de la périphérie au centre de la cornée, une légère opacité ressemblant à un voile. Au bout de quelques mois, les lésions se cicatrisent, mais laissent des séquelles pouvant altérer la vision : présence sur la cornée d'un voile vasculogranuleux appelé pannus, présence de cicatrices étoilées sur la conjonctive de la paupière supérieure.

DIAGNOSTIC
Le diagnostic repose sur l'examen clinique. Il est confirmé par un frottis conjonctival, qui consiste à recueillir les sécrétions afin d'y rechercher la présence des chlamydiæ. Il est complété, le cas échéant, par un grattage conjonctival, pratiqué sous anesthésie locale, qui recherche des cellules à inclusions caractéristiques (cellules contenant des colonies de chlamydiæ).

COMPLICATIONS
Les complications des formes sévères sont essentiellement des opacités cornéennes parfois très denses et responsables d'une baisse majeure de l'acuité visuelle pouvant évoluer vers la cécité, des modifications des paupières telles qu'un ptôsis (affaissement de la paupière supérieure) ou un entropion (bascule du bord de la paupière, souvent inférieure, vers l'intérieur de l'œil), généralement associé à un trichiasis (déviation vers le globe oculaire des cils, qui viennent frotter sur la cornée et y provoquent des ulcérations). On observe aussi une sclérose de l'appareil lacrymal qui empêche l'écoulement normal des sécrétions.

TRAITEMENT
À un stade peu évolué de la maladie, l'application locale, pendant au moins trois semaines, de collyres et de pommades antibiotiques adaptés au germe permet de faire régresser les symptômes. Il est nécessaire de respecter la meilleure hygiène corporelle possible pour favoriser la guérison. Le traitement des séquelles est essentiellement chirurgical, notamment pour le ptôsis, l'entropion et le trichiasis. Les greffes de cornée sont peu efficaces car les greffons s'opacifient à leur tour.

PRÉVENTION
Une bonne hygiène corporelle et un lavage des mains fréquent permettent d'éviter la contamination.

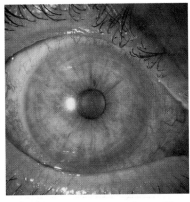

Trachome. Des vaisseaux sanguins envahissent la conjonctive puis la cornée, qui recouvre progressivement l'iris d'un voile opaque.

Traction
Manœuvre consistant à tirer sur une partie d'un membre ou sur la colonne vertébrale afin d'obtenir un effet thérapeutique ou analgésique.

INDICATIONS
Plusieurs sortes de lésions traumatiques peuvent bénéficier d'une traction avant leur traitement chirurgical : les fractures de la

colonne vertébrale, celles du fémur ou de son col, etc. On a aussi recours à ce procédé avant d'opérer une scoliose, pour assouplir les muscles et les articulations de la colonne vertébrale, ou après certaines interventions chirurgicales, notamment sur la hanche.

TECHNIQUE

Le blessé est étendu sur un lit orthopédique, le membre en traction étant maintenu à un point fixe (le plus souvent l'armature du lit) par un système de poulies et de câbles auxquels sont suspendus des poids. Le point d'application de la traction est souvent un segment d'os intact situé au voisinage de la fracture, dans lequel sont mises en place des broches. Un malade mis sous traction doit être régulièrement surveillé : contrôle des orifices des broches (risque d'infection), vérification que l'os est en bonne position, radiographies régulières de la fracture (tous les 3-4 jours au début puis à un rythme hebdomadaire ou bimensuel).

Tractus

1. Faisceau de fibres nerveuses. (P.N.A. *tractus*)

Le terme de tractus, peu employé, peut s'appliquer par exemple au faisceau pyramidal (tractus pyramidal), groupe de fibres nerveuses qui conduisent les ordres moteurs du cerveau à la moelle épinière.

2. Groupe d'organes creux ou de canaux naturels ayant une fonction commune.

Ainsi, on parle parfois de tractus urinaire (appareil urinaire) ou de tractus digestif (appareil digestif).

Traduction

Étape de l'expression d'un gène au cours de laquelle l'information contenue dans une séquence d'A.R.N. messager est décodée et utilisée pour synthétiser une protéine.

Cette séquence d'A.R.N. messager est une copie intermédiaire du gène, qui sert de « matrice » pour permettre la synthèse d'une protéine donnée.

→ VOIR **Code génétique**.

Traitement

Ensemble des méthodes employées pour lutter contre une maladie et tenter de la guérir.

Le traitement fait appel aux principes de la thérapeutique, que le médecin adapte au mieux des connaissances actuelles à chaque cas particulier. On distingue les traitements médicaux, utilisant les médicaments et divers moyens physiques (kinésithérapie, radiothérapie, thermalisme), et les traitements chirurgicaux, pratiqués selon les interventions avec divers instruments et sous différents modes d'anesthésie.

DIFFÉRENTS TYPES DE TRAITEMENT

On en distingue quatre, selon leur but.

■ **Les traitements curatifs** se déroulent en plusieurs phases : traitement d'attaque, initial et intensif, suivi au besoin d'un traitement d'entretien, moins lourd mais souvent plus prolongé. Par exemple, au cours d'une phlébite, le traitement d'attaque consiste en des injections intraveineuses d'héparine pen-

dant quelques jours ; le traitement d'entretien qui lui succède comprend la prescription d'antivitamines K pendant une période de 3 à 6 mois.

■ **Les traitements palliatifs** concernent les mesures qui peuvent être employées lorsqu'une maladie grave, un cancer par exemple, approche de son terme fatal, afin de permettre au malade de la vivre dans les conditions les moins pénibles possible (par exemple injections intrarachidiennes de morphine aidant à surmonter la douleur).

■ **Les traitements préventifs** cherchent à empêcher l'apparition d'une maladie, par la vaccination par exemple, ou encore à supprimer un facteur de risque (lutte contre le tabagisme ou l'hypercholestérolémie) ou à lutter contre ses conséquences.

■ **Les traitements symptomatiques** visent à soulager les symptômes d'une maladie sans pour autant lutter contre les causes ou la nature même de cette maladie ; la prescription d'analgésiques, qui atténuent la douleur, en est un exemple.

Tranchée utérine

Contraction utérine qui survient après l'accouchement et qui est destinée à évacuer les lochies (saignements utérins).

Les tranchées sont d'autant plus douloureuses que la femme a eu plus d'enfants. Elles durent de deux à six jours, sont exacerbées par la succion des mamelons pendant la tétée mais sont aisément calmées par les antispasmodiques.

Tranquillisant

Médicament utilisé pour sa capacité à diminuer un excès d'activité psychique.

Le terme de tranquillisant est peu employé par les médecins ; il fait partie du langage courant et désigne deux familles de médicaments psychotropes (actifs sur le psychisme) : les anxiolytiques, « tranquillisants mineurs », indiqués dans l'anxiété ; les neuroleptiques, « tranquillisants majeurs », indiqués dans les psychoses.

Transaminase

Enzyme qui accélère le transfert d'un groupement aminé d'un acide aminé sur un acide cétonique. SYN. *aminotransférase*.

UTILISATION DIAGNOSTIQUE

Deux transaminases présentent un intérêt clinique ; l'augmentation de leur taux dans le sang est en effet révélatrice d'un certain nombre d'affections ; leur mesure permet donc d'orienter le diagnostic.

■ **L'alanine-aminotransférase** (A.L.T., A.L.A.T. ou SGPT [*Serum Glutamopyruvate Transferase*]) est surtout présente dans le foie et les reins et, en quantité plus faible, dans les muscles striés et les globules rouges. Son taux, normalement inférieur à 15 unités internationales par litre, augmente en cas de destruction des cellules du foie - surtout lors d'une hépatite virale, avant l'apparition de l'ictère - parfois de façon très importante ; ce taux augmente également, dans de moindres proportions, au cours d'autres maladies du foie (cancer, cirrhose, hépatite

toxique [causée par le tétrachlorure de carbone, par exemple], obstruction biliaire, etc.) et au cours de l'infarctus du myocarde.

■ **L'aspartate-aminotransférase** (A.S.T., A.S.A.T. ou SGOT [*Serum Glutamooxaloacetate Transferase*]) se trouve principalement dans les cellules des muscles striés, du foie et dans les globules rouges. Son taux est normalement inférieur à 20 unités internationales par litre. Il augmente en cas de destruction des cellules, en particulier en cas d'infarctus du myocarde (l'importance de l'augmentation étant alors proportionnelle à celle de la lésion) et de myopathie. En cas de destruction des cellules du foie, le taux sanguin d'A.S.T. augmente moins que celui d'A.L.T.

Transcriptase inverse

Enzyme intracellulaire réalisant la transcription (transfert de l'information génétique) de l'acide ribonucléique (A.R.N.) en acide désoxyribonucléique (A.D.N.), et non de l'A.D.N. en A.R.N., comme cela se produit ordinairement.

La famille des rétrovirus, à laquelle appartient le virus de l'immunodéficience humaine (V.I.H.), responsable du sida, est caractérisée par la présence de cette enzyme, à laquelle elle doit son nom, *retro* signifiant « en sens contraire » en latin.

L'activité de la transcriptase inverse s'intègre dans les différentes phases de réplication des rétrovirus à l'intérieur d'une cellule. Cette enzyme permet la copie de l'A.R.N. viral monobrin, constituant génétique du rétrovirus, en A.D.N. proviral double brin avant son intégration dans le génome (ensemble des gènes portés par les chromosomes) ou l'A.D.N. de la cellule infectée par un rétrovirus.

Transcription

Étape de l'expression d'un gène au cours de laquelle l'information contenue dans une séquence d'A.D.N. est copiée sous la forme d'une séquence d'A.R.N.

Cette fabrication naturelle de séquences d'A.R.N. s'effectue grâce à une enzyme spécifique appelée A.R.N. polymérase. La séquence d'A.R.N. ainsi créée, porteuse de l'information contenue dans le gène, se transforme en séquence d'A.R.N. messager au cours d'une étape appelée maturation. Cette dernière séquence sera décodée au cours d'une seconde étape, appelée traduction, et les informations qu'elle contient permettront la synthèse de la protéine codée par le gène.

→ VOIR **Code génétique**.

Transduction

Transfert d'une information génétique d'une cellule à une autre par l'intermédiaire d'un vecteur.

L'information génétique est contenue dans une cellule sous la forme de séquences d'A.D.N. La transduction est un phénomène naturel ou provoqué (par exemple par l'intermédiaire d'un virus).

Le résultat d'une transduction est qu'il manque à la cellule « donneuse » une séquence d'A.D.N., tandis que la cellule « receveuse » aura une séquence d'A.D.N. en double, ou aura acquis une nouvelle séquence, appartenant parfois à une autre espèce organique : ainsi, une salmonelle peut acquérir une séquence d'A.D.N. appartenant à un colibacille.

Transferrine

Protéine présente dans le sérum sanguin, synthétisée par le foie et dont le rôle physiologique essentiel est le transport du fer nécessaire à la synthèse de l'hémoglobine depuis les cellules intestinales jusqu'à la moelle osseuse. SYN. *sidérophiline.*

La concentration en transferrine du sérum sanguin est normalement comprise, chez l'adulte, entre 2 et 4 grammes par litre. Cette valeur s'abaisse en cas d'hémochromatose (maladie métabolique consécutive à l'accumulation de fer dans les tissus), de carence en protéines, d'inflammation et d'insuffisance rénale. Elle s'élève en revanche en cas de carence en fer, due par exemple à un apport alimentaire insuffisant, à une mauvaise assimilation par le système digestif, à des pertes excessives (hémorragies chroniques) ou à une augmentation des besoins (grossesse).

Transfert

Processus selon lequel, en psychanalyse, le patient réactualise ses conflits infantiles en projetant sur le thérapeute l'image de ses parents et les sentiments (désirs, expériences pénibles, découverte de la sexualité, etc.) qu'il a éprouvés envers eux.

Le terme de transfert fut introduit par Sigmund Freud en 1895 mais ne prit une importance décisive que plus tardivement. Freud finira par considérer que l'établissement du transfert, son interprétation et sa résolution, c'est-à-dire la reprise d'une évolution affective normale, constituent la structure essentielle de l'ensemble de la cure analytique.

■ **En psychanalyse**, le transfert ne s'installe souvent qu'avec lenteur, émaillé d'hésitations, de silences gênés et de résistances. L'analyste est alors le support « neutre et bienveillant » d'un mélange d'amour et de haine qui traduit la réapparition de l'ambivalence œdipienne, avec un transfert tantôt « positif » (sentiments affectueux) et tantôt « négatif » (sentiments agressifs). Réciproquement, l'analyste éprouve à l'égard de son patient des réactions inconscientes, pouvant réactiver ses propres conflits, et que Freud nomme contre-transfert. L'existence de ce contre-transfert nécessite une analyse préalable du psychanalyste avant que celui-ci puisse lui-même traiter des patients en cure.

■ **En psychologie**, on utilise le terme de transfert dans un sens général de déplacement de l'affectivité liée à un objet (personne, situation, chose) sur un autre objet. L'enfant de moins de trois ans, par exemple, fait un transfert sur les objets (jouet, poupée) du monde extérieur, leur prêtant une vie animée semblable à la sienne ; chez l'adulte, de nombreuses relations peuvent être interprétées en termes de transfert : une personne amoureuse, par exemple, attribue à son partenaire ses propres états d'âme ou les transfère sur un objet symbolique (fleur ou bijou, par exemple).

Transfert de l'oxyde de carbone (mesure de la capacité de)

Mesure de la perméabilité de la membrane alvéolocapillaire (formée par l'accolement de la paroi de l'alvéole pulmonaire et de celle du capillaire sanguin), qui permet les échanges gazeux (oxygène, gaz carbonique) dans le poumon. SYN. *mesure de la capacité de diffusion de l'oxyde de carbone.*

La mesure de la capacité de transfert de l'oxyde de carbone fait partie de l'exploration fonctionnelle respiratoire (ensemble d'examens destinés à évaluer la fonction respiratoire). Cet examen peu courant consiste à faire inhaler au sujet de l'oxyde de carbone en quantités infimes - c'est un gaz très toxique -, la diffusion de celui-ci à travers la membrane alvéolocapillaire étant proche de celle de l'oxygène, afin d'en mesurer la quantité expirée. Une diminution de la capacité de transfert révèle soit un épaississement de la membrane alvéolocapillaire (fibrose pulmonaire), soit une réduction de la surface totale des alvéoles et des capillaires (emphysème).

Transformation cellulaire

Passage d'une cellule d'un état différencié, c'est-à-dire dans lequel elle possède toutes les caractéristiques des cellules de l'organe auquel elle appartient, à un état dédifférencié, dans lequel elle a perdu ces caractéristiques, à la suite de l'introduction d'une séquence d'A.D.N. exogène (par exemple par l'intermédiaire d'un virus) ou de l'altération ou de la surexpression de certains gènes cellulaires.

Une séquence d'A.D.N. exogène peut être introduite dans une cellule lors d'une infection par certains virus ou expérimentalement, au moyen des techniques du génie génétique (par introduction d'un virus, par exemple). Cette introduction peut se traduire par l'expression, dans la cellule, de nouveaux gènes (ceux de la séquence d'A.D.N.) et/ou par l'inhibition de certains de ses propres gènes, la cellule ayant perdu la capacité de fabriquer les protéines qu'elle synthétisait habituellement ; ainsi, une cellule du foie ne sera plus capable de produire de l'albumine.

Par extension, on appelle aussi transformation cellulaire l'opération qui consiste à introduire une séquence d'A.D.N. recombinant (séquence d'A.D.N. créée en laboratoire en « soudant » bout à bout deux ou plusieurs séquences d'A.D.N. à l'aide d'une enzyme appelée A.D.N. ligase) dans une bactérie, par exemple pour lui faire produire une protéine à usage médical ou industriel.

Transfusion sanguine

1. Injection, dans la circulation sanguine d'un sujet, de l'un des constituants du sang.
2. Ensemble des activités, des compétences et des techniques médicales et biologiques qui permettent la transfusion sanguine au sens précédent.

La transfusion sanguine au sens large comprend le don de sang, la transformation de celui-ci, sa conservation et sa réinjection. En raison des risques de transmission virale

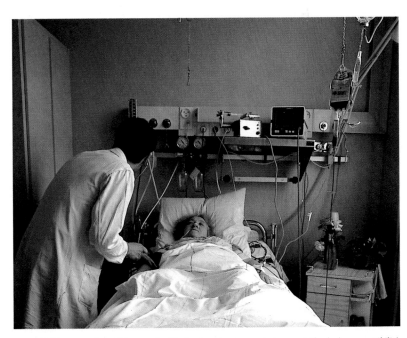

Transfusion sanguine. *Même après élimination du risque viral et contrôle de la compatibilité, une transfusion doit se dérouler sous surveillance médicale stricte.*

(quoique ceux-ci soient limités), la fréquence des transfusions sanguines a diminué.

DON DE SANG

Le don de sang est réglementé : dans de nombreux pays, comme la France, la Belgique, la Suisse ou le Canada, il est bénévole, anonyme et gratuit, et limité à 3, 4 ou 5 fois par an, pour des donneurs de 18 à 55, 60 ou 65 ans selon les pays. Le don de sang existe sous plusieurs formes. La forme la plus courante est le don de sang total. La quantité prélevée est fonction du poids du donneur, sur la base de 0,07 décilitre par kilogramme de poids du corps. Ainsi, une personne pesant 60 kilogrammes donne environ 400 grammes, soit une unité de sang.

Il est possible également de ne prélever que du plasma (plasmaphérèse) ou des plaquettes (cytaphérèse). Dans ce cas, le sang prélevé est centrifugé au fur et à mesure, ce qui permet de rendre ses globules rouges au donneur. Cette forme de don dure plus longtemps qu'un prélèvement de sang total (de 1 à 2 heures).

Les donneurs de sang, même réguliers, sont soumis avant chaque don à des examens médicaux et biologiques qui ont pour but de protéger aussi bien le donneur que le receveur. Certaines maladies, certains traitements, certaines circonstances particulières (voyages lointains et récents comportant un risque d'infection parasitaire ou virale) sont en effet une contre-indication au don de sang. Les examens permettent de déterminer le groupe sanguin et de dépister les différentes sortes d'hépatites (B, C, « non-B/non-C ») ainsi que la syphilis, le sida et le virus HTLV (responsable de lymphomes ou de maladies neurologiques).

PRODUITS SANGUINS

À partir du sang donné, différents produits sanguins sont obtenus.

■ Le concentré globulaire provient d'un don de sang total ; il est obtenu par simple centrifugation. Il ne contient pratiquement que des globules rouges, mêlés à une très petite quantité de plasma. Il est utilisé pour le traitement des anémies dues à une hémorragie (chirurgie, traumatisme) ou à une insuffisance médullaire (aplasie, thalassémie, insuffisance rénale, leucémie, etc.). Il se conserve à 4 °C jusqu'à 35 jours.

■ Les plaquettes proviennent soit d'un don de sang total (plaquettes dites « standards »), soit d'un don par cytaphérèse. Elles sont utilisées chez les patients qui en manquent, le plus souvent par insuffisance médullaire, plus rarement à la suite d'hémorragies très abondantes. Elles se conservent à environ 20 °C pendant une période maximale de 5 jours.

■ Le plasma provient soit d'un don de sang total, soit d'une plasmaphérèse. Il est utilisé dans le traitement des hémorragies importantes ou dans certains déficits en facteurs de la coagulation. Il se conserve congelé pendant une durée maximale d'un an. Il peut subir une purification industrielle (par chauffage, par traitement par solvant-détergent) ayant pour but de ne conserver que certaines protéines (facteurs antihémophili-

ques, immunoglobulines, fibrinogène, etc.) et d'éliminer d'éventuels virus. Dans ce cas, il se conserve sous forme lyophilisée pendant une durée maximale de 3 ans.

RÉINJECTION DU SANG

La protection du receveur est renforcée par la détermination de son groupe sanguin (effectuée 2 fois sur 2 prélèvements différents), la recherche d'agglutinines irrégulières (anticorps spécifiques) et un ultime contrôle, au lit du patient, du sang à transfuser et de son propre groupe sanguin. L'injection est généralement effectuée dans une veine du bras.

En dépit de ces mesures de sécurité, appliquées avec la plus grande vigilance, certains incidents sont inévitables. Il s'agit principalement de l'immunisation du receveur contre certains antigènes du sang transfusé, qui se traduit par une fièvre et des frissons ; de l'inefficacité de la transfusion chez les receveurs de plaquettes ; de l'apparition d'agglutinines irrégulières rendant les transfusions ultérieures plus difficiles. Le risque de transmission virale (hépatite, sida) est très faible. Pour l'hépatite C, il est évalué à 1 pour 6 000 donneurs, pour l'hépatite B, à 1 pour 200 000, à 1 pour 500 000 pour le sida et à 1 pour 200 000 pour le virus HTLV. Néanmoins, lorsqu'il est possible, le recours à l'autotransfusion est préféré : le receveur est son propre donneur, son sang lui ayant été prélevé quelques jours avant l'intervention nécessitant la transfusion.

Transgenèse

Introduction d'une séquence d'A.D.N. dans un ovule fécondé ou dans un embryon à un stade peu évolué.

La séquence d'A.D.N., éventuellement recombinée (c'est-à-dire créée en laboratoire en « soudant » bout à bout deux ou plusieurs séquences d'A.D.N.), est clonée (copiée) puis introduite dans l'œuf. L'organisme résultant de l'œuf ainsi modifié possédera donc dans son génome (ensemble de tous ses gènes) la séquence introduite.

La transgenèse est essentiellement pratiquée pour des expérimentations de recherche fondamentale. On envisage d'y recourir pour faire produire par un animal des protéines humaines à usage thérapeutique (par exemple, à une vache, du lait contenant des facteurs antihémophiliques humains).

Transillumination

Procédé d'examen d'une tuméfaction consistant à appliquer une petite source lumineuse sur l'un des côtés de celle-ci et à observer si la lumière est visible ou non par transparence de l'autre côté. SYN. *diaphanoscopie*.

La transillumination sert notamment à examiner les bourses lorsqu'elles sont tuméfiées, pour déceler la nature de la tuméfaction : liquidienne, celle-ci est transparente (cas de l'hydrocèle, épanchement séreux entre les feuillets de la membrane testiculaire) ; solide, elle est opaque (cas de la varicocèle, dilatation variqueuse des veines du testicule et du scrotum).

Transit baryté de l'intestin grêle

Examen radiologique de l'intestin grêle.

INDICATIONS

Le transit baryté de l'intestin grêle permet de déceler une éventuelle lésion de la paroi du jéjunum ou de l'iléon (première et deuxième partie de l'intestin grêle) ou un éventuel rétrécissement sur ces segments, dû à une inflammation ou à une tumeur.

PRÉPARATION ET DÉROULEMENT

Le malade doit être à jeun. L'examen se pratique à l'aide de baryte, une substance épaisse, opaque aux rayons X, que le patient doit absorber en quantité variable selon les nécessités de l'examen ou qui est introduite dans le duodénum au moyen d'une sonde glissée par la bouche ou le nez. Dans ce dernier cas, un médicament antispasmodique peut être injecté pour éviter d'éventuelles nausées. Le choix de la méthode est laissé à l'appréciation du radiologue. Celui-ci réalise deux études concomitantes, l'une dynamique (consistant à suivre en permanence la progression de la baryte sur un écran de radioscopie), l'autre statique (consistant à prendre des clichés radiographiques à intervalles réguliers). Le transit baryté de l'intestin grêle dure, selon que la baryte est avalée ou introduite par une sonde, de une à cinq heures.

CONTRE-INDICATIONS ET EFFETS SECONDAIRES

Cet examen est contre-indiqué chez les femmes enceintes. Il ne s'accompagne d'aucun effet secondaire, seules l'absorption de la bouillie barytée ou l'introduction de la sonde pouvant être désagréables. Dès que l'examen est terminé, le patient peut repartir et reprendre une alimentation normale. Durant les 2 jours qui suivent, ses selles auront un aspect blanchâtre dû à l'élimination de la baryte.

Transit œso-gastro-duodénal

Examen radiologique de la partie supérieure du tube digestif (œsophage, estomac et duodénum).

INDICATIONS

Le transit œso-gastro-duodénal (T.O.G.D.) permet de mettre en évidence d'importantes lésions de la paroi des organes étudiés dues à une maladie inflammatoire (œsophagite) ou tumorale, ou encore à un ulcère. Il est très souvent remplacé par la fibroscopie gastrique, examen pratiqué au moyen d'un tube optique introduit par la bouche. Cette dernière technique est en effet directe (vision de la surface de la muqueuse) et a, en outre, l'avantage de permettre des prélèvements de la muqueuse digestive (biopsie) pour les examiner au microscope. Toutefois, le transit œso-gastro-duodénal demeure indiqué quand la fibroscopie est impossible du fait d'un rétrécissement infranchissable par le tube optique, lorsqu'on recherche une compression extérieure ou que l'on a besoin de documents radiologiques avant une intervention chirurgicale.

PRÉPARATION ET DÉROULEMENT

Le patient doit être à jeun depuis au moins 8 heures. Il ne doit pas avoir subi d'autre examen utilisant de la baryte et ne pas avoir fumé au cours des 4 ou 6 jours précédents. Il absorbe un verre de baryte, substance épaisse opaque aux rayons X. L'examen comporte une étude dynamique, qui consiste à suivre la progression de la baryte sur un écran de radioscopie, et une étude statique, qui consiste à prendre des clichés radiographiques à intervalles réguliers. Il peut être nécessaire de comprimer l'abdomen à l'aide d'un ballon en matière plastique pour obtenir de meilleures images, ou d'injecter un produit antispasmodique destiné à diminuer les contractions de l'estomac. À la fin de l'examen, qui dure environ 30 minutes, le médecin bascule la table de radiologie de façon que la tête du patient se trouve plus bas que ses jambes pour vérifier qu'il n'y a pas reflux de baryte de l'estomac vers l'œsophage, ce qui révélerait une hernie hiatale.

CONTRE-INDICATIONS ET EFFETS SECONDAIRES
Le transit œso-gastro-duodénal est contre-indiqué chez la femme enceinte. Après l'examen, le patient peut immédiatement reprendre ses activités et une alimentation normale. Les jours suivants, les selles auront un aspect blanchâtre, dû à l'élimination de la baryte.

Translocation
Transfert d'un fragment de chromosome sur un chromosome non homologue.

Les chromosomes non homologues sont les chromosomes qui ne s'apparient pas lors de la fécondation. Quand il y a échange de fragments entre deux chromosomes non homologues, on parle d'une translocation réciproque. Si le transfert s'effectue sans perte de matériel génétique lors de la cassure, la translocation est dite équilibrée.

Ce phénomène peut avoir des conséquences pathologiques. Ainsi, certaines leucémies (leucémie myéloïde chronique, notamment) sont dues à une translocation entre le chromosome 9 et le chromosome 12.

Transmissible
Qui peut être transmise, en parlant d'une maladie.

Ce terme s'applique aux maladies infectieuses ainsi qu'aux anomalies génétiques héréditaires. Les maladies contagieuses transmissibles par voie vénérienne sont aujourd'hui dénommées maladies sexuellement transmissibles (M.S.T.). Les zoonoses sont les maladies transmissibles de l'animal à l'homme. Certaines maladies ne peuvent être transmises que par l'intermédiaire d'un vecteur spécifique transportant l'agent pathogène depuis son réservoir humain ou animal jusqu'à l'homme (arbovirose, par exemple).

Toutes les maladies infectieuses sont transmissibles, leur agent pathogène pouvant passer d'un objet, d'un végétal, d'un animal ou d'un humain à un autre. Seules sont dites contagieuses les maladies qui se transmettent entre les humains, directement ou non.

PRÉVENTION
Les maladies transmissibles les plus préoccupantes font l'objet d'une surveillance internationale répercutée par chaque pays dans sa réglementation sanitaire. Cette surveillance inclut notamment la déclaration obligatoire. Les infections qui en font actuellement l'objet sont la fièvre jaune, le choléra, la grippe, le paludisme, la peste, la tuberculose, l'infection à V.I.H. (sida), la maladie des légionnaires, les toxi-infections alimentaires collectives et le typhus exanthématique.
→ VOIR Maladie héréditaire, Règlement sanitaire international.

Transpéritonéal
Qui pénètre dans la cavité abdominale après avoir traversé la peau et le péritoine (membrane tapissant la peau de l'abdomen).
■ Une ponction transpéritonéale, pratiquée sans anesthésie ou sous anesthésie locale, consiste à effectuer, à l'aide d'un trocart, le prélèvement d'un organe (ponction-biopsie) ou d'un liquide accumulé dans le péritoine (ponction).
■ Un traumatisme abdominal transpéritonéal peut être provoqué aussi bien par une arme blanche que par un projectile.
■ Une voie d'abord chirurgicale transpéritonéale, par incision de la peau, puis du péritoine, s'impose pour toute opération de l'abdomen.

Transpiration
Élimination de la sueur par les pores de la peau.

La sueur est sécrétée par les glandes sudoripares sous l'influence de différents facteurs : température extérieure et effort physique (elle sert alors à éliminer un certain nombre de calories et à rétablir l'équilibre thermique du corps), émotions et stress divers (son mécanisme étant dans ce cas purement nerveux).

PATHOLOGIE
Un excès pathologique de transpiration définit l'hyperhidrose.

Transplantation
Transfert d'un tissu ou d'un organe, avec le ou les vaisseaux qui l'irriguent, afin de remplacer ou de compenser une fonction défaillante.

Alors que le terme de greffe s'emploie quelle que soit la technique utilisée, celui de transplantation implique un rétablissement de la continuité des gros vaisseaux (artères, veines). Il concerne donc principalement les greffes d'organes : cœur, rein, foie, poumon, etc.
→ VOIR Greffe.

Transplantation cardiaque
→ VOIR Greffe de cœur.

Transplantation hépatique
→ VOIR Greffe de foie.

Transplantation pancréatique
→ VOIR Greffe pancréatique.

Transplantation pulmonaire
→ VOIR Greffe pulmonaire.

Transplantation rénale
→ VOIR Greffe de rein.

Transposition
Déplacement d'un organe ou d'un tissu par rapport à sa disposition anatomique normale.

Dans sa forme habituelle, la transposition des gros vaisseaux est une malformation cardiaque dans laquelle les positions de l'aorte et de l'artère pulmonaire à la sortie du cœur sont inversées, l'aorte naissant du ventricule droit en avant de l'artère pulmonaire, issue quant à elle du ventricule gauche ; en général très mal supportée, cette malformation doit être corrigée chirurgicalement dès les premières semaines de la vie.

Certaines anomalies de disposition anatomique sont, à l'inverse, parfaitement tolérées et ne nécessitent aucun geste chirurgical. C'est le cas notamment du situs inversus, inversion droite-gauche de l'ensemble de l'appareil circulatoire et des viscères par rapport à la disposition normale (situs solitus) ; le cœur, l'estomac et la rate sont alors à droite, tandis que le foie est à gauche.

En chirurgie plastique, on peut pratiquer, sous anesthésie générale, une transposition chirurgicale pour réparer un muscle (myoplastie), un tendon, une brûlure cutanée. Le chirurgien sectionne un fragment de l'organe ou du tissu, qui servira à la transposition, de façon à le libérer de ses connexions, sauf à un endroit appelé pédicule, ce qui permet de ne pas interrompre totalement sa vascularisation. Le fragment peut être alors déplacé sur une faible distance (limitée par la longueur du pédicule), grâce à un mouvement latéral ou de rotation, pour combler une perte de substance voisine.

Transposition des gros vaisseaux
Malformation congénitale dans laquelle l'aorte naît anormalement du ventricule droit et l'artère pulmonaire, du ventricule gauche.

MÉCANISME
La transposition des gros vaisseaux crée une situation dans laquelle l'aorte reçoit directement le sang issu des 2 veines caves, après passage dans l'oreillette droite. Il n'y a donc pas d'oxygénation du sang. La survie n'est possible que s'il existe une communication entre le cœur droit et le cœur gauche, permettant le mélange du sang d'origine veineuse et du sang oxygéné.

SYMPTÔMES ET DIAGNOSTIC
À la naissance, le nouveau-né est cyanosé (ses lèvres et ses ongles sont violacés). Une échocardiographie permet de confirmer le diagnostic de transposition des gros vaisseaux.

Le diagnostic prénatal par échographie est difficile.

TRAITEMENT
Le traitement, urgent, consiste d'abord en des perfusions de prostaglandine E1, qui visent à maintenir la perméabilité du canal artériel (élément anatomique qui disparaît normalement à la naissance et qui fait communiquer l'artère pulmonaire et l'aorte)

lorsqu'il existe. L'intervention chirurgicale consiste ensuite à créer ou à agrandir une communication interauriculaire par un ca- théter à ballonnet introduit dans le cœur, ce qui assure le mélange des 2 circulations et permet d'attendre le moment, variable selon les cas, mais se situant la plupart du temps avant 6 mois, d'une correction chirurgicale complète, qui consiste à remet- tre les 2 vaisseaux à leur place normale ; le résultat est, en général, satisfaisant.

Transposition tendineuse

Intervention consistant à sectionner puis à réinsérer le tendon d'un muscle à distance de sa zone d'insertion habituelle.

Une transposition tendineuse est em- ployée soit pour limiter l'action d'un muscle, lorsque celle-ci entraîne une déformation d'un segment de membre, notamment du pied (pied bot, pied creux) ou de la main, soit pour remplacer un muscle paralysé. Dans ce dernier cas, on transpose le tendon d'un muscle voisin sur le point d'insertion du tendon du muscle paralysé : on peut ainsi remplacer l'action déficiente du muscle jambier antérieur, qui permet la flexion dorsale du pied, par celle du jambier postérieur, dont le tendon est réinséré à la place de celui du jambier antérieur.

Transposon

Séquence d'A.D.N. susceptible de changer de localisation sur le chromosome. SYN. *gène sauteur.*

Un transposon se déplace sur le chromo- some ou du chromosome sur un plasmide (petite molécule d'A.D.N. indépendante du chromosome, souvent responsable de la résis- tance bactérienne aux antibiotiques) sans passer à l'état libre. Parfois, cependant, il reste en place et c'est l'une de ses copies qui change de localisation dans le chromosome.

Les premiers transposons ont été trouvés chez la drosophile et dans le maïs. Il en existe aussi chez l'homme. La découverte d'un même transposon chez des bactéries d'espèces différentes tend à confirmer le rôle probablement important de ces éléments mobiles dans les phénomènes d'évolution des espèces. Ainsi, les transposons les plus étudiés aujourd'hui sont ceux qui portent des gènes de virulence ou de résistance aux antibiotiques.

Transsexualisme

Trouble de l'identité dans lequel le sujet a le désir ou le sentiment d'appartenir au sexe opposé.

Cette définition exclut les travestis, les homosexuels ainsi que les personnes at- teintes d'une anomalie chromosomique (syndrome de Klinefelter, de Turner, etc.).

Le transsexualisme est la manifestation d'un trouble grave de la construction de l'identité chez l'enfant, peut-être renforcé par l'environnement familial. Il se manifeste par un sentiment précoce de communion avec l'autre sexe, le sujet considérant son sexe biologique comme une injustice, une erreur qu'il cherche à réparer en adoptant

le comportement et l'aspect du sexe opposé. Cela peut aboutir à une demande d'interven- tion médicale ou chirurgicale sur les attri- buts sexuels (pilosité, seins, modification des organes génitaux). Ces transformations ne font généralement disparaître ni la souf- france psychologique ni le profond senti- ment d'insatisfaction du sujet.

Transsudat

Liquide qui suinte d'une membrane séreuse ou d'une muqueuse en raison d'un phéno- mène de stase (ralentissement ou arrêt de la circulation d'un liquide organique) ou d'une diminution de la concentration du plasma en protéines, qui favorise l'issue des liquides hors des vaisseaux.

Un transsudat ne renferme que les sub- stances qui franchissent aisément les mem- branes : eau, sels minéraux, substances de faible poids moléculaire ; il ne contient pas ou peu de leucocytes et de protéines, par opposition aux exsudats, dont le mécanisme est inflammatoire.

Un transsudat accumulé dans l'espace pleural peut constituer le signe de différentes affections : insuffisance cardiaque gauche, rétrécissement mitral, hypoalbuminémie, cir- rhose, syndrome néphrotique.

Trapèze (muscle)

Muscle large, triangulaire et aplati qui va de la colonne vertébrale à l'épaule. (P.N.A. *mus- culus trapezius*)

STRUCTURE

Le muscle trapèze s'insère sur les parties postérieures des vertèbres (cervicales et dorsales) et se termine sur la clavicule et l'omoplate. Il est commandé par le nerf spinal. Il participe au maintien du cou et du rachis dorsal et intervient dans les mouve- ments d'élévation de l'épaule ainsi que de rotation et d'inclinaison de la tête.

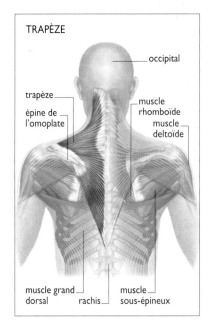

TRAPÈZE

occipital

trapèze

épine de l'omoplate

muscle rhomboïde

muscle deltoïde

muscle grand dorsal

rachis

muscle sous-épineux

Le muscle trapèze est souvent le siège de contractures dues à des lésions de la colonne cervicale (torticolis, fracture, entorse) ; les douleurs dues à celles-ci entraînent peuvent être atténuées à l'aide d'analgésiques et d'anti- inflammatoires. En outre, ce muscle peut être paralysé au cours d'atteintes du nerf spinal, par exemple en cas de tumeur de la base du crâne.

Traumatisme crânien

Choc accidentel sur le crâne, compliqué ou non de lésions de l'encéphale.

Les traumatismes crâniens sont fréquents. Leur principale cause est représentée par les accidents de la route, responsables de la moitié des traumatismes crâniens sévères, en particulier chez les jeunes, chez qui ils constituent la première cause de mortalité. Les autres origines sont les chutes, en particulier avant 15 ans et après 65 ans, puis les accidents du travail et du sport, les accidents domestiques et les agressions.

En dehors des cas les plus bénins, caractérisés par une douleur, un hématome ou une plaie du cuir chevelu, les trauma- tismes crâniens peuvent être source de lésions primaires (qui apparaissent immédia- tement) ou secondaires (qui se produisent de quelques heures à plusieurs mois après le traumatisme).

LÉSIONS PRIMAIRES

Les lésions primaires sont osseuses ou encéphaliques.

■ **Les lésions osseuses** sont les fractures de la voûte du crâne (par choc direct) et celles de la base du crâne (par propagation du choc). Il existe deux variétés particulières de fracture : la fracture avec déplacement (ou embarrure), un fragment osseux étant dé- placé et enfoncé, et la fracture ouverte, avec plaie du cuir chevelu. Une fracture n'entraîne pas nécessairement de conséquences graves mais peut provoquer, surtout en cas d'em- barrure, des lésions de l'encéphale, primaires ou secondaires.

■ **Les lésions de l'encéphale** comprennent la commotion cérébrale, la contusion céré- brale et l'hématome sous-dural aigu. La commotion cérébrale se traduit par des lésions diffuses de la substance blanche dues au déplacement et à l'étirement des struc- tures nerveuses au moment de l'impact. Elle est responsable d'une perte de connaissance immédiate dont la durée est proportionnelle à l'intensité des lésions. La contusion cérébrale comporte une destruction de cel- lules nerveuses et des petits foyers de saignement. Les lésions de contusion peu- vent siéger au point d'impact du trauma- tisme ou du côté opposé lorsqu'elles résul- tent d'un mécanisme de contrecoup. Elles entraînent, selon leur localisation, des trou- bles du comportement ou un léger déficit moteur, généralement sans gravité et réversi- bles. L'hématome sous-dural aigu est une poche de sang collecté dans l'épaisseur des méninges. Il engendre rapidement une para- lysie et des troubles de la conscience (som- nolence pouvant aller jusqu'au coma).

LÉSIONS SECONDAIRES

Les lésions secondaires se produisent de quelques heures à plusieurs mois après le traumatisme, et peuvent apparaître même quand il n'y a pas eu fracture.

Les hématomes intracrâniens sont responsables d'un tiers des morts précoces et des deux tiers des morts tardives par traumatismes crâniens. Il s'agit des hématomes extraduraux, situés entre la dure-mère et la boîte crânienne, et des hématomes sousduraux chroniques, situés entre l'encéphale et la dure-mère. Les premiers se manifestent par des maux de tête et des troubles de la conscience (somnolence, coma). Les seconds se traduisent, de quelques jours à quelques mois après le traumatisme, par des maux de tête, une hémiplégie et une aphasie, une confusion ou une pseudo-démence chez le sujet âgé, des troubles du comportement (repli sur soi). Le danger de ces deux types d'hématome réside dans la compression cérébrale qu'ils provoquent. Le mode d'installation des symptômes qu'ils produisent est d'autant moins rapide que l'hématome apparaît tardivement. Ces hématomes peuvent dans un bon nombre de cas être dépistés par le scanner cérébral et être traités, le cas échéant, par une intervention chirurgicale conduite en urgence.

DIAGNOSTIC ET TRAITEMENT

L'interrogatoire du blessé ou de son entourage permet d'évaluer la violence de l'accident et de savoir s'il y a eu perte de connaissance, ce qui suggère la formation d'un hématome. L'examen immédiat, qui sera répété au cours de la surveillance, s'attache aux points suivants : état de conscience, signes neurologiques correspondant à une lésion localisée telle qu'un hématome (paralysie d'un membre, abolition d'un réflexe), plaie du cuir chevelu. Les radiographies du crâne, à la recherche d'une fracture, sont systématiques.

Quand il n'y a ni fracture ni signe neurologique, le risque de complication est infime et l'hospitalisation n'est pas toujours nécessaire. Quand il y a eu une perte de connaissance, et même si le blessé semble aller parfaitement bien, une surveillance de 24 à 48 heures à l'hôpital est recommandée. En cas de coma ou de signe neurologique, l'hospitalisation dans un service de neurochirurgie s'impose : le scanner cérébral permet de mettre en œuvre un traitement adapté à chaque cas. En cas d'hématome sous-dural aigu, une réanimation est pratiquée, en même temps qu'un traitement antiœdémateux. Les hématomes extraduraux sont drainés chirurgicalement en urgence, tandis que les hématomes sous-duraux chroniques peuvent faire l'objet d'un drainage chirurgical ou d'une corticothérapie.

PRONOSTIC

En cas de traumatisme grave, le décès survient le plus souvent au cours de la première semaine, par troubles du fonctionnement cérébral. Dans les autres cas, on peut observer plusieurs types de séquelles.

■ Les déficits moteurs (paralysie) et sensitifs (anesthésie de la peau) ne peuvent être évalués avec précision par le spécialiste qu'après plusieurs mois. Ils sont améliorés par un traitement kinésithérapique.

■ L'épilepsie, caractérisée par la répétition chronique de crises de convulsions, est observée dans 15 % des traumatismes sévères (comportant des lésions cérébrales ou une embarrure). Elle survient dans la majorité des cas dans l'année qui suit le traumatisme. Le médecin peut prescrire des médicaments antiépileptiques à titre préventif pendant 1 ou 2 ans.

■ Le syndrome post-traumatique, ou syndrome subjectif des traumatisés du crâne, associe des maux de tête, un manque d'équilibre, des troubles de la mémoire et de la concentration, une insomnie, une fatigue, une irritabilité. Son origine est discutée, mais peut être en partie psychologique. Ces symptômes régressent le plus souvent assez rapidement, spontanément ou à l'aide d'un traitement médicamenteux et éventuellement d'une kinésithérapie.

Les sujets atteints d'un traumatisme crânien présentent souvent une sensibilité accrue à l'alcool.

Traumatisme crânien de l'enfant

Les chocs accidentels sur le crâne représentent environ 80 % des accidents domestiques de l'enfant. Le nouveau-né ou le jeune nourrisson peut tomber de la table à langer, l'enfant qui apprend à marcher, d'une chaise ou dans un escalier. Un traumatisme crânien peut être également lié à la pratique du sport chez le jeune enfant ou à un accident de véhicule à deux roues chez l'adolescent.

DEGRÉS DE GRAVITÉ

On répartit schématiquement les cas des enfants ayant subi un traumatisme crânien en trois groupes, selon le risque de fracture et de complications neurologiques qu'ils présentent.

■ Le groupe à très faible risque comprend les cas les plus fréquents : enfants de plus de 2 ans présentant des plaies superficielles, des maux de tête ou des vertiges transitoires. Habituellement, seule est justifiée une surveillance étroite par les parents au domicile.

■ Le groupe à risque intermédiaire inclut les cas suivants : enfants d'un âge inférieur à 2 ans (sauf si le traumatisme est très bénin), enfants ayant eu une perte de connaissance de durée inconnue ou atteints de vomissements, d'une amnésie de l'accident, d'un traumatisme atteignant un autre endroit du corps (notamment la face, comme un saignement de nez). Les radiographies de contrôle, même dans ce cas, ne sont pas systématiques. Cependant, elles sont recommandées chez les plus petits (de moins de 1 an) et chez ceux qui ont une plaie importante du cuir chevelu.

■ Le groupe à risque élevé correspond aux enfants présentant un trouble de la conscience immédiat (somnolence, apathie) ou surtout secondaire (survenant dans un deuxième temps, après guérison apparente), ou encore une fracture. L'enfant doit être alors transféré en urgence dans un hôpital disposant d'un service de neurochirurgie. Le scanner ou l'imagerie par résonance magnétique (I.R.M.) permettent de guider la décision vers une éventuelle intervention neurochirurgicale en urgence.

Traumatisme physique

Ensemble des troubles physiques et des lésions d'un tissu, d'un organe ou d'une partie du corps, provoqués accidentellement par un agent extérieur.

Les traumatismes sont très variés et atteignent toutes les parties de l'organisme. Ils entraînent des signes locaux (douleur, déformation, fracture, luxation, plaie, hématome, ecchymose) mais parfois aussi des signes généraux. Dans ce cas, il s'agit soit d'une conséquence directe des lésions locales (collapsus dû à une hémorragie), soit d'une réaction du système nerveux (malaise, perte de connaissance).

→ VOIR Polytraumatisme.

Traumatisme psychique

Ensemble des troubles psychiques ou psychosomatiques provoqués accidentellement par un agent extérieur au sujet.

SYMPTÔMES ET SIGNES

Les manifestations d'un traumatisme psychique dépendent de la personnalité du sujet et de la portée émotionnelle de l'événement en cause (agression, catastrophe, blessure affective, stress prolongé, etc.). Un traumatisme psychique se traduit en général par une réaction aiguë (raptus, crise d'angoisse, état de confusion et de stupeur) qui peut se prolonger par des troubles de la réadaptation : névrose traumatique (ou réactionnelle), proche de la névrose classique mais moins structurée, sinistrose (le sujet amplifie le préjudice subi), syndrome subjectif posttraumatique (fatigue, douleurs, maux de tête, évanouissements), cauchemars, hypotension orthostatique (étourdissements au lever et en position debout), vertiges, acouphènes (perception généralement erronée d'une sensation sonore).

TRAITEMENT

Il repose sur des techniques comme l'hypnose ou la narcoanalyse, sur la relaxation et la prise de sédatifs légers.

Traumatologie

Spécialité médicale et chirurgicale consacrée à l'étude et au traitement des traumatismes physiques.

La traumatologie regroupe un ensemble de connaissances et de techniques concernant plusieurs spécialités : médecine de réanimation, chirurgie viscérale ou spécialisée (neurologique, orthopédique, cardiaque, maxillofaciale, oto-rhino-laryngologique, ophtalmologique). Dans son acception la plus large, la notion de traumatologie inclut les problèmes soulevés par la prévention (prévention routière, campagnes d'information sur les accidents domestiques), l'organisation des secours de base et la réadaptation (rééducation, réinsertion dans la vie sociale et professionnelle).

→ VOIR Polytraumatisme, Traumatisme physique.

Travail

Phase de l'accouchement marquée par l'association de contractions utérines douloureuses de plus en plus rapprochées et par le raccourcissement et la dilatation du col de l'utérus.

Souvent annoncé par la perte du bouchon muqueux (glaire qui obstrue l'orifice du col de l'utérus en fin de grossesse) et parfois par la rupture de la poche des eaux, le travail a une durée variable suivant les femmes. Il est souvent plus long pour une première naissance que pour les suivantes.
→ VOIR Accouchement.

Tremblement

Mouvement anormal caractérisé par des oscillations rythmiques involontaires d'une partie du corps (membre, tronc, face).

DIFFÉRENTS TYPES DE TREMBLEMENT

On distingue différentes variétés de tremblement en fonction de leurs circonstances d'apparition.

▨ **Le tremblement de repos** persiste quand le sujet est immobile, assis ou allongé. C'est un signe caractéristique du syndrome parkinsonien et de la maladie de Parkinson. Le tremblement touche surtout les extrémités, prédominant aux mains (mouvements d'« émiettement du pain »). Le traitement recourt aux médicaments antiparkinsoniens.

▨ **Le tremblement d'attitude, ou tremblement postural**, n'apparaît que lorsque le sujet maintient une position, par exemple si on lui demande de tenir les bras tendus devant lui. Le plus courant est le tremblement physiologique, provoqué par l'émotion ou favorisé par les excitants (café). Une autre forme est le tremblement dû à la prise d'un médicament (antidépresseur tricyclique, lithium) ou à une maladie (maladie de Basedow [excès d'hormones thyroïdiennes], hypoglycémie [diminution du taux de glucose sanguin], alcoolisme chronique). Le traitement consiste à diminuer ou à supprimer le médicament ou à traiter l'affection en cause. Le troisième type de tremblement d'attitude est le tremblement essentiel (c'est-à-dire sans cause connue), appelé tremblement sénile si son apparition est tardive. Assez fréquent (il touche 2 % de la population), familial dans la moitié des cas, il atteint les extrémités des membres et volontiers la tête ; si son importance gêne la vie courante (alimentation, habillement), on prescrit un médicament bêtabloquant tel le propranolol, ou un antiépileptique.

▨ **Le tremblement d'action** survient quand le sujet effectue un mouvement volontaire. Il peut être une complication d'un tremblement d'attitude évoluant depuis longtemps. Dans les autres cas, il fait partie d'un syndrome cérébelleux (par atteinte du cervelet ou des voies nerveuses en connexion avec lui). Le tremblement prédomine à la racine des membres (épaules, hanches), créant un handicap sévère. Un médicament antiépileptique (valproate de sodium) ou anti-ischémique (piracétam) peut être prescrit. Cependant, la guérison complète d'un tremblement d'origine cérébelleuse est rare.

Trendelenburg (manœuvre de)

Manœuvre permettant, par l'examen clinique des varices du malade, de mettre en évidence une insuffisance valvulaire des veines des membres inférieurs.

TECHNIQUE

Après avoir drainé les varices en les vidant par surélévation des membres inférieurs, on place à la racine de la cuisse un garrot comprimant tous les vaisseaux du membre inférieur, et le sujet est aussitôt remis en position debout. On ôte alors le garrot : chez le sujet sans insuffisance valvulaire, il n'existe aucun phénomène visible ; au contraire, chez le patient présentant une insuffisance valvulaire des veines des membres inférieurs, on peut observer un gonflement rapide des varices, visible à l'œil nu.

Trendelenburg (position de)

Position d'un malade couché sur le dos et dont la tête est placée plus bas que les pieds.
SYN. *position dorsosacrée déclive.*

Cette position est fréquemment utilisée en chirurgie, notamment digestive et gynécologique, afin de dégager le pelvis des anses intestinales, et en radiologie.

▨ **En chirurgie gynécologique**, cette position est systématiquement utilisée en cas de cœlioscopie, après la réalisation du pneumopéritoine (insufflation de gaz dans la cavité péritonéale) et la pose du cœlioscope.

▨ **En radiologie**, cette position est obtenue à l'aide d'une table basculante pour faire circuler vers le haut du corps un produit de contraste. Elle est utilisée par exemple lors d'un transit baryté de l'estomac pour rechercher une hernie de l'estomac (hernie hiatale), ou un reflux gastro-œsophagien ou encore lors d'une myélographie pour visualiser les régions supérieures de la moelle épinière et les racines des nerfs rachidiens.

Trépan

Instrument chirurgical en forme de foret permettant la réalisation d'un orifice dans un os, essentiellement la boîte crânienne.
→ VOIR Trépanation.

Trépanation

Technique chirurgicale consistant à forer un orifice dans un os.

Une trépanation peut être pratiquée dans différents os, comme la mastoïde derrière l'oreille, pour évacuer le pus d'une mastoïdite. Mais ce terme s'applique tout particulièrement à l'ouverture chirurgicale du crâne (craniotomie). Celle-ci est indiquée pour enlever des corps étrangers, vider un hématome ou un abcès, opérer une tumeur.

TECHNIQUE

La trépanation du crâne consiste à ouvrir de un à trois petits orifices dans la voûte crânienne, à l'aide d'un trépan (instrument en forme de foret) ou d'autres instruments. Si une ouverture plus grande est nécessaire, par exemple pour procéder à l'ablation d'une tumeur, le chirurgien fait un volet crânien à l'aide de plusieurs petits trous de trépan disposés en cercle, puis réunis à l'aide d'un fil acéré qui scie l'os.

Tréponématose

Maladie infectieuse contagieuse due à un tréponème, bactérie du genre *Treponema.*

La plus connue des tréponématoses est la syphilis, maladie sexuellement transmissible due à *Treponema pallidum.*

Les tréponématoses non vénériennes (béjel, caraté, ou pinta, pian) existent à l'état endémique dans certaines régions pauvres du globe, les régions tropicales notamment ; elles ont en commun de s'observer tôt dans l'enfance (transmission par les contacts alimentaires et cutanés), de ne jamais entraîner d'atteinte neurologique et de donner lieu aux mêmes réactions sérologiques que la syphilis, ce qui peut poser des problèmes d'interprétation chez l'adulte.

La pénicilline est très efficace sur toutes les tréponématoses.

Tréponème

Genre bactérien appartenant aux spirochètes et regroupant des bactéries de très faible diamètre, hélicoïdales, ne prenant pas la coloration de Gram et présentant une mobilité caractéristique.

Les tréponèmes n'ont pu, à ce jour, être cultivés in vitro. Ils sont responsables des tréponématoses à transmission sexuelle (syphilis) et non sexuelle (tréponématoses non vénériennes : béjel, caraté, ou pinta, pian). Le diagnostic des tréponématoses à transmission non sexuelle est d'abord clinique (aspect des lésions) et épidémiologique (distribution géographique), car ni l'observation du germe vivant ni les tests sérologiques ne permettent de les distinguer de la syphilis.
→ VOIR Tréponématose.

Triceps (muscle)

Muscle des membres supérieurs et inférieurs constitué de trois chefs (corps musculaires) distincts se terminant par un tendon unique.
(P.N.A. *musculus triceps*)

DIFFÉRENTS TYPES DE TRICEPS

On distingue le muscle triceps brachial, situé dans le bras, du muscle triceps sural, situé dans la jambe.

▨ **Le muscle triceps brachial** forme la partie postérieure du bras. Ses faisceaux s'insèrent, l'un sur l'omoplate (longue portion), les deux autres sur l'humérus (vastes interne et externe). Il se termine sur l'olécrane (extrémité supérieure du cubitus) par le tendon tricipital. Il permet les mouvements d'extension de l'avant-bras et du coude. Sa pathologie est dominée par la tendinite du tendon tricipital, cause de douleurs du coude augmentant lorsque celui-ci est en extension.

▨ **Le muscle triceps sural** constitue la musculature superficielle du mollet : il s'agit d'un muscle volumineux, très puissant, composé du jumeau interne, du jumeau externe et du soléaire. Il part de la partie postérieure du fémur et de la jambe et se termine par un tendon commun, le tendon d'Achille, qui s'insère à la face postérieure du calcanéum (os du talon). Il est fléchisseur du pied et permet notamment de se tenir sur la pointe des pieds. Sa pathologie est dominée par les traumatismes, en particulier

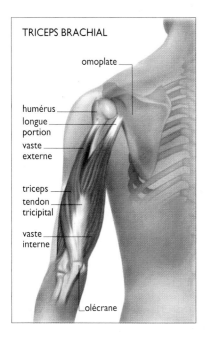

TRICEPS BRACHIAL

omoplate

humérus

longue
portion

vaste
externe

triceps
tendon
tricipital

vaste
interne

olécrane

chez les sportifs (claquage), et par les atteintes du tendon d'Achille (tendinite, rupture tendineuse).

Trichiasis

Inflexion des cils vers l'œil, ce qui provoque une irritation de la cornée.

CAUSES

Un trichiasis peut être congénital ou acquis. Il est souvent associé à un entropion (bascule du bord de la paupière vers l'intérieur de l'œil), parfois lié à l'âge. Il peut faire suite à un processus cicatriciel, après une brûlure ou une plaie de la paupière, ou à une réaction inflammatoire en cas de trachome.

TRAITEMENT

Outre la protection de la cornée par des collyres et des pommades cicatrisantes, le traitement du trichiasis vise la suppression du frottement des cils sur la cornée, qui

Trichiasis. Les cils frottent contre la cornée, qui s'irrite et risque de s'ulcérer, ce qui entraîne une gêne visuelle importante.

risque de provoquer des ulcérations. Lorsque les cils déviés ne sont pas trop nombreux, on peut soit les enlever à la pince, soit pratiquer une électrolyse ciliaire, qui consiste à brûler leurs follicules pour limiter, voire empêcher leur repousse.

Les trichiasis importants nécessitent un traitement chirurgical. Suivant les cas, ce dernier fait appel à des procédés différents (greffe de muqueuse, par exemple). Habituellement pratiquée sous anesthésie locale, l'intervention ne nécessite qu'une brève hospitalisation. Ce traitement a une bonne efficacité.

Trichinose

Maladie parasitaire due à l'infestation par un minuscule ver, la trichine, ou *Trichinella spiralis*.

La trichine vit à l'état adulte dans l'intestin de l'homme, des porcins (porc, sanglier) et de nombreux carnivores (ainsi que dans celui du cheval) alors que ses larves se disséminent dans les muscles, s'y enkystent et restent en diapause (arrêt du développement) pendant plusieurs années. La trichinose, communément nommée maladie des grosses têtes, est fréquente dans tous les pays où l'on consomme de la viande peu cuite.

CONTAMINATION

L'homme s'infeste en mangeant de la viande insuffisamment cuite, viande de porc et de sanglier essentiellement, mais aussi parfois de cheval.

SYMPTÔMES ET SIGNES

Les mêmes symptômes apparaissent, après quelques jours ou quelques semaines selon la quantité de parasites ingérée, chez toutes les personnes qui ont mangé de la viande provenant le plus souvent d'un seul animal infesté : fièvre élevée, diarrhée abondante, fatigue, douleurs et crampes musculaires, plus rarement troubles cardiaques, difficultés respiratoires, gonflement des paupières et du visage.

DIAGNOSTIC

La trichinose est confirmée par des analyses de sang, qui mettent en évidence une éosinophilie (taux élevé de certains globules blancs, les polynucléaires éosinophiles) et la présence d'anticorps spécifiques. Des biopsies musculaires sont pratiquées très occasionnellement, souvent après plusieurs années, quand aucun autre examen ne permet d'expliquer la persistance de douleurs musculaires.

TRAITEMENT ET PRÉVENTION

Le malade peut guérir spontanément, le taux de guérison variant selon le degré de contamination. Aucun médicament n'étant vraiment efficace, il est impératif de consommer de la viande bien cuite ou marinée et longuement cuite s'il s'agit de gibier (sanglier). La surveillance des circuits de commercialisation de la viande de boucherie par les services vétérinaires doit permettre d'éliminer les animaux infestés.

Trichocéphalose

Maladie parasitaire bénigne due à l'infestation du tube digestif par un petit ver, le trichocéphale, ou *Trichuris trichiura*.

Le trichocéphale, long de quelques millimètres, vit planté dans la paroi du cæcum (première partie du côlon). Il peut exister dans l'organisme humain pendant de nombreuses années sans se manifester. La trichocéphalose est une maladie répandue dans le monde entier.

CONTAMINATION

L'homme se contamine en ingérant les œufs des parasites qui souillent le sol et qui se déposent sur les légumes ou les mains. Toute hygiène défectueuse due à l'absence de toilettes ou de tout-à-l'égout favorise l'infestation par le trichocéphale.

SYMPTÔMES ET DIAGNOSTIC

La personne contaminée ne présente généralement aucun trouble. En cas d'infestation massive, une diarrhée et une anémie peuvent se manifester. Un examen des selles pratiqué lors de troubles digestifs souvent non liés à la maladie permet souvent de diagnostiquer l'affection.

TRAITEMENT ET PRÉVENTION

L'administration de médicaments antiparasitaires est efficace. La prévention consiste à améliorer les conditions d'hygiène.

Trichoépithéliome

Petite tumeur bénigne cutanée formée à partir de la racine d'un poil.

Les trichoépithéliomes débutent en général dès l'enfance ou l'adolescence et persistent à l'âge adulte. Ce sont de petites élevures de moins de cinq millimètres de diamètre, roses ou blanches, parcourues de télangiectasies (vaisseaux très fins), siégeant de façon symétrique entre le nez et la bouche, sur les joues, le front et parfois la nuque.

Le traitement n'est justifié qu'en cas de réelle gêne esthétique ; il consiste alors à détruire les lésions par électrocoagulation ou à l'aide du laser au gaz carbonique.

Trichomonase

Maladie parasitaire due à un protozoaire (animal microscopique constitué d'une seule cellule) appelé *Trichomonas vaginalis*.

La trichomonase urogénitale est une affection fréquente, survenant surtout chez les femmes entre 16 et 35 ans. Son mode de transmission est principalement sexuel, mais pas obligatoirement, le parasite pouvant survivre plusieurs heures sur les objets de toilette (serviettes, par exemple) ; l'humidité et un milieu alcalin favorisent sa survie et sa multiplication.

SYMPTÔMES ET SIGNES

■ **Chez l'homme**, la trichomonase se traduit par une urétrite (inflammation de l'urètre) : écoulement matinal, rougeur et gonflement autour de l'orifice urétral, rougeur du sillon balanopréputial (à la base du gland), signes urinaires modérés.

■ **Chez la femme**, la maladie se manifeste par une vulvovaginite aiguë (inflammation de la vulve et du vagin) : pertes (leucorrhées) abondantes, jaune verdâtre, malodorantes, déclenchant une rougeur et de vives démangeaisons ; il s'y associe souvent une atteinte urinaire : gêne pour uriner (dysurie), brûlures pendant la miction, mictions trop

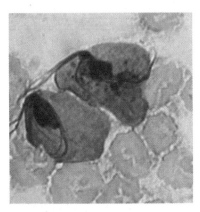

Trichomonase. Le parasite de la maladie, Trichomonas vaginalis (en violet foncé), peut être identifié dans des sécrétions vaginales ou urétrales.

fréquentes (pollakiurie). Parfois, les symptômes sont plus discrets : brûlures et démangeaisons légères, douleurs pendant les rapports sexuels.

■ Chez l'homme comme chez la femme, il arrive que la maladie ne se traduise par aucun symptôme ; toutefois, elle n'en est pas moins contagieuse.

DIAGNOSTIC

Il repose sur la mise en évidence du parasite dans les sécrétions vaginales ou urétrales.

TRAITEMENT ET PRÉVENTION

Le traitement est fondé sur la prise d'antibiotiques imidazolés, soit pendant 7 jours, soit en « traitement-minute » (un seul jour). Il est prudent de ne pas prescrire ces médicaments pendant les 3 premiers mois d'une grossesse. Le partenaire sexuel doit être traité simultanément, même s'il ne présente aucun symptôme, de façon à prévenir toute récidive. Il est recommandé de vérifier en même temps par des examens sérologiques l'absence d'autres maladies sexuellement transmissibles. La prévention de la contagion repose sur l'emploi du préservatif jusqu'à la fin du traitement.

Trichomycose

Infection de la tige des poils par un bacille du genre *Corynebacterium.*

La trichomycose est favorisée par une hyperhidrose (transpiration excessive) et par le manque d'hygiène. Non contagieuse, elle se signale par de minuscules boules blanches engainant les poils des aisselles, qui deviennent ternes et rugueux. Le traitement repose sur une bonne hygiène et des applications d'antiseptiques pendant une semaine, complétées, au besoin, par le rasage des poils.

Trichophytie

Toute dermatose due à un champignon du type *Trichophyton.*
→ VOIR Dermatophytie.

Trichotillomanie

Trouble psychologique au cours duquel le sujet s'arrache régulièrement les cheveux.

La trichotillomanie atteint le plus souvent l'enfant ou l'adolescent, en particulier lors des périodes de stress ; il s'agit alors d'un simple tic. Beaucoup plus rarement, elle est due à une maladie psychologique ou psychiatrique et atteint l'adulte. Parfois, ce trouble aboutit à la formation de plaques de cheveux clairsemés et cassés sur différentes longueurs. Le traitement repose sur la prise de sédatifs et d'anxiolytiques légers, complétée, au besoin, par une psychothérapie.

Tricyclique (antidépresseur)

Médicament antidépresseur composé d'une molécule comportant trois cycles accolés.
SYN. *imipraminique.*

FORMES PRINCIPALES

On distingue 2 classes de tricycliques.

■ Les antidépresseurs tricycliques peu ou pas sédatifs sont l'imipramine, la clomipramine, la démexiptiline, la désipramine et la nortriptyline.

■ Les antidépresseurs tricycliques sédatifs comprennent l'amitriptyline, la doxépine, la dibenzépine, la dosulépine, l'opipramol, la propixépine et la trimépramine.

MÉCANISME D'ACTION

L'action principale des tricycliques est adrénergique : elle favorise l'augmentation des neurotransmetteurs excitateurs (noradrénaline), dont la concentration dans les synapses est faible lors d'une dépression, en bloquant leur absorption normale par les cellules cérébrales. L'effet de stimulation sur le cerveau se trouve accru, entraînant une diminution de la dépression et une amélioration du sommeil.

INDICATIONS ET MODE D'ADMINISTRATION

Les antidépresseurs tricycliques sont indiqués dans le traitement des dépressions endogènes, sans causes extérieures immédiates (deuil, séparation, par exemple), dont l'évolution est progressive. Ils sont administrés par voie orale ou parentérale (injection).

CONTRE-INDICATIONS

Il est contre-indiqué d'associer les tricycliques aux autres antidépresseurs, les inhibiteurs de la monoamine oxydase (I.M.A.O.), les risques d'hypotension, d'hyperthermie, de délire, de convulsions et d'évolution vers un coma étant importants. De même, on évite de les prescrire en cas d'état délirant ou hallucinatoire, de troubles cardiaques, de glaucome ou de problèmes prostatiques.

EFFETS INDÉSIRABLES

Les antidépresseurs tricycliques ont une action anticholinergique par leur influence sur un neurotransmetteur, l'acétylcholine, qui peut entraîner une hypotension orthostatique (étourdissements au lever et en position debout), une constipation, une rétention d'urine, une sécheresse de la bouche et des troubles d'accommodation visuelle. D'autres troubles peuvent apparaître : cauchemars, angoisses, tremblements, convulsions, troubles de l'appétit (boulimie), troubles endocriniens (disparition des règles) et sexuels (impuissance, impossibilité de parvenir à l'orgasme).

En cas d'intoxication aiguë par surdosage, un coma avec crises convulsives, une dépres-

sion respiratoire et des troubles cardiaques sont observés. Le traitement recourt, après un lavage d'estomac, à une perfusion intraveineuse de lactate de sodium.

Triglycéride

Lipide composé de trois molécules d'acide gras reliées à une molécule de glycérol.
SYN. *triacylglycérol.*

Les triglycérides constituent la majeure partie des lipides alimentaires et aussi des lipides de l'organisme stockés dans le tissu adipeux. On les trouve également dans le sérum sanguin, où ils circulent couplés à des protéines spécifiques, différentes selon leur origine : chylomicrons pour les triglycérides d'origine alimentaire, ou VLDL (*Very Low Density Lipoproteins,* lipoprotéines de très basse densité), et leurs dérivés pour les triglycérides fabriqués dans le foie à partir du glucose.

Les triglycérides sont dosés dans le sérum, le plus souvent par hydrolyse enzymatique et dosage du glycérol ainsi libéré. La triglycéridémie (taux de triglycérides dans le sérum) est normalement comprise entre 0,6 et 1,7 millimole, soit entre 0,5 et 1,5 gramme, par litre. Elle varie selon différents facteurs : sexe (elle est ordinairement un peu plus élevée chez l'homme que chez la femme), âge, poids corporel, mode d'alimentation, consommation de tabac, d'alcool, exercice physique, grossesse, prise de certains contraceptifs oraux contenant des œstrogènes.

PATHOLOGIE

■ Une hypertriglycéridémie (taux excessif de triglycérides dans le sérum) peut être primitive, sans cause connue, parfois favorisée par le stress ou consécutive à une pathologie (alcoolisme, diabète, etc.) ou à la prise d'œstrogènes (pilule contraceptive).

■ Une hypotriglycéridémie (taux anormalement bas de triglycérides dans le sérum), beaucoup plus rare, est liée soit à un apport alimentaire insuffisant de triglycérides, soit à une abêtalipoprotéinémie (taux très bas de bêtalipoprotéines dans le sérum).

Tri-iodothyronine

Forme active des hormones thyroïdiennes iodées provenant de la conversion de l'une d'entre elles, la thyroxine.

La tri-iodothyronine (T3) est physiologiquement de 3 à 7 fois plus active que la thyroxine et agit sur les cellules de l'organisme ; elle provient de deux sources : d'une part la sécrétion directe de la thyroïde, d'autre part la transformation chimique par les cellules d'une autre hormone thyroïdienne, la thyroxine, ou tétra-iodothyronine (T4). La sécrétion de tri-iodothyronine est stimulée par une hormone hypophysaire, la thyréostimuline, et obéit à un phénomène de rétrocontrôle (un taux sanguin excessif de tri-iodothyronine freine la sécrétion de thyréostimuline). Le taux sanguin de tri-iodothyronine est normalement compris entre 0,8 et 2 milligrammes par litre.

UTILISATION DIAGNOSTIQUE

Le taux de tri-iodothyronine dans le sérum diminue naturellement avec l'âge. Il aug-

mente rapidement au cours des hyperthyroïdies. D'autre part, de nombreux facteurs (insuffisance rénale ou hépatique) peuvent entraîner la formation de T3 reverse (rT3), dépourvue d'action hormonale.
→ voir Thyroïdienne (hormone).

Triplet

Trouble du rythme caractérisé par la succession de 3 extrasystoles (contractions cardiaques prématurées) venant perturber le rythme cardiaque de base.

Suivant l'origine des extrasystoles, un triplet peut être auriculaire ou ventriculaire. Ses causes sont les mêmes que celles des extrasystoles : présence d'une cardiopathie sous-jacente, troubles métaboliques (hypoxie, hypokaliémie, acidose), hormonaux (hyperthyroïdie, phéochromocytome), utilisation de certains médicaments.

Le diagnostic repose sur l'auscultation et est confirmé par l'électrocardiographie et éventuellement par un enregistrement Holter sur 24 heures. Bénin quand il s'agit d'un triplet auriculaire, le pronostic est plus réservé si le triplet est ventriculaire. Le traitement varie selon les cas.

Triplopie

Vision triple des objets.

La triplopie, plus rare que la diplopie (vision double), ne concerne qu'un œil : elle est dite monoculaire. Elle peut être la conséquence d'une tuméfaction de la paupière (traumatisme, kyste ou tumeur) qui appuie sur la cornée.
→ voir Diplopie.

Trismus

Constriction des mâchoires due à la contracture involontaire des muscles masticateurs.

Le trismus présente des recrudescences paroxystiques à l'occasion desquelles il peut y avoir morsure de la langue. Une contracture simultanée des muscles de la glotte peut, au cours d'une de ces crises, entraîner l'asphyxie.

CAUSES

Le trismus est le premier signe de reconnaissance du tétanos. Mais il s'observe également en d'autres circonstances. Il peut constituer un signe de la maladie sérique (réaction fébrile, qui s'observait surtout entre le 7e et le 9e jour suivant une sérothérapie [injection de sérum de cheval immunisé]), survenir en cas de lésions locales inflammatoires (amygdalite, phlegmon de l'amygdale, abcès dentaire causé par l'éruption d'une dent de sagesse mandibulaire, arthrite temporomaxillaire), au cours de la maladie de Horton (artérite temporale) ou être provoqué par un traumatisme (luxation, fracture de la mâchoire). Certaines intoxications (strychnine) ou certains accidents d'intolérance médicamenteuse (neuroleptiques) peuvent également provoquer un trismus. Celui-ci relève enfin, dans certains cas, d'affections d'origine neurologique comme la méningite aiguë, la sclérose en plaques, la maladie de Parkinson ou l'hémiplégie.

TRISOMIE 21

La trisomie 21, parfois appelée mongolisme, est caractérisée par la présence d'un chromosome 21 surnuméraire. Elle se traduit par un handicap mental, un aspect physique caractéristique (visage rond, yeux bridés et écartés, etc.) et parfois par des malformations viscérales.

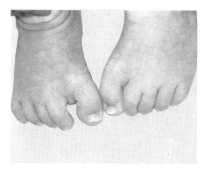

Les malformations atteignent aussi les pieds : la voûte plantaire est affaissée et les orteils sont anormalement courts.

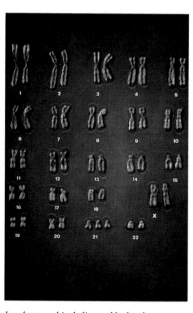

La photographie de l'ensemble des chromosomes des cellules (caryotype) montre l'existence de 3 chromosomes 21 au lieu de 2.

TRAITEMENT

Il dépend de la cause : antibiotiques en cas de trismus d'origine dentaire, hospitalisation et administration de sérum antitétanique humain en cas de tétanos, etc. Des médicaments entraînant un relâchement musculaire (myorelaxants, curarisants) peuvent également être prescrits.

Trisomie 21

Aberration chromosomique se traduisant par un handicap mental et un aspect physique caractéristique. SYN. *syndrome de Down.*

La trisomie 21 était également appelée mongolisme en raison de l'aspect du visage, qui évoque celui des peuples mongols.

FRÉQUENCE

La fréquence de la trisomie 21, qui concerne 1 enfant sur 650, croît considérablement avec l'âge de la mère, surtout après 35 ans. On estime à 2,5 % la proportion des fœtus porteurs de cette anomalie chromosomique chez les femmes de plus de 40 ans. On compte en Europe environ 400 000 sujets atteints de trisomie 21.

CAUSES

Cette maladie congénitale est due le plus souvent à l'existence d'un chromosome surnuméraire qui s'ajoute à la 21e paire chromosomique, le sujet atteint possédant donc 47 chromosomes au lieu de 46. Plus rarement, l'un des chromosomes 21 du père ou de la mère est transféré sur un autre chromosome : le sujet n'a alors que 45 chromosomes ; il n'est pas lui-même atteint, mais risque d'avoir un enfant qui le sera. L'évolution parallèle de l'âge de la mère et de la fréquence de la trisomie 21 suggère que l'ovule est plus en cause que le spermatozoïde dans la constitution de cette anomalie. Celle-ci se produit lors des toutes premières divisions cellulaires qui suivent la fécondation.

SIGNES

À la naissance, la plupart des enfants atteints de trisomie 21 ont des yeux exagérément écartés, avec des fentes palpébrales obliques et bordées en dedans par un repli cutané appelé épicanthus. D'autres anomalies morphologiques sont évocatrices : la partie postérieure de la tête est large et plate, le visage rond, le nez petit et retroussé ; la langue, volumineuse, sort souvent de la bouche entrouverte. Il existe également un pli palmaire transverse unique. Ces enfants sont de petite taille.

À ces caractéristiques morphologiques sont associés d'autres signes, moins connus, tels l'hypotonie musculaire, les troubles de la sensibilité (les sujets sont moins vulnérables à la douleur) ou les troubles métaboliques (carences vitaminiques, chute de la glycémie, par exemple). Des déficits immunitaires expliquent la grande fragilité aux infections des enfants trisomiques. Ceux-ci peuvent être également atteints de malformations viscérales graves (cardiopathie congénitale) ; ils sont davantage exposés à la survenue d'une leucémie aiguë, d'un vieillissement précoce (troubles auditifs ou visuels, démence sénile).

Le handicap mental est présent dans tous les cas, le quotient intellectuel variant selon les sujets de 30 à 80. Mais beaucoup de trisomiques 21 sont capables d'un minimum d'apprentissage, certains pouvant même être initiés à la lecture, voire à l'écriture.

La croissance des sujets atteints est lente et leur puberté tardive. Les filles sont fécondes et les garçons, stériles. Les enfants nés de mère trisomique 21 risquent une fois sur deux de présenter eux-mêmes l'aberration chromosomique.

DIAGNOSTIC

L'examen physique de l'enfant permet à lui seul d'évoquer le diagnostic, que viendra ensuite confirmer l'étude du caryotype. L'analyse précise de ce dernier permettra, en outre, de guider les parents lors d'un conseil génétique ultérieur.

Le diagnostic prénatal repose sur l'analyse des cellules du liquide amniotique prélevées par amniocentèse autour de la 17e semaine d'aménorrhée (absence de règles). Celle-ci est conseillée chez les femmes de plus de 35 ans. Le dosage de l'hormone chorionique gonadotrophique (h.C.G.), sécrétée par les ovaires puis par le placenta pendant la grossesse, peut être pratiqué autour de la 16e semaine d'aménorrhée chez les femmes de plus de 30 ans : une élévation anormale de ce taux permet de suspecter une anomalie chromosomique.

TRAITEMENT ET PRONOSTIC

Il n'existe pas de traitement spécifique mais un grand nombre de mesures sont susceptibles d'améliorer la qualité de vie des enfants trisomiques. Des aides spécialisées, reçues dès la petite enfance, permettront l'élaboration d'un projet éducatif adapté à chaque enfant. Par la suite, ces aides pourront, selon les cas, être assouplies ou intensifiées.

L'espérance de vie des sujets trisomiques - qui autrefois ne dépassaient généralement pas l'adolescence - a été considérablement augmentée grâce aux progrès médicaux (antibiothérapie) et chirurgicaux (interventions pratiquées sur les cardiopathies).

Tritanopie

Anomalie congénitale de la vision des couleurs, caractérisée par l'impossibilité de distinguer diverses couleurs du spectre lumineux, du vert au violet.

La tritanopie est une dyschromatopsie (anomalie de la vision des couleurs) très rare. Le sujet qui en est atteint confond essentiellement le vert, le bleu et le violet, qu'il voit en gris, avec des nuances d'intensité. Il n'y a pas de traitement de cette affection.

Trocart

Instrument chirurgical composé d'un poinçon cylindrique à bord tranchant, monté sur un manche et contenu dans une canule.

Un trocart sert à faire des ponctions ou à introduire un endoscope dans une cavité telle que la plèvre ou le péritoine.

■ **Le trocart de Mallarmé** est utilisé pour ponctionner le sternum ou la crête iliaque afin de prélever de la moelle osseuse.

Trompe utérine

→ VOIR Fallope (trompe de).

Tronc

Partie la plus volumineuse du corps humain, sur laquelle les membres sont articulés, et reliée à la tête par le cou. (P.N.A. *truncus*)

STRUCTURE

Le tronc comporte 3 parties : le thorax, l'abdomen et le petit bassin, cavités contenant les principaux viscères. Le thorax contient les 2 poumons, la trachée et les bronches, l'œsophage, le cœur et les gros vaisseaux (aorte, artère pulmonaire et veines caves) ; l'abdomen, le tube digestif (estomac, intestin) et ses glandes, foie et pancréas, ainsi que les reins et la rate. Le petit bassin, largement ouvert dans l'abdomen,

comprend la vessie, les organes génitaux (utérus, prostate) et le rectum.

La paroi osseuse est formée en arrière par le rachis (dorsal, lombaire, sacré et coccygien), en avant par le sternum et, latéralement, par les côtes et l'os iliaque. La paroi musculaire est représentée essentiellement par les muscles intercostaux et les muscles abdominaux. Le diaphragme, muscle principal de la respiration, est la cloison qui sépare le thorax de l'abdomen.

Le tronc se raccorde au cou par un orifice livrant passage à la trachée, à l'œsophage et aux vaisseaux. Il est fermé en bas par les muscles du plancher pelvien, que traversent le rectum, le vagin et l'urètre.

Tronc cérébral

Partie du système nerveux central intracrânien (encéphale) formant la transition entre le cerveau et la moelle épinière. (P.N.A. *truncus encephalicus*)

Le tronc cérébral est uni en arrière au cervelet par les pédoncules cérébelleux. Il est divisé en trois parties : le bulbe rachidien, la protubérance annulaire et les pédoncules cérébraux. La substance grise, centrale, est fragmentée en noyaux, qui constituent l'origine des dix derniers nerfs crâniens. La substance blanche est représentée par de longs faisceaux dont les uns, ascendants, sont sensitifs (voies de la sensibilité superficielle et de la sensibilité profonde), les autres, descendants, étant moteurs (faisceau pyramidal et voies extrapyramidales). Le tronc cérébral délimite avec le cervelet une cavité remplie de liquide céphalorachidien, le 4e ventricule. Des centres cardiorespiratoires vitaux se situent à son niveau.

PATHOLOGIE

Le tronc cérébral peut être le siège de traumatismes, de tumeurs ou d'inflammations d'origine dégénérative, infectieuse ou vasculaire, ayant des symptômes différents selon la localisation de la lésion : diplopie (vision double) en cas d'atteinte des noyaux d'origine des paires III ou VI des nerfs crâniens, par exemple. La destruction accidentelle des centres cardiorespiratoires du tronc cérébral entraîne la mort.

Tronchin (Théodore)

Médecin suisse (Genève 1709 - Paris 1781).

Grand ami de Jean-Jacques Rousseau et de Voltaire, qu'il soignait, il contribua à répandre en Europe la pratique de la variolisation (inoculation du pus d'un sujet convalescent de variole à un sujet sain), seul moyen de lutte, à l'époque, contre la variole, et introduisit cette pratique à la cour de Versailles. Par ailleurs, il proscrivit les saignées et les excès de table et prôna l'allaitement maternel.

Trophique

Qui concerne la nutrition des tissus.

Un trouble trophique apparaît soit spontanément, soit comme complication d'une artérite, de varices, d'une lésion des centres nerveux (hémiplégie) ou à la suite d'un traumatisme (entorse, fracture). Il résulte

tantôt d'un mauvais apport circulatoire dans un tissu (obstruction d'une artère, gêne à la circulation veineuse, compression), tantôt d'une anomalie de la composition du sang (avitaminose, par exemple) ou encore d'un défaut de contrôle nerveux par les nerfs sympathiques, parasympathiques ou moteurs. Les troubles trophiques peuvent atteindre la peau (ils se traduisent alors par une pigmentation, une décoloration, une atrophie), mais également les tissus sous-jacents (aponévroses, muscles, tendons, tissus graisseux), sous forme d'ulcérations. Ils peuvent même toucher les organes profonds, provoquant des œdèmes, des escarres, une atrophie musculaire.

Trophoblaste

Couche cellulaire périphérique de l'œuf, formée lorsque celui-ci est encore au stade de blastocyste (du 5e au 7e jour après la fécondation) et qui est à l'origine du placenta.

EMBRYOLOGIE

Le trophoblaste est présent au tout début du développement embryonnaire. Il est constitué de replis creux de petite taille, les villosités choriales, et sécrète des enzymes qui permettent aux cellules situées au-dessus du bouton embryonnaire du blastocyste (futur embryon) de pénétrer dans la muqueuse utérine et de réaliser ainsi la nidation de l'œuf. Dès le 8e ou le 9e jour, le trophoblaste assure un rôle nourricier de l'embryon.

Plus tard, le trophoblaste se différencie en deux couches : le cytotrophoblaste, interne (ou trophoblaste cellulaire), et le syncitiotrophoblaste, externe (ou trophoblaste syncitial), l'ensemble formant le chorion (membrane externe de l'œuf). Au troisième mois, le trophoblaste prend le nom de placenta.

EXAMENS

L'hormone sécrétée par les cellules trophoblastiques, appelée hormone chorionique gonadotrophique (h.C.G.), permet de confirmer l'existence d'une grossesse. Vers la dixième semaine de la grossesse, la biopsie de trophoblaste, effectuée sous contrôle échographique par voie vaginale ou abdominale, permet d'établir un diagnostic précoce des maladies héréditaires du fœtus.

PATHOLOGIE

Le trophoblaste peut être le siège d'une dégénérescence, bénigne (môle hydatiforme) ou maligne (choriocarcinome).

→ VOIR Dépistage anténatal.

Trophoblaste (biopsie de)

Prélèvement, dans l'utérus d'une femme enceinte, d'un échantillon de tissu placentaire à des fins d'analyse. SYN. *prélèvement de villosités choriales*.

INDICATIONS

La biopsie de trophoblaste permet de porter le diagnostic prénatal de certaines maladies, métaboliques ou génétiques (trisomie 21, syndrome de Turner, hémophilie ou myopathie), grâce à la réalisation du caryotype fœtal (photographie de l'ensemble des chromosomes du fœtus). Elle indique le sexe de l'enfant, qu'il est important de connaître en

La trypanosomiase africaine, ou maladie du sommeil, est due à un parasite, le trypanosome, qui envahit le sang, les ganglions lymphatiques, le cœur puis le cerveau, provoquant des troubles neurologiques et psychiques de gravité croissante.

cas de transmission possible de maladie liée au sexe. La biopsie de trophoblaste permet de faire les mêmes recherches sur les chromosomes que l'amniocentèse (réalisée à partir des cellules fœtales présentes dans le liquide amniotique), mais plus tôt dans la grossesse.

TECHNIQUE ET DÉROULEMENT
Pratiquée aux environs de la 10e semaine d'aménorrhée (absence des règles) dans un centre spécialisé, une biopsie de trophoblaste s'effectue soit par voie vaginale, en faisant progresser une pince à travers le col de l'utérus jusqu'au trophoblaste, soit par voie abdominale, en ponctionnant la paroi de l'abdomen. Dans ce dernier cas, une anesthésie locale a parfois lieu.

Le prélèvement est fait sous contrôle échographique, et la patiente doit boire un demi-litre d'eau une heure avant l'examen pour que sa vessie soit visible. L'examen est très peu douloureux. Il dure entre 5 et 15 minutes. La patiente peut repartir immédiatement.

EFFETS SECONDAIRES
L'examen ne présente aucun danger pour la mère. Cependant, les risques de fausse couche due à une fissuration des membranes ou à un décollement du placenta ne sont pas négligeables, évalués entre 3 et 5 %.

Tropisme
Localisation élective d'un germe ou d'une toxine microbienne dans un tissu de l'organisme, caractérisant nettement cet agent pathogène et déterminant ses manifestations pathologiques.

Les toxines de *Clostridium botulinum,* par exemple, bactérie responsable du botulisme, sont à tropisme neurotrope (fixation élective sur le système nerveux).

Trou de conjugaison
Orifice de la colonne vertébrale livrant passage à un nerf rachidien destiné à innerver le corps. (P.N.A. *foramen intervertebrale*)

Il existe entre 2 vertèbres adjacentes un trou de conjugaison droit et un trou de conjugaison gauche. Ils communiquent avec le canal rachidien creusé dans les vertèbres, qui abrite la moelle épinière, d'où naissent les nerfs rachidiens. Les trous de conjugaison sont visibles sur les radiographies de la colonne vertébrale. Les traumatismes et les maladies de la colonne vertébrale (arthrose) peuvent rétrécir un ou plusieurs trous de conjugaison. Il en résulte une névralgie (douleur par irritation du nerf), telle qu'une sciatique dans un membre inférieur.

Trousseau (Armand)
Médecin français (Tours 1801 - Paris 1867).

Élève du médecin français Pierre Bretonneau à Tours, il termina ses études à Paris, et obtint son diplôme de docteur en médecine en 1825. Il fut l'un des plus brillants professeurs de clinique médicale de son époque, et décrivit notamment l'un des signes de la tétanie, qui porte son nom (signe de Trousseau).

Titulaire successivement de la chaire de thérapeutique à la faculté de médecine de Paris (1839), puis de la chaire de clinique

Cycle du parasite

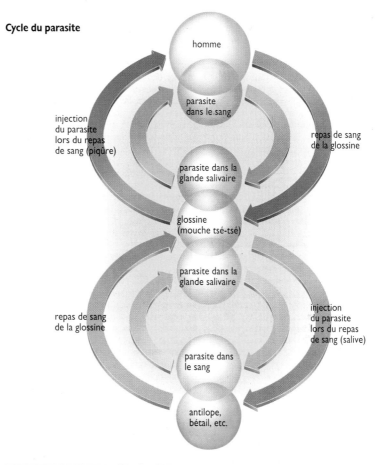

L'homme contracte la maladie par la piqûre de la mouche tsé-tsé, dont la salive contient le parasite.

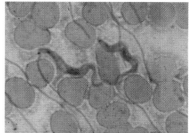

Deux trypanosomes (en rose foncé) sont visibles sur ce frottis sanguin.

médicale (1852) à l'Hôtel-Dieu (Paris), il publia en 1861 ses leçons sous le titre de *Clinique médicale de l'Hôtel-Dieu.*

Trypanosomiase africaine
Maladie parasitaire provoquée par un protozoaire (micro-organisme unicellulaire) flagellé, le trypanosome. SYN. *maladie du sommeil.*

DIFFÉRENTS TYPES DE TRYPANOSOMIASE AFRICAINE
La trypanosomiase africaine, sous ses deux formes, est endémique en Afrique intertropicale.

■ La trypanosomiase africaine due à *Trypanosoma gambiense* sévit en Afrique occidentale et centrale.

■ La trypanosomiase africaine due à *Trypanosoma rhodesiense* affecte l'Afrique orientale.

CONTAMINATION
La trypanosomiase africaine est transmise à l'homme par la piqûre d'une mouche, la glossine, plus connue sous le nom de mouche tsé-tsé. Les trypanosomes, à l'aide du flagelle qui les caractérise, se déplacent dans le sang, les ganglions et le système nerveux cérébrospinal.

SYMPTÔMES ET ÉVOLUTION
Bien que le temps d'incubation de la maladie soit en général de 5 à 20 jours, il arrive que celle-ci ne se déclare qu'au bout de plusieurs années. Elle se traduit par une fièvre, des démangeaisons, l'apparition de ganglions sur

le cou. La rate et le foie augmentent de volume. Le malade devient irritable ou triste, s'agite, parle beaucoup ou se réfugie dans la morosité. Il est parfois victime de troubles du comportement importants pouvant aller jusqu'à l'agressivité et nécessitant un internement psychiatrique. De plus en plus apathique, le malade s'endort dans la journée, mange de moins en moins et passe des nuits agitées. Non traitée, la maladie, dans un délai variable selon les cas, aboutit au coma puis à la mort.

DIAGNOSTIC

L'analyse du sang ou du liquide céphalorachidien (obtenu par ponction lombaire) révèle la présence du parasite.

TRAITEMENT ET PRÉVENTION

Certains médicaments antiparasitaires sont efficaces mais dangereux, car leur toxicité est importante. Les touristes et les citadins courent peu de risques d'être atteints par la trypanosomiase, qui n'est pas une maladie urbaine et qui ne se développe qu'après de nombreuses piqûres de mouche. Les services de santé africains luttent activement contre la maladie du sommeil par des procédés de dépistage et par la destruction des mouches tsé-tsé.

Trypanosomiase américaine

→ VOIR Chagas (maladie de).

Trypsine

Enzyme digestive sécrétée par le pancréas.

La trypsine est produite par les cellules exocrines (non hormonales) du pancréas et rejetée avec le suc pancréatique dans l'intestin grêle par le canal de Wirsung. Elle a un rôle protéolytique, dégradant les protéines alimentaires pour que leurs constituants puissent être absorbés par l'intestin.

UTILISATION DIAGNOSTIQUE

Une augmentation du taux de trypsine dans le sang est caractéristique de la mucoviscidose (maladie héréditaire atteignant le pancréas et les poumons).

Tryptophane

Acide aminé indispensable (c'est-à-dire non synthétisable par l'organisme, qui doit le recevoir de l'alimentation).

Le tryptophane participe à la constitution des protéines de l'organisme. En outre, il intervient dans de nombreuses réactions chimiques, notamment dans la synthèse d'autres substances (sérotonine, acide nicotinique).

SOURCES ET BESOINS

Le tryptophane se trouve dans les protéines alimentaires, essentiellement d'origine animale. Les besoins journaliers d'un adulte sont de l'ordre de 0,25 gramme.

DOSAGE

Le taux sanguin de tryptophane est normalement compris entre 10 et 40 millimoles, soit entre 2,05 et 8,15 milligrammes, par litre. On retrouve cet acide aminé à l'état de traces dans les urines.

PATHOLOGIE

Des pathologies nombreuses et complexes sont liées au tryptophane. Certaines d'entre elles sont des enzymopathies, maladies héréditaires dues à un déficit en certaines enzymes transformant le tryptophane, ce qui provoque l'accumulation de celui-ci et de ses dérivés dans l'organisme. La maladie de Hartnup est une maladie héréditaire liée à une anomalie du transport de certains acides aminés, dont le tryptophane. La maladie dite « des couches bleues » est due à une malabsorption digestive du tryptophane.

Le taux de tryptophane dans le sang augmente lors de certaines tumeurs de l'intestin (carcinoïdes) et dans différentes affections psychiatriques (psychose maniacodépressive avec délire, quelques formes de schizophrénie) ; il diminue dans d'autres affections psychiatriques (psychose maniacodépressive avec mélancolie), et au cours de certaines dépressions).

Tubage digestif

Introduction d'une sonde dans le tube digestif haut (estomac, duodénum) pour en évacuer les sécrétions gastriques ou les prélever à fin d'analyses biologiques et bactériologiques.

INDICATIONS

Le tubage gastrique, également utilisé pour le lavage d'estomac, permet l'exploration de la fonction sécrétrice de cet organe. En cas d'ulcère duodénal résistant au traitement médical ou chirurgical, le tubage duodénal permet l'étude qualitative du suc gastrique (acide chlorhydrique) et la vérification de l'existence d'une sécrétion acide anormale. Le tubage gastrique constitue un examen essentiel en cas de suspicion de syndrome de Zollinger-Ellison (tumeur sécrétante). Il permet également la recherche du bacille de Koch (B.K.) provenant d'une sécrétion trachéobronchique déglutie dans le diagnostic d'une tuberculose pulmonaire. Il est alors d'usage de réaliser trois tubages successifs (un par jour pendant 3 jours).

PRÉPARATION ET DÉROULEMENT

L'examen, déplaisant mais non douloureux, s'effectue sans anesthésie car la coopération du patient est importante. Celui-ci, qui doit être à jeun depuis 12 heures, est en position couchée ou assise. La sonde est introduite par le nez ou la bouche, au besoin après stimulation de la sécrétion acide de l'estomac par injection d'une substance (insuline, histamine, pentagastrine). Le tubage peut être répété pendant 3 jours consécutifs. Tout traitement antisécrétoire ou antiacide doit être arrêté depuis au moins 24 heures. Le patient doit aussi s'abstenir de fumer pendant les 24 heures qui précèdent l'examen.

CONTRE-INDICATIONS

Cet examen ne se pratique ni sur les enfants, insuffisamment coopérants, ni sur les personnes trop réticentes.

Tubaire

Se dit d'un organe formé par un conduit creux central ouvert aux deux extrémités (trompe d'Eustache, trompe de Fallope, par exemple).

■ Le dysfonctionnement tubaire, qui touche la trompe d'Eustache, est dû à l'inflammation de l'oreille moyenne et peut provoquer une otite séreuse.

■ La grossesse tubaire, localisée dans la trompe de Fallope, est une des formes les plus fréquentes de grossesse extra-utérine. L'ovule fécondé s'insère dans le canal de la trompe et peut en provoquer la rupture, source d'hémorragie importante.

■ Le souffle tubaire est un souffle de tonalité élevée, comparable au bruit produit quand on souffle dans un tube et perceptible surtout à l'inspiration lors de maladies pulmonaires spécifiques telles que la pneumonie.

Tube neural

Canal embryonnaire formé par la fermeture de la gouttière neurale creusée dans l'un des feuillets primitifs, l'ectoblaste. SYN. *tube médullaire*.

Le tube neural se forme chez l'embryon à la quatrième semaine de la gestation. Il s'étend dans le sens craniocaudal (du sommet de la tête à la base du rachis) et sa partie médiane se ferme avant ses extrémités. Il est à l'origine du système nerveux central (cerveau et moelle épinière), du système nerveux périphérique (nerfs), de la rétine, de la partie postérieure de l'hypophyse (petite glande endocrine située à la base du cerveau) et de l'épiphyse (autre glande endocrine cérébrale). Il donne aussi naissance à deux longs cordons cellulaires, appelés crêtes neurales, à partir desquels se forment les ganglions rachidiens, une partie des méninges, les gaines de certains nerfs et les cellules de la peau. Une absence de fermeture du tube neural pendant l'embryogenèse est responsable d'une malformation, le spina-bifida.

Tube à rayons X

Appareil électronique émettant des rayons X, utilisé pour produire des clichés radiographiques.

Un tube à rayons X est un étroit cylindre où règne le vide, muni à chaque extrémité d'une électrode, l'une chargée négativement (cathode) et l'autre positivement (anode). Un courant électrique chauffe la cathode en même temps qu'une différence de potentiel est créée entre la cathode et l'anode. La cathode, en chauffant, émet un faisceau d'électrons qui est accéléré par la différence de potentiel entre les deux électrodes et bombarde l'anode. L'anode restitue alors une petite partie de l'énergie fournie par les électrons sous forme d'un rayonnement électromagnétique invisible, le faisceau de rayons X. La quantité de rayons X émise est ainsi proportionnelle à l'intensité (exprimée en ampères) du courant chauffant la cathode et à la valeur de la différence de potentiel (exprimée en volts) entre la cathode et l'anode. Par ailleurs, la direction du faisceau est contrôlée grâce à l'inclinaison de l'anode par rapport aux électrons, son diamètre grâce à un diaphragme et sa composition en rayonnements grâce à un filtre (les rayonnements mous, de faible énergie, sont peu efficaces et provoquent donc une irradiation inutile). Le tube est enclos dans un blindage plombé, pourvu d'un orifice pour la sortie du faisceau de rayons X. La présence d'un tel matériel définit une installation de radiologie diagnostique médicale (radiographie standard ou scanner à rayons X) ou industrielle, voire une installation de radiothérapie à faible puissance.

Tubercule

1. Structure anatomique de petite taille, formant une saillie plus ou moins arrondie à la surface d'un organe, notamment à la surface de certains os ou de certaines régions de l'encéphale. (P.N.A. *processus accessorius*)

Il existe dans le corps humain plusieurs tubercules, dont les plus connus sont les tubercules quadrijumeaux, petites saillies, au nombre de quatre, situées en haut de la face postérieure du tronc cérébral, qui jouent un rôle dans l'audition et la vision.

2. Lésion cutanée, plus volumineuse qu'une papule, bien délimitée et ferme à la palpation.

Un tubercule peut être dû à diverses causes : maladie infectieuse (lèpre, tuberculose, syphilis), inflammation du derme (sarcoïdose, lupus érythémateux, granulome annulaire) ou processus tumoral (prolifération de cellules lymphocytaires bénignes [lymphocytome] ou malignes [lymphome], métastase cutanée d'un cancer profond).

Tuberculide

Lésion cutanée d'origine tuberculeuse contenant peu ou pas de bacilles tuberculeux.

Les tuberculides forment des papules de couleur rose jaunâtre, non douloureuses, qui prennent différentes formes.

■ Les tuberculides folliculaires et lichénoïdes sont de très petites papules groupées en amas, sur le tronc.

■ Les tuberculides papuleuses miliaires, identiques à la forme précédente, ont la taille d'une tête d'épingle.

■ Les tuberculides papulonécrotiques sont des papules pustuleuses évoluant vers l'ulcération et la nécrose cutanée. Elles siègent surtout sur les membres.

■ Les tuberculides papulonodulaires forment des nodules siégeant sur la face, de la taille d'un pois.

■ Les tuberculides rosacéiformes ont un aspect identique à celui des lésions d'une acné rosacée profuse.

Le traitement est celui de la tuberculose (médicaments antituberculeux comme l'isoniazide et la rifampicine). Les lésions disparaissent après traitement.

Tuberculine

Produit, concentré à chaud, de la filtration d'une culture de bacilles tuberculeux (bacilles de Koch), utilisé pour rechercher la pénétration du bacille dans l'organisme.

La première tuberculine, préparée en 1890 par Robert Koch, sert à présent d'étalon. Ce produit brut est obtenu après stérilisation à 100 °C des bacilles cultivés, évaporation au bain-marie bouillant et filtration.

Plus spécifique, la tuberculine purifiée utilisée aujourd'hui permet de révéler l'hypersensibilité d'un sujet. Elle est obtenue à partir de la forme brute ou par culture de souches du bacille humain et bovin en milieu synthétique.

INDICATIONS

La recherche de la sensibilité à la tuberculine permet de déterminer si un sujet a déjà été en contact avec le bacille de Koch, soit spontanément (primo-infection), soit après vaccination par le B.C.G. (une réaction positive témoigne alors de son succès).

TECHNIQUE

L'hypersensibilité à la tuberculine est recherchée par différentes méthodes. Une réaction positive se traduit par une réaction dermique spécifique (induration) au lieu d'application ou d'injection de la tuberculine.

L'intradermoréaction de Mantoux est la méthode la plus sensible et la plus utilisée et, aussi, la seule reconnue par l'Organisation mondiale de la santé (O.M.S.). Elle consiste en une injection intradermique au bras ou à la cuisse. La réaction est lue 72 heures plus tard. Lorsqu'elle est positive, il s'est développé au point d'injection une papule centrale indurée et rouge ; en cas de réaction négative, l'injection est renouvelée avec un nombre plus important d'unités.

Les autres techniques utilisées sont la bague munie de pointes imprégnées de tuberculine, la cutiréaction, ou cutiréaction de von Pirquet, qui consiste à effectuer des scarifications de tuberculine à la face externe du bras, et le timbre, sparadrap imprégné d'une faible dose de tuberculine et appliqué sur la peau, dans la région sous-claviculaire, pendant 48 heures.

Tuberculome

Lésion tuberculeuse arrondie, caséeuse (ayant la consistance du fromage), siégeant dans le parenchyme (tissu fonctionnel) pulmonaire ou cérébral.

Un tuberculome a l'aspect d'une tumeur ; il peut entraîner, lorsqu'il est volumineux et siège dans le cerveau, des troubles neurologiques, variables selon sa localisation. Il est diagnostiqué par radiographie pour le poumon, par scanner ou imagerie par résonance magnétique (I.R.M.) pour le cerveau.

TRAITEMENT ET PRONOSTIC

Les corticostéroïdes permettent souvent d'obtenir une diminution de volume des tuberculomes quand ceux-ci sont de taille importante et risquent de comprimer, en particulier dans le cerveau, les structures voisines. Le pronostic de ces lésions est incertain, le traitement antituberculeux n'étant pas constamment efficace dans ce cas. Les tuberculomes peuvent se stabiliser, évoluer insensiblement ou s'excaver (creusement d'une cavité dans la tumeur).

Tuberculose

Maladie infectieuse contagieuse due à une bactérie, *Mycobacterium tuberculosis,* ou bacille de Koch.

On estime qu'il existe actuellement dans le monde environ 7,4 millions de personnes atteintes de tuberculose – plus de 90 % dans les pays en voie de développement –, dont la moitié seraient contagieuses. Depuis plusieurs années, on note dans les pays développés une stagnation, voire une recrudescence, de la maladie, due à l'extension du sida et aussi à la paupérisation d'une frange croissante de la population.

CONTAMINATION

L'homme est à la fois le réservoir et l'agent de transmission du bacille. Seul un patient chez qui on a identifié des bacilles, à l'examen direct des crachats, est contagieux. Il cesse de l'être après la troisième semaine de traitement. La contamination se fait par l'intermédiaire des gouttelettes de salive contenant le bacille, propulsées lorsque le malade parle, éternue ou tousse.

Beaucoup plus rare, la tuberculose à *Mycobacterium africanum,* qui s'observe surtout sur le continent africain, se transmet d'une façon comparable à celle de la tuberculose classique et donne des symptômes similaires. Enfin, il existe une autre forme rare de tuberculose : la tuberculose bovine, due à une mycobactérie, *Mycobacterium bovis,* présente chez les bovins. La contamination se fait par voie digestive (ingestion de lait cru).

MÉCANISME

Le premier contact avec le bacille déclenche une affection appelée primo-infection tuberculeuse. Il se forme d'abord un petit foyer tuberculeux (chancre tuberculeux), le plus souvent dans les poumons. En général, le patient ne ressent encore aucun symptôme. La primo-infection se manifeste uniquement par un virage des tests cutanés à la tuberculine (intradermoréaction) : ils deviennent positifs, la peau réagissant à la présence de tuberculine (apparition d'une petite papule sous-cutanée). Dans 90 % des cas, la primo-infection guérit définitivement et spontanément, ne laissant qu'une cicatrice anodine, signalée sur les radiographies thoraciques par une petite calcification dans un poumon ou un ganglion voisin.

Dans 5 % des cas, le bacille se dissémine par voie sanguine et est à l'origine de foyers infectieux qui peuvent rester latents plusieurs années puis, à l'occasion d'une immunodéficience, passagère ou non, se réactiver. Ainsi, l'immunodéficience due au sida explique en partie l'augmentation récente des cas de tuberculose.

Dans les autres cas, le bacille reste localisé dans les poumons (une forme particulièrement grave de tuberculose pulmonaire, la lobite, ou pneumonie tuberculeuse, est généralement caractérisée par une atteinte d'un seul lobe pulmonaire et se traduit radiologiquement par des lésions très denses) et les tissus voisins (ganglions) ; la maladie peut se traduire par une atteinte pulmonaire avec une toux, une fatigue, une fièvre et un amaigrissement.

SYMPTÔMES ET SIGNES

■ La tuberculose pulmonaire commune, autrefois appelée phtisie, provient de la

La tuberculose se propage par l'intermédiaire de fines gouttelettes projetées lors d'un éternuement, d'une quinte de toux, etc. Les bacilles de Koch ainsi inhalés se multiplient et forment un premier foyer d'infection. Dans un grand nombre de cas, ils sont détruits par le système immunitaire du sujet. Cependant, à l'occasion d'un déficit immunitaire, le bacille peut envahir une partie des poumons ou gagner d'autres organes par voie sanguine (reins, appareil génito-urinaire, etc.).

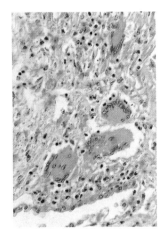

Le tissu pulmonaire infecté se nécrose (plages roses en bas).

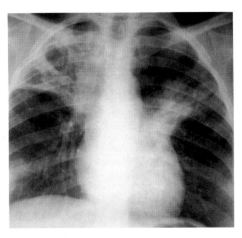

L'élimination du tissu nécrosé crée des cavernes, visibles sur la radiographie pulmonaire (en haut et à gauche).

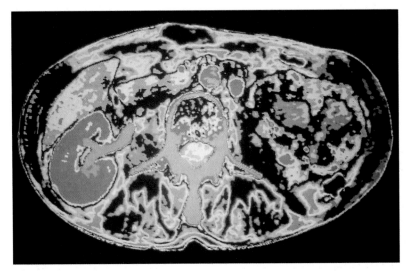

Ce scanner transversal de l'abdomen révèle une tuberculose du rein gauche (jaune et vert), lequel, infecté par le bacille de Koch, est presque totalement détruit.

hématogène (par voie sanguine) de bacilles vers de multiples organes : méninges, abdomen, os, organes hématopoïétiques ou génito-urinaires, glandes surrénales, etc. Selon sa localisation, son expression clinique est alors variable :
- la tuberculose osseuse, ou mal de Pott, se manifeste par des douleurs osseuses (rachis, genou) ou articulaires ;
- la tuberculose génito-urinaire entraîne une hématurie (présence de sang dans les urines) et une leucocyturie (présence de globules blancs dans les urines) ;
- la tuberculose méningée est responsable de troubles de la vigilance (sujet « endormi ») et de maux de tête ;
- la tuberculose hématopoïétique (touchant la rate, les ganglions lymphatiques et la moelle osseuse) se traduit par une hypertrophie de la rate et des ganglions lymphatiques et parfois par une diminution du nombre de tous les éléments figurés du sang (globules rouges et blancs, plaquettes) ;
- la tuberculose digestive est le plus souvent caractérisée par une atteinte de la partie terminale de l'intestin grêle et du cæcum, avec douleurs abdominales et diarrhées.

DIAGNOSTIC

Dans l'idéal, il repose sur la mise en évidence du bacille. On examine les crachats (ou les sécrétions trachéobronchiques dégluties, prélevées par tubage gastrique à jeun le matin). En cas d'atteinte polyviscérale, on analyse le liquide du péritoine, du péricarde, l'urine, le liquide pleural ou céphalorachidien. L'examen direct au microscope n'étant pas toujours positif, il faut systématiquement mettre le prélèvement en culture ; les résultats ne sont alors connus qu'après un délai de 3 ou 4 semaines.

Quand les prélèvements ordinaires sont négatifs, on peut réaliser des prélèvements par fibroscopie (à l'aide d'un fibroscope, tube souple muni d'une optique, introduit par le nez) ; parfois, on pratique aussi une biopsie (bronchique, osseuse, ganglionnaire, pleurale, etc.) pour rechercher le bacille ou des signes indirects de la maladie (granulome, par exemple). Parfois, tous les prélèvements sont négatifs, même après culture, et l'on fait un diagnostic de présomption – et non pas de certitude – d'après les symptômes, les résultats des tests tuberculiniques, le fait que la personne a ou non été en contact avec un sujet contagieux et l'aspect des radiographies. Le médecin prescrit alors le traitement malgré l'absence de preuve formelle, le risque lié aux effets indésirables des médicaments étant plus faible que celui de laisser évoluer une tuberculose. Si les signes disparaissent sous traitement, le diagnostic est confirmé a posteriori.

TRAITEMENT ET PRONOSTIC

Le traitement nécessite l'association de trois ou quatre antibiotiques antituberculeux (rifampicine, éthambutol, isoniazide, pyrazinamide), pris en une seule fois le matin à jeun, pendant une durée adaptée à chaque cas mais qui, dans tous les cas de figure, est d'au moins six mois. La rifampicine entraîne une coloration orangée des urines, des selles et

réactivation du foyer de primo-infection pulmonaire ; elle se traduit par une altération de l'état général (fièvre à prédominance vespérale, fatigue, amaigrissement), des sueurs nocturnes, une toux plus ou moins grasse, des crachats parfois sanglants (hémoptysies), un essoufflement à l'effort, plus rarement par une détresse respiratoire nécessitant une oxygénothérapie. La radiographie thoracique met en évidence des opacités (nodules) et des clartés (cavernes) dans les parties supérieure et postérieure du poumon. La dissémination sanguine du bacille est à l'origine de formes polyviscérales telles que la pleurésie, la péricardite tuberculeuse ou la tuberculose miliaire. Outre une fièvre et

un amaigrissement, symptômes communs à toutes les atteintes tuberculeuses, ces formes polyviscérales présentent chacune des caractéristiques particulières.
■ La pleurésie tuberculeuse se traduit par un essoufflement et par un épanchement pleural causant des douleurs thoraciques.
■ La péricardite tuberculeuse se signale par des douleurs thoraciques et un épanchement péricardique progressif.
■ La tuberculose miliaire, ou miliaire, est une forme particulièrement grave de tuberculose se traduisant par un essoufflement intense ou, chez le sujet âgé, par une altération importante de l'état général. Elle se caractérise en outre par la dissémination

des larmes. Lorsque le traitement est correctement suivi, on obtient une guérison dans la quasi-totalité des cas. Bien qu'il soit en général bien toléré, des examens sanguins doivent être régulièrement pratiqués en raison des risques d'hépatite médicamenteuse. En outre surviennent très rarement des troubles de la vision (anomalie de la vision des couleurs, diminution de l'acuité visuelle) pouvant aboutir, s'ils ne sont pas soignés, à une cécité. Les résistances antituberculeuses (à 2, 3 ou 4 antituberculeux) qui étaient rares deviennent plus fréquentes notamment chez les malades atteints du sida.

PRÉVENTION

Elle repose notamment sur la vaccination par le B.C.G., dont l'efficacité est partielle mais qui permet de réduire la fréquence des formes graves. Les autres volets de la prévention sont le traitement des malades, leur isolement pendant environ 3 semaines quand ils sont contagieux et le dépistage des sujets contaminés par le bacille dans l'entourage des malades.

Tubérosité osseuse

Protubérance osseuse souvent palpable sous la peau, sur laquelle s'insèrent les tendons. (P.N.A. *tuberositas*)

Les tubérosités osseuses correspondent à un épaississement de l'os là où les forces de traction sont les plus importantes. Elles sont assez nombreuses sur la métaphyse des os longs (à l'endroit où l'os s'élargit, entre sa partie centrale, ou diaphyse, et son extrémité, ou épiphyse). Ainsi, c'est sur la tubérosité tibiale antérieure, que l'on palpe juste sous le relief du genou, que s'insère le tendon rotulien et c'est sur l'olécrane, qui constitue le relief du coude, que vient s'insérer le tendon tricipital.

PATHOLOGIE

Une tubérosité osseuse peut être arrachée en même temps qu'un tendon, lors d'un effort ou d'un choc violents, ou être le siège d'une tendinite d'insertion (inflammation du tendon et de l'os adjacent, faisant le plus souvent suite à des frottements répétés).

Tubule rénal

Seconde partie du néphron (unité fonctionnelle du rein), dans laquelle s'élabore l'urine définitive à partir de l'urine primitive. SYN. *tube urinifère*.

STRUCTURE

Le tubule rénal se compose de quatre segments : le tube contourné proximal, l'anse de Henlé, le tube contourné distal et le tube collecteur, qui s'ouvre au fond des calices du rein en une zone appelée papille. Le tubule rénal fait suite au glomérule et constitue avec celui-ci le néphron.

PHYSIOLOGIE

C'est dans le tubule rénal que s'élabore l'urine définitive à partir de l'urine primitive. Le principal mécanisme mis en jeu est la réabsorption, au cours de laquelle une grande partie des constituants de l'urine primitive, filtrée par le glomérule et arrivant dans le tubule rénal (eau, sel, minéraux, urée,

etc.), retourne dans le sang par le biais des capillaires entourant les différents segments du tubule. Dans certaines parties du tubule rénal, ces différents phénomènes sont sous la dépendance d'hormones comme l'aldostérone, qui permet la réabsorption du sodium, ou l'hormone antidiurétique, qui permet celle de l'eau. La quantité d'urine émise et sa composition s'adaptent ainsi en permanence aux besoins de l'organisme.

Tubulonéphrite

→ VOIR Tubulopathie.

Tubulopathie

Toute maladie rénale caractérisée par une atteinte des tubules rénaux. SYN. *néphropathie tubulaire, tubulonéphrite*.

Les tubulopathies peuvent être aiguës ou, beaucoup plus rarement, chroniques.

Tubulopathies aiguës

Aussi appelées nécroses tubulaires aiguës, elles se caractérisent par une destruction des cellules qui bordent le tubule rénal. Elles sont dues à la prise excessive de certains médicaments (antibiotiques, par exemple), à l'absorption de toxiques (tétrachlorure de carbone, mercure, plomb) ou liées à un état de choc (choc septique, hémorragique ou hypovolémique, défaillance cardiaque aiguë, etc.).

SYMPTÔMES ET SIGNES

Les tubulopathies aiguës se manifestent par une insuffisance rénale aiguë dont témoignent une élévation brutale du taux d'urée et de créatinine dans le sang et, souvent, une anurie (arrêt de la sécrétion d'urine).

TRAITEMENT

Il vise avant tout la cause de la maladie (arrêt de la prise du médicament, traitement du choc, etc.). Dans les cas les plus graves, une dialyse peut s'imposer en attendant la guérison, qui survient en quelques jours ou quelques semaines avec la régénération spontanée des cellules tubulaires.

Tubulopathies chroniques

Les tubulopathies chroniques sont des troubles fonctionnels et/ou anatomiques des différents segments du tubule rénal.

Elles peuvent être soit congénitales, et alors parfois héréditaires et plus ou moins graves et complexes, soit acquises, et alors isolées ou intégrées à des néphrites interstitielles chroniques.

■ **Les tubulopathies chroniques congénitales** ont des expressions cliniques très variables selon le défaut tubulaire en cause :
– le diabète rénal se traduit par la présence de glucose dans les urines alors que le sujet n'est pas atteint de diabète sucré ; il n'entraîne aucun trouble et ne nécessite pas de traitement ;
– un défaut de réabsorption tubulaire des acides aminés (par exemple la cystine) se traduit par une lithiase (présence de calculs) récidivante ;
– les pertes d'électrolytes par défaut de réabsorption tubulaire ont des symptômes très divers selon l'électrolyte en cause : rachitisme vitaminorésistant pour le phos-

phore, hypercalciurie responsable de calculs urinaires récidivants pour le calcium, etc. ;
– une insensibilité du tube collecteur (dernier segment du tubule) à l'hormone antidiurétique provoque un diabète insipide néphrogénique caractérisé par une polyurie (émission d'une quantité d'urine très importante et diluée) ;
– une acidose tubulaire entraîne une acidification du sang par fuite urinaire de bicarbonates ;
– d'autres tubulopathies sont beaucoup plus complexes, comme le syndrome de Fanconi, qui associe plusieurs défauts tubulaires portant notamment sur la réabsorption du glucose, des acides aminés, du phosphore et des ions H^+ et se traduit par une acidose métabolique (acidification des liquides de l'organisme), une déshydratation et une diminution du taux de calcium sanguin.

■ **Les tubulopathies chroniques acquises** sont le plus souvent dues à la prise de médicaments (lithium, amphotéricine) ou à une intoxication (plomb, cadmium). Elles peuvent aussi apparaître au cours de l'évolution de certains syndromes néphrotiques particulièrement graves et prolongés ou en cas de rejet d'une greffe rénale.

Tularémie

Maladie infectieuse due à l'inoculation ou à l'ingestion d'un bacille à Gram négatif, *Francisella tularensis*.

La tularémie fut découverte au début du XXe siècle ; les rongeurs (lièvre en particulier) constituent le réservoir du bacille ; ils peuvent également être atteints par la maladie ainsi que de nombreux mammifères ; l'homme se contamine occasionnellement, le plus souvent directement, par contact cutané d'une plaie même minime avec un animal infecté, ou, plus rarement, par ingestion de viande mal cuite contenant le bacille ou encore par piqûre (tique, puce). Cette infection semble géographiquement limitée à l'hémisphère Nord.

SYMPTÔMES ET SIGNES

Après une incubation silencieuse de quatre jours environ, l'infection se traduit dans un premier temps par des maux de tête, des courbatures, une fièvre et des frissons. Dans un second temps, apparaît, au point d'inoculation, un chancre prurigineux qui évolue vers une ulcération. Il s'y associe une inflammation des ganglions lymphatiques, une amygdalite douloureuse et, plus rarement, une conjonctivite de l'un des yeux, également douloureuse. En l'absence de traitement, la fièvre persiste plusieurs semaines. Exceptionnellement surviennent une atteinte respiratoire et une septicémie.

DIAGNOSTIC ET TRAITEMENT

Pendant les premiers jours de la maladie, le germe peut être isolé à partir du prélèvement d'un ganglion enflammé ; plus tardivement, le diagnostic s'appuie sur le sérodiagnostic. La maladie est traitée par administration d'antibiotiques de la famille des cyclines pendant une dizaine de jours ; exceptionnellement, un drainage chirurgical de l'adénopathie est nécessaire.

Elle repose sur le contrôle sanitaire des lièvres importés, notamment d'Europe centrale. Il existe un vaccin contre la tularémie, recommandé aux personnes exposées par leur profession à la contamination (tanneurs, marchands de gibier, cuisiniers, etc.).

Tuméfaction

Augmentation de volume ou gonflement d'un organe ou d'une partie du corps, quelle que soit sa cause.

Une tuméfaction des bourses, par exemple, peut être liée à une hydrocèle (épanchement séreux dans la tunique vaginale entourant le testicule), à une orchite ourlienne (inflammation du testicule provoquée par le virus des oreillons), à une tumeur testiculaire ou à un kyste du cordon.

Tumescence

→ VOIR Turgescence.

Tumeur

Prolifération excessive de cellules anormales ressemblant plus ou moins au tissu dans lequel elles se développent et qui finissent par acquérir une autonomie biologique. SYN. *néoplasme*.

CAUSES ET FACTEURS FAVORISANTS

Les tumeurs ont des causes variées : héréditaires, chimiques (tabagisme), physiques (rayonnements du soleil), biologiques (action d'un virus) ; celles-ci peuvent s'associer entre elles. Il arrive aussi qu'une tumeur n'ait pas de cause connue.

Les cellules d'une tumeur ont perdu leur sensibilité aux messages de l'organisme (constitués par exemple par les sécrétions des cellules voisines), qui empêchent normalement toute prolifération excessive. Chez un individu bien portant, toutes les cellules tumorales isolées qui apparaissent sont normalement inhibées ou détruites par les globules blancs du système immunitaire. Une véritable tumeur ne peut donc se développer que si ses cellules sont devenues résistantes au système immunitaire.

DIFFÉRENTS TYPES DE TUMEUR

Une tumeur est dite très différenciée si ses cellules, au microscope, sont identiques aux cellules d'origine du tissu aux dépens duquel elle se développe ; elle est indifférenciée si ses cellules ne ressemblent à aucune autre cellule du corps humain adulte ; entre les deux, tous les degrés de différenciation sont possibles.

En pratique, on distingue 2 types de tumeur : les tumeurs bénignes et les tumeurs malignes (cancéreuses).

■ Les tumeurs bénignes ont un volume habituellement limité. Elles refoulent les tissus voisins sans les envahir, ne donnent pas de métastases et n'ont dans l'immense majorité des cas aucune conséquence grave pour le malade.

■ Les tumeurs malignes, ou cancers, ont des caractéristiques qui les opposent le plus souvent point par point aux précédentes. Elles deviennent souvent volumineuses, sont mal délimitées, infiltrent les tissus voisins, récidivent fréquemment après ablation et surtout ont tendance à essaimer à distance en formant des métastases.

SYMPTÔMES ET SIGNES

Les tumeurs n'ont pas de symptômes spécifiques ni constants. Elles se signalent habituellement, mais pas systématiquement, par la présence d'une masse palpable ou, lorsqu'il s'agit d'un organe profond, visible sur les radiographies. Assez souvent, elles ne sont pas douloureuses. Leurs symptômes peuvent être liés au fait qu'elles sécrètent parfois en excès certaines substances ayant une action hormonale, liée ou non à l'organe d'origine (sécrétion excessive d'hormone thyroïdienne, due à une tumeur bénigne de la glande thyroïde, par exemple). Ils peuvent aussi être dus à la compression des tissus ou des organes voisins : une tumeur du cerveau peut ainsi provoquer une hémiplégie.

Une altération de l'état général (fièvre, fatigue, amaigrissement) et la présence de signes biologiques d'inflammation sont des indices importants mais non spécifiques (il peut s'agir d'une infection) de tumeur maligne assez évoluée.

TRAITEMENT

■ Le traitement des tumeurs bénignes, s'il est nécessaire, consiste à les enlever chirurgicalement.

■ Le traitement des tumeurs malignes comprend, diversement associées, l'ablation chirurgicale, la radiothérapie et la chimiothérapie.

PRONOSTIC

■ Le pronostic des tumeurs bénignes, globalement favorable, dépend de plusieurs facteurs : état général du malade, organe touché, variété exacte et volume de la tumeur. Certaines tumeurs bénignes (tumeurs bénignes du cerveau ou des glandes endocrines) sont parfois de pronostic très sévère en l'absence de traitement.

■ Le pronostic des tumeurs malignes est souvent réservé ; cependant, les traitements actuels permettent la guérison d'une proportion élevée et croissante de cancers. En outre, certaines tumeurs malignes ont un excellent pronostic ; c'est le cas notamment des épithéliomas basocellulaires de la peau.

DÉPISTAGE

Il consiste à rechercher systématiquement certaines tumeurs spécifiques dans la population générale (palpation périodique des seins chez les femmes, par exemple) ou dans les groupes à risques (coloscopie périodique après 40 ans en cas d'antécédents personnels ou familiaux de polypes ou de cancer de l'intestin), etc.

Tumeur glomique

Petite tumeur cutanée bénigne, développée aux dépens d'un glomus (structure neurovasculaire assurant une communication directe entre une artériole et une veinule).

SYMPTÔMES ET SIGNES

Une tumeur glomique se présente sous la forme d'une petite tuméfaction rosée, rougeâtre ou violacée, ferme, très douloureuse, surtout sous l'effet du froid et des microtraumatismes, siégeant à l'extrémité d'un doigt ou, parfois, sous un ongle.

TRAITEMENT

Elle doit être enlevée chirurgicalement, ce qui permet en outre de confirmer le diagnostic par examen histologique. Elle peut récidiver plusieurs fois après ablation.

Tuphos

État de faiblesse musculaire extrême, de prostration et de stupeur (arrêt de l'activité physique volontaire) particulier à certaines formes graves de fièvre typhoïde et de typhus.

Ce symptôme est attribué aux effets de la toxine du germe (salmonelle, rickettsie).

Turgescence

Gonflement d'un organe ou d'un tissu par rétention de sang d'origine veineuse. SYN. *tumescence*.

La turgescence des veines jugulaires, par exemple, est un signe d'insuffisance cardiaque droite.

Le terme de tumescence s'emploie plus particulièrement pour désigner les organes génitaux en érection ; on parle de « détumescence » après l'orgasme.

Turista

→ VOIR Diarrhée des voyageurs.

Turner (syndrome de)

Insuffisance ovarienne due à une anomalie chromosomique et entraînant des malformations corporelles légères, une petite taille, une absence de puberté et une stérilité.

Chez la femme normale, le caryotype (cartographie des chromosomes) comprend 2 chromosomes X. Il n'en existe qu'un chez les femmes atteintes du syndrome de Turner en raison d'une perte de matériel génétique au cours des premières divisions cellulaires suivant la fécondation. Cette absence d'un des 2 chromosomes sexuels entraîne une anomalie de la formation des ovaires pendant la vie intra-utérine. Une telle anomalie chromosomique est probablement à l'origine d'un nombre important de fausses couches spontanées. La fréquence du syndrome de Turner est de 1 pour 2 500 naissances féminines.

SYMPTÔMES ET SIGNES

Ils sont très variables d'un sujet à l'autre. L'aspect du visage est normal en dehors de l'implantation basse des oreilles et des cheveux sur la nuque. Le thorax est bombé, les mamelons écartés, le cou parfois palmé (une bande de peau reliant la base du cou à l'épaule), les nævi fréquents. On peut retrouver un cubitus valgus (déviation de l'avant-bras en dehors, lors de son extension complète) ainsi qu'un enfoncement de l'extrémité supérieure du tibia sur les radiographies du genou. L'apparition d'un goitre, d'un diabète sucré, l'existence d'anomalies cardiaques ou rénales sont plus souvent constatées chez ces patientes que dans la population générale. Il n'y a pas de développement des seins ni des pilosités pubienne et axillaire, pas d'apparition des règles. La taille définitive se situe aux alentours de 1,40 mètre.

DIAGNOSTIC

Le diagnostic n'est pas toujours porté avant l'adolescence en raison de l'absence de symptômes très caractéristiques ou gênants. À la naissance cependant, on peut constater un syndrome de Bonnevie-Ullrich, caractérisé par un gonflement des mains et des pieds, qui régresse en une période allant de quelques jours à quelques semaines. À l'âge de la puberté, les dosages hormonaux révèlent un taux de gonadotrophines (hormones folliculostimulante [FSH] et lutéinisante [LH]) élevé et un taux d'œstrogènes particulièrement bas. Les ovaires sont habituellement atrophiques à la cœlioscopie. Le diagnostic est confirmé par le caryotype.

Le diagnostic prénatal est possible par établissement précoce du caryotype (effectué sur une biopsie de trophoblaste à la 10e semaine d'aménorrhée ou après une amniocentèse à la 17e semaine). L'échographie systématique du 2e trimestre de grossesse ne permet pas de déterminer avec certitude la présence de l'anomalie.

TRAITEMENT

Depuis quelques années, un traitement par injections de somathormone de synthèse est proposé aux fillettes atteintes du syndrome de Turner, dans le but d'augmenter leur taille définitive. Lorsque cette taille paraît atteinte, ou parallèlement à ce traitement, la prise d'œstrogènes et de progestatifs permet l'apparition de règles artificielles, modifie peu à peu la silhouette (répartition des graisses) et fait apparaître les caractères sexuels féminins. En revanche, la stérilité est définitive.

Tympan

Membrane fibreuse, transparente, qui sépare le conduit auditif externe de la caisse du tympan (cavité de l'oreille moyenne contenant les osselets) et transmet les vibrations sonores aux osselets. SYN. *membrane tympanique*. (P.N.A. *membrana tympani*)

STRUCTURE

Le tympan comprend trois couches superposées : une couche cutanée externe, une couche fibreuse intermédiaire et une couche muqueuse interne (du côté de la caisse du tympan). Il est à la fois résistant et élastique. D'un diamètre de 9 à 10 millimètres, il s'insère dans une rainure creusée dans le fond du conduit auditif externe, le sulcus tympanique. La partie supérieure du tympan s'appelle la *pars flaccida*, et sa partie inférieure, sur laquelle s'attache le manche du marteau (l'un des osselets), la *pars tensa*.

EXAMENS ET PATHOLOGIE

Le tympan s'examine facilement par otoscopie, à l'aide d'un spéculum (petit instrument en forme d'entonnoir, muni d'un système d'éclairage). Les altérations constatées (rougeur, bombement, perforation) résultent le plus souvent d'une otite (inflammation de l'oreille moyenne). Des poches de rétraction peuvent provoquer la formation d'un cholestéatome (tumeur bénigne). La tympanométrie (étude des variations de pression de la caisse du tympan) permet de diagnostiquer une fracture ou une luxation des osselets ou une otite séreuse.

Tympan (perforation du)

Ouverture accidentelle ou thérapeutique (paracentèse) de la paroi du tympan.

Une perforation accidentelle du tympan est en général due à une otite aiguë ou chronique ou à l'introduction dans l'oreille d'un bâtonnet ouaté ou d'une épingle à cheveux. Plus rarement, elle résulte d'un barotraumatisme, excès de pression sur la face externe du tympan survenant le plus souvent au cours d'une plongée sous-marine ou d'une descente trop rapide en avion. Dans le traitement de certaines otites aiguës, le médecin est amené à pratiquer une paracentèse, perforation du tympan réalisée pour laisser s'écouler le pus.

SYMPTÔMES ET SIGNES

Une petite perforation peut ne se traduire par aucun symptôme. Dans d'autres cas, elle entraîne une douleur, voire une surdité plus ou moins importante. Si l'oreille moyenne est irritée ou infectée, il se produit une otorrhée (écoulement de liquide clair ou purulent), parfois très intermittente, vers l'extérieur de l'oreille.

Les bains en piscine sont formellement contre-indiqués en cas de perforation du tympan, de même que toutes les gouttes auriculaires non prescrites par un médecin.

TRAITEMENT ET PRÉVENTION

Une perforation petite ou moyenne se ferme spontanément en quelques semaines ; pendant la durée de la cicatrisation, une surveillance médicale régulière (tous les dix jours environ) est nécessaire. En revanche, une perforation plus importante doit être réparée chirurgicalement. La prévention consiste à soigner le plus tôt possible les otites et à éviter autant que possible de prendre l'avion ou, plus accessoirement, de faire de la plongée en cas d'infection auriculaire, nasale ou sinusienne.
→ VOIR Paracentèse.

Tympanisme

Augmentation pathologique de la sonorité du thorax ou de l'abdomen.

Un tympanisme est décelé à la percussion, examen consistant à frapper une zone du corps avec les doigts pour en apprécier la sonorité. Le son tympanique est analogue au bruit que l'on produit en frappant un tambour. Un tympanisme du thorax révèle un pneumothorax (épanchement d'air dans la cavité pleurale) ou une distension de la cage thoracique ; un tympanisme de l'abdomen constitue le signe d'un météorisme (ballonnement dû à la présence de gaz) ou d'un pneumopéritoine (épanchement d'air dans le péritoine).

Tympanométrie

Examen qui a pour but d'évaluer les variations de pression de la caisse du tympan (partie de l'oreille moyenne contenant les osselets) et, plus rarement, d'étudier la souplesse du tympan et de la chaîne des osselets de l'oreille moyenne.

INDICATIONS

La tympanométrie permet de mettre en évidence une otite séreuse (pression anorma-lement basse de la caisse du tympan) ou de diagnostiquer une fracture ou une luxation des osselets (élasticité excessive de la chaîne des osselets).

TECHNIQUE

La tympanométrie consiste à introduire dans le conduit auditif externe une sonde munie d'un microphone. Cette sonde est reliée à un appareil générateur qui a une triple fonction : faire varier la pression dans le conduit auditif externe ; émettre un son continu dans l'oreille explorée ; enregistrer le son qui est partiellement réfléchi par le tympan. En effet, le son est d'autant mieux réfléchi par le tympan que ce dernier est proche de sa position normale, ce qui permet indirectement d'apprécier la pression régnant dans la caisse du tympan.

DÉROULEMENT ET EFFETS SECONDAIRES

La tympanométrie se pratique généralement dans une cabine insonorisée. Cet examen, qui ne nécessite aucune préparation particulière, dure de 2 à 3 minutes. Indolore, il ne s'accompagne d'aucun effet secondaire, si ce n'est d'une sensation d'obstruction de l'oreille, similaire à celle que l'on ressent en cas de dépressurisation (voyage en avion, plongée sous-marine). Il peut être pratiqué à tout âge, y compris chez le jeune enfant.

Tympanoplastie

Toute intervention chirurgicale consistant à réparer le tympan ou la chaîne des osselets.

Les tympanoplasties, pratiquées sous anesthésie générale, nécessitent de 48 heures à une semaine d'hospitalisation. Elles comprennent deux types d'opérations qui sont pratiquées indépendamment l'une de l'autre ou conjointement.

■ La myringoplastie est la plus courante des tympanoplasties. Elle vise à réparer une perforation du tympan, séquelle d'une otite (inflammation de l'oreille) ou d'un traumatisme, à l'aide d'un greffon ; celui-ci est le plus souvent constitué d'un fragment de la membrane fibreuse qui enveloppe le muscle temporal (muscle situé sous le cuir chevelu de la tempe).

■ Les ossiculoplasties visent à réparer la chaîne des osselets (marteau, enclume et étrier) lorsque celle-ci a été abîmée à la suite d'une otite ou, beaucoup plus rarement, d'une fracture ou d'une luxation des osselets.

Ces deux opérations sont suivies par la pose de pansements, qui sont enlevés au bout de 5 à 10 jours.

EFFETS SECONDAIRES

Une tympanoplastie peut entraîner quelques légers vertiges postopératoires. Il arrive exceptionnellement que cette intervention se complique d'une atteinte irréversible de l'oreille moyenne provoquant une surdité.

Tympanosclérose

Infiltration de la muqueuse tapissant la caisse du tympan (partie de l'oreille moyenne contenant les osselets) par une substance hyaline (semblable à un dépôt de calcaire) qui l'épaissit.

La tympanosclérose est une complication rare d'une otite chronique. En gênant les mouvements des osselets de l'oreille moyenne, la substance hyaline entraîne souvent une surdité (hypoacousie) plus ou moins importante. Elle peut aussi être à l'origine de lésions parfois irréversibles des osselets.

TRAITEMENT
Le seul traitement de la tympanosclérose consiste à enlever chirurgicalement la substance hyaline par tympanoplastie.

Tympanotomie

Ouverture chirurgicale de la caisse du tympan (partie de l'oreille moyenne contenant les osselets).

On distingue deux types de tympanotomie, la paracentèse et la tympanotomie postérieure.

■ **La paracentèse** se pratique presque toujours en cas d'otite aiguë. Elle consiste à perforer le tympan en passant directement par le conduit auditif externe de façon à drainer les sécrétions muqueuses et/ou purulentes qui s'y sont accumulées.

■ **La tympanotomie postérieure** consiste à atteindre l'oreille moyenne en ouvrant la mastoïde (base de l'os temporal, située derrière le pavillon de l'oreille) entre le nerf facial et le sulcus tympanique (rainure creusée au fond du conduit auditif externe) ; c'est le premier temps opératoire d'une tympanoplastie (réparation chirurgicale du tympan ou de la chaîne des osselets). Sa principale complication, rare, est une paralysie faciale.

→ VOIR Paracentèse.

Typage cellulaire

Méthode de laboratoire qui permet d'identifier la nature, le stade de développement et certaines capacités fonctionnelles de cellules isolées provenant d'un liquide biologique (sang, moelle, liquide céphalorachidien, etc.) ou d'un fragment de tissu prélevé par biopsie. SYN. *immunophénotypage*.

Le typage cellulaire repose sur l'existence, à la surface des cellules ou dans leur cytoplasme, de molécules spécifiques appelées antigènes de différenciation. Depuis la fin des années 1970, des anticorps monoclonaux (élaborés par culture de cellules issues d'une cellule initiale, constituant un clone) permettent de détecter très précisément les antigènes de différenciation des globules blancs. Ces réactifs ont été regroupés en classes (ou *clusters*) de différenciation, les CD. En 1994, 130 classes de différenciation se trouvent définies, ce vocable s'appliquant indifféremment à un anticorps ou à l'antigène de différenciation qu'il reconnaît.

INDICATIONS
Les cellules bénéficiant le plus souvent d'un typage cellulaire sont les lymphocytes du sang pour l'identification et la numération de leurs sous-populations, dont les principales sont les lymphocytes T CD3, CD4 et CD8. Cette technique permet d'éclairer le diagnostic et le pronostic des déficits immunitaires, qu'ils soient congénitaux ou acquis (sida), et des maladies auto-immunes. La recherche d'un grand nombre de classes de différenciation exprimées par des cellules leucémiques permet également de préciser la nature d'une leucémie et d'apporter des éléments de pronostic.

TECHNIQUE
L'immunofluorescence in situ ou en cytométrie en flux est la technique la plus couramment utilisée. Le premier procédé consiste à observer au microscope un prélèvement de tissu à l'aide de réactifs fluorescents. La cytométrie en flux consiste à analyser des paramètres cellulaires (taille, granulosité) à l'aide de marqueurs fluorescents. L'appareil permettant cette analyse, le cytomètre en flux, est constitué d'un faisceau laser, qui capte les cellules passant une par une dans un axe perpendiculaire, et d'un ordinateur, qui retranscrit les données sous forme d'images sur un écran.

L'immunohistochimie, qui est l'observation au microscope de tissus ou de cellules marqués par une enzyme, peut également être employée.

Typage tissulaire

Identification des antigènes d'histocompatibilité, ou antigènes du système HLA *(Human Leucocyte Antigen,* antigène leucocytaire humain), transmis génétiquement, exprimés par les cellules d'un individu, et caractérisant son groupe tissulaire. SYN. *groupage tissulaire*.

INDICATIONS
Le typage tissulaire est important pour les greffes et les transplantations, qui seront d'autant mieux tolérées que le groupe tissulaire du donneur est plus proche de celui du receveur. Il permet aussi de reconnaître, chez l'individu testé, certaines spécificités pouvant se trouver associées à un risque particulier de développer des maladies auto-immunes comme la spondylarthrite ankylosante, la polyarthrite rhumatoïde ou le diabète insulinodépendant. Enfin, le typage cellulaire peut servir à l'identification des individus (pour une recherche de paternité, par exemple).

TECHNIQUE
Le typage tissulaire est réalisé sur les lymphocytes isolés d'un échantillon de sang. Il existe deux types d'antigènes HLA : ceux de classe I sont présents dans toutes les cellules, ceux de classe II sont propres à certains types cellulaires, dont les lymphocytes B. Les techniques les plus anciennes recherchent les antigènes HLA présents à la surface des lymphocytes à l'aide d'anticorps cytotoxiques spécifiques ou de cellules sensibilisées. Plus récemment se sont développées des techniques de biologie moléculaire permettant de déterminer, à partir d'A.D.N. purifié, les caractéristiques des fragments des deux chromosomes 6 de l'individu testé, sur lesquels se trouvent les gènes respectivement paternels et maternels codant pour les molécules HLA qui définissent le groupe tissulaire.

→ VOIR Histocompatibilité.

Typhoïde

→ VOIR Fièvre typhoïde.

Typhus

Maladie infectieuse et contagieuse due à diverses rickettsies.

Il existe deux variétés de typhus, l'une et l'autre présentes dans le monde entier.

■ **Le typhus exanthématique,** ou typhus européen à poux, dû à *Rickettsia prowazecki,* est transmis à l'homme par la piqûre ou les déjections du pou, animal vecteur, à partir d'un homme porteur de la rickettsie. C'est une maladie grave, jadis mortelle, responsable d'épidémies meurtrières dans les collectivités où l'hygiène est défectueuse. Les mesures sanitaires ont considérablement réduit la fréquence de cette affection, aujourd'hui rare mais néanmoins susceptible de se développer de nouveau. La maladie de Brill est une forme mineure de résurgence pouvant ne se manifester qu'après plusieurs années (sans réinfection) de cette maladie, comportant essentiellement une artérite des membres inférieurs.

■ **Le typhus murin,** dû à *Rickettsia typhi* (ou *Rickettsia mooseri*), est une infection de gravité moindre, transmise par les puces du rat. Il ne touche l'homme qu'accidentellement.

SYMPTÔMES ET SIGNES
L'incubation du typhus peut durer trois semaines. La maladie se déclare brutalement par des frissons, des douleurs dorsales et musculaires, des céphalées violentes et une fièvre élevée pouvant atteindre 40 °C. Une éruption cutanée de taches rouges s'étend à toute la surface de la peau, excepté les paumes et la plante des pieds. Le malade est atteint de confusion mentale, de prostration, de délire, ses battements cardiaques s'affaiblissent. La maladie dure deux semaines ; les complications sont essentiellement cardiaques, artérielles et nerveuses.

DIAGNOSTIC
Il repose sur la mise en évidence des rickettsies dans le sang par des réactions d'agglutination et d'immunofluorescence spécifiques.

TRAITEMENT
Il consiste à administrer par voie orale des antibiotiques du groupe des cyclines. Dans les cas graves, des corticostéroïdes et une oxygénothérapie peuvent être associés.

PRÉVENTION
Elle repose sur la lutte contre les poux par l'utilisation d'insecticides. Il existe un vaccin contre le typhus, que l'on administre à l'entourage des malades ; il est en outre obligatoire pour les personnes qui voyagent dans des zones suspectes.

Tyramine (test à la)

Examen servant à étayer le diagnostic de certains phéochromocytomes.

TECHNIQUE
Les phéochromocytomes sont des tumeurs de la glande médullosurrénale qui sécrètent des quantités importantes de catécholamines, provoquant une hypertension artérielle sévère. Il arrive cependant que les catécholamines restent stockées dans les terminaisons nerveuses du système sympathique, la pression artérielle de base du malade restant alors normale.

Dans ce cas, l'injection intraveineuse de doses croissantes de tyramine, une substance ayant la particularité de libérer les catécholamines, permet de confirmer le diagnostic de phéochromocytome car elle provoque une élévation significative de la pression artérielle.

DÉROULEMENT ET CONTRE-INDICATIONS

Ce test doit se dérouler en milieu hospitalier, sous surveillance stricte. Compte tenu des risques qu'il comporte (poussée d'hypertension artérielle), il ne s'adresse qu'aux sujets dont la pression artérielle de base n'est pas élevée.

Tyrosine

Acide aminé non indispensable, synthétisé par l'organisme à partir d'un autre acide aminé, la phénylalanine.

La tyrosine entre dans la constitution des protéines. D'autre part, elle participe à d'importantes réactions chimiques : c'est un précurseur de la mélanine (pigment de la peau), de certaines substances jouant un rôle dans la transmission de l'influx nerveux (dopamine, noradrénaline) et des hormones de la glande thyroïde. Normalement, le taux sanguin de tyrosine est compris entre 20 et 85 micromoles (soit 3,6 et 15,4 milligrammes) par litre chez les sujets de plus de 2 ans, entre 35 et 75 micromoles (soit 6,3 et 13,6 milligrammes) par litre chez les enfants de moins de 2 ans. Il arrive, chez les nouveau-nés, que le taux sanguin de tyrosine dépasse ces valeurs, mais il s'agit d'un phénomène temporaire et non pathologique, lié à une immaturité enzymatique.

PATHOLOGIE

Les principales pathologies liées à la tyrosine sont des enzymopathies, maladies héréditaires dues à un déficit en certaines enzymes transformant la tyrosine, provoquant son accumulation dans l'organisme. Certaines sont communes à la tyrosine et à la phénylalanine (phénylcétonurie). D'autres sont spécifiques, comme l'albinisme, l'alcaptonurie ou les tyrosinémies.

Tyrosinémie

1. Taux anormalement élevé d'un acide aminé, la tyrosine, dans le sang.

Chez le nouveau-né, le taux sanguin de tyrosine peut être temporairement élevé, sans signification pathologique.

2. Maladie héréditaire congénitale caractérisée par l'accumulation de tyrosine dans l'organisme. SYN. *tyrosinose.*

Les tyrosinémies sont des maladies rares dues à un déficit en certaines enzymes jouant un rôle dans le métabolisme de la tyrosine.

DIFFÉRENTS TYPES DE TYROSINÉMIE

Selon l'enzyme manquante, on distingue plusieurs formes de tyrosinémie.

■ La tyrosinémie de type I se caractérise dans sa forme aiguë par des vomissements, des diarrhées, une cirrhose du foie et une anémie. Son issue est souvent fatale. La forme chronique, moins grave et évoluant plus lentement, est caractérisée par un rachitisme et des troubles rénaux.

■ La tyrosinémie de type II se manifeste par des lésions de la cornée et de la peau (épaississement excessif de la couche cornée de la paume des mains), fréquemment accompagnées d'un retard mental.

DIAGNOSTIC

Dans tous les cas, on observe une augmentation du taux de tyrosine dans le sang et les urines, associée à une élimination urinaire importante d'acides para-hydroxyphényl-pyruvique, para-hydroxyphényl-lactique et para-hydroxy-phényl-acétique.

TRAITEMENT

Le traitement des tyrosinémies est diététique, fondé sur un régime pauvre en phénylalanine et en tyrosine (acides aminés contenus dans les protéines animales). Ces prescriptions diététiques sont établies en milieu hospitalier spécialisé.

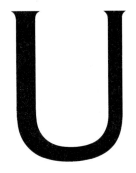

U

U.I.V.
→ VOIR Urographie intraveineuse.

Ulcération
1. Processus caractérisé par une perte de substance de la peau ou d'une muqueuse.
2. Ulcère superficiel qui est la conséquence de ce processus.

Ulcération cutanée
Cette perte de substance de la peau peut concerner une ou plusieurs couches cutanées (épiderme, derme, hypoderme) selon qu'elle est plus ou moins superficielle.

CAUSES
Une ulcération cutanée est le plus souvent d'origine circulatoire, infectieuse ou maligne.
■ **Les causes circulatoires** (veineuses, artérielles, capillaires ou mixtes) entraînent surtout des ulcères des membres inférieurs. Chez les personnes dont la mobilité est réduite (parce qu'elles sont constamment assises ou alitées), les ulcérations se localisent aux points d'appui du corps (talons, sacrum, hanches, épaules), formant des plaies profondes, les escarres.
■ **Les causes infectieuses** sont fréquemment présentes au cours de maladies aiguës ou chroniques : maladies bactériennes de la peau (pyodermites à staphylocoques ou à streptocoques), infections à champignons (mycose, sporotrichose) ou encore gommes ulcérées (tuberculose, syphilis).
■ **Les causes malignes** sont les tumeurs malignes de la peau (épithéliomas basocellulaires ou spinocellulaires, mélanomes malins, etc.), qui s'ulcèrent souvent, ou les localisations cutanées de cancers du sang ou du système lymphoïde.

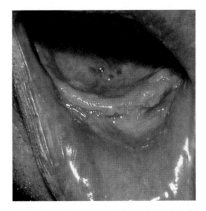

Ulcération. De petits ulcères de la bouche peuvent être dus aux frottements répétés occasionnés par un dentier mal adapté.

Ulcération de la muqueuse
Cette perte de substance de la muqueuse peut concerner la bouche ou les organes génitaux de l'homme ou de la femme. Une ulcération vulvovaginale peut être causée par un traumatisme sexuel, une infection virale, bactérienne ou mycosique, par exemple par le zona et diverses maladies sexuellement transmissibles, dont la syphilis et l'herpès (qui peut siéger aussi sur la muqueuse buccale). La muqueuse buccale peut être le siège d'ulcérations très douloureuses mais sans gravité, les aphtes, ou d'ulcérations dues à un dentier mal adapté.

Diagnostic d'une ulcération
La découverte d'une ulcération qui ne guérit pas peut nécessiter un prélèvement de tissu (biopsie), dont l'analyse permet d'affirmer ou d'infirmer la présence d'un cancer.

Traitement d'une ulcération
Il fait appel, selon la cause de la lésion, aux antiseptiques locaux, aux antibiotiques, à la chirurgie, à la radiothérapie.

Ulcère
Perte de substance plus ou moins profonde d'un revêtement épithélial.

Un ulcère peut être cutané (ulcère de la jambe) ou muqueux (ulcère gastroduodénal).

Un ulcère superficiel est également appelé ulcération.

Ulcère gastroduodénal
Destruction localisée de la muqueuse de l'estomac et du duodénum (segment initial de l'intestin grêle).

DIFFÉRENTS TYPES D'ULCÈRE GASTRODUODÉNAL
■ **L'ulcère duodénal** est le plus fréquent et atteint surtout la première partie du duodénum. Il survient de préférence chez l'homme, et son apparition est favorisée par de nombreux facteurs : importante sécrétion gastrique d'acide chlorhydrique, hypergastrinémie (taux excessif de gastrine dans le sang, dû à une hypersécrétion de gastrine, hormone sécrétée par l'antre gastrique), infection locale par un germe, *Helicobacter pylori,* hérédité, tabagisme, stress physique ou psychique, médicaments (aspirine, corticostéroïdes), etc.

■ **L'ulcère gastrique**, ou ulcère de l'estomac, est trois fois moins fréquent que l'ulcère duodénal. Il est surtout lié à une fragilité de la muqueuse gastrique, le plus souvent consécutive à des agressions, en particulier médicamenteuses (anti-inflammatoires non stéroïdiens, corticostéroïdes).

SYMPTÔMES ET SIGNES
Le symptôme majeur de l'ulcère gastroduodénal est une douleur semblable à une crampe ou à une brûlure, qui peut être très intense. Située dans l'épigastre (partie haute de l'abdomen), cette douleur apparaît entre 2 et 3 heures après les repas et elle est calmée par l'alimentation. Des crises douloureuses survenant pendant quelques semaines font place à des périodes plus ou moins longues de rémission. D'autres symptômes, tels que des nausées, des vomissements, un manque d'appétit, peuvent également être associés.

DIAGNOSTIC ET ÉVOLUTION
La fibroscopie œso-gastro-duodénale (examen endoscopique de l'œsophage, de l'estomac et du duodénum, à l'aide d'un tube muni d'un système optique et introduit par la bouche) confirme le diagnostic et permet de visualiser l'ulcère, de préciser son siège et de faire des prélèvements de muqueuse afin de vérifier qu'il ne s'agit pas d'un cancer. L'examen radiologique complète le diagnostic en cas de bilan préopératoire ou de sténose pyloroduodénale (rétrécissement du pylore et du duodénum).

Quelle que soit sa localisation, l'ulcère gastroduodénal évolue vers la chronicité : après cicatrisation de l'ulcère, la rechute est fréquente dans un délai allant de quelques semaines à quelques mois. Par ailleurs, à la différence de l'ulcère duodénal, qui ne dégénère pas, l'ulcère gastrique prédispose au cancer de l'estomac : le patient qui en est atteint doit bénéficier d'une surveillance médicale régulière. Les complications aiguës surviennent surtout en cas d'ulcère duodénal : hémorragies digestives (hématémèse [émission de sang par la bouche], méléna [émission de sang digéré dans les selles]), perforation intestinale responsable d'une péritonite et sténose pyloroduodénale, transitoire ou irréversible.

TRAITEMENT
Le traitement de l'ulcère gastroduodénal est d'abord médicamenteux : administration d'antisécrétoires, associés éventuellement aux antiacides, suppression des facteurs favorisants (arrêt des médicaments gastrotoxiques, du tabac). Il comporte l'éradication d'*Helicobacter pylori* lorsqu'il est présent, ce qui permet d'éviter les récidives et le traitement prolongé. En cas d'échec du traitement ou de la survenue de complications aiguës, une intervention chirurgicale

est nécessaire. Les techniques, destinées à réduire de façon permanente et durable la sécrétion gastrique, sont, pour l'ulcère duodénal, la vagotomie (section du nerf pneumogastrique), associée ou non à une pyloroplastie (élargissement du pylore) ou à une gastrojéjunostomie (liaison entre l'estomac et le jéjunum), et, pour l'ulcère gastrique, la gastrectomie partielle (ablation d'une partie de l'estomac).

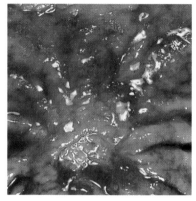

Ulcère gastroduodénal. De gros plis inflammatoires de la muqueuse gastrique convergent vers l'ulcère, bien visible au centre du cliché.

Ulcère de la jambe
Plaie persistante de la jambe, d'origine circulatoire.

CAUSES
Un ulcère de la jambe est dû le plus souvent à une insuffisance veineuse (accumulation du sang dans les veines) des membres inférieurs consécutive à une phlébite plus ou moins ancienne ou à des varices (on parle alors d'ulcère variqueux), plus rarement à une obstruction des artères des membres inférieurs par des plaques d'athérome ou à une atteinte des capillaires de la peau. Les plaies provenant d'autres causes (infection locale, cancer) sont nommées ulcérations. Tous les facteurs favorisant les lésions vasculaires prédisposent aux ulcères : grossesse, profession obligeant à des stations debout prolongées, pour les ulcères veineux ; tabagisme, alcoolisme, diabète, hypercholestérolémie (taux excessif de cholestérol dans le sang), hypertension artérielle, pour les ulcères artériels. Souvent, un ulcère apparaît à la suite d'un traumatisme local : coup, blessure, grattage, etc.

SYMPTÔMES ET SIGNES
L'ulcère forme une plaie de surface variable, où les couches superficielles de la peau sont détruites. Par ordre décroissant de fréquence, on distingue les ulcères veineux, les ulcères artériels, les ulcères mixtes et les ulcères artériolocapillaires.

■ **Les ulcères veineux** sont arrondis et localisés sur les malléoles (saillies osseuses de chaque côté des chevilles) et le long des veines superficielles ; ils sont peu doulou-

reux. La peau avoisinante est souvent altérée par une dermite ocre (taches brunes), voire une dermoépidermite infectieuse (croûtes et suintement).

■ **Les ulcères artériels** sont plus petits que les ulcères veineux, localisés plus haut, sur les faces latérales des jambes, et très douloureux ; les bords de la plaie sont noirs, la peau avoisinante est sèche, fine, pâle et froide.

■ **Les ulcères mixtes**, à la fois veineux et artériels, associent ces deux types de symptômes.

■ **Les ulcères artériolocapillaires** sont petits mais ont tendance à s'étendre ; ils sont localisés aux malléoles et douloureux ; la peau avoisinante, parcourue de télangiectasies (petits vaisseaux dilatés), est parfois sèche, fine et pâle ou dans d'autres cas, au contraire, purpurique (couverte de taches rouges hémorragiques).

TRAITEMENT
Il vise à la fois à soigner les symptômes et la cause de l'ulcère. Celui-ci est régulièrement désinfecté à l'aide d'antiseptiques, les autres soins locaux se déroulant en trois phases successives, déterminées par l'évolution de la plaie.

■ **La détersion** consiste à enlever les corps étrangers, les débris de tissus et les sécrétions à l'aide de procédés chimiques : bains antiseptiques (permanganate de potassium, eau de Dakin), pommades aux enzymes protéolytiques, agents absorbants (pansements hydrocolloïdes, par exemple). Au besoin, on peut avoir recours à des procédés physiques : ablation au bistouri, scarification ou grattage à la curette, voire nettoyage chirurgical, sous anesthésie générale dans les cas les plus graves.

■ **La granulation**, ou bourgeonnement, est la prolifération des cellules qui viennent combler la perte de substance ; elle est accélérée notamment par l'application de corps gras ou de collagène, en pommades ou en pansements.

■ **L'épidermisation** est la réapparition de la couche la plus superficielle de la peau ; si elle est trop lente, on peut pratiquer une

Ulcère de la jambe. Lorsqu'il est dû à une insuffisance veineuse, l'ulcère de la jambe s'associe souvent à un œdème et à des varices.

greffe de peau. Quand, en revanche, la cicatrice forme des bourgeons charnus très saillants, on peut la traiter par application locale de nitrate d'argent.

Parallèlement à tous ces soins locaux, qui sont longs, difficiles, souvent pénibles, et qui peuvent nécessiter une hospitalisation en cas d'ulcères très douloureux ou très étendus, il faut s'attacher à soigner la cause de l'ulcère. Un ulcère veineux sera traité par repos, jambes surélevées, et par le port de bandes élastiques ou de bas de contention, ceux-ci ne devant pas être trop serrés pour ne pas bloquer la circulation artérielle. Le traitement d'un ulcère artériel fait appel au repos, jambes inclinées vers le bas, à la suppression du tabac et de l'alcool, au traitement d'un éventuel diabète et à celui de l'artérite. Les ulcères mixtes et artériolocapillaires, souvent chroniques, sont extrêmement difficiles à soigner, en raison du caractère très diffus des lésions, qui empêche tout geste chirurgical.

PRÉVENTION
Il est très important d'assurer une bonne prévention des ulcères de la jambe, c'est-à-dire de soigner toute varice ou maladie veineuse avant la formation d'un ulcère.

Ulcère phagédénique
Maladie chronique des régions chaudes et humides, caractérisée par la formation, le plus souvent sur un membre inférieur, d'une plaie laissant l'épiderme, voire le derme, à nu. SYN. *phagédénisme tropical, ulcère tropical.*

L'ulcère phagédénique est dû à la pénétration de diverses bactéries dans la peau lors de traumatismes (blessure, éraflure) souvent minimes mais répétés et mal soignés.

SYMPTÔMES ET ÉVOLUTION
Parfois étendu, il forme un cratère aux bords rouges et gonflés, au fond noirâtre, d'où suinte un liquide malodorant. Un ulcère phagédénique peut être à l'origine d'une gangrène ou d'un tétanos, mais aussi d'une ostéite (inflammation de l'os), provoquant la destruction de l'os du membre inférieur. Lorsqu'il saigne ou change d'aspect, une cancérisation doit être évoquée : un ulcère phagédénique peut en effet se cancériser rapidement et entraîner la formation de métastases. Une biopsie permet de confirmer sa nature, bénigne ou maligne.

TRAITEMENT
Il repose sur la prise d'antibiotiques et le nettoyage de la plaie (antiseptiques), qui doit ensuite être recouverte d'un pansement. Parfois une greffe de peau est indiquée. En cas de gangrène, il est nécessaire de procéder à une amputation du membre. Une cancérisation impose l'ablation chirurgicale de la tumeur, parfois associée à une chimiothérapie.

Ulcère solitaire du rectum
Lésion rectale d'évolution chronique.

L'ulcère solitaire du rectum est une affection rare touchant l'adulte jeune et dont les causes sont mal connues. Il pourrait témoigner d'un prolapsus (glissement) de la muqueuse rectale. Cet ulcère peut être responsable d'émissions de sang rouge, le plus souvent en quantité modérée, accompagnant les selles, parfois associées à des douleurs anorectales. La rectoscopie (examen du rectum à l'aide d'un tube muni d'un système optique et introduit par l'anus) permet le diagnostic. Les complications sont exceptionnelles : hémorragie digestive abondante, sténose (rétrécissement) rectale. Il n'y a pas risque de cancérisation.

TRAITEMENT
Il repose sur la régularisation du transit, dont les dysfonctionnements risqueraient d'aggraver l'ulcère (prescription de laxatifs ou d'antispasmodiques), sur l'administration de corticostéroïdes locaux et, parfois, sur une rectopexie (correction chirurgicale du prolapsus consistant à remonter le rectum et à modifier son orientation). Le traitement, quel qu'il soit, a néanmoins des résultats décevants.

Ultrafiltration

Passage sélectif de substances dissoutes dans un liquide à travers une membrane filtrante.

L'ultrafiltration fait intervenir une membrane munie de pores assez fins (d'un diamètre compris entre 1 et 100 nanomètres), qui laissent passer l'eau et les petites molécules (glucose, urée) et empêchent au contraire le passage des grosses molécules (protéines) et a fortiori des particules et des cellules. C'est ce phénomène qui permet au plasma sanguin de passer dans le rein à travers les capillaires des glomérules et de constituer ainsi l'urine primitive.

Ultrason

Vibration sonore supérieure à 20 000 hertz, inaudible pour l'homme.

UTILISATION
Les ultrasons sont utilisés dans le diagnostic et le traitement de différentes affections.

■ **Dans un but diagnostic**, les ultrasons sont employés par l'échographie, qui explore les organes internes mous ou remplis de liquide par la réflexion et l'analyse d'un faisceau d'ultrasons, et par le Doppler ; cette dernière technique étudie la vitesse de la circulation artérielle et veineuse au moyen d'une sonde émettrice d'ultrasons qui se réfléchissent sur les globules rouges puis sont recueillis par un récepteur situé sur la même sonde.

■ **Dans un but thérapeutique**, les ultrasons sont exploités dans le traitement symptomatique d'affections des tissus mous (muscles, ligaments, tendons). Cette technique, appelée ultrasonothérapie, qui fait appel à des ondes de haute fréquence, permet de réduire l'inflammation en améliorant la circulation locale. Les ultrasons sont également utilisés par une technique, appelée lithotripsie, pour fragmenter des calculs, surtout urinaires, par voie externe.

Ultrastructure

Structure de cellules ou de tissus observés au microscope électronique.

Les données ultrastructurales ont permis de saisir la richesse et la complexité des organites (éléments fonctionnels individua-lisés) intracellulaires, tels que les centrosomes ou les mitochondries, et des éléments extracellulaires, et, par conséquent, de mieux comprendre leur rôle dans le fonctionnement et le métabolisme de la cellule.

Ultraviolet

Rayonnement électromagnétique d'une longueur d'onde inférieure à 400 nanomètres.

Les rayons ultraviolets (U.V.) sont invisibles pour l'œil humain ; ils se situent immédiatement après la bande violette du spectre visible de la lumière et avant les rayons X. Les rayons ultraviolets existent naturellement dans la lumière solaire, mais la plupart d'entre eux sont absorbés par la couche d'ozone de l'atmosphère. Ceux qui atteignent la surface de la terre produisent les effets bronzants du soleil et permettent la synthèse de la vitamine D par la peau.

DIFFÉRENTS TYPES D'ULTRAVIOLET
On distingue les rayons ultraviolets A (U.V.A.), de grande longueur d'onde, principaux facteurs du bronzage et de la synthèse de la vitamine D, les rayons ultraviolets B (U.V.B.), de longueur d'onde intermédiaire, et les rayons ultraviolets C (U.V.C.), de longueur d'onde courte.

PATHOLOGIE
Les ultraviolets A provoquent à long terme un vieillissement de la peau et l'apparition de lésions dégénératives cutanées. Les ultraviolets B sont responsables des coups de soleil, brûlures survenant lors d'une exposition excessive au soleil. Les lampes bronzantes, qui produisent artificiellement des rayons ultraviolets, sont supposées n'émettre que des U.V.A. mais produisent également de petites quantités d'U.V.B.

UTILISATION THÉRAPEUTIQUE
Les rayons ultraviolets sont utilisés en dermatologie. La lampe de Wood, lampe à vapeur de mercure qui produit des rayons ultraviolets, permet de diagnostiquer certaines maladies de peau grâce à la fluorescence qu'elle donne aux zones atteintes. La photothérapie (thérapie par les rayons ultraviolets) intervient dans le traitement de certaines affections de la peau (psoriasis, vitiligo) et de l'ictère du nouveau-né.
→ VOIR Puvathérapie.

Ultravirus

Ancienne appellation des virus.

Ce terme, tombé en désuétude, a été utilisé de la fin du XIXe siècle au milieu du XXe siècle. Il désignait, par opposition aux bactéries, les agents infectieux invisibles au microscope optique, qui traversaient un filtre à pores très fins retenant tous les autres agents pathogènes visibles. Le pouvoir infectant du filtrat démontrait l'existence de ces agents non observables directement.

Urée

Substance azotée provenant de la destruction des protéines d'origine alimentaire ou constitutives des tissus humains.

Le foie est le lieu principal de synthèse de l'urée, qui diffuse ensuite librement dans les liquides de l'organisme puis est éliminée majoritairement par les reins. Le taux d'urée dans le sang est donc un reflet de la fonction rénale, moins fiable cependant que celui de la créatinine. Il est normalement compris entre 0,25 et 0,45 gramme par litre et peut augmenter légèrement en cas de régime alimentaire très riche en viandes ou quand le sujet ne boit pas suffisamment, alors que sa fonction rénale est strictement normale.

PATHOLOGIE
■ **L'urémie** (taux d'urée dans le sang) est anormalement élevée (on parle alors, par abus de langage, d'hyperazotémie, car l'urée est une substance très riche en azote) en cas d'insuffisance rénale chronique ou aiguë, anormalement basse (hypoazotémie) en cas de défaillance fonctionnelle du foie, de cirrhose par exemple.

■ **L'élimination urinaire d'urée**, parfois abusivement appelée azoturie, est extrêmement variable selon les apports alimentaires. Elle est anormalement élevée (hyperazoturie) en cas de fièvre, de diabète et au cours de certaines intoxications (par l'arsenic, le phosphore, l'antimoine), anormalement basse (hypoazoturie) en cas d'insuffisance rénale ou d'atteinte grave du foie.

Urémie

1. Taux d'urée dans le sang.

L'urémie est normalement comprise entre 0,25 et 0,45 gramme, soit 3,3 à 6,6 millimoles, par litre de sang ; ces chiffres peuvent être légèrement supérieurs chez des sujets ayant un régime alimentaire très riche en viandes ou ne buvant pas suffisamment. L'urémie est anormalement élevée en cas d'insuffisance rénale, anormalement basse en cas d'insuffisance hépatique grave.

Dans la pratique, ce terme est très souvent remplacé par celui d'azotémie, l'urée étant une substance très riche en azote.

2. Ensemble des manifestations caractéristiques de l'insuffisance rénale.

On parle ainsi d'urémie aiguë ou d'urémie chronique. Le terme de coma urémique définit le coma dans lequel sont plongés les sujets atteints d'une insuffisance rénale non soignée en stade terminal.

Uretère

Conduit permettant à l'urine de s'écouler du bassinet rénal à la vessie. (P.N.A. *ureter*)

STRUCTURE
Les uretères, au nombre de deux, sont disposés verticalement de part et d'autre de la colonne vertébrale. Chaque uretère mesure environ 1 centimètre de diamètre et de 25 à 30 centimètres de long. Il prend naissance dans l'abdomen et se termine dans le petit bassin. Sa paroi est constituée d'une tunique muqueuse interne en contact avec l'urine, gainée par une tunique musculaire externe plus épaisse qui, en se contractant, propulse l'urine vers la vessie. À son extrémité inférieure, chaque uretère s'abouche à la paroi postérieure de la vessie par une sorte de valve empêchant l'urine de refluer de la vessie vers les reins. Certaines

personnes naissent avec une duplicité urétérale (présence d'un double uretère pour un seul rein) ; cette malformation n'a aucune conséquence fonctionnelle.

EXAMENS

L'uretère peut être exploré à l'aide de nombreux examens : urographie intraveineuse, urétéroscopie, urétéropyélographie rétrograde (U.P.R.), échographie.

PATHOLOGIE

Les principales maladies pouvant affecter l'uretère sont :
– les affections obstructives (calculs, tumeurs) ;
– les affections de la paroi urétérale (bilharziose, tuberculose, urétérite, malformations telles qu'un méga-uretère, une urétérocèle ou un reflux vésico-urétéro-rénal) ;
– les affections péri-urétérales, une tumeur ou une sclérose localisée à un organe voisin, par exemple le tissu conjonctif situé derrière le péritoine (fibrose rétropéritonéale), qui peuvent envahir ou comprimer l'uretère.

Urétérite

Inflammation aiguë, subaiguë ou chronique de la paroi urétérale, le plus souvent d'origine infectieuse.

En pratique, une urétérite s'accompagne presque toujours d'une atteinte infectieuse du bassinet (pyélonéphrite), dont elle présente alors tous les symptômes : brûlures à la miction, pollakiurie (mictions fréquentes), urines troubles, fièvre élevée, frissons, altération de l'état général. Une forme rare d'urétérite, appelée urétérite kystique, se traduit par la formation de kystes dans la paroi urétérale.

DIAGNOSTIC ET TRAITEMENT

Le diagnostic d'une urétérite repose sur l'urographie intraveineuse. Son traitement consiste en l'administration d'antibiotiques. Les récidives sont fréquentes.

Urétérocèle

Dilatation congénitale de l'extrémité inférieure de l'uretère, due à un rétrécissement du méat urétéral (orifice d'abouchement de l'uretère à la vessie).

L'urétérocèle peut avoir des degrés de gravité divers, d'une simple dilatation ne gênant par l'écoulement de l'urine vers la vessie à une dilatation importante empêchant une évacuation urinaire normale et pouvant provoquer un ralentissement ou un arrêt de l'écoulement de l'urine, responsable d'une destruction progressive du rein. Rare, l'urétérocèle peut être associée à d'autres malformations congénitales de l'appareil urinaire, en particulier à une duplicité urétérale (présence d'un double uretère pour un seul rein).

SYMPTÔMES ET DIAGNOSTIC

Ce sont les complications de l'urétérocèle qui entraînent sa découverte dès l'enfance : pyélonéphrite (infection du bassinet et du tissu interstitiel d'un rein), présence d'un calcul dans le segment d'uretère dilaté, troubles de la miction (mictions fréquentes et douloureuses). Le diagnostic repose sur l'échographie et l'urographie intraveineuse.

TRAITEMENT

Il dépend de la gravité de l'urétérocèle : si celle-ci n'entraîne aucun symptôme et que le rétrécissement est peu important, une simple surveillance suffit. En revanche, si le rétrécissement est important, on peut soit élargir le méat urétéral par chirurgie endoscopique (par un tube muni d'une optique et d'instruments chirurgicaux, introduit dans les voies urinaires), soit pratiquer une urétérocystonéostomie (réimplantation de l'uretère dans la vessie) ; une néphrectomie (ablation partielle ou totale du rein) peut s'imposer si le rein sus-jacent est détruit.

Urétérocolostomie

Abouchement de l'uretère dans le côlon.

Cette intervention est en général pratiquée à la hauteur du sigmoïde (dernière partie du côlon) : on parle alors d'urétérosigmoïdostomie, ou intervention de Coffey.

Pratiquée sous anesthésie générale, l'urétérocolostomie permet de dériver les urines, le plus souvent après cystectomie (ablation de la vessie), les mictions se faisant alors par voie rectale. Cette intervention est aujourd'hui de plus en plus délaissée au profit de la cystoplastie (reconstitution de la vessie), car ses complications sont importantes : infections urinaires chroniques, dues au reflux de matières fécales du rectum vers l'uretère, troubles métaboliques divers (décalcification osseuse, notamment) du fait de la réabsorption de l'urine par le côlon, mictions rectales difficilement contrôlables.

Urétérocystonéostomie

Réimplantation chirurgicale de l'uretère dans la vessie.

On pratique une urétérocystonéostomie lorsque la portion d'uretère qui se trouve à proximité de la vessie est obstruée du fait d'une tumeur ou d'un rétrécissement (urétérocèle, méga-uretère), et ne permet plus l'écoulement de l'urine, ou lorsqu'il existe un reflux vésico-urétéro-rénal.

TECHNIQUE

L'urétérocystonéostomie, réalisée sous anesthésie générale, nécessite une hospitalisation d'une dizaine de jours. Le chirurgien pratique l'ablation du segment lésé d'uretère puis réimplante le segment restant dans la vessie.

RÉSULTATS ET COMPLICATIONS

Bien que les résultats soient satisfaisants dans 80 à 90 % des cas, l'intervention présente certains risques, dont les principaux sont le rétrécissement cicatriciel de l'uretère (nécessitant une deuxième intervention chirurgicale) et, dans certains cas, l'apparition d'un reflux vésico-urétéro-rénal (reflux d'urine de la vessie vers le rein).

Urétérolithotomie

Ouverture chirurgicale de la paroi urétérale, effectuée pour permettre l'ablation d'un calcul.

L'urétérolithotomie s'effectue sous anesthésie générale et nécessite une hospitalisation d'environ une semaine. La voie d'accès peut se situer à la hauteur de chaque région traversée par l'uretère : région lombaire, iliaque, pelvienne ou vésicale. Après ablation du calcul, une sonde est le plus souvent placée dans l'uretère, jusqu'à ce que celui-ci ait cicatrisé (c'est-à-dire pendant environ deux semaines), afin d'éviter les complications possibles. Celles-ci sont, principalement, les fistules urinaires (l'urine coule en dehors de l'uretère du fait d'une mauvaise cicatrisation de celui-ci) et le rétrécissement cicatriciel de l'uretère.

L'urétérolithotomie est actuellement peu pratiquée en raison de l'efficacité de la lithotripsie extracorporelle (pulvérisation du calcul au moyen d'ondes) et de l'urétéroscopie (ablation du calcul par chirurgie endoscopique).

Urétéropyélographie rétrograde

Examen radiologique de l'uretère et des cavités des reins. SYN. *pyélographie rétrograde*.

Le but de l'urétéropyélographie rétrograde (U.P.R.) est d'étudier les voies d'évacuation de l'urine, depuis les reins jusqu'à la vessie, lorsque l'urographie intraveineuse ne permet pas de les observer correctement ou qu'elle est impossible à réaliser.

INDICATIONS

L'urétéropyélographie rétrograde permet de diagnostiquer l'origine de certains troubles urinaires (hématurie, calculs).

TECHNIQUE

L'examen consiste à radiographier les uretères jusqu'aux bassinets après injection rétrograde (en sens inverse de l'écoulement urinaire) d'un produit de contraste iodé. Contrairement à d'autres examens radiologiques, l'urétéropyélographie rétrograde n'est pas contre-indiquée chez les personnes allergiques à l'iode, car le produit de contraste ne passe pas dans le sang.

PRÉPARATION ET DÉROULEMENT

Chez l'homme, l'urétéropyélographie rétrograde se pratique sous anesthésie générale et donc à jeun. Une hospitalisation de 24 heures est alors à prévoir. Chez la femme, l'anesthésie n'est pas nécessaire, le passage de la sonde étant moins sensible en raison de la conformation de l'urètre féminin.

L'examen est précédé d'une cystoscopie (examen de la vessie à l'aide d'un tube muni d'un système optique, appelé cystoscope, que l'on introduit dans l'urètre) afin de repérer les orifices d'abouchement des uretères dans la vessie.

Ensuite, le médecin introduit un fin cathéter dans l'urètre puis dans la vessie et, enfin, dans l'un des deux uretères. L'injection progressive du produit de contraste iodé fait alors remonter ce dernier à contre-courant. Différents clichés sont réalisés au fur et à mesure que l'uretère et le bassinet deviennent visibles ; le praticien procède ensuite de la même façon pour le second uretère. Puis il retire le cathéter et le cystoscope. L'examen dure environ 30 minutes.

Dans certains cas, il est possible de réaliser une urétéropyélographie transcutanée (à travers la peau) par ponction directe des cavités rénales. L'examen est alors guidé par échographie, radioscopie ou scanner.

Les résultats sont connus au cours même de l'examen. Le risque essentiel de l'urétéro-pyélographie rétrograde est l'infection. C'est pourquoi elle est pratiquée dans des conditions très rigoureuses d'asepsie (salle stérile), un traitement par antibiotiques étant de surcroît systématiquement prescrit au patient.

Urétéroscopie

Introduction d'un endoscope (tube muni d'un système optique et dans lequel peuvent être glissés des instruments de chirurgie) dans l'uretère.

INDICATIONS ET CONTRE-INDICATIONS

L'urétéroscopie est parfois employée à des fins diagnostiques (elle permet d'observer la muqueuse urétérale et d'y déceler la présence d'éventuelles tumeurs), mais son utilisation principale est l'extraction ou la pulvérisation localisée de calculs de l'uretère. Elle est contre-indiquée en cas d'infection urinaire et doit donc être précédée, à titre de vérification, d'un examen cytobactériologique des urines (E.C.B.U.).

DÉROULEMENT ET TECHNIQUE

L'urétéroscopie nécessite une hospitalisation de 3 ou 4 jours. Elle est réalisée, sous anesthésie générale, à l'aide d'un endoscope rigide ou flexible, qui est introduit dans la vessie par l'urètre et ensuite guidé jusqu'à l'uretère. Le plus souvent, il est nécessaire de dilater au préalable le méat urétéral et l'uretère. Pour enlever le calcul, plusieurs techniques sont utilisées : extraction grâce à une sonde-panier rétractable, ou sonde de Dormia (sonde constituée de mailles qui permettent d'enserrer le calcul, ensuite retiré en même temps que la sonde) ; pulvérisation au moyen d'une sonde ultrasonique ou électrohydraulique ou par faisceau laser. Dans la plupart des cas, l'intervention s'achève par la pose d'une sonde urétérale interne, que l'on retire au bout de 2 à 3 semaines, sans anesthésie chez la femme, sous anesthésie générale chez l'homme.

EFFETS SECONDAIRES ET COMPLICATIONS

Durant les quelques heures qui suivent l'intervention, le patient peut ressentir de fréquentes envies d'uriner ; en outre, il souffre parfois de brûlures à la miction. Les principales complications d'une urétéro-scopie sont le rétrécissement cicatriciel de l'uretère et la persistance d'un fragment de calcul, à l'origine de coliques néphrétiques et d'infections urinaires à répétition.

Urétérostomie

Abouchement de l'uretère à un organe.

Une urétérostomie est une dérivation urinaire généralement pratiquée, après une ablation de la vessie, sur des patients – femmes ou hommes – dont l'état général ou local est très mauvais ou chez qui il est impossible de réaliser un autre type d'intervention, notamment une cystoplastie (reconstitution de la vessie). L'uretère est le plus souvent abouché à la peau (directement ou par l'intermédiaire d'un segment intestinal) : on parle alors d'urétérostomie cutanée.

DIFFÉRENTS TYPES D'URÉTÉROSTOMIE CUTANÉE

Il en existe 3.

■ L'urétérostomie cutanée unilatérale ou bilatérale consiste à aboucher directement un uretère, ou les deux, à la peau de l'abdomen, de sorte que l'urine puisse s'écouler, par une sonde placée dans l'uretère, dans une poche collée à la peau. La sonde doit être changée toutes les 6 à 8 semaines par un urologue. Ce type de dérivation, très inconfortable, est de moins en moins réalisé.

■ L'urétérostomie cutanée transiléale non continente, ou intervention de Bricker, consiste à aboucher les deux uretères à un segment d'intestin grêle, lui-même abouché à la peau abdominale. L'urine s'écoule alors directement et en permanence dans une poche vidangeable qui doit être changée par le patient 2 ou 3 fois par semaine.

■ L'urétérostomie cutanée transintestinale continente est une intervention complexe qui consiste à fabriquer un réservoir avec un segment d'intestin grêle et à y aboucher les uretères. Ce réservoir est lui-même abouché à la peau abdominale par l'intermédiaire d'un segment d'intestin grêle qui fait office de valve antireflux. Ainsi, l'urine ne s'écoule pas en permanence comme dans le cas de l'urétérostomie cutanée transiléale non continente : le patient vide lui-même le réservoir toutes les 3 à 4 heures à l'aide d'une sonde, ce qui lui permet de rester sec, sans poche collectrice, pendant l'intervalle.

COMPLICATIONS ET SURVEILLANCE

Toutes ces interventions, très invalidantes et comportant de longues suites opératoires, sont réservées à des patients en bon état général. Elles entraînent parfois, surtout lorsque l'uretère est drainé en permanence par une sonde, des infections urinaires chroniques pouvant elles-mêmes aboutir à terme à la destruction du rein. On diminue le risque – non négligeable – de rétrécissement cicatriciel du point de jonction de l'uretère à la peau en posant une sonde urétérale à demeure. En cas d'urétérostomie cutanée transiléale non continente, le rétrécissement cicatriciel peut se produire au point de jonction entre l'uretère et l'intestin grêle. Les sujets ayant subi une urétérostomie cutanée doivent donc être suivis très régulièrement, tous les 3 à 6 mois, par un urologue.
→ VOIR Stomie.

Urétralgie

Douleur de l'urètre.

Une urétralgie peut être due à de nombreuses maladies : cystite, urétrite, prostatite (respectivement, inflammation de la vessie, de l'urètre et de la prostate), urétrocèle (dilatation de l'urètre), etc. Le traitement d'une urétralgie est celui de sa cause.

Urètre

Conduit allant du col de la vessie au méat urétral, qui permet l'écoulement de l'urine et, chez l'homme, le passage du sperme. (P.N.A. *urethra*)

Le diamètre moyen de l'urètre est de 10 millimètres. Sa morphologie est très différente chez la femme et chez l'homme.

■ L'urètre féminin est court (3 à 4 centimètres) et quasiment rectiligne. Il va de la vessie au méat urétral, situé au niveau de la vulve entre le clitoris et l'orifice vaginal.

■ L'urètre masculin est plus long (12 centimètres). Il comprend deux parties :
– l'urètre postérieur, long de 4 centimètres, qui fait suite au col vésical et est entouré par la prostate (urètre prostatique), sous laquelle se trouve le sphincter urétral assurant la continence ; dans l'urètre prostatique s'ouvrent les canaux éjaculateurs et les canaux prostatiques, qui permettent l'écoulement du sperme dans l'urètre ;
– l'urètre antérieur, long de 8 centimètres, qui est entouré du corps spongieux et des corps caverneux et traverse successivement le scrotum et le pénis pour s'ouvrir à l'extrémité du gland.

EXAMENS

Les principaux examens permettant d'explorer l'urètre sont :
– les examens bactériologiques, qui portent essentiellement sur l'étude d'un prélèvement ou d'une urétrorrhée (écoulement urétral) ;
– les examens radiologiques : urétrocystographie mictionnelle, urographie intraveineuse, urétrographie rétrograde ;
– l'urétroscopie (examen de l'urètre au moyen d'un endoscope) ;
– la biopsie urétrale.

PATHOLOGIE

L'urètre peut être le siège de multiples affections, parmi lesquelles on distingue :
– les infections, qui sont le plus souvent sexuellement transmissibles, comme l'urétrite gonococcique (blennorragie) ;
– les rétrécissements de l'urètre et de son méat, séquelles d'une urétrite ou conséquences d'un traumatisme ;
– les tumeurs de l'urètre, rares mais graves ;
– l'urétrocèle (dilatation d'un segment de l'urètre), qui affecte surtout la femme ;
– le prolapsus (glissement) de la muqueuse du méat urétral, parfois également appelé urétrocèle, affection bénigne survenant surtout chez la femme âgée ;
– les malformations congénitales de l'urètre telles que l'hypospadias, l'épispadias (malformations dans lesquelles le méat urétral ne siège pas à sa place normale sur le gland) ou la valve urétrale (présence dans l'urètre de replis muqueux qui empêchent le passage de l'urine).

Urétrite

Inflammation de l'urètre, essentiellement d'origine infectieuse.

L'urétrite atteint surtout l'homme jeune.

DIFFÉRENTS TYPES D'URÉTRITE

Selon le germe en cause, on distingue plusieurs formes d'urétrite, dont les symptômes communs sont un écoulement urétral, des brûlures locales, accentuées à la miction, et parfois une fièvre.

■ L'urétrite gonococcique, ou blennorragie, est une maladie sexuellement transmissible, due au germe *Neisseria gonorrhœæ*. Elle se manifeste, 48 heures après un rapport sexuel infectant, par un écoulement purulent associé à des brûlures de l'urètre. Le germe responsable est mis en évidence par l'examen au microscope de l'écoulement urétral. Le traitement du malade et de son partenaire sexuel par l'administration d'antibiotiques actifs contre le germe doit être entrepris immédiatement. Une seule prise d'antibiotiques suffit, mais des rechutes sont possibles.

■ **L'urétrite à mycoplasmes et à chlamydiæ** est une maladie sexuellement transmissible. Elle se traduit, au début de l'infection, par un écoulement urétral clair et indolore. Le germe est mis en évidence par l'examen au microscope de l'écoulement ou par des tests sérologiques. Le traitement repose essentiellement sur la prise d'antibiotiques, pendant 2 à 3 semaines.

■ **L'urétrite à colibacilles ou à d'autres germes banals** est plus rare. Son traitement fait également appel aux antibiotiques et dure environ une semaine.
→ VOIR Blennorragie.

Urétrocèle

1. Petite dilatation localisée à un segment de l'urètre.

Chez l'homme, une urétrocèle se produit le plus souvent à la hauteur du pénis et du scrotum.

CAUSES

Une urétrocèle est en général liée à la confection d'un urètre trop large au cours d'une urétroplastie (élargissement chirurgical de l'urètre, visant à traiter un rétrécissement pathologique) ou à une infection et à une nécrose de la paroi urétrale, provoquées par une sonde urétrale placée en permanence, notamment chez un patient atteint de vessie neurologique (troubles de l'innervation du sphincter vésical).

SYMPTÔMES ET DIAGNOSTIC

Une urétrocèle se traduit par des troubles de la miction (gouttes retardataires) ; en outre, elle prédispose aux infections urinaires. Elle est mise en évidence par l'urétrographie et l'urétroscopie.

TRAITEMENT

Il consiste à réduire chirurgicalement, sous anesthésie générale, la dilatation de l'urètre. Une sonde urétrale est posée au cours de l'intervention et doit être laissée en place jusqu'à ce que l'urètre ait cicatrisé, c'est-à-dire pendant environ 2 semaines.
2. Glissement de la muqueuse urétrale à l'extérieur du méat urétral. SYN. *prolapsus de la muqueuse urétrale.*

L'urétrocèle affecte essentiellement les petites filles et les femmes âgées.

SYMPTÔMES ET SIGNES

Elle prend la forme d'une saillie rose ou rouge d'environ 1 centimètre de diamètre, située au niveau du méat urétral et présentant à son pourtour un sillon circulaire ; cette saillie est parfois manuellement réductible. Une urétrocèle se traduit par des douleurs locales au frottement et au toucher, par des envies d'uriner très fréquentes et par des hémorragies locales.

TRAITEMENT

Il consiste à exciser chirurgicalement l'urétrocèle sous anesthésie locale ou locorégionale.

Urétrocystite

Infection de la vessie et de l'urètre, le plus souvent par un colibacille.

L'urétrocystite associe les symptômes de la cystite et ceux de l'urétrite : mictions fréquentes et douloureuses (provoquant une sensation de brûlure), urines troubles, parfois écoulement urétral.

DIAGNOSTIC

Le germe en cause est mis en évidence lors de l'examen cytobactériologique des urines (E.C.B.U.), directement ou après mise en culture. Cet examen permet aussi la réalisation d'un antibiogramme pour sélectionner les antibiotiques les plus efficaces contre le germe responsable. De plus, il est nécessaire de rechercher une cause favorisante (rétrécissement de l'urètre, adénome de la prostate, urétrocèle, calcul vésical) en faisant une échographie rénale et vésicale ou une urographie intraveineuse, voire - une fois l'infection maîtrisée par le traitement - une urétrocystoscopie.

Urétrocystographie mictionnelle

Examen radiologique de la vessie et de l'urètre.

INDICATIONS ET CONTRE-INDICATIONS

L'urétrocystographie mictionnelle permet d'analyser le fonctionnement et la morphologie de la vessie et de l'urètre. Elle met aussi en évidence un reflux vésico-urétéro-rénal signalant une malformation à la hauteur du point d'abouchement de l'uretère dans la vessie. Elle est contre-indiquée en cas d'infection urinaire.

DIFFÉRENTS TYPES

D'URÉTROCYSTOGRAPHIE MICTIONNELLE

L'examen peut être pratiqué en milieu hospitalier ou dans un cabinet de radiologie. Quelle que soit la technique adoptée, il consiste à prendre des clichés avant, pendant et après une miction après administration d'un produit de contraste iodé et progression de celui-ci dans la vessie et l'urètre.

■ **L'urétrocystographie mictionnelle pratiquée au cours d'une urographie intraveineuse** consiste à injecter un produit de contraste par voie intraveineuse. La vessie est ainsi remplie d'urine radio-opaque et les clichés radiographiques permettent d'évaluer, outre la morphologie de l'urètre, l'existence d'un résidu vésical postmictionnel. L'examen dure de 60 à 90 minutes.

■ **L'urétrocystographie mictionnelle par ponction suspubienne** consiste à injecter, éventuellement sous contrôle échographique, un produit de contraste dans la vessie à l'aide d'une aiguille introduite par voie suspubienne. L'examen, qui nécessite une anesthésie locale, dure environ 30 minutes.

■ **L'urétrocystographie mictionnelle rétrograde, ou urétrocystographie mictionnelle ascendante,** consiste à injecter un produit de contraste par une sonde introduite dans l'urètre, puis à le faire refluer vers la vessie. Cet examen ne nécessite pas d'anesthésie. Il dure environ 30 minutes.

EFFETS SECONDAIRES

Le sujet peut reprendre ses activités aussitôt après l'examen ; il arrive qu'il ressente de légères douleurs mictionnelles dans les heures qui le suivent. Contrairement à l'urétrocystographie par ponction suspubienne ou à l'urétrocystographie rétrograde, une urétrocystographie pratiquée dans le cadre d'une urographie intraveineuse peut provoquer des réactions d'allergie à l'iode (nausées, vomissements, baisse de la tension artérielle) ; celles-ci sont évitées par un traitement antiallergique prescrit préventivement aux patients sensibles.

Urétroplastie

Élargissement chirurgical de l'urètre à l'aide d'un greffon le plus souvent cutané, parfois muqueux (muqueuse vésicale ou buccale), libre ou pédiculé.

Il existe de très nombreuses formes d'urétroplastie, qui, toutes, traitent le rétrécissement de l'urètre.

DÉROULEMENT ET COMPLICATIONS

L'urétroplastie est une intervention très délicate nécessitant souvent une hospitalisation de deux semaines et dont le résultat n'est pas constant (on observe de 20 à 30 % d'échecs). Ses principales complications sont l'urétrocèle (petite dilatation d'un segment urétral), les fistules urinaires (à l'origine de fuites d'urine) et les infections urinaires ; en outre, l'urètre peut se rétrécir de nouveau.

Urétrorraphie

Abouchement chirurgical, après ablation d'un segment d'urètre rétréci, des deux segments d'urètre restants.

Les principales complications de l'urétrorraphie, intervention pratiquée sous anesthésie générale, sont les fistules urinaires (provoquant une fuite d'urine) et les infections urinaires ; en outre, le rétrécissement urétral peut récidiver.

Urétrorrhée

Écoulement d'un liquide pathologique, clair ou purulent, par l'urètre.

Une urétrorrhée peut être intermittente ou continue, douloureuse ou non. C'est le symptôme commun des urétrites (infections de l'urètre). Elle impose un examen bactériologique de l'écoulement (direct, puis après mise en culture) afin de rechercher le germe responsable et de réaliser un antibiogramme permettant de tester la sensibilité de ce germe aux antibiotiques usuels.

Urétroscopie

Examen permettant l'exploration directe de l'urètre, effectué à l'aide d'un urétroscope (tube muni d'une optique) introduit dans cet organe.

Une urétroscopie est toujours le premier temps d'une cystoscopie (exploration endoscopique de la vessie).

INDICATIONS ET CONTRE-INDICATIONS

Cet examen permet notamment de rechercher une inflammation, un rétrécissement, plus rarement une tumeur de la muqueuse urétrale. Il est contre-indiqué en cas d'infection urinaire, d'où la réalisation systématique, au préalable, d'un examen cytobactériologique des urines (E.C.B.U.).

DÉROULEMENT

Une urétroscopie ne nécessite pas d'hospitalisation et se pratique le plus souvent sans anesthésie chez la femme. En revanche, elle est précédée, chez l'homme, de l'application d'un gel anesthésique. L'examen dure de 5 à 10 minutes.

EFFETS SECONDAIRES

Le sujet peut reprendre ses activités immédiatement. Cependant, au cours des heures qui suivent, il arrive que les mictions soient légèrement douloureuses et contiennent un peu de sang. Plus rarement, l'urétroscopie est à l'origine d'une urétrite (infection de l'urètre).

Urétrotomie

Ouverture de l'urètre.

Une urétrotomie est effectuée en cas de rétrécissement de l'urètre. Elle se pratique par chirurgie classique ou endoscopique (on parle alors d'urétrotomie interne), à l'aide d'un urétroscope (tube muni d'une optique et d'instruments chirurgicaux). Elle nécessite une hospitalisation de 10 à 15 jours dans le premier cas, de 2 à 7 jours dans le second. Après l'opération, effectuée sous anesthésie générale ou sous rachianesthésie, une sonde est posée et laissée en place de 24 heures à 5 jours afin que l'urètre ne se rétrécisse pas pendant sa cicatrisation.

Les principales complications de l'urétrotomie sont les infections urinaires, la formation d'une fistule urinaire (communication anormale entre l'urètre et une cavité voisine provoquant des fuites d'urine) et, surtout, la récidive du rétrécissement.

Urgence

1. Situation pathologique dans laquelle un diagnostic et un traitement doivent être réalisés très rapidement.

2. Au pluriel, service dans lequel sont pris en charge les malades nécessitant des soins immédiats.

L'administration sanitaire organise de façon différente les urgences selon les villes et les pays. Dans les pays de l'Est, la spécialisation d'hôpitaux réservés aux urgences a longtemps prévalu. Ailleurs, chaque grand centre hospitalier dispose d'un service d'urgences ouvert 24 heures sur 24.

L'organisation des urgences inclut les services de réanimation, les unités spécialisées de soins intensifs et les ambulances équipées pour donner les premiers soins sur place et pendant le transport.

Urgence pédiatrique

Situation pathologique concernant des enfants qui nécessitent des soins immédiats sous peine de conséquences graves pour leur santé, voire pour leur vie.

URGENCES PÉDIATRIQUES MÉDICALES ET CHIRURGICALES

Signes	Causes	Premiers gestes
Brûlures Peau rouge ou d'aspect cartonneux, avec de grosses ampoules, ou noirâtre Lésions étendues Localisation sur le visage ou les organes génitaux	Brûlures causées par le feu, un liquide bouillant, un produit chimique, l'électricité, un coup de soleil	Éloigner la victime de la cause de brûlure ; préserver au maximum la propreté des brûlures (ne pas les mettre en contact avec du coton hydrophile) ; si les vêtements sont en fibres naturelles (coton, lin), les retirer ; si ce n'est pas le cas (Nylon, acrylique), laisser la dernière couche pour éviter d'arracher les zones de peau intactes ; n'appliquer aucun produit, rincer la zone brûlée sous l'eau froide du robinet. Hospitalisation ou consultation médicale immédiate.
Brûlures locales très douloureuses ou profondes à travers le corps (sur le trajet de l'électricité), perte de connaissance	Électrocution	Couper le courant ; isoler l'enfant de la source d'électricité en utilisant un objet en bois ou en plastique ; en cas de perte de connaissance, mettre l'enfant en position latérale de sécurité. Appeler les secours d'urgence.
Brûlures buccales ou digestives, douleurs abdominales, vomissements, perte de connaissance	Intoxication : ingestion de produits caustiques ou toxiques, ingestion accidentelle de médicaments	Laver la bouche en cas d'ingestion de produit caustique (sans faire avaler l'eau) ; ne pas donner à boire ni à manger ; en cas d'ingestion de comprimés : faire vomir l'enfant ; en cas de perte de connaissance : le mettre en position latérale de sécurité. Appeler les secours d'urgence.
Convulsions Mouvements désordonnés des membres, rejet de la tête en arrière, yeux révulsés	Fièvre élevée (maladie infectieuse, méningite), déshydratation aiguë, traumatisme crânien ou intoxication	Déshabiller et découvrir l'enfant, ne pas surchauffer la pièce, et, si la fièvre est supérieure à 39 °C, le baigner pendant 10 minutes dans une eau à 37 °C. Hospitalisation ou consultation médicale immédiate.
Détresse respiratoire Troubles respiratoires (toux, étouffement) ; cyanose	Obstruction des voies respiratoires par inhalation d'un corps étranger solide ou par asphyxie (sac plastique, oreiller)	Ne pas tenter d'enlever le corps étranger si celui-ci n'est pas visible dans la gorge ; si le corps étranger est visible, ouvrir la bouche de l'enfant (celui-ci étant allongé, tête vers l'arrière) et l'enlever. Si l'enfant s'étouffe, lui donner 2 ou 3 coups de poing entre les 2 omoplates ou appliquer une pression brusque sur le ventre de bas en haut avec le poing ; si cela s'avère inefficace, mettre l'enfant en position latérale de sécurité. Dégager l'enfant du sac ou de l'oreiller qui l'étouffe ; s'il ne respire plus, le secouer ou lui donner des claques dans le dos ; si la perte de connaissance se prolonge, le mettre en position latérale de sécurité. Appeler les secours d'urgence.
Détresse respiratoire (eau dans les voies respiratoires), syncope	Noyade	Libérer les voies aériennes en tirant la langue de l'enfant avec un mouchoir (afin qu'elle ne tombe pas au fond de la bouche et n'étouffe pas l'enfant), appuyer fortement sur les côtes si l'enfant ne recrache pas l'eau, le mettre en position latérale de sécurité, le recouvrir d'une couverture. Appeler les secours d'urgence.

Parmi les urgences pédiatriques hospitalières, on distingue les urgences vraies, qui représentent environ 20 % des urgences pédiatriques, des urgences « ressenties », qui en constituent environ 50 %, les autres situations d'urgence menant à une consultation médicale. Les urgences « ressenties » se rapportent à des enfants dont le pronostic vital ou fonctionnel n'est pas immédiatement menacé mais qui présentent des symptômes alarmants pour leur entourage (brutal et important accès de fièvre, par exemple).

CAUSES

Les urgences pédiatriques sont de nature accidentelle ou infectieuse.

■ **Les pathologies accidentelles** concernent tout particulièrement les jeunes enfants, souvent victimes de chutes entraînant un traumatisme ou de brûlures. Le traumatisme crânien, souvent accompagné d'une brève perte de connaissance, est le plus habituel.

Ses conséquences se limitent la plupart du temps à une simple plaie ou à un petit hématome sur le crâne. Toutefois, la survenue de vomissements, d'un saignement de nez, de signes neurologiques (convulsions) et de troubles de la conscience (apathie, coma), se produisant après un intervalle de quelques heures, évoque un hématome extradural et nécessite un examen en urgence avec, éventuellement, une radiographie du crâne et des explorations neurologiques plus fines (scanner, imagerie par résonance magnétique [I.R.M.]). Les brûlures étendues, surtout avant l'âge d'un an, ou profondes, marquées de phlyctènes (vésicules remplies d'un liquide clair), et aussi celles qui touchent le visage, les mains, les organes génitaux, doivent être examinées par un médecin. Les intoxications par ingestion représentent aussi une cause importante d'urgences accidentelles du jeune enfant, qui

porte fréquemment à la bouche toutes sortes de produits. Or certains d'entre eux peuvent être hautement toxiques (produits ménagers dérivés du pétrole, insecticides, boules antimites, médicaments tels que la quinine, les digitaliques, les tranquillisants ou les hypnotiques, etc.). Si les parents ont des raisons de suspecter une ingestion de produit toxique – l'enfant tient le produit en question dans sa main, a des troubles du comportement de survenue brutale et inexpliquée –, ils doivent aussitôt prendre contact avec le centre antipoison ou le service des urgences de l'hôpital le plus proche. Enfin, l'inhalation d'un corps étranger constitue une autre forme de pathologie accidentelle. Elle peut entraîner une asphyxie soudaine ou une détresse respiratoire, signalée par une toux violente, brutale et inattendue, destinée à expulser le corps étranger. La réalisation, en milieu hospitalier, de

(SUITE)

Signes	Causes	Premiers gestes
Douleurs		
Cris et pleurs intenses qu'on ne peut calmer (chez le nourrisson)	Douleur aiguë d'origine diverse	Vérifier si la cause n'est pas évidente (faim, soif, propreté) ; rechercher l'endroit douloureux. Consultation médicale.
Douleurs situées à droite sur l'abdomen, fièvre, vomissements	Appendicite aiguë	Consultation médicale.
Douleur aiguë et intense, gonflement et inflammation du testicule	Torsion du testicule ou hernie inguinale	Hospitalisation immédiate pour intervention urgente.
Cris de douleur intermittents, vomissements, pâleur, refus de la nourriture, possibilité de selles sanglantes	Invagination intestinale aiguë du nourrisson	Consultation médicale.
Hémorragies		
Saignement de nez	Traumatisme des fosses nasales, affection des sinus, hypertension artérielle, trouble de la coagulation	Pencher la tête de l'enfant en avant et lui pincer le nez entre le pouce et l'index pendant une dizaine de minutes ; si cela s'avère insuffisant, consulter un médecin.
Saignement important s'écoulant d'une plaie visible, vomissement de sang ou émission de sang dans les selles, hématome spontané	Hémorragie externe ou interne	En cas d'hémorragie externe, prendre 4 ou 5 compresses pliées et les poser sur la blessure ou essayer de boucher l'artère avec le pouce en appuyant fermement sur l'endroit d'où s'écoule le sang. Hospitalisation immédiate ou appeler les secours d'urgence.
Traumatismes		
Doigt, orteil ou membre sectionné	Amputation accidentelle	Allonger l'enfant, poser sur la blessure un tissu propre ou une gaze stérile sans essayer de remettre en place le membre ou le segment de membre sectionné ; placer celui-ci dans un sac plastique propre, que l'on pose sur de la glace. Hospitalisation immédiate.
Maux de tête, vomissements, somnolence, perte de connaissance, convulsions, saignements de nez ou des oreilles survenant 2 ou 3 heures après une chute ou un coup	Traumatisme crânien : chutes et coups sur la tête	Vérifier qu'il n'y a pas de plaie ; en cas de perte de connaissance, mettre l'enfant en position latérale de sécurité. Hospitalisation immédiate ou appeler les secours d'urgence.
Membre cassé ou luxé (os sorti de son articulation), état de choc (pâleur, respiration accélérée, transpiration, soif)	Fracture	Desserrer les vêtements, mettre l'enfant dans la position la plus confortable possible ; s'il est en état de choc, le mettre en position latérale de sécurité, ne rien lui donner à boire ni à manger ; en cas de lésion du cou ou du dos, ne pas bouger l'enfant. Hospitalisation immédiate ou appeler les secours d'urgence.
Vomissements		
Vomissements répétés, diarrhée, apathie, yeux cernés, fontanelles creusées	Déshydratation aiguë du nourrisson due à un coup de chaleur, à une fièvre, à une gastroentérite aiguë	Réhydrater le nourrisson en lui donnant à boire, fréquemment et par petites quantités, de l'eau fraîche salée et sucrée ou du Coca-Cola frais. Hospitalisation immédiate.
Vomissements en jets, fièvre, raideur de la nuque, maux de tête	Méningite	Hospitalisation immédiate.

clichés thoraciques en inspiration et en expiration permettra de confirmer la présence de celui-ci et de procéder à son extraction, notamment par voie endoscopique.

■ **Les pathologies infectieuses** sont une autre cause importante d'urgences pédiatriques. Elles se traduisent par une fièvre élevée, des manifestations respiratoires (difficulté à respirer), neurologiques (convulsions fébriles) ou digestives (vomissements et diarrhées intenses, susceptibles d'entraîner une déshydratation aiguë). Les enfants de moins de 4 ans sont particulièrement sensibles aux infections du fait de l'immaturité de leur système immunitaire.

Uricémie

Taux d'acide urique dans le sang.

L'uricémie est normalement comprise entre 240 et 420 micromoles (soit 40 à 70 milligrammes) par litre ; elle est plus élevée en moyenne chez les hommes que chez les femmes.

PATHOLOGIE

■ **L'hyperuricémie** (taux anormalement élevé d'acide urique dans le sang) s'observe principalement au cours de la goutte, mais aussi au cours de l'insuffisance rénale, du diabète, des maladies du sang (leucémies), surtout lors de leur traitement (par destruction cellulaire), ou encore en cas de prise de diurétiques.

■ **L'hypo-uricémie** (diminution anormale du taux d'acide urique dans le sang), beaucoup plus rare, est le plus souvent consécutive à une diminution de la synthèse de l'acide urique due à une insuffisance hépatique, à la prise de médicaments hypouricémiants, etc.

Uricolytique

Médicament utilisé dans le traitement de l'hyperuricémie (augmentation anormale du taux d'acide urique dans le sang).

Les uricolytiques sont essentiellement l'urate-oxydase, enzyme naturelle purifiée, responsable de la dégradation de l'acide urique de l'organisme. Cette enzyme est indiquée en cas d'hyperuricémie sévère, primitive (sans cause apparente) ou consécutive à une insuffisance rénale ou à une maladie du sang (leucémie, par exemple) traitée par chimiothérapie anticancéreuse. On emploie l'urate-oxydase sous forme injectable. La grossesse est une contre-indication à la prise de ce médicament, de même qu'un déficit en glucose-6-phosphate déshydrogénase (G-6-P.D.). Les effets indésirables possibles sont des réactions cutanées allergiques et des crises de goutte, par précipitation excessive des cristaux d'acide urique. Une crise de goutte impose l'arrêt du traitement.

Uricosurique

Médicament utilisé dans le traitement de fond de la goutte.

Les uricosuriques comprennent la benzbromarone, la benziodarone et le probénécide. Ils augmentent l'élimination de l'acide urique dans les urines. Ils sont indiqués par voie orale en cas d'hyperuricémie (augmentation de la concentration sanguine d'acide urique) quand celle-ci donne lieu à des complications comme la goutte. Ces médicaments sont contre-indiqués dans les situations qui favorisent la formation de calculs d'acide urique dans les voies urinaires : antécédents de calculs d'acide urique, élimination urinaire excessive d'acide urique (comme dans les maladies du sang traitées par chimiothérapie anticancéreuse), diminution du volume des urines (par insuffisance cardiaque), insuffisance rénale.

EFFETS INDÉSIRABLES

Les uricosuriques peuvent causer des troubles fonctionnels de la thyroïde (benziodarone), des réactions allergiques (probénécide), des douleurs gastriques et une diarrhée (benzbromarone).

Uricurie

Élimination urinaire d'acide urique. SYN. *uraturie*.

L'uricurie est normalement comprise entre 0,5 et 0,8 gramme, soit 3 à 4,8 millimoles, par 24 heures.

PATHOLOGIE

■ **Une hyperuricurie** (élimination urinaire excessive d'acide urique) peut être le signe d'une lithiase urique (présence de calculs d'acide urique dans les voies urinaires), d'une goutte ou d'une lyse tumorale (destruction d'une importante masse tumorale) spontanée ou provoquée (par chimiothérapie). Elle peut aussi être liée à la prise de certains médicaments (uricosuriques).

■ **Une hypo-uricurie** (élimination urinaire d'acide urique anormalement basse) révèle le plus souvent une insuffisance rénale.

Urinaire (appareil)

Ensemble des organes qui élaborent l'urine et l'évacuent hors du corps.

L'appareil urinaire présente des différences anatomiques chez l'homme et chez la femme.

STRUCTURE

L'appareil urinaire est formé de 2 parties.

■ **Le haut appareil urinaire** est situé dans l'abdomen, en arrière de la cavité péritonéale et de son contenu. Il comprend :
– les 2 reins, situés dans chaque fosse lombaire, de part et d'autre de la colonne vertébrale : le parenchyme (tissu fonctionnel) rénal y élabore l'urine, qui est ensuite filtrée dans les calices ; ceux-ci, au nombre de 3 en moyenne pour chaque rein, se réunissent pour former le bassinet, qui collecte l'urine ;
– les 2 uretères, qui font suite à chacun des 2 bassinets ; ces conduits, d'environ 25 centimètres de longueur, relient chaque rein à la vessie et permettent l'écoulement de l'urine vers la vessie.

■ **Le bas appareil urinaire** comprend :
– la vessie, organe creux, sphérique, dont la paroi est musculaire ; elle stocke l'urine venant des uretères puis, lorsqu'elle est pleine, l'évacue vers l'urètre en contractant sa paroi musculaire ;
– l'urètre, conduit séparé de la vessie par le col vésical, qui permet l'évacuation de l'urine qu'elle contient hors du corps ; il est entouré d'un sphincter, dit urétral, qui se ferme pendant le remplissage de la vessie et s'ouvre lors des mictions. L'urètre a une morphologie différente chez l'homme et chez la femme. Chez l'homme, il est long et entouré par la prostate, qui forme autour de lui une sorte de manchon, et il s'ouvre à l'extrémité du gland pénien. Chez la femme, il est beaucoup plus court et s'ouvre à la vulve.

EXAMENS

Ils sont nombreux et comprennent l'urographie intraveineuse, l'urétéropyélographie rétrograde, la cystographie, l'échographie des reins, de la vessie et de la prostate, les examens endoscopiques, les artériographies, la scintigraphie, le scanner et l'imagerie par résonance magnétique (I.R.M.).

PATHOLOGIE

Les principales maladies affectant l'appareil urinaire sont :
– les lithiases (présence de calculs), qui atteignent les reins, les uretères (elles sont alors à l'origine de coliques néphrétiques) ou la vessie ;
– les infections rénales (pyélonéphrite), vésicales (cystite), prostatiques (prostatite) ;
– les tumeurs, bénignes ou malignes, du rein, de la vessie, de la prostate ;
– les rétrécissements de l'urètre ou des uretères ;
– les malformations (rein en fer à cheval, méga-uretère, urétérocèle, épispadias, hypospadias, exstrophie vésicale, reflux vésicourétéro-rénal, valve urétrale, etc.).

Urinal

Récipient en verre ou en plastique qui recueille l'urine des malades alités. SYN. *pistolet*.

L'urinal est un vase à ouverture étroite et à col allongé pour les hommes, à ouverture large et ovale pour les femmes. Cependant, pour ces dernières, on lui préfère le bassin, plus commode. Après chaque utilisation, l'urinal doit être nettoyé à l'eau et au savon ou, éventuellement, à l'eau de Javel.

Urine

Liquide sécrété par les néphrons (unités fonctionnelles du rein), qui s'écoule par les voies urinaires excrétrices (calices, bassinets, uretères) et s'accumule dans la vessie avant d'être évacué par l'urètre.

COMPOSITION

L'urine est un liquide jaune pâle, ambré, limpide à l'émission, d'odeur safranée et légèrement acide. Elle est constituée d'eau, dans laquelle sont dissoutes des substances minérales (sodium, potassium, calcium, magnésium, chlorure, sulfates, phosphates) et organiques (urée, créatinine, acide urique, acides aminés, enzymes, hormones, vitamines), et contient des globules rouges et des globules blancs en faibles quantités (moins de 5 000 par millilitre). On ne trouve normalement dans l'urine ni sucres, ni protéines, ni bactéries.

Le volume d'urine excrété est normalement compris entre 0,5 et 2 litres par 24 heures, mais varie en fonction de l'âge

L'appareil urinaire comprend les reins, les uretères, la vessie et l'urètre. Les reins produisent l'urine par filtration du sang. Celle-ci s'écoule dans les uretères puis elle est stockée dans la vessie, qui l'évacue, en se contractant, par l'urètre.

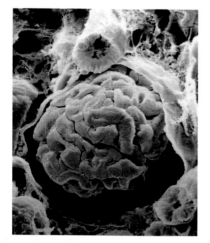

Chaque rein comprend environ un million de glomérules (en rose), petites sphères microscopiques qui élaborent l'urine primitive à partir du sang contenu dans les capillaires.

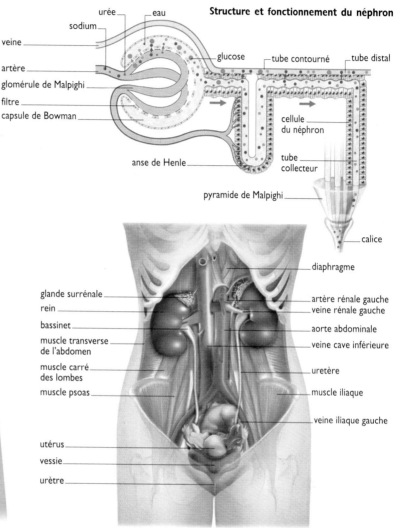

Structure et fonctionnement du néphron

urée — eau
sodium
veine
artère
glomérule de Malpighi
filtre
capsule de Bowman
glucose
tube contourné — tube distal
cellule du néphron
anse de Henle
tube collecteur
pyramide de Malpighi
calice

glande surrénale
rein
bassinet
muscle transverse de l'abdomen
muscle carré des lombes
muscle psoas
diaphragme
artère rénale gauche
veine rénale gauche
aorte abdominale
veine cave inférieure
uretère
muscle iliaque
veine iliaque gauche
utérus
vessie
urètre

L'appareil urinaire féminin

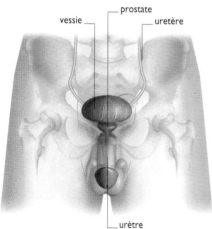

vessie
prostate
uretère
urètre

L'appareil urinaire masculin

du sujet, de la quantité de boissons qu'il a absorbée, de son alimentation, de son activité physique, du climat, etc.

ÉLABORATION ET PHYSIOLOGIE
La formation de l'urine est assurée par les néphrons, unités fonctionnelles et anatomiques du tissu rénal, au nombre de 1 à 1,2 million par rein. Le glomérule, première partie du néphron, élabore l'urine primitive par filtration du sang ; cette urine est ensuite transformée dans le tubule rénal, deuxième partie du néphron, par des phénomènes de réabsorption (récupération d'une partie de l'eau, du sodium, etc.) et de sécrétion, en une urine définitive, dont la quantité et la composition varient de façon que le milieu intérieur du corps reste constant.

L'urine joue donc un double rôle : élimination de déchets tels que l'urée, la créatinine et aussi un grand nombre de médicaments et de toxiques, d'une part,

maintien de la constance du milieu intérieur de l'organisme grâce à une régulation des quantités d'eau et de sels minéraux à éliminer, d'autre part.

PATHOLOGIE
■ Un changement de couleur de l'urine peut révéler un ictère (urine brun acajou) ou une hématurie (urine rouge).
■ Une oligurie ou une anurie (respectivement, réduction importante – volume inférieur à 0,5 litre par 24 heures – ou arrêt total de la sécrétion d'urine) témoignent d'une insuffisance rénale, le plus souvent aiguë. Celle-ci est soit fonctionnelle, et dans ce cas rapidement réversible une fois sa cause identifiée et traitée (hypotension artérielle, déshydratation), soit organique, due à des lésions anatomiques du néphron ; dans ce cas, elle peut durer de plusieurs jours à plusieurs semaines et nécessiter une épuration du sang par dialyse.

■ Une pneumaturie (présence de gaz dans les urines) est le plus souvent due à une fistule vésico-intestinale.
■ Une polyurie (débit urinaire supérieur à 3 litres par 24 heures) peut être la conséquence d'apports hydriques trop abondants (boisson, perfusions) ou traduire un état pathologique : diabète insipide (dû à l'absence ou à l'inefficacité de l'hormone antidiurétique), diabète sucré non équilibré, etc.
■ La présence d'éléments anormaux dans l'urine ou dans le sédiment urinaire est symptomatique de certaines maladies : diabète s'il s'agit de glucose, néphropathie quand ce sont des protéines, acidocétose en cas de corps cétoniques, affection hépatique en cas d'urobiline, etc.
■ Une variation de la composition de l'urine peut révéler une maladie : ainsi, une augmentation anormale du taux de calcium peut signaler une hyperparathyroïdie, tandis

PRINCIPAUX CONSTITUANTS DE L'URINE

	Principales causes de diminution de ces valeurs	*Valeurs moyennes*	*Principales causes d'augmentation de ces valeurs*
Éléments minéraux			
Sodium (natriurie)	Régime sans sel, déshydratation	De 3 à 7 g (c'est-à-dire de 50 à 150 mmol)/24 h	Insuffisance surrénalienne (maladie d'Addison, par exemple)
Potassium (kaliurie)	Insuffisance surrénalienne	De 2 à 4 g (c'est-à-dire de 50 à 100 mmol)/24 h	Syndrome de Conn
Calcium (calciurie)	Hypoparathyroïdie, insuffisance rénale	De 100 à 400 mg (c'est-à-dire de 2,5 à 10 mmol)/24 h	Hyperparathyroïdie
Chlore (chlorurie)	Déshydratation	De 4 à 9 g (c'est-à-dire de 120 à 250 mmol)/24 h	Insuffisance surrénalienne
Éléments organiques			
Acide urique (uricurie)	Crise de goutte, régime végétarien	De 0,35 à 1 g (c'est-à-dire de 2 à 6 mmol)/24 h	Crise de goutte, leucémie
Urée (azoturie)	Insuffisance rénale, insuffisance hépatique	De 10 à 35 g (c'est-à-dire de 180 à 600 mmol)/24 h	Augmentation du catabolisme azoté (fièvre), intoxication (au phosphore, à l'antimoine)
Créatinine (créatininurie)	Insuffisance rénale	De 0,5 à 2,5 g (c'est-à-dire de 5 à 20 mmol)/24 h (valeur fixe pour un même individu)	Myopathie
Urobiline (urobilinurie)		De 0,2 à 3,5 mg (c'est-à-dire de 0,33 à 5,91 µmol)/24 h	Certaines affections hépatiques, hémolyse
Constituants chimiques anormaux			
Glucose (glycosurie)		Absence	Hyperglycémie (diabète sucré), diabète rénal
Protéines (protéinurie)		< 0,05 g/24 h	Protéinurie orthostatique, protéinurie d'effort, néphropathie glomérulaire, myélome multiple
Corps cétoniques (acétonurie, cétonurie)		Absence	Hypercatabolisme (fièvre), jeûne prolongé, diabète sucré décompensé avec acidocétose.
Éléments cellulaires			
Cellules épithéliales desquamées		Quelques cellules	Inflammation des voies urinaires, cancer de la vessie ou des uretères
Cylindres		De 1 à 2 cylindres hyalins/min	Inflammation des voies urinaires, néphrite
Hématies		Inférieur à 5 000/min	Affection vésicale, prostatique, urétrale ou rénale
Leucocytes		Inférieur à 5 000/min	Infection des voies urinaires (pyélonéphrite, prostatite)

mmol = millimole ; µmol = micromole

qu'une diminution anormale de ce taux est caractéristique d'une hypoparathyroïdie ou d'une insuffisance rénale.

Urine (fuite d')

Écoulement anormal d'urine.

■ Une fuite d'urine par les voies naturelles, ou incontinence urinaire, peut être due à diverses causes : déficience du sphincter de la vessie, atrophie des muscles du périnée qui soutiennent la vessie, descente du col de la vessie, etc.

■ Une fuite d'urine par une fistule urinaire (orifice cutané pathologique) peut survenir après une intervention chirurgicale, quand les voies urinaires opérées cicatrisent mal.

■ Une fuite d'urine par un orifice naturel ne faisant pas partie de l'appareil urinaire (vagin, anus) est consécutive à une intervention chirurgicale ayant entraîné une lésion des voies urinaires, qui sont fistulisées dans une cavité voisine : fistule urétérovaginale, vésicovaginale ou urétrorectale.

TRAITEMENT

Le traitement de l'incontinence repose en général sur la rééducation du sphincter ou sur une intervention chirurgicale. Le traitement des fistules dépend de leur siège et de leur cause et va de la simple surveillance (par échographie rénale, par exemple) à la pose d'une sonde pendant une quinzaine de jours, voire, lorsque la fistule est due à un

obstacle gênant l'écoulement naturel de l'urine (rétrécissement, calcul), à la suppression chirurgicale de celui-ci.

→ VOIR Incontinence urinaire.

Urine (reflux d')

→ VOIR Reflux vésico-urétéro-rénal.

Urobiline

Pigment biliaire jaune-orangé.

L'urobiline est formée dans l'intestin sous l'action de bactéries à partir d'un autre pigment biliaire, la bilirubine, et éliminée en majeure partie dans les selles. En cas de rétention biliaire, par exemple au cours d'un ictère déclenché par un calcul obstruant les canaux biliaires, les pigments biliaires ne peuvent plus être éliminés dans les selles (qui sont alors décolorées) et s'accumulent dans les urines.

Urographie intraveineuse

Examen radiologique étudiant la morphologie et le fonctionnement de l'appareil urinaire.

INDICATIONS ET CONTRE-INDICATIONS

L'urographie intraveineuse (U.I.V.), examen radiologique le plus classique de l'appareil urinaire, est beaucoup moins pratiquée qu'autrefois. Elle est indiquée dans de nombreuses maladies urinaires, en particulier l'infection urinaire, l'hématurie (présence de sang dans les urines), les coliques néphrétiques et les troubles de la miction. Elle ne présente en revanche aucun intérêt chez les patients atteints d'insuffisance rénale en raison du défaut ou de l'absence d'élimination du produit de contraste par le rein.

TECHNIQUE ET DÉROULEMENT

L'urographie intraveineuse consiste à radiographier les voies urinaires, une fois celles-ci opacifiées par un produit de contraste iodé, qui est injecté par voie veineuse et s'élimine dans les urines. Sauf en cas d'urgence, cet examen est réalisé chez un sujet à jeun, soumis à une diète hydrique légère. Le patient est allongé sur une table d'examen. L'urographie intraveineuse dure environ 1 heure et demie et se déroule de la façon suivante :
- avant l'injection, on prend un cliché simple de l'abdomen de façon à repérer d'éventuels calculs urinaires, naturellement radio-opaques ;

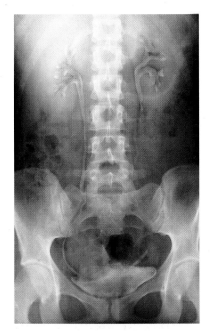

Urographie intraveineuse. L'injection d'un produit radio-opaque permet de voir (en orange et de haut en bas) les calices et les bassinets rénaux, les uretères et la vessie.

- après injection intraveineuse du produit de contraste, des clichés des reins, des uretères, de la vessie et de l'urètre sont pris à des intervalles de temps bien déterminés (au bout des 5 premières minutes puis toutes les 10, 15, 20 minutes et plus) de façon à étudier la morphologie des voies urinaires et la qualité de l'excrétion et de l'écoulement de l'urine ;
- en fin d'examen, des clichés sont systématiquement réalisés avant, pendant et après une miction ; en outre, d'autres clichés peuvent être pris 24 heures, voire 48 heures, après l'injection en cas de dysfonctionnement rénal.

Après l'examen, le sujet peut immédiatement reprendre ses activités.

EFFETS SECONDAIRES

L'urographie intraveineuse peut entraîner une réaction d'intolérance à l'iode (nausées, vomissements, baisse de la tension artérielle), évitée par un traitement antiallergique prescrit préventivement aux patients sensibles durant les jours qui précèdent l'examen. De plus, chez les sujets diabétiques, cet examen impose une perfusion de sérum physiologique afin de permettre une bonne hydratation et d'éviter la survenue d'une tubulopathie (atteinte des tubules rénaux).

Urokinase

Enzyme produite par le rein et excrétée dans l'urine.

L'urokinase possède la propriété de dégrader la fibrine, substance protéique intervenant dans la formation du caillot lors du processus de coagulation du sang.

UTILISATION THÉRAPEUTIQUE

De l'urokinase d'origine humaine est utilisée pour détruire un caillot en formation ou de formation récente, c'est-à-dire notamment en cas de thrombose veineuse ou artérielle (oblitération d'un vaisseau sanguin par un caillot), surtout lors d'un infarctus du myocarde ou en cas d'embolie pulmonaire (obstruction brutale de l'une des branches de l'artère pulmonaire).

Son emploi doit s'effectuer en milieu hospitalier sous surveillance médicale stricte et en respectant les contre-indications absolues (hémorragies, hypertension artérielle, prothèse récente, etc.) et relatives (âge, ulcère, maladie infectieuse, etc.).
→ VOIR Fibrinolytique.

Urologie

Discipline médicochirurgicale qui se consacre à l'étude et au traitement des maladies de l'appareil urinaire des deux sexes et de l'appareil génital masculin.

De nombreuses maladies de l'appareil urinaire relèvent de l'urologie : calculs urinaires ; malformations urinaires ; tumeurs rénales, vésicales, prostatiques, testiculaires ; troubles neurologiques du fonctionnement de la vessie ; infections urinaires, etc. L'étude de l'appareil génital masculin, dont les principales pathologies sont la stérilité et les troubles de l'érection, fait l'objet d'une spécialisation particulière, pratiquée par des urologues : l'andrologie.

L'urologie a beaucoup bénéficié ces dix dernières années des progrès des techniques biomédicales. Ainsi, les traitements des principales affections urinaires tendent à devenir de moins en moins agressifs : des calculs urinaires peuvent être traités sans hospitalisation, par lithotripsie extracorporelle (pulvérisation à l'aide d'ondes) ou par endoscopie (par introduction dans les voies urinaires d'un tube muni d'une optique et d'instruments chirurgicaux). De même, un adénome de la prostate peut être soigné par un traitement purement médicamenteux ou enlevé par chirurgie endoscopique ; dans un proche avenir, l'ablation par rayonnement laser sera réalisable.

Uropathie

Toute maladie touchant l'appareil urinaire (bassinets, uretères, vessie et urètre).

DIFFÉRENTS TYPES D'UROPATHIE

■ Les uropathies congénitales sont le rétrécissement de la jonction pyélo-urétérale, le méga-uretère, le reflux vésico-urétéro-rénal et la valve urétrale.
■ Les uropathies acquises sont d'origine infectieuse (tuberculose, bilharziose), traumatique, tumorale ou lithiasique (dues à la formation et à l'enclavement d'un calcul).

DIAGNOSTIC

Il dépend essentiellement du type d'uropathie. D'une manière générale, on fait appel à l'urographie intraveineuse, à l'échographie, au scanner, à l'imagerie par résonance magnétique (I.R.M.) ou à des examens endoscopiques tels que la cystoscopie, l'urétéroscopie ou l'urétroscopie (introduction, dans la vessie, l'uretère ou l'urètre, d'une optique permettant l'exploration directe de l'organe en question).

Urticaire

Maladie dermatologique caractérisée par l'apparition de plaques rouges en relief, souvent très prurigineuses.

Une urticaire peut être déclenchée et/ou entretenue par plusieurs causes, si bien que, pour chaque patient, il est indispensable de rechercher tous les facteurs déclenchants possibles.

On distingue les urticaires aiguës, ne durant parfois que quelques heures, des urticaires chroniques, qui persistent plus de trois mois.

Urticaire aiguë

Elle peut être due à la prise de certains médicaments (analgésiques, anti-inflammatoires, aspirine), à une piqûre d'insecte (guêpe, abeille, moustique) ou avoir une origine alimentaire (fraises, condiments, crustacés, poissons). Son mécanisme est variable : soit la substance en cause amène un excès d'histamine, soit elle déclenche la libération dans l'organisme de l'histamine contenue dans la paroi intestinale, soit encore elle provoque une réaction allergique (l'allergène en cause pouvant être une protéine alimentaire mais aussi un additif alimentaire ou de la pénicilline ajoutée par le fabricant, par exemple à un fromage fermenté). Enfin, certaines maladies infectieuses (hépatite virale, mononucléose infectieuse, certaines maladies parasitaires) peuvent comporter une urticaire à leur phase initiale.

Urticaire chronique
Les causes de l'urticaire chronique sont beaucoup plus nombreuses que celles de l'urticaire aiguë.

■ **Les urticaires chroniques physiques** (c'est-à-dire déclenchées par des facteurs physiques), héréditaires ou acquises, se classent en différents types :
- l'urticaire cholinergique, qui fait suite à la libération d'une substance appelée acétylcholine, contenue normalement dans les cellules nerveuses ; ce phénomène est souvent consécutif à un effort physique intense, ou à une pression exercée par un objet lourd sur la peau, et il est favorisé par la sudation ;
- l'urticaire au froid, fréquente ;
- l'urticaire à l'eau, qui rend dangereux les bains en rivière ou dans la mer ;
- l'urticaire au chaud, exceptionnelle, qui n'apparaît qu'au point d'application d'une source de chaleur ;
- l'urticaire solaire, qui atteint toutes les régions du corps exposées au soleil.

■ **Les urticaires chroniques allergiques** peuvent être dues à un médicament ou à un aliment, mais aussi à un pneumallergène (substance allergisante contenue dans l'atmosphère : pollens, poussières).

■ **D'autres urticaires chroniques** accompagnent une maladie générale : vascularite (inflammation des vaisseaux sanguins), lupus érythémateux (taches rouges sur le visage), certaines affections endocriniennes (diabète, excès d'hormones thyroïdiennes) ou métaboliques (hyperuricémie).

Cependant, dans 30 à 40 % des cas, les causes de l'urticaire demeurent inconnues.

Symptômes et signes de l'urticaire
En règle générale, l'urticaire touche le derme superficiel ; on la reconnaît aisément grâce à la ressemblance des lésions avec les piqûres d'ortie. Les placards sont arrondis, un peu surélevés, rosés, entourés d'un liseré blanc plus ou moins marqué ; très mobiles et fugaces, ils disparaissent pour apparaître en d'autres endroits du corps, parfois en quelques heures. Chez certains malades, on observe un dermographisme : une plaque d'urticaire apparaît à l'endroit où l'on a frotté la peau avec une pointe mousse. Les urticaires cholinergiques et les urticaires à l'eau sont caractérisées par des boutons de la taille d'une tête d'épingle. Les urticaires chroniques associées à une maladie générale se traduisent par l'apparition de placards souvent fixes, symétriques, peu ou pas prurigineux ; elles peuvent s'accompagner d'une légère fièvre, de douleurs articulaires et d'un syndrome inflammatoire modéré.

Une forme particulière d'urticaire, l'œdème de Quincke, ne touche pas le derme superficiel mais les tissus sous-cutanés, ce qui se traduit essentiellement par un gonflement aigu. Celui-ci est particulièrement visible sur

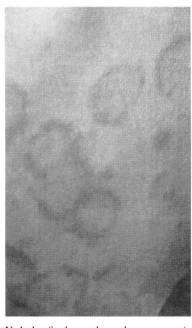

Urticaire. *Sur les membres et le tronc apparaissent de larges taches rosées entourées d'un halo inflammatoire, légèrement en relief et très prurigineuses.*

le visage (lèvres épaissies) ; il peut s'étendre à la muqueuse du larynx, d'où un risque de gêne respiratoire brutale.

Diagnostic de l'urticaire
Outre l'examen clinique des lésions et l'interrogatoire du malade (notamment pour savoir si celui-ci a pris des médicaments juste avant que la crise ne se déclenche), le diagnostic d'une urticaire repose sur cinq gestes simples :
- frottement de la région du dos avec une pointe mousse pour rechercher un dermographisme ;
- application d'un glaçon pendant 5 à 10 minutes pour chercher une urticaire au froid et, inversement, application d'un tube contenant de l'eau chaude pour dépister une urticaire au chaud ;
- épreuve d'effort pour faire transpirer le patient et voir si cette sudation provoque une crise ;
- épreuve à la pression en faisant porter au patient un poids de 5 kilogrammes sur l'épaule pendant 5 minutes et en regardant si une plaque d'urticaire apparaît à cet endroit ;
- recherche systématique de foyers d'infection mycosique ou microbienne et réalisation de tests allergiques.

Traitement de l'urticaire
Il vise à la fois à soigner les symptômes et la cause de la maladie. Le traitement symptomatique repose sur l'administration d'antihistaminiques par voie orale ou injectable, parfois associée à celle, orale, d'autres

médicaments tels que le chromoglycate de sodium ou le kétotifène, qui inhibent la dégranulation des cellules appelées mastocytes, phénomène libérant de l'histamine. Les corticostéroïdes, administrés par voie orale ou injectable, ne s'utilisent que dans les urticaires sévères et les œdèmes du larynx (œdème de Quincke). Par ailleurs, les soins locaux de la peau comprennent des toilettes avec un savon acide ou de l'eau vinaigrée et des applications de laits adoucissants.

La cause de l'urticaire doit être traitée chaque fois que c'est possible : suppression de l'aliment ou du médicament responsable, voire désensibilisation. De plus, il existe souvent un facteur psychologique favorisant, dont on peut atténuer le rôle à l'aide d'anxiolytiques et d'une psychothérapie.

Utérin
Relatif à l'utérus.

On parle, par exemple, de col ou de corps utérin, de tumeur (fibrome, kyste, cancer) ou d'hémorragie utérine. Une grossesse qui se déroule hors de l'utérus est dite extra-utérine (G.E.U.).

Utérus
Organe musculaire creux de l'appareil génital féminin, destiné à accueillir l'œuf fécondé pendant son développement et à l'expulser quand il parvient à maturité. (P.N.A. *uterus*)

STRUCTURE
En dehors de la grossesse et pendant la vie génitale, de la puberté à la ménopause, l'utérus est un organe de petite taille (7 ou 8 centimètres de haut), logé dans le petit bassin, entre la vessie, en avant, et le rectum, en arrière. En forme de cône, pointe en bas, l'utérus comprend une partie renflée, le corps utérin, sur laquelle s'attachent les 2 trompes utérines et les 3 paires de ligaments qui le relient à la paroi abdominale : ligaments ronds en avant, ligaments larges sur les côtés, qui contiennent les vaisseaux utérins, et ligaments utérosacrés en arrière. La cavité du corps utérin est tapissée d'une muqueuse, l'endomètre. Son extrémité inférieure, le col utérin, s'ouvre dans le vagin. L'utérus est fortement incliné vers l'horizontale, le corps utérin s'appuyant sur la vessie : c'est l'antéversion utérine. Plus rarement, il peut aussi basculer en arrière et venir au contact du rectum : c'est la rétroversion, simple anomalie de position.

PHYSIOLOGIE
La muqueuse utérine subit des transformations cycliques, sous l'influence des hormones ovariennes : sa couche superficielle s'élimine au moment des règles. Pendant la grossesse, l'œuf fécondé s'implante dans cette muqueuse, et le placenta s'y développe. La tunique musculaire lisse de l'utérus, le myomètre, s'épaissit ; lors de l'accouchement, elle se contracte pour expulser le fœtus. Les fibres utérines se distendent considérablement au cours de la grossesse, l'utérus atteignant à terme le niveau du foie. Après l'accouchement, il retrouve son volume normal en 2 mois.

UTÉRUS

Profondément logé dans le petit bassin, en arrière
et au-dessus de la vessie, l'utérus est un organe
creux, aux parois constituées d'un épais tissu
musculaire. Sa partie inférieure, la plus étroite,
s'ouvre dans le vagin par le col de l'utérus.
Sa partie supérieure, la cavité utérine, est
tapissée d'une muqueuse, l'endomètre, qui se
modifie au cours du cycle menstruel. Elle est
destinée à recueillir l'œuf en cas de fécondation.

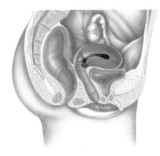

Localisation de l'utérus

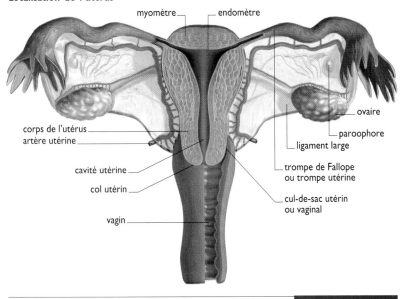

nécessaire pour supprimer les douleurs : le
traitement consiste à redresser l'utérus et à
améliorer ses moyens de soutien (ligaments,
péritoine). L'hystéroptose est le glissement
de l'utérus dans le vagin en raison du
relâchement de ses moyens de fixation. Elle
est le plus souvent la conséquence d'accouchements difficiles et n'est qu'une des
composantes d'un phénomène plus général,
le prolapsus dans la cavité vaginale des
organes du petit bassin : utérus, mais aussi
vessie et rectum.

■ **Les infections de l'utérus** atteignent le col
de l'utérus (cervicite) ou son corps (endométrite). Elles peuvent se propager aux trompes
de Fallope (salpingite). Les germes responsables sont le plus souvent ceux des maladies
sexuellement transmissibles (gonocoque,
chlamydia, trichomonas, herpès virus, papilloma virus).

■ **Les tumeurs de l'utérus** peuvent être
bénignes (fibromes du corps utérin, polypes
du col utérin) ou malignes (cancers). Ces
tumeurs se traduisent souvent par des
ménorragies (saignements anormalement
abondants pendant les règles) ou par des
métrorragies (saignement, même minime,
survenant en dehors des règles ou après la
ménopause). Certaines tumeurs affectent les
tissus placentaires au cours de la grossesse :
la môle hydatiforme (bénigne) et le choriocarcinome (malin).

Utérus (cancer de l')
Cancer génital féminin qui peut toucher soit
le col, soit le corps de l'utérus (endomètre).

Cancer du col de l'utérus
C'est le plus fréquent des cancers de
l'appareil génital féminin. Il occupe le
deuxième rang des cancers féminins, après
le cancer du sein : on observe chaque année
23 nouveaux cas de cancers du col de
l'utérus pour 100 000 femmes. Ce cancer
apparaît plus souvent avant la ménopause
et chez la femme qui a eu plus d'un enfant.
Il s'agit d'un carcinome épidermoïde (cancer
de l'épithélium), dans la partie externe du
col, ou d'un adénocarcinome (cancer du
tissu glandulaire) dans sa partie interne.

CAUSES
Parmi les facteurs de risque se trouvent les
infections génitales, surtout à papilloma
virus, qui sont des maladies sexuellement
transmissibles ; la multiplicité des partenaires sexuels ; la précocité de la vie
sexuelle ; le fait d'avoir eu plus d'un enfant ;
le tabagisme.

SYMPTÔMES ET SIGNES
Des lésions précancéreuses caractéristiques
(dysplasies) précèdent l'apparition du cancer. Une dysplasie du col ou un cancer à
son début ne se manifestent souvent par
aucun signe, mais tout saignement ou perte
teintée de sang (après des rapports sexuels,
entre les règles, après la ménopause) sont
des signes d'alarme.

DIAGNOSTIC ET ÉVOLUTION
Les dysplasies sont décelables lors d'un
examen gynécologique (aspect du col, test
au lugol et à l'acide acétique), mais le

EXAMENS
L'exploration de l'utérus est possible par
l'examen clinique (palpation abdominale,
associée au toucher vaginal et à l'examen
du col utérin au spéculum), par l'hystérométrie (mesure de la profondeur de la cavité
utérine au moyen d'une tige graduée de
métal ou de matière synthétique), par
l'hystérographie (examen radiologique), par
l'hystéroscopie (examen visuel à l'aide d'un
tube optique introduit par voie vaginale), par
la cœlioscopie (examen direct des contours
externes de l'utérus et de ses annexes par
un tube optique introduit par une petite
incision abdominale) et par l'échographie
(examen par les ultrasons), très utilisée
pendant la grossesse.

PATHOLOGIE
Elle est dominée par les anomalies physiques
(malformations et malpositions), les infections et les tumeurs bénignes et malignes.
■ **Les malformations de l'utérus** résultent
d'un trouble du développement embryonnaire (organogenèse). Elles comprennent :
– l'aplasie utérine (absence complète ou
incomplète d'utérus), qui entraîne une absence de règles et une stérilité définitive ;
– l'hémi-utérus (demi-utérus), ou utérus bicorne, caractérisé par la présence de un ou
de deux cols, qui rend néanmoins possible
une grossesse ;
– l'hypoplasie (utérus de petite taille) ;
– l'utérus cloisonné (totalement ou partiellement divisé par une cloison), la plus fré

quente des malformations, qui se trouve
souvent associé à un cloisonnement du vagin.
Ces malformations sont découvertes le
plus souvent à l'occasion de troubles des
règles (dysménorrhée) ou de la fécondité,
d'un avortement spontané ou d'un accouchement prématuré. Leur diagnostic est
radiographique (hystérographie) ou cœlioscopique. Certaines de ces anomalies sont
opérables (cloisonnement, par exemple).
Certaines de ces malformations (aplasie et
hémi-utérus) peuvent être associées à des
malformations rénales.
■ **Les malpositions de l'utérus** (anomalies
de position de cet organe) sont très fréquentes. Elles se divisent en quatre grandes
catégories : les antédéviations, les rétrodéviations, les latérodéviations et l'hystéroptose. Les antédéviations, qui ne font qu'accentuer la position normale de l'organe,
inclinée vers l'avant, et les latérodéviations,
caractérisées par une inclinaison de l'utérus
vers la droite ou vers la gauche, sont rares
et ne créent en général aucune gêne. Les
rétrodéviations sont fréquentes, touchant
une femme sur 5. Elles se subdivisent en
rétroversions (inclinaison du corps de
l'utérus vers l'arrière) et en rétroflexions
(inclinaison du corps utérin qui entraîne le
col avec lui) et peuvent provoquer des
douleurs au moment des règles (dysménorrhée) ou des rapports sexuels (dyspareunie),
ou encore des troubles de la miction
(dysurie). Le recours à la chirurgie est parfois

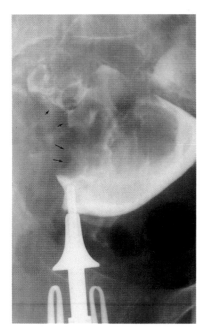

Cancer de l'utérus. *Sur cette hystérographie, la tumeur (masse irrégulière en gris) fait saillie (flèches noires) dans la cavité utérine (en blanc).*

diagnostic du cancer du col se fonde sur l'examen au microscope de cellules prélevées sur la zone suspecte par frottis cervicovaginal. Un frottis dont le résultat est anormal justifie un examen visuel local (colposcopie) au cours duquel est pratiquée une biopsie.

Non traité, le cancer s'étend, d'abord localement (au vagin, à la vessie, au corps de l'utérus, au rectum). Des métastases dans le foie sont possibles.

TRAITEMENT
Le traitement fait appel à la chirurgie et à la radiothérapie, auxquelles est associée ou non la chimiothérapie. Dans les formes de cancer très localisées, la conisation (amputation du col) suffit parfois. Dans les formes plus évoluées, l'intervention chirurgicale, plus large, comprend l'ablation de l'utérus, de ses annexes et de la partie supérieure du vagin (colpo-hystérectomie élargie) ; elle est complétée par un curage des ganglions voisins, les ganglions iliaques. L'intervention est souvent précédée par un traitement radiothérapique consistant à mettre au contact du col utérin une source radioactive (curiethérapie). Lorsque le cancer s'est disséminé dans le petit bassin, une radiothérapie externe est effectuée sur l'ensemble des organes du petit bassin.

DÉPISTAGE ET PRONOSTIC
Le dépistage du cancer du col utérin passe par un frottis cervico-vaginal. Deux frottis pratiqués à un an d'invervalle sont recommandés au début de la vie sexuelle, puis environ un frottis tous les 3 ans jusqu'à l'âge de 65 ans, cette fréquence pouvant être augmentée chez les femmes à risque. Ce dépistage est d'autant plus important que,

s'il peut être traité à son tout début, ce type de cancer guérit dans la quasi-totalité des cas.

Cancer du corps de l'utérus
Également appelé cancer de l'endomètre, c'est le plus souvent un carcinome (cancer de l'endothélium), plus rarement un sarcome (cancer du tissu conjonctif) ou un adénocarcinome (cancer du tissu glandulaire). Il touche de 10 à 40 femmes pour 100 000 et survient après 40 ans – dans 75 % des cas après la ménopause. Plus fréquent chez les femmes qui n'ont pas eu d'enfant, il peut aussi survenir chez des femmes qui n'ont jamais eu de rapports sexuels.

CAUSES
Les facteurs de risque sont l'obésité, l'hypertension artérielle, le diabète sucré, une ménopause tardive. Une hyperplasie (épaississement) de l'endomètre précède parfois le cancer.

SYMPTÔMES ET SIGNES
La tumeur se manifeste par des saignements : chez la femme non ménopausée, il s'agit de règles abondantes (ménorragies) ou surtout de saignements entre les règles (métrorragies). Une femme ménopausée est alertée par la réapparition de pertes sanglantes.

DIAGNOSTIC ET ÉVOLUTION
Le diagnostic repose sur l'hystérographie (radiographie après injection d'un produit de contraste) et/ou sur l'hystéroscopie (examen direct de la cavité utérine à l'aide d'un tube muni d'une optique), qui permet de réaliser une biopsie ou un curetage utérin.

L'évolution du cancer du corps utérin est lente, s'étendant sur plusieurs années. Les métastases peuvent atteindre le foie, le cerveau, les os.

TRAITEMENT
Le traitement, chirurgical, consiste en l'ablation de l'utérus et des ovaires (hystérectomie totale et annexectomie bilatérale), complétée parfois par un curage des ganglions iliaques voisins. Il est parfois associé, avant ou après l'opération, à une curiethérapie (mise en place temporaire dans la cavité utérine d'une source radioactive) ou encore à une radiothérapie externe.

DÉPISTAGE ET PRONOSTIC
Le dépistage du cancer du corps de l'utérus repose sur l'examen gynécologique périodique et sur la consultation médicale au moindre saignement vaginal survenant après la ménopause.

Le pronostic de ce cancer est lié à la précocité du diagnostic, garante de la guérison.

U.V.
→ VOIR Ultraviolet.

Uvée
Membrane intermédiaire, vascularisée et nourricière de l'œil. SYN. *tractus uvéal.* (P.N.A. *tunica vasculosa bulbi*)

STRUCTURE
L'uvée est composée de différents éléments, l'iris, le corps ciliaire et la choroïde, tous trois

de même origine embryologique et de constitution voisine.

■ L'iris, diaphragme tendu devant le cristallin, est percé en son centre par l'orifice de la pupille. Il contrôle la quantité de lumière qui pénètre dans l'œil. L'iris est observable à l'examen clinique et au biomicroscope. Son étude peut être complétée par l'angiographie oculaire et l'échographie.
■ Le corps ciliaire est composé de deux éléments : les procès ciliaires, structures vasculaires responsables de la sécrétion de l'humeur aqueuse, et le muscle ciliaire, relié au cristallin, qui en modifie la courbure, permettant ainsi l'accommodation. Le corps ciliaire est difficilement observable, sauf à l'échographie.
■ La choroïde, membrane vasculaire de l'œil située juste sous la rétine, qu'elle sépare de la sclérotique, est formée d'un réseau vasculaire à larges mailles. Elle nourrit la rétine et la sclérotique. La choroïde est visible à l'examen du fond d'œil, à l'angiographie oculaire et à l'échographie.

PATHOLOGIE
■ Les anomalies congénitales de l'uvée, rares, sont les colobomes (fissures) de l'iris et de la choroïde.
■ Les pathologies dégénératives, exceptionnelles, sont dominées par la dégénérescence d'un œil fortement myope, responsable d'une atrophie choriorétinienne et d'hémorragies rétiniennes. Elles entraînent une baisse souvent importante de la vision.
■ Les uvéites sont des inflammations de l'uvée, souvent d'origine infectieuse, qui peuvent gravement altérer la vision.
■ Les tumeurs de l'uvée peuvent être des mélanomes de l'iris, et surtout de la choroïde, ou des métastases touchant la choroïde, en particulier lors d'un cancer du sein ou du poumon.

Uvéite
Inflammation de l'uvée (membrane intermédiaire, vascularisée et nourricière de l'œil, constituée de l'iris, du corps ciliaire et de la choroïde).

CAUSES
Nombreuses sont les causes possibles. Une uvéite peut être d'origine bactérienne, en cas de plaie, d'intervention chirurgicale ou d'infection (sinusite, angine, infection dentaire) ; d'origine virale, les agents en cause étant alors essentiellement un herpès virus, responsable d'un herpès ou d'un zona, ou un cytomégalovirus, responsable d'infections chez les sujets immunodéprimés ; d'origine parasitaire (toxoplasmose congénitale) ; d'origine mycosique (candidose oculaire, pouvant évoluer très vite chez un sujet toxicomane et immunodéprimé) ; d'origine auto-immune (ophtalmie sympathique, uvéite phaco-antigénique, provoquée par l'auto-immunisation contre des protéines cristalliniennes libérées par une cataracte intumescente [avec gonflement du cristallin] ou une plaie du cristallin). Une uvéite peut également accompagner certaines affections rhumatologiques (spondylarthrite ankylosante, maladie de Still, syndrome oculo-

urétro-synovial), des maladies systémiques (maladie de Behçet), une sarcoïdose, une méningite (on parle alors d'uvéoméningite).

Toutefois, dans près de 50 % des cas d'uvéite, les causes demeurent inconnues.

DIFFÉRENTS TYPES D'UVÉITE

On distingue différents types d'uvéite suivant leur localisation. Leurs symptômes sont différents.

■ Les uvéites antérieures, également appelées iritis ou iridocyclites, se manifestent par une rougeur oculaire et une baisse de l'acuité visuelle, généralement peu importante. Elles évoluent par poussées ; des récidives sont possibles.

■ Les uvéites intermédiaires, ou pars planites, plus rares mais particulièrement insidieuses, se manifestent par quelques « mouches volantes » devant les yeux, qui disparaissent en quelques jours ou en quelques semaines. Leur évolution est progressive et les symptômes peuvent récidiver.

■ Les uvéites postérieures, ou choroïdites, provoquent une baisse de la vision, sans rougeur oculaire. Elles évoluent par poussées ; des récidives sont possibles.

■ Les uvéites totales, ou panuvéites, associent les différents aspects des autres uvéites à des degrés variables.

DIAGNOSTIC

Il repose sur l'examen clinique et sur l'examen au biomicroscope pour les uvéites antérieures, sur l'examen du fond d'œil pour les uvéites intermédiaires et postérieures, parfois sur l'angiographie oculaire pour les uvéites postérieures. La recherche de la cause de l'uvéite fait appel à différents examens : numération formule sanguine (N.F.S.), radiographie des sinus, radiographie panoramique dentaire, éventuellement complétées par un titrage des anticorps présents dans l'humeur aqueuse (prélevée par ponction à travers la cornée) et/ou par une radiographie du thorax ou des articulations sacro-iliaques, par un typage tissulaire (recherche des groupes HLA d'histocompatibilité), etc.

TRAITEMENT

L'administration d'anti-inflammatoires locaux (collyres stéroïdiens ou non) ou généraux permet d'atténuer les poussées. Le traitement peut s'étendre sur quelques mois. Les collyres mydriatiques (destinés à dilater la pupille), prescrits pendant la durée de la poussée, évitent la formation d'accolements de l'iris sur le cristallin au cours des uvéites antérieures. Le traitement de la cause, quand elle est connue, est impératif.

Uvéoméningite

Forme rare d'uvéite (inflammation de l'uvée) associée à une méningite (inflammation des méninges) souvent asymptomatique.

Il existe deux formes d'uvéoméningite : la maladie de Harada et la maladie de Vogt-Koyanagi.

→ VOIR Harada (maladie de).

V

Vaccin

Préparation d'origine microbienne introduite dans l'organisme afin de provoquer la formation d'anticorps (ou de cellules tueuses) contre le microbe en cause.

La présence de ces anticorps (ou de ces cellules) crée une immunisation spécifique contre l'infection ou la toxine due à l'agent infectant correspondant.

PRINCIPE

Un germe pénétrant naturellement chez un individu est responsable de deux effets. Le premier, presque immédiat, est l'infection, avec des signes particuliers caractéristiques de l'agent responsable et un signe commun, la fièvre. Le second effet est la mise en place d'une protection future contre ce germe pathogène, car celui-ci active le système immunitaire, qui produit des anticorps ou des lymphocytes spécialisés. Ceux-ci seront capables de neutraliser le même germe s'il pénètre de nouveau dans l'organisme ainsi protégé. Cette protection n'est pas immédiate lors de la première pénétration du germe, d'où l'apparition de la maladie. En effet, le système immunitaire met environ 6 à 8 jours pour synthétiser les anticorps ou générer les cellules défensives en nombre suffisant. Ensuite, il garde le souvenir de la première intrusion du germe, souvenir inscrit définitivement dans une variété particulière de lymphocytes, les lymphocytes-mémoires. Ceux-ci vont circuler durant toute la vie de l'individu et réagir immédiatement et fortement lors d'une invasion ultérieure en neutralisant les germes dès leur entrée dans l'organisme. Cela explique, par exemple, pourquoi une personne n'est jamais atteinte deux fois par le virus de la rougeole ou par celui de la rubéole.

TECHNIQUE

Un vaccin est un germe microbien auquel on a fait perdre artificiellement son pouvoir pathogène pour n'en garder que le pouvoir protecteur. Les vaccins sont obtenus par un traitement adapté, biologique, physique ou chimique, des germes pathogènes. Les chercheurs s'efforcent actuellement de mettre au point des vaccins entièrement synthétiques, substances uniquement composées des parties « vaccinantes » d'un germe.

DIFFÉRENTES FORMES DE VACCIN

Les vaccins sont préparés selon divers procédés et disponibles sous plusieurs formes.

■ **Les germes tués**, encore appelés germes **inactivés** ou **inertes**, produisent des vaccins immunisant par le pouvoir antigénique persistant des germes. L'emploi de ces vaccins nécessite des injections répétées et des rappels pour relancer l'immunité ; les vaccins protégeant contre le choléra, la fièvre typhoïde, la grippe, la coqueluche, la rage, l'hépatite virale B sont de ce type, ainsi que le vaccin antipoliomyélitique par voie parentérale de Salk.

■ **Les germes vivants atténués** entraînent une réaction immunitaire similaire à celle que produirait l'infection de l'organisme. Une seule injection est suffisante. Font partie de cette famille les vaccins protégeant contre la rougeole, les oreillons et la rubéole (souvent associés en vaccin R.O.R.) ainsi que ceux contre la fièvre jaune et la poliomyélite.

■ **Les anatoxines**, obtenues par modification chimique et physique de la toxine responsable de la maladie, sont utilisées lorsque la toxine d'un germe est l'agent pathogène principal. L'immunité ne concerne que la toxine. Les vaccins contre la diphtérie, le tétanos et le botulisme sont de ce type.

Vaccination

Administration d'un vaccin ayant pour effet de conférer une immunité active, spécifique d'une maladie, rendant l'organisme réfractaire à cette maladie.

HISTORIQUE

La première vaccination fut celle que réalisa le médecin anglais Edward Jenner, en 1796, en inoculant la vaccine à un homme afin de le protéger de la variole. Deux cents ans plus tard, cette maladie est considérée comme définitivement éradiquée de la surface du globe. Dans les pays développés, la vaccination a permis la disparition presque totale de maladies comme la diphtérie, la poliomyélite et le tétanos néonatal. Dans les pays en développement, le nombre d'enfants qu'elle sauve chaque année est estimé à environ 1 500 000.

MODE D'ACTION

Étant donné que l'immunisation active n'apparaît que plusieurs jours ou plusieurs semaines après l'administration du vaccin, la vaccination représente le plus souvent un moyen de prévention contre une infection donnée. Mais elle peut être aussi utilisée pour renforcer les défenses de l'organisme contre une infection déjà installée (vaccinothérapie). La sérovaccination associe la vaccination (protection à long terme) et la sérothérapie (action immédiate) ; ainsi prévient-on le tétanos chez les personnes non vaccinées susceptibles d'avoir contracté la maladie à l'occasion d'une blessure, même minime (piqûre de rosier, par exemple).

INOCULATION

Selon le vaccin, l'inoculation peut être faite par voie parentérale (sous-cutanée, intramusculaire ou intradermique) ou, moins souvent, par voie orale (vaccination antipoliomyélitique, par exemple). On a recours aujourd'hui à deux types de vaccination : les vaccinations combinées, qui consistent à mélanger, au moment de l'emploi, les vaccins dans la même seringue et à les inoculer en un seul point de l'organisme ; les vaccinations simultanées, qui consistent à administrer les vaccins en différents points de l'organisme ou par des voies différentes.

VACCINATIONS COURANTES

Les vaccinations concernent des maladies graves, fréquentes et évitables.

■ **Chez l'enfant**, certaines vaccinations sont obligatoires, d'autres sont facultatives mais fortement conseillées. Chaque pays propose un calendrier vaccinal, en fonction des conditions épidémiologiques qui lui sont propres, contre la tuberculose (B.C.G.), contre la diphtérie, le tétanos et la poliomyélite (D.T.P.), mais aussi contre la coqueluche – maladie infectieuse particulièrement grave chez le jeune nourrisson –, contre la rougeole, les oreillons et, la rubéole (vaccin R.O.R.). Une autre vaccination, plus récente, permet de protéger les nourrissons contre de redoutables infections à *Hæmophilus influenzæ* de type B : méningite purulente, épiglottite, etc. Ce vaccin peut être associé au vaccin contre la diphtérie, le tétanos, la coqueluche et la poliomyélite (D.T.C.P) : on parle alors de vaccin pentavalent. Enfin, dans les pays où sévissent encore des maladies dites « pestilentielles » (choléra, fièvre jaune, par exemple), les vaccinations correspondantes doivent être pratiquées.

■ **Chez l'adulte**, on distingue des vaccinations de plusieurs types : celles concernant des affections présentes dans toutes les parties du monde (tétanos, rubéole pour les femmes non immunisées, grippe pour les personnes âgées ou fragiles) ; celles qui sont obligatoires pour les personnes se rendant dans certains pays tropicaux ; celles, enfin, rendues nécessaires par une affection particulière ou en raison des risques inhérents à certaines professions (hépatite B ou diphtérie pour les personnels de santé, rage pour les travailleurs agricoles, les vétérinaires ou les gardes forestiers, hépatite A pour les employés des secteurs alimentaires, etc.).

REVACCINATION

En raison de l'immunité limitée conférée par certains vaccins, il est nécessaire de pratiquer

CALENDRIER DES VACCINATIONS

Vaccins	Belgique	Canada	France	Suisse
Bacille de Calmette et Guérin (B.C.G.)	En cas de contagiosité familiale et chez les professionnels de la santé.		Entre le 1er mois et 6 ans, avant l'entrée en collectivité (crèche, etc.) Vers 11-13 ans et à 16-18 ans : si test tuberculinique négatif	À la naissance : pour les enfants des familles provenant de zones où la tuberculose est active.
Diphtérie, tétanos, coqueluche, poliomyélite (D.T.C.P.) [*]	3 mois : 1re injection 4 mois : 2e injection 5 mois : 3e injection 13-14 mois : rappel Seul le vaccin contre la poliomyélite est obligatoire	2 mois : 1re injection 4 mois : 2e injection 6 mois : 3e injection 18 mois : rappel 4-6 ans : rappel 10 ans : rappel	2 mois : 1re injection 3 mois : 2e injection 4 mois : 3e injection 15-18 mois : rappel	2 mois : 1re vaccination (injection du D.T.-Coq, prise orale pour le vaccin antipoliomyélitique) 4 mois : 2e vaccination 6 mois : 3e vaccination
Diphtérie, tétanos, poliomyélite (D.T.P.) [rappels après D.T.C.P.]	6 ans : rappel 16 ans : rappel pour le tétanos	14-16 ans : rappel	5-6 ans : 2e rappel 11-13 ans : 3e rappel 16-21 ans : 4e rappel (puis tous les 10 ans)	15-24 mois, 4-7 ans et à la fin de la scolarité : rappels
Grippe		Personnes à risque	À partir de 60 ans : tous les ans	Personnes à risque et à partir de 65 ans
Hépatite B	Vaccin conseillé aux adolescents	Vers 10 ans	À partir de 2 mois 3e mois : 2e injection 4e mois : 3e injection	À la naissance : pour les enfants des zones où l'hépatite B est active. Personnes à risque
Infections à *Hæmophilus influenzæ* de type B (H.I.B.) [*]	Avant 1 an	2 mois : 1re injection 4 mois : 2e injection 6 mois : 3e injection 18 mois : rappel	2 mois : 1re injection 3 mois : 2e injection 4 mois : 3e injection 15-18 mois : rappel	2 mois : 1re injection 4 mois : 2e injection 6 mois : 3e injection 15-24 mois : rappel
Rougeole, oreillons, rubéole (R.O.R.)	18 mois : 1re injection (vaccin MMR vax) 11-12 ans : 2e injection	12 mois : une injection 18 mois : rappel	12 mois : 1re injection 6 ans : rappel 11-13 ans : rappel	15-24 mois : 1re injection 4-7 ans : 2e injection Le vaccin est conseillé aux adolescents non vaccinés.

(*) Le D.T.C.P. et le vaccin contre les infections à Hæmophilus influenzæ de type B peuvent être associés.

une nouvelle vaccination (rappel) quelque temps après la première. Ainsi, pour la fièvre jaune, la vaccination est-elle recommandée tous les 10 ans. Parallèlement, une revaccination a lieu au bout de quelque temps si le sujet n'a pas réagi à la première inoculation (B.C.G.) ou si des modifications antigéniques apparaissent au cours du temps dans la structure des virus que la vaccination est destinée à combattre (vaccination annuelle contre le virus de la grippe, qui se modifie fréquemment).

CONTRE-INDICATIONS

■ Les contre-indications absolues à l'administration d'un vaccin sont les affections malignes (cancer, maladie du sang), les affections viscérales chroniques, les déficits immunitaires, les affections neurologiques et les protéinuries. Une ablation de la rate constitue en outre une contre-indication à l'administration de tout vaccin vivant atténué (vaccin antirougeoleux, vaccin antirubéolique, vaccin contre les oreillons, par exemple). Les vaccins bactériens inactivés (coqueluche) sont contre-indiqués en cas de forte réaction après une précédente injection.

■ Les contre-indications temporaires à l'administration d'un vaccin sont une fièvre et les suites immédiates d'interventions chirurgicales. Les maladies rénales, les insuffisances cardiaques ou respiratoires, les maladies dermatologiques, y compris l'eczéma, ne constituent pas des contre-indications, à condition que les vaccinations soient pratiquées en dehors d'une poussée de la maladie. En présence d'un terrain fortement allergique, la vaccination est possible selon un protocole bien défini comportant notamment une épreuve de tolérance au vaccin. Pendant la grossesse sont contre-indiqués les vaccins anticoquelucheux, antipoliomyélitique par voie orale, antirougeoleux, antirubéolique, antityphoïdique (T.A.B., contre les fièvres typhoïde et paratyphoïde A et B), antirabique (sauf contamination certaine) et, sauf urgence, les vaccins antidiphtérique et antiamarile (contre la fièvre jaune). En revanche, il est possible de vacciner une femme enceinte contre la grippe et, à partir du 4e mois de grossesse, contre la tuberculose (B.C.G.), le choléra (par voie intradermique), la poliomyélite (par voie injectable) et le tétanos.

EFFETS INDÉSIRABLES

L'administration de certains vaccins peut entraîner des réactions locales (douleurs, rougeurs, gonflements), une fièvre et parfois des réactions allergiques (fièvre, urticaire).

Vaccine

1. Maladie infectieuse des vaches et des chevaux, transmissible à l'homme, due à un virus de la famille des poxvirus.

Ce virus, responsable du cowpox (maladie infectieuse de la vache) et du horsepox (maladie infectieuse du cheval), est très proche du virus de la variole.

Le médecin anglais Edward Jenner avait observé que les éruptions de boutons qui touchaient les pis des vaches atteintes de vaccine se transmettaient – souvent par simple contact – aux mains des trayeurs et que ceux-ci semblaient immunisés contre la variole, alors très fréquente. Il eut l'idée en 1796 d'inoculer systématiquement la vaccine à ses patients pour les protéger de la maladie. Cette vaccination a permis l'éradication mondiale de la variole en 1979.

2. Réaction clinique observée après inoculation du vaccin antivariolique.

Une réaction bénigne, caractérisée par l'apparition d'une vésicule puis d'une pustule au point d'inoculation, se produisait quelques jours après la vaccination. Elle disparaissait en une semaine environ.

Vaccinostyle

Plume métallique très pointue et non fendue servant à pratiquer certaines vaccinations par scarification ou des tests allergiques.

Vaccinothérapie

Utilisation d'un vaccin dans un dessein curatif et non préventif.

La vaccinothérapie est utilisée pour les effets non spécifiques que produit l'injection d'un vaccin ; une vaccination entraîne en effet une fièvre et des réactions inflammatoires, qui peuvent servir à stimuler les défenses de l'organisme dans des infections récidivantes ou traînantes. Depuis l'apparition des antibiotiques, l'intérêt de la vaccinothérapie est limité à certaines formes chroniques de brucellose et à des infections cutanées staphylococciques rebelles.

Les vaccins sont aussi utilisables à titre curatif pour combattre certaines infections à incubation longue, au cours desquelles ils peuvent encore agir après inoculation du germe et avant l'apparition des premiers symptômes, notamment dans le traitement de la rage.

L'utilisation du B.C.G. (vaccin antituberculeux) dans le traitement de certaines affections malignes, tels le myélome multiple, la leucémie et surtout le cancer de la vessie, est en cours d'évaluation.

Vagal

Relatif aux nerfs vagues, ou nerfs pneumogastriques.

Une syncope vagale est une brève perte de connaissance provoquée par une trop grande activité des nerfs pneumogastriques.

Vagin

Conduit musculomembraneux qui s'étend de l'utérus à la vulve chez la femme. (P.N.A. *vagina*)

STRUCTURE

Le vagin mesure de 8 à 12 centimètres de longueur. Le sommet de sa cavité est occupé par la saillie du col de l'utérus, qui est entourée d'un manchon, le cul-de-sac vaginal. Son extrémité inférieure est séparée de la vulve par une membrane, l'hymen, déchirée lors du premier rapport sexuel et remplacée après le premier accouchement par les caroncules myrtiformes. La paroi vaginale, souple et contractile, forme des

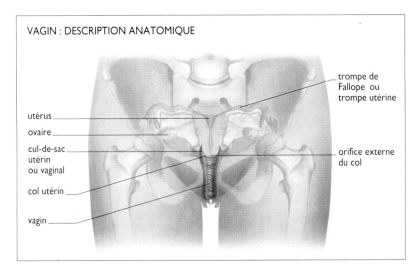

VAGIN : DESCRIPTION ANATOMIQUE

utérus — ovaire — cul-de-sac utérin ou vaginal — col utérin — vagin —
— trompe de Fallope ou trompe utérine
— orifice externe du col

replis longitudinaux et transversaux très extensibles qui permettent les rapports sexuels et le passage du fœtus pendant l'accouchement. Son humidité est entretenue par une substance onctueuse et blanchâtre, sécrétée par les cellules vaginales, et par le mucus provenant du col de l'utérus, la glaire cervicale.

À la ménopause, la sécrétion hormonale, en particulier celle des œstrogènes, s'interrompt et les parois vaginales s'assèchent et s'amincissent progressivement, entraînant parfois des douleurs lors des rapports sexuels. Un traitement hormonal substitutif, local ou général, permet de remédier à ce phénomène physiologique.

PATHOLOGIE

Les troubles vaginaux sont très fréquents : les pertes vaginales et les démangeaisons sont des signes d'infection locale (vaginite), utérine (endométrite) ou vulvaire (vulvite). Plus rarement, le vagin peut être le siège de kystes ou de polypes, qui sont laissés en place lorsqu'ils ne sont pas gênants. Par ailleurs, la force contractile des parois est telle qu'elle peut être à l'origine d'une réaction qui rend les rapports sexuels douloureux, le vaginisme. Enfin, le vagin peut, exceptionnellement, être atteint par un cancer.

Vagin (cancer du)

Cancer touchant le vagin sous la forme d'un carcinome épidermoïde (cancer de l'épithélium) ou d'un adénocarcinome (cancer du tissu glandulaire).

Les cancers du vagin sont des tumeurs très rares, qui touchent moins de 1 femme pour 100 000 par an.

DIFFÉRENTS TYPES DE CANCER DU VAGIN

■ **Les cancers primitifs du vagin** représentent de 1 à 3 % des cancers de l'appareil génital féminin. Ils se développent chez des femmes âgées de 50 à 60 ans. Des antécédents d'hystérectomie (ablation de l'utérus) sont retrouvés dans 15 % des cas. Une forme particulière de cancer du vagin est apparue chez les filles dont les mères, pendant leur grossesse, avaient pris du diéthylstilbestrol

(œstrogène destiné à prévenir les fausses couches et les hémorragies obstétricales). Le diéthylstilbestrol n'est plus commercialisé depuis 1977. Le risque de cancer du vagin après exposition fœtale à ce médicament est estimé à 1 pour 1 000 femmes.

■ **Les cancers secondaires du vagin** correspondent à des métastases, le plus souvent des cancers de la vulve, du col de l'utérus ou de l'ovaire.

SYMPTÔMES ET SIGNES

Le cancer du vagin se révèle le plus souvent par des saignements ou des pertes vaginales. Lorsqu'il a pour origine la prise de diéthylstilbestrol par la mère de la patiente, des saignements importants surviennent en dehors des règles au moment de la puberté ou peu après.

DIAGNOSTIC

Le cancer du vagin est dépisté par un frottis cervicovaginal ; le diagnostic est confirmé par la biopsie des fragments des zones suspectes, analysés au microscope.

TRAITEMENT ET PRONOSTIC

Le traitement repose le plus souvent sur la chirurgie, associée à la radiothérapie. L'intervention chirurgicale dépend de la localisation de la tumeur et comprend l'ablation de celle-ci et des tissus ou organes environnants. Dans les cas de cancer dû au diéthylstilbestrol, le traitement fait le plus souvent appel uniquement à la radiothérapie. Lorsque le diagnostic est suffisamment précoce, le pronostic de ce cancer est bon.

PRÉVENTION

Les femmes ayant été traitées pour un cancer de la vulve, du col de l'utérus ou de l'ovaire doivent se soumettre à une surveillance annuelle générale et gynécologique. Les filles dont les mères ont pris du diéthylstilbestrol pendant leur grossesse doivent être surveillées tous les ans sur le plan gynécologique tout au long de leur vie sexuelle.

Vaginal

Relatif au vagin.

Des pertes vaginales sont des écoulements de glaire cervicale, soit physiologiques (au moment de l'ovulation, par exemple), soit pathologiques (témoignant d'une infection des voies génitales).

Vaginisme

Affection caractérisée par une contracture spasmodique involontaire des muscles vaginaux et périvaginaux au moment de la pénétration du pénis dans le vagin, rendant celle-ci impossible ou, du moins, douloureuse.

Le vaginisme est dit primaire s'il se produit dès le premier rapport sexuel, secondaire s'il survient après une période de relations sexuelles satisfaisantes.

CAUSES

Elles sont parfois physiques (inflammation, infection, malposition des organes génitaux, présence d'un hymen résistant), parfois psychologiques (souvenir d'un accouchement difficile, insuffisance des préliminaires amoureux, violence ou maladresse du partenaire, absence de désir, viol). Vaginisme et frigidité ne s'associent pas, la femme pouvant souvent parvenir à l'orgasme par masturbation.

DIAGNOSTIC

L'examen gynécologique doit d'abord dépister une malformation ou une infection méconnues, le toucher vaginal pouvant être réalisé sous anesthésie. En l'absence de toute cause organique, un bilan psychologique s'efforcera de préciser les difficultés présentes ou passées (éducation rigide) de la patiente.

TRAITEMENT

Le traitement, qui varie selon les causes, peut comprendre une intervention chirurgicale ou un traitement antibiotique en cas d'anomalie physique ou d'infection ou encore faire appel à des dilatations progressives du vagin, à une aide psychologique spécialisée, à une éducation psychosexuelle et/ou à des exercices de relaxation.

Vaginite

Inflammation des parois vaginales.

CAUSES

Une vaginite est due le plus souvent à une infection à bactéries ou à champignons (*Candida albicans*, trichomonas, *Gardnerella vaginalis*), à une réaction à la présence d'un corps étranger (objet introduit par la petite fille, tampon vaginal oublié), à une allergie (à un produit d'hygiène) ou à une atrophie postménopausique du vagin, causée par une diminution de la sécrétion hormonale. Normalement, le vagin est doté d'une flore microbienne, la flore de Döderlein, qui, en sécrétant de l'acide lactique, crée un milieu acide protecteur contre les germes nocifs. Si, pour une raison quelconque, l'équilibre de cette flore est rompu, une vaginite s'installe.

SYMPTÔMES ET SIGNES

L'inflammation se traduit par des pertes vaginales anormales (leucorrhées), parfois sanglantes, par une sensation de brûlure, par des démangeaisons. Les rapports sexuels peuvent être douloureux (dyspareunie).

DIAGNOSTIC ET TRAITEMENT

Un prélèvement des sécrétions vaginales permet de déterminer le germe en cause. Le traitement fait appel à l'application locale d'antimycosiques ou d'antibactériens (ovules gynécologiques) ou à l'administration d'antibiotiques par voie générale, en cas d'infection à trichomonas ou à *Gardnerella vaginalis*. Chez la femme ménopausée, le traitement peut comprendre l'administration locale d'hormones (œstrogènes), qui rend au vagin son épaisseur et sa souplesse d'origine.

Vagotomie

Section chirurgicale du nerf pneumogastrique, ou nerf vague, au niveau de l'abdomen.

INDICATIONS

La vagotomie est une intervention efficace en cas d'ulcère gastroduodénal rebelle à tout traitement médicamenteux. Le nerf pneumogastrique est en effet responsable de la sécrétion acide de l'estomac, laquelle favorise l'apparition d'ulcères. Dans l'abdomen, il se divise en 2 troncs : le premier, gauche ou antérieur, constitué de plusieurs faisceaux nerveux longeant la face antérieure de l'œsophage ; le second, droit ou postérieur, formé d'un seul faisceau.

DIFFÉRENTS TYPES DE VAGOTOMIE

Il existe 3 techniques, toutes pratiquées sous anesthésie générale.

■ **La vagotomie tronculaire** consiste à sectionner les 2 troncs à leur entrée dans l'abdomen, quand ils longent l'œsophage. Si elle était isolée, cette intervention altérerait la vidange gastrique, commandée également par le nerf pneumogastrique. C'est pourquoi on l'associe toujours à une intervention facilitant la vidange, soit une pyloroplastie (le chirurgien incise horizontalement le muscle du pylore, orifice de communication entre l'estomac et le duodénum, puis referme l'incision en la suturant verticalement, ce qui permet d'élargir le diamètre de l'orifice), soit une gastro-entérostomie (le chirurgien incise l'estomac et l'intestin grêle puis suture ensemble les deux ouvertures ainsi créées, de sorte qu'une partie du contenu gastrique se déverse directement dans l'intestin).

■ **La vagotomie sélective** consiste à sectionner les nerfs plus bas que dans la vagotomie tronculaire, à la hauteur de l'estomac, de façon à épargner les filets nerveux destinés au foie, à la voie biliaire et au reste du territoire abdominal innervé par le nerf pneumogastrique.

■ **La vagotomie suprasélective**, ou vagotomie supersélective, est pratiquée encore plus bas afin de n'interrompre que les filets nerveux responsables de la sécrétion acide et de préserver ceux qui sont responsables de la vidange gastrique.

DÉROULEMENT

La vagotomie est réalisée par chirurgie classique ou par cœlioscopie (à l'aide de tubes munis d'une optique ou d'instruments chirurgicaux, introduits par de petites incisions abdominales). L'intervention, sans gravité, ne laisse pas de séquelles et ne nécessite aucun régime particulier.

Vague (nerf)

→ VOIR Pneumogastrique (nerf).

Vaisseau

Canal dans lequel circule le sang ou la lymphe. (P.N.A. *vas*)

Vaisseaux sanguins

Ce sont les artères, les artérioles, les capillaires sanguins, les veinules et les veines.

Les artères systémiques, nées de l'aorte, conduisent le sang oxygéné issu du ventricule gauche du cœur jusqu'aux muscles et aux différents organes pour y apporter l'oxygène et les nutriments. Elles se divisent en de multiples artérioles, puis en une infinité de capillaires, au niveau desquels s'effectuent les échanges entre le sang et les cellules. À partir des cellules, les capillaires se réunissent pour former des veinules, qui convergent elles-mêmes pour constituer des veines de calibre de plus en plus important ; l'ensemble des veines systémiques débouche dans les veines caves supérieure et inférieure, qui se jettent dans l'oreillette droite, ramenant ainsi au cœur droit le sang bleu désaturé, ayant perdu une partie de son oxygène au contact des cellules.

De manière analogue, l'artère pulmonaire, issue du ventricule droit, se divise en deux grosses branches, qui donnent elles-mêmes naissance à des branches de plus en plus petites, conduisant le sang désoxygéné vers les deux poumons ; les artérioles pulmonaires se divisent à leur tour en une infinité de capillaires, au niveau desquels s'effectuent, entre le sang et l'air des alvéoles pulmonaires, les échanges gazeux qui permettent l'oxygénation du sang et l'élimination du gaz carbonique. Les capillaires pulmonaires se réunissent ensuite pour former des veinules, puis des veines de plus gros calibre, qui convergent vers les quatre veines pulmonaires débouchant dans l'oreillette gauche.

PATHOLOGIE

Les vaisseaux peuvent être le siège de petites dilatations (anévrysmes), de tumeurs (angiomes), de caillots (thrombose), de voies de communication anormales (fistules artérioveineuses), d'inflammations (angéites, capillarites, thrombophlébites), de dépôts graisseux (athérome).

Vaisseaux lymphatiques

Ces canaux ont pour fonction de drainer le liquide interstitiel situé entre les cellules des organes, la lymphe. Ils complètent l'action des veines. Les capillaires lymphatiques, nés dans les organes, se réunissent en vaisseaux de plus en plus gros, qui se regroupent pour former le canal thoracique. Celui-ci se jette dans le confluent veineux de Pirogoff (réunion de la veine jugulaire gauche, venant du cou, et de la veine axillaire gauche, venant du bras). Par ailleurs, de petites structures intervenant dans les défenses immunitaires, les ganglions lymphatiques, sont échelonnées sur le trajet des vaisseaux lymphatiques.

PATHOLOGIE

Les vaisseaux lymphatiques peuvent être enflammés (lymphangite), obstrués par les effets d'une parasitose (filariose) ou par une compression, en particulier ganglionnaire ou

tumorale, ou encore envahis par des cellules cancéreuses (lymphangite carcinomateuse). Ces vaisseaux peuvent aussi se rompre dans une cavité : s'il s'agit de la plèvre, c'est un chylothorax ; s'il s'agit des voies urinaires, c'est une chylurie.
→ VOIR Circulation sanguine, Système lymphatique.

Valgus

Qui s'écarte vers l'extérieur par rapport à l'axe du corps.

Le terme de genu valgum désigne ainsi une déviation de l'axe de la jambe vers l'extérieur de l'axe de la cuisse ; lorsque ses genoux sont joints, le sujet a les pieds écartés. De la même façon, l'hallux valgus est une déviation du gros orteil vers le 2e orteil, responsable d'une tuméfaction douloureuse, couramment appelée oignon.

Valine

Acide aminé indispensable (c'est-à-dire non synthétisable par l'organisme, qui doit le recevoir de l'alimentation) ayant une structure chimique dite à chaîne ramifiée, qui le fait classer dans le même groupe d'acides aminés que la leucine et l'isoleucine.

La valine participe à la constitution des protéines et intervient par ailleurs dans des réactions chimiques cellulaires comme la synthèse du glucose.

Le taux sanguin de valine est normalement compris entre 13 et 30 milligrammes par litre. Son excrétion urinaire varie entre 5 et 12 milligrammes par 24 heures.

PATHOLOGIE

Les taux sanguin et urinaire de valine augmentent au cours d'une maladie congénitale grave, la leucinose, connue aussi sous le nom de maladie des « urines à odeur de sirop d'érable », et, exceptionnellement, au cours de l'hypervalinémie, maladie due à un déficit en une enzyme, la valine aminotransférase. Cette maladie se caractérise par un retard mental, des troubles neuropsychiatriques (diminution de la tonicité musculaire, mouvements oscillatoires du globe oculaire, troubles de la succion chez le nouveau-né) et une intolérance aux protéines.

Valsalva (manœuvre de)

Épreuve respiratoire consistant à effectuer une expiration forcée, la glotte fermée.
SYN. épreuve de Valsalva.

La manœuvre de Valsalva consiste à prendre une grande inspiration puis à expirer fortement en fermant la bouche et en bouchant le nez pour empêcher l'air de sortir. Il se produit une augmentation de la pression aérienne dans le thorax et également dans l'oreille moyenne.

INDICATIONS

La manœuvre de Valsalva est une des « manœuvres vagales » utilisées pour stopper certaines tachycardies comme celle de la maladie de Bouveret, car elle contribue à déclencher le réflexe vagal (du nerf pneumogastrique), qui ralentit la fréquence cardiaque au niveau des oreillettes. Par ailleurs, quand le médecin entend un souffle cardia-

que avec un stéthoscope, la manœuvre modifie le souffle s'il provient des cavités cardiaques droites, fournissant des indices diagnostiques. Dans la pathologie de l'oreille, la manœuvre de Valsalva permet, lors de l'examen extérieur du tympan, de vérifier si celui-ci est mobile sous l'effet des changements de pression, ce qui témoigne de la perméabilité de la trompe d'Eustache.

Valve

Structure anatomique qui ne permet l'écoulement d'un liquide que dans une direction unique. (P.N.A. valva)

■ Les valves cardiaques sont des éléments constitutifs des différentes valvules qui empêchent le reflux du sang lors de son passage des oreillettes dans les ventricules et des ventricules dans les artères principales. La valvule tricuspide, entre l'oreillette et le ventricule droits, est formée de 3 valves appelées valves tricuspides ; la valvule mitrale, entre l'oreillette et le ventricule gauches, de 2 valves mitrales ; la valvule pulmonaire, à l'entrée de l'artère pulmonaire, et la valvule aortique, à la naissance de l'aorte, sont composées chacune de 3 valves sigmoïdes, en forme de cupule ouverte vers le vaisseau.

Valve artificielle

Dispositif placé dans le cœur et destiné à remplacer une valvule cardiaque déficiente.
SYN. prothèse valvulaire.
→ VOIR Remplacement valvulaire.

Valve urétrale

Malformation congénitale masculine, constituée par la présence, dans l'urètre, de deux replis muqueux empêchant l'urine contenue dans la vessie de s'évacuer normalement.

La valve urétrale est la malformation obstructive du bas appareil urinaire (vessie, urètre) qui s'observe le plus fréquemment chez le garçon.

SYMPTÔMES ET SIGNES

Une valve urétrale est une malformation grave, parfois accompagnée d'autres malformations congénitales (duplicité rénale, mégauretère). Elle se traduit par une dilatation de la vessie et du haut appareil urinaire (reins, uretères) qui peut avoir pour conséquence, dans le cas où la valve empêche complètement l'urine de s'écouler, une insuffisance rénale par destruction des deux reins. Si l'obstruction est modérée, la valve urétrale se manifeste par un jet mictionnel anormalement fin, des pertes d'urine nocturnes et des infections urinaires à répétition.

DIAGNOSTIC

Il repose sur l'échographie de l'appareil urinaire, qui montre une vessie et des voies urinaires supérieures dilatées ; lorsque la valve est obstructive, cette dilatation est même visible chez le fœtus. Enfin, une urétrocystographie mictionnelle par ponction suspubienne (examen radiologique de la vessie et de l'urètre après injection d'un produit de contraste dans la vessie par ponction de celle-ci au-dessus du pubis) met en évidence une dilatation de l'urètre en amont de la valve.

TRAITEMENT ET COMPLICATIONS

Le traitement consiste, dans un premier temps, à drainer la vessie en posant, sous anesthésie générale, une sonde urétrale ou un cathéter suspubien de façon à supprimer la dilatation des reins et des uretères (ce qui peut prendre de quelques jours à plusieurs semaines). Dans un second temps, les valves urétrales sont incisées et détruites par voie endoscopique (urétroscopie). Il s'agit d'un traitement complexe, dont les séquelles (insuffisance rénale, incontinence urinaire, rétrécissement de l'urètre) sont fréquentes et justifient une surveillance régulière (2 ou 3 contrôles par an) pendant plusieurs années, par échographie, examen cytobactériologique des urines (E.C.B.U.) et dosages sanguins de l'urée et de la créatinine.

Valvule

Repli membraneux à l'intérieur d'un canal, évitant le reflux de liquide ou de matières. (P.N.A. valvula)

Les valvules s'attachent sur la paroi interne d'un canal naturel, formant une saillie plus ou moins perpendiculaire à celle-ci dans la cavité du canal. Elles sont souvent constituées de plusieurs éléments, appelés valves ; celles-ci sont disposées de manière à s'écarter les unes des autres quand elles sont poussées dans le sens du courant et à se rapprocher quand le sens de la poussée est inverse, afin d'éviter le reflux. Elles jouent donc un rôle de soupape. Il existe plusieurs sortes de valvules dans l'organisme : les valvules cardiaques, digestives et vasculaires essentiellement.

Valvules cardiaques

Ces 4 replis membraneux canalisent le sang à l'intérieur du cœur pour qu'il s'écoule dans une direction unique.

DIFFÉRENTS TYPES DE VALVULE

Les deux valvules auriculoventriculaires, mitrale à gauche et tricuspide à droite, formées respectivement de 2 et de 3 valves, sont localisées à l'entrée des ventricules. Les deux valvules artérielles, aortique à gauche et pulmonaire à droite, formées chacune de 3 valves sigmoïdes, se trouvent à la sortie des ventricules, à l'origine de l'aorte et de l'artère pulmonaire.

■ La valvule mitrale est ouverte pendant le remplissage du ventricule gauche, laissant passer librement le sang venant de l'oreillette gauche. Durant la contraction ventriculaire, elle se referme de façon étanche.

■ La valvule tricuspide est ouverte pendant le remplissage du ventricule droit et se referme durant la contraction ventriculaire. Il existe souvent une petite fuite de la valvule tricuspide à l'état normal.

■ La valvule aortique s'ouvre sous la pression du sang pendant la contraction du ventricule gauche (systole) et se referme pendant son relâchement (diastole), une fois le sang éjecté dans l'aorte.

■ La valvule pulmonaire s'ouvre durant la contraction du ventricule droit, pour permettre l'éjection du sang vers les poumons, puis se referme pour éviter le reflux sanguin.

VALVULES CARDIAQUES

Il existe 4 valvules cardiaques, replis membraneux qui orientent le flux sanguin : 2 valvules auriculoventriculaires, à l'entrée de chaque ventricule, et 2 valvules artérielles, qui se trouvent à la sortie des ventricules, dans l'aorte et l'artère pulmonaire.

Chacune des 2 valvules artérielles (ici, la valvule aortique) est composée de 3 structures anatomiques en forme de cupule : les valves sigmoïdes.

Chaque valvule auriculoventriculaire (ici, la valvule mitrale) est attachée à la paroi du ventricule correspondant par de fins cordages.

PATHOLOGIE
Les valvulopathies, atteintes des valvules cardiaques par rétrécissement ou par insuffisance (manque d'étanchéité) valvulaire, peuvent être d'origine infectieuse, inflammatoire ou dégénérative.

Valvules digestives
Dans le tube digestif, il existe des valvules à hauteur du pylore (extrémité inférieure de l'estomac), tout le long de l'intestin grêle (valvules conniventes) et à la jonction entre l'intestin grêle et le côlon (valvule de Bauhin). Les valvules conniventes ont pour rôle d'augmenter la surface de contact avec les aliments.

Valvules veineuses et lymphatiques
Les veines et les vaisseaux lymphatiques possèdent tout au long de leurs parois de nombreuses valvules, qui favorisent la progression du sang ou de la lymphe dans la bonne direction.
PATHOLOGIE
Des valvules défectueuses dans les veines peuvent entraîner la formation de varices.

Valvulopathie
Atteinte d'une valvule du cœur.
CAUSES
Les valvulopathies ont des causes variées : congénitales (malformations), inflammatoires (rhumatisme articulaire aigu), infectieuses (endocardite [infection des valves du cœur]), dégénératives, liées à l'âge, ischémiques par insuffisance coronarienne (angor, infarctus). La cause est retrouvée d'après l'aspect de la valvule : forme anormale, présence de calcifications, épaississement, amincissement, destruction par endroits. Il existe, enfin, une atteinte de la valvule mitrale due à la rupture de ses cordages :

n'étant plus reliée au ventricule gauche, elle se retourne dans l'oreillette gauche au moment de la systole.
DIFFÉRENTS TYPES DE VALVULOPATHIE
Les lésions d'une valvule entraînent soit son rétrécissement, soit son insuffisance.
■ Le rétrécissement valvulaire provoque une gêne lors du passage du sang, la valvule n'étant pas suffisamment ouverte à la diastole (remplissage des cavités cardiaques) pour les valvules mitrale et tricuspide, et à la systole (contraction cardiaque) pour les valvules aortique et pulmonaire.
■ L'insuffisance valvulaire, également appelée fuite, ou incontinence, est liée à une absence d'étanchéité de la valvule à la diastole pour les valvules aortique et pulmonaire, à la systole pour les valvules mitrale et tricuspide.
SYMPTÔMES ET ÉVOLUTION
Les valvulopathies mineures peuvent passer inaperçues. Toutefois, même à ce stade, elles se compliquent volontiers d'endocardite, par propagation sanguine à partir d'un foyer infectieux. Dans d'autres cas, on observe des troubles du rythme (palpitations), des malaises, un angor (angine de poitrine), des signes d'insuffisance cardiaque (gêne respiratoire). Les symptômes peuvent n'apparaître qu'à l'effort avant de devenir permanents.
Toute anomalie valvulaire importante retentit sur l'oreillette ou le ventricule, en amont de la valvule atteinte : dilatation de l'oreillette, dilatation du ventricule ou épaississement de sa paroi. De plus, le travail du cœur s'en trouve augmenté, ce qui explique l'évolution possible vers une insuffisance cardiaque.
DIAGNOSTIC
Une valvulopathie est suspectée à l'auscultation par la perception d'un souffle (bruit anormal prolongé). Des examens complé-

mentaires sont nécessaires : électrocardiographie, radiographie du thorax, échographie du cœur, voire cathétérisme cardiaque (introduction dans un vaisseau périphérique d'une sonde poussée jusqu'au cœur).
TRAITEMENT
Les valvulopathies mineures relèvent d'une surveillance médicale permettant en particulier la prévention de l'endocardite, notamment par la prise d'antibiotiques avant et pendant les soins dentaires ou toute intervention chirurgicale sur foyer infectieux afin d'éviter l'introduction d'un germe dans la circulation sanguine. Parmi les valvulopathies sévères, certaines (rétrécissement mitral à valves souples, rétrécissement pulmonaire) peuvent bénéficier d'une valvuloplastie « médicale », par dilatation de l'orifice à l'aide d'une sonde à ballonnet. Les autres peuvent relever de deux types de traitement chirurgical. La valvuloplastie (reconstitution de la forme de la valvule), qui concerne l'insuffisance mitrale et l'insuffisance tricuspide, est effectuée sous circulation extracorporelle. Le remplacement de la valvule par une prothèse mécanique ou par une greffe de valves biologiques, dite bioprothèse, concerne les valvulopathies aortiques et les valvulopathies mitrales non accessibles à la valvuloplastie.

Valvuloplastie
Réparation anatomique et restauration fonctionnelle d'une valvule cardiaque anormale.
DIFFÉRENTS TYPES DE VALVULOPLASTIE
La valvuloplastie, un des traitements des valvulopathies, peut être réalisée soit par cathétérisme, soit par chirurgie.
■ La valvuloplastie « médicale » par cathétérisme cardiaque est indiquée en cas de rétrécissement valvulaire et concerne principalement la valvule mitrale, parfois la valvule pulmonaire. Une sonde fine et longue est introduite dans un vaisseau superficiel, sous anesthésie locale, à travers la peau, puis poussée jusqu'au cœur sous contrôle vidéo. Un ballonnet situé à l'extrémité de la sonde est placé dans l'orifice de la valvule et gonflé à forte pression pendant quelques secondes. Cette manœuvre peut être répétée plusieurs fois au cours d'une même intervention et renouvelée dans les mois qui suivent en cas de resténose (récidive du rétrécissement).
■ La valvuloplastie chirurgicale est une opération de chirurgie qui se déroule sous anesthésie générale et sous circulation extracorporelle : pendant l'intervention, la circulation ne passe pas par le cœur mais par un appareil extérieur qui assure l'oxygénation du sang. Une telle reconstruction valvulaire est indiquée dans le traitement de l'insuffisance d'une valvule (fuite du sang à contre-courant), la valvule mitrale principalement. Le geste effectué dépend de chaque cas : il peut s'agir de l'ablation d'un fragment de tissu valvulaire excédentaire, d'un raccourcissement de cordages, de la pose d'un anneau qui remodèle l'orifice, etc. L'intervention nécessite une hospitalisation relativement longue et souvent une rééducation à l'effort.

Van Leeuwenhoek (Antonie)

Naturaliste hollandais (Delft 1632 - *id.* 1723).

Inventeur du microscope, il fabriqua des appareils de plus en plus perfectionnés qui lui permirent de donner la première description précise de différentes structures du corps humain (peau, muscles striés, cristallin, etc.) et, notamment, d'identifier les globules rouges du sang, les capillaires sanguins et les spermatozoïdes ; il baptisa en particulier ces derniers les « animalcules de la semence ».

Vaquez (polyglobulie de)

Maladie caractérisée par une prolifération maligne des précurseurs des globules rouges. SYN. *polyglobulie primitive de Vaquez.*

La polyglobulie de Vaquez est la forme la plus fréquente des syndromes myéloprolifératifs. Elle survient le plus souvent après 50 ans. Son origine est inconnue.

SYMPTÔMES ET SIGNES

La maladie se manifeste en général par des symptômes nombreux et prononcés : rougeur du visage et des muqueuses, maux de tête, vertiges, sensations plus ou moins douloureuses d'engourdissement, fourmillements, démangeaisons causées par le contact de l'eau. La rate apparaît souvent anormalement gonflée à la palpation.

DIAGNOSTIC ET TRAITEMENT

Le diagnostic se fonde sur la numération formule sanguine (N.F.S.), qui révèle une augmentation marquée et sans cause apparente du nombre des globules rouges ainsi qu'une proportion anormalement élevée de plaquettes et de polynucléaires neutrophiles (variété de globules blancs) par rapport aux autres cellules du sang. En outre, on ne retrouve aucune des causes qui peuvent être à l'origine d'une polyglobulie secondaire : insuffisance respiratoire chronique, cancer du rein, etc.

Le traitement consiste en saignées abondantes et répétées, destinées à réduire la masse des globules rouges par rapport à la masse totale du sang. Il doit parfois être poursuivi pendant une assez longue période (plusieurs années). Chez les sujets âgés, les saignées sont contre-indiquées, notamment en cas de complications vasculaires ou d'excès de plaquettes sanguines. En l'occurrence, le traitement consiste à limiter la prolifération des cellules malignes au moyen soit de médicaments inhibant la division des cellules (antimitotiques), soit de phosphore radioactif (^{32}P). Celui-ci est d'un usage commode mais limité en raison du risque de leucémie qu'il entraîne.

ÉVOLUTION ET PRONOSTIC

La polyglobulie de Vaquez comporte un risque de thrombose (formation de caillots) non négligeable. À plus long terme, elle évolue dans certains cas vers une leucémie aiguë ou, parfois, vers une myélofibrose (dégénérescence fibreuse de la moelle osseuse). Néanmoins, l'espérance de vie des malades, en particulier des malades jeunes, est bonne et le pronostic demeure dans l'ensemble favorable.

En cas de défaillance des valvules, qui empêchent normalement le sang de refluer vers le bas de la jambe, certaines veines, trop pleines de sang, gonflent, provoquant la formation de varices. Celles-ci sont rarement douloureuses, mais l'accumulation de sang dans le membre inférieur peut provoquer des crampes et des fourmillements, accentués lors de la station debout ou assise.

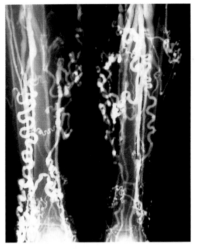

Les veines des jambes, visibles sur les radiographies grâce à l'injection intraveineuse d'un produit de contraste, sont irrégulières et dilatées.

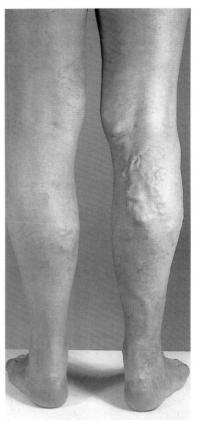

Les varices forment de gros cordons bleus mous, saillants, qui peuvent s'associer à des altérations cutanées : coloration brune, ulcère, etc.

Varice des membres inférieurs

Dilatation pathologique permanente d'une veine de la cuisse et surtout de la jambe, accompagnée d'une altération de sa paroi.

Les varices des membres inférieurs sont le plus souvent essentielles, ou idiopathiques, c'est-à-dire qu'elles constituent des phénomènes isolés et ne sont la conséquence d'aucune maladie. Fréquentes, elles touchent une femme sur 2 et un homme sur 10. L'hérédité, des facteurs hormonaux, une surcharge pondérale, un mode de vie sédentaire, la station debout prolongée et/ou la chaleur peuvent favoriser l'apparition de varices. Celles-ci sont liées à un défaut d'étanchéité des valvules veineuses, qui empêchent normalement le sang de refluer dans la moitié inférieure du corps ; il s'ensuit une dilatation des veines, prédominant aux jambes en raison de la pesanteur.

SYMPTÔMES ET SIGNES

Les symptômes sont dus davantage à l'accumulation du sang dans les jambes qu'aux varices elles-mêmes : crampes, lourdeurs, fourmillements, rarement douleurs véritables. Ensuite se forme un cordon bleu, mou, sinueux, visible à travers la peau, qui s'aplatit en position allongée et prend du relief en position debout.

COMPLICATIONS

Les varices sont à l'origine de trois sortes de complications.

■ La phlébite superficielle, inflammation aiguë autour d'une varice du membre inférieur, se traduit par une douleur et une modification de la peau (rougeur, aspect cartonné) le long d'un segment variqueux.

■ La rupture de varice entraîne une hémorragie abondante et soudaine. Le saignement d'une varice peut s'écouler à l'extérieur ou donner naissance à un hématome sous-cutané douloureux.

■ Les troubles cutanés se produisent à long terme. Ce sont principalement une dermite ocre (coloration brune de la peau) et des ulcères variqueux (plaies persistantes fréquemment surinfectées).

TRAITEMENT

Il ne vise pas seulement à soulager d'éventuels symptômes ou à agir sur le plan esthétique, mais aussi à empêcher l'aggravation des varices et à prévenir leurs complications. Le traitement des varices essentielles du membre inférieur fait appel à plusieurs méthodes, parfois combinées : lutte contre l'accumulation du sang (port de bas de contention ou de bandes, surélévation des pieds pendant le sommeil, suppression de l'exposition des jambes à la chaleur), prescription de médicaments veinotoniques, sclérose de la varice (par injection d'une substance atrophiante), traitement chirurgical par stripping (ablation d'une veine par deux petites incisions pratiquées à la cheville et à la cuisse) ou Chiva (chirurgie hémodynamique de l'insuffisance veineuse en ambulatoire), qui repose sur la ligature des veines déficientes. Des cures thermales peuvent être bénéfiques, en particulier pour le traitement des troubles cutanés à long terme et des ulcères variqueux.

PRÉVENTION

Quelques règles d'hygiène permettent de prévenir ou de retarder l'apparition de varices : compenser la sédentarité par des exercices physiques (marche, natation), éviter les stations debout prolongées et toutes les formes de chaleur (bains de soleil, sauna), dormir les jambes surélevées, porter des bas de contention et ne pas comprimer les jambes (par des chaussettes, bas ou bottes trop serrés en haut et risquant de faire garrot).

Varice œsophagienne

Dilatation pathologique des veines inférieures de l'œsophage.

Les varices œsophagiennes témoignent de l'installation anormale d'anastomoses (circuits de dérivation) veineuses entre système porte et système cave, dues à une hypertension portale (cirrhose, cancer du foie, thrombose de la veine porte).

CAUSES ET SYMPTÔMES

La cause la plus fréquente de varices œsophagiennes est la cirrhose du foie, altération chronique du foie, qu'elle soit d'origine alcoolique, auto-immune (cirrhose biliaire primitive) ou métabolique (hémochromatose). Les varices œsophagiennes ne se manifestent par aucun symptôme tant qu'elles ne se rompent pas. Elles sont parfois associées à une ascite (épanchement liquidien dans le péritoine).

DIAGNOSTIC ET ÉVOLUTION

Les varices œsophagiennes sont découvertes lors d'une fibroscopie œso-gastro-duodénale (examen direct de l'œsophage, de l'estomac et du duodénum à l'aide d'un tube muni d'une optique introduit par la bouche). Sans traitement, les varices finissent par se rompre, entraînant une hémorragie qui peut être grave, se manifestant par une hématémèse (émission par la bouche de sang non digéré) et provoquant une anémie aiguë et une brutale chute de tension.

TRAITEMENT ET PRÉVENTION

Le traitement d'une hémorragie par rupture de varices œsophagiennes fait appel à la réanimation avec transfusion, l'hémorragie étant arrêtée soit par compression à l'aide d'une sonde à ballonnet gonflable, soit par sclérose endoscopique (injection d'une substance atrophiante dans la veine). En cas d'échec du traitement médical, une intervention chirurgicale d'urgence (anastomose portocave) peut être entreprise.

Le traitement préventif de l'hémorragie consiste soit en l'administration de médicaments bêtabloquants (qui diminuent le débit sanguin), soit en la sclérose endoscopique des varices. Le traitement chirurgical de l'hypertension portale (anastomose portocave) est rarement envisagé à titre préventif en raison des risques liés à cette intervention.

Varicelle

Maladie infectieuse contagieuse due à un virus de la famille des herpès virus, le virus varicelle-zona, ou V.Z.

Le virus varicelle-zona est un virus à A.D.N. qui, comme son nom l'indique, est également responsable du zona.

CONTAMINATION

La varicelle survient le plus souvent dans l'enfance, entre 2 et 10 ans. Elle est plus rare, et également plus sévère, chez l'adulte. La transmission du virus se fait par voie respiratoire, par inhalation de gouttelettes de salive émises par un malade ou par contact direct avec ses lésions cutanées.

SYMPTÔMES ET SIGNES

La forme la plus commune de la varicelle survient après une incubation du virus durant environ 2 semaines, pendant laquelle le sujet est contagieux. La maladie se caractérise par une éruption cutanée typique, souvent précédée d'une fièvre peu élevée (38 °C) et d'une rougeur passagère de la peau. L'éruption évolue par poussées successives, distantes de 2 à 4 jours. Elle débute sur le thorax, s'étend à tout le corps (cuir chevelu, bras, aisselles, cuisses), parfois aux muqueuses et, en dernier lieu, au visage. Accompagnée de fortes démangeaisons, elle est formée de petites taches rouges de 2 à 4 millimètres de diamètre, qui se transforment en 24 heures en vésicules superficielles, grosses comme des têtes d'épingle, remplies d'un liquide clair. Le contenu de chaque vésicule se trouble puis se dessèche au bout de 2 jours. Une croûte apparaît alors à la place de la vésicule ; elle tombe vers le septième jour. L'éruption vésiculaire guérit en 10 à 15 jours.

COMPLICATIONS

La varicelle est une maladie bénigne ; ses complications cutanées sont constituées essentiellement par des lésions de grattage, qui laissent des traces indélébiles ; celles-ci peuvent être évitées par des soins locaux qui calment les démangeaisons et évitent la surinfection. Chez l'enfant, des complications neurologiques, bénignes et passagères, peuvent survenir, notamment sous forme d'encéphalite, entraînant une sensation de vertige. Chez l'adulte, des manifestations pulmo-

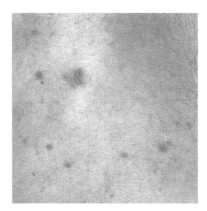

Varicelle. *La peau se couvre de petites taches rouges très prurigineuses qui se transforment rapidement en vésicules de petite taille remplies d'un liquide transparent.*

naires sont parfois constatées vers le troisième jour de l'infection ; la fièvre s'élève jusqu'à 40 °C, une toux sèche puis une difficulté à respirer s'installent. Certaines formes graves peuvent donner lieu à une insuffisance respiratoire aiguë, mais la majorité des cas évolue favorablement en une quinzaine de jours.

Les complications les plus sévères concernent les sujets immunodéprimés ; l'éruption est alors cutanéomuqueuse, abondante, faite de nombreux éléments volumineux, hémorragiques et nécrosés. Des localisations polyviscérales sont fréquentes, notamment hépatiques, neurologiques et pulmonaires.

DIAGNOSTIC

Il est le plus souvent fondé sur l'examen clinique. Un diagnostic biologique n'est effectué que dans les formes atypiques de la maladie ; il repose sur un examen direct en immunofluorescence des cellules vésiculaires et sur la recherche d'anticorps sériques anti-varicelle dans le sang du malade.

TRAITEMENT

Il doit être institué précocement. Pour la forme commune de la varicelle, il consiste à appliquer localement des antiseptiques afin d'éviter les surinfections cutanées. Des antibiotiques sont prescrits en cas de surinfection bactérienne. Des antiviraux (aciclovir) sont parfois prescrits, dans les cas graves, aux malades immunodéprimés. Les démangeaisons, si elles sont intenses, peuvent être atténuées par un antihistaminique.

PRÉVENTION

Elle repose essentiellement sur l'isolement et l'éviction scolaire de l'enfant malade jusqu'à sa guérison complète. Une personne immunodéprimée doit éviter tout contact avec un malade ; en cas de contact, des immunoglobulines spécifiques peuvent lui être administrées dans les 3 jours qui suivent. Il existe depuis peu contre la varicelle un vaccin à virus vivant atténué ; il est destiné aux enfants immunodéprimés ainsi qu'à leur entourage.

Le virus de la varicelle persistant, après l'infection, dans les ganglions nerveux du rachis ou dans les paires nerveuses crâniennes, il est susceptible de se réactiver à l'occasion d'une baisse de l'immunité cellulaire, provoquant alors un zona.

Varicocèle

Dilatation permanente des veines spermatiques qui drainent le sang du testicule, entraînant dans cet organe un ralentissement de la circulation veineuse.

SYMPTÔMES ET SIGNES

Une varicocèle est le plus souvent localisée au testicule gauche ; elle se présente sous la forme d'une dilatation des veines spermatiques intrascrotales, molle à la palpation et augmentant à la toux. Dans la grande majorité des cas, la varicocèle n'entraîne ni gêne ni symptôme. Parfois, elle s'accompagne d'une lourdeur testiculaire qui peut être atténuée par le port d'un suspensoir. Plus rarement, elle engendre une diminution du nombre des spermatozoïdes contenus dans le sperme, associée à une diminution de leur mobilité et de leur durée de vie, et provoque une stérilité.

DIAGNOSTIC

De nombreux examens permettent d'explorer une varicocèle : Doppler veineux scrotal, thermographie scrotale, voire phlébographie des veines spermatiques.

TRAITEMENT ET COMPLICATIONS

Dans la plupart des cas, aucun traitement n'est nécessaire. Cependant, si la varicocèle est importante et très gênante ou si elle provoque une stérilité, on peut pratiquer une ligature des veines spermatiques par chirurgie conventionnelle ou endoscopique (cœlioscopie) ; cette intervention, réalisée sous anesthésie générale, nécessite une hospitalisation de 2 à 4 jours. Il est également possible de pratiquer, sous anesthésie locale, une sclérose endoveineuse percutanée par injection d'un produit sclérosant à l'aide d'un cathéter introduit par la veine fémorale et poussé jusqu'à la veine spermatique ; cette intervention ne nécessite en général aucune hospitalisation.

Les principales complications de la ligature des veines spermatiques et de la sclérose veineuse spermatique sont l'infection locale et la formation d'un hématome. En outre, dans 10 à 20 % des cas, la varicocèle ne disparaît pas ; on peut alors pratiquer une nouvelle intervention.

Variole

Maladie infectieuse contagieuse due à un poxvirus. SYN. *petite vérole*.

Le virus de la variole se transmet exclusivement par voie interhumaine. L'éradication de cette maladie, rendue possible par une campagne mondiale de vaccination, a été proclamée à la fin de l'année 1979 par l'Organisation mondiale de la santé.

HISTORIQUE

Le virus de la variole fut autrefois à l'origine d'épidémies mortelles. À partir de foyers indiens et chinois, la maladie atteignit à plusieurs reprises l'Europe, notamment au VIe siècle, au XVIIe siècle (grande pandémie européenne, qui s'étendit à l'Amérique du Nord) et au XVIIIe siècle ; le roi de France Louis XV mourut de cette maladie en 1774.

La vaccination antivariolique remonte à 1796, année où le médecin britannique Edward Jenner (1749-1823) inocula pour la première fois à l'homme la vaccine bovine. Cette méthode fut reprise par les médecins de l'armée de Napoléon Ier puis se développa dans d'autres pays européens. Étant donné l'éradication de la variole de la surface du globe terrestre en 1979, il n'est plus exigé de certificat de vaccination antivariolique pour voyager à l'étranger.

SYMPTÔMES ET SIGNES

Après une incubation d'une à deux semaines survenait une forte fièvre, accompagnée de l'éruption, sur la peau, de vésicules et de pustules de consistance dure, enchâssées, se multipliant sur tout le corps, à partir du visage, en 4 jours. Le contenu des vésicules se troublait au cinquième jour ; suivit une suppuration, associée à une nouvelle poussée de fièvre, puis, au dixième jour, les lésions se recouvraient d'une croûte qui laissait une cicatrice indélébile.

COMPLICATIONS

Cette forme clinique simple de la variole pouvait se compliquer d'une extension des vésicules, d'une aggravation des signes généraux, d'atteintes polyviscérales (oculaire, encéphalique, pulmonaire), de surinfections graves et aboutir, comme c'était autrefois le cas pour 40 % des sujets atteints, au décès. Il y avait des formes bénignes et des formes foudroyantes de la maladie.

TRAITEMENT

Le traitement était celui des symptômes et comprenait, à une époque récente, d'une part des antibiotiques, pour lutter contre les surinfections bactériennes, d'autre part des antiseptiques locaux à pulvériser sur les lésions cutanées. Des sédatifs nerveux et des analeptiques cardiovasculaires pouvaient être administrés en complément.

Varus

Qui s'écarte vers l'intérieur par rapport à l'axe du corps.

Le terme de genu varum désigne ainsi une déviation de l'axe de la jambe vers l'intérieur de l'axe de la cuisse. De la même façon, le metatarsus varus est une déformation, le plus souvent congénitale, consistant en une déviation de l'avant-pied vers l'intérieur.

Vasa vasorum

Vaisseaux de très petit calibre cheminant dans l'adventice (tunique externe de la paroi d'une artère) et irriguant la paroi artérielle.

Les vasa vasorum (en latin, « vaisseaux des vaisseaux ») ne sont présents que dans les artères de gros calibre. La nutrition de la paroi de ces artères est ainsi assurée à la fois par le sang circulant et les vasa vasorum de l'adventice.

Les vasa vasorum peuvent être impliqués dans un certain nombre d'affections comme la maladie de Horton (inflammation de l'artère temporale) ou le syndrome de Cogan (inflammation de la cornée, associée à des anomalies auditives et vestibulaires, avec douleurs articulaires, et apparentée aux angéites systémiques).

Vascularisation

Ensemble des vaisseaux sanguins irriguant une région du corps, un organe ou un tissu.

La vascularisation fait appel à trois types de vaisseau : les artères, les veines et les capillaires. Cependant, dans le langage courant, la vascularisation d'un organe est souvent réduite à son irrigation artérielle : celle du myocarde, par exemple, est assurée par les artères coronaires, celle du cerveau par les artères carotides et vertébrales.

PATHOLOGIE

La vascularisation peut être l'objet d'anomalies congénitales ou acquises. Les premières sont des anomalies de la distribution ou du trajet de certains vaisseaux ou des anomalies de structure (anévrysmes cérébraux, angiomes, fistules artérioveineuses). Les anomalies acquises de la vascularisation sont essentiellement des destructions (plaie, écrasement, infection, athérosclérose) ou des proliférations. Ces dernières s'observent lors

de certains cancers et lors de l'obstruction chronique d'une artère. Par exemple, si une artère de la jambe est en partie obstruée par une plaque d'athérome (dépôt de cholestérol sur sa paroi), des vaisseaux se développent à partir des branches nées en amont de l'obstruction pour vasculariser les organes en aval. Les nouveaux vaisseaux apparus sont appelés néovaisseaux, et leur ensemble forme une anastomose spontanée, c'est-à-dire une circulation collatérale (de suppléance).

Vascularite

→ VOIR Angéite.

Vasculonerveux

Se dit d'un regroupement d'éléments artériels, veineux et nerveux destinés à un organe.

On parle de paquet, d'axe ou de pédicule vasculonerveux : ainsi, le paquet vasculonerveux axillaire (de l'aisselle) regroupe les éléments destinés au membre supérieur.

Vasectomie

Section chirurgicale des deux canaux déférents qui amènent normalement les spermatozoïdes des testicules vers l'urètre.

Avant la généralisation de l'usage des antibiotiques, on pratiquait une vasectomie après une adénomectomie prostatique (ablation d'un adénome de la prostate) pour éviter que la propagation d'éventuels germes infectieux ne déclenche une orchite (infection des testicules). La vasectomie est aujourd'hui utilisée dans certains pays comme méthode de stérilisation masculine dans le cadre d'une politique de limitation des naissances.

DÉROULEMENT ET CONSÉQUENCES

Après incision cutanée, les canaux déférents sont sectionnés entre leur sortie des bourses et leur entrée dans le bassin, de chaque côté de la racine du pénis. L'intervention, réalisée sous anesthésie locale ou générale, dure de 15 à 30 minutes.

La vasectomie prive le sperme de spermatozoïdes mais ne modifie ni le comportement sexuel, ni l'érection, ni l'éjaculation. Les suites opératoires ne sont pas douloureuses et les rapports sexuels peuvent être repris immédiatement après l'intervention, sous réserve cependant d'une certaine gêne les 2 ou 3 premiers jours. Les spermatozoïdes stagnent dans les testicules et dans les épididymes puis cessent d'être sécrétés.

EFFETS SECONDAIRES

L'effet d'une vasectomie n'est pas immédiat et le sperme reste fécondant pendant environ 2 mois après l'intervention. Un spermogramme (examen du sperme) permet, au terme de cette période, de confirmer l'absence de spermatozoïdes (azoospermie).

Une vasectomie est théoriquement réversible : une nouvelle opération peut être pratiquée en vue de réaboucher les segments de canaux déférents (vasovasostomie), mais les résultats obtenus par une telle intervention ne sont pas constants.

Vaseline

Substance grasse dérivée du pétrole et entrant dans la composition de pommades.

La vaseline est molle, blanche, inodore et onctueuse au toucher. Appliquée sur la peau, elle n'est pas absorbée, ce qui justifie son utilisation comme excipient dans certaines pommades afin de limiter la pénétration dans le sang des principes actifs qui lui sont associés. Elle est également employée comme lubrifiant lors de l'introduction du thermomètre dans l'anus.

Vasoconstricteur

Médicament qui diminue le calibre des vaisseaux en provoquant la contraction de leurs fibres musculaires.

FORMES PRINCIPALES

Les vasoconstricteurs, qui s'administrent par voie orale (noréphédrine, phényléphrine, phénylpropanolamine, phényltoloxamine, pseudoéphédrine) ou par voie nasale (éphédrine, fénoxazoline, naphazoline, oxymétazoline, tymazoline), sont commercialisés seuls ou associés à des antihistaminiques et/ou à du paracétamol. L'adrénaline aussi a un effet vasoconstricteur ; elle est employée sous forme injectable.

INDICATIONS

Les vasoconstricteurs sont utilisés essentiellement en oto-rhino-laryngologie pour réduire l'écoulement et l'obstruction nasaux au cours des rhinites, sinusites et rhinopharyngites. L'adrénaline est employée par voie injectable en milieu hospitalier dans le traitement des collapsus cardiovasculaires (chute brutale de la pression artérielle).

EFFETS INDÉSIRABLES

Les vasoconstricteurs pris par voie orale peuvent entraîner une sécheresse de la bouche, une insomnie, une anxiété, une migraine, des sueurs, des troubles digestifs, plus rarement une tachycardie, une excitation ; ceux pris par voie nasale provoquent parfois une sensation de sécheresse nasale et, en cas d'usage prolongé, des insomnies, des maux de tête, des palpitations, voire une hypertension artérielle.

CONTRE-INDICATIONS

Les vasoconstricteurs ne doivent pas être utilisés plus de 7 jours consécutifs. Ils sont contre-indiqués en cas de prise d'inhibiteurs de la monoamine oxydase (I.M.A.O.) non sélectifs et pendant le premier trimestre de la grossesse, pendant l'allaitement et chez les personnes ayant un risque de glaucome à angle étroit. Certains d'entre eux ne doivent pas être employés chez le jeune enfant. L'adrénaline est contre-indiquée en cas d'insuffisance coronarienne.

Vasoconstriction

Diminution du diamètre des vaisseaux sanguins.

La vasoconstriction est un phénomène naturel qui, avec la vasodilatation (augmentation du diamètre des vaisseaux), participe à la vasomotricité. Elle touche essentiellement les vaisseaux artériels de moyen et surtout de petit calibre (artérioles). Elle est modulée par des influences nerveuses (centres nerveux vasomoteurs), humorales (composition du sang en oxygène et en bicarbonates notamment), hormonales (angiotensine II, adrénaline, noradrénaline, hormone antidiurétique et endothéline, en particulier). Elle est mise en jeu dans certaines conditions physiologiques (par exemple, le froid produit une vasoconstriction cutanée qui ralentit la perte de chaleur du corps) ou pathologiques (au cours d'un état de choc cardiovasculaire notamment).

Vasodilatateur

Médicament qui augmente le calibre des vaisseaux par élongation de leurs fibres musculaires.

INDICATIONS

Les vasodilatateurs sont utilisés en pathologie vasculaire et urologique.

■ **En pathologie vasculaire**, on emploie les dérivés nitrés (trinitrine, notamment), la prazosine, le nitroprussiate de sodium, la dihydralazine, les inhibiteurs calciques et l'enzyme de conversion. Les vasodilatateurs sont essentiellement utilisés dans le traitement de l'hypertension artérielle, de l'insuffisance cardiaque ou coronaire (angor, infarctus du myocarde), de l'insuffisance vasculaire cérébrale, de l'artérite des membres inférieurs et du phénomène de Raynaud. Leur action peut s'exercer de façon prédominante soit sur les veines (dérivés nitrés, prazosine), soit sur les artères (dihydralazine) ou concerner les deux types de vaisseau (inhibiteurs de l'enzyme de conversion, nitroprussiate de sodium).

■ **En pathologie urologique**, la yohimbine entraîne une vasodilatation des corps caverneux, exploitée dans l'impuissance masculine. Elle est également proposée dans le traitement de l'hypotension orthostatique (étourdissements au lever et en position debout), en particulier celle induite par les antidépresseurs tricycliques.

MODE D'ADMINISTRATION ET EFFETS INDÉSIRABLES

Les vasodilatateurs sont administrés par voie injectable, sublinguale ou orale. Outre les effets indésirables propres à chaque produit, on constate, lorsqu'ils sont pris à fortes doses, des risques d'hypotension artérielle.

Vasodilatation

Augmentation du diamètre des vaisseaux sanguins.

La vasodilatation est un phénomène naturel qui, avec la vasoconstriction (diminution du diamètre des vaisseaux), participe à la vasomotricité. Elle touche essentiellement les vaisseaux artériels de moyen et surtout de petit calibre (artérioles). Elle est modulée par des influences nerveuses (centres nerveux vasodilatateurs), humorales et hormonales (prostaglandine, facteur relaxant dérivé de l'endothélium, facteur natriurétique auriculaire). Elle peut être mise en jeu dans certaines conditions physiologiques (par exemple, la chaleur produit une vasodilatation cutanée qui accroît la perte de chaleur du corps) ou pathologiques (au cours de certains états infectieux ou d'une intoxication aiguë, notamment alcoolique).

Vasomotricité

Propriété qu'ont les vaisseaux sanguins de changer de diamètre en fonction de modifications du milieu intérieur.

La vasomotricité se manifeste soit par une vasoconstriction (diminution du diamètre des vaisseaux), soit par une vasodilatation (augmentation de ce diamètre). La vasoconstriction s'associe à une réduction de la circulation sanguine ; la vasodilatation, à l'inverse, entraîne une augmentation du flux sanguin. Ces phénomènes intéressent essentiellement les artères, plus précisément celles de moyen et surtout de petit calibre (artérioles).

PHYSIOLOGIE

La vasomotricité est mise en jeu par de multiples facteurs : influences neurologiques (centres du système nerveux végétatif), substances contenues dans le sang (oxygène, gaz carbonique, bicarbonates, etc.), en particulier des hormones et des substances apparentées. La vasomotricité permet d'assurer de façon continue l'équilibre interne de l'organisme. Dans la régulation de la pression artérielle, la vasoconstriction permet de faire remonter une pression trop basse, tandis que la vasodilatation atténue un excès de pression. En ce qui concerne la régulation de la température du corps (thermorégulation), la vasoconstriction des vaisseaux cutanés empêche les pertes de chaleur par la peau, qui devient pâle et froide, alors que la vasodilatation les accroît, la peau devenant rouge et chaude. Au cours de l'effort physique, il se produit une vasodilatation dans les muscles mis en action et une vasoconstriction dans les secteurs inutiles à l'effort.

PATHOLOGIE

La vasomotricité est parfois impliquée dans des états pathologiques.

■ **L'inflammation aiguë** s'accompagne d'une vasodilatation.

■ **L'état de choc cardiovasculaire** (défaillance aiguë de la circulation) est associé à une vasoconstriction généralisée.

■ **Les acrosyndromes** (troubles vasomoteurs des extrémités) comprennent le syndrome de Raynaud, les acroparesthésies (fourmillements des extrémités) et l'érythromélalgie. Les mains ou les pieds sont le siège, selon les cas, de changements de couleur ou de température cutanée, de douleurs ou de fourmillements, par crises ou en permanence. La simple sensation de froid aux mains ou aux pieds, très fréquente, est également liée à la vasomotricité ; toutefois, elle n'est pas pathologique si elle ne s'accompagne d'aucun autre symptôme.

■ **D'autres troubles vasomoteurs** sont observés au cours de maladies du système nerveux ou des glandes endocrines.

Vasopressine

→ VOIR Antidiurétique (hormone).

Vasotomie

Ouverture chirurgicale d'un canal déférent (canal qui assure le passage du sperme depuis l'épididyme jusqu'à la base de la prostate, où il rejoint le canal éjaculateur).

La vasotomie fait partie de la vasovasostomie, traitement chirurgical de la stérilité masculine lorsque celle-ci est due à une obstruction du canal déférent.

Vasovasostomie

Opération chirurgicale qui consiste, après avoir enlevé les segments rétrécis ou obstrués des deux canaux déférents, à réaboucher les extrémités saines de ces conduits, qui assurent le passage du sperme des testicules jusqu'aux canaux éjaculateurs.

INDICATIONS

Cette intervention fait partie du traitement de la stérilité masculine lorsque celle-ci est due à un rétrécissement ou à une obturation des canaux déférents. Une telle stérilité peut avoir des origines très diverses : tuberculose génitale, infection de l'épididyme ou des canaux déférents, traumatisme des canaux déférents survenu au cours d'une intervention chirurgicale (traitement d'une hernie inguinale bilatérale, par exemple). Une vasovasostomie peut aussi être demandée par un patient qui, après avoir subi une vasectomie (section chirurgicale des canaux déférents), désire être de nouveau fertile.

DÉROULEMENT

La vasovasostomie est réalisée sous microscope (microchirurgie) en raison du très fin calibre du canal déférent. C'est une intervention de moyenne importance, effectuée sous anesthésie générale et qui nécessite une hospitalisation de 3 à 4 jours. Après l'opération, le patient peut ressentir des douleurs pendant 24 à 48 heures ; on les atténue à l'aide d'analgésiques.

RÉSULTATS

Un spermogramme (examen du sperme ayant pour but d'étudier le nombre et la mobilité des spermatozoïdes ainsi que le pourcentage des formes anormales) effectué de 2 à 3 mois après l'opération permet d'en évaluer le succès. Le taux de réussite de la vasovasostomie est très variable, mais rarement supérieur à 50 %.

Vater (ampoule de)

Portion de la paroi duodénale où s'abouchent le canal cholédoque (canal biliaire principal, véhicule de la bile) et le canal de Wirsung (canal pancréatique, véhicule du suc pancréatique). [P.N.A. *ampulla hepatopancreatica*]

STRUCTURE

L'ampoule de Vater est la cavité où aboutissent ensemble ces deux canaux, dans la paroi de la deuxième partie du duodénum. Elle est tapissée de muqueuse et enveloppée d'un anneau musculaire, le sphincter d'Oddi, qui contrôle le passage des sécrétions biliaires et pancréatiques.

EXAMENS

L'ampoule de Vater peut être explorée par cholangiographie rétrograde endoscopique (à l'aide d'un tube muni d'une optique introduit jusqu'au duodénum par la bouche).

PATHOLOGIE

L'ampoule de Vater peut être le siège d'une tumeur, bénigne ou maligne, l'ampullome ;

elle peut aussi être obstruée par un calcul. La sphinctérotomie (section de la muqueuse et du sphincter d'Oddi), réalisée par voie endoscopique ou chirurgicale, permet d'extraire des calculs, d'explorer les canaux par radiologie, après injection d'un produit de contraste, de prélever du suc biliaire ou pancréatique à des fins d'examen biologique ou bactériologique et de drainer les voies biliaires. L'approche endoscopique de l'ampoule de Vater et de son sphincter a, depuis les années 1960, révolutionné le diagnostic et le traitement des affections des voies biliaires, en particulier ceux de la lithiase.

VDRL

Méthode de sérodiagnostic utilisée pour dépister la syphilis. (Abréviation de l'anglais *Venereal Disease Research Laboratory,* laboratoire de recherche sur les maladies vénériennes.)

Le VDRL vise à mettre en évidence dans le sang des patients suspects de syphilis la présence d'anticorps appelés réagines, dirigés contre certains antigènes des tréponèmes. Cette méthode consiste en une réaction d'agglutination de complexes antigènes-anticorps pratiquée sur une lame de verre. D'exécution facile, elle peut toutefois induire des réactions faussement positives et doit donc être couplée à un second test mettant en jeu des antigènes spécifiques du tréponème pâle, comme le test TPHA (réaction d'hémagglutination passive).

Vecteur

1. Tout être vivant capable de transmettre de façon active (en étant lui-même infecté) ou passive un agent infectieux (bactérie, virus, parasite).

Le vecteur, dans les maladies parasitaires, est souvent un insecte (moustique, phlébotome) ou un acarien (tique) qui est aussi hôte intermédiaire du parasite : les moustiques femelles sont ainsi des vecteurs du paludisme et de la fièvre jaune, tandis que les phlébotomes sont vecteurs des leishmanioses. Il est aussi des maladies pour lesquelles le vecteur est un mammifère : rat pour la leptospirose, chien pour la rage, etc.
2. Molécule d'A.D.N. susceptible de recevoir un fragment d'A.D.N. étranger, dont elle facilite l'introduction, la multiplication et/ou l'expression dans une cellule.

Vectocardiographie

Technique électrocardiographique permettant d'étudier l'orientation et la progression de l'activité électrique cardiaque.

INDICATIONS

La vectocardiographie sert à analyser de manière beaucoup plus précise qu'avec une électrocardiographie standard différentes anomalies cardiaques : hypertrophie d'une oreillette ou d'un ventricule, signes d'insuffisance cardiaque, troubles de la conduction intraventriculaire, infarctus du myocarde, myocardiopathies, anomalies de l'excitation ventriculaire (syndrome de Wolff-Parkinson-White). Depuis l'apparition de l'échocardiographie, cet examen est moins pratiqué.

DÉROULEMENT

L'examen se déroule en cabinet médical ou à l'hôpital sans nécessiter d'hospitalisation. Des électrodes réceptrices, en général 8, sont posées sur la peau du thorax et reliées à un appareil équipé d'un support informatique et d'un écran. Ces électrodes permettent d'enregistrer des différences de tension électrique dans 3 plans perpendiculaires (horizontal, sagittal et frontal), représentant la direction, le sens et l'intensité des phénomènes électriques, et de dessiner une courbe dans chacun des plans. Les 3 courbes forment une boucle dans l'espace, représentée sur papier et dont la forme et les dimensions donnent les renseignements recherchés : c'est le vectocardiogramme.

Végétalisme

Régime alimentaire excluant tout aliment d'origine animale.

Le végétalisme, à la différence du végétarisme, exclut non seulement toutes les viandes mais également tous les produits d'origine animale (œufs, lait, miel, etc.). Sous-tendu par des principes philosophiques, religieux ou hygiéniques, ce régime très restrictif provoque des carences, notamment en protéines ; en effet, les protéines végétales sont déficitaires en certains acides aminés indispensables (que l'organisme ne sait pas synthétiser et qui doivent lui être fournis par l'alimentation) et ne peuvent donc pas couvrir la totalité des besoins. Une autre carence importante concerne les minéraux tels que le fer (dont les sources essentielles sont la viande, le poisson et les œufs), le zinc (que l'on trouve essentiellement dans la viande) et certaines vitamines, en particulier la vitamine B12 (contenue exclusivement dans les produits animaux : viande, poisson, œufs, lait et produits laitiers). De surcroît, la très grande richesse de ce régime en fibres alimentaires aggrave ces déséquilibres en inhibant l'absorption intestinale des minéraux.

Le végétalisme est donc à déconseiller en toutes circonstances et, tout particulièrement, au cours de la croissance, de la grossesse, de l'allaitement ainsi que chez les personnes âgées, les malades et les convalescents.

Végétarisme

Régime alimentaire excluant toute chair animale (viande, poisson), mais qui admet en général la consommation d'aliments d'origine animale comme les œufs, le lait et les produits laitiers (fromage, yaourts).

L'équilibre alimentaire peut être obtenu en variant l'alimentation et surtout en assurant des apports en protéines quantitativement et qualitativement satisfaisants. En effet, les protéines végétales manquent toujours d'un ou de plusieurs acides aminés indispensables (que l'organisme ne sait pas synthétiser et qui doivent donc lui être fournis par l'alimentation) ; un équilibre peut cependant être obtenu grâce au principe de la complémentation protéique, qui consiste à associer des protéines végétales dont les acides aminés essentiels manquants sont différents (association céréales-légumineuses, en particulier) ; la protéine « mixte » résultant de cette association a une valeur nutritionnelle qui tend à se rapprocher de celle des protéines animales. L'ajout, même en petite quantité, de protéines animales permet également d'améliorer la valeur nutritionnelle de ces protéines végétales (association lait-céréales, par exemple). Le principal risque de carence lié au végétarisme concerne le fer, surtout chez les adolescents et les femmes enceintes, dont les besoins sont particulièrement élevés. Une supplémentation médicamenteuse en fer est alors souvent conseillée.

Végétation

Fine excroissance pathologique, plus ou moins longue, localisée sur la peau, sur une muqueuse ou dans un organe.

On donne le nom de végétations à des structures pathologiques de natures diverses, uniquement d'après leur aspect. Parfois, des végétations se groupent entre elles pour former une lésion unique à surface mamelonnée, dite en chou-fleur.

DIFFÉRENTS TYPES DE VÉGÉTATIONS

■ Les végétations adénoïdes, communément appelées « végétations », correspondent à une hypertrophie chronique des amygdales pharyngées situées en haut de la paroi postérieure du rhinopharynx, en arrière des fosses nasales, dont l'examen endoscopique permet de confirmer le diagnostic et éventuellement de préciser l'existence d'une inflammation. Elles s'observent en général chez l'enfant et sont souvent responsables de rhinopharyngites, d'otites séreuses et d'otites moyennes aiguës. Lorsque celles-ci se répètent malgré un traitement médical bien suivi, leur ablation chirurgicale y met le plus souvent fin.

■ Les végétations cutanées peuvent apparaître en différents endroits du corps. Ces lésions, rares de nos jours, sont d'origine toxique (toxidermie) ou infectieuse (pyodermite végétante, voire tuberculose), plus rarement d'origine mycosique.

■ Les végétations valvulaires apparaissent au cours des endocardites infectieuses (infections de l'endocarde [paroi interne du cœur] par une bactérie). De volume variable, elles risquent d'abîmer les valvules cardiaques ou de gêner leur fonctionnement en provoquant une obstruction ou de s'effriter et d'entraîner une embolie et d'autres foyers infectieux dans un territoire vasculaire. Leur diagnostic repose sur l'échographie cardiaque. Leur traitement consiste en l'administration d'antibiotiques par voie intraveineuse, en général pendant au moins un mois, en milieu hospitalier. Si ces végétations sont à l'origine de lésions valvulaires importantes (perforation des valves) risquant d'entraîner une défaillance cardiaque aiguë, on peut être amené à remplacer en urgence les valvules par une prothèse valvulaire.

■ Les végétations vénériennes, ou condylomes génitaux, communément appelées crêtes-de-coq, siègent sur les organes génitaux ou autour de l'anus. D'origine virale et contagieuses, elles se transmettent par simple contact au cours des rapports sexuels.

→ VOIR Adénoïdes (végétations), Condylome génital.

Végétations (opération des)

→ VOIR Adénoïdectomie.

Veine

Vaisseau sanguin ayant pour fonction de ramener le sang vers le cœur. (P.N.A. *vena*)

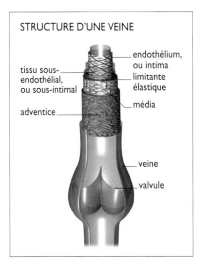

STRUCTURE D'UNE VEINE

endothélium, ou intima
tissu sous-endothélial, ou sous-intimal
limitante élastique
média
adventice
veine
valvule

STRUCTURE

Les veines ont, comme les artères, une paroi faite de trois tuniques (endothélium, média et adventice) ; celle-ci est moins épaisse que celle des artères, les pressions régnant dans le système veineux étant très inférieures à celles qui existent dans le système artériel.

DIFFÉRENTS TYPES DE VEINE

■ Les veines de la petite circulation sont les 4 veines pulmonaires, qui ramènent le sang « rouge », riche en oxygène, des poumons vers l'oreillette gauche.

■ Les veines de la grande circulation ramènent le sang « bleu », pauvre en oxygène, des autres organes jusqu'au cœur. Les principales, vers lesquelles convergent toutes les autres, sont les deux veines caves : la veine cave inférieure pour la moitié inférieure du corps et la veine cave supérieure pour sa moitié supérieure, qui aboutissent dans l'oreillette droite. Les veines du système porte hépatique drainent le sang d'origine digestive vers la veine porte, qui se ramifie dans le foie et y amène les nutriments.

PATHOLOGIE

Les veines, particulièrement les veines profondes du membre inférieur, peuvent être le siège d'une thrombose (formation d'un caillot), en général associée à une phlébite (inflammation d'une veine). Les veines superficielles du membre inférieur peuvent être dilatées par des varices.

Veinotonique

Médicament utilisé dans le traitement des troubles veineux. SYN. *phlébotonique*.

Les veinotoniques appartiennent pour la plupart à la famille des flavonoïdes : anthocyanosides, citroflavonoïdes, diosmine, flavonoïdes proprement dits, rutosides, troxérutine. Ils agiraient en augmentant la tonicité des parois veineuses, mais leur efficacité n'est pas toujours scientifiquement démontrée.

Leurs indications sont l'insuffisance veineuse des membres inférieurs (jambes lourdes, fourmillements, crampes, œdème, varices), la fragilité capillaire (ecchymoses,

---

VÉGÉTATIONS ADÉNOÏDES

Les végétations adénoïdes, hypertrophie du tissu qui constitue l'amygdale pharyngée, sont fréquentes chez l'enfant. Elles ne nécessitent aucun traitement, sauf lorsqu'elles sont le siège d'une infection responsable de rhumes, d'otites, de rhinopharyngites à répétition.

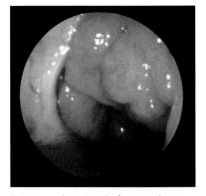

L'examen endoscopique des fosses nasales montre des végétations adénoïdes hypertrophiées (masse rose boursouflée).

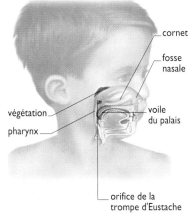

cornet
fosse nasale
végétation
voile du palais
pharynx
orifice de la trompe d'Eustache

saignements des gencives ou du nez), les hémorroïdes. Ils sont prescrits par voie orale ou parfois en applications cutanées, leur efficacité étant alors plus faible. Les veinotoniques n'ont, pour ainsi dire, pas d'effets indésirables, si ce n'est quelques troubles digestifs ou de rares allergies cutanées.

Vélocimétrie

Mesure de la vitesse du sang dans le cœur ou dans les vaisseaux.

La vélocimétrie repose sur un phénomène physique, l'effet Doppler, qui permet de calculer la vitesse d'écoulement d'un fluide en analysant la variation de fréquence enregistrée entre un faisceau d'ultrasons émis par une sonde et ce même faisceau réfléchi, dans le cas du sang, par les globules en mouvement et recueilli par la même sonde. La différence de fréquence entre les 2 faisceaux est proportionnelle à la vitesse du sang. Appliquée aux vaisseaux, la vélocimétrie sert à étudier la circulation destinée au cerveau, aux membres supérieurs ou inférieurs. Appliquée au cœur, elle donne des renseignements sur l'écoulement du sang entre les différentes cavités cardiaques et sur les pressions qui y règnent.

→ VOIR Doppler (examen), Écho-Doppler vasculaire.

Velpeau (Alfred)

Chirurgien français (Parçay, Indre-et-Loire, 1795 - Paris 1867).

Il enseigna l'anatomie, la pathologie chirurgicale et la médecine opératoire. Parmi les nombreux ouvrages qu'il écrivit figurent un *Traité d'anatomie chirurgicale* (1823) et un *Traité des maladies du sein* (1854). Une bande de contention en crêpe porte son nom.

V.E.M.S.

→ VOIR Volume expiratoire maximal seconde.

Vénéréologie

Partie de la médecine qui étudie et traite les maladies vénériennes, aujourd'hui dénommées maladies sexuellement transmissibles.

La vénéréologie est souvent pratiquée par un dermatologue (dermatovénéréologue).

Vénérien

Relatif aux rapports sexuels.

Ainsi, une maladie vénérienne est une maladie sexuellement transmissible.

Venin

Substance toxique, généralement liquide, fabriquée par certains organismes.

Les organismes qui injectent leur venin par piqûre ou par morsure sont dits venimeux. Ce sont principalement des animaux, mais il y a aussi des plantes venimeuses, telles les orties. Les animaux (crapauds) et les plantes (belladone, ciguë) qui n'injectent pas leur venin sont dits vénéneux, tout comme les champignons.

DIFFÉRENTS TYPES D'ANIMAL VENIMEUX

Les animaux venimeux sont très divers. Les plus courants sont des insectes (abeilles,

---

Piqûres de vipères : précautions et premiers soins

Une vipère européenne peut se reconnaître à sa pupille fendue, à son cou surmonté d'une tête triangulaire, à la présence de plusieurs écailles qui forment un dessin en forme de V entre l'œil et la bouche. Lors d'un séjour ou d'une promenade dans une région à risque, il est recommandé de prendre quelques précautions : porter un pantalon et des chaussures montantes, marcher bruyamment afin d'effrayer les serpents, éviter de marcher dans des zones broussailleuses, déplacer les obstacles (gros cailloux et morceaux de bois) à l'aide d'un long bâton, ne pas s'allonger sur le sol, éviter la proximité des tas d'ordures, qui attirent rongeurs et serpents. En cas de piqûre, il faut réagir rapidement :
– allonger la victime ;
– immobiliser le membre atteint, qui ne doit pas être surélevé ;
– appliquer si possible de la glace sur la piqûre afin de retarder la diffusion du venin ;
– appliquer une compresse stérile ou un linge propre sur la blessure ;
– poser un pansement légèrement compressif sur la plaie afin de limiter la diffusion du venin ;
– avertir rapidement des services de secours, qui procéderont à l'évacuation de la victime.

Il faut s'abstenir de poser un garrot au-dessus de la plaie, de donner à boire à la victime, d'inciser la plaie et de la sucer.

---

guêpes, fourmis, frelons, taons, moustiques, puces), des arachnides (scorpions, araignées), des myriapodes (mille-pattes), des poissons (raies, vives, rascasses) ou des serpents (vipères, serpents à sonnette, cobras, serpents corail, etc.).

DANGERS DES VENINS

Les dangers présentés par les venins sont, eux aussi, très variables, et les risques encourus également, certains animaux, par exemple, étant peureux, timides ou peu agressifs (guêpes, abeilles, certains serpents). Certains venins sont très peu toxiques (orties, moustiques, puces, taons, fourmis) ; d'autres le sont extrêmement (cobras, serpents corail). Toutefois, un venin réputé peu toxique peut être très dangereux s'il entraîne un œdème des voies respiratoires (risque de mort par asphyxie) ou une réaction allergique généralisée (choc anaphylactique). Ces deux risques existent principalement dans les cas de piqûre - surtout de piqûres multiples - d'hyménoptères (abeilles, guêpes ou frelons). L'action destructrice des venins peut s'exercer sur le sang (hémolyse, ou destruction des globules rouges), sur le système nerveux (présence de neurotoxines responsables de neurolyse) et/ou sur le foie (cytolyse hépatique).

TRAITEMENT ET PRÉVENTION

Le traitement des accidents dus aux venins comporte des soins immédiats, destinés à diminuer la diffusion de la substance toxique et à calmer la démangeaison ou la douleur (aspiration du venin à l'aide d'une petite pompe vendue en pharmacie, application d'eau froide, de glaçons, de pommade calmante). Éventuellement, dans un second temps, l'administration d'antihistaminiques et d'adrénaline, destinée à combattre l'effet allergique du venin, et l'injection de sérums antitoxiques spécifiques peuvent être utiles. Une injection de sérum antitétanique et la prise d'antibiotiques (contre les surinfections) peuvent être associées. Enfin, dans les cas graves, l'hospitalisation d'urgence et les manœuvres de réanimation sont nécessaires.

La prévention des désordres et des accidents dus aux venins consiste à éviter le plus possible les plantes ou les animaux venimeux et à observer la plus grande prudence quand on ne peut s'y soustraire (protection vestimentaire, utilisation de répulsifs, désensibilisation en cas d'allergie constatée). Les personnes qui se savent allergiques aux piqûres d'abeilles, par exemple, peuvent constamment avoir sur elles, en été, une dose d'adrénaline et d'antihistaminiques.

UTILISATION THÉRAPEUTIQUE

À doses contrôlées, certains venins sont employés en thérapeutique. C'est le cas, par exemple, du venin d'abeille, utilisé dans le traitement des rhumatismes, ou du venin de cobra, qui peut intervenir dans le traitement des cancers.

→ VOIR Piqûre.

Ventilation artificielle

Technique permettant de suppléer - d'une manière partielle (ventilation assistée) ou totale (ventilation contrôlée), temporaire ou prolongée - à une ventilation (ensemble des phénomènes mécaniques qui concourent à la respiration) défaillante.

La ventilation artificielle moderne, apparue dans les années 1950, fut d'abord destinée au traitement de maladies neuromusculaires comme la poliomyélite.

INDICATIONS

Cette technique, qui permet d'amener à l'organisme l'oxygène dont il a besoin et d'en évacuer le gaz carbonique, est indiquée dans le traitement de toutes les insuffisances respiratoires, aiguës ou chroniques.

DIFFÉRENTS TYPES DE VENTILATION ARTIFICIELLE

■ Le bouche-à-bouche est une technique de secourisme utilisée dans les situations d'extrême urgence.

■ Les ballons auto-expansifs sont indiqués pour une ventilation de courte durée (transport en ambulance). Munis de valves directionnelles, ils sont actionnés par des pressions régulières de la main du sauveteur ou de l'équipe médicale. L'air insufflé est parfois enrichi en oxygène. On peut appliquer un masque sur le visage du sujet pour limiter les fuites ou pratiquer une intubation trachéale (introduction dans la trachée d'un tube muni, à l'une de ses extrémités, d'un ballonnet gonflable) afin de supprimer celles-ci et d'éviter également toute régurgitation de liquide gastrique dans les poumons.

■ Les respirateurs sont employés en cas de ventilation artificielle prolongée : coma, paralysie des muscles respiratoires, détresse respiratoire postopératoire, épisode aigu survenant chez un sujet atteint d'insuffisance respiratoire chronique décompensée, infection aiguë grave (septicémie). Ces appareils, de plus en plus complexes, insufflent dans les poumons de l'air enrichi en oxygène et peuvent en outre restaurer le volume des poumons et réduire le travail respiratoire tout en laissant au patient la capacité de commander la profondeur et le rythme de sa ventilation. Ils contrôlent aussi des paramètres qui renseignent sur l'état des poumons et la capacité prochaine du patient à respirer de nouveau par lui-même. Il est possible, quand on en si mauvais état (œdème, fibrose) qu'une ventilation normale pourrait être nuisible (en causant un barotraumatisme), de sous-ventiler le patient tout en lui assurant un apport d'oxygène suffisant.

■ Le poumon artificiel extracorporel, ou poumon à membrane, est employé pour assurer les échanges respiratoires d'un sujet pendant quelques jours ou quelques semaines. Cette technique très lourde, qui nécessite en permanence la présence d'un médecin et de plusieurs infirmières, est employée à titre exceptionnel. À l'instar de l'hémodialyse, elle consiste à faire circuler le sang du sujet dans un circuit extracorporel mû par une pompe : ponctionné dans une veine ou une artère, le sang circule au contact d'une membrane perméable aux gaz dissous qu'il contient (oxygène, gaz carbonique). L'autre face de cette membrane est balayée par un courant d'oxygène ; une fois enrichi en oxygène et appauvri en gaz carbonique, le sang est réinjecté au sujet.

■ L'oxygénation intraveineuse est, comme le poumon artificiel, employée chez des malades pour lesquels une ventilation par respirateur n'est plus assez efficace ou serait trop dangereuse en raison des pressions nécessaires. Elle consiste à introduire dans un vaisseau (le plus souvent, la veine cave inférieure) un faisceau de fibres creuses, dans lesquelles on injecte de l'oxygène de façon que le sang puisse s'oxygéner à leur contact.

■ La stimulation alternée des nerfs phréniques permet d'assurer quelques heures par jour une ventilation apparemment spontanée chez des patients totalement paralysés à la suite d'une lésion de la moelle épinière cervicale. Elle consiste à stimuler l'un après l'autre les deux nerfs phréniques - qui assurent la contraction du diaphragme - par radiofréquence à l'aide d'un courant d'induction créé entre deux bobines, l'une montée sur un cylindre entourant le nerf, l'autre située à l'extérieur du corps du sujet.

■ Le masque nasal, moulé sur le nez du malade, permet d'assurer à domicile une ventilation nocturne à des patients atteints de maladies touchant les muscles respiratoires ou d'apnées du sommeil (arrêts respiratoires répétés pendant le sommeil).

Ventilation assistée
→ VOIR Ventilation artificielle.

Ventouse
Petite cloche de verre à large ouverture que l'on applique sur la peau après y avoir raréfié l'air en faisant brûler un morceau de coton imbibé d'alcool.

Les ventouses sont toujours posées sur le thorax ou sur le dos du malade, qui est assis ou couché sur le côté. Deux techniques peuvent être employées.

■ Les ventouses sèches, employées en cas de fièvre associée à une atteinte bronchique, provoquent un afflux local de sang et permettent une décongestion locale. On les laisse en place entre 10 et 15 minutes. Pour les enlever, il suffit de faire pénétrer de l'air à l'intérieur en appuyant sur la peau avec le doigt au bord de la ventouse. Une rougeur persiste pendant environ une heure.

■ Les ventouses scarifiées sont employées lorsque l'atteinte bronchique est plus importante. Elles sont posées sur la peau, qui a été préalablement désinfectée puis incisée avec une lancette afin de permettre un écoulement de sang. On retire entre 10 et 25 millilitres de sang par ventouse. Puis les scarifications sont désinfectées et recouvertes d'un pansement sec ; chacune d'elles laisse une fine cicatrice.

Les ventouses, qui nécessitent une prescription médicale, sont aujourd'hui peu utilisées.

Ventouse obstétricale
Cupule en métal ou en plastique destinée à faciliter l'extraction de l'enfant en cas d'accouchement difficile.

D'un diamètre de 4 à 6 centimètres, la ventouse obstétricale est placée sur le sommet de la voûte crânienne de l'enfant. Elle est munie à son sommet d'un fil ou d'une chaînette, qui permet une meilleure rotation de la tête dans la filière génitale. On y a recours lorsque l'enfant se présente par la tête. Cette technique est cependant contre-indiquée lorsque celui-ci se présente par la face ou par le front et en cas d'accouchement prématuré.

Ce procédé exige plus de temps que l'extraction au forceps, mais les tissus maternels risquent moins d'être déchirés. Sa complication la plus fréquente est le céphalhématome (hématome bénin de la voûte crânienne), en regard de la zone où la ventouse a été posée ; celui-ci, néanmoins, est le plus souvent modéré et se résorbe spontanément en 2 ou 3 semaines.

Ventral
Qualifie la partie antérieure du corps, par opposition à la partie postérieure, ou dorsale.

On oppose, par exemple, le décubitus dorsal, position dans laquelle le sujet est couché sur le dos, au décubitus ventral, dans lequel il se trouve allongé sur le ventre.

Ventre de bois
Contracture permanente, irréductible et douloureuse de la paroi abdominale.

Ce symptôme est caractéristique de la péritonite généralisée, quelle que soit l'origine de celle-ci (appendicite, perforation d'ulcère, perforation colique, etc.). D'une valeur diagnostique capitale, il ne doit pas être atténué ni dissipé par l'administration d'analgésiques ou d'antibiotiques et impose une intervention chirurgicale d'urgence.

Ventricule
Cavité de l'organisme en général située à l'intérieur d'un organe et remplie de liquide. (P.N.A. *ventriculus*)

Les ventricules les plus importants sont les ventricules cardiaques (dans le cœur) et cérébraux (dans le cerveau). Il existe également des ventricules, dits de Morgagni, situés de part et d'autre du larynx, et longés par les cordes vocales.

Ventricule cardiaque
Chacune des deux cavités internes du cœur, l'une à droite, l'autre à gauche, séparées l'une de l'autre par une cloison, le septum interventriculaire, et situées en avant des oreillettes avec lesquelles elles communiquent par les orifices auriculoventriculaires. (P.N.A. *ventriculus cordis*)

Chaque ventricule reçoit le sang de l'oreillette correspondante et le projette à chaque systole vers une artère : l'aorte pour le ventricule gauche, l'artère pulmonaire pour le ventricule droit.

PHYSIOLOGIE
Les deux ventricules cardiaques assurent une fonction de pompe : ils sont chargés d'éjecter à chaque systole (période de contraction du cœur) leur contenu sanguin dans leur circulation respective.

■ Le ventricule droit, de forme triangulaire, reçoit le sang désoxygéné provenant de l'oreillette droite, puis l'éjecte pendant la systole dans l'artère pulmonaire, vers les poumons (petite circulation).

■ Le ventricule gauche, plus grand que le droit et à la paroi plus épaisse, a une forme ovale. Il reçoit de l'oreillette gauche le sang riche en oxygène puis l'éjecte dans l'aorte,

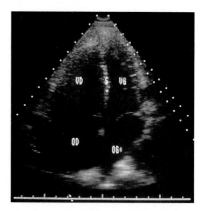

Ventricule cardiaque. L'échographie cardiaque montre les deux ventricules (en haut), séparés par une cloison, et les deux oreillettes (en bas).

qui se ramifie dans tous les organes non pulmonaires (grande circulation).

PATHOLOGIE

Lorsque la fonction de pompe d'un ventricule est altérée, on parle d'insuffisance ventriculaire droite, gauche, ou d'insuffisance cardiaque globale, selon le cas.

■ Une insuffisance ventriculaire droite peut résulter d'une embolie pulmonaire, d'une hypertension artérielle pulmonaire ou d'une insuffisance respiratoire chronique.

■ Une insuffisance ventriculaire gauche peut être consécutive à un infarctus du myocarde, à une valvulopathie mitrale, à une hypertension artérielle ou à une myocardiopathie.

Ventricule cérébral

Cavité de l'encéphale, emplie de liquide céphalorachidien. (P.N.A. *ventriculus cerebri*)

STRUCTURE

Les ventricules cérébraux sont numérotés de un à quatre, mais le premier et le deuxième sont volontiers appelés ventricules latéraux.

■ Chaque ventricule latéral est creusé dans la profondeur de chacun des deux hémisphères cérébraux. Ayant grossièrement la forme d'un fer à cheval, les ventricules comprennent une branche supérieure, dénommée corne frontale, localisée dans le lobe frontal de l'hémisphère ; une branche inférieure, appelée corne temporale, située dans le lobe temporal ; la partie postérieure du fer à cheval, réunissant les branches inférieure et supérieure, est dénommée carrefour. Une petite excroissance postérieure, communiquant avec le carrefour et située dans le lobe occipital, est appelée corne occipitale.

■ Le troisième ventricule est situé sur la ligne médiane de l'encéphale, dans le diencéphale (partie centrale du cerveau, entre les deux hémisphères). Il communique de chaque côté avec un ventricule latéral par un orifice, le trou de Monro.

■ Le quatrième ventricule se trouve sous le troisième ventricule, entre le cervelet, en arrière, et le tronc cérébral, en avant. Il communique avec le troisième ventricule par un fin canal, l'aqueduc de Sylvius, et avec les espaces liquidiens situés à la surface de l'encéphale, sous les méninges, par trois orifices : le trou de Magendie et les deux trous de Luschka. Vers le bas, le quatrième ventricule se prolonge par le canal de l'épendyme, au centre de la moelle épinière.

PHYSIOLOGIE

Le liquide céphalorachidien est sécrété par les plexus choroïdes localisés dans la paroi des ventricules. Il s'écoule de haut en bas, des ventricules latéraux vers le troisième puis le quatrième ventricule et, enfin, dans les méninges, où il est résorbé et éliminé.

EXAMENS ET PATHOLOGIE

Les ventricules cérébraux sont explorés par scanner et imagerie par résonance magnétique (I.R.M.). Leur pathologie est celle du liquide céphalorachidien : hydrocéphalie, hypertension intracrânienne. Les ventricules cérébraux peuvent également augmenter de volume en cas d'atrophie cérébrale.

Ventriculographie

1. Ancienne technique d'exploration radiographique des ventricules cérébraux.

La ventriculographie consistait à réaliser des clichés radiographiques des ventricules après introduction d'un produit de contraste (air ou substance iodée opaque aux rayons X) dans le système ventriculaire. Cette technique, qui nécessitait une trépanation (ouverture de la boîte crânienne) et une ponction du liquide ventriculaire, est à présent abandonnée au profit du scanner et de l'imagerie par résonance magnétique (I.R.M.).

2. Exploration des ventricules cardiaques au moyen de techniques d'imagerie médicale.

Cette exploration, qui concerne surtout le ventricule gauche, utilise deux techniques.

■ L'angiocardiographie, pratiquée lors d'une coronarographie, dans un deuxième temps et avec la même sonde, est réalisée grâce à l'injection d'un produit de contraste iodé opaque aux rayons X.

■ La ventriculographie isotopique recourt à l'injection dans la circulation d'un isotope tel que le technétium 99, les images étant obtenues à l'aide d'une gamma-caméra.

Dans les deux cas, des clichés sont pris lors de la systole (contraction) et de la diastole (relaxation) ventriculaires. La comparaison des images obtenues à ces deux moments permet d'évaluer les dimensions et les performances du ventricule en calculant, en particulier, par soustraction d'images, la fraction d'éjection ventriculaire (pourcentage du volume sanguin éjecté par le cœur à chaque contraction).

Ventriculographie isotopique

Étude scintigraphique de l'efficacité et de la qualité de la contraction des ventricules cardiaques.

INDICATIONS ET CONTRE-INDICATIONS

La ventriculographie isotopique renseigne sur le degré d'altération (globale ou segmentaire) de la pompe cardiaque, en particulier en cas d'insuffisance coronarienne (pour rechercher le territoire du muscle cardiaque qui a perdu sa capacité à se contracter, par exemple après un infarctus du myocarde). Du fait de sa grande précision, de son excellente reproductibilité et de son innocuité, la ventriculographie isotopique est un outil idéal pour anticiper l'apparition d'une insuffisance cardiaque chez un patient atteint d'une valvulopathie (atteinte d'une valvule cardiaque) ou d'une myocardiopathie (altération globale du muscle cardiaque) ou encore pour tester l'efficacité de certains médicaments (inhibiteurs calciques, vasodilatateurs).

Cet examen est contre-indiqué chez la femme enceinte. Si la patiente allaite, l'allaitement doit être interrompu après l'examen, pendant 24 heures.

TECHNIQUE ET DÉROULEMENT

Pratiqué dans les services de médecine nucléaire, l'examen dure de une heure à une heure et demie. Le plus souvent réalisé au repos, mais parfois aussi pendant un effort ou après absorption d'un médicament (cardiotonique, par exemple), il débute par l'injection dans le sang du sujet d'un traceur (sérum-albumine ou globules rouges) marqué au technétium. Puis, le sujet étant devant la gammacaméra, généralement en position couchée, on enregistre au cours du cycle cardiaque la variation de la radioactivité des ventricules.

Cet enregistrement, couplé à un enregistrement électro-cardiographique, permet de calculer la fraction d'éjection, c'est-à-dire le pourcentage du volume sanguin éjecté par le cœur à chaque contraction (systole). La réalisation d'images aux différents temps de contraction et de relaxation des ventricules (systole, diastole) permet d'analyser globalement et localement le degré de contraction et de remplissage de chacun des ventricules.

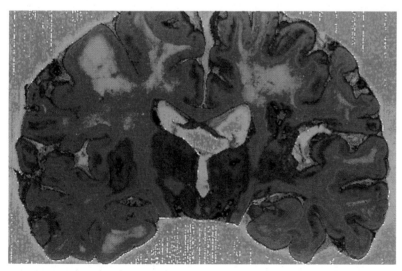

Ventricule cérébral. *Sur ce cliché de scanner frontal du cerveau, on distingue (en vert) les 2 ventricules latéraux, qui se réunissent dans le 3ᵉ ventricule, central.*

Ils se présentent sous la forme de clichés et d'un compte rendu écrit.

Verge

→ VOIR Pénis.

Vergeture

Strie fuselée, parfois onduleuse, pouvant siéger sur diverses parties du corps.

Les vergetures, dues à une altération des fibres élastiques du derme, sont de grandes stries parallèles et symétriques situées surtout sur l'abdomen, les flancs, les cuisses, les seins et les fesses, plus rarement sous les aisselles et dans la région lombaire. Rouge violacé au début, elles deviennent ensuite blanc nacré. Elles persistent indéfiniment.

Les vergetures apparaissent parfois dès la puberté : c'est le cas chez environ 10 % des adolescentes ; elles sont alors liées à la fois à un certain degré d'obésité et à une légère augmentation du taux de cortisol sanguin. Elles sont souvent présentes au cours du syndrome de Cushing, marqué par un hypercorticisme (hypersécrétion des glandes surrénales) ; elles peuvent également apparaître au cours d'un traitement par les corticostéroïdes et lors des séquelles de maladies infectieuses comme la typhoïde. Durant la grossesse, elles se développent entre le 4e et le 6e mois chez 75 % des femmes, souvent dès la première grossesse, et prédominent sur l'abdomen en raison de la distension de la peau. Elles s'observent aussi chez les personnes obèses et peuvent marquer le bas du dos chez certains sportifs, en particulier les haltérophiles.

TRAITEMENT
Il n'existe pas de traitement curatif. L'effet des divers traitements préventifs (massages avec des dérivés d'extraits placentaires ou des dérivés du silicium, des crèmes au collagène ou à l'élastine) est très limité. La seule prévention consiste à traiter l'obésité et l'hypercorticisme et à limiter la prise de poids au cours de la grossesse.

Verner-Morrison (syndrome de)

Affection caractérisée par une diarrhée liquidienne importante pouvant dépasser 5 litres par jour. SYN. *choléra pancréatique.*

Le syndrome de Verner-Morrison, rare, s'observe en présence d'une tumeur endocrine pancréatique qui sécrète une hormone, le polypeptide vaso-intestinal, dont l'excès induit des troubles de la réabsorption de l'eau et des électrolytes dans l'intestin grêle et le côlon. Le diagnostic est confirmé par échographie et scanner abdominal. Le traitement consiste à enlever chirurgicalement la tumeur. Si c'est impossible, l'embolisation (obstruction des vaisseaux irriguant la tumeur), la chimiothérapie anticancéreuse et l'administration de substances bloquant la sécrétion de l'hormone en cause (somatostatine et dérivés) peuvent être utilisées.

Verneuil (maladie de)

Forme chronique d'hidrosadénite.
→ VOIR Hidrosadénite.

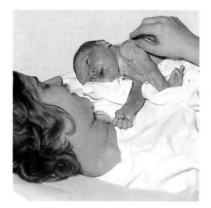

Vernix caseosa. *Cette pellicule grisâtre, composée de sécrétions et de cellules mortes, recouvre par endroits la peau de l'enfant à la naissance.*

Vernix caseosa

Substance d'un blanc grisâtre, de consistance graisseuse, qui recouvre en couches plus ou moins épaisses la peau du nouveau-né.

Le vernix caseosa, formé de sécrétions sébacées et de cellules cutanées desquamées, est très adhérent à la peau. Il se forme au cours du huitième mois de grossesse et subsiste surtout dans les plis à la naissance. Il protège la peau du fœtus du contact avec le liquide amniotique. Une coloration jaune foncé de cet « enduit » peut indiquer une souffrance fœtale, surtout dans les cas de dépassement du terme. La toilette du nouveau-né permet d'éliminer sans difficulté cette substance.

Vérole

→ VOIR Syphilis.

Verotoxine

Toxine microbienne caractérisée par son pouvoir cytotoxique (capacité à agresser certaines cellules) sur les cellules Vero (cellules de rein de singe servant à la culture in vitro de nombreux virus) en culture.

La verotoxine est produite par des bactéries de différentes espèces, parmi lesquelles le colibacille, ou *Escherichia coli, Vibrio choleræ, Salmonella typhi* et *Salmonella typhi murium.* Elle est très proche de la toxine des shigelles. Sa diffusion par le colibacille est responsable du syndrome hémolytique et urémique (maladie de Moschcowitz) et/ou de la colite hémorragique.

Verre ionomère

Matériau utilisé en odontologie pour obturer une cavité dentaire.

Le verre ionomère est obtenu à partir d'une poudre composée de particules de verre et de quartz mélangée à un liquide acide. Il a la propriété d'adhérer à l'émail ainsi qu'à la dentine et présente en outre l'avantage de libérer des ions fluor, ce qui lui confère des qualités anticariogènes.

Bien que ses qualités esthétiques ne valent pas celles des composites, le verre ionomère est très utilisé pour l'obturation des lésions

situées au collet des dents. Ses propriétés mécaniques insuffisantes ne permettent pas de l'utiliser pour la restauration des faces travaillantes des dents postérieures.

Verre à trois miroirs

Petit instrument contenant un verre utilisé pour l'examen du fond d'œil.

Après avoir instillé dans l'œil du patient une ou deux gouttes de collyre anesthésique, le médecin pose directement sur la cornée le verre à trois miroirs, qu'il fait tourner doucement pour observer toutes les parties de la rétine. L'examen, indolore, dure environ 3 minutes. Il donne des résultats plus précis et plus complets que l'examen du fond d'œil à l'ophtalmoscope.

Verrucide

Médicament destiné à faire disparaître les verrues.

Les verrucides font partie des kératolytiques, substances capables de détruire la kératine cutanée, qui se trouve en excès dans les verrues. On emploie souvent, en applications cutanées, l'acide salicylique (vaseline salicylée), éventuellement associé à l'acide lactique (solution de collodion élastique). Parmi les autres substances couramment utilisées, on trouve la trétinoïne (dérivé de la vitamine A).

Les verrues plantaires peuvent nécessiter une macération et un ramollissement plus marqués : un pansement contenant la substance active est alors laissé en place plusieurs jours avant que les débris de la verrue ne puissent être retirés.

Les verrucides doivent être utilisés en respectant soigneusement les modes d'emploi en raison du risque de forte irritation locale qu'ils comportent.

Verrucosité

Excroissance cutanée grisâtre, de consistance ferme et cornée.

Les verrues vulgaires, les verrues séborrhéiques et les kératoses séniles (lésions précancéreuses) sont des verrucosités.

Verrue

Petite tumeur cutanée bénigne due à un virus du type papillomavirus.
DIFFÉRENTS TYPES DE VERRUE
Extrêmement fréquentes, les verrues peuvent prendre de multiples formes.

■ **Les condylomes génitaux, ou végétations vénériennes,** plus communément appelés crêtes-de-coq, constituent une variété de verrue.

■ **Les verrues planes** sont surtout fréquentes chez les enfants, les adolescents et les sujets immunodéprimés. Ce sont de petites grosseurs, à peine saillantes, à surface relativement lisse, de couleur rosée. Parfois disposées linéairement, elles touchent surtout le visage, le dos des mains, les bras, les genoux et la face antérieure des jambes. Elles persistent pendant plusieurs mois, voire plusieurs années, et peuvent disparaître spontanément après s'être entourées d'un halo inflammatoire prurigineux.

Les verrues sont liées à une prolifération cellulaire due à un virus du type papillomavirus. Elles apparaissent souvent en série, par autocontagion, puis disparaissent spontanément au bout de quelques années. Leur aspect varie selon leur localisation. On désigne abusivement sous l'expression de « verrue séborrhéique » de petites élevures cornées brunâtres, d'origine non virale, qui apparaissent en général sur le thorax et la face chez des sujets de plus de cinquante ans.

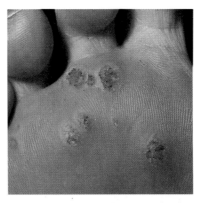

La verrue plantaire est une lésion arrondie et bien délimitée, qui ressemble souvent à un durillon.

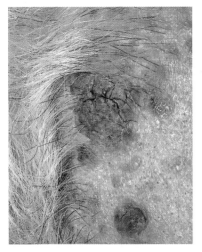

La verrue séborrhéique, de forme arrondie ou ovale, a ici une surface rugueuse et irrégulière.

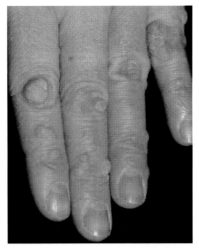

Les verrues vulgaires sont des élevures grisâtres qui apparaissent en général sur le dos de la main.

■ **Les verrues plantaires** peuvent prendre deux formes. La forme habituelle, ou myrmécie, est un peu saillante, arrondie, à bord hyperkératosique (épais, dur, sec), douloureuse à la pression ; elle ressemble approximativement à un durillon et a plutôt tendance à croître en profondeur. La seconde forme comprend des petits éléments hyperkératosiques groupés en mosaïque et indolores.

■ **Les verrues séborrhéiques**, bien que leur nom soit consacré par l'usage, ne sont pas d'origine virale. Très fréquentes, elles atteignent en général des sujets de plus de 50 ans. Souvent multiples, elles siègent essentiellement sur le visage, le dos et la poitrine. La verrue séborrhéique prend la forme d'une lésion très bien délimitée, à la surface veloutée ou un peu rugueuse, parsemée d'orifices pilosébacés dilatés. Sa couleur varie du chamois clair au noir.

■ **Les verrues vulgaires** sont saillantes, de forme hémisphérique. Leur surface est à la fois mamelonnée et hyperkératosique, parfois sillonnée de fissures. Elles siègent sur le dos des mains et des doigts, éventuellement autour de l'ongle ou sous lui, risquant alors de le décoller. Les verrues vulgaires du visage ont un aspect différent, filiforme.

ÉVOLUTION
Les verrues sont contagieuses par simple contact, mais leur degré de contagiosité est très variable selon le papillomavirus en cause, la localisation de la verrue et l'état immunitaire du sujet ; leur incubation est très longue (plusieurs semaines). Chez certaines personnes, les verrues tendent à proliférer, parfois en grand nombre, par auto-inoculation (transport du virus d'un point à un autre par le grattage ou, dans le cas du visage, par le rasage). Les verrues disparaissent spontanément, mais parfois seulement au bout de plusieurs années. Les facteurs psychologiques jouent un rôle dans leur disparition, ce qui explique le succès et l'efficacité d'une multitude de traitements empiriques. Cependant, les récidives sont fréquentes.

TRAITEMENT
Les verrues plantaires et vulgaires sont détruites à l'azote liquide ; l'application doit se faire de façon suffisamment prolongée (pendant 1 à 2 minutes). L'azote liquide n'est cependant pas utilisé pour traiter les verrues qui se trouvent sous l'ongle ou à sa périphérie, car les récidives sont extrêmement fréquentes à ces endroits. Plus rarement, on détruit la verrue, sous anesthésie locale, au bistouri électrique (électrochirurgie) ou au laser au gaz carbonique. On peut aussi essayer un décapage à l'aide de vaseline salicylée à 10 ou 20 %.

D'autres traitements, plus toxiques et parfois contre-indiqués chez la femme enceinte, ne sont justifiés que dans les formes très profuses (verrues très nombreuses et couvrant une surface cutanée importante) et récidivantes : application de podophylline, application locale ou prise orale de médicaments rétinoïdes, etc. Les traitements généraux comme les immunomodulateurs (médicaments permettant de renforcer l'immunité) ou l'interféron peuvent aussi être essayés. Le traitement des verrues séborrhéiques est facultatif et repose, selon leur nombre et leur épaisseur, soit sur leur destruction par cryothérapie (neige carbonique, azote liquide), soit sur leur électrocoagulation au laser au gaz carbonique, après anesthésie locale pour les plus importantes.

Verruga du Pérou
Second stade de la bartonellose, maladie infectieuse due à la bactérie *Bartonella bacilliformis*.

Une verruga du Pérou, ou *verruga peruviana*, se caractérise par l'apparition, sur la peau et les muqueuses, d'éléments verruqueux vasculaires à tendance hémorragique. Ces lésions peuvent devenir douloureuses et s'associer à une fièvre en cas de surinfection. Il n'existe pas de traitement à ce stade de la maladie.

Version
Manœuvre obstétricale destinée à déplacer dans l'utérus un fœtus dont la présentation n'est pas satisfaisante afin de permettre un accouchement par les voies naturelles.

On distingue deux formes de version : la version par manœuvre externe et la version par manœuvre interne.

Version par manœuvre externe
Ce déplacement du fœtus dans l'utérus s'effectue en général aux alentours de la 36e semaine d'aménorrhée (absence de règles). Il consiste à modifier la position du fœtus en agissant à travers la paroi abdominale afin d'amener sa tête au niveau du détroit supérieur, limite anatomique entre le grand et le petit bassin. La version par manœuvre externe permet d'éviter de pratiquer une césarienne lorsque les mensurations du bassin maternel, prises par radiopelvimétrie, révèlent une impossibilité d'accoucher par le siège.

La version par manœuvre externe est très pratiquée par certains obstétriciens, beaucoup moins par d'autres. Elle permet aussi de retourner un fœtus qui se présente en position transversale (présentation dite de l'épaule) et ainsi de le placer dans le sens longitudinal. Elle est enfin pratiquée lors de l'accouchement de jumeaux, lorsque le deuxième enfant se présente par le siège, après la naissance du premier.

DÉROULEMENT ET RÉSULTAT

Le matin de la version, la femme est soumise à un traitement destiné à éviter les contractions utérines. L'obstétricien place ses mains sur la paroi abdominale de la mère, l'une sous les fesses du fœtus et l'autre sur sa tête, et fait lentement pivoter l'enfant de 180 degrés. La manœuvre, qui dure entre 10 et 15 minutes, est douloureuse pour la femme.

Les résultats sont de moins en moins bons à mesure que la grossesse avance : le taux de succès de la version par manœuvre externe est de 80 % à 32 semaines d'aménorrhée - mais les risques de retournement spontané du fœtus sont alors plus grands - et de 44 % à 38 semaines.

EFFETS SECONDAIRES

La version n'est pas une manœuvre anodine : elle peut entraîner une souffrance fœtale aiguë, due à une mobilisation excessive du placenta ou du cordon ombilical.

Version par manœuvre interne

Ce déplacement du fœtus se pratique au moment de l'accouchement, en présence d'un anesthésiste et de l'équipe obstétricale. Il a pour objectif de transformer une présentation transversale en une présentation par le siège. La version par manœuvre interne, effectuée par un médecin entraîné, est utilisée lors de l'expulsion d'un deuxième jumeau qui se présente en position transversale après la naissance du premier.

DÉROULEMENT

L'obstétricien va saisir dans l'utérus un pied ou les deux pieds du fœtus, fait pivoter celui-ci et le tire vers l'extérieur. Cette opération dure de 3 à 5 minutes et s'effectue sous anesthésie péridurale ou générale.

Ver solitaire

→ VOIR Téniase.

Vertèbre

Chacun des os courts constituant la colonne vertébrale, ou rachis. (P.N.A. *vertebra*)

Il existe 7 vertèbres cervicales, formant le squelette du cou, 12 vertèbres dorsales, participant au squelette de la cage thoracique et s'articulant avec les côtes, 5 vertèbres lombaires, correspondant au bas du dos, 5 vertèbres sacrées et 4 vertèbres coccygiennes : ces 9 dernières pièces osseuses sont soudées entre elles pour former respectivement le sacrum et le coccyx et constituent avec les os iliaques le squelette du bassin. Par convention, les vertèbres sont numérotées de haut en bas et désignées par la lettre C pour le cou, D pour le dos ou le thorax et L pour la région lombaire. Les deux premières vertèbres cervicales prennent le nom d'atlas et d'axis.

STRUCTURE ET PHYSIOLOGIE

Les vertèbres sont des corps cylindriques empilés les uns sur les autres. Situés dans chacun des intervalles qui les séparent, les disques intervertébraux assurent la mobilité et l'amortissement de l'ensemble. Chacune des vertèbres comprend :
- une partie antérieure renflée, le corps vertébral ;

- un arc osseux postérieur présentant vers l'avant une concavité, l'arc neural, qui circonscrit avec la face postérieure du corps vertébral un orifice, le canal vertébral ou rachidien, lequel permet le passage de la moelle épinière et des racines nerveuses qui s'en détachent ;
- une saillie médiane postérieure, l'apophyse épineuse ;
- deux saillies horizontales et transversales, les apophyses transverses ;
- quatre saillies verticales, les apophyses articulaires, par lesquelles chaque vertèbre s'unit aux vertèbres sus- et sous-jacentes.

PATHOLOGIE

■ **Les blocs vertébraux**, assez rares, consistent en la fusion osseuse de deux ou plusieurs vertèbres, entraînant une mauvaise position de la colonne vertébrale, cause de douleurs. Il s'agit soit d'une affection congénitale par absence de disque intervertébral, soit d'une lésion consécutive à une spondylodiscite (inflammation d'une vertèbre et du disque adjacent) d'origine infectieuse ou rhumatismale.

■ **Le cancer vertébral** est le plus souvent dû à une métastase d'un cancer développé sur un autre organe (sein, prostate, rein, etc.).

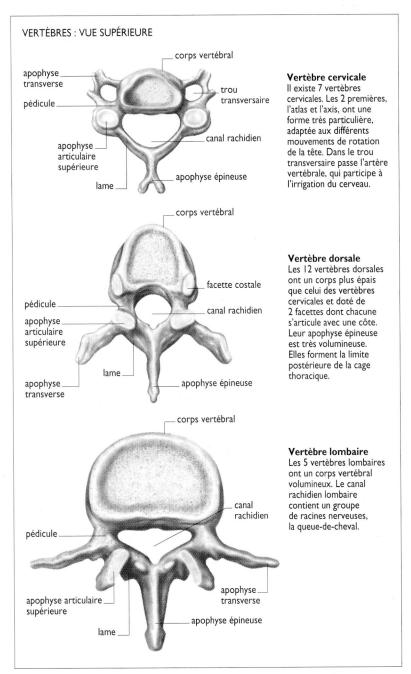

VERTÈBRES : VUE SUPÉRIEURE

apophyse transverse — pédicule — corps vertébral — trou transversaire — apophyse articulaire supérieure — canal rachidien — apophyse épineuse — lame

Vertèbre cervicale
Il existe 7 vertèbres cervicales. Les 2 premières, l'atlas et l'axis, ont une forme très particulière, adaptée aux différents mouvements de rotation de la tête. Dans le trou transversaire passe l'artère vertébrale, qui participe à l'irrigation du cerveau.

pédicule — corps vertébral — facette costale — canal rachidien — apophyse articulaire supérieure — lame — apophyse transverse — apophyse épineuse

Vertèbre dorsale
Les 12 vertèbres dorsales ont un corps plus épais que celui des vertèbres cervicales et doté de 2 facettes dont chacune s'articule avec une côte. Leur apophyse épineuse est très volumineuse. Elles forment la limite postérieure de la cage thoracique.

corps vertébral — pédicule — canal rachidien — apophyse articulaire supérieure — apophyse transverse — apophyse épineuse — lame

Vertèbre lombaire
Les 5 vertèbres lombaires ont un corps vertébral volumineux. Le canal rachidien lombaire contient un groupe de racines nerveuses, la queue-de-cheval.

■ **Les lésions traumatiques** atteignent généralement plusieurs vertèbres ou, au minimum, les disques intervertébraux. Leurs symptômes sont très divers : tassement vertébral, luxation ou fracture des apophyses articulaires, etc.

■ **La maladie de Scheuermann** est une épiphysite (nécrose du noyau de l'épiphyse de certains os) localisée aux vertèbres, qui entraîne une cyphose dorsale.

■ **Les principales malformations vertébrales** sont les anomalies transitionnelles, dans lesquelles une vertèbre prend plus ou moins complètement le type morphologique de la vertèbre sus-jacente ou sous-jacente. Elles affectent le plus souvent la 5e vertèbre lombaire (sacralisation) ou la 1re vertèbre sacrée (lombalisation), plus rarement la 1re ou la 7e vertèbre cervicale. Ces anomalies, presque toujours bénignes, sont responsables de douleurs et d'un mauvais maintien de la colonne vertébrale. Leur traitement est essentiellement orthopédique ou, en cas de troubles importants, chirurgical. Le spina-bifida est une autre malformation des vertèbres, caractérisée par une anomalie de fermeture de l'arc neural, le plus souvent sur le rachis lombosacré. Il s'associe souvent à des lésions du système nerveux.

■ **La tuberculose vertébrale**, ou mal de Pott, se traduit par des douleurs d'intensité croissante, qui sont accentuées par l'effort ou par la toux.

Vertébrothérapie

→ VOIR Chiropractie.

Vertige

Sensation erronée de déplacement du corps par rapport à l'espace environnant, ou de l'espace par rapport au corps, liée à un déséquilibre entre les deux appareils vestibulaires.

Un vertige est une sensation de rotation du corps ou des repères extérieurs, parfois une sensation de déplacement latéral. Il est souvent accompagné de nausées, de vomissements et de sueurs, d'une pâleur et surtout d'une angoisse ; des acouphènes (bourdonnements d'oreille) et une surdité unilatérale peuvent y être associés.

Dans le langage courant, on appelle improprement vertiges diverses sensations qui sont considérées par les médecins comme de « faux vertiges », avec absence de la sensation de rotation : dérobement des jambes, instabilité, flou visuel, vision double, peur de tomber, etc.

CAUSES

Selon la localisation de l'atteinte, on distingue les vertiges périphériques et les vertiges centraux. Les vertiges périphériques sont provoqués par une atteinte de l'oreille interne (siège du vestibule et de la cochlée) ou du nerf vestibulaire (nerf s'unissant au nerf cochléaire pour former le nerf auditif). Les vertiges centraux témoignent d'une atteinte des centres vestibulaires à l'intérieur de l'encéphale.

■ **Les vertiges périphériques dus à une atteinte de l'oreille interne** comprennent la maladie de Menière, de cause inconnue, qui affecte simultanément le vestibule et la cochlée. Cette affection se définit par des crises de vertige intense, associées à une surdité et à des bourdonnements d'une oreille, qui tendent à persister en dehors des crises. Le vertige paroxystique bénin de position, caractérisé par sa brièveté, déclenché par un brusque mouvement de rotation de la tête, se range également parmi les vertiges périphériques dus à une atteinte de l'oreille interne. Une labyrinthite (inflammation du labyrinthe) par propagation d'une infection de l'oreille moyenne (otite aiguë ou chronique), certaines intoxications médicamenteuses (par les aminosides), un traumatisme crânien peuvent aussi être responsables de vertiges périphériques.

■ **Les vertiges périphériques par atteinte du nerf vestibulaire** sont dus à un neurinome de l'acoustique (tumeur bénigne de la 8e paire de nerfs crâniens) ou à une névrite vestibulaire (destruction brutale, d'origine probablement virale, du nerf vestibulaire).

■ **Les vertiges centraux** sont d'origine vasculaire (accident vasculaire cérébral), tumorale, traumatique, infectieuse ou toxique. Ils peuvent être chroniques, révélant alors, dans certains cas, une affection grave (tumeur de la fosse postérieure [zone contenant le tronc cérébral et le cervelet] ou sclérose en plaques).

TRAITEMENT

C'est avant tout celui de la cause, chaque fois que cela est possible : prescription d'antibiotiques contre une infection, arrêt d'une prise médicamenteuse, ablation chirurgicale d'une tumeur, etc. Le traitement des symptômes recourt au repos au lit, à la prise de médicaments antivertigineux, d'antiémétiques (contre les vomissements) et d'anxiolytiques (contre l'angoisse). La prévention des récidives et le traitement des vertiges chroniques comprennent des cures d'antivertigineux, une rééducation de l'équilibre - particulièrement efficace pour les vertiges de position -, une psychothérapie mais aussi la correction de tout déficit visuel ou auditif pouvant aggraver les troubles.

Vésale (André)

Anatomiste flamand (Bruxelles 1514 ou 1515 - île de Zante 1564).

Professeur d'anatomie à Louvain, puis à Padoue et à Bologne, il publia en 1543, à Bâle, son célèbre *De humani corporis fabrica,* ouvrage remarquablement illustré sur l'anatomie du corps humain. Il n'hésita pas à rejeter les opinions des Anciens, en particulier celles de Galien, dont les préceptes faisaient alors autorité ; c'est à cette opposition qu'il doit une grande part de sa célébrité.

Devenu médecin de l'empereur Charles Quint en 1544, puis celui de son fils Philippe II en 1559, il mourut sur l'île ionienne de Zante au retour d'un voyage en Terre sainte. Vésale, qui étudia le corps humain méthodiquement et avec un grand souci de précision et de rigueur, est considéré comme le principal réformateur de l'anatomie de l'époque de la Renaissance.

Vésical

Qui se rapporte à la vessie.

■ **Le globe vésical** (vessie distendue par une rétention d'urine) se traduit par une envie d'uriner non satisfaite et très douloureuse.

■ **La lithiase vésicale** est caractérisée par le blocage, dans la vessie, de calculs en provenance des reins.

■ **Le sondage vésical** (introduction d'une sonde dans la vessie) permet soit d'évacuer le contenu de la vessie, soit d'y instiller un produit thérapeutique.

Vésicule

Cloque cutanée de petite taille (de diamètre inférieur à 5 millimètres), de forme hémisphérique, remplie d'un liquide clair, incolore ou jaunâtre.

Les vésicules sont caractéristiques de l'eczéma et d'affections virales comme l'herpès, le zona, la varicelle ou le syndrome mains-pieds-bouche (infection bénigne et rare de l'enfant). Elles s'observent aussi dans des maladies plus rares, où leur signification diagnostique est moindre : toxidermie (manifestation cutanée d'une intoxication), dermatophytie (infection par un champignon), prurigo, dermatite herpétiforme, etc. La durée de vie des vésicules dépend de la maladie en cause et surtout de leur localisation : ainsi, lorsqu'elles sont situées sur des zones de frottement - épaule, aine -, elles éclatent en général très vite puis réapparaissent.

Vésicule biliaire

Sac oblong contenant la bile, situé sous le foie et relié à la voie biliaire principale, le canal cholédoque, par le canal cystique. (P.N.A. *vesica fellea*)

STRUCTURE

La vésicule biliaire est un sac en forme de poire, de 10 centimètres de long et d'une capacité de 50 millilitres.

PHYSIOLOGIE

En dehors des repas, la vésicule biliaire sert de réservoir à la bile sécrétée par le foie. Au moment des repas, lors du passage du bol alimentaire dans le duodénum, elle se contracte et permet ainsi l'évacuation, dans l'intestin, de la bile nécessaire à l'absorption des aliments, en particulier celle des graisses.

EXAMENS

La vésicule biliaire peut être explorée par échographie, scanner, cœlioscopie ou cholécystographie (avec introduction du produit de contraste par voie orale).

PATHOLOGIE

La vésicule biliaire peut être le siège d'une lithiase (formation de calculs, le plus souvent sans symptôme, qui se complique parfois de douleurs et/ou d'infection [cholécystite, par exemple]). Les infections vésiculaires non lithiasiques apparaissent principalement au cours de la fièvre typhoïde, du sida ou de maladies vasculaires. Enfin, des tumeurs bénignes (polype) ou malignes (adénocarcinome) peuvent se développer sur la vésicule biliaire. L'existence de douleurs biliaires attribuables à des troubles moteurs vésiculaires est controversée : ces douleurs,

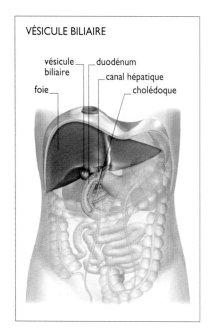

VÉSICULE BILIAIRE

vésicule biliaire — duodénum
canal hépatique
foie — cholédoque

parfois provoquées par un stress, peuvent être calmées par l'administration d'antispasmodiques.

Vésicule biliaire (cancer de la)
→ VOIR Voies biliaires (cancer des).

Vésicule séminale
Glande de forme allongée, située chez l'homme en arrière de la vessie et de la prostate et participant à l'élaboration du sperme. (P.N.A. *vesicula seminalis*)

STRUCTURE
Les vésicules séminales, au nombre de deux, se prolongent par des canaux excréteurs qui débouchent dans les canaux déférents (conduisant le sperme des épididymes à la base de la prostate).

PHYSIOLOGIE
Les sécrétions vésiculaires représentent environ les deux tiers du volume du sperme ; elles contiennent une quantité importante de fructose. Au moment de l'éjaculation, les deux vésicules séminales se contractent et éjectent leur contenu dans les canaux déférents, où il se mélange aux spermatozoïdes pour former le sperme.

PATHOLOGIE
Les principales affections des vésicules séminales sont l'infection, l'hémospermie (présence de sang dans le sperme, due à des saignements de la muqueuse des vésicules), l'obturation (responsable d'un gonflement des vésicules, le liquide séminal ne pouvant plus s'évacuer) et, exceptionnellement, les tumeurs. Toutes peuvent entraîner une diminution de la fertilité, voire une stérilité.

Vespertilio
Éruption cutanée en forme de loup (masque), caractéristique du lupus érythémateux chronique ou disséminé et de la sarcoïdose.

Vessie
Réservoir naturel de forme sphérique dans lequel l'urine s'accumule entre les mictions. (P.N.A. *vesica urinaria*)

STRUCTURE
La vessie fait partie, avec l'urètre, du bas appareil urinaire. Elle est située dans le petit bassin, sous le péritoine, en avant de l'utérus chez la femme et du rectum chez l'homme. Sa paroi, épaisse d'environ 0,5 centimètre, est constituée de 2 tuniques : l'une, externe, est musculaire (muscle vésical, ou detrusor) ; l'autre, interne, en contact avec l'urine, est muqueuse. L'abouchement urétérovésical (abouchement des uretères à la vessie) est muni d'un dispositif antireflux, sorte de valve qui empêche l'urine vésicale de refluer vers chaque uretère. Le col vésical, partie la plus basse de la vessie, s'ouvre dans l'urètre ; il est entouré d'un sphincter qui permet son ouverture et sa fermeture lors de la miction ; chez l'homme, il repose sur la prostate.

PHYSIOLOGIE
La miction se déroule en plusieurs phases qui obéissent à un contrôle neurologique réflexe. Lors de la phase de remplissage vésical, l'urine élaborée par les reins est évacuée dans la vessie par les uretères. La pression intravésicale reste basse, le muscle vésical se laissant distendre. Le col vésical et le sphincter urétral sont alors fermés, ce qui permet la continence. Lorsque la vessie est pleine (sa capacité moyenne est de 300 à 400 millilitres), le besoin mictionnel apparaît. Les sphincters de l'urètre et du col vésical se relâchent, abaissant la pression urétrale, tandis que le muscle vésical se contracte, entraînant la vidange de la vessie et l'évacuation de l'urine par l'urètre. En fin de miction, les sphincters se referment, rétablissant la pression urétrale, et le muscle vésical se détend de façon que la vessie puisse de nouveau se remplir.

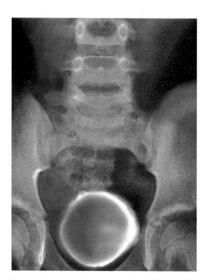

Vessie. *La vessie, qui prend la forme d'un globe quand elle est remplie, apparaît en violet sur cette urographie intraveineuse.*

EXAMENS
La vessie est explorée principalement par la cystoscopie, l'échographie vésicale, la cystographie rétrograde, l'urographie intraveineuse, le scanner, l'examen cytobactériologique des urines (E.C.B.U.), la cytologie urinaire et l'exploration urodynamique.

PATHOLOGIE
La vessie peut être le siège de malformations (exstrophie vésicale), d'infections (cystite), de tumeurs, bénignes ou malignes, d'un diverticule (petite cavité pathologique), de troubles neurologiques (vessie neurologique), d'un globe vésical (vessie distendue par une rétention d'urine), d'une lithiase (présence de calculs), etc.

Vessie (cancer de la)
Tumeur maligne se développant aux dépens de l'épithélium de la vessie.

Les tumeurs vésicales malignes sont favorisées par l'exposition prolongée à des agents carcinogènes dont les plus connus sont le tabac (le risque d'apparition d'une tumeur vésicale est multiplié par 10 chez un gros fumeur) et certains colorants comme l'aniline (colorant utilisé dans la fabrication des encres, des peintures et des teintures pour le bois et le cuir).

SYMPTÔMES ET SIGNES
Une tumeur maligne de la vessie se traduit toujours par une hématurie terminale (présence de sang dans les urines en fin de miction) et, très souvent, par une cystite (infection de la vessie caractérisée par des mictions fréquentes et douloureuses).

DIAGNOSTIC
Il repose sur la cystoscopie (examen endoscopique de la vessie), qui permet de voir la tumeur et d'en pratiquer l'ablation pour examen histologique. Le bilan est complété par d'autres examens tels que la cytologie urinaire (examen au microscope de cellules de la muqueuse vésicale et de la tumeur, desquamées et évacuées dans l'urine) et l'urographie intraveineuse (visualisation de la tumeur).

TRAITEMENT
Les tumeurs vésicales malignes, lorsqu'elles n'ont pas de métastases, nécessitent une cystectomie (ablation chirurgicale de la vessie) complétée par une cystoplastie (reconstruction de la vessie) ou par une dérivation urinaire abdominale (urétérostomie, notamment). On a plus rarement recours à la radiothérapie vésicale, car ses résultats sont moins bons que ceux de la cystectomie.

Lorsque la tumeur a donné des métastases, son traitement repose sur la chimiothérapie par voie générale, le pronostic étant dans ce cas plus sévère.

Vessie (tumeur bénigne de la)
Tumeur bénigne se développant aux dépens de l'épithélium de la vessie.

Les tumeurs bénignes de la vessie naissent sur la muqueuse vésicale interne, au contact de l'urine. La forme la plus fréquente est le papillome, tumeur bénigne superficielle isolée semblable à une petite verrue.

SYMPTÔMES ET DIAGNOSTIC

Une hématurie (présence de sang dans les urines) est le principal symptôme d'une tumeur bénigne de la vessie. La cystoscopie (examen endoscopique de la vessie) permet de voir la tumeur, puis de l'enlever pour l'étudier au microscope. Le diagnostic doit être confirmé par d'autres examens tels que la cytologie urinaire (examen au microscope de cellules de la muqueuse vésicale et de la tumeur, desquamées et évacuées dans l'urine) et l'urographie intraveineuse (visualisation de la tumeur).

TRAITEMENT ET PRONOSTIC

Les tumeurs bénignes de la vessie doivent être enlevées par chirurgie endoscopique. Leur pronostic est bon, mais elles ont tendance à réapparaître localement et peuvent alors devenir cancéreuses. Une surveillance régulière, tous les 3 ou 4 mois, par cystoscopie et cytologie urinaire, est donc indispensable, de même que l'arrêt de la consommation de tabac. En cas de récidives fréquentes, on pratique en outre des instillations vésicales régulières de vaccins tels que le B.C.G.

Vessie irritable

Contraction involontaire du muscle vésical alors que la vessie n'est pas pleine.
→ VOIR Vessie neurologique.

Vessie neurologique

Tout trouble urinaire dû à un dysfonctionnement ou à une lésion du système nerveux.

CAUSES

L'appareil urinaire est sous le contrôle permanent du système nerveux (cerveau, moelle épinière et nerfs périphériques). Toute maladie neurologique centrale (accident vasculaire cérébral, hémiplégie, traumatisme crânien, tumeur cérébrale, démence, sclérose en plaques), médullaire (paraplégie traumatique, tumeur) ou périphérique (sciatique, lésions de la queue de cheval, polynévrite, polyradiculonévrite) peut donc être à l'origine d'une vessie neurologique.

SYMPTÔMES ET SIGNES

Ces troubles, qu'ils s'associent ou non à des troubles anorectaux ou génitaux, se répartissent en deux grandes catégories.
■ Les fuites urinaires sont liées soit à une vessie hyperactive, également appelée vessie irritable ou désinhibée (responsable de mictions impérieuses avec besoin irrépressible d'uriner), soit à une insuffisance sphinctérienne (fuites d'urine à l'effort, sans que le sujet éprouve le besoin d'uriner).
■ Une rétention chronique ou aiguë d'urine peut résulter d'une paralysie du muscle vésical - rendant les mictions lentes et pénibles, le sujet devant forcer pour évacuer la vessie - ou d'une mauvaise ouverture du sphincter durant la miction.

DIAGNOSTIC

Les examens complémentaires visent trois objectifs : mettre en évidence le ou les mécanismes des troubles par une exploration urodynamique (examen consistant à mesurer les pressions intravésicale et intra-urétrale) ; confirmer l'existence d'une atteinte neurologique par des explorations électrophysiologiques périnéales (électromyographie - permettant notamment de mesurer la vitesse de la conduction nerveuse -, étude des potentiels évoqués) et les différents examens urologiques éliminant une cause mécanique (urétrocystoscopie, notamment) ; enfin, évaluer le retentissement vésical et rénal, tant morphologique (urographie intraveineuse, échographie) que fonctionnel (dosage de l'urée et de la créatinine dans le sang, examen cytobactériologique des urines [E.C.B.U.]).

TRAITEMENT

Les troubles occasionnés par une vessie neurologique constituent toujours un handicap fonctionnel, psychologique et parfois social important. En outre, ils peuvent entraîner des complications irréversibles (dilatation vésicale et rénale, infections à répétition, insuffisance rénale) et doivent donc toujours être dépistés et traités le plus tôt possible.
■ Le traitement d'une vessie hyperactive fait appel aux médicaments relaxant la vessie (anticholinergiques), souvent très efficaces au prix de quelques effets secondaires (constipation, sécheresse de la bouche). Ces médicaments servent, d'une part, à améliorer le confort du malade (disparition des fuites urinaires et du besoin pressant d'uriner), d'autre part à empêcher la vessie de se déformer et les reins de se dilater, avec le risque de survenue d'une insuffisance rénale imposant une augmentation chirurgicale du volume de la vessie.
■ Le traitement d'une insuffisance sphinctérienne comprend des séances de rééducation pour renforcer la musculature périnéale, la prise de médicaments destinés à augmenter les pressions sphinctériennes et, en cas d'échec, l'implantation chirurgicale d'une prothèse (sphincter artificiel).
■ Le traitement de la rétention chronique ou aiguë d'urine repose dans un premier temps sur la prise de médicaments servant à contracter le muscle vésical et à favoriser l'ouverture des sphincters ; en cas d'échec, on apprend au malade à pratiquer lui-même des sondages, de manière à éviter les complications inhérentes à une rétention vésicale (infections à répétition, dilatation vésicale et rénale). Dans les cas les plus graves, des solutions chirurgicales peuvent être proposées : sphinctérotomie ou cervicotomie (respectivement, incision du sphincter ou du col de la vessie) pour que le patient puisse uriner normalement, implantation, sur la moelle épinière ou sur les racines nerveuses, de stimulateurs destinés à provoquer la contraction de la vessie, etc.

Vestibule

Cavité donnant accès à un organe creux.
(P.N.A. *vestibulum*)

On distingue trois vestibules dans l'organisme : celui de la bouche, celui de l'oreille interne et celui du vagin.

Vestibule de la bouche

Cette cavité est comprise entre les arcades dentaires, d'une part, les lèvres et les joues, d'autre part.

Vestibule de l'oreille interne

Cette cavité du labyrinthe de l'oreille interne comporte un vestibule osseux, situé entre le limaçon en avant et les canaux semi-circulaires en haut et en arrière, et un vestibule membraneux, contenu dans le précédent et formé de deux vésicules : l'utricule et le saccule. Avec les canaux semi-circulaires, le vestibule constitue l'organe de l'équilibre.

Vestibule du vagin

Cet espace situé dans la vulve et ouvrant sur le vagin est limité latéralement par la face interne des petites lèvres et des grandes lèvres vulvaires, en avant par le clitoris et en arrière par la commissure postérieure des petites lèvres. Les orifices des glandes de Skène et de Bartholin, qui sécrètent un mucus lubrifiant le vagin, s'ouvrent dans le vestibule.

Viabilité

Stade de développement intra-utérin suffisant pour permettre au fœtus de vivre.

La viabilité est fonction du terme de la grossesse et des possibilités de réanimation néonatale. Sa limite se situe, selon l'évaluation actuellement admise dans les centres de pédiatrie néonatale spécialisés, entre 5 mois et demi et 6 mois de grossesse. Toutefois, des séquelles neurologiques sont toujours à craindre.
→ VOIR Prématurité.

Viagra

Nom commercial (marque déposée) du sildénafil, médicament prescrit dans le traitement de l'impuissance.

Viande

Aliment fourni par la chair ou les viscères (abats) des mammifères et des volailles.

La viande est un aliment de grand intérêt diététique, notamment grâce à sa richesse en protéines de bonne valeur nutritionnelle (de 18 à 20 grammes en moyenne pour 100 grammes), en fer (présent sous une forme particulièrement bien assimilée par l'organisme), en zinc et autres minéraux ainsi qu'en vitamines, essentiellement celles du groupe B. Sa valeur énergétique, qui varie selon les espèces animales et les morceaux, dépend en grande partie de sa teneur en lipides : de 110 (cheval, bœuf maigre, poulet, pintade) à près de 500 kilocalories (charcuterie) pour 100 grammes, avec des taux de lipides pouvant varier de 2 à 47 %.

Contrairement à une opinion répandue, la viande « blanche » (poulet, pintade, veau, lapin, etc.) est aussi riche en protéines que la viande « rouge » (bœuf, cheval, etc.). Ainsi, la valeur nutritionnelle de la viande de volaille est proche de celle des autres viandes : elle apporte entre 110 (poulet, pintade, pigeon) et 230 (canard, oie) kilocalories pour 100 grammes et fournit de 17,5 à 23 grammes de protéines et de 2,5 à 18 grammes de lipides ; ces lipides sont essentiellement localisés dans la peau de l'animal et sont en majeure partie composés d'acides gras mono-insaturés, qui ont un effet favorable sur le HDL cholestérol, ou « bon cholestérol ».

Vibrion

Bacille à Gram négatif, de forme incurvée, extrêmement mobile, vivant principalement dans l'eau.

Les deux principaux vibrions sont *Vibrio choleræ* et *Vibrio parahæmolyticus*.
■ *Vibrio choleræ* est responsable du choléra, dont la principale manifestation est une diarrhée. Cette bactérie, ingérée avec des aliments contaminés, est normalement tuée par l'acidité de l'estomac. Lorsque celle-ci est neutralisée (pansements gastriques alcalins) ou diminuée (sujets dénutris), le germe passe la barrière gastrique, se multiplie dans l'intestin grêle et excrète une puissante entérotoxine ; celle-ci entraîne une déshydratation aiguë, rapidement mortelle en l'absence de traitement. D'autres vibrions cholériques sont responsables de syndromes diarrhéiques de moindre gravité.
■ *Vibrio parahæmolyticus* est à l'origine d'intoxications alimentaires après ingestion de poissons, de coquillages et de crustacés consommés crus.

Vidange gastrique

Évacuation du contenu de l'estomac.

Le temps normal de vidange gastrique est de 2 à 3 heures. La vidange gastrique peut être retardée chez les diabétiques (gastroparésie témoignant d'une atteinte du système nerveux autonome), les personnes atteintes d'un ulcère gastrique ou de dyspepsie (troubles de la digestion). Elle est, au contraire, accélérée chez les patients atteints d'un ulcère duodénal ou ayant subi une intervention chirurgicale sur l'estomac (gastrectomie partielle, par exemple).

EXAMENS
Le temps d'évacuation gastrique peut être évalué par un transit œso-gastro-duodénal (examen radiologique baryté standard de l'estomac), par des contrôles radiologiques répétés après ingestion de substances radio-opaques – dans ce cas, on mesure la vitesse d'évacuation de ces substances – ou par des techniques isotopiques.

TRAITEMENT
Le traitement des troubles de la vidange gastrique est fonction de leur cause ; il repose le plus souvent sur des règles d'hygiène et de diététique (bonne répartition des repas, sans remplissage gastrique excessif, prise des boissons de préférence entre les repas), associées à la prise de médicaments antispasmodiques et parfois antisécrétoires.

Vie

État d'activité caractéristique de tous les organismes animaux et végétaux, unicellulaires ou pluricellulaires, de leur naissance à leur mort.

Cet état d'activité correspond à l'ensemble des fonctions organiques (reproduction, métabolisme, adaptation au milieu environnant, etc.) qui permettent la croissance et la conservation de l'organisme.

La vie est caractérisée par des réactions physicochimiques permanentes se déroulant à l'intérieur des cellules (réactions biochimiques). L'équilibre constant du milieu interne des cellules et les échanges de celles-ci avec le milieu externe sont assurés par l'existence de l'enveloppe cellulaire, à perméabilité variable et sélective.

Vieillesse

Troisième période de la vie, succédant à l'enfance et à l'âge adulte.

Les limites de la vieillesse sont difficiles à définir, le processus de vieillissement apparaissant dès la fin de la croissance ; en pratique, la frontière entre âge adulte et vieillesse est franchie au cours de la sixième décennie, avec de nombreuses variantes individuelles.

Du point de vue médical, la vieillesse est marquée par la plus grande fréquence d'affections majeures : artériosclérose, cancers, maladies dégénératives.

Socialement, on peut distinguer deux périodes de vieillesse. Durant la première, parfois dite du troisième âge, les sujets, qu'ils soient ou non malades, demeurent autonomes. Cette tranche d'âge, qui va de 60 à 80 ans environ, est aujourd'hui beaucoup mieux vécue qu'au siècle dernier grâce en particulier aux progrès de l'hygiène, de la prévention et de la thérapeutique. La seconde, correspondant à ce que l'on nomme quatrième âge, concerne les sujets très âgés, souvent affectés à des degrés divers de troubles moteurs et de déficits sensoriels et/ou intellectuels les privant plus ou moins de leur autonomie. Ces personnes nécessitent des soins médicaux complexes requérant, dans certains cas, un hébergement en institution spécialisée.
→ VOIR Dossier Vieillesse.

Vieillissement

Affaiblissement naturel des facultés physiques et psychiques dû à l'âge. SYN. *sénescence*.

Vieillissement physique
C'est un processus continu, présent dès le début de l'existence et commun à tous les êtres vivants. Il concerne toutes les structures de l'organisme : molécules, cellules, tissus et organes spécialisés.

MÉCANISME
Le vieillissement physique est probablement déterminé par des facteurs génétiques et influencé par des facteurs extérieurs. Il en existe deux approches théoriques.
■ Les théories dites stochastiques admettent pour principe que le mécanisme du vieillissement serait lié au hasard. Parmi elles, on distingue notamment la théorie des quotas (chaque organisme disposerait à la naissance d'un stock d'énergie à consommer et mourrait une fois celui-ci épuisé), la théorie des radicaux libres (le vieillissement serait dû aux effets nocifs des radicaux libres, substances toxiques élaborées par le métabolisme cellulaire normal), la « théorie des erreurs catastrophiques » (qui explique le vieillissement par une accumulation d'er-

reurs successives dans la synthèse des protéines, aboutissant à la mort des cellules) et la théorie des horloges biologiques (fondée sur l'idée d'un vieillissement des organes sous contrôle d'un système hormonal ou immunitaire). Cependant, aucune de ces hypothèses n'a été confirmée à ce jour.
■ Les théories génétiques admettent l'existence de gènes de longévité conditionnant la durée de vie maximale dans une espèce donnée (120 ans chez l'homme). Bien que deux gènes de longévité aient été récemment identifiés, le profil génétique de la longévité humaine n'est encore loin d'être défini : les mécanismes et les conséquences du vieillissement biologique restent pour une grande part mystérieux.

VIEILLISSEMENT NATUREL ET PATHOLOGIQUE
Le dogme du déclin inéluctable des grandes fonctions de l'organisme avec l'âge (débit cardiaque, fonctionnement cérébral, etc.) est actuellement remis en cause : la baisse des performances physiologiques constatée chez les sujets âgés ne relève pas uniquement du vieillissement normal, mais aussi de pathologies surajoutées (vieillissement pathologique, ou sénilité). Ainsi, pour un organe donné, les études de « populations propres » (panel de sujets âgés n'incluant aucun individu suspect d'être atteint d'une maladie de l'organe étudié) révèlent qu'il n'y a pas toujours baisse de performance avec l'âge. Les travaux de Lakatta au National Institute on Aging (Bethesda, États-Unis) ont notamment montré que le débit cardiaque de sujets âgés indemnes de maladies cardiaques n'est pas plus faible que celui d'adultes jeunes, même si les mécanismes permettant le maintien d'un débit cardiaque normal varient avec l'âge.

Vieillissement psychologique
Les modifications du corps et de l'environnement familial, l'atteinte de l'identité sociale qu'impose la retraite fragilisent le sujet âgé, qui doit en même temps faire un véritable « travail de deuil » et trouver la force de s'investir sur de nouveaux pôles d'intérêt. Toute nouvelle difficulté (décès du conjoint, problème financier, maladie) survenant dans ce contexte peut entraîner une perte d'estime de soi insupportable.

Prévention du vieillissement
En dehors du traitement hormonal de la ménopause, qui agit efficacement sur le vieillissement osseux, le vieillissement ne peut être interrompu : ni l'utilisation de substances piégeant les radicaux libres (vitamine E, notamment), ni la prise de vitamines et d'oligo-éléments, ni l'exercice physique, ni le suivi d'un régime hypocalorique n'ont montré de façon formelle leur efficacité. La prévention doit donc commencer le plus tôt possible. Elle consiste avant tout à corriger les facteurs de risque connus qui accélèrent le vieillissement : savoir se protéger du stress, limiter la consommation d'alcool et de tabac, éviter toute exposition excessive au rayonnement solaire, etc.
→ VOIR Sénilité, Dossier Vieillesse.

LA VIEILLESSE

*Si le vieillissement est un processus inéluctable,
il n'est pas forcément synonyme de dégradation physique
ou intellectuelle : en respectant une bonne hygiène de vie,
un suivi médical régulier, et en conservant ses activités, chacun
peut, l'âge venant, préserver sa qualité de vie.*

LE VIEILLISSEMENT, UN PROCESSUS NORMAL

Tous les êtres vivants vieillissent et ce dès le début de leur existence. Rien de ce qui est vivant n'échappe à ce processus qui répond à une loi biologique fondamentale inscrite dans les gènes de chaque espèce. Ainsi, l'espèce humaine est apparemment programmée pour vivre au maximum environ 120 ans, avec des disparités importantes entre individus : les chances d'atteindre un âge avancé sont beaucoup plus grandes lorsque ses propres parents et grands-parents sont eux-mêmes morts très âgés. Toutefois, par-delà ces disparités, l'espérance de vie augmente, en grande partie grâce aux progrès de la médecine et à l'amélioration des conditions socio-économiques.

Vieillissement biologique et pathologique

Le dogme de la baisse des performances attribuée à l'âge est aujourd'hui remis en cause. Il est vrai que certaines fonctions physiologiques s'altèrent avec l'âge (la perception des sons aigus, par exemple, s'émousse [presbyacousie], de même que le pouvoir accommodatif de l'œil [presbytie]), mais elles peuvent être corrigées par des appareillages adaptés. En fait, le vieillissement entraîne surtout une diminution des capacités d'adaptation : une pneumonie, par exemple, peut entraîner plus facilement une insuffisance cardiaque chez la personne âgée que chez l'adulte jeune. Avec l'âge, la sensibilité aux médicaments s'accroît (la dose thérapeutique est plus proche de la dose toxique), ce qui nécessite de plus grandes précautions dans leur administration.

On peut donc vivre vieux dans de bonnes conditions de santé, et il n'y a aucune raison pour que les capacités intellectuelles diminuent passé 70 ans. Très souvent, la baisse des performances n'est pas tant l'effet du vieillissement normal que celui des maladies qui l'accompagnent (vieillissement pathologique).

VIEILLISSEMENT ET MALADIES

En 1990, les personnes âgées de 65 à 79 ans avaient en moyenne cinq maladies chacune, soit deux fois plus que n'en compte l'ensemble de la population. Or, ce sont ces maladies, souvent complexes, qui sont généralement responsables de la perte d'autonomie des personnes âgées. Les symptômes en sont fréquemment trompeurs, car non spécifiques : malaise, chute, incontinence, etc. Les interactions ou les effets secondaires des multiples traitements qui s'ensuivent contribuent également à la dégradation de l'état de santé. Les affections responsables de la perte d'autonomie des personnes âgées sont avant tout les maladies vasculaires et dégénératives. Avec le vieillissement, il existe aussi une augmentation de la fréquence des cancers, dont 50 % sont diagnostiqués chez les sujets de plus de 65 ans. Ce sont surtout des cancers digestifs (et avant tout du côlon), du sein, de la prostate, de la vessie et de la peau. Leur dépistage précoce est actuellement encouragé (coloscopie, autopalpation du sein, etc.), ce qui constitue un atout majeur de chance de guérison de ces cancers.

Les maladies vasculaires

L'hypertension artérielle (H.T.A.), dont la fréquence augmente avec l'âge, est un des grands facteurs d'accident vasculaire cérébral ou cardiaque après 65 ans, et le premier facteur dans la survenue de démences d'origine vasculaire. Les hypertendus voient multiplié par deux le risque d'être atteint d'hémiplégie, par trois celui de souffrir de maladies coronariennes consécutives à une mauvaise irrigation du cœur. D'autres maladies vasculaires sont fréquentes chez la personne âgée : l'angine de poitrine (angor) et sa complication majeure, l'infarctus du myocarde, ainsi que les artériopathies des membres inférieurs, qui exposent aux ulcères des jambes et à l'occlusion artérielle totale.

Les maladies dégénératives du cerveau

Une personne sur vingt de plus de 60 ans et une sur cinq de plus de 85 ans souffrent de graves altérations de leurs facultés mentales. Dans 50 à 60 % des cas, il s'agit de la maladie d'Alzheimer, affection dégénérative cérébrale qui se manifeste par des troubles de la mémoire, du langage, du raisonnement et par une difficulté à s'orienter dans le temps et l'espace. Un traitement (tacrine) améliorant les symptômes de la maladie chez un petit nombre de patients peut aujourd'hui être proposé. Par ailleurs, la stimulation quotidienne du malade dans les actes élémentaires de la vie aide au maintien de l'autonomie : il est recommandé à l'entourage de ne pas se substituer au sujet, mais au contraire de l'encourager, sous surveillance, à effectuer lui-même les gestes de la vie quotidienne. Autre affection dégénérative cérébrale, la maladie de Parkinson se traduit par un tremblement au repos, une expression figée, des mouvements lents et rares, et une raideur généralisée. On ne sait toujours pas empêcher son aggravation progressive, mais divers médicaments permettent aujourd'hui d'en atténuer les symptômes.

Les maladies dégénératives des os et des articulations

Avec l'âge peut survenir une dégénérescence des cartilages (arthrose) de la hanche ou du genou, dont on ne connaît pas encore de traitement préventif. En revanche, on sait aujourd'hui beaucoup mieux traiter la douleur, les poussées inflammatoires et remplacer, si nécessaire, les articulations détruites. Les remarquables progrès des prothèses, de l'anesthésie et des techniques opératoires permettent ainsi de réparer, même chez des gens très âgés, les méfaits du temps. De même, la déminéralisation du squelette (ostéoporose), qui débute dès vingt ans chez la femme et s'accentue après la ménopause (la raréfaction osseuse est un peu plus tardive chez l'homme), peut être efficacement prévenue par l'administration d'hormones de substitution.

Bien vieillir

S'il est dans la nature de vieillir, il est du ressort de l'homme de chercher à « bien vieillir » en prévenant les maladies liées à l'âge, même s'il existe une grande inégalité individuelle face à la survenue de ces maladies. Les progrès de la médecine de la vieillesse (gériatrie) laissent espérer un vieillissement de mieux en mieux vécu. La part des personnes âgées vivant dans une institution sociale, médicosociale ou médicale recule (6,5 % des plus de 65 ans pour la France), en particulier grâce au développement des aides à domicile. Une étude scandinave menée sur des personnes de 70 ans de classes d'âge successives (nées en 1901, 1906, 1911) montre qu'à âge égal la vitalité (mesurée par l'espérance de vie, les fonctions intellectuelles, la taille, la force musculaire, l'état dentaire, la pression artérielle) s'accroît.

Prévenir le vieillissement pathologique

Pour éviter la survenue des maladies liées à l'âge, il est nécessaire de reconnaître les facteurs de risque de ces maladies, et ce dès le plus jeune âge. Il faut ainsi savoir se protéger du stress, des effets nocifs de l'alcool, du tabac, de l'exposition excessive au soleil et suivre un régime alimentaire équilibré (des études menées sur les effets bénéfiques de la restriction calorique n'ont pas montré de façon formelle leur efficacité chez l'homme). Exercer régulièrement une activité physique modérée est également important : cela préserve la masse musculaire, permet un bon fonctionnement cardiovasculaire et pulmonaire, et freine le processus d'ostéoporose. Poursuivre une activité intellectuelle constante, de même que conserver son intérêt pour le monde extérieur (activités culturelles, lecture de journaux, bénévolat, etc.) constituent également autant de facteurs permettant de préparer une vieillesse en bonne forme : des études montrent que, lorsqu'elles sont soumises à des exercices de stimulation utilisant la mémoire, les personnes âgées en bonne santé conservent de meilleures performances cérébrales que les autres. Une surveillance médicale régulière permet de corriger, si nécessaire, l'hypertension artérielle, l'obésité, le diabète, un taux élevé de cholestérol dans le sang et de prévenir ainsi bon nombre d'accidents vasculaires ; le traitement hormonal de la ménopause permet de diminuer l'incidence des fractures du col du fémur. Grâce à un suivi régulier, il est également possible de dépister plus tôt, et donc de traiter plus efficacement, les maladies dont la fréquence croît avec l'âge.   □

Voir *Alzheimer (maladie de), Ménopause, Parkinson (maladie de), Presbyacousie, Presbytie, Vieillissement, Sénilité.*

Vieillissement précoce (syndrome de)

Toute affection se caractérisant par des manifestations de vieillissement cutané survenant très tôt dans la vie.

DIFFÉRENTS TYPES DE VIEILLISSEMENT PRÉCOCE

Les syndromes de vieillissement précoce sont très rares et, le plus souvent, d'origine héréditaire. On en distingue trois types.

■ **L'acrogeria, ou maladie de Gottron**, touche essentiellement les filles, dès le plus jeune âge ; elle se traduit par une peau atrophique, associée à des télangiectasies et à une hyperpigmentation.

■ **La pangeria, ou maladie de Werner**, se transmet sur le mode autosomique (par les chromosomes non sexuels) récessif : le gène responsable doit être reçu du père et de la mère pour que l'enfant développe la maladie. Celle-ci débute à la puberté par un grisonnement des cheveux, associé à un arrêt de la croissance ; dans un second temps apparaissent une atrophie cutanée diffuse, accompagnée par une sclérose des extrémités, des kératoses et une hyperpigmentation, une raucité de la voix et une cataracte des deux yeux.

■ **La progeria, ou maladie de Hutchinson-Gilford**, ressemble à la pangeria, avec un début plus précoce : elle se traduit par un retard de croissance débutant dans la première année, associé à des malformations du crâne, du visage et des ongles, à une chute des cheveux dès l'âge de 2 ans et à une peau sèche pigmentée, atrophique et scléreuse.

TRAITEMENT

Il n'existe pas de traitement de ces affections en dehors de celui de leurs complications (ulcérations fréquentes).

V.I.H.

→ VOIR Virus de l'immunodéficience humaine.

Villosité

Repli creux de petite taille tapissant la muqueuse de certaines cavités de l'organisme.

DIFFÉRENTS TYPES DE VILLOSITÉ

■ **Les villosités intestinales** recouvrent entièrement la surface interne de l'intestin grêle. Elles sont constituées d'un axe revêtu de cellules épithéliales et formé d'un vaisseau chilifère (vaisseau lymphatique qui recueille les graisses alimentaires absorbées), d'une branche des artères mésentériques et d'une branche de la veine porte. Elles jouent un rôle essentiel dans le processus d'absorption des nutriments.

■ **Les villosités choriales**, éléments constituants du trophoblaste, puis du placenta, permettent l'alimentation du fœtus (apport de substances nutritives) et les échanges gazeux (oxygène et gaz carbonique) entre la mère et le fœtus. La biopsie de villosités choriales, ou biopsie de trophoblaste, qui peut être effectuée tout au long de la grossesse, permet d'établir le caryotype (carte des chromosomes) de l'enfant à naître et peut aider à porter le diagnostic prénatal de maladies métaboliques ou génétiques.
→ VOIR Trophoblaste (biopsie de).

Vincent (angine de)

Inflammation aiguë du pharynx due à la pullulation de micro-organismes commensaux de la cavité buccale.
→ VOIR Angine.

Viol

Rapport sexuel imposé à une personne sans son consentement.

Si les femmes en restent les principales victimes, le viol concerne aussi les hommes (en milieu carcéral, notamment). Au même titre que l'inceste et la pédophilie, il s'agit d'un crime sexuel grave et puni comme tel. Les peines encourues dépendent du contexte et des séquelles de l'acte sur la victime : le mythe de la « victime provocatrice » tendant heureusement à disparaître, le violeur est généralement incarcéré ou interné, avec suivi psychiatrique prolongé. Récemment, des médicaments capables d'inhiber les pulsions agressives des violeurs et autres criminels sexuels ont été mis au point.

Le point commun de tous les viols est le mépris de la femme ou de tout individu jugé inférieur. Plus que la satisfaction sexuelle, c'est le besoin de violence et de domination qui détermine le passage à l'acte. La plupart des violeurs sont des individus normaux d'apparence, mais qui ne peuvent résister à leurs pulsions. Le viol collectif, commis par des bandes d'adolescents ou de marginaux, parachève souvent l'alcoolisme de groupe.

EXAMEN DE MÉDECINE LÉGALE ET TRAITEMENT

Outre un choc émotionnel suraigu constituant une urgence hospitalière absolue (angoisse, confusion, délire), la victime peut souffrir de blessures physiques : coups, étranglement, ecchymoses des parois génitales, déchirure de l'anus ou du périnée, enflure des lèvres vulvaires, etc. Un examen clinique relève systématiquement toutes les traces ou blessures, surtout dans la région vaginale. Les vêtements souillés sont analysés en laboratoire. On entreprend en outre un dépistage des différentes maladies sexuellement transmissibles.

Un viol a très souvent des conséquences graves sur la personnalité : un syndrome post-traumatique (cauchemars, sentiment de dépersonnalisation, dépression réactionnelle), une phobie de l'autre sexe, une frigidité, une dyspareunie (rapports sexuels douloureux) sont fréquents. Une aide psychologique, voire psychiatrique, se révèle alors indispensable.

Virchow (Rudolf)

Médecin et homme politique allemand (Schivelbein, Poméranie, 1821 - Berlin 1902).

Professeur de médecine à Berlin, Rudolf Virchow est envoyé à Würzburg en raison de ses idées progressistes avant d'être rappelé à Berlin, en 1856. Parallèlement à ses activités politiques de député, il poursuit des travaux scientifiques brillants et établit notamment les bases de la théorie cellulaire, selon laquelle toute cellule naît d'une cellule semblable. Il identifie aussi de nombreuses maladies caractérisées par des lésions microscopiques, telles certaines leucémies.

Virémie

Présence d'un virus dans le sang.

La virémie constitue l'un des modes de diffusion d'une infection virale. Le germe pénètre dans l'organisme par voie respiratoire (inhalation), digestive (ingestion) ou cutanéomuqueuse (blessure) et infecte un organe après y avoir été transporté par la circulation sanguine.

La virémie s'oppose à un autre mode de diffusion virale, celui qui emprunte la voie neuronale, le virus progressant alors le long des fibres nerveuses (cas de la rage et du zona, par exemple).

Virginité

État d'une personne qui n'a jamais eu de rapports sexuels.

Chez la femme, l'intégrité de l'hymen (membrane souple située entre le vagin et la vulve) est en principe le signe de la virginité. Néanmoins, ce signe n'a rien d'absolu, compte tenu de la grande capacité de l'hymen à se distendre sans se rompre.
→ VOIR Hymen.

Virilisation

Acquisition par une femme de caractères sexuels secondaires masculins.
→ VOIR Virilisme.

Virilisme

État d'une femme qui présente des caractères sexuels secondaires masculins.

Le virilisme, qui suit le processus de virilisation, se traduit par la présence d'une pilosité de type masculin (hirsutisme) et d'une voix grave, par de l'acné séborrhéique, par un développement musculaire et une hypertrophie du clitoris, par l'absence de développement mammaire, par des troubles de la menstruation (règles irrégulières ou

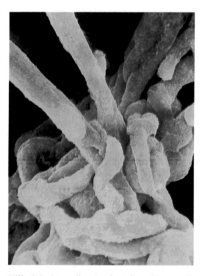

Villosité. *Les villosités choriales, éléments de structure du placenta, jouent un rôle capital dans la nutrition et les échanges gazeux du fœtus.*

absentes) et parfois par un comportement agressif plus marqué. Il est dû à un excès de sécrétion d'hormones mâles (androgènes), d'origine ovarienne et surrénalienne, causé le plus souvent par une tumeur bénigne ou maligne de l'ovaire, par une aberration chromosomique, par une maladie congénitale des glandes surrénales (bloc enzymatique surrénalien, trouble des récepteurs aux androgènes) ou par une tumeur située sur une de ces glandes.

TRAITEMENT

Les symptômes régressent sous l'effet du traitement, qui dépend de la cause du virilisme : ablation d'une tumeur, prise de corticostéroïdes ou d'antiandrogènes, etc.

Virion

Être intermédiaire entre les êtres vivants et les molécules inanimées, correspondant au stade de la multiplication d'un virus où tous les constituants de celui-ci sont assemblés.

Ce terme fut attribué en 1935, par le biochimiste américain Wendell Meredith Stanley, à une protéine cristallisée possédant les mêmes propriétés infectieuses que le virus et tous ses éléments structuraux (acide nucléique, capside et, éventuellement, enveloppe).

Virologie

Science étudiant les virus, agents infectieux de très petite taille responsables de maladies chez les êtres humains, les animaux et les plantes.

Les critères morphologiques des virus (taille, contour, architecture et enveloppe) sont à la base de la définition des familles et des genres de virus. Ces critères d'étude sont complétés par la génétique, l'immunologie (étude des antigènes, des protéines virales) et par la mise en évidence de l'effet cytopathogène (provoquant une altération de la cellule) en culture.

Les premières maladies attribuées rigoureusement à des virus furent, chez les végétaux, la mosaïque du tabac (1892) et, chez l'homme, la fièvre jaune (1901). Cependant, la virologie n'est devenue une science clinique qu'après 1950 du fait de deux innovations essentielles : l'isolement, la culture et la réplication in vitro des virus – dont, en premier lieu, le virus de la poliomyélite – et la mise au point de microscopes électroniques utilisables en pratique de routine. Dès lors, on put visualiser quasi instantanément un virus, l'identifier et, par conséquent, reconnaître l'origine virale spécifique d'une infection.

La virologie s'est vue considérablement enrichie par l'apport des techniques issues du génie génétique. Ainsi, un nouveau virus, celui de l'hépatite C, a pu être trouvé sans passer par les méthodes classiques, par la seule identification de son génome. La découverte de nouveaux virus et la survenue de nouvelles maladies virales, ainsi que l'affinement des techniques d'investigation (test ELISA, réaction de Western-Blot, RIPA, ou *Radioimmunoprecipitation Assay* [technique de radio-immuno-précipitation], PCR, ou *Polymerase Chain Reaction* [réaction en chaîne par polymérase], mise au point de techniques rapides de culture), font actuellement de la virologie l'une des disciplines les plus stimulantes de la médecine.

La recherche et le développement des médicaments antiviraux, longtemps limités aux seuls vaccins, se sont récemment amplifiés, aboutissant à la mise au point d'antiviraux comme l'aciclovir, actif contre le virus de l'herpès, et les inhibiteurs de la transcriptase inverse (enzyme des rétrovirus comme celui de l'immunodéficience humaine, ou V.I.H., responsable du sida), utilisés dans le traitement des rétroviroses. Ces dernières infections ont suscité une nouvelle approche thérapeutique, qui consiste à associer plusieurs médicaments agissant à des stades différents du cycle viral et à intervenir sur les défenses immunitaires antivirales.

Virulence

Aptitude d'un germe (bactérie, virus) à se multiplier dans un organisme, déterminant ainsi une maladie.

La virulence est l'un des deux éléments qui caractérisent le pouvoir pathogène (provoquant une maladie) des bactéries, l'autre étant lié à la production éventuelle de toxines par cette bactérie. Elle est génétiquement déterminée et conditionnée par l'action de divers constituants du germe : capsule, enzymes, etc. Une bactérie très virulente a donc un fort pouvoir de multiplication, l'expression de cette virulence étant fonction de nombreux facteurs : voie d'introduction dans l'organisme, inoculum (nombre de particules inoculées), capacité d'implantation du micro-organisme, réactions de défense de l'hôte.

À des fins de vaccination, on obtient des souches de virus atténués par passages successifs sur des milieux de culture appauvris.

Virus

Agent infectieux invisible au microscope optique.

HISTORIQUE

Le mot virus, qui signifie « poison « en latin, a été utilisé dans ce sens jusqu'à la fin du XIXe siècle. On constata alors qu'en solution, l'agent de la mosaïque du tabac était invisible au microscope optique et gardait sa virulence une fois filtrée, ce qui suscita la notion de « virus filtrant », ou « ultra virus ». Dans la seconde moitié du XXe siècle, les progrès de la recherche, où le microscope électronique eut une grande part, permirent une meilleure compréhension de la nature des virus. Depuis 1950 environ, le terme virus est le seul employé.

DESCRIPTION

Les virus se caractérisent par leur petitesse (entre 12 et 300 nanomètres), qui leur permet de traverser des filtres très fins (filtres en porcelaine). Ils sont constitués d'un seul acide nucléique, A.R.N. ou A.D.N., enfermé dans une capside (coque de protéines), le tout - appelé nucléocapside - étant entouré chez certains virus par un péplos (deuxième enveloppe, composée de lipoprotéines). Les constituants des virus s'ordonnent régulièrement selon une symétrie ou une structure cristalline qui est soit de type cubique, soit de type hélicoïdal, soit de type mixte. La présence ou l'absence d'enveloppe lipoprotéique et la structure de la nucléocapside déterminent, entre autres facteurs (nature de l'acide nucléique, taille de la nucléocapside, nature des protéines de surface, etc.), les propriétés du virus.

PROPRIÉTÉS

Les virus se situent à la limite de la matière inerte et de la matière vivante. Selon certains chercheurs, ce ne sont pas des organismes vivants. En effet, ils n'ont pas de métabolisme et diffèrent en cela fondamentalement des autres agents infectieux (bactéries, champignons microscopiques, parasites). Par conséquent, ils ne sont pas capables de produire de l'énergie pour synthétiser leurs macromolécules et se reproduire. Il leur faut, pour cela, utiliser le métabolisme des cellules vivantes qu'ils infectent. C'est ce détournement à leur profit des fonctions des cellules qui peut provoquer une maladie dans l'organisme infecté.

La façon dont la cellule réagit à la présence du virus est très variable ; aussi distingue-t-on différents types d'infection cellulaire : aiguë et cytolytique (entraînant la mort de la cellule), persistante, chronique, latente, lente ou encore transformante (cancérisation à l'échelle cellulaire).

Les virus peuvent infecter tous les organismes, animaux ou végétaux, y compris les bactéries, les champignons et les algues, chaque espèce virale étant parfaitement adaptée à son hôte et à certains tissus de cet hôte (par exemple, chez l'homme : sang, ganglions lymphatiques, peau, foie, tissu nerveux, etc.). Ils sont souvent la cause d'épidémies (grippe, fièvre jaune, sida).

La contamination peut emprunter différentes voies : voie respiratoire ou digestive (grippe, poliomyélite), voie transcutanée, par piqûre ou morsure (rage), voie transmuqueuse, habituellement à cause d'une érosion de la muqueuse (conjonctivite, herpès, sida), voie sexuelle et sanguine (hépatites B et C, sida).

Nombre de virus sont immunogènes, c'est-à-dire qu'ils déclenchent la production d'anticorps spécifiques par l'organisme qu'ils attaquent. S'ils se maintiennent dans l'organisme, ces anticorps protègent habituellement ce dernier contre une nouvelle infection par le même virus ; cela est le cas, par exemple, pour la rougeole, la rubéole et la poliomyélite, maladies dites, pour cette raison, immunisantes.

D'autre part, en introduisant leur acide nucléique dans la cellule, les virus sont capables de modifier profondément l'information génétique de celle-ci et, par exemple, d'induire sa transformation en cellule cancéreuse (virus oncogène).

DIAGNOSTIC ET TRAITEMENT DES INFECTIONS VIRALES

Le diagnostic d'une maladie virale peut s'appuyer sur la sérologie (recherche d'anticorps dans le sérum sanguin) ou sur la mise

Les virus sont les plus petits agents infectieux connus à ce jour. Ils ne peuvent se multiplier qu'après avoir envahi les cellules d'un autre être vivant, dans lequel ils pénètrent de diverses manières : inhalation, ingestion, piqûre, morsure, contact muqueux, etc. Tous les virus ne sont pas pathogènes. Cependant, nombre d'entre eux sont responsables de pathologies bénignes (verrues, coryza, infection respiratoire mineure) mais aussi de maladies beaucoup plus graves (rage, sida, fièvres hémorragiques).

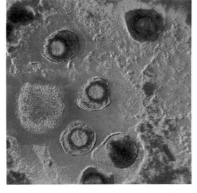

Le virus de la grippe provoque un état fébrile, des courbatures et des infections respiratoires.

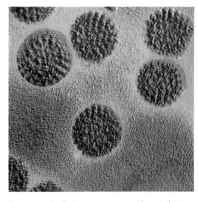

Le cytomégalovirus provoque des infections bénignes, sauf chez les sujets immunodéprimés.

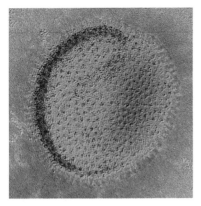

Le virus de l'herpès se traduit par des vésicules autour de la bouche ou sur les organes génitaux.

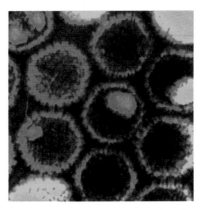

Le rotavirus est souvent responsable, chez l'enfant, de gastroentérites bénignes.

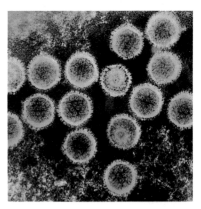

Le virus d'Epstein-Barr est l'agent de la mononucléose infectieuse, fréquente à l'adolescence.

en évidence, par culture cellulaire ou biologie moléculaire, du virus dans le sang, les urines, la salive, etc.

Le traitement des maladies à virus va de celui des symptômes – cas de la grippe, par exemple – à l'utilisation de médicaments antiviraux (aciclovir contre le virus du zona, zidovudine contre le V.I.H., virus du sida). Le meilleur traitement est préventif et repose sur la vaccination lorsqu'un vaccin est disponible.

Virus de l'immunodéficience humaine

Virus responsable du sida. En anglais, *Human Immunodeficiency Virus (HIV)*.

DESCRIPTION

Les virus de l'immunodéficience humaine (V.I.H.) constituent la sous-famille des lentivirus, appartenant elle-même à la famille des rétrovirus. Ces derniers sont des virus à A.R.N., capables de rétrotranscrire leur A.R.N. en A.D.N., c'est-à-dire de copier l'information génétique contenue dans leur A.R.N. sous la forme d'un A.D.N., grâce à une enzyme qu'ils contiennent, la transcriptase inverse. Cet A.D.N., dit proviral, s'intègre ensuite à l'A.D.N. de la cellule infectée pour y demeurer en attente ou pour se faire copier (reproduire) par l'A.D.N. de la cellule.

DIFFÉRENTES ESPÈCES DE V.I.H.

On connaît actuellement deux virus de l'immunodéficience humaine. Le V.I.H. 1, découvert en 1983, et le V.I.H. 2, découvert en 1986. Le V.I.H. 2 est actuellement limité à l'Afrique occidentale.

PROCESSUS DE DUPLICATION

Le V.I.H. infecte les lymphocytes T4 (ou lymphocytes cd4), globules blancs jouant un rôle fondamental dans la défense immunitaire, et les détruit après les avoir utilisés pour se répliquer. Le V.I.H. est immunogène, c'est-à-dire qu'il provoque la fabrication d'anticorps spécifiques par l'organisme qu'il infecte ; cependant, ces anticorps sont incapables de défendre l'organisme car – probablement à cause de la grande variabilité du V.I.H. – ils reconnaissent difficilement ce virus. La destruction des lymphocytes T4 aboutit à la disparition de l'immunité, donc à l'incapacité pour l'organisme de se défendre contre les infections. Le V.I.H. s'attaque aussi à d'autres globules blancs, les macrophages, et même à des cellules nerveuses ou musculaires.

MODE DE TRANSMISSION DU VIRUS

Le V.I.H. se transmet par la voie sexuelle, par la voie sanguine (transfusion de sang infecté non chauffé, réutilisation des seringues ou emploi de la même seringue par plusieurs toxicomanes) et, de la mère à l'enfant, par la voie transplacentaire (de 20 à 50 % des cas, selon les pays).

DIAGNOSTIC

L'infection par le V.I.H. est révélée par la présence dans le sérum sanguin d'anticorps spécifiques développés contre le virus (test ELISA), décelables seulement 6 à 12 semaines environ après la contamination. Mais, ce test pouvant être faussement positif, un résultat positif doit être contrôlé par la réaction dite de Western-Blot, sensible aux protéines du virus. → VOIR **Sang, Sida.**

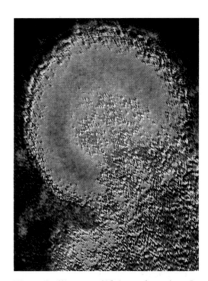

Virus de l'immunodéficience humaine. *Le V.I.H. (orange et violet) sort par bourgeonnement de la cellule infectée, ce qui lui permet de contaminer d'autres cellules.*

Virus respiratoire syncytial

Virus de la famille des paramyxoviridæ, responsable d'infections respiratoires.

Le virus respiratoire syncytial (V.R.S.) sévit sous forme épidémique, en hiver et au printemps, dans les collectivités de jeunes enfants, dans toutes les zones géographiques. Il peut également infecter le nourrisson, l'enfant plus âgé ou l'adulte.

SYMPTÔMES ET SIGNES

Les adultes ne présentent le plus souvent aucun symptôme, sauf éventuellement une trachéobronchite. En revanche, l'infection par le virus respiratoire syncytial est manifeste, le plus souvent, chez le nourrisson : elle se déclare sous forme de pneumopathie, de bronchiolite, de rhinopharyngite, de laryngite, de trachéobronchite et/ou d'otite, accompagnées de fièvre. Les complications éventuelles sont liées à l'insuffisance respiratoire, découlant d'une bronchiolite, et aux surinfections bactériennes respiratoires.

DIAGNOSTIC

Il est confirmé par l'isolement du virus respiratoire syncytial, au moyen d'une technique d'immunofluorescence, dans un prélèvement des sécrétions du nez, des bronches ou de la trachée.

TRAITEMENT

Les sujets infectés sont isolés, afin d'éviter la dissémination du virus à l'entourage. Il n'existe pas de traitement antiviral spécifique, même si la ribavirine peut être administrée dans les formes les plus graves de l'infection virale.

Viscère

Organe situé dans la cavité du tronc et participant à une ou à plusieurs des grandes fonctions vitales de l'organisme, lesquelles ont pour rôle d'assurer en premier lieu la survie de l'individu ou de l'espèce.

Les fonctions vitales de l'organisme sont la circulation (assurée par le cœur), la respiration (dépendant des poumons), la nutrition (assurée par le tube digestif, le foie et le pancréas), l'épuration (contrôlée par les reins et la vessie), la reproduction (assurée par l'utérus). Les viscères sont généralement des éléments volumineux, les uns pleins (foie, pancréas), les autres creux (cœur, reins, intestin, rectum, utérus, etc.). Le poumon est à part en tant qu'organe du type plein mais fortement pneumatique, c'est-à-dire

CLASSIFICATION DES VIRUS

Famille	Genre ou sous-famille	Exemples de maladies et espèces en cause	Transmission habituelle
Adenoviridæ	Mastadenovirus	Adénopathie, conjonctivite, infection respiratoire, gastroentérite (Adenovirus)	Inhalation
Arenaviridæ	Arenavirus	Conjonctivite, infection respiratoire (virus de la choriomémingite lymphocytaire) Fièvre hémorragique (virus à fièvres hémorragiques)	Accidentelle, du rongeur à l'homme
Bunyaviridæ	Bunyavirus, Nairovirus, Phlébovirus, Uukuvirus	Encéphalite (virus de l'encéphalite de Californie) Fièvre hémorragique (virus F.H. Crimée-Congo, virus F phlébotomes, virus Uukuniemi)	Piqûre d'arthropode
Coronaviridæ	Coronavirus	Rhume (coronavirus respiratoires humains) Gastroentérite (coronavirus entérique humain)	Inhalation Digestive
Hepnaviridæ		Hépatite, cirrhose, cancer primitif du foie (virus de l'hépatite B)	Sanguine, fœtomaternelle
Herpesviridæ	Herpesvirinæ	Éruption vésiculaire (virus de l'herpès simplex, ou HSV) Varicelle, zona (virus varicelle-zona, ou VZV) Mononucléose infectieuse (virus d'Epstein-Barr, ou EBV) Syndrome mononucléosique (cytomégalovirus, ou CMV)	Cutanéomuqueuse, inhalation Salivaire Sanguine
Orthomyxoviridæ	Influenza virus	Grippe (virus influenza A et B)	Inhalation
Papovaviridæ	Papillomavirus	Verrues, condylomes, dysplasies (papillomavirus humain)	Cutanéomuqueuse
Paramyxoviridæ	Paramyxovirus Pneumovirus Morbillivirus	Infections respiratoires (virus para-influenza) Laryngites, oreillons (virus ourlien) Bronchites (virus respiratoire syncytial) Rougeole (virus morbilleux)	Inhalation
Parvoviridæ	Parvovirus	Gastroentérites (virus de Norwalk)	Orofécale
Picornaviridæ	Entérovirus Rhinovirus	Poliomyélite (poliovirus) Méningite (échovirus) Hépatite (virus de l'hépatite A) Rhume, atteintes respiratoires (rhinovirus)	Orofécale Orofécale, digestive (eau, coquillages) Inhalation
Poxviridæ	Orthopoxvirus Parapoxvirus	Variole, vaccine Nodule du trayeur	Inhalation, cutanée
Reoviridæ	Rotavirus	Gastroentérite de l'enfant (rotavirus humain)	Morsure de tiques
Retroviridæ	Oncornavirus Lentivirus	Leucémie, lymphome T de l'adulte (virus du lymphome T, ou HTLV) Sida (virus de l'immunodéficience humaine, ou VIH)	Sanguine, sexuelle Sanguine, sexuelle et fœtomaternelle
Rhabdoviridæ	Lyssavirus	Rage (virus rabique)	Morsure
Togaviridæ	Flavivirus Rubivirus	Fièvre jaune, encéphalite, fièvres hémorragiques (65 espèces dont le virus amarile et le virus de la dengue) Rubéole (virus de la rubéole)	Piqûre d'arthropode Fœtomaternelle
Toroviridæ	Coronavirus-like	Gastroentérite (virus de Berne)	Digestive

gonflé d'air. D'autres éléments de l'organisme, qui pourtant participent aux fonctions vitales, ne sont pas considérés habituellement comme des viscères : la trachée, l'urètre, le cholédoque, etc.

Une affection polyviscérale est une affection touchant en même temps plusieurs viscères. La sarcoïdose en est un exemple.

Viscosité

Capacité plus ou moins grande d'un fluide à résister à l'écoulement.

La viscosité d'un fluide organique dépend de sa composition en cellules et en substances chimiques. Ainsi, la viscosité du sang, fluide formé de plasma et d'éléments cellulaires (globules rouges, globules blancs et plaquettes), est fonction, d'une part, de la composition du plasma en eau, en substances minérales et organiques (lipides, glucides, protéines) et, d'autre part, des concentrations sanguines en éléments cellulaires et des capacités de déformation et d'agrégabilité des globules rouges.

PATHOLOGIE

■ Une hyperviscosité sanguine (augmentation anormale de la viscosité du sang) survient surtout au cours de certaines maladies hématologiques se traduisant par une augmentation anormale de la production de protéines sanguines (myélome multiple, maladie de Waldenström) ou de globules rouges (polyglobulie), mais aussi en cas de diabète, de troubles vasculaires, d'hypercholestérolémie familiale, de déshydratation ou d'hyperhydratation cellulaires, ou en cas d'alcoolisme. Les troubles du fonctionnement de l'encéphale qui peuvent en résulter se manifestent par des maux de tête, des vertiges, des pertes de connaissance. Par ailleurs, l'hyperviscosité sanguine induit des troubles de la coagulation pouvant se compliquer d'hémorragies ou, au contraire, de thrombose (formation de caillots dans les vaisseaux). Son traitement est principalement celui de la maladie en cause.

Vision

Fonction par laquelle les images captées par l'œil sont transmises par les voies optiques (cellules rétiniennes et ganglionnaires, nerf optique, chiasma optique) au cerveau.

MÉCANISME

Les rayons lumineux traversent les différents milieux transparents de l'œil : cornée, humeur aqueuse, cristallin, vitré, avant d'atteindre la rétine. La cornée assure la plus grande partie du pouvoir de réfraction, destiné à faire converger ces rayons sur la rétine ; le cristallin a également un rôle réfringent. Sur la rétine, les cellules photoréceptrices (cônes et bâtonnets) transforment les influx lumineux en influx nerveux, qui sont analysés par le cerveau (lobe occipital) après leur passage par les voies optiques (nerfs optiques, chiasma optique, bandelettes optiques, corps genouillés, radiations optiques).

DIFFÉRENTS TYPES DE VISION

La vision permet de distinguer trois sortes d'éléments : les formes, les reliefs et les distances et, enfin, les couleurs.

■ La vision des formes est possible grâce au pouvoir convergent du système optique. L'image, sur la rétine, est réduite et renversée. La vision précise des formes, ou acuité visuelle, est maximale près du pôle postérieur de l'œil, qui correspond, sur la rétine, à la macula : en effet, celle-ci contient essentiellement des cônes. Tout ce qui est perçu par la vision périphérique constitue le champ visuel. Pour que la vision des formes se fasse normalement, une parfaite intégrité de tous les éléments en jeu est requise : transparence des milieux oculaires (cornée, humeur aqueuse, cristallin, vitré) ; bonne « mise au point » sur la rétine, notamment grâce au cristallin en vision de près ; intégrité des voies optiques et du centre d'intégration cérébral. Un obstacle sur ce circuit retentit sur la vision.

■ La vision des reliefs et des distances, ou vision stéréoscopique, est possible grâce à l'intégration par le cerveau des deux images, légèrement différentes, fournies par chaque œil. Cette vision binoculaire est perturbée en cas de diplopie (vision double) ou de strabisme, les axes des deux yeux n'étant plus parallèles et les images fournies au cerveau étant alors trop différentes : une des deux images est alors neutralisée.

■ La vision des couleurs, sous la dépendance des cônes, est plus intense dans la zone centrale de la rétine et moins bonne en périphérie. Les dyschromatopsies (anomalies de la vision des couleurs) peuvent être congénitales (daltonisme) ou acquises.

EXAMENS

La vision des formes est évaluée par des tests d'acuité visuelle, de loin et de près, et par l'exploration du champ visuel. L'électrorétinographie explore la fonction des cellules photoréceptrices de la rétine (cônes et bâtonnets) ; l'enregistrement des potentiels évoqués visuels évalue la transmission de l'influx nerveux le long des voies optiques. Des tests orthoptiques permettent d'estimer la vision binoculaire. Enfin, les tests d'Ishihara (présentation d'impressions colorées sur fond coloré) et de Farnsworth (pastilles colorées de différentes tonalités) permettent d'évaluer la qualité de la vision des couleurs.
→ VOIR Voies optiques.

Vitamine

Substance organique nécessaire à la croissance et au bon fonctionnement de l'organisme, qui la fabrique en quantité insuffisante pour subvenir à ses besoins (vitamines B6, B8, D, K) ou qui ne peut la synthétiser.

Les vitamines doivent donc être apportées par l'alimentation ou, à défaut, sous forme médicamenteuse. Toutes sont contenues dans le lait maternel, mais pas toujours en quantités suffisantes (la vitamine K, notamment, doit faire l'objet d'une complémentation médicamenteuse systématique à la naissance). La structure chimique et le rôle biologique des treize vitamines connues à ce jour (acide folique, vitamines A, B1, B2, B5, B6, B8, B12, C, D, E, K et PP) sont très différents. Par ailleurs, les vitamines agissent à faible dose, seules ou de façon synergique, et n'ont aucune valeur énergétique.

Les vitamines se classent habituellement en deux groupes : vitamines hydrosolubles (solubles dans l'eau), regroupant la vitamine C et les vitamines du groupe B (B1, B2, B5, B6, B8, B12, PP), et vitamines liposolubles (solubles dans les corps gras), regroupant les vitamines A, D, E et K. Les vitamines sont transportées dans le sang par diverses molécules ; à la différence des vitamines hydrosolubles, en général éliminées dans les urines, les vitamines liposolubles sont stockées par l'organisme et peuvent être responsables d'une intoxication (le plus souvent d'origine médicamenteuse) en cas de consommation excessive. À l'inverse, des carences, dues à un défaut d'apport alimentaire, à un trouble de l'absorption intestinale ou de l'utilisation des vitamines par l'organisme, ou encore à des interactions médicamenteuses, se manifestent par des signes cliniques plus ou moins spécifiques et souvent tardifs. L'état vitaminique d'un sujet peut être apprécié, au moins partiellement, par des dosages sanguins ou urinaires notamment.

Vitamine A

Vitamine liposoluble indispensable à la vision (notamment crépusculaire), à la croissance, au système immunitaire, au métabolisme des hormones stéroïdes, à la différenciation des tissus, etc. SYN. rétinol.

Il semblerait aussi que la vitamine A et ses précurseurs (substances à partir desquelles elle est synthétisée), les caroténoïdes, en particulier le bêta-carotène, jouent un rôle protecteur dans certaines maladies telles que le cancer, l'athérosclérose ou la cataracte en protégeant de l'oxydation les substances essentielles au métabolisme cellulaire.

BESOINS ET SOURCES

Les apports journaliers recommandés en vitamine A sont de 800 microgrammes pour les femmes adultes, les enfants à partir de 10 ans (moins avant cet âge) et les personnes âgées, de 1 000 microgrammes pour les hommes adultes, les adolescents et les femmes enceintes et de 1 300 microgrammes pour les femmes qui allaitent.

On trouve cette vitamine dans de nombreux aliments, certains d'origine animale - foie, œufs, poissons gras, lait entier et produits laitiers non écrémés (beurre, crème) -, d'autres d'origine végétale : les fruits et légumes verts, jaunes (citrons, pamplemousses) ou orange (mangues, oranges, carottes) contiennent en effet des caroténoïdes, qui se transforment partiellement en vitamine A dans l'organisme. La vitamine A peut s'oxyder à l'air et à la lumière. Elle est aussi sensible à la cuisson.

CARENCE

La carence en vitamine A, liée à un apport alimentaire insuffisant ou à des anomalies digestives (malabsorption), est rare dans les pays développés, mais très fréquente dans les pays en développement, où elle est la principale cause de cécité chez l'enfant. L'un de ses premiers symptômes est l'héméralopie (baisse de l'acuité visuelle dans la pénombre), qui peut s'associer à une sécheresse oculaire (xérophtalmie) et cutanée.

VISION

Le phénomène de la vision commence dans la rétine, membrane tapissant le fond de l'œil, sur laquelle arrivent les images transmises par la cornée et le cristallin. Les cellules visuelles de la rétine transforment cet influx lumineux en un influx nerveux, qui chemine le long des nerfs optiques pour rejoindre le chiasma optique puis le cerveau. Dans le chiasma, une partie des fibres nerveuses s'entrecroise de façon que chaque hémisphère cérébral reçoive des influx provenant des deux yeux.

Le cristallin est constitué de cellules allongées, disposées en couches parallèles, ce qui lui assure une parfaite transparence.

Les voies de la vision

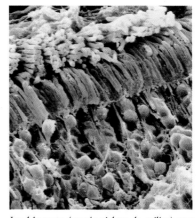

hémisphère cérébral gauche

lobe occipital

scissure calcarine

radiation optique

corps genouillé

bandelette optique

hémisphère cérébral droit

rétine (champ temporal)

chiasma optique

nerf optique

rétine (champ nasal)

œil gauche

vision gauche

zone de vision binoculaire

vision droite

œil droit

La perception visuelle

Les milieux transparents de l'œil
Il s'agit de la cornée, de l'humeur aqueuse, du cristallin et du vitré ; en réfractant les rayons lumineux, ces milieux transparents permettent la formation d'une image nette sur la rétine.

La rétine
Cette membrane contient des cellules appelées photorécepteurs, qui transforment le rayonnement lumineux en influx nerveux. Il en existe deux types : les cônes, responsables de l'acuité visuelle et de la vision des couleurs, et les bâtonnets, qui permettent la vision dans des conditions de faible éclairage.

Les voies optiques
Ces photorécepteurs sont prolongés par les fibres nerveuses des nerfs optiques, qui transmettent l'influx nerveux jusqu'au cerveau.

Le cerveau
Le centre cérébral de la vision, situé dans le cortex des lobes occipitaux, analyse les informations visuelles.

Structure de la rétine

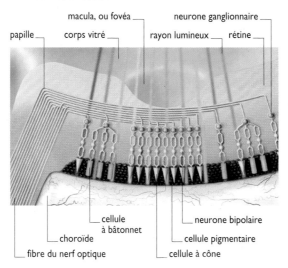

papille

macula, ou fovéa

corps vitré

neurone ganglionnaire

rayon lumineux

rétine

cellule à bâtonnet

choroïde

fibre du nerf optique

neurone bipolaire

cellule pigmentaire

cellule à cône

Les bâtonnets (rangée violette du milieu) sont des cellules photoréceptrices spécialisées de la rétine ; ils sont très sensibles à l'intensité lumineuse mais non aux couleurs.

UTILISATION THÉRAPEUTIQUE ET HYPERVITAMINOSE

La prise de vitamine A est indiquée dans la carence correspondante et en cas d'acné, de psoriasis ou d'ichtyose (maladie cutanée chronique caractérisée par une peau épaisse, sèche et rêche) ; l'administration se fait par voie orale, quelquefois par perfusions ou par injections sous-cutanées.

Des apports excessifs de vitamine A, principalement d'origine médicamenteuse, mais qui peuvent aussi être d'origine alimentaire (surconsommation de foie, par exemple), sont toxiques ; l'intoxication aiguë se manifeste par des maux de tête, une somnolence, des troubles cutanés ; l'intoxication chronique, qui survient après des mois, voire des années, de surconsommation, provoque des nausées, des troubles cutanés (desquamation), des atteintes hépatiques (cirrhose), des douleurs et, chez l'enfant, des anomalies osseuses responsables d'un retard de croissance. Enfin, chez la femme enceinte, une hypervitaminose risque de provoquer des malformations du fœtus, notamment de son système nerveux. Une supplémentation en vitamine A est contre-indiquée en cas de dialyse rénale.

Vitamine B1

Vitamine hydrosoluble qui intervient notamment dans le métabolisme énergétique des cellules. SYN. *thiamine*.

BESOINS ET SOURCES

Les apports recommandés en vitamine B1 sont de 0,4 à 1,2 milligramme par jour pour les enfants, de 1,3 milligramme pour les adolescentes et les femmes, et de 1,5 milligramme pour les sujets de sexe masculin ; ils sont plus élevés en cas de grossesse, d'allaitement et aussi en cas d'alcoolisme chronique (car alors, les besoins augmentent tandis que les apports alimentaires sont souvent insuffisants).

On trouve la vitamine B1 dans de nombreux aliments : germe et enveloppe externe des céréales complètes, levure de bière, légumes secs, viande (surtout le porc et certains abats comme le foie et les rognons), poissons, œufs, lait et produits laitiers, etc. Cette vitamine est sensible à l'action de la chaleur, en milieu humide, à la lumière ou au pH neutre et alcalin ; les pertes à la cuisson varient selon les aliments et le mode de préparation (les bicarbonates, en particulier, entraînent sa destruction).

CARENCE ET HYPERVITAMINOSE

Si le béribéri, dû à une carence extrême en vitamine B1, est devenu rare dans les pays industrialisés, on y rencontre des cas, moins graves, de carence, liés à un apport alimentaire insuffisant chez les sujets alcooliques, ou à une nutrition par perfusions non supplémentées ; ces carences entraînent une fatigue, une perte d'appétit et de poids, et des troubles neurologiques (polynévrite), psychiques, cardiaques et digestifs, réversibles par l'administration de vitamine B1. Le risque d'hypervitaminose est très faible, la vitamine B1 ne devenant toxique qu'à des doses très élevées (supérieures à 100 fois l'apport quotidien conseillé).

Vitamine B2

Vitamine hydrosoluble intervenant dans les réactions qui libèrent l'énergie nécessaire aux cellules, ainsi que dans le métabolisme des lipides, des protéines et des glucides. SYN. *lactoflavine, ovoflavine, riboflavine*.

BESOINS ET SOURCES

Les apports journaliers conseillés sont de 0,6 à 1,4 milligramme par jour pour les enfants, de 1,5 milligramme pour les femmes et les adolescentes, et de 1,8 milligramme pour les adolescents, les hommes et les femmes enceintes ou allaitant.

Les principales sources alimentaires de vitamine B2 sont le lait et les produits laitiers, les œufs, la viande (surtout les abats), le poisson, les légumes à feuilles vertes et la levure. Cette vitamine est résistante à la chaleur, mais très sensible à la lumière et au pH alcalin ; elle peut disparaître en partie dans l'eau de cuisson des aliments.

CARENCE

La carence en vitamine B2, essentiellement liée à une malabsorption digestive, à un apport alimentaire insuffisant ou à une consommation excessive d'alcool, peut entraîner des lésions de la peau et des muqueuses ainsi que des troubles oculaires.

UTILISATION THÉRAPEUTIQUE

L'administration de vitamine B2 est indiquée dans la carence correspondante et en cas de perlèche (inflammation de la commissure des lèvres) et de crampes musculaires.

Vitamine B3

→ VOIR Vitamine PP.

Vitamine B5

Vitamine hydrosoluble qui joue un rôle important dans le métabolisme énergétique des cellules (indispensable à la dégradation des glucides, des lipides et de certains acides aminés, et à la synthèse des acides gras et du cholestérol) et qui participe à la formation de certaines hormones. SYN. *acide pantothénique*.

BESOINS ET SOURCES

Les apports nutritionnels conseillés en vitamine B5 sont de 3 à 8 milligrammes par jour pour les enfants, de 10 milligrammes pour les adolescents et les adultes.

La vitamine B5 se trouve dans la plupart des aliments, les plus riches étant la levure, la viande (notamment le foie et les rognons), les œufs, les produits laitiers, les légumes secs et les poissons. Cette vitamine est sensible à la chaleur et aux milieux acides et alcalins.

CARENCE

Les états de carence sont exceptionnels et ne s'observent qu'en cas de dénutrition importante ou de nutrition parentérale (par perfusions) exclusive et non supplémentée en vitamine B5. Ils se traduisent par une fatigue, des troubles digestifs (nausées, diarrhées, douleurs), cutanés (chute des cheveux, ulcérations) et neurologiques (maux de tête, sensation de brûlure aux extrémités, etc.). Réversibles, ces troubles sont traités par administration médicamenteuse de vitamine B5.

Vitamine B6

Vitamine hydrosoluble intervenant notamment dans le métabolisme des acides aminés, du glycogène, des stéroïdes, de l'hémoglobine, des enzymes et dans la synthèse de certains neurotransmetteurs (substances chimiques permettant la transmission de l'influx nerveux), ainsi que dans les réactions immunitaires.

Le terme de vitamine B6 regroupe trois substances apparentées, dont la plus répandue est la pyridoxine, les deux autres étant la pyridoxamine et le pyridoxal.

BESOINS ET SOURCES

Les apports journaliers conseillés sont de 0,6 à 1,6 milligramme pour les enfants, de 2 à 2,2 milligrammes pour les adolescents et les adultes ; ils sont légèrement supérieurs (environ 2,5 milligrammes) pour les femmes enceintes, allaitant ou prenant des contraceptifs oraux.

La vitamine B6 est présente dans de nombreux aliments dont la levure, la viande (foie et rognons surtout), le poisson, les céréales, les légumes frais et secs, les fruits (oléagineux en particulier) et le lait ; par ailleurs, la flore du tube digestif en synthétise elle-même une certaine quantité. Cette vitamine s'altère à la lumière.

CARENCE

De rares carences peuvent s'observer en cas d'apport alimentaire insuffisant, de malabsorption digestive (notamment chez des sujets alcooliques), d'augmentation des besoins, lors de certaines maladies génétiques ou au cours de certains traitements (prise d'isoniazide ou d'œstroprogestatifs, hémodialyse). Elles se manifestent par un amaigrissement, des atteintes cutanées (peau sèche et prurigineuse), des troubles neurologiques, une glossite (inflammation de la langue), une anémie, une irritabilité, voire une dépression.

UTILISATION THÉRAPEUTIQUE ET HYPERVITAMINOSE

L'administration de vitamine B6 sous forme médicamenteuse est indiquée dans la carence correspondante et en cas de polynévrite (atteinte du système nerveux périphérique), de maladie génétique perturbant le métabolisme de cette vitamine, d'hémodialyse ou d'alimentation par perfusions. Le risque d'hypervitaminose est faible, la vitamine B6 ne devenant toxique qu'à des doses élevées (supérieures à 50 fois l'apport quotidien conseillé). La prise prolongée de doses importantes de vitamine B6 peut cependant être à l'origine d'une polynévrite. La vitamine B6 est contre-indiquée en cas de traitement par la lévodopa, un antiparkinsonien.

Vitamine B8

Vitamine hydrosoluble intervenant dans la dégradation des acides gras, de certains acides aminés et du glucose, et également dans la synthèse des acides gras. SYN. *biotine, vitamine H*.

BESOINS ET SOURCES

Les apports nutritionnels conseillés sont de 50 à 90 microgrammes par jour pendant l'enfance, de 100 à 300 microgrammes à partir de l'adolescence.

La vitamine B8 provient de l'alimentation (levure, viande [foie et rognons, notamment], jaune d'œuf, produits laitiers, certains légumes), mais elle est aussi synthétisée en partie par la flore intestinale. Elle est stable à la chaleur mais sensible à l'oxygène et à la lumière.

CARENCE

Exceptionnelle, la carence en vitamine B8 se manifeste par une fatigue, une perte d'appétit, une inflammation de la peau et de la langue (glossite), une chute des cheveux, des nausées, des convulsions. Elle survient toujours dans un contexte très particulier : nutrition par perfusions non supplémentées en vitamine B8 ou maladies héréditaires du métabolisme de cette vitamine (déficit en certaines enzymes telles que la biotinidase ou l'holocarboxylase synthétase).

UTILISATION THÉRAPEUTIQUE

La vitamine B8 est utilisée dans la carence correspondante.

Vitamine B9

→ VOIR Acide folique.

Vitamine B12

Vitamine hydrosoluble jouant un rôle dans la maturation des globules rouges à partir de leurs cellules mères et dans la synthèse de certains acides gras et de certains acides aminés. SYN. *cyanocobalamine.*

BESOINS ET SOURCES

Les apports nutritionnels conseillés, minimes et aisément couverts par une alimentation équilibrée, sont de 1 à 2 microgrammes par jour pour les enfants, de 3 microgrammes pour les adolescents ou les adultes, de 4 microgrammes pour les femmes enceintes ou allaitant.

La vitamine B12 se trouve dans tous les produits animaux, notamment le foie. Elle est relativement stable à la chaleur et à l'air, mais sensible à la lumière et aux rayons ultraviolets ainsi qu'aux acides et aux bases.

MÉTABOLISME ET CARENCE

L'absorption intestinale de la vitamine B12 a lieu dans la dernière partie de l'intestin grêle. Elle n'est possible qu'en présence d'une glycoprotéine sécrétée par l'estomac, appelée facteur intrinsèque. La carence en vitamine B12, qui n'est pas rare dans les pays industrialisés, peut donc résulter soit, exceptionnellement, d'apports alimentaires insuffisants (régime végétalien), soit d'une gastrectomie (ablation de l'estomac) ou d'une maladie responsable d'une anomalie de la sécrétion du facteur intrinsèque, telle que la maladie de Biermer ou une maladie héréditaire caractérisée par un déficit congénital en facteur intrinsèque ou par la sécrétion de facteur intrinsèque inactif ; cette carence peut encore provenir d'une anomalie, d'une ablation de la partie terminale de l'intestin grêle ou, exceptionnellement, d'une infection chronique de l'intestin grêle. Enfin, une carence en vitamine B12 n'est pas rare chez les personnes âgées.

Le foie, qui stocke la vitamine B12, peut pallier une insuffisance d'apport ou un trouble de l'absorption pendant 3 ou 4 ans.

Ensuite apparaissent les premiers signes de carence : fatigue générale, perte de l'appétit, troubles hématologiques (anémie mégaloblastique), neuropsychiatriques (sensation de brûlure cutanée, névrite optique [inflammation du nerf optique], pertes de mémoire, labilité de l'humeur, dépression) et muqueux (langue dépapillée).

UTILISATION THÉRAPEUTIQUE

La vitamine B12, administrée en injections intramusculaires, est indiquée dans la carence correspondante. Elle est également employée à très fortes doses comme analgésique. Des injections intraveineuses de l'un de ses dérivés, l'hydroxocobalamine, sont pratiquées en cas d'intoxication au cyanure. L'administration médicamenteuse de vitamine B12 est contre-indiquée dans de rares cas (certains cancers, notamment).

Vitamine C

Vitamine hydrosoluble impliquée dans la production des glucocorticostéroïdes et de certains neurotransmetteurs (substances permettant la transmission de l'influx nerveux), dans le métabolisme du glucose, du collagène, de l'acide folique et de certains acides aminés, dans la neutralisation des radicaux libres et des nitrosamines, dans des réactions immunologiques et facilitant l'absorption du fer par le tube digestif. SYN. *acide ascorbique.*

BESOINS ET SOURCES

Les apports nutritionnels conseillés en vitamine C sont de 35 à 60 milligrammes par jour pour l'enfant, de 60 à 100 milligrammes pour l'adolescent et l'adulte. Pour les fumeurs, un apport plus élevé, de l'ordre de 120 milligrammes, est recommandé.

Les principales sources alimentaires de la vitamine C sont les légumes et les fruits crus, ainsi que les pommes de terre. Cette vitamine est très facilement oxydable et très sensible à la chaleur et aux rayons ultraviolets.

CARENCE

La carence en vitamine C, rare dans les pays en développement et exceptionnelle dans les pays industrialisés, est responsable du scorbut. Due à un apport alimentaire insuffisant, à une malabsorption digestive, à une augmentation des besoins ou à une élimination excessive, elle concerne le plus souvent les sujets âgés, alcooliques, souffrant de malabsorption chronique ou soumis à une nutrition par perfusions non supplémentées en vitamine C. Elle se traduit par une fatigue, des douleurs ostéoarticulaires, des œdèmes, une gingivite, des hémorragies.

Les états de subcarence (stade qui précède la carence) seraient plus fréquents, et l'on s'interroge aujourd'hui sur les éventuelles relations entre un défaut d'apport en vitamine C et diverses maladies (cancer, maladies cardiovasculaires, cataracte, etc.).

UTILISATION THÉRAPEUTIQUE ET HYPERVITAMINOSE

L'administration de vitamine C est prescrite par voie orale dans le traitement des carences correspondantes, des états de fatigue, de certains troubles capillaires ou veineux, et par voie intraveineuse en cas de méthémo-

globinémie (augmentation anormale de la concentration sanguine en méthémoglobine, molécule d'hémoglobine inapte au transport d'oxygène). En revanche, contrairement à une idée répandue, la vitamine C n'a aucune influence sur le virus de la grippe. La prise excessive (par supplémentation médicamenteuse) de vitamine C peut entraîner une agitation et des insomnies, mais elle n'est pas dangereuse, les excès étant éliminés dans les urines et dans les selles. Pour des doses égales ou inférieures à 1 000 milligrammes par jour, il n'y a donc pas de contre-indication. Des doses supérieures ne doivent pas être administrées en cas d'hémochromatose (maladie consécutive à l'accumulation de fer dans les tissus de l'organisme), de lithiase urinaire oxalique, de déficit en gluco-6-phosphate déshydrogénase ou d'insuffisance rénale.

Vitamine D

Vitamine liposoluble nécessaire à l'absorption intestinale du calcium et à sa fixation sur les os, ainsi qu'à la réabsorption du phosphore par les reins, et jouant aussi un rôle essentiel dans d'autres phénomènes biologiques comme la différenciation cellulaire et l'immunité. SYN. *calciférol.*

Le terme de vitamine D regroupe en fait deux composés ayant une activité antirachitique : la vitamine D2, ou ergocalciférol, et la vitamine D3, ou cholécalciférol.

BESOINS ET SOURCES

Les apports nutritionnels conseillés sont de 10 à 15 microgrammes par jour pour l'enfant, de 10 microgrammes pour l'adulte, de 15 microgrammes lors de la grossesse et de l'allaitement, et de 12 microgrammes pour le sujet âgé.

La vitamine D présente dans l'organisme a une double origine : endogène, par transformation dans la peau du cholestérol sous l'influence des rayons ultraviolets (vitamine D3), et exogène, par l'alimentation (vitamine D2 dans les végétaux et vitamine D3 dans les produits animaux). Les aliments les plus riches en vitamine D sont le foie des poissons maigres (huile de foie de morue), les poissons gras, le jaune d'œuf, le foie, le lait entier et les produits laitiers non écrémés (beurre, notamment). Cette vitamine est très sensible à la chaleur, à la lumière, à l'oxygène et aux milieux acides.

CARENCE

La carence en vitamine D entraîne une décalcification osseuse provoquant un rachitisme chez l'enfant et, chez l'adulte, une ostéomalacie, qui se traduisent par des déformations osseuses et s'accompagnent de troubles biologiques (augmentation des taux sanguins de parathormone, de phosphatases alcalines, baisse du taux sanguin de phosphore, le taux sanguin de calcium étant normal ou faible). Dans les pays industrialisés, grâce à l'administration médicamenteuse systématique de vitamine D aux nourrissons, le rachitisme est devenu exceptionnel. On peut observer une carence chez l'adulte dans des situations particulières : personnes âgées, alcooliques ou souffrant d'une malabsorption digestive chronique, d'une insuffisance rénale chronique ou d'une insuffisance hépatique, d'une hypothyroïdie, ou encore en cas d'interactions médicamenteuses (prise de certains anticonvulsivants [barbituriques, hydantoïnes] ou antituberculeux [rifampicine]). Les carences en vitamine D se traitent par administration médicamenteuse (par voie orale) de cette vitamine.

HYPERVITAMINOSE

L'administration de doses excessives de vitamine D peut provoquer une intoxication : maux de tête, manque d'appétit, vomissements, troubles ostéoarticulaires (douleurs, crampes), hydroélectrolytiques (hypercalcémie, hypercalciurie) et rénaux (déshydratation, notamment), calcification des organes (reins, cœur, poumons, vaisseaux sanguins) ; en outre, chez la femme enceinte, une hypervitaminose risque d'entraîner des malformations fœtales.

Vitamine E

Vitamine liposoluble indispensable à une bonne stabilisation des membranes cellulaires, au maintien de l'activité de certaines enzymes, à l'agrégation des plaquettes sanguines et à la protection des globules rouges contre les substances oxydantes (radicaux libres, par exemple).

Il semblerait aussi que la vitamine E ralentisse le vieillissement des cellules ; enfin, des travaux de plus en plus nombreux suggèrent que cette vitamine joue également un rôle protecteur contre les maladies coronariennes.

Le terme de vitamine E regroupe en fait 4 substances appelées tocophérols : l'alphatocophérol (le plus actif), le bêtatocophérol et le gammatocophérol (qui ont une activité vitaminique plus réduite), et le deltatocophérol (pratiquement inactif).

BESOINS ET SOURCES

Les apports nutritionnels conseillés sont de 3 à 10 milligrammes par jour pour l'enfant et d'environ 12 milligrammes pour l'adolescent et l'adulte.

Les sources alimentaires les plus importantes de vitamine E sont végétales (huiles et margarines végétales riches en acides gras polyinsaturés, fruits secs oléagineux – cacahouètes –, germes de céréales, légumes verts) mais aussi animales (foie, jaune d'œuf, beurre). Cette vitamine est relativement stable à la chaleur, à la lumière et en milieu acide, mais très sensible à l'oxydation et aux milieux alcalins.

CARENCE

Dans les pays industrialisés, la carence en vitamine E est rare et survient dans des contextes particuliers : enfant prématuré, sujet atteint d'une malabsorption digestive chronique (maladie de Crohn, ablation de l'iléon [3e partie de l'intestin grêle]) ou d'une maladie génétique (abêtalipoprotéinémie [trouble du métabolisme des lipides], mucoviscidose). Elle se traduit par des troubles hématologiques (anémie), neurologiques (atteinte du système nerveux central), neuromusculaires (myopathie) et ophtalmiques (altération de la rétine), et se soigne par

administration médicamenteuse de vitamine E. Le risque d'hypervitaminose est très faible, cette vitamine ne devenant toxique qu'à des doses très élevées (supérieures à 100 fois l'apport quotidien recommandé). Il est cependant déconseillé d'en administrer de fortes doses à des sujets suivant un traitement par la vitamine K.

Vitamine H

→ VOIR Vitamine B8.

Vitamine K

Vitamine liposoluble jouant un rôle dans la coagulation et dans d'autres phénomènes biologiques comme le métabolisme des protéines et la fixation du calcium.

Il existe deux formes naturelles de vitamine K : la phylloquinone, ou phytoménadione (vitamine K1), et les ménaquinones (vitamines K2).

BESOINS ET SOURCES

Les apports nutritionnels conseillés sont d'environ 10 à 30 microgrammes par jour pour l'enfant, de 35 à 45 microgrammes pour l'adolescent et l'adulte, de 55 microgrammes pour la femme qui allaite.

La vitamine K provient en partie des bactéries de la flore intestinale, qui la synthétisent, en partie des aliments : légumes verts (choux, épinards, salade), choucroute. Elle est stable à la chaleur mais sensible à la lumière, à l'oxygène et aux milieux alcalins.

CARENCE

La carence en vitamine K est devenue exceptionnelle chez le nouveau-né grâce à l'administration systématique de cette vitamine à la naissance. Un risque subsiste cependant chez des enfants prématurés ou nourris exclusivement au sein, et en cas de mauvaise absorption intestinale due à une maladie digestive chronique (maladie cœliaque, diarrhée, maladie de Crohn, ablation de l'iléon [3e partie de l'intestin grêle]), de nutrition par perfusions non supplémentées ou d'interactions médicamenteuses (prise d'antivitamines K, de céphalosporines, d'anticonvulsivants, d'aspirine, de fer, de vitamines A et E), ou encore lors de certaines maladies génétiques. Une carence en vitamine K se traduit par des hémorragies pouvant entraîner une anémie et se soigne par administration médicamenteuse de cette vitamine. Le risque d'hypervitaminose est faible, la vitamine K ne devenant toxique qu'à des doses élevées (supérieures à 50 fois l'apport quotidien conseillé). Les réactions allergiques sont exceptionnelles.

Vitamine PP

Vitamine hydrosoluble impliquée dans les réactions d'oxydoréduction de la cellule.
SYN. *niacine*.

La vitamine PP, également appelée en France vitamine B3, correspond à deux composés : l'acide nicotinique et le nicotinamide.

BESOINS ET SOURCES

Les apports nutritionnels conseillés en vitamine PP sont de 6 à 14 milligrammes par

jour pour l'enfant, de 15 à 18 milligrammes pour l'adulte, de 20 milligrammes lors de la grossesse ou de l'allaitement.

Les principales sources alimentaires de la vitamine PP sont les viandes (foie et rognons), les poissons, les œufs, la levure, les céréales et les champignons. L'organisme peut aussi la fabriquer à partir d'un acide aminé, le tryptophane. La vitamine PP est stable à la lumière, à la chaleur et résistante à l'oxydation.

CARENCE

La carence en vitamine PP, décrite sous le terme de pellagre, est rare et résulte soit d'apports alimentaires insuffisants, soit d'interactions médicamenteuses (certains antituberculeux et antiparkinsoniens). Dans les pays industrialisés, elle atteint surtout les sujets âgés, alcooliques ou soumis à une nutrition parentérale (par perfusions) non supplémentée. Elle se traduit par une fatigue, une perte d'appétit, puis par des troubles cutanés, digestifs, psychiques et hématologiques et se traite par administration médicamenteuse de vitamine PP.

UTILISATION THÉRAPEUTIQUE

La prise de fortes doses d'acide nicotinique permet de réduire efficacement le taux sanguin de cholestérol ; cependant, elle est en général mal tolérée. Des précautions doivent donc être prises, surtout en cas d'insuffisance rénale. La prise de fortes doses d'acide nicotinique est formellement contre-indiquée en cas d'ulcère gastroduodénal ou de diabète.

Vitesse de sédimentation

Vitesse à laquelle les globules rouges se séparent du plasma et se déposent au fond d'un tube à essai posé verticalement.

La mesure de la vitesse de sédimentation (V.S.) est un examen de routine qui, en dépit de son imprécision, conserve un intérêt certain dans le diagnostic de nombreuses affections et dans la surveillance des maladies inflammatoires ; dans ce dernier cas, en effet, elle reflète généralement assez bien l'évolution de la maladie. Toutefois, cet examen ne suffit pas pour établir un diagnostic, dans la mesure où certains troubles bénins accélèrent la sédimentation, alors qu'au contraire beaucoup de maladies sérieuses ne l'affectent pas.

La vitesse de sédimentation dépend de nombreux facteurs. Elle est d'autant plus lente que les globules rouges sont plus nombreux ; à l'inverse, lorsque ceux-ci ont une forte tendance à s'agglutiner – ce qui est le cas si des anticorps se présentent à leur surface –, elle est d'autant plus rapide. L'augmentation du taux de protéines (fibrinogène, globulines) dans le plasma l'accélère de manière parfois considérable.

La vitesse de sédimentation se mesure au terme de 1 ou 2 heures, mais la mesure effectuée après 1 heure est déjà significative et suffit dans la plupart des cas. Les valeurs normales, après 1 et 2 heures, sont respectivement inférieures à 20 et 40 millimètres de sédimentation de globules rouges au fond du tube à essai.

La mesure de la vitesse de sédimentation est souvent complétée par le dosage d'autres protéines de l'inflammation (protéine C-réactive, alpha-2-globuline, fibrine, etc.).

Vitiligo

Affection cutanée caractérisée par une perte localisée de la pigmentation.

Le vitiligo est une leucodermie (maladie se manifestant par une diminution ou une absence de mélanine [pigment de la peau]). C'est une affection fréquente, touchant environ 1 % de la population. La cause en est inconnue, mais un facteur héréditaire est retrouvé dans un cas sur trois. Le vitiligo est souvent associé à une autre maladie : atteinte thyroïdienne, insuffisance surrénalienne, maladie de Biermer, pelade.

SYMPTÔMES ET SIGNES

La forme la plus commune de vitiligo est caractérisée par des taches planes, blanc ivoire, à bords nets et convexes, à surface lisse, souvent bordées d'un liseré légèrement hyperpigmenté. Ces taches apparaissent sur les aisselles, les organes génitaux, les régions découvertes (visage, dos des mains), le pourtour des orifices ou les zones de frottement (genoux, chevilles) ; la disposition en est généralement grossièrement symétrique. Certains sujets n'ont que quelques taches de petite taille ; d'autres présentent de grandes taches disséminées.

DIFFÉRENTS TYPES DE VITILIGO

Il existe des formes particulières de vitiligo : vitiligo trichrome (lésions en cocarde avec une zone centrale dépigmentée entourée d'un halo hyperpigmenté, puis d'une zone dépigmentée) ; vitiligo moucheté (petites zones pigmentées centrées par un poil, entourées par une macule dépigmentée). Selon que les lésions sont localisées à une seule zone de la peau ou le long du trajet d'une racine nerveuse, ou encore généralisées à l'ensemble du corps, on parle respectivement de vitiligo focal, segmentaire ou universel. Les taches peuvent également toucher les extrémités et le pourtour de la bouche.

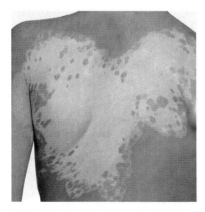

Vitiligo. *La disparition du pigment de la peau se traduit par l'apparition de plaques décolorées particulièrement sensibles au soleil.*

Le vitiligo ne présente que des inconvénients esthétiques ; toutefois, son retentissement psychologique n'est parfois pas négligeable. En outre, les lésions sont particulièrement sensibles à l'exposition solaire (coups de soleil).

ÉVOLUTION

Elle est capricieuse et imprévisible, les lésions apparaissant en général par poussées successives. Celles-ci sont fréquemment déclenchées par l'exposition au soleil, les traumatismes psychologiques (deuil), le contact avec certaines substances chimiques (composés aromatiques dérivés du benzène).

TRAITEMENT

Il reste souvent décevant, bien que de nombreuses méthodes soient à l'étude.

■ **Les traitements curatifs** sont représentés par l'application locale de corticostéroïdes, en cas de vitiligo récent et peu étendu la puvathérapie locale ou générale (badigeonnage ou ingestion de psoralènes, suivis d'une exposition aux rayons ultraviolets A). Le traitement par greffes reste expérimental.

■ **Les traitements palliatifs** s'appliquent aux formes très étendues, lorsque la peau est presque entièrement dépigmentée. Ils consistent à dépigmenter à l'hydroquinone les zones pigmentées restantes pour aboutir à un aspect homogène de la peau ; cette technique est surtout proposée aux personnes à peau sombre, chez lesquelles les lésions sont très visibles et très étendues. Une correction esthétique par des maquillages couvrants est également possible.

Par ailleurs, il est recommandé aux sujets atteints de vitiligo de se protéger du rayonnement solaire.

Vitré

Gel visqueux occupant l'espace compris entre la face postérieure du cristallin et la face interne de la rétine. SYN. *corps vitré.* (P.N.A. *corpus vitreum*)

STRUCTURE

Le vitré est composé pour 99 % d'eau ; il contient également quelques cellules, ainsi que des fibrilles de collagène et de l'acide hyaluronique, qui servent de tissu de soutien. Sa partie externe est plus condensée et forme une sorte de membrane, appelée hyaloïde antérieure en avant et hyaloïde postérieure en arrière. Sa face antérieure, plus plate, est en contact avec la face postérieure du cristallin : c'est la base du vitré. Sa face postérieure s'appuie sur la face interne de la rétine.

FONCTION ET EXAMEN

Le vitré contribue à donner sa forme et sa fermeté au globe oculaire. Il est exploré par l'examen de l'œil au biomicroscope.

PATHOLOGIE

En raison de l'absence de vascularisation et de la faible teneur en cellules du vitré, sa pathologie est relativement limitée.

■ **Les anomalies congénitales du vitré** sont en général sans retentissement sur la vision. Toutefois, la plus grave, la persistance du vitré primitif, qui demeure opaque au cours du développement fœtal, se manifeste par un strabisme et une pupille blanche, en

général d'un seul côté, et peut être responsable dans l'enfance d'une cataracte et souvent d'un glaucome congénital. La vision est très mauvaise, voire nulle. La vitrectomie (ablation chirurgicale du vitré) ne permet pas toujours la guérison.

■ **La dégénérescence du vitré** est une évolution naturelle due au vieillissement de l'œil ; elle est plus précoce chez les personnes opérées de la cataracte et/ou fortement myopes. Cette dégénérescence aboutit au décollement du vitré, dont la partie postérieure n'est plus en contact avec la rétine. Un tel phénomène, qui passe le plus souvent inaperçu, peut être très gênant dans certains cas, se manifestant par une impression de « toile d'araignée » devant l'œil ou de taches se déplaçant avec les mouvements de l'œil. Cette dégénérescence, qui n'a aucun caractère évolutif, ne peut être traitée efficacement. Il est capital de bien examiner la périphérie rétinienne lorsqu'elle survient, car il se produit alors parfois des tractions du vitré sur la rétine pouvant aboutir à des déchirures rétiniennes.

■ **Les hémorragies intravitréennes** peuvent survenir après un traumatisme ou de façon spontanée, notamment au cours des déchirures rétiniennes et des ruptures de néovaisseaux chez les diabétiques. Elles peuvent se résorber spontanément ou être traitées par vitrectomie.

■ **Les infiltrations inflammatoires** sont toujours liées à une inflammation des structures voisines (rétine, uvée) et se manifestent par une baisse d'acuité visuelle plus ou moins marquée, parfois associée à la perception de corps flottants. Le traitement repose sur l'utilisation des anti-inflammatoires corticostéroïdiens par voie générale. Lorsque le trouble vitréen ne se résorbe pas et continue de gêner la vision, une vitrectomie est parfois nécessaire.

Vitrectomie

Intervention chirurgicale consistant à retirer le vitré (gel transparent qui remplit la cavité oculaire, en arrière du cristallin).

INDICATIONS

Une vitrectomie est pratiquée en cas d'hémorragie intravitréenne, quelle qu'en soit l'origine (déchirure rétinienne, traumatisme, formation de néovaisseaux), ne se résorbant pas au bout de plusieurs semaines ; en cas de décollement de la rétine avec traction du vitré ou adhérences vitréorétiniennes proliférantes ; après certaines inflammations (uvéites) ou infections de l'œil importantes et gênant la vision, afin de nettoyer la cavité vitréenne ; au cours de certaines interventions chirurgicales à globe ouvert, notamment celle de la cataracte, se compliquant d'une fuite de vitré en cours d'intervention.

TECHNIQUE

Le vitréotome, appareil utilisé pour effectuer une vitrectomie, comporte une sonde qui aspire et sectionne le vitré, et une sonde qui permet d'injecter du liquide physiologique au fur et à mesure, afin de maintenir constant le volume du globe oculaire. Le vitréotome est introduit dans le globe oculaire par une incision distante de 3 à 5 millimètres du limbe sclérocornéen (zone de jonction entre la sclérotique et la cornée), là où il n'y a pas encore de rétine, au coin externe ou interne de l'œil.

L'intervention, totale ou partielle selon les cas, se pratique sous anesthésie générale et sous contrôle du microscope opératoire, afin de ne pas léser les structures intraoculaires (cristallin et rétine surtout).

EFFETS SECONDAIRES

La vitrectomie est une opération délicate qui peut entraîner dans les mois qui suivent une cataracte. La vision est améliorée, mais pas toujours parfaitement, le résultat de l'intervention dépendant de l'état de la rétine.

Vitropression

Test diagnostique consistant à appuyer sur une lésion cutanée un verre de montre légèrement bombé.

Cette manœuvre, qui chasse le sang des vaisseaux de la zone comprimée, permet de distinguer, en cas de lésion érythémateuse (caractérisée par une rougeur de la peau), les érythèmes (dus à une dilatation des vaisseaux cutanés), qui disparaissent à la vitropression, des purpuras (fuite de globules rouges hors des capillaires, dans le derme), dont la rougeur persiste au test.

La vitropression est également utile pour diagnostiquer certaines lésions rougeâtres, légèrement surélevées, spécifiques de la tuberculose cutanée, de la sarcoïdose et de la lèpre, qui, sous la pression du verre de montre, deviennent jaunâtres.

Vivisection

Dissection expérimentale pratiquée sur un animal vivant.

Les recherches médicales (en physiologie et en thérapeutique) de même que certaines techniques chirurgicales passent par un stade indispensable d'expérimentation animale qui peut comporter des gestes de vivisection, avant leur application à l'homme. La suppression de la douleur par anesthésie et les conditions de vie des animaux sont contrôlées de manière stricte.

Voie

Ensemble de conduits organiques creux ou pleins situés dans le prolongement les uns des autres et véhiculant des fluides ou des influx.

Les voies biliaires, par exemple, transportent la bile élaborée par le foie jusqu'à l'intestin grêle (duodénum) ; les voies optiques transmettent la sensation visuelle recueillie sur la rétine jusqu'au cortex cérébral du lobe occipital.

Les voies sont à distinguer des appareils et des systèmes, dont elles ne sont qu'un élément constitutif : les voies biliaires font partie de l'appareil digestif, les voies optiques, du système nerveux, par exemple.

Voie d'administration

Lieu d'introduction d'un médicament.

Les différentes voies d'administration sont classées selon le procédé employé et/ou selon l'organe ou le tissu par lequel le médicament entre dans l'organisme.

Voie locale

Elle concerne les médicaments topiques, c'est-à-dire ceux dont l'action est strictement limitée à l'endroit où ils sont appliqués.

Les médicaments administrés par voie locale permettent de traiter différentes affections de la peau, de l'œil, de l'oreille externe, des muqueuses nasale, pharyngée, bronchique, digestive, vaginale et vésicale. Les substances médicamenteuses sont présentées sous forme d'aérosols, de comprimés, de crèmes, de gels, de liquides pour application ou pour instillation au goutte-à-goutte, de pommades ; dans le cas de la vessie, des instillations sont pratiquées à l'aide d'une sonde introduite dans l'urètre.

Voie orale

Cette voie utilise la bouche pour introduire dans l'organisme des médicaments ou une préparation médicamenteuse, sous forme solide ou liquide.

Le principe actif des médicaments ainsi absorbés passe en partie dans la circulation sanguine, parfois dès son arrivée dans l'estomac, mais essentiellement à hauteur de l'intestin grêle. Une fois dans le sang, le médicament est drainé par la veine porte vers le foie, où il subit des transformations chimiques plus ou moins importantes, qui ont le plus souvent pour effet de l'inactiver partiellement. La partie du principe actif demeurée intacte gagne ensuite la circulation générale.

La voie orale présente l'avantage d'être non traumatisante, simple et facile à utiliser par le patient lui-même ; en cas de surdosage, le lavage gastrique et/ou l'administration de charbon activé limitent les risques d'intoxications graves.

Outre la voie orale proprement dite, il existe deux modes particuliers d'administration qui utilisent la muqueuse tapissant la bouche et évitent ainsi le passage du médicament dans le foie. Ce sont la voie buccale et la voie perlinguale (ou sublinguale), qui consistent à placer le médicament respectivement entre la joue et les dents, ou sous la langue, puis à le laisser fondre.

Lorsque, momentanément, un malade ne peut plus déglutir, par exemple après une intervention chirurgicale, on lui administre les médicaments à l'aide d'une sonde nasogastrique, long tube introduit par le nez et poussé jusqu'à l'estomac. La sonde peut aussi être insérée par une incision pratiquée dans la trachée. Les médicaments ainsi introduits le sont le plus souvent sous forme liquide, plus rarement sous forme solide (après avoir été écrasés, si cela est possible).

Voie parentérale

Ce mode d'administration nécessite une aiguille - ou un cathéter (petit tube) -, à l'aide de laquelle la peau est percée ; le médicament, en solution aqueuse, huileuse ou alcoolique, est contenu dans une seringue ou un flacon à perfusion (administration au goutte-à-goutte). Plus rarement, le médicament est injecté dans une chambre implantable (petit réservoir mis en place à l'intérieur du corps, généralement sous la peau, lors d'une intervention chirurgicale mineure, et se prolongeant par un tube qui permet de libérer le produit lentement sur son lieu d'action). On distingue les injections par voie générale (intramusculaires, intraveineuses, sous-cutanées) - le médicament est alors destiné à se diffuser dans tout l'organisme - et les injections locorégionales, pour une diffusion plus restreinte du médicament. Ces dernières comprennent les injections intra-articulaires, ou infiltrations, et les injections intra-artérielles, intracardiaques, intradermiques et intrarachidiennes.

L'inconvénient majeur de la voie parentérale est que l'on risque d'introduire ainsi des germes pathogènes dans l'organisme si des règles d'asepsie très strictes ne sont pas appliquées : hygiène des mains, désinfection de la peau avant la piqûre, utilisation de matériel stérile à usage unique. Un autre risque, mineur lorsque l'injection est pratiquée selon les règles professionnelles, est une lésion des artères ou des nerfs.

Voie rectale

Elle consiste à introduire un médicament par l'anus, sous forme de pommade, de suppositoire ou de lavement, le principe actif étant directement absorbé par la muqueuse du rectum, très riche en vaisseaux sanguins.

Cette voie présente les avantages d'être utilisable chez des patients ne pouvant pas avaler, ou en proie à des vomissements, et de faire passer le médicament dans le sang en n'agressant ni l'estomac, ni l'intestin, ni le foie. Elle est en revanche peu confortable ; en outre, l'absorption du médicament est variable. Ce mode d'administration doit être utilisé avec précaution chez le très jeune enfant pour éviter une perforation des tissus.

Voie respiratoire

Cette voie consiste à administrer un médicament dans l'appareil respiratoire par inhalation ou par instillation.

■ L'inhalation consiste à faire pénétrer dans les voies respiratoires du gaz ou de la vapeur d'eau chargés de substances médicamenteuses volatiles. Elle est notamment utilisée dans le traitement de l'asthme.

■ L'instillation consiste à administrer dans le nez un médicament liquide, à l'aide d'un compte-gouttes ou d'un atomiseur.

Un accès facile et une utilisation rapide du produit par le patient font partie des avantages propres à la voie respiratoire : le médicament est absorbé par le tissu bronchique, qui tapisse largement les poumons et qui est irrigué par un réseau capillaire important. La limitation des effets indésirables - en raison des faibles quantités de médicament administrées par cette voie -est aussi d'un grand intérêt.

En revanche, l'imprécision du dosage, le goût désagréable de certains médicaments, qui peut dans certains cas provoquer des nausées, et l'irritation des bronches et de la trachée qu'entraîne parfois l'administration fréquente d'un médicament par cette voie en sont les principaux inconvénients. Un manque d'hygiène (appareils insuffisamment nettoyés) peut également être à l'origine d'infections bactériennes.

→ VOIR Infiltration thérapeutique, Injection, Injection intradermique, Injection intramusculaire, Injection intraveineuse, Injection oculaire, Injection sous-cutanée, Médicament.

Voies biliaires

Ensemble des canaux assurant la collecte et le transport de la bile issue du foie et excrétée dans l'intestin grêle.

STRUCTURE

Les voies biliaires, qui font partie de l'appareil digestif, se divisent en voies biliaires intrahépatiques et extrahépatiques.

■ Les voies biliaires intrahépatiques sont formées de minuscules canaux situés dans le tissu hépatique et se réunissant en deux canaux hépatiques droit et gauche.

■ Les voies biliaires extrahépatiques comprennent :
- les voies biliaires principales, se composant des deux canaux hépatiques, qui partent du hile du foie et s'unissent pour former le canal hépatique. Celui-ci reçoit le canal cystique, qui le relie à la vésicule biliaire, et devient alors le canal cholédoque, qui descend derrière le pancréas et s'abouche, dans la deuxième portion du duodénum, à l'ampoule de Vater ; à cet endroit s'abouche également le canal de Wirsung, qui achemine la sécrétion exocrine du pancréas. L'abouchement de ces deux canaux dans le duodénum est entouré par le sphincter d'Oddi ;
- la voie biliaire accessoire, branche rejoignant la voie principale, qui comprend la vésicule biliaire, où la bile est retenue jusqu'à la digestion, et le canal cystique, qui relie la vésicule au canal cholédoque.

FONCTION

Les voies biliaires véhiculent la bile jusqu'à l'intestin grêle, où celle-ci participe à la digestion des graisses. Lorsque les graisses arrivent dans le duodénum, elles déclenchent la sécrétion d'une enzyme, la cholécystokinine, qui provoque la contraction de la vésicule biliaire et l'ouverture du sphincter d'Oddi, donc l'arrivée de bile dans le duodénum.

EXAMENS

Les voies biliaires peuvent être explorées par échographie, scanner, cœlioscopie et radiographie. L'ampoule de Vater peut être examinée par endoscopie.

La radiographie nécessite une opacification des voies biliaires par un produit de contraste iodé opaque aux rayons X. Celui-ci peut être administré par voie orale - on parle alors de cholécystographie -, par voie intraveineuse - on parle de cholangiographie - ou, enfin, par injection directe dans le cholédoque, lors d'une intervention traitant une lithiase (calculs des voies biliaires), le but de l'examen étant alors de vérifier l'absence de tout calcul résiduel.

PATHOLOGIE

Les voies biliaires extrahépatiques peuvent être le siège d'affections congénitales (atrésie des voies biliaires) ou acquises : lithiase du cholédoque ou de la vésicule biliaire ; tumeurs bénignes et malignes de la voie biliaire principale, de la vésicule ou de l'ampoule de Vater ; infections (cholécystite, angiocholite) pouvant se compliquer de péritonite par perforation. Les voies biliaires intrahépatiques peuvent être altérées par une affection auto-immune, la cirrhose biliaire primitive. Toutes ces affections peuvent provoquer un obstacle à l'élimination de la bile, à l'origine de douleurs (colique hépatique) et d'un ictère.

Voies biliaires (cancer des)

Tumeur maligne qui atteint la vésicule biliaire ou la voie biliaire principale sous la forme d'un adénocarcinome (cancer du tissu glandulaire).

Cancer de la vésicule biliaire

Il atteint les sujets âgés et se développe chez certains patients à partir d'un adénome (tumeur bénigne) qui se transforme en adénocarcinome. Dans 80 à 90 % des cas, ce cancer s'associe à une lithiase de la vésicule (formation de calculs), d'où le nom de calculocancer qui lui est parfois donné.

SYMPTÔMES ET SIGNES

Ils apparaissent tardivement, plusieurs mois après l'installation du cancer ; ce sont des nausées et des vomissements, un ictère, un amaigrissement, la présence d'une masse palpable dans la région supérieure droite de l'abdomen et des douleurs dans cette région, irradiant parfois vers l'épaule droite.

DIAGNOSTIC ET ÉVOLUTION

L'imagerie médicale (échographie et scanner de l'abdomen, radiographie des voies biliaires) ne permet pas toujours de différencier tumeur du foie et tumeur vésiculaire. Parfois, le cancer est décelé à l'occasion d'une échographie ou d'une ablation chirurgicale de la vésicule pratiquée à cause d'une cholécystite.

Une fois apparu, le cancer de la vésicule biliaire s'étend rapidement au foie, au duodénum, aux ganglions de voisinage et parfois au côlon.

TRAITEMENT ET PRONOSTIC

Le traitement consiste en l'ablation de la vésicule biliaire. Le pronostic est excellent pour les petites tumeurs découvertes précocement, sombre lorsque le cancer est diagnostiqué à un stade où il se traduit par des signes cliniques : souvent, la tumeur récidive alors après l'intervention chirurgicale.

PRÉVENTION

Elle est malaisée : les patients ayant une lithiase vésiculaire sont surveillés, mais le risque de cancérisation est trop faible pour justifier une cholécystectomie (ablation de la vésicule biliaire) préventive systématique.

Cancer de la voie biliaire principale

C'est une tumeur maligne qui bloque l'écoulement de la bile à hauteur du canal hépatique et du canal cholédoque.

SYMPTÔMES ET DIAGNOSTIC

Cette tumeur entraîne un ictère, une fièvre, des démangeaisons et des douleurs. Le diagnostic repose sur le scanner, l'échographie (échoendoscopie, en particulier).

TRAITEMENT ET PRONOSTIC

Le traitement est essentiellement chirurgical et peut être curatif (ablation de la zone tumorale avec rétablissement de la continuité biliaire) ou palliatif - il vise alors à maintenir l'écoulement de bile afin de faire régresser l'ictère et les démangeaisons, l'intervention consistant à poser une prothèse en plastique qui franchit la tumeur, introduite par le duodénum. Le pronostic est dans l'ensemble réservé ; toutefois, les techniques thérapeutiques actuelles allongent considérablement l'espérance de vie des patients.

Voies digestives

Ensemble des organes creux de l'appareil digestif.

On distingue de haut en bas : la cavité buccale, le pharynx, l'œsophage, l'estomac, l'intestin grêle (duodénum, jéjunum, iléon), le côlon - qui se termine par le sigmoïde -, le rectum et l'anus.

→ VOIR Digestif (appareil).

Voies lacrymales

Ensemble des conduits véhiculant les larmes des glandes lacrymales au canal lacrymonasal, qui s'ouvre dans les fosses nasales.

→ VOIR Lacrymal (appareil).

Voies lymphatiques

Ensemble des vaisseaux lymphatiques drainant la lymphe jusque dans la circulation sanguine par le canal thoracique.

→ VOIR Système lymphatique.

Voies lymphatiques (cancer des)

→ VOIR Lymphome.

Voies optiques

Structures nerveuses transmettant la sensation visuelle de la rétine au cortex occipital du cerveau. (P.N.A. *tractus opticus*)

PHYSIOLOGIE

Les voies optiques de chaque œil sont constituées par trois niveaux de neurones.

■ Le premier niveau de neurones est intrarétinien et correspond aux cellules bipolaires qui s'articulent avec les cellules photoréceptrices de la rétine, cônes et bâtonnets.

■ Le deuxième niveau de neurones correspond aux cellules ganglionnaires qui s'articulent avec les neurones de premier niveau. Leurs axones, très longs, se réunissent à l'endroit de la papille pour former le nerf optique. Les deux nerfs optiques s'entrecroisent dans le cerveau, dessinant un X formé de deux bandes blanches, appelé chiasma optique : les fibres provenant de la région temporale de la rétine restent alors du même côté, tandis que les fibres provenant de la région nasale de la rétine passent dans les voies optiques controlatérales ; les fibres provenant de la région de la macula s'entrecroisent partiellement, les fibres musculaires temporales restant du même côté et les fibres maculaires nasales se croisant. De l'angle postérieur du chiasma naissent ensuite les bandelettes optiques, qui contournent, à la partie inférieure du cerveau, les pédoncules cérébraux reliant le cerveau à la moelle, et qui se terminent juste au-dessus, dans les corps genouillés externes, où se fait la dernière articulation.

■ Le troisième niveau de neurones commence dans les corps genouillés externes et chemine dans les radiations optiques jusqu'au cortex du lobe occipital situé dans la partie postérieure du cerveau.

EXAMENS

Les voies optiques s'observent grâce au scanner orbitaire ou cérébral et à l'imagerie par résonance magnétique (I.R.M.), éventuellement complétés par l'angiographie cérébrale. Sur le plan fonctionnel, l'intégrité des voies optiques peut être analysée par l'enregistrement des potentiels évoqués visuels. L'atteinte des voies optiques peut s'évaluer par l'étude du champ visuel, à l'aide du périmètre de Goldmann.

PATHOLOGIE

Les lésions des voies optiques peuvent être dues à des maladies vasculaires, inflammatoires, dégénératives et surtout tumorales. Leur traitement dépend de leur cause.

■ L'atteinte d'un nerf optique, dans son trajet entre le globe oculaire et le chiasma, se manifeste par une baisse de la vision de l'œil dont le nerf est lésé.

■ L'atteinte du chiasma, des bandelettes ou des radiations optiques se traduit par un déficit du champ visuel, variable suivant la localisation de la lésion. L'atteinte du chiasma dans sa portion latérale provoque un déficit dans le champ visuel nasal du même côté ; l'atteinte du chiasma dans sa partie médiane entraîne un déficit dans le champ visuel des 2 yeux (hémianopsie bitemporale). L'atteinte des bandelettes ou des radiations optiques se traduit par un déficit dans le champ visuel, du même côté pour chaque œil (hémianopsie latérale homonyme) : ainsi, une atteinte de la bandelette optique gauche se manifeste par un déficit dans le champ visuel droit, pour les deux yeux.

Voies respiratoires

Ensemble des organes creux de l'appareil respiratoire conduisant l'air jusqu'aux alvéoles pulmonaires, où s'effectuent les échanges gazeux entre le sang et l'air (oxygénation du sang, principalement).
→ VOIR Respiratoire (appareil).

Voile du palais

Partie postérieure du palais, séparant la cavité buccale du nasopharynx (partie du pharynx située en arrière des fosses nasales). SYN. *palais mou, palais musculomembraneux.* (P.N.A. *velum palatinum*)

Le bord postérieur du voile du palais présente en son milieu la luette et, de chaque côté de celle-ci, deux replis, les piliers du voile du palais, contre lesquels se trouvent les amygdales palatines.

Elle peut être tumorale (tumeur bénigne ou maligne), malformative (fente du voile du palais, ou fente vélaire) ou neurologique (paralysie). Le voile du palais est particulièrement long chez les ronfleurs, ce qui conduit à proposer son ablation partielle (pharyngoplastie) dans le traitement du ronflement.

Voix

Ensemble des sons produits par les vibrations des cordes vocales.

La voix est un phénomène complexe qui fait intervenir plusieurs organes.

■ Les cordes vocales, situées de part et d'autre de la glotte, sont deux replis muqueux du larynx, qui, en s'éloignant ou en se rapprochant, produisent respectivement un son aigu ou grave.

■ Le cerveau, par l'intermédiaire des deux nerfs laryngés inférieurs, ou nerfs récurrents (branches des nerfs pneumogastriques), commande les mouvements du larynx, en particulier ceux des cordes vocales.

■ D'autres organes servent de caisse de résonance aux sons émis (bouche, fosses nasales, pharynx) ou permettent l'articulation (palais, lèvres, langue).

■ Les poumons, en expirant, expulsent l'air à une pression plus ou moins forte, selon le degré de contraction des muscles - surtout ceux de la paroi antérieure de l'abdomen -, ce qui détermine le niveau de puissance sonore.

L'apprentissage de la voix suppose celui de la respiration (développement de la respiration abdominale aux dépens de la respiration thoracique, contrôle de la puissance, emplacement des pauses), et le contrôle de la décontraction des muscles perturbateurs (épaules, cou), de la position de la tête et du cou, des mouvements de la bouche et des lèvres (pour l'intelligibilité mais aussi pour la qualité du son).

PATHOLOGIE

Une dysphonie (trouble de la qualité de la voix : voix rauque, éteinte, trop grave, trop aiguë) peut signaler une atteinte soit du larynx (laryngite), soit du système nerveux. Une rhinolalie (trouble de la résonance, le sujet « parlant du nez ») peut être due à une obstruction des fosses nasales (rhume) ou à une exagération de la perméabilité nasale (paralysie, traumatisme ou tumeur du voile du palais, tumeur de la tête ou du cou). Quand la cause d'une anomalie de la voix est reconnue et soignée, on peut compléter le traitement, s'il en est besoin, par des séances d'orthophonie (rééducation de la voix).
→ VOIR Phonation.

Volaille

→ VOIR Viande.

Volémie

→ VOIR Masse sanguine.

Volet thoracique

Portion de la paroi thoracique, complètement ou partiellement désolidarisée du reste de la cage thoracique à la suite d'une fracture multiple des côtes.

Les volets thoraciques siègent le plus souvent sur la paroi antérieure et latérale du thorax, dans la région pectorale. Le fragment de cage thoracique ainsi détaché est animé de mouvements respiratoires paradoxaux : il est aspiré dans le thorax lors de l'inspiration et refoulé à l'extérieur à l'expiration. Le principal risque d'un volet thoracique est la survenue d'un collapsus cardiovasculaire (chute importante de la tension artérielle).

TRAITEMENT

Le traitement, entrepris en urgence, souvent sur les lieux mêmes de l'accident, consiste à coucher le blessé sur le côté atteint et/ou à maintenir fermement le volet thoracique au moyen d'une sangle. Dans les cas les plus graves, le sujet doit être immédiatement hospitalisé dans un centre de soins intensifs, où une ventilation artificielle sera mise en œuvre pendant 10 jours environ, jusqu'à ce que les côtes aient commencé à se consolider. Une intervention chirurgicale se révèle parfois nécessaire pour fixer les côtes cassées ou pour réparer les lésions associées (contusion pulmonaire, épanchement pleural). Le traitement est parfois complété par un bandage et par des séances de kinésithérapie. Les douleurs, souvent très vives, peuvent être atténuées à l'aide d'analgésiques ; elles diminuent en général progressivement pour disparaître vers la sixième semaine.

Volhard (épreuve de)

Examen permettant d'étudier les capacités de concentration et de dilution des urines par les reins.

L'épreuve de Volhard est surtout utilisée dans le diagnostic de certaines néphropathies de l'enfant, par exemple la néphronophtise (maladie se traduisant par la présence de petits kystes dans la partie profonde des reins), où le trouble de la concentration des urines est un des premiers signes du dysfonctionnement rénal.

L'épreuve de concentration, la seule utilisée en pratique courante, consiste, après avoir soumis le sujet à une diète hydrique (pas plus d'un demi-litre d'eau pendant 24 heures), à mesurer la densité de ses urines sur des échantillons recueillis toutes les 3 heures ; celle-ci doit normalement être supérieure à 1 025. En cas d'insuffisance rénale, ce chiffre diminue.

Volkmann (syndrome de)

Affection caractérisée par une compression excessive d'un muscle du membre supérieur dans sa loge aponévrotique.
→ VOIR Loges (syndrome des).

Vol sous-clavier (syndrome de)

Ensemble des troubles provoqués par l'occlusion de l'une des artères sous-clavières irriguant chacun des deux bras. SYN. *syndrome de vol de la sous-clavière, syndrome de la sous-clavière voleuse.*

Le syndrome de vol sous-clavier est dû à la formation d'une plaque d'athérome (dépôt de cholestérol sur la paroi interne d'une artère) qui obstrue plus ou moins complètement l'artère sous-clavière à la base du cou ; il ne survient que si cette plaque est située en amont du point où naît l'artère vertébrale, branche de la sous-clavière cheminant dans le cou et irriguant le cerveau.

SYMPTÔMES ET SIGNES

Une partie du sang normalement destiné au cerveau arrive dans l'artère vertébrale du côté atteint, la descend à contre-courant et poursuit sa route dans la partie terminale de la sous-clavière, en aval de l'obstruction. Le cerveau est donc moins irrigué. Au repos, cette affection est habituellement sans conséquence. Toutefois, si le sujet fait un effort important avec le bras, les muscles attirent davantage de sang dans le membre, et la chute de l'irrigation cérébrale provoque parfois un malaise, voire une syncope brève.

DIAGNOSTIC ET TRAITEMENT

Le diagnostic repose sur la diminution nette ou l'absence de pouls au poignet du côté atteint et sur une pression artérielle basse ou impossible à prendre de ce même côté. Il est confirmé par un examen Doppler ou par une artériographie. Le traitement doit être rapidement entrepris. Il est chirurgical et fait appel soit à une désobstruction de l'artère par ablation de l'obstacle athéromateux, soit au pontage (implantation d'une prothèse entre l'aorte, d'où provient le sang de la sous-clavière, et un point de la sous-clavière situé en aval de l'obstruction).

Volume expiratoire maximal seconde

Volume d'air expiré pendant la première seconde d'une expiration forcée faisant suite à une inspiration profonde.
→ VOIR Spirométrie.

Volvulus

Torsion d'un organe creux autour de son point d'insertion.

Le volvulus touche surtout l'intestin grêle et le côlon sigmoïde ; il peut être favorisé par une adhérence anormale de ces viscères (bride postopératoire). Dans certains cas, il survient sans cause apparente.

Il existe également des volvulus gastriques, le plus souvent chroniques et dus à des lésions du diaphragme, mais aussi, plus rarement, aigus et liés, dans ce cas, à un relâchement des ligaments.

SYMPTÔMES ET SIGNES

Un volvulus aigu évoque une occlusion intestinale : douleurs abdominales intenses, météorisme (accumulation de gaz) abdominal localisé, vomissements ou arrêt de l'émission des gaz et des matières fécales, fièvre, état de choc. Un volvulus gastrique chronique entraîne une rétention des aliments dans l'estomac et se traduit par des vomissements alimentaires et des douleurs abdominales.

DIAGNOSTIC ET TRAITEMENT

Le diagnostic repose sur l'examen clinique, confirmé par un examen radiologique de l'abdomen dit « abdomen sans préparation ». Il peut être précisé par un autre examen radiologique réalisé après opacification, en particulier en cas de volvulus du côlon.

En cas de volvulus aigu de l'intestin, on tente, dans un premier temps, un traitement par endoscopie (détorsion de l'anse intestinale, en y faisant passer un endoscope) ; en cas d'échec, une intervention chirurgicale (détorsion, ablation de l'anse atteinte) doit être réalisée en urgence pour prévenir la nécrose ou la perforation du segment intestinal atteint.

Le traitement d'un volvulus gastrique chronique est médical (antispasmodiques, pansements gastriques) ; le volvulus gastrique aigu nécessite une intervention chirurgicale (détorsion de l'estomac puis fixation à la paroi abdominale, exceptionnellement ablation d'une partie de l'estomac).

Vomique

Expectoration subite et abondante de liquide séreux, de pus ou de sang.

Une vomique est le plus souvent due à un abcès pulmonaire, qui s'ouvre brusquement dans une grosse bronche en s'y vidant plus ou moins complètement. Elle s'accompagne en général de fièvre et d'une altération de l'état général (amaigrissement, teint terreux). Le diagnostic est confirmé par la radiographie thoracique. Le traitement de la vomique consiste en la prise d'antibiotiques pendant 1 à 2 mois ; souvent, le malade continue à cracher du liquide séreux, du sang ou du pus pendant quelques jours. Le pronostic dépend de la cause de l'abcès ; il est en général favorable.

Vomissement

Rejet par la bouche du contenu de l'estomac.

Le vomissement, surtout provoqué par la contraction du diaphragme et des muscles abdominaux, est aussi un acte réflexe : toute excitation du tractus digestif peut déterminer une incitation vomitive transmise aux centres nerveux bulbaires par l'intermédiaire des nerfs glossopharyngien et pneumogastrique.

CAUSES

Elles sont multiples : mal de mer, affections aiguës de l'abdomen (occlusion de l'intestin grêle, cholécystite, péritonite) ; maladies digestives chroniques (sténose du pylore ou de l'intestin grêle) ; affections neurologiques ou oto-rhino-laryngologiques (méningite, tumeur cérébrale, maladie de Menière) ; troubles métaboliques ou endocriniens (acidose diabétique, hypercalcémie) ; grossesse ; prise de certains médicaments (antibiotiques, digitaline, chimiothérapie anticancéreuse) ; glaucome (augmentation de la pression intraoculaire) ; troubles psychiatriques (anorexie, névrose).

SYMPTÔMES ET SIGNES

Les vomissements peuvent être bilieux, alimentaires ou aqueux, selon que l'estomac est vide ou qu'il contient des aliments ou de l'eau. Lorsqu'ils sont répétés, ils ont pour conséquence une déshydratation, des troubles biologiques sanguins (alcalose, hypochlorémie, hypokaliémie), une éventuelle hémorragie digestive par déchirure de la muqueuse œsophagienne (syndrome de Mallory-Weiss) ou encore un risque d'inhalation des vomissures avec bronchopneumopa-

thie de déglutition et risque d'étouffement ; ce dernier cas risque de survenir chez les malades souffrant de troubles de la conscience ou chez les personnes âgées.

TRAITEMENT

Un épisode de vomissement isolé ne nécessite le plus souvent aucun traitement. En cas de vomissements répétés, le traitement dépend de la cause : chirurgie, suppression des médicaments responsables, etc. Le traitement des symptômes va de l'administration de sédatifs, d'antispasmodiques et/ou d'antiémétiques, à la réhydratation par perfusion veineuse.

Vomissement du nourrisson

Rejet, alimentaire ou non, de moyenne ou de grande abondance, du contenu de l'estomac du nourrisson.

DIFFÉRENTS TYPES DE VOMISSEMENT

Les vomissements, qui constituent un symptôme très fréquent chez le jeune enfant, peuvent relever de causes multiples, des plus bénignes aux plus sérieuses.

On distingue schématiquement deux grands types de vomissement en fonction du moment de leur survenue : ceux qui sont d'apparition récente, qui surviennent de façon aiguë et sont susceptibles de conduire à un état de déshydratation ; et ceux qui sont répétitifs, qui se prolongent et peuvent induire un état de dénutrition.

■ **Les vomissements d'apparition récente,** le plus souvent accompagnés de fièvre, doivent faire rechercher une cause infectieuse soit digestive (gastroentérite), soit non digestive (otite, infection urinaire, plus rarement méningite).

■ **Les vomissements répétitifs,** habituellement non fébriles, sont parfois la conséquence d'une erreur de régime (suralimentation) ou d'une intolérance alimentaire (aux protéines du lait de vache, plus rarement au gluten). Mais ils peuvent également avoir une cause mécanique (sténose du pylore), traduire un reflux gastro-œsophagien ou une malposition cardiotubérositaire (anomalie morphologique du cardia, sphincter situé à la jonction de l'œsophage et de l'estomac, et de la portion supérieure de l'estomac).

TRAITEMENT ET PRONOSTIC

Le traitement des vomissements du nourrisson est exclusivement celui de la maladie d'origine. Aucun traitement symptomatique (administration d'antiémétiques, d'antispasmodiques) ne doit être entrepris tant que l'on ne connaît pas avec précision la cause des vomissements.

Le pronostic dépend des conséquences immédiates du symptôme (déshydratation ou dénutrition), de l'identification de la cause des vomissements et de l'efficacité du traitement de celle-ci.

Voûte crânienne

Partie supérieure du crâne formée de l'assemblage de plusieurs os plats (frontal, occipital, pariétaux, temporaux), reliés par des articulations immobiles appelées sutures. (P.N.A. *calvaria*)

VACCINS CONSEILLÉS AUX VOYAGEURS

Maladie	Indications	Efficacité	Rappel
Choléra	Déconseillé par l'O.M.S. (un nouveau vaccin est actuellement en cours d'évaluation)	Protection incertaine pendant 6 mois	Pas de rappel
Coqueluche	Obligatoire dans de nombreux pays	Bonne	Rappel vers 18 mois, 6 ans, puis tous les 5 à 10 ans
Diphtérie	Obligatoire dans de nombreux pays	Bonne	Rappel vers 18 mois, puis vers 6 ans
Fièvre jaune	Obligatoire en cas de voyage dans les pays d'endémie (Amérique du Sud, Afrique intertropicale). Conseillé dans certains pays proches de ces zones	Bonne	Rappel tous les 10 ans
Fièvre typhoïde	Conseillé en cas de voyage dans les pays où l'hygiène alimentaire est défectueuse	Bonne	Rappel tous les 3 ans
Grippe	Conseillé en pays d'endémie et pour les personnes fragiles	Bonne	Rappel au bout d'un an
Hæmophilus	Toujours conseillé chez l'enfant	Bonne	Rappel au bout d'un an
Hépatite A	Conseillé en cas de voyage dans les pays où l'hygiène alimentaire est défectueuse (d'autant plus vivement conseillé que le sujet est plus jeune)	Bonne	Rappel 6 à 12 mois après la première vaccination
Hépatite B	Conseillé en pays d'endémie (Afrique, Asie, Amérique du Sud)	Bonne	Rappel après 1 an, puis tous les 5 ans
Méningite cérébrospinale (à méningocoques)	Conseillé en pays d'endémie et en cas d'épidémie	Protection limitée, de courte durée	Pas de rappel
Poliomyélite	Conseillé en pays d'épidémies Obligatoire dans de nombreux pays	Bonne	Rappel vers 18 mois, 6 ans, vers 16-21 ans, puis tous les 5 à 10 ans
Rage	Conseillé en cas de voyage en pays d'endémie (pays tropicaux) et s'il y a un risque particulier	Efficace lorsqu'elle est préventive. D'autant plus efficace qu'elle est pratiquée plus tôt lorsqu'elle est curative (après une morsure)	Rappel au bout d'un an, puis tous les 10 ans
Rougeole, oreillons et rubéole	Toujours conseillé chez l'enfant	Bonne	Rappel vers 12 ans
Tétanos	Obligatoire dans de nombreux pays, toujours conseillé	Bonne	Rappel vers 18 mois, 6 ans, vers 16-21 ans, puis tous les 10 ans
Tuberculose	Recommandé dans certains pays chez le nourrisson Conseillé en pays d'endémie s'il s'agit d'un séjour prolongé	Atténue la gravité de la primo-infection	Rappel lors de l'entrée en collectivité, puis vers 11-13 ans si le test est négatif
Variole	Aucune, cette maladie ayant été éradiquée en 1979		

De forme ovoïde, la voûte ou calotte crânienne est fermée en bas par la base du crâne. La dure-mère, la plus résistante des méninges, adhère à la face profonde de la voûte du crâne. En surface, celle-ci est recouverte par le cuir chevelu.

La minceur des os de la voûte, en particulier celle de l'écaille du temporal (os de la tempe), explique la fréquence des fractures du crâne par traumatisme.

Voûte plantaire

Concavité physiologique de la plante du pied. (P.N.A. *arcus pedis longitudinalis*)

La voûte plantaire peut présenter des anomalies de courbure.

■ **Le pied creux** se traduit par une voûte plantaire trop creusée.

■ **Le pied plat** est au contraire caractérisé par un affaissement de la voûte plantaire, qui peut être inexistante, dans les cas les plus marqués, la plante reposant alors entièrement sur le sol.

Voyages (conseils pour les)

Ensemble de mesures à prendre avant, pendant et après un déplacement dans un pays tropical ou dans un pays où l'hygiène est défectueuse, permettant d'éviter la majorité des affections parasitaires, bactériennes ou virales.

VACCINATIONS

Il est indispensable, avant tout voyage de ce type, de prendre connaissance des maladies endémiques dans le ou les pays concernés afin de procéder aux vaccinations nécessaires auprès d'un consulat, d'une compagnie aérienne, d'un centre de vaccination, etc.

Actuellement, seul le vaccin contre la fièvre jaune est exigé pour entrer dans certains pays en vertu de la réglementation de l'Organisation mondiale de la santé (O.M.S.) ; il est en fait indispensable avant tout voyage en Afrique et en Amérique intertropicales, même dans les pays ou le certificat de vaccination n'est pas exigé. Il ne peut être

administré que dans un centre agréé par l'O.M.S. et doit être noté sur un certificat international de vaccination. En cas de contre-indication (sujet allergique à l'œuf ou immunodéprimé, femme enceinte, très jeune enfant, etc.), le médecin établit un certificat précisant les raisons de son abstention.

Le vaccin contre le choléra est d'efficacité courte et relative, mais exigé, parfois de manière imprévisible, par certains pays. D'autres vaccinations sont facultatives mais vivement recommandées, comme le rappel ou la vaccination antityphoïde, antitétanique, antipoliomyélitique et le vaccin contre les hépatites A (surtout chez des sujets de moins de 40 ans) et B.

CHIMIOPROPHYLAXIE

Elle concerne principalement la prévention du paludisme à *Plasmodium falciparum* (seul paludisme pouvant être mortel), indispensable dans toutes les régions intertropicales d'Afrique et d'Amérique du Sud et dans les zones de brousse des mêmes régions d'Asie. Elle consiste à prendre des antipaludéens (prise quotidienne ou hebdomadaire selon le produit utilisé) depuis le jour d'arrivée jusqu'à 6 semaines ou 2 mois après le retour. Cependant, selon le lieu et la durée du voyage ou d'éventuelles contre-indications, ces formules peuvent varier et il faut de toute façon s'assurer avant le départ auprès d'un spécialiste de la prophylaxie à adopter. Plus rarement, d'autres chimioprophylaxies peuvent être indiquées, en particulier contre les filarioses (prise de diéthylcarbamazine), la trypanosomiase africaine (injection de pentamidine) et le choléra (prise de sulfamides).

MESURES D'HYGIÈNE

En avion, surtout sur des vols de longue durée, le système circulatoire est mis à rude épreuve : il est donc conseillé de bouger le plus possible et surtout de se lever souvent, d'éviter les chaussures, les ceintures et les cravates trop serrées qui entravent la circulation du sang et, en cas de maladie veineuse, de suivre un traitement anticoagulant préventif. Les maux de tête, fréquents, résultent de la pressurisation et de la déshydratation due à la sécheresse de l'air conditionné : ils peuvent être prévenus en buvant abondamment (environ un litre d'eau toutes les 4 heures). Pour limiter les effets du décalage horaire, deux attitudes sont possibles : soit, pour un voyage ouest-est, essayer de dormir dans l'avion afin d'arriver le plus en forme possible (dans ce cas, il est conseillé de prendre des hypnotiques à durée de vie courte, de façon que leurs effets aient disparu à l'arrivée), soit, pour un voyage est-ouest, résister au sommeil le plus longtemps possible, afin de s'adapter à l'horaire du pays d'accueil.

À l'arrivée, pour éviter les accidents dus à la chaleur, il est recommandé aux voyageurs originaires de pays tempérés d'éviter les efforts physiques intenses en milieu de journée et de saler largement les aliments (pour prévenir toute déshydratation) au début de leur séjour. En cas de transplantation brutale en altitude, il leur est conseillé d'observer un repos de 48 heures de façon à faciliter l'adaptation de leur organisme à un air plus pauvre en oxygène. Il est conseillé aux voyageurs de se munir, en quantité suffisante, des produits pharmaceutiques qu'ils utilisent habituellement (antidiabétiques, antiépileptiques, antihypertenseurs, pilule contraceptive, etc.).

■ L'hygiène alimentaire consiste à boire exclusivement de l'eau minérale ou des boissons encapsulées (si ce n'est pas possible, filtrer, faire bouillir ou désinfecter l'eau au préalable), à s'abstenir de consommer des glaces et des glaçons, du beurre cru ou non pasteurisé, des légumes crus, des fruits qui ne s'épluchent pas, des fruits de mer ainsi que des poissons et de la viande crus ou peu cuits. En outre, il faut employer de l'eau minérale pour se brosser les dents.

■ L'hygiène de la peau est capitale en climat tropical ; en effet, celle-ci y est plus fréquemment sujette à des infections bactériennes ou mycosiques dont la chaleur, conjuguée à l'humidité, favorise le développement ;
– protection contre le soleil : utilisation de crèmes filtrantes, exposition progressive aux rayonnements solaires, administration de vitamine PP, de chloroquine ou de bêta-carotène en cas de photo-allergie ; il est conseillé, dans les régions chaudes et sèches, de porter un chapeau léger, de couleur claire, qui protège des insolations ; en revanche, si le climat est chaud et humide, le chapeau n'est pas nécessaire et gêne l'évaporation de la transpiration du cou et du cuir chevelu ;
– protection contre l'humidité et la chaleur : bonne hygiène corporelle (douches, utilisation d'une poudre maintenant la peau sèche), port de vêtements amples, de couleur claire (qui réfléchit le soleil) et de préférence en coton (les étoffes synthétiques n'absorbant pas la transpiration) ;
– protection contre les maladies parasitaires dont la contamination se fait par voie cutanée (bilharziose, anguillulose, etc.) en évitant de marcher pieds nus dans la boue ou la terre humide ou de prendre des bains en eau douce, stagnante ou à faible courant (marigots, fleuves, lacs) ;
– protection contre les dermites dues au contact avec certains végétaux (bois exotiques, suc d'arbre, de plante ou de fruit) en évitant de manipuler ceux-ci sans précaution) ;
– protection contre les acariens (tiques, sarcoptes de la gale) ou les insectes (puces, punaises, taons, moustiques), qu'ils soient ou non vecteurs de maladies, à l'aide de moustiquaires, d'émetteurs d'ultrasons ou de diffuseurs d'insecticides, etc.

■ L'hygiène sexuelle consiste à utiliser des préservatifs lors de tout rapport sexuel.

V.S.

→ VOIR Vitesse de sédimentation.

Vultueux

Se dit d'un visage congestionné et bouffi.

Un érysipèle de la face, par exemple, se traduit par un aspect vultueux d'une joue du côté atteint.

Vulve

Ensemble des organes génitaux externes de la femme. (P.N.A. *pudendum feminimum*)

STRUCTURE

La vulve est une saillie ovoïde surmontée d'une pilosité de forme triangulaire et s'étendant du pubis à l'anus. Elle présente une fente médiane (fente vulvaire) qui la divise en deux bourrelets latéraux, les grandes lèvres. Celles-ci recouvrent plus ou moins totalement deux replis de muqueuse, les petites lèvres, qui se réunissent en avant pour former le capuchon du clitoris, petit organe érectile mesurant au total (racine, corps et gland) de 6 à 7 centimètres de longueur. Les petites lèvres délimitent un espace virtuel, le vestibule, dont le fond comporte deux orifices, celui de l'urètre en avant et celui du vagin en arrière, ainsi que deux paires de glandes : les glandes de Skène, placées de part et d'autre de l'urètre, et les glandes de Bartholin, situées dans la moitié postérieure de l'orifice vulvaire.

PHYSIOLOGIE

La vulve intervient dans trois fonctions : la miction, au cours de laquelle le jet d'urine est canalisé par les petites lèvres, l'accouchement, lors duquel l'orifice vulvaire se distend pour laisser passer le fœtus, et les rapports sexuels, pendant lesquels les grandes et les petites lèvres augmentent de volume, tandis que la sécrétion des glandes vestibulaires lubrifie la vulve et le vagin.

PATHOLOGIE

Parmi les pathologies de la vulve, les plus fréquentes sont les infections : vulvite, vulvo-vaginite (inflammation de la vulve et du vagin), bartholinite (inflammation des glandes de Bartholin). Les tumeurs sont bénignes (kystes, en particulier ceux des glandes de Bartholin) ou malignes (cancer de la vulve). Enfin, une affection dermatologique, le kraurosis de la vulve, atteint principalement les femmes après la ménopause.

Vulve (cancer de la)

Cancer qui atteint la vulve de la femme sous la forme d'un carcinome épidermoïde (cancer développé à partir de l'épithélium).

Le cancer de la vulve, peu fréquent, représente de 3 à 5 % des cancers gynécologiques. Il atteint surtout la femme âgée.

SYMPTÔMES ET SIGNES

Des démangeaisons vulvaires ou la présence d'une petite ulcération peuvent attirer l'attention. Le diagnostic est précisé par le prélèvement d'un fragment de tissu vulvaire (biopsie).

TRAITEMENT ET PRONOSTIC

Le traitement consiste le plus souvent en une ablation de la vulve (vulvectomie), partielle ou totale. Le pronostic du cancer dépend de la précocité du diagnostic.

PRÉVENTION

Le traitement préventif réside dans les soins d'hygiène corporelle, une surveillance gynécologique régulière (certaines formes de cancer de la vulve sont en effet précédées de lésions précancéreuses qui peuvent être dépistées par un examen gynécologique), la destruction des lésions virales (en particulier des condylomes) par le laser au gaz carbonique ou par traitement chimique (azote liquide, podophylline), et l'ablation immédiate des lésions précancéreuses.

Vulvectomie

Ablation chirurgicale totale ou partielle de la vulve.

Une vulvectomie est indiquée en cas de cancer de la vulve. Elle peut être superficielle ou radicale (totale) suivant la profondeur de l'intervention. Pratiquée sous anesthésie générale, cette intervention nécessite une hospitalisation de plusieurs jours.

DIFFÉRENTS TYPES DE VULVECTOMIE

■ La vulvectomie totale consiste en l'ablation de tous les éléments constituants de la vulve (clitoris, grandes lèvres, petites lèvres). Elle est souvent associée à un curage des ganglions de l'aine, et la reconstruction vulvaire fait souvent appel à des techniques de greffe de peau.

■ **La vulvectomie partielle** concerne de 25 à 90 % des téguments vulvaires et préserve le clitoris.

CONSÉQUENCES

En raison de la localisation de la vulve, la vulvectomie peut avoir un retentissement sur différentes fonctions : gêne à la marche, à la miction, douleurs pendant les rapports sexuels, qui s'atténuent en quelques mois.

Vulvite

Inflammation de la vulve.

On distingue les inflammations de la face interne des petites lèvres, qui sont souvent associées à une vaginite d'origine infectieuse, et les affections du revêtement cutané vulvaire (grandes lèvres, face externe des petites lèvres), qui sont d'origine dermatologique (allergique, atrophique, caustique).

SYMPTÔMES ET TRAITEMENT

Une vulvite se manifeste par des démangeaisons, une rougeur et un œdème de la vulve, parfois associés à des pertes vaginales.

Le traitement comprend l'application locale de crèmes antiprurigineuses ou antiseptiques. Suivant la cause diagnostiquée, un traitement antimycosique, antibactérien, antiviral ou anti-inflammatoire est mis en œuvre, par voie locale ou générale. En cas de vulvite d'origine infectieuse, le traitement du partenaire est recommandé.

Vulvopérinéoplastie

Réfection chirurgicale de la vulve et du périnée.

La vulvopérinéoplastie est indiquée dans le traitement des lésions de l'orifice vulvaire, consécutives à un accouchement ou causées par certaines maladies de la vulve (kraurosis, par exemple).

Une vulvopérinéoplastie nécessite une hospitalisation et se pratique sous anesthésie générale. La reprise des rapports sexuels peut avoir lieu environ un mois plus tard.

Vulvovaginite

Inflammation de la vulve et du vagin, d'origine infectieuse.

CAUSES

Une vulvovaginite est due en général à un virus (herpès virus, papillomavirus), à un parasite (trichomonas) ou à un champignon (*Candida albicans*). Le développement de ce dernier, en particulier, responsable d'une candidose vulvovaginale, est favorisé par la grossesse, par la prise de médicaments antibiotiques ou corticostéroïdes, ou encore par un traitement immunosuppresseur.

SYMPTÔMES ET SIGNES

Une vulvovaginite se traduit par une inflammation de la vulve et du vagin, souvent accompagnée d'un gonflement local. Elle se manifeste par des démangeaisons, des brûlures à la miction ou à la marche, des douleurs pendant les rapports sexuels, des pertes d'abondance variable, qui deviennent elles-mêmes des éléments d'irritation et d'infection.

La vulvovaginite à *Candida albicans,* provoque une démangeaison intense, un fort gonflement et une rougeur de la vulve, qui s'étendent au périnée et à l'anus, et qui rendent les rapports sexuels très douloureux. Elle s'accompagne de pertes, abondantes, qui ressemblent à du lait caillé.

DIAGNOSTIC

Le diagnostic repose sur l'examen gynécologique des lésions. Celui-ci est parfois complété par l'examen au microscope d'un prélèvement vaginal, qui met en évidence la présence du virus, du parasite ou du champignon responsable dans les sécrétions.

TRAITEMENT

Un traitement antiviral, antibactérien ou antimycosique local est prescrit pendant quelques jours. En raison du risque de contamination, il est indispensable que le partenaire suive également un traitement approprié.

W

Waaler-Rose (réaction de)

Examen de laboratoire destiné à mettre en évidence et à doser le facteur rhumatoïde dans le sang.

Le facteur rhumatoïde est un auto-anticorps (anticorps dirigé contre des constituants de l'organisme du malade lui-même) dont la présence dans le sang est caractéristique de certaines maladies rhumatismales, notamment de la polyarthrite rhumatoïde. La réaction de Waaler-Rose est néanmoins d'un intérêt limité, car elle est peu spécifique : chez 1 à 2 % de la population, ses résultats sont positifs sans que les sujets soient pour autant atteints d'une quelconque pathologie. Elle ne peut donc être utilisée qu'à titre d'examen complémentaire.

Waardenburg-Klein (syndrome de)

Affection héréditaire caractérisée par l'association d'une hypertrophie de la racine du nez et des sourcils et de malformations de l'œil (dépigmentation de l'iris, lésions de la rétine, écartement excessif des orbites), de l'oreille, de la peau (taches dépigmentées siégeant surtout sur le cou, le front, la poitrine, le ventre, les genoux et le dos des mains) et des phanères (mèches de cheveux blanches).

Rare, le syndrome de Waardenburg-Klein est une affection congénitale. Sa transmission est autosomique (non liée aux chromosomes sexuels) dominante : il suffit que le gène responsable soit reçu de l'un des parents pour que ce syndrome se manifeste chez l'enfant. Il semble en rapport avec des anomalies du développement d'une structure embryonnaire, la crête neurale, ce qui le rapprocherait des neurocristopathies (groupe d'affections liées à des malformations de tissus et d'organes dérivés de la crête neurale). Bien que le syndrome de Waardenburg-Klein soit peu évolutif, dans 20 % des cas les lésions auriculaires entraînent une surdité. Il n'a pas de traitement connu.

Waldenström (maladie de)

Maladie liée à une prolifération de cellules d'origine lymphocytaire (souche de cellules donnant normalement naissance aux lymphocytes, variété de globules blancs impliqués dans les réactions immunitaires), lesquelles sécrètent en excès un type particulier d'anticorps, l'immunoglobuline M (IgM).

FRÉQUENCE ET CAUSE

La maladie de Waldenström touche habituellement des personnes âgées de plus de 60 ans avec une légère prédominance masculine. Sa cause est inconnue.

SYMPTÔMES ET SIGNES

La sécrétion excessive d'immunoglobuline M provoque une augmentation de la viscosité sanguine et un accroissement du volume du plasma. Ces troubles retentissent sur le système nerveux et se traduisent par des bourdonnements d'oreilles, une diminution de l'acuité visuelle, des maux de tête, des troubles de la conscience pouvant aller, dans les cas les plus graves, jusqu'au coma. De plus, l'hypervolémie (augmentation du volume du plasma) peut entraîner une insuffisance cardiaque, et l'excès d'immunoglobuline dans le sang peut provoquer des hémorragies liées à des perturbations des mécanismes de la coagulation. Par ailleurs, les dépôts d'immunoglobuline M dans les reins ou les nerfs périphériques déterminent parfois, respectivement, une insuffisance rénale et une paralysie, notamment des membres inférieurs. Une augmentation de taille de la rate, du foie ou des ganglions lymphatiques s'observe dans un quart des cas environ.

DIAGNOSTIC

La sécrétion excessive d'immunoglobuline M est mise en évidence et quantifiée, sous forme d'un « pic monoclonal », par l'électrophorèse (déplacement des particules sous l'effet d'un champ électrique) des protéines du plasma sanguin ; celle-ci révèle un taux sérique d'immunoglobuline M supérieur à 5 grammes par litre de sérum. La prolifération lymphoïde est détectée par ponction de la moelle osseuse ; dans certains cas, l'excès de cellules lymphoïdes est également observable dans le sang. Contrairement à ce qui se produit dans le myélome multiple - maladie comparable, mais dans laquelle l'anticorps sécrété en excès est soit l'immunoglobuline G, soit l'immunoglobuline A -, les radiographies du squelette ne montrent pas de destruction osseuse.

Chez certains patients, les examens mettent en évidence une augmentation du taux d'immunoglobuline M mais ne révèlent aucune infiltration lymphoïde.

ÉVOLUTION ET TRAITEMENT

En l'absence de traitement, la sécrétion d'immunoglobuline M continue d'augmenter et les symptômes s'aggravent. Il arrive en outre que la prolifération des cellules lymphoïdes entraîne une diminution de la production, par la moelle osseuse, des plaquettes sanguines ou des globules rouges, et donc une thrombopénie ou une anémie.

Le traitement vise à freiner la prolifération lymphoïde responsable de la sécrétion excessive d'immunoglobuline M. Il consiste généralement en une chimiothérapie administrée par voie orale, associant parfois plusieurs substances (polychimiothérapie). Dans les cas les plus sévères, une plasmaphérèse (prélèvement du plasma du malade, qui lui est restitué après séparation de l'anticorps en excès) permet de réduire très rapidement le taux d'anticorps sanguins.

Dans les formes où l'augmentation du taux d'immunoglobuline M constitue le seul symptôme de la maladie, une surveillance régulière du patient est nécessaire de manière à détecter le plus tôt possible une éventuelle évolution vers une maladie de Waldenström déclarée.

La cause de la maladie demeurant à ce jour inconnue, aucune mesure préventive ne peut être adoptée.

Wassermann (August von)

Médecin allemand (Bamberg 1866 - Berlin 1925).

Il est surtout connu pour avoir mis au point une méthode de diagnostic de la syphilis par réaction sérologique (réaction de Bordet-Wassermann).

Waterhouse-Friderichsen (syndrome de)

Hémorragie des glandes surrénales se déclarant au cours d'un purpura fulminans (forme très grave d'infection à méningocoque).

Cette hémorragie atteint les deux glandes surrénales ; elle est liée à l'inflammation diffuse des vaisseaux sanguins, qui caractérise le purpura fulminans, et s'accompagne d'un état de choc.

Le traitement du syndrome de Waterhouse-Friderichsen, qui repose sur l'administration d'antibiotiques par voie intraveineuse, doit être institué d'extrême urgence. Le pronostic est réservé.

Weber (épreuve de)

Test auditif permettant de distinguer une surdité de transmission (correspondant à une atteinte de l'oreille moyenne ou externe) d'une surdité de perception (correspondant à une atteinte de l'oreille interne).

L'épreuve de Weber fait partie de l'acoumétrie, ensemble d'examens qui ont pour but de tester l'audition d'un sujet sans employer de matériel sophistiqué. Réalisable en quelques minutes par le médecin lors d'une consultation, elle nécessite simplement la coopération du sujet et une attention soutenue. Elle n'est jamais pratiquée chez les enfants de moins de 5 ans.

DÉROULEMENT ET RÉSULTAT

Le médecin fait vibrer un diapason grave dont il pose le pied au milieu du front du patient. Les vibrations étant transmises de façon symétrique, le sujet perçoit normalement le son dans les deux oreilles. En cas de surdité d'une oreille, il n'entend le son que d'un côté : du côté de l'oreille saine en cas de surdité de perception, du côté lésé en cas de surdité de transmission.

→ VOIR Acoumétrie.

Weber-Christian (maladie de)

Affection caractérisée par une inflammation du tissu graisseux, surtout sous-cutané. SYN. *panniculite nodulaire idiopathique.*

La maladie de Weber-Christian apparaît chez la femme entre 30 et 60 ans.

SYMPTÔMES ET DIAGNOSTIC

Cette affection, qui n'a pas de cause précise connue, se traduit par une altération de l'état général (fièvre, fatigue), des douleurs articulaires et abdominales et des épanchements pleuraux et péricardiques. Parallèlement se forment des nodules sous-cutanés de 1 à 2 centimètres de diamètre, qui touchent de façon symétrique les jambes et les chevilles et peuvent remonter jusqu'aux cuisses, voire aux membres supérieurs. Ces lésions sont fermes, chaudes, sensibles au toucher. Elles ont trois formes d'évolution possibles : au bout de quelques semaines, soit elles disparaissent spontanément, soit elles s'ouvrent, laissant s'échapper un liquide jaunâtre huileux, soit elles laissent une cicatrice déprimée de la taille d'une soucoupe. Le diagnostic de la maladie repose sur l'examen histologique d'un nodule.

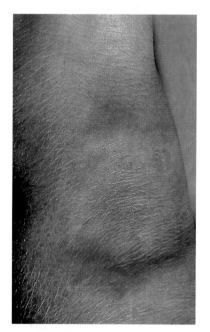

Maladie de Weber-Christian. L'inflammation du tissu graisseux se traduit par la formation, souvent sur les jambes et les chevilles, de nodules sous-cutanés.

TRAITEMENT ET ÉVOLUTION

Le traitement comprend le repos au lit et la prise d'anti-inflammatoires (anti-inflammatoires non stéroïdiens ou, s'il s'agit d'une forme sévère, corticostéroïdes par voie générale) pendant 4 à 6 semaines. En cas d'ulcération, des soins locaux (pansements hydrocolloïdes, crèmes cicatrisantes) sont indispensables. La maladie évolue en plusieurs poussées et peut même récidiver au bout de plusieurs années.

Wegener (granulomatose de)

Affection caractérisée par une atteinte inflammatoire et nécrosante de la paroi des vaisseaux (angéite) irriguant l'appareil respiratoire (fosses nasales, pharynx, larynx, bronches) et les reins. SYN. *angéite granulomateuse nécrosante, syndrome de Wegener.*

Rare et de cause inconnue, la granulomatose de Wegener fait partie des maladies auto-immunes, au cours desquelles l'organisme produit des anticorps dirigés contre ses propres tissus. Elle touche surtout les adultes de 40 à 50 ans, plus souvent les hommes que les femmes.

SYMPTÔMES ET SIGNES

L'affection se manifeste par un écoulement purulent du nez, une sinusite, une otite, des ulcérations de la bouche et des lésions multiples et bilatérales des poumons et des bronches, à l'origine d'une toux quinteuse et d'une gêne respiratoire. L'atteinte rénale se traduit par la présence, dans les urines, de protéines (protéinurie) et de sang (hématurie) ; elle évolue vers une insuffisance rénale qui s'aggrave rapidement.

DIAGNOSTIC

La biopsie rénale met en évidence des lésions glomérulaires caractéristiques. Par ailleurs, les lésions pulmonaires sont parfaitement visibles sur les radiographies. Le diagnostic repose également sur la présence dans le sang d'auto-anticorps appelés ANCA (de l'anglais *Anti Neutrophil Cytoplasmic Antibody,* anticorps dirigé contre le cytoplasme de certains globules blancs, les polynucléaires neutrophiles).

TRAITEMENT ET PRONOSTIC

Le traitement repose sur la prise d'immunosuppresseurs et de fortes doses de corticostéroïdes ou sur les échanges plasmatiques. Il doit être suivi pendant plusieurs semaines, voire pendant plusieurs mois, mais ne permet pas toujours d'éviter que la maladie n'évolue vers une insuffisance rénale nécessitant une dialyse à vie. D'une façon générale, le pronostic de la granulomatose de Wegener est d'autant meilleur que le traitement a été commencé plus tôt.

Weir-Mitchell (syndrome de)

→ VOIR Érythromélalgie.

Welles (syndrome de)

→ VOIR Cellulite.

Werdnig-Hoffmann (maladie de)

Affection héréditaire caractérisée par une atrophie de certains neurones moteurs de la moelle épinière. SYN. *amyotrophie spinale antérieure.*

La maladie de Werdnig-Hoffmann est une maladie rare, dont la transmission est autosomique (par les chromosomes non sexuels) et récessive (le gène porteur doit être reçu du père et de la mère pour que l'enfant développe la maladie).

SIGNES ET ÉVOLUTION

L'affection se manifeste dans les 3 premiers mois de la vie, parfois dès la naissance. Au début, le nourrisson a du mal à mouvoir ses cuisses et ses avant-bras, puis la paralysie progresse en quelques semaines : l'enfant ne remue plus les jambes et se tient de façon caractéristique, jambes fléchies « en grenouille ». Il peut toutefois bouger les pieds et surtout les mains, car l'atteinte est plus modérée à l'extrémité des membres. Tous les réflexes ostéotendineux (réponse motrice provoquée par la percussion d'un tendon musculaire) sont absents. Puis la paralysie du tronc précède la perte du tonus de la tête et du tronc, la paralysie des muscles intercostaux conduisant à une insuffisance respiratoire. Finalement, l'enfant ne conserve que la mobilité des yeux et du visage et une possibilité de déglutition. La maladie évolue défavorablement en quelques mois vers l'insuffisance respiratoire chronique, aggravée par les infections pulmonaires récidivantes et les fausses-routes alimentaires.

DIAGNOSTIC ET TRAITEMENT

Le diagnostic de cette maladie peut être fait avant la naissance par amniocentèse (prélèvement de liquide amniotique et analyse des cellules fœtales qui s'y trouvent). Après la naissance, l'électromyographie (enregistrement de l'activité électrique des muscles) et la biopsie musculaire permettent de confirmer le diagnostic. Le traitement consiste essentiellement à améliorer le confort du malade. Une prise en charge kinésithérapique et orthopédique précoce permet de lutter contre les rétractions musculaires et, parfois, d'éviter certaines anomalies (luxation de la hanche ou déformation rachidienne). Enfin, une kinésithérapie respiratoire régulière et des séances de ventilation assistée peuvent se révéler nécessaires.

PRÉVENTION

Avant toute grossesse ultérieure, les parents doivent solliciter un conseil génétique lors d'une consultation spécialisée.

West (syndrome de)

→ VOIR Spasme en flexion.

Western-Blot (réaction de)

Technique permettant de rechercher dans le sérum sanguin des protéines antigéniques - particulièrement des protéines virales - ou des anticorps dirigés contre ces protéines.

La réaction de Western-Blot est à présent très utilisée pour confirmer ou infirmer le résultat, parfois faussement positif, du test ELISA (test de recherche d'anticorps spécifiques) du V.I.H., virus du sida.

TECHNIQUE

La réaction de Western-Blot se déroule en trois étapes.

■ **La première étape** consiste à dérouler chimiquement et à isoler les protéines du sérum sanguin grâce à une électrophorèse (déplacement de particules sous l'effet d'un champ électrique) réalisée sur un support chimique, le gel de polyacrylamide ; les protéines migrent alors d'autant plus loin que leur poids moléculaire est faible.

■ La deuxième étape consiste à transférer les protéines, séparées les unes des autres, du gel de polyacrylamide sur une membrane de nitrocellulose, support solide ayant la propriété d'accrocher les protéines de façon non spécifique.

■ La troisième étape est celle de la mise en évidence des protéines : on dépose des anticorps préalablement conjugués à une enzyme ou radiomarqués sur la membrane de nitrocellulose ; ceux-ci se fixent alors sur les protéines et sont visualisés après réaction enzymatique colorée ou par autoradiographie (technique de révélation de la radioactivité). En l'absence de protéines antigéniques spécifiques des anticorps testés (résultat négatif), les anticorps, non fixés, ne peuvent être visualisés.

Lorsque l'on recherche des anticorps viraux, par exemple dans le cas de l'infection par le V.I.H., ou pour diagnostiquer une maladie auto-immune, les deux premières étapes sont effectuées avec des protéines virales ou des cellules cultivées en laboratoire. Lors de la troisième étape, on dépose le sérum du malade sur la membrane de nitrocellulose, les anticorps que celui-ci est susceptible de contenir se fixant alors sur les protéines antigéniques. Pour mettre en évidence cette fixation, et donc la présence des anticorps, on utilise d'autres anticorps, préalablement marqués et qui ont la propriété de reconnaître les anticorps humains en produisant une réaction colorée.

Wheezing

Sifflement respiratoire aigu, toujours de même tonalité, perceptible à l'inspiration et à l'expiration ou seulement à l'inspiration.

Un wheezing est audible au stéthoscope et parfois même à l'oreille. Il est dû à un rétrécissement ou à une obstruction partielle et localisée des voies respiratoires (larynx, trachée, bronches) par une tumeur, un corps étranger, une inflammation, etc.

Whipple (maladie de)

Maladie caractérisée par l'infiltration de nombreux tissus par des globules blancs remplis de débris bactériens.

Le germe en cause est en cours d'identification, mais on ignore à ce jour si la maladie est simplement due à l'invasion bactérienne ou si elle se perpétue à cause d'un déficit immunitaire du patient.

SYMPTÔMES ET DIAGNOSTIC

La maladie de Whipple, extrêmement rare, se traduit par des symptômes très divers : fièvre modérée, diarrhée et malabsorption intestinale principalement, mais aussi rhumatisme touchant plusieurs articulations, adénopathies (gonflement des ganglions lymphatiques) et lésions multiviscérales. Le diagnostic, malaisé, peut nécessiter une biopsie de la muqueuse de l'intestin grêle.

ÉVOLUTION ET TRAITEMENT

En l'absence de traitement, le pronostic est très sombre. En revanche, presque tous les antibiotiques sont efficaces contre ce germe, et, sous traitement administré à vie, l'évolution est excellente.

Whipple (opération de)

Ablation chirurgicale du duodénum et de la tête du pancréas. SYN. *duodénopancréatectomie céphalique.*

Il s'agit d'une intervention majeure, requérant une hospitalisation longue, pratiquée en cas de cancer du pancréas ou pour traiter certaines pancréatites chroniques. Outre l'ablation de la tête du pancréas et du duodénum, qui sont indissociables et doivent être ôtés ensemble, l'opération comporte le raccordement de l'estomac à l'intestin grêle, de même qu'une anastomose du canal cholédoque à l'intestin grêle, la partie restante du pancréas étant abouchée soit à l'estomac, soit à l'intestin grêle, de manière à permettre l'écoulement de la bile et du suc pancréatique dans le tube digestif. Le pronostic est fonction de l'extension de la tumeur ou de la gravité de la pancréatite.

Widal (Fernand)

Médecin et bactériologiste français (Dellys, auj. Delles, Algérie, 1862 – Paris 1929).

On lui doit, notamment, la découverte du bacille de la dysenterie épidémique et celle du sérodiagnostic des fièvres typhoïde et paratyphoïde (sérodiagnostic de Widal et Félix) ; il a aussi fait progresser considérablement la connaissance et le traitement des maladies du rein.

Widal et Félix (sérodiagnostic de)

Méthode permettant de diagnostiquer une infection par *Salmonella typhi, Salmonella paratyphi A* et *Salmonella paratyphi B,* bactéries responsables respectivement des fièvres typhoïde et paratyphoïdes A et B.

Le sérodiagnostic de Widal et Félix met en évidence, dans le sérum des sujets atteints, des anticorps dirigés contre les antigènes des salmonelles en cause. La technique utilisée est une réaction d'agglutination, par les anticorps spécifiques contenus dans le sérum du patient, d'une suspension de salmonelles tuées mais ayant conservé l'une de leurs spécificités antigéniques (O ou H).

Wiedemann-Beckwith (syndrome de)

Maladie congénitale caractérisée par une augmentation du volume de la langue, une hernie ombilicale, une hypertrophie des viscères, un gigantisme et une hypoglycémie par excès de sécrétion d'insuline.

La maladie de Wiedemann-Beckwith est due à un trouble du développement fœtal. S'y associent fréquemment un angiome plan frontal, parfois une microcéphalie (crâne de volume très inférieur à la normale) et la survenue d'une tumeur maligne (du rein, des glandes corticosurrénales, des gonades ou du foie).

DIAGNOSTIC

Ce syndrome peut être dépisté, dès avant la naissance, par l'échographie. Après la naissance, le diagnostic est confirmé par l'examen clinique et par le dosage de la glycémie.

TRAITEMENT ET PRONOSTIC

Le seul traitement possible consiste à corriger l'hypoglycémie et à surveiller régulièrement, par des échographies abdominales en particulier, un éventuel développement tumoral. Certaines tumeurs peuvent faire l'objet d'une ablation chirurgicale.

Le traitement précoce de l'hypoglycémie a permis de réduire considérablement les séquelles neurologiques (convulsions, paralysies) de ce syndrome. Seule la microcéphalie associée peut perturber le développement neurologique de l'enfant.

Willebrand (maladie de)

Maladie hémorragique héréditaire due à une anomalie quantitative ou qualitative qui touche l'une des protéines du plasma sanguin, le facteur Willebrand, intervenant dans le processus d'hémostase.

Le facteur Willebrand (FvW) sert au transport du facteur VIII, protéine plasmatique indispensable à la coagulation et à l'adhésion des plaquettes sur les parois des vaisseaux lorsque ceux-ci sont lésés. Selon l'anomalie en cause et son mode de transmission, on distingue trois formes principales de la maladie (types I, II et III). Les types I et II se transmettent sur un mode autosomique (par les chromosomes non sexuels) dominant (il suffit que le gène soit reçu de l'un des parents pour que l'enfant développe la maladie), le type III sur un mode autosomique récessif (le gène doit être reçu des deux parents pour que l'enfant soit atteint).

SYMPTÔMES ET SIGNES

Les saignements, fréquents, touchent surtout les muqueuses : saignements de nez, évacuation de sang par l'anus, règles anormalement longues et abondantes chez la femme. Ils peuvent survenir après une intervention chirurgicale même mineure, une extraction dentaire ou un traumatisme. En revanche, les hémarthroses (épanchement sanguin dans une cavité articulaire), fréquentes en cas d'hémophilie, sont rares.

DIAGNOSTIC

Il repose sur l'examen clinique et la connaissance des antécédents héréditaires ainsi que sur des examens sanguins : le temps de saignement (temps nécessaire à l'arrêt du saignement d'une scarification faite à l'avant-bras) et le temps de céphaline (étude du processus de thromboplastinoformation), qui sont anormalement longs. Le diagnostic s'appuie également sur le dosage, en laboratoire, du facteur Willebrand et du facteur VIII.

TRAITEMENT

Il consiste à prévenir et/ou à endiguer les hémorragies : en cas de saignement peu important ou d'intervention chirurgicale mineure, on administre de la desmopressine ou de l'acide aminocaproïque. Les saignements ou les gestes chirurgicaux plus importants nécessitent une correction du facteur VIII par administration de cryoprécipités ou de facteur VIII concentré.

Wilms (tumeur de)

Tumeur maligne du rein développée aux dépens du tissu rénal embryonnaire. SYN. *néphroblastome*.

La tumeur de Wilms atteint essentiellement l'enfant. Très volumineuse, elle se révèle le plus souvent par une augmentation de volume de l'abdomen. Elle peut, en outre, comprimer la veine cave inférieure et provoquer des œdèmes des membres inférieurs et une ascite (accumulation de liquide dans la cavité péritonéale). Il n'est pas rare que la tumeur touche les deux reins. Des métastases pulmonaires et hépatiques sont fréquentes.

DIAGNOSTIC

Le diagnostic repose sur l'échographie rénale, l'urographie intraveineuse et le scanner abdominal, parfois complétés par une artériographie rénale.

TRAITEMENT ET PRONOSTIC

Le traitement comprend la néphrectomie (ablation chirurgicale) du rein tumoral et, souvent, une chimiothérapie et une radiothérapie en cas de métastases ou lorsque la tumeur est trop volumineuse pour être opérée. La moitié des patients environ guérissent de leur tumeur.

Wilson (maladie de)

Affection héréditaire liée à une accumulation de cuivre dans les tissus et les organes, en particulier dans le foie et l'encéphale. SYN. *dégénérescence hépatolenticulaire*.

La maladie de Wilson est une affection rare, due à l'atteinte d'un gène localisé sur le chromosome 13, qui se transmet sur un mode autosomique (par les chromosomes non sexuels) récessif (le gène porteur doit être reçu du père et de la mère pour que la maladie se développe chez l'enfant). Son mécanisme, mal connu, pourrait être soit une insuffisance de la synthèse de céruléoplasmine (protéine qui fixe normalement le cuivre de l'organisme et permet son élimination), soit une affinité excessive des protéines des différents tissus de l'organisme, en particulier du foie, pour le cuivre.

SYMPTÔMES ET SIGNES

La maladie se manifeste le plus souvent entre 5 et 40 ans et se traduit par des manifestations neurologiques.

■ Chez l'enfant, on observe la forme choréo-athétosique, qui associe des mouvements anormaux involontaires des membres et un tremblement qui va s'aggravant.

■ Chez l'adulte, la forme appelée dystonique est la plus fréquente. Les symptômes ressemblent à ceux de la maladie de Parkinson : rigidité, visage figé (rictus), ralentissement des mouvements, marche à petits pas, élocution difficile et, parfois, tremblement modéré.

Chez l'enfant comme chez l'adulte, la maladie de Wilson peut s'accompagner de crises d'épilepsie et de troubles psychiques : troubles du caractère et de l'humeur, épisodes psychotiques, voire, plus tard, détérioration intellectuelle conduisant à la démence. L'atteinte hépatique se traduit en général par une augmentation de volume du foie et de la rate, mais il arrive aussi qu'elle soit sans symptôme. Les autres anomalies, plus rares, touchent les reins (protéinurie, insuffisance rénale), les glandes endocrines (diabète, arrêt des règles), le sang (anémie), les os (fragilité excessive, calcifications autour des articulations), la peau (celle-ci prend une couleur grise, bleutée ou cuivrée).

DIAGNOSTIC

Il repose sur la mise en évidence d'un anneau péricornéen, l'anneau de Kayser-Fleischer, lié à un dépôt de cuivre. Cet anneau, de couleur brun-rouge ou brun-vert, est parfois visible à l'œil nu ou à la périphérie de la cornée, mais, le plus souvent, il n'est mis en évidence que par l'examen au biomicroscope. La concentration de céruléoplasmine dans le sang est anormalement faible et celle du cuivre dans les urines, anormalement élevée. Le taux de cuivre dans le sang est variable, au-dessus ou au-dessous du taux normal. Les altérations des tests biologiques hépatiques (augmentation du taux sanguin de transaminases et de bilirubine, notamment), voire la ponction-biopsie du foie, révèlent une cirrhose et un excès de cuivre. Le scanner cérébral montre fréquemment des signes d'atrophie cérébrale et, dans environ la moitié des cas, des zones d'hypodensité, dues à la présence de dépôts de cuivre dans la région des noyaux gris centraux.

TRAITEMENT ET PRONOSTIC

Le traitement repose sur un régime pauvre en cuivre (limitation de la consommation de foie, de chocolat, de poisson, de viande, de légumes secs, de noix, de champignons) et sur l'administration d'un médicament (dont les doses sont progressivement augmentées), la D-pénicillamine, qui se lie au cuivre et permet l'élimination de celui-ci dans les urines. Les manifestations neurologiques et les troubles psychiques régressent le plus souvent sous traitement, les résultats étant d'autant meilleurs que les soins ont été entrepris plus tôt. Cependant, quand le traitement est commencé trop tard, les symptômes s'aggravent, et le pronostic de la maladie est parfois sévère.

DÉPISTAGE

Dès que cette maladie héréditaire est découverte chez un sujet, une enquête génétique est faite dans sa famille. Chez les sujets à risque mais qui ne présentent aucun symptôme, on fait régulièrement des dosages sanguins de céruléoplasmine et de cuivre de façon à dépister le plus tôt possible une éventuelle maladie de Wilson.

Winslow (Jacques Bénigne)

Médecin et anatomiste danois (Odensee 1669 - Paris 1760).

Une bourse octroyée par le roi Christian V de Danemark lui permit de faire des études médicales en Hollande puis à Paris, où il s'établit. Devenu professeur d'anatomie et de chirurgie au Jardin des plantes officinales du roi, il acquit la notoriété par ses travaux et par son ouvrage, paru en 1732, l'*Exposition anatomique du corps humain*. Il fut l'un de ceux qui dénoncèrent la nocivité du port du corset pour les femmes.

Wirsung (canal de)

Canal excréteur principal du pancréas. (P.N.A. *ductus pancreaticus*)

Le canal de Wirsung traverse longitudinalement le pancréas et déverse le suc pancréatique dans le deuxième segment du duodénum (portion initiale de l'intestin grêle) par l'intermédiaire de l'ampoule de Vater, dans laquelle il débouche, comme la voie biliaire principale (canal cholédoque).

EXAMENS

Le canal de Wirsung peut être exploré par échographie, écho-endoscopie, scanner et pancréatographie (radiographie du canal de Wirsung après opacification, constituant l'un des temps d'une cholangiographie [radiographie des voies biliaires]).

PATHOLOGIE

Ce canal peut être le siège de calculs (lithiase) au cours des pancréatites chroniques. Il peut également être comprimé par des tumeurs du duodénum ou du pancréas.

Wirsungographie

→ VOIR Pancréatographie.

Wiskott-Aldrich (syndrome de)

Affection héréditaire caractérisée par un taux anormalement bas de plaquettes sanguines.

Le syndrome de Wiskott-Aldrich se transmet par le chromosome X sur un mode récessif (le gène responsable doit être reçu du père et de la mère pour que l'enfant développe la maladie). Il touche surtout les garçons et semble lié à des troubles immunitaires complexes : élévation du taux sanguin de globulines E (IgE) et diminution du taux sanguin de gammaglobulines M (IgM).

SYMPTÔMES ET SIGNES

Le syndrome de Wiskott-Aldrich se traduit par un purpura cutané (apparition de taches rouges sur la peau), des saignements de nez et des hémorragies digestives et urinaires, puis par un eczéma atopique (éruption de plaques vésiculocroûteuses démangeant intensément), siégeant surtout sur le visage et aux plis de flexion, et par des infections à répétition : otites, sinusites, furoncles, infections oculaires, méningite, septicémie.

TRAITEMENT ET PRÉVENTION

Le traitement vise avant tout à soigner les symptômes de la maladie (transfusions de plaquettes, traitement de l'eczéma, prise d'antibiotiques en cas d'infection). Des allogreffes de moelle osseuse (greffes réalisées avec de la moelle prélevée sur un autre être humain) ont pu être pratiquées comme traitement de fond. Un dépistage anténatal du syndrome de Wiskott-Aldrich est possible dès le premier trimestre de grossesse. En outre, avant toute grossesse ultérieure, les parents peuvent solliciter un conseil génétique lors d'une consultation spécialisée.

Wolff-Parkinson-White (syndrome de)

Anomalie congénitale de l'activation électrique cardiaque.

Le syndrome de Wolff-Parkinson-White est un trouble de la conduction lié à la présence d'une voie anormale (ou voie accessoire) de conduction, le faisceau de Kent, fine bande de tissu myocardique faisant communiquer directement les oreillettes avec les ventricules, court-circuitant ainsi la voie normale – constituée par le nœud auriculoventriculaire suivi du tronc du faisceau de His et de ses branches. Ainsi le faisceau de Kent peut-il être responsable d'une transmission anormalement rapide des influx auriculaires vers les ventricules.

SYMPTÔMES ET SIGNES

Le syndrome de Wolff-Parkinson-White est le plus fréquent des syndromes de préexcitation (affections caractérisées par une activation anormalement précoce de certaines structures cardiaques). Il peut ne s'accompagner d'aucun symptôme et être découvert de façon fortuite à l'occasion d'une électrocardiographie de routine. Cependant, il peut aussi être à l'origine de symptômes (palpitations, essoufflement, malaises, pertes de connaissance), notamment en cas de survenue d'une tachycardie auriculaire qui, lorsque chaque influx auriculaire est transmis aux ventricules par le faisceau de Kent, s'accompagne d'une réponse ventriculaire excessivement rapide. Dans certains cas, rares, cette transmission anormalement rapide peut même dégénérer en fibrillation ventriculaire, mortelle en l'absence de traitement. Le syndrome de Wolff-Parkinson-White peut également être à l'origine d'accès de tachycardie paroxystique bénins, semblables à ceux observés au cours de la maladie de Bouveret.

DIAGNOSTIC ET TRAITEMENT

Le diagnostic repose sur l'électrocardiographie. Un syndrome de Wolff-Parkinson-White sans symptômes ne justifie aucun traitement. Des crises de tachycardie peu fréquentes et peu graves sont traitées par des médicaments antiarythmiques. En cas de crises fréquentes ou graves (syncopes), un traitement de la cause de l'anomalie peut être réalisé dans certains centres spécialisés : repérage et destruction du faisceau de Kent à l'aide d'un courant électrique (courant de radiofréquence).

→ VOIR **Technique d'ablation intra-cardiaque.**

Wood (examen en lumière de)

Examen employé pour le diagnostic des maladies cutanées, utilisant un rayonnement ultraviolet donnant des effets de fluorescence.

La lumière de Wood est fournie par un petit appareil facilement utilisable en consultation par le médecin dermatologue, qui permet d'éclairer la peau à l'endroit désiré. Le praticien peut ainsi observer l'éventuelle apparition d'une fluorescence, noter sa couleur et en déduire un diagnostic ; de plus, il peut évaluer, grâce à la fluorescence, l'étendue de la dermatose et repérer avec précision les zones cutanées malades où il doit faire des prélèvements.

INDICATIONS

La lumière de Wood permet de mettre en évidence un certain nombre de maladies. Ainsi, l'érythrasma donne une fluorescence rouge saumoné caractéristique à l'aisselle et à l'aine, tandis que le pityriasis versicolor donne une fluorescence jaune verdâtre et que les teignes du cuir chevelu se traduisent par une fluorescence verte. Cet examen permet également de préciser le diagnostic des troubles de la pigmentation, notamment de distinguer une achromie (absence de pigmentation cutanée) complète, due à un vitiligo, d'une simple hypochromie (diminution de la pigmentation cutanée), séquelle d'une dermatite atopique ou d'un eczéma dépigmentant, ou encore effet d'un pityriasis versicolor. En cas d'hyperchromie (augmentation de la pigmentation cutanée), l'examen en lumière de Wood permet de localiser très précisément les dépôts de pigment mélanique. Lorsque l'hyperchromie touche le derme, le contraste entre la peau saine et la peau pigmentée est très important, ce qui n'est pas le cas lorsqu'elle touche l'épiderme. Enfin, cet examen permet aussi de voir de façon plus nette certaines lésions de la syphilis, qu'il s'agisse de la roséole ou, sur le cou, du « collier de Vénus ».

X Z Y

Xanthélasma

Ensemble de petites taches jaunâtres légèrement saillantes, situées sur la partie des paupières proche du nez et constituées d'un dépôt de cholestérol.

Un xanthélasma peut être consécutif à une hypercholestérolémie (excès de cholestérol sanguin) ou ne pas avoir de cause précise. Son évolution est bénigne et très lente. L'ablation chirurgicale n'est justifiée qu'en cas de gêne, surtout esthétique.

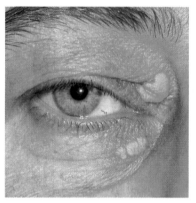

Xanthélasma. Une ou plusieurs taches jaunes, dues à un dépôt de cholestérol, apparaissent dans l'angle interne des paupières.

Xanthine

Base purique provenant de la dégradation des acides nucléiques (A.D.N. et A.R.N.).

Dans l'organisme, la majeure partie de la xanthine est transformée en acide urique sous l'action d'une enzyme, la xanthine oxydase, la xanthine non transformée étant éliminée dans les urines.

Le taux de xanthine par litre d'urine est normalement inférieur à 60 milligrammes chez la femme, à 90 milligrammes chez l'homme. Ces chiffres peuvent augmenter au cours de diverses maladies telles que le syndrome de Lesch-Nyhan (affection héréditaire masculine due à un déficit en une enzyme, l'hypoxanthine-guanine-phosphoribosyl-transférase [H.G.P.R.T.], qui permet la synthèse des acides nucléiques), et se traduisant par un retard mental, un retard de croissance, des convulsions et un syndrome d'agressivité avec automutilation, et certaines arthrites goutteuses dues soit à un déficit partiel en H.G.P.R.T., soit à un déficit congénital en xanthine oxydase, soit encore à la prise de médicaments hypo-uricémiants (diminuant le taux sanguin d'acide urique), inhibiteurs de la xanthine oxydase.

Xanthogranulome

Maladie caractérisée par une éruption de lésions cutanées d'aspect tumoral, infiltrant le tissu adipeux.

D'origine inconnue, ces lésions contiennent des cellules inflammatoires et des globules blancs, les macrophages, riches en corps gras.

DIFFÉRENTS TYPES DE XANTHOGRANULOME

On en distingue deux.

■ Le xanthogranulome juvénile, ou nævo-endothélio-xanthome, touche le nourrisson et l'enfant. Il prend la forme de nodules ou de papules de consistance molle, de 1 à 10 millimètres de diamètre, de couleur rougeâtre, qui, après quelques mois, deviennent brun jaunâtre. Ces lésions touchent surtout le visage et le cuir chevelu, plus rarement le tronc et la racine des membres. Chez le nourrisson, elles sont peu nombreuses, mais volumineuses, et siègent surtout sur le visage, alors que, chez l'enfant, ce sont de petites papules plus disséminées. Le diagnostic du xanthogranulome juvénile repose sur la biopsie cutanée. Cette affection, habituellement bénigne, peut aussi s'associer à des lésions oculaires telles qu'un glaucome, une uvéite ou un iritis (lorsque la prolifération granulomateuse touche les différentes structures de l'œil) et à la maladie de Recklinghausen (affection héréditaire caractérisée par de nombreuses tumeurs bénignes disséminées dans l'organisme, des taches cutanées pigmentées et des malformations nerveuses) : elle nécessite donc une surveillance rigoureuse, mais elle n'appelle aucun traitement, les lésions cutanées régressant spontanément en un à deux ans, sauf en cas d'anomalies oculaires (traitées par chirurgie ou radiothérapie).

■ Le xanthogranulome nécrobiotique est une maladie chronique de l'adulte qui se caractérise par la formation de nodules brun-orangé couverts de télangiectasies ou de varicosités (petits vaisseaux dilatés). Ceux-ci siègent surtout autour des orbites, à la racine des membres et au thorax. Le xanthogranulome nécrobiotique est une affection bénigne, mais qui peut révéler un myélome multiple (prolifération maligne des plasmocytes, cellules spécialisées dans la sécrétion d'anticorps, dans la moelle osseuse). Le diagnostic du xanthogranulome nécrobiotique, qui repose sur la biopsie cutanée, doit donc être complété par une analyse des protéines du sang par électrophorèse, laquelle permet de déceler l'existence d'un éventuel myélome multiple. Un tel xanthogranulome peut être enlevé chirurgicalement sous anesthésie locale, mais il arrive que les lésions récidivent. Lorsqu'il est associé à un myélome multiple, celui-ci doit être traité par chimiothérapie.

Xanthomatose

Toute maladie caractérisée par la dissémination de xanthomes (petites tumeurs bénignes, planes ou nodulaires, formées de cellules riches en dépôts lipidiques).

Selon qu'elle se trouve associée ou non à une hyperlipidémie (augmentation anormale du taux de certains lipides tels que le cholestérol dans le sang), une xanthomatose se range dans l'un des deux grands groupes de xanthomatoses, les xanthomatoses hyperlipidémiques ou les xanthomatoses normolipidémiques.

Xanthomatoses hyperlipidémiques

Caractérisées par la dissémination de xanthomes et par une hyperlipidémie, elles regroupent 3 types d'affection.

■ Les hypertriglycéridémies endogènes pures sont caractérisées par la formation de xanthomes éruptifs (taches en saillie entourées d'un halo rouge) ou de xanthomes striés palmaires (lésions jaunâtres), par une athérosclérose précoce et parfois par des calculs de la vésicule biliaire.

■ Les syndromes d'hypertriglycéridémie majeure se manifestent le plus souvent par la formation brutale (à la suite d'un apport alimentaire riche en graisses) de nombreux xanthomes, par un gros foie, une grosse rate et divers troubles neurologiques ; le taux sanguin de triglycérides est très élevé.

■ Les xanthomatoses hyperlipidémiques héréditaires apparaissent dès l'enfance (xanthomes plans, xanthomes tendineux, xanthomes plans de l'angle interne de l'œil) ou vers la cinquantaine (xanthomes plans et tendineux). Elles se traduisent par une athérosclérose (maladie dégénérative de l'artère ayant pour origine la formation d'une plaque d'athérome – dépôt lipidique – sur sa paroi).

Xanthomatoses normolipidémiques

Caractérisées par la dissémination de xanthomes, les xanthomatoses normolipidémiques ne s'accompagnent pas d'élévation du taux des lipides circulants du sang. On regroupe sous ce terme plusieurs affections caractérisées par diverses lésions.

■ **Le xanthome papulonodulaire disséminé** se traduit par la dissémination de petites papules rouge brunâtre.

■ **Le xanthome plan** se caractérise par la formation de taches planes, jaune ou jaune-orangé. L'une de ses formes particulières, appelée xanthome plan des paupières, ou xanthélasma, se traduit par la présence de dépôts jaunâtres dans l'angle interne de l'œil et sous les paupières.

TRAITEMENT ET PRÉVENTION

Le traitement consiste d'une part à soigner les xanthomes, d'autre part à traiter l'hyperlipidémie éventuellement associée à la xanthomatose (régime alimentaire, prise de médicaments hypolipémiants). Dans les familles touchées, le conseil génétique a un rôle majeur dans la prévention de la transmission de ces maladies.

Xanthome

Petite tumeur bénigne formée de macrophages (grandes cellules ayant la propriété d'ingérer et de détruire de grosses particules) riches en dépôts lipidiques.

Les xanthomes forment des taches ou des nodules sous-cutanés, souvent jaunes, parfois rouges ou bruns.

DIFFÉRENTS TYPES DE XANTHOME

■ **Le xanthome éruptif** est une tache saillante de un à quatre millimètres de diamètre, entourée d'un halo rouge. Il apparaît brutalement sur les fesses, l'abdomen et le dos. Il s'accompagne d'une hypertriglycéridémie (taux sanguin de triglycérides anormalement élevé) importante, de douleurs abdominales et de lésions pancréatiques.

■ **Le xanthome papulonodulaire disséminé** est une lésion très saillante, jaunâtre ou rougeâtre, puis brun foncé. Il siège sur les zones de flexion, les muqueuses de la bouche et du larynx, les nerfs et les os. Il affecte

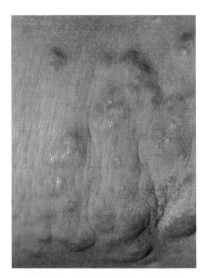

Xanthome. *Le xanthome éruptif, souvent lié à un taux sanguin excessif de triglycérides, prend la forme d'un petit nodule à la surface jaunâtre.*

surtout l'adulte jeune et s'associe souvent à une atteinte muqueuse des voies aérodigestives supérieures (œsophage, trachée), à des lésions oculaires (dépôts jaunâtres sur la paupière, la cornée, la conjonctive) et à un diabète insipide.

■ **Le xanthome plan** est une tache plane, jaune ou jaune-orangé, de taille variable ; il en existe plusieurs variétés :
— le xanthome plan des paupières, ou xanthélasma, débute à l'angle interne de la paupière supérieure et peut s'associer à une hypercholestérolémie (taux sanguin de cholestérol anormalement élevé) chez les sujets jeunes ou bien à des troubles du métabolisme des lipides après 50 ans ;
— l'arc cornéen, ou gérontoxon, prend la forme d'une tache grisâtre ou jaunâtre qui entoure l'iris ; il atteint surtout les sujets de 60 à 80 ans et s'accompagne souvent d'une hypercholestérolémie ;
— le xanthome strié palmaire est une tache jaunâtre linéaire qui se localise au creux des plis de flexion de la main ; il est toujours associé à des troubles du métabolisme des lipides ;
— le xanthome plan diffus, beaucoup plus rare, prend la forme d'une tache jaunâtre qui siège le plus souvent sur le visage, le cou et le thorax. Il est fréquemment associé à une paraprotéinémie (présence dans le sang d'immunoglobulines monoclonales), avec ou sans troubles du métabolisme des lipides.

■ **Le xanthome tendineux** est une tuméfaction sous-cutanée, ferme, adhérente aux tendons, mobile sous la peau. Il touche surtout les tendons extenseurs des doigts, ceux des poignets et le tendon d'Achille. Il est toujours associé à des troubles du métabolisme des lipides.

■ **Le xanthome tubéreux** est un gros nodule jaunâtre ou rougeâtre qui atteint surtout les coudes, les genoux, les fesses et la paume des mains. Il se trouve toujours lié à une hypercholestérolémie ou à une hypertriglycéridémie.

DIAGNOSTIC

La présence de xanthomes peut nécessiter un dosage sanguin des lipides et la recherche d'une éventuelle dissémination des xanthomes dans l'organisme (xanthomatose).

TRAITEMENT

Le traitement des xanthomes est facultatif ; seuls les xanthomes esthétiquement gênants, lorsqu'ils sont localisés (xanthome plan de l'œil, par exemple), peuvent être enlevés par électrocoagulation ou chirurgicalement. En revanche, s'il existe des troubles associés du métabolisme des lipides, ils doivent être traités (régime alimentaire pauvre en lipides, prise de médicaments hypolipémiants).

Xanthopsie

Anomalie de la vision des couleurs au cours de laquelle tout paraît jaune.

Une xanthopsie est un signe très rare, observé lors de certains ictères, de certaines choriorétinites (inflammation de la rétine et de la choroïde, sur laquelle repose la rétine) et de certaines cataractes débutantes.

La xanthopsie disparaît avec le traitement de sa cause.

Xénodiagnostic

Technique de laboratoire qui consiste à faire piquer le sujet soupçonné d'une maladie parasitaire par un insecte sain de l'espèce vectrice, puis à rechercher dans cet insecte la présence du parasite.

Le xénodiagnostic est surtout indiqué dans le diagnostic de la maladie de Chagas (trypanosomiase américaine).

Xénogreffe

→ VOIR Hétérogreffe.

Xeroderma pigmentosum

Affection héréditaire caractérisée par des cancers cutanés multiples se développant pendant l'enfance.

Le xeroderma pigmentosum, très rare, se transmet en général selon un mode récessif : le gène porteur doit être reçu du père et de la mère pour que l'enfant développe la maladie. Celle-ci est le plus souvent due à une insuffisance de la capacité de réparation de l'A.D.N., ce qui rend les cellules, notamment les cellules cutanées, très sensibles à l'exposition au rayonnement solaire.

SYMPTÔMES ET SIGNES

Presque dès la naissance apparaissent des rougeurs, des gonflements cutanés, des cloques puis, progressivement, une poïkilodermie (peau trop ou insuffisamment pigmentée, dilatation des vaisseaux superficiels du derme). Ensuite, vers 3 ou 4 ans, se forment des tumeurs cutanées, d'abord bénignes, mais se transformant rapidement en divers cancers (épithélioma, mélanome). Les autres anomalies observées comprennent une atteinte oculaire (photophobie, éversion du bord de la paupière, conjonctivite, voire cancer des paupières, de la conjonctive ou de la cornée), un retard de croissance et des troubles neurologiques (retard mental, épilepsie).

TRAITEMENT ET PRÉVENTION

Le traitement vise à soigner les symptômes, à prévenir l'apparition des tumeurs cutanées (protection solaire, prescription de rétinoïdes) ou à les enlever chirurgicalement. Cependant, le pronostic du xeroderma pigmentosum reste très sombre. Dans les familles touchées, le conseil génétique joue un rôle majeur dans la prévention de la transmission de la maladie.

Xérodermie

→ VOIR Xérose.

Xérophtalmie

Affection oculaire consistant en un assèchement de la conjonctive et de la cornée.

Plusieurs centaines de milliers de personnes dans le monde chaque année sont atteintes de xérophtalmie.

CAUSES

L'affection a pour cause principale une carence en vitamine A, fréquente chez les enfants des pays en développement.

SYMPTÔMES ET ÉVOLUTION

Une xérophtalmie se manifeste par un aspect fripé de la conjonctive et la présence sur cette membrane de taches blanches d'apparence grumeleuse, dus à l'absence de sécrétions lacrymales. La cornée peut être le siège d'une inflammation douloureuse (kératite), puis d'une infection de l'œil, avec risque de perforation cornéenne. La sécheresse oculaire aboutit à une kératinisation des tissus cornéens (modification de la structure des tissus, plus riches en protéines), puis éventuellement à leur destruction. L'évolution vers la cécité est lente, mais fréquente en l'absence de traitement.

DIAGNOSTIC ET TRAITEMENT

L'examen au biomicroscope confirme le diagnostic de xérophtalmie. Des collyres ou des pommades protégeant la cornée peuvent être utilisés, mais c'est le traitement le plus rapide possible de la cause (administration orale de vitamine A) qui est le plus efficace.

Xéroradiographie

Procédé radiographique dans lequel le support classique des clichés (film au bromure d'argent) est remplacé par une plaque d'aluminium recouverte d'une fine couche de sélénium. SYN. *xérographie*.

La charge électrique de la couche de sélénium, positive, s'inverse au passage des rayons X. L'image, révélée en nuances de bleu par pulvérisation d'une poudre amorphe, est recueillie sur un support papier par un procédé identique à celui de la photocopie.

L'intérêt de la xéroradiographie réside dans une plus grande finesse de l'image, en particulier dans la précision des contours et la différenciation des tissus, appréciable pour l'exploration des parties molles (profil cutané de la tête, sein, muscles et tendons, etc.) et des petites articulations.

La xéroradiographie nécessitant une dose élevée de rayons X, elle est aujourd'hui rarement pratiquée ; l'échographie, le scanner et l'imagerie par résonance magnétique (I.R.M.) la remplacent.

Xérose

Trouble cutané se traduisant par un amincissement, une fragilité, une sécheresse et un manque de souplesse de la peau et s'accompagnant souvent d'une desquamation plus ou moins marquée. SYN. *xérodermie*.

Une xérose est la conséquence d'une diminution de la teneur en eau de la couche cornée (partie superficielle de l'épiderme).

DIFFÉRENTS TYPES DE XÉROSE

Une xérose peut constituer un trouble isolé : la peau est alors mince, fragile, claire, douce au toucher, avec un réseau sanguin visible par transparence. C'est aussi, parfois, le signe de maladies dermatologiques (dermatite atopique, ichtyose) ; la peau est alors rêche, d'aspect farineux, les jambes sont écailleuses, la paume des mains et la plante des pieds fissurées ; certains patients présentent de petites saillies de un millimètre de diamètre, principalement sur les bras ou les cuisses (kératose pilaire). Dans d'autres cas, le dessèchement simplement l'effet d'une agression de la peau par des détergents ou des produits asséchants utilisés de façon trop prolongée.

TRAITEMENT

Il convient tout d'abord d'éviter les facteurs qui aggravent la sécheresse cutanée : soleil, vent, froid, savon alcalin détergent, lotion alcoolisée. Les soins consistent à appliquer sur la peau des préparations qui préservent son hydratation (agents freinant la perspiration, humectant la peau ou renforçant la cohésion des cellules).

Xérosis

Kératinisation (modification de la structure des tissus, qui deviennent plus riches en protéines) de la conjonctive oculaire.

Un xérosis est favorisé par une sécheresse oculaire, quelle qu'en soit la cause : allergie, certaines maladies, notamment rhumatologiques, prise de certains médicaments (antidépresseurs, atropiniques). Il peut également entrer dans le cadre d'un syndrome de Gougerot-Sjögren (maladie auto-immune comportant un assèchement des muqueuses de l'œil, de la bouche et des voies génitales) ou marquer le début d'une xérophtalmie (assèchement de la conjonctive et de la cornée, dû à une carence en vitamine A). L'absence de sécrétion lacrymale donne une sensation d'inconfort, de corps étranger dans l'œil ; la conjonctive prend un aspect pâle et terne.

DIAGNOSTIC ET TRAITEMENT

L'examen au biomicroscope, qui peut mettre en évidence une petite inflammation de la cornée, permet de préciser le diagnostic de xérosis. En cas de syndrome de Gougerot-Sjögren, le test de Schirmer permet d'évaluer l'importance de la sécrétion lacrymale.

Le traitement repose sur l'application locale de collyres ou de pommades destinés à protéger la cornée et sur le traitement de la cause lorsque celui-ci est possible (arrêt de la prise de médicaments, traitement de l'allergie, etc.).

Xérostomie

Sécheresse excessive de la bouche.

CAUSES

Une xérostomie est due à une sécrétion de salive insuffisante (hyposialie), voire nulle (asialie). Ses causes sont nombreuses. Une xérostomie transitoire peut survenir en cas d'anxiété (trac, peur) ou de déshydratation. Une xérostomie prolongée est le plus souvent liée au syndrome de Gougerot-Sjögren, à la prise de certains médicaments (atropiniques, psychotropes tels que les antidépresseurs) ou encore à une radiothérapie anticancéreuse du cou ou de la face.

SYMPTÔMES ET SIGNES

Une xérostomie est extrêmement gênante : le sujet a du mal à s'alimenter et à parler ; il a soif en permanence. De plus, ce trouble entraîne, à terme, des caries et des affections de la bouche.

TRAITEMENT

Il associe le traitement de la cause, quand il est possible, à celui des symptômes de la xérostomie : administration, par voie orale, de médicaments sialagogues (anétholtrithione), pulvérisations buccales répétées de « salive artificielle », etc.

X fragile (syndrome du chromosome)

Affection héréditaire caractérisée par un retard mental modéré, un prognathisme, des oreilles trop grandes et décollées, un crâne étroit et allongé et une augmentation de volume des testicules. SYN. *syndrome de fragilité du chromosome X*.

Le syndrome du chromosome X fragile, appelé dans le langage médical courant syndrome de l'X fragile, ou X fragile, est une maladie liée au sexe.

Cependant, sa transmission présente quelques caractéristiques particulières : alors que normalement, dans les maladies liées au sexe, les femmes peuvent transmettre la maladie mais n'en sont jamais atteintes, dans le cas du syndrome du chromosome X fragile, les femmes peuvent présenter des signes atténués de la maladie ; parallèlement, certains hommes porteurs de l'anomalie chromosomique, et qui devraient donc être atteints, ne le sont pas. Le mécanisme de ce syndrome, très complexe, est aujourd'hui partiellement élucidé. Son nom tient au fait que, chez les sujets malades, le bras long du chromosome X présente une zone de constriction.

Le syndrome de l'X fragile est l'une des causes les plus fréquentes de retard mental chez le garçon. Il peut être dépisté dès la 9e ou la 10e semaine de grossesse par la biopsie de trophoblaste.

PRÉVENTION

Il n'existe pas actuellement de traitement de ce syndrome. Dans les familles touchées, un conseil génétique est recommandé aux couples désireux d'avoir un enfant.

XXY (syndrome)

→ VOIR Klinefelter (syndrome de).

Yersin (Alexandre)

Bactériologiste français d'origine suisse (Lavaux, canton de Vaud, 1863 - Nha Trang, Viêt Nam, 1943).

À Paris, où il travailla à l'Institut Pasteur, il mit en évidence la toxine diphtérique avec le médecin français Émile Roux. Il partit ensuite pour l'Annam, région centrale du Viêt Nam. En tant que médecin du Service de santé colonial, il étudia à Hongkong la peste bubonique et découvrit, en 1894, le germe responsable de cette maladie. Il fonda à Nha Trang, sur la côte d'Annam, un laboratoire destiné à la fabrication du sérum antipesteux qu'il avait lui-même mis au point.

Yersiniose

Infection due à une bactérie du genre *Yersinia*.

Les *Yersinia* forment un genre bactérien de la famille des entérobactéries, constitué de bacilles (bactéries en forme de bâtonnet) à Gram négatif. Ce genre bactérien comporte trois espèces infectant un grand nombre d'animaux et, moins fréquemment, l'homme.

■ **Yersinia enterocolitica**, très répandue dans le sol, l'eau et les végétaux, et présente en faible quantité dans les selles de nombreux individus (porteurs sains), est, dans

En complément d'une préparation classique à l'accouchement, le yoga est une excellente manière d'apprendre aux futures mères à mieux maîtriser leur corps. Les séances sont dirigées par un professeur de yoga parfois assisté d'une sage-femme.

L'exercice du chat consiste à expirer à fond en faisant le "gros dos" pour assouplir la colonne vertébrale en douceur.

La posture du lièvre vise à soulager le dos en étirant la région lombaire. En outre, elle permet un relâchement périnéal.

certains cas, responsable d'entérocolites (inflammation de la muqueuse de l'intestin) se compliquant parfois de septicémie, d'atteinte des ganglions mésentériques, d'érythème noueux ou de polyarthrite.

■ Yersinia pseudotuberculosis, ou bacille de Malassez et Vignal, est responsable chez l'homme de septicémie (état infectieux généralisé) et d'atteinte des ganglions, mésentériques en particulier. Elle provoque parfois des symptômes comparables à ceux de l'appendicite.

■ Yersinia pestis, ou bacille de Yersin, est l'agent de la peste.

DIAGNOSTIC ET TRAITEMENT

Les bacilles sont isolés par coproculture (examen bactériologique des selles) ou par culture d'un prélèvement ganglionnaire en cas d'infection digestive. Toutes les yersinioses sont sensibles aux antibiotiques.

Yoga

Discipline qui englobe à la fois une philosophie, se proposant d'indiquer la finalité de l'existence humaine, et des exercices spirituels et corporels, qui permettent à chacun de mettre en pratique cette philosophie.

HISTORIQUE

Le corpus des rites du yoga s'élabore pendant le premier millénaire av. J.-C. (époques védique et upanishadique). Dès le Ve siècle apr. J.-C., avec le développement de l'hindouisme, apparaissent les docteurs, les compilateurs et les commentateurs, qui rassemblent toutes ces expériences dans une synthèse appelée *rāja-yoga* (yoga royal). En marge de ce modèle ou dérivant de lui, certains courants se centrent sur des réalisations particulières : parmi les principaux en vigueur aujourd'hui, on distingue ainsi le *bhakti-yoga* (forme dévotionnelle d'abandon de soi au divin), le *jñāna-yoga* (orienté vers la connaissance métaphysique) et le *karma-yoga* (exercice de l'action désintéressée).

PRINCIPES

Le yoga comprend une recherche spirituelle ainsi que des règles de vie et des exercices physiques et psychologiques dont la mise en pratique s'accomplit en plusieurs étapes, réparties sur de nombreuses années. L'épo-

que actuelle voit un partage entre deux attitudes fondamentales. La première consiste à utiliser les exercices physiques et psychologiques du yoga pour lutter contre les maux de la vie contemporaine : ainsi, la détente yogique, en agissant sur l'ensemble des muscles, constitue une réponse active aux affections liées au stress ; de la même façon, les exercices de tonification de la sangle abdominale permettent de stimuler le transit intestinal. Quant à la seconde approche, marquée par le goût de l'ésotérisme et la quête d'un « ailleurs » philosophique et spirituel, elle donne parfois lieu à des dérives.

INDICATIONS ET DÉROULEMENT

Bien que, en Inde, il soit souvent utilisé comme complément des médecines traditionnelles, le yoga n'est pas une thérapie. S'il peut aider à guérir certaines affections telles que le mal de dos, la spasmophilie, l'anxiété, l'insomnie, certaines maladies cardiovasculaires, etc., ses applications thérapeutiques restent des aspects annexes, et son rapport à la médecine est plutôt d'accompagnement, le but du yoga restant, même dans le contexte actuel, ce qu'il a toujours été : permettre une meilleure connaissance de soi.

Les séances consistent en séries de mouvements coordonnés au rythme respiratoire, alternées avec des postures immobiles. Celles-ci se répartissent en sept grands groupes selon la position de la colonne vertébrale : étirements, flexions, extensions, inclinaisons latérales, torsions, équilibres, inversions. Elles présentent de nombreuses variantes, selon les parties du corps concernées, le niveau de difficulté et le but recherché (tonification ou, au contraire, assouplissement de différents groupes musculaires, par exemple). Elles permettent de corriger les déformations de la colonne vertébrale (cyphose, hyperlordose) et assouplissent les ceintures pelvienne et scapulaire, restituant leur mobilité au bassin et à la nuque. S'y ajoutent des exercices de tonification et de stimulation des organes abdominaux (foie, reins, intestin). Enfin, la respiration se pratique seule ou associée à des postures. Elle permet, notamment, de mobiliser le diaphragme (muscle séparant le

thorax de l'abdomen), d'assouplir la cage thoracique et d'activer les échanges gazeux à l'aide d'exercices d'expiration/inspiration. Enfin, le yoga permet aux femmes enceintes de mieux connaître leur corps et il leur offre des moyens de détente et d'assouplissement (tonification du périnée, étirement des ligaments de la région du bassin, apprentissage de la respiration profonde, etc.).

Yohimbine

Médicament vasodilatateur.

La yohimbine fait partie des sympatholytiques (substances qui inhibent l'action du système nerveux sympathique). Elle agit en se fixant sur les récepteurs alpha-adrénergiques des cellules de l'organisme et empêche la libération de l'adrénaline. Elle possède des effets vasodilatateurs périphériques, notamment sur les artères cutanées, rénales, intestinales et génitales (corps caverneux du pénis).

Administrée par voie orale, la yohimbine est indiquée dans le traitement de l'impuissance masculine et dans celui de l'hypotension orthostatique (étourdissements au lever et en position debout), en particulier de l'hypotension induite par les antidépresseurs. Elle est contre-indiquée en cas d'insuffisance hépatique ou rénale sévères.

EFFETS INDÉSIRABLES

Ils sont très rares et n'apparaissent qu'à des doses élevées : nervosité, insomnies, migraines, vertiges, tremblements, troubles digestifs (nausées, vomissements, diarrhée), essentiellement.

Yoyo

→ VOIR Aérateur transtympanique.

Yttrium

Élément chimique (Yt), de numéro atomique 39, utilisé sous sa forme stable (non radioactive) dans certains lasers, appelés YAG (laser à grenat d'yttrium et d'aluminium), en ophtalmologie, en pneumologie et en gastroentérologie, et sous sa forme radioactive, l'yttrium 90, en rhumatologie, pour pratiquer des synoviorthèses.

→ VOIR Laser, Synoviorthèse.

Zenker (diverticule de)

Déformation en doigt de gant de la partie basse du pharynx, formant une poche au voisinage du sphincter supérieur de l'œsophage.

CAUSES

Le diverticule de Zenker résulte probablement de l'existence d'un point faible dans la paroi musculaire et d'une contraction anormalement forte du sphincter supérieur de l'œsophage.

SYMPTÔMES ET SIGNES

Cette déformation peut rester longtemps sans symptôme. Elle ne devient gênante que lorsqu'elle grossit : le diverticule se remplit après les repas et se manifeste sous la forme d'une tuméfaction gonflant le cou, qui disparaît en se vidant dans le pharynx.

DIAGNOSTIC ET TRAITEMENT

Le diagnostic se fait par radiographie. Le traitement consiste en l'ablation chirurgicale du diverticule, mais ne se justifie que si celui-ci constitue une véritable gêne.

Zézaiement

Trouble de l'articulation qui consiste à prononcer « ze » à la place de « je » ou de « ce ». SYN. *sigmatisme addental, sigmatisme interdental, zozotement.*

Le zézaiement est très fréquent chez l'enfant avant l'âge de 4 ou 5 ans. Dû à une mauvaise position de la langue, placée trop près des incisives ou entre les arcades dentaires, il est généralement associé à un mode de déglutition de type infantile (dans lequel l'enfant avance sa langue pour déglutir) et à une succion du pouce.

TRAITEMENT

La suppression des biberons et, si possible, de la succion du pouce ou de la tétine permet l'acquisition d'une déglutition normale et peut suffire à mettre fin au zézaiement. Si ce défaut persiste au-delà de 5 ans, quelques séances d'orthophonie contribuent à apprendre à l'enfant à mieux positionner sa langue.

Zidovudine

Médicament antiviral actif sur les rétrovirus, en particulier sur le V.I.H., responsable du sida. SYN. *azidothymidine (A.Z.T.).*

MÉCANISME D'ACTION

La zidovudine a des effets analogues à ceux de la thymidine (substance issue de la thymine, présente dans l'A.D.N. cellulaire). Elle agit sur les rétrovirus en inhibant certaines enzymes virales (transcriptase inverse et A.D.N. polymérase). Le risque infectieux est ainsi diminué, mais le risque d'apparition d'infections opportunistes (ne se déclarant que chez des personnes immunodéprimées) ou de tumeurs persiste malgré le traitement par zidovudine.

INDICATIONS

■ Chez l'adulte, la zidovudine est indiquée aux stades avancés du sida, mais aussi au cours des manifestations précoces de l'infection (dès lors que le taux de lymphocytes T4 est inférieur à 500 par millimètre cube) et chez les patients qui ne présentent encore aucun symptôme mais dont le taux de lymphocytes T4 diminue rapidement.

■ Chez l'enfant de moins de 3 mois, elle est employée en cas de signes nets d'immunodépression.

CONTRE-INDICATIONS ET VOIE D'ADMINISTRATION

La zidovudine est contre-indiquée en cas d'allergie à cette substance et de troubles hématologiques sévères. Elle est administrée par voie orale. Le traitement doit être poursuivi indéfiniment en l'absence d'effets indésirables.

EFFETS INDÉSIRABLES

Ils concernent le sang : anémie pouvant nécessiter des transfusions, neutropénie (diminution de certains globules blancs dits polynucléaires neutrophiles) ou leucopénie (diminution de tous les types de globules blancs). Les autres effets possibles, beaucoup plus rares, sont des nausées, des vomissements, des éruptions cutanées, des douleurs abdominales, une fièvre, des maux de tête, des insomnies, un manque d'appétit, des douleurs musculaires, une faiblesse générale, des troubles de la digestion.

INTERACTIONS MÉDICAMENTEUSES

Il faut éviter d'associer la zidovudine aux médicaments toxiques pour certains constituants du sang (sulfamides, pyriméthamine, par exemple) ainsi qu'aux médicaments capables d'empêcher sa dégradation dans l'organisme (salicylés, anti-inflammatoires non stéroïdiens, clofibrate, cimétidine).

Ziehl-Neelsen (coloration de)

Coloration spécifique utilisée en bactériologie pour mettre en évidence certains bacilles, principalement les mycobactéries, et qui révèle leur caractère acido-alcoolo-résistant, lié à la constitution particulièrement riche en lipides de leur paroi.

La coloration de Ziehl-Neelsen sert notamment à rechercher *Mycobacterium tuberculosis*, c'est-à-dire le bacille de Koch, responsable de la tuberculose, et *Mycobacterium leprae*, le bacille de Hansen, agent de la lèpre.

Zinc

Oligo-élément indispensable à l'organisme, qui permet notamment l'activation d'un grand nombre d'enzymes, principalement celles qui sont impliquées dans la synthèse des protéines (A.R.N. polymérases en particulier).

BESOINS ET SOURCES

Les apports quotidiens conseillés en zinc (Zn) sont de l'ordre de 5 à 10 milligrammes pour l'enfant, de 12 milligrammes pour la femme, de 15 milligrammes pour l'homme et la femme enceinte et de 19 milligrammes pour la femme qui allaite. Les principales sources alimentaires de zinc sont les aliments riches en protéines d'origine animale (viande, poisson, produits laitiers, œufs) mais aussi les légumes secs. L'absorption intestinale du zinc varie selon la composition du repas : de 35 % de la quantité de zinc ingérée (pour un repas normal) à 15 % (pour un repas riche en végétaux et pauvre en viande) ; de plus, les céréales et les légumes secs gênent cette absorption.

DOSAGE ET CARENCE

La zincémie (taux de zinc dans le sérum), de dosage délicat, est fonction de l'apport alimentaire en zinc : les valeurs normales se situent autour de 1,25 milligramme par litre. Une carence en zinc peut être due à un apport alimentaire insuffisant, à une augmentation des besoins (croissance, grossesse), à différents états pathologiques (alcoolisme, diabète, infection) ou à un trouble héréditaire du métabolisme du zinc (acrodermatite entéropathique). Les symptômes de la carence varient selon sa gravité : retard de croissance, altérations de la peau et des muqueuses (dermite séborrhéique, inflammation de la commissure des lèvres, éruption semblable à de l'eczéma ou à du psoriasis), chute des cheveux, perte du goût, diminution de l'appétit, problèmes de cicatrisation, troubles de l'immunité et de la maturation sexuelle (atrophie des gonades [testicules, ovaires], diminution de la spermatogenèse) et, chez la femme enceinte, risque de malformations et d'hypotrophie fœtales.

APPORT EXCESSIF

Une surcharge en zinc peut survenir en cas d'intoxication aiguë ou chronique d'origine industrielle (inhalation de vapeurs riches en oxyde de zinc), en cas de supplémentation excessive ou au cours de maladies héréditaires exceptionnelles (maladie de Pick, hyperzincémie familiale) ; elle risque de provoquer une carence en cuivre, elle-même responsable d'une anémie sévère.

UTILISATION THÉRAPEUTIQUE

Le zinc est utilisé, par voie orale et injectable, dans la prévention et le traitement des carences correspondantes, par voie orale au cours du traitement de l'acné et, localement, comme antiseptique. Il entre également dans la composition de certains médicaments (insuline, par exemple).

Zollinger-Ellison (syndrome de)

Affection caractérisée par la présence d'ulcères multiples et récidivants dans l'estomac et surtout dans le duodénum, associée à une inflammation locale (bulbite, duodénite), à une diarrhée et à une stéatorrhée (présence de graisses dans les selles).

CAUSES

Ces troubles, rares, sont dus à une acidité gastrique excessive causée par l'hypersécrétion d'une hormone digestive, la gastrine, par une ou plusieurs tumeurs bénignes ou malignes d'évolution très lente, appelées gastrinomes. Celles-ci siègent le plus souvent dans le pancréas ou alentour, plus rarement dans la paroi de l'estomac ou du duodénum. Le syndrome de Zollinger-Ellison est soit acquis et isolé, soit héréditaire et associé à l'atteinte d'autres glandes endocrines, les parathyroïdes ou l'hypophyse, par exemple : il fait alors partie d'une néoplasie endocrinienne multiple (maladie héréditaire caractérisée par un hyperfonctionnement de plusieurs glandes endocrines).

ÉVOLUTION

Le syndrome de Zollinger-Ellison entraîne parfois, après plusieurs années, l'apparition de métastases dans le foie.

DIAGNOSTIC

La maladie, suspectée par l'examen endoscopique (fibroscopie œso-gastro-duodénale), est confirmée par des dosages révélant l'excès de gastrine. La tumeur peut être localisée par un scanner abdominal, une échographie ou une angiographie (radiographie des vaisseaux).

TRAITEMENT ET PRONOSTIC
De fortes doses de médicaments freinant la sécrétion acide des cellules gastriques (oméprazole, lauzoprazole) permettent de guérir les ulcères. Contre la tumeur, l'ablation chirurgicale peut être envisagée, associée à une chimiothérapie en cas de métastases. Après traitement, des dosages hormonaux réguliers de gastrine permettent le dépistage précoce d'éventuelles récidives. En raison de l'évolution lente de la tumeur et grâce au traitement mis en œuvre, le pronostic du syndrome de Zollinger-Ellison est très souvent favorable.

Zona
Maladie infectieuse due à la réactivation du virus varicelle-zona. SYN. *herpès zoster*.

CAUSES
Le zona atteint exceptionnellement l'enfant, beaucoup plus fréquemment l'adulte et le vieillard. Il survient chez des sujets ayant eu la varicelle. En effet, le virus responsable de cette maladie persiste à l'état latent après l'infection, pendant la vie entière, dans les ganglions nerveux du rachis ou des nerfs crâniens. Dans certains cas, et notamment lorsqu'il se produit une baisse des défenses immunitaires, ou sous l'effet d'un stress (traumatisme, par exemple), le virus peut se réactiver et infecter le nerf correspondant aux ganglions qu'il occupait. Le zona est une maladie contagieuse, par contact cutané avec les lésions ; il peut provoquer la varicelle chez un sujet n'ayant jamais contracté le virus varicelle-zona.

SYMPTÔMES ET SIGNES
Le zona atteint le plus souvent un nerf intercostal, les symptômes se déclarant alors sur le thorax, mais tous les autres nerfs peuvent être touchés : nerfs cervicaux (éruption se déclarant sur la nuque, le cou, le cuir chevelu), ganglion géniculé (atteinte du conduit auditif externe et de l'intérieur du pavillon de l'oreille), nerf buccopharyngé (atteinte de la face interne de la joue, du voile du palais, de la paroi postérieure du pharynx), nerfs céphaliques et, particulièrement, branche ophtalmique du nerf trijumeau (atteinte de l'œil, ou zona ophtalmique).

La maladie débute par une fièvre modérée et par une sensation de brûlure dans la zone d'émergence du nerf atteint. Après quelques jours apparaît une éruption de petites taches rouges surmontées de vésicules. Dans certains cas, l'éruption peut être très discrète (très peu de vésicules) et passer inaperçue – lorsqu'elle survient à l'aisselle, par exemple –, la maladie se révélant alors exclusivement par des douleurs. Signe caractéristique du zona, l'éruption est unilatérale et recouvre strictement le territoire d'un nerf sensitif – bien qu'on puisse rencontrer quelques vésicules ou quelques rougeurs en dehors de ce territoire. Sur le thorax en particulier, les lésions suivent un tracé grossièrement horizontal qui croise obliquement les côtes.

Dû à une infection de certains nerfs et de la peau par le virus varicelle-zona, le zona survient souvent chez les personnes âgées et les sujets immunodéprimés. Il se traduit par une éruption cutanée très douloureuse, qui touche en général le thorax, plus rarement la nuque ou le cou. Lorsque la partie supérieure de la face est atteinte, l'œil peut être touché : on parle de zona ophtalmique.

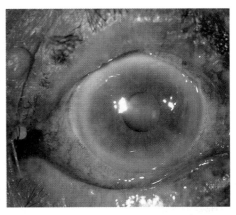

Le zona ophtalmique se manifeste par une inflammation de la cornée, qui devient trouble, et de la conjonctive, qui est parcourue d'un réseau de petits vaisseaux rouges.

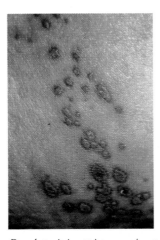

Dans le territoire atteint apparaissent des cloques rouges qui se dessèchent au bout de quelques jours.

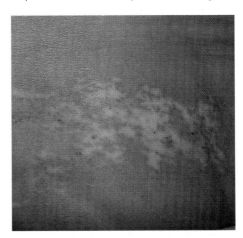

Après guérison, les lésions cutanées peuvent laisser des cicatrices formant de petites taches blanches légèrement déprimées, permettant un diagnostic rétrospectif.

Les vésicules, d'abord translucides, se troublent rapidement. Vers le sixième jour, elles se dessèchent en formant des croûtes ou en se creusant, puis cicatrisent en 15 à 20 jours ; de petites cicatrices déprimées peuvent persister. L'éruption s'accompagne d'une exacerbation de la douleur, qui devient souvent très difficilement supportable, et, dans certains cas, de sueurs et de maux de tête. Elle évolue en deux ou trois poussées sur deux à trois semaines.

COMPLICATIONS
Elles sont surtout à redouter en cas de zona ophtalmique ; en effet, celui-ci peut entraîner, outre des douleurs très intenses, une atteinte de la cornée (kératite), de l'uvée (uvéite), de la rétine (rétinite) ou des nerfs moteurs de l'œil (paralysie oculaire).

Chez les malades dont les défenses immunitaires sont très affaiblies (sujets atteints du sida, de leucémie, sous traitement immunosuppresseur, sous corticothérapie, etc.) existe le risque d'une généralisation de l'infection avec atteinte des viscères, nécrose hémorragique ou méningoencéphalite.

TRAITEMENT ET ÉVOLUTION
Chez les sujets de moins de 50 ans ne souffrant d'aucun déficit immunitaire, le traitement est uniquement celui des symptômes : désinfection et talcage des lésions – les pommades sont formellement déconseillées –, repos, et surtout prise d'analgésiques le plus précocement possible. Chez les malades âgés, les sujets immunodéprimés et ceux chez qui la maladie est très étendue ou entraîne des douleurs importantes, on prescrit en outre des antiviraux (aciclovir), administrés par voie intraveineuse en traitement d'attaque, puis par voie orale.

En cas de zona ophtalmique, il peut être nécessaire de procéder, pendant toute la durée du zona, à une tarsorraphie (suture des paupières) pour empêcher une ulcération ou une surinfection de la cornée.

SÉQUELLES
Ce sont des douleurs, appelées algies postzostériennes, souvent très pénibles, qui peuvent persister des années, surtout chez les personnes âgées ou après un zona ophtalmique. Il est souvent malaisé de les faire disparaître et les analgésiques usuels se révèlent peu opérants. L'efficacité des traitements proposés est d'autant plus grande qu'ils sont prescrits précocement : administration de corticostéroïdes par voie orale pendant 3 ou 4 semaines, radiothérapie mais aussi acupuncture ou mésothérapie.

PRINCIPALES ZOONOSES

Animaux	Maladies	Mode de contamination
Bovins	Brucellose	Contact cutané, ingestion (laitages)
	Charbon	Contact cutané, inhalation
	Fièvre Q	Inhalation, piqûre de tique
	Listériose	Ingestion (viande mal cuite)
	Rage	Morsure
	Ténia du bœuf	Ingestion (viande mal cuite)
	Tuberculose bovine	Ingestion (lait)
	Vaccine	Traite des vaches
Chat	Maladie des griffes du chat	Griffure, morsure
	Mycose	Contact cutané
	Pasteurellose	Morsure
	Rage	Morsure
	Toxoplasmose	Ingestion (aliments contenant des poussières provenant des déjections)
Cheval	Encéphalite équine	Piqûre de moustique (*Ædes*)
	Morve	Contact cutané, inhalation
	Rage	Morsure
	Trichinose	Ingestion (viande mal cuite)
Chèvre	Brucellose	Contact cutané, ingestion (laitages)
Chien	Hydatidose	Ingestion (œufs du parasite)
	Leishmaniose	Piqûre de phlébotome
	Mycose	Contact cutané
	Pasteurellose	Morsure
	Rage	Morsure
	Toxocarose	Ingestion (œufs du parasite)
Lièvre	Tularémie	Contact cutanéomuqueux, ingestion (viande mal cuite), inhalation
Mouton	Brucellose	Contact cutané, ingestion (fromages)
	Charbon	Contact cutané, inhalation
	Douve du foie	Ingestion (douves contenues dans du cresson mal lavé)
	Orf	Tonte, traite
	Rage	Morsure
	Toxoplasmose	Ingestion (viande mal cuite)
Oiseaux	Mycobactériose	Inhalation
	Ornithose	Inhalation
	Pasteurellose	Morsure
	Psittacose	Inhalation
	Salmonellose	Ingestion (eau, aliments contaminés)
Porc	Brucellose	Contact cutané
	Rouget du porc	Blessure avec un os d'un animal contaminé
	Ténia du porc	Ingestion (viande mal cuite)
	Trichinose	Ingestion (viande mal cuite)
Rat	Leptospirose	Contact cutanéomuqueux avec les urines (via l'eau)
	Peste	Piqûre de puce
	Rage	Morsure
	Rickettsiose	Piqûre d'arthropode
	Sodoku	Morsure
Renard	Echinococcose	Ingestion (baies souillées par des déjections du renard)
	Rage	Morsure
Singe	Encéphalite à virus de l'herpès B	Morsure
	Fièvre jaune	Piqûre de moustique (*Ædes* ou *Hæmagogus*)
	Rage	Morsure
Tortue	Mycobactériose	Ingestion (eau contaminée)
	Salmonellose	Ingestion (eau ou aliments contaminés)

Zoonose

Maladie de l'animal transmissible à l'homme.

Certaines zoonoses sont également susceptibles d'être transmises de l'homme à l'animal. Le terme d'anthropozoonose désigne plus spécifiquement les maladies exclusivement transmises de l'animal à l'homme.

Nombre de zoonoses se transmettent à l'homme par contact direct avec un animal infecté, qu'il s'agisse d'un animal familier (chat, chien, oiseau), domestique (bétail) ou sauvage (renard). D'autres se contractent par l'intermédiaire d'un animal vecteur, comme la peste (du rat à l'homme par la puce), le typhus murin (du rat à l'homme par la puce) ou la fièvre jaune (du singe à l'homme par le moustique).

Zooprophylaxie

Ensemble des mesures prises pour empêcher la transmission des zoonoses (maladies transmissibles de l'animal à l'homme).

Ces mesures consistent à contrôler l'état sanitaire des animaux. Elles comprennent la surveillance sanitaire, par les services vétérinaires, des élevages et des animaux ou de la viande d'importation ainsi que la vaccination des animaux domestiques, voire, dans certains cas, des animaux sauvages (vaccination du renard contre la rage, par exemple), le traitement médical ou l'abattage systématique des animaux malades, la mise en quarantaine des animaux transportés (prophylaxie de la rage en Grande-Bretagne, par exemple) et la désinfection du matériel ou des locaux contaminés.

Zoopsie

Hallucination au cours de laquelle le sujet a des visions d'animaux (araignées, serpents, etc.), le plus souvent terrifiantes.

Les zoopsies sont typiques du delirium tremens, confusion mentale due à un sevrage brutal chez l'alcoolique chronique.
→ voir Delirium tremens.

Zoster (herpès)

→ voir Zona.

Zostérien

Qui se rapporte au zona.

Ainsi, les algies postzostériennes sont les séquelles douloureuses d'un zona.

Zygote

Cellule résultant de l'union du spermatozoïde et de l'ovule. syn. *œuf fécondé*.

Le zygote est formé, au moment de la fécondation, par la pénétration de la tête d'un spermatozoïde (gamète mâle) dans l'ovule (gamète femelle). Issus d'une division particulière (méiose), ces gamètes sont chacun porteurs d'un patrimoine génétique réduit de moitié, soit 23 chromosomes dans l'espèce humaine. La fusion de leurs noyaux rétablit le nombre normal de chromosomes – 46 pour l'espèce humaine –, le zygote étant donc la première cellule d'un nouvel être humain.
→ voir Dizygote, Monozygote.

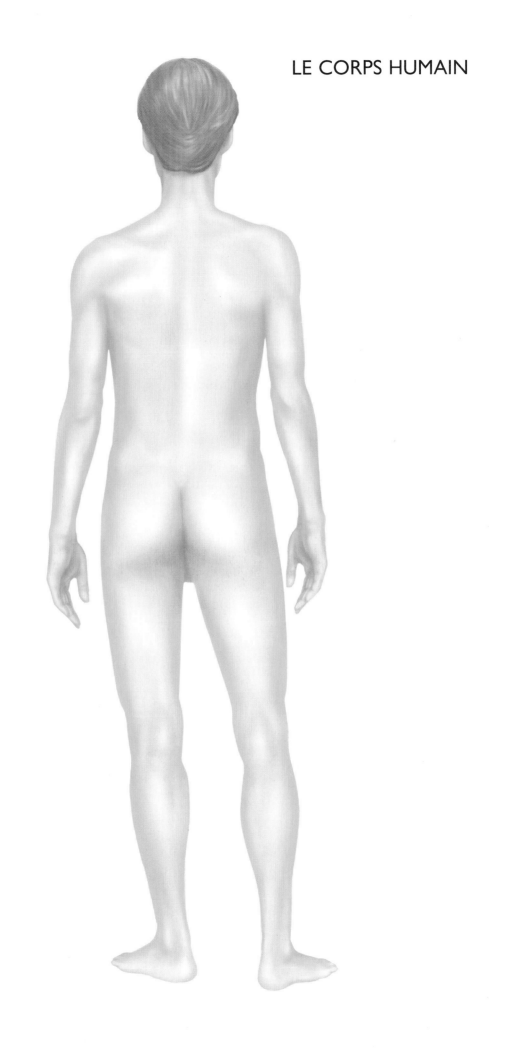

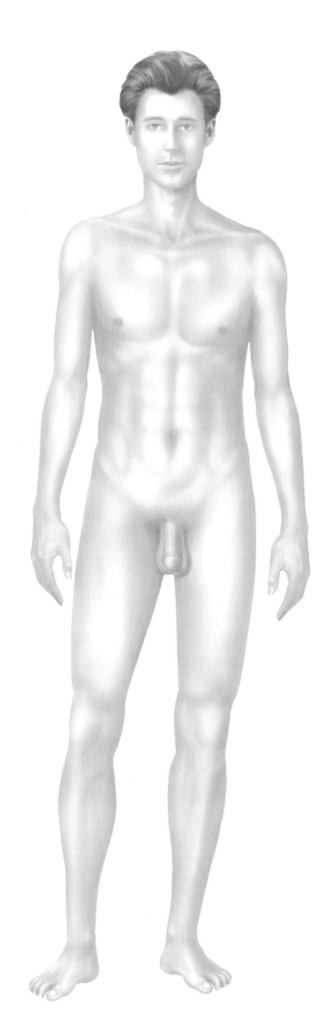

face

vertèbre cervicale
clavicule

omoplate

sternum

humérus

côte
colonne vertébrale

cubitus
radius

os iliaque
appendice

sacrum

carpe

métacarpe

phalange

fémur

tibia

péroné

tarse

phalange

crâne
cerveau

œsophage
trachée

cœur
poumon gauche

diaphragme
foie
estomac

côlon

intestin grêle
bassin

vessie
prostate
canal déférent
urètre
testicule

rotule

métatarse

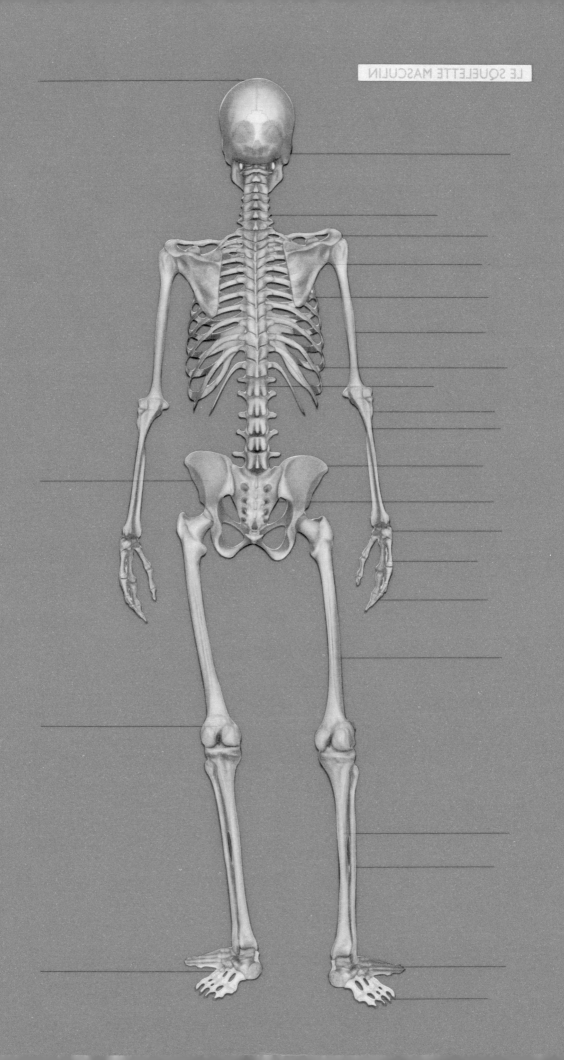

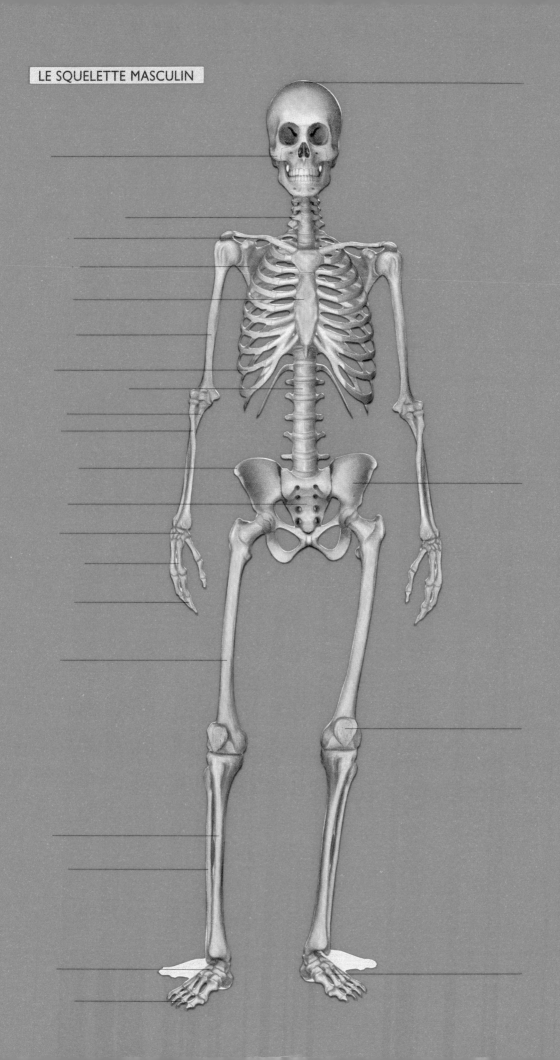

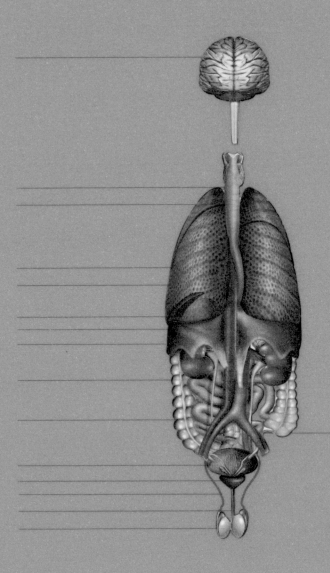

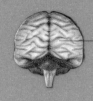

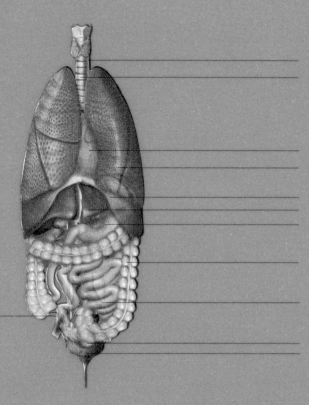

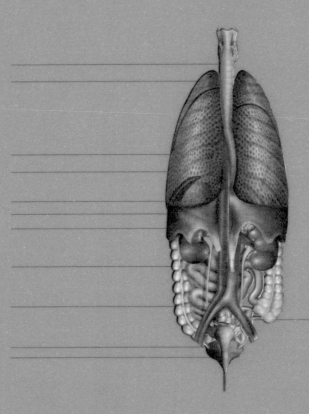

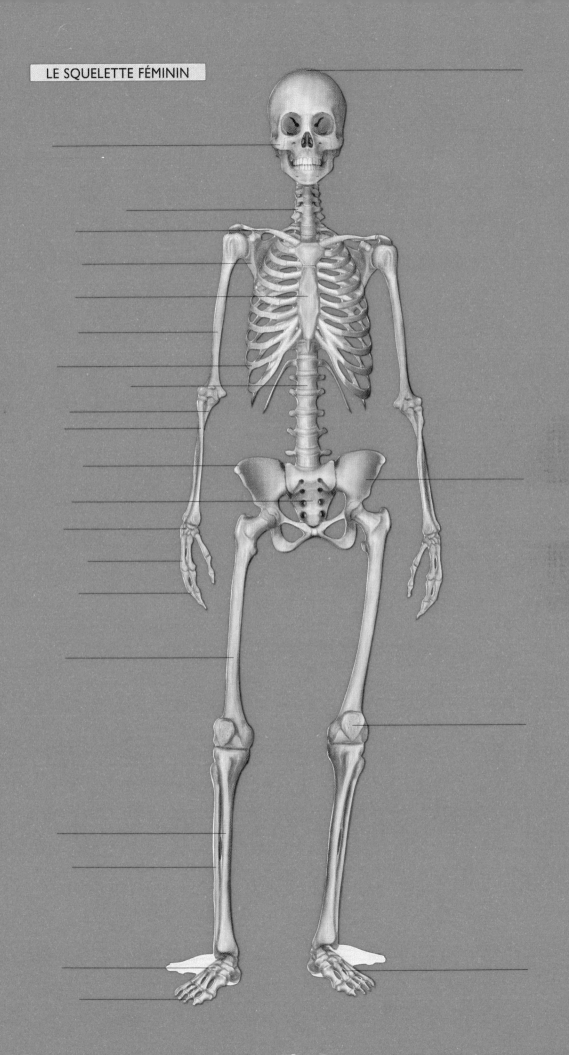

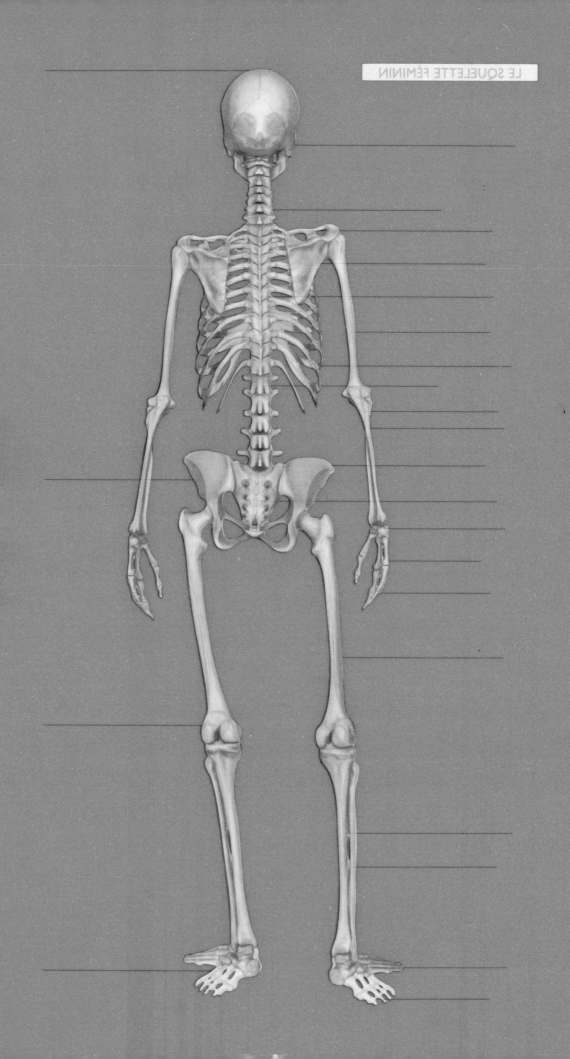

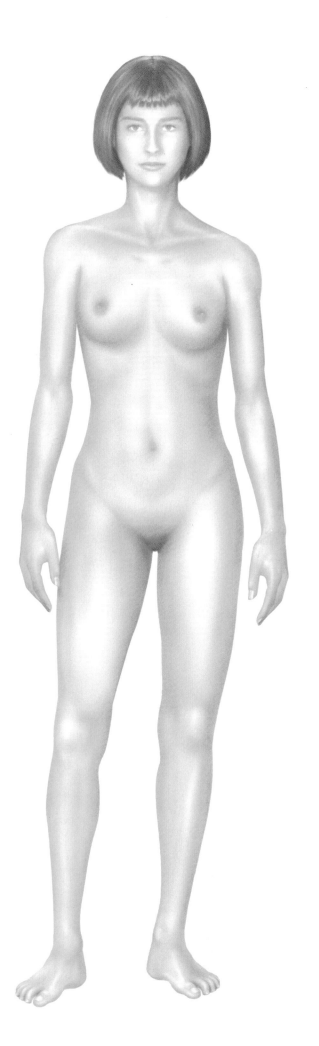

face

vertèbre cervicale
clavicule

omoplate

sternum

humérus

côte
colonne vertébrale

cubitus
radius

os iliaque
appendice

sacrum

carpe

métacarpe

phalange

fémur

tibia

péroné

tarse

phalange

crâne

cerveau

œsophage
trachée

cœur
poumon gauche

diaphragme
foie
estomac

côlon

intestin grêle
bassin

utérus
vessie

rotule

métatarse

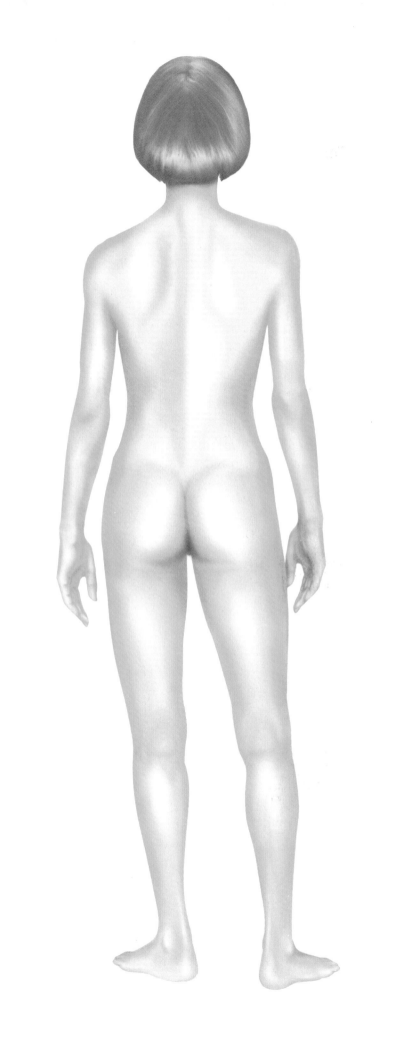

Nomenclature anatomique internationale

Chacun des termes d'anatomie est suivi de son équivalent
dans la nomenclature internationale (P.N.A. Parisiensa Nomina Anatomica)

Abdomen — *Abdomen*
Achille (tendon) — *Tendo calcaneus Achilli*
Acromion — *Acromion*
Adam (pomme d') — *Prominentia laryngæ*
Aine — *Inguen*
Aisselle — *Fossa axillaris*
Alvéole dentaire — *Alveoli dentales*
Alvéole pulmonaire — *Alvéoli pulmonis*
Amygdale — *Tonsillæ*
Anus — *Anus*
Aorte — *Aorta*
Aphophyse — *Apophysis*
Appendice — *Appendix*
Arnold (nerf d') — *Nervus occipitalis major*
Artère — *Arteria*
Artériole — *Arteriola*
Articulation — *Articulationes*
Aryténoïde — *Cartilago arytenoidea*
Astragale — *Talus*
Atlas — *Atlas*
Auricule — *Auricula cordis*
Axillaire (artère, veine) — *Arteria axillaris, vena axillaris*
Axis — *Axis*
Azygos — *Azygos*

Bartholin (glande de) — *Glandula vestibularis major*
Bassin — *Pelvis*
Bassinet — *Pelvis renalis*
Bouche — *Os*
Bourse séreuse — *Bursa mucosa*
Bras — *Brachium*
Bronche — *Bronchus*
Bronchiole — *Bronchioli*
Bulbe rachidien — *Medulla oblongata*

Cæcum — *Cæcum*
Cage thoracique — *Thorax*
Calcanéum — *Calcaneus*
Capillaire — *Vas capillare*
Cardia — *Ostium cardiacum*
Carène — *Carina tracheæ*
Caroncule — *Caruncula*
Carotide (artère) — *Arteria carotis*
Cartilage — *Cartilago*
Cave (veine) — *Vena cava*
Cavum — *Cavum*
Ceinture — *Cingulum*
Cellule — *Cellula*
Cément — *Cémentum*
Cérébrale (artère, veine) — *Arteria cerebri, vena cerebri*
Cerveau — *Cerebrum*
Cervelet — *Cerebellum*
Cheville — *Regiones malleolares*

Chiasma optique — *Chiasma opticum*
Choane — *Choanæ*
Cholédoque (canal) — *Ductus choledochus*
Chorion — *Corium*
Choroïde — *Choroidea*
Clavicule — *Clavicula*
Clitoris — *Clitoris*
Cloison nasale — *Septum nasi*
Coccyx — *Os coccygis*
Cochlée — *Cochlea*
Cœur — *Cor*
Collet — *Collum dentis*
Côlon — *Colon*
Condyle — *Condylus*
Conjonctive — *Tunica conjunctiva*
Corde vocale — *Plica vocalis*
Cordon ombilical — *Funiculus umbilicalis*
Cordon spermatique — *Funiculus spermaticus*
Cornée — *Cornea*
Coronaire (artère, veine) — *Arteria coronaria, vena coronaria*
Corps jaune — *Corpus luteum*
Cortex — *Cortex*
Cortex cérébral — *Cortex cerebri*
Côte — *Costa*
Cotyle — *Acetabulum*
Cou — *Collum*
Coude — *Regio cubiti*
Crâne — *Cranium*
Creux poplité — *Fossa poplitæ*
Cricoïde (cartilage) — *Cartilago cricoidæ*
Cristallin — *Lens*
Cubitale (artère) — *Arteria ulnaris*
Cubitus — *Ulna*
Cuisse — *Fémur*

Deltoïde — *Musculus deltoideus*
Dent — *Dentes*
Diaphragme — *Musculus diaphragma*
Diaphyse — *Diaphysis*
Diencéphale — *Diencephalon*
Doigt — *Digitus manus*
Douglas (cul-de-sac de) — *Excavatio recto-uterina*
Duodénum — *Duodenum*
Dure-mère — *Dura mater*

Encéphale — *Encephalon*
Enclume — *Incus*
Endocarde — *Endocardium*
Endomètre — *Endometrium*
Épaule — *Articulatis humeri*
Épendyme — *Ependyma*
Épicondyle — *Epicondylus lateralis*

Épiderme — *Epidermis*
Épididyme — *Epididymis*
Épigastre — *Epigastrium*
Épiglotte — *Cartilago epiglottica*
Épiphyse — *Epiphisis*
Épiploon — *Omentum*
Épisclère — *Lamina episcleralis*
Épitrochlée — *Epicondylus medialis humeri*
Estomac — *Gaster*
Ethmoïde — *Os ethmoidale*
Étrier — *Stapes*
Eustache (trompe d') — *Tuba auditiva*

Face — *Facies*
Faciale (artère) — *Arteria facialis*
Fallope (trompe de) — *Tuba uterina*
Fascia — *Fascia*
Faux du cerveau — *Falx cerebri*
Fémorale (artère, veine) — *Artéria fémoralis, vena fémoralis*
Fémur — *Femur*
Fesse — *Nates ou clunes*
Fessier (muscle) — *Musculus gluteus*
Foie — *Hepar*
Fontanelle — *Fonticuli cranii*

Gastro-duodénale (artère) — *Artera gastro-duodenalis*
Gencive — *Gengiva*
Genou — *Genu*
Glande — *Glomus*
Glomus carotidien — *Glomus caroticum*
Glotte — *Glottis*

Hanche — *Coxa*
Hépatique (artère) — *Arteria hepatica communis*
Hile — *Hilus*
Humérale (artère, veine) — *Artéria bractrialis, venæ comitantes*
Humérus — *Humerus*
Hypocondre — *Hypocondrium*
Hypogastre — *Regio pubica*
Hypopharynx — *Cavum pharyngis, pars laryngea*
Hypophyse — *Hypophysis*
Hypothalamus — *Hypothalamus*
Hypothénar — *Hypothenar*

Iléon — *Ileum*
Iliaque (artère, veine) — *Arteria iliaca, vena iliaca*
Iris — *Iris*

Jambe — *Crus*
Jéjunum — *Jejunum*
Jugulaire (veine) — *Vena jugularis*

Keith et Flack (nœud de) — *Nodus sinuatrialis*

Labyrinthe — *Labyrinthus*
Langue — *Lingua*
Larynx — *Larynx*
Lèvre — *Labium*
Lèvres — *Labium majorus pudendi, labium minorus pudendi*
Ligament — *Ligamentum*
Lobe — *Lobus*
Luette — *Uvula*

Macula — *Fovea centralis, macula*
Main — *Manus*
Marteau — *Mallleus*
Mastoïde — *Processus mastoideus*
Maxillaire inférieur — *Mandibula*
Maxillaire supérieur — *Maxilla*
Méat — *Meatus*
Médiastin — *Mediastinum*
Meibomius (glande de) — *Glandula torsalis*
Membre — *Membrum*
Méningée (artère) — *Artera meningæ*
Méninges — *Meninges*
Ménisque — *Meniscus articularis*
Mésencéphale — *Mesencephalon*
Mésentère — *Mesenterium*
Méso — *Mesenteriolum*
Métacarpe — *Metacarpus*
Métatarse — *Metatarsus*
Moelle épinière — *Medulla spinalis*
Muqueuse buccale — *Tunica mucosa*
Muscle — *Musculus*
Myocarde — *Myocardium*

Nerf — *Nervus*
Nerf crânien — *Nervus cranialis*
Nerf rachidien — *Nervus spinalis*
Nuque — *Nucha*

Oddi (sphincter d') — *Sphincter ampullæ hepato-pancreaticæ*
Œil — *Oculus*
Œsophage — *Esophagus*
Olécrane — *Olécranon*

1141

Ombilic	*Umbilicus*	
Omoplate	*Scapula*	
Ongle	*Unguis*	
Ophtalmique (artère)	*Arteria ophtalmica*	
Orbite	*Orbita*	
Oreille	*Auris*	
Oreillette	*Atrium*	
Oropharynx	*Cavum pharyngis, pars oralis*	
Orteil	*Digiti pedis*	
Os	*Os*	
Ovaire	*Ovarium*	
Palais	*Palatum*	
Pancréas	*Pancreas*	
Papille	*Papilla*	
Papille linguale	*Papillæ linguales*	
Papille optique	*Papilla nervi optici*	
Paramètre	*Parametrium*	
Paume	*Palma manus*	
Paupière	*Palpebra*	
Pavillon de l'oreille	*Auricula*	
Peau	*Cutis*	
Pectoral (muscle)	*Musculus pectoralis*	
Pédieuse (artère)	*Artera dorsalis pedis*	
Pelvis	*Pelvis*	
Pénis	*Penis*	
Péricarde	*Pericardium*	
Péritoine	*Peritoneum*	
Péroné	*Fibula*	
Péronier latéral (muscle)	*Musculus peroneus*	
Péronière (artère)	*Artera peronæ*	
Pharynx	*Pharynx*	
Pied	*Pes*	
Plantaire	*Plantaris*	
Plèvre	*Pleura*	
Plexus	*Plexus*	
Plexus choroïdes	*Plexus choroideus*	
Pneumogastrique (nerf)	*Truncus vagalis*	
Poignet	*Carpus*	
Poil	*Pilus*	
Poplitée (artère)	*Arteria poplitæ*	
Porte (veine)	*Vena portæ*	
Pouce	*Digitus I, pollex*	
Poumon	*Pulmo*	
Prépuce	*Preputium*	

Promontoire	*Promontorium*	
Prostate	*Prostata*	
Protubérance annulaire	*Pons*	
Psoas (muscle)	*Musculus iliopsoas*	
Pubis	*Pubis*	
Pulmonaire (artère, veine)	*Arteria pulmonalis, vena pulmonalis*	
Pulpe dentaire	*Pulpa*	
Pupille	*Pupilla*	
Pylore	*Pylorus*	
Quadriceps crural (muscle)	*Musculus quadriceps femoris*	
Queue de cheval	*Cauda equina*	
Rachis	*Columna vertebralis*	
Racine dentaire	*Radix dentis*	
Radiale (artère)	*Arteria radialis*	
Radius	*Radius*	
Raphé	*Raphe*	
Rate	*Lien*	
Rectum	*Rectum*	
Rein	*Ren*	
Rénale (artère)	*Arteria renis*	
Rétine	*Retina*	
Rhinencéphale	*Rhinencephalon*	
Rhombencéphale	*Rhombencephalon*	
Rocher	*Pars petrosa, os temporale*	
Rolando (scissure de)	*Sulcus centralis*	
Rotule	*Patella*	
Sacrum	*Sacrum*	
Saphène (veine)	*Vena saphena*	
Scaphoïde carpien	*Scaphoideum*	
Scaphoïde tarsien	*Os naviculare*	
Scarpa (triangle de)	*Trigonum femorale*	
Sclérotique	*Sclera*	
Scrotum	*Scrotum*	
Sébacée (glande)	*Glandula sebacæ*	
Sein	*Mamma*	
Selle turcique	*Sella turcica*	
Semi-lunaire	*Os lunatum*	
Septum	*Septum*	
Sésamoïde	*Os sesamoida*	
Sinus	*Sinus*	

Sinus carotidien	*Sinus carotidieus*	
Sinus coronaire	*Sinus coronarius*	
Sinus veineux crânien	*Sinus duræ matris*	
Sous-clavière (artère, veine)	*Arteria subclavia, vena subclavia*	
Sphénoïde	*Os sphenoidale*	
Sphincter	*Sphincter*	
Sterno-cléido-mastoïdien ou sterno-mastoïdien (muscle)	*Musculus sterno-cleidomastoideus*	
Sternum	*Sternum*	
Substance blanche	*Substantia alba*	
Substance grise	*Substantia grisæ*	
Substance réticulée	*Formatio reticularis*	
Sudoripare (glande)	*Glandula sudorifera*	
Surrénale (glande)	*Glandula suprarenalis*	
Sylvienne (artère)	*Arteria cerebri media*	
Symphye	*Symphisis*	
Synoviale	*Membrana synovialis*	
Système lymphatique	*Systema lymphaticum*	
Système nerveux	*Systema nervosum*	
Système porte	*Vena portæ*	
Talon	*Calx*	
Tarse	*Tarsus*	
Tarse palpébral	*Tarsus palpebrae*	
Temporal (os)	*Os temporale*	
Temporale (artère)	*Arteria temporalis*	
Tendon	*Tendo*	
Tente du cervelet	*Tentorium cerebelli*	
Testicule	*Testis*	
Thalamus	*Thalamus*	
Thénar	*Thenar*	
Thorax	*Thorax*	
Thymus	*Thymus*	
Thyroïde (glande)	*Glandula thyroidæ*	
Tibia	*Tibia*	
Tibiale (artère)	*Arteria tibialis*	
Tissu	*Tela*	
Tissu conjonctif	*Tela conjunctiva*	
Trabéculum	*Trabecula*	

Trachée	*Trachæ*	
Tractus	*Tractus*	
Trapèze (muscle)	*Musculus trapezius*	
Triceps (muscle)	*Musculus triceps*	
Tronc	*Truncus*	
Tronc cérébral	*Truncus encephalicus*	
Trou de conjugaison	*Foramen intervertebrale*	
Tubercule	*Processus accessorius*	
Tubérosité osseuse	*Tuberositas*	
Tympan	*Membrana tympani*	
Uretère	*Ureter*	
Urètre	*Urethra*	
Utérus	*Uterus*	
Uvée	*Tunica vasculosa bulbi*	
Vagin	*Vagina*	
Vaisseau	*Vas*	
Valve	*Valva*	
Valvule	*Valvula*	
Vater (ampoule de)	*Ampulla hepatopancreatica*	
Veine	*Vena*	
Ventricule	*Ventriculus*	
Ventricule cardiaque	*Ventriculus cordis*	
Ventricule cérébral	*Ventriculus cerebri*	
Vertèbre	*Vertebra*	
Vésicule biliaire	*Vesica fellea*	
Vésicule séminale	*Vesicula seminalis*	
Vessie	*Vesica urinaria*	
Vestibule	*Vestibulum*	
Vitré	*Corpus vitreum*	
Viscère	*Viscera*	
Voies optiques	*Tractus opticus*	
Voile du palais	*Velum palatinum*	
Voûte crânienne	*Calvaria*	
Voûte plantaire	*Arcus pedis longitudinalis*	
Vulve	*Pudendum feminimum*	
Wirsung (canal de)	*Ductus pancreaticus*	

Index

ILLUSTRATEURS

Michel Saemann

Claire Bianchi, Laurent Blondel, Dominique Guéveneux,
François Poulain, Léonie Schlosser

CRÉDITS PHOTOGRAPHIQUES

Les folios et le placement sont suivis du nom du photographe et de l'organisme ou de l'agence ayant fourni le document. Le placement dans la page est déterminé de la façon suivante : g = gauche ; m = milieu ; d = droite ; h = haut ; b = bas.

p. C 1-0, S.P.L. / Pasieka A. - Cosmos ; p. C 2-0, S.P.L. / Livermore L. - Cosmos ; p. 2, BSIP ; p. 3, BSIP ; p. 4, Révy J. C. - C.N.R.I. ; p. 5, C.N.R.I. ; p. 6-hg, BSIP ; p. 6-mg, BSIP ; p. 6-hd, GCA - C.N.R.I. ; p. 6-md, GJLP - C.N.R.I. ; p. 9, Bingen A.H. - Sygma ; p. 12, S.P.L. / Livermore L. - Cosmos ; p. 15-m, BSIP ; p. 15-hd, Goivaux - Rapho ; p. 17, C.N.R.I. ; p. 18, Delarbre P. - Explorer ; p. 23, Clinique Ste-Catherine - C.N.R.I. ; p. 24-g, Goivaux - Rapho ; p. 24-m, C.N.R.I. ; p. 27, Dr. Lacher G. - C.N.R.I. ; p. 28, Goivaux - Rapho ; p. 29, Elf-Sanofi ; p. 31, Bogaerts J. - ANA ; p. 41, Allard P. - REA ; p. 42, Barrelle - BSIP ; p. 45-g, Elf-Sanofi ; p. 45-m, Montreal Neuro Inst. Mac Gill University - C.N.R.I. ; p. 49, BSIP ; p. 57, Malzieu F. - C.N.R.I. ; p. 60, Pol A. - C.N.R.I. ; p. 61-bg, C.N.R.I. ; p. 61-bd, Clinica Claros - C.N.R.I. ; p. 63-h, Pr. Tonnelier - BSIP ; p. 63-m, CCN - C.N.R.I. ; p. 63-b, CCN - C.N.R.I. ; p. 65-mb, Pr. Privat Y. - C.N.R.I. ; p. 65-hd, Dopamine - C.N.R.I. ; p. 65-bd, Dr. Zara - BSIP ; p. 66, CCN - C.N.R.I. ; p. 67, C.N.R.I. ; p. 68, Dr. Surugue P. - C.N.R.I. ; p. 69, C.N.R.I. ; p. 71, Dr. Franceschini Ph. - C.N.R.I. ; p. 73, Dopamine - C.N.R.I. ; p. 77, Dopamine - C.N.R.I. ; p. 86, Goivaux - Dr. Rovani - Rapho ; p. 88, Triller-Berretti - C.N.R.I. ; p. 89, GJLP - C.N.R.I. ; p. 91, C.N.R.I. ; p. 95, Pol A. - C.N.R.I. ; p. 96, BSIP ; p. 98, Dr. Dupont - C.N.R.I. ; p. 99-bg, C.N.R.I. ; p. 99-bd, BSIP ; p. 102-h, C.N.R.I. ; p. 102-m, Goivaux-Grison J. - Rapho ; p. 103, Gueho E. - C.N.R.I. ; p. 105, Goivaux - Dr. Trottot - Rapho ; p. 109-h, C.N.R.I. ; p. 109-md, Pol A. - C.N.R.I. ; p. 109-mg, BSIP ; p. 113, S.P.L. / Prof. Motta - University la Sapienza - Rome - Cosmos ; p. 115, Goivaux - Pr. Callard - Rapho ; p. 120-mh, C.N.R.I. ; p. 120-hg, BSIP ; p. 120-bg, C.N.R.I. ; p. 120-m, BSIP ; p. 133, Dadoune - BSIP ; p. 135, Bricaire - BSIP ; p. 137, Model P. - C.N.R.I. ; p. 139, Triller-Berretti - C.N.R.I. ; p. 143-hg, Goivaux - Rapho ; p. 143-mg, Goivaux - Rapho ; p. 143-hd, Pr. Touraine - BSIP ; p. 143-bg, C.N.R.I. ; p. 143-mb, C.N.R.I. ; p. 143-bd, Dr. Bricaire - BSIP ; p. 144, Rouland F. - Rapho ; p. 145, C.N.R.I. ; p. 146-g, Dopamine - C.N.R.I. ; p. 146-m, Dopamine - C.N.R.I. ; p. 147-g, Prof. Lebeau ; p. 147-m, Prof. Lebeau ; p. 149, C.N.R.I. ; p. 151, C.N.R.I. ; p. 152, Leca - BSIP ; p. 156, C.N.R.I. ; p. 157, Goivaux - Rapho ; p. 158, Dr. Miegeville - BSIP ; p. 161-mh, Giraudet - BSIP ; p. 161-hd, Révy J. C. - C.N.R.I. ; p. 161-m, CMSP - Berndt - BSIP ; p. 161-b, C.N.R.I. ; p. 164, Dr.

Zara - BSIP ; p. 165-bg, Secchi-Lecaque / Roussel-Uclaf - C.N.R.I. ; p. 165-bd, C.N.R.I. ; p. 169-h, C.N.R.I. ; p. 169-m, C.N.R.I. ; p. 171, Lambert M. - BSIP ; p. 173, Goivaux - Rapho ; p. 174-hg, C.N.R.I. ; p. 175-h, C.N.R.I. ; p. 175-m, Goivaux - Rapho ; p. 177, S.P.L. / Terry S. - Cosmos ; p. 179-h, Secchi- Lecaque / Roussel-Uclaf - C.N.R.I. ; p. 179-bg, Dr. Rateau - BSIP ; p. 179-bd, S.P.L. / Prof. Motta - University la Sapienza - Rome - Cosmos ; p. 180-h, Goivaux - Rapho ; p. 180-mg, Goivaux - Rapho ; p. 180-md, Goivaux - Rapho ; p. 184-h, Brucker - BSIP ; p. 184-b, BSIP ; p. 185, Val d'Or - BSIP ; p. 189, Goivaux - Rapho ; p. 191, Ducloux - BSIP ; p. 193, Model P. - C.N.R.I. ; p. 195-h, Goivaux - Rapho ; p. 195-mg, Frilet P. - Sipa Press ; p. 195-md, Frilet P. - Sipa Press ; p. 199, C.N.R.I. ; p. 200, Goivaux - Rapho ; p. 201, Bories P. - C.N.R.I. ; p. 205-g, Pol A. - C.N.R.I. ; p. 205-m, BSIP ; p. 209, Koch-Constrato - REA ; p. 211, S.P.L. / Prof. Motta - Correr S. - Cosmos ; p. 213-mh, C.N.R.I. ; p. 213-hd, C.N.R.I. ; p. 213-mg, Goivaux - Dr. Rovani - Rapho ; p. 213-md, Goivaux - Dr. Rovani - Rapho ; p. 216, C.N.R.I. ; p. 220, C.N.R.I. ; p. 221- h, GCA - C.N.R.I. ; p. 221-b, Pol A. - BSIP ; p. 224, S.P.L. / Prof. Motta - University la Sapienza - Rome - Cosmos ; p. 227, Pr. Duron - I.N.S.E.R.M. ; p. 229, C.N.R.I. ; p. 230, CMSP - BSIP ; p. 233, Triller-Berretti - C.N.R.I.; p. 235, C.N.R.I ; p. 242-h, C.N.R.I. ; p. 242-m, C.N.R.I. ; p. 243, C.N.R.I. ; p. 244, Pr. Tonnelier - BSIP ; p. 251, Cortier - BSIP ; p. 254, Révy J. C. - C.N.R.I. ; p. 256, Secchi-Lecaque / Roussel - Uclaf - C.N.R.I. ; p. 257-h, C.N.R.I. ; p. 257-m, C.N.R.I. ; p. 264, Durand F. - Sipa Press ; p. 267-g, Ducloux - BSIP ; p. 267-m, Pr. Bories J. - C.N.R.I. ; p. 267-d, Dr. Bensahel - BSIP ; p. 270-m, Boucharlat - BSIP ; p. 270-d, C.N.R.I. ; p. 271, Pr. Barraquer J. - C.N.R.I. ; p. 275, Kokel - BSIP ; p. 281, C.N.R.I. ; p. 285, Allard P. - REA ; p. 297-h, Allard P. - REA ; p. 297-m, Allard P. - REA ; p. 297-b, C.N.R.I. ; p. 303-mg, C.N.R.I. ; p. 303-bg, S.P.L. - Cosmos ; p. 303-bd, C.N.R.I. ; p. 306, C.N.R.I. ; p. 307, ISG -Technology Allegro - C.N.R.I. ; p. 309, C.N.R.I. ; p. 310-hg, Goivaux - Rapho ; p. 310-hd, C.N.R.I. ; p. 312, Pol A. - C.N.R.I. ; p. 318, C.N.R.I. ; p. 320, Rebuffe - BSIP ; p. 327, BSIP ; p. 328, Bories P. - C.N.R.I. ; p. 329, Goivaux - Dr. Rovani - Rapho ; p. 330, Stephant - BSIP ; p. 331, Barts Pictures - C.N.R.I. ; p. 332, Kokel - BSIP ; p. 333-hg, C.N.R.I. ; p. 333-hd, Triller-Berretti - C.N.R.I. ; p. 333-bg, Ducloux -

BSIP ; p. 333-bd, Dr. Zara - BSIP ; p. 340-h, Bouree - BSIP ; p. 340-b, Amar - BSIP ; p. 343-h, ARFIV - C.N.R.I. ; p. 343-mg, CMSP-Rawlins - BSIP ; p. 343-m, ARFIV - C.N.R.I. ; p. 343-md, Dr. Boyer - C.N.R.I. ; p. 343-bg, Nilsson L. ; p. 343-bd, Nilsson L. ; p. 347, Goivaux - Rapho ; p. 350, C.N.R.I. ; p. 352, Pr. Touraine - BSIP ; p. 358, Dr. Busson - C.N.R.I. ; p. 362-h, NMSB - BSIP ; p. 362-b, Dr. Zara - BSIP ; p. 363, Pr. Touraine - BSIP ; p. 366-hg, NMSB - BSIP ; p. 366-hd, Dr. Noble J. P. - C.N.R.I. ; p. 366-bg, Goivaux - Rapho ; p. 366-bd, Dr. Coulaud - BSIP ; p. 367, Dr. Zara - BSIP ; p. 369, C.N.R.I. ; p. 370, Dopamine - C.N.R.I. ; p. 371, BSIP ; p. 372, S.P.L. / Prof. Motta - University la Sapienza - Rome - Cosmos ; p. 378, NMSB - BSIP ; p. 379, Collection Dr. Glimet - BSIP ; p. 385-h, Guigoz - Petit-Format ; p. 385-m, C.N.R.I. ; p. 388-h, Dr. Sundstrom - C.N.R.I. ; p. 388-b, S.P.L. / Leroy F. Biocosmos - Cosmos ; p. 389, CMSP - Rawlins - BSIP ; p. 391-d, C.N.R.I. ; p. 391-g, Clinica Claros - C.N.R.I. ; p. 393, Overseas - Pr. Castano - C.N.R.I. ; p. 395-hg, C.N.R.I. ; p. 395-hd, Pr. Remy - C.N.R.I. ; p. 395-m, GJLP - C.N.R.I. ; p. 401, C.N.R.I. ; p. 404-h, C.N.R.I. ; p. 404-mg, Dopamine - C.N.R.I. ; p. 404-md, Nilsson L. ; p. 404-bg, Nilsson L. ; p. 404-bd, Nilsson L. ; p. 406-hg, Dr. Rateau - BSIP ; p. 406-bd, C.N.R.I. ; p. 407-bd, Goivaux - Rapho p. 407-bg, GCA - C.N.R.I. ; p. 408, Kokel - BSIP ; p. 410-hg, Pr. Bezes - C.N.R.I. ; p. 410-hd, Allard P. - REA ; p. 411, NMSB - BSIP ; p. 413-hg, Marsan C. - BSIP ; p. 413-hd, Marsan C. - BSIP ; p. 413-mg, Marsan C. - BSIP ; p. 413-md, Marsan C. - BSIP ; p. 413-b, Goivaux - Rapho ; p. 414, Pr. Privat Y. - C.N.R.I. ; p. 416-g, BSIP ; p. 416-d, J. C. Revy ; p. 418-h, Phototake - C.N.R.I. ; p. 418-b, BSIP ; p. 420, C.N.R.I. ; p. 426, S.P.L. / Prof. Motta - University la Sapienza - Rome - Cosmos ; p. 427, S.P.L. / Prof. Motta - University la Sapienza - Rome - Cosmos ; p. 428, Murez S. - Rapho ; p. 430-g, Dr. Bensahel - BSIP ; p. 430-d, Dr. Bensahel - BSIP ; p. 431, Dopamine - C.N.R.I. ; p. 433-bg, Kokel - BSIP ; p. 433-bd, Kokel - BSIP ; p. 433-h, Cabanis - BSIP ; p. 434-g, BSIP ; p. 434-d, Phototake - C.N.R.I. ; p. 435, C.N.R.I. ; p. 439-h, Pr. Castano - Overseas - C.N.R.I. ; p. 442-h, BSIP ; p. 442-mg, C.N.R.I. ; p. 442-md, C.N.R.I. ; p. 443-g, C.N.R.I. ; p. 443-d, C.N.R.I. ; p. 444, Collection Daniel F. ; p. 446-g, Kokel - BSIP ; p. 446-d, Goivaux - Grison J. - Rapho ; p. 448-g, BSIP ; p. 448-d, BSIP ; p. 451-h, Pol A. - C.N.R.I. ; p. 451-m, Kabalan -

BSIP ; p. 451-b, Gyssels H. - Diaf ; p. 453-b, Dr. Abeille - C.N.R.I. ; p. 454, Dr. Gombergh - Petit-Format ; p. 455, Goivaux - Rapho ; p. 456, Publiphoto - C.N.R.I. ; p. 457, Ducloux - BSIP ; p. 458-g, C.N.R.I. ; p. 458-d, C.N.R.I. ; p. 462, S.P.L. / Prof. Motta - University la Sapienza - Rome - Cosmos ; p. 463-g, C.N.R.I. ; p. 463-d, Krassovsky - BSIP ; p. 467, Révy J. C. - C.N.R.I. ; p. 474, Institut Pasteur - C.N.R.I. ; p. 478-g, NMSB - BSIP ; p. 478-d, NMSB - BSIP ; p. 480-g, Dr. Zara - BSIP ; p. 480-d, Collection Dr. Daniel F. ; p. 482, Collection Dr. Daniel F. ; p. 484-g, BSIP ; p. 484-d, BSIP ; p. 491-g, Goivaux - Rapho ; p. 491-d, Goivaux - Rapho ; p. 492-m, Goivaux - Rapho ; p. 492-bg, GJLP - C.N.R.I. ; p. 492-bd, GJLP - C.N.R.I. ; p. 497, Pr. P. Morel ; p. 503, NMSB - BSIP ; p. 513, C.N.R.I. ; p. 517-hg, C.N.R.I. ; p. 517-hd, C.N.R.I. ; p. 517-mg, Montreal Neuro Inst. Mac Gill University - C.N.R.I. ; p. 517-md, Centre Jean Perrin - C.N.R.I. ; p. 517-bg, Pol A. - C.N.R.I. ; p. 517-bd, Montreal Neuro Inst. Mac Gill University - C.N.R.I. ; p. 517-mb, Dr. Devaux J. R.; p. 518, BSIP ; p. 520, Goivaux - Rapho ; p. 523, Dr. Zara - BSIP ; p. 529-g, Mediamed-Publi Photo - C.N.R.I. ; p. 529-d, Mediamed-Publi Photo - C.N.R.I. ; p. 543, Révy J. C. - C.N.R.I. ; p. 546, Triller-Berretti - C.N.R.I. ; p. 547, I.N.S.E.R.M. ; p. 553, Ser. Fouliquen - I.N.S.E.R.M. ; p. 560-g, BSIP ; p. 560-d, Goivaux - Rapho ; p. 561, Dr. Surugue P. - C.N.R.I. ; p. 562-bg, Dr. Zara - BSIP ; p. 562-h, C.N.R.I. ; p. 563-b, Goivaux - Rapho ; p. 563-mg, Collection Dr. Daniel F. ; p. 563-hd, Triller-Berretti - C.N.R.I. ; p. 564, Pr. P. Morel ; p. 566-hg, BSIP ; p. 566-hd, Goivaux - Rapho ; p. 566-b, C.N.R.I. ; p. 568-hg, Triller-Berretti - C.N.R.I. ; p. 568-hd, Goivaux - Rapho ; p. 568-m, GCA - C.N.R.I. ; p. 574, C.N.R.I. ; p. 576-g, Pr. Traissac - C.N.R.I. ; p. 576-d, Dr. Verhulst J. - C.N.R.I. ; p. 577, BSIP ; p. 579-mg, DPA - BSIP ; p. 579-h, Cavillon - BSIP ; p. 579-md, Malzieu F. - C.N.R.I. ; p. 583, Triller-Berretti - C.N.R.I. ; p. 584-h, Institut Pasteur - C.N.R.I. ; p. 584-m, BSIP ; p. 584-b, BSIP ; p. 585-b, Triller-Berretti - C.N.R.I. ; p. 585-h, NMSB - BSIP ; p. 587-h, Dr. Bricaire - BSIP ; p. 587-mg, Dr. Dedet - C.N.R.I. ; p. 587-md, BSIP ; p. 588-m, BSIP ; p. 588-bg, BSIP ; p. 588-bd, BSIP ; p. 590-g, Barrelle - BSIP ; p. 590-d, C.N.R.I. ; p. 591-hg, Phototake-Carolina Biological Supp. - C.N.R.I. ; p. 591-mg, Phototake-Carolina Biological Supp. - C.N.R.I. ; p. 591-bg, C.N.R.I. ; p. 591-h, Secchi-Lecaque / Roussel-Uclaf - C.N.R.I. ; p. 591-md1, Phototake - Carolina Biological Supp. - C.N.R.I. ; p. 591-md2, Secchi-Lecaque / Roussel - Uclaf - C.N.R.I. ; p. 591-b, BSIP ; p. 593-g, Dr. Zara - BSIP ; p. 593-d, Triller-Berretti - C.N.R.I. ; p. 594, Le Diascorn - Rapho ; p. 596, NMSB - BSIP ; p. 597, C.N.R.I. ; p. 598-mh, C.N.R.I. ; p. 598-mb, Dopamine - C.N.R.I. ; p. 598-b, Révy J. C. - C.N.R.I. ; p. 599, Phototake - C.N.R.I. ; p. 601, S.P.L. / Prof. Motta - University la Sapienza - Rome - Cosmos ; p. 603, Pr. Laredo J. D. - C.N.R.I. ; p. 605, Goivaux - Rapho ; p. 607-g, C.N.R.I. ; p. 607-d, Pr. Bezes - C.N.R.I. ; p. 608-g, Phototake - C.N.R.I. ; p. 608-d, Goivaux - Rapho ; p. 609, Goivaux - Dr. Rovani - Rapho ; p. 611-g, Goivaux - Dr. Rovani - Rapho ; p. 611-d, C.N.R.I. ; p. 612, Révy J. C. - C.N.R.I. ; p. 616-b, Révy J. C. - C.N.R.I. ; p. 616-h, Phototake - C.N.R.I. ; p. 617, C.N.R.I. ; p. 621, C.N.R.I. ; p. 626, Prest D. - C.N.R.I. ; p. 627, Willemin P. - Bousser P. - C.N.R.I. ; p. 630-g, NMSB - BSIP ; p. 630-d, C.N.R.I. ; p. 639, GCA - C.N.R.I. ; p. 644, Barts Pictures - C.N.R.I. ; p. 645, C.N.R.I. ; p. 653-h, Bories P. - C.N.R.I. ; p. 653-g, Goivaux - Rapho ; p. 653-d, Pol A. - C.N.R.I. ; p. 655, Goivaux - Rapho ; p. 660, Collection Dr. Daniel F. ; p. 662, BSIP ; p. 664, Tulane M. - Rapho ; p. 665-g, BSIP ; p. 665-d, BSIP ; p. 671, Triller - Berretti - C.N.R.I. ; p. 673-g,

S.P.L. / Dr. Eyden B. - Cosmos ; p. 673-d, Pr. Wegmann - C.N.R.I. ; p. 675-g, Dr. Zara - BSIP ; p. 675-m, Triller - Berretti - C.N.R.I. ; p. 675-h, APA - BSIP ; p. 675-d, Dr. Noble J. P. - C.N.R.I. ; p. 676, NMSB - BSIP ; p. 678-g, BSIP ; p. 678-d, BSIP ; p. 680-g, BSIP ; p. 680-d, Révy J. C. - C.N.R.I. ; p. 682, Dr. Surugue P. - C.N.R.I. ; p. 684-g, Goivaux - Rapho ; p. 684-d, C.N.R.I. ; p. 685-bg, Dr. Zara - BSIP; p. 685-md, Goivaux - Rapho ; p. 685-bd, Dr. Zara - BSIP ; p. 688-g, Goivaux - Rapho ; p. 688-d, Goivaux - Rapho ; p. 693-h, Pr. Franck ; p. 693-b, Pr. Franck ; p. 695, GCA - C.N.R.I. ; p. 697-g, CMSP LEESTMA - BSIP ; p. 697-d, Pol A. - C.N.R.I. ; p. 701-h, Goivaux - Rapho ; p. 701-b, Institut Pasteur C.N.R.I. ; p. 703, NMSB BSIP ; p. 704-h, Gyssels H. - Diaf ; p. 704-g, Gyssels H. - Diaf ; p. 704-d, Gyssels H. - Diaf ; p. 706, C.N.R.I. ; p. 715, Girvande - C.N.R.I. ; p. 716, C.N.R.I. ; p. 722, VEM - BSIP ; p. 726, Triller-Berretti - C.N.R.I. ; p. 729, C.N.R.I. ; p. 730, NMSB - BSIP ; p. 732, NMSB - BSIP ; p. 733, Dr. Mandel E. ; p. 735-h, Briolle P. - Rapho ; p. 735-b, C.N.R.I. ; p. 737-b, NMSB - BSIP ; p. 737-m, C.N.R.I. ; p. 737-d, BSIP ; p. 739-g, C.N.R.I. ; p. 739-d, Goivaux - Rapho ; p. 740-hg, Dr. Lacher C. - C.N.R.I. ; p. 740-hd, Clinica Claros - C.N.R.I. ; p. 740-bg, BSIP ; p. 740-bd, BSIP ; p. 742-hg, Dr. Abeille - C.N.R.I. ; p. 742-mg, BSIP ; p. 742-md, BSIP ; p. 747-g, BSIP ; p. 747-d, L.B.L. - BSIP ; p. 749, C.N.R.I. ; p. 753-h, C.N.R.I. ; p. 753-b, Goivaux - Rapho ; p. 755-g, Kokel - BSIP ; p. 755-d, Sidea Revuz - BSIP ; p. 756, CMSP NIH - BSIP ; p. 761, C.N.R.I. ; p. 765-h, Révy J. C. - C.N.R.I. ; p. 765-b, Overseas - Pr. Castano - C.N.R.I. ; p. 768-g, Révy J. C. - C.N.R.I. ; p. 768-d, C.N.R.I. ; p. 771-g, Goivaux - Rapho ; p. 771-d, C.N.R.I. ; p. 783, BSIP ; p. 784-g, C.N.R.I. ; p. 784-d, BSIP ; p. 785, Clinica Claros - C.N.R.I. ; p. 790, C.N.R.I. ; p. 791, C.N.R.I. ; p. 792, C.N.R.I. ; p. 796-g, Sidea Revuz - BSIP ; p. 796-d, C.N.R.I. ; p. 797-h, C.N.R.I. ; p. 797-b, C.N.R.I. ; p. 799-h, C.N.R.I. ; p. 799-bg, Goivaux - Rapho ; p. 799-bd, Goivaux - Grison J. - Rapho ; p. 806-g, Goivaux - Dr. Trottot - Rapho ; p. 806-d, C.N.R.I. ; p. 807, C.N.R.I. ; p. 809-g, Sidea Revuz - BSIP ; p. 809-d, C.N.R.I. ; p. 812-g, BSIP ; p. 812-d, BSIP ; p. 813, C.N.R.I. ; p. 816-hg, Dr. Verhulst J. - C.N.R.I. ; p. 816-bg, Dr. Ferlaud - C.N.R.I. ; p. 816-hd, Ducloux - BSIP ; p. 816-md, Ducloux - BSIP ; p. 816-bd, Ducloux - BSIP ; p. 820, BSIP ; p. 826-h, S. I. - BSIP ; p. 826-b, Overseas - Pr. Castano - C.N.R.I. ; p. 840-h, GJLP - C.N.R.I. ; p. 840-b, Ducloux - BSIP ; p. 845, Ducloux - BSIP ; p. 846, Triller-Berretti - C.N.R.I. ; p. 849-g, Pr. Privat Y. - C.N.R.I. ; p. 849-d, Triller-Berretti - C.N.R.I. ; p. 853, C.N.R.I. ; p. 856, Triller-Berretti - C.N.R.I. ; p. 859, C.N.R.I. ; p. 862, NMSB - BSIP ; p. 864-g, BSIP ; p. 864-d, BSIP ; p. 866, Triller-Berretti - C.N.R.I. ; p. 867, Set I - BSIP ; p. 873, GJLP - C.N.R.I. ; p. 874-g, Barts Pictures - C.N.R.I. ; p. 874-d, BSIP ; p. 877, Triller-Berretti - C.N.R.I. ; p. 878, C.N.R.I. ; p. 880-d, BSIP ; p. 880-h, C.N.R.I. ; p. 880-g, C.N.R.I. ; p. 882-g, Gyssels H. - Diaf ; p. 882-h, Laurent - BSIP ; p. 882-m, Gyssels H. - Diaf ; p. 886-g, C.N.R.I. ; p. 886-d, Pr. Castano - Overseas - C.N.R.I. ; p. 891, S.P.L. / Prof. Motta - University la Sapienza - Rome - Cosmos ; p. 894, C.N.R.I. ; p. 895-g, Pr. Barraquer J. - C.N.R.I. ; p. 895-d, Kokel - BSIP ; p. 896, Phototake - C.N.R.I. ; p. 900, Ducloux - BSIP ; p. 901, C.N.R.I. ; p. 903-h, Barts Pictures - C.N.R.I. ; p. 903-g, BSIP ; p. 903-d, BSIP ; p. 906, Baret M. - Rapho ; p. 907, Dr. Franceschini Ph. - C.N.R.I. ; p. 908, Dr. Bricaire - BSIP ; p. 909, C.N.R.I. ; p. 912, Institut Pasteur - C.N.R.I. ; p. 913-hg, Dr. White J.- NP - C.N.R.I. ; p. 913-hd, Dr. Ruzicka F. - C.N.R.I. ; p. 913-bg, C.N.R.I. ; p. 913-bd, Phototake - C.N.R.I. ; p. 919, Goivaux - Rapho ; p. 920-g, C.N.R.I. ; p. 920-d, C.N.R.I. ; p. 923, BSIP ; p. 924, BSIP ; p. 925-g, Pr. Privat Y.

- C.N.R.I. ; p. 925-d, BSIP ; p. 927, Centre Jean Perrin - C.N.R.I. ; p. 928-g, BSIP ; p. 928-d, BSIP ; p. 932, Goivaux - Grison J. - Rapho ; p. 940, Dr. Franceschini Ph. - C.N.R.I. ; p. 941, Courtieu - BSIP ; p. 942, C.N.R.I. ; p. 948, Goivaux - Rapho ; p. 949-g, C.N.R.I. ; p. 949-d, GCA - C.N.R.I. ; p. 950, C.N.R.I. ; p. 960-g, BSIP ; p. 960-m, Secchi-Lecaque / Roussel - Uclaf - C.N.R.I. ; p. 960-d, C.N.R.I. ; p. 961, C.N.R.I. ; p. 963, C.N.R.I. ; p. 964-h, Goivaux - Rapho ; p. 964-b, BSIP; p. 967, Goivaux Rapho ; p. 968-g, Dr. Franceschini Ph. - C.N.R.I. ; p. 968-d, C.N.R.I. ; p. 976, I.N.S.E.R.M.; p. 977-g, BSIP ; p. 977-d, NMSB - BSIP ; p. 978-g, C.N.R.I. ; p. 978-d, Centre national d'ophtalmologie des Quinze-Vingts ; p. 979, C.N.R.I. ; p. 981, Goivaux - Rapho ; p. 982, CMSP LEESTMA - BSIP ; p. 986, Goivaux - Rapho ; p. 987-bg, BSIP ; p. 987-bd, Goivaux - Rapho ; p. 987-h, BSIP ; p. 989, Phototake - C.N.R.I. ; p. 990, C.N.R.I. ; p. 994, C.N.R.I. ; p. 998, Dr. Dupont - C.N.R.I. ; p. 999-g, Dr. Franceschini Ph. - C.N.R.I. ; p. 999-d, Dr. Franceschini Ph. - C.N.R.I. ; p. 1001-g, GJLP - C.N.R.I. ; p. 1001-d, GJLP - C.N.R.I. ; p. 1004, Ducloux - BSIP ; p. 1006, Montreal Neuro Inst. Mac Gill University - C.N.R.I. ; p. 1008-g, Stevenson J. - BSIP ; p. 1008-d, Stevenson J. - BSIP ; p. 1013-g, Barrelle - C.N.R.I. ; p. 1013-d, Barrelle - C.N.R.I. ; p. 1014-g, C.N.R.I. ; p. 1014-d, Gueho E. - C.N.R.I. ; p. 1015, NMSB - BSIP ; p. 1017, C.N.R.I. ; p. 1019, Phototake - C.N.R.I. ; p. 1022, Siemens - BSIP ; p. 1024-g, C.N.R.I. ; p. 1024-d, C.N.R.I. ; p. 1026, Pr. Flandrin; p. 1034-g, VEM - BSIP ; p. 1034-d, C.N.R.I. ; p. 1040, GJLP - C.N.R.I. ; p. 1041, Montreal Neuro Inst. Mac Gill University - C.N.R.I. ; p. 1045, Dr. Zara - BSIP ; p. 1048-g, GJLP - C.N.R.I. ; p. 1048-m, Goivaux - Rapho ; p. 1048-d, Pr. Barraquer J. - C.N.R.I. ; p. 1051-h, Dopamine - C.N.R.I. ; p. 1051-b, Pr. Barraquer J. - C.N.R.I. ; p. 1053, Vieil J. P. - Rapho ; p. 1059, NMSB - BSIP ; p. 1060, Goivaux - Rapho ; p. 1061-g, C.N.R.I. ; p. 1061-d, C.N.R.I.; p. 1063-g, BSIP ; p. 1063-d, Pr. Gentilini M. ; p. 1066-hg, Goivaux - Rapho ; p. 1066-hd, C.N.R.I. ; p. 1066-b, GJLP - C.N.R.I. ; p. 1072, Dr. Zara - BSIP ; p. 1073-h, BSIP ; p. 1073-b, Dopamine - C.N.R.I. ; p. 1081, S.P.L. / Prof. Motta - University la Sapienza - Rome - Cosmos ; p. 1083, BSIP ; p. 1084, Pr. Privat Y. - C.N.R.I. ; p. 1086, Pr. Remy - C.N.R.I.; p. 1093-g, Révy J. C. - C.N.R.I. ; p. 1093-d, Goivaux - Rapho ; p. 1094-g, Goivaux - Dr. Rovani - Rapho ; p. 1094-d, Barts Pictures - C.N.R.I. ; p. 1095, Goivaux - Rapho ; p. 1099, Dr. Ferlaud - C.N.R.I. ; p. 1101, Kabalan - BSIP ; p. 1102, CMSP - BSIP ; p. 1103, Vieil J. P. - Rapho ; p. 1104-g, Barts Pictures - C.N.R.I. ; p. 1104-h, Triller-Berretti - C.N.R.I. ; p. 1104-d, BSIP ; p. 1107, VEM - BSIP ; p. 1112, C.N.R.I. ; p. 1114-hd, Institut Pasteur - C.N.R.I. ; p. 1114-hg, C.N.R.I. ; p. 1114-mb, C.N.R.I. ; p. 1114-bg, CMSP - BSIP ; p. 1114-bd, Pr. G. De Thé - C.N.R.I. ; p. 1114-b, Institut Pasteur - C.N.R.I. ; p. 1117-h, S.P.L. / Prof. Motta - University la Sapienza - Rome - Cosmos ; p. 1117-b, S.P.L. / Prof. Motta - University la Sapienza - Rome - Cosmos ; p. 1121, Goivaux - Rapho ; p. 1130, Dr. Zara - BSIP ; p. 1134, Kokel - BSIP ; p. 1135, BSIP ; p. 1137-d, Gyssels H. - Diaf ; p. 1137-g, Gyssels H. - Diaf ; p. 1139-h, Pr. Barraquer J. - C.N.R.I. ; p. 1139-d, Goivaux - Rapho ; p. 1139-g, Dr. Franceschini Ph. - C.N.R.I.

Pages de garde : coupe de peau du cuir chevelu (microscope optique), S.P.L. / Michler A. et H. - Cosmos.

Photocomposition MAURY, Malesherbes
Impression GRAFICA EDITORIALE, Bologne
Dépôt légal : février 1998 - N° éditeur : 18877
Imprimé en Italie (Printed in Italy)
510800-06 - Décembre 1998

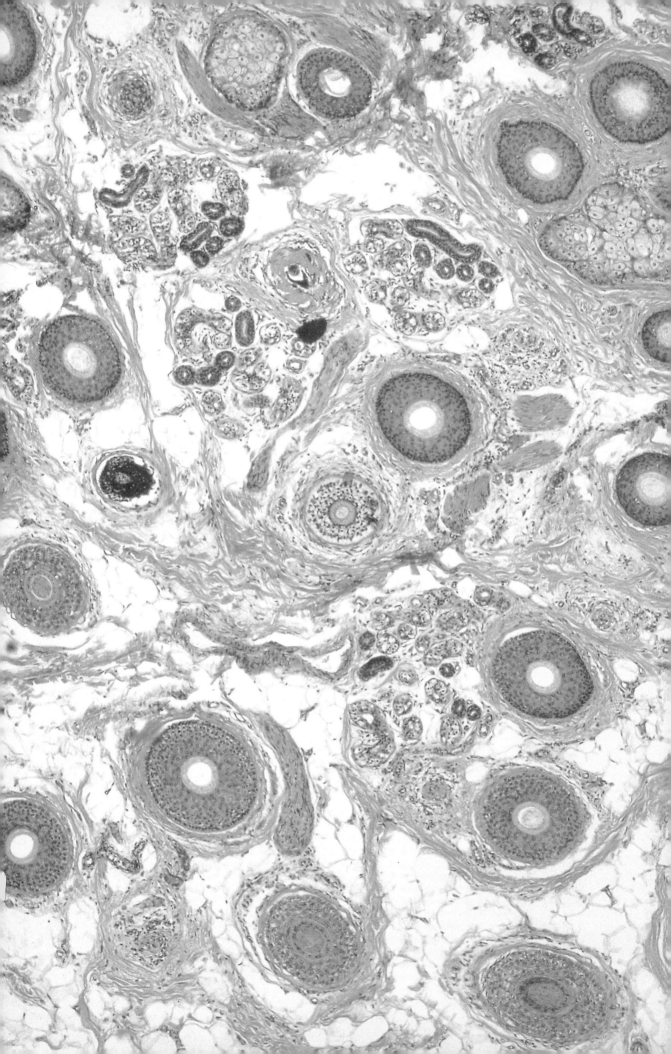